Ouvrages édités par les Dictionnaires LE ROBERT
107, avenue Parmentier, 75011 PARIS (France).

Dictionnaires de langue :

— *Grand Robert de la langue française* (deuxième édition).
Dictionnaire alphabétique et analogique de la langue française (9 vol.).
Une étude en profondeur de la langue française.
Une anthologie littéraire de Villon à Queneau et à nos contemporains.

— *Petit Robert 1 [P. R. 1].*
Dictionnaire alphabétique et analogique de la langue française
(1 vol., 2 208 pages, 59 000 articles).
Le classique pour la langue française : 8 dictionnaires en 1.

— *Robert méthodique [R. M.].*
Dictionnaire méthodique du français actuel
(1 vol., 1 648 pages, 34 300 mots et 1 730 éléments).
Le seul dictionnaire alphabétique de la langue française qui groupe les mots par familles.

— *Micro-Robert.*
Dictionnaire du français primordial
(1 vol., 1 232 pages, 30 000 articles).
Un dictionnaire d'apprentissage du français.

— *Dictionnaire universel* d'Antoine Furetière
(édition de 1690, préfacée par Bayle).
Réédition anastatique (3 vol.), avec illustrations du XVIIe siècle et index thématiques.
Précédé d'une étude par Alain Rey :
« Antoine Furetière, imagier de la culture classique ».
Le premier grand dictionnaire français.

— *Le Robert des sports.*
Dictionnaire de la langue des sports
(1 vol., 586 pages, 2 780 articles, 78 illustrations et plans cotés),
par Georges PETIOT.

Dictionnaires de noms propres :
(Histoire, Géographie, Arts, Littératures, Sciences...)

— *Grand Robert des noms propres.*
Dictionnaire universel des noms propres
(5 vol., 3 504 pages, 42 000 articles, 4 500 illustrations couleurs et noir, 210 cartes).
Le complément culturel indispensable du *Grand Robert de la langue française.*

— *Petit Robert 2 [P. R. 2].*
Dictionnaire des noms propres
(1 vol., 2 106 pages, 36 000 articles, 2 200 illustrations couleurs et noir, 200 cartes).
Le complément, pour les noms propres, du *Petit Robert 1.*

— *Dictionnaire universel de la peinture.*
(6 vol., 3 022 pages, 3 500 articles, 2 700 illustrations couleurs).

Dictionnaires bilingues :

— *Le Robert et Collins.*
Dictionnaire français-anglais/english-french
(1 vol., 1 536 pages, 225 000 « unités de traduction »).

— *Le « Junior » Robert et Collins.*
Dictionnaire français-anglais/english-french
(1 vol., 960 pages, 105 000 « unités de traduction »).

— *Le « Cadet » Robert et Collins.*
Dictionnaire français-anglais/english-french
(1 vol., 624 pages, 60 000 « unités de traduction »).

— *Le Robert et Signorelli.*
Dictionnaire français-italien/italiano-francese
(1 vol., 3 008 pages, 339 000 « unités de traduction »).

*Consultez à la fin de ce volume
les titres de la collection* « Les usuels du ROBERT ».

LE GRAND ROBERT
DE LA LANGUE FRANÇAISE

LE GRAND ROBERT
DE LA LANGUE FRANÇAISE

DICTIONNAIRE
ALPHABÉTIQUE ET ANALOGIQUE
DE LA LANGUE FRANÇAISE

de Paul ROBERT

DEUXIÈME ÉDITION
entièrement revue et enrichie
par
Alain REY

Tome IX
Suc - Z

Le ROBERT
107, avenue Parmentier, Paris-XIᵉ

Deuxième édition entièrement revue et enrichie.

Tous droits réservés pour le Canada.
© 1985, Les Dictionnaires ROBERT - CANADA S.C.C.
Montréal, Canada.

*Tous droits de reproduction, de traduction et d'adaptation
réservés pour tous pays.*
© 1985, Dictionnaires LE ROBERT
107, avenue Parmentier, 75011 PARIS.

ISBN 2-85036-099-6 (édition complète).
ISBN 2-85036-100-3 (tome IX).

On trouvera en tête du premier volume
les préfaces de Paul ROBERT et d'Alain REY,
l'explication des signes conventionnels, abréviations et conventions,
les principes de la transcription phonétique,
les correspondances des principales datations lexicales
ainsi que la liste des collaborateurs de l'ouvrage;
et à la fin de ce volume les annexes suivantes :
dérivés de noms propres de personnes et de lieux (noms d'habitants),
tableaux des conjugaisons des verbes français,
bibliographie et liste des suffixes.

Suc

SUC [syk] n. m. — 1488 ; lat. *sucus, succus* « sève, suc ». → Succulent, sucer ; essuyer.

♦ **1.** Didact. ou vx. **a** Liquide contenu dans certaines substances
organiques (plantes, chair des animaux), et qui était considéré
comme leur partie la plus substantielle*, la plus agissante. Liquide
susceptible d'être extrait des tissus animaux ou végétaux. *Suc de
viande.* ⇒ **Jus.** *Suc des herbes, des fleurs* (→ Cellule, cit. 5), *des
plantes, des fruits.* ⇒ **Eau** (II., C. 3.), *jus, sève. Suc laiteux* (latex),
résineux (résine ; manne...), *vénéneux* (poison, venin). — *Sucs végétaux utilisés en pharmacie. Suc d'aloès, de pavot* (opium), *de
réglisse, de certains fruits* (⇒ 1. **Rob**). *Suc d'herbes* (→ Guérir,
cit. 11). *Sucs distillés* (→ Élixir, cit. 2). — *Exprimer*, extraire
le suc en pressant, en écrasant.* ⇒ **Épreindre**, vx (→ aussi Froisser,
cit. 7).

1   La mauve, le dictame ont, avec des pavots,
    Mêlé leurs sucs puissants qui donnent le repos (...)
                                   André CHÉNIER, Bucoliques, VI.

2   (...) un chanoine de Notre-Dame (...) qui (...) un peu dégoûté de la matérialité de
    la chose, s'était fait fabriquer des sucs de viandes, des essences de légumes, du
    sublimé d'aliments, dont il se nourrissait, sous la forme immatérielle de quelques
    gouttes prises dans un flacon.
                       Ed. et J. DE GONCOURT, Journal, 11 août 1874, t. V, p. 103.

b Vx. Substance liquide contenue dans la terre, les roches..., considérée comme principe actif, nutritif. *Suc calcaire, vitreux*
(→ Impur, cit. 1 ; infiltrer, cit. 1). — Anc. Chim. *Sucs arseni-
caux, bitumeux...*

c (1694, *suc digestif, gastrique* ; en biol., fin XIXᵉ). Histol. Liquide cellulaire. *Sucs nutritifs du fruit* (cit. 6) ; *sucs nucléaires, vacuolaires.*

Physiol. Liquide de sécrétion, ferment* organique de la digestion
(*sucs digestifs*). *Suc gastrique* (*suc d'appétit* ou *suc psychique* et
suc chimique) ; *suc pancréatique* ; *suc intestinal* (⇒ **Chyle**).

3   Les médecins qui cherchent à se rendre compte si tel médicament diminue ou
    augmente l'acidité de l'estomac, active ou ralentit ses sécrétions, obtiennent des
    résultats différents, non pas selon l'estomac sur les sécrétions duquel ils prélèvent
    un peu de suc gastrique, mais selon qu'ils le lui empruntent à un moment plus ou
    moins avancé de l'ingestion du remède.
                              PROUST, le Temps retrouvé, Pl., t. III, p. 970.

♦ **2.** (1636). Par métaphore, fig. Ce qu'il y a de plus substantiel.
⇒ **Élixir, quintessence** (2.) ; **substance** (→ La substantifique*
moelle). *Le suc de la science* (→ Instance, cit. 1). *S'assimiler le
suc de...* (→ Néophyte, cit. 3).

4   J'ai faim ; les nourritures de nos pères n'ont plus suc suffisant pour moi.
                                   GIDE, Nouveaux prétextes, p. 56.

SUCCÉDANÉ [syksedane] adj. et n. m. — 1800 ; *succédanée*,
1690 ; lat. *succedaneus*, de *succedere* « remplacer ». → Succéder.

★ **I.** Adj. Vx. *Médicament succédané* (→ ci-dessous, II., 1.).

★ **II.** N. m. ♦ **1.** Méd. Médicament* ayant les mêmes propriétés
qu'un autre, auquel on peut le substituer*. — Adj. *Médicament
succédané.*

♦ **2.** (1812). Cour. Produit qui peut en remplacer un autre. ⇒ **Substitut** (→ Produit de remplacement*, de substitution*). — Vieilli
(1940-1945). Produit remplaçant le café*. *Un paquet de succédané.*

♦ **3.** (Abstrait). Ce qui peut remplacer, suppléer une chose absente,
insuffisante. *L'imposture..., un succédané de la force* (→ Fonder,
cit. 23). *La confidence, succédané laïque de la confession* (cit. 4).
— Péj. « *Les sous-Rembrandt et les succédanés de Michel-Ange* »
(→ Sous-, cit. Malraux).

    Injures, quolibets, etc., sont marques d'impuissance, et même de lâchetés, étant
    des succédanés pour des meurtres (...)
                       VALÉRY, Mauvaises pensées, Œ., t. II, Pl., p. 832.

SUCCÉDER [syksede] v. tr. ind. — Conjug. *céder*. — V. 1355 ;
subcéder, v. 1290 ; lat. *succedere* « venir sous..., à la place de... ; remplacer » (→ Succédané), de *sub-*, et *cedere* « aller, avancer ».
SUCCÉDER À (qqn, qqch.).

★ **I.** ♦ **1.** (XVIIᵉ). Venir après (qqn), de manière à prendre sa charge,
sa dignité, sa place*. ⇒ **Successeur.** *Succéder à qqn dans son
emploi*, à l'Académie. Roi, chef d'État qui succède à un autre.
— Absolt. *Les fils de Louis XIV, déclarés légitimes* (cit. 6) *et aptes
à succéder.*

Par ext. *Succéder à son père* (à la tête d'une entreprise, etc.),
prendre sa suite* (→ aussi Manitou, cit. 2).

♦ **2.** (V. 1355). Recueillir par succession* le patrimoine de (qqn).
⇒ **Hériter** (→ Descendant, cit. 1 ; héritier, cit. 6 ; hoir, cit. 1). *Il a
succédé à son oncle.* — (Sans compl. en à). *Être apte, habile à succéder.* ⇒ **Successible.** *Indignes* (cit. 6) *de succéder.*

♦ **3.** (1559). Vx. Parvenir à (une dignité, un titre, une place...),
après la personne qui avait cette dignité, cette place. *Succéder au
royaume, à l'empire, à la couronne.* — Par ext. *Succéder au crédit
de qqn*, obtenir le même crédit... (Voltaire).

Spécialt. Obtenir par droit de succession*.

1   Le roi, pour ne pas laisser s'éteindre le nom et les titres des maisons de Lenon-
    court et de Givry, va autoriser par une ordonnance mon frère à succéder aux noms,
    titres et armes des Lenoncourt-Givry.
             BALZAC, Mémoires de deux jeunes mariées, Pl., t. I, p. 253.

♦ **4.** (V. 1380). Choses. Arriver, se produire, venir après*. **a** (Dans
le temps). ⇒ **Remplacer, suivre.** — REM. Le mot a passé du sens fort
de « remplacer, venir prendre la même place » (dans un ordre préétabli),
à celui, purement temporel, de « venir après » (→ Succession). *Succéder à qqch.* (→ Brouillard, cit. 12 ; clarté, cit. 2 ; doux, cit. 17 ; ère,
cit. 7 ; gothique, cit. 10 ; phénomène, cit. 2 ; progression, cit. 1).
Religion qui succède à une autre (→ Harmoniser, cit. 1). « *Le jour
succède au jour* » (→ Douleur, cit. 13 ; flétrir, cit. 21). *Le lundi a
le tort de succéder au dimanche* (→ Écolier, cit. 7). — *Succéder à
qqch. brusquement, rapidement, sans transition* (→ Contralto,
cit. 2).

2   Puis on ne voit plus rien. Tout s'efface et recule.
    La nuit morne succède au sombre crépuscule.
                                   HUGO, la Légende des siècles, LIV, IV.

3   Aux bravades succéda l'inquiétude, puis le découragement.
                         MÉRIMÉE, Hist. de Pierre le Grand, p. 29.

b (Dans l'espace). *Des champs succédaient aux vignes. Le graphique* (cit. 3), *avec sa montée incessante, puis le long plateau qui lui succédait.*

★ **II.** (XVIᵉ). Vx. ♦ **1.** Advenir de telle ou telle manière. *Chose qui
succède à qqn*, qui lui arrive (cf. Molière, *le Dépit amoureux*, III,
1). *Succéder de qqch.*, en résulter.

♦ **2.** (1639). Réussir bien. ⇒ **Succès** (cit. 1). — Spécialt. *Succéder à
qqn*, lui être favorable, lui réussir.

4   Mon cœur est sans soupirs, mes yeux n'ont point de larmes,
    Comme si j'apprenais d'un secret mouvement
    Que tout doit succéder à mon contentement !
                                   CORNEILLE, Cinna, IV, 4.

5   N'en doutez point, Seigneur, tout succède à vos vœux.
                                   RACINE, Bérénice, III, 2.

★ **III.** V. intr. Vx (langue class.). ♦ **1.** (1377). Avancer, parvenir quelque part.

♦ **2.** (Mil. XVIᵉ). Avoir tel résultat. *Bien succéder :* aller bien.

(1552). Résulter ; avoir pour conséquence. « *Quoi qu'il en
succède...* » (Corneille).

Absolt. Avoir un heureux résultat (encore chez Balzac).

SUCCÉDER À (qqn, aux désirs de qqn) : avoir de bons résultats pour...

♦ **3.** (1648, Pascal). Didact. et vx. Venir, s'introduire sous..., dans...

(qqch.). « *Quand l'air ne peut succéder entre deux* (corps contigus...) » (Pascal, *Traité de la pesanteur*, II).

▶ **SE SUCCÉDER** v. pron. (Mil. XVIIᵉ).

♦ **1.** (Personnes). Venir après par succession. *Rois, gouvernements qui se succèdent. Se succéder de père en fils.* ⇒ **Continuer.** — *Médecins qui se succèdent au chevet d'un malade. Ils se sont succédé* (invar.).

6 « (...) j'ai vécu déjà sous dix dominations, ou sous dix gouvernements différents en France ». Et il *(Lamartine)* énumère tous les gouvernements qui se sont succédé depuis soixante ans, à commencer par Louis XVI.
SAINTE-BEUVE, Causeries du lundi, 4 août 1851.

7 Sa charge était dans la famille depuis deux cent cinquante ans, les Baillehache de père en fils s'étaient succédé à Cloyes, d'antique sang bauceron (...)
ZOLA, la Terre, I, II.

♦ **2.** (Choses). Se passer, se produire, arriver, venir l'un après l'autre (en parlant de phénomènes, d'événements distincts). ⇒ **Dérouler** (se), **enchaîner** (s'), **suivre** (se) ; **successif ; succession.** *Ordre dans lequel deux phénomènes se succèdent* (→ Relativité, cit. 4). *Phénomènes qui se succèdent et se répètent sans interruption* (→ Observer, cit. 15), *sans trêve. L'ordre dans lequel nos connaissances se sont succédé* (→ Haut, cit. 101). *Des semaines se succédèrent*, passèrent (→ Incendie, cit. 4). *Se succéder régulièrement.* ⇒ **Alterner** (avec).

8 Pas de crépuscule, pas d'aurore. Nuit et jour se succédaient plus rapidement que par un bouton électrique. GIRAUDOUX, Suzanne et le Pacifique, IV.

9 À partir de midi, les crises commencèrent à se succéder presque sans trêve, et l'aggravation fut manifeste. MARTIN DU GARD, les Thibault, t. IV, p. 159.

0 *(Gurau)* passa de cette rêverie à une suite de réflexions, d'interrogations, de rapprochements, qui se succédèrent avec une rapidité croissante (...)
J. ROMAINS, les Hommes de bonne volonté, t. III, XXII, p. 286.

(Dans l'espace). Être à la suite l'un (les uns) de l'autre (des autres). → Inscription, cit. 3 ; ondulation, cit. 8.

CONTR. Accompagner, coexister. — **Devancer.**

SUCCENTURIÉ, ÉE [syksɑ̃tyRje] adj. — 1836 ; *muscle succenturier*, 1690 ; lat. *succenturiatus* « qui remplace, est en réserve », d'abord t. milit., de *sub-*, et *centuria* « centurie ».

♦ **1.** Zool. *Ventricule succenturié* : renflement de l'œsophage des oiseaux. ⇒ **Estomac.**

♦ **2.** Anat. Vx. *Reins succenturiés* : capsules surrénales.

SUCCÈS [syksɛ] n. m. — 1546, « succession » ; lat. *successus*, p. p. de *succedere*. → Succéder.

★ **I.** Vx. ♦ **1.** (1588, Montaigne). Manière dont une chose se passe, dont une suite d'événements se déroule (relativement à un résultat* escompté). *Le bon ou le mauvais succès d'une affaire, d'une entreprise.* ⇒ **Issue, réussite.** « *Le funeste succès de leurs armes impies* » (→ Hostie, cit. 4). *En cas de mauvais succès...* (→ 2. Général, cit. 2).

1 (...) Siranez le Persien répondit à ceux qui s'étonnaient comment ses affaires succédaient si mal, vu que ses propos *(plans)* étaient si sages, qu'il était seul maître de ses propos, mais du succès de ses affaires, c'était la fortune (...)
MONTAIGNE, Essais, III, VIII.

2 Quel succès attend-on d'un amour si fidèle ? RACINE, Bérénice, II, 2.

3 Le succès du combat réglera leur conduite (...) RACINE, Bajazet, I, 1.

3.1 (...) lorsqu'ils croient être persuadés du succès fâcheux, et que le malade commence à tirer à sa fin, ils se mettent autour de son lit (...)
J.-F. REGNARD, Voyage en Laponie, p. 109.

♦ **2.** Ce qui arrive de bon ou de mauvais à la suite d'un acte, d'un fait initial. ⇒ **Issue ; événement** (1., vx), **fortune** (II., A., 1.). *Les bons succès (de qqn).* → 1. Ombre, cit. 12.

Heureux* *succès. Les mauvais succès* (→ Aveu, cit. 14). « *Les occasions d'un succès difficile* » (Diderot, *Jacques le fataliste*, p. 610).

4 Le succès le plus triste et le plus favorable,
Le plus doux et le plus amer,
Me seront tous des choix de ta main adorable,
Qu'également il faut aimer.
Je les recevrai tous, sans mettre différence
Entre le bon et le mauvais. CORNEILLE, Imitation de J.-C., III, v. 1853-58.

5 Les mauvais succès sont les seuls maîtres qui peuvent nous reprendre utilement, et nous arracher cet aveu d'avoir failli, qui coûte tant à notre orgueil.
BOSSUET, Oraison funèbre de Henriette-Marie de France.

★ **II.** (1647, Pascal). Mod. ♦ **1.** (*Le succès de qqch.*). Heureux résultat (d'une décision, d'une entreprise*, d'une suite d'événements), caractère favorable de ce qui arrive. ⇒ **Réussite** (I., A., 3.). *Le succès d'une bataille.* ⇒ **Gain, victoire.** « *Le succès d'une expérience scientifique* » (Pascal, *Lettre à M. Périer*, 15 nov. 1647). *Assurer le succès d'une entreprise* (cf. Mener à bien). *Rencontrer le succès, être couronné de succès.* ⇒ **Florissant, prospère ; prospérer.** — *Exécuter* (cit. 7) *qqch. avec succès.* ⇒ **Réussir** (3.). *Employer avec un égal* (cit. 4) *succès divers moyens.* ⇒ **Bonheur.** *Sans succès* (→ Broussaille, cit. 2) : sans résultat, sans y parvenir. *Le succès est assuré* (cf. L'affaire est dans le sac).

Vivez. Et vous, Arcas, du succès de mon zèle
Courez à Mithridate apprendre la nouvelle. RACINE, Mithridate, V, 3. 6

Demain je dirai la messe pour le succès de la bonne cause ! 7
BALZAC, les Employés, Pl., t. VI, p. 996.

Comm., publ. *Succès assuré, garanti* (d'un produit, d'un procédé, d'un traitement).

♦ **2.** *Le succès* : le fait, pour qqn, d'obtenir ce qu'il a cherché, de parvenir à un résultat souhaité. ⇒ **Réussir** (I., B., 2.). *Être sur la voie, sur le chemin du succès* (cf. Avoir le vent en poupe, dans les voiles). *Espoirs de succès* (→ Persifler, cit. 3). *Certitude du succès, croyance au succès* (→ Inventeur, cit. 7). *Signe de succès.* ⇒ **Heureux, favorable.** — *Succès dans le monde, la société, en affaires* (→ Insécurité, cit.). ⇒ **Prospérité, réussite.** *Le succès est la seule mesure de leur mérite* (des hommes d'action). → Pardonner, cit. 14.

On imagine difficilement 8
À quel point le succès rend les gens stupides et tranquilles (...)
APOLLINAIRE, Calligrammes, p. 192.

♦ **3.** (*Un, des succès*). Événement particulier, circonstance qui constitue un résultat très heureux pour qqn, qui améliore sa situation. *Le risque* (cit. 9) *est la condition de tout succès* (→ Qui ne risque* rien n'a rien). *Ce succès est dû au mérite, à la chance* (cf. La chance lui a été favorable, lui a souri...). *Succès mérité, immérité. Obtenir, remporter des succès. Comblé de succès, d'honneurs* (→ Rassasier, cit. 6). — *Succès militaires* (→ Légionnaire, cit. 2), *sportifs.* ⇒ **Avantage, victoire ; vaincre.** *Succès littéraires.* — *Succès scolaires, universitaires* : examen, concours réussi ; diplôme obtenu. — *Succès facile, inespéré. Succès complet. Un beau succès.* ⇒ **Exploit, performance ; tour** (de force). — *Souvenir, témoignage d'un succès.* ⇒ **Trophée ; laurier.**

Les grands succès rendent modeste, s'ils ne rendent sot. 9
ALAIN, Propos, 9 sept. 1921, Orgueil et vanité.

♦ **4.** (1669, Boileau). *Le succès de qqn, d'une œuvre* : le fait d'obtenir une audience nombreuse et favorable, d'être connu(e) du public. *Succès d'un auteur, d'une pièce, d'un roman. Le succès ou l'insuccès* (cit. 1) *de Tannhäuser. Avoir du succès* (→ Approuver, cit. 6), *beaucoup de succès* (cf. Faire fureur). « *L'auteur n'avait pas grand succès* » (→ Presque, cit. 2, Musset). *Connaître le plus grand succès* (→ Écrivain, cit. 16). — *Succès de circonstance, succès d'estime*. Remporter un brillant, un vif succès, un succès triomphal* (⇒ **Triomphe**). *Succès tapageur, de scandale. Succès rapide, brutal.* ⇒ **Boum** (fam.). *malheur.* — Fam. *Succès bœuf** (cit. 14), *succès monstre. Succès fou** (cit. 53).

M. de Balzac parle encore quelque part de ces artistes qui ont un succès 10
fou, un succès à écraser les gens qui n'ont pas des épaules et des reins pour le porter (...)
SAINTE-BEUVE, Causeries du lundi, 2 sept. 1850.

Le succès est la règle de ma critique. Ce n'est pas du tout qu'il prouve pour moi 11
le mérite absolu de la pièce ; mais il montre évidemment que, entre l'œuvre représentée et le goût actuel du public, il y a de certains rapports secrets qu'il est curieux de découvrir. SARCEY, Quarante ans de théâtre, I, p. 54.

À la suite des auteurs, les critiques décrétaient docilement que l'office essentiel 12
de l'œuvre d'art est de plaire. Le succès est la loi ; et quand le succès dure, il n'y a qu'à s'incliner. R. ROLLAND, Jean-Christophe, Foire sur la place, I, p. 723.

Les secrètes raisons qui différèrent son succès seront celles mêmes qui l'assure- 13
ront plus durable. GIDE, Dostoïevsky, p. 58.

Absolt. *Le succès et la célébrité* ; le succès et la gloire* (cit. 29). *Poursuivre* (cit. 12) *le succès. Se laisser griser par le succès.*
À *succès* : qui a du succès. *Un écrivain à succès* (→ Frelaté, cit. 6). *Qui procure le succès. Un rôle à succès* (→ Acteur, cit. 8).

♦ **5.** ⇒ **Mode, vogue.** *Le succès du chapeau melon* (cit. 4).

♦ **6.** *Un succès* : ce qui a du succès (surtout : pièces de théâtre, films, chansons...). *Le succès du moment, du jour. Cette chanson, ce disque est un succès.* ⇒ **Tube.** *Le dernier succès de X...* — *Un succès de librairie* : un livre à succès. ⇒ **Best-seller.**

♦ **7.** Le fait de plaire en société (→ Loin, cit. 11). *Succès mondains.* — (Mil. XVIIIᵉ). Spécialement :

Mon peu de succès près des femmes est toujours venu de les trop aimer. 14
ROUSSEAU, les Confessions, II.

Les succès que lui avaient valus ses grands yeux bleus si doux et son air si distin- 15
gué diminuèrent rapidement.
STENDHAL, Romans et nouvelles, « Mina de Vanghel ».

Succès amoureux. ⇒ **Exploit** (galant), **fortune** (bonne fortune), **galanterie, prouesse** (spécialt). → Existence, cit. 26 ; infidélité, cit. 10 ; interdire, cit. 4 ; passablement, cit. 1. *Succès féminins* (cit. 6).

CONTR. Insuccès. — **Avortement** (fig.), **catastrophe, contretemps, déconfiture, déroute, désastre, échec, épreuve, fiasco, four** (4.), **ratage, revers.**

SUCCESSEUR [syksesœR ; syksɛsœR] n. m. — 1380 ; *successur*, v. 1180 ; lat. *successor*, de *succedere*. → Succéder.

♦ **1.** Personne qui succède (à qqn). ⇒ **Continuateur, remplaçant.** *Le successeur d'un roi, d'un chef d'État*, celui qui lui succède ou qui doit lui succéder. ⇒ **Dauphin** (→ État, cit. 42 ; jurer, cit. 16 ; réforme, cit. 3). *Le successeur d'un ministre* (→ Imputer, cit. 9), *son successeur. Successeur désigné. Successeur immédiat. Désigner, nommer son successeur. Le successeur de ce ministre sera* *probablement· Mme X.* — *Par ext. Passer les consignes* (cit. 2) *à son successeur. Penser à ses enfants, à ses successeurs* (→ Épargne, cit. 9).

1 (...) *tant que vous vous partagez entre plusieurs, je n'ai pas la moindre jalousie : je ne vois alors dans vos amants que les successeurs d'Alexandre, incapables de conserver entre eux tous cet empire où je régnais seul.*
                     LACLOS, *les Liaisons dangereuses,* XV.

Spécialt. *Le successeur d'un homme auprès d'une femme* (→ Insuffisant, cit. 4).

Celui qui continue l'œuvre de... (→ Dieu, cit. 10; naturaliste, cit. 2). *Précurseur et successeur* (→ Moment, cit. 30). *Être le digne successeur de...*

♦ **2. Dr.** Personne appelée à recueillir une succession*. *Héritiers* (cit. 7) *et successeurs irréguliers.*

Dr. comm., admin. Personne qui reçoit la succession faute d'héritier, qui prend la place d'une autre (dans un commerce, une fonction...).

REM. En droit, le masculin *successeur* est employé normalement en parlant des femmes.

2 (...) *on voyait ce meuble-meublant en acajou qui se vend dans nos Études depuis cinquante ans de prédécesseur à successeur.*
               BALZAC, *Un homme d'affaires,* Pl., t. VI, p. 809.

♦ **3. Math.** *Successeur d'un élément* x *d'un ensemble ordonné,* le plus petit élément de l'ensemble des éléments strictement supérieurs à x (de l'ensemble en question).

CONTR. Avant-coureur, devancier, **prédécesseur.**
DÉR. Successoral.

SUCCESSIBILITÉ [syksesibilite] n. f. — 1792; de *successible.*

♦ **1. Dr.** Droit à la succession. *Droit de successibilité.*

♦ **2.** (1810). **Polit.** Manière dont a lieu la succession. *Ordre de successibilité au trône* (→ Attentat, cit. 9).

SUCCESSIBLE [syksesibl] adj. — 1771; dér. sav. du lat. *successum,* supin de *succedere.*

Droit.

♦ **1.** Qui est apte à recueillir une succession. ⇒ **Héritier** (présomptif). *Donataires successibles* (→ Hoirie, cit. 2). — *Prince successible.* ⇒ **Héréditaire.** *Parent successible.* — N. (1812). *Les successibles :* les héritiers* présomptifs.

♦ **2.** (1804, Code civil). Qui donne droit à la succession. *Parent au degré* successible.*

DÉR. Successibilité.

SUCCESSIF, IVE [syksesif, iv] adj. — 1372, didact. jusqu'au XIXe; lat. *successivus,* de *successum,* supin de *succedere.* → Succéder.

♦ **1. Vieilli.** Qui est formé d'une suite de termes entre lesquels il n'y a pas d'interruption*. ⇒ **Succession; continu** (2.), **ininterrompu.** *Progression successive* (→ Envahissement, cit. 2). *Dépérissement* (cit. 1) *successif et lent.* ⇒ **Progressif.** « *La vie changeante et successive* » (Renan, *l'Avenir de la science,* X).

1 (...) *ce qu'il y a d'élémentaire dans les pensées, et de successif dans leur développement* (...)
               Mme DE STAËL, *De l'Allemagne,* I, XIX.

(1872). **Dr.** *Délit successif,* constitué par un acte (ou une omission) qui dure et se prolonge par la volonté de l'auteur.

Rare. Formé d'événements ou d'éléments qui se suivent mais sont nettement distincts (→ Grippe, cit. 2, Saint-Simon; fugitif, cit. 16, Proust).

♦ **2. Au plur.** (Répandu fin XVIIIe). Qui succèdent à d'autres; qui se succèdent, présentent un rapport de succession. *Âges* (→ Aristocratie, cit. 4), *cycles* (cit. 4) *successifs; époques* (→ Identique, cit. 5), *générations successives* (→ Informer, cit. 2)... *Degrés successifs et distincts* (→ Brouiller, cit. 11). *États* (cit. 25) *successifs; positions* (cit. 2), *variations successives. Couches* (cit. 7), *empreintes successives* (→ Imprimer, cit. 22).

2 *On voit que des demandes successives ont entraîné des sacrifices successifs; que, plus le besoin est devenu pressant, moins on a pu se rendre économe de sa bourse* (...)
       BEAUMARCHAIS, *Mémoires... dans l'affaire Goëzman,* p. 40.

3 *On reconnaîtra qu'elle* (la nature) *admet des variations sensibles, qu'elle reçoit des altérations successives* (...) *La nature s'est trouvée dans différents états; la surface de la terre a pris successivement des formes différentes* (...)
     BUFFON, *Hist. nat. des minéraux, Époques de la nature,* Introduction.

4 (...) *la condition humaine ordinaire n'est qu'une suite de jougs successifs, et la seule liberté qui vous reste est d'en pouvoir quelquefois changer.*
          SAINTE-BEUVE, *Chateaubriand...,* t. II, p. 113.

5 *Notre moi est fait de la superposition de nos états successifs.*
               PROUST, *la Fugitive,* Pl., t. III, p. 544.

♦ **3.** (1564). **Dr. Vx.** ⇒ **Successible.** *Droit successif.* ⇒ **Héréditaire.**

CONTR. **Contemporain.**
DÉR. Successivement, successivité.

SUCCESSION [syksesjɔ̃; sykssɛsjɔ̃] n. f. — 1200; sens I., 1., v. 1212; lat. *successio* « fait de venir à la place ou à la suite de... ; héritage », de *successum,* supin de *succedere.* → Succéder.

★ **I.** ♦ **1. Dr. et cour.** Transmission du patrimoine* laissé par une personne décédée (l'auteur) à une ou plusieurs personnes vivantes (les ayants cause; ⇒ **Héritier, légataire, successeur**); manière dont se fait cette transmission, dont les biens passent* au successeur. ⇒ **Héritage, legs, mutation** (par décès); **testament.** *La succession de qqn, le fait, pour lui, de transmettre son patrimoine. Prétendre à la succession de qqn, à sa succession. Succession d'une personne décédée intestat.* ⇒ **Ab intestat.** — (Sans compl. exprimant l'origine). *Droit de succession d'un héritier présomptif*.* ⇒ **Successible.** *Ordre de succession.* ⇒ **Cohéritier, héritier;** et aussi **représentant, représentation.** — *Voie de succession.* Donner (⇒ **Laisser,** II., 6.; léguer), recevoir, recueillir par voie de succession (⇒ **Acquérir, acquisition, hériter**). *Venir à la succession par souche*, par tête, en concours avec qqn.* ⇒ **Hériter** (cit. 7 et 8). — *Une succession. Être appelé à une succession. Réclamer, revendiquer une succession par pétition d'hérédité. Accepter* (cit. 2), *répudier une succession, y renoncer.* ⇒ **Renonciation** (cit. 1), **répudiation.** *Exclure qqn d'une succession.* ⇒ **Déshériter** (→ Indigne, cit. 6). *Ces biens vous reviennent par une succession.* ⇒ **Échoir** (cit. 3), **obtenir.** *Ouverture, liquidation d'une succession* (→ Liquider, cit. 1). — *Succession collatérale*, linéale** (en droite ligne). *Succession testamentaire. Succession jacente* (vx), *vacante,* que personne ne réclame. ⇒ **Déshérence, vacance.** *Curateur** (cit. 3) *à succession vacante.* — *Succession anomale,* « relative à certains biens, (et) qui est attribuée à une personne déterminée en raison de la provenance de ces biens » (Capitant). — **Anc. Dr.** *Règles de succession :* droit d'aînesse, légitime* (II., n. f.)... *Exclusion des femmes des successions* (par la loi « salique », etc.). *Succession de l'aubain*.* ⇒ **Aubaine** (droit d').

1 *Je suis d'ailleurs surpris, monsieur le notaire, de vous voir, vous aussi, prétendre à cette succession. Il n'est pourtant pas d'usage qu'un notaire hérite de ses clients.*
               J. ROMAINS, *Volpone,* v, 3.

1.1 *Le surlendemain de notre pacte criminel, le Comte apprit qu'un oncle sur la succession duquel il ne comptait nullement, venait de lui laisser quatre-vingt mille livres de rente* (...)
          SADE, *Justine...,* t. I, p. 90.

La succession (de qqn); *une succession : le patrimoine transmis par une personne décédée à ses successeurs.* ⇒ **Bien** (2.), **hérédité, héritage, patrimoine, propriété;** et aussi **lot, masse** (cit. 16), **part** (de succession), **portion, réserve.** *Sa succession se monte à... Inventaire d'une succession, inventorier une succession. Accepter une succession sous bénéfice d'inventaire* (succession bénéficiaire). *Actif, passif* (cit. 3), *charges, dettes d'une succession. Exclusion de certains biens de la succession.* — *Aptitude à recueillir une succession, selon les degrés de parenté* (degrés successibles). *Droit à entrer en possession d'une succession.* ⇒ **Possession** (envoi en), **saisine; saisir** (supra cit. 21). *Attribuer, déférer* (cit. 8), *transmettre une succession aux héritiers. Dévolution d'une succession.* ⇒ **Dévolu.** *Succession indivise. Attribution des parts de succession aux cohéritiers.* ⇒ **Copartage, partage, partager; préciput, rapport** (I., B., 3. : des biens à la masse), **soulte.** — *Détournement d'une partie de la succession.* ⇒ **Divertissement; divertir.** *Succession obtenue par captation*.* — **Fam.** *Oncle à succession,* à héritage (→ Morveux, cit. 3).

♦ **2.** (1559). Fait de succéder (I., 1.) à qqn et, spécialt, d'obtenir le pouvoir d'un prédécesseur; transmission du pouvoir politique selon des règles. *La succession d'un roi, d'un dictateur. La succession de qqn, du dauphin à un monarque. Lorsque la question de la succession de Napoléon s'est posée* (→ Impudeur, cit. 4). — *Manière de succéder. Succession par ordre de primogéniture* (→ Ébranler, cit. 30). — *Fait de succéder* (I., 3.) *à qqn. La succession de qqn au pouvoir, au trône d'Espagne..., à l'empire, à la couronne.*

2 (...) *les maîtres* (...) *ordonnent que la force qui est entre leurs mains succédera comme il leur plaît; les uns la remettent à l'élection des peuples, les autres à la succession de naissance, etc.*
             PASCAL, *Pensées,* v, 304.

3 *L'ordre de succession est fondé, dans les monarchies, sur le bien de l'État, qui demande que cet ordre soit fixé* (...)
       MONTESQUIEU, *l'Esprit des lois,* XXVI, XVI.

Hist. *Guerre de la Succession d'Espagne* (entre la France et l'Autriche, qui prétendait à la succession du trône d'Espagne : 1701-1714). *Guerre de succession d'Autriche* (1740-1748).

★ **II.** (1275, « série »). ♦ **1.** Ensemble de termes (événements, phénomènes...) qui occupent dans le temps des moments voisins mais distincts (ou du moins discernables), de manière à présenter un ordre*; rapport qui existe entre ces termes. ⇒ **Consécution, cours, course, enchaînement, filiation, ordre, série** (cit. 1), **suite, temps.** *Une succession continuelle* (→ Germe, cit. 1), *ininterrompue..., régulière et alternée d'événements, de faits...* ⇒ **Alternance, alternative, cadence.** *L'ordre de succession des espèces* (→ Évolution, cit. 15). *Succession d'incidents* (cit. 2). Cf. *Coup sur coup... Succession d'accords* (→ Harmonie, cit. 14), *de périodes* (cit. 11)... *Succession de formalités* (⇒ **Filière**), *de griefs...* ⇒ **Cascade, chapelet, énumération, kyrielle.** *La succession des événements.* ⇒ **Courant, fil** (III., 2.). *Succession d'opérations.* ⇒ **Chaîne, circuit.** — *Relations de succession et de similitude* (→ Positif, cit. 4). *Succession et remplacement. L'ordre d'une succession* (→ Raison, cit. 54; relativité, cit. 4).

(...) quand on parle d'un *ordre* de succession dans la durée, et de la réversibilité de cet ordre, la succession dont il s'agit est-elle la succession pure (...) sans mélange d'étendue, ou la succession se développant en espace, de telle manière qu'on en puisse embrasser à la fois plusieurs termes séparés et juxtaposés ? La réponse n'est pas douteuse (...) si l'on établit un ordre dans le successif, c'est que la succession devient simultanéité et se projette dans l'espace.
H. BERGSON, Essai sur les données immédiates de la conscience, p. 76.

(Personnes). *Succession de visiteurs, d'importuns.* ⇒ **Défilé, procession.**

♦ **2.** Suite, série de choses rapprochées dans l'espace, entre lesquelles on peut établir un ordre (→ ci-dessus, cit. 4, Bergson). Suite* ordonnée de termes. *La succession des nombres.*

(1890, *Année sc. et industr.* 1891, p. 91). Météor. *Succession nuageuse.*

♦ **3.** Vx. Évolution ou état de ce qui présente des éléments successifs. « *Il n'y a point de succession dans Dieu* » (Montesquieu, *Lettres persanes*, 113), de changement. — « *L'Église catholique peut se vanter d'une perpétuelle succession...* » (Furetière), d'une continuité.

Je n'ai qu'un guide fidèle sur lequel je puisse compter, c'est la chaîne des sentiments qui ont marqué la succession de mon être, et par eux celle des événements qui en ont été la cause ou l'effet. ROUSSEAU, les Confessions, VII.

CONTR. Coexistence, simultanéité. — Immobilité.

SUCCESSIVEMENT [syksesivmɑ̃] adv. — 1314 ; *successivamen*, 1281 ; de *successif.*

♦ **1.** Selon un ordre de succession, par éléments successifs (→ Par degrés*, au fur* et à mesure ; l'un après* l'autre ; et aussi assimiler, cit. 14 ; attacher, cit. 56 ; illuminer, cit. 24 ; retranchement, cit. 3). *Passer successivement de... à..., par...* (→ Amusement, cit. 9 ; état, cit. 48). *Équipes qui se relayent successivement.* ⇒ **Alternativement.** — *Successivement furieux, radouci...* ⇒ **Tantôt** (... tantôt), **tour** (à tour). → Imiter, cit. 1 ; et aussi ordre, cit. 42.

Lamarque était un homme de renommée et d'action. Il avait eu successivement, sous l'Empire et sous la Restauration, les deux bravoures nécessaires aux deux époques, la bravoure des champs de bataille et la bravoure de la tribune.
HUGO, les Misérables, IV, X, III.

(...) il avait une gradation de joies à passer successivement par la grande porte, par la cour, par l'antichambre, par les deux salons ; enfin, il arrivait dans son boudoir (...) FLAUBERT, l'Éducation sentimentale, III, II.

♦ **2.** Vx. Progressivement. *Une augmentation* (cit. 2) *d'argent qui arrive successivement.*

Successivement elle reçut l'odeur de l'herbe, l'odeur de l'eau, l'odeur de la terre, l'odeur de la nuit, l'odeur du foin, chacune prévalant à son tour (...)
MONTHERLANT, le Songe, I, VIII.

CONTR. Bloc (en), fois (à la), simultanément.

SUCCESSIVITÉ [syksesivite] n. f. — 1872 ; de *successif.*

♦ Didact. Caractère de ce qui est successif. *La successivité des phases d'un phénomène.* ⇒ **Ordre ; chronologie.** Ensemble, suite d'éléments successifs. « *L'axe des simultanéités* » et « *l'axe des successivités* » (Saussure). ⇒ **Diachronie.**

La géologie raisonne presque constamment sur des successivités ; mais lorsqu'elle vient à s'occuper des états fixes de la terre, elle n'en fait pas un objet d'étude radicalement distinct.
F. DE SAUSSURE, Cours de linguistique générale, I, III, 1, p. 114.

CONTR. État, simultanéité, synchronie.

SUCCESSORAL, ALE, AUX [syksesɔral, o ; syksɛsɔʀal, o] adj. — 1819 ; dér. sav. de *successeur.*

♦ Dr. Relatif aux successions. *Lois successorales. Droits successoraux.* — *Accroissement successoral :* supplément d'héritage obtenu grâce au renoncement de la part de l'un des co-héritiers.

Depuis lors tout s'était passé normalement, sans usurpation violente ni troubles successoraux. Raymond ROUSSEL, Impressions d'Afrique, p. 242.

SUCCIN [syksɛ̃] n. m. — 1672 ; lat. *succinum*, var. de *sucinum* « ambre ».

♦ Didact. Ambre jaune.

DÉR. Succinée, succinique, succinite, succinyle.
COMP. Succinamide.
HOM. Succinct.

SUCCINAMIDE [syksinamid] n. m. — 1846 ; d'abord en all., Fehling ; de *succin*, et *amide.*

♦ Chim. Diamide succinique.

SUCCINATE [syksinat] n. m. — 1800 ; de *succinique*, et *-ate.*

♦ Chim. Sel de l'acide succinique*.

SUCCINCT, INCTE [syksɛ̃, ɛ̃t] adj. — 1491 ; lat. *succinctus* « retroussé, court-vêtu », de *succingere* « retrousser », de *sub-*, et *cingere* « ceindre ».

♦ **1.** Qui est dit, écrit en peu de mots. ⇒ **Abrégé, bref, compendieux, court, elliptique, lapidaire, résumé, schématique, sommaire.** *Récit* (→ Intérêt, cit. 25), *tableau succinct* (→ Résumé, cit. 1).

♦ **2.** (1688 ; personnes). Qui s'exprime brièvement. ⇒ **Bref, concis, laconique.** *Soyez succinct.*

♦ **3.** (1680). Fam. (Plais.). Peu abondant. ⇒ **Léger, maigre, modeste.** *Un dîner succinct.*

Si les soupers de M. De La Popelinière à Passy ou ceux des premiers commis à Versailles lui paraissaient *amples,* il n'oublie pas qu'il n'en était pas ainsi des plus fins soupers de Mme Geoffrin, et que la bonne chère en était *succincte.*
SAINTE-BEUVE, Causeries du lundi, 15 sept. 1851.

(En parlant d'un vêtement court, par retour au sens étym.). *Une robe un peu succincte.* ⇒ **Court.**

CONTR. Long, verbeux. — Prolixe.
DÉR. Succinctement.
HOM. (Du masc.) Succin.

SUCCINCTEMENT [syksɛ̃tmɑ̃] adv. — XIVe, puis fin XVe, Commynes ; de *succinct.*

♦ D'une manière succincte. ⇒ **Brièvement, compendieusement, sommairement.** *Exprimer succinctement sa pensée* (→ Éloquemment, cit. 2).

CONTR. Longuement.

SUCCINÉE [syksine] n. f. — 1839 ; de *succin.*

♦ Zool. Mollusque gastéropode pulmoné *(Stylommatophores),* semblable à la limnée, dont une espèce commune en France est appelée *ambrée, ambrette*.*

SUCCINIQUE [syksinik] adj. — 1800 ; de *succin.*

♦ Chim. *Acide succinique :* diacide organique blanc et cristallisé, fondant à 183 °C, découvert dans les produits de la distillation du succin, qui existe à l'état naturel dans certaines plantes (laitue, haricots verts, rhubarbe, raisins verts...) ainsi que dans le thymus du veau, la glande thyroïde du bœuf, etc. *L'acide succinique est un produit normal de la fermentation alcoolique et se trouve en petite quantité dans le vin.*

DÉR. Succinate.

SUCCINITE [syksinit] n. f. — 1812 ; de *succin*, et suff. *-ite.*

♦ Minér. Grenat de couleur ambrée.

SUCCINYLE [syksinil] n. m. — 1875 ; de *succin*, et *-yle.*

♦ Chim. Radical bivalent, $C_4H_4O_2$, qui dérive de l'acide succinique. *Chlorure de succinyle.*

SUCCION [syksjɔ̃] ; la prononciation [sysjɔ̃], considérée comme fautive par les puristes, est la plus courante ; n. f. — 1314 ; pour *suction,* lat. *suctum*, de *sugere* « sucer ».

♦ **1.** Didact. Action de sucer*, d'attirer un fluide dans la bouche en y faisant le vide. *Absorber un liquide par succion. Bruit de succion.* — *La succion d'une plaie* (notamment pour en extraire le venin après une morsure de serpent). Zool. Mode d'ingestion (de sang, de sève), chez certains insectes suceurs.

♦ **2.** (1704). Bot. Élévation des liquides végétaux (sève, etc.).

♦ **3.** Techn. Aspiration au moyen d'instruments spéciaux, dits *appareils de succion,* qui créent un vide relatif (trompes à eau, à mercure ; vases à dépression). — Par comparaison :

Le village a absorbé la ville. C'est par ce pont que s'est fait ce travail. Les ponts sont de singuliers appareils de succion qui aspirent la population et font quelquefois grossir un quartier riverain aux dépens de son vis-à-vis.
HUGO, l'Homme qui rit, I, III, IV (1869).

♦ **4.** Fig. Aspiration (→ Abrupte, cit. 1).

(...) il m'a démontré comment un cylindre, tournant dans un tourbillon, présentait plus de résistance à sa succion et était attiré avec plus de difficulté qu'un corps d'une autre forme quelconque et d'un volume égal.
BAUDELAIRE, Trad. E. POE, Histoires extraordinaires, « Descente dans le Maelstrom ».

SUCCOMBER [sykɔbe] v. intr. et tr. ind. — 1356, lat. *succumbere* « tomber sous », de *sub-*, et bas lat. **cumbere*, altér. de *cubare* « être couché ». → Succube.

★ **I.** V. intr. ♦ **1.** Vieilli ou littér. S'affaisser (sous un poids trop lourd). ⇒ **Abattre** (s'). *Il a succombé sous la charge. Succomber sous un fardeau.* « *L'âne succombant...* » (→ 1. Éponge, cit. 2, La Fontaine).

(XVIIᵉ). Par métaphore, fig. Être écrasé, accablé. « *Qui sait sous quel fardeau la pauvre âme succombe !* » *Succomber sous le poids* (cit. 14) *des alarmes, de ses fautes* (→ Loyer, cit. 9).

♦ **2.** Littér. Être vaincu* dans une lutte ; subir une défaite. ⇒ **Abandonner.** *Armée qui succombe.* — Dr. *Toute partie qui succombera sera condamnée aux dépens* (cit. 14). — Fig. *Sa foi a succombé.*

1 Le crime ne commence-t-il pas toujours par l'orgueil qui fait mépriser la tentation ? et braver des périls où l'on a succombé n'est-ce pas vouloir succomber encore ?
ROUSSEAU, Julie ou la Nouvelle Héloïse, IV, XII.

2 Quand un être faible succombe, qui s'en aperçoit ? Mais, quand un être fort succombe le spectacle est inouï.
Henri MICHAUX, La nuit remue, p. 73.

(1512, *in* D.D.L.). Se donner à qqn, après lui avoir résisté. *Femme qui succombe* (→ Faiblesse, cit. 44).

♦ **3.** Littér. ou style soutenu. Mourir* (→ Légionnaire, cit. 2 ; militaire, cit. 4). *Combat où succombe la moitié des combattants* (→ Gladiateur, cit. 2). *Le blessé succomba aussitôt. Succomber au terme d'une longue maladie.* ⇒ **Décéder.**

3 Au moment où elle *(Mme de Coislin)* était prête à passer, on soutenait au bord de son lit qu'on ne succombait que parce qu'on se laissait aller ; que si l'on était attentif et qu'on ne perdît jamais de vue l'ennemi on ne mourrait point : « Je le crois », dit-elle ; « mais j'ai peur d'avoir une distraction ». Elle expira.
CHATEAUBRIAND, Mémoires d'outre-tombe, II, V, 2, t. I, éd. Levaillant, p. 190.

4 Penche-toi sur l'énigme où l'être se dissout,
Sur tout ce qui naît, vit, marche, s'éteint, succombe (...)
HUGO, les Contemplations, « À celle qui est restée en France », VI.

★ **II.** V. tr. ind. SUCCOMBER À... ♦ **1.** (Mil. XVIIᵉ). Vieilli. Être écrasé par... *Succomber à un travail* (Molière, *la Princesse d'Élide*), « *au poids écrasant de la vie* » (Jaurès, *Histoire de la Révolution*, V, p. 156).

♦ **2.** (1680, Mme de Sévigné). Mod. Se laisser aller à..., ne pas résister à... ⇒ **Céder** (à). *Succomber au sommeil* (→ Harasser, cit. 1), *à la fatigue* (→ Être abattu* de...). *Succomber à la tentation :* se laisser séduire, tenter ; être faible* devant la tentation (→ Épreuve, cit. 5). *Succomber au désir de...* (→ Impatient, cit. 3), *à une séduction, une facilité* (→ Hésitant, cit. 8).

5 Je ne succombai pourtant point à la tentation : je puis même dire que je la surmontai en garçon d'honneur (...)
A.-R. LESAGE, Gil Blas, VII, I.

CONTR. Résister. — Dominer, soutenir.

SUCCUBAT [sykyba] n. m. — Fin XIXᵉ, Huysmans ; de *succube.*

♦ Relig. Nature du succube*.

SUCCUBE [sykyb] n. m. — 1373 ; lat. *succuba* « concubine », puis « sodomite », de *sub* « sous », et *cubare* « coucher ». → Succomber.

♦ Relig. chrét. Démon femelle (⇒ **Diablesse**) qui vient la nuit s'unir à un homme. *Les incubes** (cit. 2) *et les succubes.*

REM. On rencontre le mot au féminin, conformément au sens.

Assez longtemps, nous parlâmes de cette fille, devenue l'une des succubes qui, de nuit et même de jour, se prêtaient à nos plaisirs d'anachorètes sans opposer la moindre résistance.
M. LEIRIS, Frêle bruit, p. 83.

DÉR. Succubat.

SUCCULEMMENT [sykylamɑ̃] adv. — 1735, Marivaux ; de *succulent.*

♦ Littér. et rare. De manière succulente.

SUCCULENCE [sykylɑ̃s] n. f. — 1769, Restif ; de *succulent.*

♦ **1.** Littér. Caractère de ce qui est succulent* ; de ce qui est délicieux, savoureux. ⇒ **Délicatesse, saveur.** *La succulence d'un mets.*

1 À peine à l'étranger, la nostalgie s'en déclare, le bifteck est ici paré d'une vertu supplémentaire d'élégance, car dans la complication apparente des cuisines exotiques, c'est une nourriture qui joint, pense-t-on, la succulence à la simplicité.
R. BARTHES, Mythologies, p. 79.

Au plur. Littér. *Des succulences.*

2 (...) les fricassées de poulets, au beurre d'écrevisse, les salmis de bécasses, parfumées de baies de genièvre, tous ces *fricots sublimes*, que n'a jamais goûtés un Parisien. Je songe, en dégustant ces succulences, avec le respect qu'on a pour ces choses d'art, quelle nation nous avons été, quel paradis est la France (...)
Ed. et J. DE GONCOURT, Journal, 29 sept. 1874, t. V, p. 110.

3 (...) j'ai mangé là, avec mes doigts, un dîner tout plein de succulences ancestrales (...)
Claude LÉVI-STRAUSS, Tristes tropiques, p. 109.

♦ **2.** (Fin XIXᵉ). Fig. *La succulence faubourienne* (cit. 1) *de son langage.*

SUCCULENT, ENTE [sykylɑ̃, ɑ̃t] adj. — 1512 ; lat. *succulentus,* var. de *suculentus,* de *sucus* « suc ».

♦ **1.** Vx. Qui contient beaucoup de suc. *Viande succulente. Fruit* (1. Fruit, cit. 20) *succulent.* ⇒ **Juteux.** *Plantes succulentes* (plantes

grasses). « *Ce théâtre succulent de la bouche* » (Valéry ; → Goût, cit. 2). — Par ext. (Vieilli). ⇒ **Nourrissant, riche.** *Potage succulent.*

♦ **2.** (1898). Pathol. Se dit d'un organe où la lymphe afflue anormalement. *Main succulente.*

♦ **3.** Vx. (Personnes). Bien en chair, bien nourri.

1 Agathe est donc succulente, bien voluptueuse ?
DIDEROT, Jacques le fataliste, Pl., p. 711.

♦ **4.** (XVIIIᵉ). Mod. (Littér. ou style soutenu). Qui a une saveur* délicieuse. ⇒ **Délicieux, excellent, savoureux.** *Un déjeuner succulent* (→ Modéré, cit. 10). *Des mets succulents* (→ Esprit, cit. 111 ; renverser, cit. 20). *Sa cuisine est succulente. C'est absolument succulent !*

2 Malepeste ! le succulent petit dîner ! Voilà ce qu'on appelle du potage, sans parler d'un petit plat de rôt d'une finesse, d'une cuisson si parfaite (...)
MARIVAUX, le Paysan parvenu, I.

3 Lili Reinhardt le choyait, lui faisait des soupers succulents : elle était enchantée de trouver ce prétexte pour satisfaire sa propre gourmandise. Elle avait toutes sortes d'attentions sentimentales et culinaires.
R. ROLLAND, Jean-Christophe, La révolte, II, p. 527.

Par anal. ⇒ **Doux** (→ Gâter, cit. 22).

CONTR. Pauvre. — Mauvais.

DÉR. Succulemment, succulence.

1. SUCCURSALE [sykyʀsal] adj. et n. f. — 1675, relig. ; du lat. médiéval *succursus* « secours », de *succurrere* « aider, secourir », de *sub-*, et *currere* « courir sous, vers : porter secours à... »

♦ **1.** Relig. *Église succursale,* qui s'ajoute à l'église paroissiale lorsque celle-ci est insuffisante pour les besoins de la paroisse. — N. f. *La succursale.*

♦ **2.** (XVIIIᵉ, « *les pacos ou vigognes sont aux lamas une espèce succursale* », Buffon, *le Lama*). Vx. Qui supplée, remplace.

DÉR. 2. Succursale, 1. succursaliste.

2. SUCCURSALE [sykyʀsal] n. f. — 1818, *in* D.D.L. ; de 1. *succursale.*

♦ **1.** Cour. Établissement, et, spécialt, établissement commercial qui dépend d'un siège central et qui jouit d'une certaine autonomie sans disposer de la personnalité morale. ⇒ **Agence, annexe, comptoir, dépendance, dépôt** (3.), **filiale.** *Les succursales d'une banque, d'un magasin.*

J'aurai une succursale sous le nom de Popinot, dans quelque maison autour de la rue des Lombards, où je mettrai le petit Anselme.
BALZAC, César Birotteau, Pl., t. V, p. 334.

Loc. *Magasin à succursales multiples :* établissement dont dépendent de nombreux points de vente gérés par l'organisme central.

♦ **2.** (1835). Établissement, notamment religieux, rattaché à un établissement central. *Les succursales d'un séminaire.*

♦ **3.** Fig. Lieu qui dépend d'un autre, dans la même activité.

DÉR. Succursalisme, 2. succursaliste.

SUCCURSALISME [sykyʀsalism] n. m. — V. 1960 ; de 2. *succursale.*

Commerce.

♦ **1.** Mode d'organisation commerciale par magasins à succursales* (2. Succursale) multiples. « *Les grands du succursalisme alimentaire* » (*l'Express,* 12 mai 1966).

♦ **2.** Ensemble des entreprises à succursales (2. Succursale, 3.).

DÉR. 2. Succursaliste.

1. SUCCURSALISTE [sykyʀsalist] n. m. — 1815, *in* D.D.L. ; de 1. *succursale.*

♦ Relig. cathol. Prêtre qui dessert une église succursale (1. Succursale).

2. SUCCURSALISTE [sykyʀsalist] adj. et n. m. — 1962 ; « imprimeur à qui appartient une succursale », 1836 ; de 2. *succursale.*

Commerce.

♦ **1.** Adj. Organisé selon les méthodes du succursalisme. « *Un certain style de commerce succursaliste* » (*Entreprise,* 2 mai 1970).

♦ **2.** N. m. [a] Entreprise commerciale formée d'une chaîne de magasins succursales. « *Le commerce concentré comprend (...) les grands magasins, les succursalistes, les "supérettes" et les supermarchés* » (*le Figaro,* 12 nov. 1966).

[b] Gérant, responsable d'une succursale. « *Une clientèle (de) succursalistes, et détaillants* » (*l'Express,* 18 sept. 1972 ; offre d'emploi).

SUCCUSSION [sykysjɔ̃] n. f. — 1834; lat. *succussio* «secousse», de *succutere*, de *sub*, et *quatere* «secouer, agiter».
Médecine.

♦ **1.** Mode d'exploration du thorax, auscultation dans laquelle on cherche à provoquer des bruits de fluctuation en imprimant au tronc des mouvements latéraux.

♦ **2.** Agitation, secousse donnée aux remèdes à chaque dilution, en homéopathie.

On voit (...) quel était le principe des dilutions homéopathiques et qu'à chaque dilution une certaine succussion (deux secousses) était adjointe.
Pierre VANNIER, l'Homéopathie, p. 32.

SUCÉE [syse] n. f. — 1808; p. p. subst. de *sucer*.

♦ **1.** Rare. Action de sucer. «*La sucée du sang turc*» (Cl. Farrère, *in* G. L. L. F.).

♦ **2.** (1846, Balzac, *in* D. D. L.). Fig. et vx. Ruine financière.

SUCEMENT [sysmɑ̃] n. m. — 1686; *succement*, 1314; de *sucer*.

♦ Rare. Action de sucer (II.). *Les sucements du pouce, chez les enfants.* ⇒ **Succion.**

SUCER [syse] v. tr. — Conjug. *placer*. — XIVᵉ; *suchier*, v. 1119; *sucier*, v. 1175; du lat. pop. *suctiare*, lat. class. *sugere*, rad. *succus* «SUC».

★ **I.** ♦ **1.** Aspirer* au moyen des lèvres, en faisant le vide dans la bouche (la partie liquide que renferme un corps solide). ⇒ **Absorber, attirer** (dans sa bouche). *Sucer le jus d'une orange. Rompre l'os et sucer la moelle* (surtout par métaphore). *Furet* (cit. 1), *sangsue qui suce le sang de sa victime.* ⇒ **Boire.** *Vampire, ogresse, goule qui suce le sang* (→ Ogre, cit. 1). — Vx. *Enfant qui suce le lait* (→ Maltraiter, cit. 5), qui prend le lait au sein. — Fig. *Sucer le lait* (cit. 7) *stérile de l'impiété. Sucer qqch. avec le lait,* l'apprendre* dès la plus tendre enfance (→ Être imbu* de, nourri* dans). — Fam. *Sucer une boisson* (dans un verre), la boire à petits coups. ⇒ **Siroter.**

1   (...) regardant droit devant elle et suçant sa fine champagne avec une application de nourrisson alcoolique.   COLETTE, Chéri, p. 27.

♦ **2.** (Animaux; plantes). Aspirer (un liquide nutritif) au moyen d'un organe qui pompe. ⇒ **Suçoir.** *Le bourdon perce la corolle et suce le nectar.* ⇒ **Pomper.** *Plante parasite qui suce la sève d'une autre.*

♦ **3.** Absolt. Fam. Boire (de l'alcool). *Il aime bien sucer.* ⇒ **Sucette.**

♦ **4.** Franç. d'Afrique. Manger (un fruit juteux).

★ **II.** ♦ **1.** (XVᵉ). Exercer une pression et une aspiration avec les lèvres, la langue, faire fondre* (une substance), pour en tirer le liquide. — Vx. *Sucer la mamelle de sa nourrice* (→ Impitoyable, cit. 4). ⇒ **Téter.** — Mod. *Sucer un bâton, un rouleau de réglisse* (cit.; et → Mâcher, cit. 10); *sucer une sucette*, des pastilles* (cit. 3) *de menthe; médicament à sucer* (à laisser fondre dans la bouche). ⇒ aussi **Lécher.**
Loc. fig. *Sucer qqn jusqu'à la moelle*, jusqu'au dernier sou...,* lui soutirer progressivement toute son énergie, tout son argent.

2   Elle dévorait tout comme un grand feu, les vols de l'agio, les gains du travail. Cette fois, elle finit Steiner, elle le rendit au pavé, sucé jusqu'aux moelles, si vidé, qu'il resta même incapable d'inventer une coquinerie nouvelle.
ZOLA, Nana, XIII.

♦ **2.** (1690). Exercer une succion sur (un corps que l'on a dans la bouche, que l'on porte à la bouche). *Sucer son doigt, son pouce* (cit. 2), *son porte-mine* (cit.). *Sucer sa pipe. Sucer un noyau. Sucer ses moustaches.*

3   La bouche, l'avide ventouse musclée, ne connaît point de repos. Elle avance, happe et suce; c'est sa fonction. L'animal *(le bébé)* rampe. Il rencontre un caillou : bon à sucer; une moulure de meuble : par où le prendre? L'extrémité arrondie d'une chaussure : goûtons un peu!
G. DUHAMEL, les Plaisirs et les Jeux, III, X.

4   Par souci de propreté, après chaque morceau, elle se suçait les doigts avec application — en l'honneur peut-être de l'invité. Elle arrondissait la bouche en avançant les lèvres et y passait le doigt à plusieurs reprises, d'arrière en avant.
A. ROBBE-GRILLET, le Voyeur, p. 140.

(Sens érotique). Caresser les zones érogènes, le sexe de (qqn) avec la bouche, la langue. ⇒ **Cunnilinctus, fellation.**

5   Je l'ai sucée avec rage; son corps était en sueur, elle était fatiguée d'avoir dansé, elle avait froid.   FLAUBERT, Correspondance, 13 mars 1850, Pl., t. I, p. 607.

6   Il soumet sa femme au devoir conjugal il réclame qu'elle le suce comme les filles de Bordeaux.   Tony DUVERT, Paysage de fantaisie, p. 41.

♦ **3.** (1924, *in* Petiot). Fig. *Sucer la roue d'un coureur,* coller à sa roue arrière, dans une course.

▶ **SE SUCER** v. pron.

♦ **1.** (Passif). Être sucé (1.). *Les qualités de l'âme se sucent avec le lait* (cit. 8).
(1876). Devoir être sucé (2.). *Pastilles qui se sucent.*

♦ **2.** (Récipr.). Fam. *Se sucer la pomme, la poire, le caillou :* s'embrasser longuement, bruyamment (cf. Se lécher la pomme, etc.). *Se sucer* (sens érotique).

DÉR. Sucée, sucement, sucet, sucette, suceur, suçoir, suçon, suçoter.

SUCET [sysɛ] n. m. — 1867; de *sucer*.

♦ Régional. Remora (poisson). «*Le remora, que les marins français nomment* sucet...» (*Année sc. et industr.* 1868, p. 328, 1867).

SUCETTE [sysɛt] n. f. — 1869; de *sucer*.

♦ **1.** Techn. Appareil aspirateur pour l'essorage rapide des pains de sucre.

♦ **2.** (XXᵉ). Cour. Bonbon fixé à l'extrémité d'un bâtonnet. *Sucette au citron, au caramel.* ⇒ **Suçon** (vx).

Annie aime les sucettes
Les sucett's à l'anis
Les sucett's à l'anis
d'Annie
Donn'nt à ses baisers
Un goût anisé (...)   Serge GAINSBOURG, les Sucettes (chanson).
Petite tétine qu'on donne au bébé pour l'empêcher de sucer son pouce.

♦ **3.** (1904). Fam. *La sucette :* la boisson. *Aimer la sucette.*

♦ **4.** Fam. Fellation (cf. Une pipe) ou cunnilunctus.

SUCEUR, EUSE [sysœʀ, øz] n. et adj. — 1764; n., v. 1560, «personne qui suce les plaies pour les guérir»; de *sucer*.

★ **I.** N. **A.** (Personnes; rare, sauf dans quelques expressions).
♦ **1.** Personne qui suce (qqch.). *Un suceur de pouce.*

1   Le Cuib *(un bébé)* fut un très brillant suceur de pouce.
G. DUHAMEL, les Plaisirs et les Jeux, p. 57.

♦ **2.** Personne qui suce, absorbe (un liquide). — Loc. fig. *Un suceur, une suceuse de sang :* une personne qui vit des autres, les exploite. ⇒ **Sangsue, vampire** (→ Millionnaire, cit. 2).

♦ **3.** (1932, *in* Petiot). *Suceur de roue :* coureur cycliste qui suce* la roue d'un concurrent.

♦ **4.** (1785, au fém., Sade, *in* D. D. L.). Sens érotique de *sucer.* Fellateur, fellatrice.

B. N. m. (1834). Zool. (Animaux). *Les suceurs,* insectes qui aspirent leur nourriture avec une trompe, sans piquer (papillons) ou en piquant (hémiptères, diptères). — Au sing. *La mouche est un suceur.*

C. (Choses). ♦ **1.** N. m. Embout (cylindrique, aplati, etc.) qui s'adapte à l'extrémité d'un aspirateur.

2   L'aspirateur ronflait maintenant dans la chambre de Blandine et le choc du suceur butant contre les plinthes scandait la besogne tranquille de la femme de journée.
Hervé BAZIN, Cri de la chouette, p. 266.

♦ **2.** N. f. (1949, «drague»). SUCEUSE : machine (pompe) servant à aspirer une matière pulvérulente ou concassée. ⇒ **Suçoir.**

3   (...) aspiré irrésistiblement comme du blé dans la suceuse automatique d'un grand cargo moderne (...)   Henri MICHAUX, Ailleurs, p. 239.

★ **II.** Adj. (1764; *suceur*, 1707). Qui suce. *Des enfants suceurs de pouce.* — Spécialt. *Insectes suceurs* (→ ci-dessus, I., B.).

SUÇOIR [syswaʀ] n. m. — 1816; «partie d'un coquillage qui pompe l'eau», 1765; de *sucer*.

♦ **1.** Organe servant à sucer (désigne communément la trompe* d'un insecte).

♦ **2.** (1816). Bot. Organe des plantes parasites, qui s'implante et se ramifie dans les hôtes dont celles-ci se nourrissent. — Vieilli. Poil absorbant d'une racine.

♦ **3.** Techn. ⇒ **Suceuse** (I., C.).

SUÇON [sysɔ̃] n. m. — 1690; de *sucer*.

♦ **1.** Élevure ou légère ecchymose qu'on fait à la peau en la tirant par succion. *Faire un suçon à qqn. Cacher un suçon.*

1   (...) il lui avait trouvé une tache noire au cou. La mâtine *(Nana)* osait dire que ce n'était pas un suçon! oui, elle appelait ça un bleu, tout simplement (...)
ZOLA, l'Assommoir, XI, t. II, p. 174.

♦ **2.** (1781, «sorte de tétine», *in* D. D. L.). Vx. Sucette* (2.).

2   (...) c'était le temps où l'on recevait dix sous de sa famille, par semaine, afin d'acheter chez le concierge du bahut, des suçons ou du chocolat (...)
HUYSMANS, En ménage, III (1881).

♦ **3.** (1833, *in* D. D. L.). Techn. Espace réservé pour être enlevé dans la coupe d'un vêtement. *Suçon d'emmanchure.*

SUÇOTEMENT [sysɔtmɑ̃] n. m. — Attesté xxᵉ ; de suçoter.

♦ Fait de suçoter, de se suçoter. *Le suçotement incessant de son pouce (par le bébé).*

Il n'avait pas trop de toutes ses mimiques pour marquer sa délectation : tête oscillante, bouche en cul de poule, suçotement de lèvres, bouts des doigts joints en baiser (...)
Roger IKOR, les Fils d'Avrom, La greffe de printemps, p. 220 (1955).

SUÇOTER [sysɔte] v. tr. — 1550 ; de sucer.

♦ Sucer longuement et délicatement. *Suçoter un bonbon. Enfant qui suçote son pouce.*

La femme au maillot en prenait un petit morceau qu'elle *suçotait* avec des lenteurs gourmandes.
Éd. DE GONCOURT, les Frères Zemganno, I.

Suçoter une cigarette (→ Datura, cit. 1).

DÉR. Suçotement.

SUCRAGE [sykʀaʒ] n. m. — 1801, techn. *(sucrage du moût)* ; de sucrer.

♦ Fam. Action de sucrer. *Le sucrage d'une jatte de framboises.* — Spécialt. Dans la fabrication des vins, Addition de sucre au moût avant la fermentation, soit pour augmenter la teneur en alcool, soit pour empêcher que tout le sucre se transforme en alcool. ⇒ **Chaptalisation.** *Sucrage de première cuvée, de deuxième cuvée.*

SUCRANT, ANTE [sykʀɑ̃, ɑ̃t] adj. — 1808, in D. D. L. ; de sucrer.

♦ Qui sucre (en parlant d'une substance). *Pouvoir sucrant de la saccharine. Matière sucrante.*

SUCRASE [sykʀɑz] n. f. — 1903, *Rev. gén. des sc.* nᵒ 15, p. 836 ; de 1. sucre.

♦ Biochim. Inverstase* ; diastase qui transforme le saccharose en sucre inverti, permettant l'assimilation organique, la fermentation alcoolique. ⇒ **Invertine, saccharase.**

SUCRATAGE [sykʀataʒ] n. m. — xxᵉ ; de sucrate.

♦ Techn. Dans la fabrication du sucre, Épuration du jus par addition d'une base (chaux, etc.) formant avec lui un sucrate, lequel, en présence d'un acide, précipite les impuretés. ⇒ **Mélasse.**

SUCRATE [sykʀat] n. m. — 1864, *Rev. des cours sc.*, t. I, p. 563 ; de 1. sucre.

♦ Biochim. Composé d'un sucre avec un oxyde basique. ⇒ **Saccharate.**

DÉR. Sucratage.

1. SUCRE [sykʀ] n. m. — Fin xiiiᵉ ; *çucre*, v. 1175 ; de l'ital. *zucchero*, de l'arabe *sŭkkăr*, d'une langue indienne (sanscrit *çarkara*), proprt « grain », d'où vient le lat. *saccharum*.

A. ♦ **1.** Substance alimentaire, le plus souvent cristallisée, de saveur très douce, soluble dans l'eau (⇒ **Saccharose**), fabriquée industriellement avec la plante dite *canne à sucre* ou la betterave sucrière (depuis le début du xixᵉ siècle). — (1808, *in* D. D. L.). *Sucre de canne (sucre roux).* ⇒ **Cassonade.** — (1800, *in* D. D. L.). *Sucre de betterave.* — (1690, *in* D. D. L.). *Sucre raffiné.* — *Sucre de déchets.* ⇒ **Vergeoise.** *Sucre en pains, pain* de sucre. Sucre en cassons*. Sucre en morceaux* ; (1765, *in* D. D. L.) *sucre cristallisé. Sucre semoule. Sucre glace* ; (1607, *in* D. D. L.), *sucre en poudre. Sucre vanillé. Mettre le sucre sur la table.* ⇒ **Saupoudreuse, sucrier.** *Le sucre, aliment nourrissant et assaisonnement. Faire fondre du sucre dans l'eau.* ⇒ **Sirop** (→ Pavot, cit. 1). *Chauffer du sucre ; degrés de cuisson du sucre (état des sirops de sucre) : sucre à la nappe, au petit lissé, au grand lissé, à la perle ou perlé, au grand perlé, au boulé ou au grand boulé, au petit boulé ou soufflé, au grand soufflé ou plume, au grand cassé ; caramel*. Mettre du sucre dans un mets...* (⇒ **Adoucir, édulcorer, sucrer**), *sur une pâtisserie* (⇒ **Glacer, saupoudrer**). *Succédané du sucre.* ⇒ **Saccharine.** *Morceau de sucre* (→ ci-dessous, 4.). *Conserver, confire dans du sucre.* ⇒ **Condit, confit, confiture.** *Confiture pur fruit pur sucre. Friandise à base de sucre.* ⇒ **Confiserie, sucrerie.** *Au sucre :* servi avec du sucre en poudre. *Fraises au sucre.*

1   Ils apprirent comment on clarifie le sucre, et les différentes sortes de cuites, le grand et le petit perlé, le soufflé, le boulé, le morve et le caramel.
FLAUBERT, Bouvard et Pécuchet, II.

2   — Un morceau (...) deux morceaux ? (...)
— Trois si vous le permettez. Et très peu de café, juste de quoi noyer le sucre.
GIDE, le Treizième Arbre, 3.

3   N'oublie pas les femmes qui mettent les morceaux de sucre en paquets. Joli travail, penses-tu, pour des mains blanches ? Ce joli travail leur dévore les ongles et le bout des doigts jusqu'à l'os. Vas-tu dire maintenant que le sucre n'est pas cher ?
ALAIN, Propos, 20 oct. 1908, Café sans sucre.

Fabrication du sucre. ⇒ **Roulaison ; sucrerie.** *Les cannes à sucre* (Canamelles) *broyées au moulin, ou les cossettes de betteraves traitées par l'eau chaude à la râperie* (⇒ **Diffuseur**) *donnent un jus sucré* (⇒ **Vesou**) *et des résidus* (⇒ **Bagasse, pulpe**) *; ce sirop est épuré (par chaulage, sulfitation, défécation) à la sucrerie et transformé en sucre cristallisé brut par évaporation et cuisson* (⇒ **Cuite**), *opérations suivies du clairçage et du séchage.* — *Résidu de la cristallisation du sucre.* ⇒ **Mélasse.** *Opérations de raffinage du sucre brut.* ⇒ **Raffinage, raffinerie.** *Essorage des pains de sucre raffiné par la sucette* (1.). *Mesure du sucre des moûts au glucomètre.*

(1765, *sucre d'érable*, Encyclopédie ; *in* D. D. L.). Substance analogue provenant d'une autre substance que la canne ou la betterave. — **SUCRE D'ÉRABLE,** provenant du sirop d'érable.

3.1   Après quelques heures d'ébullition *(de la « liqueur d'érable »)* sur un bon feu, qui faisait autant de bien aux opérateurs qu'à la substance opérée, celle-ci s'était transformée en un sirop épais. Ce sirop fut versé dans des moules d'argile, préalablement fabriqués dans le fourneau même de la cuisine, et auxquels on avait donné des formes variées. Le lendemain ce sirop, refroidi, formait des pains et des tablettes. C'était du sucre, de couleur un peu rousse, mais presque transparent et d'un goût parfait.
J. VERNE, l'Île mystérieuse, t. I, p. 92.

Loc. *Vin de sucre :* vin de qualité inférieure obtenu en ajoutant du sucre dans un marc épuisé.

♦ **2.** Loc. fig. *Casser* du sucre sur le dos de qqn.* — *Être tout sucre tout miel** (infra cit. 9). — *Être en sucre :* être fragile, peu résistant (employé surtout à la forme négative). *Cet enfant peut bien vous aider, il n'est pas en sucre !*

EN SUCRE, s'emploie comme terme d'affection, avec un nom familier. *Mon petit lapin en sucre.*

Loc. fam. (1880). *C'est pas du sucre :* c'est difficile (cf. C'est pas du gâteau, de la nougatine, de la tarte).

♦ **3.** (V. 1460). Douceur (souvent, douceur suspecte).

3.2   Le sucre fade des mauves, l'âpreté du sureau (...)
ZOLA, l'Œuvre, p. 84.

Fig. (Souvent associé avec *miel*). « *Le miel des principes, le sucre des promesses* » (Mauriac, *in* G. L. L. F.).

♦ **4.** (1901). Fam. *Un sucre :* un morceau de sucre. *Mettre deux sucres dans son café. Sucre trempé dans une liqueur.* ⇒ **Canard.** *Chien qui fait le beau pour avoir un sucre.* ⇒ **Susucre.**

3.3   Mon cousin l'Oncle (...) me demande du thé, revient à la table de thé, exige de la crème, plus que ça, deux sucres (...)
COLETTE et WILLY, Claudine à Paris, 1901, *in* D. D. L., II, 16.

Fig. Personne doucereuse.

♦ **5.** Sucre parfumé, coloré..., avec lequel sont faits certains bonbons, certaines friandises. *Bonhomme en sucre* (au fig. ; → 1. Mannequin, cit. 9).

(1644). SUCRE D'ORGE : sucre cuit (à l'origine, avec une décoction d'orge) et parfumé. *Bâton de sucre d'orge.* — Par ext. Le bâton lui-même. *Acheter des sucres d'orge.*

4   Près de la grille, à l'entrée, dans son petit pavillon, demeurait la concierge, celle qui nous vendait des sucres d'orge et des oranges (...)
CÉLINE, Voyage au bout de la nuit, p. 62.

SUCRE DE POMME : sucre cuit parfumé à la pomme. — (xiiiᵉ). SUCRE CANDI. ⇒ **Candi.**

B. (1600, O. de Serres). Chim. **ⓐ** Saccharose* ; saccharol (en pharmacie). ⇒ **Saccharo-.** *Combinaison du sucre avec une base.* ⇒ **Sucrate.** *Hydrolyse du sucre, sous l'influence des acides* (ou d'une diastase, la sucrase ou invertase), *en glucose et fructose ; après cette hydrolyse, le pouvoir rotatoire du sucre, qui était dextrogyre, devient lévogyre à la suite de la formation de fructose, d'où le nom de sucre interverti donné au mélange* (on disait *sucre inverti*) *; le saccharose chauffé à 190ᵒC donne le caramel.*

ⓑ (Sens large). Substance possédant plusieurs fonctions alcool avec au moins une fonction aldéhyde ou cétone, et ayant au moins quatre atomes de carbone dans sa molécule. *Sucres aldéhydiques à cinq atomes de carbone* (arabinose, xylose), *à six atomes de carbone* (glucose, mannose — mannite —, galactose) *; sucres cétoniques à six atomes de carbone* (fructose ou lévulose, sorbose, etc.). *Sucre d'amidon* (glucose dextrogyre). *Sucre de fruits* (fructose, lévulose). *Sucre de lait* (lactose). *Sucre de malt* (maltose). *Sucre de miel, de raisin* (glucose). — *Transformation des sucres en alcool et en gaz carbonique.* ⇒ **Fermentation** (alcoolique). → Multiplication, cit. 5. *Le sucre des oranges* (→ Acidité, cit.). *L'action du soleil enrichit le raisin en sucre* (→ Mûrir, cit. 2). — Physiol. *Sucre du foie :* glucose dont le débit est régularisé par le foie. *Organisme qui ne combure pas les sucres.* ⇒ **Diabète.** *Sucre dans les urines* (⇒ **Glycosurie**), *dans le sang* (⇒ **Glycémie**).

DÉR. Sucrage, sucrase, sucrate, sucrer, sucrerie, sucrier. — V. Susucre.
COMP. Casse-sucre.

2. SUCRE [sykʀ] ; à l'espagnole [sukʀe] n. m. — 1903 ; de Antonio José de *Sucre*, président de la République de Bolivie, 1793-1830.

♦ Monnaie d'argent, unité monétaire de l'Équateur.

SUCRER [sykʀe] v. tr. — xvᵉ; p. p., *socré*, xiiiᵉ; de 1. *sucre*.

★ **I.** ♦ **1.** Additionner de sucre, ou d'une matière sucrante. ⇒ **Adoucir, édulcorer.** *Sucrer son café, son thé. Sucrer des fraises avec du sucre en poudre.* — Loc. fig. et fam. *Sucrer les fraises :* trembler. ⇒ **Fraise** (cit. 5 et 6).

Absolt. Ajouter, mettre du sucre.

1   (...) non sans avoir redit que le « sucrez à volonté » revient dans mainte recette ancienne de viandes braisées et mijotées, et que le sucre s'impose à tous les plats dont le temps de cuisson dépasse une heure.
COLETTE, Prisons et Paradis, p. 140.

♦ **2.** (1719, *in* D.D.L.). Absolt. Donner une saveur sucrée (en parlant d'une substance). *La saccharine sucre beaucoup plus que le sucre, à poids égal.*

★ **II.** (1901, « arrêter » qqn). Fig. et fam. Milit. *Sucrer une permission,* la supprimer. — Théâtre. *Sucrer une réplique, un passage,* la, le supprimer.

1.1   Sucrer : supprimer. Très utilisé par les journalistes. Mon sujet a été sucré. La presse est le seul lieu où l'on peut sucrer le marbre. Ne pas confondre avec « se sucrer ».
Jacques MERLINO, les Jargonautes, 1978, p. 206.

▶ **SE SUCRER** v. pron.

♦ **1.** (1835). Fam. Se servir de sucre (pour le café, le thé...). *Sucrez-vous mieux, vous n'avez pris qu'un morceau.*

♦ **2.** (1908). Fig. et fam. Se servir amplement, faire de gros bénéfices (au détriment des autres).

1.2   La lourde porte s'ouvrit enfin, montrant aux trois associés les trésors qui s'y trouvaient renfermés. Oh! le beau pognon! la belle galette! s'écrièrent en chœur Croquignol, Filochard et Ribouldingue. Jamais on n'pourra tout emporter à la fois, c'est dommage! Enfin, allons-y, sucrons-nous et débinons.
L. FORTON, les Aventures des Pieds-Nickelés, *in* l'Épatant, 1908, p. 43.

2   Dans la soirée d'hier et la matinée d'aujourd'hui, Ozurian a déjà revendu le lot entièrement et il a dû se sucrer confortablement, je le connais.
M. AYMÉ, le Chemin des écoliers, IX.

♦ **3.** (1887). Devenir sucré. *Le raisin... venait de mûrir et de se sucrer brusquement* (Zola, *la Terre,* IV, IV). — Par métaphore :

3   Comme un fruit d'espalier, Gourmont mûrit. Il perd son âcreté, se parfume, se sucre. Ses derniers écrits sont savoureux.   GIDE, Journal, 17 oct. 1905.

♦ **4.** (1876). Passif. Devoir être sucré, additionné de sucre. *Les crêpes se sucrent après la cuisson.*

▶ **SUCRÉ, ÉE** p. p. et adj. (xvᵉ; *socré*, xiiiᵉ).

♦ **1.** Qui a le goût du sucre (se dit d'une des saveurs fondamentales, douce et agréable). *Pastèque* (cit.) *légèrement sucrée. Fruit mûr, bien sucré. Boisson sucrée. Un vin sucré* (⇒ **Doux**), *très sucré. Liquide épais et sucré.* ⇒ **Sirupeux.** *Je trouve ce champagne trop sucré.* — Additionné de sucre. *Entremets sucrés. Biscuits sucrés et biscuits salés. Lait concentré non sucré. Café trop sucré. Sucré au miel.* ⇒ **Miellé.**

4   Inquiété par les rougeurs qui marbraient la face de son mari, Madame Désableau prépara en silence un verre d'eau sucrée à la fleur d'orange (...)
HUYSMANS, En ménage, IV.

Par ext. *Diabète sucré.* ⇒ **Diabète.** — (Emploi abusif de l'adjectif). *Tolérance sucrée :* tolérance au sucre, au glucose.

N. m. *Le sucré :* le goût sucré, la saveur du sucre.

♦ **2.** (xviᵉ). Fig. D'une douceur affectée. ⇒ **Doucereux, hypocrite, mielleux.** *Un petit air* (2. Air, cit. 6) *sucré.*
Il était sucré comme une confiture (→ Bénin, cit. 7). — N. (Fin xvᵉ, *faire la sucrée*). Par compar. *Faire le sucré, la sucrée,* se montrer aimable, doux, réservé, délicat, scrupuleux avec affectation. *Ils font les sucrés* (→ Macchabée, cit. 2).

5   (...) malgré l'horreur que j'en ai, je continuais de faire ma sucrée, jusqu'à l'écœurement (...)   Hervé BAZIN, Qui j'ose aimer, VI.

(Dans d'autres emplois). Rare :

6   (...) tout mon mépris pour les sucrées et les poupées qui se pâment aux peintures à la mode et à la musique de M. Verdi.
E. DELACROIX, Journal 1823-1850, 6 mars 1847, t. I, p. 282.

DÉR. Sucrage, sucrant, sucreur.

SUCRERIE [sykʀəʀi] n. f. — 1654; de 1. *sucre.*

★ **I.** ♦ **1.** Usine où l'on fabrique le sucre (de canne, de betterave). — Spécialt. Local où le jus est traité, à l'exclusion de la râperie* et de la raffinerie. *La sucrerie et la raffinerie* (cit. 1). *Les grandes sucreries du Nord de la France.* — Par ext. Raffinerie*.

♦ **2.** ⓐ (1780, Canada). Fabrique de sucre d'érable. *Sucrerie d'érablière.* — Au Canada, on dit aussi *cabane* à sucre.

ⓑ Au Canada, Forêt d'érables à sucre.

♦ **3.** Fabrication du sucre, industrie sucrière. *La sucrerie, industrie agricole.*

★ **II.** ♦ **1.** (1680). Friandise à base de sucre, ou mets très sucré (généralt au plur.). *Aimer les sucreries.* ⇒ **Bonbon, confiserie, confi-**

ture, gâteau; douceur, friandise (cit. 3). → **Dérober,** cit. 31. *Son médecin lui interdit les sucreries* (→ Grâce, cit. 86).

(...) l'attrait des pruneaux, des gâteaux (...) des raisins de Malaga et des sucreries translucides qu'ils contiennent *(les paquets).*   COLETTE, le Fanal bleu, p. 106.

♦ **2.** Franç. d'Afrique. Boisson sucrée non alcoolisée. — Correspond à *breuvage* en franç. du Canada.

SUCREUR [sykʀœʀ] n. m. — 1872; de *sucrer.*
REM. le fém. *sucreuse* est virtuel.

♦ **1.** N. m. Celui qui fait du vin de sucre.

♦ **2.** Personne qui sucre. — Loc. fam. *Un sucreur de fraises.* ⇒ **Fraise.**
Spécialt. *Ouvrier qui sucre le champagne.*

SUCRIER, ÈRE [sykʀije, ɛʀ] adj. et n. — 1555, « confiseur », n.; de 1. *sucre.*

★ **I.** Adj. ♦ **1.** (1842). Qui se rapporte à la production du sucre. *Industrie sucrière,* de la fabrication du sucre.
(1872). Où l'on produit du sucre. *Région sucrière.*

♦ **2.** (xxᵉ). Qui produit du sucre; rare sauf dans : *betterave* sucrière.*

1   C'est l'époque où, pour suppléer à la canne à sucre que le blocus empêche d'importer, on a recours à la betterave sucrière, ce qui fait naître une industrie nouvelle.
L. DE BROGLIE, Physique et Microphysique, p. 350.

★ **II.** N. (1555, n. m., « confiseur »). ♦ **1.** N. m. ⓐ (1564). Fabricant de sucre. *Les grands sucriers du Nord.*

ⓑ (1813). Ouvrier de l'industrie sucrière. *Le métier de sucrier.*

♦ **2.** N. m. (1596). Récipient, pièce de vaisselle ou d'orfèvrerie où l'on met le sucre. *Sucrier de porcelaine, d'argent, de cristal. La théière et le sucrier* (→ Plateau, cit. 1). *Sucrier verseur.* ⇒ **Saupoudreuse.**

2   (...) un sucrier en cristal taillé si crânement que nos petites filles ouvriront de grands yeux en admirant et les cercles de cuivre doré qui le bordent, et ces côtes tailladées comme un pourpoint du moyen âge, et la pince à prendre le sucre (...)
BALZAC, Pierrette, Pl., t. III, p. 682.

♦ **3.** (1872). N. f. Vieilli. **SUCRIÈRE** : récipient piriforme en faïence, où l'on mettait le sucre en poudre.

3   (...) sagement, elle commença de sucrer ses fraises. Mais, presque aussitôt, elle posa la sucrière et se redressa nerveusement (...)
MARTIN DU GARD, les Thibault, t. VIII, p. 240.

SUCRIN [sykʀɛ̃] adj. m. et n. m. — 1544, in *le Français moderne;* de 1. *sucre.*

♦ **1.** Sucré (en parlant du melon). *Melon sucrin.* — N. m. (1558). Melon d'une variété très sucrée.

En effet, comme il avait cultivé les unes près des autres des espèces différentes, les sucrins s'étaient confondus avec les maraîchers, le porc Portugal avec le grand Mogol, et, le voisinage des pommes d'amour complétant l'anarchie, il en était résulté d'abominables mulets qui avaient le goût de citrouille.
FLAUBERT, Bouvard et Pécuchet, II.

♦ **2.** N. m. (1872). *Sucrin vert,* variété de poire.

SUD [syd] n. m. et adj. invar. — V. 1170; *suth,* v. 1138; de l'anc. angl. *suth,* angl. mod. *south.*

♦ **1.** Celui des quatre points cardinaux qui est diamétralement opposé au nord, direction de l'un des pôles* (→ Rose, cit. 12). *Se diriger vers le sud* (→ Formation, cit. 1; hirondelle, cit. 5; rocher, cit. 5). *Au sud* (→ Frondaison, cit. 2). *Mettre le cap au sud* (→ Route, cit. 9). *Arriver par le sud* (→ Fermer, cit. 15; investir, cit. 7). *Du nord au sud* (→ Corridor, cit. 5; infini, cit. 32). *Vent, brise du sud* ⇒ **Autan** (→ Disperser, cit. 8; exciter, cit. 19). *Façade qui est exposée, qui regarde* (cit. 17) *au sud. Au sud de...;* dans une région située du côté du sud par rapport à la latitude d'un lieu (→ Phare, cit. 2). *Au sud de la Loire.* ⇒ **Dessous** (au-, en).

1   (...) pour un vrai soldat de marine, l'Asie, l'Afrique, l'Océanie et l'Amérique se mêlent (...) Tantôt je parle du Maroc, tantôt du Tonkin, le cafard n'a pas de patrie, il ne connaît qu'une direction : le Sud.   P. MAC ORLAN, Quai des brumes, IV.

Adj. invar. (1721). Qui se trouve au sud. *Pôle sud.* ⇒ **Antarctique.** *Hémisphère sud.* ⇒ **Austral** (→ Hiver, cit. 7; industrialisation, cit. 2). *Latitude* (cit. 3) *sud. Atlantique sud* (→ Pot, cit. 9). *Le côté, le versant, le flanc sud, la lisière sud* (→ Marinier, cit. 4; muletier, cit. 2; pilonner, cit. 2; ressaut, cit. 1).

♦ **2.** *Sud* (avec majuscule). ⓐ Ensemble des régions situées (au moins en majeure partie) dans l'hémisphère sud. *Oiseaux du Nord et du Sud* (→ Pingouin, cit. 1). *Amérique, Afrique du Sud* (→ Précolombien, cit.).

ⓑ Région sud d'un pays. *Dans le Sud de l'Europe* (→ Grenadier, cit. 2). *Département du Sud de la France.* ⇒ **Midi.** *Sud algérien, marocain* (→ Ksar, cit.; nuancer, cit. 6). *Caroline, Corée... du Sud.* — Absolt. *Le Sud.* → 1. Roman, cit. 3; romaniser, cit. 2 (en parlant de la France) ; gitan, cit. 1 (de l'Espagne) ; planteur, cit. 1 (des États-Unis) ; mugir, cit. 3 (de l'Allemagne), etc. *Les mers du Sud :* le Pacifique sud. — Littér. *Courrier Sud,* de Saint-Exupéry (ellipse de : *Courrier France-Amérique du Sud).*

2   — (...) vous êtes ici sur le Nouveau Continent — l'Amérique du Sud, c'est tout de même un peu l'Amérique.   J. ROMAINS, Donogoo, Épilogue, 2.

CONTR. Nord.
DÉR. Sudiste.

SUD– Premier élément de composition, dont le second est un adjectif tiré d'un nom de pays, selon l'ordre des mots de l'anglais (équivalent français : adj. + *du Sud).*

SUD-AFRICAIN, AINE [sydafʀikɛ̃, ɛn] adj. et n. — 1890 ; de *sud-,* et *africain,* calque de l'angl. *South-African.*

♦ Qui appartient à l'Afrique du Sud (et, spécialt, à l'État d'Afrique du Sud appelé *Union sud-africaine).* — N. *Un Sud-Africain, une Sud-Africaine :* un(e) habitant(e) de l'Afrique du Sud. *Des Sud-Africains.* ⇒ **Afrikaner** ou **afrikander.**

SUD-AMÉRICAIN, AINE [sydameʀikɛ̃, ɛn] adj. et n. — 1877 ; de *sud-,* et *américain,* calque de l'angl. *South-American.*

♦ Qui appartient à l'Amérique du Sud. *Les républiques sud-américaines. Littératures sud-américaines. Musique, rythme sud-américain.* — N. *Un Sud-Américain, une Sud-Américaine ; des Sud-Américains,* habitants de l'Amérique du Sud.

De même, si nous continuons à dire «l'Amérique du Nord» et «l'Afrique du Nord», nous appelons ceux qui y vivent des *Sud-Américains* et des *Nord-Africains.* Un «Américain du sud» risquerait de prêter à confusion : s'agit-il d'un Argentin ou d'un Virginien ?   J. DARBELNET, Regards sur le français actuel, p. 95 (1963).

SUDAMINA [sydamina] n. f. — 1765 ; lat. mod. *sudamen,* du lat. *sudare* «transpirer».

♦ Méd. Éruption cutanée de petites vésicules, survenant dans certaines fièvres et due à la rétention de sueur dans les pores sudoripares. ⇒ **Bourbouille, miliaire, suette.**

SUDARABIQUE [sydaʀabik] adj. — xxᵉ ; de *sud-,* et *arabique.*

♦ D'une langue du groupe sémitique proche de l'arabe, parlée près d'Oman. *Écriture sudarabique.*

SUDATION [sydɑsjɔ̃] n. f. — V. 1363, repris 1812 ; lat. *sudatio,* de *sudare* «suer».

♦ **1.** Méd. Transpiration abondante, physiologique (effort physique, chaleur) ou pathologique (maladie fébrile, hypoglycémie). *Sudation provoquée* (bains de vapeur, sauna...). → Bain, cit. 8. *Éruption cutanée due à la sudation* (miliaire, suette). — On trouve aussi *sudorification.*

♦ **2.** Transpiration. *Sudation insuffisante.*

♦ **3.** (xxᵉ). Bot. Émission d'eau par les plantes.

1. SUDATOIRE [sydatwaʀ] n. m. — 1765 ; *sudatorie,* 1605 ; lat. *sudatorium,* de *sudatio.* → Sudation.

♦ **1.** Archéol. Étuve des thermes romains. — REM. On dit plutôt en ce sens *sudatorium.*

♦ **2.** Rare. Local aménagé pour les bains de vapeur. ⇒ **Sauna.**

2. SUDATOIRE [sydatwaʀ] adj. — 1812 ; lat. *sudatorius.*

♦ Didact. Accompagné de sueur. *Fièvre sudatoire* (vieilli) : suette*.

SUDATORIUM [sydatɔʀjɔm] n. m. — 1842 ; mot lat., «étuve», de l'adj. *sudatorius,* de *sudatum,* supin de *sudare* «suer».
Didactique.

♦ **1.** Archéol. Bains de vapeur, dans les bains romains. *Des sudatoria* ou *des sudatoriums.*

♦ **2.** Didact. et rare. Bains de vapeur. ⇒ **Hammam, sauna.**

SUD-CORÉEN, ENNE [sydkɔʀeɛ̃, ɛn] adj. et n. — 1950 ; de *sud-,* et *coréen,* calque de l'angl. *South-Corean.*

♦ Qui appartient à la Corée du Sud. — N. *Un Sud-Coréen ; une Sud-Coréenne :* un(e) habitant(e) de la Corée du Sud. *Des Sud-Coréens.*

SUD-EST [sydɛst] n. m. et adj. invar. — 1607 ; *suth est,* v. 1155 ; *suest,* 1484 ; de *sud,* et *est.*

♦ **1.** Point de l'horizon situé à égale distance entre le sud et l'est (abrév. : *S.-E.). Se diriger vers le sud-est. Maison exposée au sud-est. Le sud-sud-est,* entre le sud et le sud-est.

♦ **2.** Partie d'un pays située dans cette direction. *Le Sud-est de la France. Le Sud-est asiatique.* — REM. Les marins prononcent ce mot et ses composés *(sud-est-quart-est, sud-est-quart-sud)* sans marquer le *d :* [syɛ] ou, plus souvent, [syɛt]. Cette prononciation est parfois écrite. «*Le vent étant de Suet, les oiseaux viendront sans doute du Nord*» (la Chasse, nᵒ 229, p. 57). Elle correspond à *suroît* [syʀwa] pour *sud-ouest.*

♦ **3.** Adj. invar. (1876). *La région sud-est d'un pays. Vent sud-est,* qui souffle du sud-est. — REM. Les comp. (n. m.) *sud-est-quart-est* et *sud-est-quart-sud* (aires de vent comprises entre le *sud-est* et, respectivement, l'*est-sud-est* et le *sud-sud-est*) sont attestés en 1803. *Aire de vent entre le sud-est et le sud.* ⇒ **Sud-sud-est.**

SUDÈTE [sydɛt] adj. — V. 1938 ; du n. pr. *Sudètes,* nom d'un massif montagneux de Tchécoslovaquie.

♦ De la région située en bordure nord de la Bohême. *Le problème sudète.* — De la population de cette région.

SUDISTE [sydist] n. et adj. — V. 1861-1865 ; de *sud.*

♦ **1.** Hist. amér. Partisan de l'indépendance des États du Sud, aux États-Unis, pendant la guerre de Sécession. ⇒ *Sécessionniste. Armée sudiste* (dite *confédérée). Un général sudiste. Uniforme, drapeau sudiste.* — N. *Un, une Sudiste.*

♦ **2.** (Mil. xxᵉ). Qui fait partie de ou se rapporte à la région méridionale (d'un pays).

J'avais tant prévu et, même, le Bloc-Notes en fait foi, la menace «sudiste», et le péril militaire de style Franco, mais non cette résignation d'avance, pour ne pas dire ce consentement de notre peuple au coup de force militaire en liaison avec la rue d'Alger.   F. MAURIAC, le Nouveau Bloc-notes 1958-1960, p. 93.

SUDORAL, ALE, AUX [sydɔʀal, o] adj. — 1904, *éruptions sudorales,* Rev. gén. des sc. nᵒ 19, p. 903 ; dér. sav. du lat. *sudor* «sueur».
Médecine.

♦ **1.** Relatif à la sueur, à la transpiration. *L'appareil sudoral* (→ Sudoripare, cit.). *Sécrétion sudorale.*

♦ **2.** Qui provoque ou favorise la transpiration. ⇒ **Sudorifique.**
COMP. Antisudoral.

SUDORIFÈRE [sydɔʀifɛʀ] adj. — 1732 ; du lat. *sudor* «sueur», et *-fère.*

♦ Qui produit la sueur. ⇒ **Sudoripare.** — (1842). Anat. Qui conduit la sueur. *Conduit sudorifère.*

SUDORIFICATION [sydɔʀifikasjɔ̃] n. f. — 1878 ; de *sudorifique.*

♦ Méd. ⇒ **Sudation.**

SUDORIFIQUE [sydɔʀifik] adj. — V. 1560 ; comp. sav. du lat. *sudor* «sueur», et *-fique.*

♦ Méd. Qui provoque la sudation. ⇒ **Diaphorétique ;** et aussi **apéritif** (vx), **dépuratif, hidrotique.** *Plantes sudorifiques.* ⇒ **Serpentine, tilleul.** — N. m. *Un sudorifique :* un médicament ou un traitement sudorifique. ⇒ **Pilocarpine.**
DÉR. Sudorification.

SUDORIPARE [sydɔʀipaʀ] adj. — 1855, Nysten ; du lat. *sudor* «sueur», et *-pare.*

♦ Anat. Qui sécrète la sueur. ⇒ **Sudorifique, sudoripare.** *Glandes sudoripares. Pore sudoripare* (ou *sudorifère).*

L'appareil sudoral est constitué par d'innombrables petites glandes en tube simple, dont l'extrémité aveugle, enroulée sur elle-même, forme un peloton, ou glomérule, logé à la face profonde de la peau. Le canal excréteur vient s'ouvrir, après avoir traversé le derme, à la surface de l'épiderme par un petit pore souvent visible à l'œil nu. Un riche réseau capillaire s'épanouit autour de la glande. Le nombre des glandes sudoripares serait, en moyenne, de 120 par cm² (...)
    R. FABRE et G. ROUGIER, Physiologie médicale, p. 356.

SUD-OUEST [sydwɛst] n. m. et adj. invar. — 1680 ; *zuutwest,* 1423 ; *synoest,* 1484 ; *surouest,* fin xvⁱᵉ ; de *sud,* et *ouest.*

♦ **1.** Point de l'horizon situé à égale distance entre le sud et l'ouest. *Se diriger vers le sud-ouest* (→ Piraterie, cit. 2). *Apparaître au sud-*

ouest (→ Ralinguer, cit.). *Vent du sud-ouest.* ⇒ **Suroît** (→ Espar, cit. 1). *Le sud-sud-ouest,* entre le sud et le sud-ouest.

♦ **2.** Partie d'un pays située dans cette direction. *Le Sud-ouest de la France,* et, ellipt., *le Sud-ouest* (→ Hupper, cit. 4 ; province, cit. 9 ; réanimer, cit.).

Un important conseil de guerre eut lieu (...) dans la salle du premier étage du *Café de l'Univers,* place du Palais, à Bergerac (...) Ils avaient tous l'accent du sud-ouest (...)   J. ROMAINS, les Hommes de bonne volonté, t. VIII, I, p. 5-7.

♦ **3.** (1606). Adj. invar. *Région sud-ouest. Vent sud-ouest,* qui souffle du sud-ouest.

REM. Le comp. *sud-ouest-quart-ouest* (1803 ; *sud-ouest quart d'ouest,* 1736) désigne l'aire de vent comprise entre le sud-ouest et l'ouest-sud-ouest. *Aire de vent située entre le sud-ouest et le sud.* ⇒ **Sud-sud-ouest.**

SUD-SUD-EST [sydsydɛst] n. m. — 1690 ; de *sud,* et *sud-est.*

♦ Mar., météor. Aire de vent entre le sud et le sud-est. Direction qui lui correspond. *Aller sud-sud-est.* — REM. L'aire de vent comprise entre le *sud-sud-est* et le *sud-est* se nomme *sud-est-quart-sud* ; entre le *sud-sud-est* et le *sud, sud-quart-sud-est.*

SUD-SUD-OUEST [sydsydwɛst] n. m. — 1690 ; de *sud,* et *sud-ouest.*

♦ Mar., météor. Aire de vent entre le sud et le sud-ouest. Direction qui lui correspond. — REM. L'aire de vent située entre le *sud-sud-ouest* et *le sud* se nomme *sud-quart-sud-ouest.*

SUD-VIETNAMIEN, IENNE [sydvjɛtnamjɛ̃, jɛn] adj. et n. — 1955 ; de *sud-,* et *vietnamien,* calque de l'anglais.

♦ De la République du Vietnam du Sud. — Habitant du Vietnam du Sud. *Les Sud-Vietnamiens.*

SUÈDE [sɥɛd] n. m. — 1840, Balzac ; de *Suède,* nom de pays.

♦ Comm. (Vieilli). Peau dont le côté chair est à l'extérieur (⇒ **Suédé**), employée surtout en ganterie. *Du suède.*

1   (...) ses hauts gants de suède fauves, embaumant ainsi que sa voilette (...)   HUYSMANS, Là-bas, VIII.

(1846). Vx. Gant de suède. *Porter des suèdes* ou (invar.) *des suède.*

2   Marcel m'épluche comme d'habitude :
— Mettez donc des suède au lieu de gris-perle ; c'est plus joli avec le bleu. Il a raison. Je change de gants.   COLETTE, Claudine à Paris, p. 136-137, 1901, *in* D.D.L., II, 16.

Adj. (1901). Couleur du suède. « *Des paletots (...) feuille morte, bronze, suède (...)* » (la Mode illustrée, 27 mai 1906, *in* D.D.L.).

DÉR. Suédé, suédine.

SUÉDÉ, ÉE [sɥede] adj. et n. m. — XXᵉ ; de *suède.*

♦ **1.** Se dit d'une peau, d'un cuir dont le côté chair est à l'extérieur. ⇒ **Suède.** *Cuir suédé.* ⇒ **Daim, veau** (retourné).

♦ **2.** Qui imite l'aspect du suède. *Tissu suédé.* ⇒ **Suédine.**

♦ **3.** *Du suédé* : du cuir ou du tissu suédé.

SUÉDINE [sɥedin] n. f. — 1933, *in* Larousse ; de *suède.*

♦ Tissu suédé (2.), imitant le suède, le daim. *Blouson de suédine.*

Et il pleut à torrents. Ma pauvre veste en suédine !   Yanny HUREAUX, la Prof, p. 30.

SUÉDOIS, OISE [sɥedwa, waz] adj. et n. — XVIᵉ ; de *Suède,* nom de pays ; *Sverige* en suédois, *suédois* est adapté de l'angl. *Sweden* ou de l'all. *Schweden.*

♦ **1.** Adj. Qui se rapporte à la Suède, à ses habitants. *Le peuple suédois. Langue suédoise. Littérature suédoise. Art, mobilier suédois.*

Loc. (1892, *Année sc. et industr.* 1893, p. 533). *Gymnastique* (cit. 8) *suédoise* : méthode due au Suédois Ling (1776-1839), enseignée à l'Institut de gymnastique de Stockholm, comportant une série de positions et de mouvements simples et rationnels. *La gymnastique suédoise s'est répandue en France vers la fin du XIXᵉ siècle* (→ ci-dessous, n. f.).

1   Il faisait éclatant ; de la neige, séparés comme les grains d'un riz à l'indienne, chacun des cristaux étincelait à son compte, et tous les humains qui ont un vœu de gymnastique suédoise à leur lever s'en acquittaient, pour la première fois de leur vie, sans rechigner contre la Suède.   GIRAUDOUX, Siegfried et le Limousin, p. 122 (1922).

N. f. *La Suédoise* : la gymnastique suédoise.

2   (...) après une séance bien attentive et muette de suédoise, les muscles qui commandent la voix sont si affaiblis, que le gymnaste en semble enroué pour quelques minutes (...)   Jean PRÉVOST, Plaisir des sports, p. 23.

Comm. *Sabot suédois* : sabot à semelle de bois et à empeigne de cuir généralement noir, sans contrefort.

Allumettes suédoises : allumettes de sûreté (fabriquées selon le procédé dû au Suédois Lündstrom). — N. f. *Des suédoises.*

À la lueur d'une seconde suédoise, il lut (...)   3
     René FALLET, le Triporteur, p. 299.

♦ **2.** N. *Un Suédois, une Suédoise* : une personne qui est née en Suède, ou qui en est originaire. — *Les Suédois* (→ Attirer, cit. 46 ; détruire, cit. 7).

N. m. *Le suédois,* langue du groupe germanique nordique, parlée en Suède et dans le Sud de la Finlande. ⇒ **Scandinave.**

SUÉE [sɥe] n. f. — V. 1480 ; de *suer.*

♦ **1.** Fam. Transpiration abondante, afflux, sécrétion de sueur (sous l'effet d'un travail, d'une inquiétude, etc.). *Une bonne suée. Prendre une suée.*

(...) voilà qu'il se demandait s'il ne fallait pas le regarder comme un salaud. Son propre père. Vous me direz que l'amour filial ne l'étouffait pas. Mais de là à penser que son père était un salaud. Très honnêtement il en avait la suée.   ARAGON, les Beaux Quartiers, I, XIX.

♦ **2.** (1694). Émotion forte. *En être quitte pour une suée.*

♦ **3.** (1808 ; attestation isolée, XVIᵉ). Effort intense. *Quelle suée, pour finir ce travail !*

♦ **4.** (1867). Fam. et vieilli. Grande quantité. ⇒ **Chiée.** *Il y en avait une suée.*

♦ **5.** Fam. Chose ennuyeuse. *Quelle suée, cette conférence.* ⇒ **Suant.**

HOM. Suer.

SUER [sɥe] v. — XIIᵉ ; *suder,* 980 ; lat. *sudare.*

★ I. V. intr. A. (Personnes ; êtres animés). ♦ **1.** Rendre beaucoup de sueur, être en sueur. ⇒ **Transpirer.** — REM. Le verbe *transpirer,* d'abord didactique, est couramment employé à la place de *suer,* jugé familier. — *La chaleur, l'angoisse... font suer.* Suer abondamment (cit. 3), *à grosses gouttes* (cit. 18 et 20). *Suer sous ses vêtements* (→ Élève, cit. 4 ; punching-ball, cit.). *Suer à en mouiller, à en tremper sa chemise** (Cf. Être en nage). « *L'attelage* (cit. 3) *suait, soufflait, était rendu* » (La Fontaine). *Suer d'ahan* (vx). *Suer d'angoisse* (→ Impatience, cit. 12). *Remède qui fait suer.* ⇒ **Sudation, sudorifique.**

Boire à ces gourdes jaunes, loin de ma case   1
Chérie ? Quelque liqueur d'or qui fait suer.
     RIMBAUD, Une saison en enfer, « Délires », II.

♦ **2.** (1538). Se fatiguer, se donner beaucoup de mal. ⇒ **Peiner, travailler.** « *Nous suons, nous peinons, comme bêtes* (cit. 11) *de somme* ». *Le pauvre monde suant sur la glèbe* (→ Justice, cit. 25). « *Il faut suer sans cesse à chercher que lui dire* » (→ Martyre, cit. 10).

J'ai sué, travaillé, écrit et composé.   2
Quatre heures en la nuit à peine ai reposé (...)   RONSARD, Élégies, IV.

Connaissez-vous ça, la glèbe, enfants ? (...) On disait que les anciens seigneurs nous avaient attachés à cela pour nous faire périr à force de suer, mais que la Révolution avait coupé le câble et que nous ne tirions plus comme des bœufs à la charrue du maître (...)   3
     G. SAND, François le Champi, XIX.

♦ **3.** Loc. FAIRE SUER (qqn). 🅰 (1688, Mᵐᵉ de Sévigné). Vx. Effrayer.

🅱 Faire travailler durement et exploiter. — (1911). Fam. *Faire suer le burnous,* se disait de colons européens d'Afrique du Nord accusés d'exploiter la main-d'œuvre indigène. — Vx. *Faire suer le bonhomme,* « se disait des soldats qui extorquaient de l'argent au paysan » (Littré). ⇒ **Pressurer.**

🅲 Vx. « Causer ennui, contrariété » (Littré) ; tourmenter qqn, le harceler.

(Les Turcs) n'ont nulle expérience sur la mer, nulle habileté dans la montagne. On dit qu'une poignée de chrétiens sortis d'un rocher (Malte) font suer tous les Ottomans, et fatiguent leur empire.   4
     MONTESQUIEU, Lettres persanes, XIX.

🅳 Mod. Ennuyer. ⇒ fam. **Barber, raser** ; très fam. **chier** (faire chier), **emmerder.** *Elle fait suer le monde avec ses critiques. Assez ! tu nous fais suer !* ⇒ **Fatiguer** (cf. Casser les pieds). *Se faire suer :* s'ennuyer. *On se fait suer, ici !*

Ce qu'ils me faisaient suer avec « leur petite femme, et leur gros bébé ! » Ce qu'ils avaient l'air stupide tous les deux (...)   4.1
     O. MIRBEAU, le Journal d'une femme de chambre, p. 378.

J'aime pas la soupe, dit Michou. — Ne commence pas à nous faire suer, dit Suzanne. — On ne va pas l'obliger à manger de la soupe s'il ne l'aime pas, dit L'Aumône. N'est-ce pas, mon petit ?   R. QUENEAU, Loin de Rueil, III, X.   5

B. (Fin XIVᵉ, puis 1549 ; choses). Dégager de l'humidité, se couvrir d'humidité. *Bois vert qui sue sous la flamme. Les murs, les plâtres suent.* ⇒ **Suinter.** *L'alcarazas* (cit.) *qui sue sur la table.* — Par ext. *La source sue dans la mousse* (→ Fontaine, cit. 8). — Cuis. *Faire suer des légumes, de la viande,* leur faire rendre de l'eau, le premier jus, par une première cuisson. — Fig. (Vieilli). *Faire suer l'argent,* le faire rendre* ; le faire travailler*.

Il y avait là le portier, un petit homme (...) engraissé par le veuvage, fort bien ren-   6 seigné sur les valeurs industrielles, et sachant faire suer son petit argent par toutes sortes de placements et de prêts sournois.

         Ed. et J. DE GONCOURT, Sœur Philomène, II.

Loc. Techn. *Faire suer la baudruche* : débarrasser l'or de ses graisses.

★ **II.** V. tr. ♦ **1.** (V. 1460, Villon). Rendre par les pores de la peau. ⇒ **Dégoutter, exsuder.** *« Puis sue, Dieu sait quelle sueur ! »* (→ Mourir, cit. 2, Villon). *Suer le sang.* ⇒ **Sueur.**

7   Brûlante et suant les poisons (...)
         BAUDELAIRE, les Fleurs du mal, Spleen et idéal, XXIX.

8   N'ai-je pas sangloté ton angoisse suprême
  Et n'ai-je pas sué la sueur de tes nuits,
  Lamentable ami qui me cherches où je suis ?
         VERLAINE, Sagesse, II, IV, I.

Loc. fig. (1588). SUER SANG ET EAU : faire de grands efforts, se donner beaucoup de peine (→ Chaîne, cit. 12 ; chose, cit. 43 ; écheveau, cit. 5).

Par anal. *Il a l'air de suer la crasse* (cit. 5).

(Sujet n. de chose). *Les arbres semblent avoir sué de la glace* (→ Givre, cit. 4).

9   (...) une boutique dont les boiseries d'un vert bouteille suaient l'humidité par toutes leurs fentes.
         ZOLA, Thérèse Raquin, I.

♦ **2. Factitif.** Ⓐ (1872). Faire suer. *Suer un cheval,* le faire galoper jusqu'à ce qu'il soit en sueur.

Ⓑ (1783, Buffon). Vx. *Suer le fer.* ⇒ **Ressuer.**

♦ **3.** (XVIIIᵉ, Beaumarchais). Fig. Ⓐ Exhaler. — (Personnes). *Suer l'ennui, la peur, l'orgueil.* ⇒ **Respirer, sentir.** — (Choses). *Ce lieu sue la bêtise* (→ Canaillerie, cit. 2).

10   C'était si bien la marchande des rues, qu'un sergent de ville, si l'institution en avait été créée alors, l'eût laissée circuler sans lui faire exhiber son permis, malgré sa physionomie sinistre qui suait le crime.
         BALZAC, Splendeurs et Misères des courtisanes, Pl., t. V, p. 924.

11   Est-ce croyable ? Et cependant, tout ce passage sue la véracité (...)
         MARTIN DU GARD, les Thibault, t. IV, p. 28.

11.1   Il avait peur. Il suait la peur. Il ne tremblait pas. De tous ses pores traversant l'étoffe de son bleu de mécano, suintait une buée très légère, mais lumineuse qui enveloppait son corps entier (...)
         Jean GENET, Pompes funèbres, p. 90.

Ⓑ Donner (de l'argent) contre sa volonté, sous la contrainte.

12   Portant sa charge énorme et sous laquelle il ploie (...)
  (...) Le peuple misérable, et qu'on pressure encor,
  A sué quatre cent trente millions d'or !
         HUGO, Ruy Blas, III, 2.

13   (...) se cramponnant aux actionnaires des Salines des Landes, tâchant de leur faire suer un dernier versement.
         ZOLA, Nana, VII.

♦ **4.** (1888). Pop. *En suer une* (proprt, *exécuter en suant*) : danser une danse (au bal, etc.).

DÉR. Suage (2.), suant, suée, suerie, suette, sueur. — V. aussi **Sudation, sudatoire, sudoral** (et dér.) ; **suaire.**
COMP. Ressuer. — V. aussi **Transsuder.**

SUERIE [sɥʀi] n. f. — 1549 ; de *suer.*

♦ **1.** Vx (langue class.). Suée.

♦ **2.** (1765). Techn. Lieu où l'on entreposait le tabac pour le faire ressuer.

SUERTE [swɛʀte] n. f. — 1899, *in* Petiot ; mot espagnol, « sort, chance ».

♦ En tauromachie, Chaque épisode de la corrida*, caractérisé par des actions différentes (cape, pique, banderilles, muleta). *La suerte de cape. Les suertes* [swɛʀtes].

SUET [sɥɛ ; sɥɛt] n. m. ⇒ **Sud-est.**

SUETTE [sɥɛt] n. f. — V. 1560 ; de *suer.*

♦ Méd. *Suette miliaire** ou *suette* : maladie fébrile contagieuse, de cause inconnue, caractérisée par une sudation abondante et une éruption cutanée de petites vésicules blanchâtres, succédant à une rougeur diffuse de la peau. — *Suette anglaise* : maladie fébrile, cause de graves épidémies en Angleterre aux XVᵉ et XVIᵉ siècles, aujourd'hui disparue.

Aujourd'hui, 3 juillet 1823, surpris par une sueur étrange et annonçant peut-être la suette, maladie particulière à la Champagne, je me dispose à consulter le docteur Haudry.   BALZAC, les Employés, Pl., t. VI, p. 950.
HOM. Suet.

SUEUR [sɥœʀ] n. f. — V. 1307 ; *suor,* v. 1155 ; *sudor,* v. 980 ; lat. *sudorem,* accusatif de *sudor.*

♦ **1.** Produit de la sécrétion des glandes sudoripares, liquide légèrement trouble, d'odeur plus ou moins forte, de saveur salée, essentiellement composé d'eau, de chlorure de sodium, d'autres sels et d'acides gras, qui, dans certaines conditions (chaleur, travail, émotion, etc.), au lieu de se vaporiser au contact de l'air (⇒ **Perspiration**), s'amasse à la surface de la peau, sous forme de gouttes ou de gouttelettes. *Excrétion de la sueur.* ⇒ **Sudation, transpiration** (→ Humecter, cit. 4 ; lustrer, cit. 3 ; plaquer, cit. 6). *La sueur était comptée parmi les humeurs*. *Sueur qui coule* (cit. 13), *dégoutte* (→ Frayeur, cit. 1), *perle* (cit. 2), *ruisselle* (→ Moiteur, cit. 2)... *Mouillé, trempé, baigné, ruisselant... de sueur* (→ Cou, cit. 8 ; émacier, cit. 2 ; essuyer, cit. 4 ; respiration, cit. 2). *Peau moite de sueur.* ⇒ **Haliteux.** *Front qui luisait* (cit. 10) *de sueur. En sueur, couvert de sueur.* ⇒ **Eau** (en), **nage** (en). → Engouffrer, cit. 5 ; éponger, cit. 1 ; exhalaison, cit. 3. *La sueur de l'agonie* (cit. 8). *Sueur mortelle* (→ Glacer, cit. 10). — Loc. *Sueur froide,* accompagnée d'une sensation de froid et de frisson, dans certains états émotifs ou pathologiques (→ Angoisse, cit. 1 ; écroulement, cit. 7 ; frissonner, cit. 3 ; glace, cit. 5). — *Froide* (cit. 11) *sueur d'angoisse.* — *Cheval couvert de sueur.* ⇒ **Écume.** *Sécher la sueur de son cheval.* ⇒ **Bouchonner.** — Par ext. *Sueur de sang* : hématidrose*. — Spécialt. *La sueur de sang du Christ à Gethsémani* (Évangile selon saint Luc, XXII, 44).

1   (...) il y avait assez de douleur pour lui donner le coup de la mort. « Mon âme triste jusqu'à en mourir » ; et il a voulu nous le faire entendre par une marque bien évidente. Cette sueur étrange et inouïe qui (...) a fait ruisseler sur tout son corps des torrents de sang, n'est-ce pas pour nous en convaincre ? Je ne recherche point de cause naturelle à cette sueur ; elle est divine et miraculeuse (...)
         BOSSUET, Premier sermon pour le Vendredi saint, I.

1.1   Ces paroles me font tressaillir ; une sueur froide s'empare de moi, je chancèle ; il faisait nuit, nulle lumière ne guidait nos pas, mon imagination effrayée me fait voir le spectre de la mort balançant sa faulx sur ma tête ; mes genoux fléchissent (...)
         SADE, Justine..., t. I, p. 141.

2   Soudain, il sentit quelque chose entrer dans sa chambre et s'arrêter auprès de son lit. Une sueur d'effroi couvrit tout son corps (...)
         M. BARRÈS, la Colline inspirée, III.

Loc. adj. et adv. (V. 1155, *en suor*). EN SUEUR : qui sue abondamment. *Des coureurs en sueur.* — *Être, se mettre* (→ Essouffler, cit. 1) *en sueur.*

Loc. *Gagner son pain* (cit. 2) *à la sueur de son front,* le gagner durement par son travail (allusion à la malédiction prononcée par Dieu après la faute d'Adam). → Retourner, cit. 19 ; malédiction, cit. 16.

3   — (...) Mais où prenez-vous tant d'argent ? reprit-il.
  — je ne le prends pas, dit César, je le gagne à la sueur de mon front.
         BALZAC, César Birotteau, Pl., t. V, p. 580.

♦ **2.** (Une, des sueurs). Fait de suer. ⇒ **Suée, transpiration.** *Les continuelles petites sueurs dont je suis importunée* (cit. 12). *J'avais des sueurs et des crachements de sang* (→ Entreprendre, cit. 19). *Sueurs abondantes.* ⇒ **Hidrorrhée.**

Loc. *Sueur froide. Cela me donne des sueurs froides,* me fait peur, m'inquiète vivement (→ ci-dessus, cit. 11, avec une autre valeur du mot).

♦ **3.** (Déb. XIIIᵉ, *suour*). Par métaphore, fig. *La sueur,* symbole du travail et de l'effort (→ Entretenir, cit. 12). *Sol arrosé* (cit. 11) *des sueurs du paysan, payé de sueur et de sang* (→ Propriétaire, cit. 2). *Oisifs engraissés de la sueur du peuple* (→ 2. Champagne, cit. 1). *Un long jour de sueurs* (→ Nasse, cit. 1).

4   (...) ces cruels Spartiates en jaquette noire en usaient avec leurs esclaves Indiens, comme les Lacédémoniens avec les Ilotes ; les avaient condamnés à un travail assidu ; s'abreuvaient de leur sueur, ne leur avaient laissé aucun droit de propriété (...)
         DIDEROT, Suppl. au voyage de Bougainville, I.

5   J'aime les œuvres qui *sentent la sueur,* celles où l'on voit les muscles à travers le linge et qui marchent pieds nus (...)
         FLAUBERT, Correspondance 421, 26 août 1853.

SUFFÈTE [syfɛt] n. m. — XVIIᵉ ; lat. *sufes, sufetis,* mot punique. Cf. hébreu *schôfet* « juge ».

♦ Didact. (antiq.). À Carthage, Chacun des deux premiers magistrats de la République, revêtus du pouvoir exécutif et du commandement des armées.

Les sociétés de commerçants, où l'on élaborait les lois, choisissaient les inspecteurs des finances, qui, au sortir de leur charge, nommaient les cent membres du Conseil des Anciens, dépendant eux-mêmes de la Grande Assemblée, réunion générale de tous les riches. Quant aux deux suffètes, à ces restes de rois, moindres que des consuls, ils étaient pris le même jour dans deux familles distinctes (...) Ils ne pouvaient délibérer sur la guerre ; et, quand ils étaient vaincus, le Grand Conseil les crucifiait.   FLAUBERT, Salammbô, VI.

SUFFIRE [syfiʀ] v. tr. ind. — *Je suffis, nous suffisons ; je suffisais ; je suffis ; je suffirai ; je suffirais ; suffis, suffisons, suffisez ; que je suffise ; que je suffisse ; suffisant ; suffi.* — 1170 ; *soufire,* 1120 ; réfection de l'anc. franç. d'après le lat. *sufficere,* intrans., « supporter, résister ».

★ **I.** (Sujet n. de chose). ♦ **1.** SUFFIRE À, POUR : avoir juste la quantité, la qualité, la force nécessaire à, pour (qqch.). *Je dissipe* (cit. 11) *le bien modeste qui pourrait suffire à ma vie. Des dépenses auxquelles les recettes* (cit. 1) *ne peuvent suffire. La langue ordinaire ne suffit plus aux besoins de la réclame* (cit. 3). *La charité privée était incapable de suffire à cette tâche* (→ Chômeur, cit. 2). — Prov. *À chaque* (cit. 1) *jour suffit sa peine.*

1   S'il fallait tout voir par soi-même, maintenant que la terre est si grande et la science si compliquée, la vie entière ne suffirait ni à la multiplicité des choses qu'il faudrait étudier, ni à l'étendue des lieux qu'il faudrait parcourir.
         É. DE SENANCOUR, Oberman, LXVIII.

(1538). *Suffire à..., pour...* (et l'inf.). *Il faut un siècle pour construire ce qu'un jour suffit à détruire* (cit. 14). *Cet argent suffit à payer notre retour* (→ Léger, cit. 5). *Jeux qui suffisent à remplir* (cit. 8) *agréablement l'existence.* — « *Une goutte* (cit. 2) *d'eau suffit pour le tuer* ». « *Que peu de temps suffit pour changer* (cit. 25) *toutes choses !* » — *Suffire pour que...* (et subj.). → Mouton, cit. 3 ; rapport, cit. 16.

♦ **2.** (1538). SUFFIRE À (suivi d'un compl. n. ou pron. de personne) : être de nature à contenter (qqn), sans qu'il ait besoin de plus ou d'autre chose (→ Plus, cit. 49). *La plus heureuse* (cit. 29) *personne est celle à qui de peu de chose suffit.* « *... mon lopin* (cit. 1) *me suffit* ». *Le bien ne lui suffit pas, il cherche le mieux* (cit. 36). *Le témoignage de notre conscience doit nous suffire* (→ Attendre, cit. 80). — *Suffire à qqn pour...* (et l'inf.). → Éprouver, cit. 35 ; expérimenter, cit. 8.

2   Votre signature et vos promesses leur suffiront aujourd'hui, et, dit-il tout bas, j'avoue qu'ils se contentent de peu de chose.
BALZAC, les Chouans, Pl., t. VII, p. 986.

3   Deux raisons pour être jalouse suffisent à une femme ; une seule suffit à une reine.
HUGO, l'Homme qui rit, II, I, V, IV.

Ça me suffit (nom donné à une villa modeste, souvent adapté en *Sam Suffit, Samsufy,* etc.).

♦ **3.** Absolt (compl. sous-entendu). *Un seul mot suffit* (→ Imprécis, cit. 3). ⇒ **Baster** (vx). *Ce rien* (cit. 86) *suffit. Cette précaution ne suffit plus. L'argot ne saurait suffire* (→ Lardon, cit. 4). *Cela suffit* (→ Auprès, cit. 11 ; esquiver, cit. 7). *Cela ne suffit pas :* c'est trop peu*, c'est insuffisant* (→ Difficile, cit. 28 ; entre-dévorer, cit. 3).

4   Tout effort suffit lorsque le flot vous porte ; mais quand la marée se retire, mais quand il faut lutter contre le flot (...) tout effort qui n'est pas suffisant devient ruineux.
GIDE, Journal, 20 janv. 1917.

Ça suffit ! Ça suffit comme ça !, expressions exclamatives pour dire qu'on en a assez*, qu'on est excédé (cf. fam. C'est marre !, ça va comme ça...).

♦ **4.** Impers. (Fin XIVe). IL SUFFIT À (qqn) DE. **a** (Suivi d'un nom introduit par *de,* « compl. apparent » en fonction de sujet). *Il suffirait d'une seule goutte* (cit. 12) *d'eau pour faire déborder le vase,* une seule goutte suffirait pour... (→ aussi Addition, cit. 0.1 ; cabotage, cit. 2 ; espérance, cit. 20 ; feutrer, cit. 4). *Il suffit d'un regard pour que...* (→ Enfer, cit. 14 ; et aussi modification, cit.). *Pour attraper* (cit. 24) *les images, il me suffit de cet appât de papier blanc,* je n'ai besoin que de cet appât... *Il suffit d'une fois !* (cf. Il ne faut qu'une fois).

5   Le fait qui rend particulier le cas du verbe *suffire,* c'est qu'après cet unipersonnel (...) la séquence nominale apparaît précédée de *de...* Ex. : (...) « Il suffit de tes yeux pour t'en persuader » (RAC., Phèdre, II, 5). Cette tournure est comparable à l'ancien français « bonne chose est de paix ». Mais cette comparaison historique ne résout pas le problème de la signification de ce *de* en linguistique synchronique dans la langue d'aujourd'hui. Le fait frappant est qu'il n'entrave pas la transposition. L'exemple de Racine se transpose très aisément en : « Tes yeux suffisent pour t'en persuader. »
J. DAMOURETTE et É. PICHON, Essai de grammaire..., § 1537.

b (Suivi d'un inf. précédé de *de*). ⇒ **Être** (il n'est que de). *Il suffit d'avoir un peu d'oreille pour éviter les dissonances* (cit. 2). *Il suffit de tenir bon pour que....* (→ Illégitimité, cit. 2). *Il ne suffit pas de posséder une vérité, il faut* (cit. 25) *que la vérité nous possède* (→ aussi Goût, cit. 15). *Il ne suffit pas de croire* (cit. 58) *aux sirènes pour en rencontrer. — Il suffit à l'honnête homme de...* (→ Éternité, cit. 12) : *l'honnête homme se contente* de... Il nous suffira d'appuyer* (cit. 28), *il vous suffira de dire...* ⇒ **Avoir** (n'avoir plus qu'à...). → Brave, cit. 7. *Il ne leur a pas suffi de...* (→ Exporter, cit. 2). *Ne te suffit-il pas de m'avoir tourmentée ?* ⇒ **Content** (non content de).

6   Il ne suffit pas d'être le roi de France pour le menu peuple de France et pour les barons français. Et il ne lui suffit pas d'être saint Louis devant Dieu. Il faut encore qu'il soit le roi de France devant le soudan d'Égypte et il faut qu'il soit saint Louis devant ces infidèles.
Ch. PÉGUY, Note conjointe, Sur Descartes, p. 193.

c (1549 ; suivi d'une proposition introduite par *que*). *Il suffit que...* (et le subj.). → Critique, cit. 30 ; incomparable, cit. 6 ; informer, cit. 19 ; neuf, cit. 2 ; noble, cit. 18. — Vieilli. (Avec l'indicatif). → ci-dessous, cit. 7. — Ellipt. (Vx). *Suffit que...* (cf. Molière, *l'École des femmes,* v. 1045).

7   *Il suffit* gouverne en général le subjonctif lorsqu'on se contente d'indiquer quelle est la condition suffisante sans exprimer du même coup si cette condition est réalisée ou non (...) Mais quand, au contraire, on indique à la fois la nature et la réalisation de la condition, l'indicatif se montre très légitimement (...) Ex. : « IL SUFFIT que l'on *est* contente du détour... » (MOL., Fem. sav., I, 4). « Ne vous SUFFIT-IL pas que je *l'ai* condamné ? » (RAC., Androm., IV, 3). *Il te suffit,* suivi de l'indicatif, en arrive même à signifier quelque chose de très voisin de : « il te suffit de savoir » ; ex. : « Qu'il te *SUFFISE* donc, pour me justifier. Que je *vis,* que *j'aimai* la reine le premier » (RAC., Mithr., I, 1).
J. DAMOURETTE et É. PICHON, Essai de grammaire..., § 1906.

d (1530). Absolt. IL SUFFIT : cela suffit, c'est assez* (→ 1. Garde, cit. 11). « *L'honneur* (cit. 29) *parle, il suffit* ». — (XVIIe). Ellipt. (Vieilli). *Suffit* (→ Entendre, cit. 22 ; muet, cit. 7).

8   (...) aurais-je pu me défendre d'un peu d'aigreur s'il avait dû me faire perdre ce même temps ? et sans profit pour lui, je vous le certifie (...) Suffit sur ce sujet, n'est-ce pas.
GIDE, Isabelle, IV.

★ **II.** (Sujet n. de personne, de groupe). SUFFIRE À. ♦ **1.** Être capable de fournir ce qui est nécessaire à..., pour..., de satisfaire* à... (qqch.). *Il pouvait désormais suffire à tous ses besoins* (→ 2. Moyen, cit. 21 ; et aussi posséder, cit. 21). *On créa plusieurs parlements* (cit. 1) *pour qu'ils puissent suffire à toutes les affaires* (→ aussi Exil, cit. 2). *Une providence qui suffit à tout* (→ Injuste, cit. 4). *Un ami tel que lui suffisait au bonheur de la vie* (→ Paisible, cit. 1). *Je n'y suffis plus :* je suis débordé.

Les prêtres ne pouvaient suffire aux sacrifices.   RACINE, Athalie, I, 1.   9

Suffire à... (et l'inf.). → Embarquer, cit. 3 ; rahat-lokoum, cit. 1. — (Sans compl. en *à*) :

Buteau, qui s'était chargé du vin, ne suffisait plus (...) il devint nécessaire que   10
Jean le relayât, en emplissant à son tour les litres.   ZOLA, la Terre, II, VII.

♦ **2.** (Compl. n. de personne). Être (pour qqn) tel qu'il n'ait pas besoin d'une autre personne. « *Don Sanche lui suffit* » (→ Harnais, cit. 1). *Sa famille lui suffit, il ne voit personne.*

Les saints ont leur empire, leur éclat (...) Ils sont vus de Dieu et des anges, et non   11
des corps ni des esprits curieux : Dieu leur suffit.   PASCAL, Pensées, XII, 793.

▶ **SE SUFFIRE** v. pron. (Après 1650).
Avoir en soi-même, trouver par ses propres moyens de quoi satisfaire à ses besoins matériels ou ses aspirations morales. *Je vais avoir besoin de me suffire* (→ Penser, cit. 42). « *Tant que cet état dure, on se suffit à soi-même, comme Dieu* » (→ Existence, cit. 4, Rousseau). *Une jeunesse saine se suffit à soi-même* (→ Prolonger, cit. 7). *Pays qui se suffit à lui-même.* ⇒ **Autarcie, vivre** (sur soi-même). — Par ext. (En parlant de choses). *L'admiration se passe* (cit. 151) *de l'amitié, elle se suffit à elle-même* (→ Légitimité, cit. 4 ; machine, cit. 3 ; négation, cit. 2 ; prélude, cit. 1).

(...) si, pour se suffire, le paysan doit produire de tout, que deviendraient donc nos   12
Beaucerons, avec leur blé unique, dans notre Beauce découpée en damier (...)
ZOLA, la Terre, II, V.

— Ne sais-tu pas que la beauté pure n'a besoin d'aucun ornement et se suffit à   13
elle-même ?   Pierre LOUŸS, Aphrodite, III, II.

(1804). Récipr. *Se suffire l'un à l'autre, mutuellement* (cit. 1).

Ils se suffisaient, ils n'imaginaient rien au delà d'eux-mêmes ; se parler était un   14
délice, s'approcher était une béatitude ; à force d'intuition réciproque, ils en étaient venus à l'unité de rêverie ; ils pensaient à deux la même pensée.
HUGO, l'Homme qui rit, II, II, V.

DÉR. Suffisant.

SUFFISAMMENT [syfizamɑ̃] adv. — V. 1360 ; *souffisamment,* v. 1265 ; de *suffisant.*

♦ **1.** En nombre ou en quantité suffisante, d'une manière suffisante. ⇒ **Assez** (cit. 2). — *Vous n'avez pas affranchi suffisamment votre lettre* (→ Pèse-lettres, cit.). *Il s'est expliqué* (cit. 26) *suffisamment* (→ aussi Habit, cit. 18 ; 1. objectif, cit. 1). *Fenêtre* (cit. 2) *suffisamment élevée* (→ aussi Nacelle, cit. 2 ; raréfier, cit. 1). *Suffisamment pour...,* (et l'inf.) → Gaufrier, cit. 1 ; incubation, cit. 2, *pour que...* (→ Conviction, cit. 4). — *Suffisamment de...* assez de. « *Il a suffisamment de bien pour vivre* » (Académie).

♦ **2.** (1690). Littér. Avec suffisance* (3.). *Déclarer pompeusement et suffisamment que...*

CONTR. (Du sens 1.). **Insuffisamment.**

SUFFISANCE [syfizɑ̃s] n. f. — Fin XIVe ; *souffisanche,* fin XIIe ; *soffisance,* XIIIe ; de *suffisant.*

A. ♦ **1.** **a** Rare, régional. Fait de suffire, d'être suffisant. « *L'opinion doute de la validité de leurs méthodes* (des gouvernants, en matière de lutte antiterroriste) *et de la suffisance de leurs moyens* » (le Monde, 11 août 1981, p. 1). « *Assez* » *marque la suffisance.*

Quantité suffisante (→ Essentiel, cit. 7). — Loc. (Vx). *Avoir sa suffisance de qqch. J'en ai ma suffisance,* mon content*.

b Loc. Vx ou littér. EN SUFFISANCE : en quantité suffisante. *Avoir du vin, du fromage en suffisance* (→ 1. Frais, cit. 3 ; lichette, cit.)
À SA SUFFISANCE : assez. *Il gagne à sa suffisance.* ⇒ **Suffisamment.**

Parce que, lui, il en a à sa suffisance *(des lièvres, des lapins),* il en mange tant   1
qu'il veut et il en met de côté, à sa cave, pour les changer, après, contre des pommes de terre (...)   J. GIONO, Regain, I, II.

♦ **2.** Vx. Capacité, habilité (→ Ambitieux, cit. 4 ; étude, cit. 25). « *Fâcheuse suffisance, qu'une suffisance pure livresque !* » (cit. 1, Montaigne). — Spécialt. Capacité politique (→ Assez, cit. 42).

(...) suivant l'expérience, jugement, lumière et suffisance qu'il s'est acquise dans   2
notre art.   MOLIÈRE, Monsieur de Pourceaugnac, I, 8.

♦ **3.** Littér. Propriété de ce qui trouve en soi sa raison d'être, de ce qui se suffit à soi-même. « *La suffisance parfaite qui tend à être, celle de l'amour entre deux êtres* » (A. Breton, in G. L. L. F.).

B. (1640). Caractère, esprit suffisant* (II.). ⇒ **Fatuité** (cit. 7), **orgueil, présomption, satisfaction, vanité** (→ Accompagner, cit. 12 ; agacer, cit. 3).

Avec quel ton de suffisance il parlerait du précepteur de ses enfants (...)   3
STENDHAL, le Rouge et le Noir, I, IV.

Plais. (Sur le modèle de *Son Excellence,* la désinence commune motivant cet emploi plaisant). *Sa suffisance X...* (en parlant d'un personnage suffisant). — Au plur. (Rare). *Les suffisances :* les gens suffisants (→ Laudatif, cit.).

CONTR. Insuffisance. — Bonhomie, familiarité, modestie.
COMP. Autosuffisance.

SUFFISANT, ANTE [syfizɑ̃, ɑ̃t] adj. — V. 1120, *sufisanz ;* var. *sofisant,* v. 1160 ; *suffisant,* XIV⁰ (à Liège) ; de *suffire.*

★ **I.** Qui suffit*. **A. ♦ 1.** (V. 1360 ; correspond à *suffire,* I., 1.). Qui est de nature à suffire à..., pour..., à entraîner comme conséquence. — Vieilli. SUFFISANT à (qqch.). → Enrager, cit. 12 ; raison, cit. 1. *Suffisant à* (et inf.). → Expérience, cit. 28. — Mod. SUFFISANT POUR (qqch.). → Enrégimenter, cit. 1. *Suffisant pour...* (suivi de l'inf.). → Avenir, cit. 21 ; caution, cit. 9 ; déterminer, cit. 5 ; 2. minerve, cit. *Suffisant pour que...* (→ Marlou, cit. 1). — Vx. SUFFISANT DE... «*Suffisant de la racheter»* (Malherbe).

♦ 2. (Fin XIV⁰ ; correspond à *suffire,* I., 3.). Dont le nombre, la quantité, l'importance correspond au besoin, à l'attente. *Quantité, réserve suffisante, degré, nombre suffisant.* ⇒ **Raisonnable** (→ Fixer, cit. 15 ; indice, cit. 13 ; potentiel, cit. 3). *Garantie* (cit. 4), *caution* (cit. 3) *suffisante. Place* (cit. 34) *suffisante. Résultats suffisants, assez bons.* ⇒ **Honnête, honorable, satisfaisant.** — *Tout juste, à peine suffisant. Ce n'est pas suffisant.* ⇒ **Assez.** *C'est plus que suffisant, bien suffisant* (→ Revue, cit. 9). *Il n'est ni nécessaire ni suffisant de...* (→ Fantastique, cit. 11).

1   (...) *Tout ce qui n'est que suffisant ne suffit jamais.*
                     MARIVAUX, le Paysan parvenu, III.

2   Salavin tira son porte-monnaie, en vida, dans sa main, le contenu qu'il compta, recompta, trouva juste suffisant.   G. DUHAMEL, Salavin, V, II.

♦ 3. (Même valeur que 1., mais sans compl.). Philos. *Condition suffisante,* qui suffit à elle seule pour entraîner une conséquence. *Condition nécessaire* et *condition suffisante* (→ Culture, cit. 12 ; noyau, cit. 8). — *Raison* (cit. 54 et 57) *suffisante.* — (1656, Pascal). Théol. *Grâce suffisante et grâce efficace** (cit. 8).

♦ 4. Didact. *Rime suffisante,* dans laquelle la consonne d'appui (placée avant la voyelle tonique) est différente (ex. *page* et *rage*).

♦ 5. N. m. (1910, *avoir son, le suffisant, in* D.D.L.). *Le suffisant de qqn,* ce qui lui suffit. ⇒ **Suffisance** (A., 1.). *Avoir son suffisant.* ⇒ **Content** (son) ; → Renoncer, cit. 12.

B. (Personnes). Vx. Capable*, habile. «*Le Roi cherche des gens qui soient suffisants et capables de remplir les grandes charges»* (Furetière).

★ **II.** (Déb. XVII⁰ ; du sens I., B. ; correspond à *suffisance,* B.). Littér., ou dans des emplois marqués. **♦ 1.** (Personnes). Qui a une trop haute idée de soi et tranche sur tout sans douter de rien. ⇒ **Arrogant, fat, glorieux, prétentieux, vaniteux.** *Un terne et suffisant grimaud* (cit. 4). *Gens ineptes* (cit. 1), *ignorants, suffisants.*

3   Ces chevaliers encourageaient un homme qui avait battu les prêtres sur leur propre terrain, et qui réduisait au silence les plus suffisants des clercs.
                   MICHELET, Hist. de France, IV, IV.

4   *(Talleyrand)* le jugea vite *(Decazes)* fort rempli de lui — ce qui était vrai — et — ce qui était faux — de médiocre talent. Aussi suffisant qu'insuffisant, dira-t-il plus tard.   Louis MADELIN, Talleyrand, IV, XXXIII.

N. (Rare au fém.). Personne suffisante. *Le suffisant et l'important* (→ Entrer, cit. 59).

♦ 2. (1732 ; actes, apparences). *Un air, un ton suffisant.* ⇒ **Avantageux, satisfait.**

CONTR. Insuffisant. — Bonhomme, modeste.
DÉR. Suffisamment, suffisance.

SUFFIXABLE [syfiksabl] adj. — Mil. XX⁰ ; de *suffixer.*

♦ Didact. Qui peut être suffixé. *Radical suffixable.*

SUFFIXAL, ALE, AUX [syfiksal, o] adj. — Fin XIX⁰ ; de *suffixe.*

♦ Ling. Relatif au suffixe ; qui constitue ou utilise un suffixe. *Élément suffixal. Fonction suffixale d'un formant. Dérivation suffixale.*

SUFFIXATION [syfiksasjɔ̃] n. f. — 1876 ; de *suffixer.*

♦ Ling. Dérivation par suffixe (→ Lexical, cit.). *Suffixation et préfixation.*

La suffixation consiste à ajouter une suite phonétique appelée suffixe après le radical d'un vocable déjà existant (...) Les nombreux exemples que je compte alléguer (...) montreront (...) que la dérivation vivante spontanée par suffixation est en pleine vie et en pleine force d'expansion dans la langue française d'aujourd'hui.   É. PICHON, les Principes de la suffixation en français, p. 12.

SUFFIXE [syfiks] n. m. — 1838 ; lat. *suffixus* «fixé dessous, après». → aussi Affixe, infixe.

Grammaire, linguistique.

♦ 1. Élément placé après une racine, un radical, un thème. ⇒ **Terminaison.** *Suffixe thématique,* postposé à la racine pour obtenir la base de formations dérivées (tel *-it-,* suffixe fréquentatif ou intensif du latin, par ex. dans *agitare,* de *agere). Suffixe flexionnel.* ⇒ **Désinence.**

♦ 2. Élément (monème ; morphème) placé après (à la droite de) un radical pour former un dérivé (à l'exclusion des désinences). ⇒ **Formant.** *Dérivation* (cit. 2) *par suffixe.* ⇒ **Suffixation.** *Suffixes, infixes et préfixes* (⇒ **Affixe**). *Suffixes augmentatifs** (cit.), *diminutifs, péjoratifs. Suffixes français :* suffixes nominaux (ou affixes de nominalisation*), s'ajoutant à des noms, des adjectifs, des verbes. *Suffixes «populaires» :* -able, -ade, -age (cit.), -aison, -ance, -ard, -âtre, -ée, -erie, -et, -eur, -ie, -ille, -in, -oir, -on, etc. ; *suffixes savants :* -acé, -aire, -al, -au, -ateur, -ation (cit.), ature, -éen, -ence, -esque, -ible, -ien, -ique, -isme, -ite, -itude, -ose, -toire, -ueux, -ule, etc. *Le suffixe* -ment *sert à former des adverbes. Suffixes verbaux :* -er, -ir, -iser (cit.) ; -ailler, -asser, -eler, -eter, -iner, -onner, -oyer. — *Éléments latins ou grecs employés comme suffixes dans la composition de mots savants :* -cide, -cole, -fère, -fuge, -pare... ; -algie, -céphale, -crate, -cycle, -dactyle, -game, -gène, -gramme, -graphe, -graphie, -hydre, -hydrique, -logie, -logue, -mancie, -mane, -manie, -mètre, -morphe, -pathie, -phage, -phagie, -phile, -phobe, -scope, -technie, -thérapie, -tomie, -type, etc.

1   Les désinences *(en indo-européen)* sont directement comparables aux suffixes ; ce sont aussi des éléments surajoutés à la racine. On ne les distingue des suffixes que par l'emploi, le suffixe servant à marquer la catégorie générale à laquelle le mot appartient (nom d'agent, d'action, d'instrument, augmentatif, diminutif, etc.) ...
            J. VENDRYES, le Langage, p. 97.

2   Les suffixes sont eux aussi *(comme les préfixes)* d'anciens mots autonomes (...) Il s'ensuit que les mots suffixaux remontent à d'anciens groupes syntaxiques (...) *clairement* remonte au latin *clara mente,* avec un esprit clair.
         Charles BALLY, Linguistique générale et Linguistique franç., p. 100.

♦ 3. Emploi plais. Terminaison (d'un mot).

3   Je m'occupe, pour mes petits-neveux, de composer le répertoire de ces réflexes qui sont notre blason et nos coutumes, et s'ils se grattent soudain l'annulaire de l'ongle de leur pouce, si toutes les fois qu'on prononce devant eux le mot français Chat, leur pensée, d'un penchant invincible, y ajoute le suffixe lumeau ou rançon (...)   GIRAUDOUX, Siegfried et le Limousin, p. 262.

DÉR. Suffixal, suffixer.

SUFFIXER [syfikse] v. tr. — 1876, p. p. ; de *suffixe.*

♦ Ling. Pourvoir d'un suffixe. — Au p. p. *Mot suffixé.*

DÉR. Suffixable, suffixation.

SUFFOCANT, ANTE [syfɔkɑ̃, ɑ̃t] adj. — Fin XVI⁰ ; de *suffoquer.*

A. ♦ 1. Qui suffoque (un être vivant), qui gêne ou empêche la respiration. ⇒ **Accablant, asphyxiant, étouffant.** *Fumées, vapeurs suffocantes. Atmosphère suffocante. Chaleur suffocante* (→ Autant, cit. 55 ; foyer, cit. 6 ; lourd, cit. 27). *La réverbération* (cit. 1) *suffocante des rochers.* — Par ext. Où l'on suffoque. *Des étuves suffocantes* (→ Bidoche, cit. 1). *Un escalier suffocant* (→ Plomb, cit. 14).

♦ 2. (Personnes). Qui suffoque (qqn) d'étonnement, d'indignation, etc. ⇒ **Ahurissant, effarant, étonnant** (2.), **irritant** (1.).

♦ 3. Qui suffoque (II.), étouffe. — On écrit aussi *suffoquant, ante.*

    Tout suffocant
    Et blême, quand
    Sonne l'heure (...)   VERLAINE, Poèmes saturniens, «Chanson d'automne».

B. (XX⁰). Qui cause la stupéfaction. *Une réponse absolument suffocante.*

SUFFOCATION [syfɔkasjɔ̃] n. f. — V. 1380 ; lat. *suffocatio,* de *suffocare.* → Suffoquer.

♦ 1. Fait de suffoquer ; impossibilité ou difficulté de respirer. ⇒ **Asphyxie, gêne** (respiratoire), **oppression ; étouffement, étranglement.** *Un hoquet* (cit. 6) *de suffocation.*

1   Dans le couloir, la suffocation augmentait encore ; des aigreurs d'eaux de toilette, des parfums de savons, l'empoisonnement des haleines.   ZOLA, Nana, V.

♦ 2. État pathologique dans lequel l'accès normal de l'air dans les poumons est empêché ; asphyxie causée par un obstacle mécanique (à l'intérieur des voies respiratoires ; sur la bouche ou le nez). *Une attaque, une crise de suffocation.* ⇒ **Asphyxie, étouffement** (→ Euphorie, cit. 1 ; raccrocher, cit. 6). *Avoir des suffocations.* ⇒ aussi **Essoufflement.** *Les suffocations de l'asthme.*

2   Elle avait le cœur malade, et des suffocations, pendant lesquelles elle croyait qu'elle allait mourir : les yeux dilatés, les mains crispées, la sueur coulant sur son visage.   R. ROLLAND, Jean-Christophe, Dans la maison, II, p. 1078.

SUFFOQUANT, ANTE [syfɔkɑ̃, ɑ̃t] adj. ⇒ **Suffocant** (3.).

SUFFOQUER [syfɔke] v. — 1270; lat. *suffocare*, de *sub* «sous, au-dessous», et *fauces*, n. f. pl., «gosier, gorge».

★ **I. V. tr. ♦ 1.** ⓐ (Sujet n. de chose). Empêcher (qqn) de respirer, rendre la respiration difficile, pénible (en privant d'oxygène, en modifiant le rythme respiratoire). ⇒ **Essouffler, étouffer, oppresser** (cit. 6). *Odeur, puanteur, vapeur... qui suffoque.* ⇒ **Suffocant** (→ Infâme, cit. 12). *Les pleurs, les sanglots le suffoquaient.* — Absolt. *Une odeur forte suffoquait* (→ Litière, cit. 7).

1   Cependant, cette convulsion de joie délirante et d'éclats étouffés menaçant réellement de la suffoquer, je m'empressai à lui porter du secours (...)
            Charles NODIER, Contes, « Fée aux miettes », XIII.

ⓑ Vx. (Sujet n. de personne). Tuer en empêchant de respirer. ⇒ **Asphyxier, étouffer.** « *Fauste (...) fut suffoquée dans le bain* » (Bossuet), noyée.

♦ **2.** (XVIIᵉ; «causer une gêne, une peine, écarter, se débarrasser de [qqn]»; ces emplois sont très fréquents chez Mᵐᵉ de Sévigné). Étonner* vivement. ⇒ **Estomaquer.** *La colère, l'indignation, l'émotion qui me suffoque* (→ Paysage, cit. 10).

2   À ces mots, son orgueil, étonné de l'effroyable inconvenance de sa démarche, la suffoqua; elle fondit en larmes, et bientôt parut à Julien hors d'état de respirer.
            STENDHAL, le Rouge et le Noir, II, XXIX.

3   Une colère confuse et une telle émotion le suffoquaient qu'il reconnut son cœur vermoulu d'amour.   MAUPASSANT, Fort comme la mort, II, V.

(Sujet n. de personne). ⇒ **Sidérer, souffler, stupéfier.** *Il nous a suffoqués avec ses déclarations.*

★ **II. V. intr. ♦ 1.** (1718). Respirer avec difficulté, perdre le souffle. ⇒ **Étouffer.**

4   Une ou deux heures après il renvoya secrètement savoir son état. On lui dit qu'elle suffoquait, et qu'il lui était survenu une espèce de hoquet qui se faisait entendre jusque dans les cours.   DIDEROT, Jacques le fataliste, Pl., p. 630.

5   Juliette pleure sans vraiment réussir à former des larmes. Elle suffoque, sans arriver à se délivrer par un sanglot.
            J. ROMAINS, les Hommes de bonne volonté, t. IV, XVII, p. 188.

Littér. (Sujet n. de chose) :

6   L'orgue mécanique suffoquait.   G. DUHAMEL, Salavin, Journal, 30 déc.

Méd. Éprouver la suffocation.

♦ **2.** (1762). Fig. SUFFOQUER DE : être étouffé, oppressé par (une émotion). *Suffoquer de colère, d'indignation, de surprise.*

▶ **SUFFOQUÉ, ÉE** p. p. adj. (Du sens I.).

♦ **1.** Dont la respiration est rendue pénible, difficile ou impossible (→ Ranimer, cit. 3). — Par ext. *Respiration suffoquée par la fumée* (→ Embrasser, cit. 3).

♦ **2.** Fig. Vivement étonné. ⇒ **Pantois.**

7   Et en disant ces mots, la voilà fondant en pleurs et suffoquée par ses sanglots.
            DIDEROT, Jacques le fataliste, Pl., p. 739.

8   (...) retenant sa colère, suffoqué par le sentiment de son impuissance.
            FLAUBERT, Bouvard et Pécuchet, VI.

DÉR. **Suffocant.**

SUFFRAGANT, ANTE [syfʁagɑ̃, ɑ̃t] adj. et n. — V. 1180; lat. ecclés. *suffraganeus*, du lat. *suffragari* «favoriser». → Suffrage.

♦ **1.** Adj. m. Dr. canon. Se dit d'un évêque dépendant de (tel archevêque). *Évêque suffragant de l'archevêque de Tours.* — N. m. *L'archevêque et ses suffragants.* — (XVIIIᵉ). Par ext. *Évêché suffragant.*

1   (...) Nous avons un ennui avec un évêché. Quand je dis nous, ce n'est pas très exact. Il ne s'agit que d'un suffragant de Paris. Mais Rome nous a demandé nos bons offices.   J. ROMAINS, les Hommes de bonne volonté, t. VIII, VII, p. 66.

(XIXᵉ). Se dit d'un ministre protestant qui assiste un pasteur.

♦ **2.** N. *Un suffragant, une suffragante* : une personne qui a droit de suffrage dans une assemblée, un jury de thèse (opposé à *candidat*).

2   Et plusieurs fois, il m'invita chez lui à des dîners académiques que, Secrétaire perpétuel, il offrait à ses suffragants (...) Georges LECOMTE, Ma traversée, p. 516.

SUFFRAGE [syfʁaʒ] n. m. — V. 1355; *suffrages d'oroison* (oraison) «prières», 1289; lat. *suffragium* «tesson avec lequel on votait», de *suffragari* «voter pour», de *sub*, et *frangere* «briser».

♦ **1.** Acte par lequel on déclare sa volonté, son opinion (favorable), dans un choix, une délibération, une désignation (spécialt, dans le domaine juridique, politique; → 2. Moyen, cit. 15). ⇒ **Vote.** *Désignation par voie de suffrage* (⇒ **Élection**), *par le suffrage* (→ Dictateur, cit. 2). *Droit de suffrage* (→ Égalité, cit. 13) : droit d'exprimer sa volonté, dans les décisions politiques. ⇒ aussi **Suffragant** (2.). *Exercer son droit de suffrage.* ⇒ **Voter.** — (En droit constitutionnel). Manière dont s'effectue cet acte. *Suffrage restreint* : système où le droit de suffrage est réservé à certains citoyens. *Suffrage censitaire.* ⇒ **Cens** (3.); → Nouveau, cit. 13. *Suffrage capaci-*

taire. Suffrage universel, dans lequel l'électorat n'est pas restreint par des conditions de fortune, de capacité, d'hérédité, mais qui peut comporter des exclusions (d'âge, de sexe, d'indignité...). ⇒ **Démocratie** (cit. 4). *Élu au suffrage universel* (→ Instituteur, cit. 4). — *Suffrage direct* : système dans lequel les électeurs désignent les élus sans intermédiaire (→ Parlement, cit. 5); opposé à *suffrage indirect* (dans lequel le corps électoral désigne les électeurs du second degré, ou *grands électeurs*). — *Manière dont s'exerce le suffrage.* ⇒ **Représentation, scrutin.**

1   (...) Bouvard et lui (*Pécuchet*) étudièrent la question du suffrage universel. Appartenant à tout le monde, il ne peut avoir d'intelligence. Un ambitieux le mènera toujours, les autres obéiront comme un troupeau, les électeurs n'étant pas même contraints de savoir lire (...)   FLAUBERT, Bouvard et Pécuchet, VI.

2   Un homme ne peut être plus homme que les autres, parce que la liberté est semblablement infinie en chacun. En ce sens, nul n'a mieux montré que Descartes la liaison entre l'esprit de la science et l'esprit de la démocratie, car on ne saurait fonder le suffrage universel sur autre chose que sur cette faculté universellement répandue de dire non ou de dire oui.   SARTRE, Situations I, p. 319.

Le suffrage d'un électeur, les suffrages des électeurs; un suffrage. ⇒ **Voix** (→ Élection, cit. 9). *Minorité, majorité, pluralité, unanimité des suffrages. Briguer, solliciter les suffrages des électeurs. Recueillir, obtenir tant de suffrages. Suffrages exprimés, abstentions et bulletins nuls.*

3   Un qui était content, c'était Vinet. Somme toute, beaucoup plus de suffrages qu'il ne comptait. Il n'avait jamais sérieusement pensé être élu.
            ARAGON, les Beaux Quartiers, I, XXV.

♦ **2.** ⓐ (Fin XIVᵉ). Vx. Aide apportée à quelqu'un.

ⓑ (1660, Corneille). Opinion, avis* favorable. ⇒ **Approbation** (cit. 3). *Briguer* (cit. 2), *quêter le suffrage de qqn. Avoir le suffrage de qqn* (→ Complaisance, cit. 5). *Obtenir des suffrages* (→ Maudit, cit. 11), *tous les suffrages. Accorder son suffrage* (→ Appuyer, cit. 7). ⇒ **Adhésion, concours.**

4   Je ne puis consentir pour gagner ses suffrages
   À me déshonorer en prisant ses ouvrages (...)   MOLIÈRE, les Femmes savantes, I, 3.

5   (...) le suffrage d'un sot
   Fait plus de mal que sa critique.   FLORIAN, Fables, IV, 9.

6   (...) la recherche et l'amour de la vérité pour elle-même, me rendaient presque indifférent aux suffrages et à l'approbation du monde.
            MAINE DE BIRAN, Du physique et du moral de l'homme, Préface.

Ce nouveau modèle mérite tous les suffrages.

♦ **3.** (Premier sens attesté; au sens général de «prière», jusqu'au XVIIᵉ). Spécialt (liturgie cathol.). Prière composée d'une antienne, d'un verset et d'une oraison, qui constitue une commémoration supplémentaire pour certains jours. — Par ext. (Vx) :

7   On appelle aussi suffrages des Saints, les prières qu'ils font à Dieu pour les fidèles; parce qu'on a aussi appelé suffrages, tous les secours, aumônes et fournitures qu'on faisait à quelqu'un : d'où vient que toutes les menues redevances qu'on stipule dans un bail au-delà du prix principal sont appelées *menus suffrages*.
            FURETIÈRE, Dict. (1690), art. *Suffrage.*

DÉR. (Du même rad.) **Suffragette.**

SUFFRAGETTE [syfʁaʒɛt] n. f. — 1907; angl. *suffragette*, 1906; de *suffrage*, mot angl., «vote» dès le XVIᵉ; du lat. *suffragium*, avec infl. du franç. *suffrage*.

♦ Femme qui, en Angleterre, militait pour le droit de vote féminin. ⇒ **Féministe.** *La dérision à l'égard des suffragettes faisait partie des attitudes antiféministes.*

   L'antimilitarisme chez elle était une révolte contre les hommes, contre tous les hommes (...) Ce sont les hommes qui sont soldats, ce sont les hommes qui sont électeurs. Catherine ne réclamait pas le droit de vote pour les femmes, comme les suffragettes anglaises.   ARAGON, les Cloches de Bâle, II, XV.

SUFFRUTESCENT, ENTE [syfʁytesɑ̃, ɑ̃t] adj. — 1872; réfection, d'après le lat. *sub*, de *sous-frutescent*.

♦ Bot. Qui a les caractères d'un sous-arbrisseau*.

SUFFUSION [syfyzjɔ̃] n. f. — 1478; *suffision*, v. 1363; lat. *suffusio*, de *sub* «sous», et *fundere* «verser».

♦ Méd. Infiltration diffuse des tissus par un liquide organique (sang, sérosité). ⇒ **Épanchement.**

SÛFÎ [sufi] n. m. et adj. ⇒ **Soufi.**

SÛFISME [sufism] n. m. ⇒ **Soufisme.**

SUGGÉRER [syg3eʁe] v. tr. — Conjug. *céder*. — 1403; *suggerir*, v. 1380; lat. *suggerere* «porter (gerere), sous (sub)», et «procurer, inspirer».

♦ **1.** ⓐ (Sujet n. de personne). Faire naître, en tant que représentation (idée ou image) dans l'esprit de qqn; faire concevoir, penser (qqch.) à qqn d'autre (sans exprimer ni formuler). ⇒ **Insinuer, inspirer, souffler, sous-entendre; suggestion.** *Suggérer une idée, un projet, une opinion à qqn. Suggérer à qqn de faire telle chose. Son* *attitude, ses réponses ont été suggérées par...* ⇒ **Dicter** (→ Suggestion, cit. 1). *Suggérer à qqn que...* (→ Honneur, cit. 24).

1 Ainsi quand un enfant désire quelque chose qu'il voit et qu'on veut lui donner, il vaut mieux porter l'enfant à l'objet, que d'apporter l'objet à l'enfant : il tire de cette pratique une conclusion qui est de son âge, et il n'y a point d'autre moyen de la lui suggérer. ROUSSEAU, Émile, I.

Présenter (une idée, un projet) en tant que suggestion, en tant que conseil.

b (Sujet n. de chose). Faire naître (une idée, un sentiment) dans l'esprit*. *Poème, œuvre qui suggère des sentiments, des images. Sa personne suggérait l'idée de...* ⇒ **Donner** (→ Exotique, cit. 4). — *Les blasphèmes* (cit. 6) *que me suggère mon esprit.*

2 Toute bonne sculpture, toute bonne peinture, toute bonne musique, suggère les sentiments qu'elle veut suggérer. BAUDELAIRE, Curiosités esthétiques, XIX.

c Par ext. (Sujet n. de chose). Susciter l'idée ou l'image de (qqch.) ; faire penser à (qqch.). ⇒ **Rappeler**. *Mot qui en suggère un autre.* ⇒ **Analogie**. *La nécessité* (cit. 15) *nous suggère une invention.* ⇒ **Enseigner** (2., fig.). *Les fraudes que l'intérêt leur suggère* (→ Régie, cit. 2). *« La poésie* (cit. 8) *suggère l'être... »*

3 Nommer un objet, c'est supprimer les trois-quarts de la jouissance du poème qui est faite de devenir peu à peu : *le suggérer*, voilà le rêve. C'est le parfait usage de ce mystère qui constitue le symbole (...)
MALLARMÉ, Proses diverses, Réponses à des enquêtes, Sur l'évolution littéraire.

4 La sculpture suggère le mouvement, la peinture suggère la profondeur ou la lumière. Calder ne suggère rien : il attrape de vrais mouvements vivants et les façonne. SARTRE, Situations III, p. 308.

Absolt. ⇒ **Évoquer, susciter** (→ Décor, cit. 2). *Ma phrase suggère plutôt qu'elle n'affirme* (→ Insinuation, cit. 2). *Le plus grand poète* (cit. 4) *est celui qui suggère le plus.*

♦ **2.** Faire penser ou exécuter (qqch.) par suggestion* (2.). → Hypnotiseur, cit. 1.

▶ **SE SUGGÉRER** v. pron. (Récipr.). *« L'association des idées est la propriété qu'ont les idées de se suggérer les unes les autres »* (E. Boirac, *Cours de philosophie*, I, III, 2., *in* Lalande). — (Réfléchi). *Se suggérer qqch. (à soi-même).*

4.1 Comment le fidèle persuaderait-il l'athée que l'efficacité des sacrements ne vient pas du sujet lui-même, ni de ce qu'il croit ou veut croire, et de ce qu'il se suggère, allant jusqu'à interpréter les froideurs, l'inappétence ou l'ennui qu'il ressent comme une épreuve voulue de Dieu ? F. MAURIAC, Bloc-notes 1952-1957, p. 48.

▶ **SUGGÉRÉ, ÉE** p. p. adj.

5 N'avoir que des idées suggérées et les croire spontanées : telle est l'illusion propre au somnambule, et aussi bien à l'homme social.
G. TARDE, Revue philosophique, 1884, II, 501, *in* FOULQUIÉ, Dict. de la langue philosophique, art. *Suggérer*.

SUGGESTIBILITÉ [sygʒɛstibilite] n. f. — 1887, *in* D.D.L. ; de *suggestible*.

♦ Didact. Caractère suggestible ; aptitude à être influencé par une suggestion (→ Hypnotique, cit. 1 et 4). *La suggestibilité des émotifs, des hystériques, de certains déficients intellectuels.* — REM. Dans ce sens, Janet préconisait *suggestivité*.

SUGGESTIBLE [sygʒɛstibl] adj. — 1890, *in* P. Larousse, *Deuxième Suppl.*, art. *Suggestion* ; de *suggestion*.

♦ Didact. Qui accepte facilement les suggestions. — Qui est influençable par suggestion (2.). ⇒ **Suggestionnable**. *« Toutefois, tous les sujets ne sont pas "suggestibles" et moins encore hypnotisables »* (*Science et Vie*, juil. 1973).

DÉR. Suggestibilité.

SUGGESTIF, IVE [sygʒɛstif, iv] adj. — 1857, *in* Rev. des Deux-Mondes ; angl. *suggestive, de to suggest* « suggérer », de même orig. que *suggérer*.

♦ **1.** Qui a le pouvoir de suggérer des idées, des images, des sentiments ou des actes. — Spécialt. Qui éveille l'activité de l'esprit. *Un livre suggestif, une musique suggestive* (→ Expressif, cit. 4). ⇒ **Évocateur**. *Magie* (cit. 9) *suggestive de l'art.*

1 Delacroix est le plus *suggestif* de tous les peintres, celui dont les œuvres (...) font le plus penser, et rappellent à la mémoire le plus de sentiments et de pensées poétiques déjà connus, mais qu'on croyait enfouis pour toujours dans la nuit du passé.
BAUDELAIRE, Curiosités esthétiques, XV, I (1863).

♦ **2.** (1889). Qui suggère des idées érotiques. *Une tenue suggestive.* ⇒ **Aguichant, provoquant**. *Des photos suggestives mais sans obscénité.* ⇒ **Érotique**.

2 Un ecclésiastique que j'ai devant moi, à la danse du ventre, se met à regarder de côté, toutes les fois que le ventre de l'almée soubresaute voluptueusement, devient trop suggestif.
Ed. et J. DE GONCOURT, Journal, 16 sept. 1889, t. VIII, p. 75.

CONTR. Commander. — Affirmer.
DÉR. Suggestivité.

SUGGESTION [sygʒɛstjɔ̃] n. f. — XIIᵉ ; lat. *suggestio, de suggerere*. → Suggérer.

♦ **1.** Littér. Action de suggérer. ⇒ **Influence**. *La suggestion de qqch. par qqn. La suggestion de qqn par qqn. « Tout ce qui se fait par la suggestion d'Asmodée »* (Lesage, *le Diable boiteux*, I). ⇒ **Instigation** (à l'). — Dr. Fait d'influencer qqn, de lui dicter sa conduite pour en tirer profit. *Captation** (cit. 2) *et suggestion.*

1 À l'égard de la *suggestion*, vous avez certainement confondu, parce qu'étant regardé par votre conseil comme le chef *d'une clique* (pour user de vos termes), on vous aura dit que je suggérais les réponses aux autres ; et non que les miennes m'étaient *suggérées*. BEAUMARCHAIS, Mémoires... dans l'affaire Goëzman, p. 61.

2 Il était habile à cet art qu'on appelle la suggestion, et qui consiste à faire dans l'esprit des autres une petite incision où l'on met une idée à soi (...)
HUGO, l'Homme qui rit, II, V, II.

Suggestion d'une idée par une autre. ⇒ **Association** (des idées) ; **analogie**.

♦ **2.** (1694, Bossuet). Cour. *(Une, des suggestions).* Ce qui est suggéré ; idée, image, projet que l'esprit reçoit de l'extérieur. ⇒ **Conseil, évocation, impulsion, inspiration**. *« Les suggestions du démon »* (Bossuet, *in* Littré). *Une suggestion pratique* (→ Grisant, cit. 3). *Être accessible aux suggestions de...* (→ Parlage, cit. 2). *Suivre* une suggestion. — *Les suggestions du besoin* (→ Percevoir, cit. 5), *de l'envie, de la conscience* (⇒ **Voix**) ...

Spécialt. Idée, projet que l'on propose, en laissant la liberté d'accepter, de faire sien ou de rejeter. ⇒ **Conseil, proposition**.

3 Le Directoire ne lui envoyait plus que *« des vœux »* et c'est le général qui adressait au gouvernement des suggestions, mais sur un ton si impérieux qu'elles semblaient des ordres.
Louis MADELIN, Hist. du Consulat et de l'Empire, Ascension de Bonaparte, XI.

♦ **3.** (Après 1850). Psychol. Fait d'inspirer à qqn (ou de se laisser inspirer de l'extérieur) une idée, une croyance, une tendance, un comportement, par le jeu de mécanismes psychophysiologiques où n'intervient pas l'activité volontaire consciente du sujet récepteur. *« La suggestion se déroule dans le sujet lui-même et n'est pas obligatoirement dans l'influence d'une personne sur une autre. L'autre n'est qu'un instrument ou une occasion »* (Robert Lafon, *Voc. de psychopédagogie*, art. Suggestion). *Réceptivité à la suggestion.* ⇒ **Suggestibilité**. *Suggestion spontanée. Suggestion et obéissance, et imitation.* ⇒ aussi **Influence, persuasion**. *Suggestion provoquée.* ⇒ **Hétérosuggestion**. *Suggestion provoquée et « réfléchie ».* ⇒ **Autosuggestion**. *Suggestion hypnotique.* ⇒ **Hypnose** (cit. 2 et 4), **magnétisme** (2.). *Suggestion normale, pathologique. Phénomènes relevant de la suggestion.* ⇒ **Pithiatique ; placebo**... — (1884 ; *Année sc. et industr.* 1885, p. 414, 1884). *Suggestion, suggestion mentale :* télépathie. *Hypnotiser « un sujet par la seule force de la suggestion mentale » (Année sc. et industr.* 1885). *Automatisme et Suggestion,* ouvrage de Bernheim.

4 On sait qu'il est possible d'évoquer chez un sujet hypnotisé, par simple suggestion, des visions hallucinatoires. On lui dira qu'un oiseau est posé sur sa main, et il apercevra l'oiseau, et il le verra s'envoler. H. BERGSON, le Rire, p. 46.

5 (...) la somnolence, qui au reste se lit sur le visage, est un sommeil ouvert aux conseils. La parole des autres y pénètre sans le troubler et produit des songes, qui sont oracles. Là se trouve l'essentiel de la suggestion ; les pratiques accessoires ont toujours pour fin d'éliminer les perceptions proprement dites, en immobilisant les mains et en fixant le regard. Telle est la dernière ruse de la persuasion, et bien cachée. ALAIN, Propos, 3 déc. 1921, Persuasion.

Par ext. Idée, croyance, tendance suggérée. *Obéir à une suggestion.*

DÉR. Suggestible, suggestionner.
COMP. Autosuggestion, hétérosuggestion.

SUGGESTIONNABLE [sygʒɛstjɔnabl] adj. — D. i. ; de *suggestionner*.

♦ Que l'on peut suggestionner (plus ou moins facilement). ⇒ **Suggestible, influençable**.

(...) une malade, une nerveuse, suggestionnable à l'excès à qui il fallait une volonté en dehors d'elle. M. VAN DER MEERSCH, Invasion 14, t. II, p. 234.

SUGGESTIONNER [sygʒɛstjɔne] v. tr. — V. 1460, repris 1838 ; de *suggestion*.

♦ Influencer*, faire penser ou faire agir par la suggestion* (1. ou 3.). *Se laisser suggestionner.* ⇒ **Manipuler, mener**.

Pron. (1895). *Se suggestionner.*

Es-tu bien sûr de ne t'être pas suggestionné (...) HUYSMANS, En route, II, V.

DÉR. Suggestionnable, suggestionneur.

SUGGESTIONNEUR, EUSE [sygʒɛstjɔnœʀ, øz] n. — 1884, cit. ; de *suggestionner*.

♦ Personne qui suggestionne. — Spécialt. (Didact.). Personne qui utilise les faits de suggestion à des fins thérapeutiques. ⇒ **Hypnotisme**.
« Dans les états de somnambulisme, d'hypnotisme et de catalepsie avec mobilité des membres, les sujets parlent et peuvent ainsi prouver qu'ils lisent dans l'esprit du suggestionneur » (l'Année sc. et industr. 1885, p. 416-417, 1884).

SUGGESTIVITÉ [sygӡɛstivite] n. f. — 1904 ; de *suggestif*. Didactique.

♦ **1.** Caractère de ce qui est suggestif.

♦ **2.** Suggestibilité pathologique, hypnotique.

SUICIDAIRE [sɥisidɛʀ] adj. et n. — 1901, Huysmans ; de *suicide*.

♦ **1.** Du suicide ; qui mène, qui tend au suicide. *Tendances suicidaires.* ⇒ **Suicidant** (vx). *Conduites suicidaires symboliques.*

1 Cette chambre basse et humide dans laquelle elle gisait (...) eût constitué pour tout autre que pour elle un séjour suicidaire (...)
HUYSMANS, Sainte Lydwine, VIII.

2 Sous un ciel bas, plombé d'épouvante et de résignation imbécile, on l'entend *(ce monde)* hurler son agonie, râler ses fureurs suicidaires, pousser au cul de la mort en rythmant les sanglots de son «De profundis» hystérique (...)
M. AYMÉ, le Chemin des écoliers, I.

♦ **2.** (Personnes). Qui, par sa psychologie, semble prédisposé au suicide. *Dépressif, mélancolique suicidaire. Un adolescent suicidaire.* — N. *Un, une suicidaire.* ⇒ **Suicidant, suicideur** (vx).

♦ **3.** Fig. Qui mène à l'échec, à la faillite. «*Entreprise intellectuelle suicidaire*» (*l'Express*, 12 avr. 1971).

SUICIDANT, ANTE [sɥisidɑ̃, ɑ̃t] adj. et n. — 1855, cit. ; de *suicider (se)*.

♦ **1.** Adj. Vx. Qui tend au suicide. ⇒ **Suicidaire** (mod.).

Une mélancolie non suicidante (...) non désespérée.
Ed. et J. DE GONCOURT, Journal, août 1855.

♦ **2.** N. Personne qui a tenté de se suicider, qui présente des risques de commettre un suicide. ⇒ **Suicidaire.** — On a dit aussi *suicideur*.
— *Aide «psychologique au suicidant potentiel qui lutte contre sa pulsion»* (Porot et Bardenat, *in* Porot, 1975, p. 627, b). *Motivations du suicidant.*

SUICIDE [sɥisid] n. m. — 1734, *Du suicide ou de l'homicide de soi-même*, Voltaire, 1739 ; lat. *sui*, et *-cide*, d'après *homicide**.

★ **I.** Fait de se tuer, de se donner la mort. ♦ **1.** Didact. et rare. Mort* causée par la victime elle-même. — REM. Ce sens, étymologique et seul donné par Littré, Académie, Hatzfeld, etc., désigne aussi l'accident* mortel (cf. la formule de Valéry, *Rhumbs*, p. 80 : *suicide par imprudence*).

♦ **2.** Cour. Action de causer volontairement sa propre mort (ou de le tenter), pour échapper à une situation psychologique intolérable, et quelle que soit la justification morale de l'acte *(suicide des stoïciens ; suicides rituels*, seppukus* ; *suicides rationnels ; suicides psychopathiques)*, lorsque cet acte, dans l'esprit de celui qui le commet, doit entraîner à coup sûr la mort (→ Gratuit, cit. 6 ; rentrer, cit. 27). *Être hanté* (cit. 15) *par l'idée du suicide. Idées de suicide. Chantage au suicide. Pousser qqn au suicide.* — *Projet, tentative* (→ Jouer, cit. 11) *de suicide. Suicide manqué* (cit. 71). — *Candidat(e) au suicide :* personne qui tente de se suicider. — Fig. Personne imprudente, qui se place dans une situation très dangereuse.

1 Le suicide est de trois natures : il y a d'abord le suicide qui n'est que le dernier accès d'une longue maladie et qui certes appartient à la pathologie ; puis le suicide par désespoir, enfin le suicide par raisonnement. Lucien voulait se tuer par désespoir et par raisonnement, les deux suicides dont on peut revenir (...) Lucien, une fois sa résolution prise, tomba dans la délibération des moyens (...) mais (...) il vit l'affreux spectacle de son corps revenu sur l'eau, déformé, l'objet d'une enquête judiciaire ; il eut, comme quelques suicidés, un amour-propre posthume.
BALZAC, Illusions perdues, Pl., t. IV, p. 1013.

2 (...) quel parti prendre ? Celui que prit Chatterton : se tuer tout entier : il reste peu à faire. Le voilà donc criminel ? criminel devant Dieu et les hommes. Car *le suicide est un crime religieux et social.*
A. DE VIGNY, Chatterton, Dernière nuit de travail.

3 À ce mélancolique dîner, Sainte-Beuve parle du suicide, comme d'une fin légitime, presque naturelle de la vie, comme une sortie soudaine et volontaire de l'existence à la façon des anciens, au lieu d'assister à la mort de chacun de ses sens, de chacun de ses organes — et il regrette qu'il lui manque le courage de se tuer.
Ed. et J. DE GONCOURT, Journal, 3 avr. 1863, t. II, p. 84.

3.1 Victorieusement fui le suicide beau
MALLARMÉ, Plusieurs sonnets, III, Pl., p. 68.

4 Quant au meurtre de soi-même qui est imposé par les circonstances (...) il est conçu par son auteur comme une sortie ordonnée à un dessein défini. Il procède de l'impuissance où l'on se trouve d'abolir *exactement* un *certain mal* (...) Ainsi l'exaspération d'un point inaccessible de l'être entraîne le tout à se détruire. Le désespéré est conduit ou contraint *à agir indistinctement.* Ce suicide est une *solution grossière.* VALÉRY, Tel quel, Rhumbs, Œ., t. II, Pl., p. 609.

Mort par suicide. Meurtre maquillé en suicide (→ Complicité, cit. 1). *Suicide camouflé en accident. Suicide par noyade, pendaison. Suicide lent* (de personnes qui, délibérément, se détruisent physiquement petit à petit). *Double suicide ; suicide à deux. Suicide collectif. Épidémie de suicides. Étude et prévention du suicide.* ⇒ **Suicidologie.** *Le Suicide,* ouvrage d'Émile Durkheim.

Par anal. *Suicide d'un animal. Suicide collectif de baleines, de lemmings...* : comportement collectif, observé chez certaines espèces animales, dans lequel un grand nombre d'individus semblent se

donner volontairement la mort (il s'agit probablement de perturbations des systèmes d'orientation).

(1820). Fait de risquer sa vie sans nécessité. *Rouler à cent à l'heure sur une telle route, c'est un suicide !*

Par exagération :

Mathieu but (...) Latex le regardait d'un air connaisseur : 5
— C'est pas une cuite, dit-il. C'est un suicide.
La gamelle était vide.
— J'ai beaucoup de peine à me saouler, dit Mathieu.
SARTRE, la Mort dans l'âme, p. 113.

♦ **3.** (1845). Par métaphore, fig. Action de se détruire, de détruire en soi..., de se nuire*. ⇒ **Destruction.** *Un suicide moral* (→ Attentat, cit. 12). *Le suicide général de la nation allemande* (→ Désastre, cit. 4).

♦ **4.** (Probablt de l'emploi de *pilote-suicide*). En appos. Qui comporte des risques mortels. *Attaque-suicide. Opération, mission suicide.* — *Avion-suicide,* dont le pilote est sacrifié. ⇒ **Kamikaze.** *Navire-suicide.* — *Pilote-suicide.* — Fig. *Candidat-suicide* (*in* P. Gilbert).

★ **II.** (1752). Vx. Personne qui se suicide, s'est suicidée. ⇒ **Suicidé.** — Par métaphore. *L'homme est sans cesse et à la fois homicide et suicide* (→ Perversité, cit. 3).

DÉR. Suicidaire, suicider (se), suicideur.
COMP. Suicidologie.

SUICIDÉ, ÉE [sɥiside] adj. et n. ⇒ **Suicider** (se).

SUICIDER (SE) [sɥiside] v. pron. — 1795 ; «ce verbe est incorrectement formé (l'élément *sui* équivaut à *se*), mais il est d'un usage courant» (*Académie*, 8e éd.) ; de *suicide*.

♦ **1.** Se tuer par un suicide. ⇒ **Détruire** (se), **supprimer** (se) ; cf. Mettre fin à ses jours, renoncer à la vie. *Se suicider d'un coup de revolver* (cf. Se brûler la cervelle ; se faire sauter le caisson, fam.). *Il s'est suicidé. Il a voulu se suicider, mais il s'est raté.*

On plaint le jeune homme qui s'est suicidé, on l'admire, mais on ne l'imite pas. 1
Et, cependant, lui, a trouvé très naturel de se donner la mort, ne jugeant rien sur la terre capable de le contenter, et aspirant plus haut.
LAUTRÉAMONT, les Chants de Maldoror, II.

Des personnes qui se suicident, les unes se font violence ; les autres au contraire 2
cèdent à elles-mêmes, et semblent obéir à je ne sais quelle fatale courbure de leur destinée. VALÉRY, Tel quel, Rhumbs, Œ., t. II, Pl., p. 608.

Par extension :

Deux armées qui se battent, c'est une grande armée qui se suicide ! 3
H. BARBUSSE, le Feu, II, XXIV.

Au p. p. employé absolument :

Chateaubriand suicidé dans le bois de Combourg (...) Lamartine noyé avec Elvire 3.1
(...) les formes qu'ils créèrent eussent apparu quand même en ce qu'elles ont de général. M. BARRÈS, Du sang, de la volupté..., p. 25.

♦ **2.** (Av. 1850, Balzac). Fig. Causer sa propre perte. *Publier ce pamphlet serait vous suicider* (syn. plus cour. : *serait un suicide*).

♦ **3.** V. tr. Par plais. *Suicider qqn,* le tuer et maquiller le crime en suicide, l'inciter ou l'aider à se suicider (cf. Cocteau, *in* Grevisse), ou, plus généralement, «l'aider à mourir», le tuer.

(...) les soldats qui communient et nous *suicident* dans les rues, qui escortent les 4
processions et nous coupent le nez en passant (...)
P.-L. COURIER, Pamphlets politiques,
Lettres au rédacteur du *Censeur*, VI, 30 nov. 1819.

Alors Narcense : Votre ex-homme plat, cette nuit, je vais tuer son fils, ou mieux, 4.1
je vais le suicider.
— Pardon ?
— C'est clair, je pense : je vais suicider le jeune Théo Marcel.
— Vous allez suicider son fils ?
— Vous voulez m'en empêcher ?
— Pas du tout, pas du tout. Mais pourquoi ce suicide ?
— Pourquoi ? Il a insulté ma grand-mère. R. QUENEAU, le Chiendent, p. 92-93.

▶ **SUICIDÉ, ÉE** p. p. (→ ci-dessus, cit. 3.1) adj. et n. (1823, Hugo). Qui s'est tué volontairement. *On refusait la sépulture chrétienne aux personnes suicidées.* — N. *Un suicidé, une suicidée.* ⇒ **Désespéré** (spécialt).

— Eh ! quoi ! m'écriai-je, Marguerite fut traînée sur la claie ? 5
— Mon ami, c'est le sort des suicidés, répondit mon père, c'est pour l'exemple. Bien plus, la sentence porte que le cadavre sera de part en part traversé d'un pieu à l'endroit de la poitrine.
BALZAC, Souvenirs d'un paria, IX, *in* Œ. diverses, t. I, p. 304.

Par analogie :

L'événement l'a placée *(la France)* entre deux alternatives : 6
Unie et subordonnée à l'Espagne, *suicidée.*
Ou bien,
Flottant à part, divisée, impuissante, *suicidée.*
MICHELET, Hist. de France, XII, IL.

DÉR. Suicidant, suicideur.

SUICIDEUR, EUSE [sɥisidœʀ, øz] n. — D. i. (mil. XXe) ; de *suicider (se)*.

♦ Vx. ⇒ **Suicidant** (2.).

SUICIDOLOGIE [sɥisidɔlɔʒi] n. f. — 1972, Manuila ; de *suicide*, et *-logie*.

♦ Didact. Étude du suicide sous ses différents aspects (médical, psychologique, social).

SUIDÉS [sɥide] n. m. pl. — 1864, Privat-Deschanel, art. *Cochon ;* dér. sav. du lat. *sus, suis* «porc».

♦ Zool. Famille de mammifères ongulés non ruminants* (⟹ **Artiodactyles, suiformes**), à corps lourds, à pattes courtes à quatre doigts, à museau allongé terminé par un boutoir, un groin, à peau couverte de soies dures. ⟹ **Babiroussa, pécari, porc, phacochère, sanglier.** — Au sing. *Un suidé.*

SUIE [sɥi] n. f. — V. 1112 ; mot gallo-romain à nombreuses formes (*suja, sueja, seuche,* etc.), probablt du gaul. *sudia* (cf. vieil irlandais *suide*).

♦ Noir de fumée mêlé d'impuretés, que produisent les combustibles qui ne brûlent qu'incomplètement. *La suie est noire, sèche ou grasse.* ⟹ aussi **Cadmie.** *Dépôt de suie dans une cheminée, un tuyau...* (→ Engorger, cit. 1). *Particules de suie qui s'échappent avec les fumées** (→ Cracher, cit. 11). *Enlever, racler la suie.* ⟹ **Ramoner.**

1 *(...) mais les fleurs sont rares dans ce faubourg souillé par la suie des usines.*
          FRANCE, le Crime de S. Bonnard, Œ., t. II, p. 470.

Suie de bois : substance noire, impure, obtenue lors de la pyrogénation du bois (à la différence du noir de fumée, elle renferme de l'acide acétique, de la créosote), utilisée comme engrais*, comme couleur. ⟹ **Bistre** (→ Dessin, cit. 1).

Loc. *Noir comme de la suie.* ⟹ **Fuligineux.** *Un temps couleur de suie* (→ Mettre, cit. 65).

2 *Mettons que j'aie parfois le caractère le plus affreux, le cœur le plus dénué et une âme noire comme de la suie.* S. DE BEAUVOIR, la Force de l'âge, p. 186.

HOM. **Suis** (forme du v. *être*).

SUIF [sɥif] n. m. — V. 1190 ; *seu, sieu, siu,* XIIᵉ ; du lat. *sebum.* → Sébacé, sébum.

★ **I. A.** ♦ **1.** Graisse d'animaux herbivores, composée de plusieurs glycérides (oléine, stéarine...) ; spécialt, cette graisse fondue. *Suif de mouton, de bœuf :* composés de stéarine, margarine et oléine en proportions différentes. *Suif en branche,* tel qu'on le tire de l'animal. *Suif en jatte, en pain,* coulé dans une forme. *Résidus de suif.* ⟹ **Creton.** *La margarine était primitivement tirée du suif. Suif d'une chandelle ; chandelle* de suif* (→ Graisse, cit. 6). — *Suif utilisé dans la préparation des savons* (savon animal), *dans le traitement des cuirs. Cuir en plein suif ; en suif à chair propre* (dégraissé du côté chair). *Enduire de suif.* ⟹ **Ensuifer, suiffer.**

1 *C'était Rattier qui lisait. Mathé lui passait les pièces. Beauvais l'éclairait avec une chandelle de suif dans un chandelier de fer.*
          HUGO, Choses vues, I, 1853, L'espion Hubert.

♦ **2.** Corps gras végétal analogue au suif. *Arbre à suif* (→ aussi Gemmage, cit.). — *Suif minéral :* variété de cire fossile.

♦ **3.** (XIXᵉ, Baudelaire). Fam. Graisse humaine (péj.). *Jambes, gorges énormes* (cit. 9), *pleines de suif.* — *Boule de suif :* personne très grasse (cit. 15, Maupassant).

B. Vx. *Un suif :* une chandelle* de suif.

★ **II.** Fig. et fam. ♦ **1.** (1855). Argot anc. Réprimande, «savon».

♦ **2.** (XXᵉ). Mod. (Fam.). *Il va y avoir du suif,* du scandale, de la bagarre. *Chercher du suif à qqn,* lui chercher querelle.

2 *Elle devait trouver le temps long, la charmante, surtout si les poulets étaient venus lui chercher du suif, lui demander de mes nouvelles.*
          Albert SIMONIN, Touchez pas au grisbi, p. 166 (1953).

3 *Voyons, Tonin (...) qui donc irait chercher du suif au père Six ?*
          SAN-ANTONIO, J'ai essayé : on peut !, p. 20.

DÉR. **Suiffard, suiffeux.** — V. **Suiffer.**

SUIFFARD, ARDE [sɥifaʀ, aʀd] adj. et n. — 1848, au sens 2. ; de *suif.*

♦ **1.** Techn. Trop gras (en parlant d'un animal).

♦ **2.** Fam. et vx. Riche.

SUIFFER [sɥife] v. tr. — 1643 ; *suiver,* 1636 ; *sieuver,* 1537 ; de *sieu* «suif». → Suif.

♦ Enduire de suif. ⟹ **Graisser ; ensuifer.** — REM. On écrit parfois *suifer.*

— *As-tu suifé les gonds de la porte pour qu'ils ne fassent pas de bruit ?*
          HUGO, les Misérables, III, VIII, XVI.

1

▶ **SUIFFÉ, ÉE** p. p. adj.
Par métaphore :

2 *C'est comme les grands hommes, il faut du sublime incompréhensible et cela leur rôtit le cœur comme une tartine que les peuples savourent et lèchent tout comme un sandwich. Voilà une comparaison qui si elle n'est pas des plus suiffées est des plus graissées, car je pensais à la graisse d'oie étalée sur du pain, que je viens de manger (...)* FLAUBERT, Correspondance, t. I, Pl., p. 59.

SUIFFEUX, EUSE [sɥifø, øz] adj. et n. — 1842 ; var. *suifeux ;* de *suif.*

♦ **1.** De la nature du suif. *Matière grasse, suiffeuse.*

♦ **2.** Péj. Graisseux, très gras.

1 *(...) un Frère des Écoles chrétiennes qu'il croisa dans un escalier et dont lui inspira confiance la large figure suiffeuse.*
          COURTELINE, Messieurs les ronds-de-cuir, 5ᵉ tableau, III.

2 *Vous connaissez ces rues étroites et bourgeoises, aux boutiques profondes, mal éclairées, mais fournies avec abondance, cette sorte de Cocagne désordonnée à l'abri de façades suiffeuses et suintantes.*
          Jean RAY, les Derniers Contes de Canterbury, p. 238.

N. (1886). *Un suiffeux :* un homme gras, obèse.

3 *(...) c'était assez de nourrir ce gros suiffeux à ne rien faire sans le voir encore se divertir comme pour narguer le pauvre monde qui travaillait toute la journée.*
          MAUPASSANT, Toine, Pl., t. II, p. 430.

♦ **3.** Taché de graisse.
— Eh bien, aventurier.
4 — *Mettons que vous avez gagné cent sous, dit le nain, qui les sortit d'un porte-billets suiffeux.* R. QUENEAU, le Chiendent, p. 68.

SUIFORMES [sɥifɔʀm] n. m. pl. — XXᵉ (1955, *in* Grassé) ; du lat. *sus, suis* «porc», ou de *suidés,* et *-forme.*

♦ Zool. Sous-ordre de mammifères ongulés (*Artiodactyles*) non ruminants, dont les représentants actuels sont les porcs (⟹ **Suidés**), les hippopotames (*Hippopotamidés*) et les pécaris (*Dicotylinés*). — Au sing. *Un suiforme.*

SUI GENERIS [sɥiʒeneʀis] loc. adj. et adv. invar. — 1777 ; loc. lat., «de son espèce».

♦ Qui est propre à une espèce, à une chose, qui n'appartient qu'à elle. ⟹ **Spécial.**

1 *(...) c'est un humoriste qui mérite une place à part ; il y a là une saveur sui generis, un goût fin qui se distingue de tous autres (...)*
          BAUDELAIRE, Curiosités esthétiques, VII, II.

En emploi adverbial (et, ici, ironique) :

1.1 *Leur perplexité était causée par la rencontre de deux certitudes : il est mal qu'un soldat se promène une fleur entre les dents, sauf un jour de déclaration de guerre et subséquemment, mais il est vrai que rien dans le règlement ne vise sui generis le port d'un œillet.* Jacques LAURENT, les Bêtises, p. 32.

Loc. (Plus cour.). *Odeur sui generis :* odeur propre, particulière (à qqch.), et, spécialt, mauvaise odeur.

2 *Lagier, elle, cherche à définir l'odeur sui generis du théâtre, cette odeur générale faite de l'odeur particulière du gaz mêlé à l'odeur de bois échauffé des portants, à l'odeur de poussière poivrée des coulisses, à l'odeur de la peinture à colle des décors, qui fait une atmosphère entêtante de toutes ces senteurs (...)*
          Ed. et J. DE GONCOURT, Journal, 31 mars 1861, t. I, p. 285.

SUINT [sɥɛ̃] n. m. — 1309 ; *sun,* 1302 ; de *suer.*

♦ **1.** Matière sébacée que sécrète la peau de mouton, et qui se mêle à la laine ; ensemble des matières grasses que contient la laine (→ Mouton, cit. 4). *Le suint est un mélange de sels de potasse et d'acides gras. Odeur, puanteur* (cit. 2) *de suint* (→ Pommade, cit. 3). — *Laine en suint,* non dessuintée (contenant du *suint,* des graisses et diverses impuretés). — *La lanoline* est extraite du suint.*

1 *Je vous dis que la qualité des tapis persans, c'est le suint, la vie animale, dont est encore imprégnée la laine, quand on la teint, tandis que chez nous, la laine est morte, lorsqu'on l'emploie.*
          Ed. et J. DE GONCOURT, Journal, 3 mars 1875, t. V, p. 147.

2 *L'ingénieur, aidé de ses compagnons, y compris Pencroff (...) commença les opérations préliminaires, qui eurent pour but de débarrasser la laine de cette substance huileuse et grasse dont elle est imprégnée et qu'on nomme le suint.*
          J. VERNE, Michel Strogoff, t. II, p. 450.

♦ **2.** (1872 ; *suin,* 1611). Techn. Scorie qui surnage sur le verre en fusion.

DÉR. **Suinter, suintine.**
COMP. **Dessuinter.**

SUINTANT, ANTE [sɥɛ̃tɑ̃, ɑ̃t] adj. — 1845 ; de *suinter.*

♦ Qui suinte (2.). *Pierres, roches suintantes.* ⟹ **Humide.** *Les parois suintantes d'une cave, d'une grotte. Moignon suintant* (→ Douloureux, cit. 3).

SUINTEMENT [sɥɛ̃tmɑ̃] n. m. — 1636 ; de *suinter*.

♦ **1.** Écoulement lent d'un liquide, goutte à goutte. ⇒ **Exsudation, suage.** *Le suintement des eaux* (→ Caverne, cit. 3). — *Liquide, humidité qui suinte* (→ Égout, cit. 2).
Méd. *Les suintements d'une plaie, d'un ulcère.*

♦ **2.** (xxᵉ). Techn. (pétrographie). Venue de l'huile à la surface d'un terrain.

SUINTER [sɥɛ̃te] v. intr. — 1553 ; de *suint*.

♦ **1.** (V. 1560). S'écouler très lentement, sortir goutte à goutte. ⇒ **Couler, échapper** (s'); **dégoutter, exsuder, suer, transsuder.** *Épuiser l'eau qui suinte dans une galerie, un tunnel...* ⇒ **Exhaure.** *L'eau douce qui suinte des marais* (→ Huître, cit. 4). *La place où suintait une perle rose* (de sang). → Piquer, cit. 6. ⇒ **Perler.** *Fissures d'où suinte la résine* (→ Exfolier, cit. 2). *La sève suinte.* ⇒ **Pleurer.**

1   Est-ce le secret sombre ? est-ce la froide goutte
    Qui, larme du néant, suinte de l'âpre voûte
    Sans aube et sans flambeau ?   HUGO, les Contemplations, VI, VI, IX.
2   Sous l'influence d'un vent baltique, il dégelait ; l'eau suintait au long des murs,
    tombait des toits.   Paul MORAND, l'Europe galante, p. 18.

♦ **2.** Produire un liquide qui s'écoule goutte à goutte. *Pierres, murailles qui suintent.* ⇒ **Suintant.** *La vigne suinte.* — *Plaie, moignon qui suinte.*

3   La montagne, pleine de sources, continue de suinter goutte à goutte dans la
    citerne à demi comblée.   HUGO, le Rhin, Heidelberg, XXVIII.
4   Ce qui vous trompe, c'est que le corps *(du palais)* de droite est construit en pier-
    res gauloises qui suintent à certaines époques de l'année.
             GIRAUDOUX, Électre, I, 1.

Trans. (1845). *Tout suintait l'humide* (cit. 10).

(Av. 1850, Balzac). *« Une filandreuse chronique suintant la suffisance repue... »* (Villiers de l'Isle-Adam, *Contes cruels*, Deux Augures, p. 48). ⇒ **Suer,** fig.

DÉR. Suintant, suintement.

SUINTINE [sɥɛ̃tin] n. f. — 1890, *in* P. Larousse, *Deuxième Suppl.* ; de *suint*.

♦ Techn. Substance grasse extraite du suint obtenu par lavage des toisons. *La suintine sert à préparer la lanoline, à chamoiser les peaux. Suintine de pression,* obtenue par filtrage d'un magma d'acides gras provenant des eaux de dégraissage. *Suintine d'extractions,* provenant des tourteaux résiduels de l'opération précédente.

    Le filtrat est constitué par de l'eau et par des graisses que l'on sépare par décan-
    tation et qui forment ce qu'on appelle la *suintine de pression.*
             Charles MARTIN, la Laine, p. 118.

SUISSE [sɥis] adj. et n. — Av. 1617, *zwisse,* n. m., «langue suisse» (suisse-allemand) ; *suysse,* dans le même sens, 1619 ; *suisse,* «langue suisse» (suisse-romand), 1619 ; *in* D.D.L. ; de l'all. *Schweiz.*

★ **I.** De la Suisse. *Les Alpes, les montagnes suisses. La Confédération suisse est formée de cantons**. ⇒ **Helvétique.** *Anciennes institutions suisses* (⇒ **Avoyer, consulte**). — *Expressions, particularités suisses, en français.* ⇒ **Helvétisme, suissisme.** *Il a l'accent suisse.* — *Littérature suisse de langue française, de langue allemande. Chalet* suisse* (→ Platitude, cit. 6). *Le peuple suisse.* ⇒ **Helvète.** *Le ranz, chanson pastorale suisse. Fromage, lait, chocolat suisse. La fondue, la raclette, plats suisses. Montre suisse.* — *Franc* suisse* : unité monétaire de la Confédération (abrév. : *FS*).
(Personnes). *Il est suisse. Elle est suisse par sa mère. Nationalité suisse, passeport suisse.*
N. *Un Suisse, une Suissesse.* — REM. Au féminin, la langue moderne tend à remplacer la forme *suissesse,* qui a souvent une valeur ironique, par l'adjectif *(une dame, une demoiselle suisse).* — *Les Suisses parlent le français* (⇒ **Romand**), *l'allemand,* (⇒ **Alémanique**), *l'italien et le romanche.*

1   Ils *(le peuple des Grisons)* boivent nuit et jour en Bretons et en Suisses,
    Ils sont gras et refaits, et mangent plus que trois (...)
             DU BELLAY, les Regrets, CXXVII.
2   Lorsqu'on parcourt le village, on est étonné de la fraîcheur et de la grâce des
    petites filles ; avec leurs grands chapeaux de paille, elles ont l'air de Suissesses (...)
             NERVAL, les Filles du feu, Angélique, XIᵉ lettre.

Hist. *Régiments suisses,* qui servaient en France sous l'Ancien Régime. *Les gardes suisses* (→ Haie, cit. 9). *Le colin-tampon*, batterie de tambour des soldats suisses. Les cents-Suisses.*

2.1 (...) les gardes palatins en pantalon bleu et tunique noire, les gardes suisses cui-
    rassés d'argent, rayés de jaune, de noir et de rouge (...)
             ZOLA, Rome, p. 206.

★ **II.** (1635). ♦ **1.** Vx. Portier, concierge d'un hôtel particulier, aux XVIIᵉ et XVIIIᵉ siècles (son costume rappelait celui des mercenaires suisses). → Apprivoiser, cit. 7 ; calculer, cit. 2. — Loc. (Jeu de mots, avec le corps des soldats suisses mercenaires). *Point d'argent* (cit. 59), *point de Suisse.*

3   C'est qu'il était alors, pour garder ses amis,
    En qualité de Suisse à la porte commis (...)
             SAINT-AMANT, Pièces diverses, « Le melon » (1635).

Loc. fig. (1829, de *boire avec son Suisse.* Cf. vx. *Boire comme un Suisse,* beaucoup → ci-dessus, cit. 1, Du Bellay). *Faire Suisse* (vx). Mod. EN SUISSE (comme un Suisse). *Manger, boire en Suisse,* tout seul, sans inviter les amis.

3.1 Blaireau mettait une extrême coquetterie à ne pas faire Suisse, comme on dit au
    régiment, c'est-à-dire à ne pas boire seul.   A. ALLAIS, l'Affaire Blaireau, p. 101.
4   On sait que « je bois » — tout seul, en cachette — les jeunes gens disent *en suisse.*
             BERNANOS, Journal d'un curé de campagne, p. 247.

♦ **2.** (1798). Mod. Employé chargé de la garde de l'église, de l'ordonnance des processions, des cérémonies. ⇒ **Bedeau** (cit. 1), **gardien.** *Uniforme, hallebarde* (cit. 2), *canne de suisse d'église* (→ aussi Désigner, cit. 4 ; riche, cit. 6).

5   Le suisse, alors, se tenait sur le seuil, au milieu du portail (...) plumet en tête,
    rapière au mollet, canne au point, plus majestueux qu'un cardinal et reluisait
    comme un saint ciboire.   FLAUBERT, Mᵐᵉ Bovary, III, I.
5.1 En tête, s'avançait un suisse superbe, bleu et argent, que suivait la croix proces-
    sionnelle, une haute croix, d'un rayonnement d'étoile.   ZOLA, Lourdes, p. 100.

♦ **3.** Soldat de la garde suisse, au Vatican. *Suisses et gardes pontificaux.*

6   (...) appuyé sur la hampe de sa hallebarde, en costume de lansquenet, ses yeux
    étincelant sous le heaulme, tout irréal, comme brusquement sorti de quelque
    tableau de vieux maître pour épier ici ma propre irréalité. À peine eus-je reconnu
    en lui un suisse pontifical (...)
             P. KLOSSOWSKI, la Révolution de l'Édit de Nantes, 1963, p. 16.

★ **III.** (1872, Littré). SUISSE ; (v. 1910) PETIT SUISSE : petit fromage* frais, triple crème, en forme de petit cylindre, qui se mange généralement avec du sucre. *Acheter des petits suisses, des suisses.* On écrit aussi *petit-suisse.*

★ **IV.** N. m. (1791 ; au Canada, 1632 ; de *Suisse,* II., 3.). Écureuil rayé (sur la longueur) qui vit en Russie et en Amérique du Nord (en angl. *chipmunk*). Syn. de *tamia.*

DÉR. Suissisme.

SUISSISME [sɥisism] n. m. — xxᵉ ; de *Suisse.*

♦ Fam. Tournure, fait de langage propre au français de Suisse. ⇒ **Helvétisme.**

    Une affiche annonçait chez le concierge que le mercredi nous étions tenus de nous
    habiller pour nous amuser sous la direction d'un «maître de plaisir». Ce suis-
    sisme équivoque désignait une grande perche au nez crochu, qui écrivait son nom
    en deux mots et parlait le français avec un inénarrable accent vaudois, l'allemand
    avec des grâces d'Auvergnat.   Michel DÉON, Tout l'amour du monde, p. 275.

SUITE [sɥit] n. f. — XIIIᵉ ; *siute,* XIIIᵉ ; anc. p. p. de *suivre** substantivé ; d'un lat. pop. *sequitus.*

★ **I. A.** Action de poursuivre. ♦ **1.** Loc. DROIT DE SUITE.

[a] Dr. féod. ⇒ **Poursuite.**

[b] (XVIᵉ). Mod. *Droit de suite :* droit qui permet au créancier hypothécaire de suivre l'immeuble hypothéqué dans les mains de tout détenteur et d'exiger de lui le paiement de la somme due. — (1920). Droit par lequel un artiste peut prélever une certaine somme sur le produit d'une vente publique de ses œuvres.

♦ **2.** (1778). Chasse. Poursuite du gibier. *La suite du limier.* — *Faire suite :* suivre une voie.

B. (Fin XIVᵉ). ♦ **1.** Vx. Action de suivre.

♦ **2.** Situation de ce qui suit (qqn, qqch.), de ce qui vient après*. *Prendre la suite de qqn,* lui succéder. — FAIRE SUITE à... (dans le temps). ⇒ **Succéder, suivre.** *Le vote qui fit suite à cette proposition...* (Dans l'espace). ⇒ **Prolonger.** *Un appartement faisait suite à la laiterie* (→ Cabas, cit. 2). *Le cæcum* (cit.) *auquel fait suite le côlon.*
(1594). À LA SUITE DE. [a] (Dans l'espace). En suivant (I.) derrière, en se faisant suivre par derrière. *Bateaux qui se rassemblent à la suite d'un croiseur* (→ Rappel, cit. 5). Avec le possessif. *Cheval qui traîne à sa suite le cavalier* (→ Futur, cit. 7), derrière lui. *L'aimant entraîne à sa suite la limaille de fer* (→ Attraction, cit. 4). — Derrière, en considérant un ordre donné. ⇒ **Après, derrière.** *Osselets* (cit. 1) *placés les uns à la suite des autres* (→ aussi 1. Mémoire, cit. 27). *La désignation des lots* (cit. 3) *demeurait en blanc, à la suite des noms. Se mettre à la suite d'une file d'attente* (→ À la queue*). — Typogr. *À la suite :* en continuant la ligne, sans passer à la ligne.

[b] (1667). Dans le temps. Après, en suivant. ⇒ **Après.** *Un impôt levé à la suite de tant d'autres* (→ Dixième, cit. 4). *Simultanément ou à la suite* (→ Mutuel, cit. 1). *Trois coups furent tirés à la suite.* ⇒ **Successivement.**

[c] (1667). Spécialt, l'événement suivant sa cause. ⇒ **Cause** (à cause de). *Luxation* (cit.) *à la suite d'un choc. À la suite de troubles* (→ 2. Fratricide, cit. 4). *Amour violent qui s'allume à la*

suite d'une rencontre (→ 1. Faux, cit. 46). *À la suite de quoi, j'ai répondu que... Se produire à la suite de...* : être consécutif* à (→ ci-dessous, II., 4., *Par suite de...*).

1 C'était d'ailleurs un ancien homme du monde, fort connu jadis, fort élégant, le baron de Vilbois, qui s'était fait prêtre, à trente-deux ans, à la suite d'un chagrin d'amour.   MAUPASSANT, l'Inutile Beauté, « Le champ d'olivier », I.

Vx. EN SUITE DE. ⇒ **Ensuite** (I., 1 et 2).

2 (...) vous convenez que le Jay écrivit en suite du départ de votre mari ; ce qui indique assez qu'il n'avait pas écrit avant son départ.   BEAUMARCHAIS, Mémoires... dans l'affaire Goëzman, p. 175.

◆ **3.** (1580). État de ce qui se suit (3. et 5.), de ce qui se poursuit dans un ordre* intelligible. — Vx. *Relire un ouvrage dans toute sa suite* (→ Révolu, cit. 2). ⇒ **Développement, enchaînement, filiation.** — *La suite de la conversation, d'un raisonnement.* ⇒ **Cours, déroulement, fil.**

Plus cour. (emplois négatifs). Ordre de ce qui se suit en formant un sens. ⇒ **Liaison, lien** (→ Écrire, cit. 53). *Propos, mots sans suite, incohérents, incompréhensibles* (→ 1. Jargon, cit. 4 ; marmonner, cit. 2). *Des choses enfilées* (cit. 13) *sans suite.*

3 Il divaguait maintenant, causait tout haut de choses qui n'avaient guère de suite, devait se croire dans les champs, où il travaillait dur, ainsi qu'aux jours lointains de son bel âge.   ZOLA, la Terre, V, I.

Spécialt. Le fait de suivre la même idée, le même projet (sans qu'on abandonne par caprice, par paresse...). Vx ou littér. (surtout dans : *avec, sans suite*). *Étudier* (→ Domestique, cit. 2), *travailler* (→ Reconquérir, cit. 3), *lire avec suite* (→ Déroulement, cit. 3), *d'une manière suivie**. — Vx. *Ce qui demande une attention et une étude pénibles* (→ Romantisme, cit. 5). ⇒ **Continuation, fixité, persévérance.**

(1718). Mod. et cour. **ESPRIT DE SUITE** : aptitude à suivre une direction avec constance (dans le raisonnement ou l'action) → Esprit, cit. 129. — Loc. Rare. *N'avoir aucune suite dans l'esprit* (→ Grippe, cit. 2). — Cour. *Avoir de la suite dans les idées*, se dit d'une personne persévérante, et, iron., d'une personne entêtée dont on ne vient pas à bout.

4 (...) l'illustre de Marsay, qui dirigeait alors le gouvernement et qui n'avait aucune considération pour les auteurs chez lesquels il ne trouvait pas ce que Richelieu nommait l'esprit de suite ou mieux, de la suite dans les idées.   BALZAC, Une fille d'Ève, Pl., t. II, p. 90.

5 La société ne donne rien à celui qui ne demande rien, j'entends avec constance et suite ; et cela n'est point mal, car les connaissances et aptitudes d'esprit ne sont pas le tout.   ALAIN, Propos sur le bonheur, p. 89.

6 Exaspération de ne rien pouvoir faire *avec suite*, et je suis de plus en plus conscient et convaincu que l'on n'obtient rien de bien sans une longue persévérance (...)   GIDE, Journal, 20 oct. 1929.

◆ **4.** (1538). **DE SUITE** : en se suivant exactement, à la suite les uns des autres, sans interruption (s'emploie surtout avec un numéral : *deux, trois... de suite*, et dans *ainsi de suite*). Dans l'espace. *Les actes seront incrits de suite sans aucun blanc* (cit. 28). *Lire des vers de suite* (→ Distinguer, cit. 35). — (Dans le temps). *Dix fois de suite l'expérience* (cit. 48) *manqua. Lire cinq heures de suite* (→ Infatigable, cit. 1). — Littér. *Longtemps de suite* (Gide, → Difficile, cit. 21). — Cour. **ET AINSI DE SUITE** : en continuant de la même façon (→ Crever, cit. 30 ; deuxième, cit. ; melon, cit. 3 ; renverser, cit. 1).

7 Ce premier manuscrit était écrit de suite, sans section ; tous les sujets y étaient confondus : voyages, histoire naturelle, partie dramatique, etc. ; mais auprès de ce manuscrit d'un seul jet il en existait un autre partagé en livres.   CHATEAUBRIAND, Mémoires d'outre-tombe, t. III, p. 39.

8 (...) et *(il)* ne pouvait pas dire trois mots de suite sans y ajouter : C'est bien le cas de le dire (...)   Alphonse DAUDET, le Petit Chose, II, VI.

◆ **5. TOUT DE SUITE.** [a] (1549). Vx. Sans interruption (sens précédent).

9 Monsieur, deux choses : l'une, c'est que je n'ai jamais pu suivre mon histoire sans qu'un diable ou d'un autre m'interrompît, et que la vôtre va tout de suite.   DIDEROT, Jacques le fataliste, Pl., p. 704.

[b] (Fin XVIIᵉ). Sans délai, sans plus attendre. ⇒ **Champ** (sur le champ), **illico, immédiatement, incessamment, instant** (à l'instant). *Venez tout de suite !* (→ Précipitamment, cit.). *« Tout de suite, Monsieur le Baron »* (→ Marquis, cit. 3). *Le spectacle va commencer tout de suite* (→ Attendre, cit. 31). *Céder tout de suite, sans discussion* (→ Pâte, cit. 15). — Rapidement. *Le bout de la route fut tout de suite atteint* (→ Ondée, cit. 1).

[c] (Spatial). Immédiatement après, contre, tout à côté. ⇒ **Immédiatement, juste.** *C'est tout de suite après la barrière, à main* (cit. 8) *droite* (→ aussi Discret, cit. 7).

DE SUITE pour **TOUT DE SUITE** : immédiatement, incontinent. — REM. Cet emploi est condamné par les puristes depuis le XVIIIᵉ s. ; mais il est encore littéraire au XIXᵉ s. (*Il recommença de suite*, Flaubert, l'Éducation sentimentale, II., 2) et il est resté vivant dans la langue familière, parlée ou écrite. *Le concierge revient de suite. Afin de savoir de suite à qui ils avaient à faire* (Proust, → Observateur, cit. 5). Au XXᵉ s., *de suite*, dans ce sens, est marqué comme populaire et peu correct (ce qui est historiquement absurde).

9.1 Quoiqu'Edme R. ait employé au moins trente ans à toutes les opérations que je décris, je les rapporte de suite ; et parce qu'elles ont une liaison entr'elles, et pour n'y plus revenir.   RESTIF DE LA BRETONNE, la Vie de mon père, p. 141.

Ordonne que le présent jugement sera exécuté de suite à la diligence du capitaine rapporteur (...)   10
(Jugement de la Commission militaire jugeant le duc d'Enghien).
DE SUITE ! mots désespérants qui sont l'ouvrage des juges !
    CHATEAUBRIAND, Mémoires d'outre-tombe, II, IV, 2 et 3, Levaillant.

Ce n'était pas cher pour le quartier, puis le local était libre et pouvait être occupé de suite.   HUYSMANS, En ménage, II.   11

J'ai un terrible défaut, une lacune immense que je préfère avouer de suite.   12
    Léon DAUDET, Salons et Journaux, p. 114.

Parfois des rages me prennent de lâcher tout, de suite, de décommander les leçons, d'envoyer promener tout le monde (...)   GIDE, Journal, 18 mars 1890.   13

Mais le capitaine Bordeille va certainement vous renseigner. Je lui téléphone de suite.   R. QUENEAU, le Dimanche de la vie, p. 24.   13.1

★ **II.** Ce qui suit, ce qui se suit. ◆ **1.** (V. 1360 ; *siute*, v. 1220). Personnes qui se déplacent avec une autre dont elles sont les subordonnées ; escorte d'un souverain, d'un haut personnage. ⇒ **Appareil, cortège, équipage, escorte, train.** *La suite de qqn ; une suite. L'empereur, l'impératrice et leur suite* (→ Infiniment, cit. 5). *Le cardinal se retira avec toute sa suite* (→ Moindrement, cit. 2). — Par ext. *Une suite d'admirateurs.* ⇒ **Cour.**

— Qu'est ce seigneur ? — Il part, c'est quelqu'un de ma suite.   14
— Oui, de ta suite ô roi ! de ta suite ! — J'en suis !
Nuit et jour, en effet, pas à pas, je te suis.   HUGO, Hernani, I, 4 (1830).

(1559). Domestiques* qui accompagnent leur maître. ⇒ **Gens.** *Sa suite prend aussitôt la fuite* → Écrier (s'), cit. 1. *Un valet de sa suite.* ⇒ 1. **Suivant** (II.).

Sa suite se composait d'un valet de chambre, de deux gardes malades et de sa gouvernante, miss Lucas.   Valery LARBAUD, Enfantines, « Dolly ».   15

Je me demande ce qu'ils disent *(les valets du Carlton)* d'un homme qui voyage sans suite et sans bagages, et qui loue tout le premier étage d'un hôtel ?   16
    Valery LARBAUD, Barnabooth, Journal, I, 12 avr.

Loc. Vx. *Cheval de suite*, destiné à un domestique.

◆ **2.** (Fin XVIᵉ). Ce qui suit (qqch.) ; ce qui vient après (ce qui n'était pas terminé, entier). *La suite du discours* (cit. 22) *fit comprendre le début. Les premiers mots sont lisibles, mais je ne puis lire la suite. Mᵐᵉ Riccoboni donna une suite à la « Vie de Marianne » laissée inachevée par Marivaux. La suite de cette histoire* (→ Anticiper, cit. 6).

Mais n'anticipons pas ici sur ce triste sujet. Je ne serai que trop forcé d'en parler dans la suite de cet écrit.   ROUSSEAU, les Confessions, IX.   17

Loc. *La suite au prochain numéro* (du journal). ⇒ **Suivre** (à suivre). Au fig. (fam.). En voilà assez pour l'instant, nous reprendrons plus tard. — *La suite à demain !* — *Suite et fin*, suite qui termine l'histoire.

Se dit d'un ouvrage qui en continue un autre bien qu'il ne porte pas le même titre. *La suite d'un film à épisodes.*

La suite d'un repas : les derniers plats qu'on va servir. — Absolt. *Apportez-nous la suite. Vous pouvez nous donner la suite.*

Valentin enlève les assiettes et va chercher la suite, les restes du ragoût de midi.   18
    R. QUENEAU, le Dimanche de la vie, p. 162.

Comm. *Article sans suite*, dont l'approvisionnement n'a pas de suite. *Solde d'articles sans suite.*

◆ **3.** Temps qui vient après le fait ou l'action dont il est question. *Des prédictions que la suite n'a pas démenties* (→ Métoposcopie, cit.). *Attendons la suite.*

DANS LA SUITE : dans la période qui a suivi, après* cela. ⇒ **Depuis.** *On a vu dans la suite l'impertinence* (cit. 2) *de ces calomnies* (cf. Après coup). *Des fautes réparées dans la suite par de fidèles services* (→ Oublier, cit. 13). — Vx. *Dans les suites* : dorénavant. — Plus rarement. *Dans la période sud.*

Le plus plaisant est que le chef, qui interrogeait à l'autre bout du fil, ne demandait pas une réponse vraie, mais une réponse convenable ; j'en eus mille preuves dans la suite.   ALAIN, Propos, 14 mai 1921, Mensonges militaires.   19

(1739). Plus cour. **PAR LA SUITE** : dans la période qui a suivi ou qui suivra. *Les ouvrages qu'il m'a été donné de composer par la suite* (→ Errance, cit. 3). ⇒ **Ensuite, tard** (plus tard). *Nous verrons par la suite. Par la suite vous pourrez en changer.* ⇒ **Avenir** (dans l'avenir).

(...) je vous donnerai ces papiers que vous copierez et nous causerons sur les moyens de vous rendre service par la suite.   19.1
    MARIVAUX, le Paysan parvenu, III, in Romans, Pl., p. 681.

◆ **4.** (Av. 1678). Souvent au plur. ou dans des loc. Ce qui découle, résulte* (de qqch.) → Après, cit. 14. ⇒ **Aboutissement, conséquence** (cit. 8), **effet, résultat.** *Le luxe* (cit. 3), *suite naturelle du progrès. La suite normale de ma démarche* (→ Convocation, cit.). *La honte* (cit. 3), *suite du supplice.* ⇒ **Accompagnement.** *Les suites d'une affaire.* ⇒ **Développement, prolongement, reliquat.** *Un éclat* (cit. 14), *une noirceur* (cit. 8) *qui auraient eu de fâcheuses suites.* ⇒ **Contrecoup, lendemain.** *Trop prévoir les suites des choses* (→ Entreprendre, cit. 2). *Les dépendances** (cit. 6) *et les suites des choses.*

Enfin, une pareille liaison, en bien réfléchissant, ne pouvait avoir de mauvaises suites : Thérèse aurait intérêt à tout cacher, et la planterait si aisément quand elle voudrait (...)   ZOLA, Thérèse Raquin, VI.   20

Accidents, troubles qui se manifestent quand la cause a cessé d'agir. *Les suites d'une maladie.* ⇒ **Séquelle** (2.). *Maladie qui* *laisse des suites, des traces derrière* soi.* ⇒ **Ressentir** (se ressentir de). *Gazé* (cit. 2) *qui meurt des suites de la guerre.*

Donner suite (à un projet, une demande...), poursuivre son action pour lui donner un aboutissement (→ 1. Fou, cit. 26 ; mitiger, cit. 3). *Nous sommes sans nouvelles, ils n'ont pas donné suite.*

Comm. **Suite** à... (votre lettre, votre demande) : comme suite à, en réponse à... — REM. Cette expression est critiquée par les puristes.

Vx. Conséquence, importance.

21   (...) ils ne suivent la mode et le train commun que dans les choses de rien et de nulle suite.   LA BRUYÈRE, les Caractères, XVI, 5.

(1635). **Par suite de** : à cause de, en conséquence de. ⇒ **Cause** (à), **grâce** (à). → Croisement, cit. 5. *Par suite d'un refroidissement* (cit. 1) *il lui vint une angine. Par suite d'une confusion phonétique* (→ Fin, cit. 37).

22   Elle avait mené (...) une vie irréprochable, mais moins par suite de ses principes que par instinct et par goût maternel.
          O. FEUILLET, Morte, p. 103, *in* F. BRUNOT, la Pensée et la Langue, p. 812.

♦ **5.** (XVIIᵉ). Ensemble de choses, de personnes qui se suivent. **a** Choses, personnes qui se présentent les unes à côté des autres dans l'espace. *Suite de personnes.* ⇒ **Chaîne, file, procession, queue, ribambelle.** *Une suite de portraits des rois d'Espagne* (→ Intervalle, cit. 3). *Suite de canaux* (cit. 6), *de rues tranquilles* (→ Mi-, cit. 4). *Une longue suite de pierres druidiques* (→ Grève, cit. 2). ⇒ **Chapelet, enfilade.** — (Dans un ordre). *Suite progressive.* ⇒ **Échelle.** *Suite de cartes.* ⇒ **Séquence.**

23   Toute la rue semblait une suite de mairies, de sous-préfectures, de musées municipaux, d'ambassades minuscules, de ministères lilliputiens auxquels se fussent mêlés plus modestement quelques bureaux d'octroi et quelques mausolées du Père Lachaise.
          J. ROMAINS, les Hommes de bonne volonté, t. V, XXVI, p. 253.

b (1538). Choses, personnes qui se succèdent dans le temps. ⇒ **Succession.** *Une longue suite de descendants.* ⇒ **Postérité.** *La suite des jours* (→ Écouler, cit. 15). *Dans la suite des temps* (→ Authentique, cit. 6). *L'histoire* (cit. 30) *n'est qu'une suite d'horreurs, de catastrophes* (→ Progression, cit. 2). *Suite fortuite d'événements* (→ Force, cit. 57). *La longue suite des effets* (→ Enchaînement, cit. 6). *Suite cohérente de phénomènes* (⇒ **Processus,** cit.), *des formes successives d'un objet* (⇒ **Gense,** cit. 3). *Nommer les éléments d'une suite.* ⇒ **Énumération, liste.** *Suite qui se renouvelle.* ⇒ **Cycle.** *Longues suites de vers pompeux* (→ Dramatique, cit. 10). *Suite d'injures* (→ Appeler, cit. 31). ⇒ **Kyrielle, série** (2., et REM.). *Suite continue, ininterrompue.*

24   C'est depuis la soupe jusqu'au fruit, depuis le lever de la table jusqu'à la sortie, une suite d'échos parlés, une avalanche d'anecdotes, une succession de racontars, une enfilade de petits récits sans exposition (...)
          Ed. et J. DE GONCOURT, Journal, 7 déc. 1893, t. IX, p. 134.

c (1727). Math. Ensemble de termes qui se présentent dans un ordre* tel que celui des nombres entiers (⇒ aussi **Succession**). *Suite d'éléments d'un ensemble :* famille d'éléments de cet ensemble indexée par une partie de l'ensemble des entiers naturels. *Suite numérique,* définie sur l'ensemble des nombres réels, ou sur celui des nombres complexes. *Suite convergente,* qui admet une limite. *La suite des nombres naturels, des nombres premiers, des nombres pairs. Suite infinie. Suite de nombres à caractères particuliers.* ⇒ **Progression, série.**

d Chim. Série.

25   Chaque type d'atome est caractérisé par une valeur du nombre entier N et l'on ne tarda pas à s'apercevoir que ce « nombre atomique » est égal au numéro d'ordre de l'élément correspondant dans la suite périodique de Mendéléeff.
          L. DE BROGLIE, Physique et Microphysique, p. 46.

e Ling. Succession d'éléments. ⇒ **Séquence.** — Spécialt (dans une grammaire générative). Séquence appartenant à l'ensemble fini des symboles désignant les éléments d'une langue. *Suite terminale,* formée par les éléments (unités syntaxiques minimales) qu'engendrent les règles syntagmatiques et transformationnelles.

♦ **6.** (XIXᵉ). Absolt. Techn. (terme de librairie). Ensemble des gravures d'un ouvrage. *Une double suite sur japon* (→ aussi Graver, cit. 5). — Arts décoratifs. Tenture composée de plusieurs tapisseries dont chacune représente un épisode d'une histoire.

♦ **7.** (1842). Mus. Composition musicale faite de plusieurs pièces de même tonalité. *La suite est l'ancêtre de la sonate*. Suite instrumentale comprenant prélude, allemande, courante, sarabande, gigue, pavane, menuet* (cit. 5), *passacaille... Suites de Bach, de Haendel.* — *Suite d'orchestre :* composition de forme voisine. *« Pétrouchka », suite d'orchestre de Stravinsky.*

♦ **8.** (1913 ; de l'angl. *suite,* de même origine que le franç. *suite*). Anglic. Appartement de plusieurs pièces en enfilade, loué à un seul client, dans un hôtel de luxe. *Louer une suite dans un palace.* — REM. L'implantation de cet anglicisme est en partie lié au fait que le mot *appartement* est souvent employé en hôtellerie pour « chambre ».

26   J'ai, au Carlton, une suite de dix fenêtres sur l'Arno, salle à manger, fumoir, salle de bains aussi grande que la chambre à coucher ; on a doublé le personnel, à mon étage.   Valery LARBAUD, A. O Barnabooth, Journal, I, 12 avril.

27   Las, sensible au peu de crédit que lui valaient son air et son vêtement, il demanda une suite et non une chambre, ce qui modifia l'attitude du préposé qui lui en fit visiter deux.   Jacques LAURENT, les Bêtises, p. 37.

CONTR. (De *à la suite*) Avant, devant. — Incohérence ; inconséquence. — Début. — Annonciateur. — Cause, source.
DÉR. Suitée, suites.
COMP. Ensuite.
HOM. Suites.

SUITÉE [sɥite] adj. fém. — 1872 ; *suite,* 1721 ; de *suite.*

♦ Techn. (élevage, chasse). Se dit d'une jument suivie de son poulain, d'une laie suivie de ses marcassins. *Jument suitée ; laie suitée.*

SUITES [sɥit] n. f. pl. — 1611 ; plur. de *suite,* d'un sens dial. de *suivre* « saillir ».

♦ Vén. Testicules (du sanglier).
HOM. Suite.

1. SUIVANT, ANTE [sɥivɑ̃, ɑ̃t] adj. et n. — V. 1360 ; *siwant* « descendant », v. 1200 ; *suiant,* déb. XIIIᵉ ; p. prés. du v. *suivre.*

★ **I.** Qui vient immédiatement après. ♦ **1.** (Dans un ordre). *L'échelon ; le grade suivant. La marche* (2. Marche, cit. 3) *suivante. Les lignes suivantes* (→ Empoigner, cit. 6). *C'est dans le tome suivant.* — Subst. *Dans ces pages et dans les suivantes* (→ Revenir, cit. 29). *Page 150 et suiv.* ou *sqq.* (abrév. du lat. *sequantiaque*).

(Personnes). Qui vient tout de suite après une autre. — (1611). Qui vient après une autre et à son tour (dans une file d'attente, etc.). *Le médecin dit : « La personne suivante, s'il vous plaît. »* — N. *Au suivant ! :* au tour du suivant. *Au suivant de ces Messieurs !* — Ellipt. *Suivant ! :* au suivant !

0.1   Un petit bout de papier sortit avec un tintement, et le contrôleur le mit dans la main de Besson.
— Suivant, dit l'homme.   J.-M. G. LE CLÉZIO, le Déluge, p. 235.

♦ **2.** (Dans le temps). *Les cinq jours suivants* (→ 1. Mage, cit. 3). *Les années suivantes. Dans les siècles, aux siècles suivants.* ⇒ **Futur** (→ Autre, cit. 110). *Nous ferons mieux les fois suivantes.* ⇒ **Autre, prochain.** — Subst. *Pas un jour ne ressemble au suivant* (→ Échapper, cit. 4).

1   Très inquiets et plus ou moins malheureux, nous attendons sans cesse l'heure suivante, le jour suivant, l'année suivante. Il nous faut à la fin une vie suivante.
          É. DE SENANCOUR, Oberman, XLIV.

L'année suivante, le jour suivant, etc. (au sing. et situé dans un temps déterminé) : l'année, le jour... qui vient immédiatement après une année, un jour... passé ou futur (on dit *prochain** pour l'an, le jour... qui suit le moment présent). *Jusqu'à l'hiver suivant* (→ Accrocher, cit. 5). *Je suis pris dimanche prochain, remettons cela au dimanche suivant* (→ aussi Libre, cit. 14).

2   Et l'année suivante on n'est pas remonté, ni l'année d'après la suivante, ni celle d'après celle-là, ni aucune année (...)   C.-F. RAMUZ, la Grande Peur..., V.

♦ **3.** Qui va suivre (dans un énoncé, une énumération). *L'exemple suivant* (→ Devoir, cit. 30), l'exemple que voici, que voilà, ci-dessous, ci-après. *Les garanties* (cit. 8) *suivantes : ... Il écrivit la lettre suivante* (→ Phraséologie, cit. 1). — Subst. *La définition est la suivante, est celle-ci : ...* (→ Finance, cit. 3).

★ **II.** Qui suit qqn. ♦ **1.** Adj. (1669). Vx. Qui suit en qualité de domestique. *Une fille suivante* (→ Gueule, cit. 7).

♦ **2.** **a** (1633). Domestique* (femme ou homme).

3   Dom Alonse, et trois Suivants (...)   MOLIÈRE, Dom Juan, III, 4 (jeu de scène).

b N. f. **SUIVANTE** : autrefois, Femme* de compagnie, dame de compagnie ; femme qui accompagne une grande dame. *La Suivante,* comédie de Corneille. — (Théâtre). *La suivante d'une princesse.* ⇒ **Confidente.** *Un rôle de suivante dans une pièce classique.*

4   La maîtresse ne peut abuser votre foi,
À moins que la suivante en fasse autant pour moi (...)
          MOLIÈRE, le Dépit amoureux, II, 1.

♦ **3.** N. Littér. Personne qui en accompagne une autre à laquelle elle se soumet. *Les suivants de la cour* (→ Assidu, cit. 4). *Les suivants d'une dame,* ses amoureux assidus.

5   Les hommes se sont avancés vers la bière avec un drap. Le prêtre, ses suivants, le directeur et moi-même sommes sortis.   CAMUS, l'Étranger, I, I.

(Déb. XVIIᵉ). Fig., vx. ⇒ **Disciple.** *Les suivants d'Aristote. Les suivantes de Vénus :* les courtisanes.

CONTR. Avant (d'), précédent ; dessus (ci-dessus) ; sus- (sus-mentionné, susnommé...). — Maître, maîtresse.

2. SUIVANT [sɥivɑ̃] prép. — 1459 ; du p. prés. de *suivre.*

♦ **1.** Vieilli. Le long de.., en suivant la direction* de... *Suivant une ligne* (→ Approchant, cit. 2 ; 1. rayon, cit. 4, Descartes).

♦ **2.** (1538). Conformément* à... ; en suivant (⇒ **Suivre,** III.)... ⇒ **Selon.** *Suivant la loi, suivant l'usage* (→ Autant, cit. 39), *la coutume* (→ Grand, cit. 10). *Suivant son habitude* (cit. 28). *Suivant la mode du temps* (→ Ondé, cit. 1). — *Suivant un plan, un* *programme, un système* (→ Intelligence, cit. 6). — *Suivant l'avis* (⇒ **De,** I., a., 4.), *la conception* (→ Magie, cit. 9), *l'opinion... Suivant la formule* (cit. 3), *l'expression, le mot de...* : d'après (→ Intercepter, cit. 1). *Suivant l'expression consacrée* (→ Main, cit. 21; œuf, cit. 7). *Suivant tel auteur* (→ Nez, cit. 4) : suivant son opinion, ce qu'il dit. ⇒ **Œil** (aux yeux de...). — REM. À la différence de *selon*, la préposition *suivant* ne peut être accompagnée d'un pronom : *selon moi*, et non *suivant moi*.

♦ **3.** (1690). En fonction* de... *Suivant une loi* (scientifique), *une proportion géométrique* (→ Infection, cit. 5), *une progression.* ⇒ **Proportion** (à), **raison** (à).

♦ **4.** Conformément à (des conditions, des circonstances qui changent). → Occurrence, cit. 1. *Chacun s'assoit suivant son numéro* (→ Désordre, cit. 25). *Suivant l'heure et la saison* (→ Poudroyer, cit. 1). *Suivant le cas* (→ Misérable, cit. 13). *Suivant les pays et les âges* (→ Différer, cit. 11).

1 (...) il buvait aux jours ordinaires, quatre ou cinq petits verres de fil *(de fine)* et, aux jours de chance à la mer, huit ou dix, et même plus, suivant sa gaieté de cœur, disait-il.   MAUPASSANT, l'Inutile Beauté, « Le noyé », I.

2 Suivant le jour, l'heure et le vent, le lac ressemblait à une vitre ternie de buée ou à un marbre vert et noir, cependant libre, secrètement fluide et vivant, aux pieds des montagnes minérales.   J. CHARDONNE, les Destinées sentimentales, p. 218.

♦ **5.** Loc. conj. (1534). SUIVANT QUE : dans la mesure où..., selon que... *Suivant que l'organisme est robuste ou débile...* (→ Délice, cit. 2 ; et aussi offre, cit. 6).

3 C'est curieux comme le point de vue diffère suivant qu'on est le fruit du crime ou de la légitimité.   GIDE, les Faux-monnayeurs, I, VI.

SUIVANTE [sɥivãt] n. f. ⇒ 1. **Suivant** (II., 1.).

SUIVEUR, EUSE [sɥivœʀ, øz] n. et adj. — 1853 ; *suiveur de lopins* « escroc », 1604 ; anc. franç. *siwor*, v. 1190 ; dér. de *suivre.*

♦ **1.** Personne qui suit (qqn).

N. m. Homme qui suit une femme, les femmes, dans la rue. *Lever* (1. Lever, cit. 16) *des suiveurs.*

1 (...) Gavarni. Quel chasseur de femmes ! Quel passionné de l'inconnu féminin ! Quel suiveur de toutes celles qu'il voit, et que de rendez-vous ! (...)   Ed. et J. DE GONCOURT, Journal, 8 févr. 1868, t. III, p. 143.

2 Passer droit son malheureux chemin et être pris pour un suiveur, pour un de ces imbéciles qui vont à la piste. Ah ! non ! Et cela simplement parce que, sans y faire attention, je marchais peut-être depuis trois ou quatre minutes à la même allure que cette péronnelle ?   G. DUHAMEL, Salavin, I, IX.

♦ **2.** (1899). Personne qui suit une course, à titre officiel (observateur, journaliste...). *La caravane des suiveurs du Tour de France.* — Appos. ou adj. *Les voitures suiveuses du Tour de France.*

♦ **3.** (1872). Fig. Personne qui s'inspire d'autrui, sans esprit critique, qui ne fait que suivre (un mouvement intellectuel, etc.). ⇒ **Imitateur** (cit. 7 ; → Initiative, cit. 3 ; opposant, cit. 3). *Les suiveurs et les épigones. C'est une suiveuse. Les suiveurs de Céline.*

3 Et vous n'avez même pas le mérite de l'originalité, car ils sont des tas, des tas, et vous n'êtes qu'un pauvre snob du décadentisme et de la pourriture, un simple suiveur des Gide et des Proust.   MONTHERLANT, Pitié pour les femmes, p. 215.

Adj. « *Tous les faibles timorés et suiveurs* » (Lecomte, *Ma traversée,* p. 366).

♦ **4.** Adj. Techn. *Fiche suiveuse :* étiquette portant une référence pour l'identification, qui est attachée à un objet, ou qui correspond à une matière en cours d'usinage, de fabrication.

♦ **5.** N. m. Techn. Dispositif permettant de commander l'orientation d'un engin spatial (recomm. off. pour remplacer l'anglicisme *tracker*).

DÉR. **Suivisme.**

SUIVEZ-MOI-JEUNE-HOMME [sɥivemwaʒœnɔm] n. m. — 1866 ; de *suivre, moi,* et *jeune homme.*

♦ Fam., vieilli. Pans d'un ruban de chapeau de femme, qui flottent sur la nuque.

(...) Je voulais rigoler avec cette
Petite cocodette ou cocotte ou crevette
Ou grue ou biche qui porte des *suivez-moi Jeune homme* si longs.   VERLAINE, Premiers vers, Qui veut des merveilles ?, Œ. poétiques compl., Pl., p. 26.

SUIVI [sɥivi] adj. et n. m. ⇒ **Suivre.**

SUIVISME [sɥivism] n. m. — 1927, *in* D.D.L. ; de *suiveur.*

♦ Attitude du suiveur (3.) ; fait d'imiter un initiateur, de suivre sans

examen une consigne, une ligne politique, un programme... *Ce n'est plus de la fidélité, c'est du suivisme.*

DÉR. **Suiviste.**

SUIVISTE [sɥivist] adj. et n. — Mil. XXᵉ (1966, *in* Gilbert) ; de *suivisme.*

♦ Polit. Caractérisé par le suivisme. *Attitude, politique suiviste.* — N. (rare au fém.). *Les suivistes.*

SUIVRE [sɥivʀ] v. tr. — *Je suis, tu suis, il suit, nous suivons, vous suivez, ils suivent ; je suivais ; je suivis ; je suivrai ; je suivrais ; que je suive ; que je suivisse ; suis, suivons, suivez ; suivant ; suivi.* — 1080, *sivre,* Chanson de Roland ; *sivre,* v. 1175 ; *suire,* v. 1280 ; *suivre,* 1273, refait sur *il suit,* métathèse de *siut,* du lat. vulg. *sequit, sequere,* lat. class. *sequi.*

★ **I.** Venir après. **A.** (Avec mouvement). ♦ **1.** Aller derrière (qqn qui marche, qqch. qui avance). *Suivre qqn de près* (⇒ **Talonner** ; → Marcher sur les talons, sur les pas de...) ; *le suivre pas à pas* (→ Harceler, cit. 8). ⇒ **Emboîter** (le pas). *Suivre qqn, qqch. de loin. Voiture qui en suit une autre.* — (Au passif et p. p.). *Train suivi de voitures blindées* (cit. 1). — *Suivre une procession* (→ Panathénée, cit. 1), *un convoi funèbre* (→ Funérailles, cit. 3). *J'avais peine à le suivre* (→ Accompagner, cit. 3). *Suivre qqn qui vous montre le chemin. Suivez le guide ! Suivre une femme dans la rue.* ⇒ **Suiveur** (→ Groupe, cit. 5). *Suivre les coureurs du Tour de France* (⇒ **Suiveur,** 2.). — (Par pléonasme). *Suivre derrière, par derrière.*

1 Vous me suivez de trop près, monsieur Marius. Laissez-moi aller devant, et suivez-moi comme cela, sans faire semblant. Il ne faut pas qu'on voie un jeune homme bien, comme vous, avec une femme comme moi.   HUGO, les Misérables, IV, II, IV.

2 Un bataillon de jeunes hommes, en rangs serrés, brandissant des lampions, suivait la fanfare, au pas cadencé, et chantait à plein gosier le refrain martial de la marche.   MARTIN DU GARD, les Thibault, t. V, p. 237.

3 Un homme qui avait suivi le fiacre en courant prit la malle sur ses épaules (...)   J. CHARDONNE, les Destinées sentimentales, p. 181.

(1636). Sujet n. de chose. Être transporté après (qqn). *Vos bagages vous suivront par le train. La lettre m'a suivi à mes adresses successives. Faire suivre,* mention portée sur l'enveloppe d'une lettre afin que celle-ci puisse suivre le destinataire à sa nouvelle adresse. — Loc. fig. *Nos actes nous suivent* (titre d'un roman de P. Bourget) : nous subissons les conséquences de nos actes.

4 Heureux sont ceux qui meurent dans le Seigneur ! Dès maintenant, dit l'Esprit, ils se reposeront de leurs travaux : car leurs œuvres les suivent.   BOSSUET, Abrégé de l'Apocalypse, XIV, 13.

5 Nos actes nous suivent. Ils se prolongent dans le temps et dans l'espace avec la rigueur d'une loi scientifique, et ce n'est pas la pauvre volonté humaine qui peut les arrêter (...)   Paul BOURGET, Nos actes nous suivent, t. II, V, p. 255.

6 Ta concierge, ou plutôt ton ex-concierge m'a confié (...) que d'ailleurs elle ne savait point ton adresse (je n'en ai rien cru), mais qu'on pouvait t'écrire à ton ancien domicile ; que ça suivrait.   J. ROMAINS, les Hommes de bonne volonté, t. XI, VIII, p. 71.

7 (...) y a-t-il du courrier ?
— Eh bien, je vous ai tout envoyé, dit Mᵐᵉ Garinet. Hier encore, j'ai fait suivre un imprimé à Juan-les-Pins : si seulement vous m'aviez prévenue de votre retour.   SARTRE, le Sursis, p. 267.

Passer derrière, après qqn qu'on accompagne. *Vous devez le suivre et non le précéder.*

8 Pour punir un soldat, on le fait « suivre » ; marcher en queue de troupe est tuant ; ceux de devant ne peuvent s'inquiéter des retardataires (...)   GIDE, Journal, Feuilles de route, 11 avr. 1896.

Arriver derrière, après (qqn, qqch.). « *Vous êtes venu seul ? — Non, ma femme me suit.* » — (Avec un sujet de chose inanimée.) *Lettre suit,* formule utilisée dans les messages brefs (télégrammes, etc.) pour annoncer une lettre plus détaillée. « *Naturalisme* pas mort. *Lettre suit.* »

♦ **2.** (Sujet n. d'être animé, de véhicule). Aller derrière pour rejoindre, attraper. *Suivre qqn dans une course, une poursuite.* ⇒ **Poursuivre** (I., 1.). *Suivre une bête à la trace* (chasse). Fig. *Suivre qqn à la trace*, *à la piste* (cit. 2). ⇒ **Pisteur.** *Taxi, suivez cette voiture !* — (Passif et p. p.). *Être suivi. Malfaiteur suivi par un policier.* — Prov. *Fuyez* (cit. 9), *on vous suivra ; suivez, on vous fuira.*

Fig. (Sujet n. de chose). ⇒ **Poursuivre** (supra, cit. 7). *Son image me suivit la jour, m'obséda la nuit* (⇒ Agiter, cit. 8). ⇒ **Obsession.** *Tes remords te suivront* (→ Furie, cit. 2).

Aller derrière (qqn) à son insu pour le surveiller*. ⇒ **Filer.** *Faire suivre un suspect par un policier, un détective privé.* — (Au passif). *Attention, nous sommes suivis.*

9 Javert avait suivi Jean Valjean d'arbre en arbre, puis de coin de rue en coin de rue, et ne l'avait pas perdu de vue un seul instant.   HUGO, les Misérables, II, V, X.

♦ **3.** Aller* avec une personne qui a l'initiative d'un déplacement. ⇒ **Accompagner.** *Suis-moi* (→ 3. Mort, cit. 11) ; *suivez-moi* (→ Autre, cit. 76). *Si vous voulez me suivre par ici* (→ Ordonnance, cit. 6). *Suivre qqn partout.* ⇒ Être toujours après* qqn ; être à la remorque*, dans le sillage*, aux trousses* de qqn). *Suivre qqn comme un caniche, un toutou* (fam.), *un mouton... Suivre qqn comme son ombre* (1. Ombre, cit. 38). *Domestiques, gens qui sui-*

vent leur maître. ⇒ **Escorter; suite** (II., 1.). *Se faire suivre de ses secrétaires.* — (Passif et p. p.). *Un homme suivi de sept ou huit laquais* (→ Brocatelle, cit.). «*Suivi d'un seul housard* (→ Hussard, cit. 3) *qu'il aimait entre tous»* (Hugo). — *Suivre le roi à la chasse* (→ Généalogiste, cit. 3). *Suivre qqn jusqu'au bout* (cit. 18) *du monde.* Fig. *Suivre une personne dans la tombe*.* — Loc. prov. *Qui m'aime me suive!* (mot attribué à Philippe VI de Valois, que ses barons hésitaient à suivre dans son expédition en Flandre). — Par ext. *Partir avec (une personne) pour vivre, s'établir avec elle. Il a dû demander son changement pour suivre sa femme dans sa nouvelle affectation. Suivre un nouvel amant* (→ Pavillon, cit. 8). *Ils l'auraient tous suivi au monastère* (→ Prédication, cit. 3). *Suivre qqn dans l'exil* (→ Péril, cit. 8).

10　Je te vis à regret, en cet état funeste.
　　Prêt à suivre partout le déplorable Oreste (...)　　RACINE, Andromaque, I, 1.

11　La maladie de M. de Merteuil vint interrompre de si douces occupations; il fallut le suivre à la Ville où il venait chercher des secours.
　　　　　　　　　　　　LACLOS, les Liaisons dangereuses, LXXXI.

(Sujet n. de chose inanimée). Littér. Être entraîné avec qqn. *Sa jupe la suivait d'un frôlement de couleuvre* (→ Marcher, cit. 10). — Être emporté par qqn dans ses déplacements. *Ma bible me suit toujours* (→ Moi, cit. 12), *ne me quitte* pas.*

12　(...) les connaissances nous suivent tout le reste de notre vie, nous sont toujours utiles et, quelquefois, nous consolent de bien des peines.
　　　　　　　　　　　　STENDHAL, Lettres inédites, p. 135.

♦ **4.** (1640). *Suivre (qqn, qqch.) des yeux, du regard...* : accompagner par le regard ce qui se déplace (→ aussi ci-dessous, II.). *J'ai suivi des yeux les oiseaux de passage* (→ Migration, cit. 3). *Mes regards le suivent un instant* (→ Distinguer, cit. 21).

13　(...) et je suis longtemps, avec ma jumelle, les nuages roses et blancs qui s'en vont là-bas, vers la mer (...)　　MAUPASSANT, la Vie errante, Vers Kairouan, 12 déc.

♦ **5.** (1906, *in* Petiot). Sports (rugby). *Suivre le ballon,* et absolt, *suivre* : progresser autour du ballon (assauts), ou s'élancer après le ballon pour profiter de son mouvement. — Loc. (1932). *Coup de pied à suivre* : le fait d'envoyer le ballon au delà de la défense adverse. *Balle à suivre. Donner à suivre.*

B. (XVIᵉ). Sans mouvement. ♦ **1.** Être placé ou considéré après, dans un ordre* donné. *La maison qui suit la mienne. Les notes qui suivent le texte.* — Gramm. *Sujet qui suit le verbe* (inversion, postposition). — Au p. p. *Verbe suivi du subjonctif, de l'infinitif* (→ Aimer, cit. 50).

Absolt. ⇒ 1. **Suivant** (I., 1.). *Je passe les pages qui suivent* (→ Remplissage, cit.). *Le numéro, le tome qui suit.* — (En inversion). *Suivait un post-scriptum.*

(1703). Pour annoncer, présenter ce qui va venir. *On le verra dans l'exemple qui suit.* ⇒ 1. **Suivant** (I., 3.). Impersonnel. *Les peines seront modifiées ainsi qu'il suit* (→ Atténuant, cit.), *comme suit.*

♦ **2.** (1549). Venir, se produire après, dans le temps. ⇒ **Succéder** (à). *Ceux qui nous suivront* (→ Histoire, cit. 3). *Rabelais suit chronologiquement Dante* (→ Haut, cit. 48). *L'irritation suit l'excitation* (cit. 7). ⇒ **Subséquent.** — (Passif et p. p.). *Progressions* (cit. 2) *suivies de régressions.* — Absolt. *Le mouvement qui suit* (→ Anéantissement, cit. 8). *Le jour qui suivit.* ⇒ **Lendemain** (→ Le jour d'après*). *Il pense et la parole suit* (→ Discours, cit. 19). — (En inversion). *Suit toute une période de dépendance* (→ Naissance, cit. 5).

14　Cette réflexion vous vient en peu de temps!
　　Elle suit de bien près, Monsieur, notre disgrâce.
　　　　　　　　　　　　MOLIÈRE, les Femmes savantes, V, 4.

15　(...) une chaleur orageuse suivait ces brusques ondées.　　CAMUS, la Peste, p. 43.

♦ **3.** (1640). Venir après comme effet, être produit par, découler de... ⇒ **Conséquence, résultat, suite**). «*Je crains qu'un prompt effet* (cit. 14) *n'ait suivi la menace*» (→ aussi Menace, cit. 5). *Les désagréments qui suivent le plaisir* (→ Hameçon, cit. 3). *Cette rumeur* (cit. 2) *effarée qui suit une évasion découverte.*

16　(...) ces hommes relèvent l'importance de cette conquête (...) exagèrent la nécessité qu'il y avait de la faire, le péril et la honte qui suivaient de s'en désister (...)
　　　　　　　　　　　　LA BRUYÈRE, les Caractères, XII, 99.

17　(...) celui qui le premier tente de séduire un cœur encore honnête et simple se rend par là même le premier fauteur de sa corruption, et doit être à jamais comptable des excès et des égarements qui la suivent.
　　　　　　　　　　　　LACLOS, les Liaisons dangereuses, CLXXI.

♦ **4.** Intrans. SUIVRE DE... **a** (1640). Vx. Être la conséquence de. ⇒ **Ensuivre** (s'). — Vieilli. *Des effets qui suivraient d'une cause qui les produirait* (→ Prescience, cit. 1).

b (V. 1460). Mod. (Littér.). Impers. (Pour exprimer une conséquence logique, dans un raisonnement). *Il suit de là que, d'où il suit que...* (→ Atome, cit. 3; 1. loi, cit. 10; négateur, cit. 1).

★ **II.** Garder une direction. ♦ **1.** (XIIᵉ). Aller dans (une direction, une voie). ⇒ **Parcourir; emprunter, prendre.** *Suivre un chemin* (→ Appuyer, cit. 43), *le quai* (→ Longer, cit. 7). *La route qu'il devait suivre* (→ Border, cit. 3). *Suivre un fleuve* (⇒ **Descendre, remonter**), *le cours, le courant, le fil* (cit. 30) *de la rivière.* (Sujet

n. de chose). *Le courant suit la direction des côtes* (→ Haut-fond, cit. 1).

18　Je me fais l'effet d'un navire rapide qui suivrait hardiment sa route et dont le pilote n'aurait jamais eu de boussole (...)
　　　　　　　　　　　　MARTIN DU GARD, les Thibault, t. III, p. 221.

19　(...) elle suivit la rue jusqu'au bout, en prit une autre et se trouva bientôt sur une sorte de cour plantée de platanes (...)　　J. GREEN, Adrienne Mesurat, II, v.

Par ext. *Suivre des yeux, du regard les nervures* (cit. 2) *d'une voûte, le dessin* (cit. 12) *des veines.*

Suivre la piste*, les traces du gibier, de qqn (fig.); *suivre les pas de qqn* (pour le retrouver, le rattraper) : marcher sur (la piste, les pas...).

20　Quand je suis entré, elle venait de pleurer, ayant appris le matin que depuis quinze jours la police suivait tous ses pas.
　　　　　　　　　　　　FLAUBERT, Correspondance, 91, 2 avr. 1845.

21　Hélas, rien ne subsistait de ce désir éperdu qui, depuis le matin, lui faisait suivre, comme un lévrier en chasse, la piste de cette proie à travers tous les quartiers de Paris.　　MARTIN DU GARD, les Thibault, t. III, p. 56.

Par métaphore ou fig. (dans des expr. et loc.). *Suivre le droit chemin** (→ Courir, cit. 24). *Suivre les sentiers battus. Suivre la filière*. Suivre le fil* de ses idées. Suivre une ligne** (cit. 15, 17 et 18) *d'action, de conduite* (→ aussi III., ci-dessous). — *Suivre les traces** (fig.) *de qqn* (→ Marcher* sur les traces, dans le sillage de qqn). — SUIVRE SON COURS (en parlant d'une chose qui se développe) : évoluer dans la même direction, continuer normalement dans le même sens. *Maladie qui suit son cours. L'inflation* (cit. 1) *suivit son cours fatal. L'affaire, l'enquête suit son cours.*

Vx. *Suivre un but* (considéré comme fautif; ⇒ **But,** cit. 20 et *supra*).

♦ **2.** Aller le long de. ⇒ **Longer.** *Suivre la côte* (→ Falaise, cit. 1). ⇒ **Côtoyer.** *Suivez la rivière jusqu'au pont.* — (Sujet n. de chose inanimée). *La route suit la côte; la frontière suit la chaîne de montagnes.* ⇒ **Épouser.**

22　Je viens d'arriver à Liège par une délicieuse route qui suit tout le cours de la Meuse depuis Givet.　　HUGO, le Rhin, Lettre VI.

23　Ils prirent le sentier qui suivait, comme un chemin de ronde, les méandres de l'ancien saut-de-loup (...)　　MARTIN DU GARD, les Thibault, t. II, p. 266.

♦ **3.** (1549). Abstrait. Se tenir* à (qqch.) avec persistance. *Suivre son idée.* ⇒ **Suite** (I. 3. : suite dans les idées, esprit de suite). *Suivre sa pensée* (cit. 6). *Ne formez qu'un dessein, suivez-le constamment* (→ Hâter, cit. 14; et aussi arranger, cit. 4).

24　On suit une idée on s'emballe on ne sait plus ce qu'on dit
　　Voilà Cela commence comme cela les mots vous mènent
　　On perd de vue les toits on perd de vue la terre On suit
　　Inexplicablement le chemin des oiseaux　　ARAGON, le Roman inachevé, p. 83.

♦ **4.** (XIIIᵉ). **a** S'occuper régulièrement à (qqch.); fréquenter régulièrement. *Suivre un cours* : assister* à un cours, aux leçons qu'il comporte. *Suivre des cours à la Sorbonne* (→ Passe-temps, cit. 4). *Faire suivre des cours à qqn pendant six mois* (→ Cabotage, cit. 2). *Pour aller suivre leurs classes* (→ Mastodonte, cit. 2). — *Suivre un mois durant tous les offices* (→ Pratiquer, cit. 2). — *Suivre un traitement* : pratiquer régulièrement certains soins, prendre assidûment des remèdes (→ Hydrothérapie, cit.). *Suivre un régime** (→ Entraînement, cit. 7).

b *Suivre un récit, un roman-feuilleton* dans un journal,* le lire par fragments publiés numéro après numéro dans le journal. À SUIVRE, mention indiquant qu'il faut continuer la lecture dans le prochain numéro (→ La suite* [II., 2.] au prochain numéro).

c Jeu. *Suivre un numéro à la roulette, un cheval aux courses,* jouer toujours sur le même. — Au poker. Absolt. *Suivre* : miser pour rester dans le jeu. (Dans une vente aux enchères). *Mille francs de mieux! Je suis!*

d Comm. *Suivre un produit, un article,* se dit d'un commerçant qui se réapprovisionne régulièrement, qui peut fournir à tout moment ce produit, cet article (→ ci-dessous *suivi,* p. p.).

♦ **5.** Vx. Mener à bien, pousser jusqu'au bout. ⇒ **Poursuivre** (II.). *Suivre plus loin ses réflexions* (→ Étonner, cit. 34).

25　Peut-être aura-t-il peine à suivre sa vengeance (...)　　CORNEILLE, Sophonisbe, I, 2.

★ **III.** Se conformer à... ♦ **1.** (V. 1170). Aller dans le sens de (ses mouvements intérieurs, son destin); obéir à (une force, une impulsion). ⇒ **Abandonner** (s'), **laisser** (se laisser aller). *Suivre l'impulsion* (cit. 12), *le caprice du moment.* ⇒ **Consulter, obéir** (à). *Suivre son premier mouvement, son penchant** (→ Harnais, cit. 7), *ses passions* (→ Affranchir, cit. 14; religieux, cit. 3). *Suivre son intérêt.*

26　Vous suivez votre haine, et non pas votre amour.　　RACINE, Alexandre, I, 2.

27　La vraie souffrance du chrétien ne consiste pas (...) à ne pouvoir suivre sa convoitise. Il n'existe pour lui qu'une douleur (...) c'est de ne pas être un saint.
　　　　　　　　　　　　F. MAURIAC, Souffrances et Bonheur du chrétien, p. 135.

Par métaphore du sens concret (ci-dessus, I.). — Loc. *Suivre le mouvement* : faire comme les autres, comme le plus grand nombre (qu'il s'agisse ou non d'un déplacement).

♦ **2.** (V. 1119). Penser ou agir selon (les idées, la conduite de qqn). *Suivre l'exemple des hommes célèbres* (→ Atteindre, cit. 29). ⇒ **Imiter.** *Exemple* (cit. 16) *à suivre. Les anciens dont* (cit. 9) *il a suivi la simplicité d'action.* ⇒ **Adopter.** *Suivre l'opinion com-*

mune des philosophes (→ Raison, cit. 6). ⇒ **Adhérer** (à), **embrasser**. *Suivre les principes de Luther* (→ Baptême, cit. 8), *les préceptes d'Horace* (→ Blé, cit. 11). *« De fuir obstinément* (cit. 29) *ce que suit tout le monde »* (cet emploi, avec un objet indéterminé est vieux). *Suivre la mode.* ⇒ **Sacrifier** (à). — (Sujet n. de chose). *La politesse suit les coutumes reçues* (→ Attacher, cit. 108).

28 (...) il peut consulter deux savants (...) dont l'un suit la philosophie d'Aristote, et l'autre est pyrrhonien.   MOLIÈRE, le Mariage forcé, Ballet du roi, II, 1.

29 Dans l'action, il faut suivre la coutume. L'individu ne peut pas tout remettre en question.   A. MAUROIS, Bernard Quesnay, IX.

Faire comme (qqn), adopter les vues de, se régler* sur... *Le législateur doit suivre le philosophe* (→ Fin, cit. 27). *« Nous ne les suivrons pas dans cet abus »* (→ 3. Mal, cit. 35). *Leurs amis ne les avaient pas suivis.* ⇒ **Accord** (être d'accord), **joindre** (se joindre à), **marcher** (cit. 28). *Majorité décidée à suivre le gouvernement.* ⇒ **Soutenir** (→ Parlementarisme, cit. 2). — Par ext. *Suivre la nature* (cit. 14), *la raison* (→ Impie, cit. 8), *la prendre pour guide*.

30 Jusque-là on l'admirait, et, à moins d'être étroitement de son parti, on ne le suivait pas. Maintenant, de quelque côté qu'on vienne, on le suit volontiers; on accepte non pas seulement la vibration et l'éclat, mais le sens de ses nobles paroles.
                                         SAINTE-BEUVE, Causeries du lundi, 5 nov. 1849.

Se montrer apte à poursuivre (un niveau d'études). *Suivre aisément sa classe.* — Absolt. *Il ne pourra pas suivre en troisième.*

♦ **3.** (Choses). Faire la même chose que. *La civilisation suit la situation historique.* — Absolt. *Si les prix augmentent, les salaires doivent suivre.*

31 (...) chez toutes les nations du monde, la langue suit les vicissitudes des mœurs, et se conserve ou s'altère comme elles.   ROUSSEAU, Émile, II.

♦ **4.** (XIIIᵉ). Se conformer à (un ordre ou une recommandation). ⇒ **Obéir**. *L'ordre qu'on me voit suivre* (→ Feindre, cit. 7). *Suivre un ordre de grève* (cit. 13). *Les consignes n'ont pas été suivies.* ⇒ **Respecter**. *Suivre la règle* (→ 2. Pratique, cit. 1), *la lettre* (cit. 13) *de la loi. Suivre le conseil** (cit. 6), *l'avis* (cit. 27) *de qqn.* ⇒ **Écouter**. — (Sujet n. de chose). *L'âme suit ses propres lois* (→ Harmonie, cit. 41). *Les propriétés ne suivent-elles pas la loi des nombres ?* (cit. 9).

32 Depuis quatre-vingts ans, de tout le voisinage
On venait écouter et suivre ses avis.   FLORIAN, Fables, IV, 1.

33 Un gouvernement ne doit résister systématiquement à l'opinion ni la suivre aveuglément; il doit protéger les droits et les libertés de tous.
                         RENAN, Questions contemporaines, Œ. compl., t. I, p. 56.

34 À chaque règlement nouveau qu'on impose à la France, chaque citoyen français s'inquiète de savoir non point comment le suivre, mais comment l'éluder.
                                         GIDE, Journal, 15 févr. 1918.

Vx. Obéir aux ordres de (qqn). *Lorsque Rome suivra des chefs moins imprudents* (→ Accident, cit. 11).

♦ **5.** Se conformer à (un projet, un modèle abstrait conçu comme une ligne, un chemin. ⇒ ci-dessus, II., 1.). *Suivre un plan dans son intégralité* (cit. 1). ⇒ **Remplir** (→ aussi Estimer, cit. 10). *Suivre une méthode.* ⇒ **Observer** (→ Isoler, cit. 6). *Suivre un emploi du temps avec scrupule* (→ Minutie, cit. 2). ⇒ **Accomplir**. *Suivre un parti* (cit. 10). *Suivre une politique* (→ Dissoudre, cit. 5). — *La conduite* (→ Instruction, cit. 10), *la marche* (2. Marche, cit. 10) *à suivre*.

★ **IV.** (Mil. XVIIᵉ). Porter son attention sur (ce qui se déroule).

♦ **1.** (1694). Rester attentif à... (un énoncé). *Suivre un discours, un cours, une digression* (cit. 1). *Suivre le fil* (cit. 37) *de la conversation* (opposé à *perdre le fil*).

Lire* des yeux et simultanément (ce qui est lu à voix haute, ou joué par des instruments). *Suivre dans son missel la lecture de l'Évangile.* Absolt. *L'élève ne suivait pas et n'a pu continuer la lecture de son camarade.* — *Suivre une symphonie sur la partition.*

35 (...) elle aidait à tenir ouvert le recueil de cantiques dont elles suivaient les strophes ensemble (...)   J. CHARDONNE, les Destinées sentimentales, p. 470.

♦ **2.** Observer* attentivement et continûment dans son cours (l'évolution d'une action).

[a] (En regardant). *Suivre un spectacle, une cérémonie, un procès* (→ Perdre, cit. 80), *un match, des courses* (cit. 8)... *Suivre l'office* (cit. 11). *Suivre le travail de qqn* (→ Huile, cit. 34). *Il suivait le manège* (cit. 8) *de sa fille.*

36 (...) la jeune femme tendait alors son regard pour suivre le jeu de ce miroitement fugitif.   J. GREEN, Adrienne Mesurat, I, II.

37 Rieux suivait seulement les phases du combat aux yeux de son ami, tour à tour ouverts ou fermés (...)   CAMUS, la Peste, p. 307.

[b] (En prenant connaissance des états successifs, en se tenant au courant). *Suivre une intrigue* (→ Démasquer, cit. 3), *une affaire. Affaire à suivre,* dont il faudra suivre le déroulement, dont les suites* seront intéressantes. *Suivre les progrès d'une maladie* (→ Noter, cit. 6), *la carrière de qqn. Suivre une chose dans ses conséquences* (→ Obéissance, cit. 4).

38 (...) les notes quotidiennes que je prends depuis le début, et qui permettent de suivre, jour à jour, crise par crise, le rythme régulier et continu de l'aggravation.
                         MARTIN DU GARD, les Thibault, Épilogue, Pl., t. IX, p. 910.

[c] *Suivre qqn :* être attentif à son comportement, afin de le surveiller* et de le diriger*. — (1665). *Professeur qui suit un*

élève. — (1782). *Médecin qui suit un malade* (⇒ **Observation**, II., 4.). *Élève, malade à suivre.*

♦ **3.** Comprendre dans son déroulement (un énoncé). ⇒ **Comprendre**. *Je ne suivais ses paroles qu'à grand-peine* (→ Incohérence, cit. 2). *Suivre un calcul* (→ Nombre, cit. 15). *Je ne suis pas votre raisonnement.* — Absolt. *Il n'arrive pas à suivre.* — Par ext. *Suivre qqn. Vous me suivez ? Il courait d'une idée à l'autre et s'étonnait qu'on ne le suivît pas* (→ Pourchasser, cit. 4).

39 Tu as fait deux ans de médecine, fiston. Il t'en reste deux à faire, et avec de la protection, tu t'en tireras avec dix-huit mois de service. Cela veut dire que tu peux t'installer à Sérianne dans l'été de 1916 (...) Tu me suis ?
                                         ARAGON, les Beaux Quartiers, II, VII.

▶ **SE SUIVRE** v. pron.

♦ **1.** (1690). Aller les uns derrière les autres. *Des gens, des voitures qui se suivent.* ⇒ **Suite** (II., 5.). *Se suivre de près, à la file*, à la queue leu leu.* — (Avec un collectif). *Toute une file se suivait* (→ Milieu, cit. 10).

♦ **2.** (1648). Être placé les uns derrière les autres ou les uns à côté des autres. *Les pains de beurre se suivaient* (→ Laiterie, cit. 1). *Propositions qui se suivent* (→ Connecter, cit.).

40 (...) j'adore les histoires qui se suivent tout d'une haleine (...)
                                         FLAUBERT, Mᵐᵉ Bovary, II, II.

Spécialt. Se présenter dans un ordre donné sans qu'il manque aucun élément, comme dans la suite des nombres naturels. *Nos numéros se suivent. Les pages de ce manuscrit ne se suivent pas.* — Aux cartes. *À la belote le valet, le neuf et l'as se suivent* (pour la valeur). *Cartes qui se suivent.* ⇒ **Séquence, suite**.

♦ **3.** (Mil. XVIIᵉ). Venir les uns après les autres dans le temps. ⇒ **Succéder** (se). *Des événements qui se suivent, qui arrivent de suite*, coup sur coup.* ⇒ **Consécutif, successif**. *Les obus se suivaient sans répit* (→ Pilonnage, cit.). — Loc. prov. *Les jours* se suivent et ne se ressemblent pas.*

41 (...) un simple rapport de succession phénoménique comme entre des événements quelconques qui se suivent constamment sans qu'il y ait (...) quelque pouvoir, énergie, ou force efficace, en vertu de quoi l'un produise l'autre.
                  MAINE DE BIRAN, Du physique et du moral de l'homme, Appendice, I, VII.

42 Les mots se suivent à de longs intervalles, chacun continué par une tenue vibrante (...)   J. ROMAINS, les Hommes de bonne volonté, t. IV, XXIII, p. 253.

♦ **4.** (1671). Vx. Garder la même ligne, être logique avec soi-même.

43 Pour ce qui est de l'Église catholique, elle se suit parfaitement elle-même.
                         BOSSUET, Tradition défendue sur communion..., II, XXI.

♦ **5.** (1588). Former un tout dont les éléments s'enchaînent* dans un ordre intelligible. *Une histoire qui se suit. Des romances qui se suivent à peine* (→ Rhapsode, cit. 1).

♦ **6.** Vx. *S'en suivre.* ⇒ **Ensuivre** (s').

44 (...) il faut bien que sa charité n'ait pas été agréable à Dieu, puisqu'il s'en est suivi un si grand malheur pour elle.   MARIVAUX, le Paysan parvenu, III, p. 139.

▶ **SUIVI, IE** p. p. adj. et n. m.

♦ **1.** (1679). Qu'on suit (II., 3.), qui se fait d'une manière continue. *Des habitudes suivies* (→ Instinct, cit. 13). ⇒ **Régulier**. *Un travail suivi. Correspondance suivie. Les leçons* (cit. 6) *ne sont profitables que suivies.*

45 (Un) homme très gai, très bon au fond, c'est-à-dire incapable de toute *méchanceté suivie* (...)   STENDHAL, Mémoires d'un touriste, t. I, p. 131.

46 Il s'empressa de profiter de cette position avantageuse, en commençant avec elle *(Julie)* une conversation suivie.   MÉRIMÉE, la Double Méprise, VIII.

(1923). Comm. *Article suivi,* dont la vente est suivie, continue, par oppos. à *sans suite. Qualité suivie,* toujours égale à elle-même dans le même genre d'articles, la même marque.

Versification. *Rimes* suivies.* — (1872). *Vers suivis,* de mètres identiques.

♦ **2.** (1679). Correspond à *se suivre* 5., à *suivre,* I., B., 1. Dont les éléments s'enchaînent pour former un tout. *Musique sans mélodie suivie* (→ Incolore, cit. 1). *Une histoire suivie* (→ Juge, cit. 4). *Un raisonnement suivi* (→ Incapable, cit. 4). ⇒ **Logique, ordonné**.

47 Les hommes n'ont point de caractère, ou s'ils en ont, c'est celui de n'en avoir aucun qui soit suivi.   LA BRUYÈRE, les Caractères, XI, 147.

48 Dans le premier livre de Rabelais, dans ce livre de *Gargantua* qui ne fut pas composé le premier en date peut-être, mais qui est le plus suivi, le plus complet en lui-même, ayant un commencement, un milieu et une fin, on trouve quelques admirables chapitres (...)   SAINTE-BEUVE, Causeries du lundi, 7 oct. 1850.

♦ **3.** N. m. Action de suivre, de surveiller, pendant une période prolongée, afin de contrôler. *Être assidu dans le suivi d'une affaire. Le suivi d'un produit.*

CONTR. Devancer, diriger, précéder; fuir, laisser, quitter. — Dérouter (se), écarter (s'). — Opposer (s'); contrevenir, enfreindre; dicter. — Perdre (de vue). — (De *suivi*) Capricieux, inégal, irrégulier. — Décousu, incohérent.
DÉR. Suite, 1. suivant, 2. suivant, suiveur.
COMP. Ensuivre (s'), poursuivre. — Suivez-moi-jeune-homme.
HOM. (De *suis*, *suit*) Suis. V. Être.

1. SUJET, ETTE [syʒɛ, ɛt] adj. — V. 1138; *sugez* «soumis», 1120; var. *subject*, jusqu'au xvie; lat. *subjectus*, de *subjicere* «mettre sous»; de *sub-*, et *jacere*.

♦ **1.** (1393). Vieilli. Qui est dans la dépendance d'une autorité supérieure. ⇒ **Soumis, sujétion.** — (V. 1138). Vx. *Sujet à...* (Bossuet, Racine, Pascal). — (V. 1120). *Sujet de...* : assujetti à... (par conquête). — *Devant l'État souverain, les Églises sont sujettes* (→ Laïque, cit. 7).

1　Il est votre empereur. Vous êtes, comme nous,
　Sujette à ce pouvoir qu'il a reçu de vous.　　　　　RACINE, Britannicus, IV, 1.

♦ **2.** (1538). Vieilli ou dr. Soumis à une nécessité, à une loi (→ Loi, cit. 34, Malherbe). ⇒ **Astreint, dépendant** (de), **obligé** (de). *Ils ne se crurent plus sujets à la mort* (→ Ressusciter, cit. 11). *Sujet à un droit, à une obligation, à l'impôt, à une taxe... Jugements sujets à l'appel* (cit. 20). *Sujet à litige* (cit. 1). — Loc. (1673). Cour. *Sujet à caution** (cit. 5 et 6).

2　Nombre de maladies, qui dans les autres pays sont obligatoirement dénoncées, isolées, guéries de force, la tuberculose par exemple, ne sont sujettes à la déclaration ni du médecin ni de la famille.
　　　　　　　　　　　　GIRAUDOUX, De pleins pouvoirs à sans pouvoirs, II, p. 34.

♦ **3.** (xive). Cour. Qui est exposé à... ⇒ **Susceptible** (de). *Des hommes sujets à l'erreur* (→ Apprécier, cit. 4), *à l'ignorance* (cit. 11). *Être sujet au mal de mer, au vertige... En s'élançant trop haut, on était sujet aux chutes* (cit. 13). *« Et les lièvres, sujets à des terreurs paniques »* (cit. 1). *Conceptions sujettes à révision.* — *Personne sujette à un sentiment, une passion.* ⇒ **Enclin** (à) ; → Disproportionner, cit. 1 ; extrême, cit. 8. — (xvie). *Sujet à...* suivi de l'infinitif (→ Âme, cit. 5 ; esprit, cit. 40). *Être sujet à changer* (→ Ferme, cit. 12), *à faillir* (→ Humble, cit. 10). *Être sujet à boire.* ⇒ **Habitude, inclination...**

CONTR. Autonome, gouvernant. — Exempt (2.), exempté.
DÉR. 2. Sujet.
HOM. 2. Sujet, 3. sujet.

2. SUJET, ETTE [syʒɛ, ɛt] n. — V. 1138, *suget* ; *sorgeiz*, v. 1190 ; de 1. *sujet*, adj.

♦ **1.** Personne soumise à une autorité souveraine (⇒ **Gouverné, inférieur**). *Les sujets et le monarque* (→ Aristocratie, cit. 1 ; démocratie, cit. 1 et 8), *et le souverain* (→ Gouvernement, cit. 32). *Les sujets d'un seigneur, d'un suzerain.* ⇒ **Vassal.** *Se faire obéir* de ses sujets ; *accabler ses sujets* (→ Libre, cit. 2). *La soumission du sujet* (→ Arrogant, cit. 3). — *Sujets d'une démocratie, d'une république. La loi* (cit. 11) *considère les sujets en corps.* — REM. Dans ces emplois, *sujet* est vieilli ; le mot implique de nos jours la soumission à une autorité absolue, au contraire de *citoyen**. — Allus. hist. *« La France contient trente-six millions de sujets, sans compter les sujets de mécontentement »* (cit. 6), par jeu de mot avec sujet (3. Sujet, II.).

1　Le lion, terreur des forêts,
　Chargé d'ans et pleurant son antique prouesse,
　Fut enfin attaqué par ses propres sujets (...)　　　LA FONTAINE, Fables, III, 14.

2　Le 7 août, le jour même où le duc d'Orléans prêta serment comme roi, M. Dupont de l'Eure lui porta une loi à promulguer. Le préambule disait : *Mandons et ordonnons à tous nos sujets*, etc. Le commis chargé de copier la loi, jeune homme fort exalté, s'effaroucha du mot *sujets*, et ne copia point.
　　　　　　　　　　　　　HUGO, Choses vues, II, IX, I.

3　Il ne savait pas que, pour les rois, le monde est très simplifié. Tous les hommes sont des sujets.　　　　　SAINT-EXUPÉRY, le Petit Prince, X.

♦ **2.** (Déb. xxe). Ressortissant d'un État*. ⇒ **Habitant** (2.) ; → Nationalité, cit. 4. *Être sujet britannique.*

CONTR. Maître, souverain ; gouvernement.
HOM. 1. Sujet, 3. sujet.

3. SUJET [syʒɛ] n. m. — xive, *subjet*, Oresme ; lat. scolast. *subjectum* «ce qui est soumis, subordonné à...», distingué de *objectum*. → Objet ; de *subjectus*. → 1. Sujet.

★ **I.** ♦ **1.** (1580). Ce qui est soumis à l'esprit, à la pensée ; ce sur quoi s'exerce la réflexion. — REM. Étymologiquement l'*objet* est présent devant l'esprit, alors que le *sujet* lui est assujetti (→ Objet, I., B.), mais *objet* désigne plutôt le but, l'intention : le *sujet* d'une discussion «est simplement ce dont elle traite ; l'*objet* est le but qu'on s'est proposé en l'instituant» (Lalande). — *Penser* (cit. 8) *sur un sujet. Des sujets de méditation* (cit. 2). — *« C'est un sujet merveilleusement vain, divers* (cit. 1) *et ondoyant » que l'homme. « Je m'étudie* (cit. 19) *plus qu'autre sujet... »* (Montaigne). — (1636). Vx. *Le sujet d'une science*, ce qu'elle étudie (→ Gastronomie, cit.).

(1580). Ce dont il s'agit, dans les discours, la conversation... ; dans un écrit. ⇒ **Matière** (III., 1.), **point** (V., 2.), **propos** (2. Propos, vx), **question** (2.). *Aborder* (cit. 8), *attaquer, toucher, quitter un sujet. Passer d'un sujet à l'autre. Revenir à son sujet* (→ À ses moutons*). *Entrer dans le cœur*, dans le vif* du sujet. Sortir du sujet, être hors* (cit. 31) *du sujet. Épuiser* (cit. 14) *un sujet. Entretenir* (cit. 31) *qqn d'un sujet* (⇒ **Converser, discuter**). *Discourir* (cit. 3), *parler, poursuivre* (cit. 18) *sur un sujet. Discussion qui porte sur un sujet ardu, épineux. Il ne tarit pas sur ce sujet, c'est son sujet*

favori. ⇒ **Thème** (cf. Cheval de bataille). *Professer* (cit. 3) *une opinion sur un sujet.* — *Sujets de conversation* (→ 1. Débiter, cit. 12).

1　Une conversation s'établit alors entre la marquise et le jeune homme, qui, suivant l'usage, abordèrent en un moment une multitude de sujets : la peinture, la musique, la littérature, la politique, les hommes, les événements et les choses.
　　　　　　　　　　　BALZAC, la Femme de trente ans, Pl., t. II, p. 760.

Sur le sujet de... (→ Indulgence, cit. 13) ; *sur ce sujet.* ⇒ **Article, chapitre** (2.). — **AU SUJET DE...** : à propos* de... ⇒ **Concernant, relativement** (à), **sur** (→ Indu, cit. 1). *Au sujet de qqn.* ⇒ **Compte** (sur son). *Un contrat, au sujet duquel...* (→ Partie, cit. 20). ⇒ **De** (IV., 2.), **dont.** *À ce sujet* (→ 2. Pas, cit. 8). *À quel sujet voulez-vous lui parler ? C'est à quel sujet ?*

♦ **2.** (1533, Marot, *Préface des poésies de Villon*). Ce qui, dans une œuvre littéraire, constitue le contenu de pensée sur lequel s'est exercé le talent créateur de l'auteur. ⇒ **Étoffe** (d'un livre), **fond** (V., 4.), **idée** (de roman,...), **thème** (→ Auteur, cit. 41 ; épopée, cit. 2 ; forme, cit. 56 ; 3. plan, cit. 6 ; racine, cit. 6). *Le sujet et le style. Sujet de récit, de roman...* (⇒ **Fable** [I., 1.], **histoire**) ; *de pièce de théâtre* (→ Drame, cit. 4). *Le sujet d'un livre, d'un ouvrage. Le choix des sujets* (→ Romantisme, cit. 4). *Sujet aride, épineux* (→ Habile, cit. 12), *ingrat* (cit. 9) ; *mince* (→ Œuvre, cit. 25). *Sujet grave* (→ Minauderie, cit. 1), *honnête* (cit. 15), *sérieux ; plaisant* (cit. 4). *Un bon sujet ; un sujet en or*, excellent, facile à traiter. *Ce n'est pas un bon sujet. Banalité* (cit. 4), *difficultés* (cit. 11), *richesse, simplicité* (→ Entrer, cit. 40) *d'un sujet. Exploiter* (cit. 8), *traiter un sujet* (→ Couvent, cit. 2). *Être plein de son sujet.*

2　L'art procède du cerveau et non du cœur. Quand votre sujet vous domine, vous en êtes l'esclave et non le maître. Vous êtes comme un roi assiégé par son peuple.
　　　　　　　　　　BALZAC, Massimilla Doni, Pl., t. IX, p. 381.

3　Le mot sujet est de ceux, nombreux en français, qui se montrent susceptibles d'un grand nombre d'acceptions (...) J'appelle donc sujet un événement historique ou légendaire, une idée philosophique, un argument moral, parfois même une combinaison d'éléments anecdotiques, susceptibles de servir de fondement ou de ressort à une œuvre d'art.　　　G. DUHAMEL, Défense des lettres, III.

4　(...) les sujets proposent le style : mais ils ne le commandent pas ; il n'y en a pas qui se rangent a priori en dehors de l'art littéraire. Quoi de plus engagé, de plus ennuyeux que le propos d'attaquer la Société de Jésus ? Pascal en a fait les Provinciales.　　　　　SARTRE, Situations III, p. 76.

4.1　Je vois un beau film à faire. Un sujet en or, approuva Lili. Il faudrait traiter ça dans une lumière floue, je ne sais si vous voyez ce que je veux dire.
　　　　　　　　　　　　M. AYMÉ, Travelingue, p. 233.

♦ **3.** (1580). Ce sur quoi s'applique la réflexion (dans un travail scientifique, une œuvre didactique, etc.). ⇒ **Problème, question** (2.) ; → Nomenclature, cit. 1. *Le sujet de ses investigations.* ⇒ **Champ** (II., 1.). *Bibliographie par sujets. Littérature sur un sujet. Traiter ; approfondir, creuser un sujet. Sujet de thèse... Sujet de composition, de dissertation, de devoir. Donner, proposer un sujet.*

5　On a critiqué et le sujet que j'avais choisi pour la première leçon et la manière dont j'ai traité ce sujet.
　　　　　　　RENAN, Questions contemporaines, Œ. compl., t. I, p. 143.

6　Il me citait le sujet de dissertation dont s'amusaient traditionnellement les normaliens : « Différence entre la notion de concept et le concept de notion ». Il en avait inventé d'autres (...) L'âme et le corps : ressemblances, différences, avantages et inconvénients.
　　　　　S. DE BEAUVOIR, Mémoires d'une jeune fille rangée, p. 312.

♦ **4.** (1690). Mus. Thème ou motif principal (spécialt, dans la musique contrapuntique). ⇒ **Fugue.**

7　FUGUE. *s. f.* Pièce ou morceau de musique où l'on traite, selon certaines règles (...) un chant appelé sujet, en le faisant passer successivement et alternativement d'une partie à une autre (...) Le sujet procède de la tonique à la dominante, en montant ou en descendant.　　　ROUSSEAU, Dict. de musique, Fugue.

♦ **5.** (1667). Ce qui est représenté* ou évoqué dans une œuvre graphique, plastique. *Sujet de tableau.* ⇒ **2. Idéal** (1., vx), **motif** (→ Description, cit. 2 ; forme, cit. 31 ; naïf, cit. 5). *Étude des sujets.* ⇒ **Iconographie** (cit. 2). *Genre des sujets* (dans la peinture classique). *Sujet allégorique, biblique, mythologique, de bataille, réaliste.* — *Sujet vivant, humain* : le modèle (spécialt, quand ce dernier mot est employé dans son sens de «modèle académique» ; → Dessin, cit. 3).

8　ADRASTE (se disposant à peindre Isidore) ... Je n'ai pas grande habileté ; mais le sujet, ici, ne fournit que trop de lui-même et il y a moyen de faire quelque chose de beau sur un original fait comme celui-là.　　　MOLIÈRE, le Sicilien, 11.

9　Comment diable ! Jacques, ta composition est bien ordonnée, riche, plaisante, variée et pleine de mouvement. À notre retour à Paris, porte ce sujet à Fragonard ; et tu verras ce qu'il en saura faire.
　　　　　　　　DIDEROT, Jacques le fataliste, Pl., p. 664.

10　Gervaise demanda le sujet des *Noces de Cana* ; c'était bête de ne pas savoir les sujets sur les cadres.　　　ZOLA, l'Assommoir, t. I, III, p. 95.

Arts. Représentation d'un motif anecdotique, narratif ; ce motif (opposé à *paysage, nature morte, figure, portrait...*).

(1667). Œuvre représentant un tel sujet (→ Produire, cit. 3).

Loc. *Sujet de pendule* : figure ornant une pendule.

Par ext. *Le sujet* : la peinture figurative. *Retour au sujet.* ⇒ **Représentation.**

★ **II.** (1580, Montaigne). Vx ou littér. (sauf dans quelques expressions : *sujet de...*). Ce qui fournit matière, et, par ext., occasion à (un sentiment, une action...). ⇒ **1. Lieu** (III., 6.), **motif, occasion, raison.** *Sujet d'affliction* (→ Misanthrope, cit. 4), *d'alarme, de cha-*

grin (→ Noircir, cit. 6), *de mécontentement* (cit. 1). ⇒ aussi **Cause**. *« Quel monstre, quel chaos* (cit. 4), *quel sujet de contradiction », que l'homme* (Pascal ; → aussi Homme, cit. 54). *Un sujet d'erreur. Sujet de plaintes* (→ Calomniateur, cit. 4 ; lamenter, cit. 7 ; plaindre, cit. 17). *Un, des sujets de dispute* (→ Prétention, cit. 1), *de guerre* (→ Ramper, cit. 2). *Sujet d'orgueil* (cit. 17), *de satisfaction.*

10.1 Vivant toujours ensemble dans cette grande demeure où ils partageaient entre eux l'autorité sur les sœurs et les surveillantes, ayant les mêmes études, les mêmes chefs, les mêmes devoirs, les mêmes camarades, les mêmes sujets de préoccupation, de réflexion, de satisfaction, de plaisanteries, leur amitié les réunissait par mille liens différents et entrecroisés (...) PROUST, Jean Santeuil, Pl., 696.

Loc. verbales. (1612). **AVOIR... SUJET DE...** (suivi de l'infinitif). → Enfer, cit. 7. *Avoir un juste sujet de s'alarmer* (cit. 1), *de nouveaux sujets d'aimer* (→ Constance, cit. 5). *« Vous avez bien sujet d'accuser* (cit. 12) *la nature ». Je n'ai pas sujet de me plaindre. — Il y avait sujet à...* ⇒ **Quoi** (de quoi à...).

DONNER... SUJET DE...

11 (...) ai-je aucun sujet de maudire Dieu ? Quand je regarde au contraire autour de moi dans le passé, dans le présent, dans ma famille, mes amis, mes affections, à peu de chose près je devrais le bénir. FLAUBERT, Correspondance, 30, 15 avr. 1839.

12 Elle nous donna sujet de rêver sur les plus étranges lyrismes. COLETTE, l'Étoile Vesper, p. 112.

(1690). *Sans sujet :* sans raison.

(1644). *À quel sujet ?* (et l'inf.) : pourquoi ?

Absolt. Vx. *Avec plus, moins de sujet,* de raison (Molière, *le Dépit amoureux,* v. 549).

★ **III.** ♦ **1.** (V. 1370, *subjet*). Ce dont on parle, ce qui est soumis à la réflexion et constitue le support de qualités, de caractères.

Log. Dans une proposition attributive, l'être auquel est attribué le prédicat. ⇒ **Attribut, thème** (opposé à *prédicat*). *Extension* (cit. 12) *du sujet. Affirmer, nier quelque chose du sujet.*

Métaphore. Substance.

13 Un sujet, en ce sens, c'est un être considéré dans son unité intégrale et permanente, comme constituant le lien, à la fois dans l'espace et dans le temps, de ses qualités multiples, de ses phénomènes successifs. Au fond, c'est la même notion que celle du sujet logique, mais transportée de l'ordre des idées abstraites dans celui des réalités concrètes. E. BOIRAC, in Grande Encycl. (BERTHELOT), art. *Sujet.*

♦ **2.** (1680). Gramm. Terme considéré comme le point de départ de l'énoncé, que l'on définit d'une manière logique (terme à propos duquel on exprime qqch.) ou formelle (terme qui régit le verbe). *Le sujet d'une proposition. Fonction de sujet. Sujet, verbe et complément.* — (En appos.). *Nom, pronom sujet. Infinitif sujet. — Accord du sujet et du verbe. Place du sujet ; inversion* (cit. 4) *du verbe. Phrases sans sujet. Sujet exprimé ; sujet implicite* (→ Gérondif, cit. 2). *Sujet complexe, formé de plusieurs éléments. Sujet multiplié. — Sujet logique, sujet réel,* se dit parfois du terme ou des termes qui désignent le « sujet logique » (au sens III, 1, ci-dessus), le *sujet grammatical* étant appelé *sujet apparent* (cette terminologie est rejetée par les grammairiens modernes).

14 À l'exception des phrases où le verbe d'action comporte un complément d'objet (...) le sujet (...) n'est nullement ce qui fait l'action (...) Qu'est-ce alors ? tout simplement le mot qui, selon la naïve mais très juste expression du vieux grammairien, donne la loi au verbe (VAUGELAS), le mot qui en régit l'accord (...) G. et R. LE BIDOIS, Syntaxe du franç. moderne, § 669.

15 (...) nous ne pouvons concevoir un procès (phénomène, action, état, qualité) sans une substance qui en est le siège. Ce lieu du procès, c'est le sujet ; on ne peut concevoir les mouvements, les bruits, les couleurs, la vie, la mort, la souffrance, etc., sans un sujet. L'indo-européen, le sémitique et bien d'autres langues reflètent (...) cette association nécessaire dans un fait grammatical (...) *l'incorporation du sujet dans le verbe,* autrement dit, l'impossibilité d'employer un verbe sans son sujet (latin, *amo, amas, amat,* etc., fr. *j'aime, tu aimes, il aime,* etc.). Or, il est bien évident que les sujets distincts du verbe (...) sont la protection (...) du pronom-sujet (...) Il serait inconcevable qu'une association aussi étroite entre le sujet et verbe ne crée pas une différence radicale entre la fonction de sujet et celle de complément d'objet (...) Charles BALLY, Linguistique générale et Linguistique franç., p. 122, note 1.

★ **IV.** (Appliqué à une personne, aux sens I, 1 et II de *sujet*).

A. ♦ **1.** [a] (XVIᵉ). Vx. Être individuel, personne considérée comme le support d'une action, d'une influence (→ Argent, cit. 4, Descartes ; envie, cit. 1, Ronsard). *« La constance* (en amour) *n'est qu'une inconstance* (cit. 5) *renfermée dans un même sujet »* (La Rochefoucauld).

16 Rodrigue aime Chimène, et ce digne sujet De ses affections est le plus cher objet. CORNEILLE, le Cid, I, 3 (v. 167-168, var.).

17 J'avais cru entrevoir (...) que vos inclinations se tournaient (...) sur un sujet digne, sur un homme rempli de vertus (...) LA BRUYÈRE, Disc. de réception à l'Académie, 15 juin 1693.

[b] (1636). Spécial, vieilli. Personne qui possède telle ou telle qualité (→ Paraître, cit. 15). *Le sujet le plus éminent* (cit. 2). *Un sujet docile* (→ Pâte, cit. 15).

18 Si la science et la sagesse se trouvent unies en un même sujet, je ne m'informe plus du sexe, j'admire (...) LA BRUYÈRE, les Caractères, III, 49.

[c] (1690). Vieilli. **BON SUJET** (→ Déranger, cit. 13) : qui se conduit bien. — (1740). Mod., mais marqué : régional, allusif... **MAUVAIS SUJET**

(→ Amender, cit. 2 ; mangeur, cit. 8) : qui se conduit mal. *Mauvais sujet :* s'est dit au sens fort d'un débauché*, et, par ext., d'un jeune homme, d'un enfant dont la conduite est répréhensible (⇒ **Bandit** [fig.], **drôle** [régional]). — (Appellatif). *Mauvais sujet !, garnement ! — Un bon, un brillant, un excellent sujet, un sujet d'élite :* un élève (⇒ **Élève**), un étudiant bon, brillant...

19 Son dépôt, établi à l'île d'Elbe, avait servi à déporter honorablement les fils de famille qui donnaient des craintes pour leur avenir, et ces grands hommes manqués, que la société marque d'avance au fer chaud, en les appelant des mauvais sujets ! BALZAC, les Marana, Pl., t. IX, p. 792.

20 Mais quoi qu'il arrive, sois certain que je t'estime, car tu me sembles un bon sujet et un travailleur. ZOLA, la Terre, V, v.

♦ **2.** (V. 1560, Paré). Être vivant soumis à l'observation ; individu présentant tel ou tel caractère. *Sujet d'étude, d'expérience.* ⇒ **Cobaye** (fig.)... — En médecine (⇒ **Malade, patient,** dans les sciences humaines (→ Drogue, cit. 6 ; hypnose, cit. 2 ; hypnotiseur, cit. 1 ; inconscient, cit. 4 ; introversion, cit.). *Détruire les sujets tarés* (→ Euthanasie, cit. 1). — *Les sujets d'un éleveur* (cit.) : les animaux, envisagés individuellement. *De beaux sujets* (→ Malingre, cit. 3). — (1933). Ling. *Les sujets parlants :* les locuteurs* (→ Langue, cit. 25).

21 (...) suivant qu'ils sont plus habitués au langage médical, à l'emploi du mot sujet pour désigner le cadavre qu'on dissèque, ou au contraire plus versés dans le langage philosophique et plus accoutumés à parler du sujet pensant, les psychologues doivent avoir de ce mot une conscience sémantique toute différente. LALANDE, Voc. de la philosophie, art. *Sujet (critique).*

22 (Dinah) pensait aux devoirs de la profession et se demandait si une femme pouvait être autre chose qu'un sujet aux yeux d'un médecin qui voit tant de sujets dans sa journée. BALZAC, la Muse du département, t. IX, Pl., p. 138.

23 (...) vous ne voyez donc pas que vous êtes de simples sujets d'expériences extravagantes, qu'on essaie sur vous mille actions et mille substances inconnues ? VALÉRY, Regards sur le monde actuel, t. II, Œ., Pl., p. 1061.

REM. Dans les contextes où il s'agit d'un être humain, *sujet* en ce sens, est employé avec un adj. ou un compl. qualifiant ; il est sinon compris au sens B.

Anat. Organisme vivant ou cadavre utilisé pour l'étude de l'anatomie, la dissection, la vivisection.

♦ **3.** (1703). Arbor. Individu, plante qui subit une opération (spécialt, une greffe). ⇒ **Porte-greffe.** → Greffage, cit. 1).

♦ **4.** (D'abord « danseur » : *« la danse entière* [le corps de ballet] *est composée de quarante sujets »,* Encyclopédie, 1754, art. *Danseur*). Danse. Nom donné à certains danseurs de ballet, dans la hiérarchie de l'Opéra. *Petits sujets,* qui « constituent la véritable structure du corps de ballet » (M. Bourgat). *Grands sujets,* à qui sont réservés les jeux de trois ou quatre exécutants et quelques solos. *Les premiers danseurs sont recrutés parmi les grands sujets.*

♦ **5.** (XXᵉ). Dr. *Sujet de droit :* titulaire (d'un droit) ; personne considérée comme le support d'un droit*.

B. (Déb. XIXᵉ). Philos., psychol. (sens empr. à l'allemand, Kant). Être pensant, considéré comme le siège de la connaissance (par oppos. à *objet,* II., 2.). ⇒ **Esprit** (IV., 3.). ⇒ — Idéalisme, cit. 1 ; 1. logique, cit. 4 ; phénoménologie, cit. 2 ; réflexion, cit. 10). — REM. « Depuis Kant, ce nouveau sens tend à se substituer de plus en plus à tous les autres, (Boirac) en philosophie et dans les sciences humaines » ⇒ ci-dessus, IV., A., 2.). — *Du sujet.* ⇒ **Subjectif** (II.). *Le sujet pensant. La conscience, le pour-soi du sujet. Relations entre sujets. Théorie selon laquelle le sujet est la seule réalité.* ⇒ **Solipsisme.** *Relation épistémologique entre le sujet et l'objet.*

24 (...) préoccupé (...) d'établir les lois universelles de la subjectivité (...) (Kant) n'a pas abordé la question des *personnes.* Le sujet est seulement l'essence commune de ces personnes (...) SARTRE, l'Être et le Néant, p. 279.

(Dans les théories modernes, notamment depuis Freud). *La critique du sujet, du sujet cartésien. Le sujet et l'inconscient.*

CONTR. (Du sens II.) Forme.
COMP. Contre-sujet.
HOM. 1. Sujet, 2. sujet.

SUJÉTION [syʒesjɔ̃] n. f. — 1190, *subjection ; subjectiun,* v. 1155, aux sens 1 et 2 ; *sujétion* (1455), d'après *sujet* ; lat. *subjectio* « soumission », de *subjicere,* de *sub-,* et *jacere* « jeter ». → 1. Sujet.

♦ **1.** Situation d'une personne soumise à une autorité, une domination souveraine. ⇒ **Assujettissement** (2.), **dépendance** (3.), **soumission.** *Sujétion à un tyran, sujétion absolue.* ⇒ **Chaîne** (fig.), **joug** (2.), **servitude.** *La sujétion féodale* (→ Léger, cit. 4). *Réduire en sujétion.* ⇒ **Subjuguer.** *Maintenir dans la sujétion.* ⇒ **Oppression.** *Tirer qqn d'une sujétion.* ⇒ **Affranchir.** — Rare. État de sujet (2. Sujet). Cf. Montesquieu, *Lettres persanes,* LXXVI. — (V. 1350, *subjection*). État d'un pays soumis (par conquête, etc.). *Sept cents ans de sujétion* (→ Esclavage, cit. 8). — Par ext. Soumission à une autorité. ⇒ **Dépendance, soumission.**

1 (...) la sévérité de mon père m'a tenue jusques ici dans une sujétion la plus fâcheuse du monde. MOLIÈRE, le Mariage forcé, 2.

2 La fille souveraine et la femme sujette, telles sont les vieilles coutumes anglaises. Josiane différait le plus qu'elle pouvait l'heure de cette sujétion. HUGO, l'Homme qui rit, II, I, III, III.

♦ **2.** Littér. État, situation d'une personne qui est astreinte à une nécessité, n'est pas libre d'agir. ⇒ **Assujettissement, contrainte, esclavage** (A., 2.). *Être dans une grande sujétion* (→ 1. Dame, cit. 10, Mme de Sévigné). *Sujétion acceptée.* ⇒ **Obéissance.** Vx. *Être en sujétion,* en tutelle.

Par métaphore, fig. *La sujétion aux passions.* ⇒ **Captivité** (fig.); **chaîne, joug.**

(Mil. xviie). Vieilli. Assiduité exigée auprès d'une personne (*la sujétion... d'une garde auprès d'un malade,* Bescherelle, Littré); requise par une charge, un emploi (*c'est un emploi qui comporte une grande sujétion,* Académie).

♦ **3.** (1580). Actions ou ensemble d'actions qui constituent une obligation (vieilli, → ci-dessous, cit., Hugo), et, spécialt (cour.), une obligation pénible, une contrainte; situation qui en résulte. *La sujétion d'habiter loin de son lieu de travail.* ⇒ **Gêne, incommodité.** *Les enfants en bas âge sont pour la mère une sujétion de tous les instants.* — *La sujétion, les sujétions d'un métier,* qui viennent d'un métier.

3 (...) que cette épave a été trouvée au bord de la mer, qu'elle m'a été apportée pour être décachetée par moi, comme c'est la sujétion et la prérogative de ma charge (...) · · HUGO, *l'Homme qui rit,* II, v, I.

♦ **4.** (xve; *subjection,* 1165). Action de soumettre, autorité qui opprime. *La sujétion de qqn,* qu'exerce qqn. *Subir une sujétion.* ⇒ **Oppression; emprise.**

4 Un des ennuis de Gervaise, qui avait vécu si tranquille sans concierge dans son trou de la rue Neuve, était de retomber sous la sujétion de quelque mauvaise bête (...) Les concierges sont une si sale espèce! ZOLA, *l'Assommoir,* t. I, v, p. 160.

♦ **5.** (1694). Dr. Servitude* à laquelle une chose est soumise.

CONTR. **Indépendance.**

SUKIYAKI [sykijaki] n. m. — D.i. (xxe); mot japonais.

♦ Plat japonais constitué de minces tranches de bœuf, de légumes, et de divers ingrédients, cuits à la table dans une marmite de fonte. *Le sukiyaki se mange en plaçant au fur et à mesure la viande et les légumes chauds dans un bol contenant du riz mêlé d'œuf cru.*

Le sukiyaki est un ragoût dont on connaît et reconnaît tous les éléments, puisqu'il est fait devant vous, sur la table même, sans désemparer, pendant que vous mangez. R. BARTHES, *l'Empire des signes,* p. 30.

SULCATURE [sylkatyʀ] n. f. — 1871, Littré; dér. sav. du lat. *sulcare* «sillonner», de *sulcus* «sillon».

♦ Didact. (géol.). «Trace en forme de sillon» (Littré).

DÉR. (Du même rad.) **Sulciforme.**

SULCIFORME [sylsifɔʀm] adj. — 1842; comp. sav. du lat. *sulcus* «sillon», et *-forme.*

♦ Didact. Qui a la forme d'un sillon, d'une rainure linéaire. *Érosion sulciforme des dents,* dans la syphilis congénitale.

SULF-, SULFO- Élément de mots de chimie, du lat. *sulfur, sulfuris* «soufre» indiquant la présence de l'élément soufre dans un composé (⇒ **Sulfone, sulfonique**; et aussi le préf. grec **thio-, thion-**).

Outre les termes traités à l'ordre alphabétique, on peut citer : *sulfoborure,* n. m.; *sulfochlorure,* n. m. (1872, Littré); *sulfochromique,* adj. (*mélange sulfochromique,* d'acide sulfurique et d'acide chromique); *sulfo-iodure,* n. m. (1876).

SULFACIDE [sylfasid] n. m. — 1872; de *sulf-,* et *acide.* Chimie.

♦ **1.** Vx. Sulfure qui joue le rôle d'un acide.

♦ **2.** Mod. Syn. de *thioacide.*

SULFADIAZINE [sylfadjazin] n. f. — Mil. xxe; de *sulfa(mide), di-, az(ote),* et *-ine.*

♦ Pharm. Sulfamide à action prolongée prescrit surtout dans les infections urinaires.

SULFAGUANIDINE [sylfagwanidin] n. f. — Mil. xxe; de *sulfa(mide),* et *guanidine.*

♦ Pharm. Sulfamide agissant surtout sur les germes pathogènes intestinaux.

SULFAMIDE [sylfamid] n. m. — 1865; «sulfate d'ammoniaque anhydre», 1943; de *sulf-,* et *-amide.*

♦ Chim. (et cour.). Nom générique des composés qui contiennent le groupe SO, NH, ou ses dérivés. *Le type des sulfamides est le sulfanalamide*. Les sulfamides sont à la base de médicaments antibio-*

tiques*, *utilisés dans le traitement de nombreuses maladies infectieuses, et de médicaments hypoglycémiques.*

Il y a quelques années, la thérapeutique chimique a marqué des points de manière éclatante avec l'apparition des sulfamides. G. DUHAMEL, *le Temps de la recherche,* XIV.

DÉR. **Sulfamique.**
COMP. **Sulfamidorésistance, sulfamidorésistant, sulfamidothérapie.**

SULFAMIDORÉSISTANCE [sylfamidoʀezistãs] n. f. — Mil. xxe; de *sulfamide,* et *résistance.*

♦ Biol. Propriété acquise par certaines espèces microbiennes qui les rend insensibles à l'action des sulfamides.

SULFAMIDORÉSISTANT, ANTE [sylfamidoʀezistã, ãt] adj. — Mil. xxe; de *sulfamide,* et *résistant.*

♦ Biol. Insensibilisé à l'action des sulfamides (espèces microbiennes).

SULFAMIDOTHÉRAPIE [sylfamidoteʀapi] n. f. — Mil. xxe; de *sulfamide,* et *-thérapie.*

♦ Méd. Thérapeutique par les sulfamides (→ Antibiothérapie).

SULFAMIQUE [sylfamik] adj. — Mil. xxe; de *sulfami(de),* et *-ique.*

♦ Chim. *Acide sulfamique* (NH_2SO_3H), formé par action de l'ammoniac sur l'anhydride sulfurique.

SULFANILAMIDE [sulfanilamid] n. m. ou f. — 1935; de *sulf-, -a(mi)ne, (phén)yl,* et *amide.*

♦ Chim., pharm. Sulfamide actif contre le streptocoque et le gonocoque, avant que ces bacilles ne deviennent *sulfamidorésistants*.*

Déjà en 1935, Tréfonet reprend l'étude d'un sulfamide complexe, le rubiazol, démontrait que l'activité du composé dépendant de la libération, au niveau de l'organisme, d'une substance plus simple : le sulfanilamide. A. GALLI et R. LELUC, *les Thérapeutiques modernes,* p. 12.

SULFARSÉNIURE [sylfaʀsenjyʀ] n. m. — 1876; de *sulf-,* et *arséniure.*

♦ Chim. Combinaison d'arsenic, de soufre et d'un métal. — REM. On dit aussi *arséniosulfure* [aʀsenjosylfyʀ] n. m. (1866; de *arsenic,* et *sulfure*).

SULFATAGE [sylfataʒ] n. m. — 1849, in D.D.L.; de *sulfater.*

♦ **1.** Opération qui consiste à sulfater*; et, spécialt, à traiter certaines cultures par du sulfate de cuivre (parfois du sulfate de fer) pour détruire les parasites, combattre les maladies cryptogamiques. *Sulfatage des bois, des vins, du moût.*

♦ **2.** Spécialt. *Sulfatage de la vigne,* et, absolt, *sulfatage :* opération par laquelle on sulfate (2., a.) la vigne.

1 Un détail curieux sur le sulfatage de la vigne. Il disait que dans le Bordelais, il y avait nombre de foires, et que ces foires mettaient dans les chemins, beaucoup de saltimbanques, mangeant les raisins sur la route. Alors, on s'était imaginé d'enduire les ceps de vigne du bord de la route de vert-de-gris, et quand la vigne avait été malade, on avait remarqué que ces raisins avaient échappé à la maladie, et le procédé avait été généralisé pour toute la vigne. Ed. et J. DE GONCOURT, *Journal,* 8 juil. 1893, t. IX, p. 110.

2 (...) il tomba sur Pierrinette, l'image même du vigneron de jadis à la saison des sulfatages. Car le vieux sulfatait toujours au pulvérisateur à dos d'homme, sous le large chapeau de jonc et la chemise de pénitent bleuie par la bouillie bordelaise (...) Joseph PEYRÉ, *Le Puits et la Maison,* in Classe de franç. 1958, p. 26.

SULFATASE [sylfataz] n. f. — Mil. xxe; de *sulfat(e),* et *-ase.*

♦ Chim., biol. Enzyme qui active l'hydrolyse d'un ester sulfurique.

SULFATATION [sylfatasjõ] n. f. — Mil. xxe; de *sulfater.*

♦ Techn. Production de sulfate de plomb sur les plaques d'un accumulateur électrique.

SULFATE [sylfat] n. m. — 1787; de *sulf-,* et *-ate.*

♦ Chim. et cour. Sel ou ester de l'acide sulfurique. ⇒ **Couperose** (vx), **vitriol** (vx); → Dissoudre, cit. 2. *Sulfates neutres. Sulfates acides.* ⇒ **Bisulfate.** *Sulfates, persulfates, pyrosulfates. Sulfates naturels : de plomb* (anglésite), *de baryum* (barytine), *de strontium* (célestine), *de calcium* (anhydrite), *de calcium hydraté* (⇒ **Gypse**), *de magnésium* (⇒ **Kaïnite, kiesérite**). *Sulfate d'aluminium et de potassium* (⇒ **Alun**), *d'aluminium* (⇒ **Aluminite, alumite**), *d'aluminium hydraté* (⇒ **Alunogéné**). *Sulfate de mercure, de fer* (→ Combinaison, cit. 10; minière, cit.). *La calcination du sulfate ferreux donne le sesquioxyde de fer. Sulfate de cuivre, utilisé pour sulfater* *les* *vignes* (Bouillie bordelaise). *Sulfates employés comme purgatifs, comme médicaments.* ⇒ **Sel** (*supra* cit. 8 : sel d'Epsom, de Sedlitz, de Glauber, etc.). *Sulfate de sodium. Sulfate de quinine.* — *Le sulfate de potassium et le sulfate d'ammonium sont utilisés comme engrais.*

1   C'est bien ma chance, fit-il pourtant. Si nous n'avons pas une bonne grêle, ce sera le déluge, et la pluie va me laver tout mon sulfate (de cuivre) de ce matin. Autant de bouillie perdue que de peine !
Joseph PEYRÉ, le Puits et la Maison, in Classe de franç. 1958, p. 26.

2   (...) il s'agissait d'isoler le sulfure de fer et de le transformer en sulfate le plus rapidement possible. Le sulfate obtenu, on en extrairait l'acide sulfurique.
J. VERNE, l'Île mystérieuse, t. I, p. 220.

DÉR. Sulfaté, sulfater, sulfatisation.
COMP. Bisulfate, persulfate, sulvinite.

SULFATÉ, ÉE [sylfate] adj. — 1802 ; de *sulfate* et de *sulfater*.

♦ **1.** Chim. Se dit d'une base transformée en sel (sulfate) par combinaison avec l'acide sulfurique. — Qui contient un sulfate. *Eau minérale sulfatée. Source sulfatée.*

♦ **2.** (xxᵉ ; de *sulfater*). Cour. Qui a subi un sulfatage. *Vignes sulfatées* (→ Bleu, cit. 12). *Champ sulfaté.*

C'était une homélie de Lamennais, qui racontait l'aventure d'une grappe de raisin. Le Père de Famille la cueillait dans sa vigne, mais il ne la mangeait pas : il la rapportait à la maison, pour l'offrir à la Mère de Famille. Celle-ci, très émue, la donnait en cachette à son Fils, qui, sans rien en dire à personne, la portait à sa Sœur. Mais celle-ci n'y touchait pas non plus. Elle attendait le retour du Père, qui, en retrouvant la Grappe dans son assiette, serrait toute la Famille dans ses bras, en levant les yeux au Ciel (...)
— Pourquoi cette grappe a-t-elle fait le tour complet de la famille ?
(...) je concentrai toute mon attention sur ce problème : dans un éclair, je vis la vérité, et je m'écriai :
— C'est parce qu'elle était sulfatée !
M. PAGNOL, la Gloire de mon père, p. 163 à 165.

SULFATER [sylfate] v. tr. — 1872 ; 1943, pour le blé (D. D. L.) ; de *sulfate*.

♦ **1.** Enduire de sulfate de cuivre (le bois : échalas, perches, etc.) pour lui assurer une meilleure conservation. — Traiter (le vin, le moût) en y ajoutant du plâtre (sulfate de chaux) pour en activer la fermentation (on dit aussi *plâtrer*).

♦ **2.** (Déb. xxᵉ). ⓐ Traiter (la vigne) en pulvérisant sur ses tiges et ses feuilles une bouillie à base de sulfate de cuivre (et, par ext., d'un autre sel sulfaté), afin de la protéger contre les maladies cryptogamiques (mildiou*, etc.).
ⓑ Arroser de sulfate de cuivre (des semences) pour empêcher la carie.
ⓒ Traiter (une terre, un champ) en y épandant du sulfate de fer, pour le débarrasser des plantes adventices.

DÉR. Sulfatage, sulfatation, sulfaté (2.), sulfateur, sulfateuse.

SULFATEUR, EUSE [sylfatœʀ, øz] n. — 1886, in *Année sc. et industr.* 1887, p. 436 ; «ouvrier qui fabrique le sulfate de quinine», 1872 ; de *sulfater*.

♦ Ouvrier agricole qui procède au sulfatage de la vigne.

Au sud-ouest, les sulfateurs espagnols, les vendangeurs et les vendangeuses catalanes ou basques. Par centaines de mille, ces étrangers viennent vers la France aux époques où elle est féconde, où elle fleurit, où elle donne ses fruits.
GIRAUDOUX, De pleins pouvoirs à sans pouvoirs, II, p. 42.

REM. Le fém. *sulfateuse* se heurte à l'homonymie (→ Sulfateuse).

SULFATEUSE [sylfatøz] n. f. — xxᵉ ; du précédent.

♦ **1.** Appareil qui sert à pulvériser le sulfate de cuivre sur la vigne. ⇒ **Pulvérisateur.**

♦ **2.** (1948). Argot. Pistolet mitrailleur.

SULFATISATION [sylfatizasjɔ̃] n. f. — 1801, Fourcray ; de *sulfate*.

♦ Chim. Transformation (des sulfures métalliques) en sulfates.

SULFHÉMOGLOBINE [sylfemɔglɔbin] n. f. — 1953 ; de *sulf-* et *hémoglobine*.

♦ Biol. Composé formé par la combinaison (irréversible) de l'hémoglobine du sang avec l'hydrogène sulfuré, lors d'une intoxication par ce gaz. ⇒ **Sulfhydrisme.**

SULFHYDRIQUE [sylfidʀik] adj. — 1834, Thenard ; de *sulf-* et *-hydrique*.

♦ Chim. *Acide sulfhydrique* : hydracide (H_2S), appelé autrefois *air puant* (Rouelle, 1775), *acide hydrosulfurique*, et en chimie moderne, *sulfure d'hydrogène, hydrogène sulfuré,* composé de soufre et d'hydrogène, qui se présente sous l'aspect d'un gaz incolore,

soluble dans l'eau, à odeur caractéristique d'œuf pourri. *Sels de l'acide sulfhydrique.* ⇒ **Sulfure.** *L'acide sulfhydrique existe à l'état naturel dans les fumerolles volcaniques et en dissolution dans les eaux dites sulfureuses** (3.) ; *on le rencontre dans certains gaz naturels. L'acide sulfhydrique se dégage des matières animales en décomposition* (œufs, viandes, excréments) ; *très toxique, il cause le* plomb* (A., 5.) *des vidangeurs* (⇒ **Sulfhydrisme**). *Usages de l'acide sulfhydrique* (fabrication de l'aniline et du soufre, analyses de laboratoire, etc.).

Les colons se dirigèrent alors vers l'endroit d'où s'échappait la fumée. Là, ils virent une source sulfurée sodique, qui coulait assez abondamment entre les roches, et dont les eaux dégageaient une vive odeur d'acide sulfhydrique, après avoir absorbé l'oxygène de l'air.
J. VERNE, l'Île mystérieuse, 1874, t. I, p. 151.

DÉR. Sulfhydrisme.

SULFHYDRISME [sylfidʀism] n. m. — xxᵉ, in Larousse 1923 ; de *sulfhydrique*.

♦ Méd. Intoxication par l'hydrogène sulfuré, appelée aussi *plomb* (A., 5.) *des vidangeurs.* ⇒ **Sulfhémoglobine.**

SULFIDOSEUR [sylfidozœʀ] n. m. — Mil. xxᵉ ; de *sulfi-* (→ Sulfo-), et *doseur*.

♦ Techn. Appareil permettant d'introduire en quantités précises du gaz sulfureux dans un moût, un vin.

SULFIMIDE [sylfimid] n. m. — Mil. xxᵉ ; de *sulf-* ; et *imide*.

♦ Chim. Composé résultant de l'élimination d'une molécule d'eau auprès d'une fonction sulfamide. *Sulfimide benzoïque* (ou *orthobenzoïque*) : la saccharine*.

SULFINISATION [sylfinizasjɔ̃] n. f. — Mil. xxᵉ (in Larousse 1953) ; d'un rad. chim. *sulfin-* ; du lat. *sulfur*. → Soufre.

♦ Techn. En métallurgie, Cémentation (des alliages ferreux) par diffusion superficielle de soufre (pour en améliorer les propriétés de frottement).

SULFITAGE [sylfitaʒ] n. m. — Déb. xxᵉ ; de *sulfiter*.

Technique.

♦ **1.** Action de sulfiter (1.). Addition aux moûts de bisulfite de potasse, pour les assainir et augmenter leur coloration. — Par ext. Opération qui consiste à assainir le moût, les tonneaux par l'anhydride sulfureux.

♦ **2.** Décoloration (d'une substance) au moyen de l'anhydride sulfureux. ⇒ **Soufrage.**

SULFITATION [sylfitasjɔ̃] n. f. — 1920, *Omnium agricole* ; de *sulfiter*.

♦ Techn. Épuration (des sirops) au moyen d'anhydride sulfureux.

SULFITE [sylfit] n. m. — 1787 ; de *sulf-*, et *-ite*.

♦ Chim. Sel ou ester de l'acide sulfureux* (2.). *Sulfites neutres. Sulfites acides.* ⇒ **Bisulfite.** *Sulfites et hyposulfites** (désignés aujourd'hui sous le nom de *thiosulfates*). *Sulfite d'argent, de sodium. Utilisation des sulfites dans la fabrication du papier, en photographie, en parfumerie, dans l'industrie textile (blanchiment des étoffes).*

COMP. et DÉR. Bisulfite, désulfiter. — Hyposulfite. — Sulfitomètre, sulfitométrie. — Sulfiter, sulfitique.

SULFITER [sylfite] v. tr. — 1877 ; de *sulfite*.

Technique.

♦ **1.** Soumettre (un produit) à l'action de l'anhydride sulfureux. *Sulfiter un moût.*

♦ **2.** Dans la fabrication de la tolite*, Purifier (le produit explosif) par un traitement au sulfite de sodium.

DÉR. Sulfitage, sulfitation, sulfiteur.

SULFITEUR [sylfitœʀ] n. f. — Mil. xxᵉ ; de *sulfiter*.

♦ Techn. Appareil permettant le sulfitage des moûts.

SULFITIQUE [sylfitik] adj. — 1904 ; de *sulfite*.

♦ Chim. D'un sulfite.

SULFITOMÈTRE [sylfitɔmɛtʀ] n. m. — 1907 ; de *sulfite*, et suff. *-mètre*.

♦ Chim, techn. Appareil qui sert à doser l'anhydride sulfureux pour le sulfitage. — On dit aussi *sulfidoseur*.

SULFITOMÉTRIE [sylfitɔmetʀi] n. f. — xxᵉ ; de *sulfite*, et *-métrie*.

♦ Chim., techn. Dosage de l'anhydride sulfureux pour le sulfitage.

SULFO- ⇒ **Sulf-**.

SULFOCARBONATE [sylfokaʀbɔnat] n. m. — 1846 ; de *sulfo-*, et *carbonate*.

♦ Chim. Se dit des sels et des esters dérivés des carbonates par substitution du soufre à l'oxygène (on dit aussi *thiocarbonate*). *Sulfocarbonate de potassium, utilisé dans la lutte contre le phylloxéra*.

SULFOCARBONIQUE [sylfokaʀbɔnik] adj. — 1848 ; de *sulfo-*, et *carbonique*.

♦ Chim. Se dit des acides dérivant de l'acide carbonique par diverses substitutions du soufre à l'oxygène (il en existe théoriquement cinq, mais on ne connaît bien les sels — *sulfocarbonates* — que de deux d'entre eux, l'acide thionothiocarbonique et l'acide thionodithiocarbonique).

DÉR. **Sulfocarbonisme.**

SULFOCARBONISME [sylfokaʀbɔnism] n. m. — xxᵉ ; de *sulfocarbon(ique)*.

♦ Méd. Intoxication professionnelle, aiguë ou chronique, provoquée par l'inhalation de vapeurs de sulfure de carbone (industrie du caoutchouc, du textile, etc.).

SULFOCYANATE [sylfosjanat] n. m. — 1845 ; en angl., 1804 ; de *sulfocyan(ique)*.

♦ Chim. Sel ou ester de l'acide sulfocyanique. — On dit aussi *sulfocyanure* [sylfosjanyʀ] n. m. (xxᵉ ; de *sulfo-*, et *cyanure*).

Dans un autre domaine, des cliniciens soignant par des sulfocyanures ou thiocyanates des malades atteints d'hypertension artérielle signalaient parfois l'apparition d'un goitre.   A. GALLI et R. LELUC, les Thérapeutiques modernes, p. 108.

SULFOCYANIQUE [sylfosjanik] adj. — 1815 ; en angl., 1801, Porret ; de *sulfo-*, et *-cyanique*.

♦ Chim. Se dit d'un acide dont la formule est dérivée de celle de l'acide cyanique par substitution de soufre à l'oxygène.

DÉR. **Sulfocyanate.**

SULFOCYANURE [sylfosjanyʀ] n. m. ⇒ **Sulfocyanate**.

SULFOMANGANIQUE [sylfomãganik] adj. — Mil. xxᵉ ; de *sulfo-*, *mangan-*, dans *permanganate*, et suff. *-ique*.

♦ Chim. *Mélange sulfomanganique*, d'acide sulfurique et de permanganate de potassium (oxydant).

SULFONATION [sylfɔnasjɔ̃] n. m. — xxᵉ (in Larousse 1923) ; de *sulfon(é)*, et *-ation*.

♦ Chim. Préparation de dérivés sulfonés (par introduction du groupe SO₃H).

SULFONATE [sylfɔnat] n. m. — xxᵉ ; de *sulfon(é)*.

♦ Chim. Sel ou ester d'un composé sulfoné.

SULFONE [sylfɔn] n. m. — 1890, P. Larousse *Deuxième Suppl.* ; de l'all. → **Sulf-**.

♦ Chim. Nom générique des composés renfermant le groupent SO₂ dans leur molécule.

SULFONÉ, ÉE [sylfɔne] adj. — 1875 ; de *sulf-*, et *-oné*.

♦ Chim. Se dit d'un dérivé renfermant le radical SO₃H dans sa molécule. *Dérivé sulfoné du noyau*, dérivé d'un noyau aromatique où un atome d'hydrogène du noyau a été remplacé par SO₃H.

DÉR. **Sulfonation, sulfonate, sulfonique.**

SULFONIQUE [sylfɔnik] adj. — 1890, P. Larousse, *Deuxième Suppl.* ; de *sulfon(é)*, et *-ique*.

♦ Chim. *Acides sulfoniques*, de formule générale R — SO₃H (R étant un radical univalent). Syn. : *dérivés sulfonés*.

SULFONITRIQUE [sylfɔnitʀik] adj. — 1907, *Larousse mensuel* ; de *sulfo-*, et *nitrique*.

♦ Chim. Se dit d'un mélange d'acides sulfurique et nitrique utilisé pour préparer les dérivés nitrés.

C'est ce *mélange sulfonitrique* que l'on fait agir sur la cellulose qui est ainsi transformée en nitrocellulose.   Jean VÈNE, les Plastiques, p. 16.

SULFORICINATE [sylfoʀisinat] n. m. — Déb. xxᵉ, in *Nouveau Larousse illustré*, la découverte du composé est antérieure ; de *sulfo-*, et *ricinate*.

♦ Chim. Composé obtenu par l'action de l'acide sulfurique sur l'huile de ricin. *Sulforicinate de sodium*.

(...) en 1875, les sulforicinates firent leur apparition dans la teinture au « rouge d'Alizarine ou rouge d'Andrinople » ; de là le nom d'huiles pour Rouge turc, qui reste attaché aux sulforicinates.   Emmanuel MAYOLLE, Industries du savon et des détergents, p. 9.

SULFOSEL [sylfosɛl] n. m. — 1846 ; de *sulfo-*, et *sel*.

♦ Chim. Se dit des sels complexes renfermant le groupe SO₄ dans l'anion.

SULFOVINIQUE [sylfovinik] adj. — 1846 ; de *sulf(o)-*, et *vinique*.

♦ Chim. *Acide sulfovinique* : acide (SO₄H–C₂H₅) qui résulte de l'action de l'acide sulfurique sur l'alcool éthylique. — Par ext. Se dit de tous esters sulfuriques analogues.

SULFURAGE [sylfyʀaʒ] n. m. — Déb. xxᵉ (in Larousse 1904) ; de *sulfurer*.

♦ Techn. En viticulture, Opération par laquelle on détruit les parasites à l'aide de soufre ou de bisulfure de carbone. ⇒ aussi **Sulfatage**. — Introduction dans le sol de sulfure de carbone pour détruire les insectes nuisibles. *Sulfurage au moyen d'un pal injecteur*.

SULFURATION [sylfyʀasjɔ̃] n. f. — 1842 ; de *sulfure*.

♦ **1.** Chim. Combinaison d'une substance avec le soufre ; transformation d'un corps en sulfure.

♦ **2.** Techn. Sulfurage (de la vigne).

♦ **3.** Émanation sulfureutse ; production de dérivés du soufre dans (un milieu). « *La sulfuration de l'air des villes...* » (*Science et Vie*, nᵒ 106, p. 171, 1974).

On va mourir en presse-bouillies ! ... fins des punaises ! ... en sulfurations suffocantes !   CÉLINE, Guignol's band, p. 9

SULFURE [sylfyʀ] n. m. — 1787 ; de *sulf-*, et suff. *-ure*.

♦ **1.** Chim et cour. Composé du soufre avec un métal ou un cation complexe ; sel de l'acide sulfhydrique. ⇒ aussi **Bisulfure, persulfure, polysulfure**. *Sulfure ou bisulfure de carbone* (ou *anhydride sulfocarbonique*). *Le sulfure de carbone est employé dans la lutte contre le phylloxéra* (⇒ **Sulfurage**), *dans la vulcanisation du caoutchouc. Accidents neuropsychiques dus au sulfure de carbone. Sulfure d'éthyle dichloré.* ⇒ **Ypérite**. *De nombreux minerais sont des sulfures simples ou complexes. Principaux sulfures naturels.* ⇒ **Alabandine** (manganèse), **blende** (zinc), **bournonite** (plomb, cuivre et antimoine), **chalcopyrite** (cuivre et fer), **chalcosine** (cuivre), **cinabre** (mercure), **galène** (plomb), **mispickel** (arsénisulfure de fer), **orpiment, réalgar** (arsenic) ; **marcassite, pyrite** (fer), **stibine** (antimoine). *Sulfure de mercure pulvérisé utilisé comme matière colorante.* ⇒ **Vermillon**. *Griller un sulfure*.

À mesure de l'avance d'autres montagnes se découvrent, dans un amoncellement extravagant. Les unes sur les autres, il y en a maintenant de tous les côtés, les unes se reposant sur les autres de leur poids entier, dans une bousculade insensée, blanches, rosies ou bleuies par des sulfures à nu sous le soleil.   M. DURAS, Dix heures et demie du soir en été, p. 153.

♦ **2.** (xxᵉ). Objet décoratif constitué d'une masse de cristal, généralement de forme globuleuse, dans laquelle est inclus un camée en pâte céramique ou un petit sujet émaillé sur or. *Sulfures édités en 1953 pour le couronnement d'Élisabeth d'Angleterre*.

La pâte céramique ou la stéatite, dans laquelle le camée est sculpté, prend, au contact du cristal en fusion, un éclat semblable à celui du sulfure d'argent. D'où sans doute le nom de ces objets.
Par un glissement de signification, le langage courant applique ce terme à d'autres inclusions de motifs décoratifs dans du verre ou du cristal, lesquelles n'ont rien à voir non plus avec le soufre ni aucun de ses composés (...) Il semble que ce soit le Français Henri-Germain Boileau qui le premier ait réalisé un sulfure, vers la fin de 1790.   Édith MANNONI, les Sulfures et boules presse-papiers, p. 5-6.

Par ext., abusivt. Boule de verre à inclusions décoratives. ⇒ **Millefiori**.

3 Tantôt c'est un sulfure déterré chez un brocanteur, tantôt une lithographie de Daumier, tantôt une aquarelle (...) J. DUTOURD, Pluche, IX, p. 110.

DÉR. Sulfuration, sulfuré, sulfurique, sulfuriser.

COMP. Arséniosulfure, bisulfure, désulfurer, persulfure, polysulfure. — Sulfurimètre.

SULFURÉ, ÉE [sylfyʀe] adj. — 1807 ; au sens de « sulfureux », en parlant de l'eau, d'exhalaisons, etc., v. 1370 ; le mot étant alors un emprunt du lat. *sulfuratus* ; de *sulfure*.

♦ **1.** Chim. Qui est combiné avec le soufre ; qui est à l'état de sulfure. — Spécialt. *Hydrogène sulfuré* : acide sulfhydrique*.

♦ **2.** Techn. Qui est traité par le soufre.

DÉR. Sulfurer.

SULFURER [sylfyʀe] v. tr. — 1856 ; *Année sc. et industr.* 1857, p. 227 ; de *sulfuré*.

♦ **1.** Chim. Combiner avec le soufre.

♦ **2.** Techn. Recouvrir de soufre. — Traiter (une vigne) au sulfure de carbone pour la débarrasser du phylloxéra.
Traiter (un sol) en y introduisant du sulfure de carbone pour détruire les insectes nuisibles. ⇒ **Sulfurage.**

DÉR. Sulfurage.

SULFUREUX, EUSE [sylfyʀø, øz] adj. — V. 1265, *sulphureux* ; *sulfurieux*, XVᵉ, au sens 3 ; lat. *sulforosus*, de *sulfure* « soufre ».

♦ **1.** (1770). Qui contient du soufre libre ou à l'état d'ion sulfure, qui est relatif au soufre. *Vapeurs, exhalaisons sulfureuses. Odeur sulfureuse.*

1 Ce reflet, émané du corps de Lucifer,
C'était le pâle jour qu'il traîne en nos ténèbres,
Le rayon sulfureux qu'en des songes funèbres
Il nous apporte de l'enfer. HUGO, Odes et Ballades, Ballade, VIII.

Qui a la couleur du soufre.

♦ **2.** (1765). Chim. (et cour.). *Anhydride sulfureux* ou *gaz sulfureux* : composé binaire du soufre (SO_2). qui se présente sous l'aspect d'un gaz incolore, d'odeur suffocante, très soluble dans l'eau et très facilement liquéfiable. *Le soufre brûle en dégageant de l'anhydride sulfureux. L'anhydride sulfureux existe à l'état naturel dans les émanations volcaniques ; on le prépare industriellement par grillage des pyrites ou par combustion du soufre. Usages de l'anhydride sulfureux :* fabrication de l'acide sulfurique, industries de blanchiment (pâtes à papier, textiles), industries chimiques diverses, destruction d'insectes et de rongeurs, mutage des moûts (⇒ **Soufrage, sulfitage**), désinfection* des locaux... *Débarrasser le vin de l'anhydride sulfureux.* ⇒ **Désulfiter** (comp. de *sulfite*). *Doser l'anhydride sulfureux avec un sulfitomètre*.
Acide sulfureux : acide (SO_2H_2) connu seulement en solution. *Sels de l'acide sulfureux.* ⇒ **Bisulfite, sulfite.**

♦ **3.** Cour. *Eau sulfureuse*, qui contient et dégage de l'acide sulfhydrique*. *Les eaux sulfureuses d'Enghien. Bains sulfureux* (contre l'eczéma, etc). *Source sulfureuse.*

2 Ce feu, dit-il, ou plutôt cette fumée, c'est la nature seule qui en fait les frais. Il n'y a là qu'une source sulfureuse, qui nous permettra de traiter efficacement nos laryngites. J. VERNE, l'Île mystérieuse, t. I, p. 151.

♦ **4.** (Mil. XIXᵉ → 1.). Fig. Qui est en rapport avec les démons, l'enfer.

3 Pour discutable que ce soit, quant au bon goût, l'emploi d'un mot qui traîne derrière lui un tel sillage sulfureux, «abîme», dans le cas ici évoqué, ne me paraît pas excessif comme terme de comparaison. Michel LEIRIS, Fourbis, p. 22.

4 Il est beau et inquiétant comme seule peut l'être créature du Malin, se dit Marie. Il en a le charme sulfureux, la vénéneuse séduction. Jeanne BOURIN, le Jeu de la tentation, p. 260.

N. m. Par plais. *Le sulfureux :* le démon.

5 La vie n'est qu'un test, disait le sulfureux, l'occasion offerte à tout être de donner la mesure de ses aptitudes à l'éternité. M. AYMÉ, le Vin de Paris, « la Fosse aux péchés », p. 131.

COMP. Hydrosulfureux, hyposulfureux.

SULFURIMÈTRE [sylfyʀimetʀ] n. m. — Mil. XXᵉ ; de *sulfure*, et -*mètre*.

♦ Techn. Instrument mesurant la teneur en soufre d'un produit (utilisé dans les raffineries de pétrole).

SULFURIQUE [sylfyʀik] adj. — 1787 ; « qui produit des émanations sulfureuses », 1585 ; de *sulfure*.

♦ **1.** Chim. *Acide sulfurique* (H_2SO_4) : acide correspondant à l'anhydride sulfurique SO_3, déshydratant énergique oxydant, corrosif, attaquant tous les métaux sauf l'or et le platine. ⇒ **Vitriol.** *Acide sulfurique pur. Acide à 66 °Baumé (93 % H_2SO_4) :* liquide incolore, sirupeux, bouillant à 338 °C. *Acides sulfuriques fumants :* liquides huileux, très épais, d'un brun jaunâtre, renfermant un excès d'anhy-

dride sulfurique dissous dans l'acide par H_2SO_4. ⇒ **Oléum.** *Acide (sulfurique) des chambres, acides à 53 °Baumé (65 % H_2SO_4). Sels de l'acide sulfurique.* ⇒ **Sulfate.** *Fabrication de l'acide sulfurique par le procédé des chambres de plomb et par le procédé dit de contact. Usages de l'acide sulfurique :* fabrication des engrais et superphosphates (50 pour cent de la production), de produits chimiques divers, d'acides minéraux (acide fluorhydrique, chlorhydrique, phosphorique), d'explosifs métallurgie, industries textiles, accumulateurs, détergents synthétiques, etc.

1 — Donnez-moi, je vous prie, une demi-once de vitriol.
— Justin, cria l'apothicaire, apporte-nous l'acide sulfurique.
FLAUBERT, Mᵐᵉ Bovary, II, X.

2 L'acide sulfurique est un des agents les plus employés, et l'importance industrielle d'une nation peut se mesurer à la consommation qui en est faite. Cet acide serait plus tard d'une utilité extrême aux colons pour la fabrication des bougies, le tannage des peaux, etc. J. VERNE, l'Île mystérieuse, t. I, p. 220.

Anhydride sulfurique : anhydride solide (SO_2), cristallisant en longues aiguilles blanches, soluble dans le sulfure de carbone, qui se combine énergiquement à l'eau pour donner de l'acide sulfurique. *L'anhydride sulfurique sert à la préparation de l'acide sulfurique et de certains colorants.*
Éther sulfurique. ⇒ **Éther** (4.).

♦ **2.** Littér. Qui a la couleur jaunâtre du soufre. ⇒ **Sulfureux.**

COMP. Hydrosulfurique (ancien adj. pour *sulfhydrique*), **persulfurique, pyrosulfurique.**

SULFURISATION [sylfyʀizɑsjɔ̃] n. f. — 1877, Littré, *Suppl.* ; de *sulfuriser*.

♦ Techn. Opération par laquelle on traite un corps à l'acide sulfurique.

SULFURISÉ, ÉE [sylfyʀize] adj. — 1907 ; de *sulfuriser*.

♦ Traité à l'acide sulfurique. — Spécialt. *Papier sulfurisé :* papier qu'on a rendu imperméable et semblable au parchemin par un trempage dans l'acide sulfurique dilué. (On dit aussi *papier-parchemin, parchemin végétal, papier imperméable*). *Abat-jour en papier sulfurisé. Papier sulfurisé servant à envelopper des denrées alimentaires.*

SULFURISER [sylfyʀize] v. tr. — 1877 ; de *sulfure*.

♦ Chim. Traiter à l'acide sulfurique.

DÉR. Sulfurisation, sulfurisé.

SULFURYLE [sylfyʀil] n. m. — 1904 ; de *sulfur-*, et -*yle*, grec *hulê* « bois ».

♦ Chim. Radical bivalent SO_2. *Chlorure de sulfuryle*, $SO_2 Cl_2$.

SULKY [sylki] n. m. — 1861 ; *solky*, 1860 ; une fois comme mot angl., 1790, *in* Höfler ; mot angl., de l'adj. *sulky* « boudeur », parce que cette voiture n'a qu'une place.

♦ Voiture légère à deux roues, sans caisse, utilisée pour les courses au trot attelé (⇒ aussi **Araignée**). *Des sulkies*, ou *des sulkys. Sulky à un seul limon (à timon cintré).*

Arrive le propriétaire du ranch, qui, après avoir sauté de son léger *sulky,* nous est présenté dans toutes les règles par notre cocher (...).
R. BURTON, Voyage à la cité des saints (1860-1861), *in* le Tour du monde, 1862, p. 361.

SULPICIEN, IENNE [sylpisjɛ̃, jɛn] adj. et n. — 1732, Trévoux ; de *saint Sulpice*, nom du patron de la Congrégation.

♦ **1.** Qui appartient, qui est relatif à la Congrégation de Saint-Sulpice, congrégation de prêtres voués à l'instruction des jeunes ecclésiastiques, fondée par le P. Olier en 1644.

N. Membre de cette congrégation (→ Fidéisme, cit. 1) ; élève, ancien élève du séminaire Saint-Sulpice.

♦ **2.** (Fin XIXᵉ). Propre aux boutiques d'art religieux du quartier qui environne l'église Sant-Sulpice à Paris. *Art sulpicien, imagerie sulpicienne*, dont l'idéalisation et le bariolage sont de mauvais goût (on dit aussi *saint-sulpicien*).

1 (...) Raphaël (...) a tenu à faire *planer* ses trois personnages lumineux, obéissant à une peinturière tradition d'extase (...) L'ancêtre fameux de notre bondieuserie sulpicienne (...) n'a pas compris qu'il était absolument indispensable que les Pieds de Jésus touchassent le sol pour que sa transfiguration fût terrestre (...)
Léon BLOY, la Femme pauvre, I, XIII (1897).

2 (...) les mises en scène étudiées et pompeuses, les draperies, les grands bruits d'orgue, les statues sulpiciennes enfouies sous les amas de fleurs et gardées par des armées de cierges, il donnait à l'Église l'image la plus triomphale mais aussi la plus banale (...) Raymond ABELLIO, Ma dernière mémoire, t. I, p. 134.

3 Là où elle avait cru voir la simplicité un peu fade des statuettes sulpiciennes, elle voyait aujourd'hui des visages de pierre (...)
F. MALLET-JORIS, le Jeu du souterrain, p. 167.

SULTAN [syltɑ̃] n. m. — 1540; *soltan*, 1298; var. *soudan*, du XVᵉ au XVIIIᵉ; → Isthme, cit.; turc *soltân*; arabe *sŭltân* «maître, souverain».

♦ **1.** Souverain de l'empire ottoman. ⇒ **Padischa** (→ Dais, cit. 3; déposition, cit. 3; dignitaire, cit.; pouvoir, cit. 16). Prince, souverain du Maroc (⇒ **Maghzen**; → Enorgueillir, cit. 6; patte, cit. 9). *Le sultan* (→ Hommage, cit. 17; odalisque, cit. 1 et 2). *L'aga, officier de la cour du Sultan.*

1   Zim-Zizimi, soudan d'Égypte, commandeur
     Des croyants, padischah qui dépasse en grandeur
     Le césar d'Allemagne et le sultan d'Asie (...)
     Songe. C'est le moment de son festin du soir (...)
                  HUGO, la Légende des siècles, XVI, I.

2   Trop de gens ignorent ou méconnaissent la force inappréciable que représente ici le Sultan, Chef religieux en même temps que Chef politique, Iman couronné, Commandeur des Croyants, héritier de tous ceux qui, depuis les Califes de Cordoue, de dynastie en dynastie, ont été les Chefs suprêmes des Musulmans d'Occident, *Celui au nom duquel on dit la prière.*
                  L.-H. LYAUTEY, Paroles d'action, p. 391.

♦ **2.** (1775). Vx. «Homme qui entretien plusieurs maîtresses à la fois» (Littré); homme despotique, capricieux, habitué à être servi.

♦ **3.** (1802; → aussi *Ottomane*). Vx. Coussin de soie, corbeille garnie de soie, où l'on mettait un sachet de parfums.

DÉR. Sultanat, sultane, sultanin.

SULTANAT [syltana] n. m. — 1842; de *sultan*.

♦ **1.** Dignité, règne d'un sultan.

♦ **2.** État sous l'autorité d'un sultan. *Le sultanat de Zanzibar.*

SULTANE [syltan] n. f. — 1548; *soultane*, 1541; de *sultan*.

♦ **1.** Femme d'un sultan turc, et, spécialt, la *sultane favorite* ou *sultane régnante.* ⇒ **Assaki.** (→ Corail, cit. 2; dormir, cit. 24; harem, cit. 2; péri, cit. 1). — Fig. *Des sultanes de bas lieu* (→ Platoniquement, cit. 1).

1   Elle valait mille tomans;
     on la vendit à sa hautesse.
     Elle eut beau dire : Je me meurs!
     De nonne elle devint sultane (...)
                  HUGO, les Orientales, VIII.

1.1   Cette pâte *(possède)* d'étonnantes propriétés pour agir sur la peau, sans la rider prématurément (...)
     Cette Pâte est nommée *Pâte des sultanes*, parce que cette découverte avait déjà été faite pour le sérail par un médecin arabe. Elle a été approuvée par l'institut (...)
         BALZAC, César Birotteau (prospectus de la «pâte des sultanes»),
                  I, Pl., t. V, p. 353.

1.2   De ces sultanes, qui ne sont pour la plupart que des esclaves achetées sur les marchés de la Transcaucasie et de la Perse, les unes avaient le visage découvert, les autres portaient un voile qui les dérobait au regard. Toutes étaient vêtues avec un luxe extrême.   J. VERNE, Michel Strogoff, p. 322.

♦ **2.** (1686, *in* D.D.L.). Mar. Ancien vaisseau de guerre turc. — Appos. *La galère sultane.*

♦ **3.** (1671, Claude Perrault). Zool. (En apposition). *Poule sultane,* oiseau échassier *(Rallidés),* scientifiquement appelé *porphyris cœruleus.*

2   Les modernes ont appelé *poule sultane* un oiseau fameux chez les anciens sous le nom de *porphyrion* (...) c'est apparemment en trouvant quelque ressemblance avec la poule et cet oiseau de rivage, bien éloigné pourtant du genre gallinacé, et en imaginant un degré de supériorité sur la poule vulgaire, par sa beauté ou par son port, qu'on l'a nommée *poule sultane* (...)
         BUFFON, Hist. naturelle des oiseaux, «La poule sultane...»

♦ **4.** Canapé formé d'une banquette à deux dossiers latéraux. → Ottomane.

♦ **5.** (1600). Anciennt. Robe longue, ouverte devant, à la mode au XVIIᵉ siècle.

♦ **6.** Variété de poire.

SULTANIN [syltanɛ̃] n. m. — 1560; de *sultan*.

♦ Vx ou hist. Ancienne monnaie d'or (Turquie, Égypte, Tunisie, Algérie).

SULVINITE [sylvinit] n. f. — XXᵉ (*in* Larousse, 1933); de *sulfate,* un rad. *vin-* inexpliqué, et suff. *-ite*.

♦ Techn. Gaz de combat, essentiellement formé de chlorosulfate de méthyle (en usage en 1916-1918).

SUMAC [symak] n. m. — XIIIᵉ; arabe *sŭmmāq*, même sens.

♦ Bot. Plante dicotylédone *(Térébinthacées),* arbuste aux nombreuses variétés; *sumac des teinturiers* (⇒ **Fuster**), *des corroyeurs, vénéneux, radicant, vernis du Japon* (fournissant une gomme-résine utilisée pour les vernis, la tannerie, etc.).

SUMÉRIEN, IENNE [symeʀjɛ̃, jɛn] adj. et n. — 1872, Oppert; de *Sumer,* nom de pays, du babylonien *Sumeru,* p.-ê. identique au pays désigné par l'hébreu *Sinear* et l'égypt. *Sngr.*

♦ Hist. Relatif au pays de Sumer et à son peuple, qui s'installa vers le 5ᵉ millénaire dans le sud de la Babylonie. *Civilisation sumérienne. Art sumérien. Écriture sumérienne,* cunéiforme. — N. *Les Sumériens :* le peuple de Sumer.
N. m. *Le sumérien :* la langue sumérienne, la plus ancienne langue écrite connue de l'humanité (faisant partie, dans la classification de Meillet, du groupe A des langues asianiques), qui ne s'apparente à celle d'aucun peuple (à la différence de l'*akkadien,* avec lequel on la confondait autrefois).

La langue est attestée par de très nombreux textes et fort divers : stèles, inscriptions et dédicaces, annales, hymnes, rituels, contrats (...) etc. Même après la conquête babylonienne, le sumérien a survécu pendant des siècles comme langue savante, et a tenu à peu près le même rôle que le latin en Occident.
         A. MEILLET et M. COHEN, les Langues du monde, p. 190.

SUMMUM [sɔmɔm] n. m. — 1806; mot lat., neutre substantivé de *summus* «le plus haut».

♦ Le plus haut point, le plus haut degré. ⇒ **Apogée, comble, faîte, sommet.** *«Cet État était arrivé au summum de sa puissance»* (Académie).

1   Toutes les œuvres du génie sont le *summum* d'une civilisation, et présupposent une immense utilité.   BALZAC, Modeste mignon, Pl., t. I, p. 530.

2   Il y a dans la vie de tous les hommes une heure d'or, une cime lumineuse où ce qu'ils peuvent espérer de prospérités, de joies, de triomphes, les attend et leur est donné. Le sommet est plus ou moins haut, plus ou moins rugueux et difficile à monter (...) Seulement (...) ce *summum* des existences humaines n'est qu'un moment à savourer, après lequel on ne peut plus que redescendre.
         Alphonse DAUDET, le Nabab, XIV.

SUMO [sumo; symo]; à la japonaise [smo] n. m. invar. — Attesté XXᵉ, mot japonais «lutte».

♦ **1.** Lutte japonaise pratiquée par des professionnels, exceptionnellement grands et corpulents, qui forment une sorte de caste à caractère quasi rituel, et où chaque lutteur doit contraindre l'adversaire à sortir d'un espace très limité. *Aller voir un tournoi de sumo. Lutteur de sumo.*

♦ **2.** Lutteur de sumo. *L'entraînement des sumo commence dès le plus jeune âge.* — REM. Dans ce sens, on rencontre parfois la transcription du mot japonais, *sumotori.*

REM. La graphie *sumō,* avec tiret sur l'o, est courante dans les textes spécialisés et érudits.

SUNLIGHT [sœnlajt] n. m. — 1881, *in* Höfler; mot anglo-amér., proprt «lumière *(light)* du soleil *(sun)*».

♦ Projecteur puissant utilisé dans les studios cinématographiques. *Des sunlights.*

Des actrices notoires (...) passent en Amérique, en seconde classe, avec des collections de robes dont les feux d'aucun sunlight ne risqueront de faire passer l'éclat.   A. ARTAUD, À propos du cinéma, in Œ. compl., t. III, p. 102-103.

SUNNA [syna] n. f. — 1740; arabe *sŭnnäh* «loi, règle traditionnelle».

♦ Didact. Dans la religion islamique, «Coutume orthodoxe du Prophète, de ses Compagnons, des quatre premiers califes "bien dirigés" et des Suivants immédiats» (Dermenghem). — On écrit parfois *souna, sounna* [suna].

DÉR. Sunnite, sunnisme.

SUNNISME [synism] n. m. — XXᵉ; de *sunna*.

♦ Relig. Religion, secte des sunnites* (cit.).

SUNNITE [synit] adj. — 1740; de *sunna*.

♦ Relig. Qui se conforme à la sunna. — N. *Les sunnites.*

La majorité des musulmans sont *sunnites,* se réclamant de la *sunna* (...) Au Coran et à la sunna peuvent s'ajouter, pour préciser la règle, l'*ijmâ,* consensus des docteurs, puis le *qiyâs,* interprétation personnelle de bon sens, le *qiyâs,* raisonnement par analogie, et l'*istihsân* ou *isticlâh,* bien public. Le sunnisme se divise en quatre rites (...) qui ne diffèrent que par l'importance relative qu'ils donnent à chacun de ces moyens et par quelques détails de rite et de jurisprudence (rites *hanbalite, malikite, hanéfite* et *chafiite*).
         E. DERMENGHEM, Mahomet et la tradition islamique, p. 66.

1. SUPER [sype] v. — 1704; *supeir* «absorber, sucer», v. 1130; de l'angl. *to sup* «aspirer»; anc. scand. *supa* «boire».

♦ **1.** V. tr. (Régional; mot normand). Aspirer, gober. — Mar. (En parlant d'une pompe). Aspirer, pomper.

Ils suppèrent *(sic)* alors leur apéro, à petits coups (...).
         R. QUENEAU, le Dimanche de la vie, p. 35.

♦ **2.** V. intr. (Mar.). Se boucher, s'obstruer. *La voie d'eau a supé.*

♦ **3.** Au p. p. (1836). *Navire supé,* retenu et comme aspiré par la vase où il est engagé.

2. SUPER [sypɛʀ] n. m. — Mil. xxe (1956, *in* D. D. L.).

★ **I.** Supercarburant. *Prendre vingt litres de super à la station-service. Vous voulez de l'ordinaire ou du super?*

★ **II.** Supermarché. *Des supers* ou *des super.*

Maintenant, on est trois à faire ça *(voler),* avec la fille d'Anita, on visite les super, un peu partout. Quelquefois, le patron dit à Anita, allez, on va faire les courses au supermarché, alors il prend deux garçons (...) Tu sais, les super, c'est très grand, il y a tellement d'allées que tu peux te perdre, avec des choses à manger, des vêtements, des chaussures, des savons, des disques, tout.
J.-M. G. LE CLÉZIO, Désert, p. 321.

HOM. 3. **Super, supère.**

3. SUPER [sypɛʀ] adj. — V. 1968; de *super-.*

♦ Adj. fam. Supérieur dans son genre. ⇒ **Épatant, formidable.** *Une nana super. Il est super, ce mec!* (intensif à la mode, comme *extra,* après 1968). *C'était super, ce film!*

1 C'était super et chérot. Bien que Paul soit plein aux as en ce moment, il a fait la grimace quand il a vu les prix sur le menu.
R. QUENEAU, le Dimanche de la vie, p. 188.

2 Moi, je me maquille parfois en sortant. Le rouge à lèvres, les yeux au khôl. Super. Mais je me lave avant de rentrer à la maison. Pas d'histoires.
Le Nouvel Obs., 16 oct. 1978, p. 68.

En interjection. *Chouette! Super!*

3 Il ajouta : Si je suis invité, moi-même, je t'emmènerai à une réception chez le président de la République.
L'effet était inattendu. Il imaginait un «bof, quel intérêt?» et il eut droit à une exclamation de joie.
Super! Chez le vrai président?
Christine ARNOTHY, Toutes les chances plus une, p. 325.

HOM. 2. **Super, supère.**

SUPER-

♦ **1.** Premier élément du lat. *super* «au-dessus, sur» (⇒ aussi **Supra-, sus-**), entrant dans la composition de nombreux mots sur le modèle des composés latins où *super* marque la position «au-dessus» ou «par-dessus», comme *superficie* (lat. *superficies*).
Voir ces mots à la nomenclature.

♦ **2.** Préfixe de renforcement, marquant le plus haut degré ou la supériorité (par un emploi figuré du lat. *super,* déjà attesté dans certains composés du lat. de basse époque; cf. *superlaudabilis,* «souverainement louable» [Vulgate], servant à la formation d'adjectifs ou de noms composés. ⇒ aussi **Hyper-, sur-.**

1 (...) à quelques expressions près, *super-* apparaît comme un préfixe exclusivement publicitaire (...) il se montre (...) d'une étonnante vitalité (...) Dès le XVIIIe siècle, il a servi à créer des adjectifs de valeur superlative (*super-fin* est déjà dans Trévoux, édit. de 1704), avant de créer des substantifs de même valeur, comme nos modernes *super-chocolats.*
(...) Bien entendu, les journalistes ne pouvaient manquer d'utiliser un préfixe si prestigieux, et si commode (...) *Super-* est ainsi passé de la langue de la réclame à celle de la presse (...) Un champion cycliste domine-t-il nettement ses rivaux? (...) il est sacré *super-champion* (...) Les difficultés financières des quinze dernières années ont amené toutes sortes de créations : *super-budget, super-impôt* (...) et surtout (le mot est nettement passé dans la langue de tous les jours, où il est assuré d'une belle carrière — hélas!), *super-fiscalité* (...) je relève, dans *Le Figaro* du 2 août 1949, le titre ronflant : les États-Unis fabriquent la *super-bombe* atomique (...)
M. GALLIOT, Essai sur la langue de la réclame contemporaine, p. 289-292.

REM. Utilisé sporadiquement avant 1925-1930 (les exemples antérieurs appartiennent à des domaines spécialisés), ce préfixe s'est surtout développé après 1945, sous l'infl. de l'anglais. «D'après Guilbert et Dubois *(Formation du système préfixal intensif en français moderne et contemporain)* le préfixe *super-* aurait été introduit massivement après 1914 avec le vocabulaire de l'aviation et celui du cinéma américain. La langue publicitaire lui confère abusivement une valeur qualitative alors qu'il marque à l'origine un dépassement quantitatif (ex. : *superpétrolier, superfluidité, etc.*). *Super-* demeure l'un des préfixes les plus productifs de nos jours» (J. Rey-Debove et G. Gagnon, *Dict. des anglicismes*).

1.1 (...) d'autres titres encore jeunes tiennent la vedette à tel point que beaucoup les considèrent déjà comme des «valeurs de père de famille». Il en est ainsi du *Super,* pour lequel les demandes, en dépit des excès commis, restent abondantes, aucun produit de remplacement n'étant en vue.
Pierre DANINOS, Snobissimo, «Du langage courant», p. 179.

Ce préfixe sert à former de très nombreux composés (adjectifs et noms) avec une valeur méliorative ou superlative. Son emploi s'est encore répandu dans le langage publicitaire et technique : *super* + nom désignant un modèle. Ex. : *Super-frelon,* type d'hélicoptère; *Super-diamant,* lanceur de satellites. — Dans tous les types d'emplois, on trouvera de nombreux exemples *in* P. Gilbert, *Dict. des mots contemporains.*

a Avec des noms de choses au sens de «extrême, supérieur» (choses abstraites) ou (choses concrètes) de «très grand, très organisé, etc.» (avec une valeur intensive). *Supercolonie de vacances* (*F Magazine,* mars 1981, p. 16), *super-cuisine* (*l'Express,* 14 août 1972, p. 44), *super-État* (1929, *in* D. D. L.), *superorganisation* (*le Point,* 13 avr. 1981, p. 57), *super-gadget* (*le Nouvel Obs.,* 6 avr. 1981, p. 67); *super-port* (*l'Express,* 11 sept. 1972, p. 52), *super-record* (*l'Express,* 4 sept. 1972, p. 45), *super-show* (*F Magazine,* déc. 1981, p. 50), *super-spectacle, super-tiercé* (*l'Express,* 2 janv. 1967, p. 32), *super-truc* (au sens de «superproduction», 1950, *in* D. D. L.).

D'où il appert que se confiner dans la jouissante contemplation, ne point réaliser, serait la meilleure conduite et la plus sûre manière : le supergénie. 1.2
SAINT-POL ROUX, les Reposoirs de la procession, p. 15 (1893), *in* D. D. L., II, 13.

(...) dans cette époque de relâchement des idées morales et de superexcitation de la sensibilité nerveuse (...) PROUST, Jean Santeuil, Pl., p. 595. 1.3

(L'Otage) appartient à la série des super-films et n'est sauvé que par son excellence technique. Ainsi procède l'Amérique qui, face à quatre ou cinq films dits courants, où elle excelle, écrasant ses rivaux, produit un «grand» film pour des fins commerciales. Généralement ce «super» n'en a que l'étiquette. 1.4
J. ROQUE, *in* Cahiers du Sud, no 100 (1928), *in* D. D. L., II, 12.

(...) une qualité de méchanceté un peu plus active que l'ordinaire, une superméchanceté non neutralisable (...) 2
J. ROMAINS, les Hommes de bonne volonté, t. XXVII, XXIV, p. 287.

J'adore les Grands Magasins. Chez mon père, ce n'est pas un vrai Grand Magasin. C'est une superchemiserie. 3
J. ROMAINS, les Hommes de bonne volonté, t. XXIII, p. 293.

C'est moins parce qu'il adoucissait encore la blancheur laiteuse de sa peau qu'elle préférait le noir, mais parce que cette couleur rend plus frivoles les dessous — en leur conférant une certaine gravité — et Madame Lysiane avait besoin de cette super-frivolité. 4
Jean GENET, Querelle de Brest, p. 287.

(...) ç'aurait vraiment été la superguigne de laisser un sale petit aventurier mettre la patte sur le fric de la mère Julia (...) 5
R. QUENEAU, le Dimanche de la vie, p. 61.

(...) M. Pinay avait la malchance de représenter au sein du gouvernement ceux qui ne pensent pas que le fin du fin est de nous brouiller avec l'Amérique, ni de tortiller l'Europe dans la cale de construction où elle est encore, ni de préparer le superparadoxe que serait un renversement des alliances. 6
F. MAURIAC, le Nouveau Bloc-notes 1958-1960, p. 289.

(...) la supervirilité méditerranéenne durement éprouvée par la réputation masculine des Arabes (...) Pierre NORA, les Français d'Algérie, p. 176 (1961). 7

(Choses concrètes, dans des contextes techniques). *Supercombustible* (*Sciences et Avenir,* mars 1981, p. 67), *superfusée* (*le Figaro,* 19 nov. 1966), *super-ordinateur* (*Sciences et Avenir,* juil. 1981, p. 63).

Gif-(sur-Yvette) a développé également le système des super-terres. Moins coûteuses que le phytotron classique, elles sont entièrement automatisées : arrosage, lumière, nutrition, tout est préréglé. Les super-terres permettent de «débrouiller» les problèmes qui seront ensuite soumis aux contrôles plus précis des grandes salles conditionnées. France de demain, no 4, 2-8 janv. 1967, p. 36-37. 8

b (Fam.). Avec un nom de personne (fonction, grade...), avec la valeur de «grand, suprême». *«Un super-agent du K. G. B.»* (*le Nouvel Obs.,* 8 juin 1981, p. 4). *Super-crack* (*l'Express,* 10 juil. 1972, p. 9), *super-escroc* (*l'Express,* 14 févr. 1981, p. 93), *supermec* (*le Nouvel Obs.,* 2 mars 1981, p. 66), *un super-menteur* (*le Point,* 24 avr. 1981, p. 99), *superrévolutionnaire* (1926, *in* D. D. L.), *supertechnicien* (*Sciences et Avenir,* mai 1975, p. 10).

Alors comme ça, dit Petit-Pouce à Pierrot, tu fais du plat à la fille du superpatron? 9
R. QUENEAU, Pierrot mon ami, p. 66.

On a trop longtemps ignoré que le cœur, forcé de battre avec une activité supernormale par les exercices violens (violents) (...) finissait par contracter une irritation qui suffit pour altérer son tissu. 10
F. J. V. BROUSSAIS, *in* Encycl. progressive, p. 170 (1826), *in* D. D. L., II, 15.

c Avec des adjectifs, au sens de «très», «entièrement». — REM. Ces formations sont extrêmement fréquentes avec des adjectifs d'évaluation positive (à commencer par *bon,* cit. ci-dessous), notamment dans le langage des jeunes. Ex. : *superchouette* (*F Magazine,* déc. 1979, p. 86); *superdoué, ée* (*l'Express,* 7 juil. 1979, p. 28), *super-élégant* (*l'Express,* 2 janv. 1967, p. 45), *supermarrant, ante, supermoderne* (1930, *in* D. D. L.), *super-sympa, etc.* Mais cet emploi n'est pas le seul fréquent (*super-inquiet, ète, le Nouvel Obs.,* 15 juin 1981, p. 51; ci-dessous cit. R. Ducharme, M. Chapsal).

Vous, les régulateurs des destinées de l'Europe : y pensez-vous? Vous, défendre la cause de la civilisation chez des nations supercivilisées quand le temps n'est pas loin où vous étiez vous-mêmes une horde disciplinée par la terreur, et commandée par des sauvages (...) à peine musqués. 11
DE CUSTINE, la Russie en 1839, III, p. 377 (15 août 1839), *in* D. D. L., II, 7.

Le voisinage est superchic. Tu es à cent mètres de l'avenue du Bois. 12
J. ROMAINS, les Hommes de bonne volonté, t. XXII, p. 227.

(...) ces favoris de la psychiatrie récente, à coup d'analyses superconscientes nous précipitent aux abîmes (...) CÉLINE, Voyage au bout de la nuit, p. 382 (1932). 13

Nos rares clients nous appellent plus jamais. Y a trop de chômage au Canada, on se sent superflus, superinutiles, superabandonnés. 14
Réjean DUCHARME, l'Hiver de force, p. 120.

Des enfants (...) fauchés, arrogants, «superdébiles», «superfrickies», malades (...) 15
M. CHAPSAL, *in* l'Express, 18 déc. 1972, p. 131.

Tu trouves ça comment, toi? Réponse : «Superbon.» Qu'en pensent les autres filles du groupe? Elles trouvent toutes ça superbon. Il faut s'y faire. 16
F Magazine, mars 1981, p. 14.

Un roman anarchiste, libre et drôle en diable, si c'en est un. En tout cas, une façon superjoyeuse de se raconter en réactivant à tout moment la langue française. 17
R. JEAN *in* le Nouvel Obs., 8 juin 1981, p. 72.

(Dans la langue publicitaire, avec la valeur de «qui a à l'extrême une propriété»). *Crème superhydratante* (*F Magazine,* juil.-août 1981, p. 19), *supernourrissante* (*F Magazine,* févr. 1981, p. 10).

(Dans la langue techno-scientifique). *«Les particules super-lourdes»*

(*Sciences et Avenir*, avr. 1981, p. 73). V. ci-dessous de nombreux comp. à l'ordre alphabétique.

Avec la même valeur que pour les noms de personnes : *supercapitaliste* (1931, in D.D.L.).

REM. Combiné avec un adj., *super-* a eu la même valeur qu'aujourd'hui *supra-*. *Supernational, ale, aux* (P. Guillard, 1910, *in* D.D.L.). Cet emploi est vieux.

d̲ Avec des verbes dér. d'adjectifs ou de noms (ex. : *superfinir, in* G.L.L.F.) et leurs p. p. « *Ce papier pour ainsi dire supersensibilisé* » (*Année sc. et industr.*, 1867, p. 160 [1866]).

e̲ Avec des adv. (langage parlé). *Il est supertard, on se tire ! Il m'a répondu supergentiment. Il est superbien habillé.*

SUPERALLIAGE [sypɛraljaʒ] n. m. — Mil. xxᵉ ; de *super-* (2.), et *alliage*.

♦ Techn. Alliage réfractaire possédant une grande résistance aux pressions et aux températures élevées. *Utilisation des superalliages en astronautique.*

1. SUPERBE [sypɛrb] n. f. — 1120 ; du lat. *superbia* « orgueil ».

♦ **1.** Vx. « Vanité qui rend orgueilleux » (Furetière). — Relig. « Orgueil, vaine gloire, présomption, arrogance. *La superbe précipita Lucifer... dans les enfers* » (Académie, 1694) ; → Aveugle, cit. 7, Pascal ; et aussi honte, cit. 23 ; infaillible, cit. 7.

1   Une seule de ces connaissances fait, ou la superbe des philosophes, qui ont connu Dieu et non leur misère, ou le désespoir des athées, qui connaissent leur misère sans Rédempteur.   PASCAL, Pensées, VIII, 556.

♦ **2.** (Repris au xixᵉ). Littér. Assurance orgueilleuse, qui se manifeste par l'air, le maintien. ⇒ **Fierté.** *La superbe du clergé anglais* (→ Infiltrer, cit. 5, Baudelaire). *Cette superbe est bien déplacée* (cit. 13, Maurois). *Il n'a rien perdu de sa superbe.*

2   Ils comparurent avec arrogance, un mépris mal déguisé pour cette assemblée d'avocats (...) Leur superbe baissa tout à fait, ils furent comme cloués à terre, quand, de cette Assemblée d'avocats, les mots suivants furent lancés (...)
     MICHELET, Hist. de la Révolution franç., III, IV.

3   Je me trouvais jeune et vilaine. Benoîte m'avait dit que j'étais affreuse et qu'elle se demandait bien pourquoi maman m'avait permis de venir. Bref, c'était loin d'être drôle et j'avais perdu cette superbe dont ma sœur se moque tant.
     Benoîte et Flora GROULT, Journal à quatre mains, p. 142.

CONTR. **Humilité, modestie.**

2. SUPERBE [sypɛrb] adj. — 1120, n. ; lat. *superbus* « orgueilleux », et, par ext., « magnifique », dans le lat. poét. et impérial.

♦ **1.** Vx ou littér. Orgueilleux (→ Apprivoiser, cit. 6 et 9 ; fier, cit. 8 ; glorieux, cit. 13 ; hautain, cit. 8 ; humble, cit. 18 ; impiété, cit. 1 ; orgueil, cit. 22). « *L'histoire* (cit. 24) *rend les nations amères, superbes, insupportables et vaines* ». — N. *Les humbles* (cit. 3) *et les superbes.* — (En parlant d'animaux). ⇒ **Fier** (→ Coursier, cit. 1). — (En parlant des choses humaines). Qui marque l'orgueil. *Un air superbe.* ⇒ **Glorieux.** *Ce superbe appareil* (cit. 6). *Un langage superbe.* ⇒ **Dédaigneux** (→ Dédaigneusement, cit. ; et aussi distinction, cit. 10 ; novateur, cit. 4). — Par antithèse. *Humilité, humiliation superbe* (→ Pressant, cit. 2 ; proie, cit. 6, France).

1   Pouvez-vous d'un superbe oublier les mépris ?   RACINE, Phèdre, III, 1.

2   Si les rois, si les grands du monde méprisent ceux qu'ils voient dans les derniers rangs, et ne daignent pas arrêter sur eux leurs regards superbes, il est écrit au contraire que Dieu, qui est le seul grand regarde de loin et avec hauteur tous ceux qui font les grands devant sa face (...)
     BOSSUET, Sermon pour la profession de Madeleine Angélique de Beauvais.

Allus littér. (À la fois aux sens 1 et 2). « *Vous êtes mon lion superbe et généreux* » (cit. 4, Hugo).

Poét., vx. « On dit poétiquement *un mont superbe*, qui s'élève au-dessus des autres » (Furetière). → Front, cit. 24.

3   (...) de hauts peupliers qui portaient leurs têtes superbes jusque dans les nues.
     FÉNELON, Télémaque, I.

♦ **2.** (1573). Vx ou littér. Qui est plein de magnificence et de somptuosité, qui donne une impression de grandeur et de luxe. ⇒ **Imposant, magnifique, somptueux.** *Palais superbes et magnifiques* (→ Bâtir, cit. 10 ; plaire, cit. 38). *Superbe appartement* (→ Billet, cit. 5). « *Souvent ce cabinet* (cit. 5) *superbe et solitaire* »... *Superbes atours* (cit. 3 ; → aussi Curieux, cit. 1). *Superbes rubis* (→ 1. Or, cit. 12). *Superbes funérailles* (→ Dévorer, cit. 17). *Superbe feu d'artifice* (cit. 15).

4   C'est donc ici Esther le superbe jardin ;
  Et le salon pompeux est le lieu du festin.   RACINE, Esther, III, 1.

♦ **3.** (V. 1760). Cour. Très beau, d'une beauté éclatante*. ⇒ **Splendide.** *Une femme superbe* (→ Mouvoir, cit. 14 ; penser, cit. 59). *Un superbe mâle* (cit. 6). *Il était superbe en matelot* (cit. 2). *Mais tu es superbe, avec ce costume ! — Une superbe jument* (cit. 2). *Un superbe scarabée* (→ Naturaliste, cit. 3 ; et aussi parnassien, cit. 2). *Bouquets, floraisons, arbres superbes* (→ Manteau, cit. 11 ; promenade, cit. 5 ; rouge, cit. 10). « *Et le soleil, le soir, ruisselant et superbe* » (→ Frugal, cit. 3). *Un temps superbe* (→ Rosée, cit. 1). *Il*

---

faisait un soleil superbe. — *Ce superbe morceau* (cit. 14) *de sculpture. Ligne superbe* (→ Élégance, cit. 2 ; enlever, cit. 33). *Meubles superbes* (→ Incommode, cit. 1 ; rocaille, cit. 2).

5   Tiens, cousin, voici ce qu'on appelle une *marcheuse*. Léon montra l'une de ces superbes créatures qui à vingt-cinq ans ont déjà vécu soixante, d'une beauté si réelle et si sûre d'être cultivée qu'elles ne la font point voir.
     BALZAC, les Comédiens sans le savoir, t. VII, Pl., p. 17.

6   Un jeune homme et une jeune fille aux figures sombres, aux yeux constellés, riant et découvrant des mâchoires superbes.   COCTEAU, le Grand Écart, I.

(Sans nuance esthétique). Excellent, remarquable. *Une position, une situation superbe* (→ Réparer, cit. 3). *Cette superbe ardeur* (cit. 37) *était tombée.*

Superbe de... : qui tire sa beauté, son éclat de... *Haillons superbes de misère* (→ Cachemire, cit. 1). *Elle était superbe d'abandon, d'indifférence...* — Iron. *Il est vraiment superbe d'inconscience.*

Sans compl. *Il est superbe, avec son inconscience !*

7   BÉCAMEL.
  Comment, ne parlons plus de ça ? Je vous trouve superbe !
        BEAUDÉDUIT.
  Je n'ai pas la prétention d'être superbe... ce serait de la fatuité... je suis de ceux dont on ne dit rien.   E. LABICHE, Un monsieur qui prend la mouche, 13.

CONTR. **Humble.** — Affreux, effroyable, laid...

DÉR. **Superbement.**

SUPERBEMENT [sypɛrbəmã] adv. — 1552 ; de 2. *superbe*.

♦ **1.** Vx. Orgueilleusement (→ Hautement, cit. 7 ; rapière, cit. 1).

♦ **2.** (1559). Magnifiquement (→ Garde-robe, cit. 4 ; plumet, cit. 1 ; renommée, cit. 3). *Il était superbement habillé.*

SUPERBÉNÉFICE [sypɛrbenefis] n. m. — 1951, Boris Vian ; de *super-* (2.), et *bénéfice*.

♦ Bénéfice très élevé. ⇒ **Superprofit.**

Les superbénéfices réalisés conséquemment par les industriels nous reviennent sous forme de cotisations sociales, de taxes à la production et d'amendes diverses.
     B. VIAN, le Goûter des généraux, I, 1, *in* Théâtre, p. 102.

SUPERBOMBARDIER [sypɛrbõbardje] n. m. — 1967, *Paris-Match* ; de *super-* (2.), et *bombardier*.

♦ Bombardier dont les caractéristiques sont supérieures aux modèles du même type.

SUPERBOMBE [sypɛrbõb] n. f. — 1949 ; de *super-* (2.), et *bombe*.

♦ Bombe atomique de grande puissance (bombe H).

1   Dix jours plus tard, le 21 novembre, mon article anti-atomique paraissait sous le titre *la Superbombe* (...)   F. MAURIAC, Bloc-notes 1952-1957, p. 15.

2   (...) les savants et les techniciens étaient en train de fabriquer des bombes, des anti-bombes, des super-bombes, c'étaient eux qui tenaient l'avenir dans leurs mains.   S. DE BEAUVOIR, les Mandarins, p. 229 (1954).

SUPERCARBURANT [sypɛrkarbyrã] n. m. — 1931, *in* D.D.L. ; de *super-* (2.), et *carburant*.

♦ Carburant* de qualité supérieure, à indice d'octane plus élevé que l'essence ordinaire (abrév. fam. ⇒ 2. **Super**).

SUPERCARGUE [sypɛrkarg] n. m. — 1835 ; réfection de *subrécarque*, d'après *super-*, et *cargue* « cordage qui sert à carguer, à serrer ».

♦ Mar., vx. Subrécargue.

SUPERCARRÉ [sypɛrkare] adj. et n. m. — V. 1960 ; de *super-* (2.), et *carré*.

♦ Techn., comm. Se dit d'un moteur dont les pistons ont un alésage supérieur à la course. (Lorsque alésage et course sont égaux, le moteur est dit *carré*).

SUPERCAVITANT, ANTE [sypɛrkavitã, ãt] adj. — V. 1964 ; de *super-* (2.), et lat. *cavitas*. → Cavitation.

♦ Techn. Se dit des dispositifs qui produisent un effet de cavitation contrôlée, tout en gardant un bon rendement (hélices, pompes).

On peut éviter toutefois l'action destructrice des coups de marteau (la *cavitation*) en forçant les parois à baigner constamment dans les zones de formation de vapeur.
C'est le principe des « hélices supercavitantes » de propulsion des sous-marins ou des « pompes supercavitantes » d'alimentation des fusées (...)
     J. LARRAS, l'Hydraulique, p. 123.

SUPER-CHAMPION, CHAMPIONNE [sypɛrʃãpjõ, ʃãpjɔn] n. — Mil. xxᵉ ; p.-ê. trad. de l'ital. *campionissimo* ; de *super-* (2.), et *champion* ; mentionné à *super-* (2.), cit. 1.

♦ Champion, championne célèbre qui a de nombreuses victoires. *Des super-champions.*

«Le super-champion Eugène passe en tête à Montpellier (...)»; les voitures de publicité d'où s'envolent chapeaux de papier et papillons multicolores roulent derrière lui en traîne royale.   J. CAU, la Pitié de Dieu, p. 55.

SUPERCHERIE [sypɛrʃəri] n. f. — 1617; «affront, insulte», 1566; «abus de force», 1588; adapt. ital. *soperchieria* [sɔpɛrkjerja] «excès, affront», de *soperchio* «surabondant», d'un lat. pop. *superculus*, rad. *super* «au-dessus».

♦ Tromperie qui implique généralement la substitution du faux à l'authentique (en matière d'intérêt, de droit, de commerce, d'art, etc.). ⇒ **Fraude.** *Dol, supercherie ou escroquerie* (→ Jeu, cit. 39). *Les supercheries des faussaires* (cit. 7; et → Maquiller, cit. 3), *des devins* (cit. 2). *Découvrir la supercherie. Les Supercheries littéraires dévoilées,* ouvrage de l'érudit Quérard, relatif aux ouvrages supposés.

1   Il *(l'ours)* voit ce corps gisant, le croit privé de vie,
Et de peur de supercherie,
Le tourne, le retourne, approche son museau,
Flaire aux passages de l'haleine.   LA FONTAINE, Fables, v, 20.

2   Je trouvai incongru que le tout-puissant petit Jésus s'amusât à descendre dans les cheminées (...) Je finis par m'en ouvrir à mes parents qui passèrent aux aveux (...) je ne me sentis pas plus lésée que le spectateur à qui l'illusionniste dévoile un de ses tours; et même, j'avais éprouvé un tel ravissement en découvrant près de mon soulier Blondine, assise sur sa malle, que je savais plutôt gré à mes parents de leur supercherie.   S. DE BEAUVOIR, Mémoires d'une jeune fille rangée, p. 23.

SUPERCIMENT [sypɛrsimɑ̃] n. m. — 1949, *Larousse universel;* de *super-* (2.), et *ciment.*

♦ Techn. Ciment* artificiel à haute résistance initiale, à durcissement rapide.

SUPERCLASSE [sypɛrklas] n. f. — XXᵉ; de *super-* (2.), et *classe.*

♦ Sc. Dans certaines classifications scientifiques (→ Taxinomie), Division supérieure à la classe et inférieure à l'embranchement (ou au sous-embranchement). *La Superclasse des Poissons, dans l'embranchement des Vertébrés.*

SUPERCOQUENTIEUX, EUSE [sypɛrkɔkɑ̃sjø, øz] adj. — 1833; *supercoquelicantieux* et *supercoquelicantiqué* in Rabelais, mot burlesque qui semble signifier proprt «qui dépasse le coq *(coquelin)* en chantant»; *superlicoquentieux,* 1623.

♦ Littér. Par plais. Magnifique, mirifique. «*La plus exorbitante et supercoquentieuse figure...*» (Bloy, *la Femme pauvre,* I, VIII).

(...) Oui, coqs affectant des formes incongrues,
Coquemars, Cauchemars, Coqs et Coquecigrues,
Coiffés de cocotiers supercoquentieux (...)   Edmond ROSTAND, Chantecler, III, 4.

Var. : *superlificoquentieux* (1885, *in* D. D. L.).

SUPERCRITIQUE [sypɛrkritik] adj. — Mil. XXᵉ; de *super-* (2.), et *critique.*
Didactique.

♦ **1.** Supérieur au point critique (température, pression).

♦ **2.** Techn. Se dit d'un profil d'aile qui permet à un avion de voler à une vitesse proche de celle du son. «*Une voilure dotée de profils "supercritiques"*» (*Sciences et Avenir,* nº spécial, *l'Avion de demain,* p. 16).

SUPÈRE [sypɛr] adj. — 1770, Rousseau; du lat. *superus* «qui est au-dessus».

♦ Bot. Se dit de l'ovaire d'une fleur, quand il s'attache au sommet du pédoncule floral au-dessus de la corolle. *Ovaires supères du lis, de l'œillet...* (⇒ **Superovarié**).
CONTR. **Infère.**
HOM. 2. **Super,** 3. **super.**

SUPERESSIF [sypɛresif; sypɛrɛsif] adj. et n. m. — 1933, Marouzeau; du lat. *super,* et *esse* «être».

♦ Ling. Cas indiquant ce qui est placé, situé sur (qqch.), dans les langues finno-ougriennes (hongrois, finnois...).

SUPÉRETTE ou **SUPERETTE** [sypɛrɛt; sypɛrɛt] n. f. — 1959, *le Monde;* mot angl. des États-Unis, de *super(marché),* et suff. *-ette.*

♦ Anglic. Comm. (*supermarché* est du langage courant). Magasin d'alimentation en libre-service d'une superficie comprise entre 120 et 400 m². ⇒ **Libre-service, supermarché.** «*La superette est un libre-service, assez sophistiqué et avec une marge normale, qui a entre 120 et 400 mètres. C'est un ménage qui le tient. Mais il vit rare-*

ment seul, soit qu'il se rattache à un succursaliste, soit qu'il soit lié par contrat avec un grossiste, soit qu'il fasse partie d'une coopérative de détaillants» (*l'Express,* 4 juin 1973, p. 83).
Nous voilà loin des rayons de la boutique et même des linéaires ou des rotations de la superette ou des hypermarchés.   Robert BEAUVAIS, le Français kiskose, p. 167-168.

SUPERFÉCONDATION [sypɛrfekɔ̃dasjɔ̃] n. f. — 1883, *in* D. D. L.; comp. sav. du lat. *super* «en plus», et *fécondation.*

♦ Physiol. Fécondation de plusieurs ovules par plusieurs coïts dans la même période d'ovulation. *Grossesse multiple par superfécondation.*

SUPERFÉTATION [sypɛrfetasjɔ̃] n. f. — 1560; lat. médiéval *superfetatio,* de *superfetare* «concevoir de nouveau», rad. *fetus.* → Fœtus.

♦ **1.** Physiol. «Fécondation de deux ovules (grossesse gémellaire) s'opérant par deux coïts dans des périodes d'ovulation différentes» (Garnier) [phénomène dont la réalité n'a pas été confirmée scientifiquement].

♦ **2.** (Fin XVIIᵉ, Bossuet). Fig. Didact. Production superfétatoire*, addition inutile.

1   (...) ils le rappellent *(un article de la loi)* mais seulement pour mémoire, et comme une superfétation de droit dont ils n'avaient pas besoin.   CHATEAUBRIAND, Mémoires d'outre-tombe, t. V, p. 183.

2   Si plein de menaces et d'ambiguïté que fût encore l'avenir, elle en découvrait assez pour que tout nouveau malheur ne lui parût qu'une superfétation.   J. ROMAINS, les Hommes de bonne volonté, t. VI, III, p. 27.

DÉR. (Du même mot.) **Superfétatoire.**

SUPERFÉTATOIRE [sypɛrfetatwar] adj. — 1901; du lat. médiéval *superfetatio.* → Superfétation.

♦ Littér. Qui s'ajoute inutilement (à une autre chose utile). ⇒ **Superflu.** — REM. Huysmans emploie dans le même sens, *superfétatif* (*Là-bas,* III).

1   À mesure qu'il s'en approchait, Mathias put se rendre compte du perfectionnement de l'engin, muni de tous les accessoires désirables, ainsi que de plusieurs autres dont il ignorait l'usage et qu'il jugea par conséquent superfétatoires.   A. ROBBE-GRILLET, le Voyeur, p. 79.

2   Minuscule voilier des airs maltraité par le vent en pétale superfétatoire, il *(le papillon)* vagabonde au jardin.   Francis PONGE, le Parti pris des choses, p. 56.

SUPERFICIAIRE [sypɛrfisjɛr] adj. — 1771; lat. impérial *superficiarius* «dont on n'a que l'usufruit», du lat. class. *superficies* «surface». → Superficie.
Didactique.

♦ **1.** Qui détient un droit de superficie (A., 2.).

♦ **2.** (Av. 1865, Proudhon *in* Larousse). *Propriété superficiaire,* qui se limite à la surface du sol ou à des constructions élevées sur un terrain appartenant à autrui.

SUPERFICIALITÉ [sypɛrfisjalite] n. f. — 1530; «superficie, 1512»; de *superficiel.*

♦ Didact. Caractère superficiel (2.).

1   (...) montrez aux hommes chaque nouvelle plaie sur la poitrine du vieux monde, chaque progrès de la destruction; indiquez la décrépitude de ses principes, la superficialité de ses efforts (...)   Léon BLOY, le Désespéré, p. 26.

2   Frères humains, frères en misère et en superficialité, c'est du propre, notre amour filial.   Albert COHEN, le Livre de ma mère, p. 94.

SUPERFICIE [sypɛrfisi] n. f. — V. 1265, au fig. (B., 2.); sens concret, 1314; *superfice,* XIIᵉ; lat. *superficies,* de *super* «sur», et *facies* «face».

A. ♦ **1.** (1564, «étendue mesurée»). Didact. Surface* d'un corps, considérée dans son étendue* et dans son caractère extérieur.
Nombre caractérisant l'étendue d'une surface. ⇒ **Aire** (II.). «*Le terme d'aire est employé surtout en mathématiques; l'usage du terme* superficie *prévaut dans la plupart des applications pratiques*» (*Dict. sc.,* Uvarov). *Superficie d'un terrain, d'une exploitation* (cit. 7). ⇒ **Contenance, dimension, espace** (→ Arène, cit. 7; minier, cit.). *Mesures, unités de superficie* (→ Extensif, cit. 1; intensif, cit. 1).
Techn. Ensemble des arbres sur pied (d'une forêt).
Admin. Espace affecté à un usage. *Superficies urbanisées, en parcs.*

♦ **2.** (1564). Dr. *Droit de superficie,* «portant sur les édifices ou plantations existant sur un terrain dont la propriété appartient à une personne» (Capitant). *Les superficies :* les édifices et plantations qui font l'objet de ce droit. ⇒ **Superficiaire.**

B. ♦ **1.** (1314, *superfecie*). Partie externe visible (de qqch.). *Superficie égale* (cit. 31) *ou raboteuse. Le toucher n'est qu'un contact* (cit. 1) *de la superficie. Rayons rencontrants la superficie d'un corps* → Réfraction, cit. 1. — (Déb. xixᵉ). Vx. Partie extérieure du corps.

♦ **2.** (V. 1265). Aspect superficiel* (B.), par oppos. au *fond.* ⇒ **Surface.** *S'en tenir, s'arrêter à la superficie des choses.*

♦ **3.** Vx. Apparence, dehors (→ Attendrir, cit. 12).

(...) l'éducation ne donne point à l'homme un autre cœur (...) elle ne change rien dans son fond et ne touche qu'aux superficies (...)
LA BRUYÈRE, les Caractères, XII, 85.

CONTR. Fond, profondeur.
DÉR. V. Superficiel.

SUPERFICIEL, ELLE [sypɛRfisjɛl] adj. — 1314 ; lat. impérial *superficialis,* de *superficies.* → Superficie.

A. ♦ **1.** Didact. Relatif ou propre à la surface d'un corps. — Phys. *Couleur superficielle :* couleur que présente une surface réfléchissante éclairée par de la lumière blanche, du fait que cette surface renvoie une lumière réfléchie où manquent certaines longueurs d'onde. — *Tension* superficielle.

♦ **2.** (1690). Vx. Mesuré en unités de surface. *Mètre superficiel :* mètre carré.

0.1 La Russie asiatique ou Sibérie couvre une aire superficielle de cinq cent soixante mille lieues (...) J. VERNE, Michel Strogoff, 1876, p. 16.

♦ **3.** Qui n'appartient qu'à la surface (du corps envisagé), qui n'intéresse que la surface. *Zone, couches superficielles de l'écorce terrestre* (→ Géographique, cit. 3 ; gypse, cit. 1). *Les phénomènes superficiels de notre planète* (→ Géographe, cit. 2 ; géographique, cit. 4). *Affluents superficiels ou afflux d'eau souterraine* (→ Lac, cit. 4). — *Sensibilité* superficielle. *Terminaisons superficielles des sens externes* (cit. 2). — Cour. *Plaies, blessures, brûlures superficielles* (→ Cicatrisation, cit. 1 ; peau, cit. 1). *Phlegmon* (cit.) *superficiel.*

1 Nous l'avons soutenu et nous sommes revenus au cabanon aussi vite que possible. Là, Raymond a dit que ses blessures étaient superficielles (...)
CAMUS, l'Étranger, I, VI.

2 Les électrons pénètrent dans la matière beaucoup moins facilement que les rayons X et, par suite, leur diffraction par une matière cristallisée a très souvent lieu principalement dans les couches superficielles, ou même par les centres situés sur la surface même. C'est pourquoi au début des études sur la diffraction des électrons, on avait observé avec une certaine surprise des phénomènes de diffraction correspondant à un réseau à deux dimensions, à un réseau purement superficiel. L. DE BROGLIE, Physique et Microphysique, p. 86.

B. (1361). Abstrait. ♦ **1.** Cour. Qui appartient à la surface, qui n'est pas profond ni essentiel. ⇒ **Apparent.** *Caractères superficiels et éphémères,* opposés aux caractères durables (cit. 3) et profonds. *Apparence toute superficielle.* ⇒ **Vernis** (→ Laisser-aller, cit. 3). *Fait superficiel* (→ Lier, cit. 11). *La vie ordinaire et superficielle* (→ Poète, cit. 6 ; et aussi homme, cit. 47). *Mésentente superficielle* (→ Interruption, cit. 5).

3 Car l'impression des passions ne demeure pas en lui superficielle, mais va pénétrant jusqu'au piège de sa raison, l'infectant et la corrompant.
MONTAIGNE, Essais, I, XII.

♦ **2.** Qui, dans l'ordre de la connaissance, ne va pas au fond des choses, qui ne fait qu'effleurer sans approfondir (cit. 9). *Esprits* (cit. 95) *superficiels.* ⇒ **Frivole, futile, léger** (→ Costume, cit. 1 ; impopularité, cit. 2 ; petitesse, cit. 11). — (Mil. xviiᵉ). *Personnes. Des gens, des critiques superficiels* (→ Accuser, cit. 7 ; esprit, cit. 172 ; retrancher, cit. 2).

♦ **3.** (1370). Sans profondeur, sans authenticité. *Connaissances* (cit. 14), *idées* (cit. 21), *notions* (cit. 3), *vues... superficielles* (→ Impraticable, cit. 2 ; règle, cit. 9). *« L'admiration absolue est toujours superficielle »* (→ Historique, cit. 2, Renan).

4 Autant que j'en puis juger sur une lecture assez superficielle, j'en rapporterais l'avantage à trois points principaux (...)
DIDEROT, Suppl. au voyage de Bougainville, I.

♦ **4.** Ling. *Structure superficielle* (trad. angl. *surface structure*). ⇒ **Structure.**

CONTR. Profond. — Complet, concentré, foncier, intime. — Approfondi, savant.
DÉR. Superficialité, superficiellement.

SUPERFICIELLEMENT [sypɛRfisjɛlmɑ̃] adv. — V. 1560 ; *superficialment,* 1314 ; *superficiaument,* xiiiᵉ ; de *superficiel.*

♦ **1.** D'une manière superficielle (A.). *Il a été blessé superficiellement.*

♦ **2.** (V. 1370, *superficialment*). Abstrait. D'une manière peu appro-

fondie. *Connaître, savoir superficiellement qqch.* (→ Pernicieusement, cit.). *Examiner, traiter une question très superficiellement.*
CONTR. Foncièrement, profondément.

SUPERFIN, INE [sypɛRfɛ̃, in] adj. — 1688 ; de *super-* (2.), et *fin.*

♦ **1.** Comm. et publicité. Qui est extrêmement fin* (III.). — D'une grande finesse et d'une qualité supérieure. *Miel, beurre superfin.*

(...) le dîner devait être un de ces dîners superfins que Mathurine cuisinait pour son évêque quand il traitait le prélat du diocèse voisin.
BALZAC, la Cousine Bette, Pl., t. VI, p. 329.

♦ **2.** (Fin xixᵉ). Fig. (par plais.). *Cette superfine crapule* (→ Fripouillerie, cit.).

SUPERFINIR [sypɛRfiniR] v. tr. — xxᵉ (*in* Larousse 1953) ; de *super(finition),* et *finir.*

♦ Techn. Finir par une superfinition.

SUPERFINITION [sypɛRfinisjɔ̃] n. f. — 1949, *Larousse universel ;* de *super-* (2.), et *finition.*

♦ Techn. Polissage très poussé (d'une pièce), allant au delà de la simple finition.

SUPERFLU, UE [sypɛRfly] adj. — xiiiᵉ, attestation isolée, puis 1314 ; lat. impérial *superfluus,* du lat. class. *superfluere* «déborder, être de trop», de *super* «au-dessus», et *fluere* «couler».

♦ **1.** Qui est en plus de ce qui est nécessaire, qui n'est pas strictement nécessaire (cit. 7). *Biens superflus.* ⇒ **Superfétatoire, surabondant, trop** (de). *Des observances* (cit. 5) *qui étaient nécessaires alors qu'elles nous paraissent superflues* (→ aussi Patricien, cit. 1). *Un être que l'on tient pour superflu* (→ Automate, cit. 7 ; horloge, cit. 13). — Par euphémisme. *Poils superflus,* des aisselles, des jambes, du visage, que les femmes font disparaître.

1 Tous les animaux ont exactement les facultés nécessaires pour se conserver. L'homme seul en a de superflues. N'est-il pas bien étrange que ce superflu soit l'instrument de sa misère ? ROUSSEAU, Émile, II.

N. m. (xiiiᵉ). *Le superflu et le nécessaire* (cit. 18 et 19 ; → aussi déplaire, cit. 19 ; fournir, cit. 10 ; gaspiller, cit. 2. *« Le superflu, chose très nécessaire »* (cit. 8, Voltaire). *Le désir du superflu* (→ Avoir, cit. 4). *Privé du superflu* (→ Entraide, cit.). *Un immense superflu* (→ Luxe, cit. 4). *Asseoir* (cit. 9) *des taxes sur le superflu des richesses.*

2 (...) essayez de lui persuader *(au pauvre)* qu'il doit se soumettre à toutes les privations, tandis que son voisin possède mille fois le superflu : pour dernière ressource, il vous le faudra tuer.
CHATEAUBRIAND, Mémoires d'outre-tombe, t. VI, p. 319.

3 La vie (...) interdit le superflu dans beaucoup de ménages. Le superflu !... c'est la moitié du commerce des États, comme il est l'élégance de la vie. Les livres, les fleurs sont aussi nécessaires que le pain à beaucoup de gens.
BALZAC, la Cousine Bette, Pl., t. VI, p. 275.

♦ **2.** Qui n'est pas indispensable. ⇒ **Inutile, oiseux, vain.** *Propos, discours* (cit. 1) *superflus* (→ Autant, cit. 37). *Mots superflus.* ⇒ **Parasite.** *Développements superflus.* ⇒ **Redondant ;** et aussi **hors-d'œuvre, longueur.** *Répétition superflue :* double emploi. *Explications* (cit. 9) *superflues. Des soupirs, des pleurs, des cris superflus* (→ 1. Air, cit. 30 ; heure, cit. 71 ; plus, cit. 27). *Précautions* (cit. 1) *superflues. Efforts, soins, manèges* (cit. 10) *superflus* (→ Assouvir, cit. 2 ; astre, cit. 4). — *Il est superflu d'insister* (→ Haschisch, cit. 7). *Il me paraît* (cit. 50) *superflu que vous me consultiez.*

N. m. *Du superflu :* de l'inutile (cit. 9).

CONTR. Essentiel, indispensable, nécessaire, obligatoire, utile.
DÉR. (Du même rad.) Superfluité.

SUPERFLUIDE [sypɛRflyid ; sypɛRflyid] adj. et n. m. — V. 1960 ; de *super-* (2.), et *fluide.*

♦ Didact. (phys.). Qui possède une fluidité supérieure à la normale. — Spécialt. Se dit de l'hélium en état de superfluidité. — N. m. *L'hélium liquide est un superfluide.*

SUPERFLUIDITÉ [sypɛRflyidite ; sypɛRflyidite] — V. 1960, de *super-* (2.), et *fluidité.*

♦ Didact. État de l'hélium liquide à une température extrêmement basse (en dessous de 2, 2ᵒK), quand sa viscosité s'abaisse brusquement (l'hélium s'échappe d'un vase ouvert par ascension le long des parois).

SUPERFLUITÉ [sypɛRflyite ; sypɛRflyite] n. f. — V. 1180, «faste» ; lat. impérial *superfluitas,* de *superfluus.* → Superflu.

♦ **1.** Vx ou didact. Abondance où il entre du superflu. ⇒ **Surabondance** (→ Empereur, cit. 2 ; équipage, cit. 9 ; pléonasme, cit. 3).

♦ **2.** (XIVᵉ). Littér. *(Une, des superfluités).* Chose superflue, bien superflu. ⇒ **Luxe** (cit. 3 ; et → Habituer, cit. 14 ; nature, cit. 42 ; redondance, cit. 1).

Marguerite retrancha les superfluités de la table, devint d'une parcimonie digne d'un avare (...)   BALZAC, la Recherche de l'Absolu, Pl., t. IX, p. 589.

SUPERFORME [sypɛRfɔRm] n. f. — V. 1970 ; de *super-* (2.), et *forme.*

♦ Fam. Grande forme. *Danseur « en superforme »* (*l'Express,* 14 avr. 1979, p. 41).

SUPERFORTERESSE [sypɛRfɔRtəRɛs] n. f. — V. 1942 ; trad. angl. ; → Super- (2.), et forteresse (type d'avion : « forteresse volante »).

♦ Avion de bombardement américain (Boeing B 29, B 50) plus puissant que les forteresses* volantes, pendant la Seconde Guerre mondiale.

SUPERFRACTIONNEMENT [sypɛRfRaksjɔnmã] n. m. — V. 1965 ; de *super-* (2.), et *fractionnement.*

♦ Techn. Distillation fractionnée très poussée (des produits pétroliers), qui permet la séparation d'hydrocarbures à points d'ébullition voisins.

DÉR. Superfractionneur.

SUPERFRACTIONNEUR [sypɛRfRaksjɔnœR] n. m. — Mil. XXᵉ (*in* Larousse, 1968) ; de *superfractionnement,* et *-eur.*

♦ Techn. Colonne de distillation par superfractionnement.

SUPERGÉANTE [sypɛRʒeãt] n. f. — Mil. XXᵉ ; de *super-* (2.), et *géante,* en astronomie (*étoile géante*).

♦ Astron. Étoile d'un type analogue aux géantes*, mais beaucoup plus grande. *Une supergéante rouge.*

SUPERGÉNÉRATION [sypɛRʒeneRasjɔ̃] n. f. ⇒ **Superréaction.**

SUPER-GRAND [sypɛRgRã] n. m. — Mil. XXᵉ ; de *super-* (2.), et *grand* (grande puissance).

Terme journalistique.

♦ **1.** L'une des grandes puissances qui dominent le monde (généralement, en parlant des États-Unis et de l'U. R. S. S.). ⇒ **Grand, super-puissance.** *« Il n'existe plus aujourd'hui en Europe de grandes puissances. Il n'y a plus dans le monde que des super-grands : les États-Unis, l'Union soviétique et, à l'arrière-plan, la Chine »* (*le Monde,* 31 mars 1966).

♦ **2.** Par ext. Très grande entreprise. *Les super-grands de l'informatique.*

SUPERGRANULATION [sypɛRgRanylasjɔ̃] n. f. — Av. 1973 (in *Encycl. Univ.,* art. *Soleil*) ; de *super-* (2.), et *granulation.*

♦ Astron. Phénomène qui détermine au niveau de la photosphère solaire des formations *(cellules de supergranulation* ou *supergranules)* d'environ 40 000 km de diamètre, où dominent les mouvements horizontaux de la matière du centre vers les bords, et durant chacune quelques heures.

SUPERGRANULE [sypɛRgRanyl] n. m. — Av. 1973 (in *Encycl. Univ.,* art. *Soleil*) ; de *super-* (2.), et *granule.*

♦ Astron. Cellule de supergranulation*. *L'augmentation du champ magnétique sur le pourtour des supergranules détermine l'existence des spicules** (→ Réseau chromosphérique*).

SUPER-HÉROS [sypɛRero] n. m. invar. — 1974, in *Magazine littéraire,* nº 95, p. 23 ; de *super-* (2.), et *héros.*

♦ Héros de bande dessinée doué de pouvoirs surhumains. ⇒ **Superman.** *Superman, Wonderwoman, Spiderman, super-héros américains de bandes dessinées.*

SUPERHÉTÉRODYNE [sypɛReteRɔdin] adj. et n. m. — 1932 ; de *super-* (2.) « au-dessus », et *hétérodyne.*

♦ Techn. Se dit d'un récepteur de radio dans lequel les oscillations de haute fréquence venant de l'onde reçue sont combinées avec celles d'un oscillateur local, de manière à obtenir des oscillations de moyenne fréquence, qu'on amplifie et qu'on détecte. — N. m. *Un superhétérodyne.* — REM. On dit aussi *changeur de fréquence.*

SUPER-HUIT [sypɛRɥit] adj. et n. m. invar. — 1965 ; de *super-* (2.), et *huit* (millimètres).

♦ Techn. et cour. *Format super-huit :* format de film et de caméra d'amateur, intermédiaire entre le huit millimètres standard et le seize. *Caméra super-huit.* — N. m. *Le super-huit. Filmer en super-huit.* — N. f. *Une super-huit :* une caméra de ce format. — Plur. *Les super-huit.* — REM. Ce mot s'écrit aussi *Super 8.* « *Ces essais nous ont tout d'abord confirmé la supériorité du Super 8 en ce qui concerne la facilité du chargement, la luminosité des projections, la stabilité des images, l'amélioration très sensible de la qualité photographique* » (*Science et Vie,* nº 588, p. 128).

SUPÉRIEUR, EURE [sypeRjœR ; sypeRjœːR] adj. et n. — 1160, *superior* ; *supereor,* 1195 ; lat. *superior,* compar. de *superus* « qui est en haut ».

REM. 1. L'adjectif *supérieur,* étant par nature un comparatif (« comparatif synthétique »), ne peut être précédé de *plus* ou de *moins ;* on rencontre cependant certains tours superlatifs : « *les talents les plus supérieurs* » (Voltaire, *Lettre à Lekain,* 26 oct. 1760) ; « *très supérieur* » (→ Interpréter, cit. 2 ; réduire, cit. 4) ; « *si supérieur* » (→ Irréligieux, cit. 2).

2. La phrase de Voltaire (*Dialogues,* 7) citée par Littré : « *Un être intelligent plus supérieur au monde et à moi que je ne le suis au cuivre dont j'ai composé ma sphère* », présente un cas différent ; il s'agit là d'un « comparatif de comparatif » (Damourette et Pichon), par lequel une différence de niveau est affirmée plus grande entre x et y qu'entre y et z.

3. Le complément du comparatif *supérieur* est introduit par *à :* « *... l'art est supérieur à la nature ...* » (→ Appropriation, cit. 1).

★ **I.** Concret. (Sans compl. en *à*). ♦ **1.** Qui est plus haut, au-dessus, en haut. *Descendre* (cit. 4) *des gradins supérieurs* (→ aussi Plateau, cit. 4 ; rafraîchir, cit. 7). *Les couches supérieures de l'écorce terrestre* (→ Intrusion, cit. 2). *La partie supérieure d'un objet.* ⇒ **Sommet** (→ Lit, cit. 30 ; maquillage, cit. 1). *Les étages supérieurs d'un immeuble. Pont supérieur d'un navire* (→ Spardeck, cit. 1). *Les membres supérieurs du corps humain* (→ Épaule, cit. 1). *La mâchoire, la lèvre* (cit. 1 et 6) *supérieure. Les vertèbres supérieures* (→ Incurvation, cit. 1). — Par métaphore. *Régions, sphères supérieures.* ⇒ **Élevé** (→ Balancer, cit. 28 ; creuset, cit. 6).

♦ **2.** Géogr. Dont l'altitude est plus grande ; plus haut. ⇒ **Haut.** *Le cours* supérieur *d'un fleuve.*

♦ **3.** (1562). Astron. *Planète* supérieure.

★ **II.** Abstrait. ♦ **1.** (1611). SUPÉRIEUR À... : qui a une valeur plus grande ; occupe une place, un degré au-dessus dans une hiérarchie. *Croire que le pain blanc est supérieur au brun* (→ Farine, cit. 3). *Menu supérieur à l'ordinaire de leurs repas* (→ Convive, cit. 1). *Considérer l'État comme une entité* (cit. 5) *extérieure et supérieure à l'individu. L'homme est antérieur* (cit. 2) *et supérieur au citoyen.* ⇒ **Avant** (passer). *La comédie* (cit. 24) *supérieure à la tragédie.* « *Les symphonies de Rameau sont supérieures à celles de Lulli* » (→ Facile, cit. 12). ⇒ **Meilleur.** *La vérité est supérieure à toutes les fictions* (cit. 5). ⇒ **Dépasser, emporter** (l'), **surpasser, valoir** (mieux). — *Ils s'imaginent* (cit. 26) *qu'ils sont supérieurs à nous.* ⇒ **Remontrer** (en). *Se croire supérieur à qqn* (→ Bêtise, cit. 4 ; féroce, cit. 3 ; pour, cit. 8). *Bien, très, immensément supérieur à...* (→ Grand, cit. 55). *Avoir affaire à qqn de supérieur à soi.* ⇒ **Maître** (trouver son).

Il y a donc des hommes assez naïfs pour, étant nobles, mépriser ceux qui ne le sont pas ? étant savants, se croire supérieurs aux ignorants ? étant riches, s'estimer au-dessus des pauvres ?   Valery LARBAUD, Barnabooth, Journal, II, 3 juin.   1

Être supérieur (à...) par qqch., en qqch. (→ Direct, cit. 4 ; étudier, cit. 16).

(Sans compl. en *à*). Qui est au-dessus des autres. ⇒ **Suprême.** *Des réalités, des intérêts supérieurs* (→ Dépassement, cit.). *Dans l'intérêt supérieur de la famille* (→ Insidieusement, cit.). *Au nom d'un principe supérieur* (→ Ordre, cit. 25). *Les nécessités supérieures de la défense nationale* (→ Répondre, cit. 18). *Les fonctions supérieures de l'esprit* (→ Dictatorial, cit.).

Spécialt. D'une qualité extrême, qui l'emporte dans le jugement de valeur. *Qualité supérieure.* ⇒ **Excellent, incomparable, pareil** (sans) ; et aussi **extra-, super-.**

(L'idée de comparaison étant affaiblie). ⇒ **Beau, distingué, émérite, éminent, transcendant, unique ;** et → Hors (ligne, pair). *Intelligence supérieure* (→ Céder, cit. 7 ; embrasser, cit. 23 ; enfanter, cit. 11 ; laudatif, cit.). *Esprit supérieur.* ⇒ **Génie.** *Les natures, les âmes supérieures* (→ Humilier, cit. 25 ; manifester, cit. 6). *Les hommes supérieurs* (→ Dépenser, cit. 9 ; isoler, cit. 11 ; progrès, cit. 8 ; province, cit. 7). « *On parvient aux affaires par ce que l'on a de médiocre* (cit. 11), *et l'on y reste par ce que l'on a de supérieur* » (→ aussi Dénoncer, cit. 11 ; incliner, cit. 22). *Il est supérieur dans la nouvelle, en poésie.* ⇒ **Exceller.**

Ce ne serait pas la première fois qu'une nature supérieure se serait transformée en s'emparant du pouvoir et en l'exerçant ; et même on n'est tout à fait supérieur qu'à cette condition d'avoir en soi ce qui transforme et renouvelle, ce qui suffit à toutes les situations grandes.   SAINTE-BEUVE, Causeries du lundi, 20 oct. 1851.   2

3   Ce qu'il disait était juste, agréable à entendre, sans contenir rien de supérieur.
           MAUPASSANT, l'Inutile Beauté, « Un portrait ».

♦ **2. SUPÉRIEUR À...** : plus grand que... *Nombre supérieur à un autre* (→ Cherté, cit. 3; multiple, cit. 5). *Température supérieure à zéro. Fortune dix fois supérieure à...* (→ Fille, cit. 16). *Passif supérieur à l'actif* (→ Insolvabilité, cit.). *Notes supérieures à la moyenne.* — (Sans compl. en à). *Ennemi supérieur en nombre* (→ Disputer, cit. 18). « *Le jaribu* (cit.), *supérieur en hauteur à la grue* » (Buffon). — Absolt. *La limite supérieure* (→ Pyramide, cit. 7; sable, cit. 3). ⇒ **Plafond.** *Degré supérieur.*

♦ **3.** (1845). Sans compl. en *à.* Plus avancé dans une évolution. — (Dans une classification). *Animaux supérieurs,* nom donné généralement aux vertébrés* (→ Femelle, cit. 4; hermaphrodite, cit. 7; imitation, cit. 9). *Végétaux supérieurs,* nom donné généralement aux « plantes compliquées qui constituent la végétation la plus aisément visible des prairies, des champs et des jardins » (F. Moreau), en principe pourvues de chlorophylle et présentant des tiges, des feuilles et des racines (→ Huile, cit. 4).

♦ **4.** (1587). Sans compl. en *à.* **a** Adj. Plus élevé dans une hiérarchie politique, administrative, sociale, etc. *Les classes dites supérieures de la société.* ⇒ **Dominant, prééminent, prépondérant** (→ Patois, cit. 2). — *L'autorité supérieure. Conseil supérieur de la magistrature* (→ Grâce, cit. 46). *Juridictions* (cit. 5) *supérieures ou d'appel* (cit. 18). *Enseignement* supérieur,* et, n. m. (fam.), *le supérieur. Diplôme* d'études supérieures. Mathématiques* supérieures. Cours supérieur. Première* supérieure. École* normale supérieure. Cadres* supérieurs. Officiers* supérieurs* (→ Prisonnier, cit. 4).

(Au Québec). *Faculté des études supérieures* (1972) ou *études avancées* (1968) : structure regroupant les enseignements des facultés, écoles et départements de l'Université pour les études de deuxième et troisième cycles.

b N. (XVIᵉ). LE SUPÉRIEUR DE (qqn), personne hiérarchiquement placée au-dessus d'autres qui sont sous ses ordres. *Le supérieur et l'inférieur* (→ Hiérarchie, cit. 12). *Obéir, désobéir à ses supérieurs* (→ Discipline, cit. 11). *Attitude envers un supérieur* (→ Étouffer, cit. 13; humble, cit. 1). *Le supérieur ecclésiastique* (→ Hiérarchie, cit. 4). *Ses supérieurs hiérarchiques* (→ Divagation, cit. 3). *Votre supérieur direct* (→ Général, cit. 23).

REM. Dans ce sens, on emploie le masculin en parlant d'une femme; le féminin, virtuel, est rendu d'emploi difficile à cause du sens c.

c N. m. et f. (V. 1510). Religieux ou religieuse assurant la direction d'une communauté ou d'un couvent. ⇒ **Directeur, doyen, gardien, général, prieur.** *Le supérieur* (→ Abbé, cit. 1), *la supérieure.* ⇒ **Mère** (→ Force, cit. 52; lai, cit. 2; révérencieux, cit. 2). — Littér. *Les 25 francs de la supérieure,* conte de Maupassant (« l'Inutile beauté »). — Par appos. *Le père supérieur, la mère supérieure.*

4   La Supérieure, disait un des articles des *Constitutions,* est l'âme de la maison et le chef de tous les membres qui la composent; toute leur vertu dépend de son influence.   SAINTE-BEUVE, Causeries du lundi, 13 mai 1850.

♦ **5.** (Fin XVIIᵉ). SUPÉRIEUR À... (en parlant de personnes, et avec un compl. de chose) : qui ne se laisse pas dominer par... *Être supérieur aux événements, à la situation.* — Qui a plus de valeur, de qualités que n'en suppose ou n'en exige (sa situation). *Un homme supérieur à sa condition, à son métier.*

5   (...) accueilli dans une ville, emprisonné dans l'autre, et partout supérieur aux événements (...)   BEAUMARCHAIS, le Barbier de Séville, I, 2.

6   Il n'y a pas de sentiment plus âcre au cœur de l'homme que celui-là : de se mesurer supérieur à la besogne qu'on est contraint de faire, voire aux hommes qui accomplissent un travail plus relevé.   DANIEL-ROPS, Ce qui meurt..., p. 155.

♦ **6.** (1887). Sans compl. en *à.* Qui témoigne d'un sentiment de supériorité. ⇒ **Arrogant, condescendant, dédaigneux, fier.** *Air, ton, sourire supérieur.*

7   Aussi continuait-il à se dandiner d'un air goguenard et supérieur.
       ZOLA, la Terre, I, II.

8   Seul à seul avec lui, il était sans morgue, bon enfant, timide, cherchant à s'instruire. Ce n'était que lorsqu'il se trouvait avec d'autres qu'il reprenait instantanément son air supérieur et son ton cassant.
       R. ROLLAND, Jean-Christophe, Foire sur la place, I, p. 681.

CONTR. Bas, dessous (au), **inférieur, profond; moindre; élémentaire, honnête, médiocre, mineur.** — (Du subst.) **Employé, inférieur, subalterne, subordonné.**
DÉR. Supérieurement, supérioriser.

SUPÉRIEUREMENT [sypeʀjœʀmɑ̃; sypɛʀjœʀmɑ̃] adv. — 1607; de *supérieur.*

♦ **1.** D'une manière supérieure* (II.); en témoignant d'une supériorité. ⇒ **Éminemment, excellemment, parfaitement.** *Manier supérieurement les armes* (→ Escrime, cit. 2). *Supérieurement organisé* (cit. 8; et → Roi, cit. 8).

1   Je lis avec grand plaisir un morceau de Montaigne, que je n'avais pas vu depuis deux ans. Son style peint supérieurement son caractère. C'est peut-être le style français qui a le plus de coloris.   STENDHAL, Journal, 4 nov. 1804.

♦ **2.** Fam. (Sans idée de comparaison). À l'extrême. *Il est supérieurement ennuyeux.* ⇒ **Très.**

♦ **3.** Didact. En tant que limite supérieure.

2   Dans un tube électronique, le temps de transit des électrons entre cathode et anode limite supérieurement les fréquences admissibles; le plus petit tube électronique est celui qui peut monter le plus en fréquence (...)
       Gilbert SIMONDON, Du mode d'existence des objets techniques, p. 133.

SUPERINVOLUTION [sypɛʀɛ̃vɔlysjɔ̃] n. f. — 1923; de *super-* (2.), et *involution.*

♦ Biol. Phénomène par lequel l'utérus se rétracte et devient plus petit que la normale, après un accouchement.

SUPÉRIORISATION [sypeʀjɔʀizasjɔ̃; sypɛʀjɔʀizasjɔ̃] n. f. — V. 1965; de *supérioriser.*

♦ Didact. Action de supérioriser, de donner un sentiment de supériorité.
CONTR. Infériorisation.

SUPÉRIORISER [sypeʀjɔʀize; sypɛʀjɔʀize] v. tr. — V. 1965; « rendre supérieur », Balzac, 1837; de *supérieur,* d'après lat. *superior.*

♦ Didact. Donner un sentiment de supériorité à (qqn). *Parents qui supériorisent un enfant. Situation qui supériorise une personne.*
CONTR. Inférioriser.
DÉR. Supériorisation.

SUPÉRIORITÉ [sypeʀjɔʀite; sypɛʀjɔʀite] n. f. — V. 1450; lat. médiéval *superioritas,* de *superior.* → Supérieur.

♦ **1.** Fait d'être supérieur (II.). ⇒ **Éminence** (vx), **précellence, prééminence, prépondérance, suprématie;** et aussi **royauté, sceptre** (fig.). *Supériorité numérique. Supériorité aérienne. Supériorité intellectuelle, d'esprit, de lumières.* ⇒ **Aristocratie** (→ Ascendant, cit. 8; nantir, cit. 2). *Supériorité hiérarchique* (cit. 1). — (Construit avec *sur*). *Supériorité d'une personne, d'une chose sur une autre* (→ Échauffer, cit. 10; instinct, cit. 33). *La supériorité qu'on a sur qqn.* ⇒ **Avantage** (cit. 15) et aussi **dessus** (avoir le), **emporter** (l'). — *Ce qui donne, confère une supériorité* (→ Connaissance, cit. 7). *Leur supériorité tient à...* (→ Capitalisme, cit. 3). *Grande, écrasante, évidente supériorité.*

1   Un homme de lettres, à qui un grand seigneur faisait sentir la supériorité de son rang, lui dit : « Monsieur le duc, je n'ignore pas ce que je dois savoir; mais je sais aussi qu'il est plus aisé d'être au-dessus de moi qu'à côté ».
       CHAMFORT, Caractères et anecdotes, « Homme de lettres ».

2   Que font les Américains ? (...) on dit qu'ils ne veulent se risquer qu'une fois assurés d'une supériorité numérique écrasante.   GIDE, Journal, 16 janv. 1943.

Gramm. Comparatif de supériorité. ⇒ **Comparatif;** 1. **plus.**

♦ **2.** (Sans compl. en *sur*). Qualité d'une personne supérieure. ⇒ **Distinction, excellence, transcendance.** *La vraie supériorité n'admet aucune excentricité* (cit. 2). *Les grands hommes ne s'abusent* (cit. 17) *point sur leur supériorité. Avoir le sentiment, l'idée de sa supériorité* (→ Humiliation, cit. 17; intellect, cit. 3). *Avoir conscience* (cit. 9) *de sa supériorité d'homme* (cit. 33) *sa supériorité. La supériorité d'une femme* (→ Distinguer, cit. 36; exténuer, cit. 4). *Avec supériorité* (→ Esprit, cit. 81).

3   Combien, avec tant de supériorité à tous égards, un homme est rabaissé par un moment de faiblesse !   ROUSSEAU, Julie ou la Nouvelle Héloïse, V, XII.

(1713). *Air, sourire de supériorité,* supérieur (II., 6.). ⇒ **Condescendance, orgueil** (→ Humble, cit. 14; lisser, cit. 1). *Supériorité bienveillante* (→ Indéfinissable, cit. 4; renversant, cit. 2).

4   Ses premiers pas vers la dictature, ses premiers airs de supériorité, loin de créer l'enthousiasme, seraient couverts de ridicule.
       STENDHAL, Mémoires d'un touriste, t. I, p. 180.

Psychol. *Sentiment de supériorité.* — Cour. (abusif en psychol.). *Complexe* de supériorité.*

5   À côté du complexe d'infériorité, l'observateur pourrait décrire un tout autre complexe qui est le complexe de supériorité. L'homme atteint de cette autre maladie se distingue en général de l'orgueilleux ordinaire parce qu'il a, le plus souvent, souffert du complexe d'infériorité, alors que l'orgueilleux de naissance ignore ces douloureuses misères.   G. DUHAMEL, Manuel du protestataire, II.

♦ **3.** (1553). Rare. (*Une, des supériorités*). « *L'aristocratie* (cit. 4) *a trois âges successifs : l'âge des supériorités, l'âge des privilèges, l'âge des vanités* ». « *Les honneurs que vous rendez aux supériorités établies* » (→ Garantie, cit. 3).

6   (...) L'argent autrefois n'était pas tout, on admettait des supériorités qui le primaient. Il y avait la noblesse, le talent, les services rendus à l'État; mais aujourd'hui la loi fait de l'argent un étalon général, elle l'a pris pour base de la capacité politique !   BALZAC, la Cousine Bette, Pl., t. VI, p. 501.

CONTR. Dessous, infériorité, insuffisance.

SUPERISOLATION [sypɛʀizɔlasjɔ̃] n. f. — V. 1970; de *super-,* et *isolation.*

♦ Techn. Isolation thermique garantissant une très faible conductivité thermique.

SUPERJET [sypɛRdʒɛt] n. m. — Av. 1961, Céline; mot angl. des États-Unis, de *super-*, et *jet* «avion à réaction».

♦ Anglic. Avion à réaction de taille, performances... supérieures (aux avions analogues, antérieurs). ⇒ **Jet.**

SUPERLATIF, IVE [sypɛRlatif, iv] adj. et n. m. — XIIIᵉ, «supérieur, suprême»; bas lat. *superlativus*, de *superlatum*, supin de *superferre* «porter *(ferre)* au-dessus».

★ **I.** Adj. ♦ **1.** (1550). Gramm. Qui exprime le degré supérieur d'une qualité, défini absolument ou par rapport à un ensemble déterminé. *Préfixes superlatifs* (→ Archi-; 2. extra-, cit. 4; super-, sur-, ultra-). *Suffixes superlatifs.*

♦ **2.** Fig., vieilli. Extrême. *Un ennui superlatif* (Académie). — *Le meilleur* (→ Ficeler, cit. Balzac). — Exagéré*, excessif, hyperbolique. *Des compliments superlatifs.*

1 (...) Tu t'imagines qu'il y a encore des «sciences occultes»? — Mais c'est d'une candeur tellement superlative qu'elle confine au ridicule, mon pauvre cousin!
VILLIERS DE L'ISLE-ADAM, Axël, II, § 3, 10.

★ **II.** N. m. ♦ **1.** (1550). Terme qui exprime le degré supérieur d'une qualité. Très important *est un superlatif absolu,* le plus important *un superlatif relatif* (→ ci-dessous, 2.). *Superlatifs italiens en* -issime. — Par ext. Terme exagéré, hyperbolique. *User, abuser des superlatifs.*

2 Tout fut sensations exquises et poignantes de bonheur dans ce voyage, sur lequel je pourrais écrire vingt pages de superlatifs.
STENDHAL, Vie de Henry Brulard, 13.

3 Elle prodiguait démesurément des superlatifs qui chargeaient sa conversation où les moindres choses prenaient des proportions gigantesques.
BALZAC, Illusions perdues, Pl., t. IV, p. 497.

♦ **2.** Gramm. *Le superlatif :* l'ensemble des procédés grammaticaux qui expriment la qualité au degré le plus élevé. ⇒ **Comparaison** (degrés de). *Le positif*, le comparatif* et le superlatif. En français, le superlatif relatif est formé du comparatif précédé de l'article défini* (le plus..., le moindre). ⇒ 1. Le (III.); plus (II.); meilleur (II.), mieux (II.), moindre (II.), moins (II.), pire (II.), 2. pis (II.); dernier, premier* (→ aussi De, cit. 58; plus, cit. 87 et supra; le plus... possible*; un* des plus...). *Superlatif construit avec de** (cit. 58 et *supra*), entre* (cit. 6). *Adjectif*, adverbe* au superlatif.* — *Superlatif absolu,* ou *faux superlatif.* ⇒ **Très.**

4 Quand vous voulez vous extasier sur un poème ou sur un tableau, vous pouvez employer indifféremment l'un quelconque de ces adjectifs *(beau, joli, superbe...).* Et si vous le faites précéder de la particule *très* ou d'un adverbe, le résultat cherché est le même. Vous le savez comme moi, le superlatif absolu ne signifie aujourd'hui à peu près plus rien.
M. AYMÉ, le Confort intellectuel, V.

♦ **3.** Fig. (1694). «*Le superlatif de ses espérances* », le sommet, le maximum (→ 1. Rosette, cit. 1, Balzac). — Loc. adv. *Au superlatif :* extrêmement*, au plus haut* degré.

5 Paresseux au superlatif, il n'a rien fait que piqué par les hallebardes de la nécessité.
BALZAC, Une fille d'Ève, Pl., t. II, p. 90.

DÉR. **Superlativement.**

SUPERLATIVEMENT [sypɛRlativmɑ̃] adv. — 1549; de *superlatif.*

♦ **1.** Rare. Au superlatif.

♦ **2.** Fam., vieilli. Extrêmement. «*Un immense chapeau (...) à bords superlativement larges* » (→ Hémisphérique, cit.).

Imaginez-vous que notre postillon est parti avec l'avant-train de son infernal véhicule, nous laissant en panne sur l'arrière-train de son absurde équipage! La pire moitié d'une télègue pour deux, plus de guide, plus de chevaux! N'est-ce pas absolument et superlativement drôle!
J. VERNE, Michel Strogoff, 1876, p. 151.

SUPERLÉGER [sypɛRleʒe] adj. et n. m. — Mil. xxᵉ; de *super-* (2.), et *léger.*

♦ Adj. Sports. *Boxeur superléger,* de la catégorie de poids entre 60 et 63,5 kg. — N. m. *Un superléger,* un boxeur de cette catégorie. *Des superlégers.* — REM. On écrit aussi *super-léger.*

SUPERLUMINIQUE [sypɛRlyminik] adj. — 1979, *Sciences et Avenir,* nº spécial 26; de *super-*, lat. *lumen, inis,* et suff. *-ique,* sur le modèle de *supersonique.*

♦ Didact. *Vitesse superluminique :* vitesse hypothétique supérieure à celle de la lumière (dans la théorie physique, la vitesse de la lumière est une vitesse absolue). «*Il ne fait aucun doute pour les astronomes que les vitesses superluminiques ne sont que des "effets", pour ne pas dire des "illusions"* » (*Sciences et Avenir,* oct. 1980, p. 17).

SUPERMALLOY [sypɛRmalwa; sypɛRmalɔj] n. m. — Mil. xxᵉ; nom déposé; de *super-* (2.), et *(per)malloy.*

♦ Techn. Alliage de nickel, molybdène et fer.

Sans citer toute la gamme des alliages réalisés dans ce but, nous citerons le *supermalloy* (nickel 79%, molybdène 5%, fer 15%) qui paraît présenter la perméabilité magnétique maximum.
Gaston COHEN, le Cuivre et le Nickel, p. 96.

SUPERMAN [sypɛRman] n. m. — Mil. xxᵉ (1949, *Charlie Parker, le superman du jazz,* par Boris Vian, *in* Höfler); mot amér. (1938, titre du *comic book* de Siegel et Shuster), de *super,* et *man* «homme».
Fam. (Anglic.). Plur. *Des supermen* [sypɛRmɛn].

♦ **1.** Type fantastique de personnage surhumain, doué d'une force colossale et de moyens extraordinaires. *Un superman de bandes dessinées.*

1 Je me garderai, toutefois, de tabler sur cette constatation — d'ailleurs approximative — pour établir un autre rapprochement : celui qui amènerait à confondre le *superman* des bandes dessinées et le surhomme prophétisé par Nietzsche, lequel ne relève pas du même bestiaire qu'un champion de judo ou qu'un as du tir à la mitraillette.
Michel LEIRIS, Frêle bruit, 1976, p. 58.

♦ **2.** Fam. (Iron.). Homme supérieur, surhomme. *Jouer les supermen.*

2 Quand je parle de mon directeur, on comprend que celui-ci se trouve au-dessus de moi, alors que ces *supermen* semblent avoir une nuée de directeurs à leurs bottes.
Pierre DANINOS, Un certain Monsieur Blot, p. 133.

3 Ses ennemis l'appellent *(Pierre Mendès-France)* superman par dérision; qu'il le soit en effet par rapport à eux, ils n'en doutent pas et ils en crèvent. En démocratie, un homme supérieur devrait s'astreindre à donner l'illusion qu'il ne dépasse pas le niveau.
F. MAURIAC, Bloc-notes 1952-1957, p. 180.

REM. Le comp. *superwoman* [sypɛRwuman] est attesté. «*Elle a sûrement rêvé de se transformer en superwoman* » (*F Magazine,* févr. 1981, p. 59).

SUPERMARCHÉ [sypɛRmaRʃe] n. m. — V. 1960; francisation de l'angl. *supermarket.*

♦ Vaste magasin (de 400 à 2 500 m²) vendant en libre*-service des denrées alimentaires et des produits d'achat courant. ⇒ aussi **Supérette; hypermarché.** — On écrit aussi *super-marché.*

1 Bogo le Muet pénétrait dans le Self-Service Super-Marché, en passant sous le tourniquet. Il marchait vite entre les échafaudages de boîtes de conserve (...)
J.-M. G. LE CLÉZIO, les Géants, p. 232.

REM. On tend à employer couramment *grande surface**. La forme anglaise *supermarket* (*le Monde,* 1953; Simenon, 1955, *in* Rey-Debove et Gagnon) ne s'emploie plus guère.

2 (...) faire bouillir la lessive et acheter des patates au supermarket, c'est pas un monde.
R. QUENEAU, les Fleurs bleues, p. 100.

Par métaphore ou fig. Lieu où l'on diffuse à grande échelle (un bien immatériel). «*Les supermarchés de la culture* » (*l'Express,* 4 août 1969), «*du bonheur* » (*l'Express,* 5 oct. 1970), «*de l'art* » (*l'Express,* 26 juil. 1971; *in la Banque des mots,* nº 5, p. 116).

SUPERNOVA [sypɛRnɔva] n. f. — xxᵉ (*in* Larousse, 1949); de *super-* (2.), et *nova.*

♦ Astron. Nova* de très forte magnitude. — Plur. *Des supernovae* [sypɛRnɔve]. *Certaines nébuleuses peuvent être formées par l'explosion de supernovae.*

SUPÉROPALÉOLITHIQUE [sypeRopaleɔlitik] adj. — xxᵉ (attesté 1950); du lat. *superus* «supérieur», et *paléolithique.*

♦ Didact. Relatif au Paléolithique supérieur. «*Le sens de toute magie étant la domination des forces secrètes de la nature, la signification de son expression supéropaléolithique était la volonté d'acquérir une emprise sur l'animal, dont dépendait l'existence pénible de la communauté* » (Kurt Lindner, *la Chasse préhistorique,* cit. dans *Encycl. Univ.,* art. *Magie,* p. 299 b).

SUPERORDONNÉ, ÉE [sypɛRɔRdɔne] adj. — 1970, *in la Clé des mots;* de *super-* (2.), et *ordonné,* pour traduire l'angl. *superordinate.*

♦ Didact. Qui inclut sémantiquement (en extension) une ou plusieurs unités lexicales ou terminologiques, en parlant d'une unité lexicale ou terminologique. «*Coloré* » est superordonné par rapport à «*bleu* », «*vert* », «*rouge* », etc. ⇒ **Hyperonyme.**

SUPER-ORDRE [sypɛRɔRdR] n. m. — Mil. xxᵉ; de *super-* (2.), et *ordre.*

♦ Sc. nat. Division de la taxinomie, en science naturelle, qui groupe plusieurs ordres voisins, et qui vient immédiatement au-dessous de la classe (opposé à *sous-ordre*).

SUPEROVARIÉ, ÉE [sypɛRɔvaRje] adj. — 1838; de *supère,* et *ovarié.*

♦ Bot. Dont l'ovaire est supère. *Les éricacées, les gentianacées, les géraniacées, les malvacées, les oléacées, etc., familles de plantes superovariées.* — N. f., vx. *Les superovariées,* groupe de gamopétales.

SUPEROVULATION [sypɛʀɔvylasjɔ̃] n. f. — 1894 ; de *super-,* et *ovulation.*

♦ Didact. (biol.). Accroissement du nombre des ovules produits simultanément par l'organisme d'une femelle. *Superovulation des femelles de mammifères, obtenue en zootechnie.*

SUPERPARAMAGNÉTISME [sypɛʀpaʀamaɲetism] n. m. — Mil. xxᵉ ; de *super-* (2.), et *paramagnétisme.*

♦ Sc., techn. Propriété paramagnétique de corps possédant un moment magnétique très supérieur (plusieurs milliers de fois) aux corps paramagnétiques.

SUPERPATRIOTE [sypɛʀpatʀijɔt] adj. et n. — Mil. xxᵉ ; de *super-* (2.), et *patriote.*

♦ Iron. Qui prétend donner des leçons de patriotisme à tous. ⇒ **Chauvin, nationaliste.**

Je veux un Président superpatriote, qui ne pense qu'à la grande Amérique et aux glorieux États-Unis, qui ambitionne de voir le drapeau étoilé flotter sur tous les coins de l'Univers (...) J. DUTOURD, le Fond et la Forme, p. 187 (1958).

SUPERPÉTROLIER [sypɛʀpetʀɔlje] n. m. — V. 1960 ; trad. de l'angl. *supertanker ;* de *super-* (2.), et *pétrolier.*

♦ Navire pétrolier qui jauge plusieurs centaines de milliers de tonnes. *Un superpétrolier d'une capacité de 400 000 tonnes.* ⇒ **Supertanker** (anglic.).

SUPERPHOSPHATE [sypɛʀfɔsfat] n. m. — 1858, *Année sc. et industr.* 1859, p. 158 ; de *super-* (2.), et *phosphate.*

♦ Chim. Engrais artificiel composé essentiellement de phosphate et de sulfate de calcium, et obtenu en traitant un phosphate tricalcique (naturel) par l'acide sulfurique.

SUPERPLASTICITÉ [sypɛʀplastisite] n. f. — 1975, Larousse ; de *super-* (2.), et *plasticité.*

♦ Techn. Phénomène de plasticité très élevée présenté par certains métaux soumis à des conditions de température et de vitesse particulières.

SUPERPLASTIQUE [sypɛʀplastik] adj. — 1975, Larousse ; de *super-* (2.), et *plastique.*

♦ Techn. Déformable par superplasticité, en parlant d'un métal.

SUPERPOLYAMIDE [sypɛʀpɔliamid] n. m. — Mil. xxᵉ ; de *super-* (2.), et *polyamide.*

♦ Didact. (chim.). Composé chimique (polyamide) dur, tenace, obtenu par condensation d'un diacide avec un diamine ou par polymérisation d'un aminoacide. — *Types principaux de superpolyamides : Nylon, Rilsan* (marques déposées).

1 C'est seulement après une longue série de recherches que le chimiste américain Carothers (...) put obtenir en 1935 des superpolyamides linéaires par polycondensation de diacides et de diamines. Jean VÈNE, les Plastiques, p. 115 (1948).
2 Les superpolyamides possèdent une caractéristique qui leur est toute particulière et fort précieuse : celle de pouvoir acquérir, par une opération d'étirage effectuée à la *température ordinaire,* une structure cristalline nettement visible à l'examen aux rayons X.
Sous l'effet de cet étirage, qui peut porter la longueur de la fibre jusqu'à quatre fois (et plus) sa longueur initiale, les molécules *s'alignent autour de l'axe de la fibre* et la matière devient ainsi *orientée.*
Raymond THIÉBAUT, la Filature, p. 115.

SUPERPOSABLE [sypɛʀpozabl] adj. — 1868 ; de *superposer.*

♦ Que l'on peut superposer à (qqch.) ⇒ **Applicable** (sur). *Figures superposables.*

Abstrait :

(...) tous ces romans superposables les uns aux autres, comme les maisons verticalement entassées en hauteur sur le sol pierreux de l'île. PROUST, la Prisonnière, Pl., t. III, p. 377.

SUPERPOSER [sypɛʀpoze] v. tr. — 1762, Rousseau ; lat. *superponere,* de *super-,* et *ponere,* francisé d'après *poser.*

♦ **1.** Mettre, poser au-dessus, par-dessus (avec contact matériel ou non). *Superposer qqch. à qqch., superposer un cube à un autre. On superposa la pierre à la pierre* (cit. 12, Hugo). — (Compl. au plur.). *Superposer des livres, des pavés.* ⇒ **Accumuler, amonceler, entas-**

ser. — (Sujet n. de chose). Disposer l'un au-dessus de l'autre. *Deux étages qui superposent leurs terrasses* (⇒ **Étager ;** → Fumerie, cit. 3).

1 Édifices ! montez et montez davantage
Superposez l'étage et l'étage à l'étage,
Et le dôme aux cités (...) HUGO, la Légende des siècles, XII, VII.

Géom., dessin. Placer (une figure) au-dessus d'une autre, pour en constater ou en vérifier l'égalité. ⇒ **Appliquer.**

♦ **2.** Mettre en plus. « *Le poète de génie sait superposer à ses créations des noms* (cit. 9) *qui les expriment* ». ⇒ **Recouvrir.** — Absolt. Accumuler.

2 (...) cette gloire ne durait pas longtemps ; il retombait aux travaux vulgaires, et sentait de nouveau le poids de cette administration militaire qui brouille les attributions, superpose les consignes aux consignes, et reçoit durement ceux qui réclament. ALAIN, Propos, 24 juil. 1921, Le canonnier sans peur.

▶ **SE SUPERPOSER** v. pron. *Les croquis s'empilent* (cit. 2) *et se superposent* (→ aussi Loggia, cit. 1). — *Vagues d'immigrants* (→ Fusionner, cit. 3), *langues* (cit. 44) *qui se superposent.* — (1830). Fig. S'ajouter. *Les sentiments, les images, les souvenirs... se superposent* (→ Annuler, cit. 4 ; calque, cit. 2 ; composer, cit. 10).

3 Les sociétés ne sont bien gouvernées en fait et en droit que lorsque ces deux forces, l'intelligence et le pouvoir, se superposent.
HUGO, Littérature et Philosophie mêlées, « Journal des idées », août 1830.
4 Les nuages achevaient de se déplier en l'air, venant toujours de l'ouest, se superposant, empressés, rapides, obscurcissant tout.
LOTI, Pêcheur d'Islande, II, I.

▶ **SUPERPOSÉ, ÉE** p. p. adj. (1803).

Placé au-dessus (spécialt, de manière à recouvrir exactement). *Deux losanges superposés* (→ Distinguer, cit. 29). *Rangées superposées de cartons* (→ Emplir, cit. 7 ; et aussi loess, cit. 1 ; magnanerie, cit. 1, Nerval ; nuance, cit. 2 ; pavé, cit. 6, Hugo ; pisé, cit. 1, Balzac ; projeter, cit. 4, Flaubert).

5 En Bohême, l'élément tchèque et l'élément allemand sont superposés comme l'huile et l'eau dans un verre.
RENAN, Discours et conférences, Qu'est-ce qu'une nation ?, I, Œ. compl., t. I, p. 892.

Par métaphore, fig. *Couches superposées de sentiments défunts* (→ Embaumer, cit. 2, Baudelaire).

DÉR. Superposable, superpositif. — V. Superposition.

SUPERPOSITIF, IVE [sypɛʀpozitif, iv] adj. — xixᵉ ; de *superposer.*

♦ Bot. Qui est appliqué sur. *Parties superpositives.* — Où les pièces sont superposées. *Préfloraison superpositive.*

SUPERPOSITION [sypɛʀpozisjɔ̃] n. f. — 1613 ; lat. médiéval *superpositio,* de *superpositum,* supin de *superponere,* de *super,* et *ponere* « poser ».

♦ **1.** Action de superposer ; fait de superposer ; état de ce qui est superposé. *Mécanismes* (cit. 2) *combinés par superposition.* ⇒ **Assemblage.** *Superposition partielle.* ⇒ **Chevauchement.** *Superposition d'images.* — Géol. (Saussure, in Littré). *Superposition des couches géologiques, des strates.* ⇒ **Stratification.** — Géom. Application de deux figures l'une sur l'autre, pour les faire coïncider. ⇒ **Coïncidence.**

Sc. Le fait, pour plusieurs systèmes physiques, de coexister en un même point de l'espace ; les effets de cette « superposition ». *Action globale qui résulte de la superposition des influences agissant sur un système, de la superposition des forces agissant sur une particule, ou sur un point matériel* (résultante*). *Principe de superposition* (de Huyghens). *Théorème de superposition,* pour les réseaux électriques.

Par anal. Techn. *Superposition sonore,* dans un enregistrement. — Syn. : *surimpression sonore.*

♦ **2.** Ensemble de choses superposées. *Une superposition de terrasses* (→ Flore, cit. 2).

♦ **3.** (xixᵉ). Par métaphore, fig. « *Notre Moi est fait de la superposition de nos états successifs* » (→ Affleurer, cit. 1, Proust ; et aussi amalgame, cit. 2 ; intrinsèque, cit. 2). *Superposition et rencontre d'émotions, de sentiments* (⇒ **Interférence,** fig.).

1 (...) ayant remarqué la superposition des fléaux, les rois sur le peuple, la guerre sur les rois, la peste sur la guerre, la famine sur la peste, la bêtise sur le tout (...)
HUGO, l'Homme qui rit, I, Chapitre préliminaire, I, IV.
2 (...) la superposition non seulement des images successives qu'Albertine avait été pour moi, mais encore des grandes qualités d'intelligence et de cœur, des défauts de caractère, les uns et les autres insoupçonnés de moi, qu'Albertine, en une germination, une efflorescence charnue aux sombres couleurs, avait ajoutés à une nature jadis à peu près nulle, maintenant difficile à approfondir.
PROUST, la Prisonnière, Pl., t. III, p. 69.

SUPER-PRÉFET [sypɛʀpʀefɛ] n. m. — 1948 ; de *super-* (2.), et *préfet.*

♦ Inspecteur général de l'Administration en mission extraordinaire

(⇒ **Igame**). *Les super-préfets ont remplacé en 1948 les préfets régionaux institués en 1941.*

SUPERPRODUCTION [sypɛʀpʀɔdyksjɔ̃] n. f. — 1921, *in* J. Giraud ; anglo-amér. → Production (II., 6.).

♦ Film, spectacle réalisé à grands frais (→ Numéro, cit. 12, Duhamel). *Une superproduction à sujet antique* → Péplum. *Les superproductions hollywoodiennes, italiennes.*

C'était une sorte de «Quo Vadis», superproduction en technicolor avec martyrs, fauves et bains de dames, avec de grandes flammes (...) dévorant les quartiers de carton (...) Michel BUTOR, l'Emploi du temps, p. 227.

SUPERPROFIT [sypɛʀpʀɔfi] n. m. — 1964 ; de *super-* (2.), et *profit.*

♦ Profit, bénéfice particulièrement important. ⇒ **Superbénéfice.** *Les superprofits des grandes multinationales.*

SUPERPUISSANCE [sypɛʀpɥisɑ̃s] n. f. — 1948 ; de *super-* (2.), et *puissance* (État).

♦ Puissance, État qui dépasse en importance les autres puissances mondiales. ⇒ **Puissance** (grande) ; **super-grand.** «(...) *le général de Gaulle ne croit plus que les blocs américain et soviétique soient encore de force égale. Il pense qu'il n'y a désormais dans le monde qu'une seule superpuissance et qu'elle s'appelle les États-Unis*» (*l'Express*, 10-16 juil. 1967).

SUPERPURGATION [sypɛʀpyʀɡɑsjɔ̃] n. f. — 1732 ; de *super-* (2.), et *purgation.*

♦ Méd. anc. Purgation sévère. — Symptôme dû à cette pratique.

SUPERRÉACTION [sypɛʀʀeaksjɔ̃] n. f. — 1933 ; de *super-* (2.), et *réaction.*

♦ Radio. Phénomène par lequel une réaction est poussée jusqu'à l'amorçage d'oscillations à très haute fréquence, d'amplitude croissante. *Montage à superréaction* ou *supergénérateur.* On dit aussi *supergénération* [sypɛʀʒeneʀɑsjɔ̃].

SUPERSONIQUE [sypɛʀsɔnik] adj. — V. 1945 ; de *super-* (2.), *son*, et suff. *-ique.* → Sonique.

♦ **1.** Phys. Se dit d'une fréquence qui se trouve au-dessus des fréquences audibles. *Ondes supersoniques.* — Par ext. Capable de produire de telles fréquences. *Dispositif supersonique.* — REM. Dans ce dernier sens, on dit *ultrasonique.*

♦ **2.** Cour. Se dit d'une vitesse supérieure à celle du son, et, par ext., des phénomènes propres à ces vitesses. ⇒ **Sonique.** Par ext. *Avion supersonique.* ⇒ **Ultrasonique.** — N. m. *Un supersonique* : un avion supersonique.

Les Soviétiques ont révisé leur projet : (...) ils ont décidé d'accroître la capacité de leur propre supersonique — le TU-144 — et d'en faire un transporteur de luxe (...) Il sera en service à partir de 1970, un an avant le Concorde et quatre ans avant le supersonique américain. l'Express, 8-14 mai 1967.

SUPERSTAR [sypɛʀstaʀ] n. f. — V. 1970 ; mot amér., de *super*, et *star.*

♦ Anglic. Vedette très célèbre. — Par ext. Personnalité, personnage très célèbre (dans l'art, l'histoire, etc.). *Une superstar de la politique.*

Poupée de science-fiction, super-star et Tarzanne, tu es la Méandrine, le mauvais goût somptueux, la Femme femme des bandes dessinées, l'Américaine des années trente, l'Odalisque de l'an deux mille (...) Patrick GRAINVILLE, les Flamboyants, p. 138.

SUPERSTITIEUSEMENT [sypɛʀstisjøzmɑ̃] adj. — 1516 ; de *superstitieux.*

♦ Littér. D'une manière superstitieuse. — Par anal. Avec un scrupule excessif.

1 (...) Daudet dit superstitieusement, que la pierre précieuse est dangereuse, *maléficiante* (...) Ed. et J. DE GONCOURT, Journal, 15 août 1895, t. IX, p. 269.

2 Non pas que je prétendisse refaire, en quoi que ce fût, les *Mille et une Nuits*, pas plus que les *Mémoires* de Saint-Simon, écrits eux aussi la nuit, pas plus qu'aucun des livres que j'avais aimés, mais dans ma naïveté d'enfant, superstitieusement attaché à eux comme à mes amours, ne pouvant sans horreur imaginer une œuvre qui serait différente d'eux. PROUST, le Temps retrouvé, Pl., t. III, p. 1043.

SUPERSTITIEUX, EUSE [sypɛʀstisjø, øz] adj. et n. — 1375 ; lat. *superstitiosus*, de *superstitio.* → Superstition.

♦ **1.** Qui a de la superstition. **a** (*Superstition* au sens 1). «*C'est être superstitieux, de mettre son espérance dans les formalités*» (cit. 3, Pascal) ; → aussi Apparition, cit. 11 ; purifier, cit. 9. *Croyants*

superstitieux. — Par ext. *Les siècles superstitieux* (→ Nouveau, cit. 3).

1 Beaucoup d'hommes extraordinaires ont cru aux présages, aux songes, aux moyens secrets des forces invisibles ; beaucoup d'hommes extraordinaires ont donc été superstitieux ; je le veux bien, mais du moins ce ne fut pas à la manière des petits esprits. É. DE SENANCOUR, Oberman, LXIV.

b (*Superstition* au sens 2). Cour. Qui voit des signes favorables ou néfastes dans certains faits.

2 (...) elle était follement superstitieuse, elle voyait des signes partout ; à table, les couteaux, les fourchettes en croix, le nombre des convives, la salière renversée ; c'étaient alors toute une suite de rites, qu'il fallait accomplir pour écarter le malheur. R. ROLLAND, Jean-Christophe, L'adolescent, III, p. 333.

3 Cet homme, d'un esprit critique si mordant est superstitieux (...) Il ne veut pas allumer sa cigarette en troisième à la même flamme. G. DUHAMEL, Chronique des Pasquier, VI, XII (→ Amulette, cit. 3).

4 Non, je ne suis pas superstitieux ; mais je recherche volontiers ce qui passe pour néfaste (...) Ainsi ne manqué-je jamais l'occasion de passer sous une échelle, de voyager un vendredi, ou de prendre appui sur un treize. GIDE, Journal, 9 févr. 1943.

N. (1589). *Un superstitieux, une superstitieuse.*

c Par anal. *Observateur superstitieux d'une règle, de l'étiquette.* ⇒ **Scrupuleux.**

♦ **2.** (Fin XIVᵉ). Où entre la superstition.

a (*Superstition* au sens 1). *Une loi superstitieuse* (→ Multiplication, cit. 4). *Idée qui, de superstitieuse, devient religieuse* (→ Ensorcellement, cit. 1).

b (*Superstition* au sens 2). *Pratiques superstitieuses. Crainte superstitieuse* (→ Prévenir, cit. 6).

c (1541). Par anal. *Avoir un respect* (cit. 10) *superstitieux des livres.*

DÉR. Superstitieusement.

SUPERSTITION [sypɛʀstisjɔ̃] n. f. — 1375, d'abord «religion des idolâtres, culte des faux dieux» → Religion (REM.) ; lat. *superstitio*, probablt de *superstes* «survivant», de *superstare* «se tenir dessus», de *super*, et *stare* «se tenir debout», pour désigner ceux qui prient pour que leurs enfants leur survivent (selon Cicéron).

♦ **1.** Comportement irrationnel, généralement formaliste et conventionnel, vis-à-vis du sacré ; croyance et pratiques de nature religieuse, considérées comme vaines et contraires à la dignité de la raison humaine. ⇒ **Crédulité.** — REM. Selon la personne qui l'emploie, le mot *superstition* s'oppose à la «vraie religion» ou à la raison critique ; il peut s'appliquer au fétichisme, à l'idolâtrie (→ Bouture, cit. 2), à l'illuminisme, à la magie, à la mythologie, à l'occultisme, au spiritisme, etc. — *La superstition, considérée comme une déviation, une perversion, une caricature* (cit. 3) *de la religion* (→ Détruire, cit. 26, Pascal). *La superstition opposée à la morale* (cit. 5). *Croire* (cit. 63) *par superstition.*

1 La superstition semble n'être autre chose qu'une crainte mal réglée de la Divinité. LA BRUYÈRE, les Caractères de Théophraste, «De la superstition».

2 Presque tout ce qui va au-delà de l'adoration d'un Être suprême, et de la soumission du cœur à ses ordres éternels, est superstition. VOLTAIRE, Dict. philosophique, Superstition, IV.

3 (...) la critique historique a ses bonnes parties. L'esprit humain ne serait pas ce qu'il est sans elle, et j'ose dire que vos sciences, dont j'admire si hautement les résultats, n'existeraient pas s'il n'y avait, à côté d'elles, une gardienne vigilante pour empêcher le monde d'être dévoré par la superstition et livré sans défense à toutes les assertions de la crédulité. RENAN, Discours et conférences, Réponse au disc. de réception de Pasteur à l'Acad. franç., 27 avr. 1882, Œ. compl., t. I, p. 770.

4 (...) la superstition consiste toujours, sans doute, à expliquer des effets véritables par des causes surnaturelles. ALAIN, Propos, 24 déc. 1913, «À genoux».

Hist. Ensemble des traditions religieuses, des préjugés contraires à la raison, au XVIIIᵉ siècle (par oppos. à la *philosophie**, cit. 6). *Les lois* (cit. 9) *établies par la superstition, cette infâme** (cit. 5, Voltaire). *Subjuguer l'espèce humaine par la superstition* (→ Imam, cit. 1).

♦ **2.** (Fin XVIᵉ). Plus cour. Le fait de croire que certains actes, certains signes entraînent, d'une manière occulte et automatique, des conséquences bonnes ou mauvaises (cf. Porter bonheur, malheur) ; croyance aux présages, aux signes heureux ou funestes.

5 Ce soir, on causait superstition. Zola est tout à fait curieux, il parle de ces choses, à voix basse, mystérieusement, comme s'il avait peur d'une oreille redoutable qui l'écouterait dans l'ombre de l'appartement. Il ne croit plus à la vertu du nombre 3 ; c'est le nombre 7 qui est pour lui, dans le moment, le nombre *porte-bonheur.* Ed. et J. DE GONCOURT, Journal, 2 mai 1885, t. VII, p. 30.

♦ **3.** (1742, Voltaire). Attitude irrationnelle, magique (en quelque domaine que ce soit). *Le merveilleux et la superstition jouent un grand rôle dans la médecine* (cit. 3). «*(Être) exact jusqu'au scrupule et à la superstition*» (Fontenelle, *in* Littré).

6 Il numérotait tous les actes qu'il entendait accomplir, afin de n'en oublier aucun. La superstition de l'ordre le torturait sans relâche. G. DUHAMEL, Chronique des Pasquier, VII, VII.

♦ **4.** (1694). *Une, des superstitions.* Croyance ou pratique particulière dictée par la superstition (religieuse ou profane). — (Au sens 1). → Amas, cit. 9 ; amulette, cit. 2 ; occultisme, cit. 1. *Ôter les super-*

stitions de dessus la religion (→ Écheniller, cit. 2). *Remplacer les pratiques ordinaires* (de la religion) *par des superstitions peu raisonnables* (→ Médaille, cit. 9). *Une forteresse* (cit. 3) *de superstitions.* — *La superstition des reliques* (cit. 1) ; *la superstition des esprits frappeurs* (spiritisme), *des vampires* (vampirisme...).

7 Il est des sages qui prétendent qu'on doit laisser au peuple ses superstitions, comme on lui laisse ses guinguettes, etc. Que de tout temps il a aimé les prodiges, les diseurs de bonne aventure, les pèlerinages et les charlatans (...) Il est d'autres sages qui disent : Aucune de ces superstitions n'a produit du bien ; plusieurs ont fait de grands maux : il faut donc les abolir.
    VOLTAIRE, Dict. philosophique, Superstition, I.

8 Je meurs en adorant Dieu, en aimant mes amis, en ne haïssant point mes ennemis, en détestant la superstition.   VOLTAIRE, Déclaration écrite de février 1778.

(Au sens 2). *La superstition du mauvais œil*, *des échelles, du sel renversé, des glaces brisées, du nombre 13.*

(Au sens 3). *La superstition de l'histoire, de la science.* Par exagér. Excès de scrupule.

♦ **5.** Objet d'une superstition, d'un culte.

9 Le Roi, cette vieille ombre, cette superstition antique, si puissante dans la salle des États généraux, elle pâlit au Jeu de Paume.
    MICHELET, Hist. de la Révolution franç., I, IV.

SUPERSTRAT [sypɛʀstʀa] n. m. — 1938 ; de *super-* (1.), d'après *substrat*.

♦ Ling. Ensemble de faits propres à une langue qui ont influencé, modifié une langue parlée ailleurs, les locuteurs de la première langue ayant adopté l'autre.

CONTR. **Substrat.**

SUPERSTRUCTURE [sypɛʀstʀyktyʀ] n. f. — 1764, Voltaire, *Commentaires sur Corneille*, Pompée, v, 3 ; de *super-* (1.), et *structure*.

♦ **1.** (1872). Partie d'une construction située au-dessus (du sol, d'un certain niveau...). — On disait aussi *superstruction* [sypɛʀstʀyksjɔ̃]. — *Superstructure d'un pont.*

Ponts et chaussées. Ensemble des travaux exécutés hors de terre (par oppos. à *infrastructure*). *Superstructures d'une voie de chemin de fer*.

(Déb. xxᵉ). Mar. Ensemble des constructions situées au-dessus du pont supérieur d'un navire*.

1 il y a l'image au-dessus du radiateur un paquebot de profil deux cheminées la rangée de hublots miroitants le long du flanc noir et d'autres dans les superstructures blanches.   Tony DUVERT, Paysage de fantaisie, p. 145.

Géol. Terrain de couverture (structures tabulaires, etc.).

♦ **2.** (xxᵉ). Philos. (Trad. de l'all. ; dans le voc. marxiste). Système d'institutions, d'idées, de croyances, correspondant à une forme déterminée de conscience sociale et dépendant d'une « base », d'une structure* matérielle (économique). ⇒ **Infrastructure.** *Les superstructures, reflets* (cit. 8) *du mode de production.*

2 (...) les marxistes recourent à la dialectique et font de la superstructure une synthèse qui émane certes des conditions de production et de vie matérielle, mais dont la nature et les lois de développement ont une réelle *indépendance*.
    SARTRE, Situations III, p. 159 (1949).

3 Qu'est-ce qu'une société ? C'est d'abord, selon l'analyse marxiste, une *base* économique : travail producteur d'objets et de biens matériels, division et organisation du travail. Ensuite une *structure* : des rapports sociaux structurés et structurants à la fois, déterminés par la « base » et déterminant des relations de propriété. Enfin viennent les *superstructures*, qui comprennent des élaborations juridiques (codes), des institutions (l'État, entre autres) et des idéologies.
    Henri LEFEBVRE, la Vie quotidienne dans le monde moderne, p. 64.

CONTR. **Fond, fondation. — Infrastructure.**

SUPERSYNTHÈSE [sypɛʀsɛtɛz] n. f. — xxᵉ (av. 1972, in *Encycl. Univ.*, art. *Radioastronomie*) ; de *super-* (2.), et *synthèse*.

♦ Sc. Technique qui permet de dresser la carte d'une radio-source par interférométrie, en utilisant les signaux reçus par deux séries d'interféromètres (⇒ **Radio-interféromètre**) ou par des interféromètres à antennes mobiles pendant tout le temps où la source se trouve au-dessus de l'horizon.

SUPERTANKER [sypɛʀtãkɛʀ] n. m. — 1964 ; mot angl. ; de *super-* (2.), et *tanker*.

♦ Anglic. Techn. Pétrolier de très grande capacité (plus de 100 000 tonnes). — REM. Le terme a été francisé en *superpétrolier**.

SUPERVISER [sypɛʀvize] v. tr. — 1918, in J. Giraud *(Cinéma)* ; angl. *to supervise* ; du bas lat. *supervidere* « inspecter » (cf. Du Cange) ; *superviseur* existe en moy. français.

♦ Contrôler (un travail), sans entrer dans les détails. — REM. Le verbe, critiqué par les puristes, est plutôt senti comme un composé de *viser*, et doit au préfixe *super-* son sens courant : « contrôler de haut, de loin, sans entrer dans les détails ; donner un visa définitif ».

Sa secrétaire (...) lui apporte factures, commandes, correspondance, registres, dossiers d'assurances, bref la pâture quotidienne des hommes d'affaires. Il signe, il supervise, il dicte.   Robert PINGET, Graal Flibuste, Les Ducreux.

DÉR. **Superviseur, supervision.**

SUPERVISEUR [sypɛʀvizœʀ] n. m. — Fin xvᵉ, « contrôleur » ; repris 1918, angl. *supervisor* ; senti comme dér. de *superviser*.

♦ **1.** Personne qui supervise.

♦ **2.** Inform. Programme qui contrôle le déroulement dans l'ordinateur de plusieurs autres programmes successifs.

SUPERVISION [sypɛʀvizjɔ̃] n. f. — 1921, *in* J. Giraud ; empr. angl. → Superviser.

♦ Action de superviser. *La supervision d'un travail par un inspecteur.*

SUPERWELTER [sypɛʀwɛltɛʀ] adj. et n. m. — Mil. xxᵉ ; de *super-* (2.), et *welter**.

♦ Sports. Boxeur de la catégorie de poids entre 67 et 71 kg.

SUPIN [sypɛ̃] n. m. — xiiiᵉ ; lat. des grammairiens *supinum*, de *supinus*, « renversé en arrière ». → Supinateur.

♦ Gramm. lat. Substantif verbal de formation analogue à celle des noms à thème en *-u* (*cantus, us*, chant). *On distingue le supin en -u, complément de certains adjectifs* (*res facilis inventu* : une chose facile à trouver), *et le supin en -um, complément des verbes de mouvement* (*lusum iit* : il est allé jouer). *Le supin est l'un des temps primitifs du verbe latin ; c'est sur son radical qu'est formé le participe passé en -us.*

(...) tu t'es mis à m'expliquer, un soir, sur la place du Panthéon, que les mots français qui provenaient d'un verbe latin étaient formés, en général, du supin, et non pas de l'infinitif ou de l'indicatif, comme un vain peuple pourrait croire.
    G. DUHAMEL, Chronique des Pasquier, VIII, IV.

SUPINATEUR [sypinatœʀ] n. m. et adj. — 1560 ; dér. sav. du lat. *supinare* « mettre sur le dos ».

♦ Didact. (anat.). Chacun des deux muscles de l'avant-bras *(le long supinateur, le court supinateur)* qui servent aux mouvements de supination* (à l'inverse des muscles pronateurs*). — Adj. *Muscles supinateurs.*

DÉR. (Du même rad.) **Supination.**

SUPINATION [sypinasjɔ̃] n. f. — 1654 ; empr. lat. *supinatio*, de *supinare* « mettre sur le dos ».
Didactique.

♦ **1.** Vx. Méd. Position d'un malade couché* sur le dos.

♦ **2.** Physiol. Mouvement de rotation que la main et l'avant-bras exécutent de dedans en dehors sous l'action des muscles supinateurs* ; position de la main après ce mouvement. *La supination s'oppose à la pronation**.

Par ext. *Supination du pied :* mouvement par lequel le bord interne du pied se relève, la plante étant tournée du côté interne.

(...) le radius et le cubitus au lieu de se solidariser étroitement développent leurs possibilités de supination ; le squelette dans son ensemble s'oriente vers une plus grande souplesse des mouvements.
    A. LEROI-GOURHAN, le Geste et la Parole, t. I, p. 81.

SUPPLANTATEUR, TRICE [syplãtatœʀ, tʀis] adj. et n. — 1563 ; *supplanteur*, 1630 ; *sousplanteor*, 1234 ; de *supplanter*.

♦ Rare. Qui supplante (qqn). — N. :
(...) ce téméraire nouveau venu qui pouvait devenir un supplantateur.
    Léon BLOY, le Désespéré, p. 97.

SUPPLANTATION [syplãtasjɔ̃] n. f. — 1800 ; *sopplantation*, xiiiᵉ ; de *supplanter*.

♦ Rare. Action, fait de supplanter ; son résultat. ⇒ **Dépossession, éviction.** *La supplantation d'une chose par une autre.*

Mais cette guerre serait mal faite si elle se contentait d'être défensive. On a donc suscité des catins de lettres pour la supplantation du génie.
    Léon BLOY, le Désespéré, p. 239.

SUPPLANTER [syplãte] v. tr. — xivᵉ ; « renverser », v. 1120 ; lat. *supplantare* « faire un croc-en-jambe à qqn » ; « évincer » en lat. ecclés. ; de *sub-*, et *plantare*.

♦ **1.** Passer devant (qqn) ; faire perdre à (qqn) son crédit, afin de prendre sa place. ⇒ **Dégoter** (vx, *supra* cit. 1), **déposséder, évincer** ; → Couper, faucher l'herbe* sous les pieds de qqn ; prendre la place* de... *Supplanter qqn à une place, auprès de qqn. Toujours prêt dans la concurrence à trahir l'un, à supplanter l'autre* (→ Décrier, cit. 2). — Spécialt. *Supplanter un rival aimé* (→ Orgueilleux, cit. 6). *Être supplanté par qqn dans le cœur d'une femme* (→ Esbroufant, cit. 1).

1 J'aurais repris avec lui la même intimité qu'auparavant, si Coindet, s'interposant entre nous à son ordinaire, n'eût profité de mon éloignement pour s'insinuer à ma place et en mon nom dans sa confiance, et me supplanter à force de zèle à me servir.   ROUSSEAU, les Confessions, X.

Pron. (sens réciproque) :

2 Les deux fils, à leur retour, trouvant cette jolie veuve installée dans la maison, avaient aussitôt commencé à la courtiser, moins par désir de lui plaire que par envie de se supplanter.   MAUPASSANT, Pierre et Jean, I.

♦ **2.** (Sujet n. de chose). Éliminer (une chose) en la remplaçant dans la faveur du public, dans l'esprit de qqn (→ Habitude, cit. 24). *Cette nouvelle danse a supplanté toutes les autres. Mot qui en supplante un autre dans l'usage* (→ aussi Quel, cit. 24).

DÉR. Supplantateur, supplantation.

SUPPLÉANCE [sypleãs] n. f. — 1791 ; de *suppléer.*

♦ **1.** Le fait de suppléer (I., 3.) qqn ; fonction de celui qui supplée. *La suppléance d'un professeur par son assistant. Obtenir une suppléance.* ⇒ **Remplacement.**

Spécialt (par oppos. à *délégation*). Remplacement temporaire d'un agent empêché ou absent, selon le mode prévu par la loi.

♦ **2.** (1845). Fait de suppléer qqch. — Spécialt, vx. Gramm. *La suppléance d'un verbe par le verbe* faire.

Didact. Phénomène, activité qui en supplée une autre, défaillante.

(...) l'insuffisance est souvent aussi plus discrète et de conséquence plus intermittente. Elle peut même être susceptible de compensation ou de surcompensation et agir comme stimulant pour susciter des suppléances.   Henri WALLON, l'Évolution psychologique de l'enfant, p. 117.

SUPPLÉANT, ANTE [sypleã, ãt] adj. et n. — 1789 ; de *suppléer.*

♦ **1.** (Personnes). **a** Adj. Qui supplée qqn ou qui est chargé de le suppléer, le cas échéant, dans ses fonctions. ⇒ **Adjoint.** *Prêtres adjoints ou suppléants* (→ Curé, cit. 3). ⇒ **Vicaire ; coadjuteur.** *Des juges suppléants.*

b N. Personne qui supplée, remplace qqn d'autre. ⇒ **Remplaçant.** *Le juge ou ses suppléants* (→ Absence, cit. 11.4 ; apposer, cit. 3). ⇒ **Assesseur.** *Les adjoints du maire sont ses suppléants éventuels* (→ Commune, cit. 2). *Les suppléants des députés* (cit. 3), *des membres d'une assemblée. Elle n'est pas titulaire*, mais suppléante.*

Encore heureux s'il arrive à décrocher un poste quelconque, il n'est pas agrégé, sa thèse, je ne sais pas ce qu'elle vaudra... s'il parvient à obtenir un poste de suppléant, de lecteur, ce sera encore beau...   N. SARRAUTE, le Planétarium, p. 274.

♦ **2.** (Choses). Gramm. Se dit d'un terme qui en supplée, en remplace un autre. *Faire* (VII.), *verbe suppléant.*

SUPPLÉER [syplee] v. — 1305 ; fin XIIᵉ, v. intr. *souploier* «abonder ; se soumettre», par confusion avec une var. de *supplier* ; du lat. *supplere* «remplir ; compléter».

★ **I.** V. tr. dir. Littér. ♦ **1.** Mettre à la place de (ce qui est insuffisant) ; mettre en plus pour remplacer (ce qui manque). ⇒ **Ajouter, substituer** (→ Parure, cit. 7). *Les procédés par lesquels on supplée la gravure* (cit. 2). ⇒ **Remplacer.**

(1549). Gramm. (⇒ **Suppléance,** 2., **suppléant,** 2.). *Suppléer un terme sous-entendu* (→ Pari, cit. 7).

1 Il se lit (...) dans ce traité des phrases qui ne sont pas achevées et qui forment un sens imparfait, auquel il a été facile de suppléer le véritable (...)   LA BRUYÈRE, Discours sur Théophraste.

♦ **2.** Combler*, en remplaçant, en ajoutant... *Suppléer une lacune*, une ellipse* (cit. 1). — Remédier à... *Suppléer un manque, un défaut.*

♦ **3.** Se mettre ou être mis à la place de... pour remplacer (ce qui manque) ou renforcer (ce qui est insuffisant). **a** Compl. n. de personne. (1788). *Suppléer qqn,* remplir ses fonctions*, sa place (→ Essayer, cit. 19). ⇒ **Suppléance, suppléant.** *Suppléer un professeur.* — Par ext. Faire le travail de... *Le maréchal-ferrant* (→ Maréchal, cit. 2) *qui suppléait les vétérinaires.* — Au pron. récip. (1748). *Se suppléer :* se remplacer l'un l'autre.

2 Chacun de nous fut de service pendant six mois. Nous pouvions nous suppléer l'un l'autre au besoin (...)   BALZAC, le Lys dans la vallée, Pl., t. VIII, p. 910.

3 M. de Montech, dont le nom n'avait jamais paru dans la raison sociale, devint président du conseil d'administration et suppléa de plus en plus son beau-père dans la direction de l'entreprise.   J. ROMAINS, les Hommes de bonne volonté, t. III, XI, p. 144.

b Compl. n. de chose. (Fin XVIIIᵉ). Remplacer, jouer le rôle de (qqch.).

4 Le poêle, quelque bien chauffé qu'il soit, supplée toujours imparfaitement le soleil.   Th. GAUTIER, Voyage en Russie, X.

Au pron. passif. *La sollicitude maternelle* (cit. 2) *ne se supplée point,* rien ne peut la suppléer, elle est irremplaçable.

★ **II.** (1559 ; 1460, *supployer*). Plus cour. V. tr. indir. SUPPLÉER À...
♦ **1.** Apporter ce qu'il faut pour remplacer ou pour fournir (ce qui manque). *Suppléer aux idées intermédiaires que l'on a supprimées* (→ Diffusion, cit. 3).

5 La volonté puissante de Pierre suppléa à tout ce qui manquait.   MÉRIMÉE, Hist. du règne de Pierre le Grand, p. 82.

♦ **2.** Utiliser à la place de qqch... *Les anciens suppléaient à nos machines par des esclaves* (→ Horloge, cit. 3).

♦ **3.** (1460, *supployer*). Remédier à (un défaut, une insuffisance) en remplaçant, en compensant (→ Bon, cit. 29). ⇒ **Réparer** (4., vx). *Il suppléait à l'indigence de son vocabulaire par l'image, par l'accent* (cit. 5). *Suppléer à son ignorance* (→ Druide, cit.), *à la stérilité de ses idées* (→ Insipide, cit. 6)... — (Sujet n. de chose). Remédier à (un manque), en prenant la place de..., en se substituant à... *Suppléer à l'instabilité des institutions* (→ Originalité, cit. 1).

♦ **4.** Avoir la même fonction, la même utilité que... ⇒ **Remplacer** (→ Éclipser, cit. 3 ; flair, cit. 3). — *Suppléer à* (*ce qui est insuffisant*) : remplir un rôle qui ne l'était plus (→ Désister, cit. ; quoique, cit. 12).

6 Rien, rien ne remplace l'âme : aucun enseignement ne saurait suppléer chez l'homme à l'inspiration de sa nature.   RENAN, l'Avenir de la science, X, Œ. compl., t. III, p. 871.

DÉR. Suppléance, suppléant.

SUPPLÉMENT [syplemã] n. m. — 1370, *suppleement* ; déb. XIVᵉ, *en supplement de* «en exécution de» ; *supploiement*, 1313, puis *suppliement* ; lat. *supplementum*, de *supplere* «suppléer».

♦ **1.** Ce qui est ajouté à (qqch.) pour compléter (⇒ **Complément**), rendre égal. ⇒ **Addition, ajoutage, comble** (I., 1.). *Supplément d'échange, de partage.* ⇒ **Soulte ; appoint, subrécot** (vx).

♦ **2.** (XVIᵉ, Calvin). Vx. Ce qui supplée à... ; ce qui remplace, joue le rôle de... (en complétant). ⇒ **Suppléer** (II.). *Par supplément :* pour suppléer à... (→ Autrui, cit. 16). *Bien que supplément obligé aux lois..., le duel est affreux* (→ Honneur, cit. 9).

♦ **3.** Ce qui est ajouté à une chose déjà complète ; addition extérieure (par oppos. à *complément,* addition intérieure). ⇒ **Côté** (à côté), **rabiot** (cit. 3), **surplus.** *Ajouter un supplément de cent mille francs à une somme* (→ Main, cit. 63). *Supplément de traitement* (→ Desservant, cit. 2), *de salaire, sous forme de prime, de gratification, de frais de représentation, d'avantages en nature,* etc. ⇒ **Rallonge** (fam). — *Un supplément de loisir* (→ Machinisme, cit. 1). *Un supplément de travail.* ⇒ **Surcroît.** — *Un supplément d'information.*

♦ **4.** (1799, *in* D. D. L.). Dans un tarif (transports, théâtre, etc.), Somme payée en plus pour obtenir un bien ou un service supplémentaire, pour passer à une classe supérieure, etc. ; titre (billet, ticket) qui atteste le paiement d'un tel supplément. *Supplément de première classe, en chemin de fer. Supplément exigé sur certains trains rapides. Train avec supplément. Supplément pour excédent* de bagages. — Supplément au menu, au prix fixe, dans un restaurant. Filet au poivre : supplément, 20 francs. Supplément au prix d'un plat, d'une consommation.* — Ellipt. *Supplément beurre, supplément changement de garniture.*

1 Capet osa demander une augmentation. Aussitôt, ce supplément fut accordé à mivoix, d'un geste discret (...)   J. CHARDONNE, les Destinées sentimentales, p. 83.

1.1 Bien souvent, parmi nos clients, il en vient, ce n'est pas le gratin... Une coupe de cheveux et ça s'en va. Nous, n'est-ce pas, le vrai bénéfice, c'est surtout dans les suppléments.   M. AYMÉ, Travelingue, p. 253.

♦ **5.** (1627, *in* D. D. L.). Ce qui est ajouté (à un livre, à une publication), d'abord pour suppléer ce qui manquait, et, par ext., pour toute autre raison. ⇒ **Addenda, appendice.** *Supplément illustré à un journal, une revue.* — *Le supplément d'un dictionnaire.* — Littér. *Le Supplément au voyage de Bougainville,* de Diderot.

2 Le titre de Supplément que je donne à mon travail indique suffisamment quel a été mon objet en le composant. Ce ne sont pas des corrections, ce sont des additions (...)   LITTRÉ, Dict., Suppl., Préface.

♦ **6.** (1765). Géom. Ce qu'il faut ajouter à un angle pour égaler deux angles droits (180 degrés).

♦ **7.** Loc. (Aux sens 3, 4). EN SUPPLÉMENT : en plus*, en sus* (d'un nombre prescrit, fixé, indiqué ; d'une quantité). *Vin en supplément* (au restaurant). *La boisson n'est pas incluse, elle est en supplément.*

CONTR. Remise ; réduction.
DÉR. Supplémentaire, supplémenter.

SUPPLÉMENTAIRE [syplemãter] adj. — 1790 ; de *supplément.*
Qui constitue un supplément, qui vient s'ajouter.

♦ **1.** (1810). Vx ou dr. Qui supplée. *Assesseurs* (cit. 2), *jurés supplémentaires* (⇒ **Auxiliaire, supplétif**).

♦ **2.** Cour. Qui constitue un supplément. ⇒ **Adventice, autre.** *Recettes supplémentaires ou complémentaires* (cit.). *Budget supplémentaire. Lot supplémentaire et exceptionnel* (cit. 1). *Crédits, dépenses supplémentaires. Demander un délai supplémentaire, une prolongation. Journées* (cit. 7) *de travail supplémentaires.* — *Heures supplémentaires* : heures de travail faites en plus d'un horaire normal, et généralement payées à un tarif plus élevé. — Abrév. fam. : *sup* [syp]. Invar. *Faire des heures sup.* — *Trains supplémentaires. Engager un personnel supplémentaire.* ⇒ **Extra.** — Mus. *Lignes supplémentaires,* qui continuent la portée en haut ou en bas.

Dans un moment, je parlerai de l'éducation supplémentaire, offerte à tous les jeunes citoyens sans exception (...) Mais (...) nul n'y sera admis avant douze ans ; il faut d'abord pour tous que le cours entier de l'institution ait été parcouru.
LEPELLETIER, Plan pour l'éducation nationale, 1793, *in* ROBESPIERRE, Textes choisis, t. II, p. 165.

♦ **3.** (1845). Géom. *Angles supplémentaires,* dont l'un est le supplément* de l'autre. *Dièdres, trièdres supplémentaires.*
Math. *Espaces vectoriels supplémentaires,* n'ayant en commun que le vecteur nul.

DÉR. Supplémentairement.

SUPPLÉMENTAIREMENT [syplemɑ̃tɛʀmɑ̃] adv. — 1845 ; de *supplémentaire.*

♦ Didact. En s'ajoutant, en formant un supplément. — En plus, de plus (emploi ironique, le mot étant lourdement didactique).

Et le cochon coûtait trois cents francs le kilo, les œufs vingt et un francs la pièce et le vin, je le répète, deux cents francs la bouteille. Supplémentairement, il faisait un froid de canard, quatre au-dessous dans l'appartement, et pas de bois, pas de charbon non plus. M. AYMÉ, le Vin de Paris, « Le vin de Paris », p. 105 (1947).

SUPPLÉMENTER [syplemɑ̃te] v. tr. — 1845, Richard de Radonvilliers ; repris fin XIXᵉ ; de *supplément.*
Administration.

♦ **1.** Charger d'un supplément à payer. *Le contrôleur supplémente les voyageurs de première qui n'ont qu'un billet de seconde.* — Par ext. *Supplémenter un billet.*
— Cette cabine est trop petite, dit France (...) Maud dit faiblement : — On pourrait faire supplémenter les billets. SARTRE, le Sursis, p. 103.

♦ **2.** Intrans. (Emploi fautif). Payer un supplément. *Ces voyageurs refusent de supplémenter.*

SUPPLÉTIF, IVE [sypletif, iv] adj. et n. — 1539 ; lat. médiéval *suppletivus,* de *supplere.* → Suppléer.

♦ **1.** Vx. Qui supplée, complète, remplit le rôle de ce qui manque. *Articles supplétifs d'un traité. Loi supplétive.* — Gramm. (en parlant d'un mot, d'un terme). ⇒ **Suppléant.**

♦ **2.** (XXᵉ ; 1931, Mac Orlan). Mod. *Forces* (cit. 31) *militaires supplétives,* recrutées temporairement pour renforcer les forces régulières. — N. m. *Un supplétif. Les supplétifs :* les hommes des forces supplétives.

Regardez-les qui organisent la guerre au Maroc : quel mal ils auront dû se donner pour disposer, sous le nom de supplétifs, une armée qui finira bien par susciter l'autre ! F. MAURIAC, Bloc-notes 1952-1957, p. 86.

DÉR. (Du même rad.) Supplétoire.

SUPPLÉTOIRE [sypletwaʀ] adj. — 1790 ; du lat. médiéval *suppletorius,* de *supplere.*

♦ Dr. Qui est déféré pour suppléer les preuves insuffisantes. *Serment supplétoire.*

SUPPLIANT, ANTE [syplijɑ̃, ɑ̃t] adj. et n. — 1377, « personne qui adresse une requête » ; *sopleiant* « humble », v. 1160 ; de *supplier.*

♦ **1.** Adj. (1596). Qui supplie. *L'étranger suppliant* (Chénier, *le Mendiant*). — Fig. « *Cette superbe raison humiliée et suppliante* » (Pascal, *Pensées,* VI, 388).
Qui exprime la supplication. *Air* (→ Hagard, cit. 3), *regard, yeux suppliants* (→ Face, cit. 50 ; organisation, cit. 1). *Geste suppliant* (→ Genou, cit. 12), *attitude, voix suppliante.* ⇒ **Implorant.** *Suppliant aveu* (→ Présence, cit. 14). *Une obstination suppliante* (→ Gros, cit. 10).

1 (...) elle rampait vers lui, ses cheveux dénoués, ses mains jetées en avant, plus suppliante encore que ses yeux pâlis d'angoisse.
BERNANOS, Sous le soleil de Satan, I, IV.

♦ **2.** N. (1539). Personne qui supplie (→ Hospitalité, cit. 3 ; relever, cit. 1). *Une suppliante* (→ Coiffer, cit. 1).

2 C'est des ricochets du massacre ! ... les tôles tambourinent ! ... Les suppliants pâment et s'écroulent ! ... CÉLINE, Guignol's band, 1951, p. 14.

SUPPLICATION [syplikasjɔ̃] n. f. — V. 1160 ; lat. *supplicatio,* de *supplicare.* → Supplier.

♦ **1.** *(Une, des supplications).* Prière faite avec instance et soumission. ⇒ **Adjuration, conjuration** (3., vx), **imploration** ; et (rhét.) **dépréciation, obsécration.** *Apaiser* (cit. 6) *qqn avec des supplications. On me mit à la porte* (cit. 11), *malgré les supplications de mes parents. Humbles, touchantes ; vaines supplications. Demander grâce, demander pardon par des supplications.* « *La fille résistait, avec des supplications basses, chuchotées* » (→ Pucelle, cit. 2).

♦ **2.** *(La supplication).* État, situation, attitude d'une personne qui supplie. *S'abaisser, dans une attitude de supplication* (cf. Se prosterner, tomber aux genoux de...). — Par ext. Attitude morale de demande humble et soumise (→ Mendicité, cit. 3).

1 Ils se tiennent d'abord debout, la face levée, les mains ouvertes à la hauteur des épaules, dans l'attitude de la supplication.
MAUPASSANT, la Vie errante, D'Alger à Tunis, I.

2 Marthe ne bougeait toujours pas ; elle ne tournait pas la tête : pourtant, de toute sa personne, montait comme une supplication, un gémissement entrecoupé, un râle rauque et doux. G. DUHAMEL, Salavin, II.

♦ **3.** Relig. Prière solennelle.

♦ **4.** (1762). Au plur. Hist. Remontrances* que le Parlement pouvait adresser au roi.

SUPPLICE [syplis] n. m. — 1480 ; lat. *supplicium* « invocation, supplication », d'où « sacrifice religieux célébré à l'occasion d'une exécution, pour laver le sang versé », et, par euphém., « supplice » ; même rac. que *supplier*.*

♦ **1.** (1552). Peine corporelle grave infligée par la justice à un condamné. — REM. *Supplice* ne se dirait plus d'une peine légère comme dans la langue classique (Racine, *Phèdre,* III, 3). De nos jours, le mot implique soit la peine capitale, soit de terribles souffrances. → Torture.

[a] (En parlant de *supplices* très douloureux, entraînant ou non la mort). *Dans les pays civilisés, l'autorité judiciaire n'inflige plus de supplices en châtiment, en punition des crimes* (⇒ **Peine**). *Supplices des martyrs.* ⇒ **Martyre ;** → Glorifier, cit. 9. *Supplices infligés par l'Inquisition* (→ Impénitent, cit. 3). *Supplices réitérés* (→ Huile, cit. 11). *Atroces supplices. Infliger un supplice à un suspect* (⇒ **Gêner** [1., vx], **tourmenter**) *pour lui arracher des aveux* (⇒ **Question,** II.). *Personne qui applique le supplice* (⇒ **Bourreau**), *qui le subit* (⇒ **Patient, supplicié**). *L'appareil des supplices* (→ Hache, cit. 8). *Instrument* (cit. 10) *de supplice.* ⇒ **Auge, brodequin, bûcher, cangue, carcan, chevalet, collier, corde** (cit. 1), **estrapade, fouet, fourche** (patibulaire), **garrot** (cit. 2), **garrotte, gibet, hache, knout, pal, pilori, poteau** (d'exécution), **potence** (3.), **roue, tenaille.** — REM. La plupart de ces mots peuvent désigner le supplice lui-même. ⇒ aussi **Autodafé, brûler** (vif), **crucifixion, décollation, eau** (supplice de l'eau), **écartèlement** (cit. 1), **écorchement, empalement, énervation, essoriller, feu** (I., 7.), **flagellation, lapidation...** *Le spectacle des supplices* (→ Gangrener, cit. 3). — (Déb. XXᵉ). *Supplice chinois :* supplice, et, fig., tourment, particulièrement cruel et raffiné. — *Le Jardin des supplices,* œuvre d'Octave Mirbeau.

0.1 (...) il est bon de vous le déclarer, *Thérèse,* continua le Supérieur, en me montrant des disciplines, des verges, des férules, des gaules, des cordes et mille autres sortes d'instruments de supplice (...) SADE, Justine..., t. I, p. 146.

[b] Spécialt (en particulier depuis la suppression des châtiments corporels graves autres que la peine capitale). *Le dernier supplice, le supplice suprême* (→ Harangue, cit. 4). — (1667). Absolt. *Le supplice :* la peine de mort. ⇒ **Mort** (1. Mort, *supra* cit. 32) ; **exécution.** *Condamner* (→ Bandeau, cit. 4), *conduire* (→ Billot, cit.), *livrer* (cit. 5), *mener, traîner qqn au supplice. Marcher au supplice* (→ Goût, cit. 8). *Marche au supplice.* ⇒ **Décapitation, échafaud, guillotine ; électrocution, fusillade ; gaz** (chambre à gaz) ; **pendaison.**

1 Quel est chez toi le châtiment de celui qui tue son voisin ? la mort par le fer : quel est chez toi le châtiment du lâche qui l'empoisonne ? La mort par le feu : compare ton forfait à ce dernier ; et dis-nous, empoisonneur de nations, le supplice que tu mérites ? DIDEROT, Suppl. au voyage de Bougainville, II.

1.1 Toi dont la mort autorise enfin chacun à dire : *Je suis la vérité,* toi dont le supplice servit à sanctionner l'holocauste de nouvelles victimes (...)
P. KLOSSOWSKI, la Révocation de l'Édit de Nantes, p. 7-8.

♦ **2.** (Fin XVᵉ, *eternelz supplices*). Mythol., relig. Souffrances infligées par les dieux, par Dieu, en punition des fautes humaines. *Le supplice de Prométhée,* rongé par un vautour. — LE SUPPLICE DE TANTALE, condamné par Zeus à la faim et à la soif avec l'illusion permanente de nourriture et de boissons mises à sa portée. → ci-dessous, cit. 2. — Fig. *Un supplice de Tantale* (sous l'infl. de *tenter*) : une situation où l'on est proche de l'objet de ses désirs, sans pouvoir l'atteindre.

2 Le supplice de Tantale : à portée de sa main, des fruits qui devenaient pierre, aussitôt qu'il les prenait ; près de ses lèvres, une eau fraîche, qui fuyait quand il se baissait vers elle. R. ROLLAND, Jean-Christophe, La révolte, I, p. 379.

2.1 Esthète cruel, j'attendis sans bouger la fin du spectacle, me souciant peu du supplice de Tantale qu'à rester là, et le retenant, j'infligeais à mon compagnon qui, lui, n'était capable de supporter la grâce du pas de deux.
Michel LEIRIS, Frêle bruit, p. 273.

Relig. chrét. Les souffrances du purgatoire*, de l'enfer* (2.).

⇒ **Damnation**. *Un supplice infini* (cit. 6) *et éternel* (→ Malédiction, cit. 12). — Fig. *Un supplice de damné* (cit. 19). → ci-dessous, 3.

♦ **3.** (1611). Souffrance très vive (⇒ **Douleur, souffrance** ; → aussi Barbe, cit. 18) ou, plus souvent, souffrance morale (⇒ **Calvaire, géhenne, mal, martyre** [3.], **tourment**). — REM. *Torture* insiste plus que *supplice* sur l'aspect moral de la souffrance (remords...). — *Éprouver* (→ Cicatriser, cit. 4) *le supplice de la jalousie. Quel supplice de voir...* (→ Mentir, cit. 16). *Un lieu de supplice* (→ Hôtel, cit. 7). *Pour votre supplice* (→ Femme, cit. 30). *Le supplice de l'impatience* (cf. Mourir d'impatience), *de la jalousie...* (→ aussi Cruauté, cit. 17).

3   Les supplices moraux surpassent les douleurs physiques de toute la hauteur qui existe entre l'âme et le corps.
                BALZAC, Petites misères de la vie conjugale, Pl., t. X, p. 907.

4   Les classes m'avaient toujours été un supplice : Marthe et la liberté avaient achevé de me les rendre intolérables.   R. RADIGUET, le Diable au corps, p. 48.

(1661). **ÊTRE AU SUPPLICE** : souffrir beaucoup ; spécialt (1669), au fig., être dans une situation très pénible (inquiétude, agacement, colère réprimée, gêne, timidité...). → Impayable, cit. ; lâcher, cit. 24. — (1835). *Mettre qqn au supplice*, dans un embarras extrême, dans une gêne très pénible.

DÉR. Supplicier.

SUPPLICIANT, ANTE [syplisjɑ̃, ɑ̃t] adj. — Av. 1890, Maupassant ; de *supplicier*.

♦ Littér. Qui fait cruellement souffrir, qui supplicie (2.). ⇒ **Torturant**. *Une épreuve, une douleur, une séparation suppliciante.*

SUPPLICIATEUR, TRICE [syplisjatœʀ, tʀis] n. et adj. — XXᵉ ; de *supplicier*.

♦ Littér., rare. N. Personne qui supplicie, fait subir un supplice. — Adjectif :

Il y a dans la cruauté qu'on exerce une sorte de déterminisme supérieur auquel le bourreau suppliciateur est soumis lui-même (...)
           A. ARTAUD, le Théâtre et son double, 1938, *in* Œ. compl., t. IV, p. 121.

SUPPLICIER [syplisje] v. tr. — V. 1580 ; de *supplice*.

♦ **1.** (1610). Livrer (qqn) au supplice, infliger un supplice à (qqn), mettre à mort par un supplice. ⇒ **Gêner** (1., vx), **exécuter, martyriser, torturer**. *Supplicier un condamné.* — Au p. p. (→ Calvaire, cit. 5). *Corps suppliciés.*

P. p. substantivé. (1614). *Un supplicié, une suppliciée :* une personne qui a été livrée au supplice ou qui a été mise à mort. *Les suppliciés* (→ Martyr, cit. 3 ; miséricorde, cit. 6).

1   La nuit de l'exécution, en se partageant les dépouilles des suppliciés *(les chauffeurs de la bande d'Orgères)*, sous l'échafaud rouge de sang, les bourreaux de Chartres et Dreux se battirent.   ZOLA, la Terre, I, V.

♦ **2.** Fig., littér. Mettre au supplice (3.). *La jalousie le suppliciait.* — Passif et p. p. *Être supplicié par l'incertitude.* → Au supplice* (mis au supplice).

2   (...) suppliciée par les souvenirs qu'il évoquait et qui venaient l'atteindre jusque dans la chair de sa chair.   Paul BOURGET, Un divorce, IV.

P. p. adj. :

3   Lentement, on sentait pourrir sur ses cent mille pilotis, comme avaient pourri les cent mille ouvriers que Pierre le Grand y avait sacrifiés, cette ville suppliciée, s'effondrant dans la tombe boueuse du delta.
           Paul MORAND, l'Europe galante, p. 20.

DÉR. Suppliciant, suppliciateur.

SUPPLIER [syplije] v. tr. — 1360 ; réfection étym. de *souploier* (XIIᵉ), *souplier* (XIIIᵉ) ; dér. du lat. *supplicare*, proprt « se plier (sur les genoux) », de *sub-*, et *plicare* « plier » plus ou moins mêlé à un comp. de *ploier* (ployer) ; *souploier* signifiait à la fois « supplier », « plier, courber » et « suppléer ».

♦ **1.** Prier* (qqn), en demandant qqch. comme une grâce, avec une insistance humble et soumise. ⇒ **Adjurer, conjurer, implorer ; supplication** (→ Embrasser les genoux, se jeter aux genoux* de, tomber, se traîner aux pieds* de...). *Supplier qqn, le supplier à genoux. Supplier qqn de* (suivi de l'infinitif). → Exorciser, cit. 5 ; impatience, cit. 4 ; remplaçant, cit. 2. *Supplier Dieu* (→ Dispensateur, cit.3). — *Crier* (vers Dieu). *Je vous en supplie !* (→ Main, cit. 104). — *Supplier* (qqn) *que* (suivi du subjonctif). → Effroyable, cit. 3 ; humble, cit. 29. *Il suppliait qu'on l'épargne.*

1   (...) souffrez qu'ici je me jette à vos pieds pour vous supplier d'une chose.
           MOLIÈRE, le Malade imaginaire, III, 14.

2   Je vous supplie, ô Dieu ! de regarder mon âme,
    Et de considérer
    Qu'humble comme un enfant et doux comme une femme
    Je viens vous adorer !   HUGO, les Contemplations, IV, XV.

3   Tout autour, des hommes, des femmes, des enfants, un peuple entier prosterné, vautré sur les dalles et les mains jointes au-dessus des têtes, suppliaient le Saint dont les ossements étaient là de les délivrer du fléau.
           Léon BLOY, la Femme pauvre, I, XXII.

Elle a même supplié qu'on ne lui écrivît pas (...)   4
           F. MAURIAC, l'Enfant chargé de chaînes, XXVI.

Je la suppliais de m'aimer quand même.   5
           R. RADIGUET, le Diable au corps, p. 185.

Absolt. *Crie, pleure, supplie* (→ Fouiller, cit. 31). *Des mains qui supplient* (→ Élancement, cit. 3). — En incise. *Viens ici, supplie-t-il* (→ Poison, cit. 12).

♦ **2.** Par exagér. Demander avec instance (à un supérieur). ⇒ **Supplique**. *Je supplie Votre Majesté* (cit. 13) *de daigner...* — À un égal ou un inférieur ; langage de la politesse (vieilli). *Je vous supplie instamment de...* (→ Gloire, cit. 51), *je vous supplie de vous taire.* ⇒ **Prier**.

DÉR. Suppliant.

SUPPLIQUE [syplik] n. f. — 1578 ; *supplic*, n. m., 1340 ; du lat. *supplicare* (→ Supplier), d'après *réplique*, avec infl. de l'ital. *supplica*.

♦ **1.** Demande* par laquelle on sollicite une grâce, une faveur (d'un supérieur). ⇒ **Requête** (II.). — Dr. *La supplique fait appel à la bienveillance, à des principes moraux* (équité, justice).

Le duc se chargeait de ses suppliques, disant qu'il les remettrait au roi en mains propres, et il les jetait à la poste.   HUGO, Choses vues, I, 1847, Duc de Praslin.

♦ **2.** (1798). Fam. Demande, instance. ⇒ **Prière**.

SUPPO [sypo] n. m. ⇒ **Suppositoire**.

SUPPORT [sypɔʀ] n. m. — 1466 ; dér. de 1. *supporter*.

♦ **1.** Vx. **a** Le fait, l'action de supporter, d'aider, de soutenir. « *Donner support à la parricide rébellion* » (Montaigne). ⇒ **Soutien**.

b (1692). Action de subir, d'accepter avec patience ou indulgence. « *Le support des imperfections d'autrui* » (Fénelon). ⇒ **Supporter**.

c (Au sens concret). Rare. *Faire support à qqch.* (→ Brindille, cit. 1).

♦ **2.** (XVIᵉ). Mod. Ce qui supporte ; ce sur quoi une chose repose ou est destinée à reposer ; spécialt, appui (cit. 13) ou soutien d'une chose pesante. *Les supports, en architecture, en construction.* ⇒ **Appui, soutènement, soutien ; colonne, pilier, pylône ; base, socle...** *Support de corniche, de linteau* (⇒ **Corbeau**, II., 2.). *Supports de charpente* (⇒ **Chaise** [II., 2.], **chantignole, chevalet, cintre** [2.], **2. étai, poutre**), *de menuiserie* (⇒ **Coin, tasseau**). *Support d'une statue, d'une sculpture* (⇒ **Gaine** (4.), **piédestal, piédouche, socle**. *Support mobile, pour un véhicule.* ⇒ **Béquille, chambrière...** *Les supports d'un meuble, d'une table.* ⇒ **Pied** (→ Assurer, cit. 21). *Support de châssis.*

(1876). Techn. *Crochet sur lequel repose la poignée d'une espagnolette.* — Artill. *Supports de chargement ; support pivotant.* — Ch. de fer. *Supports de rails.* — Mar. *Supports de bossoir.* — *Support de plats.* ⇒ **Garde-nappe**.

Assemblage, objet manufacturé destiné à recevoir un objet, un instrument (⇒ **Chevalet, chèvre** [II., 1.], **chevrette** [II.], **monture, trépied** ; et les préf. **porte-, pose-, repose-**). *Support à fourche, à pince, à plateau ; support universel*, utilisé dans les laboratoires.

(1636). Blason. *Supports :* figures d'animaux, placées de part et d'autre de l'écu et qui paraissent le soutenir. ⇒ aussi **Tenant**.

Techn. Soubassement (d'un revêtement de sol).

♦ **3.** (1538). Fig., vx. Ce qui sert d'aide, d'appui (chose ou personne). ⇒ **Armature** (fig.), **base ; point** (d'appui) ; → Démon, cit. 1. — *Le support que la méchanceté des uns trouve chez les autres* (→ Misanthrope, cit. 3).

(...) une mère tendre qui approuvait son inclination et qui la dirigerait par ses conseils (...) appuyée de son support, tout l'engageait à rester auprès d'elle, sans inquiétude pour le présent et sans crainte pour l'avenir.   1
           BERNARDIN DE SAINT-PIERRE, Paul et Virginie, p. 72.

♦ **4.** Didact. Élément concret, matériel qui sert de base à une œuvre graphique. ⇒ **Subjectile**. *Le support d'un dessin* (cit. 2) : le papier, le carton sur lequel il est fait. — Chim. *Support de catalyseur.* — Substance à laquelle est incorporée une matière active (en pharmacie, etc.). — Math. *Support d'un vecteur*, la droite qui le porte.

Inform. *Support d'une information*, ou, absolt, *support* : carte perforée, bande magnétique, cassette, disque ou toute sorte de mémoire* recevant, conservant et restituant des informations, dans un système électronique.

♦ **5.** (Abstrait). Littér. Substrat matériel. *Le signe, le symbole, support de l'idée, du concept. Le monde spirituel* (cit. 3) « *dépend de nous, de ce support que lui procure notre corps* ».

La vie, les êtres, les objets, ont toujours un support arithmétique, autrement dit, tu mesures tant de centimètres, tu pèses tant de kilogrammes, tu as tant de litres de sang, etc. (...)   M. AYMÉ, Maison basse, p. 265.   2

(V. 1964). *Support publicitaire :* moyen matériel (affiches, journaux, etc.) par lequel se fait une publicité ou se diffuse un message. *Choisir un meilleur support.* « *Cet emplacement a été offert par* le support » (l'Officiel des spectacles, 3 févr. 1982, p. 113, publicité).

COMP. Support-chaussette.

SUPPORTABLE [sypɔʀtabl] adj. — 1420 ; de supporter.

♦ **1.** Qu'on peut supporter (1. Supporter, II.), subir sans faiblesse. *Douleur, peine supportable, légère* ; *misère supportable* (→ Contenter, cit. 11). ⇒ **Tolérable.** *Rendre la solitude plus supportable* (→ Indépendance, cit. 7). ⇒ **Adoucir.**

1 Mon corps n'est pas si usé que la vie avec lui ne soit encore supportable.
                                      GIDE, Journal, 11 sept. 1939.

N. m. *Le supportable. C'est à la limite du supportable,* presque insupportable.

♦ **2.** (1638). Qu'on peut tolérer. ⇒ **Excusable.** *Sa conduite n'est pas supportable.* — Qui est acceptable, qui peut passer. ⇒ **Passable.** *Le rococo* (cit. 2) *n'est supportable qu'à la condition d'être extravagant. Un acteur supportable* (Voltaire, *in* Littré). — *Ce vin est à peine supportable.*

2 Taisez-vous, c'est une extravagance qui n'est pas supportable.
                                      MOLIÈRE, George Dandin, III, 7.

CONTR. V. **Buvable.** — Insupportable ; impossible, intolérable, lourd, pesant.

SUPPORT-CHAUSSETTE [sypɔʀʃosɛt] n. m. — xxe ; de support, et chaussette.

♦ Bande élastique qui entoure la jambe au-dessus de la chaussette et soutient celle-ci. *Des supports-chaussettes.* ⇒ **Fixe-chaussette.**

1. SUPPORTER [sypɔʀte] v. tr. — V. 1360 ; sorporter, 1190, « endurer », et aussi « emporter, entraîner, dominer » ; lat. chrét. supportare, en lat. class. « porter », de sub-, et portare.

★ **I.** ♦ **1.** (Fin xve). Sujet et compl. n. de chose. Recevoir le poids, la poussée de (qqch.) sur soi, en maintenant. ⇒ **Soutenir ; porter** (→ Broc, cit. 1 ; corniche, cit. 3 ; essieu, cit. 3 ; kiosque, cit. 1 ; 1. palais, cit. 4). *Colonne, colonnettes* (cit.), *contrefort, pilier supportant un mur, une voûte* (⇒ **Appui, soutien**). *Un toit que supportent des poteaux* (→ Halle, cit. 6). *Faire supporter une charge, un poids par...* ⇒ **Appuyer, tenir.** — Au p. p. *La tête supportée par des manteaux roulés* (→ Ronfler, cit. 2).

1 Seule, la lampe avait changé (...) une colonne d'albâtre supportait le réservoir de cristal (...)   F. MAURIAC, le Mystère Frontenac, I, I.

Par métaphore ou fig. Didact. Constituer le support (5.), le substrat de... *Le vin supporte une mythologie* (cit. 3) *variée. Le faux supporte le vrai* (→ Quel, cit. 28).

2 — Que dire des cas où notre idée implique de soi l'illusion, et ne supporte, pour ainsi dire, point d'autre contenu ?
                                      J. PAULHAN, Entretien sur des faits divers, p. 102.

♦ **2.** (Déb. xve). Sujet n. de personne ; compl. n. de chose abstraite. Par métaphore, fig. *Supporter l'autorité d'un tyran.* ⇒ **Courber** (courber sous...). *Faire supporter la guerre au loin ou la supporter sur le territoire national* (→ Guerre, cit. 30).

Spécialt. Avoir comme charge, comme obligation ; être assujetti à... *Supporter une responsabilité* (⇒ **Assumer**), *des risques. Vous en supporterez les conséquences.* ⇒ **Pâtir.** — *Supporter une obligation juridique, une dépense, un impôt, des frais, une servitude. La pension alimentaire est supportée par les héritiers* (→ Hérédité, cit. 2). *La contribution que supporte une maison* (→ Réclamer, cit. 7).

★ **II.** (xve ; sorporter, xiie). ♦ **1.** Sujet n. animé ; compl. n. de chose abstraite. Subir, éprouver les conséquences pénibles de (un événement, un état, une action) sans faiblir, avec constance. ⇒ **Souffrir** (I., 1.), **soutenir** (II., 2., vx) ; **accepter, accommoder** (s'), **endurer, résister** (à). *Supporter une épreuve* (→ Douter, cit. 34), *un malheur, le malheur* (→ Capable, cit. 11 ; joie, cit. 18), *les coups du sort* (→ Braver, cit. 7), *les infortunes* (→ Prévoir, cit. 1). *Supporter la fatigue, la misère* (cit. 13). *Supporter ses maux avec patience* (cf. Prendre son mal en patience). « *Nous avons tous assez de force pour supporter les maux d'autrui* » (cit. 5). — *Supporter l'existence, la vie* (→ Croire, cit. 69 ; dévotion, cit. 3 ; quitter, cit. 6). — *Ce qu'on peut* (⇒ **Supportable**), *ce qu'on ne peut pas supporter* (⇒ **Insupportable, intolérable**).

3 On supporte un état violent quand il passe. Six mois, un an, ne sont rien ; on envisage un terme, et l'on prend courage. Mais, quand cet état doit durer toujours, qui est-ce qui le supporte ? Qui est-ce qui sait triompher de lui-même jusqu'à la mort ?
                                      ROUSSEAU, Julie ou la Nouvelle Héloïse, VI, VI.

4 — (Le métier) vous fera une belle réputation, monsieur ! — Je la soutiendrai, monsieur. — Dites que vous la supporterez, monsieur.
                                      BEAUMARCHAIS, le Barbier de Séville, III, 5.

5 Pendant dix heures que dura la fausse couche elle supporta avec un courage d'héroïne d'abominables tortures.   MAUPASSANT, l'Inutile Beauté, « Mouche ».

6 On était, en réalité, arrivé à ce moment fatal où un peuple ne peut plus, suivant la forte expression d'un auteur latin, *supporter ni ses maux ni leurs remèdes.*
                                      Louis MADELIN, Hist. du Consulat et de l'Empire, Ascens. Bonaparte, XX.

7 Qu'il nous intéresse à la vie, et l'art est bien près de nous la faire aimer. Qu'il nous aide seulement à supporter la vie, et l'art mérite encore notre gratitude.
                                      G. DUHAMEL, Défense des lettres, IV, V.

Éprouver avec plus ou moins de constance, de patience, de courage. *Plus l'existence est difficile, mieux on supporte les peines* (→ Prévision, cit. 1). *Supporter mieux ses maux* (→ Équilibre, cit. 18). « *Comme un taureau supporte avec impatience* (cit. 3) *la piqûre du taon* ». *L'incertitude* (cit. 12) *est de tous les tourments le plus difficile à supporter. Événement bien difficile à supporter* (cf. fam. Coup dur).

♦ **2.** (xive). Compl. n. de chose (action, comportement). Subir de la part d'autrui, sans réagir, sans se rebeller ou sans interdire. *Supporter un affront, une injure, des grossièretés.* ⇒ **Avaler, boire, dévorer** (C.), **digérer** (3.), **encaisser.** *Il a bien fallu qu'il supporte la punition, la corvée.* Cf. fam. S'allonger, s'appuyer, déguster. *Supporter les insolences, les fredaines d'un enfant.* ⇒ **Tolérer ; indulgence.** *Supporter qqch. par faiblesse, par indulgence* (⇒ **Pardonner, passer** [sur], **permettre**), *par grandeur d'âme, par tolérance.* ⇒ **Condescendre** (à). *Tout supporter de qqn,* tout lui passer (→ Irritable, cit. 2).

8 (...) il le harcelait de taquineries stupides, que l'autre supportait avec son inaltérable tranquillité.   R. ROLLAND, Jean-Christophe, III, p. 89.

Absolt. Accepter, céder. *Refus de supporter.* ⇒ **Intolérance.** « *Plutôt perdre* (cit. 5) *que supporter.* »

(1559). **SUPPORTER QUE** (suivi du subjonctif). *Il supporte qu'on se moque de lui. Je n'étais pas d'humeur à supporter qu'il me raillât* (cit. 5). *Elle n'eût point supporté qu'on la loue* (→ Proprement, cit. 3). ⇒ **Admettre.**

9 (...) il ne supporterait pas plus longtemps qu'on se fichât de lui (...)
                                      GIDE, Si le grain ne meurt, I, VII, p. 163.

♦ **3.** (Fin xive). Compl. n. de personne ou d'animal. *Supporter qqn,* admettre, tolérer sa présence, son comportement. *Il ne peut plus le supporter* (⇒ en aversion* ; cf. fam. Il ne peut plus le voir en peinture). *Aucune nurse ne la supportait plus* (→ Hurleur, cit. 2). ⇒ **Insupportable.** *Je ne supporte plus ces chats.*

Compl. n. d'inanimé personnifié :

10 Après les avoir adorés le premier jour, supportés le second, maudits le troisième, la vieille servante éplorée vint décrire à Aurelle le sort injuste de ses cuivres (...)
                                      A. MAUROIS, les Discours du Dr O'Grady, I.

♦ **4.** (Fin xve). Subir sans dommage (une action physique). ⇒ **Résister.** *Hiver dur à supporter.* ⇒ **Rigoureux, rude.** *Une puanteur impossible à supporter* (→ Disséquer, cit. 1). — *Supporter le vin, l'alcool.* ⇒ **Tenir.** — Par ext. (Sujet n. de chose). *Son estomac ne supporte aucune nourriture* (cit. 2) *solide. L'olivier* (cit. 1) *peut supporter de légères gelées. Plat, verre qui supporte le feu,* qui va au feu.

11 Ce qui me manque, tu vois, c'est de pouvoir supporter la boisson.
                                      CÉLINE, Voyage au bout de la nuit, p. 273.

11.1 Cette vie lui profita, et, arrivé à l'âge de l'homme fait, il était capable de tout supporter, le froid, le chaud, la faim, la soif, la fatigue.
                                      J. VERNE, Michel Strogoff, p. 36.

Fig. Résister à une épreuve. *Cette thèse ne supporte pas l'examen.* ⇒ **Résister** (à), **soutenir.** *Cette règle ne supporte aucune exception.* ⇒ **Admettre** (5., b.).

♦ **5.** (1538). Admettre, considérer comme acceptable. *Je ne supporte plus cette sorte de paradoxe* (→ Exécuter, cit. 23). *Supporter un livre, un spectacle. Il ne supporte pas, il ne peut pas supporter les mathématiques, la musique classique.* (⇒ **Allergique, imperméable, réfractaire**). — Trouver mangeable, buvable (la nourriture, la boisson).

12 — Aimez-vous les épinards ?
     — Avec des petits croûtons je les supporte, mais je ne ferais pas des folies pour.
                                      R. QUENEAU, Zazie dans le métro, p. 76.

Pron. (Passif). Être supporté. *Un martyre se supporte plus aisément qu'une épine sous l'ongle* (→ Endurance, cit. 3). — (Réfl.). *Se supporter soi-même.* — (Récipr.). *Il faut se supporter les uns les autres.*

13 Contrairement à ce que l'on peut croire, ce sont les situations extrêmes qui se supportent le mieux sans le génie et l'invention (...)
                                      GIRAUDOUX, De pleins pouvoirs à sans pouvoirs, I, p. 16.

P. p. adj. *Supporté.* Voir à l'article. — Spécialt. Blason. *Chef supporté,* soutenu.

★ **III.** (V. 1963 ; de 2. supporter, d'après l'angl. to support « soutenir »). Calque de l'angl. ♦ **1.** (Sports). Encourager, soutenir (un sportif, une équipe sportive). — Par ext. Aider, donner son appui à... *Supporter un parti politique.*

♦ **2.** (Franç. d'Afrique). Subvenir aux besoins de (qqn). — Syn. : *soutenir.*

DÉR. Support, supportable.

2. SUPPORTER [sypɔʀtɛʀ ; sypɔʀtœʀ] n. m. — 1907 ; empr. angl., « celui qui supporte ».

Anglicisme.

♦ **1.** Partisan (d'un sportif, d'une équipe) qui manifeste son appui. *Les supporters d'un coureur, d'un champion.* — On a proposé de remplacer ce mot par *partisan* ou de le franciser en *supporteur* [sypɔʀtœʀ].

1 (...) il disputait une étape de montagne et, au sommet du col qu'il passait détaché avec cinq minutes d'avance sur le peloton lancé à ses trousses, des millions de supporters lui criaient : « Vas-y Gégène ! Allez Gégène ! »
J. CAU, la Pitié de Dieu, p. 54.

2 Les supporters du Racing redonnaient de la voix, attachés à galvaniser leur équipe.
René FALLET, le Triporteur, p. 396.

REM. On rencontre le fém. *supportrice* (R. Fallet, *le Triporteur*, p. 246).

♦ **2.** (1948). Personne qui apporte son appui à qqn.

3 (...) et les peintres qui ne pipaient mot de son vivant et le laissaient faire estomaqués, trop heureux d'être mis sous contrat par un tel *supporter*, ont eu le front de se plaindre de lui *(Ambroise Vollard)* après sa mort !
B. CENDRARS, Bourlinguer, p. 429.

SUPPOSABLE [sypozabl] adj. — V. 1460 ; de *supposer*.

♦ Rare. Qui peut être supposé. *Toutes les qualités supposables.* ⇒ **Imaginable.**
La bouche est inénarrable de bestialité, de gouaillerie populacière, de monstrueuse perversité supposable. Léon BLOY, le Désespéré, p. 245.

SUPPOSER [sypoze] v. tr. — XIIIᵉ ; v. 1120, « placer sous » ; francisation, d'après *poser*, du lat. *supponere* « mettre sous, substituer », de *sub*, et *ponere* « poser » ; le sens de « faire une hypothèse », en lat. médiéval, dérive du lat. des grammairiens *suppositivus* « hypothétique », calque du grec *hypothetikos*.

★ **I.** Faire une hypothèse. ♦ **1.** (Déb. XIVᵉ). Poser à titre de pure hypothèse n'impliquant aucun jugement et servant seulement de point de départ à un raisonnement, une enquête ou une discussion (⇒ **Imaginer**). *On doit supposer en géométrie certaines idées abstraites* (→ 2. Plan, cit. 2). *L'expérimentateur demande à des contre-épreuves* (cit. 2) *la vérification de ce qu'il a supposé.* — (En incise). *Vous venez me voir pour l'annonce, je suppose ?* (→ aussi Quidam, cit. 1).

Vieilli (au p. p., invar. en emploi prépositionnel). *« Supposé même sa conversion »* (Bourdaloue) : en supposant même sa conversion.

(Suivi d'un attribut du compl.). *Pour petites qu'on suppose ces parties* (→ Atome, cit. 3 ; et aussi conquérir, cit. 12 ; dépourvoir, cit. 7). *Si l'on suppose les joueurs inégaux* (cit. 3 ; → aussi Oculaire, cit. 1 ; point, cit. 10 ; rencontrer, cit. 13). *Supposer le problème résolu.* — Au p. p. *Température supposée constante* (→ Densité, cit. 2).

(Suivi d'une complétive introduite par *que*). SUPPOSER QUE... (avec le subjonctif) → Convention, cit. 6 ; couvrir, cit. 34 ; esthétique, cit. 1 ; grave, cit. 24 ; guillemet, cit. 3 ; hauteur, cit. 5 ; lot, cit. 5. *En supposant que...* (→ Funèbre, cit. 6 ; indicateur, cit. 5). *À supposer que...* (→ Irréalisable, cit. 1 ; passade, cit. 1). *Supposé que...* (→ Divertissement, cit. 2 ; insurmontable, cit. 2). ⇒ **Si.** — REM. On rencontre parfois l'indicatif après *supposer que* : un mathématicien pourra dire : *je suppose maintenant que x est égal à y* ; ce tour, tout en n'impliquant aucun jugement, semble enlever à l'hypothèse un peu de sa gratuité et la faire apparaître comme un « principe » ou une « base ».

1 Supposons donc maintenant que nous sommes endormis, et que toutes ces particularités-ci, à savoir, que nous ouvrons les yeux, que nous remuons la tête, que nous étendons les mains, et choses semblables, ne sont que de fausses illusions (...)
DESCARTES, Méditations, I.

2 Et à supposer même qu'elle m'eût permis (...)
PROUST, Du côté de chez Swann, Pl., t. I, p. 412.

3 Et, même si c'était la maladie, à supposer même que ce soit ça, est-ce que ce serait la première fois qu'on l'aurait par chez nous ? (...)
C. F. RAMUZ, la Grande Peur..., VIII.

3.1 L'application de la loi-cadre et les élections qui suivront la fin de la période transitoire, SUPPOSENT que l'action rebelle soit mise en échec dans des régions de plus en plus étendues. F. MAURIAC, le Nouveau Bloc-notes 1958-1960, p. 34.

♦ **2.** Penser, admettre comme probable ou comme plausible, sans pouvoir affirmer (cit. 4) de façon positive. ⇒ **Conjecturer, présumer.** *Ce que l'on sait, ce que l'on ignore* (cit. 10) *et ce que l'on suppose. Détails que chacun peut aisément supposer* (→ Entremetteur, cit. 5). *À ce qu'on suppose* (→ 1. Psylle, cit. 1), *comme on le suppose* (→ Détacher, cit. 29). *Plus longtemps qu'on ne supposait* (→ Arrosement, cit. 3). *Cela fait supposer* (→ Discerner, cit. 8 ; évolution, cit. 15), *laisse supposer qqch.* (→ Graine, cit. 4). ⇒ **Dénoter, indiquer.**
Supposer à qqn, chez qqn qqch. (→ Habit, cit. 11 ; lilliputien, cit. 2), supposer en lui l'existence de qqch. (→ Requinquer, cit. 3 ; royal, cit. 1). *On lui suppose des vices.* ⇒ **Attribuer, prêter** (→ 1. Louche, cit. 12). *Plus d'honnêteté qu'on ne lui en suppose* (→ Paraître, cit. 40).

(Suivi d'un attribut du complément). ⇒ **Croire.** *Pourquoi le supposer scélérat ?* (→ Matériellement, cit. 4). *Il les supposait rouées et niaises* (cit. 2). *J'ai pu supposer vrai ce que je savais avoir pu l'être* (→ Faux, cit. 6). — (Avec un participe). *On la supposait menant joyeuse vie* (→ Piédestal, cit. 4). — (Avec une proposition infinitive). *Des figures* (cit. 10) *qu'elle supposait avoir été celles des chœurs antiques.* — Au p. p. Considéré comme probable. *Le nombre sup-*

posé des victimes. *L'auteur supposé de...* : l'écrivain qui est censé* être l'auteur de... ⇒ **Prétendu.** *Le père supposé.* ⇒ **Putatif.**

4 Qui pourra se persuader qu'un premier ministre, qui suppose la paix faite avec l'Espagne, parle des Espagnols en ces termes (...)
VOLTAIRE, Mélanges historiques, Des mensonges imprimés, Testament politique de Richelieu, IX.

5 Sachez donc que je ne suis pas venu ici dans la vue de demander votre fille en mariage, mais dans celle de vous en acheter une paire de bœufs (...) que mon beau-père suppose lui convenir.
G. SAND, la Mare au diable, XIII.

6 Certes, il n'était pas beau. Il n'avait rien des élégances dont nous supposons doués les conquérants de cœurs féminins.
MAUPASSANT, l'Inutile Beauté, « Un portrait ».

(Suivi d'une complétive). *Supposer que...* suivi de l'indicatif ou du subjonctif en phrase interrogative ou négative. → Passer, cit. 21 ; patricien, cit. 4. *Je suppose qu'il est...* (→ Monde, cit. 7). ⇒ **Devoir** (il doit être). *Je suppose qu'il était* (→ Maître, cit. 66), *qu'il sera* (→ Écrivain, cit. 15), *qu'il a été...* (→ Électoral, cit. 2). *« Je suppose qu'un moine est toujours charitable »* (→ Secourable, cit. 1). *Je supposais qu'il ferait...* (→ Enrichir, cit. 2). *Il faut supposer, il est à supposer que...* (→ Étude, cit. 45 ; juron, cit. 2). *Il ne pouvait supposer que...* ⇒ **Concevoir.** — (Suivi d'une interrogative indirecte). *Si vous pouviez supposer à quelle force de volonté je me retiens* (→ Cramponner, cit. 7).

★ **II.** (1361 ; sujet n. de chose). Comporter comme condition* (II.) nécessaire. ⇒ **Réclamer** (cit. 5). *Tout achat suppose une vente préalable* (→ Échanger cit. 3). *La fécondation* (cit. 1) *suppose la rencontre de deux cellules sexuelles. Tout classicisme suppose un romantisme* (cit. 5) *antérieur.*

Comporter comme nécessairement lié. ⇒ **Impliquer.** *Le chantage* (cit. 2) *suppose des menaces sous condition. « La faveur des primes n'exclut* (cit. 15) *pas le mérite, elle ne le suppose pas aussi ». La foi suppose l'acceptation du mystère* (→ Immortel, cit. 8). *La malignité* (cit. 3) *suppose une méchanceté cachée. Un message* (cit. 2) *suppose un expéditeur, un messager et un destinataire.*

7 Une image peut être seule dans l'esprit qui se la représente ; mais toute idée en suppose d'autres. ROUSSEAU, Émile, II.

Pron. (récipr.). *Des vices qui ne se supposent pas toujours l'un l'autre* (→ Paraître, cit. 15).

(Suivi d'une complétive). *Augmenter* (cit. 8) *suppose que ce qu'on met en sus est de même nature* (→ aussi Déroger, cit. 4 ; despotique, cit. 4). *Cela suppose que préalablement on aura fait...* (→ Dividende, cit. 2).

★ **III.** ♦ **1.** (1559). Vx. « Mettre une chose à la place d'une autre par fraude et tromperie » (Furetière). ⇒ **Substituer, supposition** (II.). *« On dira à l'audience qu'elle a supposé son enfant »* (→ Intimider, cit. 1, Mᵐᵉ de Sévigné).

♦ **2.** (1538). Vén. Donner le change en lançant sur la voie (La Fontaine, IX, *Discours à Mᵐᵉ de la Sablière*).

♦ **3.** Dr. Donner pour authentique, en trompant. *Supposer un testament, une signature.* — Au p. p. Non authentique. *Testament supposé.* ⇒ **Apocryphe.** *Sous un nom supposé.* ⇒ **Faux** (→ Gens, cit. 26 ; libelliste, cit.).

♦ **4.** Inventer, forger de toutes pièces. *J'ai supposé cette blessure* (→ Nullité, cit. 2).

8 Raisons de croire que le livre intitulé *Testament politique du cardinal de Richelieu* est un ouvrage supposé.
VOLTAIRE, Titre, in Mélanges historiques, Des mensonges imprimés.

▶ **SUPPOSÉ, ÉE** p. p. adj. Voir à l'article.
CONTR. (Du III., au p. p.) **Authentique.**
DÉR. Supposable, suppositif.
COMP. Présupposer.

SUPPOSITIF, IVE [sypozitif, iv] adj. — XVIIIᵉ ; de *supposition*.

♦ **1.** Gramm., vx. *Mode suppositif :* conditionnel.

♦ **2.** Ling. *Proposition suppositive,* hypothétique.

SUPPOSITION [sypozisjɔ̃] n. f. — 1370 ; « soumission », t. de dr., 1291 ; lat. *suppositio*, de *supponere*. → Supposer.

★ **I.** Action de supposer, ce qu'on suppose (I.). ♦ **1.** Littér. Hypothèse de l'esprit qui suppose (I., 1.) sans juger. *Un point** (cit. 9 et 11) *géométrique est une supposition.* ⇒ **Abstraction.** *La chimère de ma supposition* (→ Récrier, cit. 1). *Les plus extravagantes suppositions des sceptiques.* ⇒ **Position** (→ Être, cit. 3, Descartes). — *Par supposition :* par hypothèse. ⇒ **Censément.** *Dans cette supposition :* si on tient cette supposition.

1 Il me prend donc envie de vous le montrer par une étrange supposition. Je dirai donc quand Dieu ne nous soutiendrait pas par une providence particulière (...)
PASCAL, Pensées, XIV, 956.

(1887, Zola). Ellipt., fam. *Une supposition (que)...* : supposons (que)...

2 (...) une supposition : on me raconterait que monsieur (...) n'aime pas quelqu'un, je ne le croirais pas (...) É. ESTAUNIÉ, l'Ascension de M. Baslèvre, I, IV.

3 Le flair de Buteau l'avertissait que le père Fouan mourrait le premier : une sup-

position qu'on lui aurait donné une chiquenaude, à coup sûr, il ne se serait pas relevé.   ZOLA, la Terre, V, II.

Gramm. ⇒ **Hypothèse**; et aussi **condition**. *Subordonnées de suppositions.* ⇒ **Hypothétique, suppositif.** *Les diverses expressions grammaticales de la supposition.* ⇒ **Si.**

4   (...) il en est d'autres *(phrases)* qui, sans contenir cette conjonction *(si)*, sont cependant des phrases de supposition (...) Ce n'est point à un signe grammatical, à quelque chose de formel, que se reconnaît sûrement la phrase hypothétique, mais (...) à la relation idéologique qui unit ensemble les membres du système.   G. et R. LE BIDOIS, Syntaxe du franç. moderne, § 1591.

♦ **2.** Conjecture* de l'esprit qui suppose (I., 2.) sans pouvoir affirmer. ⇒ **Hypothèse.** *Ce n'est pas une supposition précaire ou gratuite* (cit. 4), *une simple supposition. Faire d'ingénieuses suppositions* (→ Reconnaître, cit. 12). *Suppositions au sujet de qqn, de qqch., portant sur qqch. Suppositions injurieuses, désobligeantes, charitables* (→ Lazzi, cit. 2). *Préférer les explications* (cit. 6) *simples aux suppositions romanesques. Les faits repoussent une semblable supposition* (→ Équipement, cit. 1).

5   J'entrai (...) j'aperçus quelqu'un assis dans mon fauteuil, et qui se chauffait les pieds en me tournant le dos. Je n'eus pas peur, oh! non, pas le moins du monde. Une supposition très vraisemblable me traversa l'esprit; celle qu'un de mes amis était venu pour me voir.   MAUPASSANT, les Sœurs Rondoli, « Lui ? ».

6   Ç'avait été, dans le déchirement atroce de sa révélation à Balbec (...) la chose que dans mes pires suppositions je n'aurais jamais été assez audacieux pour imaginer (c'est étonnant comme la jalousie, qui passe son temps à faire des petites suppositions dans le faux, a peu d'imagination quand il s'agit de découvrir le vrai).   PROUST, la Fugitive, Pl., t. III, p. 434, note.

★ **II.** (V. 1556). Vx. Action de supposer* (III.); substitution frauduleuse (du faux à l'authentique), fausse attribution. ⇒ **Fraude.** *Supposition de testament. Supposition de nom.* ⇒ **Usurpation.** — Mod., dr. *Supposition d'enfant* ou *de part :* attribution à une femme d'un enfant dont elle n'est pas accouchée.

7   Ce chapitre neuvième du *Testament politique* (de Richelieu) porte à chaque page les preuves les plus évidentes de la supposition la plus maladroite : c'est là que tout est faux, réflexions, faits, et calculs (...)   VOLTAIRE, Mélanges historiques, Des mensonges imprimés, Testament politique de Richelieu, XIX.

CONTR. (Du II.) Authenticité.
DÉR. Suppositif.
COMP. Présupposition.

SUPPOSITOIRE [sypozitwaʀ] n. m. — XIIIᵉ; lat. *suppositorium,* de *supponere* « mettre au-dessous » au sens concret.

♦ Préparation pharmaceutique, de consistance solide, de forme allongée, que l'on introduit dans l'anus, soit pour provoquer des évacuations, soit pour administrer un médicament. — Abrév. : *un suppo, des suppos* [sypo].

Cette désaffection passagère pour l'administration buccale s'est accentuée avec l'introduction des premiers antibiotiques, très fragiles et instables, pour lesquels seule la voie injectable pouvait être retenue. Parallèlement, on assistait chez certains malades à une valorisation des « suppos » et des « piqûres », valorisation parfois directe (...) parfois antithétique (...)   A. LE GALL et R. BRUN, les Malades et les Médicaments, p. 62.

HOM. (De *suppo*) **Suppôt.**

SUPPÔT [sypo] n. m. — 1380, *suppost; suposta* « vassal », v. 1298; lat. *suppositus* « placé au-dessous », de *supponere.* → Supposer.

★ **I.** ♦ **1.** Vx. Employé subalterne; subordonné. *Les receveurs des tailles et leurs suppôts* (→ Avanie, cit. 3). — Celui qui remplit des fonctions pour le service d'un corps, d'une compagnie. *Suppôt de justice* (Boileau, *Satires,* VIII).

♦ **2.** (Fin XVIᵉ). Mod., littér. Personne qui soutient une personne nuisible. *Les suppôts d'un tyran,* et, par ext., *de la tyrannie.* ⇒ **Agent, fauteur** (vx), **partisan, serviteur.**

♦ **3.** (1668). Loc. fig. Adepte. — Par plais. *Suppôt de Bacchus* (La Fontaine, III, 7) : ivrogne.

Loc. cour. *Suppôt de Satan* (1663), *du diable* (1611) : démon; (fig., fam.) personne méchante.

— Tu n'entreras pas, suppôt de Satan ! s'écria Manon qui reconnut le procureur général et qui se mit devant la porte du salon. Viens-tu pour tuer Madame ?   BALZAC, l'Initié, Pl., t. VII, p. 423.

★ **II.** (XIVᵉ, *suppost;* lat. *suppositum,* n. m.). Vx. Ce qui sert de fondement. ⇒ **Substrat, support.** « *L'humanité est le suppôt de l'homme* » (Furetière, 1690).

Hist. de la philos. La substance avec ses accidents.

HOM. Suppo (abrév. de *suppositoire*).

SUPPRESSEUR [sypʀɛsœʀ ; sypʀɛsœʀ] adj. et n. m. — Mil. XXᵉ; du rad. de *suppression.*

♦ Techn., sc. Qui supprime une réaction (spécialt, une réaction

immunitaire. ⇒ **Immuno-suppresseur**). *Lymphocytes suppresseurs. Cellules suppresseurs* (in *la Recherche,* n° 52).

COMP. Immuno-suppresseur.

SUPPRESSION [sypʀɛsjɔ̃ ; sypʀɛsjɔ̃] n. f. — V. 1380; lat. *suppressio,* de *suppressum,* supin de *supprimere.* → Supprimer.

♦ **1.** Vx. Action de cacher, d'empêcher que qqch. devienne public. *La suppression d'un écrit, d'une preuve, par quelqu'un.*

Dr. *Suppression de part* (⇒ 2. **Part**) *d'enfant*, consistant à faire disparaître la preuve de son existence sur l'état civil (en dissimulant sa naissance, en le faisant passer pour mort...). — *Suppression d'état,* par laquelle on prive un enfant de son véritable état civil (en le lui enlevant ou en l'empêchant d'en acquérir la preuve).

♦ **2.** (1468). Cour. Action de supprimer (2.), de mettre fin à qqch. ⇒ **Abandon, abolition, abrogation, annulation.** *La suppression de qqch. par qqn. Suppression d'une disposition légale* (⇒ **Dérogation**), *d'un privilège* (→ Escompter, cit. 5).

1   Une révolution ne vaut la peine qu'on meure pour elle que si elle assure sans délai la suppression de la peine de mort (...)   CAMUS, l'Homme révolté, p. 361.

♦ **3.** Cour. **a** (V. 1560). Action de supprimer (3.), de faire disparaître, de détruire (qqch.). *La suppression d'une trace par qqn, par un produit. Suppression d'une chose matérielle* (⇒ **Destruction**), *d'un phénomène ou de ses effets* (⇒ **Cessation**). *Défaut, manque résultant d'une suppression.* ⇒ **Défaillance, disparition, effacement** (fig.), **extinction.** *La suppression du rose de ses joues* (→ Peindre, cit. 26). *Suppression des libertés.* ⇒ **Étouffement.** *Lutter contre les suppressions d'emplois.*

b Disparition (d'une personne). ⇒ **Assassinat, meurtre.** *Ils organisèrent la suppression du témoin.* — *La suppression d'une race, d'un peuple.* ⇒ **Génocide.**

♦ **4.** (1690). Le fait d'enlever, de retrancher. ⇒ **Coupure, diminution, mutilation, retranchement.** *Métaplasme* par suppression* (élision, syncope). *Faire des suppressions dans un texte.* — *Suppression du dessert* (à un enfant). ⇒ **Privation** (→ Priver, cit. 3).

2   Pour bien écrire, il faut sauter les idées intermédiaires, assez pour n'être pas ennuyeux; pas trop, de peur de n'être pas entendu. Ce sont ces suppressions heureuses qui ont fait dire à M. Nicole que tous les bons livres étaient doubles.   MONTESQUIEU, Cahiers, III, Art d'écrire.

CONTR. Addition, adjonction, ajout, ajoutage, maintien.
DÉR. Suppresseur.

SUPPRIMABLE [sypʀimabl] adj. — 1842; «qui peut être mis hors de la société», 1648; de *supprimer.*

♦ Que l'on peut supprimer, faire disparaître, détruire. *Une disposition aisément supprimable. Les inégalités sont difficilement supprimables.*

SUPPRIMER [sypʀime] v. tr. — V. 1380; lat. *supprimere* «enfoncer, arrêter, étouffer», de *premere* «presser».

♦ **1.** Vx. Empêcher de se manifester en cachant, en n'exprimant pas. « *Le sommeil suffoque et supprime les facultés de notre âme* » (→ Besogne, cit. 2, Montaigne).

Dr. Passer sous silence*. ⇒ **Taire** (cf. Rotrou, Fléchier, Racine, *in* Littré). « *Cet avocat par une réticence malicieuse a supprimé une clause essentielle...* » (Furetière) : *Supprimer un écrit, une édition, une publication; un livre* : empêcher de paraître. *Supprimer un acte, une pièce.* ⇒ **Escamoter.**

1   Car il est certain que Jésus-Christ a été, et que sa religion a fait grand bruit, et que ces gens-là ne l'ignoraient pas et qu'ainsi il est visible qu'ils ne l'ont celé qu'à dessein; ou bien qu'ils en ont parlé, et qu'on l'a supprimé ou changé.   PASCAL, Pensées, XII, 787.

2   *(L'amour-propre)* leur donne des vues si justes, qu'il leur fait supprimer ou déguiser les moindres choses qui peuvent être condamnées *(dans leur conduite).*   LA ROCHEFOUCAULD, Maximes, 494.

Une mode qui supprimait la taille (→ Gaine, cit. 7), *qui ne la marquait pas.*

(V. 1560). Méd. Empêcher de se produire.

♦ **2.** (1481). Mod. Rendre sans effet légal; enlever de l'usage. ⇒ **Abolir, abroger** (cit. 1), **annuler, casser.** *Supprimer une loi, une institution, les crédits* (→ Diminuer, cit. 3), *une taxe, une tradition. Supprimer une condamnation, une interdiction.* ⇒ **Lever.** *Organisme* (cit. 4) *tendant à supprimer la guerre.* ⇒ **Bannir.** — *On ne supprime vraiment que ce que l'on remplace* (phrase attribuée à Napoléon Iᵉʳ). → Proposition, cit. 3. — *Supprimer le roi,* la fonction du roi, la royauté (→ Fascisme, cit. 1; et aussi rosière, cit. 2).

♦ **3.** Faire disparaître, faire cesser d'être en altérant profondément, en défaisant. ⇒ **Détruire; anéantir, annihiler.** *Supprimer un mur* (→ Arrondir, cit. 7), *des bornes* (cit. 2). *Supprimer les taudis* (→ Reconstruire, cit. 1). *Supprimer un service d'une entreprise. Supprimer des emplois.* — *Supprimer des difficultés, les obstacles* (→ Coup, cit. 31), *les soupçons.* ⇒ **Aplanir** (fig.), **balayer** (fig.), écarter. *Supprimer les résistances.* ⇒ **Désagréger.** *Ce procédé supprimerait des opérations inutiles.* ⇒ **Épargner, éviter.** *La machine supprime le travail d'artisan* (→ Robot, cit. 1). — *Supprimer en soi un sentiment.* ⇒ **Étouffer.** *Supprimer la douleur, le mal...* (→ Nier, cit. 4). ⇒ **Arrêter, empêcher, inhiber.** *Le temps supprime les illusions.* ⇒ **Cesser** (faire), **fin** (mettre fin à); **gâcher.** *Supprimer l'énergie, la volonté* (⇒ **Abattre, briser**), *l'autorité, l'influence* (⇒ **Démolir,** fig.). — *Supprimer la liberté, les droits de l'homme.* ⇒ **Assassiner, congédier, tuer** (fig.). — (Le compl. désigne des humains collectivement, mais sans que le verbe implique la destruction physique des personnes). *Supprimer un groupe social, une race* (⇒ **Éteindre**). *Opprimer ou supprimer la classe bourgeoise* (→ Dictature, cit. 5).

3 La brutalité du mariage crée des situations définitives, supprime la volonté, tue le choix (...) met en déroute le mystérieux de la vie (...)
HUGO, l'Homme qui rit, II, I, III, III.

4 Même un mauvais sommeil, s'il ne supprime pas la douleur, la dissimule (...)
J. ROMAINS, les Hommes de bonne volonté, t. V, XXXII, p. 246.

5 Comment auraient-ils pensé à la peste qui supprime l'avenir, les déplacements et les discussions?
CAMUS, la Peste, p. 50.

Par exagér. Réduire considérablement. *L'avion supprime les distances.*

Spécialt. Faire cesser d'être dans (un ensemble), avec (qqch.). ⇒ **Amputer, éliminer, ôter, rayer, retirer, retrancher.** *Supprimer un mot, un passage* (d'une œuvre, dans une œuvre). → Discours, cit. 11. ⇒ **Barrer, biffer, déléaturer, effacer.** *Il y a beaucoup à supprimer dans ce texte.* ⇒ **Élaguer, expurger.** — *Supprimer qqch. à qqn.* ⇒ **Enlever, ôter; priver** (de). *Sa rente lui fut supprimée. Se supprimer qqch.* (→ Effectuation, cit.). — Par ext. *Supprimer qqch. de sa vie* (→ Pharisien, cit. 4); *supprimer du monde* (→ In pace, cit. 2).

6 Ce mot, qui sent l'argot d'atelier d'une lieue, devrait être supprimé du dictionnaire de la critique.
BAUDELAIRE, Curiosités esthétiques, I, I.

7 Maintenant, il avait beau regarder : il n'y avait plus rien là où elle s'était tenue (...) il se demandait : « Où est-elle? ». C'était comme si elle avait été supprimée de la vie en même temps qu'elle l'était de sa vue.
C.-F. RAMUZ, la Grande Peur..., IV.

♦ **4.** *Supprimer qqn.* [a] (1680). Vieilli. Évincer, écarter quelqu'un.

[b] (1847). Mod. Faire disparaître qqn en le tuant. ⇒ **Éliminer, tuer.** *Supprimer les hypocrites* (→ Exterminer, cit. 6). *Supprimer l'ennemi* (→ Noyade, cit. 1).

8 Non, la seule personne qu'il se devait de descendre était Barnabe. En supprimant Barnabe, Simon réduisait à néant sa filature (...)
Francis CARCO, les Belles Manières, p. 125.

▶ **SE SUPPRIMER** v. pron.

(Av. 1660). Se tuer. ⇒ **Suicider** (se).

9 Si je prends au hasard un nom dans l'annuaire des téléphones, j'ignore totalement si la personne qui porte ce nom se suicidera ou ne se suicidera pas dans la semaine qui va venir, mais je sais que le nombre des personnes qui vont se supprimer dans cette prochaine semaine aura à peu près la valeur moyenne normale.
L. DE BROGLIE, Physique et Microphysique, p. 153.

CONTR. Montrer, produire, publier. — Instituer, maintenir, proroger. — Additionner, adjoindre, introduire; accroître... — Faire, former.
DÉR. Supprimable.

SUPPURANT, ANTE [sypyrɑ̃, ɑ̃t] adj. — 1802; de *suppurer.*

♦ Qui suppure. *Plaie suppurante.* ⇒ **Purulent.** — Par ext. *Un blessé suppurant.*

(...) les meurtrissures augmentaient, s'étalaient, devenaient des plaies vives, suppurantes, bordées de moisissures.
J.-M. G. LE CLÉZIO, le Déluge, p. 92.

SUPPURATIF, IVE [sypyratif, iv] adj. — V. 1363; du lat. *suppurare.* → Suppurer.

♦ Méd. Qui facilite l'écoulement du pus. *Médicament suppuratif.* — N. m. *Un suppuratif. Utiliser un suppuratif.*

SUPPURATION [sypyrɑsjɔ̃] n. f. — V. 1363; lat. *suppuratio,* de *suppurare.* → Suppurer.

♦ Production et écoulement de pus. ⇒ **Pyorrhée.** *La suppuration d'une plaie, d'un abcès**. *Venir à suppuration.* ⇒ **Aboutir.** *Plaie artificielle, exutoire qu'on entretient pour permettre la suppuration.* ⇒ **Cautère.**

Par compar. (littéraire) :

(...) les cônes *(du volcan)* laissent couler de la boue chaude, pareille à une affreuse suppuration du sol (...)
MAUPASSANT, la Vie errante, « La Sicile ».

SUPPURÉ, ÉE [sypyre] adj. — 1572; lat. *suppuratus,* p. p. de *suppurare.* → Suppurer.

♦ **1.** Vx. Qui a des abcès purulents.

♦ **2.** (1845). Qui suppure. *Kyste suppuré.*

SUPPURER [sypyre] v. intr. — 1560; *supporer,* 1515; *soupurer,* XIIIe; lat. *suppurare,* de *pus, puris* « pus ».

♦ Laisser écouler du pus; produire du pus. *La plaie suppure. Qui fait suppurer.* ⇒ **Pyogène.**

1 Les ganglions étaient bien plus gros (...) L'un d'eux commença à suppurer et, bientôt, il s'ouvrit comme un mauvais fruit.
CAMUS, la Peste, p. 46.

2 Il a toujours été chétif, les nerfs pas d'aplomb, des saloperies qui suppuraient. Seulement, ce qu'il avait qui le soutenait, c'était son petit litre à boire tous les jours.
M. AYMÉ, le Passe-muraille, p. 264.

Par métaphore. *« Toutes les plaies de l'âme suppurent... »* (Bernanos, *Journal d'un curé de campagne,* p. 168).

DÉR. Suppurant.

SUPPUTATION [sypytɑsjɔ̃] n. f. — 1532; lat. *supputatio,* de *supputare.* → Supputer.

♦ **1.** Estimation numérique. ⇒ **Calcul, computation.**

1 La supputation de la monnaie locale, qu'on accepte de me rendre sur mon billet français (...) exige des réflexions infinies.
J.-R. BLOCH, Cacaouettes et Bananes, p. 59.

Spécialt. Calculs chronologiques (sur le calendrier).

♦ **2.** (1804). *Une, des supputations.* Appréciation, estimation (généralement appliquée à l'avenir). ⇒ **Hypothèse, prévision.** *Faire des supputations à propos de qqch. De fausses supputations. Ce ne sont que des supputations. Les supputations de qqn, au sujet de quelque chose.*

2 S'il n'y avait pas une force morale qui modifiât ce que nous appelons les probabilités du hasard, le cours du monde serait dans une incertitude bien plus grande. Un calcul changerait plus souvent le sort d'un peuple : toute destinée serait livrée à une supputation obscure (...)
É. DE SENANCOUR, Oberman, XLIII.

3 Ils renonçaient pour quelque temps aux supputations, aux prévisions prudentes. Ils se contentaient d'être malheureux.
J. ROMAINS, les Hommes de bonne volonté, t. V, XXVIII, p. 312.

SUPPUTER [sypyte] v. tr. — 1552; lat. impérial *supputare,* de *putare* « calculer ».

♦ **1.** Évaluer indirectement, par un calcul. ⇒ **Calculer, évaluer, nombrer; supputation** (→ Interdire, cit. 8). *Supputer le nombre des maux détruits et des améliorations* (cit. 1) *opérées.* — Par ext. *Ils supputaient, à un sou près, quelle allait être la situation pécuniaire* (cit. 2). ⇒ **Compter.**

1 L'œil est ébloui, et la raison ose à peine supputer les sommes que représentent ces magnificences.
Th. GAUTIER, Voyage en Russie, I, XVII.

Absolt. ⇒ **Calculer** (cit. 3).

(1690). Spécialt. Estimer la valeur de...

2 Don Simuel, pendant ceci, suppute et pèse
Sequins et diamants, perles et dinars d'or.
LECONTE DE LISLE, Poèmes tragiques, « Inquiétudes de Don Simuel ».

2.1 Un tailleur, en vous voyant, suppute instinctivement l'étoffe de votre habit.
M. PROUST, À la recherche du temps perdu, t. XII, p. 205.

♦ **2.** Évaluer empiriquement; apprécier les chances, la probabilité de... *Supputer la vendange* (→ Attente, cit. 24). *Supputer ses chances de réussite.*

3 (...) calmement, il supputait ses chances. Plus la crise se prolongeait, et plus il se persuadait que Jacques se trouverait acculé à la résignation.
MARTIN DU GARD, les Thibault, t. IV, p. 51.

4 Le déterminisme apparent des échelles macroscopiques doit aux petites échelles céder la place à un probabilisme qui se contente de supputer les éventualités possibles et leurs probabilités respectives.
L. DE BROGLIE, Physique et Microphysique, p. 294.

SUPRA [sypra] adv. et prép. — Attesté XXe; mot lat., « au-dessus ». Didactique.

♦ **1.** Adv. Sert à renvoyer à un passage qui se trouve avant*, dans un texte. ⇒ **Haut** (plus haut); **dessus** (ci-dessus). *Voir supra; cf. supra.*

♦ **2.** Prép. Avant, au-dessus de. *Se reporter à tel mot, supra cit. 4,* immédiatement avant cette citation.

CONTR. Infra.

SUPRA- Élément, du lat. *supra* « au-dessus, au-delà ». — Ex. (hist. nat.) : *supraaxillaire, suprathoracique* (in Littré); (géol.) *supracortical (roches supracorticales* ou *exogènes), supracrétacé, supraglaciaire, suprajurassique* (1842, Barré); (philos.) *supramondain* (XVIe) : *au-dessus du monde sensible, supranaturalisme* (1846), *suprapersonnel, suprarationnel.*

REM. 1. La plupart de ces mots se sont écrits avec un trait d'union; cette graphie se rencontre encore.

2. *Supra-* est parfois en concurrence avec *super-.*

1 (...) certains physiciens préfèrent accepter la non-localité et en rendre compte en supposant l'existence d'un mode de communication plus rapide que la lumière; cette communication supralumineuse n'est supposée transporter ni signal ni énergie et ne viole donc pas les principes de la relativité.
la Recherche, n° 111, mai 1980, p. 519.

2   Cette parenté avec les cristaux suggère que les propriétés d'auto-assemblage des molécules de collagène doivent aussi jouer dans la genèse de l'organisation supra-moléculaire des tissus.   la Recherche, nº 120, mars 1981, p. 321.

3   Mais l'épistémologie n'est-elle pas de nature proprement philosophique, ce qui, pour certains auteurs, signifie suprascientifique?
      J. PIAGET, Épistémologie des sciences de l'homme, p. 232.

SUPRACONDUCTEUR, TRICE [sypRakɔ̃dyktœR, tRis] adj. et n. m. — Mil. xxᵉ; de supra-, et conducteur.

Physique.

♦ **1.** Adj. Relatif à la supraconduction. *État supraconducteur. Transition supraconductrice. Électronique supraconductrice.*

♦ **2.** Adj. Doué de supraconductivité. *Matériaux, alliages supraconducteurs. Électro-aimant supraconducteur.*

N. m. Matériau supraconducteur (alliage ou composé). *« Les supraconducteurs sont des métaux en alliages dont la résistivité électrique s'annule en-dessous d'une température de transition toujours très basse (la plus élevée connue aujourd'hui est de 23 K) »* (la Recherche, mars 1979, p. 299).

SUPRACONDUCTION [sypRakɔ̃dyksjɔ̃] n. f. — Mil. xxᵉ (in Larousse, 1953); de supra-, et conduction.

♦ Phys. Phénomène par lequel la résistivité de certains métaux ou alliages, dits *supraconducteurs,* après avoir décru régulièrement à mesure que leur température s'abaissait, tombe brusquement à une valeur proche de zéro. *La température de transformation à laquelle se produit la supraconduction dépend non seulement du composé, mais aussi du champ magnétique appliqué. — Applications industrielles de la supraconduction* (instruments de mesure, transport de l'énergie, ordinateur).

SUPRACONDUCTIVITÉ [sypRakɔ̃dyktivite] n. f. — 1936; de supra-, et conductivité.

♦ Phys. Propriété d'un corps qui présente le phénomène de supra-conduction. *« (...) des recherches considérables sont menées en vue d'affranchir un jour la supraconductivité d'une utilisation onéreuse des fluides cryogéniques comme l'hélium ou l'hydrogène liquides (...) pour l'instant, la température critique de tous les supraconducteurs connus reste limitée à 23,2 K »* (la Recherche, nº 50, juil.-août 1974).

SUPRACONVERGENT, ENTE [sypRakɔ̃vɛRʒɑ̃, ɑ̃t] adj. — Mil. xxᵉ; de supra-, et convergent.

♦ Didact. Se dit de deux pièces mécaniques (hélices, etc.) tournant en sens inverse autour d'axes parallèles et horizontaux, leurs extrémités se rapprochant pendant la moitié supérieure de leur révolution (opposé à *supradivergent,* qualifiant des pièces qui s'écartent dans les mêmes conditions).

SUPRADYNE [sypRadin] adj. — 1964; de supra-, et -dyne.

♦ Radio. Se dit d'un montage à changement de fréquence, utilisant le phénomène des battements. *Montage supradyne d'un récepteur superhétérodyne.*

SUPRA-HUMAIN, AINE [sypRaymɛ̃, ɛn] adj. — 1907, Paulhan, le Mensonge de l'art; de supra-, et humain.

♦ Qui est au delà de ce que l'homme peut appréhender, peut faire. ⇒ **Supra-naturel.**

Dans ces prés, ces bois où je ne percevais plus la trace des hommes, je crus toucher cette réalité supra-humaine à laquelle j'aspirais.
      S. DE BEAUVOIR, Mémoires d'une jeune fille rangée, p. 264.

CONTR. Infra-humain.

SUPRALIMINAIRE [sypRaliminɛR] adj. — V. 1960; de supra-, et liminaire; supraliminal, 1893, in D. D. L., d'après subliminal.

♦ Psychol., physiol. Supérieur au seuil. *Stimulus supraliminaire* (capable d'éveiller une sensation). — S'oppose à *sous-liminaire.*

SUPRANATIONAL, ALE, AUX [sypRanasjɔnal, o] adj. — 1911, supra-national, in D. D. L.; de supra-, et national.

♦ **1.** Dr. Placé au-dessus des institutions nationales. *Organisme supranational.* — Par ext. *Décision supranationale.*

♦ **2.** Qui concerne un regroupement de plusieurs nations. *Budget supranational. Impératifs supranationaux. « La nostalgie d'un*

ordre supranational comme l'était cet empire romain dont le Saint Empire se voulait l'héritier en Occident » (le Monde, 22 nov. 1978).

DÉR. Supranationalisation, supranationalisme.

SUPRANATIONALISATION [sypRanasjɔnalizɑsjɔ̃] n. f. — 1968; de supranational.

♦ Rare. Action de rendre supranational; son résultat. *« Il ne pouvait être d'accord avec ceux qui prônent la supranationalisation des économies des pays membres du Comecon »* (le Monde, 30 nov. 1968, in Gilbert).

SUPRANATIONALISME [sypRanasjɔnalism] n. m. — 1964; de supranational.

♦ Polit. Doctrine ou tendance à défendre ou privilégier les institutions supranationales.

DÉR. Supranationaliste.

SUPRANATIONALISTE [sypRanasjɔnalist] adj. et n. — V. 1970; de supranationalisme.

♦ Polit. Partisan du supranationalisme.

SUPRANATIONALITÉ [sypRanasjɔnalite] n. f. — 1963; de supra-, et nationalité.

♦ Admin. Caractère supranational (d'une institution, etc.). *Le principe de supranationalité. « La rhétorique impuissante des religionnaires de la supranationalité »* (le Monde, 18 févr. 1977, p. 14).

SUPRANATUREL, ELLE [sypRanatyRɛl] adj. — Av. 1867; de supra-, et naturel.

♦ Qui relève d'un autre ordre que celui du quotidien, qui n'est pas explicable par des phénomènes naturels. *Phénomènes supranaturels et parapsychologiques*.*

Et c'était comme s'ils avaient entendu une musique supranaturelle dans le crépuscule.   M. BARRÈS, la Colline inspirée, IX. 1

Vous vous intéressez aux phénomènes supranaturels?   F. MALLET-JORIS, le Jeu du souterrain, p. 42. 2

REM. On écrit aussi *supra-naturel.*

N. m. *« Le truc qui passionne les gens en ce moment, c'est le supranaturel, les phénomènes para-psy* (para-psychologiques) *et les extra-terrestres »* (Charlie-Hebdo, 12 janv. 1978, p. 6).

SUPRANORMAL, ALE, AUX [sypRanɔRmal, o] adj. — 1930, in D. D. L.; de supra-, et normal.

♦ Qui dépasse le normal, est plus grand, plus fort que ce qu'on voit d'habitude. — REM. On écrit aussi *supra-normal.*

Moïse lui-même a tout un côté égyptien, le plus obscur de sa personnalité : ses dons supra-normaux sur lesquels l'Écriture Sainte insiste.
      DANIEL-ROPS, le Peuple de la Bible, II, I. 1

Spécialt. Qui dépasse les possibilités habituelles de l'homme, et semble par là relever d'un autre ordre.

Vouloir que le surnaturel soit l'ossature du merveilleux serait, d'ailleurs, me fier à une notion encore trop embuée de mysticisme et pas même applicable à ces faits qu'aujourd'hui l'on dit, plus prudemment, «supranormaux» (double vue, télépathie, prémonition, etc.) : choses troublantes mais qui, si elles se produisent, sont par définition naturelles, comme tout ce qui s'inscrit dans la marche du monde sensible.   Michel LEIRIS, Frêle bruit, p. 344. 2

SUPRARATIONNEL, ELLE [sypRaRasjɔnɛl] adj. — 1876; de supra-, et rationnel.

♦ Didact. Qui appartient à un domaine extérieur et supérieur à la raison.

CONTR. Rationnel.

SUPRASEGMENTAL, ALE, AUX [sypRasɛgmɑ̃tal, o] adj. — V. 1960; de supra-, et segmental, d'après l'anglais.

♦ Ling. Se dit d'une caractéristique (phonique) affectant plusieurs segments* d'un énoncé. *L'intonation, l'accent et la durée, traits suprasegmentaux.*

CONTR. Segmental.

SUPRASENSIBLE [sypRasɑ̃sibl] adj. — 1850, Renan, in D. D. L.; de supra-, et sensible.

♦ Qui n'est pas accessible aux sens; qui est considéré comme supérieur à la réalité sensible. ⇒ **Suprahumain, supranaturel, surnaturel.** *Les intérêts suprasensibles de l'humanité* (→ Religiosité, cit. 2).

Il voulait, en ce moment solennel, éprouver je ne sais quoi de sublime et de rare, écouter une communication de l'au-delà, lancer sa pensée dans les régions éthérées, suprasensibles.
GIDE, les Faux-monnayeurs, I, v, *in* Romans, Pl., p. 966.

N. m. (Fin XIXe, Huysmans). *Le suprasensible.*

SUPRASTRUCTURE [sypʀastʀyktyʀ] n. f. — 1970 ; de *supra-*, et *structure*.

♦ Philos. (Rare). Superstructure*.

(...) quand nous parlons de psychogenèse ou de sociogenèse, de psychothérapie ou de sociothérapie, nous n'imaginons pas pour autant que la psyché ou le socius soient des entités indépendantes de l'ensemble de l'organisme qui en constitue le substrat. Tout se passe comme si ces suprastructures mentales étaient capables de réagir sur les infrastructures organiques dont elles dépendent et réciproquement.
Jean DELAY, Introd. à la médecine psychosomatique, p. 7.

SUPRATERRESTRE [sypʀatɛʀɛstʀ] adj. — 1889 ; de *supra-*, et *terrestre*.

♦ **1.** De l'au-delà. *« Un monde supraterrestre »* (→ Essentialisme, cit.).

♦ **2.** N. Être originaire d'un monde supraterrestre. ⇒ **Extraterrestre.** — REM. On écrit aussi *supra-terrestre*.

Comment les supra-terrestres, au crépuscule, et couchés dans leurs engins, pourraient-ils venir et reconnaître les lieux que nous leur avons préparés ?
Jean CAYROL, Histoire d'une prairie, p. 114.

SUPRATHERMIQUE [sypʀatɛʀmik] adj. — V. 1970 ; de *supra-*, et *thermique*.

♦ Phys. *Électron suprathermique :* électron auquel une accélération quelconque a conféré une haute énergie (et dont la seule agitation thermique n'explique pas le mouvement). *Électrons suprathermiques et électrons relativistes.*

SUPRÉMATIE [sypʀemasi] n. f. — 1651 ; angl. *supremacy*, de *supreme*, du franç. *suprême*.

♦ **1.** Hist. Primauté religieuse du souverain, dans l'Église anglicane (Bossuet, *Histoire des variations*, X, 11).

♦ **2.** Situation dominante, suprême (en matière politique, religieuse). ⇒ **Hégémonie, prééminence, primauté ; omnipotence.** *La suprématie de l'Inca* (cit. 2). — *Suprématie politique, économique, militaire.*

♦ **3.** (1803). Cour. Supériorité active. ⇒ **Ascendant, domination, maîtrise, prééminence.** *La suprématie de l'esprit* (→ Nombre, cit. 25, Flaubert), *de l'intelligence sur les penchants* (→ Animalité, cit. 3). *Les questions de suprématie de race* (cit. 20). — *Exercer sa suprématie sur...*

1 (...) le jeune ambitieux était excédé de la suprématie que son collègue exerçait en Lorraine. M. BARRÈS, Leurs figures, XVII.

2 Que voulez-vous qu'il advienne de deux masses en lutte, à peu près égales, qui ne veulent d'aucun compromis, et dont aucune ne peut soumettre l'autre par la suprématie de sa force ? MARTIN DU GARD, les Thibault, t. IX, p. 123.

SUPRÉMATISME [sypʀematism] n. m. — 1915 ; de *suprématie*, et *-isme*, d'après le russe.

♦ Hist. de l'art. Théorie artistique et style pictural du peintre russe Malevitch (manifeste de 1915) ; abstraction géométrique dépouillée.

Malevitch s'est lui-même défini : *Je n'ai rien inventé, j'ai seulement senti la nuit en moi et c'est en elle que j'ai entrevu le nouveau que j'ai nommé le suprématisme.* Maurice GIEURE, la Peinture moderne, p. 87.

SUPRÊME [sypʀɛm] adj. et n. m. — V. 1500 ; lat. *supremus*, superlatif de *superus*. → Supérieur.

★ **I.** Adj. ♦ **1.** Qui est au-dessus* de tous, dans son genre, dans son espèce. ⇒ **Supérieur.** — (Dans une hiérarchie de pouvoirs). ⇒ **Souverain** (adj.). *Autorité* (cit. 8) *suprême.* ⇒ **Souveraineté, suprématie** (1.). *Arbitre, recours suprême. Cour suprême* (→ Juge, cit. 3 ; pourvoi, cit.), *juridiction, tribunal suprême* (en France, la Cour de cassation). *Gouvernement* (cit. 32), *ou suprême administration. Le Soviet* suprême. *Chef suprême des armées.* — Par ext. *« C'est une dure loi* (cit. 36), *mais une loi suprême... ».*

1 (...) l'empereur déchu de son titre de général en chef, forcé de passer le commandement suprême au maréchal Bazaine. ZOLA, la Débâcle, III, t. I, p. 54.

Relig. *L'Être suprême.* ⇒ **Être** (cit. 18 et *supra*; → Intelligence, cit. 14). *Le principe suprême, la grandeur suprême.* ⇒ **Divin** (→ Grand, cit. 37). — (Dans une religion polythéiste). *Dieu suprême* (→ Gnostique, cit. 2 ; religion, cit. 21).

2 Plus ils étaient élevés, plus ils devaient sentir le besoin d'un infini, qu'il n'est pas donné à l'homme d'atteindre : plus ils devaient désirer aussi une communication plus immédiate, plus intime avec cette raison suprême, dont ils avaient conçu l'existence et reconnu la nécessité.
MAINE DE BIRAN, Du physique et du moral de l'homme, Note.

♦ **2.** (1580). Dans une hiérarchie de valeurs. Le plus élevé. *L'art* (cit. 54) *suprême. Un siècle où la conversation était le suprême plaisir et la suprême gloire* (→ Improvisateur, cit. 1). *Bonheur* suprême, suprême félicité* (→ Mensonge, cit. 9). ⇒ **Divin, extrême.** *Beauté, force* (cit. 5) *suprême. La Pitié suprême*, poème de Hugo (1879).

3 Je me suis souvenu d'un secret que toi-même
Me donnais hier pour grand, pour rare, pour suprême (...)
CORNEILLE, le Menteur, IV, I.

(En épithète, avant le nom). Très grand. *Une suprême habileté* (→ Reptation, cit. 3). *Suprême élégance. Un roturier d'une suprême distinction personnelle* (→ Mésallier, cit. 1). *Remède d'une efficacité suprême.* ⇒ **Souverain.** *D'un intérêt suprême.* ⇒ **Capital.** — (Avec un mot péj.). *Une suprême insolence, vilenie...*

4 En chemin de fer, combien y en a-t-il qui sentent que se presser sur le quai pour gagner les autres de vitesse et s'assurer de la meilleure place est une suprême grossièreté ? RENAN, Souvenirs d'enfance..., VI, Œ. compl., t. II, p. 256.

5 Telle est la mission du prolétariat : faire surgir la suprême dignité de la suprême humiliation. CAMUS, l'Homme révolté, p. 254.

(1666). Loc. *Au suprême degré :* au plus haut* degré, au dernier* degré. ⇒ **Extrêmement, suprêmement** (→ Mouture, cit. 3 ; romanesque, cit. 4).

6 Elle est impertinente au suprême degré (...) MOLIÈRE, le Misanthrope, III, 3.

♦ **3.** (Personnes). Rare. Le plus remarquable. ⇒ **Supérieur.** *Les artistes suprêmes* (→ Dessin, cit. 7).

♦ **4.** (1854). Littér. Le plus haut. ⇒ **Extrême.** *L'amphithéâtre suprême* (→ Poulailler, cit. 2). *« Les suprêmes feuilles d'un arbre »* (Proust, *in* G. L. L. F.).

♦ **5.** (1642). Qui est le dernier (avec une idée de solennité ou de tragique). *Le matin suprême ; le jour, l'instant suprême*, de la mort* (→ Mourir, cit. 16). *Expiation suprême. Rendre les honneurs suprêmes.* ⇒ **Funérailles.** *Volontés suprêmes.* ⇒ **Final** (cit. 1). *« La garde* (1. Garde, cit. 73), *espoir suprême et suprême pensée ! »* *Combat suprême* (→ Ergot, cit. 2). *Cette preuve suprême d'attachement* (→ Aversion, cit. 8). — *Suprême effort* (→ Lassitude, cit. 2). ⇒ **Désespéré.** — *La suprême fulguration* (cit. 3) *du soleil. Les rayons suprêmes du couchant* (→ Nénuphar, cit.). *Suprêmes visions d'Orient*, de Loti.

7 L'espoir que des amis pleureront notre sort
Charme l'instant suprême et console la mort.
André CHÉNIER, Élégies, « Aux frères de Pange ».

8 Mais toute pensée généralement quelconque peut être « suprême pensée ». S'il en était autrement, s'il en fût une *suprême en soi* et *par soi*, nous pourrions la trouver par réflexion ou par hasard ; et étant trouvée, devrions mourir.
VALÉRY, Monsieur Teste, Œ., t. II, Pl., p. 37.

♦ **6.** Interj., fam. Épatant !, magnifique !

8.1 Toutes les demi-heures, on retournera le sablier, on fera une marque... et comme ça, en bas, on aura l'heure et on sera tranquille. — MONSEIGNEUR, *admiratif.* Suprême ! ...
J. BECKER et J. GIOVANNI, le Trou (dialogues), *in* l'Avant-Scène, no 13, p. 25.

★ **II.** N. m. ♦ **1.** (1836). Généralement au plur. Blancs de volaille préparés en chaud-froid. — Filets de gibier, de poisson, servis avec un velouté à la crème.

9 Il trouva partout le *suprême de volaille, l'aspic*, et *les vins de France* (...) BALZAC, la Maison Nucingen, Pl., t. V, p. 609.

♦ **2.** Au sing. Velouté à la crème, réduit et servi avec des suprêmes (II., 1.). — En appos. *Sauce suprême.*

CONTR. Inférieur, infime.
DÉR. Suprêmement.

SUPRÊMEMENT [sypʀɛmmɑ̃] adv. — 1575, *Dieu est juste et bon suprêmement* ; de *suprême*.

♦ Au suprême degré ; extrêmement. *Suprêmement dédaigneux des choses de ce monde.* ⇒ **Extrêmement, parfaitement** (→ Mystique, cit. 2). *Elle est suprêmement belle.* ⇒ **Divinement, extraordinairement, prodigieusement.**

(...) le jeune Montesquiou Fezensac, dans la correction d'une de ses toilettes suprêmement *chic* (...)
Ed. et J. DE GONCOURT, Journal, 6 avr. 1887, t. VII, p. 142.

1. SUR [syʀ] prép. — 1080 ; *sovre*, Xe ; *sore*, 980 ; var. *sore, seure, sobre, etc.*, en anc. franç. ; la forme *sur* vient d'un croisement avec *sus** ; du lat. *super* ou *supra*, de sens moins élevés ; en concurrence, jusqu'au milieu du XVIIe, avec *sus* et *dessus* qui se sont alors spécialisés comme adv. (→ Sous, cit. 1). Ainsi Corneille corrige en 1660 *«Peuvent dessus ton chef renverser l'entreprise»* (*Cinna*, vers 30) par *«Peuvent sur son auteur renverser l'entreprise».*

★ **I.** Marquant la position « en haut » par rapport à ce qui est « en bas », ou bien « en dehors » par rapport à ce qui est « en dedans ». — REM. Nombre d'expressions citées ci-dessous ont pris très tôt un sens figuré, traité à l'un des éléments (généralement signalé par l'astérisque).

♦ **1.** (Devant un compl. désignant une surface ou une chose qui en porte ou en soutient une autre). *Poser, placer un objet sur une table* (→ Briller, cit. 11; ensouple, cit.). *Il mit le cahier sur le pupitre* (cit. 2) *du piano. Livres* (cit. 6) *rangés sur des tablettes. La marmite bouillonnait sur le fourneau* (cit. 5). *Madone* (cit. 3) *sur un piédestal. Fonder* (cit. 1) *une construction sur du béton. Sur des bases*. Fonder, établir qqch. sur... S'appuyer, faire fond sur... S'asseoir sur une chaise, un siège* (→ Prendre, cit. 120). *Couché sur un lit* (cit. 23). *À genoux sur les dalles* (→ Mortifier, cit. 2). *Les pieds reposent sur le sol* (→ Appui, cit. 1). *Le terrain sur lequel on a construit.* ⇒ **Où.** *Sur la place, sur place*. Sur les lieux*. Sur une route* (cit. 2), *un chemin* (cit. 20), *le pont, le quai* (→ Net, cit. 28), *la plage* (cit. 3). *Être sur le seuil, sur le pas de sa porte*, et par ext. *sur sa porte. Dîners sur l'herbe* (→ Invitation, cit. 2). *Sur les rives, les côtes... « Qui se traînait sanglant sur le bord de la route »* (→ Armée, cit. 7). *Marcher, passer sur qqch. Marcher sur les pas* de..., revenir sur ses pas*. Locomotive* (cit. 2) *roulant sur les rails. Flotter sur l'eau* (→ 1. Mou, cit. 5). *Voyager sur la mer* (→ Livret, cit. 2). *Sur la terre, sur terre* et sur mer.* — *« Maître corbeau sur un arbre* (cit. 6) *perché ». Grimper* (cit. 1) *sur l'impériale de la diligence. Monter sur une luge* (cit.), *un chariot, une bicyclette... Les passagers* (cit. 1) *montaient sur le bateau. Galoper sur un cheval* (→ Manoir, cit. 2).

1 L'opposition *dans / en* — *sur* est une opposition de sens : *dans / en* marquent l'intériorité, *sur* la superposition : *dans l'eau* s'oppose clairement à *sur l'eau, dans une maison* à *sur une maison* (...) Si le concept est considéré comme un contenant, on emploie *dans / en*; s'il est considéré comme une surface, on emploie *sur* (...)
G. GOUGENHEIM, *Système grammatical de la langue franç.*, p. 310.

2 La famille somnolait, répandue sur les divans de cuir et sur les chaises de paille (...) j'entendais son pas sur le gravier. Elle marchait mal, tordait ses hauts talons sur la terre durcie (...) Elle jouait à tenir le plus longtemps possible, sur la pierre brûlante, son bras nu.   F. MAURIAC, *le Nœud de vipères*, I, VIII.

Un panama (cit.) *sur la tête. Le casque sur la tête.* ⇒ **En.** *La pique, le fusil sur l'épaule* (→ Démantibuler, cit. 1). *Marchand* (cit. 4) *qui porte un ballot sur son dos. Un fardeau* (cit. 16) *sur ses épaules. Ce qui pèse sur qqn. Avoir qqch. sur les bras*, sur le cœur*, sur l'estomac*.* — Loc. *Prendre* sur soi.* — *Prendre appui* (cit. 1, 4 et 5) *sur ses pieds, sur ses membres* (→ Redressement, cit. 1). *Sauter sur ses pieds* (→ Camper, cit. 9). *Sur pied*, sur le pied... Marcher* (cit. 12) *sur les mains. Se tourner sur le flanc* (cit. 1). *Sur son séant*. Dormir sur le dos.*

3 Un énorme cheval brabançon... Sur ses pattes, comme une maison sur ses quatre murs.   Henri MICHAUX, *La nuit remue*, p. 28.

(En parlant des personnes, avec l'idée de reposer sur...). *Être sur les genoux*.* — Fig. *Sur les dents*.*

Spécialt. (à propos d'objets de même nature superposés, entassés). *Ne pas laisser pierre sur pierre*. On les enterra pêle-mêle, les uns sur les autres* (→ Force, cit. 50). — Par exagér. *Vivre les uns sur les autres, à l'étroit.* — Par ext. (Marque l'accumulation, la répétition). *Entasser décrets sur décrets* (→ Motion, cit. 1). *Recevoir* (cit. 18) *visite sur visite*, des visites ininterrompues, successives et rapprochées. *Coup sur coup** (cit. 75 et 76). — REM. Cet emploi est proche du sens temporel II, 2. — (En parlant d'une chose unique). *Toile pliée en trois sur elle-même* (→ Machiniste, cit. 2). — Fig. *Un secret repli sur nous-mêmes* (→ Pitié, cit. 7).

4 Notre maison est si petite que nous sommes obligés de vivre un peu les uns sur les autres (...)   GIDE, *la Symphonie pastorale*, I, 10 mars.

Contre (une surface verticale). *Épingler une carte sur un mur* (→ Progrès, cit. 1). *Portraits sur la paroi* (→ Pastel, cit. 1). *Proclamation* (cit. 2) *affichée sur la mairie.* — *La clef est sur la porte.* ⇒ **Dans.** — *Un doigt sur les lèvres* (→ Motus, cit. 2). ⇒ **Contre.** — Spécialt. *Sur soi* : avec soi, sur le corps, dans sa poche. *Un carnet qu'il avait sur lui* (cit. 61).

DE SUR : de dessus. **a** Vx. À partir d'un lieu qui domine.

5 Ils ont vu tout cela de sur une éminence.
CORNEILLE, *la Suite du Menteur*, III, 4.

b Vieilli ou littéraire :

6 Je rentrai dans l'appartement délaissé. J'enlevai le linge de sur les meubles (...)
GIDE, *les Nourritures terrestres*, IV, I.

7 Il a levé le nez de sur sa besogne et l'a pu contempler enfin de haut (...)
G. DUHAMEL, *Récits des temps de guerre*, IV, IX.

S'étendre sur... : couvrir* (telle distance). *Sur huit mètres de longueur* (→ 2. Intestin, cit.). *Sur telle longueur d'onde. Tissu de 4 mètres de long sur 1 m 40 de large. Localisé* (cit. 2) *sur un espace étroit. Laisser sur son passage*.*

8 (...) tout le monde sait qu'une route qui monte de deux mètres sur une longueur moindre *(qu'un kilomètre)* donne plus de peine au cheval, mais qu'il tire alors moins longtemps (...)
ALAIN, *Propos*, 16 avr. 1911, « Pourquoi le couteau coupe-t-il? »

♦ **2.** (1440). Avec l'idée de mouvement, devant un compl. désignant une surface ou une chose atteinte ou modifiée par qqch., par une action. *Frapper sur qqn, sur qqch. Peser, presser sur. Appuyer sur un bouton.* — Par anal. *Tirer sur...* — *Coup sur la tête. Le marteau sonnait sur l'enclume* (→ Forgeron, cit.). *Mettre, porter la main sur...* — *Faire main* basse sur... Verser, répandre un liquide sur... Lustral,* cit. 2; masse, cit. 3). *Une goutte de cire tomba sur son doigt* (→ Lumignon, cit. 1). *Tomber, retomber sur... « Ô bruit doux de la pluie* (cit. 1) *Par terre et sur les toits! »*

Jeter, renvoyer la lumière sur... (→ 1. Feu, cit. 59; globe, cit. 12; plafond, cit. 3). *Images projetées sur l'écran.*

(Sans contact réel). *Se découper* (cit. 7), *se profiler* (cit. 1), *dessiner* (cit. 5) *sa silhouette sur un fond.*

9 L'homme, fantôme errant, passe, sans laisser même
Son ombre sur le mur!   HUGO, *les Feuilles d'automne*, XIV.

(Emplois abstraits). *Jeter un sort, un maléfice* (cit. 4), *la faute* (cit. 35) *sur qqn. Avoir prise** (cit. 16) *sur... Essayer sur ses patients des préparations* (cit. 2) *compliquées. Agir, influer sur...*

Spécialt. *Écrire, inscrire, graver... sur un registre, sur la pierre...* (→ Après, cit. 4; blanc, cit. 28; pâque, cit. 2). *Jeter qqch. sur le papier* (→ Fleurir, cit. 26). *Coucher qqn sur son testament* (→ Mâtin, cit. 1). *« Les rides sur son front ont gravé ses exploits »* (cit. 2). *Cette formation* (cit. 5) *avait marqué sur lui. Ce qui est indiqué sur la carte* (→ Littoral, cit.). *Vérifier sur la carte* (→ Marge, cit. 4). — Fam. *C'est sur le journal* (cit. 14). ⇒ **Dans.** — *Exemplaire sur hollande*, dont le texte est imprimé sur hollande (→ Manuscrit, cit. 2). — *Doré sur tranche*.* — *Peindre sur la toile. Un double motif sur fond jaunâtre* (→ Quinconce, cit. 2). — Fig. *« Un mortel* (cit. 8) *désespoir sur son visage est peint »* (→ aussi Aridité, cit. 3). *Faire naître le bonheur sur un beau visage* (→ Importer, cit. 5).

Spécialt. En enlevant, en ôtant à (ce qui subit l'action). *Un parasite vivant sur l'homme* (→ Maladie, cit. 2). ⇒ **Dépens** (aux). *Vivre sur ses réserves. Économiser sur... Prélever qqch. sur... C'était toujours ça de pris* (cit. 24) *sur l'ennemi. Empiéter, mordre sur... Impôts, droits, taxes sur...* — Par ext. (Marquant une proportion). *Sur quinze servants d'une pièce* (cit. 17), *dix tombent* (→ aussi Méthode, cit. 4). *Un jour sur deux. Une fois sur mille. Un cas sur cent.* ⇒ **Parmi.** — *Donner la note quatre sur dix* (→ Faible, cit. 14).

10 Une fois marié, il vécut deux ou trois ans de la fortune de sa femme, dînant bien, se levant tard, fumant dans de grandes pipes en porcelaine, ne rentrant le soir qu'après le spectacle et fréquentant les cafés.   FLAUBERT, Mme *Bovary*, I, I.

11 (...) sur onze compagnons qu'ils étaient et qui ne s'étaient jamais quittés depuis un an et demi, il ne reste que trois hommes avec le caporal Marchal.
H. BARBUSSE, *le Feu*, I, III.

♦ **3.** (Devant un compl. désignant une chose qui est dominée par une autre sans être en contact avec elle, le verbe impliquant cette valeur). ⇒ **Dessus** (au-dessus de). *Les nuages qui passent sur nos têtes* (→ Menace, cit. 1). — Fig. *Le découragement qui ne cessait de planer sur lui* (→ Irascible, cit.). *Les ponts sur la Moselle* (→ Incident, cit. 6). *Lever* (cit. 1) *le marteau sur l'enclume. Manger* (cit. 20) *la tête baissée sur son assiette. Se pencher* (cit. 12) *sur...*

12 Vivez, froide Nature, et revivez sans cesse
Sous nos pieds, sur nos fronts, puisque c'est votre loi (...)
A. DE VIGNY, *Poèmes philosophiques*, Maison du berger, III.

Par ext. (Dans des noms de lieux; de l'idée de position supérieure à celle de voisinage immédiat). ⇒ **Près** (→ Inclination, cit. 11; mosaïque, cit. 1). *Bar-sur-Aube. Boulogne-sur-Mer.*

♦ **4.** (Le compl. désignant une direction). *Sur votre droite.* ⇒ **À.** *Sur le côté, sur leur flanc* (cit. 13). *Donner* (cit. 68), *s'ouvrir* (cit. 32) *sur... Avoir la vue sur la mer. La pièce prend jour* (cit. 11) *sur une courette.* ⇒ **Côté** (du côté de). *Avoir pignon* sur rue. Diriger* (cit. 7), *tourner, fixer* (cit. 9) *les yeux, le regard sur... Loucher* (cit. 6) *sur le buffet. Braquer sa lorgnette* (cit. 1), *sa lunette* (cit. 7) *sur... Attirer* (cit. 35), *concentrer* (cit. 1) *sur soi...* — *Tirer sur qqn* (→ Quarteron, cit. 2; rater, cit. 1).

13 Trois pièces et cuisine : sur le devant, la chambre de Madame et Monsieur, et la salle à manger, et sur le derrière, la chambre de Gaston et la cuisine (...)
ARAGON, *les Beaux Quartiers*, I, II.

Avoir un chapeau, un béret sur l'œil, dont le bord, l'extrémité se rapproche de l'œil (quasi syn. : *sur le côté*). — *Sur l'œil* (en fonction d'adjectif).

13.1 Le plus bavard était un petit homme à épaules avec une grasse figure de faux dur et un chapeau vert-bouteille très sur l'œil.
M. AYMÉ, *le Vin de Paris*, « L'indifférent », p. 9.

(Avec un verbe de mouvement). ⇒ **Vers.** *Une voiture qui va sur Beaumont* (→ Flambant, cit. 14). *Fondre* (cit. 21 à 23), *foncer* (cit. 2 et 4), *se jeter, se précipiter, se ruer, courir sur...* (→ Presse, cit. 4). *Être porté sur... Elle ferma* (cit. 3) *la porte sur elle. Le panneau* (cit. 7) *se referma sur eux.* — Par métaphore. *Elle allait, elle marchait* (cit. 21) *sur ses vingt ans* : elle allait bientôt avoir vingt ans.

14 — C'est votre petit-fils?
— C'est le petit de ma nièce. Il va sur ses quatre ans.   SARTRE, *le Sursis*, p. 38.

★ **II.** (Abstrait). ♦ **1. a** (Avec un compl. désignant ce qui sert de base, de fondement). ⇒ **Cause** (à cause de), **considération** (en considération de), **raison** (en raison de). *Juger les gens* (cit. 23) *sur la mine, sur les apparences* (→ Après (d'après). *Il prenait souvent la mouche* (cit. 8) *sur rien.* ⇒ **Pour** (→ aussi Formaliser, cit.). *Condamner sur un mot* (→ Entendre, cit. 62). *Sur le conseil, la proposition, le rapport* (cit. 1), *la recommandation de qqn* (→ Information, cit. 1; inviolable, cit. 6). *Sur un signe, sur un geste* (→ 2. Manille, cit.; pari, cit. 6). — Vx. *Sur le prétexte* (cit. 5). ⇒ **Sous.** *Sur ce que...* : parce que, de ce que.

15 Je ne m'abaisserai jamais à parler de mon courage, dit froidement Julien, c'est une bassesse. Que le monde juge sur les faits.
STENDHAL, le Rouge et le Noir, I, XXI.

16 Je la connaissais trop pour me rassurer sur ce qu'elle n'avait rien manifesté (...)
F. MAURIAC, la Pharisienne, VI.

b (Avec l'idée de garantie. Cf. S'appuyer, se reposer sur...). *Compter sur qqn, sur qqch.* (→ Flanquer, cit. 2; reconnaissance, cit. 18). — Vx. *« Sur l'équité* (cit. 13) *des dieux osons nous confier ».* Jurer (cit. 6) *sur... Attester, assurer, jurer sur son honneur*. Être cru sur parole* (→ Humeur, cit. 39). *Je ne le raterai* (cit. 12) *pas, sur ma parole.* — Vx. *Sur peine de...* ⇒ Peine (*infra* cit. 6). — (Garantie matérielle). *Prêter sur nantissement* (cit. 1). *Prêteur sur gages. Rentes sur l'État.*

17 Noter toutefois qu'on jure sur l'Évangile (on pose la main dessus); d'où : jurer sur la tête de son père. F. BRUNOT, la Pensée et la Langue, p. 413, note 1.

18 Sur votre tête! sur ma tête! sur mes yeux! sur ceux de ma mère, de mon père et de mon grand-père! Par le livre de Dieu, par le Prophète et tous ses prédécesseurs (que le salut soit sur eux et la bénédiction!) je ne vous dis que la vérité pure!
J.-A. DE GOBINEAU, Nouvelles asiatiques, p. 152.

c (Avec l'idée de conformité, d'étalon, de modèle). ⇒ **Après** (d'après), **conformément** (à...). *Se régler sur... Habit de gala* (cit. 3) *taillé sur ce patron. Sur mesure*. Rebâtir sur un plan différent* (→ Loger, cit. 13). — *Sur le modèle* de... Prendre exemple sur qqn.* — Vx. *Sur l'exemple de...*

19 Apprends sur mon exemple à vaincre ta colère (...) CORNEILLE, Cinna, V, 3.

d Relativement à (une matière, un sujet, un propos). ⇒ **De, propos** (à propos de), **quant** (à...), **sujet** (au sujet de). *Apprendre qqch. sur qqn* (→ Bribe, cit. 11) *sur cet article. Réfléchir sur... Être fixé* (cit. 19) *sur ce qui lui revient. S'expliquer* (cit. 26), *s'exprimer sur le fond* (cit. 56). *Très fort* (cit. 11) *sur la manœuvre. Gémir* (cit. 7) *sur ses malheurs. Ne se faire d'illusion* (cit. 28) *ni sur les hommes, ni sur les choses. Motion* (cit. 2) *sur la grève. Un débat sur les questions en litige* (cit. 2). *Des vers sur le clair de lune* (cit. 6). *Sur cette matière, sur ce sujet, sur ce point.* ⇒ **Dessus** (là-dessus, *supra* cit. 12). *Questionner, interroger qqn sur qqch., sur qqn.* — REM. La préposition *sur* apparaît dans de nombreux titres d'ouvrages : *Essai, Pensées, Réflexions, Propos sur... Sur Racine,* essai de R. Barthes.

20 Dieu nous éclaire, à chacun de nos pas,
Sur ce qu'il est et sur ce que nous sommes. HUGO, les Contemplations, I, I.

Spécialt (pour désigner le sujet d'une occupation). *Je suis sur ce travail depuis une semaine.* ⇒ **Occuper** (s'). *La direction a mis deux ingénieurs sur cette étude.*

20.1 Je t'ai dit, n'est-ce pas, que j'étais sur une grosse affaire depuis quelque temps?
Sacha GUITRY, Ils étaient 9 célibataires, p. 47.

♦ **2.** (Valeur temporelle). Immédiatement après*, à la suite* de... *Sur le coup** (cit. 77), *sur le moment*, sur l'heure** (cit. 90). *Sur le champ** (du sens spatial «sur le champ même, sur place»). *Sur ces entrefaites*. Être pris sur le fait*. Sur ce*, sur quoi*.* ⇒ **Dessus** (là-), **conséquence** (en).

21 Sur ce, nous allons vous laisser coucher... HUYSMANS, Là-bas, V.

22 Ce jour-là, ils se séparèrent sur une poignée de main assez froide.
F. MAURIAC, la Pharisienne, VI.

22.1 Yvonne souriait droit devant elle, déjà pas mal ivre et ravie à l'idée de boire de la bière sur de la bénédictine (...) R. QUENEAU, Pierrot mon ami, p. 104.

Spécialt. *Sur sa question, sur sa demande, je lui ai dit...,* en réponse à.

22.2 Sur question, je lui ai répondu qu'à Paris le ticket s'achète deux cents francs.
M. AYMÉ, le Passe-muraille, p. 88.

(Approximation temporelle). ⇒ **Environ, vers.** *Sur le minuit* (cit. 1). *Sur les onze heures. Sur le soir. Sur la fin de...* (→ Maturité, cit. 4). *Sur le tard** (→ Fanon, cit. 4). *Sur le retour*. Être sur son départ,* près de partir. — *Sur le point* de...*

23 Enfin, sur les trois heures, le ciel étant lavé (...) j'entendis parmi l'égouttement des feuilles et le débordement des ruisseaux gonflés les sonnailles de la mule (...)
Alphonse DAUDET, Lettres de mon moulin, « Les étoiles ».

♦ **3.** (Pour marquer une supériorité). *L'emporter sur... Avoir, remporter l'avantage sur... Enchérir, renchérir sur... Progrès sur... Sur toute chose,* avant tout, par-dessus tout. ⇒ **Surtout** (→ Prendre, cit. 76). — Vx. *« Beaux, bien faits, et jolis sur tous leurs compagnons »* (La Fontaine, V, 18), plus que tous leurs compagnons.

24 Sur tous les animaux enfants du Créateur,
J'ai le don de penser, et je sais que je pense. LA FONTAINE, Fables, IX, 20.

25 Et puis, sur toutes les saisons, celle-ci lui plaisait; car, alors, la nature le pénétrait plus avant... A. DE CHATEAUBRIANT, M. des Lourdines, II, p. 20.

(Avec une idée de domination, d'autorité). *Commander* (cit. 20), *régner sur... Veiller sur... Pouvoir* (cit. 7 et 8), *empire* (cit. 6 et 7), *ascendant* (cit. 8)... *qu'on a sur qqn. Avoir des droits sur quelque chose.*

♦ **4.** (Dans des locutions marquant un état, une situation, une manière). *Rester, se tenir sur la défensive*. Être sur ses gardes*, sur le qui-vive*. Rester sur son quant-à-soi*. Sur son trente*-et-

---

un (→ Mariage, cit. 22). — *Sur ce ton*. Sur le mode* ironique. « Tout en chantant sur le mode mineur... »* (cit. 2, Verlaine).

CONTR. Dessous (au-dessous de), **sous.**
COMP. V. préf. **Sur-.**
HOM. 2. *Sur,* sûr.

2. SUR, SURE [syʀ] adj. — 1160; mot régional répandu au XIXᵉ; francique **sur;* cf. all. *Sauer.*

♦ Qui a un goût acide, légèrement aigre. ⇒ **Acide, aigrelet.** *Un peu sur.* ⇒ **Suret.** *Pommes sures. Soupe qui devient sure.* ⇒ **Surir.**

Sur, dans le sens d'acide, est une locution picarde ou normande qui s'est introduite dans l'usage de Paris (...) avec maint autre barbarisme. On ne le lit dans aucun auteur considéré, si ce n'est dans Buffon (...)
Charles NODIER, Examen critique des dict. de la langue franç., «Sur» (1829).

CONTR. Doux.
DÉR. Suret, surin, surir.
HOM. 1. *Sur,* sûr.

SÛR, SÛRE [syʀ] adj. — 1080, *seür, segur;* lat. *securus* «libre de souci», *sine cura.*

★ **I.** (Personnes). SÛR DE... ♦ **1.** Qui envisage (les événements) avec une confiance tranquille, sereine; qui tient pour assuré (un événement, et, spécialt, un événement heureux à venir). ⇒ **Assuré, certain, convaincu; confiant.** *Être sûr du résultat, du succès* (→ Résistance, cit. 7). ⇒ **Compter** (sur). *Sûr du lendemain.* — Loc. *Être sûr de son fait** (cit. 43), *de son coup,* du succès de son entreprise. — Loc. (vx. : t. de mus., de jeux et fig.). *Être sûr de partie :* avoir la conviction qu'on va gagner. — *Sûr de gagner, de réussir* (cit. 10). *Promettre peu pour être sûr de tenir* (→ Promesse, cit. 4). — *Être sûr de ne pas... N'être pas sûr de... — N'être pas sûr de ne pas... :* avoir quelque espoir, quelque risque de. *Je ne suis pas sûr de ne pas échouer.* — (Avec un temps passé, pour parler d'un événement, souvent désagréable, que l'on prévoyait). *Ça y est, j'en étais sûr...* (→ Revue, cit. 4). — (Avec un temps futur). *Soyez sûr que je ne partirai qu'après...* (→ Ais, cit. 2). *Tu peux, vous pouvez être sûr que...* (cf. Je vous prie de croire que...).

1 (...) c'est quand les hommes commencent à se sentir sûrs du lendemain que la liberté commence aussi à avoir du prix pour eux.
J. BAINVILLE, Hist. de France, V, p. 55.

Être sûr de qqn, d'un ami, avoir confiance en lui, être assuré de sa fidélité (→ Mitonner, cit. 2). — *Sûr de soi* (I., B.), de ce qu'on fera dans telle ou telle circonstance, de ses réactions futures (→ Misanthrope, cit. 7; réfractaire, cit. 2). — Par ext. Qui se comporte avec assurance. *Des jeunes femmes enviées, sûres d'elles* (→ 1. Mannequin, cit. 10). *L'homme trop sûr de lui* (→ Pétrir, cit. 15).

2 Il n'était même pas sûr d'être en vie puisqu'il vivait comme un mort. Moi, j'avais l'air d'avoir les mains vides. Mais j'étais sûr de moi, sûr de tout, plus sûr que lui, sûr de ma vie et de cette mort qui allait venir. CAMUS, l'Étranger, p. 169.

Être sûr de son jugement (→ Raison, cit. 37), *de sa mémoire* (→ Menteur, cit. 8), *de ses réflexes. Sûr de ses informations* (→ 2. Reporter, cit. 2).

Qui doit immanquablement obtenir (une chose) sans en être conscient; qui subira à coup sûr.

3 Quiconque en France avec éclat attire
L'œil du public, est sûr de la satire (...) VOLTAIRE, Poésies, « Épître », XLVII.

♦ **2.** (1190, *segur*). Qui sait* avec certitude, qui est assuré de ne pas se tromper; qui croit* fermement. *Être sûr de qqch.* — (Avec compl. déterminé). Vieilli. *Des malveillants* (cit. 1) *qui disent étourdiment le mal dont ils ne sont pas sûrs.* — Loc. *Sûr de son fait** (cit. 44 et 45), de ce qu'on pense, de ce qu'on dit. — *Sûr de...* (avec un infinitif). *Quand on est sûr de s'aimer* (→ Expirer, cit. 7). *« Je suis sûr que beaucoup d'hommes n'engagent* (cit. 27) *jamais leur être »* (Bernanos). *Soyez sûr que..., soyez-en sûr* (→ aussi Donner, cit. 21). *Ne pas être sûr que...* (suivi du subj.). → Illusion, cit. 8. *Êtes-vous sûr de cela? Es-tu bien sûr?* — Loc. fam. (redondance critiquée). *J'en suis sûr et certain.*

4 (...) il n'était pas sûr que tout fût faux dans ce qu'enseignait l'Église (...)
F. MAURIAC, Destins, XIX.

★ **II. A. ♦ 1.** **a** (XIVᵉ). Lieux. Où l'on ne risque rien, où une personne, une chose est à l'abri (du danger*). ⇒ **Sécurité, sûreté.** — *Endroit, lieu sûr.* ⇒ **Abri.** *Asile* (cit. 18) *sûr. Le quartier n'est pas très sûr, la nuit. Route peu sûre.* — Loc. *En lieu* (1. Lieu, cit. 6) *sûr. Mettre qqch. en lieu sûr,* cacher, ranger, serrer. *Cachette sûre.* — *Cette échelle est sûre,* on peut s'en servir sans risque.

b (En attribut). *Ce sera plus sûr :* cela constituera une sécurité, une garantie...

5 Ils se couchèrent, après avoir à leur tour caché les papiers sous le marbre d'une vieille commode, ce qui leur semblait plus sûr qu'au fond d'un tiroir fermé à clef.
ZOLA, la Terre, V, I.

Loc. *Le plus sûr :* le mieux, le parti le meilleur. *Le plus sûr est de ne pas trop compter sur les autres.*

♦ **2.** (XIIᵉ). Personnes. En qui l'on peut avoir confiance; qui ne saurait décevoir, tromper. ⇒ **Bon, éprouvé.** — *Un ami sûr.* ⇒ **Confiance** (de), **fidèle, véritable.** *Des hommes sûrs* (→ Façonner, cit. 16). *Quelqu'un de sûr* (→ Inviolable, cit. 2). *Un informateur sûr. Il est sûr et loyal.* ⇒ **Parole** (de parole). — Par ext. *Un homme à moralité* (cit. 3) *sûre.*

♦ **3.** ⓐ Sur quoi l'on peut compter. ⇒ **Fiable, solide.** *Sûre garantie* (→ Localisation, cit. 2). *Le secours le plus sûr* (→ Art, cit. 29). *Valeur sûre*, de tout repos*. *Preuves sûres.* ⇒ **Formel.** *Raisonner sur des bases peu sûres.* — *Le temps n'est pas sûr.* — Loc. *Savoir de source* sûre.

6 (...) tu as vécu dans cette époque fabuleuse où un homme prudent tablait sur des valeurs sûres.
F. MAURIAC, le Nœud de vipères, II, XVII.

ⓑ Qui correspond bien à ce qu'il paraît être. *Signe sûr. Marque sûre* (→ Impopularité, cit. 2). *Sûr et fidèle indice* (→ Pouls, cit. 1).

ⓒ Qui produit les résultats escomptés; qui est propre à réussir. *Moyen* (2. Moyen, cit. 7 et 9) *sûr.* ⇒ **Immanquable, infaillible.** *Règle, formule sûre* (→ Remonter, cit. 10). *Il n'est pas de manière plus sûre de compromettre un innocent* (cit. 15). — Loc. *À coup sûr* : sans risque d'échec, sans faute*, et, fig., immanquablement, infailliblement. ⇒ **Coup** (cit. 80 à 82; et *supra*); **assurément, certainement, sûrement.**

ⓓ ⇒ **Inéluctable, inévitable.**

7 Tous, nous sommes des malades qui périclitent. La maladie est mortelle, c'est le mot : et l'issue en est sûre.
André SUARÈS, Trois hommes, « Pascal », II.

♦ **4.** Qui agit, fonctionne avec efficacité et exactitude, sans erreur. *Un œil perçant et sûr* (→ Guetter, cit. 2). *La main sûre et savante d'un grand peintre* (→ Négligence, cit. 8). ⇒ **Ferme, franc.** *Lancé d'une main sûre* (→ Dard, cit. 1). *Avoir le pied* sûr* (→ 1. Mule, cit. 1). *Rendre plus sûr.* ⇒ **Assuré.** — *Une mémoire sûre, un instinct sûr.* ⇒ **Indéfectible, infaillible** (II.); → Novice, cit. 4. *Un goût* très sûr* (→ Portefeuille, cit. 4). *Avoir l'esprit sûr.* ⇒ **Clair.**

8 Jean au contraire, désirant n'attirer que la clientèle élégante et opulente, voulait conquérir l'esprit des gens fins par son goût modeste et sûr.
MAUPASSANT, Pierre et Jean, V.

Qui se fait avec assurance, exactitude... *Un mouvement lent et sûr* (→ 2. Pêche, cit. 4). *Un trot réglé et sûr* (→ Heure, cit. 15). — *Jeu* (cit. 70) *sûr* (d'un pianiste). — *Un diagnostic sûr.*

B. (V. 1180; abstrait). ♦ **1.** Dont on ne peut douter, dont on est convaincu; qui est considéré comme vrai ou inéluctable (→ ci-dessus, 3.). ⇒ **Assuré, authentique, avéré** (cit. 8), **certain, clair, constant, couru** (fam.), **établi, évident, exact, indubitable, positif, vrai.** — REM. *Sûr* s'emploie plutôt en tour impersonnel ou avec un substantif indéterminé. — *Une chose* (cit. 28) *est sûre, semble sûre... Tenir qqch. pour sûr,* le croire; compter dessus. *Il est sûr que...* ⇒ **Imposer,** cit. 44; lapin, cit. 2). *Ce qui est sûr, c'est...* (→ Impossible, cit. 16). *C'était sûr.* ⇒ **Écrit.** — Fam. *Ça c'est sûr, c'est sûr et certain. Ce n'est pas si sûr. Pas sûr!* — *La nouvelle n'est pas sûre, on attend confirmation.*

9 Ah!... si l'on n'avait pas la Sainte-Vierge et saint Antoine de Padoue, et tout le bataclan, on serait bien plus malheureux, ça c'est sûr (...)
O. MIRBEAU, le Journal d'une femme de chambre, I, p. 21.

C'est bien sûr, ça? « Bon Dieu, mais c'est bien sûr! » (phrase clef d'une émission policière, prononcée par l'enquêteur qui découvre la vérité).

♦ **2.** Loc. adv. BIEN SÛR ! : c'est évident, cela va de soi (→ Bien entendu*; et aussi organiser, cit. 7). *Bien sûr que oui; bien sûr oui* (cit. 5). *Bien sûr que ça ne les gênait* (cit. 23) *pas.* — (Pour introduire une concession). ⇒ **Certes.** « Bien sûr, il y a les possibilités nucléaires. Mais l'atome... » (Th. Maulnier, in le Figaro, 25 févr. 1963). « Il est bien sûr un peu puéril de... Il y a bien sûr un mais... » (N. M. Albérès, in Arts, 13 mars 1957). « Elle avait travaillé, elle aussi, plus qu'un homme, bien sûr » (Zola, la Terre, I, v, p. 79).

10 Bien sûr qu'il n'irait pas troubler leur bonheur!
R. ROLLAND, Jean-Christophe, Nouvelle journée, IV, p. 1582.

11 Est-ce qu'elle n'a pas envie de donner un coup de pouce au hasard, de susciter une occasion? — Lui : Bien sûr qu'elle en avait envie, et souvent (...)
J. DUTOURD, les Horreurs de l'amour, p. 33.

♦ **3.** Loc. adv. Vx, pop. ou régional. POUR SÛR : certainement (→ Fatigant, cit. 1; pouce, cit. 5, Zola). *Pour sûr qu'il est parti!*

12 Vrai, fallait-il qu'il eût été bête pour s'embarrasser d'une sans le sou qui l'avait enjôlé avec sa fine, pour sûr, de la fine où elle avait mis, pour lui, quelque sale drogue!
MAUPASSANT, l'Inutile Beauté, « Le noyé », I.

13 Pour sûr que les anges applaudissent là-haut!
GIDE, la Porte étroite, IV.

En incise :

13.1 C'est toc et province, quoi... Elle n'est pas meublée, pour sûr, comme à Paris...
O. MIRBEAU, le Journal d'une femme de chambre, p. 25.

♦ **4.** Adv. Fam. Sûrement. *Tu crois qu'il viendra?* — *Pas sûr... :* peut-être pas. — *Sûr que...*

14 (...) Sûr que j'ai quelque chose de brûlé dans l'intérieur.
FRANCE, Crainquebille, III.

15 — Où va-t-il passer? — Derrière nous, presque sûr, mademoiselle, sûr la voie 7.
J. ROMAINS, Lucienne, II.

CONTR. (Du sens I) Méfiant, sceptique; défiant, ébranlé, incertain. — (De *être sûr que...*) Craindre, espérer, supposer... — (Du sens II) Dangereux, exposé, périlleux; infidèle; cafard, hypocrite... — Aventuré, aventureux, chanceux, contestable, flottant, fuyant, gratuit, illusoire, incertain, mensonger, problématique; boiteux, branlant, vacillant; faillible, maladroit, trompeur. — Douteux, faux, inexact, supposé.

DÉR. Sûrement.

SUR- Élément, du lat. *super* (d'abord *sour-*, *sor-*, puis *sur-* par attraction de *sus*), employé au sens local ou temporel de « au-dessus » *(surmonter, surlendemain)* ou pour marquer l'excès *(surabonder, surchauffer, surenchère, surproduction; suraigu, surfin...).* ⇒ **Hyper-, super-, sus-.**

REM. Ces composés *(sur-* + nom, + verbe, + adjectif) sont fréquents chez certains auteurs. Cf. Huysmans et surtout Gide : *surélégant* (Journal, I, p. 1267), *suroccupé* (Gide, Journal, I, p. 1269), *survêtu* (Gide, Journal, I, p. 1250), *surraisonnable* (la Symphonie pastorale, I)...

Cet élément de formation est très vivant avec des noms, verbes et adjectifs (cf. *infra* et *passim*).

Sur + verbe : (...) On trouve aussi des formations individuelles. Flaubert écrit : Adieu, pauvre tante adorée; je t'embrasse, et je te *surembrasse* (Corresp., I, 293). Je me suis *surembêté* ces jours-ci d'une façon truculente (Ib., I, 293). 1
K. NYROP, Grammaire historique, t. III, p. 239.

Vieilli *(sur-* + n. de personne) correspond au sens de *super-,* en français actuel.

(...) elle se représentait non seulement que la musique progresse, mais sur une seule ligne, et que Debussy était en quelque sorte un sur-Wagner, encore un peu plus avancé que Wagner. PROUST, Sodome et Gomorrhe, Pl., t. II, p. 815. 2

(Avec un n. abstrait) :

Le mieux est de le mettre tout de suite dans un état de surattention, de surévaluation. J. ROMAINS, les Hommes de bonne volonté, t. XXIII, p. 175. 3

Si l'agencement topographique du cortex cérébral des Anthropiens primitifs portait en conséquence le développement conjoint du matériel et du travail, la structuration topographique du sur-organisme urbain traduit la même contiguïté. 4
A. LEROI-GOURHAN, le Geste et la Parole, I, p. 299.

(Avec un adj. ou p. p.) :

Au XVIIIe siècle déjà, certains médecins guérissaient les alcooliques en les soumettant à un régime suralcoolisé : brandy à volonté, cuisine exclusivement préparée au vin. Quelques jours de ce régime suffisaient, paraît-il, à les dégoûter durablement de la boisson. Science et Vie, n° 593, p. 101. 5

Quand on songe, me dit-il, qu'à Alger les deux races ennemies sont également surarmées et que le massacre n'a pas été déclenché le 6 février, ni le lendemain, ni depuis, alors que régnait une atmosphère de folie, nous pouvons croire qu'elles se contiendront désormais. F. MAURIAC, Bloc-notes 1952-1957, p. 220. 6

Pour moi qui passe mon temps à aller de l'avant à l'arrière, j'éprouve la sensation d'une douche écossaise, passant en quelques heures de zones surchauffées à des zones surcalmes. L.-H. LYAUTEY, Paroles d'action, p. 252. 7

La plantation était un État « surgouverné », comme le sont aujourd'hui tous les États européens (...) Henri FAUCONNIER, Malaisie, p. 74. 8

Amélie n'admet pas qu'il puisse y avoir quoi que ce soit de déraisonnable ou de surraisonnable dans l'enseignement de l'Évangile. 9
GIDE, la Symphonie pastorale, I, in Romans, Pl., p. 881.

SURABONDAMMENT [syʀabɔ̃damɑ̃] adv. — V. 1350, *sourhabondamment; de surabondant.*

♦ Littér. D'une manière très abondante, plus que suffisamment; en surabondance. ⇒ **Excessivement, trop.** *Démontrer, expliquer surabondamment qqch., que...*

Une moisson naîtra de mon plateau de Sion, qui vous nourrira tous surabondamment. M. BARRÈS, la Colline inspirée, VII.

SURABONDANCE [syʀabɔ̃dɑ̃s] n. f. — V. 1350; *sorhabondance,* v. 1265; de *sur-,* et *abondance; superhabondance,* v. 1370; lat. impérial *superabundantia,* de *abundantia* → Abondance.

♦ **1.** Caractère de ce qui est en très grande quantité; abondance* extrême ou excessive. ⇒ **Excès, profusion.** *Surabondance de produits sur le marché.* ⇒ **Encombrement, pléthore, saturation** (du marché). — *Une surabondance de couleurs, de détails.* ⇒ **Débauche, exubérance, orgie.** *Surabondance d'ornements.* ⇒ **Profusion, surcharge; redondance.**

♦ **2.** (Abstrait). *La surabondance de vie de la Renaissance.* ⇒ **Débordement, exubérance, luxuriance, prodigalité.** → Corrélation, cit. 2. *Surabondance d'idées* (→ aussi Dru, cit. 4). — Prov. *Surabondance de droit ne nuit pas.*

Les inconvénients de Madame de Chateaubriand, si elle en a, découlent de la surabondance de ses qualités (...)
CHATEAUBRIAND, Mémoires d'outre-tombe, t. II, p. 6.

CONTR. Insuffisance, manque, pénurie.

SURABONDANT, ANTE [syʀabɔ̃dɑ̃, ɑ̃t] adj. — 1588; écrit *sorhavundant,* XIIe; *seurabondant* « qui déborde », v. 1265; de *sur-,* et *abondant;* aussi *superabondant* (av. 1486); bas lat. *superabondare,* de *abundare.*

♦ **1.** Qui existe en quantité plus grande qu'il n'est nécessaire, qui surabonde. ⇒ **Abondant, excessif.** *Herbe* (cit. 16), *végétation surabondante.* ⇒ **Exubérant, luxuriant.** *Production, récolte surabon-*

dante. ⇒ **Pléthorique.** — Par ext. *Une vie secrète, invisible, surabondante...* (→ Odeur, cit. 2, Proust).

1 L'activité défaillante se concentre dans le cœur du vieillard; dans celui de l'enfant, elle est surabondante et s'étend au dehors; il se sent, pour ainsi dire, assez de vie pour animer tout ce qui l'environne. ROUSSEAU, Émile, I.

2 À la source de la révolte, il y a (...) un principe d'activité surabondante et d'énergie. CAMUS, l'Homme révolté, p. 30.

N. m. (1651). Vx. *Le surabondant :* ce qui excède la normale, la moyenne.

♦ **2.** (1680). Vx. Superflu. *Il serait surabondant de...* (→ Romantique, cit. 8, Hugo).

DÉR. **Surabondamment.**

SURABONDER [syʀabɔ̃de] v. intr. — 1549; *sorhabonder,* v. 1190; *seurhabonder,* v. 1265; de *sur-,* et *abonder;* aussi *superhabonder,* v. 1370; bas lat. *superabundare,* de *super* et *abundare* → Abonder.

♦ **1.** Être fourni, exister en quantité plus grande qu'il n'est nécessaire. ⇒ **Abonder** (→ Circonscrire, cit. 3). *Un saucisson où le poivre surabonde* (→ Posada, cit. 2). — *Les sentiments qui surabondent chez elle* (→ Maternité, cit. 3). *Plus il* (l'amour) *s'épanche* (cit. 17), *plus il surabonde.*

Les filles de Capri ont de grandes facilités à devenir dames. Les Américains y abondent et les Allemands y surabondent. GIDE, Journal, Feuilles de route, 29 janv. 1896.

♦ **2.** (1549). *Surabonder en, de :* avoir en surabondance. ⇒ **Déborder** (de), **regorger** (de). *Surabonder de richesses.*

CONTR. **Manquer.**

SURACTIF, IVE [syʀaktif, iv] adj. — 1853, *in* D.D.L.; de *sur-,* et *actif.*

♦ Qui a une activité très grande. *« L'ozone étant de l'oxygène suractif... » (Année sc. et industr.,* 1867, p. 401).

(...) la prière liturgique exigeait, pour être puissamment efficace, pour être suractive, une attention que rien ne disperse (...) HUYSMANS, l'Oblat, V.

SURACTIVÉ, ÉE [syʀaktive] adj. — 1939; de *sur-,* et *activé,* p. p. de *activer.*

♦ Traité pour avoir une activité augmentée (chim., pharm.). *Sérum suractivé.*

SURACTIVER [syʀaktive] v. tr. — 1857; de *sur-,* et *activer.*

♦ Didact. Augmenter l'activité de. *Suractiver des sécrétions.* — *Suractiver un produit.*

SURACTIVITÉ [syʀaktivite] n. f. — 1837, *in* D.D.L.; de *sur-,* et *activité.*

♦ Sc. Activité supérieure à la normale. *Une suractivité mentale* (→ Joie, cit. 12). *« Suractivité très marquée des fonctions génitales »* (Céline, *Voyage au bout de la nuit,* p. 88).

SURADAPTATION [syʀadaptasjɔ̃] n. f. — 1969; de *sur-,* et *adaptation.*

♦ Adaptation à un domaine, une utilisation restreinte; excessive spécialisation.

Les premiers avions, qui pouvaient atterrir en pleine campagne étaient moins suradaptés fonctionnellement que les avions modernes. La suradaptation fonctionnelle va si loin qu'elle aboutit à certains schèmes voisins de ceux qui, en biologie, s'étagent entre la symbiose et le parasitisme : certains petits avions très rapides ne peuvent aisément décoller que s'ils sont portés par un plus gros qui les largue en vol (...) Gilbert SIMONDON, Du mode d'existence des objets techniques, p. 50-51.

Psychol. Adaptation excessive, qui entraîne des difficultés par rapport au réel.

SURADAPTÉ, ÉE [syʀadapte] adj. — Mil. XXᵉ; de *sur-,* et *adapté.*

♦ Caractérisé par une suradaptation (cit.). — (Personnes). *Il est suradapté au milieu.*

SURADMINISTRER [syʀadministʀe] v. tr. — 1968; de *sur-,* et *administrer.*

♦ Administrer avec une rigueur, une organisation, des moyens excessifs. — Au p. p. *Une collectivité suradministrée.*

SURADULTISME [syʀadyltism] n. m. — 1948, Mounier, cit.; de *sur-,* et *adultisme.*

♦ Didact. Excès du caractère adulte d'un comportement.

Survirilisation ou surféminisation, comme un certain suradultisme, sont de véritables déséquilibres, non des achèvements : le sexe sacrifié proteste alors de manière désordonnée et clandestine. E. MOUNIER, la Relation sexuelle, « Vue d'ensemble », in Dʳ WILLY, la Sexualité, t. I, p. 43.

SURAH [syʀa] n. m. — 1883, Zola; de *Surate,* centre textile de l'Inde. → 2. Surette.

♦ Rare. Étoffe de soie croisée, légère et souple. *Le surah transparent* (→ Raidir, cit. 2).

(...) une exposition des soieries d'été éclairait le hall d'un éclat d'aurore (...) C'étaient des foulards d'une finesse de nuée, des surahs plus légers que les duvets envolés des arbres, des pékins satinés (...) ZOLA, Au Bonheur des dames, IX.

SURAIGU, UË [syʀegy] adj. — 1721; de *sur-,* et *aigu.*

♦ **1.** Très aigu, d'une fréquence excessivement élevée. *Cri* (→ Bramement, cit. 2), *son suraigu. Voix suraiguë* (→ Cocasse, cit. 1). *Fausset* (1. Fausset, cit. 3) *suraigu.*

Parfois on entendait un cri, ou le cliquetis d'un attelage, le bruit suraigu d'un outil qui frappe sur une pierre. ALAIN, Propos, 18 avr. 1909, La grève. 1

Les uns chantent d'une voix de tête suraiguë, que je n'ai entendue qu'ici, en s'accompagnant de rebecs à la musique aigrelette (...) Jérôme et Jean THARAUD, Marrakech, V. 2

♦ **2.** (1855). Méd. Très aigu, qui se manifeste brutalement et évolue vite. *Inflammation suraiguë.*

♦ **3.** Fig. Très fort, très intense. *Une douleur suraiguë.*

SURAJOUTER [syʀaʒute] v. tr. — 1314, *surajouster; sorajoustement,* dès le XIIIᵉ; de *sur-,* et *ajouter.*

♦ Ajouter à ce qui est déjà complet; ajouter par surcroît, en excès. *Surajouter une aile à un bâtiment.*

▶ **SE SURAJOUTER** v. pron. *Ses idées se surajoutaient aux nôtres.*

En plus du rez-de-chaussée très important — car deux petits pavillons en forme de terrasse s'y surajoutent et le continuent — elle *(la maison)* se compose de deux étages (...) O. MIRBEAU, le Journal d'une femme de chambre, I, p. 23. 1

▶ **SURAJOUTÉ, ÉE** p. p. adj. *Ornements surajoutés.* — Fig. *Des besoins surajoutés.* → Factice, cit. 6.

Celui qui aurait dû nous réconcilier en sa personne n'est qu'un signe de contradiction surajouté à tous les autres, ou plutôt qui les résume tous. F. MAURIAC, le Nouveau Bloc-notes 1958-1960, p. 179. 2

SURAL, ALE, AUX [syʀal, o] adj. — XIIIᵉ; de l'anc. franç. *zure* « mollet »; lat. *sura* « mollet ».

♦ Anat. Relatif au mollet*. — (1874). Vx. *Triceps sural :* ensemble des muscles jumeaux et du muscle soléaire*. — Mod. *Artères, veines surales.*

SURALIMENT [syʀalimɑ̃] n. m. — 1902; de *suralimenter.*

♦ Rare. Aliment très nutritif, propre à suralimenter celui qui le consomme.

Les aliments de réserve, alors, l'alcool? Car c'est bien un suraliment, quelque chose comme la viande de bœuf, les œufs à la coque ou le fromage de gruyère? A. JARRY, le Surmâle, III, *in* Œ. compl., t. III, p. 142 (1902).

SURALIMENTATION [syʀalimɑ̃tasjɔ̃] n. f. — 1891, *Année sc. et industr.* 1892, p. 319; de *sur-,* et *alimentation.*

♦ **1.** Alimentation plus riche, plus abondante que la « ration d'entretien ». *La suralimentation, dans certains pays occidentaux, concerne l'ensemble des couches les plus riches de la population.* Spécialt. Alimentation très riche, pratiquée thérapeutiquement. *Une cure de suralimentation.*

Le médecin s'était fâché. Il voulait du calme, de la détente, de la suralimentation. COCTEAU, les Enfants terribles, p. 69. 1

♦ **2.** Introduction d'une quantité de combustible supérieure à la normale (dans un moteur). *Suralimentation par surcompression. Suralimentation différentielle.*

(...) pour la suralimentation, je crois que je m'arrêterai à un perfectionnement du compresseur type Roots. Pierre BENOIT, Alberte, X. 2

CONTR. **Sous-alimentation.**

SURALIMENTER [syʀalimɑ̃te] v. tr. — 1896, *in* D.D.L.; de *sur-,* et *alimenter.*

♦ **1.** Alimenter au delà de la normale. ⇒ **Suralimentation.** *Suralimenter un malade.*

Suralimenter des bêtes dans un élevage.

(1919, Esnault). Emploi métaphorique :

1   Lui, la musique, le mouvement, les lumières le transportaient. L'orchestre suralimentait son imagination (...)
            Maurice BEDEL, Jérôme 60⁰ latitude Nord, XII, p. 137.

P. p. adj. *Un enfant suralimenté.*

2   (...) quelque chose dans leurs colères d'enfants capricieux, dans ces énervements, ces dégoûts de gens gavés, suralimentés (...)
            N. SARRAUTE, le Planétarium, p. 197.

♦ **2.** (1932, dans un dict. anglais-français ; *in* D.D.L.). Introduire dans (un moteur) une quantité de combustible supérieure à la normale. *Suralimenter un moteur.*

CONTR. Sous-alimenter.
DÉR. Suralimentation.

SURALLÉ, ÉE [syRale] adj. — 1933, Larousse ; de *se suraller.*

♦ Vén. *Voie surallée,* sur laquelle le veneur ou les piqueurs ont marché sans l'apercevoir.

SURALLER [syRale] v. intr. — 1561 ; *suraler* «dépasser, monter plus haut», v. 1120 ; de *sur-,* et *aller.*

♦ Vén. Passer sur la voie sans se rabattre. *Le limier surallait.*

▶ **SE SURALLER** v. pron. (1690).
Revenir sur ses voies.

SURANAL, ALE, AUX [syRanal, o] adj. — 1933, Larousse ; de *sur-,* et *anal.*

♦ Entomol. Qui se trouve du côté dorsal, par rapport à l'anus.

SURANNATION [syRanasjɔ̃] n. f. — XVIᵉ ; de *suranné.*
Droit ancien.

♦ **1.** Cessation de validité (d'un acte, d'un droit qui n'a pas été renouvelé).

♦ **2.** (1876). Expiration (d'un délai de procédure).

SURANNÉ, ÉE [syRane] adj. — XIIIᵉ, «qui a plus d'un an» ; de *sur-, an,* et suff. *-é ;* l'ancien verbe *suranner* «périmer» est postérieur.

♦ **1.** (XVIᵉ). Dr. anc. Qui a cessé d'être valable, dont le délai* est expiré (à l'origine, délai d'un an). ⇒ **Nul, périmé ; surannation.** *Procuration surannée* (Littré).

♦ **2.** (1661, Molière). Mod., littér. ou style soutenu. Qui a cessé d'être en usage, qui ne se fait ou ne se dit plus et fait penser à une époque révolue. ⇒ **Ancien, antique** (*supra* cit. 5), **démodé, désuet, fossile, gothique** (vx), **vieilli, vieillot, vieux.** *Suranné et un peu ridicule. Une galanterie surannée* (→ 3. Fraise, cit. 1). *Un de ces meubles antiques, magnifiques et surannés* (→ Inutilité, cit. 2). *Style un peu suranné* (→ Licencieux, cit. 1) ; *idées surannées.* ⇒ **Archaïque, arriéré, attardé** (cf. Remonter au déluge). *Terme, mot suranné. Conceptions, lois surannées.* ⇒ **Dépassé, périmé, rétrograde.** — *Auteur suranné.*

1   Ce langage suranné et ces prétentions des anciennes monarchies n'ajoutaient rien à la légitimité du droit et n'étaient que de puérils anachronismes.
            CHATEAUBRIAND, Mémoires d'outre-tombe, t. III, p. 317.

2   On ne peut pas se figurer comme cette femme est ennuyeuse, se renfonçant dans un passé rétrograde, se remettant au niveau d'une mère d'esprit suranné, tout imbu de vieilles choses.   MICHELET, la Femme, Introduction, I.

3   (...) ce quartier, qui avait plutôt l'air suranné qu'antique, tendait dès lors à se transformer.   HUGO, les Misérables, II, IV, I.

4   Vois se pencher les défuntes Années,
Sur les balcons du ciel, en robes surannées (...)
            BAUDELAIRE, les Nouvelles Fleurs du mal, VII.

♦ **3.** (Personnes). Vx. Qui est trop vieux pour le personnage qu'il joue. *Des coquettes surannées. Galants surannés* (Rousseau, *Confessions,* IX). — Mod., littér. Qui a un caractère vieillot.

5   À d'autres *(moments),* elle attendait d'elle de mystérieux renseignements sur la vie, sans bien se demander d'ailleurs où la demoiselle sédentaire et surannée avait pu les prendre.   J. ROMAINS, les Hommes de bonne volonté, t. III, VIII, p. 129.

♦ **4.** N. m. (1844). *Le suranné :* les choses surannées.

6   (...) et si rien n'est plus beau que l'antique, rien n'est plus laid que le suranné : c'est une vérité dont on peut se convaincre en regardant les gravures de modes de il y a dix ans (...)   Th. GAUTIER, les Grotesques, Préface.

CONTR. Actuel, neuf, nouveau.
DÉR. Surannation.

SURARBITRE [syRaRbitR] n. m. — 1470, *sur-arbitre ;* de *sur-,* et *arbitre.*

♦ Dr. Arbitre choisi pour trancher, en cas de contestation entre arbitres (cf. La Bruyère, Duclos, *in* Littré). — REM. Le mot, vieilli au XIXᵉ s. («on dit plutôt présentement *tiers arbitre*», Littré), est employé en droit moderne (cf. Capitant, *Vocabulaire juridique*).

SURARD [syRaR] adj. m. et n. m. — 1762 ; *seurat,* 1611 ; aussi *surat,* 1872 ; de l'anc. franç. *seür* «sureau». → Sureau.

♦ *Vinaigre surard,* ou, n. m., *du surard :* vinaigre parfumé de fleurs de sureau infusées.

SURARMÉ, ÉE [syRaRme] adj. — 1955 ; de *sur-,* et *armé,* p. p. de *armer.*

♦ Qui dispose d'une force militaire excessive. *Nation surarmée.*

J'aimerais freiner parce que je sais que si survivre peut être tuer, dans notre monde sur-armé *(sic),* tuer signifierait aussi crever (...)
       Michèle PERREIN, Entre chienne et louve, p. 203.

SURARMEMENT [syRaRmemɑ̃] n. m. — 1910, *in* D.D.L. ; de *sur-,* et *armement.*

♦ Armement excessif. «*Une course effrénée au surarmement*» (*le Monde,* 23 mars 1969).

SURARMER [syRaRme] v. tr. — 1938, *in* D.D.L. ; de *sur-,* et *armer.*

♦ Armer excessivement. — V. pron. *Se surarmer.* ⇒ **Surarmé.**

SURATE ou SOURATE [suRat] n. f. — 1732, *sura, sure* ou *surate, in* Trévoux ; *sourate,* 1872 ; arabe *sūrāh* «verset du Coran» (écrit *sūrāt* au milieu d'une phrase).

♦ Chapitre du Coran. — Par ext. Texte d'un de ces chapitres (copié, gravé, etc.).

De ce Coran (Lecture, Récitation)... Mahomet ne cessait pas de s'émerveiller lui-même. Il en recevait les fragments dans des états seconds (...) Ils étaient retenus par la mémoire du Prophète et des fidèles (...) On les écrivait sur des peaux, des palmes, des poteries (...) Ces fragments furent groupés en chapitres ou sourates lesquelles furent classées à peu près par ordre de longueur ; les plus courtes et en même temps les plus anciennes (...) ne sont pas des discours ordonnés (sauf celle de Joseph), mais des réunions de fragments plus ou moins longs, pas forcément de même date.
     E. DERMENGHEM, Mahomet et la tradition islamique, p. 30.

SURBAHAR ou SURBAHÂR [suRbaaR] n. m. — XXᵉ (*survâhâra,* 1907, Larousse) ; mot d'une langue de l'Inde.

♦ Instrument de musique voisin du sitar*, mais d'un volume plus fort et d'une sonorité plus grave, et comportant une calebasse de résonance.

SURBAISSÉ, ÉE [syRbese ; syRbɛse] adj. — 1611 ; de *sur-,* et *baisser.*

♦ **1.** *Arc surbaissé,* dont la hauteur est inférieure à la moitié de la largeur. *Cintre* surbaissé* (→ Humble, cit. 38) *et arc en plein cintre. Ogive* surbaissée. Arcade, voûte, dôme surbaissés.* — Géogr. *Montagne en dôme surbaissé.*

Figuré :

J'aime, ô pâle beauté, tes sourcils surbaissés,
D'où semblent couler les ténèbres (...)
       BAUDELAIRE, les Épaves, «Galanteries», XI.

♦ **2.** (1912, *in* D.D.L.). Cour. D'une hauteur inférieure à la normale, très basse. *Voiture de course surbaissée* (→ aussi Chauffeur, cit. 1).

Sc. nat. «*La bouche surbaissée du poisson de fond qui lui permet une prise de nourriture plus facile sur le sol*» (P. Vivier, *la Pisciculture,* p. 10, 1954).

CONTR. Surhaussé ; surélevé.
DÉR. Surbaissement, surbaisser.

SURBAISSEMENT [syRbɛsmɑ̃] n. m. — 1704 ; de *surbaissé.*
Architecture.

♦ **1.** Caractère d'un arc surbaissé, d'une voûte surbaissée.

Rare. *(Un, des surbaissements).* Ce qui est surbaissé ; arc surbaissé.

(...) lorsque la Renaissance vint mêler à cette unité si sévère et pourtant si variée (...) ses débauches de pleins cintres romains, de colonnes grecques et de surbaissements gothiques (...)   HUGO, Notre-Dame de Paris, I, III, II.

♦ **2.** Différence entre la hauteur d'un arc surbaissé et la moitié de sa largeur.

♦ **3.** (1872). Techn. Seconde taille pratiquée sur une moulure, en marbrerie.

SURBAISSER [syRbese ; syRbɛse] v. tr. — 1690 ; de *surbaissé,* d'après *baisser.*

♦ Technique. [a] Archit. Rendre surbaissé. *Surbaisser un arc.*

b *Surbaisser la carrosserie d'une voiture.* ⇒ **Surbaissé** (2).
CONTR. **Surhausser.**

SURBESTIALITÉ [syʀbɛstjalite] n. f. — 1964, cit. *infra*; de *sur-*, et *bestialité.*

♦ Didact. Caractère d'un animal dont certaines particularités, qui dépassent l'animalité, annoncent l'homme.

(...) au lieu d'une surbestialité qui finirait on ne sait trop comment par acquérir le «minimum pensant» humain, l'Australanthrope met en présence d'une humanité réalisée, mais pour ainsi dire méconnaissable et vraisemblablement en dessous de ce qu'on accorderait de «minimum pensant» à un singe pour qu'il puisse être considéré comme un ancêtre de l'homme.
A. LEROI-GOURHAN, le Geste et la Parole, t. I, p. 135.

SURBILLE [syʀbij] n. f. — xxᵉ; de *sur-*, et *bille.*

♦ Techn. Partie du fût d'un arbre qui se trouve au-dessus des premières grosses branches.

Ces bois *(de traverses)* sont généralement des grumes de qualité médiocre, des surbilles, etc. J.-C. REGGIANI, Industries et Commerce du bois, p. 108.

SURBLASE ou **SURBLAZE** [syʀblɑz; syʀblaz] n. m. — xxᵉ; de *sur-*, et *blase** «nom» en argot.

♦ Argot. Surnom.

En dépit du format comac *(gros, important)* qui lui avait valu son surblaze, le Gros se sentait devenu léger, presque inconsistant (...)
Albert SIMONIN, Hotu soit qui mal y pense, p. 19.

SURBOOKING [syʀbukiŋ] n. m. — 1973; de *sur-*, et d'après l'angl. *overbooking*, de *to overbook*, de *to book* «louer», et *over* «sur-, trop».

♦ Anglic., techn. Location, dans les transports aériens ou l'hôtellerie, d'un nombre de places supérieur à celui dont on dispose. *Passagers en surnombre, victimes du surbooking. Le surbooking permet de profiter des éventuelles défections.* «*(...) toutes les compagnies pratiquent la technique du "surbooking". Elle consiste à accepter plus de réservations qu'il n'y a de places dans l'avion, en spéculant sur les annulations à venir. Technique dangereuse lorsqu'on en abuse*» *(l'Express, 30 avr. 1973, p. 63).*

SURBOUM [syʀbum] n. f. — 1949; de *sur(prise-partie)*, et 2. *boum.*

♦ Fam., vieilli. Surprise-partie. ⇒ 2. **Boum, surpatte.** *Organiser une surboum pour son anniversaire. Aller à une surboum.*

On sera seul dans la bicoque, à partir de vendredi. Avec une bonne vieille surboum le samedi. N'oublie pas le whisky, tu seras gentil.
Michel DE SAINT PIERRE, les Nouveaux Aristocrates, p. 131.

SURBOUT [syʀbu] n. m. — 1765, *arbre sur-bout*; loc. adv. *sur bot, sur bout* «debout», xivᵉ; de *sur-*, et *bout.*

♦ Techn. Pièce de bois mobile sur un pivot, qui reçoit des assemblages de charpente*, et qui s'emploie dans certaines machines de levage à bâti de bois.

SURBRODÉ, ÉE [syʀbʀode] adj. — 1931; de *sur-*, et *brodé.*

♦ Techn. Brodé une deuxième fois, brodé par-dessus qqch. ⇒ **Rebrodé.**

Figuré :

(...) les acteurs avec leurs costumes composent de véritables hiéroglyphes qui vivent et se meuvent. Et ces hiéroglyphes à trois dimensions sont à leur tour surbrodés d'un certain nombre de gestes, de signes mystérieux (...)
A. ARTAUD, le Théâtre et son double, Idées/Gallimard, p. 91 (1938).

SURCAPACITÉ [syʀkapasite] n. f. — Mil. xxᵉ (1966, Reggiani, *infra*); de *sur-*, et *capacité.*

♦ Écon., techn. Capacité (de production, d'offre de service) supérieure aux besoins. «(Une) *surcapacité de production*» (J.-C. Reggiani, *Industries et Commerce du bois*). « *La saturation du marché mondial* (de l'acier) *dont la surcapacité est évaluée à 100 millions de tonnes*» (France-Europe, nᵒ 16, p. 25).

SURCAPITALISATION [syʀkapitalizasjɔ̃] n. f. — V. 1900, M. Mény, *in D.D.L.*; de *sur-*, et *capitalisation.*

♦ **1.** Fin. Valeur de capital attribuée à une entreprise au-delà de sa valeur réelle; différence entre ces deux valeurs.

♦ **2.** (1964). Écon. Surinvestissement.

CONTR. **Sous-capitalisation.**

SURCHARGE [syʀʃaʀʒ] n. f. — V. 1500; de *surcharger.*

★ **I. A.** ♦ **1.** Charge ajoutée à la charge ordinaire, fardeau* supplémentaire. *Surcharge trop lourde.* — Trav. publ. *Charges permanentes et surcharges mobiles d'un pont* (les véhicules). *Surcharges statiques, dynamiques, climatiques.* — (1872). Turf. Surplus de poids imposé à un cheval. ⇒ **Handicap.**

EN SURCHARGE, loc. adv. *Poids en surcharge.* — Par métaphore. → Gravité, cit. 14.

♦ **2.** (1559). Fig. ⇒ **Surcroît, surplus.** *Surcharge de dépenses et de périls* (→ Fret, cit. 3). *Une surcharge de travail.*

♦ **3.** (1512). Impôt qui s'ajoute à une charge; alourdissement d'une charge.

Plusieurs, en 89, disaient qu'en quarante années ils avaient payé, avec ces surcharges bien plus que ne valaient les biens dont ils étaient propriétaires.
MICHELET, Hist. de la Révolution franç., III, X.

♦ **4.** (1876). Typogr. Ce qui dans une composition vient s'ajouter au texte (notes, tableaux, sommaire, etc.).

B. ♦ **1.** Charge qui excède la charge permise. *Surcharge de bagages.* ⇒ **Excédent.**

♦ **2.** (Déb. xviᵉ). Fait de surcharger, d'être surchargé. *La surcharge de l'estomac.* ⇒ **Réplétion.** *La surcharge des voitures est dangereuse. Prendre des voyageurs en surcharge.*

Méd. Présence en excès d'une substance dans des cellules où on la trouve normalement en plus petite quantité. *Surcharge du foie en glycogène. Surcharge ventriculaire :* hypertrophie ou dilatation des ventricules cardiaques.

♦ **3.** (1738; abstrait). Excès, surabondance. ⇒ **Pléthore.** *La surcharge des significations* (→ Langue, cit. 36). — Spécialt. Surabondance d'ornements. *La surcharge inutile du luxe ostentatoire* (cit.).

La chapelle est décorée avec une surcharge de colifichets, de fanfreluches et de dorures inimaginable. Ce ne sont que colonnes torses, volutes, chicorées, incrustations de brèches de couleur; mosaïques de verre, marqueterie de nacre et de burgau, cristaux, miroirs à biseaux, soleils à rayons, transparents (...)
Th. GAUTIER, Voyage en Espagne, p. 182.

Nombreuses sont les pages où le narrateur, féru d'idées scientifiques, plus ou moins solides, aboutit à une surcharge fatigante d'observations techniques.
G. BACHELARD, l'Eau et les Rêves, p. 80.

★ **II.** ♦ **1.** (1636). Substitution d'un mot à un autre en surchargeant. — Par ext. Mot écrit au-dessus d'un autre raturé. *Les seules corrections** (cit. 5) *du manuscrit étaient quelques surcharges. Papier noir* (cit. 10) *de surcharges et de ratures*. Écrire un mot en surcharge.*

(1933). Spécialt. Inscription imprimée en recouvrant une autre, et ajoutée après coup. *Surcharge d'un timbre-poste, qui en modifie la valeur. Surcharge verticale, horizontale.*

♦ **2.** Peint. Morceau peint, dessiné par-dessus un autre, comme retouche ou comme effet spécial.

CONTR. **Allégement, contrepoids.**

SURCHARGÉ, ÉE [syʀʃaʀʒe] adj. — xviᵉ; p. p. de *surcharger.* → Surcharger.

♦ **1.** Qui est trop chargé. — Dont le poids pris en charge est trop lourd. *Personne, bête surchargée,* qui plie* sous le poids. *Autobus surchargé.* ⇒ **Bondé, bourré, comble, complet.** — Qui a trop d'ornements. *Décoration surchargée.*

♦ **2.** (1760). Qui a trop d'occupations, de travail. *Être surchargé.* ⇒ **Occupé.** — Par ext. *Journée surchargée, emploi du temps surchargé,* comportant plus de choses à faire qu'il n'est possible. ⇒ **Chargé** (→ Intercaler, cit. 2). *Programmes scolaires surchargés.* ⇒ **Lourd.**

♦ **3.** (1835). Qui porte une surcharge (II., 1.). *Brouillons surchargés.* ⇒ **Corrigé, raturé** (→ Foisonnement, cit.). — *Timbre-poste surchargé.*

♦ **4.** (*In* Larousse 1876). Blason. Chargé d'une pièce qui en porte une autre.

SURCHARGER [syʀʃaʀʒe] v. tr. — xviᵉ; *sorcharcier*, déb. xiiiᵉ; de *sur-*, et *charger.*

★ **I.** ♦ **1.** Charger d'un poids qui excède la charge ordinaire; charger à l'excès. *Surcharger une voiture, un chariot. Surcharger son estomac* (en mangeant trop); *se surcharger l'estomac.* — (Sujet n. de chose). Constituer une surcharge. *Les bagages surchargent la voi-*

ture. ⇒ **Alourdir.** — Au p. p. *Gradins* (cit. 3) *surchargés de spectateurs.* ⇒ **Surchargé,** adj.

0.1 Je vous soulagerai pendant quelques lieues : ce fardeau ajouté au mien ne me surchargera guère (...)   RESTIF DE LA BRETONNE, la Vie de mon père, p. 72.

1   D'un mouvement brusque, elle fit tomber les *Fondements de la Morale* qui surchargeaient un faible guéridon (...)
                           Maurice BEDEL, Jérôme 60⁰ latitude nord, IX.

Remplir à faire déborder. ⇒ **Combler.**

♦ **2.** (Abstrait). *Surcharger sa mémoire.* ⇒ **Charger, encombrer.** *Notes qui surchargent un texte* (→ Discrimination, cit. 2). *Orner trop. Surcharger de couleurs, de clinquants.* ⇒ **Chamarrer.** — *Hampe* (1. Hampe, cit. 1) *surchargée de sculptures.*

♦ **3.** Charger de nouveau (qqn, d'un impôt), aggraver les charges de (qqn). ⇒ **Grever, imposer.** — (Passif et p. p.). *Être surchargé d'impôts :* avoir de lourds impôts à payer (→ Epuisement, cit. 5). ⇒ **Accabler.** — (Av. 1741). Par ext. Charger de nouveau (qqn, qqch.), donner plus, trop (de qqch.) à faire, à subir à (qqn). *Surcharger qqn d'obligations. Être surchargé d'obligations* (→ Domestique, cit. 6), *de dépenses, de soucis...* (→ Pourvoir, cit. 5). *Être surchargé de travail.*

2   Cette enfant, car c'est une enfant, est surchargée de travail. À la fois élève et maîtresse, elle se fatigue beaucoup.
                           FRANCE, le Crime de S. Bonnard, V, Œ., t. II, p. 429.

★ **II.** ♦ **1.** (1832). Écrire (un mot) sur un autre, pour corriger un texte. — Par ext. Ajouter des mots au-dessus des ratures de (un texte). — Imprimer une surcharge sur. *Surcharger un timbre-poste.*

3   (...) le volume de MADAME BOVARY, renfermant une page du pénible manuscrit, toute biffée, toute raturée, toute surchargée de renvois (...)
                           Ed. et J. DE GONCOURT, Journal, 14 déc. 1894, t. IX, p. 208.

♦ **2.** (1962). Peint. Recouvrir, reprendre par une surcharge. *Papiers* (cit. 17) *collés, accompagnés ou surchargés de traits de crayon.*

CONTR. **Alléger, décharger.**
DÉR. Surcharge, surchargé.

SURCHAUFFAGE [syRʃofaʒ] n. m. — 1876 ; de *surchauffer.*

♦ Techn. Action de surchauffer ; son résultat. *Le surchauffage de la vapeur d'eau.*

SURCHAUFFE [syRʃof] n. f. — 1877 ; de *surchauffer.*

♦ **1.** Techn. Opération qui consiste à chauffer (la vapeur). *La surchauffe de la vapeur élève sa tension et la puissance qu'elle peut fournir.* — Phys. État d'un liquide chauffé au-dessus de sa température d'ébullition sans qu'il se vaporise.
(1964). Techn. Action d'amener un métal à une très haute température, sans fusion. *La surchauffe de l'acier.*

♦ **2.** (1963). Écon. Augmentation de la demande (solvable) des biens de consommation plus rapide que l'accroissement du produit national brut. *La surchauffe de l'économie correspond à un danger d'inflation.* ⇒ **Emballement.** « *L'économie allemande, après avoir connu une phase de "surchauffe", est passée de la surchauffe à la stagnation, pour ne pas dire à la récession* » (*le Monde,* 7 janv. 1967).

SURCHAUFFÉ, ÉE [syRʃofe] adj. — 1873 ; p. p. de *surchauffer.*

♦ **1.** Se dit de l'air, et, par ext., d'un lieu chauffé ou chaud au-delà de ce qui convient *Des hélices* (cit. 5), *des ventilateurs brassaient l'air surchauffé. Une salle, une chambre surchauffée.* — *Vapeur surchauffée.* ⇒ **Surchauffer** (A., 2.).

1   Le soir, l'établissement surchauffé s'allumait de tout son métal et de tous ses cristaux.   ZOLA, le Ventre de Paris, I, p. 171.

2   Quelques secondes, il resta obsédé par le souvenir de cette journée dans le wagon cahoteux, surchauffé, où il était resté, sans changer de place (...)
                           MARTIN DU GARD, les Thibault, t. V, p. 294.

♦ **2.** (1873, Zola, *in* D.D.L.). Fig. Exalté, agité, fébrile. *Une imagination, un esprit surchauffés.* ⇒ **Bouillonnant, surexcité.** *Une assemblée, un milieu surchauffés. La presse surchauffée.*

SURCHAUFFER [syRʃofe] v. tr. — 1803 ; probablement plus anc., d'après le dér. *surchauffure* (1676) ; de *sur-,* et *chauffer.*

A. ♦ **1.** Techn. (forges). Vx. Chauffer à l'excès sans faire fondre. *Surchauffer le fer, l'acier.*

♦ **2.** (1872). Réchauffer ce qui était déjà chaud. *Surchauffer la vapeur d'eau pour en augmenter la tension.* ⇒ **Surchauffe.**

♦ **3.** (1964). Phys. Porter (un liquide) au-dessus de son point d'ébullition sans qu'il se vaporise.

♦ **4.** (Av. 1880). Cour. Porter à une température trop élevée, désagréable. *Le soleil de midi surchauffait la véranda.*

B. (Av. 1892). Fig. Rendre agité, exalté, bouillonnant. ⇒ **Surexciter.**

Ces déclarations intempestives surchauffaient l'opinion. ⇒ **Déchaîner.**

DÉR. Surchauffage, surchauffe, surchauffé, surchauffeur, surchauffure.

SURCHAUFFEUR [syRʃofœR] n. f. — 1873 ; de *surchauffer.*

♦ Techn. Appareil à surchauffer la vapeur. *Surchauffeur de locomotive.*

SURCHAUFFURE [syRʃofyR] n. f. — 1676 ; de *surchauffer.*

♦ Techn., vx. Défaut de l'acier, du fer surchauffé. ⇒ **Paille.**

SURCHOIX [syRʃwa] adj. invar. et n. m. — 1816, *in* Littré ; de *sur-,* et *choix.*

♦ **1.** Adj. invar. De premier choix, de qualité supérieure. *Un produit surchoix. Fruits surchoix.*

♦ **2.** N. m. (1851). Vx. Premier choix, première qualité. *Viande de surchoix.*

SURCLASSÉ, ÉE [syRklase] adj. — 1899, t. de turf, *in* Petiot ; de *sur-,* et *classé.*

♦ Sports. Qui entre en compétition avec des concurrents d'une classe supérieure à la sienne. *Un jeune espoir de l'athlétisme, cadet surclassé junior.* — *Chevaux surclassés.*

SURCLASSEMENT [syRklasmã] n. m. — 1875 ; de *sur-,* et *classement.*

♦ **1.** Vx. Action de classer en donnant un rang exceptionnel. *Surclassement d'un ouvrier.* — Mod. Attribution d'un poste à une personne qui a une qualification supérieure à ce que celui-ci exige.

♦ **2.** (1876). Admin. (douanes) Classement d'un objet soumis à une taxe dans une classe supérieure à celle dont la déclaration fait état.

♦ **3.** Sports. Action de surclasser (un sportif ; un cheval). *Le surclassement des jeunes sportifs.*

SURCLASSER [syRklase] v. tr. — 1908, Petiot ; de *sur-,* et *classer.*

♦ **1.** [a] Avoir, en sports, une incontestable supériorité de classe sur... *Coureur, cheval, joueur qui en surclasse un autre.*

[b] Cour. Être supérieur* à... *Il double les véhicules qu'il surclasse par la puissance* (→ Éclabousser, cit. 3). *Surclasser tous ses concurrents dans un concours.* — (Au passif). *Être surclassé par :* être dépassé en valeur, en utilité par... ⇒ **Surpasser.**

Les anciens dispositifs oscillographiques, notamment les ingénieux appareils dus à André Blondel, sont nettement « surclassés » par les oscillographes à électrons.
                           L. DE BROGLIE, Physique et Microphysique, p. 308.

♦ **2.** Sports. Faire participer aux compétitions d'une catégorie (d'âge, notamment) supérieure. *C'est un benjamin, mais la fédération l'a surclassé en minime.*

♦ **3.** Placer (qqn) à un rang trop élevé. *La critique a surclassé ce romancier.* — (Passif et p. p.). *Il est surclassé.* ⇒ **Surfait.**

SURCOLLAGE [syRkɔlaʒ] n. m. — 1923, Larousse ; de *sur-,* et *collage.*

♦ Techn. Collage* excessif (du vin) ; son résultat.

SURCOLLER [syRkɔle] v. tr. — 1923 ; de *sur-,* et *coller.*

♦ Techn. Coller à l'excès (un vin).

SURCOMPENSATION [syRkõpãsasjõ] n. f. — 1957 ; de *sur-,* et *compensation.*

♦ **1.** Écon. Égalisation du rapport des charges et des recettes de plusieurs caisses. — Spécialt. Versement des caisses excédentaires en faveur de celles qui seraient normalement déficitaires, dans le fonctionnement de la Sécurité sociale. *Taux de surcompensation.*

♦ **2.** Psychol. Conduite par laquelle une personne, surmontant une déficience, une infériorité originelle, réelle ou imaginaire, réussit particulièrement dans le domaine qui lui semblait interdit.

SURCOMPENSÉ, ÉE [syRkõpãse] adj. — 1842 ; de *sur-,* et *compensé.*

♦ **1.** Compensé au delà du nécessaire.

♦ **2.** (1970). Psychol. Caractérisé par une surcompensation.

SURCOMPENSER [syʀkɔ̃pɑ̃se] v. tr. — xxᵉ (av. 1975, cit. *infra*) ; de *sur-*, et *compenser*.

♦ Psychol. Réagir à (une situation d'infériorité réelle ou imaginaire) en cherchant à obtenir réussite et valorisation sur le terrain même où elle nous oppose un obstacle. — (Sujet n. de chose) Compenser avantageusement (une infériorité). *« (...) la mégalomanie (...) soubassement de nombreux états morbides où le Moi s'attribue une valeur démesurée surcompensant l'infériorité de la situation »* (Ch. Bardenat, *in* Porot, 1975, art. *Mégalomanie*).

SURCOMPOSÉ, ÉE [syʀkɔ̃poze] adj. — 1749 ; de *sur-*, et *composé*.

♦ **1.** Gramm. Se dit d'un temps composé où l'auxiliaire est lui-même à un temps composé (→ 1. Avoir, cit. 92). *Les temps surcomposés sont généralement employés en subordonnée lorsque le verbe de la principale est à un temps composé (Je suis parti quand j'ai eu terminé. Il serait arrivé quand j'aurais été partie. S'il avait eu fini, il aurait pu partir). Les temps surcomposés s'emploient aussi en proposition principale : il a eu vite fait de régler cette affaire. Formes surcomposées du passé composé* (passé* surcomposé), *du plus-que-parfait, du futur antérieur, du conditionnel passé, du passé du subjonctif, de l'infinitif et du participe*.

♦ **2.** (1797). Bot. *Feuille surcomposée*, formée de plusieurs folioles elles-mêmes divisées, et reliées à un pétiole commun.

♦ **3.** (1754). *Corps surcomposé.* — N. m. (1762). Vx (ou hist. de la chim.). Corps chimique résultant de la combinaison de corps « composés ».

SURCOMPRESSÉ, ÉE [syʀkɔ̃pʀese] adj. ⇒ Surcomprimé.

SURCOMPRESSION [syʀkɔ̃pʀesjɔ̃ ; syʀkɔ̃pʀɛsjɔ̃] n. f. — 1929, *in* D.D.L. ; de *sur-*, et *compression*.

♦ Techn. Augmentation de la compression d'un gaz, spécialt, du mélange gazeux d'un moteur à explosion. *Surcompression par augmentation de la quantité de mélange gazeux.* ⇒ **Suralimentation**.

SURCOMPRIMER [syʀkɔ̃pʀime] v. tr. — 1964 ; au p. p., 1926, *in* D.D.L. ; de *sur-*, et *comprimer*.

♦ Augmenter la compression de (un gaz déjà comprimé). ⇒ **Compresseur, surcompression**.

▶ **SURCOMPRIMÉ, ÉE** p. p. adj. *Gaz surcomprimé.* — Par ext. *Moteur surcomprimé*, dont le mélange gazeux subit la surcompression. — On dit abusivt *surcompressé* [syʀkɔ̃pʀese].

SURCONCENTRÉ, ÉE [syʀkɔ̃sɑ̃tʀe] adj. — 1969 ; de *sur-*, et *concentré*.

♦ Très concentré. *Sirop surconcentré.*

SURCONGÉLATION [syʀkɔ̃ʒelasjɔ̃] n. f. — Mil. xxᵉ (*in* Larousse, 1964) ; de *sur-*, et *congélation*.

♦ Rare. Surgélation.

SURCONSCIENCE [syʀkɔ̃sjɑ̃s] n. f. — 1948, cit. *infra* ; de *sur-*, et *conscience*. → Inconscience.

♦ Littér. Conscience très vive.

Dans un état de demi-conscience à la fois et de surconscience, avec l'impression d'une logique suprême, qui n'était qu'une éblouissante confusion (...)
                                        M. DRUON, les Grandes Familles, I, v, p. 40 (1948).

SURCONSOMMATION [syʀkɔ̃sɔmasjɔ̃] n. f. — 1955 ; de *sur-*, et *consommation*, d'après *surproduction*.

♦ Consommation excessive, dans un état économique donné. *L'ère de la surconsommation.* — *La surconsommation médicale.*

1 Selon la *C.G.T.* la politique des revenus, inspirée par la théorie bourgeoise de la surconsommation, serait une politique de limitation des salaires (...)
                                        J.-P. COURTHÉOUX, la Politique des revenus, p. 22.
2 Il y a effectivement passage de la rareté à l'abondance, de l'insuffisante production à une consommation immense et parfois à une surconsommation (gaspillage, consommations somptuaires et de prestige, etc.) dans les cadres du capitalisme modifié.
                                        Henri LEFEBVRE, la Vie quotidienne dans le monde moderne, p. 109.
3 La surmortalité masculine, observée dans tous les pays, marque une tendance à l'augmentation ; mais c'est un test de surconsommation d'alcool, plus encore que de suralimentation.   A. SAUVY, Croissance zéro?, p. 145.

CONTR. **Sous-consommation**.

SURCONSTANCE [syʀkɔ̃stɑ̃s] n. f. — 1968, Larousse ; de *sur-*, et *constance*.

♦ Psychol. Tendance à surévaluer la taille d'un objet éloigné. *Surconstances perceptives.* — REM. On écrit aussi *sur-constance*.

Quant à son développement *(de la constance des grandeurs)* de l'enfance à l'âge adulte, certains travaux ont mis en évidence deux sortes de faits : d'abord une évolution avec l'âge, procédant d'une sous-constance initiale très nette jusqu'à une constance approximativement exacte vers sept ans et se prolongeant ensuite en une sur-constance ; en second lieu une sur-constance fréquente chez l'adulte, qui à 4 m de distance voit, par exemple, une tige verticale de 8 à 9 cm comme si elle en avait 10. Or cette sur-constance inexplicable dans une hypothèse physicaliste, relève évidemment d'une précaution inconsciente contre l'erreur (...)
                                        J. PIAGET, Épistémologie des sciences de l'homme, p. 166.

SURCONTRE [syʀkɔ̃tʀ] n. m. — 1933 ; de *surcontrer*.

♦ Fait de surcontrer, au bridge. *Le surcontre quadruple les pénalités ou les bonifications.*

SURCONTRER [syʀkɔ̃tʀe] v. tr. — 1933 ; de *sur-*, et *contrer*.

♦ Contrer le contre de (l'adversaire), au bridge.
DÉR. **Surcontre**.

SURCONVERTISSEUR [syʀkɔ̃vɛʀtisœʀ] n. m. — V. 1970 ; de *sur(générateur)*, et *convertisseur*.

♦ Phys. Surrégénérateur* produisant une matière fissile différente de celle qu'il consomme.

SURCOSTAL, ALE, AUX [syʀkɔstal, o] adj. et n. m. — 1743, n. m. ; 1834, adj. ; de *sur-*, et *costal*.

♦ Anat. *Muscles surcostaux*, qui s'insèrent sur les côtes. — N. m. *Les surcostaux. Un surcostal.*

SURCOT [syʀko] n. m. — Av. 1250 ; *sarcot*, v. 1175 ; de *sur-*, et *cotte*.

♦ Archéol. Vêtement du moyen âge porté sur la cotte ; spécialt, corsage serré, paletot cintré fermé devant et arrondi sur les hanches.

SURCOTE [syʀkɔt] n. f. — Mil. xxᵉ ; déverbal de *surcoter*.

♦ Fin. Cote supérieure à la normale. *Surcote d'une valeur, d'une monnaie.*

SURCOTER [syʀkɔte] v. tr. — Déb. xxᵉ ; fig., 1923 ; de *sur-*, et *coter*.

♦ Fin. Coter (une valeur) plus haut que son prix réel. ⇒ **Surestimer, surévaluer**.

▶ **SURCOTÉ, ÉE** p. p. adj. *Des valeurs surcotées.*
DÉR. **Surcote**.

SURCOUPE [syʀkup] n. f. — 1875 ; de *surcouper*.

♦ Action de surcouper, aux cartes. *Être en surcoupe* : couper avant un joueur qui surcoupe.

SURCOUPER [syʀkupe] v. tr. — 1802 ; de *sur-*, et *couper*.

♦ **1.** Couper avec un atout supérieur à celui avec lequel un autre joueur vient de couper, aux cartes.

♦ **2.** (Mil. xxᵉ). Techn. Recouper (une pièce de cuir), à sa forme définitive. — Syn. : *surtailler*.
DÉR. **Surcoupe**.

SURCOÛT [syʀku] n. m. — 1978, ex. *infra* ; de *sur-*, et *coût*.

♦ Écon. Supplément de coût. *« Si les fabricants modifiaient leurs appareils de manière à en réduire la consommation de courant, quel supplément de prix (ou "surcoût") cela entraînerait-il pour l'acheteur ? »* (*le Nouvel Obs.*, 22 mai 1978, p. 66).

SURCREUSÉ, ÉE [syʀkʀøze] adj. — 1909, *in* D.D.L. ; de *sur-*, et *creusé*.

♦ Géol. Creusé au-dessous d'un profil limite. *Vallée surcreusée.*

SURCREUSEMENT [syʀkʀøzmɑ̃] n. m. — 1909, *in* D.D.L. ; de *sur-*, et *creusement*.

♦ Géol. Creusement d'un fond de vallée au-dessous de son profil limite. *Surcreusement d'une vallée glaciaire.*

SURCRITIQUE [syʀkʀitik] adj. — 1968, Larousse ; de *sur-*, et *critique*.
Physique.

♦ **1.** *Masse surcritique :* masse de matière fissile supérieure à la masse critique.

♦ **2.** *Système surcritique,* dans lequel la réaction nucléaire est divergente.

SURCROÎT [syʀkʀwɑ] n. m. — XIIIᵉ ; de *surcroître* (vx) « croître au-delà de la mesure ordinaire » ; de *sur-,* et *croître.*

♦ **1.** Littér. Ce qui apporte un accroissement, ce qui vient s'ajouter à ce qu'on a déjà. ⇒ **Augmentation, supplément.** *Observer avec un surcroît d'inquiétude* (→ Établir, cit. 40). *Un surcroît de périls.* ⇒ **Surcharge** (fig.). *Surcroît de provisions* (Académie). ⇒ **Excédent.** *Un surcroît de travail. — Pour surcroît de douleur* (→ Étendard, cit. 2), *de malheur* (→ Guider, cit. 5). *Par surcroît de malchance.* ⇒ **Comble.**

1 L'élégance du jeune Tiercelin, sa maîtrise de soi-même et son maintien distant lui valaient un surcroît de considération. M. AYMÉ, le Chemin des écoliers, VII.

Loc. adv. (XVᵉ). **DE SURCROÎT :** en plus, en outre, avec* cela... *Il était maigre, noiraud, et de surcroît brèche-dent* (→ 1. Mine, cit. 11).

Loc. adv. (1672). **PAR SURCROÎT :** en plus, en outre (cf. Par-dessus le marché). *Pécore* (cit. 3) *stupide et impertinente par surcroît* (→ Brochant* sur le tout). *Non contente de... elle avait par surcroît...* (→ Oligarchie, cit.). ⇒ **Encore, outre** (en), **plus** (en). *Être donné, venir par surcroît,* comme un supplément naturel, nécessaire (→ Engager, cit. 48 ; lécher, cit. 12). *Parce qu'un régime détient le pouvoir* (cit. 13) *il pense que l'autorité viendra par surcroît.*

2 Cherchez donc premièrement le royaume de Dieu et la justice de Dieu, et toutes ces choses vous seront données comme par surcroît. BIBLE (SACY), l'Évangile selon saint Matthieu, VI, 33.

♦ **2.** (1701).Vx. *Œuvres de surcroît :* œuvres chrétiennes non obligatoires.

SURCUIRE [syʀkɥiʀ] v. tr. — 1876 ; au p. p., 1868 ; de *sur-,* et *cuire.*

♦ Techn. Cuire une deuxième fois. *Surcuire de la chaux.* ⇒ **Surcuisson.**

▶ **SURCUIT, ITE** p. p. adj. *Ciment surcuit.*

SURCUISSON [syʀkɥisɔ̃] n. f. — 1869 ; de *sur-,* et *cuisson.*

♦ Techn. Action de surcuire. *Surcuisson de la chaux.*

SURCULOTTE [syʀkylɔt] n. f. — V. 1810 ; de *sur-,* et *culotte.*

♦ Anciennt. Pantalon de l'uniforme des cavaliers de la Première République et du Premier Empire, ouvert sur le côté et porté sur la culotte.

SURDENSITÉ [syʀdɑ̃site] n. f. — 1979, ex. *infra ;* de *sur-,* et *densité.*

♦ Didact. Densité humaine excessive, dépassant les normes. « *On a ouvert de nouveaux camps, dont certains n'étaient prévus que pour 1980 (....) 3 200 emplacements de camping à la ferme ont été dénichés. Et les autorités ont décidé de fermer un peu plus les yeux sur les surdensités* » (l'Express, 4 août 1979, p. 44).

SURDENT [syʀdɑ̃] n. f. — V. 1560, *sordent ;* « outrage », v. 1160 ; de *sur-,* et *dent.*

♦ Rare. Dent surnuméraire, ou dent nouvelle qui pousse avant que la dent temporaire ne soit tombée. Dent qui en chevauche une autre.

Une jeune femme (...) aux quenottes éclatantes avec une surdent drôle. HUYSMANS, En ménage, IV.

(1678). Vétér. Dent plus longue que les autres, chez le cheval.

SURDÉTERMINANT, ANTE [syʀdetɛʀminɑ̃, ɑ̃t] adj. — 1937 ; de *sur-,* et *déterminant,* d'après *surdétermination.*

♦ Didact. Qui produit ou concourt à une surdétermination*.

(...) ces deux livres semblent bien, dans l'élaboration de ce qui fut pour nous ce long cauchemar éveillé, avoir joué un rôle *surdéterminant* des plus décisifs. A. BRETON, l'Amour fou, VI, p. 165 (1937).

SURDÉTERMINATION [syʀdetɛʀminasjɔ̃] n. f. — 1906, *in* D. D. L. ; de *sur-,* et *détermination.*

♦ **1.** Psychol. Caractère d'une conduite déterminée par plusieurs motivations concourantes ; d'une image évoquée par des actions concourantes.

♦ **2.** (1956 ; all. *Überdeterminierung,* Freud, 1895). Psychan. Formation de l'inconscient (rêve, fantasme, symptôme) renvoyant à plu-

sieurs facteurs déterminants (par condensation, etc.). → Rêve, cit. 10.

♦ **3.** Ling. Restriction du sens d'un terme par un contexte.

♦ **4.** Didact. Caractère de ce qui est déterminé par plusieurs éléments.

Pour opérer cette prise de conscience, il est possible de chercher à définir l'objet technique en lui-même, par le processus de concrétisation et de surdétermination fonctionnelle qui lui donne sa consistance au terme d'une évolution, prouvant qu'il ne saurait être considéré comme un pur ustensile. Gilbert SIMONDON, Du mode d'existence des objets techniques, p. 15.

SURDÉTERMINÉ, ÉE [syʀdetɛʀmine] adj. — 1926 ; calque de l'all. (1900, Freud) → Surdétermination ; de *sur-,* et *déterminé.*

♦ **1.** Psychan. Qui contribue ou tend à provoquer un phénomène de surdétermination. « *Chacun des éléments du contenu manifeste du rêve est surdéterminé, il est représenté plusieurs fois dans les pensées latentes du rêve* » (trad. de Freud).

♦ **2.** Didact. Déterminé indirectement, par-dessus autre chose.

Mais du fait de l'insuffisance partielle du développement de ses propres forces productrices, l'Union soviétique subit la loi inégalitaire du marché capitaliste mondial. Elle est partiellement intégrée dans ce marché. Sa politique étrangère, sa politique du commerce extérieur sont partiellement surdéterminées par lui. Jean ZIEGLER, Main basse sur l'Afrique, p. 11.

SURDÉTERMINER [syʀdetɛʀmine] v. tr. — Mil. XXᵉ ; de *sur-,* et *déterminer.*

♦ Didact. Produire la surdétermination de.

SURDÉVELOPPÉ, ÉE [syʀdevlɔpe] adj. — 1967 ; de *sur-,* et *développé,* d'après *sous-développé.*

♦ Écon. Très développé économiquement ; dont le développement est excessif (par rapport à l'entourage géographique). « *Un relèvement économique rapide* (celui du Japon) *qui retentit (...) sur le monde surdéveloppé* » (Science et Vie, nᵒ 588, p. 69). « *Un pays sous-développé dans un ensemble surdéveloppé* » (le Monde, 27 juil. 1967).

CONTR. Sous-développé.

SURDÉVELOPPEMENT [syʀdevlɔpmɑ̃] n. m. — 1904, au sens 1, Rev. gén. des sc. nᵒ 5, p. 272 ; de *sur-,* et *développement.*

♦ **1.** Fait de développer à l'excès ; état d'un cliché photographique développé à l'excès.

♦ **2.** (Mil. XXᵉ). Développement extrême ou excessif. *Le surdéveloppement de l'industrie chimique.*

CONTR. Sous-développement.

SURDIMENSIONNÉ, ÉE [syʀdimɑ̃sjɔne] adj. — 1979 ; de *sur-,* et *dimension.*

♦ Dont les dimensions sont plus grandes que le strict nécessaire. *Winches surdimensionnés, sur un voilier.* « *L'exposition de cet engin* (un appareil photo) *est automatique, et les commandes, surdimensionnées, donnent la possibilité de travailler avec des gants* » (l'Express, 27 oct. 1979).

SURDIMENSIONNER [syʀdimɑ̃sjɔne] v. tr. — 1980 ; de *sur-,* et *dimension.*

♦ **1.** Donner des dimensions plus grandes que le strict nécessaire à (qqch.). « *Le principal problème est, dans ce cas, le collage des cendres sur les tubes d'échange. On le limite en surdimensionnant l'équipement, ce qui accroît le coût* » (la Recherche, juil. 1980, p. 773).

♦ **2.** Accroître les dimensions de (qqch.). « *La propre activité des volcans polaires (...) peut, soit masquer une éruption stratosphérique importante, soit surdimensionner une éruption d'ampleur strictement troposphérique* » (la Recherche, mars 1981, p. 368).

SURDI-MUTITÉ [syʀdimytite] n. f. — 1833, Nysten ; de *surdité,* et *mutité,* d'après *sourd-muet.*

♦ Didact. État du sourd-muet. — Mutité* provoquée par la surdité congénitale ou acquise dans les premières années de la vie.

SURDIRIGÉ, ÉE [syʀdiʀiʒe] adj. — 1970 ; de *sur-,* et *dirigé.*

♦ Techn. Dirigé à l'excès. — Spécialt. Syn. de *survireur. Voiture surdirigée.*

SURDITÉ [syʀdite] n. f. — XIVᵉ, *sourdité,* en remplacement de *sourdesse ;* lat. *surditas,* de *surdus* « sourd ».

♦ **1.** Affaiblissement ou abolition complète du sens de l'ouïe ; état du sourd*. *Surdité partielle* (⇒ **Hypoacousie, presbyacousie** ; → Dureté d'oreille*), *complète* (→ Muet, cit. 2). *Surdité congénitale, entraînant la mutité.* ⇒ **Surdi-mutité.** *Être atteint de surdité. Appareils acoustiques contre la surdité* (prothèses auditives). *Traitement chirurgical de la surdité. Surdité professionnelle, traumatique, due à une otite, à une otospongiose.*

1   La Surdité, Ronsard, seule t'a fait retraire
      Des plaisirs de la cour et du bas populaire.
                     Du Bellay, Jeux rustiques, « Hymne de la surdité ».

2   (...) comme l'homme frappé dès longtemps d'une surdité accidentelle, dont l'œil avide se fixe sur tous ces êtres muets qui passent et s'agitent devant lui. Il voit tout, et tout lui est refusé ; il devine les sons qu'il aime, il les cherche, et ne les entend pas : il souffre le silence de toutes choses au milieu du bruit du monde.
                     É. de Senancour, Oberman, XXII.

Méd. *Surdité fonctionnelle, psychogénique,* sans atteinte organique. *Fausses surdités,* dues à des perturbations affectives ou mentales. *Surdité de transmission,* dont la cause se situe dans l'oreille externe ou moyenne. *Surdité de perception,* dont la cause se situe sur le trajet des voies auditives, de l'oreille interne au cortex. *Surdités mixtes, progressives. Surdité centrale,* due à une lésion corticale ou de régions proches. *Surdité verbale :* impossibilité de comprendre le sens des mots dont on perçoit le son, due à une lésion du cortex cérébral du lobe temporal gauche. *Surdité corticale,* ou *psychique :* impossibilité d'identifier les sons perçus, qu'il s'agisse de bruits familiers, de musique ou de messages verbaux, due aux lésions bilatérales du cortex temporal. — On dit aussi *agnosie* auditive.* — *Surdité musicale,* ou *tonale :* impossibilité de reconnaître les airs de musique qu'on entend, due à une lésion du cortex temporal droit. ⇒ **Amusie.** — On dit aussi *anesthésie* auditive.*

♦ **2.** (1651). Par métaphore ou fig. Fait d'être sourd à qqch. (→ Fanatisme, cit. 5 ; raviser, cit.).

3   Où donc est l'espérance ? Elle a lâchement fui.
      Toutes les surdités s'entendent contre lui ;
                     Hugo, la Légende des siècles, XXII, III.

COMP. V. **Surdi-mutité.**

SURDON [syʀdɔ̃] n. m. — 1866 ; de *sur-,* et *don.*

♦ Comm. Droit pour l'acheteur de se dédire en cas d'avarie de la marchandise ; bonification accordée pour avarie de marchandise.

SURDORER [syʀdɔʀe] v. tr. — 1361, *surdoré ;* de *sur-,* et *dorer.*

♦ **1.** Techn. Dorer en revêtant d'une double couche d'or. — Au p. p. « *Des reliures surdorées* » (Goncourt, *Journal,* t. II, p. 58).

♦ **2.** Fig., littér. (Rare). Donner une apparence éclatante à.

DÉR. **Surdorure.**

SURDORURE [syʀdɔʀyʀ] n. f. — 1611, *surdoreure ;* de *surdorer,* d'après *dorure.*

♦ Techn. Action de surdorer ; son résultat.

SURDOS [syʀdo] n. m. — 1680 ; de *sur-,* et *dos.*

♦ Techn. Pièce de harnais, bande de cuir qui sert à retenir les traits et le reculement*

SURDOSAGE [syʀdozaʒ] n. m. — 1964 ; de *sur-,* et *dosage.*

♦ Méd. Dosage excessif. « *Les accidents sont dus au surdosage, soit durée (chaque application sera bien appuyée, bien dirigée, restant de l'ordre de 60 à 180 secondes, quitte à revenir au même champ), soit dose forte (...). On n'a eu qu'au début des surdosages avec accidents profonds portants sur les nerfs* » (Sciences et Avenir, mai 1978, p. 5).

SURDOUÉ, ÉE [syʀdwe] adj. et n. — 1969 ; de *sur,* et *doué.*

♦ Qui est d'un niveau mental très supérieur à la moyenne (Q. I. supérieur à 170). *Enfant surdoué.*

N. (mot à la mode v. 1980). Cour. *Un surdoué, une surdouée.* « *Il a toujours fait bien plus que son âge. Sans que jamais (...) on l'ait pris pour un surdoué* » (l'Express, 13 déc. 1980, p. 156).

SUREAU [syʀo] n. m. — 1530 ; anc. champenois *suraut,* 1360 ; de *seür,* 1105, altér. de *seü, saü,* lat. *sabucus, sambucus.*

♦ Arbre ou arbrisseau (Caprifoliacées) dont le bois très léger renferme un large canal médullaire et dont la fleur odorante donne des fruits en grappes de baies rouges (*sureau rouge*) ou noires (*sureau noir*). *Une haie de sureaux* (→ aussi Fourré, cit. 39 ; houppé, cit. 8). *Moelle de sureau. Évider une tige de sureau pour faire une sarbacane, un mirliton... Bois de sureau utilisé en tabletterie. La fleur de*

sureau est un sudorifique. Vinaigre parfumé au sureau. ⇒ **Surard.** *Rob, confiture de sureau.*

Près de cette fenêtre, un vieux sureau laisse mûrir au soleil des myriades de baies noires et brillantes.   M. Genevoix, Forêt voisine, I.

Bois, écorce de sureau. Seringue de sureau pour lancer de l'eau. (⇒ **Clifoire**), *des boulettes* (⇒ **Pétoire**). *Baies de sureau. Alcool de sureau.*

HOM. **Suros.**

SURÉCARTEMENT [syʀekaʀtəmɑ̃] n. m. — 1918 ; de *sur-,* et *écartement.*

♦ Techn. Supplément d'écartement donné à des rails de chemin de fer. « *On donnait un assez fort surécartement à la voie dans les courbes* » (Larousse mensuel, sept. 1918, IV, p. 574).

SURÉLÉVATION [syʀelevasjɔ̃] n. f. — 1846 ; de *surélever.*

♦ **1.** Action de surélever ; accroissement en hauteur. *La surélévation d'un pavillon par un architecte. La surélévation d'immeubles anciens.* ⇒ **Exhaussement, surhaussement.**
Construction ajoutée après coup sur une construction déjà existante. *Une surélévation disgracieuse.*

REM. On dit aussi *surélèvement,* n. m. (1904).

♦ **2.** (1872). Abstrait. Nouvelle augmentation, nouvel accroissement. *La surélévation des tarifs.* « *En cas de surélévation des températures de fusion* » (Rev. gén. des sc., 30 oct. 1904, p. 925).
Mise à un niveau de reconnaissance sociale plus élevé. « *Des hommes qui ne pouvaient plus attendre une surélévation que de recherches d'originalité* » (Proust, *in* G. L. L. F.).

CONTR. **Abaissement.**

SURÉLEVER [syʀelve ; syʀɛlve] v. tr. — V. 1400 ; de *sur-,* et *élever.*

♦ **1.** Accroître la hauteur de, donner plus de hauteur à... ⇒ **Exhausser, hausser, surhausser.** *Surélever une maison ancienne d'un étage. Le mur serait surélevé pour empêcher tout essai d'invasion* (→ Griffu, cit. 3). — Au p. p. *Maison surélevée d'un ou plusieurs étages,* agrandie d'un ou plusieurs étages ajoutés après coup.

1   (...) tout de suite après le pont, se trouvaient la mairie et l'école, une ancienne grange surélevée d'un étage, badigeonnée à la chaux.   Zola, la Terre, I, IV.

♦ **2.** Mettre à une plus grande hauteur. *Surélever une chaise, un projecteur. Surélever un enfant en l'asseyant sur un coussin.*
Au p. p. *Trône surélevé par une estrade* (→ Baldaquin, cit. 1).

♦ **3.** (Abstrait ; 1870). Accroître, augmenter de nouveau. *Surélever les tarifs.*

▶ **SURÉLEVÉ, ÉE** p. p. et adj.
Au p. p. Voir ci-dessus.
Adj. (1845). a *Ogive surélevée,* dont les arcs forment un angle au sommet plus aigu que l'ogive normale (contr. : *surbaissé*).

b *Rez-de-chaussée* (cit. 2) *surélevé,* qui n'est pas de plain-pied, auquel on accède par quelques marches.

2   L'hôtel du boulevard Bineau était de ce style industriel qui avait fleuri sur la fin du XIXᵉ siècle (...) avec son rez-de-chaussée surélevé où l'on accédait par un perron double (...)   Aragon, les Beaux Quartiers, II, XXIII.

CONTR. **Abaisser.**
DÉR. **Surélévation.**

SURELLE [syʀɛl] n. f. — XIIᵉ, *surele ;* dimin. de 2. *sur* « acide ».

♦ Régional. Oseille.

SÛREMENT [syʀmɑ̃] adv. — XIVᵉ, *surement ; seürement,* XIIᵉ ; *soürement,* 1080 ; de *sûr.*

D'une manière sûre (II.).

♦ **1.** En sûreté (⇒ **Sûr,** II., 1.). *Qui* (cit. 29) *va lentement va sûrement. Posséder* (cit. 2) *quelque chose sûrement.* — (V. 1155). D'une manière sûre (II., 3.). ⇒ **Sûreté** (III., 3.). *Conduire sûrement et rapidement son esprit* (→ Rêne, cit. 2).

1   — (...) Paris est encore le seul endroit de la France où l'on puisse cacher sûrement un homme.   Balzac, la Vendetta, Pl., t. I, p. 878.

♦ **2.** (V. 1155). D'une manière sûre (II., 2.), qui ne saurait manquer. ⇒ **Assurément** (cf. À coup sûr, sans faute, cit. 12 ; 1. lever, cit. 21). *Rien ne m'endort plus sûrement...* (→ Carte, cit. 3). *L'expérience* (cit. 24) *instruit plus sûrement que le conseil.*

2   Ainsi, doucement, sûrement, cette famille s'acheminait vers la ruine.
                Pierre Benoit, Mˡˡᵉ de la Ferté, I, p. 19.

♦ **3.** (Adv. de phrase, modifiant tout l'énoncé ; v. 1155). D'une manière sûre (II., 4.), certaine, évidente. ⇒ **Certainement, certes** (→ À n'en pas douter*, à l'évidence). *On va sûrement l'identifier* (cit. 8). *Tu connais sûrement des gens influents* (→ Indication, cit. 3).

Absolt. *Vous pensez venir nous voir ? — Sûrement !* ⇒ **Assurément**. *Sûrement pas.*

2.1 Humblot disait bien sûr, oui sûrement, c'est regrettable, mais il le disait d'une voix molle, pour faire plaisir (...) M. AYMÉ, la Vouivre, p. 75.

Fam. ou pop. *Sûrement que...* (→ Histoire, cit. 49 ; parterre, cit. 2).

3 Mais sûrement qu'elle ne les emportait pas avec elle, ses mille francs (...) ZOLA, la Bête humaine, X.

SURÉMINENCE [syʀeminɑ̃s] n. f. — 1608, François de Sales ; *superéminence*, XIVᵉ, Oresme ; de *suréminent*.

♦ **1.** Littér., rare. Situation très élevée. « *Laissons volontiers les suréminences aux âmes surélevées : nous ne méritons pas un si haut rang au service de Dieu* » (F. de Sales).

♦ **2.** (1875). Littér., rare. Caractère de ce qui est suréminent. ⇒ **Supériorité.**

Véronique avait expérimenté la misère infinie de ce clergé, avec une rigueur proportionnée à la suréminence de sa propre vocation mystique.
Léon BLOY, le Désespéré, p. 150.

SURÉMINENT, ENTE [syʀeminɑ̃, ɑ̃t] adj. — 1657, Bossuet ; *superéminent*, XVᵉ ; de *sur-*, et *éminent*.

♦ Littér. Éminent au suprême degré. *Des qualités suréminentes.* ⇒ **Supérieur.**

Créateur ne devient l'attribut divin par excellence qu'à l'aube de la période accélérée de l'histoire où l'homme devient pur moi, mais aussi travail, réalisation et exigence d'un accomplissement objectif. L'artiste qui se dit créateur ne recueille pas l'héritage du sacré, il met seulement dans son héritage le principe suréminent de sa subordination. M. BLANCHOT, l'Espace littéraire, p. 293.

SURÉMISSION [syʀemisjɔ̃] n. f. — 1866 ; de *sur-*, et *émission.*

♦ Fin. Émission exagérée de papier-monnaie. *Surémission entraînant l'inflation.*

SUREMPLOI [syʀɑ̃plwa] n. m. — 1963 ; de *sur-*, et *emploi.*

♦ Écon. Emploi excessif de la main-d'œuvre disponible par suite du manque d'ouvriers sur le marché du travail. « *Il y a même suremploi dans certains secteurs* » (le Monde, 12 oct. 1966). *Plein emploi et suremploi.*

CONTR. **Sous-emploi ; chômage.**

SURENCHÈRE [syʀɑ̃ʃɛʀ] n. f. — 1569 ; de *sur-*, et *enchère.*

♦ **1.** Dr. Enchère, offre d'un prix supérieur au prix déjà obtenu dans la vente ou l'adjudication d'un immeuble, d'un fonds de commerce. ⇒ **Suroffre**. *Surenchère sur aliénation volontaire* (Code civil, Art. 2185), *sur adjudication judiciaire d'immeuble* (Code de procédure civile, Art. 708...). Cour. Enchère plus élevée que l'enchère précédente. *Des surenchères successives.*

♦ **2.** Action de promettre, d'offrir plus qu'un concurrent ; promesse, offre supérieure*. *La surenchère électorale. Une anarchie de surenchère* (→ Marché, cit. 29).

♦ **3.** (Déb. XXᵉ). Fig. Action de renchérir. *Une surenchère de violences, de menaces :* des violences, des menaces sans cesse plus grandes. *La surenchère dans le scandale. Faire de la surenchère.*

1 Et notre littérature non plus n'exigerait pas avec tant de soin le sensationnel, la surenchère et l'audace, si elle ne voulait nous faire oublier qu'elle est littéraire, qui use de mots et de phrases. J. PAULHAN, les Fleurs de Tarbes, p. 55.

2 (...) chacun, par ses excès renforçant les raisons, et les excès, de l'autre, la tempête de mort qui s'est abattue sur notre pays ne peut que croître jusqu'à la destruction générale. Dans cette surenchère incessante, l'incendie gagne, et demain l'Algérie sera une terre de ruines et de morts (...)
CAMUS, Actuelles, III, p. 128.

DÉR. **Surenchérir.**

SURENCHÉRIR [syʀɑ̃ʃeʀiʀ] v. intr. — 1560 ; de *surenchère.*

★ **I.** (Sujet n. de personnes). ♦ **1.** Dr. Faire une surenchère, une offre plus élevée ; augmenter l'offre. *Surenchérir dans une adjudication.*

♦ **2.** Fig. Renchérir, aller encore plus loin. *Surenchérir sur un concurrent, un adversaire.*

★ **II.** Mil. XXᵉ. (Sujet n. de chose). Devenir encore plus cher (⇒ **Augmenter, enchérir**). *L'énergie, l'alimentation surenchérit.*

DÉR. **Surenchérissement, surenchérisseur.**

SURENCHÉRISSEMENT [syʀɑ̃ʃeʀismɑ̃] n. m. — 1792 ; de *surenchérir*, II.

♦ Enchérissement nouveau ; fait de devenir plus cher. ⇒ **Renchérissement ; augmentation.**

La hausse des salaires ne correspondant pas au surenchérissement de la vie ; voilà au fond le grand et le juste grief de l'ouvrier contre la société actuelle (...)
Ed. et J. DE GONCOURT, Journal, 21 avr. 1871, t. IV, p. 214.

SURENCHÉRISSEUR, EUSE [syʀɑ̃ʃeʀisœʀ, øz] n. — 1806 ; de *surenchérir*, I., 1.

♦ Dr. Personne qui fait une surenchère, une offre supérieure dans une adjudication.

SURENCOMBRÉ, ÉE [syʀɑ̃kɔ̃bʀe] adj. — V. 1970 ; de *sur-*, et *encombrer.*

♦ Très encombré. *Les rues surencombrées d'une grande ville.*

SURENCOMBREMENT [syʀɑ̃kɔ̃bʀəmɑ̃] n. m. — 1901 ; de *sur-*, et *encombrement.*

♦ Encombrement extrême.

Les accidents de métro, chemins de fer, tramways, etc., ont ceci de bon, comme les guerres, qu'ils éclaircissent le trop-plein misérable de la population. La panique, ainsi provoquée par les soins judicieux de l'administration du métro, donne satisfaction au public en remédiant, pour quelque temps, au surencombrement des wagons.
A. JARRY, Gestes, L'auto populaire, *in* Œ. compl., t. VII, p. 102 (1901).

SURENTRAÎNEMENT [syʀɑ̃tʀɛnmɑ̃] n. m. — 1887, *in* Petiot ; de *sur-*, et *entraînement.*

♦ Sports. Entraînement trop poussé (d'un sportif), pouvant amener un état de surmenage et de méforme ; cet état, marqué par diverses manifestations physiologiques (perte du sommeil, accélération du rythme cardiaque, notamment) et psychologiques (troubles de l'humeur, agressivité, dégoût de l'entraînement, etc.).

SURENTRAÎNER [syʀɑ̃tʀɛne ; syʀɑ̃tʀɛne] v. tr. — 1896, au p. p. ; de *sur-*, et *entraîner.*

♦ Sports. Entraîner d'une manière trop poussée (par l'entraînement proprement dit, par des épreuves trop fréquentes). *Surentraîner un coureur, un athlète.* — Au p. p. (Plus cour.). *Un cheval surentraîné.*

(...) un jeune homme pâle disait (...) « Harrisson ne s'était pas entraîné comme il l'aurait dû (...) » À la table voisine Lord Fairview (...) répondait à quelque observation d'un compagnon de table : « Harrisson ? il était surentraîné ! »
Louis HÉMON, Battling Malone, I.

SURÉPAISSEUR [syʀepesœʀ] n. f. — 1783 ; de *sur-*, et *épaisseur.*

♦ Didact. ou techn. Épaisseur renforcée, supérieure à la normale. *Surépaisseur de l'épiderme* (⇒ **Épaississement**) *par suite de la superposition des cellules mortes et des nouvelles.* ⇒ **Kérotracose.**

SURÉQUIPEMENT [syʀekipmɑ̃] n. m. — Mil. XXᵉ ; de *suréquiper.*

♦ Équipement supérieur aux besoins. *Le suréquipement des régions touristiques.*

(Les industries textiles françaises) n'ont pas cédé à la fièvre de suréquipement et de rationalisation qui avait abouti ailleurs à la surproduction.
DEMANGEON, Géographie économique et humaine de la France, t. II, p. 657.

CONTR. **Sous-équipement.**

SURÉQUIPER [syʀekipe] v. tr. — Mil. XXᵉ ; de *sur-*, et *équiper.*

♦ Équiper au delà des besoins. « *Le capitalisme suréquipe les secteurs les plus immédiatement rentables* » (École, 1972). — Au p. p. *Usine, région suréquipée.*

CONTR. **Sous-équiper.**
DÉR. **Suréquipement.**

SURÉROGATION [syʀeʀɔgasjɔ̃] n. f. — 1610 ; de *sur-*, et d'après *supererogation* (1374) ; lat. jurid. *supererogatio*, de *supererogare* « payer en plus ».

♦ Vx ou littér. (t. de dévotion au XVIIᵉ). Ce qu'on fait au delà de ce qui est dû, commandé ou obligé. *Œuvre de surérogation* (Voltaire, *in* Littré). *Devoir, obligation et surérogation. — En surérogation de... :* en sus de (Balzac, le Contrat de mariage, Pl., t. III, p. 190).

1 (...) on m'avait aussi rendu de votre part, quinze louis d'or, que l'ami commun qui a négocié, vous a laissés de surérogation.
BEAUMARCHAIS, Mémoires... dans l'affaire Goëzman, p. 21.

2 Je ne vois plus que Mᵐᵉ Lanvin qui fasse de la tapisserie par besoin de faire de la tapisserie, c'est-à-dire de projeter sur le canevas le surplus de ses furibondes facultés créatrices. Il ne m'appartient pas de dire si je dépense, à broder au point croisé, une surérogation quelconque. COLETTE, l'Étoile Vesper, p. 217.

SURÉROGATOIRE [syʀeʀɔgatwaʀ] adj. — Fin xvi⁰ ; lat. scolast. *supererogatorius*, de *supererogatio* → Surérogation. Littéraire.

♦ **1.** Qui est fait en surérogation, en plus de ce qu'on est tenu de faire.

1   Le jeudi après-midi, après sa leçon, l'abbé Bogos nous confiait par petits groupes à de pieuses dames avides d'œuvres surérogatoires que nous appelions *les dames du catéchisme* (...)   Raymond ABELLIO, Ma dernière mémoire, t. I, p. 168.

♦ **2.** (1793). Supplémentaire. ⇒ **Superfétatoire**. *Une discrimination* (cit. 2) *surérogatoire.*

2   (...) je ne sais aucun gré à M. Gustave Flaubert d'avoir obtenu du premier coup ce que d'autres cherchent toute leur vie. Tout au plus y verrai-je un symptôme surérogatoire de puissance (...)   BAUDELAIRE, l'Art romantique, XVII, III.

SURESTARIE [syʀɛstaʀi] n. f. — 1795 ; de l'esp. *sobrestaria*, de *sobre* «sur», et *estar* «se tenir», du lat. *stare* «se tenir». → Estarie.

♦ Dr. mar. Temps pendant lequel un navire a été retenu pour le chargement ou le déchargement (par l'affréteur, le consignataire), au delà des estaries* stipulées par la charte-partie. — Par ext. Indemnité que l'affréteur doit payer à l'armateur, pour ce délai supplémentaire.

La marchandise sera déchargée au port de décharge à raison moyenne de 200 tonnes par jour ouvrable, le temps le permettant ; tous les jours de surestarie en sus de la planche allouée seraient payés jour par jour à raison de 4 500 francs par jour courant.   J.-R. BLOCH, Sur un cargo, p. 228.

SURESTIMATION [syʀɛstimasjɔ̃] n. f. — 1867 ; de *surestimer*.

♦ **1.** Fait d'estimer à une plus grande valeur que sa valeur réelle. ⇒ **Majoration ; exagération, surévaluation**. *La surestimation d'une pièce de collection par un expert.*

♦ **2.** Fait d'estimer à une importance plus grande que l'importance réelle. *La surestimation du nombre des grévistes par un syndicat.* — *La surestimation de ses capacités lui a fait donner un poste trop lourd pour lui.*

♦ **3.** Fait d'accorder trop d'importance à (qqn).

CONTR. **Sous-estimation.**

SURESTIMER [syʀɛstime] v. tr. — 1872 ; «estimer hautement», v. 1600, d'Aubigné, François de Sales ; de *sur-*, et *estimer*.

♦ **1.** Estimer, évaluer au delà de sa valeur, et spécialt, de son prix. *L'expert a surestimé ce tableau.*

♦ **2.** Apprécier, estimer au-delà de son importance. *Surestimer le nombre de manifestants, l'importance d'un événement...* ⇒ **Exagérer, gonfler.**

♦ **3.** Accorder une importance, une valeur trop grande à (qqn). *Surestimer le prolétariat, le capital* (cit. 8).

▶ **SE SURESTIMER** v. pron.
Estimer ses propres qualités, capacités au delà de leur valeur réelle.

CONTR. **Sous-estimer ; déprécier, dépriser, mésestimer.**
DÉR. **Surestimation.**

SURET, ETTE [syʀɛ, ɛt] adj. — 1280 ; de 2. *sur*.

♦ Régional. Légèrement sur. ⇒ **Acidulé, aigrelet**. *Fruit suret. Pommes surettes. Goût suret.* — Par ext. *Odeur surette.*

Ton goût suret *(du vin)*, mais doux aussi,
Happant mon palais épaissi,
Me rafraîchit quand je m'éveille.   NERVAL, Poésies, «Odelettes», Gaieté.

SÛRETÉ [syʀte] n. f. — 1498 ; *seurté, seürté* (xii⁰) «gage, promesse ; assurance, absence de crainte» ; de *seur, sûr*, d'après lat. *securitas*.

★ **I.** (V. 1130, *seürté*). Une, des sûretés (surtout au plur.) ♦ **1.** Ce par quoi une personne est rendue sûre (I., 1.) ou de qqch. ; ce qui garantit qu'une chose est sûre (II.). ⇒ **Assurance, caution, garantie**. *Donner des sûretés à qqn. Demander des sûretés* (Corneille, *in* Littré).

1   Mais pour peu qu'il m'aimât, du moins il aurait dit
     Que je garde en son âme encor même crédit :
     Il m'en aurait donné des sûretés nouvelles (...)   CORNEILLE, Tite et Bérénice, II, 7.

Dr. Garantie fournie pour l'exécution d'une obligation. *Sûreté personnelle*, par l'engagement d'une caution* ou engagement solidaire (solidarité). *Sûreté réelle* : droit réel du créancier sur des biens du débiteur (hypothèque*, nantissement*, privilège*). ⇒ aussi **Gage** (I.), **garant** (*infra* cit. 8). *Sûretés en matière de crédit*.

♦ **2.** Vieilli. Mesure de précaution*. *Prendre ses sûretés.* — Prov. *Deux sûretés* (ou *deux précautions*) *valent mieux qu'une.*

2   Deux sûretés valent mieux qu'une,
     Et le trop en cela ne fut jamais perdu.   LA FONTAINE, Fables, IV, 16.

★ **II.** ♦ **1.** (V. 1155, *seürté*). Vieilli. État, situation de celui qui n'est

pas en danger, qui ne risque rien. ⇒ **Sécurité** (mod.). *La sûreté de qqn* (→ Imagination, cit. 11). *Ce qui menace la sûreté.* ⇒ **Danger, péril**. *Pour la sûreté des voyageurs* (→ Flagrant, cit. 2). — Prov. *Méfiance, prudence est mère de sûreté* (→ Expérimenter, cit. 3). — Vx. *Un lieu de sûreté.* ⇒ **Sûr** (II., 1.) ; → Bois, cit. 17. — Par ext. *La sûreté de la vie* (→ Patrie, cit. 1).

3   (...) meilleure connaissance de notre vieux domicile et de ses habitants ; plus de sûreté que nous aurions à parcourir la sonde à la main, et plus de correction dans nos cartes géographiques.   DIDEROT, Suppl. au voyage de Bougainville, I.

4   Sur l'article des dangers, tu dois juger seule (...) Je m'en tiens à te prier de veiller à ta sûreté, car je ne puis être tranquille quand tu seras inquiète.   LACLOS, les Liaisons dangereuses, CL.

Dr. *Sûreté individuelle* : élément de la liberté*, garantie contre les arrestations, les détentions arbitraires (⇒ **Habeas corpus**). → 3. Droit, cit. 7.

5   La liberté politique consiste dans la sûreté, ou du moins dans l'opinion que l'on a de sa sûreté.   MONTESQUIEU, l'Esprit des lois, XII, II.

6   Tout individu a droit à la vie, à la liberté et à la sûreté de sa personne.   Déclaration universelle des droits de l'homme, art. 3.

Loc. mod. (1640 ; on a dit *à sûreté*, xii⁰). **EN SÛRETÉ**, ⇒ **Abri** (à l'), **couvert** (à), **sécurité** (en). *Être, vivre en sûreté* (→ Maquis, cit. 1). *Mettre qqn en sûreté*, à l'abri du danger. ⇒ **Protéger, sauver**. — Vx. *En, dans la sûreté des voleurs* (Mᵐᵉ de Sévigné), à l'abri de... — Par ext. *Mettre qqch. en sûreté.* ⇒ **Assurer, cacher, garantir** (→ Dépôt, cit. 1 ; patrimoine, cit. 2). *Tenir en sûreté, sous bonne garde*.

7   — Il n'y a pas d'intérêt pour un sage à voyager dans les pays européens, répondit le Sèyd d'un air convaincu. D'abord, on n'y est pas en sûreté. On rencontre à chaque pas des soldats qui marchent d'un air rébarbatif ; les hommes de police remplissent les rues et demandent à chaque instant où l'on va, ce qu'on fait et qui l'on est.   J.-A. DE GOBINEAU, Nouvelles asiatiques, p. 302.

(1835). **DE SÛRETÉ** : de sécurité*, qui est destiné à assurer une protection, à éviter un danger (peut aussi être compris au sens III.). *Serrure, verrou de sûreté. Cran* (cit. 4) *de sûreté d'un couteau. Chaîne, fermeture de sûreté. Soupape de sûreté.* ⇒ **Soupape** (au fig. : *supra* cit. 3). *Allumettes de sûreté. Épingle* de sûreté (syn. : *épingle de nourrice*).

8   Ayant fermé sa porte à clef et poussé le verrou de sûreté qu'elle y avait fait appliquer, elle se mit au lit (...)   MAUPASSANT, l'Inutile Beauté, II.

Par métonymie. *Une sûreté* : un dispositif de sûreté (chaîne, fermeture, cran d'arrêt). *Mettre, enlever la sûreté.* — *Mettre un pistolet à la sûreté*, à la position de sûreté (→ aussi Libérer, cit. 2).

Loc. *Pour plus de sûreté* : par un surcroît de précautions (→ Persienne, cit. 2).

♦ **2.** (xvi⁰). Situation à l'abri du danger d'un groupe social (ou des membres du groupe). ⇒ **Sécurité ; ordre**. *La sûreté publique* (→ Quartenier, cit.), *civile. Loi* de sûreté générale de 1858. — Dr. publ. *Attentat, complot* (→ Impliquer, cit. 2), *crime* (cit. 18) *contre la sûreté de l'État. Attenter à la sûreté de l'État.* — *Cour de sûreté de l'État* : tribunal d'exception créé en France en 1963 et aboli en 1981, jugeant les crimes et délits commis contre l'autorité de l'État et l'intégrité du territoire national.

Milit. *La sûreté immédiate d'une troupe* (protection d'artillerie, etc.). — Dr. pén., vx. *Maison de sûreté* : prison. Mod. *Chambre de sûreté*, où sont maintenus les individus arrêtés avant leur transfert.

Hist. *Place de sûreté.* ⇒ **Place** (cit. 8 et *supra*).

(1867). *Sûreté générale* (jusqu'en 1934), *nationale*, et absolt. *Sûreté* : direction du ministère de l'Intérieur, service d'information et de la surveillance policière. *Services, agents de la Sûreté.* ⇒ **Police, policier**. *Bâtiments où se tiennent les services de la Sûreté. Se rendre à la Sûreté* (→ Passeport, cit. 3).

8.1   Mes collègues de la rue des Saussaies doivent le connaître mieux que moi.
       Il faisait allusion à la Sûreté Nationale qui, dépendant directement du ministère de l'Intérieur, est souvent chargée de missions touchant de près ou de loin à la politique.   G. SIMENON, Maigret chez le ministre, p. 16-17.

REM. L'argot présente des altérations du mot, comme *sûrepige* (M. Aymé, *le Passe-muraille*, p. 18).

♦ **3.** Fig. *Sûreté de conscience* (→ Rechercher, cit. 3, Pascal). *En sûreté de conscience* : en ayant la conscience tranquille (→ Guerre, cit. 8 ; index, cit. 8).

★ **III.** (xvi⁰). Caractère de ce qui est sûr (II.). ♦ **1.** *La sûreté des routes.* — *De sûreté.* → ci-dessus II., 1.

♦ **2.** (⇒ **Sûr**, II., 3.). Caractère de ce qui ne risque pas d'échouer, de décevoir. *La sûreté des moyens. La précision* (cit. 5), *la sûreté des coups.*

♦ **3.** (⇒ **Sûr**, II., 4.). Efficacité. *Sûreté de main*. ⇒ **Précision ; fermeté**. *Sûreté du coup d'œil* (→ Promptitude, cit. 5). *Sûreté de pinceau* (→ Ruine, cit. 10). — *Sûreté de jugement* (→ Couloir, cit. 3), *de vues* (→ Jeter, cit. 26). — Vx. *Attaquer avec sûreté* (→ Assurer, cit. 50).

9   L'action du *Roman comique* se passe aux environs du Mans, que Scarron avait visités, et qu'il décrit avec la sûreté et la facilité de touche d'un homme qui peint d'après nature.   Th. GAUTIER, les Grotesques, X, p. 396.

10   *(La guitare)* jase, elle chante, elle déclame avec une verve effrayante, et une sûreté, une pureté inouïes de diction.   BAUDELAIRE, Du vin et du haschisch, II.

11 (...) ah! combien me plaît la façon d'écrire de Colette! Quelle sûreté dans le choix des mots! Quel délicat sentiment de la nuance! GIDE, Journal, 11 févr. 1941. (1636). Vx. (Personnes). Fermeté, loyauté indiscutable.

★ **IV.** (V. 1160, *seürté*). Vieilli ou littér. Caractère d'une personne certaine, confiante. ⇒ **Certitude.** *Une sorte de sûreté d'elle-même* (→ Acquérir, cit. 15). *Affirmer avec sûreté* (→ Niais, cit. 5). *« Il parlait avec une sûreté étonnante »* (Saint-Exupéry, *in* G. L. L. F.). Loc., vx. *En toute sûreté (de conscience)* : avec une totale assurance morale.
Vx (langue class.). *Avoir sûreté de* (et inf.) : être certain de...
CONTR. **Danger, détresse, péril.**

1. SURETTE [syʀɛt] n. f. ⇒ **Surelle.**

2. SURETTE [syʀɛt] n. f. — 1876; de *Surat, Surate*, ville de l'Inde. → **Surah.**

♦ Comm. Toile de jute très claire, qui était utilisée pour l'emballage des marchandises sur les navires.

SURÉVALUATION [syʀevalɥasjɔ̃] n. f. — Mil. xxᵉ; de *surévaluer*, d'après *évaluation.*

♦ Évaluation excessive. ⇒ **Surestimation.** *La surévaluation d'une terre, du prix d'un objet. — Surévaluation des capacités de qqn, de ses forces.*

SURÉVALUER [syʀevalɥe] v. tr. — 1935; de *sur-*, et *évaluer.*

♦ Évaluer au-dessus de sa valeur. *L'enseignement a surévalué cette discipline.* ⇒ **Surestimer.** *Surévaluer un appartement. Surévaluer la valeur d'une personne.*
CONTR. **Sous-évaluer.**
DÉR. **Surévaluation.**

SURÉVOLUTION [syʀevɔlysjɔ̃] n. f. — Mil. xxᵉ; de *sur-*, et *évolution.*

♦ Biol. Évolution produisant un type ayant une ressemblance apparente avec l'ancêtre du groupe.

SUREXCITABILITÉ [syʀɛksitabilite] n. f. — 1845, *in* D.D.L.; de *surexcitable.*

♦ Caractère de ce qui est surexcitable. *La surexcitabilité d'un organe; d'un enfant.*

SUREXCITABLE [syʀɛksitabl] adj. — 1872; de *surexciter.*

♦ Susceptible d'être surexcité. *Enfant surexcitable. Imagination surexcitable.*
DÉR. **Surexcitabilité.**

SUREXCITANT, ANTE [syʀɛksitɑ̃, ɑ̃t] adj. — 1876; de *surexciter.*

♦ Qui surexcite. ⇒ **Excitant.** *« Une littérature (...) surexcitante et énervante »* (Goncourt, *Journal,* 13 févr. 1876).

SUREXCITATION [syʀɛksitɑsjɔ̃] n. f. — 1830; de *sur-*, et *excitation.*

♦ **1.** Méd. Vx. Augmentation* de l'énergie vitale dans un tissu, dans un organe. ⇒ **Excitation.**

♦ **2.** (1857). Cour. État d'excitation, de nervosité* extrême; animation, ardeur excessive. ⇒ **Émoi, énervement, exaltation, fièvre, irritation...** *Une vive surexcitation nerveuse* (→ Accabler, cit. 14). *Surexcitation de la colère. Surexcitation poussée jusqu'au délire*, à la frénésie. Dans un état de surexcitation... La surexcitation de la jeunesse.* ⇒ **Échauffement** (fig.), fièvre.

1 Tout ce tendre, tout ce vapoureux hystérique, toute cette surexcitation de la tête par le cœur, font de la religion catholique un mauvais mode d'éducation de la femme pauvre. Ed. et J. DE GONCOURT, Journal, 4 août 1857, t. I, p. 160.

2 Il était d'ailleurs dans un état de surexcitation, et son cœur battait à grands coups, avec des ruptures de cadence, qui lui donnèrent le tournis d'un péril. M. AYMÉ, Maison basse, p. 55.

CONTR. **Abattement, apaisement, assouvissement, calme, dépression.**

SUREXCITER [syʀɛksite] v. tr. — 1826, *in* D.D.L.; de *sur-*, et *exciter.*

♦ **1.** Didact. Causer une excitation physiologique extrême à. *Surexciter un tissu, un organe, des sécrétions.*

♦ **2.** Cour. (Compl. n. de personne). Exciter à l'extrême; mettre dans un état d'exaltation, de nervosité, d'agitation extrême. ⇒ **Émouvoir, enfiévrer, exalter, exciter.** *Surexciter qqn. L'approche du départ surexcitait les enfants. — Surexciter l'imagination, l'intelligence* (→ Obscurcir, cit. 15), *les forces et les courages* (→ Fanatiser, cit. 2). *Une de ces envies qui surexcitent toutes les facultés de séduction* (→ Fringant, cit. 7). ⇒ **Augmenter, stimuler.**

1 (...) ces passions furieuses que surexcite le sentiment de l'impossible (...) Th. GAUTIER, le Capitaine Fracasse, XIII.

2 Aucune tension de pensée n'était nécessaire pour le suivre, aucun sous-entendu ne surexcitait la curiosité, aucune attente ne tenait en éveil l'intérêt. MAUPASSANT, l'Inutile Beauté, « Un portrait ».

2.1 La petite fille se laissa surexciter par les gâteries et les indulgences. Ed. et J. DE GONCOURT, Sœur Philomène, p. 11.

▶ **SUREXCITÉ, ÉE** p. p. adj. (1849). Qui est dans un état d'excitation, d'agitation extrême... (→ Capiteux, cit. 2). *Une imagination surexcitée.* ⇒ **Enflammé, exalté** (→ Imitateur, cit. 4). *Les enfants sont surexcités.* ⇒ **Enragé, survolté.** *Les esprits étaient surexcités.* ⇒ **Frénétique.**

3 La cervelle, à Paris, n'est pas dans un état régulier et sain; elle est surchauffée, surmenée, surexcitée et ses œuvres, peinture ou littérature, s'en ressentent, parfois à leur avantage, plus souvent à leur détriment. TAINE, Philosophie de l'art, t. I, p. 150.

4 *(Françoise)* était remuante, toute rouge du grand feu de l'âtre, brisée de fatigue et surexcitée pourtant. ZOLA, la Terre, II, VII.

CONTR. **Adoucir, amortir, anesthésier, apaiser, calmer. — (Du p. p.) Calme.**
DÉR. **Surexcitable, surexcitant.**

SUREXHAUSSER [syʀɛgzose] v. tr. — 1861, Michelet; de *sur-*, et *exhausser.*
Didactique.

♦ **1.** Géol. (Rare). Exhausser (ce qui était déjà haut ou déjà exhaussé). — P. p. adj. *Relief surexhaussé par un plissement.*

♦ **2.** Littér. Exhausser encore plus.

SUREXPLOITATION [syʀɛksplwatɑsjɔ̃] n. f. — 1968, *in* Larousse; de *sur-*, et *exploitation.*

♦ Didact. Exploitation excessive. ⓐ (Compl. n. de chose). *La surexploitation des forêts, d'une terre, d'une source d'énergie.*

ⓑ (Compl. n. de personne ou de collectivité). *La surexploitation du prolétariat, de la main-d'œuvre étrangère.*

SUREXPLOITER [syʀɛksplwate] v. tr. — 1963; de *sur-*, et *exploiter.*

♦ **1.** Exploiter outre mesure. ⓐ (Compl. n. de chose). *Surexploiter les ressources pétrolières.* (Surtout au p. p.). *Terre surexploitée.*

ⓑ (Compl. n. de personne ou de collectivité). *Surexploiter une catégorie sociale.* — P. p. adj. *« La misère croupissante d'une large partie de la population surexploitée »* (l'Humanité, 28 nov. 1963).

♦ **2.** Fig. *Surexploiter un fait divers.*

SUREXPOSER [syʀɛkspoze] v. tr. — 1894, *in* D.D.L.; de *sur-*, et *exposer.*

♦ Photogr. Exposer (la surface sensible) plus longtemps que la normale; donner un temps de pose anormalement élevé à... *Surexposer un cliché pour obtenir un effet artistique; par erreur.*

▶ **SUREXPOSÉ, ÉE** p. p. adj. *Photo surexposée*, trop claire, voilée. — Abrév. fam. : *surex.*
CONTR. **Sous-exposer.**
DÉR. **Surexposition.**

SUREXPOSITION [syʀɛkspozisjɔ̃] n. f. — 1894, *in* D.D.L.; de *surexposer.*

♦ Photogr. Fait de surexposer; son résultat. *Obtenir des effets par surexposition.*
CONTR. **Sous-exposition.**

1. SURF [sœʀf] n. m. — 1961; forme abrégée de *surf-board*.*

♦ Anglic. Jeu sportif pratiqué sur les plages (à l'origine, celles du Pacifique) où l'océan forme des rouleaux, et qui consiste à se faire mener au rivage sur la crête d'une lame, monté sur une planche. ⇒ **Surfing.** — La planche elle-même.
DÉR. **2. Surfer, surfiste.**

2. SURF [sœʀf] n. m. — 1963; même origine que 1. *surf*, anglo-amér. *surf* « ressac »; 1934 au sens géogr. de « courant, flux ».

♦ Danse voisine du rock and roll (en vogue entre 1963 et 1970), et dont les mouvements sont comparés à ceux du surf-board. — Musique sur laquelle elle se danse.

Adèle Rivoire, une Guadeloupienne *(sic)* en botte dites cuissardes qui chanta *La Femme du Roulier* transformée en surf.
Christine DE RIVOYRE, les Sultans, p. 172.

3. SURF [sœʀf] n. m. ⇒ **Surf-casting.**

SURFAÇAGE [syʀfasaʒ] n. m. — 1933 ; de *surfacer.*

♦ Techn. Action de surfacer ; polissage par bandes.

SURFACE [syʀfas] n. f. — 1611 ; *superface,* 1521 ; lat. *superficies* → Superficie ; de *sur-,* et *face.*

♦ **1.** [a] *La surface (de...).* Partie extérieure (d'un corps) qui le limite en tous sens ; et, spécialt, face apparente, visible. ⇒ **Face.** *La surface de la Terre* (→ Apparaître, cit. 9, La Bruyère ; brouiller, cit. 18, Mme de Sévigné). *« La Lune nulle part n'a sa surface unie »* (→ Aplanir, cit. 1, La Fontaine). *La surface du globe* (cit. 10 ; → aussi Géographie, cit. 3 ; granit, cit. 4). *La surface terrestre* (→ Homme, cit. 91). *À la surface du sol.* ⇒ **Affleurer** (→ Édifice, cit. 5 ; 2. faille, cit.).

La surface des eaux, de la mer. À la surface de la mer (→ Couche, cit. 8), *de l'eau* (→ Évaporation, cit. 2), *des eaux* (→ Huileux, cit. 2). ⇒ **Émerger.**

EN SURFACE. *Poissons* (cit. 3) *qui nagent en surface,* près de la surface.

FAIRE SURFACE. *Sous-marin qui fait surface,* qui émerge*. — Fig. *Faire, refaire surface :* apparaître après un temps d'absence. Fam. Se réveiller après une perte de conscience ; se remettre après un passage à vide, une dépression. — *Revenir, remonter à la surface* (même sens) → Émerger, fig.

[1] L'homme n'était pas remonté à la surface. Il avait disparu dans la mer sans y faire un pli, comme s'il fût tombé dans une tonne d'huile. On sonda, on plongea. Ce fut en vain.
HUGO, les Misérables, II, II, III.

[1.1] Collez-lui un bout de sparadrap sur la bouche, le voilà qui refait surface. Bon, maintenant, retournez-le.
Pierre GOMBERT, le Prix d'un taxi, p. 23.

(Choses). Se manifester de nouveau.

[1.2] Il y avait effectivement un dossier qui circulait à son sujet, mais l'ami veillait. S'il en dépendait de lui, ce dossier n'était pas près de faire surface.
Edmonde CHARLES-ROUX, Elle, Adrienne, p. 422.

Absolt. *La surface :* la surface terrestre, par rapport au sous-sol ; la surface d'une étendue liquide (→ ci-dessus, En surface, faire surface...). *La surface des canons présentait des aspérités* (cit. 1 ; → aussi Coquille, cit. 4 ; inégalité, cit. 10 ; rugueux, cit. 1). *Une, des surfaces. Surface unie* (→ 1. Fou, cit. 52 ; nonpareil, cit. 3), *aplanie, polie* (→ Polissage, cit. 3). *Surfaces doucement incurvées* (cit. 2). — *Surfaces des os* (cit. 1) ; *surfaces osseuses* (→ Articulation, cit. 3), *articulaires* (→ Épiphyse, cit. 1). *Surface intérieure et surface extérieure d'un organe* (xviiie, Buffon ; → Ductilité, cit. 1) : face interne et externe du tissu superficiel de l'organe (→ 2. Intestin, cit. ; lobule, cit. ; muqueuse, cit. 3). — Géol. *Étendue terrestre relativement plane. Surface d'érosion, surface d'aplanissement ; surface d'accumulation. Surface d'abrasion marine.*

[b] (Mil. xviie). *La surface de...* Par métaphore (opposé au *fond,* aux *profondeurs*). → Affleurer, cit. 1 ; fond, cit. 28 ; 1. frais, cit. 13 ; inaperçu, cit. 2 ; intrigue, cit. 11.
Fig. ⇒ **Dehors, extérieur, superficie.** *« Nous ne connaissons que la surface et l'écorce* (cit. 8, Nicole) *des choses ». L'enveloppe austère* (cit. 15) *de Frollo, cette froide surface... Ne pas confondre, en art, forme* (cit. 50) *et surface.*
DE SURFACE : superficiel (→ Haut, cit. 67 ; intimider, cit. 7). — *En surface.*

[2] L'esprit qui travaille en surface a certainement beaucoup plus d'idées que celui qui travaille en profondeur (...)
Julien BENDA, la France byzantine, p. 101.

Loc. fam. *En boucher* une surface (à qqn) : l'étonner énormément, le laisser stupéfait (on dit aussi *en boucher un coin*).

[c] Spécialt. *(Une, des surfaces).* Aire*, superficie*. ⇒ **Étendue.** *Trente-cinq mètres carrés de surface* (→ 1. Commode, cit. 2 ; et aussi navire, cit. 2 ; poumon, cit. 1). *Mesures des surfaces.* ⇒ **Quantité** (→ Longueur, cit. 5). *Parallélogrammes égaux en surface* (→ Hauteur, cit. 5). *Proportionnel à la surface* (→ Force, cit. 62 ; frottement, cit. 8). Par métaphore. *Offrir le moins de surface possible* (→ Engouffrer, cit. 7).

[d] Dr. *Surface corrigée :* surface d'un local calculée à partir de la surface réelle, compte tenu de certaines conditions (situation, confort, luminosité, etc.).

[e] **GRANDE SURFACE.** Voir à l'ordre alphabétique. ⇒ **Hypermarché, supérette, supermarché.**

♦ **2.** (1691, Ozanam). Géom. *(Une, des surfaces).* Figure géométrique à deux dimensions de l'espace qui peut être considérée, soit comme engendrée par le déplacement d'une courbe, soit comme l'ensemble des points de l'espace satisfaisant à une loi déterminée (→ Fluxion, cit. 5). *Surface plane* (1. plan, cit. 2. ⇒ 2. **Plan**), *courbe. Surface réglée, développable, gauche. Surface de révolution*. Surface osculatrice*. Surface minima,* en tous les points de laquelle la courbure totale est nulle. *Surfaces algébriques,* définies par une équation algébrique (relation entre les 3 coordonnées *x, y* et *z* d'un de ses points).

[3] Je suppose que j'aie entre les mains un corps solide quelconque, j'y distingue d'abord les trois choses, *étendue, bornes en tous sens,* et *impénétrabilité* ; je fais abstraction de cette dernière, il me reste l'idée d'*étendue* et celle de *bornes,* et cette idée constitue le corps géométrique (...) Je fais ensuite abstraction de l'étendue ou de l'espace que ce corps *renferme,* pour ne considérer que ses bornes en tous sens ; et ces bornes me donnent l'idée de surface, qui se réduit (...) à une étendue de deux dimensions (...)
D'ALEMBERT, Éléments de philosophie, V, § II.

Topogr. *Surface topographique :* surface d'un terrain qu'on ne peut caractériser par des propriétés géométriques rigoureuses.

♦ **3.** (1890). Phys. *(Une, des surfaces,* et ... *de surface).* Limite entre deux milieux différents. *Surface de séparation* (→ Optique, cit. 2). *États, tension de surface.* ⇒ **Superficiel** (cit.), **tension.** *Ondes de surface :* ondes de distorsion à la surface libre séparant deux phases fluides. — *Densité de surface :* quantité par unité d'aire de ce qui est répandu sur une surface. *Énergie de surface interfaciale :* travail par unité de surface nécessaire pour accroître la surface de séparation entre deux liquides, un liquide et un gaz ou un liquide et un solide. *Surface équipotentielle*. Surface de force,* engendrée par des lignes de force. *Surface d'onde*. — (1866, Rev. des cours sc.,* t. III, 9, p. 153). Techn. *Surface de chauffe. Surface absorbant un rayonnement* (cit. 1). — *Surface active, utile* (recevant le rayonnement solaire). *Surface sélective. Surface refroidissante. Surface radiante,* constituée par des éléments chauffants intégrés dans les sols ou les murs. *Surfaces sensibles,* utilisées en photographie.

[4] (...) la grande vitesse atteinte par un avion à réaction devient un caractère assez paralysant lorsqu'il s'agit de prendre contact avec le sol ; la réduction de la surface portante, allant de pair avec l'usage du moteur à réaction, oblige à atterrir à très grande vitesse (presque la vitesse de croisière d'un avion à hélice), ce qui nécessite une piste d'atterrissage très longue.
Gilbert SIMONDON, Du mode d'existence des objets techniques, p. 50.

Mécanique des surfaces. — *Surface de contact. Surface apparente* (de contact). *Surface réelle.*

♦ **4.** (Mil. xixe). Fig., fam. [a] Moyens, ressources reconnus. *Il a plus de base et de surface* (→ Manque, cit. 10).

[5] De là une certaine « surface », due à ce que ses chèques étaient régulièrement payés à vue par le débit de son compte courant invariablement créditeur.
J. VERNE, le Tour du monde en 80 jours, p. 3.

[b] Autorité, crédit moral reconnu ; garanties matérielles ou morales. *Avoir une certaine surface sociale, des relations importantes.*

♦ **5.** Didact., ling. (angl. *surface structure*). *Structure de surface :* en grammaire générative, organisation syntaxique de la phrase telle qu'elle est réalisée, obtenue à partir d'une « structure profonde », de nature abstraite, par un certain nombre d'opérations (transformations).

CONTR. Fond, profondeur.
DÉR. Surfacer, surfacique.

SURFACER [syʀfase] v. tr. et intr. — Conjug. *placer.* — 1933 ; de *surface.*

♦ Techn. Traiter (une surface solide), la polir ; spécialt, la polir mécaniquement en opérant par bandes successives. *Surfacer une pièce.*

DÉR. Surfaçage, surfaceuse.

SURFACEUSE [syʀfasøz] n. f. — 1933, *in* Larousse ; de *surfacer.*

♦ Techn. Machine-outil à surfacer. *« Ponceuse surfaceuse »* (*Bateaux,* n° 100, p. 1).

SURFACIQUE [syʀfasik] adj. — Mil. xxe (*in* Larousse, 1964) ; de *surface.*

Didactique.

♦ **1.** Relatif à une surface. — Spécialt. *Masse surfacique,* par unité de surface. ⇒ **Grammage.** *L'absorption de rayons ß par un matériau « est à masse surfacique égale, proportionnelle à la densité électronique du matériau »* (*Encycl. Univ.,* art. Radioéléments, p. 950). *Puissance surfacique acoustique*.*

♦ **2.** Situé en surface.

SURFACTANT [syʀfaktɑ̃] n. m. — V. 1970 (*in* Larousse, 1975) ; de *surface,* et *(tensio-)actif.*

♦ Biol. Produit tensio-actif formant un film à la surface des alvéoles pulmonaires, et nécessaire aux échanges respiratoires. *« (...) en lavant la surface de la muqueuse respiratoire, le liquide a emporté le " surfactant pulmonaire "* » (*Sciences et Avenir,* sept. 1979, p. 62).

SURFACTIF [syʀfaktif] n. m. et adj. — Mil. xxᵉ (*in* Larousse, 1964); de *surface,* et *(tensio)-actif.*

♦ Sc. Produit tensio-actif qui, dissous, tend à présenter une concentration plus grande aux interfaces que dans la masse de la solution. — Adj. *Agents, produits surfactifs utilisés comme détachants.*

SURFAIRE [syʀfɛʀ] v. tr. — Conjug. *faire;* rare sauf inf. et prés. indic. — xiiᵉ; de *sur-,* et *faire.*
Littéraire.

♦ **1.** Estimer ou proposer (qqch.) à un prix exagéré*, supérieur à la valeur réelle. *Surfaire une marchandise.*

♦ **2.** (1749). Fig. Apprécier, vanter exagérément. ⇒ **Surestimer.** *Surfaire un jeune auteur, les capacités de qqn, l'intérêt d'une région touristique.*

1   Désirant, l'homme flatte l'objet désiré, pour conquérir ses faveurs, et surfait ses charmes, pour justifier sa convoitise, autant que les faiblesses qu'elle entraîne (...)
MONTHERLANT, les Lépreuses, Appendice, p. 313.

2   Pas de terrains libres. Plus d'un immeuble à vendre, probablement. Mais dont la valeur a bien des chances d'être surfaite.
J. ROMAINS, les Hommes de bonne volonté, t. IV, iv, p. 21.

SURFAIT, AITE [syʀfɛ, ɛt] adj. — 1690; *sourfait* « excessif, immodéré », 1170; → Surfaire.

♦ Trop apprécié, trop estimé; inférieur à sa réputation. *Auteur, ouvrage surfait.*

1   (...) il a été fort déçu quand on lui a fait connaître Loti. Celui-ci a déclaré que rien n'était plus important que d'être bien mis, qu'il n'aimait que les chevaux, qu'il détestait écrire. Le jeune comte ne peut comprendre que ce soit là le langage d'un homme intelligent. Il déclare qu'il l'a trouvé très surfait. Il a presque peur qu'il ne se soit moqué de lui.
PROUST, Jean Santeuil, Pl., p. 647.

2   (...) votre voyage de noces, Éliane! Irez-vous en Italie?
— C'est bien surfait. Et la première fois, quand je croyais encore à la lune, c'est là que Tigre m'a emmenée. Cela me rappellerait des déceptions.
J. ANOUILH, la Répétition, p. 75.

HOM. Surfaix.

SURFAIX [syʀfɛ] n. m. — 1562, *surfès;* de *sur-,* et *faix.*

♦ Techn. Pièce du harnais, sangle servant à maintenir une charge sur le dos d'une bête, une couverture sur le dos d'un cheval, etc.
(...) chez Kuher, on peut avoir pour 15 louis deux couvertures de cheval en drap de laine avec camails, poitrails, faux-poitrails, cordons de fesses et surfaix (...)
Émile HENRIOT, Portraits de femmes, p. 379.

HOM. Surfait.

SURF-BOARD [sœʀfbɔʀd] n. m. — 1928, *Vogue, in* Höfler, répandu v. 1960; mot amér., de *surf* « vague, rouleau », et *board* « planche »; var. anc. *surf-riding,* 1926, Höfler.
Anglicisme. Rare.

♦ **1.** Planche de surf.

♦ **2.** Sport pratiqué avec cette planche. ⇒ 1. **Surf, surfing.**

Cependant, vers cinq heures, la marée se fit sentir et les garçons en profitèrent pour un sport que je ne pus partager. Il s'agissait du *surf-board,* jeu violent venu, je crois, d'Honolulu, et où les femmes ne risquent pas.
Prudemment assise dans le sable avec mes nouvelles amies, je regardais Norman, Charlie Farrish et le camarade qu'il avait amené, se mettre à l'eau, chacun poussant devant soi sa planche de bois dur. Quand ils lui avaient fait franchir la barre, ils se hissaient dessus à plat ventre et, nageant des deux mains, ils gagnaient le large sur ce radeau. Là, ils guettaient, parfois longtemps, la formation d'une lame propice. Ils la choisissaient enfin, la voyaient approcher, l'attendaient, prêts à la course. Elle arrivait, elle était sous eux. Aussitôt en action, ils prenaient son rythme, ils la poursuivaient comme un voltigeur courant au flanc de son cheval. Puis, l'accord établi, soudainement emportés par la vague rapide, ils se dressaient, les pieds collés à leur planche, avec des bras d'équilibristes, et ils filaient merveilleusement vers le rivage, debout sur les eaux, vêtus de vent, chaussés d'aigrettes liquides, pareils chacun à quelque génie des flots.
Philippe HÉRIAT, les Enfants gâtés, p. 103-104 (1939).

SURF-CASTING [sœʀfkastiŋ] n. m. — Mil. xxᵉ (Larousse 1964); mot angl., de *surf* (→ le précéd.), et *casting* « lancer (de la ligne) ».

♦ Anglic. (Pêche). Pêche à la ligne dans la vague, sur une plage. Abrév.: *surf:* « *Un tel équipement permettra un double et même triple emploi en autorisant, au même endroit, la pêche du congre, également à fond (...) et la pratique du surf diurne ou nocturne sur les plages de sable, les jours de grosse mer* » (*Toute la pêche,* nᵒ 57, p. 32).

SURFÉCONDATION [syʀfekɔ̃dasjɔ̃] n. f. — 1904; de *sur-,* et *fécondation.*

♦ Biol. Fécondation d'un ovule par plusieurs spermatozoïdes. ⇒ **Superfécondation.**

SURFÉMINISATION [syʀfeminizasjɔ̃] n. f. — 1948, Mounier; de *sur-,* et *féminisation.*

♦ Didact. Excès de la composante sexuelle féminine dans le comportement (d'une femme, des femmes) → Suradultisme, cit.

1. SURFER [sœʀfœʀ] n. m. — 1963; mot amér., de *to surf* « faire du surf* ».

♦ Anglic. Personne qui pratique le surf. *Des surfers.* ⇒ **Surfeur.**

2. SURFER [sœʀfe] v. intr. — 1964, *Neige et glace, in* Höfler; de 1. *surf;* cf. amér. *to surf.*

♦ Faire du surf, pratiquer le surf. — Fig. « *Il serait bien difficile pour* (le président) *Carter de "surfer" de vague en vague sans perdre l'équilibre* » (*l'Express,* 5 déc. 1977, p. 70).

SURFEUILLE [syʀfœj] n. f. — 1676; de *sur-,* et *feuille.*

♦ Bot. Organes recouvrant le bouton. *La surfeuille s'écarte ou se déchire lorsque le bouton se développe.*

SURFEUR, EUSE [sœʀfœʀ, øz] n. — 1970; francisation de 1. *surfer.*

♦ Personne qui pratique le surf*.

SURFICHER (SE) [syʀfiʃe] v. tr. ind. — 1852, *in* D.D.L.; de *sur-,* et *ficher (se).*

♦ Fam., vx. Se ficher complètement de (qqn, qqch.). ⇒ **Contreficher (se).**
— Je m'en fiche! ...
— Qui tape du piano...
— Je m'en surfiche!...
E. LABICHE, les Suites d'un premier lit.

SURFIL [syʀfil] n. m. — 1964; de *surfiler.*

♦ Cout. Action de surfiler (1.). — *Point de surfil,* exécuté de gauche à droite sur le bord du tissu coupé.

SURFILAGE [syʀfilaʒ] n. m. — 1877; de *surfiler,* 2.

♦ **1.** Techn. Supplément de torsion donné au fil.

♦ **2.** Cout. (De *surfiler,* 1.). Surfil.

SURFILER [syʀfile] v. tr. — 1873, Daudet; de *sur-,* et *filer.*

♦ **1.** Cout. Passer un fil qui chevauche le bord de (un tissu) pour l'empêcher de s'effilocher; coudre à grands points (⇒ **Faufiler**). *Surfiler les dépassants d'une couture,* et, par ext., *une couture, un vêtement.*

1   Et sur sa pauvre capote de campagne (...) la cantinière surfila tout de suite un liséré d'or de sous-lieutenant.
Alphonse DAUDET, Contes du lundi, « Le porte-drapeau », II.

2   Est-ce qu'on a le temps aujourd'hui de faire la différence entre un ourlet surfilé ou une soudure au plastique (...)   F. MALLET-JORIS, le Jeu du souterrain, p. 61.

♦ **2.** (1877). Techn. Augmenter la torsion de (un fil) pour le rendre plus fin.

DÉR. Surfil.

SURFIN, INE [syʀfɛ̃, in] adj. et n. m. — 1828; de *sur-,* et *fin.*

♦ Adj. De première qualité. ⇒ **Superfin.** « *Surfin* semble un sous-multiple de *superfin* » (Galliot). *Haricots verts surfins. Qualité surfine.* — N. m. *Le surfin.*

Il est vrai qu'un cuisinier dans une maison où l'on a tous les matins la table mise pour trente personnes (...) tout cela se nourrissant de fin et de surfin, n'est pas un fricoteur ordinaire.   Alphonse DAUDET, le Nabab, X.

SURFINE [syʀfin] n. f. — D. i. (attesté 1884, cit. *infra*); de *sur-* « supérieur », et *fine.*

♦ Vx. Eau-de-vie de très bonne qualité. ⇒ **Fine.**

Et il cria de tous ses poumons, à travers l'auberge:
« Rosalie, apporte la fine, la surfine, la fil-en-dix. »
Et la servante apparut, tenant une longue bouteille ornée d'une feuille de vigne en papier.   MAUPASSANT, le Petit Fût (1884), Pl., t. II, p. 81.

SURFING [sœʀfiŋ] n. m. — 1949, *in* Petiot; *surfying,* 1947, *in* Höfler; mot angl., p. prés du v. *to surf,* de *surf* « ressac ». → Surf.

♦ Anglic. Surf. — Fait de glisser sur la lame, en parlant d'un bateau. *Le bateau est resté en surfing pendant 24 minutes consécutives* (*Bateaux,* nᵒ 100, p. 88).

Je vais prendre un *snack* en vitesse avec Bill et nous allons faire un peu de *surfing* avec sa pétoire s'il ne nous fout pas à la flotte (...)
Pierre DANINOS, Un certain Monsieur Blot, p. 201.

Par métaphore. *« Ils font du "surfing" sur les vagues de l'information »* (*l'Express*, 5 mai 1979, p. 92).

SURFISTE [sœʀfist] n. — 1972 ; de 1. *surf*, et *-iste*.

♦ Rare. Personne qui pratique le surf. ⇒ 1. **Surfer, surfeur.**

Par métaphore. *« Pendant un demi-siècle toutes les nouvelles vagues ont trouvé Cocteau (...) agile à se faire porter par elles, surfiste infatigable... »* (P. Guimard, in *l'Express*, 20 nov. 1972, p. 119).

SURFONDU, UE [syʀfɔ̃dy] adj. — 1867 ; de *sur-*, et *fondre*.

♦ Phys., chim. En surfusion*. *Une substance surfondue peut cristalliser par addition d'une parcelle (germe) d'un cristal de même nature ou par simple agitation.*

SURFORME [syʀfɔʀm] n. f. — 1934, in D. D. L. ; de *sur-*, et *forme*.

♦ Excellente forme (sportive). ⇒ **Superforme.**

SURFRAPPE [syʀfʀap] n. f. — 1874 ; de *sur-*, et *frappe*.

♦ Techn. Nouvelle frappe (d'une monnaie, d'une médaille portant déjà une empreinte).

SURFUSIBLE [syʀfyzibl] adj. — 1872 ; de *sur-*, et *fusible*.

♦ Sc. Susceptible de présenter le phénomène de surfusion. *Substance surfusible. Le phosphore est surfusible.*

SURFUSION [syʀfyzjɔ̃] n. f. — 1859 ; de *sur-*, et *fusion*.

♦ Phys., chim. État d'une substance qui reste liquide au-dessous de son point de cristallisation. *La surfusion est un état de faux équilibre* (*« métastable »*).

SURGE [syʀʒ] adj. et n. f. — 1562 ; anc. provençal *surga* ou *surja* (fin XIIIe) ; lat. pop. **surdica*, class. *sucida*.

♦ Techn. *Laine surge* ou, n. f. (1787), *de la surge :* laine grasse, qui n'a pas été lavée.

SURGÉ [syʀʒe] n. — 1920 ; de *sur(veillant) gé(néral)*.

♦ Argot scol. Surveillant* général, surveillante générale (d'un collège, d'un lycée).

1 Jean vit rouge et l'envoya illico chez le Surgé.
Claude COURCHAY, La vie finira bien par commencer, p. 66.

2 On se marre des fois surtout à cause de ficelle (le Surgé) ou du bidoche (la Surgé) (...)
Yanny HUREAUX, la Prof, p. 199.

SURGÉLATEUR [syʀʒelatœʀ] n. m. — 1966 ; de *surgeler*, d'après *congélateur*.

♦ Techn. Appareil ou installation de surgélation. → **Congélateur.** — Adj. *« Bateaux surgélateurs »* (*le Figaro*, 4 nov. 1966).

SURGÉLATION [syʀʒelɑsjɔ̃] n. f. — 1948, cit. 1, *infra* ; de *surgeler*, d'après *congélation*.

♦ Congélation très rapide, à basse température. *Conservation par surgélation.* — Techn. *Surgélation par convection, par conduction, par immersions dans des saumures, des gaz liquéfiés. Chaîne de surgélation.*

1 (...) le procédé de « surgélation » qui est une congélation réalisée à très basse température, et qui est obligatoirement suivie d'un stockage à – 18⁰ C au plus.
L.-V. VASSEUR, J.-J. BIMBENET et M. HILLAIRET,
les Industries de l'alimentation, p. 16.

2 (...) si la surgélation — congélation rapide « à cœur » par un froid très intense — conserve intégralement les qualités d'un produit, elle ne l'améliore pas. Le procédé rend ce qu'on lui confie. Intact.
l'Express, 8-14 mai 1967.

CONTR. Décongélation.

SURGELER [syʀʒəle] v. tr. — V. 1960, au p. p. ; de *sur-*, et *geler*. → Surgélation.

♦ Techn. Traiter par surgélation. ⇒ **Congeler.**

▶ **SURGELÉ, ÉE** p. p. adj.

Cour. Congelé rapidement et à très basse température. *Aliments surgelés. Produits surgelés. Viande, légumes, poisson, fruits de mer, plats préparés surgelés.*
N. m. *Le surgelé :* les produits surgelés. *Manger du surgelé. Aimer le surgelé. Restaurant où l'on ne sert que du surgelé.* — Au plur.

(même sens). *Préférer les produits frais aux surgelés. L'industrie des surgelés.*

DÉR. Surgélateur, surgélation.

SURGÉNÉRATEUR, TRICE [syʀʒeneʀatœʀ, tʀis] adj. et n. m. — 1967 ; de *sur-*, et *générateur*.

♦ Techn. Qui produit plus de noyaux fissibles qu'il n'en consomme. *Réacteur surgénérateur* ou, n. m., *un surgénérateur.* ⇒ **Surrégénérateur.**

Les surgénérateurs permettront sans doute, dans un avenir proche, d'accroître de façon importante la quantité d'énergie. L'uranium étant un minerai très répandu, il n'y aurait guère plus de problème qualitatif et peut-être même le prix serait-il diminué.
A. SAUVY, Croissance zéro?, p. 179.

SURGEON [syʀʒɔ̃] n. m. — XVe ; altér. d'après le lat. *surgere*, de l'anc. franç. *sourgon, sourjon* (XIIIe) ; de l'anc. p. prés. *sourjant*, de *sourdre**.

♦ 1. Vx. Petite source, filet d'eau (encore *in* Montaigne, II, XII).

♦ 2. (1549). Arbor. Drageon. ⇒ **Pousse.** *Les surgeons d'un rosier* (→ 1. Marron, cit. 6). — Par métaphore. ⇒ **Rejeton.**

1 Et la tradition artistique, que tant de générations successives avaient poussée si haut, semble un arbre dont meurt enfin la puissante tige centrale, la société n'étant plus là pour émonder, couper au ras du pied la foule des surgeons qui s'élancent (car la racine vit toujours). Ces surgeons sont souvent, chacun pris à part, admirables, mais la sève enfin s'y épuise — et ils n'aboutissent qu'à eux.
GIDE, Nouveaux prétextes, p. 35.

2 Elle *(la grêle)* frappe la vie en ses tendres surgeons
ARAGON, le Roman inachevé, p. 190.

DÉR. Surgeonner.

SURGEONNER [syʀʒɔne] v. intr. — 1872 ; « bourgeonner », XVIe ; de *surgeon*.

♦ Arbor., rare. Pousser, produire des surgeons.

La terre même, élastique et charnue, semble gorgée de sèves et de sucs ; des rejets soulèvent son écorce, elle surgeonne toute, comme un arbre.
M. GENEVOIX, Forêt voisine, IV.

1. SURGIR [syʀʒiʀ] v. intr. — 1497 ; *sourgir*, 1425 ; catalan *sorgir*, esp. *surgir*, proprt « s'élever, apparaître sur la mer », d'où « aborder, jeter l'ancre » ; lat. *surgere* « se lever ».

♦ Mar., vx. Aborder. *Surgir au port, à bon port* (cit. 8, Rabelais) : aborder heureusement. Fig. Atteindre son but.

Ah! si mon frêle esquif, battu par la tempête,
Grâce à des vents plus doux, pouvait surgir au port (...)
LAMARTINE, Premières méditations poétiques, III (1820).

2. SURGIR [syʀʒiʀ] v. intr. — 1808, Boiste ; rare av. 1150 ; lat. *surgere* « se lever, s'élever », pour remplacer l'anc. v. *sourdre*.

♦ 1. Apparaître ou naître brusquement en s'élevant, en s'élançant, en sortant. ⇒ **Jaillir, montrer** (se). — *Un immense rocher qui surgit du milieu de la mer* (→ Monolithe, cit. 2, Gautier ; et aussi empanacher, cit. 4). *Le soleil surgit* (→ Matin, cit. 3 ; 1. rayon, cit. 3). *Glaïeul qui surgit de terre* (→ Pousser, cit. 53). *Des arbres surgissent* (→ Étançonner, cit. ; 1. foudre, cit. 5 ; pineraie, cit.). *Cathédrale* (cit. 3), *campanile, villes qui surgissent* (→ Ordonner, cit. 3 ; 1. rocher, cit. 6). *Voir surgir des ombres* (→ Papillotement, cit. 4 ; projection, cit. 2).

1 Et des sommets nouveaux d'autres sommets chargés
Sans cesse surgissaient aux yeux découragés
Sur sa tête pyramidale.
HUGO, les Orientales, I, VI.

2 *(La place)* se dessinait brusquement, surgissant du clair-obscur sous le reflet intermittent des projecteurs, avec ses balustrades, ses statues (...)
MARTIN DU GARD, les Thibault, t. IX, p. 134.

(Êtres vivants). Se montrer brusquement. *« On voyait surgir les géants »* (→ Renommée, cit. 8, Hugo). *Des marais surgirent des millions de grenouilles* (→ Inondation, cit. 6, Gautier). *Voir surgir un animal, un homme, un fantôme...* (→ Embrasure, cit. 6 ; frapper, cit. 5 ; poigne, cit. 5). *Illusionniste* (cit. 1) *qui fait surgir Vénus* (→ aussi Fabulation, cit. 2 ; homuncule, cit. 2). — (Avec l'auxiliaire *avoir*). *Il a surgi de l'ombre, du brouillard.* — (Avec l'auxiliaire *être*) :

3 (...) sous cette pluie d'homélies comme sous une pluie d'été (...) il est surgi, entre les planches du tréteau saint-simonien, une théorie de petits champignons d'une nouvelle espèce (...) Ce sont les critiques utilitaires.
Th. GAUTIER, Préface de Mlle de Maupin, p. 26 (éd. critique MATORÉ).

4 Julie vit sa tante surgir tout à coup, comme un personnage qui se serait détaché de la tapisserie tendue sur les murs.
BALZAC, la Femme de trente ans, Pl., t. II, p. 696.

♦ 2. (1831). Abstrait. Se manifester brusquement. ⇒ **Naître, présenter** (se) ; → Fatalité, cit. 14 ; galbe, cit. 1. *Un dilemme qui venait de surgir dans son esprit* (→ Essoufflement, cit. 1, Hugo). *Souvenirs, visions qui surgissent* (→ Assaillir, cit. 11 ; 1. palme, cit. 7). *Des problèmes, des difficultés surgissent* (→ Néant, cit. 4). *Des* *recueils, des écrits surgissent de partout* (→ Friand, cit. 7 ; oublier, cit. 4).

5 *(Vois)* Surgir du fond des eaux le Regret souriant (...)
BAUDELAIRE, les Nouvelles Fleurs du mal, VII.

6 Cette substitution du barreau aux hommes d'État (...) s'est logiquement traduite, lorsque surgissait un conflit ou un procès de fait, par la substitution des arguments aux preuves. GIRAUDOUX, De pleins pouvoirs à sans pouvoirs, p. 204.

Impersonnel. *Il ne surgit pas tous les matins un type d'homme* (→ Millénaire, cit. 2).

▶ **SURGI, IE** p. p. adj. *Une tendresse surgie des profondeurs* (→ Dilater, cit. 6).

DÉR. **Surgissement.**
COMP. **Resurgir.**

SURGISSEMENT [syʀʒismɑ̃] n. m. — 1872 ; de 2. *surgir*.

♦ Fait de surgir, brusque apparition. *Le surgissement d'un paysage nouveau au tournant de la route. — Le surgissement d'une théorie nouvelle.*

Mais c'est un brave loup, très éduqué, qui rentre ses crocs, au surgissement le plus lointain d'une trique possible. Léon BLOY, le Désespéré, IV.

REM. On emploie parfois le déverbal *surgie* (n. f.) : « *On assistait à la surgie de la pensée* » (J. Guitton, cité par Aristide, in *le Figaro littéraire*, 8 avr. 1961).

SURGLACER [syʀglase] v. tr. — 1819 ; au p. p., 1784 ; de *sur-*, et *glacer*.

♦ 1. Vx. Recouvrir d'une couche luisante. ⇒ **Laquer.** — Techn. *Surglacer un papier.*

♦ 2. Cuis. Garnir d'un glacé de sucre.

▶ **SURGLACÉ, ÉE** p. p. adj.
Spécialt. *Papier surglacé :* papier calandré spécial. — N. m. *Du surglacé.*

SURGREFFER [syʀgʀefe] v. tr. — 1923 ; de *sur-*, et *greffer*.

♦ Arbor. Greffer (un végétal) deux fois, en pied un sujet, puis en tête la pousse ainsi obtenue (opération dite *surgreffage* [syʀgʀefaʒ ; syʀgʀefaʒ] n. m. [1920] ou *surgreffe* [syʀgʀef] n. f. [1920]).

SURHAUSSÉ, ÉE [syʀose] adj. ⇒ **Surhausser.**

SURHAUSSEMENT [syʀosmɑ̃] n. m. — 1578 ; de *surhausser*.

♦ 1. Vx. Élévation de valeur (des monnaies, etc.).

♦ 2. (1835). Augmentation de la hauteur ; état de ce qui est surhaussé. *Le surhaussement d'une maison.* ⇒ **Surélévation.** *Le surhaussement d'une ogive.* — On emploie parfois *surhaut* :

Des vagues de peuple entrent en chantant et relayent les premiers choristes *(sur la scène au premier plan).* Cependant sur un second plan, en surhaut d'un mètre et demi environ, des cortèges d'un luxe idolâtre et monstrueux ne cessent de se dérouler. J.-R. BLOCH, Moscou-Paris, p. 122.

CONTR. **Surbaissement.**

SURHAUSSER [syʀose] v. tr. — V. 1398 ; *surhaucer* « redresser », fin XIIᵉ ; *sorhaucier* « rendre plus puissant », v. 1150 ; *sorhalcier* « fêter avec éclat », v. 1131 ; de *sur-*, et *hausser*.

♦ 1. Vx. Rendre plus important, donner plus de valeur à.

♦ 2. (1690). Rare. Rendre plus haut. ⇒ **Surélever ; exhausser.** — P. p. adj. (1690). Archit. Dont la hauteur est supérieure à la moitié de la largeur. *Arc, cintre surhaussé. Voûte, ogive surhaussée* (contr. : *surbaissé*).

DÉR. **Surhaussement.**

SURHOMME [syʀɔm] n. m. — 1893, *in* D.D.L. ; aussi *superhomme* ; de *sur-*, et *homme*, d'après l'all. *Uebermensch*, popularisé par le *Zarathoustra* (4ᵉ partie, 1885) de Nietzsche, qui avait emprunté le mot à Gœthe *(Faust, I, 1).*

♦ 1. Philos. (Chez Nietzsche). Type d'homme supérieur que doit engendrer l'humanité quand elle se développera selon la « volonté de puissance » après avoir rejeté la « morale des esclaves ».

1 Le fascisme veut instaurer l'avènement du surhomme nietzschéen. Il découvre aussitôt que Dieu, s'il existe, peut-être ceci ou cela, mais d'abord le maître de la mort. Si l'homme veut se faire Dieu, il s'arroge le droit de vie ou de mort sur les autres. Fabricant de cadavres, et de sous-hommes, il est sous-homme lui-même et non pas Dieu (...) CAMUS, l'Homme révolté, p. 302.

♦ 2. (Déb. xxᵉ). Cour. Homme mythique, supérieur en tous points à l'homme actuel. ⇒ **Superman** (anglic.). *Je ne suis pas un surhomme.* — Homme supérieurement doué, génie qui semble dépasser les limites des facultés humaines. ⇒ **Géant.**

(Balzac) ce surhomme, par endroits presque monstrueux, hors de toute proportion commune. Émile HENRIOT, les Romantiques, p. 344. 2

Être humain (hypothétique) d'un type biologique supérieur.

Si plus tard nous pouvons agir sur la transmission de la vie, nous pourrons peut-être produire d'admirables surhommes, mais il faudrait toute l'imagination d'un Wells pour décrire le mal qu'il nous serait aussi possible de faire.
L. DE BROGLIE, Physique et Microphysique, p. 364. 3

CONTR. **Sous-homme.**

SURHUMAIN, AINE [syʀymɛ̃, ɛn] adj. — 1555, *sur-humain, in* D.D.L. ; de *sur-*, et *humain*.

♦ 1. Qui, dans le monde humain, apparaît au-dessus des forces et des aptitudes normales. *Effort, travail surhumain* (→ Disperser, cit. 5 ; poème, cit. 3). *Tâche surhumaine* (→ Départir, cit. 6 ; ingéniosité, cit. 2). *Génie* (cit. 28) *surhumain* (→ Empire, cit. 16). *Intelligence, pénétration* (cit. 8) *surhumaine* (→ Fulguration, cit. 2). *Héroïsme surhumain.* ⇒ **Sublime.** *«Alors Tubalcaïn (...) Construisit une ville énorme* (cit. 10) *et surhumaine »* (→ aussi Épure, cit. 2). *La montagne ne terrasse pas ici par sa masse* (1. masse, cit. 6) *surhumaine.* — N. m. *Le surhumain :* ce qui dépasse de loin les normes humaines.

Et la rigueur des styles sauvages tient à ce qu'ils peuvent fabriquer seulement un surhumain que reconnaissent les humains. MALRAUX, les Voix du silence, p. 565. 1

Le héros de *Vol de Nuit,* non déshumanisé, certes, s'élève à une vertu surhumaine.
GIDE, Préface à SAINT-EXUPÉRY, Vol de nuit. 2

♦ 2. (1601). Littér. Qui relève ou semble relever d'un monde autre que le monde humain. *Une clameur surhumaine s'éleva dans le temple.* ⇒ **Surnaturel, surréel.**

DÉR. **Surhumainement, surhumanité.**

SURHUMAINEMENT [syʀymɛnmɑ̃] adv. — 1900 ; de *surhumain*.

♦ Littér. D'une manière surhumaine.

Je ne sais rien de plus tragiquement, de plus surhumainement beau (...)
O. MIRBEAU, le Journal d'une femme de chambre, p. 218. 1

Oui, Nietzsche démolit ; il sape, mais ce n'est point en découragé, c'est en féroce ; c'est noblement, glorieusement, surhumainement, comme un conquérant neuf violente des choses vieillies. GIDE, Prétextes, Lettres à Angèle, XII. 2

SURHUMANITÉ [syʀymanite] n. f. — Av. 1896, Goncourt, « société formée d'hommes supérieurs » ; de *surhumain*, d'après *humanité*.

♦ Littér. Condition surhumaine, état du surhomme.

L'imagination (...) c'est la faculté de former des images qui dépassent la réalité, qui chantent la réalité. Elle est une faculté de surhumanité. Un homme est un homme dans la proportion où il est un surhomme. On doit définir un homme par l'ensemble des tendances qui le poussent à dépasser *l'humaine condition.*
G. BACHELARD, l'Eau et les Rêves, p. 23.

SURI, IE [syʀi] adj. ⇒ **Surir.**

SURICATE ou SURIKATE [syʀikat] n. m. — 1765, Buffon ; mot d'une langue africaine d'Afrique du Sud.

♦ Zool. Mammifère carnivore d'Afrique du Sud *(Viverridés),* voisin de la mangouste.

SURIMPOSER [syʀɛ̃poze] v. tr. — 1674 ; de *sur-*, et *imposer*.

♦ 1. Frapper d'un impôt supplémentaire, imposer à l'excès. ⇒ **Surtaxer.** *Surimposer les importations. Surimposer les grosses fortunes, les gros contribuables.*

♦ 2. (1766). Vieilli. Placer par-dessus.

▶ **SURIMPOSÉ, ÉE** p. p. adj. *Édifice surimposé* (→ Galerie, cit. 1, Diderot).

(1907 ; repris à l'angl. *superimposed*). *Cours d'eau surimposés,* creusés par épigénie* (cit.).

DÉR. **Surimposition.**

SURIMPOSITION [syʀɛ̃pozisjɔ̃] n. f. — 1611 ; de *surimposer*.

♦ 1. Surtaxe, surcroît d'impôt. *La surimposition de certains contribuables.*

♦ 2. (xxᵉ). Géol. Épigénie. *Surimposition glaciaire.*

SURIMPRESSION [syʀɛ̃pʀesjɔ̃ ; syʀɛ̃pʀɛsjɔ̃] n. f. — 1908 ; de *sur-*, et *impression*.

♦ 1. Impression de deux ou plusieurs images sur une même surface sensible (photogr., cin...). *Le cinéma emploie la surimpression pour certains effets spéciaux.* — Par compar. *Comme en surimpression* (→ Papier, cit. 17).

Il en résultait, il en résulte encore, dans mon souvenir, une juxtaposition assez 1 incohérente des images, quelque chose de comparable à ce que les photographes nomment surimpression.   G. DUHAMEL, Chronique des Pasquier, II, v (1934).

Fig. Superposition de deux images.

♦ **2.** Loc. fig. *En surimpression,* se dit de ce qui est perçu en même temps qu'autre chose.

1.1   Il eut pitié de cette petite vivante qui était à son côté, le visage dans le creux de son épaule gauche, où tant de visages s'étaient posés (si ce creux avait été une plaque sensible, tous les visages qu'on y aurait vus en surimpression!
                                                                MONTHERLANT, Pitié pour les femmes, p. 159.

2   Mathias, du moins, crut discerner dans ces lignes entrecroisées une sorte de lande parsemée d'arbustes en touffes, mais il y avait sûrement quelque chose d'autre, en surimpression : certains contours ou taches de couleur apparaissaient çà et là, qui ne pouvaient pas appartenir au premier dessin.
                                                                A. ROBBE-GRILLET, le Voyeur, p. 167.

DÉR. Surimpressionner. — V. Surimprimer.

SURIMPRESSIONNER [syʀɛpʀesjɔne ; syʀɛpʀɛsjɔne] v. tr. — 1925 ; de *surimpression,* d'après *impressionner.*

♦ Techn. Montrer par surimpression. ⇒ **Surimprimer. — Fig.,** littéraire :

Ses yeux fixés sur ces figures où se lisait, en lettres d'examen de la vue, l'ironie surimpressionnée d'impatience (...)   René FALLET, le Triporteur, p. 37.

SURIMPRIMER [syʀɛpʀime] v. tr. — 1951, cit. *infra* ; de *surimpression,* d'après *imprimer.*

♦ Littér. Se superposer à (une autre image) par surimpression.

(...) les vues de Paris ou les photos de journal, surimprimées par des paysages indifférents mais inconnus aux éclairages plombés (...)
                                                                R. QUENEAU, le Dimanche de la vie, p. 208.

1. SURIN [syʀɛ̃] n. m. — 1701 ; de 2. *sur.*

♦ **1.** Vitic. Sauvignon*.

♦ **2.** (1842). Régional. Jeune pommier non encore greffé.

2. SURIN [syʀɛ̃] n. m. — 1827 ; var. *sourin, chourin* ; tzigane *tchouri* ; cf. Mérimée, *Carmen,* IV.

♦ Argot. Couteau, poignard. ⇒ **Eustache** (→ Ramasser, cit. 15, Hugo ; et aussi pante, cit. 2, Bruant).

Il a fui le temps des apaches
Plus de surins et plus d'eustaches
Plus d'entôleuse au coin des rues   ARAGON, le Roman inachevé, p. 223.

DÉR. Suriner.

SURINDEXATION [syʀɛ̃dɛksasjɔ̃] n. f. — 1981 ; de *sur-,* et *indexation.*

♦ Écon. Indexation excessive. « *Les mécanismes de surindexation des salaires* (...) *déclenchent automatiquement un écart de pouvoir d'achat positif de 2 % environ...* » (*l'Express,* 21 mars 1981, p. 94).

SURINDUSTRIALISATION [syʀɛ̃dystʀijalizasjɔ̃] n. f. — 1975 ; de *sur-,* et *industrialisation.*

♦ Écon. Excès de l'industrialisation par rapport aux possibilités d'écoulement des marchandises, ou par rapport au développement des autres secteurs de l'économie.

SURINER [syʀine] v. tr. — 1827 ; aussi *chouriner*,* vx ; de 2. *surin.*

♦ Pop. (Argot ancien). Frapper d'un coup de surin, tuer à coups de couteau.

L'histoire du duel, je la connais depuis belle lurette : il s'est fait suriner par un garçon de piste à qui il ne voulait pas rendre de l'argent misé en commun sur le gagnant du Grand Prix.   J. ANOUILH, Ardèle ou la Marguerite, p. 195.

DÉR. Surineur.

SURINEUR, EUSE [syʀinœʀ, øz] n. — 1843, au masc., aussi *chourineur*,* de *suriner.*

♦ Argot anc. Malfaiteur qui attaque au couteau. ⇒ **Chourineur.** « *Décembre 1890* (...) *Pour parer aux attaques des "surineurs" et déjouer les guet-apens des malandrins* » (*l'Express,* 19 déc. 1977, p. 30).

SURINFECTION [syʀɛ̃fɛksjɔ̃] n. f. — 1926, *in* D.D.L. ; de *sur-,* et *infection.*

♦ Méd. Infection surajoutée, causée par des germes différents de ceux qui agissent déjà, et survenant au cours d'une maladie infectieuse. *Surinfection bactérienne au cours de la grippe.*

SURINFORMATION [syʀɛ̃fɔʀmasjɔ̃] n. f. — 1969 ; de *sur-,* et *information.*

♦ Excès d'information. « *Les Français n'ont pas besoin de radios locales.* " *Ils sont plutôt victimes d'une surinformation* ", *confiait récemment le président de la République* » (*l'Express,* 21 mars 1981, p. 92).

SURINFORMÉ, ÉE [syʀɛ̃fɔʀme] adj. — 1970 ; de *sur-,* et *informé.*

♦ Victime de la surinformation*.

SURINTENDANCE [syʀɛ̃tɑ̃dɑ̃s] n. f. — 1556 ; *superintendance,* 1491. → Surintendant.

♦ **1.** Vx. Direction, surveillance générale (→ Archevêque, cit. 1). *La surintendance du Jardin royal.*

♦ **2.** (1636). Hist. Charge, fonction de surintendant. Spécialt. Charge, fonction de surintendant des finances, sous l'Ancien Régime. *Nicolas Fouquet succéda à Servieu à la surintendance des Finances.* Par ext. Bureau, résidence du surintendant.

SURINTENDANT [syʀɛ̃tɑ̃dɑ̃] n. m. — 1556 ; de *sur-,* et *intendant* ; *superintendant,* fin XIVᵉ ; lat. médiéval *superintendens.*

♦ Anciennt (ou hist.). Nom de divers officiers chargés de la haute surveillance d'une administration. *Le surintendant des bâtiments du roi. Surintendant de la Navigation* (de 1627 à 1669). — (Jusqu'en 1661). *Surintendant des Finances* (→ Économie, cit. 3 ; fête, cit. 11), ou absolt *surintendant* (→ Compte, cit. 17 ; jamais, cit. 19). *Le surintendant des Beaux-Arts* (de 1860 à 1870) : le ministre chargé des beaux-arts.

DÉR. Surintendance, surintendante.

SURINTENDANTE [syʀɛ̃tɑ̃dɑ̃t] n. f. — V. 1660 ; *superintendante,* 1559 ; de *surintendant.*

♦ **1.** Anciennt. Femme du surintendant des Finances. — (1690). Dame placée à la tête de la Maison de la Reine.

♦ **2.** (1835). Mod. **a** Titre de la directrice d'une maison d'éducation de la Légion d'honneur.

b (1933). *Surintendante d'usine* : assistante sociale exerçant son activité dans le cadre d'une entreprise.

SURINTENSITÉ [syʀɛ̃tɑ̃site] n. f. — 1943, *in* D.D.L. ; de *sur-,* et *intensité.*

♦ Électr. Intensité anormalement forte (d'un courant).

SURINVESTIR [syʀɛ̃vɛstiʀ] v. intr. — XXᵉ ; de *sur-,* et *investir.*

♦ **1.** Écon. Investir à l'excès.

♦ **2.** Psychol. Trop investir dans qqch. — Transitivement :

Toute conversation générale à laquelle je suis obligé d'assister (sinon de participer) m'écorche, me transit. Il m'apparaît que le langage des autres, dont je suis exclu, ces autres le surinvestissent dérisoirement : ils affirment, contestent, ergotent, font parade : qu'ai je à faire avec le Portugal, l'amour des chiens ou le dernier *Petit Rapporteur?*   R. BARTHES, Fragments d'un discours amoureux, p. 104.

SURINVESTISSEMENT [syʀɛ̃vɛstismɑ̃] n. m. — Mil. XXᵉ (*in* Larousse, 1964) ; de *sur-,* et *investissement.*

♦ **1.** Fin. Investissement supérieur aux besoins réels.

♦ **2.** Psychol. Action de mettre trop d'énergie psychique dans qqch., investissement* excessif. *Un surinvestissement affectif.*

(...) le défaut systématique d'investissement qui caractérise le schizophrène ne se souciant pas du réel aboutit à une pensée schématique et pathologiquement formelle, tandis que les surinvestissements du paranoïaque le conduisent à déraisonner (idées de grandeur, etc.).
                                                                J. PIAGET, Épistémologie des sciences de l'homme, p. 317.

Psychan. Terme appliqué « surtout au processus de l'attention, dans le cadre de la théorie freudienne de la conscience » (Laplanche et Pontalis).

SURIR [syʀiʀ] v. — 1694 ; de 2. *sur.*

★ **I.** V. intr. Devenir sur*, un peu aigre. *Ce vin, ces fruits ont suri.*

On obtient bientôt un litre d'une huile « délicieuse, mais qu'il est prudent de consommer dans les quarante-huit heures, car elle surit immédiatement! »   1
                                                                Benoîte et Flora GROULT, Journal à quatre mains, p. 112.

★ **II.** V. tr. Rare. Rendre sur. — Fig. Aigrir, rendre désabusé.

2   Un dégoût, une haine atroce de moi-même surit toutes mes pensées dès le réveil.
              GIDE, Journal, 20 sept. 1916.

▶ **SURI, IE** p. p. adj.
Devenu sur. *Le lait est suri. Odeur surie.* — N. m. *Odeur de suri.*
3   (...) ce qui (...) se traduira en lugubres cogitations au goût suri de lieu commun : la fuite des jours (...)   Michel LEIRIS, Frêle bruit, p. 282.
Figuré :
4   Elle semblait confite dans une innocence surie (...)   MAUPASSANT, Miss Harriet, II.
5   Des vieilles filles vierges, elle garde, en toute sa personne, je ne sais quoi d'aigre et de suri, je ne sais quoi de desséché, de momifié (...)
           O. MIRBEAU, le Journal d'une femme de chambre, p. 26.

SURIRELLA [syʀiʀela; syʀiʀella] n. f. — xxᵉ ; *surirelle*, 1876 ; du nom du botaniste anglais *Surriray*.

♦ Bot. Algue, diatomée des eaux douces et salées.

SURJALER [syʀʒale] v. intr. — 1771, au p. p. ; *surjaulé*, 1694 ; aussi *surjouailler* (→ Ancre, cit. 2, Hugo) ; de *sur-*, et *joual*, anc. forme de *jouail**, avec infl. de *jas**.

♦ Mar. *Chaîne qui surjale*, qui s'enroule autour du jas de l'ancre, compromettant ainsi la tenue du mouillage. *Ancre qui surjale*, dont la chaîne surjale. *Si on file trop vite le mouillage, l'ancre risque de surjaler ou de surpatter.* — Au p. p. *Une ancre surjalée risque de déraper.*

SURJECTIF, IVE [syʀʒɛktif, iv] adj. — Mil. xxᵉ ; de *surjection*.

♦ Math. *Application surjective* : application telle que tout élément de l'ensemble d'arrivée soit l'image d'au moins un élément de l'ensemble de départ. *Application surjective d'un ensemble E sur un ensemble F. Une application surjective est une application dont l'ensemble image est identique à l'ensemble d'arrivée. Une application à la fois surjective et injective est bijective**.
REM. Le masc. *surjectif* est virtuel.

SURJECTION [syʀʒɛksjɔ̃] n. f. — Mil. xxᵉ ; de *sur-*, et d'après *injection, bijection*.

♦ Math. Application surjective*.

SURJET [syʀʒɛ] n. m. — 1660 ; *sourget*, v. 1398 ; de *surjeter*.

♦ **1.** Cout. Point serré, exécuté de droite à gauche en chevauchant deux bords de tissu, et servant à assembler deux lisières, ou un tissu et une dentelle. *Point de surjet.* — (1955). *Machine-surjet*, utilisée pour les coutures sur cuir.
Chir. Suture réalisée au moyen d'un seul fil passé à la manière d'un surjet de couture le long des deux bords d'une plaie.
En moins de 8 minutes il est parfaitement possible d'ouvrir l'oreillette et de faufiler rapidement un surjet joignant les deux berges de la communication anormale.
        Cl. D'ALLAINES, Chirurgie du cœur, p. 102.

♦ **2.** (1583). Anciennt. Augmentation de prix, en droit coutumier.

SURJETER [syʀʒəte] v. tr. — 1660 ; spécialisation de sens de l'anc. v. *sourgeter* «jeter par-dessus», XIIIᵉ ; de *sour* (→ Sur-), et *geter, jeter*.

♦ Techn. (Cout.). Coudre en surjet*. — Au p. p. *Couture surjetée.*
DÉR. Surjet, surjeteuse.

SURJETEUSE [syʀʒətøz] n. f. — 1955 ; de *surjeter*.
Technique.

♦ **1.** Ouvrière qui exécute des surjets à la machine à coudre, ou des coutures sur cuir à la machine-surjet.
REM. Dans ce sens, le masculin *surjeteur* [syʀʒətœʀ] est virtuel.

♦ **2.** (1964). Machine qui fait des surjets sur étoffe, sur cuir. *Surjeteuse à lisière.*

SURJEU [syʀʒø] n. m. — 1973, Journ. off. ; de *sur-*, et *jeu*.

♦ Recomm. off. pour *play-back**. ⇒ **Présonorisation, postsynchronisation.**

SURLARGEUR [syʀlaʀʒœʀ] n. f. — Mil. xxᵉ (*in* Larousse, 1964) ; de *sur-*, et *largeur*.

♦ Techn. Supplément de largeur (d'une route), notamment dans un virage.

SURLÉ [syʀle] n. m. — 1873 ; orig. inconnue.

♦ Techn. «Entaille de dix centimètres de largeur que l'on fait aux pins pour l'extraction de la térébenthine et de la résine» (Littré). ⇒ **Carre.**

SUR-LE-CHAMP [syʀləʃɑ̃] loc. adv. ⇒ **Champ.**

SURLENDEMAIN [syʀlɑ̃dmɛ̃] n. m. — 1715 ; de *sur-*, et *lendemain*.

♦ Jour qui suit le lendemain. ⇒ **Après-demain.** *Il revint* (cit. 1) *le lendemain et puis le surlendemain* (→ aussi Recommencer, cit. 9). *Un rendez-vous* (cit. 4) *pour le surlendemain. Dans la nuit du surlendemain* (→ Paquebot, cit. 1). *Le surlendemain de son arrivée.*

SURLIE ou **SURLIES** [syʀli] n. m. — D. i. ; de *sur-*, et 1. *lie*.

♦ Régional. Vin sur lies.
On déboucha les classiques bouteilles de «surlies», on offrit des cigares à «bouts tournés».   Guy DE POURTALÈS, la Pêche miraculeuse, p. 94.

SURLIER [syʀlje] v. tr. — 1549 ; de *sur-*, et *lier*.

♦ Mar. Entourer (un cordage, un câble) avec du fil à voile ou avec un petit filin, pour empêcher les torons de se décommettre.
DÉR. Surliure.

SURLIURE [syʀljyʀ] n. f. — 1872 ; de *surlier*, d'après *liure*.

♦ Mar. Action de surlier ; son résultat ; ligature faite en surliant, tours de fil qui la constituent. *Surliures et épissures. Surliure cousue.*

SURLONGE [syʀlɔ̃ʒ] n. f. — V. 1398 ; de *sur-*, et 1. *longe*.

♦ Techn. (Bouch.). Morceau de l'échine du bœuf (à la hauteur des trois premières vertèbres dorsales), utilisé pour les ragoûts et les pot-au-feu. ⇒ **Flanchet.**

SURLOUER [syʀlwe] v. tr. — 1834 ; de *sur-*, et *louer*.

♦ Comm. Prendre ou donner en location à un prix trop élevé.

SURLOYER [syʀlwaje] n. m. — 1963 ; de *sur-*, et *loyer*.

♦ Comm. Indemnité d'occupation versée par le locataire d'un appartement, en plus du loyer. *Surloyer payé par certains locataires de H. L. M.*

SURMÂLE [syʀmɑl] n. m. — 1902, Jarry, *le Surmâle* ; de *sur-*, et *mâle*.

♦ Plais. Homme très viril (et qui se définit par sa virilité).
(...) je suis obligé de faire appel à tout mon sang-froid pour ne pas botter le cul d'une des plus grandes vedettes d'Hollywood, un de ces surmâles paumés dans leur propre mythe, qui n'ont qu'une peur : qu'il se passe quelques secondes où l'on s'occuperait d'autre chose qu'eux.   R. GARY, Chien blanc, p. 105.

SURMATURATION [syʀmatyʀasjɔ̃] n. f. — 1968 ; de *sur-*, et *maturation*.

♦ Techn. Fait de laisser des grappes de raisins continuer à mûrir en place après la chute des feuilles. *La surmaturation produit un enrichissement en sucre du raisin.*

SURMEH [syʀme] n. m. — Av. 1872, Gautier ; mot turc.

♦ Rare. Fard de couleur noire, utilisé par les femmes turques. — REM. On écrit aussi *surmé*.

SURMENAGE [syʀmənaʒ] n. m. — 1845, *in* D. D. L. ; de *surmener*.

♦ Fait de surmener qqn, de se surmener. *Surmenage des écoliers. Un surmenage pernicieux* (→ Amusement, cit. 12).
La Beulet (...) avait eu le front de réclamer un supplément de gages de cinq francs par mois en considération des deux hommes jeunes et vigoureux qui pouvaient être l'occasion d'un surmenage supplémentaire. M. AYMÉ, la Vouivre, p. 29.
(1890). Méd., cour. État d'auto-intoxication résultant d'un exercice prolongé au-delà de la sensation de fatigue, d'un excès de travail de l'organisme, se traduisant par divers troubles physiologiques (nutritionnels, métaboliques...) et psychophysiologiques (comme la dépression). ⇒ **Fatigue.** *Surmenage allant jusqu'à l'épuisement**. *Surmenage aigu, chronique ; général, local. Surmenage physique, intellectuel. Surmenage aggravé par l'anxiété, la tension psychologique.* — Par ext. *Un surmenage de la sensibilité* (→ Impressionnabilité, cit.).
Je dus d'abord suivre à Vichy un long traitement nécessité par le surmenage de ces dernières années, et surtout de ces derniers mois.
      L.-H. LYAUTEY, Paroles d'action, p. 222.

1

2

SURMENANT, ANTE [syʀmənɑ̃, ɑ̃t] adj. — 1876 ; de *surmener*.

♦ Rare. Qui surmène, qui fatigue à l'excès. *Un travail surmenant.*

En fait, la première de toutes les raisons qui déterminent cette psychose de vacances, c'est que la vie de l'homme moderne est surmenante, à tous les échelons de la société.   G. DUHAMEL, Manuel du protestataire, III.

SURMENER [syʀməne] v. tr. — Conjug. *mener* (→ Lever). — XIIIᵉ ; répandu XIXᵉ ; *sormener* «entraîner», 1160 ; de *sur-*, et *mener*.

♦ **1.** Fatiguer outre mesure (un cheval, une bête de somme). ⇒ **Forcer** (→ Pourquoi, cit. 20).

1   Il s'agissait d'une jument noire que Châteaufort avait un peu surmenée et qui était menacée de devenir poussive.   MÉRIMÉE, la Double Méprise, III.

♦ **2.** (XIXᵉ). Excéder* de fatigue (qqn). ⇒ **Éreinter, fatiguer** (→ 1. Flotte, cit. 3). *Surmener des travailleurs. Surmener un peuple* (→ Guerre, cit. 30). — Pron. *Se surmener* (→ Empire, cit. 16). *Il se surmène trop.* — Par ext. *Surmener son cœur, ses yeux.*

2   Il semble que, chez les êtres d'action, l'esprit, surmené par l'attention à ce qui se passera dans une heure, ne confie que très peu de chose à la mémoire.   PROUST, la Prisonnière, Pl., t. III, p. 38.

▶ **SURMENÉ, ÉE** p. p. adj. (XIIIᵉ ; *sormené*, v. 1175). Fatigué à l'excès ; en état de surmenage. *Des travailleurs surmenés.* — Par ext. *Une intelligence moins surmenée* (→ Conception, cit. 3).

3   *(Les clients du docteur Jenkins)* c'étaient des épuisés, des exténués, des anémiques, brûlés par une vie absurde (...) Et les perles Jenkins devenaient fameuses justement pour ce coup de fouet donné aux existences surmenées.   Alphonse DAUDET, le Nabab, I.

N. (V. 1889, *in* D.D.L.). *Un surmené. Des surmenés.* → Cure, cit. 5. « *Sa fille, qui n'a pas vraiment l'air d'une surmenée* » (le Nouvel Obs., 15 juin 1981, p.52).

DÉR. Surmenage, surmenant.

SURMODULATION [syʀmɔdylɑsjɔ̃] n. f. — Mil. XXᵉ ; de *sur-*, et *modulation*.

♦ Techn. Modulation qui dépasse 100 %, en radio.

SURMODULER [syʀmɔdyle] v. tr. — Mil. XXᵉ ; de *sur-*, et *moduler*.

♦ Techn. Moduler (une émission de radio) à plus de 100 %. — P. p. adj. *Émission surmodulée.*

SURMOI ou **SUR-MOI** [syʀmwa] n. m. — XXᵉ, d'abord écrit *sur-moi* ; all. *Über-ich* (1923, Freud), de *über* «au-dessus de», et *ich* «je, moi».

REM. S'écrit parfois avec une majuscule, comme *Moi* et *Ça*.

♦ Psychan. Élément de la structure psychique qui joue, à l'égard du moi*, le rôle de modèle, de juge et de censeur en s'opposant, souvent inconsciemment, à l'accomplissement des désirs et à l'émergence des pulsions, et qui se développe dès la petite enfance par identification avec l'imago parentale. (Syn., chez certains auteurs : *superego*). *Le surmoi, le moi et le ça sont les trois instances de la personnalité dans la deuxième topique freudienne. Le surmoi est à l'origine de la conscience morale, de la formation des idéaux, de l'auto-observation. Surmoi et censure*, et instinct de mort. Constitution post-œdipienne* (selon Freud : « le surmoi est l'héritier du complexe d'Œdique » [le Moi et le Soi], chap. 5) *ou pré-œdipienne* (selon M. Klein) *du surmoi. D'après Freud « le surmoi comporte essentiellement des représentations de mots et (...) ses contenus proviennent des perceptions auditives, des préceptes, de la lecture* » (Laplanche et Pontalis, p. 473, note β). — (Qualifié). *Un surmoi exigeant, sévère, scrupuleux...*

REM. Lorsqu'il est opposé à *idéal* du moi, le terme désigne l'instance psychique assurant uniquement les fonctions d'interdiction (et non d'idéal).

1   Je dois à mon éducation catholique un sur-moi fortement développé : c'est là la raison de mon puritanisme et de la déficience de mon narcissisme.   S. DE BEAUVOIR, les Mandarins, p. 31.

2   On a vu que Freud avait substitué à l'opposition du conscient et de l'inconscient la distinction de trois systèmes de motivation et d'action, le Ça, le Surmoi, le Moi qui intervenaient de diverses façons dans le conflit.   Daniel LAGACHE, la Psychanalyse, p. 18.

3   À la conscience de simple accord objectif avec le milieu, il *(Freud)* a superposé une conscience morale : le *superego* ou le *surmoi*, qui, elle aussi, est un produit des mêmes deux phases d'adaptation et d'assimilation.   Henri WALLON, l'Évolution psychologique de l'enfant, p. 106.

DÉR. Surmoïque.

SURMOÏQUE [syʀmɔik] adj. — Mil. XXᵉ ; de *surmoi*.

♦ Psychan. Du surmoi ; qui a rapport au surmoi, qui le concerne. *Interdit surmoïque.* «(...) *l'écart peut (...) être fort grand entre les interdits prononcés par l'entourage et les exigences "surmoïques" du sujet* » (M.-L. Lacas-Mondszain, *in* Porot, art. *Surmoi*).

SURMONTABLE [syʀmɔ̃tabl] adj. — XVᵉ, *seurmontable* ; *sormuntable*, v. 1160 ; de *surmonter*.

♦ Rare. Qu'on peut surmonter, dominer. *Difficultés, obstacles difficilement, à peine surmontables.*

CONTR. Insurmontable.

SURMONTAGE [syʀmɔ̃taʒ] n. m. — Mil. XXᵉ ; de *sur-*, et *montage*.

♦ Techn. Assemblage (des pelleteries) par raccord à dents.

SURMONTER [syʀmɔ̃te] v. tr. et intr. — Fin XIVᵉ ; *surmunter* «vaincre, surpasser», et intr. «être supérieur», 1119 ; de *sur-*, et *monter*.

★ **I.** (Concret). **A.** ♦ **1.** Vx. Terrasser, mettre (son adversaire) à terre (Fénelon, Lamartine).

♦ **2.** Vx. Monter au-dessus de..., en parlant de liquides.

♦ **3.** (1690). Vx. Franchir en passant par-dessus. *Les lamas « surmontent des rochers escarpés »* (Buffon).

0.1   Nous fîmes plus de la moitié du chemin à pied, à cause des torrents effroyables qu'il fallut surmonter.   J.-F. REGNARD, Voyage en Laponie, p. 84-85.

♦ **4.** Mod. (Avec infl. de II., 4.). Sports. Franchir, escalader, passer par-dessus (un obstacle, en montagne). « *Passage en artificielle pour surmonter les toits blancs à gauche* » (La Montagne, juin 1970, *in* Petiot).

B. (V. 1695). Être placé, situé au-dessus de... ⇒ **Coiffer** (par anal.), **dominer, surplomber** (→ Entrée, cit. 17 ; loge, cit. 14 ; magnolia, cit. 1 ; meubler, cit. 6 ; 1. porte, cit. 2 ; rampe, cit. 2). *Dais* (cit. 2) *surmontant un fauteuil, dôme* surmontant un édifice. Écu surmonté d'une couronne.* ⇒ **Timbré.** — *Leurs têtes étaient surmontées d'une toque* (→ Phrygien, cit.).

1   (...) et sa tête fabuleuse surmontait le front de l'homme, comme un de ces casques horribles par lesquels les anciens guerriers espéraient ajouter à la terreur de l'ennemi.   BAUDELAIRE, le Spleen de Paris, VI.

★ **II.** (Abstrait). ♦ **1.** (V. 1155, *sormonter*). Vx. Vaincre (un ennemi). (Mᵐᵉ de Sévigné, 1158, 30 mars 1689).

♦ **2.** Vx. Surpasser, se montrer supérieur à... (→ Blondeur, cit. 1).

2   (...) le scandale de ce procès surmonta cependant quelques jours l'intérêt prodigieux des dernières élections faites sous Charles X !   BALZAC, Splendeurs et Misères des courtisanes, Pl., t. V, p. 918.

♦ **3.** Vx. Dominer (qqn ou qqch.) par une influence irrésistible. « *Une espèce d'infini qui m'étonne et qui me surmonte* » (Fénelon, *Traité de l'existence de Dieu*, I, 21). — Vx. Accabler.

3   De vos regards divins l'ineffable douceur
Força la résistance où s'obstinait mon cœur ;
Elle surmonta tout, jeûnes, prières, larmes.   MOLIÈRE, Tartuffe, III, 3.

4   (...) de quelle façon je me serais laissé surmonter et suffoquer par mes affaires, si je n'avais pris (...) cette résolution !   Mᵐᵉ DE SÉVIGNÉ, 941, 15 nov. 1684.

♦ **4.** (V. 1119). Mod. Aller au-delà de..., laisser derrière soi (ce qui gênait, constituait un obstacle) en venant à bout (des difficultés). ⇒ **Franchir ; forcer, triompher** (de), **vaincre, venir** (à bout). *Surmonter les difficultés* (→ Adroit, cit. 4), *les épreuves* (cit. 24), *les obstacles* (cit. 4). — *Surmonter une maladie* (→ Influenza, cit. 2).

5   (...) je ne sais si l'envie de vous voir cet hiver à Paris ne m'aurait pas fait surmonter des impossibilités (...)   Mᵐᵉ DE SÉVIGNÉ, 1202, 2 août 1689.

6   (...) mais quelles difficultés avez-vous eues à vaincre ? quels obstacles à surmonter ?   LACLOS, les Liaisons dangereuses, LXXXI.

Vaincre, par un effort volontaire (une difficulté psychologique). ⇒ **Dominer, dompter.** *Surmonter sa peur* (⇒ **Crâner**), *sa timidité, ses répugnances* (→ Rapprochement, cit. 2), *ses scrupules* (⇒ **Endormir, étouffer**). *Surmonter son chagrin* (⇒ Consoler, cit. 4). — Par ext. *Le courage surmonte la peur.* ⇒ **Emporter** (l'emporter sur).

7   Je ne succombai pourtant point à la tentation ; je puis même dire que je la surmontai en garçon d'honneur (...)   A. R. LESAGE, Gil Blas, VII, I.

8   (...) Je te croyais fier, et tu l'es : mais tu sais surmonter ta fierté pour faire ton devoir, et tu y as d'autant plus de mérite.   G. SAND, la Petite Fadette, XX.

9   J'ai surmonté ma répugnance et suis allé voir maître Mouche.   FRANCE, le Crime de S. Bonnard, VI, Œ., t. II, p. 469.

★ **III.** V. intr. (1933). Jeux. Jouer une carte supérieure à une autre, qui était déjà supérieure à une précédente, monter* sur un joueur qui a déjà monté. *Tu dois surmonter (sur le 15, sur Max), si tu peux.*

9.1   Je mime l'hésitation, murmure «Merde» trois fois de suite et surmonte. Boydt roule des yeux blancs, toussote, sifflote quatre mesures de *Lucie de Lammermoor*, trois de Paillasse et surmonte.   Joseph JOFFO, Baby-Foot, p. 209.

▶ **SE SURMONTER** v. pron. (Fin XIIᵉ, *soi sormonter*). Vaincre, dépasser par la volonté ses penchants (→ Commander, cit. 38). ⇒ **Dominer** (se), **maîtriser** (se).

10   (...) À présent, il a trop à faire de lutter contre soi-même, de se surmonter. En se surmontant, il fait mieux que persuader ou séduire ; il conquiert ; il entre dans les âmes comme par la brèche.   BERNANOS, Sous le soleil de Satan, I, II.

(Passif). Être surmonté.

11   Il n'est pas de destin qui ne se surmonte par le mépris.
              CAMUS, le Mythe de Sisyphe, p. 166.

▶ **SURMONTÉ, ÉE** p. p. adj.

♦ **1.** (V. 1185, *sormonté*). Vx. Vaincu (dans un combat).

♦ **2.** Mod. (Choses). *Difficulté surmontée.*

♦ **3.** Blason. *Pièce surmontée de*, abaissée et ayant en chef (tel meuble).

CONTR. Achopper, heurter; échouer.
DÉR. Surmontable, surmontoir.
COMP. Insurmontable.

SURMONTOIR [syʀmɔ̃twaʀ] n. m. — 1968; de *surmonter*, I., B.

♦ Publicité. Élément publicitaire placé au-dessus d'un produit mis en vedette.

SURMORTALITÉ [syʀmɔʀtalite] n. f. — 1963; de *sur-*, et *mortalité*.

♦ Supériorité d'un taux de mortalité par rapport à un autre. *La surmortalité masculine augmente* (→ Surconsommation, cit. Sauvy).

SURMOULAGE [syʀmulaʒ] n. m. — 1760; de *surmouler*.

Technique.

♦ **1.** Opération consistant à surmouler. *Moule en plâtre obtenu par surmoulage.* ⇒ **Mère.**
Par métonymie. «Moulage pris sur un moulage» (Falconet). ⇒ **Surmoule.** — Figuré :

1   J'auscultai mes souvenirs : oui, les mêmes yeux violets ouverts au vide, les mêmes cheveux droits; non, plutôt qu'elle-même, quelqu'un qui la reproduisait trait pour trait. Une sœur? Un surmoulage?   Paul MORAND, l'Europe galante, p. 79.

♦ **2.** Sculpture superposée à une autre.

2   Nous avons vu beaucoup de chefs-d'œuvre exhumés, beaucoup de bas-reliefs médiévaux dégagés de leurs surmoulages baroques (...)
    MALRAUX, l'Homme précaire et la Littérature, p. 20.

SURMOULE [syʀmul] n. m. — 1803; de *surmouler*.

♦ Techn. Moule pris sur un moulage (⇒ **Surmoulage**), et servant à fabriquer des copies.

SURMOULER [syʀmule] v. tr. — 1760; de *sur-*, et *mouler*.

♦ **1.** Techn. (Sculpt.). Mouler dans un moule obtenu sur un moulage (et non sur le modèle ou sur l'œuvre originale). — Au p. p. *Statues, médailles surmoulées.* — N. m. (1869). *Un surmoulé :* moulage fait d'après un moulage.

(...) un crabe en bronze, d'une exécution si troublante de vérité, que j'étais tenté de le croire surmoulé, si le naturaliste Pouchet ne m'avait affirmé qu'il n'en était rien (...)   Ed. et J. DE GONCOURT, Journal, 14 déc. 1894, t. IX, p. 206.

♦ **2.** Fig., vx. Imiter servilement. — Au p. p. «*Des romans qui ne sont ni du Balzac surmoulé, ni du George Sand affadi...*» (Daudet, *Souvenirs d'un homme de lettres*, Une lecture).

DÉR. Surmoulage, surmoule.

SURMOÛT [syʀmu] n. m. — Av. 1577, *surmoust*; de *sur-*, et *moût*.

♦ Vx. Jus d'un fruit, et, spécialt, de raisin (⇒ **Moût**), tiré de la cuve avant foulage.

SURMULET [syʀmylɛ] n. m. — 1554; de l'anc. franç. *sormulet* (v. 1170), d'après 2. *sur*; de l'anc. adj. *sor* «jaune brun», et 2. *mulet*.

♦ Variété de rouget*, poisson de la famille des *Mullidés* (⇒ **Mulle**).

(...) enfin, l'honneur exquis des tables normandes, le surmulet, cette bécassine de la mer, pour la délicatesse, et dont le foie écrasé donne l'éclat de la pourpre tyrienne.   BARBEY D'AUREVILLY, Une vieille maîtresse, II, III.

SURMULOT [syʀmylo] n. m. — 1758; de *sur-*, et *mulot*.

♦ Rat commun (qui s'est répandu en Europe et en Amérique au XVIIIᵉ siècle). *Le surmulot, appelé* rat gris, rat d'égout, *est un rat de grande taille, robuste et vorace.*

C'était le mus decumanus des livres, le «surmulot» (...)
— C'est peut-être, ce qu'on appelait, dans le temps, un vulcain, dit le collègue de Joste.   Pierre GASCAR, les Bêtes, p. 91.

SURMULTIPLICATION [syʀmyltiplikasjɔ̃] n. f. — 1932, *in* D.D.L.; de *surmultiplier*, d'après *multiplication*.

♦ Dispositif d'un changement de vitesse qui permet d'obtenir une vitesse surmultipliée. (On emploie aussi, en automobile l'anglicisme *overdrive*).

SURMULTIPLIER [syʀmyltiplije] v. tr. — 1911; de *sur-*, et *multiplier*.

♦ Techn. Augmenter l'effet de (une vitesse) en donnant à l'arbre de transmission une vitesse supérieure à celle du moteur. «*Surmultiplier la plus grande vitesse*» (*la Vie automobile*, 1911, p. 397). — Au p. p. *Vitesse surmultipliée* (opposé à *démultiplié* et *en prise directe*).

DÉR. Surmultiplication.

SURNAGEANT, ANTE [syʀnaʒɑ̃, ɑ̃t] adj. — 1834; «qui revient sans cesse», fin XVIIᵉ; de *surnager*.

Rare.

♦ **1.** Qui surnage, qui flotte à la surface d'un liquide. — N. m. Techn., cour. (t. de laboratoire). *Le surnageant :* la fraction liquide d'un mélange, qui a été séparée de la fraction solide (le *culot*) par centrifugation.

♦ **2.** Fig. Qui se maintient, qui survit.

Je peux donc supposer que mon père savait peut-être, sans en être sûr, mais qu'il n'en avait pas fait un sujet de conversation avec ma mère. Cependant j'ai quelques images, quelques phrases surnageantes.
    Michèle PERREIN, Entre chienne et louve, p. 216.

SURNAGER [syʀnaʒe] v. intr. — Conjug. *nager*. → Bouger. — V. 1378; réfection de l'anc. franç. *sornoer* (XIIIᵉ); de *sur-*, et *nager*.

REM. *Surnager* s'est employé transitivement : *surnager l'eau, un liquide* (Buffon, Thenard).

♦ **1.** Se soutenir, rester à la surface d'un liquide (surtout en parlant de ce qui pourrait couler ou se dissoudre, alors que *flotter* est d'un emploi plus général). ⇒ aussi **Nager.** *Quelques débris surnageaient après le naufrage. Versé dans de l'eau, le pétrole surnage.*

1   La *Matutina* s'en allait au hasard des vagues; un bouchon de liège a de ces ondulations; elle ne voguait plus, elle surnageait (...)
    HUGO, l'Homme qui rit, I, II, X.

Par métaphore. «*Précipité* (cit. 2) *dans une telle mer de sang, qu'il n'en surnagerait jamais*». *L'écume* (cit. 8) *qui surnage aux bouillonnements de la cuve parisienne.*

♦ **2.** (V. 1684). Par métaphore (→ Préciosité, cit. 5), et fig. Subsister*, se maintenir (parmi ce qui disparaît). *Son nom surnagera.* ⇒ **Rester.** *Souvenirs qui surnagent.* ⇒ **Survivre.**

2   Mais le vrai a une grande force, quand il est libre; le vrai dure; le faux change sans cesse et tombe. C'est ainsi qu'il se fait que le vrai, quoique n'étant compris que d'un très petit nombre, surnage toujours et finit par l'emporter.
    RENAN, Souvenirs d'enfance... Préface, Œ. compl., t. II, p. 721.

3   C'est moi qui l'ai pris tantôt *(un poisson)*, dit-il avec un reste de fierté qui surnageait dans sa détresse.   MAUPASSANT, l'Inutile Beauté, «Champ d'oliviers», III.

CONTR. Enfoncer, noyer, plonger.
DÉR. Surnageant.

SURNATALITÉ [syʀnatalite] n. f. — 1966; de *sur-*, et *natalité*.

♦ Didact. Taux de natalité qui dépasse l'accroissement des biens de consommation. *Surnatalité et surpopulation.* — Par extension :

(...) la surnatalité des airs et des eaux froides maintient le visage d'un monde que l'homme ailleurs anéantit en le surpeuplant de lui.
    Hervé BAZIN, les Bienheureux de la désolation, p. 252.

SURNATURALISER [syʀnatyʀalize] v. tr. — V. 1800; de *surnaturel*.

♦ Littér. Rendre surnaturel, attribuer un caractère surnaturel à. *Le génie de l'honneur* (cit. 38) *que notre race a surnaturalisé.*

SURNATURALISME [syʀnatyʀalism] n. m. — 1855; de *surnaturel*, d'après *naturalisme*.

♦ Didact. Acceptation du surnaturel. — Rare. Le surnaturel.

1   Edgar Poe dit (...) que le résultat de l'opium pour les sens est de revêtir la nature entière d'un intérêt surnaturel qui donne à chaque objet un sens plus profond (...) Sans avoir recours à l'opium, qui n'a connu ces admirables heures, véritables fêtes du cerveau (...) Eh bien, la peinture de Delacroix me paraît la traduction de ces beaux jours de l'esprit. Elle est revêtue d'intensité, et sa splendeur est privilégiée. Comme la nature perçue par des nerfs ultra-sensibles, elle révèle le surnaturalisme.   BAUDELAIRE, Curiosités esthétiques, V, III.

2   Et qu'est-ce que le surnaturalisme? C'est la partie de la nature qui échappe à nos organes. Le surnaturalisme, c'est la nature trop loin.
    HUGO, Post-Scriptum de ma vie, L'âme, Contempl. suprême, I.

SURNATURALISTE [syʀnatyʀalist] adj. et n. — 1833; de *surnaturel*.

Didactique.

♦ **1.** Adj. et n. Adepte du surnaturalisme. «*En fait d'art, je suis surnaturaliste*» (Heine, cité par Baudelaire, *Salon de 1846*).

♦ **2.** Adj. (1907). Relatif au surnaturalisme.

SURNATURE [syʀnatyʀ] n. f. — 1865, Barbey d'Aurevilly, *in* D.D.L.; de *sur-*, et *nature*.

♦ Didact., rare. Ce qui est supérieur à la nature; ensemble des choses surnaturelles* (I., 1. et 2.).

1 (...) spécialiste de la forme, Bobet est un héros tout humain, qui ne doit rien à la surnature et tire ses victoires de qualités purement terrestres (...)
            R. BARTHES, Mythologies, p. 115.

2 (...) je ne communique pas avec la surnature, il n'y a en moi aucun sacré (...)
            R. BARTHES, Fragments d'un discours amoureux, p. 142.

SURNATUREL, ELLE [syʀnatyʀɛl] adj. et n. m. — 1552, au sens I, 2; *supernaturel*, 1375; de *sur-*, et *naturel*.

Qui est au-dessus de la nature, qui ne lui appartient pas, ne peut être expliqué par elle.

★ **I.** Adj. ♦ **1.** Relig. (⇒ **Nature**, *infra* cit. 23; **naturel**, II., 5.). Se dit de «ce qui, procédant d'une condescendance gratuite de Dieu, élève la créature intelligente à un état (...) qui ne saurait être ni réalisé, ni mérité, ni même conçu expressément par aucune force *naturelle*» (M. Blondel), et, par ext., de cet état. ⇒ **Divin.** *Impulsion surnaturelle* (→ Inspirer, cit. 15). ⇒ **Grâce.** *Révélation, vérité surnaturelle. L'espérance* (cit. 27), *vertu surnaturelle. Mission* (cit. 4) *surnaturelle. Événement surnaturel.* ⇒ **Miracle, miraculeux.**

1 Deux fondements surnaturels de notre religion toute surnaturelle; l'un visible, l'autre invisible. Miracles avec la grâce, miracles sans grâce.
            PASCAL, Pensées, XIII, 851.

♦ **2.** (Av. 1662). Cour. (⇒ **Nature**, II., 3.; **naturel**, I., 2. et 3.). Qui ne relève pas des lois naturelles. ⇒ **Extraordinaire, merveilleux, prodigieux.** *Phénomènes surnaturels.* ⇒ **Prodige** (→ Fantôme, cit. 2). *Pouvoirs surnaturels.* ⇒ **Magie, sorcellerie; magique** (→ Idole, cit. 14). *Le côté surnaturel de la vie* (→ Rêve, cit. 6). — *Apparitions, visions surnaturelles. Spectacle surnaturel.* ⇒ **Fantasmagorie.** — *Le monde surnaturel* (→ Fée, cit. 3). *Les êtres surnaturels.* ⇒ **Démon, esprit, fée, génie** (→ Infernal, cit. 3).

2 J'ai la fièvre, s'écria le Méridional; si je croyais à ce que vous me dites, je croirais donc à la sorcellerie, à un pouvoir surnaturel.
            BALZAC, les Comédiens sans le savoir, Pl., t. VII, p. 52.

♦ **3.** (1649). Qui semble inexplicable, trop grand, trop intense pour être naturel. ⇒ **Extraordinaire.** *Quelque chose d'éthéré* (cit. 3), *de surnaturel. Un éclat surnaturel* (→ Briller, cit. 14). *Une netteté* (cit. 2) *surnaturelle. Paix surnaturelle* (→ Feutrer, cit. 2). *Une fatigue épouvantable, surnaturelle* (→ Guerre, cit. 23).

♦ **4.** (1672). Vx. Qui s'éloigne du naturel, de la simplicité (Mme de Sévigné, *in* Littré).

★ **II.** N. m. (1747). LE SURNATUREL. ♦ **1.** La grâce.

♦ **2.** Le sacré, le religieux; la magie... (→ Compréhensible, cit. 2). *Croire* (cit. 53) *au surnaturel* (→ Inexplicable, cit. 4). *La médecine* (cit. 3) *est encore mêlée à la religion et au surnaturel.*

3 Une religion sans surnaturel, — cela me fait penser à une annonce que j'ai lue, ces années-ci, dans les grands journaux; vin sans raisin.
            Ed. et J. DE GONCOURT, Journal, 19 oct. 1862, t. II, p. 50

3.1 Et cette terreur confuse du surnaturel qui hante l'homme depuis la naissance du monde est légitime puisque le surnaturel n'est autre chose que ce qui nous demeure voilé!
Alors j'ai compris l'épouvante. Il m'a semblé que je touchais sans cesse à la découverte d'un secret de l'univers. MAUPASSANT, Lettre d'un fou, Pl., t. II, p. 464.

♦ **3.** Le fantastique.

4 (...) si mon esprit ennuyé du terre à terre de la vie, a besoin d'une distraction dans le surnaturel, dans le fantastique, c'est chez Poe, que je le trouve.
            Ed. et J. DE GONCOURT, Journal, 17 juil. 1875, t. V, p. 164.

5 C'était, du reste, le plus beau spectacle du monde, que cette personne qui attirait le surnaturel et autour de qui on n'eût dit que les anges volassent, comme les oiseaux autour de l'oiseleur. COCTEAU, Thomas l'imposteur, p. 18.

CONTR. **Naturel; commun. — Charnel.**
DÉR. **Surnaturaliser, surnaturalisme, surnaturaliste, surnaturellement.**

SURNATURELLEMENT [syʀnatyʀɛlmɑ̃] adv. — 1554; de *surnaturel*.

♦ Rare. D'une manière surnaturelle. «*Dieu nous ayant surnaturellement éclairés...*» (Descartes), par la grâce.

SURNOM [syʀnɔ̃] n. m. — V. 1298; *surnum* «dénomination», v. 1119; de *sur-*, et *nom*.

♦ **1.** Anciennt. Nom ajouté au nom de baptême, au prénom d'une personne, pour la distinguer par un caractère particulier, une circonstance. «*Comme on appelle moi et mes frères les Estiennes, du surnom de notre père*» (Henry Estienne, *Traité de la conformité du lang. franç. avec le grec, in* Littré). *Les surnoms, donnés par l'entourage, se distinguent des pseudonymes**; *ils sont les* «*prototypes des noms de famille*» (Dauzat). — Prov. *Connaître quelqu'un par nom et par surnom*, très bien.

1 Par les surnoms, plus spécialement par les sobriquets, l'anthroponymie touche au lexique, à la sémantique (...) L'examen des désignations met en jeu la psychologie populaire, la mentalité sociale à l'époque de la formation des noms ou surnoms (...) A. DAUZAT, les Noms de famille de France, p. 9.

(V. 1175, *sorenon*). Mod. Nom ajouté, lorsqu'il ne s'agit pas du nom de famille, du nom patronymique. *Les surnoms des rois* (→ Grand, cit. 64; nom, cit. 16). *Son fils qui mérita le surnom de Hardi* (→ Garder, cit. 76). *Sa renommée, son crédit avaient valu à Gaudissart le surnom d'Illustre* (cit. 5). *Le Bien-aimé, surnom de Louis XV.*

♦ **2.** (1690). Cour. Désignation caractéristique que l'on substitue au véritable nom d'une personne (→ Remarquable, cit. 1). *Le surnom n'a pas de valeur juridique. Surnoms plaisants, ridicules, moqueurs* (⇒ **Sobriquet**). *Affubler qqn d'un surnom.* ⇒ **Surnommer.** *Le surnom de Boule de Suif* (→ Gras, cit. 15). ⇒ **Surblaze** (argot). — Par ext. *Le surnom d'une ville* (Gautier, *Voyage en Espagne,* p. 230).

2 *(Le)* prince de Faffenheim (...) que par la manie des surnoms propre à ce milieu, on appelait (...) universellement le prince Von... Encore cette abréviation-là se comprenait-elle à la rigueur, à cause de la longueur d'un nom composé. On se rendait moins compte des raisons qui faisaient remplacer Élisabeth tantôt par Lili, tantôt par Bebeth (...) Mme de l'Éclin portant les cheveux en bandeaux, qui lui cachaient entièrement les oreilles, on ne l'appelait jamais que «ventre affamé». Quelquefois on se contentait d'ajouter a un au nom (...) du mari pour désigner la femme.
            PROUST, le Côté de Guermantes, t. II, p. 432.

DÉR. **Surnommer.**

SURNOMBRE [syʀnɔ̃bʀ] n. m. — 1872; de *sur-*, et *nombre*.

♦ Rare. Quantité qui dépasse un nombre fixé, donné. — Loc., cour. EN SURNOMBRE : en excédent*, en trop. *Être en surnombre* (⇒ **Surnuméraire**).

(...) il avait voyagé en surnombre dans un compartiment rempli de gens du Nord, qui se parlaient sans se connaître, se passaient les journaux, se communiquaient des nouvelles. MARTIN DU GARD, les Thibault, t. VII, p. 75.

SURNOMMER [syʀnɔme] v. tr. — V. 1155, *sornomer;* «appeler, nommer» jusqu'au xvie (→ Ordonnance, cit. 1); de *surnom*.

♦ Désigner par un surnom (au sens 1. ou 2.). → Jalousie, cit. 21; maître, cit. 72. — Au p. p. *Guillaume, surnommé le Conquérant.* ⇒ **Dit.**

1 (...) pour faire la connaissance de Rachel, surnommée par moi «*Rachel quand du Seigneur*». PROUST, À l'ombre des jeunes filles en fleurs, Pl., t. I, p. 577.

2 Elle venait de la Suisse allemande, ce qui l'avait fait surnommer, «*la Prussienne*».
            Valery LARBAUD, Enfantines; Rose Lourdin.

Appeler (une chose) d'une expression imagée (→ Bourrage, cit. 2).

SURNOURRIR [syʀnuʀiʀ] v. tr. — 1823; de *sur-*, et *nourrir*.

♦ Vieilli. Nourrir de façon excessive. ⇒ **Suralimenter.** — Au p. p. *Un gros homme surnourri.* — N. «*Les maladies du surnourri*» (Dr L. Pascault, 1906, *in* D.D.L.).

SURNUMÉRAIRE [syʀnymeʀɛʀ] adj. et n. — 1636; de *sur-*, altér. de *supernuméraire* (1564); lat. *supernumerarius*, de *numerus* «nombre».

♦ **1.** Qui est en surnombre, en trop. *Arbres surnuméraires,* dans une coupe. *Doigt surnuméraire* (⇒ **Polydactylie**), *organes surnuméraires* (en tératologie).

1 (...) il fallait, excusez-moi, j'ai eu une distraction, j'en ai du reste terminé, il fallait que l'enfant portât certaines marques, des signes, vous comprenez : empreintes en forme de coquille au creux des mains, cicatrices aux clavicules marquant l'endroit des bras surnuméraires du dieu, je ne sais pas, moi.
            Claude MAURIAC, le Dîner en ville, p. 210.

Régional, vx. *En surnuméraire :* en trop.

2 Pardon, excuse, répondit Germain, fort surpris de se trouver en surnuméraire là où il avait compté d'être seul. G. SAND, la Mare au diable, XII.

Spécialt. *Titre surnuméraire. Officier surnuméraire.* — (1718). *Commis, employés surnuméraires,* qui devaient attendre une vacance pour être engagés (→ ci-dessous, 2.). — N. *Un, une surnuméraire.*

♦ **2.** (1817). Admin. Se disait (jusqu'en 1948) d'employés de grade inférieur, non titularisés. — N. (1817). → Grattage, cit.; naïf, cit. 6, Balzac.

3 — Dois-je vous le dire?... mon rêve... mon espoir serait d'entrer dans l'administration que vous dirigez avec une supériorité... (...)
— C'est à merveille! j'ai justement besoin d'un surnuméraire...
— Pardon... quelques personnes m'ont fait espérer que je pourrais porter mes vues plus haut. E. LABICHE, la Chasse aux corbeaux, IV, 5.

CONTR. **Titulaire.**
DÉR. **Surnumérariat.**

SURNUMÉRARIAT [syʀnymeʀaʀja] n. m. — 1812; «corps de soldats surnuméraires», 1791; de *surnuméraire*.

♦ Admin., rare. Fonction de surnuméraire (2.), sa durée.

(...) le surnumérariat est, pour l'Administration, ce que le noviciat est dans les Ordres religieux, une épreuve. BALZAC, les Employés, Pl., t. VI, p. 914.

SUROCCUPÉ, ÉE [syʀɔkype] adj. — 1981 ; de *sur-*, et *occupé*.

♦ Fam. (Personnes). Très occupé. ⇒ **Débordé.** « *Non que je sois maniaque, mais je suis sur-occupée* (sic). *J'ai trois jeunes enfants, je viens de reprendre des études* » (*F Magazine*, mars 1981, p. 101).

SUROFFRE [syʀɔfʀ] n. f. — 1810 ; de *sur-*, et *offre* ou de *suroffrir* (fin xviiᵉ).

♦ Dr. Offre supérieure à une offre précédente. ⇒ **Surenchère.**

SUROÎT [syʀwa] n. m. — 1832 ; *sur-oué*, 1701 ; *syroest*, 1483 ; du normand *surouet*, *surouest*, altér. de *sud-ouest* d'après *noroît*.

★ **I.** Mar. Sud-ouest. *Vent de suroît.* — Vent du sud-ouest (→ Noroît, cit. 1). *Un coup de suroît. Tempête de suroît. Temps de suroît.*

★ **II.** ♦ **1.** Vx. Vareuse de marin.

1   L'aigre vent du nord-ouest soufflait. Il serra contre sa poitrine sa serpillière de matelot. C'était un bon vêtement. Cela s'appelle, en langage du bord, un suroît, parce que cette sorte de vareuse-là est peu pénétrable aux pluies du sud-ouest.
          Hugo, l'Homme qui rit, I, ɪ, ɪɪɪ (1869).

♦ **2.** (1886). Mod. Chapeau imperméable dont le bord arrière descend sur la nuque.

2   (...) sur la tête, l'espèce de casque en toile goudronnée qu'on appelle suroît (du nom de ce vent du sud-ouest qui dans notre hémisphère amène les pluies).
          Loti, Pêcheur d'Islande, I, ɪ, (1886).

SURON [syʀɔ̃] n. m. — 1723 ; esp. *zurrón*, de l'arabe *surra* « bourse ».

♦ Comm., vx. Ballot de marchandises entouré d'une peau de bœuf fraîche, dont le poil était placé en dedans.

SUROS [syʀo] ou [syʀɔs] n. m. — 1393 ; *soros*, 1160 ; de *sur-*, et *os*.

♦ Vétér. Tumeur osseuse du canon du cheval. ⇒ **Exostose.**
HOM. Sureau.

SUROXYDATION [syʀɔksidasjɔ̃] n. f. — 1818 ; de *suroxyder*.

♦ Chim. Fait de suroxyder, de se suroxyder.

SUROXYDER [syʀɔkside] v. tr. — 1818 ; de *sur-*, et *oxyder*.

♦ Chim. Oxyder au maximum ; transformer en peroxyde* (syn. anc. : *suroxyde*). — Pron. *Se suroxyder.*
DÉR. Suroxydation.

SUROXYGÉNATION [syʀɔksiʒenasjɔ̃] n. f. — 1872 ; de *suroxygéné*.

♦ Chim., techn. Teneur en oxygène inhabituellement forte ; fait de donner une telle teneur en oxygène à un mélange gazeux, à un liquide, etc. *Suroxygénation de l'eau d'élevage des salmonidés.*

SUROXYGÉNÉ, ÉE [syʀɔksiʒene] adj. — 1789 ; de *sur-*, et *oxygéné*.

♦ Chim., techn. Oxygéné fortement, en excès. *Les truites recherchent les eaux suroxygénées.*
DÉR. Suroxygénation.

SURPAIE [syʀpɛ] n. f. ⇒ **Surpaye.**

SURPASSABLE [syʀpɑsabl] adj. — 1876 ; de *surpasser*.

♦ Qui peut être surpassé. *Difficilement surpassable. Un produit, un niveau qui ne semble pas surpassable.*

SURPASSEMENT [syʀpɑsmɑ̃] n. m. — 1931, cit. ; de *surpasser*.

♦ Littér. Action de surpasser. ⇒ **Dépassement.** *Le surpassement de soi* (→ Électriser, cit. 4).
(...) ce surpassement de soi qu'obtient la volonté tendue (...)
          Gide, Préface à Saint-Exupéry, Vol de nuit (1931).

SURPASSER [syʀpɑse] v. tr. — 1530, sens 2 ; « enfreindre », 1340 ; de *sur-*, et *passer*.

♦ **1.** ⓐ (1580). Vieilli. Dépasser* en hauteur. *Surpasser qqn* (→ Grand, cit. 2). — Dépasser en nombre. *Le prix de la main-d'œuvre* (cit. 1) *surpasse celui de la matière* (→ aussi Possibilité, cit. 7).

ⓑ Fig. ⇒ **Excéder.** *Les supplices* (cit. 3) *moraux surpassent les douleurs physiques.*
(...) une entreprise qui surpasse les forces de l'esprit humain.   1
          Taine, les Origines de la France contemporaine, t. I, Préface.

♦ **2.** Mod. Faire mieux que... *Surpasser qqn.* ⇒ **Dépasser, devancer, dominer, primer** (cf. Être au-dessus de..., supérieur à ; l'emporter sur, aller plus loin que...). *On ne saurait surpasser les anciens* (cit. 15). *Une danse où elle surpassait les plus habiles gitanes* (→ Caractère, cit. 33). *Surpasser en habileté, en connaissances.* ⇒ **Battre, distancer, enfoncer** (fam.), **surclasser** (→ Faire la pige* à... ; laisser* loin derrière soi). *Surpasser qqn en mérite, en bon sens* (→ Mœurs, cit. 7), *en immoralité* (cit. 5). *Empêcher qqn de briller en le surpassant.* ⇒ **Éclipser, effacer.** — Aller au delà. *Le succès surpassa de beaucoup mes espérances* (→ Borner, cit. 12).

Une fauvette, dont la voix   2
Enchantait les échos par sa douceur extrême,
Espéra surpasser le rossignol lui-même,
Et lui fit un défi (...)   Florian, Fables, ɪv, 9.

▶ **SE SURPASSER** v. pron. (1559).
Faire mieux qu'à l'ordinaire. ⇒ **Dépasser** (se). *Bossuet s'était surpassé lui-même* (→ Noblement, cit. 5). *En cette circonstance elle avait tenu à se surpasser* (→ Convive, cit. 1). *Pourvu d'un adversaire* (cit. 8) *à sa mesure, mon père s'était surpassé.* — rem. S'emploie souvent ironiquement.

Il inventait de nouvelles histoires, il se surpassait, on ne pouvait plus l'arrêter, ses   3
exploits tenaient du délire.   Céline, Voyage au bout de la nuit, p. 94.

CONTR. Atteindre, égaler. — Inférieur (être).
DÉR. Surpassement.

SURPATTE [syʀpat] n. f. — 1959 ; de *sur(prise-partie)*, et *patte*.

♦ Fam. (à la mode entre 1960 et 1970 environ ; semble vieillot). Surprise-partie. ⇒ 2. **Boum, surboum.** — Var. graphique : « (le) *bal du samedi soir et les "surpats" bourgeoises et parisiennes* » (*l'Express*, 13 sept. 1980, p. 13).
J'avais oublié que ma fille avait organisé une surprise-party, pardon (...) une surpatte.   Pierre Daninos, Un certain Monsieur Blot, p. 119.

SURPATTER [syʀpate] v. intr. — D. i. ; de *sur-*, et *patte*.

♦ Mar. *Chaîne qui surpatte*, qui s'enroule autour de l'une des pattes de l'ancre, empêchant celle-ci de crocher. — Aussi : *ancre qui surpatte*, dont la chaîne surpatte. ⇒ aussi **Surjaler.**

SURPÂTURAGE [syʀpatyʀaʒ] n. m. — 1964 ; de *sur-*, et *pâturage*.

♦ Techn. Pacage excessif, surpassant les capacités de régénération spontanée de la végétation, du sol. « *Il n'en fallait pas plus à l'homme pour être en mesure de modifier profondément le paysage. Par l'effet combiné du feu et du surpâturage, il en a favorisé la désertification progressive* » (*Science et Vie*, Spécial environnement, nº 106, p. 142, 1974).

SURPAYE [syʀpɛj] n. f. — 1559 ; de *sur-*, et *paye*.

♦ **1.** Vx. Paye supplémentaire ; gratification.

♦ **2.** (1834). Comm. Action de surpayer. — On dit aussi *surpaie* [syʀpɛ].
DÉR. Surpayer.

SURPAYER [syʀpeje ; syʀpɛje] v. tr. — Conjug. *payer*. — 1580 ; de *sur-*, et *payer*.

♦ **1.** Payer (qqn) au-dessus de ce qu'il mérite.
(...) s'adressent-elles à son expérience, comme un malade surpaye un célèbre médecin ? ou bien sont-elles flattées d'éveiller un cœur blasé ?
          Balzac, la Muse du département, Pl., t. IV, p. 139.

♦ **2.** Acheter (qqch.) trop cher.

SURPEUPLÉ, ÉE [syʀpœple] adj. — 1876, in Littré, Suppl. ; de *sur-*, et *peuplé*.

♦ Où la population est trop nombreuse. *Un pays surpeuplé. Quartier pauvre et surpeuplé.* ⇒ **Fourmilière.** — Où les occupants sont trop nombreux. *Taudis surpeuplé* (→ Puanteur, cit. 2).

(...) puisque le jeune Français doit se frayer un chemin pénible dans des écoles   1
maussades et surpeuplées, s'ébattre sur des terrains de sport lamentables (...)
          Giraudoux, De pleins pouvoirs à sans pouvoirs, III, p. 82.
(...) Tarrou se consacrait en effet à un travail d'assistance préventive dans les quar-   2
tiers surpeuplés.   Camus, la Peste, p. 150.
Depuis des années, les prisons et les camps sont surpeuplés de suspects, c'est-à-   3
dire, presque toujours d'innocents.
          F. Mauriac, le Nouveau Bloc-notes 1958-1960, p. 13.

CONTR. Dépeuplé, désert, vide.
DÉR. Surpeupler, surpeuplement.

SURPEUPLEMENT [syʀpœpləmɑ̃] n. m. — 1904 ; de *surpeuplé*.

◆ État d'une région surpeuplée (⇒ **Surpopulation**), et, par ext. (1909, *in* D.D.L.), d'un local surpeuplé (→ *Kabyle*, cit. 2).

Pas plus que la notion de surpeuplement, celle de surproduction n'existerait, si tous les peuples étaient raisonnablement alimentés (...) ce sont les efforts des nations civilisées qui n'ont pas été «suffisamment développés» pour tenter de vaincre la faim des autres (...)   Georges ELGOZY, l'Europe des Européens, p. 189.

CONTR. **Sous-peuplement.**

SURPEUPLER [syʀpœple] v. tr. — 1915 ; de *surpeuplé*.

◆ Rare. Peupler à l'excès. — V. pron. *Se surpeupler*.

L'agitation augmente. La gare se peuple et se surpeuple.
     H. BARBUSSE, le Feu, I, VII.

SURPIQUER [syʀpike] v. tr. — Mil. XXᵉ ; de *sur-*, et *piquer*.

◆ Techn. (couture). Piquer en faisant une piqûre apparente, décorative, sur une partie déjà piquée. — Au p. p. *Surpiqué, ée. Coutures surpiquées d'un jeans.*

SURPIQÛRE [syʀpikyʀ] n. f. — Mil. XXᵉ (1969, *in* D.D.L.) ; de *sur-*, et *piqûre*.

◆ Techn. (couture). Piqûre apparente, souvent décorative, sur la couture d'un vêtement, d'un objet en cuir. *Sac à surpiqûres.*

SUR-PLACE ou **SURPLACE** [syʀplas] n. m. ⇒ **Place** (*supra* cit. 11).

SURPLIS [syʀpli] n. m. — V. 1170, *sorpliz*, aussi *sorpeliz* ; adapt., d'après *sur-*, et *pli*, du lat. médiéval *superpellicium*, proprt «ce qui est sur la pelisse» ; du bas lat. *pellicius*, var. de *pelliceus* «de peau», de *pellis*.

◆ Vêtement de lin à manches larges, souvent plissé, que les prêtres portent sur la soutane, et qui descend à mi-jambes. *Surplis de prélat.* ⇒ **Rochet** (→ *Ecclésiastique*, cit. 4 ; *exorcisme*, cit. 1). *Les anciens surplis avaient des ailes plissées qui retombaient sur les épaules.*

1 Ensuite, le clergé commençait, deux ou trois cents prêtres en simple soutane, une centaine en surplis, une cinquantaine revêtus de chasubles d'or (...)
     ZOLA, Lourdes, p. 100.

2 Les moines, revêtus de leur camail rouge et de leur surplis fraîchement plissé, chantaient.   Georges BORGEAUD, le Préau,
in Littérature de langue franç. hors de France, p. 604.

SURPLOMB [syʀplɔ̃] n. m. — 1691 ; de *surplomber*.

◆ **1.** Archit. Partie qui surplombe, est en saillie par rapport à la base. (1937, *in* Petiot). Saillie rocheuse d'une paroi d'un passage qu'on escalade. *Franchir un surplomb en escalade artificielle.*

◆ **2.** Cour. EN SURPLOMB. *Mur en surplomb*, qui penche. ⇒ **Dévers**. *Ascension d'une paroi en surplomb. Étages en surplomb des maisons du moyen âge. Balcons en surplomb.* ⇒ **Encorbellement.** — *Falaise en surplomb*, dont la base est creusée par l'action des vagues.

Les maisons à pignons denticulés ou roulés en volute faisaient saillir des étages en surplomb composés d'une rangée de fenêtres ou plutôt d'une seule fenêtre à panneaux de verre, séparés par des montants sculptés.
     Th. GAUTIER, Voyage en Russie, I, II.

SURPLOMBANT, ANTE [syʀplɔ̃bɑ̃, ɑ̃t] adj. — Av. 1842 ; de *surplomber*.

◆ Qui surplombe, fait saillie vers le haut. *Une falaise noire et surplombante* (→ *Ressac*, cit.).

Les parois du bloc forment des murs gigantesques surplombants.
     CHATEAUBRIAND, Mémoires d'outre-tombe, t. V, p. 386.

SURPLOMBEMENT [syʀplɔ̃bmɑ̃] n. m. — 1696 ; de *surplomber*.

◆ **1.** Fait de surplomber. *Le surplombement d'un mur.*

◆ **2.** (XXᵉ). Ce qui surplombe. *Passer sous un surplombement de rocher.* ⇒ **Surplomb.**

CONTR. **Aplomb.**

SURPLOMBER [syʀplɔ̃be] v. — 1694 ; cf. anc. provençal *sobreplombar*, 1447 ; de *sur-*, *plomb* (*supra* cit. 9), et *-er*.

◆ **1.** V. intr. Techn. Dépasser par le sommet la ligne de l'aplomb. *Mur qui surplombe*, qui n'est pas d'aplomb, qui penche. *Rochers, falaises qui surplombent.* ⇒ **Surplomb** (en), **surplombant** ; **avancer, dépasser.**

◆ **2.** V. tr. (1783). Cour. Dominer* en se trouvant au-dessus et en sur-

plomb ; faire saillie au-dessus de... *Le premier étage surplombe la rue. Un homme dont la lourde* (cit. 17) *bedaine surplombait les cuisses. Surplomber l'adversaire* (→ *Hourd*, cit.).

Il était debout sous le plafonnier : le front, les cheveux rayonnaient ; ses arcades sourcilières surplombaient deux cavités (...)   1
     MARTIN DU GARD, les Thibault, t. III, p. 285.

(Mil. XIXᵉ). Être à la verticale au-dessus de. ⇒ **Surmonter**. *Un pic surplombe les rochers* (⇒ **Culminer**).

Un pont surplombait une rue de faubourg.   R. QUENEAU, le Chiendent, p. 66.   2

DÉR. Surplomb, surplombant, surplombement.

SURPLUS [syʀply] n. m. — V. 1090 ; de *sur-*, et *plus*.

◆ **1.** Ce qui excède la quantité voulue, utilisée, supprimée (de qqch.). ⇒ **Excédent, excès, reste.** *Le surplus d'une mesure* (⇒ **Comble, surcharge**), *d'une somme d'argent utilisée.* (→ *Concours*, cit. 9). *Compléter libéralement* (cit.) *le surplus d'une dépense.*

(...) les dromadaires, chameaux, éléphants, toutes bêtes que rendent un peu suspectes leurs bosses, trompes, et un surplus d'os et de chair.   1
     J. SUPERVIELLE, l'Enfant de la haute mer, Le bœuf et l'âne...

EN SURPLUS : en excès, en supplément.

(V. 1939). Écon. Stock* invendable qui tend à faire baisser les cours. *Surplus agricoles, surplus de produits fabriqués* (⇒ **Surproduction**). *Destruction des surplus par les producteurs pour maintenir les cours.* — *Surplus américains :* stocks de matériel militaire écoulés après la guerre de 1939-45. *Un treillis des surplus.*

(...) n'est-il pas possible de diriger vers les populations affamées qui ne présenteront jamais, en de telles périodes, une demande solvable, les «surplus» qui menacent le pouvoir d'achat des producteurs et risquent de les inciter à détruire les richesses produites ou à en ralentir la production.   2
     M. CÉPÈDE, *in* ROMEUF, Dict. des sciences économiques, art. *Surplus.*

(...) un type lui aussi sans âge vêtu d'un blouson des surplus américains, coiffé d'une casquette provenant elle aussi de ces stocks dont la guerre-même n'avait plus voulu (...)   Claude SIMON, le Vent, p. 27.   3

◆ **2.** (V. 1130, *sorplus*). Vx. Ce qui vient s'ajouter à ce qui a déjà été mentionné. ⇒ **Reste.**

Elle a lu dans mon cœur ; vous savez le surplus,
Et je vous en ferais des récits superflus.   CORNEILLE, Cinna, V, 3.   4

Loc. adv. ou conj. (V. 1330 ; *au surplus*). Mod. AU SURPLUS : au reste*, d'ailleurs, mais aussi* (→ *Enquêter*, cit. 2 ; *relâchement*, cit. 2). *Au surplus, mon devoir est ici* (→ *Irremplaçable*, cit. 3). → *Après* tout, aussi* bien.

Cette ouverture *(de la trappe de départ)* exige sept tours d'une manivelle qui résiste. Au surplus, à pleine vitesse, la trappe se déforme et ne coulisse pas.   5
     SAINT-EXUPÉRY, Pilote de guerre, XIX.

Loc. adv. ou adj. (1880 ; «au reste», 1636). Rare. DE SURPLUS : en plus, de plus.

SURPOIDS [syʀpwa] n. m. — 1588 ; de *sur-*, et *poids*.

◆ Rare. Poids excessif ; surplus de poids.

SURPOPULATION [syʀpɔpylasjɔ̃] n. f. — 1910, *in* D.D.L. ; de *sur-*, et *population*.

◆ Géogr. Population trop nombreuse par rapport à l'accroissement de la production. ⇒ **Surpeuplement**. *Surpopulation résultant de la surnatalité*, d'une immigration massive.*

(...) la *surpopulation*, c'est-à-dire le fait que l'expansion démographique devance et dépasse la production, explique la misère des classes pauvres au temps de Marx, comme elle l'explique aujourd'hui dans les pays sous-développés.
     Gaston BOUTHOUL, Sociologie de la politique, p. 62.

SURPRENANT, ANTE [syʀpʀənɑ̃, ɑ̃t] adj. — 1644 ; de *surprendre*.

◆ **1.** Qui surprend (6.), étonne par son caractère brusque, inattendu, inopiné. *Apparition surprenante.* ⇒ **Inattendu, inopiné.** — *L'effet est plus surprenant que douloureux* (→ *Homéopathique*, cit.). ⇒ **Déconcertant, étonnant, saisissant.** *Nouvelle surprenante. Il n'est pas surprenant que...* (suivi du subj.) : il est normal que... (→ *Induction*, cit. 7). *Ce serait, il serait bien surprenant que...* (→ *C'est bien le diable* si...). — Fam. *Ça c'est surprenant !* (→ *C'est nouveau*, c'est un peu fort*).

◆ **2.** Qui est objectivement étrange, peu commun. ⇒ **Abracadabrant, bizarre, curieux, drôle, étrange, magique, merveilleux.** *Laideur magnifique et surprenante* (→ *Goguenard*, cit. 4). *Une grammaire surprenante* (→ *Exception*, cit. 15).

Le monde des lettres, au temps de Louis XIV, est plein de surprenants bohèmes, d'aventuriers qui ont roulé partout et fait tous les métiers.   1
     Jules LEMAÎTRE, Impressions de théâtre, Molière, I.

Les peintres et les sculpteurs ont de tout temps pris un plaisir extrême à représenter les surprenantes amours de Léda et du cygne.   2
     Émile HENRIOT, Mythologie légère, p. 102.

◆ **3.** (1690). Qui étonne par son importance, son intensité (mot hyperbolique). ⇒ **Étonnant ; épatant, étourdissant, inconcevable,**

incroyable, invraisemblable, mirifique, phénoménal, prodigieux, remarquable, super (→ aussi **Bœuf**, monstre,...). *Des progrès* (cit. 15) *surprenants. Avec une facilité* (→ Égalité, cit. 1), *une justesse et un fini* (→ Habileté, cit. 3) *surprenants. Donner une vie surprenante à ce qu'on raconte* (→ 1. Peuple, cit. 31).

♦ **4.** N. m. (Littér.). *Le surprenant :* les événements surprenants, l'inattendu ; le bizarre.

3 Dans un instant, se dit-il, j'irai vers mon destin. Quel beau mot : l'aventure ! Ce qui doit advenir. Tout le surprenant qui m'attend.
GIDE, les Faux-monnayeurs, *in* Romans, Pl., I, VI, p. 975 (1925).

SURPRENDRE [syʀpʀɑ̃dʀ] v. tr. — Conjug. *prendre.* — Fin XIIᵉ ; *sorprendre,* v. 1130 ; de *sur-,* et *prendre.*

♦ **1.** Vx. Prendre*, saisir (une chose, une personne) à l'improviste. ⇒ **Saisir.** *Surprendre une lettre.* ⇒ **Intercepter.** — (Sujet n. de chose). Vieilli ou littér. *L'amour* (cit. 9) *nous surprend, nous emporte.*

0.1 (...) des faneurs se pressaient de mettre le foin en tas, mais l'orage survenait avec une promptitude qui surprenait leurs prévisions. M. AYMÉ, la Vouivre, p. 62.

Se laisser surprendre à... : se laisser prendre inopinément à... — (Passif et p. p.) *Être surpris de...,* pris à l'improviste, saisi par... *Des vipères surprises de froid* (→ Amortir, cit. 1).

♦ **2.** (V. 1673). Vx ou littér. Gagner artificieusement, obtenir* par fraude. — Vx. *« Un autre* (cit. 50) *de César a surpris la tendresse ».* — Mod. (Littér.). *Surprendre la confiance de qqn.* (→ 1. Patelin, cit. 5).

(V. 1190). Vx. Abuser. ⇒ **Attraper, circonvenir, décevoir** (vx), **duper, induire** (en erreur), **tromper.** *Esprit rusé* (cit. 1), *malaisé à surprendre. Ton effronterie a surpris ma vieillesse* (→ Impudemment, cit.). — Loc. mod. *Surprendre la bonne foi de quelqu'un.*

1 De cette façon, la bonne foi des personnes *bien* et surtout de la Bourgeoisie ne serait pas surprise, comme il arrive, hélas ! trop souvent.
VILLIERS DE L'ISLE-ADAM, Contes cruels, « Machine à gloire ».

♦ **3.** (V. 1130). Cour. Compl. n. de personne. Prendre* sur le fait. *Surprendre un voleur, un maraudeur* (cit. 2). ⇒ **Pincer.** *Guetter* qqn pour le surprendre. — Surprendre qqn en faute* (cit. 15), *en défaut* (vx); *surprendre qqn aux écoutes* (→ Huis, cit. 2). *Un petit libertin* (cit. 12) *que j'ai surpris avec la fille du jardinier.* ⇒ **Pincer.** *Vivre dans le danger d'être surpris* (→ Renouveler, cit. 13). ⇒ **Découvert.** *Surprendre qqn à faire, en train de faire... qqch. Je vous ai surpris allant à la messe* (→ Raison, cit. 64).

2 Quoi ? L'avez-vous surprise à n'être pas fidèle ?
MOLIÈRE, les Femmes savantes, II, 6.

3 (...) ils restèrent un instant muets, face à face, lui riant de ce qu'il avait surpris un soir les deux amoureux derrière une meule (...) ZOLA, la Terre, I, I.

♦ **4.** (1663). Compl. n. de chose. Découvrir (ce que qqn cache). *Surprendre un secret* (→ Aggraver, cit. 5 ; décorer, cit. 13) : le découvrir volontairement (⇒ **Dérober**) ou par hasard. *Surprendre qqch. en regardant, en entendant* (→ Flairer, cit. 7), *un sourire d'intelligence.*

4 Quand il tint entre ses mains les preuves, des lettres surprises dans un tiroir, il lui reprocha son infidélité, sa perfidie, son ignominie (...)
MAUPASSANT, l'Inutile Beauté, « Le champ d'oliviers », I.

5 (...) j'étais là à guetter le moment de surprendre leurs manigances (...)
J. ROMAINS, Volpone, IV, 2.

(1830). Par ext. ⇒ **Apercevoir, déceler.** *Elle surprenait de temps en temps une expression sauvage dans ses traits* (→ Dominer, cit. 7). *Je n'ai jamais surpris sur ses lèvres le moindre sourire* (→ Despotisme, cit. 8).

6 Pour la première fois, elle avait surpris la crainte sur cette physionomie si tranquille et si noble. STENDHAL, le Rouge et le Noir, I, XI.

7 Il crut surprendre dans sa voix un léger trouble (...)
MARTIN DU GARD, les Thibault, t. III, p. 67.

♦ **5.** (XIIIᵉ). Compl. n. de personne. Se présenter inopinément à (qqn), arriver à l'improviste chez (qqn). *Qu'un brigand me surprenne au coin d'un bois...* (cit. 18). *Surprendre qqn chez lui* (→ Trouver le lièvre* au gîte). *Surprendre une femme endormie sur son lit* (→ Déshabiller, cit. 10). *La mort ne surprend point le sage* (→ Avertir, cit. 1) : il reste impassible* parce qu'il l'attend.

8 Elle ne m'entendit point venir. Les tapis épais du salon, dont la porte vitrée était restée ouverte, avaient assoupi le bruit de mes pas. J'allais la surprendre.
BARBEY D'AUREVILLY, Une vieille maîtresse, I, X.

Spécialt. Attaquer par surprise. *Surprendre l'ennemi.*

Vx. *Surprendre qqn de qqch.* (Corneille, Molière) : lui en faire la surprise.

(V. 1130). (Sujet n. de chose). *La pluie m'a surpris* (→ Dépouiller, cit. 20). *Le sommeil nous avait surpris dans notre nudité* (cit. 2). *Se laisser surprendre par les événements* (cit. 14).

9 Il ne se laissait pas surprendre par la marée.
HUGO, les Travailleurs de la mer, I, I, VIII.

♦ **6.** (V. 1650). (Sujet n. de personne ou de chose ; compl. n. de personne). Frapper l'esprit en se présentant sans être attendu ou en étant autre que ce qu'on attendait. ⇒ **Déconcerter, ébahir, étonner** (→ fam. Ébouriffer, épater, estomaquer, suffoquer...). *Je vais peut-être vous surprendre...* (→ 1. Queue, cit. 17). *Vous me surpre-*

nez, cela semble incroyable. Tout paraît neuf, tout nous surprend (→ Exotisme, cit. 2). *Leur aisance* (cit. 7) *à s'exprimer en français le surprenait. Cela me surprendrait* (→ Parole, cit. 18) : cela me paraît improbable.

10 (...) Mais rappelez-vous qu'on ne me prend pas au dépourvu, ne venez pas vous vanter de m'avoir surpris ; je regarde la situation en face. SARTRE, Huis-clos, I.

Absolt. *La danseuse surprend par son aplomb* (→ Étonner, cit. 10).

(Passif). *Être surpris :* être frappé ou troublé, faute de préparation, d'imagination. ⇒ **Baba, déconcerté, désorienté, ébahi, ébaubi, ébouriffé, épaté, étonné, frappé, stupéfait** (→ Les bras lui en tombent* ; tomber des nues*). *Il fut surpris de l'étendue de son savoir* (→ Examiner, cit. 16). *N'être jamais surpris de ce qui arrive* (→ Accommoder, cit. 17). *Vous m'en voyez surpris.* — (Avec l'inf.). *Je suis surpris de trouver ce que j'attendais* (cit. 74) *si peu. Être agréablement* (→ Intérêt, cit. 30 ; longer, cit. 6), *désagréablement surpris* (→ 2. Franc, cit. 11) *par..., de... — Je serais bien surpris s'il n'y avait pas d'autres jaillissements* (cit. 3) : il est improbable qu'il n'y en ait pas. — Suivi de *que* et du subj. *Je suis surpris que les bains d'air des montagnes* (cit. 6) *ne soient pas un remède. L'Europe fut surprise qu'il osât le mettre en prison* (→ Nœud, cit. 23).

11 (...) il ne semblait nullement surpris de voir cette femme élégante dans son taudis.
HUYSMANS, Là-bas, XIX.

12 Il fut presque surpris qu'elle parlât, qu'elle pensât. Le son clair de cette voix l'étonnait comme s'il ne l'avait pas encore entendue. FRANCE, le Lys rouge, XI.

▶ **SE SURPRENDRE** v. pron.

♦ **1.** V. réfl. (1688). SE SURPRENDRE **À** (et inf.) : se prendre soi-même sur le fait, constater soudain qu'on fait ce qu'on ne pensait pas, ce qu'on ne voulait pas faire. *Se surprendre à soutenir une opinion* (cit. 3). *Au lieu de consulter* (cit. 6) *Littré, on se surprend à le lire. Je me surprenais quelquefois à pleurer* (→ Radoteur, cit. 1).

13 Combien de fois ne me suis-je pas surpris, comme il est arrivé à des enfants qu'on avait menés au spectacle pour la première fois, criant : *Ne le croyez pas, il vous trompe* (...) *Si vous allez là, vous êtes perdu.*
DIDEROT, Éloge de Richardson.

♦ **2.** V. récipr. Se prendre l'un l'autre sur le fait. *Ils cherchaient à se surprendre l'un l'autre.*

▶ **SURPRIS, ISE** p. p. adj. (V. 1160).

♦ **1.** Vx. *Lettre surprise.* — Littér. *Confiance surprise. Bonne foi surprise.* — Découvert. *De petits secrets aisément surpris.*

♦ **2.** (Personne). *Voleur surpris. Surprise en flagrant délit de royalisme...* (→ Rétrograder, cit. 6).

♦ **3.** (V. 1260). Personnes. Voir ci-dessus, 6.

DÉR. Surprise. — Surprenant.
HOM. (Du p. p.) Surprix.

SURPRESSEUR [syʀpʀesœʀ ; syʀpʀɛsœʀ] n. m. — XXᵉ (*in* Larousse, 1933) ; de *sur-,* et (*com*)*presseur.*

♦ Techn. Compresseur, pompe servant à augmenter la pression d'un fluide dans une canalisation.

SURPRESSION [syʀpʀesjɔ̃ ; syʀpʀɛsjɔ̃] n. f. — 1929, *in* D.D.L. ; de *sur-,* et *pression.*

♦ **1.** Techn. Pression supérieure à la normale.
La pression de l'huile dans le carter est supérieure à la pression de l'eau à l'extérieur du carter. Cette surpression est elle-même plurifonctionnelle ; elle réalise un graissage sous pression permanent des paliers en même temps qu'elle s'oppose à la rentrée de l'eau par défaut d'étanchéité des paliers.
Gilbert SIMONDON, Du mode d'existence des objets techniques, p. 54.

♦ **2.** Fig. *La surpression de la vie moderne* (→ Futuriste, cit.).

SURPRIME [syʀpʀim] n. f. — 1874 ; de *sur-,* et 2. *prime.*

♦ Techn., dr. « Prime supplémentaire d'assurance due en cas d'aggravation du risque couvert ou de garantie d'un risque nouveau auquel doit s'étendre la police » (Capitant). (⇒ aussi **Malus**).
La Compagnie assurerait contre tous les risques de détention, y compris la détention pour crime ou délit politique. Dans ce dernier cas cependant, la prime serait majorée (...) Moyennant une légère surprime, la police (*d'assurance*) assurerait contre les dangers de « l'idem » : passages à tabac, rafles et autres accidents auxquels on se trouve exposé dans la rue. A. ALLAIS, Contes et chroniques, p. 223.

SURPRIS, ISE [syʀpʀi, iz] adj. ⇒ **Surprendre.**

SURPRISE [syʀpʀiz] n. f. — 1294, « impôt extraordinaire » ; *sorprise,* v. 1160 ; de *surprendre.*

♦ **1.** (1559). Vx. Action par laquelle on prend ou l'on est pris à l'improviste. *La Surprise de l'amour,* comédie de Marivaux.
REM. Le compl. en *de* indique la cause ; dans les autres cas, et lorsque le mot est sans compl., il serait compris au sens 4.

1 Ah! que je crains vos nuits, et la surprise de l'air de Grignan!
Mᵐᵉ DE SÉVIGNÉ, 1079, 1ᵉʳ nov. 1688.

(1826). Cuis. Vx. Action de saisir, d'être saisi. *Le mérite d'une bonne friture* (cit. 1) *provient de la surprise.*

♦ **2.** (1679). Vx. Action d'attaquer à l'improviste.

Mod. Engagement militaire imprévu.

1.1 De graves événements venaient de s'y produire : le guet-apens contre M. Jonnart à Figuig, puis, coup sur coup, le siège de Taghit par des hordes d'insoumis algériens et de Marocains, et la surprise de Moungar où tout un détachement de la Légion avait succombé. L.-H. LYAUTEY, Paroles d'action, p. 35.

Fig. « *Ces surprises des sens que la raison surmonte* » (Corneille, → Assaut, cit. 5).

(1549). Mod. PAR SURPRISE : par une attaque brusque, à l'improviste. *Attaquer* (cit. 24) *qqn par surprise. On ne fait pas marcher* (cit. 33) *un peuple par surprise. Se laisser arracher* (cit. 36) *une décision par surprise* (→ Au pied levé*, impromptu).

2 Bonne journée journée qui commença mélancolique
Noire sous les arbres verts
Mais qui soudain trempée d'aurore
M'entra dans le cœur par surprise.
ÉLUARD, À Pablo Picasso, I, *in* Poètes d'aujourd'hui, p. 104.

♦ **3.** Vx. Artifice par lequel on obtient qqch. en s'adressant à qqn à l'improviste. ⇒ **Embûche, guet-apens.**

♦ **4.** (1649). Cour. État de celui qui est surpris (6.), émotion provoquée par quelque chose d'inattendu. ⇒ **Étonnement ; ébahissement, éblouissement, épatement, stupéfaction, stupeur.** *La surprise de qqn, sa surprise :* celle qu'il éprouve. — Absolt. *La surprise. La principale cause de la peur* (cit. 2) *est la surprise. Écouter* (→ Déplacer, cit. 13), *regarder avec surprise* (→ Finir, cit. 27). *Mouvement de surprise* (⇒ **Sourciller, sursauter, tressauter...**). *Cri, exclamation de surprise :* ciel! diable! ah! ha! oh! par exemple! pas possible? eh bien, vrai! ça alors...! non? tiens! (fam.) sans blague!, merde! etc. *Marques de surprise* (→ Approbation, cit. 11 ; face, cit. 8). *Rester muet, pétrifié de surprise* (→ Articuler, cit. 12). *Cacher* (1. Bien, cit. 113), *déguiser* (cit. 5) *sa surprise. Un effet de surprise* (→ Parallèle, cit. 4). — *Une, des surprises. Surprise agréable* (→ Disparaître, cit. 18), *douloureuse* (→ Gambade, cit. 1).

3 Puisque vous la devez voir *(la comédie)*, je me garderai, pour l'amour de vous, de toucher au détail, et je ne veux point lui ôter la grâce de la nouveauté, et à vous le plaisir de la surprise (...)
MOLIÈRE, le Grand Divertissement royal, Appendice à George Dandin, Œ. compl., t. VI, p. 601.

4 Cette disposition de l'âme, qui la porte toujours vers différents objets, fait qu'elle goûte tous les plaisirs qui viennent de la surprise : sentiment qui plaît à l'âme par le spectacle et la promptitude de l'action : car elle aperçoit ou sent une chose qu'elle n'attend pas, ou d'une manière qu'elle n'attendait pas.
MONTESQUIEU, Essai sur le goût, Des plaisirs de notre âme.

5 (...) il est bien difficile que des plaisirs tant répétés, le soient toujours sans mélange et sans satiété. Ainsi altérés ou seulement affaiblis par l'habitude qui dissipe les illusions, ils ne donnent plus cette surprise qui avertit d'un bonheur auquel on ne croyait pas, ou qu'on n'attendait pas (...) É. DE SENANCOUR, Oberman, L.

6 Il me regarda d'un air de surprise et de reproche qui me fendit le cœur (...)
FRANCE, le Petit Pierre, XXXII.

6.1 Durant le trajet de l'hôpital à la maison, qu'il fit avec son père, il ne posa pas de question, ne voulant point par délicatesse, gâter à ses parents le plaisir de lui faire la surprise. M. AYMÉ, le Passe-muraille, p. 217.

(1830). *À la surprise de qqn* (→ Proposer, cit. 8). *À sa grande surprise* (→ Ignorance, cit. 18 ; lanterne, cit. 12 ; moins, cit. 41). (Avec un compl. de cause). *Avoir la surprise de découvrir...* (→ Bible, cit. 9). *La surprise des choses nouvelles* (→ Chute, cit. 8 ; coutume, cit. 15). → Faire sensation*.

♦ **5.** (1549). *(Une, des surprises).* Ce qui surprend ; chose inattendue. *Des régions inexplorées* (cit. 3) *pleines de dangers et de surprises. Un système fertile en surprises* (→ Plot, cit. 1). *Une mauvaise surprise l'attend* (→ Fermer, cit. 20). *Un voyage sans surprise,* qui se passe normalement, sans rien d'insolite. *Le monde est médiocre et sans surprises* (→ Facilité, cit. 18).

(1842). Vieilli. *Boîte à surprise(s),* qui projette, quand on l'ouvre, une figure grotesque, un objet inattendu (→ 1. Ressort, cit. 2). — Ellipt. *Une surprise :* une boîte à surprise.

7 La portière exécuta sur sa chaise un bond qui la fit ressembler à la poupée de ce joujou nommé *une surprise.* BALZAC, le Cousin Pons, Pl., t. VI, p. 675.

(1842). *Pochette surprise* ou *surprise :* cornet de friandises contenant un petit cadeau inattendu.

-SURPRISE (deuxième élément de substantifs composés, avec une valeur d'adjectif) : inattendu, soudain, brusque. *Attaque-surprise, visite-surprise.* — *Grève*-surprise. Augmentation-surprise du prix de l'essence.* « *Les Français ont été décontenancés par la dévaluation-surprise de l'été* » (l'Express, 1ᵉʳ sept. 1969).

♦ **6.** (1782). Plaisir ou cadeau* fait à qqn de manière à le surprendre agréablement. *Faire, ménager, préparer une surprise* (→ Œuf, cit. 14). *Ne regardez pas encore, c'est une surprise !*

8 Ma chère, les deux amants, Felipe et Louise, veulent envoyer un présent à l'accouchée. Nous voudrions faire quelque chose qui te plût. Ainsi dis-moi franchement ce que tu désires, car nous ne donnons pas dans les surprises, dignes des bourgeois.
BALZAC, Mémoires de deux jeunes mariées, Pl., t. I, p. 245.

SURPRISE-PARTIE ou **SURPRISE-PARTY** [sуʀpʀizpaʀti] n. f. — 1882 ; mot anglais.

♦ **1.** Vieilli. Réunion de personnes qui s'invitent (en principe à l'improviste) chez qqn en apportant les éléments du repas (on disait *pique-nique*). — Au plur. *Des surprise-parties* ou *des surprise-partys.*

♦ **2.** (V. 1940). Tend à vieillir. Soirée ou après-midi dansante de jeunes gens, qui a lieu chez l'un d'entre eux. ⇒ **2. Boum, surboum, surpatte** (fam.). *Être invité à une surprise-partie.*

(...) ces surprises-parties de l'occupation, où les jeunes gens dansaient entre deux alertes, en buvant du vin de l'Hérault, au son des disques de l'avant-guerre.
SARTRE, Situations II, p. 265.

SURPRIX [sуʀpʀi] n. m. — 1968, *in le Monde* ; de *sur-*, et *prix.*

♦ Écon. Prix excessif. — Supplément de prix. *Le surprix des produits subventionnés.* « *Le surprix exigé pour voyager sur "Concorde"* » (le Monde, 21 janv. 1976).

HOM. Surpris (p. p. de surprendre).

SURPRODUCTEUR, TRICE [sуʀpʀɔdуktœʀ, tʀis] adj. — 1963 ; de *sur-*, et *producteur,* d'après *surproduction.*

♦ Qui produit en excès. « *La productivité du monde paysan a fait de la France un pays surproducteur* » (le Figaro, 28 nov. 1966).

SURPRODUCTION [sуʀpʀɔdуksjɔ̃] n. f. — Av. 1865, Proudhon, absolt ; *surproduction de...*, 1867, t. de fin. ; de *sur-*, et *production.*

♦ Production excessive dans un équilibre économique donné. *En économie libérale classique, la surproduction correspond à un déséquilibre de l'offre** par rapport à la demande (besoins solvables) et conduit à l'encombrement du marché, à la chute des prix. Crise de surproduction. Surproduction d'un seul produit.*

CONTR. Sous-production.
DÉR. Surproduire.

SURPRODUIRE [sуʀpʀɔdуiʀ] v. tr. — Conjug. *produire* (→ Conduire). — 1897, cit. *infra* ; de *surproduction,* d'après *produire.*

♦ Produire en excès.
Votre but n'est pas de nourrir, mais de posséder, de surproduire et de vendre.
Paul ADAM, Cité prochaine, II, p. 59 (1897).

SURPROFIT [sуʀpʀɔfi] n. m. — Mil. xxᵉ ; de *sur-*, et *profit.*

♦ Écon. Profit supérieur à la norme ou excessif. « *Les entreprises à forte productivité bénéficieraient de sur-profits* » (J.-P. Courthéoux, la Politique des revenus, p. 106). → Superbénéfice.

SURPROTECTION [sуʀpʀɔtɛksjɔ̃] n. f. — 1966, cit. *infra* ; de *sur-*, et *protection.*

♦ Psychol. Manifestations excessives d'amour parental et de protection (→ fam. Élever son enfant dans du coton*).

(...) deux types de réactions (...) qui sont susceptibles de devenir pathogènes : la surprotection et le rejet. Il y a surprotection lorsque l'enfant est l'objet de manifestations d'amour excessives, qui l'empêchent littéralement de faire face à la vie (...) La surprotection cache souvent un rejet inconscient que la culpabilité *(de la mère)* transforme en son contraire (...)
François CLOUTIER, la Santé mentale, p. 35 (1966).

SURPROTÉGER [sуʀpʀɔteʒe] v. tr. — Conjug. *protéger* (→ Bouger). — 1970, au p. p. ; de *sur-*, et *protéger.*

♦ Protéger à l'excès (sur le plan psychologique). ⇒ **Surprotection.** — (Emploi absolu). *Des « parents craintifs (...) hantés du désir éperdu de trop bien faire, de surprotéger* » (F Magazine, mars 1981, p. 99).

▶ **SURPROTÉGÉ, ÉE** p. p. adj. *Enfant surprotégé.*

SURPUISSANCE [sуʀpуisɑ̃s] n. f. — 1941, *in* Petiot (sens 2) ; de *sur-*, et *puissance.*

♦ **1.** Puissance supplémentaire (d'un moteur, d'un engin). « *La locomotive* (électrique) *peut développer dans les démarrages (...) des puissances très supérieures à sa puissance continue, cette marge de surpuissance n'étant limitée que par l'échauffement des moteurs* » (le Monde, 5 déc. 1967).

♦ **2.** Sports. Très forte puissance momentanée (d'un sportif). *Effort en surpuissance des lanceurs, des sauteurs, des haltérophiles.*

♦ **3.** Puissance très forte. « *La lutte contre la surpuissance de la presse semble engagée* » (le Monde, 19 janv. 1968). *La surpuissance des grandes nations* (⇒ **Superpuissance**).

SURPUISSANT, ANTE [sуʀpyisɑ̃, ɑ̃t] adj. — 1968; de *sur-*, et *puissant*.

◆ Très puissant. ⇒ **Ultra-puissant.** *Un moteur surpuissant. Un athlète surpuissant. « Ce pays, sorti surpuissant de deux guerres mondiales »* (*l'Express*, 26 févr. 1968).

Si Pliouchtch, Boukovsky, Soljénitsyne avaient été internés en Zambie ou à Caracas, au lieu de l'être en Union soviétique, c'est-à-dire dans l'un des deux pays surpuissants du monde, l'autre pays surpuissant, c'est-à-dire les États-Unis — ou l'autre idée surpuissante, c'est-à-dire l'anticommunisme capitaliste — n'auraient pas battu le tambour, pas ameuté le monde au point où ils l'ont fait (...)
Michèle PERREIN, Entre chienne et louve, p. 229.

SURRE [sуʀ] n. m. — 1876; « gland de chêne-liège », 1872; mot occitan; de *surré* « chêne-liège »; anc. provençal *sieure*, *suri*; lat. *suber* « liège ».

◆ Régional (Midi). Chêne-liège.

DÉR. Surrède.
HOM. 1. et 2. Sur, sûr.

SURRÉALISANT, ANTE [sуʀʀealizɑ̃, ɑ̃t] adj. — 1936; de *surréalisme*, et suff. verbal.

◆ Didact. Qui se rapproche, tient du surréalisme. *« Des romanciers surréalisants »* (Aragon, *Commune*, n° 29, 1936).

Les chansons (...) oui, c'était drôle, presque surréalisant (...)
F. MALLET-JORIS, le Jeu du souterrain, p. 53.

SURRÉALISME [sуʀʀealism] n. m. — 1917, Apollinaire (le mot lui aurait été suggéré par Chagall ou, selon d'autres sources, par P. Albert-Birot), puis dans un sens général non technique v. 1920; d'après *surréaliste*.

◆ Ensemble de procédés de création et d'expression utilisant toutes les forces psychiques (automatisme, rêve, inconscient...) libérées du contrôle de la raison et en lutte contre les valeurs reçues; mouvement intellectuel révolutionnaire affirmant la supériorité de ces procédés, qui se développa surtout en littérature et dans les arts plastiques, peinture*, cinéma... (→ Insoumission, cit.; non-conformisme, cit.). *La négativité* (cit. 3) *du surréalisme. Le surréalisme, suite du mouvement dada*. Écriture automatique prônée par le surréalisme.

1   Quand l'homme a voulu imiter la marche, il a créé la roue qui ne ressemble pas à une jambe. Il a fait ainsi du surréalisme sans le savoir.
APOLLINAIRE, les Mamelles de Tirésias, Préface, Pl., p. 865-866.

2   C'est de très mauvaise foi qu'on nous contesterait le droit d'employer le mot SURRÉALISME dans le sens très particulier où nous l'entendons car il est clair qu'avant nous ce mot n'avait pas fait fortune. Je le définis donc une fois pour toutes :
SURRÉALISME. n. m. Automatisme psychique pur par lequel on se propose d'exprimer (...) le fonctionnement réel de la pensée. Dictée de la pensée, en l'absence de tout contrôle exercé par la raison, en dehors de toute préoccupation esthétique ou morale.
ENCYCL. *Philos.* Le surréalisme repose sur la croyance à la réalité supérieure de certaines formes d'associations négligées jusqu'à lui, à la toute-puissance du rêve, au jeu désintéressé de la pensée.
A. BRETON, Manifeste du surréalisme, p. 41-42 (1924).

3   Le premier film des Marx Brothers que nous ayons vu ici : *Animal Crackers*, m'est apparu, et il a été regardé par tout le monde comme une *chose extraordinaire*, comme la libération par le moyen de l'écran d'une magie particulière que les rapports coutumiers des mots et des images ne révèlent d'habitude pas, et s'il est un état caractérisé, un degré poétique distinct de l'esprit qui se puisse appeler *surréalisme, Animal Crackers* y participait entièrement.
A. ARTAUD, le Théâtre et son double, Deux notes, *in* Œ. compl., t. IV, p. 165.

CONTR. Naturalisme, réalisme; rationalisme.

SURRÉALISTE [sуʀʀealist] adj. et n. — 1920, au sens actuel; 1917, *les Mamelles de Tirésias*, drame surréaliste de G. Apollinaire, au sens de « surnaturaliste »; le mot aurait été suggéré à Apollinaire par P. Albert-Birot; de *sur-* et *réaliste*.

◆ **1.** Du surréalisme, en tant qu'automatisme psychique ou que mouvement intellectuel. *L'acte surréaliste le plus simple* (→ Revolver, cit. 3). *Les images* (cit. 47), *les techniques surréalistes.* ⇒ **Écriture** (automatique). *Le jeu surréaliste du cadavre* exquis. *Poème, tableau, film; objet surréaliste.* — *Peintre, poète surréaliste. La Révolution surréaliste*, revue fondée en 1924.

N. *(Un, une surréaliste). Les surréalistes* (parfois écrit avec S majuscule) → Poésie, cit. 8 et 9.

Figuré :

Sur le sable intact, où n'apparaissait aucune trace humaine, j'ai ramassé une coquille qu'avaient sculptée ces surréalistes : les millénaires.
F. MAURIAC, le Nouveau Bloc-notes 1958-1960, p. 327.

◆ **2.** (1951). Fam. Qui évoque l'art surréaliste (par l'étrangeté, la bizarrerie). *Un paysage surréaliste.*

SURRÉALITÉ [sуʀʀealite] n. f. — 1919, *in* D.D.L.; de *sur-*, et *réalité*, d'après *surréalisme*.

◆ Littér. Ce qui dépasse la réalité courante.

Spécialt (au sens du surréalisme*). « Réalité absolue » (Breton), synthèse de la réalité courante, considérée comme appauvrie par la raison, et de l'inconscient, du rêve... (→ Rêve, cit. 9). *La surréalité dont s'investit le poète* (cit. 8).

1   L'imprimé se multiplie. Et il y a des gens qui trouvent que tout cela ne grouille pas assez, qui font des vers, de la poésie, de la surréalité, qui en rajoutent.
Francis PONGE, le Parti pris des choses, p. 151 (1926).

2   En Afrique noire, il *(l'art)* est explication et connaissance du monde, c'est-à-dire participation sensible à la réalité qui sous-tend l'univers, à la surréalité, plus exactement aux forces vitales qui animent l'univers.
L. S. SENGHOR, Négritude et Humanisme,
in Littératures de langue franç. hors de France, p. 55.

SURRECTION [sy(ʀ)ʀɛksjɔ̃] n. f. — 1904; « résurrection », v. 1119; lat. *surrectio*, de *surrectum*, supin de *surgere* « surgir ».

◆ **1.** Géol. Fait de se soulever; soulèvement* en bloc d'une zone de l'écorce terrestre. *« La surrection de l'Atlas tellien »* (*Rev. gén. des sc.*, 30 juin 1904, n° 12, p. 617).

1   La *surrection des chaînes de montagnes*, consécutive au plissement, peut donc être assimilée à la formation des aires de surélévation et des aires continentales.
Émile HAUG, Traité de géologie, t. I, p. 531.

◆ **2.** Didact. Apparition, naissance, émergence.

2   (...) loin de rejeter le passé les cultures actuelles encouragent la compréhension de tous les arts, depuis le préhistorique jusqu'à celui des Araucans. La surrection d'arts qui traceraient une route vierge est un problème important puisque le tonus humain est lié à la création de rythmes ascendants.
A. LEROI-GOURHAN, le Geste et la Parole, t. II, p. 253.

SURRÈDE [sуʀɛd] n. m. — 1876; mot occitan. → Surre.

◆ Régional (sud de la France). Lieu planté de chênes-lièges.

SURRÉEL, ELLE [sуʀʀeɛl] adj. — 1924, cit. *infra*; de *sur-*, et *réel*.

◆ Littér. Qui est au-delà du réel (notamment, dans le contexte du surréalisme*). ⇒ aussi **Surnaturel.**

N. m. *Le surréel.*

On sait peut-être qu'une certaine recherche, une certaine façon de faire dominer le surréel a pris dans le langage courant le nom de surréalisme?
ARAGON, *in* la Révolution surréaliste, n° 1 (1924).

SURRÉGÉNÉRATEUR, TRICE [sуʀʀeʒeneʀatœʀ, tʀis] adj. et n. m. — V. 1970; de *sur-*, et *régénérateur*.

◆ **1.** Adj. *Réacteur surrégénérateur* ou *pile surrégénératrice :* → ci-dessous, Surrégénérateur, n. m.

◆ **2.** N. m. Réacteur nucléaire à neutrons rapides, produisant à partir de la substance radioactive « fertile » qu'il emploie, une substance fissile, en quantité supérieure à celle qu'il consomme. *Les surrégénérateurs multiplient d'environ quatre-vingts fois l'énergie que l'on peut tirer d'une masse d'uranium donnée.*

SURRÉGÉNÉRATION [sуʀʀeʒeneʀasjɔ̃] n. f. — Av. 1970, Robert; de *sur-*, et *régénération*.

◆ Techn. Production de noyaux fissiles en nombre excédentaire, par un réacteur. *Réacteur à surrégénération.* ⇒ **Surrégénérateur.**

SURRÉGIME [sуʀʀeʒim] n. m. — 1974, *in la Banque des mots*, n° 8; de *sur-*, et *régime*.

◆ Techn. Régime (d'un moteur) supérieur à celui pour lequel il a été prévu. *Tourner en surrégime.*

SURRÉNAL, ALE, AUX [sy(ʀ)ʀenal, o] adj. et n. f. — 1762, Académie; de *sur-*, et *rénal*.

◆ **1.** Anat. Placé au-dessus du rein. *Région surrénale.* — Spécialt. *Capsules, glandes surrénales*, et, n. f. pl., *les surrénales :* les deux glandes endocrines situées sur le sommet des reins. *Les surrénales sont formées d'une enveloppe fibreuse, d'une substance corticale* (⇒ **Cortico-surrénale**; → Parasympathique, cit. 1) *et d'une substance médullaire* (⇒ **Médullo-surrénale**); *elles produisent l'adrénaline.* — Au sing. *Une surrénale.*

◆ **2.** Par ext. **a** Relatif aux surrénales. *Artères, veines surrénales* ou *capsulaires. Ligaments surrénaux.*

b Relatif aux sécrétions des surrénales. *Syndromes surrénaux. Insuffisance surrénale chronique, insuffisance surrénale aiguë* (⇒ **Addisonien**).

DÉR. et COMP. Surrénalectomie, surrénalien, surrénalite, surrénalome. — Cortico-surrénale, médullo-surrénale.

SURRÉNALECTOMIE [sy(ʀ)ʀenalɛktɔmi] n. f. — 1914; de *surrénal*, et *-ectomie*.

♦ Chir. Ablation d'une ou des deux glandes surrénales. *La surréna-lectomie est pratiquée comme traitement de l'hypertension grave.*
REM. On rencontre le verbe dérivé *surrénalectomiser* (*la Recherche*, nov. 1973, p. 942).

SURRÉNALIEN, IENNE [sy(ʀ)ʀenaljɛ̃, jɛn] adj. — Mil. xxᵉ; de *surrénal.*

♦ Méd. De la glande surrénale; qui a rapport à la glande surré-nale, qui la concerne (du point de vue fonctionnel, en particulier). ⇒ **Surrénal** (2., b). *Hormones surrénaliennes. Cachexie, encéphalo-pathie surrénalienne.*
(Le diabète) peut avoir en effet une origine surrénalienne et hypophysaire (diabè-tes insulino-résistants).
       A. GALLI et R. LELUC, les Thérapeutiques modernes, p. 92 (1961).

SURRÉNALITE [sy(ʀ)ʀenalit] n. f. — 1903, *Rev. gén. des sc.*, n° 22, p. 1170; de *surrénale*, et *-ite.*

♦ Méd. Inflammation des glandes surrénales. *La surrénalite est sou-vent une complication d'une maladie infectieuse antérieure.*

SURRÉNALOME [sy(ʀ)ʀenalom; sy(ʀ)ʀenalɔm] n. m. — Mil. xxᵉ (*in* Larousse, 1953); de *surrénal*, et *-ome.*

♦ Méd. Tumeur d'une glande surrénale.

SURREPRÉSENTATION [syʀʀəpʀezɑ̃tasjɔ̃] n. f. — 1966, *le Monde*; de *sur-*, et *représentation.*

♦ Représentation excessive (d'un groupe) par rapport au nombre de ses éléments. *Découpage électoral entraînant la surreprésentation de certains partis.*

SURREPRÉSENTÉ, ÉE [syʀʀəpʀezɑ̃te] adj. — 1968, *le Monde*; de *sur-*, et *représenté.*

♦ Représenté en trop grand nombre, par rapport à sa situation sta-tistique réelle. — On écrit aussi *sur-représenté.* « *Les personnes interrogées ne forment pas ce qu'on appelle un échantillon repré-sentatif : hommes et jeunes y sont sur-représentés* » (*Sciences et Avenir*, juil. 1981, p. 54).

SURRÉSERVATION [syʀʀezɛʀvasjɔ̃] n. f. — 1973, Journ. off.; de *sur-*, et *réservation.*

♦ Recomm. off. pour *surbooking**.

SURRIER [syʀje] n. m. — 1842; de l'occitan *surré.* → Surre.

♦ Régional. Chêne-liège.

SURSALAIRE [syʀsalɛʀ] n. m. — 1925; de *sur-*, et *salaire.*

♦ Écon. Supplément au salaire normal; salaire supplémentaire, ou partie de salaire ajoutée au principal.
La convention entre le Gouvernement et la Forestière stipulait en plus du paie-ment du caoutchouc provenant de la concession au tarif de deux francs le kilo, ce qu'on nommait un « sursalaire » qui consistait en une ristourne consentie aux col-lectivités indigènes (...)   GIDE, Voyage au Congo, *in* Souvenirs, Pl., p. 750.

SURSALÉ, ÉE [syʀsale] adj. — Mil. xxᵉ; de *sur-*, et *salé.*

♦ Didact. *Eaux naturelles sursalées*, plus salées que les eaux océani-ques. *Les eaux sursalées de la mer Morte.*

SURSANGLE [syʀsɑ̃gl] n. m. — 1539; *sourcengle*, mil. xiiiᵉ; de *sur-*, et *sangle.*

♦ Techn. Sangle supplémentaire qui enserre le thorax du cheval, par-dessus la sangle normale et la selle.

SURSATURANT, ANTE [syʀsatyʀɑ̃, ɑ̃t] adj. — 1964; de *sursa-turé.*

♦ Sc. Qui cause la sursaturation. *Vapeur sursaturante.*

SURSATURATION [syʀsatyʀasjɔ̃] n. f. — 1864, *Rev. des cours sc.*, t. I, p. 554; de *sursaturé*, d'après *saturation.*

♦ Sc. État de faux équilibre d'une solution contenant une quantité de substance dissoute supérieure à celle qui est normalement néces-saire à la saturation de la solution. *L'addition à la solution d'une parcelle solide* (germe*) *de la substance en sursaturation suffit à faire cesser le phénomène et à produire la cristallisation.*
État d'un gaz contenant une quantité de vapeur supérieure à celle qui serait nécessaire pour le saturer. *La sursaturation de l'air par la vapeur d'eau.* — Par métaphore :
(...) l'idée qu'on s'est faite longtemps d'une personne bouche les yeux et les oreil-les; ma mère pendant trois ans ne distingua pas plus le fard qu'une de ses nièces se mettait aux lèvres que s'il eût été invisiblement dissous entièrement dans un liquide; jusqu'au jour où une parcelle supplémentaire, ou bien quelque autre cause amena le phénomène appelé sursaturation (...)
    PROUST, À la recherche du temps perdu, t. III, p. 9.
(1883, *in* D. D. L.). Par anal. *Sursaturation magnétique.*

SURSATURÉ, ÉE [syʀsatyʀe] adj. — 1787, Guyton de Morveau, *in* Brunot, *Hist. de la langue franç.*, t. VI, p. 637; le v. *sursaturer* semble postérieur; de *sur-*, et *saturé.*

♦ **1.** Sc. Qui est dans un état de sursaturation*. *Solution* (cit. 1, par métaphore) *sursaturée.* — *Air sursaturé en vapeur d'eau.*

♦ **2.** Fig. Littér. Saturé à l'extrême.
Mathieu était sursaturé de réalité, de vérité, transi par l'esprit de la Troisième République; tout ce qui était réel, il le voyait (...)   SARTRE, l'Âge de raison, VI. 1
Je me replonge dans Baudelaire, le poète que j'ai lu avec le plus de passion pen-dant toute ma jeunesse, mais dont, je m'étais un peu éloigné. 2
    F. MAURIAC, Bloc-notes 1952-1957, p. 307.

DÉR. Sursaturant, sursaturation.

SURSATURER [syʀsatyʀe] v. tr. — 1812; de *sur-*, et *saturer.*

♦ Didact. Dissoudre dans (un liquide) un corps en quantité supé-rieure à la quantité de saturation. (⇒ **Sursaturation, sursaturé**).

SURSAUT [syʀso] n. m. — V. 1160, *en sorsaut*; de *sur-*, et *saut.* → Soubressaut.

♦ **1.** Loc. adv. EN SURSAUT : d'une manière brusque, par un mou-vement brusque (avec une idée de surprise et d'émotion). *Éveiller* (cit. 1), *s'éveiller* (cit. 21), *réveiller* (cit. 2), *se réveiller en sursaut* (→ Confus, cit. 3). *Se dresser* (cit. 21), *se lever en sursaut* (→ Ima-ginaire, cit. 1).

♦ **2.** (Fin xviᵉ). *Un, des sursauts*; *le sursaut de...* Mouvement brus-que, réaction physiologique subite par laquelle on se dresse ou on se redresse brusquement. ⇒ **Frisson, haut-le-corps, tressaut.** *Avoir un sursaut* (→ Dessiner, cit. 9).
Tout à coup la sonnette de la rue tinta. Mᵐᵉ Roland, toujours si calme, eut un sursaut qui révéla le trouble de ses nerfs au docteur. 1
    MAUPASSANT, Pierre et Jean, v.
Sports. Prise d'élan par un saut à cloche-pied, en gymnastique.

♦ **3.** (Déb. xxᵉ). Fig. Regain subit (d'un état psychologique) con-duisant à une réaction vive. *Le dernier sursaut de la flamme* (→ Forme, cit. 76). *Des sursauts de rancune* (→ Évocation, cit. 9). — *Des accents subits, des sursauts* (dans le jeu d'un pianiste). → Rubato, cit.
Sans doute le sursaut d'indignation que donne à tout homme juste le spectacle d'une scandaleuse injustice bourgeoise pouvait lui sembler un facteur de la révo-lution sociale.   Ch. PÉGUY, la République..., p. 21. 2
Fouettée par la jalousie, Phèdre éprouve un sursaut d'énergie pour rire d'elle-même et de son propre désespoir; une satisfaction affreuse à faire parade, devant Œnone, d'une détresse parvenue à son comble (...)   GIDE, Attendu que..., p. 208. 3
Accès bref d'énergie. *Dans un dernier sursaut.* ⇒ **Effort.**

♦ **4.** Phys. Brève émission d'un rayonnement. *Classification spec-trale des sursauts solaires* (→ Radiospectrographe, cit.). « *Les satellites détectèrent de brefs sursauts de rayons gamma tout à fait inattendus, qui ne ressemblaient en rien aux émissions observées lors d'explosions nucléaires terrestres* » (*la Recherche*, mai 1981, p. 536). — Ellipt. *Les* « *sursauts gamma* » (*la Recherche*, mai 1981, p. 536).

DÉR. Sursauter.

SURSAUTER [syʀsote] v. intr. — 1542, repris 1842; répandu xixᵉ; de *sursaut.*

♦ Avoir un mouvement brusque, un sursaut; réagir par un sursaut. ⇒ **Sauter, tressauter; remuer** (→ Madame, cit. 14; retentir, cit. 6). *La sonnerie électrique la fit sursauter* (→ Nom, cit. 26). ⇒ **Tres-saillir.** *Sursauter de peur, d'indignation.*
(...) des sortes de rires atrocement exagérés, pas loin dans la nuit, me firent sur-sauter. Et cela se tut. Il m'avait averti, des hyènes sans doute.
    CÉLINE, Voyage au bout de la nuit, p. 157.
Fig. Réagir avec soudaineté (→ Engourdir, cit. 10). ⇒ **Bondir.**

SURSÉANCE [syʀseɑ̃s] n. f. — Déb. xivᵉ; de *surseoir*, et *séance.*

♦ Vx. Fait de surseoir, délai pendant lequel on sursoit. *Faire surséance à une exécution* (Molière, *Tartuffe*, V, 4). *Arrêt de surséance. Lettres de surséance.* ⇒ **Sursis.**

SURSEMER [syʀsəme] v. tr. — Conjug. *semer* (→ Lever). — XIIIᵉ, *sorsemer; sorseimer*, v. intr. «se couvrir de taches», v. 1174; de *sur-*, et *semer*.

♦ Agric. Semer dans une terre déjà ensemencée. — Par ext. Parsemer, semer par-dessus.

SURSEOIR [syʀswaʀ] v. tr. — *Je sursois, tu sursois, il sursoit, nous sursoyons, vous sursoyez, ils sursoient; je sursoyais, nous sursoyions; je sursis, nous sursîmes; je surseoirai; je surseoirais; sursois, sursoyons, sursoyez; que je sursoie; que je sursisse* (inusité); *sursoyant; sursis.* — Fin XIᵉ, «s'abstenir, se dispenser de»; de *sur-*, et 1. *seoir*, d'après lat. *supersedere*.

♦ 1. V. tr. dir. (Déb. XIIIᵉ). Vx. Remettre pour un temps. ⇒ **Différer, suspendre.** *Surseoir un jugement.*

♦ 2. V. tr. indir. (1636). Dr. ou littér. **SURSEOIR À** : attendre l'expiration d'un délai pour procéder à. ⇒ **Différer, reculer, remettre.** *Surseoir à l'exécution, au jugement, aux poursuites. Le tribunal sursoit à prononcer son jugement.* Il (cit. 27) *sera sursis à l'application... Surseoir à son départ...* — Absolt. *Il faut surseoir.*

1 L'humanité, quand elle est fatiguée, consent à surseoir; mais surseoir n'est pas se reposer. RENAN, l'Avenir de la science, Œ. compl., t. III, p. 1026.

2 Il (...) me déclara sans ambages le but de sa visite (...) qui était de me prier de surseoir à la publication de certain livre que François Le Grix lui avait dit être imminente (...) GIDE, Journal, 21 déc. 1923.

CONTR. **Hâter, précipiter. Avancer.**
DÉR. **Surséance, sursis.**

SURSIMULATION [syʀsimylɑsjɔ̃] n. f. — XXᵉ (*in* Piéron, 1951); t. créé au déb. du XXᵉ par Ingegneros; de *sur-*, et *simulation*.

♦ Psychiatrie. Exagération volontaire, dans un but utilitaire, de troubles pathologiques réels, ou simulation de symptômes morbides (autres que ceux caractérisant son état) par un sujet dont le fond mental est déjà altéré. *La sursimulation s'observe surtout dans les milieux pénitentiaires.*

SURSIS [syʀsi] n. m. — 1690; adj. «échappé», XIIIᵉ; de *surseoir*.

♦ 1. Ajournement, remise à une date postérieure. *Sursis à l'exécution des peines, des poursuites,* accordé sous condition par le tribunal au délinquant qui n'a pas subi de condamnation antérieure. *Trois ans de prison avec sursis. Sursis à statuer* : décision d'un tribunal remettant le jugement d'une affaire. — *Sursis d'appel, d'incorporation* : remise de l'incorporation sous les drapeaux à une date postérieure à la date normale. Syn. : *report d'incorporation. Sursis des étudiants.* ⇒ **Sursitaire.**

1 Edmond étudiait la médecine à Paris, pour succéder un jour à son père. D'un an plus âgé qu'Adrien, il bénéficiait d'un sursis en raison de ses études. ARAGON, les Beaux Quartiers, I, VIII.

♦ 2. Délai par lequel on sursoit à qqch. ⇒ **Surséance** (vx). «*Un sursis de départ de deux jours*» (Loti, *Aziyadé*, IV, XI).

♦ 3. Par métaphore ou fig. Période de répit*, délai avant un événement inéluctable. *Ce n'est qu'un sursis avant la crise.* — EN SURSIS. *Un condamné* (cit. 24), *un mort en sursis.*

2 (...) même s'il apparaît comme définitif, l'objet créé nous semble toujours en sursis : nous pouvons toujours changer cette ligne, cette teinte, ce mot (...) SARTRE, Situations II, p. 90.

3 Cette année d'étude n'était pour elle qu'un sursis (...) S. DE BEAUVOIR, Mémoires d'une jeune fille rangée, p. 183.

DÉR. **Sursitaire.**

SURSITAIRE [syʀsitɛʀ] adj. et n. — 1923; «affecté au service civil, en temps de guerre», 1915; de *sursis*.

♦ 1. Dr. Qui bénéficie d'un sursis. *Condamnés sursitaires.*

♦ 2. Spécialt, cour. Qui bénéficie d'un sursis d'incorporation. *Les appelés sursitaires. Un étudiant sursitaire.* — N. *Un, des sursitaires.*

♦ 3. Par métaphore. Littér. En sursis.

Puisqu'on est des morts sursitaires
Tous les calculs que nous ferons
Auront une balle en plein front. ARAGON, le Roman inachevé, p. 47.

SURSOLIDE [syʀsɔlid] n. m. — 1637, Descartes, géom.; angl. *sursolid*, XVIᵉ; du lat. *surde solidum* «solide de façon non énonçable, muette».) (d'après Tannery, et Oxford dict.).

♦ Hist. des sc. Cinquième puissance (au XVIIᵉ siècle). — Adj. *Problèmes sursolides,* du cinquième degré.

SURSOUFFLAGE [syʀsuflaʒ] n. m. — V. 1960; de *sur-*, et *soufflage*.

♦ Techn. Alimentation forcée en air soufflé (des convertisseurs, lors de l'affinage de l'acier).

SURSTABILISATION [syʀstabilizɑsjɔ̃] n. f. — Mil. XXᵉ; de *sur-*, et *stabilisation*.

♦ Techn. Stabilisation (d'un revêtement routier) augmentée par une proportion plus forte d'émulsif.

SURSUM CORDA [syʀsɔmkɔʀda]. Mots latins signifiant «élevez vos cœurs», que le prêtre prononce au début de la Préface, dans l'office catholique.

L'Évangile, de la sorte, a été le suprême remède aux ennuis de la vie vulgaire, un perpétuel *sursum corda*, une puissante distraction aux misérables soins de la terre (...) RENAN, Vie de Jésus, Œ. compl., t. IV, p. 195.

SURTAILLE [syʀtaj] n. f. — Mil. XXᵉ; déverbal de *surtailler*.

♦ Techn. Égalisation de la coupe (de plusieurs cuirs cousus ensemble).

SURTAILLER [syʀtaje] v. tr. — Mil. XXᵉ; de *sur-*, et *tailler*.

♦ Techn. Égaliser la coupe de (plusieurs cuirs cousus ensemble). — Surcouper.

DÉR. **Surtaille.**

SURTAUX [syʀto] n. m. — 1517, *in* D. D. L.; de *sur-*, et *taux*.

♦ Dr. Taux excessif. *La clause du contrat stipulant le surtaux a été dénoncée comme léonine.*

SURTAXATION [syʀtaksɑsjɔ̃] n. f. — 1966; de *surtaxer*.

♦ Admin., comm. Taxation excessive (d'un produit).

SURTAXE [syʀtaks] n. f. — 1798; de *sur-*, et *taxe*.

♦ 1. Admin., comm. Taxe excessive illégale (aussi *surtaux* n. m.).

♦ 2. Cour. Majoration d'une taxe; droit perçu en même temps qu'une autre taxe. *Surtaxe d'entrepôt,* en matière de douanes. *Surtaxe à l'importation* (→ Prohibition, cit. 1). *Surtaxes locales,* pour le remboursement des emprunts des collectivités locales. *Surtaxe progressive* : impôt personnel progressif sur les revenus (1948-1959). *Surtaxe postale,* infligée au destinataire d'une lettre insuffisamment affranchie.

La surtaxe progressive qui s'est substituée depuis 1948 à l'impôt général sur le revenu frappe le revenu net global. C'est un impôt de superposition de caractère personnel (...) qui s'applique aux revenus de toutes origines (...) qu'ils aient été ou non soumis à la taxe proportionnelle. M. TIXIER, *in* ROMEUF, Manuel du Chef d'entreprise, Surtaxe progressive.

SURTAXER [syʀtakse] v. tr. — 1559; de *sur-*, et *taxer*.

♦ 1. Taxer excessivement.

♦ 2. Frapper d'une surtaxe (2.).

DÉR. **Surtaxation.**

SURTENDRE [syʀtɑ̃dʀ] v. tr. — Av. 1889; de *sur-*, et *tendre*.

♦ Rare. Tendre excessivement. «*Ces barres pectorales en acier (...) surtendent et retiennent les deux entrecroisements*» (Villiers de l'Isle-Adam, *in* G. L. L. F.).

SURTENDU, UE [syʀtɑ̃dy] adj. — 1914; de *sur-*, et *tendu*.

♦ Rare. Dans un état de tension intellectuelle ou nerveuse extrême, excessive.

SURTENSION [syʀtɑ̃sjɔ̃] n. f. — 1902, Gide, fig.; de *sur-*, et *tension*.

♦ 1. (1907). En électricité, Élévation, supérieure à la normale, de la différence de potentiel appliquée aux bornes d'un appareil.

♦ 2. Littér. Tension mentale extrême. «*Cette surtension d'esprit*» (Gide, *Journal,* 27 févr. 1917). ⇒ **Exaltation, fièvre.**

SURTITRE [syʀtitʀ] n. m. — XXᵉ; de *sur-*, et *titre*, ou de *surtitrer*.

♦ Techn. Gros titre placé au-dessus du ou des titres.

La photo de Maggy s'y étalait en première page avec un énorme surtitre : «La vie désenchantée de la suicidée de la rue Saint-Benoît». Michel DÉON, les Gens de la nuit, p. 158.

SURTITRER [syʀtitʀe] v. tr. — xxᵉ ; de *sur-*, et *titrer*.

♦ Techn. Mettre un titre au-dessus du titre de (un article de journal).
L'information qui aurait valu cinq colonnes à la une si l'on avait pu la surtitrer « exclusif — de notre envoyé spécial » ne vaudra plus, sauf exception, qu'un entrefilet en page intérieure si la rédaction en a eu connaissance (...) en lisant les confrères. Philippe GAILLARD, Technique du journalisme, p. 31.

SURTONDRE [syʀtɔ̃dʀ] v. tr. — Conjug. *tondre* (→ Rendre). — 1765 ; de *sur-*, et *tondre*.

♦ Techn. Couper les extrémités de (la laine, le poil) après le lavage des peaux.
DÉR. Surtonte.

SURTONTE [syʀtɔ̃t] n. f. — Av. 1757 ; de *surtondre*, d'après *tonte*.

♦ Techn. Opération par laquelle on surtond les peaux ; laine ainsi obtenue.

1. SURTOUT [syʀtu] adv. — Fin xvᵉ ; anc. franç. *ensorquetot, ensur(e)tut*, v. 1050 ; de *sur-*, et *tout*.

♦ **1.** Vieilli. Par-dessus tout, plus que toute autre chose. — Syn. mod. : *avant tout*. « *J'aime surtout les vers...* » (→ 1. Parler, cit. 81, Musset). « *Mais surtout il estime un langage poli* » (→ Inégal, cit. 15). → Mathématique, cit. 3, Descartes.
1 (...) les femmes aiment surtout les dépenses qu'on fait pour elles (...) MOLIÈRE, le Bourgeois gentilhomme, III, 6.
(Av. 1549). Mod. (Renforçant un conseil, un ordre...). *Gardez-vous bien surtout...* (→ Attendre, cit. 35). *Surtout ne tirez pas dessus* (→ Motard, cit.) *Ah ! non ! pas de lettre, surtout !* (→ Perdre, cit. 44).

♦ **2.** (Fin xvᵉ). Mod. Plus particulièrement* (qualifie un élément plus important parmi plusieurs qui sont exprimés). *«Adroite, soigneuse, diligente et surtout fidèle »* (cit. 3). *Sans besoin, sans programme surtout* (→ Imprégner, cit. 13).
(Introduisant une circonstance ou une condition privilégiée). ⇒ **Principalement.** *Les femmes savent cacher* (cit. 17) *leur fureur, surtout quand elle est vive* (→ aussi Ligne, cit. 17). *Les traditions arabes se sont conservées... surtout en Andalousie* ⇒ **Particulièrement, spécialement.** — *Enfin et surtout...* (→ Archétype, cit. 5 ; particularité, cit. 5). *Encore et surtout...*
2 — Un joli mot bête entendu :
— On se marie beaucoup cette année.
— Les hommes, surtout !
Ed. et J. DE GONCOURT, Journal, 17 avr. 1866, t. III, p. 39.

♦ **3.** (1903). Fam. (emploi critiqué). SURTOUT QUE... : d'autant plus que...
3 Il eut le temps de lire l'Illustration en entier et deux journaux. Surtout que c'était gai de lire les journaux : on rappelait les permissionnaires (...) Elsa TRIOLET, Mille regrets, p. 113.
4 On ne fait pas du pré dans une baissière en pleins bois, surtout que le fond est gras. M. AYMÉ, la Vouivre, II.
HOM. 2. Surtout.

2. SURTOUT [syʀtu] n. m. — 1684 ; de *sur-*, et *tout*.

♦ **1.** Vx. Vêtement de dessus, cape ou grand manteau ample. ⇒ **Caban, casaque, souquenille.**
1 Où sommes-nous ? dit mademoiselle de Cinq-Cygne en arrêtant deux officiers qu'elle vit venir et dont l'uniforme était caché par des surtouts en drap. BALZAC, Une ténébreuse affaire, Pl., t. VII, p. 622.

♦ **2.** (1694). Mod. Pièce de vaisselle ou d'orfèvrerie décorative, qu'on place sur une table. *Les surtouts ciselés* (→ Pareil, cit. 6). *Un surtout en plaqué* (cit. 13).
2 Des riches surtouts, argentés et dorés, représentant des groupes de figures ou de fleurs, des mythologies ou des fantaisies ornementales, en garnissaient le milieu (des tables). Th. GAUTIER, Voyage en Russie, XI.
3 Sur la table centrale, réservée aux princes, aux princesses et aux membres du corps diplomatique, étincelait un surtout d'un prix inestimable, venu des fabriques de Londres, et autour de ce chef-d'œuvre d'orfèvrerie miroitaient, sous le feu des lustres, les mille pièces du plus admirable service qui fût jamais sorti des manufactures de Sèvres. J. VERNE, Michel Strogoff, p. 15.

♦ **3.** (1694). Techn., vx. « Petite charrette fort légère, faite en forme de grande manne» (Trévoux, 1771), et servant à transporter les bagages.

♦ **4.** (1793). Toit de paille conique, sur une ruche.
HOM. 1. Surtout.

SURTRAVAIL [syʀtʀavaj] n. m. — 1904 ; de *sur-*, et *travail*.

♦ Didact. Travail produit en excès, par rapport à sa valeur reconnue (rémunérée par le salaire). *Le surtravail correspond à une plus-value.*
(...) toute société, comportant (...) prédominance d'une classe qui possède et gère, qui exploite, qui organise, qui capte à son profit la plus grande partie possible du

surtravail social (...) s'est maintenue par le double moyen de la persuasion (idéologie) et de la contrainte (punitions, lois et codes, tribunaux).
Henri LEFEBVRE, la Vie quotidienne dans le monde moderne, p. 268.

SURURBANISATION [syʀyʀbanizɑsjɔ̃] n. f. — 1966, cit. *infra* ; de *sur-*, et *urbanisation*.

♦ Didact. État d'un milieu humain urbanisé à l'extrême, ou à l'excès.
(...) l'accroissement démographique, la sururbanisation (...) le bouleversement de la plupart des valeurs traditionnelles (...) François CLOUTIER, la Santé mentale, p. 6.

SURVALEUR [syʀvalœʀ] n. f. — 1611 ; de *sur-*, et *valeur*.

♦ Didact. Valeur excessive attribuée à (qqch.). *La survaleur de la monnaie.*

SURVALORISATION [syʀvalɔʀizɑsjɔ̃] n. f. — 1975, *in* Larousse ; de *survaloriser*.

♦ Didact. Fait de survaloriser (qqch.) ; son résultat.

SURVALORISER [syʀvalɔʀize] v. tr. — 1975, *in* Larousse ; de *sur-*, et *valoriser*.

♦ Didact. Doter d'une valeur excessive. *Survaloriser qqn, une relation. Survaloriser un produit.*
DÉR. Survalorisation.

SURVEILLANCE [syʀvɛjɑ̃s] n. f. — 1863 ; de *surveiller*.

♦ **1.** Fait de surveiller* (qqn, qqch.) ; ensemble des actes par lesquels on exerce un contrôle suivi ; ce contrôle. ⇒ 1. **Garde, inspection, vigilance** (⇒ Semonce, cit.). *La surveillance de qqn, de qqch. par qqn. La surveillance de qqn :* celle qu'il exerce. *Exercer une surveillance sur... Établir autour de la chambre la plus exacte surveillance* (→ Espionnage, cit. 2). *Éviter, tromper* la surveillance des hommes de garde. ⇒ **Guet** (→ Bord, cit. 5). *Rien n'échappe à sa surveillance* (→ Guetteur, cit. 1). *Lieu confié à la surveillance de qqn* (→ Enveloppe, cit. 4). — *Surveillance active, attentive, inquiète.* ⇒ **Aguet, attention, œil** (avoir, tenir à l'œil ; avoir l'œil sur...). *Surveillance distraite.* — *Être sous la surveillance de qqn :* être surveillé par lui (→ Être sous l'aile*, sous la garde*, la tutelle de... ; et aussi répéter, cit. 7).
1 Le tabac et la poudre s'affermaient en régie, sous une surveillance. BALZAC, les Employés, Pl., t. VI, p. 881.

(Sens objectif). *La surveillance de... :* le fait de surveiller (qqch., qqn), la manière dont on surveille. *La surveillance des travaux* (⇒ **Conduite** [B., 2.], **contrôle, direction**), *d'une opération technique, d'une machine. Être préposé à une surveillance. (Une, des surveillances). Les contrôles (de plusieurs surveillants).* → Illicite, cit. 2 ; recherche, cit. 8.
2 Ce soir-là, justement, la surveillance de l'étude était confiée, pour la première fois, à un jeune répétiteur, M. Lebrun, entré depuis une semaine au service du collège. Valery LARBAUD, Fermina Marquez, IX.
3 Victoires contre la France, la suppression de la liberté de la presse dans tel pays baltique, la surveillance confiée aux gendarmes, dans tel État du centre de l'Europe, des peintres impressionnistes ou cubistes. GIRAUDOUX, De pleins pouvoirs à sans pouvoirs, I, p. 20.

Absolt. *Fonctions, rôle de surveillance* (→ Robot, cit. 1). *Agents de surveillance ou de contrôle.* ⇒ **Sécurité** (d'après l'angl.). *Centre de surveillance.* (→ 1. Moyen, cit. 6). *Surveillance militaire.* ⇒ **Guet, sentinelle ; veilleur, vigie...** *Poste, ronde* (⇒ **Patrouille**), *service de surveillance. Surveillance politique* ⇒ **Espionnage ; contre-espionnage.** *Régime d'exception* (cit. 9), *de surveillance policière.* ⇒ **Police.** *Haute surveillance :* régime spécial, dans un établissement pénitentiaire. — *Bâtiment, navire, patrouilleur, avion en surveillance,* qui effectue une mission de surveillance. — *Surveillance à distance.* ⇒ **Télésurveillance.** — *Direction de la Surveillance du Territoire (D. S. T.),* dépendant de la Sûreté générale et chargée de la répression de l'espionnage.
4 À mon avis, vous tenez un filon. Vous savez que la surveillance politique est très considérée. C'est du travail délicat. Même votre physique, vos manières vous aident. Je ne suis pas sûr que vous réussirez dans les milieux crapule. J. ROMAINS, les Hommes de bonne volonté, t. IV, XIX, p. 209.

Dr. *Surveillance légale :* garde* judiciaire. *Haute surveillance.*
Surveillance électronique, des maladies graves, grâce à un appareillage électronique qui enregistre toutes les fonctions importantes. ⇒ **Moniteur.** — *Surveillance continue :* observations, évaluations continues de l'environnement. *Centre de surveillance,* d'une gare, d'une station, etc.

♦ **2.** (Mil. xixᵉ). Situation d'une personne surveillée (dans des expressions, notamment : *en surveillance,* 1872). *Être, rester en surveillance.* — *Blessé en surveillance à l'hôpital.*
Vx. (Dr. pén.). *Surveillance de haute police* (1804-1885 ; remplacée par l'interdiction de séjour.

SURVEILLANT, ANTE [sуʀvɛjɑ̃, ɑ̃t] adj. et n. — 1535, n. «celui qui veille sur..., qui a soin de...»; se disait au xviiᵉ des évêques, des ministres protestants...; de *surveiller*.

♦ **1.** Adj. (1580). Vx. Qui surveille. «*Un dragon surveillant*» (Molière, *l'École des maris*, i., 4.).

Rare. (Choses). *Une attitude surveillante* (cf. Daudet, *in* G. L. L. F.).

♦ **2.** N. Personne qui surveille ce dont elle a la responsabilité, la charge. ⇒ **Argus, commissaire, 1. garde, gardien.** *De zélés surveillants de la tranquillité publique* (→ Conciliateur, cit. 1). *Sous la férule de nombreux surveillants* (→ Ruche, cit. 3). — Spécialement :

a *Surveillants d'une prison, du bagne* (anciennt). ⇒ **Argousin, garde-chiourme, gardien**; argot **gafe, maton.** *Le surveillant-chef.*

b Agent de maîtrise, contremaître, ouvrier qualifié chargé de surveiller des travaux, de gardes, etc. *Surveillant technique. Surveillant de travaux* (⇒ aussi **Conducteur,** I., 4.), *de mine* (porion); *de dépôt, de gare, de la voie* (ch. de fer). ⇒ **Contremaître.**

♦ **3.** (1875). Personne chargée de la discipline, dans un établissement d'enseignement*, une communauté. *Surveillant d'étude, d'internat.* ⇒ **Maître** (II., 2.); 1. **pion** (cit. 1), **répétiteur, sous-maître** (vx); → Relâche, cit. 1.

(1889, *in* D.D.L.). *Surveillant général* (1. Général, cit. 23), chargé de l'administration intérieure, de la discipline, etc., dans un établissement d'enseignement. ⇒ **Surgé.** *Les surveillants généraux d'un collège, d'un lycée. Elle est surveillante générale au collège de jeunes filles.* — REM. La dénomination de *surveillant général, surveillante générale,* a été remplacée officiellement en 1970 par celle de *conseiller, conseillère d'éducation.*

Les surveillantes ne réussissaient pas à nous faire tenir tranquilles. Nous passions les heures de battement qui séparaient les classes dans une grande pièce qu'on appelait «la salle d'étude des cours». Nous bavardions, nous ricanions, nous provoquions la pionne chargée d'y faire régner l'ordre (...)
S. DE BEAUVOIR, *Mémoires d'une jeune fille rangée*, p. 124.

SURVEILLE [sуʀvɛj] n. f. — 1395; *serveille,* v. 1170; *sorveille,* v. 1196; de *sur-,* et *veille.*

♦ Vx ou régional. Avant-veille.

(...) on savait que les ambassadeurs flamands, arrivés de la surveille, se proposaient d'assister à la représentation (...)   HUGO, Notre-Dame de Paris, I, I.

SURVEILLER [sуʀveje; sуʀvɛje] v. tr. — 1586; répandu xixᵉ; *surveiller à qqn,* trans. ind., xviiᵉ; de *sur-,* et *veiller.*
Observer avec une attention soutenue, de manière à exercer un contrôle, une vérification. ⇒ **Contrôler, examiner.**

♦ **1.** *Surveiller qqn :* observer son comportement pour vérifier qu'il ne manque pas à son devoir, pour l'empêcher de mal faire... (→ Dépiter, cit. 7; descendre, cit. 19). *La police est chargée de les surveiller* (→ 1. Louche, cit. 13). *Surveiller qqn de près.* ⇒ **Tenir.** (→ Avoir l'œil* sur..., avoir à l'œil*; avoir dans son collimateur*). *Faire surveiller qqn.* — *Surveiller qqch.* (actions, comportements). *Surveiller ce qu'on fait.* ⇒ **Épier.** *Surveiller qqch. du coin de l'œil* (→ Expédier, cit. 7). *Surveiller les fréquentations d'un jeune homme, d'une jeune fille.* ⇒ **Chaperonner.**

Aussi, la surveillait-il, du matin au soir, exigeant d'elle l'emploi de chacune de ses minutes, la tenant à l'attache, sous la menace du fouet, ainsi qu'une bête domestique dont on craint les forces (...)   ZOLA, la Terre, IV, II.
Exercer des fonctions de surveillance sur..., avoir autorité pour contrôler... *Surveiller des élèves. Surveiller un prisonnier.* ⇒ 1. **Garde** (I., 3.), **garder** (à vue).
Veiller* avec attention et autorité sur... *Surveiller des enfants.* ⇒ **Garder.** *Surveiller de très près un malade.* ⇒ **Suivre.** — Par ext. *Surveiller l'éducation d'un enfant.*

Absolt. «*Un soldat surveillait ...*» (Van der Meersch, *Invasion 14,* II, p. 113).

♦ **2.** (1586). *Surveiller qqch.* (opération, processus...) : suivre avec attention (en contrôlant le travail d'autrui), de manière à constater si un travail, une opération (dont on est responsable) se déroule comme il faut, comme prévu. ⇒ **Contrôler** (I., 4.), **inspecter.** *Surveiller des réparations* (→ Avancer, cit. 37), *la construction d'une maison, le déchargement d'un navire* (→ 1. Port, cit. 4), *les emballages* (cit. 9). *Surveiller personnellement le déroulement des opérations.* ⇒ **Présider** (à). *Chef d'équipe, contremaître qui surveille des travaux.* ⇒ **Conduire**; **surveillant.** — *Surveiller la fermentation du jus de raisin* (→ Moût, cit. 2), *la cuisson.* — (Compl. n. concret). *Surveiller la marmite, la viande,* etc.

♦ **3.** Observer attentivement, fixer son attention sur..., pour éviter ou prévenir un danger, une action. *Animal qui surveille sa proie,* pour l'empêcher de s'enfuir. *Surveiller son portefeuille,* pour qu'il ne soit pas volé. *Surveiller la place* (→ Retrait, cit. 7), *les portes...* (→ Pointage, cit. 2).

Delphine la couvait avec des yeux ardents,
Comme un animal fort qui surveille une proie,
Après l'avoir d'abord marquée avec les dents.
          BAUDELAIRE, les Épaves, Pièces condamnées, III.

(...) malgré tous les gens qui le regardaient, malgré Anna et son visage fermé, et son regard froid qui le surveillait, il s'est mis à pleurer.
          MARTIN DU GARD, les Thibault, t. II, p. 219.

(1835). Exercer une surveillance militaire sur (qqch., qqn), par l'observation*, la disposition de moyens de défense. ⇒ **Guetter.** *L'escadre surveille les parages.* — Par métaphore. *L'Angleterre surveille le continent* (→ Navire, cit. 14). — (Sports). *Surveiller l'adversaire.*

♦ **4.** (1916, Gide). Être attentif à (ce que l'on fait, ce que l'on dit). *Surveiller son langage.* — (Menace). *Surveillez vos paroles! Surveiller ses expressions, ses sentiments.* — *Surveiller sa santé, sa ligne.* — Absolument :

L'intelligence, qui chez lui toujours surveille, intervient et retient l'être sur la pente de l'abandon.   GIDE, Journal, 3 oct. 1916.

▶ **SE SURVEILLER** v. pron. (1819).
(Réfl.). Être attentif à ce qu'on dit, à ce qu'on fait (→ Nouveau, cit. 24). *Ce mannequin se surveille beaucoup,* fait attention à sa ligne.
(Récipr.). *Services secrets qui se surveillent mutuellement.* ⇒ **Espionner** (s'). — Sports. *Coureurs qui se surveillent* (→ Peloton, cit. 3).

▶ **SURVEILLÉ, ÉE** p. p. adj. (1762).
«*Un homme marqué, surveillé, repéré*» (→ Passe, cit. 5). *Des mercantis* (cit. 1) *très surveillés.*
(xxᵉ). Spécial. *Externe* surveillé. — *Étude surveillée.* — *Liberté surveillée :* situation des délinquants qui ne sont pas en prison mais doivent se présenter régulièrement à la police pour rendre compte de leurs activités.

DÉR. **Surveillance, surveillant.**

SURVENANCE [sуʀvənɑ̃s] n. f. — V. 1500; de *survenir.*

♦ Fait de survenir (2.). *Survenance d'idées nouvelles.* ⇒ **Apparition, création.**
(1740). Dr. Fait de survenir (1.). *Révocation de donation* en cas de survenance d'enfant.*

SURVENANT, ANTE [sуʀvənɑ̃, ɑ̃t] adj. et n. — V. 1360, n.; adj. *sourvenant,* v. 1370; n. *sorvenant* «étranger», mil. xiiᵉ; sens actuel, v. 1175; de *survenir.*

♦ **1.** Adj. Vx. Qui survient. *Les invités survenants.* ⇒ **Imprévu.** *Les personnes survenantes,* qui viennent d'arriver.

(...) la nuit se mit à remuer comme pleine de formes qui s'agitaient. Elle se remplissait peu à peu de silhouettes de personnes survenantes.
          Ed. et J. DE GONCOURT, Sœur Philomène, p. 208.

♦ **2.** N. Régional. (*Un survenant, une survenante*). → Auteur, cit. 28. *Le Survenant,* roman de Germaine Guèvremont.

(...) Paris, où l'affluence des survenants rendait ma subsistance coûteuse, et m'ôtait le temps d'y pourvoir (...)   ROUSSEAU, les Confessions, X.
Il aima, il fut aimé; mais au moment de posséder l'objet promis, une mère cruelle et intéressée préféra un survenant plus riche.
          SAINTE-BEUVE, Portraits littéraires, Léonard, avr. 1843.
Et déjà dans le wagon quand ils causaient ensemble ils semblaient aussi près l'un de l'autre qu'un fils qui cause avec son père. Tout survenant les eût considérés comme deux amis et ils l'eussent traité comme un étranger et comme s'ils se connaissaient depuis longtemps.   PROUST, Jean Santeuil, Pl., p. 880.
Mais personne ne l'habitait encore à cause des survenants
Des survenants qu'on sait plus dévoués que les revenants
          A. BRETON, Tournesol, «Clair de Terre».

SURVENDRE [sуʀvɑ̃dʀ] v. tr. — Conjug. **vendre.** — 1549; *seurvendre,* déb. xivᵉ; de *sur-,* et *vendre.*

♦ Vx. Vendre au-dessus du prix.
DÉR. V. 1. **Survente.**

SURVENIR [sуʀvəniʀ] v. intr. — Conjug. **venir.** — xvᵉ; *sorvenir,* xiiᵉ; de *sur-,* et *venir.*

♦ **1.** Vx ou dr. (Sujet n. de chose). **SURVENIR À :** venir après, par surcroît, s'ajouter à...
À faute de mémoire naturelle j'en forge de papier, et comme quelque nouveau symptôme survient à mon mal, je l'écris.   MONTAIGNE, Essais, III, XIII.

♦ **2.** Cour. (Sujet n. de personne ou de chose). Arriver, venir à l'improviste*, brusquement. «*Un loup survient à jeun*» (→ Attirer, cit. 5). *Personne qui survient quand on parle d'elle.* (→ Quand on parle du loup* on en voit la queue). *Survenir inopinément* (→ Tomber des nues*). — (Sujet n. de chose). *Changement qui survient. Les mutations* (cit. 2) *surviennent soudainement.* ⇒ **Apparaître, manifester** (se), **produire** (se). *Quand survint la Révolution* (→ Poissard, cit. 5). *Événement* (⇒ **Incident**), *maladie qui survient.* ⇒ **Déclarer** (se). *Au moindre tracas qui survient.* ⇒ **Advenir, arriver, échoir, intervenir.** *La mort survient quelque temps après.* ⇒ **Ensuivre** (s' ; → aussi Animalité, cit. 4 ; asphyxie, cit. 2 ; filiforme, cit.). *Qui pourrait survenir.* ⇒ **Imprévu, inattendu, occurrent, subit.** — (1679). Impers. *S'il survenait quelque importun* (→ Représentant, cit. 5). ⇒ **Présenter** (se).

▶ **SURVENU, UE** p. p. adj. (Sens 1 de l'actif.) *Les améliorations* (cit. 6) *survenues à l'immeuble.* — (Sens 2). *Changements survenus dans la constitution de l'homme* (cit. 27). ⇒ **Apparu, manifesté.**

DÉR. Survenance, survenant, survenue.

1. SURVENTE [syʀvɑ̃t] n. f. — 1640 ; de *survendre*, d'après *vente*.

♦ Comm. Vente à un prix supérieur au prix normal. → **Surprix.**

Tout, à l'instant, lui fut prodigué : l'autorité d'un augure, les éditions sans cesse renouvelées, la survente des vieux brouillons, les prix académiques, l'argent infini. Léon BLOY, le Désespéré, p. 13.

HOM. 2. Survente.

2. SURVENTE [syʀvɑ̃t] n. f. — 1771 ; déverbal de *surventer*.

♦ Mar. Augmentation passagère ou localisée de la force du vent.

La brise, assez fraîche, m'oblige à abattre un peu pendant les surventes pour ne pas laisser fasseyer les voiles. Mais ça va, il s'agit d'un grain de pluie avec un peu de brise à l'intérieur, sans vraies rafales, et Joshua ne porte pas trop de toile. Bernard MOITESSIER, Cap Horn à la voile, p. 71.

HOM. 1. Survente.

SURVENTER [syʀvɑ̃te] v. intr. — 1529, puis 1771 ; de *sur-*, et *venter.*

♦ Mar. Venter plus fort.

(...) on rentre au port, ou l'on met à la cape, en ayant soin de placer le centre d'effort des voiles au plus bas ; s'il survente, on cargue tout, et l'on peut se tirer d'affaire. HUGO, l'Archipel de la Manche, v.

DÉR. 2. Survente.

SURVENUE [syʀvəny] n. f. — V. 1360 ; *sorvenue*, v. 1130 ; p. p. subst. de *survenir.*

♦ Vx ou littér. Fait de survenir (2.), d'arriver à l'improviste. *La survenue d'une jolie femme* (→ Rougir, cit. 5), *d'un chef* (→ Frousse, cit. 1). ⇒ **Arrivée.** *La survenue d'un accident.*

Il y a toujours, après la mort de quelqu'un, comme une stupéfaction qui se dégage, tant il est difficile de comprendre cette survenue du néant et de se résigner à y croire. FLAUBERT, Mᵐᵉ Bovary, III, IX.

SURVERSE [syʀvɛʀs] n. f. — V. 1970 ; de *sur-*, et *verse.*

♦ Techn. Partie d'un liquide (débordante, évacuée ou prélevée) qui se trouve à la partie supérieure du contenant.

SURVÊTEMENT [syʀvɛtmɑ̃] n. m. — 1606, *sur-vestement, in* D. D. L. ; de *sur-*, et *vêtement.*

♦ **1.** Vx. Vêtement mis sur un autre.

♦ **2.** (1939). Mod. Blouson, pantalon molletonné, ou ensemble comportant l'un et l'autre, que les sportifs passent sur une tenue plus légère lorsqu'ils interrompent leurs exercices, ou qu'ils portent par temps froid. *Le perchiste enlève son survêtement pour sauter. Tu cours en short ou en survêtement ?*

Le jeune homme surnommé Machines (on l'avait appelé comme ça à cause de son survêtement blanc sur lequel il y avait écrit en lettres rouges Machines...). J.-M. G. LE CLÉZIO, les Géants, p. 210.

SURVIDER [syʀvide] v. tr. — 1715 ; *survuider*, 1549 ; de *vider*, de *vuider.*

♦ Techn. Enlever le trop-plein de (un récipient).

SURVIE [syʀvi] n. f. — 1670 ; *sourvie*, 1604 ; de *sur-*, et *vie.*

♦ **1.** Dr. État d'une personne qui survit à (qqn). — (1688). *Gains de survie :* avantages que les contractants stipulent dans un acte au profit du survivant. — (1876). *Présomption de survie,* établie sur l'âge et le sexe lorsque plusieurs personnes appelées à une même succession périssent dans un accident sans qu'on puisse savoir l'ordre de leur décès (théorie des comourants ou comorientes).

♦ **2.** Vie après la mort (dans les croyances religieuses). *Croire à la survie de l'homme.* ⇒ **Vie** (vie éternelle, une autre vie). *Le souci de sa survie* (→ Culte, cit. 8). — Par ext. *Survie d'un auteur* (→ Entendre, cit. 82) *dans la mémoire des hommes.* ⇒ **Immortalité.** *C'est à la perfection* (cit. 6) *de sa forme que Baudelaire doit sa survie.*

1 (...) nous causons de la survie par le livre, qui a été notre préoccupation à mon

frère et à moi toute notre vie. Daudet me dit, que la survie pour lui est tout entière dans ses enfants et quant à la littérature, ç'a été tout simplement une expansion, une dépense d'activité se produisant dans un bouquin (...) Ed. et J. DE GONCOURT, Journal, 25 sept. 1887, t. VII, p. 157.

(...) tous ceux aussi qui espèrent alternativement soit une survie incompréhensible (...) soit un néant rassurant (...) PROUST, À la recherche du temps perdu, t. III, p. 68. 2

Je ne crois pas à une autre survie, que celle dans la mémoire des hommes (...) GIDE, Journal, 10 avr. 1943. 3

♦ **3.** Fait de survivre, de se maintenir en vie. *Processus physiologiques qui mènent à la plus longue survie de l'individu* (→ Infléchir, cit. 4). *Chances de survie d'un malade, après 60 ans. Équipement* de survie.

(1872). *Table de survie :* tableau statistique établi d'après la table de mortalité et qui donne, dans un pays, le nombre de personnes en vie (survivants) à chaque âge.

Quelle survie puis-je espérer ? Dix secondes ? Vingt secondes ? SAINT-EXUPÉRY, Pilote de guerre, XXI. 4

C'était uniquement à sa capacité adaptative que l'individu devait autrefois sa survie. Aujourd'hui, grâce à l'hygiène, au confort, à une bonne alimentation, à la douceur de l'existence, aux hôpitaux, aux médecins, aux nurses, la civilisation moderne a donné à beaucoup d'êtres humains de mauvaise qualité la possibilité de vivre. Alexis CARREL, l'Homme, cet inconnu, VI, VII. 5

La *vie probable* ou *vie médiane* est la vie que chaque individu a une chance sur deux d'atteindre. Sur la table de survie, c'est l'âge où le nombre des survivants est la moitié du nombre initial. A. SAUVY, la Population, p. 35. 6

Les pratiques élémentaires constituent les programmes vitaux de l'individu, tout ce qui dans les gestes quotidiens intéresse sa survie comme élément social : habitus corporel, pratiques d'alimentation ou d'hygiène, gestes professionnels, comportement de relation avec les proches. A. LEROI-GOURHAN, le Geste et la Parole, t. II, p. 28. 7

♦ **4.** Fig. Fait de survivre (en parlant d'un sentiment, d'une institution, etc.).

Hors de mon métier enfin, je voyais peu de monde, entretenais la survie pénible d'une ou deux liaisons fatiguées. CAMUS, la Chute, p. 124. 8

SURVIRAGE [syʀviʀaʒ] n. m. — Mil. xxᵉ (*in* Larousse, 1964) ; de *survirer.*

♦ Techn. (autom.). Réaction d'une automobile qui dérape par les roues arrière, augmentant l'effet normal de la direction. « *Tenue de route "incroyable" sur chaussée même mouillée, enneigée, glacée, aucune tendance au survirage* » (*le Monde*, 16 juin 1966).

CONTR. Sous-virage.

SURVIRER [syʀviʀe] v. intr. — Mil. xxᵉ (*in* Larousse, 1964) ; de *sur-*, et *virer.*

♦ Techn. (autom.). Se dit d'une automobile qui dérape par l'arrière, l'axe du véhicule s'orientant vers l'intérieur du virage. → **Sousvirer** (cit.).

CONTR. Sous-virer.
DÉR. Survirage, survireur.

SURVIREUR, EUSE [syʀviʀœʀ, øz] adj. — Mil. xxᵉ (*in* Larousse, 1964) ; de *survirer.*

♦ Techn. (autom.). Qui a tendance au survirage. *Voiture survireuse.* Syn. : *surdirigé.*

Lorsqu'une voiture dérape par ses roues arrière, on dit qu'elle est « survireuse ». En effet, le glissement du train arrière entraîne une accentuation de l'effet normal de la direction : l'axe médian de la voiture s'oriente vers l'intérieur du virage. *Pour pallier le caractère survireur d'une automobile, il est donc nécessaire de diminuer sensiblement l'effet de la direction* (...) Johnny RIVES, la Conduite des automobiles, p. 44.

CONTR. Sous-vireur.

SURVIRILISATION [syʀviʀilizasjɔ̃] n. f. — 1948 ; de *sur-*, et *virilisation.*

♦ Didact. Excès de la composante virile dans le comportement masculin (→ Suradultisme, cit. ; et aussi surmâle).

SURVITESSE [syʀvitɛs] n. f. — 1939, *in* Petiot ; de *sur-*, et *vitesse.*

♦ Techn. Vitesse dépassant la vitesse maximale prévue ou autorisée (en aviation). — Sports. Pointe de vitesse. *Survitesse d'une fin de 1 500 m.*

SURVIVANCE [syʀvivɑ̃s] n. f. — 1521, *in* D. D. L., dr. ; de *survivre.*

♦ **1.** Anciennt ou hist. Privilège accordé par le roi de succéder à la charge de qqn, du vivant du titulaire. *La survivance d'un bénéfice.*

♦ **2.** (1769). Littér. Survie (2.). *La survivance de l'âme.* ⇒ **Immortalité.** *Désespérer de la survivance personnelle* (→ Immortalité, cit. 8).

(...) parlons encore, si vous voulez, d'une âme, mais (...) en mettant sous le mot un ensemble d'expériences et non pas une définition arbitraire. De cet approfon- 1

dissement expérimental nous conclurons à la possibilité (...) d'une survivance de l'âme, puisque nous aurons observé et comme touché du doigt, dès ici-bas, quelque chose de son indépendance par rapport au corps.
H. BERGSON, les Deux Sources de la morale et de la religion, p. 280.

♦ **3.** (1845). Ce qui survit, ce qui subsiste d'une chose disparue. *L'anoblissement, survivance de la chevalerie* (cit. 4) *du moyen âge. Survivance du gaélique en Irlande* (→ Breton, cit. 2). *Figure qui est une survivance du passé* (⇒ **Attardé**). *Des survivances anachroniques. La survivance d'un système philosophique ancien.* — Ling. ⇒ **Archaïsme.** *Cet emploi est une survivance.*

♦ **4.** Littér. Fait de continuer à vivre, de se maintenir en vie (en parlant de qqn). ⇒ **Survie** (3.). *Le besoin de survivance* (→ Survivre, cit. 11, Colette).

2   (...) dans le même temps que nous ferons tout ce qui nous sera possible humainement pour assurer la perpétuité, la survivance de cette race et la conservation de cette cité (...)   Ch. PÉGUY, la République..., p. 177.
Biol. Résistance (d'un organisme) à ce qui provoque la disparition.

SURVIVANT, ANTE [sʀvivɑ̃, ɑ̃t] adj. et n. — V. 1119, n.; adj., 1538; de *survivre.*

♦ **1.** Qui survit à qqn, à d'autres. *L'époux survivant* (→ Aliment, cit. 3; héritier, cit. 6). *Espèces détruites et espèces survivantes* (→ Globe, cit. 9). — N. m. (Dr.). *Le dernier survivant* (dans un couple : la femme ou l'homme). *Donation réciproque au dernier survivant. La totalité de la communauté appartiendra au survivant* (→ Apport, cit. 3).

1   Ah! elles ne s'aimaient pas, la comtesse et elle, car c'était le même genre d'esprit toutes les deux! Aussi la survivante ne parle-t-elle de la morte qu'avec des yeux imprécatoires et des réticences perfides.
BARBEY D'AUREVILLY, les Diaboliques, Dessous de cartes..., p. 266.

2   Il y a des hommes qu'on pourrait appeler des survivants. Ils ont perdu, de bonne heure, un père cher, une père, un ami, une maîtresse, et leur vie n'est plus que le morne lendemain de cette mort.   SARTRE, Situations I, p. 152.

3   (...) dans notre contrat de mariage, Julia et moi, la totalité est au dernier survivant.
R. QUENEAU, le Dimanche de la vie, p. 131.

♦ **2.** (Déb. xxᵉ). Qui survit à l'époque, à la société à laquelle il appartenait. — N. (Littér.) *Un célèbre survivant de l'époque impériale* (→ Naufragé, cit. 3). *Le dernier survivant de la grande Renaissance qu'il personnifiait* (cit. 5). *Seul survivant d'une époque révolue* (cit. 3). ⇒ **Attardé.**
Qui subsiste (en parlant d'une chose). *Fragment* (cit. 9) *survivant d'une vie disparue. L'oubli* (cit. 2) *détruit le passé survivant.*

♦ **3.** (1860). Qui a échappé à la mort. ⇒ **Rescapé.** *Les passagers survivants d'un accident ferroviaire.* — N. (rare au fém.). *Les survivants de Waterloo* (in Hatzfeld). *Il n'y a pas de survivants, tous les passagers ont péri.*

SURVIVRE [sʀvivʀ] v. — Conjug. vivre. — 1080, Chanson de Roland; var. sorvivre, sourvivre, xiiᵉ; de sur-, et vivre.

★ **I.** V. tr. (Vx). ♦ **1.** *Survivre qqn :* demeurer en vie après qu'il est mort.

1   Le roi ne survécut guère le prince son fils; il mourut deux ans après.
Mᵐᵉ DE LA FAYETTE, la Princesse de Clèves, I.

♦ **2.** *Survivre qqch. :* perpétuer une chose ayant appartenu à un défunt.

★ **II.** V. tr. ind. (1538). Mod. SURVIVRE À. ♦ **1.** (Sujet n. de personne). Demeurer en vie, vivre après la mort de (qqn). *Survivre à ses enfants.* ⇒ **Enterrer** (fam.). *Ceux qui devaient lui survivre* (→ Apaisant, cit. 2). *Les deux années qu'il lui survécut* (→ Pauvre, cit. 26). *Survivre à qqn de* (une durée).

2   Songez à ménager votre vie, car je ne vous survivrai pas d'une heure.
STENDHAL, Mina de Vanghel.

3   (...) mon cousin (...) citait un mot de Gordon-Bennett (...) « Le meilleur moyen de triompher de son adversaire, c'est de lui survivre ».
COLETTE, l'Étoile Vesper, p. 74.

Vivre encore après (un temps révolu, une chose passée, disparue). *Survivre à une époque, à une génération* (cit. 24; et → Passer* à la postérité).

4   Viens, tu fais ton devoir, et le fils dégénère
Qui survit un moment à l'honneur de son père.   CORNEILLE, le Cid, II, 2.

5   (...) Brutus et Caton étaient la république romaine incarnée; ils ne lui pouvaient survivre, pas plus que le cœur ne peut battre quand le sang se retire.
CHATEAUBRIAND, Mémoires d'outre-tombe, t. VI, p. 89.

Fig. *Survivre à soi-même, à son génie...* : vivre encore alors qu'on n'est plus soi-même; qu'on n'a plus de génie. « *Un poète mort* (2. mort, cit. 24) *jeune à qui l'homme survit* » (Musset).

6   Il y a de grands hommes qui survivent à leur génie. Mais, chez Berlioz, c'est le génie qui survit à la volonté (...)   R. ROLLAND, Musiciens d'aujourd'hui, p. 29.

♦ **2.** (V. 1580). Sujet n. de chose. Exister encore après qu'une personne, une chose a disparu; durer plus longtemps que... *Exposition* (cit. 7) *qui survit à la solennité qui l'a fait naître.* « *Le buste survit à la cité* » (→ Art, cit. 85). *Les passions qui procèdent* (cit. 2) *du cerveau survivront aux passions émanées du cœur.*

(...) l'ambition, survivant à tout le reste, battait encore en lui.   7
Ed. et J. DE GONCOURT, Sœur Philomène, p. 241.

Nous, nous changeons dans des villes immuables et nos maisons, nos quartiers nous   8
survivent; les villes américaines changent plus vite que leurs habitants et ce sont
eux qui leur survivent.   SARTRE, Situations III, p. 99.

Impersonnel :
Mais quand disparaît une croyance, il lui survit (...) un attachement fétichiste aux   8.1
anciennes qu'elle avait animées (...)
PROUST, À la recherche du temps perdu, t. II, p. 278.

♦ **3.** (Sujet n. de personne). *Survivre à qqch. :* continuer à vivre après une chose insupportable (perte, chagrin, humiliation, etc.). *Survivre à la honte* (cit. 6) *d'une faillite, à l'humiliation* (cit. 12) *d'un refus. Il ne survécut pas longtemps à l'asservissement* (cit. 1) *de sa patrie. Je n'y survivrai pas* (→ J'en mourrai*).
Échapper à (une mort violente et collective). *Elle survécut à l'exécution de tous les siens* (→ Hache, cit. 10). *Survivre à un accident, à une catastrophe.* ⇒ **Survivant** (3.). *Les organismes forts qui ont survécu à l'épidémie* (→ Assainir, cit. 2).

On m'a dit qu'après avoir lu cette lettre Frédéric avait fait sur lui-même une   9
funeste tentative. Je n'en parlerai pas ici; les indifférents trouvent trop souvent le
ridicule à des actes semblables, lorsqu'on y survit.
A. DE MUSSET, Nouvelles, « Frédéric et Bernerette », X.

♦ **4.** (xixᵉ). Sujet n. de chose. Résister à (ce qui fait disparaître). *Institution qui n'a pas survécu aux attaques des opposants* (→ aussi Apophyse, cit. 1).

(...) le christianisme survivait, plus fort que jamais, à l'entreprise philosophique un   10
instant triomphante grâce au bras séculier de la Révolution, et ce christianisme
ne lui survivait que *sous sa forme catholique.*
Louis MADELIN, Hist. du Consulat et de l'Empire, Le Consulat, VII.

♦ **5.** Absolt. **a** (Sujet n. de personne). Continuer à vivre (après une cause de mort), rester en vie. *L'espoir de survivre* (→ Instinct, cit. 5).

Vivre, survivre... après tant d'années de guerre, ces mots-là tiennent une place   11
énorme. Le besoin de survivance est si vif chez nous, femmes (...)
COLETTE, l'Étoile Vesper, p. 74.

Spécialt. Continuer à vivre, sans avoir d'activités intéressantes ou agréables. ⇒ **Végéter ;** — ci-dessous, Se survivre (3.).

Blâmant mon ancienne inertie, je ne trouvai rien à faire, non à vivre, à survivre,   11.1
en attendant mieux.   S. DE BEAUVOIR, la Force de l'âge, p. 484.

b (Choses). ⇒ **Conserver** (se), **demeurer, subsister.** *Cette coutume ne survivra plus longtemps. Seuls les souvenirs ont survécu.* ⇒ **Surnager.**

Mais rien ne survivra, pas même ta poussière,   12
Pas même un de vos os, enfants du meurtrier!
LECONTE DE LISLE, Poèmes barbares, « Qaïn ».

Rien ou à peu près ne survivait du beau fonctionnement d'une maison sagement   13
ordonnée naguère, tombée depuis entre des mains furieuses, et devenue comparable à ces horloges détraquées (...)
COURTELINE, Messieurs les ronds-de-cuir, Vᵉ tableau, I.

▶ **SE SURVIVRE** v. pron.

♦ **1.** (V. 1690). Vivre encore, continuer à être, se perpétuer dans un être, dans la mémoire..., après sa mort. *Se survivre dans ses enfants, dans la mémoire des hommes.* ⇒ **Perpétuer** (se).

(...) sous ce désir, sans cesse formulé par le testateur, de servir la cause du spi-   14
rituel, il était assez troublé de reconnaître partout une secrète hantise (...) le souci
de se survivre dans le temporel.   MARTIN DU GARD, les Thibault, t. IV, p. 229.

♦ **2.** (1718). Vivre encore alors qu'on n'est plus soi-même, qu'on a perdu sa force, ses qualités, son pouvoir. *Cet auteur se survit, il n'écrit plus rien de bon. Il mourut après* (cit. 24) *s'être longtemps survécu.*

♦ **3.** Vivre encore alors qu'on a failli mourir ou que l'on estime sa vie achevée.

(...) la destinée recommence, sans que la confiance des premières années se renou-   15
velle; l'on change de monde, sans avoir changé de cœur. Ainsi l'exil condamne à
se survivre (...)   Mᵐᵉ DE STAËL, De l'Allemagne, I, XIII.

Ces jours-ci, les journaux font grand bruit de mon testament : ça me donne comme   16
l'impression de me survivre.
Ed. et J. DE GONCOURT, Journal, 24 juin 1882, t. VI, p. 147.

Il avait beaucoup de raisons pour se réjouir : en particulier, il aurait pu se féli-   17
citer d'avoir coupé la péritonite, d'être guéri. Au lieu de ça, il pensait : « Je me
survis » et il s'affligeait.   SARTRE, la Mort dans l'âme, p. 51.

DÉR. Survivance, survivant.

SURVOL [sʀvɔl] n. m. — 1911; de *survoler.*

♦ **1.** Action de survoler (1.). *Le survol d'une ville.*

♦ **2.** Fig. Action de survoler (2.); examen rapide. *Le survol d'un article, d'une question.*

SURVOLER [sʀvɔle] v. tr. — V. 1530; au fig. « dépasser quelqu'un en quelque chose », xvᵉ; de *sur-,* et *voler.*

♦ **1.** Voler au-dessus de... (en parlant d'un oiseau). — (1911). Voler, passer au-dessus de... (en parlant d'un avion). *Avion* qui survole les Pyrénées. Pilote qui survole les routes* (→ 1. Exode, cit. 5).

1 Les trois avions de Teruel survolèrent le champ, chacun cherchant les feux de position des autres, pour prendre la formation de vol.
MALRAUX, l'Espoir, III, III.

♦ **2.** (1936). Fig. Passer rapidement sur..., lire ou examiner* d'une façon superficielle. *Survoler une question; un article.*

2 (...) ce charmant pays de Tendre, qu'aujourd'hui nous n'avons plus le temps que de survoler, pour aller tout de suite au but.
Émile HENRIOT, Portraits de femmes, p. 40.

3 Il donne une telle impression de force, de sérénité... Il y a chez lui dans sa façon de tout survoler, une espèce de renoncement... très rare... Il a réussi... je dois vous avouer que c'est ce que j'envie le plus aux autres dans la vie... une ascèse... Il y a en lui de l'unité, une grande pureté, aucun mélange ...
N. SARRAUTE, le Planétarium, p. 308.

DÉR. Survol.

SURVOLTAGE [syʀvɔltaʒ] n. m. — 1908; de *sur-*, et *voltage.*

♦ Électr. Augmentation du voltage; voltage trop fort. ⇒ **Surtension.**

CONTR. Dévoltage.

SURVOLTÉ, ÉE [syʀvɔlte] adj. — Déb. xxᵉ; de *survolter.*

♦ **1.** *Courant survolté, lampe survoltée,* dont le voltage est anormalement élevé.

♦ **2.** (1938). Fig. Très excité. ⇒ **Surexcité.** *Les esprits étaient survoltés. — Des jeunes gens survoltés.*

Il y en a (nouveaux promus, ou collaborateurs peu habitués à rencontrer le patron) sur lesquels le « Je vous fais confiance!», quoiqu'on le sache machinal (...) produit un effet considérable, au point qu'ils repartent dans leur service survoltés (...)
Pierre DANINOS, Un certain Monsieur Blot, p. 25.

(Choses, lieux). Où règne une activité intense et fébrile. *Atmosphère survoltée. — Salle de concert survoltée.* ⇒ **Déchaîné.** « *La capitale survoltée* » (*le Monde,* in P. Gilbert).

CONTR. 2. Calme.

SURVOLTER [syʀvɔlte] v. tr. — 1908; de *survoltage.*

♦ **1.** Électr. Augmenter le voltage de; alimenter par un courant d'un voltage trop fort.

♦ **2.** (Mil. xxᵉ; 1955, in *le Monde*). Fig. Surexciter (une personne, un groupe). ⇒ **Galvaniser.**

CONTR. Dévolter. — 2. Calmer.
DÉR. Survoltage, survolté, survolteur.

SURVOLTEUR [syʀvɔltœʀ] n. m. — 1904; de *survolter.*

♦ Électr. Appareil destiné à augmenter le voltage du courant. Appos. *Transformateur survolteur.* — REM. Le mot, courant en composition (→ Survolteur-dévolteur), est rare en emploi autonome.

COMP. Survolteur-dévolteur.

SURVOLTEUR-DÉVOLTEUR [syʀvɔltœʀdevɔltœʀ] n. m. — 1932; de *survolteur,* et *dévolteur.*

♦ Électr. Régulateur d'alimentation électrique, qui compense les sautes de courant en augmentant *(survolteur)* la tension lorsqu'elle est trop faible, en la diminuant *(dévolteur)* lorsqu'elle est trop forte.

SUS [sy] adv. — xᵉ; du lat. *susum,* var. de *sursum* «vers le haut, en haut»; longtemps en concurrence avec *soure, sor, sur**; a été aussi préposition jusqu'au xvᵉ (« *sus un cheval* », Rabelais, *Gargantua,* XXIII).

♦ **1.** Vx. ⇒ **Dessus.** *Courir sus à l'ennemi* : l'attaquer (→ Jacquerie, cit.). — Ellipt. *Sus à...! :* attaquons..., faisons la guerre à... — Interj. (servant à exciter, à exhorter...). *Sus! Or sus! Sus donc! :* allons! (→ Arme, cit. 4; exercer, cit. 2; laurier, cit. 3; mouton, cit. 9).

La grande mesure décrétée contre Bonaparte fut un ordre de *courir sus :* Louis XVIII, sans jambes, *courir sus* le conquérant qui enjambait la terre! Cette formule des anciennes lois, renouvelée à cette occasion, suffit pour montrer la portée d'esprit des hommes d'État de cette époque. *Courir sus* en 1815! *courir sus!* et *sus* qui?... *sus* Napoléon qui avait *couru sus* les rois, les avait saisis et marqués pour jamais à l'épaule de son *N* ineffaçable!
CHATEAUBRIAND, Mémoires d'outre-tombe, III, VI, 3.

♦ **2.** Loc. adv. (1690; « en haut », v. 908). Vieilli. EN SUS : en plus, par-dessus le marché (→ Antenne, cit. 2; augmenter, cit. 8). — Loc. prép. (Fin xiiᵉ). Mod. (Dr. admin.). EN SUS DE... : en plus de..., outre (→ 2. Honoraire, cit. 3).

SUS- Préfixe, de l'adv. *sus* «au-dessus», employé notamment en anatomie, en musique ou (avec le sens de « ci-dessus, plus haut ») en droit et dans la langue administrative, didactique... Voir à l'ordre alphabétique.

SUS-ALAIRE [syzalɛʀ] adj. — 1923; de *sus-*, et *alaire.*

♦ Zool. *Plumes sus-alaires,* qui recouvrent l'aile.

SUS-CAUDAL, ALE, AUX [sykodal, o] adj. — 1923; de *sus-*, et *caudal.*

♦ Zool. Situé au-dessus de la queue. *Plumes sus-caudales,* recouvrant la queue.

SUSCEPTANCE [sysɛptɑ̃s] n. f. — Mil. xxᵉ; dér. sav. du lat. *susceptum,* supin de *suscipere.* → Susceptible.

♦ Phys. (électr.). Dans un circuit de courant alternatif, Grandeur correspondant au rapport du courant à la force électromotrice multiplié par le sinus de la différence de phase entre ces deux grandeurs.

SUSCEPTIBILITÉ [sysɛptibilite] n. f. — 1752; de *susceptible.*

♦ **1.** Vieilli ou didact. Fait d'être susceptible (II., 1.). Sensibilité particulièrement vive à certaines excitations (→ Aigre, cit. 15; magnétiser, cit. 1).

1 *L'alcaloïde tiré du haschisch* a des effets plus ou moins vigoureux et d'une nature très variée suivant le tempérament des individus et leur susceptibilité nerveuse.
BAUDELAIRE, les Paradis artificiels, «Poème du haschisch», II.

♦ **2.** (1784). Cour. Caractère d'une personne dont l'amour propre est très sensible. ⇒ aussi **Délicatesse.** *Blesser, choquer, ménager... la susceptibilité de qqn. Sa susceptibilité se blessait* (cit. 24).
(Une, des susceptibilités). Occasion, domaine où se manifeste ce caractère. *Froisser une susceptibilité familiale* (→ Considérer, cit. 18). *Les susceptibilités sociales du temps* (→ Exciter, cit. 18). *Elle avait des prétentions et des susceptibilités pour tout* (→ Renchérir, cit. 5).

2 Point d'intelligence, si favorisée qu'elle soit, qui n'ait ses susceptibilités, ses défiances : on veut garder le sceptre, on craint de le partager, on s'irrite des comparaisons.
CHATEAUBRIAND, Mémoires d'outre-tombe, t. II, p. 149.

♦ **3.** (1890). Phys. *Susceptibilité magnétique :* constante de proportionnalité entre la magnétisation et le champ magnétisant.

CONTR. Débonnaireté, indifférence.

SUSCEPTIBLE [sysɛptibl] adj. — 1372, *susceptible de...*, en parlant d'une personne; puis 1520, rare av. le xviiᵉ; du bas lat. *susceptibilis,* de *susceptum,* supin de *suscipere* «prendre par-dessous, se charger de, subir», de *sub* «sous», et *capere* «prendre».

★ **I.** SUSCEPTIBLE DE. ♦ **1.** (1520). Sens passif. Sujet n. de chose. Qui peut éprouver (un sentiment), présenter (un caractère), recevoir (une impression), être l'objet de... (une modification). ⇒ **Capable.** → Affection, cit. 8; docile, cit. 7. *Une faculté susceptible d'un tel point de perfection* (→ Gourmand, cit. 6). *Vérités primitives* (cit. 2) *qui ne sont pas susceptibles de démonstration* (⇒ **Souffrir**). *Texte susceptible d'interprétations différentes. Susceptible d'une définition rigoureuse* (→ Descriptif, cit. 4), *d'une réalisation* (cit. 2) *effective, d'améliorations* (→ Perfectibilité, cit. 2)..., *d'augmentation ou de diminution* (→ Grandeur, cit. 40).

1 De la foi d'un chrétien les mystères terribles
D'ornements égayés ne sont point susceptibles (...) BOILEAU, l'Art poétique, III.

2 Une femme rendue méfiante par les malheurs n'est pas susceptible de cette révolution de l'âme *(le coup de foudre).* STENDHAL, De l'amour, XXIII.

(Suivi d'un inf. passif ou à valeur de passif). Qui peut... ⇒ **Sujet** (à...). *L'homme apparaît toujours susceptible d'être dépassé* (cit. 20; → aussi Infirmer, cit. 5; mot, cit. 3; psychique, cit. 3; romantique, cit. 3). — *Inventions susceptibles de se transformer en instruments* (cit. 11) *de souffrance et de mort* (→ aussi Lignée, cit. 3; opportunisme, cit. 3).

♦ **2.** (1779). Avec l'inf. Qui a la capacité de, une capacité latente, une possibilité d'utilisation occasionnelle (pour les choses) alors que *capable* implique une capacité permanente et reconnue. ⇒ **Apte, capable.** *Appareil, instrument* (cit. 8) *susceptible de fournir* (cit. 13), *d'offrir... Lèvres* (cit. 4) *susceptibles d'exprimer la passion. Désigner des écrivains susceptibles de donner des articles* (→ Pondération, cit.).

3 Ce qui vient d'arriver prouve ce que j'avais entrevu et ce que personne ne voulait croire : c'est que Caliban était susceptible de faire des progrès.
RENAN, Drames philosophiques, Caliban, v, 1, *in* Œ. compl., t. III.

4 (...) depuis la guerre (...) on n'admet plus d'autre vérité qu'opportune; car il n'est pas de pire erreur qu'une vérité susceptible d'affaiblir le bras qui combat.
GIDE, Incidences, Réfl. sur l'Allemagne.

5 Joseph avait un chauffeur et un valet de pied susceptible lui aussi de tenir le volant. G. DUHAMEL, Chronique des Pasquier, X, II.

★ **II.** (1760; par spécialisation de sens : «susceptible d'impressions vives »). ♦ **1.** Vx. Sensible. *Une «délicatesse trop susceptible »* (Laclos, *les Liaisons dangereuses,* CLXIV, 1782).

♦ **2.** Mod. (Personnes). Particulièrement sensible dans son amour-propre; qui se blesse, se vexe, se froisse, s'offense facilement.

⇒ **Chatouilleux, délicat, ombrageux, pointilleux, pointu, prompt** (vieilli : prompt à la colère) ; et aussi **sensitif, sensitive,** 2. (→ Front, cit. 38 ; obliger, cit. 21). *Il est susceptible :* il ne comprend pas la plaisanterie*, on ne sait par où le prendre*.

6 Vous savez à quel point Oronte est susceptible. PALISSOT, les Philosophes (1760).

7 Avec ça, très fière, très susceptible, jetant à la tête de tout le monde son ancienne position de femme établie. ZOLA, l'Assommoir, x, t. II, p. 121.

8 D'ailleurs susceptible, incapable de souffrir la plus légère moquerie.
F. MAURIAC, le Nœud de vipères, II.

Par ext. *Caractère susceptible et ombrageux. Sensibilité susceptible.* ⇒ **Hérissé** (→ Atteindre, cit. 16 ; instable, cit. 2).

N. (Av. 1776). *C'est une grande susceptible. Les susceptibles et les indifférents.*

CONTR. (Du sens II, 2) **Débonnaire, indifférent.**
DÉR. Susceptibilité.

SUSCEPTION [sysɛpsjɔ̃] n. f. — xvᵉ ; « héritage », xivᵉ ; du lat. *susceptio,* de *susceptum,* supin de *suscipere* « assumer ». → Intussusception.

♦ **1.** Vx. Action de recevoir (qqch.) en soi. ⇒ **Assimilation, intégration.** — Spécialt. Fait de recevoir (un sacrement). *« La susception matinale du Viatique »* (→ Monder, cit., Huysmans).

♦ **2.** (1495). Liturgie. Fait de recevoir (les ordres).

SUSCITATEUR, TRICE [sysitatœʀ, tʀis] n. et adj. — 1570 ; du bas lat. *suscitator,* de *suscitare.* → Susciter.

♦ Vx ou littér. Personne qui suscite. *Un suscitateur de troubles, de désordres.* ⇒ **Fauteur** (2.). — Adj. (1926, Claudel, *in* D.D.L.) :
Structures et conjonctures font les événements, très peu les hommes. Car elles sont suscitatrices de réactions et d'impulsions collectives.
Gaston BOUTHOUL, Sociologie de la politique, p. 45.

SUSCITATION [sysitasjɔ̃] n. f. — xiiᵉ ; du bas lat. *suscitatio,* du lat. class. *suscitatum,* supin de *suscitare.* → Susciter.

♦ Vx ou littér. Action de susciter. ⇒ **Instigation, suggestion.**
Je ne parle qu'à ceux qui se taisent (un travail de suscitation), quitte à les juger ensuite sur leurs paroles. Francis PONGE, le Parti pris des choses, p. 163.

SUSCITER [sysite] v. tr. — V. 1265, « ressusciter » ; du lat. *suscitare,* de *subs, sub* « sous », et *citare,* fréquentatif de *ciere* « mouvoir ».

♦ **1.** Littér. (D'abord à propos des interventions divines). *Susciter qqch., qqn à qqn. Susciter qqch. contre qqn.* Faire naître (qqn, qqch.) soit pour aider, soit pour contrecarrer. *Dieu a suscité à son peuple tantôt des prophètes, tantôt des ennemis. « Susciter lignée », « susciter des enfants à son frère »,* en épousant sa veuve (→ Lévirat, cit. 1, Bible). — Au p. p. *Les préventions* (cit. 3) *suscitées contre moi.* — (Sans compl.) *Susciter la résistance* (cit. 17) *sur le territoire. Susciter des cabales, des querelles, des troubles.* ⇒ **Fomenter** (→ Rapport, cit. 3). *Susciter des obstacles. Susciter des malheurs* (→ Ennui, cit. 7).

1 N'ont-ils pas dit, Amos et Jérémie,
Qu'il n'advient rien en notre humanité
Que le Seigneur par puissance infinie
Ne l'ait permis, et même suscité ?
Clément MAROT, Opuscules, VIII.

2 Sa naissance *(d'Hercule)* avait inspiré à Junon une furieuse jalousie et, avant même qu'il fût né, elle lui suscita un rival futur dans la personne d'un certain Eurysthée, encore à naître lui aussi. Émile HENRIOT, Mythologie légère, p. 106.

♦ **2.** (Fin xiiiᵉ). Cour. (Sans compl. second). Faire naître (un sentiment, une idée...). ⇒ **Éveiller.** *Susciter l'adoration* (→ Accroître, cit. 7), *l'horreur* (cit. 17). *Susciter l'admiration.* ⇒ **Faire, soulever.** *Ils ont suscité autour d'eux les plus grands dévouements* (→ Paradoxalement, cit.). — *L'affaire suscitait un intérêt* (cit. 27) *profond. Ce qui suscite une image, une idée* (→ Association, cit. 16 ; olympien, cit. 3). *Institution, œuvre qui suscite des controverses, des commentaires* (→ Divorce, cit. 3 ; réfracter, cit. 2).

3 Les plus timides invites des domestiques et des travailleurs pour une augmentation de salaire suscitaient d'abord en toi une stupeur, puis une indignation dont la véhémence faisait ta force (...) F. MAURIAC, le Nœud de vipères, VII.

Produire, faire apparaître en tant que cause ou occasion déterminante. ⇒ **Causer, créer, occasionner, provoquer** (→ Appel, cit. 15 ; équivoque, cit. 21 ; foisonner, cit. 6 ; gastronomique, cit. 3). *Susciter la guerre, les passions.* ⇒ **Allumer** (3.). *Susciter l'envie de...* ⇒ **Donner, exciter.**

4 Monsieur et madame Lanlaire... Monsieur et madame va-t'faire Lanlaire !... Vous voyez d'ici toutes les bonnes plaisanteries qu'un tel nom comporte et qu'il doit forcément susciter. O. MIRBEAU, le Journal d'une femme de chambre, p. 39.

Évoquer* (4.). → 1. Palette, cit. 3.

CONTR. Détruire.
DÉR. V. Suscitation.
COMP. Ressusciter.

SUSCRIPTION [syskʀipsjɔ̃] n. f. — Déb. xiiiᵉ ; rare av. 1559 ; adapt. du bas lat. *superscriptio,* d'où *superscription,* mil. xiiiᵉ ; var. *supscription,* déb. xvᵉ.

♦ **1.** Adresse d'une lettre, écrite sur le pli extérieur ou sur l'enveloppe.

1 La lettre, toutefois, était retournée, la suscription en dessus, et, le contenu étant ainsi caché, elle n'attira pas l'attention. Sur ces entrefaites arriva le ministre D... Son œil de lynx perçoit immédiatement le papier, reconnaît l'écriture de la suscription (...)
BAUDELAIRE, Trad. E. POE, Histoires extraordinaires, « La lettre volée ».

2 (...) il prit dans sa poche un rectangle de papier vert dont il relut plusieurs fois la suscription.
M. AYMÉ, le Passe-muraille, « Le percepteur d'épouses », p. 169.

♦ **2.** (1876). *Acte de suscription :* acte par lequel le notaire constate par écrit, sur le papier ou l'enveloppe, qu'on lui a présenté un testament.

♦ **3.** (1842). Didact. (hist.). Énoncé des noms, titres, qualités de la personne au nom de laquelle un acte diplomatique était rédigé.

SUSCRIRE [syskʀiʀ] v. tr. — Conjug. *écrire.* — 1549, *in* D.D.L. ; d'après *suscription.*

♦ **1.** Vx. Écrire au-dessus (de la ligne).

♦ **2.** (Av. 1850). Écrire le nom et l'adresse sur une enveloppe (de lettre). ⇒ **Adresser.**
(...) à l'instar de Sa Majesté George Brown, de qui on disait : M. George Brown, et à qui on suscrivait des lettres George Brown, Esq.
A. JARRY, Gestes, « Le siècle de George Brown », *in* Œ. compl., t. VII, p. 68 (1901).

▶ **SUSCRIT, ITE** p. p. adj.
Écrit au-dessus (d'un autre signe, dans l'écriture). *Lettre suscrite,* écrite au-dessus d'une autre.

SUS-DÉNOMMÉ, ÉE [sy(s)denɔme] adj. et n. — 1845 ; de *sus-,* et *dénommé.*

♦ Dr. Qui a été nommé plus haut. — *La sus-dénommée.* ⇒ **Susdit, sus-mentionné, susnommé.**

SUSDIT, DITE [sy(s)di, dit] adj. et n. — 1318 ; de *sus-,* et *dit.*

♦ Dr. ou didact. Dit, mentionné ci-dessus. ⇒ **Sus-dénommé, sus-mentionné** (→ Nolis, cit.).
(...) il suffisait, en effet, de creuser le lit de ce creek pour en rendre le passage impraticable aux animaux (...)
Sur toute la lisière de l'est, par la mer elle-même, depuis l'embouchure du susdit creek jusqu'à l'embouchure de la Mercy (...)
J. VERNE, l'Île mystérieuse, t. I, p. 388 (1874).

N. (1668, Racine, *les Plaideurs*). *Le susdit, la susdite.*

SUS-DOMINANTE [sydɔminɑ̃t] n. f. — 1812 ; de *sus-,* et *dominante.*

♦ Mus. Sixième degré de la gamme diatonique (en *ut,* le *la*).
CONTR. Sous-dominante.

SUS-ÉPINEUX, EUSE [syzepinø, øz] adj. — 1721 ; de *sus-,* et *épineux* en anatomie.

♦ Anat. Situé au-dessus de l'épine de l'omoplate. *Fosse sus-épineuse. Muscles sus-épineux.* — N. m. *Le sus-épineux.*

SUS-HÉPATIQUE [syzepatik] adj. — 1843 ; de *sus-,* et *hépatique.*

♦ Anat. Qui est au-dessus du foie, qui concerne la partie supérieure du foie. *Secteurs sus-hépatiques. Scissure sus-hépatique. Veines sus-hépatiques.*

SUSHI [suʃi] n. m. — Mil. xxᵉ ; mot japonais.

♦ Préparation culinaire japonaise, constituée de riz vinaigré et assaisonné, avec du poisson (cru ou cuit), des légumes, des œufs, etc., présentés en rouleaux, tranches ou balles ovoïdes. *Un assortiment de sushi et de sashimi*. Boutique de sushi,* où l'on achète et consomme ces préparations. — Plur. francisé : *des sushis.*

SUS-HYOÏDIEN, IENNE [syzjɔidjɛ̃, jɛn] adj. — 1846, Bescherelle ; de *sus-,* et *hyoïdien.*

♦ Anat. Situé au-dessus de l'os hyoïde*.

SUS-JACENT, ENTE [syʒasɑ̃, ɑ̃t] adj. — 1872 ; de *sus-,* et *(sous-) jacent.*

♦ Didact. (géol.). Qui s'étend au-dessus (d'une autre formation géolo-

gique ou pédologique). *Roches sus-jacentes.* — Anat. *« L'état des organes sus-jacents »* (*Rev. gén. des sc.*, 15 mars 1905, nº 5, p. 219).
CONTR. **Sous-jacent** (plus courant).

SUS-MALLÉOLAIRE [symaleɔlɛʀ] adj. — 1877, *in* D.D.L.; de *sus-*, et *malléolaire.*

♦ Anat. Placé au-dessus des malléoles. — Relatif à une région située au-dessus des malléoles. *Fracture sus-malléolaire.*

SUS-MAXILLAIRE [symaksi(l)lɛʀ] adj. — 1843; de *sus-*, et *maxillaire.* → Sous-maxillaire.

♦ Anat. De la mâchoire supérieure. *Os sus-maxillaire.*

SUSMENTIONNÉ, ÉE [sy(s)mãsjɔne] adj. — xvᵉ; puis 1555; de *sus-*, et *mentionné.*

♦ Admin. Mentionné plus haut. ⇒ **Sus-dénommé, susdit, susnommé.** *Les articles susmentionnés.* — N. *Le susmentionné.*

SUSNOMMÉ, ÉE [sy(s)nɔme] adj. et n. — xvᵉ; de *sus-*, et *nommé.*

♦ Admin. Nommé plus haut. ⇒ **Prénommé,** et aussi **sus-dénommé, susdit, susmentionné.** *Les personnes susnommées* (→ Habillement, cit. 1). — N. *Le susnommé, la susnommée.*

SUS-OCCIPITAL, ALE, AUX [syzɔksipital, o] adj. — 1877, *in* D.D.L.; de *sus-*, et *occipital.*

♦ Zool. *Os sus-occipital* (des reptiles, des poissons), situé au-dessus de l'occipital, entre les pariétaux. — N. m. *Le sus-occipital.*

SUS-ORBITAIRE [syzɔʀbitɛʀ] adj. — 1843, *in* D.D.L.; de *sus-*, et *orbitaire.*

♦ Anat. Situé sur l'orbite ou au-dessus de l'orbite. *Trou sus-orbitaire,* du rebord de l'os frontal. *Nerf sus-orbitaire :* branche du nerf frontal passant par le trou sus-orbitaire et se ramifiant sur le front et sur la muqueuse de la paupière supérieure. *Artère sus-orbitaire :* branche de l'artère ophtalmique qui aboutit au-dessus de l'arcade orbitaire. — Paléont. *Bourrelet (ou torus) sus-orbitaire des Archanthropiens.*

SUSPECT, ECTE [syspɛ, ɛkt] adj. et n. — V. 1360; *suspet*, 1311; du lat. *suspectus* «suspect», p. p. de *suspicere*, proprt «regarder de bas en haut», rarement «soupçonner».

♦ **1.** (Personnes). Qui est soupçonné ou qui prête au soupçon*, qui éveille les soupçons. *Prendre un arbitre* (1. Arbitre, cit. 3) *qui ne soit suspect d'aucun côté. Auteurs suspects.* ⇒ **Apocryphe.** *Individus suspects.* ⇒ **Douteux, équivoque, interlope, louche** (→ Espionner, cit. 2; et aussi sentir la corde*). *Avocat suspect,* marron. *Tenir pour suspect.* ⇒ **Suspicion.** — *Suspect à qqn. Un être inquiétant, suspect à tous* (→ 1. Penser, cit. 3). *Ils me sont suspects* (→ Quarantaine, cit. 3).

1 (...) il fallait que, pour donner foi au Messie, il y eût des prophéties précédentes, et qu'elles fussent portées par des gens non suspects (...)
PASCAL, Pensées, VIII, 571.

2 J'attends ici quelque chose, et deux hommes qui jasent sont moins suspects qu'un seul qui se promène. BEAUMARCHAIS, le Barbier de Séville, I, 2.

3 (...) dans la justice, l'homme soupçonné est toujours, de prime abord, regardé comme coupable. Si même il est reconnu innocent, il demeure toujours suspect.
NERVAL, Fragments des faux saulniers, VII.

(Déb. xixᵉ). Spécialt (aux yeux du pouvoir). *Devenir, se rendre suspect, être jugé suspect* (→ Espion, cit. 8; fournée, cit. 7; régicide, cit. 2). — *Suspect à Richelieu* (→ Mugueter, cit.). — N. (1793). *Arrêter les suspects* (→ Fusillade, cit. 3; et aussi prince, cit. 6). — Hist. *La loi des suspects,* votée par la Convention le 17 septembre 1793.

4 Ce sont deux représentants du peuple qui un beau jour arrivèrent à Grenoble et quelque temps après publièrent une liste de 152 notoirement suspects (de ne pas aimer la République, c'est-à-dire le gouvernement et la patrie) et de 350 simplement suspects. Les *notoirement* devaient être placés en état d'arrestation; quant aux *simplement,* ils ne devaient être que simplement surveillés.
STENDHAL, Vie de Henry Brulard, 11.

5 Y pensez-vous? Réveiller les gens, violer les domiciles, retenir pendant quelques heures deux ou trois cents suspects. Que faites-vous des droits de l'homme et du citoyen? ALAIN, Propos, 7 août 1921, Folie guerrière.

5.1 Lui non plus (*Charles de Gaulle*) n'y regarde pas de trop près, quand il propose aux hommes du maquis « la paix des braves » et lorsqu'il tend un bulletin de vote à tous les « suspects » des douars.
F. MAURIAC, le Nouveau Bloc-notes 1958-1960, p. 123.

(1636). *Suspect de... :* qu'on soupçonne, ou peut soupçonner de... (→ Cathédral, cit. 2; nouveauté, cit. 15).

6 Craint des hommes qui proclamèrent la loi nouvelle, à l'Hôtel de Ville, suspect d'anglophilie (...) en butte à l'hostilité des membres des sociétés secrètes (...) il eut bientôt la nation contre lui. Paul MORAND, l'Europe galante, p. 86.

♦ **2.** (V. 1355). Choses. Qui éveille les soupçons; dont la valeur, l'intérêt, la sûreté sont douteux. *Toute pensée non conforme* (cit. 7) *devient suspecte* (→ aussi Falloir, cit. 33; habileté, cit. 7). *Propositions suspectes et sentant l'hérésie* (→ Muphti, cit.). ⇒ **Fagot, roussi** (sentir le). *Affaire suspecte.* ⇒ **Louche, véreux** (→ Périlleux, cit. 1). *Manœuvres suspectes* (→ 2. Réclame, cit. 5). *« La foi* (cit. 2) *d'un ennemi doit être un peu suspecte ».* ⇒ **Caution** (sujet à). *Témoignage suspect.* ⇒ **Problématique.** *On ne put découvrir rien de suspect* (→ Intriguer, cit. 4; murer, cit. 3).

7 Toute histoire qui n'est pas contemporaine est suspecte (...)
PASCAL, Pensées, IX, 628.

8 La bourse d'une femme, ses désirs, ses intentions, sa fantaisie sont mieux fouillés alors en un moment que les douaniers ne fouillent une voiture suspecte à la frontière en sept quarts d'heure. BALZAC, Gaudissart II, Pl., t. VI, p. 857.

Suspect à qqn. « Son courage et son nom trop suspects aux Romains » (→ Garant, cit. 9). *« L'endroit parut suspect aux voleurs »* (→ Camarade, cit. 7). — *Suspect de qqch. Journaux peu suspects de puritanisme.* (→ Dépravation, cit. 4). *Suspect à qqn, aux yeux de qqn, de qqch.*

(xviiᵉ). De qualité apparemment médiocre, douteuse. *Des références suspectes. Un savoir un peu suspect.*

♦ **3.** (1694). **a** *Produit suspect; denrée suspecte,* qui ne présentent pas de garanties suffisantes d'hygiène.

b Méd. (Personnes). Qui est susceptible d'avoir une maladie contagieuse (d'après les symptômes, etc.). *Malades suspects.*

c Par euphém. (en rapport avec l'activité sexuelle) :

9 (*Son pantalon*) portait une large tache, de celles que les médecins disent «suspectes» pour n'en point indiquer plus clairement la nature et l'origine.
G. DUHAMEL, le Voyage de P. Périot, VI.

CONTR. **Certain, sûr.**
DÉR. **Suspecter.**

SUSPECTABLE [syspɛktabl] adj. — 1845, *in* Balzac; de *suspecter.*

♦ Rare. Qui peut à bon droit être suspecté. ⇒ **Suspect.**

SUSPECTER [syspɛkte] v. tr. — 1515; repris 1726; avec un compl. n. de chose, 1798; de *suspect.*

♦ **1.** Tenir pour suspect qqn (→ Remonter, cit. 15) ou qqch. (→ Malade, cit. 22). ⇒ **Cause** (mettre en), **doute** (mettre en), **incriminer.**
REM. *Suspecter* est nettement plus péjoratif que *soupçonner* et marque une défiance ou un doute que le sujet tient pour légitimes.
Pron. *Se suspecter mutuellement.*

1 (...) aussitôt qu'on s'est permis de disposer à son gré des idées de justice et de propriété (...) on se blâme, on s'accuse, on se suspecte, on se tyrannise, on est envieux, on est jaloux (...) DIDEROT, Suppl. au voyage de Bougainville, III.

♦ **2.** (Av. 1830). Mettre en doute l'existence de (un sentiment, une intention louable).

2 Delhomme déclarait que le tirage avait eu lieu honnêtement, et Grosbois, très blessé, parlait de s'en aller, si l'on suspectait sa bonne foi.
ZOLA, la Terre, I, IV.

Suspecter (qqn, qqch.) de... On le suspecte de diverses indélicatesses, d'avoir fait... ⇒ **Soupçonner.**

▶ **SUSPECTÉ, ÉE** p. p. adj. *Les activités suspectées. Les personnes suspectées, suspectées de trahison, d'avoir trahi.*

CONTR. **Fier** (se).
DÉR. **Suspectable.**

SUSPENDRE [syspãdʀ] v. tr. — Conjug. *pendre* (→ Rendre). — V. 1460; de *sus-*, et *pendre;* de l'anc. franç. *soupendre, souspendre* «interrompre, arrêter», 1190; du lat. *suspendere.*

★ **I.** (1314, *souspendre*). Sens temporel. Rendre pour un temps immobile, inactif; supprimer pour un moment.
♦ **1.** Interrompre (une action). ⇒ **Arrêter** (I., A., 3.), **enrayer; discontinuer, interrompre.** *Suspendre la marche* (→ 1. Arrière, cit. 11), *le pas de...* (→ Couper, cit. 23). *Suspendre la course* (cit. 17) *de sa main. Oiseau qui suspend son vol* (→ Aiglon, cit.). — Fig. et poét. *« Ô temps, suspends ton vol... »* (→ Délice, cit. 9, Lamartine.) *Les heures ne suspendent pas leur fuite* (cit. 10). — *Suspendre le travail de la pensée* (→ Obsession, cit. 4).

1 Il avait eu l'adresse de suspendre la lutte habituelle de la Flandre et de la Normandie, en épousant sa cousine Mathilde, fille du comte de Flandre.
MICHELET, Hist. de France, IV, II.

2 Je ne voudrais pas imiter ici le procédé des narrateurs de Constantinople ou des conteurs du Caire, qui, par un artifice vieux comme le monde, suspendent une narration à l'endroit le plus intéressant, afin que la foule revienne le lendemain au même café. NERVAL, les Filles du feu, « Angélique », V.

3 (...) l'éclosion possible, l'attente d'une fleur tropicale suspendait tout et faisait silence même dans son cœur destiné à l'amour.
COLETTE, la Naissance du jour, p. 7.

(1784). *Suspendre ses paiements* (cit. 1). → Liquidateur, cit. 1.

♦ **2.** (1580). **a** Mettre un terme aux activités, aux effets de. ⇒ **Abandonner, couper** (court à), **interdire**. *Suspendre provisoirement une activité*. ⇒ **Geler**. *Suspendre la constitution, les garanties constitutionnelles. Suspendre un journal, un établissement*. ⇒ **Fermer**.

b (V. 1160, *sospendre*). Dr. *Suspendre qqn :* faire cesser, interrompre ses fonctions; le destituer* provisoirement. ⇒ **Démettre, destituer, disponibilité** (mettre en). → **Mettre à pied**. *Suspendre un magistrat, un prêtre* (⇒ 1. **Suspense**).

(1886). Sports. Interdire à (un sportif titulaire d'une licence) de participer à une épreuve officielle, par mesure disciplinaire (⇒ **Suspension**).

♦ **3.** (1478). **Remettre**, reporter à plus tard (en accordant un délai*, etc.). ⇒ **Ajourner, différer, renvoyer, repousser, retarder, surseoir**. *Suspendre son jugement :* attendre pour juger d'avoir pu se former une opinion (→ Opinion, cit. 14; plume, cit. 14).

★ **II.** (V. 1190). Faire pendre*. ♦ **1.** Tenir ou faire tenir (une chose, une personne), de manière à ce qu'elle pende* (I.). ⇒ **Appendre** (vieilli), **fixer, pendre** (II., 1.). *Suspendre un lustre à la voûte* (→ Rustique, cit. 4), *au plafond* (⇒ **Suspension**). *Suspendre qqch. à* (ou *par*) *un croc, un crochet* (⇒ **Accrocher**), *un clou*. ⇒ **Attacher, fixer** (→ Maillot, cit. 1; grue, cit. 7). *Suspendre un tableau au mur. Suspendre des vêtements à une patère, à un porte-manteau, dans une penderie. Suspendre une arme, un ustensile à un baudrier, à un ceinturon. Suspendre la crémaillère à son cran. Suspendre la viande, le lard, des jambons* (⇒ **Pendoir**). *Un mannequin* (1. Mannequin, cit. 7) *qu'on suspend dans les vergers*.

4 (...) un meunier et son fils (...)
Allaient vendre leur âne un certain jour de foire.
Afin qu'il fût plus frais et de meilleur débit,
On lui lia les pieds, on vous le suspendit;
Puis cet homme et son fils le portent comme un lustre (...)
LA FONTAINE, Fables, III, 1.

5 (...) j'aperçus dans un coin de la salle à manger une grande personne qui, debout et sur la pointe des pieds, suspendait les rubans son chapeau à une patère (...)
BARBEY D'AUREVILLY, les Diaboliques, « Rideau cramoisi », p. 38.

Poét. (Sujet n. de chose). *Le soleil suspendait des gouttes à la pointe des branches* (→ Éclabousser, cit. 4; et aussi emperler, cit. 1; magicien, cit. 8).

(XVIIe). Par métaphore. Vx. *Suspendre les esprits*.

Fig. *Suspendre une menace sur...* (→ Laisser planer*; et ci-dessous Suspendu, p. p. adj.).

♦ **2.** (XIXe). Vieilli. Faire tenir dans une position élevée. ⇒ ci-dessous **Suspendu** (B., 2.). *Des pêcheurs* (cit. 1) *qui suspendaient leurs cabanes aux rochers*.

♦ **3.** (Déb. XXe). Littér. *Suspendre qqch. à qqch.*, l'en faire dépendre.

▶ **SE SUSPENDRE** v. pron.

(Sens réfl.). Se pendre, se tenir pendu. *Se suspendre au cordage* (cit. 1). — Par ext. *Les enfants se suspendent aux jupons* (cit. 3) *de leurs mères. Se suspendre au bras de qqn* (→ 1. Jargon, cit. 2). — (1835). Fig. *Se suspendre aux lèvres de qqn*. — (Sens passif). *Des objets qui se suspendent à un clou*.

6 (...) mon âme se suspend à ses lèvres, comme une abeille à une fleur, pour y boire le miel de ses paroles. Th. GAUTIER, Mlle de Maupin, IX.

Vx (langue class.). Cesser.

▶ **SUSPENDU, UE** p. p. adj.

A. (Sens I). ♦ **1.** Qui est momentanément arrêté. — (1314). Littér. *Le pas suspendu* (→ Écouter, cit. 11). — Cour. *Séance suspendue*. — À qui on a interdit l'exercice de ses fonctions. *Magistrat suspendu*. — Sports. *Joueur suspendu*. — Remis à plus tard. *Jugement suspendu*.

7 Une pièce amenant des batailles, pas interdite tout d'abord, mais suspendue. Au bout de huit jours, après une semaine donnée aux passions, aux animosités, aux colères, pour se calmer, une seconde représentation (...)
Ed. et J. DE GONCOURT, Journal, 29 janv. 1891, t. VIII, p. 166.

♦ **2.** Vx. Qui hésite, tarde à décider. ⇒ **Flottant, hésitant, incertain, indécis, irrésolu**. « *Une âme (...) qui demeure suspendue* ». ⇒ **Suspens** (en). → Incertitude, cit. 16.

♦ **3.** (1559). Vx. Attentif. — (1687). Par métaphore. Mod. *Être suspendu aux lèvres* (cit. 21), *aux paroles de qqn* (→ aussi Enchanteur, cit. 7).

8 Alors elle veillait suspendue à ce souffle au point qu'il n'était rien qui lui fût plus doux que ses insomnies (...)
F. MAURIAC, Génitrix, VII.

B. (Sens II). ♦ **1.** (V. 1190). Qui est attaché, soutenu de manière à pendre*. ⇒ **Accroché, pendu**. *Suspendu à..., par...* (ce qui sert à tenir). *Objet, ornement suspendu à un fil, à un ruban* (→ Fleur, cit. 7; pendule, cit. 2), *par une chaîne, une ficelle* (→ Gourde, cit. 1; lorgnon, cit. 1). *Chaînes suspendues à des crochets* (→ Ex-voto, cit. 1). — *Suspendu à* (un emplacement). *Médaillon* (cit. 1) *suspendu au cou* (→ Patache, cit. 5), *au-dessus de...* — *Suspendu sur...* (→ Formidable, cit. 5), *au-dessus de...* — Fig. *Menace, danger suspendu sur qqn* (→ Épée* de Damoclès; et aussi appe-

santir, cit. 7; appréhension, cit. 6). — *Suspendu en l'air, dans le vide* (→ aussi Rapace, cit.).

9 Incroyable vérité que dans ces aubes toutes pures de nos vies, les pires orages étaient déjà suspendus. Matinées trop bleues : mauvais signe pour le temps de l'après-midi et du soir. F. MAURIAC, Thérèse Desqueyroux, II.

(Adj.). Absolt. *Lampes suspendues* (→ Catacombe, cit. 1). *Harpes éoliennes* (cit. 2) *suspendues*.

(1812). **PONT SUSPENDU**, dont le tablier est « suspendu », soutenu par des câbles dont le point de fixation est aux deux extrémités du pont.

9.1 Le pont suspendu du Niagara est à deux étages, ce qui lui donne autant de fixité qu'on en peut attendre du pont le mieux suspendu, et lui permet de résister à l'action des trains, ainsi qu'à la violence des ouragans.
L. FIGUIER, l'Année scientifique et industrielle 1860, p. 192-193 (1859).

10 (...) celui (*le pont*) de Chaley en fil de fer suspendu est achevé; celui de Pont-d'Ain, également suspendu, se fait admirer pour sa hardiesse et sa légèreté.
Th. GAUTIER, Souvenirs de théâtre..., Statist. département Ain.

(Fin XVIe). *Voiture suspendue*, dont le corps, la châssis ne porte pas sur les essieux, mais repose sur des ressorts (⇒ **Suspension**). — *Voiture bien, mal suspendue*, dont la suspension est plus ou moins souple.

♦ **2.** (1730; « qui plane, est en l'air », XVIIe). Qui tient ou se tient à une certaine hauteur, et semble être accroché. *Jardin suspendu en haut d'un mur* (→ Contenir, cit. 4). *Les jardins* suspendus de Babylone*, en terrasses. *Constructions suspendues à une certaine hauteur, comme des consoles* (→ Logette, cit. 2; et aussi prison, cit. 3). *Les olivettes* (cit. 3) *suspendues sur les rives des torrents*, en terrasse.

11 Mais rien n'égalait le charme du jardin merveilleux que cette forteresse dissimulait derrière elle, au cœur de la ville, toute une montagne secrète, privée, aux flancs de laquelle étaient suspendus, treilles, vergers, roseraies abandonnées, massifs.
M. JOUHANDEAU, Tite-le-Long, I.

Géogr. *Vallée suspendue*. « *Exemples typiques de vallées suspendues, c'est-à-dire de vallées latérales dont le fond se trouve à un niveau plus élevé que celui de la vallée principale...* » (*Rev. gén. des sc.*, 15 août 1903, no 15, p. 801).

CONTR. Continuer, prolonger, reconduire; maintenir (dans ses fonctions). — **Décrocher, dépendre**.

DÉR. (Du rad. lat.) V. **Suspens, suspension**; et aussi 1. **suspense, suspente**.

SUSPENS [syspɑ̃] adj. et n. m. — 1377, adj.; « suspendu, perplexe, indécis, incertain », XVe et XVIe; du lat. *suspensus*, de *suspendere*. → Suspendre (II.).

♦ **1.** Adj. m. (1660). Dr. canon. Se dit d'un ecclésiastique qui a été suspendu de ses fonctions. *L'abbé n'est pas interdit* (cit. 15), *il n'est que suspens*. ⇒ **Suspendre** (I., 2.), **suspension** (I., 1.).

♦ **2.** Loc. adv. **EN SUSPENS**. **a** (1553). Littér. Dans l'incertitude, l'indécision (⇒ **Suspendu**, A., 2.). *Être, demeurer, rester en suspens*, irrésolu, en balance. ⇒ **Balancer, hésiter; tergiverser; anxiété** (dans l'). → Ivresse, cit. 3. *Tenir les esprits en suspens* (→ Dénouement, cit. 3), *le lecteur en suspens* (→ Enchevêtrer, cit. 1; nouvelle, cit. 21).

b (1460). Arrêté momentanément (⇒ **Suspendre**, I., 1.; et aussi **inachevé, interrompu**). *Tenir en suspens. La question reste en suspens*. — Remis à plus tard. *Affaires, projets en suspens*. ⇒ 3. **Plan** (B.), **souffrance** (en).

1 Pourtant, dans cette paix, une cause de mauvaise entente dormait, la question du partage entre les deux sœurs, laissée en suspens. ZOLA, la Terre, III, I.

c (Mil. XIXe; de *suspendre*, II., 1.). Suspendu, en suspension. *De la neige en suspens* (→ Gris, cit. 21). — Fig. « *Cette quantité de nous-même qui est en suspens sur la faute* » (→ Porte-à-faux, cit. 3, Hugo).

2 Une fine fumée flotte encore, mêlée à de la poussière en suspens.
J. ROMAINS, les Hommes de bonne volonté, t. II, XX, p. 239.

3 Une seconde encore il lui sembla qu'il restait en suspens dans le vide avec une intolérable impression de liberté. SARTRE, l'Âge de raison, IV.

♦ **3.** N. m. **a** (Après 1850). Vx ou poét. État de ce qui est en suspens.

4 L'écrivain est assis devant sa page blanche. C'est entre le papier et lui que le drame s'installe, sous la forme d'un « temps » (...) Ce n'est plus une attente; c'est un suspens, un interdit.
J. ROMAINS, les Hommes de bonne volonté, t. XII, XIII, p. 128.

b (1886, Mallarmé). Littér. Attente angoissée; moment qui suscite ce sentiment. ⇒ 2. **Suspense**. — REM. En ce sens *suspens* pourrait remplacer l'anglicisme *suspense* (→ 2. Suspense, cit. 1).

5 Tout devient suspens, disposition fragmentaire avec alternance et vis-à-vis, concourant au rythme total, lequel serait le poème tu, aux blancs; seulement traduit, en une manière, par chaque pendentif.
MALLARMÉ, Variations sur un sujet, Pl., p. 367.

6 C'était curieux, cette sensation qu'elle avait souvent que sans lui, autrefois, le monde était un peu inerte, gris, informe, indifférent, qu'elle-même n'était rien qu'attente, suspens (...) N. SARRAUTE, le Planétarium, p. 73.

7 (...) cette grande pièce nue où la lumière du soir connaissait un de ces moments de « suspens » qui font crier au crépuscule quand c'est déjà la nuit (...)
Pierre GASCAR, les Bêtes, p. 143.

8 (...) il en venait à avoir de la sympathie pour cette femme, dans le cruel suspens où l'imaginait par sa faute. MONTHERLANT, le Démon du bien, p. 65.

1. SUSPENSE [syspãs] n. f. — 1718; *souspense* «suspension de droits, de pouvoirs», 1312; «indécision, suspens» en anc. franç., v. 1460; de *suspendre* (I.). → Dépense, de *dépendre*.

♦ **1.** Dr. canon. Censure ecclésiastique par laquelle un clerc, un prêtre est privé de son bénéfice et parfois aussi de ses pouvoirs. ⇒ **Suspens.** *Interdiction et suspense.*

♦ **2.** Mar. anc. Cordage auquel est suspendue une charge. ⇒ **Suspente.**

HOM. 2. Suspense.

2. SUSPENSE [syspɛns]; pop. [syspãs] n. m. — 1903, répandu v. 1950; angl. *suspense*, xvᵉ, empr. au franç. *suspens.* Anglicisme.

♦ **1.** Dans un film, et, par ext., un spectacle ou un récit, Moment ou passage de nature à faire naître un sentiment d'attente angoissée; caractère de ce qui est susceptible de provoquer ce sentiment. ⇒ **Suspens** (n. m.). *Film où il y a du suspense* ou *film à suspense. Film ennuyeux, sans suspense. Alfred Hitchcock, le «maître du suspense».*

1   Pourquoi ne dirait-on pas en français *suspens*, comme *en suspens* qui existe et donnerait bien l'équivalent de *suspense* au sens propre d'arrêt, de suspension, d'attente avec une nuance d'inquiétude?
Émile HENRIOT, Jules Romains et le Suspens, *in* le Monde, 6 mars 1957.

2   Et nous acclimatons sur les Champs-Élysées
Doucement l'horreur en salle climatisée
De suspense en suspense et d'image en image
Le meurtre grimaçant imprime son grimage
ARAGON, le Roman inachevé, p. 166.

3   J'insistai pour que Sartre introduisît dans son récit un peu du suspense qui nous plaisait dans les romans policiers. S. DE BEAUVOIR, la Force de l'âge, p. 111.

♦ **2.** (1956). Dans la vie courante, Situation d'attente angoissée.

4   Nous avons vécu un fameux *suspense*. Match crèverait-il les yeux du Docteur? Que déciderait celui-ci? J. CAU, la Pitié de Dieu, p. 193.

5   Pour éviter que ses ruminations fussent oiseuses, je créai un suspense : à l'aube, donnerait-il, ne donnerait-il pas le signal d'un nouvel attentat? Toutes les dimensions du temps se trouvaient rassemblées dans cette veillée funèbre (...)
S. DE BEAUVOIR, la Force de l'âge, p. 558.

♦ **3.** Sentiment d'attente.

6   Le principe du suspense, chez ces parleurs, consiste en effet à ne jamais achever une phrase sans avoir entamé la suivante.
Pierre DANINOS, Un certain Monsieur Blot, p. 144 (1958).

HOM. 1. Suspense.

SUSPENSEUR [syspãsœʀ] adj. m. et n. m. — 1765, adj.; n. m. «muscle de l'enveloppe du testicule», v. 1560; du bas lat. *suspensor.*

♦ **1.** Anat. Qui soutient. *Ligaments suspenseurs* (du foie, de l'œsophage, de l'ovaire, de la thyroïde, etc.).

♦ **2.** N. m. (1904). Bot. Ensemble de cellules allongées qui surmontent les cellules embryonnaires de l'étage inférieur, dans le développement de l'embryon *(plantule)* des spermatophytes.

SUSPENSIF, IVE [syspãsif, iv] adj. — V. 1355, gramm.; du lat. scolast. *suspensivus*, de *suspensum*, supin de *suspendere.*

♦ **1.** Qui suspend (II.). — (xvɪᵉ). Dr. Qui constitue ou qui provoque la suspension (I.). *Appel suspensif. Conditions suspensives.* — *Veto* suspensif.

♦ **2.** (1831; «qui interrompt le sens», en grammaire, xvɪɪɪᵉ). Gramm. Vx. *Points suspensifs*, de suspension (→ Réticence, cit. 3). ⇒ 1. **Point.**

SUSPENSION [syspãsjõ] n. f. — V. 1160, *suspenciun*, au sens I, 2 «délai, incertitude, interdiction»; écrit *suspension* au sens I, 1, b, 1481; du lat. *suspensio*, de *suspendere.* → Suspendre.

★ **I.** Fait de suspendre (I.), d'interrompre ou d'interdire; son résultat. ♦ **1.** **ⓐ** (Mil. xvɪᵉ). Interruption* ou remise à plus tard. — (Vx ou dr., sauf dans quelques expressions). *La suspension d'une activité par qqn. Surséance et suspension de jugement* (Montaigne). *Suspension de la production* (→ Chômage, cit. 1), *des fonctions.* ⇒ **Discontinuation.** *Suspension de la liberté* (cit. 27). *Suspension des hostilités.* ⇒ **Abandon, arrêt, cessation; armistice.** — (1617). *Suspension d'armes*: arrêt concerté, local et momentané, des opérations. ⇒ **Cessez-le-feu, trêve.** — *Suspension du travail, des activités professionnelles.* ⇒ **Pause, repos, vacances.** *Suspension de tant de jours.* ⇒ **Délai, temps** (d'arrêt). — Dr. *Suspension d'audience*: son interruption par le président du tribunal. *Suspension de prescription*: arrêt temporaire du cours de la prescription. *Suspension de l'exigibilité des créances.* ⇒ **Moratoire.** — (1872). *Suspension des poursuites*, en cas de question préjudicielle, d'autorisation à obtenir en raison de la qualité du prévenu... *Suspension d'instance*, par accord des parties ou décision du juge. — (1872). *Suspension de paiements. Suspension de taxe*: franchise. *Suspension d'une loi, de la constitution.* — *Suspension d'une activité industrielle, commerciale.* ⇒ **Fermeture.**

1   Notre vengeance, pour être différée, n'en sera pas moins éclatante (...) cette suspension d'un jour, que ma reconnaissance lui demande, ne fera qu'augmenter l'ardeur que j'ai de le satisfaire. MOLIÈRE, Dom Juan, III, 4.

1.1   J'ai fui dès la suspension de séance *(de la Chambre)* et suis allé à pied au Figaro.
F. MAURIAC, Bloc-notes 1952-1957, p. 103.

Absolt. Interruption.

2   Après cinq minutes de suspension pendant lesquelles mon avocat m'a dit que tout allait pour le mieux, on a entendu Céleste qui était cité par la défense.
CAMUS, l'Étranger, II, III.

ⓑ (V. 1190, *suspenciun*). *Suspension de fonctions*, et, absolt, *suspension* : fait de retirer ses fonctions (à un agent, à un magistrat, à un fonctionnaire, etc.), par mesure d'urgence, ou à titre de sanction disciplinaire. *Suspension d'un maire par le préfet. Suspension et interdiction*. ⇒ **Suspendre.** — *Suspension d'un prêtre.* ⇒ **Suspens** (1.).

Sports. Interdiction de participer aux épreuves officielles prononcée par mesure disciplinaire à l'encontre d'un sportif. *Suspension définitive. Requalifier un joueur après une suspension provisoire.*

♦ **2.** (V. 1160, *suspensiun*). Vieilli. État d'une personne qui est en suspens (2., a), dans l'incertitude; affaiblissement ou disparition momentanée d'un élément psychique (sentiment, idée, volition). ⇒ **Flottement, hésitation.** *Un état de suspension et d'entraves* (→ Évasif, cit. 2).

3   Je me trouvais encore, après six mois de liaison, dans un grand vague d'opinion sur elle, dans une suspension de sentiments, qui, bien loin de tenir à l'indifférence, venait plutôt d'un raffinement de respect et de mon scrupule excessif à m'interroger moi-même à son égard. SAINTE-BEUVE, Volupté, IV.

♦ **3.** (1757). Vx. Figure de style qui consiste à tenir les auditeurs en suspens.

Gramm. Interruption du sens. «*La suspension se marque par des points*» (Trévoux, 1771). — Loc. mod. (1752). POINTS DE SUSPENSION, qui remplacent une partie de l'énoncé ou interrompent l'énoncé. ⇒ 1. **Point** (*supra* cit. 78).

4   Les points de suspension — si rares en allemand classique — sont mis par Gœthe aux bons endroits (...) Comme c'est souvent le cas, les points de suspension «psychanalysent» le texte. Ils tiennent en suspens ce qui ne doit pas être dit explicitement. G. BACHELARD, l'Eau et les Rêves, p. 51.

★ **II.** ♦ **1.** (1718). Sc. Manière dont un objet suspendu est maintenu en équilibre stable. *Le point de suspension d'une balance* (romaine, peson). *Décrire la suspension d'une pendule, d'un balancier. Suspension du tablier d'un pont.* ⇒ **Suspendu** (pont). — (1872). *Suspension à la cardan.* ⇒ **Cardan.**

(1744). Par métonymie. Système assurant la suspension.

(Déb. xxᵉ). Cour. Appui élastique d'un véhicule (châssis, coque) sur ses roues; et des roues sur le sol (par les pneumatiques). *Ressort de suspension*: ressorts à lames, barres de torsion, ressorts hélicoïdaux. *Suspension à roues indépendantes. Suspension hydro-pneumatique, oléo-pneumatique.* — (1907). Par métonymie. Ensemble des pièces (amortisseurs, ressorts, jumelles, joints) assurant la liaison élastique du véhicule et des roues. *Il faut réparer la suspension.*

♦ **2.** Rare. Fait d'être suspendu, action de suspendre. — (1812). Vx. *Mort par suspension.* ⇒ **Pendaison.** *La suspension de qqn au-dessus d'un gouffre* (→ Chute, cit. 5).

(1830, gymn.). Sports. Position du corps suspendu à un appareil par un ou plusieurs membres. *Suspension fléchie ou mi-fléchie.*

(1835, *traitement des fractures par suspension*). Méd. Méthode de traitement du tabès par suspension du malade par les aisselles, la nuque et le menton. *Suspension d'un membre par un appareil.*

Fait de se tenir suspendu (pour un acrobate).

5   — Où j'en suis? reprenait Gianni, mais toujours à la *suspension horizontale en avant* (...) C'est une plaisanterie la *suspension horizontale en arrière*... tandis que, quand ça se passe en avant la suspension... rien du tout, mais rien du tout pour vous retenir le bras que le vide (...)
Ed. DE GONCOURT, les Frères Zemganno, XLIII.

♦ **3.** (1845). Chim. (surtout dans le syntagme *en suspension*). État d'une substance formée de particules finement divisées dans un liquide ou dans un gaz (milieu dispersif). *En suspension*, dans cet état. *Colloïde* en suspension.

6   Dans le flamboiement du gaz, les poussières en suspension s'épaississaient, immobiles au-dessous du lustre. ZOLA, Nana, I.

6.1   On dirait seulement des plumes silencieuses qui tomberaient verticalement en lignes régulières d'une chute uniforme, si lente qu'elle se devine à peine, et qu'on hésite même à préciser le sens du mouvement, vers le haut ou vers le bas, comme pour des particules en suspension dans une eau tranquille, des petites bulles dans un liquide chargé de gaz, des flocons de neige, de la poussière.
A. ROBBE-GRILLET, Dans le labyrinthe, p. 80.

Une suspension : un système formé par une ou plusieurs phases en suspension dans un milieu dispersif. ⇒ **Colloïde, suspensoïde.**

♦ **4.** (1718, «système maintenant suspendu le Saint Sacrement»).

ⓐ (1867). Support suspendu au plafond. *Suspension contenant des fleurs.*

ⓑ Appareil d'éclairage muni de lampes* et d'un abat-jour. ⇒ **Céladon.** *Suspension à gaz, électrique.* ⇒ **Lustre.**

7   Une suspension de cuivre rabattait les lueurs de la lampe sur la table, laissait dans
    l'ombre le visage de la jeune femme, éclairait en plein les doigts cousant (...)
                                                        HUYSMANS, En ménage, IV.
8   La lumière est une boule jaune collée aux cercles de fer de la suspension,
    une petite lumière isolée, en boule, au milieu de la chambre et qui n'atteint
    même pas les coins.   J. GIONO, Colline, Pl., t. I, p. 193.
    CONTR. Continuité. — Appui.
    DÉR. (Du même rad.) **Suspenseur, suspensif, suspensoïde, suspensoir.**

SUSPENSOÏDE [syspɑ̃sɔid] adj. — 1933 ; dér. sav. de *suspension*, et *-oïde*.

♦ Chim. *Colloïdes suspensoïdes* : classe de colloïdes (dits *irréversibles*) qui, après évaporation de la solution colloïdale, ne reprennent pas l'état colloïdal quand ils se trouvent de nouveau au contact du liquide.

SUSPENSOIR [syspɑ̃swaʀ] n. m. — 1314, *suspensoire* « muscle de soutien des testicules » ; adj., *suspensoire* « qui tient (un organe) en suspension », v. 1560 ; du lat. scolast. *suspensorium*.

♦ **1.** (1714). Bandage, dispositif destiné à soutenir un organe, et, spécialt, le scrotum, les testicules.

♦ **2.** Mar. anc. Cordage, dispositif (crochet, sangle, etc.) qui maintient suspendu, accroché. *Suspensoir des marchepieds des vergues.* ⇒ **Étrier** (3.).

SUSPENTE [syspɑ̃t] n. f. — 1773 ; *surpente*, 1680 ; var. de *soupente** du verbe *souspendre* (→ Suspendre) ; forme actuelle due à l'infl. de *suspendre*.

♦ **1.** Mar. Fort cordage ou chaîne qui entoure un mât et sert à supporter une vergue par son milieu.

♦ **2.** ⓐ (1871). Corde reliant la nacelle d'un ballon au filet.

ⓑ (1916, *in* D.D.L.). Corde reliant la voilure d'un parachute* au harnais.

♦ **3.** (Mil. xxᵉ). Techn. Organe reliant les câbles porteurs d'un pont suspendu à la charpente d'un tablier.

SUSPICIEUSEMENT [syspisjøzmɑ̃] adv. — 1942 ; de *suspicieux*.

♦ Littér. Avec suspicion, méfiance. ⇒ **Soupçonneusement.**

Pistolet, après avoir reniflé suspicieusement son assiette (...)
                               R. QUENEAU, Pierrot mon ami, L. de Poche, p. 136.

SUSPICIEUX, EUSE [syspisjø, øz] adj. — xxᵉ ; *suspicieus* « suspect », 1314 ; de *suspicion*.

♦ Littér. Plein de suspicion. ⇒ **Soupçonneux.** *Des regards suspicieux.* ⇒ **Défiant.**
CONTR. Confiant.
DÉR. Suspicieusement.

SUSPICION [syspisjɔ̃] n. f. — 1370 ; *suspiciun*, xiiᵉ ; *suspicioun*, v. 1315 ; du lat. *suspicio*, de *suspicere*. → Soupçon, suspect.

♦ **1.** Fait de tenir pour suspect, de ne pas avoir confiance. ⇒ **Défiance, doute, méfiance.**

REM. Le mot, courant au xviᵉ s., s'était spécialisé dans la langue du droit (cf. encore Littré, Hatzfeld) ; il s'est de nouveau étendu à la langue courante au xixᵉ s. — *Avoir de la suspicion à l'égard de qqn.* ⇒ **Soupçonneux.** *Être plein de suspicion.* — Littér. *En suspicion. Tenir en suspicion. En suspicion contre les nouveautés* (→ Bizarrerie, cit. 6) ; *en suspicion de ses sentiments, de ses instincts* (→ 1. Ressort, cit. 8).

♦ **2.** *(Une, des suspicions).* Fait d'être suspect ou soupçonné. ⇒ **Soupçon.** *Des suspicions* (→ Excuser, cit. 18).

1   Au fond, en tant que littérateurs, nous ne pouvons nous débarrasser de deux suspicions auprès du public : la suspicion de la richesse et de la noblesse.
                          Ed. et J. DE GONCOURT, Journal, 5 oct. 1866, t. III, p. 55.

2   Mais il nous est revenu (...) que la vie privée de M. le curé doyen n'était pas exempte de suspicions, oh ! légères sans doute et mal fondées : mais un prêtre ne doit-il pas ressembler à la femme de César, si j'ose me servir d'une comparaison profane ?   P.-J. TOULET, la Jeune Fille verte, VII.

♦ **3.** (1690). Dr. Crainte légitime qu'un tribunal puisse juger avec partialité. — (1790). *Suspicion légitime* : crainte éprouvée par les parties à l'égard de l'impartialité des juges et qui pourra être examinée par une autre cour. *Renvoi pour cause de suspicion.*

Si vous nous êtes ennemi, je repars demain pour Paris et dépose entre les mains 3
de Sa Grandeur une plainte en suspicion légitime contre le Tribunal (...)
                        BALZAC, le Cabinet des Antiques, Pl., t. IV, p. 420.
CONTR. Confiance.

SUS-PIED ou SUSPIED [sypje] n. m. — 1808 ; de *sus-*, et *pied*.

♦ Techn. (t. de manège). Courroie de l'éperon qui passe sur le cou-de-pied.

SUSPIRIEUX, EUSE [syspiʀjø, øz] adj. — xxᵉ ; dér. sav. du lat. *suspirare* « soupirer ».

♦ Méd. Qui ressemble à des soupirs. *Respiration suspirieuse. Râle suspirieux.*

SUS-PUBIEN, IENNE [sypybjɛ̃, jɛn] adj. — 1846, *in* D.D.L. ; de *sus-*, et *pubien*.

♦ **1.** Anat. Situé au-dessus du pubis. *Cordons sus-pubiens* : ligaments ronds de l'utérus.

♦ **2.** Méd. Qui s'effectue au-dessus du pubis. « *L'ablation (...) de l'utérus par la méthode sus-pubienne* » (*Année sc. et industr.* 1875, p. 467 [1874]).

SUS-SCAPULAIRE [syskapylɛʀ] adj. — 1846, *in* D.D.L. ; de *sus-*, et *scapulaire*.

♦ Anat. Situé au-dessus de l'omoplate. *Nerf sus-scapulaire* : nerf issu du plexus brachial et qui innerve les muscles sous-épineux et sus-épineux. *Artère sus-scapulaire* (ou *scapulaire supérieure*).
CONTR. Sous-scapulaire.

SUSSEYEMENT [sysɛjmɑ̃] n. m. — 1799, *in* Gattel ; de *susseyer*, v. de forme expressive.

♦ Phonét. Vice de prononciation (*s* [s] pour *ch* [ʃ] et *z* [z] pour *j* [ʒ]).
C'est alors que le grasseyement, le bégayement, le susseyement, le zézayement, le bredouillement reprennent leur empire naturel.
                     A. BOUCHARD, la Langue théâtrale, p. 87, *in* D.D.L., II, 7.

SUSSEYER [syseje] v. — 1834 ; verbe expressif, formé sur *s*, de manière analogue à *zézayer*.

♦ Vx. Parler avec un susseyement. — V. tr. « *Il ne "susseyait" que des gentillesses commerciales* » (L.P. Fargue, *in* G.L.L.F.).
DÉR. Susseyement.

SUSSULTOIRE [sysyltwaʀ] adj. — 1886 ; dér. sav. du lat. *sussultare* « bondir ».

♦ Géol. *Mouvement sussultoire* : secousse saccadée et verticale se produisant lors d'un tremblement de terre. « *Le 21 du même mois, à 2 h 30 du matin, deux secousses sussultoires, peu intenses, furent ressenties...* » (*Année sc. et industr.* 1891, p. 313 [1890]).

SUSTENTATEUR, TRICE [systɑ̃tatœʀ, tʀis] adj. — 1889 ; *substentateur*, fin xvᵉ ; *sustentateur* « protecteur », mil. xviᵉ ; du bas lat. *sustentator*, du lat. class. *sustentatum*, de *sustentare*.

♦ Qui assure la sustentation*. — (1909). Aviat. *Plans sustentateurs, surfaces sustentatrices* (ailes...) *d'un avion*, sur lesquels s'exerce la portance*. « *Le passage du vol vertical au vol horizontal s'effectue par basculement des éléments sustentateurs, en l'occurrence (...) des turboréacteurs* » (*Sciences et Avenir*, nᵒ 415, p. 77).

(...) le colonel Renard en signalait les principales difficultés, démontrant théoriquement que l'hélice sustentatrice ne possédait qu'un très faible rendement (...)
                                       l'Aéroplane pour tous, p. 7 (1909).

SUSTENTATION [systɑ̃tasjɔ̃] n. f. — Fin xiiᵉ ; *substentacion*, xiiiᵉ ; rare av. le xviᵉ ; du lat. *sustentatio*. → Sustenter.
Didactique.

♦ **1.** Vx. Fait de nourrir, de sustenter. — Mod. Méd. *Sustentation d'un malade*, par un régime et un traitement appropriés.

Nous vivions de fleurs. Voilà pour la sustentation. Il s'arrêtait et sans avoir à se baisser attrapait une poignée de corolles. Puis repartait en mâchonnant. Elles exerçaient dans l'ensemble une action calmante.   S. BECKETT, Têtes-mortes, p. 47.

♦ **2.** (1835, *polygone de sustentation*). Mod. Fait de soutenir, de maintenir en équilibre (rare en emploi libre : *la sustentation de qqch.*). — Loc. *Base* ou *polygone de sustentation* : polygone que l'on obtient en joignant les points d'appui les plus extérieurs d'un corps posé sur une surface et à l'intérieur duquel doit se trouver la projection du centre de gravité du corps pour qu'il y ait équilibre stable. — (1853). Spécialt. Maintien en équilibre d'un appareil volant.

⇒ **Portance**. *Rotor assurant la sustentation d'un hélicoptère, d'un autogire*.

DÉR. (Du même rad.) **Sustentateur**.

SUSTENTER [systɑ̃te] v. tr. — V. 1460; *substanter*, 1382; «aider, soutenir», v. 1112; rare av. le XVIᵉ; du lat. *sustentare* «soutenir», fréquentatif de *sustinere*. → Soutenir.

♦ **1.** Didact. (Vieilli). Soutenir les forces de (qqn) par la nourriture. ⇒ **Alimenter, nourrir**. *Sustenter un malade*. — (Sujet n. de chose). *Des aliments qui sustentent qqn* (→ Corps, cit. 32).

1   Il y a des enfants que leurs mères allaitent à leurs mamelles flétries, faute d'une bouchée de pain pour sustenter leurs expirants nourrissons (...)
CHATEAUBRIAND, Mémoires d'outre-tombe, t. VI, p. 318.

♦ **2.** Fig., rare. Accorder des subsides à.

♦ **3.** (Déb. XVIᵉ; repris 1877). Vx. Maintenir en servant de support ou d'appui. — (1882). Spécialt. Maintenir en équilibre dans l'air (un plus lourd que l'air).

▶ **SE SUSTENTER** v. pron. (1835).

Emploi marqué : didact. (rare), ou, plus cour., par plais. Se nourrir. ⇒ **Alimenter** (s'), **manger, restaurer** (se).

2   Les provisions, déjà embarquées par Nab, se composaient de conserves de viande et de quelques gallons de bière et de liqueur fermentée, c'est-à-dire de quoi se sustenter pendant trois jours, — laps de temps le plus long que Cyrus Smith assignât à l'exploration.   J. VERNE, l'Île mystérieuse, t. I, p. 327.

SUS-TENTORIEL, ELLE [sy(s)tɑ̃tɔrjɛl] adj. — Mil. XXᵉ (*in* Garnier et Delamare, 1959); de *sus-*, et *tentoriel*.

♦ Anat. Situé au-dessus de la tente du cervelet.

SUS-TONIQUE [sytɔnik] n. f. — 1831; de *sus-*, et *tonique*.

♦ Mus. Deuxième degré de la gamme diatonique.

SUSUCRE [sysykR] n. m. — D. i.; de *sucre*, avec redoublement de l'initiale.

♦ Fam. (langage affectif adressé aux enfants, aux animaux domestiques). Sucre. *Tu veux un susucre? Un susucre pour le gentil toutou*.

Par métaphore :

Il y en a ras le bol de vos vieilles putes de chansons réalistes, mademoiselle Cora, faites-nous quelque chose de bleu et de rose, je vous jure qu'on en a besoin! Un susucre, mademoiselle Cora, un susucre à la vie, elle a besoin de quelque chose de doux, pour changer.   É. AJAR (R. GARY), l'Angoisse du roi Salomon, p. 332.

SUSURRANT, ANTE [sysyRɑ̃, ɑ̃t] adj. — 1805, Stendhal, *in* D. D. L.; de *susurrer*.

♦ Qui susurre. *Voix susurrante*. — (Choses). *La fuite susurrante du robinet* ⇒ Chantonnement, cit. 2).

(...) le passage de l'insecte au somnambule — lui-même rattaché au travailleur sous-marin qu'est le scaphandrier, puis au monstre tombé d'une autre planète — et renforcer ainsi le lien un peu trop lâche qui s'est établi jusqu'ici entre la bestiole tardivement susurrante et le dormeur éveillé, à partir de l'idée de *solitaire d'un monde étrange* (ou *isolé insolite*) *en nocturne intrusion*.
Michel LEIRIS, Fourbis, 1968, p. 28.

SUSURRATION [sysyRɑsjɔ̃] n. f. — Mil. XIVᵉ, «chuchotement»; sens mod., 1599, repris 1797, Chateaubriand, *Essai sur les Révolutions*; du bas lat. *susurratio*, de *susurrare*. → Susurrer.

♦ Littér. Bruit de ce qui susurre. *La susurration des moustiques* (cit. 1). ⇒ **Susurrement**.

(...) une soif intolérable le brûlait; la susurration des mouches se confondait avec le battement de ses artères; ses pieds enfonçaient dans le sable; il lui semblait qu'il était en train de marcher depuis un temps infini.
FLAUBERT, l'Éducation sentimentale, II, IV.

SUSURREMENT [sysyRmɑ̃] n. m. — 1828; de *susurrer*.

♦ Littér. Action de susurrer; bruit de ce qui susurre. ⇒ **Chuchotement, murmure, susurration** (→ Labial, cit.).

1   Aujourd'hui, au dîner Brébant, devenu une espèce d'antichambre de ministère, c'est autour de moi un susurrement à voix basse de gens qui se demandent et se promettent des places pour les amis.
Ed. et J. DE GONCOURT, Journal, 30 avr. 1878, t. VI, p. 19.

(Choses) :

2   (...) le susurrement d'une vague parmi des cailloux me rend tout heureux (...)
CHATEAUBRIAND, Mémoires d'outre-tombe, t. V, p. 303.

3   (...) le sommeil qui suit n'est pas si profond qu'il me suffise du susurrement d'un moustique pour le troubler.   GIDE, Journal, 4 déc. 1929.

SUSURRER [sysyRe] v. — 1539; repris 1801, Mercier; du bas lat. *susurrare*, onomatopée.

♦ **1.** V. intr. Murmurer, parler très bas et avec douceur. ⇒ **Chuchoter**.

Sa voix fade susurrait, comme un ruisseau qui coule (...)
FLAUBERT, Mᵐᵉ Bovary, III, VII.   1

(Choses) :

Ô le frêle et frais murmure !   2
Cela gazouille et susurre,
Cela ressemble au cri doux
Que l'herbe agitée expire...
Tu dirais, sous l'eau qui vire,
Le roulis sourd des cailloux.
VERLAINE, Romances sans paroles, «Ariettes oubliées», I.

♦ **2.** V. tr. (Av. 1872, Gautier). *Susurrer des mots doux, des mauvais conseils, des médisances* (→ Mugir, cit. 3).

DÉR. (Du rad. lat.) **Susurrant, susurration, susurrement**.

SUSVISÉ, ÉE [sy(s)vize] adj. — XXᵉ; de *sus-*, et *visé*.

♦ Admin. Visé plus haut.

SUTÉMI [sutemi] n. m. — 1971; mot jap. «sacrifice».

♦ Sport (judo). Mouvement par lequel le judoka se jette au sol en contrôlant sa chute et projette son adversaire.

SÛTRA [sutRa] n. m. ⇒ **Soûtra**.

SUTURAL, ALE, AUX [sytyRal, o] adj. — 1803; de *suture*.

♦ Didact. (anat., sc. nat.). D'une suture (2. et 3.). *Membrane suturale* : tissu fibreux, réunissant les surfaces articulaires d'une suture. *Strie suturale*, des élytres d'insectes.

SUTURE [sytyR] n. f. — 1540; du lat. médical *sutura*, de *sutum*, supin de *suere* «coudre».

♦ **1.** Réunion, à l'aide de fils, de parties divisées (lèvres d'une plaie, extrémités d'un tendon coupé). → Chirurgie, cit. 1. *Aiguille, fil à suture* (catgut*,etc.). *Faire, pratiquer une suture*. — (1893). *Points de suture*. — *Suture entrecoupée*, série de fils indépendants; *en surjet*, avec un seul fil.

♦ **2.** Anat. Articulation immobile (⇒ **Synarthrose**) caractérisée par deux surfaces articulaires réunies par une membrane faite de faisceaux conjonctifs courts dont les fibres s'enfoncent de chaque côté dans la substance osseuse (⇒ **Synfibrose**). «*Suture est une composition d'os faite à la semblance des choses cousues*» (Paré). *Sutures dentées* (engrènement des surfaces articulaires dentelées), *écailleuses* ou *squameuses* (surfaces articulaires en biseau), *harmoniques* (surfaces rugueuses sans dentelures). *Sutures du crâne* ou *crâniennes : suture bi-maxillaire, fronto-pariétale, occipito-pariétale...*

Les dents poussent, chez lui, plus tard que chez le grand Singe; les sutures crâniennes sont beaucoup plus lentes à se fermer (...)   1
Jean ROSTAND, l'Homme, p. 36.

♦ **3.** (1762). Anat., sc. nat. Ligne apparente constituant la jonction entre deux organes, deux parties (fissure, sillon; raphé, etc.). ⇒ **Scissure, soudure**. — Bot. Ligne selon laquelle s'ouvre un fruit déhiscent. *Ligne de suture des valves*, des bords du carpelle. — Zool. Point de contact, ligne de jonction de certaines parties (libres ou soudées). *La suture des coquilles de gastéropodes*.

La suture, ou ligne d'intersection de la paroi de la coquille avec chacune des cloisons, est un caractère auquel les paléontologistes attachent une très grande importance, les complications de son tracé étant en rapport avec le degré d'évolution.   2
A. FRANC, Mollusq s, *in* Encycl. Pl., Zoologie, t. I, p. 1125.

♦ **4.** (Abstrait). Didact. Jonction, réunion intime (d'éléments qui étaient séparés).

L'incertitude où je présume avoir été enfantinement plongé quant à ces roses fleuries à la suture de deux moments de la durée (...)   3
Michel LEIRIS, Fourbis, 1968, p. 33.

(Psychan., chez Lacan et ses disciples). Tentative d'abolition du «manque» qui est toujours au sein de la structuration du sujet, et que le discours (la «parole contrainte») est chargé de cacher.

DÉR. Sutural, suturé, suturer.

SUTURÉ, ÉE [sytyRe] adj. — 1842; de *suture*.

♦ **1.** Qui présente une ou des sutures. *Insecte, fruit suturé*.

♦ **2.** Chir. (de *suturer*). Que l'on a suturé. *Plaie suturée*.

SUTURER [sytyRe] v. tr. — 1872; de *suture*.

♦ **1.** Chir. Réunir par une suture (1.). *Suturer les bords d'une plaie*. ⇒ **Coudre, recoudre**.

Et les gouttes de sang, cette rosée fraternelle des larmes, il les tarit aussitôt à la manière du chirurgien, sûr de sa méthode, qui lie les artères et suture la plaie.
André SUARÈS, Trois hommes, « Ibsen », v.

♦ **2.** Fig. et didact. Refermer.

▶ **SUTURÉ, ÉE** p. p. adj. ⇒ **Suturé.**
CONTR. Couper.

SUZERAIN, AINE [syzʀɛ̃, ɛn] n. et adj. — Av. le xivᵉ, *suzeraineté* étant attesté dès 1306; pour *suserain*; *susserain, souserain,* déb. xvᵉ; de l'adv. *sus* « au-dessus », d'après *souverain.*

♦ **1.** Dans le système féodal, Seigneur qui est au-dessus de tous les autres, dans un territoire donné et dont le pouvoir sur ses inférieurs (vassaux) est reconnu par l'hommage*. — Spécialt. Seigneur qui a concédé un fief à un vassal (*seigneur prochain* du vassal). → Hommage, cit. 10; rescrit, cit. 2. *Le vassal et son suzerain. La suzeraine.* — Par appos. et adj. *Seigneur suzerain. Dame suzeraine.*

♦ **2.** Fig. « *Le moyen âge où la terre (...) la cendre, furent suzerains de l'esprit* » (→ Glèbe, cit. 3).
CONTR. Vassal.
DÉR. Suzeraineté.

SUZERAINETÉ [syzʀɛnte] n. f. — 1611; *susereneté,* 1306; de *suzerain.*

♦ **1.** Hist. Qualité de suzerain, dans le système féodal. *Droit de suzeraineté. Reconnaître la suzeraineté d'un seigneur.* ⇒ aussi **Hommage, vassalité.** — Par anal. *Suzeraineté d'un État sur un autre.*

♦ **2.** (Mil. xixᵉ). Fig. et littér. ⇒ **Souveraineté.**
(...) c'est lui qui est venu à vous; il vous a reconnu de son propre chef une autorité, une espèce de suzeraineté.
J. ROMAINS, les Hommes de bonne volonté, t. X, XVII, p. 192.

SVANÈTE [svanɛt; zvanɛt] n. m. — xxᵉ; var. *svane;* n. ethnique.

♦ Ling. Langue caucasienne du sud parlée en Svanétie, proche du géorgien. — Adj. *La grammaire svanète* (ou *svane*).

SVASTIKA ou **SWASTIKA** [svastika; zvastika] n. m. — 1828, *svastika; swastika,* 1872, Burnouf; mot sanscrit « de bon augure », de *svasti* « salut ».

♦ Symbole sacré en forme de croix à branches coudées (le plus souvent, vers la gauche). *Le svastika a été souvent utilisé comme motif décoratif.*

1 (...) ce signe *(la croix à crochets)* est précisément celui que l'on trace sur le front des jeunes bouddhistes et qui était usité chez les brahmanes de toute antiquité; il porte le nom de *swastika,* c'est-à-dire signe de salut (...) C'est ce même instrument *(l'arani, instrument de bois d'où le feu se tire par le frottement)* qui se trouve personnifié dans l'ancienne religion des Grecs sous la figure de Prométhée (...) À présent le *swastika* se remarque sur une multitude de vases et d'objets antiques, de Rhodes, de Chypre, de Grèce (...) Quand Jésus eut été mis à mort par les Juifs, ce vieux symbole aryen lui fut aisément appliqué, et le *swastika,* par des transformations successives, devint la *croix hastée* des modernes chrétiens.
Émile BURNOUF, la Science des religions, IX.

2 L'est prenait, en contraste, un aspect tragique, lunaire. Le ciel était occupé par une énorme rosace folle dont les branches auraient été gauchies, une espèce de svastika de nuages. Un coucou chanta, du côté de la nuit.
Armand LANOUX, le Commandant Watrin, p. 26.

La croix gammée, emblème du parti nazi, est un svastika dont les branches sont coudées vers la droite.
On trouve aussi la var. orth. *sauvastika.*

SVELTE [svɛlt; zvɛlt] adj. — 1642, Poussin, *Lettres;* de l'ital. *svelto* « adroit, habile, agile (...) deschargé de taille ou de stature », Duez, *Dict. ital.-franç.,* 1660, de *svellere, sveglieve* « arracher, dégager ».

♦ **1.** Arts (peint, archit.). Qui produit une impression de légèreté, d'élégance, par sa forme élancée, sa finesse. ⇒ **Dégagé, fin, léger.** *Dôme* (Voltaire), *colonne svelte.*

♦ **2.** Cour. **a** (1798). Choses. *Verre élancé et svelte* (→ 1. Flûte, cit. 6). ⇒ **Effilé.** « *Les grands jets* (cit. 7) *d'eau sveltes parmi les marbres* » (Verlaine).

b (1776). Corps humain; animal. Mince et souple. ⇒ **Élancé.** *Une svelte jeune fille. Formes sveltes* (→ Arrondir, cit. 9; rayonnant, cit. 4), *sveltes et graciles.* — *Taille svelte.* ⇒ **Délié** (→ Potelé, cit. 3). *Cou* (cit. 5) *svelte.*

1 Il vient de se lever là, devant moi (...) une femme étrange; elle m'a semblé plutôt appartenir à la nature des ombres qu'au monde des vivants. Elle est si svelte, si légère, si vaporeuse, qu'elle doit être diaphane.
BALZAC, Adieu, Pl., t. IX, p. 756.

2 Ce sont des jeunes gens bien découplés, minces et sveltes, au contraire des *picadores,* qui se font en général remarquer par leur haute taille et des formes athlétiques; les uns ont besoin de force, les autres d'agilité.
Th. GAUTIER, Voyage en Espagne, p. 54.

CONTR. Épais, lourd, massif.
DÉR. (Du même rad.) Sveltesse.

SVELTESSE [svɛltɛs; zvɛltɛs] n. f. — 1765, Dandre-Bardon, *Traité de peinture;* repris par Gautier, *Voyage en Espagne,* 1843; ital. *sveltezza,* de *svelto.* → Svelte.

♦ Caractère de ce qui est svelte (→ Gracile, cit. 2; gracilité, cit. 3). Finesse, minceur du corps (d'une personne; plus rare, d'un animal). *La soutane convenait à sa sveltesse* (→ Rehausser, cit. 4).
Bien qu'elle soit femme dans toute l'acception du mot, l'élégante sveltesse de ses formes lui permet de revêtir le costume d'homme avec beaucoup de succès.
Th. GAUTIER, Souvenirs de théâtre..., Beautés de l'opéra, IV.

S. V. P. [ɛsvepe] — 1738, *in* D. D. L.; abréviation.

♦ **1.** S'il vous plaît (abréviation écrite). *Fermez la porte, S. V. P.*
Donnez, s.v.p., excellentes poignées de main de ma part à cet ami inconnu.   1
Germain NOUVEAU, Lettre à Paul Verlaine, 27 janv. 1876, Pl., p. 837.
Prononcé, dans la langue parlée. Fam. *Tâchez de ne pas oublier le pain, S. V. P.* [ɛsvepe].

♦ **2.** N. m. (sans article). Nom d'un service téléphonique privé de renseignements et d'aide.
J'ai appelé S. V. P., je lui ai dit : « S'il vous plaît, envoyez-moi vite un commissionnaire ! »   Sacha GUITRY, N'écoutez pas, Mesdames !, p. 104.   2

SWAHÉLI [swaeli] ou **SWAHILI** [swaili] adj. et n. m. ⇒ **Souahéli.**

SWAMI [swami] n. m. — xxᵉ; hindi *swāmī* « maître, seigneur, prince », p.-ê. par l'anglais.

♦ (Devant un nom). Terme de respect employé à l'égard d'un maître spirituel hindou. « (...) *l'enseignement que, de 1965 à 1974, j'ai reçu d'un maître hindou, Swami Prajnanpad* » (Arnaud Desjardins, *Pour une mort sans peur,* p. 7).

SWAP [swap] n. m. — 1960, *in* Höfler; mot angl. « troc, échange ».

♦ Anglic. Fin. Accord de crédit réciproque. ⇒ **Report.** « *Le swap, troc portant sur des monnaies différentes et effectué entre banques par un jeu croisé d'écritures* » (*France-Soir,* 5 janv. 1974). Recomm. off. : *crédit croisé.*

SWAPPING [swapiŋ] n. m. — 1975; mot angl., de *to swap* « échanger ».

♦ Anglic. Techn. Action de substituer (dans la mémoire d'un ordinateur) un programme à un autre.

SWASTIKA [svastika] n. m. ⇒ **Svastika.**

SWEATER [swɛtœʀ; cour. switœʀ] n. m. — 1902, *in* Höfler; mot angl., de *(to) sweat* « suer ».
Anglicisme.

♦ **1.** Vieilli. Tricot utilisé par les sportifs pour l'exercice, l'entraînement. *Des sweaters* (→ Gymnase, cit. 4, Hémon; punching-ball, cit. Morand).
Le demi aile vient au-devant de Peyrony qui, la partie finie, endosse son sweater. La sueur couvre le visage du jeune capitaine, noir de la terre qu'y laissèrent ses mains en s'y portant, y dessine des rouflaquettes humides (...)   1
MONTHERLANT, les Olympiques, éd. L. de Poche, p. 85 (1924).

♦ **2.** (1909). Vêtement de laine, de coton, à manches longues ouvert devant, à boutons. ⇒ **Golf** (vieilli). *Des jeunes gens en sweaters* (→ Club, cit. 4). *Un sweater d'un ton séduisant* (cit. 3).
Je vais voir Valéry. Trouvé chez lui Marie Laurencin (exquise dans une sorte de sweater très ouvert, gris et vert-artichaut...)   GIDE, Journal, 17 juin 1923.   2

SWEATING-SYSTEM [swɛtiŋsistɛm] n. m. — 1895, *in* Höfler; loc. angl., de *(to) sweat* « transpirer », et *system.*

♦ Anglic. Écon. Exploitation abusive de la main-d'œuvre (→ fam. Faire suer le burnous*).

SWEAT-SHIRT ou **SWEATSHIRT** [switʃœʀt] n. m. — 1939, *Paris-Soir in* Höfler, répandu vers 1946; mot angl. « survêtement d'athlète », de *(to) sweat* « suer » (→ Sweater), et *shirt* « chemise ».
REM. L'usage anglais inciterait à prononcer [swɛtʃœʀt] mais cette prononciation reste inusitée.

♦ Anglic. Pull-over de sport, ras le cou ou à col montant, avec découpe en V, enserrant la taille et les poignets. *Les sweat-shirts se font d'abord faits en coton molletonné; ils se font aussi en tissu éponge et en matières synthétiques.*
Elle portait (...) un sweat-shirt blanc et une jupe jaune. Elle avait des souliers blancs et jaunes et des patins de hockey.   B. VIAN, l'Écume des jours, III, p. 25.   1

2 (...) Claudie dansait avec un jeune poète qui portait un pantalon de velours lavande, un sweatshirt blanc, et un anneau d'or à une oreille (...)
S. DE BEAUVOIR, les Mandarins, 1954, p. 505.

En apposition :

3 Anorak sweat-shirt à taille coulissée, pantalon golf en coton imperméabilisé.
l'Express, 6 févr. 1978, p. 29.

SWEDENBORGIEN, IENNE [swedɛnbɔʀʒjɛ̃, jɛn] adj. — xixe ; de *Swedenborg* (1688-1772), n. propre.

♦ Didact. Relatif à Swedenborg, à ses idées théosophiques *(swedenborgisme)*.

SWEDENBORGISME [swedɛnbɔʀʒism] n. m. — 1837, Balzac, *Lettres à l'Étrangère* ; de *Swedenborg*, n. propre.

♦ Didact. Doctrine théosophique du suédois Swedenborg.

SWEEPSTAKE [swipstɛk ; swipstɛk] n. m. — 1776, comme mot angl. ; francisé en 1828 ; répandu 1934 (Bloch, Dauzat) ; mot angl., de *(to) sweep* « enlever, rafler », et *stake* « enjeu ».

♦ Anglic. Turf. Loterie par souscription entre les propriétaires des chevaux engagés dans une course. — Loterie où l'attribution des prix dépend à la fois d'un tirage et du résultat d'une course. *Un billet du sweepstake.*

1 En France, depuis peu, la coutume anglaise du *Sweepstake* s'est implantée de manière apparemment solide. Deux fois par an, au Grand Prix de Paris et au Prix de l'Arc-de-Triomphe, à Longchamp, il est pratiqué un *sweepstake*. Il consiste en ce que les billets de la tranche de la Loterie Nationale émise à cette occasion sont affectés, après tirages et par séries déterminées, à chacun des chevaux qui prendront part à la course. Des lots sont distribués aux chevaux classés gagnant et placés.
P. ARNOULT, les Courses de chevaux, p. 118.
2 Il s'inscrivit d'abord pour une sorte de sweepstake. Le joueur donnait au steward du pont un chiffre, de un à dix. A midi, on affichait dans le hall des premières le nombre de milles marins parcourus depuis la veille par le paquebot : le dernier chiffre de ce nombre déterminait les gagnants.
Roger VERCEL, l'Île des revenants, 1954, p. 20-21.

1. SWING [swiŋ] n. m. — 1895 ; mot angl., de *(to) swing* « balancer ». Anglicisme.

♦ **1.** Boxe. Coup de poing donné en ramenant (horizontalement ou obliquement) le bras, de l'extérieur à l'intérieur.

1 Dès le début du deuxième round Joe Mitchell, d'un furieux swing du droit fendit l'arcade sourcilière de son adversaire (...)
Louis HÉMON, Battling Malone, II.

♦ **2.** (1904). Golf. Mouvement de balancement du joueur qui frappe la balle. « *Ce sont les jambes qui comptent, dans un swing de golf* » (*l'Express*, 10 août 1980).

2 (...) à travers le filet de la moustiquaire, il eût dû frapper à longueur de bras, d'un mouvement courbe comme celui du swing.
MALRAUX, la Condition humaine, p. 9.

♦ **3.** Bridge. Manœuvre qui consiste à jouer une couleur épuisée chez le deuxième joueur et chez le partenaire.

2. SWING [swiŋ] n. m. — 1933, au sens II, répandu v. 1940 ; mot angl. des États-Unis, désignant une évolution de danse et spécialisé en jazz, de *(to) swing* « balancer ». Anglicisme.

★ **I.** ♦ **1.** (Vieilli). Danse, manière de danser sur une musique très rythmée, inspirée du jazz américain.

1 Lafleur éclata d'un rire si sonore qu'il éteignit d'un coup (...) la musique de l'orchestre. Les danseurs de swing s'arrêtèrent (...)
M. AYMÉ, le Vin de Paris, p. 206.
2 (...) le fils Peyralout dansait un swing avec un balai-brosse tout en éructant des : « Oupapouda doubalouibi bibelibop » qui ne présageaient rien de bon quant à son avenir.
René FALLET, le Triporteur, p. 275.

♦ **2.** Vieilli. Musique de jazz « commerciale », pour la danse, à la mode en France, v. 1945-1960.

3 Ces disques viennent de Paris, dit le sonderführer. Ils y font fureur. Le guitariste, c'est Django Rheinhardt. Excellent, n'est-ce-pas ?
— Oui, dit François, qui reprit une gorgée de thé parce qu'il avait soudain la bouche sèche.
— Ça s'appelle du swing. Swing-troubadour !
— On danse beaucoup à Paris ?
— Oh ! c'est interdit, dit Chamisso. Mais on danse quand même. Le swing. C'est une manière de nous braver qui n'est pas dangereuse. Il y avait un slogan dans une boutique des boulevards, au Fashionable.
— Au Fashionable ?
— Oui. « Une France swing dans une Europe zazoue. » Nous l'avons fait disparaître. L'esprit français ne perd pas ses droits.
Armand LANOUX, le Commandant Watrin, 1956, p. 361.

Adj. *Musique swing.*

4 Une certaine jeunesse marquait son dégoût de « Révolution nationale » d'une façon plus saugrenue, mais qui exaspérait les tenants de l'ordre moral ; cheveux longs à la mode d'Oxford, toupets frisés, un parapluie au bras, les zazous donnaient des « parties » où ils se grisaient de musique « swing » (...)
S. DE BEAUVOIR, la Force de l'âge, p. 528.

Spécialt. (dans l'hist. du jazz). Style de jazz pratiqué aux États-

Unis entre 1930 et 1945, caractérisé par la simplicité mélodique et rythmique, l'importance donnée au swing (II.).

♦ **3.** Adj. et n. (1939, *jupe swing*, in Höfler ; la chanson *je suis swing !* avait été composée en 1937 ; à la mode v. 1941-1950). Fam. et vieilli. Qui suivait la mode vestimentaire, les comportements inspirés d'une certaine image de l'Amérique des jeunes, en France, après la Libération (et pendant l'Occupation allemande, par réaction contre la morale officielle, → ci-dessus cit. 3 et 4).

5 Tu crois que j'ai une chance ? ajouta le Major, plein d'espoir.
— Mais certainement, mon vieux, assura derechef son acolyte, qui s'arrêta à ce moment pour observer un couple vraiment très swing. Le mâle portait une tignasse frisée et un complet bleu ciel dont la veste lui tombait aux mollets.
B. VIAN, Vercoquin, p. 47.
6 (...) un vague petit jeune homme blond. Je vois d'ici l'animal, un jeune veau appartenant à l'espèce *swing*.
M. AYMÉ, le Passe-muraille, « La carte », p. 86.

(Vêtements). *Une veste swing.* « *Ensemble "swing", époque 1940-1944* » (*Larousse mensuel*, déc. 1954, p. 570).

★ **II.** (1933, in Höfler). Mus. Qualité rythmique propre à la musique de jazz* (cit. 2). ⇒ **Rythme.** *Avoir du swing.* ⇒ **Swinguer.** *Cet orchestre a de bons arrangements, mais il manque de swing.*

DÉR. Swinguer.

SWINGUER [swiŋge] v. intr. — 1943, H. Panassié au sens 2 ; de *swing*.

♦ **1.** Vx. Danser le swing. ⇒ 2. **Swing** (I., 1.).

1 Il se mit, inconscient et ravi, à swinguer gracieusement avec une petite fille à jupe courte.
B. VIAN, Vercoquin, p. 162.

Fam. *Ça swingue :* ça s'agite.

2 Alors elle enfourchait son vélo rouillé et en avant dans les terrains vagues, dans les détritus ! J'espère que ça swingue là-dedans, ma fille.
Marie CARDINAL, les Mots pour le dire, 1975, p. 169.

♦ **2.** (1952). Mus. [a] Jouer avec swing (musiciens) ; avoir du swing* (musique).

(D'une musique). *Un thème qui swingue, qui swingue bien. Ça swingue !* (Cf. Ça balance).

[b] V. tr. Rare. Jouer (une musique) avec swing. — Au p. p. (plus courant) :

3 Toute exécution « swinguée » semble être soumise à une puissante ligne de force temporelle, à l'appel impératif du futur prochain, source de l'impression de vitalité intense que produit l'audition de la musique noire.
Lucien MALSON, les Maîtres du jazz, 1942, p. 17.

REM. Le participe présent adjectivé *swingant, ante* semble s'être répandu plus tard. « *Une voix swingante et rocailleuse* » (*l'Express*, 14 févr. 1981, p. 36). — Par ext. Grenoble, « *l'une des villes les plus swingantes de l'Hexagone* » (*l'Express*, 24 févr. 1979, p. 19).

SY-, SYL- Éléments, variantes du préf. *sym-, syn-* (par ex. dans *système, syllabe*).

SYBARITE [sibaʀit] n. et adj. — Mil. xvie ; rare av. le xviiie ; du lat. *sybarita*, grec *subaritês* « habitant du Sybaris », ville de la Grande Grèce, célèbre pour le luxe et la mollesse de ses habitants. Cf. Montesquieu, *Temple de Cnide*, iv.

♦ Littér. Personne qui recherche les plaisirs de la vie dans une atmosphère de luxe et de raffinement. ⇒ **Délicat, efféminé, jouisseur, sensuel, voluptueux.**

1 Croire que le monde est un lieu de délices où l'on ne doit avoir que du plaisir, c'est la rêverie d'un sybarite.
VOLTAIRE, Philosophie, I, Rem. sur les Pensées de Pascal.
2 Mes amis de Paris, ou les petites-maîtresses dont j'étais le *sigisbée*, ne reconnaîtraient jamais en moi l'homme qui fut un moment à la mode, le sybarite accoutumé aux colifichets, au luxe, aux délicatesses de Paris.
BALZAC, le Médecin de campagne, Pl., t. VIII, p. 507.
3 (...) l'enthousiaste du premier rang qui voit les choses de près mais n'est pas dans le feu de la corrida et va jusqu'à abandonner paresseusement aux amateurs ne disposant que des moyens plus modestes les places où l'on grille au soleil pour se prélasser, en sybarite, à celles qui sont à l'ombre.
Michel LEIRIS, Fourbis, p. 133.

CONTR. Ascète.
DÉR. Sybaritique, sybaritisme.

SYBARITIQUE [sibaʀitik] adj. — 1553, Ronsard ; de *sybarite*.

♦ Littér. Propre aux sybarites. *Vie sybaritique.*

SYBARITISME [sibaʀitism] n. m. — 1827 ; *sybarisme*, 1801 ; de *sybarite*.

♦ Littér. Goût, vie de sybarite. ⇒ **Indolence, mollesse, sensualité.**

1 Il dicte quelques réponses, va faire sa gymnastique de chambre, et s'attarde à sa toilette avec sybaritisme.
J.-R. BLOCH, Sybilla, p. 59.
2 Voyez les aliénistes. Ils se sont faits les serviteurs du crime des riches. Sur le modèle de Sodome et de Gomorrhe, ils ont installé des paradis à rebours, dont ils ont édifié des maisons closes dont on ne franchit le seuil qu'à coup de billets de banque, dont le sésame est l'or. Là, tout est agencé pour l'entretien et l'épanouisse-

ment des vices les plus rares. Là, la science la plus raffinée favorise le sybaritisme de détraqués et de maniaques d'une complexité si effroyablement moderne que les lubies d'un Louis II de Bavière ou d'un marquis de Sade ne sont que des jeux exquis.
B. CENDRARS, Moravagine, *in* Œ. compl., t. IV, p. 64.

3 J'ai passé une sale nuit en essayant de réconcilier les irréconciliables. Ce qui, en soi, relevait déjà d'une sorte de dilettantisme de luxe, de sybaritisme moral. Il n'y avait même pas à hésiter. R. GARY, Chien Blanc, p. 50.

CONTR. Ascétisme.

SYCO- Premier élément de mots didact., du grec *sukon* « figue ».

SYCOMANCIE [sikɔmãsi] n. f. — 1813 ; de *syco-*, et *-mancie.*

♦ Didact. Divination au moyen de questions écrites sur des feuilles de figuier, dans l'Antiquité grecque.

SYCOMORE [sikɔmɔR] n. m. — 1600 ; *sicamor,* v. 1130 ; *sicomore,* xvᵉ ; nombreuses var. en anc. franç. ; du lat. *sycomorus,* grec *sukomoros,* de *sukon* « figue », et *moron* « mûre ».

♦ **1.** Figuier *(Moracées)* originaire d'Égypte, aux fruits comestibles, au bois très léger et incorruptible.

1 Ce fertile marais était à peine ombragé par des sycomores chargés de figues (...)
CHATEAUBRIAND, les Martyrs, XI.

2 Sous l'épais sycomore, ô vierge, où tu sommeilles (...)
Un papillon d'azur vers toi descend des cieux.
LECONTE DE LISLE, Poèmes tragiques, « Sous l'épais sycomore ».

♦ **2.** (xvᵉ ; cette dénomination, pour un arbre très différent, s'explique mal). Érable* *(acer pseudo-platanus)* dit *érable sycomore, faux platane (Acéracées).* ⇒ Calumet, cit. 3 ; frondaison, cit. 3.

3 L'arbre qu'on appelle à Paris fort improprement *sycomore,* n'est autre chose que le grand érable (...) Le véritable *sycomore* ne vient point en France.
Encycl. (DIDEROT), art. *Sycomore.*

SYCONE [sikon] n. m. — 1846 ; du grec *sukon* « figue ».

♦ Bot. Inflorescence dont le réceptacle a la forme d'une bouteille sur la face interne de laquelle naissent les fleurs. *La figue, couramment appelée fruit, est en fait un sycone.*

SYCOPHANTE [sikɔfãt] n. m. — 1559, *sicophant ;* du lat. *sycophanta,* grec *sukophantès* « dénonciateur des voleurs ou des exportateurs de figues », d'où « délateur », de *sukon* « figue », et *phainein* « faire connaître ».

♦ Littér. Délateur, et, par ext., espion, fourbe. « *Guillot le sycophante approche* (cit. 30) *doucement* » (La Fontaine, qui traduit le mot en note par « trompeur »). « *Tel je vécus, râpe* (cit. 2), *sycophante, envieux* ».

1 M. de Talleyrand soignait quelques habitudes et quelques maximes à l'usage des sycophantes et des mauvais sujets de son intimité.
CHATEAUBRIAND, Mémoires d'outre-tombe, t. VI, p. 302.

2 (...) c'était une page d'un livre que je lisais, quand toutefois il m'arrivait d'en prendre d'autres que ceux de ces sycophantes modernes qu'on appelle des pamphlétaires (...) A. DE MUSSET, la Confession d'un enfant du siècle, V, V.

SYCOSE [sikoz] n. f. — Mil. xxᵉ ; spécialisation de la forme francisée de *sycosis*.

♦ Méd. Intoxication par le diplocoque de Neisser.

SYCOSIS [sikozis] n. m. — 1872 ; *sycose,* 1752 ; grec *sukôsis* « tumeur en forme de figue », de *sukon* « figue ».

♦ Méd. Folliculite suppurée des poils de la barbe et de la moustache, provoquée par des staphylocoques.

SYÉNITE [sjenit] n. f. — 1765 ; *siénite,* 1611 ; adj. *marbre syénite,* 1740 ; du lat. *syenites,* grec *suênitês* « de Syène », anc. ville d'Égypte, aujourd'hui Assouan, où l'on exploitait les carrières de cette roche.

♦ Minér. Roche plutonique neutre, grenue, à dominante claire, composée de feldspaths alcalins, de mica brun (biotite) ou hornblende verte, sans quartz. ⇒ **Granit.** *Syénite néphélinique,* caractérisée par la coexistence d'un feldspath alcalin, d'un feldspathoïde et d'un élément ferromagnésien.

(...) de vastes plaines arides, hérissées de maigres arbrisseaux et semées de gros blocs de syénites. J. VERNE, le Tour du monde en 80 jours, p. 86.

DÉR. Syénitique.

SYÉNITIQUE [sjenitik] adj. — 1845 ; de *syénite.*

♦ Sc. De la syénite. — Qui contient de la syénite. *Roches syénitiques.*

SYL- ⇒ Syn-.

SYLLABAIRE [sillabɛR] n. m. — 1752 ; de *syllabe.*
Didactique.

♦ **1.** Manuel, livre élémentaire de lecture présentant les mots décomposés en syllabes (⇒ **Alphabet,** 2.).

♦ **2.** Système d'écriture où chaque signe représente une syllabe. *Les syllabaires japonais.* ⇒ **Kana.**

SYLLABATION [sil(l)abasjɔ̃] n. f. — 1872, Littré, « lecture par syllabes », par oppos. à *épellation ;* de *syllabe.*

♦ Didact. (Ling.). « Répartition d'un système d'articulations en syllabes, soit opérée spontanément par le sujet parlant, soit reconnue par le phonéticien d'après la définition qu'il adopte de la syllabe » (Marouzeau). — REM. On a dit anciennement *syllabisation* (fin xvɪɪɪᵉ).

(...) cette voix si particulière (...) dans laquelle personne n'a saisi de mots articulés, de syllabisation.
BAUDELAIRE, Trad. E. POE, Histoires extraordinaires, « Double assassinat rue Morgue ».

SYLLABE [sil(l)ab] n. f. — 1174 ; *sillabe,* v. 1160 ; du lat. *syllaba,* grec *sullabê,* de *sullambanein* « prendre ensemble, rassembler », de *sun* (→ Syn-), et *lambanein* « prendre ».

♦ **1.** Unité phonétique fondamentale, définie, selon les auteurs, d'un point de vue *fonctionnel* (voyelle formant support entourée de consonnes [cit. 1]) ; *acoustique* (distance entre deux minima de sonorité [Jespersen, Jones]) ; *articulatoire* (frontière syllabique du point de passage d'un son plus fermé à un son plus ouvert [Saussure]) ; ou *physiologique* (tension croissante, puis décroissante des muscles de l'appareil phonatoire [Grammont, Fouché]). ⇒ **Consonne, lettre, voyelle ; aphérèse, apocope, crément, diérèse, synalèphe, synérèse.** *Syllabe ouverte,* terminée par une voyelle ; *fermée,* terminée par une consonne. *Centre de la syllabe,* ordinairement un élément vocalique, parfois une « sonante » ou même une consonne (franç. *psst !*). *Syllabe atone, tonique. Quantité* (cit. 11) *d'une syllabe* (→ Prosodie, cit. 1 ; rime, cit. 4 ; rythme, cit. 1). *Syllabe brève, longue. La métrique* (cit. 3) *française est fondée sur le nombre des syllabes* (→ Intonation, cit. 5 ; œuvre, cit. 18). *Rime* (cit. 2) *de deux syllabes. Syllabe muette*. Mot d'une syllabe* (monosyllabe), *de deux* (dissyllabe), *trois* (trisyllabe), *quatre* (quadrisyllabe ou tétrasyllabe), *cinq* (pentasyllabe), *plusieurs* (polysyllabe), *syllabes. Vers de six* (hexasyllabe), *sept* (heptasyllabe), *huit* (octosyllabe), *neuf* (ennéasyllabe), *dix* (décasyllabe), *onze* (hendécasyllabe), *douze* (dodécasyllabe ou alexandrin) *syllabes* (→ Iambe, cit. 3 ; métrique, cit. 2 ; octo-, cit. 4). *Syllabe initiale, finale, pénultième d'un mot. Interversion de syllabes, dans une contrepèterie.*

1 Même une personne sans formation linguistique a le plus souvent un sentiment très net du nombre des syllabes qu'il y a dans une chaîne prononcée. Le seul fait que la versification est si souvent basée sur le nombre des syllabes (par ex. en français) nous fournit une preuve que la syllabe est une unité phonétique dont les sujets parlants sont parfaitement conscients. Il s'agit pour la phonétique de tâcher de trouver la réalité acoustique et articulatoire qui est à la base de ce groupement des sons en syllabes. B. MALMBERG, la Phonétique, p. 78.

Appuyer (cit. 20) *sur certaines syllabes* (→ aussi Diction, cit. 4 ; insistance, cit. 1 ; pâle, cit. 6). *Détacher* (1. Détacher, cit. 13) *les syllabes. Escamoter* (cit. 9), *manger une syllabe. Peser* (cit. 2) *chaque mot, chaque syllabe.*

2 On tient qu'il va, ce scrupule, jusques à défigurer notre langue, et qu'il n'y a point presque de mots dont la sévérité de cette dame ne veuille retrancher ou la tête ou la queue, pour les syllabes déshonnêtes qu'elle y trouve.
MOLIÈRE, Critique de l'École des femmes, 5.

3 L'homme n'articule pas ses mots avec une vigueur suffisante pour que l'on puisse compter le nombre des syllabes émises. Il a parlé, avec lenteur, pendant une dizaine de secondes — ce qui doit représenter une trentaine de syllabes, moins peut-être. A. ROBBE-GRILLET, le Voyeur, p. 225.

♦ **2.** (1690). Dans des loc. Mot, parole. *Ne pas prononcer une syllabe.* ⇒ **Silencieux ; taire** (se). *Écouter sans perdre* (cit. 25) *une syllabe.* « *Toutes les syllabes en sont impies* » (cit. 3). — Par métaphore. « *Ces syllabes de granit* » (→ Pierre, cit. 12, Hugo).

4 La tante regarda Marius d'un air effaré, parut à peine le reconnaître, ne laissa pas échapper un geste ni une syllabe (...) HUGO, les Misérables, IV, VIII, VII.

DÉR. Syllabaire, syllabation, syllaber, syllabisme.
COMP. Asyllabie. — Imparisyllabe, parisyllabe (ou **parisyllabique).**

SYLLABER [sil(l)abe] v. intr. — xvɪɪɪᵉ ; de *syllabe.*

♦ Didact. Prononcer en détachant les syllabes. ⇒ **Syllabiser.**

D'aucuns ne craignent pas d'affirmer que la ville de Donogoo *(Il syllabe)* n'existe pas (...) J. ROMAINS, Donogoo, III, II, II.

SYLLABIQUE [sil(l)abik] adj. — 1529 ; du bas lat. *syllabicus,* grec *sullabikos,* de *sullabê.* → Syllabe.

♦ Qui a rapport à la syllabe. *Argument syllabique,* d'une syllabe. *Écriture** (cit. 3) *syllabique,* où chaque syllabe est représentée par un seul signe. *Les Kana, notations syllabiques du japonais. Superposition syllabique :* réduction à une seule syllabe de deux syllabes semblables qui se trouvent en contact. ⇒ **Haplologie.** *Voyelle portant l'accent syllabique. Décompte syllabique des vers français. Vers syllabique,* qui se mesure par le nombre de syllabes (en français).

On comprend qu'un régime syllabique (...) qui ne distingue pas rigoureusement les voyelles longues des brèves, et qui fait une grande économie de consonnes, doit aboutir à réduire le nombre des types syllabiques possibles, malgré la diversité des timbres vocaliques (un des caractères fondamentaux de la phonologie du français) ...
Charles BALLY, Linguistique générale et Linguistique franç., § 1451.

Mus. *Chant syllabique,* dans lequel à chaque note correspond une syllabe.

DÉR. **Syllabiquement.**

SYLLABIQUEMENT [sil(l)abikmã] adv. — 1812 ; de *syllabique.*

◆ Didact. En comptant par syllabes.

SYLLABISATION [sil(l)abizɑsjɔ̃] n. f. ⇒ **Syllabation.**

SYLLABISER [sil(l)abize] v. intr. — 1752, v. tr. « diviser (un énoncé) en syllabes », Restaut ; de *syllabe,* et *-iser.*

◆ Rare. Énoncer, lire en détachant les syllabes. ⇒ **Syllaber.**

Il s'assit et, prenant une plume, écrivit en syllabisant à haute voix (...)
Léon BLOY, le Désespéré, p. 189.

SYLLABISME [sil(l)abism] n. m. — 1872 ; de *syllabe.*

Didact. (linguistique).

◆ **1.** Système d'écriture syllabique (→ Idéographie, cit. 2).

◆ **2.** Système de versification fondé sur le vers syllabique.

SYLLABUS [sil(l)abys] n. m. — 1865 ; mot lat. ecclés. *syllabus* « sommaire, table », de *sillybus,* grec *sillubos,* altér. de *sittybos* « bande de parchemin collée sur un volume et portant le nom et le titre ».

◆ Relig. Liste de propositions émanant de l'autorité ecclésiastique. — Spécialt. *Le Syllabus :* document publié par Pie IX en 1864, ensemble des propositions condamnées par le pape (résumé des « principales erreurs de notre temps »).

SYLLEPSE [silɛps] n. f. — 1660 ; du lat. *syllepsis,* grec *sullêpsis,* proprt « compréhension », de *sullambanein* « réunir ». → Syllabe.

Rhét., grammaire.

◆ **1.** Tour syntaxique (« figure de construction ») consistant à « comprendre » dans une même construction des termes disparates sans les « accorder » grammaticalement (accord selon le sens). *Accord par syllepse,* d'après le sens. *Syllepse de nombre,* réunissant un singulier (collectif) et un pluriel. Ex. : *Minuit sonnèrent ; la plupart* (cit. 13) *se sentent écœurés. Syllepse de genre,* réunissant un masculin et un féminin. Ex. : « *(...) deux personnes être si contents l'un de l'autre* » (Molière, *Don Juan,* I, 2, cité par G. et R. Le Bidois, qui considèrent cet accord comme un abus, in *Syntaxe du franç. moderne,* § 16). — « *C'est la sentinelle qui le premier s'inquiète* » (Perret, *Caporal épinglé,* in Georgin, *Meilleur franç.,* p. 186).

◆ **2.** (1730). Figure par laquelle un mot est employé à la fois au sens propre et au sens figuré. — Ex. : *candide* dans le célèbre vers de Hugo : *vêtu de probité candide...*

DÉR. **Sylleptique.**

SYLLEPTIQUE [silɛptik] adj. — 1765 ; de *syllepse.*

◆ Didact. Relatif, propre à la syllepse. *Rapport sylleptique,* entre deux mots de genre différent (ex. : *la Saint-Jean ; le France a quitté Le Havre*).

SYLLOGISER [sil(l)ɔʒize] v. intr. — XIVᵉ, repris XIXᵉ ; *sillogiser,* mil. XIIᵉ ; du lat. *syllogizare,* grec *sullogizein* « rassembler par la pensée », de *sullogos,* de *sullogein,* de *sun-,* et *legein* « recueillir ».

◆ Didact. Raisonner (par syllogismes), et, spécialt, en argumentant avec soi-même (Rabelais, V, VII).

Je continuai ma route syllogisant à part moi (...)
MÉRIMÉE, Hist. du règne de Pierre le Grand, Append., Mém. Villebois.

SYLLOGISME [sil(l)ɔʒism] n. m. — 1530 ; *silogime,* v. 1265 ; *sillogisme,* v. 1370 ; du lat. *syllogismus,* grec *sullogismos,* proprt « calcul, raisonnement », de *sullogezesthai,* forme de *sullogizein* « rassembler », de *sullogos* « réunion », de *sun-,* et *legein* « rassembler ».

◆ **1.** Log. « Au sens large, tout raisonnement déductif rigoureux et qui ne suppose aucune proposition étrangère sous-entendue » (Lalande). ⇒ **Déduction, démonstration, raisonnement.**

Logique formelle. « Opération par laquelle du rapport de deux termes* avec un même troisième appelé moyen* terme on conclut à leur rapport mutuel » (Foulquié). → Désaltérer, cit. 1 ; immédiat, cit. 3. *Prémisses* (majeure* et mineure), conclusion* d'un syllogisme* (→ 1. Logique, cit. 3 ; 2. or, cit. 3 ; postulat, cit. 4). ⇒ **Argument.** *Composition des termes d'un syllogisme. La conclusion du syllogisme est la conséquence des prémisses. Syllogisme interprété en extension* ou en compréhension*. Figures du syllogisme. Modes du syllogisme,* formes qu'il prend, dans les diverses figures, selon la quantité et la qualité des propositions (universelles affirmatives, universelles négatives, etc.), représentées dans la scolastique par des mots mnémoniques (Baralipton, Barbara, Celarent, Darii, etc.). *Syllogisme conditionnel ou hypothétique.* ⇒ **Modus ponens, modus tollens.** *Syllogisme disjonctif. Syllogisme abrégé.* ⇒ **Enthymème** (cit.). *Chaîne de syllogismes.* ⇒ **Sorite** (espèce de « polysyllogisme »).

(...) dès que la raison métaphysique de l'existence se trouve identifiée avec la raison mathématique ou logique de démonstration, le syllogisme acquiert une valeur, une importance première et jouit d'un entier privilège d'infaillibilité en vertu de la forme seule *(vi formæ).*
MAINE DE BIRAN, Exposition de la doctrine philosophique de Leibniz.   1

LE LOGICIEN, au Vieux Monsieur.   1.1
Voici donc un syllogisme exemplaire. Le chat a quatre pattes. Isidore et Fricot ont chacun quatre pattes. Donc Isidore et Fricot sont chats.
LE VIEUX MONSIEUR, au Logicien.
Mon chien aussi a quatre pattes.
LE LOGICIEN, au Vieux Monsieur.
Alors, c'est un chat (...)
LE LOGICIEN, au Vieux Monsieur.
Autre syllogisme : tous les chats sont mortels. Socrate est mortel. Donc Socrate est un chat.
LE VIEUX MONSIEUR.
Et il a quatre pattes. C'est vrai, j'ai un chat qui s'appelle Socrate.
IONESCO, Rhinocéros, I, p. 44 et p. 46.

◆ **2.** Raisonnement purement formel, étranger au réel (→ Apprécier, cit. 6 ; disposition, cit. 14). Par anal. *Un syllogisme de conduite* (Balzac, *Préfaces,* Pl., t. XI, p. 352).

(...) toutes ces choses pensent par moi, ou je pense par elles (car dans la grandeur de la rêverie, le *moi* se perd vite !) ; elles pensent, dis-je, mais musicalement et pittoresquement, sans arguties, sans syllogismes, sans déductions.   2
BAUDELAIRE, le Spleen de Paris, III.

DÉR. (Du lat.) **Syllogiser, syllogistique.**

SYLLOGISTIQUE [sil(l)ɔʒistik] adj. et n. f. — 1551 ; du lat. *syllogisticus,* grec *syllogistikos,* de *sullogizestai.* → Syllogisme.

◆ Didact. Qui concerne le syllogisme, procède par syllogisme. *Méthode syllogistique* (→ Habileté, cit. 4).

(...) il se sentit étonné, humilié, alarmé, — lui, un esprit précis, concret, syllogistique, — de son désordre, de son peu de logique, de son argumentation pâteuse, égarée, qui ne marchait plus droit ni en avant.
Ed. et J. DE GONCOURT, Sœur Philomène, XLIV, p. 242.

N. f. Théorie du syllogisme. *La syllogistique est une partie de la logique traditionnelle.*

SYLPHE [silf] n. m. — 1670 ; *sylfe,* 1605 ; lat. des inscriptions *sylphus* « génie », p.-ê. d'orig. gauloise, repris par Paracelse au sens de « génie nain des airs et des bois ».

◆ Génie de l'air (dans les mythologies gauloise, celte, germanique). ⇒ **Elfe** (→ Fée, cit. 3 ; gnome, cit. 1). *Ariel, le sylphe de* la Tempête *de Shakespeare.*

Je suis l'enfant de l'air, un sylphe, moins qu'un rêve,   1
Fils du printemps qui naît, du matin qui se lève,
L'hôte du clair foyer durant les nuits d'hiver,
L'esprit que la lumière à la rosée enlève,
Diaphane habitant de l'invisible éther.   HUGO, Odes et Ballades, Ballade, II.

Elle disparut, revint comme un sylphe, sur des pieds si légers que Phil devina son   2
retour au parfum que le vent portait devant elle (...)
COLETTE, le Blé en herbe, p. 233.

DÉR. **Sylphide.**
HOM. **Silphe.**

SYLPHIDE [silfid] n. f. — 1670, Montfaucon de Villars ; de *sylphe.*

Littéraire.

◆ **1.** Génie aérien féminin plein de grâce (→ Fée, cit. 3). *Elle danse comme une sylphide* (Littré). → aussi Éléphant, cit. 4. *« Avoir une taille de sylphide »,* très mince (Académie).

◆ **2.** Femme mince et gracieuse ; créature féminine de rêve, fille de l'imagination.

(...) on était loin de concevoir à quel point je puis m'enflammer pour des êtres imaginaires. Sans quelques réminiscences de jeunesse et Mᵐᵉ d'Houdetot, les amours que j'ai sentis et décrits n'auraient été qu'avec des sylphides.   1
ROUSSEAU, les Confessions, XI.

(...) faute d'objet réel, j'évoquai par la puissance de mes vagues désirs un fantôme   2

qui ne me quitta plus (...) Voici venir une jeune reine, ornée de diamants et de fleurs (c'était toujours ma sylphide...).
CHATEAUBRIAND, Mémoires d'outre-tombe, t. I, p. 124-125.

3 D'où vient cette flamme qui rayonne autour d'une femme amoureuse et qui la signale entre toutes ? d'où vient cette légèreté de sylphide qui semble changer les lois de la pesanteur ?
BALZAC, Splendeurs et Misères des courtisanes, Pl., t. V, p. 669.

SYLV-, SYLVI- Élément, du lat. *silva* « forêt ».

SYLVAIN [silvɛ̃] n. m. et adj. — 1690 ; *silvain*, 1488 ; du lat. *silvanus*, de *silva* « forêt ».

♦ **1.** Didact. Divinité des forêts dans la mythologie latine. ⇒ **Dryade, faune** (→ Crotale, cit. 1 ; jardin, cit. 5 ; napée, cit.).

1 Le faune aux doigts palmés, le sylvain aux yeux verts,
Pan, qui revêt de fleurs l'antre où tu te recueilles,
Et l'antique dryade aux mains pleines de feuilles.
HUGO, les Voix intérieures, X.

♦ **2.** Adj. (1846, Bescherelle). Didact. Qui vit dans les forêts. *Espèces sylvaines.* — Par plais. Sylvestre.

2 Les rendez-vous avec Dominique étaient de nature sylvaine et les promenades au Bois débutaient par une station au Murat (...)
R. QUENEAU, Loin de Rueil, p. 169.

♦ **3.** N. m. (1800). Zool. a Nom de quelques espèces de papillons. *Grand sylvain* : nymphale des peupliers *(Limenitis populi).*

b Coléoptère.

c Oiseau.

SYLVE [silv] n. f. — 1846, *les Sylves*, de Stace, *in* Bescherelle ; *silve*, *selve* en anc. franç., 1080 ; du lat. *silva*, mieux que *sylva* « forêt ».

♦ **1.** Poét. Forêt, bois.

1 Il semblait que l'on fût au fond d'un bois perdu. Les essences du hêtre, de l'érable, du charme, du troène, insolites dans nos climats, donnaient à cette sylve abandonnée l'aspect d'une forêt mystérieuse (...)
H. BOSCO, Un rameau de la nuit, p. 136.

2 (...) soupir étouffé de Weber frôlant sylves et lacs (...)
Michel LEIRIS, Frêle bruit, p. 369.

♦ **2.** Didact. (géogr.). Forêt, et, spécialt, forêt équatoriale. *Les sylves africaines.* — (Pour traduire le port. *selva*). *La sylve amazonienne.*

SYLVESTRE [silvɛstʀ] adj. — 1802, « qui pousse naturellement » (végétal) ; sens mod., 1836 ; repris du lat. *sylvestris*, ou anc. franç. *silvestre* « sauvage » (animal), v. 1265 ; *sevestre* « bois coupé dans la forêt », v. 1155 ; du lat. *silvestris*, de *silva*, *sylva* « forêt ».

♦ Littér. Relatif, propre aux forêts, aux bois. ⇒ **Forestier** (→ Modern Style, cit. 1).

1 (...) ce champ à salades, ce potager sylvestre, rocheux et sphérique où votre Providence imprévoyante nous avait destinés à vivre nus, dans les grottes ou sous les arbres, nourris de la chair massacrée des animaux, nos frères, ou des légumes crus poussés sous le soleil et les pluies.
MAUPASSANT, l'Inutile Beauté, III, *in* Pl., t. II, p. 1218.

2 (...) le vieux forestier à l'oreille exercée sait fort bien discerner les bruits humains des rumeurs sylvestres. L. PERGAUD, De Goupil à Margot, I.

Loc. cour. *Pin sylvestre* : pin au tronc orangé vers la cime, d'une espèce commune, résistante.

SYLVI- ⇒ Sylv-.

SYLVICOLE [silvikɔl] adj. — 1842 ; *silvicole*, déb. XVIᵉ ; du lat. *silvicola* « qui habite *(colere)* la forêt *(silva)* ».

★ **I.** Vieilli. Qui vit dans les bois, en parlant de plantes, d'oiseaux.

★ **II.** (1865 ; de *sylviculture*, sur le modèle de *agricole*, *agriculture*). Relatif à la sylviculture. ⇒ **Forestier**. *Problèmes sylvicoles.*

SYLVICULTEUR [silvikyltœʀ] n. m. — 1872 ; de *sylvi-*, et *-culteur*, sur le modèle *d'agriculteur.*

♦ Didact. Exploitant de forêts. ⇒ **Arboriculteur, forestier.**

SYLVICULTURE [silvikyltyʀ] n. f. — 1835 ; de *sylvi-*, et *culture*, sur le modèle *d'agriculture.*

♦ Didact. Exploitation rationnelle des arbres forestiers (conservation, entretien, régénération, reboisement, etc.). ⇒ **Arboriculture.**

À l'Exposition, j'entre au Pavillon des forêts, à une heure où la lumière commence à devenir un rien crépusculaire, et c'est vraiment pour moi comme l'entrée dans un palais magique, bâti par les fées de la Sylviculture, dans ce palais aux colonnes fabriquées par ces vieux troncs d'arbres (...)
Ed. et J. DE GONCOURT, Journal, 11 oct. 1889, t. VIII, p. 79.

SYLVIE [silvi] n. f. — 1800 ; dér. du lat. *sylva* « forêt ».

♦ Anémone des bois.

SYLVIEN, IENNE [silvjɛ̃, jɛn] adj. — 1872 ; de *Sylvius*, nom lat. de Jacques Dubois, médecin français du XVIᵉ siècle.

♦ Anat. De la scissure* de Sylvius. *Vaisseaux sylviens.*

SYLVINE [silvin] n. f. — 1832, Beudant ; d'après l'ancienne dénomination, « sel fébrifuge de Sylvius », de *Sylvius*, nom latinisé du médecin Jacques Dubois, XVIᵉ siècle.

♦ Minér. Minerai constitué essentiellement de chlorure de potassium (KCl).
DÉR. Sylvinite.

SYLVINITE [silvinit] n. f. — 1923 ; de *sylvine* ; cf. Sylvinine, 1904, *Rev. gén. des sc.*, p. 928.

♦ Minér. Minerai de potassium constitué d'un mélange de chlorure de potassium et de chlorure de sodium, utilisé comme engrais.

SYM- ⇒ Syn-.

SYMBION [sɛ̃bjɔ̃] n. m. — 1973, *la Recherche* ; angl. *symbion.* → Symbiose.

♦ Didact. Organisme vivant en symbiose avec un autre ou avec d'autres.

SYMBIOSE [sɛ̃bjoz] n. f. — 1890 ; probablt de l'angl. ou de l'all. *symbiosis* ; grec *sumbiôsis*, de *sumbioûn* « vivre *(bioun)* ensemble *(sun)* ».

♦ **1.** Biol. Association durable et réciproquement profitable entre deux ou plusieurs organismes (⇒ **Commensalisme, mutualisme, parasitisme**). *Algue et champignon vivant en symbiose.* ⇒ **Lichen.** *Symbiose entre racines et champignons.* ⇒ **Mycorhize.** *Symbiose qui se développe sur un espace limité.* ⇒ **Synosie.** *Microbes en symbiose dans une infection.* ⇒ **Association** (microbienne). *Symbiose et antibiose*.* — Par métaphore (→ Parasite, cit. 11).

♦ **2.** (xxᵉ). Loc. *En symbiose* : en union étroite (avec qqn, un groupe). *Vivre en symbiose avec qqn.*

Ainsi vivions-nous, elle *(ma mère)* et moi, en une sorte de symbiose, et sans m'appliquer à l'imiter, je fus modelée par elle.
S. DE BEAUVOIR, Mémoires d'une jeune fille rangée, p. 43.

(Choses). Fusion, union de plusieurs choses. « *La symbiose du progrès scientifique et du progrès technique (...) symbiose entre l'entreprise, l'administration et la communauté de recherche* » (F. Hetman, *les Secrets des géants américains, in* P. Gilbert).

DÉR. (Du grec) V. **Symbiote, symbiotique.**

SYMBIOTE [sɛ̃bjɔt] adj. et n. m. — 1904 ; du grec *sumbiôtês*, de *sumbioûn.* → Symbiose.

♦ Didact. (Sc.). Qui vit en symbiose*. — N. m. Chacun des êtres associés en symbiose.

SYMBIOTIQUE [sɛ̃bjɔtik] adj. — 1890, *in* D.D.L. ; du grec *sumbiôtikôs*, de *sumbioûn.* → Symbiose.

♦ Didact. (Sc.). Relatif à la symbiose* ; caractérisé par la symbiose.

Pour toute espèce, la survie exige l'organisation symbiotique d'un nombre suffisant d'individus, soit en groupes cohérents et nombreux pour les espèces dont les ressources alimentaires sont massives, soit sous la forme d'individus cantonnés dans des territoires contigus pour les espèces à ressources clairsemées.
A. LEROI-GOURHAN, le Geste et la Parole, t. I, p. 221.

SYMBLÉPHARON [sɛ̃blefaʀɔ̃] n. m. — Mil. xxᵉ ; de *sym-*, et grec *blepharon* « paupière ».

♦ Méd. Adhérence de la paupière à la conjonctive du globe oculaire, en général due à la cicatrice d'une brûlure.

SYMBOLARD [sɛ̃bɔlaʀ] adj. et n. — 1930, Claudel, *in* D.D.L. ; de *symbole*, et suff. péj. *-ard.*

♦ Littér. et péj. Symboliste (en littérature).

SYMBOLARDERIE [sɛ̃bɔlaʀdəʀi] n. f. — 1968, Étiemble ; de *symbolard.*

♦ Péj. et rare. Symbolisme littéraire.

SYMBOLE [sɛ̃bɔl] n. m. — V. 1380; du lat. chrét. *symbolum* «symbole de foi», du lat. class. *symbolus* «signe de reconnaissance», grec *sumbolon* «objet coupé en deux (tesson) constituant un signe de reconnaissance quand les porteurs pouvaient assembler *(sumballein)* les deux morceaux». → Sym-, et -bole.

★ **I.** ♦ **1.** Relig. cathol. Formule dans laquelle l'Église résume sa foi. ⇒ **Credo, formulaire.** *Symbole des apôtres* (fin IIᵉ s. dans sa forme primitive), *de Nicée* (Concile de 325; → Consubstantialité, cit.), *de Nicée-Constantinople* (381), *de saint Athanase* (par fausse attribution; en Gaule, v. 500). *Symbole de foi* (→ Religion, cit. 8), *symbole baptismal. Jésus n'est pas un faiseur* (cit. 15, Renan) *de symboles.*

♦ **2.** (xviiᵉ, repris au sens grec). Didact. Dans l'Antiquité, signe (objet, discours) constituant une marque de reconnaissance pour des initiés (notamment aux mystères).

♦ **3.** (1798). Didact. Dans l'Antiquité, tesson, jeton servant de signe monétaire.

★ **II.** (1552, Rabelais, *Brève déclaration,* «conférence, collation», c.-à-d. «comparaison, rapprochement, rapport»). «Ce qui représente autre chose en vertu d'une correspondance analogique» (Lalande).

♦ **1.** Objet ou fait naturel perceptible, identifiable, qui évoque, par sa forme ou sa nature, une association d'idées «naturelle» (dans un groupe social donné) avec quelque chose d'abstrait ou d'absent. ⇒ **Attribut** (cit. 6), **emblème** (cit. 1), **insigne, représentation.** *La blancheur* (cit. 1), *symbole de l'innocence. Symboles traditionnels, consacrés* (objets, fleurs, animaux, etc.; → Arbre, balance, bouc, caducée, colombe, drapeau, faucille, lierre, etc.). *Le hautbois* (cit. 1), *symbole de la poésie pastorale. Un fleuve est le plus exact symbole de la vie* (→ Féconder, cit. 3; et aussi empenner, cit. 2; identité, cit. 10; nuitamment, cit. 1). *Le symbole du beau style* (→ Écrire, cit. 52). *Le symbole d'une époque* (→ Pavane, cit.; 2. poêle, cit. 3; récipient, cit. 2).

1 Ces théâtres, ces cirques, ces aqueducs, ces voies que nous admirons encore, sont le durable symbole de la civilisation fondée par les Romains, la justification de leur conquête de la Gaule. MICHELET, Hist. de France, I, III.

2 Et l'on verra tomber du front du Fils de l'Homme
La couronne de sang symbole du malheur
ARAGON, le Crève-cœur, « Deux poèmes d'outre-tombe », II.

Spécialt. (Myth., sociol.). Objet ou image ayant une valeur évocatrice, magique et mystique (⇒ **Mystère**). *Mythes et symboles* (→ Psychanalyser, cit. 2). *Rites à valeur de symbole* (→ Bouc, cit. 2). *Symboles chargés de pouvoirs* (→ 1. Masque, cit. 3). *Le gui* (1. Gui, cit. 3), *le bonnet phrygien* (→ 2. Galle, cit.), *le cercle, le serpent en tant que symboles. Symboles solaires, lunaires* (→ Interdire, cit. 12). *Les symboles dans l'architecture* (→ Raturer, cit. 2). *« L'homme y passe à travers des forêts* (cit. 7) *de symboles (...) ». Symboles dans l'inconscient, le rêve* (cit. 10). *Symboles issus de l'inconscient collectif* (chez Jung). ⇒ **Archétype.** *Métamorphoses et symboles de la Libido,* ouvrage de Jung.

3 Les traditions avaient enfanté des symboles, sous lesquels elles disparaissaient comme le tronc de l'arbre sous le feuillage; tous ces symboles, auxquels l'humanité avait foi, allaient croissant, se multipliant (...) les premiers monuments ne suffisaient plus à les contenir (...) Le symbole avait besoin de s'épanouir dans l'édifice. L'architecture alors se développa (...) et fixa sous une forme éternelle, visible, palpable, tout ce symbole flottant. HUGO, Notre-Dame de Paris, V, II.

4 La force, la permanence et la richesse des symbolismes qui lui sont attachés *(au Serpent)* doivent être mis en rapport avec les données de la psychanalyse. Comme la *rose,* le *cercle,* mais dans un sens opposé, le serpent a force coercitive; il matérialise l'Inconscient, les forces obscures de l'érotisme (...) Symbole double par essence, il est tantôt maléfique, tantôt bénéfique (...)
Olivier BEIGBEDER, la Symbolique, p. 38.

(xixᵉ). Littér. (et spécialt poét.). Élément ou énoncé descriptif ou narratif qui est susceptible d'une double interprétation, sur le plan réaliste et sur le plan des idées* (→ Luxuriant, cit. 2). ⇒ **Allégorie, comparaison, figure, image, métaphore.** *Le corbeau, le symbole du souvenir dans le poème de Poe* (→ Emblématique, cit. 1). *Les symboles dans la poésie symboliste*.

5 L'invention des symbolistes consiste peut-être à *ne pas dire* quels sentiments, quelles pensées ou quels états d'esprit ils expriment par des images. Mais ce même n'est pas neuf. Un SYMBOLE est, en somme, une comparaison prolongée dont on ne nous donne que le second terme, un système de métaphores suivies (...) c'est un symbole que *le Vase brisé,* si vous rayez les deux dernières strophes.
Jules LEMAITRE, les Contemporains,
Verlaine et les poètes symbolistes et décadents, 7 janv. 1888.

6 C'est le parfait usage de ce mystère qui constitue le symbole : évoquer petit à petit un objet pour montrer un état d'âme, ou, inversement, choisir un objet et en dégager un état d'âme, par une série de déchiffrements.
MALLARMÉ, Proses diverses, Réponses à des enquêtes,
Sur l'évolution littéraire. (→ Suggérer, cit. 3).

(1916). Ling. *Le symbole* opposé au *signe* (arbitraire) *par Saussure.*
REM. L'emploi 2, ci-dessous, domine en sémiotique, et l'emploi saussurien crée une confusion. → aussi Symbolisme, cit. 2.1.

6.1 Le premier niveau est celui des symboles, au sens où de Saussure les oppose aux signes : ce sont les signifiants «motivés» par une ressemblance ou une analogie quelconque avec leurs signifiés.
J. PIAGET, Épistémologie des sciences de l'homme, p. 343.

♦ **2.** Ce qui, en vertu d'une convention arbitraire, correspond à une chose ou à une opération qu'il désigne. ⇒ **Algorithme, notation, signe** (→ Intellectuel, cit. 9). *Symboles alphanumériques, algébri-*

ques, logiques, numériques. ⇒ **Algèbre, chiffre, nombre** (→ Graphique, cit. 5; nombre, cit. 7; quantité, cit. 7). *Symbole d'opérateur.*

7 Quant au troisième livre *(de la Géométrie),* c'est en réalité un très intéressant traité d'algèbre, remarquable par les notations et les théorèmes qu'on y rencontre. C'est ici que Descartes introduit l'habitude (...) de désigner les inconnues par x, y, z..., il use aussi des symboles *a²,* *a³...* pour les carrés et les cubes (...) Mais pour l'égalité, il emploie encore un signe ancien, ressemblant à notre symbole d'infini (...)
R. TATON, les Mathématiques, in Encycl. Pl., Hist. de la science, p. 557.

(De l'angl. *symbol,* Ch. S. Peirce). Sémiotique. Signe établissant un rapport non causal (à la différence de *l'indice*) et non analogique (à la différence de *l'icône*). S'oppose dans cet emploi au sens 1.

(Mil. xixᵉ, in Littré). Chim. *Symbole chimique,* constitué par une lettre majuscule (ou deux lettres dont la première est une majuscule) représentant un élément, un corps simple. ⇒ **Chimie.** *Le symbole est généralement tiré du nom latin (Na «natrium», pour le sodium), ou français (O, pour l'oxygène), ou parfois allemand (K «kalium», pour le potassium) de l'élément chimique.*

Techn. Graphisme utilisé dans un organigramme pour représenter une opération de décision. — *Symbole graphique,* représentant des machines, des appareils. — Numism. Marque d'atelier. ⇒ **Type.**

Comm. Publicité. *Symbole d'une marque.* ⇒ **Logo.**

Inform. *Symbole littéral,* qui constitue lui-même l'information qu'il représente (et n'est pas le signe d'une autre information). *Symbole de décision.*

♦ **3.** Personne qui incarne, qui personnifie de façon exemplaire. ⇒ **Personnification.** *Piero della Francesca est le symbole de la sensibilité moderne* (→ Expression, cit. 28; et aussi fuyant, cit. 8; hindou, cit. 2; 1. manœuvre, cit. 10).

8 C'est le roi de l'Église et de la bourgeoisie, le roi du peuple et de la loi (...) Expression grandiose d'une diversité immense, symbole d'une nation tout entière, plus il la représente, plus il semble insignifiant (...) c'est moins un homme qu'une idée (...)
MICHELET, Hist. de France, IV, V.

DÉR. **Symbolard, symbolisme.** — V. aussi **Symbolique, symboliser.**
COMP. **Asymbolie, symbologie.**

SYMBOLIQUE [sɛ̃bɔlik] adj. et n. — 1552; du lat. impérial *symbolicus,* grec *sumbolikos,* de *sumbolê,* de *sumballein* «mettre ensemble». → Symbole.

★ **I.** Adj. ♦ **1.** Qui constitue un symbole (II.), repose sur des symboles, a une valeur de symbole. ⇒ **Allégorique, emblématique, figuratif.** *Objets, figures, peintures symboliques* (→ Catacombe, cit. 3; espadon, cit. 2; fût, cit. 3; pavé, cit. 2). *Le portrait symbolique de Notre-Dame* (→ Grimoire, cit. 3). *Cérémonie, opération symbolique* (→ Aveu, cit. 1; liturgie, cit. 3). *Un mythe* (cit. 3) *est une fable symbolique. Signification, portée symbolique. Principe, à la fois matériel et symbolique* (→ Lien, cit. 1). *Sens symbolique* (opposé à *littéral*). *Style métaphorique* (cit.) *ou symbolique.*

1 Le dernier poète de l'âge symbolique *(Dante)* vit assez pour pouvoir lire la prosaïque allégorie du Roman de la Rose. L'allégorie tue le symbole, la prose la poésie. MICHELET, Hist. de France, V, IV.

2 (...) il existe une école philosophique qui voit dans les rêves de ce genre (...) un tableau symbolique et moral, engendré dans l'esprit même de l'homme qui sommeille. BAUDELAIRE, les Paradis artificiels, « Poème du haschisch », III.

3 (...) le lien, le vase, le tissu, l'outil, la roue, l'arme, tous ces objets essentiels ont, outre leur signification matérielle, une signification symbolique ou spirituelle.
G. DUHAMEL, Chronique des saisons amères, II, II.

Spécialt. *Écriture symbolique,* pictographique. *Pensée symbolique,* qui procède par images, par analogies. *La pensée symbolique et la pensée logique. Logique symbolique.* ⇒ **Logistique** (cit. 1). — Qui se rapporte aux symboles (I.) de la foi.

♦ **2.** (xxᵉ). Qui, tout en étant réel, n'a pas d'efficacité ou de valeur en soi, et n'est que le signe d'autre chose. *C'est un geste, un cadeau symbolique, purement symbolique. Un bombardement sans importance réelle, une manière de démonstration symbolique* (→ Prélude, cit. 2). *Obtenir le franc symbolique de dommages et intérêts. Une augmentation toute symbolique des salaires* (→ Formel, platonique).

★ **II.** N. f. Didact. ♦ **1.** (Fin xviiᵉ, Leibniz; de *symbole,* II., 2.). Avec une majuscule. *La Symbolique :* la logique symbolique de Leibniz (caractéristique* universelle).

4 Les louanges qu'il *(Malebranche)* donne à l'Algèbre se devraient donner à la symbolique en général, dont l'algèbre n'est qu'un échantillon assez particulier et assez borné.
LEIBNIZ, Lettre à Tschirnhaus, in LALANDE, Voc. de la philosophie, art. Symbolique. 2.

♦ **2.** (1825, Guigniaut; trad. de Creuzer, «*Symbolik und Mythologie*», 1810; de l'all. *Symbolik*). Science, théorie générale des symboles (spécialt, en histoire des religions, mythologie, sociologie).

5 Ces rites, ces dogmes cachent souvent des idées autrefois réservées à un petit nombre d'initiés, et dont le secret, enseveli avec eux, peut cependant être retrouvé par ceux qui font une étude approfondie des renseignements de tout genre qui nous restent sur les anciennes croyances et sur les cérémonies qu'elles prescrivaient. De là, une science à laquelle on a donné le nom de *Symbolique* (...) où l'on se propose de découvrir ce qui était caché sous ces emblèmes (...)
AMPÈRE, Essai sur la philosophie des sciences (1835), in LALANDE, Voc. de la philosophie, art. Symbolique. 2.

◆ **3.** (V. 1830). *La symbolique de... :* système de symboles relatif à (un domaine déterminé, un peuple, une époque, à un système éthique ou politique). ⇒ **Symbolisme,** 1. *La symbolique des pierres* (cit. 27) *précieuses* (→ Améthyste, cit. 1). *La symbolique africaine; la symbolique bouddhique du Tibet.* « *La symbolique gaulliste : la croix de Lorraine, la Commémoration du 18 juin, le Compagnonnage, l'idée gaulliste de l'honneur politique* » (*l'Express,* 27 nov. 1967). *« La symbolique du droit »* (Michelet, *Hist. de France,* Préface de 1837). *La Symbolique romane* (titre d'un ouvrage de S. Davy, 1955) : la symbolique propre à l'art roman. *La symbolique égyptienne.*

Psychan. *Symbolique des rêves* :* signification au niveau de l'inconscient, des images oniriques. *La symbolique des rêves renseigne sur la nature des obsessions et le caractère du refoulement. Déchiffrer la symbolique d'un rêve.*

★ **III.** N. m. (De I., 1.). ◆ **1.** *Le symbolique :* le domaine des symboles (II., 1.), et, par ext., des signes arbitraires, notamment acceptés et véhiculés par la culture (peut s'opposer à *sémiotique*).

◆ **2.** Psychan. « L'ordre des phénomènes auxquels la psychanalyse a à faire en tant qu'ils sont structurés comme un langage » (Lacan).

DÉR. Symboliquement.

SYMBOLIQUEMENT [sɛ̃bɔlikmɑ̃] adv. — 1561, « de manière occulte »; rare après déb. XVIIIe; repris fin XIXe; de *symbolique.*

◆ D'une manière symbolique (→ Autel, cit. 20).

SYMBOLISANT, ANTE [sɛ̃bɔlizɑ̃, ɑ̃t] adj. — 1964, cit.; p. prés. de *symboliser.*

◆ Didact. Qui a une activité de symbolisation.

(...) l'humanité au sens étroit du terme, c'est-à-dire répondant à une pensée symbolisante dans la mesure où nous en usons nous-mêmes.
A. LEROI-GOURHAN, le Geste et la Parole, t. I, p. 262.

SYMBOLISATION [sɛ̃bɔlizasjɔ̃] n. f. — 1827; « sympathie », 1803; « fait d'être en relation d'analogie », 1374; de *symboliser.*

◆ **1.** Action de symboliser (II., 2.).

1 (...) faites voir que la terre n'a rien à envier au ciel; vous représentez dignement la première divinité du monde, la plus pure symbolisation de l'essence éternelle, — la beauté. Th. GAUTIER, Mlle de Maupin, XIII.

2 Quoi qu'en dise la tradition, la symbolisation des forces cosmiques joue dans l'art grec un rôle assez effacé : nous ne savons pas encore si le plus grand bronze du Ve siècle avec L'AURIGE, le DIEU D'HISTLAE, représente Zeus ou Poséidon.
MALRAUX, la Métamorphose des dieux, p. 69.

Psychan. Élaboration de symboles dans le rêve (cit. 10).

◆ **2.** Fait d'utiliser des symboles (II., 2.). *Symbolisation en mathématiques, en logique.* ⇒ **Formalisation.**

SYMBOLISER [sɛ̃bɔlize] v. tr. — 1796, v. tr., puis 1820; v. tr. ind., « être en rapport avec qqch. », XIVe; du lat. scolast. *symbolizare,* du grec *sumballein* « joindre, rapprocher ». → Symbole.

★ **I.** V. tr. ind. *(Symboliser à* ou *avec).* Vx. Offrir de l'analogie, être en rapport avec (encore chez Bossuet, *in* Littré; cf. le sens de symbole, II., Rabelais).

★ **II.** V. tr. ◆ **1.** Représenter*, exprimer ou matérialiser* par un symbole (→ Breuvage, cit. 5).

◆ **2.** *Être le symbole de...* (→ Amphibie, cit. 4; moraliser, cit. 1).

1 Notre-Dame de Reims (...) couverte plus qu'aucune autre des emblèmes du sacerdoce (...) symbolise l'alliance du roi et du prêtre.
MICHELET, Hist. de France, IV, VIII, Éclaircissements.

2 Je ne sais si le bras levé de saint Firmin est aujourd'hui brisé. Dans ce cas la plus haute affirmation de la foi et de l'énergie a disparu de ce monde. — Son symbole, Monsieur, lui répondis-je. Et j'adore autant que vous certains symboles. Mais il serait absurde de sacrifier au symbole la réalité qu'il symbolise. Les cathédrales doivent être adorées jusqu'au jour où, pour les préserver, il faudrait renier les vérités qu'elles enseignent. PROUST, le Temps retrouvé, Pl., t. III, p. 795.

DÉR. Symbolisation.

SYMBOLISME [sɛ̃bɔlism] n. m. — 1827, Goulianof, *in* D.D.L.; de *symbole.*

◆ **1.** Emploi de symboles; figuration par des symboles (II.); système de symboles. ⇒ **Symbolique,** II., 3. *Le symbolisme religieux, chrétien. Le symbolisme dans la Bible. La richesse du symbolisme dans les civilisations orales africaines. Symbolisme armorial. Symbolisme juridique. — Symbolisme mathématique* (→ 2. Neuf, cit. 8).

1 (...) il ne faut pas croire que la maçonnerie ne soit puissante qu'à édifier le temple, qu'à exprimer le mythe et le symbolisme sacerdotal, qu'à transcrire en hiéroglyphes sur ces pages de pierre les tables mystérieuses de la loi.
HUGO, Notre-Dame de Paris, V, II.

2 (...) la vue assemble les images comme le cœur agglomère les désirs. Une imagi-

nation sentimentale sous-tend une imagination des formes. Quand un symbolisme puise ses forces dans le cœur même, combien grandissent les visions !
G. BACHELARD, l'Eau et les Rêves, I, XII.

Symbolisme de... : signification symbolique de...; ensemble des symboles rattachés à (tel objet, telle figure, etc.). *Symbolisme du cercle et de la coupole,* ouvrage de L. Hautecœur, 1954.

Didact. (ling.). Rapport sémantique créé par un symbole, au sens saussurien. → Symbole, cit. 6.1 et *supra.*

Même si les signes verbaux s'accompagnent parfois de symbolisme (au sens saussurien d'un rapport de ressemblance ou de motivation entre le symbolisant et le symbolisé) et même si, pour la conscience du locuteur, le mot ne présente rien d'arbitraire (comme l'a remarqué Benveniste), il semble clair que la multiplicité des langues atteste ce caractère conventionnel du signe verbal.
J. PIAGET, Épistémologie des sciences de l'homme, p. 360.   2.1

◆ **2.** Philos. Théorie des symboles, méthode d'explication historique qui retrouve des symboles à la base des croyances et des idées; interprétation symbolique des événements de l'histoire. « *Le symbolisme de Vico et de Herder* » (Michelet).

(Michelet...) a l'âme obsédée de conceptions métaphysiques et l'imagination symbolique. Philosophe avant de devenir historien, sous l'influence des Allemands et de Vico (...) il voit dans l'histoire le grand duel de la matière et de l'esprit (...) Tout fait manifeste à ses yeux une idée (...)   3
Note. La première manifestation de ce symbolisme se trouve dans la curieuse *Introduction à l'histoire universelle,* admirable poème philosophique plutôt qu'histoire.   G. LANSON, Hist. de la littérature franç., p. 1023.

◆ **3.** (1886, Moréas). Hist. de la littér. Mouvement littéraire (originellement et essentiellement poétique), représenté principalement par Verlaine, Rimbaud et Mallarmé, qui, en réaction contre le naturalisme et le Parnasse, s'efforça de fonder l'art sur une vision symbolique et spirituelle du monde, traduite par des moyens d'expression nouveaux (suggestion, « sorcellerie évocatrice », etc.). *Baudelaire, précurseur du symbolisme. Le Manifeste du symbolisme,* de J. Moréas (1886). — Par ext. *Le symbolisme dans la peinture, la musique.*

(...) la Basoche descend, d'un pied lamentablement sûr de lui-même, tous les degrés de ce qu'elle appelle le symbolisme. Symbolisme, décadence, mysticisme effréné, brutalité malpropre, observation maladive, tout cela se tient, — et c'est ainsi que la moitié de nos jeunes écrivains en arrivent à poser pour les énervés de Jumièges.   Jean DE BRUXELLES, Chronique belge, *in* la Revue littéraire et artistique, n° 37, avr. 1886 (*in* D.D.L., II, 15).   3.1

Que veut dire *Symbolisme?* Si l'on s'en tient au sens étroit et étymologique, presque rien; si l'on veut aller plus outre, cela peut vouloir dire : individualisme en littérature, liberté de l'art, abandon des formules enseignées, tendance vers ce qui est nouveau, étrange et même bizarre; cela peut vouloir dire aussi : idéalisme, dédain de l'anecdote sociale, antinaturalisme (...)   4
R. DE GOURMONT, le Livre des masques, p. 8.

Le mot *symbolisme* fait songer les uns d'obscurité, d'étrangeté, de recherche excessive dans les arts; d'autres y découvrent je ne sais quel spiritualisme esthétique, ou quelle correspondance des choses visibles avec celles qui ne le sont pas; et d'autres pensent à des libertés, à des excès qui menacent le langage, la prosodie, la forme et le bon sens.   5
VALÉRY, Existence du symbolisme, Œ., Pl., t. I, p. 687.

◆ **4.** Psychan. 🅐 « Mode de représentation indirecte et figurée d'une idée, d'un conflit, d'un désir inconscients ... » (Laplanche et Pontalis).

🅑 « Mode de représentation qui se distingue principalement par la constance du rapport entre le symbole et le symbolisé inconscient, une telle constance se retrouvant non seulement chez le même individu et d'un individu à l'autre, mais dans les domaines les plus divers (mythe, religion, folklore, langage, etc.) et les aires culturelles les plus éloignées les unes des autres » (Laplanche et Pontalis).

CONTR. Réalisme.
DÉR. (Du sens 3) Symboliste.

SYMBOLISTE [sɛ̃bɔlist] adj. et n. — 1885, adj. et n., Moréas, *in* D.D.L.; de *symbolisme.*

◆ **1.** Adj. (1885, *le Dix-Neuvième Siècle*). Propre au symbolisme, partisan du symbolisme. *Mouvement, poésie symboliste. Peintre, poète symboliste. Revues symbolistes. Obscurités, brumes symbolistes* (→ Évanescence, cit. 2; néo-, cit. 2).

Ceux que les Français nomment décadents ou symbolistes, les Anglais les qualifient d'esthètes. Nos poètes bafouillent pour définir des écoles parce qu'en fait, elles ne se définissent plus par des doctrines, mais par la communauté des maîtres : sera symboliste quiconque se réclamera des Poètes maudits sacrés par Verlaine et par Huysmans.   MALRAUX, l'Homme précaire et la Littérature, p. 250.

◆ **2.** N. (rare au fém.). *Les symbolistes :* les auteurs symbolistes (→ Névro-, cit. 1). *Symbolistes et Décadents.*

SYMBOLOGIE [sɛ̃bɔlɔʒi] n. f. — 1803; de *symbole,* et *-logie.*

◆ Didact. Étude des symboles, de la symbolique. *La symbologie grecque, médiévale, africaine.*

SYMÉDIANE [simedjan] n. f. — XXe; *in* Larousse, 1933; de *sym(é-trique),* et *(mé)diane.*

◆ Géom. Droite issue d'un sommet d'un triangle et symétrique de la médiane (par rapport à la bissectrice intérieure).

SYMÉTRIE [simetʀi] n. f. — XVIIIᵉ; *symmetrie*, 1529, archit. ; du lat. *symmetria*, mot grec «juste proportion», de *sum* «avec», et *metron* «mesure». .

♦ **1.** [a] Vx. Juste proportion*, accord des parties d'un bâtiment entre elles et avec l'ensemble, qui concourt à la beauté de l'architecture. ⇒ **Harmonie, régularité; balancement** (cit. 5). *La symétrie et la mesure dans l'art classique.* « *Ceux qui font de fausses fenêtres pour la symétrie* » (→ Antithèse, cit. 1, Pascal). *Symétrie des volumes.* ⇒ **Équilibre.** *Symétrie uniforme,* ordonnance qui règne dans l'ensemble d'un bâtiment. *Symétrie respective,* disposition d'un bâtiment où deux éléments semblables sont en opposition (→ ci-dessous, 2.).

1   Or les choses que nous voyons successivement doivent avoir de la variété; car notre âme n'a aucune difficulté à les voir. Celles au contraire que nous apercevons d'un coup d'œil doivent avoir de la symétrie; ainsi, comme nous apercevons d'un coup d'œil la façade d'un bâtiment, un parterre, un temple, on y met de la symétrie, qui plaît à l'âme par la facilité qu'elle lui donne d'embrasser d'abord tout l'objet.   MONTESQUIEU, Essai sur le goût, Des plaisirs de la symétrie.

[b] (1636). Mod. Régularité et harmonie, dans les parties d'un objet ou dans la disposition d'objets semblables. *Se répéter avec symétrie* (→ Bout, cit. 25). *Maisons dispersées sans symétrie et sans ordre** (→ Aligner, cit. 1). *L'agrément* (cit. 2) *sans la beauté est une symétrie dont on ne sait point les règles.*

[c] (V. 1770). Vx. *Symétrie dans le style* (ordonnance recherchée des périodes, des effets), *en peinture* (composition rigoureuse, effets de contraste...). *Rythme* (cit. 3) *d'une symétrie harmonieuse.*

2   Mais son ordre est un prodige, quand il l'atteint. Rien n'y trahit la symétrie, ni ce qu'on appelle la composition, d'un mot grossier qui peint l'œuvre extérieure. Dans l'ordre de Dostoïevski, tout est organes, et relations d'organes. Tout est produit par la nécessité intérieure.   A. SUARÈS, Trois hommes, « Dostoïevski », III.

♦ **2.** (XVIIIᵉ). Correspondance exacte en forme, taille et position de parties opposées (d'une construction); distribution régulière de parties, d'objets semblables de part et d'autre d'un axe, autour d'un centre. *Symétrie des deux ailes d'un château, des parterres séparés par une allée centrale.* — Décoration. *Vases, flambeaux, tableaux, motifs... disposés avec symétrie. Briser la symétrie* (→ Placer, cit. 3), *nuire à la symétrie.* — Vx. *Faire symétrie à...* ⇒ **Pendant** (→ Moustache, cit. 1).
Similitude des deux moitiés (d'une chose). *Symétrie d'un bâtiment, d'un vêtement, d'un ornement.*

3   Si quelqu'un ignore l'effet maussade de la symétrie, il n'a qu'à regarder ce tableau. Tirez une ligne verticale du haut en bas; pliez la toile sur cette ligne, et vous verrez la moitié de l'enceinte tomber sur l'autre moitié (...) Prenez des ciseaux, et divisez par la ligne verticale la composition en deux lambeaux, et vous aurez deux demi-tableaux calqués l'un sur l'autre.   DIDEROT, Salon de 1763, Loutherbourg.

4   Symétrie veut dire aujourd'hui, dans le langage des architectes, non pas une pondération, un rapport harmonieux des parties d'un tout, mais une similitude des parties opposées, la reproduction exacte, à la gauche d'un axe de ce qui est à droite. Il faut rendre cette justice aux Grecs, auteurs du mot « symétrie », qu'ils ne lui ont jamais prêté un sens aussi plat.
          VIOLLET-LE-DUC, in Jacques NICOLLE, la Symétrie, p. 5.

Fig. Similitude (de deux phénomènes, de deux situations). ⇒ **Concordance, correspondance, ressemblance.**

5   Oserait-on dire que le monde est peuplé de correspondances inconnues, d'allusions vivantes, d'invisibles symétries?
          Paul MORAND, l'Europe galante, Écho, répondez.

Didact. *Principe de symétrie de Curie,* selon lequel toute dissymétrie observée provient d'une dissymétrie dans la cause. — (Calcul des probabilités). *Principe de symétrie,* «règle attribuant des probabilités égales à divers événements lorsqu'aucune raison ne peut être indiquée de nature à favoriser l'un de ces événements par rapport aux autres» (J. Guy, *Éléments de calcul des probabilités et de calcul statistique,* p. 22-23, S. E. D. E. S., 1967).

♦ **3.** Géom. [a] *Symétrie de deux figures; symétrie de deux points par rapport à un troisième,* lorsque celui-ci est au milieu du segment qui joint les deux points; *par rapport à une droite, un plan,* lorsque celle-ci, celui-ci est la médiatrice, le plan médiateur du segment qui joint les deux points. *Symétrie de deux figures par rapport à un point, une droite ou un plan,* symétrie entre tous les points des deux figures.

[b] *Symétrie d'une figure,* caractère d'une figure géométrique telle qu'il y ait symétrie (au sens a) entre ses parties, par rapport à un point, une droite ou un plan appelés *centre, axe, plan de symétrie. Figure qui a plusieurs axes de symétrie.*

♦ **4.** Math. Propriété d'une relation symétrique.

♦ **5.** Sc. nat. *Symétrie bilatérale des artiozoaires,* dont le corps peut être divisé par un plan en deux moitiés semblables. *La symétrie bilatérale* (cit.) *chez l'homme. Organes internes situés de part et d'autre du plan de symétrie, ou organes pairs* (⇒ **Symétrique,** n., 2., b). *Organes impairs* coupés par le plan de symétrie. Symétrie radiale, symétrie rayonnée; élément d'une symétrie radiaire.* ⇒ **Antimère.**

6   (...) le monde animal, dès l'origine, comporte une proportion importante d'espèces qui, sans adopter le processus de nutrition uniquement chimique des végétaux, sont adaptées à la capture immobile des aliments. De ce fait, les espèces animales se répartissent en deux types d'organisation dynamique, l'un où le corps est cons-

truit suivant un plan de symétrie radiale, l'autre où les parties du corps s'ordonnent suivant un plan de symétrie bilatérale.
          A. LEROI-GOURHAN, le Geste et la Parole, t. I, p. 43.

Bot. *Symétrie axiale de la tige et de la racine* (cit. 3), *bilatérale de la feuille,* chez les plantes vasculaires. *Symétrie de la fleur,* disposition régulière des verticilles.

Cristallographie. Mode de répartition dans l'espace des éléments semblables d'un cristal (→ Hémiédrique, cit.). *Éléments de symétrie,* axes, centres et plans de symétrie d'un cristal*.

CONTR. Désordre, irrégularité. — Asymétrie, dissymétrie.
DÉR. Symétrique, symétriser.
COMP. Asymétrie, dissymétrie.

SYMÉTRIQUE [simetʀik] adj. — XVIIIᵉ; *symmetrique*, 1529; de *symétrie.*

♦ **1.** Vx ou littér. Qui a de la symétrie (1.). ⇒ **Régulier.** *Façade symétrique. Plate-bande symétrique* (→ Tirée au cordeau*). — *Écriture* (cit. 6) *symétrique.* Vx. *Le frappement* (cit. 1) *alternatif et symétrique des sabots des chevaux. Style symétrique et mesquin* (cit. 2).

♦ **2.** Qui a de la symétrie (2.).

[a] (1765). Se dit de deux choses semblables et opposées. ⇒ **Opposé.** *Construction, chapelles* (→ Grec, cit. 8), *ailes symétriques d'un bâtiment. Dessins symétriques* (→ Juxtaposer, cit. 1) *obtenus par calque. Les deux moitiés symétriques d'un cerveau,* ou *hémisphères* (cit. 7). *Membres, organes symétriques chez les artiozoaires,* qui vont par paires de chaque côté du milieu du corps. *Les deux mains sont symétriques.*

[b] Se dit d'une de ces choses par rapport à l'autre. *L'œil droit est à peu près symétrique du gauche.* — Fig. *On se représente la négation* (cit. 2) *comme exactement symétrique de l'affirmation. Le positon exactement symétrique du négaton* (→ Électron, cit. 2). — N. Organe qui a son symétrique.

[c] Se dit d'une chose dont les deux moitiés sont semblables.

1   La nature a fait l'animal symétrique, un front dont un côté ressemble à l'autre, deux yeux, au milieu un nez, deux oreilles, une bouche, deux joues, deux bras, deux mamelles, deux cuisses, deux pieds. Coupez l'animal par une ligne verticale qui passe par le milieu du nez, et une des deux moitiés sera tout à fait semblable à l'autre.   DIDEROT, Salon de 1765, Loutherbourg.

2   Des systèmes de muscles et de nerfs complexes jouissent d'un repos absolu, il me semble, pendant que leur «symétrique» travaille.
          A. JARRY, le Surmâle, I, in Œ. compl., p. 121.

3   D'une porte à l'autre, un couloir dallé coupait l'habitation par le milieu, séparant les quatre pièces en deux groupes symétriques : d'un côté la cuisine et une chambre, de l'autre une deuxième chambre et cette pièce réservée qui était peut-être un salon (...)   A. ROBBE-GRILLET, le Voyeur, p. 26.

(Abstrait). Qui correspond(ent) point par point. *Considérer deux systèmes, deux théories comme symétriques.*

♦ **3.** Géom. [a] Se dit de deux figures en rapport de symétrie (3.). *Points symétriques. Figures symétriques par rapport à un point, une droite, un plan. Angles symétriques.*

Subst. (1876). *Le symétrique d'un point par rapport à une droite. Une figure plane est égale à sa symétrique.*

[b] Qui a de la symétrie (3.). *Le triangle isocèle est symétrique. Le cercle, figure symétrique par rapport à un point* (→ Racine, cit. 3).

♦ **4.** (1845). Alg. *Fonction symétrique :* fonction algébrique dont la valeur ne change pas lorsqu'on échange ses variables entres elles par une permutation. *Relation symétrique :* relation binaire dans un ensemble qui, si elle est établie pour les éléments x et y, l'est aussi pour les éléments y et x.
Éléments symétriques (dans un ensemble muni d'une loi de composition interne et possédant un élément neutre) : éléments qui, associés par la loi de composition, forment l'élément neutre. — N. m. *Le symétrique d'un élément par rapport à un autre. Des symétriques. Symétrique d'un élément par une loi multiplicative* (⇒ **Inverse**), *par une loi additive* (⇒ **Opposé**).

♦ **5.** (1976, *Journ. off.*). Sc. *Montage symétrique* (terme proposé pour remplacer l'anglic. *push-pull*).

CONTR. Boiteux, difforme, irrégulier. — Asymétrique, dissymétrique.
DÉR. Symétriquement.
COMP. Antisymétrique, axisymétrique.

SYMÉTRIQUEMENT [simetʀikmɑ̃] adv. — XVIIIᵉ; *symmetriquement*, 1529; de *symétrique.*

♦ Avec symétrie (1., vx, 2. et 3.). *Objets disposés symétriquement* (→ Fond, cit. 4; ordonnance, cit. 7). *Des phrases symétriquement balancées.* ⇒ **Exactement.** *Correspondre symétriquement* (→ Se répondre). Géom. *Points symétriquement opposés par rapport à un point, une droite...* (→ aussi Impact, cit. 1).

SYMÉTRISABLE [simetʀizabl] adj. — Mil. xxᵉ ; *in* Larousse, 1968 ; de *symétriser.*

♦ Didact. Qui peut être rendu symétrique (à un autre élément). — Math. *Élément symétrisable d'un ensemble.*

SYMÉTRISATION [simetʀizɑsjɔ̃] n. f. — Mil. xxᵉ ; *in* Larousse, 1968 ; de *symétriser.*

♦ Didact. Le fait de rendre symétrique (spécialt, en mathématique des ensembles).

SYMÉTRISER [simetʀize] v. — 1772 ; *symmétriser,* 1614 ; de *symétrie.*

♦ **1.** V. tr. Vx. Rendre symétrique (1. ou 2.).

Je n'aime point que ce qui appartient au cœur soit préparé et réglé : laissons l'esprit chercher avec ordre et symétriser ce qu'il travaille.
É. DE SENANCOUR, Oberman, III.

Math. *Symétriser un ensemble :* englober un ensemble où certains éléments n'ont pas de symétrique dans un ensemble plus général muni d'une loi de composition dans laquelle chaque élément a un symétrique.

♦ **2.** V. intr. (1762). Vx. Former une symétrie.

DÉR. **Symétrisation.**

SYMMACHIE [simaʃi] n. f. — 1846, Bescherelle ; du grec *summakhia* « alliance militaire », de *summakhos* « allié », de *sun-* (→ Syn-), et *makhê* « bataille ». → -machie.

♦ Didact. (Antiq. grecque). Alliance entre deux États grecs, pour la guerre. — Fédération d'États.

SYMMORIE [simɔʀi] n. f. — 1876 ; du grec *summoria,* de *summoros* « associé », de *sun-* (→ Syn-), et *meiresthai* « se partager ».

♦ Didact. Collège athénien de citoyens riches. *La symmorie faisait des avances d'impôts, finançant certaines liturgies.*

SYMPA [sɛ̃pa] adj. invar. — 1906 ; de *sympathique,* II., 2.

♦ Fam. Sympathique. *Un gars sympa. Ils sont très sympa.* — (Choses). Agréable, plaisant. *« J'ai été au théâtre (...) C'est ça qui est sympa »* (Aragon). — Spécialt. Plaisant, charmant par son caractère spontané, sans apprêt. *Un petit bistro vachement sympa.*

(...) quand on pense que *Blues Jeans (de J. Rozier)* a été écarté de la compétition pour délit de vulgarité alors que c'est au contraire le film le plus frais, enfantinement pur, jeune et sympa de ces fades et horriblement sérieuses journées *(du Festival de Tours).*
J.-L. GODARD, Arts, nᵒ 700, 10 déc. 1958, *in* Coll. des Cahiers du cinéma, p. 171.

SYMPATHALGIE [sɛ̃patalʒi] n. f. — Mil. xxᵉ (*in* Larousse, 1953) ; de *sympath(ique)* (anat.), et *-algie.*

♦ Didact. (Physiol.). Douleur ayant son siège en un point du système nerveux sympathique, et particulièrement, au niveau du plexus. *Sympathalgies accompagnant des désordres neurovégétatifs. Sympathalgie faciale,* se manifestant par des brûlures survenant par accès.

DÉR. **Sympathalgique.**

SYMPATHALGIQUE [sɛ̃patalʒik] adj. — Mil. xxᵉ ; de *sympathalgie.*

♦ Didact. (Physiol.). Relatif à la sympathalgie. *Névralgies à caractère sympathalgique.*

SYMPATHECTOMIE [sɛ̃patɛktɔmi] n. f. ⇒ **Sympathicectomie.**

SYMPATHIC-, SYMPATHICO- Élément savant, tiré de *sympathique* (I.), qui entre dans la composition de quelques mots de médecine concernant le sympathique.

SYMPATHICECTOMIE [sɛ̃patisɛktɔmi] ou **SYMPATHECTOMIE** [sɛ̃patɛktɔmi] n. f. — xxᵉ ; *sympathectomie,* 1900, Garnier-Delamare (*in* D.D.L.), de *sympathic-,* et *-ectomie.*

♦ Méd. Résection chirurgicale d'un nerf, d'un ganglion ou d'une chaîne de ganglions du système sympathique.

SYMPATHICOLYTIQUE [sɛ̃patikɔlitik] ou **SYMPATHOLYTIQUE** [sɛ̃patɔlitik] adj. — Mil. xxᵉ ; de *sympathico-, (sympatho-),* et *-lytique.*

♦ Didact. Qui inhibe, paralyse le système sympathique (I.).

Les substances qui conduisent au même effet que la section d'une fibre sympathique ou qui s'opposent à l'action de l'adrénaline sont dites *sympatholytiques.*
A. GALLI et R. LELUC, les Thérapeutiques modernes, p. 17.

SYMPATHICOMIMÉTIQUE [sɛ̃patikomimetik] ou **SYMPATHOMIMÉTIQUE** [sɛ̃patomimetik] adj. — Mil. xxᵉ ; de *sympathico-, (sympatho-),* et *mimétique.*

♦ Didact. Dont l'action est analogue à celle du système sympathique. ⇒ **Adrénergique.**

La sympathine se comporte comme l'adrénaline, dont on connaissait déjà depuis longtemps les effets *sympathicomimétiques* (...)   [1]
Pierre REY, les Hormones, p. 102.

On donne le nom de *sympathomimétiques* aux substances qui reproduisent l'effet de l'excitation du sympathique ou de l'adrénaline. On parle encore de substances adrénergiques.   A. GALLI et R. LELUC, les Thérapeutiques modernes, p. 16.   [2]

COMP. **Parasympathomimétique.**

SYMPATHICOTONIE [sɛ̃patikotɔni] n. f. — 1916, *in* D.D.L. ; de *sympathico-,* et *-tonie.*

♦ Physiol. Sensibilité spéciale de l'orthosympathique.

CONTR. **Vagotonie.**

SYMPATHICOTONIQUE [sɛ̃patikotɔnik] adj. — 1953 ; de *sympathicotonie.*

♦ Physiol. Qui concerne la sympathicotonie*.

N. *Un, une sympathicotonique :* un sujet chez qui le système orthosympathique est prédominant.

CONTR. **Vagotonique.**

SYMPATHIE [sɛ̃pati] n. f. — 1420, « attirance pour (qqch.) », « acceptation (de qqch.) » ; du lat. *sympathia* « fait d'éprouver les mêmes sentiments », du grec *sumpatheia* « participation à la souffrance d'autrui », de *sumpathês,* de *sun-* « avec », et *pathos* « ce qu'on ressent ».

♦ **1.** Vx. Affinité* morale, similitude de sentiments entre deux ou plusieurs personnes. ⇒ **Accord ; conformité, convenance** (des goûts), **fraternité, harmonie, unisson.** *L'amour naît de la sympathie et de la diversité* (→ Harmonie, cit. 30).

Mais telle sympathie était entre les hommes et les femmes, que par chacun jour ils étaient vêtus de semblable parure (...)   RABELAIS, Gargantua, LVI.   [1]

À une anecdote, il leur arrivait de rire au même endroit ; et le récit touchant d'une belle action leur faisait retourner les regards en même temps, de peur de trahir l'émotion trop vive. Pour tout exprimer par un bon vieux mot, il y avait entre eux sympathie. Mais, direz-vous, c'est de l'amour ; patience, madame, pas encore.   A. DE MUSSET, Nouvelles, « Emmeline », IV.   [2]

Autrefois c'était mon meilleur ami, l'ami de ma pensée, celui avec qui on passe les longues soirées tranquilles et gaies, celui à qui on dit les choses intimes du cœur, pour qui on trouve, en causant doucement, les idées rares, fines, ingénieuses, délicates, nées de la sympathie même qui excite l'esprit et le met à l'aise.   MAUPASSANT, Une famille, Pl., t. II, p. 763.   [2.1]

Vx. Conformité, ressemblance, similitude.

(...) j'avais été entraîné vers Pierre par cette sympathie d'âge qui rapproche si vite les jeunes gens, surtout quand ils sont malheureux, et par cette sympathie de croyances, le seul lien social que nos discordes politiques n'eussent pas rompu.   Charles NODIER, Contes, « Lidivine ».   [3]

Physiol. « Rapport existant entre deux ou plusieurs organes plus ou moins éloignés les uns des autres, et qui fait que l'un d'eux participe aux sensations perçues et aux actions exécutées par l'autre » (Littré). — (xviiᵉ). Spécialt. Vx. Art de guérir à distance. Loc. *Poudre de sympathie :* vitriol calciné que l'on faisait agir sur un peu de sang prélevé à un blessé, un malade, pour arrêter l'hémorragie, guérir les plaies.

La sympathie, en physique anatomique, est donc l'harmonie, l'accord mutuel qui règne entre diverses parties du corps humain par l'entremise des nerfs, merveilleusement arrangés, et distribués pour cet effet.   [4]
Encycl. (DIDEROT), art. *Sympathie.*

♦ **2.** (1534). Mod. Relations entre personnes qui, ayant des affinités, se conviennent, se plaisent spontanément. ⇒ **Attirance, attraction** (→ fam. Atomes* crochus). *La sympathie qui existe entre eux. Étroite, secrète sympathie.* — Par ext. *Les formes de culture auxquelles une secrète sympathie nous relie* (→ Apparenter, cit. 1).

Il est des nœuds secrets, il est des sympathies   [5]
Dont par le doux rapport les âmes assorties
S'attachent l'une à l'autre et se laissent piquer
Par ces je ne sais quoi qu'on ne peut expliquer.
CORNEILLE, Rodogune (1644), I, 5.

Ainsi leur rencontre avait eu l'importance d'une aventure. Ils s'étaient, tout de suite, accrochés par des fibres secrètes. D'ailleurs, comment expliquer les sympathies ?   FLAUBERT, Bouvard et Pécuchet, I.   [6]

Votre maîtresse, la femme de votre ciel, vous sera suffisamment indiquée par vos sympathies naturelles, vérifiées par Lavater, par la peinture et la statuaire (...) D'ailleurs, nos sympathies ne sont généralement pas dangereuses ; la nature, en cuisine comme en amour, nous donne rarement le goût de ce qui nous est mauvais.   [7]
BAUDELAIRE, Essais, notes et fragments, Maximes consolantes sur l'amour.

Il n'était point en sympathie avec les habitants de la ville. Faute de pouvoir sentir et comprendre comme eux, il était retranché de la communion humaine (...)   [8]
FRANCE, l'Anneau d'améthyste, Œ., t. XII, p. 98.

Chim. anc. Affinités électives entre certains corps. *Le mercure s'unit à l'or par sympathie.* — Vx. *Encre de sympathie.* ⇒ **Sympathique,** I., 2. (→ Orpiment, cit. 1).

♦ **3.** Cour. Sentiment chaleureux et spontané, qu'une personne éprouve (pour une autre). *Avoir de la sympathie pour qqn* (→ Fi, cit. 3). ⇒ **Inclination, penchant.** *La sympathie d'une personne pour une autre. Ils ressentaient l'un pour l'autre une sympathie assez vive* (→ Paraître, cit. 25). *Montrer, témoigner de la sympathie à qqn* (→ Engager, cit. 15). ⇒ **Amitié, bienveillance, cordialité.** *La sympathie peut faire éclore* (cit. 10) *bien des qualités somnolentes. La sympathie attire* (cit. 23) *la sympathie. Attirer* (→ Pédagogue, cit. 3), *inspirer la sympathie.* ⇒ **Sympathique** (→ Faire la conquête* de...). *Avoir la sympathie de qqn, d'un milieu* (⇒ **Popularité**), *des peuples* (→ Champion, cit. 5). *Rencontrer* (cit. 4) *de la sympathie.* — *Sympathie d'un auteur pour ses personnages* (→ Gâcher, cit. 9). ⇒ **Aimer.** — *« La sympathie et les émotions tendres »* (Ribot, *Psychologie des sentiments*).

9 Votre nature ressemble à la mienne, ce qui m'explique fort bien la très grande sympathie que j'ai ressentie pour vous presque de prime abord. — Axiome : Ce que l'on aime le mieux chez les autres, c'est soi-même. Lorsque je rencontre un autre moi-même, il y a chez moi accroissement de forces (...)
LOTI, Aziyadé, III, XL.

10 (...) il avait toujours eu la sympathie de ses camarades, la confiance de ses maîtres (...)
MARTIN DU GARD, les Thibault, t. IX, p. 136.

11 Quelques instants plus tôt, pendant qu'il parlait, j'avais eu au cœur une puissante bouffée de sympathie, un de ces élans qui nous font croire que nous aurons la force de rompre d'un coup certaines barrières convenues qui se dressent entre les hommes (...)
J. ROMAINS, Lucienne, X.

Par ext. Attrait, bonne disposition, bienveillance à l'égard de (une action, une production humaine). *Accueillir une idée, un projet avec sympathie. Manquer de sympathie pour l'art d'un écrivain* (→ Génial, cit. 2). *Offre qui ne trouve, ne rencontre aucune sympathie.* ⇒ **Écho.**

♦ **4.** Littér. (au sens du grec). Participation à la douleur d'autrui ; fait de ressentir tout ce qui touche autrui (surtout dans : *en, par sympathie*). *Sensible aux maux d'autrui, il était en sympathie avec les malheureux* (→ Aimer, cit. 4). ⇒ **Participer.** → Être de cœur* avec, se mettre à la place (cit. 26) de... *Mon cœur ne bat que par sympathie.* ⇒ **Pitié, sensibilité.** *Témoignages de sympathie à l'occasion d'un décès.* ⇒ **Condoléance.** Cour. (formule de politesse). *Croyez à toute ma sympathie.*

12 (...) que de gens qui, en voyant souffrir, ont hâte de se soustraire à ce spectacle, pour supprimer la douleur qui s'éveille en eux par sympathie !
Th. RIBOT, Psychologie des sentiments, p. 240.

13 Absence de sympathie = manque d'imagination (...) mais Gérard ne sait pas que cela vient de son impuissance à se représenter ce qu'il ne ressent pas. C'est là souvent ce qu'on appelle du sang-froid ; simplement : impuissance imaginative.
GIDE, Journal, 13 déc. 1907.

14 Voir souffrir les hommes, ce m'est odieux parce que mon imagination m'associe très péniblement à leur souffrance (...) Je sais que le mot sympathie dit, en somme, fort bien ce que j'explique ici trop longuement.
G. DUHAMEL, la Nuit d'orage, XV.

Psychol. Phénomène d'influence ou d'imitation par lequel un être reproduit le comportement d'un autre être, dans l'ordre physique ou moral.

CONTR. Disparité, opposition ; discorde ; animosité, antipathie, aversion ; prévention ; indifférence.
DÉR. Sympathique, sympathiser.

SYMPATHINE [sɛ̃patin] n. f. — V. 1931, Cannon ; de *sympath(ique)*, I., et *-ine.*

♦ Didact. Substance sympathicomimétique, mélange d'adrénaline et de noradrénaline.

(...) une substance qui accélère et renforce les contractions du cœur servant de réactif, reproduisant l'action même de l'excitation directe. Cette substance apparaît dans le sang à la suite de l'excitation de toutes sortes de nerfs sympathiques. Elle a reçu le nom de *sympathine.*
Pierre REY, les Hormones, p. 102.

SYMPATHIQUE [sɛ̃patik] adj. — 1614 ; *sympathic,* méd., 1590 ; de *sympathie.*

★ **I.** Vx ou spécialt. ♦ **1.** Vx. Qui est en relation, en affinité avec (autre chose). — (Sujet au plur.). Qui sont liés par une affinité. Fig. *L'intelligence et le cœur* (cit. 165) *sont deux régions sympathiques.*

♦ **2.** Vx. Qui agit par sympathie, à distance (en parlant d'anciens remèdes). *Poudre sympathique.* Par ext. *Médecin sympathique.* — Loc. mod. *Encre sympathique,* qui reste incolore et donc invisible tant qu'on ne la soumet pas à l'action d'un corps avec lequel elle est « en sympathie » ou d'un phénomène physique déterminé (chaleur, etc.). *L'encre sympathique est utilisée dans la correspondance secrète.*

♦ **3.** Méd. Vx. *Affection, trouble sympathique,* qui provoque des troubles, des douleurs en un autre endroit.

1 Dans le second mode d'influence cérébrale indirecte ou sympathique, le cerveau,

dira-t-on, sera passif ; il n'aura plus l'initiative d'action et ne fera que recevoir lui-même la détermination de quelque autre organe ou centre nerveux partiel (...)
MAINE DE BIRAN, Du physique et du moral de l'homme, p. 74.

Mod. *Ophtalmie* sympathique :* inflammation grave de l'œil sain, survenant comme complication d'une blessure importante de l'autre œil.

♦ **4.** Physiol. et anat. Vx. *Nerf grand sympathique* (1765, *Encyclopédie,* art. *Nerf*), ou *nerf intercostal (vx).* — N. m. Mod. LE SYMPATHIQUE OU GRAND SYMPATHIQUE : système nerveux* périphérique qui commande la vie organique ou végétative et qui est constitué par les nerfs et les ganglions (cit. 1) de la chaîne latéro-vertébrale en rapport avec les nerfs rachidiens *(rameaux communicants)* ainsi que par les plexus prévisceraux et viscéraux. *Le sympathique comprend deux systèmes complémentaires.* ⇒ **Orthosympathique, parasympathique** (cit. 1 et 2).

1.1 (...) le nerf intercostal ou le *grand sympathique,* le grand charrieur des émotions humaines au plus profond, au plus intime de l'organisme (...)
Ed. et J. DE GONCOURT, Manette Salomon, p. 12.

(Sens étroit). Syn. d'*orthosympathique.* — Adj. Du sympathique. *Cellule, nerf, ganglion sympathique. Innervation sympathique.* — ⇒ aussi **Sympathic-.**

2 WILLIS désignait sous le nom de nerfs intercostaux les chaînes ganglionnaires latéro-vertébrales. HALLER (...) découvrit les rameaux communicants. Mais c'est WINSLOW qui substitua le nom de *grand sympathique* à celui des nerfs intercostaux, « à cause de leurs communications fréquentes avec la plupart des autres nerfs principaux de tout le corps humain ».
L. TESTUT, Traité d'anatomie, t. III, p. 363.

♦ **5.** Littér. Relatif aux affinités morales entre personnes, entre personnes et choses. *Les liens sympathiques qui m'unissent avec ce qui est aimable et beau* (→ Affinité, cit. 4).

♦ **6.** (XIXᵉ). Didact. Qui participe ou fait participer aux souffrances, et, par ext., à tous les sentiments d'autrui. *L'instinct sympathique* (→ Animalité, cit. 3 ; et aussi étaler, cit. 41). *Plaisirs égoïstes et plaisirs* (cit. 21) *sympathiques.* — (Personnes). *Cet homme sympathique à sa douleur cachée* (→ Groupe, cit. 3).

★ **II.** (Personnes). ♦ **1.** (1853, Flaubert). Vieilli. Qui a de la sympathie (3.) pour :

a (pour qqn). Se sentir sympathique pour un gueux (→ Ronger, cit. 3). ⇒ **Amical.** — Par ext. *Avoir un comportement sympathique. Sentiments sympathiques.* ⇒ **Cordial, fraternel.** — REM. Ce sens a vieilli depuis le développement du sens II, 2.

3 (...) les cinq hommes qui regardaient venir le curé s'approchèrent, affables, contents, sympathiques au prêtre.
MAUPASSANT, l'Inutile Beauté, « Champ d'oliviers », I.

b Qui a de la sympathie pour qqch. ⇒ **Favorable.** *Se montrer sympathique à la candidature de qqn* (→ 1. Grief, cit. 6). *Les femmes sont toujours sympathiques aux sentiments passionnés* (→ 1. Porter, cit. 16).

♦ **2.** (1851, Sainte-Beuve ; → Froideur, cit. 9). Mod. et cour. Qui inspire la sympathie. ⇒ **Agréable, aimable, plaisant** (⇒ fam. Sympa). *Trouver qqn sympathique* (→ 2. Franc, cit. 7). *Il n'est pas sympathique* (→ Charmer, cit. 8). *Être sympathique à qqn et antipathique à d'autres. Personnage, caractère sympathique et populaire*. *Une tête sympathique* (→ Une bonne tête*). ⇒ (fam.) **Sympa.**

4 — Ma chère amie, tu sais que j'ai horreur des potins. Il me suffit qu'on en fasse pour me rendre les gens sympathiques. Quant à ces personnes, je les trouve fort bien, moi.   MAUPASSANT, l'Inutile Beauté, « L'épreuve », I.

5 — Le tout est de ne travailler qu'avec des gens qu'on connaisse à fond. Il ne faut pas de types qu'on a rencontrés la veille, et à qui on trouve une gueule sympathique.   J. ROMAINS, les Hommes de bonne volonté, t. IV, X, p. 101.

Par ext. *Un comportement, un geste sympathique.* — Fam. Très agréable (⇒ Chouette, épatant, etc.). *Une petite plage sympathique.* ⇒ **Sympa.**

6 (...) on réserve à Bibi, — tu piges ? — cette très *sympathique* cabine, la cabine d'État, qui est celle des membres du gouvernement et des messagers du Roi.
Paul MORAND, Fermé la nuit, p. 153.

7 J'ai été au théâtre l'autre jour, avec mère, voir *Servir,* de Lavedan. C'est ça qui est sympa (...)   ARAGON, les Beaux Quartiers, II, XV.

CONTR. (De II., 1., a) **Indifférent.** — (De II., 1., b) **Malveillant ; hostile.** — (De II., 2.) **Antipathique, déplaisant, désagréable.**
DÉR. Sympathiquement.

SYMPATHIQUEMENT [sɛ̃patikmɑ̃] adv. — 1653 ; de *sympathique.*

♦ De manière sympathique. Avec sympathie (3.), d'une façon sympathique*. *Accueillir sympathiquement qqn,* amicalement, chaleureusement, favorablement. *Il nous a très sympathiquement reçus.*

Sous quel nom vous présenterez-vous à ces messieurs ? « Je suis Volpone », charmante trouvaille. Il n'y a pas de nom qui soit plus sympathiquement attendu.
J. ROMAINS, Volpone, V, 4.

SYMPATHISANT, ANTE [sɛ̃patizɑ̃, ɑ̃t] n. m. — 1668 ; *sympathizant,* mil. XVIᵉ ; de *sympathiser.*

♦ **1.** *Sympathisant avec... :* qui sympathise (1.) avec..., qui a les mêmes goûts. *« Je le crois fort sympathisant avec messieurs les rats »* (La Fontaine, *Fables*, VI, 5).

♦ **2.** (1872 ; sans compl.). Mod. Qui, sans appartenir à un parti, en adopte les vues, approuve l'essentiel de sa politique. ⇒ **Adepte.** N. *Des sympathisants du parti communiste* → Cryptocommuniste. — (→ aussi Gauche, cit. 17).

(...) elle avait, petit à petit, amené son savant de mari à se comporter en sympathisant communiste : il n'en est pas de plus enflammés. On demande tout à un homme du parti. On peut demander plus que tout à un sympathisant.
G. DUHAMEL, le Voyage de P. Périot, IV.

SYMPATHISER [sɛ̃patize] v. intr. — Mil. XVIᵉ ; de *sympathie*.

♦ **1.** Être en affinité morale, avoir les mêmes goûts. *Sympathiser avec qqn. On ne peut pas toujours sympathiser.* — Par ext. S'entendre* bien dès la première rencontre. *Ils ont tout de suite sympathisé. Écolier qui sympathise avec un nouveau.*

1 — (...) j'ai cette manie de vouloir donner généralement sur tout ce qu'il y a de plus beau. — (...) nous sympathisons vous et moi : j'ai une délicatesse furieuse pour tout ce que je porte (...) MOLIÈRE, les Précieuses ridicules, 9.
2 (...) ceux avec qui il sympathise de mœurs et de sentiments.
LA BRUYÈRE, les Caractères de Théophraste, Grands d'une république.

♦ **2.** Littér. Participer par sympathie (3.), s'identifier à... (→ Foi, cit. 26). *Michelet sympathise avec la vie des siècles* (→ Poète, cit. 10).

3 Pauvres anecdotiers de la Révolution *(les Goncourt)* ils n'ont pas sympathisé un instant avec cette large allégresse des entrailles de tout un peuple qui espère enfin manger un appétit et boire à sa soif ! JAURÈS, Hist. socialiste, t. I, p. 253.

CONTR. Heurter (se).
DÉR. Sympathisant.

SYMPATHO- ⇒ Sympathic-.

SYMPATRIE [sɛ̃patʀi] n. f. — XXᵉ ; de *sym-*, et grec *patris* « patrie ».

♦ Biol. Particularité de plusieurs espèces d'avoir une affinité pour la même région géographique (espèces dites *sympatriques*).

SYMPHALANGIE [sɛ̃falɑ̃ʒi] n. f. — XXᵉ ; de *sym-*, et *phalange*.

♦ Pathol. Fusion entre les phalanges de deux ou plusieurs doigts ou orteils. ⇒ **Syndactylie.**

SYMPHILE [sɛ̃fil] adj. et n. m. — Mil. XXᵉ ; de *symphilie*.

♦ Sc. nat. Se dit des hôtes d'une société d'insectes qui lui sont liés par symphilie*.

SYMPHILIE [sɛ̃fili] n. f. — 1904 ; de *sym-*, et *-philie*, du grec *philia* « amitié ».

♦ Sc. nat. Relation entre une société d'insectes (fourmis, termites) et des commensaux (pouvant par ailleurs être nuisibles) dont les sécrétions concourent à la subsistance des premiers.

DÉR. Symphile.

SYMPHONIE [sɛ̃fɔni] n. f. — V. 1370 ; *simphonie*, XIIIᵉ ; « instrument de musique à cordes », v. 1155 ; du lat. *symphonia*, grec *sumphônia* « accord, ensemble de sons ». → -phone, -phonie.

♦ **1.** Vx. Ensemble de sons consonants ; accord consonant. ⇒ **Consonance, homophonie.** — Par ext. Ensemble de sons musicaux. ⇒ **Polyphonie ; concert.** *« La symphonie* (d'un air de Quinault) *est toute de basses »* (1. Basse, cit. 1, Mᵐᵉ de Sévigné).

♦ **2.** Morceau de musique pour un ensemble d'instruments ; pièce d'orchestre. — Le mot s'est dit des sonates polyphoniques, des ouvertures à l'italienne (Lulli) et, par la suite, de pièces d'orchestre à un ou plusieurs mouvements. — *Les symphonies de Rameau, de Lulli* (→ Facile, cit. 12). — REM. Dans ce sens, les musicologues emploient la forme italienne *sinfonia*.

Par métonymie. Vx. Orchestre. *Abreuver la symphonie* (→ Enseigne, cit. 4).

♦ **3.** (1754). Mod. Composition musicale assez ample à plusieurs mouvements (⇒ **Allegro ; adagio** ou **largo, andante ; menuet ; finale**), construite sur le plan de la sonate (⇒ **Sonate**) et exécutée par un nombre important d'instrumentistes (⇒ **Orchestre** ; → Instrument, cit. 8). *Premières symphonies* (de Vivaldi, Stamitz...). *Symphonies de Mozart. Les neuf symphonies de Beethoven* (où un scherzo* remplace le menuet) ; *symphonie héroïque* (cit. 4), *pastorale* ; *neuvième symphonie avec chœurs* (→ Musique, cit. 5). *La Symphonie inachevée*, de Schubert. *Symphonie fantastique* (Berlioz), *espagnole* (Lalo), *« du Nouveau Monde »* (Dvorak). *Symphonie pour cordes* (Honegger). — REM. On dit souvent, ellipt, *la Cinquième, l'Inachevée...* pour *Cinquième symphonie, Symphonie inachevée.*

1 Beethoven avait écrit déjà huit symphonies avant celle-ci. Pour aller au-delà du

point où il était alors parvenu à l'aide des seules ressources de l'instrumentation, quels moyens lui restaient ? L'adjonction des voix aux instruments.
BERLIOZ, Beethoven, p. 62.

Par ext. *Symphonie concertante* (1787, *in* D.D.L.) : concerto* à plusieurs solistes, dont le plan et le style sont ceux de la symphonie.

(1892). Vx. *Symphonie-drame :* poème symphonique à sujet dramatique.

♦ **4.** (Fin XVIIᵉ). Fig. (Des sens 1 et 2). Ensemble de choses qui concourent à un effet. ⇒ **Chœur, harmonie, hymne** (fig.) ; → Couleur, cit. 4. *Cette grande symphonie aurorale* (→ Renouveau, cit. 1). *Symphonie en blanc majeur* (Th. Gautier, *Émaux et Camées*). *Une symphonie olfactive* (→ Quai, cit. 2). *Une « symphonie de gueule »* (→ Gourmandise, cit. 7). — (Du sens 3) :

2 Relisez, par exemple *(dans la comédie de la Mort...)* la prodigieuse symphonie qui s'appelle *Ténèbres*. Je dis symphonie, parce que ce poème me fait quelquefois penser à Beethoven. BAUDELAIRE, l'Art romantique, XX, V.

DÉR. Symphonique, symphoniste.

SYMPHONIQUE [sɛ̃fɔnik] adj. — XIXᵉ ; « consonant », XVIIᵉ ; de *symphonie*.

♦ **1.** (1872). D'après l'all. *symphonische Dichtung* (Liszt, 1848). **POÈME SYMPHONIQUE :** composition musicale assez ample, écrite pour tout l'orchestre (en général) et illustrant un « programme ». *« Le sujet de ce poème symphonique* (le Rouet d'Omphale) *est la séduction féminine (...) »* (Saint-Saëns, 1872).

♦ **2.** De la symphonie, de la musique classique pour grand orchestre. *Orchestre symphonique,* comportant la plus grande variété instrumentale et de nombreux exécutants (on dit aussi : *grand orchestre*). ⇒ **Philharmonique.** *Concert symphonique. Œuvres symphoniques. Musique symphonique* (par oppos., notamment, à la musique de chambre).

1 Bientôt, comme il en est de toute nouveauté, des morceaux symphoniques de Wagner retentirent dans les casinos ouverts sous la foule amoureuse de voluptés triviales. La majesté fulgurante de cette musique tombait là comme le tonnerre dans un mauvais lieu. BAUDELAIRE, l'Art romantique, XXI, I.

2 Les gens de ma génération ont vu se constituer les grands orchestres symphoniques. Ils ont vu se former, et cela ne s'est pas fait en un jour, un ample et fervent public, particulièrement celui du concert dominical.
G. DUHAMEL, Manuel du protestataire, VI.

DÉR. Symphoniquement.

SYMPHONIQUEMENT [sɛ̃fɔnikmɑ̃] adv. — 1907 ; de *symphonique*.

♦ Rare. Dans le style, à la manière des symphonies.

SYMPHONISTE [sɛ̃fɔnist] n. — 1678 ; *synfonistre* « joueur de vielle », XIIIᵉ ; de *symphonie*.

♦ **1.** Vx. Musicien compositeur.

(...) comme symphoniste, comme artiste traduisant par les mille combinaisons du son les tumultes de l'âme humaine (...) BAUDELAIRE, l'Art romantique, XXI, I.

♦ **2.** (1835). Auteur de symphonies.

♦ **3.** Musicien qui joue dans un orchestre symphonique. ⇒ **Instrumentiste** (→ Harmonie, cit. 16).

SYMPHORINE [sɛ̃fɔʀin] n. f. — 1845 ; *symphorée, symphoricarpe*, 1839 ; du lat. bot. *symphoricarpos* ; du grec *sumphoros* « qui accompagne ».

♦ Bot. Plante dicotylédone (*Caprifoliacées*), arbuste buissonnant. *Symphorine commune* ou *pondeuse. Symphorine à fruits blancs* (S. Racemosa) appelée aussi *boule de cire, boule de neige.*

Il avait, sur la poitrine, un chapelet, dont les grains blancs, autour d'une rose en train de se faner, ressemblaient à l'égrènement d'une branchette de symphorine.
Ed. et J. DE GONCOURT, Journal, 24 oct. 1872, t. V, p. 59.

SYMPHYSAIRE [sɛ̃fizɛʀ] ou **SYMPHYSIEN** [sɛ̃fizjɛ̃] adj. — XIXᵉ ; de *symphyse*.

♦ Anat., mod. D'une symphyse*.

SYMPHYSE [sɛ̃fiz] n. f. — V. 1560, Paré ; du grec *sumphusis* « union *(sum-)* naturelle ».

♦ **1.** Anat. Articulation peu mobile (syn. : *amphiarthrose*). *Symphyse pubienne* (⇒ **Bassin, pubis**).

♦ **2.** (1793). Méd. Adhérence de deux feuillets d'une séreuse. *Symphyse cardiaque, péricardique* (deux feuillets péricardiques), *pleurale, rénale.*

Symphyse cardiotuberculeuse : symphyse péricardique tuberculeuse, «associée à une atteinte tuberculeuse du péritoine et du foie» (Garnier).

DÉR. et COMP. Symphysaire ou symphysien. — Symphyséotomie.

SYMPHYSÉOTOMIE [sɛ̃fizeɔtɔmi] n. f. — 1778; de *symphyse*, et *-tomie*.

♦ Chir. Section de la symphyse* pubienne.

SYMPLECTIQUE [sɛ̃plɛktik] adj. — 1842, minér.; du lat. sc. *symplecticus*, grec *sumplektikos*, de *sun-*, et *plekein* «plier».

♦ Sc. nat. Qui est entrelacé* (avec un autre corps, une autre partie).

SYMPLOQUE [sɛ̃plɔk] n. f. — 1872; du bas lat. *symploce*, grec *sumplokê*, de *sumplekein* «lier ensemble». → Symplectique.

♦ Didact. (rhét.). Figure qui consiste à répéter un mot, un groupe de mots au commencement ou à la fin de phrases, de membres de phrases se suivant.

SYMPODIQUE [sɛ̃pɔdik] adj. — Mil. xxᵉ; «du sympode, tronc ou rhizome des ascidies», 1876; de *sympode*, grec *sumpous*, *sumpodos*; de *sun-*, et *pous*, *podos* «pied».

♦ Bot. *Croissance sympodique* : croissance d'un bourgeon non terminal.

SYMPOSIUM [sɛ̃pozjɔm] n. m. — 1951; mot angl., 1711; «banquet, festin», n. m., 1876; *symposie*, n. f., 1813; du grec *sumposion* «banquet», par allus. au *Banquet* de Platon.
Didactique.

♦ **1.** Publication, et, par ext., réunion philosophique, savante, où des spécialistes traitent successivement un même sujet. (On écrit parfois *symposion*).

♦ **2.** (1857, Baudelaire, Trad. E. Poe, Pl., p. 449; répandu mil. xxᵉ; angl. *symposium*). Congrès scientifique réunissant un nombre restreint de spécialistes et traitant un sujet particulier. ⇒ **Colloque, forum, séminaire, table** (ronde).

Nous nous sommes ainsi habitués à vivre dans un monde (...) où les représentants d'une même profession ne peuvent plus se réunir sans que cela fasse un séminaire ou — pire! — un symposium.   Pierre DANINOS, Snobissimo, p. 169-170 (1964).

REM. Le mot est critiqué par les puristes. On trouve le dér. *symposiumiste* (l'Express, 20 nov. 1972, p. 95). — Plur. : *des symposiums* ou *des symposia* [sɛ̃pozja].

SYMPTOMAL, ALE, AUX [sɛ̃ptomal, o] adj. — Mil. xxᵉ; de *symptôme*.

♦ Didact. Du symptôme. — Caractérisé par des, par ses symptômes.

Tout est parti de ce principe : qu'il ne fallait pas réduire l'amoureux à un simple sujet symptomal, mais plutôt faire entendre ce qu'il y a dans sa voix d'inactuel, c'est-à-dire d'intraitable.
R. BARTHES, Fragments d'un discours amoureux, p. 7.

SYMPTOMATIQUE [sɛ̃ptomatik; sɛ̃ptɔmatik] adj. — 1538; *simphomatique*, 1478; *sinthomatique*, 1503; du lat. *symptomaticus*, du grec. → Symptôme.

♦ **1.** Méd. Qui constitue un symptôme. *Fièvre, douleur... symptomatique de telle maladie. Anémie symptomatique. Maladie secondaire, symptomatique* (opposé à *idiopathique**). *Manie* (cit. 2) *symptomatique* (opposé à *constitutionnel*). — Qui concerne, étudie, traite les symptômes. *Analyse symptomatique.* ⇒ **Sémiologie.** *Médication, remède, thérapeutique symptomatique. Guérison symptomatique* : disparition du symptôme.

♦ **2.** (Av. 1850). Fig. Qui révèle ou fait prévoir un état ou un processus caché. ⇒ **Caractéristique, révélateur; signe** (c'est signe que...). *Des effets symptomatiques des événements futurs* (→ Augurer, cit. 3).

Ça n'est rien. Absolument rien, si l'on veut; il n'y a pas de quoi fouetter un chat (...) Mais c'est tout de même symptomatique.   SARTRE, l'Âge de raison, I.

♦ **3.** Minér. *Minéral symptomatique*, considéré comme caractéristique.

DÉR. Symptomatiquement. — (Du même rad.) Symptomatologie.

SYMPTOMATIQUEMENT [sɛ̃ptomatikmɑ̃; sɛ̃ptɔmatikmɑ̃] adv. — 1875; de *symptomatique*.

♦ Didact. D'une manière symptomatique, par un symptôme.

Je regrette de ne pouvoir citer ici des fragments de cette lettre que malheureusement et sans doute symptomatiquement j'ai perdue (...)
A. BRETON, l'Amour fou, III, p. 55.

SYMPTOMATOLOGIE [sɛ̃ptomatolɔʒi; sɛ̃ptɔmatolɔʒi] n. f. — 1765; du grec *sumptôma*, *sumptomatos* (→ Symptôme), et *-logie*.

♦ Méd. Étude des symptômes des maladies. ⇒ **Sémiologie** (I.). — Ensemble des symptômes étudiés. *La symptomatologie d'une maladie.*

DÉR. Symptomatologique.

SYMPTOMATOLOGIQUE [sɛ̃ptomatolɔʒik; sɛ̃ptomatolɔʒik] adj. — 1829; de *symptomatologie*.

♦ Méd. Qui se rapporte à la symptomatologie*. ⇒ **Sémiologique** (I.). *« Le tableau symptomatologique des accidents provoqués par les principaux poisons »* (*Année sc. et industr.* 1859, p. 74).

SYMPTÔME [sɛ̃ptom] n. m. — 1538; *sinthome*, v. 1363; var. *symptomate*, in Rabelais; *tomber en simptomes* «être stupéfait», 1656; du lat. médical *symptoma*, grec *sumptôma* «accident, coïncidence», de *sun* (→ Sy-), et *piptein* «arriver, survenir».

♦ **1.** Méd. et cour. Phénomène, caractère perceptible ou observable, lié à un état ou à une évolution (le plus souvent morbide), qu'il permet de déceler. ⇒ **Indice, signe, stigmate** (→ Flair, cit. 5; indicatif, cit. 1; poison, cit. 4). *Symptômes subjectifs :* troubles perçus et signalés par le patient. *Symptômes objectifs*, découverts par le médecin. *Symptôme diacritique, pathognomonique*, lié d'une façon sûre à une maladie déterminée, qu'il permet de diagnostiquer*. ⇒ **Diagnostic.** *Association stable de symptômes.* ⇒ **Syndrome.** *Symptôme avant-coureur.* ⇒ **Prodrome, prognostique** (signe). *Symptômes variables d'une même maladie, selon les formes qu'elle peut prendre. Symptômes aigus* (cit. 13), *bénins... Le symptôme clinique désigné sous le nom de fièvre* (cit. 5). *Le symptôme, en psychiatrie, en psychanalyse* (→ Refoulement, cit. 3; résistance, cit. 11). *Symptôme hystérique de conversion. La médecine du symptôme* (→ Hygiéniste, cit. 1).

Trouvant dans chaque maladie des symptômes de la mienne, je croyais les avoir toutes (...)   ROUSSEAU, les Confesssions, VI. | 1

Une migraine, ce n'est pas une maladie, c'est un symptôme (...)   MARTIN DU GARD, les Thibault, t. IV, p. 85. | 2

Dans les maladies microbiennes, les symptômes sont la traduction de l'effort continu des tissus et des humeurs de s'adapter aux conditions nouvelles, d'y résister, et de revenir à l'état normal.   Alexis CARREL, l'Homme, cet inconnu, VI, VII. | 3

♦ **2.** (Mil. xviiᵉ). Par métaphore ou fig. Ce qui manifeste, révèle* ou permet de prévoir (un état, une évolution). ⇒ **Marque, présage, signe.** *Les symptômes de l'admiration et du plaisir* (→ Enthousiasme, cit. 12). *Les pleurs, symptômes de la douleur* (→ 2. Rire, cit. 2). *Les symptômes ordinaires du chef-d'œuvre* (→ Gloire, cit. 27). *Symptômes de décadence* (cit. 2).

Les malheurs ont leurs symptômes comme les maladies (...)   A. DE MUSSET, la Confession d'un enfant du siècle, IV, I. | 4

— Ce sont tous les symptômes avant-coureurs d'une crise; dans ce grand corps fiévreux et douloureux, un abcès énorme s'est formé et va percer.   TAINE, les Origines de la France contemporaine, III, t. I, p. 152. | 5

Il avait appris à se guider sur des symptômes presque imperceptibles, projection des aiguilles de glaces, disposition des menues branches d'arbre, émanations apportées des dernières limites de l'horizon, foulée d'herbes dans la forêt, sons vagues qui traversaient l'air, détonations lointaines, passage d'oiseaux dans l'atmosphère embrumée, mille détails qui sont mille jalons pour qui sait les reconnaître.   J. VERNE, Michel Strogoff, p. 37. | 6

Ling. *Fonction de symptôme d'un signe linguistique*, par laquelle le signe indique un caractère du locuteur.

SYN- Élément de composition de mots empruntés au grec (de la préposition grecque *sun* «avec») et qui marque l'idée de réunion dans l'espace ou le temps, de communauté, d'ensemble *(sympathie, synonyme...)*.

SYNADELPHE [sinadɛlf] n. m. — 1872; du grec *sunadelphos* «pourvu de frères et sœurs».

♦ Myth. Monstre monocéphale à un tronc et huit membres.

SYNAGOGAL, ALE, AUX [sinagogal, o] adj. — 1877; de *synagogue*.

♦ Didact. Qui se rapporte à la synagogue. *Culte synagogal.*

SYNAGOGUE [sinagɔg] n. f. — V. 1265; *sinagoge*, 1080, *Chanson de Roland*; *synagoge*, v. 1120; du lat. chrét. *synagoga*, grec *sunagôgê* «assemblée, réunion».

♦ **1.** Édifice consacré au culte israélite. *Le rabbin* d'une synagogue. On reste couvert dans une synagogue* (→ aussi Profane, cit. 8). — Hist. Antiq. En Palestine et dans les pays où les Juifs se trouvaient dispersés, Édifice qui servait à une communauté juive (une *synagogue* au sens 2) de lieu de prière et de réunion, de centre d'enseignement religieux, etc.

Nous visitâmes, tête couverte, l'antique synagogue, où les femmes n'entrent point | 1 pendant les cérémonies, mais regardent par une lucarne. Cette synagogue a l'air d'une tombe, où dort voilé le vieux rouleau de parchemin qui est une admirable thora.   APOLLINAIRE, l'Hérésiarque..., p. 18.

2 *(À l'époque hellénistique et romaine)* La synagogue constitue le véritable centre et le foyer de la vie juive tout entière : on y prêche ; on y lit la Loi ; on y prie ; on y tient école ; mais aussi on y rend la justice ; on y exécute les sentences ; on y discute les intérêts divers de tout le groupe. La loi civile la protège en tant qu'édifice religieux.   Ch. GUIGNEBERT, le Monde juif..., p. 282.

Loc. fig. (1679). Vx. *Enterrer la synagogue :* finir honorablement quelque chose.

♦ **2.** Hist. Antiq. Communauté juive comprenant les fidèles d'un village, d'une ville ou d'un quartier.

♦ **3.** Didact. L'ensemble des fidèles juifs ; la religion juive (→ Psaume, cit. 3). *Dans l'iconographie chrétienne du moyen âge, la Synagogue est symbolisée par une femme aux yeux bandés, appuyée sur une lance qui se brise.*

3 La synagogue était la figure, et ainsi ne périssait point (...) C'était une figure qui contenait la vérité, et ainsi, elle a subsisté jusqu'à ce qu'elle n'a plus eu la vérité.   PASCAL, Pensées, XIII, 852.

DÉR. **Synagogal.**

SYNALÈPHE [sinalɛf] n. f. — xvᵉ ; du lat. gramm. *synalœpha,* grec *sunaloiphê* «fusion», de *sun-,* et *aleiphein* «graisser, enduire».

♦ Gramm. Fusion de deux ou de plusieurs syllabes en une seule, par élision ou contraction.

SYNALGIE [sinalʒi] n. f. — 1890, P. Larousse, *Deuxième Suppl. ;* de *syn-* (→ Sy-), et *-algie,* grec *algos* «douleur».

♦ Méd. Douleur névralgique survenant au voisinage du siège d'une douleur violente.

(...) une dent malade donne, par synalgie, une douleur à une dent saine (...)   P.-L. ROUSSEAU, les Dents, p. 52.

SYNALLAGMATIQUE [sinalagmatik] adj. — 1603 ; du grec *sunallagmatikos* «qui concerne les contrats» ; cf. *sunallagma* «relations réciproques, contrat» ; de *sun-,* et *allassein* «échanger», de *allos* «autre».

♦ Dr. Qui comporte obligation réciproque entre les parties. ⇒ **Bilatéral (3.), réciproque.** *Acte, convention synallagmatique.*

          LOISEAU, *mettant son pince-nez.*
Monsieur Bourgillon... le mariage est un contrat synallagmatique...
          BOURGILLON, *à part.*
Il me récite le Code !
          LOISEAU.
Qui, pour être parfait, demande le consentement des deux parties.
          BOURGILLON.
Article 146...
          LOISEAU, *continuant.*
Les époux doivent être libres... français... et de sexe différent (...)
          E. LABICHE, Un monsieur qui a brûlé une dame, 3.

CONTR. **Unilatéral.**

SYNANGE [sinãʒ] n. f. — Mil. xxᵉ ; de *syn-,* et *(spor)ange.*

♦ Bot. Amas de sporanges* soudés, chez les fougères.

SYNANTHÉRALES [sinãteʀal] n. f. pl. — Mil. xxᵉ ; *synanthérées,* 1822 ; de *syn-, anthère,* et *-ales* (→ -al).

♦ Bot. Ordre de plantes dont les fleurs ont des anthères soudées. *Les Synanthérales ne comprennent qu'une famille, les Composées.* — Au sing. *Une synanthérale.*

SYNANTHÉRÉ, ÉE [sinãteʀe] adj. et n. f. pl. — 1822, n. f. pl. ; 1823, adj. ; de *syn-* (→ Sy-, syn-), et *anthère.*
Botanique.

♦ **1.** Adj. (*Synanthérique,* 1803). *Étamines synanthérées,* soudées par leurs anthères. — *Plante synanthérée,* qui a les étamines ainsi soudées.

♦ **2.** N. f. pl. Vx. *Synanthérées :* composacées*. — Au sing. *Une synanthérée.*

SYNAPOSÉMATISME [sinapozematism] n. m. — Mil. xxᵉ ; de *syn-,* grec *apo* «au loin», et *sêma, sêmatos* «signe».

♦ Sc. nat. Mimétisme caractérisé par une ressemblance de forme et de couleur entre espèces d'un même groupe (syn. : *mimétisme müllérien*).

SYNAPSE [sinaps] n. f. — 1897 ; de l'angl. *synapsis ;* grec *sunapsis* «liaison, point de jonction».

♦ **1.** Anat. Région de contact de deux neurones. — *Synapse neu-*

romyonique : point de contact entre un neurone et le muscle qu'il innerve.

Parmi les plus difficiles et les plus importants, sont les problèmes que pose le développement épigénétique d'une structure aussi complexe que le système nerveux central. Chez l'homme, il comprend 10^{12} à 10^{13} neurones interconnectés par l'intermédiaire de quelque 10^{14} à 10^{15} synapses, dont certaines associent des cellules nerveuses éloignées les unes des autres.   Jacques MONOD, le Hasard et la Nécessité, p. 186.

♦ **2.** (1924 ; *synapsis,* 1904, in *Rev. gén. des sc.,* p. 309). Biol. Stade de la maturation des gamètes pendant lequel les chromosomes se réunissent au même point du noyau.

DÉR. **Synaptique.**

SYNAPSIDES [sinapsid] n. m. pl. — Mil. xxᵉ ; lat. mod. créé par les zoologistes américains, dér. sav. du grec *sunapsis* (→ Synapse), et *-ides.*

♦ Zool. Groupe de reptiles possédant une paire de fosses temporales en position basse. *Les synapsides, ou théromorphes, sont tous fossiles.* — Au sing. *Un synapside.*
Adj. *Lignée reptilienne synapside.*

SYNAPSIE [sinapsi] n. f. — Mil. xxᵉ (in *Dict. de ling.,* 1972) ; du grec *sunapsis.* → Synapse.

♦ Ling. Unité sémantique formée de plusieurs lexèmes liés par une préposition.

SYNAPTASE [sinaptaz] n. f. — 1855, Littré-Robin ; du grec *sunapt(ein)* «joindre, unir», et *(diast)ase.*

♦ Chim. Émulsine*.

SYNAPTIQUE [sinaptik] adj. — 1904, in *Rev. gén. des sc.,* n° 18, p. 863 ; de *synapse.*

♦ Didact. Qui se rapporte à une synapse. *« Les activités enzymatiques caractéristiques des transmissions synaptiques »* (J. Verne et S. Hébert, *la Culture de tissus,* p. 83).

On ne saurait comprendre du fonctionnement du système nerveux central à moins de connaître celui de l'élément logique primaire que constitue la synapse. De tous les niveaux d'analyse c'est le plus accessible à l'expérience et des techniques raffinées ont livré une masse considérable de documents. On est loin encore, cependant, d'une interprétation de la transmission synaptique en termes d'interactions moléculaires.   Jacques MONOD, le Hasard et la Nécessité, p. 186.

SYNARCHIE [sinaʀʃi] n. f. — 1872 ; du grec *sunarkhia ;* de *syn-* (→ Sy-), et *-archie.*
Didactique.

♦ **1.** Gouvernement d'un État par plusieurs chefs.

♦ **2.** Autorité, influence exercée par plusieurs personnes ou plusieurs groupements à la fois. ⇒ **Oligarchie.**

Il paraît pourtant clair aujourd'hui que les rapports de police de 1940 qui dénoncèrent la « synarchie » (société occulte, en 1940) interprétèrent abusivement tout un faisceau de faits disparates rapprochés dans ce but de façon arbitraire. Le mot même de « synarchie » avait été lancé à la fin du XIXᵉ siècle par l'occultiste Saint-Yves d'Alveydre, disciple de Fabre d'Olivet, pour désigner une «structure» trinitaire du pouvoir social qui lui paraissait idéale et qui dérivait elle-même de son «archéomètre», où l'on peut voir une des premières images de la «structure absolue».   Raymond ABELLIO, Ma dernière mémoire, t. II, p. 106-107.

DÉR. **Synarchique.**

SYNARCHIQUE [sinaʀʃik] adj. — 1872 ; de *synarchie.*

♦ Didact. Relatif à la synarchie*. *Gouvernement synarchique.*

SYNARQUE [sinaʀk] n. m. — Mil. xxᵉ ; du grec *sunarkhos.* → Synarchie.

♦ Didact. Personne qui exerce une synarchie ou une oligarchie.

Ce sont les professeurs de philosophie qui sont transformés en rétrogrades, et ce sont les technocrates, énarques et autres synarques de la grande simulation contemporaine qui apparaissent comme les représentants de la modernité.   le Nouvel Obs., 17 mars 1975, p. 69.

SYNARTHROSE [sinaʀtʀoz] n. f. — 1560 ; du grec *sunarthrôsis,* de *arthron* «articulation».

♦ Anat. Articulation (cit. 2) immobile, dans laquelle les pièces osseuses se trouvent en continuité l'une avec l'autre. *Classement des synarthroses, selon la nature du tissu qui assure la continuité* (⇒ **Synchondrose, synfibrose, synostose**).

SYNASE [sinaz] n. f. — Mil. xxᵉ ; de *syn-,* et *(diast)ase.*

♦ Biochim. Enzyme favorisant la liaison entre deux carbones, participant ainsi à la synthèse de diverses substances organiques.

SYNASPISME [sinaspism] n. m. — 1846, Bescherelle; du grec *sunaspismos*, de *sunaspizein*, de *sun-*, et *aspis, aspidos* «bouclier».

♦ Didact. Dans l'Antiquité grecque, Ordre de marche où les soldats en ordre serré s'abritaient derrière leurs boucliers juxtaposés. ⇒ aussi **Tortue**.

SYNAXAIRE [sinaksɛʀ] n. m. — 1704, *in* D.D.L.; de *synaxe*.

♦ Relig. Recueil abrégé de la vie des saints, classé chronologiquement pour être lu à l'église. — *Petit synaxaire* : calendrier.

SYNAXE [sinaks] n. f. — 1704, *in* D.D.L.; du bas lat. *synaxis*, grec *sunaxis* «assemblée religieuse».

♦ Hist. des relig. Assemblée des chrétiens (notamment, dans l'église primitive).
DÉR. Synaxaire.

SYNCARPE [sɛ̃kaʀp] n. m. — 1809, *in* D.D.L.; de *syn-*, et grec *karpos* «fruit».

♦ Bot. Fruit composé de la coalescence de plusieurs fruits simples (ex. : mûre).
DÉR. Syncarpie.

SYNCARPIE [sɛ̃kaʀpi] n. f. — 1872; de *syncarpe*.

♦ Bot. Soudure de plusieurs fruits en petites drupes (syncarpes*).

SYNCATÉGORÉMATIQUE [sɛ̃kategɔʀematik] adj. — Après 1750, Voltaire; du bas lat. *syncategorema, syncategorematis*, du grec *sugkatêgorein*, de *sun- (sug-)*, et *katêgoros*, proprt «accusateur», de *kata* «contre», et *agoreuein* «parler en public», de *agora* «assemblée». → Catégorème, catégorie.

♦ Didact. (log., ling.). Se dit d'un terme qui détermine l'extension du sujet (⇒ **Quantificateur**) ou modifie le prédicat (ex. : négation, modaux).

SYNCHEILIE [sɛ̃keli] ou **SYNCHILIE** [sɛ̃kili] n. f. — 1898; de *syn-* (→ Sy-), et grec *cheilos* «lèvre».

♦ Méd. Vx. Coalescence des lèvres.

SYNCHONDROSE [sɛ̃kɔ̃dʀoz] n. f. — 1560; du grec *sugkhondrôsis*, de *khondros* «cartilage».

♦ Anat. Synarthrose* dans laquelle l'union des pièces osseuses est assurée par du tissu cartilagineux hyalin. *Synchondrose interosseuse*, qui unit deux os différents. *Synchondrose intraosseuse*, qui unit deux parties d'un même os. *L'ossification progressive des synchondroses les transforme le plus souvent en synostoses*.

SYNCHRO [sɛ̃kʀo] n. f. ⇒ **Synchronisation**.

SYNCHRO- Premier élément de mots techniques et didactiques, tiré de *synchrone*.

SYNCHROCYCLOTRON [sɛ̃kʀosiklɔtʀɔ̃] n. m. — V. 1950; de *synchro(ne)*, et *cyclotron*.

♦ Phys. Cyclotron dans lequel le synchronisme des corpuscules avec la tension haute fréquence est obtenu par une modulation de fréquence de cette tension.

SYNCHRONE [sɛ̃kʀon] adj. — 1743; d'un lat. tardif *synchronus* «contemporain», grec *sugkhronos*, de *sun- (syn-)*, et *khronos*. Didactique.

♦ **1.** Qui se produit dans le même temps ou à des intervalles de temps égaux; qui a la même période, la même vitesse. ⇒ **Simultané, synchronique**. *Mouvements, oscillations synchrones*.
1 La narine se soulevait d'un souffle lent, qui n'était pas synchrone avec les battements du cœur. ARAGON, les Beaux Quartiers, II, XXXVI.

♦ **2.** (xxᵉ). Qui produit des mouvements synchrones. *Pendules synchrones* (→ aussi Émouvoir, cit. 4). — (1933, *in* Larousse). *Moteur synchrone*, dont la vitesse de rotation est telle qu'il tourne en synchronisme avec la fréquence du courant.
2 (...) un moteur synchrone ou asynchrone ne fournit une grande quantité d'énergie mécanique que lorsqu'il a atteint sa vitesse de régime (...) Gilbert SIMONDON, Du mode d'existence des objets techniques, p. 52.
CONTR. Asynchrone.
DÉR. Synchronie, synchronique, synchroniser. — (Du grec) Synchronisme.
COMP. Asynchrone, synchrocyclotron, synchrophasotron, synchrotron.

SYNCHRONIE [sɛ̃kʀɔni] n. f. — Av. 1911, Saussure; «art de concilier, de comparer les dates», 1827; de *synchrone*.

♦ **1.** Ling. Ensemble des faits linguistiques considérés comme formant un système à un moment déterminé de l'évolution d'une langue (opposé à *diachronie*). *La synchronie est une abstraction méthodologique destinée à l'étude des structures et des fonctions, indépendamment de la variation linguistique*.
1 C'est à la synchronie qu'appartient tout ce qu'on appelle la «grammaire générale»; car c'est seulement par les états de langue que s'établissent les différents rapports qui sont du ressort de la grammaire. F. DE SAUSSURE, Cours de linguistique générale, p. 141 (1916).

♦ **2.** Cour. Représentation d'événements considérés comme simultanés.
2 (...) je me demande, la mémoire d'un enfant n'étant pas une synchronie, jusqu'à quel point j'ai pu confondre et embrouiller les dates et les événements? B. CENDRARS, Bourlinguer, p. 239.
En synchronie. «Oscillateurs physiologiques (...) en synchronie» (*la Recherche*, févr. 1974).

SYNCHRONIQUE [sɛ̃kʀɔnik] adj. — 1750; de *synchrone*.

♦ **1.** Vx. Qui se produit au même moment. ⇒ **Synchrone**.

♦ **2.** Qui étudie ou présente des événements survenus à la même époque mais dans des lieux différents, des domaines séparés; relatif aux aspects différents d'un même ensemble à un même moment d'une évolution. — *Tableau synchronique*, qui présente dans plusieurs colonnes les faits survenus à la même époque dans différents pays ou dans différents domaines.
Linguistique synchronique (ou *statique*). ⇒ **Synchronie** (et → cit. Saussure). *Sémantique synchronique. Étude, point de vue, perspective synchronique*.
1 (...) leur programme *(des grammairiens de l'époque classique)* est strictement synchronique. Ainsi la grammaire de Port-Royal essaie de décrire l'état du français sous Louis XIV et d'en déterminer les valeurs. Elle n'a pas besoin pour cela de la langue du moyen âge; elle suit fidèlement l'axe horizontal (...) sans jamais s'en écarter (...) F. DE SAUSSURE, Cours de linguistique générale, p. 118.
2 La *linguistique synchronique* s'occupera des rapports logiques et psychologiques reliant des termes coexistants et formant système, tels qu'ils sont aperçus par la même conscience collective.
La *linguistique diachronique* étudiera au contraire les rapports reliant des termes successifs non aperçus par une même conscience collective, et qui se substituent les uns aux autres sans former système entre eux. F. DE SAUSSURE, Cours de linguistique générale, p. 140.
CONTR. Diachronique.
DÉR. Synchroniquement.

SYNCHRONIQUEMENT [sɛ̃kʀɔnikmɑ̃] adv. — 1876; de *synchronique*, de *synchrone*.

♦ **1.** Didact. (sc.). D'une manière synchronique, en considérant (un objet, un ensemble) à un moment donné.
1 La sexualité constituée telle que nous la connaissons chez l'adulte ne se développe pas synchroniquement dans son ensemble. E. MOUNIER, la Relation sexuelle, «Vue d'ensemble», *in* Dʳ WILLY, la Sexualité, t. I, p. 25.

♦ **2.** Cour. (non scientifique). En même temps; au même moment.
2 Le chant du muezzin éclate au-dessus de ma tête et, synchroniquement, Niza Ogghouz apparaît et vient vers moi. Joseph JOFFO, Anna et son orchestre, p. 118.

SYNCHRONISANT, ANTE [sɛ̃kʀɔnizɑ̃, ɑ̃t] adj. — 1969, cit.; p. prés. de *synchroniser*.

♦ Didact. Qui synchronise, produit une synchronisation.
Si les bases de temps étaient véritablement indéréglables comme les monades de Leibniz, on pourrait réduire autant qu'on le voudrait le moment de sensibilité de l'oscillateur à synchroniser : le rôle d'information de l'impulsion synchronisante disparaît tout à fait, parce qu'il n'y aurait rien à synchroniser : le signal de synchronisation n'aurait plus aucun caractère d'imprévisibilité par rapport à l'oscillateur à synchroniser. Gilbert SIMONDON, Du mode d'existence des objets techniques, p. 136-137 (1969).

SYNCHRONISATION [sɛ̃kʀɔnizasjɔ̃] n. f. — 1888, *la Science illustrée*, t. I, p. 142; de *synchroniser*.

♦ **1.** Opération qui consiste à synchroniser*; son résultat; le fait d'être synchronisé. ⇒ aussi **Concordance**. *Synchronisation de deux pendules. Synchronisation de l'image en télévision. La synchronisation des opérations. Bonne, mauvaise synchronisation*. — *Synchronisation des vitesses dans une automobile*. — (1908). *Synchronisation des images avec le son*. ⇒ aussi **Sonorisation**. *Mauvaise synchronisation* (⇒ **Asynchronisme**). *Synchronisation d'un film doublé*. ⇒ **Postsynchronisation**. — Abrév. fam. : *synchro* [sɛ̃kʀo]. *Le film n'est pas mauvais, mais la synchro de la v. f. est très médiocre*.

♦ **2.** Par métonymie. Service, ensemble des spécialistes de la synchronisation. Fam. *La synchro*.

SYNCHRONISER [sɛ̃kʀɔnize] v. tr. — 1890; «reconnaître une chose comme contemporaine d'une autre, dater de manière relative», 1865; de *synchrone*.

♦ **1.** Rendre synchrone (des phénomènes, des mouvements, des mécanismes; spécialt, des phénomènes périodiques, en électricité, en radio, etc.). *Synchroniser deux alternateurs avant de les coupler. Synchroniser un oscillographe.* — (1909, au p. p.). Mettre en concordance la piste* sonore et la bande des images d'un film.

♦ **2.** Faire se produire ou s'accomplir simultanément plusieurs actions appartenant à des séries différentes (→ Faire concorder*, correspondre*).

♦ **3.** Cour. Qui se fait en même temps.

Avec ensemble, dans un acquiescement rapide, identique et parfaitement synchronisé, elles inclinent toutes les trois la tête.
A. ROBBE-GRILLET, le Voyeur, p. 36.

▶ **SE SYNCHRONISER** v. pron.
Devenir synchrone; se régler de manière synchrone. «*Pour que le poste de téléphone se synchronise, autrement dit défile en phase avec le signal*» (*Sciences et Avenir,* avr. 1981, p. 12).

▶ **SYNCHRONISÉ, ÉE** p. p. adj. (1909).
Rendu synchrone. *Opérations parfaitement synchronisées.* — (Autom.). *Vitesse synchronisée :* combinaison de certains changements de vitesse qui permet d'éviter le choc des engrenages. — *Feux de signalisation synchronisés,* dont le fonctionnement est coordonné avec celui des autres signaux de la même rue, de la même avenue, de manière à assurer une circulation régulière.

DÉR. Synchronisant, synchronisation, synchroniseur.
COMP. Postsynchroniser.

SYNCHRONISEUR, EUSE [sɛ̃kʀɔnizœʀ, øz] n. — V. 1930; de *synchroniser*.

♦ **1.** N. m. Ⓐ Électr. Système qui permet de coupler automatiquement deux alternateurs au moment où ils sont en synchronisme.

Ⓑ Dispositif de vitesses synchronisées sur une voiture (abrév. fam. : *synchro,* n. m.). — N. Appos. *Baladeur-synchroniseur :* dispositif qui sert à synchroniser les vitesses.

Ⓒ Phénomène récurrent de l'environnement, pendant vingt-quatre heures, «capable de maintenir une période identique dans un rythme circadien» (*la Recherche,* juin 1981, p. 726).

♦ **2.** N. f. (1952). *Synchroniseuse :* appareil qui synchronise l'image et le son dans un film.

SYNCHRONISME [sɛ̃kʀɔnism] n. m. — 1752; du grec *sugkhronismos,* de *sugkhronizein,* de *sugkhronos.* → Synchrone.

♦ **1.** Techn. En parlant de phénomènes physiques périodiques, de mouvements, etc., Caractère de ce qui est synchrone*, le fait de se produire en même temps, à la même vitesse. *Synchronisme des oscillations de deux pendules. Synchronisme de deux mouvements. Avec un synchronisme parfait.* — En parlant d'événements historiques, Coïncidence de dates, identité d'époques. ⇒ **Concordance, correspondance, simultanéité.**

L'histoire est pleine de synchronismes étranges qui font que, sans avoir communiqué entre elles, des fractions de l'espèce humaine très éloignées les unes des autres arrivent en même temps à des idées et à des imaginations presque identiques.
RENAN, Vie de Jésus, Œ. compl., t. IV, p. 368.

♦ **2.** (1872). Cour. Caractère de ce qui est synchrone ou synchronisé. *Ils se levèrent tous ensemble, avec un synchronisme parfait.*

COMP. Asynchronisme.

SYNCHROPHASOTRON [sɛ̃kʀɔfazotʀɔ̃] n. m. — xxᵉ; de *synchro(ne), phas(e),* et finale de *(cycl)otron.*

♦ Phys. ⇒ **Synchrotron.**

SYNCHROTRON [sɛ̃kʀotʀɔ̃] n. m. — 1949; de *synchro(ne),* et de la finale de *(cyclo)tron.*

♦ Phys. Accélérateur circulaire (cyclotron) de particules dans lequel l'augmentation de la masse relativiste des particules est compensée par une variation du champ magnétique. *Synchrotron à électrons, à particules lourdes* (ou *cosmotron, synchrophasotron*).
Appos. *Effet, rayonnement, émission synchrotron :* rayonnement émis par les électrons* relativistes se déplaçant dans un champ magnétique (d'abord mis en évidence dans les synchrotrons).

DÉR. Synchrotronique.

SYNCHROTRONIQUE [sɛ̃kʀotʀɔnik] adj. — Mil. xxᵉ; de *synchrotron.*

♦ Phys. Relatif au synchrotron*. *Rayonnement synchrotronique :* rayonnement émis par les électrons approchant la vitesse de la lumière, dans un synchrotron à électrons.

SYNCHYSE [sɛ̃kiz] ou **SYNCHYSIS** [sɛ̃kizis] n. f. — Déb. xvIIIᵉ, Du Marsais; du grec *sugkhusis* «confusion, bouleversement».

♦ Gramm. Vx. Construction dans laquelle l'ordre habituel des mots est bouleversé.

SYNCINÉSIE [sɛ̃sinezi] n. f. — 1890, P. Larousse, *Deuxième Suppl.*; de *syn-,* et grec *kinêsis* «mouvement».

♦ Méd. Mobilisation involontaire d'un muscle, d'un groupe musculaire, lors de l'exécution d'un mouvement par un autre muscle, un autre groupe. (On dit aussi *mouvement associé*).

En présence d'une tâche nouvelle, il *(l'enfant)* doit lutter contre des syncinésies, c'est-à-dire contre le groupe moteur auquel appartient le mouvement opportun et qui souvent l'alourdit, le rend imprécis, le paralyse. Dissoudre une syncinésie est chez l'adulte et, pour une bonne part chez l'enfant, une affaire d'exercice (...)
Henri WALLON, l'Évolution psychologique de l'enfant, p. 135.

DÉR. V. Syncinétique.

SYNCINÉTIQUE [sɛ̃sinetik] adj. — Déb. xxᵉ; de *syn-,* et grec *kinêtikos ;* → Cinétique.

♦ Méd. De syncinésie. «*L'amputé a l'image d'un membre (...) parfois soumis à des mouvements syncinétiques du membre sain*» (Porot).

SYNCLINAL, ALE, AUX [sɛ̃klinal, o] adj. et n. m. — 1872, n. m.; angl. *synclinal,* Buckland et Conybeare; du grec *sun* «avec», et du rad. de *klinein* «incliner, plier». → Anticlinal.

♦ **1.** Adj. Qui appartient à un *synclinal ;* qui constitue un *synclinal* (au sens 2). ⇒ **Concave.** *Pli synclinal. Charnière synclinale. Vallée synclinale suspendue, cuvette synclinale en saillie* (par inversion du relief).

♦ **2.** N. m. Géol. et géogr. Pli* qui présente une concavité (on dit aussi *auge, fond de bateau, gouttière*). *Synclinal compris entre deux anticlinaux*.* ⇒ **Plissement.** *Flancs, axe, charnière d'un synclinal.* — *Synclinal perché,* situé au-dessus des restes des anticlinaux qui encadraient le synclinal (inversion de relief).

CONTR. Anticlinal.
COMP. Géosynclinal.

SYNCOPAL, ALE, AUX [sɛ̃kɔpal, o] adj. — V. 1780; *sincopal* «qui cause une syncope», xvᵉ; de *syncope.*

♦ Méd. Relatif à la syncope* (1.); qui s'accompagne de syncopes fréquentes. *Fièvre syncopale.* — *Respiration syncopale :* respiration interrompue de longues pauses et devenant de plus en plus faible, qui s'observe notamment au cours des hémorragies mortelles. *Cœur syncopal,* irrégulier.

SYNCOPANT, ANTE [sɛ̃kɔpɑ̃, ɑ̃t] adj. — xxᵉ; de *syncoper* (3.).

♦ Fam. et vieilli. Qui étonne, surprend vivement. *Une nouvelle syncopante.*

SYNCOPE [sɛ̃kɔp] n. f. — xivᵉ; *sincope,* 1314; du lat. *syncopa, syncopae,* grec *sugkopê,* de *sugkoptein* «briser, raccourcir»; de *sun-,* et *koptein* «frapper».

♦ **1.** Arrêt ou ralentissement marqué des battements du cœur, accompagné de la suspension de la respiration et de la perte totale de la conscience. ⇒ **Arrêt** (du cœur), **asphyxie** (1., vx), **défaillance, éblouissement** (2.), **étourdissement, évanouissement** (2.), **faiblesse** (*supra* cit. 8), **lipothymie, pâmoison** (vx), **perte** (de connaissance); → **Cœur,** cit. 6; **défaillir,** cit. 1; **prunelle,** cit. 5. *Avoir une syncope, tomber en syncope.* ⇒ **Évanouir** (s'); → Rester sans connaissance*, perdre ses esprits*, se trouver mal*. *Une violente émotion peut provoquer la syncope.*

Hier, à dîner chez la princesse, je me suis trouvé mal à plat : une syncope complète. On m'a couché sur un divan de la salle à manger, les jambes en l'air, on m'a jeté de l'eau de Cologne à la figure, la princesse m'a été chercher son éventail aux abeilles d'or — et je suis revenu. [1]
Ed. et J. DE GONCOURT, Journal, 14 mars 1878, t. VI, p. 15.

À ce cri de détresse de son père, il s'exagère encore le danger et tombe en une syncope dont on ne put le faire revenir que le soir. [2]
M. JOUHANDEAU, Chaminadour, Les enfants de ma sœur.

♦ **2.** (1380). Gramm. anc. Suppression d'une lettre ou d'une syllabe à l'intérieur d'un mot (par ex. : l'orthographe *dénoûment* pour *dénouement*). *L'élision* et la syncope sont des figures de diction, elles constituent des métaplasmes* par suppression.* — Phonét. (Vx). Chute d'un ou de plusieurs phonèmes à l'intérieur d'un mot.

(...) j'aurais plutôt dit *donrois* au lieu de *donnerois,* comme faisaient les anciens, qui usaient de la syncope. [3]
FURETIÈRE, le Roman bourgeois, II, p. 197.

♦ **3.** Mus. Prolongation sur un temps fort d'un élément accentué d'un temps faible. ⇒ aussi **Anacrouse, contretemps** (2.). *Syncope ordinaire* ou *simple*, sur une seule note ou sur deux notes de valeur égale. *Syncope brisée* ou *irrégulière*, sur deux notes de valeur inégale. *La syncope produit un effet de rupture. Importance de la syncope dans le jazz traditionnel.*

DÉR. Syncopal, syncoper.

SYNCOPER [sɛ̃kɔpe] v. — XIVᵉ; p. p., fin XIIIᵉ; de *syncope*.

★ **I.** V. tr. (Fin XVᵉ). ♦ **1.** (1578). Gramm. Vx. Retrancher par syncope (2.). *Syncoper une syllabe, une lettre.*

♦ **2.** (1690). Mus. Unir (une note à la suivante) en formant une syncope (3.). *Syncoper une note.*

♦ **3.** Fam. et vieilli. Surprendre vivement, comme le fait une nouvelle inattendue qui provoque une syncope (1.), un évanouissement. *Cette nouvelle m'a syncopé.*

★ **II.** V. intr. (1617; *sincoper*, 1362). Mus. Former une syncope (3.). *Notes qui syncopent.*

▶ **SYNCOPÉ, ÉE** p. p. adj. (*Sincopé* « coupé, extirpé », fin XIIIᵉ). Métrique latine et grecque.

♦ **1.** Antiq. *Vers syncopé :* vers dans lequel deux demi-pieds sont remplacés par une longue. — Gramm. *Mot syncopé*, dont on a retranché une lettre ou une syllabe par syncope.

♦ **2.** *Note syncopée.* — (1690). Mus. Caractérisé par l'emploi de la syncope (3.). *Mesures syncopées.*
Cour. (abusif en mus.). Fortement accentué, au rythme marqué. *Musique syncopée. Le rythme syncopé du jazz.*

DÉR. Syncopant.

SYNCRÉTIQUE [sɛ̃kʀetik] adj. — Mil. XIXᵉ, Baudelaire (av. 1867); de *syncrétisme*.
Didactique.

♦ **1.** Relatif au syncrétisme (1.). ⇒ (adj.) Syncrétiste.

♦ **2.** Qui forme un ensemble perçu globalement. ⇒ **Syncrétisme** (2.). *« Complexes syncrétiques globalement identifiés »* (Piéron, *la Sensation*).

♦ **3.** (1933). Ling. *Cas syncrétique*, qui, outre sa fonction initiale, assume celle de cas disparu (ex. : *le génitif grec*).

DÉR. Syncrétiquement.

SYNCRÉTIQUEMENT [sɛ̃kʀetikmɑ̃] adv. — Mil. XXᵉ; de *syncrétique*. → Syncrétisme.

♦ Didact. D'une manière globale et non analysée (⇒ **Syncrétique, syncrétisme**).
L'apparition du colon a signifié syncrétiquement mort de la société autochtone, léthargie culturelle, pétrification des individus (...)
Frantz FANON, *in* E. ÉLIET, Panorama de la littérature négro-africaine, p. 257.

SYNCRÉTISME [sɛ̃kʀetism] n. m. — 1611; grec *sugkrêtismos*, littéralt « union des Crétois »; de *sun-* (sug), et *kritizein* « agir en Crétois, être fourbe »; de *Krês, Krêtos* « Crétois ».
Didactique.

♦ **1.** (1687). Combinaison relativement cohérente (à la différence de l'éclectisme*), fusion, mélange de plusieurs doctrines religieuses ou de plusieurs systèmes philosophiques (surtout en parlant des religions et des systèmes d'explication du monde dans l'antiquité gréco-romaine et orientale, aux premiers siècles de notre ère).

1 C'est donc l'esprit du syncrétisme qui a engendré les sectes juives, jusqu'en Palestine. Il pénètre tout l'Orient aux approches de l'ère chrétienne. Par lui, les croyances diverses tendent à se rapprocher, à se combiner, à se compléter l'une par l'autre (...) Ch. GUIGNEBERT, le Monde juif..., p. 264.

1.1 Les sculpteurs chrétiens n'entendent pas renoncer à l'âme. Pour la perdre, il leur faudra deux cents ans. Ils échappent au syncrétisme par le génie — et par le caractère magique des statues, que nous étudions peu, parce qu'elles l'ont perdu. MALRAUX, l'Homme précaire et la Littérature, p. 56.

Hist. des relig. Tentative de certains théologiens du XVIIᵉ siècle pour concilier les diverses communions chrétiennes (catholiques, luthériens, etc.). ⇒ aussi **Œcuménisme, réunion** (des Églises).

♦ **2.** (XIXᵉ, Renan). Appréhension globale et plus ou moins confuse (d'un tout).

2 De même que le fait le plus simple de la connaissance humaine s'appliquant à un objet complexe se compose de trois actes : 1. vue générale et confuse du tout; 2. vue distincte et analytique des parties; 3. recomposition synthétique du tout avec la connaissance que l'on a des parties; de même l'esprit humain, dans sa marche, traverse trois états qu'on peut désigner sous les trois noms de syncrétisme, d'analyse, de synthèse, et qui correspondent aux trois phases de la connaissance. RENAN, l'Avenir de la science, XVI, Œ. compl., t. III, p. 968.

(Terme repris par Claparède). Psychol. de l'enfant. Appréhension glo-

bale et indifférenciée qui précède la perception et la pensée par objets nettement distincts les uns des autres.

♦ **3.** Synthèse de deux éléments culturels ou de deux cultures différentes.

DÉR. Syncrétique, syncrétiste.

SYNCRÉTISTE [sɛ̃kʀetist] n. et adj. — XVIIIᵉ, Diderot (av. 1784); de *syncrétisme*.
Didactique.

♦ **1.** N. m. Partisan d'un syncrétisme* (1.) philosophique ou religieux.

♦ **2.** Adj. (1876). Qui approuve, qui a adopté le syncrétisme. ⇒ **Syncrétique** (1.). *Philosophe, secte syncrétiste.* — Relatif au syncrétisme* (1.); qui constitue un syncrétisme. *Doctrine syncrétiste.*
Il y a déjà longtemps qu'on a cru pouvoir dire du judaïsme du temps de Jésus qu'il était devenu une religion syncrétiste. Syncrétiste en ce sens que, même dans les cadres de son orthodoxie (...) elle a reçu et absorbé des éléments étrangers à son propre fonds (...) Ch. GUIGNEBERT, le Monde juif..., p. 261.

SYNCRISTALLISATION [sɛ̃kʀistalizɑsjɔ̃] n. f. — Mil. XXᵉ; de *syncristalliser*.

♦ Chim. Phénomène par lequel deux substances peuvent cristalliser soit en toutes proportions, soit dans un intervalle plus ou moins étendu de concentration et donner ainsi des cristaux mixtes ou des solutions solides.

SYNCRISTALLISER [sɛ̃kʀistalize] v. intr. — 1923; de *syn-* (→ Sy-), et *cristalliser*.

♦ Chim. Cristalliser (intrans.) ensemble.

DÉR. Syncristallisation.

SYNCYTIAL, ALE, AUX [sɛ̃sitjal, o] adj. — 1897, in *l'Année biol.* 1899, p. 29; de *syncytium*.

♦ Didact. Du syncytium. *« Une petite masse syncytiale »* (*Rev. gén. des sc.* 1903, nᵒ 21, p. 1102). *« Le virus syncytial »* (*l'Express*, 24 févr. 1979, p. 102).

SYNCYTIUM [sɛ̃sitjɔm] n. m. — 1897, in *l'Année biol.*, p. 29, mot all., Haeckel, v. 1870; de *syn-*, grec *kutos* « cellule » (→ Cyto-), et terminaison latine *-ium*.

♦ Didact. (biol.). Masse de cytoplasme comprenant plusieurs noyaux, formée de la fusion de plusieurs cellules. Syn. : *plasmode*.

DÉR. Syncytial.

SYNDACTYLE [sɛ̃daktil] adj. — 1827; de *syn-*, et *dactyle*.

♦ Didact. (pathol.). Qui a les doigts soudés entre eux. ⇒ **Syndactylie**.
DÉR. Syndactylie.

SYNDACTYLIE [sɛ̃daktili] n. f. — 1827; de *syndactyle*.

♦ Didact. (pathol.). Malformation caractérisée par la soudure de deux ou plusieurs doigts ou orteils. ⇒ **Syndactyle; symphalangie**.

SYNDÉRÈSE [sɛ̃deʀɛz] n. f. — Déb. XVIIᵉ; *sinderese*, 1495; grec *suntêrêsis* « conservation; observation, surveillance », avec passage du *t* au *d* à la prononciation byzantine, de *sun-*, et *têrein* « observer ».

♦ Théol. Vx. Reproche que nous adresse notre conscience; remords.
(...) il me semble que Washington, retiré dans son champ de la Virginie, ne devait pas éprouver les syndérèses de Bonaparte attendant l'exil dans ses jardins de la Malmaison. CHATEAUBRIAND, Mémoires d'outre-tombe, t. IV, p. 48.

SYNDERME [sɛ̃dɛʀm] n. m. — Av. 1947; de *syn(thétique)*, et grec *derma* « peau ».

♦ Techn. Cuir synthétique formé par des fibres de cuir agglomérées par du latex.
(...) la fabrication des cuirs reconstitués et simili-cuirs (synthermes).
Jean BECK, le Goudron de houille, p. 75.

SYNDÈSE [sɛ̃dɛz] n. f. — 1933, Marouzeau; grec *sundesis*, de *sundein* « lier ensemble », de *sun-*, et *dein* « attacher ».

★ **I.** Rhét. Procédé qui consiste à coordonner tous les éléments d'une énumération (opposé à *asyndète*).

★ **II.** (Mil. XXᵉ). Biol. Appariement régulier de chromosomes pendant la prophase* de la méiose.

SYNDESMOLOGIE [sɛ̃dɛsmɔlɔʒi] n. f. — 1808; grec *sundesmos* «lien, assemblage; ligament, jointure» (→ Syndèse), et *-logie*. Didactique.

♦ **1.** Partie de l'anatomie qui étudie les ligaments et les articulations (cit. 1). ⇒ **Desmologie**. — Syn. : *arthrologie*.

♦ **2.** Traité sur les ligaments, sur les articulations.

COMP. (Du même rad.) Syndesmopexie, syndesmophyte; syndesmotomie.

SYNDESMOPEXIE [sɛ̃dɛsmɔpɛksi] n. f. — Mil. xxᵉ; grec *sundesmos* (→ Syndèse), et grec *pexis* «emboîter, ajuster».

♦ Chir. Réparation chirurgicale de la déchirure d'un ligament.

SYNDESMOPHYTE [sɛ̃dɛsmɔfit] n. m. — Mil. xxᵉ (*in* Larousse, 1953); grec *sundesmos* (→ Syndesmologie), et *-phyte*.

♦ Méd. Calcification affectant un ligament articulaire.

SYNDESMOSE [sɛ̃dɛsmoz] n. f. — xxᵉ; de *syn-*, et grec *desma* «ligament».

♦ Anat. Synfibrose* qui se fait par l'intermédiaire de ligaments fibreux, assurant l'union à distance de deux pièces osseuses.

SYNDESMOTOMIE [sɛ̃dɛsmɔtɔmi] n. f. — 1808; grec *sundesmos* (→ Syndesmologie), et *-tomie*.

♦ Chir. Incision ou section d'un ligament articulaire. ⇒ **Desmotomie**.

SYNDIC [sɛ̃dik] n. m. — 1318, *sindic*; *syndique*, 1257; lat. tardif *syndicus* «avocat et représentant d'une ville», grec *sundikos* «celui qui assiste quelqu'un en justice».
Personne qui est chargée de représenter une collectivité, une communauté, etc., et de défendre ses intérêts. ⇒ **Agent, mandataire, représentant**.

♦ **1.** Hist. (En France, sous l'Ancien Régime). Dans une ville franche ou ville de syndicat* (I., 2.), Chacun des représentants des habitants auprès du seigneur suzerain de la ville. — Dans une paroisse rurale, Chacun des habitants élus pour faire exécuter les décisions de l'assemblée générale (appelée aussi *général*) de la paroisse. *« Les syndics (...) ne sont pas des magistrats, ils n'ont aucun pouvoir propre de juridiction ou de police »* (Timbal, *Hist. des institutions*, § 392). *En 1789, les syndics furent remplacés par les maires* (cit. 1). — REM. On disait aussi dans ce sens *procureur, procureur-syndic* (→ Obéir, cit. 4).

La petite Paroisse de Saci (...) se gouverne comme une grande Famille; tout s'y décide à la pluralité des voix, dans des Assemblées qui se tiennent sur la place publique, les dimanches et fêtes, au sortir de la messe, et qui sont indiquées par le son de la grosse cloche. C'est à ces Assemblées, qu'elle nomme les Syndics, dont les fonctions ressemblent assez à celles des Consuls chez les Romains (...)
RESTIF DE LA BRETONNE, la Vie de mon père, p. 215.

Les Syndics des drapiers, toile de Rembrandt représentant l'assemblée des «régents» d'une corporation.
Chacun des quatre hauts magistrats qui étaient à la tête de la République de Genève.

♦ **2.** Mod. Membre du bureau du conseil municipal de Paris qui est chargé de l'aménagement et de la surveillance des locaux réservés au conseil, ainsi que de l'organisation des fêtes et des réceptions. — (1842). *Syndic des gens de mer* : représentant de l'Inscription maritime dans un sous-quartier, ou *syndicat* (I., 3.).
Membre d'une chambre de discipline chargé de surveiller les officiers ministériels qui exercent dans un ressort déterminé. *Syndic d'une chambre de notaires*. — *Syndic de la chambre syndicale des agents de change*.

♦ **3.** (1876, *syndic d'une faillite*). Dr. comm. Représentant légal, désigné par le tribunal, de la masse des créanciers du failli, dont il gère et liquide les biens et au nom duquel il agit en justice (⇒ **Faillite**; → Banqueroute, cit. 2; conservation, cit. 3. *Syndic provisoire, définitif, de l'union. Désigner un syndic, un syndic de faillite*. — Vx. *Syndic de direction* (→ Assemblée, cit. 9).

♦ **4.** (Dans un immeuble en copropriété). Mandataire choisi par les copropriétaires pour faire exécuter les décisions de l'assemblée.

♦ **5.** Régional. Suisse (Vaud, Fribourg). Président de commune.

DÉR. Syndical, syndicat.

SYNDICAL, ALE, AUX [sɛ̃dikal, o] adj. — 1701; adj., «fait par la communauté», mil. xvⁱᵉ; n. m. *sindiqual* «procès-verbal», 1352; de *syndic*.

♦ **1.** Rare. Relatif à un syndic, à sa fonction.

♦ **2.** Relatif à une association professionnelle, à un syndicat* (II., 2.). — (1697, *chambre scindicalle*). *Chambre syndicale* : syndicat patronal (au xixᵉ siècle, l'expression s'appliquait aussi aux syndicats ouvriers). — *Chambre syndicale des agents de change*, qui exerce une surveillance et un pouvoir disciplinaire sur les membres d'une compagnie d'agents de change.

♦ **3.** (1798). Cour. Relatif à un syndicat* (II., 2.) de salariés, au syndicalisme. *Droit, mouvement syndical* (→ Extrême, cit. 2). *Action syndicale. Délégué, leader syndical*. ⇒ **Syndicaliste**. *Cotisation, carte syndicale. Fédération, union, organisation syndicale. Confédération* ou *centrale syndicale. Grandes centrales syndicales en France :* Confédération générale du travail (C. G. T.), Confédération française démocratique du travail (C. F. D. T.), Confédération générale du travail-Force ouvrière (C. G. T.-F. O.), Confédération française des travailleurs chrétiens (C. F. T. C.), Confédération générale des cadres (C. G. C.), Syndicats enseignants. *Conférence, réunion syndicale* (→ Efflorescence, cit. 2). *Congrès syndical. Indépendance, unité, scission syndicale*. — *Tarif syndical*, fixé par le syndicat.

DÉR. Syndicaliser, syndicalisme.
COMP. Intersyndical.

SYNDICALISABLE [sɛ̃dikalizabl] adj. — Mil. xxᵉ (1964, *in* D.D.L.); de *syndicaliser*.

♦ Qui peut être syndicalisé.

SYNDICALISATION [sɛ̃dikalizɑsjɔ̃] n. f. — 1963; de *syndicaliser*.

♦ **1.** Fait d'adhérer ou d'appartenir à un syndicat. *Taux de syndicalisation dans une profession, une entreprise*. «*Le taux de syndicalisation des femmes n'est pas beaucoup plus bas que celui des hommes*» (*l'Express*, 21 mai 1973, *in* Gilbert, *Dict. des mots contemporains*).

♦ **2.** Fait de syndicaliser* (qqn, un groupe). «*Cette "syndicalisation" du mouvement lycéen a pour contrepartie une dépolitisation et un repli sur soi*» (*le Monde*, 12 nov. 1978, *in* Gilbert, *Dict. des mots contemporains*).

SYNDICALISER [sɛ̃dikalize] v. tr. — 1926; de *syndical*.

♦ **1.** Recruter pour un syndicat; inscrire à un syndicat de salariés. *Syndicaliser des nouveaux salariés*. — Donner une conscience syndicale à (qqn, un groupe).

♦ **2.** Organiser en syndicat. *Syndicaliser les travailleurs d'une entreprise*. V. pron. «*Une réunion des syndicats afin d'étudier les moyens de forcer l'entreprise à laisser se syndicaliser les ouvriers des deux usines canadiennes*» (*l'Express*, 16 oct. 1972, *in* Gilbert, *Dict. des mots contemporains*).

DÉR. Syndicalisable, syndicalisation.

SYNDICALISME [sɛ̃dikalism] n. m. — 1894; de *syndical*.

♦ **1.** Mouvement syndical, fait social et politique que représentent l'existence et l'action des syndicats* (II., 2., b) de travailleurs salariés, notamment des syndicats ouvriers; doctrine sociale, économique et politique de ces syndicats (⇒ **Ouvrier**, *supra* cit. 1). *Syndicalisme de métier, d'industrie. Syndicalisme anarchiste* (⇒ **Anarcho-syndicalisme**), *révolutionnaire, réformiste, chrétien. Syndicalisme d'État*. — Par anal. *Syndicalisme patronal, agricole*. ⇒ **Syndicat** (II., 2., a).

Ce syndicalisme même (*le syndicalisme révolutionnaire*) n'est-il pas inefficace? La réponse est simple : c'est lui qui, en un siècle, a prodigieusement amélioré la condition ouvrière depuis la journée de seize heures jusqu'à la semaine de quarante heures. L'Empire idéologique, lui, a fait revenir le socialisme en arrière et détruit la plupart des conquêtes du syndicalisme. CAMUS, l'Homme révolté, p. 367.

♦ **2.** (1923, *in* Larousse). Activité exercée dans un syndicat. *Faire du syndicalisme. C'est le syndicalisme qui l'a formé à la politique*.

DÉR. Syndicaliste.
COMP. Anarcho-syndicalisme.

SYNDICALISTE [sɛ̃dikalist] n. et adj. — 1875; de *syndicalisme*.

★ **I.** N. ♦ **1.** Partisan du syndicalisme; théoricien social qui voit dans le syndicalisme le moyen le plus efficace pour améliorer la condition ouvrière.

♦ **2.** Personne qui fait partie d'un syndicat* (II., 2.) et y joue un rôle actif (permanent, secrétaire, dirigeant). *Syndicalistes révolutionnaires, réformistes*. — *Une syndicaliste agricole*. — REM. Quand il s'agit d'un simple adhérent, on dit *syndiqué*.

★ **II.** Adj. (xxᵉ; *in* Larousse, 1923). Relatif aux syndicats, au syndicalisme. ⇒ aussi **Syndicat**. *Chefs syndicalistes. Doctrine, idéal, esprit, mouvement syndicaliste* (→ Force, cit. 71).

SYNDICAT [sɛ̃dika] n. m. — 1477; de *syndic*.

★ **I. ♦ 1.** Vx. Fonction de syndic. — (1549). Exercice, durée des fonctions de syndic.

♦ **2.** Hist. Régime administratif auquel étaient soumises les paroisses rurales représentées par des syndics* (1.). — *Villes de syndicat :* nom donné dans le Midi aux villes qui jouissaient de certaines franchises, tout en demeurant soumises à l'autorité seigneuriale.

♦ **3.** Mar. *Syndicat* ou *sous-quartier :* subdivision d'un quartier de l'Inscription maritime, administrée par un syndic* (2.).

★ **II.** (1649, *scindicat, in* D.D.L.). Association* qui a pour objet la défense d'intérêts communs. ♦ **1.** *Syndicat financier,* constitué pour étudier les possibilités de création d'une société, placer des titres, etc. *Syndicat de placement.* — *Syndicat de propriétaires,* qui a pour objet la réalisation de travaux d'utilité générale intéressant plusieurs propriétés. — Dr. admin. *Syndicat de communes, syndicat interdépartemental,* qui gère des services communs.

(1895, *in* D.D.L.). SYNDICAT D'INITIATIVE (souvent écrit par erreur *syndicat d'initiatives*) : organisme destiné à développer le tourisme dans une localité ; service qui en dépend et auprès duquel les touristes peuvent se renseigner sur les transports, les hôtels, etc. ⇒ **Initiative** (cit. 10).

♦ **2.** Cour. Association qui a pour objet la défense d'intérêts professionnels (amélioration des conditions de production, d'exploitation, d'achat, de vente ; relations entre employeurs et salariés : salaires, conditions de travail, etc. ; représentation auprès des pouvoirs publics...). ⇒ **Groupement** (professionnel). *Syndicat professionnel, corporatif. Loi sur les syndicats, du 21 mars 1884.*

[a] *Syndicat patronal ; syndicat de producteurs* (→ Comptoir* d'achat, consortium, chambre syndicale*, trust). *Label* (cit.) *d'un syndicat. Syndicat agricole* (achat en commun de matériel, d'engrais, de semences...). *Syndicat de vente des récoltes. Syndicat d'élevage.* — *Syndicat mixte,* dans lequel sont admis les patrons et les salariés d'une même profession. — ⇒ aussi **Coopérative.**

[b] (On a dit *chambre syndicale* au XIXᵉ s.). Plus cour. (le mot, employé seul, réfère en général à ce sens). Syndicat groupant uniquement des salariés. *Syndicats ouvriers.* ⇒ **Ouvrier ; syndical ; syndicalisme.** *Syndicat de mineurs, de fonctionnaires. Syndicats d'enseignants, d'étudiants. Les syndicats C.F.D.T., C.G.T., chrétiens (C.F.T.C.)... Syndicat autonome, indépendant. Syndicat anglais.* ⇒ **Trade-union.** *Les syndicats américains. Le puissant syndicat des camionneurs. Les syndicats soviétiques.* —*Adhérents* (⇒ Syndiqué), *militants, responsables, délégués, dirigeants, secrétaire* (cit. 1) *d'un syndicat.* ⇒ **Permanent, syndicaliste.** *Bureau d'un syndicat. Maison des Syndicats* (→ Jaune, cit. 13). *Union locale, départementale* (→ aussi Bourse [2. Bourse] du travail), *fédération* professionnelle, *confédération nationale interprofessionnelle* (→ Centrale* syndicale) *de syndicats. Grève, occupation d'une usine, manifestation organisée par un syndicat. Négociations avec un syndicat aboutissant à un accord, à un contrat collectif, à une convention collective. Représentation des syndicats dans les comités d'entreprise, les organismes de gestion de la Sécurité sociale. Syndicat inféodé à un parti. Rôle politique des syndicats.*

1 Pendant que les syndicats particuliers se développent et se multiplient, leur organisation d'ensemble grossit automatiquement, par le jeu du système, simple et robuste, établi dès l'origine ; les syndicats continuant à se grouper : par régions, en Bourses du Travail ; par catégories professionnelles, en Fédérations.
J. ROMAINS, les Hommes de bonne volonté, t. V, XXIV, p. 229.

2 Je n'ai pas non plus à discuter ici des mérites respectifs de Proudhon et de Marx, qui furent d'ailleurs ensemble les deux faces d'un même moment dialectique, et pas davantage de l'actuelle situation des syndicats ouvriers français, émanés par fausse synthèse de ces deux maîtres et qui, après avoir été de refuge et de défense, héroïques bastions, sont devenus des bastilles corporatistes aux intérêts étroits et bornés, entêtés, égoïstes, des étouffoirs pour l'homme.
Raymond ABELLIO, Ma dernière mémoire, t. II, p. 76.

DÉR. Syndicataire.

SYNDICATAIRE [sɛ̃dikatɛʀ] n. et adj. — 1868; de *syndicat,* II., 1. Droit.

♦ **1.** N. Membre d'un syndicat* (II., 1.) : syndicat financier, syndicat de propriétaires.

♦ **2.** Adj. Relatif à un syndicat (II., 1.) ; qui en fait partie.

SYNDIQUER [sɛ̃dike] v. tr. et pron. — 1768; «demander compte de qqch. à», 1549; de *syndic,* 1.

♦ Grouper des personnes, organiser une profession en syndicat. ⇒ **Associer** (I., 2.).

▶ **SE SYNDIQUER** v. pron. (1783).
Se grouper en une association, en un syndicat* (II., 2.) professionnel. — Adhérer à un syndicat.

▶ **SYNDIQUÉ, ÉE** p. p. adj. (1894).

Qui fait partie d'un syndicat. *Ouvriers syndiqués. Camarades syndiqués.*

1 En plus de ça, elle a une tête à être syndiquée, cette fille.
R. QUENEAU, le Dimanche de la vie, p. 171.

N. *Les syndiqués* (⇒ aussi **Syndicaliste**). *Une syndiquée.*

2 Mais les syndicalistes, eux, me lisent-ils ? Les chefs, sans aucun doute. Et les principaux militants. Parmi le gros des syndiqués, combien ? Je parierais pour une vingtaine de mille.
J. ROMAINS, les Hommes de bonne volonté, t. V, XXIV, p. 224.

SYNDROME [sɛ̃dʀom] n. m. — XVIᵉ (1547, selon D.D.L.); repris 1824, Nysten; grec *sundromê* «réunion», de *sundramein,* forme de *suntrekhein,* de *sun-,* et *trekhein* «courir».

♦ Méd. Association de plusieurs symptômes*, signes ou anomalies constituant une entité clinique reconnaissable, soit par l'uniformité de l'association des manifestations morbides, soit par le fait qu'elle traduit l'atteinte d'un organe ou d'un système bien défini. ⇒ **Affection, maladie.** *Le syndrome dans la nosographie psychiatrique.* — (Avec un déterminant). *Syndrome de Brown-Séquard. Syndrome commotionnel. Syndrome cervical traumatique :* lésion traumatique de la colonne vertébrale. — *Syndrome d'adaptation*,* ou *syndrome général d'adaptation* (réponse aux agents agressifs). *Syndrome biologique,* caractérisant un état pathologique (distingué du *syndrome clinique,* formé des seuls signes cliniques constatés).

— La vérité est que notre confrère croit à la peste. Sa description du syndrome le prouve.
Rieux répondit qu'il n'avait pas décrit un syndrome, il avait décrit ce qu'il avait vu. Et ce qu'il avait vu, c'étaient des bubons, des taches, des fièvres délirantes, fatales en quarante-huit heures.
CAMUS, la Peste, p. 63.

DÉR. Syndromique.

SYNDROMIQUE [sɛ̃dʀomik] adj. — XXᵉ (1952, *in* Porot); de *syndrome.*

♦ Méd. Relatif à un, à des syndromes. *Ensemble syndromique constant caractéristique d'une maladie.*

SYNECDOQUE [sinɛkdɔk] n. f. — 1730; *sinodoche* (1521), *synecdoche* (1690); lat. *synecdoche,* grec *sunekdokhê* «compréhension simultanée de plusieurs choses», de *sunekdekhesthai,* de *sun-,* et *ekdekhesthai* «recueillir, saisir en esprit», de *ek* «de», et *dekhesthai* «recevoir».

♦ Didact. Figure de rhétorique qui consiste à prendre le plus pour le moins, la matière pour l'objet, l'espèce pour le genre, la partie pour le tout, le singulier pour le pluriel... ou inversement (ex. : *les mortels* pour *les hommes ; un fer* pour *une épée ; l'ennemi* pour *les ennemis, une voile* pour *un navire,* etc.). ⇒ aussi **Métonymie** (cit. 1).

SYNÉCHIE [sineʃi] n. f. — 1808; du grec *sunekheia* «continuité».

♦ Pathol. Fusion de deux tissus contigus qui sont normalement séparés.

SYNÉCOLOGIE [sinekɔlɔʒi] n. f. — Mil. XXᵉ (*in* Larousse, 1963); de *syn-,* et *écologie.*

♦ Écologie des communautés animales ou végétales, de leurs associations (opposé à *autoécologie*).

SYNECTIQUE [sinɛktik] n. f. — 1968, *in* Larousse; angl., du grec *sunektikos* «qui comprend en soi».

♦ Didact. Étude des étapes de la création intellectuelle, par simulation et élaboration de modèles.

SYNÈDRE [sinɛdʀ] n. m. — 1876; lat. *synedrus,* grec *sunedros,* de *sun-,* et *hedra* «siège».

♦ Didact. Dans l'Antiquité grecque, Membre d'une assemblée, député.

SYNÉDRION [sinedʀijɔ̃] n. m. — 1890, P. Larousse, *Deuxième Suppl.*; grec *sunedrion,* de *sunedros.* → Synèdre. Didactique.

♦ **1.** Sanhédrin*.

♦ **2.** (XXᵉ). Ensemble formé par l'Aréopage et le conseil de la confédération athénienne (IVᵉ siècle av. J.-C.).

SYNÉRÈSE [sineʀɛz] n. f. — 1540; lat. *synaeresis,* grec *sunairesis* «rapprochement ; resserrement», de *sunairein,* de *sun-* (→ Syn-), et *hairein* «saisir».

♦ **1.** Phonét. Prononciation de deux voyelles contiguës d'un même mot en une seule syllabe (ex. : *violon* [vjɔlɔ̃]). ⇒ **Contraction** (2.), **carse**.

♦ **2.** (xxᵉ). Chim. Agrégation spontanée des particules d'un gel, avec séparation éventuelle du liquide.

CONTR. (Du 1.) **Diérèse**.

SYNERGIDE [sinɛʀʒid] n. f. — 1904, *Rev. gén. des sc.*, nᵒ 18, p. 862 ; de *syn-*, grec *ergon*, et *-ide*.

♦ Bot. L'une des deux cellules végétales voisines de l'oosphère et qui peuvent (très rarement) être fécondées.

SYNERGIE [sinɛʀʒi] n. f. — 1778 ; grec *sunergia* « coopération », de *sun-* (→ Syn-), et de *ergon*.

Didactique.

♦ **1.** Action coordonnée de plusieurs organes, association de plusieurs facteurs qui concourent à une action, à un effet unique. *Synergie musculaire :* contraction coordonnée de plusieurs muscles pour l'exécution d'un mouvement. ⇒ **Travail** (des muscles). *Synergie médicamenteuse* (par effet additif ou par potentialisation*). ⇒ **Association** (de médicaments).

1 Aucun sport n'exige une telle économie des mouvements, ni une telle synergie fonctionnelle, car *(dans la boxe)* un coup de poing n'est pas un acte autonome, c'est une fleur suprême à l'éclosion de laquelle tout le corps a travaillé, à laquelle tous les muscles prennent part (...)
MONTHERLANT, les Olympiques, éd. Gallimard, p. 193.

2 La difficulté est plus grande encore quand, au lieu de pouvoir s'immobiliser, le corps dans son entier est en mouvement. Alors les contractions compensatrices de chaque déplacement partiel doivent se combiner à l'élan de l'ensemble, de manière à s'y fondre harmonieusement, dans une sorte d'équilibre fluide et progressif. C'est ce qui se produit dans la marche et dans les actions qui en dérivent : course, danse, saut, etc. Faute d'une stricte synergie entre les compensations toniques et la succession continue des gestes, il se produit des accrocs capables d'entraver complètement la marche.
Henri WALLON, l'Évolution psychologique de l'enfant, p. 137.

♦ **2.** Action coordonnée de plusieurs éléments. *Créer une synergie entre les services d'une entreprise. — En synergie. —* REM. Le mot, quittant le domaine scientifique, est à la mode en publicité, dans l'industrie, dans la langue du journalisme.

3 À un degré très supérieur le Mammifère, sur son territoire jalonné d'odeurs et de sons, au mouvement des jours et des nuits, des variations de température et des images visuelles, n'existe que dans la synergie des rythmes et des formes, des sollicitations, de leur interprétation et de ses réponses.
A. LEROI-GOURHAN, le Geste et la Parole, t. II, p. 97-98.

CONTR. Antagonisme.
DÉR. Synergique, synergisme.
COMP. Asynergie.

SYNERGIQUE [sinɛʀʒik] adj. — 1835 ; de *synergie*.
Didactique.

♦ **1.** Biol. Relatif à la synergie*, à l'action coordonnée de plusieurs éléments biologiques.

1 Si, en effet, chacun des processus élémentaires de la Vie est plus ou moins complètement ramené à l'ordre physico-chimique, cela ne nous rend guère plus intelligible la réalisation de la coordination et de l'harmonie dans l'ensemble et dans la succession de ces processus, ni comment ils aboutissent, à partir de la cellule initiale qu'est l'œuf, à la constitution rigoureusement définie, en même temps que prodigieusement hétérogène, qu'offre l'organisme adulte, à l'ajustement parfait de ses parties et à leur fonctionnement synergique.
Maurice CAULLERY, les Étapes de la biologie, p. 124.

(1904). *Muscles synergiques :* muscles qui coordonnent leur action en vue d'exécuter simultanément un ou plusieurs mouvements. Méd. Dont les éléments conjuguent leurs effets pour répondre à la complexité des causes d'un état ou d'une maladie. *Mise au point d'un médicament à action synergique.*

♦ **2.** (1903, *Rev. gén. des sc.*, nᵒ 11, p. 624 : *une impulsion vive et synergique aux travaux d'océanographie*). Relatif à une synergie (2.).

2 (...) l'objet technique progresse par redistribution intérieure des fonctions en unités compatibles, remplaçant le hasard ou l'antagonisme de la répartition primitive ; la spécialisation ne se fait pas fonction par fonction, mais synergie par synergie ; c'est le groupe synergique de fonctions et non la fonction unique qui constitue le véritable sous-ensemble dans l'objet technique.
Gilbert SIMONDON, Du mode d'existence des objets techniques, 1969, p. 34.

CONTR. Antagoniste.
DÉR. Synergiquement.

SYNERGIQUEMENT [sinɛʀʒikmɑ̃] adv. — 1865, *Année sc. et industr.* 1866, p. 335 ; de *synergique*.

♦ Didact. De manière synergique.

(...) des variations fortuites en sens contraire de deux structures rattachées non synergiquement au même milieu associé pourraient se compenser et ne pas aboutir à une réaction régulatrice (...)
Gilbert SIMONDON, Du mode d'existence des objets techniques, p. 62.

SYNERGISME [sinɛʀʒism] n. m. — Mil. xxᵉ ; t. de théol. au xixᵉ ; de *synergie*.

♦ Didact. Renforcement de l'action de deux substances par leur association. *Le synergisme permet un effet global supérieur à la somme des effets isolés.*

CONTR. Antagonisme.

SYNERGISTE [sinɛʀʒist] adj. et n. m. — xxᵉ ; de *synergie*.

♦ Physiol. *Muscle synergiste*, qui détermine un mouvement ensemble avec d'autres muscles.

CONTR. Antagoniste.

SYNESTHÉSIE [sinɛstezi] n. f. — 1865, *Rev. des cours sc.*, t. II, p. 218 ; *synesthésique*, 1872 ; grec *sunaisthêsis* « perception simultanée », de *sun-* (→ Syn-), et *aisthêsis*.

♦ Méd., psychol. Phénomène perceptif dans lequel une sensation objectivement perçue s'accompagne d'une sensation supplémentaire ou de plusieurs dans une région du corps différente de celle qui a été excitée, ou dans un domaine sensoriel différent. « *Certains auteurs n'admettent comme véritables synesthésies que les représentations à caractère esthésique très pur ou franchement hallucinatoire, et considèrent comme fausses synesthésies toutes celles qui sont produites par des mécanismes mnésiques, logiques ou rationnels, d'ordre intellectuel* » (Porot, 1952). ⇒ aussi **Synopsie.** *Synesthésie douloureuse* (ou *synesthésalgie* [sinɛstezalʒi]). — REM. Ne pas confondre avec *cénesthésie*.

SYNFIBROSE [sɛ̃fibʀoz] n. f. — xxᵉ ; de *syn-*, fibre, et 2. *-ose*.

♦ Anat. Synarthrose* dans laquelle l'union des pièces osseuses est assurée exclusivement par du tissu conjonctif. *La suture*, la syndesmose* et la gomphose* sont les types de synfibroses.* — Spécialt. Suture (2.).

SYNGAME [sɛ̃gam] n. m. — 1876 ; grec *suggamos* « uni (maritalement) ».

♦ Zool. Ver nématode *(Strongilidés)* parasite des oiseaux.

SYNGAMIE [sɛ̃gami] n. f. — 1904 ; grec *suggamos* « marié », de *sun-*, et *gamos* « union ».

♦ Zool. Accouplement dans lequel le mâle reste fixé sur la femelle (et quelquefois la parasite).

SYNGÉNÉSIE [sɛ̃ʒenezi] n. f. — xviiiᵉ, pour désigner la classe de Linné comprenant les plantes à étamines soudées ; de *syn-* (→ Sy-), et *-génésie*.
Didactique (botanique).

♦ **1.** Vx. Soudure des étamines entre elles au niveau de leurs anthères.

♦ **2.** Hist. des sc. Théorie biologique ancienne, selon laquelle les premiers individus d'une espèce contenaient les germes de tous les individus à naître.

DÉR. (Du sens 2) **Syngénésique, syngénésiste.**

SYNGÉNÉSIQUE [sɛ̃ʒenezik] adj. — 1872 ; de *syngénésie*.

♦ Didact. De la syngénésie.

SYNGÉNÉSISTE [sɛ̃ʒenezist] n. — 1872 ; de *syngénésie*.

♦ Didact. Partisan de la syngénésie.

SYNGNATHE [sɛ̃gnat] n. m. — 1803 ; grec *sun* « avec », et *gnathos* « mâchoire ».

♦ Zool. Poisson de mer *(Lophobranches ; Syngnathidés)*, au corps long et grêle, au museau allongé, qu'on appelle aussi *aiguille, trompette* ou *serpent de mer*.

SYNGNATHIDÉS [sɛ̃gnatide] n. m. pl. — Déb. xxᵉ ; de *syngnathe*, et *-idés*.

♦ Zool. Famille de poissons osseux de forme très allongée : syngnathe ; hippocampe ; etc. — Au sing. *Un syngnathidé.*

Les *pectorales* (...) manquent exceptionnellement (...) chez la Murène, chez certaines Anguilles des grands fonds et quelques Syngnathidés. Ces poissons sont d'ailleurs parmi les plus dépourvus, et le *Nerophis* de nos côtes, qui n'a ni pelviennes, ni pectorales, ni caudale, ni anale, possède en tout et pour tout une dorsale dont la longueur totale ne représente pas le dixième de la longueur du corps.
R. et M.-L. BAUCHOT, les Poissons, p. 21.

SYNODAL, ALE, AUX [sinɔdal, o] adj. — 1315 ; lat. tardif *synodalis.*

♦ Didact. (relig.). Relatif à un synode* ; qui constitue un synode. *Assemblée, réunion synodale.*

SYNODE [sinɔd] n. m. — 1541, Calvin ; n. f., 1511 ; lat. *synodus ;* grec *sunodos* «réunion, assemblée» ; de *syn-* (→ Sy-), et *-ode.*
Religion.

♦ **1.** ⓐ Vx. Assemblée ecclésiastique.

ⓑ Vx. Concile.

ⓒ Mod. Assemblée d'ecclésiastiques convoquée par l'évêque ou l'archevêque pour délibérer sur les affaires du diocèse ou de la province. ⇒ **Concile** (épiscopal, diocésain ; provincial).

(...) à cette occasion, M. Myriel fut appelé par Napoléon au synode des évêques de France et d'Italie convoqué à Paris. Ce synode se tint à Notre-Dame et s'assembla pour la première fois le 15 juin 1811 sous la présidence de M. le cardinal Fesch.   HUGO, les Misérables, I, I, XI.

♦ **2.** (Dans certaines Églises protestantes). Réunion de pasteurs. ⇒ aussi **Consistoire.** — (Dans l'Église orthodoxe). *Le saint-synode :* le conseil suprême de l'Église russe.

♦ **3.** (1765). Vx. Réunion, assemblée, dans l'Antiquité grecque.

♦ **4.** (Fin XVIe). Dans la religion juive. *Synode, synode israélite :* conseil composé de rabbins et de laïques.

SYNODIQUE [sinɔdik] adj. — 1556 ; lat. *synodicus,* grec *sunodikos,* de *sunodos.* → Synode.
Didactique.

★ **I.** Astron. Relatif à une conjonction (I., 2.) d'astres. — Spécialt. *Révolution, période synodique d'une planète :* temps qui sépare deux conjonctions consécutives de cette planète avec le Soleil. — *Mois synodique :* révolution synodique de la Lune (⇒ **Lunaison**). — *Année synodique :* temps que met la Terre pour revenir à la longitude d'une planète déterminée.

★ **II.** ♦ **1.** (1721). Relig. Relatif à un synode. — *Lettres synodiques,* ou, n. f., *les synodiques :* lettres écrites aux évêques absents, au nom du concile.

♦ **2.** N. m. (1803). Ouvrage dans lequel sont recueillies les décisions des synodes.

SYNOECISME [sinesism] n. m. — XXe (*in* Larousse, 1933) ; grec *sunoikismos,* de *sunoikizein* «faire habiter ensemble», de *sun-,* et *oikizein* «installer, établir», de *oikos* «maison».

♦ Didact. Dans l'Antiquité grecque, Réunion de villages ou de bourgs autour d'un centre urbain, aboutissant historiquement à la cité *(polis).*

SYNONYME [sinɔnim] adj. et n. m. — 1380 ; *sinonimes,* plur., XIIe ; rare en anc. franç., lat. gramm. *synonymus,* grec *sunônumos ;* de *syn-* (→ Sy-), et *onoma* «nom», chez Aristote, la notion concerne les mots dont le sens est «lié» par un genre commun, et qui ont donc des sens différents.

★ **I.** Adj. ♦ **1.** Ling. Se dit de mots ou d'expressions qui ont le même sens (ou une signification voisine). ⇒ **Approchant, 1. équivalent.** *Mots, termes synonymes* (→ Demeurer, cit. 6 ; imprimer, cit. 19), *presque synonymes. Expressions qui ne sont point synonymes* (→ Honnête, cit. 19). *Le mot* asile (cit. 32) *semble synonyme du mot* hospice.

1   La ressemblance que produit l'idée générale fait donc les mots synonymes ; et la différence qui vient de l'idée particulière qui accompagne la générale, fait qu'ils ne le sont pas parfaitement, et qu'on les distingue comme les diverses nuances d'une même couleur.   GIRARD, Synonymes français, p. 9 (5e éd.).

2   (...) ce qui constitue deux ou plusieurs mots synonymes, c'est d'abord un sens général qui est commun à ces mots ; et ce qui fait ensuite que ces mots ne sont pas toujours synonymes, ce sont des nuances, souvent délicates, et quelquefois presque imperceptibles, qui modifient ce sens primitif et général.   D'ALEMBERT, Éloge de Girard, Œ. compl., t. III, p. 360.

♦ **2.** Fig. *Être synonyme de... :* évoquer une notion équivalente, correspondre à... → Médiocre, cit. 9. *Pour elle, nouveauté était synonyme de valeur* (→ Partie, cit. 7).

2.1   (...) la censure interdit jusqu'au mot de fox-trot qui, là-bas, est synonyme de débauche capitaliste et occidentale.   Paul MORAND, l'Europe galante, p. 110.

★ **II.** N. m. *(Le synonyme de...).* Mot ou expression synonyme (d'une autre) → Formidable, cit. 11). *Synonyme distingué, populaire d'un mot. Chercher un synonyme à un terme, à un adjectif,* pour éviter une répétition. *Synonymes à même radical, doublets ou non* (frêle, fragile ; misérable, miséreux), *à radicaux différents* (mort, décès, trépas), *distingués par une différence d'intensité* (fatigué, épuisé ; aimer, adorer), *d'emploi ou d'affectation* (salaire, traitement, appointements), *de niveau social ou stylistique* (ennuyer,

embêter ; coursier, cheval), *d'emploi chronologique ou géographique* (huis, porte ; fête, kermesse ; curé, recteur). *Synonymes qui présentent des différences objectives* (fleuve, rivière), *affectives* (agriculteur, paysan). *Synonymes partiels* (magazine *synonyme de* revue, *seulement quand ce mot désigne un périodique). Les nuances** de sens ou d'emploi qui distinguent les synonymes les uns des autres* (→ Définir, cit. 4). *Différenciation des synonymes. Langue riche en synonymes. Cumul, juxtaposition, emploi simultané de plusieurs synonymes* (→ Loufoque, cit. 1). *Étude sémantique, stylistique des synonymes.* — *Dictionnaire analogique qui indique les synonymes.* Le Dictionnaire des synonymes *de l'abbé Girard.*

3   Dans l'intérieur d'une même langue, tous les mots qui expriment des idées voisines se limitent respectivement : des synonymes comme *redouter, craindre, avoir peur* n'ont de valeur propre que par leur opposition ; si *redouter* n'existait pas, tout son contenu irait à ses concurrents.
F. DE SAUSSURE, Cours de linguistique générale, p. 160.

CONTR. **Antonyme, contraire.**
DÉR. (Du même rad.) **Synonymie.**

SYNONYMIE [sinɔnimi] n. f. — 1582 ; lat. gramm. *synonymia,* grec *sunônumia,* de *sunonumos.* → Synonyme.

♦ **1.** Relation entre deux mots ou deux expressions synonymes ; le fait linguistique que constitue l'existence de mots synonymes. *Synonymie étroite entre deux mots* (→ Manière, cit. 1). *Synonymie partielle, approximative* (ou *quasi-synonymie*).

1   Le trait le plus saillant de la synonymie française est le *double clavier* dont elle dispose. Il existe en français de nombreuses paires de mots, l'un autochtone, l'autre savant, pour désigner des notions apparentées. C'est là une des conséquences de la vogue du latinisme (...)   S. ULLMANN, Précis de sémantique franç., p. 191.

2   (...) la synonymie est proche parente de la *périphrase,* de l'antonomase et d'autres figures alliées.   S. ULLMANN, Précis de sémantique franç., p. 196.

♦ **2.** Figure de rhétorique qui consiste à employer plusieurs mots ou expressions synonymes pour désigner une seule chose.

DÉR. **Synonymique.**

SYNONYMIQUE [sinɔnimik] adj. — 1801, Mercier ; de *synonymie.*

♦ Vx. *Mots synonymiques :* synonymes (→ Embarrasser, cit. 21). — Mod. Relatif aux synonymes, à la synonymie. *Série synonymique. Rapports, associations, distinctions synonymiques.*

SYNOPSE [sinɔps] n. f. — 1872 ; du grec *sunopsis* «vue d'ensemble».

♦ Relig. Livre qui présente les Évangiles de manière parallèle, en rapprochant autant que possible les passages relatifs aux mêmes événements. ⇒ **Bible, concordance,** et aussi **synoptique.**

SYNOPSIE [sinɔpsi] n. f. — 1893 ; de *syn-* (→ Sy-), et *opsie,* du grec *opsis* «vue».

♦ Méd., psychol. Synesthésie*, appelée aussi *audition* colorée, dans laquelle le sujet perçoit un son, une voyelle comme étant d'une couleur déterminée.

SYNOPSIS [sinɔpsis] n. m. ou (vx) f. — 1842 ; mot grec. → Synopse.

★ **I.** Didact. Vue générale, tableau synoptique d'une science, d'une question. ⇒ **Synopse.**

★ **II.** N. f., puis n. m. (1919 ; mot amér.). Cinéma. Récit très bref qui constitue un schéma de scénario*. *Le synopsis est assez détaillé pour servir de base au découpage*.

(...) songez que même des auteurs célèbres, quand on leur propose une affaire de ce genre-là *(un contrat d'édition pour des mémoires)* fournissent d'abord un résumé, une synopsis. De grandes maisons comme celles auxquelles je pense payent très bien, mais n'achètent pas chat en poche.
J. ROMAINS, le Besoin de voir clair, Carnet personnel d'Antonelli, VIII.

SYNOPTIQUE [sinɔptik] adj. — 1610 ; repris v. 1780 ; grec *sunoptikos* «qui embrasse d'un coup d'œil», de *sunopsesthai,* inf. futur de *sunorân* «voir ensemble».

♦ **1.** Didact., cour. Qui permet de voir un ensemble d'un seul coup d'œil, qui en donne une vue générale. *Tableau synoptique* (→ Dentition, cit. 1).

De loin, il feuilleta un dossier, jeta un coup d'œil sur un tableau synoptique du mouvement de la main-d'œuvre en 1935 et reposa son regard las sur la feuille blanche.   M. AYMÉ, Travelingue, p. 153.

♦ **2.** (1852). Relig. (par oppos. à l'Évangile de saint Jean, dont le plan est différent de celui des autres). *Les Évangiles synoptiques,* ou, n. m. pl., *les synoptiques :* les trois Évangiles (de saint Matthieu, de saint Marc, de saint Luc) dont les plans sont à peu près semblables, ce qui permet une comparaison entre les relations qu'ils donnent d'un même événement. ⇒ **Concordance** (*infra* cit. 2), **synopse** (→ Agencement, cit. 3 ; divergence, cit. 1 ; mystère, cit. 5).

DÉR. (Du même rad.) **Synopse, synopsie, synopsis.**

SYNOPTOPHORE [sinɔptɔfɔʀ] n. m. — Mil. xxᵉ ; de *syn-, opto-,* et *-phore.*

♦ **Méd.** Appareil servant à évaluer les troubles de la vision binoculaire et à corriger un strabisme par des exercices d'orthoptique.

SYNOQUE [sinɔk] adj. et n. f. — 1762 ; *sinoche,* v. 1265 ; grec *sunokhos* « continuel ».

♦ **Méd.** (Vx). *Fièvre synoque,* ou, n. f., *la synoque :* fièvre d'origine inconnue, de courte durée.

HOM. Sinoque.

SYNOSTOSE [sinɔstoz] n. f. — 1858, *in* D.D.L. ; de *syn-,* et grec *osteon* « os ».

♦ **1. Anat.** Union de deux os par soudure osseuse. *La synostose est le résultat de l'ossification d'une synchondrose ou d'une synfibrose* (ex. : *les sutures de la voûte du crâne*).

♦ **2. Méd.** Malformation caractérisée par la soudure de deux ou de plusieurs os normalement séparés.

SYNOVECTOMIE [sinovɛktɔmi] n. f. — 1916, *in* D.D.L. ; de *synovie,* et *-ectomie.*

♦ **Chir.** Excision d'une partie ou de la totalité d'une membrane synoviale articulaire.

SYNOVIAL, ALE, AUX [sinɔvjal, o] adj. — 1735 ; de *synovie.*

♦ **Anat.** Relatif à la synovie ; qui contient, sécrète la synovie*. *Capsule synoviale* (→ Articulation, cit. 3). *Gaine synoviale* (d'un ligament, d'un tendon). *Membrane synoviale,* ou, n. f. (1876), *la synoviale :* membrane séreuse qui tapisse l'intérieur des cavités des articulations mobiles, sauf sur les surfaces articulaires (→ Lymphe, cit.). *Synoviale du genou. Synoviale tibio-tarsienne. Excision de la synoviale.* ⇒ **Synovectomie.**

SYNOVIE [sinɔvi] n. f. — 1694 ; lat. mod. *synovia,* employé pour la première fois par Paracelse (av. 1550) ; de *sun-,* et élément inexpliqué.

♦ **Physiol., méd.** Liquide d'aspect filant qui est sécrété par les synoviales* et qui lubrifie les articulations (cit. 3) mobiles. *Épanchement de synovie au genou.* ⇒ **Hydarthrose** (cit.).

J'ai voulu refaire du vélo, dont je n'avais pas fait depuis plus d'une année, et je suis « rentrée » dans un banc. Mon genou est douloureux, je crains d'avoir un épanchement de synovie.   MONTHERLANT, les Lépreuses, I, IV.

DÉR. Synovial, synovite.
COMP. Synovectomie, synoviorthèse.

SYNOVIORTHÈSE [sinɔvjɔʀtɛz] n. f. — V. 1970 ; de *synoviale,* grec *orthos* « droit », et *-èse.*

♦ **Méd.** Traitement d'affections articulaires par destruction de la synoviale affectée, et qui doit être suivi par une reconstitution.

SYNOVITE [sinɔvit] n. f. — 1833 ; de *synovie.*

♦ **Méd.** Inflammation d'une membrane synoviale. *Synovite du genou, du poignet. Synovite aiguë sèche,* ou *synovite sèche, synovite crépitante.* ⇒ **Aï** (2.). *Synovite séreuse,* avec épanchement. *Synovite tuberculeuse, à grains riziformes, fougueuse,* etc.

SYNTACTICIEN, IENNE [sɛ̃taktisjɛ̃, jɛn] n. — xxᵉ (*in* Larousse, 1953) ; de 1. et 2. *syntactique.*

♦ **Didact.** (ling.). Linguiste spécialiste de la syntaxe, par oppos. aux autres spécialistes du langage, des langues, et, plus particulièrement, aux sémanticiens. *Syntacticiens, sémanticiens et phonéticiens. Colloque réunissant des syntacticiens, des lexicologues et des philosophes du langage.* — REM. Le mot ne s'emploie guère en parlant de la syntaxe normative, pour laquelle on parle plutôt de *grammairien.*

Adj. Qui considère d'abord la syntaxe dans l'étude des langues. *Une perspective plus syntacticienne que phonologique.*

1. SYNTACTIQUE [sɛ̃taktik] adj. ⇒ **Syntaxique.**

2. SYNTACTIQUE [sɛ̃taktik] n. f. — 1861 ; empr. allemand.

♦ **Log.** « Science des combinaisons et de l'ordre » (Cournot) ; syntaxe ou syntagmatique logique.

DÉR. Syntacticien.

SYNTAGMATIQUE [sɛ̃tagmatik] adj. et n. f. — 1906, Saussure ; de *syntagme.*

Linguistique.

★ **I.** Adj. ♦ **1.** Du syntagme.
(V. 1960 ; trad. de l'angl. *phrase* « syntagme », employé en épithète : *phrase structure*). Spécialt. En grammaire générative, se dit des rapports entre les éléments successifs de l'énoncé et leur configuration hiérarchisée (constituants immédiats), dans la production des phrases. *Règles syntagmatiques :* règles de composition qui consistent à réécrire une catégorie linguistique (ex. : *phrase, syntagme*) sous la forme d'une structure formelle rendant compte de ses constituants. *Grammaire, description syntagmatique :* ensemble ordonné de règles syntagmatiques destiné à simuler la production des phrases. *Le modèle génératif de grammaire syntagmatique engendre des suites syntagmatiques dont les dernières* (suites terminales) *représentent les structures sous-jacentes* (« profondes ») *des phrases qui, dans les grammaires transformationnelles, sont reprises* (⇒ **Transformation**) *de manière à rendre compte des structures superficielles* (celles des phrases effectives).

♦ **2.** Qui concerne les successions dans l'énoncé. *L'axe syntagmatique est opposé à l'axe paradigmatique*. Rapports syntagmatiques.* — Par extension :

(...) la syntaxe, c'est-à-dire, selon la définition la plus courante, la théorie des groupements de mots, rentre dans la syntagmatique, puisque ces groupements supposent toujours au moins deux unités distribuées dans l'espace.   [1]
       F. DE SAUSSURE, Cours de linguistique générale, p. 188.

L'axe syntagmatique est une succession linéaire ; cet axe se dérobe partiellement dans les messages à unités successives et simultanées (musique) ou dans les messages à deux ou trois dimensions (peinture, sculpture) dont la genèse ne se fait pas en situation de communication.   Josette REY-DEBOVE, Sémiotique, p. 143.   [2]

★ **II.** N. f. ♦ **1.** Étude des syntagmes (partie de la syntaxe).

♦ **2. Sémiotique.** Succession des signes d'un système sémiotique actualisé sous forme de message. *Syntagmatique linguistique.* « *Grande syntagmatique* » (Barthes).
Syntagmatique picturale, cinématographique.

SYNTAGME [sɛ̃tagm] n. m. — 1842 ; *sintasme* « ouvrage, traité », xivᵉ ; « ordre, disposition », 1699 ; grec *suntagma,* de *suntassein.* → Syntaxe.

★ **I. Antiq.** Division de la phalange* (cit. 1) grecque.

★ **II.** (1916, Saussure). ♦ **1. Ling.** Groupe de morphèmes ou de mots qui se suivent en produisant un sens acceptable (ex. : *relire, crayons rouges, sans s'arrêter*). — Spécialt. Ce groupe, formant unité dans une organisation hiérarchisée de la phrase. ⇒ **Constituant** (immédiat). *Syntagme verbal, nominal* (abrév.: SV, SN).

Ces combinaisons qui ont pour support l'étendue peuvent être appelées *syntagmes.* Le syntagme se compose donc toujours de deux ou plusieurs unités consécutives (par exemple : *relire ; contre tous ;... s'il fait beau temps, nous sortirons*). Placé dans un syntagme, un terme n'acquiert sa valeur que parce qu'il est opposé à ce qui précède ou ce qui suit, ou à tous les deux.   [1]
       F. DE SAUSSURE, Cours de linguistique générale, p. 170.

Tout syntagme est (...) le produit d'une relation d'interdépendance grammaticale établie entre deux signes lexicaux appartenant à deux catégories complémentaires l'une de l'autre.   [2]
       Charles BALLY, Linguistique générale et Linguistique franc., § 155.

♦ **2. Sémiotique.** Suite signifiante de signes (quelconques).

DÉR. (Du 2.) **Syntagmatique.**

SYNTALITÉ [sɛ̃talite] n. f. — 1968, *in* Larousse ; de *sun-,* d'après les mots dér. du lat. en *-alité.*

♦ **Didact.** (psychol.). Activité globale de groupe.

SYNTAXE [sɛ̃taks] n. f. — 1572, Ramus : « *la syntaxe,* c'est la seconde partie de la grammaire, qui enseigne le bâtiment des mots entre eux par leurs propriétés » ; lat. *syntaxis,* mot grec *suntaxis,* de *suntassein, suntattein* « ranger ensemble », de *sun-,* et *tassein* « ranger ».

♦ **1.** Étude des relations entre les formes élémentaires du discours (⇒ **Mot, syntagme**).

ⓐ **Cour.** Étude des règles qui président à « l'arrangement des mots », à « la construction des propositions » (Littré, Hatzfeld, Académie), dans une langue ; ces règles. *Respecter* (cit. 10) *la syntaxe.*

Notre syntaxe est des plus rigides (cit. 3). *Une défaillance de syntaxe* (→ Gaucherie, cit. 5).

1 (...) les mots sont en même temps des chiffres et des images ; ils sont esclaves et libres, soumis à la discipline de la syntaxe, et tout-puissants par leur signification naturelle (...) Mᵐᵉ DE STAËL, De l'Allemagne, I, XVIII.

b Étude descriptive des relations existantes entre les unités linguistiques (dans le discours) et des fonctions qui leur sont attachées. *La distinction traditionnelle de la syntaxe et de la morphologie** (3.) *est considérée comme arbitraire par de nombreux linguistes* (depuis Saussure). ⇒ **Morphosyntaxe.** — *Syntaxe descriptive, scientifique ; didactique. Syntaxe historique ; comparée. Syntaxe et syntagmatique*.*

2 La syntaxe didactique, telle que nous la concevons (...) est (...) beaucoup plus descriptive et analytique que normative ou doctrinale. Certes, nous ne l'ignorons pas, en matière de syntaxe, comme dans la technique de tout art, il y a des règles, et dont quelques-unes s'imposent impérieusement à l'observation de chacun. Mais, dans les choses de langue, ce qu'il y a surtout, ce sont des usages (...) C'est que, selon nous, constater des usages, sans renoncer (...) au droit de les comparer et même de les juger ; décrire de la façon la plus objective l'état présent de la syntaxe (...) voilà quel est, à nos yeux, le rôle exact d'une syntaxe comme celle-ci (...)
G. LE BIDOIS, Préface de la Syntaxe du franç. moderne, p. 15.

3 Les règles de la syntaxe actuelle ne répondent pas seulement à nos besoins d'expression actuels ; elles résultent de tout un développement historique qui échappe à une observation sommaire ; la syntaxe n'est pas une construction logique ; d'où le caractère conventionnel et parfois inconséquent de ses règles, que les manuels ont beaucoup de peine à codifier. La syntaxe (...) trouve son explication dans l'histoire de la langue. J. MAROUZEAU, la Linguistique, p. 38.

4 La syntaxe (...) a pour objet l'étude des catégories formelles, des types de relations entre les formes élémentaires du discours.
Pierre GUIRAUD, la Syntaxe du français, p. 27.

Étude des relations entre les mots d'une même catégorie. *La syntaxe des compléments, la syntaxe des prépositions* (cit. 3).

(1718). Par ext. *Ouvrage de syntaxe.* ⇒ **Grammaire** (→ ci-dessus, cit. 2). *Une bonne syntaxe. Les syntaxes françaises de Lerch, de Sneyders de Vogel, de Sandfeld, de Togeby. — La syntaxe latine de Riemann.*

♦ **2.** (XVIIIᵉ ; sens objectif). Relations qui existent entre les unités linguistiques, considérées abstraitement (dans la langue) ou concrètement (dans la parole, le discours). *La syntaxe française est incorruptible* (→ Clarté, cit.. 10, Rivarol). *La syntaxe d'un dialecte, d'un parler* (2. Parler, cit. 4). *Étudier la syntaxe d'un tour, d'une expression, d'une phrase.* ⇒ **Construction.** — *La syntaxe et le vocabulaire d'un auteur, facteurs de son style* (⇒ **Stylistique**).

5 On ne raisonne justement qu'avec une syntaxe rigoureuse et un vocabulaire exact. Je crois que le premier peuple du monde est celui qui a la meilleure syntaxe.
FRANCE, le Génie latin, Remarques sur la langue de La Fontaine, p. 80.

6 (Elle) remarquait hier (et fort judicieusement) combien la richesse du vocabulaire des auteurs contemporains décourageait l'effort de la syntaxe. Celle-ci reste banale et sans vie lorsque le soin de peindre et d'animer reste confié uniquement au choix des mots. GIDE, Journal, 18 mars 1923.

♦ **3.** En Belgique, Première année du *secondaire supérieur*, précédant la *rhétorique** et la *poésie** (équivalent de l'ancienne seconde classique en France).

♦ **4.** Relation entre éléments signifiants (autres que les signes d'une langue naturelle) organisés en séquences.

7 (...) l'on peut par conséquent supposer que la composition liée au sens est présente à l'origine même du dispositif figuratif. La syntaxe figurative est inséparable de celle des mots. En effet, les plus anciennes figures connues, les plaques aurignaciennes de La Ferrassie ou de l'abri Cellier, réunissent déjà les animaux, des séries de traits ou de points et des ovales féminins, répétés à plusieurs exemplaires, qui par la suite s'étaleront à longueur de cavernes. Cet assemblage répond par conséquent à la première partie des exigences de la composition.
A. LEROI-GOURHAN, le Geste et la Parole, t. II, p. 240.

Spécialt. (Angl. *syntax*, chez Charles Morris). Dans une sémiotique*, Ensemble des rapports qu'entretiennent les signes entre eux (formant avec une *sémantique* et une *pragmatique* une *sémiotique*).

DÉR. Syntaxique, syntacticien.
COMP. Morphosyntaxe.

SYNTAXIQUE [sɛ̃taksik] ou SYNTACTIQUE [sɛ̃taktik] adj. — 1819, *syntaxique ; syntactique,* 1872 ; de *syntaxe.*

♦ **1.** De la syntaxe (1. ou 2.), qui concerne les relations entre unités linguistiques, la construction grammaticale. *Jouer un rôle syntaxique* (→ Énumération, cit. 2). *Relations phonétiques, morphologiques, syntaxiques* (→ Mot, cit. 3). *Procédés syntaxiques* (→ Participe, cit. 3). *La phrase* (cit. 8). *unité syntaxique. Analyse syntactique* (dite naguère *logique,* dans les écoles).

♦ **2.** D'une syntaxe (4.). *Système syntaxique :* système purement formel caractérisant un langage sans faire référence à la signification *(sémantique)* ni aux usages *(pragmatique).* Syn. : *calcul.* ⇒ aussi 2. **Syntactique.**

DÉR. Syntacticien.
COMP. Asyntaxique.

SYNTECTIQUE [sɛ̃tɛktik] n. m. — Mil. xxᵉ (in Larousse, 1975) ; grec *suntektikos* «décomposable», de *suntêkein* «faire fondre ensemble», de *sun-,* et *têkein.*

♦ Didact. Techn. Alliage dans lequel, au cours du refroidissement, deux phases liquides (non miscibles) réagissent en donnant naissance à une phase solide.

SYNTHÉ [sɛ̃te] n. m. ⇒ **Synthétiseur.**

SYNTHÈME [sɛ̃tɛm] n. m. — Mil. xxᵉ, A. Martinet ; grec *sunthêma* «relation», d'après *monème.*

♦ Ling. Association dans l'énoncé de plusieurs monèmes fonctionnant comme une unité syntaxique minimale.

SYNTHÈSE [sɛ̃tɛz] n. f. — 1607 ; grec *synthesis* «réunion, composition», de *suntithenai* «mettre ensemble», de *sun-,* et *tithenai* «poser».

★ **I.** Opération qui procède du simple au composé, de l'élément au tout.

A. Activité de l'esprit sur des objets de pensée.

♦ **1.** Log., philos. Suite d'opérations mentales qui permettent d'aller des notions ou propositions simples aux composées (opposé à *analyse**) (cit. 5 à 8). ⇒ **Association, combinaison, réunion** (des concepts, des idées). *Synthèse postérieure à une analyse.*

Il est admis en général que la synthèse reconstitue ce que l'analyse avait séparé, et qu'à ce titre la synthèse vérifie l'analyse dont elle n'est que la contre-épreuve ou le complément nécessaire. Cette définition est absolument vraie pour les analyses et les synthèses de la matière.
Cl. BERNARD, Introd. à l'étude de la médecine expérimentale, II, II.   1

Pour atteindre un objet, il faut le situer dans l'ensemble auquel il appartient (...) cela, je le savais, non seulement pour avoir lu Spinoza, mais parce que l'idée de synthèse commandait, je l'ai dit, la pensée de Sartre et la mienne.
S. DE BEAUVOIR, la Force de l'âge, p. 369.   1.1

♦ **2.** Sc. (math., etc.). Démarche de l'esprit qui va de propositions certaines (le plus simple étant considéré, au XVIIᵉ siècle, comme le plus certainement connu : cf. Descartes, *Discours de la Méthode,* III, 9) à des propositions qui en sont la conséquence. ⇒ **Déductif** (raisonnement), **déduction.** *Démonstration par synthèse.*

♦ **3.** Opération intellectuelle par laquelle on rassemble les éléments de connaissance concernant un objet de pensée en un ensemble cohérent ; vue d'ensemble qu'on obtient ainsi. *Faire la synthèse de deux théories. Esprit de synthèse :* tendance à envisager un objet d'étude comme un tout (→ Glaneur, cit. 3). *Effort de synthèse.* ⇒ **Généralisation.**

(...) cette œuvre (La Terre et l'Évolution humaine) veut, autant que présenter les résultats actuels du travail historique, poser les questions (...) donner l'exemple du vrai travail de synthèse, qui consiste dans l'analyse menée avec la préoccupation de la synthèse. L'effort de synthèse, c'est une activité dirigée : ce n'est pas une réalisation prématurée.
H. BERR, Avant-propos à la Terre et l'Évolution humaine, de Lucien FEBVRE, p. 9.   2

J'ai proposé, jadis, de former des «spécialistes de l'encyclopédie», des «techniciens de la synthèse» (...) Je veux bien reconnaître que, dans l'état présent de nos sociétés, une carrière de spécialiste de la synthèse, de technicien de la coordination, une carrière d'agent de liaison, si l'on préfère ce dernier terme, serait une carrière tout à fait chanceuse.
G. DUHAMEL, Manuel du protestataire, IV.   3

B. Fusion, réunion d'éléments — concrets ou abstraits — en un tout.

♦ **1.** (1805, Lunier, en chim.). Formation d'un tout matériel au moyen d'éléments*. ⇒ **Composition, reconstitution, réunion.** *Synthèse totale* (les éléments étant considérés comme «simples») ; *synthèse partielle* (les éléments provenant eux-mêmes d'une synthèse). — *Synthèse asymétrique* (des carbones asymétriques). — Chim. Préparation d'un composé à partir des éléments constituants ou d'un composé de formule plus simple. ⇒ **Combinaison, formation** (→ Gras, cit. 1). *Synthèse d'un composé organique. Produits de synthèse.* ⇒ **Synthétique.** *Industries de synthèse.* — Biol. Élaboration de substances complexes, par des cellules ou des organes. *Synthèse de composés organiques dans les êtres vivants* (⇒ **Biosynthèse ; chimiosynthèse, photosynthèse**). *La synthèse des protéines.*

Il lui arrive (à la science) d'utiliser le mot de «synthèse», à propos, par exemple, des combinaisons chimiques. Mais ce n'est jamais dans le sens hégélien : les particules qui entrent en combinaison conservent leurs propriétés (...)
SARTRE, Situations III, p. 147.   4

(1701). Chir. Vx. Réunion d'éléments séparés. ⇒ **Réduction.** — Gramm. Vx. Figure de rhétorique* (⇒ **Syllepse**). — Techn. *Synthèse additive, soustractive,* procédé permettant, en trichromie, de tirer des photos en couleurs, par addition des trois couleurs fondamentales ou par retranchement du blanc.

Phonét. *Synthèse de la parole :* reconstruction du langage parlé au moyen de sons élémentaires produits par l'analyse de sons réels enregistrés.

♦ **2.** Psychol. Réunion d'éléments psychiques en un tout structuré, présentant des qualités ou des valeurs nouvelles, par rapport aux éléments. *La synthèse kantienne* (théorie de la connaissance). *Synthèse mentale,* «qui nous fait grouper et coordonner des phénomènes nouveaux» (Janet, in Lalande). → 1. Mémoire, cit. 28. *Synthèse personnelle,* qui permet de concevoir les éléments du contenu psychique comme constituant la personnalité.

★ **II.** Ensemble constitué par les éléments réunis; résultat d'une synthèse (I.).

♦ **1.** Ensemble complexe d'objets de pensée. *La philosophie* (cit. 8) *n'est pas une synthèse des sciences particulières. Le type, la synthèse de toute une classe* (cit. 11). — (1822, Littré). Spécialt. Exposé d'ensemble. *Une vaste synthèse.*

Synthèse psychologique. L'objet est la synthèse de toutes ses apparitions (→ Perception, cit. 8). *L'individu* (cit. 15) *en tant que synthèse.*

♦ **2.** Philos. Notion ou proposition qui réalise l'accord de la thèse et de l'antithèse en les faisant passer à un niveau supérieur; réalité nouvelle qui embrasse la thèse et l'antithèse en un tout (⇒ **Dialectique**, cit. 5).

REM. Comme les autres termes de la célèbre triade, *synthèse* correspond à une notion appliquée assez abusivement à Hegel par Fichte, et utilisée — par exemple — par Hamelin. → Thèse.

4.1 La synthèse qui concilie les opposés ne les nie pas. Et elle n'a pas à les nier parce qu'ils ne sont pas contradictoires, ni entre eux, ni chacun en soi. Ils sont seulement (...) des contraires (...)
O. HAMELIN, Essai sur les éléments principaux de la représentation, p. 30.

5 (...) le passage d'une étape à une autre est toujours un enrichissement : il y a toujours *plus* dans la synthèse que dans la thèse et dans l'antithèse réunies.
SARTRE, Situations III, p. 157.

★ **III.** (1596). Didact., vx. Robe que les Romains portaient pendant les repas.

CONTR. Analyse; diérèse, dissociation, dissolution, fractionnement. — Élément.
DÉR. Synthétiser.
COMP. Biosynthèse, chimiosynthèse, photosynthèse.

SYNTHÉTICITÉ [sɛtetisite] n. f. — xxᵉ; de *synthétique*.

♦ Didact. Caractère des relations, expressions synthétiques (du point de vue du positivisme logique). ⇒ **Synthétique.**
CONTR. Analycité.

SYNTHÉTIQUE [sɛtetik] adj. — 1602; grec *sunthetikos*, de *suntethos*, de *suntithenai*. → Synthèse.

★ **I.** ♦ **1.** Qui constitue une synthèse ou provient d'une synthèse (I. ou II.). *Les opérations synthétiques en histoire* (cit. 36). *La lexicologie* (cit.), *discipline de caractère synthétique. La fin* (cit. 33) *est l'unité synthétique des moyens employés.* — N. m. «*La double dichotomie de l'analytique* (cit. 1.1, Piaget) *ou du synthétique et de l'a priori ou de l'a posteriori*».

(De l'all.; «*nous ne sommes pas synthétiques, comme disaient les Allemands; le mot même n'est pas français*», Sainte-Beuve, Chateaubriand, I, p. 258, in D.D.L.). Philos. *Jugement, proposition synthétique* (Kant), qui fait une synthèse du sujet et du prédicat et ne peut être vraie que par rapport aux faits (ex. : *Paul est à Paris*). ⇒ **Empirique** (opposé à *analytique*).

Sc. *Géométrie synthétique* (Ampère), *démonstration synthétique,* qui procède par construction figurée et non par analyse. — *Philosophie synthétique* (empr. angl.), nom donné par Spencer à son système. *Théorie synthétique de l'évolution :* synthèse du mutationnisme et du darwinisme (Simpson).

Par ext. Qui envisage la totalité.

1 (...) certaines théories modernes — comme celle d'Einstein — sont synthétiques. Dans son système, on le sait, il n'y a plus d'élément isolé : chaque réalité se définit par rapport à l'univers. SARTRE, Situations III, p. 152.

♦ **2.** (1866). Qui concerne la synthèse chimique (spontanée ou artificielle). — Spécialt. Produit par synthèse artificielle. *Parfums synthétiques. Diamants, bijoux, perles synthétiques. Caoutchouc, résines synthétiques.* — *Textiles synthétiques :* textiles produits par le filage de macromolécules obtenues par polymérisation ou polycondensation de monomères simples (ex. : *les polyamides*). *Fibres synthétiques. Textiles artificiels** (cit. 0.2) *et textiles synthétiques.* — N. m. *C'est du synthétique.*

2 Au même instant Jeanne apparaissait. Elle n'aimait pas les bibliothèques, mais elle aimait les rendez-vous. Souvent, dans un filet, elle portait des fruits et des imitations synthétiques de pâté, de miel dont nous dînions par économie dans la chambre. Jacques LAURENT, les Bêtises, p. 86.

♦ **3.** Produit par une synthèse et non naturellement (des sons). — *Musique synthétique.* ⇒ **Synthétiseur.**

♦ **4.** Ling. (empr. all., Schlegel). *Langue synthétique,* où une seule forme, un seul élément linguistique correspond à plusieurs éléments conceptuels et où les rapports grammaticaux se marquent par des modifications internes. ⇒ aussi **Polysynthétique.**
Comparatifs synthétiques (meilleur, mieux, moindre, pire, pis, supérieur...), ceux qui joignent en un seul «mot» le sens d'un adjectif et le degré de comparaison.

★ **II.** Qui est apte à la synthèse (I., A.). *Esprits synthétiques et esprits analytiques* (cit. 2 et 3).
CONTR. Analytique, tautologique. — (Du sens 2) Naturel.
DÉR. Synthéticité, synthétiquement.
COMP. Syntol.

SYNTHÉTIQUEMENT [sɛtetikmɑ̃] adv. — 1762; de *synthétique.*

♦ Par une synthèse (I., A. ou B.). *Reconstituer* (cit. 1) *synthétiquement l'organisme total.*
CONTR. Analytiquement.

SYNTHÉTISANT, ANTE [sɛtetizɑ̃, ɑ̃t] adj. — xxᵉ; de *synthétiser.*

♦ Didact. Qui synthétise, fait la synthèse. «*La puissance synthétisante des formes mathématiques*» (De Broglie, *Physique et Microphysique,* p. 284).

SYNTHÉTISER [sɛtetize] v. tr. — 1833; de *synthèse.*

Didactique et courant.

♦ **1.** Associer, combiner, réunir (des éléments abstraits) par une synthèse. *Synthétiser les éléments d'une théorie. Les glandes* (cit. 2) *synthétisent des corps nouveaux.*

♦ **2.** (1935, Carrel). Produire par une synthèse. *Synthétiser une substance.*
CONTR. Analyser.
DÉR. Synthétisant, synthétiseur.

SYNTHÉTISEUR [sɛtetizœʀ] n. m. — V. 1960; les premiers synthétiseurs *(vocoders)* furent construits aux États-Unis en 1939; de *synthétiser.*

Technique.

♦ **1.** Appareil électro-acoustique capable de transformer et de faire la synthèse d'éléments sonores (langage humain, motifs musicaux, bruits) à partir de leurs constituants. *Synthétiseur de parole,* recomposant le langage humain par la synthèse de ses éléments acoustiques constitutifs. *Synthétiseur à formants.*

♦ **2.** Instrument électronique synthétisant les sons musicaux. «*Le synthétiseur (...) sorte de super-orgue électronique aux mille possibilités d'invention sonore*» (le Nouvel Obs., 26 mars 1973). — Abrév. fam. — *synthé.* «*Stevie Wonder reste seul en scène avec son piano, ses synthés, sa voix...*» (l'Express, 29 mai 1981, p. 33).

♦ **3.** Techn. Dispositif permettant de synthétiser deux images de provenances différentes, en télévision.

SYNTHÉTISME [sɛtetism] n. m. — Fin xixᵉ (→ Synthétiste); du rad. de *synthèse,* et -*isme;* cf. Synthétisme, 1765, t. de chirurgie.

♦ Hist. de l'art. Style pictural de Gauguin et de ses adeptes (cloisonnisme) qui soumet la construction du tableau à un rythme d'ensemble, et n'analyse pas, comme les impressionnistes, la sensation lumineuse.

(...) le *synthétisme* (...) est une hiérarchisation des éléments picturaux mais, plus encore, la soumission à un rythme organisateur qui surordonne la mise en place et la mise en page et subordonne à elles les détails et les modalités constitutives aboutissant à une vision globale restreinte à quelques volumes et couleurs, elles, transposées. Maurice GIEURE, la Peinture moderne, p. 30.

SYNTHÉTISTE [sɛtetist] adj. et n. — 1889 (→ Gieure, cit.); du rad. de *synthèse,* et -*iste.*

♦ Hist. de l'art. Relatif au synthétisme*, au cloisonnisme. *École synthétiste.* — N. *Les synthétistes.*

1 Le clan symboliste voulut affecter une étiquette à la manière de peindre de Gauguin et la décréta «synthétiste». Le mot resta. Mais que voulait-il signifier, en somme?
Ceci : que Gauguin, renonçant délibérément à *analyser* les sensations lumineuses et colorées produites par la nature sur l'œil, ne tenait compte que du souvenir cérébral qu'il en avait gardé et le rendait, synthétisé, en quelques formes, en quelques couleurs arbitraires au besoin, très puissantes et très simples.
Robert REY, la Peinture moderne, 1942, p. 52.

2 Au début de 1889, l'exposition du Groupe «Impressionniste et Synthétiste» au café Volpi fut la consécration du groupe qui comprit : Sérusier, Bonnard (...)
Maurice GIEURE, la Peinture moderne, p. 27.

SYNTOL [sɛtɔl] n. m. — V. 1970; de *synthétique,* et -*ol.*

♦ Didact. Langage symbolique employé dans l'information de la documentation.

SYNTONE [sɛ̃tɔn] adj. — Déb. xxᵉ; grec *suntonos*; cf. Syntonique, t. ancien de musique, par l'angl. (en phys. : *syntonic*, 1892) et l'all. (en psychologie).

♦ **1.** Phys. Rare. Qui est en syntonie*.

♦ **2.** (Déb. xxᵉ, Bleuler). Psychol. (Personnes). Caractérisé par des sentiments, des tendances en harmonie, dans l'instant donné, avec l'ambiance et avec l'ensemble de la personne (opposé à *schizoïde*).

N. *Le syntone de Bleuler est à rapprocher du cyclothyme de Kretschmer et de l'extraverti de Jung.*

Voyez-vous, on en revient toujours à la distinction de Minkowski : les *syntones* et les *schizoïdes* : ceux qui acceptent la vie, et ceux qui la refusent (...)
                    MARTIN DU GARD, les Thibault, t. VI, p. 130.

DÉR. (Du même rad.) **Syntonie.**

SYNTONIE [sɛ̃tɔni] n. f. — 1903, *Rev. gén. des sc.*, nº 19, p. 984 ; du grec *suntonos* (→ Syntone), et *-ie.*

♦ **1.** Phys. Égalité de fréquence des oscillations libres (de deux ou plusieurs circuits) ; état de systèmes susceptibles d'émettre et de recevoir des ondes radioélectriques de même fréquence. *Circuits en syntonie,* accordés sur la même longueur d'ondes.

♦ **2.** (De *syntone,* 2.; Minkowski). Psychol. Caractère du sujet syntone ; faculté d'accord psychologique et thymique avec l'entourage. *La syntonie est souvent associée à une morphologie psychique. —* État d'unisson (d'une personne) avec son environnement.

Même très modifiables, les situations qui peuvent ainsi se succéder entretiennent un contact permanent entre le sujet et son ambiance ; il y a entre les deux ce qu'on appelle syntonie.
                    Henri WALLON, l'Évolution psychologique de l'enfant, p. 100 (1968).

DÉR. **Syntoniser.**

SYNTONISATION [sɛ̃tɔnizasjɔ̃] n. f. — 1902, in *Année sc. et industr.* 1903, p. 92 ; de *syntoniser.*

♦ Phys. Accord de deux circuits oscillants. *« Dans un système radioélectrique, la syntonisation consiste à rechercher le réglage de résonance qui assure le rendement maximum »* (Brun, *Dict. radio*).

SYNTONISER [sɛ̃tɔnize] v. tr. — 1907 ; au p. p., 1903, *Rev. gén. des sc.,* nº 18, p. 976 ; de *syntonie.*

♦ Phys. Mettre en état de syntonie. *Syntoniser deux circuits. —* Au p. p. *Système syntonisé.*

DÉR. **Syntonisation.**

SYNTOXIQUE [sɛ̃tɔksik] adj. — 1973, in *la Clé des mots*; de *syn-,* et *toxique.*

♦ Biol. *Produit syntoxique,* qui permet à un organisme vivant de s'accommoder d'un toxique.

SYNUSIE [sinyzi] n. f. — V. 1960 ; grec *sunousia* «existence en commun», de *sunôn,* p. prés. de *suneinai,* de *sun-,* et *einai* «être».

♦ Sc. nat. Association symbiotique, symbiose* (d'animaux, de plantes) sur un espace limité (par ex. : *un végétal mort,* etc.).

SYPHILIDE [sifilid] n. f. — 1836 ; de *syphilis.*

♦ Méd. Lésion de la peau ou des muqueuses de la syphilis au stade secondaire ou tertiaire de son évolution (roséole, plaques muqueuses, gommes). *Syphilide maculeuse* (taches), *syphilide papuleuse* (papules : boutons non purulents), *syphilide bulbeuse* (cloques), *syphilide pustuleuse* (cloques remplies de pus).

— Ah ! ah ! *fructus belli !* ce sont des syphilides, mon bonhomme ! soignez-vous ! diable ! ne badinons pas avec l'amour.   FLAUBERT, Bouvard et Pécuchet, VIII.

SYPHILIGRAPHE [sifiligʀaf] ou **SYPHILOGRAPHE** [sifilogʀaf] n. — 1843, *syphiligraphe; syphilographe,* 1855 ; de *syphilis,* et *-graphe,* d'après *syphilographie.*

♦ Méd. Auteur d'un traité sur la syphilis ; spécialiste de cette maladie.

Mon maître et ami, le célèbre syphiligraphe d'Entraigues, m'avait chaleureusement recommandé au Dʳ Stein, directeur, chez qui je devais entrer comme premier assistant.   B. CENDRARS, Moravagine, in Œ. compl., in t. IV, p. 61.

SYPHILIGRAPHIE [sifiligʀafi] ou **SYPHILOGRAPHIE** [sifilogʀafi] n. f. — 1842, *syphiligraphie; syphilographie,* 1836 ; de *syphilis,* et *-graphie.*

♦ Méd. Étude de la syphilis. (On dit aussi *syphilologie* [sifilɔlɔʒi]).

Un grand clinicien devait lui succéder *(à Ricord),* le Pr A. Fournier, qui termina la mise au point définitive de la syphilis dans son magistral traité. Il est encore (...) considéré comme le chef indiscuté de la syphiligraphie française et mondiale (...)
                    J. et H. PAYENNEVILLE, le Péril vénérien, p. 23.

SYPHILIGRAPHIQUE [sifiligʀafik] ou **SYPHILOGRAPHIQUE** [sifilogʀafik] adj. — 1861, *syphiligraphique; syphilographique,* 1876, P. Larousse ; de *syphili-, syphilo-,* et *-graphique.*

♦ Méd. De la syphiligraphie. *Les progrès de la nosologie syphiligraphique ont permis d'établir la non-identité de la syphilis et de la blennorragie dans les premières années du xIXᵉ siècle.*

SYPHILIS [sifilis] n. f. — 1659, méd.; le mot usuel était *vérole*; répandu v. 1868 (*Année sc. et industr.* 1869, p. 486); lat. mod. *syphilis* «poème de Syphilus», personnage imaginé par Fracastor de Vérone (1530), d'après *Sipylus,* personnage d'Ovide (*Métamorphoses,* VI, 231).

REM. Le mot a été masculin (cf. *Encyclopédie,* 1765) et s'est écrit *siphilis,* par fausse étymologie.

♦ **1.** Vx. Maladie vénérienne (lorsque la syphilis proprement dite était mal distinguée des autres affections transmises par contact sexuel, blennorragie notamment). ⇒ **Vérole.** Cf. Mal de Naples, mal français. ⇒ **Vénérien.**

♦ **2.** Mod. Maladie vénérienne contagieuse et inoculable causée par un tréponème*. *Séro-diagnostic* (méthode de Bordet-Wassermann et test de Nelson, complétés aujourd'hui par les réactions d'immunofluorescence et d'hémagglutination), *sérologie de la syphilis. Stade primaire, secondaire* (⇒ **Roséole**), *tertiaire* (⇒ **Gomme**) *de la syphilis. Syphilis précoce* ou *récente (infectieuse* ou *latente). Syphilis tardive (latente* ou *symptomatique),* évoluant depuis plus de deux ans. *Syphilis acquise,* caractérisée par un chancre* induré (accident primitif), puis par des éruptions (roséole ; «couronne» ou «collier de Vénus») accompagnées d'inflammation des «ganglions» (bubons*), de lésions proliférantes ou dégénératives, parfois par un tabès*. *Syphilis nerveuse :* atteinte syphilitique du système nerveux central. *Syphilis congénitale,* dite autrefois à tort *héréditaire*.* ⇒ **Hérédosyphilis.** *Thérapeutiques de la syphilis par le gaïac, au XVIᵉ siècle, par le mercure, du XVIIᵉ au XIXᵉ siècle (cf.* Sublimé corrosif), *l'arsenic et ses composés, puis les sels de bismuth, les antibiotiques* (pénicilline, auréomycine).

DÉR. **Syphilide, syphiliser, syphilitique, syphitome.**
COMP. **Hérédosyphilis, syphiligraphe, syphiligraphie, syphiloïde, syphilomanie, syphilome, syphiliphobe, syphilophobie, syphilothérapie.**

SYPHILISATION [sifilizasjɔ̃] n. f. — 1851, in D.D.L.; de *syphiliser.*

♦ Inoculation de la syphilis (aux fins de recherches biologiques, médicales, ou, autrefois, de vaccination, avant que ne fût reconnu le danger de cette pratique). *Syphilisation d'animaux de laboratoire.*

SYPHILISER [sifilize] v. tr. — 1846 ; de *syphilis.*

♦ **1.** Méd. Inoculer la syphilis à (qqn, un organisme).

♦ **2.** Non technique, rare. Rendre syphilitique, contaminer. *Il s'est fait syphiliser.* ⇒ **Plomber** (II., 2., familier).

DÉR. **Syphilisation.**

SYPHILITHÉRAPIE [sifiliteʀapi] ou **SYPHILOTHÉRAPIE** [sifiloteʀapi] n. f. — xxᵉ; de *syphilis,* et *-thérapie.*

♦ Méd. Traitement de la syphilis.

SYPHILITIQUE [sifilitik] adj. et n. — 1664 ; répandu après 1850 ; de *syphilis.*

♦ **1.** Relatif à la syphilis. *Accidents, symptômes syphilitiques. Chancre, gomme, roséole, méningite, septicémie syphilitique.*

♦ **2.** (1841, in D.D.L.). Atteint de syphilis. — N. (1852). *Un, une syphilitique.* ⇒ **Avarié** (vx).

Son sourire était figé. Un jeune vieillard, je ne puis pas mieux le définir, débauché, viveur et peut-être syphilitique. Il avait tout juste vingt-cinq ans.
                    B. CENDRARS, la Main coupée, in Œ. compl., t. X, p. 22.

COMP. **Antisyphilitique, hérédosyphilitique.**

SYPHILOGRAPHE, SYPHILOGRAPHIE ⇒ **Syphiligraphe, syphiligraphie.**

SYPHILOÏDE [sifilɔid] adj. et n. f. — 1855 ; de *syphilis,* et *-oïde.* Médecine.

♦ **1.** Adj. Qui rappelle la syphilis, ses symptômes. *Lésion syphiloïde.*

♦ **2.** N. f. (1916, *in* D. D. L.). *Une syphiloïde :* éruption cutanée qui ressemble à celle de la syphilis.

SYPHILOLOGIE [sifilɔlɔʒi] n. f. ⇒ **Syphiligraphie.**

SYPHILOMANIE [sifilɔmani] n. f. — 1843, Landais ; de *syphilis,* et *manie.*

♦ Méd., psychol. ⇒ **Syphilophobie.**

SYPHILOME [sifilɔm ; sifilɔm] n. m. — 1877, *in* D. D. L. ; de *syphilis,* et *-ome.*

♦ Méd. Production pathologique (chancre : *syphilome primaire ;* gomme...) de nature syphilitique.

SYPHILOPHOBE [sifilɔfɔb] n. — xxᵉ (*in* Porot, 1952) ; de *syphilis,* et *-phobe,* d'après *syphilophobie.*

♦ Méd., psychol. Personne obsédée par la crainte de contracter la syphilis. *Préoccupations hypocondriaques des syphilophobes, à la moindre érosion muqueuse.* — Syn. : *syphilomane.*

SYPHILOPHOBIE [sifilɔfɔbi] n. f. — 1877, *in* D. D. L. ; de *syphilis,* et *phobie.*

♦ Méd., psychol. Crainte morbide de la syphilis, et, par ext., des maladies vénériennes. — Syn. : *syphilomanie.*

SYPHILOTHÉRAPIE n. f. ⇒ **Syphilithérapie.**

SYRIAQUE [siRjak] adj. et n. m. — Av. 1672, Sacy ; lat. *syriacus,* de *Syria,* grec *Suria* « Syrie ».

♦ Ling. L'un des parlers du groupe araméen (Syrie, Arabie, Palestine...), en usage à Édesse, puis devenu langue littéraire chrétienne (du IIIᵉ au XIIIᵉ siècle).

1   Des bords de la Méditerranée aux montagnes de la Perse, la seule langue littéraire chrétienne importante a été le syriaque édessénien. Le nom « syriaque » est pris au grec ; il semble perpétuer le vieux nom de l'Assyrie, avec un déplacement géographique (...) Le nom de syrien ne peut être appliqué qu'à l'arabe moderne de la Syrie.   A. MEILLET et M. COHEN, les Langues du monde, p. 125.

Adj. *Écriture, langue syriaque.* ⇒ **Estranghela.**

2   La forêt d'un Orient qui connaît les chants syriaques (...)
MALRAUX, l'Homme précaire et la Littérature, p. 81.

SYRIEN, ENNE [siRjɛ̃, ɛn] adj. et n. — xviᵉ ; *surien,* xiiᵉ ; de *Syrie.*

♦ Qui se rapporte à la Syrie, à ses habitants. *Églises syriennes.* — N. *Un Syrien, une Syrienne.* — N. m. Ling. *Le syrien :* l'arabe parlé en Syrie (→ Syriaque, cit. 1).

COMP. V. Syro-.

SYRING-, SYRINGO- Élément, du grec *surigx* « canal, tuyau ». ⇒ **Syringomyélie.** On peut signaler aussi : *syringobulbie,* n. f. (syringomyélie du bulbe) ; *syringo-encéphalie,* n. f. (1903, *Rev. gén. des sc.,* nᵒ 20, p. 1022).

SYRINGA [siRɛ̃ga] n. m. — 1768 ; mot lat. bot. ; « seringa », 1694.

♦ Bot. Lilas.

SYRINGE [siRɛ̃ʒ] n. f. — 1808, « syrinx » ; *syringes,* 1765 ; lat. *syringæ ;* grec *surigges,* plur. de *surigx.* → Syrinx.

♦ Archéol. Tombe royale de l'Égypte pharaonique, consistant en une galerie (→ Syring-) creusée dans le roc.

La momie ouvrait l'œil dans la grande syringe,
Et les peuples velus à la face de singe
Qui vivent sous la terre aux monts d'où sort le Nil
Tremblaient comme des chiens qui rentrent au chenil.
HUGO, la Fin de Satan, I, I.

SYRINGO- ⇒ **Syring-.**

SYRINGOMYÉLIE [siRɛ̃gomjeli] n. f. — 1823 ; de *syringo-,* et grec *muelos* « moelle ».

♦ Méd. Affection de la moelle épinière, caractérisée par la formation d'une cavité allongée siégeant près du canal central. *Symptômes de la syringomyélie :* paraplégie spasmodique, atrophie musculaire et perte de la sensibilité à la douleur dans la moitié supérieure du corps.

DÉR. Syringomyélique.

SYRINGOMYÉLIQUE [siRɛ̃gomjelik] adj. — 1904, *in* Larousse ; de *syringomyélie.*

♦ Méd. De la syringomyélie.

SYRINX [siRɛ̃ks] n. m. ou f. — 1752 ; grec *surigx* « tuyau ».

★ **I.** Flûte* de Pan. *Pan et la Syrinx,* texte de Laforgue.

(...) il lui suffit *(à Pan)* de tirer une gamme nostalgique de sa Syrinx à sept tuyaux, pour se remettre, la tête haute (...) vers l'Idéal, notre maître à tous.
Jules LAFORGUE, Moralités légendaires, Pan et la Syrinx.

REM. Les emplois au masc. sont plus rares (cf. Rimbaud, *Poésies*).

★ **II.** Zool. Larynx inférieur (des oiseaux).

★ **III.** ⇒ **Syringe.**

SYRMA [siRma] n. m. — 1876 ; mot lat. ; grec *surma,* de *surein* « traîner ».

Antiquité grecque.

♦ **1.** Longue robe traînante.

♦ **2.** (1904). Natte pendant dans le dos.

SYRO- Qui appartient à la fois à la Syrie et à un autre pays ou à une autre région historique (que désigne le deuxième élément). Ex. : *syro-arabe, syro-chaldaïque, syro-irakien, syro-égyptien, syropalestinien.*

SYRPHE [siRf] n. m. — 1803 ; grec *surphos* « mouche ».

♦ Zool. Insecte diptère, brachycère, aux antennes courtes (comme les mouches), à abdomen jaune et noir, au vol rapide. *Les larves de syrphe se nourrissent de pucerons. Le genre Syrphe.*

SYRPHIDÉS [siRfide] n. m. pl. — 1846, Bescherelle ; *syrphides,* 1876 ; de *syrphe,* et suff. *-idés.*

♦ Zool. Famille de mouches dont le type est le syrphe. — Au sing. *Un syrphidé.*

SYRRHAPTE [siRapt] n. m. — 1846, Bescherelle ; du v. grec *surrhaptein* « coudre ensemble ».

♦ Zool. Oiseau *(Ptéroclididés)* des steppes d'Asie, aux longues ailes effilées, aux pattes emplumées. *Les syrrhaptes effectuent parfois des migrations en Europe.*

SYRTE [siRt] n. f. — 1660 ; *cyrtes,* xiiiᵉ ; lat. *syrtes,* grec *surtis* « sables mouvants », de *surein* « entraîner, balayer » (en parlant du courant).

♦ **1.** Vx (au plur.). *Syrtes :* banc de sables mouvants (Boileau, *Art poétique,* III).

(...) elle retournait vers l'extrémité du lac Long à la merci de la marée qui faisait siller son bateau à une égale distance des syrtes d'Argail et de Lennox (...)
Charles NODIER, Contes, « Trilby ».

♦ **2.** Région côtière sablonneuse (appliqué à deux golfes de Libye : *la Grande et la Petite Syrte,* et employé poétiquement). *Des Syrtes embrumées* (cit. 6, Chateaubriand). *Les Syrtes,* recueil de poèmes de J. Moréas. *Le Rivage des Syrtes,* roman de J. Gracq (1951).

SYSSITIES [sisiti] n. f. pl. — 1872 ; grec *sussitia,* plur. de *sussition,* de *sussitos* « qui mange avec qqn », de *sun-* (*sus-*), et *sitos* « blé, aliment ».

♦ Didact. Dans l'antiquité, à Sparte et en Crète, Repas réguliers pris en commun par les citoyens.

SYSTÉMATICIEN, IENNE [sistematisjɛ̃, jɛn] n. — 1943, Caullery ; de *systématique,* II.

♦ Didact. (sc. nat.). Spécialiste de la systématique, de la classification (→ Espèce, cit. 30). Syn. : *taxinomiste.*

(...) isoler, par un effort de patiente et méticuleuse discrimination, les types ou espèces qui paraissaient répondre à des groupes d'individus bien définis (...) Ce fut l'œuvre des grands systématiciens, de John Ray, et surtout de Linné.
Jean ROSTAND, Esquisse d'une histoire de la biologie, p. 35.

SYSTÉMATIQUE [sistematik] adj. et n. — 1584, *inesgalité systématique*; *sistematique*, 1552; répandu xixᵉ; lat. *systematicus*, grec *sustematikos*, de *sustêma*. → **Système**.

★ **I.** Adj. ♦ **1.** Didact. Qui appartient à un système (I.), est intégré dans un système. *Opinion systématique.* — Sc. *Noms systématiques des taxinomies zoologiques, botaniques, chimiques...* — De système. *L'apparence systématique du mouvement hitlérien* (cit. 2). Qui constitue un système (I.). *Une représentation systématique de la nature* (→ Miracle, cit. 5). *« Un corps systématique de tous les règlements »* (Montesquieu).

♦ **2.** Relatif à un système (II.). Méd. *Affections systématiques,* limitées à un système de fibres de même fonction. *Lésion systématique.* Qui forme un système (II., 3.) abstrait. *Raisonnement systématique.* Psychiatrie. *Délire systématique* (vx). ⇒ **Systématisé.**

♦ **3.** Cour. Qui procède avec méthode, dans un ordre défini et pour un but déterminé, en ordonnant les idées en système. ⇒ **Méthodique, réglé.** *Un travail, une discussion systématique.* (xxᵉ; souvent péj.). Cohérent, soutenu; qui ne se dément pas. *Intention, volonté systématique de nuire... Une exploitation, un vol systématique.* ⇒ **Organisé.** *Un refus systématique,* entêté. *Soutien, opposition systématique à une politique,* absolu, inconditionnel. *Représentant qui prospecte un village « de façon systématique »* (A. Robbe-Grillet, *le Voyeur,* p. 251).

♦ **4.** Péj. Qui est dicté par un système (I.) plutôt que par le respect ou la connaissance du réel. *Médecine systématique* (opposée au xixᵉ siècle à *médecine expérimentale*). *Classification systématique et arbitraire.*

♦ **5.** (Mil. xviiiᵉ). Qui pense ou agit selon un système. *Esprit systématique.* ⇒ **Déductif, logique, méthodique.** *Les historiens systématiques* (→ Humeur, cit. 6). — (1807, Mᵐᵉ de Staël). Péj. Qui est péremptoire et dogmatique, qui préfère son système à toute autre raison. ⇒ **Doctrinaire, entêté.** — N. *Un, une systématique :* un esprit, une personne systématique.

1 Sa démonstration *(de La Bruyère)* se noue maille à maille, pendant un, deux, trois volumes, comme un énorme filet sans issue, où, bon gré, mal gré, on reste pris. C'est un systématique qui, replié sur lui-même et les yeux obstinément fixés sur son rêve ou sur son principe, s'y enfonce chaque jour davantage, en dévide une à une les conséquences, et tient toujours sous sa main le réseau entier.
                            TAINE, les Origines de la France contemporaine, II, t. II, p. 106.
2 Esprit essentiellement systématique, il *(P. Duhem)* est attiré par les méthodes axiomatiques qui posent des postulats précis pour en tirer, par des raisonnements rigoureux, des conclusions inattaquables : il en apprécie la solidité et la rigueur, il n'est point rebuté par leur sécheresse et leur abstraction.
                            L. DE BROGLIE, Nouvelles perspectives en microphysique, p. 317.

♦ **6.** (Comportements, états psychologiques et affectifs, etc.). Habituel et invariable. *Cette réaction est systématique chez lui.*

★ **II.** N. f. (Déb. xxᵉ). Didact. ♦ **1.** Science des classifications des formes vivantes (botanique, zoologie), des espèces chimiques. *Systématique fondée sur les caractères externes, internes, anatomiques. « La systématique cherche à établir une classification naturelle reposant sur la phylogénèse »* (A. Tétry, *Zoologie,* t. I, Introd., *in* Encycl. Pléiade). ⇒ aussi **Taxonomie.**

♦ **2.** Ensemble de vues et de méthodes relevant d'un système de pensée.

3 J'ai appelé dessaisissement ou déprise ce mouvement auquel me contraint la systématique freudienne; c'est la nécessité de ce dessaisissement qui justifie le naturalisme freudien.   P. RICŒUR, Une interprétation philosophique de Freud,
                            in la Nef, nᵒ 31, p. 122.

CONTR. **Empirique.**
DÉR. (De II.) **Systématicien, systématiquement.**
COMP. **Antisystématique, asystématique.**

SYSTÉMATIQUEMENT [sistematikmɑ̃] adv. — 1752; de *systématique.*

♦ **1.** D'une manière systématique; selon un système (I.). ⇒ **Méthodiquement.** *Traiter systématiquement les problèmes de la géométrie* (cit. 5).

1 Mais je n'eus pas assez de bon sens pour arranger systématiquement ma vie.
                            STENDHAL, Souvenirs d'égotisme, VII.

♦ **2.** (Mil. xxᵉ). D'une manière constante, suivie (→ Canaille, cit. 14; reproduction, cit. 3). *Travailler systématiquement au renversement* (cit. 4) *de la monarchie.*

2 Un gouvernement ne doit ni résister systématiquement à l'opinion ni la suivre aveuglément; il doit protéger les droits et la liberté de tous.
                            RENAN, Questions contemporaines, Œ. compl., t. I, p. 55.
3 Dès lors, chaque fois qu'elle devait voir Costals dans la journée, elle reprit des plats, systématiquement (...)   MONTHERLANT, Pitié pour les femmes, p. 63.

SYSTÉMATISATION [sistematizasjɔ̃] n. f. — 1824; de *systématiser.*
Didactique.

♦ **1.** Réunion en un système (surtout abstrait). *La géométrie* (cit. 3) *et la mécanique comportent un degré plus parfait de systématisation que les sciences naturelles. Un principe d'imprévisibilité qui disloque toute volonté de systématisation* (→ Personnalisme, cit.).

♦ **2.** Psychiatrie. *Systématisation d'un délire* (ou *systématisation délirante*) : organisation d'un délire systématisé*.

SYSTÉMATISER [sistematize] v. tr. — 1740, *in* D.D.L.; intrans., 1756; de *systématique.*

♦ **1.** Réunir (plusieurs éléments) en un système (I.). *Le réalisme systématisé par Zola* (→ Naturalisme, cit. 4). *Plan, programme qui systématise des mesures* (→ Généraliser, cit. 1).

♦ **2.** (Au passif ou à la forme pron.). Constituer un système (II.). *Délire qui se systématise.*

▶ **SYSTÉMATISÉ, ÉE** p. p. adj. (xxᵉ; *in* Larousse, 1933). Qui forme un système (I. ou II.). → Nerf, cit. 8. — Spécialt. *Délire systématisé,* où les idées délirantes s'ordonnent par rapport à un thème principal qui peut devenir le point de départ de développements secondaires, et qui revêt un caractère de vraisemblance. *Délire progressif systématisé. Délire systématisé chronique transitoire.*

DÉR. **Systématisation, systématiseur.**

SYSTÉMATISEUR, EUSE [sistematizœʀ, øz] n. — Mil. xxᵉ; de *systématiser.*

♦ Rare. Personne qui systématise, réduit en système.

Depuis Socrate, et son systématiseur Platon, tout ce qui n'est pas réductible à l'idée n'a pas d'existence.   Roger GARAUDY, Parole d'homme, p. 32 (1975).

SYSTÈME [sistɛm] n. m. — 1552; repris v. 1650, répandu xixᵉ; grec *sustêma, -atos* « assemblage, composition », de *sunistanai* « réunir », de *sun-,* et *histanai* « mettre debout ».

1 Ce mot, d'abord employé dans la langue des philosophes et des mathématiciens, entra assez vite dans la langue courante (Bouhours, Rem., 61; Cf. Bellegarde, Élég., 262); toutefois Bouhours constate qu'il n'est pas encore bien établi, et qu'il est odieux à plusieurs gens habiles (...) la difficulté du nouveau dogme, ou, comme on parle à présent, du nouveau *système* de Luther (Bossuet, Hist. des Var., I, 15).   BRUNOT, Hist. de la langue franç., t. IV, p. 507.

★ **I.** Ensemble organisé (d'éléments intellectuels).

♦ **1.** Hist. Sc. Ensemble conçu par l'esprit, à titre d'hypothèse, de croyance, d'objets de pensée unis par une loi (III.). ⇒ **Théorie.** *Les divers systèmes du monde, de la nature,* élaborés dans l'antiquité. *Le système astronomique, cosmogonique... de Ptolémée.* ⇒ **Cosmogonie.** *Le système de Copernic, de Newton* (newtonianisme). *Le Système de l'âme,* de Cureau de La Chambre (1664). *Les systèmes médicaux, chimiques,* aux xviiᵉ et xviiiᵉ siècles.

REM. Pour les doctrines scientifiques modernes, on emploie plutôt *théorie.*

2 (...) il est aisé de sentir que nous ne connaissons rien que par comparaison, et que nous ne pouvons juger des choses et de leurs rapports qu'après avoir fait une ordonnance de ces mêmes rapports, c'est-à-dire un système (...) tout système n'est qu'une combinaison raisonnée, une ordonnance des choses ou des idées qui les représentent, et c'est le génie seul qui peut faire cette ordonnance c'est-à-dire un système en tout genre, parce que c'est au génie seul qu'il appartient de généraliser les idées particulières, de réunir toutes les vues en un faisceau de lumière (...) de sorte que le tout rassemblé, réuni, puisse présenter à l'esprit un grand tableau de spéculations suivies, ou du moins un vaste spectacle dont toutes les scènes se lient et se tiennent par des idées conséquentes et des faits assortis.
                            BUFFON, Hist. naturelle des minéraux, Du fer.

(1753). Spécialt. Distribution d'un ensemble d'objets de connaissance selon un ordre basé sur un petit nombre de critères, qui en rend l'étude plus facile (⇒ **Systématique**); classification qui en résulte. ⇒ **Méthode** (vieilli); → Espèce, cit. 26. *Le système de Linné (Systema naturae). La terminologie, la nomenclature d'un système.*

♦ **2.** (1690). Ensemble d'idées, logiquement solidaires, considérées dans leurs relations; construction* théorique que forme l'esprit sur un vaste sujet (philosophique, scientifique). ⇒ **Corps** (de doctrine), **doctrine, idéologie, opinion, philosophie** (cit. 10 et 12), **théorie, thèse** (→ Base, cit. 11; ébranler, cit. 10; erreur, cit. 20; logiquement, cit.). *Le système philosophique de Descartes* (cartésianisme), *de Kant* (criticisme, kantisme), *d'Auguste Comte* (positivisme), *de Sartre* (existentialisme). *Système moniste, dualiste. « Mon système de l'harmonie* (cit. 41) *préétablie »* (Leibniz). *Système des beaux-arts,* ouvrage d'Alain. *Système doctrinaire, dogmatique.* ⇒ **Dogme, dogmatisme, doctrinarisme.** *Les principes*, les postulats; la base*, la clé* d'un système.* — *Le système d'une école.* ⇒ **École** (6.). *Systèmes religieux* (déisme, athéisme...). *Concilier plusieurs systèmes* dans un syncrétisme. *Adepte d'un système.* — *Conséquences pratiques d'un système* (→ ci-dessous, 3.).

3 Un système n'est autre chose que la disposition des différentes parties d'un art ou d'une science dans un ordre où elles se soutiennent toutes mutuellement.
                            CONDILLAC, Traité des systèmes.
4 Si les systèmes sont des toiles d'araignée, qu'au moins elles soient faites avec des fils de soie.   Joseph JOUBERT, Pensées, XII, LVII.

5   Les systèmes construits par les sages ne sont que des contes imaginés pour amu-
     ser l'éternelle enfance des hommes.   FRANCE, Thaïs, p. 45.
6   Les systèmes sont comme ces minces fils de platine qu'on met dans les lunettes
     astronomiques pour en diviser le champ en parties égales.
                                              FRANCE, le Jardin d'Épicure, p. 133.
7   Mais tout système est une entreprise de l'esprit contre lui-même. Une œuvre
     exprime non *l'être* d'un auteur, mais sa *volonté de paraître,* qui choisit, ordonne,
     accorde, masque, exagère.   VALÉRY, Variété V, p. 220.

     Absolt, péj. *Le système,* opposé à *l'art,* à *la création libre* (en litté-
     rature). → Humanitarisme, cit. 1. *« Le* Système *l'égare »* (→ Natu-
     ralisme, cit. 1, Flaubert).

     ♦ **3.** (XVIIᵉ). Ensemble coordonné de pratiques tendant à obtenir un
     résultat (⇒ **Manière, méthode, moyen, plan**) ou présentant simple-
     ment une certaine unité. *« Le système de la vie de cet homme con-
     siste dans le jeu et dans le cabaret »* (La Bruyère, *in* Trévoux),
     son habitude constante. *Un système de vie* (→ Possible, cit. 2). —
     Le système de défense d'un accusé (→ Couvrir, cit. 32; heurter,
     cit. 29). *Se renfermer* (cit. 8) *dans un système de dénégation.* —
     Le système des punitions (cit. 3) *corporelles. Un système d'alimen-
     tation* (→ Exclure, cit. 7). Techn. *Un système habile, un nouveau
     système.* ⇒ **Procédé** (→ aussi ci-dessous, II., 2.). *Système de sécu-
     rité.* Comptab. *Système centralisateur.*

8   Dans Homère la bataille, et par suite la guerre, est une suite indéfinie de duels
     (...) C'est alors qu'Ulysse intervient, et d'un seul coup il fausse tout le système ;
     car il n'invente pas seulement d'introduire dans la ville un cheval de bois machiné :
     il invente en cela même de remplacer le système de la bataille par le système de
     la victoire, il invente de substituer d'un seul coup le système de gagner au système
     de se battre, le système de l'empire au système du combat singulier.
                              Ch. PÉGUY, Note conjointe, Sur Descartes, p. 144.

     Inform. *Système d'exploitation :* ensemble des programmes de base
     indispensable à la bonne utilisation d'un ordinateur.

     (Dans le domaine intellectuel). *Le système de réfutation du paga-
     nisme* (cit. 1) *utilisé par les Pères de l'Église.*

     Fam. ⇒ **Combinaison, combine, moyen, truc.** *Je connais le système.
     Un bon système.* — Loc. *Le système débrouille, le système D*.*

9   Aucun des sophismes de la folie, — la folie qu'on enferme, — n'a été oublié par
     moi : je pourrais les redire tous, je tiens le système.
                              RIMBAUD, Une saison en enfer, Délires, II.

     ♦ **4.** (XVIIIᵉ ; 1771, Rousseau). Polit., écon. Ensemble de pratiques, de
     méthodes et d'institutions formant à la fois une construction théori-
     que (→ ci-dessus, I., 2.) et une méthode pratique (→ ci-dessus,
     I., 3.). *Système de législation* (cit. 2), *d'éducation* (→ Médiocre,
     cit. 10), *d'enseignement*.* ⇒ **Politique.** *Le système de la paix
     armée* (cit. 21), *de la balance* (1. Balance, cit. 29) *de l'Europe.
     Système corporatif* (cit. 1), *syndical. Système politique*, écono-
     mique, social...* ⇒ **Régime.** *Système patriarcal, féodal, capitaliste*
     (→ Intérieur, cit. 15), *collectiviste, communiste... Système fédé-
     ral* (fédéralisme). *Systèmes politiques d'union, d'annexion.* ⇒ **Pan-**
     (pangermanisme, etc.). *Systèmes électoraux* (majoritaire, propor-
     tionnel). *Le système anglo-saxon des deux partis.*

     Absolt, péj. L'armature économique, politique, morale d'une société,
     considérée comme contraignante, aliénante. *Se faire récupérer par
     le système. À bas le système !*

9.1 Est-ce une avant-guerre, ou la veille de grandes révolutions qui liquideront le
     système.   S. DE BEAUVOIR, Tout compte fait, p. 49.
9.2 Quelles raisons nous donne-t-il *(Charles de Gaulle)* de nous méfier ? Ce système
     qu'il avait dénoncé, il ne l'a pas détruit.
                              F. MAURIAC, le Nouveau Bloc-notes 1958-1960, p. 67.

     Systèmes monétaires (monométallisme, bimétallisme, monnaie fidu-
     ciaire...), *financiers.* Absolt. *Le Système :* celui de Law (→ Irres-
     pect, cit. 3).

     ♦ **5.** Absolt. Tendance à penser ou à agir selon un système (⇒ **Systé-
     matique**). *Il y a une part de système dans la tenace volonté de
     l'auteur* (→ Attacher, cit. 83). — *Par système* (→ Embellir, cit. 9).
     Agir par système, de parti pris.

     (XVIIIᵉ ; av. 1782, d'Alembert). **ESPRIT DE SYSTÈME :** attachement aux
     systèmes, tendance à organiser, à relier les connaissances particu-
     lières en ensembles cohérents. — Péj. Tendance à faire prévaloir la
     cohérence interne, l'intégration à un système, sur la juste apprécia-
     tion du réel.

10   Ce n'est donc point à être libre de tout esprit de système que l'historien doit mettre
     sa gloire, mais à suivre un bon système, ou, en d'autres termes, à coordonner les
     faits historiques de manière que leur enchaînement soit clair et instructif, et que
     la loi s'en trouve déterminée.
                              BALZAC, le Feuilleton, XI, *in* Œ. diverses, t. I, p. 428.
11   (...) les bons esprits ont à la fois l'esprit de finesse et l'esprit de système.
                              Julien BENDA, la France byzantine, p. 211.

     ★ **II.** (1690, en anat. ; répandu XVIIIᵉ ; → Exact, cit. 15, Condillac ;
     perdre, cit. 57, Rousseau). Ensemble possédant une structure* (2., 3.
     ou 4.), constituant un tout organique.

     ♦ **1.** Ensemble structuré, d'éléments naturels de même espèce ou
     de même fonction. *Le système du monde* (cit. 1) : le monde*, con-
     sidéré comme un tout ordonné. *Réduire le monde à un système
     d'objets reliés par des rapports universels* (→ Matérialisme, cit. 3).

     Spécialt. **a** Région de la matière contenant une quantité définie de
     substance ; plan d'arrangement des termes d'un ensemble matériel.
     — Astron. *Système planétaire. Le système solaire, le système galac-*

---

tique. — Phys., mécan. *Système de forces, de vecteurs. Systèmes
mécaniques.* — *Systèmes de référence* (cit. 2 ; et → Relativité,
cit. 5). — Minéralogie, chim. *Systèmes cristallins,* caractérisés par
l'ensemble des directions des forces. *Corps qui cristallise dans le
système orthorhombique. Système colloïdal.* — *Systèmes moléculaires, atomiques.* — Géol. Ensemble de terrains appartenant à une
période* (cit. 7). — Météor. *Système nuageux :* ensemble de nuages de types caractérisés qui accompagnent une perturbation.

b Biol., anat. Ensemble d'organes ayant une structure analogue
(en langage courant, on appelle aussi *systèmes* divers appareils ana-
tomiques). *Système (nerveux) central ; périphérique, sympathique.
Système neuro-végétatif (parasympathique)* et *orthosympathique.
Système vasculaire (système artériel, veineux, lymphatique).* —
Cour. *Système respiratoire. Système pileux* (⇒ **Pilosité**). —
Système nerveux* (cit. 3, 4).

c Absolt, fam. (du sens b). *Le système :* les nerfs (dans quelques
expressions). *Courir** (*supra* cit. 66), *porter, taper... sur le
système de qqn,* l'énerver, l'agacer vivement. *Il commence à me
porter sur le système.*

12   L'été (...) commence à m'agacer le système (IV, 333)
     La question (...) recommence à me taper sur le système (IV, 261)
                              FLAUBERT, Correspondance, *in* Maurice SCHÖNE, la Langue de Flaubert, p. 4.

d Ling. La langue comme système de formes, de signes (→ Graphie, cit. 2), de mots (→ Forme, cit. 57). *Système linguistique. Le
système grammatical d'une langue.*

♦ **2.** (1831). **a** Sc. Appareil ou dispositif formé par une réunion
d'organes, d'éléments analogues. *Système articulé :* assemblage de
solides liés deux à deux. *Systèmes optiques. Le système de lentilles d'un phare* (→ Puissance, cit. 14). *Système de miroirs.* ⇒ **Jeu.**
Système centré : ensemble des parties réfringentes d'un système
optique, lorsque les centres de leurs surfaces sphériques sont disposés sur une même ligne. *Systèmes électriques, électroniques. Systèmes asservis* (→ Régulateur, cit. 3). *Système dynamique,* où intervient la notion du temps (opposé à *statique*).

Inform. Ensemble d'unités composant un ensemble fonctionnel de
matériel et de logiciel. *Système intégré de gestion* (machines
et programmes).

Milit. *Système d'arme :* ensemble formé par un projectile
(fusée, etc.) et par tous les équipements nécessaires à sa mise
en œuvre.

b Cour. Appareil plus ou moins complexe. *Un système compliqué
de béquilles et de jambes de bois* (→ Perclus, cit. 4).

13   L'ensemble se composait d'une sorte de meule qui, actionnée par une pédale, pou-
     vait mettre en mouvement tout un système de roues, de bielles, de leviers et de
     ressorts formant un inextricable enchevêtrement métallique ; sur un des côtés poin-
     tait un bras articulé se terminant par une main armée d'un fleuret.
                              Raymond ROUSSEL, Impressions d'Afrique, p. 45.

c Dispositif de fixation. *« Une cravate-plastron, à système »*
(Romains, *les Hommes de bonne volonté,* t. XIV, p. 142).

♦ **3.** (1765). Ensemble structuré (de choses abstraites). *Un système
de concepts, de notions* (→ Idiome, cit. 4), *de lois* (→ Nature,
cit. 34), *d'articulations* (→ Mot, cit. 3), *de relations. Un système
de croyances, de pratiques* (→ Religion, cit. 1 et 18), *d'habitudes*
(cit. 3). *Le système général des connaissances* (→ Encyclopédie,
cit. 2).

(1933). Sc., math. *Système d'équations. Système de coordonnées.*
(1792). *Système d'unités :* ensemble d'unités choisies de manière à
pouvoir exprimer les mesures de grandeurs physiques rationnellement et simplement. *Système décimal*. Système C. G. S., système
M.K.S., système M.T.S. Système d'unités absolues. Système électromagnétique C. G. S. Système métrique** (cit. 4). *Système pratique,* en électricité (avec des unités multiples des unités *C. G. S.*).
Système international d'unités (abrév. : SI, ou, plus rare, S. I.) :
système métrique décimal à sept unités de base — mètre, kilogramme, seconde, ampère, kelvin, mole, candela. *Le système international est en France le système légal d'unités de mesure.* — REM.
On emploie couramment l'abréviation *SI* en fonction d'adjectif : *le
système SI, les unités SI. Les unités SI ont remplacé les unités
C.G.S. et M.T.S.*

Inform. *Système d'exploitation d'un ordinateur :* partie du logiciel
gérant un ordinateur, indépendant des programmes d'exploitation.

★ **III.** (1578, du bas lat. *systema*). Mus. (Vx). « Tout intervalle composé ou conçu comme composé d'autres intervalles plus petits »
(Rousseau).

DÉR. Systématiser, systémier.
COMP. Sous-système.

SYSTÉMICIEN, IENNE [sistemisjɛ̃, jɛn] n. m. et f. — V. 1970 ;
de *systémique.*

♦ Didact., techn. Spécialiste de la systémique. — Adj. *Ingénieur
systémicien.*

SYSTÉMIER [sistemje] n. m. — Mil. xxᵉ ; de *système*.

♦ Argot de jeu. Joueur qui utilise un système, des martingales, dans les jeux de hasard. *« La colonie des "systémiers", la tribu des "raisonneurs", ceux qui croient que l'on peut gagner en jouant "scientifiquement"* » (*l'Express*, 26 juil. 1980, p. 86).

SYSTÉMIQUE [sistemik] adj. et n. f. — V. 1970 ; angl. *systemic*, de *system* «système», de même origine que *système**. Didactique.

♦ **1.** Adj. Qui se rapporte à un système dans son ensemble ou qui l'affecte. — Qui étudie les systèmes. *Approche, analyse systémique.* → ci-dessous 3.

♦ **2.** Relatif à la circulation sanguine générale. *Insecticide systémique,* qui agit sur un système vivant déterminé.

♦ **3.** N. f. *La systémique* : technique des systèmes complexes. *«Science? Philosophie? La systémique est avant tout une attitude. Un état d'esprit. Voire un art (...) "Un mot à la mode qui cache une grande impuissance", rétorquent les incrédules»* (*l'Express*, 21 nov. 1977, p. 137).
DÉR. Systémicien.

SYSTOLE [sistɔl] n. f. — 1541 ; *sistole*, fin xivᵉ ; lat. *systole*, mot grec *sustolê* «contraction» de *sustellein* «rassembler, restreindre», de *sun- (sus-)*, et *stellein* «préparer, équiper».

★ **I.** Physiol. Contraction du cœur par laquelle le sang est chassé dans les artères, qui commence par la contraction simultanée des deux oreillettes *(systole auriculaire),* suivie de celle des deux ventricules *(systole ventriculaire). Systole en écho :* bruit de la systole auriculaire, lorsqu'elle est décalée. *Systole et diastole**. ⇒ **Périsystole.** — Par métaphore :
La mer, le ciel, la montagne, les îles, vinrent m'écraser dans une systole immense, puis s'écartèrent jusqu'aux limites de l'espace.
                                          S. BECKETT, Textes pour rien, p. 112 (1950).
★ **II.** (1611). Anc. métrique. Licence prosodique par laquelle on raccourcissait une syllabe naturellement longue.

DÉR. Systolique.
COMP. Asystolie. — Péristole.
HOM. Cistole.

SYSTOLIQUE [sistɔlik] adj. — Av. 1553, *systolicque*, Rabelais ; repris 1855 ; var. *systalique*, 1741 ; de *systole*.

♦ Physiol. Relatif à la systole. *Bruit systolique* («premier bruit»), correspondant à la fermeture des valvules entre les oreillettes et les ventricules correspondants. — Méd. *Souffle systolique.*

SYSTYLE [sistil] n. m. et adj. — 1691 ; lat. *systylos*, mot grec «aux colonnes (→ suff. -style) rapprochées».

♦ Archit. anc. Ordonnance où les entre-colonnements sont de deux diamètres de colonnes (quatre modules). — Adj. *Temple, péristyle, portique systyle.*

SYZYGIE [siziʒi] n. f. — 1584 ; bas lat. *syzygia*, mot grec «assemblage, réunion», de *suzugos* «accouplé», de *sun-* (→ Syn-) et *zugos* «joug».

★ **I.** Astron. Position de la Lune (et, par ext., d'une planète) en conjonction ou en opposition avec le Soleil (nouvelle Lune et pleine Lune). *Marées** des syzygies.*
En toute saison, particulièrement à l'époque des syzygies (...) la mer est prise soudain d'une tranquillité étrange.   HUGO, les Travailleurs de la mer, II, III, I.   1
La marche fut reprise. Il était environ deux heures et demie du matin. La mer commençait à monter, et poussée par le vent, cette marée, qui était une marée de syzygie, menaçait d'être très forte.   J. VERNE, l'Île mystérieuse, t. I, p. 85.   2

★ **II.** (1872, Littré). Didact. En métrique grecque et latine, Groupe de deux pieds.

★ **III.** (Mil. xxᵉ). Zool. Chez les crinoïdes, Articulation perpendiculaire à la direction des bras.

SZLACHTA [slaʃta] n. f. — Mil. xxᵉ (*in* Larousse, 1964) ; mot polonais.

♦ Hist. *La szlachta* : la petite noblesse polonaise, qui joua un rôle historique dans l'affaiblissement du pouvoir royal, après le xiiiᵉ siècle.

T

T [te] n. m.

♦ **1.** Vingtième lettre et seizième consonne de l'alphabet, servant à noter une occlusive dentale sourde [t]. *T majuscule, t minuscule. Deux t (tt). Le groupe* th *se prononce* [t] *dans tous les cas* (ex. : *thème, athée, luth*); tt *se prononce* [t], *sauf dans les emprunts grecs, latins, italiens* (ex. : *larghetto*); t *final est muet dans les formes verbales* (ex. : *il partit*), *et dans la plupart des autres mots sauf exception* (ex. : *net, huit, dot, zut...*). — *Le groupe* ti *ailleurs qu'à l'initiale se prononce tantôt* [tj] (ex. : *matière, étiage*) *ou* [ti], *tantôt* [sj] (ex. : *ambitieux, patience, rationnel, nuptial...*) *ou* [si] (ex. : *calvitie*). *Le groupe* tion *se prononce* [sjɔ̃], *sauf dans* himation.

1   (...) le *ch* prononcé par elle était comme une caresse, et la manière dont elle attaquait les *t* accusait le despotisme du cœur.
BALZAC, le Lys dans la vallée, Pl., t. VII, p. 796.

1.1   «Messieurs et chers collègues, l'agriculture est la plus noble des professions...» (S'arrêtant) Tiens! tu as mis deux *s* à profession?
— Sans doute...
— Ah! chère petite!... (A part) Moi, j'avais mis un *t*, tout simplement (...) (Lisant) (...) celui dont le cœur ne bondit pas à la vue d'une charrue, celui-là ne comprend pas la richesse des nations!... (S'arrêtant) Tiens, tu as mis un *t* à nations?
— Toujours.
— Ah! chère petite!... (À part) Moi, j'avais mis un *s* tout simplement!... les *t*, les *s*... jamais je ne pourrai retenir ça!   E. LABICHE, la Grammaire, 7.

2   C'est une faute d'orthographe! et, qui plus est, vous ne barrez point vos *t*.
FRANCE, les Désirs de Jean Servien, XIX.

T euphonique intercalé entre le verbe et le sujet dans l'inversion, lorsque le verbe n'a pas de finale en t (ex. : *Arrive-t-on, aime-t-il), par analogie avec les formes verbales en* t, *comme dans* part-on, vient-il... *(généralisé au* XVIe *s.). — Par ext., pop.* J'y va-ti. ⇒ **Il** (REM. 2), **ti**. *T intercalé dans :* voilà-t-il pas.

3   Parmi les créations de notre langue propres à interroger, une des plus curieuses est celle de la particule -*ti*, qui tient une si grande place dans la phrase interrogative populaire d'aujourd'hui. Elle a été tirée du *t* soit étymologique soit analogique (et euphonique) des troisièmes personnes verbales *(est-il, vient-il, sont-ils, — a-t-il, aime-t-il, viendra-t-il)*, combiné avec le pronom masculin qui suit. Il était tout naturel de regarder cette finale *t-il*, qui revient si fréquemment dans l'interrogation et qui la souligne, qui la sonne, avec tant de netteté comme ayant de soi une existence propre et une vraie valeur interrogative. C'est ce qui a dû se produire dans l'esprit populaire dès le XVIIe siècle (...)
G. et R. LE BIDOIS, Syntaxe du franç. moderne, § 652.

♦ **2.** (1765, *in* D.D.L.). Forme du T majuscule (surtout dans : *en T*). *Cour en T. Bandage en T. Antenne en T.* — Par ext. Objet qui a cette forme. ⇒ **Té.**

4   (...) les équerres, les compas, la règle plate en forme de T (...)
Paul BOURGET, le Disciple, IV, I.

5   (...) la place Royale, espèce de T ou plutôt de maillet à manche tronqué, qu'entourent sur trois côtés (...) de belles maisons (...)
NERVAL, Notes de voyage, Lettres des Flandres, II, II.

♦ **3.** T, symbole de *téra* (métrol.); du *tesla* (phys.); du *tritium* (chim.); de *tous* ou *tutti* (mus.).

T' abrév. de *tome;* de *tonne* (métrol.).

HOM. Té, thé.

T' ⇒ Te.

TA Syllabe utilisée comme premier élément dans des refrains, des airs (pour marquer le rythme). → **Tralala**, etc. *Ta-la-la-la...*

— À nous quatre, alors.
— Allons-y!
AIR :
Ta di da da (...) indulgent tribunal,
Ta di da da (...) un arrêt trop sévère (...)   E. LABICHE, le Club champenois, 19.

Ta [tea] Symbole chimique du *tantale*.

TA [ta] adj. f. ⇒ **Ton.**

TAB [tab] n. m. — 1964; mot angl., proprt «étiquette, marque». Anglicisme.

♦ Techn. Petit volet annexé à la gouverne d'un avion, facilitant sa manœuvre par le pilote. ⇒ **Compensateur.**

1. TABAC [taba] n. m. — 1599; *tabacco*, 1555; esp. *tabaco*, du haïtien *tsibatl.*

♦ **1.** Plante *(Solanacées)* originaire d'Amérique, haute et à larges feuilles, qui contient un alcaloïde toxique, la nicotine. *Le tabac, introduit en France par Jean Nicot sous François II, fut d'abord utilisé comme plante décorative et médicinale* («Herbe à Nicot», «herbe à tous les maux»), *puis on prépara ses feuilles pour être prisées, chiquées ou fumées. — Culture du tabac; pied, champ de tabac. Mildiou du tabac. Plantation de tabac. La mosaïque* (1. Mosaïque, cit. 6) *du tabac. Hangar, séchoir à tabac d'une exploitation. Bottes de feuilles de tabac séchées envoyées à la manufacture.* ⇒ **Manoque.**

0.1   Gédéon Spilett fut tout d'abord surpris de l'odeur qu'exhalaient certains végétaux à tiges droites, cylindriques et rameuses, qui produisaient des fleurs disposées en grappes et de très petites graines. Le reporter arracha une ou deux de ces tiges et revint vers le jeune garçon, auquel il dit :
«Vois donc ce que c'est que cela, Harbert?
— Et où avez-vous trouvé cette plante, monsieur Spilett?
— Là, dans une clairière, où elle pousse très abondamment.
— Eh bien, monsieur Spilett, dit Harbert, voilà une trouvaille qui vous assure tous les droits à la reconnaissance de Pencroff!
— C'est donc du tabac?
— Oui, et, s'il n'est pas de première qualité, ce n'en est pas moins du tabac!
J. VERNE, l'Île mystérieuse, t. I, p. 432.

(1665). *Tabac des Vosges.* ⇒ **Arnica.**

♦ **2.** (1629). Produit manufacturé, vendu sous diverses formes, fait de feuilles de tabac séchées et préparées, pour priser, chiquer, fumer. ⇒ **Nicotiane** (vx); **pétun** (vx); **perlot** (fam.). *Tabac brun* (ou *noir). Tabac blond. Tabac d'Orient* (blond et parfumé). *Tabac fort, léger; parfumé. Tabacs des Caraïbes* (havane), *d'Amérique du Nord* (maryland, virginie), *des Philippines* (manille)... *Le tabac était autrefois vendu en carottes, en torques* (⇒ 2. **Carotte,** 2. **rôle**) *et on le préparait soi-même. Tabac à mâcher, à chiquer.* ⇒ **Chique** (→ Racler, cit. 5), **masticatoire.** *Hacher* (cit. 2) *du tabac. Tabac en poudre à priser* (2. Priser, cit. 1 et 2). ⇒ **Schnouff** (vx). → Caftan, cit. 2. *Humer* (cit. 9) *une prise* de tabac. *Tabac découpé vendu en paquets, en pochettes, pour fumer*. ⇒ **Scaferlati.** *Brins ligneux dans le tabac à fumer* (⇒ **Bûche**). *Tabac pour pipe, à pipe. Tabac à rouler. Tabac grossier.* ⇒ **Gros-cul.** *Tabac gris,* ellipt. *un paquet de gris.* ⇒ **Caporal** (cit. 1) *sa pipe.* «*J'ai du bon tabac dans ma tabatière*» (→ Nez, cit. 18). *Tabac roulé en cigares, en cigarettes.* ⇒ **Cigare, cigarette.** *Tabac dénicotinisé. Odeur de tabac* (→ Renfermer, cit. 10). *Bouffée* (cit. 1), *fumée de tabac* (→ Musique, cit. 23). ⇒ aussi **Tabagie.** *L'alcool et le tabac considérés comme des poisons* (cit. 7). *Abus du tabac.* ⇒ **Tabacomanie.** *Intoxication* (cit. 2) *chronique par le tabac.* ⇒ **Nicotinisme, tabagisme.** *Doigts jaunis par le tabac.* — *À tabac.* Anciennt. *Couteau, râpe à tabac. Blague*, *pot* à tabac (⇒ **Tabatière**). *Cave à tabac.*

1   Après dîner, Sainte-Beuve, nous voyant fumer, dit : «Ne pas fumer est un grand vide dans la vie. On est obligé de remplacer le tabac par des distractions trop naturelles (...) qui ne vous accompagnent pas jusqu'au bout.
Ed. et J. DE GONCOURT, Journal, 8 nov. 1862, t. II, p. 54.

1.1   (...) les Cuiabanos expliquent que le tabac en corde doit être déchiré et émietté à la main et non coupé au couteau de peur qu'il ne s'évente.
Claude LÉVI-STRAUSS, Tristes tropiques, p. 225.

Débit de tabac ou *bureau* de tabac (→ Ligue, cit. 6; *malheureux,* cit. 32). *La carotte rouge, enseigne des bureaux de tabac. Marchand de tabac.* ⇒ **Buraliste.**

2   Nom d'une pipe! je dois pour trente francs de cigares à mon bureau de tabac, et je n'ose point passer devant cette maudite boutique sans les payer.
BALZAC, la Rabouilleuse, Pl., t. III, p. 908.

♦ **3.** *(Un tabac).* Bureau de tabac. *Il nous a donné rendez-vous dans un petit tabac de Montmartre. Café-tabac, bar-tabac :* café, bar qui fait bureau de tabac. *Tabac-journaux :* bureau de tabac où l'on vend aussi des journaux.

3   D'entre les trois ou quatre débits qu'il aperçoit, Wazemmes se décide pour celui qui arbore la carotte de la régie. Non qu'il ait envie d'acheter des cigarettes (...) Mais dans un café-tabac, aux agréments ordinaires des bars s'ajoute celui d'un va-et-vient perpétuel. J. ROMAINS, les Hommes de bonne volonté, t. IV, I, p. 8 (1934).

4   Pierrot (...) se dirigea vers l'Uni-Bar, un café célèbre dans le quartier (...) Les employés de l'Uni-Park y venaient nombreux ; un tabac et un P. M. U. y attiraient un supplément de clientèle (...) R. QUENEAU, Pierrot mon ami, III.

♦ **4.** N. m. pl. (Déb. xixᵉ, P.-L. Courier). *Les tabacs sont, en France, un monopole d'État* (→ aussi 3. Droit, cit. 29). Anciennt. *Administration de la Régie* française des tabacs. Service d'exploitation industrielle des tabacs et des allumettes* (abrév. : S. E. I. T. A.). *Entrer aux tabacs. Contrôleur des tabacs.*

♦ **5.** (1888). Loc. fam., fig. *C'est toujours le même tabac :* c'est toujours la même chose. — *Du même tabac :* du même genre.

5   Quelle vie. Toujours la même histoire. Toujours le même tabac. Ça ne vous fatigue pas à la fin de souffrir tout le temps à cause des femmes ?
R. QUENEAU, Loin de Rueil, III, IX.

♦ **6.** *Couleur de tabac, couleur tabac* (→ Baisser, cit. 19), et, par ext., *tabac :* d'un brun roux. *Des yeux tabac, tabac d'Orient.*

♦ **7.** Note de parfum obtenue à partir d'extraits de tabac.
DÉR. Tabacomanie, tabaculteur, tabageur, tabagie, tabatière, tabatier.
COMP. Anti-tabac.

2. TABAC [taba] n. m. — 1802, argot ; répandu après 1850 ; de *tabasser, (tabas),* écrit *tabac,* d'après 1. *tabac,* par homonymie et à cause du sémantisme de «coup» assumé par la prise de tabac. Cf. aussi Se chiquer la gueule.

♦ **1.** Fam., vx. Bataille, volée de coups. ⇒ **Tabassée.** Loc. *Donner du tabac :* battre. *« Si tu m'échauffes la bile, je te f... du tabac pour la semaine »* (Vidal, 1833, *in* Larchey, *Dict. de l'argot parisien,* 1872).
Mod. *Passer à tabac :* battre, rouer de coups (qqn qui ne peut se défendre). *Les flics l'ont passé à tabac. Passage à tabac.*

0.1   Au dix-septième siècle, se battre, c'était *se donner du tabac ;* au dix-neuvième, c'est *se chiquer la gueule.* Vingt locutions différentes ont passé entre ces deux extrêmes. HUGO, les Misérables, IV, VII, II.
REM. Les dates suggérées par Hugo sont, selon la documentation disponible, inexactes.

1   Nous l'avons gardé à votre disposition et vous pourrez venir le chercher quand il vous plaira *(au commissariat).*
— L'avez-vous passé à tabac ? demanda la voix sèche.
SARTRE, le Sursis, p. 321.

(1864). *Coup de tabac :* tempête, mauvais temps.

2   Seigneur ! Quelle nuit je viens de passer ! Je suis moulu, je n'ai pas fermé l'œil. Vers 16 heures, hier, fort «coup de tabac» ; j'ai dû jeter mon ancre flottante (...)
Alain BOMBARD, Naufragé volontaire, p. 136.

♦ **2.** (V. 1950 ; *avoir le gros tabac,* argot de théâtre, 1901 ; p.-ê. des coups frappés en applaudissant). [a] Loc. *Faire un tabac :* avoir un grand succès. *Sa nouvelle pièce a fait un tabac. « Un Néerlandais de chez Fokker a fait "un tabac" avec le F. 27, vendu à plus de sept cents exemplaires »* (l'Express, 9 juin 1976, p. 104). *« Le jeune médecin fait désormais un "tabac" quand il dénonce les excès de l'urbanisation »* (l'Express, 5 mai 1979, p. 117).

[b] Par ext. *Un tabac :* un gros succès. *« À ce niveau-là, ce n'est même plus du succès, c'est un "tabac"* (le Nouvel Obs., 26 déc. 1977, p. 53). *« Le grand tabac cette année, c'est la mini-chaîne »* (le Nouvel Obs., 2 mars 1981, p. 52).

TABACOMANIE [tabakomani] n. f. — 1907 ; de *tabac,* et -manie.

♦ Didact. Abus du tabac. ⇒ **Nicotinisme, tabagisme.**

TABACULTEUR, TRICE [tabakyltœʀ, tʀis] n. — 1973 ; de *tabac,* d'après *(agri)culteur.*

♦ Agric. Cultivateur spécialisé dans la culture du tabac.

TABAGEUR, EUSE [tabaʒœʀ, øz] adj. — Mil. xxᵉ ; de *tabac,* d'après *tabagie.*

♦ Rare, par plais. Du tabac. (On a dit *tabacal*).
(...) des odeurs tabageuses, aniques et vinacées traînaient sur le bois meurtri des tables. R. QUENEAU, le Dimanche de la vie, p. 45 (1951).

TABAGIE [tabaʒi] n. f. — 1657 ; 1603, «festin, chez les Algonquins» ; mot algonquin «festin», rattaché à *tabac* au xviiiᵉ.

♦ **1.** Vx. Estaminet où l'on allait fumer. ⇒ **Fumerie.**

1   Fix et Passepartout comprirent qu'ils étaient entrés dans une tabagie hantée de ces misérables, hébétés, amaigris, idiots, auxquels la mercantile Angleterre vend annuellement pour deux cent soixante millions de francs de cette funeste drogue qui s'appelle l'opium ! J. VERNE, le Tour du monde en 80 jours, p. 154 (1873).

♦ **2.** (1845). Endroit mal aéré où l'on a fumé beaucoup. *Ce bureau est une tabagie. Quelle tabagie, chez vous !*

2   (...) dans quelque café de Montparnasse, une de ces infectes tabagies qui sentaient le linge sale (...) SARTRE, l'Âge de raison, IX.

Fait de fumer beaucoup.

3   C'est une chanson qui ne comporte qu'un seul couplet et que mon ami A. t'Serstevens, mon plus ancien copain des lettres, a mise en musique et que nous avons souvent entonnée chez lui, quai Bourbon, les soirs de beuverie, de punch, de rhum et de tabagie parmi ses livres. B. CENDRARS, la Main coupée, p. 288.

♦ **3.** (En franç. du Canada). Bureau de tabac, magasin qui vend du tabac, des cigares, des cigarettes, et parfois des boissons, des journaux, de la papeterie... (→ Pharmacie, *infra* cit. 1.1).

4   (...) il s'arrêtait à une tabagie pour acheter des allumettes.
Marie-Claire BLAIS, Une liaison parisienne, p. 150.

♦ **4.** (1718). Vx. Boîte où l'on mettait le tabac, les cigarettes et le nécessaire pour fumer.
DÉR. Tabagique, tabagisme.

TABAGIQUE [tabaʒik] adj. — 1877 ; «relatif au tabac», 1859 ; de *tabagie.*

♦ **1.** Vx. Relatif à la tabagie.

♦ **2.** (1905, in *Rev. gén. des sc.,* nº 5, p. 202). Mod., méd. Relatif au tabagisme. *Intoxication tabagique.*

TABAGISME [tabaʒism] n. m. — 1891, *in* D.D.L. ; de *tabagie.*

♦ Méd. Intoxication aiguë ou chronique, ensemble de troubles physiologiques et psychiques provoqués par l'abus du tabac. ⇒ **Nicotinisme.** Toxicomanie de ceux qui abusent du tabac. ⇒ **Tabacomanie.** *Les méfaits de l'alcoolisme et du tabagisme.*

TABARD ou **TABAR** [tabaʀ] n. m. — V. 1280, *tabard ; tabar,* v. 1240 ; orig. incertaine.

♦ Au moyen âge, Manteau court, ample, à manches formant ailerons et à fentes latérales, porté sur l'armure. — Par ext. Dalmatique* des hérauts d'armes.

TABARINADE [tabaʀinad] n. f. — 1923 ; *tabarinage,* 1717 ; de *Tabarin,* surnom d'un banquiste français (A. Girard, 1584-1633).

♦ Vx. Grosse farce.

TABASKI [tabaski] n. f. — xxᵉ ; mot arabe.

♦ En Afrique, Fête musulmane du mouton, nouvel an islamique, correspondant à la commémoration du sacrifice d'Abraham. *La Tabaski est célébrée cinquante jours après la fin du Ramadan.*
Or, le plus souvent, elles avaient besoin du bijou pour une date fixe, soit pour la fête du Ramadan, soit pour la Tabaski ou pour toute autre cérémonie de famille ou de danse. Camara LAYE, l'Enfant noir, *in* Littératures de langue franç. hors de France, p. 110.

TABASSAGE [tabasaʒ] n. m. — 1937 ; de *tabasser.*

♦ Fam. [a] Action de tabasser ; correction, volée de coups. *S'il se fait prendre, il aura droit à un tabassage en règle.*
C'était une dénonciation violente de la C.F.T., le syndicat jaune, dont les hommes de main venaient encore de s'illustrer par un tabassage de militants à la porte de Javel. Robert LINHART, l'Établi, p. 71.

[b] Action de se tabasser ; rixe, bagarre. *Il y a eu un tabassage entre deux gars à la sortie du bal à propos d'une fille.*

TABASSE [tabas] n. f. — xxᵉ ; du rad. de *tabasser.*

♦ Techn. (pêche). Mode de pêche en rivière consistant à frapper l'eau ou les herbiers pour rabattre le poisson vers les filets.

TABASSÉE [tabase] n. f. — Mil. xxᵉ ; de *tabasser.*

♦ **1.** Fam. Bagarre ; raclée. ⇒ 2. **Tabac.** *Il a reçu une de ces tabassées !*
Dans une tabassée, tu comprends, c'est le plus vache qui gagne.
R. DORGELÈS, Tout est à vendre, p. 280.

♦ **2.** Mar. Coup de tabac. ⇒ 2. **Tabac.**
Conor O'Brien a parcouru les trois océans par le sud, cap Horn inclus, sans rencon-

trer dit-il, du vrai mauvais temps, mais qu'en revanche, il a récolté la plus grosse tabassée de sa carrière dans les parages du 32e parallèle (...)
Bernard MOITESSIER, Cap Horn à la voile, p. 249.

TABASSER [tabase] v. tr. — 1918, très antérieur dans les dialectes; d'un rad. *tabb-*, idée de «frapper», dont les dérivés sont attestés en moyen français (*tabut* «bruit, tumulte», v. 1400) et depuis le XIIIe, dans de nombreux dialectes surtout franco-provençaux et occitans. Cf. notamment *tabuster* «battre, frapper», 1410; *tabastar* (Limousin) «taper, secouer» (d'où *tabastel* «crécelle», 1355); cette série s'est probablt croisée avec 1. *tabac* (sémantisme du «coup sur le nez», pour la prise) pour donner 2. *tabac*.

♦ Fam. Battre, rouer de coups, passer à tabac. *Tabasse-le* (→ Finish, cit. 1). *Elle s'est fait tabasser.*

1 Je me demandai même pendant un petit instant si on n'allait pas se provoquer, se tabasser, mais on n'avait pas la place d'abord pour se battre, à quatre comme on était dans le taxi.
CÉLINE, Voyage au bout de la nuit, p. 442.

2 Il boira du punch au lieu d'acheter de l'essence et tabassera sa famille.
Claude COURCHAY, La vie finira bien par commencer, p. 140.

Pron. *Se tabasser avec qqn.* — (Récipr.). *Ils se sont tabassés comme des furieux.*

3 Lambert se laissa entraîner, mais en traversant la cour il dit d'un air sombre : «Tu n'aurais pas dû m'empêcher, je lui aurais donné une sale leçon. Je sais cogner, tu sais...
— Tu ne vas tout de même pas me faire la tête parce que je t'ai empêché de te tabasser avec Vincent? dit Henri gentiment.
S. DE BEAUVOIR, les Mandarins, p. 271.

DÉR. **Tabassage, tabassée.** — (Du rad. *tab-*) V. 2. **Tabac.**

TABATIER, IÈRE [tabatje, jɛʀ] n. — 1872; *tabatière*, n. f., «fille d'un marchand de tabac», v. 1720; de *tabac*.

♦ Techn. Ouvrier, ouvrière d'une fabrique de tabac.

TABATIÈRE [tabatjɛʀ] n. f. — 1666; *tabaquière*, 1650; de *tabac*.

♦ **1.** Petite boîte à couvercle dans laquelle on mettait le tabac à priser, et qu'on emportait dans sa poche (→ 1. Blague). «*J'ai du bon tabac dans ma tabatière*» (→ Nez, cit. 18). *Il prisait dans une tabatière d'or* (→ Harmonie, cit. 35). *Les tabatières anciennes sont aujourd'hui des objets de collection* (→ aussi Bric-à-brac, cit. 1).

♦ **2.** (1859, *in* D.D.L.). Lucarne de comble dont le battant pivote autour d'une charnière horizontale fixée à sa partie haute. *Fenêtre, châssis à tabatière.*

(...) ce cabinet, mansardé, troué en haut d'une fenêtre à tabatière, qui s'entrebâillait étroitement sur le ciel, avait à peine six mètres carrés.
ZOLA, Thérèse Raquin, VI.

Châssis vitré d'une telle lucarne. *Une tabatière s'ouvrait sur un carré* (cit. 4) *de ciel.*

♦ **3.** (1872). Anat. *Tabatière anatomique* : dépression de la partie postéro-latérale du poignet, formée par la saillie des tendons des muscles extenseurs long et court du pouce, lorsque ces derniers se contractent (on déposait les poudres à priser dans cette dépression).

1. TABELLAIRE [tabelɛʀ; tabɛllɛʀ] adj. — 1828; de *tabelle* (vx), lat. *tabella* «tablette».

♦ Typogr. *Impression tabellaire,* qui se faisait avec des planches gravées, avant l'invention des caractères mobiles.

2. TABELLAIRE [tabelɛʀ; tabɛllɛʀ] adj. — 1842; lat. *tabellarius,* de *tabella* «tablette».

♦ Hist. *Lois tabellaires* : lois romaines ordonnant le vote par écrit dans les comices.

TABELLE [tabɛl] n. f. — 1726, *in* Pierrehumbert (à Neuchâtel); «mémoire contenant un compte», 1688; lat. *tabella* «petite planche», de *tabula*.

♦ Régional (Suisse). Tableau, liste. ⇒ **Table.**

Le pharmacien recommande le système de la tabelle qui permet de calculer au fur et à mesure la quantité de calories absorbées.
Feuille d'Avis de Neuchâtel, 10 juin 1976.

TABELLION [tabeljɔ̃] n. m. — 1260, «notaire subalterne»; lat. jurid. *tabellio,* proprt «qui écrit sur des tablettes», du lat. class. *tabella* «tablette».

♦ **1.** Vx. Officier qui délivrait les grosses des actes reçus en minutes par les notaires. ⇒ **Garde-notes.** Officier public qui remplissait les fonctions de notaire* dans les juridictions subalternes (→ Matois, cit. 1).

Le tabellion, car il se nommait lui-même le tabellion, garde-notes, petit notaire, en se mettant par la raillerie au-dessus de son état (...)
BALZAC, les Paysans, Pl., t. VIII, p. 227.

♦ **2.** (Av. 1870). Par plais., littér., péj. Notaire.

TABERNACLE [tabɛʀnakl] n. m. — 1120; lat. *tabernaculum* «tente».

♦ **1.** Relig. Tente des Juifs de l'antiquité. — (V. 1170). *Fête des tabernacles,* célébrée après la moisson sous des abris de feuillage. (V. 1170). Spécialt. Tente où étaient enfermés l'Arche d'alliance et les objets sacrés, avant la construction du temple (→ Croître, cit. 1).

♦ **2.** (V. 1155). Petite armoire fermant à clé, souvent en forme de chapelle, qui occupe le milieu de l'autel d'une église catholique et contient le ciboire*. *Tabernacles étincelants d'or* (→ Cierge, cit. 3).

1 Sur le maître-autel, entre quatre chandeliers de bois, brillait le tabernacle. Il était entr'ouvert. Dedans on voyait le calice encore recouvert d'un bout de carton rouge et un petit paquet d'hosties.
H. BOSCO, Hyacinthe, p. 217.

2 Presque énervée à le voir demeurer inébranlable, les jambes écartées, son pourpoint se prolongeant en une étrange bourse entre les cuisses, je me mis à gravir les marches de l'autel; sans le quitter du regard, j'introduisis la clé dans la serrure du tabernacle, j'ouvris; mais là-bas dans la pénombre, il restait figé dans sa position. J'avançai mon bras nu vers l'intérieur capitonné de soie du tabernacle et de ma main gantée je touchai le pied du vase sacré : soulevant le calice d'une main, je le sortis de son retrait, et tâtonnant de l'autre, je découvris sous mes doigts le ressort secret indiqué par von A (...)
P. KLOSSOWSKI, la Révocation de l'Édit de Nantes, p. 16.

♦ **3.** (V. 1160). Fig. Lieu sacré. «*Dans la pénombre se dressait le tabernacle de la bibliothèque*» (Gide, *in* G. L. L. F.).

♦ **4.** (V. 1673). Mar., ancienn. Plate-forme surélevée à l'arrière d'une galère, où se tenait le capitaine.

♦ **5.** (1842). Techn. Espace libre maçonné autour d'un robinet souterrain.

TABES ou **TABÈS** [tabɛs] n. m. — 1874, repris à l'all.; lat. *tabes dorsalis* (1827), de *tabes* «écoulement», fig. «langueur, consomption», 1520.

♦ Méd. Forme tardive nerveuse de syphilis par atteinte dégénérative des cordons postérieurs de la moelle épinière et des racines nerveuses rachidiennes qui en émergent, caractérisée par une hypotonie et une incoordination des mouvements (ataxie* locomotrice), de violentes douleurs (gastriques, vésicales, intestinales ou oculaires) et des troubles trophiques cutanés, articulaires ou osseux. ⇒ **Paralysie** (générale). → Moxa, cit.

DÉR. **Tabétique.**

TABESCENCE [tabesɑ̃s] n. f. — 1905; du lat. *tabescere* «se dissoudre», même rad. que *tabes*.

♦ Méd., rare. Amaigrissement morbide, consomption, langueur.

TABÉTIQUE [tabetik] adj. — 1880; «relatif à la phtisie», 1878; de *tabès*.

♦ Méd. Qui appartient au tabès. *Démarche tabétique.* — N. Malade atteint du tabès. *Un, une tabétique.*

TABI [tabi] n. m. — 1904; mot arabe, proprt «celui qui suit».

♦ Didact. Rapporteur de la tradition islamique, après les compagnons de Mahomet.

HOM. **Tabis.**

TABIDE [tabid] adj. — 1550; lat. *tabidus,* de *tabes.* → Tabes.

♦ **1.** Méd., vx. Extrêmement affaibli par la maladie.

♦ **2.** (Déb. XVIIIe). Littér., rare. Sans volonté, sans force morale.

TABIS [tabi] n. m. — Fin XIVe, *atabis;* lat. médiéval *attabi;* arabe *ɛāttābĭyy, -ī,* «étoffe de soie» ainsi nommée d'après un quartier de Bagdad.

♦ Ancienn. Étoffe de soie à grain fin, ondée sous le cylindre comme la moire*. *Reliures* (cit. 2) *doublées de tabis ou de moire.*

DÉR. **Tabiser.**
HOM. **Tabi.**

TABISER [tabize] v. tr. — 1680; de *tabis.*

♦ Techn., vx. Donner la façon finement ondée du tabis à (un tissu). *Tabiser de la moire.* — Au p. p. (1690). *Moire tabisée,* à ondes plus fines, moins visibles que celles de la moire ordinaire.

TABLA											122											TABLE

TABLA [tabla] n. m. — Mil xxᵉ (1975, in Larousse); mot hindi.

♦ Instrument de musique indienne, petites timbales dont on joue sans mailloches, avec la main. *Concert de sitar avec accompagnement de tabla. Jouer du tabla. Des tablas.*

TABLAR ou **TABLARD** [tablaʀ] n. m. — 1487, *tabla*; mot franco-provençal; du lat. médiéval *tabulare*.

♦ Régional (Suisse). Rayon, tablette disposée horizontalement pour y placer des objets.

1   Il y a du beurre sur l'évier, le pain est dans le buffet, et la confiture sur le troisième tablard.
S. CHEVALLIER, Rêve à ciel ouvert, p. 82.

2   Aux murs, les becs-de-lance étagés en flûte de Pan rutilaient comme un râtelier d'armes menaçantes, et sur les tables et les tablards en cristal gisaient, bien ordonnées, des armes plus petites (...)
B. CENDRARS, Moravagine, in Œ. compl., t. II, p. 71.

TABLATURE [tablatyʀ] n. f. — 1596; *tabulature*, 1529; du lat. médiéval *tabulatura*; de *tabula*, francisé d'après *table*.

♦ **1.** Mus. Figuration graphique d'une pièce instrumentale qui utilise, au lieu de portées, une représentation schématisée de l'instrument. *Pièces anciennes pour le luth écrites en tablature. Tablature alphabétique* (lettres), *chiffrée.*

1   (...) nous définirons la *tablature* comme une représentation des sons musicaux propre à tel instrument ou à telle catégorie d'instruments.
Armand MACHABEY, la Notation musicale, p. 82.

♦ **2.** (Fin xviᵉ). Fig., vx. Leçon, enseignement. — Loc., vx. *Donner tablature* (Corneille, *le Menteur*, v. 30) : enseigner. *Donner de la tablature (pour...)* : en remontrer. *Entendre la tablature* (Regnard) : être rusé, habile.

♦ **3.** (1669). Mod. Littér. et rare. *Donner de la tablature à qqn*, de l'embarras, des difficultés.

2   (...) homme décoré, dans qui le Croizeau voulut voir un rival et à qui plus tard il dit : — *Môsieur, vous m'avez donné bien de la tablature!* Ce mot doit vous faire entrevoir le personnage. BALZAC, Un homme d'affaires, Pl., t. VI, p. 813.

3   (...) cette rébellion des éléments inférieurs va nous donner de la tablature.
GIDE, Robert ou l'Intérêt général, III, I, 6.

TABLE [tabl] n. f. — V. 1050, saint Alexis; var. *taule* (→ Tôle); du lat. *tabula* «planche, table de jeu, tablette...», qui a remplacé, dans le lat. pop. de la Gaule, le lat. class. *mensa* «table». → Moise.

★ **I.** Objet formé essentiellement d'une surface plane horizontale, généralement supportée par un pied, des pieds, sur lequel on peut poser des objets.

♦ **1.** D'abord en parlant des planches, *tabulæ*, dressées sur des tréteaux pour recevoir les mets; au moyen âge, *mettre les tables* s'employait «même quand on (posait) les nappes sur l'herbe» (Foulet). Surface plane dressée à une hauteur convenable pour recevoir tout ce qui est nécessaire aux repas (mets, récipients, ustensiles); spécialt, de nos jours, meuble construit pour cet usage (→ ci-dessous, 2.). *Pour table, un plateau de cuivre...* (→ Servir, cit. 25). — *Dresser*, *mettre *la table* : disposer, mettre sur la table tout ce qu'il faut pour manger (→ Agape, cit. 2; guérir, cit. 4). — *La table desservie* (→ Grâce, cit. 58). ⇒ **Desservir.** *Disposer un couvert* (cit. 15), *servir un plat, un fricot* (cit. 2) *sur la table* (→ ci-dessus, spécialt. *Le coude sur la table, à la table* (→ Prismatique, cit. 1). — Vx. *Mettre sur table* : servir. — Loc. fam. *Être ivre* à tomber, à rouler sous la table. Tomber, s'endormir sous la table* (→ Force, cit. 4; haine, cit. 7).

1   Comme la salle à manger était trop petite, le maître d'hôtel avait dressé la table dans le salon, une table où tenaient vingt-cinq couverts, un peu serrés.
ZOLA, Nana, IV.

2   La table est mise simple et gaie avec des choses
Pures comme un silence de cierges présents (...)
Léon-Paul FARGUE, Pour la musique, «Dimanches».

2.1   Au milieu de la pièce, une table richement servie avec une nappe en dentelle, des compotiers de fruits et de gâteaux, du champagne en carafes, et des fleurs, des amoncellements de fleurs. Autour de la table, trois couverts.
M. LEBLANC, l'Aiguille creuse, p. 224.

2.2   (...) une grande table de bois ordinaire au plateau recouvert d'une feuille de zinc (ou de plomb?) rabattue sur les côtés et clouée par-dessous, comme celles qui servent dans les réfectoires des collèges ou de ces institutions charitables où se pratique l'échange des nourritures terrestres (fournies par l'institution) contre les valeurs spirituelles (...) Claude SIMON, le Palace, p. 10.

... DE TABLE : qui sert au repas, qui se met sur la table. *Ustensiles de table* (argenterie*, vaisselle*; couteaux, cuillers, fourchettes, porte-couteaux; assiettes, verres...). ⇒ **Nappe, serviette, sous-nappe.** *Chemin* de table. Surtout* de table. Service** (cit. 9) *de table. Tapis, jeté de table.*

(1587). Spécialt. Au restaurant* (→ Hôtel, cit. 16). *Retenir* (cit. 2) *une table de tant de couverts. Table retenue* (cit. 27), *réservée. Convier, inviter qqn à sa table.* ⇒ 2. **Assiette** (2. b), **couvert** (II.). *Places face à face, vis-à-vis ou côte à côte.*

2.3   La plupart des tables étaient occupées et on entendait un murmure soutenu de conversations qu'accompagnaient un bruit de fourchettes et des chocs de verres.

Le maître d'hôtel regardait autour de lui, s'approchait d'une table plus petite que les autres, coincée contre le tambour de la porte.
Trois autres tables étaient libres mais, si le commissaire en avait parlé, on lui aurait probablement répondu qu'elles étaient réservées, ce qui était fort possible.
G. SIMENON, Maigret chez le ministre, p. 129.

Loc. *Table d'hôte.* ⇒ **Hôte** (cit. 6 et *supra*).
Le haut bout*, le bas bout* de la table. — *Table ronde*, imaginée, selon la tradition, pour éviter les querelles de préséance entre chevaliers. — Hist. littér. *Les chevaliers de la Table ronde*, compagnons du roi Arthur, dans le cycle breton. ⇒ **Cycle** (cit. 6). *Romans de la Table ronde* (→ ci-dessous, 2., pour les sens métaphoriques).

(1549). Table où l'on prend un repas. *Les gens de maison qui font le service de la table, qui servent à table.* ⇒ **Service** (cit. 6); **servir.** — (Dans des loc., sans déterminant). Vx. *Tenir table* : rester longtemps à manger. — Mod. À **TABLE.** *Aller, s'asseoir, se mettre à table* : s'attabler* pour manger, pour prendre le repas (→ 2. Dîner, cit. 2; goût, cit. 8; hôte, cit. 6). *À table! :* mettez-vous, mettons-nous à table. Passons à table. Rester longtemps à table. Bien se tenir à table : s'y comporter selon les usages. Loc. prov. Il se tient mieux à table qu'à cheval :* c'est un goinfre*, il ne pense qu'à manger.

2.4   Ce n'est pas une calomnie de montrer le roi et la reine goinfrant, se soûlant, titubant pendant que le peuple crève de faim; car même si on se tient bien à table, manger à sa faim en temps de disette c'est bâfrer.
S. DE BEAUVOIR, Tout compte fait, p. 220.

À table : pendant les repas. *Être à table*, en train de manger (→ 1. Bien, cit. 12). *Être treize à table* (→ Malencontre, cit. 2). — *Le ventre à table :* confortablement installé (→ Pantoufle, cit. 6). Prov. *Le dos* au feu, le ventre à table.*

3   Les coups de pied continuèrent le lendemain, à table. Au-dessus de la table, l'oncle ne recevait que des sourires. Au-dessous se menait une guerre sournoise.
COCTEAU, les Enfants terribles, p. 82.

... DE TABLE. *Voisin de table. Propos*, chansons de table. Raisins de table*, destinés à être mangés (et non à être pressés pour donner du vin). *Bière, vin de table*, de qualité courante. *Eau de table.* — *Se lever de table* (→ 1. Maigre, cit. 12), *sortir de table* (→ Obèse, cit. 1).

(1845). Loc. fig., fam. *Se mettre à table :* avouer (II., 3.), dire ce qu'on a sur la conscience. ⇒ **Parler** (1. Parler, *supra* cit. 23). *Ses complices se sont mis à table et l'ont dénoncé*.*

4   Ulysse et Diomède ramènent un prisonnier, Dolon, qui n'est sans doute pas héroïque, puisque, interrogé, il se met tout de suite à table et donne tous les renseignements qu'on pense à lui demander.
G. DUHAMEL, Refuges de la lecture, I.

La table de qqn : les repas qu'il donne, auxquels il invite. *Inviter, recevoir qqn à sa table* (→ Minaudier, cit. 3). *Les miettes* (cit. 4 et 8) *de la table du riche.* — *Revenus affectés à la table de l'évêque* (⇒ **Mense**). — Anciennt. *Les tables du souverain, des grands* (table des maîtres, des valets...).

5   Ô vous qui l'imitez, Olympe, si ma Muse
A quelquefois pris place à la table des dieux,
Sur ces dons aujourd'hui daignez porter les yeux,
LA FONTAINE, Fables, «À Madame de Montespan».

Loc. vieillie. *Tenir table* (→ Étaler, cit. 30), *tenir table ouverte* (→ Baller, cit. 2; opulence, cit. 2) : inviter tous ses amis, lorsqu'ils se présentent. *«Un grand qui tient table deux fois par jour»* (La Bruyère, *les Caractères*, XII).
Par ext. *La table :* la nourriture que l'on prend à table. *Le logement, le gîte et la table.* — *Plaisir de la table* (→ Associer, cit. 24). ⇒ aussi **Gastronomie.** *Les gens que la table a ruinés* (→ Gueule, cit. 14). *Bonne table.* ⇒ **Chère** (2.).

6   C'était réellement une chose curieuse de trouver dans une maison seule et isolée au fond de la campagne une table fournie en poissons de mer et d'eau douce, en gibier excellent, en vins fins, servie avec des attentions et ces soins qu'on ne trouve que chez les grands et les riches, et tout cela pour vos trente-cinq sols.
ROUSSEAU, les Confessions, VI.

Par métonymie. Ceux qui prennent leur repas, qui sont à table. ⇒ **Tablée** (→ Étoffe, cit. 3). *Une table muette* (→ Coudoyer, cit. 1), *gaie...* (→ Polissonner, cit.). *Table de famille* (→ Couronne, cit. 16). *Présider la table.*

7   (...) Barnier avait répondu avec une telle violence et des brutalités si vives, que toute la table le laissait faire et ne lui parlait presque plus.
Ed. et J. DE GONCOURT, Sœur Philomène, XLII.

8   Ô repas familiaux, réunions biquotidiennes que l'on ne peut écourter! Tables de famille! Tables de contradiction, de jalousie, d'humiliation et de rancune (...)
Philippe HÉRIAT, les Enfants gâtés, II, 3.

Disposition des convives à table; ordonnance d'une tablée.

9   — ... Non; retéléphone-lui que nous n'irons pas.
— C'est impossible; nous démolirions toute sa table.
A. MAUROIS, Bernard Quesnay, XIX.

♦ **2.** (xiiiᵉ, *taule*). Meuble formé d'une surface plane supportée par des pieds, et servant à divers usages (⇒ **Support**). → Esprit, cit. 111. *«Sera-t-il dieu, table ou cuvette?»* (→ Bloc, cit. 1, La Fontaine, à propos d'un bloc de marbre). *Table carrée, rectangulaire, ronde, ovale... Une longue table couverte en toile cirée.* → 2. Style, cit. 1. *Table de bois* (→ Café, cit. 7), *de marbre, de métal. Plateau, pieds d'une table. Table basse, haute. Types de tables.* ⇒ **Buffet, bureau, console, crédence, desserte, guéridon** (cit. 1), **ser-**

TABLE   123   TABLE

vante (vx). *Table applique, table console. Angle, coin de table.*
⇒ **Carne.** *Table à manger* (→ Dépouiller, cit. 8). *Table de salle à manger, de cuisine* (→ Bâiller, cit. 9), *de réfectoire* (cit. 1). → ci-dessus, 1. *Table de salon* (→ Goulot, cit. 3). — *S'appuyer contre, sur une table. Poser qqch. sur la table. Renverser une table. Mettre le poing* (cit. 7), *taper du poing sur la table.* — Loc. fig. *Passer de l'argent sous la table,* en secret. *Dessous** (*infra* cit. 16) *de table.* — *Tables de cabaret, de café* (→ On, cit. 53). *Table de jardin, en rotin, en métal, en bois* (→ Écuelle, cit. 3). — Vx. *Table volante,* légère et transportable. — *Table pliante, à abattants,* ou *à pieds pliants. Table portefeuille. Tables gigognes*. Table à glissière, à tirette, à allonges, à rallonges* (cit. 3), *à tiroir. Table roulante. Table ancienne, de style. Table Louis XVI* (→ Gaine, cit. 13), *rocaille* (cit. 2)... *Vieille table boiteuse.*

10   (...) la table ronde dont on abat les pans, qui reste au milieu et qui a l'air, lorsqu'on est absent, de la maîtresse de la maison.   Ch.-L. PHILIPPE, *Père Perdrix,* I, I.

11   C'était une table de fer ronde, peinte en vert, avec un trou au milieu pour le manche du parasol, elle était tavelée de brun par endroits comme une poire (...)
                                                                SARTRE, *le Sursis,* p. 74.

Spécialt, mar. *Table à roulis,* percée d'emplacements pour mainte-nir les ustensiles en place (⇒ **Violon**). *Table montée sur cardan.* — *Table de télévision,* qui supporte l'appareil. — *Table à écrire* (→ Huche, cit. 1), *table de travail* (→ Besogne, cit. 10 ; instrument, cit. 16). ⇒ **Bureau.** — *Tables d'école.* ⇒ **Pupitre.** — *Table à dessin*. Table d'architecte.* — *Être (assis) à sa table, à sa table de travail.*

12   Au milieu de la pièce, la table de travail, une grande table ronde au tapis vert, et où l'écrivain trempe sa plume dans un encrier (...)
                                Ed. et J. DE GONCOURT, *Journal,* 29 oct. 1863, t. II, p. 125.

13   D'autres fois, il écrivait, debout, à une table d'architecte qu'il préférait à son bureau, — table composée simplement d'une large planche en bois blanc placée sur deux tréteaux.   Paul BOURGET, *le Disciple,* IV, I.

Table de jeu, table à jouer. → Jeu, cit. 38 ; jouer, cit. 31. *Table de bridge,* légère, à pieds pliants, recouverte de drap vert (→ aussi 3. Mort, cit. 18). *Table de bouillotte** (ou *table-bouillotte*). Loc. fig. *Mettre cartes sur table, jouer cartes sur table :* ne rien dissimu-ler*, être franc.

14   Le bonhomme avait trouvé à Troyes des consoles dorées (...) une table à jouer en marqueterie (...)   BALZAC, *Une ténébreuse affaire,* Pl., t. VII, p. 492.

Par métonymie, par métaphore. Partie d'un jeu ; ensemble de per-sonnes qui jouent. *Quitter la table :* abandonner le jeu, la partie (→ Invoquer, cit. 9). *Table de...* (suivi du nom d'un jeu) : partie de ce jeu, personnes qui y jouent. *Deux tables de boston* (cit. ; → aussi Poker, cit. 2).

Table de ping-pong* (cit.), constituée d'un plateau de bois de dimensions et de disposition réglementaires, supporté par un piéte-ment approprié. *Tennis de table* (calque de l'anglais) : le ping-pong. — *Table de billard.* ⇒ **Billard.**

Table à repasser : planche de forme spéciale, munie d'une jean-nette et montée sur pieds pliants, servant à repasser le linge. — *Table de menuisier* (⇒ **Établi**), *de boucher* (⇒ **Étal**), *de commer-çant* (⇒ **Comptoir**).

Techn. *Table à couler* (de confiseur), *à broyer les couleurs* (de pein-tre), *à impression* (de fabricant de papiers peints). Spécialt. Établi sur lequel on étame les glaces. Appareil où s'effectue le lavage des minerais, après broyage. — *Table de montage*.*

Table d'autopsie (cit. 4), *de dissection* (cit. 2), *d'opération* (→ Opé-rer, cit. 5). ⇒ **Billard** (fam.).

Inform. *Table traçante :* unité de sortie d'un ordinateur qui donne le tracé des courbes d'une ou de plusieurs variables en fonction d'une ou de plusieurs autres variables. *Table à numériser.* ⇒ **Tablette** (graphique).

(1854, de Gasparin ; *Des tables tournantes, du surnaturel...*). Loc. **TABLE TOURNANTE** : table à trois pieds, guéridon, dont les mouve-ments (rotation, soulèvement des pieds) sont censés transmettre un message des esprits (→ Entretenir, cit. 38). *Faire tourner les tables.*

15   Ils m'ont dit de ne pas croire au miracle, si les tables tournent c'est que quelqu'un les pousse du pied.   ARAGON, *le Paysan de Paris,* p. 217.

16   Enfin, pour faire plaisir à la visiteuse, Hugo vint. Aussitôt la table craqua, tres-saillit, se mit en mouvement. « Y a-t-il quelqu'un ? » demanda Mᵐᵉ de Girardin. Un coup. «Oui. — Qui es-tu ?» La table répondit : *Léopoldine.*
                                                A. MAUROIS, *Olympio,* VIII, IV.

1955 ; d'après l'angl. *round table (conference).* Loc. Fig. **TABLE RONDE** : réunion, caractérisée par le principe d'égalité entre partici-pants à l'image de la table ronde autour de laquelle peuvent s'asseoir les convives, sans hiérarchie ni préséance, pour discuter de questions d'intérêt commun, généralement litigieuses, d'ordre inter-national (⇒ **Conférence, congrès**), politique (⇒ **Assemblée, congrès, meeting, réunion**), scientifique, professionnel, syndical, etc. ⇒ **Car-refour, colloque, congrès, journée** (d'étude), **panel, séance** (de tra-vail), **séminaire, symposium** (→ Politicien, cit. 5). *La Conférence (internationale) de la Table ronde de 1956. Organiser une table ronde sur un problème. Parler, participer, aller à une table ronde.*

17   Il se forme de temps en temps parmi nous des espèces de diètes générales sous le nom de congrès (...) où l'on délibère en commun si la table sera ronde ou carrée (...)   ROUSSEAU, *Politique, Projet de paix perpétuelle.*

18   (...) l'idée d'une table ronde où se rencontreront à froid les représentants de toutes

les tendances, depuis les milieux de la colonisation jusqu'aux nationalistes arabes, me paraît toujours valable.   CAMUS, *Actuelles III,* p. 137.

Anc. dr. *Table de marbre** (*infra* cit. 4).

◆ **3.** Par ext. Objet mobilier d'usage domestique comprenant, outre un support plat, différentes parties (tiroirs, coffre, tablettes) et pou-vant constituer un meuble fermé.

(1717, selon Voltaire). **TABLE DE NUIT** ; (1913, *in* D.D.L.) **TABLE DE CHEVET** : petit meuble comprenant généralement un emplacement fermé où l'on range les objets nécessaires pour la nuit et que l'on place au chevet du lit. *Tiroir, porte d'une table de nuit.* — (1824, *in* D.D.L.). **TABLE À OUVRAGE** : travailleuse, tricoteuse. — **TABLE DE TOILETTE,** comportant un emplacement pour une cuvette et un pot, surmontée d'une glace, de tablettes. — Rare. **TABLE-LAVABO** (→ Lavabo, cit. 2). — **TABLE-ÉVIER** : bloc sanitaire comportant un évier et un égouttoir. — **TABLE DE CUISSON** : plaque servant de sup-port pour les brûleurs à gaz ou les plaques électriques, encastrée indépendamment du four dans un bloc-cuisson.

(1902, *in* D.D.L.). Rare. **TABLE À COIFFER.** ⇒ **Coiffeuse.**

19   (...) ses yeux se fixèrent longuement sur une table à ouvrage entr'ouverte et qui laissait voir des bobines alignées, une tapisserie, des lettres relues, un mouchoir chiffonné, le désordre sans apprêt de la solitude.
                        J. CHARDONNE, *les Destinées sentimentales,* p. 324.

◆ **4.** (V. 1160). Surface plane à hauteur d'homme. *Table de pierre* (cit. 23) : monument mégalithique plat (dolmen...). — (1901, *in* D.D.L.). **TABLE D'ORIENTATION** : table circulaire de pierre, de ciment, sur laquelle sont figurés les directions des points cardinaux et les principaux accidents topographiques visibles du lieu où elle se trouve (ainsi que des directions repères).

Relig. *Table de sacrifice, d'holocaustes.* ⇒ **Autel.** — Relig. chrét. Par-tie supérieure de l'autel. *La table* (mensa) *et le support* (stipes) *sont consacrés en même temps. Pierre sacrée enchâssée dans la table.* Par ext. *La Sainte Table :* l'autel. — Abusivt. *Table de communion, table sainte :* appui de la clôture du chœur, où les fidèles reçoivent la communion (→ Compagnie, cit. 4 ; paroissien, cit. 1). *S'appro-cher de la Sainte Table :* communier.

20   Le jeune homme se confessait donc de moins en moins, et seulement s'il voulait s'approcher de la Sainte Table, ce dont d'ailleurs il se privait par mortification.
                                        ARAGON, *les Beaux Quartiers,* I, XI.

★ **II.** (1431). A. ◆ **1.** Surface plane. ⇒ **Lame, planche, plaque, pla-teau, tableau** (II.), **tablette, tablier** (I.). *Table d'échecs, de dames.* ⇒ **Abaque** (anciennt), **damier, échiquier.** — Techn. *Plomb, ardoise, marbre en table.* — *Diamant en table,* taillé de façon à présenter une facette horizontale supérieure ; facette la plus grande d'un dia-mant ainsi taillé. — *Table de machine-outil* (⇒ **Banc,** II.). *Table de foyer. Table de roulement :* surface de roulement d'un rail. *Table élévatrice.*

Partie plane de l'enclume* ; plaque de métal qui la recouvre. — Plateau de fonte sur lequel se fait la coulée du verre. — Surface plane sur laquelle on coule le plomb. — Claie sur laquelle on place les vers à soie.

TABLE SALANTE : partie d'un bassin où se dépose le sel, dans les marais salants des rives de la Méditerranée.

◆ **2.** Archit. Plan vertical que forme un panneau en saillie. ⇒ **Enta-blement** (et ci-dessous, III., *table d'attente*).

◆ **3.** (1611). Mus. Partie plane ou légèrement incurvée d'un instru-ment de musique sur laquelle les cordes sont tendues (→ Âme, cit. 83 ; évidemment, cit. 1). *Table d'harmonie* ou simplement *table,* sur laquelle repose le chevalet. *Table de dessous* (⇒ **Fond,** cit. 36). *La table et le fond sont réunis par des éclisses. Voûte, galbe de la table. Ouïes percées dans la table. Table d'un luth* (cit. 1), *d'un violon.* — *Table d'harmonie, de résonance d'un piano.*

◆ **4.** Tableau. *Table interurbaine d'un standard.* — Par ext. *Table d'écoute :* poste d'écoute qui permet d'entendre les communications téléphoniques à l'insu des usagers.

21   Avez-vous jamais songé à utiliser le service des tables d'écoute ?
                        J. ROMAINS, *les Hommes de bonne volonté,* t. XI, XIV, p. 133.

◆ **5.** Astronaut. *Table de lancement :* «dispositif assurant le support et le maintien d'un véhicule spatial et permettant un décollage ver-tical ou voisin de la verticale» (*Journ. off.*).

◆ **6.** Techn. *Table de lecture :* platine* tourne-disque d'une chaîne hi-fi.

B. (Formes naturelles). ◆ **1.** Surface plane naturelle. *Table de roc* (→ Denteler, cit. 1). *Table calcaire* (→ Falun, cit. 1), *glaciaire.* ⇒ **Tabulaire** (2.).

Géogr. Sommet* plat, aplati. *La montagne de la Table,* dominant Le Cap.

◆ **2.** (XIVᵉ, Lanfranc). Anat. Lames de tissu compact qui revêtent l'extérieur (*table externe*) et l'intérieur (*table interne*) des os du crâne (→ Diploé, cit. 1).

Table d'usure d'une dent : sa surface opposée à la racine.

★ **III.** (1190, «tablettes»). ◆ **1.** (Dans quelques emplois). Surface

TABLEAU   124   TABLEAU

plane sur laquelle on peut écrire, graver. *Table d'attente** (*infra* cit. 17). ⇒ **Blason.**

(1314). Loc. TABLE RASE. ⇒ **Ras** (3. Ras, cit. 3 à 6). *Faire table rase des anciennes institutions* (⇒ **Abolir, démolir**), *du passé,* les considérer comme inexistantes, nulles.

Mar., vx. *Table de loch :* ardoise où l'on inscrivait les indications concernant la navigation (loch, route, dérive...). Cf. Livre de bord.

TABLES DE LA LOI*, DE L'ALLIANCE, remises à Moïse, et conservées par les Hébreux dans l'Arche d'alliance. ⇒ **Décalogue.** Fig. *Ce sont ses tables de la loi, son évangile.* — Archéol. *Table isiaque*. Les tables eugubines*.* — Antiq. rom. *Loi des Douze Tables :* lois publiées vers 450 av. J.-C., par les décemvirs (→ Disposition, cit. 21). *Tables de proscription*,* édictées par Sylla et les triumvirs.

22 L'art poétique est à la fois une dernière œuvre de polémique et un code littéraire. C'est la dernière des satires, et ce sont les tables de la loi.
Émile FAGUET, Études littéraires, XVIIᵉ siècle, « Boileau », IV.

Fig. (d'après les *Tables de la Loi*). Philos. Normes morales. *Tables de valeurs.*

♦ **2.** (1549 ; «registre», v. 1310). Présentation méthodique, sous forme de liste, d'un ensemble de données, d'informations (⇒ **Index, tableau**), disposé sous forme de table. ⇒ **Tabulaire** (1.). *Table alphabétique, analytique, méthodique. Table des chapitres, des matières :* dans un livre* (1. Livre, cit. 4), Énumération des chapitres, des questions traitées (dans l'ordre suivi dans le livre, ou dans un ordre logique, alphabétique...) avec renvois à la page, ou au paragraphe convenable. ⇒ **Catalogue** (des rubriques), **énumération, inventaire, répertoire ; bibliographie.** *Tables de concordance.* ⇒ **Concordance ;** → Index, cit. 6. *La table des mots vivants.* ⇒ **Liste** (→ Lexicographe, cit. 2).

Ensemble de données dont chaque article peut être identifié sans ambiguïté au moyen d'un ou plusieurs arguments (abscisse, ordonnée ; figures, symboles). ⇒ **Tableau** (III., 2.). *Table de contingence, de corrélation. Tables chronologiques, généalogiques, démographiques (table de mortalité, de natalité, de morbidité...).* — Inform. *Table de symboles :* liste de correspondance entre deux ou plusieurs ensembles de symboles.

(1690). Sc. Recueil d'informations, de données (numériques, expérimentales...), groupées de façon systématique, en vue d'une consultation aisée. *Table à double entrée. Tables astronomiques :* éphémérides, annuaire du bureau des longitudes (→ Mécanique, cit. 9 ; séculaire, cit. 3). *Tables d'intérêts, tables d'assurances. Tables de multiplication.* — Absolt, et fam. *Faire réciter sa table à un enfant.* — *Table de logarithmes** (cit.), permettant de calculer les logarithmes par la donnée de ceux d'une tranche suffisante de nombres entiers.

Log. *Table de vérité :* tableau formé de cases indiquant par *vrai* ou *faux* le résultat d'une opération logique sur des propositions selon tous les cas possibles où chacune d'elles est vraie ou fausse. *Table de décision :* table de vérité portant sur des choix. — *Table de Pythagore :* tableau donnant les composés d'une loi à l'intersection des lignes et des colonnes représentatives des composants.

Chim. *Table de constantes :* recueil de données numériques relatives aux propriétés physiques, chimiques et mécaniques des corps simples. — *Table de Mendéléev.* ⇒ **Périodique.**

Tables de tir, contenant les éléments de calcul de trajectoires, pour une bouche à feu.

Mar. *Table de point*.* — *Table de décompression** (pour les plongeurs).

(1934, in Petiot). Sports. Tableau de cotation des différentes performances athlétiques, métriques ou chronométriques, indiquant les équivalences conventionnelles en points. *La «table finlandaise» est remplacée par la «table internationale» en particulier pour les classements du pentathlon* et du décathlon*.*

Tables de Bacon : recueil systématique d'exemples concernant un phénomène ou une qualité dont on veut découvrir l'essence. *Table de présence, des degrés.*

23 Les tables de Bacon n'ont jamais servi qu'aux professeurs à montrer comment une invention (et une découverte, mais c'est toujours une invention), aurait dû être faite, *après* qu'elle avait été faite. Quant à Bacon, il n'a jamais rien inventé, que les tables pour que les autres inventent. Il n'a jamais rien découvert, que les tables pour que les autres découvrent.
Ch. PÉGUY, Note conjointe, Sur Bergson, p. 27.

DÉR. **Tablée, tabler, tabletier, tablette, tablier.**
COMP. **Attabler, entablement.** — V. **Retable.**

TABLEAU [tablo] n. m. — 1285, *tabliau* «panneau de bois, de métal... portant des inscriptions, des images» ; *tablel* «cible», v. 1280 ; de *table*.

★ **I. ♦ 1.** (1355, «toile pour peinture»). Œuvre picturale (⇒ **Peinture**) exécutée sur un support rigide et autonome (⇒ **Panneau, toile**). *Tableau de chevalet*. Tableau à plusieurs volets.* ⇒ **Diptyque, triptyque.** *Tableau sur bois, toile, carton, isorel,* etc. *Tableau peint à l'huile, à la gouache, au pastel. Enduit, encollage, couleur, glacis, repeints, vernis... d'un tableau. Champ, face peinte d'un tableau.*

Châssis de bois d'un tableau sur toile. — *Patine, crasse d'un tableau. Tableau embu* (⇒ **Emboire**). *Nettoyer, restaurer, revernir un tableau. Désentoiler, rentoiler, maroufler un tableau.* — *Faire un tableau.* ⇒ **Peindre, peintre** (→ Motif, cit. 9). *«Un tableau est un espace à émouvoir»* (→ Durée, cit. 5). *Tableaux dans un atelier* (cit. 11). *Esquisses* (cit. 1) *d'un tableau.* — *Contempler, regarder un tableau* (→ Autre, cit. 35 ; dissiper, cit. 16 ; juste, cit. 19). *Un bon tableau* (→ Élément, cit. 2). *Un mauvais tableau* (⇒ **Croûte**). — *Tableau de genre*, d'histoire** (cit. 35). *Tableau de nature** (cit. 72) *morte* (vieilli) : une nature morte. ⇒ **Paysage** (cit. 7), **portrait** (cit. 4), **vue.** *Tableaux religieux, d'église, d'autel.* ⇒ **Prédelle, retable.** *Tableau servant d'ex-voto*. Tableau d'enseigne*. Tableau décoratif, en trompe-l'œil* (⇒ aussi **Diorama, panorama ; transparent**). — *Style d'un tableau. Tableau réaliste, fantastique* (cit. 4). *Sujet*, motif** (cit. 8) *de tableau. Tableau abstrait, non figuratif* (II., 2.). — *Tableau ancien, de primitif** (II., 2.). *Tableau moderne. Tableau de maître* (→ Précieux, cit. 1), *d'anonyme. Tableau de musée* (cit. 4), *digne d'un musée*.*

Exposer ses tableaux. Marchand de tableaux. Collection, galerie, exposition de tableaux. Amateur, collectionneur de tableaux. Faire expertiser, estimer un tableau. — *Accrocher, pendre un tableau au mur, à une cimaise* (cit. 1). *Le tableau et son cadre*. Faire encadrer un tableau. Tableau sous verre* (un sous-verre). *Tableau fixé sous verre.*

Des portraits séparés, quelle que soit leur perfection, ne peuvent former un   1
tableau. Le sentiment particulier peut seul donner l'unité, et elle ne s'obtient qu'en montrant seulement ce qui mérite d'être vu.
E. DELACROIX, Journal, 22 févr. 1860 (→ aussi Fête, cit. 17).

Un tableau est une machine dont tous les systèmes sont intelligibles pour un œil   2
exercé ; où tout a sa raison d'être, si le tableau est bon ; où un ton est toujours destiné à en faire valoir un autre ; où une faute occasionnelle de dessin est quelquefois nécessaire pour ne pas sacrifier quelque chose de plus important.
BAUDELAIRE, Curiosités esthétiques, Salon de 1846, IV.

À un certain degré de luxe les gens riches achètent aussi des tableaux, parce   2.1
qu'un hôtel dont le vestibule est toujours occupé par cinq ou six valets de pied en livrée et qui comporte plusieurs salles à manger, donne une impression de luxe trop grossier s'il n'y a pas quelques tableaux. Et aussi parce que, quand les gens riches n'ont plus rien à ajouter à leur luxe, c'est assez amusant, si l'on est intelligent, d'apprendre à s'y connaître en tableaux, d'en acheter, d'en échanger et de dire au marchand qui vous les vend quand on y a amené un ami : « N'est-ce pas, celui-là, c'est moi qui l'ai déniché » (...)   PROUST, Jean Santeuil, Pl., p. 891.

Il est des tableaux immobiles comme une eau dormante, où se mirent des reflets   3
limpides et que rien ne menace de troubler. Il en est d'autres, où la caresse du pinceau crée une animation aussi discrète qu'une respiration retenue. Il en est qui craquent de toutes parts comme le sol sous la poussée irrésistible d'un séisme. Il en est qui halètent ou bouillonnent ainsi qu'un torrent emporté par son courant, brisé sur les récifs, brassé par ses tourbillons.
René HUYGHE, Dialogue avec le visible, p. 204.

(...) dans les tableaux, l'irréalité de la troisième dimension entraîne de soi l'irréalité   4
des deux autres. Ainsi la distance des personnages à mes yeux est *imaginaire.* Si j'avance, je me rapproche de la toile, non d'eux. Quand même je me mettrais le nez dessus, je les verrais toujours à vingt pas, puisque c'est à vingt pas de moi qu'ils existent une fois pour toutes.   SARTRE, Situations III, p. 296.

Les tableaux peints par les grands singes anthropoïdes, quoique résultant d'un   4.1
dressage, témoignent d'une recherche plus poussée encore vers les profondeurs du comportement esthétique, du rejet dans le rythme né de l'intersection du hasard et de la psycho-physiologie.
A. LEROI-GOURHAN, le Geste et la Parole, t. II, p. 254.

Loc. fig. (1667, *c'est une ombre au tableau*). *Il y a une ombre** (1. Ombre, cit. 14) *au tableau.* — *Le fond du tableau* (ces expressions s'emploient aussi au sens 3).

Vieilli ou fam. Représentation, image (plate). *De petits tableaux de marbre* (→ Dorique, cit. 1). — Mod. Image encadrée (lithographies, reproductions, gravures...). *Tableau de fleurs :* composition décorative de fleurs, encadrée et mise sous verre.

Et, comme ce logis plein de magnificences   5
Abondait partout en tableaux,
Et que la laine et les pinceaux
Traçaient de tous côtés chasses et paysages (...)   LA FONTAINE, Fables, VIII, 16.

Loc. fig. (1889 ; même métaphore que *trumeau**). VIEUX TABLEAU : vieille femme, vieille coquette «peinte», fardée à l'excès (→ Révérence, cit. 3). — Par ext. Terme de dérision à l'égard d'un vieillard ridicule.

TABLEAU VIVANT. Loc. (1838). [a] Groupe de personnes disposées sur la scène* de manière à reproduire ou à évoquer un tableau célèbre ; groupe de personnes immobiles (→ Figuration, cit. 2 ; maillot, cit. 4).

(XVIIIᵉ, par analogie avec la peinture). Au théâtre, Moment d'arrêt d'une scène — en général dans le drame ou le mélodrame* — créant une unité visuelle entre les attitudes des personnages et le décor. — Loc. *Faire tableau.*

Il faut écrire la pantomime toutes les fois qu'elle fait tableau ; qu'elle donne de   5.1
l'énergie ou de la clarté au discours ; qu'elle lie le dialogue ; qu'elle caractérise ; qu'elle consiste dans un jeu délicat qui ne se devine pas ; qu'elle tient lieu de réponse, et presque toujours au commencement des scènes.
DIDEROT, Discours de la poésie dramatique, XXI (1758).

(...) le tableau est une unité spatiale d'ambiance, de caractérisation d'un milieu   5.2
ou d'une «époque» ; c'est une unité thématique et non actancielle.
Patrice PAVIS, Dict. du théâtre, art. *Tableau* (1980).

[b] (Vx). Théâtre, danse. Personnages groupés et momentanément immobiles.

Vous avez sans doute, à quelque représentation extraordinaire, vu ce qu'on appelle   6

TABLEAU   125   TABLEAUTIER

des *tableaux vivants*. On choisit les plus belles actrices du théâtre, on les habille et on les pose de manière à reproduire une peinture connue (...)
                                                                                     Th. GAUTIER, Fortunio, « La toison d'or », VI.

7   De cinq en cinq minutes, le rideau s'entr'ouvrait, et ils exécutaient un *tableau*. Pour cela ils étaient montés et disposés dans des attitudes immobiles sur un large disque tournant sur planches, lequel tournait sur un pivot (...) Hommes et femmes étaient affublés de chiffons de gaze ou de mérinos fort laids de loin et fort ignobles de près. C'étaient des statues roses.   HUGO, Choses vues, II, IV, Les tableaux vivants.

7.1   (...) on pourrait croire qu'il a peint ses toiles d'après des « tableaux vivants ». En effet, si le genre du tableau vivant n'est qu'une manière de comprendre le spectacle que la vie se donne à elle-même, que nous montre ce spectacle sinon la vie se réitérant pour se ressaisir dans sa chute, comme retenant son souffle dans une appréhension instantanée de son origine ; mais la réitération de la vie par elle-même resterait désespérée sans le simulacre de l'artiste qui, à reproduire ce spectacle, arrive à se délivrer lui-même de la réitération (...)
                                                                                     P. KLOSSOWSKI, la Révocation de l'Édit de Nantes, p. 11.

♦ **2.** (XVIᵉ). Fig. Spectacle, ensemble d'images* qui évoque une représentation picturale. *La plaine « Dont le tableau changeant se déroule* (cit. 8) *à mes pieds ». Tableau idyllique* (cit. 2), *ineffaçable* (cit. 2). *La mélancolie* (cit. 14) *de ce tableau. Le tableau qui se forme dans le rêve* (cit. 5).

7.2   *Julie* n'a plus de défense (...) plus d'autre (...) que sa belle tête languissamment tournée vers son bourreau, de superbes cheveux en désordre, et des pleurs inondant le plus beau visage du monde, le plus doux (...) le plus intéressant. *Rodin* considère ce tableau, il s'en embrase (...)   SADE, Justine..., t. I, p. 107.

8   Napoléon lui-même conseille de ne pas se faire, comme il dit, de *tableaux*, c'est-à-dire de ces compositions imaginaires de circonstances, qui se construisent comme d'elles-mêmes, en illusions et en situations trop significatives.
                                                                                     VALÉRY, Variété IV, p. 119.

Fam., iron. *Vous voyez d'ici le tableau !* — Ellipt. *Il s'est étalé de tout son long en entrant dans le salon : tableau !*

TABLEAU DE CHASSE : ensemble des animaux abattus, rangés par espèces. — Fig. (d'après les sens fig. de *chasse*). *Aviateur qui a un beau tableau de chasse. Le tableau de chasse d'un Don Juan,* ses conquêtes féminines.

♦ **3.** (1612). Description* ou évocation imagée, par la parole. ⇒ **Image, peinture** (cit. 5). *récit. Composer un tableau. Tableau d'ensemble.* ⇒ **Fresque** (4.). → Instructif, cit. 3. *Tableau exhaustif* (cit. 4). *« Quel tableau Bourdaloue ne fait-il pas de l'ambition ! »* (→ Passion, cit. 16). — *Tableaux de la vie militaire* (cit. 3), *tableaux de mœurs.* ⇒ **Scène** (cit. 7, Balzac). *« La scène* (cit. 3) *est un tableau des passions humaines ».*

9   Or c'était un cochet dont notre souriceau
        Fit à sa mère le tableau
        Comme d'un animal venu de l'Amérique.   LA FONTAINE, Fables, VI, 5.

10   (...) nulle part il n'a égalé ces premières pages de descriptions, celles que nous retrouverons dans *Atala*, pour la grandeur, l'étendue, la vivacité originale des impressions, la majesté toute nouvelle des tableaux.
                                                                                     SAINTE-BEUVE, Chateaubriand..., t. I, p. 108.

Loc. fig. *Pour achever le tableau* : pour comble*.

Spécialt. Étude descriptive assez rapide. *Brosser un tableau de la situation politique. Tableau économique,* œuvre de Quesnay. *Le Tableau de Paris,* de Mercier. *Tableau historique de la poésie française,* de Sainte-Beuve (→ ci-dessous, III., cit. 15, Matoré).

♦ **4.** (1842). Subdivision d'un acte qui correspond à un changement de décor, au théâtre. *Drame, opérette... en vingt tableaux.*

★ **II. Panneau plat.**

♦ **1.** (1351, *taveliau*). Panneau destiné à recevoir une inscription, une annonce ; par ext., cadre où l'on affiche une feuille d'avis, etc. *Tableau d'affichage.*

Spécialt. Panneau où l'on affiche les résultats d'une course (d'abord t. de turf). *Tableau indicateur* (→ Hippodrome, cit. 3). — *Tableau des départs, des arrivées,* dans une gare.

(1835). **TABLEAU NOIR**, et, absolt, **TABLEAU** : panneau teinté en noir (ou en vert foncé) sur lequel on écrit à la craie dans une salle de classe (→ Formule, cit. 8 ; obstacle, cit. 6). *Écrire à la craie* sur le *tableau ; écrire au tableau. Démonstration au tableau. Aller, monter* (→ Jury, cit. 2), *passer au tableau* : se faire interroger. *Untel, au tableau !*

11   Puis il s'étudie à imiter son langage, il s'approche du tableau noir, fait des figures avec de la craie, entame une démonstration (...)
                                                                                     G. SAND, Histoire de ma vie, III, III.

♦ **2.** (1701). Mar. Partie plate de la poupe* d'un navire en bois. *Le tableau porte le nom du navire.*

♦ **3.** (XVIᵉ). Techn. Parois latérales encadrant une baie de porte* ou de fenêtre*. Partie de l'épaisseur du mur* entre la feuillure et le parement extérieur (on dit aussi *tableau de baie*).

♦ **4.** (XVIIIᵉ). Vx. À certains jeux d'argent, Surface, emplacement où l'on mise. ⇒ **Table** (étym.), **tablier.** — Loc. fig. Mod. *Jouer, miser ; gagner sur les deux tableaux, sur tous les tableaux* (→ Main, cit. 74). *Gagner* (cit. 10) *sur l'un ou l'autre tableau.*

12   La règle valait, d'ailleurs, pour d'autres circonstances :
     « Ne jamais jouer sur un seul tableau ». C'est à la fois une sagesse et une hygiène.
                                                                                     J. ROMAINS, les Hommes de bonne volonté, t. V, XVIII, p. 128.

♦ **5.** (1890). Emplacement, support plat réunissant plusieurs objets ou appareils. *Tableau des clés, des sonneries,* dans un hôtel. — Support des appareils de commande et de mesure correspondant à

un réseau électrique. *Tableau de distribution. Tableau indicateur. Tableau de couplage ; tableau principal, secondaire, tertiaire.* — *Tableau d'une installation téléphonique* (⇒ **Télégraphe, téléphone**). — *Tableau de commande* (d'un appareil ménager : cuisinière, machine à laver, lave-vaisselle, sécheuse, etc.). *Tableau de contrôle* (d'une machine, d'une installation, d'un réseau), réunissant les appareils de commande, de réglage et de sécurité.

13   *(Une femme)* vieille et désagréable, qui rechigne dans ses rhumatismes et que l'on aperçoit près de la cheminée dans le bureau de l'hôtel à côté du tableau des clefs (...)   ARAGON, le Paysan de Paris, p. 23.

(1914 ; *tableau*, 1905, *in* D.D.L.). **TABLEAU DE BORD** : panneau où sont réunis les instruments de bord. *Tableau de bord d'un avion, d'une automobile, d'un bateau à moteur.*

♦ **6.** (1812). Typogr. Composition (chiffres en colonnes...) entourée d'un cadre. *Tableau ouvert* (en bas).

★ **III.** Par métonymie (du sens II, 1). Ce qui est écrit sur un tableau.

♦ **1.** (1549). Liste* par ordre des personnes appartenant à une compagnie, à un corps. *Tableau de l'ordre* des avocats. Inscrire un avocat au grand tableau. Inscription au tableau ; être rayé du tableau* (⇒ **Barreau**). — *Tableau d'avancement* : liste des personnes jugées dignes d'un avancement hiérarchique, par ordre de préférence. *L'ordre du tableau.* — *Tableau des emplois, du personnel.* ⇒ **Cadre.**

Anciennt. **TABLEAU D'HONNEUR** : liste des élèves les plus méritants. *Être inscrit au tableau d'honneur. Exclusion du tableau d'honneur* (→ Retenue, cit. 2).

(1791, *in* D.D.L., II, 11). Hist. de la Révolution. *Tableau civique* : liste des citoyens ayant prêté le serment civique.

Liste de prescriptions, de renseignements, affichée ou consultable. ⇒ **État** (I., 4.). *Tableau de service* (→ Observance, cit. 2). *Tableau de marche des trains. Tableau de graissage, de gonflage,* des automobiles. *Tableau de contrôle.*

♦ **2.** (V. 1790). Série de données, de renseignements, disposés en lignes et en colonnes, d'une manière claire et ordonnée, parfois figurée, pour faciliter la consultation. *Le tableau d'un inventaire, d'une comptabilité* (⇒ **Bilan**). *Tableau de prix* (⇒ **Tarif**). *Tableau par doit et avoir. Tableau chronologique* (calendrier, éphéméride). *Tableau statistique ; tableaux d'une statistique*. *Tableau synchronique*, synoptique*. Diagramme, graphique, résumant et illustrant les informations d'un tableau. Tableau entrées-sorties. Tableau des opérations financières. Tableau des emplois et des ressources. Tableau économique d'ensemble. Tableau de bord. Tableau de marche* : présentation des principaux renseignements représentatifs de la marche d'une entreprise, de la situation économique d'une nation. *Tableau des conjugaisons. Tableau de Boole* : table* de vérité. — *Tables et tableaux en annexe d'un livre** (→ Index, cit. 6). *Tableau, colonnes de chiffres alignés par un tabulateur**. — Chim. *Tableau de Mendeleïev.* ⇒ **Périodique.**

14   (...) il n'est point inutile de considérer à part ces formes ou catégories, de les énumérer, de les réduire en tableaux, pour classer ou ordonner les idées acquises (...)
                                                                                     MAINE DE BIRAN, Du physique et du moral de l'homme, p. 184.

Par métaphore :

15   Quand on expose des données complexes ou qu'on présente une vue d'ensemble d'un problème, on en fait le *tableau*. Cette métaphore n'est pas nouvelle, mais alors que, chez les Classiques, le tableau avait pour but de reproduire, parfois grâce à un « pinceau fidèle », une réalité qu'on ne se croyait pas le droit de modifier (...) le tableau contemporain s'inspire du tableau synoptique, du graphique ou du schéma (...) il n'est pas une synthèse, mais une juxtaposition de points de vue.
                                                                                     MATORÉ, l'Espace humain, p. 132.

DÉR. Tableauter, tableautier, tableautin.
COMP. Tableaumane, tableaumanie.

TABLEAUMANE [tabloman] n. m. — 1847, Balzac ; de *tableau*, et *-mane*, mot hybride, d'après d'autres termes courants en *-mane* : *mélomane*, etc.

♦ Vx. Personne qui a la passion des tableaux ; amateur chez qui la passion de la peinture est prédominante, au point d'en paraître maladive.

TABLEAUMANIE [tablomani] n. f. — 1822, *in* D.D.L. ; de *tableau*, et *manie*.

♦ Vx. Passion exclusive, excessive pour les tableaux, la peinture.

TABLEAUTER [tablote] v. intr. — 1974 ; de *tableau*.

♦ Techn. Composer des tableaux, en imprimerie. *Machine capable de tableauter, en photocomposition.*

TABLEAUTIER [tablotje] n. m. — 1876 ; de *tableau*.

♦ Techn. Ouvrier typographe chargé des tableaux.

TABLEAUTIN [tablotɛ̃] n. m. — 1823 ; de *tableau*.

♦ Tableau de petite dimension.

(...) il avait demandé à Diaz de lui faire un tableautin. Diaz lui écrivait que le tableautin l'attendait, et il trouvait dans l'atelier un tableau beaucoup plus important qu'il ne s'y attendait, et dans un cadre d'au moins trente francs.
     Ed. et J. DE GONCOURT, Journal, 19 janv. 1877, t. V, p. 231.

Fig. « (...) de légers tableautins dans la manière de Verlaine et de M. Coppée » (Maurras, *l'Avenir de l'intelligence*, p. 191).

TABLÉE [table] n. f. — V. 1280 ; de *table*.

♦ Ensemble des personnes assises à une même table, qui prennent ensemble leur repas. *La tablée vulgaire d'une hôtellerie* (cit. 2). ⇒ **Table** (par métonymie).

Les Jeunes Gens se mirent à manger (...) Cependant le Maître de la maison examinait curieusement ses Convives (...) Comment vous nommez-vous ? — Je me nomme Rameau (...) et mon ami Rétif. — À ce dernier nom, toute la tablée se leva avec une sorte de transport (...) Enfin les deux Jeunes Gens se disposèrent à partir (...) À leur sortie, toute la tablée porta la santé d'Edme R(*étif*) en lui donnant mille bénédictions.
     RESTIF DE LA BRETONNE, la Vie de mon père, IV, p. 256.

TABLER [table] v. intr. — V. 1290, « se mettre à table » ; aussi « planchéier », 1554, v. tr. ; de *table*.

♦ **1.** (Fin XVIᵉ). Vx. Être, rester à table.

♦ **2.** (1690, terme de trictrac). Mettre dans une case. ⇒ **Caser**.

♦ **3.** (1690). Mod. TABLER SUR (qqch., qqn). ⇒ **Compter**. — Spécialt. Fonder une estimation, un calcul sur (ce qu'on croit sûr).

1   Les petits propriétaires, comme nous dont les revenus sont loin d'être fixes, doivent *tabler* sur leur minimum, car ils n'ont aucun moyen de réparer un excédent de dépense ou de perte.   BALZAC, la Muse du département, Pl., t. IV, p. 68.
2   Je haïssais la lassitude, que je savais faite d'ennui, et prétendais que l'on tablât sur la diversité des choses.   GIDE, les Nourritures terrestres, IV, I.

TABLE RONDE [tabləʀɔ̃d] n. f. ⇒ **Table** (I., 2.).

TABLETIER, IÈRE [tablətje, jɛʀ] n. — V. 1260 ; de *table* « tablier de jacquet, échiquier, damier ».
Technique.

♦ **1.** Personne qui fabrique et qui vend des échiquiers, des damiers et objets similaires (d'ivoire, de bois précieux...). *La corporation des tabletiers* (1506).

♦ **2.** Ouvrier spécialiste du travail de certains bois, du corozo, de l'os, de l'ivoire pour la fabrication des articles de jeu*, des « articles de Paris », etc. (⇒ **Tabletterie**). *Tabletier en corne, en écaille*, qui travaille la corne, l'écaille.

DÉR. Tabletterie.

TABLETTE [tablɛt] n. f. — V. 1175, *tablete* « tambour » ; de *table*.

★ **I.** (V. 1280). Vx. Petite table (III., 1.) ; planchette ou petite surface plate destinée à recevoir une image (« petit tableau », au XIVᵉ s.) ou plus souvent une inscription. — Archéol. *Tablette à écrire, tablette de cire des anciens*. ⇒ **Diptyque, polyptyque**.

En franç. d'Afrique. *Tablettes coraniques*, sur lesquelles on inscrit des prières. — Absolt. *Tablettes*.

0.1   Il restait accroupi (...) à brailler ou à murmurer versets et sourates en balançant son corps et sa tablette.   Birago DIOP, Contes et Lavanes, p. 69, *in* I. F. A. N.

(1690, au plur. ; « petit livre ou agenda qu'on met en poche », 1530). ⇒ **Tabellion**. — Loc. fig. *Écrire, noter, marquer sur ses tablettes : prendre bonne note. Il n'est pas écrit sur mes tablettes* (→ 1. Entre, cit. 21) : je ne l'ai pas noté, et, fig., je ne m'en souviens pas.

1   Quoi qu'il en soit, dites-moi le nom de cet homme, afin que je le mette sur mes tablettes.   DIDEROT, Jacques le fataliste, Pl., p. 563.

Vx. Ouvrage où les matières sont disposées en ordre et en résumé. ⇒ **Tableau**.

★ **II.** ♦ **1.** (V. 1268). Petite planche posée horizontalement. ⇒ **Planchette**. *Les tablettes d'une armoire, d'un meuble de rangement* (⇒ **Rayon**), *d'un bureau. Rabattre la tablette d'un secrétaire* (cit. 7). *Tablette à glissière*. ⇒ **Tirette**. *Assemblage de tablettes. Les tablettes d'une bibliothèque*. ⇒ **Étagère, rayonnage**. *Tablette chargée de livres* (1. Livre, cit. 6). *Tablette d'appui. Tablette individuelle*, dans un avion, un train.

♦ **2.** Plaque d'une matière dure, servant de support, d'appui, d'ornement. *Tablette d'une cheminée* : plaque posée sur les montants. *Tablette recouvrant un radiateur de chauffage central. Tablette de lavabo* (cit. 1). *Tablette d'ardoise, de marbre, de verre*.

♦ **3.** Dalle mince couvrant l'appui d'une fenêtre*. — Appui d'un balustre, d'une balustrade.

♦ **4.** Archit. Décoration formée d'une tablette saillante. ⇒ **Imposte**.

♦ **5.** Techn. *Tablette graphique* : système à coordonnées rectangulaires permettant d'introduire un dessin dans un ordinateur (on dit aussi *table à numériser*).

♦ **6.** Loc. fig. (franç. du Canada). *Être sur les tablettes*, mis à l'écart, dans une position sans grandes responsabilités.

★ **III.** (V. 1560). ♦ **1.** Médicament présenté sous forme solide, grosse pastille. *Des tablettes de kola* (cit.). — Par ext. Produit alimentaire solide, solidifié, présenté en petites plaques de forme rectangulaire. *Tablette de chocolat* (⇒ **Plaque**), *de chewing-gum* (→ **Mastiquer**, cit. 1). *Tablette de potage concentré* (→ Revue, cit. 4).

La croquette est une forme de chocolat extrêmement avantageuse pour le fabricant (...) avec une petite différence de rien dans le rayon ou l'épaisseur, on gagne incroyablement sur la quantité. Tandis que les tablettes, il n'y a à faire : il y a des modèles standard (...)   ARAGON, les Beaux Quartiers, I, IV.

(1876). *Tablettes de combustible* (métaldéhyde...).

♦ **2.** (1964). Chim., cristallographie. Cristal dont l'une des dimensions est très faible par rapport aux deux autres.

DÉR. Tablettière.

TABLETTERIE [tablɛtʀi] n. f. — 1429, *tableterie* ; de *tabletier*.
Technique, commerce.

♦ **1.** Métier, commerce du tabletier. Fabrication de petits objets d'assemblage utilisés en ameublement, en décoration et pour divers usages de distraction (jeux de société, « articles de Paris », souvenirs...). ⇒ aussi **Bimbeloterie**. *Matières utilisées en tabletterie*. ⇒ **Ambre, bois** (bois d'anis, colombar, ébène, merisier, sureau...), **celluloïd, corail, corne, corozo, écaille, galalithe, ivoire, métal, nacre, os, plastique** (matières plastiques). *La tabletterie utilise le placage* (comme l'ébénisterie), *l'incrustation* (comme la marqueterie), *la sculpture*, etc.

♦ **2.** (1694). Objets de tabletterie (coffrets, étuis, tabatières... ; échiquiers, damiers, jeux de trictrac, de dés... ; éventails, peignes ; objets pour fumeurs : porte-cigares, etc.). *Tabletterie de laque*.

TABLETTIÈRE [tablɛtjɛʀ ; tablɛtjɛʀ] n. f. — 1873, cit. *infra* ; de *tablette*.

♦ Anciennt. Employée de vente à la criée, qui tenait les tablettes de vente.

Plus bas, sur des chaises élevées, les poignets appuyés à d'étroits pupitres, étaient assises les jeunes femmes qui tenaient les tablettes de vente pour le compte du facteur. Le banc est double ; de chaque côté, à un bout de la table de pierre qui s'allonge devant le bureau, un crieur posait les mannes, mettait à prix les lots et les grosses pièces ; tandis que la tablettière au-dessus de lui, la plume aux doigts, attendait l'adjudication.   ZOLA, le Ventre de Paris, t. I, p. 153.

HOM. Fém. de **tabletier**.

TABLIER [tablije] n. m. — V. 1155 ; de *table* (voir l'étym. de ce mot).
REM. *Tablier* et ses nombreuses variantes ont désigné en anc. franç. des personnes : « menuisier (qui fait les tables, planches) ; pensionnaire, usurier... ». → le sens I, 3.

★ **I.** ♦ **1.** Anciennt. Surface plane sur laquelle se jouent certains jeux (échecs, dames ; « tables » ou trictrac). ⇒ **Damier, échiquier**. *Le tabletier fabrique des tabliers de jeu*. — Fig. et vx. *Rester maître du tablier* : gagner la partie.

♦ **2.** (1838 ; « partie d'un pont-levis », 1793). Plate-forme qui constitue le plancher* d'un pont. *Appontement formé d'une plate-forme et d'un tablier. Chevalet soutenant le tablier d'un pont volant*.

1   Le *tablier* en bois d'une arche du pont est tombé un beau jour, parce qu'un *pied-droit*, supportant le *tablier*, s'est rompu, et trois personnes se sont noyées.
     STENDHAL, Mémoires d'un touriste, t. I, p. 27.
2   Il traversa cette passerelle. Grâce au toit du pont, il n'y avait pas de neige sur le tablier. Ses pieds nus eurent un moment de bien-être en marchant sur ces planches sèches.   HUGO, l'Homme qui rit, I, III, IV.

(1812). Support plan sur lequel repose une ruche*. — (1762). Archit. Face d'un piédestal portant des ornements.

♦ **3.** (De *table*, employé dans ce sens). En franç. d'Afrique (Côte d'Ivoire, pays du Sahel). Étal du vendeur des rues. — Par métonymie. Vendeur des rues non ambulant.

★ **II.** (1530 ; « nappe, toile qui protège la table », v. 1175 ; a remplacé *devantier* au XVIᵉ).

♦ **1.** Vêtement* de protection constitué par une pièce de matière souple qui garantit le devant du corps, et par ses attaches. ⇒ **Devantier** (vx), **serpillière** (vx). *Tablier à bavette* (→ Camisole, cit. 2). *Plastron, poche* (1. Poche, cit. 3), *cordons de tablier*. — *Tablier de boucher* (→ Ægipan, cit. 4), *de mégissier, de préparateur* (cit. 2). *Tablier de cuir* (→ Forge, cit. 6 ; inséparable, cit. 7 ; maréchal, cit. 1).

TABLIER DE SAPEUR. [a] Tablier en cuir, porté autrefois par les sapeurs et conservé par tradition dans l'uniforme d'apparat de certains corps (sapeurs de la Légion étrangère, notamment).

b Régional (Lyon). Préparation culinaire formée de morceaux de gras-double découpés (en triangle) dans la partie dite *nid d'abeille*, enduits d'œufs battus, panés et dorés.

c (Jeu sur *sapeur* et allus. à la *barbe de sapeur* [cf. Cellard-Rey] et sur *tablier de forgeron, de sapeur*, vêtement couvrant le bas-ventre). Argot, fam. Toison pubienne abondante (d'une femme). Syn. : *tablier de forgeron*.

Spécialt. *Tablier de domestique, de serveur. Garçons, serveuses en tablier blanc* (→ Hôte, cit. 6 ; œuf, cit. 4). — Loc. (1889 ; *quitter son tablier*, av. 1747). *Rendre son tablier :* refuser de servir plus long-temps, et, fig., se démettre, démissionner.

3   Enfants, voici des bœufs qui passent,
      Cachez vos rouges tabliers !   HUGO, *Ballades*, XIII.

4   Lockroy arrive au milieu du dîner, en s'excusant sur ce qu'il a attendu son suc-
      cesseur, au ministère, pour lui remettre son *tablier* (...)
                                     Ed. et J. DE GONCOURT, *Journal*, 21 févr. 1889, t. VIII, p. 19.

5   Adrien, pour sa part, était un peu impressionné par le tablier et la blouse aux man-
      ches courtes de l'apprenti chirurgien.   ARAGON, *les Beaux Quartiers*, II, XIV.

5.1 Elle porte une robe noire à longue et large jupe, que recouvre aux trois quarts un
      tablier gris à fronces, noué autour de la taille. Le bas du tablier est très ample,
      ainsi que la jupe, tandis que le haut n'est qu'un simple carré de toile protégeant
      le devant du corsage.   A. ROBBE-GRILLET, *Dans le labyrinthe*, p. 63.

(1876). *Tablier de franc-maçon**. — Loc. *Ceindre le tablier :* deve-nir franc-maçon.

Loc. fig. et fam. *Ça lui va comme un tablier à une vache*, très mal.

(1690). Blouse* de protection se boutonnant par derrière ou par devant. *Tablier d'écolier* (→ 2. Prime, cit. 3). — *Robe-tablier :* robe qui a l'usage et la forme d'un tablier.

♦ **2.** (XVIIIᵉ, *Encyclopédie*). Pièce d'étoffe, de cuir, etc., servant à pro-téger, à garantir (un objet). *Tablier de timbale.*

Archit. « Ornement en forme de bas de bannière descendant du haut d'une gaine » (Réau). — *Tablier de hunier, de perroquet :* doublage de la partie arrière de la voile.

(1835). Pièce de cuir, de toile cirée, etc., qui s'attachait sur le devant des voitures à chevaux (pour protéger de la pluie, de la boue).

♦ **3.** Anat. *Tablier épiploïque.* ⇒ **Épiploon** (cit. 1). (1846). Spécialt. Partie des petites lèvres qui dépasse la vulve, chez les femmes de certaines races (Hottentotes...).

♦ **4.** (1876). Techn. Dispositif (plaque ou assemblage de plaques) servant à protéger. *Tablier de laminoir* (à l'entrée des cylindres). — Cour. *Tablier de four, de cheminée.* ⇒ **Rideau, trappe.**

6   Un instant il pensa à allumer du feu ; mais il essaya vainement de lever le tablier
      rouillé de la cheminée.   ALAIN-FOURNIER, *le Grand Meaulnes*, I, XVI.

7   (...) les rues ont pris leur aspect des jours d'émeute : tous les magasins (...) ont
      baissé leurs tabliers de fer.   SARTRE, *la Nausée*, p. 59.

(1933). Autom. Séparation du compartiment moteur et de l'intérieur de la carrosserie. *Le tableau de bord est monté sur le tablier.* Sur un scooter, un vélo-moteur, Pièce de métal qui sépare le con-ducteur de la roue avant et se prolonge horizontalement pour ser-vir d'appui.

8   Il n'enfourchait pas la Vespa comme une moto. Il était assis sur sa selle (...) Ses
      pieds ne s'accrochaient pas désespérément à des pédales (...) il les posait majes-
      tueusement sur un tablier de métal.
                                               P. GUTH, *le Mariage du naïf*, XVII, p. 185.

TABLINUM [tablinɔm] n. m. — 1876 ; mot lat., var. de *tabulinum*, de *tabula*. → Table.

♦ Didact. Salle (d'une maison romaine) séparant le péristyle de l'atrium, et où l'on plaçait les archives de la famille.

TABLOÏD ou **TABLOÏDE** [tablɔid] adj. et n. m. — 1955 ; mot angl. (nom déposé, 1884).

♦ **1.** Anglic. Pharm. (Rare). ⇒ **Comprimé.**

♦ **2.** Américanisme. Format inférieur de moitié au format habituel des quotidiens (répandus d'abord aux États-Unis). *Format tabloïd.* Journal de ce format, périodique de petit format.

Quant à la formule du quotidien petit format, tenté par *Paris-Jour* en 1958, et *le Parisien libéré* en 1965, elle n'obtint pas un succès comparable à celui des tabloïds anglo-saxons.
                        P. ALBERT et F. TERROU, *Histoire de la presse*, 1970, p. 126.

TABOR [tabɔr] n. m. — 1894, *in* Saches-Villatte ; arabe du Maroc *tābūr* « régiment, escadron ».

♦ Anciennt. Bataillon formé de soldats des goums marocains (fon-dés en 1908) encadrés par des gradés français (des Affaires indigè-nes).

TABOU [tabu] n. m. et adj. — 1822 ; *taboo*, 1782, dans une trad. du voyage de Cook (1777) ; angl. *taboo*, du polynésien *tapu* « interdit, sacré », rare av. la fin du XIXᵉ, où le mot est en général glosé (par ex. chez J. Verne, *les Enfants du capitaine Grant*).

♦ **1.** N. m. Système d'interdictions de caractère religieux appliquées à ce qui est considéré comme sacré ou impur ; interdiction rituelle. — REM. Le mot, d'abord appliqué aux sociétés polynésiennes, a été étendu aux sociétés, généralement totémiques, où existe un système analogue ; cette extension est critiquée par Durkheim (*Formes élémen-taires de la vie religieuse*, III, I, 1). — *Tabous linguistiques. Totem et tabou*, œuvre de Freud.

0.1   Ce sont ces prohibitions que l'on désigne ordinairement du nom polynésien de
      tabou (...) Le tabou se présente comme un impératif catégorique négatif. Il con-
      siste toujours en une défense, jamais en une prescription. Il n'est justifié par
      aucune considération de caractère moral.
                                     Roger CAILLOIS, *l'Homme et le Sacré*, p. 23.

Adj. (1842). Qui est soumis au tabou, exclu de l'usage commun par le tabou. *Des armes taboues.*

1   (...) l'objet qui occupe le centre d'un champ de résistance sera dit, tout à la fois,
     « sacré » et « dangereux », quand se seront constituées ces deux notions précises,
     quand la distinction sera nette entre une force de répulsion physique et une inhi-
     bition morale ; jusque-là il possède les deux propriétés fondues en une seule ; il
     est *tabou*, pour employer le terme polynésien que la science des religions nous a
     rendu familier.
                        H. BERGSON, *les Deux Sources de la morale et de la religion*, p. 131.

2   Il y a en irlandais une douzaine de noms pour l'ours et autant pour le saumon : ce
     sont deux animaux, on le sait par ailleurs, que l'imagination populaire avait faits
     tabous. En général, les animaux que l'on chasse sont investis de pouvoirs magi-
     ques : nombreux sont les tabous des chasseurs. Aussi les animaux sauvages sont-
     ils souvent désignés par des synonymes.   J. VENDRYES, *le Langage*, p. 259.

♦ **2.** (1908, *in* Höfler). Ce sur quoi on fait silence, par crainte, pudeur. *Les tabous sexuels* (S. de Beauvoir, *Mémoires d'une jeune fille rangée*, p. 139). *Tabous linguistiques. La levée des tabous.*

2.1   Londres victorien, cité du cant et des tabous sexuels, a fait le silence de l'homme
      bien pensant et soumis à Dieu, sur cette pléiade de Jeunes Anglais indécents, sata-
      niques et heureusement morts au ban de la société, Byron, Schelley, etc.
                                      Paul MORAND, *Londres*, I, 1933, *in* D. D. L., II, 18.

Adj. (accordé ou invar.). 1903, *in* Höfler. ⇒ **Interdit, sacro-saint.** *C'est un sujet tabou.* « *Une maison d'édition dont tous les auteurs sont tabou* » (Giraudoux, *De pleins pouvoirs à sans pouvoirs*, p. 120). *Des mots tabous*, que l'on n'ose pas écrire, prononcer.

3   Ces bars, ces dancings (...) ne m'inspiraient plus que du dégoût, et même une
     espèce d'horreur. Cette vertueuse répulsion avait tout juste le même sens que mes
     anciennes complaisances (...) les choses de la chair restaient taboues pour moi.
                        S. DE BEAUVOIR, *Mémoires d'une jeune fille rangée*, 1958, p. 289.

4   On doit réfléchir avant de parler. Il y a des sujets tabous, il y a des credo com-
     muns. On ne s'attaque pas ainsi sans réfléchir à n'importe qui, on ne prononce
     pas de paroles en l'air.   N. SARRAUTE, *le Planétarium*, p. 184.

DÉR. **Tabouer, tabouiser.**

TABOUER [tabwe ; tabue] v. tr. — 1822 ; attestation isolée *tabooer*, 1782 ; de *tabou*, ou de l'angl. *to taboo*, de *taboo*. → Tabou.

♦ Didact. Déclarer tabou. ⇒ **Tabouiser.**

1   Un chef veut-il éloigner les importuns de sa maison, il la taboue ; monopoliser à
     son profit les relations avec un navire étranger, il le taboue encore ; mettre en qua-
     rantaine un trafiquant européen dont il est mécontent, il le taboue toujours. Son
     interdiction ressemble alors à l'ancien « veto » des rois.
                             J. VERNE, *les Enfants du capitaine Grant*, t. III, p. 129.

▶ **TABOUÉ, ÉE** p. p. adj. « *Tendances "tabouées"* » (Régis et Hes-nard, 1914, *in* D. D. L.).

2   (...) je pris conscience de l'existence de tout un monde à côté, d'un domaine
     défendu, taboué, « érotique », ainsi que me le prouvait cette scène que des raisons
     mystérieuses avaient fait censurer.   Michel LEIRIS, *l'Âge d'homme*, 1946, p. 113.

TABOUISATION [tabwizɑsjɔ̃ ; tabuizɑsjɔ̃] n. f. — 1953, *in* Höfler ; de *tabouiser*.

♦ Didact. Action de tabouiser ; sacralisation.

Craindre la tabouisation comme la peste. Le tabou sera *recouvert*. Le non-tabou *découvert*.   COCTEAU, *Journal d'un inconnu*, 1952, p. 214.

CONTR. **Détabouisation.**

TABOUISER [tabwize ; tabuize] v. tr. — 1953, *in* Höfler ; de *tabou*, et -*iser*.

♦ Littér. Déclarer, rendre tabou (dans nos sociétés), ou, encore, con-férer un caractère sacré à (qqch., qqn).

(...) je me suis adressé au théâtre Marigny de préférence à d'autres théâtres qui me demandaient *Bacchus* j'ai sans doute retiré ma pièce à Vilar parce que la presse le tabouisait au maléfice de Jean-Louis Barrault, tabou de la veille, déta-bouisé du jour au lendemain, sans autre raison que cette bougeotte d'une ville qui court d'idole en idole et ne s'amuse qu'à briser ses jouets.
                        COCTEAU, *Journal d'un inconnu*, 1952, p. 94.

DÉR. **Tabouisation.**
CONTR. **Détabouiser.**

TABOULÉ [tabule] n. m. — Répandu v. 1975 ; mot arabe « relevé avec des condiments ».

♦ Préparation à base de semoule de blé crue (→ Couscous), de feuilles de menthe, de persil, de tomates hachées, assaisonnée d'huile d'olive et de jus de citron (cuisines libanaise et syrienne).

TABOURET [tabuʀɛ] n. m. — 1525 ; «pelote à aiguilles», 1442 ; de *tabour* (→ Tambour), à cause de la forme ronde de ce siège.

♦ **1.** Siège pour une personne, à trois ou quatre pieds, sans bras ni dossier. *Tabouret rond, cylindrique ; carré. Tabouret de cuisine, en bois* (⇒ **Escabeau, escabelle**) ; *tabouret paillé, en cuir. Tabouret de dessinateur* (⇒ aussi **Sellette**). *Tabouret de piano,* monté sur vis pour en régler la hauteur (→ Pièce, cit. 32). — (1903). *Tabouret de bar,* assez haut pour que les consommateurs assis soient au niveau du bar. — *S'asseoir ; monter, grimper* (cit. 9) ; *être juché sur un tabouret* (→ Ânonner, cit. 4).

1 (...) elle fit elle-même pour sa loge un petit tabouret en tapisserie, qui était un chef-d'œuvre (...)   A. DE MUSSET, Nouvelles, «Emmeline», III.

2 (...) un cireur italien, qui avait débuté tout jeune dans les bars et médité sur la commodité des hauts tabourets de comptoir pour l'exercice de sa profession.
ARAGON, le Paysan de Paris, p. 86.

(1649). Hist. *Privilège du tabouret :* droit qu'avaient les duchesses de s'asseoir sur un tabouret, sur un siège pliant, en présence du roi, de la reine (→ Duchesse, cit., Mᵐᵉ de Sévigné). — Ellipt. *Avoir le tabouret.* — (Déb. XVIIIᵉ, Saint-Simon). Par métonymie. *Un tabouret :* noble qui avait ce privilège.

3 C'est un caquetage éternel de tabourets dans les Mémoires de Saint-Simon. Dans ce caquetage, viendraient se perdre les qualités incorrectes du style de l'auteur, mais heureusement il avait un tour à lui ; il écrivait à la diable pour l'immortalité.
CHATEAUBRIAND, Vie de Rancé, p. 156.

4 Et moi, je vais séduire sa fille ! rendre impossible peut-être ce mariage avec le marquis de Croisenois, qui fait le charme de son avenir : s'il n'est pas duc, du moins sa fille aura un tabouret.   STENDHAL, le Rouge et le Noir, II, XIII.

(Dans d'autres cultures). *Tabouret de chef. Tabouret sacré, tabouret des ancêtres* (en Afrique).

Par ext. Petit support où l'on pose les pieds, lorsqu'on est assis. *Tabouret de pieds.* — (Vx). *Tabouret électrique :* support isolant. ⇒ **Isoloir.**

♦ **2.** (XVIIᵉ ; plus ancien, probablt dérivé du sens étym. «petit tambour», «coussinet rond»). Crucifère (⇒ **Thlaspi**), dont le fruit est une silique aplatie (on disait aussi *bourse à berger*). *Tabouret des champs, tabouret alpestre.*
Ibéride (plante).

♦ **3.** Argot. Par anal. de forme. Molaire (dont la triple ou quadruple racine évoque les pieds d'un tabouret). — REM. La variante *tabouret de cuisine* est attestée (notamment chez San-Antonio).

5 (...) une myopie bien compensée par de belles lunettes, et deux tabourets déjà aux trois quarts plombés.   A. SARRAZIN, la Cavale, p. 52.

TABOURIN [tabuʀɛ̃] n. m. — 1753, *Encyclopédie,* art. *Cheminée* ; «tambourin», XVᵉ ; de *tabour.* → Tambour.

♦ Techn. Dispositif tournant, placé au-dessus du conduit d'évacuation d'une cheminée* et destiné à améliorer le tirage.

TABULAIRE [tabylɛʀ] adj. — V. 1493, «inscrit sur une table» ; «caissier, dans la Rome antique», 1355 ; du lat. *tabularius,* n. m. «caissier», et *tabula* «table».

♦ **1.** (1819). Sc. Disposé en tables, en tableaux. *Logarithmes tabulaires. Disposition linéaire ou tabulaire des vignettes d'une bande dessinée.* — N. m. *Le linéaire et le tabulaire.*

♦ **2.** (1829). Didact. En forme de table. *Porphyre tabulaire* (Littré). *Aspect tabulaire de certains icebergs* (cit. 1). — Géol., géogr. Se dit d'un relief relativement plat qui domine les environs. *Plateau, massif tabulaire.*

On distinguait dans l'obscurité les lignes sèches des arbres épineux et la forme tabulaire du Kilimandjaro.   J. KESSEL, le Lion, p. 102.

TABULARIUM [tabylaʀjɔm] n. m. — 1765 ; mot lat., de *tabula* «tablette».

♦ Antiq. Archives publiques ou privées, à Rome, contenant les tablettes des actes publics, juridiques.

TABULATEUR [tabylatœʀ] n. m. — 1908, *in* D.D.L. ; dér. sav. du lat. *tabula.*

♦ Techn. Dispositif d'une machine de bureau (à écrire, à calculer), permettant d'aligner des signes (chiffres, etc.) en colonnes, de manière à former des tables, des tableaux.

TABULATION [tabylasjɔ̃] n. f. — Mil. XXᵉ (*in* Larousse, 1964) ; de *tabuler* ou de *tabulateur.*

♦ Techn. Utilisation du tabulateur d'une machine à écrire.

TABULATRICE [tabylatʀis] n. f. — 1921 ; dér. du lat. *tabula.*
Technique.

♦ **1.** Machine utilisant les cartes perforées. «*Un employé, si habile,*

si *expérimenté soit-il, ne pourrait, en effet, trier deux cent cinquante documents à la minute et totaliser les chiffres de ces documents aussi vite, aussi exactement que le fait la tabulatrice*» (*Science et Vie,* sept. 1921, p. 293).

♦ **2.** Imprimante* fonctionnant ligne par ligne.

TABULER [tabyle] v. — 1964 ; du lat. *tabula.*
Technique.

♦ **1.** V. intr. Utiliser le tabulateur d'une machine à écrire.

♦ **2.** V. tr. Passer (des cartes perforées) à la tabulatrice.
DÉR. **Tabulation.**

1. TAC [tak] n. m. et interj. — 1587 ; dans *tic-tac**, 1552 ; onomatopée.

♦ **1.** Bruit sec. *Le «tac» de deux billes qui se heurtent. — Tac, tac, tac, tac...!* : bruit de mitrailleuse, d'une arme automatique. ⇒ **Tacataquer.** *Le tactac du moulin.* «*Les* fedayin *se retirent. Le tacatac devient irrégulier. La rafale a remplacé le tir ininterrompu*» (le Nouvel Obs., 22 oct. 1973, p. 35).

Dans ce calme oriental (...) un seul bruit de temps en temps (...) tac, tac, tac, tac ! sur les vieux pavés ; un tac, tac, amplifié par la sonorité funèbre des rues où ne passait plus personne. C'était le veilleur du quartier, qui, au cours de sa lente promenade en babouches, frappait les pierres avec son lourd bâton ferré.
LOTI, les Désenchantées, I, III.   1

Avec sa cuiller, il fait tac-tac dans le fond de son assiette.   1.1
R. QUENEAU, le Chiendent, p. 19.

Les mitrailleuses jumelées se remirent à tirer. Le tireur était beaucoup trop grand et devait se plier en deux pour prendre la ligne de mire. Le tac-tac continu parut à Maillat d'une lenteur exaspérante.   1.2
Robert MERLE, Week-end à Zuydcoote, p. 133.

♦ **2.** (1873 ; *riposter du tact au tact,* 1859, *in* Petiot). Escrime. *Parade de tac,* consistant à écarter le fer adverse d'un mouvement sec du poignet, terminé par un battement.

DU TAC AU TAC. *Riposter du tac au tac :* répondre à un tac par un tac, dans une passe d'armes.

(1903). Fig., cour. *Répondre, riposter du tac au tac :* répondre à une remarque désobligeante, à un mot désagréable en rendant aussitôt la pareille*.

Ici je commis une lourde gaffe. Elle ne voulait plus en entendre parler du tout de la guerre, pas du tout. Ça la vieillissait. Vexée, du tac au tac, elle me confia qu'elle ne m'aurait point reconnu moi dans la rue, tellement que l'âge m'avait déjà ridé, gonflé, caricaturé.   2
CÉLINE, Voyage au bout de la nuit, p. 194.

DÉR. **Tacot, taquer, taquet.**
COMP. **Tic-tac.**
HOM. **2. Tac, taque.**

2. TAC [tak] n. m. — Mil. XXᵉ ; abrév. phonétique de *taxi.*

♦ Fam. Taxi*. *Prendre un tac.*
HOM. **1. Tac, taque.**

TACAMAQUE [takamak] n. m. et adj. — D. i. ; le mot figure dans les dict. encyclopédiques du déb. du XVIIIᵉ (*tacamahac*), mais doit remonter au XVIᵉ (cf. angl. *tacamahaca,* 1577 ; esp. *thecomahaca,* Hernandez, 1614) ; mot aztèque *tecomahiyac,* en lat. mod. *tacamahaca,* 1579 (Nova Hispania) désignant la résine de la *Bursera tomentosa* du Mexique, utilisée comme encens et comme remède par les Espagnols ; écrit *tacamaca, tacamaque* (Furetière, 1701).

♦ Bot. Produit résineux fourni par des arbres appartenant à plusieurs familles (*Térébinthacées, Lusiacées, Burséroncées*) et utilisé en pharmacie (baume de Fioraventi) — Adj. (ou appos.). *Résine tacamaque.*

TACATAQUER [takatake] v. intr. — 1917, Paulhan, *in* D.D.L. ; de *tacatac.* → 1. Tac.

♦ Fam. Produire un bruit de tir automatique.

Alors le Caligula des tropiques s'empara d'un bouquet de mitraillettes, accrocha les chargeurs et se mit à tacataquer !   1
«Tac ! tac ! tac ! Hein ! Ngui ! Pas vrai que je suis énormément facétieux ?!»
— Seigneur, c'est l'évidence» répondit Ngui en plongeant à son tour dans un raffut de tac ! tac ! tac !   P. GRAINVILLE, les Flamboyants, p. 280.

REM. On trouve chez Giono la variante *tacoter.*

Dehors, une mitrailleuse tacotait lentement.   2
J. GIONO, le Grand Troupeau, Pl., t. I, p. 675.

TACAUD [tako] n. m. — 1771; breton *takohed*.

♦ Poisson *(Gadidés)*, gade* de petite taille, commun sur les côtes de l'Atlantique.

HOM. **Tacco, tacot.**

TACCA [taka] n. m. — 1827; malais *takah* «dentelé».

♦ Bot. Plante herbacée tropicale *(Amaryllidacées)*, à grandes feuilles découpées, dont les tubercules fournissent une fécule comestible.

TACCO [tako] n. m. — 1800; rattaché à une onomatopée.

♦ Zool. Oiseau des Caraïbes à queue longue, formée de séries de plumes se recouvrant partiellement, à plumage gris, brun, et ventre jaune.

HOM. **Tacaud, tacot.**

TACET [tasɛt] n. m. — 1622; *faire le tacet* «ne rien dire», 1613; mot lat. «il se tait».

♦ Mus. Silence d'un instrument, d'une voix, pendant une partie d'un morceau, indiqué sur la partition par le mot *tacet*.
Fig., vx. *Garder le tacet*, le silence.

TACHAGE [taʃaʒ] n. m. — Mil. xxe; de *tacher*.

♦ Action, fait de tacher, de se tacher. — Techn. Apparition de taches de couleur sur une pellicule de peinture.

TACHANT, ANTE [taʃɑ̃, ɑ̃t] adj. — 1845; de *tacher*.

♦ **1.** Qui produit des taches, macule qqch. de taches. *Un liquide, un produit tachant.*

♦ **2.** (1872). Qui est facilement taché. *C'est une couleur, une étoffe très tachante.* ⇒ **Salissant.**

TACHE [taʃ] n. f. — 1080, *teche* «caractère, qualité»; d'un lat. pop. **tacca* «tache, signe»; p.-ê. du gothique *taikns* «signe», ou d'un lat. pop. **tacticare*, de *tangere* «toucher», l'idée étant alors celle de «marque du doigt» (Guiraud).

★ **I.** Petit espace de couleur différente dans un ensemble de couleur uniforme.

♦ **1.** (V. 1160). Altération à la surface d'une substance, petite étendue de couleur, d'aspect différent du reste, du fond. *Taches de l'épiderme, de la peau de l'homme.* ⇒ **Marque, signe.** *Tache pigmentaire, vasculaire. Visage marbré de taches blanches* (→ Grenu, cit. 1).
TACHE DE ROUSSEUR, TACHE DE SON. ⇒ **Éphélide.**
TACHE DE VIN (→ Cicatrice, cit. 4). ⇒ **Nævus.** — *Taches rouges.* ⇒ **Rougeur;** macule. *Taches provenant d'un coup.* ⇒ **Bleu, noir** (cit. 9); **ecchymose.** *Taches des ongles.* ⇒ **Albugo.** — *Taches du scorbut, de la peste.* ⇒ **Pétéchie.** *Taches hépatiques* (→ Couvrir, cit. 44). *Taches de grossesse.* ⇒ **Envie** (cit. 37). — *Tache de naissance,* qui présente le sujet dès sa naissance.

0.1   M. Darzac avait, près de la saignée du bras droit une large «tache de naissance» dont les contours semblaient curieusement suivre le dessin géographique de l'Australie.   G. LEROUX, le Parfum de la dame en noir, p. 338-339.

1   À peine me touche-t-il qu'il me fait des taches dans ma peau, comme des taches de fruit.   Paul MORAND, l'Europe galante, p. 39.

2   Une sorte de lupus tuberculeux, qui a débuté par une tache légère sur une joue, laquelle disparaissait, puis revenait, chaque fois plus grande (...)   Paul LÉAUTAUD, Journal littéraire, t. I, p. 347.

2.1   (...) Jouhandeau, un corps restreint, une voix pâle, des mains blanches, un bec de lapin, une tache de vin dans la nuque (...)   B. et F. GROULT, Journal à quatre mains, p. 74.

2.2   Un journal belge du soir, daté du 17 décembre, publiait «pour répondre au vœu de la Justice», une photographie de la jambe gauche de la victime qui présentait sur sa face interne, au-dessus du genou, un nævus pileux caractéristique, c'est-à-dire une sorte de tache de naissance poilue».   Pierre MERTENS, les Bons Offices, p. 24.

(1876). Végétaux. *Taches brunes de l'écorce d'un arbre* (⇒ **Lenticelle**), *d'un fruit* (⇒ **Meurtrissure, tavelure**). *Taches de la rouille* des céréales. — (Dans la matière à l'état naturel). *Ambre* (cit. 3) *sans tache. Tache d'un diamant.* ⇒ **Jardinage.**
Loc. (Av. 1801). **FAIRE TACHE :** rompre une harmonie de couleurs ou toute autre harmonie (→ Fissure, cit. 1). *Ce vase fait tache dans le salon,* il n'est pas assorti, à sa place. — (1830). Fig. *« Cet homme fait tache dans une société si élégante »* (Académie).

3   (...) une de ces boutiques dont la négligence fait tache au milieu des éblouissants magasins modernes.   BALZAC, les Comédiens sans le savoir, Pl., t. VII, p. 27.

(1561). Fig., littér. Défaut* qui nuit à un ouvrage de l'esprit. *Les faiblesses et les taches d'un ouvrage* (→ Plus, cit. 67).

♦ **2.** (1550). Marque colorée naturelle sur le poil, les plumes, le tégument (des animaux). *Taches du léopard* (→ Marqueté, cit. 1),

de la panthère (cit. 2). *La robe du jaguar* (cit. 1) *est semée de taches.* ⇒ **Tacheté.** *Tache blanche du cheval.* ⇒ **Balzane.** *Taches du plumage d'un oiseau.* ⇒ **Maille.** *Les ailes de l'hoazin* (cit.) *sont marquées de taches ou de raies* blanches. ⇒ 1. **Goutte** (*supra* cit. 45). *Salamandre* (cit. 3) *marbrée de taches orangées. Semis de taches.* ⇒ **Madrure** (vx), **maillure, moucheture, panachure, tacheture, tiqueture.** — Relig. judaïque. *Animal sans tache offert en holocauste* (cit. 1). — Fig. *L'Agneau sans tache :* Jésus-Christ.

Marque sur une plante. *Feuilles aux taches livides des pulmonaires* (1. Pulmonaire, cit. 1).

(1904). Anat. *Tache jaune de l'œil (macula lutea)* : région du fond* de l'œil colorée par un pigment jaune, partie de la rétine où la vision atteint le maximum de netteté.
Tache aveugle (de Mariotte) ou *papille optique* : région de la rétine, dépourvue de cellules photosensibles, où commence le nerf optique et où émergent l'artère et la veine centrale de la rétine. ⇒ **Fovéa.** — Fig. *Tache aveugle :* point, «lieu» (d'une théorie, etc.) qui n'est pas perçu.

(1904). *Tache auditive :* formation blanchâtre sur la surface intérieure de l'utricule et du saccule de l'oreille interne, où se termine le nerf auditif. ⇒ (méd.) 1. **Macule.**

Biol. *Tache germinative** (cit. 1).

(1671). Astron. *Taches solaires* (⇒ 1. **Macule**) : taches relativement sombres qui apparaissent à la surface du soleil et qui seraient provoquées par des champs magnétiques instables à l'intérieur et dont le nombre et l'importance varient suivant une loi périodique (période de onze ans).

♦ **3.** (1869). Élément coloré qui apparaît dans le champ visuel sur un fond de couleur plus ou moins uniforme. *Quelques joncs verts faisaient une tache crue* (→ Croupir, cit. 6). *Les taches rondes et blanches des bonnets* (→ Pâle, cit. 10). *Le soleil jetait des taches d'or* (→ Éclabousser, cit. 4).

4   Dans un trou de forêt, aux murs épais de verdure, tombait une ondée de soleil; seule, à gauche, une allée sombre s'enfonçait, avec une tache de lumière, très loin.   ZOLA, l'Œuvre, II.

(xviiie, d'abord péj. au sens II de *tache*). Peint. *Un tableau qui n'est qu'un amas de taches* (→ Jour, cit. 18; et aussi maquette, cit. 1). — (V. 1890). Petit élément d'un tableau dont la couleur tranche sur le reste. *Les noirceurs vagues de Rembrandt, piquées d'une tache vive* (→ Barbouillage, cit. 3). — (Depuis les impressionnistes). Chacune des touches de couleur uniforme, des taches d'une seule couleur qui sont juxtaposées dans un tableau. ⇒ **Tachisme.** *Insoucieux du relief* (cit. 4), *il ne peint que par le contour et la tache.*

5   *(Rembrandt)* a compris et suivi dans toutes ces conséquences cette vérité, que pour l'œil toute l'essence d'une chose visible est dans la *tache* (...) que chaque objet dans le champ visuel n'est qu'une tache modifiée par d'autres taches (...)   TAINE, Philosophie de l'art, t. II, p. 75.

6   Le peignoir rose d'*Olympia*, le balcon framboise du petit *Bar*, l'étoffe bleue du *Déjeuner sur l'Herbe*, de toute évidence sont des taches de *couleur*, dont la matière est une matière picturale, non une matière représentée.   MALRAUX, les Voix du silence, p. 114.

★ **II.** (Fin xie, *taje*). ♦ **1.** Surface salie par une substance étrangère qui recouvre ou imprègne quelque partie d'une chose; cette substance. ⇒ **Bavure, éclaboussure, 1. macule** (vx), **salissure, souillure.** *Tache d'huile, de graisse* (cit. 18), *de cambouis, d'encre, de rouille* (→ Gris, cit. 6), *de tabac* (→ Saleté, cit. 1). *Taches de naphte* (cit. 2) *sur l'eau.* — *Tache de...,* produite par... *Tache de doigts gras; de brûlure.* ⇒ 1. **Marque.** *Tache qui s'étend, tache indélébile. Robe couverte de taches* (→ Crier, cit. 3), *pleine de taches. Son uniforme râpé n'avait pas une tache* (→ Facteur, cit. 13). ⇒ **Immaculé.** *Écriture* (cit. 12) *avec des ratures et des taches.* ⇒ **Bavure, pâté.** — *Faire des taches.* ⇒ **Tacher.** *Tu as encore fait une tache à ton chandail, sur ton chandail. Enlever les taches.* ⇒ 2. **Détacher, déchant; dégraisser, nettoyer, rechampir** (techn.). *Gratter, frotter pour ôter une tache* (→ Minutieusement, cit.; pal, cit.). *Racler* (cit. 4) *une tache.* — *Taches d'humidité sur un mur.* ⇒ **Lèpre** (*supra* cit. 2).

7   Estrachard fait signe «Ne bougez pas!». Mais Quinette va le ramasser, et essuie avec le coin de son mouchoir la tache de rhum sur le tapis.   J. ROMAINS, les Hommes de bonne volonté, t. V, XXI, p. 168.

7.1   (...) sur la plinthe, cette tache, la trace de leurs mains, et à côté (...) ils ont fait des taches partout, et là, en bas du parquet, ces traînées noires, ce sont les traces des coups qu'ils ont donnés dans la peinture encore fraîche avec le bout de leurs gros souliers (...)   N. SARRAUTE, le Planétarium, p. 21.

(1835). Fig. *Faire tache d'huile** (*supra* cit. 25).

♦ **2.** (V. 1120). Fig. Chose infâme, action honteuse. ⇒ **Souillure, tare.** *Naissance sans tache* (→ 1. Bas, cit. 20). *Une seule tache entache toute une famille.* ⇒ **Salir** (→ 1. Honneur, cit. 23). *C'est une tache à sa réputation* (→ aussi Accroc, flétrissure). — (1560). Chose impure, contraire à la religion. ⇒ **Impureté, péché.** *Les taches de l'âme* (→ Aspersion, cit. 4). *La tache originelle :* le péché* originel. *L'innocence, pureté sans tache* (→ Sincérité, cit. 3). *« Car l'abîme est immense et la tache est au fond »* (→ Cœur, cit. 72, Musset). — Spécialt. *Pur, pure et sans tache :* vierge*.

8   Nous souffrirons cette tache en notre famille?   MOLIÈRE, Don Juan, V, 3.

9 Être sans tache, ce n'est pas être sans défaut. HUGO, l'Homme qui rit, II, VII, III.

DÉR. Tacher, tacheter, tachisme, tachiste.
COMP. Détacher, entacher (et enticher).
HOM. Tâche. Formes des v. tacher et tâcher.

TÂCHE [taʃ] n. f. — 1175, tasche; «travail rénuméré», v. 1420; du lat. médiéval taxa «prestation rurale» (→ Taux, taxe), ou (Guiraud), déverbal de tâcher.

♦ **1.** Travail déterminé qu'on a l'obligation de faire, qu'il soit imposé par soi-même ou par autrui. *Une tâche fastidieuse* (→ Furibond, cit. 4), *énorme* (→ Appui, cit. 12). ⇒ **Besogne, ouvrage, pensum** (fig.). *Les tâches les plus pénibles.* ⇒ **Corvée.** *Atteler* (cit. 5) *qqn à une tâche. Assigner* (cit. 7) *à chacun sa tâche. S'imposer la lourde tâche de... Il a pour tâche de... On cherchait à lui faciliter* (cit. 4) *la tâche. Une tâche et un métier* (cit. 17). *Accomplir* (cit. 13) *sa petite tâche quotidienne. L'aiguillon* (cit. 5) *de la tâche journalière. S'acquitter d'une tâche* (→ Soigneur, cit. 1); *remplir une tâche assignée* (→ Féconder, cit. 3). *Considérer sa tâche comme terminée* (→ Mission, cit. 6). — Prov. *À chaque jour suffit sa tâche* (ou *sa peine**) : il faut faire l'ouvrage, supporter les difficultés, les maux, d'aujourd'hui sans se préoccuper de l'avenir.

1 La vieille n'avait point de plus pressant souci
  Que de distribuer aux servantes leur tâche. LA FONTAINE, Fables, V, 6.

2 (...) le lundi matin, d'où le Français embrasse la tâche de la semaine, flâne une heure, voit soudain la couleur de son velours, le motif de sa symphonie, le plan de sa cathédrale, l'écart de son sillon, et fonce.
  GIRAUDOUX, De pleins pouvoirs à sans pouvoirs, Armistice à Bordeaux, p. 153.

2.1 Elle n'eut pas le temps d'aller dans ton église.
  Sa prière, ce fut de partager le pain,
  De cirer, de blanchir et de coudre sans fin,
  De terminer avec amour des tâches grises.
  Maurice CARÊME, la Voix du silence (1951).

2.2 (...) il s'efforça d'accomplir pour les autres les tâches les plus emmerdantes, telles que le balayage, l'épluchage des patates, le pelletage de la neige, le nettoyage des plats. R. QUENEAU, le Dimanche de la vie, p. 292.

2.3 L'animal dressé rend geste pour signe, suivant les associations qui lui ont été inculquées; il n'exécute pas une *tâche*, où il y a poursuite d'un but, ajustement de moyens, règles à observer et portée soutenue de l'effort. Mais, successivement absorbé dans chacune de ses tâches, l'enfant ne paraît pas non plus capable d'en faire supporter le poids par l'image qu'il se donnerait de ce qu'il se doit à lui-même (...) Henri WALLON, l'Évolution psychologique de l'enfant, p. 198.

Techn. Unité dans un programme d'ordinateur, correspondant à l'exécution d'un travail. *Système permettant l'exécution simultanée de plusieurs tâches.* ⇒ **Multitâche.**

Loc. (1606; *en tasche*, XIVᵉ)... À LA TÂCHE, se dit des personnes payées selon l'ouvrage exécuté (et non à l'heure ou à la journée). *Travailler à la tâche.* ⇒ **Tâcheron** (péj.). *Travail intellectuel à la tâche.* ⇒ **Pige.** *Compter comme à la tâche* (→ Calculer, cit. 3). — Fig., fam. *Je ne suis pas à la tâche, je ne suis pas aux pièces :* laissez-moi prendre mon temps pour faire ce que j'ai à faire.

(1640). Fig., littér. *Prendre à tâche de...* : s'efforcer, avoir à cœur de... (→ Payer, cit. 14). *Prendre à tâche de justifier une réputation* (→ Rhéteur, cit. 4). *Prendre qqch. à tâche.*

3 On eût dit qu'elle prenait à tâche de faire savoir à tout le monde la folle passion qu'elle avait pour Julien. STENDHAL, le Rouge et le Noir, II, XIX.

♦ **2.** (XVIIIᵉ). Ce qu'il faut faire; conduite commandée par une nécessité ou dont on se fait une obligation. ⇒ **Devoir, obligation; fonction, mission, rôle.** *La noble tâche d'encourager les jeunes talents* (→ Académie, cit. 6). *Une rude tâche. La tâche de l'historien consiste à abréger* (cit. 3). *La tâche du critique* (→ 1. Métaphysique, cit. 7), *du traducteur* (→ Rendre, cit. 41), *c'est de...*

4 Nous nous sommes donné pour tâche d'expliquer le monde, comme vous, les littéraires (...) G. DUHAMEL, Chronique des Pasquier, VII, XXI.

DÉR. Tâcher, tâcheron.
HOM. Tache. Formes des v. tacher et tâcher.

TACHÉO- Élément, du grec takheos «rapide».

TACHÉOGRAPHE [takeɔgʀaf] n. m. — 1903, *Rev. gén. des sc.*, n° 23, p. 1227; «sténographe», 1765; de tachéo-, et -graphe.

♦ **Techn.,** ancienn. Appareil de visée inventé en 1898, utilisé en planimétrie et altimétrie (levée des cartes et plans).

TACHÉOMÈTRE [takeɔmɛtʀ] n. m. — 1875; «tachymètre», 1872; inventé v. 1835 par l'Italien Porro; de tachéo-, et -mètre.

♦ **Géod.** Instrument dérivé du théodolite, permettant de lever rapidement un plan nivelé (⇒ **Nivellement**). *Tachéomètre électronique. Tachéomètre à horizontalité automatique.*

DÉR. Tachéométrie.

TACHÉOMÉTRIE [takeɔmetʀi] n. f. — 1858; *la Tachéométrie ou l'art de lever les plans*, G. Porro; de tachéomètre.

♦ **Techn.** Méthode de levée des plans nivelés au tachéomètre.

TACHER [taʃe] v. tr. — XIIIᵉ, tachié, p. p.; de tache, ou, dans l'hypothèse de Guiraud, d'un roman *tacticare, de tangere, tache étant le déverbal de tacher.

♦ **1.** Salir en faisant une tache, des taches. ⇒ **Maculer, salir, souiller.** *Tacher un meuble, un livre.* ⇒ **Abîmer, barbouiller, gâter.** *Tacher qqch. de graisse.* ⇒ **Graisser.** *La sauce a taché la nappe. Tu as taché la nappe de sauce.* Absolt. (Sujet n. de chose). *Substance qui tache,* qui fait des taches, laisse une salissure visible. *Le vin rouge tache.* Fam. *Du gros rouge, du gros bleu qui tache :* vin rouge fort et de dernière qualité.

♦ **2.** (Fin XVIᵉ). Vx. Souiller moralement, ternir l'honneur, la réputation de...

1 Ma sœur, je vous demande un généreux pardon,
  Si de mes libertés j'ai taché votre nom. MOLIÈRE, l'École des maris, III, 9.

♦ **3.** Marquer, colorer d'une tache (I., 3.).

2 (...) des toits et des charpentes, que tache d'un point gris l'aile échancrée et immobile du tiercelet. Aloysius BERTRAND, Gaspard de la nuit, Le maçon.

2.1 Toute la campagne normande, livide, tachée par les ombres des arbres entourant les fermes, s'étendait sous un ciel noir, lourd et sinistre.
  MAUPASSANT, l'Horrible, Pl., t. II, p. 115.

3 (...) il regarda les cailloux qui tachaient le sol à perte de vue entre les touffes de doum (...) P. MAC ORLAN, la Bandera, X.

▶ **SE TACHER** v. pron. (1819). Faire des taches (II., 1.) sur soi, sur ses vêtements.

(1876). Recevoir des taches, se salir, en parlant d'une chose. *Une nappe blanche se tache vite.*

Se couvrir de taches (I., 1. et 2.). *Les bananes se tachent de points noirs en mûrissant. Rideaux qui se tachent en moisi* (→ Humide, cit. 10).

▶ **TACHÉ, ÉE** p. p. adj. (1450).

♦ **1.** Qui est sali d'une tache, de plusieurs taches. ⇒ **Maculé.** *Un gilet taché. Banc taché d'encre* (→ Briller, cit. 21). *Mur taché de graisse.* ⇒ **Graisseux** (→ Saleté, cit. 2). *Taché de sang.* ⇒ **Ensanglanté.** — Fig. *De l'argent, de l'or taché de sang,* acquis par des crimes (→ Envieux, cit. 4; propre, cit. 32). *Nom taché* (→ 2. Flétrir, cit. 4). *Réputation tachée.*

4 Ayant remarqué que la clef du cabinet était tachée de sang, elle l'essuya deux ou trois fois, mais le sang ne s'en allait point; elle eut beau la laver, et même le frotter avec du sablon et avec du grès, il y demeura toujours du sang (...)
  Ch. PERRAULT, Contes, « La barbe bleue ».

♦ **2.** (1791; *takié*, 1311). Qui porte naturellement une tache (I., 1. et 2.), des taches. ⇒ **Tacheté.** *Corps blanc taché de brun du gerfaut* (cit. 1). *Marbres* (1. Marbre, cit. 1) *tachés de gris. Mains tachées de son* (→ Jeu, cit. 54). — *Fruits tachés* (vx : *entichés**). ⇒ **Tavelé.**

CONTR. Détacher, laver. — (Du p. p.) **Immaculé, propre, pur.**
DÉR. Tachage, tachant. — (Selon Guiraud) **Tache.**
HOM. Tâcher.

TÂCHER [taʃe] v. — V. 1460; *se taschier* «faire des efforts», XIVᵉ; de tâche, ou (Guiraud) d'un gallo-romain *taxicare, analogue à *taxitare, taster «tâter».

♦ **1.** V. tr. indir. Faire des efforts, faire ce qu'il faut pour... ⇒ **Efforcer** (s'), **évertuer** (s'), **essayer*** (→ Prendre à tâche* de...). — Vx ou littér. TÂCHER À... (et l'inf.). *Tâcher à comprendre qqn* (→ 2. Si, cit. 6). *Tâcher à prévenir le mal.* ⇒ **Travailler** (à); → Prudent, cit. 2. « *Tâchons à faire qqch. qu'un autre n'ait pas fait* » (cit. 22, Sainte-Beuve). *Tâcher à convaincre qqn d'ignorance* (→ Renier, cit. 2, Duhamel).

1 Je tâche à conserver mes tristes dignités (...) CORNEILLE, Poyeucte, V, 6.

2 Je m'excite contre elle, et tâche à la braver. RACINE, Britannicus, II, 2.

3 S'ils ne le firent pas, du moins ils y tâchèrent. LA FONTAINE, Fables, IX, 11.

4 (Il) venait, par affection pour moi, de me pardonner mes soupçons et de tâcher à les dissiper. PROUST, À la recherche du temps perdu, t. IX, p. 298.

(1538). Mod. TÂCHER DE... (et l'inf.). *Les orgueilleux* (cit. 2) *tâchent d'abaisser les autres hommes. Tâcher de lier connaissance* (→ Accoster, cit. 3), *d'apaiser* (cit. 2) *qqn. Tâcher d'imiter qqch.* (→ Enluminer, cit. 1). *Tâchez de les comprendre!* (→ 1. Mort, cit. 42). *Tâcher de venir vers la Toussaint* (→ Externe, cit. 3). — *Tâcher d'aplatir* (cit. 1) *un fil, d'arracher* (cit. 3) *sa tunique.*

5 Pauvre, il l'était assurément, et cela paraissait d'autant plus qu'il tâchait de le moins paraître (...) GIDE, les Nouvelles Nourritures, p. 212.

5.1 Bref, je suis un peu réconforté par ta bonne réponse, il ne me reste plus qu'à te dire de tâcher de voir, si ça ne t'ennuie pas trop, pour qu'on m'envoie directement ladite lettre (...)
  Germain NOUVEAU, Lettre à E. Delahaye, 20 sept. 1909, Pl., p. 963.

(1730). À l'impératif. Mod., par euphémisme, pour donner un ordre (sens que n'ont pas les synonymes de *tâcher*). *Tâchez de parler de votre maître avec plus de ménagement!* (cit. 2). *Et tâche d'être là à l'heure, sinon...!* (→ Prendre garde* à...).

Pop. *Tâcher moyen* (par croisement de *tâcher de...,* et *trouver moyen*). *Faut tâcher moyen d'y aller.*

5.2 C'est vrai qu'il faudrait « tâcher moyen » de penser à autre chose qu'à *ça*.
  F. MAURIAC, le Nouveau Bloc-notes 1958-1960, p. 220.

5.3 *Entrée de Bouboule, suivi des plombiers. Bouboule désigne le robinet...*
BOUBOULE. *Tâchez moyen de m'l'arranger, hein! et qu'ça aille vite!*
LE PREMIER PLOMBIER. *Oui, chef.*
  J. BECKER et J. GIOVANNI, le Trou, 1960, *in* l'Avant-Scène, n° 13, p. 31.

♦ **2.** V. tr. dir. (1549). TÂCHER QUE (et le subj.) : faire en sorte* que.
⇒ **Veiller** (à ce que). → Épée, cit. 5; renvoi, cit. 1. *Tâchons qu'elle
ne nous joue* (cit. 6) *pas les mêmes tours. Tâchez que ça ne se
reproduise pas! — Je tâcherai que cela ne se voie pas trop.*

♦ **3.** V. intr. Littér. Travailler durement, à une besogne ingrate
et pénible.

6 Il avait abandonné le bénéfice des labeurs accomplis au temps où il tâchait
dans les maisons de passe de la presse.   HUYSMANS, En ménage, XI.
CONTR. Éviter.
HOM. Tacher.

TÂCHERON [taʃʀɔ̃] n. m. — 1508, repris fin xixᵉ; *tascheeur,*
v. 1268; de *tâche.*

♦ **1.** Techn. Ouvrier agricole à la tâche.
(1835). Sous-entrepreneur du bâtiment à qui un entrepreneur cède
sa tâche moyennant un prix forfaitaire.
Ouvrier non spécialisé du bâtiment. *Équipes de tâcherons.*

♦ **2.** Cour. Personne qui travaille avec assiduité et application. —
(1904, P. Bourget). Péj. Personne qui effectue sans initiative des besognes de commande, des travaux ingrats. *Un tâcheron du roman
policier. Des tâcherons, des salariés* (→ Assistant, cit. 5; et aussi
manœuvre* (figuré).

Son joli et pâle visage aux traits fins exprimait cette fervente application des véritables tâcherons de bibliothèque, pour qui rien n'existe dans les instants de travail, que l'objet actuel de leur étude.   Paul BOURGET, Un divorce, III.

TACHETÉ, ÉE [taʃte] adj. — 1538; *tachelé,* xiiᵉ; de l'anc. franç.
tachele, tachete «petite tache».

♦ Qui présente de nombreuses petites taches (1., 2.). *Chiens à
robe blanche tachetée de brun* (→ Fox-hound, cit.). *Cheval tacheté.*
⇒ **Tisonné, truité.** *Oiseau tacheté.* ⇒ **Grivelé, tiqueté.** *Bananes des
Canaries tachetées de noir.* ⇒ **Tigré.** *Bois tacheté.* ⇒ **Madré.**
Couvert de taches (1.). *Mains tachetées de brun* (→ Phalange,
cit. 6).
Coloré de taches (1., 3.) par endroits. *Gras* (cit. 41) *pâturages
tachetés de bestiaux.*

1 Bientôt les reflets de la lune qui se précipitait vers l'horizon éclairant la tanière
firent insensiblement resplendir la peau tachetée d'une panthère.
                        BALZAC, Une passion dans le désert, Pl., t. VII, p. 1076.

2 (...) une vaste solitude de neige, tachetée çà et là de plaques roussâtres indiquant
la présence de forêts de pins et de bouleaux.
                        Th. GAUTIER, Voyage en Russie, XVIII.

3 (...) et surtout les yeux, qui étaient tout à fait les mêmes, également tachetés de
points noirs, pareils à des minuscules gouttes d'encre tombées sur l'iris bleu.
                        MAUPASSANT, Fort comme la mort, I, II.
Orné de petites taches de couleur. *Papier, tissu, linoléum... tacheté
de points multicolores.* ⇒ **Moucheté, piqué, piqueté.**
DÉR. Tacheture.

TACHETER [taʃte] v. tr. — 1538; de *tacheté.*

♦ Rare. Marquer, couvrir de nombreuses petites taches (1.). ⇒ **Mar-
queter, moucheter, tacher.** *Le brun noir qui tachette son poil blanc.
Les toits tachettent de rouge la verdure.*
DÉR. Tacheture.

TACHETURE [taʃtyʀ] n. f. — 1611; de *tacheter.*

♦ Rare. Marques de ce qui est tacheté; aspect tacheté. ⇒ **Moucheture.**

TACHI [tatʃi] n. m. — 1904; mot japonais.

♦ Didact. Sabre japonais (⇒ **Katana**) ancien, à lame très longue,
pour le combat à cheval.

TACHINE [taʃin] ou **TACHINA** [takina] n. m., parfois n. f.
— 1839, *tachine; tachina,* 1933; lat. zool. *tachina,* du grec *takinos*
«rapide».

♦ Zool. Grosse mouche, qui vit sur les fleurs et dont les larves sont
parasites des chenilles.
HOM. Taquine (fém. de *taquin*).

TACHISME [taʃism] n. m. — 1904; de *tache.*

♦ **1.** Vieilli. Dans la peinture figurative, Façon de peindre par taches
de couleur uniformes juxtaposées. ⇒ **Pointillisme.**

♦ **2.** Dans la peinture abstraite, Façon de peindre par éléments
colorés de forme imprécise.

TACHISTE [taʃist] adj. et n. — 1882, *in* D.D.L.; de *tache.*

♦ **1.** Relatif au tachisme (1. ou 2.). *Abstraction tachiste.*
N'ayant pratiqué en peinture que des barbouillages tachistes, je décide de com-   1
mencer un apprentissage régulier et patient du dessin (...)
                        R. BARTHES, Roland Barthes, p. 97.

♦ **2.** N. (1888, Villatte). Peintre qui fait du tachisme (1. ou 2.).
⇒ **Pointilliste.**
Elle lit *L'œil* et ne jure que par ce petit Picciolo, un jeune tachiste qui, dit-elle,   2
a une *cote formidable* et n'a pas, en tout cas, son égal pour coincer, entre deux
couches de peinture, de la coquille d'œuf écrasée.
                        Pierre DANINOS, Un certain Monsieur Blot, p. 219.

TACHISTOSCOPE [takistɔskɔp] n. m. — V. 1960; de *tach(éo)-,*
grec *-istos* «le plus», et *-scope.*

♦ Techn. Appareil de projection pour l'exposition d'images lumineuses à différentes vitesses, utilisé pour l'entraînement à la lecture
rapide et pour des recherches commerciales de mesure de la perception. *Faire une étude au tachistoscope.*
Sur le terrain des travaux de laboratoire concernant la perception, la mémoire, les   1
processus intellectuels, etc., il en va constamment de même. Il est impossible, par
exemple, si l'on reprend en tachistoscope avec un temps de présentation de 1/10
ou 5/100 de seconde, etc., une effet perceptif connu (comme une illusion optico-
géométrique) et que l'on découvre une modification régulière nouvelle, de ne pas
se demander à quoi ce changement est dû, ce qui est à nouveau une recherche de
l'explication causale.
                        J. PIAGET, Épistémologie des sciences de l'homme, p. 150.
Sur le rouleau de papier, on voit une série d'éclairs en dents de scie, et les ban-   2
des du magnétophone se couvrent de signes. L'électricité plonge dans l'œil sombre
de la caméra du tachystoscope *(sic).*   J.-M. G. LE CLÉZIO, les Géants, p. 286.

DÉR. Tachistoscopique ou tachiscopique.

TACHISTOSCOPIQUE [takistɔskɔpik] ou **TACHISCOPI-
QUE** [takiskɔpik] adj. — 1964; de *tachistoscope.*

♦ Techn. Relatif au tachistoscope.

TACHURE [taʃyʀ] n. f. — 1636; de *tacher.*

♦ Rare. Tache (d'un fruit tapé).
Sur des claies reposaient des pommes rouges et vertes, bien espacées, pour éviter
les tachures.   R. SABATIER, les Sucettes à la menthe, p. 21.

TACHY- Élément, du grec *takhus* «rapide». ⇒ **Tachéo-.**

TACHYARYTHMIE [takiaʀitmi] n. f. — 1912, *in* D.D.L.; de
tachy(cardie), et *arythmie.*

♦ Méd. Accélération et irrégularité des battements du cœur. *«La
procaïnamide* (pronestyl) *est également utilisée dans la tachyarythmie»* (A. Galli et R. Leluc, *les Thérapeutiques modernes,*
p. 74).

TACHYCARDIE [takikaʀdi] n. f. — 1871, *in* D.D.L.; du lat. mod.
tachycardia, 1882; de *tachy-,* et *-cardie.*

♦ Méd. Accélération du rythme des battements du cœur. *Tachycardie orthostatique,* qui se manifeste dans la station debout (hypotension artérielle). *Tachycardie paroxystique* (Bouvard, 1889), par
accès. *Crise de tachycardie.*
Il en est encore à la médication arsenicale, qui est désastreuse pour le cœur.   1
Mᵐᵉ de Saint-Selve n'a que trop de prédisposition à la tachycardie.
                        Pierre BENOIT, Mˡˡᵉ de la Ferté, p. 251.
J'ai rendu visite à un médecin en compagnie de ma mère. Il a confirmé ce qu'elle   2
avait diagnostiqué : «Ce n'est rien, c'est nerveux. Vous avez dû faire un peu de
tachycardie, et vous êtes sûrement sujette à une légère aérophagie».
                        Marie CARDINAL, les Mots pour le dire, p. 56.

CONTR. Bradycardie.

TACHYGENÉSE [takiʒenɛz; takiʒenez] n. f. — 1896, *infra;* var.,
tachygénie, in Rev. gén. des sc., 1904, n° 2, p. 87; de *tachy-,* et
-genèse.

♦ Biol. Accélération embryogénique, chez certains crustacés et
insectes. *La tachygenèse correspond à l'absence de certains stades
ancestraux et adaptatifs. «Accélération à laquelle conviendrait, par
exemple, le nom de tachygénèse...»* (Année sc. et industr., 1897,
p. 433, 1896).

CONTR. Bradygenèse.
DÉR. Tachygénétique.

TACHYGÉNÉTIQUE [takiʒenetik] adj. — 1897; de *tachygenèse.*

♦ Biol. Relatif à la tachygenèse. *«Ces mérides* (éléments du méristème) *nouveaux peuvent (...) devenir différents par des processus tachygénétiques* » (E. Perrier, in *l'Année biol.* 1899, p. 331, 1897).

TACHYGRAPHE [takigʀaf] n. m. — 1765 ; de *tachy-*, et *-graphe*.

♦ **1.** Vx. Sténographe.

Toute la ville et les curieux venus à Troyes pour assister au procès, les tachygraphes des journaux, le peuple même fut dans un émoi facile à comprendre.
BALZAC, Une ténébreuse affaire, Pl., t. VII, p. 610.

♦ **2.** (1881, cit.). Vx. Appareil de reproduction rapide des dessins.

« *Le tachygraphe de M. Méresse. Cet appareil, qui est une modification du pantographe des dessinateurs, a pour objet la reproduction de figures semblables...* » (*Année sc. et industr.*, 1882, p. 421).

♦ **3.** (1923). Techn. Appareil enregistreur de vitesse.

TACHYGRAPHIE [takigʀafi] n. f. — 1721 ; de *tachy-*, et *-graphie*.

♦ Vx. Sténographie.

DÉR. Tachygraphe, tachygraphique.

TACHYGRAPHIQUE [takigʀafik] adj. — 1765 ; de *tachygraphie*.

♦ Vx. Sténographique.

TACHYLALIE [takilali] n. f. ⇒ **Tachyphémie.**

TACHYLOGIE [takilɔʒi] n. f. ⇒ **Tachyphémie.**

TACHYMÈTRE [takimɛtʀ] n. m. — 1839 ; *tachomètre*, 1811 ; de *tachy-*, et *-mètre*.

♦ Phys., techn. Appareil de mesure des vitesses de rotation (d'un moteur, etc.). ⇒ **Compte-tours.**

Partout sont les mécanismes minuscules, les cellules photo-électriques, les baromètres, les dynamomètres, les tachymètres qui mesurent le passage des actions, et les impulsions courent le long des fils, à travers l'univers, jusqu'aux cerveaux annexes qui les ramassent (...)   J.-M. G. LE CLÉZIO, les Géants, p. 245.

DÉR. Tachymétrie.

TACHYMÉTRIE [takimetʀi] n. f. — xxᵉ ; de *tachymètre*.

♦ Mécan., phys. Mesure des vitesses au tachymètre.

TACHYON [takjɔ̃] n. m. — 1970, Quillet ; de *tachy-*, et suff. *-on*.

♦ Phys. Particule inobservable, supposée se déplacer à une vitesse supérieure à celle de la lumière (vitesse superluminique).

TACHYPHAGIE [takifaʒi] n. f. — 1908, *Larousse mensuel* ; de *tachy-* « rapide », et *-phagie*.

♦ Didact. Action de manger trop vite. *La tachyphagie peut être cause d'aérophagie, de dyspepsie.*

TACHYPHÉMIE [takifemi] n. f. — Mil. xxᵉ (*in* Larousse, 1968) ; de *tachy-*, et grec *phêmê* « parole ».

♦ Didact. Trouble de la parole caractérisé par l'accélération du rythme d'émission des mots. — Syn. : *tachylalie, tachylogie, tachyphasie, tachyphrasie*.

CONTR. Bradyphémie.

TACHYPHYLAXIE [takifilaksi] n. f. — 1916, *in* D.D.L. ; de *tachy-*, et *(pro)phylaxie*.

♦ Méd. Immunisation rapide contre l'action d'une dose mortelle de substance toxique, par inoculation préalable d'une dose non mortelle de cette substance. — Syn. : *skeptophylaxie*.

TACHYPNÉE [takipne] n. f. — 1904 ; de *tachy-*, et grec *pneîn* « respirer ». → Dyspnée.

♦ Méd. Accélération du rythme de la respiration.

TACHYPSYCHIE [takipsiʃi] n. f. — D. i (mil. xxᵉ) ; de *tachy-*, et *-psychie*.

♦ Didact. (psychiatrie). Accélération du cours de la pensée caractéristique de la manie, de certaines intoxications (amphétamines, cannabis, nicotine), des états de mentisme (excitation intellectuelle) épi-

leptique et de la phase initiale des démences. — Syn. : *fuite** *des idées*.

CONTR. Bradypsychie.

TACHYSYSTOLIE [takisistɔli] n. f. — xxᵉ ; de *tachy-*, *systole*, et suff. *-ie*.

♦ Méd. Rapidité anormale des systoles cardiaques.

TACITE [tasit] adj. — 1466, « muet » ; gascon « sous-entendu », 1286 ; lat. *tacitus*, de *tacere* « se taire ».

♦ **1.** Non exprimé, sous-entendu entre plusieurs personnes. ⇒ **Implicite, inexprimé.** *Condition tacite. Approbation* (cit. 3), *assentiment* (→ Coopération, cit. 1), *consentement tacite. Alliance* (→ Protéger, cit. 2), *convention**, *pacte tacite* (→ Clause, cit. 4). *Éviter, d'un tacite accord...* (→ Endiguer, cit. 3). *De furtives et tacites connivences les liaient* (cit. 19). *Aveu, reconnaissance tacite.* — Dr. *Convention tacite. Contrat renouvelable par tacite reconduction**.

C'est une sorte de convention tacite que personne n'invoque et à laquelle tout le monde obéit.   Th. GAUTIER, Voyage en Russie, XII.   1

Subst. m. (par plaisanterie) :

Ah! les cow-boys du muet *(le cinéma muet)*, les vampires du tacite, les max-linder du silencieux, les charlots de l'aphone (...)   R. QUENEAU, Loin de Rueil, p. 227.   1.1

♦ **2.** Rare, littér. Qui ne parle pas, muet. — Substantif :

Les hommes qui se taisent, les seuls qui importent, les silencieux (...) les tacites (...) tous les mystiques sont restés, invariables, infléchissables.   Ch. PÉGUY, Notre jeunesse, p. 64.   2

CONTR. Exprimé, formel, 1. manifeste.
DÉR. Tacitement.

TACITEMENT [tasitmɑ̃] adv. — 1572 ; « à voix basse », déb. xviᵉ ; de *tacite*.

♦ Littér., style soutenu. De façon tacite, sans être formellement exprimé, en sous-entendant ou en étant sous-entendu. ⇒ **Implicitement.** *N'étions-nous pas tacitement convenus de...* (→ Pacte, cit. 3). *Adhérer tacitement à un Credo* (→ Noyau, cit. 8). *Donner tacitement son accord.*

TACITURNE [tasityʀn] adj. — 1530 ; « où il y a peu de bruit », 1485 ; lat. *taciturnus*.

♦ **1.** Qui par nature parle peu, reste silencieux ; qui n'est pas d'humeur à faire la conversation. ⇒ **Muet, silencieux ; morne, morose, sombre** (→ Absent, cit. 6 ; éclat, cit. 8). *Rester taciturne.* ⇒ **Taire (se).** *Taciturne et triste, et mécontent* (→ Comique, cit. 4). *Incivil* (cit. 3), *froid et taciturne. Amoureux taciturne.* ⇒ **Ténébreux.** *Un vieux hibou** (fig.) *taciturne.* — *Caractère, humeur taciturne.* ⇒ **Concentré, renfermé** (cit. 13). → Loup-garou, cit. 1.

(...) il prend une femme sérieuse, triste, que la première contrariété rend mélancolique, que les chagrins aigrissent, qui avec l'âge devient taciturne, impérieuse, austère et brusque (...)   É. DE SENANCOUR, Oberman, XXXV, II.   1

(...) comme les vrais hommes d'action, il est le plus souvent taciturne. Il sait parler quand il le faut ; mais vertu beaucoup plus rare, il sait fort bien écouter.   G. DUHAMEL, Récits des temps de guerre, III, II.   2

N. *Les taciturnes et les parleurs* (→ Groupe, cit. 16). — Hist. *Guillaume le Taciturne* (ou *le Taiseux*) : Guillaume Iᵉʳ d'Orange.

♦ **2.** (1680). Qui ne s'exprime pas, ne se traduit pas en paroles. ⇒ **Muet, silencieux.** « *Ton amour taciturne est toujours menacé* » (cit. 16).

♦ **3.** Où l'on ne parle pas. *Tête-à-tête taciturne* (→ Ennuyer, cit. 27).

♦ **4.** Par métaphore (littér.). « *Derrière ces clôtures taciturnes* » (→ Barricader, cit. 4).

CONTR. Babillard (cf. Humeur, cit. 14), **communicatif, criard, disert, parleur.**
DÉR. Tacitement, taciturnité.

TACITURNEMENT [tasityʀnəmɑ̃] adv. — 1512, Lemaire de Belges ; de *taciturne*.

♦ Rare. D'une manière taciturne, sans parler beaucoup. ⇒ **Silencieusement.**

TACITURNITÉ [tasityʀnite] n. f. — 1375 ; lat. *taciturnitas*, de *taciturnus*. → Taciturne.

♦ Littér. Comportement, humeur ou caractère d'une personne taciturne. *Tristesse et taciturnité.* ⇒ **Morosité.** — Silence triste.

Quelquefois je cherchais à contraindre mon ennui ; je me réfugiais dans une taciturnité profonde : on prenait cette taciturnité pour du dédain.   B. CONSTANT, Adolphe. I.   1

(Les clowns) étaient, eux aussi, la tristesse des acteurs comiques. Et ils ont plus qu'eux (...) une taciturnité particulière. Est-ce la fatigue des exercices, est-ce le   2

mortel danger quotidien au milieu duquel ils vivent, qui les fait tristes et muets de la sorte?   Ed. DE GONCOURT, les Frères Zemganno, XLIII.

3   Quant à ses habitants, on les voyait s'accorder à ce lieu très ancien et en accepter l'usure et le repliement. Ce qui frappait d'abord, c'était leur gravité, leur taciturnité, une sorte de pesanteur intérieure, de vigilance tournée vers le dedans.
                              Raymond ABELLIO, Ma dernière mémoire, t. I, p. 41.

1. TACKLE [takl] n. m. — 1904; mot anglais.
Anglicisme.
♦ Techn. Bas d'une ligne de pêche.
HOM. 2. Tac(k)le.

2. TACLE ou **TACKLE** [takl] n. m. — 1913, tacle; tackle, 1954, in Höfler; tachle, 1913, in Petiot; mot angl. de to tackle «saisir».
♦ Anglic. Sports. Au football, Action de reprendre du pied le contrôle du ballon qui était à l'adversaire.
DÉR. Tac(k)ler.
HOM. 1. Tackle.

TACLER ou **TACKLER** [takle] v. intr. — 1966, tacler, in Höfler; tackler, 1954; de tac(k)le*.
♦ Anglic. Sports. Faire un tacle*, au football. «Lopez tackle avec des ondulations de skate-boarder» (le Nouvel Obs., 12 juin 1978, p. 57).

1. TACON [takɔ̃] n. m. — 1436, mot dial. (franco-provençal); francique *takko «denteleure, feston».
♦ Régional (Suisse). Pièce servant à raccommoder les vêtements.
Bluette (...) qu'elle s'appelle; sale comme une peignette, fagotée avec des nippes pleines de tacons et frangées comme un abat-jour de perles.
                              A. ITTEN et R. BASTIAN, En ça... en là!, p. 281.
HOM. 2. Tacon ou taquon, 3. tacon.

2. TACON [takɔ̃] n. m. ⇒ **Taquon.**

3. TACON [takɔ̃] n. m. — 1558, Rondelet; bas lat. tec(c)o, vıᵉ, probablt mot gaulois.
♦ Jeune saumon qui n'a pas encore sa livrée d'adulte et qui n'est pas encore descendu à la mer. — Syn. : tocan.
Après deux ou trois mois d'incubation, de jeunes alevins sortent des œufs (...) Quand le printemps survient, ils ont résorbé leurs réserves et commencent à se nourrir par eux-mêmes. Ce sont les Tacons. Ils vivent ainsi une, deux ou trois années en eau douce (...) Après ce laps de temps, les tacons acquièrent une livrée argentée — ce sont les Smolts — et entreprennent la descente vers la mer.
                              R. et M.-L. BAUCHOT, les Poissons, p. 123.
HOM. 1. Tacon, 2. tacon ou taquon.

TACONEOS [takɔneos] n. m. pl. — Mil. xxᵉ; mot esp., de taconear «frapper du talon», de tacon «talon».
♦ Didact. Rythme de martèlement des talons, dans le flamenco. Les taconeos du zapateado*.

TACONNER [takɔne] v. ⇒ **Taquonner.**

TACONNET [takɔnɛ] n. m. — 1877; n. de l'inventeur.
♦ Anciennt. Casquette à armature de carton, à visière carrée, souvent munie d'une coiffe blanche, qui succéda au shako et à la chapska des troupes d'Afrique en 1840, et fut portée par les chasseurs d'Afrique jusqu'en 1914.
HOM. Taconner ou taquonner.

TACOT [tako] n. m. — 1904, in D.D.L.; 1803, t. de métier (tissage), plusieurs sens régionaux; de tac.
Familier.
♦ 1. Vieille voiture, automobile cahotante, ferraillante. ⇒ **Bagnole, chignolle, coucou** (vx), **guimbarde.** Un vieux tacot.

1   — Je suis parti avant-hier, répondit Pierrot. J'ai passé la nuit à Saint-Flers-sur-Cavaillet, et je suis arrivé ici dans la soirée. Leur camionnette est un tacot, vous savez.   R. QUENEAU, Pierrot mon ami, p. 162.

♦ 2. Vieilli. Petit train d'intérêt local.

2   J'allai prendre le petit chemin de fer d'intérêt local dont j'avais, par Albertine et ses amies, appris autrefois tous les surnoms dans la région, où on l'appelait tan-

tôt le Tortillard à cause de ses innombrables détours, le Tacot parce qu'il n'avançait pas (...)   PROUST, À la recherche du temps perdu, t. IX, p. 236.
HOM. Tacaud, tacco.

TACT [takt] n. m. — V. 1354; lat. tactus, de tangere «toucher».
♦ 1. Vx. Toucher. Des ébranlements sensibles au tact (→ Exciter, cit. 15). Le plaisir du tact (→ Perfectionner, cit. 1).
Mod. Physiol. Sens du toucher* permettant d'apprécier les divers stimuli mécaniques qui s'exercent sur la peau et les muqueuses (contact léger, pression, traction). Le tact se manifeste à la surface de la peau (points de tact) et au niveau des orifices naturels (⇒ **Tactile**).
♦ 2. (1769). Fig. [a] Vx. Le tact de ... : faculté de juger rapidement et avec plus ou moins de finesse sur de faibles indices; spécialt, cette faculté appliquée aux convenances, aux usages du monde. ⇒ **Intuition.** Le tact de l'à-propos (cit. 2). ⇒ 1. Sens. Le tact de ce qui est décent (→ Bienséance, cit. 15). — (Sans compl. en de). Délicatesse du tact (→ Peser, cit. 6). « Les femmes ont un certain tact qui les avertit de l'approche du combat » (→ Exposer, cit. 29).

1   Il faut une délicatesse du tact, qui ne s'acquiert que dans l'éducation du grand monde, pour sentir, si j'ose ainsi dire, les finesses de cœur dont cet ouvrage est rempli.   ROUSSEAU, les Confessions, XI.

[b] (1835). Mod. Le tact : appréciation intuitive, spontanée et délicate, de ce qu'il convient de dire ou de faire dans les relations humaines. ⇒ **Délicatesse, doigté, finesse, jugement** (→ Insinuation, cit. 1; métamorphose, cit. 10). Avoir du tact, agir avec tact et circonspection. Tact et discrétion. Manquer (cit. 8) de tact. Manque de tact. Nuance et tact (→ 2. Rayon, cit. 6). Être admirable de tact (→ Poli, cit. 2). Le tact du diplomate (⇒ **Habileté, savoir-faire**), de l'homme du monde (⇒ **Politesse**). L'art de dire avec tact des choses osées. ⇒ **Décence, pudeur.**

2   Les âmes nobles et fières reconnaissent promptement la délicatesse avec laquelle on les manie. Ce tact est aux sentiments ce que la grâce est au corps.
                              BALZAC, Une fille d'Ève, Pl., t. II, p. 163.

3   Le talent véritable, l'art auquel se subordonnent tous les autres, c'est le tact, une certaine prudence, un jugement, un choix judicieux, la connaissance du plus, du moins, de ce qui croît ou diminue dans les choses et fait qu'on les accomplit avec opportunité ou hors de saison.   TAINE, Philosophie de l'art, t. I, p. 139.

4   (...) un manque de réserve et de goût, presque de tact, qui m'a étonné chez un homme aussi fin.   PROUST, À la recherche du temps perdu, t. III, p. 49.

5   Il lui aurait bien laissé cent sous de pourboire au lieu de dix, mais il sentit vaguement que cette extravagance constituerait un grand manque de tact de sa part.
                              R. QUENEAU, le Dimanche de la vie, p. 44.

TAC-TAC [taktak] n. m. ⇒ 1. **Tac.**

TACTICIEN, IENNE [taktisjɛ̃, jɛn] n. — 1758, in D.D.L.; de tactique.
♦ 1. Militaire spécialisé dans l'emploi des moyens de combat, dans l'exécution des plans stratégiques. Ce général* est un habile tacticien, mais ce n'est pas un stratège.
Ritzouo, à la demande du prince, répondait qu'il était un savant militaire, un tacticien. Le prince le faisait alors interroger par le tacticien attaché à sa maison, qui venait trouver la prince, tout stupéfait de la science militaire de Ritzouo (...)
                              Ed. et J. DE GONCOURT, Journal, 10 mars 1891, t. VIII, p. 173.

♦ 2. Personne qui a l'art de la tactique (I., 2.), qui met en œuvre les bons moyens pour arriver à un résultat. C'est un bon tacticien dans les négociations.

TACTILE [taktil] adj. — 1541; lat. tactilis, de tactus. → Tact.
Didact., littér. ou style soutenu.
♦ 1. Qui est perçu par le toucher, par le tact. Qualités tactiles. L'espace (cit. 5) sous sa forme tactile. Corps tactile. ⇒ **Palpable.**
♦ 2. (1762). Qui concerne la sensibilité, les sensations du tact* (1.). Perceptions (→ Objectiver, cit. 1), sensations tactiles. Corpuscules tactiles. — Zool. Poils tactiles, qui chez certains animaux servent au tact (ex. : les moustaches du chat). ⇒ **Vibrisse.** Composantes tactiles de la saveur (cit. 4). Acuité tactile, des diverses parties du corps. Influx, message tactile. — Métaphores tactiles, dans la langue (Matoré, Espace humain, p. 225 sqq.). — Valeurs tactiles en peinture (B. Berenson).

1   (...) ils se payaient du bonheur à quarante sous les cinq minutes. Ils jouissaient doublement de leur sens tactile, directement, par le contact d'une côte ou d'un sein à travers une étoffe minimum, indirectement par les heurts qu'ils imposaient ou plus rarement récoltaient.   R. QUENEAU, Pierrot mon ami, p. 20.

2   Le toucher des Vertébrés, source de références spatiales immédiates, possède la même répartition topographique. Les organes tactiles ont une très haute densité dans la zone faciale antérieure, une moindre densité à l'extrémité du membre antérieur et s'espacent plus clairsemés sur le reste du corps. Les lèvres sont en effet le siège de la sensibilité la plus subtile aux températures, aux vibrations, au contact (...)   A. LEROI-GOURHAN, le Geste et la Parole, t. II, p. 117.

TACTIQUE [taktik] n. f. et adj. — 1690, Furetière; lat. tacticus, grec taktikê (tekhnê) «art de ranger, de disposer» (tattein).

★ **I. N. f. ♦ 1.** Milit. Anc. «Science de ranger les soldats en bataille et de faire les évolutions militaires» (Furetière). → Évolution, cit. 1.
Mod. Art de combiner tous les moyens militaires (troupes, armements) au combat; exécution locale, adaptée, aux circonstances, des plans de la stratégie. ⇒ **Stratégie** (cit. 1). *Tactique d'infanterie. Tactique aérienne, navale. Tactique d'encerclement. La tactique de la terre* brûlée.*

1   D'un côté la précision, la prévision, la géométrie, la prudence, la retraite assurée, les réserves ménagées, un sang-froid opiniâtre, une méthode imperturbable, la stratégie qui profite du terrain, la tactique qui équilibre les bataillons (...)
                        HUGO, les Misérables, II, I, XVI.

Par métaphore. → Étourneau, cit. 1. — Par anal. (Sports). *La tactique d'une équipe de football* (cit. 2), *d'un boxeur* (→ Gong, cit. 6).

♦ **2.** (1788). Ensemble des moyens* (2. Moyen) coordonnés que l'on emploie pour parvenir à un résultat. ⇒ 2. **Marche** (à suivre), 3. **plan,** 2. **politique.** *Tactique et stratégie. Tactique parlementaire* (Mirabeau, *in* Brunot). *Tactique révolutionnaire* (→ Diplomatie, cit. 2). *Changer de tactique. Essayer une nouvelle tactique.* — Fam. *Ce n'est pas la bonne tactique.*

2   La tactique très perfide des royalistes et des prêtres, à cette époque, était d'exploiter les souffrances infinies du peuple, d'en accuser la Révolution (...)
                  MICHELET, Hist. de la Révolution franç., V, XII.

3   La Trouille, sans une parole, habituée à ses courses, galopait avec des sauts de chèvre. L'ordinaire tactique de son père était de la ramener ainsi à la maison, où il l'enfermait.   ZOLA, la Terre, III, III.

Fam. Tactique habile. *Il n'a pas la tactique.*

★ **II.** Adj. ♦ **1.** (Mil. XIXᵉ). Relatif à l'emploi des moyens de combat. *Dispositions tactiques.* — (1860). Utilisable au combat. *Formation* (cit. 1) *tactique. Aviation, arme nucléaire tactique.*

♦ **2.** (XXᵉ). Qui concerne la manière d'utiliser des moyens pour arriver à ses fins. ⇒ **Stratégique.** *Un plan tactique d'ensemble* (→ Atteindre, cit. 38). *Faire preuve d'habileté tactique.*
Club tactique : salle d'instruction militaire où on simule les combats (le jargon militaire utilise l'anglic. *tactic-club*).

DÉR. Tacticien, tactiquement.
COMP. Atactique.

TACTIQUEMENT [taktikmã] adv. — Attesté XXᵉ; de *tactique.*

♦ En ce qui concerne la tactique, du point de vue de la tactique.
Une succession organisée et spontanée de gestes symboliques, de combats et de morts désordonnés, de coups de mains «tactiquement inutiles» (...)
                      Claude ROY, Nous, p. 51.

TACTISME [taktism] n. m. — 1897, cit.; dér. du lat. *tactus,* et suff. -isme.

Biologie.

♦ **1.** Réaction d'orientation des cellules ou des organismes unicellulaires mobiles sous l'effet de divers facteurs physiques ou chimiques. ⇒ **Taxie.** *Tactismes et tropismes. Tactismes positifs, négatifs.*
Les excrétophores (...) mues par des tactismes divers, se dirigent (...)
                  L'Année biologique, XIV, p. 273 (1899).

♦ **2.** (En composition, avec un premier élément indiquant la nature du facteur déterminant la réaction d'orientation). *Chimiotactisme* (facteur chimique), *phototactisme* (lumière), etc.

TACTUM [taktɔm] n. m. — 1881; du lat. *tactus.* → Tact.

♦ Psychol. Nature de la sensation liée à un organe.

TADJIK [tadʒik] adj. et n. — 1876, *infra;* mot tadjik.

♦ D'une population iranienne répartie à l'est de l'Iran, le nord de l'Afghanistan et le Tadjikistan soviétique. — N. *Une Tadjik. Les Tadjiks.*
Parmi eux, et comme types principaux du Turkestan, on remarquait tout d'abord ces Tadjiks aux traits réguliers, à la peau blanche, à la taille élevée, aux yeux et aux cheveux noirs, qui formaient le gros de l'armée tartare (...)
                  J. VERNE, Michel Strogoff, p. 263.

N. m. Langue de ce peuple.

REM. On écrit parfois au fém. *tadjique :* «*la littérature et la science tadjiques*» (Aragon); mais les spécialistes n'emploient que *tadjik* et le font souvent invariable.

TADORNE [tadɔʀn] n. m. — 1465, n. f.; du lat. *anas* («canard») *tadorna.*

♦ Oiseau palmipède *(Anatidés),* canard* migrateur de forte taille. *Canard tadorne, tadorne ordinaire* ou *canard hollandais.*

1   Les chasseurs se contentèrent donc, pour cette fois, d'une douzaine de canards

---

blancs de corps avec ceinture cannelle, tête verte, aile noire, blanche et rousse, bec aplati, qu'Harbert reconnut pour des «tadornes».
              J. VERNE, l'Île mystérieuse, t. I, p. 282.

2   — Ah! le tadorne, c'est superbe. Un canard à tête rouge, plus gros que les canards ordinaires. Et si rare dans nos régions!
              Pierre BENOIT, Mˡˡᵉ de la Ferté, p. 188.

TÆDIUM VITÆ [tedjɔmvite] n. m. — 1969; loc. lat. «dégoût de la vie».

♦ Pathol. État permanent de lassitude, de manque d'appétence, sans cause observable, chez des sujets lucides menant une vie sociale et professionnelle considérée comme normale. ⇒ **Mélancolie, spleen.**

TAEL ou TAËL [taɛl] n. m. — 1732, Trévoux; du malais *tahil, tail* — nom commercial du *liang* chinois — par le portugais.

♦ Monnaie de compte chinoise, qui équivalait à 36 grammes d'argent.
(...) une liasse de ces taëls de papier d'argent que l'on brûle pour les morts (...)
             CLAUDEL, Connaissance de l'Est, «Novembre».

TÆNIA [tenja] n. m. ⇒ Ténia.

TÆNIOPHYLLUM [tenjofilɔm] n. m. — D. i. (mil. XXᵉ); du lat. *tænia,* grec *taenion* «ruban», et *phyllum,* grec *phullon* «feuille».

♦ Bot. Orchidée aérienne dont les racines aplaties contiennent de la chlorophylle et participent à la nutrition de la plante au même titre que les feuilles.

TAF [taf] n. — 1582, *in* Esnault; orig. incert.; selon Esnault, onomatopée «par la peur, les fesses font *tif taf* ou *taf taf* (...)», 1640

★ **I. N. m. ♦ 1.** Argot. Peur. *Il a eu un sacré taf.*

★ **II. ♦ 1.** (1899; orig. obscure; l'hypothèse de Esnault — métathèse de *fade* — semble peu vraisemblable). Argot. Part (de butin). ⇒ 2. **Fade, pied.** — Loc. fig. *Avoir son taf :* avoir son compte. *«Il avait son taf d'oubli»* (San Antonio, T'es beau, tu sais, p. 209).
Je commence à déconner, prend à déconne dans ma cellotte, en m'adressant au miroir. Maître comprend que j'ai mon taf, et, renonçant à conclure, il se lève :
— Eh bien, madame, je vais faire appeler votre mari.
             A. SARRAZIN, la Cavale, p. 389.

♦ **2.** N. f. Fam. Bouffée de cigarette. *Passe-moi une taf.*

TAFFETAS [tafta] n. m. — 1314, *taphetas; taftas,* XVIᵉ; ital. *taffeta,* du turco-persan *taftâ* «tissé».

♦ **1.** Tissu de soie à armure unie. *Taffetas ordinaire,* dont les deux faces sont semblables. *Taffetas changeant,* dont la chaîne et la trame sont de nuances différentes (→ Miroiter, cit. 1). *Robe, corsage de taffetas noir* (→ Harde, cit. 7; poitrine, cit. 11). *Ruban, bourse, sac de taffetas* (→ Oreille, cit. 42; réticule, cit.). *Mouche* (cit. 13) *de taffetas. Le taffetas d'un parapluie* (→ 1. Rochet, cit.). *Robe doublée de taffetas blanc* (→ 1. Rochet, cit.). — *Les crêpes, l'armoisin*, le florence* sont des dérivés des taffetas. Taffetas moiré.* ⇒ **Moire.**

1   Elle y avait trouvé une grande robe en taffetas flambé, qui criait du froissement de ses plis.   NERVAL, les Filles du feu, «Sylvie», VI.

♦ **2.** (1796, *taffetas d'Angleterre*). Anciennt. *Taffetas anglais, taffetas gommé :* tissu (d'abord taffetas, puis tissu de fil recouvert d'une gaze*) enduit d'une substance agglutinative, qu'on applique sur les petites plaies, les coupures. ⇒ **Sparadrap.**

2   (...) il est vrai que le baume de la Mecque a la propriété de fermer une blessure en moins de rien, que c'est avec lui qu'on fait le vrai taffetas d'Angleterre (...)
             RIVAROL, Lettres, XX, 27 oct. 1796.

3   Marcelle lui tendait un bout de taffetas gommé. Il tira la langue et lécha docilement la pelure rose. Marcelle appliqua le bout de taffetas sur la plaie (...)
             SARTRE, l'Âge de raison, XVII.

DÉR. Taffetatier.

TAFFETATIER, IÈRE [taftatje, jɛʀ] n. — 1611; de *taffetas.*

♦ Rare. Fabricant de taffetas; ouvrier, ouvrière qui fabrique du taffetas.

TAFIA [tafja] n. m. — 1659, *taffia;* mot créole. → Ratafia.

♦ Vieilli. Alcool tiré des mélasses de canne à sucre (la plupart des eaux-de-vie vendues sous le nom de rhum* étant des tafias). *Un boujaron de tafia.*
Elle était d'ailleurs tout à fait toquée, née avec un verre d'absinthe dans le ventre, que sa mère avait dû boire au moment d'accoucher, et elle ne s'était jamais dégrisée depuis, car sa nourrice, disait-elle, se refaisait le sang à coups de tafia (...)
             MAUPASSANT, Un soir, Pl., t. II, p. 1171.

TAGADA [tagada] interj. — xxᵉ ; onomat., finale existant en argot. → Flagada.

♦ Onomatopée évoquant un bruit bref et répété (→ Tac-tac, taca-tac) notamment celui d'un cheval au galop.

1 (...) une trentaine d'oisifs, navrés de l'être, regardent défiler, *tagada, tagada*, dans quelque Arizona, bien pourvu de cactus, l'ultime cavalcade d'un western.
Hervé BAZIN, les Bienheureux de la désolation, p. 77.

2 Des chevaux galopèrent dans la tête de l'enfant, qui, joignant les poings comme pour tenir des rênes, imita le jockey. — *Tagada, tagada !*
R. SABATIER, Alain, p. 147-148.

Par ext. *«Allons, le mois d'août, tagada-tagada, s'achève»* (*l'Express*, 28 août 1972, p. 55).

N. m.

3 Les Ritals de la « Lyre » ont des gros doigts raides avec du ciment incrusté dans les plis et des ongles limés à ras par la brique rouge, les ongles et la peau avec, et même la viande. C'est pas le rêve pour le doigté du *tagada* sur la trompette.
CAVANNA, les Ritals, p. 92.

TAGAL [tagal] n. m. — 1846, *tagale*, adj. ; du malais *taga* «indigène».

★ **I.** Ling. Langue malayo-polynésienne, parlée par les Tagals, peuple de l'île de Luçon (Philippines), langue officielle des Philippines. — Syn. : *tagalog*.

★ **II.** (1905, *in* D.D.L.). Fibre végétale tirée de certains palmiers (abacas). *Chapeaux de femme en tagal.*

TAGALOG [tagalɔg] n. m. — 1904, *Tagalocs*, n. m. pl., «tagals», Larousse ; angl. *Tagalog*, 1834 ; mot malais, de *taga* «indigène», et -*ilog* «rivière».

♦ Didact. (ling.). Langue parlée aux Philippines. ⇒ **Tagal** (I.).

TAGATOSE [tagatoz] n. f. — Mil. xxᵉ ; probablt angl. *tagatose* (*in* Webster) ; altér. de *galactose*, premier élément obscur.

♦ Chim., biol. Isomère du fructose contenu dans diverses gommes végétales (notamment le *Sterculia setigera*, arbre africain).

TAGÈTE, TAGETTE [taʒɛt] ou **TAGETES** [taʒetɛs] n. m. — 1765, *tagète* ; *tagetes*, 1964 ; du lat. bot. *tagetes* (xvᵉ), de *Tages*, divinité étrusque.

♦ Bot. Plante (*Composacées*) ornementale, appelée communément *œillet, rose d'Inde*, à fleurs orangées ou jaunes.

TAGLIATELLES [taljatɛl] n. f. pl. — Mil. xxᵉ ; *tagliati*, 1874 ; *tagliatelli*, 1904 ; ital. *tagliatelle*, proprt «petites tranches», de *tagliare*, même orig. que le franç. *tailler*.

♦ Pâtes alimentaires coupées en minces rubans plats assez larges. *Tagliatelles à la carbonara.*

Ils mangeaient des tagliatelles et buvaient du Chianti dans des flasques entourées de paille. J. DUTOURD, les Horreurs de l'amour, p. 490.
Au sing. (rare). *Une tagliatelle.*

TAGMA [tagma] n. m. — xxᵉ ; mot grec *tagma*.

♦ Zool. Région du corps d'un insecte composée de segments plus ou moins semblables. *Des tagmes*, ou (plur. grec), *des tagmata.* (On trouve aussi la forme francisée *tagme*). *«Sont exposées successivement : l'architecture du tagme, sa composition segmentaire fondamentale, et ensuite l'anatomie des appendices propres à chaque région»* (la Recherche, juil. 1979, p. 810).

TAHITIEN, ENNE [taisjɛ̃, ɛn] adj. et n. — xvIIIᵉ, *Taïtien* (→ 1. Nu, cit. 16, Diderot, 1772) ; de *Tahiti*.

♦ De Tahiti, île principale de l'archipel de la Société (Océanie). *Un déguisement tahitien* (→ Paréo, cit.). — N. *Un Tahitien, une Tahitienne. Les Tahitiens.*

TAÏAUT ou **TAYAUT** [tajo] interj. — 1661 (Molière, *les Fâcheux*, II, 6) ; *taho*, v. 1300 ; onomatopée.

♦ Dans la chasse à courre, Cri du veneur pour signaler la bête.
Taïaut les chiens, taïaut les hommes ! HUGO, Ballades, XI.
Par plais. Cri hostile, désignant qqn à la vindicte (→ Haro).

TAÏ CHI [tajʃi] n. m. — Répandu v. 1980 ; mot chinois.

♦ Gymnastique chinoise. *«Ce taï chi, la gymnastique quotidienne de centaines de millions de Chinois, est peut-être une des techniques de remise en forme mentale et physique les plus efficaces»* (*F. Magazine*, févr. 1981, p. 15).

TAIE [tɛ] n. f. — Déb. xivᵉ ; *toie*, xiiiᵉ ; *teie*, déb. xiiᵉ ; du lat. *theca*, grec *thêkê* «étui, fourreau».

★ **I.** Enveloppe de tissu destinée à recouvrir un oreiller*. *Taie d'oreiller* (→ Enfoncer, cit. 3). *Taie brodée assortie aux draps.*

★ **II.** (V. 1354 ; *toie*, v. 1320 ; a désigné diverses enveloppes anatomiques, au xviᵉ). Tache opaque de la cornée, constituée par une cicatrice à la suite d'une inflammation, d'un traumatisme ou de lésions dégénératives. ⇒ **Albugo, leucome, néphélion.**

1 M... disait à M. de Vaudreuil, dont l'esprit est droit et juste, mais encore livré à quelques illusions : «Vous n'avez pas de taie dans l'œil, mais il y a un peu de poussière sur votre lunette».
CHAMFORT, Caractères et anecdotes, « Lunette de M. de Vaudreuil ».

1.1 Certaine maladie sévissait dans le pays à l'état endémique, se manifestant par l'apparition de deux taies blanches très contagieuses qui s'étendaient sur les yeux et s'épaississaient chaque jour davantage.
Raymond ROUSSEL, Impressions d'Afrique, p. 285.

Par métaphore, fig. *Avoir une taie sur l'œil* : être aveuglé (par les préjugés, etc.).

2 Lavez, ô Pluies ! la taie sur l'œil de l'homme de bien (...) la taie de l'homme de mérite, la taie de l'homme de talent ; lavez l'écaille sur l'œil du Maître et du Mécène (...) SAINT-JOHN PERSE, Exils, Pluies, VII.

TAÏGA [tajga] n. f. — 1905, *in* D.D.L. ; mot russe.

♦ Géogr. et cour. «Forêt de conifères qui borde la toundra en Amérique septentrionale et en Asie» (de Martonne, *Traité de géographie physique*, t. III, p. 1400). *La taïga sibérienne.*

TAÏKOUN [tajkun] n. m. — 1765, *taïco* (*Encyclopédie*, art. *Japon*) ; mot japonais.

♦ Vx. Shogun*. — REM. On trouve la var. *taïgoun*, et la graphie anglaise *tikoon*.

(...) cette immense ville, seconde capitale de l'empire japonais, autrefois résidence du taïkoun, du temps que cet empereur civil existait, et rivale de Meako, la grande cité qu'habite le mikado, empereur ecclésiastique, descendant des dieux.
J. VERNE, le Tour du monde en 80 jours, p. 188 (1873).

TAILLABILITÉ [tajabilite ; tajabilite] n. f. — 1770, Voltaire ; de *taillable*.

♦ Hist. État d'une personne taillable.

TAILLABLE [tajabl ; tajabl] adj. — V. 1283 ; de *taille*.

♦ **1.** Hist. Qui est soumis à l'impôt de la taille. *Les serfs étaient taillables et corvéables à merci*, étaient soumis à la taille selon un taux que le seigneur fixait arbitrairement, et à la corvée.
N. *Les taillables de la province.* ⇒ **Contribuable.** — Par ext. *Ville taillable. Bien, terre taillable.*

Celui qui ne pouvait payer, donnait son corps et son temps, taillable et corvéable à merci, obligé de labourer, moissonner, faucher, façonner la vigne, curer les fossés du château, faire et entretenir les routes. ZOLA, la Terre, I, v.

♦ **2.** Fig., littér. TAILLABLE ET CORVÉABLE À MERCI. *Être taillable et corvéable* (ou *corvéable et taillable*) *à merci* : être bon pour toutes les corvées, être destiné à payer, à être exploité.
DÉR. Taillabilité.

TAILLADE [tajad] n. f. — 1532, Rabelais, «coup qui entaille, que l'on porte en frappant de taille» ; «épée pour frapper de taille», xvᵉ ; ital. *tagliata*, de *tagliare*, même rac. que *tailler*.

♦ **1.** Coupure* dans les chairs faite avec un instrument tranchant. ⇒ **Balafre, entaille** (*supra* cit. 2), **estafilade, plaie.** *Se faire une taillade.*
Par ext. Incision. *Faire des taillades dans un tronc d'arbre.*

♦ **2.** (Fin xviᵉ). Ancienn. Ouverture allongée faite dans l'étoffe d'un vêtement pour laisser apparaître la doublure ou un vêtement de dessous. *Les taillades d'un pourpoint*. *Manches à taillades.* ⇒ **Crevé.**

♦ **3.** Régional. Tranche.

Il y a eu une grande taillade de jambon maigre avec un liséré de gras qui miroite comme de la glace de fontaine. J. GIONO, Regain, Pl., t. I, p. 422.
DÉR. Taillader, tailladin.

TAILLADER [tajade] v. tr. — 1532 ; de *taillade*.

♦ **1.** Faire des taillades (1.) dans les chairs, sur la peau. *Taillader le visage de qqn. Il s'est tailladé le menton en se rasant.* ⇒ **Balafrer, charcuter, couper, entailler.** — Par métaphore. *Ce vent qui tailladait le visage* (→ Fouailler, cit. 4). *Avoir le front tailladé de rides.* ⇒ **Buriner, raviner.**

(1690). Par ext. Faire des entailles à, dans (qqch.). *Taillader un arbre.* ⇒ **Inciser.** *Taillader sa table avec un canif. Taillader du pain.* ⇒ **Chapeler.**

1 La pauvre duchesse était, à la lettre, déchiquetée, tailladée par le couteau, assommée par la crosse du pistolet. HUGO, Choses vues, I, 1847, Duc de Praslin.

2 Tous le peignent, enfoncé dans son fauteuil (...) tailladant, à coups de canif, les bords de la table (...)
Louis MADELIN, Hist. du Consulat et de l'Empire, Vers Emp. d'Occident, IV.

Par métaphore. Marquer (comme par une taillade). — **Au participe passé :**

3 Le visage, taché de son, tailladé par les rides.
G. DUHAMEL, Salavin, Journal, 24 janv.

♦ **2.** (1760). Fig., vx. Supprimer des passages dans (un texte, un ouvrage). *La censure a tailladé son article* (⇒ **Censurer,** et aussi **sabrer).**

▶ **TAILLADÉ, ÉE** p. p. adj. (1690).
Orné de taillades* (2.). *Pourpoint tailladé. Manches tailladées* (→ 3. Fraise, cit. 1).
Qui a été tailladé. *Des haillons tailladés* (→ Couvrir, cit. 36).

TAILLADIN [tajadɛ̃] n. m. — 1765 ; de *taillade.*

♦ Vx. Tranche très mince (de citron ou d'orange).

TAILLAGE [tɑjaʒ ; tajaʒ] n. m. — 1289, *tailliage* «coupe» (des arbres) ; *tallage,* 1255 ; de *taille.*

♦ **1.** Rare. Action de tailler.

♦ **2.** (1904, in *Rev. gén. des sc.,* n° 4, p. 216). Techn. Découpage de la terre à briques en tranches minces. — Usinage spécial (de certaines pièces métalliques). *Taillage d'une roue dentée.*

TAILLANDERIE [tajɑ̃dʀi] n. f. — 1611 ; «métier de tailleur», 1430 ; «rognures», 1422 ; *telenderie,* 1407 ; de *taillandier.*

♦ Commerce, métier de taillandier ; fabrication des outils et fers tranchants (faux, haches, serpes, couperets, planes, fers de rabots...) et de certains outils agricoles ou de terrassement (bêches, socs, masses, barres à mine...). *Coutellerie et taillanderie. La taillanderie est une branche de la quincaillerie*. — (1636). Ensemble des articles fabriqués par le taillandier. ⇒ **Grosserie.**

(...) Monghir, ville plus qu'européenne, anglaise comme Manchester ou Birmingham, renommée pour ses fonderies de fer, ses fabriques de taillanderie et d'armes blanches, et dont les hautes cheminées encrassaient d'une fumée noire le ciel de Brahma (...) J. VERNE, le Tour du monde en 80 jours, p. 115.

TAILLANDIER, IÈRE [tajɑ̃dje, jɛʀ] n. — 1213, du p. prés. de *tailler* ; «tailleur» (I., 1.) en anc. français.

♦ Artisan ; ouvrier, ouvrière qui fabrique les outils et fers tranchants utilisés par les cultivateurs et certains artisans (charpentiers, tonneliers, charrons, etc.). *Atelier de taillandier.* — Par appos. *Ouvrier taillandier.*

Enfin nous consommons tant de fer, qu'un taillandier s'est transporté dans le bourg et s'en est très bien trouvé.
BALZAC, le Médecin de campagne, Pl., t. VIII, p. 353.

DÉR. Taillanderie.

TAILLANT [tajɑ̃ ; tajɑ̃] n. m. — 1288 ; p. prés. substantivé de *tailler.*

♦ **1.** Rare et techn. Tranchant* d'une lame, d'un outil. *Le taillant d'une épée, d'une faux.* ⇒ **Tranchant.**

♦ **2.** (Mil. XXᵉ ; «couteau circulaire», 1765). Mod., techn. Extrémité active d'une mèche perforatrice.

♦ **3.** (Par anal. du 1.). Arête.

(...) il eut l'idée de les scier en long *(les solives)* et de les poser en moises ; elles étaient déposées lorsqu'il s'aperçut que le taillant débordait au-dessus des poutrelles carrées, et du reste tiendrait mal le plancher (...)
Jean PRÉVOST, les Frères Bouquinquant, p. 137.

TAILLE [tɑj] n. f. — V. 1155, «impôt» ; de *tailler.*

★ **I.** ♦ **1.** ⓐ (V. 1175). Opération qui consiste à tailler* (2. et 3.) qqch. ; manière particulière de tailler. ⇒ **Coupe***. *La taille de qqch. par qqn. La taille des marches dans la glace.* — (1387). *Taille des pierres* (cit. 14). ⇒ **Stéréotomie.** *Chantier de taille. Taille directe sur le tas.* — Loc. **PIERRE DE TAILLE,** taillée ou destinée à être taillée. *Construction de pierre de taille, en pierre* de taille (→ Atelier, cit. 1 ; cabanon, cit. 2 ; opposite, cit.). *Une pierre* (cit. 13) *de taille. Carrière de pierre de taille.* — *Taille de la pierre, du bois en sculpture.* — Vx. *Basse-taille :* bas-relief. — Gravure. *Taille d'épargne* (infra cit. 16). *Taille douce.* ⇒ **Taille-douce.** — *La taille d'un diamant, d'une pierre précieuse par un lapidaire*. *Taille ancienne, moderne. Taille en baguette.* — *Taille du cristal, du verre. Taille en biseaux, à carreaux. Taille diamant. Taille à main.* — *Taille d'une plume, d'un crayon.* — Vieilli. ⇒ 2. **Coupe.** *Taille des cheveux. Taille en brosse.*

1 Les métiers qui taillent, qui coupent, ne donnent pas sur la matière une instruction assez intime. La projection y reste externe, géométrique. La matière ne peut

même pas y jouer le rôle du support des actes. Elle n'est que le résidu des actes, ce que la taille n'a pas retranché. G. BACHELARD, l'Eau et les Rêves, p. 147.

Vx. *La taille d'un vêtement.* ⇒ 2. **Coupe** (*supra* cit. 3) ; 2. **tailleur.** « *La taille de cet habit ne vaut rien* » (Littré).

Loc. Vx. *Sur toutes les tailles :* sur toutes les coutures.

2 (...) un homme grand et vigoureux, le chapeau bordé sur la tête, l'habit galonné sur toutes les tailles (...) DIDEROT, Jacques le fataliste, Pl., p. 562.

(1562). **Plus cour.** *Taille des arbres, des arbustes, de la vigne.* ⇒ **Élagage, émondement, étêtage, pincement, ravalement** (3.) ; **tailler** (*supra* cit. 5) ; **courçon, gourmand** (II.), **œil** (IV., 4.). *Outils qui servent à la taille.* ⇒ **Sécateur, serpe, serpette, vouge.** *Taille des poiriers* (→ 1. Pêcher, cit.). *Taille tardive* (⇒ **Débourrer,** cit. 2). *Taille d'hiver, d'été* (ou *taille en vert*). *Taille charpentière, fruitière. Taille de formation.* — Hortic. *Taille de la tomate, du melon.* — *Taille des branches, des brindilles.*

3 *(II)* repiqua les plants les plus beaux *(de melons),* avec des cloches par-dessus. Il fit toutes les tailles suivant les préceptes du bon jardinier, respecta les fleurs, laissa se nouer les fruits, en choisit un sur chaque bras, supprima les autres (...)
FLAUBERT, Bouvard et Pécuchet, II.

ⓑ Forme particulière donnée en taillant. *Une belle taille.* — Spécialt. *Taille en brillant, en étoile, en rose* (d'une pierre précieuse). *Taille en biseau,* etc. (d'un cristal).
Forme particulière qu'on donne à un arbre en le taillant. Différentes sortes de tailles : en berceau, en boule, en buisson, en bulteau, en candélabre, en colonne, en cône, en contre-espalier, en cordon, en couronne, en dôme, en espalier, en éventail, en fuseau, en girandole, en gobelet, en palmette, en pyramide, en quenouille, en rideau, en têtard, en treille, en vase, en voûte...

ⓒ Par ext. Bois, rameau coupé et qui commence à repousser. ⇒ **Taillis.**

4 Les gardes et les chiens vont dans les jeunes tailles,
Fouillant les terriers, les broussailles (...) FLORIAN, Fables, IV, 13.

♦ **2.** (XIIIᵉ). Opération qui consiste à faire des incisions, à tracer des traits dans une matière ; son résultat. — Spécialt. Chacune des incisions faites par l'outil du graveur (burin, pointe sèche) dans la planche travaillée. ⇒ **Gravure*** ; contretaille, entretaille.

5 La solution du véritable graveur sera de trouver dans le blanc et noir même l'équivalent de la couleur. On y parvient dès qu'on remarque que (...) cette «valeur» est obtenue par des tailles fortes et espacées ou légères et serrées, égales ou alternées avec des *entretailles* plus minces, parallèles ou croisées de *contretailles,* en carré, en losange, soutenues par des points, etc. Jean LARAN, les Estampes, p. 46.

(1876). Techn. Opération qui consiste à pratiquer sur la surface d'une lime les stries et les aspérités nécessaires ; manière dont une lime est striée. *Taille simple, croisée, douce, bâtarde.*

♦ **3.** (1636 ; «césarienne», XIVᵉ). Opération de chirurgie par laquelle on incise la vessie pour en extraire un calcul*. ⇒ **Cystotomie ; lithotomie, lithotritie ; pierre** (B., 8.). *Instrument de chirurgie servant à l'opération de la taille.* ⇒ **Tenette.** *Pratiquer l'opération de la taille.* ⇒ **Tailler** (I., C., spécialt et vx). *Taille hypogastrique, périnéale, recto-vésicale, vagino-vésicale.* — Par ext. (en parlant d'un autre organe). *Taille articulaire, stomacale, intestinale.*

♦ **4.** (1765). Galerie* où l'on extrait, où l'on «taille» la houille ou un minerai. ⇒ 2. **Mine** (→ Éboulement, cit. 1 ; grisou, cit. 1). *Exploitation par taille rabattante, montante, oblique, en gradins renversés. Base, tête, front* (cit. 35) *de taille.* — *Chargeur aux tailles :* aide-mineur.

6 On ne distinguait rien, la taille s'ouvrait, montait ainsi qu'une large cheminée, plate et oblique, où la suie de dix hivers aurait amassé une nuit profonde.
ZOLA, Germinal, I, IV.

♦ **5.** (XIIIᵉ). Par oppos. à la *pointe.* Tranchant de l'épée, du sabre, qui sert à tailler* (1., 2.). *Utiliser, se servir de la taille.* — **... DE TAILLE.** *Coup de taille,* donné avec la taille. *Recevoir un coup de taille* (→ Un coup d'estramaçon*, vx). *Le sabre gaulois* (cit. 1) *ne frappait que de taille. Frapper d'estoc** (cit. 2) *et de taille. Arme de taille,* que l'on utilise en frappant avec le tranchant.

♦ **6.** (V. 1175). Vx, comm. (dans la vente à crédit et au détail). Chacune des deux parties d'une planchette divisée dans le sens de la longueur sur lesquelles le commerçant faisait une entaille, après les avoir réunies, pour indiquer la fourniture d'une certaine quantité de marchandise, et, spécialt, la partie qui restait chez le commerçant (l'autre, que gardait l'acheteur, portait le nom d'*échantillon* ou de *contretaille*). «*Prendre à la taille le pain chez le boulanger* » (Bescherelle).

7 On allait avoir la farine de cette moisson et chez qui porter la farine, chez qui avoir son compte de pain, sa taille de bois où l'on payait les kilos d'un simple cran au couteau ? J. GIONO, Jean le Bleu, VII.

♦ **7.** (V. 1155 ; pour la filiation de sens → Accise). Hist. *Taille seigneuriale :* redevance payée au seigneur par les serfs et les roturiers. — *Taille royale :* impôt direct au profit du trésor royal, payé principalement par les roturiers, jusqu'en 1789. — *Le cens et la taille ; la taille et la gabelle* (→ Imposer, cit. 30 ; mâltôtier, cit.). *Payer la taille.* ⇒ **Taillable** (→ Corvée, cit. 3). *Le receveur, le collecteur des tailles* (→ Avanie, cit. 3). *Assiette et perception de la taille* (→ Paroisse, cit. 4). *La taille, impôt de répartition. Taille servile, payée par feu* (→ aussi Fouage, cit.). *Taille à merci, taille abon-*

née*, jurée, réglée. *Taille réelle* et *taille personnelle* (selon les provinces). *En Languedoc et en Bretagne, les biens roturiers* (cit. 2) *payaient seuls la taille.*

8 On connaît la taille de *pain* et *vin*, payée d'abord en nature et ensuite en argent. Ce mot de *taille* venait de l'usage, des collecteurs, de marquer sur une petite taille de bois ce que les contribuables avaient donné (...)
VOLTAIRE, Essai sur les mœurs, LXXXIV.

REM. Cette étymologie n'est pas adoptée par Hatzfeld, qui donne à *taille* le sens figuré de «répartition». On peut aussi expliquer le mot par une métaphore de «tailler, enlever» (→ Accise, étym.).

8.1 J'ai chargé mon confident de me trouver, dans les environs, quelque malheureux qui eût besoin de secours (...) Hier après-midi, il me rendit compte qu'on devait saisir aujourd'hui dans la matinée, les meubles d'une famille entière qui ne pouvait payer la taille. LACLOS, les Liaisons dangereuses, XXI.

♦ **8.** (Mil. XIIIe). Nombre de pièces de monnaie qu'on tire d'un poids de métal donné. *Les anciennes pièces d'or de vingt francs étaient à la taille de 155 au kilogramme.*

♦ **9.** (1690). Vx. À certains jeux (pharaon, vingt-et-un, etc.). Série complète des coups qui se succèdent jusqu'à ce que le banquier ait épuisé ses cartes et passe la main. ⇒ **Tailler** (4.), **tailleur** (3.).

♦ **10.** (Av. 1526). Mus. Vx. Partie intermédiaire entre la basse et la haute-contre. — (1636). Vx. Voix de ténor*; chanteur qui a cette voix (⇒ **Basse-taille**).

★ **II.** ♦ **1.** (1538; «forme du corps humain», dès 1200). **a** Hauteur du corps (d'une personne), debout et droit, mesurée du sol au sommet du crâne. ⇒ **Grandeur** (*supra* cit. 33, vx), **hauteur** (*supra* cit. 3, vieilli), **stature.** *Mensuration de la taille avec une toise. Une taille de 1,75 m. La taille moyenne de l'homme* (cit. 16), *du Français. Croître, augmenter, gagner en taille.* ⇒ **Croissance.** *Taille haute* (→ Garçon, cit. 9), *gigantesque, majestueuse, imposante* (cit. 5), *élevée* (→ Relever, cit. 23). ⇒ **Géant, grand.** *Une taille de tambour-major* (→ 2. Falot, cit. 4). *Grand de taille et gauche dans son maintien.* ⇒ **Dégingandé** (fam.). → *Un grand dépendeur d'andouilles*; *un grand diable*. *Taille ordinaire, moyenne* (1. Moyen, cit. 2), *médiocre. Homme de petite taille.* ⇒ **Nabot, nain** (*supra* cit. 1), **petit.** *Atteindre la taille adulte. Ne pas perdre une ligne* (cit. 52), *un pouce* de sa taille (→ Nain, cit. 5). *Avoir la taille requise pour être soldat* (→ Remarquer, cit. 8), *hôtesse de l'air,* et, absolt (vx), *avoir, n'avoir pas la taille.*

b Le corps, considéré dans sa hauteur. *Se redresser de toute sa taille* (→ Postillonner, cit.). *Taille qui se courbe, se voûte. Sa haute taille fléchissante* (→ Rabbin, cit.).

9 Ces messieurs, plus sages que moi, me faisaient remarquer combien ce régime d'immobilité, à l'âge que j'avais, était préjudiciable à ma santé. Ma croissance était à peine achevée; ma taille se voûtait.
RENAN, Souvenirs d'enfance..., IV, II, Œ. compl., t. II, p. 843.

c Par métaphore, fig. *Des idées d'une taille lilliputienne* (cit. 1). *Un conquérant de la taille d'Alexandre.* ⇒ **Envergure.** — Loc. (1830). À LA TAILLE DE..., DE LA TAILLE DE... ⇒ **Échelle** (*supra* cit. 19 : à l'échelle de). *Un sujet à sa taille, à la taille de son génie* (→ Avertir, cit. 17). *La providence ne donne jamais à gouverner aux grands hommes que des événements de leur taille* (→ Prodiguer, cit. 1).

(1666). ÊTRE DE TAILLE À... (suivi de l'inf.) : avoir la force suffisante, avoir les qualités nécessaires pour... ⇒ **Capable** (de); → Être assez grand* pour...; avoir l'envergure*, l'étoffe* de... *De taille à* (cit. 11) *se défendre hardiment. Je me sens de taille à mener la barque* (cit. 8) *tout seul.* — (1776). Absolt (surtout à la forme négative). *Il n'est pas de taille* (→ Il ne fait pas le poids*).

d Spécialt. Grandeur, grosseur et conformation du corps (par rapport aux vêtements). *Cette veste n'est pas à ma taille.* Chacun des types standard (pour la longueur, largeur, etc.) dans une série de confection. ⇒ aussi **Pointure.** *Grande taille; taille courante. Taille 40. Il faudrait la taille au-dessus. Quelle est votre taille?* — Fam. *Quelle taille faites-vous?*

♦ **2.** (V. 1175). Grosseur ou grandeur.

a (D'une chose). ⇒ **Dimension, grandeur, mesure** (vx). *Une statue de grande, de belle taille. La taille d'un rocher.* ⇒ **Grosseur.** *La taille d'une orange.* ⇒ **Calibre.** *La taille d'une épée.* ⇒ **Longueur.** *Photo de la taille d'une carte de visite.* ⇒ **Format** (→ Grandeur, cit. 37). *La taille d'une machine, de la mémoire d'un ordinateur.* — Fig. *Une erreur de cette taille.* ⇒ **Dimension, importance.** Fam. ... DE TAILLE : très grand, très important. *C'est une erreur de taille.* ⇒ **Importance** (*supra* cit. 17).

9.1 Et il est de taille, le gâteau! Y en aura pour tout le monde (...)
R. QUENEAU, le Chiendent, p. 280.

b Grosseur, grandeur (d'un animal). «*Une grenouille vit un bœuf* (cit. 2) *Qui lui sembla de belle taille*» (La Fontaine). *Singe de petite taille* (→ Guenon, cit. 3). *Faucons attachés par rang de taille sur le perchoir* (→ Fauconnerie, cit.). — Spécialt. **Hauteur.** *Bœufs* (cit. 5) *hauts de taille. Cheval de haute taille* (→ Équiper, cit. 5).

♦ **3.** (1656). Vx. Formes du corps humain, et, spécialt, du buste.

« *Les bossus sont des gens de vilaine taille* » (Furetière). « *J'ai bon air, bonne mine, les dents belles surtout et la taille fort fine* » (Molière). *Elle est bien prise dans sa taille. Avoir la taille longue :* avoir le buste long. *Avoir la taille longue et droite* (→ Être tout d'une venue*). *Redresser la taille* (→ Orthopédie, cit.). *Cambrer* (cit. 1) *la taille. Être de taille bien prise** (→ Bien découplé*; et aussi assurer, cit. 66). *Jolie taille.* ⇒ **Tournure.** — Loc. *Être bien pris de taille, dans sa taille; avoir de la taille :* avoir la taille svelte et bien prise (→ Gras, cit. 19, Molière). *Femme qui n'a pas de taille,* courte et grosse.

Loc. mod. *Avoir la taille bien prise :* être bien fait, avoir la taille (4.) fine.

♦ **4.** (XVIIIe). Mod. Partie plus ou moins resserrée du tronc entre les côtes et les hanches. *Entrer dans l'eau jusqu'à la taille. Taille fine, déliée, élancée* (→ Furtif, cit. 5), *légère, mince* (cit. 5), *ronde, souple* (→ Négligé, cit. 1; ployer, cit. 5), *svelte* (→ Potelé, cit. 3). — Loc. (1840). *Taille de guêpe** (→ Lutiner, cit. 3), très fine. *Taille de sylphide. Finesse* (→ Famille, cit. 6), *minceur* (cit.), *sveltesse de la taille. Taille forte, débordante* (→ Attirant, cit. 7; matrone, cit. 4). *Grossesse qui gâte* (cit. 7) *la taille. Taille libre, comprimée* (cit. 11), *sanglée* (→ Évaser, cit. 1). *Vêtement qui amincit, étrangle* (cit. 20), *marque* (cit. 31), *masque* (cit. 9), *serre* (→ Ôter, cit. 4), *prend bien la taille. Ceinture** *qui serre une robe, une vareuse à la taille* (→ Cuir, cit. 6; 2. kaki, cit. 2). *Habit serré* (cit. 12) *et pincé à la taille. Autour du taille, au niveau de la taille, jusqu'à la taille.* ⇒ **Ceinture** (→ 1. Écarter, cit. 3; glisser, cit. 10; oubli, cit. 15). — *Saisir* (→ 1. Maigre, cit. 5), *prendre* (cit. 1) *une femme par la taille. Amoureux qui se tiennent par la taille* (→ Mordre, cit. 12). *Taille ondoyante, qui ondule* (→ Fourreau, cit. 8).

10 (...) sa taille, serrée par le corsage côtelé de l'amazone, sortait souple et frêle de la masse ample et puissante des plis de la jupe (...) Th. GAUTIER, Fortunio, XI.

11 (...) un mulâtre en forme de marteau, — les épaules démesurées, la taille à passer dans une jarretière (...) COLETTE, la Naissance du jour, p. 210.

*Tour** *de taille.*

(Av. 1850). Vx ou dial. Corsage d'une robe de femme.

(1877). Vx. *En taille :* sans manteau, sans pardessus. *Sortir en taille.*

12 Une grosse revendeuse en taille et en cheveux (...)
FRANCE, le Crime de S. Bonnard, III, Œ., t. II, p. 330.

(Av. 1850). Partie du vêtement qui se resserre au niveau de la ceinture. *Taille haute* (sous la poitrine), *basse* (sur les hanches), *marquée, effacée. Taille pincée, ajustée, montée. Robe, manteau sans taille,* qui tombe droit.

13 Arrive Sarah, vêtue d'une robe gris perle, aux soutachements dorés, une robe tombante sans taille, semblable à une tunique.
Ed. et J. DE GONCOURT, Journal, 10 oct. 1893, t. IX, p. 126.

DÉR. et COMP. **Basse-taille, contre-taille, entretaille, mortaille, taillable, taille-douce, taillerie, taillon.**
HOM. **Thaï.** Formes du v. **tailler.**

TAILLÉ, ÉE [taje; taje] adj. ⇒ **Tailler.**

TAILLE-BUISSONS [tajbµisɔ̃] n. m. invar. — 1457, *taillebusson;* de *tailler,* et *buisson.*

♦ Techn. Cisaille utilisée pour tailler les buissons, les haies vives.

TAILLE-CRAYON ou TAILLE-CRAYONS [tajkʀɛjɔ̃] n. m. — 1838; de *tailler,* et *crayon.*

♦ Petit instrument avec lequel on taille les crayons, en les faisant tourner dans une cavité conique comportant une lame. *Des taille-crayon* ou *des taille-crayons. Tailler ses crayons au couteau ou au taille-crayon.*

TAILLE-DOUCE [tajdus] n. f. — XVIe; de *taille,* et *doux.*

♦ Procédé manuel de gravure en creux, et, spécial (par oppos. à *l'eau-forte*), gravure sur cuivre au burin; planche ainsi gravée. ⇒ **Chalcographie, héliogravure** (cit.). *Graveur* (cit. 2) *en taille-douce. Presse de taille-douce.* — (Déb. XVIIe). Estampe tirée au moyen d'une telle planche. *Ouvrage orné de tailles-douces* (→ Frontispice, cit.).

1 Au lieu de faire surgir un trait en relief en déblayant la matière autour de lui, on peut au contraire le tracer directement en creux à même la planche (...) Et ce n'est pas seulement ainsi une expression plus directe, plus spontanée de la pensée de l'artiste que la xylographie, cela comporte aussi des mouvements moins nombreux et plus faciles, d'où vient sans doute que tous les procédés de gravure en creux sont englobés sous le nom générique de *taille-douce.*
Jean LARAN, les Estampes, p. 19.

Par métaphore :

2 (...) la Martinique, cette avalanche de verdure en taille douce noyée dans le flou de l'eau et du temps.
Claude COURCHAY, La vie finira bien par commencer, p. 181.

TAILLE-LÉGUMES [tɑjlegym] n. m. invar. — 1876 ; de *tailler*, et *légume*.

♦ Rare. Outil servant à tailler des légumes à certaines formes. ⇒ **Taille-racines**.

TAILLE-MER [tɑjmɛʀ] n. m. invar. — 1642 ; *taille-mar*, 1622 ; de *tailler*, et *mer*, à l'imitation du provençal *talhamar*, ital. *tagliamare*.

♦ Mar. Partie de l'étrave d'un navire qui fend l'eau. — Spécialt, anc. Pièce de charpente, parfois biseautée, qui forme cette partie, sur les navires en bois.

Le taille-mer, long, courbe et aigu sous le beaupré, sortait de l'avant comme une corne de croissant.   HUGO, l'Homme qui rit, I, I, II.

TAILLE-ONGLES [tɑjɔ̃gl] n. m. invar. — Déb. xxᵉ ; de *tailler*, et *ongle*.

♦ Petite pince coupante pour tailler les ongles. ⇒ **Coupe-ongle**.

TAILLER [tɑje ; taje] v. tr. — xᵉ, *talier* ; du lat. pop. **taliare*, de *talea* « bouture, scion ».

♦ **1.** [a] (1080). Vx. Trancher, couper net. — Loc. fig., mod. *Tailler des croupières** (cit. 1 et 2) *à qqn*.

Frapper avec une arme tranchante. ⇒ **Écharper**. *Taillez les manants !* (→ Rescousse, cit. 2). — Absolt. *La cavalerie prussienne s'élance, sabre* (cit. 2), *taille, hache, tue, extermine*. — Vx (par oppos. à *pointer*). Frapper de *taille** (5.).

Loc. *Tailler en pièces. Tailler une armée en pièces*, la battre, la défaire complètement. ⇒ **Pièce** (*infra* cit. 3).

[b] Vx. Couper en morceaux ; inciser. ⇒ aussi **Découper**, **écharpiller** (fam.), **taillader**. « *On écorche, on taille, on démembre* (cit. 1) *Messire loup* » (La Fontaine). ⇒ **Déchiqueter**, **dépecer**. — Mod., absolt (au propre ou au fig.). *Les chirurgiens taillaient à même la chair* (→ Retrancher, cit. 1). — Loc. *Tailler dans la chair* vive* (→ Amputer, cit. 5). — « *Agir sur la structure de Paris, pour y tailler et recoudre comme un chirurgien bienfaisant* » (→ Extension, cit. 8, Romains).

[c] (1562). Spécialt, vx (chir.). *Tailler qqn* : lui faire subir l'opération de la *taille** (I., 3.). → Héroïque, cit. 12.

[d] Mar. Vx. *Tailler la lame ; tailler de l'avant* ou *tailler* : fendre l'eau rapidement.

1   Matelots, taillons de l'avant ;
    Notre navire est bon de voile (...)
        SAINT-AMANT, les Caprices, « Passage de Gibraltar ».

Loc. *Tailler la route* : avancer, faire beaucoup de chemin sans s'arrêter.

[e] V. intr. ou pron. Fam. (du sens d). SE TAILLER : partir, se sauver, disparaître. ⇒ **Casser** (se), **tirer** (se). *Taille-toi. Il s'est taillé sans rien dire. Il s'est taillé au bistrot, en ville, à Londres*.

2   Tous ! dit le Blondinet. En auto, en moto, ils se sont tous taillés et ils nous ont laissés dans la merde.   SARTRE, la Mort dans l'âme, p. 209.

2.1   (...) taillez-vous maintenant je rigole pas (...)
      Tony DUVERT, Paysage de fantaisie, p. 105.

♦ **2.** (Déb. xiiᵉ). Couper, travailler (une matière, un objet) avec un instrument tranchant, de manière à lui donner une forme déterminée (généralement une forme régulière ou géométrique, avec des arêtes vives). ⇒ **Couper** ; **retailler**. *Tailler des marches dans la glace. Morceau d'une feuille de métal qu'on enlève quand on la taille*. ⇒ **Retaille**. *Tailler en forme de... Tailler qqch. en pointe* (⇒ **Appointer**), *en biseau* (⇒ **Biseauter, ébiseler**), *en dents de scie* (⇒ **Denteler**), *en croissant* (⇒ **Échancrer**), *à jour* (⇒ **Évider**)... *Tailler une pièce de bois*. ⇒ **Chantourner, charpenter, débillarder, équarrir**. *Tailler la pierre*. ⇒ **Bretteler, chanfreiner, épanneler, retondre, rustiquer** ; et aussi **pierre** (*supra*, cit. 12). — Pron. *Cette pierre se taille facilement*. — « *Elle taille une roche Et fait une statue* ». ⇒ **Sculpter** (→ Ébaucher, fig., cit. 2, Hugo). — *Tailler un diamant, une pierre précieuse* (⇒ **Lapidaire** ; *taille, taillerie*). *Tailler un diamant en brillant, à facettes*. ⇒ **Brillanter, facetter**. — *Tailler un crayon* (cit. 2). ⇒ **Affûter, taille-crayon**. — Vx. *Tailler sa plume* (cit. 8 ; et aussi cit. 7, fig.). — *Tailler un linge en carré pour en faire un pansement* (→ Gaze, cit. 3). — Vieilli. *Se faire tailler les cheveux*. ⇒ **Couper, rafraîchir**. *Se tailler la moustache, les ongles*. — (Au p. p.). Mod. *Cheveux taillés en brosse* (cit. 3), *ras* (→ Gros, cit. 5). *Moustache taillée court* (→ Gouape, cit. 1). *Ongles* (cit. 5) *taillés ras*.

3   (...) l'ouvrier taillait tranquillement son zinc à coups de cisaille, penché sur l'établi (...)   ZOLA, l'Assommoir, IV, t. I, p. 141.

4   Voyons, vous écrivez : « Fortement taillé en pleine pâte ». Eh bien ! on taille le bois ; mais la pâte, on la pétrit.   G. DUHAMEL, Chronique des Pasquier, V, XI.

Absolt. *Tailler à même l'étoffe* (→ 2. Patron, cit. 2). — Fig. *Tailler en pleine étoffe* : agir en toute liberté, avec la plus grande hardiesse. *Tailler en plein drap** (*infra* cit. 2). — Fig. *Après avoir taillé, il faut coudre** (*supra* cit. 5).

Absolt, fig. (Vx). *Tailler et rogner**. (*infra* cit. 4).

(1283). *Tailler un arbre, un arbuste* : couper certains bourgeons, rameaux ou branches pour le débarrasser d'un excès de feuillage, lui donner une forme régulière, améliorer la production des fruits. ⇒ **Arbre*** ; **taille *** (*supra* cit. 3) ; et aussi **conduire** (3.), **ébourgeonner, ébrancher, écimer, éclaircir** (A., 4.), **élaguer, émonder** (2.), **ergoter, étêter, étronçonner, ravaler, recéper**. *Tailler la vigne* (→ Invisible, cit. 5 ; sarment, cit.). *Tailler une vigne à deux, à trois yeux* (⇒ **Œil**). *Tailler un arbre en boule, en cône, en fuseau. Citronnier taillé en quenouille* (cit. 4). *Tailler une haie*. ⇒ **Dresser, ébarber**. — Absolt. *Tailler à la serpe, à la serpette, au sécateur. Tailler court, long. Tailler à mort*, en laissant très peu de branches. — *Tailler les melons, les tomates*.

5   (...) ce que je reprocherais au Cours de la Fidélité, c'est la manière barbare dont l'autorité fait tailler et tondre jusqu'au vif ces vigoureux platanes.
    STENDHAL, le Rouge et le Noir, I, II.

♦ **3.** Façonner*, confectionner, aménager, obtenir, préparer (une chose) en en découpant une matière et en en retranchant ce qui est inutile. *Tailler qqch. dans* (une matière dure), *en... Tailler des colonnes* (→ Architecte, cit. 1). — Loc. (Vx). *Tailler qqn en marbre*, faire sa statue, son buste. — Au p. p. *Corniche* (cit. 6) *taillée dans le roc. Sentier taillé à même la montagne* (→ Grimper, cit. 11). — *Se tailler un bâton avec son couteau* (cit. 2). — Techn. *Tailler des engrenages* (⇒ **Taillage**). — *Tailler des mouillettes* (cit. 2), *des tartines dans le pain* (→ Gré, cit. 10). — Vx. *Tailler la soupe** (1.). — *Tailler des torchons dans un drap usagé* (→ aussi 2. Neuf, cit. 4). — *Tailler une robe, un vêtement, un habit* : découper les morceaux que l'on coud ensuite pour faire le vêtement. ⇒ **Couper**, 2. **patronner** ; **tailleur, tailleuse**. — Fig. *On a taillé sur ce patron* (2. Patron, cit. 4) *plusieurs millions d'êtres semblables*.

6   Jean l'avait rejointe, et, le cœur ému, lui offrait la main pour descendre l'étroit escalier taillé dans la roche.   MAUPASSANT, Pierre et Jean, VI.

6.1   Corsages (...) taillés d'après les plus récentes fantaisies de la saison.
    LOTI, Ramuntcho, I, XIV.

7   Ibsen n'atteint la rive que pour abattre le premier tronc venu, s'y tailler un canot et mettre à la voile. Là-dessus, il pousse vers la mer libre.
    André SUARÈS, Trois hommes, « Ibsen », III.

Par ext. *Se tailler un empire colonial* (→ Propager, cit. 1). — Loc. fig. *Se tailler un franc succès*. ⇒ **Obtenir**. *Se tailler la part du lion*.

Loc. fam. *Tailler une bavette**. — Vx. *Tailler de l'ouvrage, de la besogne* : couper les morceaux d'étoffe, de sorte qu'il n'y ait plus ensuite qu'à les coudre. — Fig., vx. *Tailler de la besogne à qqn*, lui donner beaucoup à faire, lui susciter des difficultés. — *C'est de la besogne toute taillée* (→ Toute mâchée*). — Vx. *Tailler les morceaux à qqn*, lui couper sa nourriture, sa viande ; fig., lui préparer (→ Mâcher) la besogne.

♦ **4.** (1690). Dans certains jeux de cartes. Vx. *Tailler un lansquenet, un pharaon* : tenir la main et jouer seul contre tous les autres joueurs. — Intrans. *Tailler au pharaon*. ⇒ aussi **Taille** (I., 9.) ; **tailleur** (3.).

8   (...) il n'est point fâché que ses courtisans le sachent au labeur, tandis qu'eux-mêmes sont à tailler un lansquenet ou à exécuter une comédie.
    Louis BERTRAND, Louis XIV, III, II.

▶ **SE TAILLER** v. pron. Fam. Voir ci-dessus 1., e.

▶ **TAILLÉ, ÉE** p. p. et adj. (Déb. xiiᵉ, au sens 2).

REM. Pour les emplois du participe *taillé en, par...* → ci-dessus à l'article.

♦ **1.** (1636). Blason. Se dit d'un écu qui est divisé en deux parties égales par une diagonale allant de l'angle sénestre du chef à l'angle dextre de la pointe.

♦ **2.** (Par ext. du sens 3, de l'actif). Accompagné d'un adverbe ou d'un complément qui indique une particularité de forme ou de conformation. *Clocher taillé à six pans* (1. Pan, cit. 8). *Le Saint-Gothard est taillé à pic du côté de l'Italie* (→ Gorge, cit. 30). *Figure un peu sèche, taillée à vives arêtes* (→ Sécheresse, cit. 4), *à coups de serpe* (⇒ **Serpe**). *Une gorge taillée comme celle de la Vénus de Médicis* (→ 1. Ferme, cit. 1). *Être taillé en hercule, en athlète. Un homme taillé en force*, fortement charpenté et musclé. ⇒ 1. **Fort** (*supra* cit. 1), **membré**. *Être bien taillé* : être bien fait de sa personne (→ Bien découplé*, bien proportionné*).

9   À voir cette grande vieille fille, taillée comme un tambour-major et qu'on imaginerait facilement défilant devant la statue de Jeanne d'Arc (...)
    M. AYMÉ, le Confort intellectuel, VII.

♦ **3.** (V. 1180). *Taillé* (accompagné d'un complément introduit par *à* — vx — ou par *pour* ou exprimant l'aptitude à une chose). *Chien taillé pour la course* (→ Levretté, cit.). — (Suivi d'un inf.). ⇒ **Capable** (de).

10   Sont-ce des visions que je me mets en tête,
    Quand je me crois taillée à pouvoir mériter
    La gloire de quelque conquête ?   MOLIÈRE, Psyché, I, 1.

♦ **4.** *Cote** (cit. 3) *mal taillée*.

COMP. Détailler, entailler, entretailler, retailler, taille-buissons, taille-crayon, taille-légumes, taille-mer, taille-ongles, taille-racines.
DÉR. Taillage, tallandier, (du p. prés.) taillant, taille, tailleur.

TAILLE-RACINES [tajʀasin] n. m. invar. — 1875 ; de *tailler*, et *racine*.

♦ Techn. Ustensile ménager qui sert à découper en spirale certains légumes (pommes de terre, carottes, navets...) pour en faire des garnitures de plats.

TAILLERIE [tajʀi ; tajʀi] n. f. — 1867 ; « métier de tailleur », v. 1268 ; « boutique de tailleur », 1304 ; de *taille*.

♦ **1.** Atelier où l'on taille des pierres précieuses ou semi-précieuses. *Taillerie de diamants.*

Ils *(les chercheurs de diamants)* sont donc organisés en bandes, chacune commanditée par un chef (...) En échange, l'homme s'engage à ne vendre ses trouvailles qu'aux acheteurs accrédités (eux-mêmes en liaison avec les grandes tailleries hollandaises ou anglaises) et à partager le bénéfice avec son chef.
Claude LÉVI-STRAUSS, Tristes tropiques, p. 178.

♦ **2.** Industrie, art de la taille de ces pierres.

TAILLEUR [tajœʀ ; tajœʀ] n. m. — XIIIᵉ ; *tailleor*, XIIᵉ ; *taillurs*, sens 2, v. 1170 ; de *tailler*.

★ **I.** (V. 1180, *tailleor*). ♦ **1.** Personne qui confectionne les vêtements sur mesure pour hommes ; personne qui exploite et dirige l'atelier où on les confectionne, le magasin où l'on reçoit les clients. *Tailleur en chambre. Boutique, magasin de tailleur. Tailleur civil et militaire. Se faire habiller par un tailleur* (→ Monsieur, cit. 9). *Se faire faire un pardessus, un costume, une veste chez un tailleur. Matériel du tailleur.* ⇒ **Buisse, carreau, centimètre, ciseau, établi, machine** (à coudre), **mannequin** (1. Mannequin, cit. 4), **marquoir, passe-carreau, stéatite**... *Gravures* (cit. 6) *de mode pour tailleurs. Salle d'essayage d'un tailleur* (→ Multiplier, cit. 15). *Tailleur qui mesure* (cit. 2) *l'étoffe, prend les mesures de son client, coupe, bâtit, fait essayer, coud, pique, retouche un vêtement. Faire redoubler, retoucher, retourner un pardessus, élargir un pantalon* (⇒ **Poignard**) *par un tailleur.* — En appos. *Maître tailleur, garçon tailleur. Ouvrier tailleur.* ⇒ **Apiéceur, coupeur, culottier, essayeur, giletier, pompier...**

1 (...) sa première occupation fut de se rendre chez Staub, le tailleur le plus célèbre de cette époque. Il obtint, à force de prières et par la vertu de l'argent comptant, que ses habits fussent faits pour le fameux lundi.
BALZAC, Illusions perdues, Pl., t. IV, p. 622.

(1871). Par ext. *Tailleur pour dames*, qui fait des vêtements de femme.

Tailleur couturier.

(En franç. d'Afrique). Artisan qui effectue les mêmes travaux que la couturière. *Tailleur brodeur.*

♦ **2.** Loc. EN TAILLEUR. (Par allus. à la manière dont les tailleurs d'autrefois s'asseyaient pour travailler. → aussi Racornir, cit. 3 ; sopha, cit. 1). *S'asseoir en tailleur* : s'asseoir par terre, les jambes à plat sur le sol et repliées, les genoux écartés (on dit aussi *s'asseoir à l'orientale, à la turque*).

2 (...) des soukiers *(marchands des souks)* assis en tailleurs *(sic)* devant leurs légumes, leurs poulets étiques et leurs pigeons attachés en botte par la patte.
P. MAC ORLAN, la Bandera, XII.

♦ **3.** (1895, *in D.D.L.*). Vieilli. *Un costume tailleur* (→ Emmanchure, cit. ; jaquette, cit. 3), ou, mod. (1904, *in D.D.L.*), *un tailleur* (→ Gainer, cit. 1 ; prince de galles, cit. 2) : costume de femme, généralement assez ajusté, composé d'une jaquette (ou veste) et d'une jupe de même tissu. *Tailleur sport, strict, habillé. Tailleur de tricot. Tailleur de toile pour l'été.*

2.1 Elle portait un tailleur bleu marine.
Guy DE POURTALÈS, la Pêche miraculeuse, p. 72.

(1964). *Tailleur-pantalon*, composé d'un pantalon et d'une veste assortie. *Des tailleurs-pantalons.*

★ **II. A.** ♦ **1.** Ouvrier qui taille* (2. ou 3.), qui façonne quelque chose par la taille* (I., 1. ou 2.). — Vx. *Tailleur d'images* : imagier sculpteur.

♦ **2.** (1170). Mod. *Tailleur de pierre* (ou *de pierres*) : ouvrier qui taille les pierres à bâtir. ⇒ **Pierre** (*supra* cit. 12). *Outils du tailleur de pierre* (⇒ **Pierre**). *Le Tailleur de pierre de Saint-Point*, roman de Lamartine.

♦ **3.** Techn. TAILLEUR DE... *Tailleur de pavés.* — *Tailleur de diamants* (cit. 6), *de pierres précieuses.* ⇒ **Lapidaire.** — *Tailleur de verres d'optique.* — *Tailleur d'engrenages, de roues, de pignons.* — *Tailleur de limes* (⇒ **Taille**, 2.). — *Tailleur de bouchons de liège...*
Ouvrier agricole qui taille les arbres, les plantes. *Tailleur de haies, de vignes.*

TAILLEUR SUR... *Tailleur sur acier.*

B. T. de jeu. Celui qui est chargé de tailler* (4.), dans une maison de jeu.

3 Le *tailleur* et le *banquier* venaient de jeter sur les ponteurs ce regard blême qui les tue, et disaient une voix grêle : « Faites le jeu ! » quand le jeune homme ouvrit la porte.
BALZAC, la Peau de chagrin, Pl., t. IX, p. 15.

★ **III.** *Tailleur de route* : celui qui parcourt de longues distances, qui taille (*infra* cit. 1) la route (spécialt, en bateau).

DÉR. **Tailleuse.**

TAILLEUSE [tajøz ; tajøz] n. f. — 1731 ; fém. de *tailleur*.

♦ **1.** Vx ou régional. Ouvrière, couturière.

Cette excellente fille, qui vraiment m'a tenu parole, apprenait l'état de tailleuse, où elle est devenue fort habile. G. SAND, Histoire de ma vie, III, v.

♦ **2.** (1933). Techn. Machine destinée à tailler des engrenages.

TAILLIS [taji ; taji] n. m. — 1215 ; de *tailler*.

♦ **1.** Bois*, partie d'un bois ou d'une forêt où il n'y a que des arbres et arbustes de faible dimension issus de souches et de drageons et qu'on coupe à intervalles rapprochés ; ces arbres eux-mêmes. ⇒ **Brout, cépée, gaulis, maquis** (cit. 1) ; **taille** (*supra* cit. 3). *Taillis et futaie* (cit. 2). *Taillis simple. Taillis composé* ou *taillis sous futaie*, où sont réservés certains arbres au milieu des coupes. *Jeunes taillis ; moyen taillis ; haut taillis. Taillis de jeunes charmes* (→ Marcher, cit. 14). *Taillis touffu* (→ Églantier, cit. 2). *Éclaircissement des taillis.* ⇒ **Raclage.** *Arbres réservés dans un taillis.* ⇒ **Baliveau** (cit. 2), **lais.** *Taillis qui sert de refuge au gibier.* ⇒ **Breuil, remise** (II., 1.). *Branches de taillis brisées par les cerfs.* ⇒ **Hardées.** *Taillis abrouti*. *À l'orée, dans l'ombre du taillis* (→ Rabattre, cit. 12 ; enfoncer, cit. 36). *Battre* (cit. 15), *fouiller, arpenter les taillis* (→ Claironner, cit. 2 ; jambe, cit. 8). — Fig. et vx. *Gagner le taillis* : se mettre à l'abri dans un lieu sûr (→ Armer, cit. 19, Molière).

0.1 Cette partie du Far-West paraissait serrée de bois, comme eût été un immense taillis composé d'essences extrêmement variées. Il était donc probable qu'il faudrait se frayer une voie à travers les herbes, les broussailles, les lianes, et marcher la hache à la main (...) J. VERNE, l'Île mystérieuse, t. I, p. 341.

Adj. (1538). *Bois taillis* (→ Fur, cit. 2).

1 (...) nous tournons avec la sente forestière. Elle s'enfonce dans un taillis émouvant, d'une épaisseur grasse et mouillée. Pas une tache de soleil à nos pieds ; un air inerte, qui sans être froid nous transit. M. GENEVOIX, Forêt voisine, IX.

♦ **2.** Par métaphore. *Un taillis de sourcils, de poils* (→ Offusquer, cit. 1 ; ratatiner, cit. 5). — Abstrait :

2 Et dans l'obscur taillis des êtres et des choses (...)
HUGO, la Légende des siècles, « Vision d'où est sorti ce livre ».

TAILLOIR [tajwaʀ ; tajwaʀ] n. m. — V. 1175, *tailleoir* ; *tailleours*, v. 1130 ; de *tailler*.

♦ **1.** Ancienn, régional. Plat de bois ou de métal servant à découper la viande. ⇒ **Tranchoir.**

(...) nous achetions au marché, tous les ans, une moitié de cochon que toutes les femmes de la famille, mobilisées une journée durant autour des tailloirs et des chaudrons, découpaient, salaient, faisaient cuire et mettaient en pots.
Raymond ABELLIO, Ma dernière mémoire, t. I, p. 70.

♦ **2.** (1537, *tailloer*). Archit. Partie supérieure d'un chapiteau* (I.), sorte de tablette carrée ou polygonale sur laquelle repose la retombée des voûtes. *Dans l'architecture du moyen âge le tailloir correspond à l'abaque* des ordres antiques. Le tailloir d'un chapiteau roman.*

TAILLOLE ou **TAYOLE** [tajɔl] n. f. — 1665, le Français moderne ; du provençal *talhola*, XVᵉ, lat. *taliare* « tailleur ».

♦ Régional. Ceinture de laine enroulée plusieurs fois à la taille.

1 (...) le jour où ma fille, à l'âge de sept ans, me demanda pour Noël un pantalon de velours à côte « comme les hommes qui travaillent à la voie du chemin de fer », croyez bien qu'outre les braies côtelées, elle eut la « taillole rouge », la longue ceinture de laine qui ceint trois fois les reins, frangée à chaque bout.
COLETTE, De ma fenêtre, 25 déc. 1940, p. 50.

2 (...) il enfonce ses mains sous sa taillole et y reste là à blaguer les femmes, tout faraud, à se balancer d'un pied sur l'autre (...) J. GIONO, Angiolina, Pl., t. I, p. 751.

TAILLON [tajɔ̃ ; tajɔ̃] n. m. — 1552, Rabelais ; de *taille*.

♦ Hist. Impôt créé par Henri II en 1549 et qui constituait un supplément de la taille* (I., 7.).

TAIN [tɛ̃] n. m. — 1694 ; *teint*, 1680 ; « étain », v. 1200 ; altér. de *étain*.

♦ **1.** Amalgame métallique (étain, mercure) qu'on applique derrière une glace* pour qu'elle puisse réfléchir la lumière. *Le tain d'un miroir. Glace sans tain.* — Par métaphore, poétique :

1 Un très vieux temple antique s'écroulant (...)
(...) Se mire, pâle, au tain d'un fleuve lent (...)
VERLAINE, Parallèlement, « Allégorie ».

2 Par une glace sans tain de ce boudoir moderne, on plongeait dans un salon voisin qui apparaissait avec tout son mauvais goût à l'italienne (...)
ARAGON, les Beaux Quartiers, II, XXIII.

♦ **2.** (1872). Techn. Bain d'étain dans lequel on plonge un métal, pour l'étamer*.

HOM. Teint, thym, tint (du v. **tenir**).

TAIRE [tɛʀ] v. pron. et tr. — Conjug. *plaire*, sauf *il tait*, sans accent circonflexe, et p. p. fém. *tue*. — 980 ; réfection de *taisir*, attesté 1145 ; lat. pop. **tacire*, class. *tacere*.

★ **I.** V. pron. SE TAIRE. ♦ **1.** a (Sujet n. de personne). Rester sans parler, s'abstenir de parler. ⇒ **Silence** (→ Éloquence, cit. 8 ; gros, cit. 10 ; paysan, cit. 7 ; 1. penser, cit. 35 ; savant, cit. 9). *Agir* (cit. 8) *et se taire*. « *Il est bon* (cit. 104) *de parler et meilleur de se taire* ». — Spécialt. Ne pas exprimer qqch. (cf. Ne pas sonner (vx), ne pas souffler mot). *Quand on manque de preuves, on se tait* (→ Doute, cit. 24). — Ne pas exprimer sa douleur, son chagrin. *Souffrir et se taire : ne pas se plaindre.* — Loc. fam. *Il a manqué, perdu une belle occasion de se taire :* il a parlé mal à propos, il s'est fait du tort en parlant.

1   Si tant de belles se sont tues,
    Que ne vous taisez-vous aussi ?
                           Mme DE SÉVIGNÉ, 1283, 25 juin 1690
                           (Parodie de LA FONTAINE, Fables, x, 12).

2   Il n'est jamais plus difficile de bien parler que quand on a honte de se taire.
                           LA ROCHEFOUCAULD, Maximes posthumes, 556.

3   Dans quelque pays que ce puisse être, il n'est pas possible qu'on juge un homme sur ce qu'il n'a pas dit, et qu'on le méprise pour s'être tu.
                           ROUSSEAU, Julie ou la Nouvelle Héloïse, V, III.

4   Il s'était beaucoup forcé pour se taire ; ce sont les mots qu'ils n'ont pas dits qui font si lourds les morts dans leurs cercueils.
                           MONTHERLANT, la Relève du matin, p. 51.

Spécialt. Ne pas divulguer un secret, des choses compromettantes... ; être discret (cf. Tenir sa langue). *Il sait, il ne sait pas se taire.* *Se taire sur qqch., à propos de qqch.* ⇒ **Omettre ; silence** (passer sous). → 1. Dire, cit. 98 ; ignorer, cit. 8 ; menotte, cit. 1. *Se taire sur un secret* (→ Impatience, cit. 1). *Je préfère me taire là-dessus.* — Vx. *Se taire de...* (→ Ennui, cit. 2).

5   Se taire sur quelqu'un, il semble que c'est l'éloigner. En s'informant, on craint d'appeler. On met du silence de son côté comme on fermerait une porte.
                           HUGO, l'Homme qui rit, II, III, VIII.

6   La plus belle fille ne donne que ce qu'elle a, et l'ami le plus dévoué se tait sur ce qu'il ignore.
                           A. DE MUSSET, Carmosine III, 3 (1865).

b Poét. (Sujet n. de chose). « *La douleur qui se tait n'en est que plus funeste* » (→ Attendre, cit. 65). — Fig. Être silencieux. *Tout se tait* (→ Funeste, cit. 20 ; midi, cit. 11 ; muet, cit. 16). « *L'affreuse immensité se tait lugubrement* » (cit. 2).

7   (...) la vanité même se tait, n'ayant que la honte à dire. Jusqu'au mouvement philosophique, ce pays est silencieux, comme le palais désert de Louis XIV.
                           MICHELET, Hist. de la Révolution franç., Introd., II, 2.

♦ **2.** (xiiiᵉ). Cesser de parler, de crier ou de pleurer. *Brusquement, elle se tut. Il a fini par se taire ;* cf. fam. Fermer (sa boîte, sa gueule) ; boucler (la boucler). *Se taire au milieu de la discussion* (cf. Rentrer dans sa coquille). — (Avec ellipse de *se*). *Faire taire :* empêcher de parler, de crier, de pleurer ; forcer à se taire (cf. Clouer le bec, mettre un bouchon, rabattre le caquet, fermer la bouche à..., imposer silence, réduire au silence ... ; et → garce, cit. 3 ; ruer, cit. 1). *Faites-le taire.*

8   (...) en faisant taire l'enfant aujourd'hui on l'excite à pleurer demain davantage.
                           ROUSSEAU, Émile, I.

(À l'impératif). *Tais-toi !* (→ Énerver, cit. 7 ; insolvable, cit. 2). *Tai-sez-vous !* (→ Disculper, cit. 4 ; fourrer, cit. 27). ⇒ **Chut, paix** (cit. 30), **silence** (cf. fam. Ta boîte !, ta gueule ! ... ; boucle-la !; la ferme !). — *Allez-vous vous taire ?* (→ Irriter, cit. 26). *Fais-moi le plaisir* (cit. 39) *de te taire.*

9   Veux-tu te taire, animal ? Est-ce qu'il y a du bon sens à gueuler ainsi ? Les voisins vont venir, tu nous rends tous malades.   ZOLA, la Terre, III, II.

Spécialt (pour atténuer ou démentir ce qui vient d'être affirmé).

10 Je cours guibolles à mon cou !... Je me croyais sauvé !... Tais-toi !... J'entre chez Berlemont...   CÉLINE, Guignol's band, p. 63.

Trans. (Déb. xiiiᵉ, *taire sa boche, sa bouche*). Fam. (Sujet n. de chose). Ne plus se faire entendre. ⇒ **Éteindre** (s'). *Les voix se taisaient* (→ Interrompre, cit. 11). *Les bruits* (cit. 12) *de la rue se sont tus.* ⇒ **Calmer** (se). *L'orchestre s'était tu.* ⇒ **Arrêter** (→ Dépeupler, cit. 9). *Jet d'eau « qui ne se tait ni nuit ni jour »* (→ Entretenir, cit. 15).

11 Son regard est pareil au regard des statues,
    Et, pour sa voix, lointaine, et calme, et grave, elle a
    L'inflexion des voix chères qui se sont tues.
                           VERLAINE, Poèmes saturniens, « Melancholia », VI (1866).

(1674). *Faire taire les récriminations, les disputes.* ⇒ **Cesser.**

♦ **3.** Par métaphore, fig. (Sujet n. de chose). Ne pas ou ne plus s'exprimer, cesser de se faire sentir. « *Il faut que les sens et les passions se taisent...* » (Malebranche). *Cette vertu devant laquelle se taisait la médisance* (→ Honorer, cit. 13). « *Elle* (ma faim) *ne se taira que satisfaite* » (→ Nourriture, cit. 11). — *Faire taire le droit* (→ 2. Lieu, cit. 43). *Faire taire les passions* (⇒ **Calmer**), *ses scrupules* (⇒ **Disparaître** [faire], **supprimer**). *Faire taire l'opposition.* ⇒ **Museler.**

12 J'ai trop souvent permis à ma raison d'arrêter l'élan de mon cœur (...) alors que mon cœur se taisait, j'ai trop souvent parlé quand même.
                           GIDE, les Nouvelles Nourritures, III, III.

★ **II.** V. tr. **A.** ♦ **1.** (V. 1160). Moins cour. que *se taire*. **Taire** (qqch.) : ne pas dire ; s'abstenir ou refuser d'exprimer, de révéler (qqch.). ⇒ **Cacher, celer, dissimuler ; secret** (garder) ; → Essuyer, cit. 16 ; impénétrable, cit. 18. *Taire ses raisons* (→ Déterminant, cit. 1). « *Taire la vérité, n'est-ce pas déjà mentir ?* » (Péguy). ⇒ **Déguiser, mentir.** *Dire ce qu'il faut taire* (⇒ **Bavard**). *Quelqu'un dont je tairai le nom.*

♦ **2.** (1683). Ne pas laisser paraître. *Taire son chagrin, sa douleur.* ⇒ **Dévorer, enfouir.** *Taire son orgueil* (→ Arborer, cit. 9).

13 (...) mentir c'est cacher une vérité que l'on doit manifester. Il suit bien de cette définition que taire une vérité qu'on n'est pas obligé de dire n'est pas mentir (...)
                           ROUSSEAU, Rêveries..., IVᵉ promenade.

14 Esclaves d'une loi fatale,
    Sachons taire les maux soufferts.   HUGO, Odes et Ballades, V, XXI.

15 Le mal est sans espoir, aussi j'ai dû le taire,
    Et celle qui l'a fait n'en a jamais rien su.   A.-F. ARVERS (→ Mystère, cit. 11).

Littér. Interrompre (ses paroles, ses cris, etc.). « *Tais ces chants et cesse ces danses* » (→ 2. Farce, cit. 13).

B. Loc. pop. (1744). *Taire sa gueule :* se taire, la fermer*. *Taire son bec, sa langue* (même sens).

16 Taisez donc vos gueules.   Henri MONNIER, Scènes populaires, t. I (1835).

17 Eh bien, alors (...) tais ton bec, méchant gratte-papier.
                           E. LABICHE, Un monsieur qui prend la mouche, I.

18 Le barbu (...) cria tout d'un coup : — À bas la guerre ! Maurice fit un pas en arrière (...) — La tairas-tu ? dit-il. La tairas-tu ta grande gueule ?
                           SARTRE, le Sursis, p. 163.

19 *Plan flash sur l'inspecteur qui, dans le couloir, crie aux journalistes.*
    DIETRICH. Vous n'allez pas taire vos gueules, là-dedans (...)
                           H.-G. CLOUZOT et J. FERRY, Quai des Orfèvres, 1947,
                           in l'Avant-Scène, nᵒ 29, p. 48.

CONTR. Dire, parler. — Bavarder, chuchoter, confesser, crier, écrire, publier.
HOM. Ter, terre.

TAISEUX, EUSE [tɛzø, øz] n. — D. i. ; cf. anc. franç. *talsi*, adj. ; de *taire ;* du lat. *tacere.*

♦ Régional (Belgique). Personne qui ne parle guère. → Taciturne. *Guillaume le Taciturne, ou le Taiseux.*

TAISSON [tɛsɔ̃] n. m. — 1247 ; *taissun*, v. 1180 ; bas lat. *taxo, -onis*, d'orig. germanique.

♦ Régional (Midi). Blaireau. — REM. Un dérivé *taissonnière* « terrier de blaireau » est attesté (1242).

TAÏWANAIS, AISE [tajwanɛ, ɛz] adj. et n. — xxᵉ ; de *Taïwan*, autre nom de *Formose*.

♦ De Taïwan, de Formose ; originaire de Taïwan. ⇒ **Formosan.** *La politique taïwanaise. Le dialecte, le chinois taïwanais.* — N. Habitant de Taïwan ou personne qui en est originaire.

TAJINE [taʒin] n. m. — V. 1960 ; mot arabe.

♦ Mets marocain, ragoût de viande (mouton, poulet, etc.) cuit à l'étouffée dans un plat en terre à couvercle conique ; ce plat.

TAKAHÉ [takae] n. m. — Mil. xxᵉ ; d'une langue indigène néo-zélandaise, par l'anglais.

♦ Zool. Gros oiseau de Nouvelle-Zélande de la taille d'un coq, à dos et ailes verts, bec et pattes rouges, à corps bleuté. *Le takahé, que l'on croyait disparu, a été observé en 1948 en Nouvelle-Zélande.*

TAKE OFF [tɛkɔf] n. m. — 1961 ; mot angl., de *to take off* « décoller » (en parlant d'un avion).

♦ Anglic. Écon. Départ, démarrage, essor (d'une entreprise, d'une unité sociale). ⇒ **Décollage** (fig.) ; **décoller.** — Par ext. « *La linguistique a réalisé au xxᵉ siècle ce "take off" (...) qui fut celui de la physique au xviiᵉ siècle, de la chimie au xviiiᵉ, de la biologie au xixᵉ* » (l'Express, 25 mars 1968). — REM. On écrit aussi *take-off.*

TAKI [taki] n. m. — xxᵉ ; orig. incert., p.-ê. mot polonais.

♦ Zool. Petit cheval sauvage appartenant à la seule sous-espèce encore représentée de l'*Equus ferus*, vivant dans les régions désertes d'Asie centrale et occidentale. Syn. : cheval de Przevalsky. *Le taki (...) Ce cheval trapu, d'une hauteur au garrot comprise entre 124 et 145 cm, est un peu plus grand que le tarpan (...) Sa tête (...) est relativement grande. Le cou est épais, le garrot à peine saillant. Sa robe peut être de deux couleurs : baie brûlée ou alezan* » (la Recherche, sept. 1980, p. 920).

1. TALA [tala] n. — 1883 ; p.-ê. abrév. plais. de *talapoin* ; on l'a interprété comme *(ceux qui von)t à la (messe)*.

♦ Argot des normaliens. Élève catholique, à l'École normale supérieure.

I   Seul me demeurait hermétique le clan formé par Sartre, Nizan et Herbaud (...) Ils avaient mauvaise réputation (...) Vivement anti-talas, ils appartenaient à une bande, composée en majorité d'anciens élèves d'Alain, et connue pour sa brutalité : ses affiliés jetaient des bombes à eau sur les normaliens distingués qui rentraient la nuit, en smoking.
S. DE BEAUVOIR, Mémoires d'une jeune fille rangée, p. 310.

Par ext. Étudiant, étudiante catholique, aux idées politiques généralement conservatrices, dans d'autres établissements d'enseignement supérieur.

2   À la Sorbonne, avant qu'elle *(Simone de Beauvoir)* ne rencontre Sartre, ses plus chers amis étaient des talas qui ne lui donnaient pas une idée basse de la religion.
F. MAURIAC, le Nouveau Bloc-notes 1958-1960, p. 120.

Adj. *Il, elle est plutôt tala.*

HOM. 2. Tala.

2. TALA [tala] n. m. — XXᵉ ; mot sanskrit, *talā*.

♦ Palmier parasol. «*Après avoir recouvert ce canal de feuilles de talà, elles-mêmes enduites de cire, remplissez le canal avec des préparations égales d'eau et de mercure*» (la Recherche, sept. 1980, p. 985).

HOM. 1. Tala.

TALAIRE [talɛʀ] adj. — 1507 ; lat. *talaris*, de *talus* «cheville, talon».

♦ Didact. Qui descend jusqu'aux talons. *Toge talaire.*

TALALGIE [talalʒi] n. f. — 1923 ; du lat. *talus* «cheville, talon», et *algie*.

♦ Méd. Douleur au talon.

TALANQUÈRE [talɑ̃kɛʀ] n. f. — D. i. ; esp. *talanquera*, même sens.

♦ Techn. Cloison en planches qui sépare de l'arène les spectateurs d'une course de taureaux.

1   Il se faufila le long du comptoir, malgré sa graisse, comme un picador de la talanquère.   Cécil SAINT-LAURENT, la Bourgeoise, p. 276.
2   (...) Pola a dit qu'on est bien ici, on se croirait derrière la talanquère.
Christine DE RIVOYRE, Fleur d'agonie, p. 223.

TALAPOIN [talapwɛ̃] n. m. — 1685, in D. D. L. ; du port. *talapaô*, de l'anc. birman *tala poî* «monseigneur».

♦ **1.** Vx. Prêtre bouddhiste de Birmanie ou du Siam. — Au XVIIIᵉ. Péjor. Moine, prêtre. *Bonzes et talapoins.*

Si l'on nous assurait que le motif secret de l'ambassade des Siamois a été d'exciter le Roi Très Chrétien à renoncer au christianisme, à permettre l'entrée de son royaume aux *Talapoins* (...) qui eussent élevé des *pagodes* au milieu des villes (...)
LA BRUYÈRE, les Caractères, XVI, 29.

♦ **2.** (1803). Petit singe d'Afrique dont les poils du front forment de petites huppes.

DÉR. 1. Tala.

TALARI ou **TALLARI** [talaʀi] n. m. — 1877 ; *tallar*, 1876 ; d'un mot africain.

Didactique.

♦ **1.** Unité monétaire égyptienne, valant vingt piastres ou un cinquième de livre.

♦ **2.** (Av. 1933). Unité monétaire éthiopienne.

TALATATE [talatat] n. m. — XXᵉ ; orig. inconnue.

♦ Archéol. Pierre employée dans la construction des temples égyptiens. *Talatates décorés.* « *Les quelque six mille talatates que l'on découvrait en démontant l'un des môles du IXᵉ pylône* (à Karnak)» (*Sciences et Avenir*, nov. 1979, p. 71.).

TALBIN [talbɛ̃] n. m. — 1844, in Esnault ; *tailbin* «billet de complaisance», «huissier (porteur de billets)», 1821 ; orig. incert., probablt du rad. de *tailler*.

♦ Argot. Billet de banque. ⇒ **Billet ; biffeton.**

D'un geste preste, Peter avait cueilli l'enveloppe au vol et en faisait couler devant lui vingt liasses de dix talbins de mille. Contrôlant la lueur de convoitise que venait d'allumer l'apparition des biffetons dans les regards des deux petits truands, il se permit de faire durer le plaisir quelques secondes de plus.
Albert SIMONIN, Hotu soit qui mal y pense, p. 24.

TALC [talk] n. m. — 1518 ; arabe *ṭalq*.

♦ Silicate naturel de magnésium renfermant de l'eau et diverses impuretés (fer, aluminium). ⇒ **Stéatite ; craie** (de Briançon) ; **talqueux.** *Le talc, le plus tendre des minéraux, onctueux au toucher, blanc ou coloré, est utilisé en pharmacie. Poudre de talc. Saupoudrer de talc.* ⇒ **Talquer.**

DÉR. Talcaire, talquer, talqueux.
COMP. Talcomètre, talcschiste.

TALCAIRE [talkɛʀ] adj. — 1845 ; de *talc.*

♦ Sc. Relatif au talc. — Qui est de la nature du talc.

TALCOMÈTRE [talkɔmɛtʀ] n. m. — 1964 ; de *talc*, et *-mètre.*

♦ Techn. Appareil permettant de connaître la proportion de talc ajouté frauduleusement à une farine.

TALCSCHISTE [talkʃist] n. m. — 1876 ; de *talc*, et *schiste.*

♦ Minér. Roche métamorphique, variété de phyllade*.

TALÉ, ÉE [tale] adj. — V. 1330, *taulé* «broyé» ; repris 1860. → Taler.

♦ Meurtri, taché (en parlant des fruits). *Pêches talées.*

HOM. Taller.

1. TALEB [talɛb] n. m. — XIXᵉ, in P. Larousse ; arabe maghrébin ; arabe class. *ṭālib*, proprt «celui qui se met à la poursuite des études».

♦ Écrivain public, en Afrique du Nord.

HOM. 2. Taleb (v. taleth).

2. TALEB [talɛb] n. m. ⇒ **Taleth.**

TALÉGALLE ou **TALLEGALLE** [talegal] n. m. — 1828, Lesson, *Manuel d'ornithologie*, II, 186 ; comp. hybride du malgache *taleva* «poule sultane», ou «porphyrion, talève», et lat. *gallus* «coq».

♦ Oiseau gallinacé, de grande taille, répandu en Australie et en Nouvelle-Galles du Sud, appelé aussi *dindon des buissons.*

TALENT [talɑ̃] n. m. — 980, *talant* «état d'esprit» ; du lat. *talentum*, grec *talanton*. — REM. Le mot a eu en anc. franç. (dès le XIᵉ s.) le sens de «désir, volonté», soit par une métaphore de *talent*, I., soit par empr. direct du grec *talanton* «plateau de balance», d'où «poids, inclination».

★ **I.** (V. 1170). Antiq. ♦ **1.** Poids de 20 à 27 kg, dans la Grèce antique.

♦ **2.** Monnaie de compte équivalant à un talent d'or ou d'argent.

Il trouva des voleurs, et, n'ayant dans sa bourse
Qu'un écu pour toute ressource
Il leur promit cent talents d'or (...)   LA FONTAINE, Fables, IX, 13.   1

Bible. *Parabole des talents* (Évangile selon saint Matthieu, XXV, 14), dans laquelle un serviteur enfouit le talent que le maître lui a confié alors que les autres le font valoir. — Loc. fig. (Mil. XVIIIᵉ ; sens propre, 1550).Vx. *Enfouir (employer) son talent :* négliger (faire valoir) ses avantages, ses dons.

★ **II.** (XIIIᵉ ; de la loc. fig. ci-dessus). Don, aptitude.

♦ **1.** Vieilli. Disposition donnée (par Dieu, par la nature), à un homme ; par ext., disposition naturelle ou acquise «pour réussir en quelque chose» (Furetière). ⇒ **Aptitude, art** (I., 1.), **capacité, don, génie** (supra cit. 19), **faculté, instinct, qualité** (→ Apporter, cit. 23 ; déplaire, cit. 9 ; guérir, cit. 10). *Les talents du corps et de l'esprit* (→ Sentiment, cit. 10). «*Être franc* (2. Franc, cit. 4) *et sincère est mon plus grand talent.* » «*Soyez plutôt maçon* (cit. 3), *si c'est votre talent.* » «*Ne forçons* (cit. 25) *point notre talent...* » *Exercer un talent, son talent* (→ Pomme, cit. 5). Iron. *Allez exercer vos talents ailleurs :* s'emploie pour renvoyer une personne dont on est mécontent. — *Avoir le talent de...* (suivi d'un inf.). ⇒ **Don** (→ 2. Équivalent, cit. 1 ; prédire, cit. 3). Iron. *Le talent de mettre l'humeur* (cit. 22) *à la place de la raison.*

De ces femmes aux beaux et louables talents,   2
Qui savent accabler leurs maris de caresses,
Pour leur faire avaler l'usage des galants.   MOLIÈRE, Amphitryon, I, 4.

Dieu a mis des talents différents dans l'homme, comme il a planté des arbres   3
différents dans la nature, en sorte que chaque talent, ainsi que chaque arbre, a sa
propriété et son effet qui lui sont particuliers.
LA ROCHEFOUCAULD, Maximes posthumes, 505.

(1624). Mod. Aptitude particulière, dans une activité appréciée par le groupe social. ⇒ **Esprit** (V., 2., vx), industrie (vx) ; → Attribut, cit. 1. *Avoir des talents* (→ Engouer, cit. 4 ; lécher, cit. 9 ; riche, cit. 1). *Cultiver son talent. Se faire connaître par quelque talent* (→ Célébrité, cit. 5). — Péj. « *Des gens à talents que nous prenons pour des gens d'esprit* » (→ Imitation, cit. 4). — *Talent de société,* qui intéresse, divertit en société (→ Passe-passe, cit. 1). *Un petit talent d'imitation* (cit. 2). — *Un beau, un grand talent ; un joli talent d'amateur.* Vx. *Un demi-talent* (Rousseau, *in* Littré). *Un talent prononcé pour la musique* (→ Instinct, cit. 27). *Talent dramatique* (cit. 6), *littéraire* (cit. 7). *Le talent d'un virtuose* (⇒ **Virtuosité**). — *Talent militaire* (→ 1. Foudre, cit. 19), *politique. Accomplir une mission avec talent* (→ Plénipotentiaire, cit. 3). ⇒ **Adresse, habileté.**

4   Mon fils, les talents sont encore plus rares que la naissance et les richesses ; et sans doute ils sont de plus grands biens, puisque rien ne peut les ôter, et que partout ils nous concilient l'estime publique. Mais ils coûtent cher.
BERNARDIN DE SAINT-PIERRE, Paul et Virginie, p. 104.

5   Plusieurs écrivains de nos jours ont la manie de dédaigner leur talent littéraire pour suivre leur talent politique, l'estimant fort au-dessus du premier.
CHATEAUBRIAND, Mémoires d'outre-tombe, t. V, p. 139.

Vx. Exercice, art qui demande des aptitudes particulières. « *Ce n'est point un talent que je vous demande, c'est un métier* (cit. 4)..., *un art purement mécanique* » (Rousseau). → aussi Graveur, cit. 1.

♦ **2.** Absolt. LE **TALENT** : aptitude remarquable dans le domaine intellectuel ou artistique. ⇒ **Distinction** (→ Différence, cit. 9). *Sans travail, le talent est un feu* (1. Feu, cit. 56) *d'artifice. L'expérience est la base du talent* (→ Érudition, cit. 8). *La facilité* (cit. 18), *c'est le talent tourné contre lui-même* (⇒ aussi **Brio, chic**). *Le génie** (cit. 27, 33 et 34) *et le talent.* — *Avoir du talent* (→ Posséder, cit. 16), *beaucoup de talent. Hommes de talent* (→ Ensemencer, cit. 5) ; *auteur, écrivain de grand talent* (→ Rencontrer, cit. 4). ⇒ **Mérite.** *L'aristocratie du talent. Il n'a pas, pas beaucoup de talent. Des écrivains sans talent.*

6   Le traducteur d'Ovide n'était pas un homme sans talent ; le talent est un don, une chose isolée ; il se peut rencontrer avec les autres facultés mentales, il peut en être séparé (...)
CHATEAUBRIAND, Mémoires d'outre-tombe, t. II, p. 8.

7   Rivarol n'était point un homme de génie, mais c'était plus qu'un homme d'esprit : il réalisait tout à fait l'idéal de l'homme de talent, tel qu'il l'a défini : « Le talent, c'est un art mêlé d'enthousiasme ». Il est dommage que ce talent, chez lui, fût un peu gâté par du faste et de l'apprêt.
SAINTE-BEUVE, Causeries du lundi, 27 oct. 1851.

7.1   Le talent n'a de valeur que parce que le monde est enfantin.
RENAN, Souvenirs d'enfance..., *in* Œ. compl., t. II.

8   Nous sommes très longs à reconnaître dans la physionomie particulière d'un nouvel écrivain le modèle qui porte le nom de « grand talent » dans notre musée des idées générales. Justement parce que cette physionomie est nouvelle, nous ne la trouvons pas tout à fait ressemblante à ce que nous appelons talent. Nous disons plutôt originalité, charme, délicatesse, force ; et puis un jour nous nous rendons compte que c'est justement tout cela le talent.
PROUST, Du côté de chez Swann, Pl., t. I, p. 137.

9   Le génie est peut-être au talent ce que l'instinct est à la raison.
J. RENARD, Journal, 31 janv. 1906.

10   Lorsqu'on se laisse aller, l'on se plaît à croire que c'est au génie. Le talent, c'est ce qui s'acquiert ; mais on n'en a cure. Je me souviens d'avoir écrit jadis qu'il fallait beaucoup de talent pour rendre un peu de génie supportable.
GIDE, Attendu que..., p. 62 (→ Génie, cit. 34).

(1865). Qualité ou ensemble de qualités (d'une œuvre) qui dénote le talent de son auteur. *Œuvre d'un talent moindre* (→ Rabaisser, cit. 4).

11   (...) ils ont le front de dire : — C'est dangereux, je l'avoue ; il y a du poison là-dedans ; mais c'est plein de talent. Comme si en correctionnelle, le juge disait d'un apache : — Il est gredin, c'est vrai ; mais il a tant de talent (...)
R. ROLLAND, Jean-Christophe, « Foire sur la place », p. 720.

11.1   La Grèce aussi consacre des statues, mais pour elle seule une sculpture, consacrée ou non — et qu'elle ressemble aux mortels ou les immortels —, peut appartenir au divin par le talent, car pour elle seule le talent n'est pas autre chose que l'expression du divin. Les dieux prennent forme par l'art comme la lumière par ce qu'elle éclaire.
MALRAUX, la Métamorphose des dieux, p. 80.

♦ **3.** Don littéraire ou artistique (de qqn) considéré dans ses caractères propres. *Talent qui grandit, mûrit* (→ Espérance, cit. 36). *Talent gâché. Talent hardi* (cit. 18), *fin, mâle* (cit. 15) *et robuste. Le talent d'un peintre.*

12   (...) nous tâcherons (...) d'apprécier à sa valeur ce talent qui ne fut ni très élevé, ni très énergique, ni très étendu, mais qui fut modeste, naturel, sincère, et qui se montra gai, vif, fertile, agréable et fin, lorsqu'il osa être tout entier lui-même, et qu'il ne sortit pas de ses justes emplois.
SAINTE-BEUVE, Causeries du lundi, 30 déc. 1850.

♦ **4.** (1734). Par métonymie. Personne qui a un talent particulier (artistique, littéraire, politique, etc.), qui a du talent. *De grands talents* (→ Indiscutable, cit. 3). *Encourager les jeunes talents* (→ Académie, cit. 6). *Un talent ignoré* (→ Maître, cit. 91). — (Collectif). *Le talent :* les gens de talent.

DÉR. **Talentueux.**

TALENTUEUSEMENT [talɑ̃tyøzmɑ̃] adv. — Attesté mil. xxe (1964, *in* Robert) ; de *talentueux.*

♦ Avec talent. *Il s'exprimait talentueusement.*

TALENTUEUX, EUSE [talɑ̃tyø, øz] adj. — 1876 ; *talentueux,* 1857 ; de *talent.*

♦ Qui a du talent. *Un compositeur, un écrivain talentueux. Elle est très talentueuse.*

De Nittis, c'est le vrai et le *talentueux* paysagiste de la rue parisienne (...) Le ciel de Paris avec ses bleus délavés, la pierre grise des maisons, l'affiche en ses coloriages (...) c'est merveilleux (...)
Ed. et J. DE GONCOURT, Journal, 2 juin 1883, t. VI, p. 185-186.

DÉR. **Talentueusement.**

TALER [tale] v. tr. — 1417 ; *tauler* « broyer », v. 1330 ; du germanique **talôn,* ou, selon Guiraud, d'un roman **talare,* de *talus* « paturon » comme *calcare* de *calcem,* accusatif de *calx* « talon ».

♦ **1.** Fouler, meurtrir. — (1636). Spécialt. *Les chocs du transport ont talé ces fruits.* — Fam. *Taler les fesses.* ⇒ **Meurtrir.**

1   La sœur a soulevé la couverture, a pris dans ses bras la malade infirme et infecte, l'a retournée sur le dos, un pauvre dos talé et meurtri, semblable au dos d'un nourrisson meurtri par des langes trop serrés (...)
Ed. et J. DE GONCOURT, Journal, 23 déc. 1860, t. I, p. 274.

♦ **2.** Fig. Meurtrir ; importuner (qqn, qqch.).

2   Sa conscience ne le talait presque plus, sauf aux heures de visite, lorsque sa mère était là.
M. AYMÉ, le Passe-muraille, « Les bottes de sept lieues », p. 222.

3   Mais je me retins d'en dire davantage. Sur ce ton je n'eusse plus fait seulement l'aveu d'une cocasse passade mais d'un si profond amour qu'il eût talé la pudeur du policier.
Jean GENET, Journal du voleur, p. 202.

DÉR. **Talé,** 1. **taloche, talure.**
HOM. **Taller.**

TALETH [talɛt] n. m. — 1732 ; mot hébreu, *tallith,* de *tatal* « couvrir ».

♦ Relig. Châle rituel en soie blanche à franges, dont les juifs se couvrent les épaules pour prier. — On écrit aussi *talleth.* — Var. : *taleb, taled, talish, taliss, talès, talesse.*

1   Par-dessus leurs couvre-chefs, ils avaient mis le blanc taliss de laine, l'écharpe de prière à franges bleues, aux broderies d'argent (...)
Jérôme et Jean THARAUD, l'Ombre de la croix, I.

2   Le vendredi soir, il allait prier avec d'autres juifs réfugiés dans la forêt sur les ruines de la vieille poudrière détruite, à Antokol. Tous les soirs, il se jetait sur la tête le *talès* de soie blanche et noire, se frappait la poitrine, pleurait.
R. GARY, Éducation européenne, p. 38.

HOM. (De la var. *taleb*) 1. **Taleb.**

TALIBÉ [talibe] n. m. — D. i. ; de l'arabe.
Français d'Afrique.

♦ **1.** Élève d'une école coranique. « *Des talibés errants, dépenaillés, qui ne fondent leur existence que sur la générosité d'autrui* » (*le Soleil* [de Dakar], 12 mai 1978, *in* I.F.A.).

♦ **2.** Disciple d'un marabout. « *De mémoire de talibé, on n'avait jamais vu autant de monde aux abords de la grande mosquée* » (*le Soleil* [de Dakar], 30 janv. 1978, *in* I.F.A.).

TALION [taljɔ̃] n. m. — V. 1395 ; lat. *talio, -onis.*

♦ Peine, châtiment qui consiste à infliger au coupable le traitement même qu'il a fait subir à sa victime. ⇒ **Justice ; punition.** *Le talion, la loi du talion :* l'institution de telles peines. *Le talion était pratiqué par les Hébreux* (cf. Œil pour œil, dent pour dent).

Tu m'as pris Josépha, j'ai ta femme (...) C'est la vieille loi du talion !
BALZAC, la Cousine Bette, Pl., t. VI, p. 151.

Fig. Le fait de rendre* la pareille, de se venger avec rigueur.

TALIPOT [talipo] n. m. ⇒ **Tallipot.**

TALISMAN [talismɑ̃] n. m. — 1629 ; de l'arabe *ṭilasm,* du grec de basse époque *telesma* « rite religieux » ; le sens de « iman » (xvie) vient du turco-persan *dânichmand* « savant ».

♦ **1.** Objet (pierre, anneau, etc.) sur lequel sont gravés ou inscrits des signes consacrés, et auquel on attribue des vertus magiques* de protection, de pouvoir... ⇒ **Amulette** (cit. 1), **brevet** (vx), **fétiche, grigri, phylactère** (vx) ; → Consteller, cit. 4 ; face, cit. 30 ; magique, cit. 3. *Pierre gravée qui sert de talisman.* ⇒ **Abraxas.** *Talisman portant des signes cabalistiques* (⇒ **Cabale**), *fait d'une racine de mandragore**... *Des talismans qui protégeaient contre la colère des dieux* (→ 1. Hypogée, cit. 2). — Par ext. Objet ou image* porte-bonheur.

1   Je demandai à l'un d'eux une bague orientale qu'il avait au doigt et que je regardais comme un ancien talisman, et, prenant un foulard, je le nouai autour de mon col, en ayant soin de tourner le chaton, composé d'une turquoise, sur un point de la nuque où je me sentais une douleur.
NERVAL, Aurélia, I, III.

2   Lionel me persuada qu'un pacte aussi solennel nécessitait un gage ; il rompit en deux un fleuron de clématite, m'en remit une moitié, garda l'autre, qu'il jura de porter sur lui comme un talisman.
GIDE, Si le grain ne meurt, I, VI.

2.1   À dix ans, on parcourt seul tout le quartier, on discute avec les marchands, on sait écrire, au moins son nom, on peut consulter une voyante sur son avenir, apprendre des mots magiques, composer des talismans.
Ahmed SEFRIOUI, la Boîte à merveilles, I,
in Littérature de langue franç. hors de France, p. 378.

♦ **2.** (1713). Fig. Ce qui a un effet souverain, merveilleux (⇒ **Charme**).

3 L'amour lui semblait un passe-temps, la jalousie un ridicule ; elle croyait d'ailleurs sa beauté un talisman auquel rien ne pouvait résister.
A. DE MUSSET, Nouvelles, « Deux maîtresses », VIII.

DÉR. Talismanique.

TALISMANIQUE [talismanik] adj. — 1625 ; de *talisman*.
Didactique.

♦ **1.** Qui figure sur les talismans. *Caractères talismaniques* (Lesage, *in* Bescherelle).

1 Aussi, concluait Durtal, sied-il d'accepter le caractère talismanique de la liturgie ou alors ne pas s'en mêler (...) HUYSMANS, l'Oblat, V.

♦ **2.** Qui a le pouvoir d'un talisman, et, par ext., un pouvoir surnaturel. *Formules talismaniques.*

2 De belles mains ornées de bagues talismaniques et de bracelets d'argent (...)
NERVAL, Voyage en Orient, « Femmes du Caire », I, I.

3 (...) pour faire entendre que je crois important de ne pas être un mais d'être l'un de deux et que j'accorde un pouvoir talismanique à cette complicité, je me borne à citer une scène d'opéra qui, illustrant cela, m'a toujours extraordinairement ému !
Michel LEIRIS, Frêle bruit, p. 340.

TALITRE [talitʀ] ou TALITRUS [talitʀys] n. m. — 1811, *talitre* ; *talitrus*, 1964 ; lat. sc. *talytrus* (1806, Latreille), de *talitrum* « chiquenaude », à cause du saut de l'animal.

♦ Petit crustacé sauteur qui vit au bord des plages, appelé couramment *puce de sable, puce de mer.*

TALKIE-WALKIE [tokiwɔlki ; talkiwalki] n. m. — 1945 ; mot angl. des États-Unis (d'un mot de pidgin des Antilles) ; de *telkee-(talkee)* « bavardage », et *walk* « promenade » ; on dit en anglais *walkie-talkie.*

♦ Anglic. Petit poste émetteur-récepteur portatif de radio, à faible portée. ⇒ **Walkie-talkie.** *Utilisation du talkie-walkie par l'armée et la police. « Trois terroristes ont été arrêtés. Ils étaient en possession de trois cents grenades et de plusieurs "talkies-walkies" »* (*le Monde*, 16 janv. 1968). — On trouve aussi le plur. invar. : « *la protection civile avec ses talkie-walkie gros modèle* » (*Charlie-Hebdo*, 8 déc. 1977, p. 10).

(...) ces gendarmes, je les ai dirigés avec ce talkie-walkie que vous voyez là.
A. L. DOMINIQUE, le Gorille sans cravate, p. 183.

TALLAGE [talaʒ] ou (moins cour.) TALLEMENT [talmɑ̃] n. m. — 1860 ; de *taller.*

♦ **1.** Agric. Ensemble des talles ; quantité des tiges adventices produites par un pied (d'une plante herbacée). *Le tallage d'une variété de blé.*
Par ext. Puissance de production de talles d'une plante.

♦ **2.** (1876). Agric. Production des talles. — Par ext. Phase de la pousse des céréales qui se termine à l'apparition des talles. — Spécialt. *Provoquer le tallage du gazon au rouleau.*

TALLE [tal] n. f. — 1611 ; attestation isolée, 1488 ; lat. *thallus*, grec *thallos.* → Thalle.

♦ Agric. Tige adventice au collet d'une plante. ⇒ **Pousse, rejeton, surgeon.** *Pousser des talles.* ⇒ **Taller.** *Ensemble des talles.* ⇒ **Tallage.**
Ensemble de ces pousses.

DÉR. Taller.
HOM. Thalle.

TALLER [tale] v. intr. — 1549, *thaller* ; de *talle.*
Agriculture.

♦ **1.** Émettre des tiges secondaires à la base de sa tige. *Plus le blé talle, plus il produit.*

♦ **2.** Spécialt. Émettre un grand nombre de talles ramifiées qui s'étendent sur le sol. *Faire taller le gazon au rouleau.*

DÉR. Tallage ou tallement.
HOM. Talé, taler.

TALLETH [talɛt] n. m. ⇒ **Taleth.**

TALLIPOT ou TALIPOT [talipo] n. m. — 1683, *tallipot* ; *talipot*, 1784 ; angl. *talipot* ; du malayalam *talipat*, hindi *talpat.*

♦ Palmier à larges feuilles en éventail *(Corypha umbraculifera)* qui pousse dans le sud de l'Inde, à Ceylan.

TALMA [talma] n. m. — 1851 ; *manteau Talma*, 1849, *in* D.D.L. ; du n. de l'acteur Talma (1763-1826).

♦ Anciennt. Manteau d'homme court, à la mode vers 1820.

TALMOUSE [talmuz] n. f. — 1564 ; *talemouse*, v. 1398 ; p.-ê. de *taler*, et *mouse* « museau » (→ Casse-museau) ; ou altér. du moy. néerl. *tarnemele* « farine ».

♦ **1.** Vx. Pâtisserie triangulaire (selon Furetière) contenant une pâte au fromage et aux œufs (→ Payer, cit. 20, Balzac).

Bernerette tira de sa poche une talmouse qu'elle avait prise en passant à Saint-Denis, et l'offrit de si bonne grâce à Gérard, qu'il lui baisa la main pour la remercier.
A. DE MUSSET, Nouvelles, « Frédéric et Bernerette », V.

♦ **2.** (1842). Fam., vx. Coup au visage ; gifle, soufflet.

TALMUD [talmyd] n. m. — 1690 ; *thalmud*, 1611 ; mot hébreu, « étude, doctrine », de *lamad* « apprendre ».

♦ Recueil des enseignements des grands rabbins (récits, légendes, spéculations morales, jurisprudences religieuses), conservés dans deux collections inégales dites *Talmud de Jérusalem* et *Talmud de Babylone.* ⇒ **Rabbinisme.** *Le Talmud, commentaire des livres* sacrés* (Ancien Testament). ⇒ **Juif.**

La *Mischna* est la basse du *Talmud* (...) Elle forme une immense collection de commentaires, gloses, explications, amplifications, applications diverses du texte biblique. Mais, à tout cela, chaque *Talmud* ajoute une grande quantité de matière haggadique *(de* haggadah : *récit, narration)* (...) le *Talmud* est celle *(l'œuvre)* des *Amoraïm (interprètes?)*, divisés en cinq générations, de 220 à 500 (...)
Ch. GUIGNEBERT, le Monde juif..., p. 38.

DÉR. Talmudique, talmudiste.

TALMUDIQUE [talmydik] adj. — 1721 ; attestation isolée, 1546 ; de *talmud.*

♦ Relatif au Talmud ; du Talmud. *Recueil, texte talmudique. « Les compilateurs talmudiques... »* (Guignebert, *le Monde juif*, p. 39). *Règles talmudiques.*

DÉR. Talmudiquement.

TALMUDIQUEMENT [talmydikmɑ̃] adv. — 1888, Villiers de l'Isle-Adam, *in* D.D.L. ; de *talmudique.*

♦ Rare. Selon le Talmud.

TALMUDISTE [talmydist] n. — 1534 ; de *talmud.*
Didactique.

♦ **1.** N. m. **a** Auteur, compilateur du Talmud.

b Israélite pieux, spécialiste des études talmudiques.

♦ **2.** N. (xxe). Érudit spécialiste du Talmud. — REM. Dans ce sens, le fém. est possible.

TALOCHAGE [talɔʃaʒ] n. m. — xxe ; de 2. *taloche.*
Technique.

♦ **1.** Enduction de plâtre, de mortier... à la taloche (2. Taloche, 1.). *Talochage d'un parement de cloison au plâtre fin.*

♦ **2.** Lissage à la taloche (2. Taloche, 2.) des meules de champignons de couche.

1. TALOCHE [talɔʃ] n. f. — Fin xve, *tal(l)oche* « coup » ; *talloce*, v. 1460 ; de *taler*, et suff. pop. -*oche.* → Taler.

♦ Fam. (plus ou moins cour. selon les régions). Gifle (surtout à un enfant). *Donner, flanquer, recevoir une taloche.* ⇒ **Calotte, claque.**

1 (...) ils rééchangèrent des taloches formidables, des tapes à plat laissant au rouge du pantalon l'empreinte du gant fraîchement blanchi.
COURTELINE, le Train de 8 h 47, II, I.

2 Quand vous étiez enfant, fallait-il donc la peur de la taloche paternelle pour vous forcer à bien faire votre devoir ? GIDE, Journal, Feuillets, 1925.

DÉR. 1. Talocher.
HOM. 2. Taloche.

2. TALOCHE [talɔʃ] n. f. — 1842 ; « petit bouclier », v. 1320 ; anc. franç. *talevaz*, avec infl. de 1. *taloche* ; bas lat. *talapacium, d'orig. gauloise.
Technique.

♦ **1.** Constr. Outil de plâtrier (de maçon, etc.), planche munie d'une poignée, sur laquelle le compagnon dépose en petite quantité le plâtre (le mortier, etc.) préalablement gâché dans l'auge, qui peut ainsi être plus commodément cueilli au moyen de la truelle (ou directement étendu sur le mur, dans la confection des nus).

♦ **2.** Petite pelle avec laquelle on lisse les meules de champignons de couche.

DÉR. 2. Talocher.
HOM. 1. Taloche.

1. TALOCHER [talɔʃe] v. tr. — 1808; «donner des coups de férule sur les doigts», 1611; «caresser», 1546; de 1. *taloche*.

♦ Fam. Donner une taloche à (qqn). ⇒ **Gifler**. *Talocher un enfant. Se faire talocher.* — P. p. *Des gosses talochés.*

DÉR. Talocheur.
HOM. 2. Talocher.

2. TALOCHER [talɔʃe] v. tr. — 1907; de 2. *taloche*.

♦ Techn. Lisser (les meules de champignons de couche) à la taloche* (2. Taloche, 2.).

HOM. 1. Talocher.

TALOCHEUR, EUSE [talɔʃœʀ, øz] n. — 1849, dans le titre d'un vaudeville, *in* D.D.L.; de 1. *talocher*.

♦ Personne qui taloche, gifle. ⇒ **Gifleur**.

TALON [talɔ̃] n. m. — V. 1175; *talun*, v. 1155; lat. pop. **talo, -onis;* class. *talus.*

★ **I.** ♦ **1.** Partie postérieure du pied de l'homme, dont la face inférieure touche le sol pendant la marche (⇒ 1. **Plante**). *Talon et bout, pointe du pied* (→ Emboîter, cit. 10). Anat. *Os du tarse* qui forme le talon.* ⇒ **Calcanéum**. — *Chaussure qui laisse le talon libre*, sans quartier*, comme les mules, les babouches... *Chaussure qui blesse au talon. Talon armé d'un éperon* (cit. 2). *Presser un cheval du talon* (⇒ **Talonner**). *Mercure porte des ailes aux talons, signe de sa rapidité.* — *Des cheveux jusqu'aux talons* (→ 2. Pas, cit. 29), *des manteaux qui tombent sur les talons* (→ Cadis, cit.). *S'asseoir, être assis, accroupi sur ses talons* (→ Éventail, cit. 1; pencher, cit. 6). ⇒ **Accroupir** (s'). *Écraser qqch. avec le talon, d'un coup de talon. Les talons joints, réunis, unis* (→ Haltère, cit. 1). *Joindre les talons pour saluer* (→ Incliner, cit. 18). *Tourner* (→ Bloc, cit. 8), *pivoter* (cit. 3) *sur ses talons.*

1 Un claquement de talons accompagna le salut de l'officier.
Francis CARCO, les Belles Manières, p. 11.

Allus. mythol. *Le talon d'Achille :* le seul endroit où Achille ne fût pas invulnérable (cit. 1). Par métaphore. *Un Achille sans talon* (→ Prise, cit. 10). — (xvIIIᵉ). Fig. Point vulnérable. *C'est son talon d'Achille.*

2 L'orgueil, c'est là le talon où tous les héros sont vulnérables.
HUGO, l'Homme qui rit, II, IV, I.

Loc. (xvIᵉ). *Marcher, être sur les talons de qqn*, le suivre de tout près*. *La police était sur ses talons.* — *Être toujours sur les talons de qqn*, le suivre partout, être importun. ⇒ **Importuner**.

2.1 Arrochkoa et la supérieure les suivent de tout près, sur leurs talons, sans se parler non plus (...)
LOTI, Ramuntcho, II, XIII.

Avoir des ailes aux talons : aller, s'enfuir rapidement. *La peur nous donne des ailes aux talons* (→ 1. Entraver, cit. 1, Montaigne). — (Av. 1709). *Tourner les talons :* s'en aller, partir. ⇒ **Éloigner** (s'). *Il n'avait pas plus tôt tourné les talons que...*

3 Nous tournâmes les talons, poursuivis d'imprécations railleuses (...)
NERVAL, les Nuits d'octobre, XIII.

(xIVᵉ). *Montrer les talons.* ⇒ **Enfuir** (s'). — Fam. *Se donner du talon dans le derrière :* sauter de joie*. — (1864). *Avoir l'estomac dans les talons* : avoir grand-faim*.

4 Cependant, Nana, qui disait avoir l'estomac dans les talons, se jetait sur des radis, qu'elle croquait sans pain.
ZOLA, Nana, II.

♦ **2.** (V. 1354). Hippol. Partie du pied du cheval, en arrière de la fourchette et opposée à la pince. — Par ext. Chacune des deux extrémités du fer à cheval.

♦ **3.** (1530). Partie d'une chaussure, d'un bas, d'une chaussette, etc., qui enveloppe le talon. *Mocassins usés aux talons. Bas à talons renforcés. Chaussette reprisée au talon.*
Ski. Extrémité arrière du ski (opposé à *semelle*, à *spatule*).

♦ **4.** (1798). Pièce rigide et saillante qui pose sur le sol et qui exhausse le derrière d'une chaussure. *Talon de bois, de cuir, d'acier recouvert de peau. Chaussure sans talon, à talon peu marqué.* — *Talons plats,* larges et de peu de hauteur (cf. Pied plat). — *Talons hauts ou hauts talons. Juché, perché sur de hauts* (cit. 11) *talons* (→ Course, cit. 2). *Talons échasses, très hauts. Talons aiguilles,* hauts et fins. *Talons bottier,* moyens et larges. *Talons Louis XV,* évidés, à courbes concaves. *Talons bobines... Talons éculés, usés* (→ 1. Pas, cit. 27). *Mettre des fers aux talons. Talons de bottes, de bottines, de boots. Talons obliques des «santiags».* — *Protège-talon :* petit étui en matière plastique incolore pour les chaussures à talons aiguilles.

5 *(Elles)* n'ont jamais pu renoncer, dans le pays de la sandale parfaite, à leurs souliers blancs de confection, montés sur talons échasses.
COLETTE, Belles saisons, p. 36.

6 (...) les chaussures de cuir rouge se posaient sur le trottoir, talon aiguille d'abord, puis suivait la semelle, et les craquements des lanières.
J.-M. G. LE CLÉZIO, le Déluge, p. 41.

(1793, *in* D.D.L.; «soulier à talon rouge», 1758). Loc. métonymique. TALON ROUGE : noble élégant du xvIIᵉ siècle, qui portait de hauts talons rouges. *Un talon rouge du temps passé* (→ Humeur, cit. 40). — Vx ou littér. Personne élégante et aux belles manières. Adj. *Il est très talon rouge* (Académie), *très talons rouges.*

7 (...) mossieur Ribot, à son tour, se saisit de son chapeau-claque et se rendit chez Poincaré pour un échange de vues. Le tout d'une courtoisie talons rouges, alors ! Ils se firent l'un l'autre connaître que nonobstant la profonde admiration réciproque qu'ils se professent, ils maintiendraient tous deux leurs candidatures.
ARAGON, les Beaux Quartiers, II, VII.

♦ **5.** Morceau de cuir, de caoutchouc, de métal appliqué sur la face du talon (4.) qui touche le sol. *Faire changer la semelle et le talon d'une chaussure.*

★ **II.** ♦ **1.** Extrémité inférieure, postérieure (de certains objets). — (1643). Mar. *Talon de quille :* extrémité postérieure de la quille sur laquelle repose l'étambot.
(1660). *Talon de lame* (d'un couteau, etc.) : partie opposée à la pointe, qui s'appuie sur le manche ou y pénètre. ⇒ 2. **Soie**. *Talon d'une canne à pêche.* — *Talon d'archet,* partie par laquelle on le tient. — (1798). *Talon de pipe :* saillie à la partie inférieure de certaines pipes. — *Le talon d'une charrue.*
Techn. Coude fait à l'extrémité d'une pièce, qui la retient ou la fixe.
(1815). Techn. Partie de l'enveloppe d'un pneu en contact avec la jante.

♦ **2.** (1694). Reste*, bout (d'un pain, d'un fromage) où il y a beaucoup de croûte. Par ext. Croûton (du pain). *Un talon de pain chaud* (→ Gelée, cit. 7). — Extrémité d'un jambon.

♦ **3.** (1660). Ce qui reste d'un jeu de cartes après la première distribution. ⇒ **Chien**. *Piocher dans le talon.*

8 (...) les véritables patiences se font généralement sans talon. C'est-à-dire que, lorsque la distribution est achevée, toutes les cartes sont étalées sur la table.
H. TROYAT, le Vivier, p. 43.

♦ **4.** (1835). Partie d'une feuille de carnet, de registre, qui demeure fixée à la souche* après qu'on en a ôté la partie détachable (volant), et qui porte les mêmes mentions. *Talon d'un mandat, d'un chèque. Le talon du chèque fait foi.*

♦ **5.** (1676). Décor. Moulure à profit alternativement saillant et rentrant, de haut en bas.

DÉR. Talonnade, talonner, talonnette, talonnier.

TALONNADE [talɔnad] n. f. — 1888, A. Daudet; «coup de talon donné à un cheval», av. 1525; de *talon*.

♦ **1.** Rare. Bruit de talons, de sabots. — Coup de talon.

1 La première m'offrait de zéro à vingt-quatre heures ses petites manies, ses péchés véniels, ses quarts de silence, ses moues tirées de biais, ses talonnades, son déshabillage-éclair et ce petit sein dur.
Hervé BAZIN, la Mort du petit cheval, p. 215.

♦ **2.** (1905, *in* Petiot). Sports. Coup de pied en arrière, au football.

2 Les cris, les talonnades, les shoots des uns expédiaient la balle à tout va dans les buts des autres assourdissaient Mᵐᵉ Davermelle.
Hervé BAZIN, Madame Ex, p. 45.

TALONNAGE [talɔnaʒ] n. m. — 1783; de *talonner*.

♦ **1.** Action de talonner (II.). *Talonnage d'un navire.*

♦ **2.** (1898, *in* Petiot). Rugby. Action de talonner le ballon.

♦ **3.** Agric. Réglage du talon d'une charrue.

TALONNEMENT [talɔnmɑ̃] n. m. — 1559; de *talonner*.

♦ **1.** Action de talonner (un cheval).

Les légers talonnements du marquis suffisent peut-être à réveiller dans le flanc de la bête le souvenir de la molette terrifiante et de l'énergie affolée qu'elle libère tout à coup. J. ROMAINS, les Hommes de bonne volonté, t. VIII, V, p. 37.

♦ **2.** Fig. Harcèlement.

TALONNER [talɔne] v. — 1461, «renverser du pied»; *taluner* «frapper d'un coup», 1190; de *talon*.

★ **I.** V. tr. ♦ **1.** (1573). Suivre ou poursuivre de très près* (→ Marcher sur les talons* de...). *Ses poursuivants le talonnent.* ⇒ **Serrer** (de près). — Figuré :

1 À mon âge, et dans mon métier, quand on se sent, certains jours, talonné par la mort, l'angoisse est affreuse de savoir s'il vous sera donné de terminer le livre commencé (...) Ed. et J. DE GONCOURT, Journal, 2 sept. 1876, t. V, p. 217.

♦ **2.** (1538). Presser (un cheval) du talon, de l'éperon pour le faire avancer (→ Fourbu, cit. 1).

(1588). Fig. Presser vivement et sans relâche. ⇒ **Harceler, importuner.** *Ses créanciers le talonnent. Talonner un employé.* — (Sujet n. de chose). *Il était talonné par ses engagements* (→ Obséder, cit. 6). *Une peur qui le talonne* (→ Accabler, cit. 16). ⇒ **Tourmenter.**

2   (...) le samedi même, jour de presque tous les Courriers, il ne pouvait attendre pour sortir que le travail fût achevé, et me talonnant sans cesse pour expédier les Dépêches du Roi et des Ministres il les signait en hâte, et puis courait je ne sais où (...)   ROUSSEAU, les Confessions, VII.

3   Mon père musait et s'amusait de tout. Ma mère, consciente de l'heure, nous talonnait en vain.   GIDE, Si le grain ne meurt, I, II.

♦ **3.** Frapper du talon. *Les pieds talonnaient la route* (→ 2. Marche, cit. 19).

(1903, in Petiot). Sports (rugby). *Talonner la balle,* et, absolt, *talonner :* lors d'une mêlée, Envoyer la balle dans son camp d'un coup de talon (⇒ **Talonnage**). — Football. Faire une passe en arrière d'un coup de talon (⇒ **Talonnade**).

★ **II.** V. intr. ♦ **1.** (1773). Mar. Toucher, heurter le fond par la partie la plus basse de la quille. *Navire* (cit. 11) *qui talonne.*

♦ **2.** Littér., rare. Se tenir (d'une certaine manière) sur des talons.

4   Pas très grande, mais talonnant haut. Menue, mais si potelée qu'elle rend le regard carnivore.   Hervé BAZIN, Cri de la chouette, p. 31, 1972.

DÉR. Talonnage, talonnement, talonneur.

TALONNETTE [talɔnɛt] n. f. — 1824; de *talon.*

♦ **1.** Vx. Morceau de tricot qui renforce le talon d'un bas.

♦ **2.** (1904). Lame de liège que l'on place sous le talon dans la chaussure.

♦ **3.** (1933). Ruban très résistant, cousu à l'extrémité intérieure des jambes d'un pantalon, afin d'en éviter l'usure. *Poser, coudre une talonnette.*

TALONNEUR [talɔnœR] n. m. — 1924, *in* Petiot; de *talonner.*

♦ Joueur de rugby chargé de talonner.

Mêlée (...) La balle jetée, une immense poussée passe par les encolures des piliers, pendant que les talonneurs balancent leurs croupes.
                                              Jean PRÉVOST, Plaisirs des sports, p. 127.

REM. Le fém. *talonneuse* est virtuel.

TALONNIER, IÈRE [talɔnje, jɛR] n. — 1680; *talonier* «talon de chaussure», XIIIᵉ; de *talon.*

♦ Techn. Ouvrier, ouvrière qui fait des talons de chaussures. *Le métier de talonnier.*

TALONNIÈRE [talɔnjɛR] n. f. — 1510; de *talon.*

♦ **1.** Didact. Aile que Mercure porte à chaque talon.

♦ **2.** (1875). Arts. Petite cale de bois que l'on place sous le talon du modèle vivant pour l'aider à tenir la pose.

Méd. Étrier de contention d'une table d'opération.

♦ **3.** (1836). Mar. Partie inférieure de la mèche du gouvernail d'un bateau.

TALPA [talpa] n. f. — 1763; lat. *talpa* «taupe».

♦ Méd. Loupe* du cuir chevelu.

TALPACHE [talpaʃ] n. m. — 1872; mot magyar, *talpas.*

♦ Hist. Soldat de l'infanterie hongroise, aux XVIIᵉ et XVIIIᵉ siècles.

TALPACK [talpak] n. m. — 1871, *in* D.D.L.; mot turc.

♦ Anciennt. Coiffure d'astrakan tronconique portée, sous le Second Empire, par les chasseurs à cheval de l'armée française.

Ces hommes, bien constitués, d'une taille au-dessus de la moyenne, aux traits rudes et sauvages, étaient coiffés du «talpak», sorte de bonnet de peau de mouton noir, et chaussés de bottes jaunes à hauts talons (...)
                                              J. VERNE, Michel Strogoff, p. 236.

TALQUAGE [talkaʒ] n. m. — Mil. XXᵉ (techn., *in* Larousse, 1975); de *talquer.*

♦ Techn. Opération qui consiste à talquer (une surface); son résultat. *Le talquage des feuilles de caoutchouc.*

TALQUER [talke] v. tr. — Mil. XXᵉ; de *talc.*

♦ Enduire, saupoudrer de talc. *Talquer les fesses d'un bébé.* — Au p. p. *Gants de caoutchouc talqués.*

DÉR. Talquage.

TALQUEUX, EUSE [talkø, øz] adj. — 1732; de *talc.*

♦ Minér. Formé de talc. *Schistes talqueux.* ⇒ **Talschiste.**

TALURE [talyR] n. f. — 1611; *tallure* «meurtrissure», 1297; de *taler.*

♦ Régional ou rare. Meurtrissure d'un fruit talé.

1. TALUS [taly] n. m. — 1573; *tallut,* 1467; *talu* «étançon», 1156; p.-ê. du lat. *talutium,* de sens douteux, rattaché à un gaul. *talo «front», ou (selon P. Guiraud) d'un lat. pop. *talutus «qui a un talon», de *talus.*

♦ **1.** Vx ou techn. Pente, inclinaison*. *Donner du talus à un terrain.* ⇒ **Taluter.** *Former talus.* — EN TALUS. *Les pylônes égyptiens aux angles en talus* (→ Orgueilleux, cit. 9). — Techn. *Couper, tailler en talus,* en biseau, en sifflet, obliquement.

♦ **2.** Terrain en pente très inclinée, aménagé par des travaux de terrassement. *Talus de déblai*,* qui borde une excavation (fossé, route, voie ferrée en contrebas...). *Talus de remblai*,* fait de terre rapportée et qui s'élève au-dessus du sol (route, voie ferrée, canal en surplomb...). *Les talus qui bordent un chemin* (cit. 20), *les côtés d'une route.* ⇒ **Cavalier** (III., 1.), *d'une voie de chemin de fer* (→ Remblai, cit. 1), *d'un canal.* ⇒ **Berge.** *Chemin creux, enfoncé entre deux talus. Talus herbeux, gazonné* (→ 2. Courant, cit. 3), *maçonné... Clayonner, murailler un talus. Talus de protection.* ⇒ **Parapet.** *Talus pour retenir l'eau.* ⇒ **Chaussée.** *Talus pour la culture.* ⇒ **Ados.** *Arasement des talus.* — Ouvrage de fortifications. *Talus intérieur. Talus de banquettes. Talus avancé.* ⇒ **Glacis.** *Talus supérieur d'un parapet.* ⇒ **Plongée.** *Large talus de terre* (→ Ouvrage, cit. 8). *Soldats tués sur un talus de la redoute* (→ Giberne, cit. 2).

0.1   Tant qu'il faisait très chaud, on ne marchait pas autant que possible en plein champ, mais on prenait les petits chemins bordés de haies qui les longent, surélevées de la hauteur de leur talus. Les haies, maintenant toutes vertes, ne brillaient plus des tendres couleurs des fleurs d'aubépines.
                                              PROUST, Jean Santeuil, Pl., p. 301.

1   Je m'en allais par des sentiers humides, bordés, suivant le vieil usage, de hauts talus en terre qui muraient tristement la vue.   LOTI, Mon frère Yves, XVII.

2   Il la tirait de toutes ses forces et la contraignit à quitter la route pour gravir le talus.   J. GREEN, Leviathan, I, XII.

♦ **3.** Terrain à forte pente. *Le double talus d'un ravin* (cit. 1).

Géogr. Terrain en pente modérée. *Escarpements et talus. Talus d'éboulis.*

Loc. *Talus continental* (ou *pente continentale*) : forte pente entre les fonds pélagiques et le plateau continental.

♦ **4.** (1907, «relief d'une lettre»). Imprim., typogr. Espace, sur la «surface d'œil» d'un caractère, entre la partie supérieure de l'œil et le bord supérieur du caractère *(talus de tête);* entre la partie inférieure de l'œil et le bord inférieur du caractère *(talus de pied);* plus rare, entre les parties latérales (droite et gauche) de l'œil et les bords latéraux du caractère *(talus d'approche,* dits plus souvent *approches).* — Flanc d'une partie en relief, en photogravure typographique (d'après J. Dreyfus et F. Richaudeau, *la Chose imprimée,* art. *Talus*).

DÉR. Taluter.

2. TALUS [talys] adj. m. — 1858; mot latin.

♦ Pathol. *Pied talus :* pied bot dont le seul point d'appui est le talon, le reste du pied remontant vers la jambe.

TALUTER [talyte] v. tr. — 1690, *taluer; taluser,* XVIᵉ; de 1. *talus.* Technique.

♦ **1.** Donner du talus, de la pente à.

♦ **2.** Dresser en talus. *Taluter les bords d'une route.*

DÉR. Taluteur.

TALUTEUR [talytœR] n. m. — 1964; de *taluter.*

♦ Techn. Terrassier spécialiste des talus.

TALWEG [talvɛg] n. m. — 1812; *thalweg,* XVIIᵉ; mot all., de *Tal, Thal* «vallée», et *Weg* «chemin».

♦ Didact. ⓐ Géogr. Ligne de plus grande pente d'une vallée, suivant laquelle se dirigent les eaux.

b Par anal. Météor. Zone dépressionnaire allongée, entre deux anticyclones (opposé à *dorsale*).
REM. La graphie *thalweg* est aujourd'hui moins courante.

TAMAHEK [tamaɛk] n. m. et adj. — 1907, in *Année sc. et industr.* 1907, p. 371 ; *tamachek*, 1876 ; mot targui.

♦ Langue des Touaregs. *Le tamahek est un dialecte berbère.* — REM. On dit, on écrit aussi *tamachek, tamashek* [tamaʃɛk] ou, plus rare, *tamahak* [tamaak].

TAMANDUA [tamãdɥa] n. m. — 1640 ; *tamendoa*, 1603 ; mot tupi, par le portugais.

♦ Zool. Mammifère édenté* xénarthre voisin du tamanoir, mais plus petit, arboricole et insectivore, qui vit en Amérique du Sud. ⇒ **Fourmilier.**

TAMANOIR [tamanwaʀ] n. m. — 1763, Buffon ; de *tamanoa*, mot caraïbe, même rac. que *tamandua.*

♦ Mammifère édenté, appelé aussi *grand fourmilier**, dont la longueur peut atteindre deux mètres cinquante, au pelage noir et blanc, à longue queue en panache, à longue tête étroite dont la bouche sans dents est munie d'une langue effilée et visqueuse qui lui sert à capturer les fourmis dont il se nourrit (→ Hamadryas, cit.).

TAMAR [tamaʀ] n. m. — 1904, in Larousse ; de 1. *tamarin.*

♦ Pulpe du tamarin. — Spécialt. (Pharm.). Laxatif à base de tamarin, préparé sous la forme de bonbon au chocolat.

TAMARICACÉES [tamaʀikase] ou **TAMARISCINÉES** [tamaʀisine] n. f. pl. — xxᵉ (*in* Larousse, 1933), *tamaricacées ; tamariscinées*, 1872 ; lat. *tamarix, -icis*, et *tamariscus.* → Tamaris.

♦ Bot. Famille d'arbustes halophiles *(Pariétales)* dont les graines sont munies d'une aigrette. — Au sing. *Le tamaris est une tamaricacée.*

1. TAMARIN [tamaʀɛ̃] n. m. — xvᵉ ; *tamarinde*, xivᵉ ; *tamarandi*, v. 1298 ; lat. médical du moyen âge *tamarindus ;* arabe *tāmr hīndī* «datte de l'Inde».

♦ **1.** **a** Fruit du tamarinier*, gousse dont la pulpe est utilisée comme laxatif (→ Rafraîchir, cit. 5). ⇒ **Tamar.**

0.1   Il prendra deux grains de rhubarbe, *où vous mêlerez un peu de tamarin.*
                 BEAUMARCHAIS, le Mariage de Figaro, III, xv.

b Tamarinier. *Plants* (cit. 1) *d'orangers, de tamarins.*

1   Et, confiant ta vie aux bras forts des marins,
Faire de grands adieux à tes chers tamarins?
                 BAUDELAIRE, les Épaves, XX.

c En franç. d'Afrique. Jus de tamarin.

♦ **2.** (1876). Tamaris (arbre).

2   Les sauvages caps de l'ouest s'enfoncent en ondulant sous la mer ; quelques rares tamarins y frémissent.   HUGO, l'Archipel de la Manche, VII.
DÉR. (Du 1.) **Tamar, tamarinier.**
HOM. 2. **Tamarin.**

2. TAMARIN [tamaʀɛ̃] n. m. — 1745 ; *tamary*, 1614 ; d'une langue indienne de l'Amazone.

♦ Singe de petite taille *(Callithricidés)*, appelé aussi *midas*, aux longues oreilles et aux épaules garnies de longs poils, qui vit en Amérique du Sud. *L'ouistiti* (cit. 1) *est encore plus petit que le tamarin.*
HOM. 1. **Tamarin.**

TAMARINIER [tamaʀinje] n. m. — 1733 ; *tamarindier*, 1604 ; de 1. *tamarin.*

♦ Grand arbre exotique *(Légumineuses-Césalpinées)* à fleurs en grappes, qui pousse dans les régions tropicales. «*Pendant que le parfum des verts tamariniers...*» (→ Marinier, cit. 1). — Syn. : *tamarin.*

Le centre du haut quartier était leur vrai sanctuaire. C'était au centre seulement qu'à l'ombre des tamariniers s'étalaient les immenses terrasses de leurs cafés. Là, le soir, ils se retrouvaient entre eux.
         M. DURAS, Un barrage contre le Pacifique, p. 168.

TAMARIS [tamaʀis] n. m. — XIIIᵉ ; *thamarisque*, 1213 ; du bas lat. *tamariscus*, probablt rac. arabe *tāmr* «dattes», comme 1. *tamarin.*

♦ Arbrisseau *(Tamariscinées)* originaire d'Orient, à petites feuilles en écailles, à petites fleurs roses en épi, très décoratif, qui croît dans les sables du littoral, appelé aussi *tamarin* (→ Perle, cit. 11).

Allée de tamaris. — *Tamaris à manne :* tamaris exotique qui donne une exsudation sucrée. → Manne* (1. Manne, 2.) du Sinaï.

Des tamaris (au feuillage) clair, — et au moindre vent mobiles (...)
         F. MISTRAL, Mireille, XII (Texte français de l'auteur).

REM. On écrit et on dit parfois *tamarix* [tamaʀiks].

TAMASHEK [tamaʃɛk] n. m. et adj. ⇒ **Tamahek.**

TAMBOUILLE [tãbuj] n. f. — 1866 ; p.-ê. de *pot-en-bouille*, var. de *pot-bouille*, mot de l'Ouest ; ou de *tampone* «bombance» (1756), mot italien.

♦ **1.** Fam. Plat grossier, cuisine médiocre. ⇒ **Ratatouille.** *Tambouille de gargote, de l'armée...*

1   — Tu veux dire, sans doute, que lorsqu'on m'aura mis dans un camp de concentration, je regretterai ta tambouille?
— Qui parle de camp? fit l'hôtelier en roulant de gros yeux.
         Francis CARCO, les Belles Manières, p. 28.

♦ **2.** ⇒ **Cuisine.** *Faire la tambouille, une bonne tambouille.*

2   On se promenait librement dans le bois et les cuistots y faisaient leur tambouille, cent mètres à l'arrière, suffisamment cachés par les taillis.
         R. DORGELÈS, les Croix de bois, VII.

TAMBOUR [tãbuʀ] n. m. — 1300 ; *tambor*, 1200 ; *tabour*, 1080 (→ Tabouret) ; p.-ê. du persan *tabīr*, avec infl. de l'arabe *ṭunbūr, ṭanbūr*, nom d'un instrument de musique à cordes.

★ **I.** ♦ **1.** Instrument à percussion, formé de deux peaux tendues sur un cadre cylindrique, et que l'on fait résonner à l'aide de baguettes *(baguettes de tambour)*, de balais ou de mailloches. *Tambour à timbre, sans timbre. Tambour militaire*, formé d'un cylindre (⇒ **Caisse**) sur les deux bases duquel sont tendues les peaux (peau de batterie, sur laquelle on joue ; peau de timbre, appliquée contre une corde à boyau). *Tambour allongé* (caisse* roulante), *large et plat* (caisse claire ; seule expression employée en jazz). ⇒ aussi **Caisse** (cit. 7 : grosse caisse). *Le tambour bat* (cit. 50 ; et → Fifre, cit.), *roule* (→ Fanfare, cit. 5). *Battement, roulement** de tambour. ⇒ **Fla, ra, ra-ta-plan, ran-tan-plan, rim-shot** (→ Caisson, cit. 1 ; orchestre, cit. 4). *Un son creux de tambour* (→ Bondir, cit. 13). *Résonner*, sonner comme un tambour, comme une peau de tambour* (→ Grillage, cit. 2). *Jouer du tambour. Batteries de tambour.* ⇒ **Batterie.** — *Clairons* et tambours* (→ Écho, cit. 5) *d'un régiment.* ⇒ **Clique, fanfare, musique.** *Dans les localités rurales, le garde-champêtre publiait les avis au son du tambour. Roulement de tambour pour la remise de décorations.* ⇒ **Ban.**

1   Et le petit Colin, fait-il toujours bien du bruit avec son tambour?
         MOLIÈRE, Dom Juan, IV, 3.

2   Le tambour appela tous les élèves au réfectoire ; et après le rapide souper, le retour dans les études pour un quart d'heure et, les prières dites, de nouveau le tambour gronda pour le coucher.   Valery LARBAUD, Fermina Marquez, IX.

Par ext. Bruit, son du tambour. *Nous fûmes réveillés par les tambours de la mobilisation* (cit. 3).

LOC. **TAMBOURS BATTANTS.** ⇒ 2. **Battant** (cit. 1.1). *Tambour battant.* ⇒ **Battre** (*infra* cit. 50). — *Battre** le tambour* (au fig. → Battre, cit. 29).

Au son du tambour : bruyamment, indiscrètement.

Prov. *Vouloir prendre les lièvres au son du tambour :* divulguer* ses plans.

Fig., fam. *Raisonner** (résonner) *comme un tambour*, très mal. — (1872). *Avoir le ventre gonflé, tendu comme un tambour :* avoir trop mangé* (→ Flaccidité, cit. 1).

(Av. 1872). *Sans tambour ni trompette :* sans bruit, sans attirer l'attention, discrètement.

3   (...) après-demain par télégramme vous serez rappelée à Bourges que vous regagnerez sans tambour ni trompette le même soir.
         M. JOUHANDEAU, Chaminadour, Contes brefs, « Marie Serre».

♦ **2.** (1671). Personne qui bat le tambour, joue du tambour. *Il est tambour dans la musique du régiment. Les tambours du régiment.* ⇒ **Soldat ; musicien** (→ Distinguer, cit. 29). *Quatre tambours et un drapeau* (→ Manifestant, cit.). *Tambour chef, tambour major.* ⇒ **Tambour-major.** *Uniforme, baudrier, cuissière de tambour. Trois jeunes tambours*, chanson populaire. — *Tambour de ville :* garde champêtre qui faisait des annonces au son du tambour. ⇒ **Tambourinaire** (2.).

4   (...) alors M. le préfet a vu tout de suite à qui il avait affaire, et que le tambour de ville était un tambour qui raisonnait mieux que d'autres qui n'étaient pas tambours mais qui se prenaient pour quelque chose de bien plus fort qu'un tambour.
         J. ROMAINS, Knock, II, 1.

♦ **3.** Par anal. Instrument à percussion à membrane tendue («membranophone»). ⇒ **Timbale.** *Tambour de basque* (2. Basque, cit. 1) : petit cerceau de bois muni d'une peau tendue et entouré de grelots, que l'on agite ou sur lequel on joue avec la main. ⇒ **Tambourin** (→ Castagnette, cit. 1 ; chœur, cit. 8). *Tambours antiques* (→ Prêtresse, cit. 1), *chinois, hindous. Tambours africains.* ⇒ **Bamboula** (vx), **tam-tam** (cit. 2). *Grand, petit tambour. Tambour d'aisselle.*

Transmettre un message par tambours. ⇒ **Tambouriner.** *Tambour arabe.* ⇒ **Darbouka.**

Didact. (mus.). Instrument à percussion formé d'une cavité résonante (résonateur), quelles qu'en soient la matière (poterie, bois, métal, bambou...) et la forme (cylindre, cône, vase, sablier). *Tambours à membrane,* les tambours au sens courant. *Tambour sur cadre* (tambour de basque). *Tambour de bois* (Afrique, Extrême-Orient), *tambour-xylophone. Tambour d'eau* (où l'eau forme caisse de résonance). *Tambour de bronze d'Extrême-Orient,* constitué d'une plaque de bronze qui joue le rôle de membrane. ⇒ **Tam-tam.** *Joueur de tambour. Les tambours d'une percussion* (⇒ **Percussioniste**), *d'une batterie de jazz* (⇒ **Batteur, drummer**).

4.1   Les musiciens faisaient résonner la musique triste, en pinçant les cordes des guitares et en frappant avec le bout de l'index sur la peau des petits tambours de terre. J.-M. G. LE CLÉZIO, le Désert, p. 53.

★ **II.** ♦ **1.** (XVIIᵉ; par anal. de fonction). Vx, anat. Tympan*. — Par ext. Caisse de tympan.

♦ **2.** (Par anal. de son). **ⓐ** (1793). Variété de pigeon domestique, dont le roucoulement est très puissant.

ⓑ (1732, Trévoux). Poisson *(Sciénidés)* capable d'émettre une sorte de ronflement dû aux vibrations de sa vessie natatoire.

★ **III.** (Par anal. de forme). ♦ **1.** (1630). Petite entrée à double porte (comme un sas), destinée à isoler un édifice (église, etc.) de l'air extérieur. *Les portes extérieures, intérieures d'un tambour. Tambour d'église.* — Par ext. Sorte de tourniquet formé de quatre portes vitrées, en croix, à l'entrée d'un édifice public, d'un hôtel. *Tambour cylindrique. Porte* (1. Porte, cit. 20) *à tambour. Tambour vitré.*

5   (...) je le bloque contre deux portes, dans le tambour, profond comme une alcôve, qui sépare la salle à manger du salon. COLETTE, la Retraite sentimentale, p. 197.

(1872). Fortif. Petit retranchement qui couvrait une porte.

♦ **2.** **ⓐ** (1630). Cylindre sur lequel s'enroulait la chaîne d'une horloge; boîtier de ressort d'une montre. ⇒ **Barillet.**

ⓑ (1732, Trévoux). Assise cylindrique d'un fût de colonne. — (1701). Pierre du noyau d'un escalier. — Soubassement cylindrique d'une coupole.

ⓒ (1765, *Encyclopédie*). Métier circulaire pour broder à l'aiguille. ⇒ **Broderie, dentelle.** *Tambour à broder* (→ Éclisse, cit. 3).

6   Sa mère avait un tambour vert sur les genoux et s'occupait à faire du tulle (...) BALZAC, Une double famille, Pl., t. I, p. 927.

ⓓ (1765). Techn. Cylindre d'un treuil, d'un cabestan, d'un guindeau (→ Bruissement, cit. 1). *Câble enroulé sur le tambour.* ⇒ **Marbre.** *Tambour de remorque* (cit. 1). *Tambour de moulinet* (pêche).

Cylindre de certaines machines. Tambour laveur. ⇒ **Raffinage.** *Machine à laver à tambour. Tambour d'une sabreuse* (cit. 2), *d'une réunisseuse.* — Typogr. *Tambour de justification,* utilisé en monotype.

Poulie large à jante non bombée.

Roue* de loterie.

Vx. Caisse cylindrique en menuiserie (pour protéger la roue à aube des anciens navires).

(1893). Boîte cylindrique où règne le vide (baromètre anéroïde).

Mar. Tôles qui entourent une écoutille, une ouverture des machines, de chaudière.

(1906, *in* Larousse). Cour. *Tambour de frein** : pièce cylindrique solidaire de la roue, à l'intérieur de laquelle frottent les segments. *Bicyclette munie de freins à tambours.*

(1964). Inform. Cour. *Tambour magnétique* : mémoire d'ordinateur en forme de cylindre.

Techn. Bouton gradué permettant d'effectuer des mesures.

Photogr. *Tambour de développement* (des films).

Méd. *Tambour de stérilisation.* ⇒ **Stérilisateur.**

ⓔ (1868). Pêche. Engin de pêche cylindrique (en filet, en fil de fer), sorte de verveux* à deux ouvertures.

COMP. **Tambour-major.**

TAMBOURIN [tãbuRɛ̃] n. m. — V. 1460; *tabourin,* 1449, *in* D.D.L.; de *tabour* «tambour».

★ **I.** ♦ **1.** Mus. Tambour haut et étroit, que l'on bat d'une seule baguette (l'autre main étant libre pour jouer d'un instrument à vent). *Tambourin provençal.* ⇒ **Tambourinaire.** *Fifres et tambourins* (→ Pont, cit. 3).

♦ **2.** *Tambourin à cordes,* dont la caisse est tendue de cordes qu'on fait résonner avec une baguette. — On dit aussi *tambourin de Béarn, de Gascogne.*

♦ **3.** Cour. (Abusif en mus.). Tambour de basque (2. Basque, cit. 2).

La bohémienne dansait; elle faisait tourner son tambourin à la pointe de son doigt. et le jetait en l'air en dansant des sarabandes (...) HUGO, Notre-Dame de Paris, VII, II.

Par anal. Cercle de bois tendu de peau, sur lequel on fait rebondir une balle, un volant; jeu qui se joue avec cet instrument.

★ **II.** (1740, «air de danse»). Hist. de la mus. ♦ **1.** Ancienne danse populaire de mesure binaire s'accompagnant de battements de tambourin.

♦ **2.** Danse de scène, à la mode au XVIIIᵉ siècle (dans les opéras, divertissements); air binaire, accompagné d'un battement sur une seule note, composé pour cette danse. *Le Tambourin,* de Rameau.

★ **III.** ♦ **1.** (1872). Techn. Perle ronde d'un côté et aplatie de l'autre.

♦ **2.** (1876). Gros cylindre sur lequel on place les chaînes des étoffes de soie pour les plier.

DÉR. **Tambourinade, tambouriner.**

TAMBOURINADE [tãbuRinad] n. f. — 1890, A. Daudet; de *tambourin.*

♦ Rare. Bruit, son du tambour, du tambourin. — Figuré :

Le plus simple bon sens aurait dû conseiller à M. Koch d'attendre que sa prétendue invention eût été soumise à une contre-épreuve (...) Au lieu de cela, nous assistons à un débordement de vanité inouïe, à des tambourinades de tréteau, à des dzim boum boum forains. le Journal amusant, 22 nov. 1890, *in* D.D.L., II, 17.

TAMBOURINAGE [tãbuRinaʒ] n. m. — 1558, *tabourinage*; de *tambouriner.*

Fait, action de tambouriner.

♦ **1.** Fait de jouer du tambour, du tambourin.

♦ **2.** (1677). Fig., vx. Bruit, tapage fait autour de qqn, de qqch.

♦ **3.** (1842). Action de produire un bruit de roulement en frappant un objet dur; son résultat. *Cessez ce tambourinage! Un tambourinage incessant.*

Tokor entendit le tambourinage menu, les pas lourds, le grondement multiplié du sol sous l'avalanche grandissante. P. GRAINVILLE, les Flamboyants, p. 200.

TAMBOURINAIRE [tãbuRinɛR] n. — 1867; «petit poisson voisin du scare», 1777; mot provençal *tambourinaire,* de *tambourinâ* «jouer du tambour».

♦ **1.** Joueur de tambourin provençal. *Le galoubet* (cit. 1) *des tambourinaires.*

Les tambourinaires fameux de notre endroit (pour battre un air, — dit-on —, ils demandent un sou, mais bien cinq pour se taire) mettent le bal en mouvement.   1
    F. MISTRAL, Calendal, VI (1867).

♦ **2.** Tambour de ville.

— Le tambourinaire est malade, expliqua-t-il.   2
— Je sais jouer du tambour, dit le père Croulard. Je peux le remplacer. Il sourit : voilà dix ans que c'était son rêve, d'être tambourinaire. SARTRE, le Sursis, p. 62.

J'emmène Poupette au « Milk-Bar ». Elle me raconte qu'à Saint-Germain-les-Belles on attend depuis six semaines les réfugiés d'Haguenau et le tambourinaire proclame dans les rues : «N'oubliez pas que les Alsaciens, c'est tout de même des Français.»   3
    S. DE BEAUVOIR, la Force de l'âge, p. 421.

♦ **3.** Joueur de tambour, en Afrique (→ Tam-tam, cit. 3).

TAMBOURINEMENT [tãbuRinmã] n. m. — 1870; de *tambouriner.*

♦ **1.** Bruit du tambour, roulement de tambour.

♦ **2.** (Déb. XXᵉ). Par ext. Roulement semblable à celui du tambour. *Le tambourinement de la pluie.*

Un tambourinement lointain ébranlait le sol.
    MARTIN DU GARD, les Thibault, t. IX, p. 133.

TAMBOURINER [tãbuRine] v. — 1648; *tabouriner,* XVᵉ; de *tambour, tambourin.*

★ **I.** V. intr. ♦ **1.** Vx. Jouer du tambour, du tambourin.

Oh! voyez (...) la jolie danseuse qui danse là sur le pavé, et qui tambourine au milieu des bourgeois manants.   1
En effet, on entendait le frissonnement sonore d'un tambour de basque.
    HUGO, Notre-Dame de Paris, VII, I.

♦ **2.** (1654). Mod. Faire un bruit de roulement, de batterie, avec un objet dur, avec ses poings, ses doigts. *Tambouriner à la porte.*

Pendant toute la représentation, la dame aux plumes tambourinait des doigts à contre-mesure (...)   MÉRIMÉE, la Double Méprise, V.   2

Il se mit à tambouriner contre la vitre et les mouches effrayées voletèrent autour de lui.   SARTRE, le Sursis, p. 25.   3
(1895, Loti). Sujet n. de chose. *La pluie tambourine sur nos tentes* (→ Eden, cit. 3).

★ II. V. tr. ♦ 1. (Fin XIXᵉ, Daudet). Jouer (un air), sur un tambour, un tambourin. *Tambouriner une marche.*

(Mil. XIXᵉ). Rythmer en frappant sur une surface dure.

Rare. Frapper sur (qqch.) en faisant un roulement. *Un roulement de tonnerre lui tambourine le tympan* (→ Plaque, cit. 2).

♦ 2. (1798). Vieilli. Annoncer, publier au son du tambour. — Annoncer au son du tambour la perte de (qqch.). *« Tambouriner une montre, une bourse »* (Bescherelle).

4 — Allons, dépêche-toi de m'accommoder... j'ai affaire... j'ai oublié de tambouriner la vendange...
— Et c'est pour demain !... M. le maire vous fichera un savon.
E. LABICHE, Maman Sabouleux, 3.

Loc. fig. *Tambouriner une nouvelle,* la publier bruyamment. *Tambouriner (qqn),* le vanter avec éclat.

5 Aussi (...) madame Moreau se promettait-elle de tambouriner dans le pays l'artiste qu'elle attendait, et de le présenter comme égal en talent à Schinner.
BALZAC, Un début dans la vie, Pl., t. I, p. 678.

▶ TAMBOURINÉ, ÉE p. p. adj. *Air, rythme tambouriné.* — Spécialt. *Langage tambouriné :* code dont les messages sont exécutés par des séries de sons transmis par des tambours, des tams-tams. *Les langages tambourinés sont des langages subrogés*,* utilisant des caractéristiques phonologiques des langues naturelles recodées (notamment les tons*).

DÉR. Tambourinage, tambourinement, tambourineur.

TAMBOURINEUR, EUSE [tɑ̃buʀinœʀ, øz] n. — 1556 ; *tabourineur,* v. 1534 ; de *tambouriner.*

♦ 1. Rare. Personne qui joue du tambourin. ⇒ **Tambourinaire.**

♦ 2. Joueur de tambour, de tam-tam, etc., en Afrique et en Asie. — Personne qui transmet un message en langage tambouriné.

Les tambourineurs tapaient les tams-tams de leurs doigts secs.
Henri FAUCONNIER, Malaisie, p. 77.

TAMBOUR-MAJOR [tɑ̃buʀmaʒɔʀ] n. m. — 1651 ; de *tambour,* et *major.*

♦ Sous-officier, du grade de sergent-major, qui commande les tambours et les clairons d'un régiment. *Des tambours-majors. Le tambour-major dirige les sonneries et batteries avec sa canne ; il marche en tête de la musique* (→ Engin, cit. 4). *Une taille de tambour-major,* très haute (→ 2. Falot, cit. 4).

Les hauts tambours-majors aux panaches énormes.
HUGO, les Châtiments, V, XIII, II.

TAMIA [tamja] n. m. — Fin XVIIIᵉ, Cuvier ; lat. mod., p.-ê. du grec *tamias* « économe, intendant ».

♦ Écureuil d'Amérique du Nord et de Russie, rayé sur la longueur. — Syn. : *chipmunk* (anglicisme), *suisse.*

Mathieu sourit encore plus grand ; il les reconnaît tous, ce sont les habitués du coin : écureuils roux, tamias, geais, marmottes.
Jean-Yves SOUCY, Un dieu chasseur, p. 15.

TAMIER [tamje] n. m. — 1791 ; de l'anc. franç. *tam* « plante grimpante » (1611), lat. *thamnum,* grec *thamnos* « buisson ».

♦ Bot. Plante (*Dioscorées*) vivace, grimpante, à racine tubéreuse, à petites fleurs verdâtres, à baies rouges. *Tamier commun des bois et des haies,* appelé aussi *herbe aux femmes battues, sceau de Notre-Dame, vigne noire. Tamier à pied d'éléphant,* variété exotique dont la souche aérienne est couverte d'écailles.

TAMIL, ILE [tamil] adj. et n. ⇒ **Tamoul.**

TAMIS [tami] n. m. — Fin XIIᵉ ; autre sens, fin XIᵉ ; l'étymologie du lat. pop. **tamisium,* d'un celtique **tamesion,* est probablt à remplacer par celle de **estamis* (suff. *-is* de *treillis*), de *estam* (anc. franç. et provençal), du lat. *stamen, -inis* « chaîne de tissage » (→ Étamine), selon P. Guiraud.

♦ 1. Instrument formé d'un réseau plus ou moins serré (toile, vannerie) ou d'une surface percée de petits trous (tôle, etc.) et d'un cadre qui sert à maintenir la substance à passer et à séparer les éléments d'un mélange, selon la dimension des particules. ⇒ **Crible, sas, van.** *Tamis à farine* (⇒ **Blutoir**), *à sable, à plâtre* (en tissu de crin). *Tamis de cuisinière* (→ Filigrane, cit.). ⇒ **Chinois, passoire.** *Tamis et filtres. Secouer un tamis. Tamis vibrant.* — *Liquide, poudre... qui traverse un tamis, que l'on passe au tamis.*

Entre les trous de sa cervelle les mauvais souvenirs passaient sans laisser trace, comme passe de l'eau à travers un tamis.
COURTELINE, Messieurs les ronds-de-cuir, 2ᵉ tableau, I.

Tamis moléculaire, constitué d'une substance poreuse naturelle ou le plus souvent artificielle, généralement un silicate, dont les pores ont des dimensions de l'ordre des diamètres moléculaires.

Par anal. *Tamis d'une raquette :* partie tressée, cordée de la raquette.

♦ 2. Loc. fig. (1718, *passer par le tamis*). *Passer au tamis :* trier, ne laisser passer, ne conserver que certains éléments ; examiner* avec attention, de manière à séparer les éléments. ⇒ **Analyser** (cf. aussi Passer au crible). *Des organisations dont les recrues ne peuvent pas être passées* (cit. 124) *au tamis.*

♦ 3. (XXᵉ). Techn. (ch. de fer). Mouvement de trépidation, oscillations latérales rapides, dans un train. ⇒ **Tamisage.**

DÉR. Tamiser, tamiserie, tamisier.

TAMISAGE [tamizaʒ] n. m. — 1832 ; attestation isolée, 1356, *tamisaige ;* de *tamiser.*

♦ 1. Passage au tamis ; opération par laquelle on tamise. *Tamisage de la farine.* ⇒ **Blutage.**

♦ 2. (XXᵉ). Techn. (ch. de fer). Mouvement d'oscillation latérale des véhicules de chemin de fer. ⇒ **Tamis** (3.).

TAMISANT, ANTE [tamizɑ̃, ɑ̃t] adj. — XXᵉ ; p. prés. de *tamiser.*

♦ Qui tamise (la lumière).

(...) la poignante nostalgie des édredons en satin, des abat-jour tamisants, des plantes vertes et des cosys (...)
F. MALLET-JORRIS, le Jeu du souterrain, p. 138.

TAMISAT [tamiza] n. m. — XXᵉ ; de *tamiser.*

♦ Techn. Ce qui passe à travers un tamis.

TAMISE [tamiz] n. f. — 1780, *in* Littré ; probablt du nom du fleuve angl. *Thames* « Tamise ».

♦ Anciennt. Étoffe lustrée en laine (ou laine et soie). ⇒ **Étamine.**

TAMISER [tamize] v. — 1165 ; de *tamis.*

★ I. V. tr. ♦ 1. Trier au tamis, faire passer par le tamis. ⇒ **Cribler, sasser.** *Tamiser de la farine* (⇒ **Bluter**), *du sable, du plâtre, de la poudre*.* — Techn. *Tamiser des diamants.* — Au p. p. *Une couche de sable soigneusement tamisée* (→ 2. Patiner, cit. 3).

♦ 2. (Av. 1867). Laisser passer (la lumière) en partie. ⇒ **Voiler.** *Ombrelle qui tamise la lumière* (→ Fard, cit. 5). *Les soleils couchants sont tamisés par de belles étoffes* (→ Plomb, cit. 1).

1 Il faisait un temps doux, rayonnant, un soleil tamisé d'une brume argentée et flottante, qui baignait toute l'atmosphère (...)
Alphonse DAUDET, Sapho, XII.

Pron. *La lumière, le soleil se tamise.*

Par métaphore du sens 1 :

2 Le temps était tiède, ce matin-là ; le soleil se tamisait dans le crible remué des feuilles (...)
HUYSMANS, En route, II, II.

♦ 3. (Av. 1850). Littér., fig. Passer au crible, soumettre à une analyse critique et fine.

★ II. V. intr. ♦ 1. (1798). Techn. Passer par un tamis ; être tamisé. *Poudre qui tamise bien.*

♦ 2. Mar. Vx. Laisser passer le vent (en parlant d'une voile). *Le vieux hunier tamise.*

▶ TAMISÉ, ÉE p. p. adj. (Au p. p., → ci-dessus à l'article). *Lumière tamisée,* filtrée par un obstacle (tissu, verre). → Papillotement, cit. 4. — Par ext. *Lumière douce, voilée.*

3 Dans ses palais clairs aux lignes droites, aux larges baies vitrées, une lumière tamisée venant on ne sait d'où, comme la lumière du jour, joue avec discrétion sur les vastes surfaces unies.
N. SARRAUTE, le Planétarium, p. 16.

DÉR. Tamisage, tamisant, tamisat, tamiseur.

TAMISERIE [tamizʀi] n. f. — 1872 ; de *tamis.*
Technique.

♦ 1. Fabrique de tamis, de cribles, de sas.

♦ 2. Commerce, fabrication de ces instruments.

TAMISEUR, EUSE [tamizœʀ, øz] n. — 1360, *tamisseur ;* fém., 1534 ; de *tamiser.*
Technique.

♦ 1. Personne qui tamise certaines substances (en verrerie, droguerie, meunerie, etc.). *Tamiseur à la main.*

♦ 2. N. m. (1873, *in* D.D.L.). Tamis grossier, crible pour les cendres du foyer.

♦ 3. N. f. (1907). **TAMISEUSE :** machine à tamiser (industries alimentaires).

TAMISIER, IÈRE [tamizje, jɛʀ] n. — 1775; *tamissier*, 1422; de *tamis*.

♦ Techn. Fabricant, commerçant spécialisé en tamiserie. — (1955). *Tamisier en bois :* boisselier qui confectionne des tamis à cadre de bois.

TAMOUL, OULE [tamul] adj. et n. — 1740; de *davila*, en pali; *dramila*, en sanscrit. → Dravidien.

♦ Des Tamouls, peuples du Sud-Est de l'Inde. *Langue, littérature tamoule.* — N. m. *Le tamoul :* la plus importante des langues dravidiennes, parlée par plus de 30 millions de personnes. — REM. On dit, on écrit aussi *tamil* [tamil] (1872).

La langue tamoule est composée de mots ayant en moyenne six syllabes. Plusieurs en ont quatorze. Moins de quatre syllabes, ce n'est plus un mot, mais un détritus.
Henri MICHAUX, Un barbare en Asie, p. 120.

TAMOURÉ [tamuʀe] n. m. — xxᵉ; mot polynésien.

♦ Danse polynésienne.

En ce moment, le village prépare les fêtes du 14 juillet : on tresse des couronnes, on fabrique les ceintures de danse, on s'entraîne pour le concours de tamouré qui opposera Hanavavé au chef-lieu de l'île, le gros village d'Omoa, dans la baie d'à-côté. Bernard MOITESSIER, Cap Horn à la voile, p. 154 (1971).

TAMPAX [tãpaks] n. m. ⇒ **Tampon** (3.).

TAMPER [tãpœʀ] n. m. — Mil. xxᵉ (*in* Larousse, 1968); mot angl., de *to tamp* «bourrer un trou de mine».

♦ Anglic. Techn. Enveloppe solide d'une bombe atomique.

TAMPICO [tãpiko] n. m. — 1872, *in* P. Larousse; nom d'un port du Mexique.

♦ Crin végétal provenant d'un agave du Mexique. ⇒ **Ixtle.**

TAMPON [tãpɔ̃] n. m. — 1430; var. nasalisée de *tapon*, 1382; francique *tappo (→ 1. Taper), du francique *tappon.

♦ **1.** Petite masse dure (de bois, de métal, etc.) ou d'une matière souple ramassée, pressée, qui sert à boucher un trou, une cavité, à empêcher l'écoulement d'un liquide. ⇒ **Bouchon.** *Tampon de liège, de bois. Boucher une fuite, une voie d'eau avec un tampon* (de bois; d'étoupe). ⓐ Spécialt. Bonde* (d'un étang).

ⓑ Vx. Tampon qui servait à presser et à retenir la poudre, quand on chargeait une arme.

ⓒ Techn. Petite masse de bois, cheville* servant à renforcer un assemblage, à soutenir la maçonnerie.

ⓓ (1676). Menuis. Cheville qu'on plante dans un mur, une cloison, pour y fixer un clou, une vis.

ⓔ (xvIIIᵉ). Techn. Plaque métallique ou planche servant à boucher les voies d'eau, à fermer une ouverture. ⇒ **Couvercle.** *Tampon d'écubier.*

ⓕ (Mil. xvᵉ). Milit. *Tampon de bouche, de lumière* (d'un canon).

ⓖ (1690). Pièce métallique ou soudure obturant l'extrémité d'un tuyau. *Tampon hermétique, tampon de dégagement.*

ⓗ (1842). Couvercle*, dalle qui ferme un puisard, un égout, une fosse d'aisance.

ⓘ (1964). Cylindre rectifié servant à vérifier le diamètre d'une pièce creuse. *Tampon d'ajusteur, d'aléseur, de tourneur.*

♦ **2.** (1676, Félibien, *tampon de graveur*). ⓐ Petite masse formée de tissu entortillé, roulé en boule ou pressé, et, par ext., masse garnie d'une matière souple, servant à étendre un liquide. *Tampon de graveur* (tapette), d'abord en chiffon, puis en feutre, en soie (gravure à l'eau-forte), pour encrer, vernir*... *Tampon d'ébéniste,* en laine. *Tampon d'imprimeur* (vx). — *Tampon à graisser. Vernir un meuble au tampon.* — Par anal. *Tampon à nettoyer. Tampon de laine d'une vadrouille*. Tampon métallique à récurer,* formé d'une masse de fils métalliques.

ⓑ (1904). *Tampon encreur :* coussinet imprégné d'encre, servant à encrer un timbre; la boîte qui le contient.

ⓒ (1933, *tampon de buvard*). *Tampon buvard* ou *tampon-buvard :* ustensile de bureau, formé d'un support courbe (en forme de secteur cylindrique) muni d'une poignée, et recouvert d'une feuille de buvard.

0.1 Et l'on demeure au reste sans paroles pour avouer l'admiration que mérite l'enveloppe du tendre, fragile et rose ballon ovale dans cet épais tampon-buvard humide dont l'épiderme extrêmement mince mais très pigmenté, acerbement sapide, est juste assez rugueux pour accrocher dignement la lumière sur la parfaite forme du fruit. Francis PONGE, le Parti pris des choses, p. 42.

♦ **3.** (1810). Petite masse de gaze, d'ouate (→ Gorge, cit. 20), de charpie (⇒ **Plumasseau**) roulée en boule, servant à étancher, à absorber le sang, à étendre ou à faire inhaler un liquide, à nettoyer la peau, etc. *Tampon imbibé d'éther, d'eau de Cologne* (→ Apitoiement, cit. 2). *Tampon de coton imbibé de bleu de méthylène,* pour les badigeons. *Tampon protecteur* (d'un appareil orthopédique...). → Hernie, cit. 1

Tampons hygiéniques ou *périodiques,* introduits dans le vagin pendant les règles. — On emploie souvent dans la langue courante le nom de la marque *Tampax* (d'où les dér. verbaux occasionnels : *tampaxer, tampaxiser*).

Alors, ce que je pense des femmes qui ne sentent rien quand viennent leurs règles, c'est qu'elles ont été, et qu'elles se sont toutes tampaxisées, bien avant leur premier tampax. Annie LECLERC, Parole de femme, p. 62 (1974). 0.2

Par plais. Filtre (de cigarette). *Je les fume sans tampax; j'enlève le tampax.*

EN TAMPON : froissé en boule serrée (papier, tissu). ⇒ **Tapon.** *Bâillonner qqn avec un mouchoir roulé en tampon.* ⇒ **Bâillon.**

(Elle) mordit son mouchoir qu'elle avait roulé en tampon. 1
J. GREEN, Adrienne Mesurat, I, XII.

♦ **4.** ⓐ (1856, *Année sc. et industr.* 1857, p. 99; par anal. avec les tampons [1.] de bois cylindriques). Dispositif destiné à recevoir et à amortir les chocs. — Spécialt. Plateau métallique vertical destiné à recevoir et à amortir les chocs entre les voitures d'un train . ⇒ **Amortisseur.** *Tampons d'un wagon, d'une locomotive. Tampon à ressort, tampon hydraulique, pneumatique. Tampon d'attelage. Tampon d'arrêt; tampon d'un butoir. Coup de tampon* (→ Conflit, cit. 2) : choc des tampons, et, par ext., collision. ⇒ **Tamponnement; tamponner.**

Deux centenaires (...) inertes mais apaisants comme les tampons qu'on laisse aller 1.1 entre le navire et le quai. J. GIRAUDOUX, Siegfried et le Limousin, p. 215.

(...) l'un des tronçons du train venait, monstre aveugle, de se mettre en marche à 2 la rencontre de l'autre tronçon. Les puissants tampons rouillés avançaient.
G. DUHAMEL, Salavin, VI, II.

D'autres fois, les tampons de quarante ou cinquante wagons, percutés l'un après 3 l'autre, créaient une suite de chocs métalliques, dont l'ébranlement, régulièrement ralenti, s'éloignait peu à peu jusqu'à mourir sur un butoir (...)
H. BOSCO, Antonin, p. 40.

En appos. (ou apocope de *tamponneuse*). *Auto-tampon :* auto tamponneuse. ⇒ **Tamponneur** (1.).

Moi, je sais tout juste piloter une auto-tampon dans une fête foraine. Et encore! 3.1
André HARDELLET, Lourdes, lentes..., p. 54.

Loc. fam. (1845, Gautier, *in* L. Larchey). Vieilli. *Coup de tampon :* coup de poing.

Mus. Extrémité (d'une mailloche).

ⓑ (Mil. xxᵉ). Timbre (qu'on encre sur un *tampon,* 2.) qui sert à marquer, à oblitérer. *Donner un coup de tampon à un passeport, un papier officiel. Apposer le tampon sur une lettre.* — (1964). Cachet, oblitération. *Le tampon de la poste sert à dater les lettres.* ⇒ **Flamme.**

♦ **5.** (1904; par anal. de forme). Fam., vx. Casquette basse, à fond plat, telle qu'en portaient les ordonnances en civil.

Par métonymie, vx. Ordonnance (d'un officier). *Le tampon du colonel. Le tampon du capiston* (capitaine).

Le dernier en date qui s'était noyé, à la dernière relève, était Machin, l'Alsacien, 3.2 le tampon des sergents qui faisait des rapports sur l'escouade pour passer caporal et qui aurait trahi père et mère. B. CENDRARS, la Main coupée, *in* Œ. compl., t. X, p. 107.

♦ **6.** (1878; du sens 4). Ce qui amortit les chocs, empêche les heurts (dans un sens concret ou abstrait). ⇒ **Capiton, rembourrage.** *Servir de tampon entre deux personnes qui se disputent.* — (Av. 1906, *Nouveau Larousse illustré,* art. *Siam*). ÉTAT TAMPON, dont la situation intermédiaire entre deux autres États empêche les conflits directs (de frontière). — (1951, *in* D.D.L.). *Zone tampon :* zone de protection. ⇒ **Couverture.**

C'était Limousin qui servait d'huile et de tampon entre Henriette et lui, qui 4 le défendait, même vivement, même sévèrement, contre les reproches immérités, contre les scènes harcelantes, contre toutes les misères quotidiennes de son existence. MAUPASSANT, Monsieur Parent, I.

Solution tampon. ⇒ **Solution** (I., 2.).

(1945, *in* D.D.L.). Physiol. Substance alcaline (spécialt, le bicarbonate de sodium) assurant la stabilité de l'équilibre acide-base du sang. ⇒ **Réserve** (alcaline).

Cybern. Dispositif placé entre deux organes associés et destiné à réduire leurs interactions. — En appos. *Circuit tampon, mémoire tampon.*

(1975). Inform. Zone de mémoire d'un ordinateur où les données sont collectées temporairement.

DÉR. **Tamponner, tamponnier.**
COMP. **Cache-tampon, colin-tampon.**

TAMPONNADE [tãpɔnad] n. f. — 1968, *in la Clé des mots,* sept. 1974; d'après l'all. (*Herz*) *Tamponade.*

♦ Méd. Compression brutale du cœur par épanchement péricardique, pouvant provoquer une mort subite. *Tamponnade cardiaque par péricardite hémorragique.* ⇒ **Tamponnement** (du cœur).

TAMPONNAGE [tɑ̃pɔnaʒ] n. m. — 1864, cit. ; de *tamponner*.

♦ **1.** Techn. Action de tamponner (3.), de heurter avec un tampon qui amortit le choc.

1　(...) un couple de rails qui traversent un petit plancher et un tube de tamponnage opposé, semblable à celui décrit.
　　　　　　　　L. FIGUIER, l'Année scientifique et industrielle 1865, p. 181 (1864).

2　(...) pour être cahotés, tressautés, y avait de la gâterie... et tamponnages d'arrière et d'avant... sûr, cette voie avait été refaite, on pouvait voir, très sommairement... le principal, on avançait, et même assez vite... nous avions connu des voies pires (...)　　　　　　　　　　　　CÉLINE, Rigodon, p. 241.

♦ **2.** (1870). Rare. Action de boucher avec un tampon (1.).

♦ **3.** Chim. Action de tamponner* (5.) une solution.

♦ **4.** Méd. Action de passer un liquide approprié sur une partie du corps à l'aide d'un tampon* (4.) d'étoffe. ⇒ **Tamponnement** (1.).

TAMPONNEMENT [tɑ̃pɔnmɑ̃] n. m. — 1771 ; de *tamponner*.

♦ **1.** Fait de tamponner (1., 2.) ; son résultat. ⇒ **Tamponnage** (2.). Méd. Introduction de tampons très serrés dans une cavité où s'est produite une hémorragie. ⇒ **Hémostase.** *Tamponnement des fosses nasales pour arrêter un épistaxis. Tamponnement du cœur.* ⇒ **Tamponnade.**

♦ **2.** (1876). Fait de heurter avec les tampons. — Par ext. Incident, accident résultant du heurt entre deux trains. ⇒ **Choc.**

1　(...) un tamponnement dû à une négligence de sa part, un train de voyageurs lancé sur une voie de garage.　　　　　　　ZOLA, la Bête humaine, IX.

2　Sur les voies, des wagons de marchandises manœuvraient lentement : de la place, ils entendaient les coups de sifflet et le bruit des tamponnements qui roulait jusqu'au bout des rames.　　　　　P. NIZAN, le Cheval de Troie, VI.

♦ **3.** (Mil. xxe). Techn. Ensemble des dispositifs destinés à amortir les chocs dans un train.

TAMPONNER [tɑ̃pɔne] v. tr. — 1547 ; attestation isolée, xve ; de *tampon*.

♦ **1.** Vieilli. Boucher*, consolider, fermer avec un tampon (1.). *Tamponner d'étoupe les joints d'une embarcation.* ⇒ **Calfater** (→ Calfat, cit.).

(1676). Techn. *Tamponner un mur*, y placer des tampons, des chevilles.

♦ **2.** (1842). Étendre un liquide (⇒ **Frotter**) à l'aide d'un tampon (2.). — (1845). Essuyer, étancher, nettoyer avec un tampon (3.). *Tamponner la plaie.*

1　Il souffla ; se tamponna le nez, de son mouchoir tassé en boule.
　　　　　　　　COURTELINE, le Train de 8 h 47, III, 1.

2　Un gosse pleurait, sa mère lui tamponnait les yeux, avec un mouchoir.
　　　　　　　　SARTRE, le Sursis, p. 205.

Loc. fig., fam. *S'en tamponner le coquillard** (l'œil), et, absolt, *s'en tamponner* : s'en moquer. *Je m'en tamponne, de ce que t'en penses !*

2.1　La science, personnellement, je m'en tamponne, pourvu qu'elle me fiche la paix.
　　　　　　　　G. DUHAMEL, le Jardin des bêtes sauvages, p. 205.

3　Armand était ferme : il ne retournerait pas au lycée, il n'irait pas dans une autre boîte : il s'en tamponnait, du second bachot. Non, non et non.
　　　　　　　　ARAGON, les Beaux Quartiers, II, XXI.

♦ **3.** (1872, in Littré). Heurter avec les tampons (4.). *Ne pas tamponner* (inscription sur les wagons contenant des objets fragiles, dangereux).

Heurter violemment (en parlant de trains, de véhicules, de personnes). ⇒ **Entrer** (dans).

3.1　Il s'était arrêté sur le trottoir et, tamponné par les passants, il resta là, fouillant les mots de son œil perçant et pratique.　　MAUPASSANT, l'Héritage, Pl., t. II, p. 30.

4　Le chef de file, une dinde diable à barbe de fleuve, que pénétrait l'importance de son rôle, finit par aller tamponner le mur de chêne, sur son nez qu'un binocle d'écaille chevauchait.　COURTELINE, Messieurs les ronds-de-cuir, 6e tableau, III.

V. pron. *Se tamponner. Autos qui se tamponnent sur la piste d'autos-tamponneuses*.

5　Mais les gens s'amusaient bien davantage dans le manège aux automobiles... Il en venait sans cesse... pour se tamponner sauvagement (...)
　　　　　　　　CÉLINE, Voyage au bout de la nuit, p. 284.

(1867 ; «frapper à petits coups qqn», 1759). Fam., vx. Battre, rosser. *Il s'est fait salement tamponner.*

♦ **4.** (1964). Mettre un tampon, un cachet sur. ⇒ **Timbrer.** *Faire tamponner une autorisation. Tamponner le courrier.* ⇒ **Oblitérer.**

♦ **5.** (1962, au p. p., → ci-dessous). Chim. *Tamponner une solution* : ajouter une solution* tampon à un liquide pour en maintenir le pH.

♦ **6.** Fig. Former un tampon (6.), amortir les chocs, les contacts brutaux. « *La relativité de l'adaptation biologique est, en réalité, assez avantageuse. Elle "tamponne" le vivant contre toute modification brutale* » (le Monde, 23 févr. 1977, p. 21).

▶ **TAMPONNÉ, ÉE** p. p. adj. (Au p. p., → ci-dessus à l'article).

Wagons tamponnés. Voiture tamponnée et accidentée. — *Enveloppe tamponnée. Timbre tamponné.* ⇒ **Oblitéré.**

(1962). Spécialt. (Sens 5). *Solution tamponnée.* « *L'acide osmique tamponné, le meilleur fixateur connu* » (H. Firket, *la Cellule vivante*, 1962, p. 42). *Aspirine tamponnée.*

DÉR. Tamponnage, tamponnement, tamponneur, tamponnoir.

TAMPONNEUR, EUSE [tɑ̃pɔnœʀ, øz] adj. et n. — 1893 ; de *tamponner*.

♦ **1.** Se dit d'un véhicule qui en tamponne un autre. *Le train tamponneur.*

AUTOS TAMPONNEUSES : attraction foraine où de petites voitures électriques (*auto tamponneuse* ou *auto-tampon* ; → Tampon, cit. 3.1), protégées par un bourrelet de caoutchouc, circulent et se heurtent sur une piste.

1　La foire (...) son train des fantômes (...) ses autos tamponneuses.
　　　　　　　　Michel BUTOR, l'Emploi du temps, p. 106.

2　À la fête de Clichy, lors d'un de nos premiers vadrouillages parisiens, je montrai à Gabrièle un manège d'autos tamponneuses. Celles-ci poussaient mon idée puisque le bourrelet de mon protecteur bordait tout le pourtour des véhicules ! Conviée à partager mon excitation, Gabrièle m'a répondu que les autos tamponneuses, elles, fonctionnaient à l'électricité et non à l'essence, roulaient lentement, ne circulaient pas dans les rues.　Jacques LAURENT, les Bêtises, p. 385-386.

♦ **2.** Personne qui tamponne, appose des cachets sur (des papiers, etc.).

3　(...) rudes poinçonneurs aux portillons de Vincennes-Maillot (*ligne du métro parisien*) ou hardis tamponneurs de formulaires aux guichets de la Sécurité sociale (...)
　　　　　　　　J. PERRET, Bâtons dans les roues, p. 124.

TAMPONNIER [tɑ̃pɔnje] n. m. — 1904 ; de *tampon*.

♦ Vx. Tamponnoir.

TAMPONNOIR [tɑ̃pɔnwaʀ] n. m. — 1904 ; de *tamponner*.

♦ Mèche d'acier sur laquelle on frappe pour percer les murs, les cloisons et pour y placer un tampon, une cheville, un taquet.

Machines avançait sur la route, et il essayait de regarder toutes ces volées de clous, de vrilles, de tamponnoirs, que le maillet invisible enfonçait, coup après coup, dans le bleu de l'espace.　J.-M. G. LE CLÉZIO, les Géants, p. 212.

TAM-TAM [tamtam] n. m. — 1769, in D.D.L. (→ aussi Pantomime, cit. 2) ; onomat. d'origine indienne (*tam-tam* en hindoustani, *tamattama* à Ceylan) et malaise (*tong-tong*, d'où l'angl. *tom-tom*, dès 1693), probablement transmis dans l'océan Indien aux parlers créoles de La Réunion.

♦ **1.** Rare. Tambour en usage dans l'Inde et l'océan Indien (→ Frénésie, cit. 11, Loti). — Plur. *Des tam-tams* ou *des tams-tams*.

♦ **2.** (1791, selon Castil-Blaze). Tambour* de bronze ou gong* d'Extrême-Orient. — REM. Ce sens, le seul signalé au xixe s. (sauf chez Littré, dans son *Supplément* ; → Gong) et encore in Académie 8e éd., est aussi le seul admis par les musicologues ; il viendrait du turc *tam-tam* (selon Landais, art. *Loo*), désignant le *lo* chinois, le *gong* malais. Gong utilisé en musique classique (pour les effets dramatiques, tragiques).

1　Théodose ne voulait rien brusquer, et, comme un habile musicien, il avait marqué l'endroit de sa symphonie où il devait donner le coup sur le tam-tam.
　　　　　　　　BALZAC, les Petits Bourgeois, Pl., t. VII, p. 121.

♦ **3.** (1877, in *le Tour du monde*, t. xxxiv, p. 7). Cour. Tambour (avec ou sans membrane) en usage en Afrique noire comme instrument de musique et pour la transmission de messages (langages tambourinés*). — Syntagmes cour. en franç. d'Afrique (d'après I.F.A.). *Grand tam-tam, petit tam-tam* (portatif ; syn. : *tambour*). *Tam-tam (ou tambour) d'aisselle. Tam-tam de guerre. Tam-tam mâle* (grave), *femelle* (aigu). *Tam-tam parlant, parleur, tam-tam messager*, servant aux messages en langage tambouriné*. — *Taper le tam-tam. Le tam-tam chante, parle, roule.*

2　Les sons du tambour nègre nous attirent. Musique nègre. Que de fois, je l'entendis l'an passé ! (...) Pas de tons ; du rythme ; aucun instrument mélodique, rien que des tambours longs, des tam-tams et des crotales (...)
　　　　　　　　GIDE, Journal, Feuilles de route, 1896, Biskra.

Par ext. Séance de tam-tam ; chants, danses au son du tam-tam.

3　(...) ces mêmes tirailleurs, le torse nu, leur pantalon de treillis noué aux hanches comme un pagne, organisaient dans la clairière de longs tam-tams où ils tournaient en rond durant des heures et s'épuisaient jusqu'à la transe, sans qu'on puisse les arrêter, en accompagnant leur mélopée de coups rythmés frappés sur leurs plats et campement ou leurs bassines de tôle.　Raymond ABELLIO, les Militants, p. 72.

⇒ aussi **Tom-tom.** — Littéraire :

4　Beaucoup des poèmes ici réunis se nomment des tams-tams, parce qu'ils empruntent aux tambourinaires nocturnes un rythme de percussion tantôt sec et régulier, tantôt torrentueux et bondissant.　SARTRE, Situations III, p. 253.

♦ **4.** ▣ (1888). Fig. Charivari (cit. 2, Barrès).

▣ (1872). Bruit, publicité* tapageuse (→ Casse-pipe, cit. 1), scandale* bruyant. *Faire un tam-tam de tous les diables autour d'un événement.* ⇒ **Ramdam.**

Ⓒ Vx. Tapageur. — Adj. (1881) :

5 Cette allure pimentée d'une Parisienne, ce petit air « tam-tam », comme elle disait jadis en parlant d'elle. HUYSMANS, En ménage, IX, p. 206.

TAN [tɑ̃] n. m. — XIIIᵉ ; p.-ê. d'un gaul. *tann- «chêne»; cf. breton *tann;* mais P. Guiraud évoque le lat. *thannus,* de *thamnus,* nom d'un arbuste, grec *thamnos.*

◆ **1.** Écorce de chêne* pulvérisée utilisée pour la préparation des cuirs. ⇒ **Tanner.** *Moulin* (cit. 2) *à tan. Écorcer des chênes pour préparer le tan.* ⇒ **Pelard.** *Principe actif du tan.* ⇒ **Tanin.** *Tan épuisé et lessivé.* ⇒ **Jusée.** *Résidu du tan.* ⇒ **Tannée.** *Marque de tan sur une peau.* ⇒ **Tanne** (1). *Ajouter du tan à un moût.* ⇒ **Tanniser.** — Méd. *Décoction de tan utilisée comme astringent*.*

Des tanneurs portant l'odeur du cuir, et la couleur du tan sur les mains (...) ARAGON, la Semaine sainte, V.

◆ **2.** (Abusif). Bois d'un arbre, découpé et pulvérisé, pour le même usage.

DÉR. Tanin ou **tannin, taniser** ou **tanniser, tannase, tannique, tanner.**
HOM. Taon, tant, temps.

TANA [tana] n. m. ⇒ **Tanaïm.**

TANAGRA [tanagʀa] n. m. ou f. — Av. 1872 ; nom d'un bourg de Béotie.

◆ **1.** Statuette, figurine en terre cuite de Tanagra, d'une grâce simple. — REM. Le mot s'écrit avec ou sans majuscule. — On a dit aussi *tanagrienne* [tanagʀijɛn] n. f.

Regarde ces statuettes, Beautrelet, cette Vénus grecque, cet Apollon de Corinthe (...) Regarde ces Tanagras, Beautrelet ! Tous les vrais Tanagras sont ici. Hors de cette vitrine, il n'y en a pas un seul au monde qui soit authentique. M. LEBLANC, l'Aiguille creuse, p. 392.

◆ **2.** (1888). Fig., vieilli (souvent, appellatif hypocoristique). Jeune fille, jeune femme gracieuse. *Mon petit tanagra.*

DÉR. Tanagréen.

TANAGRÉEN, ENNE [tanagʀeɛ̃, ɛn] adj. — 1904 ; de *tanagra.*

◆ Didact. ou littér. Qui évoque les statuettes de Tanagra. *Finesse, grâce tanagréenne.*

TANAGRIDÉS [tanagʀide] n. m. pl. — 1876 ; du lat. mod. *tanagra,* altér. de *tangara*,* et suff. *-idés.*

◆ Zool. Famille de passereaux d'Amérique, de petite taille, aux couleurs vives, recherchés comme oiseaux de cage. — Au sing. *Un tanagridé.*

TANAÏM [tanaim] n. m. pl. — XXᵉ (*in* Larousse, 1933) ; mot hébreu.

◆ Didact. Docteurs hébraïques qui enseignaient la Tora, à partir du IIᵉ siècle de l'ère chrétienne. — Au sing. *Un tana.* — REM. On emploie parfois la forme francisée *tannaïte* [tanait].

TANAISIE [tanɛzi] n. f. — 1530 ; *tanoisie,* 1314 ; *tanezie,* XIIᵉ ; lat. pop. *tanacita,* de *tanacetum,* selon Guiraud, de *tannis,* et *acetum* («acide du tan»).

◆ Bot. Plante des talus *(Composacées),* à fleurs jaunes, herbacée, vivace, dont les sommités fleuries sont utilisées en herboristerie (comme amer, vermifuge) et comme assaisonnement, appelée communément *barbotine, herbe aux coqs, aux mites, sent-bon.* — Syn. : *tanacetum* (1876). *Tanaisie balsamite* ou *grande baume*.*

Les mites ! dit-il, jamais les mites ne viennent ici. Nous glissons partout des plantes odoriférantes. Vous sentez bien le thym et la sariette et l'armoise et la tanaisie. G. DUHAMEL, Chronique des Pasquier, IX, XI.

TANCER [tɑ̃se] v. tr. — Conjug. *placer.* — 1080, *tencer;* lat. pop. *tentiare,* de *tentus,* p. p. de *tendere* «tendre ; combattre».

◆ Littér. Réprimander (cit.). → Désapprobation, cit. 1. ⇒ **Admonester, gourmander** (II., 2.), **gronder** (II.), **morigéner, relancer** (4., vx). *Il s'est fait tancer, vertement tancer.*

1 Sa colère fut grande, et il tança vertement son fils. MÉRIMÉE, Hist. du règne de Pierre le Grand, p. 142.

2 Gourmont, qui tance d'abord l'auteur de lieux communs sur sa lâcheté et sa paresse, lui fait grief, un peu plus loin, de son «lent et patient travail de truquage». J. PAULHAN, les Fleurs de Tarbes, p. 120.

TANCHE [tɑ̃ʃ] n. f. — XIIIᵉ, *tenche;* du bas lat. *tinca* (IVᵉ, Ausone), mot gaulois.

◆ **1.** Poisson physostome *(Cyprinidés)* vivant dans les eaux douces, à peau sombre et gluante, à chair délicate (→ Poisson, cit. 8). *Alevin de tanche* (aiguillon).

1 *(Le héron)* S'approchant du bord, vit sur l'eau Des tanches qui sortaient du fond de ces demeures. LA FONTAINE, Fables, VII, 4 (→ 1. Que, cit. 5 ; rebuter, cit. 3).

2 (...) des tanches d'un vert sombre et sonore, dégouttelantes de la vase où elles se tenaient blotties (...) M. GENEVOIX, Raboliot, I, I.

Par ext. *Tanche de mer :* labre*.

◆ **2.** Loc. fig. Anat. *Museau de tanche.* ⇒ **Museau.**

TANCHIS [tɑ̃ʃi] n. m. — 1845 ; orig. incert., probablt altér. de *lancis* «action d'enfoncer des pierres dans les fissures d'un mur», de *lancer.*
Technique.

◆ **1.** Élément de couverture (tuile, ardoise) qui doit recouvrir un angle rentrant. *Noue* à un, à deux tanchis.*

◆ **2.** Partie du comble* formée par les tanchis.

REM. On trouve aussi la forme *tranchis* [tʀɑ̃ʃi] (attestée au XIVᵉ s. au sens de «coupe de bois»), par croisement avec le rad. du v. *trancher.*

TANDEM [tɑ̃dɛm] n. m. — 1816 ; mot angl., lat. *tandem* «enfin», pris au sens de «à la longue, en longueur».

◆ **1.** Vx. Cabriolet* à deux chevaux en flèche. — (1904). *Attelage en tandem,* en flèche.

1 (...) un tandem que Steiner conduisait, avec un laquais derrière, immobile, les bras croisés (...) le banquier, allongeant un fouet immense, lançait les deux chevaux attelés en flèche (...) ZOLA, Nana, XI.

(1887). *Cylindres en tandem.* — Appos. *Machine, moteur tandem,* à cylindres en ligne.

◆ **2.** (1884, *in* Petiot). Bicyclette à deux sièges placés l'un derrière l'autre. ⇒ **Cycle** (→ Jumeau, cit. 8).

2 Grâce à la semaine de quarante heures, on pouvait voir le samedi matin des couples, montés sur des tandems, qui pédalaient vers les portes de Paris (...) S. DE BEAUVOIR, la Force de l'âge, V.

◆ **3.** (1904, répandu mil. XXᵉ). Fig., fam. ⓐ Groupe de deux personnes associées. *Le tandem Flers-Caillavet, Erckmann-Chatrian, Boileau-Narcejac.* «*Le tandem patron-responsable syndical* (Bauchard, *in* Gilbert).

ⓑ Groupe formé par une personne et une chose qu'elle utilise. *Le tandem voiture-conducteur.*

ⓒ Ensemble composé de deux éléments qui se complètent. « *Le "tandem cheval-épée" a été l'instrument des grandes invasions*» (Sudreau, *in* Gilbert).

ⓓ Loc. fig. EN TANDEM : à deux, en couple. *Travailler, voyager en tandem.*

DÉR. Tandémiste.

TANDÉMISTE [tɑ̃demist] n. — 1886, *in* Petiot ; de *tandem.*

◆ Personne qui roule en tandem, fait du tandem (2.).

1 Je ne peux plus les voir ces tandémistes avec leurs gros culs braqués sur nous. Michel DÉON, les Vingt ans du jeune homme vert, p. 170.

2 Autour d'eux s'épanouissaient les sourires de familles endimanchées, de tandémistes amoureux. R. SABATIER, les Fillettes chantantes, p. 222.

TANDIS [tɑ̃di] adv. — Fin XIIᵉ ; *tanz dis,* mil. XIIᵉ ; du lat. *tamdiu* «aussi longtemps», avec le *s* des adverbes. → Volontiers.

★ **I.** Adv. Vx. Pendant ce temps (emploi condamné par Vaugelas).

1 Tandis, par la fenêtre ayant vu ton retour, Je t'ai voulu sur l'heure apprendre cet amour (...) CORNEILLE, la Place royale, V, 5.

★ **II.** Loc. conj. (V. 1175, au sens 2 ; *tant dis que,* v. 1160). **TANDIS QUE.**

◆ **1.** (XIIIᵉ ; marquant la simultanéité). Pendant le temps* que, dans le même moment* que. ⇒ **Comme, cependant** (que), **pendant** (que). → Apprêter, cit. 19 ; burlesque, cit. 3 ; hallali, cit. 1 ; 1. mémoire, cit. 9 ; minutie, cit. 2 ; pantomime, cit. 4. «*Tandis que, sans songer à mal, je vous regarde...*» (→ 1. Garde, cit. 35). *Négocier la paix tandis qu'il en était encore temps.* ⇒ **Alors** (→ Offensive, cit. 1 ; et aussi prémunir, cit. 1).

2 — Qu'on aille vite quérir le notaire. — Tandis qu'il viendra et qu'il dressera les contrats, voyons notre ballet (...) MOLIÈRE, le Bourgeois gentilhomme, V, 6.

REM. *Tandis que...,* comme les autres conjonctions de temps, entraîne souvent l'inversion du sujet (cf. Le Bidois, *l'Inversion du sujet,* p. 303, 306). «*Tandis que causait M. de Charlus*» (Proust, t. IV, p. 225). «*Tandis que dans la rue continuaient les cris...*» (Proust, t. XI, p. 164). «*Tandis que tintait à l'église la première messe*» (Colette, *la Maison de Claudine,* p. 200).

◆ **2.** (Au sens du latin). Vieilli. Aussi longtemps que..., tout le temps que. ⇒ **Tant** (que, IV.). → 1. Flétrir, cit. 16 ; impétuosité, cit. 3 ; marais, cit. 3 ; négligent, cit. 1. «*Tandis que vous vivrez...*» (→ Mélange, cit. 6).

3 Tandis que j'ai eu des chances de ministère, il n'y avait pas assez d'éloges et de flatteries pour moi (...)
CHATEAUBRIAND, Lettre à Mme Récamier, 14 mai 1827, *in* Mémoires d'outre-tombe, t. V, p. 136.

♦ **3.** (1623; marquant l'opposition dans la simultanéité). *Tandis que l'un travaille, l'autre se repose* (→ aussi Hamac, cit. 2). **Par ext.** (marquant toute opposition). Pendant ce temps, au contraire... ⇒ **Alors** (*supra* cit. 11), **cependant, lieu** (III., 4. : au lieu que...), 3. **pendant** (*supra* cit. 15). → Agneau, cit. 6; garçon, cit. 15; maître, cit. 27; nature, cit. 42; pur, cit. 5; revenu, cit. 3. *Tandis qu'au contraire...* (→ Ruminer, cit. 2). *Plaire n'est pour lui qu'un moyen de succès; tandis que pour elle, c'est le succès même.* — *Pourquoi a-t-il pris un homme de cœur, tandis qu'il lui fallait l'âme d'un valet* (→ Petit, cit. 32) : alors que... — (Détaché en tête d'une proposition principale ou indépendante). → 2. Pêcher, cit. 5.

TANDOUR [tɑ̃duʀ, tɑ̃duʀ] n. m. — 1823; *tendour,* 1717, *in* F. Nasser; mot turc et hindi, altér. de l'arabe *tännûr* «four à pain».

♦ **1.** (1823). Vx. Table chauffée par un brasier, en Turquie. ⇒ **Brasero.**

♦ **2.** Mod. Four à pain, utilisé aussi pour les préparations «tandouri».

DÉR. Tandouri.

TANDOURI [tɑ̃duʀi] adj. et n. — D. i.; mot hindi; de *tandour*.

♦ Accommodé avec une sauce épicée et cuit au four (en parlant d'une viande). *Poulet tandouri.* — REM. On écrit aussi *tandoori.*

TANEVOT [tanvo] n. m. — 1836; de l'anc. franç. *talevart* «bouclier de bois» (XIIIe), *talevaz* (v. 1155); lat. pop. *talapacium;* du rad. gaul. *talu-* «front».

♦ Techn. Moulure en quart d'ovale.

TANGAGE [tɑ̃gaʒ] n. m. — 1643; de *tanguer.*

♦ **1.** Mouvement alternatif (⇒ **Balancement, oscillation**) d'un navire* dont l'avant et l'arrière plongent successivement. *Le tangage* et le roulis* (cit. 2). *Fort tangage* (→ Parcourir, cit. 3). *Il y a du tangage.* ⇒ **Tanguer; houle.** *Il a le pied marin, il ne craint pas le tangage. Violent coup de tangage. Ramener les poids au centre pour réduire le tangage.*

1 Elle n'avait presque plus de tangage, signe redoutable de l'agonie d'un navire. Les épaves n'ont que du roulis. Le tangage est la convulsion de la lutte.
HUGO, l'Homme qui rit, I, II, XIII.

2 (...) pour voir la jolie grimace qu'il ferait avec le tangage et le roulis de grosse mer.
G. SAND, Histoire de ma vie, VII, III.

♦ **2.** (1876). Par anal. *Le tangage d'un avion, d'un train.*
Astronaut. Déplacement angulaire d'un engin spatial autour d'un axe défini comme étant son axe transversal. — Opposé à *roulis* et à *lacet.*

TANGAIE [tɑ̃gɛ] n. f. ⇒ **Tanguaie.**

TANGARA [tɑ̃gaʀa] n. m. — 1614; mot tupi, par l'espagnol.

♦ Oiseau d'Amérique du Sud, scientifiquement appelé *tanagra,* famille des Tanagridés* *(Passereaux conirostres),* à couleurs brillantes, comptant plus de 300 espèces. *Le « tangara fastueux » est le plus célèbre des tangaras par sa beauté.*

(...) un genre (...) d'oiseaux, dont quelques-uns s'appellent au Brésil *tangaras* (...) ils ne diffèrent (...) de nos moineaux d'Europe que par les couleurs et par un petit caractère de conformation (...) BUFFON, Hist. nat. des oiseaux, « Les tangaras ».

TANGENCE [tɑ̃ʒɑ̃s] n. f. — 1815; de *tangente.*

♦ Géom. Position de ce qui est tangent. *Point de tangence,* où deux lignes, deux surfaces sont tangentes. — Syn. : *point de contact. Ligne de tangence,* suivant laquelle deux surfaces sont tangentes.

TANGENT, ENTE [tɑ̃ʒɑ̃, ɑ̃t] adj. et n. f. — 1626, n. f.; lat. *tangens, -entis,* p. prés. de *tangere* «toucher».

★ **I.** Adj. ♦ **1.** (1705). Géom. Qui touche, sans la couper, une ligne, une surface en un seul point. *Droite tangente à un cercle* (→ ci-dessous, II.). *Courbe tangente à un plan. Surfaces tangentes en un point. Plan tangent à une surface :* ensemble des tangentes en un point à cette surface, formant généralement un plan. — Cour. *Le disque du soleil est tangent à l'horizon* (→ 2. Coucher, cit. 2). *Une ligne verticale tangente au sternum* (→ Attitude, cit. 10).

1 C'était un huit couché : deux cercles égaux, d'un peu moins de dix centimètres de diamètre, tangents par le côté. A. ROBBE-GRILLET, le Voyeur, p. 17.

♦ **2.** (1895, *tangent à* «très près de»). Qui approche d'une chose,

d'une situation (⇒ **Approchant**); qui se fait presque, qui se fait de justesse. *Il a été reçu au bachot, mais c'était tangent* (cf. fam. C'était moins une). ⇒ **Juste.** — Par ext. *Il était tangent.*

Ce qu'il faisait était extrêmement délicat et tangent. 1.1
A. L. DOMINIQUE, le Gorille sans cravate, p. 173.

★ **II.** N. f. ♦ **1.** Géom. *La tangente à une courbe :* la droite qui touche cette courbe en un seul point et qu'on peut considérer comme la limite d'une sécante passant par ce point lorsqu'un second point d'intersection tend vers celui-ci. *Tangente à un cercle :* perpendiculaire au rayon du cercle en ce point (→ Cercle, cit. 2). *La pente de la tangente à une courbe d'équation* y = f (x) — en coordonnées rectangulaires — *est égale à la valeur de la dérivée* de f (x) *au point de tangence. Mener d'un point extérieur à une courbe les tangentes à cette courbe.* — *Tangente à une surface,* tangente en un point de cette surface à une courbe tracée sur la surface. — (1872). Trigon. *Tangente (tg) d'un arc ou d'un angle :* rapport du sinus au cosinus de cet arc, de cet angle. *La tangente est l'inverse de la cotangente.* — Appos. *Fonction tangente,* qui à un nombre réel fait correspondre la tangente de l'angle dont ce nombre est la mesure. — *Tangente* hyperbolique. — Vx. *Boussole* des sinus et des tangentes.*

Littér. Droite tangente.

(...) ce soleil couchant, dont le rayon allongé tantôt illumine une forêt, tantôt forme 2 une tangente d'or sur l'arc roulant des mers (...)
CHATEAUBRIAND, le Génie du christianisme, II, IV, I.

♦ **2.** [a] (1867; parce qu'elle se porte tangente à la bande du pantalon). Argot de l'École polytechnique. Épée de polytechnicien.

[b] (1878). Argot d'école. Huissier de faculté. ⇒ **Appariteur.** — (1907). Surveillant d'un examen écrit.

♦ **3.** Loc. **PRENDRE LA TANGENTE :** échapper à une trajectoire fermée (circulaire, elliptique) selon la tangente à cette trajectoire. — Par métaphore. (Personnes). S'esquiver, se sauver (spécialt, sans être vu). Cf. fam. Filer, se tailler, se tirer. — Fig. *S'échapper par la tangente* (1798), *prendre la tangente* (1867) : se tirer d'affaire adroitement en éludant, par un faux-fuyant.

Il faut dire aussi que mon esprit prenait facilement la tangente (...) 3
GIDE, Si le grain ne meurt, I, V.

Ah! voilà Ponthieu qui me suit. La tangente! (...) Quand Patrice 4 Périot, après un léger détour, entra dans la salle des séances, la compagnie était au travail. G. DUHAMEL, le Voyage de P. Périot, IV.

Dans tous les cas, qu'il dise oui, ou qu'il dise non, ou qu'il échappe par la tangente, 5 en feignant, en doutant, en éludant, en faisant dévier la pensée principale vers un autre but (tu vois ce que je veux dire), par un artifice de rhétorique ou de conversation quel qu'il soit, tu aurais l'air de n'attacher à sa réponse qu'une importance minime.
Germain NOUVEAU, Lettre à Léopold Silvy, 18 janv. 1909, Pl., p. 955.

CONTR. (Du I.) **Distant, éloigné, sécant.**
DÉR. Tangence, tangenter, tangentiel.
COMP. Cotangente. — Sous-tangente.

TANGENTER [tɑ̃ʒɑ̃te] v. tr. — V. 1970; autre sens, 1963, *in* Blochwitz; de *tangent.*

♦ Cour. (non technique). Longer, être côte à côte avec, être près de, suivre. « *La voie ferrée vient tangenter la Seine à la hauteur du pont de Saint-Cloud* » (*la Vie du rail,* 7 juil. 1974, *in* Gilbert). — Pron. (Réciproque) :

Il ne s'agissait pas de le lâcher carrément sur sa proie, non, mais de faire en sorte qu'ils se tangentent presque naturellement.
Claude COURCHAY, La vie finira bien par commencer, p. 137.

TANGENTIALITÉ [tɑ̃ʒɑ̃sjalite] n. f. — 1951, *in* D.D.L.; de *tangentiel.*

♦ Didact., rare. Caractère de ce qui est tangent (⇒ Tangence), tangentiel.

TANGENTIEL, ELLE [tɑ̃ʒɑ̃sjɛl] adj. — 1816; de *tangente.*

♦ Didact. [a] Géom. Qui est tangent, a rapport aux tangentes. *Coordonnées tangentielles :* système dans lequel les courbes (les surfaces) sont définies par leurs tangentes (leurs plans tangents). *Équation tangentielle d'une courbe.*

[b] (1872). Mécan. *Force tangentielle,* exercée dans le sens de la tangente à une courbe. *Accélération tangentielle :* projection de l'accélération sur la tangente à une courbe. — Géol. *Force tangentielle :* force horizontale qui produit des plis couchés, des nappes de charriage.

[c] Techn. *Platine tourne-disque à bras tangentiel,* la lecture du

disque s'effectuant selon une ligne droite, de la périphérie vers le centre.

DÉR. **Tangentialité, tangentiellement.**

TANGENTIELLEMENT [tãʒãsjɛlmã] adv. — V. 1700, Laplace ; de *tangentiel.*

♦ Didact. D'une façon tangentielle. *Force exercée tangentiellement.*

TANGERINE [tãʒ(ə)ʀin] n. f. — 1964 ; mot angl., proprt « de Tanger ».

♦ Fruit hybride (oranger et citronnier) qui a la forme du citron et la couleur de l'orange, de saveur acidulée.

TANGIBILITÉ [tãʒibilite] n. f. — 1800 ; de *tangible.*

♦ Didact. Caractère de ce qui est tangible. *La solidité, la tangibilité et la pesanteur* (→ Exiguïté, cit. 2).

TANGIBLE [tãʒibl] adj. — XIVᵉ, du bas lat. *tangibilis,* de *tangere* « toucher ».

♦ **1.** Didact. ou littér. Qui tombe sous le sens du tact*, du toucher, que l'on peut connaître en touchant. *La réalité tangible.* ⇒ **Palpable, sensible.** « *De visibles et tangibles spectres* » (Huysmans, *Là-bas,* XV). — Par ext. *Des plaisirs plus tangibles.* ⇒ **Charnel, matériel.** — N. m. *Le visible et le tangible.*

1 L'être qui perçoit ou se représente tel objet comme visible et tangible, peut ne rien sentir en lui-même ou dans son organisation (...)
MAINE DE BIRAN, Du physique et du moral de l'homme, p. 101.

2 Que rien ne soit admis qui ne soit humainement vérifiable. N'acceptons que le visible et le tangible. HUGO, Post-scriptum de ma vie, « Un athée ».

♦ **2.** (1502). Abstrait. Plus cour. Dont la réalité est évidente, qu'on peut « toucher du doigt » (au fig.). — *Des preuves tangibles* (→ Indication, cit. 3). ⇒ **Concret, matériel.** *Un fait tangible* (→ Nation, cit. 1).

DÉR. **Tangibilité, tangiblement.**

TANGIBLEMENT [tãʒibləmã] adv. — 1876 ; de *tangible.*

♦ Didact. ou littér. D'une manière tangible (1. et 2.).

TANGO [tãgo] n. m. et adj. invar. — 1864, in *le Français moderne,* comme danse exotique ; 1912, en France ; mot esp. d'Argentine.

♦ **1.** N. m. Danse de salon (adaptation d'une danse populaire de l'Argentine) qui s'exécute sur un rythme assez lent à deux temps. *Danser le tango. Un tango langoureux.* — Par ext. Musique de cette danse. *Jouer* (cit. 55) *un tango au piano, au bandonéon*. Chanteuse de tango.*

1 Elle força même Edmond à prendre des leçons de tango. Chez un professeur argentin, pas loin de la Madeleine (...) La tapeuse jouait éternellement *Le tango du Pendu* (...) ARAGON, les Beaux Quartiers, II, XVIII.

♦ **2.** N. m. et adj. invar. (1914, in D.D.L.). Orange* très vif, orange foncé (couleur mise à la mode lors de la vogue du tango).

2 (...) son grand sac de toile bordé tango, brinquebalant dans ses courtes jambes (...) ARAGON, les Beaux Quartiers, I, XXII.

3 Baroques et spleenétiques couleurs, le noir et le tango, dont l'apparition dans la décoration moderne marque la fin des temps heureux, sont partout à la mode (...) Francis CARCO, Nostalgie de Paris, p. 55.

♦ **3.** N. m. Demi de bière additionné de sirop de grenadine.

DÉR. (Du 1.) **Tangoter.**

TANGON [tãgõ] n. m. — 1797 ; p.-ê. du moy. néerl. *tange* (cf. anc. franç. *tanque,* 1448), mais l'anc. franç. possède *tangouner* « piquer à l'aiguille » (→ Tanguer), et le tangon est « fiché, piqué » dans le mât de l'étrave (P. Guiraud).

♦ Mar. Fort espar* utilisé à l'horizontale, et qui dépasse à l'extérieur du navire.

Spécialt. « Poutre mobile établie horizontalement à l'extérieur d'un navire à la hauteur du pont supérieur et perpendiculairement à la coque, sur laquelle on amarre les embarcations lorsque le navire est à l'ancre » (Gruss). — Longue perche, à bord des thoniers, s'abaissant à l'horizontale, et sur laquelle sont frappées les lignes.

(1904). *Tangon de spinnaker, de spi :* espar servant à maintenir l'ouverture du spinnaker. *Frapper le bras de spi sur le tangon. Ferrure de tangon. Tangon métallique.*

TANGOTER [tãgote] v. intr. — Mil. XXᵉ ; de *tango.*

♦ Rare. Danser le tango.

Une entraîneuse, plus jolie fille que les danseuses du ballet (...) tangota avec le Polonais Strawsky. Pierre HAMP, la Peine des hommes (Moteurs), p. 103.

TANGUAIE ou **TANGAIE** [tãgɛ] n. f. — 1964 ; de *tangue.*

♦ Géogr. Lieu couvert de tangue*. ⇒ **Tanguière.** « *Ils* (les géographes et les géologues) *emploient ceux* (les mots) *de "vasière" ou de "tangaie" pour les vases* » (*Sciences et Avenir,* juil. 1979, p. 46).

TANGUANT, ANTE [tãgã, ãt] adj. — 1966, cit. ; p. prés. de *tanguer.*

♦ Qui tangue. *Des barques tanguantes.*
Fig. Qui se balance.

Besson progressait plutôt difficilement, avec des enlacements soudains, avec des torsions (...)
Puis il reprit sa démarche tanguante, un air de préoccupation volontairement peint sur son visage. J.-M. G. LE CLÉZIO, le Déluge, I, p. 49.

TANGUE [tãg] n. f. — XIIᵉ ; de l'anc. nordique *tang.*

♦ Sable vaseux, très fin et calcaire, de couleur grisâtre, sur le littoral de la Manche, qu'on utilise comme engrais*.

Il ne s'agissait de rien moins que (...) de dessécher un kilomètre de tangues sur une largeur de trois ou quatre cents arpents, et d'y creuser des canaux, et d'y pratiquer des chemins. BALZAC, Modeste Mignon, Pl., t. I, p. 523.

DÉR. **Tanguaie** ou **tangaie, tanguière.**

TANGUER [tãge] v. intr. — 1643 ; p.-ê. de l'anc. nordique *tangi* « pointe » (cf. anc. franç. *tangre*) ou (P. Guiraud) d'un bas lat. *tangicare,* de *tangere* « toucher » mais aussi « piquer », le navire qui tangue « pique du nez ».

♦ **1.** Se balancer par un mouvement de tangage (bateau). *Navire qui roule et qui tangue.* ⇒ **Bourlinguer** (1.). *Ça tangue !*

Le navire tangue horriblement ; impossible de se tenir debout !
Alphonse DAUDET, Lettres de mon moulin, « Agonie de la Sémillante ».

♦ **2.** (XXᵉ). Remuer par un mouvement alternatif d'avant en arrière, et, abusivt, par un mouvement latéral. *Avion* (→ Rafiot, cit. 2), *voiture qui tangue* (→ Bringuebalant, cit. 2). *Tout tanguait autour de lui.* ⇒ **Chavirer.**

(...) je pris un autorail qui suivait, le long de la côte, une voie tortueuse, en tanguant dangereusement. J'avais l'impression à chaque tournant qu'il allait sauter hors des rails. S. DE BEAUVOIR, la Force de l'âge, V, p. 302.

♦ **3.** (Sujet n. d'être animé). Se balancer latéralement. *Danseurs qui tanguent aux sons d'une bamboula* (cit. 2). ⇒ **Tituber, vaciller.**

DÉR. **Tangage, tanguant, tangueur.**

TANGUEUR, EUSE [tãgœʀ, øz] adj. et n. — 1611, n. m., « portefaix qui charge et décharge un navire » ; de *tanguer.*

♦ (1812). Mar. Rare. Navire qui tangue beaucoup. — Adj. (1829). *Navire tangueur.*

TANGUIÈRE [tãgjɛʀ] n. f. — 1872 ; de *tangue.*

♦ Régional. Sablière où l'on prend la tangue. ⇒ **Tanguaie.**

TANIÈRE [tanjɛʀ] n. f. — Fin XIVᵉ ; *tainiere,* v. 1190 ; lat. pop. *taxonaria,* du gaul. *taxo* « blaireau ». → Taisson.

♦ **1.** Retraite d'une bête sauvage (caverne, lieu abrité ou souterrain). ⇒ **Antre, caverne, gîte, repaire, terrier.** *Bête cernée au fond de sa tanière* (→ Pincette, cit. 1). *Quitter sa tanière* (→ Aventurer, cit. 2).

♦ **2.** (Fin XVIIᵉ). Par ext. Habitation élémentaire, qui convient mieux à un animal qu'à un homme. ⇒ **Bouge, taudis.** « *Ils se retirent la nuit dans des tanières où ils vivent de pain noir* » (cit. 8, La Bruyère).

1 (...) et il faut voir leurs tanières, ces entassements des familles entre des murs de paille, de terre et de bois, sous le chaume qui flambe que c'est un plaisir, avec la terre battue pour sol, l'humidité, les eaux inécoulables, les mares contre la maison, le purin, pas de fenêtres pour essayer d'avoir plus chaud dans la puanteur et la fumée de la tourbe (...) ARAGON, la Semaine sainte, IX.

1.1 Les documents de la haute préhistoire sont complètement obscurs : on ne perçoit, dans la tanière des Moustériens, aucun trait qui pourrait raisonnablement indiquer des coupures sociales. Les habitats du Paléolithique supérieur ouvrent de meilleures perspectives (...) A. LEROI-GOURHAN, le Geste et la Parole, t. II, p. 152.

♦ **3.** (Fin XIVᵉ). Logis dans lequel on s'isole, on se cache. *Il est toujours dans sa tanière. Faire sortir un malfaiteur de sa tanière.* — *Rentrer dans sa tanière* (→ Illustre, cit. 4) : retourner à sa solitude*.

2 Nous pénétrons dans une tanière d'homme de lettres à la Balzac, où ça sent la mauvaise encre et la chaude odeur d'un lit qui n'est pas encore fait. Ed. et J. DE GONCOURT, Journal, 21 déc. 1851, t. I, p. 14.

TANIN ou **TANNIN** [tanɛ̃] n. m. — 1797, tanin ; tannin, 1812 ; de *tan.*

♦ **1.** Substance organique d'origine végétale, précipitant l'albumine de ses solutions et rendant les peaux* imputrescibles, que le tan* renferme en grande quantité. *Les tanins sont des esters galliques du glucose. Tanin d'écorce de chêne, de châtaignier, de saule, de sumac, de rafle de raisin...* — Absolt. *Le tanin,* tanin de chêne* (⇒ **Tan; galle**) ou acide tannique*. *Le tanin du tan est utilisé en tannerie* (⇒ **Tannage**); *celui de noix de galle en pharmacie comme remède hémostatique*, astringent* et tonique. Tanin officinal. Utilisation du tanin pour fixer les couleurs* (⇒ **Mordançage**) *et dans la fabrication des encres*.*

♦ **2.** (1904). *Tanin du vin,* et, absolt, *tanin :* tanin provenant surtout des rafles et des pépins du raisin qui entre dans la composition des vins*. *Ajouter du tanin à un moût.* ⇒ **Taniser.**

DÉR. Tannoïde.

TANISAGE ou **TANNISAGE** [tanizaʒ] n. m. — 1878, *tanisage; tannisage,* 1877; de *tan(n)iser.*
Technique.

♦ **1.** Action de taniser (1.).

♦ **2.** Addition de tanin à un moût pour faciliter la dissolution des matières colorantes du vin rouge, ou pour clarifier le vin blanc.

TANISER ou **TANNISER** [tanize] v. tr. — 1878, *taniser; tanniser,* 1877; de *tan.*
Technique.

♦ **1.** Ajouter du tan à (une substance).

♦ **2.** Ajouter du tanin à (un moût, un vin).

DÉR. Tanisage ou tannisage.

TANK [tɑ̃k] n. m. — 1889; attestation isolée, 1857; repris à l'angl. *tank* «réservoir»; *tanke,* 1659; *tanque* «citerne pour se baigner, aux Indes», 1617; mot portugais.

♦ **1.** Réservoir, citerne. — Spécialement. **a** Citerne d'un navire pétrolier.

b Cylindre métallique de grandes dimensions utilisé comme réservoir dans certaines industries.

c Vx. Petit réservoir métallique pour l'eau, utilisé par les campeurs. ⇒ **Jerrycan.**

d Réservoir mobile (d'eau).

1 Tandis que le tank de la ville entrait pour arroser la piste, les peones préparèrent la quête (...) 					Joseph PEYRÉ, Sang et Lumières, 1935, p. 401.

♦ **2.** (1916, par anal. d'aspect; nom de code). Vieilli comme t. milit. Char* d'assaut. *Tourelle, chenilles d'un tank.*

2 Le premier tank s'embarqua dans la vallée, à droite de la route. C'était un tank allemand, très rapide et très mobile (...) les chars semblaient avancer en bondissant, courbant leur tourelle comme une tête de cheval ou la relevant. Ils tiraient déjà (...) 						MALRAUX, l'Espoir, II, II, V.

♦ **3.** (1963). Fam. Véhicule (spécialt, automobile) robuste et de grandes dimensions, massif. *Tu vas arriver à le garer, ton tank?*

DÉR. Tankeur, tankiste.
COMP. Antitank.

1. TANKA [tɑ̃ka] n. m. invar. — Mil. xxᵉ; mot sanskrit.

♦ Didact. Bannière religieuse décorée, utilisée au Tibet dans le culte tantrique.
HOM. 2. Tanka.

2. TANKA [tɑ̃ka] n. m. — xxᵉ; mot japonais.

♦ Didact. Forme poétique japonaise de cinq vers formés de pentasyllabes et d'heptasyllabes (5-7-5, comme le haïku*; 7-7, soit 31 syllabes).
HOM. 1. Tanka.

TANKER [tɑ̃kɛʀ; tɑ̃kœʀ] n. m. — 1933, *in* Höfler; mot angl., de *tank.* → Tank (1.).

♦ Anglic. Bateau-citerne transportant des produits pétroliers. ⇒ **Superpétrolier, supertanker.** — Recomm. off. : *navire*-citerne.* ⇒ **Pétrolier**; et aussi **butanier, méthanier...**
HOM. Tankeur.

TANKEUR [tɑ̃kœʀ] n. m. — 1919, *in* Esnault; de *tank.*

♦ Vx. Soldat d'une unité de blindés. ⇒ **Tankiste.**

Ni les aviateurs et tankeurs français, ni les chefs de légions polonaises (...) non, aucun d'eux ne savait la raison de sa présence en ce lieu.
												J. KESSEL, Tous n'étaient pas des anges, p. 465.
HOM. Tanker.

TANKISTE [tɑ̃kist] n. m. — 1919, *in* Esnault; de *tank.*

♦ Soldat d'une unité de tanks.
(...) la plus belle image érotique, la plus grave (...), m'était offerte par un soldat allemand en uniforme noir de tankiste. 					Jean GENET, Pompes funèbres, p. 75.

TANNAGE [tanaʒ] n. m. — 1370; de *tanner.*

♦ **1.** Action de tanner les peaux; ensemble des opérations qu'on fait subir aux peaux pour en faire des cuirs, avant le corroyage. *Tannage au tan* (de chêne), *aux extraits tanniques* (d'autres plantes; ⇒ **Sumac**); *les peaux salées sont trempées* (⇒ **Reverdissage**), *foulées* (⇒ **Foulage**), *épilées* (⇒ **Ébourrage** ou **débourrage**; *plamée*), *écharnées* (⇒ **Écharnage**), *mises à gonfler dans des bains de jusée* (peaux «en tripe») *et couchées en fosse entre des couches de tan pour le tannage proprement dit. Tannage de la molleterie.* — *Tannage rapide à l'alun de chrome. Tannage des peaux fines à l'alun et au sel, en mégisserie, en maroquinerie, en pelleterie* (⇒ **Mégissage**); *tannage à l'huile de poisson en chamoiserie* (⇒ **Chamoisage**).

♦ **2.** (Mil. xxᵉ; *in* Larousse, 1972). Méd. Traitement des brûlures à l'acide tannique.

TANNAÏTE [tanait] n. m. ⇒ **Tannaïm.**

TANNANT, ANTE [tanɑ̃, ɑ̃t] adj. et n. m. — 1762; de *tanner.*

♦ **1.** (1762). Techn. Qui tanne. *Écorces tannantes. Substances tannantes :* produits autres que le tan et qui ont la même action sur les peaux (tanin, extraits tanniques, alun de chrome, naphtol). — N. m. *Un tannant :* une substance qui tanne.

♦ **2.** Fig., fam. Qui tanne (2.), lasse. *Il est tannant avec ses questions.* ⇒ **Fatigant, importun, lassant** (cf. fam. Barbant, rasant, rasoir).
Dans les corridors, à la cuisine, au jardin, des heures entières, on entend sa voix qui glapit (...) Ah! qu'elle est tannante!   1
												O. MIRBEAU, le Journal d'une femme de chambre, p. 78.
— Ce qu'elle peut être tannante, disait celui-là.   2
												R. QUENEAU, Zazie dans le métro, Folio, p. 93.
REM. Ce sens est courant en franç. québécois, où il est attesté en 1743 (*in* D. D. L.).

TANNASE [tanɑz] n. f. — 1823, *in* P. Larousse; de *tan,* et *-ase.*

♦ Chim. Enzyme provoquant le dédoublement du tanin de la noix de galle en glucose et acide gallique.

TANNE [tan] n. f. — 1600, sens 2; de *tanner.*

♦ **1.** (1752). Techn. Marque brune qui reste sur une peau après le tannage.

♦ **2.** Méd. Kyste sébacé formé par la rétention de sébum dans un conduit pilo-sébacé de la peau. — On dit aussi *loupe.*

TANNÉ, ÉE [tane] adj. ⇒ **Tanner.**

TANNÉE [tane] n. f. — 1680; de *tanner.*

♦ **1.** Techn. Résidu du tan après l'utilisation de la jusée*, qui ne contient plus de tanin et se présente sous forme d'une sorte de sciure. *La tannée est utilisée en jardinage pour faire des couches; comme combustible* en briquettes ou en mottes.*

♦ **2.** (1895, *in* D. D. L.). Fam. Volée de coups, raclée. *Donner une tannée.* — Fig. Lourde défaite.
Raconte-nous comment tu lui as donné cette tannée, au Mayen (...)
												Maurice ZERMATTEN, le Sang des morts, p. 220.
HOM. Taonné, tanner.

TANNER [tane] v. tr. — 1260; *tenner* «fatiguer», 1195; de *tan.*

♦ **1.** Préparer (les peaux) avec du tan, pour les rendre imputrescibles et en faire du cuir* (→ Peau, cit. 22). — (Abusif). *Tanner le cuir.* — Par ext. Préparer (les peaux) avec d'autres produits (tanin, extraits tanniques, alun de chrome, naphtol, quinone...) pour en faire du cuir. ⇒ **Chromer, mégisser; tannage.**
Par plais. *On tanne les enfants tout vifs* (→ Cold-cream, cit.).
(1856). Fig., fam. *Tanner le cuir à qqn.* ⇒ **Battre, rosser; tannée.**

♦ **2.** (xIIIᵉ, *Ce dist Renart, ne vos tanez;* donné comme vx par Furetière, 1690; repris xIXᵉ, cf. Flaubert, Correspondance, 18 déc. 1839). Fam. Agacer, importuner. ⇒ **Ennuyer, fatiguer, tourmenter** (cf. loc.

fam. Casser les pieds à...). *Tu nous tannes ! Il tanne son père pour avoir de l'argent.* ⇒ **Tannant.**

1   On est vite fatigué de semblables merveilles *(les cafés, les spectacles... de la capitale).* Pour ma part, j'en suis tanné.
FLAUBERT, Correspondance, 72, déc. 1842.

2   Ma mère a tanné monsieur Chanlaire pour lui demander (...)
J. VALLÈS, l'Enfant, XVIII.

3   (...) il donne vingt coups de téléphone par jour, il tanne les gens à domicile, il les menace de ne plus les revoir (...)
J. ROMAINS, les Hommes de bonne volonté, t. XXII, II, p. 27.

3.1   — Ça fait, dit Linaire, quinze ans que Baponot me tanne les oreilles avec cette histoire-là. R. QUENEAU, Loin de Rueil, p. 123.

REM. Le mot est courant, avec des connotations différentes, en français québécois.

3.2   On l'a tellement sollicité, dérangé, tanné, que sans toute sa grandeur d'âme il ne reconnaîtrait même plus vos faces. Réjean DUCHARME, l'Hiver de force, p. 20.

♦ **3.** (D'après *tanné*, p. p. adj., 2.). Rendre tanné, hâlé, brun. *Les climats perdus me tanneront* (→ Quitter, cit. 13). ⇒ **Basaner, boucaner ; brunir, hâler.** « *Le vent tanna sa peau* » (Flaubert, *Trois contes,* La légende de saint Julien..., II).

▶ **TANNÉ, ÉE** p. p. adj.

♦ **1.** (V. 1220). Qui a subi le tannage. *Peau tannée.* ⇒ **Cuir ;** et aussi **basane, croupon, molleterie.** *Peau de veau tannée au chrome.* ⇒ **Boxcalf.**

(Mil. xxᵉ). Fig. Qui a pris l'aspect ou l'épaisseur du cuir sous l'effet d'une action. *Avoir la peau tannée,* abusivt, *le cuir* (cit. 4) *tanné.*

4   Mais, il y a encore l'enclume et, autour d'elle comme un cal, la place nette, tannée par les pieds du forgeron. J. GIONO, Regain, II.

♦ **2.** (1380). Vx. D'une couleur brun clair (comme celle du tan). « *Des animaux ailés* (cit. 1)... *De couleur fort tannée* » (La Fontaine). — N. m. *Le tanné. Des robes mi-parties rouge et tanné* (→ Échevin, cit. 1).

5   (...) la cime des bois offrait les teintes graves de cette couleur *tannée* que jadis les rois adoptaient pour leur costume et qui cachait la pourpre du pouvoir sous le brun des chagrins. BALZAC, le Lys dans la vallée, Pl., t. VIII, p. 884.

(De la peau). De couleur brun clair, brun roux. « *Les Indiens méridionaux ne sont pas tannés, et les Brésiliens bruns...* » (Buffon, *Quadrupèdes,* III, p. 209). ⇒ **Basané, bistre.** *Une femme tannée, fanée* (→ 2. Pané, cit. 1). *Une vieille ridée, tannée, momifiée* (cit. 2) *en quelque sorte.* — Par ext. (Avec infl. du sens 1, fig.). Dont la peau est épaissie et brunie par le vent et le soleil. *Un vieux loup de mer au visage tanné.*

6   Leurs visages *(des matelots)* sont fendus par les rides comme les bois anciens sous le soleil et les pluies, tannés et bruns comme les poissons séchés au four (...)
MAUPASSANT, Pêcheuses et Guerrières, 1909, p. 273.

7   (...) cette peau de blonde de Paris, devenant sous le soleil et le hâle des champs, plus noire, plus tannée que la peau paysanne du plus extrême Midi.
Ed. et J. DE GONCOURT, Journal, 16 févr. 1869, t. III, p. 201.

DÉR. Tannage, tannant, tanne, tannée, tannerie, tanneur.
HOM. Taonné, tannée.

TANNERIE [tanʀi] n. f. — 1216 ; de *tanner.*

Technique.

♦ **1.** Établissement où l'on tanne les peaux. *Les foulons* (cit.) *des tanneries.*

♦ **2.** Opérations par lesquelles on tanne les peaux. *La tannerie et le corroyage. Industrie de la tannerie.* ⇒ **Cuir ; maroquinerie ; tannage.** *Substances utilisées en tannerie* (jusée, naphtaline, tan).

TANNEUR, EUSE [tanœʀ, øz] n. — V. 1226 ; de *tanner.*

♦ **1.** Ouvrier, ouvrière, artisan qui tanne les peaux. *Couteau de tanneur.*

♦ **2.** Personne qui possède une tannerie et vend des cuirs.

TANNIN [tanɛ̃] n. m. ⇒ **Tanin.**

TANNIQUE [tanik] adj. — 1848, *in* D.D.L. ; de *tan.*

Technique.

♦ **1.** Constitué par le tanin ; qui contient du tanin.

(1872). Chim. *Acide tannique :* acide digallique, constituant du tan du chêne, solide blanc amorphe qu'on extrait de la noix de galle.

♦ **2.** Relatif au tanin ; du tanin. *Concentration tannique d'une solution.*

TANNISAGE [tanisaʒ] n. m. ⇒ **Tanisage.**

TANNISER [tanize] v. tr. ⇒ **Taniser.**

TANNOÏDE [tanɔid] n. m. — 1904 ; de *tannin,* et *-oïde.*

♦ Techn. Produit susceptible de donner du tanin par oxydation, que l'on trouve dans certaines plantes.

TANREC ou TENREC [tɑ̃ʀɛk] n. m. — 1761, Buffon, « *le tanrec et le tendrac* » ; de *tandraka,* var. dial. de *trandraka,* nom malgache de cet animal.

♦ Zool. Mammifère insectivore, à museau pointu, à corps couvert d'un mélange de poils et de piquants, qui vit à Madagascar.

TANSAD [tansad ; tɑ̃sad] n. m. — 1947 ; *tan-sad,* 1919 ; abrév. angl. de *tan(dem) sad(dle)* « selle en tandem ».

♦ Anglic. Selle pour passager, à l'arrière d'une motocyclette. *Des tansads. Le tansad tend à être remplacé par la selle biplace.* — REM. On écrit aussi *tan-sad.*

TANT [tɑ̃] adv. et nominal. — xᵉ, *tan,* adv. avec un adj. (→ ci-dessous, I., A., 4.) ; lat. *tantum.*

★ I. (Adv. de quantité, marquant l'intensité). ⇒ **Si, tel, tellement.**

A. TANT... QUE (consécutif), « sert à marquer qu'une action ou une qualité portée à un très haut degré devient la cause d'un certain effet » (G. et R. Le Bidois).

♦ **1.** (V. 1950). TANT (modifie un verbe et précède une subordonnée de conséquence introduite par *que*). ⇒ **Tellement** (→ 2. Outre-tombe, cit. 2). *Je souffre tant que...* (→ Lâche, cit. 5).
Loc. prov. (avec l'inversion du sujet, normale en anc. franç.). *Tant va la cruche* (cit. 7 et 8) *à l'eau qu'à la fin elle se casse.* « *Tant va le pot à l'eau qu'il se brise* » (Villon).

♦ **2.** TANT DE... QUE... : une si grande quantité, un si grand nombre de... que... *Elle éprouvait une si poignante mélancolie, tant de rancœur* (cit. 1)... *qu'elle souhaita de mourir. Tant de fous* (1. Fou, cit. 16) *qu'on n'en sait pas le nombre* (→ aussi Assurance, cit. 8 et 9 ; circonstance, cit. 25 ; joie, cit. 25 ; précision, cit. 5).

1   Gina, qui pouvait avoir alors treize ans (...) avait tant de peur d'éclater de rire en présence de mon costume, qu'elle n'osait pas manger (...)
STENDHAL, la Chartreuse de Parme, I, I.

Absolt. Tant de choses. *On a tant rendu* (cit. 6) *à César qu'il n'y en a plus que pour lui. Elle en dit tant que...* (→ Monsieur, cit. 7). *Faire** (cit. 74 ; et *supra*) *tant que...* (→ aussi Couvert, cit. 1 ; 1. maille, cit. 4 ; mouche, cit. 7).
REM. 1. La proposition consécutive se met au subjonctif quand la principale est interrogative ou négative.
2. *Tant* (ou *tant de*) *que...* peut se construire avec l'infinitif, quand il n'y a pas d'équivoque sur la personne. « *Qui donc est ce coquin qui prend tant de licence, Que de chanter et m'étourdir ainsi ?* » (Molière, *Amphitryon,* I, 2). — N. B. Cette construction archaïque survit, dans la langue littéraire ou régionale (→ ci-dessous, cit. 6, M. Aymé), avec le verbe *faire.* « *Et... quand tu aurais tant fait que de le rendre malheureux* » (Gide, *Paludes,* p. 34, *in* Damourette et Pichon). — Loc. littér. *À tant faire que de... :* si l'on fait tout ce qu'il faut pour..., si l'on va jusqu'à... (→ ci-dessous, III., 5., *tant qu'à faire,* cour.).

2   Je ne saurais avoir tant de honte en partage,
Que je n'en aie encor mérité davantage. MOLIÈRE, Tartuffe, III, 6.

3   Mais puisque vous avez tant fait que de venir, je ne veux pas vous quitter de toute la soirée. STENDHAL, Mina de Vanghel.

4   À tant faire que se raconter des histoires, il me semble qu'il serait plus naturel de se raconter sa propre histoire embellie (...)
R. ROLLAND, Jean-Christophe, Dans la maison, II.

5   À tant faire que de le rencontrer, j'aime mieux qu'il me voie autrement (...)
COLETTE, Chéri, p. 151.

6   — Puisque j'ai tant fait que de venir jusqu'ici, lui dit Voiturier, je pourrais aussi bien pousser à l'étang des Noues (....) M. AYMÉ, la Vouivre, XVI.

♦ **3.** Loc. TANT ET SI BIEN QUE... *Il fit tant et si bien qu'il arriva à ses fins, qu'il obtint** *de...*

7   Une bataille acharnée s'engagea (...) Tant et si bien que les assaillants se retirèrent en déroute sous la conduite de l'Oblat (...)
M. BARRÈS, la Colline inspirée, VIII.

(V. 1534). TANT (IL) Y A QUE... : tant et si bien que..., et, par ext., quoi qu'il en soit. — REM. Ces deux tours sont littéraires, mais *tant y a* est nettement archaïque (→ Pitié, cit. 1, Montaigne).

8   (...) le champ de leurs observations, si tant y a qu'ils aient besoin d'observer, est vite parcouru (...) Jules LEMAITRE, les Contemporains, Daudet, I.

♦ **4.** Vx ou littér. (Suivi d'un adjectif). ⇒ **Si.** « *Le peuple de Paris est tant sot, tant badaud* (cit. 1)... *que...* » (Rabelais). « *La chair en est tant délicate... que c'est baume* » (→ Mouton, cit. 1, Rabelais). « *Son esprit si subtil, tant amoureux du relatif* » (Gide, *Sur*

R. de Gourmont). — *Il n'est point tant enfant que...* (→ Atteindre, cit. 3).

9 Sans être très intelligent, je trouvai la philosophie qu'on m'avait enseignée *tant* sotte, *tant* inepte, *tant* absurde, *tant* niaise, que je ne crus rien des vérités qu'elle établit (...)   FRANCE, la Vie en fleur, XIV.

Vx. *Tant* (en emploi concessif, suivi d'un adjectif et de *que...*, avec le subjonctif ou l'indicatif). ⇒ **Aussi.** *« Tant poète que je sois »* (Baudelaire, *Poèmes en prose*, « La femme sauvage »).

B. (Intensif, employé sans *que...*).

♦ **1.** (Avec un verbe). *Votre oncle qui vous aimait tant* (→ Paternel, cit. 4). *S'il est permis de tant dépenser* (→ Prendre, cit. 70). *Cette diversité* (cit. 2) *dont on vous parle tant* (→ aussi 3. Ras, cit. 3). *Mais je voudrais tant avoir fini ce roman!* (→ 1. Rocher, cit. 8). *« Oh! argent* (cit. 44) *que j'ai tant méprisé... »* — *Ne t'afflige point tant* (→ Gamme, cit. 6). *Ne fais* (cit. 155) *pas tant ta mijaurée.*

Rare (vieilli et mondain) :

9.1 (...) comme elle donnait difficilement à un sentiment, même le plus vrai, une expression qui ne fût pas affectée par le souci de ce qu'elle croyait élégant, elle répéta à plusieurs reprises : « Merci tant, merci tant ».
                                  PROUST, le Temps retrouvé, Pl., t. III, p. 950.

♦ **2.** **[a]** TANT DE... : un si grand nombre, une telle quantité de. *Un homme qui était le centre* (cit. 21) *de tant de choses. Après tant d'années passées ensemble* (→ Paix, cit. 4). *« Seigneur, tant de prudence* (cit. 1) *entraîne trop de soin ».* — *Comme tant d'autres* (→ 1. Politique, cit. 7), *comme tant de gens. Et tant d'autres* (après une énumération ; → Lieutenant, cit. 3). *Ce n'était pas une amourette comme il y en a tant.* ⇒ **Banal, commun, courant** (→ Pour, cit. 7)... *Tant de fois* (→ Maie, cit. 2 ; renverser, cit. 20).

Spécialt (en phrase exclamative ou avec une valeur emphatique). *« Tant de flambeaux éteints! Tant de fleurs* (cit. 17) *arrachées ».* *Le pain* (cit. 2) *joue tant de rôles! « Après* (cit. 8) *tant de serments, Titus m'abandonner! »* (→ aussi Honte, cit. 7). *Il y avait tant, tant de choses!* (→ Quel, cit. 8). *Tant de noble orgueil, et dans la vie une admiration presque servile* (cit. 2) *des supérieurs.*

(Après une négation ou une interrogation). *De la vie elle n'avait eu tant de peur* (→ Protester, cit. 1). *Ne faites pas tant de façons* (→ aussi Fla-fla, cit. 1 ; 1. loin, cit. 6). *« A quoi bon tant de haine, Et faire tant de mal, et prendre tant de peine...? »* (cit. 19).

REM. 1. Dans certains emplois, il est impossible de distinguer la valeur intensive (« tellement de... ») de la valeur comparative (« autant de... ») avec ellipse du second terme.

2. L'attribut suivant *tant de qqch.* peut s'accorder avec le complément (« *Tant de richesse et bien belle »*, Proust, *Jean Santeuil*, t. I, p. 330, in Grevisse) ou se mettre au masc. sing. (« *Tant d'indifférence et de coquetterie ne semblait pas aisé à comprendre »*, Musset, *Croisilles*, in Grevisse).

10 Tant d'esprit devait-il s'y employer? L'objet valait-il tant de soins, et une attention si soutenue?...   VALÉRY, Variété I, p. 173.

Il n'en faudrait pas tant pour faire causer (→ Recommencer, cit. 5). *On en dit tant!* — Loc. fam. *Vous m'en direz tant!* : je ne suis plus étonné après ce que vous m'avez dit! *« Votre Majesté m'en dira tant! »* (Fournier, *in* Guerlac).

11 On demanda à Roma pourquoi elle aimait coucher avec Dominguez (...) elle dessina dans les airs un corps gigantesque : « Parce qu'il y en a tant! » dit-elle.
                                  S. DE BEAUVOIR, la Force de l'âge, p. 361.

Vx. *Tant et de si* (cf. La Bruyère, *Discours à l'Académie*)... *et de tels.* — On dit encore *tant et tant de...*

[b] **Vx.** (Suivi d'un adj. ou d'un adv.). ⇒ 1. **Si** (→ Assez, cit. 49 ; religieux, cit. 5). *« ... une de ces rencontres tant flatteuses à mon orgueil »* (Chateaubriand, *Mémoires d'outre-tombe*, t. VI, p. 189). — REM. Avec un participe passé à valeur adjective, *tant* s'emploie en concurrence avec *si**. *Ces fleuves tant vantés* (→ Rivière, cit. 1 ; et aussi solidité, cit. 1). *L'écriture tant désirée* (→ Paquet, cit. 9).

(Suivi de *à* et l'infinitif). *« Fer jadis tant à craindre... »* (→ Parade, cit. 1).

[c] TANT SOIT PEU : si peu que ce soit, que la quantité que vous imaginez soit aussi petite que possible (cf. Le moindrement). ⇒ **Peu** (cit. 52, 53 et 55).

(1538). TANT S'EN FAUT : il s'en faut de beaucoup. ⇒ **Falloir** (cit. 6 et *supra*).

C. Littér. (Introduisant la cause). *« Rien ne touche son goût, tant il est difficile »* (cit. 26) : il est si* difficile *que rien...* ⇒ **Tellement.** *Les armées furent dans l'inaction* (cit. 1), *tant le froid fut violent* (→ aussi Attendrir, cit. 17 ; 1. las, cit. 5 ; 1. lever, cit. 5 ; précédent, cit. 4 ; séparer, cit. 14).

12 Nous nous vîmes trois mille en arrivant au port,
Tant, à nous voir marcher avec un tel visage,
Les plus épouvantés reprenaient du courage!
                                  CORNEILLE, le Cid, IV, 3.

13 Ce caractère profondément pacifique, bienveillant, de la Révolution, semble un paradoxe aujourd'hui. Tant on ignore ses origines, tant sa nature est méconnue, tant la tradition, au bout d'un temps si court, les trouve déjà obscurcie?
                                  MICHELET, Hist. de la Révolution franç., Préface de 1847.

Loc. *Tant il est vrai que...*, sert à introduire une remarque d'ordre général, une vérité qui découle de ce qui vient d'être dit.

REM. 1. La proposition introduite par *tant...* se trouve parfois avant la principale. *« Tant était pressant mon appétit, j'allais de préférence au plus ardu »* (cit. 1).

En pareille construction, la causale vient généralement en seconde place, soit parce que la proposition initiale semble plus importante et occupe d'abord la pensée, soit parce qu'elle nécessite une explication (...) On trouve parfois la causale placée en tête : « Et alors, *tant les gens les plus sincères sont mêlés d'hypocrisie...* mes parents déplorèrent... le mariage de Swann » (PROUST, *Swann*, I, 216) ; ce rangement, qui laisse l'esprit en suspens (...) a une réelle valeur stylistique (...) Notons enfin que la causale peut être intercalée dans le corps de l'autre proposition : « Les serpents... semblaient pulluler, et *tant ils étaient nombreux*, sortir des murs naturellement » (FLAUB., *Salamm.*, XIII, p. 323)...
                                  G. et R. LE BIDOIS, Syntaxe du franç. moderne, § 1453.

14

Tant cette affaire fait de bruit, on retiendra bien plus l'infraction à la résistance que la résistance elle-même.   GIDE, Journal, 15 mars 1931.

15

2. Dans le langage parlé populaire, on trouve ce tour employé avec *que*. *« On l'entend de chez nos voisins, tant qu'elle parle bien »* (Colette, *la Chatte*, p. 170, *in* Damourette et Pichon). — N. B. C'est une personne du peuple qui parle.

★ **II.** (Nominal, exprimant une quantité qu'on ne précise pas mais qui est supposée définie, déterminée).

♦ **1.** (V. 1370 ; employé seul). *Donner, prendre, prêter, rendre... tant. Être payé à tant par mois*, à tant la page. Demander tant d'une chose*, tel prix*, *telle somme... Ça fait tant, tel prix.* — *Tant pour cent*, pour mille* (→ 1. Marc, cit.). ⇒ **Pourcentage.**

N. m. (1882, Zola, *Au Bonheur des dames*). *Toucher un tant pour cent sur une vente* (⇒ **Commission**) ; *consentir un tant pour cent.* ⇒ **Rabais, remise** ; et aussi **tantième.**

Tant pour les coups de fouet qu'il reçut à la porte!
César! tant pour l'amen! tant pour l'alléluia!
Tant pour la pierre où vint heurter sa tête morte!
Tant pour le drap rougi que sa barbe essuya!   HUGO, les Châtiments, I, VIII, III.

16

(...) il répartissait les sommes que produisaient au Trésor les impôts dits *indirects* en *un tant pour cent* de chaque cote individuelle.
                                  BALZAC, les Employés, Pl., t. VI, p. 880.

17

Il prenait des photos des baigneurs, il les développait et la semaine suivante il les apportait et disait : « Ça fait tant ».   Jean FERNIOT, Pierrot et Aline, p. 178.

17.1

Vx. *... et tant de...* (suivant un nombre) : et quelques. *Vingt et tant de francs.*

♦ **2.** *Tant de... Tant de lieues, tant de degrés* (→ 1. Point, cit. 5 ; et aussi impôt, cit. 8).

La vie, les êtres, les objets, ont toujours un support arithmétique, autrement dit, tu mesures tant de centimètres, tu pèses tant de kilogrammes, tu as tant de litres de sang, etc...   M. AYMÉ, Maison basse, XX.

18

N. m. *Le tant* : tel jour du mois. ⇒ **Quantième** (→ Tantième, cit. 2, Aymé). *Supposons que vous me disiez : « J'ai rendez-vous avec Monsieur Untel, le tant, pour telle affaire... »* — Loc. TANT ET PLUS : la quantité dont on parle, qu'on connaît ou qu'on imagine, et plus encore. ⇒ **Beaucoup.**

J'eus aussi des visites de Genève tant et plus.   ROUSSEAU, les Confessions, XII.

19

Vx. ENTRE TANT (cf. anc. franç. *entretant* « cependant ») : entre temps* (cf. Thérive, Henriot, *in* Grevisse, § 854).

★ **III.** (Servant à exprimer une comparaison, à confronter deux termes).

♦ **1.** TANT... TANT... (marquant l'égalité, employé le plus souvent avec le verbe *valoir*, répété ou non). Prov. *Tant vaut l'homme, tant vaut la terre.*

Salvan le disait avec justesse : tant valait l'instituteur primaire, tant vaudrait l'enseignement (...)   ZOLA, Vérité, I, IV.

20

Tant nous leur prêtons aux personnages authentiques, tant vaut l'œuvre.
                                  VALÉRY, Variété I, p. 169.

21

♦ **2.** (Déb. XIIIᵉ). TANT QUE..., TANT QUE (marquant l'égalité, dans des propositions négatives ou interrogatives ; ce dernier emploi est vieilli ou littéraire). ⇒ **Autant.** *Vous ne me plaisez* (cit. 3) *pas tant qu'elle. Plus* (cit. 7) *qu'on ne le croit, mais pas tant qu'on le dit.* ⇒ **Moins.** *Les mères ne souhaitent rien tant pour leur fils que le mariage* (cit. 14 ; → aussi Aube, cit. 10). — *Pas tant d'intelligence* (cit. 12) *que d'énergie. — L'intimité n'est pas tant le bonheur parfait que le dernier pas pour y arriver* (cit. 32). *Non tant... que...* (→ Malédiction, cit. 6). *Non point tant... que parce que* (cit. 7 ; → aussi Remontrance, cit. 3 ; saccadé, cit. 3).

Vx, régional (avec un adj.). *« Ce ne sont pas de mauvaises gens, dit-elle, pas tant fourbes que patelins »* (Sand, *le Marquis de Villemer*, VIII).

Tant que... (en phrase affirmative). ⇒ **Autant.** *Tant qu'il vous plaira* (→ Affaire, cit. 84). *Tant qu'il nous plut* (→ Recoucher, cit. 1). — *Tant qu'il veut, qu'il peut, qu'il voudra...* (→ Ravauder, cit. 4 ; 1. rayon, cit. 10). — *Tant qu'il peut, pouvait...* : beaucoup, énormément. *Il frappait tant qu'il pouvait* (cf. fam. *Tout ce qu'il pouvait*). *« Myope tant qu'il pouvait »* (→ Porteur, cit. 9). — Fam. *« Il pleut tant qu'il peut »* (Littré), *ça pleut tant que ça peut. Tant que ça* : tellement. *Dis-moi pourquoi tu tiens à lui tant que ça* (→ Petit, cit. 13).

— Oh! je sais beaucoup de choses.
— Tant que ça?   Valery LARBAUD, Enfantines, « Rose Lourdin ».

22

SI TANT EST QUE... (suivi du subjonctif) : s'il est vrai que..., en admettant que... («sert à exprimer une supposition qu'on fait avec l'arrière-pensée qu'elle n'est guère acceptable», Grevisse). → Force, cit. 59; inexpliqué, cit. 2.

23 Voilà de l'argent qui n'est guère propre, si tant est qu'il y en ait qui le soit.
O. MIRBEAU, le Journal d'une femme de chambre, II.

24 Ils devraient (...) estimer que Rousseau n'a rien fait de plus sage; si tant est que son influence ait été pernicieuse (...) si tant est qu'il ait jamais eu des enfants.
GIDE, Journal, 22 févr. 1942.

TOUS TANT QUE... (suivi du verbe *être* au pluriel) : tous, autant qu'il y en a, en n'oubliant personne. ⇒ **Tous**. *Tous tant que nous sommes* (→ Cagotisme, cit.; chance, cit. 4; minute, cit. 2). *Tous tant que vous êtes* (→ Grand, cit. 33).

25 — Voyons un peu, quelle idée vous faites-vous de nos devoirs, à tous tant que nous sommes?
A. DE VIGNY, Chatterton, III, 6.

♦ **3.** Loc. (Déb. XVIIe; lat. *in tantum quantum*). **EN TANT QUE...** : dans la mesure* où...; en considérant, dans leur ensemble, les éléments seuls qui sont définis par la proposition complément. *L'entendement... en tant qu'il invente il s'appelle esprit, en tant qu'il juge il s'appelle raison* (cit. 5; → aussi Société, cit. 5). *La loi est la raison humaine, en tant qu'elle gouverne* (cit. 34) *tous les peuples de la terre*. — *En tant que* (suivi d'un participe présent). → Moment, cit. 31. — (Devant un n.). *Considéré comme*; en qualité de. *L'individu en tant que créature* (→ Opposer, cit. 17); *le cinéma en tant qu'art* (→ 2. Plan, cit. 8). *Avoir telle chose en tant que principe, base...* ⇒ **Pour** (I., 3.).

26 En tant qu'hommes, animaux sociables, ils aspirent à s'enrôler.
M. BARRÈS, les Déracinés, V, p. 125.

♦ **4.** (Déb. XIIIe; anc. franç. *tant... comme*, courant jusqu'au XVIe). **TANT... QUE...** : aussi bien que. *La liberté, tant civile que politique* (→ Gouvernement, cit. 32). *Tant secoureurs* (cit. 2) *que secourus*.

Tant... que... (coordonnant deux termes de même fonction : modalités, circonstances, causes, etc.). *Tant dans... que dans...* (→ Filiation, cit. 3). *Tant par... que par...* (→ Jacquot, cit.).

27 (...) ce qui m'a peut-être le plus frappé (...) c'est la conscience avec laquelle chacun, tant juges qu'avocats et jurés, s'acquittait de ses fonctions.
GIDE, Souvenirs de la cour d'assises, Rouen, mai 1912, in Souvenirs, Pl., p. 619.

27.1 (...) des ouvrages consacrés à cette science par différents techniciens tant de l'Antiquité que modernes.
R. QUENEAU, Loin de Rueil, p. 171.

(1872). Cour. **TANT BIEN QUE MAL** : ni bien ni mal, médiocrement. ⇒ **Cahin-caha, couci-couça, difficilement** (→ Journal, cit. 8; massacre, cit. 6; profond, cit. 16; recaler, cit.). *Il s'y efforce tant bien que mal*. — Rare. *Tant mal que bien*.

28 Les choses vont ainsi, tant bien que mal et plutôt bien que mal (...)
G. DUHAMEL, Chronique des saisons amères, III, VI.

Vx. **TANT PLUS QUE MOINS** : à peu près, approximativement.

♦ **5. TANT QU'À...** **[a]** (Suivi d'un nom, d'un pronom; tour fautif, confusion par métathèse avec *quant* à...). «Oh! tant qu'à toi, le cousin... » (Sand, *les Maîtres sonneurs*, XXIX, in Damourette et Pichon).

29 — Tant qu'à moi, tant petit et mal foutu que je suis, je porte encore un curon de cent kilos au grenier (...)
H. BARBUSSE, le Feu, XIV.

[b] **TANT QU'À...** (suivi de l'infinitif, remplace dans l'usage courant *à tant faire que de...*; → ci-dessus, I., A., 3.). *Tant qu'à faire* : puisqu'il faut faire qqch. (→ ci-dessus, I., A., 2., REM. 2). *Tant qu'à faire, autant s'amuser*.

30 (...) tant qu'à m'ennuyer (...) je préfère que ce ne soit pas avec M...
GIDE, Journal, 16 mai 1905.

31 Tant qu'à être innocent, il vaut mieux l'être tout à fait.
M. AYMÉ, Travelingue, XIX.

REM. C'est un petit bourgeois qui parle.

31.1 Tant qu'à penser à l'amour, mieux vaut y penser sérieusement, pas vrai? on n'est tout de même plus d'âge à être amoureuse d'un fantôme (...)
M. AYMÉ, Maison basse, XIX, p. 243.

32 Tous les défenseurs de la correction stricte proscrivent cette construction (...) il y a Faguet, pour qui cette façon de dire n'est ni française ni réductible à une syntaxe quelconque (...) il y a Martinon, qui l'appelle «une horreur»; il y a Abel Hermant, qui la qualifie d'«abominable» (...) La langue populaire a ses raisons, que le purisme ne connaît point. A-t-elle si grand tort quand elle contracte — en la déformant (...) — cette construction classique *(à tant faire que [de] s'engager)* et quand elle la réduit à « *tant qu'à s'engager* »?
M. GREVISSE, Problèmes de langage, t. II, p. 130-132.

Fam. (Altér. de *à tant faire que de...*). *Tant qu'à faire de...*

32.1 (...) Jeannot-Lapin, tant qu'à faire d'être mangé, préférerait, tout bien pesé, cette sauce et ce piment rouge.
F. MAURIAC, le Nouveau Bloc-notes 1958-1960, p. 84.

♦ **6.** Loc. (XVIe). **TANT MIEUX; TANT PIS.** **[a]** (Sens originel). *Tant mieux*, s'emploie pour se féliciter d'une nouvelle qui aurait pu être mauvaise (→ Culbuter, cit. 3), d'une bonne chose qui arrive comme par hasard (→ Franc-parler, cit. 1) ou qui, dans une autre circonstance, serait mauvaise (→ Ouvrir, cit. 9). — Vieilli. *Tant pis* : ce sera d'autant plus grave, plus dangereux (« *Si vous ne vous rendez, tant pis pour vous* » (→ Après, cit. 9, Molière). «*Mais tu seras armé* (cit. 19) *de pied en cap. — Tant pis!* »

33 Pour le méchant complet, et cette perfection hideuse existe, Tant pis pour les autres signifie Tant mieux pour moi.
HUGO, l'Homme qui rit, II, I, IX.

(En emploi adjectif). *Le docteur, le médecin Tant-Pis* (→ Confrère, cit. 1) : celui qui interprète tout en mal. *Le docteur Tant-Mieux*, qui est trop optimiste.

34 On reprochait à M. de... d'être le médecin *Tant-Pis*. «Cela vient, répondit-il, de ce que j'ai vu enterrer tous les malades du médecin *Tant-Mieux*. Au moins, si les miens meurent, on n'a point à me reprocher d'être un sot ».
CHAMFORT, Caractères et anecdotes, «Tant pis, tant mieux».

34.1 Comment ne serait-il pas un docteur tant pis et, en fin de compte, un pessimiste endurci?
M. AYMÉ, Maison basse, XX, p. 264.

[b] **TANT PIS**, exprime la résignation ou même l'indifférence* envers une mauvaise nouvelle, un événement fâcheux (→ Ravaler, cit. 9). *Ma foi, tant pis!* (→ Marché, cit. 6). — *Tant pis pour vous* : c'est ennuyeux, c'est dommage (mais vous l'aurez voulu). Cf. C'est bien fait pour vous (→ Idéalisme, cit. 6). *Tant pis si...*

35 Où tu ne peux pas dire : *tant mieux*, dis : *tant pis*. Il y a là de grandes promesses de bonheur.
GIDE, les Nourritures terrestres, II.

(V. 1200). Vx. **TANT PLUS** : d'autant plus (cf. Rousseau, in Littré). — Vx ou régional. *Tant plus... tant plus; tant plus... tant moins* : plus... plus (moins)...

36 Tant plus le chemin est long dans l'amour, tant plus un esprit délicat sent de plaisir.
PASCAL, Disc. sur les passions de l'amour.

Pop. *Tant plus que...*

37 (...) Joseph disait avec une joie sauvage : — Faut qu'il souffre (...) tant plus qu'il souffre, tant plus que le sang est bon au goût (...)
O. MIRBEAU, le Journal d'une femme de chambre, IX.

37.1 Il lui recommande encore de dire des chapelets par dessus, tant plus qu'elle pourra.
G. CHEVALLIER, Clochemerle, p. 41.

Rare. *Tant plus... que plus...*

37.2 — Un livre est toujours une collaboration, et tant plus le livre vaut-il, que plus la part du scribe y est petite, que plus l'accueil de Dieu sera grand.
GIDE, Paludes, Pl., p. 89.

(V. 1175, *tant seument*). Vx. **TANT SEULEMENT** (cf. Voiture, La Fontaine, in Hanse, p. 240).

38 — Il ne m'a tant seulement point vue, le mignon! dit Nanou en revenant.
BALZAC, Eugénie Grandet, Pl., t. III, p. 548.

39 Ah, la vérité! Que dis-je, la vérité! (...) non, mais tant seulement un millionième de vérité, comme c'est difficile à dire, et qu'on vous le fait payer.
Ed. et J. DE GONCOURT, Journal, 28 oct. 1887, t. VII, p. 164.

★ **IV.** (V. 1190). **TANT QUE...** : aussi longtemps* que..., pour autant que telle condition subsiste, que telle durée ne soit pas achevée (→ Faire, cit. 46; lutter, cit. 7; misère, cit. 14; nom, cit. 22; prévenir, cit. 23; rétif, cit. 1). «*Il soutenait ses ministres, tant qu'ils avaient la majorité*» (cit. 3). *Tant qu'on est seul on ne peut être soi* (cit. 5). *Choses qui paraissent impossibles* (cit. 5) *tant qu'on ne les a pas tentées*. « *Et nul ne se connaît tant qu'il n'a pas souffert* » (→ Apprenti, cit. 9). — *Tant qu'un être vit* (→ 1. Calcul, cit. 4), *tant que tu vivras* (→ 1. Gens, cit. 23). *Tant qu'il y aura des hommes sur la terre* (→ Mien, cit. 27). — Fam. *Tant qu'il y a de la vie, il y a de l'espoir*. — Pop. *Jusqu'à tant que...* (→ Jusque, cit. 56) : jusqu'à ce que (→ Languissant, cit. 5). — Vx. *Tant que...* (suivi du subjonctif) : jusqu'à ce que. «*Versez, versez toujours, tant qu'on vous dise assez*» (Molière, *le Bourgeois gentilhomme*, IV, 1). — Fam., iron. *Tant que tu y es, que vous y êtes* : pendant que vous y êtes, n'hésitez pas.

40 — Il faut qu'il prenne des leçons d'équitation... — Mais oui, bien sûr! et des leçons de danse, tant que tu y es!
F. MAURIAC, le Sagouin, II.

DÉR. **Tantet, tantième, tantinet, tantôt**.
COMP. 2. **Partant, pourtant**.
HOM. **Tan, taon, temps**.

TANTALE [tɑ̃tal] n. m. — XVIIe, «celui qui a des désirs irréalisables» (→ Supplice [cit. 2] de Tantale); lat. *tantalus*.

★ **I.** (1754, in D.D.L., II, 10; du lat. zool. *tantalus locuslator*, Klein). Oiseau échassier* voisin de la cigogne, vivant en Amérique centrale.

★ **II.** (1855; de *tantalum*, nom donné en 1802 par Ekeberg à ce métal, à cause de la difficulté rencontrée pour en préparer les composés). Chim. Élément (n° at. 73; masse at. 180,95), métal d'aspect analogue à celui de l'argent ou du platine, mais légèrement bleuté, d'une grande densité (16,6), très réfractaire (température de fusion voisine de 3 000 °C). *Le tantale* (symb. *Ta*) *accompagne le niobium dans ses minerais. L'usage du tantale est limité par sa faible abondance dans la nature; il est surtout employé dans les industries chimiques et métallurgiques, et en chirurgie réparatrice.*

DÉR. (Du I.) **Tantalide, tantalique**.

TANTALIDE [tɑ̃talid] n. m. — 1833, in D.D.L.; de *tantale*.
♦ Sc. Minéral renfermant du tantale. *Les tantalides*.

TANTALIQUE [tɑ̃talik] adj. — 1842; de *tantale*.
♦ Chim. Du tantale. — *Dérivés tantaliques*, du tantale pentavalent.

TANTALISER [tɑ̃talize] v. tr. — Fin XVIIIe, Mirabeau; de *Tantale*, nom mythologique.
♦ Littér., rare. Tourmenter par un supplice de Tantale.

(...) cette femme, cette Vellini, était pour elle une énigme dont elle ne parlait jamais, il est vrai, qu'à madame d'Artelles (...) mais qui préoccupait et tantalisait son esprit. BARBEY D'AUREVILLY, Une vieille maîtresse, II, v.

TANTE [tãt] n. f. — V. 1160; altér., d'après une forme enfantine, de *ante* (v. 1160) [*ta ante*; cf. *m'amie*]; du lat. *amita* «tante paternelle».

♦ **1.** Sœur du père ou de la mère, et, par ext., femme de l'oncle* (cf., dans le lang. enfantin, Tata, tantine). *De la tante.* ⇒ **Avunculaire.** *Les tantes font partie des parents collatéraux. Tante paternelle, maternelle* (→ Maharadjah, cit.). *Statut particulier de la tante paternelle de l'épouse, dans certaines sociétés.* ⇒ **Amitat.** *La tante et le neveu* (cit. 3), *et la nièce. Une vieille tante* (→ aussi Perclus, cit. 3). *La tante Mathilde* (→ Avance, cit. 22). *Son oncle et sa tante* (→ Impatient, cit. 10); *mes oncles et tantes* (→ Lubie, cit. 1). — *Vois-tu, ma tante...* (→ Laïus, cit. 2; et aussi romanesque, cit. 5). *Ma bonne, ma chère tante...* (→ Service, cit. 8). *J'ai vu tante Louise, ma tante Louise. Bonjour tante Adrienne!*
REM. On emploie aussi *tante* pour *grand-tante*.
Tante à la mode de Bretagne : cousine germaine du père ou de la mère. ⇒ **Cousin** (à la mode de Bretagne).

♦ **2.** (1823, *in* D.D.L.; fém. de *oncle* «prêteur sur gage», Belgique, 1642). Fam. *Ma tante :* le mont-de-piété, le prêteur sur gages («terme ironique à l'adresse de ceux qui déguisent la source d'un emprunt en disant qu'ils ont eu recours à leur famille», L. Larchey; cf. Balzac, *Une fille d'Ève,* Œuvres, t. II, p. 110).

0.1 (...) tiens, où est donc ta pendule?
— Elle est à raccommoder.
— ... *(Riant).* C'est pas vrai, n'est-ce pas : tu peux bien me le dire, à moi... Elle est chez ma tante... (*)
(*) Le Mont-de-Piété. *(Tradition populaire.)*
Henri MONNIER, Scènes populaires, 1835, t. I, p. 190.

1 (...) une ignorance qui lui fait nous demander ce que c'est que *le plan,* que nous lui expliquons par *ma tante,* qu'il ignore aussi bien que *le clou.*
Ed. et J. DE GONCOURT, Journal, 12 juil. 1863, t. II, p. 104.

♦ **3.** (1834, Raspail; on parlait — cf. Moreau Christophe, *in* Delvau — de *mômes,* de *cousines* et de *tantes* selon les âges; pour la valeur de ces métaphores, cf. Cellard et Rey, *Dict. du français non conventionnel*). Fam., vulg. et insultant. Homosexuel (cit. 1) passif. ⇒ **Pédéraste, tata.** *Les tantes-filles et les tantes-gars :* les homosexuels passifs et actifs (cf. Jean Genet, *Notre-Dame des Fleurs,* II, p. 14).

2 — Je ne mène pas là Votre Seigneurie, dit-il, car c'est le quartier des *tantes...*
— Hao! fit lord Durham, et qu'est-ce?
— C'est le troisième sexe, milord.
BALZAC, Splendeurs et Misères des courtisanes, 1838, Pl., t. V, p. 1055.

3 Qu'est-ce que c'est au juste qu'une tante? lui demanda familièrement Zazie en vieille copine. Une pédale? une lope? un pédé? un hormossexuel *(sic)?* Y a des nuances? R. QUENEAU, Zazie dans le métro, XII, Folio, p. 129.

Par ext. Terme injurieux. Lâche, etc. *Sale tante!* (→ Chiqueur, cit.).

DÉR. (Du 1.) **Tantine,** 1. **tata.** — (Du 3.) **Tantouse** ou **tantouze.**
HOM. **Tente,** formes du v. **tenter.**

TANTET [tãtɛ] n. m. — V. 1213; de *tant.*
Vieux.

♦ **1.** Petite quantité. ⇒ **Tantinet.** *Un tantet de pain.*

♦ **2.** Loc. adv. (Mil. XIVe). UN TANTET : un peu (→ 1. Bis, cit. 1, La Fontaine). *«Un tantet trop petit pour être général»* (Nodier, *Contes,* «Le trésor des fèves»).

TANTIÈME [tãtjɛm] adj. et n. m. — 1662; attestation isolée, XVe; de *tant.*

♦ **1.** Adj. Vx. Qui représente une fraction déterminée mais non précisée d'une grandeur. *«La tantième partie d'un nombre»* (*Logique de Port-Royal*). — Adj. ordinal. *Le tantième jour,* et, n. m. (*tantiesme,* 1562), *le tantième courant* (style commercial).

Depuis vingt ans, Dutilleul commençait ses lettres par la formule suivante : «Me reportant à votre honorée du tantième courant (...)» Formule à laquelle M. Lécuyer entendit substituer une autre d'un tour plus américain : «En réponse à votre lettre du tant (...)» M. AYMÉ, le Passe-muraille, p. 9.

♦ **2.** N. m. (1824). Pourcentage d'un tout. ⇒ **Guelte.** — Spécialt. Quote-part de bénéfice net annuel d'une entreprise allouée aux administrateurs, parfois aux directeurs. *Partage des tantièmes.*

TANTINE [tãtin] n. f. — 1133, *antine* (→ Tante); repris fin XIXe; dimin. de *tante.*

♦ Dans le lang. enfantin. Ma tante (1.), en s'adressant à elle. *Bonjour, tantine.* ⇒ **Tata.**

TANTINET [tãtinɛ] n. m. — 1452, *un tantinot*; de *tant.*

♦ **1.** Vx ou plais. *Un tantinet de :* un tout petit peu de. *Donnez-moi un tantinet de pain.*

♦ **2.** Loc. adv. (1548). Vieilli ou plais. UN TANTINET : un petit peu, passablement. *Un tantinet grotesque* (cit. 8), *loufoque* (cit. 2)...

1 Nab lui faisait de bons petits plats sucrés que le malade dégustait avec sensualité, car, s'il avait un défaut mignon, c'était d'être un tantinet gourmand, et Nab n'avait jamais rien fait pour le corriger de ce défaut-là.
J. VERNE, l'Île mystérieuse, t. II, p. 473.

2 Louisa, ravie de parler de son cher Christophe, racontait des petites histoires d'enfance, insignifiantes et un tantinet ridicules (...)
R. ROLLAND, Jean-Christophe, L'adolescent, I, p. 250.

3 Vous dédaignez un tantinet la fougueuse fidélité de Saint-Pierre.
BERNANOS, Appendices, *in* Œ. roman. compl., Pl., p. 1737.

4 Eh bien moi, dit la veuve en rougissant un tantinet, je m'appelle madame Mouaque. R. QUENEAU, Zazie dans le métro, IX, Folio, p. 107.

TANT MIEUX [tãmjø] ⇒ **Tant** (III., 6.).

TANTÔT [tãto] adv. et n. m. — 1160, *tantost* «aussitôt»; de *tant,* et *tôt.*

♦ **1.** Adv. Vx. Dans un temps prochain, un proche avenir*. ⇒ **Bientôt.** *«Vous en verrez tantôt la suite...»* (La Fontaine). *Il est tantôt 10 heures.* — (Avec une durée). *Voici tantôt mille ans* (cit. 2) *que l'on ne vous a vue. Depuis tantôt six mois* (→ Cause, cit. 45). *Il y a bien tantôt trois semaines de cela* (→ Moyen âge, cit. 5, Gautier). — (Avec un état). ⇒ **Presque** (→ Nombril, cit. 1).

1 Vous n'avez tantôt plus que la peau sur les os. RACINE, les Plaideurs, I, 4.

♦ **2.** Adv. (XIIe). Vx ou régional (cour. en Belgique). **a** Peu de temps auparavant, dans une même journée. *Vous n'aviez point tantôt ces agitations* (cit. 7). *Un ressentiment de l'affaire de tantôt* (→ Passer, cit. 133).

b (1580). Dans peu de temps, dans la même journée. *Je sors tantôt.* ⇒ **Heure** (5.; tout à l'heure, b). *À tantôt :* au revoir*.

2 Je m'en vais. Voilà qu'on m'appelle. Jusqu'à tantôt. MOLIÈRE, l'Avare, II, 5.

♦ **3.** Adv. Mod. Cet après-midi*. *Venez tantôt prendre le thé. On* (cit. 21) *fait des visites tantôt? Je lui ai écrit tantôt* (→ aussi Passer, cit. 48; pot, cit. 19). *C'est pour tantôt. À tantôt.*

3 — J'ai bonne envie d'aller, tantôt, voir cette usine de Montrouge (...)
G. DUHAMEL, Salavin, I, IX.

N. m. (1872, *sur le tantôt*). Fam., régional. Après-midi. *Ce tantôt. Sur le tantôt. Ce tantôt... : «Ils sont restés encore, comme ce tantôt, la bouche pleine, à écouter»* (GIONO, *Regain,* p. 83-84) (...) *Tantôt ainsi employé est un provincialisme...* M. GREVISSE, Problèmes de langage, t. I, p. 212.

4 La pureté sans un nuage de cette exquise matinée faisait prévoir, une fois encore, une terrible après-midi (...) l'azur du ciel, qui s'allait perdre en une broussaillerie légère, en disait long sur les surprises du tantôt.
COURTELINE, le Train de 8 h 47, I, I.

5 (...) *tantôt,* dans certaines provinces, comme le Berry, l'Angoumois, le Poitou, etc., se prend substantivement au sens d'après-midi, et forme les expressions : *le tantôt, ce tantôt, sur le tantôt...* M. GREVISSE.

♦ **4.** (1507, *tantost*). TANTÔT... TANTÔT... (souvent répété plusieurs fois; → Insanité, cit.; moralité, cit. 7; naseau, cit. 1; nation, cit. 2) : à tel moment... à un autre moment (pour exprimer des états différents d'une même chose par une coordination disjonctive [cit.]). ⇒ **Parfois.** *Tantôt envahissante, tantôt envahie* (→ Agressif, cit. 8). *Tantôt j'étais un homme noir et tantôt un ange de lumière* (→ Détester, cit. 15). *Tantôt bien, tantôt mal* (cf. comme ci comme ça). *Tantôt à pied, tantôt avec toute la vitesse de son automobile* (→ Inconnu, cit. 28). *La pensée tantôt chemine, tantôt s'élance* (→ Aigle, cit. 5). *Donnant tantôt la préférence à l'une, tantôt à l'autre* (→ Inconstance, cit. 5).

6 (...) de l'autre, la pleine mer, tantôt moirée et gaufrée par le courant, ou la bise, tantôt d'un azur terne et mat, ou bien d'une transparence de cristal, tantôt d'un éclat tremblant comme une basquine de danseuse, tantôt opaque, huileuse et grise comme du mercure et de l'étain fondu (...)
Th. GAUTIER, Voyage en Espagne, p. 282.

7 Et ce sont d'autres films dans lesquels à des échelons divers on le voit apparaître, tantôt explorateur, tantôt inventeur, tantôt artiste, tantôt boxeur, tantôt voleur.
R. QUENEAU, Loin de Rueil, p. 232.

Littér. et rare. *Tantôt et tantôt :* par moments, alternativement.

8 On ne la voyait pas comme parfois, tantôt et tantôt, puis cachée, puis ruisseler sur les nuages; la nuit n'était pas agitée (...) GIDE, Paludes, Romans, Pl., p. 134.

TANTOUSE ou **TANTOUZE** [tãtuz] n. f. — 1900, d'après *Glossaire des homosexualités,* Aleph, 1978; de *tante* (3.).

♦ Pop., vulg. et injurieux. Homosexuel passif. ⇒ **Tante.**

Non seulement je venais de subir le plus cruel des affronts, mais il ne se trouvait dans le monde entier qu'une tantouse pour offrir de me consoler et de me tenir la main. R. GARY, la Promesse de l'aube, p. 209.

TANT PIS [tãpi] ⇒ **Tant** (III., 6.).

TANTRA [tãtra] n. m. — 1904; mot sanskrit, proprt «trame ou chaîne d'un tissu».

♦ Didact. Livre sacré ésotérique indien, contenant une cosmologie, et l'exposé de rites et de méthodes de dépassement de soi (yoga, magie). *Des tantra* ou *des tantras.*

DÉR. **Tantrique, tantrisme.**

TANTRIQUE [tãtʀik] adj. — 1904 ; de *tantra.*

♦ Didact. Relatif au tantrisme. *Les pratiques tantriques. Une exposition d'œuvres d'art tantrique.*

TANTRISME [tãtʀism] n. m. — 1904 ; de *tantra.*

♦ Forme de l'hindouisme inspirée des tantras*, fondée sur l'utilisation de l'énergie cosmique *(çakti)* considérée comme féminine, et qui accorde la plus grande importance au culte des divinités féminines.

TANZANIEN, ENNE [tãzanjɛ̃, ɛn] adj. — V. 1964 ; de *Tanzanie,* nom d'une république d'Afrique de l'Est, fondée en 1964.

♦ De la Tanzanie. *La république tanzanienne. L'armée tanzanienne. Le socialisme tanzanien.*

(...) l'agriculture tanzanienne repose sur les femmes (...) Même dans un pays qui fait un réel effort pour améliorer le sort des paysans, les femmes sont encore perdantes.   R. DUMONT et M.-F. MOTTIN, l'Afrique étranglée, p. 147.

TAO [tao] n. m. — 1842 ; mot chinois.

♦ Didact. Principe du taoïsme* (cit. 1). — Par ext. Taoïsme.

TAÔISME ou **TAOÏSME** [taoism] n. m. — 1900, *in* D. D. L. ; *taossisme,* Bescherelle, 1846 ; mais *taoiste* est attesté au XVIIᵉ ; du chinois *tao* «raison, être suprême».

♦ Attitude et doctrine religieuse d'Extrême-Orient, fondée par Lao-Tseu au XIᵉ siècle av. J.-C., qui est un mélange de sa philosophie et de croyances, de pratiques plus populaires.

1   À tout un détail de recettes de vie ou de sainteté, — enseignées sans doute par des maîtres concurrents, et très diverses bien que relevant d'une même inspiration, — s'est superposée ce qu'on appelle la *doctrine* de «l'École du Tao». Cette expression, consacrée par l'usage, n'est pas heureuse. L'idée de *Tao* n'est point particulière aux maîtres du Taoïsme, et ceux-ci, plutôt qu'ils n'ont professé une doctrine, se sont bornés à préconiser une Sagesse. Cette sagesse est de tendance mystique, — ce qui n'implique pas qu'elle soit favorable le moins du monde au personnalisme et au spiritualisme. On la trahirait plus encore que tous les autres enseignements en faveur dans la Chine ancienne, si, pour l'exposer, on se laissait entraîner à employer le mot «Dieu» ou le mot «Âme». Le «Taoïsme» de Lao tseu et de Tchouang tseu est une sorte de *quiétisme naturaliste.*
        Marcel GRANET, la Pensée chinoise, p. 423.

2   Le Taoïsme a eu, lui aussi, ses techniques de soustraction au cycle alternant des principes mâle et femelle, des prescriptions alimentaires rigoureuses, une doctrine respiratoire, fondées sur une conception de l'univers où tout répond à des rythmes de valeurs complémentaires, charpente mouvante du cosmos dans laquelle le sage s'insinue sans rien frôler, hors du temps et de l'espace.
        A. LEROI-GOURHAN, le Geste et la Parole, t. II, p. 101.

DÉR. **Taôiste** ou **taoïste.**

TAÔISTE ou **TAOÏSTE** [taoist] n. et adj. — 1616, *in* D. D. L. ; var. *taosse* (1827), *tao-sse* (1824). → Taôisme.

♦ **1.** Adepte du taoïsme.

1   L'originalité des Maîtres taoïstes ou, tout au moins, de Tchouang tseu, tient au fait qu'ils ont su justifier une *technique d'une même* sainteté, dominée par un idéal d'*autonomie,* en la combinant avec une *théorie de la connaissance* (...) fort bien ajustée aux postulats de leur *quiétisme naturaliste.*
        Marcel GRANET, la Pensée chinoise, p. 433.

2   Ce Taoïste parfait, complètement effacé, ne rencontrait plus aucune différence nulle part.
    D'autres fois, il vivait parmi les lions et les lions ne se rendaient pas compte qu'il était homme. Ils n'apercevaient rien d'étranger en lui.
    Telle est la souplesse que donne la compréhension de *Tao.* Tel est l'effacement suprême auquel tant de Chinois ont rêvé.
        Henri MICHAUX, Un barbare en Asie, p. 188.

3   Les taoïstes condamnent en effet toute connaissance discursive comme dangereuse parce qu'elle introduit la multiplicité dans l'âme, alors que celle-ci doit «embrasser l'unité», c'est-à-dire être unifiée dans le Tao. Une discipline des sens et des passions est nécessaire pour préserver cette unité.
        Max KALTENMARK, la Philosophie chinoise, p. 37.

♦ **2.** Adj. Relatif au taoïsme. *Prêtre taoïste.*

4   Le taoïste n'agit pas *(wou-wei)* et cependant «il n'est rien qu'il n'accomplisse». *Wou-wei* est une notion cardinale du pensée taoïste.
        Max KALTENMARK, la Philosophie chinoise, p. 38.

TAON [tã] n. m. — V. 1175 ; du bas lat. *tabonem,* accusatif de *tabo,* du lat. class. *tabanus.*

♦ Insecte diptère *(Tabanidés),* piqueur et suceur, grosse mouche à corps épais dont la femelle seule se nourrit du sang des animaux, notamment des bœufs. *L'air bourdonne de taons* (→ 2. Grésiller, cit. 3). *La piqûre du taon ; piqûre de taon* (→ Impatience, cit. 3 ; et aussi poursuivre, cit. 6).

On voit un grand taureau forcené de furie,
Qui court et par rochers, par bois et par étangs,
Quand le taon importun lui tourmente les flancs.
        RONSARD, Disc. des misères de ce temps, «Réponse aux injures et calomnies».

Nos oreilles brûlent, piquées par les moustiques, et nos mains saignent sous la morsure des taons. Ah! tant pis... La claque s'est déclenchée trop vite, et l'un des taons est mort, aplati (...)   M. GENEVOIX, Forêt voisine, XI.

DÉR. **Taonné.**
HOM. **Tan, tant, temps,** formes du v. **tendre.**

TAONNÉ, ÉE [tane] adj. — Av. 1850, Balzac ; de *taon.*

♦ Rare. Piqué par les taons.

HOM. **Tannée, tanner.**

TAP [tap] — Onomatopée.

♦ Onomatopée figurant un bruit sec ou bref. *Faire tap,* (répété) *tap-tap.*

Il n'y avait pas de bruit cette nuit, seulement le tap-tap un peu plus pressé de l'eau qui suintait par la fêlure des boiseries.
        J. GIONO, le Grand Troupeau, III, Pl., t. I, p. 680.

HOM. **Tape,** formes du v. **taper.**

TAPA [tapa] n. m. — 1875, cit. n. f. ; mot polynésien.

♦ Didact. Étoffe fabriquée avec de l'écorce battue et assouplie. « *Le meilleur* tapa *provient du mûrier polynésien (...) mais on utilise aussi le liber de l'arbre à pain et d'un ficus* » (*Ethnologie régionale,* Pl., t. I, p. 1253).

(...) les enfants arrivent, portés sur les épaules d'un homme vigoureux et escortés de jeunes filles, qui tiennent les bouts des longues pièces de *tapa* qui les enveloppent.   A. PAILHÈS, Souvenirs du Pacifique, *in* le Tour du monde, 1875, p. 262.

TAPABOR ou **TAPABORD** [tapabɔʀ] n. m. ⇒ **Tapebord.**

TAPAGE [tapaʒ] n. m. — 1695 ; de 1. *taper.*

A. ♦ **1.** Bruit* violent et confus, désordonné (fait par un groupe de personnes). ⇒ **Bacchanal** (vx), **barouf, bastringue, bazar, bordel,** (fig.), **boucan, bousin, bousingot** (vx), **chahut, chambard, charivari, cri, foin, pétard, potin, raffut, ramdam, sabbat, sérénade, tintamarre, train** (I., B.), **vacarme.** *Des gens qui font du tapage ; entendre du tapage chez qqn* (→ Renom, cit. 2). *Un beau tapage, un tapage effroyable* (→ Fumée, cit. 1), *infernal, à fendre la tête* (→ Remuer, cit. 12). *Au commencement de la classe* (cit. 14) *il se faisait un grand tapage.* ⇒ **Brouhaha.** — *Le tapage des oiseaux,* leurs cris aigus et désordonnés (→ Goéland, cit. 3 ; jacassement, cit. 1).

— Monsieur, tous les voisins sont aux fenêtres et se plaignent du tapage.
        BALZAC, la Peau de chagrin, Pl., t. IX, p. 72.

C'était maintenant un tapage gai de casseroles et de vaisselle, les deux ménagères s'occupant au fond de leur cuisine, Claire à soigner un ragoût de mouton, Sophie à éplucher pour une salade.   ZOLA, la Bête humaine, I.

Dr. *Tapage injurieux* ou (cour.) *tapage nocturne :* «contravention consistant à troubler la tranquillité des habitants en faisant du bruit, sans motif légitime, la nuit ou même le jour, à la condition, si le bruit est fait de jour, qu'il soit fait en vue d'énerver celui ou ceux qui sont appelés à l'entendre... » (Capitant).

Je me souviens qu'un jour mon ami Noll avait été arrêté pour de mauvaises raisons, une histoire de tapage nocturne et de cris séditieux (...)
        ARAGON, le Paysan de Paris, p. 24.

♦ **2.** (1695). Vieilli ou littér. ⇒ **Bruit** (fig.), **désordre, éclat, esclandre, pet, scandale.** *Le discours de réception de La Bruyère,* « *qui fit bruit et même tapage* » (→ Récipiendaire, cit. 1). *Mener* (cit. 33) *tapage, grand tapage. L'affaire ne fera aucun tapage* (→ Étouffer, cit. 40). *Éviter le tapage* (→ Pannerée, cit. 2).

♦ **3.** (1764, Voltaire). Littér. Éclat, contraste violent (de couleurs, etc.). ⇒ **Tapageur.**

(...) cinq voitures parurent à la file, pleines à rompre les essieux, égayées par un tapage de toilettes claires, bleues et roses.   ZOLA, Nana, VI.

B. (1878). Fam. Fait de taper qqn, de lui emprunter de l'argent.

CONTR. **Silence.**
DÉR. **Tapager, tapageur.**

TAPAGER [tapaʒe] v. intr. — Conjug. *bouger.* — 1828, p.-ê. antérieur (→ Tapageur) ; de *tapage.*

♦ Rare. Faire du tapage. *Les députés se lèvent, tapagent* (→ Hémicycle, cit. 1).

Tout le pays était endormi, pas une lumière ne se voyait. Il n'y avait que cette noce d'éveillée et qui tapageait de son mieux.
        BALZAC, les Paysans, Pl., t. VIII, p. 303.

TAPAGEUR, EUSE [tapaʒœʀ, øz] adj. et n. — V. 1770 ; n. m., 1743 ; de *tapage.*

◆ **1.** Qui fait du tapage. ⇒ **Bruyant, criard.** *Un enfant tapageur. Tapageur en paroles* (→ Épigramme, cit. 7). — **N.** *Un tapageur :* celui qui fait du bruit, qui fait du bruit pour un rien (→ Casseur* d'assiettes).

1 Sa casquette est posée sur l'oreille, ce qui annonce le tapageur (...)
  Ch. PAUL DE KOCK, la Grande Ville, t. I, p. 298.

2 Du reste, il ne changea rien à son genre de vie et ne tarda pas à se faire à Montmartre une réputation de noctambule tapageur, buveur et partousier. Ses amis s'amusaient au récit de ses frasques. M. AYMÉ, le Passe-muraille, p. 42.

Par ext. (Choses). *Cafés tapageurs* (→ Limonade, cit. 1). *Folie tapageuse* (→ Gaieté, cit. 3).

3 Alors parmi l'immobilité silencieuse (...) éclatait une musique tapageuse et stridente (...) Ed. DE GONCOURT, les Frères Zemganno, LXVI.

◆ **2.** (1771). Qui fait du tapage, du scandale. *Déclaration tapageuse. Publicité tapageuse.* ⇒ **Tam-tam** (3.).

4 (...) ces lecteurs ont toujours avantage, dis-je, à négliger un peu les articles tapageurs pour considérer avec attention certaines notes sommaires (...)
  G. DUHAMEL, Manuel du protestataire, II.

◆ **3.** Qui se fait remarquer par l'outrance, le contraste des couleurs. ⇒ **Criard, voyant.** *Toilette tapageuse. Luxe tapageur.* ⇒ **Prétentieux.**

5 Quoique habillé d'un complet de soixante francs, il gardait une certaine élégance tapageuse, un peu commune, réelle cependant. MAUPASSANT, Bel-Ami, I, I.

CONTR. Silencieux. — Calme, discret.
DÉR. Tapageusement.

TAPAGEUSEMENT [tapaʒøzmɑ̃] adv. — 1876 ; de *tapageur.*

◆ D'une manière tapageuse. *S'amuser tapageusement. Une vedette tapageusement vêtue.*

TAPANT, ANTE [tapɑ̃, ɑ̃t] adj. — 1900 ; p. prés. de 1. *taper.*

◆ **1.** À l'instant même où sonne telle ou telle heure. *À midi tapant, à deux heures tapantes.* ⇒ **Battant, pétant, précis, sonnant.** — REM. Dans cet emploi, *tapant* reste parfois invariable, avec une valeur de participe. *Neuf heures tapant* ou *tapantes.*

1 Venez au Cercle, ce soir, à neuf heures tapant.
  J. ROMAINS, les Hommes de bonne volonté, t. XI, XXIII, p. 222.

2 Mais restez donc, dit Pradonet. Nous ne sommes pas pressés, nous. À neuf heures tapantes, Léonie est à son poste (...) R. QUENEAU, Pierrot mon ami, p. 38.

◆ **2.** Qui tape. *Soleil tapant.*

3 Le soleil est tapant. Nous avions, vers deux heures, 41° sous la véranda.
  GIDE, Retour du Tchad, IV, *in* Souvenirs, Pl., p. 931.

1. TAPE [tap] n. f. — V. 1360 ; déverbal de 1. *taper.*

◆ **1.** Coup* donné avec le plat de la main. *Donner des tapes à (qqn).* ⇒ **Taper** (1.). → Mirabelle, cit. *Tape pour corriger. Tape sur la figure.* ⇒ **Calotte, claque, gifle** (cit. 5). *Elle lui appliqua une tape sur le derrière.* ⇒ **Fessée** (→ Pantois, cit. 1). *Tape amicale, petite tape.* ⇒ **Tapette** (→ Congédier, cit. 2 ; museau, cit. 4) ; *une grande tape dans le dos.*

1 Alors des poignées de main, des accolades, de ces bonnes tapes sur l'épaule qui doublent la valeur des mots, toujours trop froids au gré d'une sympathie méridionale. Alphonse DAUDET, Numa Roumestan, I.

2 Après avoir ramené son bonnet d'une légère tape (...)
  ZOLA, la Faute de l'abbé Mouret, I, I.

3 Des petites filles malingres, rappelées à l'ordre par une tape, se tordaient le cou vers la table merveilleuse. COCTEAU, les Enfants terribles, p. 83.

◆ **2.** (1760, *avoir sa tape* «n'avoir aucun succès» ; au théâtre, 1894). Fam., vieilli. Échec, insuccès. *Ramasser une tape :* échouer.

HOM. Tap, 2. **tape,** formes des v. 1. **taper,** 2. **taper, tapion.**

2. TAPE [tap] n. f. — 1743, sens 2 ; anc. provençal *tap* «bouchon» ; du rad. de 2. *taper.*

Technique.

◆ **1.** (1752). Mar. Bouchon en bois ou plaque de métal servant à boucher les écubiers. — Anc. Bouchon en bois pour fermer la bouche d'un canon.

◆ **2.** Dispositif servant à fermer le fond d'une cuve, en brasserie.

HOM. Tap, 1. **tape,** formes des v. 1. **taper,** 2. **taper.**

TAPE- Premier élément de mots composés (noms) formés sur le verbe 1. *taper.* Outre les mots traités à l'ordre alphabétique, on trouve des composés occasionnels.

Pérandeau, le chef chaudronnier, souriait doucement, ce qui ne signifiait pas un caractère gai (...) À 45 ans Pérandeau portait parfois un appareil acoustique, à cause de son métier de tape-sec qui rendait dur d'oreille avant la cinquantaine.
  Pierre HAMP, la Peine des hommes (Moteurs), p. 23.

TAPÉ, ÉE [tape] adj. ⇒ 1. **Taper.**

TAPE-À-L'ŒIL [tapalœj] adj. et n. m. invar. — 1904 ; *tape-à-l'œil* «homme qui a une marque sur l'œil», 1867 ; de *tape-, à,* et *œil.*

◆ **1.** Qui attire l'attention par des couleurs voyantes, un luxe tapageur. *Cette décoration est un peu tape-à-l'œil. Des bijoux en toc très tape-à-l'œil.*

◆ **2.** N. m. invar. Péj. *Tout cela, c'est du tape-à-l'œil :* cela fait beaucoup d'effet mais est de peu de valeur.

Je déteste le tape-à-l'œil, mais j'aime qu'un peu de soie rhabille un jour pour en faire une date. Hervé BAZIN, Cri de la chouette, p. 183.

TAPEBORD [tapbɔʀ] ou TAPABORD, TAPABOR [tapabɔʀ] n. m. — 1688, *tapebord* ; *tapabord,* 1680 ; *tapabor,* 1632 ; de *taper à bord,* vx, «monter à l'abordage».

◆ Vx. Coiffure ressemblant au suroît*.

Où diable avait-il déniché ce tapabord qu'il arborait en guise de coiffure? Pourquoi portait-il une cravate roulée à la Robert Peel?
  Jean RAY, les Derniers Contes de Canterbury, p. 58.

TAPECON [tapkɔ̃] n. m. — 1554 ; de 2. *taper* «boucher», et 1. *con,* le poisson ayant la forme d'un pessaire.

◆ Fam. Uranoscope (poisson).

TAPECUL ou TAPE-CUL [tapky] n. m. — V. 1460 ; *tapecu,* 1678 ; de *taper,* et *cul.*

◆ **1.** (1678). Mar. Artimon très réduit, dont la bôme déborde assez largement l'aplomb du tableau arrière. *Cotre à tape-cul.* ⇒ **Yawl.**

Nous avions largué le *tape-cul* et la *misaine,* nous volions plutôt que nous ne marchions sur les flots. G. SAND, Histoire de ma vie, VII, III.

◆ **2.** (1798). Voiture à cheval mal suspendue (→ Limonière, cit.). *« Une petite voiture à une place, une sorte de petit tape-cul... »* (Gide, *Journal,* 20 déc. 1924).

Automobile mal suspendue, inconfortable. — Adj. *Cette voiture est un peu tape-cul,* peu confortable.

◆ **3.** (1843). Bascule à contrepoids fermant l'entrée d'une barrière.

Balançoire rudimentaire formant bascule, et qui «tape le cul» en touchant le sol.

◆ **4.** [a] (1883). Équit. *Faire du tape-cul,* se dit du cavalier qui tape du derrière contre le dos du cheval à chaque trot, notamment lorsqu'il monte sans étriers.

[b] Dans les écoles, Brimade consistant à soulever un élève par les pieds et les épaules et à lui taper le derrière par terre.

◆ **5.** Argot des ch. de fer. Autorail omnibus.

TAPE-DUR [tapdyʀ] n. — 1793, C. Desmoulins ; de *tape-,* et *dur.*

◆ Fam., vx. Personne qui attaque avec violence, traite ses adversaires sans ménagement (Littré emploie le mot à propos du philologue F. Génin). — Le fém. et le pluriel ne sont pas attestés. *Des tape-dur.*

TAPÉE [tape] n. f. — 1791, *tapée de coups* ; de 1. *taper.*

◆ **1.** Fam. Grande quantité. *Une tapée d'enfants.* ⇒ **Armée, chiée, floppée.** *Des tapées d'ennuis.*

1 — Il paraît qu'il y a eu des tapées d'arrestations, dit Lhomme.
  P. NIZAN, le Cheval de Troie, XI.

2 FRANÇOIS, *riant en gros plan.* Je ne sais pas... On aurait des gosses... toute une tapée de gosses... *(Il rit.)* Et puis, on les mettrait à l'Assistance !
  J. PRÉVERT, le Jour se lève, 1939, *in* l'Avant-Scène, n° 53, p. 17.

◆ **2.** (1872). Techn. Ensemble de planches collées les unes aux autres et destinées, une fois fixées à un meuble, à être sculptées.

Pièce de bois rapportée sur les montants latéraux d'une croisée et sur laquelle sont fixées les persiennes.

HOM. 1. **Taper,** 2. **taper.**

TAPEMENT [tapmɑ̃] n. m. — 1556, repris 1823 ; de 1. *taper.*

★ **I.** ◆ **1.** Action de taper (II., 1.). *Des tapements de pieds. Un tapement contre la porte.*

(...) le bruit un peu nerveux du tapement continu d'un doigt sur l'étui vide de ses lunettes (...) Ed. et J. DE GONCOURT, Journal, 2 juin 1890, t. VIII, p. 126.

◆ **2.** Bruit* ainsi produit. *Un tapement sourd.*

★ **II.** (1802). Techn. Fait d'étendre le vernis sur une planche à graver.

TAPENADE [tapnad] n. f. — D. i. (attesté xxᵉ) ; provençal *tapenado*, de *tapeno* «câpre».

♦ Régional (Provence). Préparation de câpres, olives noires, anchois écrasés additionnés d'huile d'olive, de jus de citron et de poivre, souvent d'ail et d'herbes, qui accompagne certains mets froids ou se mange en hors-d'œuvre.

(...) il servit le muscat de Beaumes et l'anis fabriqué de façon artisanale accompagnés de croquettes d'Avignon, de biscotins à la tapenade et d'olives cassées.
Robert SABATIER, les Enfants de l'été, p. 302.

1. TAPER [tape] v. — V. 1175 ; onomat. ou moy. néerl. *tappe* «patte», ou du germanique *tappon*.

★ **I. V. tr.** ♦ **1.** Frapper* du plat de la main, donner une tape à... ; par ext., frapper. ⇒ **Battre, cogner, frapper.** *Taper un enfant.* — REM. Dans cet emploi, le verbe est plutôt du langage enfantin (*maman, elle m'a tapé !*). — *Taper des tapis,* les battre* (II., 1.). ⇒ **Tapette.** *Taper des objets pour voir s'ils sont solides* (cit. 1). *Taper une chose sur une autre, contre une autre.* ⇒ **Cogner, heurter.**

1   — Laisse-nous donc tranquilles, reprit le prêtre et va-t'en. Elle sortit en tapant la porte.
MAUPASSANT, l'Inutile Beauté, «Champ d'oliviers», III.

2   (...) les hommes préféraient vider les litres d'eau-de-vie, en fumant leurs pipes, qu'ils tapaient sur la nappe, pour en faire tomber les culots.
ZOLA, la Terre, II, VII.

3   L'enfant remonte une épaule sans changer sa posture et Pauline exaspérée le tape sur la joue.
J. CHARDONNE, les Destinées sentimentales, p. 314.

Fig., fam. *Se taper les cuisses de contentement, de colère...* — Loc. fam. (1880). *Il y a de quoi se taper le derrière par terre :* c'est une chose étonnante et risible, grotesque. — Fam. *Il y a de quoi se taper la tête contre les murs :* c'est une situation pénible, révoltante et sans issue. ⇒ **Donner.**

4   Décidément, j'étais un créateur d'euphorie ! On s'en tapait à tour de bras les cuisses ! Il n'y avait que moi pour savoir rendre la vie agréable malgré toute cette moiteur d'agonie !
CÉLINE, Voyage au bout de la nuit, p. 115.

Loc. fam. *Taper le carton, la carte :* jouer aux cartes. — Argot. *Taper la brême* (cit. 3). — (1953). *Taper la belote.*

4.1 Ils tapent peut-être le carton chez leur ami le shérif.
Roger BORNICHE, le Ricain, p. 275.

Techn. *Taper la peinture,* l'introduire à coups de brosse dans les creux des objets à peindre.

Arts. Vx. Exécuter d'une manière hardie et négligée par des coups de pinceaux rapides.

Vx. *Taper les cheveux,* les crêper.

Pêche. *Taper l'eau :* pêcher de façon brutale et sans adresse au lancé.

(En franç. d'Afrique). *Taper le ballon :* jouer au ballon (au football).

♦ **2.** [a] Produire (un bruit) en tapant (II.). *Taper trois coups à la porte.* — Théâtre. *Taper les trois coups,* pour annoncer le début de la pièce. ⇒ **Frapper.** — *Taper un air sur un piano,* le jouer médiocrement. ⇒ **Tapoter.**

5   (...) sur un infernal piano, dans le cabinet à côté, quelqu'un tapait une valse.
FLAUBERT, l'Éducation sentimentale, II, IV.

[b] (1923). Écrire (un texte) au moyen de la machine (cit. 11) à écrire. ⇒ **Dactylographier ; frappe.** *Faire taper une lettre. Des ordres que j'ai tapés moi-même* (→ 1. Parler, cit. 51).

6   Cette machine à écrire avait été achetée trois mois auparavant. Convaincue qu'elle «taperait» les manuscrits de Costals quand elle avait voulu apprendre à dactylographier.
MONTHERLANT, les Lépreuses, I, I.

7   Les voilà ses couplets à cette vieille canaille de Machetu ! Tapez-les en double et faites-les porter chez lui.
J. ANOUILH, Ornifle, I.

8   Conséquence adventice du journalisme : le reporter *(sic)* naguère, aujourd'hui l'écrivain tapent directement leurs articles et leurs romans.
ÉTIEMBLE, Hygiène des lettres, p. 57.

Au p. p. *Lettre tapée à la machine. Manuscrit tapé.* ⇒ **Tapuscrit.**

[c] (En franç. d'Afrique). Jouer d'un instrument de musique (surtout, à percussion). *Taper le tam-tam.* — Absolt. «*Nous taperons et vous danserez*» (in I. F. A.).

♦ **3.** (; 1866 ; *tappé* «grugé», 1650 ; sujet et compl. n. de personne). Fam. Emprunter* de l'argent à... *Taper un ami de cent francs. Nous décidâmes d'aller taper notre ancien patron* (→ Occasion, cit. 22). ⇒ **Tapeur.**

9   (...) Porel était instantanément *tapé* de vingt francs, pour payer la voiture qui avait amené le couple à la mairie.
Ed. et J. DE GONCOURT, Journal, 28 févr. 1885, t. VII, p. 15.

10   Dépouillée par son mari, tapée par son frère, volée par son avoué, grugée par les domestiques, Margot s'est embastillée dans une sérénité funèbre (...)
COLETTE, la Vagabonde, p. 63.

♦ **4.** (1935, in Petiot). Fam. Atteindre (une certaine vitesse). *Moto qui tape le 200* (km/h).

★ **II. V. intr.** (XIIIᵉ). ♦ **1.** [a] (Sujet n. de personne). Donner une tape, des tapes. *Quelqu'un qui lui tapait sur l'épaule* (→ Ficher, cit. 4). — Donner sur, des coups. *Taper des mains, des poings* (cit. 6), *des pieds (du pied)..., avec un bâton, un outil...* — Spécialt. *Taper des mains* (l'une contre l'autre) : applaudir. *Les ouvriers tapaient*

tous à la fois (→ Marteau, cit. 1). ⇒ **Tapage.** *Taper sur qqn,* le frapper. — Fam. *Il lui a tapé dessus.* — *Taper sur qqch. Taper sur un gong* (cit. 3 et 5). *Taper sur un piano* (péj.) : jouer brutalement, sans nuances. *Taper à côté des notes* (cit. 10). *Taper sur le clavier d'une machine à écrire* (→ Ruban, cit. 7). *Ouvrier* (cit. 1) *qui tape sur l'enclume. Laveuse* (cit. 1) *qui tape sur sa lessive.* — Par ext. *La règle du maître qui tapait sur les tables* (→ Classe, cit. 14), *à la porte.* ⇒ **Tambouriner.** *Un quadrille où l'on tapait dans ses mains* (→ Pastourelle, cit.). *Se taper dans la main en signe d'accord.* ⇒ **Toper** (→ Notre, cit. 9).

(Le sujet désigne la partie du corps qui frappe). *Poing, main qui tape à, contre, sur...*

11   (...) c'était vraiment à prendre une trique et à taper dessus jusqu'à ce qu'il s'expliquât.
COURTELINE, Messieurs les ronds-de-cuir, 2ᵉ tableau, I.

12   Elle marchait le bâton levé, ne sortait jamais sans sa canne d'épine, dont elle se servait uniquement pour taper sur les bêtes et le monde.
ZOLA, la Terre, I, III.

13   (...) Claude travaillait à son tableau lorsqu'une main familière tapa rudement contre la porte.
ZOLA, l'Œuvre, II.

14   — Madame, cria de nouveau la voix essoufflée de l'avertisseur, ils tapent les pieds, ils vont finir par casser les banquettes (...)
ZOLA, Nana, V.

15   Lorchen, armé d'une trique, tapait comme une sourde.
R. ROLLAND, Jean-Christophe, La révolte, III, p. 618.

Fam. *Taper sur qqn* ou *sur le dos de qqn,* dire du mal de lui en son absence. ⇒ **Critiquer, médire.**

16   (...) tâche de parler à la comtesse, et *tape* sur moi, de manière à ce qu'il aient l'idée de me chanter un air de leur morale, quoi !...
BALZAC, les Paysans, Pl., t. VIII, p. 42.

Loc. fam. (1872). *Taper sur le ventre de (à) qqn,* le traiter avec une familiarité excessive.

16.1 Je ne peux pas lui taper sur le ventre, et lui dire : «Allons nous mettre à table *(Saluant Manicamp)* Marquis !...»
E. LABICHE, Embrassons-nous, Falleville, 15.

17   Le marquis (...) se laisse taper sur le ventre, par de gros pères rouges et débraillés.
J. ROMAINS, les Hommes de bonne volonté, t. VIII, p. 16.

*Taper sur les nerfs** (cit. 13), *sur le système :* mettre les nerfs à vif, agacer. — *Taper dans l'œil** de qqn, lui plaire*, faire impression sur lui. *Cet individu, ce luxe lui ont tapé dans l'œil.* ⇒ **Tape-à-l'œil.** — *Taper dans le mille :* réussir, deviner juste.

18   (...) ah ! qu'il est beau ! Il a pas mal tapé dans l'œil à Léonie.
R. QUENEAU, Pierrot mon ami, II.

[b] (Sujet n. de chose). ⇒ **Heurter.** *Le volet tape contre le mur. La locomotive vient taper contre le fardier* (→ Choc, cit. 3).

Spécialt. *Bateau qui tape,* dont le fond heurte chaque lame. «*Si l'on aborde le petit clapot, il est naturel que le SB 3, présentant un fond parfaitement plat, "tape" quelque peu selon l'expression consacrée. Mais ces petits bonds d'une coque légère se font sans violence*» (*Bateaux,* nº 100, p. 82).

♦ **2.** Écrire au moyen d'une machine (en frappant les touches). *Apprendre à taper à la machine* (→ Secrétariat, cit. 3). *Une dactylo qui tape bien.* ⇒ **Frappe.** *Faute faite en tapant :* faute de frappe.

♦ **3.** (Fin XIVᵉ ; en parlant du soleil, v. 1360). Fig. (De *taper sur la tête*). Se dit du vin qui monte* à la tête. *Un vin qui tape.* ⇒ **Enivrer.** — Par ext., fam. *Sentir mauvais. Ça tape ici !* ⇒ **Cogner.** Se dit du soleil qui chauffe très fort et fait mal à la tête. *Le soleil tape dur.*

19   (...) la main droite soulevant le bord de sa casquette. Je lui ai dit : «Comment ?» Il a répété en montrant le ciel : «Ça tape». J'ai dit : Oui.
CAMUS, l'Étranger, I, I.

Produire un bruit irrégulier (en parlant d'un moteur). ⇒ **Cogner.**

♦ **4.** Fam. (D'après le mouvement de celui qui prend qqch.). *Taper dans :* prendre dans, se servir de. *Tapez dans le tas ! Tapez dedans ! Ils ont déjà tapé dans les provisions.* ⇒ **Entamer, consommer.**

20   Allons, mes deux lapins, tapez dans le tas !
Ch.-L. PHILIPPE, Père Perdrix, I, II (1902).

♦ **5.** (En franç. d'Afrique). Fam. Aller à pied. — Syn. : *taper à pied.* «*J'ai tapé à pied jusqu'à l'hôpital*» (I. F. A.).

▶ **SE TAPER** v. pron.

♦ **1.** (Récipr.). Se frapper l'un l'autre. ⇒ **Battre** (se). — REM. Le sens serait aujourd'hui familier et quelque peu enfantin.

20.1 Tous ceux qui étaient restés, se battaient, ils se tapaient, fallait voir.
Henri MONNIER, Scènes de la vie populaire, t. I, p. 312 (1835).

♦ **2.** (1804 ; réfl.). Fam. Manger*, boire*. ⇒ **Enfiler** (s'), **envoyer** (s'), **farcir** (se). *Elle se tape son kil* (cit. 1) *de rouge dans la journée. Se taper un bon gueuleton.* ⇒ **Offrir** (s'). — Loc. *Se taper la cloche*.*

20.2 Ensuite on se tape du rôti avec de la sauce aux bourgeons et de la sauce à la noix de muscade.
R. QUENEAU, les Fleurs bleues, p. 73.

(Compl. n. de personne). *Se taper un mec, une gonzesse,* faire l'amour avec... ⇒ **Envoyer** (s'), **faire** (se).

20.3 (...) il établit des rapports effectifs entre le meurtre et ce qu'il croyait savoir des pédérastes : S'il était vrai que Nono se tapait Querelle était *de la pédale*.
Jean GENET, Querelle de Brest, p. 328.

♦ **3.** Fam. Faire (une corvée). *Se taper tout le travail. Il s'est tapé le trajet à pied.* — Avoir, subir (une chose désagréable). *Se taper une sale grippe.*

20.4   Moi aussi je vais bientôt me taper les Assises!... Faut que tu penses aux autres.
          J. BECKER et J. GIOVANNI, le Trou, 1960, *in* l'Avant-Scène, n° 13, p. 12.

♦ **4.** (1888; sans objet direct). **ⓐ** Pop. Se priver de qqch. *Il peut toujours se taper!* : il peut toujours attendre.

21   — Ah! bien! s'exclama M. Lampre, vous pouvez, sauf votre respect, vous taper, si vous vous imaginez que la congrégation de Solesmes reprendra en votre honneur ces us charitables d'antan!   HUYSMANS, l'Oblat, VI.

ⓑ Se moquer, ne pas faire cas (de qqn, de qqch.). *Tu parles si je m'en tape!*

▶ **TAPÉ, ÉE** p. p. adj. (Sens spéciaux : → aussi ci-dessus, *infra* cit. 8).

♦ **1.** Vx. Crêpé. *Des cheveux tapés.*

♦ **2.** Vx. S'est dit de fruits que l'on aplatit et que l'on fait sécher au four. *Des poires tapées.* ⇒ **Séché.** — Mod. Qui est trop mûr, pourri par endroits. *Pommes tapées pour la compote.*

♦ **3.** Se dit d'un visage aux traits marqués par l'âge, la fatigue. — Par métonymie. *Elle est un peu tapée.*

22   Mais son regard dansait bien guilleret quand même au-dessus de ses joues tapées et bises, un regard qui vous prenait l'attention (...)
          CÉLINE, Voyage au bout de la nuit, p. 233.

♦ **4.** Fam. ⇒ **Fou; cinglé, sonné.**

♦ **5.** Fam. **BIEN TAPÉ** : réussi, bien fait. *Une réponse bien tapée, bien envoyée** (→ aussi Ratage, cit. 3). — Vieilli. *Ça, c'est tapé!*

22.1   — M. Cordenbois, vous êtes amer... Je ne vous souhaite pas de mal... mais, si le hasard voulait que vous vous cassassiez un bras... je m'estimerais fort heureux, moi, de vous conduire chez un médecin... je ne regretterais pas la course.
     — Bien tapé!   E. LABICHE, la Cagnotte, II, 3.

23   Il m'enverra ce qu'on écrira sur lui de mieux tapé.
          O. MIRBEAU, le Journal d'une femme de chambre, VII.

Servi. *Un demi bien tapé.*

DÉR. Tapage, tapant, 1. **tape, tapée, tapement, tapette, tapeur, tapin,** 2. **tapiner, tapoir, tapoter.**
COMP. Retaper. — **Tapebord** ou **tapabor(d).** — **Tape-à-l'œil, tape-cul, tape-dur.**
HOM. Tapée, 2. **taper.**

2. TAPER [tape] v. tr. — 1382, puis 1611; en mar., 1752; germanique *tappôn,* néerl. *tap* «bouchon».

♦ Mar. Boucher par une tape. *Taper les écubiers.*

DÉR. 2. **Tape, tapette.**
HOM. Tapée, 1. **taper.**

TAPETTE [tapɛt] n. f. — 1562; de 2. *taper.*

★ **I.** ♦ **1.** (1562). Techn. Palette de bois pour enfoncer les bouchons. *Tapette de tonnelier.* ⇒ **Batte.** — (1812). Tampon de graveur.
(1904). Plaque métallique striée, servant à donner du grain au ciment.
Secteur d'un métier à tisser le velours, actionnant les lames du métier.

♦ **2.** (Mil. XVIIIᵉ). Rare. Petite tape. *« Le premier de nous deux qui rira aura une tapette »* (chanson enfantine).

♦ **3.** (1929). Raquette d'osier pour battre les tapis; pour tuer les mouches.

1   La tapette à mouches pendait à un clou; mais Antoine était trop las pour faire la chasse.   MARTIN DU GARD, les Thibault, t. VIII, p. 200.
1.1   (...) le sceptre d'osier, épanoui en raquette trilobée, qu'on nomme «tapette» et qui sert à fouetter les rideaux et les meubles.
          COLETTE, Sido, p. 17, *in* D.D.L. (1929).

♦ **4.** (1845). Jeu de billes dans lequel la bille doit toucher les autres après avoir tapé contre un mur. — Jeu de ballon où on lance la balle contre le mur.

★ **II.** (1867). Fig. Langue (organe de la parole). ⇒ **Clapet.** *Avoir une fière tapette. Il a une de ces tapettes!* : il est très bavard.

2   De telles indiscrétions peuvent être le droit absolu d'un véritable artiste (...) mais aucun marchand de lorgnettes ne doit prétendre à d'aussi dangereuses immunités, (...) il ne peut qu'on appelle, dans une langue peu noble, une horrible *tapette.*
          Léon BLOY, le Désespéré, p. 192.
2.2   Que de fois, et déjà la Raspelière, entendant le baron parler sans cesse à Charlie au lieu de se contenter de tenir sa partie dans l'ensemble concertant du clan, s'était-elle écriée, en montrant le baron «Quelle tapette il a! Quelle tapette! Ah! pour sa tapette, c'est une fameuse tapette!» Mais cette fois c'était bien pis.
          PROUST, la Prisonnière, Pl., t. III, p. 278.

★ **III.** (1859; de *taper* au sens érotique — sémantisme du coup —; → Taper [se], *supra* cit. 20.3). Fam. Homosexuel passif. ⇒ **Tante.** *Beaux gosses qui font* (cit. 174) *tapette.* — REM. Le mot est péjoratif, ironique et souvent injurieux.

2.3   À ce sujet, puisque l'on fait la chasse aux antiphysiques dans les bals de l'Opéra, pourquoi ne la fait-on pas également partout? Dans certains établissements de Paris, tous les ans, au mardi gras ou à la Mi-Carême, se donne un bal dont le nom est bien caractéristique : le «bal des Tapettes».
Là, se réunissent de nombreux invertis sexuels.
          GORON, l'Amour à Paris, t. II, p. 717 (1900).

---

3   (...) Moulu court comme une femme, en tournant les genoux, ils se bousculent, ils rient, ils crient, scandaleux et provocants comme des tapettes (...)
          SARTRE, la Mort dans l'âme, p. 203.

TAPEUR, EUSE [tapœʀ, øz] n. — 1866; *tapeuse de piano,* 1842; de 1. *taper.*

♦ **1.** Personne qui emprunte souvent de l'argent.
(...) souvent un ivrogne, un traîne-misère, ou un tapeur professionnel venait nous demander cent sous; il se croyait obligé, en échange, de débiter une longue bordée de mensonges (...)   S. DE BEAUVOIR, la Force de l'âge, p. 290.

♦ **2.** (1876). Concret. Rare. Personne qui tape, frappe. *Mon voisin, qui est bricoleur, est un redoutable tapeur du dimanche matin.*

TAPHOPHILIE [tafɔfili] n. f. — 1969; du grec *taphos* «tombeau», et *-philie.*

♦ Psychiatrie, psychan. Attrait pathologique pour les tombes et les cimetières.

TAPHOPHOBIE [tafɔfɔbi] n. f. — 1916, *in* D.D.L.; du grec *taphos* «tombeau», et *-phobie.*

♦ Psychiatrie, psychan. Phobie d'être enterré vivant.

TAPHRINA [tafʀina] n. m. — Déb. XXᵉ; *taphrine,* 1907, *Nouveau Larousse illustré,* Suppl.; du lat. mod., du grec *taphros* «épaisseur».

♦ Bot. Champignon ascomycète, type de la famille des *Taphrinacées* et du groupe des *Taphrinales**. *De nombreux taphrinas sont parasites.*

DÉR. Taphrinales.

TAPHRINALES [tafʀinal] n. f. pl. — XXᵉ; de *taphrina,* et suff. *-ales.*

♦ Bot. Groupe de champignons ascomycètes, généralement parasites de plantes supérieures, et qui entraînent des déformations de leur hôte (ex. : cloque du pêcher, *Taphrina deformans;* pochette du prunier, *Taphrina pruni*). — Syn. : *Exoascales.*

TAPI, IE [tapi] adj. ⇒ **Tapir** (se).

TAPIN [tapɛ̃] n. m. — 1760; «taloche», 1745; en méd., «tache aux jambes», v. 1270; de 1. *taper.*

★ **I.** Fam., vx. Celui qui bat du tambour. *Un jeune tapin* (→ Gamin, cit. 1).
1   (...) Royat, un coin de Suisse, gâté et violé par une école de tapins qui jouent du tambour sous les châtaigniers, et par l'horreur d'un dimanche auvergnat.
       Ed. et J. DE GONCOURT, Journal, 28 juil. 1867, t. III, p. 115.
1.1   Les petits tambours de l'an II
   Joyeux garçonnets hasardeux
   Que les balles n'effrayaient guère,
   Ces tapins de la bonne guerre (...)
   Iront frappant sur la peau d'âne.
       VERLAINE, Premiers vers, «Au pas de charge».

★ **II.** Argot. ♦ **1.** (1837; d'après l'idée de racolage bruyant). Racolage de prostituée*. *Faire le tapin* : racoler dans la rue et se prostituer; faire le trottoir.
2   Vers une heure du matin, les deux amies regagnaient l'Hôtel du Nord. Avant de dormir, Renée revivait confusément la soirée : un danseur lui avait proposé de *faire le tapin.*   Eugène DABIT, Hôtel du Nord, XXI.
3   Bigoudi elle est harnachée pour le grand tapin... mais il a plu dessus... le boa plumes d'autruche il coule... la violette chantilly déteint... la robe en liberty violet, l'élégance cacatoès...   CÉLINE, le Pont de Londres, p. 328-329.

Par métonymie. *Un tapin :* une prostituée. ⇒ **Tapineuse.**
4   De la part d'un tapin qui tuerait père et mère pour pouvoir faire une passe tant elle aime le pognon, c'était délicat.   Martin ROLLAND, la Rouquine, p. 219.

♦ **2.** (1926). Travail. ⇒ **Boulot, turbin.**
DÉR. (Du 2.) 1. **Tapiner.**

1. TAPINER [tapine] v. intr. — 1920; de *tapin* (II., 1.).
Argot.

♦ **1.** Faire le tapin, racoler.
1   Dans les bars où s'agglutinent les prostituées, j'ai retrouvé quelques mineures de Fresnes, qui tapinent en clandé jusqu'à l'âge requis pour la carte (...)
          A. SARRAZIN, l'Astragale, p. 168.

♦ **2.** (De *tapin* «travail»). Travailler. ⇒ **Bosser, turbiner.**
2   Elles viennent de décarrer *(partir),* les merveilleuses, une tapine dans la mode, rue de la Paix, l'autre dans la couture à quelques pas de là (...)
          Albert SIMONIN, Hotu soit qui mal y pense, p. 206.

DÉR. Tapineuse.
HOM. 2. **Tapiner.**

2. TAPINER [tapine] v. tr. — 1908, cit. ; de 1. *taper* dans un sens érotique, p.-ê. croisé avec *pine*.

♦ Fam. (En parlant d'un homme). Posséder sexuellement.

Dans la solitude, elle a de quoi occuper sa pensée. Elle sait des histoires que nous ne savons pas et qu'elle ne raconte à personne. Elle sait que tel jour, derrière les fagots, le gendarme a tapiné la femme du corroyeur.
               J. RENARD, Nos frères farouches, Ragotte, Pl., t. II, p. 340.

REM. J. Renard emploie ailleurs le mot au sens de « tapoter » (*Barnave*, Pl., t. II, p. 443).

HOM. 1. **Tapiner.**

TAPINEUSE [tapinøz] n. f. — XIXᵉ ; de 1. *tapiner*.

♦ Prostituée. ⇒ **Tapin** (II., 1. ; par métonymie).

(...) deux tapineuses qui montaient la garde sur le trottoir.
               René MASSON, Drugstore, p. 18.

TAPINOIS, OISE [tapinwa, waz] adj. et loc. adv. — 1470, Pathelin ; anc. franç. *en tapin* (v. 1050), même rac. que *tapir* (se)*.

♦ **1.** Loc. adv. EN TAPINOIS : en se cachant, à la dérobée, avec dissimulation*. ⇒ **Cachette** (en), **cape** (sous), **catimini** (en), **secrètement, sournoisement**. « *Votre œil en tapinois me dérobe mon cœur* » (→ 1. Garde, cit. 35). *Regarder en tapinois*.

1   Ainsi l'emporta en tapinois, comme fit Patelin son drap.
               RABELAIS, Gargantua, XX.

2   Un monsieur à lorgnon s'était approché en tapinois d'un de ces appareils, il glissa vingt sous dans la fente et colla ses yeux avec une hâte maladroite contre les oculaires de mica.
               SARTRE, l'Âge de raison, IX.

♦ **2.** Adj. (XIIᵉ, « déguisé »). Vx. Dissimulé, clandestin.

3   Tantôt il emploie l'hyperbole hypocrite, tantôt il utilise les coercitions, avouées ou tapinoises (...)
               R. QUENEAU, Bâtons, chiffres et lettres, p. 146.

N. (1636). Vx. Personne dissimulée. *Un tapinois*.

TAPIOCA [tapjɔka] n. m. — 1783 ; *tapiocha*, 1651 ; mot du tupiguarani *tipioca*, de *tipi* « résidu, lie », et *ok-* « presser ».

♦ Fécule amylacée, extraite de la racine de manioc*, cuite, concassée en flocons et séchée. *Potage au tapioca*, ou, ellipt., *un tapioca*. — Par métonymie. *Du tapioca, un tapioca* : potage préparé avec cette fécule. *Tapioca au lait*.

Par métaphore :

(...) le tapioca d'une bibliographie gélatineuse et moléculaire, dont se pourlèche l'abonné sérieux.
               Léon BLOY, le Désespéré, p. 203.

TAPION [tapjɔ̃] n. m. — 1714 ; de 1. *tape*.

Marine. (Vieux).

♦ **1.** Tache ou place blanchâtre sur les roches d'une côte.

♦ **2.** (1773). Espace de la mer plus calme et de couleur plus mate que les eaux d'alentour.

TAPIR (SE) [tapiʀ] v. pron. — V. 1130 ; l'étym. du francique *tappjan « fermer » est contestée par Guiraud, qui rattache le mot à 1. *taper*, par la métaphore « fondamentale » qui conduit de *cacher* « écraser » à *se cacher*.

REM. Les formes plurielles des temps simples s'emploient peu, à cause de l'homonymie avec les formes correspondantes de *tapisser*. « ... *des roches où se tapissent... les mousses* » (Bernardin de Saint-Pierre, *in* P. Larousse).

♦ **1.** Se cacher, se dissimuler en se ramassant sur soi-même, en se blotissant* (cit. 1 ; et → 1. Partir, cit. 4). *Lapin, lièvre qui se tapit*. ⇒ **Clapir** (se) ; → Graisse, cit. 4.

1   Les panthères, les loups, les couguars et les ours
Se sont tapis, repus des chasses meurtrières,
Au creux des arbres morts ou dans les antres sourds.
               LECONTE DE LISLE, Poèmes tragiques, « Calumet du Sachem ».

2   Je crains fort pour ma muse chétive (...) qu'elle ne préfère toujours se tapir, humble et rougissante, au bord de quelque fossé, le long d'une haie ou d'un mur en terre et en boue.
               SAINTE-BEUVE, Correspondance, 81, 29 août 1829.

3   Hannibal (*le chat*), épouvanté par la sonorité étrange de son propre nom, s'alla tapir sous une bibliothèque (...)
               FRANCE, le Crime de S. Bonnard, Œ., t. II, p. 495.

♦ **2.** (1559). Se cacher. « *Cette profondeur, où se tapit un orgueil de père et de Dieu...* » (→ Pour, cit. 25).

▶ **TAPI, IE** p. p. adj.

♦ **1.** (1667 ; *tappy* « accroupi », v. 1460). Caché, dans une posture ramassée. *Animal tapi dans son trou* (→ Rat, cit. 3). *Une pauvre alouette tapie dans les blés* (→ 2. Planer, cit. 2).

4   (...) il s'arrêta et s'assit de nouveau tapi comme un lièvre au milieu des hautes herbes sèches.
               MAUPASSANT, Contes de la Bécasse, « Aventure de W. Schnaffs ».

Par anal. « *La France, tapie derrière la ligne Maginot...* » (Sartre,

l'Âge de raison, p. 118). — Par ext. « *Les yeux tapis sous les sourcils...* » (→ Humide, cit. 12).

♦ **2.** Par métaphore ou fig. Caché, d'une manière plus ou moins menaçante. ⇒ **Embusqué**. *Un mal le guettait* (cit. 12), *déjà tapi en lui. Astuce tapie sournoisement dans l'énoncé d'un problème* (cit. 3).

5   L'esprit déchaîne les sens ; il les laisse délirer, et se tait ; mais, tapi à l'affût, il guette et il choisit sa proie.
               R. ROLLAND, Jean-Christophe, Nouvelle journée, IV, p. 1566.

HOM. (De certaines formes) Formes du verbe **tapisser**. — (Du p. p.) **Tapis**. — (De l'inf.) 1. **Tapir**, 2. **tapir**.

1. TAPIR [tapiʀ] n. m. — 1753 ; *tapihire*, 1558 ; mot tupi.

♦ Mammifère ongulé (*Tapiridés*) d'assez grande taille (atteignant un mètre au garrot), au corps épais, bas sur pattes, dont le nez se prolonge en une courte trompe préhensile. *Le tapir est herbivore*.

1   (...) tu n'as pas entendu le tapir. Il est venu pourtant cette nuit. Il a ronchonné et reniflé pendant une heure sous le bungalow.   Henri FAUCONNIER, Malaisie, p. 31.

2   À la fin, peut-être qu'il est mort comme ça, aussi sur le champ de bataille, et qu'il n'a pas su d'où venait le coup fatal, comme ces tapirs que la flèche empoisonnée de la sarbacane frappe dans leur sommeil, et qui meurent sans se réveiller...
               J.-M. G. LE CLÉZIO, les Géants, p. 26.

DÉR. Tapiridés.
HOM. 2. **Tapir**, **tapir** (se).

2. TAPIR [tapiʀ] n. m. — 1896 ; de 1. *taper* « emprunter », par calembour avec 1. *tapir*.

♦ Argot de l'École normale supérieure. Élève qui prend des leçons particulières (métaphore plaisante, le *tapir* [1. tapir] étant un animal sédentaire, apprivoisable, comestible ; → Vache à lait).

— (...) Il s'agit d'une leçon qu'il doit me procurer. — Un tapir ? — Oui. Imaginez-vous que je me suis amené à Paris le 6 octobre (...) soi-disant pour prendre possession d'un tapirat magnifique.
               J. ROMAINS, les Hommes de bonne volonté, t. II, XV, p. 163.

DÉR. Tapirat, tapiriser.
HOM. 1. **Tapir**, **tapir** (se).

TAPIRAT [tapiʀa] n. m. — XXᵉ ; de 2. *tapir*.

♦ Argot de l'École normale supérieure. Série de leçons données à un « tapir » ; place de répétiteur (→ 2. Tapir, cit. Romains).

TAPIRIDÉS [tapiʀide] n. m. pl. — 1904 ; var. *tapiroïdes* (1876), *tapiriens* (1845) ; de 1. *tapir*.

♦ Zool. Famille de mammifères ongulés périssodactyles, comprenant plusieurs formes fossiles et les tapirs actuels. — Au sing. *Un tapiridé*.

TAPIRISER [tapiʀize] v. — 1910 ; de 2. *tapir*.

♦ Argot de l'École normale supérieure. Donner des leçons particulières à un, à plusieurs élèves.

TAPIS [tapi] n. m. — Fin XIIᵉ ; *tapid*, fin XIᵉ ; *tapiz*, v. 1130 ; le sens A, 2 semble attesté avant le sens plus général A, 1 (fin XIᵉ-fin XIIᵉ) ; grec byzantin *tapêtion*, dimin. de *tapês*, *êtos* « couverture, tapis ».

A. ♦ **1.** Anciennt. (Sens large). Pièce d'étoffe, de tissu, servant à l'ameublement, à la décoration et au bien-être domestique. — (XVᵉ). *Tapis de muraille*. ⇒ **Tapisserie**. *Au moyen âge, comme en Orient, les tapis servaient de sièges* (→ Sofa, cit. 1), *de nappes, etc. Tapis velus* : tapis (au sens 2, a) de haute laine. — (XIVᵉ, *tappis du païs de Turquie*). *Tapis de Turquie*. « *Sur un tapis de Turquie, Le couvert se trouva mis* » (→ 1. Penser, cit. 34, La Fontaine).

1   TAPIS (...) Couverture d'étoffe, ou d'ouvrages, qu'on étend sur une table, sur une estrade, dans une alcôve (...)
               FURETIÈRE, Dict. (1690), art. *Tapis*.

♦ **2.** Mod. ⓐ Ouvrage de tissu, généralement en laine, destiné à être étendu sur le sol (pour s'asseoir, s'agenouiller — *tapis de prière* —, en Orient ; et en Occident, pour décorer le sol des maisons, étouffer les bruits, les pas*...). → Étouffement, cit. 1. *Tapis chauds, moelleux ; ras...* — REM. Cet usage du *tapis* est relativement récent ; on lit dans l'*Encyclopédie* (1765) qu'on met les tapis « sur une table, sur une armoire, ou même sur le carreau ». — *Tapis à points noués*, à trame de laine croisée à la main, nouée et coupée à chaque changement de laine. *Tapis veloutés*, à chaîne de laine double, à fils de poil en laine (⇒ **Velours**), et à deux trames. *Les tapis de haute laine* (cit. 6), *faits sur des métiers de haute lice*, sont veloutés* (→ Savonnerie, cit. 3). *Tapis ras, de basse lice* (ex. : Aubusson). *Tapis de moquette** (2. Moquette, cit. 1), *unis ou à chaînes multiples* (fabriqués au métier Jacquard). *Canevas, velours d'un tapis de moquette. Tapis fabriqués à la main ; à la machine, tapis mécanique.* → Tissage. *Tapis anciens. Tapis d'Orient, de Perse, tapis turcs* (→ Pantalon, cit. 5). *Tapis des Gobelins* (Gobelin, n. m.), *d'Aubusson* (Aubusson, n. m.), *provenant de ces fabriques**. — *Des-*

sins d'un tapis. ⇒ **Fleurage**. *Tapis à franges*. Poils* (cit. 30) *d'un tapis.* — *Nettoyer; battre** (→ Ménage, cit. 5), *brosser, secouer* (→ Ménagère, cit. 9) *les tapis. Baguette, houssine, tapette pour battre les tapis.* — *Tapis mobile,* ne recouvrant qu'une partie d'une pièce. ⇒ **Carpette, descente** (de lit). *Tapis de foyer. Tapis cloué* (moquette). → Marier, cit. 21. *Thibaude* placée sous un tapis cloué. Tapis de couloir, d'escalier.* ⇒ **Chemin**. *Tapis de chœur,* dans une église. *Fabricant, marchand de tapis.*

2 (...) le Bon Marché avait reçu, dans un envoi de tapis d'Orient modernes, quelques vieux tapis de Perse. On me les montre et devant ce *ras velouté,* devant ces surfaces givreuses et miroitantes, devant ces laines qui ont le micacé de crins coupés (...) devant cette palette de couleurs doucement souriantes, qu'on dirait la palette inventée pour jouer autour du corps nu d'une femme, je me sens pris d'une passion d'amateur de tableaux pour ces tapis (...)
Ed. et J. de Goncourt, Journal, 21 nov. 1874, t. V, p. 125.

3 (...) des tapis de haute laine fabriqués dans la montagne, ceux de Rabat pareils à des jardins fleuris, ceux de Salé composés de bandes noires, blanches, jaunes ou vertes (...)
Jérôme et Jean Tharaud, Rabat..., VIII.

4 (...) Joseph entra de plain-pied, avec une tranquille aisance, dans un univers mystérieux, assourdi, étouffé par des tapis, épais comme des toisons, par des tapis feutrés comme des prairies, par de ces tapis qui rendent n'importe quelle pièce un peu trop basse de plafond.
G. Duhamel, Chronique des Pasquier, X, VII.

(Sens collectif). *Du tapis. Dérouler* (cit. 2) *un chemin de tapis rouge. Un carré de tapis* (→ 1. Sac, cit. 14).

Tapis rouge. — Loc. fig. *Dérouler le tapis rouge :* recevoir qqn avec tous les honneurs.

4.1 «(...) En l'honneur de leur départ, nous sommes prêts à dérouler le tapis rouge...» Là, un sourire suffit, vous comprenez. Malraux, Antimémoires, p. 441.

Loc. *Marchand de tapis :* marchand ambulant, vendant des tapis et divers objets souvent exotiques. — Fig., péj. *Commerçant,* et, par ext., négociateur, qui discute mesquinement. *Des marchandages, des discussions de marchands de tapis.* — rem. Le sémantisme du mot provient de l'image convenue et raciste du marchand de tapis ambulant oriental.

Loc. (1839). *Tapis magique, tapis volant,* des légendes orientales.

5 Le volier avait la forme d'un long ruban naviguant très bas, à deux cents mètres peut-être, onduleux et tout d'une pièce comme un tapis volant des Mille et une Nuits (...)
Montherlant, les Célibataires, X.

b Pièce de tissu recouvrant un meuble, une table, un siège, etc. *Tapis de laine, de drap, de soie. Tapis polonais :* tissu de soie sur fond lamé. — *Tapis de table. Tapis de selle :* couverture de laine qu'on met sous la selle. — (1893). **Tapis vert**. *Tapis vert d'une table de conseil d'administration, d'un bureau,* etc. (→ Solliciteur, cit.). — Par ext. *Discuter autour du tapis vert.* — (1694). *Tapis de billard,* drap vert qui recouvre la table et les bandes. *Crever le tapis :* faire un accroc.

6 En quelque entreprise que ce soit, ne soyez jamais simple actionnaire. Il faut toujours avoir le droit de s'accouder au tapis vert avec les directeurs et les administrateurs; ce tapis vert représente un plat dont il faut pouvoir prendre sa part comme à table d'hôte.
Balzac, le Code des gens honnêtes, II, in Œ. diverses, t. I, p. 101.

(Av. 1615, Pasquier). Spécialt. Pièce de drap (généralement vert) qui recouvre une table de jeu; par métonymie, table de jeu; sa surface. *Étaler une bourse* (cit. 1) *sur le tapis. Mettre un enjeu sur le tapis,* le risquer au jeu. *Le tapis de la roulette* (cit. 4), *du baccara. Couvrir* (cit. 2) *les cases du tapis.* — (Dans le même sens). *Tapis vert.*

6.1 Un jour, installée devant le tapis vert, Flore, agitée et nerveuse, risquait ses dernières pièces d'or. Quelques coups suffirent à consommer sa ruine. Atterrée, la malheureuse, voyant dans un éclair ses bijoux vendus et ses meubles saisis, fut soudain hantée par des idées de suicide.
Raymond Roussel, Impressions d'Afrique, p. 277.

Loc. (1690). *Le tapis brûle :* un joueur n'a pas déposé sa mise avant que les jeux soient faits. — *Faire tapis :* étaler ses cartes sur la table; montrer son jeu (au poker).
Enjeu maximum (d'un joueur de poker). Tapis!, exclamation du joueur de poker qui engage dans un coup le restant de sa masse. — Fig. *Jouer tapis :* mettre en jeu toutes ses chances.

Par métonymie. *Tapis :* établissement de jeu clandestin; café borgne. ⇒ **Tapis-franc, tripot.**

6.2 Le lieu de la transaction, au premier chef, le dérouta. Il l'aurait situé idéalement dans l'arrière-salle d'un tapis frayé par une élite d'arcans, et non dans cette espèce de hangar.
A. Simonin, Hotu soit qui mal y pense, p. 21.

7 — *Le jeu est fait, messieurs,* rien ne va plus! rouge gagne! couleur perd! treize, noir, impair et manque! — Voilà les phrases obligées qui se répandent au bord des trois tapis verts dont le plus entouré est celui du *trente et quarante.*
Nerval, Lorely, Du Rhin au Mein, IV.

Loc. fig. (V. 1600; du *tapis* d'un bureau). **Sur le tapis.** *Mettre une affaire, une question sur le tapis,* la proposer à un examen collectif, à une discussion. ⇒ **Examiner, occuper** (s'). *Tout mettre sur le tapis* (cf. Sur la table). — (1676). *L'affaire revient sur le tapis.* — Vieilli. (Du *tapis* de table de salon). *Mettre, tenir qqn, qqch. sur le tapis,* en converser. *Être sur le tapis :* être l'objet de la conversation.

8 *(Il)* lui rend plusieurs visites, où l'on ne manque jamais de mettre sur le tapis une question galante qui exerce les esprits de l'assemblée.
Molière, les Précieuses ridicules, 4.

9 Cependant la conversation des deux femmes avait dévié; et c'est M. Lescaa qui était sur le tapis.
P.-J. Toulet, la Jeune Fille verte, III.

9.1 C'était pour le faire valoir auprès de ses amis qu'elle avait amené sur le tapis les petites manies de sa tante...
N. Sarraute, le Planétarium, p. 45.

Loc. *Amuser le tapis,* l'assemblée (vx, *abuser le tapis*).

c (1901; du sens a). Revêtement souple de sol, à l'intérieur ou à l'extérieur des maisons. *Tapis de sparterie* (alfa, jonc, etc.). ⇒ **Natte**. *Peaux d'animaux, fourrures servant de tapis. Tapis de caoutchouc, de linoléum** (cit. 1). *Tapis de sol,* dans une tente de camping. — *Tapis-brosse.* ⇒ **Paillasson.**

10 Il frottait ses pieds sur le tapis-brosse et promenait dans la pièce un regard lent, émoussé. G. Duhamel, Chronique des Pasquier, III, I.

(1903, en lutte, en boxe, *descendre au tapis; le tapis,* 1921). **Envoyer au tapis**. *Envoyer son adversaire au tapis,* l'abattre. *Envoyer au tapis pour le compte,* le mettre knock-out. *Rester au tapis.*

11 (...) sous un choc plus dur au flanc droit, il pencha (...) et s'affaissa sur la corde avec un doux soupir.
Toute la bête en lui (...) souhaitait le tapis, mais une petite voix humaine, orgueilleuse (...) commanda de faire front; sitôt relevé, le gong le délivra.
Jean Prévost, Plaisirs des sports, IV.

Par anal. *Rester au tapis :* être blessé, tué au combat, et, par ext., être éliminé (par la concurrence, etc.).

Tapis roulant : dispositif formé d'une surface plane animée d'un mouvement de translation (sur rouleaux) et servant à transporter des personnes, des marchandises. ⇒ **Convoyeur, transporteur.**

12 On usait de patients trafics d'influence pour sauver une face cadastrale, et cette énergie suffisait à porter les gosses comme sur un tapis roulant.
Claude Courchay, La vie finira bien par commencer, p. 26.

Techn. **Tapis diplodocus** : tapis roulant pour la livraison des bagages dans une aérogare, de forme sinueuse et formé de plaques triangulaires évoquant des écailles. — **Tapis surface-griffe** : tapis transporteur muni de griffes.

B. (Emplois figurés). ♦ **1.** (1690, Furetière). Fig. (par allus. aux dessins, à l'aspect d'un tapis [1.]). Anat. Portion de la choroïde «à reflets métalliques changeants» (Littré).

♦ **2.** (Fin XVIe, d'Aubigné). Littér. Couche, surface plane qui évoque un tapis par sa matière, son aspect... — (XVIIe). *Tapis vert :* rectangle de gazon d'un jardin*, d'un parc. ⇒ **Pelouse**. *Tapis de fleurs, de gazon* (→ Allée, cit. 3), *de végétation* (→ Fourmiller, cit. 7), *de verdure* (→ Embaumer, cit. 5). *Se coucher sur un tapis de feuilles.* ⇒ **Lit** (5.). *Tapis de mousse** (1. Mousse, cit. 2). — Spécialt. Pied de mousse unique très étalé. *Tapis de neige* (cit. 4).

♦ **3.** (V. 1964; d'après l'angl.). Milit. *Tapis de bombes :* bombes très nombreuses et rapprochées larguées sur toute la surface d'un objectif.

♦ **4.** Techn. *Tapis d'étanchéité :* revêtement de la base d'un barrage, vers l'amont.

DÉR. **Tapisser, tapisserie, tapissier.**
COMP. **Tapis-brosse, tapis-franc.**
HOM. Formes du verbe **tapir** (se).

TAPIS-BROSSE [tapibʀɔs] n. m. ⇒ **Tapis** (A., 2., c).

TAPIS-FRANC [tapifʀɑ̃] n. m. — 1798; de *tapis,* et *franc.*

♦ Vx. Cabaret mal famé, où se réunissaient des malfaiteurs (pour partager leur butin). — Par ext. Café borgne, taverne (→ Cour, cit. 6).

1 Il voulait apprendre la savate, pour visiter les tapis-francs de la Cité, comme le prince Rodolphe des *Mystères de Paris* (...)
Flaubert, l'Éducation sentimentale, II, IV.

2 *Le bon vin fort!* criaient les taverniers devant leur porte. Villon les a entendus bien souvent (...) On jouait en ce temps-là à la *chevillette,* au *tasseau,* à *croix* et à *pile,* dans les tapis-francs. Aujourd'hui c'est aux *plats* ou aux *doubles.* Mais les dés sont les mêmes... les tricheurs, eux aussi.
Francis Carco, Nostalgie de Paris, p. 149.

TAPISSANT, ANTE [tapisɑ̃, ɑ̃t] adj. — Mil. XXe; de *tapisser.*

♦ Bot. Se dit des plantes qui se développent sur une vaste surface à partir d'un seul pied. *Mousse tapissante.*

TAPISSER [tapise] v. tr. — Fin XVe; de *tapis,* vx, au sens de «tenture, étoffe».

A. ♦ **1.** (Sujet n. de personne). Couvrir, revêtir de «tapis» (1. : tapisseries, tentures, étoffes, etc.) pour orner*. *Tapisser un mur, une paroi, une pièce, une chambre.* ⇒ **Tendre** (→ 2. Lice, cit.). *Tapisser un mur de papier peint.* ⇒ **Coller, enduire** (→ Garnir, cit. 10; papier, cit. 8). — Absolt. *Papier à tapisser. Rouleau* de papier à tapisser.* — (XVIe). Par ext. *Tapisser sa chambre, ses murs, de dessins, de photos, d'affiches.*

1 Il faut imiter les bons ménagers, qui tapissent bien leurs salles, chambres et cabinets, et non les galetas, où couchent les valets.
Ronsard, la Franciade, «Au lecteur apprentif».

♦ **2.** (Sujet n. de chose). Recouvrir (un mur, une paroi) en ornant. *Tenture qui tapisse un appartement* (→ Détendre, cit. 6). — Littér. Recouvrir le sol. ⇒ **Tapis** (A., 2.). *La moquette* (2. Moquette, cit. 2) *qui tapissait l'appartement.*

2 Ces boutiques sont tapissées d'images de haut en bas. On y voit des madones (...) des christs et des saints (...)
Th. Gautier, Voyage en Russie, XIII.

♦ **3.** (Fin xvᵉ; sujet n. de chose). Recouvrir* parfaitement. ⇒ **Revêtir**; **tapis** (B., 2.). *Le lichen qui tapisse les rochers* (→ Gramen, cit. 1). «*Vallons que tapissait le givre* (cit. 2) *du matin*». *Lierre, glycine qui tapisse un mur.* — *Muqueuse qui tapisse un organe.*

B. ♦ **1.** (V. 1570). Vieilli. Exécuter en tapisserie. *Tapisser des pantoufles.*

♦ **2.** V. intr. (1611). Vx (langue class.). Faire de la tapisserie.

▶ **TAPISSÉ, ÉE** p. p. adj. *Pièce tapissée* (de tentures, de papier peint). *Cabriolet tapissé de cuir* (→ Malle, cit. 5). — *Salle tapissée d'armes* (→ Carabine, cit. 1), *de livres...* — Fig. *Mur tapissé d'espaliers* (→ Fructification, cit. 2). *Pente tapissée d'arbres* (→ Décliner, cit. 4).

3   Vous habitez, n'est-ce pas, une jolie petite maison dont les fenêtres, tapissées de glycine, regardent le Jardin des plantes?   FRANCE, le Lys rouge, VI.

DÉR. Tapissant.

TAPISSERIE [tapisʀi] n. f. — 1347; de *tapis* «tenture».

♦ **1.** [a] Ancienn. «Pièce d'étoffe ou d'ouvrages, qui sert à parer une chambre, à en cacher les murailles» (Furetière, 1690). ⇒ **Tapis** (A., 1. : tapis de muraille); **tapisser, tapissier.** «*On fait... des tapisseries de cuir doré, de brocarts de Venise, de satin de Bruges...*» (Furetière).

[b] Mod. Tenture d'ameublement, généralement de tapisserie (2. ou 3.); tissu dont elle est faite. *Baldaquin, portière*... *de tapisserie; une tapisserie.*

1   Une petite porte battante, masquée par une tapisserie, s'ouvrit aussitôt comme d'elle-même. L'homme osseux fit un signe obligeant : le chevalier entra, et la tapisserie, qui s'était entr'ouverte, retomba mollement derrière lui.
     A. DE MUSSET, Contes, «La mouche», v.

1.1   J'étais habitué à la voir dans cette maison, comme on voit les vieux fauteuils de tapisserie sur lesquels on s'assied depuis son enfance sans y avoir jamais pris garde.   MAUPASSANT, Mademoiselle Perle, Pl., t. II, p. 672.

[c] Loc. fig. (V. 1690). *L'envers de la tapisserie* : la réalité cachée derrière une apparence (cit. 26) trompeuse, flatteuse (cf. L'envers du décor; le revers de la médaille). *Être derrière la tapisserie* : connaître les dessous d'une affaire, être dans le secret*.
Faire· tapisserie, être en tapisserie (vieilli) : être le long du mur, sans bouger.

2   En entendant annoncer monsieur de Soulanges et la comtesse de Vaudremont, quelques femmes placées en tapisserie se levèrent (...)
     BALZAC, la Paix du ménage, Pl., t. I, p. 1001.

2.1   Les maîtres d'hôtel et les valets vont faire tapisserie derrière la table dressée.
     Robert PINGET, Graal Flibuste, p. 19.

Faire tapisserie, dans un bal, une réunion dansante, se dit d'une jeune fille, d'une femme qui n'est pas invitée à danser.

3   Un comptoir immense partage en deux la salle, et sept ou huit chiffonnières, habituées de l'endroit, font tapisserie sur un banc opposé au comptoir.
     NERVAL, les Nuits d'octobre, XV.

(1806). Vieilli. *Faire tapisserie* : assister sans y prendre part à une réunion, à une discussion.

♦ **2.** (1379; sens étroit). Ouvrage d'art en tissu, effectué au métier et manuellement, dans lequel le dessin résulte de l'armure même (et non d'applications) et qui est destiné à former des panneaux* verticaux; un de ces panneaux. — On dit aussi, pour distinguer du sens 2, *tapisserie du métier.* — *Tapisserie de haute lice; de basse lice. Carton de tapisserie :* œuvre d'art d'après laquelle la tapisserie est exécutée. *Manufacture de tapisserie des Gobelins. Tapisseries médiévales* (→ Maquiller, cit. 3); *tapisseries de la Renaissance* (des Flandres, etc.). *Tapisseries des Gobelins, de Beauvais, d'Aubusson.* — *Champ*, sujet d'une tapisserie; tapisserie historiée; à fleurs, à ramages, à «verdures». Suite de tapisseries.* — Abusivt. *La «tapisserie» de Bayeux est une broderie.*

4   (...) j'achèterais une belle tenture de tapisserie de verdure, ou à personnages (...) — (...) Vous vendez des tapisseries, Monsieur Guillaume, et vous avez la mine d'avoir quelque tenture qui vous incommode.
     MOLIÈRE, l'Amour médecin, I, I.

5   Il occupait un vieil et vaste appartement (...) meublé jusqu'aux plafonds de grandes tapisseries des Gobelins et de Beauvais représentant des bergerades; les sujets des plafonds et des panneaux étaient répétés en petit sur les fauteuils.
     HUGO, les Misérables, III, II, II.

Art de la couleur, comprenant l'élaboration des cartons et leur exécution manuelle au métier; ensemble des œuvres de cet art. *Histoire de la tapisserie au moyen âge. Renaissance de la tapisserie au xxᵉ siècle.*

6   (...) la tapisserie est un art perdu. Ce n'est plus qu'une laborieuse imitation terne et noire de la peinture. Dans les tapisseries modernes, exposées là, il ne se trouve plus rien de cet art particulier, de cette création conventionnelle, qui faisait des tableaux de laine et de soie, d'après des lois et une optique, qui ne sont ni les lois ni l'optique de la peinture à l'huile.
     Ed. et J. DE GONCOURT, Journal, 14 sept. 1874, t. V, p. 108.

7   L'art de la haute lisse fut pour l'Occident ce que la fresque fut pour l'Italie. Avec le vitrail, c'est peut-être l'expression la plus originale de son génie (...) Dans nos églises, la tapisserie développe (*vers le xvᵉ siècle*) un tableau de la vie humaine où, de la Création au Jugement dernier, les événements ou les allusions historiques se mêlent aux leçons de l'Évangile (...) Plus que la matière murale, la matière dont

elle est faite est chaude et subtile. Elle satisfait ce goût de la chose rare, précieuse, lentement travaillée, qui est au cœur de cette civilisation.
     Henri FOCILLON, l'Art d'Occident, III, II, III.

Par ext. Ouvrage d'art analogue (tentures imprimées d'après un carton original; œuvres formées d'applications sur toile); tenture tissée au métier mécanique (imitant ou non une tapisserie originale). «*Tapisserie*» *imprimée* (De Persine, *Cahiers de la tapisserie,* nº 3).

♦ **3.** (1690). Ouvrage d'aiguille, dans lequel un canevas* est entièrement recouvert par des fils de laine, de soie... — REM. Il s'agit en fait d'une broderie* sur canevas, mais le langage courant emploie plutôt *broderie* lorsque le fond est constitué par un tissu fin (et non un canevas) qui reste en partie apparent. — *Faire une tapisserie.* ⇒ **Tapisser** (B.). *Bergères* (cit. 1) *de tapisserie :* recouvertes en tapisserie. *Couvre-pied* (cit.), *fumeuse* (cit. 2) *en tapisserie. Pantoufles* (cit. 2) *de tapisserie.* — *Motifs de tapisserie.*
La tapisserie : l'art de fabriquer les ouvrages à l'aiguille. *Points de tapisserie :* point de croix (dit *point de tapisserie*), petit point, demi-point, point des Gobelins, de Hongrie, point d'arête, de natte, de fougère. ⇒ **Point** (III., 1.). *Métier* (cit. 28) *à tapisserie :* cadre mobile sur lequel est tendu le canevas. *Aiguille, laine à tapisserie. Faire de la tapisserie* (→ Ouvrage, cit. 10).

8   Ma vocation pour la tapisserie (...) n'est pas récente. Ce point naïf comme l'enfance de l'art, je n'ai pas osé en faire l'art de mon enfance.
     COLETTE, l'Étoile Vesper, p. 215.

TAPISSIER, IÈRE [tapisje, jɛʀ] n. et adj. — xvᵉ; *tapicier*, 1226; de *tapis* (A., 1.).

★ **I.** ♦ **1.** Personne qui fabrique ou vend des étoffes, des tissus utilisés en ameublement et en décoration : tapis (1.) et tapisserie (1.).

1   Elle avait passé la journée à visiter avec Jean des boutiques de tapissiers et des magasins d'ameublement. Elle voulait des étoffes riches, un peu pompeuses, pour frapper l'œil.   MAUPASSANT, Pierre et Jean, V.

Spécialt. Personne qui exécute à la main des tapis (A., 2.) sur métier *(tapissier au point noué),* des tapisseries (2.; on dit aussi *haut lissier, bas lissier*). — (1297, au fém.). Professionnel(le) qui exécute de la tapisserie (3.) à l'aiguille, suivant un carton.

♦ **2.** N. m. Celui qui tapisse* (1.) une pièce, une maison, pose les papiers peints. *Tapissier-décorateur. Peintres et tapissiers.* — Fig. *Le Tapissier de Notre-Dame,* surnom donné au maréchal de Luxembourg, à cause des drapeaux qu'il avait pris à l'ennemi et qu'on suspendait à Notre-Dame.

♦ **3.** N. m. Personne qui vend les étoffes et tissus utilisés dans la fabrication de certains meubles (lits, sièges) et dans la décoration. *Tapissier qui capitonne, embourre*, recouvre un siège* (→ aussi Méridienne, cit. 6). *Faire refaire un sommier chez le tapissier. Clou*, griffe* de tapissier.*

2   Vous regardez nos fauteuils neufs? Ils sont jolis, n'est-ce pas? C'est un tapissier qui travaille à la perfection... Il fournit les meilleurs cuirs...
     N. SARRAUTE, le Planétarium, p. 47.

★ **II.** Adj. ♦ **1.** (1884). Qui se rapporte à la tapisserie. *L'industrie tapissière.*

♦ **2.** (1752). *Abeille tapissière :* asmie du pavot.

DÉR. Tapissière.
HOM. (Du fém.) **Tapissière.**

TAPISSIÈRE [tapisjɛʀ] n. f. — 1834; de *tapissier.*
Anciennement.

♦ **1.** Voiture hippomobile suspendue, couverte d'un toit mais ouverte sur les côtés, qui servait aux tapissiers (3.) pour le transport des meubles. — *Voiture de déménagement.*

1   (...) de grandes tapissières emportaient les lots des fruitiers de tout un quartier; des chars à bancs, dont les flancs craquaient, partaient pour la banlieue.
     ZOLA, le Ventre de Paris, t. I, p. 46.

♦ **2.** Par ext. Grande voiture à chevaux, assez sommaire, pour le transport des passagers.

2   Enfin, un jour, une vieille tapissière s'arrêta devant la porte (...) Félicité monta les bagages sur l'impériale, fit des recommandations au cocher et plaça dans le coffre six pots de confitures (...)   FLAUBERT, Trois contes, «Un cœur simple», III.

HOM. Tapissière (fém. de *tapissier*).

TAPOIR [tapwaʀ] n. m. — 1902, cit.; de 1. *taper.*

♦ Techn. ou régional. Instrument servant à taper. — Spécialt. ⇒ **Battoir.**

Pour qu'elle ait son air le plus naturel, il faut qu'elle soit en laveuse. Sa brouette devant elle ou sa hotte sur le dos, sa boîte sous un bras, le tapoir et la planche à laver sous l'autre, la mettent à l'aise et lui servent de contenance.
     J. RENARD, Nos frères farouches, «Ragotte», Pl., t. II, p. 333.

TAPON [tapɔ̃] n. m. — 1382; francique **tappo.* → Tampon.

♦ **2.** Vx ou techn. Tampon (1.), bouchon. — Mar. Morceau de toile à voile servant à raccommoder une voile.

♦ **2.** (1690). Vieilli. Petit tas d'étoffe, de papier... roulé en boule, chiffonné.

1 (...) elle le laissait, — non sans lui avoir, en guise d'adieu, enfoncé un petit tapon d'herbe fraîche dans la bouche : ce qu'il détestait par-dessus tout, parce qu'il était extrêmement dégoûté.   R. ROLLAND, Jean-Christophe, Antoinette, p. 838.

EN TAPON : roulé, pressé en bouchon. — Spécialt, vx. *Cheveux en tapon* (mode du XVIIᵉ siècle).

2 Rinette lui demanda de l'aider à tirer de sous la penderie la vieille malle en bois noir, qui contenait quelques effets roulés en tapon.
MARTIN DU GARD, les Thibault, t. III, p. 63.

DÉR. **Taponner.**

TAPONNAGE [tapɔnaʒ] n. m. — XVIIIᵉ ; de *taponner.*

♦ Vx. Fait de taponner (les cheveux).

TAPONNER [tapɔne] v. tr. — 1671 ; de *tapon.*

♦ Vx. Arranger (les cheveux) en grosses boucles (dites *tapons*). — Pron. (1671). *Se taponner.*

DÉR. **Taponnage.**

TAPOTAGE [tapɔtaʒ] n. m. — 1855, sens 2 ; de *tapoter.*

♦ **1.** (xxᵉ). Action de tapoter* (1.). ⇒ **Tapotement.** — Méd. Percussion légère, servant à discerner les cavernes pulmonaires superficielles.

♦ **2.** Action de tapoter* (du piano ou d'un instrument à touches). ⇒ **Tapotement.** — Action de tapoter (sur une machine à écrire).

TAPOTEMENT [tapɔtmɑ̃] n. m. — 1859 ; de *tapoter.*

♦ **1.** Fait de tapoter* (1.); son résultat (bruit, etc.). ⇒ **Tapotage.** *Un léger tapotement.*

♦ **2.** (1894). Méd. Massage par petits coups (avec les doigts, le bord de la main, le poing).

♦ **3.** Fait de tapoter (un piano ou un autre instrument à touches ; une machine à écrire). ⇒ **Tapotage.**

(...) le sourire d'amitié que lui jettent ses petites filles, en tournant dans leur danse, au tapotement du piano, tenu par la vieille grand-mère à lunettes.
Ed. et J. DE GONCOURT, Journal, 23 avr. 1868, t. III, p. 152.

TAPOTER [tapɔte] v. — 1570 ; v. intr., fin XIIIᵉ ; var. *tapotter*, XVIIᵉ ; de 1. *taper.*

♦ **1.** Frapper légèrement à petits coups répétés. *Tapoter une cigarette* (cit. 1)... *Tapoter la joue d'un enfant* (⇒ **Caresser** ; → Nous, cit. 24), *l'épaule d'un ami.*

1 Il tournait autour d'elle, tapotait l'étoffe, modifiait du bout des doigts l'ordonnance des plis, en homme qui sait la toilette comme un couturier (...)
MAUPASSANT, Fort comme la mort, I, I.

2 M. Ravier-Gaufre tapotait des dix doigts le cuir sonore du fauteuil.
G. DUHAMEL, Chronique des Pasquier, X, VIII.

♦ **2.** (1867). Jouer mal ou négligemment (au piano ou sur tout instrument à touches). *Tapoter une sonate* (→ 1. Radio, cit. 2). — Absolt. *« Paule ne pouvait souffrir d'entendre " tapoter " son mari »* (Mauriac, le Sagouin, p. 19).

2.1 (...) c'est fort aimable à lui de venir tapoter notre piano sept fois par semaine ... temps, grand temps ! ...   E. LABICHE, la Poudre aux yeux, II, 2.

3 (...) les exercices de piano des demoiselles de la bourgeoisie, qui tapotaient sur des instruments mal accordés quelques valses et polkas, l'ouverture du *Calife de Bagdad*, ou de la *Chasse du jeune Henri*, et deux ou trois sonates de Mozart, toujours les mêmes, et toujours avec les mêmes fausses notes.
R. ROLLAND, Jean-Christophe, Antoinette, p. 841.

Par ext. *Tapoter à la machine à écrire.*

♦ **3.** V. intr. *Tapoter sur la table, sur l'épaule de qqn.*

DÉR. **Tapotage, tapotement, tapoteur, tapotis.**

TAPOTEUR, EUSE [tapɔtœʀ, øz] n. — Av. 1868 ; de *tapoter.*

♦ **1.** Personne qui tapote, joue mal du piano.

♦ **2.** N. f. TAPOTEUSE : machine qui égalise la pâte à chocolat dans les moules, par une série de petites secousses.

TAPOTIS [tapɔti] n. m. — 1930, in D. D. L. ; de *tapoter.*

♦ Bruit fait en tapotant.

Et l'instruction se déroule, interminable, avec ses questions, son tapotis de machines à écrire, les dépositions à signer.   A. SARRAZIN, la Cavale, p. 91.

TAPOUILLE [tapuj] n. f. — 1878, in P. Larousse, Premier Suppl. ; var. de *papouille.*

♦ Anciennt. Navire à voile qui transportait des passagers entre la Guyane et l'embouchure de l'Amazone.

(...) les Brésiliens de la zone frontalière remontent l'Oyapock avec des tapouilles et débarquent des bœufs vivants, qui sont abattus par de petits bouchers.
F. FOURNIER-AUBRY, Don Fernando, p. 175.

TAPUSCRIT [tapyskʀi] n. m. — D. i. (xxᵉ ; semble s'être répandu dans l'usage technique v. 1980) ; du rad. de 1. *taper* (taper à la machine), et de *(man)uscrit.*

♦ Techn. Texte dactylographié, dactylographie. *La dactylo doit me remettre le tapuscrit de ma thèse la semaine prochaine.* — Syn. (rare) : *dactylogramme.* Spécialt. Édition, imprim. Copie (I., 2.) dactylographiée, opposée au *manuscrit* et aux *épreuves. Le tapuscrit n'était pas au point, il y a eu de nombreuses corrections d'auteur sur les placards.*

TAQUAGE [takaʒ] n. m. — 1878, cit. ; de *taquer.*

♦ Imprim., typogr. Opération consistant à taquer*. *« Le taquage tel qu'on le pratique dans les imprimeries, altère toujours un peu le caractère »* (Année sc. et industr. 1879, p. 407 [1878]).

TAQUE [tak] n. f. — 1568, dans l'Est ; bas all. *tâk*, et croisement possible avec un dérivé de *taquer* « frapper ».
Technique.

♦ **1.** Plaque en fonte.

♦ **2.** Plaque du contrecœur d'une cheminée.
HOM. **Tac.**

TAQUER [take] v. tr. — 1762 ; *tacquier* « presser contre qqch. », xivᵉ ; probablt onomat., comme *toquer* « frapper » (→ Tac, toc), avec infl. d'un dér. de *tangere* « toucher » par un lat. pop. *tacticare* (Guiraud). → Tache.

♦ Techn. (imprim., typogr.). Mettre de niveau (les caractères) avec le taquoir*.

DÉR. **Taquage, taquoir.** — V. **Taque.**

TAQUET [takɛ] n. m. — 1643 ; *tacquiet*, 1459 ; rare avant xixᵉ ; p.-ê. de l'anc. normand *taque, estaque*, francique *stakka* « poteau », ou à rattacher à la série *taque, taquer* (Guiraud).
Technique.

♦ **1.** Pièce de bois qui soutient l'extrémité d'un tasseau. ⇒ **Cheville.** *Taquets d'une armoire.* — (1812). Coin de bois pour caler un meuble. — Piquet* qu'on enfonce en terre pour servir de repère. ⇒ **Témoin.**

(1459). Morceau de bois qui tourne autour d'un axe et sert à maintenir une porte fermée. ⇒ **Loquet.**

Bouton qui cale la portière d'une voiture.

Butée métallique qui sert à régler les arrêts du chariot d'une machine à écrire.

(1643). Mar. « Morceau de bois dur ou de métal portant deux cornes, fixé en divers endroits du navire pour y tourner des cordages, etc. » (Gruss). → Navire, cit. 5. — Ch. de fer. *Taquet d'arrêt* : pièce de charpente placée à une bifurcation pour arrêter un wagon si elle est redressée, ou le laisser passer si elle est rabattue entre les rails. — (xxᵉ ; in Larousse, 1933). Typogr. Pièce d'une presse mécanique qui arrête la feuille à imprimer pour qu'elle soit prise par les pinces, puis se lève pour la laisser passer.

(Fin xixᵉ). Pièce de bois ou de cuir qui transmet la percussion à la navette, dans un métier à tisser.

♦ **2.** (1622). Planche sur laquelle on frappe pour rappeler l'oiseau, en fauconnerie. *Élevage au taquet.*

♦ **3.** *Taquet d'escalier* : ensemble composé de deux pièces en équerre, dont l'une est réglable à hauteur voulue pour les travaux dans les escaliers. — *Taquet d'échelle* : ensemble comprenant deux pièces métalliques articulées et fixées sur les barreaux d'une échelle permettant d'y monter et d'y travailler.

♦ **4.** Pop., vieilli. Coup à la figure. *Flanquer un taquet à qqn. Recevoir un taquet.*

Il est tellement bêta, Césarin, que je voudrais l'emplâtrer d'un taquet au bouc, manière de lui montrer ce qu'une faible gerce peut accomplir lorsque sa vertu branle (à couilles).   SAN-ANTONIO, Remets ton slip, gondolier !, p. 174.

TAQUIN, INE [takɛ̃, in] adj. et n. — 1538 ; « homme violent, querelleur », 1442 ; « avare », xvᵉ ; *tacain* « gueux, mendiant professionnel », xviiiᵉ ; p.-ê. à rapprocher de l'anc. franç. *taquehan* « émeute », 1244 (du moy. néerl. *takehan*), ou de la série *tache, tacher,* si ces mots viennent de *tangere* par *tacticare* (Guiraud) ; le *taquin* est à la fois « galeux » (*tac* = «gale») et «avare», il «se gratte» et il «gratte», métaphoriquement «taquine».

★ **I.** ♦ **1.** Vx. Querelleur, chicanier (→ Fléau, cit. 9).

♦ **2.** (Av. 1799, Marmontel). Mod. Qui prend plaisir à contrarier dans les petites choses et sans méchanceté. ⇒ **Chineur, malicieux.** *Un enfant taquin.* ⇒ **Lutin.** — Par ext. *Caractère taquin, humeur taquine* (→ aussi 1. Niche, cit. 3). — N. *Un taquin. Une petite taquine.*

1 Elle me faisait faire des châteaux de cartes ou des édifices de dominos. Mon oncle, qui était taquin, se retournait pour souffler dessus (...)
G. SAND, Histoire de ma vie, III, II.

2 (...) quelqu'un disait (...) que si mon frère donnait ce château à notre sœur, ce n'était pas pour lui faire plaisir, mais pour la taquiner. C'est qu'il est taquin, Charlus, disait cette personne. Or, vous savez que Brézé, c'est royal (...) Il y a beaucoup de gens qui voudraient qu'on leur fît des taquineries de ce genre. Aussi en entendant ce mot de «taquin» appliqué à Charlus (...) Oriane n'a pu s'empêcher de s'écrier (...) «Taquin... taquin... Alors, c'est Taquin le Superbe!»
PROUST, le Côté de Guermantes, Pl., t. II, p. 464.

★ **II.** N. m. (1888). Jeu fondé sur des combinaisons, dans lequel on déplace de proche en proche, pour les remettre dans leur ordre naturel, des plaques numérotées rangées (dans un ordre quelconque) dans une boîte carrée.

3 (...) des jeux qu'on peut utiliser au lit attendent sur la table en formica boîtes de puzzles (...) pâte à modeler qui ne tache pas il y a aussi un grand taquin en plastique bleu (...) et d'autre jeux de patience (...)
Tony DUVERT, Paysage de fantaisie, p. 166 (1973).

DÉR. (Du I.) Taquinement, taquiner, taquinerie.

TAQUINEMENT [takinmɑ̃] adv. — 1559; de *taquin.*

♦ **1.** Vx. Avec emportement. ⇒ **Taquin** (I., 1.).

♦ **2.** (1876). Mod., rare. D'une manière taquine (I., 2.), en taquinant.

TAQUINER [takine] v. tr. — 1798; au sens de *taquin* (I., 1.), 1785, in D.D.L.; «lésiner», 1660; de *taquin.*

♦ **1.** S'amuser* à contrarier dans de petites choses, sans y mettre de méchanceté. *Taquiner qqn.* ⇒ **Agacer, asticoter, chiner, harceler; enrager** (faire), **exciter, lutiner** (vx), **mécaniser** (3.; vx), **picoter** (fig.). *Ce n'est pas vrai, c'était pour vous taquiner!* ⇒ **Plaisanter.**

1 (...) Jean (...) la taquinait parfois, mentant exprès, soutenant des choses injustes, pour s'amuser à la voir s'étrangler de colère. ZOLA, la Terre, II, III.

2 (...) elle se moquait sans cesse de moi et ne perdait pas une occasion de me taquiner. FRANCE, la Rôtisserie de la Reine Pédauque, IV, Œ., t. VIII, p. 29.

♦ **2.** (Sujet n. de chose). Être la cause de petites contrariétés, d'une douleur légère. *Les misères qui taquinent le génie* (→ Écarter, cit. 10). ⇒ **Inquiéter, tourmenter.** *J'ai une dent qui me taquine.* ⇒ **Agacer, chatouiller.**

♦ **3.** Loc. fam. *Taquiner le goujon :* pêcher à la ligne (Courteline, *Messieurs les Ronds-de-cuir,* V, I, p. 167). — *Taquiner la muse :* faire des vers. — *Taquiner (un instrument de musique),* en jouer doucement et négligemment. — *Taquiner les pinceaux, la palette :* peindre en amateur.

▶ **SE TAQUINER** v. pron. (1823).

Récipr. *Arrêtez de vous taquiner, les enfants!*

DÉR. L'adj. participial **taquinant, ante,** attesté en 1830 (*in* D.D.L.), est usité par les Goncourt.

TAQUINERIE [takinʀi] n. f. — 1762; «avarice sordide» (correspond à un sens de *taquin*), 1553; «trahison», fin XVIᵉ, d'Aubigné; de *taquin.*

♦ **1.** Vx. Caractère querelleur, chicanier. ⇒ **Taquin** (I., 1.).

♦ **2.** (1835). Mod. Caractère d'une personne taquine*.

♦ **3.** (1833). *Une, des taquineries.* Action de taquiner; parole taquine. ⇒ **Malice** (2.), **plaisanterie.** *Adresser des taquineries à qqn* (→ Moquer, cit. 8). *Harceler de taquineries* (→ Faire tourner en bourrique*, faire des misères*). — (Collectif). *C'est de la taquinerie* (→ Embarrasser, cit. 7).

TAQUOIR [takwaʀ] n. m. — 1762; de *taquer.*
Imprimerie.

♦ **1.** Outil formé d'une partie en bois tendre qu'on pose sur la composition, et d'une partie en bois dur sur laquelle on frappe au marteau pour niveler les caractères. ⇒ **Taquer.**

♦ **2.** Argot typogr. Page, colonne sans alinéa.

TAQUON ou **TACON** [takɔ̃] n. m. — 1690, spécialisation de l'anc. franç. *tacon;* francique *takko* «languette».

♦ Techn. (typogr.). Garniture placée sous les caractères pour bien faire venir les lettres... ⇒ **Taquer.**

DÉR. Taquonner ou taconner.

TAQUONNER ou **TACONNER** [takɔne] v. tr. — 1765; de *taquon, tacon.*

♦ Techn. (typogr.). Exhausser (une, des lignes) dans la forme, à l'aide de tacons.

TÂRA [taʀa] n. m. — D. i.; mot africain.

♦ Franç. d'Afrique. Lit bas fait de fibres végétales assemblées.

Mor Lame était étendu sur son târa, son lit de branches et de fibres d'écorces.
Birago DIOP, les Nouveaux Contes d'Amadou Koumba, *in* Pages africaines, t. I, p. 30.

TARABISCOT [taʀabisko] n. m. — 1808; orig. incert., p.-ê. croisement entre *taraud* et *arabesque* (Dauzat), ou plutôt (P. Guiraud) de *tarer* «percer», **biscoter* et d'un dérivé du provençal *bisco* «biseau». Menuiserie.

♦ **1.** Vx. Petite cavité qui sépare une moulure d'une partie lisse ou d'une autre moulure. — On dit plutôt *grain d'orge.*

♦ **2.** Outil (rabot) servant à creuser cette cavité.

DÉR. Tarabiscoté.

TARABISCOTAGE [taʀabiskotaʒ] n. m. — 1894, Sachs-Villatte; de *tarabiscoter.*

♦ Caractère de ce qui est tarabiscoté.

Mais cet art baroque me divertit, comme les arabesques d'Orient qui, tournant sans fin, dans leur tarabiscotage abstrait, fournissent à la rêverie une piste de détours sans fin. Émile HENRIOT, la Rose de Bratislava, III.

TARABISCOTÉ, ÉE [taʀabiskote] adj. — 1848, Gautier, *boiseries tarabiscotées;* de *tarabiscot.*

♦ **1.** Qui comprend beaucoup de tarabiscots, de moulures, et, par ext., d'ornements.

REM. Les premiers emplois attestés du mot ont déjà une valeur expressive plutôt que technique.

(...) les appartements du château (...) leurs anciens plafonds fouillés, tarabiscotés, pleins d'amours, de chicorées et de rocailles du goût le plus curieux.
Th. GAUTIER, Voyage en Russie, I, I.

Fam. *Un objet tout tarabiscoté,* de forme compliquée.

♦ **2.** Abstrait. Inutilement compliqué. ⇒ **Affecté, contourné, orné, surchargé.** *Style tarabiscoté. Des explications tarabiscotées.* ⇒ **Embarrassé.**

DÉR. Tarabiscoter.

TARABISCOTER [taʀabiskote] v. tr. — 1866; de *tarabiscoté.*

♦ **1.** Rare. Rendre tarabiscoté, charger d'ornements compliqués. *Tarabiscoter un panneau décoratif.*

♦ **2.** Abstrait. Raffiner, contourner avec préciosité.

DÉR. Tarabiscotage.

TARABUSTER [taʀabyste] v. tr. — V. 1540; v. intr., «faire du bruit», v. 1560; *tarrabustis* «désordre, querelle», attesté av. 1370; provençal *tarabustar* (var. *talabustar*), croisement de *tabustar* «faire du bruit», même rad. que *tabour* «tambour», et *rabasta* «querelle, bruit». → Rabâcher (d'un rad. *tabb-*), tabasser.

♦ **1.** Importuner* ou contrarier (qqn) par ses paroles, ses interventions renouvelées. ⇒ **Agacer, asticoter, fatiguer, harceler, tourmenter, tracasser.** — Vieilli. Traiter rudement; poursuivre de ses récriminations. ⇒ **Houspiller.** *Tarabuster ses domestiques.*

REM. G. Sand emploie aussi la variante régionale *tabuster* (*François le Champi,* XVII).

1 (...) la vieille bonne (...) lui dit que d'abord elle supportait assez mal d'être sans cesse tarabustée par ma tante; puis qu'elle s'y était enfin découvert que «au fond, Madame est très bonne» GIDE, Journal, 6 févr. 1912.

2 Moi, mes patrons me tarabustaient pour que j'accepte enfin de partir en congé. Je n'en ai pas pris depuis que je suis en fonctions. Pierre BENOIT, Alberte, VII.

♦ **2.** (XVIIᵉ). Vx. *Tarabuster l'attention, l'esprit* (cf. Molière, *Don Juan,* II, I).

Mod. (Sujet n. de chose). Causer de la contrariété, de l'inquiétude, de l'agitation. ⇒ **Contrarier, tracasser** (→ Compte, cit. 32).

3 Moi, je ne sais plus dormir. Toujours une idée qui me tarabuste.
G. DUHAMEL, Chronique des Pasquier, V, IV.

TARAGE [taʀaʒ] n. m. — 1847 ; de *tarer*.

♦ **1.** Comm. Opération qui consiste à tarer un récipient ou un emballage avant de le remplir. *Tarage pour déterminer le poids net d'un récipient.*

♦ **2.** (xxᵉ). Techn. Opération qui ramène un appareil à des conditions normalisées de fonctionnement afin que ses indications soient correctes.

TARAMA [taʀama] n. m. ou f. — Attesté v. 1970 ; mot roumain.

♦ Hors-d'œuvre préparé avec des œufs de cabillaud, fumés, écrasés et mêlés à de la crème fraîche, parfois de l'huile.

TARANCHE [taʀɑ̃ʃ] n. f. — 1731 ; mot régional, d'un gaulois *tarinca « clou ».

♦ Techn. Vx. Cheville de métal servant à tourner la vis d'un pressoir.

TARANTASS [taʀɑ̃tas] n. m. — 1845 ; *tarantasse*, 1842 ; mot russe.

♦ Anciennt. Voiture rustique à quatre roues, employée en Russie.

1   C'était ce qu'on appelle en Russie un tarantass, c'est-à-dire une caisse de voiture posée sur deux longues poutrelles qui relient l'avant-train et l'arrière-train, et dont la flexibilité tient lieu de ressorts.
Th. GAUTIER, Voyage en Russie, « Le Volga », 1861, p. 397.

REM. On trouve aussi la graphie *tarentass.*

2   Michel Strogoff aurait bien été forcé d'employer la télègue, s'il n'eût été assez heureux pour découvrir un tarentass.
Ce n'est pas que ce dernier véhicule soit le dernier mot du progrès de l'industrie carrossière. Les ressorts lui manquent aussi bien qu'à la télègue ; le bois, à défaut du fer, n'y est pas épargné ; mais ses quatre roues, écartées de huit à neuf pieds à l'extrémité de chaque essieu, lui assurent un certain équilibre sur des routes cahoteuses et trop souvent dénivelées. Un garde-crotte protège ses voyageurs contre les boues du chemin, et une forte capote de cuir, pouvant se rabaisser et les fermer presque hermétiquement, en rend l'occupation moins désagréable par les grandes chaleurs et les violentes bourrasques de l'été.
J. VERNE, Michel Strogoff, p. 120.

TARARAGE [taʀaʀaʒ] n. m. — Mil. xxᵉ (1973 dans les dict.) ; de *tararer.*

♦ Techn. Action de nettoyer les grains après le battage, à l'aide d'un tarare.

1. TARARE [taʀaʀ] interj. — 1616, *tarare pompon* ; onomat., probablt refrain de chanson.

♦ Vx. Interjection marquant le dédain, la dérision. ⇒ **Taratata** (mod.). Cf. Molière (*G. Dandin,* II, 5 ; *l'Étourdi,* II, 12), Balzac (→ Momerie, cit. 1). *Tarare pompon !*

— Lord Jim et Almayer *(personnages de Conrad),* crie Clappique, c'est la même chose ! Les deux se croient rejetés, ça ne signifie rien ! Pourquoi sont-ils ici et pas en Europe, voilà la question ! Tarare-pompon !
— Où diable, dis-je, êtes-vous allé chercher l'exclamation de Mme de Pompadour ?
— Tarare-pompon, c'est elle ? Ça ne m'étonne pas. Personne charmante : elle m'avait prévu !
MALRAUX, Antimémoires, Folio, p. 387.

HOM. 2. Tarare.

2. TARARE [taʀaʀ] n. m. — 1875 ; orig. incert., p.-ê. onomat. du bruit de la machine, ou plutôt (Guiraud) var. dialectale de *tarière.*

♦ Techn. Appareil qui nettoie le blé en grains en le séparant de la balle, par ventilation. ⇒ **Vannage.** *Trémie, grilles, cribles, ventilateur d'un tarare.*

1   (...) la bataille du ciel éclatait avec tant de force qu'elle couvrait le bruit des tarares.
J. GIONO, Jean le Bleu, VI.

2   Belette couchait dans une pièce située derrière la grange et dite chambre aux outils. Elle contenait des outils neufs ou hors d'usage, pelles, pioches, scies, serpes, rateaux, ainsi qu'un coupe-racines et un tarare qui ne servait plus depuis longtemps.
M. AYMÉ, la Vouivre, p. 49.

DÉR. Tararer.
HOM. 1. Tarare.

TARARER [taʀaʀe] v. tr. — 1876 ; de 2. *tarare.*

♦ Techn. Nettoyer, vanner à l'aide du tarare.

DÉR. Tararage.

TARASCONNADE [taʀaskɔnad] n. f. — Fin xixᵉ ; de *Tarascon,* ville des Bouches-du-Rhône, patrie de Tartarin, personnage d'A. Daudet *(Tartarin de Tarascon).*

♦ Rare. Fanfaronnade, galéjade. ⇒ **Tartarinade.**

TARASCONNER [taʀaskɔne] v. intr. — 1890, A. Daudet ; de *Tarascon,* dans *Tartarin de Tarascon,* d'A. Daudet.

♦ Rare. Se vanter, fanfaronner (comme Tartarin de Tarascon).

1. TARASQUE [taʀask] n. f. — 1655 ; du provençal *tarasca* (1369), de *Tarascon,* ville des Bouches-du-Rhône.

♦ **1.** Animal fabuleux, sorte de dragon* (cit. 1) des légendes provençales ; sa représentation par un grand mannequin que l'on promène en procession dans certaines villes (Tarascon, etc.). Monstre sculpté, sorte de gargouille (→ Grotesque, cit. 14 ; lé, cit. 1).

♦ **2.** Fig., littér. Danger fabuleux (→ Serpent de mer). *On a pris l'habitude de considérer la grève* (cit. 14) *générale un peu comme la tarasque.*

Tout le long des routes, l'obsession du terroriste les harcelait comme une vision de bête rôdeuse dans une contrée maudite, de lycanthrope sans matricule, tarasque ubiquiste, vampire suceur de courage (...)
Jacques PERRET, Bande à part, p. 219.

HOM. 2. Tarasque.

2. TARASQUE [taʀask] adj. et n. — 1876, *in* P. Larousse ; nom de peuple.

♦ Didact. D'un peuple indien du Nord-Ouest du Mexique. *L'art tarasque. La civilisation tarasque précolombienne.* — N. *Un, une Tarasque.*

HOM. 1. Tarasque.

TARATATA [taʀatata] interj. — 1876, Vallès ; *tariatare,* 1493 ; onomat. → 1. Tarare.

♦ **1.** Onomatopée exprimant l'incrédulité, la défiance, le mépris (pour un argument, une raison). ⇒ **Tarare** (tarare-pompon ; vx) ; **ta, ta, ta** (cit. 2).
— Je vous ai attendu toute cette semaine (...) la semaine dernière aussi (...) la semaine précédente encore (...) — Taratata. Pourquoi pas depuis un an ?...
Henry BECQUE, la Parisienne, I, 3.

♦ **2.** Onomatopée évoquant le son du clairon, de la trompette de cavalerie.

TARAUD [taʀo] n. m. — 1676 ; *tarault,* 1538 ; *taraut,* 1596 ; var. de *tarel* (1216) ; anc. franç. *tarere.* → Tarière.

Technique.

♦ **1.** Outil d'acier (outil à main ou partie de machine), servant à faire des pas de vis. *Taraud ordinaire, d'enfilade, rétractile.*

♦ **2.** Instrument d'acier, de forme conique, servant à retirer les tiges de forage rompues dans un puits.

DÉR. Tarauder.
HOM. Taro, tarot.

TARAUDAGE [taʀodaʒ] n. m. — 1842 ; de *tarauder.*

Technique.

♦ **1.** Action de tarauder ; son résultat. *Taraudage en grande série, à la machine* (perceuse*, tour* à décolleter, machine à tarauder). *Taraudage unitaire ou en petite série* (à la main, avec un tourne-à-gauche*). ⇒ **Filetage.**

♦ **2.** Filetage intérieur d'un trou cylindrique.

♦ **3.** (Fin xixᵉ, Huysmans). Fig. Ce qui perce, transperce et fait souffrir. *Le taraudage de la jalousie.*

TARAUDANT, ANTE [taʀodɑ̃, ɑ̃t] adj. — xxᵉ ; de *tarauder.*

♦ Qui taraude* (2.), transperce. « *De taraudantes inquiétudes* » (Duhamel, *la Pesée des âmes,* p. 227). ⇒ **Taraudeur.**

TARAUDER [taʀode] v. tr. — 1690, « rouer de coups » ; de *taraud.*

♦ **1.** Techn. Percer* (une matière dure) pour y pratiquer un pas de vis (à l'aide du taraud ou d'une machine). *Tarauder une plaque d'acier, une planche.* — Par ext. *Tarauder un écrou.*
Abusivt. *Tarauder une vis.* ⇒ **Fileter.** « *Les taraudeuses... taraudant les boulons et leurs écrous* » (→ Rouage, cit. 1).

♦ **2.** Percer avec une tarière. *Insectes qui taraudent le bois.*

1   (...) l'inévitable bruit d'un insecte qui taraudait une poutre au-dessus de ma tête (...)
H. BOSCO, le Mas Théotime, II.

♦ **3.** Fig., littér. Percer, transpercer. « *Des scrupules taraudent l'adolescente* » (Francis Jammes, *Clara d'Ellébeuse*). « *Une pensée me taraude* » (Duhamel, *les Pasquier,* III, XII).

2   On veut se raidir. On ne le peut. L'idée est là, qui vous poursuit. Qui vous taraude. Jusqu'à l'obsession, je me répète que tout est fini, que tout est perdu.
R. DORGELÈS, la Drôle de guerre, XXII.

♦ **4.** (1752). Fam., vx. Rouer de coups (qqn); d'où, *une taraudée :* une volée de coups (encore *in* Colette, 1900).

DÉR. **Taraudage, taraudant, taraudeur.**

TARAUDEUR, EUSE [taʀodœʀ, øz] adj. et n. — 1787, n. m.; de *tarauder.*

♦ **1.** N. Ouvrier, ouvrière qui taille des filets en creux. *Taraudeur fileteur à la main. Taraudeur à la machine.*

♦ **2.** Adj. (xxᵉ). Qui taraude (3.), transperce. — Fig. ⇒ **Taraudant.**

1 Si je suis réveillé le matin, ou plutôt la nuit, de fort bonne heure (...) c'est sur-tout parce que je suis torturé par mille pensées taraudeuses.
G. DUHAMEL, Problèmes de civilisation, p. 217.

♦ **3.** N. f. (1877, Zola; → Rouage, cit. 1). **TARAUDEUSE** : machine-outil servant à tarauder et à fileter. — REM. On trouve la variante *taraudière* [taʀodjɛʀ] n. f.

2 Le sabotier serrait contre son ventre une taraudière qu'il avait retrouvée dans les décombres. H. TROYAT, les Semailles et les Moissons, p. 199.

TARAVELLE [taʀavɛl] n. f. — 1600; *tarevelle* «tarière», v. 1450; *taravel* en anc. provençal, xivᵉ; du lat. *terebellum,* dont les dérivés sont attestés dans de nombreuses régions, surtout du domaine occitan, dans divers sens : «tarière; entrave pour les vaches», etc.
Régional.

♦ **1.** Plantoir en forme d'étrier, employé par les viticulteurs du Bordelais et des Charentes, pour planter la vigne.

♦ **2.** (Du provençal). Pièce de bois permettant de manœuvrer un treuil.

C'était François, qui s'avançait, très calme, mais tenant dans son poing la tara-velle, c'est-à-dire le rondin de bois dur qui est l'unique rayon du treuil de la char-rette. M. PAGNOL, la Gloire de mon père, t. I, p. 136.

TARBOUCH [taʀbuʃ] n. m. — 1845, Gautier; var. *tarbous* (1802), *tarbousch* (1827); arabe d'Égypte *tarbūš.*

♦ Coiffure orientale, bonnet rouge cylindrique (⇒ **Fez**) portant un gland de soie et en usage en Égypte et en Turquie.

0.1 Je suis rasé et porte tarbouch rouge avec les deux petits bonnets blancs en des-sous. — Nous ne prendrons pas, sur le Nil, le costume égyptien. Celui de l'Europe étant plus respecté, nous le garderons. En effet, tout ce qui est officier, militaire, ou employé de l'administration porte la redingote de Constantinople, c'est-à-dire la nôtre, avec le tarbouch.
FLAUBERT, Lettre à sa mère, 1849, *in* Correspondance, t. I, Pl., p. 543.

1 (*Flaubert*) a été fouiller dans des costumes (...) Il remue avec joie tout son ves-tiaire de mascarade orientale, et le voilà se costumant, et montrant, sous le tar-bouch, une tête de Turc magnifique (...)
Ed. et J. DE GONCOURT, Journal, 1ᵉʳ nov. 1863, t. II, p. 127.

REM. On écrit parfois *tarbouche.* La var. *tarbouk* est archaïque (et fau-tive).

2 L'artiste avait abjuré l'islamisme, et lui et sa femme n'avaient de musulman que le bonnet turc à la longue houppe et le tarbouk *(sic)* rouge aux tresses de soie.
NERVAL, Voyage en Orient, «Musée des familles», III.

TARD [taʀ] adv. — V. 1360; *tart,* xiᵉ; lat. *tarde* «lentement», d'où «tardivement».

♦ **1.** Sensiblement après le moment habituel; après un temps con-sidéré comme long. *Se lever, commencer sa journée tard* (→ Effé-miner, cit. 6; gras, cit. 45). *Je ne me suis mis* (cit. 70) *à l'anglais que tard.* ⇒ **Tardivement.** «*Les Français arrivent tard à tout, mais enfin ils arrivent*» (cit. 58, Voltaire). — Prov. *Mieux vaut tard que jamais.*

1 Lecteur, j'avais oublié de vous peindre le site des trois personnages dont il s'agit ici (...) faute de cette attention, vous les avez entendus parler, mais vous ne les avez point vus; il vaut mieux tard que jamais.
DIDEROT, Jacques le fataliste, Œ., p. 611.

1.1 La maladie m'a seule empêché de faire parvenir à ton aimable famille, à ces Dames et à ces Demoiselles, mes meilleurs souhaits de nouvel an, ainsi qu'à toi, ce que je fais aujourd'hui, non trop tard, puisque mieux vaut tard que jamais.
G. NOUVEAU, Lettre à E. Delahaye, 1898, Pl., p. 923.

(1530). **TÔT OU TARD** : inévitablement, mais à un moment qu'on ne peut prévoir avec certitude (→ Un jour* ou l'autre). *Le ciel punit tôt ou tard les impies* (cit. 7). *On a beau déguiser la vérité là-des-sus, elle se venge tôt ou tard* (→ Couvrir, cit. 26).

UN PEU TARD, BIEN TARD (→ Imprimer, cit. 5; prévenir, cit. 2).

TROP TARD : après un temps trop long, après le moment convenable, quand l'occasion est passée. «*Le corbeau honteux et confus, Jura mais un peu tard qu'on ne l'y prendrait* (cit. 33) *plus*» (La Fon-taine). *Voilà des résolutions qui viennent bien tard.* ⇒ **Tardif.** *Se lever trop tard* (→ Contenter, cit. 2). *Arriver trop tard au secours de qqn.* → Après* (IV.) coup; comme les carabiniers* (cit. 2). «*Tout est dit* (1. Dire, cit. 112), *et l'on vient trop tard depuis plus de sept mille ans qu'il y a des hommes, et qui pensent*» (La Bruyère). «*Je suis venu trop tard dans un monde* (cit. 31) *trop vieux*» (Musset). *Arriver, se produire, venir trop tard* (→ Faute, cit. 39; 2. idéal, cit. 4). — *Trop tard pour...* (et l'inf.). → Enter-

rer, cit. 10. — *Trop tard !* (détaché en exclamation). *Trop tard, les amis !* (→ Héler, cit. 1). *Non, trop tard !* (→ Histoire, cit. 53).

Trop tard est un grand mot, un mot terrible de l'histoire. 2
J. BAINVILLE, Hist. de France, XX, p. 498.

Adj. (avec *il est...*). *Il est tard, bien tard, pour commencer ce travail. Il était, il est trop tard* (→ Innombrable, cit. 4; passer, cit. 132). *C'est bien tard maintenant.* — *Il est trop tard pour...* (et l'inf.). *Il est trop tard pour boucher* (cit. 2) *les voies d'eau d'un navire lors-qu'il sombre.* — Prov. *Il n'est jamais trop tard pour bien faire.* — Vx. *Il est tard de... :* il est trop tard pour... (cf. Racine, *Bajazet,* IV, 3).

LE PLUS TARD. *De toutes les facultés de l'homme, la raison est celle qui se développe le plus difficilement* (cit. 2) *et le plus tard. Le plus tard possible.* — (1538). Vx. *Pour le plus tard.* — (1636). Mod. **AU PLUS TARD** : dans le cas où les choses se produiraient (se sont produites) avec le plus de retard; en prenant le délai le plus long, la date la plus tardive qu'on puisse admettre comme vraisem-blable. *Dans un mois au plus tard* (→ Métier, cit. 30). *Il sera là dans cinq minutes au plus tard.* ⇒ **Bientôt.** *Vendredi, samedi der-nier au plus tard, il a opéré un second prélèvement* (cit. 2).

S'offrant de la livrer au plus tard dans deux jours, 3
Ils conviennent de prix, et se mettent en quête (...) LA FONTAINE, Fables, V, 20.

(V. 1658). **PLUS TARD** : dans l'avenir, dans le futur (par rapport au moment où l'on est ou dont on parle). ⇒ **Ultérieurement.** *Ce sera pour plus tard* (→ Pour une autre* fois, pour un autre jour). *Remettre à plus tard. Sans attendre* (cit. 36) *plus tard. Beaucoup, longtemps plus tard* (→ Libertin, cit. 1; libre, cit. 27; nostalgie, cit. 5). *Une heure, dix ans, quelques minutes, huit jours, cinq siè-cles... plus tard.* ⇒ **Après** (II., 1.); → Imitation, cit. 8; payer, cit. 44; peindre, cit. 36; rénovation, cit. 1. — (1717). *Pas plus tard que demain.* — (Par extension illogique, pour insister sur le caractère tout récent d'un événement). *Il me l'a encore affirmé, pas plus tard qu'hier,* tout récemment.

Je n'ai pas besoin de m'occuper de ce que je ferai plus tard. Je devais faire ce 4
que je fais. Je n'ai pas besoin de découvrir quelles choses je découvrirai plus tard.
Dans la nouvelle science, chaque chose vient à son tour, telle est son excellence.
LAUTRÉAMONT, Poésies, II.

Vx. *Plus tôt que plus tard :* plutôt dans peu de temps que plus tard, le plus tôt possible (→ Attacher, cit. 1, La Fontaine).

Il faut y aller, pourtant. Mieux vaut plus tôt que plus tard. 4.1
MAUPASSANT, les Sœurs Rondoli, «Le parapluie».

Il y aurait confusion, une confusion elliptique entre *plutôt* et *plus tôt* (qui sont 5
naturellement une seule et même expression à l'origine). C'est donc un *plutôt* dis-paru qui marquerait la comparaison, et le tour complet serait : *Plutôt plus tôt que plus tard.* A. THÉRIVE, Querelles de langage, t. I, p. 229.

(Avec une idée d'indétermination). ⇒ ci-dessus, *tôt ou tard*). *Un jour plus tôt, un jour* (cit. 34) *plus tard. Un peu plus tôt ou un peu plus tard* (→ 1. Roman, cit. 11).

♦ **2.** À la fin d'une période, d'une partie déterminée du temps; spécialt, vers la fin de la journée, à une heure avancée. *Tard dans l'année, dans la saison. Tard dans la matinée, dans l'après-midi, dans la soirée. Il la vit seule le soir très tard* (→ Orage, cit. 2). *Tard dans la nuit, tard la nuit.* ⇒ **Avant** (bien avant dans la nuit); → Froissement, cit. 6; gîte, cit. 7; partie, cit. 26. *Rentrer* (cit. 4) *tard.* ⇒ aussi **Attarder** (s'). *Se coucher tard toutes les nuits* (→ Prê-cheur, cit. 1). «... *par* (cit. 20) *la nuit sereine. Où vas-tu si tard?...*» — «*Je n'ai jamais ouï prêcheur ni si tôt ni si tard*», mots attribués à Voiture, à propos du sermon prononcé à une soirée à l'Hôtel de Rambouillet par le jeune Bossuet âgé de 16 ans.

Adj. (xviiᵉ; avec *être* ou *se faire* à la forme impersonnelle). *Il est, il se fait tard* (1636) : l'heure est avancée. *Il est plus tard que je ne le pensais.*

Il était donc tard, — c'est-à-dire tôt! Le matin venait. 6
BARBEY D'AUREVILLY, les Diaboliques, «Le plus bel amour...», III, p. 96.

— Il faut que je rentre peut-être, maintenant, Voyez comme c'est tard. 6.1
M. DURAS, Moderato cantabile, p. 62.

♦ **3.** N. **SUR LE TARD.** [a] (1376). Vx. À la fin de la journée, à une heure avancée.

[b] (1656). Mod. À un âge considéré comme avancé, dans l'âge mûr (→ Fanon, cit. 4; imputer, cit. 22; méprendre, cit. 4).

(...) elles commençaient à cinquante ans une nouvelle sorte de beauté, comme on 7
prend sur le tard un nouveau métier, ou comme à une terre qui ne vaut plus rien pour la vigne on fait produire des betteraves.
PROUST, le Temps retrouvé, Pl., t. III, p. 945.

Nous devenons imaginatifs sur le tard, en même temps qu'optimistes, pour défor- 8
mer en les dépeignant nos violents chagrins, ces mélancolies, cette jalousie brû-lante *(des années d'enfance)...* COLETTE, Belles saisons, p. 46.

CONTR. **Tôt.**
DÉR. **Tardillon.**
COMP. (Directs ou du même rad.) **Attarder, retarder.**
HOM. **Tare.**

TARDER [taʀde] v. — V. 1119; var. *targer,* 1080, *Chanson de Roland; targier,* xiiᵉ (jusqu'au xviᵉ); lat. *tardicare* ou *tardiare,* de *tardus.* → Tard.

★ I. V. intr. ♦ **1.** Vx. (Sujet n. de personne). S'arrêter, traîner en chemin. ⇒ **Attarder** (s'). « *Il a bien tardé en chemin* » (Académie, 1694). — Spécialt, vx. Séjourner, s'attarder dans un lieu.

♦ **2.** (Sujet n. de chose). Se faire attendre*, être lent à venir. *Je languis* (cit. 20) *après une lettre qui tarde.*

♦ **3.** (xiie ; sujet n. de personne). Mettre beaucoup de temps, être lent* à faire qqch., rester longtemps avant de commencer à agir. ⇒ **Traîner** (fam.). « *C'est, dit-il, afin de m'aider* (cit. 1) *À recharger ce bois ; tu ne tarderas guère* » (La Fontaine). « *Prince, que tardez-vous ? Partez en diligence* » (cit. 6, Racine). — (Sujet n. de chose). Demander du temps avant de se produire. *Me voici prêt à écrire la notice, ce qui tardera très peu* (→ Opuscule, cit.).

(1545, in D.D.L., *sans plus tarder*). SANS TARDER. ⇒ **Aussitôt, bientôt ; champ** (sur le). « *Gardes, obéissez sans tarder davantage* » (cit. 6, Racine). *Dès* (cit. 4) *demain, sans tarder plus longtemps. Sans plus tarder.*

(V. 1175). TARDER À... (et l'inf.) : s'y prendre tard, mettre longtemps pour... ⇒ **Demeurer** (à...), **différer** (*supra* cit. 5 : différer à..., de...). « *Que* (1. Que, cit. 58) *tardez-vous, Seigneur, à la répudier ?* » (Racine). *Il ne tarderait guère à découvrir la fourberie* (→ Jeu, cit. 50). — *Quand le sommeil tarde à descendre* (→ Rêverie, cit. 16).

1　Mais pourquoi tant tarder à m'ouvrir cette porte ?
　　　　　　　　　　　　　　　　　　HUGO, Hernani, I, 3.

Vx ou archaïsme. TARDER DE... « *Peut-être nos campagnes ne tarderont-elles guère aussi de renoncer à s'exprimer...* » (Hermant, *les Samedis de M. Lancelot*, p. 151).

♦ **4.** (Mil. xviiie ; sujet n. de chose). Vx. TARDER À (qqn) : sembler long à venir, être attendu avec impatience. « *Que ton retour tardait à mon impatience !* » (Racine, *Bajazet*, I, 1). — Vx. *L'heure me tarde de...* (et l'inf.) : je suis impatient de... « *L'heure nous tardera d'en voir l'expérience* » (Corneille, *Don Sanche*, III, 2). — Mod. *Le temps me tarde de...* (et l'inf.). *Le temps lui tarde que...* (et subj.). Mod. Impers. IL TARDE À (qqn) DE... (et l'inf.) : il (elle) ressent l'impatience* de faire, de voir se produire qqch. *Il me tarde d'avoir achevé de recopier ce chapitre, pour pouvoir pousser* (cit. 50) *plus avant.* — (Avec *que* et le subj.). « *Il me tarde bien que je sois hors d'affaire* » (Académie). — Vx. (Avec *ne* explétif). « *Il me tarde déjà que je n'aie des habits raisonnables, pour quitter vite ces guenilles* » (Molière, *le Mariage forcé*, II).

2　(...) voilà ce qu'il me tarde de savoir : dans un mois je l'aurai su.
　　　　　　　　　SAINTE-BEUVE, Correspondance, 782, 10 mai 1838.

3　Il me tarde que ce cahier soit achevé ; je n'y écris rien qui vaille (...)
　　　　　　　　　　　　　　GIDE, Journal, 13 déc. 1915.

★ **II.** V. tr. (V. 1155). Vx. Retarder (cf. Malherbe, *Sur le mariage du Roi et de la Reine*, strophe 7).

CONTR. **Accourir, hâter** (se).

TARDIF, IVE [taʀdif, iv] adj. — V. 1120 ; bas lat. *tardivus*, du lat. class. *tardus*. → Tard.

♦ **1.** Vx. Qui reste longtemps avant de faire qqch. ; lent à agir. — (1541). *Tardif à* (et l'inf.).

Vx ou poét. Qui est long* à venir. « *...ô toi tardive aurore Viens-tu ? vas-tu venir ? es-tu bien loin encore ?* » (→ Douloureux, cit. 7, Chénier).

Qui va lentement. *Marcher à pas tardifs.* ⇒ **Lent** (→ aussi Aiguillon, cit. 1).

1　Selon le plus ou moins de paresse du vent,
　Les nuages tardifs s'en vont comme en rêvant,
　Ou prennent le galop ainsi que des cavales
　　　　　HUGO, la Légende des siècles, XXI, « Masferrer », III.

Vx. Fig. (en parlant de l'esprit, etc.). Qui manque de vivacité. ⇒ **Lent.** « *L'esprit, je l'avais lent, l'appréhension* (cit. 1) *tardive* » (Montaigne).

2　(...) Callisthène était lent à concevoir et avait l'esprit tardif (...)
　　　　　　　　　　　LA BRUYÈRE, Disc. sur Théophraste.

♦ **2.** (xvie). Mod. Qui apparaît, qui a lieu tard*, vers la fin d'une période, d'une évolution. *Développement tardif. Maturité tardive. Apparition tardive de la dent de sagesse* (→ Dentition, cit. 1). *La raison* (cit. 7) *n'est point un don inné, primitif, mais une acquisition tardive. Mon goût tardif, acquis, des déplacements et du voyage* (→ Fatalisme, cit. 4). — Qui a lieu tard dans la journée, la matinée ou la soirée. *Repas tardif. Messe tardive* (→ Matineux, cit.). — *Heure tardive.* ⇒ **Avancé** (→ Nuptial, cit. 2 ; oreille, cit. 31). *Période, date tardive.* — *Latin tardif,* de basse époque.

3　— (...) mes rentrées tardives, les soirs où j'étais allé retrouver mon amie, m'avaient valu des sermons, et contraint à quelques mensonges.
　　　　　J. ROMAINS, les Hommes de bonne volonté, t. III, XXIII, p. 312.

Qui vient, qui se fait trop tard, quand il n'est plus temps. *Remords tardifs* (→ Engourdissement, cit. 4).

♦ **3.** (1538 ; opposé à *précoce*). Qui se forme, se développe plus lentement ou plus tard que la moyenne, qui mûrit, qui est né tard, après la pleine saison. *Fleur tardive. Fruit tardif. Cet arbre est*

tardif, long à pousser. *Couvée tardive* (→ Gober, cit. 2). *Agneaux, poulets tardifs.*

CONTR. **Anticipé.** — **Hâtif, précoce.**
DÉR. **Tardivement, tardiveté** ou **tardivité.**

TARDIGRADE [taʀdigʀad] adj. et n. — 1615, « tortue » ; rare av. xviiie ; lat. *tardigradus* « qui marche lentement ».

★ **I.** Adj. (1842 ; en parlant d'un animal). Didact., vx. Qui marche lentement. — Par plais. ou figuré :

1　Il ne faisait aucune rencontre, si ce n'est çà et là quelque vieux lord tardigrade s'en allant pesamment et tournant le dos.　HUGO, l'Homme qui rit, II, VIII, VIII.

★ **II.** N. m. pl. Zool. TARDIGRADES. ♦ **1.** (1803). Vx. Division des mammifères édentés qui comprend les animaux appelés aussi *paresseux**. — Au sing. *Un tardigrade.*

♦ **2.** (1764). Mod. Ordre d'animaux arthropodes de la classe des arachnides, au corps minuscule et vermiforme pourvu de quatre paires de pattes non articulées. *Les tardigrades vivent dans la mousse des murs et des toits, dans la terre humide, dans l'eau* (⇒ aussi **Germe**) ; *leur résistance à la dessication est remarquable.* — Au sing. *Un tardigrade.*

2　(...) les rotifères et les tardigrades peuvent être chauffés à une température voisine de l'ébullition, sans perdre nécessairement leur vitalité (...)
　　　　　LAUTRÉAMONT, les Chants de Maldoror, V.

TARDILLON [taʀdijɔ̃] n. m. — 1842 ; de *tard*, et suff. dimin. *-illon.*

♦ **1.** Vx. Animal né tardivement.

♦ **2.** (1907). Fam., régional. Enfant né tardivement, longtemps après ses frères ou sœurs.

TARDIVEMENT [taʀdivmɑ̃] adv. — Déb. xive ; *tardiement*, v. 1200 ; de *tardif.*

♦ **1.** D'une manière tardive, à une période ou à une heure tardive. ⇒ **Tard** (→ Exploiter, cit. 2). *S'aviser tardivement d'une chose* (→ Méconnaître, cit. 5). *Rentrer tardivement. Avoir tardivement un enfant* (→ Roquentin, cit. 1). — À une heure tardive.

♦ **2.** (1546). Vx (langue class.). En allant, en marchant avec lenteur.

CONTR. **Bientôt, hâtivement, immédiatement, précocement.**

TARDIVETÉ [taʀdivte] ou **TARDIVITÉ** [taʀdivite] n. f. — 1377, *tardiveté ; tardivité*, 1775 ; *tardiveteit*, 1190 ; de *tardif.*

♦ **1.** Vx. Lenteur de la marche, du mouvement. — Fig. *Tardiveté d'esprit :* manque de vivacité.

♦ **2.** Techn. (jardinage). Développement tardif, croissance, maturité tardive (en parlant des plantes, des fruits, etc.). ⇒ **Tardif** (3.).

♦ **3.** Vx. Rare. Caractère de ce qui se produit tardivement.

Après trois heures d'une route tantôt faite en courant, tantôt lentement sur la pointe du pied, nous arrivâmes au carrefour d'un bois où quelques rossignols chantaient en tardiveté.　CHATEAUBRIAND, Mémoires d'outre-tombe, t. II, p. 33.

TARDON [taʀdɔ̃] ou **TARDYON** [taʀdjɔ̃] n. m. — 1973, *la Recherche ;* du lat. *tardus* « lent », d'après les noms de particules en *-on,* et d'après *tachyon* (de *tachy-*).
REM. *Tardyon* est mal formé.

♦ Phys. Particule observable, dont la masse au repos est réelle (par oppos. aux particules hypothétiques *tachyons, luxons*).

TARE [taʀ] n. f. — 1318, « déchet dans le poids ou la qualité » ; ital. *tara ;* arabe *ṭarḥ* « déduction, décompte », p.-ê. avec infl. de *taré* « mangé des vers », qui rattacherait le mot à la série de *taret, tarer.*

★ **I.** (V. 1460). Défectuosité (que présente qqch.). ♦ **1.** (xviiie ; in Furetière, 1690). Comm. Perte de valeur que subit une marchandise, en quantité ou en qualité (⇒ **Altération, déchet**) ; défaut qui diminue la valeur de l'objet d'une transaction commerciale. *Tare d'un cheval :* défectuosité qui déforme une région du cheval et le déprécie. *Tares molles, tares osseuses.*

♦ **2.** (1572). Défectuosité héréditaire, plus ou moins grave, d'ordre physique ou psychologique (→ Eugénique, cit. 3 ; récessif, cit.). *Tares morphologiques ou fonctionnelles* (→ Gigantisme, cit. 1). *Hérédité* (cit. 10) *d'une tare.*

Il n'y a plus de sanction naturelle pour les petites tares physiologiques, comme la mauvaise denture ou la myopie.　Jean ROSTAND, l'Homme, IX.

♦ **3.** (xve). Fig. Ce qui diminue la valeur, le mérite, ce qui entache l'honneur de qqn ; défaut, vice (d'une personne, d'une société, d'une institution). ⇒ **Défaut** (2.), **flétrissure, imperfection** (cit. 2), **tache** (→ Confesser, cit. 16 ; internat, cit. 1 ; partie, cit. 7). *Un homme sans tare.* ⇒ **Irréprochable.** *Les ridicules* (1. Ridicule, cit. 9) *et les* *tares humaines. La tare, les tares du monde moderne, de la société actuelle.* ⇒ aussi **Corruption ; mal** (→ Pauvre, cit. 16 ; plate-forme, cit. 5).

★ **II.** ♦ **1.** (1723). Poids de l'emballage, du récipient pesé avec une marchandise, un produit, et qu'il faut déduire pour obtenir le poids net.
Par ext. Réduction de prix de la marchandise emballée correspondant à ce poids.

♦ **2.** (Mil. XIXᵉ). Poids non marqué (grenaille de plomb, etc.) qu'on place sur le plateau d'une balance pour faire équilibre à un objet (récipient, etc.) placé sur l'autre plateau et qu'on ne veut pas compter dans le poids total. *Faire la tare :* mettre dans un plateau le poids équivalent de celui du récipient placé sur l'autre plateau.
Poids à vide (d'un contenant, d'un véhicule). — Spécialt. Poids à vide (d'un wagon). « *La tare du véhicule, complétée de la moitié de la réserve d'eau, ne dépasse pas (...) 42 tonnes* » (*la Vie du rail*, 25 janv. 1976, p. 4).
DÉR. 1. Taré.
HOM. Tard.

1. TARÉ, ÉE [taʀe] adj. et n. — V. 1500 ; de *tare* (I.).

♦ **1.** (1545). Comm. Affecté d'une tare* (I., 1.) ; gâté, altéré, avarié. *Fruits tarés. Cheval taré.*

♦ **2.** Atteint d'une tare* (I., 2.). *Supprimer, détruire les sujets tarés* (→ Euthanasie, cit.).

♦ **3.** (1559). Fig. Affecté de tares* (I., 3.). ⇒ **Vicieux.** *Politicien, ministre taré.* ⇒ **Corrompu** (→ Parangon, cit. 2). *Assemblée tarée. Régime taré.*

1 Si l'on songe que cette mission était dévolue à son Conseil Municipal, l'Assemblée la plus tarée et la moins glorieuse que notre régime ait connue (...)
GIRAUDOUX, De pleins pouvoirs à sans pouvoirs..., p. 186.

♦ **4.** (Mil. XXᵉ ; du sens I, 2 de *tare*). Fam. (Personnes). Qui présente des défauts intellectuels ou de comportement ridicules. ⇒ **Débile.** *Il est complètement taré, ce mec ! —* N. *Bandes de tarés, de crétins !*

2 — Mais vous êtes complètement tarés !
Claude COURCHAY, La vie finira bien par commencer, p. 233.
3 Dire que dans cinq jours je vais devoir soigner tous les tarés du 13ᵉ
René FALLET, Y a-t-il un docteur dans la salle ?, p. 215.
HOM. 2. Taré, tarer.

2. TARÉ [taʀe] adj. m. — 1771 ; *tarrer*, 1690 ; de *tare* « grille du casque », même origine que *tarot*, à cause du dos quadrillé de ces cartes.

♦ Blason. *Casque taré de trois quarts, de profil, de front*, posé, tourné de trois quarts, de profil, de front.
HOM. 1. Taré, tarer.

TARENTE [taʀɑ̃t] n. f. — 1732 ; « tarentule », v. 1130 ; *tarande*, n. m., 1552 (Rabelais), « sorte de caméléon ».

♦ Régional (Sud de la France). Gecko* (reptile saurien).

Quant aux *tarentes*, je les redoute un peu moins, quoiqu'elles me causent encore, même après un mois de connaissance, un insurmontable dégoût. Ce sont de petits lézards plats, larges, jaunâtres, visqueux, qu'on dirait transparents, avec une tête triangulaire, des yeux clairs, beaucoup plus laids que les salamandres (...)
E. FROMENTIN, Un été dans le Sahara, p. 196.

TARENTELLE [taʀɑ̃tɛl] n. f. — 1787 ; « tarentule », 1553 ; ital. *tarantella* « danse de Tarente ».

♦ Danse du Sud de l'Italie, sur un air de rythme très vif avec accompagnement de tambour de basque. — Par ext. Cet air. *La tarentelle de* la Muette de Portici, *de Fra Diavolo.*

TARENTIN, INE [taʀɑ̃tɛ̃, in] adj. et n. — XVIIIᵉ ; de *Tarente*, nom d'une ville d'Italie du Sud, déjà importante dans l'Antiquité.

♦ Qui se rapporte à Tarente, à ses habitants. *Population tarentine. — Les Tarentins.* — Littér. *La Jeune Tarentine*, poème d'A. Chénier.

Elle a vécu, Myrto, la jeune Tarentine !
André CHÉNIER, Bucoliques, XXI, I.

TARENTISME [taʀɑ̃tism] n. m. — 1741 ; affection ainsi nommée parce qu'on la croyait due à la piqûre de la *tarentule*, du rad. de ce mot, et *-isme*.

♦ Méd. Variété de chorée hystérique qui sévissait dans l'Italie méridionale de manière épidémique et qu'on attribuait à la piqûre de la tarentule. — On dit aussi *tarentulisme*.

TARENTULE [taʀɑ̃tyl] n. f. — V. 1560 ; *tarentule*, v. 1298 ; var. *tarentole* (Rabelais) ; ital. *tarantola*, de *Taranto* « Tarente », cette araignée étant abondante dans la région de Tarente et dans toute l'Italie méridionale.

♦ **1.** Grosse araignée dont la piqûre est douloureuse et qu'on rendait responsable du tarentisme*. ⇒ **Lycose.**

♦ **2.** Fig. a Loc. fig. (XVIIIᵉ). *Être piqué, mordu de la tarentule :* être dans une grande excitation ; éprouver un goût très vif pour une chose. ⇒ **Passion.** *Être piqué de la tarentule littéraire.*

b Goût irrépressible.

Le goût sexuel, par lui-même principe d'aventure, tarentule harcelante qui vous fait courir hors du chemin, devenant tout à coup ce qui vous retient dans le chemin, une de vos ornières.
J. ROMAINS, les Hommes de bonne volonté, t. XI, VII, p. 68.
DÉR. Tarentisme, tarentulisme.

TARENTULISME [taʀɑ̃tylism] n. m. ⇒ **Tarentisme.**

TARER [taʀe] v. tr. — 1623, sens II, fig. ; de *tare*, p.-ê. avec infl. de *tarer* « percer » pour le sens II. → Tare.

★ **I.** (1723). Comm. Peser (un emballage, un récipient) avant de le remplir afin de pouvoir déduire son poids (⇒ **Tare, II., 1.**) du poids brut et de connaître ainsi le poids net de la marchandise ou du produit.

★ **II.** (1798 ; de *tare*, I.). Rare. ⇒ **Altérer, avarier, corrompre.** « *L'humidité a taré ces marchandises, ces fruits* » (Académie). — Pron. « *Ces fruits se tarent* » (Littré). — Fig. « *Tarer la réputation de qqn* » (Académie). ⇒ **Entacher, flétrir.**
V. pron. *Se tarer* (en parlant d'un cheval) : être peu à peu atteint de tares.

(...) si le jeune cheval ne travaille pas assez, il devient trop gros et en même temps trop bondissant : il se tare sous son propre poids augmenté de celui de l'homme et se gâte la bouche en luttant contre la main qui cherche à le réduire.
Henri AUBLET, l'Équitation, p. 98.
DÉR. Tarage.
HOM. 1. Taré, 2. taré.

TARET [taʀɛ] n. m. — 1756 ; de *tarière*, et suff. *-et*.

♦ Mollusque *(Lamellibranches)*, au corps vermiforme, qui creuse des galeries dans les bois immergés (pilotis, coques de bateau, etc.). *On protège le bois contre les tarets en l'imprégnant de créosote.*

La Hollande a manqué périr ; ses digues ont été rongées par les tarets (...)
BALZAC, les Paysans, Pl., t. VIII, p. 285.

TARGE [taʀʒ] n. f. — 1080, *Chanson de Roland ;* francique **targa.* → aussi Targuer.

♦ Archéol. Petit bouclier en usage au moyen âge.
DÉR. Targette, targeur.

TARGETTE [taʀʒɛt] n. f. — 1611 ; « petite targe (bouclier) », 1322 ; « ornement », n. m., 1301 ; dimin. de *targe*.

♦ **1.** Petit verrou*, généralement à tige plate, que l'on manœuvre en poussant ou en tournant un bouton. ⇒ aussi **Serrure.** *Mettre la targette.*

1 — Pardonnez-moi, madame. J'étais occupé à faire des rangements. J'avais poussé la targette de la porte.
J. ROMAINS, les Hommes de bonne volonté, t. II, II, p. 10.
2 Elle pensa à la maison basse avec un plaisir pesant et imagina qu'elle s'y reposait, les targettes poussées et les volets clos (...) M. AYMÉ, Maison basse, p. 139.

♦ **2.** Argot, fam. Chaussure.

3 Il frappe ses grosses targettes sur le racloir de l'entrée, histoire de prouver qu'il a des usages et il pénètre dans la cuisine.
SAN-ANTONIO, Au suivant de ces messieurs, p. 16-17.
4 Patiente pas : un coup de genou dans la fiole, ta targette dans ses balloches.
R. SABATIER, les Allumettes suédoises, p. 136.

TARGEUR [taʀʒœʀ] n. m. — 1812 ; de *targe*, à cause de la forme de son dos.

♦ Régional. Poisson osseux, plat, appelé aussi *grosse plie, sole des rochers.*

TARGUER (SE) [taʀge] v. pron. — 1666, Molière ; « se protéger, se garantir contre », XVᵉ ; *se targer de qqn* « se mettre sous la protection de qqn », 1536 ; de l'anc. franç. *se targer* « se couvrir d'une targe » (v. 1210) et par métaphore, « (se) défendre, (se) protéger », ainsi que *se targer de* « s'appuyer sur ».

♦ Littér. ou style soutenu. SE TARGUER DE : se prévaloir* de (qqch.) avec ostentation, se vanter de... ⇒ **Enorgueillir** (s'), **piquer** (se). « *Certes, vous vous targuez d'un bien faible avantage* » (→ Âge, cit. 12, Molière). *J'ai connu tant de jeunes gens qui se targuaient* *de sincérité !* (cit. 4). *Se targuer de qualités imaginaires.* ⇒ **Attribuer** (s'). — *Se targuer de...* (et l'inf.). → Aliéner, cit. 9. *Se targuer de pouvoir...* ⇒ **Fort** (se faire fort de...) ; → Circonscrire, cit. 1. — *Se targuer de ce que...*

1 Vous vous targuez de ce qu'on parle allemand à Strasbourg ; en est-il moins vrai que c'est à Strasbourg que l'on a chanté pour la première fois notre *Marseillaise !*
                                        FUSTEL DE COULANGES, Questions contemporaines, p. 96.

2 Il ne m'a pas enivrée au point de m'ôter la seule vertu dont je me targue : le scrupule.   COLETTE, Belles saisons, p. 213.

TARGUI [taʀgi] n. et adj. sing. — 1857, Fromentin ; *Touariks*, 1839, « nègres de Barbarie » ; arabe maghrébin *Ṭārgī*, au plur. *Ṭăwārīg* ; mot berbère.

Didact. (l'usage cour. emploie surtout *touareg*).

♦ **1.** N. Didact. Personne appartenant aux populations nomades du Sahara, de langue berbère. ⇒ **Touareg** (cour.). *Un Targui monté sur son méhari.* — N. f. *Une Targuie,* ou, plus rarement, *une Targuia.* — Au fém. plur. *Des Targuies,* ou, parfois, *des Targuiat* (forme berbère).

♦ **2.** Adj. sing. Qui est relatif, qui appartient à cette population. *Bouclier targui. Une femme targuie.*

1 (...) un sabre turc, kabyle, espagnol ou *targui*, passé sous la selle ou pendant le long d'une épaule.   E. FROMENTIN, Un été dans le Sahara, p. 162.

2 Ils chevauchent, sur la piste invisible qu'ouvre pour eux le guide targui sur son cheval fauve.   J.-M. G. LE CLÉZIO, Désert, p. 354.

REM. L'emploi de *targui* au plur. est aussi fautif que celui de *touareg** au sing., mais ce dernier est usuel.

TARGUM [taʀgɔm] n. m. — 1740 ; mot hébreu, « interprétation, traduction ».

♦ Didact. Chacune des traductions de l'Ancien Testament en langue araméenne faites après la captivité de Babylone à l'usage des Juifs qui ne comprenaient plus l'hébreu. — Au plur. *Des targums* ou *des targumin.*

DÉR. Targumique, targumiste.

TARGUMIQUE [taʀgɔmik] adj. — 1872, *in* Littré ; de *targum.*

♦ Didact. D'un targum.

TARGUMISTE [taʀgɔmist] n. m. — 1872 ; de *targum.*
Didactique.

♦ **1.** Écrivain hébraïque spécialisé dans la paraphrase biblique.

♦ **2.** (1876). Traducteur de la Bible en chaldéen.

TARICHEUTE [taʀikøt] n. m. — 1877 ; *tarischeute,* 1858, Gautier, *le Roman de la momie,* p. 40 ; grec *tarikheutês,* de *tarikhos* « viande conservée, salée ; corps embaumé ».

♦ Didact. (hist.). Embaumeur, dans l'Ancienne Égypte.

TARIDE [taʀid] n. f. — Mil. XIIIᵉ ; anc. provençal *tarida ;* arabe *ṭarīdă* « vaisseau de transport ».

♦ Hist. mar. Navire léger et rapide du haut moyen âge, en Méditerranée.

TARIER [taʀje] n. m. — 1555 ; orig. incert., on a évoqué un rad. onomatopéique *tar-,* et (P. Guiraud) un verbe dialectal *tarier* « provoquer, exciter », à rattacher à la série de *tarabuster, tarière...* (idée de « percer »).

♦ Petit passereau brun-roux, avec des taches noires et blanches, voisin du traquet.

TARIÈRE [taʀjɛʀ] n. f. — V. 1212 ; *tarrere,* fin XIIᵉ, n. m., devenu *tarière* sous l'infl. de l'anc. v. *tarier* « forcer », *tarer* « percer », d'un gallo-roman **tarare* remontant à la racine *ter-* « broyer », lat. *terere,* selon Guiraud (→ Tare, tarer), d'où « exciter, agacer » ; lat. *taratrum,* d'orig. gauloise.

♦ **1.** Grande vrille pour percer (cit. 2) des trous dans le bois. ⇒ **Amorçoir, queue-de-cochon, rouanne, taraud, vrille.** *La tarière, outil de charpentier, de menuisier.* — Instrument qui sert à faire des forages, des sondages dans le sol. ⇒ **Sonde.** *Tarière de mine.*
Chir. Instrument en forme de vrille servant à percer des trous dans les os.
(1752). Vx. Trépan de forage.

♦ **2.** (1835). Zool. Prolongement de l'abdomen, sorte de tube qui sert

à la femelle de certains insectes (⇒ **Térébrant**) à creuser des trous pour y déposer ses œufs. ⇒ **Oviscapte.**

♦ **3.** Vx. Térébelle.

TARIF [taʀif] n. m. — 1641 ; *tariffe,* 1572, n. f. ; ital. *tariffa ;* arabe *tăerīf* « notification ».

♦ **1.** Tableau qui indique le montant des droits à acquitter, liste des prix* fixés pour certaines marchandises ou certains services ; l'ensemble de ces prix. ⇒ **Barème.** *Tarif douanier* (→ Réduction, cit. 4) ; *tarif général, minimum, de transit. Tarif protecteur. Le tarif d'un impôt* (cit. 9). ⇒ **Taux, taxe.** *Tarif des frais et dépens ; tarif criminel. Tarif réduit.* ⇒ **Demi-tarif.** — *Tarif de responsabilité :* barème pour le calcul des prestations versées par la Sécurité sociale. — Ensemble des droits applicables au titre d'un même impôt. *Le tarif de l'impôt sur les spectacles.* — *Tarif des chemins de fer* (→ aussi Expédition, cit. 7). *Tarif kilométrique, par sections, par zones* (transports en commun). *Tarifs postaux.* — *Tarif des consommations dans un café.* — (En parlant des salaires). *Tarif aux pièces* (cit. 5). *Tarif syndical,* fixé par un syndicat. *Travailler au-dessous du tarif syndical. Tarif horaire, saisonnier. Tarif forfaitaire.*

1 (...) il y avait avantage, lorsqu'on ne possédait pas d'auto personnelle, à choisir les taxis de la « Compagnie française des automobiles de place », de préférence aux « Voitures de place automobiles » ; le tarif des premiers étant inférieur d'au moins 20 %.   J. ROMAINS, les Hommes de bonne volonté, t. III, XI, p. 151.

Le prix d'une marchandise déterminée, d'un travail (lorsque ce prix est indiqué par un *tarif* ou déterminé par l'usage). *Il faut compter dans les cinq ou six mille francs, c'est le tarif.*

♦ **2.** (1690). Fig. Système d'évaluation (spécialt, en parlant d'amendes, de sanctions). *Tarif des peines encourues pour les manquements* (cit. 3) *auxquels les matelots sont sujets. Tarif des punitions.*

2 Les fautes que nous pouvons commettre sont de plusieurs sortes. Chacune a sa punition particulière dont le tarif est affiché dans les deux chambres (...)
                                        SADE, Justine..., t. I, p. 164.

Loc. *C'est le même tarif. Jean a été privé de sortie ; pour son frère, ce sera le même tarif.*

Absolt. *Le tarif, le plein tarif :* la punition, la peine maxima.
Si vous vous faites paumer, ça sera le plein tarif !...
                                        Roger VERCEL, Capitaine Conan, 1, p. 24.

DÉR. Tarifaire, tarifer, tarification.

TARIFAIRE [taʀifɛʀ] adj. — 1919 ; de *tarif.*

♦ Comm. Relatif à un tarif. *Dispositions tarifaires.*

TARIFER [taʀife] v. tr. — 1762 ; *tariffer,* 1733 ; de *tarif.*

♦ **1.** Rare. Soumettre (qqn) à un tarif (pour le paiement des impôts, etc.). → Gabelle, cit. 3.

♦ **2.** Fixer (à un montant, à un prix déterminé) les droits à payer, la valeur de (une marchandise, une chose). ⇒ **Taxer.**

Figuré :
On massacre un pays, le sang est encor frais ;
Puis on arrive avec le total de ses frais ;
On tarife le meurtre, on cote la famine :
— Voilà bientôt six mois que je vous extermine ;
C'est tant, je ne saurais vous égorger à moins.
                                        HUGO, l'Année terrible, « Décembre », V (1872).

▶ **TARIFÉ, ÉE** p. p. adj.
Dont le prix est déterminé selon un tarif (→ Rendez-vous, cit. 5).
DÉR. Tarifeur.

TARIFEUR, EUSE [taʀifœʀ, øz] adj. et n. — 1782, Mercier ; de *tarifer.*

♦ Rare. Qui tarifie (qqch.).

TARIFICATION [taʀifikasjɔ̃] n. f. — 1842 ; de *tarif.*

♦ Fixation, selon un tarif des droits à acquitter (sur qqch.), du prix (de qqch.). ⇒ **Taxation.** *Tarification du kilo de pain, de la baguette. Tarification kilométrique des chemins de fer. La tarification des grandes lignes, des trains de banlieue. Système de tarification.*

1. TARIN [taʀɛ̃] n. m. — V. 1350 ; *tairin,* v. 1330 ; orig. incert., p.-ê. la même que pour *tarier** (radical *tar-, ter-* « broyer »).

♦ Petit passereau, chardonneret* jaune, vert et noir qui vit surtout dans l'Europe septentrionale (→ Sizerin, cit.).

HOM. 2. Tarin.

2. TARIN [taRɛ̃] n. m. — 1904 ; orig. incert., p.-ê. de 1. *tarin*, à cause du bec ; d'abord argot lyonnais, selon Dauzat.

♦ Argotique, puis fam. Nez*. ⇒ **Pif**. *Recevoir un coup sur le tarin. Un gros tarin.*

Gabriel extirpa de sa manche une pochette de soie couleur mauve et s'en tamponna le tarin.   R. QUENEAU, Zazie dans le métro, p. 7.

HOM. 1. Tarin.

TARIR [taRiR] v. — V. 1175, v. intr. ; du francique **tharrjan* « sécher ».

★ **I.** V. tr. ♦ **1.** (1549 ; xvᵉ, au fig., *tarir un mal*). Faire cesser de couler ; mettre à sec ; épuiser l'eau, le liquide de... ⇒ **Assécher, dessécher, épuiser** (*supra* cit. 4), **sécher**. *Tarir une source, un fleuve, un puits.* — Loc. (1636). *Tarir ses larmes à force de pleurer.* — *Tarir les larmes de qqn*, le consoler. — Par métaphore. *L'individualisme tarit la source des vertus publiques* (→ Dessécher, cit. 5).

1 Ne vous attendez point que las de tant d'alarmes,
   Par un heureux hymen je tarisse vos larmes.   RACINE, Bérénice, V, 6.

2 Frédéric II était formé par la philosophie française du dix-huitième siècle : cette philosophie fait du mal aux nations, lorsqu'elle tarit en elles la source de l'enthousiasme (...)   Mᵐᵉ DE STAËL, De l'Allemagne, I, XVI.

Fig. *Le contact avec la misère avait comme tari son imagination* (→ Insensibilité, cit. 6).

♦ **2.** (xxᵉ). Zootechn. Faire cesser les sécrétions laitières de (une femelle de mammifère). *Tarir une vache.*

★ **II.** V. intr. (V. 1175). ♦ **1.** Cesser de couler ; s'épuiser ; être mis à sec. *Source qui tarit. Mon armée ne pouvait en un repas se désaltérer* (cit. 4) *sans faire tarir les rivières. Le puits a tari. Nourrice dont le lait vient à tarir. Des larmes qui ne tarissaient plus.* ⇒ **Arrêter** (s') ; → Renier, cit. 5. — Par métaphore. « *(...) l'esprit invente* (cit. 5) *tous les jours Sans voir jamais tarir la source de son cours* » (Ronsard). — Fig., littér. ⇒ **Cesser, disparaître.**

3 Il faut bien que quelqu'un soit bon sous le ciel noir,
   De peur que la pitié dans les cœurs ne tarisse (...)   HUGO, la Légende des siècles, LVII, II.

4 Le fleuve est pareil à ma peine
   Il s'écoule et ne tarit pas
   Quand donc finira la semaine   APOLLINAIRE, Alcools, p. 64.

♦ **2.** (XIIIᵉ). *L'entretien, la conversation tarit*, s'arrête parce qu'on n'a plus rien à se dire. — (1694). **NE PAS TARIR**. *Ne pas tarir sur... :* ne pas cesser de parler de... (→ Origine, cit. 13). *Il ne tarit pas sur ce sujet.* ⇒ **Intarissable ;** → Ne pas en finir* (III., 1.) avec... — (1890, Zola ; avec *en* ou *de*). Ne pas cesser (de tenir telle sorte de propos). *Elle ne tarissait pas en accusations abominables* (→ Prétendre, cit. 28). *On ne tarissait pas d'éloges sur lui* (→ Reconstitution, cit. 1). — Littér. *Ne pas tarir à* (et infinitif).

5 Les paroles vaines que l'on s'adresse le matin sur la santé, sur la beauté de la journée tarirent à la fois chez tous les deux.
                                   STENDHAL, le Rouge et le Noir, I, XII.

6 Grivet ne tarissait pas sur l'imprudence qu'il y a à s'aventurer en pleine Seine, quand il est si facile de regarder couler l'eau en traversant les ponts.
                                   ZOLA, Thérèse Raquin, XIII.

7 Il ne tarissait pas de détails sur la vie de la petite malade.
                                   MARTIN DU GARD, les Thibault, t. VII, p. 100.

▶ **SE TARIR** v. pron. (XVIᵉ). ⇒ **Assécher** (s'), **épuiser** (s'). *Puits qui se tarit facilement.* ⇒ **Tarissable**. — Fig. *La veine de son inspiration s'est tarie* (→ aussi 2. Lai, cit.).

▶ **TARI, IE** p. p. adj. (1694). Sans eau ; qui ne peut plus couler ; épuisé. *Rivière tarie.* ⇒ **Sec** (à). *Source tarie* (→ Amer, cit. 10, par métaphore). *Les larmes qu'elles croyaient taries* (→ Organe, cit. 3).

8 Les mathématiciens surtout (...) voient, comme certains lyriques, leur génie tari de bonne heure.   G. DUHAMEL, Chronique des Pasquier, III, IV.

9 L'abbé Vergélian apportait de mauvaises nouvelles. Aux Borisols, la source était presque tarie. Du filet d'eau ne coulaient plus que de rares gouttelettes.
                                   H. BOSCO, le Jardin d'Hyacinthe, p. 90.

Fig. *Les ressources du Trésor étaient taries* (→ Confiance, cit. 10).

CONTR. Approvisionner.
DÉR. Tarissable, tarissant, tarissement.
COMP. Intarissable.

TARISSABLE [taRisabl] adj. — 1718 ; *terrissable*, v. 1536 ; de *tarir*.

♦ Rare. Qui peut être tari. *Source tarissable.*

CONTR. Intarissable.

TARISSANT, ANTE [taRisɑ̃, ɑ̃t] adj. — V. 1770 ; de *tarir*. Rare.

♦ **1.** Qui est en train ou sur le point de tarir. *Source tarissante.*

♦ **2.** (1842). Fig., littér. *Bourse tarissante* (→ Filer, cit. 21). *Imagination tarissante.*

TARISSEMENT [taRismɑ̃] n. m. — 1585 ; de *tarir*.

♦ **1.** Fait de tarir ; état d'une source, d'une rivière, etc., qui est tarie.

♦ **2.** (Mil. XIXᵉ). Fig. *Le tarissement des ressources.* ⇒ **Épuisement.**

Nous souffrons d'un double tarissement : à la gauche des lettres, l'hostilité à l'Académie est devenue plus hargneuse (...) À la droite des lettres, les séquelles de Vichy demeurent, entretiennent encore des poisons virulents (...)
                    F. MAURIAC, le Nouveau Bloc-notes 1958-1960, p. 204.

♦ **3.** (Mil. xxᵉ). Zootechnie. Cessation de la lactation, chez les femelles de mammifères élevées pour leur lait.

TARLATANE [taRlatan] n. f. — 1752 ; *tarnadane*, 1701 ; *tarnantane*, 1723 ; port. *tarlatana*, orig. incert., p.-ê. altér. de *tiritana*, issu du franç. *tiretaine* (*ternatane* a été rattaché au nom des îles indonésiennes de *Ternate*), ou — Guiraud — de *tarelé* « perforé », de *tarle* « ver », *tarlé* « vermoulu », du lat. *tarmes*.

♦ **1.** Étoffe de coton (ou parfois de lin) très légère, très peu serrée, très chargée d'apprêt. ⇒ **Mousseline, singalette**. *Jupe de danseuse en tarlatane.*

Le blanc défilait (...) le blanc de fil, les nansoucks, les mousselines, les tarlatanes (...)   ZOLA, Au Bonheur des dames, XIV, t. II, p. 246.

♦ **2.** (xxᵉ). Gaze apprêtée avec de l'amidon, utilisée en chirurgie (bandages, plâtres). *Bande de tarlatane pour pansements.*

TARMAC [taRmak] n. m. — V. 1960 ; mot angl., abrév. de *tarmacadam**.

♦ Aviat. civile. Revêtement pour les pistes d'aérodrome. — Emplacement d'un aérodrome réservé au trafic, au stationnement et à l'entretien des avions. « *Un engin permettant d'embarquer cent cinquante passagers (...) quelle que soit la position de l'appareil sur le "tarmac" de l'aéroport* » (l'Express, 9 juin 1979, p. 111).

TARMACADAM [taRmakadam] n. m. — 1907 ; mot angl., de *tar* « goudron », et *macadam**.

♦ Techn. Vx. Revêtement de pierres concassées liées par du goudron (ou parfois laitier), dont on couvre les routes pour les rendre plus résistantes et supprimer la poussière. ⇒ **Macadam.**

DÉR. Tarmacadamiser.

TARMACADAMISAGE [taRmakadamizaʒ] n. m. ou **TARMACADAMISATION** [taRmakadamizasjɔ̃] n. f. — 1907 ; de *tarmacadamiser.*

♦ Techn. Action de tarmacadamiser ; son résultat.

TARMACADAMISER [taRmakadamize] v. tr. — 1907 ; de *tarmacadam.*

♦ Techn. Revêtir de tarmacadam*.

DÉR. Tarmacadamisage ou tarmacadamisation.

TARO [taRo] n. m. — 1806, *in* D.D.L. ; nom polynésien du *colocasia antiquorum.*

♦ Didact. (bot.). Plante tropicale de la famille des aracées, cultivée pour son tubercule alimentaire (n. sc. : *Colocasia esculenta*). ⇒ **Colocase.**

Les taros, les ignames ou les racines de manioc, cuits et/ou pilés avec de la pulpe de noix de coco râpée, sont, pour les hommes, la nourriture végétale qui accompagne la viande de porc.
     D. DE COPPET et H. ZEMP, Aré 'aré, un peuple mélanésien et sa musique, p. 62.
Tubercule alimentaire du taro.

HOM. Taraud, tarot.

TAROT [taRo] n. m. — 1604 ; *tarau*, 1534, Rabelais ; ital. *tarocco*, de *tara* « tare », de l'arabe *tarh* « déduction » ; mais *taroté* signifie « marqué en grisaille » et peut correspondre à *tarelé* (→ Tarlatane), à rattacher au rad. *tar-* de *tarer* « percer » (Guiraud).

♦ **1.** (1694). Carte à jouer plus longue que les cartes ordinaires et

portant des figures différentes, utilisé pour jouer et en cartomancie*. *Un tarot, des tarots. Un jeu de tarots comprend soixante-dix-huit cartes.*

♦ **2.** Ensemble des cartes et des tarots d'un jeu (syn. : *jeu de tarots*). *Un tarot complet. Les cartes ou lames d'un tarot sont réparties en arcanes majeurs et arcanes mineurs.*

1   *(Un) tarot dont je sais qu'il lui manque au moins un arcane (...)*
         Michel BUTOR, l'Emploi du temps, p. 276.

2   Le Japon ne connaît, en fait de cartes, qu'un tarot spécial, délicatement enluminé d'oiseaux et de fleurs (...)
         Claude FARRÈRE, la Bataille, XVII.

Tarot de Marseille, comprenant quatre séries de treize cartes d'un jeu normal, une figure supplémentaire dans chaque couleur (le cavalier) et vingt-deux figures originales (atouts pour le jeu ; arcanes majeurs en divination). *Les 78 cartes du tarot de Marseille comportent 22 arcanes majeurs, 40 arcanes mineurs (bâtons, épées, coupes et deniers), 16 honneurs ou figures (valets, reynes, roys, cavaliers).* — *Tarot de Besançon,* jeu de soixante-dix-huit cartes.

♦ **3.** (1604). Jeu qui se joue avec ces cartes. *Tarot à deux, à trois.* — Au plur. *Jouer aux tarots. Aimer les tarots.*

DÉR. **Taroté, tarotier.**
HOM. **Taraud, taro.**

TAROTÉ, ÉE [taʀɔte] adj. — 1694 ; *tarotté,* 1642 ; de *tarot.*

♦ Jeu. *Cartes tarotées,* dont le dos est marqué de compartiments en grisaille, comme le dos des tarots.

TAROTIER [taʀɔtje] n. m. — 1594 ; de *tarot.*

♦ **1.** Vx. Fabricant ou marchand de tarots, de cartes à jouer. ⇒ **Cartier.**

♦ **2.** Mod. Techn. Ouvrier qui conduit la machine à imprimer le dos des cartes à jouer.

TAROUPE [taʀup] n. f. — 1694 ; orig. incert. ; cf. anc. franç. *talope* « buisson, bosquet ».

Vieux, rare.

♦ **1.** Touffe de poils entre les sourcils.

♦ **2.** Espace qui sépare les sourcils. ⇒ **Glabelle.**

TARPAN [taʀpɑ̃] n. m. — 1776, Buffon ; mot kirghize.

♦ Cheval retourné à l'état sauvage, dans les steppes de l'Asie occidentale.

TARPÉIENNE [taʀpejɛn] adj. fém. ⇒ **Capitole** (*supra* cit. 3).

TARPON [taʀpɔ̃] n. m. — 1907, *in* Höfler ; mot angl. (1685) d'orig. incertaine.

♦ Zool. Poisson (*Physostomes, Clupéidés*) qui vit près de l'embouchure des rivières des États-Unis (Floride), et qui est recherché pour ses écailles (utilisées en tabletterie). *Le tarpon peut atteindre deux mètres de long. Pêche au tarpon* (pêche sportive).

TARSAL, ALE, AUX [taʀsal, o] adj. — 1842 ; de *tarse.*

♦ Zool. Du tarse, qui se rapporte au tarse. ⇒ **Tarsien.**

TARSALGIE [taʀsalʒi] n. f. — 1872 ; de *tarse,* et *-algie.*

♦ Méd. Affection qui atteint surtout les adolescents, caractérisée par des douleurs dans la région du tarse et par un affaissement de la voûte plantaire avec déviation du pied en dehors. *Tarsalgie des adolescents* (de 15 à 20 ans). — On dit aussi *valgus douloureux, pied plat des adolescents.*

TARSE [taʀs] n. m. et adj. — 1560 ; *talse,* v. 1363 ; *tarsen,* 1538 ; grec *tarsos* « claie », d'où par métaphore « plat du pied ».

♦ **1.** Anat. Partie du squelette du pied* qui correspond au *carpe** (2. Carpe) de la main et qui est constituée par une double rangée d'os courts située au-dessous de la jambe. *La rangée postérieure du tarse* (vers le talon) *comprend l'astragale et le calcanéum ; la rangée antérieure* (vers la pointe du pied) *comprend le cuboïde, le scaphoïde et les trois cunéiformes. Os situés dans le prolongement du tarse.* ⇒ **Métatarse.** — Par anal. *Tarse des vertébrés.*
Tarse palpébral (→ ci-dessous, 3.).

♦ **2.** Zool. ⓐ (1812). Troisième article du pied d'un oiseau.

ⓑ (1762). Partie terminale de la patte (des insectes) formée de plusieurs articles (cit. 2). *Insectes classés selon la structure de leurs tarses.* ⇒ **Hétéromère, pentamère.**

♦ **3.** Adj. (1845). *Cartilage tarse :* lame fibreuse placée dans l'épaisseur du bord libre de la paupière et qui la maintient tendue. — N. m. *Tarse palpébral ; tarse* (même sens).

DÉR. **Tarsal, tarsien, tarsier.**
COMP. **Métatarse, tarsalgie, tarsectomie, tarsite.** — V. **Tarso-.**

TARSECTOMIE [taʀsɛktɔmi] n. f. — 1890 ; de *tarse,* et *-ectomie.*

Médecine.

♦ **1.** Ablation totale ou partielle des os du tarse. *Tarsectomie totale, complexe, antérieure, postérieure.*

♦ **2.** Excision d'une partie du tarse palpébral.

TARSIEN, IENNE [taʀsjɛ̃, jɛn] adj. et n. m. — 1792 ; de *tarse.*

★ **I.** Adj. Anat. Relatif au tarse, qui constitue le tarse. *Articulation, région tarsienne. Os tarsiens.* — Relatif au tarse palpébral. *Conjonctive tarsienne* (on trouve aussi *tarsal*).

★ **II.** N. m. pl. (1792). TARSIENS : sous-ordre des primates, de très petite taille, à tête arrondie, aux grands yeux globuleux et au tarse très développé, vivant dans les arbres (le seul type actuel est le tarsier*). — Au sing. *Un tarsien.*

COMP. **Tarsiiformes.**

TARSIER [taʀsje] n. m. — 1765, Buffon ; de *tarse.*

♦ Zool. Mammifère (cit. 1) lémurien de la taille d'un rat, vivant en Malaisie, qui se nourrit de lézards et d'insectes. *Tarsier spectre.* — *Les tarsiers.* ⇒ **Tarsiiformes.**

1   (...) les os des pieds *(du tarsier),* et surtout ceux qui composent la partie supérieure du tarse, ont une grandeur démesurée, et c'est de ce caractère très apparent que nous avons tiré son nom (...) ce nom *tarsier,* que nous donnons aujourd'hui à cet animal, ne doit être pris que pour un nom précaire qu'il faudra changer lorsqu'on connaîtra son vrai nom (...)
         BUFFON, Hist. nat. des animaux, « Le tarsier » (1765).

2   Si l'homme ne ressemble pas tellement au singe (encore moins au tarsier), par contre le fœtus du singe ressemble terriblement à l'homme. C'est même là une banalité de l'anatomie comparée.
         R. QUENEAU, Bâtons, chiffres et lettres, p. 147.

TARSIIFORMES [taʀsiifɔʀm] n. m. pl. et adj. — Mil. xxᵉ ; de *tarsiens,* et suff. *-forme.*

♦ Zool. Groupe de mammifères proches des Primates supérieurs (singes), comprenant les tarsiens*, et dont de nombreuses espèces sont fossiles. « *Certains tarsiiformes fossiles de l'éocène montrent (...) cet agrandissement du cerveau, ce raccourcissement de la face (...) qui se développeront encore davantage chez les vrais singes* » *(Sciences et Avenir,* 1980 ; *Les origines de l'homme).* — Au sing. *Un tarsiiforme.* ⇒ **Tarsien.**
Adj. *Familles tarsiiformes.*

TARSITE [taʀsit] n. f. ou n. m. — xxᵉ ; de *tarse,* et *-ite.*

♦ **1.** N. f. Méd. Inflammation du tarse palpébral.

♦ **2.** N. m. Zool. Chacun des segments formant le tarse (2., b) des arthropodes.

TARSO- Premier élément de mots savants (anat., méd...), tiré de *tarse.* — Ex. : *tarsométatarsien, ienne,* adj. (1872), « qui se rapporte à la fois au tarse et au métatarse » ; *tarsoplastie,* n. f. (mil. xxᵉ), « opération chirurgicale corrigeant un pied bot par modification du tarse » ; *tarsotomie,* n. f. (1923), « résection du tarse palpébral » ; (mil. xxᵉ), « section de l'articulation du tarse (1.) ».

1. TARTAN [taʀtɑ̃] n. m. — 1792 ; mot angl., p.-ê. de l'anc. franç. *tertaine,* var. de *tiretaine* « étoffe grossière de laine et lin » (cf. moy. angl. *tartarin* « drap de Tartarie »), ou encore de même orig. que *tarlatane* (Guiraud).

♦ **1.** Étoffe de laine, marquée de bandes de couleurs se coupant à angle droit, que portent les montagnards écossais. ⇒ aussi **Plaid.**

1   (...) je vous reverrai souvent dans cette petite robe de mousseline de laine aux couleurs d'un tartan de je ne sais quel clan d'Écosse !...
         BALZAC, les Petits Bourgeois, Pl., t. VII, p. 123.

(1822, *in* Höfler). Vêtement aux couleurs du clan.

1.1   Combien de fois n'a-t-on pas vu Trilby, le joli lutin de la chaumière de Dougal, sautiller sur le rebord des pierres calcinées avec son petit *tartan* de feu et son *plaid* ondoyant couleur de fumée (...)
         Ch. NODIER, Trilby ou le lutin d'Argail, 1822, 28, *in* HÖFLER.

Dessin (caractérisé par la disposition et la couleur de ces bandes) particulier à chaque clan écossais.

♦ **2.** (1857). Tissu écossais* de laine ou de coton. *Imperméable doublé de tartan.* — Vx. Vêtement, châle fait de cette étoffe. ⇒ aussi **Plaid** (cit. 4).

2 Le docteur (...) revint bientôt avec un habit noir, de la meilleure coupe de Jennings, un pantalon de tartan bleu de ciel à sous-pieds (...)
BAUDELAIRE, Trad. E. POE, Nouvelles histoires extraordinaires, « Petite discussion avec une momie ».

En appos. *Flanelle tartan,* qui était utilisée comme doublure.

DÉR. Tartanelle.
HOM. 2. Tartan.

2. TARTAN [taʀtɑ̃] n. m. — Av. 1968 (date des jeux Olympiques de Mexico); mot angl. ; marque déposée, de *tar* «goudron», ou, selon Höfler, par allus. à *scotch* «écossais», marque déposée par la même firme américaine, 3 M.

♦ Techn. Revêtement des pistes d'athlétisme, fait d'un aggloméré de caoutchouc, matières plastiques et amiante (s'écrit avec ou sans majuscule).

HOM. 1. Tartan.

TARTANE [taʀtan] n. f. — 1632; ital. *tartana,* p.-ê. métaphore de l'anc. provençal *tartana* «buse», d'orig. incert. ; pour Guiraud, il s'agit d'un oiseau au plumage «taroté» (rad. *tar-* «percer»), le mot étant croisé avec un dér. de *tardus* «lourd, lent».

♦ **1.** Petit navire de la Méditerranée, portant un grand mât avec antenne, un beaupré, parfois un tapecul, autrefois utilisé pour la pêche et le cabotage (→ Guetter, cit. 2).

1 Les tartanes de Lavagna — hérissées de cinq voiles aiguës qui divergent —, lourdes de briques ou de fruits, lourdes et ailées sur la mer.
VALÉRY, Rhumbs, p. 18.

2 Elle songeait à ces tartanes qui oscillent dans les bras du vent.
J. GIONO, Naissance de l'Odyssée, II, Pl., t. I, p. 75.

♦ **2.** (1769). Filet analogue au gangui* (1.).

TARTANELLE [taʀtanɛl] n. f. — 1875, *in* Höfler; de 1. *tartan.*

♦ Vx. Étoffe de laine à carreaux de couleurs.

1. TARTARE [taʀtaʀ] n. et adj. — 1743, n. m. ; adj., 1756, Voltaire ; *tartaire,* XIIIᵉ ; mot d'orig. turco-mongole avec finale *-ar* du pluriel, mentionné au IXᵉ dans les annales chinoises *(Tha-ta)* pour désigner une tribu de Mongols ou de Turcs puis étendu à un grand nombre de tribus d'Asie centrale ; introduit en Europe à l'époque de Gengis Khan, et altér. sous l'infl. du lat. *tartarus.* → 2. Tartare.

★ **I.** ♦ **1.** Relatif aux populations vivant en Asie centrale ou originaires de cette région (principalement des Turcs et des Mongols), connues d'abord en Occident par les invasions de Gengis Khãn et de Timour-Lang (→ Mandchou, cit.). *Esclaves, légendes tartares* (→ Harem, cit. 2; prodige, cit. 3). *Le Désert des Tartares,* roman de Dino Buzzati.
N. *Un, une Tartare. Pierre le Grand, vainqueur des Turcs et des Tartares* (→ Arc, cit. 17). — N. m. *Le tartare,* langue parlée par les Tartares.

1 Ivan Ogareff s'exprimait en tartare, et donnait à ses phrases la tournure emphatique qui distingue le langage des Orientaux.
J. VERNE, Michel Strogoff, p. 284 (1876).

♦ **2.** (Fin XVIIIᵉ). Cuis. *Sauce tartare :* mayonnaise très fortement assaisonnée (câpres, cornichons, moutarde...). — (En France). *Un steak tartare,* ou, n. m., *un tartare,* viande de bœuf (ou de cheval) crue et hachée, très épicée, souvent servie avec un œuf cru (cf. en Belgique, Filet américain).

2 La vogue du steak tartare, par exemple, est une opération d'exorcisme contre l'association romantique de la sensibilité et de la maladivité *(sic) :* il y a dans cette préparation tous les états germinants de la matière : la purée sanguine et le glaireux de l'œuf, tout un concert de substances molles et vives, une sorte de compendium significatif des images de la préparturition.
R. BARTHES, Mythologies, p. 78.

3 Combien de gens ne peuvent manger du cheval ou du chat que s'ils croient manger du bœuf ou du lapin ! Tout est fonction de l'habitude. Nos grands-mères auraient-elles avalé avec autant de désinvolture que nous le très barbare steak tartare ?
Alain BOMBARD, Naufragé volontaire, p. 75.

(1825). Vieilli. *À la tartare :* grillé, pané et servi avec une sauce tartare. *Poulet à la tartare.*

★ **II.** N. m. Vx. ♦ **1.** (1743). Valet militaire.

♦ **2.** (1828). Courrier officiel, en Turquie (XVIIIᵉ-XIXᵉ siècles).

DÉR. Tartaret, 1. tartarin, tartariser.
HOM. 2. Tartare.

2. TARTARE [taʀtaʀ] n. m. — 1699, Fénelon ; lat. *tartarus,* grec *tartaros.*

♦ Myth. gréco-romaine. Séjour souterrain au fond des enfers où Zeus précipitait ses ennemis. — Région des Enfers* (I.) où les criminels expiaient leurs forfaits après leur mort.

(...) les méchants princes souffraient, dans le Tartare, des supplices infiniment plus rigoureux que les autres coupables d'une condition privée (...)
FÉNELON, Télémaque, XIV.

DÉR. Tartaréen.
HOM. 1. Tartare.

TARTARÉEN, ÉENNE [taʀtaʀeɛ̃, eɛn] adj. — 1842 ; de 2. *tartare.*

♦ Didact. Du Tartare. *Supplices tartaréens.*

TARTARET [taʀtaʀɛ] n. m. — 1561 ; *tartarot,* v. 1465 ; de 1. *tartare.*

♦ Vx. Faucon originaire de Tartarie.

TARTARIE [taʀtaʀi] n. f. — D. i. (XXᵉ) ; du nom géographique *Tartarie.* → 1. Tartare.

♦ Plante dicotylédone gamopétale à fleur rouge, vivant dans les prairies d'Asie et d'Europe en semi-parasite des graminées. *La tartarie est une plante nuisible.*

1. TARTARIN [taʀtaʀɛ̃] n. m. — 1768 ; de 1. *tartare.*

♦ Vx. Singe cynocéphale de Tartarie.
HOM. 2. Tartarin.

2. TARTARIN [taʀtaʀɛ̃] n. m. — De *Tartarin,* personnage de trois romans de Daudet : *Tartarin de Tarascon* (1872), *Tartarin sur les Alpes* (1885), *Port-Tarascon* (1890).

♦ Fam. Fanfaron, vantard.

Car l'armistice ne vous a pas fait taire et la Paix pas davantage. Vous aviez tellement eu peur pour vos peaux, Tartarins !
BERNANOS, les Grands Cimetières sous la lune, p. 327 (1938).

DÉR. Tartarinade, tartariner. — REM. On a relevé l'adj. tartarinesque (1898, *in* D. D. L.).
HOM. 1. Tartarin.

TARTARINADE [taʀtaʀinad] n. f. — 1894, Sachs-Villatte ; de 2. *tartarin.*

♦ Fam. (Surtout plur.). Vantardise, fanfaronnade. ⇒ **Tarasconnade.**
« *Entre les clowneries et les tartarinades...* (d'un acteur) » (*le Nouvel Obs.,* 15 mai 1982, p. 107).

TARTARINER [taʀtaʀine] v. intr. — Mil. XXᵉ ; de 2. *tartarin, tartarinade.*

♦ Fam. Se vanter, faire le tartarin. ⇒ **Fanfaronner.** «*Au contraire d'un* (X) *qui tenait table ouverte sur ses intentions et tartarinait volontiers,* (Y) *se met en retrait* » (*le Point,* 21 août 1978, p. 66).

TARTARISER [taʀtaʀize] v. tr. — 1876, cit. ; de 1. *tartare.*

♦ Rare. Rendre tartare ; assimiler aux Tartares. — Pronominal :

Il ne faut pas trop se tartariser ! Le beau rôle est encore à ceux dont les armes civilisent, et il est évident que les peuples de l'Asie centrale auraient tout à perdre et absolument rien à gagner à cette invasion, mais les Russes sauront bien les repousser.
J. VERNE, Michel Strogoff, 1876, p. 290.

TARTE [taʀt] n. f. et adj. — XIIIᵉ ; *tarta,* 1163, dans un texte de Picardie ; *tartre* en anc. franç. ; orig. incert., var. possible de *tourte ;* on a évoqué l'infl. de *tartre ;* cf. wallon *tate,* du westphalien *târte,* à rattacher au rad. de l'all. *zart* «délicat, fin, doux» (pour la filiation de sens ; cf. all. *Delikatesse*) ; franç. *bonbon, douceur* ; P. Guiraud souligne que *tarte* désigne la garniture de crème, comparable à un dépôt. → Tartine.

★ **I.** N. f. **A.** Pâtisserie (cit. 3) plate, le plus souvent ronde, formée de pâte et de fruits ou de crème, etc. ⇒ **Flan.** *La pâte, la croûte et la garniture d'une tarte. Tarte à pâte brisée, feuilletée. Tarte aux fruits* (→ Four, cit. 12). *Tarte aux pommes, aux cerises, aux poires, aux quetsches ; tartes aux fraises, aux framboises, aux groseilles, aux myrtilles...* (où les fruits sont ajoutés après cuisson de la croûte). *Tarte au citron,* garnie d'une préparation au citron. — *Tartes à l'anglaise,* recouvertes d'une abaisse de pâte (comme la tatin). *Tarte à l'alsacienne,* garnie de fruits et de crème anglaise ou de crème pâtissière. *Tartes à la marmelade. Tarte de Linz (Linzertorte),* de pâte brisée à la cannelle, garnie de confiture de framboises et recouverte de croisillons. *Tarte milanaise,* parfumée à l'anisette et à l'abricot. *Tarte tatin.* ⇒ **Tatin.** — *Tarte à la crème* (→ Dérober, cit. 3). *Tarte au fromage* (cit. 9) *blanc.* — *Tarte ronde, carrée. Grande, petite* (⇒ **Tartelette**) *tarte.*

Allus. littér. *Tarte à la crème* (→ Corbillon, cit. 2, Molière, *l'École des femmes*).

— Ah ! ma foi, oui, *tarte à la crème !* voilà ce que j'avais remarqué tantôt ; *tarte*

à la crème! Que je vous suis obligé, Madame, de m'avoir fait souvenir de *tarte à la crème!* Y a-t-il assez de pommes en Normandie pour *tarte à la crème?*
MOLIÈRE, Critique de l'École des femmes (1663), 6.

Fig. *Tarte à la crème :* formule vide, argument rebattu par lequel on prétend avoir réponse à tout.

1.1 Il est vraiment trop facile — faisons ici notre autocritique! — d'avoir la bouche pleine du «Commonwealth français» comme de notre tarte à la crème.
F. MAURIAC, Bloc-notes 1952-1957, p. 290.

1.2 On lui sert de la tarte aux cerises et, sans perdre une bouchée, elle nous rembourse d'une tarte à la crème : nul ne communique.
Hervé BAZIN, Cri de la chouette, p. 201.

Loc. fig. (1950). Fam. *C'est de la tarte :* c'est facile (cf. C'est du tout cuit, du gâteau). — Plus cour. *Ce n'est pas de la tarte :* ce n'est pas facile (cf. Il faut le faire, c'est pas du gâteau, du nougat...). «*Ça semblait pas de la tarte, ce nouvel épisode*» (A. Simonin, *Touchez pas au grisbi*, p. 136).

1.3 Pour fabriquer une bombe «A»
Mes enfants croyez-moi
C'est vraiment de la tarte.
B. VIAN, la Java des bombes atomiques, *in* Textes et chansons, p. 49.

B. (1895). Fam. ⇒ **Coup, gifle.** *Il a reçu une sacrée tarte.*

2 Elle le pinça de nouveau sévèrement (...) Bien sûr qu'il aurait pu lui foutre une tarte qui lui aurait fait sauter deux ou trois dents (...) mais qu'auraient dit ses admirateurs?
R. QUENEAU, Zazie dans le métro, IX.

★ **II.** Argot, puis fam. Adj. ♦ **1.** (1836 ; *tartre*, 1821). Vx. Faux.

♦ **2.** (V. 1900). Mod. Laid ; sot et ridicule, peu dégourdi. ⇒ **Cloche.**

3 Il les trouvait toujours soit trop dindes, soit trop tartes.
R. QUENEAU, Zazie dans le métro, p. 11.

4 Les gens sont tartes de s'acharner à conserver des objets. Chaque dix ans, au plus, (et au moins) faudrait détruire ou bazarder ce qu'on a.
SAN-ANTONIO, J'ai essayé : on peut!, p. 47.

Invariable :

5 Elle (...) soupira : «Ce qu'ils sont tarte, tout de même, ces provinciaux!»
ARAGON, les Beaux Quartiers, p. 225.

(Choses). Assez laid et ridicule ; démodé. *Ce film est plutôt tarte, est drôlement tarte. Ce que c'est tarte!* ⇒ fam. **Mochard, tartignolle, tartouse.**

DÉR. Tartelette, tartine. — (Du II.) Tartignolle, tartouse.
COMP. V. Tartempion, tartouiller.

TARTELETTE [taʀtəlɛt] n. f. — 1349 ; de *tarte*, et dimin. -elette.

♦ Petite tarte (→ Crêpe, cit. 1 ; salon, cit. 6). ⇒ **Barquette.** *Tartelette aux pommes.* ⇒ **Four** (petits fours).

TARTEMPION [taʀtɑ̃pjɔ̃] n. propre et n. m. — 1879, *in* D.D.L. ; comme patronyme fictif, 1839, Huart, *in* D.D.L. ; nom burlesque, comp. de *tarte*, et *pion*.

♦ Péj. Nom propre d'une personne fictive prise comme type de l'individu quelconque, médiocre. *Monsieur Tartempion. Madame Tartempion. Et alors il ira voir, je ne sais pas, moi... Pierre, Paul, Tartempion.* — REM. *Dupond, Durand* sont utilisés pour désigner un individu moyen, sans nuance péjorative. ⇒ **Tel** (un).

1 Roberti devient sous-secrétaire d'État sans portefeuille dans le cabinet Tartempion qui dure une semaine (...)
J. DUTOURD, les Horreurs de l'amour, p. 722.

2 Mais il vous faut ça, pensez donc, il y a les Tartempion qui ont acheté pour rien un petit bijou (...)
N. SARRAUTE, Martereau, p. 101.

3 (...) si j'étais député de Paris, je ne me sentirais aucune liberté d'esprit (...) Je me dirais : dans deux ans, dans six mois, un Tartempion quelconque, un commis des Postes, un employé du gaz, va me balayer (...)
J. ROMAINS, les Hommes de bonne volonté, t. XXII, p. 82.

TARTIGNOLLE [taʀtiɲɔl] adj. — 1925, *in* Esnault ; de *tarte* (II., 2.), et suff. (p.-ê. lyonnais) -gnolle.

♦ **1.** Vx. Laid.

♦ **2.** Mod. Fam. Un peu bête et ridicule. ⇒ **Tarte** (II., 2.). *Un chapeau tartignolle. Une grande fille un peu tartignolle.*

TARTINE [taʀtin] n. f. — V. 1500 ; de *tarte*, et suff. -ine.

★ **I.** ♦ **1.** Tranche de pain recouverte de beurre, de confiture... ⇒ aussi **Fripe.** *Tailler une tartine dans le pain* (→ Gré, cit. 10). *Rôtir les tartines* (→ Fourchette, cit. 2). *Tartines grillées* (1. Griller, cit. 1). ⇒ **Rôtie, toast.** *Préparer des tartines pour le petit déjeuner, pour le goûter d'un enfant. Étaler du beurre sur une tartine.* ⇒ **Tartiner.** *Tartine de pain beurré* (→ Éplucher, cit. 2 ; régal, cit. 2). — Par ext. *Tartine de confiture* (cit. 2), *de fromage blanc.*

♦ **2.** (1823, *in* Matoré, le Vocabulaire sous Louis-Philippe, p. 147, nº 4 ; d'abord argot des comédiens et des journalistes). Fam. Long article de journal (→ Histoire, cit. 50) ; grand discours ; développement interminable sur un sujet quelconque. ⇒ **Laïus.** *Écrire, pondre une grande tartine. Il a fait là-dessus toute une tartine.*

1 Elle avait le défaut d'employer de ces immenses phrases bardées de mots emphatiques, si ingénieusement nommées des *tartines* dans l'argot du journalisme qui

tous les matins en taille à ses abonnés de fort peu digérables, et que néanmoins ils avalent.
BALZAC, Illusions perdues, Pl., t. IV, p. 497.

2 (...) comme il faut être nommé, je leur lâche quelquefois des *tartines* sur la liberté de la presse, sur la réforme électorale, et autres balivernes (...)
STENDHAL, Féder, IV.

★ **II.** (1829, Vidocq). Argot. Chaussure. ⇒ **Targette.** *User ses tartines.*

DÉR. Tartiner. — V. Tartouiller.

TARTINER [taʀtine] v. — 1845, Balzac ; de *tartine*.

★ **I.** V. intr. ♦ **1.** Faire une tartine* (I., 2.) dans un journal, un long développement. *Tartiner sur...* — Trans. Écrire beaucoup et sans conviction. «*Tartiner des brochures*» (Balzac).

1 Vois, mon très cher, où nous conduit l'habitude de tartiner dans un journal, voilà que je fais une espèce d'article.
BALZAC, les Paysans, Pl., t. VIII, p. 21.

♦ **2.** Fam. ou régional. S'étaler facilement, se tartiner (→ ci-dessous).

2 C'est du beurre extra qui vient des Charentes. Il tartine, c'est une merveille. Faut voir ça. — Ce beurre ne «tartinait» si bien que parce qu'il était «allongé» de margarine pour un tiers.
J. DUTOURD, Au bon beurre, p. 42-43.

★ **II.** ♦ **1.** V. tr. (1884, Verlaine, par métaphore). Étaler* (du beurre, du fromage...) sur une tranche de pain pour faire une tartine* (I., 1.). — Comm. *Fromage à tartiner :* fromage mou (crème de gruyère, etc.), facile à étendre sur du pain.

♦ **2.** Fig., fam. *Tartiner une histoire de bons sentiments.*

▶ **SE TARTINER** v. pron.

[a] (Passif). Pouvoir être tartiné. *Cette pâte se tartine facilement.* — Syn. : *tartiner,* v. intr. (→ ci-dessus, II., 1.).

[b] (Réfl.). Fig. «*Sus aux émotions : tout le monde se tartine de self-control*» (le Nouvel Obs., 2 mars 1981, p. 95).

[c] Fam. *Se tartiner de qqch.,* s'en moquer. ⇒ **Tamponner** (s'en).

[d] Fam. *Se tartiner qqn,* le supporter (cf. Se le faire, se le farcir).
DÉR. Tartineur.

TARTINEUR, EUSE [taʀtinœʀ, øz] n. — 1846, *in* D.D.L. ; de *tartiner* (I., 1.).

♦ **1.** Vieilli. Journaliste qui tartine.

♦ **2.** Rare. Personne qui tartine (II.).

TARTIR [taʀtiʀ] v. intr. — 1827 ; de l'argot ital. anc. (fourbesque) *tartire.*

♦ **1.** Argot. Déféquer. ⇒ **Chier.**

♦ **2.** (1898). Fig., pop. *Envoyer tartir qqn,* l'envoyer promener. *Faire tartir qqn,* l'ennuyer. ⇒ **Chier** (faire), **emmerder.**

1 (...) ça me faisait salement tartir d'abandonner le coin, pour longtemps peut-être, sans m'être farci cette poupée. Albert SIMONIN, Touchez pas au grisbi, p. 23.

Pron. *Se faire tartir :* s'ennuyer. *Se faire tartir à faire qqch.*

2 Tout à l'heure, depuis la berline, je me demandais si c'était le paradis ou les premières maisons de Nanterre. Si on doit se faire tartir, par ici, dites donc (...)
M. AYMÉ, Maison basse, p. 144.

DÉR. Tartisses.

TARTISSES [taʀtis] n. f. pl. — V. 1950 ; *tartissoir,* 1927, Esnault ; de *tartir.*

♦ Argot. *Les tartisses :* les cabinets. ⇒ **Chiottes.**

Paula en profite pour se tirer vers le sous-sol où près des tartisses se trouve la cabine téléphonique.
Albert SIMONIN, Hotu soit qui mal y pense, p. 181 (1971).

TARTOUILLADE [taʀtujad] n. f. — 1851 ; de *tartouiller.*

♦ Fam. (argot des peintres), vx. Mauvais tableau peint avec une grande abondance de couleurs, à pleine pâte.

TARTOUILLER [taʀtuje] v. tr. — 1851 ; de *tart(ine),* et *touiller.*

♦ Fam. (argot des peintres), vx. Peindre en pleine pâte et mal.
DÉR. Tartouillade, tartouilleur.

TARTOUILLEUR [taʀtujœʀ] n. m. — 1851 ; de *tartouiller.*

♦ Fam. (argot des peintres), vx. Peintre qui tartouille. — REM. Le féminin *tartouilleuse* [taʀtujøz] est virtuel.

TARTOUSE [taʀtuz] adj. — 1917 ; de *tarte* (II., 2.), et suff. pop. et péj. -ouse.

♦ **Fam.** Laid, tarte (II., 2.). *C'est rien tartouse, ton truc !* — REM. Céline (*Mort à crédit, in* Cellard et Rey) écrit *tartouze*.

TARTRATE [taʀtʀat] n. m. — 1795, trad. Cullen ; de *tartre*.

♦ **Chim.** Sel ou ester des acides tartriques. *Le tartrate double d'antimoine et de potassium est utilisé comme émétique* (tartre* stibié).*

TARTRE [taʀtʀ] n. m. — 1560 ; *tartharum*, XIIIᵉ ; *tartaire*, XIVᵉ ; *tartare*, XVIᵉ ; lat. médiéval *tartarum*, p.-ê. croisement entre *Tartarus* « enfer », et l'arabe *dyrd, dyrdī* « sédiment, dépôt » ; le mot est p.-ê. lié à *tarte**.

♦ **1.** Dépôt qui se forme dans les récipients contenant du vin *(tartre brut). Le tartre contient une forte proportion de bitartrate de potassium.*

1 Et ils passaient des jours dans la cave à enlever le tartre des bouteilles, revenrirent tous les meubles, encaustiquèrent les chambres (...)
FLAUBERT, Bouvard et Pécuchet, II.

(1600, alchim.). *Tartre stibié :* tartrate de potassium, et d'antimonyle (SbO). *Tartre émétique.* ⇒ **Émétique.**

♦ **2.** (1765). Dépôt de matières organiques, de phosphates et de carbonates, qui se forme sur les dents, surtout au niveau des collets. — On dit aussi *tartre dentaire.*

2 Il avait des dents bien mauvaises (...) rancies, brunies et haut cerclées de tartre verdâtre, une belle pyorrhée alvéolaire en somme.
CÉLINE, Voyage au bout de la nuit, p. 306.

♦ **3.** (1907). Croûte calcaire qui se forme, pendant l'ébullition, sur les parois des chaudières, des bouilloires. *Rincer le radiateur d'une auto pour enlever le tartre.* ⇒ **Détartrer.**

♦ **4.** Vx. Tartrate. — Résidu de la calcination des plantes.

♦ **5.** (1821). Argot. Vx. Faux or. *Bagues de tartre.*

DÉR. Tartrate, tartré, tartreux, tartrique.
COMP. Détartrer, entartrer, tartrifuge.

TARTRÉ, ÉE [taʀtʀe] adj. — Mil. XXᵉ ; *tartrer*, 1908 ; pron. et p. p. (en parlant des dents), 1845 ; de *tartre*.

♦ **Techn.** Additionné de tartre (1.).

TARTREUX, EUSE [taʀtʀø, øz] adj. — 1755 ; *tartareux*, 1620 ; du lat. médiéval *tartarum*, ou directement de *tartre*.

♦ **1.** Relatif au tartre.

♦ **2.** Constitué par du tartre ; qui contient du tartre. *Croûte tartreuse.*

♦ **3.** (1880). Couvert de tartre.

TARTRIFUGE [taʀtʀifyʒ] n. m. — 1871 ; de *tartre*, et *-fuge*.

♦ **Didact.** Produit qui sert à empêcher la formation de tartre* (en particulier, dans les chaudières). ⇒ **Désincrustant.** *Des « produits tartrifuges qui empêchent la croissance des germes cristallins de carbonate de calcium »* (la Recherche, mars 1981, p. 326).

TARTRIQUE [taʀtʀik] adj. — 1823, in D.D.L. ; *tartarique*, 1787 ; de *tartre*.

♦ **Chim.** *Acide tartrique :* acide-alcool qui existe sous quatre formes stéréo-isomères (→ Découvrir, cit. 18). *Sel de l'acide tartrique.* ⇒ **Tartrate.** *Acide tartrique ordinaire (acide tartrique dextrogyre ou acide des tonneaux) :* solide blanc cristallisé, qui fond à 170 °C et qui est utilisé dans la fabrication des colorants, des levures chimiques et des sels effervescents. *Acide tartrique racémique*.*

TARTUFE ou **TARTUFFE** [taʀtyf] n. m. — 1669 ; nom du principal personnage de la comédie de Molière, *le Tartuffe ou l'Imposteur* (1664), qui vient de *Tartufo*, surnom d'un personnage de la comédie italienne (littéralt, « la truffe »).

♦ **1.** Vx ou littér. Faux dévot*.

♦ **2.** Mod. Personnage hypocrite. ⇒ **Archipatelin** (cit.), 1. **bigot, cafard, cagot, hypocrite.**

Les Tartuffes, sous main, ont eu l'adresse de trouver grâce auprès de Votre Majesté, et les originaux enfin ont fait supprimer la copie, quelque innocente qu'elle fût, et quelque ressemblante qu'on la trouvât.
MOLIÈRE, Tartuffe, « Premier placet » (1664).

Adj. (V. 1770). *Un abbé tartufe* (→ Irréligion, cit. 1).

CONTR. Franc, loyal.
DÉR. Tartuferie ou tartufferie, tartuffard.

TARTUFERIE ou **TARTUFFERIE** [taʀtyfʀi] n. f. — 1669, puis 1743 ; de *tartufe*.

♦ Caractère, manière d'agir d'un « tartufe », d'un faux dévot, d'un hypocrite ; fausse dévotion. ⇒ **Affectation** (de vertu), **bigoterie, cagoterie, hypocrisie** (*supra* cit. 10). *La tartuferie de son procédé.*

1 L'hypocrisie est, chez une nation, le dernier degré du vice. C'est donc faire acte de citoyen que de s'opposer à cette tartuferie sous laquelle on couvre des débordements (...)
BALZAC, Complaintes satiriques, in Œ. diverses, t. I, p. 350.

2 Mais à mes propres yeux, j'aurais été vraiment Tartufe, si la tartuferie consiste à feindre des sentiments qu'on n'éprouve pas.
F. MAURIAC, le Nouveau Bloc-notes 1958-1960, p. 330.

Pudeur excessive, ostentatoire et hypocrite (cf. l'allus. littér. « Couvrez ce sein que je ne saurais voir » ; → Couvrir, cit. 17). *La tartuferie des censeurs.*
(Une, des tartuferies). Façon d'agir, action, parole de tartuffe.

CONTR. Loyauté.

TARTUFFARD, ARDE [taʀtyfaʀ, aʀd] adj. — XXᵉ ; de *Tartuffe.*

♦ Rare. De Tartuffe. ⇒ **Hypocrite.**

Le mal de la jeunesse, c'est le mal d'argent, inventé par les pouvoirs établis qui se couvrent ensuite du tartuffard manteau de leur distribution, c'est le travail obligatoire, c'est la chambre sordide, la belle sardine à l'huile rance, et le voile du poumon (...)
R. QUENEAU, Bâtons, chiffres et lettres, p. 151.

TARZAN [taʀzã] n. m. — V. 1935 ; personnage de roman (Edgar R. Burroughs, 1875-1950) et de film américain, homme de la nature élevé dans la brousse par une guenon, ami des bêtes sauvages.

♦ Fam. et plais. Bel athlète (généralement écrit avec un T majuscule). *Elle n'aime que les Tarzans. Il joue les Tarzans sur la plage.*

TAS [tɑ] n. m. — V. 1130 ; francique *tas ; cf. néerl. *tas* « tas de blé » ; mais P. Guiraud postule qu'il s'agit d'un déverbal de *tasser* (anc. franç. *férir a tas* « frapper fort », en « tassant »).

★ **I.** ♦ **1.** Amas* (de matériaux, de morceaux, d'objets) s'élevant sur une large base. ⇒ **Monceau, réunion.** *Tas de pierres, de moellons, de gravats, de pavés, de déblais...* (→ Édifice, cit. 4 ; éminence, cit. 2 ; faisceau, cit. 1 ; lapider, cit. 1 ; rival, cit. 7). *Tas d'immondices* (cit. 5), *d'ordures* (→ Nourrir, cit. 35), *de cendres* (cit. 13), *d'herbes sèches* (→ 1. Foin, cit. 3). *Tas de sable* (→ Expressément, cit. 4), *de terre* (→ Pelle, cit. 1), *de charbon* (→ Renvoyer, cit. 11). *Tas de foin, de blé.* ⇒ **Meule** (→ Roucouler, cit. 3). — Prov. *Crier* famine sur un tas de blé.* — *Faire des tas, mettre qqch. en tas.* ⇒ **Entasser, tasser** (→ Faneur, cit. ; gerbe, cit. 2 ; ratisser, cit. 2). *Cadavres brûlés en tas* (→ Fournée, cit. 7). — Fam. *Se mettre en tas, en boule.* ⇒ **Pelotonner** (se), **ramasser** (se).

1 Il y avait d'abord un tas de foin assez bas, d'où on pouvait passer facilement sur un second qui montait jusqu'au toit.
C.-F. RAMUZ, la Grande Peur..., XIII.

(1873). Vx. *Marchand, marchande au petit tas,* qui vendait des petits tas de fruits.

1.1 Eh bien, elle vivote, elle vend au petit tas, elle se fait encore ses quarante sous par jour (...) Moi, je ne pourrais pas rester dans ce diable de Paris, toute la journée, sur un trottoir.
ZOLA, le Ventre de Paris, t. I, p. 20.

Loc. fam. *Tas de boue :* chose informe, laide. *Ta bagnole, c'est un vrai tas de boue !* (n'implique pas la saleté).

♦ **2.** Fig. Grande quantité, grand nombre (de choses). ⇒ **Quantité.** *Un tas de plantes, de fleurs* (→ Aromate, cit. 3 ; éparpiller, cit. 5). *Emmagasiner* (cit. 2) *un tas de curiosités à bon marché.* — *Un tas de menues obligations* (→ Adventice, cit.), *de détails inutiles* (→ Fade, cit. 14), *de préceptes pédantesques* (→ Gymnase, cit. 3), *d'aventures improbables* (cit. 2)... *S'intéresser à des tas de choses.* ⇒ **Masse** (→ Mêler, cit. 32). — Fam. *Un tas de trucs. Se lancer* (1. Lancer, cit. 38) *dans des tas de commentaires.* — Fam. *Il y en a des tas et des tas.* ⇒ **Beaucoup.** *Taper** (cit. 20) *dans le tas. Servez-vous, tapez dans le tas !*

1.2 Nous étions d'accord avec Pagniez sur un tas de points.
S. DE BEAUVOIR, la Force de l'âge, p. 38.

2 Le premier dit, il avait joué lui aussi, prudemment. Et gagné. Pas des tas, mais tout de même : une quarantaine de francs.
ARAGON, les Beaux Quartiers, III, I.

♦ **3.** (1155). Péj. ou fam. Grand nombre (de personnes). ⇒ **Multitude.** « *Un tas d'hommes perdus* (cit. 74), *de dettes et de crimes* ». *Un tas de freluquets* (→ Béjaune, cit. 3), *de faquins* (cit. 1), *de fripouilles* (cit. 2), *de misérables* (→ Jouet, cit. 4), *de péquenots* (cit. 1). *Un tas de gens* (1. Gens, cit. 6) : beaucoup de gens. DANS LE TAS : dans le grand nombre de gens en question. *Il y en a bien un dans le tas qui...* (→ Élite, cit. 3). — (1872). *Tirer dans le tas,* dans un groupe, sans viser précisément quelqu'un.

3 J'ai ainsi eu, au cours de ma vie, des tas de contacts avec des tas de gens sérieux.
SAINT-EXUPÉRY, le Petit Prince, I.

Exclam. *Tas de...* — (1844). Injure s'adressant à un groupe (cf. Bande de...). *Tas de parpaillots* (cit.), *de marsupiaux* (→ Cornichon, cit.), *de salauds.*

★ **II.** ♦ **1.** Archit. Bâtisse en construction, chantier à pied d'œuvre.

— (1676). *Tailler les pierres sur le tas*, à l'endroit même où on les emploie (et non à la carrière).

Loc. (1872, en argot). SUR LE TAS : sur le lieu du « travail » (d'abord, de la prostitution ou du vol). — Vx. *Mettre une fille sur le tas.* ⇒ **Tapin.** — Par ext. *Faire le tas*, le trottoir*. — *Prendre, être pris sur le tas*, en flagrant délit.

4 (...) un après-midi, un agent, qui filait un pick-pocket qu'il venait de prendre sur le fait — SUR LE TAS, comme on dit en argot policier — entre derrière lui à l'église Notre-Dame-des-Victoires. GORON, l'Amour à Paris, t. II, p. 766 (1900).

Sur le lieu de travail. — Loc. *Grève* sur le tas.*

Sur le lieu de l'activité, sur le terrain*. *Apprentissage sur le tas*, par la pratique professionnelle (et non par l'école). *Je n'ai pas fait d'études, j'ai été formé sur le tas.*

♦ **2.** (1567). Techn. TAS DE CHARGE : masse de pierre formant coussinet, où s'appuient les arcs doubleaux, les ogives, les formerets.

★ **III.** ♦ **1.** (V. 1268). Techn. Petit parallélépipède de métal servant d'enclume, dans certains métiers. *Tas de bijoutier.* — Spécialt. Enclume de chaudronnier. ⇒ **Tasseau** (II., 1., b).

♦ **2.** (XIVᵉ). Bloc métallique sur lequel on éprouve les monnaies au son.

♦ **3.** (1723). Matrice des fabricants de boutons.

DÉR. Tasser, tasserie.
COMP. Entasser.

TASIKINÉSIE [tazikinezi] n. f. — Mil. XXᵉ; comp. sav. du grec *tasis*, de *teinein* « tendre », et *kinesîs* « mouvement ».

♦ Didact. Tendance irrépressible à la marche (dans certaines psychopathies).

TASMANIEN, IENNE [tasmanjɛ̃, jɛn] adj. — 1878; de *Tasmanie*.

♦ De la Tasmanie, île située au sud de l'Australie. — N. *Un Tasmanien, une Tasmanienne.*

N. m. *Le tasmanien* : langue, aujourd'hui éteinte, des indigènes de Tasmanie.

TASSAGE [tasaʒ] n. m. — 1422, *tassaige*, dial.; repris XXᵉ; de *tasser*.

♦ **1.** Action de tasser.

♦ **2.** (1906, *in* Petiot). Sports. Action de tasser* un adversaire. ⇒ **Tassement.**

1. TASSE [tas] n. f. — 1150; rare av. XIVᵉ; arabe *ṭāsäh* « écuelle, jatte ». Cf. anc. provençal *tassa.*

♦ **1.** ⓐ Petit récipient à anse ou à oreilles servant à boire (généralement des boissons chaudes). ⇒ **Bol.** *Tasse de faïence, de porcelaine* (→ Kaolin, cit.). *Tasse d'argent.* ⇒ **Gobelet, taste-vin** (→ Bassin, cit. 2). *Tasse et soucoupe d'un déjeuner*. Tasses à thé, à café.* ⇒ **Service, vaisselle** (→ 2. Farce, cit. 10; flocon, cit. 4; lampe, cit. 23; moka, cit. 1; — (1870). *Tasse-filtre*.

1 Sur le marbre de la commode, un précieux plateau de malachite supportait une douzaine de tasses à café, magnifiques de peinture, sans doute faites à Sèvres. BALZAC, la Bourse, Pl., t. I, p. 338.

ⓑ (1718). Par métonymie. Contenu d'une tasse. *Boire, prendre une tasse de thé, de café, de tilleul...* (→ Digestion, cit. 4; introduire, cit. 12). *Dîner d'une tasse de café au lait* (→ Grumeler, cit. 2; et aussi guerre, cit. 57). — Allus. littér. *La madeleine trempée dans la tasse de thé* (→ Environ, cit. 10, Proust).

Loc. fig. *En pleurer une tasse* : pleurer abondamment.

2 Je me rappelle le passage où le vieux vient trouver la fille du caissier dans un bar des Champs-Élysées... ça, alors, permettez... on a le droit d'en pleurer une tasse (...) M. AYMÉ, Maison basse, p. 247.

ⓒ Par métaphore. *Boire une tasse, boire la tasse.* ⇒ **Boire.**

ⓓ Fig. *La grande tasse* : la mer. *Boire à la grande tasse* : se noyer.

♦ **2.** Argot fam. Vespasienne de forme circulaire. — Loc. *Prendre une tasse.* ⇒ **Pisser.** — Spécialt. Cette vespasienne, servant d'abri à des rencontres homosexuelles.

3 (...) la Grande Thérèse *(un travesti)*, attendait les clients dans les tasses. Au crépuscule, dans une des pissotières circulaires, près du port elle apportait un pliant, s'asseyait et faisait son tricot, son crochet. Elle s'interrompait pour manger un sandwich. Elle était chez elle. Jean GENET, Journal du voleur, p. 167.

♦ **3.** Loc. fig. (1830). Vx. *La tasse!* : rien à faire. — Mod. Chose désagréable, pénible. ⇒ **Merde.** *C'est la tasse, quoi! Quelle tasse!*

COMP. Demi-tasse, sous-tasse.
HOM. 2. Tasse, formes du v. tasser.

2. TASSE [tas] n. f. — XIVᵉ; *tasche*, fin XIᵉ; germanique *taska* « poche ».

♦ Anciennt (XIᵉ-XVIᵉ). Bourse en cuir, portée à la ceinture par les hommes.
HOM. 1. Tasse, formes du v. tasser.

TASSÉ, ÉE [tase] p. p. adj. ⇒ **Tasser.**

TASSEAU [taso; taso] n. m. — 1676; *tassiaud*, 1410; *taisseault* « planche », 1409; *tassel* « plaque qui maintient les agrafes d'un manteau », 1155; lat. pop. *tassellus*, croisement du lat. class. *taxillus* « petit dé à jouer » avec *tessella* « carreau, cube, dé ».

★ **I.** ♦ **1.** ⓐ Pièce de bois de section relativement faible et généralement carrée ou à peu près carrée, qui sert (ou est destinée à servir) d'élément de soutien, en particulier dans un assemblage, un bâti, un meuble, etc. *Tasseaux supportant des tablettes d'armoire. Les tasseaux s'encastrent par leurs extrémités en biseau dans les crémaillères* (d'une bibliothèque dont ils soutiennent les rayons, par exemple).

1 Un grabat à draps sales occupait la moitié de ma loge; une planche, supportée par deux tasseaux, placée contre le mur à deux pieds au-dessus du grabat, servait d'armoire au linge, aux bottes et aux souliers des détenus (...) CHATEAUBRIAND, Mémoires d'outre-tombe, t. V, p. 354.

2 (...) le cercueil descendait sur ses cordes, se posait au fond de la fosse sur les deux tasseaux que nous y avions placés (...) Pierre GASCAR, le Temps des morts, p. 245.

Spécialt. (Constr.). Barre de bois séparant les travées de la couverture d'une maison. *Tasseaux de charpente, de faîtage. Tasseau de couvre-joint* : pièce de charpente trapézoïdale sur laquelle sont fixés les couvre-joints, dans la couverture en zinc.

ⓑ Collectif. *(De, du tasseau).* Bois d'ouvrage propre à faire des tasseaux (au sens défini ci-dessus). *Acheter du tasseau chez un marchand de bois.* — *(Un, des tasseaux).* Morceau de ce bois d'ouvrage. *Tasseau de deux mètres, de trois mètres.*

♦ **2.** (1690, Furetière). Lutherie. Gabarit sur lequel les éclisses des instruments de la famille du violon sont mises en forme avant d'être collées aux tables.

★ **II.** Techn. ♦ **1.** ⓐ (1676). ⇒ **Tas** (III., 1.).

ⓑ (1765, *Encyclopédie*). *Tasseau à emboutir* : tas (III., 1.) d'établi, matrice métallique portant une empreinte au fond de laquelle la tôle à emboutir est repoussée (au marteau, etc.).

♦ **2.** (1694). Constr. Morceau de pierre, de brique, de carreau, etc., maçonné avec d'autres pour sceller au sol une perche d'un échafaudage.

TASSE-FILTRE [tasfiltʀ] n. f. ⇒ **Tasse.**

TASSEMENT [tasmɑ̃] n. m. — 1801; « palissade », v. 1370; de *tasser*.

♦ **1.** Action de tasser. *Le tassement de la terre, des déblais par le terrassier. Tassement à la pelle.* Fait de se tasser. ⇒ **Affaissement.** — Méd. *Tassement des vertèbres.* — Archit. *Tassement provoquant des ruptures dans un bâtiment.* — Géol. *Tassement du sol* (dégel, infiltrations, etc.). *Tassement des neiges* (→ Rimaye, cit.). *Sédiments consolidés par tassement.*

(...) par terre, les carreaux descellés faisaient des bosses, dans le tassement de la vieille maison. ZOLA, Nana, V.

♦ **2.** Par métonymie. Amas de choses tassées; substance tassée. Littér. Groupe de personnes serrées les unes contre les autres. *Un tassement d'enfants apeurés.*

♦ **3.** (1964). Perte de vitesse dans un mouvement d'accélération économique, etc.; ralentissement d'un progrès. ⇒ **Baisse, récession, recul.** *« Ce tassement du rythme de progression est sans doute imputable au plan de stabilisation »* (*le Monde*, 19 juil. 1964).

♦ **4.** (Mil. XXᵉ). Inform. Gestion des programmes dans laquelle ceux-ci sont resserrés lorsque des vides se forment entre eux.

TASSER [tase] v. — 1308; (en parlant des personnes) v. 1190; de *tas*, ou (dans l'hypothèse de P. Guiraud) du lat. *taxare* « toucher plusieurs fois et fortement ».

★ **I.** V. tr. ♦ **1.** Mettre en tas*, en comprimant le plus possible. *Tasser de la terre en tapant, poussant, serrant. Tasser du foin, du sable, de la neige. Tasser la terre avec laquelle on a comblé un fossé.* ⇒ **Damer, fouler, pilonner.** *Tasser le tabac dans la pipe.* ⇒ **Bourrer.**

1 Françoise y aidait Jean à charger une voiture de fumier. Tandis que lui, au fond de la fosse, la vidait à la fourche, elle, en haut, recevait les paquets, les tassait des talons, pour qu'il en tînt davantage. ZOLA, la Terre, V, I.

(Mil. XIXᵉ; compl. n. de personne). ⇒ **Masser, presser, resserrer, serrer.** *L'organisateur a tassé dix mille spectateurs dans une salle trop petite.* — Passif et p. p. *Être tassé. On était si tassé qu'on* *avait peine à remuer les coudes* (→ Festin, cit. 3 ; et aussi emboîter, cit. 9 ; et ci-dessous, p. p.).

♦ **2.** Pron. (1907). Fam. Prendre, absorber. *Qu'est-ce qu'on s'est tassé comme petits fours !* ⇒ **Envoyer** (s'), **taper** (se).

♦ **3.** (1902). Sports. Serrer irrégulièrement (un adversaire) contre le bord de la piste ou contre d'autres coureurs, en ne conservant pas sa ligne.

★ **II.** V. intr. (En parlant des végétaux). Croître en s'épaississant, pousser en touffe compacte, dense. *Cette oseille commence à bien tasser* (Littré, Académie).

▶ **SE TASSER** v. pron.

♦ **1.** (1834). S'affaisser sur soi-même. *Sols, terrains qui se tassent.* — (1873 ; personnes). *Se tasser avec l'âge.*

2   Sa taille peu élevée qui s'était comme haussée dans ce sursaut d'âme, se tassait à nouveau ; la tristesse revenait dans sa mine songeuse.
                                                                HUYSMANS, Là-bas, VIII.

♦ **2.** (1900). Fig., fam. Revenir, après quelque incident à un niveau égal, à un état normal. ⇒ **Arranger** (s'). *Tout se tasse de soi-même* (→ Niveler, cit. 2). *Ça finira bien par se tasser. Ça va se tasser.*

3   Déjà le manque d'organisation se fait sentir. Les escadrilles éprouvées demandaient vainement des appareils, des ambulances manquaient de médicaments, le ravitaillement se trompait de direction. Mais le Français croit à la débrouille et l'on se disait : *Ça se tassera.*   R. DORGELÈS, la Drôle de guerre, XVIII.

▶ **TASSÉ, ÉE** p. p. adj.

♦ **1.** (1690). Qu'on a tassé. *Neige tassée. Terre tassée.* — *Spectateurs, voyageurs tassés.*

♦ **2.** (1848, Sand). Affaissé* (cit. 1). *Constructions tassées, lézardées* (2. Lézarder, cit. 2). — (En parlant de personnes). *Trapu et comme tassé* (→ Dénouer, cit. 15). ⇒ **Court.** *Elle était tassée, avachie* (→ Matrone, cit. 4 ; et aussi chenu, cit. 2 ; labourer, cit. 11). ⇒ **Ratatiner.** *Tassé au creux de sa chaise.* ⇒ **Contracter, recroqueviller** (→ Percher, cit. 2 ; et aussi gai, cit. 11).

♦ **3.** (1903). Fam. BIEN TASSÉ : qui remplit bien un récipient (verre, tasse). *Un demi bien tassé* (→ Empaumer, cit. 2). *Un café bien tassé.* ⇒ **Serré.** — Par ext. *Un pastis bien tassé,* bien servi avec peu d'eau, très alcoolisé.
Fig. (Avec un numéral). Au moins, pour le moins.

4   À Paris, de la marée des premiers livres, je n'ai extrait que le plus gros de tous — quinze cents pages bien tassées — *Le Christ rencontre de deux amours,* de Dom Charles Massabki (...)
                                F. MAURIAC, le Nouveau Bloc-notes, 1958-1960, p. 103.

5   (...) Antoine rengaina dans sa gorge le deuxième couplet d'un hymne qui en comptait bien huit bien tassés (...)   René FALLET, le Triporteur, p. 420.

(Abstrait). Bien envoyé, féroce.

6   Ah ! vous pouvez ridiculiser les gaullistes de gauche par une caricature que je saurais illustrer d'une légende bien tassée, je vous le jure, si vous n'étiez pas mes amis !
                                         F. MAURIAC, le Nouveau Bloc-notes, p. 194.

CONTR. Dilater, écarter.

DÉR. Tassage, tassement, tasseur. — V. aussi Tas.

TASSERIE [tɑsʀi] n. f. — 1872 ; *tasserye* « lieu où l'on met la récolte », 1562 ; de *tas.*

♦ Régional (Ouest, Canada). Lieu où l'on entasse les gerbes de blé. ⇒ **Grenier.**
— Va voir Émile, il est à la tasserie. Moé *(sic)* je vais finir mon souper.
                                Jean-Yves SOUCY, Un dieu chasseur, 1976, p. 53.

TASSETTE [tɑsɛt] n. f. — 1342 ; *tachette,* 1328 ; dimin. de l'anc. franç. *tasse* « poche, bourse ». Cf. all. *Tasche.*

♦ Archéol. Plaque d'acier articulée qui, dans les armures, protégeait le haut des cuisses.
(...) ces volontaires de province, qui sont des gens bien étranges, avec leurs uniformes du dernier siècle, leurs morions, leurs cuirasses à tassettes.
                                     BERNANOS, Appendices, *in* Œ. romanesques, Pl., p. 1765.

TASSEUR, EUSE [tɑsœʀ, øz] n. — XIIIᵉ, *tasseor* ; de *tasser.*

♦ **1.** Personne qui tasse (quelque chose).
Techn. Personne qui effectue la présentation des marchandises en vrac (marchés de gros).

♦ **2.** (1876). Vx. Instrument pour tasser la terre.
Techn. (agric.). Dispositif qui forme la gerbe, dans une moissonneuse-lieuse, une botteleuse.

TASSILI [tasili] n. m. — 1907 ; mot berbère, « plateau ».

♦ Géogr. Plateau de grès, au Sahara. *Le tassili des Ajjers. Les tassilis.*

TASTE-VIN [tastəvɛ̃] ou **TÂTE-VIN** [tɑtvɛ̃] n. m. invar. — 1517, *taste-vin* ; *tâte-vin,* 1872 ; « ivrogne », 1492 ; de *tâter* « goûter », et *vin.*

♦ Petite tasse d'argent, ou pipette servant aux dégustateurs de vin. *Chevaliers du taste-vin :* confrérie bourguignonne de connaisseurs en vins et de gastronomes. — Ellipt. *Un taste-vin :* un chevalier de cette confrérie. — REM. La forme archaïque *taste-vin,* aussi écrite *tastevin,* est de beaucoup la plus fréquente, par goût du pittoresque.

T. A. T. [teate] ou **TAT** [teate ; tat] n. m. — 1950, *in* Höfler ; sigle anglais de *Thematic Apperception Test* (Murray).

♦ Psychol., psychan., psychiatrie. Test thématique d'aperception. ⇒ **Projectif** (test).

1. TATA [tata] n. f. — V. 1845 ; *tatan,* 1793, encore chez Stendhal (*Correspondance,* 1800, Pl., t. I, p. 13) ; déformation enfantine à redoublement ; de *tante.* → Tonton.

♦ **1.** Tante (dans le langage enfantin). *Tata Michèle. Tata et tonton. Dis bonjour à tata, à la tata, à tata Françoise.*

1   (...) des dîners, que la tante Massabie faisait, tous les dimanches, chez sa mère. C'est curieux cette figure de la tata, de cette vieille dévouée, qui avait douze cents francs de rente, et qui s'était faite domestique de son neveu (...)
                                Ed. et J. DE GONCOURT, Journal, 5 déc. 1883, t. VI, p. 198.

♦ **2.** Vx. Femme qui se mêle de tout, fait l'importante. *Madame, mademoiselle tata.*

♦ **3.** Vx. Femme d'âge mûr, assez corpulente, d'allure peu élégante. *Avec cette robe, elle fait un peu tata.*

♦ **4.** (1881). Très fam. Homosexuel passif. ⇒ **Tante** (3.).

2   — Le tonton est une tata. — C'est pas vrai, gueula Gridoux, c'est pas vrai, je vous défends de dire ça.   R. QUENEAU, Zazie dans le métro, Folio, p. 78.

3   (...) de l'industriel en tweed, de la bourgeoisie en bas de soie et dessous réduits, de la tata sélect, enfin, en gros, c'est cher, quoi.
                                                R. QUENEAU, Loin de Rueil, p. 143.

HOM. 2. Tata, 3. tata.

2. TATA [tata] n. m. — 1690, *in* D. D. L. ; onomat. enfantine.

♦ Vx. Lisière par laquelle on retenait un enfant qui apprenait à marcher. — Loc. *Être encore au tata,* en lisière*.

HOM. 1. Tata, 3. tata.

3. TATA [tata] n. m. — 1876 ; mot d'une langue africaine.

♦ Enceinte fortifiée dans laquelle vit un chef africain avec ses gens et ses biens.
(Il sort, emmenant l'homme. Le Roi se tourne vers le peuple.)
                                                                LE ROI ALBOURI
— L'exil plutôt que l'esclavage !
                                                                LE PEUPLE
— Jamais tu ne verras l'envahisseur dans ton tata.
                                    Cheikh N'DAO, l'Exil d'Albouri, 7 (1967),
                                    in Littérature de langue franç. hors de France, p. 140.

HOM. 1. Tata, 2. tata.

TATAMI [tatami] n. m. — Mil. xxᵉ (certainement bien antérieur) ; mot japonais « natte en paille de riz ».

♦ **1.** Natte ou tapis épais fixé au sol dans les intérieurs traditionnels japonais. « *On ne sait plus très bien* (au Japon) *si l'on est encore dans la civilisation du tatami* (...) *ou si l'on est entré dans celle du mur en dur, du lit et des meubles* » (*l'Express,* 27 janv. 1979, p. 75). — Plur. *Des tatamis,* ou (invar.) *des tatami.*
Nous nous sommes déchaussés avant de poser le pied sur les tatamis couleur de blé mûr (...)   S. DE BEAUVOIR, Tout compte fait, p. 283.
Spécialt. Ce tapis, sur lequel on pratique les sports de combat japonais (judo, jiu-jitsu, karaté, etc.).

♦ **2.** Au Japon, Unité de surface des locaux d'habitation ; ailleurs, des locaux où l'on pratique le judo, correspondant à un tatami (2 m × 1 m). « *La première salle de Kodokan n'avait que douze tatami* » (*Jeux et Sports,* Pl., *in* Petiot).

TATANE [tatan] n. f. — 1916 ; var. de *titine* « bottine », 1840, *in* Esnault.

♦ Fam. Chaussure. « *J'enfile les tatanes, je cache les vieilles mules bleues* » (A. Sarrazin, *la Cavale,* p. 417). *Des grosses tatanes.* ⇒ **Croquenot, godillot.** *Un coup de tatane.*
(...) un gros rond de cuir, un margoulin de la petite combine, avec pas plus d'esprit que la semelle de mes tatanes.   M. AYMÉ, le Chemin des écoliers, p. 179.

TATAR, ARE [tataʀ] n. et adj. — 1756 ; p.-ê. d'après le russe, où le mot désignait toutes les populations de langue turque. → 1. Tartare.

♦ **1.** Vx. Se disait des populations d'Asie centrale (Mongols) et de Russie orientale. ⇒ 1. **Tartare.**

N. m. Langue turque (groupe ouralo-altaïque) parlée en U.R.S.S.

♦ **2.** Spécialt. D'un ancien peuple d'Asie (tribu mongole ou türk) mentionné par les annales chinoises. ⇒ 1. **Tartare** (étym.).

TA, TA, TA [tatata] interj. — D.i. (attesté fin XIXᵉ); onomat. → Taratata.

♦ Exprime le dédain, la défiance ou le désir d'écarter un argument.

REM. Selon Martinet, cette interjection ne serait qu'une des graphies du clic parfois transcrit *tss! tss!.* Mais il semble que cette graphie soit aussi lue [tatata].

1 Douvrin eut un geste de défi.
— Ta, ta, ta! reprit Nodiard. «Je crois que tu te fais une idée fausse des brigades centrales (...)»   J. ROMAINS, les Hommes de bonne volonté, t. XXIV, p. 235.

2 «TARATATA» ou «TATATATA». Plus risqué que le précédent, car allant plus loin dans l'incrédulité. Parlez toujours. Ce serait trop commode. À d'autres!
                                    Pierre DANINOS, Un certain Monsieur Blot, p. 242.

N. m. «*Sur: "tatata, mais c'est une canaille"*» (Léon Daudet, *la Police politique, in* D.D.L., II, 17).

TÂTE [tɑt] n. f. — 1877; *taste,* 1314; de *tâter.*

♦ Techn. Prise d'essai d'un produit au cours de sa fabrication. *La tâte d'un vin, d'une pâte.*

TÂTEMENT [tɑtmɑ̃] n. m. — 1530; de *tâter.*

♦ Action de tâter.

TÂTE-POULE [tɑtpul] n. m. invar. — 1640, *taste-poule;* de *taster, tâter,* et *poule.*

♦ Fam., vx. Homme qui se comporte comme une femme, comme une ménagère, dans un couple, un ménage.

TÂTER [tɑte] v. tr. — V. 1130, *taster;* intrans., v. 1120; bas lat. *tastare,* qui serait une contraction d'un fréquentatif **taxitare,* du lat. class. *taxare,* intensif de *tangere* «toucher».

♦ **1.** Toucher* délicatement et attentivement, afin d'exploiter, d'éprouver, de reconnaître. ⇒ **Manier, palper.** «*Je tâte votre habit; l'étoffe* (cit. 1) *en est moelleuse».* *Tâter le fil et la pointe d'une lame* (cit. 7). *Tâtant les murs pour essayer de retrouver mon chemin* (cit. 6). *Tâter les vêtements, les poches de qqn.* ⇒ **Fouiller.** *Tâter les mains* (→ Glacer, cit. 12), *la tête* (→ Phrénologique, cit.), *la peau* (→ Poison, cit. 6) *de qqn. Tâter qqn* (→ Envelopper, cit. 2; gras, cit. 18). — (XIIIᵉ). *Tâter le pouls d'un malade* (→ Désespérance, cit. 1; peu, cit. 62; poser, cit. 7). *Tâter son pouls; se tâter le pouls.* — (1594). Fig. *Tâter le pouls de qqn, à qqn,* essayer de connaître ses dispositions, ses intentions. ⇒ **Interroger, sonder** (→ Analyse, cit. 1; auditoire, cit. 6; ralentir, cit. 7). — Absolt. *Tâter à l'aveuglette* (cit. 1). ⇒ **Tâtonner.**

1 Le chirurgien tâte en dessus, en dessous, par les côtés, et à chaque fois qu'il me touche, il dit : « L'ignorant! l'âne! le butor! et cela se mêle de chirurgie! Cette jambe, une jambe à couper? Elle durera autant que l'autre : c'est moi qui vous en réponds».   DIDEROT, Jacques le fataliste, Pl., p. 532.

2 À chaque instant, le *mayoral* quittait son siège et descendait tâter la terre avec ses mains pour sentir s'il ne rencontrerait pas une ornière, une trace de roue qui pût le remettre sur la voie (...)   Th. GAUTIER, Voyage en Espagne, p. 226.

3 Je lui tenais les mains, je le regardais, je lui touchais les bras depuis le poignet jusqu'aux épaules. Je le tâtais de l'œil et des doigts (...)
                                    J. GIONO, le Chant du monde, I, IX.

Par anal. *Tâter qqch. du pied* (→ 2. Rose, cit. 4). — (1690). *Cheval, mulet qui tâte le terrain, le chemin.* — Loc. fig. (1893). *Tâter le terrain,* le reconnaître, s'assurer, en prenant toutes précautions et tous renseignements utiles, qu'on peut agir ou intervenir sans trop de risques (→ Négociation, cit. 3).

Mar. *Tâter le vent, en lofant* légèrement.

♦ **2.** (XIIIᵉ). Fig. Chercher à connaître les forces ou les dispositions de (qqn), en mettant à l'épreuve, en provoquant des réactions, en questionnant avec prudence. ⇒ **Ausculter, sonder.** — (1718). *Tâter l'ennemi, l'adversaire. Je l'ai tâté là-dessus, mais il semble réticent. Tâter l'opinion.* ⇒ **Sonder.**

3.1 (...) une dame américaine catholique et qui nous invite à déjeuner, Mounier et moi, pour nous tâter sur l'emploi préventif de la bombe atomique!
                                    F. MAURIAC, Bloc-notes 1952-1957, p. 15.

♦ **3.** V. tr. ind. (V. 1130). Littér. **TÂTER DE** (qqch.). ⓐ (XIIᵉ). Vieilli. (Concret). *Tâter de... :* goûter de... *Je tâterais bien de ce gigot.* «*Il reprendrait l'appétit* (cit. 10) *en tâtant d'un tel mets».* ⇒ **Manger.** — Vx. *Tâter à...* (— 1. Goûter, cit. 1).

ⓑ (V. 1175). Mod. Faire l'expérience de... ⇒ **Essayer.** *Tâter d'un métier, d'une infinité de professions* (→ 2. Loupe, cit. 3). *Il faut qu'un honnête homme ait tâté de la cour* (→ Inconnu, cit. 2). «*J'ai*

tâté un peu de l'agonie» (→ Louable, cit. 4, Voltaire). *Tâter de la prison.*

ⓒ Vx. *Tâter de qqn.*

— Point : Tartuffe est votre homme, et vous en tâterez.   MOLIÈRE, Tartuffe, II, 3.   4

Eh bien! monsieur, lui dit-elle brusquement, vous voulez donc tâter du journalisme?   MAUPASSANT, Bel-Ami, I, II.   5

(1923). Fam. **Y TÂTER** : bien connaître une activité, un jeu; s'y exercer avec succès. «*J'y tâte aussi un peu*» (R. Queneau, *Pierrot mon ami,* I, p. 8).

▶ **SE TÂTER** v. pron. (1580, au fig.).

(Réfl.). *Se tâter après avoir fait une chute* (→ Genou, cit. 2; et aussi notion, cit. 3). — Fig. S'étudier avec attention (→ Balancer, cit. 8); par ext., s'interroger longuement, hésiter* parce qu'on n'est pas sûr d'avoir raison ou d'avoir la force nécessaire.

Ce ne sont mes gestes que j'écris, c'est moi, c'est mon essence (...) De s'amuser à soi, il leur semble que c'est se plaire en soi; de se hanter et pratiquer, que c'est se trop chérir. Il peut être. Mais cet excès naît seulement en ceux qui se tâtent que superficiellement (...)   MONTAIGNE, Essais, II, VI.   6

Et l'homme a peur. Il a beau se tâter : il ne se trouve nulle part du courage, nulle part de l'excitation.   J. ROMAINS, les Hommes de bonne volonté, t. III, XVII, p. 227.   7

(Récipr.). *Les deux adversaires commencent par se tâter,* par éprouver leur force. ⇒ **Étudier** (s'), **observer** (s').

DÉR. Tâte, tâtement, tâteur, tatillon, tâtonner, tâtons (à).
COMP. Retâter; taste-vin ou tâte-vin, tâte-poule.

TÂTEUR [tɑtœʀ] n. m. — XVIIᵉ; *tasteur,* XIVᵉ; de *tâter.*

♦ **1.** Vx. Celui qui goûte à..., fait l'essai de... ⇒ **Goûteur.** *Tâteur de vin.* ⇒ **Taste-vin.** — Fig. *Tâteur d'hommes,* qui met à l'épreuve leur bravoure.

♦ **2.** (Mil. XXᵉ). Organe de contrôle d'une décolleteuse, d'une planteuse.
Dispositif permettant d'évaluer la quantité de trame restant sur un métier à tisser automatique ⇒ **Palpeur.**

REM. Au sens 1, le fém. *tâteuse* [tɑtøz] est virtuel.

TÂTE-VIN [tɑtvɛ̃] n. m. ⇒ **Taste-vin.**

TATILLON, ONNE [tatijɔ̃, ɔn] adj. — 1695; de *tâter.*

♦ (Personnes). Exagérément minutieux*, exigeant, attaché aux principes et aux règlements. ⇒ **Méticuleux.** *Bureaucrate tatillon. Esprit tatillon* (→ Pharisien, cit. 5). *Paperasserie* (cit. 2) *procédurière et tatillonne.* — N. (1762). *Un tatillon, une tatillonne.*

Ils discutèrent sur le motif du suicide et Grand se montra tatillon sur le choix des termes. On s'arrêta enfin sur les mots *chagrins intimes.*   CAMUS, la Peste, p. 45.

DÉR. Tatillonner, tatillonnerie.

TATILLONNAGE [tatijɔnaʒ] n. m. — 1740; de *tatillonner.*

♦ Fait, habitude de tatillonner. ⇒ **Tatillonnerie.**

Souvent, ce n'est qu'un simple malentendu qu'il *(Marivaux)* file adroitement et qu'il prolonge. Ce nœud très léger qu'il agite et qu'il tourmente, il ne faudrait que s'y prendre d'une certaine manière pour le dénouer à l'instant; il n'a garde de le faire, et c'est ce manège, ce *tatillonnage* bien mené et semé d'accidents gracieux, qui plaît à des esprits délicats.   SAINTE-BEUVE, Causeries du lundi, 23 janv. 1854.

TATILLONNER [tatijɔne] v. intr. — 1740; de *tatillon.*

♦ Se montrer tatillon. ⇒ **Chicaner, chipoter.**

(...) un homme qui va et vient, qui, pour employer un mot de la langue familière, tatillonne, touche à tout, s'interrompt dans ses gestes, et n'achève rien.   BALZAC, l'Interdiction, Pl., t. III, p. 65.

DÉR. Tatillonnage.

TATILLONNERIE [tatijɔnʀi] n. f. — 1958, Montherlant; de *tatillon.*

♦ Comportement tatillon. ⇒ **Tatillonnage.**

TATIN [tatɛ̃] n. f. — Mil. XXᵉ; nom propre des sœurs *Tatin* qui inventèrent la recette de cette tarte.

♦ Fam. *Tarte* tatin (ou *à la Tatin*) : tarte solognote faite de quartiers de pommes (ou de poires), de sucre caramélisé à la cuisson et recouverte d'une pâte très mince, puis servie renversée, et souvent tiède. *Une tatin, une Tatin.*

(...) elle tourna la tête vers le garçon qui nous présentait la carte, elle choisit une Tatin et je l'imitai.   Cécil SAINT-LAURENT, la Mutante, p. 204.

TÂTONNANT, ANTE [tatɔnɑ̃, ɑ̃t; tatɔnɑ̃, ɑ̃t] adj. — 1846, Proudhon, au fig., *in* D.D.L.; de *tâtonner.*

♦ **1.** Qui tâtonne. *Des gens tâtonnants, dans le noir.* — *Démarche tâtonnante.*

Tu demeurais assise tout contre le lit, tu touchais le front, les joues froides d'un geste tâtonnant.   F. MAURIAC, le Nœud de vipères, I, IX.

♦ **2.** Fig. *Un effort* (cit. 10) *de mémoire beaucoup plus tâtonnant.*

N. Personne qui tâtonne (fig.).

Une méditation de cette sorte et dans un tel endroit est singulièrement puissante sur l'âme et recommandable aux ennuyés et aux tâtonnants de la vie.   Léon BLOY, le Désespéré, p. 66.

TÂTONNEMENT [tatɔnmɑ̃; tɑtɔnmɑ̃] n. m. — xvᵉ; de *tâtonner.*

♦ **1.** Action de tâtonner (I., 1.). *Le tâtonnement d'une personne dans le noir.* — *(Un, des tâtonnements).* Action d'une personne qui tâtonne.

♦ **2.** (Déb. xvIIIᵉ). Fig. (Plus cour.). Essai hésitant et renouvelé pour trouver qqch. *Le tâtonnement de la démarche expérimentale. Un, des tâtonnements.* ⟹ **Balbutiement, bégaiement, essai, hésitation, recherche.** *Expériences* (cit. 43) *de tâtonnement. La géométrie* (cit. 2) *a commencé par une espèce de tâtonnement* (→ aussi Astronomique, cit.). *Procéder* (cit. 4) *par tâtonnement. Après les premiers tâtonnements* (→ Net, cit. 20; période, cit. 10). *Tâtonnements dans toutes les voies de la connaissance* (cit. 24; → aussi négation, cit. 1; retour, cit. 1).

Peut-être, après bien des tâtonnements infructueux, reviendra-t-on à nos modestes solutions empiriques.   RENAN, Discours et conférences, Qu'est-ce qu'une nation?, III, Œ. compl., t. I, p. 906.

TÂTONNER [tatɔne; tɑtɔne] v. — V. 1460, *tastonner; tastuner,* «toucher, caresser», v. 1150; de *tâter.*

★ **I.** V. intr. ♦ **1.** Tâter plusieurs fois le sol, les objets autour de soi, pour se diriger ou trouver qqch. dans l'obscurité (→ Auréole, cit. 2; aveugle, cit. 40). — Par métaphore (→ Antre, cit. 5; obscurcir, cit. 6).

Il y a deux versions sur ce qui suivit après qu'il eut éteint les lumières. Les uns prétendent qu'il se mit à tâtonner le long des murs sans pouvoir retrouver son lit (...)   DIDEROT, Jacques le fataliste, Pl., p. 637.

Claude, aveuglé par la pluie, tâtonna pour tirer le bouton de la sonnette (...)   ZOLA, l'Œuvre, I.

Un soir, une courte panne d'électricité l'ayant surpris dans le vestibule de son petit appartement de célibataire, il tâtonna un moment dans les ténèbres et, le courant revenu, se trouva sur le palier du troisième étage.   M. AYMÉ, le Passe-muraille, p. 7.

♦ **2.** (1690). Fig. Hésiter faute de connaissances suffisantes. ⟹ **Incertitude.**

Mais le lecteur qui hésite et tâtonne, que lui reste-t-il dans cette alternative, et coincé entre deux sens également possibles, que faire retour aux mots, et les interroger encore et les peser.   J. PAULHAN, les Fleurs de Tarbes, p. 115.

♦ **3.** (1640). Faire des essais en divers sens afin de trouver sa voie, de découvrir la solution (→ Régime, cit. 2). ⟹ **Essayer.**

Je me trompe un peu aussi sur la taille. Ici le petit prince est trop grand. Là il est trop petit. J'hésite aussi sur la couleur de son costume. Alors je tâtonne comme ci et comme ça, tant bien que mal.   SAINT-EXUPÉRY, le Petit Prince, IV.

★ **II.** V. tr. (1689). Rare. «*En tâtonnant le sol du bout de mon bâton*» (Hugo, *la Dernière Gerbe,* «La salle abandonnée»).

DÉR. Tâtonnant, tâtonnement, tâtonneur.

TÂTONNEUR, EUSE [tatɔnœʀ, øz; tɑtɔnœʀ, øz] n. et adj. — 1656; de *tâtonner.*

♦ Rare. Personne qui tâtonne. — Adj. Qui tâtonne.

Les animaux qui marchent sont blêmes, aveugles, tâtonneurs.   J.-M. G. LE CLÉZIO, la Fièvre, 1965, p. 184.

TÂTONS (À) [atatɔ̃] loc. adv. — V. 1175, *à tastons;* de *tâter.*

♦ **1.** En tâtonnant (→ 1. Coucher, cit. 17; éteindre, cit. 3; interrupteur, cit. 3). ⟹ **Aveugle, aveuglette** (à l').

Devant le jour hors du lit se leva,
Et de sa chambre à tâtons elle va
Touchant les murs d'une main incertaine.   RONSARD, la Franciade, III.

♦ **2.** (1580). Fig. Au hasard, sans méthode (→ Effarer, cit. 3; illumination, cit. 4; nuit, cit. 22; recherche, cit. 6). *Chercher* (cit. 13) *à tâtons.*

(...) cette pensée presque toujours muette et qui travaille à tâtons, et qui, souvent, demeure ignorante d'elle-même?   G. DUHAMEL, Chronique des Pasquier, II, XII.

TATOU [tatu] n. m. — 1553; tupi *tatu.*

♦ Mammifère édenté* xénarthre, au corps recouvert d'une carapace, qui habite l'Amérique méridionale. *Grand tatou. Tatou géant.* ⟹ **Priodonte.** *Des tatous.*

(...) il *(Darwin)* a déterré, lors d'une fouille pratiquée en Amérique du Sud, des ossements fossiles appartenant à de grands Tatous disparus, et il a constaté la res-

semblance frappante qui existe entre ces anciennes espèces d'Édentés et celle des Édentés qui habitent présentement la même contrée.   Jean ROSTAND, Esquisse d'une histoire de la biologie, p. 146.

Les hommes portent aussi, les jours de fête, des pendentifs en croissant formés d'une paire d'ongles du grand tatou — cet animal fouisseur dont la taille dépasse un mètre et qui s'est à peine transformé depuis l'ère tertiaire (...)   Claude LÉVI-STRAUSS, Tristes tropiques, p. 195.

TATOUAGE [tatwaʒ] n. m. — 1778; de *tatouer.*

♦ **1.** Action de tatouer. Habitude du tatouage chez certains peuples, chez les marins (2. Marin, cit. 3). *Tatouage des animaux,* pour identification.

Il y a aujourd'hui chez lui un jeune étudiant en médecine (...) s'occupant de tatouage, et qui nous signale de singuliers tatouages, relevés par lui : la devise : *Liberté, Égalité, Fraternité,* sur le ventre d'une prostituée, et sur le front d'un forçat, la légende pessimiste : *Pas de chance.*   Ed. et J. DE GONCOURT, Journal, 4 janv. 1863, t. II, p. 64.

Durkheim a justement remarqué que, dans les sociétés australiennes, le tatouage constituait, en l'absence de territoire attitré, d'autorité permanente, de transmission patrilinéaire de la parenté (le plus souvent), la seule marque visible de l'unité du clan, le seul signe effectif de l'identité profonde de ses membres.   Roger CAILLOIS, l'Homme et le Sacré, p. 90.

♦ **2.** *(Un, des tatouages).* Marque, dessin tatoué sur la peau.

Kermadec (Yves-Marie), fils d'Yves-Marie et de Jeanne Danveoch. Né le 28 août 1851, à Saint-Pol-de-Léon (Finistère). Taille, 1 m 80. Cheveux châtains, sourcils châtains, yeux châtains, nez moyen, menton ordinaire, front ordinaire, visage ovale.
«Marques particulières : tatoué au sein gauche d'une ancre et, au poignet droit, d'un bracelet avec un poisson».
Ces tatouages étaient encore de mode, il y a une dizaine d'années, pour les vrais marins.   LOTI, Mon frère Yves, I, p. 9-10.

La sueur coulait lentement sur le visage des voyageurs, et leur peau sombre avait pris le reflet de l'indigo (...) Les tatouages bleus sur le front des femmes brillaient comme des scarabées.   J.-M. G. LE CLÉZIO, Désert, p. 8.

Abusivt. Marque sur la peau (scarification, dessin effaçable...).

♦ **3.** Par anal. Marque sur la peau analogue à un tatouage (→ Éraflure, cit. 2).

Sur sa peau blanche, d'une blancheur de fille anémique, les éraflures, les entailles du charbon, laissaient des tatouages, des «greffes», comme disent les mineurs ; et il s'en montrait fier, il étalait ses gros bras, sa poitrine large, d'un luisant de marbre veiné de bleu.   ZOLA, Germinal, t. I, II, IV, p. 129 (1885).

♦ **4.** Méd. *Tatouage de la cornée :* piqûre du point cornéen, pour atténuer les plaies.

TATOUER [tatwe] v. tr. — 1772; angl. *to tattoo,* du tahitien *tatou.*

♦ **1.** Marquer, orner (le corps, une partie du corps, la peau) d'inscriptions ou de dessins indélébiles en introduisant au moyen de piqûres des matières colorantes sous l'épiderme (→ Oncle, cit. 1). — Pron. (1823; attestation isolée, 1778; *in* Höfler). → Entaille, cit. 3.

Tous *(les Jivaros)* ont le cou orné de colliers de dents d'animaux ou de graines colorées. Leurs oreilles percées portent des fragments de bois ou de bambous. Ce déploiement de coquetterie se complète par des morceaux de vanille ou de racines odoriférantes. Ils se tatouent les bras, les jambes et le visage de larges raies rouges. Les femmes se peignent seulement le haut de la lèvre inférieure et se ponctuent les avant-bras, les poignets et les chevilles. Ces tatouages sont indélébiles et se font avec une résine appelée *urrucaï.*   B. CENDRARS, Moravagine, 1926, L. de Poche, p. 169.

♦ **2.** (1891, *in* Höfler). Exécuter (un dessin) par tatouage (→ 1. Sacrilège, cit. 2). *Tatouer une ancre sur l'avant-bras d'un marin.*

Au participe passé :

(...) il était assis avec un brun, plutôt bel homme, qui avait le nez cassé, du poil dans les oreilles et une ancre tatouée sur l'avant-bras gauche.   SARTRE, le Sursis, p. 125.

♦ **3.** Par anal. Marquer (la peau, le corps) comme par un tatouage. — Au p. p. «*Comme tatoués de charbon*». → Membre, cit. 2, Zola.

▶ **TATOUÉ, ÉE** p. p. adj. *Des Polynésiens aux visages tatoués. Dos, bras tatoué.* — (Personnes). «*La Femme tatouée*» (titre français d'un film japonais). — N. *Un tatoué, une tatouée.* — Spécialt. *Un tatoué :* un homme qui porte des tatouages, dans la société européenne moderne (parce qu'il appartient au milieu). *Un dur, un tatoué.*

J'allai vers elle avec désinvolture, roulant un peu les épaules, la casquette sur l'œil, les mains dans les poches de cette veste de cuir qui avait tant fait pour le recrutement de jeunes gens dans l'aviation, irrité et embarrassé par cette irruption inadmissible d'une mère dans l'univers viril où je jouissais d'une réputation péniblement acquise de «dur», de «vrai» et de «tatoué».   R. GARY, la Promesse de l'aube, 1960, p. 15.

DÉR. Tatouage, tatoué, tatoueur.

TATOUEUR, EUSE [tatwœʀ, øz] n. — 1797; de *tatouer.*

♦ Personne qui pratique l'art du tatouage (→ Curiosité, cit. 22; grandeur, cit. 38). *Une tatoueuse habile.*

Le vieux Dimitraki exerçait l'invraisemblable métier de tatoueur pour marins grecs. Il avait une légèreté de touche, et une sûreté de dessin très remarquables.   LOTI, Aziyadé, III, LVIII.

Il se leva, retroussa sa manche gauche, et me montra la trace de la balle qui avait

amaigri son bras (c'était la première fois, je crois, que je voyais guérie la trace d'une balle française). Un tatouage entourait en soleil la cicatrice.
— Tâche de lire, dit-il. Le prisonnier Belt Jones tatoueur du roi, que j'ai utilisé pour ce chef-d'œuvre a voulu que les majuscules fussent gothiques et a entremêlé les mots d'anglaises.   GIRAUDOUX, Siegfried et le Limousin, p. 34.

TATOUILLE [tatuj] n. f. — 1867 ; abrév. de *ratatouille*.
Familier.

♦ Raclée, volée. — Fig. *Prendre une tatouille* : perdre (à un jeu). *Filer une tatouille à qqn*, lui infliger une correction, le battre.
— Qui c'est qui fait ça ?
— Je ne sais pas. Attention de ne pas vous casser la gueule, ça glisse.
— Une nuit, vous devriez vous cacher dans un coin, faire le guet et, quand ce type arriverait, lui flanquer une bonne tatouille et, en prime, vous sauriez qui c'est.
                    R. QUENEAU, les Fleurs bleues, 1965, p. 185.

DÉR. Tatouiller.

TATOUILLER [tatuje] v. tr. — 1821 ; «renverser qqn», xiiie ; de *tatouille*.

♦ Fam., vieilli. Battre, rouer de coups. ⇒ **Corriger, rosser.**

TAU [to] n. m. — 1671, en blason ; mot grec.
Didactique.

♦ **1.** (1872, Littré). Nom d'une lettre grecque correspondant au t (T). Signe numérique valant 300 (accentué à droite) ou 300 000 (accentué à gauche et inférieurement).

♦ **2.** (1671). Blason. Figure en forme de T, appelée aussi *croix de Saint-Antoine*. — Bâton pastoral en forme de potence ou de béquille.
(1836). Sceptre en tau des divinités égyptiennes.

♦ **3.** Blason. T majuscule aux extrémités pattées.

HOM. Taud, taux, tôt.

TAUBE [tob] n. m. — V. 1914 ; mot allemand.

♦ Vx (pendant la guerre de 1914-1918). Avion allemand.
Pendant qu't'es là-bas, je reste donc dans la capitale, à la merci d'un taube ou d'un zeppelin !   H. BARBUSSE, le Feu, t. I, ix, p. 52.
Gilberte m'écrivait (c'était à peu près en septembre 1914) que, quelque désir qu'elle eût de rester à Paris pour avoir plus facilement des nouvelles de Robert, les raids perpétuels de taubes au-dessus de Paris lui avaient causé une telle épouvante, surtout pour sa petite fille, qu'elle s'était enfuie de Paris par le dernier train qui partait encore pour Combray.
                    PROUST, le Temps retrouvé, Pl., t. III, p. 751.

TAUD [to] n. m. ou **TAUDE** [tod] n. f. — 1825 ; argot «maison», 1609 ; *tialz*, xiie ; de l'anc. normand *tjald* «tente».

♦ **1.** Abri de toile goudronnée, sorte de tente qu'on établit au-dessus du pont d'une embarcation, d'une barque lorsqu'il pleut.

♦ **2.** Étui pour protéger les voiles serrées.
Il se tut, parce que soudain, on appela au taud de la baleinière qui venait d'être arraché.   Roger VERCEL, Remorques, p. 58.

DÉR. Tauder.
HOM. (De taud) Tau, taux, tôt.

TAUDER [tode] v. tr. — 1836 ; *telder*, v. 1180 ; *teolder* «dresser une tente», v. 1260 ; de *taud*.
Vieux.

♦ **1.** Mar. Couvrir avec un taud.

♦ **2.** Pron. (xve). *Se tauder* : se mettre à l'abri.

TAUDION [todjɔ̃] n. m. — 1718 ; de *taudis*.

♦ Vx. Taudis.
(...) je ferai de l'ordre dans le taudion de mes pensées et je ferai passer le fleuve de la méditation la plus encaissée, au travers des écuries d'Augias de mon esprit.
                    Léon BLOY, le Désespéré, p. 61.

TAUDIS [todi] n. m. — xve ; «abri de fortification», xiiie ; de l'anc. franç. *se tauder* «s'abriter», de l'anc. normand *tjald*.

♦ **1.** (xve). Anciennt. Abri pour les travailleurs qui faisaient les travaux d'approche d'un siège.

♦ **2.** (V. 1460). Argot, «maison», xvie. Logement, appartement misérable, qui ne satisfait pas aux conditions de confort et d'hygiène indispensables. ⇒ **Bouge, galetas, taudion** (vx), **turne.** *Les taudis des rues misérables* (→ Population, cit. 7). *Taudis insalubre* (cit. 1), *surpeuplé* (→ Puanteur, cit. 2), *immonde* (→ Galetas, cit. 3). *Lutte contre les taudis* (→ Évangéliser, cit. 3 ; et aussi reconstruire,

cit. 1). *Pays sans taudis* (→ Paupérisme, cit. 2). *Lutte contre les taudis et les bidonvilles.*
Et sortons de ce taudis,
Où l'on ne peut être assis (...)
                    MOLIÈRE, le Bourgeois gentilhomme, « Ballet des nations », I.
Le taudis où son regard plongeait en ce moment était abject, sale, fétide, infect, ténébreux, sordide.   HUGO, les Misérables, III, VIII, VI.
(...) c'était un taudis : un lit de fer, une armoire, une table, deux chaises de bois, entre des murs pelés, avec au plafond une mauvaise lumière jaune : la cuisine servait de cabinet de toilette.   S. DE BEAUVOIR, la Force de l'âge, p. 540.

♦ **3.** (xxe). Maison, logement sale et en désordre. *Quel taudis, cette piaule !* ⇒ **Bordel.**

DÉR. Taudion.

TAULARD, ARDE [tolaʀ, aʀd] n. et adj. — 1940 ; «militaire puni», 1913 ; de *taule* «prison».
Argot.

♦ **1.** N. Prisonnier, détenu.
(...) si je connais bien la taule, je ne connais pas bien les taulardes : c'est ma première expérience en «collectif».   A. SARRAZIN, la Cavale, 1965, p. 33.
Par ext. Personne qui a l'habitude de la taule, de la prison. ⇒ **Récidiviste.** *Un taulard impénitent.*

♦ **2.** Adj. (rare). Qui se rapporte à la taule. ⇒ **Prisonnier** (adj.).
À l'étalage de mes Noëls taulards, celui-ci restera comme un caillou bien lisse.
                    A. SARRAZIN, la Cavale, p. 472.

REM. On trouve aussi la graphie *tôlard, arde.*

TAULE [tol] n. f. — 1847 ; *tôle*, 1800 ; de *tôle* «fer en lames», les deux graphies étant des formes dialectales de *table* ; *taule* «pierre épaisse», 1321.

♦ **1.** Fam. Maison, chambre. *Louer une taule.* ⇒ **Piaule, turne.** — Chambre d'hôtel. *Chercher une taule pour la nuit.*
À la fin, je me suis fâché. Pauline, tu es une vache... Donne-les moi ces lettres, ou je fous le feu à la tôle. Elle a pris peur, j'avais bu.
                    ARAGON, les Beaux Quartiers, I, xx.
(Ils) se tenaient à la porte du premier baraquement (...) — Il n'y a pas d'électricité dans cette taule, dit Gilieth (...)   P. MAC ORLAN, la Bandera, ix.
(1894). Maison de prostitution (⇒ **Taulier ;** → Consigner, cit. 5).
Péjorativement :
La maison est une turne (...) On entre, on sort, une vraie taule (...)
                    H.-G. CLOUZOT et J. FERRY, Quai des Orfèvres, in l'Avant-Scène, n° 29, p. 27.

♦ **2.** (1880). Argot. Cellule de prison ; prison. *Aller en taule, en prison. Faire de la taule* (⇒ **Taulard**).
C'est pas assez de la taule pour un cochon pareil ! ... C'est l'échafaud qu'il lui faudrait ! ...   CÉLINE, Voyage au bout de la nuit, p. 445.

♦ **3.** Fam. Entreprise, établissement. *J'en ai marre de cette taule, je vais démissionner.* ⇒ **Boîte.**
« C'est encore la seule chose convenable qu'on puisse avaler dans cette gargote ; parce qu'ils ne peuvent pas la fabriquer. Ha ha...», riant, disant de nouveau : « Quelle taule ! (...) »   Claude SIMON, le Vent, p. 71.

REM. On écrit aussi *tôle.*

DÉR. Taulard, taulier ou tôlier.
COMP. Entôler (et dérivés).
HOM. Tôle.

TAULIER, IÈRE [tolje, jɛʀ] n. — 1928 ; *tôlier*, 1889 ; de *taule*.
Familier.

♦ **1.** Propriétaire ou gérant (d'un hôtel, d'un établissement public). *Le taulier lui a réclamé la note.*
Dehors, la prudence, sinon le bon usage, oblige à une certaine décence : vous ne pouvez pas manger comme un porc dans n'importe quel restaurant : le taulier est peut-être un indic, et vous vous êtes tricard du coin et vous ne voulez pas être frimé, etc.   A. SARRAZIN, la Cavale, p. 193.

REM. On écrit parfois *tôlier.*

♦ **2.** Tenancier, tenancière (d'une maison de prostitution).

HOM. Tôlier.

1. TAUPE [top] n. f. — xiiie ; du lat. *talpa.*

★ I. ♦ **1.** Petit mammifère insectivore (*Talpinés*), scientifiquement appelé *talpa*, dont les membres antérieurs aux doigts réunis par une membrane forment une sorte de pelle (⇒ **Fouisseur**), aux yeux très petits, à beau poil sombre, qui vit sous terre en creusant de longues galeries décelables à la surface du sol par des monticules de terre rejetée (⇒ **Taupinière**). *La taupe vit dans l'obscurité, mais n'est pas aveugle, elle n'a pas de sommeil hibernal et chasse toute l'année dans ses galeries ; elle est très vorace et détruit quantité d'insectes, de vers blancs, de rongeurs ; mais elle nuit aux cultures en coupant les racines pour fouir ses galeries. Trou de taupe* (→ Observer, cit. 9).
La taupe, sans être aveugle, a les yeux si petits, si couverts, qu'elle ne peut faire grand usage du sens de la vue (...) elle a de plus le toucher délicat ; son poil est

doux comme la soie ; elle a l'ouïe très fine et de petites mains à cinq doigts, bien différentes de l'extrémité des pieds des autres animaux (...)
BUFFON, Hist. nat. des animaux, « La taupe ».

2   (...) la taupe soulevant les déjections de ses galeries laisse luire son œil aveugle dans le mouron rouge (...)
ARAGON, le Paysan de Paris, p. 194.

Loc. (xviie). *Le royaume des taupes :* la terre (→ Gaupe, cit. 3). *Aller chez les taupes, manger la terre avec les taupes* (→ Refuser, cit. 11). ⇒ **Mourir.** — (1690). *Noir comme une taupe.* — *Myope comme une taupe :* très myope. Fig. Personne peu clairvoyante. « *Lynx envers* (1. Envers, cit. 6) *nos pareils et taupes envers nous* » (La Fontaine). — *Vivre comme une taupe,* sans sortir de chez soi.

♦ **2.** (xxe). Fig. Femme désagréable. *Quelle vieille taupe.*

3   — (...) J'ai toujours vécu comme une taupe dans sa taupinière : c'est toi qui m'as fait sortir de mon trou, et regarder l'univers !
MARTIN DU GARD, les Thibault, t. III, p. 70.

4   — Tiens, qu'elle dit, elle est encore là, la vieille taupe.
R. QUENEAU, Zazie dans le métro, 1959, Folio, p. 176.

♦ **3.** Fourrure* à poil court et soyeux de la taupe. *Col, bonnet de taupe* (→ Taupé).

♦ **4.** (1779). *Taupe de mer :* ver qui creuse des galeries dans le sable. ⇒ **Aphrodite.**
Poisson (squale) pélagique, mesurant entre 1,30 m et 3 m et que l'on pêche dans l'Atlantique. ⇒ **Lamie.**

♦ **5.** (1842 ; taupe, 1793). Vétér. *Mal de taupe :* lésions sinueuses (comme les galeries des taupes) du cheval provoquées par la compression de la têtière du licol.

♦ **6.** (1886). Argot milit. Vx. Soldat du génie. ⇒ **Taupin.** — (Mil. xxe). Espion infiltré dans le milieu qu'il observe. « *Ces espions (...) installés dans les pays latino-américains, seront des taupes redoutables* » (*l'Express,* 19 avr. 1980, p. 183). ⇒ **Sous-marin.**

♦ **7.** (1973). Techn. Engin de génie civil servant à creuser des tunnels, qui travaille de manière continue et à pleine section.

★ **II.** (1909, gris taupe). Adj. invar. De couleur grise à reflets bruns. *Des robes taupe.*

DÉR. Taupé, taupier, taupière, taupin, taupinée, taupinière.
COMP. Taupe-grillon.

2. TAUPE [top] n. f. — 1888, « ensemble des taupins » ; de *taupin.*

♦ Argot scol. Dans les lycées, Classe de mathématiques préparant aux grandes écoles, à Polytechnique. *Mathématiques* spéciales* ou *taupe, mathématiques supérieures* ou *hypotaupe. Être en taupe.*
Jusqu'à mon entrée en taupe, voici donc mes sept années de lycée engagées en marche lente dans la routine du travail et des succès dits scolaires (...)
Raymond ABELLIO, Ma dernière mémoire, t. I, p. 144.

COMP. Hypotaupe.

TAUPÉ, ÉE [tope] adj. et n. m. — 1877 ; de 1. *taupe.*

♦ **1.** Adj. Se dit d'un feutre à poils dépassants qui rappelle la fourrure de la taupe. *Feutre taupé.*

1   Tout cela n'était pas très frais, un peu luisant, sous le chapeau taupé gris.
ARAGON, la Semaine sainte, ix.

♦ **2.** N. m. Chapeau de feutre taupé. *Chasseur qui porte un taupé vert.*

2   Elle avait un tailleur marine et sur la tête, sur ses cheveux blonds, un taupé relevé de côté, presque un chapeau d'homme.
ARAGON, Aurélien, I, p. 250.

TAUPE-GRILLON [topgrijɔ̃] n. m. — 1700 ; de 1. *taupe,* et *grillon,* d'après lat. sc. *grillotalpa.*

♦ Courtillère*, sorte de grillon à pattes fouisseuses qui vit sous terre. *Des taupes-grillons.*

TAUPIER [topje] n. m. — 1690 ; *taulpetier,* 1611 ; de 1. *taupe,* I.

♦ Techn. Ouvrier à la tâche chargé de détruire les taupes.

TAUPIÈRE [topjɛR] n. f. — 1600 ; « taupinière », 1332 ; de 1. *taupe,* I.
Technique (agriculture).

♦ **1.** Piège à taupes.

♦ **2.** Vx. Taupinière.

TAUPIN [topɛ̃] n. m. — 1521, *topin* ; de 1. *taupe.*

★ **I.** ♦ **1.** Vx. Soldat qui pose des mines sous terre. ⇒ **Mineur.** Syn. : *taupe.* S'est dit aussi des francs-archers, au xve siècle.

♦ **2.** (Fin xviie). Coléoptère de la famille des Élatéridés. ⇒ **Élater.** *Les taupins sont des coléoptères dont les larves (vers « fil de fer »*

des agriculteurs) *creusent des galeries dans les racines et les tubercules* (pomme de terre, etc.).

(...) la coccinelle, bête du bon Dieu, et le taupin, bête du diable (...)
HUGO, l'Archipel de la Manche, iv.

★ **II.** (1841, du sens I, 1). Élève qui se prépare à Polytechnique (d'où sortent les officiers du Génie) ; par ext., tout élève de mathématiques spéciales *(taupe).*

Adj. (Rare). De la taupe. « *Les mathématiques taupines* » (R. Abellio, *Ma dernière mémoire,* t. I, p. 190).

TAUPINÉE [topine] n. f. — xiiie ; de 1. *taupe.*

♦ Vx. ⇒ **Taupinière.** « *La moindre taupinée était mont* (cit. 1) *à ses yeux* » (La Fontaine).

TAUPINIÈRE [topinjɛR] n. f. — 1671 ; de 1. *taupe,* I.

♦ **1.** Monticule de terre formé par les rejets de la taupe lorsqu'elle creuse ses galeries. — Par ext. Petit monticule.

(...) je cherche à atteindre cette vérité qui me fuit. Je m'aperçois que ce que je prenais pour de hautes montagnes, en 1800, n'étaient la plupart que des *taupinières* (...)
STENDHAL, Vie de Henry Brulard, 2.

♦ **2.** Galeries et chambres creusées par une taupe. *Vivre comme une taupe* (cit. 3) *dans sa taupinière.*

♦ **3.** Par métaphore. *Les égouts* (cit. 2), *taupinière titanique.*
Fig. Petite maison basse, maison trop petite.

TAURE [toR] n. f. — xvie ; lat. *taura,* fém. de *taurus* « taureau ».

♦ Régional ou techn. (Élevage). Génisse.

1   Elle avoua sérieusement un jour qu'elle ne savait pas quelle différence il y avait entre les bœufs et les taureaux. Le ravissant chevalier arrêta les éclats de rire en répondant que les bœufs ne pouvaient jamais être que les oncles des taures (nom de la génisse en patois).
BALZAC, la Vieille Fille, Pl., t. IV, p. 268.

2   Elle était vautrée comme une taure dans une litière de brumes bleues.
J. GIONO, Présentation de Pan, Pl., t. I, p. 759.

HOM. Tore, tors, tort ; tord, tords (formes du v. **tordre**).

TAUREAU [toRo] n. m. — 1549 ; *torel,* v. 1155 ; *toriau,* 1275 ; de l'anc. franç. *tor, taur,* lat. *taurus,* grec *taurôs,* p.-ê. par le verbe *taureller* « faire l'action du taur ».

♦ **1.** Mammifère ruminant domestique *(Bovidés),* mâle non castré de la vache (⇒ **Bœuf**), apte à la reproduction. *Le veau* qui après le sevrage n'a pas subi la castration devient jeune taureau vers un an* (⇒ **Taurillon**) *et sert plusieurs années à la reproduction (alors que le veau castré devient bouvillon, puis bœuf). Les taureaux sont sélectionnés en petit nombre pour leurs qualités génétiques. Taureaux qui mugissent* (→ Brebis, cit. 2), *beuglent* (cit. 2). *Le taureau est un animal puissant et irritable ; on dit qu'il est excité par la couleur rouge. Taureau furieux* (→ Fanon, cit. 1). *Être poursuivi, menacé par un taureau* (→ aussi Éventrer, cit. 4). *Taureau muselé* (→ 1. Lice, cit. 5), *qui porte un anneau, taureau annelé ; taureau dont on a boulé* les cornes. Mener* (cit. 9) *une vache au taureau.* — Relig. et myth. *Taureau offert en sacrifice* (→ Hécatombe, cit. 1). ⇒ aussi **Taurobole.** *Taureau sacré de l'Égypte ou bœuf* Apis. Centaure à corps de taureau.* ⇒ **Bucentaure.** — *Le Minotaure, monstre mythologique humain à tête de taureau. Taureaux ailés de l'art assyrien.*

1   Le taureau sert principalement à la propagation de l'espèce, et quoiqu'on puisse aussi le soumettre au travail, on est moins sûr de son obéissance, et il faut être en garde contre l'usage qu'il peut faire de sa force ; la nature a fait cet animal indocile et fier : dans le temps du rut il devient indomptable, et souvent furieux (...)
BUFFON, Hist. nat. des animaux, Le bœuf.

2   Il y avait dans la maison un jeune taureau de la plus grande taille : cet animal bien nourri, ne travaillant pas (Edme R. le réservait pour saillir les vaches du bourg, et procurer par là une meilleure espèce)... ne permettait à personne de l'approcher (...)
RESTIF DE LA BRETONNE, la Vie de mon père, II, p. 152.

Loc. *Un cou* de taureau. Fort comme un taureau.* ⇒ **Bœuf.** (→ Obéir, cit. 5). Fig. *Prendre le taureau par les cornes*.*

3   Les huit garçons, forts comme des taureaux, terreur et admiration du village (...)
A. DE MUSSET, Nouvelles, « Margot », II.

TAUREAU DE COMBAT : taureau sélectionné d'élevages spéciaux (⇒ **Ganaderia**) destiné à être opposé à des hommes (⇒ **Torero**) pour un combat lors des courses de taureaux. — (1735, Lesage ; *combat de taureaux,* 1690). **COURSE DE TAUREAUX,** spectacle populaire dans certains pays hispaniques (Espagne, Mexique). ⇒ **Corrida ; taurin, tauromachie.** → Flanc, cit. 5 ; portrait, cit. 8. *La course de taureaux a lieu aux arènes* ; elle comprend les jeux de cape* (des péons*), la pique* (⇒ Picador, cit. 1 ; 1. pique, cit. 3), la pose des banderilles* (⇒ Banderillero), les passes de cape et de muleta (⇒ Toréer ; muleta, passe) et la mise à mort* (⇒ Espada [cit.], matador ; estocade, estoquer).* ⇒ **Quadrille.** *Jeunes taureaux (novillos) combattus dans les novilladas par des matadors débutants (novilleros). Amateurs de courses de taureaux.* ⇒ **Aficionado.** → Exercer, cit. 10. *Taureau qui sort du toril*.* — Dans les Landes, en Provence, à Pampelune (Espagne), *Lâcher de taureau :* amusement populaire qui consiste à lâcher un taureau ou une vache dans les rues, parmi la foule qui essaie de lui résister. *Écarter un taureau.* ⇒ **Écarteur.**

4   Cette *corrida* durera quatre jours (...) Le premier jour il y aura une course de *novillos.* et le dernier jour une *espada* fameuse dans le pays, Muchares, tuera le taureau.
                                            HUGO, *Pyrénées,* XI, 13 août 1843.

5   Un taureau, ne se laissant pas distraire par les capes qu'on agitait devant lui, fouillait le ventre d'un cheval qu'il avait renversé, et tâchait d'en faire autant au cavalier abrité sous le cadavre de sa monture.
                            Th. GAUTIER, *Voyage en Espagne,* p. 211.

6   Les clarines sonnèrent, et le premier taureau d'Alban — le noir — jaillit dans l'arène, au milieu d'un « Ah ! » de contentement. En un instant, il eut parcouru tout le rond comme un écervelé. Enfin, un taureau ! De loin, les péons lui lançaient la cape, puis, à son approche, se faufilaient derrière les burladeros.
                            MONTHERLANT, *les Bestiaires,* VII.

REM. En tauromachie, on écrit parfois à l'espagnole, *toro.*

Blason. Représentation d'un taureau.

♦ **2.** (1487). Constellation zodiacale de l'hémisphère boréal comprenant les deux amas des Hyades* et des Pléiades*. ⇒ **Taurides.** — Astrol. Deuxième signe du zodiaque (21 avril-20 mai). Ellipt. *Il est taureau :* il est né sous le signe du Taureau.

♦ **3.** (1640). Par compar. ou fig. Se dit d'un homme fort, puissant, très viril.

♦ **4.** (1836). Mar. Grande barque* de la Manche, à deux mâts et à voiles carrées.

DÉR. Taurelière, taurides, taurillon, taurin.
COMP. Tauromachie.

TAURELIÈRE [tɔRəljɛR] adj. f. et n. f. — Fin XVIᵉ ; de *taureau.*

♦ Agric. *Vache taurelière,* qui demande sans cesse le taureau et conçoit difficilement. *Castration d'une vache taurelière.* — (1611). N. f. *Une taurelière.*

TAURIDES [tɔRid] n. f. pl. — 1877 ; de *taureau.*

♦ Astron. Groupe d'étoiles filantes qui semblent venir de la constellation du Taureau.

HOM. Torride.

TAURILLON [tɔRijɔ̃] n. m. — Déb. XVIᵉ, *torillon* ; de *taureau.*

♦ Jeune taureau qui ne s'est pas encore accouplé.

(... → Taureau, cit. 2) ; les Bouviers publics n'achetant que de jeunes taurillons de la plus mauvaise venue (...)
                            RESTIF DE LA BRETONNE, *la Vie de mon père,* p. 152.

TAURIN, INE [tɔRɛ̃, in] adj. — 1515 ; *taurin* « petit taureau », XIXᵉ, G. Sand ; de *taureau,* d'après *bovin.*

♦ **1.** Relatif au taureau. — Qui évoque le taureau.

1   L'adolescent en chemise, à la nuque taurine, le buste rejeté en arrière, mais la tête inclinée en avant, échevelé, l'œil fou, la bouche moqueuse, pleine de jactance, de ses bras noueux tire la dame à lui.
                            P. KLOSSOWSKI, *la Révocation de l'Édit de Nantes,* 1963, p. 97.

♦ **2.** Relatif au taureau de combat, à la course de taureaux. *Aspect taurin. Club taurin.*

2   Le salon où l'on était passé, était un véritable musée taurin. Photographies de taureaux de l'élevage qui s'étaient montrés particulièrement braves, *montera* de tel matador, épée d'un autre, portraits de toreros (...)
                            MONTHERLANT, *les Bestiaires,* III.

3   À son hôte le chroniqueur taurin, lui demandant ce qu'il allait maintenant faire, le retraité (Antonio Bienvenida, un torero) avait répondu par ce propos qui rendait difficile toute réplique : « J'apprendrai à n'être plus rien ».
                            Michel LEIRIS, *Frêle bruit,* 1976, p. 246.

TAUROBOLE [tɔRɔbɔl] n. m. — 1721 ; lat. *taurobolium,* grec *taurobolos* « où l'on frappe le taureau ».

♦ **1.** Relig. anc. Sacrifice expiatoire, dans les cultes de Cybèle et de Mithra, où le prêtre se faisait arroser du sang d'un taureau égorgé.

Cette cérémonie doit être d'une origine bien ancienne ; elle respire, ce me semble, cette énergie féroce qui convient à la religion des peuples jeunes encore ; le *taurobole* était une expiation, une sorte de baptême de sang, que l'on renouvelait tous les vingt ans.
                            STENDHAL, *Mémoires d'un touriste,* t. I, p. 142.

♦ **2.** (1835). Par métonymie. Autel qui servait à cet usage.

DÉR. Taurobolique.

TAUROBOLIQUE [tɔRɔbɔlik] adj. — 1842 ; de *taurobole.*

♦ Didact. Du taurobole. *Autel, sacrifice taurobolique.*

TAUROCÉPHALE [tɔRɔsefal] adj. — 1836 ; de *tauro-,* grec *tauros,* et *-céphale.*

♦ À tête de taureau (et corps humain ou d'un autre animal). *Monstre taurocéphale.*

TAUROCHOLIQUE [tɔRɔkɔlik] adj. — 1872 ; du grec *tauros,* et *kholê* « bile ».

♦ Chim. Vx. Se dit d'un acide aminé extrait du fiel de bœuf et dont les sels sont appelés *taurocholates.*

TAUROMACHIE [tɔRɔmaʃi] n. f. — 1831, Mérimée ; du rad. de *taureau,* et *-machie.*

♦ **1.** Vx. Course de taureaux. ⇒ **Course, corrida.** *Les tauromachies de Goya,* suite d'eaux-fortes célèbres.

C'est dans cette place que Lord Byron a vu la course dont il donne (...) une description poétique, mais qui ne fait pas grand honneur à ses connaissances en tauromachie.
                            Th. GAUTIER, *Voyage en Espagne,* p. 265.

♦ **2.** Art de combattre les taureaux dans l'arène. ⇒ **Torero.** *Les lois* (→ Estocade, cit. 2), *les règles, les grands noms de la tauromachie. Vocabulaire de la tauromachie.* ⇒ **Taureau.**

REM. Les spécialistes de la tauromachie emploient un très grand nombre de mots empruntés à (ou calqués sur) l'espagnol.

DÉR. Tauromachique.

TAUROMACHIQUE [tɔRɔmaʃik] adj. — 1831 ; de *tauromachie.*

♦ De la tauromachie. *Les lois tauromachiques. Histoire tauromachique.*

— Il doit me rester, dit-il, une toile tauromachique peinte autrefois après mon séjour à Madrid. La voulez-vous ? Il y a peut-être un peu trop d'entrailles de chevaux, mais un aficionado peut aimer ça.
                            A. BILLY, *Sur les bords de la Veule,* p. 90.

TAUTO- Préfixe, du grec (« le même »), qui entre dans la composition de quelques mots savants : voir à l'ordre alphabétique.

TAUTOCHRONE [totokRɔn ; totokRon] adj. — 1765 ; de *tauto-,* et *-chrone.*

♦ Phys. Qui a lieu dans des temps égaux. ⇒ **Isochrone.** *Vibrations tautochrones.* — *Courbe tautochrone.*

TAUTOGRAMME [totogRam] adj. et n. m. — 1690 ; de *tauto-,* et *gramme* « lettre ».

♦ Didact. Dont tous les mots commencent par la même lettre. *Poème tautogramme.* — N. m. *Un tautogramme.*

TAUTOLOGIE [totolɔʒi] n. f. — 1596 ; bas lat. *tautologia,* mot grec ; de *tauto-,* et *-logie.*
Didactique.

♦ **1.** Log. Proposition identique*. — Log. mod. Proposition complexe qui est toujours vraie, quelle que soit la valeur de vérité des propositions élémentaires. *La tautologie est une loi logique.*

Le terme de tautologie, qui s'explique donc, selon l'école *(du positivisme logique),* à l'ensemble des vérités logico-mathématiques, peut être pris en deux sens qu'il convient de distinguer (...) En un premier sens on dira qu'il y a tautologie lorsque les liaisons en jeu sont fondées sur l'identité... (par exemple « les animaux sont les animaux »... et « les animaux réunis aux animaux donnent encore les animaux », ceci en opposition avec l'itération 1 + 1 = 2). En un second sens, on dira qu'il y a tautologie lorsqu'un jugement épuise identiquement toutes les possibilités (...) Une affirmation toujours vraie peut, en explicitant l'ensemble des liaisons en jeu, être mise sous la forme d'une tautologie.
                            J. PIAGET, *Logique et Connaissance scientifique,* Épistémologie, *in* Encycl. Pl., p. 88-89.

♦ **2.** Péj. Vice logique consistant à présenter comme ayant un sens différent, une proposition dont le prédicat ne dit rien de plus que le sujet. *La tautologie est un truisme*.* — Gramm. et style. Répétition inutile de la même idée sous une autre forme. ⇒ **Pléonasme** (ex. : « Mais enfin je l'ai vu, vu de mes yeux, vous dis-je », La Fontaine, IX, 1).

(...) tout se passe pour eux *(nos critiques)* comme si la littérature tout entière n'était qu'une vaste tautologie et comme si chaque nouveau prosateur avait inventé une nouvelle manière de parler pour ne rien dire.
                            SARTRE, *Situations II,* p. 79.

♦ **3.** Fausse démonstration par laquelle on répète la thèse avec d'autres mots.

DÉR. Tautologique, tautologue.

TAUTOLOGIQUE [totolɔʒik] adj. — 1721 ; de *tautologie.*

♦ **1.** Log. Se dit de toute relation ou expression logique qui peut se réduire par analyse à une tautologie ; qui est toujours vrai. ⇒ **Analytique** (II., 1.). — *Science tautologique.* ⇒ **Logique** (I.).

♦ **2.** Qui n'apporte aucune information, procède par une tautologie (2.).

Parler de « tableau vivant » à propos de tableau, voilà qui semble tautologique ! N'y a-t-il pas toujours « tableau vivant » au préalable, là où il y a tableau ? Oui et non !
                            P. KLOSSOWSKI, *la Révocation de l'Édit de Nantes,* 1963, p. 12.

TAUTOLOGUE [tɔtɔlɔg] n. — 1956 ; de *tautologie*.

♦ Didact., rare. Personne qui étudie, qui pratique la tautologie*.

Nos tautologues sont comme des maîtres qui tirent brusquement sur la laisse du chien : il ne faut pas que la pensée prenne trop de champ, le monde est plein d'alibis suspects et vains, il faut tenir court sa jugeote, réduire la laisse et la distance d'un réel computable. R. BARTHES, Mythologies, 1957, p. 97.

TAUTOMÈRE [tɔtɔmɛʀ] adj. — 1903, in *Rev. gén. des sc.*, n° 1, p. 54 ; de *tauto-*, et *-mère*.

Didactique.

♦ **1.** Anat. Se dit d'organes entièrement situés du même côté du corps. *Neurone tautomère.*

♦ **2.** Chim. Qui est caractérisé par la tautomérie*. ⇒ **Isomère.**

TAUTOMÉRIE [tɔtɔmeʀi] n. f. — 1904, in *Rev. gén. des sc.*, n° 7, p. 368 : *« la tautomérie étant considérée comme un cas particulier de l'isomérie »* ; var. *tautomérisme*, in *Rev. gén. des sc.*, 15 mars 1963, p. 292 ; de *tauto-*, et *-mérie*.

♦ Chim. Propriété de certains corps d'exister sous plusieurs formes en équilibre plus ou moins stables. ⇒ **Isomérie.**

DÉR. Tautomérique.

TAUTOMÉRIQUE [tɔtɔmeʀik] adj. — 1903, in *Rev. gén. des sc.*, n° 14, p. 763 ; de *tautomérie*.

♦ Didact., chim. De la tautomérie.

(...) les bases azotées peuvent, outre leur état « normal », adopter exceptionnellement et transitoirement une forme tautomérique dans laquelle la capacité d'appariement spécifique de la base est en quelque sorte « inversée ».
Jacques MONOD, le Hasard et la Nécessité, 1970, p. 237.

TAUX [to] n. m. — 1320 ; *taus*, v. 1283 ; *tax*, déverbal de l'anc. franç. *tauxer*, var. de *taxer*.

★ **I.** Proportion. ♦ **1.** Pourcentage appliqué à la base imposable pour déterminer le montant de l'impôt dû pour chaque contribuable. ⇒ **Taxe.** *Taux de l'impôt* (cit. 15) *progressif ; progressivité des taux* (→ Exonération, cit. 1). *Taux excessif ou surtaux* (vx). ⇒ **Surtaxe.** — *Taux de base,* taux d'intérêt à court terme servant de référence.
Élément d'un tarif*, d'un barème. *Le taux de 35 % du barème d'imposition à l'impôt sur le revenu.*

♦ **2.** (1690). Montant de l'intérêt* annuel produit par une somme de cent francs (symb. %). ⇒ **Pourcentage.** *Un taux de 4 %* (quatre pour cent*). *Taux d'un prêt*, d'une rente. Prêter à un taux assez bas* (→ Rembourser, cit. 4), *à un taux usuraire*. Taux de l'intérêt légal* (4 % en matière civile, 5 % en matière commerciale), *de l'intérêt conventionnel* (libre). *Le taux d'intérêt* (cit. 4) *est un prix.* — *Taux d'escompte.* *Taux actuariel brut.* — *Taux d'actualisation*, permettant de comparer entre eux, à deux époques différentes, deux flux monétaires.

1 Elle vendit tout ce qu'elle tenait de la munificence du père de son enfant, fit une somme de cent et quelques mille francs, la plaça sur sa propre tête en viager, à un taux considérable, et se composa de cette manière un revenu d'environ quinze mille francs (...) BALZAC, Albert Savarus, Pl., t. I, p. 778.
2 La baisse du taux d'intérêt réduit en outre le prix de revient.
A. SAUVY, Croissance zéro ?, p. 23.

Taux de marque : rapport entre le prix d'achat et le prix de vente, exprimé en pourcentage.

♦ **3.** (1923). Proportion dans laquelle intervient (un élément, un facteur variable). *Taux de protéine dans un aliment.* — Math. *Taux d'accroissement d'une fonction.* ⇒ **Dérivée.** — Méd. *Taux d'un corps chimique dans une humeur*, « rapport entre une masse donnée de cette substance et le volume d'humeur où elle est contenue » (Garnier). — *Taux de cicatrisation d'une plaie* (→ Indice, cit. 12). *Taux d'invalidité, d'infirmité des mutilés* (cit. 2). — Démogr. *Taux de mortalité* (cit. 5) *générale.* ⇒ **Pourcentage, proportion.** *Taux d'accroissement d'une population.* — Sociol. *Taux de scolarisation.*
Techn. *Taux de défaillance d'un matériel.* ⇒ **Fiabilité.** *Taux de compression, dans un moteur à explosion.* — Électron. *Taux de distorsion* (d'un matériel de reproduction sonore). Recomm. off. : *taux d'harmoniques.*

★ **II.** Montant (d'un prix) fixé par l'État. *Le taux de la journée de travail* (→ Kolkhoze, cit.), *du S. M. I. C.* ⇒ **Salaire** (→ Salarier, cit. 3).
Taux du change : prix d'une monnaie étrangère dans un pays donné. ⇒ **Cours, pair** (C., 1.). *Le taux des sequins* (cit. 1) *de Venise, à Bruges.*

COMP. Surtaux.
HOM. Tau, taud, tôt.

TAUZIN [tozɛ̃] n. m. — Av. 1828 ; orig. incertaine.

♦ Régional. Chêne du Sud-Ouest de la France, à feuilles cotonneuses *(quercus tozza).*

TAVAILLON [tavajɔ̃] n. m. — 1842 ; *tavoillon*, 1397 ; dimin. de *tavelle* « barre, bâton de bois », xv° ; du lat. *tabella.* → Tavelé, tavelle, tavillon.

♦ Techn. Latte de sapin employée dans la couverture des maisons. ⇒ 2. **Ancelle.** *Tavaillons cloués sur voliges.*

TAVAÏOLLE [tavajɔl] n. f. — 1571, mais (selon D. D. L., ii., 16) dans un autre sens ; ital. *tovagliola* « serviette », dimin. de *tovaglia*, anc. franç. *touaille, toaille.*

♦ Liturgie cathol. Linge d'église garni de dentelles, servant à présenter une offrande, un enfant au baptême*.
REM. On a écrit aussi *tavaïole* (1589). Var. : *tabayole* (1830).

TAVELAGE [tavlaʒ] n. m. ⇒ **Tavelure,** 2.

TAVELÉ, ÉE [tavle] adj. — V. 1288, *Renart le Nouvel* ; de l'anc. franç. *tavel*, n. m., *tavelle*, n. f. « ruban » ; du lat. *tabella* « planchette ». → Tablette.

♦ Marqué* de petites taches. ⇒ **Moucheté, tacheté.** *Un visage tavelé d'éphélides* (cit.). *Couleuvre tavelée. Fruit tavelé.* — *Fromage de chèvre tavelé.* → Chèvre, cit. 6.

1 Il avait dans un visage légèrement tavelé de petite vérole des yeux extraordinairement lumineux et amusés.
B. CENDRARS, la Main coupée, in Œ. compl., t. X, p. 45.
2 (...) il roulait sur un chemin défoncé qui sinuait au milieu des vignobles et des champs de blé, puis s'enfonçait dans une campagne rousse, tavelée de cailloux (...)
Albert AYGUESPARSE, l'Inconnue de Toravega,
in Littérature de langue franç. hors de France, p. 283.

DÉR. Taveler, tavelure.

TAVELER [tavle] v. tr. — Conjug. *appeler*. — 1636 ; v. intr., 1556, trad. du *Voyage en Afrique* (ou *Description de l'Afrique*) de Léon l'Africain ; de *tavelé*.

♦ Rendre tavelé. ⇒ **Marquer, moucheter, tacheter.** *L'humidité tavelle les fruits.* — V. pron. *Peau qui se tavelle.*

TAVELLAGE [tavɛlaʒ ; tavelaʒ] n. m. — 1872 ; de *taveller*.
♦ Techn. Action de taveller* la soie.

TAVELLE [tavɛl] n. f. — 1765 ; « tringle de bois pour frapper la soie », 1723 ; autre sens régional (passementerie) dès 1302 ; « traverse d'une claie », déb. xv° ; provençal *tavella*, lat. *tabella* « planchette ». → Table, tablette.

♦ **1.** Techn. Dévidoir pour la soie grège. ⇒ **Guindre.** *Dévider une flotte de soie à la tavelle.*

♦ **2.** (1876). Levier de manœuvre du treuil d'une charrette. ⇒ **Taravelle.**

DÉR. Taveller.

TAVELLER [tavele ; tavɛle] v. tr. — 1876 ; de *tavelle*.

♦ Techn. Dévider (la soie) à la tavelle*.
DÉR. Tavellage.

TAVELURE [tavlyʀ] n. f. — 1546 ; de *tavelé*.

♦ **1.** Bigarrure*, moucheture de ce qui est tavelé. *La tavelure de sa peau.*
(Une, des tavelures). Tache sur ce qui est tavelé. *Tavelures de la peau.* Spécialt. Tache sur la peau de certains fruits (pomme, poire).

1 Il se pencha sur la main de Mme Duffet, et la baisa. De près, la chair était ridée avec des tavelures mauves. SARTRE, l'Âge de raison, X.
2 (...) au-dessus de la cheminée de marbre gris, la glace avec ses tavelures rouillées (...) Pierre GASCAR, les Bêtes, p. 152.

♦ **2.** (1589). Maladie cryptogamique des feuilles et des fruits du pommier et du poirier (dans ce sens on dit aussi *tavelage*, n. m.).

TAVERNE [tavɛʀn] n. f. — V. 1175 ; du lat. *taberna*, même sens.

★ **I.** ♦ **1.** Anciennt. Lieu public où l'on mangeait et l'on buvait en payant. ⇒ **Auberge, cabaret, café, gargote** (→ Confortable, cit. 2 ; 1. contracter, cit. 6 ; enivrer, cit. 16 ; gaieté, cit. 18 ; haine, cit. 7).

♦ **2.** Mod. (Péj. et plais.). *Un coureur* (cit. 3.1) *de tavernes. Une taverne mal famée. Tenancier de taverne.* ⇒ **Tavernier.**

♦ **3.** (1825; angl. *tavern*). Auberge, cabaret, en Angleterre (parfois appliqué à la France).

Une taverne s'ouvrait sur le quai. Elle avait un aspect engageant (...) C'était une vaste salle bien décorée, au fond de laquelle s'étendait un lit de camp, garni de coussins. Sur ce lit étaient rangés un certain nombre de dormeurs.
J. VERNE, le Tour du monde en 80 jours, 1873, p. 153.

Au Canada, Débit de boissons réservé aux hommes (opposé à *brasserie*). *« Il lui serra la main dans un élan de vive sympathie comme il eût fait en rencontrant un ami dans une taverne montréalaise »* (M.-C. Blais). — Café-restaurant de genre ancien et rustique (⇒ **Hostellerie**).

★ **II.** (1672, *in* Jal). Mar. anc. Soute (d'un navire, d'une galère) où l'on conservait le vin et les vivres.

TAVERNIER, IÈRE [tavɛʀnje, jɛʀ] n. et adj. — V. 1200; lat. *tabernarius*, de *taberna*. → Taverne.

♦ **1.** Anciennt ou plais. Cafetier, restaurateur tenant une taverne. *Tavernier du Diable!*, apostrophe plaisante à son adresse.

Ces inns étaient de simples échoppes, habitées seulement le jour. Le soir, le tavernier mettait dans sa poche la clef de la taverne, et s'en allait.
HUGO, l'Homme qui rit, II, III, I.

♦ **2.** Adj. (XVIIᵉ). De taverne. — Par plais. *Nymphe tavernière* (Scarron, *Roman comique*) : servante de taverne.

TAVILLON [tavijɔ̃] n. m. — XIIIᵉ, *tavellon* (Valais, mot patois); du lat. *tabella*.

♦ Régional (Suisse). Petit bardeau servant à recouvrir les toits ou revêtir les façades.

1 Notre chambre à coucher; c'est un fenil abrité par une toiture en tavillons.
R. TÖPFFER, Voyage en zig-zag, p. 19 (Aux Alpes en et Italie, 3ᵉ journée).

2 Il y a des coups de marteau, on entend clouer de tous les côtés, c'est qu'il faut réparer les toits après l'hiver, remettre aussi les tavillons qui ont glissé avec la neige.   C.-F. RAMUZ, le Village dans la montagne, in Œ. compl., t. III, p. 29.

TAWGI [tawgi] n. m. — Mil. XXᵉ; mot de cette langue samoyède.

♦ Didact. Langue samoyède parlée dans la péninsule de Taïmyr.

TAXABLE [taksabl] adj. — 1788; de *taxer*.

♦ Qui peut être taxé, soumis à une taxe* (3.). ⇒ **Imposable, taxatif.** *Denrées, marchandises taxables.*

TAXACÉES [taksase] ou (vx) **TAXINÉES** [taksine] n. f. pl. — XXᵉ, *taxacées; taxinées*, 1839; dér. sav. du lat. *taxus* « if ».

♦ Bot. Famille de plantes gymnospermes, dont le genre principal est l'if*. ⇒ **Conifère.** — Au sing. *Une taxacée;* (vx) *une taxinée.*

TAXATEUR, TRICE [taksatœʀ, tʀis] n. et adj. — 1704; var. *tauxeur*, XVIᵉ; de *taxer*.

♦ **1.** Personne qui fixe la taxe (1., procéd.). *Taxateur des dépens.* — Adj. *Le juge taxateur.*

♦ **2.** Personne qui détermine une imposition (⇒ **Taxe,** 2.); qui impose une taxe. — Adj. *Des jurys taxateurs* (Madelin, *Hist. du Consulat et de l'Empire*, Ascension de Bonaparte, XIX).
Spécialt. Employé de bureau qui calcule le montant des taxes, des droits à payer. *« Taxateur aérien export »* (*France-Soir;* offres d'emploi, 30 mars 1982).

TAXATIF, IVE [taksatif, iv] adj. — 1846; du rad. de *taxer, taxation*.

♦ Dr. Taxable.

TAXATION [taksɑsjɔ̃] n. f. — V. 1283, « détermination de l'impôt », var. *tauxacion, taussacion;* lat. *taxatio*, de *taxatum*, supin de *taxare*. → Taxer.
Le fait de taxer (I.); son résultat.

♦ **1.** Fixation à une somme déterminée. — Dr. Fixation ou contrôle de l'état des frais. Fin., écon. Fixation des prix* par l'autorité publique (forme de réglementation). *La taxation constitue le mode d'intervention le plus direct de l'État sur les échanges économiques. La taxation du pain, de la viande, du café au comptoir des cafés.*

(...) sur vingt-une *(gerbes)*, le curé prend la dernière : dîme plus raisonnable dans sa taxation et dans son application, que la nôtre (...)
RESTIF DE LA BRETONNE, la Vie de mon père, II, IV.

♦ **2.** (1542). Le fait de soumettre à une imposition, à une taxe* (1. ou 3.). ⇒ **Imposition** (→ Gribouille, cit.). *Taxation, taxation*

d'office : détermination directe de l'assiette de l'impôt par le fisc (en l'absence d'une déclaration par le contribuable, à titre de sanction).

♦ **3.** (V. 1360, « impôt »). *Une, des taxations.* — Au plur. (1680). Hist. Avantages pécuniaires dont jouissaient certains employés de l'Administration. — Sommes dues aux trésoriers, receveurs, etc.

CONTR. Détaxation.

TAXAUDIER [taksodje] ou **TAXODIER** [taksɔdje] n. m. ⇒ **Taxodium.**

TAXE [taks] n. f. — 1378, puis déb. XVᵉ; lat. médiéval *taxa;* var. *tauxe, tausse.* → Tâche, taux.

♦ **1.** Prix fixé d'une manière autoritaire. *« (...) un boulanger qui vend plus cher que la taxe »* (Furetière, 1690). — Spécialt, vx. Prix payé pour une indulgence* (cf. Voltaire, *in* Littré).
(1549). Dr. Fixation, contrôle, ou révision de l'état des frais. *En matière sommaire, la taxe des dépens est faite par le tribunal dans le jugement.* ⇒ **Taxation.**

♦ **2.** (1472). Part d'imposition que doit payer un particulier (⇒ **Capitation**); imposition, somme fixée par l'imposition. ⇒ **Contribution,** 3. **droit, imposition, impôt;** → Asseoir, cit. 9; exemption, cit. 2; extorsion, cit. 1. *Taxe excessive ou majorée.* ⇒ **Surtaxe.** *Recueillir la taxe.* ⇒ **Percevoir.**

1 Le privilégié évite ou repousse la taxe, non seulement parce qu'elle le dépouille, mais encore parce qu'elle l'amoindrit; elle est un signe de roture, c'est-à-dire d'ancienne servitude, et il résiste au fisc autant par orgueil que par intérêt.
TAINE, les Origines de la France contemporaine, I, t. I, p. 30.

(XVIIᵉ). Vx ou hist. Amende frappant les traitants coupables de malversations.

♦ **3.** Fin. **ⓐ** (Sens strict). Procédé de répartition des charges publiques proportionnellement aux services rendus; somme établie par ce procédé, et que doit payer le bénéficiaire d'une prestation fournie par l'autorité publique. *Services payants, financés par des taxes administratives; services gratuits, financés par l'impôt. Taxe d'apprentissage,* perçue à raison des salaires payés dans l'année. *Taxe de séjour,* perçue à raison du séjour dans une station thermale, touristique. *Taxe hypothécaire. Taxe de voirie. Taxe des prestations** (cit. 2).

2 En apparence, le système *(de la parafiscalité)* semble analogue à celui de la taxe, dont il présente les deux caractères essentiels : 1º les redevances sont perçues au profit d'un service particulier; il s'agit donc de recettes d'affectation (...) 2º les redevances sont versées par les usagers en échange des avantages qu'ils retirent du service : il y a donc une contre-prestation (...) Cependant, une analyse plus approfondie montre que (...) l'assimilation complète avec la taxe n'est pas possible (...) D'une part, les redevances ont un caractère obligatoire (...) D'autre part, il n'y a pas de proportionnalité entre la redevance payée et la contrepartie obtenue (...)
Maurice DUVERGER, les Finances publiques, p. 73.

ⓑ Imposition obligatoire, qui, lorsqu'elle correspond à un service, n'est pas proportionnelle à ce service. ⇒ 3. **Droit, impôt.** *Taxes locales :* taxe sur les domestiques, taxe de balayage, taxe d'enlèvement des ordures ménagères. — *Taxes parafiscales.* ⇒ **Parafiscalité.** *La taxe piscicole est une taxe parafiscale. Taxe de luxe* (cit. 15). *Taxes de consommation.* — Vx. *Taxe personnelle* (→ Foncier, cit. 1). — *Taxe proportionnelle,* remplaçant les anciens impôts cédulaires. — *Taxe sur le chiffre d'affaires* (→ Heure, cit. 78), groupant les impôts sur le chiffre d'affaires des entreprises commerciales et industrielles. *Taxe sur la valeur ajoutée* (⇒ **T. V. A.**) qui remplace *la taxe à la production. Taxe sur les prestations de service. Taxe locale* (sur le chiffre d'affaires). *Taxes uniques,* qui s'ajoutent au droit de circulation (sur les boissons, les viandes) et remplacent, pour certains produits les taxes sur le chiffre d'affaires. — *Prix de revient, taxes comprises. Prix hors taxes,* sans les taxes, impôts et taxes non compris. *Produits hors taxes,* qui ne sont pas soumis au paiement des taxes. *Boutique hors taxes,* vendant des produits hors taxes ⇒ **Boutique** (boutique franche).

3 (...) une contrepartie doit normalement exister entre le taux de la taxe et l'avantage retiré. Cette contrepartie existe dans divers cas (taxe postale). Mais dans d'autres hypothèses (...) il n'y a pas de stricte correspondance (...) soit parce que la taxe est identique pour tous les usagers... (taxe sur l'enlèvement des ordures ménagères), soit parce que l'idée de contrepartie est extrêmement vague (...) Il semble qu'actuellement le terme taxe soit employé : 1º Lorsque le produit est affecté à un organe déterminé ou est recueilli dans un but précis (...) 2º Lorsque le prélèvement est opéré au moment d'une transaction commerciale et varie selon le prix de celle-ci.   J.-P. GUINOT, *in* Manuel du Chef d'Entreprise, Taxe.

ⓒ Droits de douane. *Taxe à l'importation.*

♦ **4.** (1762). Vx. Tarif des indulgences papales.

CONTR. Détaxe, remise.
DÉR. 2. Taxi.
COMP. Surtaxe.

TAXER [takse] v. tr. — V. 1282; *tausser, tauxer,* 1247, et jusqu'au XVIᵉ. → Taux; lat. *taxare,* du grec *taxis,* de *tassein* « ranger, fixer », mais les formes anc. viendraient de *talitiare (tausser),* ce qui rattache le mot à *tailler* (Guiraud).

★ **I.** ♦ **1.** ⓐ Fixer à une somme déterminée, en parlant de l'État, d'un tribunal. ⇒ **Taxe**. *Taxer les dépens. Taxer la valeur, le prix d'une chose à tant. Taxer les dépenses.* — Vx. *Taxer l'impôt,* en fixer le montant.

ⓑ Fixer, régler le prix de... Vieilli. *« Un libraire qui taxe un livre à dix francs »* (→ Revendeur, cit. 1, Balzac).

♦ **2.** (1471). Soumettre à une imposition, à une taxe (2.). *Taxer qqn* (→ Prélever, cit. 3). *Taxer d'office.*

♦ **3.** (1690). Frapper (un service, une transaction, et, par ext., ce qui en fait l'objet) d'une taxe* (3.); percevoir une taxe sur... ⇒ **Imposer**. *Taxer les objets de luxe, les boissons. Taxer les portes cochères* (cit. 1). *« On taxe tout, hormis l'air... »* (→ Impôt, cit. 12).

★ **II.** Fig. (du lat. *taxare* « frapper; blâmer », fréquentatif de *tangere* « toucher », plus ou moins confondu en latin avec *taxare, de taxis.*)

♦ **1.** (1538). Vx. Attaquer, médire de... (qqn). Cf. Molière, Bossuet, *in* Littré.

♦ **2.** (Déb. xviiᵉ, « accuser »). TAXER QQN DE... ⇒ **Accuser, charger.** *Taxer qqn de méchanceté, de négligence, de vanité* (→ 1. Louer, cit. 2; et aussi gongorisme, cit. 1). — V. pron. *Se taxer de...* — Vieilli. *« Ne pouvant taxer (mon cœur) de s'attiédir pour toi »* (Rousseau, la Nouvelle Héloïse, t. II, p. 15). On dit encore, avec le verbe être : *on le taxe d'être avare* (Académie).

(...) le monde injuste et léger accuse un père qui se tait, qui dévore en secret ses peines ! On le taxe de dureté pour les sentiments qu'il refuse au fruit d'un coupable adultère !   BEAUMARCHAIS, la Mère coupable, II, 2.

(1830). Par ext. Qualifier (une personne, une chose) de... → **Traiter** (de). *Taxer qqn de monsieur* (→ Honneur, cit. 86). *Taxer une chose de fable* (→ Attelage, cit. 5). *« Toute musique qui voulait dire quelque chose était taxée d'impure »* (cit. 2). → aussi Fidélité, cit. 4; folie, cit. 18.

▶ TAXÉ, ÉE p. p. adj. *Prix taxés. Objets de luxe taxés, lourdement taxés.*

DÉR. Taxable, taxateur, taxatif.
COMP. Détaxer, surtaxer.

1. TAXI [taksi] n. m. — 1906, art. *taxauto,* in *Larousse mensuel;* abrév. de *taximètre.*

♦ **1.** Voiture automobile de place, généralement munie d'un compteur qui détermine le prix de la course. ⇒ **Bahut** (fam.), **rongeur** (pop.), **tac** (fam.), **taximètre** (2., vx), **taxoche** (fam.); → Tabasser cit. 1. *Compteur de taxi.* ⇒ **Taximètre** (1.); pop. **rongeur** (cit. 2). *Le voyant lumineux d'un taxi.* ⇒ **Bidule** (fam.). *Taxi en liaison radio avec un standard téléphonique.* ⇒ **Radio-taxi** (cit. 2). *Héler* (→ Faire, cit. 180), *appeler, arrêter, prendre un taxi. Hep, taxi ! Taxi ! Aller en taxi.* — *Chauffeur de taxi :* personne qui conduit un taxi, employée par une compagnie ou exploitant un véhicule dont elle est propriétaire (syn. : ci-dessous *taxi,* 2.). ⇒ argot 2. **Loche** (cit.); → Russe, cit. 3. *Compagnie de taxis. Station de taxis. Taxi en stationnement, en maraude, qui prend, qui charge* (fam.) *un client. Taxi libre, occupé.* On disait aussi *taxi-auto* → cit. 1).

1   De nouvelles compagnies *(d'autos de louage)* s'étaient créées qui n'avaient pas avec elles le poids mort des voitures à cheval. Ce fut une course aux effectifs. En deux années la montée des taxis-autos dans Paris fut vertigineuse.
     ARAGON, les Cloches de Bâle, III, VI.

1.1   Quand les cafés et les taxis porteurs de lunes
Échappent par miracle aux volets du silence
Un clapotis de vie émeut les lieux nocturnes
Où d'obliques chemins se brouillent en tous sens.
     Robert VIVIER, Au bord du Temps (Marseille, Cahiers du Sud, 1936).

Allus. hist. *Les taxis de la Marne :* les taxis parisiens réquisitionnés par Gallieni pour transporter des renforts pendant la première bataille de la Marne, en 1914. *Les taxis de la Marne,* ouvrage de J. Dutourd.

Par anal. *Taxi aérien.* ⇒ **Avion-taxi.** Ancienn (ou dans des pays exotiques → Vélo-pousse). *Les taxis de l'Occupation,* tirés par des bicyclettes. ⇒ **Vélo-taxi.**

(1962, *l'Humanité*). En Afrique. TAXI-BROUSSE : voiture de location qui assure les transports en brousse. On dit aussi *taxi bâche* ou *taxi bâché* (s'oppose au taxi urbain, muni d'un compteur, et dit *taxi-compteur*).
Voiture spécialement carrossée pour servir de taxi. *Il a acheté un vieux taxi londonien.*

♦ **2.** Fam. (T. de métier). Chauffeur de taxi. *Il, elle fait le taxi. Elle est taxi.* ⇒ **Taxite,** n. f.

2   Il parlait bien le parisien ce Russe, à cause qu'il avait été « taxi » pendant des années...   CÉLINE, Voyage au bout de la nuit, p. 206.

3   Le taxi comprit aussi beaucoup mieux le français de Simone que mon allemand.
     Jean FAYARD, Mes maîtresses, p. 58.
Le métier de chauffeur de taxi. *Faire le taxi.*

Un homme qu'a un métier. Un bon métier, car c'est bon, le taxi, pas vrai ?   4
     R. QUENEAU, Zazie dans le métro, p. 75.

♦ **3.** (1906). Fam. Automobile. ⇒ **Bagnole.** *Il a un chouette taxi.*

♦ **4.** Fam. Avion. ⇒ **Zinc.** *Un vieux taxi biplan.*

DÉR. Taxite, taxoche.
COMP. Avion-taxi, radio-taxi, vélo-taxi. — Taxi-auto, taxi-brousse, taxi-compteur (V. *supra* à l'article). — Taximan.
HOM. 2. Taxi, taxie.

2. TAXI [taksi] n. m. — V. 1950, selon *le Monde* 10 juil. 1973, *in* P. Gilbert; altér. de *taxeur,* de *taxe.*

♦ Fam. Personne qui fournit de fausses factures à ceux qui veulent frauder la taxe sur le chiffre d'affaires, la T. V. A.

HOM. 1. Taxi, taxie.

TAXI-, TAXO- Premiers éléments du grec *taxis* « arrangement, disposition », et, spécialt, « ordre de bataille; fixation d'une imposition » (⇒ **Taxe;** et aussi **ataxie, syntaxe...**).

TAXIARCHIE [taksjaʀʃi] n. f. — 1876, grec *taxiarkhia,* de *taxiarkhos.* → Taxiarque.

♦ Didact. Fonction, charge de taxiarque*.

TAXIARQUE [taksjaʀk] n. m. — 1788; grec *taxiarkhos,* de *taxis* « mise en ordre; corps de troupe », et *arkhos,* de *arkhein* « commander ». → Monarque.

♦ Didact. Dans l'Antiquité grecque, Commandant d'un corps d'infanterie. *Fonction de taxiarque.* ⇒ **Taxiarchie.**

TAXI-AUTO [taksioto] n. m.; **TAXI-BROUSSE** [taksibʀus] n. m.; **TAXI-COMPTEUR** [taksikõtœʀ] n. m. ⇒ 1. Taxi.

TAXIDERMIE [taksidɛʀmi] n. f. — 1806; de *taxi-,* et *dermie.*

♦ Didact. Art de préparer, d'« empailler » les animaux morts (vertébrés) pour les conserver avec l'apparence de la vie (par écorchage, « mise en peau », montage sur une carcasse). ⇒ **Empaillage, naturalisation** (II.).

DÉR. Taxidermique, taxidermiste.

TAXIDERMIQUE [taksidɛʀmik] adj. — 1845; de *taxidermie.*

♦ Didact. Qui se rapporte à la taxidermie*.

TAXIDERMISTE [taksidɛʀmist] n. — 1872, Littré; de *taxidermie.*

♦ Didact. Spécialiste en taxidermie*. ⇒ **Empailleur** (cour.), **naturaliste** (I.).

(...) les chasseurs, les agriculteurs, les pelletiers, les taxidermistes se déchaînent contre les mustélidés.   Sciences et Avenir, nᵒ 414, p. 33.

TAXIE [taksi] n. f. — V. 1900 (1903, *in Rev. gén. des sc.,* nᵒ 12, p. 680); du grec *taxis* « arrangement, ordre ».

♦ Biol. Réaction de locomotion orientée des organismes animaux mobiles, et, spécialt, réaction d'orientation et de mouvement des cellules mobiles déclenchée par divers agents physiques et chimiques. ⇒ **Tactisme;** et aussi **tropisme.**

HOM. 1. Taxi, 2. taxi, taxie.

TAXI-GIRL [taksigœʀl] n. f. — 1931, *in* Höfler, répandu v. 1960; anglo-amér. *taxi dancer* ou *taxi girl,* de *taxi* (→ Taximètre), et *girl* « fille ».

♦ Jeune femme qui loue ses services comme partenaire de danse dans un bar, un cabaret. ⇒ **Entraîneuse.** *Des taxi-girls.*

Les taxi-girls n'avaient guère de clients et dansaient entre elles le plus souvent.
     Claude COURCHAY, La vie finira bien par commencer, 1972, p. 214.

TAXILOGIE [taksilɔʒi] n. f.; **TAXILOGIQUE** [taksilɔʒik] adj. ⇒ **Taxologie, taxologique.**

TAXIMAN [taksiman] n. m. — D. i.; faux anglicisme, de *taxi,* et *man.*

♦ Franç. d'Afrique. Fam. Chauffeur de taxi urbain.

TAXIMÈTRE [taksimɛtʀ] n. m. — 1905; *taxamètre,* 1901, *in* D. D. L.; all. *Taxameter* (1890), refait d'après *taxi-,* et *-mètre.*

♦ **1.** Compteur horokilométrique* déterminant la somme à payer pour un trajet en taxi, d'après la distance parcourue et la durée du trajet.

♦ **2.** Par métonymie ; vx. Voiture (automobile ou hippomobile) munie d'un tel compteur. ⇒ 1. **Taxi.**

(...) au début du XXᵉ siècle la Compagnie, progrès oblige, lança dans les rues de Paris d'abord les premiers taxis ou taximètres, rendus nécessaires par l'abaissement des bénéfices au lendemain de l'Exposition universelle de 1900 (...)
Le taximètre avait déjà lié plus étroitement cochers et chauffeurs aux compagnies, en leur imposant une surveillance qui rapprochait leur métier de celui d'ouvrier d'usine.   ARAGON, les Cloches de Bâle, III, VI.

♦ **3.** (Attesté 1958, mais antérieur). Techn. (mar., aviat.). Instrument de mesure des angles, constitué d'une couronne graduée portant une alidade, et qui permet de mesurer les gisements des amers (à la différence du compas* de relèvement, avec lequel on relève leurs azimuts). *Taximètres placés sur les ailerons de passerelle (taximètre bâbord, taximètre tribord). Taximètres d'un avion*

— Comme c'est beau (...)
Oui c'est beau ; c'est la poignée du taximètre ; Groleau a remplacé l'habituelle, celle toute faite en métal gris, par un bouton de porte en verre massif ; c'est taillé comme une pierre précieuse ; c'est un lustre en un seul morceau. Sacré Groleau !
Le gros avion gris (...)   Réjean DUCHARME, l'Hiver de force, p. 220.

TAXINÉES [taksine] n. f. pl. ⇒ **Taxacées.**

TAXINOMIE [taksinɔmi] n. f. — 1842 ; de *taxi-*, et *nomie* ; la forme *taxonomie*, pourtant antérieure (1813, De Candolle, au sens 2), correspond à l'angl. *taxonomy.*

♦ **1.** Didact. Science des lois de la classification des formes vivantes. ⇒ **Systématique.** — Par ext. Science des lois de la classification.

♦ **2.** Classification d'éléments. *Taxinomie botanique, zoologique, chimique.* ⇒ **Terminologie.** — (Sous la forme anglaise, *taxonomie*) :

La classification, ou taxonomie, revient donc à rassembler, selon des niveaux successifs, les vivants qui ont de plus en plus de caractères communs. Ce faisant, on passe des niveaux classificatoires supérieurs (embranchements, classes) aux niveaux classificatoires inférieurs (ordres, familles, espèces).
                          Jacques RUFFIE, De la biologie à la culture, 1976, p. 18.

DÉR. **Taxinomique, taxinomiste.**

TAXINOMIQUE [taksinɔmik] adj. — 1842 ; de *taxo(taxi)nomie.* Didactique.

♦ **1.** De la classification. *Variables taxinomiques. Distance taxinomique,* entre deux éléments à classer.

♦ **2.** Qui repose sur les classifications. *Conception taxinomique de la science. Analyse taxinomique,* dans certaines sciences de l'homme (linguistique, etc.).
REM. L'emploi de la variante *taxonomique* (anglicisme) est déconseillé.

TAXINOMISTE [taksinɔmist] n. — 1897, in *l'Année biol.,* p. 329 ; *taxonomiste,* 1876 ; de *taxo(taxi)nomie.*

♦ Didact. Spécialiste en taxinomie. ⇒ **Systématicien.**
REM. L'emploi de la variante *taxonomiste* (anglicisme) est déconseillé.

TAXIPHONE [taksifɔn] n. m. — 1933 ; marque déposée ; de *taxi(mètre),* et *(télé)phone.*

♦ Téléphone public où l'on obtient la communication en introduisant un jeton, une pièce (acquittement de la taxe) dans l'appareil. *Les taxiphones sont appelés administrativement « bureaux muets ».*

TAXIS [taksis] n. m. et f. — 1765 ; grec *taxis* « mise en ordre ».

♦ **1.** Chir. Pressions de la main destinées à faire rentrer une hernie étranglée dans la cavité abdominale.

♦ **2. N. f.** Didact. (hélénisme). Classification ; mise en ordre hiérarchique (des choses et des concepts).

TAXITE [taksit] n. f. — 1977, Thérame, *la Dame au bidule ;* de 1. *taxi.*

♦ Fam. Femme chauffeur de taxi.

TAXIWAY [taksiwɛ] n. m. — V. 1950 ; mot anglo-américain.

♦ Américanisme. (Techn). Voie de circulation des avions, chemin de roulement, dans un aéroport. *Il est interdit de décoller ou d'atterrir sur les taxiways.* — Équivalent proposé : *chemin de roulage.*

(...) taxiway (piste de roulement sur les aéroports) est jugé plus adéquat que son substitut chemin de roulage dont l'abréviation usuelle, chemin, paraît trop vague.
                          B. QUEMADA, Technique et Langage,
                          in Encycl. Pl., Hist. des techniques, p. 1234 (1978).

TAXO- ⇒ **Taxi-.**

TAXOCHE [taksɔʃ] n. m. — Mil. XXᵉ ; de 1. *taxi,* et suff. pop. *-oche.*

♦ Fam. Taxi.

TAXODIUM [taksɔdjɔm], **TAXODIER** [taksɔdje] ou **TAXAUDIER** [taksodje] n. m. — 1904, *taxodium ; taxodier,* 1874 ; *taxodion,* 1839 ; lat. sc. *taxodium,* L.-C. Richard, 1826, du grec *taxos* « if ».

♦ Bot. Grand arbre, conifère originaire des marais du sud des États-Unis (famille des *Taxodiacées*). *Le taxodier perd ses aiguilles en hiver. Le taxodier est aussi appelé* cyprès chauve.

Et je comprends soudain tout ce que représente pour moi le taxaudier, cet arbre fétiche, le symbole de mon indépendance, planté, fiché tout droit dans cette glaise (...) lancé en flèche vers un ciel où courent librement les nuages (...)
                          Hervé BAZIN, Vipère au poing, p. 250.

TAXODONTE [taksɔdɔ̃t] n. m. — Mil. XXᵉ ; de *taxo-,* et grec *odons, odontos.* → Odonte.
Zoologie.

♦ **1.** TAXODONTES : ordre de mollusques bivalves, caractérisé par une charnière à nombreuses dents toutes semblables et par deux muscles rétracteurs. Au sing. *Un taxodonte.*

♦ **2.** « Charnière d'une valve d'un Bivalve » de l'ordre des Taxodontes (*la Banque des mots,* nᵒ 17).

TAXOLOGIE [taksɔlɔʒi] n. f. — 1817 ; *taxilogie,* 1872 ; de *taxo-(taxi-),* et *-logie.*

♦ Didact. Science des classifications. ⇒ **Systématique, taxinomie.**
DÉR. **Taxologique, taxologue** ou **taxologiste.**

TAXOLOGIQUE [taksɔlɔʒik] adj. — 1842 ; *taxilogique,* 1876 ; de *taxologie.*

♦ Didact. Qui se rapporte à la taxologie.

TAXOLOGUE [taksɔlɔg] ou **TAXOLOGISTE** [taksɔlɔʒist] n. — 1842, *taxologue ; taxologiste,* 1842 ; de *taxologie.*

♦ Didact. Spécialiste de taxologie. ⇒ **Classificateur, taxinomiste.**

TAXON [taksɔ̃] ou **TAXUM** [taksɔm] n. m. — 1964, *taxon ; taxum,* 1972 ; grec *(taxon)* et lat. sc. *(taxum),* du grec *taxis.* → Taxi-, taxo-.

♦ Didact. (Sc.). Unité systématique (telle qu'une famille, un genre, une espèce). ⇒ **Groupe.** Spécialt. Unité taxinomique reconnue par les codes internationaux. — Plur. *Des taxons, des taxums* ou *des taxa* (plur. pour les deux formes). *Faire un index de taxa.*

On appelle taxon tout groupe classificatoire dérivant du même ancêtre ou plutôt du même archétype. Selon qu'on remonte plus ou moins haut pour chercher cette origine commune, on aura des taxa supérieurs (embranchements, classes) ou des taxa inférieurs (genres, espèces, races).
                          Jacques RUFFIE, De la biologie à la culture, 1976, p. 25.

TAXONOMIE [taksɔnɔmi] n. f., **TAXONOMIQUE** [taksɔnɔmik] adj. ⇒ **Taxinomie, taxinomique.**

TAYLORISATION [tɛlɔʀizasjɔ̃ ; tajlɔʀizasjɔ̃] n. f. — V. 1920 ; de *tayloriser.*

♦ Écon. Application du taylorisme (à une production, à un atelier, à un travail).

(...) la taylorisation de l'usine. Ce que c'est ? (...) on chronométrait le temps de travail nécessaire pour chaque geste, dans la fabrication de chaque pièce, des ouvriers qualifiés. Puis, ensuite, les autres devaient refaire, dans le même temps, le travail.
                          ARAGON, les Beaux Quartiers, II, XIV.
La première industrialisation se poursuit dans un processus qui adapte peu à peu l'ouvrier à la machine, sans rien abandonner du caractère prééminent de celle-ci. La « taylorisation » des gestes s'accompagne de la normalisation des têtes d'outils et des produits, d'une adaptation intense au mouvement circulaire continu (rotation, tours, toupies...), d'un traitement indifférencié de la matière.
                          A. LEROI-GOURHAN, le Geste et la Parole, t. II, p. 59.

TAYLORISER [tɛlɔʀize ; tajlɔʀize] v. tr. — V. 1920 ; de *taylorisme.*

♦ Écon. Appliquer le taylorisme à. — Au p. p. « *Ici, la production reste parcellaire, taylorisée à l'extrême* » (*le Nouvel Obs.,* 17 mars 1975). *Usine taylorisée.* — Figuré :

Il faut tayloriser votre pédagogie. Ainsi donc, en fin de leçon, ou même au début, voire parfois en cours de leçon, vous soumettez à vos élèves un thème de réflexion sur lequel ils doivent méditer par écrit, durant dix minutes, un quart d'heure.   Yanny HUREAUX, la Prof, p. 298 (1972).

DÉR. Taylorisation.

TAYLORISME [telɔʀism ; tajlɔʀism] n. m. — V. 1918 ; amér. *taylorism*, du nom de l'ingénieur *F. Taylor* (1856-1915).

♦ Méthode d'organisation scientifique du travail industriel, par l'utilisation maximale de l'outillage, la préparation du travail et la suppression des gestes inutiles. Spécialt. Méthode destinée à accroître la productivité* du travail par décomposition et chronométrage des mouvements nécessaires. *Le taylorisme implique la division* du travail.* (On dit aussi *système Taylor*).

(...) le patron va jusqu'à déterminer à l'avance les gestes et les conduites du travailleur. Il décompose l'acte de l'ouvrier en éléments, lui en ôte certains pour les faire exécuter par d'autres ouvriers, réduit l'activité consciente et synthétique du travailleur à n'être plus qu'une somme de gestes indéfiniment répétés (...) Le taylorisme moderne ne fait pas autre chose. L'ouvrier devient l'homme d'une seule opération qu'il répète cent fois par jour (...)   SARTRE, Situations III, p. 198.

DÉR. Tayloriser, tayloriste.

TAYLORISTE [telɔʀist ; tajlɔʀist] adj. et n. — xxᵉ ; de *taylorisme*.

♦ Écon. Relatif au taylorisme. — Partisan du taylorisme.

L'idée de se servir d'un tel instrument pour arroser choqua le sens tayloriste du général.   Pierre BOULLE, les Oreilles de jungle, p. 171.

Tb [tebe] Symbole chimique du *terbium*.

T-BONE [tibon] n. m. invar. — 1954, *T-bone steak ;* mot angl. des États-Unis, « os » *(bone)* en forme de T.

♦ Anglic. Tranche de bœuf coupée autour d'un os en forme de T (correspond partiellement à l'entrecôte). *Manger des T-bone.*

Tc [tese] Symbole chimique du *technétium*.

TCHADANTHROPE [tʃadɑ̃tʀɔp] n. m. — 1961 ; de *Tchad*, n. de pays, et *-anthrope*.

♦ Paléont. Hominien fossile découvert au nord du Tchad.

TCHADIEN, IENNE [tʃadjɛ̃, jɛn] adj. et n. — xxᵉ ; de *Tchad*.

♦ Qui se rapporte au Tchad (région géographique ; État), à ses habitants. *Les ethnies tchadiennes. L'économie tchadienne.* — N. *Un Tchadien.*

Ling. *Langues tchadiennes :* groupe de langues africaines (on dit plutôt *tchadiques**).

TCHADIQUE [tʃadik] adj. — Mil. xxᵉ ; de *Tchad*.

♦ Didact. *Langues tchadiques :* famille de langues africaines parlées notamment au Tchad, au Nigéria ; en 1972, on distinguait « à l'intérieur de la famille 26 sous-groupes, au total, 157 langues » (H. Jungraithmayr, *les Langues dans le monde ancien et moderne*, t. I, p. 407 ; C.N.R.S.). Subdivisions : groupe Ouest-Est (hausa, angas ou kara, kofyar, bole, tangale, soya, nancere, etc.) ; groupe Centre-Ouest (tera, bura, margi, bata, gidar, etc.) ; groupe Centre-Est (buduma, kotoko, masa, etc.) [d'après H. Jungraithmayr].

TCHADOR [tʃadɔʀ] n. m. — 1852, *tchader ; tchadra*, n. f., 1883 ; *tchadour*, 1935 ; *in* D.D.L. ; répandu vers 1978 ; mot persan.

♦ Voile noir porté par les musulmanes chiites, en particulier en Iran. — REM. On dit *hidjäb* dans les autres pays arabes, *tcharchaf** en Turquie.

J'ai vu récemment un film sur la libération des femmes en Asie centrale par la révolution soviétique... Toutes ces femmes jetant leurs voiles au feu, leurs tchadors... Pensez à l'Iran... C'est accablant...   Ph. SOLLERS, Femmes, p. 300.

TCHAGATAY [tʃagataj] n. m. et adj. — xxᵉ ; *tchagateen*, 1876 ; mot türk.

♦ Didact. (Ling.). Langue littéraire appartenant au groupe türk, parlé au Turkestan du xvᵉ au xixᵉ siècle.

TCHAO [tʃao] interj. — V. 1905, Apollinaire, qui écrit *tchaü ;* graphie française correspondant à la prononciation de l'ital. *ciao*. → Ciao.

♦ Fam. Au revoir. — Régional. (Midi). Au revoir ou bonjour. ⇒ **Ciao** (équivalent de *salut* en français central).

Un jour, j'ai risqué un « Bye-Bye ». Mon fils m'a dit que ça ne se disait plus du tout (...) Même les Anglais disent : *Tchaô !*   Pierre DANINOS, Un certain Monsieur Blot, p. 204.

TCHAPALO [tʃapalo] n. m. — Date et origines inconnues.

♦ En franç. d'Afrique. Bière de petit mil ou de sorgho. Syn. : *bière de mil.*

TCHARCHAF [tʃaʀʃaf] n. m. — 1906, cit. ; mot turc.

♦ Voile noir avec lequel les femmes turques se cachaient le visage. → Tchador.

(...) au lieu du long camail de couleur claire qu'elles appelaient *féradjé*, maintenant elles portaient le *tcharchaf*, une sorte de domino presque toujours noir, avec un petit voile également noir retombant sur le visage et cachant tout, même les yeux.   LOTI, les Désenchantées, II, v (1906).

TCHÉCOSLOVAQUE [tʃekɔslɔvak] adj. — 1917 ; de *tchèque*, et *slovaque*.

♦ De la Tchécoslovaquie, de ses habitants. — N. *Un, une Tchécoslovaque.*

TCHÉKHOVIEN, IENNE [tʃekɔvjɛ̃, jɛn] adj. — xxᵉ ; du nom de Anton *Tchékhov*.

♦ Littér. Qui évoque l'œuvre de Tchékhov. « *La tendre, la douce, la fragile musique tchékhovienne* » (*le Point*, 23 mars 1981, p. 27). *Des personnages tchékhoviens.* — N. « *Cet homme fragile, ce tchékhovien* » (*le Nouvel Obs.*, 12 juin 1978, p. 126).

TCHÉKISTE [tʃekist] n. — D. i. ; de *Tchéka*, mot russe, abrév. de *Tchrezvytchnaïa Komissia* «commission extraordinaire».

♦ Polit. Membre de la Tchéka, ancienne police politique soviétique (remplacée par la Guépéou en 1922). « *Compromettre un tchékiste* » (Volkoff, *le Retournement*, p. 110).

TCHÈQUE [tʃɛk] adj. et n. — 1846 ; tchèque *cezky*.

♦ De la partie de la Tchécoslovaquie comprenant la Bohême et la Moravie-Silésie. *Langue, littérature tchèque.* — N. *Un, une Tchèque.*
N. m. Le *tchèque*, langue du groupe slave occidental (→ Librairie, cit. 4).

COMP. Tchécoslovaque.

TCHÉRÉMISSE [tʃeʀemis] n. et adj. — 1846, Bescherelle ; 1701, *Czérémisses*, Maty ; mot russe.

♦ *Les tchérémisses :* peuple appartenant au groupe finnois oriental, qui vit dans la région de la Haute-Volga, entre Kazan et Nijni-Novgorod. — le *tchérémisse*, groupe de langues finno-ougriennes des Tchérémisses. — Adj. *Les langues tchérémisses.*

Le tchérémisse *(mari)*, parlé par 425 000 personnes dont 250 000 dans la république tchérémisse, 80 000 dans celle des Bachkirs et 15 000 dans celle des Tatars, est formé par l'ensemble de trois groupes de dialectes (*kurku-mari* ou tchérémisse des montagnes de la Volga, *olik-mari* ou tchérémisse des prairies du Sud du fleuve et *üpö-mari* « tchérémisse d'Oufa » aux alentours de cette ville).
A. MEILLET et M. COHEN, les Langues du monde, p. 283-284.

TCHERKAN [tʃɛʀkɑ̃ ; tʃɛʀkan] n. m. — xxᵉ ; mot toungouze.

♦ Didact. Piège qui fonctionne comme une arbalète, en Sibérie.

On prend aussi les martes, mais surtout les hermines, notamment chez les Tongouses *(sic)* avec un instrument assez singulier, le « tcherkan », sorte d'arbalète composée d'un cadre rectangulaire qui supporte un arc dont la corde est tendue sur un déclencheur que l'animal doit faire manœuvrer en sortant de son gîte.
René THÉVENIN, les Fourrures, p. 87.

TCHERKESSE [tʃɛʀkɛs] adj. et n. — 1876 ; nom de ce peuple, dans cette langue, qui a donné *circassien*.

♦ Les Tcherkesses, peuple du Nord du Caucase. ⇒ **Circassien.** *Des cavaliers tcherkesses. La culture tcherkesse.* — N. *Un, une Tcherkesse.*
N. m. Langue caucasienne du Nord-Ouest, comprenant deux groupes de dialectes (*tcherkesse oriental* ou *kabarde ; tcherkesse occidental*). — Spécialt. Le tcherkesse occidental, parfois appelé *adjghé*.

TCHERNOZIOM [tʃɛʀnozjɔm] n. m. — 1933 ; *tchernozom*, 1883 ; *tchernozion*, 1904 ; mot russe «terre noire» *(tchernyi)*.

♦ Géogr. Sol caractérisé par sa couleur noire et la présence, dans la partie la plus basse, de concrétions accumulées de carbonate de chaux, d'un type courant en Russie. *Fertilité du tchernoziom.*

TCHERVONETZ [tʃɛʀvɔnɛts] n. m. — xxᵉ (*in* Larousse, 1933) ; mot russe.

♦ Ancienne Unité monétaire russe, reprise en 1922 avec valeur de 10 roubles or, puis remplacée (sans être légalement supprimée) par le nouveau rouble. Plur. *Des tchervonetz* ou (du plur. russe), *des tchervontsy.*

TCHÉTCHÈNE [tʃetʃɛn] adj. et n. — 1876, *Tchetchenses*, nom d'une population du Caucase.

♦ Didact. Du peuple caucasien des Tchétchènes ; de la république soviétique de Tchétchéno-Ingouchie.
N. m. Langue caucasienne parlée par les Tchétchènes.

TCHI (QUE) [kətʃi] loc. adv. — V. 1950 ; du roumain *tchi* «rien», «le *que* proclitique... vient probablement de *que dalle*» (Cellard et Rey).

♦ Argot. Rien ; personne. *Qu'est-ce qui reste? — Que tchi!* — Interj. Pas du tout. ⇒ **Dalle** (que dalle).

Paralysé à demi, bourré d'osier, il en avait que tchi à branloter du coffre mystérieux. Qu'il contienne des lingots ou des pois cassés, ça lui faisait une guibole grande comme ça *« une belle jambe »*, Spontinini.
　　　　　SAN-ANTONIO, Remets ton slip, gondolier !, p. 81.

REM. On écrit aussi *que t'chi.*

TCHINE [tʃin] n. m. — 1852, in D.D.L. ; *tchin*, 1842, Custine *in* D.D.L. ; mot russe, du chinois.

♦ Hist. russe. Organisation hiérarchique de type militaire, appliquée à toute l'administration de l'Empire russe.

TCHIN TCHIN [tʃintʃin] interj. — 1935 ; du pidgin english de Canton *tsing-tsing* «salut», 1902 dans la marine, par l'anglais.

♦ Fam. Mot que prononcent les gens qui trinquent ensemble. (Cf. À votre bonne santé, prosit).

1　Tchin' Tchin'
　— Tchin' Tchin', répéta Cuivre, et ils vidèrent leurs verres tous les trois.
　　　　　B. VIAN, l'Automne à Pékin, p. 178.

Nom masculin :

2　Je prends mon verre, puis je le repose : pour ce verre-là, je veux attendre le tchin-tchin de nos retrouvailles.　A. SARRAZIN, l'Astragale, p. 224.

TCHITOLA [tʃitɔla] n. m. — 1964 ; mot africain.

♦ Techn. Bois d'Afrique, résineux et grossier, brun rouge, utilisé en menuiserie et pour le contre-plaqué.

Pour être complet il nous faut citer d'autres essences également employées, mais importées en quantités moindres, comme le makoré de Côte-d'Ivoire et du Cameroun (...) le framiré de Côte-d'Ivoire (...) le limba, le tchitola du Moyen-Congo, le doussié (...)　J.-C. REGGIANI, Industries et Commerce du bois, p. 29.

TCHOKOUÉ [tʃɔkwe] n. m. — xxᵉ ; mot de cette langue bantoue.

♦ Langue bantoue parlée en Angola, au Zaïre, en Zambie (les spécialistes écrivent *chokwe*).

TCHOUKTCHE [tʃuktʃe] adj. et n. — 1871, *Tchouktchi.*

♦ Des populations sibériennes du Nord-Est portant ce nom. — N. m. Groupe de langues paléo-sibériennes.

TCHOUVACHE [tʃuvaʃ] adj. et n. — 1876 ; mot de cette langue.

♦ D'une population de la moyenne Volga. — N. *Un, une Tchouvache.*
N. m. Langue d'Asie centrale, du groupe türk, parlée par les Tchouvaches.

T. D. [tede] n. m. — xxᵉ ; sigle.

♦ Abréviation de *travaux dirigés;* séance de travaux dirigés. *Aller en T. D.* — Par métonymie. Groupe de travaux dirigés. *Il est le plus mauvais de son T. D.*

Te [teφ] Symbole chimique du *tellure.*

TE [tə] pron. pers. — xᵉ ; de l'accusatif lat. *te,* en position inaccentuée. → Toi, tu.
REM. 1. *Te* est le pronom personnel de la deuxième personne du singulier pour les deux genres.
2. *Te* s'élide en *t'* devant une voyelle ou un *h* muet ; cette élision ne doit pas être confondue avec l'élision populaire de *tu* en *t'.*

A. (Emploi de *te*). ♦ **1.** (Objet direct). *« Je t'ai prise avec plaisir, je te quitte sans regret »* (→ Maître, cit. 65). *Je t'accompagne* (→ Plumer, cit. 8). *« Es-tu un prince pour qu'on te flagorne? »* (cit. 1). *De quel nom* (cit. 32) *te nommer?* (Suivi d'un attribut). *« Cette insolence enfin te rendrait odieux »* (→ Outrageux, cit.).

♦ **2.** (Objet indirect). **[a]** Énonçant un rapport d'attribution, de destination, d'intérêt, d'appartenance exprimé par *à toi, pour toi. Je te donnerai quinze cents francs* (→ 1. Liard, cit. 1 ; et aussi maître, cit. 74). *Il ne t'a pas répondu* (→ Navrement, cit.). *Je vais te faire une redingote* (→ Sacrifier, cit. 17). — Par ext. (rapports correspondant à d'autres prépositions que *à* et *pour*). Fam. *Elle te court après. Ils te tomberont dessus.*

[b] (Compl. de l'attribut, devant un verbe d'état). *Cela peut t'être utile. Elle t'est devenue étrangère.*
REM. Si l'attribut est un nom, on emploie aujourd'hui plutôt la construction analytique *pour toi* (⇒ Me, *infra* cit. 7).

Quand je songe à la charge que je te suis.　　　1
　　　　　Francis JAMMES, la Brebis égarée, II, 1.

[c] (Marquant un rapport de possession). ⇒ 1. Le, *supra* cit. 7. *Les enfants te cassent la tête. Si cela te vient à l'esprit.* — (Avec un nom désignant un état physique ou psychologique). *« D'où te vient cette audace? »* (→ Perdre, cit. 39 ; et aussi semblant, cit. 2). (Explétif et emphatique). Employé «pour inviter un interlocuteur ou le lecteur à s'intéresser tout spécialement à la chose dont on parle» (G. et R. Le Bidois, *Syntaxe du franç. mod.*, § 249). *Je te lui ficherais bien une claque! Et je te frotte et je te brique, tout l'appartement y passe.*

— Dites donc, vous autres, avez-vous vu comme je te vous lui ai craché à la　2
figure?　　　　HUGO, les Misérables, I, V, XIII.
(...) si le patron m'embête, je te le ramasse et je te l'asseois sur sa bourgeoise (...)　3
　　　　　ZOLA, l'Assommoir, t. II, VIII, p. 36.
Si c'était mon fils, je te le dresserais (...)　　　　4
　　　　　F. MAURIAC, le Désert de l'amour, VII.

♦ **3.** Avec un verbe de forme pronominale. — (Réfl. dir. ou indir.). *Tu te perdras* (cit. 60). *Tu t'es demandé si...* — (Pron. non réfl.). *Tu t'en souviens. Ne t'en fais pas.*

♦ **4.** Avec un présentatif. *Te voici, François* (→ Nécromancien, cit. 2). *Te voilà encore à regarder tes vieux bibelots* (→ Maniaque, cit. 3).
B. (Place de *te*). → Me (II. ; où les remarques concernant la place de ce pronom sont également applicables à *te*). → Toi. — REM. À l'impératif, *te* se place aussi devant le verbe, mais ne s'emploie qu'avec un verbe à la forme pronominale et en tour négatif : *ne t'inquiète pas.* Cependant l'ancien français l'employait en phrase positive ; cf. aussi, de nos jours, par archaïsme plaisant :

DÉCOUVRE-TOI devant le *Pauvre Pêcheur, t'*incline devant les Monet (...) rampe en　5
présence de Cézanne, *te* prosterne aux pieds de Renoir (...)
　　　　　A. JARRY, Gestes et Opinions du Dᵣ Faustroll, p. 95,
　　　　　in DAMOURETTE et PICHON, § 2375.

Répétition de *te*. — Omission de *te* devant un pronominal à l'infinitif. ⇒ Me (III. et IV.).
Renforcement de *te*. ⇒ **Toi** (toi-même).

1. TÉ [te] n. m. — 1704 ; écrit T, 1690 ; nom de la lettre T. Technique.

♦ **1.** Objet, instrument ayant la forme du T majuscule ou dont la section est en T. ⇒ **T.** Spécialt. Règle double, plate, faite de deux branches en équerre, destinée au dessin sur la planchette.

(...) les murs surtout tiraient l'œil, alignant en haut, sur des étagères, une débandade de moulages, disparaissant plus bas sous une forêt de tés et d'équerres (...)
　　　　　ZOLA, l'Œuvre, III, p. 68.

♦ **2.** *Fer en té, à double té*, employés en construction. — (1872). (Menuis.). Ferrure ou équerre permettant de consolider des assemblages.
Loc. *Fer en té simple; fer à double té.*

♦ **3.** Gaine de tuyauterie en forme de T. *Té à débouchure.*

♦ **4.** (1752). Bandage en forme de T (syn. : *bandage en té*, xixᵉ).

♦ **5.** *Té d'atterrissage :* té placé à côté d'une piste pour indiquer la direction de l'atterrissage.

HOM. T, 2. té, thé.

2. TÉ [te] interj. — 1859 ; mot provençal, équivalant à *tiens!*

♦ Exclamation méridionale marquant généralement la surprise. ⇒ **Tiens!**

Té! que faire à cela?... nous sommes tous mortels!... Voilà dix-huit mois que je　1
le pleure... je crois qu'il doit être content.
　　　　　E. LABICHE, la Perle de la Canebière, 4.
Déjà Tartarin (...) se préparait à bondir en poussant son cri de guerre (...) quand　2
tout à coup, du sein de l'ombre, il entendait de bonnes voix tarasconnaises l'appeler bien tranquillement : Té! vé... c'est Tartarin... et adieu Tartarin!
　　　　　Alphonse DAUDET, Tartarin de Tarascon, V.

HOM. T, 1. té, thé.

TEA-GOWN [tigon] n. f. — 1893 ; mot angl. «robe *(gown)* pour le thé *(tea)*».

♦ Anglic. Mode. (Vieilli). Robe d'après-midi, de cocktail.

1   (...) une petite sauterie de ce genre-là. Meubles de chez Ruhlmann, verrerie Lalique (...) tea-gowns Chanel, portrait de Maryse par Van Dongen.
ARAGON, Blanche..., I, I, p. 19.

2   Ici, autre document, toujours dû au Kodak de Vuillard : Misia un jour d'été, vêtue d'une ample tunique, glissant jusqu'à terre, un tea-gown (...) d'une extrême chasteté ce tea-gown, une sorte de péplum retenu entre les seins par un nœud que l'on imagine rouge, provocant.   Edmonde CHARLES-ROUX, l'Irrégulière, p. 323.

TEA-HOUSE [tiaws] n. f. — 1873, cit. ; mot angl., de *tea* «thé», et *house* «maison».

♦ Anglic. (Vx). Maison de thé. ⇒ **Tea-room.**

Le premier soin de Passepartout, ainsi « japonaisé », fut d'entrer dans une « tea-house » de modeste apparence, et là, d'un reste de volaille et de quelques poignées de riz, il déjeuna en homme pour qui le dîner serait encore un problème à résoudre.   J. VERNE, le Tour du monde en 80 jours, 1873, p. 195.

TEAM [tim] n. m. — 1879, *in* Höfler ; mot angl., «attelage».

♦ Anglic. Sport. (Vieilli). Équipe.

1   Et il n'a été donné que bien rarement à ceux qui fréquentent les stades de voir la mise hors de combat du meilleur footballeur d'un team amener le team adverse à renvoyer sa meilleure unité sur la touche.
GIRAUDOUX, De pleins pouvoirs à sans pouvoirs, p. 238.

2   L'homme de la rue, l'oisif aussi bien que le travailleur, précis, correct, entier dans sa pure élégance, fait partie d'un ensemble bien ordonné et se tient à sa place dans le team.   B. CENDRARS, Moravagine, Œ. compl., t. IV, p. 179.

3   Le team de Médoc fit son entrée avec lenteur sur le terrain, chaque joueur conversant avec un camarade.   René FALLET, le Triporteur, p. 387.

TEA-ROOM [tiʀum] n. m. — 1898, *tea-room*; *tea room*, 1898; mot anglais.

♦ Anglic. Vieilli. Salon de thé. ⇒ **Tea-house.**

TEC [teφse] n. m. invar. — 1973 ; sigle.

♦ Tonne d'équivalent charbon, unité de mesure thermique équivalant à la quantité de thermies produite par une tonne de charbon, et appliquée à d'autres sources d'énergie. « *Le monde a consommé 7 milliards de tec en 1970* » (*Paris-Match*, 17 nov. 1973, p. 68). ⇒ aussi **Tep.**

TÉCÉFISTE [tesefist] n. — 1892 ; du sigle *T. C. F.*

♦ Membre du Touring Club de France.

TECHNÈME [tɛknɛm] n. m. — 1972, Baudrillard ; de *technique,* d'après *phonème, morphème,* etc.

♦ Didact. Élément technique minimum (dans une analyse).

TECHNÉTIUM [tɛknesjɔm] n. m. — 1937 ; appelé *masurium* à sa découverte (1925) ; dér. sav. du grec teckhnêtos «artificiel».

♦ Chim. Élément radioactif artificiel (masse at. env. 98 ; n° at. 43 ; symb. *Tc*), dont on connaît plusieurs isotopes, et qui n'a jamais été décelé dans la nature. *On n'a préparé depuis sa découverte que quelques grammes de technétium.*

TECHNÉTRONIQUE [tɛknetʀɔnik] adj. — V. 1969 ; de *techn(ique),* et *(élec)tronique.*

♦ Didact. Qui est fondé à la fois sur la technique et sur l'électronique → Post-industriel. *Société, civilisation, ère technétronique.* « *La société industrielle s'engage dans des voies nouvelles où l'information, et donc l'intelligence, constitue la ressource essentielle d'une culture "technétronique"* » (*Science et Vie*, n° spécial 26, p. 87).

TECHNICIEN, IENNE [tɛknisjɛ̃, jɛn] n. et adj. — 1836, «technologue», sens mod., déb. xxᵉ ; de *technique,* sur le modèle de *physicien.*

★ **I. ♦ 1.** Personne qui possède, connaît une technique particulière ⇒ **Professionnel, spécialiste.** *Le technicien et le profane* (cit. 9). *Un technicien de...* (→ Coordination, cit. 1 ; doubler, cit. 8). *Un, une excellente technicienne. Les techniciens et les technologues.*

1   Un ouvrier qui se laisse conduire par la chose, la coutume et l'outil, n'est pas encore un technicien. Un technicien exerce la plus haute pensée, et la mieux ordonnée ; un technicien découvre, réfléchit, invente ; seulement sa pensée n'a pas d'autre objet que l'action même. Il ne cesse d'essayer. Toutes ses idées sont des idées d'actions.   ALAIN, Propos, 20 août 1930, Pl., p. 950. → Technique, cit. 8.2.

2   Opprimé par la technique *(l'ouvrier)* se veut technicien parce qu'il sait que la technique sera l'instrument de sa libération ; s'il doit pouvoir un jour contrôler la gestion des entreprises, il sait qu'il y parviendra seulement par un savoir professionnel, économique et scientifique.   SARTRE, Situations III, p. 234.

En appos. *Ministres techniciens,* qui ont à connaître des problèmes techniques (finances, marine, etc.) plus que politiques (→ Guider, cit. 13).

(1965). Milit. *Officier technicien :* officier de l'armée de terre ou de l'air appartenant à un corps de spécialistes.

♦ **2.** (Opposé à *théoricien,* à *chercheur en science pure*). Personne qui connaît et contrôle professionnellement une ou plusieurs techniques* (II., 2.), des applications pratiques des sciences dans le domaine de la production et de l'organisation économique (→ Technique, cit. 5). *Pays qui a besoin de techniciens, qui prépare* (cit. 13) *des techniciens.*

Spécialt. Agent spécialisé qui exécute les projets des ingénieurs en dirigeant l'exécution matérielle par les ouvriers. *Ouvriers et techniciens d'une usine de produits chimiques, d'une raffinerie.* — (Au Centre national de la Recherche scientifique). *Ingénieurs* et techniciens.* (Opposé à *chercheur*).

★ **II.** Adj. (V. 1930). De la technique ; qui fait prévaloir la technique. *Une « pensée technicienne »* (Alain, *Humanités,* p. 193). ⇒ **Technologique.** *Des solutions pratiques, techniciennes.* ⇒ **Technique, I.** *Une société, une civilisation technicienne, un monde technicien.*

3   Frappés à juste titre par l'importance de *la technique* dans cette société dite industrielle, un certain nombre de théoriciens ont proposé de la nommer : *société technicienne.* Ils ont suggéré l'image d'un «milieu technique» opposé au «milieu naturel» et caractéristique de cette société.
Henri LEFEBVRE, la Vie quotidienne dans le monde moderne, p. 95.

TECHNICISATION [tɛknisizasjɔ̃] n. f. — V. 1964 ; de *techniciser.*

♦ Didact. Action de techniciser ; son résultat. *La technicisation (ou technisation) de la vie administrative, de la formation des étudiants.*

TECHNICISER [tɛknisize] v. tr. — V. 1964 ; de *technique.*

♦ Didact. Rendre technique ; pourvoir de moyens techniques. ⇒ **Techniser.** « *La mémoire est le type du processus cumulatif et par conséquent l'organe essentiel des machines (ordinateurs) qui matérialisent et technicisent le processus considéré* » (H. Lefebvre 1968). — Pron. :

(...) comme ce qui jadis était employé dans le travail technique était précisément l'individualité de l'homme qui devait se techniciser puisque la machine ne le pouvait pas, la coutume a été prise de donner à chaque individu humain, dans le travail, une seule fonction (...)
Gilbert SIMONDON, Du mode d'existence des objets techniques, p. 81.

P. p. et adj. *Agriculture développée et technicisée.*

DÉR. **Technicisation.**

TECHNICISME [tɛknisism] n. m. — V. 1970 ; de *technique.*

♦ Didact. Tendance à affirmer la prééminence dans tous les domaines de la technique sur d'autres aspects de l'activité humaine.

La bourgeoisie française et européenne possédait une capacité intégrative lorsqu'elle avait une idéologie (l'universalisme de la Raison) et une pratique sociale (la construction d'une nationalité). Le détournement de cette idéologie universaliste vers la rationalité bornée du technicisme et de l'État la prive de cette ancienne capacité stratégique.
Henri LEFEBVRE, la Vie quotidienne dans le monde moderne, p. 182.

DÉR. **Techniciste.**

TECHNICISTE [tɛknisist] adj. — V. 1970 ; de *technicisme.*

♦ Didact. Du technicisme*.

Dans une telle perspective chaque civilisation non occidentale était étalonnée et située en fonction de la seule ligne de développement des sociétés occidentales, tenues pour exemplaires, comme si aucune autre forme de relations avec la nature, avec les autres hommes, avec l'avenir, n'était possible en dehors de la démarche conceptuelle et techniciste de l'Europe.
Roger GARAUDY, Parole d'homme, 1975, p. 42.

TECHNICITÉ [tɛknisite] n. f. — 1845 ; de *technique.*

♦ **1.** Caractère technique (au sens I, A, 1). **a** *La technicité d'un terme, d'un domaine.* — Spécialt (correspond à *technique,* I, A, 1, b). Difficulté due au caractère technique. *La technicité d'un exposé.*

1   À la douloureuse précision de cette pathologie sentimentale on sent que l'observateur a éprouvé les souffrances qu'il décrit (...) il analyse ses propres symptômes avec une héroïque technicité.   A. MAUROIS, Études littéraires, t. I, Proust, IV.

b Spécialt. Didact. Caractère technique (au sens I, A, 2). *La technicité d'un objet, d'un processus.*

2   La technicité n'est donc plus qu'une qualité d'usage ; elle est ce qui, en lui, s'ajoute à une première détermination donnée par un rapport de forme et de matière ; elle est comme l'intermédiaire entre forme et matière, par exemple ici, l'hétérogénéité progressive de la trempe selon les différents points. La technicité est le degré de concrétisation de l'objet. C'est cette concrétisation qui a fait, au temps de la fonderie de bois, la valeur et le renom des lames de Tolède, et, naguère, la qualité des aciers de Saint-Étienne.
Gilbert SIMONDON, Du mode d'existence des objets techniques, 1969, p. 72.

3   La catégorie des cadres administratifs, juridiques et commerciaux a connu un développement récent et rapide. Dans certains secteurs, la technicité des fabrications et le développement de l'automation ont accru sensiblement la proportion des cadres dans l'ensemble du personnel actif.
Bertrand GILLE, Technique et Sociologie, in Encycl. Pl., Hist. des techniques, p. 1290 (1978).

♦ **2.** (V. 1970). Connaissances et pratiques techniques (de qqn, d'un groupe humain).

4 La technicité des premiers anthropiens connus est donc excessivement simple et assez conforme au peu qu'on sache de leur cerveau. Elle est pourtant certainement humaine et elle apparaît cohérente avec l'organisme de l'être qu'elle complétait. Elle implique un état réel de conscience technique, conscience qu'il faut pourtant se garder de juger à notre mesure.
A. LEROI-GOURHAN, le Geste et la Parole, t. I, p. 134.

Spécialt. (Emploi critiqué). Pratique, habileté technique. ⇒ **Technique,** II., 4.

5 Il y a (...) deux sortes de tertiaires : des hommes de valeur, hautement productifs, en avant-garde et d'autres chassés du secondaire ou le fuyant, sans avoir les technicités ou l'utilité requises. A. SAUVY, Croissance zéro?, 1973, p. 288.

TECHNICO- Élément tiré de l'adj. *technique,* et entrant dans la composition d'adjectifs qualifiant une personne, une chose ayant des compétences dans un domaine technique et dans un autre (⇒ **Technico-commercial**) ou une chose se rapportant à la fois à un domaine technique et à un autre domaine (⇒ **Technico-économique**; et aussi **techno-**. — Outre les mots traités ci-dessus, on relève : *technico-financier, ière,* adj. (*Sciences et Avenir,* oct. 1981); *technico-industriel, elle, els,* adj. (1963, *le Figaro*); *technico-politique,* adj. (1966, *le Monde,* in Gilbert); *technico-scientifique,* adj. (→ **Techno-scientifique**); *technico-social, ale, aux,* adj. (1971, *in* Gilbert), etc.

TECHNICO-COMMERCIAL, ALE, AUX [tɛkni kɔmɔmɛʀsjal, o] adj. et n. — 1964 ; de *technico-,* et *commercial.*

♦ Didact. Qui relève à la fois des domaines commercial et technique. « *Le service technico-commercial* (d'une grande entreprise) » (*le Monde,* 17 mai 1966).

La mobilité des locuteurs, des compétences, des choses et des documents, la dimension extra-nationale des faits technico-commerciaux sont les conditions des échanges socio-professionnels fondés, par ailleurs, sur les motivations et les attitudes spécifiques du monde des techniques. B. QUEMADA, Technique et Langage, *in* Encycl. Pl., Hist. des techniques, p. 1228 (1978).

Agent, personnel technico-commercial, possédant des connaissances techniques sur la marchandise à vendre. *Des cadres technico-commerciaux.* — N. *Cet ingénieur ferait un bon technico-commercial.*

TECHNICO-ÉCONOMIQUE [tɛknikoekɔnɔmik], **TECHNICO-SCIENTIFIQUE** [tɛknikosjãtifik] adj. ⇒ **Techno-économique, techno-scientifique.**

TECHNICOLOR [tɛknikɔlɔʀ] n. m. — 1938, *in* Höfler; répandu v. 1945-1950; nom déposé.

♦ Procédé de cinéma en couleurs. *Film en technicolor.*

1 C'était une sorte de « Quo Vadis », superproduction en technicolor avec martyrs, fauves et bains des dames, avec de grandes flammes naturellement, dévorant les quartiers de carton, avec le reflet rouge de la destruction sur les nuages.
Michel BUTOR, l'Emploi du temps, 1956, p. 227 (1956).

Par métonymie :

2 (...) totalement inapte à se mouvoir autrement qu'à l'aide d'un moteur, à se distraire qu'en technicolor et à se concevoir qu'en monnaie-papier.
Claude SIMON, le Vent, p. 104.

Par ext., fam. Loc. *En technicolor :* en couleurs, de couleurs vives. *Un paysage en technicolor.* ⇒ **Multicolore.**

-TECHNIE, -TECHNIQUE Éléments finals, du grec *tekhnê* « art, métier », et de son dérivé *teknikos,* de nombreux composés savants. Ex. : *anthropotechnie, halo-technie, hippotechnie, mnémotechnie* (et *-technique*), *œnotechnie* (et *-technique*), *philotechnique, polytechnique, pyrotechnie* (et *-technique*), *sidérotechnie, zootechnie* (et *-technique*), etc.

TECHNIQUE [tɛknik] adj. et n. — 1750, au sens I, 1. On employait auparavant *art des arts* ; 1721, Trévoux, *vers techniques,* « vers que l'on fait pour y renfermer les préceptes des arts et aider la mémoire à les retenir » ; 1750, *Manuel-Lexique,* Prévost, *termes ou mots techniques,* « mots qui ont été inventés pour exprimer tout ce qui appartient aux arts » ; 1684, *grammairien technique* (calque) « qui enseigne les principes » ; lat. *technicus,* grec *tekhnikos* « propre à un art », de *tekhnê* « art, métier » ; sens mod. probablt influencé par l'angl. *technic* et *technical,* attestés dès le XVIIᵉ siècle.

★ **I. A.** Adj. ♦ **1.** ⓐ (Opposé à *commun,* à *général,* à *courant*). Qui appartient à un domaine particulier, spécialisé, de l'activité ou de la connaissance. ⇒ **Spécial.** *Mots, termes, expressions techniques,* qui ne sont employés que par des spécialistes. (→ Homonyme, cit. ; militaire, cit. 1 ; rugby, cit. 2). *Langage technique.* ⇒ **Technologie.** *Termes techniques. Terminologie technique. Ouvrage technique* (→ Littérature, cit. 3, Voltaire, à propos d'un ouvrage sur l'architecture, les fortifications, etc.). *Exposés* (cit. 2), *discussions techniques* (→ Français, cit. 10).

1 (...) il y a bien des cas où un dictionnaire général ne peut faire comprendre en peu de mots tant de dépendances, encore moins tenir lieu de dictionnaire technique.
LITTRÉ, Dict., Préface, I.

2 — Il y a aussi le style, le vocabulaire technique (...)
— J'attraperai ça très bien. D'abord, quand j'ai à me servir de mots que je ne comprends pas, je m'arrange pour en faire une phrase que personne ne comprend non plus. J. ROMAINS, Donogoo, Prologue, IV.

REM. Dans cet emploi, *technique* englobe aussi les faits et processus scientifiques propres à un seul domaine ; c'est ainsi que l'on a pu opposer un *lexique technique* ou des *vocabulaires techniques,* à un lexique scientifique d'utilisation plus large ; mais ces distinctions se heurtent à l'emploi spécial 2., ci-dessous, devenu plus courant.

ⓑ Cour. Qui, par suite de son caractère spécial, est réservé à des initiés, est difficile d'accès, de compréhension (dans tous les domaines, techniques au sens 2 et 3 ou scientifiques, théoriques, etc.). *Ce livre est trop technique pour moi. Un exposé très technique sur la philosophie, sur la relativité, sur la radio-astronomie, sur l'information de bureau.*

♦ **2.** (XXᵉ ; sous l'infl. du sens 4 ci-dessus et : *la technique* II., 2.). Qui appartient à un domaine particulier, à l'exclusion des domaines abstraits et théoriques de la connaissance (opposé à la fois à *général* et à *scientifique*), et qui concerne la maîtrise pragmatique du monde par l'homme. *Ce n'est pas un ouvrage scientifique, mais purement technique. Bulletin, revue technique. Librairie technique.* — *Dictionnaire technique.*

REM. 1. Ces syntagmes, compris au XIXᵉ s. au sens a ci-dessus, se sont spécialisés ; ainsi *dictionnaire technique,* pour Littré (→ cit. 1) incluait dictionnaire scientifique, musical, etc., alors qu'on l'entendrait aujourd'hui par opposition aux sciences*, à la philosophie, aux arts* (au sens moderne du mot).
2. Cet emploi, comme celui du n. f. *la technique* (II., 2.), tend à se restreindre aux activités de transformation de la matière pour des finalités pratiques économiques. Ainsi on hésite à qualifier de « technique » les domaines de la biologie appliquée, de même que les domaines à connotations esthétiques (opposition mise en œuvre dans l'emploi 4., ci-dessous).

♦ **3.** Qui, dans le domaine de l'art*, concerne ou suppose le savoir-faire, les procédés de travail et d'expression plus que l'inspiration. *Partie technique et partie idéale dans la peinture* (→ Genre, cit. 16 ; répondre, cit. 16, Diderot). *Traditions techniques dans l'art chrétien* (→ Hiératisme, cit. 2). *L'expressionnisme* (cit. 2) *a évolué sur le plan technique. Problèmes techniques qui se posent à un romancier. Habileté technique* (→ Créateur, cit. 6 ; et aussi emporter, cit. 37 ; habile, cit. 4).

3 Quant aux œuvres postérieures d'Hugo, elles n'ont été publiées que longtemps après la mort de Baudelaire. Je leur attribue une importance technique infiniment supérieure à celle de tous les autres vers d'Hugo.
VALÉRY, Variété, Études littéraires, *in* Œ., t. I, Pl., p. 602.

♦ **4.** (XXᵉ ; 1926, Ch. Gide ; correspond à l'extension du sens 2, ci-dessus). Qui concerne les applications de la science pure, de la connaissance théorique, dans le domaine empirique et pragmatique de la production et de l'économie. *Industrie* (cit. 14) *moins évoluée au point de vue technique* (→ Manufacture, cit. 3). *Progrès techniques et scientifiques* (→ Lampe, cit. 24 ; radiodiffusion, cit.). *Sociétés techniques et industrielles.* ⇒ **Technicien.** *Le milieu naturel et le milieu technique.* → Technicien, cit. 3.

4 On appelle progrès technique l'accroissement du volume de la production obtenue au moyen d'une quantité fixe de matière première ou de travail humain.
Jean FOURASTIÉ, le Grand espoir du XXᵉ siècle, *in* FOULQUIÉ, Dict. de la langue philosophique, art. *Progrès.*

5 Les savants qui cultivent la science pure et ceux qui sont tournés vers les applications techniques ont des états d'esprit et des préoccupations différents. Les cadres dans lesquels ils se meuvent ne sont pas les mêmes : le savant dans son laboratoire de recherches ou son cabinet de travail ne respire pas la même atmosphère que le technicien dans son laboratoire industriel ou son bureau d'études.
L. DE BROGLIE, Physique et Microphysique, p. 337.

(En parlant d'objets et de processus concrets). *Du mode d'existence des objets techniques,* ouvrage de G. Simondon.

5.1 L'équipement technique des Anthropiens les plus anciens, Australanthropes et Archanthropes, est fait de percuteurs, de choppers au tranchant sommaire, de bois de cerf tronçonnés en massues ou en bâtons à fouir, de boules projectiles dont le mouvement se coule directement dans le moule des gestes antérieurs.
A. LEROI-GOURHAN, le Geste et la Parole, t. II, 1979, p. 40.

Spécialt. Qui concerne la transmission du savoir dans les domaines ainsi définis. *Enseignement* technique (1919). ⇒ **Professionnel.** *Collèges techniques* (1941). *Dirigeant, organisateur de formation technique.* ⇒ **Technocrate.** — *Assistance technique aux pays du tiers-monde.*

(Personnes). *Conseiller technique d'un ministère. Agent technique* ⇒ **Technicien.** *Comité technique.* — (Organismes, etc.). *Les services techniques d'une entreprise,* qui assument les problèmes techniques (fabrication, etc.) opposé à *commercial, social,* etc.

♦ **5.** (Dans quelques expressions). Qui concerne les objets techniques (au sens 4), les processus et mécanismes techniques. *Incident technique,* dû à une défaillance du matériel.
Escale technique, effectuée par un avion pour des raisons d'entretien, de réparation du matériel, de ravitaillement en carburant, et

non pour des raisons commerciales (embarquement et débarquement de passagers, de marchandises) ou pour toute autre raison. *Chômage technique,* entraîné par l'organisation des processus techniques, dans une entreprise, et non par des phénomènes économiques globaux (arrêts de travail généralement brefs).

♦ **6.** Fam. Qui concerne les procédés requis pour obtenir un résultat (dans quelque domaine que ce soit). *Il y a une difficulté technique.* — Spécialt. (Sports). *Faute technique :* au basket-ball, infraction à l'esprit du jeu, sans contact avec l'adversaire. Boxe. *Knock-out technique.*

B. N. m. LE TECHNIQUE. ♦ **1.** (1744). Vx. La partie technique (I., 2.) d'un art.

6 Voulez-vous faire des progrès sûrs dans la connaissance si difficile du technique de l'art? Promenez-vous dans une galerie avec un artiste, et faites-vous expliquer et montrer sur la toile l'exemple des mots techniques (...)
DIDEROT, Pensées détachées sur la peinture,... *in* Œ. esthétiques, II, p. 813.

♦ **2.** Enseignement technique. *Il enseigne dans le technique.*

♦ **3.** Didact. ⓐ (Opposé à *le scientifique, le théorique*). *Le technique et le théorique.*

ⓑ (Opposé à *esthétique* → ci-dessus I., A., 2.).

★ **II.** LA, UNE TECHNIQUE, n. f. ♦ **1.** (1842). Dans l'art et, en général, dans les diverses formes de l'activité humaine en dehors de la science. Ensemble de procédés empiriques employés pour produire une œuvre ou obtenir un résultat déterminé. ⇒ **Art, facture, manière, méthode.** *La technique picturale* (→ Iconographie, cit. 1, Gautier). *La technique du théâtre* (→ Autant, cit. 45), *du cinéma* (cit. 4). *La technique romanesque* (cit. 9). *Trouver des techniques nouvelles* (→ 2. Neuf, cit. 8). *Technique de la fresque, des icônes* (cit. 2)... *Technique de la danse, du piano... Les techniques de la propagande* (cit. 3), *des élections... La technique de... :* les procédés propres à un artiste, une école). *La technique de Chopin* (→ Étude, cit. 47), *des néo-impressionnistes* (→ Initier, cit. 7), *d'un romancier* (→ 1. Point, cit. 20), *d'un pianiste. Il a une technique parfaite, impressionnante, mais il n'est pas très inspiré.*

7 Mais les accapareurs vous ont défendu de jouir, parce que vous n'avez pas l'intelligence de la technique des arts, comme des tours et des affaires.
BAUDELAIRE, Curiosités esthétiques, III, Aux bourgeois (1846).

8 J'aborde l'infini indénombrable des techniques. De la taille des pierres à la gymnastique des danseuses, des secrets du vitrail au mystère des vernis de violons, des canons de la fugue à la fonte de la cire perdue, de la diction des vers à la peinture encaustique, à la coupe des robes, à la marqueterie, au tracé des jardins, — que de traités, d'albums, de thèses, de travaux de toute dimension, de tout âge et de tout format! (...)
VALÉRY, Variété, Théorie poétique et esthétique, *in* Œ., t. I, p. 1296.

8.1 Ici se montre la technique, qui est une pensée sans paroles, une pensée des mains et de l'outil. On voudrait presque dire que c'est une pensée qui craint la pensée.
ALAIN, Propos, 5 févr. 1925, Pl., t. I, p. 644.

8.2 Il n'y a point de technique s'il n'y a outil, instrument ou machine; mais ces objets, fabriqués de façon à régler l'action, et qui sont comme des méthodes solidifiées, ne font pas eux-mêmes, la technique, qui est un genre de pensée (...)» (→ technicien, cit. 1.)
ALAIN, Propos, Technique et Science, 20 août 1930, Pl., t. I, p. 950.

Absolt. *Il a de la technique.* ⇒ **Métier.**

♦ **2.** *(Une, des techniques).* Ensemble de procédés méthodiques plus ou moins régularisés et structurés, fondés sur des connaissances scientifiques et destiné à obtenir un résultat, satisfaire des besoins, selon une finalité et une ustensilité. *Les industries et les techniques* (→ Civilisation, cit. 11). *Histoire des techniques. Étude des techniques.* ⇒ **Technologie.** *Techniques de pointe. Techniques avancées* (souvent appelées abusivement *technologies*). *Techniques informatiques. Force naturelle employée selon des techniques variées* (→ Houille, cit. 5; et aussi captation, cit. 1). *La technique radioélectrique* (cit.).

Absolt. *La technique :* l'ensemble des procédés ordonnés, scientifiquement mis au point, qui sont employés à l'investigation et à la transformation de la nature (→ Entraîner, cit. 26; servante, cit. 4). *Technique et machinisme. Le dernier mot, le dernier cri de la technique.*

9 (...) l'essor de la pensée scientifique dans ses formes contemporaines se révèle comme une solidarité du génie et de la technique. La nature est alors vaincue deux fois, vaincue dans son mystère et vaincue dans ses forces. L'homme ordonne la nature en mettant à la fois de l'ordre dans ses pensées et de l'ordre dans son travail.
BACHELARD, l'Activité rationaliste..., p. 222, *in* FOULQUIÉ, Dict. de la langue philosophique, art. *Technique.*

10 La technique pose aussi à la recherche scientifique des problèmes très importants que celle-ci a grand intérêt à étudier et, si possible, à résoudre et dont la solution permet ensuite à la technique de faire des progrès nouveaux. Ainsi s'établit entre la science pure et la technique un fructueux échange de vues, la première fournissant à la seconde les connaissances dont elle a besoin pour commander à la nature et la seconde offrant à la première des sujets de recherches et des suggestions diverses.
L. DE BROGLIE, Physique et Microphysique, p. 237.

♦ **3.** «Ensemble de processus par lesquels s'accomplit une fonction, en biologie, en psychologie» (Lalande). *La technique du vol des oiseaux.* — REM. L'emploi de *technique* en ce sens est critiqué.

♦ **4.** *(La technique de qqn, une technique).* Connaissance et capacité à employer les suites d'opérations requises, dans une technique (au sens II, 2). ⇒ **Technicité.** *Cet électricien, ce programmeur a une technique parfaite.*

Par ext. Cour. Manière précise de faire, de procéder en vue d'obtenir un résultat (dans quelque domaine que ce soit). *Tu n'as pas la bonne technique, la technique. Technique amoureuse, érotique. La technique pour se faire recevoir par le directeur.*

11 Tous les mouvements par lesquels passait l'homme avant de commettre son acte, et la technique de cet acte, étaient minutieusement décrits, durant une soixantaine de pages.
MONTHERLANT, Pitié pour les femmes, p. 105.

REM. Dans les emplois familiers et en argot d'étudiant ou d'ingénieur, le mot est parfois prononcé plaisamment [tɛʃnik].

DÉR. Technicien, techniciser, technicisme, technicité, techniquement, techniser.
COMP. Aérotechnique, électrotechnique.

TECHNIQUEMENT [tɛknikmã] adv. — 1790; de *technique.*

♦ **1.** Selon des procédés techniques, du point de vue technique (→ Formalité, cit. 6; jaune, cit. 12; minerai, cit. 1). *Un procédé techniquement au point.*

Il faut maintenant généraliser ces tentatives, doter chaque centre d'une école de ce genre et éduquer techniquement un peuple dont l'adresse et l'esprit d'assimilation sont devenus proverbiaux.   CAMUS, Actuelles III, p. 78.

♦ **2.** Avec technicité, en termes techniques.

TECHNISER [tɛknize] v. tr. — 1964, date où *technisation* est attesté; de *technique.*

♦ ⇒ **Techniciser** (plus cour.). — Au p. p. « *Un environnement ou l'ordre abstrait technisé a remplacé l'ordre organique* » (*le Monde*, 6 déc. 1969).

La fureur gagnait l'armée, qui attendait du mouvement algérien une révolution française technisée, un consulat de Saint-Just et de Mao Tsé-toung (...)
MALRAUX, Antimémoires, Folio, p. 146.

TECHNO- Premier élément de mots savants tirés du grec *tekhnê* «métier, procédé» (⇒ **Technico-**). Outre les mots traités à l'ordre alphabétique, on rencontre des composés occasionnels. ⓐ Noms : *Technobourgeoisie,* n. f. (*l'Express,* 24 mars 1979, p. 20); *technodémocratie,* n. f. (Max Gallo, in *l'Express,* 3 juil. 1972, p. 89; M. Duverger, 1973 *in* Gilbert); *technosphère,* n. f. (*le Monde,* 1er févr. 1977, p. 22).

ⓑ Adjectif :
L'évolution des objets techniques ne peut devenir progrès que dans la mesure où ces objets techniques sont libres dans leur évolution et non nécessités dans le sens d'une hépertélie fatale. Pour que cela soit possible, il faut que l'évolution des objets techniques soit constructive, c'est-à-dire qu'elle conduise à la création de ce troisième milieu techno-géographique, dont chaque modification est auto-conditionnée.
Gilbert SIMONDON, Du mode d'existence des objets techniques, 1969, p. 56.

TECHNO-BUREAUCRATIQUE [tɛknobyʀɔkʀatik] adj. — 1968; de *techno-,* et *bureaucratique.*

♦ Didact. Qui est caractérisé à la fois par la bureaucratie et la technique. « *La révolution de Mai a réfuté* (...) *le despotisme de la rationalité techno-bureaucratique de la "société industrielle"* » (*l'Express,* 12 mai 1968).

TECHNOCRATE [tɛknɔkʀat] n. m. — V. 1920, repris 1957; de *technocratie.*

♦ (Souvent péj.). Personne qui détient un pouvoir sur le plan technique; spécialt, ministre, haut fonctionnaire technicien [I., 1.] (⇒ **Énarque**), tendant à faire prévaloir les conceptions techniques d'un problème au détriment des conséquences sociales et humaines. ⇒ **Technocratie.** « *Voués au service de l'État, "les technocrates" s'imposent par leur compétence au monde politique et tendent à se confondre avec lui* » (*Entreprise,* 17 avr. 1971).

1 (...) l'aspect «Sciences Po et gosse de riche», loin de desservir un jeune ministre, flatte dans le public le goût de la réussite fondée sur la compétence. Car ces techniciens, que des députés n'empêchent plus de travailler, vous pouvez les appeler des technocrates, ils plaisent, la télévision les sert, les porte, et les portera Dieu sait jusqu'où.   F. MAURIAC, in le Figaro littéraire, 21 sept. 1963.

2 Dans la mesure où la dénomination «société technicienne» est exacte, elle suppose la transformation de la technique — autrefois subordonnée et même réprimée par le malthusianisme — en facteur autonome, économique et socialement déterminant. Un tel facteur ne peut se constituer et agir que par une «couche» sociale qui tend à devenir caste ou classe : les technocrates. La dénomination se modifie; il convient de dire : «société technocratique». Mais les technocrates n'agissent que par la voie organisationnelle et institutionnelle. Leur rationalité a des buts et des moyens spécifiques. On dira donc : «société technocratico-bureaucratique», ce qui enlève tout prestige à la définition.
Henri LEFEBVRE, la Vie quotidienne dans le monde moderne, p. 99.

TECHNOCRATIE [tɛknɔkʀasi] n. f. — 1934, in *Larousse mensuel;* angl. *technocracy,* mot créé en 1919 par l'Américain V. H. Smyth; de *techno,* et *-cracy,* franç. *-cratie.*

♦ **1.** Didact. «Exercice, dans le domaine de l'économie, de l'industrie et du commerce, à l'échelon de l'État ou de la grande entreprise, du pouvoir d'organisation et de décision le plus général par un petit groupe d'hommes de formation technique acceptant la discipline hiérarchique et généralement placés sous l'autorité d'un chef» (J. Billy, *les Techniciens et le pouvoir*, p. 14). *Burnham a prophétisé l'événement de la technocratie dans son livre Managerial Revolution* (1941 ; trad. en 1946 sous le titre *l'Ère des organisateurs*).

♦ **2.** Cour. (souvent péj.). Système politique dans lequel les techniciens (⇒ **Technocrate**) ont un pouvoir prédominant (au détriment de la vie politique proprement dite).

Il ne nous semblait pas que les progrès de la technique aidassent à cette émancipation ; des économistes américains prédisaient que bientôt les techniciens gouverneraient la terre : le mot de technocratie venait d'être inventé.
S. DE BEAUVOIR, la Force de l'âge, p. 139
REM. L'auteur parle des années 1932-1933.

DÉR. **Technocrate, technocratique, technocratiser, technocratisme.**

TECHNOCRATIQUE [tɛknɔkratik] adj. — 1944, A. Philip, *in* D. D. L. ; de *technocratie*.

♦ Propre à la technocratie, aux technocrates. *Pouvoir technocratique. La «révolution»* (ou *«mutation»*) *technocratique à l'époque contemporaine. «Le vœu qu'une assemblée politique élue au suffrage universel assure le contrôle d'institutions "à caractère technocratique"»* (*le Monde*, 13 mai 1966).

TECHNOCRATISATION [tɛknɔkratizasjɔ̃] n. f. — 1966, *le Monde* ; de *technocratiser*.

♦ Didact. Action de technocratiser* ; son résultat. *«Dans la réforme proposée par le ministre, il s'agirait d'une "technocratisation" de l'enseignement, plutôt que d'un effort réel pour améliorer la formation scientifique et professionnelle»* (*le Monde*, 8 févr. 1966).

TECHNOCRATISER [tɛknɔkratize] v. tr. — V. 1965 ; de *technocratie*.

♦ Didact. Rendre technocratique ; soumettre à l'autorité des technocrates. *« Il est vrai que les rapports entre les prisonniers et les surveillants et l'administration en général sont en train de changer, de se technocratiser, si l'on veut. Ce n'est plus l'époque où d'un côté il y avait le gardien, un fossé et, de l'autre côté, le condamné. Aujourd'hui, le surveillant est avant tout un syndicalisé qui lutte, non contre le détenu, mais pour l'augmentation de son salaire»* (*le Figaro littéraire*, 12 janv. 1970).

DÉR. **Technocratisation.**

TECHNOCRATISME [tɛknɔkratism] n. m. — 1968 ; de *technocratie*.

♦ Polit. Système qui favorise ou préconise la technocratie.

1 Par la vigueur de leur refus, ils *(les jeunes)* nous retiennent sur la pente d'un technocratisme qu'encourage l'accélération foudroyante des progrès techniques. Ils nous empêchent de réduire la politique à des problèmes d'organisation partisane, de succession ou de gestion.
Jean DANIEL, *in* le Nouvel Obs., 29 déc. 1969, p. 8.

2 L'idée de progrès soutient le technocratisme, avec le groupe des Saint-Simoniens. Une idée du progrès, pensé et voulu, se substitue à l'impression du progrès comme éprouvé. Gilbert SIMONDON, Du mode d'existence des objets techniques, p. 116.

TECHNO-ÉCONOMIQUE [tɛknoekɔnɔmik] adj. — Mil. xxᵉ ; de *techno-*, et *économique*.

♦ Didact. À la fois technique et économique. (On trouve aussi *technico-économique*).

(...) on sait que le statut techno-économique des sociétés commande la densité des groupes (...)
A. LEROI-GOURHAN, l'Histoire sans textes, *in* Encycl. Pl., l'Hist. et ses Méthodes, p. 230.

TECHNO-INDUSTRIEL, ELLE, ELS [tɛknoɛ̃dystrijɛl] adj. — Mil. xxᵉ ; de *techno-*, et *industriel*.

♦ Qui est à la fois technique et industriel.

TECHNOLOGIE [tɛknɔlɔʒi] n. f. — 1656, au sens 1 ; «traité des arts en général», 1750 ; grec *tekhnologia*. → Techno-.

♦ **1.** Vx. Ensemble de termes techniques propres à un domaine. ⇒ **Terminologie.**

♦ **2.** (1896). Étude des techniques, des outils, des machines. *Institut universitaire de technologie* (abrév. : *I. U. T.*).

Une technologie qui se limiterait à la classification des formes des outils et à l'analyse des états d'une fabrication entretiendrait vis-à-vis de l'ethnologie les mêmes rapports que la zoologie systématique vis-à-vis de la biologie animale.
A. LEROI-GOURHAN, le Geste et la Parole, t. II, p. 34.

♦ **3.** Abusif. Technique de pointe, moderne et complexe. — REM. *Technologie* et ses dérivés sont très courants dans cet emploi, souvent pour des raisons d'emphase publicitaire.
Technologie alimentaire : emploi des techniques scientifiques pour

---

la préparation industrielle, la conservation et l'amélioration de la valeur nutritive des aliments.

DÉR. **Technologiquement, technologue** ou **technologiste.**

TECHNOLOGIQUE [tɛknɔlɔʒik] adj. — 1795 ; grec. *teckhnologikos*, de *tekhnologia*. → Technologie.

♦ **1.** Vx. Terminologique.

♦ **2.** (1795). Qui appartient à la technologie, à la science des techniques.

L'homme se libérait, par la technique, de la contrainte sociale ; par la technologie de l'information, il devient créateur de cette organisation de solidarité qui jadis l'emprisonnait ; l'étape de l'encyclopédisme technique ne peut être que provisoire ; elle appelle celle de l'encyclopédisme technologique qui l'achève en donnant à l'individu une possibilité de retour au social qui change de statut, et devient l'objet d'une construction organisatrice au lieu d'être l'acceptation d'un donné valorisé ou combattu, mais subsistant avec ses caractères primitifs, extérieurs à l'activité de l'homme.
Gilbert SIMONDON, Du mode d'existence des objets techniques, 1969, p. 105.

♦ **3.** Abusif. ⇒ **Technique.** *«Notre monde super-technologique»* (M. Perrein, *Entre chienne et louve*, p. 159).

TECHNOLOGIQUEMENT [tɛknɔlɔʒikmɑ̃] adv. — xxᵉ ; de *technologie*.

♦ **1.** De manière ou d'un point de vue technologique (2.).

♦ **2.** Abusif. Techniquement. *Pays technologiquement avancé*.

TECHNOLOGUE [tɛknɔlɔg] ou **TECHNOLOGISTE** [tɛknɔlɔʒist] n. — 1872, *technologue* ; *technologiste*, 1858 (titre d'un journal, *le Technologiste*, in *Année sc. et industr*. 1859, p. 142 ; de *technologie*.

♦ Spécialiste de la technologie.

TECHNOPHILE [tɛknɔfil] adj. — 1973 ; de *techno-*, et *-phile*.

♦ **1.** Biol. Se dit des espèces animales qui s'adaptent bien aux modifications de leur milieu induites par la civilisation technique. *«On a parlé* (pour les mouettes) *d'espèces "technophiles". Si tant est, la technophilie assure l'avenir des espèces qui en sont douées, à moins que l'homme n'intervienne»* (*Science et Vie*, juil. 1973).

♦ **2.** Adj. et n. Qui apprécie et soutient les techniques modernes.

TECHNOPHILIE [tɛknɔfili] n. f. — 1973 ; de *techno-*, et *-philie*.

♦ **1.** Biol. Caractère des espèces technophiles*.

♦ **2.** Fait d'apprécier, de soutenir les techniques modernes.

TECHNOPHOBE [tɛknɔfɔb] adj. et n. — 1973 ; de *techno-*, et *-phobe*.

♦ Didact. Qui s'oppose aux techniques modernes.

TECHNOPOLITIQUE [tɛknɔpɔlitik] adj. — 1973, *l'Express* ; de *techno-*, et *politique*.

♦ À la fois technique et politique.

TECHNOSCIENTIFIQUE [tɛknɔsjɑ̃tifik] adj. — Mil. xxᵉ ; *technicoscientifique*, 1904, in *Rev. gén. des sc*., n° 8, p. 371 ; de *techno-*, et *scientifique*.

♦ Didact. Qui est à la fois technique (au sens I, A, 2 et 4) et scientifique. *Vocabulaire technoscientifique. Terminologies technoscientifiques et terminologies juridiques*.

TECHNOSTRUCTURE [tɛknɔstryktyr] n. f. — 1969, *le Monde* ; de *techno-*, et *structure*, d'après l'amér. (Galbraith, 1967).

♦ Écon., polit., sociol. Ensemble des technocrates de l'administration, des techniciens des commissions scientifiques, des grandes entreprises industrielles, commandant le processus de prise de décision. *«M. décrivait récemment le glissement du pouvoir réel, échappant de plus en plus aux gouvernants nominaux et aux élus, entre les mains des membres de ce qu'il nommait la "technostructure"»* (*le Monde*, 7 nov. 1969).

TECK [tɛk] n. m. — 1772 ; *tek*, 1782 ; *teca*, 1614 ; *theka*, 1685 ; port. *teca*, de *tekku*, mot de Malabar.

♦ **1.** Arbre des zones tropicales (n. sc. : *tectona* ; famille des *Verbénacées*) qui fournit un bois très dur. *Bois de teck. Plantation de tecks*. ⇒ **Teckeraie.**

♦ **2.** Bois brunâtre, dur, très dense, presque imputrescible, provenant surtout d'un arbre des régions tropicales, *le tectona. Le teck est employé en ébénisterie et dans la construction navale. Pont latté en teck de Birmanie.*

L'intérieur *(d'un yacht)* est en pin du nord verni, avec encadrements de teck, éclairé par les cuivres des serrures, des ferrures (...)
MAUPASSANT, la Vie errante, II.

DÉR. Teckeraie.

TECKEL [tekɛl] n. m. — 1898 ; var. *tekel*, 1923 ; mot all. dimin. de *Dachs* «blaireau, chien pour la chasse au blaireau».

♦ Basset allemand, à pattes très courtes. *Teckels nains.*

TECKERAIE [tɛkʀɛ] n. f. — D. i. ; de *teck*, d'après les mots en *-eraie.*

♦ Agric. (en Afrique). Plantation de tecks.

Cette teckeraie se présente (...) comme un ensemble très verdoyant avec de beaux arbres aux troncs grisâtres (...) Pendant la saison sèche, tous les arbres perdent leurs feuilles et la teckeraie perd son aspect verdoyant pour revêtir un aspect grisâtre et triste.
A. MONDJANNAGI, Étude des paysages végétaux du Bas-Dahomey, 1969, *in* I. F. A. N.

TECOMA ou **TÉCOMA** [tekɔma] n. m. — 1839, *técome,* Boiste, *Suppl. d'hist. nat. ;* lat. mod. *tecoma,* Jussieu, 1789 ; d'un mot aztèque *tecomaxochitl,* en fait nom d'une solanée, la *solandra guttata,* de *tecomatl* «pot de terre» (nom d'un arbre, le calebassier) et *xochitl* «fleur», à cause de la ressemblance des deux plantes ; la forme francisée *técome* l'emporte au xixe siècle.

♦ Bot. Liane à grandes fleurs rouges *(Bignoniacées)* d'Amérique tropicale, cultivée en Europe comme ornementale pour garnir les tonnelles. *Le «jasmin trompette» ou «jasmin de Virginie» est un tecoma.*

TECT-, TECTO- Premiers éléments de mots didactiques, du grec *tektôs* «fondu».

TECTICIEN, IENNE [tɛktisjɛ̃, jɛn] n. — 1974 ; du grec *tektôn.*

♦ Techn. Spécialiste des toitures. ⇒ **Charpentier.**

TECTITE [tɛktit] n. f. — xxe (*in* Larousse, 1933) ; de *tect-,* grec *têktos* «fondu».

♦ Didact. Amas globulaires de petites dimensions (centimétriques) formés d'un mélange de silicates vitreux qui se rencontrent dispersés dans les roches meubles de diverses régions du globe.

TECTOGÈNE [tɛktɔʒɛn] adj. — Mil. xxe ; de *tecto-,* et *-gène.*

♦ Didact. Se dit d'une zone de dislocation de l'écorce terrestre qui aurait donné naissance à une chaîne de montagnes.

TECTOLOGIE [tɛktɔlɔʒi] n. f. — 1906, *in Rev. gén. des sc.,* n° 2, p. 86 ; de *tecto-,* et *-logie.*

♦ Didact. (biol.). Étude de la structure des colonies animales, des organismes complexes (partie de la morphologie).

TECTONICIEN, IENNE [tɛktɔnisjɛ̃, jɛn] n. — 1905, *in Rev. gén. des sc.,* n° 3, p. 130 ; de *tectonique.*

♦ Didact. Spécialiste en tectonique*. *« Le Tibet (...) apparaît à bien des géologues, notamment tectoniciens, comme une sorte de monstre »* (*Sciences et Avenir,* janv. 1981, p. 75). — Appos. *Géologue tectonicien.*

TECTONIQUE [tɛktɔnik] n. f. et adj. — 1894, n. f., *in* D. D. L. ; all. *Tektonik,* d'abord *Geotektonik,* 1850 ; grec *tektonikos* «propre au charpentier *(tektôn)*».

Didactique.

♦ **1.** N. f. ⓐ Partie de la géologie qui traite de la structure des massifs de l'écorce terrestre, telle qu'elle résulte des déformations orogéniques de cette écorce.

ⓑ Cette structure, considérée de ce point de vue. ⇒ **Orogénie ; dislocation, plissement.**

♦ **2.** Adj. (1894, *in* D. D. L.). Qui concerne la tectonique (étude de structure). → Épigénie, cit. *Dislocations, déformations tectoniques.*

DÉR. Tectonicien.

TECTRICE [tɛktʀis] adj. et n. f. — 1808 ; dér. sav. du lat. *tegere,* d'après *protecteur, protectrice.*

♦ Zool. *Plumes tectrices :* plumes du dos (base de l'aile et queue) des oiseaux.

TEDDY-BEAR [tedibɛʀ] n. m. — Mil. xxe ; de l'anglo-amér. *Teddy,* dimin. de *Theodore* (Roosevelt), chasseur d'ours célèbre, et *bear* «ours».

♦ Anglic., vieilli. Ours en peluche (ou en matière comparable). *Des teddy-bears.*

TE DEUM [tedeɔm] n. m. invar. — Déb. xve ; premiers mots du cantique *Te Deum laudamus* «toi qui es Dieu nous te louons», attribué à Nicétas, évêque dace du ive siècle.

♦ **1.** Liturgie. Chant de louange et d'action de grâces qui se dit, ordinairement, à la fin de l'Office de nuit, et extraordinairement, dans certaines cérémonies solennelles. *Un Te Deum* (→ Réponse, cit. 7), *des Te Deum* (→ 3. Mal, cit. 47 ; salve, cit. 2).

Enfin, tandis que les deux rois faisaient chanter des *Te Deum,* chacun dans son camp, il prit le parti d'aller raisonner ailleurs des effets et des causes.
VOLTAIRE, Candide, III.

♦ **2.** (Fin xviie). Cérémonie qui accompagne ce chant.

♦ **3.** Composition musicale pour cette cérémonie. *Le Te Deum de Lalande, de Berlioz.*

TEE [ti] n. m. — 1895, *in* Petiot ; mot angl. (1673), écossais *teaz,* origine inconnue.

♦ Anglic. Golf. Petit socle, ou petite éminence (de terre, de sable), sur laquelle on place une balle afin de la lancer.

TEENAGER [tinɛdʒœʀ] n. m. — 1956, *in* Höfler ; *teen-ager,* 1946 ; mot anglo-amér. de *teen* «l'âge de l'adolescence» d'après la finale des nombres de «thirteen» à «nineteen» (de 13 à 19 ans), et *age* «âge».

♦ Anglic. Adolescent*, jeune (de 13 à 19 ans). *Un teenager. Des teenagers.* — On écrit aussi *teen ager, teen-ager.* «*Le nombre de suicides parmi les teen-agers a triplé depuis dix ans*» (*le Nouvel Obs.,* 28 nov. 1977, p. 164).

Quel âge as-tu, au juste? — Onze ans. — Donc tu n'es plus un baby et tu n'es pas encore un teen. — Un tine? kékséksa? — Un teen, mon enfant, c'est ce que tu seras, théoriquement, de thirteen à nineteen ans. Pourtant, j'ai entendu parler des «teens de douze à treize ans», ce qui m'a paru bouffon, puisque douze se dit (...) — Twelve ! — En fait, des teens, c'est à la fois ce que de mon temps on appelait les garçonnets et les fillettes, puis les jeunes gens et les jeunes filles. Les Yanquis nous ont appris à corriger tout ça. «Les teenagers, ce mot que l'on ignorait alors en France» (*Adam,* juillet-août 1963)... Un des journaux les plus dévoués à la patrie ouvrit donc naguère une rubrique intitulée Le coin des teens».
ÉTIEMBLE, Parlez-vous franglais ?, p. 86.

(1964). Abrév. *Un, une teen* (→ cit. ci-dessus).

TEE-SHIRT [tiʃœʀt] n. m. — 1950, *in* Höfler ; de l'angl. *T(ee)* «T», et *shirt* «chemise».

Anglicisme.

♦ **1.** Sous-vêtement en coton à manches courtes, en forme de T. *Le Tee-shirt fut, à l'origine, un sous-vêtement des joueurs de base-ball.*

♦ **2.** Pull-over de coton, ras le cou, à manches courtes et taille souple. «*Cent mille "hippies", garçons et filles aux cheveux longs et aux tee-shirts constellés d'étranges déclarations...* » (*l'Express,* 17-23 juil. 1967). *Des bermudas* (cit. 2) *et des tee-shirts assortis.*

Gerry porte un tee-shirt blanc, son teint est bronzé, ses dents blanches, ses grands yeux bleus, francs, clairs. F. MALLET-JORIS, le Jeu du souterrain, p. 204.

REM. On trouve quelquefois la graphie *T-shirt* [tiʃœʀt].

TÉFLON [teflɔ̃] n. m. — 1948, cit. ; nom déposé, de *té(tra)fl(uoroéthylène),* et suff. *-on* des matières plastiques.

♦ Matière plastique dérivée de l'éthylène et du fluor, dont on fait les joints et les garnitures, très résistantes aux agents chimiques et à la température.

Le Téflon. C'est une résine à base de tétrafluoroéthylène : $CF_2=CF_2$. Plastique tout nouveau, aux qualités vraiment exceptionnelles, il est capable de résister à tous les acides, même les mélanges attaquant l'or et le platine (eau régale) ; il conserve sa solidité et sa forme à des températures plus élevées que ne le fait toute autre matière organique connue. Jean VÈNE, les Plastiques, 1948, p. 121.

2 Elle étrenne cet ustensile traité au téflon. Ils nous ont garanti que ça ne collerait pas au fond. Je demande à Nicole si ça colle. «Ça a pas l'air».
Réjean DUCHARME, l'Hiver de force, p. 16.

DÉR. Téflonisé.

TÉFLONISÉ, ÉE [teflɔnize] adj. — 1963; de *téflon*.

♦ Techn. Recouvert de téflon. *Poêle téflonisée* (dans laquelle les aliments n'attachent pas, même sans matière grasse).

Le sauté est un peu plus lourd à digérer que la grillade, sauf dans les poêles modernes téflonisées où la cuisson se fait presque sans matière grasse.
Francis LÉRY, Technique de la cuisine, p. 73.

TÉGÉNAIRE [teʒenɛʀ] n. f. — 1861; *tégénerie*, 1846; lat. zool. *tegenaria* (1805, Walckenaer), appellation métaphorique d'après le lat. médiéval *tegenarius*, var. de *tegetarius* «fabricant de nattes, de couvertures», rad. *tegere* «couvrir».

♦ Zool. Grosse araignée sédentaire *(Tubitèles)* qui tend sa vaste toile en nappe dans les endroits humides des maisons (caves, salles d'eau, avant-toits, etc.).

TÉGUEMENT [tegmã] n. m. — 1907; mot dial. plus ancien, de l'anc. franç. *tesgier* «haleter, souffler comme un cheval» (déb. XIIIe), de *tegge* «consomption» (XIIIe), d'un adj. *tesque, du lat. *phtisicus. → Phtisique.

♦ Techn. (vétér.). Toux des bovins, dans certaines affections thoraciques.

TÉGULAIRE [tegylɛʀ] adj. — 1842; du lat. *tegula* «tuile».

♦ Didact. *Minéral, roche tégulaire,* qui peut se cliver en lames minces et larges. *Le schiste ardoisier est tégulaire.*

TÉGUMENT [tegymã] n. m. — 1539; «couverture», 1294; lat. *tegumentum,* de *tegere* «couvrir».

♦ **1.** Anat. Se dit des divers tissus (⇒ **Peau**), avec leurs appendices (poils, plumes, écailles, piquants, etc. ⇒ **Phanère**) qui couvrent le corps des animaux.

♦ **2.** (1805). Bot. Enveloppe protectrice. *Tégument de l'ovule, de la graine.*

♦ **3.** Par métaphore (littéraire) :

Mais ne pouvant penser à la fois à ce que j'étais et à ce que je serais, je pensais avec désespoir à tout ce tégument de caresses, de baisers, de sommeils amis, dont il faudrait bientôt me laisser dépouiller pour jamais.
PROUST, la Fugitive, Pl., t. III, p. 482.

DÉR. Tégumentaire.

TÉGUMENTAIRE [tegymãtɛʀ] adj. — 1835; de *tégument.*

♦ Didact. Propre aux téguments; de la nature des téguments, qui sert de tégument. *Appendices tégumentaires* (poils, plumes, etc.). *Membrane tégumentaire.*

COMP. Sous-tégumentaire.

TÉHESSEF, TÉHESSÈFE [teɛsɛf] n. f. Graphie plaisante pour *T. S. F.**

TEIGNE [tɛɲ] n. f. — V. 1120; var. *taigne,* 1265; du lat. *tinea.*

♦ **1.** Petit lépidoptère de la famille des Tinéidés. *Teigne domestique* (⇒ **Gerce, mite**). *Teigne des grains,* dont les larves attaquent les grains. *Teigne des arbres fruitiers,* dont les chenilles attaquent les feuilles. *Teigne des jardins,* dont les larves attaquent surtout les plantes liliacées. — *Fausse teigne.* ⇒ **Gallérie.**

♦ **2.** (Fin XIIe, *tigne*). Méd. [a] Vx. Affection du cuir chevelu (→ Dépilation, cit.).

[b] Mod. Dermatose parasitaire du cuir chevelu provoquant une alopécie passagère ou définitive. ⇒ **Pelade** (→ Ravager, cit. 3). *Teigne faveuse*, granulée*, tondante*.*

[c] Loc. Vx. *Cela tient comme teigne,* tient fortement, s'en va difficilement.
Loc. compar. Mod. *Il est méchant, mauvais comme une teigne, comme la teigne.*

♦ **3.** (Mil. XVIe). Régional. Cuscute. — Bardane.

♦ **4.** (1867). Personne méchante, hargneuse. ⇒ **Gale, peste.** *C'est*

une teigne, une vraie teigne. Sale teigne ! — Adj. Ce qu'il peut être teigne ! ⇒ **Teigneux.**

L'Angélique, je le dirai à maman, que tu es sortie aussi ce matin.
— Petite teigne, je ne te donnerai plus de sous !
ARAGON, les Beaux Quartiers, I, XVII.

DÉR. Teigneux.

TEIGNEUX, EUSE [tɛɲø, øz] adj. et n. — XVe; *teignous,* déb. XIIIe, *tigneus, tingneus,* mil. XIIIe; de *teigne.*

♦ **1.** Méd. Qui a la teigne (→ Galeux, cit. 3). — N. *Un teigneux, une teigneuse* (→ Moyenâgeux, cit. 1). — Loc. *Il en mangerait sur la tête d'un teigneux :* il trouve cela délicieux, il en raffole. — (1532, Rabelais). *Trois teigneux et un pelé :* presque personne (cf. Trois pelés et un galeux).

♦ **2.** (1690). [a] N. Vx. Personne méchante. ⇒ **Teigne** (4.).

[b] Adj. Mod. et fam. Hargneux, agressif. ⇒ **Mauvais.**

J'avais le cœur gros, j'étais encore un bon petit con, c'est plus tard que je suis devenu teigneux, vers les dix-onze ans.
CAVANNA, les Ritals, p. 155.

Par malchance, ils croisèrent une patrouille de surveillance en ville dont le sous-officier, teigneux, borné et peut-être jaloux, les expédia sans plus attendre cuver leur vin en salle de police.
Claude MICHELET, Des grives au loup, p. 177.

N. *C'est un teigneux, méfie-toi !*

TEILLAGE [tɛjaʒ] ou TILLAGE [tijaʒ] n. m. — 1808, *teillage; tillage,* 1836; de *teiller, tiller.*

♦ Techn. Opération consistant à teiller (le chanvre, le lin).

TEILLE [tɛj] ou TILLE [tij] n. f. — 1354, *teille; tille,* v. 1200; *tille* «planche de tilleul débité», 1204; lat. *tilia* «écorce de tilleul», et par ext. «écorce».

♦ **1.** Techn. Liber du tilleul, dont on fait des cordes, des nattes.

♦ **2.** (*Tille,* 1256). Écorce de la tige de chanvre.

DÉR. Teiller ou tiller.

TEILLER [tɛje; teje] ou TILLER [tije] v. tr. — V. 1450, *teiller; tiller,* v. 1460; *tillier,* 1311; *teillier,* fin XIVe; de *teille,* ou de *tille.*

♦ Techn. Débarrasser (le chanvre, le lin) de sa teille, séparer les parties ligneuses (⇒ **Chénevotte**) de la fibre (⇒ **Filasse**).

Un soir d'automne, qu'on avait beaucoup teillé de chanvre, et fait des contes qui avaient fort amusé, Bibi, accablée de sommeil, ne voulut pas qu'on jetât dehors les chenevotes, pressée de s'aller coucher.
RESTIF DE LA BRETONNE, la Vie de mon père, II, III.

DÉR. Teillage ou tillage, teilleur ou tilleur.

TEILLEUR, EUSE [tɛjœʀ, øz] ou TILLEUR, EUSE [tijœʀ, øz] n. — 1680; de *teiller,* ou de *tiller.*
Technique.

♦ **1.** Ouvrier, ouvrière qui teille, capable d'assurer les opérations de rouissage et de teillage.

♦ **2.** N. f. (1874). Machine à teiller.

TEINDRE [tɛdʀ] v. tr. — Conjug. *peindre.* — 1080, au sens 2; lat. *tingere.*

♦ **1.** (V. 1130). Imprégner (qqch.) d'une substance colorante, par teinture. ⇒ **Brésiller, cocheniller, garancer, raciner, rocquer, safraner** (→ Imprimer, cit. 24). *Teindre une étoffe. Faire teindre un vêtement,* le faire teindre d'une autre couleur. — *Teindre ses cheveux, se teindre, se faire teindre les cheveux* (→ Aride, cit. 8; 1. franc, cit. 3; méticuleux, cit. 2). ⇒ **Noircir.** Par anal. *Teindre de khôl ses paupières.* ⇒ **Peindre.** *Teindre... en* (et nom de couleur).

Ce travail et celui qui consiste à teindre ses ongles en rouge orange, sont ses deux principales occupations.
LOTI, Aziyadé, III, III.

Il n'était plus jeune cet homme-là... Il devait se teindre les moustaches.
CÉLINE, Voyage au bout de la nuit, p. 30.

Absolt. Substance qui sert à teindre. ⇒ **Tinctorial.**

♦ **2.** (XVIIIe). Colorer. *Teindre une chose d'un rouge vif.* — Pron. *Les sainfoins se teignaient d'amarante* (→ Blé, cit. 6). — *« Que les soleils marins teignaient de mille feux »* (1. Feu, cit. 64; → aussi brillanter, cit. 1; paysage, cit. 7).

♦ **3.** (Fin XVIe, d'Aubigné). Par métaphore ou fig. Donner la marque de. ⇒ **Imprégner.** *Teindre son comportement de douceur.* → Rougir, cit. 5; souiller, cit. 3.

Il nous est plus facile de nous teindre d'une infinité de connaissances que d'en bien posséder un petit nombre.
VAUVENARGUES, Réflexions et maximes, 269.

4 La littérature se teignit de la couleur de mes tableaux religieux, comme les affaires ont gardé la phraséologie de mes écrits sur la cité (...)
CHATEAUBRIAND, Mémoires d'outre-tombe, II, I, 12.

▶ **SE TEINDRE** v. pron. Voir ci-dessus.

▶ **TEINT, TEINTE** p. p. adj. (1080).

◆ **1.** Qu'on a teint. *Étoffe, laine teinte en écarlate* (cit. 2), *en pourpre* (→ Grec, cit. 16). *Étoffe teinte de pourpre* (→ Gladiateur). *Vêtements mal teintés* (→ Étaler, cit. 3). *Avoir les cheveux teints.* — Par métonymie. Fam. *Elle est teinte : ses cheveux sont teints. Un vieillard teint.* — Par anal. *Paupières teintes de khôl* (cit. 1).

◆ **2.** TEINT, TEINTE DE..., EN... : coloré de, en... *Nuages teints d'un violet épais* (→ 1. Feu, cit. 65). *Grappes teintes en bleu* (→ Massif, cit. 2).
Fig. *Teint de sang :* ensanglanté, sanglant (→ Carnage, cit. 1; désert, cit. 7; envenimer, cit. 6; panthère, cit. 1).

DÉR. Teint, teinte.
COMP. Déteindre, reteindre.

TEINT [tɛ̃] n. m. — V. 1130; «peinture», 1080; p. p. substantivé de *teindre*.

◆ **1.** Manière de teindre, couleur obtenue par la teinture. — REM. Ne s'emploie guère que dans les appellations commerciales. *Tissu bon teint, grand teint,* dont la teinture résiste au lavage et à la lumière. *« Les couleurs résistant au savon et connues sous le nom de couleurs solides ou grand teint »* (*Année sc. et industr.* 1860, p. 159 [1859]).
(1916). BON TEINT. Fig., par plais. Qui ne change pas, solide. *Un fonds de souvenirs bon teint* (→ Service, cit. 4). *Un catholique, un socialiste bon teint.*

1 Elle aimait, à la fois, et haïssait le luxe. Elle voulait certains soirs oublier la misère. Son socialisme n'était pas encore de très bon teint.
ARAGON, les Cloches de Bâle, III, xx.

◆ **2.** (V. 1460). Nuance ou aspect que prend la couleur du visage selon les dispositions individuelles, l'âge, l'état de santé, les conditions climatiques. ⇒ **Carnation, coloris.** *Teint clair* (→ Pigmentation, cit. 2), *blanc* (→ Méridional, cit. 2), *d'une blancheur éclatante* (cit. 5). *Teint basané, bistré, bronzé, cuivré, doré* (→ Illuminer, cit. 19), *foncé, hâlé, olivâtre* (cit. 2). *Teint mat* (→ Rousseur, cit. 1). *Teint chaud, coloré, cramoisi, fleuri* (cit. 22), *rouge vermeil* (→ 1. Frais, cit. 12). *Teint frais* (1. Frais, cit. 28); *éblouissant, éclatant. Teint pâle* (→ Pâleur, cit. 1); *bilieux, blafard, blême* (cit. 1), *brouillé* (cit. 28), *cadavéreux* (cit. 1), *cireux, fatigué* (cit. 26), *jaune, plombé* (→ Envie, cit. 2), *terreux. Éclat, fraîcheur du teint* (→ Farder, cit. 9). *Avoir le, un teint...* (et adj. ou compl. en *de...*). *Conserver son teint. Teint délicat qui s'est altéré, flétri* (1. Flétri, cit. 14). *Son teint s'est éclairci* (cit. 11). — Poét., vx. *Teint de neige, de lis et de roses* (→ Rebattre, cit. 3).

2 Je suis à côté, tout à côté de Sarah, et chez une femme qui toucherait à la cinquantaine, le teint de visage, qui, ce matin, n'a aucun maquillage, pas même de poudre de riz, est un teint de fillette, un teint de rose tout jeunet (...)
Ed. et J. DE GONCOURT, Journal, 10 oct. 1893, t. IX, p. 127.

3 (...) un teint vif, sain, un peu rouge, un teint de plein air, propre à enrichir la franche couleur des prunelles bleues cerclées de bleu plus sombre.
COLETTE, Chéri, p. 11.

Aspect du visage, quant à la couleur (donné artificiellement). *Fausse matité d'un teint poudré. Teint plâtré de fard* (→ Sanguinolent, cit.; et aussi 1. lis, cit. 7, Boileau). *Fond* de teint* (→ Mélanger, cit. 3).
(1690). Absolt, vieilli. *Teint coloré. Avoir du teint,* des couleurs.

Franç. d'Afrique. *Teint clair, teint noir,* adj. et n. invar., se dit d'une personne (de race noire) selon son degré de pigmentation. *« Les femmes teint clair sont très recherchées »* (in I. F. A. N.). *Une teint clair.* — REM. *Teint clair* ne se dit pas, en général, des métis.

HOM. Tain, thym, tin; formes du v. tenir; p. p. de teindre.

TEINTANT, ANTE [tɛ̃tɑ̃, ɑ̃t] adj. — 1967; de *teinter*.

◆ Qui teinte. *Crème teintante.* ⇒ **Colorant.**

HOM. Tintant.

TEINTE [tɛ̃t] n. f. — V. 1265, Br. Latini, au sens 2; inusité jusqu'au XVIIᵉ (1668, R. de Piles; 1669, Molière); repris alors par l'interm. de l'ital. *tinta;* dér. de *teindre.*

◆ **1.** Couleur* complexe d'une certaine intensité, obtenue par mélange et utilisée en peinture. ⇒ **Nuance, ton.** *Les huit cent dix-neuf teintes de la palette* (→ Correspondant, cit. 2, Diderot). *Faible teinte jaunâtre* (→ Refléter, cit. 1, Diderot). *Teintes et demi-teintes* (→ 2. Dégrader, cit. 1, Rollin). *Teintes violentes* (→ Éteindre, cit. 28), *sourdes.* — (1765). *Teinte vierge :* couleur sans mélange. *Rompre* (cit. 7) *une teinte. Teinte plate, en à plat.* ⇒ **Aplat.** *Teintes dégradées.* ⇒ **Fondu.** *Jaunissement* (cit.) *des teintes.* — (En parlant

d'étoffes teintes). *Toilette aux teintes vives* (→ Bijou, cit. 7), *foncées* (cit. 9), *sombres, chaudes* (→ Satin, cit. 3).

1 Pline dit, que les Anciens peignaient avec quatre couleurs seulement dont ils composaient leurs teintes. Mais il est à croire que ce n'était que pour préparer le fond à recevoir les couleurs (...)
Roger DE PILES, Cours de peinture, p. 352.

2 Pour le *tableau espagnol* dont j'ai fait une esquisse :
Teinte de *petit vert,* avec très peu de *brun rouge* et de *blanc,* comme teinte locale, sur un frottis de *bitume* par exemple;
Ou simplement : *petit vert* pour l'ombre, sur lequel on met des tons de *vermillon* et de *brun rouge.*
E. DELACROIX, Journal, 15 janv. 1853.

◆ **2.** (Dans la nature; v. 1265, sens repris au XVIIIᵉ). Couleur plus ou moins mêlée, plus ou moins intense; nuance* d'une couleur. *Le plumage du pouillot* (cit. Buffon) *n'a d'autres couleurs que deux teintes faibles de gris verdâtre et de blanc jaunâtre. La teinte rougeâtre des chênes* (→ Gazon, cit. 6). *Les teintes glauques* (cit. 1) *de la mer. Teintes variées des marbres* (→ Gris, cit. 20), *du bois* (→ Marier, cit. 19). *Le soleil* (cit. 2) *prêtait aux nuages des teintes chaudes. Le ciel prenait la teinte des ardoises* (cit. 4). *Des teintes prismatiques* (cit. 2) *étranges.*

3 On ne peut douter de cette progression lorsqu'on observe le matin (...) le développement de la lumière dans les cieux; vous y voyez ces cinq couleurs, avec leurs nuances intermédiaires, s'engendrer les unes des autres à peu près dans cet ordre : le blanc, le jaune-soufre, le jaune-citron, le jaune-d'œuf, l'orangé, la couleur aurore, le ponceau, le rouge plein, le rouge carminé, le pourpre, le violet, l'azur, l'indigo et le noir. Chacune de ces couleurs ne semble être qu'une teinte forte de celle qui la précède, et une teinte légère de celle qui la suit (...)
BERNARDIN DE SAINT-PIERRE, Études de la nature, X, Des couleurs.

4 Les cimes voisines, chauves, fendillées et lézardées de haut en bas, avaient dans l'ombre des teintes de cendre verte, de bleu d'Égypte, de lilas et de gris de perle, et dans la lumière des tons d'écorce d'orange, de peau de lion d'or bruni, les plus chauds et les plus admirables du monde.
Th. GAUTIER, Voyage en Espagne, p. 190.

◆ **3.** (XVIIIᵉ). Fig. Couleur, apparence plus ou moins marquée. *Les pensées prennent la teinte des idiomes* (→ Forme, cit. 41, Rousseau). *Ces chagrins* (2. Chagrin, cit. 6) *d'enfance laissent une teinte de sauvagerie difficile à effacer. Une teinte plus ou moins marquée de luxe* (→ Festivité, cit.). *Légère teinte de rigorisme* (→ Janséniste, cit. 3), *d'amertume* (→ Misanthropie, cit. 1). — *Légère dose. Il y a dans cet écrit une teinte de malice* (Littré). ⇒ **Brin, soupçon, trace.**

5 J'étais touché de pitié; mais une teinte de ridicule était fondue dans ces sentiments et les dénaturait.
DIDEROT, le Neveu de Rameau, Pl., p. 485.

6 Son imagination, très flexible, paraissait susceptible d'une teinte d'enthousiasme (...)
A. DE MUSSET, Nouvelles, Emmeline, I.

DÉR. Teinter, teintier.
COMP. Demi-teinte.

TEINTER [tɛ̃te] v. tr. — 1410, au sens de «teindre»; du lat. médiéval *tinctare,* lat. class. *tingere;* repris au XVIIIᵉ, 1752, Trévoux, *papier teinté,* comme dér. de *teinte.*

◆ **1.** Couvrir uniformément d'une teinte légère. *Teinter un papier.*

◆ **2.** (1872). Colorer légèrement. *Teinter de violet* (→ Aigre, cit. 9). Pron. *Se teinter d'une pointe de carmin* (→ Nacre, cit. 3).

▶ **TEINTÉ, ÉE** p. p. adj. Plus cour. *Teinté de carmin* (cit.), *de rose, de roux* (→ Dos, cit. 2; moustache, cit.; santal, cit. 1). *Eau teintée d'absinthe* (→ Galéjer, cit. 1). — Fig. Revêtir d'une teinte* (3.). → Frotter. *Littérature teintée d'espagnolisme* (cit. 2; → aussi Dorien, cit. 2; écouler, cit. 10). — Adj. *Verres teintés. Lunettes teintées.*

DÉR. Teintant.
HOM. Tinter.

TEINTIER [tɛ̃tje] n. m. — V. 1965; de *teinte.* → Nuancier.

◆ Techn. Présentoir de dents teintées pour la réalisation de dents de prothèse. *Teintier de dents en résine, en porcelaine.*

TEINTURE [tɛ̃tyʀ] n. f. — 1209, *tainture;* du lat. *tinctura,* de *tingere* «teindre».

◆ **1.** Action de teindre*, de fixer une matière colorante (végétale ou artificielle) sur certaines substances naturelles (laine, coton, cuir, fourrure, bois, etc.) ou artificielles (textiles synthétiques, papier, etc.). *Procéder à la teinture de la soie, du coton, de la laine* (→ Induline, cit.; noir, cit. 43; rentrayage, cit. 2). *Opérations de teinture. Teinture par colorants directs, par mordant*, par oxydation. Teinture à la brosse, à la cuve... Bain de teinture. Accident de teinture :* défaut d'uniformité dans la teinte d'un tissu, d'un cuir... Spécialt. *Teinture des cheveux.*
Résultat de cette action. Bonne teinture, teinture solide. ⇒ **Teint.** *Tissu qui prend bien la teinture.*

1 Le père Ursin m'apprit à enlever les jars, c'est-à-dire les poils brillants qui ne prennent pas la teinture et gâtent les pièces finies.
A. MAUROIS, Mémoires, I, VI.

◆ **2.** (1404). Substance colorante, liquide colorant servant à cette opération (→ Rocou, cit.). ⇒ **Colorant, alapin, brou, chica, guède, kamala, kermès, racinage, sandix...** *Teintures dont on imprègne les cuirs* (→ Cordonnerie, cit.).

2 — Les Vénitiennes se trempaient les cheveux dans une teinture blonde. Elles avaient le blond de miel et le blond d'or.
FRANCE, le Crime de S. Bonnard, VI, Œ. t. II, p. 446.

♦ **3.** (XIVᵉ, *tainture*). Pharm. Préparation à base d'alcool, d'éther ou d'eau où l'on a incorporé (par digestion, macération, infusion) une *(teinture simple)* ou plusieurs *(teinture composée)* substances médicamenteuses (→ Empirique, cit. 4). ⇒ **Alcoolé.** *Teinture alcoolique* (ex. : *teinture d'iode**), *éthérée, aqueuse. Teinture d'opium* (→ Quantité, cit. 1), *d'arnica.* — Spécialt. (Homéopathie). *Teinture mère :* teinture relativement concentrée servant à la préparation des solutions diluées.

Techn. En parfumerie, Dissolution alcoolique d'un parfum synthétique.

♦ **4.** (XVIᵉ). Fig. *Une teinture de...* Connaissance, notion superficielle. ⇒ **Vernis.** *Quelque teinture de cette science* (→ Entendre, cit. 98; et aussi inopinément, cit. 1). *Une teinture d'histoire, de poésie* (→ Littérature, cit. 2). *Il a mieux qu'une teinture de toutes choses* (→ Métier, cit. 15).

3 — (...) Bougainville est parti avec les lumières nécessaires et les qualités propres à ces vues (...) le désir de voir, de s'éclairer et de s'instruire ; la science du calcul, des mécaniques, de la géométrie, de l'astronomie ; et une teinture suffisante d'histoire naturelle.   DIDEROT, Suppl. au voyage de Bougainville, I.

4 (...) M. Bataille, qui n'est ni savant ni philosophe, a malheureusement des teintures de science et de philosophie.   SARTRE, Situations I, p. 156.

♦ **5.** (1588). Vieilli. Marque, impression laissée par le passé.

5 Je veux parler en fille, et je m'explique en reine (...)
(...) Si je n'en ai le rang, j'en garde la teinture.   CORNEILLE, Œdipe, III, 2.

DÉR. Teinturerie, teinturier.

TEINTURERIE [tɛ̃tyʀʀi] n. f. — 1260 ; de *teinture.*

♦ **1.** Métier de teinturier (1.). *Opération de teinturerie.* ⇒ **Alunage, enlevage, impression, mordançage.**

♦ **2.** Boutique de teinturier-dégraisseur, de teinturière (2.). *Donner un complet à la teinturerie.* ⇒ **Pressing.** *Chercher un costume à la teinturerie.*

♦ **3.** (XXᵉ). Industrie de la teinture.

TEINTURIER, IÈRE [tɛ̃tyʀje, jɛʀ] n. — 1244 ; *taintenière,* 1404 ; de *teinture.*

♦ **1.** Techn. Professionnel(elle) assurant les diverses opérations de la teinture (→ Indigo, cit. 1). *Teinturier de vêtements, de plumes. Teinturier en cuirs et peaux, en crins et soies. Cuve de teinturier.* Adj. *Ouvrier teinturier.*

♦ **2.** (1872, Littré). Cour. Personne dont le métier est d'entretenir les vêtements (nettoyage, dégraissage, repassage, et aussi teinture). *Boutique de teinturier. Porter un costume, des cravates, des soieries chez le teinturier. Une teinturière.*

1 (...) je me contentai de ces galoches, à semelles de bois, qu'on commençait à fabriquer ; les teinturières affichaient des tarifs exorbitants et, si on voulait nettoyer soi-même ses vêtements, on avait beaucoup de peine à se procurer de l'essence.   S. DE BEAUVOIR, la Force de l'âge, p. 518.

2 (...) pourquoi ne fait-il pas porter plus souvent ses costumes au teinturier pour les faire détacher, nettoyer, délustrer, presser, repasser ?   N. SARRAUTE, le Planétarium, p. 170.

TEL, TELLE [tɛl] adj. pron. et nominal. — Fin Xᵉ, *tiel* ; du lat. *talis.*

★ **I.** (Marquant la ressemblance ou la similitude).

♦ **1.** Semblable, du même genre (par référence à une personne, à une chose ou à une qualité dont on vient de parler ou dont on va parler). ⇒ **Même, pareil, semblable.**

a En fonction d'épithète (placé avant le nom). *De telles ou semblables* (cit. 4) *interruptions. La réception de la lumière, des sons, des odeurs, des goûts, de la chaleur, et de telles autres qualités* (→ Sens, cit. 5). — REM. *Tel,* épithète, peut être exceptionnellement placé après le nom : « *Il y a des pères qui trouveraient des choses telles* » (Duhamel, *les Pasquier,* II, XII).

RIEN DE TEL... ⇒ Rien (*supra* cit. 29). *Il n'y a rien de tel dans le manuscrit conservé à Rome* (→ Interpoler, cit. 2). — Vx. *Rien tel.* ⇒ Rien (*supra,* cit. 26). — N.B. En un autre sens, → ci-dessous, II., 1.

b En apposition et équivalent à « ainsi, dans ces conditions ».

1 *(Le livre)* demeurait aux mains d'une élite fort étroite. Tel, il assurait, non sans fautes, la conservation de la connaissance, il ne pouvait lui donner du rayonnement.   G. DUHAMEL, Défense des lettres, Préface.

c En fonction d'attribut. « *Ne recevoir jamais aucune chose pour vraie que je ne la connusse évidemment* (cit. 1) *être telle* ». *Des rochers arides ou du moins qui paraissaient tels à distance* (→ Ranger, cit. 9). *Des bronzes antiques ou soi-disant* (cit. 4) *tels.* — *Être connu pour tel* (→ Reproche, cit. 10). *Passer* (cit. 77) *pour tel.*

2 (...) vous n'êtes bon à rien, et vous vous êtes rendu tel par ces billevesées.   A. DE VIGNY, Chatterton, III, 6.

d COMME TEL (→ Pensant, cit. 7) : en cette qualité ; à ce titre. — EN TANT QUE TEL. *La qualité en tant que telle* (→ Quantité, cit. 7).

3 Ils ne concevaient pas (...) qu'ils étaient des animaux de combat, et qu'il fallait bien les traiter comme tels (...)   J. ROMAINS, les Hommes de bonne volonté, t. XV, II, p. 34.

e Attribut, en tête de la proposition, avec inversion du sujet. *Telle est la loi de la progression* (cit. 1). *Rendre hommage, tel fut, tel est, tel sera le soin majeur de ma vie.* ⇒ **Voilà** (→ Largesse, cit. 2). *Telles furent ses dernières paroles. Car tel est notre* (bon) *plaisir** (*supra* cit. 1).

4 J'adore les yeux noirs avec des cheveux blonds.
Tels les avait Rosine (...)   A. DE MUSSET, Premières poésies, « Mardoche », XI.

f Redoublé, en fonction d'attribut (toujours appliqué à la même personne ou à la même chose dans les membres corrélatifs) :

5 Telle, je t'embrassai, froide et décolorée,
Telle, deux mois après, tu fus mise au tombeau ;
Telle, ô ma chaste fleur ! tu t'es évanouie.
          A. DE MUSSET, Poésies nouvelles, « Lucie », *in* G. et R. LE BIDOIS, Syntaxe du franç. moderne, § 1188.

6 — Hélas ! s'écrit-il, tel j'étais au grand séminaire, tel je suis resté, une tête dure, un cœur sec (...)   BERNANOS, Sous le soleil de Satan, II, V.

g Redoublé, en phrase elliptique, représentant deux personnes ou deux choses différentes (fréquent dans les sentences, les proverbes). *Tel père, tel fils. Tel maître, tel valet. Telle vie, telle fin.*

7 Tel le nid, tel l'oiseau. Telle la patrie, tel l'homme.
          MICHELET, Hist. de France, Préface de 1869.

♦ **2.** TEL QUE..., suivi d'un nom ou d'un pronom. Semblable à..., du caractère, de la qualité de... *Un écrivain tel que vous.* ⇒ **Comme** (II., 2.) ; → Équitable, cit. 8. *Un ami tel que lui* (→ Paisible, cit. 1). *Une langue telle que la nôtre, si éprise d'ordre et de clarté* (→ 1. Que, cit. 1).

TEL QUE, servant à présenter soit un exemple, soit une énumération qui développe un terme général — (REM. L'accord se fait avec ce terme). *Les professions futiles* (cit. 1) *ou sujettes à la mode, telles, par exemple, que celle de perruquier. Ces déités impalpables, telles que les Fées* (cit. 3), *les Gnomes...*

TEL, avec ellipse de *que,* servant à présenter un exemple (pour l'accord, → ci-dessous, cit. 14). *D'autres ont poursuivi ce travail... tel par exemple...* (→ Naturalisation, cit. 2).

♦ **3.** TEL QUE..., suivi de l'indicatif et introduisant une comparative.

a Épithète ou attribut. *La relativité* (cit. 1) *telle que l'entendent les philosophes.* « *Celui-là* (Corneille) *peint les hommes comme ils devraient être* (→ Être, cit. 42), *celui-ci* (Racine) *les peint tels qu'ils sont* » (La Bruyère) ; → aussi Montrer, cit. 34 ; paraître, cit. 42 ; présenter, cit. 12 ; réalité, cit. 3.

8 (...) Mais, si vos fautes sont telles que vous dites, mon fils, il vaut mieux ne le point décrire et vous borner à les détester intérieurement.
          FRANCE, la Rôtisserie de la Reine Pédauque, Œ. t. VIII, XX, p. 277.

9 Se prendre exactement pour ce qu'on est. Comme corollaire : s'accepter tel qu'on est (...)   MARTIN DU GARD, les Thibault, t. III, p. 217.

b Apposition. *Le monachisme* (cit.), *tel qu'il existait en Espagne.* — Avec mise en relief en tête de phrase et, parfois, une nuance concessive ou causale. *Tel qu'il est, il est encore plus beau* (→ Étouffer, cit. 33). *Tel que je le connais, il refusera certainement.* — *Tel que vous me voyez,* servant à renforcer une affirmation en insistant sur l'identité de la personne en cause. *Oui Monsieur, tel que vous me voyez, j'ai fait deux fois le tour du monde.*

10 (...) Quant à moi, tel que vous me voyez, dès la pointe du jour, je suis là (...)   FLAUBERT, Mᵐᵉ Bovary, II, X.

11 Tel qu'en Lui-même enfin l'éternité le change,
Le Poète suscite avec un glaive nu
Son siècle épouvanté de n'avoir pas connu
Que la mort triomphait dans cette voix étrange !
          MALLARMÉ, Poésies, « Hommages et tombeaux », Tombeau d'Edgar Poe.

12 En cinq minutes, telle que je vous connais, vous saluerez en lui le génie psychologique et médical.   Léon DAUDET, Salons et Journaux, p 243.

♦ **4.** Servant, dans le style soutenu, à introduire une comparaison.

a Vx. TEL QUE..., TEL... (→ Idylle, cit. 1, Boileau). — Littér. *Tel* introduisant le second terme d'une comparaison. ⇒ **Ainsi.**

13 Quand la neige fondue enfle un torrent fameux (...)
(...) Tel cède au courant qui le guide :
Tel, et plus fier, et plus rapide,
Marche *Louis* dans ses exploits.   MOLIÈRE, le Malade imaginaire, 1ᵉʳ prologue.

b TEL QUE. ⇒ Comme. *Les piliers blancs tels que des fûts* (cit. 1) *de bouleaux. Le visage plissé, ratatiné* (cit. 5), *culotté tel qu'un vieux buis.*

c Littér. Comme. *Le fjord dort entre les monts à pic, tel un long lac tortueux* (→ Mystérieux, cit. 6 ; et aussi goût, cit. 7).

14 La plupart *(des écrivains d'aujourd'hui)* accordent *tel* avec le plus proche des deux termes mis en comparaison : « Elle était encore là comme une bulle irisée qui se soutient. *Tel un arc-en-ciel,* dont l'éclat faiblit, s'abaisse... » PROUST, *Swann,* III, 193 ; « *Ses lèvres se gonflaient, tels de durs bourgeons prêts à fleurir* » MIRBEAU, *le Jardin des suppl.,* 170. Cet accord avec le nom le plus proche semble même s'imposer quand *tel* se trouve en tête de la phrase : (...) « *Telle une éponge* dont

les pores s'imbibent, son cœur se gonflait» ESTAUNIÉ, *l'Ascension de M. B...*, II, 3. — D'autres fois, cependant, mais plus rarement, on l'accorde avec le plus éloigné : «*Sans-Oreilles*, couché entre les chenets..., se déroula, *tel* une couleuvre de velours» M. TINAYRE, *l'Ennemi int.*, 45. Les deux accords sont admissibles.
G. et R. LE BIDOIS, Syntaxe du franç. moderne, § 493.

14.1 Telle une cuisinière vigilante, il s'affaire, veille à ce que le langage ne s'épaississe pas, à ce qu'il n'*attache* pas.   R. BARTHES, Roland Barthes, p. 166.

♦ **5.** (1209, *tieus quieus*). TEL QUEL : à l'état naturel, sans arrangement ; sans modification. *La nature telle quelle* (→ Paysage, cit. 9). *Laisser les choses telles quelles.* ⇒ **État** (*supra*, cit. 44 : en état). — Spécialt. Comme il est, avec ses inconvénients et ses avantages, ses qualités et ses défauts (généralement avec une nuance péjorative). — Littér. *Tel quel*, titre d'un recueil de pensées et de notes de Valéry. Titre d'une revue littéraire française d'avant-garde (dirigée par Ph. Sollers, publiée jusqu'en 1983).

15 (...) presque rien n'en était utilisable tel quel, sans un supplément d'enquête (...)
J. ROMAINS, les Hommes de bonne volonté, t. XIII, XXIII, p. 208.

16 Transcrites telles quelles, elles eussent fourni un texte non point élégant, mais correct.   J. ROMAINS, les Hommes de bonne volonté, t. XIII, XVI, p. 137.

Pop. et incorrect. *Tel que.* — Spécialt. Indiquant qu'on rapporte une phrase sans en changer un mot (→ Sic, textuel). *Je lui ai dit « allez voir dehors si j'y suis », tel que !*

17 (...) si c'est un fait divers, par exemple, pourquoi ne serait-il pas possible de l'utiliser TEL QUE dans un roman (...)
A. BILLY, *in* GREVISSE, le Bon Usage..., p. 1102.

★ **II.** (Exprimant l'intensité).

♦ **1.** Si grand, si fort, qui atteint un degré si élevé. ⇒ **Pareil** (cit. 7), **semblable.** *Donner une telle impression de grandeur* (cit. 32) *par des moyens si simples ! « Étant né* (cit. 7) *ce qu'il est, souffrir un tel outrage !* » (Corneille). « *Qui se hasarderait contre un tel adversaire ?* » (cit. 1, Corneille). — *À tel point.* ⇒ **Tellement** (→ Affliger, cit. 1). ⇒ RIEN* (*supra*, cit. 29) DE TEL : rien de si efficace (→ Honneur, cit. 24). — Vx. *Rien** (*supra* cit. 26) *tel que...*

♦ **2.** TEL... QUE..., introduisant une consécutive.

a Avec l'indicatif ou le conditionnel quand la principale est affirmative et que la conséquence est présentée comme un fait réel ou une éventualité, sans idée de but ou d'intention. *Cela m'a fait un tel saisissement* (cit. 2) *que je suis resté un grand quart d'heure tout pâle* (→ aussi Précipiter, cit. 2).

18 Telle était la fatigue de son long voyage qu'il s'endormit (...)
M. BARRÈS, la Colline inspirée, IV.

b Avec le subjonctif, quand la principale est négative ou interrogative, ou quand la conséquence est présentée comme résultant d'une intention. *Les miracles de notre religion ne sont pas de telle nature qu'on puisse dire qu'ils sont absolument convaincants* (→ Preuve, cit. 2 ; et aussi insatiable, cit. 5).

♦ **3.** Formant des locutions conjonctives qui introduisent une consécutive. *De toute façon, de telle manière** (*supra*, cit. 29), *de telle sorte** *que... À tel, à tel point** (1. Point, cit. 51 ; et *supra*) *que... À telle(s) enseigne(s) que...* ⇒ **Enseigne** (*supra*, cit. 4).

★ **III.** En valeur d'indéfini, servant à désigner une personne ou une chose déterminée, mais qu'on ne peut ou qu'on ne veut pas désigner avec plus de précision.

♦ **1.** Employé comme adjectif.

a (Sans article). *Quand nous concevons tel homme vivant, Pierre, Paul ou nous-mêmes* (→ Permanent, cit. 2). *Ce qui suscite à tel moment telle image plutôt que telle autre* (→ Association, cit. 16). *Telle quantité de.* ⇒ **Tant.** *On est à telle latitude* (→ 1. Point, cit. 5).

19 (...) c'est l'homme en général, et non tel homme, qu'ils représentent.
TAINE, Philosophie de l'art, t. II, p. 32.

20 Parce que ton registre est incomplet, parce que tel ordre de pensées — tels moyens — telles émotions te sont interdits ou inconnus, tu as fait œuvre qui t'enrichit.
VALÉRY, Autres rhumbs, p. 126.

20.1 Et retrouver après dîner Durrieux (...) qui était resté là (...) à avoir été comme lui témoin de telle inflexion de voix de l'avocat, de tel mouvement dans le public, de telle attitude, de tel spectateur influent (...)
PROUST, Jean Santeuil, Pl., p. 620.

b Avec l'article indéfini (vx). *Il y a un tel livre qui court... et qui est imprimé en tels caractères* (cit. 5, La Bruyère). «*Que les obsèques se feraient Un tel jour, en tel lieu* » (→ Cérémonie, cit. 3, La Fontaine ; et aussi ci-dessous, cit. 24).

c Précisé par une relative. *Bien que les magistrats lui aient permis* (cit. 4) *tels transports de bois qu'il lui plairait* (→ aussi Rompre, cit. 1)

21 — (...) Il faut entendre les malades en confession, et tel chrétien qui n'avait rien dit de bon dans sa vie, prononce finalement les paroles qui lui ouvrent le paradis.
FRANCE, la Rôtisserie de la Reine Pédauque, Œ., t. VIII, XIX, p. 265.

♦ **2.** Employé comme pronom.

a ⇒ **Certain** (II.) ; et aussi **quelqu'un** (→ Arpent, cit. 1). *Telle de ces robes de mousseline* (cit. 3) *valait alors six cents écus.* — *Tel..., tel autre :* l'un..., l'autre.

22 Telle l'en blâmait, telle autre l'en excusait, telle autre enfin l'en approuvait (...)
FRANCE, l'Anneau d'améthyste, Œ., t. XII, I, p. 8.

23 Tel consent à être trompé pourvu qu'on le lui dise, tel autre pourvu qu'on le lui cache, en quoi l'un n'est guère moins absurde que l'autre (...)
PROUST, la Prisonnière, Pl., t. III, p. 29.

b (V. 1220). Spécialt. Désignant une personne et tenant lieu d'un nom propre. — Avec l'article indéfini. UN TEL. — (1609). *Monsieur un tel* (→ Intitulé, cit. 2). *Madame une telle* (→ Passif, cit. 5) *ou Madame un tel* (⇒ **Tartempion, trucmuche**, fam.). «*Au temps de la petite une telle* » (Dumas fils, *le Fils naturel*, préf.). — En un seul mot et avec une majuscule. *Monsieur Untel. La famille Untel. Les Untel.* — Vx. TEL, sans article, employé au sens de *un tel* (1558, *messieurs tel et tel*). *Mesdames telles et telles.*

24 (...) On sait à point nommé : « Un tel a composé la plus jolie pièce du monde sur un tel sujet ; une telle a fait des paroles sur un tel air ; (...) Monsieur un tel écrivit hier (...) un sixain à Mademoiselle une telle (...) ; un tel auteur a fait un tel dessein (...)   MOLIÈRE, les Précieuses ridicules, 9.

25 Tel et tel journal et messieurs *tels et tels* attaqueront la loi que vous voulez, et toute la presse sera contre (...)   BALZAC, les Employés, Pl., t. VI, p. 1019.

26 Est-ce qu'une telle, demandais-je, n'a pas de telles mœurs ?
PROUST, la Prisonnière, Pl., t. III, p. 145.

c En corrélation avec un relatif. — REM. Cette construction vieillie et littéraire, est fréquente dans les proverbes, les sentences, surtout avec disjonction du relatif. *Tel est pris qui croyait prendre* (cit. 32). « *Tel brille* (cit. 20) *au second rang qui s'éclipse au premier* ». « *Tel excelle* (cit. 2) *à rimer qui juge sottement* » (Boileau). *Tel qui rit vendredi, dimanche* (cit. 6) *pleurera.* ⇒ **Celui.**

♦ **3.** TEL ET TEL, TEL OU TEL. Pron. ou adj. *Que m'importe,... que tel ou tel numéro sorte de l'urne* (→ Sensibiliser, cit. 3). *Tel ou tel dit que...* (cf. Certaines personnes).

27 *Tel et tel, tel ou tel*, au singulier, suivis d'un nom qu'ils déterminent, veulent ce nom au singulier : (...) *Une certaine suite de quartiers moins attirants par telle ou telle CURIOSITÉ qu'ils pouvaient contenir* (J. ROMAINS, *Les hommes de b. vol.*, t. XIV, p. 191)... — *Dans telle et telle CIRCONSTANCE, les abeilles se conduisent envers leur reine de telle ou telle FAÇON* (M. MAETERLINCK, *La vie des abeilles*, II, 21)...
Tel et tel, tel ou tel, ont parfois la marque du pluriel ; évidemment le nom qu'ils déterminent se met alors au pluriel : *Si TELS ET TELS tableaux, si TELS ET TELS portraits venaient à disparaître* (E. FROMENTIN, *Les Maîtres d'autrefois*, p. 302). — *La présence de TELS OU TELS hommes* (F. MAURIAC, *Le Bâillon dénoué*, p. 127).   GREVISSE, le Bon Usage, § 460, A., 2°, Remarque.

28 Avec le sujet *tel ou tel*, pronom au singulier, on met le verbe au singulier ou, rarement, au pluriel : *Si tel ou tel VA répétant que la stratégie est une science...* (M. PROUST, *Le temps retrouvé*, II, p. 171). — *Je sais bien que tel ou tel EST avare* (H. de RÉGNIER, *Le Bon Plaisir*, p. 213) ... — *Avec tel ou tel* (singulier) et un nom sujet, comme ce nom doit être au singulier (...) le verbe se met aussi au singulier : *Les femmes sentent-elles vraiment que telle ou telle parole PASSE sur les lèvres sans sortir du cœur ?* (G. de NERVAL, *Les filles du feu*, Sylvie, XI)...
GREVISSE, le Bon Usage, § 818, a., N.B., 3.

♦ **4.** (V. 1560). Vx. TEL QUE..., suivi du subjonctif et équivalant aux tours concessifs *quel que...* et *quelque que...*, ou encore à *si.*

29 Faites donc, Seigneur, que tel que je sois je me conforme à votre volonté.
PASCAL, Opuscules, III, XV.

30 Tel amer, tel décevant que soit cet axiome, il est presque forcé de l'admettre rigoureusement (...)   BALZAC, le Feuilleton, XXIV, *in* Œ. diverses, t. I, p. 410.

DÉR. Tellement.
HOM. Tell.

1. TÉLAMON [telamɔ̃] n. m. — 1611 ; du lat. *telamon*, mot grec, de *talân* « supporter ».

♦ Didact. (archit.). Statue, figure masculine qui supporte une corniche, un entablement. ⇒ **Atlante, cariatide, colonne** (statue-colonne) ; → Magistral, cit. 4. *Les télamons de Puget*, à Toulon.

HOM. 2. Télamon.

2. TÉLAMON [telamɔ̃] n. m. — 1876, P. Larousse ; grec *telamôn*, *telamonos* « baudrier ».

♦ Didact. Dans l'antiquité grecque achéenne, Baudrier de cuir, souvent décoré, où l'on suspendait l'épée et le bouclier.

HOM. 1. Télamon.

TÉLANGIECTASIE [telɑ̃ʒjɛktazi] n. f. — 1872 ; de *télé-* (1.), *angi(o)-*, et *-ectasie*.

♦ Méd. Dilatation permanente de petits vaisseaux superficiels de la peau ou d'une muqueuse, sous forme d'un fin réseau ou de petites étoiles de couleur rouge.

TÉLANTHROPE [telɑ̃tʀɔp] n. m. — V. 1960 ; lat. sav. *telanthropus*, Broom, 1949. → Téléo-, et -anthrope.

♦ Paléont. Hominidé fossile découvert par R. Broom au Transvaal (Swartkrans) en 1949, que l'on classe dans les Archanthropiens (n. sc. : *telanthropus capensis* ou *homo erectus capensis*).

TÉLAUTOGRAPHE [telɔtɔgʀaf ; telotogʀaf] n. m. — 1890, P. Larousse, *Deuxième Suppl.* ; de *télé-* (1.), et *autographe*.

♦ Techn. Vx. Appareil de transmission à distance des images et des caractères d'écriture (d'où *télautographie*, n. f. et *télautographique*, adj.).

1. TÉLÉ [tele] n. f. — V. 1952; abrév. de *télévision*.

★ I. ♦ 1. Télévision. → Tévé, TV (anglicismes). *Regarder la télé. Émission de télé. Voir un film à la télé.*

1   J'avais la télé
     Mais ça m'ennuyait
     Et j'l'ai
     R'tournée
     D' l'aut' côté c'est passionnant.
                                        B. VIAN, Je suis snob, *in* Textes et chansons, p. 29.

2   L'alphabet, l'imprimerie, l'instruction obligatoire (c'est-à-dire la généralisation de la lecture) ont changé les préhensions réciproques de l'homme et de l'imaginaire. La télé ne surgit pas par accident, de notre époque sans durées ni distances, elle lui ressemble. Les ondes détruisent l'espace comme les avions; et le temps, beaucoup mieux.   MALRAUX, l'Homme précaire et la Littérature, p. 216-217.

♦ 2. Poste de télévision. ⇒ **Téléviseur**. *La télé est cassée. Une vieille télé. Ouvrir, allumer ; fermer, éteindre la télé.*

3   Ils bavardaient, le temps faisait doucement sa pelote, la télé noire au fond de la pièce (...)   ARAGON, Blanche..., p. 299.

4   Si on s'achetait la télé couleur, dis ? demandait Adrienne (...)
                                        F. MALLET-JORIS, le Jeu du souterrain, p. 70.

★ II. Fam. En apposition, formant le deuxième élément de noms composés. *Feuilleton télé. Journaliste télé*, de télévision.

HOM. 2. Télé.

2. TÉLÉ [tele] n. m. — xxᵉ; abréviation.

♦ 1. Vx. Télégramme.

(...) je n'ai pas une minute à perdre. Le télé de Mora peut arriver d'un instant à l'autre.   B. CENDRARS, Moravagine, *in* Œ. compl., t. IV, p.146 (1926).

♦ 2. (1936, *in* D. D. L.). Téléobjectif.

HOM. 1. Télé.

TÉLÉ- Premier élément de mots didactiques et courants, du grec *têle* «loin».

♦ 1. Élément savant signifiant «au loin, à distance» (ex. *téléphone, télévision*). — Outre les comp. traités à l'ordre alphab., on rencontre de nombreux composés occasionnels. Ex. *Téléalarme*, n. f.; *téléanalyse*, n. f. «analyse et traitement (...) de données saisies par télédétection aérospatiale» (*Médias et Langage*, févr. 1981, p. 17); *téléconférence*, n. f. (*Médias et Langage*, déc. 1979); *téléconsultation*, n. f. (*Médias et Langage*); *télédéclenchement*, n. m. (*l'Express*, 2 juil. 1973, publ. p. 14); *télédiagnostic*, n. m. (1967, *in* P. Gilbert); *téléécriture* (ou *télé-écriture*), n. f. (*Médias et Langage*, déc. 1979, p. 5); *télégestion*, n. f. (1966, *in* P. Gilbert); *téléimprimerie*, n. f. (*Médias et Langage*); *téléjeu*, n. m. «jeu vidéo» (*l'Express*, 30 déc. 1978, p. 39).

Un grand nombre de formations en *télé-* sont archaïques, et relèvent de l'histoire des techniques. Ex. : *télégoniomètre*, n. m. (1890, Marzi, in *Année sc. et industr.* 1891, p. 145); *téléphonographe*, n. m.; *téléphonographie*, n. f. (1889, Marzi, in *Année sc. et industr.* 1890, p. 96); *téléphonoscope*, n. m. (1900, Robida, cit. 2 ci-dessous); *téléphote*, n. m. (1893, Robida, 1894, p. 69); *téléspectroscope*, n. m. (1873, Robida, 1874, p. 35); *téléthermomètre*, n. f. (1890, Robida, 1891, p. 112); *télétopographe*, n. m.; *télétopographie*, n. f. (1891, A. Martin, in *Année sc. et industr.* 1892, p. 438); *téléstéréoscope*, n. m. (1903, in *Rev. gén. des sc.*, nº 15, p. 797).

1   S'approchant du téléphonographe, encastré dans un des piliers de la grille, Barbe, s'annonça.   A. ROBIDA, le Vingtième Siècle, p. 7-8.

2   L'ancien télégraphe électrique (...) a été détrôné par le téléphone et ensuite par le téléphonoscope (...)
     L'ancien télégraphe permettait de comprendre à distance un correspondant ou un interlocuteur, le téléphone permettait de l'entendre. Le téléphonoscope permet en même temps de le voir. Que désirer de plus?
                                        A. ROBIDA, Le Vingtième Siècle, p. 54 (av. 1900).

REM. L'auteur de ce roman d'anticipation emploie aussi l'adj. *téléphonoscopique* (p. 10).

♦ 2. Élément tiré de *télévision* et signifiant «de télévision, par télévision». — REM. Cette valeur, attachée à la diffusion immense de la chose désignée, tend à l'emporter sur la valeur 1., dans la créativité lexicale contemporaine. Outre les composés traités ci-dessous à l'ordre alphabétique, on peut signaler de nombreuses formations. Dans certains comp., *télé-* a la valeur de «télécommunication» → Vidéo- (ex. *Télé-information*, n. f., *Sciences et Avenir*, mars 1981, p. 30).

Ⓐ (Choses). *Télécaméra*, n. f. (1956, *in* P. Gilbert); *téléconférence*, n. f. (*le Monde*, 15 août 1982, p. 10), *téléclub*, n. m. «club de téléspectateurs» (1966, *in* P. Gilbert); *télépolitique*, n. f. «politique par télévision» (*l'Express*, 1ᵉʳ avr. 1980, p. 82); *télérécepteur*, n. f. (vieilli; 1967; *in* P. Gilbert). ⇒ **Téléviseur, télé**; *téléthéâtre*, n. m. «théâtre télévisé» (1966). *Téléfilm**, n. m.

Ⓑ (Personnes). ⇒ **Téléaste, téléreporter, téléspectateur.** Cf. autres ex., comme *téléspeakerine*, n. f., *in* P. Gilbert.

♦ 3. Élément tiré de *téléphérique*. Ex. : *télébenne, -cabine, -siège*.

TÉLÉAFFICHAGE [teleafiʃaʒ] n. m. — 1949; de *télé-* (1.), et *affichage*.
Technique.

♦ 1. Vx. Transmission à distance au moyen d'une aiguille télécommandée qui reproduit sur un cadran des positions.

♦ 2. (1969). Mod. Affichage télécommandé (d'horaires, notamment dans les aéroports, les gares).

TÉLÉASTE [teleast] n. — 1963; de *télé-* (2.), d'après *cinéaste*.

♦ Rare. Réalisateur d'émissions de télévision.

TÉLÉBANDE [telebɑ̃d] n. f. — Mil. xxᵉ; de *télé-* (1.), et *bande*.

♦ Techn. Bande perforée pour les signaux de télégraphie rapide.

TÉLÉBENNE [teleben] n. f. — V. 1920; comp. hybride de *télé(férique)*, et *benne*. → Télé- (3.).

♦ Téléphérique à un seul câble et à plusieurs petites cabines; chacune de ces cabines. ⇒ aussi **Télésiège.**

TÉLÉCABINE [telekabin] n. f. — Mil. xxᵉ; de *télé-* (3.), et *cabine*.

♦ Télébenne. — Cabine de télébenne.

TÉLÉCINÉASTE [telesineast] n. — D. i.; de *télé-* (2.), et *cinéaste*.

♦ Rare. Cinéaste travaillant pour la télévision.

Dewald, qui rentrait justement du Maroc, dit à ce télécinéaste embêté : Vous pourriez peut-être demander à mon ex-femme de vous «speaker» votre dialogue. Elle est extraordinaire, mon ex.   Pierre NORD, Miss Péril jaune, p. 49.

TÉLÉCINÉMATOGRAPHIE [telesinematografi] ou (plus cour.) TÉLÉCINÉMA [telesinema] n. m. — 1935, in *Encyclopédie française*; de *télé-* (2.), et *cinéma*.

♦ Appareil servant à transmettre par télévision un film de cinéma; service de projection et de transmission des films, à la télévision.

TÉLÉCLINOMÈTRE [teleklinɔmɛtʀ] n. m. — Mil. xxᵉ; de *télé-* (1.), et *clinomètre*.

♦ Techn. Appareil qui mesure et transmet à distance l'inclinaison et la déviation, dans un sondage minier.

TÉLÉCOMMANDE [telekɔmɑ̃d] n. f. — 1945, in *Dict. militaire angl.-franç.*; de *télé-* (1.), et *commande*.

♦ Commande à distance d'un mécanisme, par un procédé mécanique, radio-électrique, etc.; ce procédé. ⇒ **Télémécanique.** *Télécommande des aiguillages, des machines-outils, des véhicules, des avions* (⇒ **Téléguidage**), *d'un canon* (télépointage). — *Télécommande par servomécanisme.* — *L'équipement assurant cette transmission. Antenne de télécommande.*

DÉR. Télécommander.

TÉLÉCOMMANDER [telekɔmɑ̃de] v. tr. — 1945; de *télécommande*.

♦ 1. Commander à distance (une opération). *Télécommander la mise à feu d'une fusée.*

♦ 2. (1967). Fig. Inspirer une action, déterminer (qqn) à accomplir une action, d'une manière occulte. ⇒ **Téléguider.** *La manœuvre a été télécommandée de l'étranger.* — *Télécommander quelqu'un.*

L'attaché militaire de Nasser, un certain Loufti, télécommande lui-même les rebelles algériens.   Philippe BERNERT, S. D. E. C. E. Service 7, p. 155.

▶ TÉLÉCOMMANDÉ, ÉE p. p. et adj. Commandé à distance. *Avions, projectiles télécommandés.* ⇒ **Téléguidé, télépiloté.** *Aiguillages télécommandés.* — *Attentat télécommandé.*

TÉLÉCOMMUNICATION [telekɔmynikasjɔ̃] n. f. — 1904; comp. de *télé-* (1.), et *communication*.

♦ Ensemble des procédés de transmission d'informations à distance (optiques, radio-électriques, etc.). ⇒ **Radiocommunication, signal** (infra cit. 3), **télégraphe, téléphone, télévision**; **émetteur, récepteur.** *Ministère des Postes et des Télécommunications. Télécommunica-*

tion en duplex*, en multiplex*. Réseau de télécommunications. Satellite artificiel utilisé comme relais en télécommunications.

Aujourd'hui, tous les moyens, publics et privés, de télécommunications, sont mis en œuvre par les entreprises de presse. Dans les cas complexes, il peut être fait appel à un grand nombre de relais pour transmettre une seule communication.
Philippe GAILLARD, Technique du journalisme, p. 38.

REM. On trouve aussi *télécommunicant*, n. m. (*l'Express*, 13 oct. 1979).

TÉLÉCOPIE [telekɔpi] n. f. — 1973; de *télé-* (1.), et *copie*.

♦ Didact. Procédé de télégraphie analogique consistant à émettre l'analyse de la surface d'un document et à produire à la réception, sur un support d'enregistrement, un document géométriquement semblable à l'original. *Télécopie contrastée* (deux niveaux de densité optique), *nuancée*.

REM. Ce terme est recommandé pour désigner l'ensemble des techniques connues sous le nom de *télégraphie fac-similé* et de *phototélégraphie*.

Télécopie : télécommunication ayant pour objet la reproduction à distance d'un document graphique sous la forme d'un autre document graphique géométriquement semblable à l'original.
Journal Officiel, 24 juin 1982, *in* le Monde, 15 août 1982, p. 10.

DÉR. Télécopier, télécopieur.

TÉLÉCOPIER [telekɔpje] v. tr. — 1973; de *télécopie*.

♦ Didact. Transmettre par télécopie (une information).

TÉLÉCOPIEUR [telekɔpjœʀ] n. m. — V. 1973; de *télécopie*.

♦ Didact. Ensemble qui permet la télécopie.

L'édition à distance des journaux dans des imprimeries décentralisées, d'ores et déjà pratiquée, se généralisera (...) Le choix du support résultera moins de la technique que des tarifs. À terme, son véritable concurrent sera l'édition à domicile chez les lecteurs. Le journal sortira d'un télécopieur ou s'inscrira sur le téléviseur (...) S. NORA et A. MINC, l'Informatisation de la société, p. 25.

TÉLÉCRAN [telekʀɑ̃] n. m. — 1956; de *télé-* (2.), et *écran*.

♦ Techn. Écran de télévision pour une grande salle.

TÉLÉDÉTECTION [teledetɛksjɔ̃] n. f. — V. 1960; de *télé-* (1.), et *détection*.

♦ Didact. Science et technique de la détection à distance. *« La télédétection (...) va plus loin que la simple photographie, aérienne ou spatiale. À la fois science et technique, la télédétection est basée sur les propriétés de rayonnement de la matière »* (*la Recherche*, nov. 1973, p. 992). — *Télédétection aérospatiale*, dans laquelle la saisie des données s'effectue à partir d'appareillages embarqués sur des véhicules aériens ou spatiaux.

TÉLÉDIAPHONIE [teledjafɔni] n. f. — Mil. xxᵉ; de *télé-* (1.), *dia-*, et *-phonie*.

♦ Techn. Mélange des sons transmis, aux extrémités d'un circuit téléphonique.

TÉLÉDICTAGE [teledikta3] n. m. — 1973; de *télé-* (1.), et *dicter*.

♦ Techn. Mode de transmission par ondes courtes vers des centres éloignés d'informations dictées, destinées à la presse locale écrite ou parlée. — On emploie aussi *télédicté*, adj., dans *bulletin télédicté*. → Dépêche.

TÉLÉDIFFUSER [teledifyze] v. tr. — V. 1960; de *télé-* (2.), et *diffuser*, d'après *radiodiffuser*.

♦ Techn. Diffuser par la télévision. ⇒ **Téléviser**.

▶ **TÉLÉDIFFUSÉ, ÉE** p. p. adj. (plus courant).
Diffusé par la télévision.

(...) une organisation autonome résumant (...) les données culturelles et artistiques de la société dans l'universalité typique du programme télédiffusé (...)
Jean CAZENEUVE, Sociologie de la radio-télévision, p. 9.

TÉLÉDIFFUSION [teledifyzjɔ̃] n. f. — V. 1960; de *télé(vision)*, et *diffusion*, d'après *radiodiffusion*.

♦ Techn. Diffusion par télévision. *Film en cours de télédiffusion.*

(...) un effort commun, au niveau de l'Europe, est essentiel pour pouvoir rivaliser un jour — en particulier dans le domaine essentiel des télécommunications et la télédiffusion par satellites — avec les deux grands de l'Espace.
Ingénieurs et Techniciens, nᵒ 200, p. 45.

TÉLÉDISTRIBUTION [teledistʀibysjɔ̃] n. f. — V. 1960; de *télé-* (2.), et *distribution*.

♦ Techn. Procédé de diffusion de programmes télévisés par câbles ou relais hertziens, utilisé pour la retransmission d'enregistrements vidéo en circuit fermé à l'intention d'un réseau d'abonnés, de plusieurs salles de projection, etc. ⇒ **Câblodistribution** (Canada). *Télédistribution avec voie de retour vidéo ou télévision interactive.*

TÉLÉDYNAMIE [teledinami] n. f. — 1923; de *télédynamique*.

♦ Techn. Transmission de la force à distance (spécialt de la force électrique).

TÉLÉDYNAMIQUE [teledinamik] adj. — 1875, *in* Littré, *Suppl.*, *câble télédynamique; télo-*, en 1868; de *télé-* (1.), et *dynamique*, du grec *dunamis* «force».

♦ Techn. Qui transmet une force à distance.

DÉR. Télédynamie.

TÉLÉÉCRITURE [teleekʀityʀ] n. f. — 1982; de *télé-*, et *écriture*.

♦ Didact. et rare. Télécommunication de messages écrits (mot proposé pour remplacer l'angl. *telewriting; Journ. off.*, 24 juin 1982).

TÉLÉENSEIGNEMENT ou **TÉLÉ-ENSEIGNEMENT** [teleɑ̃sɛɲmɑ̃] n. m. — V. 1960; de *télé-* (2.), et *enseignement*.

♦ Techn. Mode d'enseignement utilisant le support de la télévision.

TÉLÉFÉRAGE [telefeʀa3] n. m., **TÉLÉFÉRIQUE** [telefeʀik] n. m. ⇒ **Téléphérage, téléphérique**.

TÉLÉFILM [telefilm] n. m. — V. 1965; de *télé-* (2.), et *film*.

♦ Film tourné spécialement pour la télévision, en tenant compte de la dimension réduite de l'écran et en respectant des normes budgétaires. *« En l'espace de deux ans, une vingtaine de téléfilms ont été réalisés... »* (*l'Express*, 14 févr. 1981, p. 11).

Dewald, qui venait de tourner son premier assez grand rôle dans un téléfilm, au Maroc. Pierre NORD, Miss Péril jaune, p. 46.

TÉLÉGA [telega] n. f. ⇒ **Télègue**.

TÉLÉGÉNIE [teleʒeni] n. f. — V. 1965; de *télégénique*.

♦ Techn. Qualité de quelqu'un qui est télégénique.

TÉLÉGÉNIQUE [teleʒenik] adj. — 1961; de *télé-* (2.), d'après *photogénique*.

♦ Techn. Qui fait bel effet, qui est flatté à la télévision. *Un chanteur télégénique. « Ceux qui ont rendu télégéniques le Jean Lecanuet de 1965 et le Michel Rocard de 1978 »* (*l'Express*, 20 sept. 1980, p. 15).

DÉR. Télégénie.

TÉLÉGESTION [teleʒɛstjɔ̃] n. f. — 1966; de *télé-* (1.), et *gestion*.

♦ Techn. Mode de traitement des informations à distance au moyen d'un système de téléinformatique. ⇒ **Télétraitement**.

TÉLÉGONIE [telegɔni] n. f. — 1893; de *télé-* (1.), et du grec *gonê* «génération».

♦ Biol. ⇒ **Imprégnation** (cit. 2).

DÉR. Télégonique.

TÉLÉGONIQUE [telegɔnik] adj. — 1903, *in Rev. gén. des sc.*, nᵒ 10, p. 580; de *télégonie*.

♦ Biol. De la télégonie.

TÉLÉGRAMME [telegʀam] n. m. — 1859; de *télé-* (1.), et *-gramme*.

♦ Communication, dépêche transmise par le télégraphe* ou par radiotélégraphie (⇒ 1. **Radio** (1.), **sans-fil**), et par ext., par téléphone; contenu de cette communication; feuille sur laquelle elle est inscrite. ⇒ **Bleu** (II., B., 9.), **câblogramme** (abrév. : *câble*), **dépêche** (→ Répondre, cit. 12; sentiment, cit. 23). *Formules* (cit. 20) *utilisées dans les télégrammes.* ⇒ aussi **Stop**. *Télégrammes urgents, télégrammes de presse. Télégramme météorologique. — Télégramme en clair; chiffré.*

(...) je lui envoyai (*à Albertine*) un télégramme désespéré lui demandant de revenir

à n'importe quelles conditions (...) Elle ne revint jamais. Mon télégramme venait de partir que j'en reçus un. Il était de Mme Bontemps.
PROUST, la Fugitive, Pl., t. III, p. 476.

2   L'opérateur de T.S.F. nous remit enfin un télégramme : deux pylônes, plantés dans le sable, nous reliaient une fois par semaine à ce monde (...)
SAINT-EXUPÉRY, Courrier Sud, I.

TÉLÉGRAPHE [telegʀaf] n. m. — 1792, Miot de Mélito, qui incita Chappe à changer le nom de son *tachygraphe*; de *télé-* (1.), et *-graphe*.

◆ **1.** Appareil permettant de communiquer à distance.

ⓐ *Télégraphe aérien, télégraphe de Chappe* : appareil transmettant des signaux par une combinaison de bras mobiles. ⇒ aussi **Sémaphore, signalisation.** — Par anal. Se dit d'un instrument de menuiserie, de supports mobiles (à bras articulés).

1   Sa parole était brève, et ses gestes avaient quelque chose des mouvements saccadés d'un télégraphe.   BALZAC, la Maison du Chat-qui-pelote, Pl., t. I, p. 26.
(1872). Loc. Vieilli. *Faire le télégraphe* : gesticuler.

ⓑ (1842). *Télégraphe électrique, télégraphe de Morse* (⇒ 2. **Morse**). Système de transmission par une ligne électrique, où l'information (paroles, sons, bruits, etc.) est transformée en signaux* électriques par modulation; à la réception les signaux sont enregistrés et traduits par des organes appropriés (⇒ **Émetteur, manipulateur, récepteur, relais, transmetteur**). *Ligne**; *fils, isolateurs, poteaux* (cit. 3) *du télégraphe. Dépêche envoyée par télégraphe.* ⇒ **Télégramme.** — *Télégraphe sous-marin.* — (1904, in *Rev. gén. des sc.*, n° 4, p. 167). *Télégraphe imprimeur.* ⇒ **Téléscripteur, télétype.** — REM. Le mot ne s'emploie pas en parlant de la T.S.F.

2   De son mémoire du 25 septembre 1820, il *(Arago)* avait indiqué que les actions électrodynamiques devaient permettre la réalisation du télégraphe électrique et il avait énoncé les principes qui, appliqués sous une forme plus simple, ont servi plus tard à réaliser effectivement ce mode de transport de la pensée à distance dont le rôle a été si grand dans toute la vie du monde moderne.
L. DE BROGLIE, Physique et Microphysique, p. 249.

◆ **2.** (Fin XIXe). Vx. Organisation (en France, administration publique) qui se charge de la transmission des messages par télégraphie. *Les employés du télégraphe. Bureau de télégraphe.* ⇒ **Poste.** Par ext. *Aller au télégrahe.*

DÉR. Télégraphie, télégraphique, télégraphiste.

TÉLÉGRAPHIE [telegʀafi] n. f. — 1801, in D.D.L.; de *télégraphe.*

◆ **1.** Vx. Construction et mise en œuvre des télégraphes aériens.

◆ **2.** Ensemble des procédés et des techniques de transmission à distance au moyen de signaux conventionnels. *Télégraphie optique* (signalisation optique, lumineuse. ⇒ **Héliographe**), *aérienne* (⇒ **Télégraphe**, 1., a).

◆ **3.** Spécialt. Technique, science de la transmission par télégraphe* électrique. ⇒ **Communication, émission, transmission.** *Le principe de base de la télégraphie est l'interruption et le rétablissement du courant électrique* (⇒ **Détecteur**). *Alphabet** *utilisé en télégraphie.* ⇒ 2. **Morse.** *Télégraphie en multiplex**.

1   Après tout, la cause de mon peu de curiosité est-elle due à l'abondance de la télégraphie, qui donne aux épanchements impériaux un style trop nègre?
Ed. et J. DE GONCOURT, Journal, 11 mai 1871, t. IV, p. 234.
2   Le bombardement de Zenagna et de Figuig s'effectue par dépêches, savamment pointées, coup sur coup, sur (...) le public parisien. La télégraphie est le bombardement moderne.
A. JARRY, Gestes, La légende de Figuig, Œ. compl., t. VII, p. 76.

◆ **4.** (1884, attestation de *télégraphier sans fil*, in *Année sc. et industr.* 1885, p. 80). Vx ou admin. **TÉLÉGRAPHIE SANS FIL.** ⇒ **Radiotélégraphie, sans-fil, T.S.F.**

◆ **5.** (1876). Vx. Gesticulation.

DÉR. Télégraphier.
COMP. Radiotélégraphie.

TÉLÉGRAPHIER [telegʀafje] v. tr. — 1842; de *télégraphie.*

◆ **1.** Transmettre par télégraphe. *Télégraphier une dépêche, un message, des signaux en morse.* — Absolt. *Le chef radio télégraphiait aux naufragés* (cit. 2). ⇒ **Câbler.**

◆ **2.** (1872, Littré). Envoyer (une nouvelle, un texte) par télégramme*. *Télégraphier une nouvelle à un ami.* Absolt. Envoyer un télégramme. *Il faut lui télégraphier.*

▶ **TÉLÉGRAPHIÉ, ÉE** p. p. adj. *Message télégraphié.* ⇒ **Télégramme.**

TÉLÉGRAPHIQUE [telegʀafik] adj. — 1798; de *télégraphe.*

◆ **1.** Du télégraphe. *Ligne, réseau télégraphique; fils* (cit. 25), *poteaux* (cit. 3) *télégraphiques* (→ Route, cit. 2). *Alphabet, code télégraphique. Dictionnaire télégraphique* (dans la marine).

◆ **2.** (1800). Expédié par télégraphe ou sous forme de télégramme*.

Dépêche, message; mandat, versement (→ Devise, cit. 5); *correspondance, réponse télégraphique.*

◆ **3.** (1844). Digne du télégraphe. *Une vitesse plus que télégraphique* (→ Propager, cit. 2, Balzac). — (1923). *Formule, langage, style télégraphique,* abrégé* comme dans les télégrammes.

DÉR. Télégraphiquement.

TÉLÉGRAPHIQUEMENT [telegʀafikmɑ̃] adv. — 1829; de *télégraphique.*

◆ Par télégraphie; par télégramme. *Prévenir qqn télégraphiquement.*

L'option avait été aussitôt levée télégraphiquement, à la grande stupeur de la Marine militaire (...)   Roger VERCEL, Remorques, p. 27.

TÉLÉGRAPHISTE [telegʀafist] n. — 1801; de *télégraphe.*

◆ **1.** Spécialiste de la transmission et de la réception des messages par télégraphe électrique ou sans fil *(radiotélégraphiste).*

◆ **2.** (Déb. XXe; 1920, Proust). Personne qui délivre les télégrammes et autres messages urgents (pneumatiques [cit. 4], dépêches...). ⇒ **Porteur** (de dépêches). *Le petit télégraphiste.* — Adj. *Facteur télégraphiste.*

TÉLÈGUE [telɛg] n. f. — 1876; *télèque,* n. m., 1826; *téléga,* 1812, Damaz de Raymond, in D.D.L.; *telegua,* 1859, Gautier; *telega,* mot russe.

◆ Charrette à quatre roues, utilisée en Russie. — On trouve aussi la var. *téléga.*

1   Nous traversons une plaine inondée, puis entrons sous bois. Je me laisse transporter par cette mauvaise téléga qui tressaute sur les racines et que le vent fait chavirer.   B. CENDRARS, Moravagine, in Œ. compl., t. IV, p. 151.
2   La télègue n'est qu'un véritable chariot découvert, à quatre roues, dans la confection duquel il n'entre absolument que du bois. Roues, essieux, chevilles, caisse, brancards, les arbres du voisinage ont tout fourni, et l'ajustement des diverses pièces dont la télègue se compose n'est obtenu qu'au moyen de cordes grossières. Rien de plus primitif, rien de moins confortable, mais aussi rien de plus facile à réparer, si quelque accident se produit en route.
J. VERNE, Michel Strogoff, p. 119-120.

TÉLÉGUIDAGE [telegidaʒ] n. m. — 1949, in *Larousse Universel;* de *télé-* (1.), et *guidage.*

◆ Techn. Ensemble des procédés de guidage à distance d'un engin (avion, automobile, navire, fusée, char d'assaut...), sans intervention d'un pilote. ⇒ **Pilotage, télécommande.**

DÉR. Téléguider.

TÉLÉGUIDER [telegide] v. tr. — 1947, in *l'Aurore* (D.D.L.); de *téléguid(age).*

◆ **1.** Diriger par téléguidage. *Téléguider une fusée.*

◆ **2.** (V. 1965). Fig. Diriger de loin, parfois de façon occulte. «*Avant de se faire téléguider, déborder, escamoter* (...), *ils* (certains jeunes) *ont eu le temps de mettre en accusation cette société de faux besoins...* » (*le Monde,* 26 juin 1968). ⇒ **Télécommander.**

▶ **TÉLÉGUIDÉ, ÉE** p. p. adj. (Av. 1964).

◆ **1.** *Char, avion téléguidé. Fusées téléguidées.*

◆ **2.** Fig. Inspiré et conduit par une influence lointaine, occulte. → Télécommandé. *Une opération politique téléguidée.* — N. « *Une bande d'excités, un véritable commando puant le téléguidé* » (*le Nouvel Obs.,* 2 mars 1981, p. 8).

TÉLÉIMPRIMÉ, ÉE [teleɛ̃pʀime] adj. — Mil. XXe; de *télé-* (1.), et *imprimé.*

◆ Techn. Transmis par téléimprimeur.

TÉLÉIMPRIMEUR [teleɛ̃pʀimœʀ] n. m. — 1948; de *télé-* (1.), et *imprimeur.*

◆ Techn. Appareil télégraphique qui permet l'envoi direct d'un texte par clavier dactylographique et son inscription au poste de réception. ⇒ **Téléscripteur, télétype, télex.**

Depuis les années 1950, un procédé astucieux où le support du jeu de caractère est un cylindre avait été mis au point pour les téléimprimeurs tels que le célèbre Télétype.   la Recherche, juin 1981, p. 700.

TÉLÉINFORMATIQUE [teleɛ̃fɔʀmatik] n. f. et adj. — 1968, *le Figaro*; de *télé-* (1.), et *informatique.*

◆ Inform. «Association de techniques des télécommunications et de l'informatique en vue du traitement automatique à distance d'informations.» (Voc. de la télématique, in *le Monde,* 15 août 1982,

p. 10). ⇒ **Télécommunication, télématique, télétraitement.** *« Pour garantir la cohérence d'ensemble du fonctionnement de l'entreprise, il suffit* (au système de gestion) *de recevoir de l'ordinateur central par télé-informatique* (sic) *la valeur actualisée de quelques grands paramètres généraux et de remonter en retour, sous la forme de quelques grands agrégats, le bilan de son activité »* (le Monde, 19 sept. 1978, p. 39). — Adj. *Une unité de recherche téléinformatique.*

REM. On écrit aussi *télé-informatique.*

TÉLÉJAUGEAGE [teleʒɔʒaʒ] n. m. — Mil. xxᵉ; de *télé-* (1.), et *jaugeage.*

♦ Techn. Dispositif de jaugeage à distance par transmetteur.

TÉLÉKINÉSIE [telekinezi] n. f. — 1893; de *télé-* (1.), et grec *kinesis* « mouvement ».

♦ Didact. Mouvement d'objet sans contact.

Le mot télékinésie, récemment tiré de deux mots grecs signifiant « de loin » et « mouvement », correspond exactement à l'idée qui forme le fonds de cette étude : c'est-à-dire qu'il implique la notion de mouvement à distance, de mouvement sans contact mécanique (...) Annales des sciences psychiques, Recueil d'observations et d'expériences, 3, p. 370 (1893).

DÉR. Télékinétique.

TÉLÉKINÉTIQUE [telekinetik] adj. — 1892; de *télékinésie.*

♦ Didact. Relatif à la télékinésie. *Des mouvements télékinétiques.*

TÉLÉMAINTENANCE [telemɛ̃tnɑ̃s] n. f. — V. 1970; de *télé-* (1.), et *maintenance.*

♦ Techn. Maintenance à distance d'un véhicule spatial au moyen de liaisons de télémesure et de télécommande.

TÉLÉMANIPULATEUR [telemanipylatœʀ] n. m. — Mil. xxᵉ (*in* Larousse, 1968); de *télé-* (1.), et *manipulateur.*

♦ Techn. Dispositif permettant de manipuler derrière un écran de protection des substances radioactives. — Par ext. Dispositif permettant de manipuler des produits non directement accessibles à l'homme. *Utilisation de télémanipulateurs dans les recherches pétrolières sous-marines. Télémanipulateur spatial. « Le robot "Tim" (...) cela veut dire "télémanipulateur d'intervention et de maintenance" »* (*Sciences et Avenir*, avr. 1981, p. 32).

TÉLÉMANIPULATION [telemanipylasjɔ̃] n. f. — 1974; de *télé-* (1.), et *manipulation.*

♦ Techn. Manipulation à distance (de substances radioactives, d'outillage sous-marin, etc.). *Télémanipulation atomique, spatiale, sous-marine.* ⇒ **Télémanipulateur.**

TÉLÉMARK [telemaʀk] n. m. — 1896; nom d'une localité de Norvège.

♦ Ski. Vx. Virage accompli en fente avant prononcée (presque un genou au sol).

(...) Lionel de Roulet qui avait passé son enfance dans les Alpes, qui connaissait tous les secrets du télémark et du christiania, avait entraîné ma sœur, Gégé et d'autres amis à Val d'Isère (...) S. DE BEAUVOIR, la Force de l'âge, p. 214.

REM. Le terme, sorti de la terminologie du ski, n'est plus usité que dans des contextes se référant à l'évolution des techniques dans ce sport.

TÉLÉMATIQUE [telematik] n. f. — 1977; de *télé(communications)*, et *(infor)matique*, d'après l'amér. *compunication*, de *computer* « ordinateur », et *communication.*

♦ Inform. Association entre l'informatique et les réseaux de transmission grâce à l'utilisation d'ordinateurs de petite taille reliés entre eux, en mettant l'accent sur les télécommunications. — REM. Ce terme est plus spécifique que *téléinformatique**.

(*L'*)imbrication croissante des ordinateurs et des télécommunications — que nous appellerons la « télématique » — ouvre un horizon radicalement neuf. Ce n'est certes pas d'hier que les moyens de communications structurent les communautés : routes, chemins de fer, électricité, autant d'étapes d'une organisation familiale, locale, nationale, multinationale.
La « télématique », à la différence de l'électricité ne véhiculera pas un courant inerte, mais de l'information, c'est-à-dire du pouvoir.
S. NORA et A. MINC, l'Informatisation de la société, p. 11 (1977).

Spécialt. Services, autres que télégraphiques et téléphoniques, fournis par un réseau de télécommunications (télétex, vidéographie, télécopie, téléalarme...).

Adj. *« La mise en œuvre des services télématiques à l'usage de la population* (en France) *dès 1964 »* (la Recherche, avr. 1981, p. 506).

TÉLÉMÉCANICIEN [telemekanisjɛ̃] n. m. — V. 1910; de *télémécanique.*

♦ Techn., sc. Rare. Spécialiste de télémécanique.

TÉLÉMÉCANIQUE [telemekanik] n. f. — 1905; de *télé-* (1.), et *mécanique.*

♦ Sc. Rare. Transmission à distance de l'énergie, du mouvement, par télégraphie sans fil (Branly), et, par ext., par tout autre procédé.

DÉR. Télémécanicien.

TÉLÉMESURE [telem(ə)zyʀ] n. f. — 1949; de *télé-* (1.), et *mesure.*

♦ Techn. Procédé permettant de lire à distance l'indication d'un appareil de mesure. *Télémesure de maintenance.* — Par ext. Mesures ainsi communiquées. *« Émetteurs de télémesure »* (*Ingénieurs et Techniciens*, nᵒ 200, p. 27).

À l'hôpital de la base aérienne Andrews, dans le Maryland, les malades qui se remettent d'une crise cardiaque sont munis de postes émetteurs à modulation de fréquence qui transmettent sans arrêt des indications sur l'état de leur cœur à un tableau central constamment surveillé. Ces émetteurs dérivent d'émetteurs de télémesures, conçus à l'origine pour les vols spatiaux. Ce n'est là qu'une des nombreuses contributions que l'envoi d'hommes dans l'espace a apporté à la médecine clinique terrestre. Science et Vie, nᵒ 592, p. 59.

TÉLÉMÉTACARPALIEN, IENNE [telemetakaʀpaljɛ̃, jɛn] adj. et n. m. — Mil. xxᵉ; *télémétacarpien*, *in* Larousse, 1923; de *télé-* (1.), *métacarpe*, et suff. zool. *-alien.*

♦ Zool. Se dit des mammifères dont les os du carpe sont éloignés des phalanges. — N. m. pl. *Les télémétacarpaliens.*

TÉLÉMÈTRE [telemɛtʀ] n. m. — 1836; de *télé-* (1.), et *-mètre.*

♦ Appareil de mesure des distances par procédés optiques (par mise au point de l'image d'un objet sur dépoli), acoustiques ou radioélectriques. *Télémètre d'artillerie, de marine. « Télémètre de tourelle..., de blockhaus »* (Farrère, *la Bataille*, p. 227). — Photogr. *Télémètre couplé* (à l'objectif). — Par anal. *Télémètre à laser.*

DÉR. Télémétrer, télémétreur, télémétrie.

TÉLÉMÉTRER [telemetʀe] v. — xxᵉ; de *télémètre.*

♦ Techn. Pointer, viser grâce au télémètre.

Moi, j'étais à la mitraille (mitrailleuse) et j'avais repéré le truc (...) J'ai télémétré, j'ai pointé une Sainte-Étienne, et j'ai attendu. Roger VERCEL, Capitaine Conan, I, p. 30 (1934).

TÉLÉMÉTREUR [telemetʀœʀ] n. m. — 1923; de *télémètre.*

♦ Techn. Celui qui mesure des distances au télémètre; spécialiste des mesures au télémètre. — Adj. *Pointeur télémétreur.*
REM. Le fém. *télémétreuse* est virtuel.

TÉLÉMÉTRIE [telemetʀi] n. f. — 1842; de *télémètre.*

♦ Techn. Mesure des distances par procédé optique.

DÉR. Télémétrique.

TÉLÉMÉTRIQUE [telemetʀik] adj. — 1836; de *télémétrie.*

♦ Techn. Du télémètre, de la télémétrie. *Mesures, distances télémétriques.*

TÉLENCÉPHALE [telɑ̃sefal] n. m. — 1904; du grec *tel(os)* « fin », et *encéphale.*

♦ Anat. Partie du cerveau qui provient de la vésicule cérébrale antérieure de l'embryon, formée par les deux hémisphères cérébraux. — REM. Le dér. *télencéphalisation*, n. f., est attesté.

Au cours de l'évolution, une différenciation des tissus nerveux préexistants a tendu vers un épaississement et un développement général (mais surtout vers l'avant et vers le haut) du cerveau, dont le néo-cortex a progressivement recouvert les anciennes formations en même temps que nombre de fonctions (affectives, motrices, psychiques, générales) émigraient en s'affinant vers les couches supérieures (phénomène de *télencéphalisation*). Pierre GRAPIN, l'Anthropologie criminelle, p. 118-119.

TÉLÉNOMIE [telenɔmi] n. f. ⇒ **Téléonomie.**

TÉLÉO-, TÉLO- Éléments, du grec *teleos, telos* « fin, but », et *teleios* « complet, achevé ».

TÉLÉOBJECTIF [teleɔbʒektif] n. m. — 1903, in Rev. gén. des sc., nᵒ 9, p. 476, écrit *télé-objectif;* de *télé-* (1.), et *objectif.*

♦ Photogr., cin. Objectif photographique à longue focale et de faible ouverture, capable d'agrandir l'image et de photographier des objets éloignés. ⇒ **Téléphotographie** (2.). *Détail d'architecture pris au téléobjectif. Téléobjectif de 100 mm. Téléobjectif à zoom.* — Abrév. fam. *Un télé.*

TÉLÉOLOGIE [teleɔlɔʒi] n. f. — 1765, *Encyclopédie*; de *téléo-*, et *-logie*.

♦ **1.** Philos., didact. Étude de la finalité*. Science des fins de l'homme (théorie de la justice, du bonheur...). ⇒ **Téléonomie** ou **télénomie.**

♦ **2.** Doctrine «qui considère le monde comme un système de rapports entre moyens et fins» (Lalande).

1   (...) l'exemple de Hegel est éclairant encore en ce sens qu'il nous permet de dissocier téléologie et finalité, du moins au sens des causes finales critiquées par Spinoza et par Bergson. Téléologie n'est pas finalité : les figures, dans la dialectique téléologique, ne sont pas des causes finales, mais des significations tirant leur sens du mouvement de totalisation qui les entraîne et les fait se dépasser en avant d'elles.
     P. RɪCŒUR, *Une interprétation philosophique de Freud, in* la Nef, n° 31, p. 125.

♦ **3.** (xxᵉ). Finalité.

2   La Cybernétique donne à l'homme un nouveau type de majorité, celle qui pénètre les relations de l'autorité se distribuant dans le corps social, et découvre, au delà de la maturité de la raison, celle de la réflexion qui donne, en plus de la liberté d'agir, le pouvoir de créer l'organisation en instituant la téléologie. Par là même, la finalité et l'organisation pouvant être rationnellement pensées et créées, puisqu'elles deviennent matières de techniques, ne sont plus des raisons dernières, supérieures, capables de tout justifier.
     Gilbert SɪMONDON, *Du mode d'existence des objets techniques*, p. 104.

DÉR. Téléologique.

TÉLÉOLOGIQUE [teleɔlɔʒik] adj. — 1812; de *téléologie.*

♦ Philos., didact. De la téléologie; qui constitue un rapport de finalité (→ Téléologie, cit. 1). *Argument, « preuve » téléologique de l'existence de Dieu.* ⇒ **Physico-théologique.**

TÉLÉONOMIE [teleɔnɔmi] ou TÉLÉNOMIE [telenɔmi] n. f. — 1970; de *télé(o)-*, et *-nomie* (→ -nome).

♦ Biol., philos. Étude des lois de la finalité. ⇒ **Téléologie.**

1   S'il est dans toute la nature un objet qui semble matérialiser une intention, un projet, une finalité enfin, ou, si l'on préfère d'user d'un terme plus savant et moins compromis, d'une «télénomie», c'est, à coup sûr, le germe, ce «comprimé d'avenir».
     Jean RɒSTAND, Réponse au Discours de réception à l'Académie française de M. E. Wolff, 19 octobre 1972 (*in* le Monde, 20 oct. 1972, p. 22).

2   Tout artefact est un produit de l'activité d'un être vivant qui exprime ainsi, et de façon particulièrement évidente, l'une des propriétés fondamentales qui caractérisent tous les êtres vivants sans exception : celle d'être des *objets doués d'un projet* qu'à la fois ils représentent dans leurs structures et accomplissent par leurs performances (telles que, par exemple, la création d'artefacts).
Plutôt que de refuser cette notion (ainsi que certains biologistes ont tenté de le faire), il est au contraire indispensable de la reconnaître comme essentielle à la définition même des êtres vivants. Nous dirons que ceux-ci se distinguent de toutes les autres structures de tous les systèmes présents dans l'univers, par cette propriété que nous appellerons la *téléonomie.*
     Jacques MɒNOD, le Hasard et la Nécessité, p. 25.

3   On s'est (...) rapidement aperçu de la possibilité de fournir une interprétation causale des processus finalisés et de trouver des «équivalents mécaniques» de la finalité» ou, comme on dit aujourd'hui, une «téléonomie» sans téléologie.
     J. PɪAGET, Épistémologie des sciences de l'homme, p. 324.

DÉR. Téléonomique.

TÉLÉONOMIQUE [teleɔnɔmik] adj. — 1970; de *téléonomie.*

♦ Biol., philos. Relatif à la téléonomie. *Structure téléonomique.*

Pour être plus précis, nous choisirons arbitrairement de définir le projet téléonomique essentiel comme consistant dans la transmission, d'une génération à l'autre, du contenu d'invariance caractéristique de l'espèce. Toutes les structures, toutes les performances, toutes les activités qui contribuent au succès du projet essentiel seront donc dites «téléonomiques».
     Jacques MɒNOD, le Hasard et la Nécessité, p. 30.

TÉLÉOPÉRATEUR [teleɔperatœr] n. m. — 1973; de *télé-* (1.), et *opérateur.*

♦ Techn. Véhicule tout terrain téléguidé, équipé de télémanipulateurs* et de caméras de télévision.

TÉLÉOSAURE [teleɔzɔr] n. m. — 1830; lat. sc. *teleosaurus,* Geoffroy Saint-Hilaire. → Téléo-, et -saure.

♦ Paléont. Reptile crocodilien fossile de l'ère secondaire.

TÉLÉOSTÉENS [teleɔsteɛ̃] n. m. pl. — 1873, *in* Littré, *Suppl.;* du lat. zool. *teleostei,* du grec *osteon* «os».

♦ Zool. Poissons osseux (les plus nombreux) dont le squelette est complet (à la différence des *Ganoïdes*). *Division traditionnelle des*

téléostéens (ordres). ⇒ **Acanthoptérygiens, anacanthiniens, lophobranches, physostomes, plectognathes.** — Au sing. *Un téléostéen.*

Les Téléostéens comprennent à eux seuls beaucoup plus d'espèces que tous les autres poissons réunis (...) Sauf chez quelques formes primitives, le squelette des Téléostéens est entièrement ossifié; les écailles sont minces, parfois absentes; la caudale est homocerque; les rayons des nageoires sont mous ou épineux (...)
     R. et M.-L. BᴀUCHOT, les Poissons, p. 68.

TÉLÉPATHE [telepat] n. et adj. — xxᵉ; de *télépathie.*

♦ Didact., littér. Personne qui a le sentiment d'une communication à distance extra-sensorielle. *Médiums et télépathes.*

TÉLÉPATHIE [telepati] n. f. — 1898; angl. *telepathy* (1882), d'après *télé-* (1.), et *-pathie.*

♦ Sentiment de communication à distance par la pensée; communication réelle extra-sensorielle. ⇒ **Occultisme, spiritisme, transmission** (de pensée); → Occulte, cit. 3, Maeterlinck; et aussi fluide, cit. 12.

DÉR. Télépathe, télépathique.

TÉLÉPATHIQUE [telepatik] adj. — 1891; de *télépathie.*

♦ Relatif à la télépathie.

1   (...) pour être équitable et avoir chance de voir la vérité, à moins d'admettre qu'elle ne soit jamais connue que par le pressentiment, par une émanation télépathique (...)
     PɾOUST, la Prisonnière, Pl., t. III, p. 368.

2   Mais l'homme peut se prolonger dans l'espace de façon plus positive encore. Au cours des phénomènes télépathiques, il projette instantanément au loin une partie de lui-même, une sorte d'émanation, qui va rejoindre un parent ou un ami.
     Alexis CᴀRREL, l'Homme, cet inconnu, VII, vɪɪ.

TÉLÉPHÉRAGE [teleferaʒ] n. m. — 1884, *in Année sc. et industr.* 1885, p. 155; angl. *telpherage* (1883); du grec *pherein* «porter». → Télé- (1.).

♦ Techn. Ensemble des procédés de transport par des véhicules suspendus et portés par des câbles aériens (cabines, bennes, wagonnets...). *Téléphérage des marchandises; des voyageurs* (⇒ **Télébenne, téléphérique;** et aussi **funiculaire**). *Téléphérage des bois en montagne.* ⇒ **Câblage.**

REM. On écrit parfois *téléférage.*

DÉR. Téléphérique.

TÉLÉPHÉRIQUE ou TÉLÉFÉRIQUE [teleferik] adj. et n. m. — 1923, *in Larousse universel;* fin xixᵉ, selon Dauzat; de *téléphérage.*

REM. L'orthographe hybride *téléférique* (1929) est la plus courante.

♦ **1.** Relatif au téléphérage. *Appareils, câbles téléphériques.* — N. m. (1924). Câble de transport par téléphérage.

♦ **2.** N. m. (V. 1930). Dispositif de transport par cabine suspendue à un câble, en montagne surtout. *Station, ligne de téléphérique, de téléférique. Ils ont pris le téléférique. Téléférique sous-marin.* ⇒ **Télescaphe.** — ⇒ aussi **Télébenne, télécabine, télésiège.**

COMP. (Du rad. *télé-* de ce mot) Télébenne, télésiège, téléski.

TÉLÉPHONAGE [telefɔnaʒ] n. m. — Déb. xxᵉ; de *téléphoner.*

♦ **1.** Rare. Le fait de téléphoner (on emploie surtout dans ce sens *appel* [téléphonique], *coup de téléphone, coup de fil*).

1   Bientôt, le silence de Saint-Loup se prolongeant, une anxiété secondaire — l'attente d'un télégramme, d'un téléphonage de Saint-Loup — masqua la première, l'inquiétude du résultat, savoir si Albertine reviendrait.
     PɾOUST, la Prisonnière, Pl., t. III, p. 45 (1922).

2   (...) le téléphone a sonné. C'était Ravuski (...) Le téléphonage a duré une demi-heure.   J. DɴTOURD, Pluche, XVI, p. 305.

♦ **2.** Techn. Transmission des télégrammes par téléphone.

TÉLÉPHONE [telefɔn] n. m. — 1809 (cit. 0.1); répandu v. 1880 (d'après l'angl.); de *télé-* (1.), et *-phone.*

♦ **1.** Vx. Dispositif destiné à transmettre les sons à distance. *Téléphone à ficelle* (jouet d'enfant).

0.1   Dans la troisième addition, Mr Huth recommande les porte-voix pour transmettre des nouvelles à des grandes distances au moyen de stations intermédiaires; un tel téléphone pourrait être utile, surtout quand, à cause du brouillard, etc..., on ne peut pas se servir des télégraphes.
     E. F. CɴLADNI, Traité d'acoustique, p. 289 (trad. de l'allemand, 1809).

REM. Les télégraphes mentionnés ici sont les télégraphes aériens du type inventé par Chappe.

♦ **2.** (*Telephon* en all., 1861, Reis, «téléphone magnétique»; l'emploi mod. est repris au mot angl.; *téléphone*, 1876, Bell). Instrument, appareil qui permet de transmettre à distance les sons, par l'intermédiaire d'un dispositif approprié (membrane vibrante ⇒ **Microphone**), suivi d'un circuit électrique et d'un récepteur. ⇒ **Trans-**

metteur. *La transmission de la parole par le téléphone exige une modulation, alors que le bruit, la musique sortent directement de l'aimant, à la réception.*

Ensemble des procédés et des dispositifs permettant la liaison d'un grand nombre de personnes au moyen de cet appareil (systèmes d'appel, d'interconnexion) ; réseau téléphonique. ⇒ **Central, ligne, standard.** *Téléphone manuel, automatique* (ellipt., *l'automatique*). *Service de téléphone interurbain*, régional*. Les abonnés du téléphone* : les usagers du réseau téléphonique, à titre personnel et à domicile. *Numéro de téléphone* : indicatif d'un abonné. *Annuaire du téléphone* : liste des abonnés.

(Ce moyen de communication). ⇒ fam. **Bigophone, bigorneau, biniou, grelot, tube.** *Ils n'ont pas encore le téléphone. Se faire installer le téléphone. Elle déteste le téléphone. Appeler* (→ Ligne, cit. 29) *qqn au téléphone* (⇒ **Appel** ; allô) ; *communiquer par téléphone.* ⇒ **Téléphoner ; téléphonage** (1.), **téléphonique** ; → *infra*, coup de téléphone. *Être au téléphone,* en liaison téléphonique. *Il a passé un quart d'heure au téléphone.* → A l'appareil*. *Ne le dérangez pas, il est au téléphone* (→ En ligne*). *Je l'ai eu au téléphone.* → Au bout du fil*. *Sonnerie du téléphone. Couper la communication au téléphone.* ⇒ **Raccrocher.**

1 Le téléphone n'était pas encore à cette époque d'un usage aussi courant qu'aujourd'hui. Et pourtant l'habitude met si peu de temps à dépouiller de leur mystère les forces sacrées avec lesquelles nous sommes en contact que, n'ayant pas eu ma communication immédiatement, la seule pensée que j'eus, ce fut que c'était bien long, bien incommode (...) les Toutes-Puissantes par qui les absents surgissent à notre côté (...) les servantes toujours irritées du Mystère, les ombrageuses prêtresses de l'Invisible, les Demoiselles du téléphone !
PROUST, le Côté de Guermantes, Pl., t. II, p. 133. cf. Tout le passage.

1.1 Jacques sortit un bout de papier et y nota gravement le numéro de téléphone. Puis on se sépara. Et Jacques s'éloigna bien décidé : jamais il ne ferait par sept fois subir au cadran d'un automatique les rotations d'amplitudes diverses correspondant aux trois lettres et aux quatre chiffres de l'appel indiqué.
R. QUENEAU, Loin de Rueil, p. 143-144.

Loc. COUP DE TÉLÉPHONE : appel téléphonique ; communication téléphonique. Cf. fam. Coup de fil ; coup de biniou, de grelot, de tube... *Donner, passer un coup de téléphone. Ses coups de téléphone durent toujours des heures.*

2 Il faut que vous veniez me voir chez moi, monsieur. Bergamot vous donnera mon adresse, et mon numéro de téléphone (...) Le jour que vous voudrez : plutôt au début de l'après-midi. Un petit coup de téléphone avant, n'est-ce pas ?
J. ROMAINS, les Hommes de bonne volonté, t. XI, XIX, p. 193.

Spécialt (entre chefs d'États, etc.). *Téléphone rouge* : ligne téléphonique spéciale, réservée à des échanges d'informations militaires, politiques.

♦ **3.** (1876). *Un téléphone* : appareil, poste téléphonique, d'abord constitué d'un microphone fixe et d'un système d'écouteurs*, puis d'un combiné microphone-récepteur (partie mobile. ⇒ **Récepteur)** qui repose sur un support. ⇒ **Appareil.** *Téléphone de campagne* (milit.). *Téléphone automatique* (ou n. m. *un automatique* ; → *supra*, cit. 1.1). *Téléphone à cadran mobile. Téléphone à touches.* — (Av. 1900, Robida, *le XXᵉ siècle,* p. 52). *Téléphone public.* ⇒ **Taxiphone.** *Cabine, jeton de téléphone.*

♦ **4.** (Généralt au plur.). Organisation ou service qui assure les liaisons téléphoniques. *L'administration des téléphones.* ⇒ **Télécommunication.** Ancienn. *Postes*, Télégraphes et Téléphones* (P. T. T. ; ⇒ **Poste**).

♦ **5.** (1967, *le Nouveau Candide,* 2 janv. 1967, p. 48). Fig. *Téléphone arabe ; téléphone kabyle ; téléphone de brousse* : transmission rapide des nouvelles par des relais de messagers ou d'informateurs.

Loc. *Jeu du téléphone,* où chaque joueur transmet oralement une phrase au suivant, qui la tansmet à son tour, la phrase se déformant peu à peu.

3 Au lieu de symboliser un contenu, un modèle « réalise » une structure. Le terme de structure a cette définition, claire et distincte et pas d'autre. On ne peut comprendre les délires qu'il engendre que par le jeu du téléphone qui dégrade progressivement les connaissances par ouï-dire.
Michel SERRES, Hermès I, la Communication, p. 32.

DÉR. Téléphoner, téléphonie, téléphonique, téléphoniste.
COMP. Cache-téléphone.

TÉLÉPHONER [telefɔne] v. — 1885 ; de *téléphone.*

★ **I.** V. tr. ♦ **1.** Communiquer, transmettre par téléphone. *Téléphoner à qqn.* ⇒ **Appeler** (I., 2.) ; **rappeler.** *Téléphoner une nouvelle à un ami. Téléphone-lui de venir* (→ Non, cit. 27), *qu'il vienne.* — Au p. p. *Message téléphoné. Informations téléphonées.*

♦ **2.** (1937 ; adapt. de *télégraphier,* 1909, Petiot ; angl. *to telegraph*). Fig. (Sports ; 1909, *in* Petiot). Faire connaître, faire prévoir (un coup, une passe, une attaque) par une préparation trop visible. — Par ext. *Une manœuvre électorale téléphonée.*

1 (...) il peut imprimer au dernier moment à la balle une direction dont l'adversaire ne peut préjuger. En d'autres termes *il ne téléphone pas ses coups.*
Yvon PÉTRA, le Tennis, p. 19 (1958).

2 Tes crochets sont encore trop larges, trop « téléphonés ». Tu dois cogner plus court et plus sec.
J. CAU, la Pitié de Dieu, p. 242.

★ **II.** (XXᵉ). V. tr. ind. *Téléphoner à...* : se mettre, être en communication par téléphone avec. *Téléphoner à, chez quelqu'un* (→ Lazaret, cit. 2). ⇒ fam. **Bigophoner, tuber** ; cf. Donner, passer un coup de fil. *Téléphonez-moi demain.*

3 J'ai oublié de téléphoner à papa d'envoyer un hélicoptère au devant de nous.
A. ROBIDA, le Vingtième Siècle, p. 6 (av. 1900).

REM. Il s'agit d'un ouvrage d'anticipation.

★ **III.** V. intr. Se servir du téléphone ; communiquer par téléphone.

4 Il eût pu téléphoner, mais il n'avait téléphoné de sa vie, et d'ailleurs ignorait qu'on peut téléphoner dans tous les cafés. MONTHERLANT, les Célibataires, II, VI.

▶ **TÉLÉPHONÉ, ÉE** p. p. adj. Voir ci-dessus I.
DÉR. Téléphonage, téléphoneur.

TÉLÉPHONEUR, EUSE [telefɔnœr, øz] n. — Mil. XXᵉ ; de *téléphoner.*

♦ Rare. Personne qui téléphone. ⇒ **Correspondant.**

Posséder le numéro de quelqu'un et avoir un appareil à sa disposition ne suffisent pas pour passer un coup de fil : il faut aussi savoir téléphoner. On apprend à téléphoner, comme on apprend à conduire une voiture, et dans ce domaine, il y a, comme partout, les doués et les cancres. Mauvais téléphoneurs qui laissent le silence envahir la ligne, qui ne se débarrassent jamais de l'angoisse du débutant et restent paralysés devant leur combiné.
Jacques MERLINO, les Jargonautes, p. 107.

TÉLÉPHONIE [telefoni] n. f. — 1836 ; 1828, pour désigner un système de signaux sonores musicaux ; de *téléphone.*

Technique.

♦ **1.** Technique de la transmission des sons à distance ; correspondance par un système de sons. *Téléphonie acoustique.*

♦ **2.** (1857). Ensemble des connaissances, des techniques et des opérations concernant le téléphone (2.) électrique et notamment la transmission de la parole (par modulation). *Téléphonie par courants porteurs. Téléphonie automatique.* — Par ext. *Téléphonie sans fil.* ⇒ **Radiotéléphonie ; radiophonie.**

TÉLÉPHONIQUE [telefɔnik] adj. — 1838 ; de *téléphone.*

♦ Techn., cour. Relatif au téléphone (appareil, réseau de liaison ou organisation). *Courant ; câble, fil, ligne, circuit, réseau ; central, standard téléphonique. Commutation, interconnexion, liaison téléphonique.* — *Qui se fait par téléphone. Communication ; message ; appel, conversation téléphonique* (→ Interurbain, cit.). Cf. Coup de téléphone. — *Appareil, cabine téléphonique. Répondeur téléphonique. Redevances, tarifs téléphoniques.*

Étrange communication que la communication téléphonique. Discours d'infirmes et d'aveugles qui ne peuvent joindre le geste à la parole.
Jacques MERLINO, les Jargonautes, p. 101.

DÉR. Téléphoniquement.

TÉLÉPHONIQUEMENT [telefɔnikmã] adv. — 1883 ; de *téléphonique.*

♦ **1.** Par téléphone.

♦ **2.** Didact. et vx. En transmettant le son à distance.

Une vaste boîte, percée de trous d'aération et placée sous l'appareil, contenait sans doute une série de disques pouvant à tour de rôle faire vibrer téléphoniquement la membrane sonore au moyen d'un fil particulier (...)
Raymond ROUSSEL, Impressions d'Afrique, p. 59.

TÉLÉPHONISTE [telefɔnist] n. — 1880 ; de *téléphone.*

♦ Personne chargée d'assurer les liaisons, les transmissions téléphoniques. *Téléphoniste chargé d'un standard.* ⇒ **Standardiste** (→ Fiche, cit. 1). → argot Phonard.

(...) il faut reculer jusqu'à un boyau de dégagement pour laisser passer la relève des téléphonistes (...) — Attention au fil ! Le fil téléphonique ondoie au-dessus de la tranchée qu'il traverse par places entre deux piquets.
H. BARBUSSE, le Feu, II, XXIII.

TÉLÉPHOTOGRAPHIE [telefɔtɔgrafi] n. f. — 1890, P. Larousse, *Deuxième Suppl.* ; de *télé-* (1.), et *photographie.*

Technique.

♦ **1.** Transmission des images par l'intermédiaire d'un courant électrique ; cette transmission. ⇒ **Bélinographe.**

♦ **2.** (1907). Technique de la photographie des objets éloignés par un montage optique approprié (téléobjectif). — Par ext. Cliché pris selon cette technique.

DÉR. Téléphotographique.

TÉLÉPHOTOGRAPHIQUE [telefɔtɔgʀafik] adj. — 1904; in *Rev. gén. des sc.,* nᵒ 18, p. 875; de *téléphotographie.*

♦ Techn. De la téléphotographie.

TÉLÉPILOTÉ, ÉE [telepilɔte] adj. — 1978, *l'Express;* de *télé-* (1.), et *piloté.*

♦ Techn. Piloté par télécommande (d'un avion). ⇒ **Téléguidé.** *« Les techniciens du centre de la NASA spécialisés dans l'utilisation des avions télépilotés »* (*Sciences et Avenir,* oct. 1979, p. 30).

TÉLÉPOINTAGE [telepwɛ̃taʒ] n. m. — 1948; de *télé-* (1.), et *pointage.*

♦ Milit. Dispositif qui permet le pointage à distance des canons d'un navire de guerre, à partir d'un poste central de tir.

TÉLÉPOINTEUR [telepwɛ̃tœʀ] n. m. — xxᵉ (*in* Larousse, 1949); de *télé-* (1.), et *pointeur.*

♦ Milit. Marin spécialiste du télépointage. — Techn. Ensemble de commandes permettant de pointer une antenne radar, une rampe de lancement de missiles, vers une direction donnée.

TÉLÉPORTATION [telepɔʀtasjɔ̃] n. f. — V. 1968; de *télé-* (1.), et dér. sav. de *porter.*

♦ Didact. Transport à grande distance.

Nous pourrons *(bientôt)* franchir n'importe quelle distance d'un point à un autre du globe en 45 minutes. Mais, au-delà de ce plafond, l'engin lui-même serait satellisé, or (à moins qu'on ne découvre un système de téléportation instantanée, tel qu'en rêve la science-fiction) le trajet de porte à porte (...) ne pourra s'effectuer en moins d'un certain temps.
     Planète, nᵒ 4, févr. 1969, La dynamique de la mutation, p. 42.

TÉLÉPROMPTEUR [telepʀɔ̃ptœʀ] n. m. — 1974, *l'Express;* de *télé-* (2.), et *prompteur.*

♦ Techn. Prompteur*.

TÉLÉRADAR [teleʀadaʀ] n. m. — 1964; de *télé-* (2.), et *radar.*

♦ Techn. Technique d'émission ou de réception d'une image radar au moyen de la télévision.

TÉLÉRADIOGRAPHIE [teleʀadjɔgʀafi] ou TÉLÉRADIO [teleʀadjo] n. f. — 1951; de *télé-* (1.), et *radiographie.*

♦ Méd. Radiographie effectuée à une distance d'au moins 1,50 m, donnant une image grandeur nature de l'organe, et permettant d'éviter la déformation conique de l'image.

La dernière née des méthodes diagnostiques est la *téléradio.* C'est une radio effectuée à environ 1,50 m qui donne une image nette, à la fois des contours osseux maxillaires et dentaires, et de la face.   P.-L. ROUSSEAU, les Dents, p. 103.

TÉLÉRADIOTHÉRAPIE [teleʀadjoteʀapi] n. f. — Mil. xxᵉ (*in* Larousse, 1953); de *télé-* (1.), et *radiothérapie.*

♦ Méd. Forme de radiothérapie utilisant une source de rayonnements ionisants placée à distance de la région du corps traitée.

TÉLÉRÉGLAGE [teleʀeglaʒ] n. m. — xxᵉ (*in* Larousse, 1933); de *télé-* (1.), et *réglage.*

♦ Techn. Réglage à distance, spécialt, par télécommande.

TÉLÉREPORTAGE [teleʀ(ə)pɔʀtaʒ] n. m. — Mil. xxᵉ (1953, *le Monde,* in P. Gilbert); de *télé-* (2.), et *reportage.*

♦ Reportage télévisé.

TÉLÉREPORTER [teleʀ(ə)pɔʀtɛʀ] n. m. — V. 1968; de *télé-* (2.), et *reporter.*

♦ Reporter de télévision.

TÉLÉRUPTEUR [teleʀyptœʀ] n. m. — V. 1960; de *télé-* (1.), et *rupteur.*

♦ Techn. Appareil que l'on commande à distance grâce à des impulsions électriques.

TÉLÉSCAPHE [teleskaf] n. m. — 1966, *le Monde;* de *télé(phéri-que),* et rad. *-scaphe.* → Naviscaphe.

♦ Techn. Téléférique sous-marin composé de cabines de plexiglas transparent soutenues par des câbles.

TÉLESCOPAGE [teleskɔpaʒ] n. m. — Av. 1896; de *télescoper.*

♦ **1.** Le fait de télescoper, de se télescoper (au propre). ⇒ **Choc.** *Télescopage de deux automobiles.*

Les voitures attendaient (...) dans le prolongement des voies (...) comme les bestiaux de différentes espèces voisinent au marché. La rue et la gare semblaient s'être pénétrées par télescopage.
     J. ROMAINS, les Hommes de bonne volonté, t. V, XXVI, p. 250.

♦ **2.** Techn. Transformation (d'un gazomètre) en gazomètre télescopique.

♦ **3.** (1942, Paulhan). Fig. *Un télescopage d'opinions.*

TÉLESCOPE [teleskɔp] n. m. — 1611, à propos de la lunette de Galilée, de l'ital. *telescopio* (Galilée) ou du lat. *telescopium* (1611), formé sur le grec. → -scope.

♦ **1.** Vx. ou hist. sc. Instrument d'optique destiné à l'observation des objets éloignés, et, spécialt., des astres. *Le télescope peut compter une ou plusieurs lentilles, un ou plusieurs miroirs, ou une combinaison des deux.* ⇒ **Lunette** (2., B.; lunette astronomique). *Télescope de Galilée. Lentilles de télescope* (→ Épais, cit. 3).

♦ **2.** (1762). Mod. Instrument d'optique astronomique utilisant un ou plusieurs miroirs* (le terme de *lunette* est réservé aux instruments à lentilles). *Pouvoir amplifiant*, grossissement* d'un télescope. L'image formée par le télescope peut être reçue par une émulsion photographique sensible, un récepteur photo-électrique* (*télescope électronique;* ⇒ **Radiotélescope**), *etc., de manière à accroître considérablement la sensibilité de l'instrument. Spectrographe* placé à la suite d'un télescope.*

♦ **3.** *Poisson télescope :* carassin (dont les yeux saillants évoquent des lentilles d'optique).

DÉR. Télescopique.

TÉLESCOPER [teleskɔpe] v. tr. — 1873, v. intr., « se télescoper »; amér. *to telescope,* de l'angl. *telescope* « lunette d'approche à tubes emboîtés ».

♦ **1.** Rentrer dans, enfoncer par un choc violent (s'est d'abord dit des accidents de chemin de fer*). *Le train a télescopé la voiture au passage à niveau.* ⇒ **Heurter.**

(...) puis (les anneaux coulissant, parvenant à l'extrémité de la tringle) tous les plis du rideau semblant se presser, se rassembler, se télescoper sur la gauche. [1]
     Claude SIMON, le Palace, p. 118.

Pron. (1904). *Wagons qui se télescopent.* ⇒ **Tamponner.**

♦ **2.** (Abstrait). Fig. Faire se heurter et s'interpénétrer. — Pronominal :

(...) certains souvenirs chevauchent, se télescopent, se juxtaposent; des surimpressions se produisent.   GIDE, Ainsi soit-il, p. 127. [2]

DÉR. Télescopage, télescopeur.

TÉLESCOPEUR, EUSE [teleskɔpœʀ, øz] adj. et n. — 1912; de *télescoper.*

♦ Qui télescope. ⇒ **Tamponneur.**

TÉLESCOPIQUE [teleskɔpik] adj. — 1666; de *télescope.*

★ **I.** ♦ **1.** Qui se fait à l'aide du télescope*. *Observations télescopiques.* — (1812). Par ext. *Planètes, astéroïdes télescopiques,* invisibles à l'œil nu. — Du télescope. *Miroir télescopique.*

♦ **2.** (Av. 1903, in *Rev. gén. des sc.,* nᵒ 11, p. 622). Zool. *Yeux télescopiques :* yeux allongés, à large pupille, des poissons abyssaux.

★ **II.** (Après 1850; angl. *telescopic,* 1846; dér. de *telescope.* → Télescoper). Dont les éléments s'emboîtent les uns dans les autres, comme les éléments du tube d'une lunette d'approche, d'une longue-vue. *Pied, trépied, canne à pêche, manche, parapluie télescopique.* *« (...) il est nécessaire que le téléviseur soit équipé d'une excellente antenne. Les modèles portables possèdent tous une antenne télescopique orientable »* (*Science et Vie,* nᵒ 595, p. 131).

TÉLÉSCRIPTEUR [teleskʀiptœʀ] n. m. — 1898; de *télé-* (1.), et du lat. *scriptor.* → Scripteur.

♦ Techn., cour. Appareil de transmission électrique des dépêches par un procédé quelconque. ⇒ **Téléimprimeur, télétype.** *Les téléscripteurs d'une agence de presse, d'un journal.*

Dans les chambres souterraines, les téléscripteurs tremblent tout seuls le long du rouleau de papier blanc, et ils écrivent quelques paroles des Maîtres (...) Il n'y a que ces machines qui écrivent seules dans les chambres souterraines, dans les couloirs, sous les escaliers. Elles dialoguent d'un bout à l'autre de la terre, et on entend seulement le bruit de crépitement des caractères d'imprimerie qui frappent le rouleau de papier blanc. J.-M. G. LE CLÉZIO, les Géants, p. 163.

TÉLÉSERVICE [telesɛʀvis] n. m. — 1964, R. Escarpit, *in* P. Gilbert; de *télé-* (1. et 2.), et *service*.

◆ Service, information, etc. par téléphone, télévision.

TÉLÉSIÈGE [telesjɛʒ] n. m. — V. 1940; de *télé(férique)*, et *siège*.

◆ Téléférique constitué par une série de sièges suspendus à un câble unique. ⇒ **Remontée** (2.), **téléski.**

TÉLÉSIGNALISATION [telesiɲalizɑsjɔ̃] n. f. — 1966, *le Figaro*; de *télé-* (1.), et *signalisation*.

◆ Techn. Signalisation à distance, par câbles ou par voie hertzienne, pouvant servir à déclencher l'alarme ou à communiquer des informations codées.

TÉLÉSKI [teleski] n. m. — 1936; de *télé(férique)*, et *ski*.

◆ Remonte-pente* pour les skieurs (constitué par un télésiège ou par de simples attaches). ⇒ **Remontée** (2.), fam. **tire-fesses.**

TÉLÉSONDAGE [telesɔ̃daʒ] n. m. — V. 1980; de *télésonder*.

◆ Techn. Sondage à distance, par mesure des effets des ondes électromagnétiques dans le sol. « *Cette technique (...) a l'avantage d'être extrêmement rapide, puisque ce "télésondage" s'effectue pratiquement à la vitesse d'un piéton* » (*le Monde*, 18 août 1982).

TÉLÉSONDER [telesɔ̃de] v. tr. — V. 1980; de *télé-* (1.), et *sonder*.

◆ Techn. Sonder à distance (par télésondage). « *Télésonder le sol* » (Titre, *le Monde*, 18 août 1982).

DÉR. Télésondage.

TÉLÉSPEAKERINE [telespikʀin] n. f. — V. 1970; de *télé-* (2.), et *speakerine*.

◆ Speakerine de télévision.

Les téléspeakerines, dit-il, reçoivent plus de lettres d'amour que Brigitte Bardot. Gabriel BARRAULT, la Foire aux crabes, p. 172.

TÉLÉSPECTATEUR, TRICE [telespɛktatœʀ, tʀis] n. — 1949; de *télé-* (2.), et *spectateur*.

◆ Celui, celle qui regarde la télévision; spectateur et auditeur de la télévision.

1 La meilleure excuse d'une adaptation comme celle-là est la possibilité d'un intérêt éveillé chez quelques téléspectateurs — assez vif pour qu'ils décident de remonter à la source. F. MAURIAC, *in* le Figaro littéraire, 13 juil. 1963.
2 Les téléspectatrices avaient déjà remarqué qu'elle savait s'habiller. Guy DES CARS, Sang d'Afrique, p. 362.

TÉLESTHÉSIE [telɛstezi] n. f. — Déb. xxᵉ; angl. *telæsthesia*, 1882, Myers; → *Télé-* (1.), et *-esthésie*.

◆ Didact. Synonyme de *télépathie*.

DÉR. Télesthésique.

TÉLESTHÉSIQUE [telɛstezik] adj. — 1964, *in* Larousse; de *télesthésie*.

◆ De la télesthésie. ⇒ **Télépathique.**

TÉLÉSURVEILLANCE [telesyʀvɛjɑ̃s] n. f. — 1968; de *télé-* (1.), et *surveillance*.

◆ Techn. Surveillance effectuée à distance (notamment à l'aide de moyens électroniques). — REM. Remplace les anglicismes *monitoring* et *monitorage*.

TÉLÉTEX [teletɛks] n. m. — V. 1980; angl. *teletex*.

◆ Service et technique de traitement automatique et de transmission de textes par télématique. « *Le télétex est un service de télématique qui offre plus de possibilités que le service télex usuel. Il convient d'éviter la confusion entre « télétex » et « télétexte »* » (*le Monde*, 15-16 août 1982, p. 10, citant le Journal Off. du 24 juin 1982).

TÉLÉTHÈQUE [teletɛk] n. f. — 1967, *le Nouveau Candide*, 2 janv. 1967, p. 50; de *télé-* (2.), et *thèque*, d'après *bibliothèque*, *discothèque*, *cinémathèque*, etc.

◆ Didact. Endroit où l'on conserve des documents d'archives de télévision. « *Chacun pourra avoir à côté de sa bibliothèque, de sa discothèque et de ses bandes magnétiques, sa "téléthèque" éducative ou distrayante* » (*le Monde*, 21 févr. 1969).

TÉLÉTIQUE [teletik] n. f.

◆ Abrév. de *télématique**.

TÉLÉTOXIE [teletɔksi] n. f. — V. 1950; de *télé-* (1.), et lat. *toxicum* « poison ».

◆ Biol., méd. Intoxication de certains êtres vivants provoquée par les toxiques sécrétés par l'un d'entre eux et répandus dans le milieu ambiant.

DÉR. Télétoxique.

TÉLÉTOXIQUE [teletɔksik] adj. — V. 1950; de *télétoxie*.

◆ Biol., méd. Relatif à la télétoxie. ⇒ **Systémique.**

TÉLÉTRAITEMENT [teletʀɛtmɑ̃] n. m. — 1968, *in* P. Gilbert; de *télé-* (1.), et *traitement*.

◆ Inform. Traitement (d'une information) à distance éloignée de l'unité centrale d'un ordinateur. ⇒ **Télégestion, téléinformatique.** « *Connectés à de gros calculateurs, les terminaux favorisèrent le télétraitement et permirent les grands systèmes conversationnels que tout un chacun peut voir aujourd'hui : à la banque, dans les agences des compagnies aériennes, etc.* » (*le Monde*, 19 sept. 1978, p. 40). *Télétraitement par lots.*

TÉLÉTRANSMISSION [teletʀɑ̃smisjɔ̃] n. f. — 1969, *le Monde*; de *télé-* (1.), et *transmission*.

◆ Techn. Transmission de signaux à distance par tous moyens techniques appropriés. ⇒ **Télécommunication.**

TÉLÉTYPE [teletip] n. m. — 1923; marque déposée; mot angl., de *teletype(writer)* « machine à écrire *(typewriter)* à distance »; *télé-typographe*, n. m., 1903, cit. 1; on trouve l'adj. *télétypique* en 1904 : *la station centrale télétypique de Berlin* (Rev. gén. des sc., nº 4, p. 166).

Télé-typographe, qui permet de composer le même texte en même temps dans plusieurs villes différentes. 1
Revue générale des sciences, nº 14, 30 juil. 1903, p. 790.

◆ Anglic. ⇒ **Imprimante, téléimprimeur, téléscripteur.**

Le *téléimprimeur* ou *télétype* est une machine à écrire, ou plutôt un ensemble de deux machines à écrire : une émettrice et une réceptrice. Le texte est tapé sur la première, comme sur une machine à écrire électrique normale, et transmis à la seconde, par impulsions électromagnétiques véhiculées par fil ou par radio. 2
Philippe GAILLARD, Technique du journalisme, p. 39.

TÉLÉVISER [televize] v. tr. — V. 1930, Barthélemy, au p. p.; de *télévision*.

◆ Transmettre (des images, un spectacle) par télévision.

(...) et voilà que je réponds et fais mon compliment et que je suis applaudi et que la télévision me télévise. 1
F. MAURIAC, le Nouveau Bloc-notes 1958-1960, p. 159.

▶ **TÉLÉVISÉ, ÉE** p. p. adj. (1933).
Transmis par la télévision. *Journal télévisé. Spectacles télévisés. Enseignement télévisé.* ⇒ **Téléenseignement.** *Conférence de presse télévisée. Jeux télévisés. Film télévisé.*

Comme, à la même époque, un scandale avait éclaté aux États-Unis autour des jeux télévisés, on est allé très vite jusqu'à parler de concours truqué. 2
Pierre DANINOS, Un certain Monsieur Blot, p. 273.

TÉLÉVISEUR [televizœʀ] n. m. — 1934, *in* D. D. L.; « émetteur de télévision », 1929; de *télévision*.

◆ Poste récepteur de télévision (cf. Le petit écran, fam.). ⇒ **Télé, télévision, 4.** *Téléviseur couleur*, en couleurs.

TÉLÉVISION [televizjɔ̃] n. f. — 1913, cit. 1, dans l'usage scientifique; en techn., v. 1925-1930; répandu après 1945; « transmission de l'image à distance », 1900; on a parlé de *télé-optique* (1892, *in* Année sc. et techn. 1893, p. 106); 1909 en angl. et en all.; de *télé-*, et *vision*.

◆ **1.** Vx. Tout procédé permettant l'observation d'une image à distance, en un lieu où elle serait invisible par observation directe.

◆ **2.** Ensemble des procédés et techniques employés pour la transmission des images instantanées d'objets fixes ou en mouvement (en noir ou en couleurs) après analyse et transformation en ondes hertziennes (cit.). → Radioélectrique, cit. *Dans tous les systèmes de télévision, on trouve trois éléments : — 1° Une* Caméra *de télévision où l'image optique fournie par l'objectif, située sur un écran photoélectronique, reçoit un faisceau d'électrons émis par un tube cathodique. — 2° Un dispositif électronique pour transformer en impulsions électriques cette image optique, qui est découpée en petits éléments, exactement comme on lit un texte en passant d'une ligne à une autre ou par toute autre méthode de balayage ; la brillance de chacun de ces éléments est enregistrée au moyen de divers dispositifs :* iconoscope, «tube orthicon», «vidicon», etc. — REM. Il est possible d'enregistrer ainsi non seulement une image visible, mais aussi une image invisible (infrarouge par exemple), à condition d'utiliser un analyseur sensible dans cette région spectrale. *La* station émettrice *de télévision envoie, après amplification, sous forme d'ondes hertziennes modulées, de fréquences variées, au moyen d'une antenne, l'analyse des différents points de la scène* (et généralement aussi une émission radiotéléphonique synchronisée avec la précédente). — 3° *Un système de* réception *où les images transmises se trouvent reconstituées, après détection et amplification du ondes hertziennes ; ce système, exactement synchrone avec celui du poste émetteur, permet de reconstituer, au moyen d'un oscillographe cathodique, l'image qui apparaît sur un écran fluorescent* (en raison de la persistance des images sur la rétine, si la cadence de balayage est suffisante, l'œil perçoit la scène originale avec d'autant plus de détails que l'analyse aura été plus poussée à la station émettrice ; il n'est pas rare qu'elle comporte une vingtaine de millions de points par seconde (⇒ **Spot**). *La station de réception de télévision comprend aussi un dispositif de réception pour la téléphonie, synchronisé avec celui de la télévision proprement dite. Télévision en couleurs* (NTSC, Pal, SECAM*). *Émission de télévision retransmise par satellite. Télévision par câbles, télévision en circuit fermé* (⇒ **Câblodistribution ; télédistribution**). *Télévision interactive :* télédistribution avec voie de retour vidéo (syn. : *télévision avec voie de retour*).

1 La télévision sans fil est-elle possible? Son avenir probable (...) Nous n'avons dit que quelques mots de la télévision, les appareils qui permettent de l'obtenir en étant encore très compliqués ; mais ils iront en se perfectionnant, en se simplifiant, et deviendront pratiques C'est la loi du progrès, c'est la règle des inventions qui sont à leurs débuts. Au train où vont les choses, nous n'aurons que peu de temps à attendre. E. MONIER, la Télégraphie sans fil, p. 184 et p. 188 (1913).

♦ **3.** Ensemble des activités et des services assurant l'élaboration et la diffusion (par les techniques de transmission des images et des sons) d'informations et de spectacles à un grand nombre de personnes : art et technique de mise en œuvre des programmes. *Centres de production de télévision :* studios, plateaux, service du réglage et du mélange des images et des sons ou «régie», télé-cinéma, services techniques... *Chaîne de télévision,* émettant sur un canal de fréquence. *Émissions de télévision « en direct »* (diffusion immédiate des images enregistrées) ou *« en différé »* (images enregistrées par le cinéma, le magnétoscope : actualités, reportages, émissions dramatiques, jeux, variétés, films, etc.). *Réalisateur, opérateur, présentateur, speaker* (→ Speakerine, cit.), *producteur... de télévision. — Télévision scolaire* (destinée à l'enseignement), *médicale, scientifique. — La télévision est souvent appelée* «le petit écran». *Film réalisé pour la télévision.* ⇒ **Téléfilm.** *Enregistrer des programmes de télévision au magnétoscope*. — Aimer, détester la télévision. Préférer le cinéma à la télévision.*

2 La télévision : présence matérielle. Même muette, elle ne se fait pas oublier. L'appareil est là, énorme, insolite, fait d'une matière indéfinissable au milieu des honnêtes meubles d'acajou et de palissandre. F. MAURIAC, le Nouveau Bloc-notes 1958-1960, p. 183.

3 Rien n'exprime encore le : «En tous lieux, tout de suite!» de la télévision, mais chacun de nous en a pris conscience lorsque la résille des chaînes qui couvrent la terre a transmis l'alunissage des premiers cosmonautes. MALRAUX, l'Homme précaire et la Littérature, p. 217.

4 Dès maintenant, la télévision contraint l'homme à l'imaginaire. Lorsque le temps était mesuré par les cloches, avant les horloges, on entendait les heures, les fêtes, relier au passé par leurs commémorations d'angélus. Aujourd'hui, la journée est scandée par l'émission d'actualités du matin et l'émission du soir, présent incarcéré à l'affût du lendemain — relié, par le contraire des commémorations, au contraire de l'éternité. MALRAUX, l'Homme précaire et la Littérature, p. 224.

(Au Québec). *Télévision communautaire :* temps de télévision et moyens de réalisation mis à la disposition de collectivités, de groupes, pour la présentation de certaines émissions.

♦ **4.** Fam. Poste récepteur de télévision. ⇒ **Téléviseur ; télé.** *Rester des heures devant la télévision.*

REM. Au sens 3 et 4, on emploie les abrév. fam. *télé*, *téloche* et (anglic.) *tévé, T. V.*

5 — Tout de suite! Illico presto subito! la tévé c'est de l'actualité qui se congèle en histoire. Aussitôt fait, aussitôt dit.
— Et quand il y avait pas la tévé, dit Sigismonde, alors y avait pas d'histoire?
R. QUENEAU, les Fleurs bleues, p. 64.

Le cinéma, la tévé, l'électronique (...) R. QUENEAU, Zazie dans le métro, p. 21. 6

DÉR. et COMP. **Téléviser, téléviseur, télévisuel.**

TÉLÉVISUEL, ELLE [televizɥɛl] adj. — 1963 ; de *télé(vision),* et *visuel.*

♦ Didact. De la télévision, en tant que moyen d'expression (artistique, surtout). «*La création télévisuelle*» (le Monde, 18 févr. 1977).

Cette «dramatique» occupe en effet une place toute particulière dans l'anthologie qui compose les plus riches heures du petit écran. Elle ne marque pas seulement une date, mais se désigne à nous, parmi quelques rares œuvres, comme un exemple de réussite dans le domaine de la plus pure expression télévisuelle.
A. BRINCOURT, in le Figaro, 28 févr. 1968.

TÉLEX [telɛks] n. m. invar. — 1946, *Journ. off., in* Höffler ; mot angl., de *tel(egraph) ex(change).*

♦ Service de dactylographie à distance avec le téléimprimeur. *Les abonnés du télex. Par télex. «Je te confirmerai mon ordre (...) par télex*» (Tanugi, *Requiem,* p. 264). Par appos. *Communications télex. Service télex. Service d'ordinateur-télex. Ordres-télex.* — REM. On écrit parfois *telex,* sans accent (anglicisme).

Les sols des deux halls *(de l'exposition)* sont traversés par un réseau de canalisations pour l'électricité, le téléphone, le télex, l'air comprimé, l'eau, le gaz et l'écoulement qui permet d'offrir aux exposants (...) toutes les facilités techniques pour leur stand. France-Europe, nº 16, p. 44. 1

Les réseaux de transmission de l'information sont les derniers-nés de l'armature industrielle du globe. Longtemps l'information a cheminé au rythme des moyens de transport des hommes (...). Le télégraphe, le téléphone, le telex *(telegraph exchange),* la radiodiffusion, la télévision ont permis les communications quasi instantanées à travers le monde entier. A. FEL, Géographie et Techniques, in Encycl. Pl., Histoire des techniques, p. 1077. 2

DÉR. **Télexer, télexiste.**

TÉLEXER [telɛkse] v. tr. — XXᵉ ; de *télex.*

♦ Transmettre par télex. *Télexer une dépêche à un journal.*
Stindt jugea l'offre raisonnable et télexa à son bureau de New York.
Paul RIBEAUD, le Paria, p. 261.

TÉLEXISTE [telɛksist] n. — 1958, in Höffler ; de *télex.*

♦ Techn. Personne chargée d'assurer les liaisons par télex. *Télexiste bilingue.*

TELL [tɛl] n. m. — 1876, P. Larousse ; mot arabe «colline». Didactique.

♦ **1.** Géogr. Au Maghreb (Algérie, Tunisie), Région bien arrosée, fertile. «*Le tell de Constantine*» (Fromentin).

♦ **2.** (1890, P. Larousse, *Deuxième Suppl.,* art. *Tello*). Archéol. Colline artificielle, tertre ou tumulus formé par des ruines (→ Archéologie, cit. 2).

La transition entre certains villages privilégiés édifiés sur leur monticule naturel et les premières cités édifiées sur les «tells» surhaussés par la ruine des villages précédents est proprement imperceptible ; l'archéologie montre dans les feuillets laissés par les ruines successives la permanence de l'occupation à partir du Néolithique. A. LEROI-GOURHAN, le Geste et la Parole, t. I, p. 242.

HOM. **Tel.**

TELLEMENT [tɛlmã] adv. — V. 1250 ; de *tel.*

♦ **1.** Vx ou littér. **TELLEMENT... QUE.** D'une manière telle que... (sans idée d'intensité, de haut degré). ⇒ **Façon** (de telle façon que...). *Arranger tellement les événements que personne ne peut deviner le dénouement* (cit. 3).

Il faut cependant se découvrir je ne sais quels points de repère tellement placés que sa vie (...) VALÉRY, Variété, Théorie poét. et esthét., Œ., t. I, Pl., p. 1217. 1

♦ **2.** (V. 1360). **TELLEMENT QUE...,** placé après une virgule ou une ponctuation forte et formant une locution non séparable qui équivaut à «d'où il résulte que...». → Si bien* que..., de telle sorte* que..., cela est si vrai* que... ⇒ Enseigne (supra, cit. 4 : à telles enseignes que...) ; fureur, cit. 19 ; haut, cit. 125.

(Le Roi) trouva aussi que conformément à ses ordres, on avait chargé à Mons de munitions de guerre et de bouche plus de six mille chariots tirés des pays conquis : tellement qu'il se vit en état de se mettre en marche deux jours après cette revue. RACINE, Siège de Namur. 2

♦ **3.** Adverbe portant sur un verbe, un adjectif ou un participe, une locution adjective, un nom adjectivé, un adverbe, et exprimant l'intensité (→ Tel, II.).

a À un degré si élevé, d'une manière si intense. ⇒ **Aussi** (supra, cit. 32), **si** (2. Si, II., A.), **tant** (I., B.). *Ce livre si fort, tellement historique sous la légèreté des formes* (→ Reluire, cit. 4). — (Avec une valeur exclamative). *Quoi ! nous étions donc si jeunes* (cit. 14), *tellement faciles à tromper! Un être tellement au-dessus de moi!* (cit. 10).

3 Les visages qui pâlissent à peine, mais changent tellement !
                                              SAINT-EXUPÉRY, Vol de nuit, III.

b TELLEMENT... QUE..., introduisant une proposition consécutive. *Les feux chauffaient tellement la pièce qu'on laissait larges* (cit. 5) *ouvertes les deux fenêtres.* ⇒ **Point** (à tel point), **tant** (I., A., 1.). *Le sacrilège est tellement grand que la miséricorde infinie, seule, peut l'effacer.* ⇒ **Si** (2. Si, *supra* cit. 13 ; si... que) ; → Purifier, cit. 5. *Il était tellement hors* (cit. 38) *de lui que...*

4 (...) beaucoup d'autres seigneurs, dont les habits étaient tellement brodés d'or, que, suivant l'expression de Julien, on ne voyait pas le drap.
                                              STENDHAL, le Rouge et le Noir, I, XVIII.

REM. Dans la proposition consécutive introduite par *tellement... que...* on met normalement l'indicatif ou le conditionnel quand la principale est affirmative et le subjonctif quand elle est négative ou interrogative. *Il n'est pas tellement fort qu'il soit invincible.*

Devant un comparatif. *Une fourmi* (cit. 4) *qui portait sur son dos un bout de bois tellement plus gros qu'elle! Ce serait tellement mieux!*

5 Oriane était tellement plus intelligente, tellement plus riche, surtout tellement plus à la mode que ses sœurs (...) qu'elle avait compris (...)
                                              PROUST, le Côté de Guermantes, Pl., t. II, p. 495.

c Fam. Employé dans une phrase négative ou interrogative et équivalant à «beaucoup», «très» ; «autant qu'on pourrait le penser» (→ Réception, cit. 2 ; obstination, cit. 4). Ellipt. *Vous aimez ça? Pas tellement. «J'aime pas ça tellment* (sic)*...»* (Queneau, *Poésies*).

6 La langue familière emploie volontiers *tellement* au lieu de *très* (ou de *beaucoup*) dans les phrases négatives ou interrogatives (...) *Il faut avouer, roi Saül, que, sans barbe, tu n'es plus TELLEMENT respectable* (A. GIDE, *Saül*, IV, 2). — *Avec moins de réalité dans la vie de tous les jours, mais pas TELLEMENT moins* (J. ROMAINS, *Violation de frontières*, p. 140).
                                              GREVISSE, le Bon Usage, § 852, Rem. 5.

d Fam. TELLEMENT DE... ⇒ **Tant** (*supra* cit. 10 : tant de...). *J'ai tellement de soucis, de travail.*

♦ **4.** Introduisant une proposition causale. ⇒ **Tant** (I., C.). *On aurait dit que leur peau allait craquer en rôtissant, tellement elle était tendue* (→ Dinde, cit. 2). *Il avait pris là des habitudes de godaille* (cit.), *tellement les vices se gagnent vite.*

7 Ces deux adverbes d'intensité, *(tant, tellement)...* servent souvent à marquer qu'une action ou qualité portée à un très haut degré devient la cause d'un certain effet (...) «Il s'endormait à table, *tellement il avait couru»* (MAURIAC, *Nœud de vip.*, XX, 294).
                                              G. et R. LE BIDOIS, Syntaxe du franç. moderne, § 1453.

Pop. *Tellement que...* (→ Tac, cit. 2, Céline).

♦ **5.** (V. 1370). Vx ou littér. TELLEMENT QUELLEMENT : tant bien que mal, comme on peut.

8 (...) la fumée, dont le nuage flottant au-dessus de nos têtes, nous garantissait tellement quellement de la piqûre des maringouins.
                                              CHATEAUBRIAND, Mémoires d'outre-tombe, I, VII, 3 (éd. Levaillant).

TELLIEN, IENNE [tɛljɛ̃, jɛn ; teljɛ̃, jɛn] adj. — 1904, in *Rev. gén. des sc.*, n° 12, p. 617 ; de *tell.*

♦ Géogr. D'un tell ; situé dans un tell. *L'Atlas tellien* (Algérie).

TELLIÈRE [tɛljɛʀ ; teljɛʀ] n. m. — 1723, papier *à la Tellière* : du nom du chancelier *Le Tellier* (1603-1685), qui imposa ce format aux administrations.

♦ Techn. Se dit d'un papier de grand format (34 × 44). *Papier tellière* ou *Tellière ; du tellière. In-quarto tellière. Le papier ministre est une variété de tellière.*

TELLINE [telin] n. f. — 1560 ; anc. provençal, 1439 ; grec *tellina.*

♦ Régional. Mollusque bivalve dont les bords du manteau sont garnis de tentacules. *Les tellines se trouvent sur les rivages de la Camargue.*

TELLURATE [telyʀat] n. m. — 1836 ; de *tellure.*

♦ Chim. Sel ou ester de l'acide tellurique.

TELLURE [telyʀ] n. m. — 1800 ; du lat. mod. *tellurium* (1798, Klaproth), dér. de *tellus* «terre».

♦ Chim. Métalloïde (masse at. 127,60 ; n° at. 52 ; dens. 6,24 ; température de fusion 449,5 °C) assez rare, qui se rencontre à l'état natif et surtout combiné à des métaux lourds ou précieux (or), d'aspect métallique, cassant. *Le tellure présente 8 isotopes stables ; il a des analogies chimiques avec le soufre et le sélénium. Le tellure est utilisé pour améliorer les propriétés de certains métaux ou alliages, comme agent vulcanisant du caoutchouc, etc. Le tellure est un semi-conducteur.*

DÉR. **Tellurate, tellureux, tellurique.**
COMP. **Tellurhydrique, tellurure.**

TELLUREUX, EUSE [telyʀø, øz] adj. — 1838, Berzelius, *in* D.D.L. ; de *tellure.*

♦ Chim. Se dit d'un acide dérivé du tellure H_2TeO_2.

TELLURHYDRIQUE [telyʀidʀik] adj. — 1842 ; de *tellure*, et *-hydrique.*

♦ Chim. Se dit d'un acide H_2Te, appelé aussi *hydrure de tellure* (ses sels sont appelés *tellurures*).

TELLURIEN, ENNE [telyʀjɛ̃, ɛn] ou **TELLURIQUE** [telyʀik] adj. — 1823, *tellurien ; tellurique*, 1839 ; dér. sav. de *tellus, uris* «terre». → Tellurisme.

Didactique.

♦ **1.** De la terre* ; qui provient de la terre. *Secousse, commotion tellurique* (→ 1. Foudre, cit. 5) : tremblement de terre, séisme. *Raies telluriques*, dues à l'atmosphère terrestre, et non à la source extra-terrestre dont on étudie le spectre. Électr. *Courant tellurique*, qui circule dans le sol. Géogr. *Eaux telluriques*, souterraines.

Les épidémies, et plus spécialement les maladies de la volonté, les névroses collectives, comme des cataclysmes telluriens dans l'histoire de notre planète, marquent les différentes époques de l'évolution humaine.
                                              B. CENDRARS, Moravagine, Œ. compl., t. IV, p. 63.

♦ **2.** Méd. Vx. *Fièvre tellurique :* le paludisme, dont le germe, croyait-on, était contenu dans la terre.

TELLURIQUE [telyʀik] adj. — 1824, *in* D.D.L. ; de *tellure.*

♦ Chim. Se dit d'un anhydride (TeO_3) et d'un acide (H_2TeO_4) dérivés du tellure.

TELLURISME [telyʀism] n. m. — 1845, Bescherelle ; dér. sav. du lat. *tellus, telluris* «terre». → Tellurique.

♦ Didact. Influence de la terre, du sol sur les êtres qui y vivent, et, spécialt, sur les mœurs de l'homme en société.

TELLURURE [telyʀyʀ] n. m. — 1836 ; de *tellure.*

♦ Combinaison du tellure avec un autre élément. *Tellurure naturel d'or* (calavérite). — (V. 1900). Spécialt. Sel de l'acide tellurhydrique.

TÉLO- ⇒ Téléo-.

TÉLOCENTRIQUE [telosɑ̃tʀik] adj. — Mil. XXᵉ ; de *télo-, centre*, et suff. *-ique.*

♦ Biol. Se dit d'un chromosome possédant un centromère terminal.

TÉLOCHE [telɔʃ] n. m. — V. 1968 ; de *télé*, et suff. fam. *-oche.*

♦ Très fam. Télévision (3. et 4.).

TÉLOLÉCITHE [telolesit] ou **TÉLOLÉCITHIQUE** [telolesitik] adj. — 1900, Encycl. Berthelot, art. *Œuf ; télolécithal*, 1884, Claus ; de *télo-*, et grec *lekithos* «jaune d'œuf».

♦ Embryol. *Œuf télolécithe* ou *télolécithique :* œuf caractérisé par un volume considérable de vitellus localisé à l'un des pôles (reptiles, oiseaux). — On dit aussi *mégalécithe* (ou *mégalécithique*) et *polylécithe* (ou *polylécithique*).

Dans les gros œufs (Oiseaux, etc.), la séparation du vitellus et du cytoplasme est complète. Le cytoplasme est localisé au pôle supérieur, en un petit disque, la *cicatricule*, le vitellus formant toute la masse du pôle inférieur. Ces œufs sont dits *télolécithes.*
                                              Maurice CAULLERY, l'Embryologie, p. 12.

CONTR. **Oligolécithe** ou **oligolécithique.**

TÉLOMÈRE [telɔmɛʀ] n. m. — XXᵉ ; de *télo-*, et *-mère.*

♦ Biol. Extrémité des chromosomes.

TÉLOPHASE [telofaz] n. f. — 1897 ; de *télo-*, et *phase.*

♦ Biol. Dernière phase de la mitose où les chromosomes déplacés aux deux pôles du fuseau reprennent par fusion la forme de deux réseaux de chromatine séparés par une membrane nucléaire. ⇒ **Anaphase, métaphase, prophase.** — On dit aussi *télocinèse* (ou *télokinèse*).

TÉLOTAXIE [telotaksi] n. f. — V. 1970 ; de *télo-*, et *-taxie*.

♦ Didact. Orientation vers une source éloignée d'excitation (lumière, pesanteur).

TÉLOUGOU [telugu] adj. et n. ⇒ **Telugu.**

TELSON [tɛlsɔ̃] n. m. — 1890 ; en angl., 1855 ; mot grec, « limite ».

♦ Zool. Dernier anneau de l'abdomen des crustacés, qui ne porte aucun appendice.

TELUGU [telugu] adj. et n. — Attesté xxᵉ ; mot de cette langue.

♦ Didact. Relatif aux populations du sud de l'Inde (Āndra Pradesh) parlant cette langue. — REM. Le mot est invariable, au moins en genre. — N. m. *Le telugu,* l'une des principales langues dravidiennes de l'Inde du sud.
Var. : *télougou.*

TEMENOS [temenɔs] n. m. — 1876, P. Larousse ; mot grec.

♦ Didact. Terrain sacré fermé par une enceinte, et sur lequel était édifié un temple, dans l'antiquité grecque.

TÉMÉRAIRE [temeʀɛʀ] adj. — 1361 ; lat. *temerarius* « accidentel », d'où « inconsidéré », de *temere* « au hasard, à la légère ».

♦ **1.** Hardi à l'excès, avec imprudence, d'une manière inconsidérée. ⇒ **Audacieux, aventureux, écervelé, entreprenant, hasardeux** (vx), **imprudent ; confiant, présomptueux** (→ Aveugle, cit. 3 ; risquer, cit. 5). *Téméraire dans ses jugements, ses raisonnements.* « *Ton impudence* (cit. 1), *Téméraire vieillard, aura sa récompense* » (Corneille). — (xvᵉ ; sans valeur péjorative). Très hardi. ⇒ **Courageux, déterminé** (2.).

1   Avec une âme faible on peut tout au plus se garantir du vice, mais c'est être arrogant et téméraire d'oser professer de grandes vertus.
               ROUSSEAU, Rêveries..., 4ᵉ promenade.

N. (1636). ⇒ **Casse-cou** (2.). *Il y a un Dieu* (cit. 57) *pour les téméraires.* Hist. *Charles le Téméraire.*
Caractère, nature téméraire. Une main téméraire (→ Mouton, cit. 14). « *Son téméraire orgueil...* » (Racine, *Iphigénie,* IV, 8). — *Esprit, imagination téméraire* (→ Fougueux, cit. 1).

♦ **2.** (Déb. xvᵉ). Plus cour. (Choses). Qui dénote une hardiesse imprudente. *Action* (→ Achopper, cit. 4), *entreprise téméraire.* ⇒ **Aventuré, hasardé, osé ; dangereux.**
Impersonnel. *Il est téméraire de...* (→ Réformateur, cit. 2).

♦ **3.** Spécialt (qualifiant une idée, une volonté...). *Jugement téméraire,* porté à la légère sans réflexion ni base solide (→ Humiliant, cit. 5 ; indiscret, cit. 13). *Désir, projet, souhait téméraire. Affirmation téméraire.*

♦ **4.** (1690). Théol. *Proposition téméraire,* trop hardie, dangereuse pour l'orthodoxie.

2   J'ai eu l'audace de la mettre en garde contre cette interprétation téméraire du vouloir divin dont abusent trop de personnes pieuses.
               F. MAURIAC, la Pharisienne, IX.

CONTR. **Capon, circonspect, craintif, lâche, peureux, timoré. — Réfléchi ; prudent, sage.**
DÉR. Témérairement.

TÉMÉRAIREMENT [temeʀɛʀmɑ̃] adv. — V. 1510 ; de *téméraire.*
Littérature.

♦ **1.** Avec une hardiesse inconsidérée, imprudente. *Des voyages entrepris témérairement* (→ Biscuit, cit. 1).

♦ **2.** (1541). *Décider, juger témérairement,* à la légère (→ Attention, cit. 3 ; braver, cit. 11).

TÉMÉRITÉ [temeʀite] n. f. — 1380 ; du lat. *temeritas,* de l'adv. *temere.* → Téméraire.

♦ **1.** *La témérité.* Disposition à oser*, à entreprendre sans réflexion ou sans prudence ; hardiesse inconsidérée. ⇒ **Audace, imprudence, présomption ; hardiesse** (cit. 8 et 16). *Une aveugle* (cit. 21), *une folle témérité. Une témérité qui nous porte au delà de nos forces* (→ Modestie, cit. 5), *qui hasarde tout* (→ Incrédulité, cit. 2). *Intelligence audacieuse* (cit. 6) *jusqu'à la témérité.* « *Tu seras châtié* (cit. 2) *de ta témérité* ». *S'exposer avec témérité aux dangers* (→ Jour, cit. 24). — (Sans valeur péjorative). « *Cette prudente et heureuse témérité* » (Flech. ; cf. aussi Lesage, *in* Littré). ⇒ **Audace, courage.**

1   Une grande révolution marqua la fin du douzième et le commencement du treizième siècle : la *témérité* s'empara des esprits en fait d'architecture (...)
               STENDHAL, Mémoires d'un touriste, t. 1, p. 227.

Ce qui serait témérité, cesse de l'être dans un service commandé.
               GIDE, Préface à Vol de nuit de SAINT-EXUPÉRY.   2

♦ **2.** (Déb. xviiᵉ). *Une, des témérités.* Effet téméraire, risqué (en art, en littérature). — Vieilli. Acte ou parole téméraire (→ Oser, cit. 13).

CONTR. **Circonspection, crainte, prudence.**

TÉMOIGNAGE [temwaɲaʒ] n. m. — 1190, St Bernard, *tesmoignaige* ; dér. de *témoigner.*
Le fait de témoigner ; son résultat.

♦ **1.** Ⓐ Déclaration par laquelle on assure qu'une chose est certaine*, vraie, du moment qu'on l'a vue ou entendue, perçue, sentie ; relation de ce qui est tombé sous les sens. ⇒ **Affirmation, attestation, rapport** (I., A., 1.), **relation.** *Témoignage oculaire et auriculaire* (cit. 2). *Écouter, recevoir un témoignage. Croire qqch. sur le témoignage d'autrui* (→ Opinion, cit. 14). *En appeler au témoignage de qqn, alléguer, invoquer un témoignage* (pour prouver). *D'après* (→ Lévitation, cit.), *selon, sur le témoignage, au témoignage de...* (→ Phalange, cit. 4). ⇒ **Aveu** (de l'aveu), **foi** (sur la foi de...). *L'histoire ne se fait que sur la base de témoignages* (→ Historique, cit. 5). — *Témoignage de vive voix, oral ; écrit. Témoignages qui concordent, se contredisent. Témoignage indéniable, irrécusable, irréfragable, irréfutable ; récusable, suspect. Autorité, véracité d'un témoignage. Critique des témoignages* (en histoire, en psychologie).

   Quand Marc-Paul *(Marco Polo)* parla le premier, mais le seul, de la grandeur et de la population de la Chine, il ne fut pas cru, et il ne put exiger de croyance. Les Portugais qui entrèrent dans ce vaste empire plusieurs siècles après commencèrent à rendre la chose probable. Elle est aujourd'hui certaine, de cette certitude qui naît de la déposition unanime de mille témoins oculaires de différentes nations, sans que personne ait réclamé contre leur témoignage.   1
               VOLTAIRE, Dict. philosophique, Histoire, III.

   Je n'entends par ce mot, histoire, rien autre chose que les actes du temps, les témoignages sérieux.   MICHELET, Hist. de la Révolution franç., IX, XII.   2

   Les modifications déformantes, infligées aux matériaux du souvenir par l'action du temps (...) ont bien des chances, à la longue, de retirer au témoignage la valeur historique et humaine que les observateurs les plus sévères sont bien obligés de lui reconnaître.   G. DUHAMEL, la Pesée des âmes, Notes liminaires.   3

Porter, rendre témoignage, un témoignage : attester, certifier ; ou encore, exposer ce dont on a été témoin, ce qu'on a vu, entendu, vécu. Par ext. (terme à la mode, avec une valeur voisine de « message », supra cit. 5). *Écrivain qui porte un témoignage sur son temps.*

   (...) il ne se passe guère de semaine sans qu'un ami ou un lecteur me demande si je m'apprête à publier quelque chose, et si je vais enfin me décider à porter quelque « témoignage » sur les convulsions qui secouent le monde. Dieu m'en garde !   4
               MARTIN DU GARD, Souvenirs, 20 mai 1945.

Ⓑ Témoignage favorable. *Témoignage d'innocence, de vertu, de bonne conduite* (⇒ **Attestation, certificat**). *Invoquer le témoignage de qqn.* ⇒ **Recommander** (se). — (1580). *Rendre, porter témoignage de... :* affirmer, attester une chose louable, à laquelle on rend hommage*.

   (...) si, pour repousser une injure aussi misérable, j'avais besoin d'un témoignage de probité, d'honneur, de désintéressement, d'exactitude et de loyauté ; c'est à ce grand seigneur surtout que je m'adresserais, et dont je l'obtiendrais à l'instant.   5
               BEAUMARCHAIS, Mémoires dans l'affaire Goëzman, p. 194.

(1686). Loc. *Rendre témoignage à (qqch.) :* reconnaître en célébrant. ⇒ **Gloire** (rendre). *Rendre témoignage à la vérité,* lui rendre hommage en la respectant toujours. *Rendre témoignage à, pour qqn,* témoigner en sa faveur.

Ⓒ (Collectif). Hist. *Le témoignage humain :* la tradition, l'ensemble des écrits, des monuments (documents, archives).

♦ **2.** (V. 1283). Dr. Déclaration, déposition d'un témoin. ⇒ **Preuve** (testimoniale) ; → 1. Masse, cit. 13. *Produire des témoignages* (→ Inquisiteur, cit. 4). *Témoignage écrasants* (→ Minimiser, cit. 2). — (xiiiᵉ). *Faux témoignage :* témoignage inexact d'un témoin de *mauvaise foi* (→ Mariolle, cit. 5). *Récuser un témoignage.*

   Rien que sur cet homme, disparu, évanoui ainsi qu'un rêve, il y avait au dossier trois cent dix pièces, d'une confusion telle, que chaque témoignage y était démenti par un autre.   ZOLA, la Bête humaine, IV.   6

Par anal. *Témoignage muet :* document, pièce à conviction.

♦ **3.** Relig. (→ Attester, cit. 1). Acte par lequel on atteste, on assume publiquement une croyance, on affirme la vérité ou la valeur d'une idée, d'un principe, soit par un témoignage (1.), soit par son attitude (→ sens 5.) ou par son existence même (→ le sens 6.). « *Ce peuple* (...) *rend un témoignage public à la Providence* » (→ Mérite, cit. 5).

   (...) l'apostolat et l'évangélisation ne sont pas des conquêtes, mais des témoignages de vie ; des prédications par l'attitude, des exemples de dévouement, et non des techniques de conversion.   H. DUMÉRY, la Tentation de faire du bien,   7
          p. 88, in FOULQUIÉ, Dict. de la langue philosophique, art. *Témoignage.*

♦ **4.** Par métaphore (du sens 1). « Donnée d'une fonction intuitive de connaissance » (Foulquié) ; appréciation intuitive des valeurs morales. *Le témoignage des sens. Le témoignage de la conscience*.

   Les vertus privées sont souvent d'autant plus sublimes qu'elles n'aspirent point à l'approbation d'autrui, mais seulement au bon témoignage de soi-même ; et la conscience du juste lui tient lieu des louanges de l'univers.   8
               ROUSSEAU, Julie ou la Nouvelle Héloïse, II, XI.

♦ **5.** (1209). Le fait de donner des marques extérieures, de témoigner (I., 2.) par des paroles ou des actes ; ces marques (paroles ou actes). ⇒ **Démonstration, manifestation, marque** (II., 4.), **preuve.** *Les témoignages de l'amitié, de l'estime* (→ Convalescence, cit. 1 ; exagérer, cit. 3). *Témoignages d'affection, de reconnaissance* (⇒ **Protestation**), *de respect, d'admiration* (⇒ **Hommage, tribut**), *de sympathie dans un malheur* (⇒ **Condoléance**). — *En témoignage de mon amour et de ma piété* (cit. 5). ⇒ **Gage.**

9　Il y a des témoignages d'intérêt et de bienveillance qui font plus d'effet, et sont réellement plus utiles que tous les dons : combien de malheureux, de malades, ont plus besoin de consolations que d'aumônes !　　　　ROUSSEAU, Émile, II.

Porter témoignage de..., pour... ⇒ **Témoigner,** II., 2. — *Témoignage chrétien,* revue.

♦ **6.** (En parlant d'une chose). Ce qui constitue la preuve, la marque d'une chose, d'un être. ⇒ **Témoigner** (I., 3.) ; **gage** (I., 6.), **marque** (IV.), **preuve** (→ Cabinet, cit. 14 ; 1. lis, cit. 3). *Un témoignage et un exemple* (cit. 33) *de... Il y a dans toute naïveté* (cit. 5) *témoignage d'innocence. —Acceptez ce modeste témoignage de ma reconnaissance* (⇒ **Don, hommage,** 4.).

10　Rien ne sert de courir : il faut partir à point.
　Le lièvre et la tortue en sont un témoignage.　　　LA FONTAINE, Fables, VI, 10.

11　Une médaille, même contemporaine, n'est pas quelquefois une preuve (...) Les médailles ne sont des témoignages irréprochables que lorsque l'événement est attesté par des auteurs contemporains (...)
　　　　VOLTAIRE, Dict. philosophique, Histoire, III.

TÉMOIGNER [temwaɲe] v. tr. — 1131, *tesmoignier,* refait sur « témoin » ; var. *testimonier* (1120) « porter témoignage contre » ; *testemogner* au moyen âge ; dér. de *témoin,* et du lat. *testimonium.*

★ **I.** V. tr. direct. ♦ **1.** Certifier en déclarant qu'on a vu ou entendu ; attester la vérité ou la véracité de... ⇒ **Attester.** *Témoigner quelque chose* (avec *que* ou l'inf.). *Il a témoigné qu'il l'a vu, l'avoir vu. Il témoigne avoir vu la chose de ses propres yeux.* ⇒ **Affirmer** (→ Infester, cit. 1). — Spécialt. Dr. (⇒ **Témoin,** I., 1., spécialt). Affirmer, déclarer en tant que témoin (→ Mariolle, cit. 2 ; quitte, cit. 10). — Par ext. Attester par son comportement ; porter témoignage.

1　(...) malgré les entreprises de tant de puissants rois qui ont cent fois essayé de les faire périr, comme leurs historiens le témoignent (...)
　　　　PASCAL, Pensées, IX, 620.

2　(...) je meurs pour témoigner qu'il est impossible de vivre ; mes yeux éteindront le monde et le fermeront pour toujours.　　SARTRE, la Mort dans l'âme, p. 174.

♦ **2.** (V. 1175). Exprimer, faire connaître* ou faire paraître*. ⇒ **Manifester, montrer.** *Témoigner un sentiment par des paroles* (⇒ **Affirmer, assurer**), *par des actes, un comportement* ⇒ **Marquer** (I., 10.), **paraître** (laisser). *Témoigner son agacement* (cit. 1), *de la froideur* (cit. 10) *à qqn* (→ Fâcher, cit. 18). *Témoigner ses désirs* (→ Avance, cit. 10), *une passion ardente* (cit. 28), *de la tendresse. Témoigner une préférence* (→ Chérir, cit. 2), *son intérêt, sa reconnaissance* (→ Procédé, cit. 1) *pour...* « *Elle désirait témoigner au prochain qu'elle ne le méprisait pas* » (→ Noble, cit. 25).— (Suivi de l'inf., avec ou sans *de*). « *Il témoigne si peu de la vouloir tenir* (sa promesse)... » (Corneille, *Rodogune,* I, 1).

3　Cette aimable Princesse ne témoigna pas pourtant que le mérite de ce prince eût fait aucune impression sur son esprit, et qu'elle l'eût quasi remarqué ; elle témoigna toujours, comme une autre Diane, n'aimer que la chasse et les forêts (...)
　　　　MOLIÈRE, la Princesse d'Élide, I, 3, Argument.

4　— (Elle) ne témoigne (...) aucune joie de me voir. — C'est qu'elle est encore toute surprise ; et puis les filles ont toujours honte à témoigner d'abord ce qu'elles ont dans l'âme.　　　　MOLIÈRE, l'Avare, III, 5.

5　(...) il me faisait l'honneur de témoigner hautement et publiquement en toute occasion, l'estime qu'il voulait bien me porter.
　　　　CHATEAUBRIAND, Mémoires d'outre-tombe, t. V, p. 84.

6　(...) elle trouverait un second fils dans ce garçon qui depuis trois ans lui témoignait une affection filiale.　　ZOLA, Thérèse Raquin, XIX.

♦ **3.** (XVIᵉ). Sujet n. de chose. Être l'indice, la preuve, le signe* de... ⇒ **Attester** (fig.), **assurer, démontrer, indiquer, marquer, montrer, révéler.** « *Je n'en trouve aucun* (vice) *qui témoigne tant de lâcheté* ». → Dissimulation, cit. 1, Montaigne (cet emploi est vieilli ; on dit plutôt *témoigner de...* → ci-dessous, II., 2.). — *Chose, marque qui témoigne que...* (→ Écrit, cit. 14 ; prévenir, cit. 8). *Témoigner combien...* (→ Naissance, cit. 6).

7　LE MARQUIS : Il ne faut que voir les continuels éclats de rire que le parterre y fait (à cette comédie). Je ne veux point d'autre chose pour témoigner qu'elle ne vaut rien.　　　　MOLIÈRE, Critique de l'École des femmes, 5.

8　(...) tout cela témoigne assez que les principes n'enrichissent pas fort leur homme.　　　　MICHELET, Hist. de la Révolution franç., IV, V.

★ **II.** (XVIIᵉ). V. tr. ind. et intr. ♦ **1.** Dr. Absolt. Parler, déposer* en tant que témoin*. *Témoigner en justice, Être appelé à témoigner.* ⇒ **Comparaître.** *Témoigner de la culpabilité, de l'innocence d'un prévenu. Témoigner en faveur de qqn, contre qqn* (→ Prétoire, cit.). — Par ext. *Témoigner pour qqn,* parler en sa faveur.

9　(...) en aucune affaire il n'y aurait pas de témoins écoutés, si on les récusait en vertu même de l'action qu'ils allaient à témoigner (...)
　　　　BEAUMARCHAIS, Mémoires sur l'affaire Goëzman, p. 56.

10　(...) j'ai toujours considéré qu'elle avait un grand cœur, et si l'on allait demander

à chacun de dire en conscience et en vérité ce qu'il en pense et ce qu'il en sait, chacun serait obligé de témoigner pour elle (...)
　　　　G. SAND, la Petite Fadette, XXX.

♦ **2.** (Mil. XVIIᵉ). **TÉMOIGNER DE** : porter témoignage ; confirmer la vérité, la valeur de quelque chose, par des paroles, des déclarations (→ ci-dessus, I., 1.) ou simplement par ses actes, son existence même. ⇒ **Témoin ; témoignage** (3.). *Les martyrs témoignent de leur Dieu. Témoigner de ses opinions, de sa foi... Ses œuvres témoigneront de ce que fut l'écrivain* (cit. 15).

11　(...) ceux qui ont rejeté et crucifié Jésus-Christ, qui leur a été en scandale, sont ceux qui portent les livres qui témoignent de lui et qui disent qu'il sera rejeté et en scandale (...)　　　　PASCAL, Pensées, VIII, 571.

12　Chaque être est né pour témoigner (« et testi esto ») et se dérobe à son devoir s'il n'assume pas pleinement cette mission de manifester de son mieux sa vérité particulière.　　　　GIDE, Attendu que..., p. 109.

Par ext. Manifester, marquer (→ ci-dessus I., 2.).

13　(...) les gardes de nuit qui marchaient d'un pas régulier en laissant traîner derrière eux leurs bâtons ferrés sur les dalles des trottoirs pour témoigner de leur vigilance.　　　　Th. GAUTIER, Voyage en Russie, I, XVIII.

♦ **3.** (Mil. XIXᵉ ; absent de Littré). Sujet n. de chose. Être la marque, le signe (→ ci-dessus, I., 3.). ⇒ **Foi** (faire foi de...). *Les textes modernes témoignent de l'état de la langue* (→ Nouveau, cit. 33, Littré). *Tout, en lui, témoignait d'une nervosité* (cit. 2). *Des projets qui témoignent d'une imagination* (cit. 26) *féconde* (→ aussi Guerre, cit. 39 ; hardi, cit. 18 ; reprise, cit. 7).

DÉR. Témoignage.

TÉMOIN [temwɛ̃] n. m. — XIIᵉ, *tesmoing* « témoignage » (1.) ; du lat. *testimonium* « témoignage », dér. de *testis* « témoin ».

★ **I.** Personne qui témoigne, fait un témoignage.

♦ **1.** (XIIIᵉ). Personne qui certifie ou peut certifier quelque chose, qui peut en témoigner* (en général parce qu'il ou elle en a été spectateur. → ci-dessous, 4.). *L'histoire* (cit. 19) *a pour matière ce qui a pu tomber sous le sens de quelque témoin. Témoin auriculaire* (cit. 3), *oculaire* (cit. 2), *témoin direct* (→ Fallacieux, cit. 6). *Témoin indirect, médiat,* qui ne sait que par l'intermédiaire d'autres personnes. *Témoin impartial* (→ Réaliste, cit. 4). « *Témoin de ta puissance* (de Dieu) *et sûr de ta bonté* » (→ Immortalité, cit. 3). ⇒ **Caution** (3.).

(1530). Loc. **PRENDRE À TÉMOIN, POUR TÉMOIN** (cf. Prendre à partie) : invoquer* le témoignage de ; et, par ext., montrer d'une manière claire, par son comportement. *Vous êtes témoin, soyez témoin de..., que...* (→ Extraire, cit. 12). — *Prendre Dieu à témoin.* ⇒ **Serment.**

1　Ô fleuves, ô forêts, cèdres, sapins, érables,
　Je vous prends à témoin que cet homme est méchant !
　　　　HUGO, la Légende des siècles, XVII, IV.

2　La baronne les prenait à témoin que ce soir il faisait très doux (...)
　　　　F. MAURIAC, le Sagouin, I.

REM. Selon les grammairiens classiques (Vaugelas, Ménage), *à témoin* étant pris « adverbialement » (comme dans *prendre à partie*) et *témoin* signifiant ici « témoignage » (→ *infra*, II., 1.), l'expression doit rester invariable. Cette règle est parfois transgressée de nos jours (cf. Duhamel, Pourrat, Genevoix, etc., in Grevisse, § 303).

Loc. *Dieu, le ciel m'est témoin que...* ⇒ **Attester** (j'en atteste...) ; → Brûler, cit. 29.

♦ **2.** Dr., cour. Personne en présence de qui s'est accompli un fait et qui est appelé à l'attester*. *Témoin judiciaire, témoin en justice,* appelé à déposer en justice sur un fait (→ Clair, cit. 8 ; enquête, cit. 2). *Assignation, comparution, déposition de témoins, au cours d'une enquête. Mander* (cit. 5) *des témoins, entendre, ouïr, faire déposer** (1. Déposer, cit. 12) *les témoins.* ⇒ **Déposition** (cit. 1 et 2) ; **déposant.** → Partage, cit. 4 ; prouver, cit. 5. *Audition* des témoins. Témoin à charge,* qui dépose à l'appui de l'accusation ; *témoin à décharge. Confrontation de témoins. Produire des témoins. Contester les déclarations d'un témoin ; récuser, reprocher* (cit. 9) *un témoin. Témoin récusable. Récoler* un témoin. Témoin qui dépose sous serment, qui jure* « *de dire toute la vérité* ». *Témoin assermenté.* — (V. 1283). *Faux témoin :* personne qui fait un faux témoignage (⇒ Concerter, cit. 3). — *Preuve par témoins.* ⇒ **Testimonial** (→ Notoire, cit. 1).

3　La procédure en un jour est finie,
　Mille témoins pour un déposent l'attentat ;
　Récolés, confrontés aucun d'eux ne varie :
　Mouflard est convaincu du triple assassinat (...)　　　FLORIAN, Fables, V, 18.

4　Chaque partie amène un nombre fantastique de faux témoins qui jurent sur les cendres de leurs pères et mères, et affirment sous serment les mensonges les plus effrontés.　　　　MAUPASSANT, Au soleil, le Zar'ez, p. 132.

4.1　M. Filleul sourit, habitué aux divergences d'opinion et de vision chez les témoins d'un même fait.　　　　M. LEBLANC, l'Aiguille creuse, p. 15.

Par métaphore. *Témoin muet :* pièce à conviction, preuve (→ ci-dessous, II., 3.).

(V. 1283). Personne qui doit certifier les identités, l'exactitude des déclarations, lorsqu'un acte est dressé. *Témoin instrumentaire*. Témoin certificateur,* « qui atteste à un notaire le nom, l'état et la demeure des parties non connues de ce notaire » (Capitant). *Les *témoins d'un mariage, d'une vente... Le recors* servait de témoin aux huissiers, lors des saisies.* — (Déb. XIXᵉ). Autrefois, personne chargée de régler les conditions d'un duel* (I., cit. 5 ; → Prendre, cit. 4). — *Témoin de moralité,* qui atteste la bonne moralité d'une personne.

♦ **3.** Littér. Personne qui porte témoignage (3.), qui affirme une croyance ou atteste une vérité, une valeur morale, par ses déclarations, ses actes ou même son existence (→ Martyr, cit. 1). — *Les témoins du Christ, de Jéhovah,* nom de sectes religieuses.

5   Je ne crois qu'aux témoins qui ne se feraient pas égorger.
                    Jean ROSTAND, Carnets d'un biologiste, XXI (→ Égorger, cit. 1, Pascal).

6   L'époque la plus médiocre, la plus enfermée dans la matière, a toujours possédé quelques témoins qui, par leur seule présence, ont élevé une protestation.
                    DANIEL-ROPS, Ce qui meurt..., p. 23.

7   Nos pères ont toujours disposé de témoins et d'exemples. Pour ces hommes torturés, il n'y en avait plus. C'est Saint-Exupéry qui a dit, au cours d'une mission dangereuse : je suis mon propre témoin. Ainsi d'eux : l'angoisse commence pour un homme et le délaissement et les sueurs de sang, quand il ne peut plus avoir d'autre témoin que lui-même ; c'est alors qu'il boit le calice jusqu'à la lie, c'est-à-dire qu'il éprouve jusqu'au bout sa condition d'homme.   SARTRE, Situations II, p. 250.

♦ **4.** (V. 1530, Marot). Personne qui assiste à un événement, qui est présente* lorsque s'accomplit un fait, qui le perçoit et peut en garder la mémoire (sans qu'elle soit forcément amenée à en témoigner). ⇒ **Assistant** (I.), **auditeur, spectateur** (→ Fable, cit. 6 ; perruquier, cit. 1 ; sauveteur, cit. 2). *J'en ai été témoin* (⇒ **De visu**). Cf. Je l'ai vu de mes yeux, cela s'est passé sous mes yeux. *Être témoin de... :* assister à, voir (→ 1. Barbe, cit. 5 ; fureur, cit. 18 ; lamentable, cit. 3 ; pathétique, cit. 3). *Dire qqch. pour les témoins présents.* ⇒ **Galerie** (2.). *Parler devant témoins,* devant des tiers*. *Faire* (cit. 61) *quelque chose sans témoins,* seul (→ Jeu, cit. 8 ; et aussi dicter, cit. 6 ; rencontrer, cit. 8). *Nul témoin, nul bruit...* (→ 1. Psyché, cit. 1).

8   — Seigneur Bartholo, si vous avez souvent des lubies comme celle dont le hasard me rend témoin, je ne suis plus étonné de l'éloignement que mademoiselle a pour devenir votre femme.   BEAUMARCHAIS, le Barbier de Séville, III, 12.

Spécialt. Simple spectateur, qui n'intervient pas, n'agit pas. *Les acteurs et les témoins du drame.*

9   L'homme n'est qu'un témoin frémissant d'épouvante.
                    HUGO, les Contemplations, VI, IX, III.

10   Je puis dire que ce n'est pas à moi-même que je m'intéressai, mais au conflit de certaines idées dont mon âme n'était que le théâtre et où je faisais fonction moins d'acteur que de spectateur, de témoin.   GIDE, Journal, 19 mars 1924.

REM. Au sens I, *témoin,* qui n'a pas de féminin, se dit aussi des femmes. *Elle en a été témoin, le témoin. Un témoin, Mᵐᵉ X, a déclaré...*

11   Tu es témoin, Anita, que la plupart des hommages, je les ai menés où j'ai voulu.
                    Paul MORAND, l'Europe galante, p. 31.

★ **II.** Ce qui sert de preuve ; chose qui atteste, manifeste...

♦ **1.** (V. 1175). Vx. Témoignage (6.) ; garant, marque, preuve. *« Et contre ce témoin* (un billet) *on n'a rien à répondre »* (Molière, *le Misanthrope,* IV, 3).

Loc. Dr. (Vx). *En témoin de quoi.* ⇒ **Témoignage.** — Mod. **TÉMOIN,** en tête de phrase, en fonction de conjonction. ⇒ **Preuve** (à preuve ; → 1. Pratique, cit. 11). *« Témoin les chiens (...) »* (Montaigne, *Essais,* I, 21). *« Témoin trois procureurs »* (Racine, *les Plaideurs,* III, 3). — **REM.** L'expression est parfois prise comme ellipse de *« est, sont témoin(s) »,* avec l'accord du pluriel (cf. Chateaubriand, Suarès, in Grevisse). *« Témoins les Psaumes de David et les confessions de saint Augustin »* (J.-J. Brousson, in *Les Nouvelles Littéraires,* 26 mars 1932). *« Témoins ces vers adressés à Richelieu »* (Hanoteaux et La Force, in *Revue des Deux-Mondes,* 15 déc. 1941).

♦ **2.** Didact., littér. Objet, chose qui, par sa présence, son existence, atteste, permet de constater, de vérifier... *« Certains êtres sont les derniers témoins d'une forme de vie que la nature a abandonnée »* (→ Musique, cit. 3).

Emplois spéciaux. — (1690). Reliure. Feuillet non rogné, laissé intact par le relieur, attestant que les marges ont été épargnées au maximum.

(1690). Petits débris (tuiles, ardoises) enfouis sous les bornes d'une propriété, pour vérifier par la suite leur emplacement.

Objet (piquet, taquet, etc.) qui sert à marquer un emplacement, en arpentage*.

Sylv. Arbre (de lisière, de limite) qu'il est interdit d'abattre.

Hauteur, butte laissée intacte au cours de fouilles, d'excavations.

12   (...) comme on laisse des morceaux de terre qu'on nomme des *témoins* dans un terrain qu'on a rasé, pour faire voir, par ces restes, de quelle profondeur a été l'ouvrage (...)   FÉNELON, Lettres spirituelles, 105.

Géol. Élévation, butte qui a échappé à l'érosion. (Syn. : *butte-témoin.* ⇒ 1. **Butte,** I.).

Mar. Extrémité des torons qu'on laisse effilés (pour vérifier la qualité du chanvre, constater que le cordage est entier).

Gravure, peint. Empreinte que laisse le biseau de la planche gravée, quand on tire une épreuve.

Espace non nettoyé, après la restauration d'un tableau, etc.

(XXᵉ). **Archit.** Marque placée pour constater le progrès d'une détérioration (lézarde...).

(1924, in Petiot). Sport. Bâtonnet que doivent se passer les coureurs de relais. *Passage, transmission du témoin.* ⇒ **Bâton** (argot des sports).

13   (...) bientôt débouchèrent deux coureurs vêtus de blanc. Au moment où l'un se redressait pour ralentir, l'autre plongea en avant ; leurs mains qui se touchaient se désunirent. — Vous travaillez les relais ? (...) je vis dans ses yeux (...) une telle soif de victoire que je compris qu'il tomberait évanoui plutôt que de passer le *témoin* au suivant avec une seconde de retard.
                    Paul MORAND, Champions du monde, p. 9.

Sc. (1884, *chien témoin,* dans des expériences sur la rage ; in *Année sc. et industr.* 1885, p. 409). Élément qui sert de repère, de point de comparaison (dans une expérience, un essai...). *Comparer une éprouvette et le témoin, après un essai de traction.* — REM. Dans cet emploi, on a tendance à employer *témoin* en apposition ou à former avec ce mot des noms composés (avec ou sans trait d'union). *Borne témoin,* par rapport à laquelle s'effectuent les opérations de bornage. *Lampe témoin,* dont l'allumage permet de contrôler une opération, un fonctionnement. ⇒ **Voyant.** *Animaux, plantes, sujets témoins,* sur lesquels on n'a pas fait d'expérience et que l'on compare à ceux sur lesquels on en a fait. *Expérience* (cit. 47) *-témoin.* — Chose servant de point de repère, de comparaison. *Appartement-témoin. Maison-témoin. « L'industrie automobile, secteur-témoin de toute la production industrielle française »* (le Monde, 19 juil. 1964). — Par métaphore, fig. *La Suisse, démocratie témoin* (si exemplaire, qu'elle peut servir de point de comparaison), ouvrage d'A. Siegfried.

14   Ainsi, même en moi (...) l'alluvionnement des heures a réservé certains espaces-témoins (...)   Michel BUTOR, l'Emploi du temps, p. 120.

Techn. *Témoin sonore :* fil métallique tendu, muni d'un électro-aimant, servant à apprécier les contraintes mécaniques (travaux publics).

♦ **3.** Par métaphore du sens I. Objet qui se trouve en un lieu au moment où il se passe quelque chose ; lieu où il se passe quelque chose (→ Lampe, cit. 2 ; moment, cit. 19). *Cette scène n'a eu pour témoins que les quatre murs de la pièce. Lieux, paysages qui sont, furent les témoins du passé.*

15   Je ne viens point jeter un regret inutile
     Dans l'écho de ces bois témoins de mon bonheur.
                    A. DE MUSSET, Poésies nouvelles, « Souvenirs ».

DÉR. Témoigner.

---

1. TEMPE [tãp] n. f. — 1530, généralisé au XVIIᵉ ; *temple,* 1080, *Chanson de Roland ;* d'un lat. pop. **tempula,* altér. de *tempora,* plur. de *tempus.*

♦ Région latérale de la tête entre le coin de l'œil et le haut de l'oreille, correspondant à la fosse temporale du crâne. *La tempe droite, gauche. D'une tempe à l'autre. Le méplat des tempes. Veines visibles sous la peau mince des tempes* (→ Incarnat, cit. 5 ; et aussi réseau, cit. 4). *Yeux qui remontent vers les tempes* (→ Bouffissure, cit. 1). *Boucles, cheveux ramenés sur les tempes* (→ Coque, cit. 7 ; rouflaquette, cit. 2). *Tempes découvertes* (→ Natter, cit. 1). *Tempes grisonnantes* (cit.), *qui s'argentent* (cit. 4). — *Battement du sang* (de l'artère temporale) *contre les tempes* (→ Peur, cit. 21). *Avoir les tempes serrées* (→ Anneau, cit. 1), impression produite par la migraine. *Se baigner les tempes avec du vinaigre* (→ Étendre, cit. 52).

(...) du bout des doigts, je touchai Marcellin à la tempe. Les cheveux étaient humides, et, sous mes doigts, la tempe battait.
                    H. BOSCO, Un rameau de la nuit, p. 228.

HOM. 2. **Tempe.**

---

2. TEMPE [tãp] n. f. — 1765, *Encyclopédie ; temple,* n. f., 1281 ; probablt de *templum,* au sens de « traverse ».

Technique.

♦ **1.** Partie du métier à tisser, sorte de règle articulée.

On trouve aussi la forme *templet* [tãplɛ] n. m. (1765).

♦ **2.** (1812). Morceau de bois au moyen duquel le boucher tient ouvert le ventre d'un animal.

HOM. 1. **Tempe.**

TEMPERA (A) [atãpera] loc. adj. — 1892, *Encycl. Berthelot,* art. *Détrempe ;* mots ital. « à détrempe ».

♦ **Peint.** Se dit d'une couleur délayée dans de l'eau additionnée d'un agglutinant (gomme, colle, œuf), et du procédé de peinture avec cette couleur. ⇒ 1. **Détrempe.** — Loc. adv. *Peindre a tempera.*

1   Toute restauration proprement dite, c'est-à-dire tout apport nouveau sur une peinture ancienne dégradée, doit être exécutée avec une peinture a tempera qui a le mérite de ne pas pénétrer dans la peinture ancienne et de pouvoir être enlevée à l'eau.   Luc BENOIST, Musées et Muséologie, p. 86.

2   Le peintre (...) mélangeait ses couleurs et les apposait, faisant peut-être d'abord des « dessous » en camaïeu blanc ou vert, y revenant avec les couleurs définitives ; les détails étaient le plus souvent repris a secco ou a tempera.
                    Jeannine AUBOYER, les Arts de l'Extrême-Orient, p. 60-61.

On dit aussi : *à la tempera*. « *Une peinture à la tempera de Derain* » (*le Monde*, 25 mars 1969).

TEMPÉRAMENT [tɑ̃peʀamɑ̃] n. m. — XIIIᵉ, attestation isolée ; 1478 ; lat. impérial *temperamentum* « juste proportion », aussi « action de tempérer », pour *temperatio*, du lat. class. *temperare* « adoucir ». → Tempérer.

★ **I.** ♦ **1.** (1636). Vx. Équilibre (d'un mélange, d'une composition). *Le tempérament des humeurs dans le corps. Ce tempérament de mes tendances* (→ Corps, cit. 25, Valéry).

♦ **2.** Vx. Mesure dans les jugements, la conduite. *Réduire ses pensées à un juste tempérament* (→ Estimer, cit. 27). *Se maintenir dans un juste tempérament* (→ Modeste, cit. 8). ⇒ **Mesure, milieu, modération.**

1   Il est certain tempérament
      Que le maître de la nature
      Veut que l'on garde en tout.   LA FONTAINE, Fables, IX, 11.

(XVIIᵉ). Vieilli. Solution mesurée, moyen terme.

2   (...) cependant nous trouvâmes un tempérament raisonnable, qui fut de louer une maison dans quelque village voisin de Paris (...)
      Abbé PRÉVOST, Manon Lescaut, I, p. 49.

♦ **3.** (Repris au lat.). Didact. Modification qui tempère, mitige. ⇒ **Adoucissement, atténuation.** *Cette loi est trop sévère et trop rigoureuse, il faut y apporter quelque tempérament* (Furetière).

3   L'Orient n'imagine d'autre gouvernement que celui de l'absolutisme. Seulement, quand l'absolutisme devient intolérable, on poignarde le souverain. Voilà le seul tempérament politique que l'on y connaisse.
      RENAN, l'Avenir de la science, XVI, Œ. compl., t. III, p. 981.

(1690). Mus. Organisation de l'échelle des sons (d'abord comprise comme un adoucissement porté à des dissonances) qui donne une valeur commune, dans les instruments à son fixe, au dièse d'une note et au bémol de la note immédiatement supérieure (par ex. sol dièse et la bémol) par le partage égal de l'intervalle qui les sépare. ⇒ **Enharmonique** (2.) ; **tempérer.**

(1867). Comm., cour. VENTE À TEMPÉRAMENT, rendue plus aisée par la répartition du prix en plusieurs paiements partiels (versements à des dates et dans des formes prévues par un contrat). *Achats* (cit. 3) *à tempérament, à crédit**.

3.1   Ils se mariaient. Deux traitements et un cœur, ça finit par donner une 404 et un appartement. Le tout à tempérament.
      Claude COURCHAY, La vie finira bien par commencer, p. 37.

★ **II.** ♦ **1.** (1478). Organisme (d'une personne), type d'organisme considéré dans les caractères généraux congénitaux de son fonctionnement (⇒ **Physiologie**), — expliqués à l'origine par le dosage des quatre humeurs* (I.) selon Hippocrate (→ ci-dessous, cit. Le Senne). *Tempérament atrabilaire* (vx), *bilieux* (vx), *flegmatique* (vx), *lymphatique, mélancolique* (vx), *nerveux* (→ Fiasco, cit. 1), *sanguin*. — REM. Les sens *vx* s'emploient encore de nos jours en parlant du caractère (→ ci-dessous, 2.). *Des tempéraments sains et robustes* (→ Bienfait, cit. 14). ⇒ **Complexion, constitution.** *Tempérament délabré* (cit. 9). « *Gâter* (cit. 26) *la bonté de votre tempérament* » (Molière). ⇒ **Santé.** Fam. *Se tuer, s'esquinter le tempérament*, la santé (→ Habitude, cit. 22). *Étudier le tempérament d'un malade* (→ Ordonnance, cit. 13). ⇒ **Idiosyncrasie.** *Des tempéraments auxquels le lait ne convient point* (→ Absorbant, cit. 1). *Affaire de tempérament et de tolérance individuels* (→ Intoxication, cit. 2). *Pour changer un caractère, il faudrait changer* (cit. 22) *le tempérament dont il dépend.*

4   Il faut que j'aie un tempérament herculéen pour résister aux atroces tortures où mon travail me condamne.   FLAUBERT, Correspondance, 562, 4 nov. 1857.

5   D'après l'essentiel de cette conception *(la théorie des quatre constitutions humorales d'Hippocrate et de Galien),* quatre humeurs, le sang, la bile, la bile noire *(atrabile* en français d'origine latine), le flegme déterminent, suivant leur prédominance dans le corps, les quatre caractères humains qui sont le sanguin, le cholérique ou bilieux, le mélancolique ou atrabilaire, le flegmatique. Cette doctrine a persisté avec des modifications jusque dans la médecine du XIXᵉ siècle qui a sous admis quatre tempéraments, le nerveux, le sanguin, le bilieux et le lymphatique, auxquels s'ajoutent parfois le flegmatique et le musculaire.
      R. LE SENNE, Traité de caractérologie, p. 47.

♦ **2.** Caractère d'une personne. ⇒ **Caractère** (III.), **humeur** (cit. 6 et 10), **naturel** (n. m.), **penchant.** *Tempérament atrabilaire* (cit. 4), *bilieux* (cit. 3), *romanesque* (→ Entourer, cit. 6). *Bonne* (cit. 70) *par tempérament. Ferme* (1. Ferme, cit. 11) *par tempérament et flexible par réflexion.* ⇒ **Inclination.** *Gaie* (cit. 2) *de tempérament. Avoir un tempérament à...* (→ Moine, cit. 4). *Rien ne change* (cit. 13) *un tempérament* (La Fontaine). — Par ext. *Le tempérament d'une nation* (→ Question, cit. 21).

6   N'oublions pas que le Français est frondeur de tempérament. Vous n'y pouvez rien. Chaque peuple a son caractère. L'Anglais n'est pas intelligent, l'Allemand est lourd, l'Espagnol est fier, l'Italien est sournois, le Russe est rêveur. On ne va pas contre sa nature. Le Français, lui, frondeur.   M. AYMÉ, Travelingue, p. 262.

♦ **3.** (1649). Plus cour. Ensemble de caractères innés chez une personne, complexe psychophysiologique qui détermine ses comportements. ⇒ **Nature** (I., 4.). *Un tempérament actif, ardent, combatif* (→ Redresseur, cit. 2), *fougueux, froid, vif* (→ Navet, cit. 2),

---

vigoureux (→ Légitimation, cit. 4). *Le tempérament de l'artiste* (→ Exposition, cit. 3 ; fonction, cit. 19), *de l'exécutant* (cit. 1). ⇒ **Personnalité.** — Absolt. *Quel tempérament ! C'est un tempérament :* c'est une nature*, une forte personnalité.

7   Aussi la partie de nous-mêmes, sur laquelle nous sommes le plus aveugles, est-elle l'ensemble de ces impressions immédiates de tempérament, dont ce que nous nommons caractère n'est que la physionomie (...)
      MAINE DE BIRAN, Du physique et du moral de l'homme, II, § IV.

8   Dans *Thérèse Raquin*, j'ai voulu étudier des tempéraments et non des caractères. Là est le livre entier. J'ai choisi des personnages souverainement dominés par leurs nerfs et leur sang, dépourvus de libre arbitre, entraînés à chaque acte de leur vie par les fatalités de leur chair. Thérèse et Laurent sont des brutes humaines, rien de plus.   ZOLA, Thérèse Raquin, Préface.

9   Les activités affectives sont très proches des physiologiques. Elles constituent le tempérament. Le tempérament change d'un individu à l'autre, d'une race à l'autre. Il est un mélange de caractères mentaux, physiologiques et structuraux. Il est l'homme même. C'est lui qui donne à chacun de nous sa petitesse, sa médiocrité ou sa force.   Alexis CARREL, l'Homme, cet inconnu, IV, III.

♦ **4.** (XVIIIᵉ). Spécialt. Le tempérament (3.) quant aux appétits sexuels. *Être de tempérament amoureux, ardent* (cit. 25), *lascif* (cit. 1) ; *froid* (→ Brûlant, cit. 9). *Tempérament très exigeant* (→ 1. Écart, cit. 6 ; 1. froid, cit. 12). *Le feu de son tempérament* (→ Esprit, cit. 98). *Tempérament de feu, de braise.*

10   Je connaissais trop son cœur chaste et son tempérament de glace pour croire un moment que le plaisir des sens eût aucune part à cet abandon d'elle-même (...)
      ROUSSEAU, les Confessions, V.

(1762). Absolt. Appétit sexuel, propension à l'amour. ⇒ **Salacité, sens** (I., 2.), **sensualité.** *Avoir du tempérament* (⇒ **Sensuel** ; → Indiquer, cit. 7), *peu de tempérament* (→ Humeur, cit. 36). *Ne pas avoir de tempérament* (→ 1. Marbre, cit. 11).

DÉR. Tempéramental.

TEMPÉRAMENTAL, ALE, AUX [tɑ̃peʀamɑ̃tal, o] adj. — 1845, Bescherelle ; de *tempérament*.

♦ Didact. Qui a trait, se rapporte au tempérament constitutionnel d'un individu. *Dominantes tempéramentales qui différencient les réactions d'un groupe de malades atteints de la même maladie.*

De nos jours, l'homéopathie considère plusieurs grands groupes de constitutions différentes dont les éléments congénitaux (héréditaires) se trouvent nuancés par les variations tempéramentales inhérentes, d'une part, à des causes exogènes (...) d'autre part, à des causes endogènes (...)
      Pierre VANNIER, l'Homéopathie, p. 58.

TEMPÉRANCE [tɑ̃peʀɑ̃s] n. f. — 1549 ; *temprance*, v. 1120 ; lat. *temperantia*, de *temperans, antis*. → Tempérant.

♦ **1.** Modération (→ Haut, cit. 58). *Tempérance dans la sagesse ; dans la dépense.* ⇒ **Économie, sobriété.**

♦ **2.** Didact. Modération dans les plaisirs des sens. ⇒ **Continence.** *La tempérance, vertu cardinale. Justice et tempérance* (→ Niaiserie, cit. 7).

1   Tempérance est une vertu de savoir commander aux voluptés.
      RONSARD, Œuvres en prose, « Des vertus intellectuelles et morales ».

♦ **3.** (1611). Cour. Modération dans le boire et le manger. ⇒ **Abstinence, frugalité, sobriété.** *Sobre par tempérance* (→ Apparent, cit. 6). Particult. Modération dans la consommation des boissons alcoolisées. *La tempérance, qualité que doit avoir un conducteur* (→ aussi Pression, cit. 1). Vieilli. *Sociétés de tempérance, au Canada, aux États-Unis...,* dont le but est de combattre l'abus ou même l'usage des boissons alcoolisées (cf. Ligue anti-alcoolique).

2   Les sociétés de tempérance règnent, fort utilement, disons-le. Elles ont leurs processions, et promènent leurs bannières avec un appareil presque maçonnique qui attendrit même les cabaretiers. On entend les tavernières dire aux ivrognes en les servant : « Bévez-en un varre, n'en boivez *(sic)* pas une bouteille ».
      HUGO, l'Archipel de la Manche, VIII.

CONTR. Excès ; gourmandise ; alcoolisme, ivrognerie.
DÉR. (De *temperans*) Tempérant.
COMP. Intempérance.

TEMPÉRANT, ANTE [tɑ̃peʀɑ̃, ɑ̃t] adj. — 1553 ; lat. *temperans*.

♦ **1.** Didact. Qui a de la tempérance (2.). ⇒ **Continent, modéré.** — Qui a de la tempérance (3.). ⇒ **Abstinent, frugal, sobre.**

   Il était tempérant plus qu'il n'eût voulu être
   Quand il voyait un mets exquis
   Mais enfin il l'était (...)   LA FONTAINE, Fables, VIII, 7.

N. (rare au fém.). *Les tempérants et les intempérants.*

♦ **2.** (1752). Méd., vx. « Qui a la vertu de tempérer, de modérer l'activité trop grande de la circulation » (Littré). — N. *Les fruits acides sont des tempérants.*

CONTR. Glouton, goinfre, goulu, gourmand.
COMP. Intempérant.

TEMPÉRATURE [tɑ̃peʀatyʀ] n. f. — 1562 ; « tempérament », 1538, aussi au XVIIᵉ ; lat. *temperatura*, dér. de *temperare*. → Tempérant.

♦ **1.** Phys. Phénomène physique qui se présente comme une manifestation de l'énergie cinétique moyenne de translation des molécu-les d'une substance, due à l'agitation calorifique. *Les différences de température entre deux corps ne peuvent être correctement appré-ciées par nos sens; aussi les évalue-t-on par rapport à certaines propriétés physiques* (dilatation, changement de résistance électri-que, variation de pression des gaz ou des vapeurs, modification dans la viscosité des fluides, etc.), *pour définir une échelle arbitraire de température* (abrév. : *t°*), *grâce à laquelle on peut repérer la tem-pérature d'un corps, d'une enceinte,* etc. — *Mesure d'une tempé-rature* (expression usuelle, mais abusive, puisqu'elle a toujours lieu par rapport à une échelle arbitraire). — *Température exprimée en degrés Celsius* (centigrades), *Farenheit, Réaumur* (vx), avec des degrés en dessous du point choisi comme zéro. *Température expri-mée en degrés absolus ou degrés Kelvin : température thermodyna-mique,* échelle qui ne comporte pas de degrés négatifs (cependant on peut parler de *températures absolues négatives,* si la «popula-tion» des atomes ou des molécules d'un système, pour des degrés d'énergie élevés, se présente comme plus forte que celle des faibles degrés d'énergie). *La température, grandeur scalaire* (2. Scalaire, cit.). *Abaissement ; augmentation de température. Quantité de cha-leur* (mesurée en calories, thermies...) *nécessaire pour augmenter la température. Température supposée constante* (→ Densité, cit. 2), *rendue constante.* ⇒ **Thermostat.** *Abaisser* (⇒ **Réfrigérer ; refroidir**), *élever la température d'un corps* (⇒ **Chauffer, réchauffer**). *Tout corps solide chauffé à haute température émet un rayonnement* (cit. 3). *Science des températures élevées.* ⇒ **Pyrométrie.** *Tempé-rature d'ébullition, de fusion... d'un corps.* ⇒ **Point.** *Température critique* d'un gaz. Température étalon,* correspondant à la fusion, à la solidification, à l'ébullition d'une substance dans des conditions déterminées. *Coefficient de température d'une réaction chimi-que.* — *Température de la glace fondante :* point de fusion de la glace sous pression atmosphérique normale, qui caractérise (par définition) le zéro de l'échelle thermométrique de Celsius. *La température d'ébullition de l'eau est de 100 °C sous pression atmosphérique normale.* — *Température d'inflammation ou d'auto-inflammation :* température la plus basse à laquelle une réaction explosive d'un mélange gazeux combustible s'amorce spontanément et se propage avec flamme à toute la masse du mélange (dans des conditions expérimentales déterminées). — *Température de trans-formation ou de transition :* température à laquelle une variété ou forme allotropique d'une substance polymorphe se transforme en une autre substance sous une pression donnée. — *Température de radiation :* d'une source quelconque, la température d'un corps noir qui émettrait au total la même quantité d'énergie par unité de sur-face (G. Bruhat). — *Température de brillance ou de luminance* pour une longueur d'onde : «la température du corps noir qui émet, par unité de surface, la même énergie que cette source pour les radiations de cette longueur d'onde» (G. Bruhat). — *Température de couleur :* «la température de couleur d'une source, pour un couple de longueur d'onde (...) est la température du corps noir pour laquelle le rapport (...) des énergies rayonnées pour ces deux lon-gueurs d'onde est égal au rapport correspondant des énergies (...) pour la source considérée» (G. Bruhat).

1 Engels prend naïvement la température comme si elle se donnait *d'abord* comme une quantité pure. Mais en fait elle apparaît en premier lieu comme une qualité : c'est cet état de malaise ou de contentement qui nous fait boutonner plus étroi-tement notre manteau ou l'enlever au contraire. Le savant a réduit cette qualité sensible à une quantité lorsqu'il a convenu de substituer aux informations vagues de nos sens la mesure des dilatations cubiques d'un liquide.
SARTRE, Situations III, p. 150.

2 (...) les théories moléculaires et statistiques de la matière en définissant la tem-pérature d'un corps proportionnelle à l'énergie thermique moyenne de ses molécules ramènent la notion de température à celle d'énergie et la rattachent par suite à une entité qui se conserve (...)
L. DE BROGLIE, Physique et Microphysique, p. 93.

♦ **2.** (1562). Degré de chaleur ou de froid de l'atmosphère en un lieu, lié à la sensation éprouvée par le corps. *La température, fac-teur du climat** (cit. 1) *est fonction de la latitude, de l'altitude, de l'insolation, de la situation géographique, des courants marins... Gradient de température dans l'atmosphère. Moyennes de tempé-rature, courbes des températures.* ⇒ **Isotherme.** *Variations de tem-pérature.* ⇒ **Thermographe, thermomètre ; thermique.** *Température sous abri,* relevée sur un thermomètre placé dans un abri convena-blement ventilé et à 1,50 m du sol. *Température relevée sous abri à une heure donnée. Température en hausse, en baisse. Sautes* (cit. 1) *de température* (→ Front, cit. 36). *Lente montée de la tem-pérature* (→ Hiver, cit. 6). *La douceur de la température. Tempé-rature (Celsius) inférieure à zéro.* ⇒ **Gel, gelée.** *Écart des tempé-ratures extrêmes.*

Cour. L'atmosphère plus ou moins chaude, froide, ressentie par les êtres vivants. ⇒ **Temps.** *Température chaude* (→ Fond, cit. 44), *froide, glaciale, douce, clémente... Température qui se refroidit* (→ Geler, cit. 13) *ou se réchauffe.* ⇒ **Fraîchir, rafraîchir** (se) ; *qui se radoucit* (cit. 2). ⇒ **Adoucissement, réchauffement.** — *L'air* (d'un lieu) con-sidéré dans son état thermique. *Température attiédie d'une pièce* (→ Bain, cit. 8). *La température ambiante. La température rendue égale et agréable.* ⇒ **Climatisation, conditionnement.**

2.1 Ces observations consistaient particulièrement à prévoir chaque année qu'elle serait la température générale ; c'est-à-dire, si l'hiver serait long, froid ou pluvieux ;

l'été sec et chaud, ou froid et humide ; s'il y aurait des gelées tardives au prin-temps, etc. Ces éphémérides lui ont quelquefois utilement servi.
RESTIF DE LA BRETONNE, la Vie de mon père, p. 164.

♦ **3.** Degré de chaleur (du corps, d'un organisme). *Animaux à tem-pérature fixe, variable* (cf. À sang chaud, froid). — Didact. *Tem-pérature de neutralité thermique,* qui n'exige pas de lutte contre la chaleur ou le froid de la part d'un animal homéotherme. *La tem-pérature normale du corps humain est voisine de 37°. Prendre la température avec un thermomètre* (→ Laborantin, cit. 2). *Tempé-rature axillaire, buccale, rectale. La température du malade était de 39°5* (→ Gonfler, cit. 31). *Sa tempé-rature montait* (cit. 23) *en flèche. Courbe, feuille de température* (→ Graphique, cit. 1). *Qui abaisse la température.* ⇒ **Antipyréti-que, antithermique.**

3 La nuit, la température de l'enfant avait des sautes effrayantes ; elle passait sans transition de la grosse fièvre à l'anémie. Il brûlait, il tremblait de froid, il avait des angoisses, sa gorge se contractait (...)
R. ROLLAND, Jean-Christophe, Le matin, I, p. 146.

Absolt. Température au-dessus de la normale. ⇒ **Fièvre.** *Avoir, faire de la température.*

♦ **4.** (1929). Par métaphore, fig. *C'est la fièvre de la jeunesse* (cit. 24) *qui maintient le monde à la température normale.* — *Prendre la température d'une assemblée, d'un groupe,* etc. : prendre connaissance de son état d'esprit, de sa disposition (→ aussi Prendre, cit. 57). *La température de la ville monte,* l'excitation, le mécontentement croissent.

4 Cependant, toujours, quand il y avait des élections quelconques, la température montait. Comme un accès de fièvre. ARAGON, les Beaux Quartiers, I, XVI.

TEMPÉRER [tɑ̃peʀe] v. tr. — Conjug. *céder.* — V. 1155 ; du lat. *temperare* «mélanger», fig. «adoucir, modérer». → Tremper ; de *tem-pus, oris* au sens de «temps favorable».

♦ **1.** (Mil. XVIe ; *temprer,* v. 1360). Vx. Modérer par mélange la force de (un fluide). *Tempérer une boisson.* ⇒ **Couper** (I., C.), **mêler.** *Du petit lait pour tempérer le sang* (→ Adoucir, cit. 2).

♦ **2.** Adoucir l'intensité, l'excès (du froid, de la chaleur) → ci-des-sous Tempéré. *Les vents tempèrent la rigueur des hivers.* ⇒ **Attié-dir** (cit. 1), **réchauffer.** *Ardeur de l'été tempérée par des zéphirs rafraîchissants* (cit.). ⇒ **Rafraîchir.** — Vx. Méd. Rafraîchir. *Tempé-rer les entrailles et le cerveau* (→ Médecine, cit. 2). Fig. *Tempé-rer sa bile*.*

1 (...) sous les ardeurs du soleil que tempéraient les souffles frais des ombrages.
ZOLA, Thérèse Raquin, XI.

♦ **3.** (Mil. XVIe, Rabelais ; *temprer,* v. 1360). Fig. et littér. Adoucir, modérer. ⇒ **Affaiblir.** *Tempérer les douleurs de l'absence* (→ Pathétique, cit. 5). ⇒ **Atténuer ; apaiser, lénifier.** *Tempérer son ardeur combative* (→ 2. Point, cit. 17). ⇒ **Assagir, calmer.** *Tem-pérer la fermeté par les grâces de l'indulgence* (→ Apostolique, cit. 6). ⇒ **Corriger.** *Regret tempéré par le plaisir de...* (→ Figure, cit. 16). ⇒ **Diminuer, mitiger.** *Tempérer la politique de qqn* (→ Canaliser, cit. 3), *la loi* (→ Équité, cit. 7). — Allus. littér. *La France, monarchie absolue* (cit. 4) *tempérée par des chansons* (→ aussi Gouvernement, cit. 41).

2 (...) les douceurs de l'amitié tempérèrent les emportements de l'amour, et j'ima-gine à peine quelque sorte d'attachement qui ne m'unisse pas à toi.
ROUSSEAU, Julie ou la Nouvelle Héloïse, I, LV.

3 (...) cette joie ne devait, dans la suite, être tempérée, altérée par aucune déconve-nue. G. DUHAMEL, le Temps de la recherche, XIII.

▶ **SE TEMPÉRER** v. pron.

♦ **1.** (1690). Récipr. Se modérer, se corriger l'un l'autre, dans un mélange. *Éléments ethniques* (cit. 3) *qui se tempèrent.*

♦ **2.** (1662). Réfléchi et passif. S'adoucir, s'affaiblir.

4 Si donc je cesse brusquement et si je ne vous vois plus désormais, c'est que des amitiés comme celle qui était entre nous ne se tempèrent pas, elles vivent ou on les tue. SAINTE-BEUVE, Correspondance, 152, 7 déc. 1830.

5 (...) un sourire où la colère se tempérait de pitié.
J. ROMAINS, les Hommes de bonne volonté, t. III, XVIII, p. 241.

▶ **TEMPÉRÉ, ÉE** p. p. et adj. (XIIIe ; 1119, *tempered*).

♦ **1.** Vx ou littér. Modéré. *Un esprit tempéré* (→ Gaulois, cit. 8). *Moderniste bien tempéré* (→ Main, cit. 72). — (V. 1375). Géogr. *Climat* tempéré,* où la température est moyenne, qui n'est ni très chaud ni très froid. ⇒ **Doux.** *Zone tempérée,* où règne ce climat. *Les zones tempérées de l'hémisphère Nord, de l'hémisphère Sud* (→ Cyclone, cit. 3 ; hiver, cit. 6). *Les régions* (→ Gel, cit. 5), *les pays tempérés* (→ Résister, cit. 3).

Polit. *Monarchie tempérée,* monarchie constitutionnelle. — Rhét. *Style tempéré,* entre le simple et le sublime.

6 (...) les climats tempérés sont plus propres à la société qu'à la poésie. Lorsque le climat n'est ni sévère ni beau, quand on vit sans avoir rien à craindre ni à espérer du ciel, on ne s'occupe guère que des intérêts positifs de l'existence. Ce sont les délices du Midi et les rigueurs du Nord, qui ébranlent fortement l'imagination.
Mme DE STAËL, De l'Allemagne, I, V.

♦ **2.** (Av. 1745). Mus. *Gamme* tempérée.* ⇒ **Tempérament.** — Par *ext. Le clavecin bien tempéré,* suite de préludes et fugues écrits selon le système du tempérament et dans toutes les tonalités, par J.-S. Bach.

CONTR. Corser. — Exciter, renforcer, soutenir. — Effréné, excessif, extrême. — Accablant, chaud, froid.
DÉR. V. Tempérance.

TEMPÊTE [tɑ̃pɛt] n. f. — 1080, *Chanson de Roland, tempeste;* d'un lat. pop. **tempesta* «temps», et, par ext., «mauvais temps», lat. class. *tempestus* «qui vient à temps», de *tempus* «temps».

◆ **1.** Violente perturbation atmosphérique près du centre d'une aire cyclonale (⇒ **Cyclone**); vent* rapide qui souffle en violentes rafales, souvent accompagné d'orage* et de précipitations. ⇒ **Bourrasque, cyclone, ouragan, tourmente.** — Spécialt. Ce temps sur mer, qui provoque l'agitation des eaux et met les navires en péril. ⇒ **Coup** (de chien), **houle, temps** (gros temps). *La tempête se lève, souffle, se déchaîne, bat son plein* (cit. 64), *fait rage* (→ Mouton, cit. 20). *L'effort, l'assaut de la tempête* (→ Arrêter, cit. 9). *La fureur, la violence des tempêtes* (→ littér. Flottant, cit. 1); *hurlements, mugissements de la tempête* (→ Conjuration* des éléments). *Essuyer* (cit. 8) *des tempêtes dans une mousson contraire. Affronter la tempête. À l'abri des tempêtes. La peur* (cit. 16) *de Panurge pendant la tempête. « Le mois des tempêtes »* (→ Ravissement, cit. 2). *Oiseau* des tempêtes. Mouette* (cit. 1) *qui annonce la tempête par ses cris.* — *Tempête de neige :* chutes de neige avec un vent violent (→ aussi Frimas, cit. 2). *Tempête de sable :* vent violent qui soulève le sable en tourbillons (→ Simoun, cit. 1). — *La Tempête,* drame de Shakespeare.

1 (...) à peine fûmes-nous hors du golfe d'Alicante, qu'il survint une bourrasque effroyable. J'aurais, dans cet endroit de mon récit, une occasion de vous faire une belle description de tempête, de peindre l'air tout en feu, de faire gronder la foudre, siffler les vents, soulever les flots, *et cœtera;* mais laissant à part toutes ces fleurs de rhétorique, je vous dirai que l'orage fut violent, et nous obligea de relâcher à la pointe de l'île de Cabrera.   A.-R. LESAGE, Gil Blas, V, I.

2 La tempête allait commencer ses attaques, et déjà le ciel s'obscurcissait, en devenant d'un noir presque aussi hideux que le cœur de l'homme.
          LAUTRÉAMONT, les Chants de Maldoror, II.

3 La tempête au-dessous de lui, formait un autre monde de trois mille mètres d'épaisseur, parcouru de rafales, de trombes d'eau, d'éclairs, mais elle tournait vers les astres une face de cristal et de neige.
          SAINT-EXUPÉRY, Vol de nuit, XVI.

3.1 Vers la fin de décembre, une vraie tempête s'éleva un jour. Le bouleversement des éléments était tel qu'un éclair brilla, suivi d'un coup de tonnerre, au milieu d'une tourmente de neige, comme au milieu d'une crise de délire dans nos maladies graves un souvenir d'une époque bien ancienne revient tout à côté de pensées actuelles. Les journaux avaient annoncé des tempêtes effroyables pour toute la France. Le soir on espérait que la tempête tomberait, mais il n'en fut rien, et toute la nuit elle demeura dans la même force.
          PROUST, Jean Santeuil, Pl., p. 531.

En apposition après un subst. *Lampe* (cit. 14) *-tempête, briquet-tempête,* dont la flamme protégée ne s'éteint pas par grand vent. *Falot-tempête* (Ramuz, *la Grande Peur...,* p. 73).

4 (...) la lumière qui éclaire le vestibule antique et large est religieusement éteinte, chaque soir (...) Il allume une lanterne-tempête.   J.-R. BLOCH, Sybilla, p. 323.

◆ **2.** Par métaphore ou fig. Agitation, trouble. *Une tempête s'éleva dans mon sang* (→ Révolution, cit. 20). *Une tempête sous un crâne,* titre d'un chapitre des *Misérables* de Hugo (I, VII, III). — Trouble, difficultés qui mettent en péril. — Loc. (1669). *S'assurer* (cit. 48) *un port dans la tempête.* — Loc. (1872). *Doubler le cap** (cit. 7) *des tempêtes.* — Prov. *« Qui sème le vent récolte la tempête »* (→ Proverbe, cit. 4; et aussi moissonner, cit. 6) : celui qui incite à la violence, à la révolte, s'expose à de grands périls.

5 Mais quand un tel chagrin naît — comme c'était le cas pour celui-ci — à un moment où le bonheur de voir cette personne nous remplit tout entiers, la brusque dépression qui se produit alors dans notre âme jusque-là ensoleillée, soutenue et calme, détermine en nous une tempête furieuse contre laquelle nous ne savons pas si nous serons capables de lutter jusqu'au bout.
          PROUST, À l'ombre des jeunes filles en fleurs, Pl., t. I, p. 585.

6 L'expérience fait voir aussi que les tempêtes de l'humeur sont bonnes aux courtisans comme le fouet aux chiens.
          ALAIN, Propos, 30 juil. 1921, La part de Jaurès.

(Fin XIVᵉ). Agitation dans l'opinion, mécontentement, protestations. *Décret qui déchaîne la tempête.* ⇒ **Déchaînement** (d'injures, etc.), **sédition.** *Problèmes qui ont soulevé des tempêtes* (→ Homme, cit. 7). ⇒ **Colère, discussion, querelle.**

Loc. (1842). *Une tempête dans un verre d'eau :* beaucoup d'agitation pour une cause insignifiante.

6.1 À vous, Messieurs les colons, mes très chers compatriotes, je demande de ne pas perdre de vue un jour la prédominance des intérêts généraux, de faciliter notre tâche déjà si rude en la dégageant des polémiques oiseuses que je qualifierai de tempêtes dans un verre d'eau (...)   L.-H. LYAUTEY, Paroles d'action, p. 307.

◆ **3.** (XIIIᵉ). **TEMPÊTE DE...** Bruit violent qui rappelle celui de la tempête. ⇒ **Explosion, fracas.** *La tempête de sa voix* (→ Accoutumer, cit. 10). *Une tempête de cris* (→ Frou-frou, cit. 4; sifflet, cit. 5). *Tempête d'applaudissements, d'acclamations, de vivats* (→ Applaudissement, cit. 8); *d'injures, de critiques* (→ Malveillant, cit. 2).

7 (...) on n'entend plus les tempêtes des grandes orgues et les majestés douloureuses du plain-chant (...)   HUYSMANS, En route, I, I.

CONTR. Bonace, calme, embellie, sérénité.
DÉR. Tempêter.

TEMPÊTER [tɑ̃pete ; tɑ̃pɛte] v. intr. — Mil. XIIᵉ ; «faire de la tempête», aussi trans. jusqu'au XVIᵉ, «mettre sens dessous-dessous, agiter» ; de *tempête.*

◆ **1.** Rare. Souffler en tempête (vent); être à la tempête (temps).

1 C'était encore le printemps. Je me rappelle que le vent souffla presque sans interruption pendant trois mois, au point que lorsque par hasard il s'arrêtait (quelques heures ou quelques jours — mais jamais plus de deux ou trois) on avait l'impression de l'entendre encore, gémissant et tempêtant, non pas au dehors mais comme à l'intérieur même des têtes (...)   Claude SIMON, le Vent, p. 228.

◆ **2.** Vx. Faire grand bruit (→ Sabbat, cit. 3).

◆ **3.** (Sujet n. de personne). Manifester à grand bruit son mécontentement, sa colère. ⇒ **Crier, fulminer, gronder, gueuler** (→ Écumer, cit. 5; gourmer, cit. 8; matériel, cit. 12). *Tempêter contre quelqu'un, quelque chose.*

Par métaphore :

2 L'émeute, tempêtant vainement à ma vitre,
Ne fera pas lever mon front de mon pupitre (...)
          BAUDELAIRE, les Fleurs du mal, «Tableaux parisiens», LXXXVI, Paysage.

DÉR. Tempêteur.

TEMPÊTEUR, EUSE [tɑ̃pɛtœʀ, øz] n. — V. 1360, Froissart; de *tempêter.*

◆ Rare. Personne qui s'emporte, qui tempête souvent. ⇒ **Coléreux.**

TEMPÉTUEUSEMENT [tɑ̃petɥøzmɑ̃] adv. — XVᵉ, puis 1660 *(tempes-);* de *tempétueux.*

◆ Rare. D'une manière tempétueuse.

TEMPÉTUEUX, EUSE [tɑ̃petɥø, øz] adj. — V. 1300, *tempestueux; tempestous* «orageux», fin XIIᵉ ; du bas lat. *tempestuosus;* du lat. class. *tempesta.* — Tempête.

◆ **1.** Vx ou littér. Où les tempêtes sont fréquentes (→ 1. Port, cit. 14). *Vents tempétueux,* qui causent des tempêtes.

1 Mais maintenant, tout ce que j'avais dédaigné, écarté de ma vue, non seulement les effets de soleil, mais même les régates, les courses de chevaux, je l'eusse recherché avec passion pour la même raison qu'autrefois je n'aurais voulu que des mers tempétueuses, et qui était qu'elles se rattachaient, les unes comme autrefois les autres, à une idée esthétique.
          PROUST, À l'ombre des jeunes filles en fleurs, Folio, p. 564.

◆ **2.** (1588). Fig. Qui est plein d'agitation, de trouble (→ Jalousie, cit. 7). *Le courant tempétueux de la vie* (→ Flotteur, cit. 2).
(Personnes). Littéraire :

2 «Uter Pandragon» qui, tempétueux, déploie, dans un bruit d'armes et de galop, son oriflamme aux motifs baroques (...)   Michel LEIRIS, Frêle bruit, p. 330.

CONTR. Calme.
DÉR. Tempétueusement.

TEMPLE [tɑ̃pl] n. m. — 1080, *Chanson de Roland, Temple de Salomon;* lat. *templum.*

◆ **1.** Didact. Édifice public consacré au culte d'une divinité (cf. Lieu sacré, saint). *Dresser* (cit. 7), *ériger* (cit. 1), *élever* (→ 1. Masse, cit. 1) *des temples aux dieux. Consacrer; profaner un temple* (→ Autel, cit. 3). *Sanctuaire, parvis d'un temple. Le temple est un asile* (cit. 4 et 11). *Religion* (cit. 21) *sans temple ni autel.* — *Les temples des idoles* (→ Hostie, cit. 2, Pascal). *Temple juif* (⇒ **Synagogue**), *chrétien* (⇒ **Église,** II.), *mahométan* (⇒ **Mosquée**), *des religions d'Extrême-Orient* (⇒ **Pagode ;** → Gong, cit. 2; socle, cit.). — REM. Dans l'usage courant on n'emploie pas *temple* pour la synagogue, l'église et la mosquée.

1 La crainte a élevé des temples, la crainte s'est enfin changée en ces merveilleuses supplications de pierre, en édifices magnifiquement significatifs, qui sont peut-être la plus haute expression humaine de beauté et de volonté.
          VALÉRY, Variété, Essais quasi politiques, Œ., Pl., t. I, p. 1023.

◆ **2.** Emplois spéciaux.

a (Antiq., archéol.). *Temple égyptien à salle hypostyle, à pylônes; taillé dans le roc.* ⇒ **Spéos.** — *Temple grec, romain. Temple de Vénus* (→ 1. Basilique, cit. 2), *de Minerve* (→ Pronaos, cit.), *du Parthénon* (→ Dorique, cit. 1). *Le temple de tous les dieux* ⇒ **Panthéon.** *Temple de marbre* (→ Architrave, cit. 2) *polychrome* (cit. 2). *Parties d'un temple grec.* ⇒ **Acrotère, adyton, architrave, cella, colonne, fronton, métope, naos, opisthodome, pronaos, portique, propylée, stylobate...** *Temple amphiprostyle, hypostyle, périptère; prostyle, systyle; hexastyle, octostyle, tétrastyle; diptère, monoptère, périptère; hypèthre.*

2 Le Temple grec est le signe de la vie. Tout est entrepris et dressé contre la pesanteur. La colonne par ses proportions, et par toutes ses parties, signifie qu'elle supporte; et l'angle droit règne ici, qui est le signe du maçon; rien ne s'écroule;

toute la masse refuse de se joindre à la terre par ces lignes de pente que tracent les forces aveugles. Ce qu'explique le joyeux portique autour, évidé, aéré, chemin de vie.   ALAIN, Propos, 20 mars 1923, Le temple grec.

☐ **b** (Antiq. judaïque). *Le temple de Jérusalem, de Salomon* (→ Haut, cit. 19), et, absolt, *le Temple,* construit par Salomon sur l'ordre de Jahvé, détruit par les Chaldéens, rebâti au VIᵉ siècle av. J.-C., agrandi par Hérode et qui fut anéanti à la prise de Jérusalem (70). *Le temple du Seigneur* (→ Bâtir, cit. 19). ⇒ **Maison.** *Le Saint des saints* (⇒ **Saint**) *du Temple. Grand prêtre, lévites ; gardes, portiers du Temple.* Évang. *Jésus chassant les marchands du Temple* (→ Caverne, cit. 4 ; 1. fer, cit. 11). *« Oui, je viens dans son temple adorer* (cit. 1) *l'Éternel »* (Racine). *Le Temple et les synagogues.*

3   L'acte essentiel de la vie du Temple, c'était le sacrifice public, offert quotidiennement à Iavhé, matin et soir, pour le peuple (...) Vers ce lieu d'élection, sacré entre tous ceux que la majesté du dieu avait sanctifiés, le Juif, où qu'il eût bâti sa maison ou dressé sa tente, élevait ses yeux et son cœur.
                    Ch. GUIGNEBERT, le Monde juif..., p. 81.

☐ **c** (1535). Édifice où les protestants* célèbrent leur culte. *Aller au temple,* au culte* protestant. *Quêter à la porte du temple* (→ 1. Droit, cit. 6). *Pasteur nommé au temple de l'Oratoire* (→ Paroisse, cit. 2).

♦ **3.** (V. 1160). Vx ou littér. Édifice où se célèbre le culte catholique. ⇒ **Église** (→ Chaire, cit. 1). *Les temples de nos pères* (→ Gothique, cit. 8). — (V. 1206). Fig. *Le temple :* la doctrine chrétienne, l'Église. — (Déb. XIIIᵉ). Fig. et vx. L'ensemble des fidèles.

♦ **4.** (XIXᵉ). Hist. *Le temple de la Raison :* sous la Révolution, Édifice où l'on célèbrait le culte de la déesse Raison (→ Déesse, cit. 5).

♦ **5.** (1872). Dans la franc-maçonnerie, Atelier (5.).

♦ **6.** (V. 1190). ☐ **a** *Ordre du Temple,* et, absolt, *le Temple :* ordre fondé lors des premières croisades (1118) près de l'emplacement du Temple, pour la défense du Saint-Sépulcre. ⇒ **Templier.** — Par ext. Nom donné à un ancien monastère fortifié des Templiers, à Paris. *Louis XVI et sa famille furent détenus au Temple* (→ 2. Froid, cit. 16), *dans la tour du Temple.*

☐ **b** Nom donné au quartier de Paris où était ce monastère. *Le carreau du Temple. L'argot du Temple* (→ Pitre, cit.).

♦ **7.** (1960). Vx ou littér. Lieu où l'on rend un culte. — Vx. *Le temple de Thémis :* le palais de justice. *Temple terrestre* (le Panthéon). → Fronton, cit. 3. *Le temple de la vertu* (→ Simulacre, cit. 1). *Ce temple de l'amour* (→ Déshabillé, cit. 12). *Ce temple du goût* (cit. 2). *Mon cœur, ce temple merveilleux* (→ Sanctuaire, cit. 3). — Allus. littér. *La nature est un temple...* (→ Forêt, cit. 7). Fig. *L'amour est un temple...* (→ Culte, cit. 11). *Le temple des arts* (cit. 71). — Littér. *Le temple du goût,* ouvrage de Voltaire (→ Antique, cit. 13).

♦ **8.** (1785, Sade). Vx. Littér. *Le temple de l'Amour, le temple de la Nature, le temple de Vénus :* le sexe de la femme.

DÉR. (De 6.) **Templier.**

TEMPLET [tɑ̃plɛ] n. m. ⇒ 2. **Tempe.**

TEMPLIER [tɑ̃plije] n. m. — 1205, *tramplier ;* de *temple,* 6.

♦ Chevalier de l'ordre religieux et militaire du Temple (6.). *Les Templiers formèrent l'avant-garde des armées chrétiennes ; devenus très riches ils servirent de banquiers aux rois et aux grands ; l'ordre fut supprimé en 1312 à la suite d'un procès célèbre. Jacques de Molay, dernier grand maître de l'ordre des Templiers.*

1   On peut juger du nombre prodigieux des possessions des Templiers par celui des terres, des fermes, des forts ruinés qui, dans nos villages ou nos campagnes, portent encore le nom du Temple.   MICHELET, Hist. de France, V, III.

(1534). Loc. (Vieilli). *Boire, jurer comme un templier,* avec excès.

2   (...) il jurait comme un dragon et buvait comme un templier.
                    G. SAND, Histoire de ma vie, III, III.

TEMPO [tempo] n. m. — 1842 ; ital. *tempo* « temps », employé en musique dans des expressions comme *tempo di gavotta, di minuetto, in Encyclopédie ;* mot ital., de *tempus* « temps ».

♦ **1.** Mus. Notation d'un mouvement* qui n'est pas défini d'une manière absolue. *Tempo agitato, comodo, rubato* (cit.). *Tempo di marcia, di minuetto. — A tempo,* indique que l'exécutant doit revenir au tempo normal.

♦ **2.** Vitesse d'exécution (notamment dans la musique de jazz). *Un tempo lent, rapide.*

♦ **3.** (V. 1952). Allure, rythme qu'un auteur donne au déroulement d'une action. *Le tempo d'un roman, d'un film.* — Rythme d'une action. — Psychol. « Allure spontanée propre à un individu dans ses activités, ou plus particulièrement dans l'exécution d'actes déterminés » (Piéron).

Le Président du Conseil est rentré cette nuit de Tunis, où un avion l'avait déposé à dix heures du matin. Vie exténuante : y résistera-t-il ? Mais c'est ce « tempo » qui, pour l'instant, le rend invulnérable.
                    F. MAURIAC, Bloc-notes 1952-1957, p. 118.

TEMPORAIRE [tɑ̃pɔrɛr] adj. — 1556, rare av. XVIIIᵉ ; « foi temporaire » (t. de théol.) *in* Trévoux, puis t. d'admin. (fin XVIIIᵉ) ; du lat. *temporarius ;* de *tempus, oris* « temps ».

♦ **1.** Qui ne dure ou ne doit durer qu'un temps limité. ⇒ **Court, discontinu, éphémère, momentané, passager, provisoire.** *Fonctions, pouvoirs temporaires* (→ République, cit. 10). *Rupture, disparition temporaire* (→ Grève, cit. 11 ; inhibition, cit. 1). *Réforme* temporaire. Nomination à titre temporaire. — Sépulture* (cit. 1) *temporaire.*

1   D'après eux *(les Anglais),* les seules solutions auxquelles il soit possible de parvenir restent temporaires, précaires, nécessitant de constantes remises au point.
                    André SIEGFRIED, l'Âme des peuples, IV, II.

♦ **2.** (1791). Qui n'exerce ses activités que pour un temps. *Gérante* (cit. 4) *temporaire. Auxiliaire temporaire* (→ Emploi, cit. 17). *Employer du personnel temporaire.* ⇒ **Intérimaire.**

2   Le pouvoir législatif est délégué à une Assemblée Nationale composée de représentants temporaires, librement élus par le peuple (...)
                    Constitution de 1791, Titre III, 3.

CONTR. Continu, définitif, durable, éternel, perpétuel.
DÉR. **Temporairement.**

TEMPORAIREMENT [tɑ̃pɔrɛrmɑ̃] adv. — 1801, Wailly ; de *temporaire.*

♦ À titre temporaire, pour un temps. ⇒ **Momentanément, provisoirement** (→ Juré, cit. 1 ; secteur, cit. 3). *Travailler temporairement.*

1. TEMPORAL, ALE, AUX [tɑ̃pɔral, o] adj. et n. — 1520 ; *timporal,* v. 1363 ; bas lat. *temporalis,* du lat. class. *tempus, oris.* → 1. Tempe.

♦ Anat. Qui appartient aux tempes. *Région temporale* (→ Impression, cit. 47). *Os temporal,* ou, n. m. *le temporal :* os du crâne, de chaque côté de la boîte crânienne (entre l'occipital, le pariétal et le sphénoïde), composé de l'écaille, du rocher et de l'os tympanal. ⇒ aussi **Mastoïde, pierreux** (apophyse). *Lobe temporal du cerveau. Fosse temporale. Artères temporales* ou, n. f. (mil. XIXᵉ), *les temporales. Dilatation, signe de la temporale.* — *Muscle temporal,* recouvert par l'*aponévrose temporale.* ⇒ **Masticateur.** *Nerfs temporaux.* — Méd. *Syndrome temporal :* « ensemble des symptômes provoqués par l'atteinte du lobe temporal du cerveau ». (Garnier).

COMP. V. **Temporo-.**
HOM. 2. **Temporal.**

2. TEMPORAL [tɑ̃pɔral] n. m. — Attesté XXᵉ ; « époque », v. 1160 ; lat. *temporalis* « qui ne dure, ne vaut que pour un temps ». → 1. Temporal.

♦ Relig. cathol. Partie du missel et du bréviaire comportant les offices pour chaque temps de l'année.

HOM. 1. **Temporal.**

TEMPORALITÉ [tɑ̃pɔralite] n. f. — V. 1265 ; *temporaliteiz,* v. 1190 ; lat. *temporalitas,* Tertullien ; de *temporalis.* → Temporel.

♦ **1.** (XIVᵉ). Dr. canon. Vx. Domaine temporel (d'un évêché, d'un chapitre, d'une abbaye, etc.), juridiction d'un bénéfice*. — (V. 1283). Vx. Pouvoir temporel.

♦ **2.** Gramm. Caractère temporel, valeur temporelle, expression du temps. ⇒ **Temps,** I., B., 4.

♦ **3.** (1939, Sartre). Philos. Caractère de ce qui est dans le temps ; le temps vécu, conçu comme une succession, considéré dans son ordre « avant-après » *(statique temporelle)* et dans le fait qu'un « après » devient un « avant » *(dynamique temporelle).* Cf. Sartre, *l'Être et le Néant,* II, 2, La temporalité. *L'expression de la temporalité par le langage* (→ ci-dessus, 2.).

1   (...) si la technique que Faulkner adopte semble tout d'abord une négociation de la temporalité, c'est que nous confondons la temporalité avec la chronologie (...) Pour parvenir au temps réel, il faut abandonner cette mesure inventée qui n'est mesure de rien (...)
                    SARTRE, Situations I, La temporalité chez Faulkner.

2   Si devant les lignes imprimées je demeure inerte, elles se taisent ; pour qu'elles s'animent, il faut que je leur donne un sens et que ma liberté leur prête sa propre temporalité, retenant le passé et le dépassant vers l'avenir.
                    S. DE BEAUVOIR, Tout compte fait, p. 158.

TEMPOREL, ELLE [tɑ̃pɔrɛl] adj. — V. 1190 ; *temporal* « époque », v. 1150 ; lat. *temporalis* « temporaire » et « temporel », de *tempus, oris* « temps ».

♦ **1.** Qui est du domaine du temps, des choses qui passent (par oppos. à *éternel, infra,* cit. 12). *Les choses, les beautés temporelles* (→ Amour, cit. 47; attache, cit. 13, Molière). *Le destin* (cit. 27) *de chacun, reflet temporel de son éternité. Les joies* (cit. 29) *temporelles.*

1 Une autre liaison du même temps n'est pas éteinte, et me leurre encore de cet espoir du bonheur temporel, qui meurt si difficilement dans le cœur de l'homme. ROUSSEAU, les Confessions, v.

Par ext. Qui est du domaine des choses matérielles (par oppos. à *spirituel**, I. 3.). ⇒ **Séculier, terrestre.** *Biens temporels.* ⇒ **Charnel** (→ Figuratif, cit. 1; gaspiller, cit. 4). *Intérêt temporel* (→ Front, cit. 40; gagner, cit. 39). *Puissance, force temporelle* (→ Autorité, cit. 29; entreprise, cit. 13; 2. pratique, cit. 4).

2 Les mystiques sont beaucoup moins ennemies entre elles que les politiques ne le sont entre elles. Parce qu'elles n'ont point comme les politiques à se partager sans cesse une matière temporelle, un monde temporel, une puissance temporelle incessamment limitée. Ch. PÉGUY, la République..., p. 235.

N. m. LE TEMPOREL.

ⓐ (Mil. XVIIᵉ). *Le temporel :* autorité civile qui s'exerce sur les biens et les personnes (par oppos. au *spirituel*).

ⓑ *Le temporel et le spirituel* (→ Gratuité, cit. 4; insoutenable, cit. 2; négoce, cit. 5; prince, cit. 2).

ⓒ (1497). Vx. Revenu qu'un ecclésiastique tirait de ses fonctions, de ses bénéfices. ⇒ **Bénéfice.**

♦ **2.** (1798). Gramm. Qui concerne, qui marque le temps, les temps. *Valeur temporelle d'une forme* (→ Devoir, cit. 30; infinitif, cit. 5; participe, cit. 2; 1. passé, cit. 19). *Subordonnées temporelles :* propositions circonstancielles de temps, introduites par des conjonctions marquant la concordance ou la simultanéité (quand, lorsque, alors que, pendant que, ...), l'antériorité (avant que, jusqu'à ce que, ...), la postériorité (après que, dès que, depuis que, ...). *Systèmes, tours temporels.*

3 En étudiant les temps, nous avons dit quelle part importante le français faisait à la notion d'*aspect* (...) Nous allons retrouver la plupart de ces aspects dans les circonstancielles temporelles : — 1° Aspect de RÉPÉTITION (*toutes les fois que, quand,* etc.); — 2° Aspect DURATIF (*pendant que, tandis que, tant que, jusqu'à ce que,* etc.); — 3° Aspect de PROGRESSION DANS LA DURÉE (*à mesure que*); — 4° Aspect de L'ACCOMPLI (*depuis que, une fois que, après que,* etc.); — 5° Aspect du RÉCEMMENT ACCOMPLI (*dès que, aussitôt que, à peine... que,* etc.). G. et R. LE BIDOIS, Syntaxe du franç. moderne, § 1405.

♦ **3.** Didact. Relatif au temps, situé dans le temps (surtout par oppos. à *spatial*). *Nature spatiale ou temporelle d'une œuvre.* ⇒ **Spatio-temporel** (cit. 18; → aussi Forme, cit. 80; ordre, cit. 4). *Déroulement temporel* (→ Image, cit. 13).

CONTR. Atemporel, éternel, intemporel; ecclésiastique, religieux, spirituel.
DÉR. Temporellement.
COMP. Atemporel.

TEMPORELLEMENT [tɑ̃pɔʀɛlmɑ̃] adv. — V. 1283, *temporeument;* v. 1190, *temporelment,* opposé à *éternellement;* de *temporel.*

♦ **1.** Dans l'ordre temporel (opposé à *spirituellement*).

♦ **2.** (XXᵉ). Philos. Relativement au temps.

TEMPORISATEUR, TRICE [tɑ̃pɔʀizatœʀ, tʀis] n. et adj. — 1788; *temporiseur,* 1552, vx aujourd'hui; de *temporiser.*

★ **I.** Personne qui temporise, a l'habitude de temporiser. ⇒ **Temporiseur.** *Fabius le Temporisateur* (Cunctator). — (1842). *Politique temporisatrice* (→ Dilatoire).

Solution (...) que repoussa au néant des grandes choses enterrées, l'esprit temporisateur de l'Empereur et rétractile aux larges décisions. Ed. et J. DE GONCOURT, Journal, 10 juin 1867, t. III, p. 105.

★ **II.** N. m. (V. 1950). Appareil commandant le changement d'opération d'un dispositif électrique au temps voulu. *« Par ce nom (...) de temporisateur, on désigne un appareil capable d'actionner un contact électrique à des intervalles de temps définis. Les temporisateurs entrent dans la constitution des appareils électro-ménagers modernes qui, devenus de plus en plus automatiques, effectuent toute une série d'opérations sans intervention de la ménagère »* (la Recherche, janv. 1975, p. 44).

TEMPORISATION [tɑ̃pɔʀizasjɔ̃] n. f. — 1780; *temporisement,* 1468; de *temporiser.*

♦ **1.** Action, habitude de temporiser. ⇒ **Ajournement, attentisme, opportunisme.**

Faut-il voir, dans cette temporisation, savante stratégie, ou maladresse; prudente patience, ou impéritie timorée? GIDE, Journal, 18 janv. 1943.

♦ **2.** Méd. Attitude d'attente et d'observation d'une maladie avant d'adopter une thérapeutique appropriée.

TEMPORISER [tɑ̃pɔʀize] v. intr. — XVᵉ, Commynes; « durer, vivre », 1395; lat. médiéval *temporizare* « passer le temps », du lat. class. *tempus, temporis* « temps ».

♦ Différer d'agir, par calcul, dans l'attente d'un moment plus favorable. ⇒ **Attendre** (→ Circonspect, cit. 3; diplomatie, cit. 2; louvoyer, cit. 5); **ajourner.**

Jugez-moi donc comme Turenne ou Frédéric. J'ai forcé à combattre l'ennemi qui ne voulait que temporiser; je me suis donné, par de savantes manœuvres, le choix du terrain (...) LACLOS, les Liaisons dangereuses, CXXV.

CONTR. Hâter (se), choisir.
DÉR. Temporisateur, temporisation, temporiseur.

TEMPORISEUR [tɑ̃pɔʀizœʀ] adj. et n. m. — 1552, *in* Bloch-Wartburg; adj., déb. XVIIIᵉ, Saint-Simon; de *temporiser.*

♦ Vieilli. Qui temporise. — N. m. Personne qui attend, ne se décide pas. ⇒ **Temporisateur, I.**

Il était de la race des temporiseurs qui remettent toujours au lendemain; et quand il lui fallait, sur-le-champ, prendre une résolution, il cherchait encore, par instinct, à gagner quelques moments. MAUPASSANT, Pierre et Jean, VII.

TEMPORO- Premier élément servant à la formation de nombreux adj. comp. (où il signifie « qui intéresse la région temporale ») tels que *temporo-maxillaire, temporo-buccal, temporo-pariétal.*

TEMPS [tɑ̃] (le *s* se lie au plur., et, au sing., dans des expressions figées : *de temps en temps, en temps utile,* etc.) n. m. — Attestation isolée, fin Xᵉ; *tens, tans* en anc. franç.; la graphie *temps,* qui apparaît dès le XIVᵉ, a été en concurrence avec *tems* aux XVIIᵉ et XVIIIᵉ; lat. *tempus, oris.*

★ **I.** Milieu indéfini où paraissent se dérouler irréversiblement les existences dans leur changement, les événements et les phénomènes dans leur succession.

A. Ce milieu considéré dans sa durée (chronométrie).

♦ **1.** (Durée globale). *Il devait encore s'écouler du temps* (→ Rangement, cit. 3). *Il faut du temps pour...* (→ Besoin, cit. 52). *Cela veut, demande du temps* (→ Apprentissage, cit. 7). *Avoir encore du temps* (→ Lithographe, cit. 3), *du temps de reste*, du temps libre,* des loisirs. *Ils ont du temps à eux* (1. Eux, cit. 3). *Perdre, gagner du temps. Gain, perte de temps. Manquer* (cit. 6) *de temps. Beaucoup* (→ Explorer, cit. 2), *combien* (cit. 7) *de temps. Autant, moins, plus de temps* (→ Abréger, cit. 3; imboire, cit.; prescience, cit. 4). *Cela prendrait trop de temps* (→ Préliminaire, cit. 4). « *Que peu de temps suffit pour changer* (cit. 25) *toutes choses!* » (Hugo). *Peu de temps avant, après* (→ Douter, cit. 34). *À peu de temps de là* (→ Persil, cit. 1). *Depuis peu de temps.* ⇒ **Récemment.** *Dans, sous peu de temps.* ⇒ **Bientôt, prochainement.** *En peu de temps.* ⇒ **Rapidement;** et → Clin (en un clin d'œil). *Un peu, un bout de temps* (→ Attente, cit. 7) : *un court moment. Le minimum de temps* (→ Équiper, cit. 7). *En un rien** (cit. 92) *de temps. Laps** (1. Laps, cit. 2), *intervalle* (cit. 15), *espace de temps. Une heure, deux heures de temps* (→ Amuser, cit. 2; an, cit. 3). Vx. « *Patience et longueur de temps...* » (→ Ni, cit. 45). *Avec* (cit. 73) *le temps :* quand le temps a passé. — *À la longue.*

Le temps est un chèque en blanc, signé par le DIRECTEUR GÉNÉRAL DIEU! 0.1
A. ROBIDA, le Vingtième Siècle, p. 314.

(1573). Considéré comme une grandeur mesurable. *Mesure du temps,* traditionnellement fondée sur l'hypothèse de la constance de la vitesse de rotation de la Terre. *Le temps des éphémérides* (→ ci-dessous, cit. 3). *Temps atomique,* fondé sur certaines constantes de la physique atomique (symb. : *TA*). *Unités de temps.* ⇒ **Jour, heure** (cit. 1), **minute, seconde.** *Instruments anciens de mesure du temps.* ⇒ **Clepsydre, sablier** (ancient); **chronomètre, garde-temps, horloge, montre, pendule.** *Divisions du temps.* ⇒ **Calendrier, chronologie, comput, computation; année, cycle, lunaison, mois, semaine, siècle.**

1 Le temps est une grandeur immatérielle. Pour définir sa mesure, il est nécessaire de la rapporter à un phénomène matériel (...) L'*échelle matérielle de temps* doit se rapporter à un phénomène permanent et stable. Il ne peut s'agir que d'un phénomène extra-terrestre (...) Les mouvements des corps célestes sont les seuls phénomènes utilisables (...)
L'*unité de temps* est définie par l'attribution d'une valeur conventionnelle arbitraire à la mesure de l'*étalon principal* (...) L'étalon principal sera : soit une durée séparant deux instants du passé qui ont été situés (directement ou non) dans l'échelle matérielle, soit la durée d'un phénomène rigoureusement reproductible (...) Le premier cas est celui de l'unité et de l'étalon principal actuellement en vigueur. Le second cas se présentera, si l'on en vient à définir l'unité par l'intermédiaire de la fréquence d'un rayonnement du domaine hertzien.
Jacques LÉVY, la Troisième Grandeur fondamentale, *in* Sciences, janv.-fév. 1961.

2 Remarquons que le temps se manifeste (...) sous deux aspects : la durée, déroulement continu d'événements successifs (...) et la fréquence, caractérisant les rythmes par l'intervalle de temps (la période) qui sépare deux états identiques successifs du phénomène rythmique. On peut donc constituer des horloges en considérant l'un ou l'autre de ces deux aspects du temps. Pour mesurer des durées il faut observer un phénomène d'écoulement : le sablier, la clepsydre, la chandelle, en sont des exemples. Pour mesurer des fréquences on réalise un appareil oscillatoire dont la période est stable et connue. En accumulant un certain nombre de ces périodes, on obtient des durées; c'est là la base de toutes les horloges modernes. B. DECAUX, Mesure de temps, *in* Encycl. Pl., Astronomie, p. 412.

3 (...) l'Union Astronomique Internationale a proposé de rattacher la définition de la seconde à l'année sidérale de manière conventionnelle : on adoptera désormais l'année sidérale pour l'époque 1900 définie par Newcomb avec onze chiffres significatifs (...) Ainsi le jour sera 1/365, 256 362 74 de l'année sidérale pour 1900 et

la seconde sera = 1/86 400 de ce jour. Cette échelle de temps est fournie par un mouvement orbital. On est convenu de l'appeler *temps des éphémérides*.

P. MELCHIOR, Détermination de l'heure, in Encycl. Pl., Astronomie, p. 343.

♦ **2.** Portion limitée de cette durée globale; espace de temps (au sens 1). ⇒ **Moment, période.** — *(Un, des temps). Un temps long* (→ Anhéler, cit. 1), *court* (→ Accessoire, cit. 1). *Pendant un temps.* ⇒ **Instant.** — *Régional. Un petit temps :* un court moment. — *Le temps. Trouver le temps long*. Le temps lui dure, lui tarde. Le temps qui nous sépare de... Le temps qu'on met, qu'il faut pour..., qu'on passe à... Emploi du temps. Travailler à plein temps, à mi-temps, à temps partiel,* pendant une partie du temps normalement consacré au travail. — *Ne s'arrêter que le temps strictement nécessaire* (cit. 4) *pour...* (Théâtre). *Unité* de temps.* — *Durant*, pendant* ce temps, tout ce temps* (→ Augmenter, cit. 18). — *Pendant, depuis un certain temps* (→ Bonheur, cit. 1; hanter, cit. 5). *Au bout* (cit. 29) *d'un certain temps, de quelque temps* (→ Racheter, cit. 1). — QUELQUE TEMPS. *Pendant, depuis quelque temps* (→ 1. Chagrin, cit. 2; lithographier, cit. 1). *Quelque temps après* (→ Difficile, cit. 24). *À quelque temps de là* (cit. 43). *Pour quelque temps* (→ Assemblage, cit. 18). *Bannissement* (cit. 1), *condamnation, interdiction, travaux forcés... à temps,* pour un temps limité, fixé, par oppos. à *à perpétuité, à vie* (→ Correctionnel, cit. 1). — *Adv.* (sans prép.). *Un certain temps, quelque temps :* pendant quelque temps (→ Attrait, cit. 12; bercer, cit. 5; bordée, cit. 3; forme, cit. 22; génial, cit. 3). — *La plupart*, les trois quarts, la moitié du temps* (→ Pire, cit. 17).

4 — Au reste, vous saurez
Que je n'ai demeuré qu'un quart d'heure à le faire.
— Voyons, Monsieur; le temps ne fait rien à l'affaire.
MOLIÈRE, le Misanthrope, I, 2.

5 (...) en général, plus le temps qui nous sépare de ce que nous nous proposons est court, plus il nous semble long, parce que nous lui appliquons des mesures plus brèves ou simplement parce que nous songeons à le mesurer.
PROUST, le Côté de Guermantes, Pl., t. II, p. 382.

(1869, Daudet. → Précipitation, cit. 2). TOUT LE TEMPS : continuellement (→ Aimer, cit. 21; cataplasme, cit. 2; qui, cit. 40). — *Loc. conj. Tout le temps que* (→ Fidèle, cit. 8; luxure, cit. 5), *pendant tout le temps que* (→ Irritable, cit. 3). ⇒ **Pendant, tandis** (que). *Tout le temps de ma vie* (→ Fier, cit. 17), *de son règne, de son veuvage* (→ Président, cit. 5). *Pendant tout le temps de la pose.* ⇒ **Séance** (→ Modèle, cit. 9).

Depuis le temps que... ⇒ **Depuis.**

BEAU TEMPS. *Voilà, il y a beau temps que...* ⇒ **Longtemps.** → Posthume, cit. 3; sensation, cit. 1; sommet, cit. 3.

Durée passée à (qqch.). *Un temps de travail illimité* (→ Perfection, cit. 5). *Temps d'école* (→ Malaria, cit.), *de résidence* (cit. 2), *d'activité, de fonctionnement* (→ 1. Mort, cit. 22). *Temps d'attente, d'épreuve.* ⇒ **Probation, stage.** *Temps d'arrêt.* ⇒ **Pause, ralentissement, suspension** (→ Ambulance, cit. 1). *Temps de flottement* (cit. 2), *d'inactivité. Temps mort* (→ ci-dessous, infra cit. 14). *Temps de galop* (cit. 4).

5.1 Les *emplois du temps,* analysés de façon comparative, laissent aussi apparaître des phénomènes nouveaux. Si l'on classe les heures (de la journée, de la semaine, du mois, de l'année) en trois catégories, le *temps obligé* (celui du travail professionnel), le *temps libre* (celui des loisirs), le *temps contraint* (celui des exigences diverses en dehors du travail : transports, démarches et formalités, etc.) on constate que le temps contraint s'accroît. Il augmente plus vite que n'augmente le temps des loisirs.
Henri LEFEBVRE, la Vie quotidienne dans le monde moderne, p. 104.

Le temps de qqn, son temps : la durée qu'il passe à qqch. *Soldat qui finit son temps de service.* — *Absolt. Durée du service, de la peine. Il a fait, fini son temps.*

5.2 Au quartier, quand on apercevait Tic-Tac *(un soldat),* on pouvait assurer que la Margelle n'était pas loin. Leur «temps» finit le même jour.
A. ALLAIS, Contes et chroniques, p. 116.

(1535). LE TEMPS DE (suivi de l'inf.) : le temps nécessaire pour... *Avoir, n'avoir pas le temps de...* (→ Applaudir, cit. 4; coutume, cit. 16; exploiter, cit. 3; faire, cit. 72). *À peine eut-il le temps de...* (→ Bâtir, cit. 14). *N'avoir que le temps de...* (→ Arracher, cit. 27; distraction, cit. 4). *Avoir six fois le temps de...* (→ Percer, cit. 20). *Laisser, donner le temps de...* (→ Croître, cit. 8; expéditif, cit. 3; remettre, cit. 21). *Trouver* (→ Astreindre, cit. 4), *prendre le temps de...* (→ Apprivoiser, cit. 22; laisser, cit. 46). — *REM.* L'expression *prendre le temps de...* s'est employée dans un autre sens (→ ci-dessous, B., 2.). — *Avoir matériellement le temps* (→ Œuvre, cit. 31), *le temps matériel* de...* *Ellipt. Vous avez tout le temps.* — *Ne pas avoir le temps de...* ⇒ **Occuper** (cit. 16).

Le temps de... (avec l'inf.), *le temps que...* (avec le subj.), locution conjonctive introduisant une temporelle qui précise une durée antérieure, une durée d'attente. *Je repris haleine* (cit. 15) *une minute, le temps d'inventer une histoire.* «*Mais toutes ces pensées ne durèrent que l'espace d'une seconde, le temps qu'il portât la main à son cœur*» (Proust, in G. et R. Le Bidois, *Syntaxe du franç. mod.,* § 1420).

6 (...) on a prévenu les pompiers, mais le temps qu'ils viennent, la fumée aura étouffé ces petits (...)
GIDE, les Caves du Vatican, II, IV.

7 Le temps que l'on construise l'hôtel et nous disposerons d'appareils beaucoup plus puissants (...)
G. DUHAMEL, Manuel du protestataire, IV.

Avec un possessif (le temps dont on dispose étant souvent assimilé à un bien, à un capital [cit. 5]). MON, SON TEMPS... *Passer*, employer*,* *occuper*, consacrer, donner... son temps à...* (→ Inaugurer, cit. 5; métier, cit. 5). *Partager, distribuer* (cit. 11), *dispenser* (cit. 5) *son temps. Perdre* son temps* (vx : *perdre temps, perdre le temps*) : ne pas employer le temps de manière utile, satisfaisante. — *Gâcher son temps* (→ Dilettante, cit. 3). *Disposer, être maître de son temps* (→ Heure, cit. 9; heureux, cit. 23). *Payer* (cit. 32) *de son temps et de sa personne. Le roi* (cit. 2) *doit au peuple tout son temps. Mon cher et précieux temps* (→ 1. Fou, cit. 25). *La correspondance* (cit. 8) *lui prenait une grande part de son temps.* ⇒ **Place** (tenir une). *Ils me font perdre, ils me prennent mon temps.* ⇒ **Importuner.** *Le plus clair* de son temps* (→ Dévot, cit. 3). *Nous avons tout notre temps :* nous ne sommes pas pressés (→ Prier, cit. 18). — (1835). *Prendre son temps, tout son temps.* ⇒ **Lenteur** (sage). — (1549). *Avoir fait son temps,* se dit de quelqu'un qui a terminé sa carrière*, qui est arrivé au bout du temps d'activité ou d'influence dont il disposait.

8 (...) Saint-Simon est le complément du Christ. Christ a fait son temps. — Il est donc libéré? dit Margaritis. — Il a fait son temps comme le libéralisme.
BALZAC, l'Illustre Gaudissart, Pl., t. IV, p. 39.

9 Hélas, j'aurai passé près d'elle inaperçu.
Toujours à ses côtés, et pourtant solitaire,
Et j'aurai jusqu'au bout fait mon temps sur la terre,
N'osant rien demander et n'ayant rien reçu.
A.-F. ARVERS, Mes heures perdues, Sonnet.

10 Les neuf avions du groupe de chasse basculeront à la verticale, quand il leur plaira. Ils ont tout leur temps.
SAINT-EXUPÉRY, Pilote de guerre, X.

(Sujet n. de chose). *Ce vêtement a fait son temps,* a servi* autant qu'il pouvait, est maintenant hors d'usage. — *Fig. La libre concurrence a fait son temps,* est dépassée. ⇒ **Périmé** (→ Marché, cit. 29).

Spécialt. Espace de temps mesuré. — *Phys. Temps et vitesses** (→ Initial, cit. 1; retarder, cit. 6). *Temps qu'un mobile* (cit. 4) *emploie à parcourir un espace. Temps des révolutions planétaires* (→ Solaire, cit. 2). *Constante, variable de temps.* — *Au plur. Durée déterminée de travail. Les temps humains* (manuels), *technico-humains* (homme et machine).

♦ **3.** (1677). **[a]** *Mus.* Chacune des divisions égales de la mesure (cit. 33). *Unité de temps :* valeur de note qui correspond à un temps. *Une noire, une croche par temps. Temps fort,* qui doit être fortement accentué. *Temps faible,* qui ne doit pas être accentué. *Marquer, accentuer le premier et le troisième temps. Temps d'une danse :* les temps musicaux et les pas correspondants.

11 On considérera comme mesures primordiales les mesures de I à VII temps; la fraction indicatrice aura pour numérateur l'un des sept premiers nombres. Le dénominateur, suivant l'unité temporelle choisie, sera 1 *(la ronde),* ou 2 *(la blanche),* ou 4 *(la noire),* ou 8 *(la croche),* ou 16 *(la double-croche)* (...)
M. EMMANUEL, Hist. de la langue musicale, t. II, p. 568.

[b] (1933). *Métrique.* «Unité de mesure appliquée à la quantité des syllabes» (Marouzeau). *Temps de brève*, de longue*. Temps fort* (ou *marqué, frappé*). ⇒ **Ictus** (→ Métrique, cit. 1). *Temps faible* (ou *levé*). ⇒ **Rythme.** *Par anal.* (Déclamation). *Marquer** (cit. 29) *un temps.*

[c] *Gymnastique, escr.* Chacun des mouvements simples, d'une certaine durée, qui interviennent dans l'exécution d'un mouvement ou d'un exercice composé. *Les trois temps du « Présentez arme ! »* (→ Mouvement, cit. 12). — AU TEMPS!, commandement pour revenir au temps initial, ou pour recommencer un mouvement mal exécuté. *Au temps pour les crosses !* (quand les crosses de fusil ne sont pas retombées en même temps).

12 — (...) Recommencez-moi ce mouvement-là en le décomposant. Au temps! Au temps! Je vous dis que ce n'est pas ça! Nom de nom. La Guillaumette, voulez-vous mettre plus d'écart entre le premier temps et le second!
COURTELINE, le Train de 8 h 47, III, III.

12.1 La lumière d'après-midi vire vite au sombre et l'on commence à voir ce qui n'existe pas. Vingt fois Pierre embouche son cor; vingt fois on lui dit : au temps pour les crosses. Rien de bon. Nous étions au plus fourré de Chalamont et c'étaient seulement les taillis qui nous semblaient bondir les uns des autres.
J. GIONO, Un roi sans divertissement, éd. L. de poche, p. 137.

Fig. Au temps pour moi, se dit quand on admet son erreur et la nécessité de reprendre et reconsidérer les choses.

12.2 Un peu plus tard, il avait fait une erreur dans un raisonnement délicat et il avait dit gaiement : *Au temps pour moi.*
SARTRE, le Mur, L'enfance d'un chef, p. 156.

(En deux temps, 1789, in D.D.L.). *Fam. En deux temps, trois mouvements :* très rapidement (par allusion à la rapidité d'un maniement d'armes parfaitement exécuté).

(1690). *Danse classique.* Se dit de certains mouvements, sauts, figures, tels que *temps de flèche, de cuisse, de pointe* (cit. 10 et 11), *le temps levé,* etc. ⇒ aussi **Contretemps.**

13 Le vieux Vestris lui dit, dès l'abord, que ce *temps* bien exécuté, quand une danseuse était d'une belle nudité, valait tous les talents imaginables.
BALZAC, le Prince de la Bohème, Pl., t. VI, p. 841.

(1886). *Mécan.* Chacune des phases dont l'ensemble constitue le cycle* de fonctionnement d'un moteur. *Moteur à quatre temps* (admission ou aspiration — compression — combustion ou explosion — échappement), *à deux temps* (où ces quatre phases sont réalisées en deux courses de piston). — *N. m. Un deux-temps. Essence pour les deux-temps. Appos. Un moteur deux-temps.*

13.1 (...) le bruit grandissait de plus en plus vite. C'était bien la trépidation d'un moteur à deux temps. A. ROBBE-GRILLET, Dans le labyrinthe, p. 164.

♦ **4.** (1860). Sport. Durée chronométrée d'une course effectuée par (qqn), spécialement quand elle constitue une performance, un record. *Le temps du vainqueur. Réaliser le meilleur temps. Améliorer son temps de quelques secondes* (→ 2. Relais, cit. 3). *Temps de passage au kilomètre. Faire un temps, une bonne performance ; un excellent temps* (ou *un bon chrono*). *Temps réel et temps compensé**.

14 Sur ses temps du début il *(Nurmi)* a épargné d'abord une minute, puis encore une demi-minute, puis un quart (...) Il tend progressivement vers la limite que son corps ne saurait dépasser. Jean PRÉVOST, Plaisirs des sports, VIII, p. 188.

Loc. *Être, rester dans le temps :* respecter la répartition normale du temps, au cours d'une épreuve.

TEMPS MORT : temps de durée variable pendant lequel l'arbitre, pour une raison quelconque, interrompt un match, et qui s'ajoute à la durée totale prévue. *Le match devrait être terminé, on joue les temps morts.* — Fig. Temps d'inactivité (→ Divorce, cit. 6).

♦ **5.** (V. 1960). Techn. (inform.). *Temps partagé* ou *partage de temps* (trad. angl. *time-sharing*) : découpage du temps permettant à un ordinateur d'exploiter périodiquement plusieurs voies à un rythme assez rapide pour donner à leurs utilisateurs l'impression d'un traitement simultané. *Temps réel* (angl. *real time*) : « mode de traitement qui permet l'admission des données à un instant quelconque et l'obtention immédiate des résultats » (*Journ. off.*, nº 14, 17 janv. 1982, p. 624-626). *Travailler en temps partagé, en temps réel.*

14.1 Phénomène majeur : apparaissent des réseaux en temps réel. L'unité centrale et les fichiers se situent au sein d'un système dont les points d'accès se multiplient et où des terminaux de plus en plus nombreux dialoguent entre eux et avec les ordinateurs. S. NORA et A. MINC, l'Informatisation de la société, p. 21.

B. Considéré dans sa succession (chronologie).

♦ **1.** (XIIIᵉ). Point « situé » dans une succession par notre expérience personnelle ou collective (mémoire, histoire) d'un « avant » et d'un « après ». ⇒ **Date, époque, moment ;** et aussi **passé, présent** (1. Présent, cit. 14), **avenir, futur ; antériorité, concomitance, postériorité.** *Confondre les temps.* ⇒ **Anachronisme** (cit. 1). *Anticiper* (cit. 6) *sur les temps. Un temps fort éloigné* (→ Inquiéter, cit. 17). ⇒ **Immémorial.** *Le temps n'est pas loin où... En ce temps-là.* ⇒ **Alors.** *Depuis ce temps-là :* depuis lors* (→ Dur, cit. 6). *Vers, environ* (cit. 3) *ce temps-là. En quel temps?* ⇒ **Quand** (II.). *En aucun temps.* ⇒ **Jamais.** — Loc. *En temps utile**, *en temps opportun**, *en temps voulu** (→ Répressif, cit. 1). *En temps et lieu** (cit. 23). Loc. *Chaque chose en son temps :* on ne peut s'occuper de tout en même temps. — *Remettre** *qqch. à un autre temps.* ⇒ **Atermoyer, différer.** *Le temps, un temps, tel temps où...* (→ Alchimie, cit. 1 ; dépister, cit. 3 ; revoir, cit. 12). *Le temps que...* (→ 2. Épier, cit. 10 ; formalité, cit. 4) ; *le temps auquel...* (→ Pleurer, cit. 5).

Gramm. *Adverbes**, *compléments** *de temps,* marquant un temps (parfois aussi, au sens A, une durée). *Prépositions, conjonctions, exprimant des rapports de temps. Subordonnées de temps.* ⇒ **Temporel.** *Temps exprimé par les divers temps morphologiques* (→ ci-dessous, 2.).

Didact. (Ce point déterminé par le calcul). — (1872). *Temps solaire vrai :* en un lieu donné, Angle horaire* du soleil à l'instant considéré. ⇒ **Heure** (solaire), **jour** (solaire vrai). — (1872). *Temps sidéral :* en un lieu donné, Angle horaire du point vernal à l'instant considéré. ⇒ **Heure** (sidérale), **jour** (sidéral). *Temps moyen* ou *astronomique :* en un lieu donné, Temps solaire vrai, dépouillé de ses inégalités séculaires ou périodiques, la différence constitue l'équation* du temps. ⇒ **Heure** (moyenne). *Temps civil :* temps moyen avancé de douze heures. ⇒ **Jour** (civil). *Temps universel* (T.U.) : temps civil du méridien* d'origine. — REM. Comme il s'agit du temps civil et non du temps moyen de Greenwich, l'expression *temps moyen de Greenwich,* TMG (ou, angl., GMT) est proscrite. — (1949). *Temps légal :* pour un État, Temps universel corrigé du nombre entier d'heures le plus voisin de sa longitude moyenne. ⇒ **Fuseau** (horaire).

♦ **2.** (Fin XIIᵉ). La suite des événements, dans l'histoire. ⇒ **Âge** (III.), **époque, génération, siècle.** *Ce temps :* le temps dont il est question (→ Nom, cit. 16), ou le temps actuel (→ Approcher, cit. 21). *Notre temps :* le temps où nous vivons (→ Calomnier, cit. 5). ⇒ **Aujourd'hui, maintenant.** — *Le temps de qqn :* son époque, l'époque durant sa vie. *Les agitateurs de son temps.* ⇒ **Contemporain** (→ Anarchiste, cit. 1). *Retarder sur son temps. Par* (cit. 17) *le temps actuel,* (1798) *le temps qui court**. ⇒ **Circonstance.** *Le vieux, l'ancien, le bon vieux temps, le temps passé* (→ Aujourd'hui, cit. 14 ; bec, cit. 11). *Ballade des dames du temps jadis**. — (1566). *Au temps jadis* (→ Associé, cit. 2). *Le bon historien n'est d'aucun temps ni d'aucun pays* (→ Flatter, cit. 45). *De tous les temps.* — *Du temps de Charlemagne* (→ Bénéficiaire, cit. 2), *de Jean-Jacques* (→ Discipline, cit. 1), *de l'Empire* (→ Grec, cit. 16), *de la galanterie* (cit. 9), *des crinolines... — Temps de...,* occupé, caractérisé par... *En temps de paix, de guerre* (→ Armée, cit. 12 et 13), *de crise* (→ Déséquilibre, cit. 1). *Temps de désordre* (→ Disloquer, cit. 3), *de révolution* (→ Neutre, cit. 4). — *Le temps du mépris, de la violence. Le temps des assassins** (cit. 8.2, Rimbaud et *supra*).

— *En temps normal* (→ 1. Mort, cit. 12), *ordinaire* (→ Normal, cit. 3) : en un temps où les choses se déroulent normalement, sans événements exceptionnels. — *Heureux temps* (→ Familier, cit. 1 ; passeport, cit. 1), *triste temps* (→ Moi, cit. 37).

(Cet ouvrage) n'a point vieilli, parce que les idées qu'il renferme sont de tous les temps. CHATEAUBRIAND, Mémoires d'outre-tombe, t. IV, p. 114. 15

Le temps présent est sombre, et je n'augure pas bien de l'avenir prochain. RENAN, Souvenirs d'enfance..., Préface (→ Anévrisme, cit. 3). 16

Absolt. *Le temps :* le temps dont on parle, passé ou actuel. *Le temps était au fanatisme* (→ Briser, cit. 5). *Les écrivains, les idées du temps* (→ Abattement, cit. 8 ; 1. étranger, cit. 25 ; 1. grave, cit. 6).

(Qualifié par un adj. ou un compl. de nom). Dans la vie humaine. ⇒ **Âge** (II.). → Convention, cit. 9 ; étape, cit. 8. *Les histoires de mon jeune temps* (→ Attacher, cit. 38 ; repère, cit. 5). *« Au temps de ma jeunesse folle »* (→ Étudier, cit. 2 ; et aussi pauvre, cit. 18). *Souvenirs d'un temps meilleur* (→ Disparaître, cit. 4). *« Cet heureux temps n'est* (1. Être, cit. 17) *plus, tout a changé de face »* (→ aussi Grincer, cit. 16). — LE BON TEMPS : le temps passé et qu'on regrette. *« Ainsi le bon temps regrettons »* (cit. 1). *C'était le bon temps,* se dit d'une époque passée où l'on était plus jeune et plus heureux (→ Renouer, cit. 4). — (Avec un possessif). Temps où l'on est jeune et actif, bel âge. *« La valeur de son père, en son temps sans pareille »* (→ Passer, cit. 83). *« Vous avez, dans votre temps, fait des fredaines »* (cit. 1). *De mon temps :* quand j'étais jeune (→ Rentrer, cit. 4).

J'ai un dictionnaire tout à part moi : je passe le temps, quand il est mauvais et incommode ; quand il est bon, je ne le veux pas passer, je le retâte, je m'y tiens. Il faut courir le mauvais et se rasseoir au bon. MONTAIGNE, Essais, III, XIII. 17

Ma mère, dans son temps, passait pour assez belle,
Et naturellement n'était pas fort cruelle (...) MOLIÈRE, la Princesse d'Élide, I, 2. 18

(1588). *Bon, mauvais temps :* ensemble des moments heureux, malheureux dans la vie. (V. 1360). *Se donner, prendre du bon temps :* s'amuser*, profiter des plaisirs de la vie (→ Galérien, cit. 3 ; maléfice, cit. 3).

(...) loué par ceux-ci, blâmé par ceux-là ; aidant au bon temps ; supportant le mauvais ; me moquant des sots, bravant les méchants ; riant de ma misère et faisant la barbe à tout le monde (...) BEAUMARCHAIS, le Barbier de Séville, I, 2. 19

Eh bien? lui dit gaiement la sœur en le revoyant, en voilà des vacances, j'espère ! (...) Oh ! mais vous êtes engraissé (...) vous avez un teint ! Vous avez pris du bon temps? Ed. et J. DE GONCOURT, Sœur Philomène, XXIII. 20

Puis, échangeant un coup d'œil complice, ils décident de s'offrir mutuellement une pinte de bon temps (...) J. PRÉVERT, la Pluie et le Beau Temps, p. 36. 21

(V. 1398). LE TEMPS DE... (Dans l'année). ⇒ **Saison.** *Le temps des moissons, des vendanges**... *Le temps des lilas* (→ Effuser, cit. 2). *« Le temps des cerises »* (chanson). *Le temps des vacances.*

Spécialt (année liturgique). *Le saint temps de carême* (→ Provision, cit. 1). *Temps de l'avent, temps pascal. Les quatre temps.* ⇒ **Quatre-temps.** *Le propre** *du temps.*

Au plur. (1535). LES TEMPS. (Avec une nuance d'indétermination). *Les temps les plus reculés* (cit. 13), *lointains. Temps bibliques* (cit. 3), *héroïques* (cit. 3), *fabuleux, préhistoriques* (cit. 1). *« Et ceci se passait* (cit. 137) *dans des temps très anciens ».* ⇒ **Anciennement, autrefois, jadis.** *Les temps antiques* (→ Attribut, cit. 4), *modernes* (→ Décrasser, cit. 1), *actuels* (→ Fonder, cit. 6), *futurs* (cit. 1)... *Leur histoire s'étend* (cit. 39) *depuis les premiers temps jusqu'aux derniers. Depuis l'origine* (cit. 8) *des temps. La suite, la succession des temps* (→ Authentique, cit. 6 ; feuilleter, cit. 5). — Prov. *Autres** *temps, autres mœurs.* — *« Que les temps sont changés »* (Racine, *Athalie,* V, 5). *Le malheur, la misère des temps* (→ Pignouf, cit. 2). *Les temps sont durs. Dans des temps difficiles comme le nôtre* (→ Renouveau, cit. 3). *« Ô temps ! ô mœurs ! »* (cit. 1) : trad. du lat. *« o tempora, o mores »* (Cicéron).

Nous vivons à une triste époque. — Une triste époque (...) Je ne suis pas de votre avis ; je trouve ces temps-ci admirables. A. MAUROIS, B. Quesnay, XXV. 22

Raison de plus, monsieur, répondit le bourgmestre en accentuant ses syllabes. Autres temps autres mœurs ! Le progrès marche, et nous ne voulons pas rester en arrière ! J. VERNE, le Docteur Ox, p. 36. 22.1

Absolt. *Les temps anciens. La nuit des temps ; l'abîme** *des temps.* ⇒ **Siècle.** *Dans les temps* (vx, → 2. Desservir, cit. 3). — (1535). Langage biblique. Ce qui a été prophétisé. *Les temps messianiques. Les temps approchent, sont révolus. La consommation** *des temps. Signe** *des temps.*

LES PREMIERS, DERNIERS TEMPS. *Les premiers temps du christianisme* (→ Saint, cit. 13). *Dans les derniers temps de l'Empire* (→ Barbarie, cit. 6). Adv. *Dans les derniers temps* (→ 1. Balance, cit. 29), *dans ces derniers temps* (→ Domaine, cit. 5), *ces derniers temps* (→ Passablement, cit. 2), *ces temps derniers* (→ Rail, cit. 4). ⇒ **Dernièrement, récemment.** *Les premiers temps* (→ Frapper, cit. 48 ; fumerie, cit. 2). ⇒ **Abord** (d'), **début** (au). *Elle est un peu fatiguée ces temps-ci.* ⇒ **Jour.**

Les temps géologiques, préhistoriques. ⇒ **Ère.**

LE TEMPS DE..., suivi de l'inf. : le temps où il convient de... *« Ai-je passé le temps d'aimer? »* (cit. 40). *La jeunesse* (cit. 3) *est le temps d'étudier la sagesse. Voici le temps de...* (→ Analyse, cit. 0.1 ; bruyamment, cit.). *Le temps est venu, viendra de...* (→ Dupe, cit. 10 ; examen, cit. 1). *Il est temps de...* (→ Abjurer, cit. 3 ; ardeur, cit. 44 ; expérience, cit. 22 ; gorge, cit. 29 ; incapable, cit. 3). ⇒ **Sonner** (l'heure a sonné). — *Il est grand temps de...* (→ Démolir, cit. 2) : il ne faut pas attendre davantage, c'est urgent. *Il serait toujours temps d'aviser* (cit. 14). *Il n'est pas encore temps de...* ⇒ **Prématuré** (→ 1. Bas, cit. 90). *Il n'est plus temps de...* (→ Parti, cit. 1). — (Dans le même sens, mais avec un idée d'urgence plus accentuée). *Il est temps que..., suivi du subj.* (→ Gravité, cit. 2 ; mettre, cit. 48 ; 1. penser, cit. 19 ; renoncer, cit. 13). *Il était temps que le secours arrive* (→ Arquer, cit.), *que mon rôle finît* (→ Offusquer, cit. 3).

23 (...) j'ai pris le temps de sortir pendant que vous dormiez (...)
MOLIÈRE, George Dandin, III, 6.

24 Il était temps que cet homme vaste tombât. HUGO, les Misérables, II, I, IX.

25 Mais il apparaissait qu'*il n'était que temps* qu'elle prît sa retraite.
FRANCE, le Petit Pierre, p. 232, *in* G. et R. LE BIDOIS,
Syntaxe du franç. mod., § 1276.

26 Oui, à cette œuvre, cette idée du Temps que je venais de former disait qu'il était temps de me mettre. Il était grand temps ; mais, et cela justifiait l'anxiété qui s'était emparée de moi dès mon entrée dans le salon, quand les visages grimés m'avaient donné la notion du temps perdu, était-il temps encore et même étais-je encore en état ? PROUST, le Temps retrouvé, Pl., t. III, p. 1035.

(XVIIe). Absolt. « *Ô Mort* (1. Mort, cit. 17), *vieux capitaine, il est temps ! levons l'ancre !* ». *Quand il sera temps* (→ Chemin, cit. 33) ; *il n'est plus temps* (→ Préface, cit. 2). *Il était temps ; une minute de plus, l'homme épuisé se laissait tomber* (→ Haler, cit. 1). *Il n'est que temps : on a beaucoup tardé et bientôt il ne sera plus temps.*

27 Réveillez-vous : il n'est que temps ; vous n'avez que trop vécu en carassins, sous le varech et le sable. André SUARÈS, Trois hommes, « Ibsen », III.

(1608). Vx. *Prendre le temps de... lorsque, pendant que... :* choisir pour (faire une chose) le moment où... (1670). *Prendre son temps :* choisir le moment favorable.

♦ **3.** Loc. adv. (1538). AVANT (cit. 4) LE TEMPS : avant le terme fixé. ⇒ **Anticipation** (par). Avant l'époque où cela arrive normalement. ⇒ **Précocement, prématurément** (→ 1. Grison, cit.).

28 Il y a plus de quarante jours, tout paraissait devoir finir avant le temps : et voici que tout subsiste par-delà le terme prévu (...)
É. DE SENANCOUR, Oberman, XXIII.

(1080, *à tens*). À TEMPS : juste assez tôt. ⇒ **Propos** (à). Cf. À point nommé. *Il fut averti à temps* (→ Arrestation, cit. 4 ; et aussi grain, cit. 37 ; prévenir, cit. 15). *Nous arrivâmes à temps pour voir la procession* (cit. 3 ; → aussi Prendre, cit. 116). *Mettre une lettre à la poste à temps pour qu'elle parvienne* (cit. 1) *à quelqu'un avant la nuit. Juste à temps,* par oppos. *à trop tard.*

EN MÊME TEMPS : simultanément (→ Cri, cit. 13 ; glace, cit. 24 ; lumineux, cit. 3 ; quiproquo, cit. 2) ; du même coup (→ Arracher, cit. 2 ; atteindre, cit. 12) ; à la fois, aussi bien (→ Atermoyer, cit. 1 ; capacité, cit. 4 ; peintre, cit. 3). *Dans le même temps :* en même temps (→ Développement, cit. 2) ; aussitôt (rare). ⇒ **Ensemble, simultanéité, synchronisme** ; et aussi **co-.** *En même temps que...* (vx, *au même temps que.* → Monde, cit. 37), associant deux termes gouvernés par un même verbe, pour marquer que l'action porte simultanément sur l'un et sur l'autre, ou aussi bien sur l'un que sur l'autre (→ Affaiblir, cit. 7 ;

(1629). TOUT D'UN TEMPS (vx) : tout de suite, sans tarder (cf. Corneille, *Horace,* IV, 2, v. 1134) ; (1640) *en même temps* (cf. Corneille, *Horace,* V, 3, v. 1776). — ENTRE TEMPS. ⇒ **Entre-temps.** — (1535). DE TEMPS EN TEMPS ⇒ Altération, cit. 4 ; amiral, cit. 1 ; apparaître, cit. 9). — DE TEMPS À AUTRE (→ Accord, cit. 21 ; affleurer, cit. 3 ; dictée, cit. 5) : à des intervalles de temps plus ou moins longs (avec l'idée d'une certaine périodicité. ⇒ **Intervalle** (par), **parfois, quelquefois** ; et aussi **moment** (par).

(V. 1460). DE TOUT TEMPS : proprt, depuis n'importe quel temps si éloigné qu'on le suppose, depuis toujours (→ Ami, cit. 29 ; aujourd'hui, cit. 28 ; beau, cit. 37 ; gens, cit. 28 ; honorer, cit. 9 ; mandataire, cit. 4). ⇒ **Ancienneté, antiquité, éternité** (de toute), **immémorial.** — (V. 1398). EN TOUT TEMPS : quel que soit le temps, pas plus à une époque qu'à une autre ; toujours (→ Ami, cit. 1 ; amour, cit. 19 ; doyen, cit. 1). *En tout temps, en tout lieu* (1. Lieu, cit. 2). *La nuit* (cit. 6), *dont le pouvoir reconnu* de tout temps *reste en tout temps mystérieux.* SELON, SUIVANT LE TEMPS, LES TEMPS : selon l'époque, les circonstances, le moment, la saison. « *Change* (cit. 57) *selon les temps comme selon les lieux* ».

(1831). DANS LE TEMPS. ⇒ **Autrefois, jadis** (→ Prix, cit. 29 ; ramasser, cit. 20).

29 C'est sans doute pour cela, ajouta-t-elle avec dépit, que dans le temps il a refusé de m'épouser. STENDHAL, le Rouge et le Noir, I, XIX.

30 (...) elle s'est mise à nous parler des dernières grandes vacances, et de celles d'avant, et des hivers de « dans le temps », avec leurs rhumes et leurs tisanes, leurs étrennes, leur odeur de mandarine et leur goût de marron glacé (...)
Valery LARBAUD, Enfantines, « Devoirs de vacances ».

Loc. conj. DANS LE TEMPS QUE... (vieilli, archaïque, → Distinguer, cit. 12 ; mépriser, cit. 4 ; négligence, cit. 2 ; négoce, cit. 3), AU TEMPS QUE... (vx, → Arriver, cit. 70). (1532). DU TEMPS QUE... (→ Émerveiller, cit. 1), DANS LE TEMPS, AU TEMPS OÙ... (→ Courtois, cit. 4) : au moment où..., lorsque, alors que..., quand.

31 Ce corps, qui avait tant souffert du régime auquel je l'avais plié, s'épanouit, dans cette forêt sèche, pleine de genêts et d'arbousiers, du temps qu'Arcachon n'était qu'un village. F. MAURIAC, le Nœud de vipères, II.

AU MÊME TEMPS QUE... (vx, → Arbre, cit. 49) ; (1848) DANS LE MÊME TEMPS QUE..., EN MÊME TEMPS QUE..., marquant soit la concomitance de deux actions (→ Langue, cit. 31 ; pâques, cit. 3 ; portée, cit. 13 ; refréner, cit. 1), soit leur parallélisme et leur relation naturelle (→ Cerner, cit. 1 ; oiseau, cit. 2).

En même temps que *Jésus admettait pleinement les croyances apocalyptiques (...) Il admettait (...) la résurrection des morts* (REN., Jésus, VII). Le sens n'est pas : *à la même époque,* mais : *aussi bien que.* BRUNOT, la Pensée et la Langue, p. 715. 32

♦ **4.** (XVe). Gramm. (morphologie). Forme verbale particulière à valeur temporelle. ⇒ **Conjugaison, mode, verbe.**

REM. 1. « Ce que l'on appelle modes et temps en morphologie ne correspond pas exactement aux modes et aux temps envisagés du point de vue syntaxique » (Gougenheim).

2. S'il y a en principe une valeur temporelle propre à tel ou tel temps morphologique *(temps propre),* d'autres valeurs théoriquement propres à d'autres temps peuvent lui être affectées *(temps figuré),* par une sorte d'échange de valeurs entre les temps *(transposition des temps,* Le Bidois).

3. Si une temporalité assez précise s'attache aux temps de l'indicatif, il n'en est pas de même aux autres modes.

4. Les temps ne sont qu'un des moyens de marquer la temporalité ; il faut tenir compte en particulier de l'*aspect* sous lequel l'action est présentée. → Temporel (cit. 3).

Temps simples, caractérisés par la flexion verbale. ⇒ **Futur, imparfait, passé** *(simple* ou *défini ;* ou *prétérit),* présent. *Temps composés,* formés avec les auxiliaires de temps. ⇒ **Futur** (antérieur), **passé** (composé), **passé** (antérieur), **plus-que-parfait.** *Temps surcomposés.* — (Dans les langues indo-européennes). *Temps primitifs* (par ex., en latin, le présent et le parfait). *Temps principaux* ou *primaires,* caractérisés par l'emploi de désinences dites primaires, convenant à l'énoncé d'un procès en voie d'accomplissement. *Temps secondaires,* à désinences dites secondaires (affectées généralement à l'expression du passé). — *Choix des temps,* concordance* *des temps.* — REM. Se reporter aux noms des différents temps, aux verbes et aux conjonctions de subordination qui leur sont associés.

(...) l'ancien français, qui possédait déjà tous les temps du français moderne, ne s'en servait pas pour mettre de l'ordre dans le récit. Villehardouin écrit *distrent lor message ensi com manderent li baron,* et non pas *avoient mandé.* La nouvelle époque (13e-15e s.) dont la pensée est mieux ordonnée, met de la perspective dans le récit. On écrit donc maintenant : « *IL RECORDA* tout le voiage qu'il *avoit fait* (Froissart)... On sait que la même époque la perspective apparaît aussi dans la peinture (...) Depuis la fin du 14e s. on apprend à distinguer les différents plans (...) De même les temps grammaticaux commencent à prendre une valeur relative ; on n'en saisit la véritable valeur qu'en tenant compte des verbes qui les entourent. L'imparfait en particulier prend le rôle qu'on lui connaît en français moderne, le rôle de présent dans le passé. WARTBURG, Évolution et structure de la langue franç., IV, p. 131. 33

C. (Mil. XVIe). LE TEMPS, considéré dans sa nature ; la notion même de temps.

♦ **1.** *Le temps :* entité (souvent personnifiée) représentative du mouvement, de l'inconstance, de l'altération et du changement continuels de l'univers, objet d'expérience et thème littéraire. « *Car le temps passe* (cit. 57) *et n'a point de retour* » (→ aussi Fleuve, cit. 13).« *Le temps s'en va* (1. Aller, cit. 110), *le temps s'en va, Madame* ». *Rien ne peut arrêter* (cit. 15 et 35) *le temps.* « *(...) le temps n'a point de rive ; Il coule* (cit. 18) *et nous passons !* ». « *Le temps m'échappe* (cit. 9) *et fuit* ». ⇒ **Écouler** (s'). *Écoulement* (cit. 5), *fuite* (cit. 10 et 11), *du temps* (→ Entraîner, cit. 4). *Cours* (cit. 11), *marche* (2. Marche, cit. 26) *du temps. Le temps presse*. *Le temps coule* (cit. 17) *trop lentement, s'arrête* (cit. 61). « *Tant l'écheveau du temps lentement se dévide !* » (cit. 4). *La monotonie, le fardeau* (cit. 9), *le vide du temps* (→ Durée, cit. 4 ; oisiveté, cit. 1). *Les flots du temps* (→ Alluvion, cit. 5 ; ancre, cit. 5). — *Destruction* (cit. 3) *par le temps. Les ruines* (cit. 11) *sont l'ouvrage, l'œuvre* (cit. 17) *du temps* (→ aussi Antique, cit. 2 ; détruire, cit. 4). *Injures, affronts, atteintes, outrages du temps* (→ Faire, cit. 238 ; 1. flétrir, cit. 3 ; net, cit. 11 ; 1. rose, cit. 11). « *La beauté* (cit. 23) *passe, Le temps l'efface (...)* » (→ aussi Laid, cit. 6). *Le poli* (3. Poli, cit.), *la patine que donne le temps* (→ aussi Rendre, cit. 10). *Ce qui résiste au temps, triomphe du temps, est plus fort que le temps.* ⇒ **Éternel, immortel ; demeurer, rester** (→ Créer, cit. 5 ; effacer, cit. 25 ; immarcescible, cit. 8). *Le temps guérit* (cit. 21) *les douleurs, est un grand maître*. « *Laisse* (cit. 1) *faire le temps, ta vaillance et ton roi* ». *Des impressions* (cit. 14) *que le temps n'efface pas* (→ aussi Ineffaçable, cit. 2). *Action du temps sur le moi, la personnalité* (→ Peau, cit. 14). — Myth. Divinité représentée sous la forme d'un vieillard ailé, portant une faux (2. Faux, cit. 3) et parfois un sablier. « *Sur les ailes* (cit. 18) *du temps la tristesse s'envole* ». « *Ô Temps, suspends ton vol !* » (→ Cours, cit. 12).

Ce qui est ferme, est par le temps détruit.
Et ce qui fuit, au temps fait résistance.
DU BELLAY, les Antiquités de Rome, Au Roi, III. 34

Le grand mage proposa d'abord cette question : Quelle est de toutes les choses du monde la plus longue et la plus courte, la plus prompte et la plus lente, la plus divisible et la plus étendue, la plus négligée et la plus regrettée, sans qui rien ne peut se faire, qui dévore tout ce qui est petit, et qui vivifie tout ce qui est grand (...) Zadig dit que c'était le temps (...) rien n'est plus lent pour qui attend ; rien plus rapide pour qui jouit (...) il fait oublier tout ce qui est indigne de la postérité, et il immortalise les grandes choses. VOLTAIRE, Zadig, XXI. 35

36 Le temps est le rivage de l'esprit, tout passe devant lui, et nous croyons que c'est lui qui passe. RIVAROL, Maximes et pensées, Métaphysique (éd. Didier).

37 Oui! le Temps règne; il a repris sa brutale dictature. Et il me pousse, comme si j'étais un bœuf, avec son double aiguillon. BAUDELAIRE, le Spleen de Paris, V.

38 (...) Le Temps qui d'habitude n'est pas visible, pour le devenir cherche des corps et, partout où il les rencontre, s'en empare pour montrer sur eux sa lanterne magique. PROUST, le Temps retrouvé, Pl., t. III, p. 924.

39 Sans la succession des «après», je serais *tout de suite* ce que je veux être, il n'y aurait plus de distance entre moi et moi, ni de séparation entre l'action et le rêve. C'est essentiellement sur cette vertu séparatrice du temps que les romanciers et les poètes ont insisté, ainsi que sur une idée voisine (...) c'est que tout «maintenant» est destiné à devenir un «autrefois». Le temps ronge et creuse, il sépare, il fuit. Et c'est encore à titre de séparateur — en séparant l'homme de sa peine ou de l'objet de sa peine — qu'il guérit. SARTRE, l'Être et le Néant, p. 175.

Loc. *Tromper le temps, tuer le temps :* échapper au sentiment du temps, à l'ennui, en s'occupant ou en se distrayant avec peu de chose.

40 Comme la voiture traversait le bois, il la fit arrêter dans le voisinage d'un tir, disant qu'il lui serait agréable de tirer quelques balles pour *tuer* le Temps. Tuer ce monstre-là, n'est-ce pas l'occupation la plus ordinaire et la plus légitime de chacun? BAUDELAIRE, le Spleen de Paris, XLIII.

♦ **2.** (XVIIe). *Le temps :* catégorie ou grandeur fondamentale, objet de la réflexion philosophique et scientifique. *L'Être et le Temps*, ouvrage de Heidegger. *« Le temps est l'horizon de toute conscience »* (Heidegger). *Le temps par rapport à Dieu et à l'éternité.* ⇒ **Création** (→ Attribut, cit. 2; éternel, cit. 1; 2. être, cit. 11; panthéisme, cit. 1). *Le temps et l'espace* (→ Immédiat, cit. 2; 2. instant, cit. 5; mécanicien, cit. 1; simultanéité, cit. 2). *L'espace et le temps dans la théorie de la relativité.* ⇒ **Espace-temps, relativiste** (cit.), **relativité** (cit. 3 et 4). *Dans l'espace et dans le temps* (→ Guerre, cit. 1; individu, cit. 6; périodicité, cit.; 1. point, cit. 38; quantum, cit. 2). *L'ordre, le cadre* (cit. 9) *du temps* (→ Affranchir, cit. 11). *Hors du temps* (→ Blessure, cit. 3; identité, cit. 4; précieux, cit. 2). *Dans le temps* (→ Origine, cit. 10). *Temps et mémoire* (1. Mémoire, cit. 28), *et rêve* (cit. 7). *Temps réel, vécu, existentiel, opposé du temps objectif, mesurable, opératoire.* ⇒ **Durée** (cit. 7), **temporalité** (→ Faiseur, cit. 16). *Le problème du temps dans le roman moderne* (→ Évocation, cit. 11).

41 (...) il y a bien de différentes opinions touchant l'essence du temps. Les uns disent que c'est le mouvement d'une chose créée; les autres, la mesure du mouvement, etc. Aussi ce n'est pas la nature de ces choses que je dis qui est connue de tous : ce n'est simplement que le rapport entre le nom et la chose : en sorte qu'à cette expression, *temps*, tous portent la pensée vers le même objet : ce qui suffit pour faire que ce terme n'ait pas besoin d'être défini (...) car les définitions ne sont faites que pour désigner les choses que l'on nomme, et non pas pour en montrer la nature. PASCAL, Opuscules, III, De l'esprit géométrique.

42 À l'égard du temps, il est d'abord certain que nous n'en avons la notion que par la succession de nos idées; il ne l'est pas moins que ce n'est pas la succession de nos idées qui fait le temps, puisque le temps a une mesure indépendante de nos idées, mesure que nous fournit le mouvement des corps. D'ALEMBERT, Essai sur les éléments de la philosophie..., Œ. compl., t. I, XVI, p. 316.

43 L'erreur de Kant a été de prendre le temps pour un milieu homogène. Il ne paraît pas avoir remarqué que la durée réelle se compose de moments intérieurs les uns aux autres, et que lorsqu'elle revêt la forme d'un tout homogène, c'est qu'elle s'exprime en espace. Ainsi la distinction même qu'il établit entre l'espace et le temps revient, au fond, à confondre le temps avec l'espace, et la représentation symbolique du moi avec le moi lui-même. H. BERGSON, Essai sur les données immédiates de la conscience, Conclusion, p. 174.

44 Or la recréation par la mémoire d'impressions qu'il fallait ensuite approfondir, éclairer, transformer en équivalents d'intelligence, n'était-elle pas une des conditions, presque l'essence même de l'œuvre d'art telle que je l'avais conçue tout à l'heure (...) je pensai tout d'un coup que si j'avais encore la force d'accomplir mon œuvre, cette matinée (...) qui m'avait, aujourd'hui même, donné à la fois l'idée de mon œuvre et la crainte de ne pouvoir la réaliser, marquerait certainement avant tout, dans celle-ci, la forme que j'avais pressentie autrefois dans l'église de Combray, et qui nous reste habituellement invisible, celle du Temps. PROUST, le Temps retrouvé, Pl., t. III, p. 1044.

45 (...) la plupart des grands auteurs contemporains, Proust, Joyce, Dos Passos, Faulkner, Gide, V. Woolf, chacun à sa manière, ont tenté de mutiler le temps. Les uns l'ont privé de passé et d'avenir pour le réduire à l'intuition pure de l'instant; d'autres, comme Dos Passos, en font une mémoire morte et close. Proust et Faulkner l'ont simplement décapité, ils lui ont ôté son avenir, c'est-à-dire la dimension des actes et de la liberté. SARTRE, Situations I, p 77.

★ **II.** (V. 1130). État de l'atmosphère à un moment donné (considéré surtout dans son influence sur la vie et l'activité humaines). ⇒ **Air, ciel, température, vent.** *Le temps qu'il fait.* → Baigner, cit. 6; matin, cit. 8. *Parler du temps qu'il fait* (cf. De la pluie et du beau temps). *Comment le temps sera-t-il demain? quel temps va-t-il faire?* — (Qualifié par un adj. ou un compl.). *Le beau* temps*, caractérisé par une température douce ou chaude, un ciel ensoleillé (→ Annoncer, cit. 16; exaucer, cit. 7; fixité, cit. 2; guérir, cit. 12). — Loc. *Parler de la pluie* et du beau temps. Temps superbe, magnifique.* — *Mauvais temps* (→ Assaillir, cit. 5; gâter, cit. 2; octobre, cit. 3). ⇒ **Intempérie, orage, précipitation.** *Vilain temps* (→ Déchaîner, cit. 12). *Temps affreux, épouvantable, détestable* (→ Grain, cit. 35). — Loc. fam. *Un temps de saison :* un temps considéré comme normal pour la saison. — (Aspect du ciel). *Temps bas* (1. Bas, cit. 5), *couvert* (→ Exciter, cit. 19), *bouché, gris...* ⇒ **Brouillard, brume, bruine, nuage.** *Temps clair, serein.* — *Temps lourd* (cit. 27), *mou, maussade, triste, barbouillé* (→ 1. Mou, cit. 7), *détraqué* (cit. 3), *pourri, incertain...* — (Av. 1857). Loc. *Un temps de chien** (cit. 27). — Mar. *Gros** (cit. 12) *temps; temps calme.* ⇒ **Bonace** (→ Fil, cit. 31), **maniable.** — *Le temps boude* (cit. 3), *se brouille* (cit. 18), *se gâte, menace* (cit. 14), *se met* (cit. 65) *au froid, se rafraîchit. Le temps n'est pas sûr, va changer... Le temps est au beau, se radoucit* (cit. 2), *se lève, s'éclaircit* (⇒ **Éclaircie, embellie**). — *Par ce temps, par un temps pareil* (→ Galanterie, cit. 2; heure, cit. 97). ⇒ **Par** (*supra* cit. 17). *Par un beau temps* (→ Pied, cit. 28), *un temps pluvieux* (cit. 1). *Il fait beau, mauvais temps. Avoir* (1. Avoir, cit. 9) *beau, mauvais temps. Nous avons eu beau temps pour les vacances.* — Loc. fig. *Faire la pluie* et le beau temps. Parler de la pluie* et du beau temps.* — Prov. *Après la pluie*, le beau temps.*

(...) il faisait un beau temps d'automne, et nous l'eûmes avec un peu d'interruption pendant toute notre course. Ciel calme, soleil faible et souvent caché, matinées de brouillards, belles soirées, terre humide et chemins propres; le temps enfin le plus favorable (...) É. DE SENANCOUR, Oberman, LII. 46

Je ne pouvais pas traîner mes jambes. 46.1
— Ça n'est pas étonnant, dit Françoise, ce n'est pas un temps de saison, il fait trop chaud (...) C'est à croire que là-haut aussi tout se détraque. PROUST, Du côté de chez Swann, Pl., t. I, p. 409.

Et tout le monde parle du temps, les grands hommes comme les petits, les grands artistes comme Brigitte Bardot (...) C'est le sujet universel. Le péché originel de la conversation. Il a ses techniciens : ceux qui trouvent les nuances, ceux qui se réfèrent à des rhumatismes. SAN ANTONIO, le Secret de Polichinelle, p. 58. 46.2

Un temps à (et inf.). Loc. *Il fait un temps à ne pas mettre un chien dehors.*

Par un temps à ne pas mettre un chien dehors, me voici à cinq heures en bas de mon lit (...) Ed. et J. DE GONCOURT, Journal, 23 nov. 1890, t. VIII, p. 145. 47

Loc. (*temps* non qualifié). *Couleur de temps, du temps :* bleu très clair. ⇒ **Ciel.** → Oiseau, cit. 8. — *L'air* du temps.*

Au plur. Rare, sauf dans : *par tous les temps.* Cf. Qu'il fasse beau, qu'il fasse laid.

Étude et prévision scientifique du temps. ⇒ **Météorologie.** *Cartes synoptiques du temps*, rassemblant les diverses observations météorologiques pour un moment donné (cartes de pression atmosphérique, de température, de systèmes nuageux, cartes en altitude). *Principaux types de temps* (chaud, froid, sec, pluvieux). *Indications de temps sur les baromètres à cadran* (tempête, grande pluie, pluie ou vent, variable, beau, beau fixe, très sec).

(...) la prévision du temps nécessite en premier lieu *un réseau étendu d'observations effectuées simultanément et répétées fréquemment.* Les observations du réseau «synoptique» international qu'étudient chaque jour les divers Instituts météorologiques sont faites à 0 heure, 6 heures, 12 heures, 18 heures (temps moyen de Greenwich). Le premier problème à résoudre consiste donc dans la «concentration» des observations du réseau devenu *mondial* depuis quelques années déjà. A. VIAUT, la Météorologie, p. 94. 48

DÉR. V. **Temporaire, temporel, temporiser.**

COMP. Contretemps; entre-temps; mi-temps; passe-temps; printemps; quatre-temps; garde-temps. — Cf. aussi les composés du grec *krônos* (chronologie, chronomètre, etc.).

HOM. Tan, tant, taon. — Formes du v. **tendre.**

TEMPURA [tɛmpuʀa] n. f. — Attesté XXe; mot japonais.

♦ Plat japonais, beignet très léger de légume ou de poisson, en principe préparé devant la personne qui le mange.

La fraîcheur qui circule dans la *tempura* à travers la dentelle de la farine, montant des plus vivaces et des plus fragiles parmi les aliments, le poisson et le végétal, cette fraîcheur qui est à la fois celle de l'intact et du rafraîchissant est bien celle de l'huile (...) R. BARTHES, l'Empire des signes, p. 37.

TENABLE [t(ə)nabl] adj. — V. 1155; dér. de *tenir;* a eu plusieurs sens en anc. franç., «que l'on peut tenir, garder; stable; que l'on peut retenir».

♦ **1.** Milit. (vieilli en emploi positif). Que l'on peut tenir*, défendre. *« Pour la rendre tenable* (Jérusalem) *contre une armée régulière (...) »* (Chateaubriand, *Itinéraire de Paris à Jérusalem*, 4.).

Le vent n'y tourbillonnait donc pas, et la place y était tenable, tandis qu'à la circonférence de ce cyclone ni hommes ni chevaux n'eussent pu résister. J. VERNE, Michel Strogoff, p. 143. 1

♦ **2.** (1640). Mod. (En phrase négative ou de valeur négative). Où l'on peut se tenir, demeurer. *Ce n'est plus tenable, nous grillons* (1. Griller, cit. 10). ⇒ **Supportable.** *C'est à peine tenable.*

Quand vous serez parti, Joseph, la maison ne sera plus tenable pour moi (...) J'étais si bien habituée à vous (...) O. MIRBEAU, Journal d'une femme de chambre, XIV. 2

Fig. *« Sa position* (d'un ambassadeur) *n'était plus tenable »* (Goncourt, *Journal*, 1er févr. 1887).

N. *« Les soldats des Malouines ont de quoi tenir trois mois (...) les Américains estiment la limite du "tenable" à trente jours »* (*l'Express*, 13 mai 1982, p. 101).

CONTR. et **COMP. Intenable.**

TENACE [tənas] adj. — 1501; du lat. *tenax, acis*, de *tenere* «tenir».

♦ **1.** (V. 1560). Vx ou didact. [a] Qui tient* (II., 3.); qui demeure (en adhérant, en enlaçant, en s'accrochant, etc.) avec une autre chose. *Substance gluante et tenace.* ⇒ **Adhérent, visqueux.** *Colle très tenace.* ⇒ **Fort** (colle forte). — (V. 1560). Dont les parties tiennent fortement ensemble. ⇒ **Compact** (2.); → Conglutineux, cit. *« Un* *liquide plus épais, plus tenace que le sirop* » (Fourcroy, *in* Littré). *Métal, roche tenace.* ⇒ **Résistant, solide.** « *Des roches plastiques peuvent cependant être tenaces* » (Baulig).

b (1876). Qui s'accroche, est difficile à extirper*. ⇒ **Inextirpable.** « *Le sec et tenace chiendent* » (→ Lœss, cit. 1).

c (xxᵉ). Par anal. *Parfum tenace, fort* et tenace, qui demeure attaché (cit. 93), ne s'évapore* pas (→ Écœurant, cit. 4).

♦ **2.** (1588, Montaigne). Qui est difficile à détruire. *Un mal* (→ Fluxion, cit. 3), *une douleur tenace. Espoir* (→ Instinct, cit. 3), *haine tenace* (→ Merci, cit. 2). *Préjugés* tenaces.* ⇒ **Durable.** « *(...) les illusions de l'esprit sont tenaces* » (Paulhan, *Entretien sur des faits divers,* p. 109). — *Avoir la mémoire tenace.*

Le respect craintif des morts et la peur du mauvais sort nous apparaissent ainsi comme les croyances spontanées les plus anciennes ; ce sont celles qui restent encore les plus tenaces dans la masse de la population française.
Ch. SEIGNOBOS, Hist. sincère de la nation franç., I.

♦ **3.** (Déb. xvɪᵉ). Personnes. Qui tient avec opiniâtreté à ses opinions, à ses décisions. ⇒ **Acharné, coriace** (fam.), **entêté,** 1. **ferme** (I., 4.), **obstiné, opiniâtre** (→ Employer, cit. 8 ; pétrir, cit. 9). *Un solliciteur tenace* (→ Crouler, cit. 10). ⇒ **Crampon** (4.). *La vieille génération laborieuse, tenace* (→ Économe, cit. 4). *Un travailleur tenace et appliqué* (→ Un cheval* de labour). — *Caractère* tenace.* ⇒ **Ténacité.**

(1748). Qui implique la ténacité, l'obstination. *Tenace volonté* (→ Attacher, cit. 83 ; plus, cit. 19). *Obstination* (→ 1. Pratique, cit. 11), *résistance tenace.*

Spécialt et vx. Avare.

CONTR. Fugace, fugitif ; capricieux, changeant, versatile.

DÉR. Tenacement. — (Du même rad.) Ténacité.

TENACEMENT [tənasmɑ̃] adv. — 1611, Cotgrave ; de *tenace.*

♦ Avec ténacité, opiniâtreté. *Ce siècle... s'est plu tenacement à confondre science* (cit. 2) *et sagesse.*

TÉNACITÉ [tenasite] n. f. — 1370 ; du lat. *tenacitas,* de *tenax, acis.* → Tenace.
Caractère de ce qui est tenace.

♦ **1.** Didact. **a** Caractère gluant, visqueux (→ Fibrine, cit.). *Ténacité du gluten* (dans la préparation de la pâte à pain).

b (1783). Solidité. *Ténacité d'un alliage, mesurée par la charge, la limite de rupture.*

Psychophysiologie. *Indice de ténacité* (ou de *fatigabilité*).

c *Ténacité d'une odeur.*

♦ **2.** (1516). Fig. Caractère tenace (3.). Cour. Caractère persistant. *Ténacité d'un souvenir, d'un espoir..., d'un préjugé. Une ténacité de mémoire peu commune* (→ Étude, cit. 16).

0.1 Les idées fixes ont la ténacité rongeuse des maladies incurables.
MAUPASSANT, Fort comme la mort, II, v.

♦ **3.** (1488). Caractère d'une personne tenace, attachement opiniâtre (à une idée, un projet, une volonté...). ⇒ **Acharnement, entêtement** (3.), **fermeté** (3.), **obstination, opiniâtreté, persévérance, pertinacité.** *Douée* (cit. 4) *d'une ténacité à toute épreuve. Avec le courage et la ténacité d'un désespéré* (→ Fouir, cit. 2). ⇒ aussi **Résistance** (4.). *Persévérer* (cit. 4) *avec une obscure ténacité.* ⇒ **Accrocher** (s'). *Ténacité dans le travail* (⇒ **Assiduité**). *La ténacité du paysan* (cit. 5) *français.*

1 Ceux qui connaissent par l'histoire, par l'étude du moyen âge, la prodigieuse ténacité du Clergé à défendre son moindre intérêt, peuvent, dès ce moment, juger des efforts qu'il va faire pour sauver ses biens (...)
MICHELET, Hist. de la Révolution franç., II, v.

2 (...) il mangeait en silence avec une obstination d'avare qui cache des sous, avec la ténacité sombre qu'il apportait autrefois à ses labeurs persévérants.
MAUPASSANT, le Père Amable, Pl., t. II, p. 743.

3 (...) plus fortuné d'avoir été malheureux en la servant (la poésie), que d'avoir réussi en dévouant à quelque autre discipline une ténacité nostalgique et rebelle.
Roger CAILLOIS, l'Art poétique, XXII, p. 123.

CONTR. Fragilité. — Caprice, versatilité.

TENAILLANT, ANTE [tənajɑ̃, ɑ̃t] adj. — Fin xɪxᵉ ; de *tenailler.*

♦ Littér. Qui tenaille (2.), fait souffrir. *Une faim tenaillante.*

Quelque chose de plus pénible et de plus tenaillant que tout ce qu'il avait ressenti et souffert depuis une demi-heure oppressait le prêtre.
MAUPASSANT, l'Inutile Beauté, « Champ d'oliviers », III.

TENAILLE [t(ə)naj] n. f. — xɪɪᵉ ; du bas lat. *tenacula,* pl. neutre rendu fém. de *tenaculum* « lien, attache », dér. de *tenere* « tenir ».

♦ **1.** (Au pluriel). Outil de métal, formé de deux pièces assemblées en croix, dont une extrémité sert de manche et l'autre mâchoire. ⇒ **Pince.** *Tenailles de charpentier, de menuisier,* à mâchoires courbes. *Arracher un clou* avec les tenailles. Tenailles de forgeron*

(⇒ **Écrevisse**), *de maréchal-ferrant* (⇒ **Croche[s], moraille, tricoises**), *de fondeur* (⇒ **Happe**). *Anneau, coulant d'une tenaille de forge. Tenailles à bec recourbé ; à chanfrein. Tenailles de doreur* (⇒ **Griffe**), *de treillageur.* — Au sing. Rare. *Une tenaille. Mâchoires, goupille, vis, boulon d'assemblage d'une tenaille.*

J'ai les pieds pris dans un trou, avec des clous bien rivés ; si j'avais des tenailles !
RESTIF DE LA BRETONNE, la Vie de mon père, p. 59.

Et voici que, tenant le marteau-ferretier dans sa main droite, de la main gauche, le maréchal se saisit du fer rouge avec de grandes tenailles, et d'un geste vaste, le porta comme un soleil nocturne sur l'enclume (...)
ARAGON, la Semaine sainte, p. 305.

(1660). Par ext. *Tenailles à vis :* étau* à main de serrurier. — (1904). *Tenailles à rails :* pince à mors arrondis et à branches horizontales, pour soulever et porter les rails de chemin de fer.

♦ **2.** (1580). Ancienn. Arme, instrument de supplice en forme de tenailles (→ Horreur, cit. 51 ; langue, cit. 2).

Par métaphore, fig. Ce qui serre, étreint. ⇒ **Tenailler.** *Les tenailles de l'imagination* (→ Aviver, cit. 10).

♦ **3.** (Fin xvɪᵉ). Fortif. Ouvrage présentant un angle rentrant (face à l'ennemi). *Caponnière* joignant une tenaille et une demi-lune.* ⇒ aussi **Tenaillon.**

DÉR. Tenailler, tenaillon.

TENAILLÉ, ÉE [tənaje] adj. ⇒ **Tenailler.**

TENAILLEMENT [tənajmɑ̃] n. m. — 1611 ; de *tenailler.*

♦ Littér. Supplice des tenailles. *Écartèlement* (cit. 1) *précédé de tenaillement.* Fig. *Le tenaillement du remords.*

TENAILLER [tənaje] v. tr. — 1549 ; de *tenaille.*

♦ **1.** Vx. Supplicier, torturer avec des tenailles. *Damiens fut tenaillé avec de grosses pinces ardentes* (Voltaire, *Hist. du Parlement de Paris,* 67). — Par anal. Serrer, pincer comme avec des tenailles (→ Doigt, cit. 5).

♦ **2.** (1573). Mod. Mettre à la torture, faire souffrir moralement ou physiquement (→ 2. Goutte, cit. 4). ⇒ **Étreindre, torturer, tourmenter.** *Le remords le tenaille.* — Au p. p. *Être tenaillé par la fatigue* (→ Guerre, cit. 12), *par la faim* (→ Luncher, cit.), *par l'envie, les regrets.*

1 Ce soir seulement, il consentait à s'avouer à lui-même, quelle humilité repentante, quel besoin de pardon et d'amour, le tenaillaient en secret depuis que Jenny lui était réapparue.
MARTIN DU GARD, les Thibault, t. VI, p. 151.

2 La faim me tenaille et je défaille, vaille que vaille, mon enfant, gagnons quelque taverne.
R. QUENEAU, le Vol d'Icare, p. 168.

▶ **TENAILLÉ, ÉE** p. p. adj.

Spécialt. (Fin xvᵉ). Techn. (fortif.). Qui présente une succession d'angles rentrants et sortants. *Tracé tenaillé. Tranchée tenaillée.*

DÉR. Tenaillant, tenaillement.

TENAILLON [tənajɔ̃] n. m. — 1708 ; « crochet », 1567 ; dimin. de *tenaille.*

♦ Fortif. Vx. Petite tenaille, couvrant une des faces de la demi-lune (Saint-Simon, *in* Littré).

TENALGIE [tənalʒi] n. f. — 1872 ; du grec *tenôn* « tendon », et *-algie.*

♦ Méd. Douleur au niveau d'un tendon.

TENANCIER, IÈRE [tənɑ̃sje, jɛʀ] n. — 1490, *tenancier ; tenancière,* 1690 ; dér. de l'anc. franç. *tenance* « propriété, tenure », de *tenir.*

♦ **1.** Féod. Personne qui tenait en roture* des terres dépendant d'un fief (contr. : *alleutier*).

(1690). Mod. Personne qui tient une exploitation (fermier, métayer... ; → Morceler, cit. 2), et, spécialt, une petite métairie dépendant d'une plus grosse ferme. ⇒ **Fermier** (2.).

Les ecclésiastiques tenanciers du roi tiennent leurs terres par baronnie et sont obligés aux mêmes services que les laïques.
MICHELET, Hist. de France, IV, v.

♦ **2.** (1893). Admin. ou péj. Personne qui dirige, qui gère un établissement soumis à une réglementation ou à une surveillance des pouvoirs publics (⇒ **Directeur, gérant**). *Tenancier d'une maison* de jeux, d'une maison publique* (⇒ **Prostitution** ; → Reprocher, cit. 12). ⇒ **Taulier.** — (V. 1922). Sans valeur péj. *Tenancier d'un café, d'un hôtel.* ⇒ **Patron.** *Tenancière de vestiaire, de chalet de nécessité...*

(...) la tenancière de l'établissement (...) se mit à me parler (...) Françoise assurait qu'elle était marquise et appartenait à la famille de Saint-Ferréol. Cette marquise me conseilla de ne pas rester au frais et m'ouvrit même un cabinet en me disant : « Vous ne voulez pas entrer ? en voici un tout propre, pour vous ce sera gratis. »
PROUST, À l'ombre des jeunes filles en fleurs, Pl., t. I, p. 492.

TENANT, ANTE [tənã, ãt] adj. et n. — V. 1160, «ferme, stable»; p. prés. de *tenir; tenant* a plusieurs sens en anc. franç., «possesseur» (→ Tenancier); «tenace»; «dépendant, attenant».

★ **I. Adj.** ♦ **1.** Qui «se tient» (*supra* cit. 83), se continue d'une manière suivie, ne s'interrompt pas. SÉANCE TENANTE : sans désemparer; sur-le-champ. ⇒ **Séance** (*supra* cit. 2).

1 Aussi (...) M. Verdurin transmit-il séance tenante la requête à sa femme (...)
PROUST, Du côté de chez Swann, Pl., t. I, p. 190.

♦ **2.** (Mil. XXᵉ). Qui tient, n'est pas séparé. *Chemise à col tenant* (opposé à *faux-col, col dur*).

★ **II. N.** ♦ **1.** (Dans quelques emplois). Personne qui tient. N. m. Ancienn. (V. 1198). **a** Féod. Tenancier de terres en roture.

b (Déb. XVIIIᵉ). Fig. et fam. (Vx). Amant* en titre (cf. Saint-Simon, *in* Littré).

c Vx. Assiégé. *Les tenants et les assaillants**.

d N. m. (XVIᵉ). Féod. Combattant dans un tournoi* (qui entreprenait de tenir contre tout assaillant (Littré). ⇒ **Chevalier; défi.**

e Mod. (1889, *in* Petiot). Sports. *Le tenant, la tenante du titre**, celui, celle qui le détient.

♦ **2.** N. m. (Av. 1685). Fig. Personne qui défend, soutient contre tous; qui tient pour... ⇒ **Adepte, appui, champion, défenseur, partisan.** *Les tenants d'une doctrine, d'une opinion, d'un parti. Les tenants du libéralisme* (→ Flottement, cit. 3). *Les tenants d'un homme.* ⇒ **Disciple** (→ Ramassis, cit. 1).

2 (...) les tenants d'une même passion politique forment une masse passionnelle plus *homogène*, où s'abolissent les façons individuelles de sentir.
Julien BENDA, la Trahison des clercs, I.

♦ **3.** (1636). Blason. Figures qui tiennent, soutiennent l'écu.

♦ **4.** N. m. (XIIIᵉ, «en un tenant»). Ce qui n'est pas séparé, forme un ensemble qui se tient. Ne s'emploie que dans les loc suivantes : *d'un tenant, d'un seul tenant* (→ Débâcle, cit. 4, par métaphore), *tout d'un tenant :* d'une seule pièce. ⇒ **Continu.**

3 C'était si beau, cette pièce, ces deux hectares d'un seul tenant! Il avait exigé la division, pour que personne ne l'eût, puisqu'il ne pouvait l'avoir, lui; et ce massacre, maintenant, le désespérait. ZOLA, la Terre, I, III.

♦ **5.** (1611). Dr. *Les tenants :* les terres qui bornent une propriété, n'en sont pas séparées (⇒ **Continu**); spécialt, les dépendances*. ⇒ **Tènement** (2.). (1538). *Les tenants et aboutissants** *d'une pièce de terre,* et, fig. (mil. XIXᵉ), loc., *d'une affaire, d'une question. Connaître les tenants et les aboutissants.*

CONTR. (De II., I.) **Adversaire, ennemi.**

TENDAGE [tãdaʒ] n. m. — 1285, rare av. le XIXᵉ; de *tendre.*

♦ Vx ou techn. Action de tendre, d'étendre. — Spécialt. Opération par laquelle on tend un fil, une corde.

TENDANCE [tãdãs] n. f. — XIIIᵉ, «inclination (amoureuse)»; le mot semble inusité jusqu'au XVIIIᵉ, où il est repris dans la langue scientifique; dér. de *tendre.*

★ **I.** (V. 1370). Force (IV.) se dirigeant dans un sens déterminé, tendant vers une fin. ⇒ **Dynamisme, force; effort, impulsion.** *L'histoire, tendance spontanée vers un but idéal* (→ Parfait, cit. 1).

1 Qu'est-ce qu'un être? (...) La somme d'un certain nombre de tendances. Est-ce que je puis être autre chose qu'une tendance (...) non, je vais à un terme (...) Et les espèces?... Les espèces ne sont que des tendances à un terme commun (...)
DIDEROT, le Rêve de d'Alembert, Pl., p. 930.

★ **II.** Spécialt. ♦ **1.** (1727). Phys. (Vx). Force par laquelle un corps tend à se mouvoir dans un sens déterminé. «*Une tendance mutuelle de tous les corps les uns vers les autres*». ⇒ **Attraction** (cit. 3, Voltaire). — (1762). Ce sens. → Poids, cit. 1.

♦ **2.** (Rare jusqu'au XIXᵉ). **a** (1748). Cour. Ce qui porte à agir, à se comporter de telle ou telle façon. ⇒ **Inclination, penchant** (II., 2.); **appétence, appétit, aptitude, complexion** (par ext.), **disposition, facilité, impulsion, mouvement** (IV., A., 1.), **pente** (fig.), **prédisposition, propension.** *Tendance qui entraîne, porte qqn à faire telle ou telle chose. Les tendances égoïstes* (→ Émotif, cit. 2). *La tendance au groupement* (⇒ Grégarisme, cit. 2), *à l'imitation* (cit. 9). *Tendances communes, qui poussent à s'unir.* ⇒ **Affinité.** *Tendances opposées* (→ Perplexe, cit. 4), *qui se contredisent* (→ Déséquilibre, cit. 3). *L'équilibre entre les tendances profondes* (→ Eudémonisme, cit. 1).

2 (...) la tendance à l'ordre ne peut-elle faire une partie essentielle de nos inclinations, de notre *instinct*, comme la tendance à la conservation, à la reproduction?
É. DE SENANCOUR, Oberman, XLIV.

AVOIR TENDANCE À... (et inf.) : être enclin* à... (→ Déprécier, cit. 5). *On a tendance à se flatter* (cit. 63). *Avoir une, des tendances à... Avoir une fâcheuse tendance.* ⇒ **Pulsion, tension.**

3 (...) si Roberti a des tendances au sadisme, Solange inversement doit avoir une certaine vocation de victime (...) l'un aime faire souffrir et l'autre ne déteste pas souffrir. J. DUTOURD, les Horreurs de l'amour, p. 389.

b (1896). Psychol. Principe dynamique considéré comme la cause de l'orientation des activités humaines vers une fin* ou dans un sens*. *Les tendances, considérées comme des modalités de la « volonté de vivre »* (Lachelier), *du désir** ; *comme recherche de la satisfaction des besoins* (⇒ **Plaisir,** II., 1.). *Instinct** (cit. 1) *et tendance. Tendances et réflexes* (→ Race, cit. 17). *Distinction traditionnelle des tendances personnelles, égoïstes; altruistes, sociales; supérieures, désintéressées.* — Psychan. *Tendances biologiques, inconscientes. Poussée des tendances.* ⇒ **Pulsion, tension.** *Tendances refoulées* (→ Refoulement, cit. 3).

4 La tendance n'est jamais que l'orientation spontanée d'un certain nombre de besoins vers les objets qui en assurent la satisfaction.
M. PRADINES, Traité de psychologie générale, I.

5 (...) une spontanéité qui se dirige vers une fin est une tendance, et une tendance qui produit un mouvement est une force (...)
J. LACHELIER, Du fondement de l'induction, p. 87, *in* LALANDE, Voc. de la philosophie, art. *Tendance.*

♦ **3.** (Fin XVIIIᵉ). Orientation commune à une catégorie de personnes. *Appartenir à telle tendance politique* (→ aussi Passion, cit. 29). *Tendance artistique ou intellectuelle.* ⇒ **Mouvement** (cit. 41); **école** (6.). *Lutter en faveur des tendances modernes* (→ Pâteux, cit. 1). *Toutes les classes, toutes les tendances* (→ Résultant, cit. 4).

6 Il faut que, sans parti pris, sans opinions préconçues, sans idées d'école, sans attaches avec aucune famille d'artistes, *(le critique)* comprenne, distingue et explique toutes les tendances les plus opposées, les tempéraments les plus contraires, et admette les recherches d'art les plus diverses.
MAUPASSANT, Pierre et Jean, «Le roman».

♦ **4.** (Rare avant le XIXᵉ). Évolution (de qqch.) dirigée vers un but, une fin (ou conçue comme telle) ; force ou ensemble des forces qui y tendent. ⇒ **Direction, orientation** (3.), **sens.** *Les moyens et les tendances du cinéma* (cit. 3). *Les tendances profondes du langage* (→ Incorrection, cit. 3), *de la peinture* (cit. 11). *Se rendre compte de la tendance des événements.* ⇒ **Tournure** (cf. D'où souffle le vent). *Les prix ont tendance à monter. Tendance à la hausse.*

Spécialt. *La tendance d'un livre, d'un discours,* son intention*, son orientation intellectuelle (⇒ **Tendancieux,** dér.). (1872). *Faire à qqn un procès de tendance :* le juger sur les intentions qu'il a ou qu'on lui prête, sans attendre les actes.

7 Certes, cela va sans dire, et l'on pourra m'accuser d'enfoncer des portes ouvertes. Je crois cependant qu'il vaut mieux préciser. Le débat en vaut la peine même s'il se réduit à un procès de tendance.
Roger CAILLOIS, l'Homme et le Sacré, p. 207.

Didact., statist. *Tendance fondamentale,* ou *de fond :* tendance durable pouvant être explicitée graphiquement.

Météor. *Tendance barométrique :* en un lieu donné, Différence algébrique entre la pression atmosphérique au moment de l'observation et celle qui était observée trois heures avant.

DÉR. **Tendanciel, tendancieux.**
COMP. **Ambitendance.**

TENDANCIEL, IELLE [tãdãsjɛl] adj. — 1874, *in* Littré, *Suppl.* ; de *tendance.*

♦ Didact. Qui marque une tendance (4.), une orientation déterminée (dans une évolution, un phénomène). *Loi tendancielle.* Sociol. *Régularités tendancielles :* «acheminements des ensembles dans certaines directions plus ou moins précises, mais incertaines quant à leur aboutissement» (Gurvitch).

(...) L'autre *(intuition)*, plus probable, appuyée sur l'analyse d'une division internationale du travail, qui spécialise les pays développés dans les secteurs les plus élaborés et de ce fait les plus automatisés, conduit à craindre une diminution tendancielle du total d'emplois liés aux exportations (...)
S. NORA et A. MINC, l'Informatisation de la société, p. 43.

TENDANCIEUSEMENT [tãdãsjøzmã] adv. — Av. 1922; de *tendancieux.*

♦ D'une manière tendancieuse. *Un évangile tendancieusement interprété* (cit. 2).

(...) l'inspecteur n'avait pu se résoudre à interrompre son exposé, mais l'inclinait tendancieusement. M. AYMÉ, le Chemin des écoliers, VI.

TENDANCIEUX, EUSE [tãdãsjø, øz] adj. — 1904; de *tendance.*

♦ Péj. Qui manifeste, exprime une orientation, une tendance (en particulier) intellectuelle, idéologique inexprimée. *Un livre ouvertement partisan n'est pas tendancieux. Interprétation tendancieuse. Récit tendancieux,* peu objectif (avec une intention cachée). *Faits réels, exacts, présentés d'une manière tendancieuse.*

(...) des racontars tendancieux destinés à ébranler la confiance (...)
Louis MADELIN, Talleyrand, III, XXIII.

CONTR. **Objectif.**
DÉR. **Tendancieusement.**

TENDANT, ANTE [tãdã, ãt] adj. — Mil. XVᵉ; «allongé», XIIIᵉ; de *tendre.*

♦ Vx (langue class.). Qui tend à (qqch.). — Dr. (vx). *« Des libellés tendant à la sédition »* (Académie, 1935). — REM. Cet adj. est normalement remplacé par le p. prés. de *tendre* (invariable).

TENDE [tãd] n. f. — 1872; *tente*, 1845; altér. de *tendre*.

♦ Bouch. *Tende de tranche :* muscles cruraux internes de la cuisse du bœuf. ⇒ **Tranche**. *Des tendes de tranches.*

TENDELET [tãdlɛ] n. m. — 1548; ital. *tendaletto*, dimin. de *tendale* « grande tente».

♦ **1.** Mar. Vx. Abri, sorte de tente montée à l'arrière d'une embarcation.

♦ **2.** Petite tente.

1   (...) je me levai pris d'écœurement et de remords, pour sortir de ce tendelet de gaze bleue (...)   LOTI, Mme Chrysanthème, X.

2   Çà et là *(sur une place)* des tendelets pour les marchands de fruits, de fleurs et de gâteaux.   LOTI, Vers Ispahan, p. 82.

TENDELIN [tãdlɛ̃] n. m. — 1765; «cuve à vin verticale», xvie; all. dial. *Ständlein*, du haut all. *Stande* «tonneau droit».

♦ Régional. Hotte de bois des vendangeurs.

TENDELLE [tãdɛl] n. f. — 1875; du v. *tendre* (un piège).

♦ Chasse. Collet pour prendre les grives.

TENDER [tãdɛR] n. m. — 1837; mot angl., proprt «serviteur», de *to tend* «servir (qqn)»; même rad. que *attendre*.

♦ **1.** Wagon auxiliaire qui suit une locomotive à vapeur et contient le combustible et l'eau nécessaires à son approvisionnement; partie arrière de certaines machines *(locomotives-tenders)* qui joue le même rôle.

1   (...) debout sur la plaque de tôle qui reliait la machine au tender, dans les continuels cahots de la trépidation (...)   ZOLA, la Bête humaine, VII.

♦ **2.** Mar. Vx. Bâtiment de servitude servant au transfert des passagers d'un paquebot, etc.

2   (...) l'*Abraham Lincoln* s'avança majestueusement au milieu d'une centaine de ferry-boats et de *tenders* chargés de spectateurs, qui lui faisaient cortège.   J. VERNE, Vingt mille lieues sous les mers, p. 25.

TENDERIE [tãdRi] n. f. — 1554, rare av. le xviiie; *tendrie* «action de tendre», xive; de 1. *tendre*.

♦ **1.** Techn. (chasse). Chasse où l'on tend les pièges. *Tenderie aux grives.*

♦ **2.** (1803). Terrain où l'on a tendu des pièges.

TENDEROLLE [tãdRɔl] n. f. — 1872; du rad. de 1. *tendre*.

♦ Mar. Abri formé d'une double tente.

TENDEUR, EUSE [tãdœR, øz] n. — 1250; de 1. *tendre*.

♦ **1.** Personne qui tend quelque chose. Spécialt. *Tendeur de tapisseries, de tentures.* — (1690). *Tendeur de pièges.*

(1901, Bruant). N. m. Argot. Homme qui a de fortes activités sexuelles. ⇒ **Bandeur**.

♦ **2.** N. m. (1876). Dispositif, appareil servant à tendre, à maintenir tendue une chose souple.

(Il) s'accroupit pour inspecter la transmission, tout en faisant tourner la pédale avec la main. Il conclut de cet examen qu'il lui suffirait de forcer légèrement le tendeur, mais en le manipulant il effleura la chaîne et se couvrit les doigts de taches de cambouis (...)   A. ROBBE-GRILLET, le Voyeur, p. 99.

TENDIÈRES [tãdjɛR] n. f. pl. — 1609; de 1. *tendre*.

♦ Techn. Pièces cylindriques et horizontales d'un échafaudage fixe.

TENDINEUX, EUSE [tãdinø, øz] adj. — V. 1560; rad. du lat. *tendinis*, et suff. *-eux*.

♦ **1.** Anat. Des tendons. *Fibre, gaine* (cit. 11) *tendineuse. Cordons* (cit. 7) *tendineux. Tissu tendineux :* tissu conjonctif des tendons.

Sur le cou tendineux et sec, la tête est aussi mobile qu'une main sur le poignet; à la manière dont il la secoue, on devine, sous la peau blonde et tendre, un fauve maigre et acharné.   Jean PRÉVOST, Plaisirs des sports, p. 71.

♦ **2.** Qui contient beaucoup de tendons. *Viande tendineuse.*

TENDINITE [tãdinit] n. f. — Mil. xxe; du rad. de *tendineux*, et suff. *-ite*.

♦ Physiol. Inflammation d'un tendon. ⇒ **Ténosite**. *Coureur, sauteur qui souffre de tendinite.*

TENDOIR [tãdwaR] n. m. — 1765; de 1. *tendre*.
Technique.

♦ **1.** Pièce d'un métier à tisser qui maintient la poitrinière.

♦ **2.** (1829). Vieilli. Dispositif pour étendre le linge.

TENDON [tãdɔ̃] n. m. — 1536; xive, E. Deschamps, au sens de «bugrane», plante dont la racine arrête la charrue; dér. de *tendre* (I., 1.); le sens anat. (1536) vient peut-être du grec *tenôn, ontos*, avec infl. du v. *tendre*.

♦ **1.** Organe conjonctif, fibreux, d'un blanc nacré, qui prolonge un muscle jusqu'à ses points d'insertion. ⇒ **Nerf** (I., 1., vx). — (1765). *Tendon d'Achille :* réunion des tendons terminaux des muscles jumeaux (de la jambe) et du muscle soléaire, qui s'insère sur la face postérieure du calcanéum. *Tendon intermédiaire,* de certains muscles (entre le *tendon d'origine* et le *tendon terminal). Tendon perforant* et *tendon perforé :* se dit de l'entrecroisement des tendons des muscles fléchisseurs. — *Tendon rotulien.* ⇒ **Ligament**. — Pathol. *Plaies, déchirures, ruptures des tendons.* ⇒ **Claquement** (ou claquage), **fouet** (coup de fouet). *Douleur de tendon.* ⇒ **Ténalgie**. *Inflammation d'un tendon.* ⇒ **Tendinite, ténosite, ténosynovite**. *Tendon claqué. Section* chirurgicale d'un tendon* (ténotomie). → Bot, cit.

1   Sa nuque était délicate, montrant à peine les deux tendons sous les courts cheveux clairs (...)   Valery LARBAUD, Enfantines, «Rose Lourdin».

2   Je tombai en arrêt devant un tableau dont j'avais vu, enfant, une reproduction sur la couverture de Petit Français illustré et qui m'avait fait grande impression : «Les énervés de Jumièges». J'avais été troublée par le paradoxe du mot énervé, pris d'ailleurs dans un sens impropre puisqu'on avait en fait tranché les tendons des deux moribonds.   S. DE BEAUVOIR, la Force de l'âge, p. 210.

(1680). Spécialt. Partie postérieure de la jambe du cheval (où se trouve la saillie des tendons des muscles perforant et perforé).

♦ **2.** Partie dure, tendineuse, de la viande de boucherie. ⇒ **Tirant**.

DÉR. (D'après la forme latinisée *tendo, inis*) **Tendineux**. — V. aussi les mots en **téno-**.

1. TENDRE [tãdR] v. — Conjug. *fendre*. — V. 980, *passion*; du lat. *tendere*.

★ **I.** V. tr. ♦ **1.** [a] Rendre droit (une chose souple), éloigner de sa forme primitive (une chose douée d'élasticité) en exerçant une traction, un effort. ⇒ **Tirer; bander, raidir**. *Tendre une corde* (→ Guirlande, cit. 2), *une chaîne, un lien* (→ Absence, cit. 10, par métaphore). *Tendre un élastique, un arc* (cit. 5). *Tendre à l'excès, jusqu'à rompre...* (⇒ **Distendre**). *Le vent tend les voiles. Le poids* (cit. 2) *du seau tendait ses bras.* — *Tendre un ressort en remontant un mécanisme.* — *Tendre ses muscles.* ⇒ **Contracter**. *Tendre le jarret.*

1   Prends cet arc, c'est le mien; appelle à ton aide un, deux, trois, quatre de tes camarades, et tâchez de le tendre. Je le tends moi seul.   DIDEROT, Suppl. au voyage de Bougainville, II.

2   Il boutonna son habit jusqu'en haut, le tendit sur son torse pour qu'il ne fît pas de plis (...)   HUGO, les Misérables, III, VI, IV.

[b] Déployer* en allongeant (une surface). *Tendre un châle par les quatre bouts* (→ Pantin, cit. 2). *Tendre un drap.* — Spécialt. *Tendre un filet* (cit. 9 et 10), *des lacs* (cit. 1), *des lacets, des panneaux* (→ Désarçonner, cit. 4), *pour prendre du gibier. Araignée* (cit. 8) *qui tend sa toile, ses fils.* — Absolt. *Tendre :* disposer des pièges (pour chasser, braconner). ⇒ **Tenderie, tendue**.

2.1   Paulet commença donc de «tendre». Il tendait au fromage et au lard, coupant à l'aide de son couteau de poche, dans le bloc de gruyère ou la bande de panne, ces petits cubes égaux (...)   Pierre GASCAR, les Bêtes, p. 102.

[c] (V. 1160). Au propre et au fig. *Tendre un piège.* ⇒ **Piège** (cit. 3 et 4). *Tendre un collet** (→ Rabattre, cit. 12), *un leurre* (cit. 5). ⇒ **Disposer**. *Tendre une embûche*, une embuscade* (→ Garder, cit. 75), *une souricière*...* ⇒ **Dresser** (I., 2.).

3   Il y a des êtres qui tendent leurs toiles et peuvent jeûner longtemps avant qu'aucune proie s'y laisse prendre : la patience du vice est infinie.   F. MAURIAC, la Pharisienne, XIII.

[d] (1080). Disposer en étendant. — Vx. *Tendre un lit,* y mettre les draps. *Tendre un pavillon, une tente*.* ⇒ **Dresser**. — Spécialt. *Tendre et détendre* (cit. 6) *une tenture, une tapisserie.*

[e] Par ext. (Rare). *Tendre un mur, une pièce, une salle :* décorer en tendant une tapisserie, etc. ⇒ **Tapisser**.

[f] Pron. (Par métaphore de a). *Se tendre :* menacer de rompre, devenir tendu (liens, rapports).

4   (...) sans doute à cause de l'imminence d'une séparation qui donnait à chaque instant un caractère définitif, les rapports de Sartre et d'Olga se tendirent. Ils eurent quelques sérieuses disputes (...)   S. DE BEAUVOIR, la Force de l'âge, p. 269.

♦ **2.** (V. 980). [a] (Concret). Allonger ou présenter en avançant (une partie du corps). ⇒ **Allonger, avancer, étendre, lancer** (2.), **présenter**. *Tendre le buste en avant* (→ Polir, cit. 2). *Tendre le cou** (→ Loto, cit. 2), pour voir, se grandir, etc. *Tendre la bouche* (→ Enivrer, cit. 19). *Chien qui tend l'oreille,* qui la dresse (→ ci-dessous, fig.). — *Tendre le bras,* pour saluer, tenir, présenter, prendre, etc. *Tendre le bras à quelqu'un* (⇒ **Donner**). *Tendre les bras,* pour accueillir, embrasser, pour appeler, invoquer, etc. ⇒ **Bras*** (cit. 23 et 46). — *Tendre la main,* pour toucher, prendre (une autre main ; ⇒ **Main,** cit. 25 ; et, fig., cit. 30 et 31) ; pour saluer ; pour demander l'aumône (cit. 15 ; → Mendier, cit. 3), ou, au contraire, pour présenter, offrir quelque chose, et, fig., pour aider*, secourir*. — *Tendre la perche**. — Spécialt. Présenter, offrir* (aux coups, aux mauvais traitements...), livrer sans se défendre. *Tendre la gorge* (cit. 3) *au couteau. Tendre le dos** (→ Mouton, cit. 15). *Tendre la joue**.

5 Tendre au fer de Calchas une tête innocente.
                                            RACINE, Iphigénie, IV, 4.

6 Il m'a considéré sans mot dire et m'a donné une gifle. Quelle sensation affreuse ! Alors, j'ai pensé... j'ai cru... j'ai... oui, j'ai tendu l'autre joue. Il m'a donné une gifle sur l'autre joue.
                        G. DUHAMEL, Salavin, Journal, 5 juin.

b Loc. fig. *Tendre l'oreille :* s'efforcer d'écouter* (cit. 7), de mieux entendre (→ Concluant, cit. 2 ; rater, cit. 10). ⇒ **Dresser** (I., 2.), **prêter.**

c (XVIIIᵉ). Fig. *Tendre son esprit :* appliquer son attention, sa réflexion avec intensité et effort (⇒ **Tension**). *Tendre son attention, son énergie.* ⇒ **Concentrer.** — REM. Dans ces emplois, *tendre* a en même temps le sens II, « diriger vers ». → Attendre et entendre (étym.).

d (V. 980). Présenter (qqch.) à qqn. ⇒ **Passer ; présenter** (3. ; → Éponge, cit. 3 ; goupillon, cit. 3). *Tendre un paquet de cigarettes* (→ 1. Feu, cit. 34), *un stylo* (→ Signer, cit. 2) *à quelqu'un.*

★ **II.** (980). V. tr. indir. (suivi de *à, vers*). ♦ **1.** Vieilli. Aller*, se diriger (vers). *« Les lignes suivant lesquelles tend cette action »* (→ 1. Rayon, cit. 4, Descartes). *Des gens « qui couraient sans savoir où tendaient leurs pas »* (Fénelon). ⇒ **Aboutir.** — Par métaphore. *Tendre l'un vers l'autre.* ⇒ **Chercher** (se).

Mécan. Se diriger, incliner* (II., 1.) vers... ⇒ **Tendance** (→ Attraction, cit. 2). — Par métaphore. *Tendre à un centre* (cit. 18).

♦ **2.** (XVᵉ). Avoir un but, une fin et s'en rapprocher, d'une manière délibérée (et, généralement, avec l'idée d'effort, par influence du sens I). ⇒ **Intention.** *Tendre à un but* (cit. 5). ⇒ **Efforcer** (s'), **travailler** (à), **viser** (à). *Tendre à la perfection* (cit. 5), *vers la perfection.* ⇒ **Aspirer.** *Tendre à être heureux.* ⇒ **Attacher** (s'), **prétendre.** — *L'âme tend vers l'idéal.* ⇒ **Chercher, désirer, graviter** (fig.). → Bon, cit. 42.

7 Tous les hommes recherchent d'être heureux ; cela est sans exception ; quelques différents moyens qu'ils y emploient, ils tendent tous à ce but.
                        PASCAL, Pensées, VII, 425 (cf. aussi VII, 477).

8 J'aime Manon ; je tends au travers de mille douleurs à vivre heureux et tranquille auprès d'elle.   Abbé PRÉVOST, Manon Lescaut, I, p. 97.

9 Il les espérait, il y travaillait, il y tendait ; c'est encore un mot moderne pour exprimer qu'on veut une chose sans la vouloir, parce qu'elle est impossible.
                        J.-A. DE GOBINEAU, les Pléiades, II, VI.

(Le sujet désigne un sentiment, un acte). Aller vers (tel but), par un projet* (*supra* cit. 5) ; « être combiné de manière à aboutir à une fin » (Hatzfeld). *Activités, décisions, paroles qui tendent à..., vers...* ⇒ **Orienter** (s'). *« Tout doit tendre au bon sens »* (→ Glissant, cit. 4). *Efforts qui tendent au même résultat.* ⇒ **Concorder, concourir, confluer, conspirer, contribuer, converger.**

10 Qu'importe que César continue à nous croire,
   Pourvu que nos conseils ne tendent qu'à sa gloire (...)
                        RACINE, Britannicus, I, 2.

11 Son premier acte dans l'assemblée fut de déposer un projet « tendant » à l'érection d'un monument expiatoire (...)   FRANCE, le Chat maigre, Œ., t. II, II, p. 150.

♦ **3.** (Fin XIIᵉ). TENDRE À..., VERS..., se dit de ce qui, par sa nature, doit ou semble devoir atteindre tel but ou s'effectuer dans telle direction. *Le but vers lequel tend nécessairement l'amour* (→ Revanche, cit. 8). *Les passions qui tendent au bien* (→ 1. Faux, cit. 29). *Tendre à la ruine.* ⇒ **Courir, marcher** (fig.), **tourner** (à la catastrophe, etc.). — (Avec un inf.). *La force des choses tend à détruire* (cit. 22) *l'égalité* (→ aussi Monde, cit. 45).

12 On *incline à,* en effet, et on *penche à ;* le complément étant un verbe qui exprime un acte ou un sentiment — ; on n'incline et on ne penche pas vers des objets. C'est exactement la différence... entre *tendre à* et *tendre vers* où nous ramenions toute la distinction entre de simples impulsions et de vraies tendances.
                        M. PRADINES, Traité de psychologie générale, t. I, p. 168.

(Sens affaibli). Conduire, mener à... (tel effet) sans le réaliser pleinement. *Ce qui tend à prouver* (→ Chance, cit. 8). — *Le nez mince, tendant un peu à l'aquilin* (→ Ovale, cit. 4), presque* aquilin.

♦ **4.** Sc. Être capable de subir, de produire un changement, une transformation, par la seule suppression d'un obstacle. *Les corps pesants tendent à tomber.*

♦ **5.** Être de plus en plus voisin d'une valeur limite. *« Le terme auquel le fini tend toujours sans y arriver »* (→ Infini, cit. 22). *Variable qui tend vers zéro.*

▶ **TENDU, UE** p. p. adj. (XIᵉ-XIIᵉ, *nerfs tendus*).

♦ **1.** Rendu droit par traction (→ ci-dessus I., 1.). *Corde tendue. fil tendu.* ⇒ **Droit** (→ 2. Plan, cit. 2 ; résistance, cit. 23, par métaphore). *Une manœuvre* (1. Manœuvre, cit. 2) *tendue raide. Écheveau bien tendu* (→ Dévidage, cit. 1). — *Filets, pièges* (cit. 6) *tendus.* — *Toiles tendues sur un châssis* (→ Praticable, cit. 3). — *Peau tendue* (→ Dinde, cit. 2), *tendue comme un tambour. Ventre tendu.* ⇒ **Gonflé.** — Par ext. Lisse. *Peau luisante et tendue* (→ Gras, cit. 15).

13 (La peau) tendue sur les os, non du fait d'une maigreur anormale ou de la maladie, mais parce que cette tension semble, comme l'intensité du regard (ni curieux, ni effronté, seulement tendu lui aussi, intense, attentif, grave), leur nature même (...)   Claude SIMON, le Vent, p. 46.

Ressort tendu, remonté. *Muscles tendus* (⇒ **Ton, tonus**). *Jarret* (cit. 2) *tendu. Nerfs tendus* (→ Intense, cit. 2). — (XXᵉ). *Tir tendu,* dont la trajectoire, ou une partie, est proche d'une droite (opposé à *courbe*).

Tapissé. *Chambre tendue d'un papier historié* (cit. 2). → aussi Noix, cit. 5.

♦ **2.** (1580). Par métaphore, fig. *Esprit tendu* (→ Agitation, cit. 4), *volonté tendue,* qui s'applique avec effort à un objet.

(Personnes). Dans un état de tension* morale. *Tendu, irritable* (cit. 3)... — *Visages silencieux et tendus* (→ Menaçant, cit. 1). *Regard tendu.* — *Style tendu,* où l'on sent l'effort. — Spécialt. *Cours de bourse tendus.*

14 Je ne suis pas entêté, je suis tendu : je ne sais pas me laisser aller.
                        SARTRE, L'Âge de raison, p. 176.

♦ **3.** (1867). Difficile ; qui menace de se dégrader, de rompre. *Avoir des rapports tendus* (→ Conflit, cit. 3), *des relations** *tendues avec quelqu'un. Situation* (cit. 1) *tendue.*

♦ **4.** Que l'on tend, que l'on avance (→ ci-dessus, I., 2.). *Main tendue.* Fig. *Politique de la main tendue,* de bonne entente ou de réconciliation. — *Bras tendus et levés* (→ Cadencer, cit. 4). Loc. *À bras tendus :* à bout de bras. *Paumes tendues* (→ Garçon, cit. 6). — *Poings tendus,* levés (→ Revendication, cit.). — *Oreille tendue.*

15 Il écartait à bras tendus deux jeunes arbres, et, penché sur l'eau, surveillait une ablette.   GIRAUDOUX, Juliette au pays des hommes, VIII.

16 Le procureur s'est alors levé, très grave et d'une voix que j'ai trouvée vraiment émue, le doigt tendu vers moi, il a articulé lentement : *Messieurs* (...)
                        CAMUS, l'Étranger, p. 133.

♦ **5.** Vx. Qui tend* (II.) à..., vers quelque chose.

♦ **6.** (XXᵉ). Phonologie. Se dit d'un phonème dont la réalisation se caractérise par une déformation plus grande de l'appareil vocal (opposé à *lâche*) par rapport à sa position de repos.

CONTR. Assouplir, détendre ; reculer, retirer ; relâcher. — Écarter (s'), fuir. — (Du p. p.) Ballant, flasque, lâche, large. — Décontracté, détendu.

DÉR. Tendage, tendance, tendant, tende, tendelle, tenderie, tendeur, tendières, tendoir, tendon, tendue. — (Du même rad.) **Tenderolle.** — V. aussi **tenseur, tension ; tente, tenture ; étendre.**

COMP. Détendre, retendre, sous-tendre, surtendre.

HOM. 2. Tendre.

2. TENDRE [tãdR] adj. et n. m. — V. 1050, Alexis ; du lat. *tener, eri* ; a signifié en anc. franç. aussi « délicat, sensible ; léger ; changeant ».

♦ **1.** (V. 1200). Qui se laisse facilement entamer, qui oppose une résistance relativement faible. ⇒ **Mou.** *Chair, peau tendre* (premier emploi). *Avoir la plante des pieds* (→ Envergure, cit. 4), *la paume des mains tendre.* — Spécialt. (En parlant de choses comestibles). *Croûte tendre* (d'une galette). → Fondre, cit. 16. *Haricots* (2. Haricot, cit. 1) *verts et tendres. Viande tendre* (→ Lit, cit. 28 ; saisir, cit. 18), *tendre comme la rosée** (⇒ **Tendreté**). *Pain tendre.* ⇒ **Frais.** *« L'herbe tendre »* (→ Faim, cit. 2, La Fontaine ; et aussi herbe, cit. 14).

1 Ça, déjeunons, dit-il. Vos poulets sont-ils tendres ?
                        LA FONTAINE, Fables, IV, 4.

Moins dur, moins résistant que d'autres, dans son genre. *Métal tendre* (vx). *Mur* (cit. 13) *de pierre tendre. Roche tendre ; grès* (→ 2. Mollasse, cit.), *schiste tendre et feuilleté* (cit. 5). *Bois tendres,* dénomination commerciale des résineux (par opposition aux *feuillus,* dits *bois durs*).

♦ **2.** (Du sens 1, en parlant des végétaux). Qui est fortement éprouvé par les actions physiques (⇒ **Délicat, fragile**) parce qu'il est au début de son développement. *Bois de printemps, encore tendre. Bourgeon tendre* (→ Bois, cit. 24). *Fleurs tendres et délicates* (→ Coton, cit. 5 ; et aussi fille, cit. 15, par métaphore). — *Tendres germes* (Buffon). *Tendres agneaux* (→ Brebis, cit. 2).

2 (...) qui est comme un enfant, dont les organes encore tendres sont vivement frappés par les moindres objets.   MONTESQUIEU, Lettres persanes, XLVIII.

3 J'avais un peu plus de vingt ans ; mais je n'eus vingt ans qu'assez tard : j'étais encore tendre et neuf.   GIDE, Journal, mars-avril 1910, « Elche ».

(1580). Par métonymie. *Âge** (cit. 27 et 28) *tendre.* — *Tendre jeunesse** (→ Désarmer, cit. 5) ; *tendre enfance** (cit. 1 et 2).

♦ **3.** Fig. et vieilli. **a** Qui ressent vivement ; qui peut être blessé par... (une action physique). ⇒ **Délicat, douillet.** *Il est trop tendre.* (XVIᵉ). *Cheval qui a la bouche tendre,* trop sensible au mors. — Vue *tendre*, fragile (→ Œil, cit. 6). — Par métaphore. « *(Songez) Que cet honneur est tendre et se blesse de peu* » (Molière, *l'École des femmes*, III, 2).

Vx. TENDRE à... : qui ressent vivement. ⇒ **Sensible.** *Cheval tendre à l'éperon, aux mouches.* Fig. *Être tendre aux mouches* (Mᵐᵉ de Sévigné), sensible aux moindres incommodités, aux moindres offenses.

b Vieilli. Qui ressent avec force une action morale, qui cède aux impressions. ⇒ **Impressionnable ; sensible** (I., 2.). *Cerveau, cœur, conscience, imagination tendre.*

4 D'où vient (...) que l'on a honte d'y pleurer *(au théâtre)* (...) Est-ce une peine que l'on sent à laisser voir que l'on est tendre (...)
　　　　　　　　　　　　　LA BRUYÈRE, les Caractères, I, 50.

5 David était une de ces natures pudiques et tendres qui s'effraient d'une discussion, et qui cèdent au moment où l'adversaire leur pique un peu trop le cœur.
　　　　　　　　　　　　　BALZAC, Illusions perdues, Pl., t. IV, p. 474.

c (1559). **TENDRE à...** : facilement accessible à... ; qui se laisse aller, qui cède à... « *Vous êtes donc bien tendre à la tentation* » (→ Chair, cit. 51), accessible. *Coquette* (cit. 4)... *tendre à la fleurette.* « *Moi qui suis tendre aux larmes* » (Mᵐᵉ de Sévigné, 1ᵉʳ juil. 1672).

6 Mais un cœur à leurs vœux moins facile et moins tendre.
　　　　　　　　　　　　　MOLIÈRE, le Misanthrope, II, 1.

♦ **4.** Qui concerne la sensibilité, les affections douces (⇒ **Tendresse**). **a** (1080). Personnes. Qui est très accessible aux sentiments altruistes (⇒ **Sensible**, I., 2., spécialt), aux émotions et aux sentiments d'attachement (⇒ **Affection, amour, sympathie ; pitié**...) et y trouve un plaisir moral. *Une personne tendre, un cœur* (→ Image, cit. 55 ; néant, cit. 8), *une âme* (cit. 66) *tendre.* ⇒ **Affectueux, aimant, doux, sentimental.** → Extrême, cit. 11. *La plus tendre des mères* (→ Maman, cit. 5). *Tendre épouse* (→ Résister, cit. 17). ⇒ **Amoureux.** *Plus voluptueuse que tendre...* (→ Dépraver, cit. 5). — (T. d'affection). *Ma tendre amie...* (→ Impression, cit. 13).

7 (...) un cœur trop affectueux, trop aimant, trop tendre, qui, faute d'en trouver d'existants qui lui ressemblent, est forcé de s'alimenter de fictions.
　　　　　　　　　　　　　ROUSSEAU, les Confessions, I.

8 C'était pour le bonhomme une insupportable et irritante anxiété de se sentir si tendre et si éploré au dedans et de ne pouvoir être que dur au dehors.
　　　　　　　　　　　　　HUGO, les Misérables, IV, VIII, VII.

N. (xxᵉ). *Un, une tendre. C'est un tendre.* → Résonance, cit. 2.

Spécialt. Qui manifeste de la tendresse, qui se comporte comme un amoureux tendre. *Le vin le rend tendre.* ⇒ **Câlin, cajoleur.** — Par métonymie. *Il a le vin tendre.*

Fam. et par euphém. *N'être pas tendre pour qqn :* être sévère, impitoyable. ⇒ **Critique** (→ Étrivière, cit. 5).

b (En parlant des états affectifs). Qui présente un caractère de douceur et de délicatesse (spécialt, en parlant de l'amour*). *Sentiment tendre.* ⇒ **Affection ; affectueux** (cit. 2) ; → Douleur, cit. 10 ; épurer, cit. 3 ; héritier, cit. 21 ; pudeur, cit. 1 ; renforcer, cit. 1. *Tendre affection* (→ Intimement, cit. 2). *Une pitié* (cit. 13) *si tendre. Une tendre émotion* (→ Aube, cit. 10). *Tendre amitié* (→ Bras, cit. 24 ; possession, cit. 9) ; *tendre confiance* (→ Époux, cit. 11). *Le tendre instinct* (cit. 28) *du cœur. Tendres engagements* (cit. 10). *Aventure naïve et tendre.* ⇒ **Idylle.** *Amour tendre,* où le sentiment d'affection domine. « *Deux pigeons s'aimaient* (cit. 67) *d'amour tendre.* »

9 Ces unions de cœurs, et ces tendres pensées
Du commerce des sens si bien débarrassées.
　　　　　　　　　　　　　MOLIÈRE, les Femmes savantes, IV, 2.

10 (...) et, au contraire, dans toutes les misères de ma vie, je me sentais constamment rempli de sentiments tendres, touchants, délicieux, qui, versant un baume salutaire sur les blessures de mon cœur navré, semblaient en convertir la douleur en volupté (...)
　　　　　　　　　　　　　ROUSSEAU, Rêveries..., VIIIᵉ promenade.

11 L'amour est chez eux un sentiment tendre, profond, affectueux, bien plus qu'une passion. C'est une volupté intérieure qui use et tue.
　　　　　　　　　　　　　RENAN, Souvenirs d'enfance..., I, III, Œ. compl., t. II, p. 743.

Psychol. *L'émotion tendre :* la tendance altruiste fondamentale (Ribot). ⇒ **Tendresse.**

c (Actes, choses). Qui manifeste l'affection, l'amour tendre (avec une valeur plus forte que *affectueux*). *Tendres baisers, tendres caresses* (cit. 1 et 13). *Tendre aveu* (→ Équivaloir, cit. 4), *tendres protestations* (→ Ardent, cit. 28) : aveu, protestations de tendresse. *Tendres soupirs* (→ Prouver, cit. 8). *Épanchements tendres et mélancoliques* (→ Méditation, cit. 8). *Propos légers et tendres.* ⇒ **Fleurette ; roucouler.** *Gronderie* (cit. 1) *tendre.* ⇒ **Gentil** (4.). *Ses lettres devinrent moins tendres* (→ Inquiétude, cit. 14). — (1667). *Regard, air tendre.* ⇒ **Câlin, caressant, doux, langoureux.** *Des yeux tendres* ⇒ Gazelle, cit. ; passion, cit. 18). *Faire les yeux tendres à qqn. Sourire gracieux* et *tendre.*

12 On parlait de Debussy. — Il est si tendre ! disait Mᵐᵉ X... — Oh ! non, Madame : il est câlin, reprenait Mᵐᵉ Debussy.
　　　　　　　　　　　　　GIDE, Journal, 8 févr. 1908.

13 Il est vrai que, privé comme je suis, je ferais des yeux tendres à une servante de bistrot.
　　　　　　　　　　　　　J. ROMAINS, les Hommes de bonne volonté, t. III, XI, p. 154.

♦ **5.** Vx. Qui suscite une émotion, un sentiment doux et délicat. ⇒ **Attendrissant.** — Par ext. Touchant, gracieux. « *Mais la tendre élégie* (cit. 2) *et sa grâce touchante* ». ⇒ **Élégiaque.** *Air tendre* (→ Musique, cit. 10). — *Le tendre Lamartine* (→ Lac, cit. 3).

Allus. littér. *Le tendre Racine* (→ 1. Coulant, cit. 3 ; et aussi moins, cit. 8).

♦ **6.** (xviiiᵉ). Qui est doux, atténué. *Lumière tendre* (vx). — *Couleurs, coloris tendres* (→ Paon, cit. 1) : *bleu* (→ Bâtiment, cit. 9), *lilas* (cit. 3), *rose* (→ Nuance, cit. 2), *vert tendre* (→ Gamme, cit. 8 ; rotonde, cit. 2). ⇒ **Pastel.**

14 (...) la nappe jonchée de fleurs jetait aux plastrons des reflets tendres.
　　　　　　　　　　　　　J. ROMAINS, les Hommes de bonne volonté, t. III, XIV, p. 185.

Par métonymie. *Soies tendres* (→ Satin, cit. 3 ; et aussi pistache, cit. 2).

♦ **7.** N. m. (1656). Vx (langue class.). Au sens 4. Les sentiments, les émotions tendres (emploi à la mode au xviiᵉ). *Pousser le doux, le tendre et le passionné* (cit. 10). *Le pays, le royaume de Tendre,* conçu par Mˡˡᵉ de Scudéry (→ Gourme, cit. 3), qui en imagina la carte dite *carte* (cit. 22) *de Tendre* (→ Repère, cit. 4). *Tendre sur Estime, sur Inclination* (cit. 11, Mˡˡᵉ de Scudéry).

15 Puis la belle marquise laissa sa rivale voyager sur la carte moderne du pays de Tendre, qui n'est pas une conception aussi ridicule que le pensent quelques personnes. Cette carte se regrave de siècle en siècle avec d'autres noms et mène toujours à la même capitale.
　　　　　　　　　　　　　BALZAC, le Cabinet des Antiques, Pl., t. IV, p. 386.

Vx (langue class., notamment, usage précieux du xviiᵉ). *Sentiment tendre. Avoir un furieux* (cit. 7) *tendre pour...* ⇒ **Penchant.**

CONTR. Coriace, dur, cruel, desséché, dur (fig.), **froid, haineux, rigoureux, sec, sévère.**

DÉR. Tendrement, tendrelet, tendresse, tendret, tendreté.

COMP. Attendrir.

HOM. I. Tendre.

TENDRELET, ETTE [tɑ̃dRəlɛ, ɛt] adj. ⇒ **Tendret.**

TENDREMENT [tɑ̃dRəmɑ̃] adv. — V. 1170 ; « amèrement », v. 1050 ; de 2. *tendre.*

♦ **1.** Avec tendresse*. ⇒ 2. **Tendre** (4.). *Aimer* (→ Laid, cit. 10), *embrasser tendrement.* ⇒ **Chèrement** (cit. 2) ; → Cordialement, cit. 1. *Ménage* (cit. 12) *tendrement uni.* — Avec une expression tendre. « *Et jusqu'à je vous hais* (Haïr, cit. 7), *tout s'y dit tendrement* ». *Phrase prononcée* (cit. 2) *tendrement.*

♦ **2.** Vx. Avec sensibilité (⇒ 2. **Tendre,** 3.). « *Je sens si vivement et si tendrement tout ce qui vous touche* » (→ Entrer, cit. 48).

♦ **3.** Rare. Avec tendreté. ⇒ 2. **Tendre** (1.). *Un pain... croquant* (cit. 1) *tendrement sous la dent.*

TENDRESSE [tɑ̃dRɛs] n. f. — V. 1354 ; « enfance », 1319 ; de 2. *tendre.*

♦ **1.** Vx. Caractère de ce qui est tendre (2. Tendre, 3.), sensible et délicat. *La tendresse de l'âge* (Pascal), *de l'enfance, d'une conscience innocente* (Bossuet). — Vieilli. Facilité à s'attendrir, à s'émouvoir. *La tendresse du cœur* (→ Endurcir, cit. 5).

Attendrissement, émotion d'une personne sensible (→ Nostalgie, cit. 5). — Vx. *Tendresse à...* (⇒ 2. **Tendre,** 3., c.) : inclination, facilité à... « *Je n'ai que trop de tendresse à rendre de petits services* » (Molière, l'Avare, IV, 1).

♦ **2.** (xviiᵉ ; « La délicatesse du siècle a renfermé ce mot dans l'amour et dans l'amitié », Furetière ; → 2. Tendre, 4.). État affectif, généralement stable, empreint de douceur, de délicatesse ; sentiment tendre*. ⇒ **Affection, amitié, amour, attachement, bonté, cœur** (II., 3.), **sensibilité** ; → Inclination, cit. 11. *Le monde des émotions et des tendresses* (→ Baptême, cit. 15). *Vie sans tendresse et sans amour* (→ Affection, cit. 11). *Appétit* (cit. 26), *besoin de tendresse. Rêves de tendresse partagée* (→ Affinité, cit. 6). *Tendresse vive, inépuisable* (cit. 8). *Tendresse amoureuse* (→ Épanchement, cit. 2), *platonique* (cit. 1). *Tendresse filiale, maternelle* (cit. 5). *Cette vague tendresse qui flotte dans mon âme.* ⇒ **Langueur** (→ Épanchement, cit. 1). *Un reste de tendresse* (→ Non, cit. 47). — *Avoir de la tendresse pour quelqu'un.* ⇒ **Aimer, chérir** (→ Mêler, cit. 34). *Témoigner de la tendresse pour qqn. Exprimer* (→ Caresser, cit. 6), *épancher* (cit. 10) *sa tendresse. Élan, flamme de tendresse.* ⇒ **Attendrissement, effusion, épanchement** (→ Malveillance, cit. 2 ; cœur, cit. 78). *Transportée de tendresse* (→ Caressant, cit. 1). — *Regard chargé de tendresse* (→ Consolateur, cit. 3). *Geste* (1. Geste, cit. 15) *de tendresse. Lettres de tendresse ou d'amitié* (→ Empreinte, cit. 6). *Mots de tendresse* (→ Risette, cit. 1), *termes de tendresse* (mon âme, mon amour, chéri... ⇒ **Affection**). — *Poème plein de tendresse. Le madrigal* (cit. 2) « *Respire la douceur, la tendresse et l'amour* ».

1 La tendresse est le repos de la passion.
　　　　　　　　　　　　　Joseph JOUBERT, Pensées, V, LIII.

2 Vous me revoyez tel que vous me laissâtes il y a quatre mois : toujours tendre, et toujours malheureux par cette fatale tendresse dans laquelle je ne me lasse point de chercher mon bonheur.
　　　　　　　　　　　　　Abbé PRÉVOST, Manon Lescaut, I, p. 96.

3 La tendresse avec la tendresse font ensemble une unité de réalité — ou la veulent faire. Tendresse est tendance à se livrer *en toute faiblesse* à la *douceur d'être faible.*
　　　　　　　　　　　　　VALÉRY, Mélange, Tendresse, in Œ., t. I, Pl., p. 288.

4 Au génie de l'espèce, qui ne s'inquiète que du moment, se substitue le génie de la tendresse, qui prétend accorder les éléments contraires, et faire un état durable d'un état passager. André SUARÈS, Trois hommes, « Dostoïevski », IV.

5 (...) il a reculé, et reste debout, baissant la tête, attendant il ne sait quoi, ayant envie, tant il y a de tendresse accumulée dans son cœur, de pleurer, et aussi d'éclater de rire. MARTIN DU GARD, les Thibault, t. I, p. 136.

Par ext. Sentiment fondamental de sympathie, d'altruisme. « Le lait de la tendresse humaine » (trad. de Shakespeare, Macbeth, I, 5). — Spécialt. Psychol. L'émotion tendre.

6 L'émotion tendre marque un moment important dans l'évolution de la vie affective (...) L'expression physiologique de la tendresse, en ce qui concerne les mouvements, est réductible à une seule formule : l'attraction (...) L'émotion tendre se rapproche de la joie ; aussi les modifications de la circulation, de la respiration, sont analogues. Il y a augmentation comme dans le plaisir, à un degré moindre : la tendresse s'accommode mieux des sensations modérées et reposantes.
Th. RIBOT, Psychologie des sentiments, p. 241.

Au plur. (Vx ou littér.). « Pour tous les gens de bien j'ai de grandes tendresses (...) » (Molière, Tartuffe, V, 4).

♦ **3.** (1666). Au plur. Expressions, témoignages de tendresse, d'affection (⇒ Cajolerie, caresse...). Puériles tendresses (→ Gâterie, cit. 2 ; et aussi diablerie, cit. 3 ; jeune, cit. 18 ; maternel, cit. 1). Mille tendresses (au bas d'une lettre).

7 Dès vos plus jeunes ans, mes soins et mes tendresses
N'ont arraché de vous que de feintes caresses. RACINE, Britannicus, IV, 2.

♦ **4.** Fam. Préférence complaisante. ⇒ Faible (avoir un). Garder des tendresses orléanistes (cit.). → aussi Pâtisserie, cit. 3.

8 Je n'ai pour Beaumarchais aucune tendresse car je n'ai jamais pu avoir avec lui aucune intimité. Louis JOUVET, Réflexions du comédien, p. 60.

♦ **5.** Rare. État de ce qui est tendre (1.). → Saison, cit. 5. — REM. Cet emploi ne s'est jamais bien établi ; au moyen âge on disait tendreur. ⇒ Tendreté.

9 (...) l'oncle Jules, dont l'appétit paysan faisait l'admiration de la famille, se cassa une dent — en porcelaine — sur un plomb n° 7, resté invisible dans la tendresse d'un croupion. M. PAGNOL, la Gloire de mon père, t. I, p. 301.

♦ **6.** (1882). Par métonymie. Vx. Une tendresse : une jeune fille. ⇒ Tendron (II.).

CONTR. Cruauté, dureté, froideur, haine, indifférence.

TENDRET, ETTE [tɑ̃dRɛ, ɛt] adj. — V. 1120 ; «jeune», XIIe ; de 2. tendre.

♦ Vx. Petit et tendre. — REM. On rencontrait aussi le diminutif tendrelet, ette [tɑ̃dRəlɛ, ɛt] (mil. XVIe).
Les pains sont là, sous un terreau de son, blancs et tendrets.
J. GIONO, le Grand Troupeau, Pl., t. I, II, p. 643.

TENDRETÉ [tɑ̃dRəte] n. f. — V. 1354 ; tanreté, au XIIe ; dér. de tendre ; condamné par Vaugelas, de même que tendreur (courant en anc. franç.) ; recommandé au contraire par Furetière (1690) et enregistré par l'Académie au XVIIIe.

♦ Caractère de ce qui est tendre. Tendreté des tiges du blé (Bernardin de Saint-Pierre, in Littré), de la viande. — REM. Le mot reste rare, et on rencontre la variante archaïque tendreur, n. f.

Un signe consternant, c'est la disparition progressive du bois, matière pourtant idéale par sa fermeté et sa tendreur, la chaleur naturelle de son contact ; le bois ôte, de toute forme qu'il soutient, la blessure des angles trop vifs, le froid chimique du métal. R. BARTHES, Mythologies, 1957, p. 60.

CONTR. Dureté.

TENDRON [tɑ̃dRɔ̃] n. m. — Fin XIe, tenrun ; tendrun, etc., v. 1213 ; dér. du lat. pop. *tenerumen, de tener «tendre», d'après l'adj. tendre.

★ **I.** ♦ **1.** Partie molle, tendre. — (1680). Vx. Cartilage (ou os flexible). — Par ext. Tendrons de veau : morceaux constituant la paroi inférieure du thorax. — Au sing. Du tendron.

♦ **2.** (1538 ; tendrum, XIIIe). Bourgeon, rejeton d'une plante.

★ **II.** (V. 1200). Vieilli ou par plais. Très jeune fille en âge d'être aimée, relativement à un homme plus âgé. Il lui faut des tendrons. — REM. On disait aussi tendresse (6.), au XIXe s.

TENDU, UE [tɑ̃dy] adj. ⇒ 1. Tendre.

TENDUE [tɑ̃dy] n. f. — 1338, in Godefroy ; de 1. tendre.

♦ **1.** Vieilli. Action de tendre des filets, des pièges ; pièges, filets tendus. ⇒ Tenderie.

(...) une perspective de raquettes de coudrier, aux béquilles basculantes, s'offrant perfidement au sautillement voletant des oiseaux. Je suis tombé dans la tendue. Ed. et J. DE GONCOURT, Journal, 9 sept. 1889, t. VIII, p. 69.

♦ **2.** (XXe). Ligne de fond placée sur le sable à basse mer.

TÉNÈBRE [tenɛbR] n. f. — 1080, au plur., Chanson de Roland ; lat. tenebræ.

A. Plur. ♦ **1.** Obscurité* profonde, considérée le plus souvent comme un milieu matériel. Sombre nuit, aveugles (cit. 31) ténèbres. « Dieu appela les ténèbres nuit » (Genèse ; → Jour, cit. 1). ⇒ Nuit. Passer (cit. 41) de la lumière aux ténèbres. ⇒ Ombre. Dans les ténèbres d'un cachot (cit. 2). ⇒ Obscurité. Ténèbres qui enveloppent les objets (→ Oblique, cit. 2), envahissent (cit. 14) un lieu, s'épaississent (→ Exploser, cit. 4). Le voile (→ Incendie, cit. 6), l'épaisseur des ténèbres (→ Lune, cit. 4). Ténèbres épaisses. — (Fin XVIIe). Ténèbres de la mort : obscurcissement de la vue à l'approche* de la mort.

1 Bientôt nous plongerons dans les froides ténèbres ;
Adieu, vive clarté de nos étés trop courts !
BAUDELAIRE, les Fleurs du mal, «Spleen et Idéal», LVI, I.

2 Mais les ténèbres, de plus en plus lourdes, restaient sourdes à mon désir, et il me semblait par moments que j'avais tout entière contre moi l'inébranlable masse de la nuit. H. BOSCO, Un rameau de la nuit, p. 233.

3 Un soir, une courte panne d'électricité l'ayant surpris dans le vestibule de son petit appartement de célibataire, il tâtonna un moment dans les ténèbres et, le courant revenu, se trouva sur le palier du troisième étage.
M. AYMÉ, le Passe-muraille, p. 7.

Poét. Couleur très sombre. ⇒ Noir (n. m.). Les ténèbres de sa peau (→ Mouler, cit. 7).

Par métaphore, fig. Obscurité dans laquelle on se cache. N'avoir plus de ténèbres où se cacher (→ Hypocrite, cit. 3). Le vice est ami des ténèbres (→ Évaporer, cit. 5).

4 Lâches ennemis ! Ne savez-vous qu'injurier bassement, machiner en secret et frapper dans les ténèbres ?
BEAUMARCHAIS, Mémoires... dans l'affaire Goëzman, p. 118.

♦ **2.** (1553). Relig. (Écriture sainte). Le domaine des âmes rejetées par Dieu (opposé à lumière* de Dieu). Esprits (cit. 29 et 30) de ténèbres (→ Démon, cit. 13). Puissances, anges des ténèbres (→ Illusoire, cit. 3). — (1690). Le prince* des ténèbres. ⇒ Démon (2.). Abîme(s), empire des ténèbres : l'enfer (→ Ange, cit. 11). — (1553). Œuvre de ténèbres (vx) : œuvre de Satan ; par ext., machination diabolique.

5 Ici commence l'œuvre de ténèbres dans lequel, depuis huit ans, je me trouve enseveli, sans que, de quelque façon que je m'y sois pu prendre, il m'ait été possible d'en percer l'effrayante obscurité. ROUSSEAU, les Confessions, XII.

♦ **3.** (V. 1280). Liturgie cathol. Office des ténèbres : office de nuit du jeudi et du vendredi saints pendant lequel on éteint les lumières de l'église. Les leçons de ténèbres : leçons prononcées à l'occasion de cet office ; composition musicale sur des textes de l'office des ténèbres (XVIIe). Les Leçons de ténèbres, de Charpentier. Par ext. (avec majuscule). L'office lui-même. Dire Ténèbres (Boileau, le Lutrin, IV).

♦ **4.** (Fin XIIe). Fig. Obscurité* de ce qui est difficile à connaître, à comprendre, de ce qu'on ne peut élucider. Les ténèbres de l'ignorance (→ Erreur, cit. 14). L'intuition, vue du cœur (cit. 168) dans les ténèbres. Une lueur dans les ténèbres (→ Entrevoir, cit. 8). Les ténèbres de l'enfance de la terre (→ Révolution, cit. 21). Les ténèbres de l'inconscient (cit. 10 ; → Psychanalyse, cit. 2). Les ténèbres de la métaphysique (1. Métaphysique, cit. 5). ⇒ Brouillard.

5.1 On ne trouve les diamants que dans les ténèbres de la terre ; on ne trouve les vérités que dans les profondeurs de la pensée. HUGO, les Misérables, I, VII, III.

6 (Le miracle) se joue volontiers, au contraire, dans les ténèbres de la pathologie interne et se plaît surtout aux maladies nerveuses.
FRANCE, le Jardin d'Épicure, p. 207.

Ce qui n'a pas été touché par les lumières de la raison, du progrès. L'homme montant des ténèbres à l'idéal (→ Siècle, cit. 9). Les ténèbres du moyen âge. ⇒ Barbarie. Les ténèbres des sciences occultes (→ Antre, cit. 5), de l'islamisme (→ Germe, cit. 11). ⇒ Obscurantisme. Répandre les ténèbres sur l'intelligence humaine (→ Obscur, cit. 4). ⇒ Erreur.

7 Sous la famille royale, les ténèbres de la barbarie se dissipent, la langue se forme, les lettres et les arts produisent leurs chefs-d'œuvre, nos villes s'embellissent (...)
CHATEAUBRIAND, Mémoires d'outre-tombe, t. VI, p. 311.

B. Sing. Littér. Obscurité profonde (→ Blancheur, cit. 4 ; hésitation, cit. 8).

8 Effacer la peine de mort de nos lois : c'est un honneur qu'il nous faut mériter, et d'abord en nous inquiétant de savoir ce que sont devenues les quelques milliers de personnes qui ont disparu dans cette ténèbre où nous cherchons Maurice Audin.
F. MAURIAC, le Nouveau Bloc-notes 1958-1960, p. 21.

9 Qu'il était loin déjà de la paix dominicale du premier jour dans la ténèbre parisienne ! Marie-Claire BLAIS, Une liaison parisienne, p. 57.

CONTR. Lumière.
DÉR. Ténébrescence, ténébrescent.
COMP. Enténébrer.

TÉNÉBRESCENCE [tenebResɑ̃s] n. f. — Mil. XXe (in Larousse, 1964) ; de ténèbres, d'après luminescence.

♦ Didact. Disparition de la luminescence, sous l'action de certaines excitations physiques.

TÉNÉBRESCENT, ENTE [tenebResɑ̃, ɑ̃t] adj. — Mil. XXe (in Larousse, 1964) ; de ténèbres, d'après luminescent.

♦ Didact. Qui présente le caractère dit de ténébrescence.

TÉNÉBREUSEMENT [tenebʀøzmã] adv. — XVIIᵉ; «sans lumière», XVIᵉ; de *ténébreux*.

♦ Rare. De façon ténébreuse (2.), perfide.

TÉNÉBREUX, EUSE [tenebʀø, øz] adj. — V. 1330; *tenebros*, 1080; lat. *tenebrosus*.

♦ **1.** Littér. (le plus souvent avec une valeur morale. → Sombre, sinistre). Où il y a des ténèbres, où il fait noir. ⇒ **Noir, obscur.** *Bois* (cit. 7) *ténébreux; vallée ténébreuse* (→ Géhenne, cit. 3). ⇒ **Ombreux.** *Pièce ténébreuse. Vie ténébreuse de la larve* (→ Insecte, cit. 2). *« Ma jeunesse ne fut qu'un ténébreux orage »* (→ Brillant, cit. 5). Relig. *Le ténébreux séjour :* l'enfer. Par ext. Qui est d'une couleur très sombre. *Un rouge ténébreux et sinistre* (→ Sombre, cit. 5). *Ombre ténébreuse.* ⇒ **Opaque.**

1 (...) cette demeure humide, infecte, ténébreuse, où il était nourri de pain noir et d'eau (...) DIDEROT, Jacques le fataliste, Pl., p. 740.

♦ **2.** Qui fait le mal en se cachant. *Le labyrinthe* (cit. 6) *des consciences les plus ténébreuses.* ⇒ **Perfide.** — Qui se cache, se trame dans l'ombre. *Un complot ténébreux. Une ténébreuse alliance* (→ Nazisme, cit.), *histoire, intrigue, machination* (→ Apparaître, cit. 20). ⇒ **Sourd.** *Ténébreux désirs.* ⇒ **Caché, souterrain.**

♦ **3.** (1718). Qui est sombre (II., 2.) et mélancolique. ⇒ **Taciturne.** — N. m. *« Je suis le ténébreux, le veuf, l'inconsolé »* (cit. 2). *« Le Beau Ténébreux »* (littér.), surnom d'Amadis de Gaule qui, repoussé de celle qu'il aimait, se retira dans un ermitage. — (1690). Par plais. *Un beau ténébreux :* un amoureux mélancolique; un bel homme à l'air sombre et profond. — N. f. Allus. littér. *Lorsque tu dormiras* (cit. 21), *ma belle ténébreuse...*

2 Nous parlions aujourd'hui de l'amoureux à la mode, de l'homme à femmes de l'heure présente, et du renouvellement qui se fait tous les trente ans, dans la physionomie du séducteur. Le *ténébreux* de 1830 est démodé; qui l'a remplacé? le jocrisse de salon, le farceur, le faiseur d'imitations. Ed. et J. DE GONCOURT, Journal, 1ᵉʳ avr. 1860, t. I, p. 247.

♦ **4.** Qui est obscur* pour l'esprit, difficile à comprendre, à élucider. ⇒ **Difficile, impénétrable, incertain, incompréhensible, mystérieux, secret.** *Le monde ténébreux* (→ Environner, cit. 8). *« Poètes* (cit. 2)... *soyez ténébreux »* (Diderot). *Une ténébreuse affaire,* roman de Balzac.

3 En face d'une ténébreuse affaire d'assassinat, l'esprit ressent une curiosité étonnée. FRANCE, le Jardin d'Épicure, p. 142.

CONTR. Brillant, clair, diaphane, éclairé, lumineux.
DÉR. Ténébreusement.

TÉNÉBRION [tenebʀijõ] n. m. — 1768; «lutin des ténèbres», XVIᵉ; du lat. *tenebrio* «ami des ténèbres».

♦ Zool. Insecte coléoptère *(Ténébrionidés)* d'un noir profond, qui habite les lieux sombres et dont les larves vivent dans la farine (vers de farine). — Avec une valeur généralisante. → Ciron.

Ce qu'il est important de constater, c'est que l'esprit d'*analyse,* de *grossissement,* d'*examen minutieux* est tellement l'essence de ma nature, que toute la joie de vivre est confinée pour moi dans la classification précise des plus chétifs ténébrions (...) VILLIERS DE L'ISLE-ADAM, Tribulat Bonhomet, p. 44.

TÉNÉBRIONIDÉS [tenebʀijɔnide] n. m. pl. — V. 1900; *ténébrionites*, 1812; de *ténébrion*, et suff. *-idé(s)*.

♦ Zool. Famille de coléoptères vivant dans les lieux sombres, dont le ténébrion est le type. — Au sing. *Un ténébrionidé.*

TÈNEMENT [tɛnmã] n. m. — 1463; «terre qu'on tient comme fief», v. 1155; de *tenir*.

♦ **1.** Féod. Terre tenue d'un seigneur. ⇒ **Tenure.**

♦ **2.** (1872). Régional. Réunion de propriétés contiguës. ⇒ **Tenant** (II., 4.).

(Il s'agissait de savoir) si La Jassine et Théotime formeraient désormais un seul tènement dans les mains du dernier héritier de la race. H. BOSCO, le Mas Théotime, p. 214.

TÉNESME [tenɛsm] n. m. — 1554; *tenasmon*, v. 1370; empr. lat. *tenesmus*, grec *teinesmos*, de *teinein* «tendre».

♦ (1903). Méd. «Tension douloureuse avec sensation de brûlure et envies continuelles d'aller à la selle ou d'uriner, éprouvées au niveau de l'anus ou du col de la vessie» (Garnier). ⇒ **Épreintes.** — Fig. *« L'angoisse, le ténesme d'une attente »* (Huysmans, *l'Oblat,* p. 359).

TÉNETTE [tɛnɛt] n. f. — 1680; de *tenir*.

♦ Chir. Vx. Pince pour saisir les calculs dans la vessie (⇒ **Taille,** I., 3.).

1. TENEUR [tənœʀ] n. f. — XIIᵉ, *d'une tenur* «d'une suite»; lat. jurid. *tenor* «contenu (d'un acte)», class. «tenue, continuité», de *tenere* «tenir».

♦ **1.** ⓐ Vx. Continuité, suite. *« Se mouvoir d'une même teneur »* (Descartes, *les Passions de l'âme,* 160).

ⓑ (1767). Mus. Mod. Mélodie suivie qui sert de base dans la composition des œuvres polyphoniques du moyen âge. ⇒ **Ténor** (1.).

♦ **2.** (1257, du lat. jurid.). Contenu* exact, texte littéral d'un écrit officiel ou important. *La teneur d'une instruction* (cit. 14), *d'un article* (→ Perfidement, cit. 2), *d'une lettre... Des alliances dont vous ignorez* (cit. 13) *la teneur.*

♦ **3.** (1872, Littré). «Quantité de matière solide, liquide ou gazeuse, rapportée à une masse ou à un volume d'autres matières dans lesquelles elle est en mélange, suspension ou dissolution» (AFNOR). ⇒ **Concentration** (degré de); **titre.** *La teneur en carbone de la fonte* (1. Fonte, cit. 3). *Teneur en or d'un minerai* (→ 2. Placer, cit. 1). *La teneur du sang* (cit. 3) *en hémoglobine. Teneur en cendres* (d'un papier).

(1973). *Teneur isotopique :* rapport du nombre des atomes d'un isotope d'un élément chimique au nombre total des atomes de l'élément contenus dans une matière. — *Teneur moléculaire* ou *molarité*.

DÉR. Teneurmètre.
HOM. 2. Teneur.

2. TENEUR, EUSE [tənœʀ, øz] n. et n. m. — XIIᵉ, *teneor* «possesseur»; de *tenir*.

♦ **1.** Vx. Personne qui tient (peu usité).

♦ **2.** Personne qui tient (une boutique, une maison...). *La vieille teneuse de gargot* (Goncourt, Journal, 7 avr. 1860). ⇒ **Tenancier.**

♦ **3.** (1670). Mod. *Teneur, teneuse de livres :* personne qui tient les livres de comptabilité (→ Lettre, cit. 32; tenue, cit. 3). ⇒ **Comptable.** — N. m. (1876). Imprim. *Teneur de copie :* celui qui lit l'original d'un texte pendant que le correcteur suit sur l'épreuve imprimée.

1 (...) le dos à la fenêtre, dans la pose un peu rigide d'une teneuse de livres dans une librairie protestante. Ed. et J. DE GONCOURT, Journal, 23 nov. 1863, t. II, p. 131.

2 On constata que le décès remontait à la veille au soir. Les papiers trouvés sur lui révélèrent qu'il était teneur de livres chez MM. Labuze et Cie et qu'il se nommait Leras. MAUPASSANT, Promenade, Pl., t. II, p. 137.

HOM. 1. Teneur.

TENEURMÈTRE [tənœʀmɛtʀ] n. m. — 1973, *Journ. off.*; de 1. *teneur* 3., et *mètre*.

♦ Techn. «Dispositif de mesure comportant une source de rayonnements ionisants et destiné à mesurer la teneur en un ou plusieurs composants d'une substance gazeuse, liquide, ou solide, par la détermination des caractéristiques, donc une géométrie bien définie, du rayonnement résultant du processus utilisé» *(Journ. off.).*

TÉNIA ou **TÆNIA** [tenja] n. m. — 1764, *ténia; tœnia,* XIXᵉ; *tœnia,* v. 1560; *tynia,* XVᵉ; empr. lat. *tœnia,* grec *tainia,* proprt «bandelette».

♦ Ver plathelminthe *(Cestodes)* au corps formé d'un grand nombre d'anneaux plats nommés *proglottis,* issus par prolifération d'un premier élément, le *scolex* (dit «tête»), muni de ventouses ou de crochets de fixation, et qui comprend plusieurs espèces parasites de l'homme et des animaux supérieurs. ⇒ **Bothriocéphale.** — REM. Dans les noms lat. de variétés, on emploie l'orthographe *tænia.* — *Le ténia de l'homme* ou *ver solitaire, long de 3 à 6 mètres, vit dans l'intestin, après avoir eu comme hôte intermédiaire le bœuf (tænia saginata) ou le porc (tænia solium), où sa larve s'est enkystée* (⇒ **Cysticerque; ladre, ladrerie**). *Remède contre le ténia.* ⇒ **Ténifuge.** — *L'échinocoque** (tænia echinococus), *ténia de petite taille* (6 mm) *qui vit dans l'intestin du chat, du chien et dont la larve* (⇒ **Hydatide**) *est parasite des mammifères, notamment de l'homme.* — *Ténia du mouton* (tænia cœnurus), *dont la larve* (⇒ **Cénure**) *est parasite de l'encéphale* (⇒ **Tournis**).

Non...! la vie du tænia est horrible... j'admets... je lui pardonne tout...! s'il migre de notre ampoule rectale, il ne peut (...) finir qu'en tinette... rares fois privilégié, en solution 5 p. 100 formol (...) CÉLINE, Rigodon, p. 136.

DÉR. Ténifuge.

TÉNIFUGE [tenifyʒ] adj. — 1833; de *téni(a),* et *-fuge.*

♦ Méd. Se dit d'un médicament qui provoque l'expulsion du ténia. *Remède ténifuge.* — N. m. Vermifuge contre le ténia (on a dit aussi *ténicide*). *La fougère mâle, le kamala sont des ténifuges.*

TENIR [t(ə)niʀ] v. tr. et intr. — Je tiens, tu tiens, il tient, nous tenons, vous tenez, ils tiennent; je tenais, nous tenions; je tins, nous tînmes; je tiendrai, nous tiendrons; je tiendrais, nous tiendrions; tiens, tenons, tenez ; que je tienne, que nous tenions ; que je tinsse, que nous tinssions ; tenant ; tenu, ue. — xᵉ ; du lat. pop. *tenire, class. tenere.

★ **I. V. tr. ♦ 1.** (1080). Avoir un objet (à la main, dans les mains ou entre les mains, etc.), de sorte qu'il ne tombe pas, ne s'échappe pas. ⇒ **Avoir.** Tenir qqch. à la main, dans les mains. Tenir à la main un journal (→ Interview, cit. 2), un sac (cit. 12), son chapeau (→ Loutre, cit. 2 ; reflet, cit. 4), son sceptre (→ Guillocher, cit. 3). « Il tenait un luth d'une main, De l'autre un bouquet d'églantine » (cit. 1). Tenir dans la main une feuille de papier (→ 1. Frais, cit. 14), un épi dans sa main gauche (→ Grain, cit. 1). Tenir en main la faucille (cit. 1), un glaive (cit. 5), les ficelles (cit. 4)... Il tenait un fouet dans son poing (→ Lover, cit. 4). Tenir une épée à deux mains (→ Haut, cit. 14). Tenir dans ses mains les deux extrémités d'une corde (→ Force, cit. 63). Tenir un verre entre ses mains (→ Liquide, cit. 8), une lettre entre ses doigts (→ Pickpocket, cit. 4).

1 (...) elle tenait d'une main son miroir dont le manche était un priape, et de l'autre adornait sa beauté d'un collier de perles à sept rangs.
Pierre LOUŸS, Aphrodite, I, III.

(Sans préciser comment on tient : à la main, en main, entre ses mains, ses doigts, avec la main, etc.) Tenir les mains de quelqu'un, à quelqu'un. Tenir son chapeau (→ Juste, cit. 20) ; un éventail (cit. 3) sur son visage. Tenir ses cartes en éventail (cit. 9) ; un parasol (cit. 3) au-dessus de sa tête. Loc. Tenir la chandelle*. — Saisir* un objet et le tenir. Tenir une tasse par l'anse, un couteau par le manche, une épée par la poignée. Il n'avait plus la force (cit. 4) de tenir son verre. Elle tenait cette boîte et allait l'ouvrir (→ Arracher, cit. 27). Tenir un enfant sur les fonts baptismaux (→ Commère, cit. 1). ⇒ **Porter.** Geôlier (cit. 2) qui tient les clefs de la prison. — Tenir l'aiguille* (cit. 8), l'épée* (→ Ferrailleur, cit. 1 ; instruire, cit. 10), la plume* (→ Monde, cit. 49), le volant*... ; la bride* (cit. -1), les guides (→ Ronfler, cit. 1), les rênes de son cheval. ⇒ **Manier.** Tenir l'étrier* à quelqu'un. — Par métaphore. C'est le Diable (cit. 3) qui tient les fils qui nous remuent.

2 J'ai fait serment de ne plus tenir un cornet, répondit-il et de ne plus toucher à une carte (...)
A. DE MUSSET, Nouvelles, « Fils du Titien », VII.

Maintenir ou retenir (une personne ou une chose) d'une certaine manière. ⇒ **Maintenir, retenir, soutenir.** Le patient tenait sa jambe malade avec les deux mains (→ Incision, cit. 2). Tenir son parapluie sous le bras (→ Ficeler, cit. 1), un chat sur ses genoux. Tenir qqn à la gorge pour l'étrangler. Tenir qqn au collet* pour l'arrêter. Tenir un oison au cou pour l'égorger (→ Cuisinier, cit. 1). Tenir le loup (cit. 4) par les oreilles. Tenir un enfant par la main ; une femme par le cou (→ Libérer, cit. 1), par la taille ; un homme par le milieu de sa jaquette (→ Discuteur, cit. 2). — Loc. Vx. Tenir qqn au cul* et aux chausses*. — Tenir une chose à bout de bras, à bras tendus, à pleins (cit. 9) bras. Tenir qqn, une femme dans ses bras (→ Glacial, cit. 5 ; jupe, cit. 6). ⇒ **Embrasser, étreindre.** Tenir qqn à quatre, être quatre personnes à le tenir, à le surveiller, tel un fou qu'il faut maîtriser (→ ci-dessous, se tenir). — Tenir la jambe* (infra cit. 24) à qqn. — Allus. littér. « Maître corbeau, (cit. 1) tenait en son bec un fromage ».

3 (Le grand maître de la garde-robe) dispose des rois ; il mène Metternich par le bout du nez ; il tient Nesselrode au collet ; il règne en Italie (...)
CHATEAUBRIAND, Mémoires d'outre-tombe, t. VI, p. 79.

3.1 (...) c'était moi, qui ne savais pas me faire respecter, tenir la main à (Cécile).
Claude ROY, Nous, p. 211.

(Le sujet désigne la main qui maintient, retient). Elle baissa le visage sur cette main qui tenait la sienne (→ Immobile, cit. 4). « Le sort est une main qui nous tient, puis nous lâche » (cit. 8). Main qui tient l'archet (cit. 4), un filet (→ Conspirateur, cit.). — Par anal. Un poing de bronze tenait un flambeau (cit. 18).

(1080). Absolt. (À l'impératif). TIENS ! TENEZ ! : Prends ! Prenez ! ⇒ **Prendre.** Tiens, mon ami, voilà un autre louis d'or ! (→ Nicher, cit. 4). — Allus. littér. « Un Tiens vaut, ce dit-on, mieux que deux Tu l'auras » (→ Autre, cit. 89, La Fontaine ; et aussi le prov. Mieux vaut tenir que courir*). — (1667). Iron. Se dit à qqn que l'on frappe.

4 Tiens, tiens, voilà le coup que je t'ai réservé.
RACINE, Andromaque, V, 5.

5 D'un revers de main, il gifla le gosse. « Tiens, ça t'apprendra ! »
ARAGON, les Beaux Quartiers, II, XXXIV.

Fig. (Avec une valeur de simple interjection pour appeler l'attention de qqn [v. 1190], ou encore pour manifester de la surprise, de l'ironie, de l'indignation, etc.). Tiens, passe (cit. 127) -moi une cigarette. Tenez, un exemple,... (→ Métier, cit. 10). Tenez ! voyez : le voilà qui arrive ! « Tiens, dit-elle en ouvrant (cit. 3) les rideaux, les voilà ! ». « Tiens, je commence à en avoir assez ! » (→ On, cit. 14). Ah ! tenez, vous êtes de la m... dans un bas de soie (→ Merde, cit. 1 ; et aussi accommoder, cit. 12 ; jeu, cit. 63 ; jeune, cit. 18 ; marcher, cit. 45). Tiens ! je ne l'aurais pas pensé. Fam. Tiens, tiens ! (Hugo, les Misérables, IV, III, III). Tiens donc ! ⇒ régional 2. Té !

6 Tenez, regardez-le, son mari (A. CAP., Ange, I., 4.), trahit une pitié dédaigneuse. Dans : (...) Tiens, ne perdons pas de temps (CUREL, Nouv. Id., I., 1.), tiens marque la résolution.   F. BRUNOT, la Pensée et la Langue, p. 541 (note 3).

7 Tenez ! pas plus tard qu'hier soir, j'ai assisté à la rentrée des troupeaux dans un mas (une ferme) qui est au bas de la côte (...)
Alphonse DAUDET, Lettres de mon moulin, « Installation ».

7.1 — (Bas, à Georges). Ah ! mon ami ! si tu savais (...) Je vais me marier (...)
— Tiens ! moi aussi (...)   E. LABICHE, Moi, I, 12.

7.2 Parce que, tenez : ceux qui viennent vous parler maintenant d'arrachage obligatoire, ça me fait bien rire : qu'ils viennent donc planter et faire pousser ici autre chose que (...)   Claude SIMON, le Vent, p. 108.

REM. Tiens ! est suffisamment lexicalisé pour pouvoir s'employer avec le vouvoiement. Tiens ! vous êtes là ?

Par ext. FAIRE TENIR une chose à qqn, la lui remettre* entre les mains, la lui faire parvenir. ⇒ **Transmettre.** Faire tenir un message, une lettre, un reçu à qqn (→ Nier, cit. 11 ; et aussi imbiber, cit. 1).

8 (...) J'ai écrit à un de mes amis qui me fera tenir quelques secours au Havre-de-Grâce.   Abbé PRÉVOST, Manon Lescaut, I, p. 10.

9 (...) une petite fille, nommée Carmen, à qui je fis tenir, par un gamin plus jeune que moi, une lettre dans laquelle je lui exprimais mon amour.
R. RADIGUET, le Diable au corps, p. 8.

♦ 2. ⓐ Maintenir, garder (une personne ou une chose) dans une position, une posture, une attitude, un état, pour un temps plus ou moins long. Il tenait la main de son frère enfermée entre les siennes (→ Doux, cit. 3). Tenir un animal à terre pour le marquer (cit. 6). Je la tins quelques secondes contre ma poitrine, à demi morte et pâmée (cit. 8). Il me tient le poignard (cit. 4) sur la gorge. Tenir des ingrédients dans une bassine (→ Malaxer, cit. 1). — Tenir un forçat à la chaîne (cit. 9), des chevaux en bride (→ Fringant, cit. 3), un chien en laisse (→ Collier, cit. 11). Tenir un enfant par les lisières ; loc., tenir en lisières*. — Loc. Tenir qqn le bec* dans l'eau.

10 Sammécaud la tenait doucement serrée contre lui. Il respirait l'odeur de ses cheveux.   J. ROMAINS, les Hommes de bonne volonté, t. V, XX, p. 164.

11 Il me semble que les victimes de votre éloquence auraient eu plaisir à vous tenir, comme je le fais, au bout d'un revolver.   M. AYMÉ, la Tête des autres, I, 8.

ⓑ Tenir qqn, le retenir, le faire rester près de soi plus ou moins longtemps. Le médecin m'a tenu une heure, pendant une heure. ⇒ **Garder.**

ⓒ Par ext. et vx. ⇒ **Arrêter, contenir, empêcher, retenir.** « Je ne sais qui me tient, infâme, Que je ne t'arrache (cit. 3) les yeux ».
Loc. fig. Tenir sa langue : se retenir de parler. → Jaser, cit. 3. Sachez tenir votre langue* (cit. 17). — Tenir son sérieux* (supra, cit. 7), son quant-à-soi (→ Décent, cit. 2). — Tenir la main à qqch. (⇒ **Main,** cit. 49).

ⓓ SE TENIR (suivi du nom d'une partie du corps). Blessé qui se tient le ventre (→ Indifférent, cit. 15). Se tenir les côtés (cit. 2), les côtes* de rire (1. Rire, cit. 4). On se tenait les côtes (→ Rouler, cit. 30).

ⓔ (En parlant de choses qui en appuient une autre, en maintiennent une autre). Vaisseau tenu par deux ancres (cit. 4). Amarres qui tiennent le chalut (cit. 1). Sandales (cit. 2) tenues par des courroies.

ⓕ (Choses). Ne pas laisser échapper. Bassin qui a toujours tenu l'eau (→ Mastic, cit. 2). ⇒ **Retenir.** — Conserver, garder. Ses cheveux tenaient la frisure (cit. 3).

ⓖ Résister à (dans quelques expr.). ⇒ **Supporter.** (1680). Navire (cit. 5) qui tient bien la mer (⇒ **Naviguer**), le vent. — Mar. Tenir le vent : « gouverner et manœuvrer un navire, de manière à le maintenir aussi près que possible du lit du vent » (Gruss). — Argot (autom.). Tenir la mer : être très stable dans les virages, sur une mauvaise route (d'après tenir la route ; → ci-dessous 7.).
Loc. fam. (1857, H. Monnier ; tenir coup, XVIᵉ). TENIR LE COUP : résister à un choc, supporter une épreuve.

11.1 — « Mais lui s'est battu », coupe le brigadier.
Puis, comme il n'obtient pas de réponse : « Il paraît qu'il y en a qui n'ont pas tenu le coup. »
Il se tourne vers le caporal, qui fait un vague geste d'ignorance, ou d'apaisement.
« Personne n'a tenu le coup », dit le soldat.
Mais le brigadier proteste : « Si, il y en a ! Demandez donc au petit qui était ici à cette place.
— Bon, si vous voulez, admet le soldat. Ça dépend de ce que vous entendez par « tenir le coup ».
— J'entends ce que ça veut dire : « il y en a qui se sont battus, d'autres pas. »
A. ROBBE-GRILLET, Dans le labyrinthe, p. 174-175.

11.2 Les agresseurs n'eussent peut-être pas tenu le coup longtemps, je vous l'accorde.
F. MAURIAC, le Nouveau Bloc-notes 1958-1960, p. 131.

12 (...) depuis des années, de une à trois, après le déjeuner, je fais la sieste. Je crois que c'est elle qui me permet de « tenir le coup » en dépit de la blancheur de mes nuits.   GIDE, Ainsi soit-il, p. 130.

Loc. Tenir le vin : résister aux effets du vin, ne pas s'enivrer. — Pop. Il tient bien la chopine (même sens).

Loc. TENIR TÊTE (à qqn). ⇒ **Tête** (I., 2.).

♦ 3. (XIIIᵉ). Avec un attribut ou un complément de manière. **ⓐ** Faire rester. ⇒ **Garder.** Tenir une porte fermée, entrebâillée (cit. 6). L'appui (cit. 13) se met pour tenir la chose droite. Tenir les portes ouvertes à l'audience (cit. 14). Tenir quelqu'un occupé (cit. 14), propre, proprement (→ Homme, cit. 131) ; son enfant (cit. 3) en repos ; son fils loin (cit. 33) du métier de la guerre. Tenir ses affaires en ordre*. — Tenir qqn à distance* (cit. 3 et 4), à vue*. Tenir l'auditeur en balance* (cit. 27).

13 Madame Cibot tenait d'ailleurs l'appartement, les habits, le palier, tout dans un
état de propreté flamande. BALZAC, le Cousin Pons, Pl., t. VI, p. 565.

(En parlant d'une partie de son propre corps). *Tenir la main* (cit. 113)
presque fermée, la main crispée sous son menton (→ Irrespirable,
cit. 2), *les yeux ouverts* (→ Las, cit. 5), *les yeux baissés* (→ Soit,
cit. 3). *Tenir les mains en l'air* (→ Balancer, cit. 5).

Tenir un liquide à l'abri des poussières (→ Génération, cit. 5), *un
jambon en réserve* (→ Munitionnaire, cit. 2), *des papiers en lieu
sûr.* ⇒ **Conserver.** *Tenir un plat au chaud.* ⇒ **Mettre.**

b Fig. (Sujet n. de chose). ⇒ **Maintenir, retenir.** — *Habit qui tient
chaud* (→ Mouler, cit. 9). *Ma détestable santé me tient
sur le grabat* (cit. 3). ⇒ **Immobiliser.** *La loi qui vous tient assemblés* (cit. 33). *Ce tourment me tint éveillé* (cit. 29) *jusqu'au matin.
Les fusils nous tenaient en joue* (→ Éloigner, cit. 11 ; haut, cit. 84).
Ces monuments tiennent l'imagination en éveil (cit. 3). — *L'espérance* (cit. 19) *tient les hommes en haleine** (cit. 26, 27 et 28).
— Allus. littér. « *Qu'(...) un seul fait accompli Tienne jusqu'à la fin
le théâtre rempli* » (→ 1. En, cit. 20).

14 C'est l'honneur qui les doit tenir dans le devoir (...)
MOLIÈRE, l'École des maris, I, 2.

15 (...) il m'a donné contentement qui passe richesse et une bonne humeur naturelle
qui m'a tenu en joie jusqu'à ce jour.
RENAN, Souvenirs d'enfance..., I, I, Œ. compl., t. II, p. 729.

c Fig. (Sujet n. de personne). *Tenir son mariage secret* (→ Hésitant, cit. 3), *ses amours secrètes* (→ Celer, cit. 5). — *Tenir la bride*
(cit. 3), *tenir la dragée* (1. Dragée, cit. 3) *haute à qqn.* — *Tenir
qqn à l'œil** : *surveiller, avoir à l'œil* (plus cour.). → Endosser,
cit. 7. *Tenir qqn en garde** contre... (→ 1. Scolie, cit. 3), *en respect*
(→ Dévorer, cit. 26). *Tenir qqn dans l'erreur** (cit. 11), *au courant** (2. Courant, cit. 16) *de qqch. Tenir les esprits en suspens**,
des forces en équilibre* (cit. 9), *la balance** égale entre deux personnes, les prix au niveau actuel.*

*Tenir rigueur** (cit. 3) *à qqn.*

Tenir compagnie (cit. 1) *à qqn* (→ aussi Incommoder, cit. 6).

d Mus. *Tenir la note,* en prolonger le son.

♦ **4. Spécialt. (Compl. n. de personne). a** (Avec un attribut ou un
compl. de manière). *Tenir (qqn) asservi* (cit. 19), *captif* (cit. 3 et
6), *enchaîné* (cit. 3), *prisonnier* (→ Bonnet, cit. 2, par métaphore).
⇒ **Assujettir.** — *Tenir (qqn) en bride** (⇒ **Brider**), *dans la contrainte* (cit. 8), *dans la dépendance* (→ Insurrection, cit. 1), *en
esclavage* (cit. 10), *en lisières* (cit. 5), *à sa merci* (→ Gaucherie,
cit. 2), *en tutelle, sous sa férule* (cit. 2), *sous son charme, sous sa
puissance. Tenir qqn en échec.* ⇒ **Échec** (cit. 3 et 4). — « *Henriette
me tient sous son aimable empire* » (cit. 4).

16 L'intérêt d'une seule passion, souvent malheureuse, tient quelquefois toutes les
autres en captivité ; et la raison porte ses chaînes sans pouvoir les rompre.
VAUVENARGUES, Réflexions et Maximes, CCCCXVII.

b (XIIᵉ). *Tenir quelqu'un,* être maître de sa personne, de sa liberté,
de son indépendance... ⇒ **Maîtriser.** *On le tient cette fois, on va lui
casser* (cit. 7) *les reins.* — (Fin XIIᵉ). *Tenir quelqu'un par la peur*
(→ Manœuvrer, cit. 3), *par quelque engagement* (⇒ **Engagement**).
Les femmes (cit. 78) *disparaissent quand nous croyons les tenir.
Pour tenir le roi, elle le grisait de luxure* (cit. 5). ⇒ **Gouverner.**

16.1 Il comprend que tout ce qu'il pourra dire sera inutile. Il a perdu, l'autre le tient !
Il essaie pourtant de se reprendre. Il lui faut se battre, tenter l'impossible.
René FLORIOT, La vérité tient à un fil, p. 28.

17 (...) Si je le tenais maintenant, ce tailleur détestable (...) je (...)
MOLIÈRE, le Bourgeois gentilhomme, II, 4.

18 Le meilleur moyen, le seul peut-être de gouverner les hommes, c'est de les tenir
par leurs passions.
BARBEY D'AUREVILLY, les Diaboliques, « Dessous de cartes... ».

19 (...) Ah (...) en voilà une fine, et une forte (...) maman (...) elle savait vous tenir un
homme, celle-là ! Elle l'avait pris corps et âme, et elle l'a gardé jusqu'à la fin.
MAUPASSANT, l'Inutile Beauté, « Champ d'oliviers », III.

(Le sujet désigne un sentiment, une force). « *Amour* (cit. 25), *amour
quand tu nous tiens...* » (→ aussi Croissance, cit. 4). *L'ennemi
le tient* (→ Matériel, cit. 8). *Quelle mauvaise humeur te tient ?*
(→ 2. Chagrin, cit. 17).

20 (...) C'est une maladie qui la tient, et je sais le remède qu'il y faut apporter.
MOLIÈRE, le Médecin malgré lui, III, 6.

21 *(Amour)* Tu nous tiens par la joie, et surtout par les larmes ;
Jeune homme on te maudit, on t'adore vieillard.
HUGO, les Rayons et les Ombres, XXXIV.

22 (...) Plus encor que la Vie,
La Mort nous tient souvent par des liens subtils.
BAUDELAIRE, les Fleurs du mal, « Spleen et idéal », XL.

23 (...) je n'ai pas cessé de penser à elle. Elle me tient (...) Mais ce qui le tient surtout c'est la jalousie. GIDE, Journal, 23 févr. 1931.

♦ **5. (XVIᵉ). a** Avoir en sa possession (surtout abstrait). ⇒ **Avoir, détenir, posséder.** *Comme s'il tenait la clef de sa prison* (→ Garder,
cit. 32). — Fig. *Tenir la clef, le mot de l'énigme* (→ Je, cit. 3), *le fil
d'une intrigue. Tenir le bon bout** (supra cit. 41). *Tenir la corde**.
— *Tenir la preuve que...* (→ 2. Mèche, cit. 1). *La certitude qu'ils
tiennent la vérité* (→ Cruel, cit. 4). *Le bonheur, lorsqu'on le tient,
ce n'est plus rien* (→ Loin, cit. 4). — Par métaphore (du sens 1).
Tenir entre ses mains la destinée de qqn. Les Parques (cit. 3) *tiennent entre leurs mains le sort des mortels. Ces banques tiennent en*

main la clef du crédit (→ Dispensateur, cit. 4). — *Tenir la queue
de la poêle** (3. Poêle, *supra* cit. 3).

24 Il entendait, en effet, tenir ses ministres dans sa main (...)
Louis MADELIN, Talleyrand, III, XIX.

25 (...) À mon avis, vous tenez un filon. Vous savez que la surveillance politique est
très considérée. C'est du travail délicat.
J. ROMAINS, les Hommes de bonne volonté, t. IV, XIX, p. 209.

b Fam. *En tenir une* (une bonne cuite*). *Il en tient une sévère !*
— Fam. *Je tiens un de ces rhumes.* — *En tenir une couche* (de
bêtise). ⇒ **Couche** (cit. 5.2).

c (Fin Xᵉ). Spécialt. *Tenir un territoire, la mer,* y régner en maître.
L'Empire qui tient la mer (→ Lutte, cit. 10). *L'ennemi
tient cette ville,* il l'occupe militairement. *Tenir une position pied
à pied.* ⇒ **Défendre.** *Ville que l'on peut tenir.* ⇒ **Tenable.**

♦ **6.** Avoir une certaine étendue, une certaine capacité ; occuper
un certain espace. *La fosse* (cit. 1) *tenait un tiers de la cour.*
— *L'enseigne tenait toute la largeur de la boutique* (→ Pharmacie,
cit. 1). ⇒ **Occuper, remplir.** — *Bouteille qui tient le litre* (2. Litre,
cit. 2). ⇒ **Contenir, jauger.** *Rouf assez large pour tenir une table et
deux couchettes* (→ Abriter, cit. 3). ⇒ **Loger, renfermer.** — *Il est
si gros qu'il tient la place de deux personnes.*

(Sujet n. de chose abstraite). *Les questions d'intérêt* (cit. 13) *qui tiennent une si grande place dans la vie* (→ aussi Aborder, cit. 12 ;
génération, cit. 8 ; gonfler, cit. 40).

♦ **7.** Occuper (une place), rester ; ne pas s'écarter de... *Tenir le
haut bout** de la table. Tenir le haut du pavé** (→ Élégant, cit. 9).
— (1906). *Voiture qui tient bien la route** (⇒ **Tenue**) ; *conducteur
qui tient la droite de la route, sa droite. Automobiles tenant la gauche* (cit. 9). — *Tenir le large* (en parlant d'un navire) : rester loin de
terre. — *L'armée d'observation* (cit. 16) *devait tenir la campagne**.
— Par ext. Ne pas quitter. *Malade condamné à tenir la chambre,
le lit* (⇒ **Garder**).

Fig. *Pays qui tient une place sur l'échiquier* (cit. 5). *Tenir une place
éminente dans la société* (→ Guide, cit. 6). *Tenir le milieu** entre
l'habile homme et l'homme de bien* (→ Extrême, cit. 22).

Loc. *Tenir lieu de...* ⇒ **Lieu*** (cit. 35 à 38), **servir** (de), **valoir.**

(Fin XIIᵉ). *Tenir un rang, son rang.* ⇒ **Rang** (*infra* cit. 7).

♦ **8. (1549). a** Avoir habituellement (une activité). ⇒ **Exercer, remplir.** *Tenir une charge* (cit. 15), *un emploi* (→ Conviction, cit. 6),
une fonction, une place (supra cit. 41), *un poste. Tenir garnison
dans une ville. Tenir un rôle, sa partie, une conduite* (→ Prouver,
cit. 5 ; proverbe, cit. 2). — Loc. *Tenir son rôle** (supra cit. 7). *Tenir
la tribune.*

b Avoir sous sa direction, sous son autorité... ⇒ **Administrer, diriger, gérer, mener.** *Tenir un hôtel* (cit. 6), *une auberge*
(→ Nœud, cit. 30), *un café* (→ Borgne, cit. 4), *un salon* (cit. 6) *de
thé, une école, un magasin. Logis* (cit. 3) *tenu par deux femmes.
Tenir boutique* (cit. 1).

c Par ext. *Tenir des marchandises. Quels articles tenez-vous ?*

26 (...) ajoutez donc au ballot deux ou trois romans de Paul de Kock (...) Le libraire
répondit d'un ton digne qu'il ne « tenait » pas de romans (...)
FRANCE, le Chat maigre, Œ., t. II, III, p. 166.

d S'occuper habituellement de... *Tenir le piano, l'orgue*
(→ Savoir, cit. 65). ⇒ **Jouer.** *Le greffier* (cit. 1) *tient les notes
d'audience.* — *Tenir un registre* (cit. 4), *un journal* (cit. 4), *les
livres* (⇒ **Teneur**). *Tenir la caisse, la comptabilité, les comptes.*
— Loc. métaphorique. *Tenir les cordons de la bourse.*

e (1170). Présider une réunion, y prendre part. *Tenir une assemblée, des assises* (cit. 6, 7 et 9), *un chapitre* (→ Camper, cit. 1),
un concile (→ Apôtre, cit. 3), *une conférence... Tenir table, table*
(*infra* cit. 5) *ouverte. Le roi tenait sa cour* (cit. 18), *un lit* (cit. 25
et 26) *de justice. Tenir conseil* (cit. 25), *séance**. ⇒ **Délibérer, discuter.** — *Tenir des conciliabules* (cit. 2).

27 Je suis en pourparlers avec *Le Matin ;* je vais probablement y tenir la rubrique
immobilière (...) J. ROMAINS, les Hommes de bonne volonté, t. V, XVIII, p. 140.

f Par ext. *Tenir un langage** (supra cit. 25), *un discours, des
discours** (→ Apparence, cit. 38 ; dicter, cit. 7), *des propos** (supra
cit. 11 ; → aussi Agile, cit. 2 ; complimenteur, cit. 1), *le crachoir**...
⇒ **Parler.** *Tenir un raisonnement* (→ Objurgation, cit. 1). *Tenir un
sujet sur le tapis**. — *Tenir à soi-même. Le discours* (cit. 8) *qu'elle
se tenait à elle-même* (→ aussi Déprimant, cit.).

♦ **9.** Loc. TENIR COMPTE DE... ⇒ **Compte*** (cit. 22 à 24) ; **compter, connaître.**

♦ **10.** Considérer, regarder comme. **a Vx.** « *Je tiens leur culte
impie* » (Corneille, *Polyeucte*, II, 6). « *Je tiens cette comédie une
des plus plaisantes que l'auteur ait produites* » (Molière, la Critique de l'École des femmes, 3). *Je vous tiens innocente* (→ Accuser, cit. 2). — Loc. mod. (littér.). *Tenir qqn quitte** (supra cit. 3).

28 Je vous tiens de ce jour, sujet rebelle et traître.
HUGO, Hernani, II, 3.

Tenir (qqn ou qqch.) comme...

29 Je le loge, et le tiens comme mon propre frère (...)
MOLIÈRE, Tartuffe, V, 3.

b (1050). Mod. **TENIR... POUR... :** considérer, croire. *Tenir pour agréable.* ⇒ **Avoir** (avoir pour). *Tenir un fait pour avéré* (→ Assigner, cit. 19), *pour assuré, certain* (→ Athée, cit. 12), *pour néfaste* (→ Amputer, cit. 4). *Il tenait l'existence d'un principe créateur* (cit. 4) *pour assez probable. Obligations qu'il tient pour absolues* (→ Démocratie, cit. 8). *On le tient pour un esprit fumeux* (cit. 4). — *Il est tenu pour tel.* ⇒ **Réputer.**

30 (...) il la tient pour sensée et de bon jugement.
RACINE, les Plaideurs, II, 4.

31 Oui, j'ai souvent remarqué qu'on tient pour aliénés ceux qui hasardent par exception des vérités éclatantes. Les paradoxes trouvent tout le monde d'accord.
Pierre LOUŸS, Aphrodite, III, II.

32 (...) les hommes tiennent pour le premier devoir social d'apprendre à tuer régulièrement leurs semblables.
FRANCE, le Mannequin d'osier, Œ., t. XI, XI, p. 364.

33 Souvent les nobles sentiments (ou ceux que la société tient pour tels) descendent en directe filiation des sentiments dits mauvais.
A. MAUROIS, Études littéraires, Jacques de Lacretelle, II.

Je me le tiens pour dit. ⇒ **Dire** (1. Dire, cit. 29; et aussi me, cit. 22). — *Tenez-vous-le pour dit.* ⇒ **Le** (2., I., 4., D.).

c **TENIR QUE...** ⇒ **Considérer, estimer, professer** (que). *Je tiens, pour moi, que c'est folie* (→ Attendre, cit. 87; et aussi agréable, cit. 15; apprêt, cit. 3; art, cit. 63; assez, cit. 49; mot, cit. 8).

34 Nous tenons que ses continuelles hésitations, ses balancements et ses retours constituent la meilleure preuve de cette sincérité qu'on a tendance à lui contester en lui prêtant des vues constamment intéressées.
A. BILLY, Sainte-Beuve, sa vie et son temps, p. 201.

d (XIIe). Littér. *Tenir qqn en estime** (cit. 4), *en mépris** (→ Droiture, cit. 4). ⇒ **Avoir.**

e Littér. *Tenir à honneur** (cit. 80) *de..., que... Tenir à grief.*

♦ **11.** (Dans quelques expressions). Observer fidèlement, être fidèle* à... ⇒ **Observer, remplir.** *Tenir parole** (*supra* cit. 11), *sa parole* (→ Bon, cit. 62). *Tenir ses engagements** (cit. 2 et 5), *ses promesses** (cit. 2), *une gageure** (cit. 3), *un pari*, un serment** (cit. 1). — Absolt. *Promettre** (cit. 3) *et tenir sont deux.* ⇒ **Exécuter.**

35 Et son cœur ne vous tiendra pas
Tout ce que ses yeux vous promettent.
MOLIÈRE, Psyché, I, 2.

36 Ma faute en cela ressemblait à la coquetterie des honnêtes femmes qui, quelquefois, pour parvenir à leurs fins, savent, sans rien permettre ni rien promettre, faire espérer plus qu'elles ne veulent tenir.
ROUSSEAU, les Confessions, II.

(1798). Au jeu. Accepter un pari, mettre un enjeu équivalent. *Je tiens! Tenu.*

♦ **12.** (1580). **TENIR qqch. DE qqn,** l'avoir par lui, l'avoir reçu, obtenu, appris... de lui (→ ci-dessous, II., 4.). *Tu tiens ces nouvelles de mon oncle* (→ Mander, cit. 7). — *Tenir de bonne source que...* (→ Envisager, cit. 13). — *« L'un tient de moi la vie, à l'autre* (cit. 92) *je la dois ». « Je tiens de ma patrie un cœur qui la déborde... »* (→ Humain, cit. 18). *Je tiens tout de vous :* je vous suis redevable de tout. *L'imagination qu'elle tenait de son père* (→ Difficulté, cit. 8). *« ... chaque État* (cit. 140) *a ses lois Qu'il tient de la nature... ». Je tenais de ma grand-mère d'être dénué d'amour-propre* (cit. 9).

37 De Dieu, de vous, vie je tiens.
VILLON, le Dit de la naissance de Marie d'Orléans.

38 Et ce m'est une double joie
De la tenir de toi *(cette nouvelle).*
LA FONTAINE, Fables, II, 15.

39 Qu'on m'attaque sur le sens des faits, c'est bien. Mais on devra d'abord reconnaître qu'on tient de moi les faits dont on veut user contre moi.
MICHELET, Hist. de la Révolution franç., Préface, 1868.

40 Beyle tenait heureusement du siècle où il naquit l'inestimable don de la vivacité.
VALÉRY, Variété, Études littéraires, *in* Œ., t. I, Pl., p. 556.

★ **II.** V. intr. et tr. ind. ♦ **1.** V. tr. ind. (V. 1180). *Tenir à... :* être attaché à..., maintenu par, fixé sur... *Mules* (2. Mule, cit. 2) *qui ne tiennent au pied que par l'ongle de l'orteil. L'épée de Damoclès tenait à un fil.* — Fig. *Ne tenir qu'à un fil* (⇒ **Fil,** *infra* cit. 18), *qu'à un bouton* (cit. 12), *qu'à un cheveu :* être dans une position très instable.

Par métaphore, fig. ⇒ **Appartenir, attacher** (être attaché). *Le paysan tenait à sa terre, un peu comme l'arbre tient au sol* (→ Désaxer, cit. 2). ⇒ **Racine.** *Je tiens à vous par mille chaînes* (cit. 22). *Je tiens encore par mille liens au monde dans lequel j'ai vécu* (→ Détachement, cit. 4). *Nous tenons à tout, nous nous accrochons* (cit. 14) *à tout.* — *Tenir à cœur, au cœur* (en parlant d'une chose). ⇒ **Cœur** (cit. 63 à 66; → aussi Gaz, cit. 2).

(V. 1175). Par anal. Être contigu. *Le jardin tient à la maison. Mes terres tiennent aux vôtres.*

♦ **2.** V. tr. ind. (1580). **TENIR À qqn, À qqch.,** y être attaché par un sentiment durable d'affection, d'intérêt, d'amour-propre... *Tenir à une femme* (→ Fouetter, cit. 14). *Je ne tiens plus à rien, ni à personne* (→ Gâter, cit. 39) : je suis détaché de tout. *Tenir à la vie* (→ Démenti, cit. 3), *à sa réputation, à son autonomie* (cit. 1). *Je tiens à mon lit plus qu'à tout* (→ Drap, cit. 4). *Tenir à... comme à la prunelle** (*supra* cit. 4) *de ses yeux. Sa carcasse* (cit. 8), *il y tient! Peuh!* (cit. 2) *je n'y tiens guère.*

Quelquefois elles *(les religieuses)* s'attachent à quelque petit objet, à un livre d'heures, à une relique, à une médaille bénie. Dès qu'elles s'aperçoivent qu'elles commencent à tenir à cet objet, elles doivent le donner. Elles se rappellent le mot de sainte-Thérèse à laquelle une grande dame, au moment d'entrer dans son ordre, disait : Permettez, ma mère, que j'envoie chercher une sainte bible à laquelle je tiens beaucoup : *Ah! vous tenez à quelque chose! En ce cas, n'entrez pas chez nous.* 40.1
HUGO, les Misérables, II, VI, II.

À partir d'un certain âge, par amour-propre et par sagacité, ce sont les choses qu'on désire le plus auxquelles on a l'air de ne pas tenir. 41
PROUST, la Prisonnière, Pl., t. III, p. 345.

Et puis, en dernière analyse, je tiens passionnément à lui et ne voudrais à aucun prix le perdre. 42
A. MAUROIS, la Terre promise, XLVI.

(XVIIe). Avec une proposition pour complément. Vouloir (une chose à laquelle on attache beaucoup de prix). ⇒ **Désirer, vouloir.** *Son père tient à lui faire voir le monde* (→ Fils, cit. 7). *Il tient à mettre notre responsabilité à couvert* (cit. 12), *à ne rien brusquer* (→ Dilatoire, cit. 3). *Ils tiennent à ne pas se mettre mal* (2. Mal, cit. 10) *avec la police... — Tenir à ce que...* (avec le subj.). *Tenir à ce que le travail soit activement poussé* (→ Cadastre, cit. 1). — *Vous y tenez absolument? Oui, j'y tiens!*

(...) Mais dites-moi le sujet de votre roman. — Vous y tenez? — Je ne tiens à rien. 43
FRANCE, le Lys rouge, III.

Comme elle ne tenait pas que je lui parlasse de Laure, elle m'empêcha toujours d'en venir à prononcer ce nom. 44
René BOYLESVE, Je vous ai désirée..., II.

Mme Liauran tenait beaucoup à ce que le jeune homme allât dans le monde. 45
Paul BOURGET, Cruelle énigme, I.

(...) le 15, Haverkamp avait tenu mordicus à convoquer les maçons pour le 20. 46
J. ROMAINS, les Hommes de bonne volonté, t. V, p. 290.

REM. Avec *tenir que...* on trouve (littér. et rare) la construction directe (→ ci-dessus, cit. 44).

♦ **3.** V. intr. (1155). **a** Être solide, ne pas céder, ne pas rompre (II.). *Cela tient comme de la poix.* ⇒ **Accrocher, adhérer, attacher** (s'), **coller;** et aussi **tenace.** *Chaînes* (cit. 24) *qu'on croit rompues et qui tiennent toujours. L'écrou ne tenait plus* (→ Roue, cit. 2). *Ne tenir ni à fer ni à clou*.* **TENIR BON.** *La branche* (cit. 4) *tint bon. L'arbre tient bon** (cit. 123; et *supra*), *le roseau plie.* — *Tenir debout.* ⇒ **Debout** (*supra*, cit. 2; et, au fig., cit. 15 et 16). *Je ne tiens plus debout* (→ Fatigue, cit. 7). — Ne pas se défaire. *Sa coiffure tient bien, ne tient pas.*

Pour nous, nous ne plierons pas; nous tiendrons ferme comme Ajax contre les dieux; s'ils prétendent nous faire fléchir en nous frappant, ils se trompent. Honte aux timides qui ont peur! 47
RENAN, Questions contemporaines, Réflexions sur l'état des esprits, Œ. compl., t. I, I, p. 216.

Là, il s'est établi inébranlablement au-dessus de tous les préjugés; et ceux de la raison n'ont pas tenu devant lui plus que ceux de la morale et de la politique. 48
André SUARÈS, Trois hommes, « Dostoïevski », V.

Mar. *Tiens bon!,* « expression employée pour ordonner d'arrêter ce qui se fait. Par exemple quand on vire sur une chaîne d'ancre, on dira : *Tiens bon!* pour faire cesser de virer » (Gruss). — Par ext. Pop. Maintenir solidement à l'arrêt.

Une chose me fait penser que j'approche de la Terre : la disposition du vent qui se lève de 8 heures à 11 h 30, tombe à 11 h 30 et repart à 15 heures. Cela me rappelle le régime des vents côtiers. Enfin, « tiens bon » : c'est tout ce que je dois me mettre dans la tête. 48.1
Alain BOMBARD, Naufragé volontaire, p. 214.

Loc. fig. *Il n'est obstacle qui tienne. Il n'y a pas de raison qui tienne,* rien qui puisse s'opposer à... Fam. *Il n'y a pas de bal qui tienne :* tu n'iras pas au bal.

Il est fort peu commode, presque dangereux, de faire relever un cheval tombé à terre. Il n'y a cravache qui tienne. La gesticulation des jambes de la bête, qui fait ce qu'elle peut, est extrêmement désagréable, surtout lorsque l'on a soi-même une jambe aussi prise sous la selle. 49
A. DE MUSSET, Contes, « La mouche », IV.

b Résister. *« Ni grilles ni verrous ne tiennent contre moi »* (→ Captiver, cit. 1). *Cela ne tient pas contre* (1. Contre, cit. 26) *la volonté. La sévérité ne tient pas devant un joli visage* (→ Désarmer, cit. 5). *Tenir bon, tenir ferme contre l'ennemi,* ou, absolt, *tenir ferme** (1. Ferme, cit. 15; et *supra*). ⇒ **Front** (faire front). *Tenir ou flancher* (cit. 1). *Tenir sous le feu* (→ Gentleman, cit. 2). *Quelques carrés de la garde, immobiles* (cit. 20), *tinrent jusqu'à la nuit. Il a fallu tenir dix jours, se faire hacher* (cit. 7) *par bataillons.* — *« Pourvu qu'ils tiennent! »,* mot de Forain sur les civils de 1914-1918.

(...) quand notre front craquait de toutes parts. Je me répétais obstinément : *Nous tiendrons ici* (...) *Nous tiendrons là* (...) Et quand cédait la nouvelle ligne, que les fleuves mêmes étaient franchis, je reportais en arrière ma confiance éperdue. 50
R. DORGELÈS, la Drôle de guerre, XXII.

L'Angleterre tiendra jusqu'au dernier Français! affirmait la radio de Stuttgart. 51
A. MAUROIS, Mémoires de guerre, II, XXII.

c (Fin XIIe). Résister à l'épreuve du temps; rester valable, durer. *Le marché ne tint pas* (→ Résoudre, cit. 3). *Le contrat tient encore* (⇒ **Valable**). *Cette pièce n'a pas tenu, un four!* (cit. 10). *Leur union tient toujours.* ⇒ **Continuer, durer, persister, subsister.** — (XXe). Fam. (en parlant d'une invitation, d'un projet...). *Cela tient toujours pour jeudi?*

(...) je vous annonce qu'il est toujours beau; il a tenu bon contre le temps. 52
CHATEAUBRIAND, Mémoires d'outre-tombe, t. V, p. 111.

— Je tiendrai bien jusqu'à demain soir. 53
— Tu es trop tendue, tu ne tiendras pas. Ton courage t'abandonnera tout d'un coup.
SARTRE, Morts sans sépulture, III, 2.

54 (...) peut-être pourriez-vous me dire si le projet pour lequel il était venu dans la région tient toujours (...) Le remplacement des tramways par des autocars (...)
ARAGON, les Beaux Quartiers, I, XXIV.

d Vx (→ ci-dessous, *se tenir* A., 5.). *Ne pouvoir, ne savoir plus tenir de* (faire qqch.) : ne pouvoir s'empêcher, se retenir plus longtemps de (faire qqch.).

(1666). *Ne plus pouvoir tenir, ne pouvoir y tenir :* être au comble de l'impatience*, à bout, hors de soi. *Je n'y puis plus tenir, j'enrage* (→ Genre, cit. 2). ⇒ **Pouvoir** (II., 3.). — (1872). *C'est à n'y pas tenir.*

55 (...) il n'y a patience de saint qui puisse y tenir (...)
VOLTAIRE, Facéties, « Pot pourri », § VI.

56 Je suis pressé depuis si longtemps de vous faire une question, peut-être indiscrète, que je n'y saurais plus tenir. DIDEROT, Jacques le fataliste, Pl., p. 609.

57 Et, à force de la garder ainsi dans son œil, et dans son esprit, il fut pris d'une telle envie de l'épouser que, n'y pouvant plus tenir, il la demanda en mariage.
MAUPASSANT, l'Inutile Beauté, « Le noyé », I.

58 (...) le quatrième matin n'y tenant plus, toute vergogne bue, je demandai à Adoum le moyen de m'y prendre (...) GIDE, Ainsi soit-il..., p. 149.

e Par ext. *Tenir pour qqn* (vieilli), ne point abandonner son parti. ⇒ **Défendre, soutenir.** *Ceux qui tenaient pour les anciens intentè-rent* (cit. 1) *un procès.* — Mod. *Tenir pour une opinion,* l'appuyer fermement, la soutenir. — Trans. Fam. *En tenir* (de l'amour) *pour qqn,* en être épris.

59 Tu montreras cette glorieuse phalange résistant à l'invasion des romantiques, tenant pour l'idée et le style contre l'image et le bavardage (...)
BALZAC, Illusions perdues, Pl., t. IV, p. 775.

60 C'est toujours le combat de Dieu. C'est même le combat de Dieu entre celui qui tient pour Dieu et celui qui ne tient pas pour Dieu. Et la pensée de Polyeucte c'est que celui qui tient pour Dieu se tienne au moins aussi bien que celui qui ne tient pas pour Dieu. Ch. PÉGUY, Note conjointe, « Sur Descartes », p. 184.

f NE PAS TENIR EN PLACE : ne pouvoir rester sans bouger, sans réagir. *Il ne tenait plus en place* (→ Ambiant, cit. 3). — Absolt. *Je n'y tiendrai pas longtemps* (→ Cabale, cit. 7) : je ne res-terai pas longtemps en cet endroit. ⇒ **Rester.**

61 (...) je ne pourrais jamais tenir à Paris plus de deux mois.
VOLTAIRE, Correspondance, 1879, 15 janv. 1761.

61.1 Je ne tiens pas en place, j'ai envie d'aller au-devant de ces dames.
E. LABICHE, le Voyage de M. Perrichon, II, I.

♦ **4.** V. tr. ind. (1638). TENIR DE... : avoir des rapports de filiation, de parenté, d'analogie (→ ci-dessus, tenir qqch. de qqn). *Avoir de qui tenir :* avoir des ascendants dignes de soi, leur ressembler par quelque côté. *Il tenait de sa mère et de sa grand-mère* (→ Com-plexion, cit. 2). ⇒ **Ressembler** (*infra,* cit. 1). *« On tient toujours du lieu dont* (cit. 3) *on vient ».* ⇒ **Origine.**

62 Orphée avait de qui tenir, étant le fils de Calliope et d'Apollon.
Émile HENRIOT, Mythologie légère, p. 131.

63 (...) moralement, c'est moi qui tenais de papa, et c'est mon frère qui avait des res-semblances avec ma mère (...) MARTIN DU GARD, les Thibault, t. III, p. 24.

*Participer** de la nature de... *Une espèce* (cit. 16) *d'uniforme qui tenait du livreur et de l'employé de banque. La comédie tient tou-jours plus ou moins de la charge* (cit. 27) *et de la bouffonnerie. Quelque chose qui tient du divin* (→ Démon, cit. 6), *du fantasti-que* (→ Énormité, cit. 5), *du miracle* (cit. 7), *du prodige* (*infra,* cit. 2). ⇒ **Approcher** (de).

64 Du Bruel, l'auteur de la pièce, un jeune homme en redingote, petit, délié, tenant à la fois du bureaucrate, du propriétaire et de l'agent de change, entra soudain.
BALZAC, Illusions perdues, Pl., t. IV, p. 710.

65 Si ressemblant que soit un portrait, il tient toujours du peintre, et presque autant que du modèle. GIDE, Dostoïevsky, p. 199.

♦ **5.** V. tr. ind. (Fin XIIIe). Choses. TENIR À **qqch.** : avoir un rapport d'appartenance, de dépendance, d'effet à cause. ⇒ **Provenir, résul-ter, venir** (de). *L'universalité de la langue française* (cit. 3) *tient à plusieurs causes. L'illusion tient à la réalité comme l'effet tient à la cause* (→ Intégrant, cit. 1). *La force des peuples barbares tient à leur jeunesse et disparaît* (cit. 19) *avec elle. La hausse des den-rées* (cit. 1) *tenait à la baisse de l'assignat. La gastronomie tient à la cuisine par l'art d'apprêter* (cit. 11) *les mets...* ⇒ **Apparte-nir.** *Responsabilités qui tiennent à la constitution du corps social.* ⇒ **Inhérent.**

65.1 Il est bien, n'est-ce pas ? C'est un Breton (...) un garçon honnête (...) dévoué (...) ça tient à la race. E. LABICHE, Moi, I, 4 (1925).

Cela tient à (→ Métallique, cit. 1). *Cela tient à ce que...* (→ Je ne sais quoi, cit. 2 ; mépriser, cit. 19 ; métamorphisme, cit. 3).

66 (...) Cela tient à ce que nous n'avons pas la même nature.
FRANCE, le Lys rouge, XXXI.

67 À quoi donc tient son illusion ?
J. PAULHAN, Entretien sur des faits divers, p. 50.

Impers. ⇒ **Dépendre.** (Avec *que* et le subjonctif). *À quoi tient-il que nous ne partions ? Il tint à peu de chose que je ne lui fisse un affront* (Académie). *Il a tenu à peu de chose qu'il ne fût maître de l'Angleterre* (A. Duval, *in* Littré). *Il tient à moi qu'elle vienne ou ne vienne pas.* — (Négativement). *Il ne tient pas à moi si cela n'a pas de succès. Il ne tient pas à moi que cela ne se fasse :* cela sera vraiment indépendant de ma volonté, cela ne sera pas faute de m'y employer. *Il ne tient pas à lui que...* (→ Carrière, cit. 8). *Il ne tien-dra qu'à vous que je vous arrache* (cit. 42) *de ce misérable lieu. S'il ne tient qu'à cela pour être votre gendre* (→ Affaire, cit. 49).

À quoi tient-il que dès aujourd'hui vous ne fassiez tout mon bonheur ? 68
MOLIÈRE, le Bourgeois gentilhomme, III, 15.

Il ne tiendra qu'à vous, beau Sire, 69
D'être aussi gras que moi, lui repartit le chien. LA FONTAINE, Fables, I, 5.

Enfin, si dans ces vers je ne plais et n'instruis, 70
Il ne tient pas à moi, c'est toujours quelque chose. LA FONTAINE, Fables, V, I.

Il ne tient pas à M. de Bonac que vous ne passiez ici pour un fort habile 71
homme (...) RACINE, Lettres, 172, 24 mars 1698.

Il ne tenait qu'à moi, qu'elle ne renonçât pas à la vie. 72
GIDE, Et nunc manet in te, *in* Souvenirs, Pl., p. 1139.

(...) c'est la raison qui me fait dire aux jeunes et leur répéter de se dire sans cesse 73
et de se persuader que le plus souvent il ne tient qu'à eux.
GIDE, Ainsi soit-il..., p. 55.

Il n'a tenu qu'à vous que cette épreuve ne vous fût épargnée. 74
J. ROMAINS, M. Le Trouhadec..., II, 3,
in G. et R. LE BIDOIS, Syntaxe du franç. moderne, § 1919.

— (...) Il n'a tenu qu'à vous que ce débat ne sortît des limites correctes. 75
Pierre BENOIT, Bethsabée, p. 185 (cf. aussi GREVISSE, § 884).

Qu'à cela ne tienne ! (→ Ping-pong, cit.) : peu importe, que cela ne soit pas un obstacle.

♦ **6.** V. intr. (1660). Être compris, contenu dans un certain espace. *Tous mes livres tiennent dans cette armoire.* ⇒ **Entrer, loger.** *Ban-quette où pouvaient tenir trois voyageurs* (→ Lapin, cit. 8). *Sept personnes pouvaient tenir ensemble dans son habit* (→ Boutonner, cit. 1). *Cette cendre* (cit. 14) *tiendrait dans un médaillon. Le pro-jet tenait en trente lettres et dépêches* (→ Dicter, cit. 4). *Mon sujet tient en trois parties* (→ Foisonner, cit. 9).

Ce que j'ai à vous dire de moi est fort peu de chose, et cela pourrait tenir en quel- 76
ques mots : un campagnard qui s'éloigne un moment de son village (...)
E. FROMENTIN, Dominique, III.

L'auto des Orgel était dépourvue de strapontin. On n'y pouvait en se serrant tenir 77
que trois. R. RADIGUET, le Bal du comte d'Orgel, p. 33.

(Ma malle) est comme mes livres, comme la moindre de mes phrases, comme ma 78
vie tout entière : j'y veux faire tenir trop de choses.
GIDE, Journal, 4 juin 1905.

▶ SE TENIR v. pron. (V. 1050).

A. Réfl. ♦ **1.** (V. 1175). SE TENIR À **qqch.** : tenir qqch. pour rester dans une position, pour ne pas tomber. ⇒ **Accrocher** (s'), **agripper** (s'), **cramponner** (se), **retenir** (se). *Le chauffeur se tenait d'une main à la tringle de la locomotive* (→ Graisseur, cit. 2 ; et aussi haler, cit. 1). *Le faucon* (cit. 3) *se tenait ferme sur le bras de son maître.*

♦ **2.** (V. 1175). Être*, demeurer en telle position, telle posture, telle attitude. *Se tenir debout** (*supra,* cit. 2 ; → Abside, cit. 3). *Se tenir bien droit* (→ Frémissement, cit. 14), *très droit* (1. Droit, cit. 6), *sur ses pieds* (→ Chancelant, cit. 1). ⇒ **Station ; camper** (se), **dres-ser** (se). *Se tenir couché, penché* (→ 2. Air, cit. 28), *les reins à demi courbés* (cit. 26), *les bras croisés* (→ Humble, cit. 41), *à genoux, agenouillé* (→ Lui, cit. 57), *à croupetons* (cit. 1), *sur son séant. Se tenir immobile* (→ Armoirie, cit. 2), *sans bouger* (→ Assiette, cit. 1), *pétrifié dans un impeccable* (cit. 6) *garde-à-vous, suspendu au-dessus du vide.*

Il avait ce qu'on nomme en province de la dignité, c'est-à-dire qu'il se tenait roide 79
et qu'il était ennuyeux. BALZAC, le Député d'Arcis, Pl., t. VII, p. 650.

Elle essaya de se lever ; mais la secousse avait été trop forte ; elle ne pouvait encore 80
se tenir sur ses jambes. MAUPASSANT, Pierre et Jean, VII.

Je me tiens un peu de guingois, selon l'expression de mon père. 81
G. DUHAMEL, Salavin, I, XVI.

L'aspect même de sa mère l'étonna : elle qui avait coutume de se tenir le buste 82
droit, dans une attitude majestueuse, puissante, il la vit affaissée, les joues pen-dantes et grises. F. MAURIAC, Genitrix, VIII.

Absolt. *Ne pouvoir se tenir :* ne pouvoir rester dressé (assis, debout). — *Façon de se tenir* (→ Animal, cit. 5). *Art de se tenir* (→ Dic-ter, cit. 15). ⇒ **Contenance, maintien, tenue.** *Savoir se tenir à che-val :* avoir une bonne assiette, en parlant d'un cavalier.

Est-ce qu'on asseyait un homme qui ne pouvait se tenir ? Le mieux était de l'allon- 83
ger sur le lit (...) ZOLA, la Terre, II, II.

♦ **3.** (V. 1050). Être dans un endroit, à une place, en un lieu. *Les colombes se tenaient sur des oliviers* (→ Abri, cit. 2). *Le mot-teux* (cit.) *se tient habituellement sur les mottes.* ⇒ **Habiter.** *Il se tenait au milieu de la chambre* (→ Écarter, cit. 27). *La pièce dans laquelle nous nous tenons* (→ Capital, cit. 4). *Se tenir devant quel-qu'un* (→ Méditation, cit. 6), *en tête du convoi* (→ Postillon, cit. 1). *Se tenir à demeure* (cit. 14) *sur le pont du bateau. Se tenir près, auprès de qqn.* ⇒ **Assister** (fig., *supra* cit. 6). *Se tenir un peu loin* (→ Attraction, cit. 9), *à l'écart** (1. Écart, cit. 11 et 12). *Tenez-vous bien au chaud.* — (1559). Choses. *Le monde qui se tient au delà des montagnes* (cit. 2). ⇒ **Trouver** (se). — *Lieux où se tien-nent les foires* (1. Foire, cit. 1). ⇒ **Lieu** (avoir lieu). *Ces fêtes se tiennent chaque année.* ⇒ **Célébrer** (se). — *Conversation qui se tient officiellement* (→ Mitonner, cit. 2).

On se tenait, après les repas, de l'autre côté de la maison. 84
MARTIN DU GARD, les Thibault, t. II, p. 201.

Il se tenait, à contre-jour, devant la fenêtre dont il venait d'entrouvrir les per- 85
siennes. MARTIN DU GARD, les Thibault, t. V, p. 34.

Elle se tenait sur cette place, comme une fille des champs, quand elle reprend 86
haleine et, redressant son dos courbé, se donne un moment de repos, appuyée à la haie. André SUARÈS, Trois hommes, « Ibsen », VI.

Fig. *Se tenir dans un juste milieu* (cit. 19). *Se tenir sur sa position* (→ Attitude, cit. 23), *sur la défensive, en dehors des opérations* (→ Neutralité, cit. 6). — *Se tenir selon son rang* (→ Escapade, cit. 5). ⇒ **Conduire** (se); **conduite, tenue.**

87 — (...) Il est furieux si tu te tiens sur ta position.
A. MAUROIS, Bernard Quesnay, IX.

♦ **4.** Être et rester (d'une certaine manière, dans un certain état). *Se tenir découvert à l'audience* (cit. 15). *Se tenir caché* (→ Aider, cit. 19), *sur ses gardes* (→ Alerte, cit. 5; détourner, cit. 13). *Se tenir à l'affût* (cit. 5), *sur la réserve* (→ Gauchir, cit. 2). *Se tenir à la disposition de qqn* (→ Lettre, cit. 11). *Se tenir prêt*, prêt à venir au moindre appel* (cit. 5). *Se tenir tranquille* (→ Douleur, cit. 17), *clos* (cit. 10) *et coi* (cit. 2), *en silence* (→ Entretenir, cit. 35).

88 — Germain, dit la mère Maurice, vous allez me promettre de vous tenir tranquille pendant toute la semaine, de ne vous point tourmenter, de manger, de dormir et d'être gai comme autrefois.
G. SAND, la Mare au diable, XVI.

88.1 Comme si ce signal d'alerte me concernait, moi; comme s'il s'adressait particulièrement à ma personne (me rappelant qu'il faut sans cesse se tenir sur ses gardes et veiller) (...) Claude MAURIAC, le Dîner en ville, p. 229.

Vous n'avez qu'à bien vous tenir : restez tranquille, prenez garde, faites attention, gare à vous. *Attention, tenez-vous bien,* se dit parfois avant d'annoncer à quelqu'un une nouvelle surprenante. — *Se tenir à quatre** : se maîtriser soi-même, comme quatre personnes le feraient d'un fou.

89 (...) il se tenait à quatre pour n'être pas bête, mais il ne pouvait s'en empêcher. CHATEAUBRIAND, Mémoires d'outre-tombe, t. II, p. 8.

Se tenir bien, se tenir mal : se conduire en personne bien, mal élevée. — Fig. *Se tenir bien à table** : manger abondamment. *Il se tient mieux à table qu'à cheval.* — Absolt. *Se tenir* : se tenir bien. *Il sait se tenir en société.*

90 Devant tout étranger il se tenait, mais dans sa famille il s'abandonnait et se donnait des airs terribles, bien qu'il eût peur de tout le monde.
MAUPASSANT, Pierre et Jean, I.

91 — (...) Il ne m'inspire pas la moindre sympathie. Il est jeune, évidemment, mais il se tient si mal. J. ROMAINS, les Hommes de bonne volonté, t. VIII, VIII, p. 80.

♦ **5.** (V. 1175). NE POUVOIR SE TENIR DE... (vx ou littér.) : ne pouvoir s'empêcher, se retenir de (faire telle chose). — (1669). Absolt. (Vx). *Avoir peine à se tenir.* ⇒ **Contenir** (se).

92 J'ai peine à me tenir, et la main me démange.
MOLIÈRE, Tartuffe, V, 4.

93 Ses voisins de dortoir, tout malades qu'ils étaient, ne pouvaient se tenir de rire, et la sœur supérieure venait souvent à son lit pour passer un quart d'heure d'amusement. MAUPASSANT, l'Inutile Beauté, « Les 25 francs de la supérieure ».

♦ **6.** (1080). SE TENIR À (qqch.). **a** Littér. Observer, pratiquer fidèlement et exclusivement. *Il se tient à vos conseils* (→ ci-dessous, cit. 96).

b (V. 1660). Cour. S'EN TENIR À (qqch.) : ne pas aller au delà, ne faire, ne vouloir rien de plus. ⇒ **Borner** (se), **contenter** (se). *S'en tenir à la menace* (cit. 2), *aux boutades* (cit. 4), *aux demi-mesures* (→ Malchance, cit. 2), *à de modestes amendements* (cit. 3). *Ils s'en tenaient aux lieux communs* (cit. 25). *S'en tenir à l'avis de qqn* (→ 1. Or, cit. 29), *à sa règle personnelle* (→ Écrasant, cit. 4). *Il ne faut pas s'en tenir à cette première vue* (→ Face, cit. 42). — *S'en tenir là.* ⇒ **Arrêter** (s'); → Promenade, cit. 3. *Tenez-vous-en là.*

94 — (...) J'espère qu'en voilà assez, et que vous allez vous en tenir là de cette ridicule expédition? Alphonse DAUDET, Tartarin sur les Alpes, XII.

95 En matière de gouvernement, il s'en tenait aux vues courtes et nettes.
FRANCE, le Lys rouge, III.

96 — Tu ne me feras jamais croire que tu ne te tiendras pas à un genre, une fois que tu y auras réussi. GIDE, Si le grain ne meurt, I, IX.

Savoir à quoi s'en tenir* : être fixé, informé, en avoir le cœur net, savoir sur quel pied danser (→ Fantaisie, cit. 21).

97 Avec ces spirituelles rieuses on ne sait jamais à quoi s'en tenir, et on serait bien dupe souvent de s'arrêter à quelques mots qui, chez d'autres, diraient beaucoup. SAINTE-BEUVE, Causeries du lundi, 22 oct. 1849.

98 — Vous comprenez, j'en suis malade, à la fin de ne pas savoir à quoi m'en tenir. Il me faut un oui ou un non (...) ZOLA, la Terre, II, IV.

♦ **7.** (V. 1155). SE TENIR POUR... : se considérer* comme... *Se tenir pour battu* (cit. 88; et *supra*).

99 — Don Pierre, un mot de plus, et je me tiens pour insulté.
J.-A. DE GOBINEAU, les Pléiades, p. 217.

B. Récipr. (1690). Se tenir (l'un l'autre). *Amoureux qui se tiennent par la taille* (→ Mordre, cit. 12). *Se tenir par la main* (⇒ **Main**; → Monde, cit. 40), *par les mains* (→ Long, cit. 37), *par les épaules* (→ Foulée, cit. 2; monôme, cit.). *Se tenir par la barbichette.* — (L'un à l'autre). *Se tenir compagnie* (→ Main, cit. 100). *Se tenir chaud* (→ Presser, cit. 19). — Allus. littér. « *Tenez-vous lieu* (2. Lieu, cit. 35) *de tout* » (La Fontaine).

100 (...) ils se mirent en route vers la gare Saint-Lazare en se tenant par le bras.
MAUPASSANT, l'Inutile Beauté, « l'épreuve », III.

(1674). En parlant de choses. (Avec un attribut). *Les étoiles se tiennent l'une à l'autre toutes attachées* (→ 1. Dépendre, cit. 7). — *La cruauté* (cit. 4) *et la luxure se tiennent comme deux sœurs monstrueuses.* ⇒ **Solidaire.** — Être dans une dépendance réciproque. *Tout se tient dans la vie* (→ Dépendance, cit. 3). *Tout se tient,*

s'étaye, s'entrecroise (cit. 3). — (1878). Être bien lié, bien construit, vraisemblable, cohérent... *Tout cela s'explique* (cit. 33) *et se tient.*

101 (...) toutes les productions de l'esprit humain se tiennent et sont solidaires l'une de l'autre (...) RENAN, Questions contemporaines, L'Institut de France, Œ. compl., t. I, p. 99.

102 Aurait-on la baguette des fées, il faudrait trembler avant de toucher à ces choses complexes où tout se tient, soigné (→ où les qualités sortent des défauts, et où l'on ne peut rien changer sans faire crouler l'ensemble.
RENAN, Questions contemporaines, L'instruction supérieure en France, Œ. compl., t. I, p. 95.

▶ **TENU, UE** p. p. adj.

♦ **1.** *Bien tenu* : en bon état de propreté, en bon ordre, bien arrangé, entretenu, soigné (→ ci-dessus, I., 8.). *Maison bien tenue, mal tenue. Il n'y a pas d'équipages* (cit. 12) *mieux tenus que le vôtre. Espaliers bien tenus* (→ Arbre, cit. 16). *Troupes mal tenues* (→ Autant, cit. 42).

♦ **2.** Bourse. Dont le cours est ferme. *Valeurs bien tenues,* ou, absolt, *tenues.*

♦ **3.** ⇒ **Occupé, pris.** *Tenu, tenue par ses occupations.*

♦ **4.** ⇒ **Obligé.** *Tenu, tenue par quelque obligation. Débiteurs tenus solidairement* (→ 2. Aval, cit. 3). — *Ils sont tenus à la garantie des objets constitués en dot* (cit. 9). *Il était tenu à ne pas quitter le pays* (→ Inéluctable, cit. 2). *À l'impossible nul n'est tenu* : on ne peut exiger de qqn ce qu'il lui est absolument impossible de faire. — *Preneur tenu des dégradations.* ⇒ **Responsable.** — *Tenu de* (suivi d'un inf.). *Dépendre* (1. Dépendre, cit. 12), *c'est être tenu d'obéir. Attroupements* (cit. 3) *tenus de se disperser. Le commerçant est tenu de faire un inventaire* (cit. 3; → aussi Affirmer, cit. 5; aménagement, cit. 1; argent, cit. 16; association, cit. 10; caution, cit. 9).

103 On dirait qu'en France ce n'est pas seulement le médecin, mais aussi le malade qui est tenu au secret professionnel.
GIRAUDOUX, De pleins pouvoirs à sans pouvoirs, II, p. 34.

CONTR. Abandonner, capituler, céder, crouler, déroger, désister (se), écarter, échapper (s'), enfuir (s'), flancher, fléchir, fuir, lâcher, laisser, quitter. — Branler, chanceler. — Braver, manquer (à ses engagements), rompre.
DÉR. Tenable, tenant, tènement, tenette, 2. teneur, tenon, tenue, tenure (cf. aussi Tenace, tenancier, tenailles, ténor).
COMP. Contenir, contre-tenir, détenir, entretenir, maintenir, retenir, soutenir.

TENNIS [tenis] n. m. invar. — 1880; «jeu de paume», 1866; sens mod. d'abord sous la forme *lawn-tennis*, 1877 (→ ci-dessous cit. Claudel); mot angl., «jeu de paume», empr. franç. *tenez* (*tentez* en angl., en 1400), exclamation du joueur lançant la balle.

★ **I. A.** ♦ **1.** Sport dans lequel deux ou quatre joueurs (⇒ **Simple**; **double**) se renvoient alternativement une balle, à l'aide de raquettes, de part et d'autre d'un filet, selon des règles précises et sur un terrain de dimensions déterminées (⇒ 2. **Court**). *Jouer au tennis* (→ Feu, cit. 29). *Le badminton* est proche du tennis. Balle, raquette de tennis. Court de tennis. Faire des balles* avant de disputer une partie de tennis* (⇒ **Jeu**, supra cit. 26). *Coups au tennis.* ⇒ **Balle**; *amortir, couper* (B., 1.), *lob, passing-shot, smash, volée; drive, droit* (coup), *revers; service* (III., 3.), *servir. Coupe*, tournoi de tennis. Catégories de joueurs de tennis.* ⇒ **Série.** — *Tennis sur terre battue, sur herbe, sur bois* (en courts couverts). *Pantalon, short, jupe, chaussures de tennis.* — REM. La forme *lawn-tennis* utilisée au début du siècle (→ Profane, cit. 1) subsiste dans le langage officiel (*Fédération de lawn-tennis*).

1 Beaucoup d'exercice de corps : on nage, on rame, on monte à cheval, il y a partout des clubs de cricket et de *lawn-tennis*.
CLAUDEL, Dans l'île de Wight, août 1889, in Œ. en prose, Pl., p. 1015.

2 Ma pauvre Micheline, c'est fini de nos parties de tennis. Dommage. Ton jeu commençait à se tenir et tu avais un drive qui venait bien. Tu vas te remettre à jouer en double avec des femmes qui te gâteront la main en huit jours.
M. AYMÉ, Travelingue, p. 23.

♦ **2.** (V. 1900). Terrain de tennis, comprenant le court proprement dit et une enceinte aménagée (→ 2. Croquet, cit. 2). *Les tennis d'un club sportif.*

B. ♦ **1.** (1890). Cotonnade d'armure sergée.

♦ **2.** N. m. (1913, in Höfler). Chaussure basse en toile à semelle de caoutchouc. *Une paire de tennis. Un tennis.*

3 C'était un homme jeune, habillé avec un survêtement blanc, chaussé de tennis blancs (...) J.-M. G. LE CLÉZIO, les Géants, 1973, p. 137.

★ **II.** (1902, in Höfler; angl. *table tennis*). *Tennis de table.* ⇒ **Ping-pong.**

DÉR. Tennisman, tennistique.

TENNISMAN [tenisman] n. m. — 1903; pseudo-anglicisme sur le modèle de *sportsman*, etc.; de *tennis*, et *man* «homme»; on a employé la forme *tennisseur* (1919, Arveiller), qui n'a pas vécu.

♦ Vx. Joueur de tennis. Plur. *Des tennismen* [tenismɛn] — REM. On a employé aussi *tenniswoman* [teniswuman] (des *tenniswomen* [teniswimɛn; teniswumɛn]), qui se rencontre encore : «*les tenniswomen du Club des Femmes* (au Koweït)...» (*le Nouvel Obs.*, 15 mai 1982, p. 44).

TENNISTIQUE [tenistik] adj. — 1922, *in* Höfler ; de *tennis*.

◆ Rare. Du tennis, relatif au tennis.

1   Les atlas classent les dix premières villes du monde, les experts tennistiques les dix meilleurs joueurs de l'univers.
                Pierre DANINOS, Un certain Monsieur Blot, p. 17.

2   Notre joueur s'efforcera de situer sa valeur spécifiquement tennistique. Il passera tous ses coups en revue, tant du point de vue de la régularité que de la puissance et de la précision.
                Henri COCHET, le Tennis, p. 71.

TÉNO- Premier élément, tiré du grec *tenôn* «tendon», de mots de médecine.

TÉNODÈSE [tenɔdɛz] n. f. — Mil. xxᵉ ; de *téno-*, et du grec *desis* «action de lier».

◆ Chir. Suture d'un tendon déchiré ou sectionné, soit sur un point normal d'insertion, soit sur un point osseux nouveau, dans le but d'en rétablir la mobilité.

TÉNOLYSE [tenɔliz] n. f. — xxᵉ ; de *téno-*, et *-lyse*.

◆ Chir. Section des adhérences cicatricielles entourant un tendon, destinée à rétablir sa mobilité.

TENON [tənɔ̃] n. m. — 1379 ; *tenoun*, xIIIᵉ ; dér. de *tenir*.

◆ Techn., cour. Partie saillante (mâle) ménagée à l'extrémité d'une pièce de bois, de pierre, de métal (⇒ **About**) destinée à s'ajuster dans une partie creuse correspondante (⇒ **Mortaise**). *Allégir une pièce de bois pour faire un tenon.* ⇒ **Araser**. *Tenon d'arrêt*, d'assemblage** (⇒ aussi **Languette**). *Tenon en queue d'aronde*, en cheville*. Tenons croisés* (chaque pièce porte côte à côte un tenon et une mortaise). — *Tenon-guide* : tige à extrémité conique, fixée à certaines serrures.

  — L'assemblage à tenon et mortaise, dit-il, ne veut point de colle, si l'ouvrage est bien dressé. — N'y a-t-il point aussi, demanda M. Bergeret, l'assemblage en queue-d'aronde ? — Il est rustique et ne se fait plus, répondit le menuisier.
              FRANCE, M. Bergeret à Paris, VII, *in* Œ., t. XII, p. 341.

Mar. Pièce à l'extrémité libre d'un mât, d'un beaupré. — Sculpt. Étai de pierre qui consolide les parties fragiles d'une statue. — Archit. Crampon métallique qui relie les assises d'une construction.

Chir. dent. *Tenon dentaire* : fil métallique destiné à la fixation d'une prothèse dentaire dans les canaux de la dent (préparés à cet effet). *Dent à tenon* ou *dent à pivot**.

DÉR. Tenonner.

TENONNAGE [tənɔnaʒ] n. m. — xxᵉ ; de *tenonner*.

◆ Techn. Façonnage d'un tenon. *Tenonnage et mortaisage.*

TENONNER [tənɔne] v. tr. — 1872 ; de *tenon*.

◆ Techn. Pratiquer un tenon sur (une pièce de bois).

DÉR. Tenonnage, tenonneuse.

TENONNEUSE [tənɔnøz] n. f. — 1923 ; de *tenonner*.

◆ Techn. Machine-outil pour faire les tenons de bois.

  L'exécution des tenons ou des enfourchements pour les assemblages est réalisée à l'aide de tenonneuses simples ou doubles, comportant plusieurs outils, fraises ou molettes, qui enlèvent de la matière de part et d'autre du tenon.
              J.-C. REGGIANI, Industries et Commerce du bois, p. 79.

TÉNOPLASTIE [tenoplasti] n. f. — xxᵉ ; de *téno-*, et *-plastie*.

◆ Chir. Réparation d'un tendon au moyen d'un greffon destiné à remplacer la portion détruite ou fortement lésée.

TÉNOR [tenɔʀ] n. m. — 1444, Bloch-Wartburg ; rare av. le xvIIIᵉ d'abord au sens de 1. *teneur*, 1. b (Rousseau, *Dict. de la musique*) ; ital. *tenore* ; du lat. *tenor*, dér. de *tenere* «tenir».

◆ **1.** Voix d'homme la plus aiguë (le mot a remplacé *dessus*, taille** I., 10.). (1798). Personne qui a ce type de voix. *Voix de ténor. Ténor léger, ténor lyrique, fort ténor. Avoir un beau ténor.* ⇒ **Chanteur** (→ Effet, cit. 34 ; exceptionnel, cit. 4 ; gosier, cit. 5 ; roucoulant, cit. 2). *Ténor amateur* (→ Pousser, cit. 40). — Péj. (par allus. aux grands ténors d'opéra). *Une fatuité de ténor* (→ Crétin, cit. 4).

1   — (...) Il n'y a plus de poème, ni de musique, ni de représentation possible sans un ténor célèbre dont la voix atteigne à une certaine note. Le ténor, c'est l'amour,

c'est la voix qui touche le cœur, qui vibre dans l'âme, et cela se chiffre par un traitement plus considérable que celui d'un ministre.
              BALZAC, les Comédiens sans le savoir, Pl., t. VII, p. 19.

2   Le ténor haute-contre possède une voix suraiguë, non exempte parfois de puissance (...) Le ténorino, de tessiture souvent banale, se remarque par sa voix faible et détimbrée (...) Le ténor léger, de tessiture aiguë ou suraiguë, présente une voix mince et claire (...) Le ténor lyrique, de tessiture grave, centrale ou aiguë, possède plus de puissance, avec un timbre plus mordant (...) Les ténors à grande puissance se voient réserver les qualificatifs de : fort ténor, ténor dramatique, ténor serio (...)
         R. HUSSON, la Voix humaine, *in* Encycl. Pl., Hist. de la musique, t. I, p. 71.

Adj. Se dit des instruments dont l'étendue correspond à celle de la voix de ténor. *Saxophone ténor,* et, n. m., *un ténor. Jouer du ténor.*

Partie instrumentale ou vocale qui se déroule à une hauteur de l'échelle sonore qui correspond à la voix de ténor. *La basse et le ténor.*

◆ **2.** (1879). Personne très en vue dans l'activité qu'il exerce. *Les grands ténors de la politique, du sport, du barreau.*

3   — (...) Quelle sale époque pour la peinture. C'est le marasme complet. On ne vend rien de rien, sauf les grands ténors, naturellement. Mais, pour la production moyenne, je ne vends pas ça.
         M. AYMÉ, le Vin de Paris, «La bonne peinture», p. 172.

Spécialt, vx. Grand journaliste.

4   J'aurais été heureux de publier quelque chose de vous, mais quelque chose de bien venu et de signé. Les bons ténors sont devenus si rares à Paris qu'on n'en trouve plus.
        Jules LAFFITE, Lettre à Vallès, 19 sept. 1879, *in* D. D. L., II, 5.

DÉR. Ténoriser. — (Du même rad. lat.) **Tenora, ténorino.**

TENORA [tenɔʀa] n. f. — Déb. xxᵉ ; mot catalan, du lat. *tenor*.

◆ Mus. Instrument proche de la clarinette, en usage en Catalogne.

TÉNORINO [tenɔʀino] n. m. — 1879 ; mot ital., dimin. de *tenore*.

◆ Mus. Ténor (cit. 2) très léger, qui doit utiliser la voix de tête dans l'aigu.

TÉNORISANT, ANTE [tenɔʀizɑ̃, ɑ̃t] adj. — 1872, Littré ; de *ténoriser*.

◆ Mus. Qui est proche de la voix de ténor. *Baryton ténorisant.*

TÉNORISER [tenɔʀize] v. intr. — 1769, «proclamer avec éclat» ; de *ténor*.

◆ Mus. Chanter comme un ténor, dans le registre du ténor.

  Il ténorisait encore, mais plutôt à la cantonade pour ménager les ressources de son coffre emphysémateux.   G. DUHAMEL, Chronique des Pasquier, VII, xIx.

DÉR. Ténorisation.

TÉNORITE [tenɔʀit] n. f. — 1848, d'Orbigny, *Dict. d'histoire naturelle* ; du nom de G. Tenore, naturaliste italien.

◆ Minér. Oxyde naturel de cuivre. Syn. : *mélaconite.*

TÉNOSITE [tenozit] n. f. — xxᵉ ; dér. sav. du grec *tenôn*.

◆ Méd. Inflammation d'un tendon. ⇒ **Tendinite.**

TÉNOSYNOVITE [tenosinɔvit] n. f. — xxᵉ ; de *téno-*, et *synovite*.

◆ Méd. Inflammation d'un tendon et de la gaine qui l'entoure (gaine synoviale).

TÉNOTOMIE [tenɔtɔmi] n. f. — 1836 ; de *téno-*, et *-tomie*.

◆ Chir. Section d'un tendon ; par ext. et abusivt, section des brides fibreuses cicatricielles.

TENREC [tɑ̃ʀɛk] n. m. ⇒ **Tanrec.**

TENSEUR [tɑ̃sœʀ] n. m. et adj. — 1843, Landais ; dér. sav. du lat. *tensum*, de *tendere* «tendre».

◆ **1.** Didact. (anat.). Muscle qui tend, produit une tension. *Tenseur,* ou, adj., *muscle tenseur du fascia lata* : muscle situé à la face externe de la cuisse, qui tend l'aponévrose fémorale et participe aux mouvements d'extension et d'abduction de la cuisse. *Muscle tenseur de la synoviale du coude.*

◆ **2.** (1877). Mécan. ⇒ **Tendeur.** Par appos. *Poids tenseur.*

◆ **3.** Math. (vers 1900, «symbole utilisé dans le calcul des quaternions» [Encycl. Berthelot] ; *tensor* en angl. dès 1853). Être mathématique constituant une généralisation du vecteur, défini dans un espace à n dimensions par n^k composantes (k étant l'*ordre* du tenseur) et dont les propriétés sont intrinsèques, c'est-à-dire indépendantes du système d'axes de coordonnées choisi dans cet espace. *Un vecteur est un tenseur d'ordre 1. Utilisation des tenseurs pour représenter des contraintes mécaniques. Relatif aux tenseurs.* ⇒ **Tensoriel.**

TENSIF, IVE [tãsif, iv] adj. — xvіᵉ, Paré ; dér. sav. du lat. *tensio.*

♦ Méd. *Douleur tensive,* accompagnée d'une sensation de distension. ⇒ **Tension** (1.).

TENSIO-ACTIF, IVE [tãsjoaktif, iv] adj. et n. m. — Mil. xxᵉ ; dér. du lat. *tensio-,* et *actif.*

♦ Chim. Susceptible d'augmenter les propriétés d'étalement, de mouillage d'un liquide (qui dépendent de la tension superficielle). *Agent, produit tensio-actif.*

Enfin, le recours à des produits tensio-actifs (c'est-à-dire agissant sur la tension superficielle) est souvent utile pour régler la dimension des particules de polymérisat.   Jean Vène, Caoutchoucs et Textiles synthétiques, p. 36.

N. m. *Les tensio-actifs se classent en trois types : anioniques, cationiques et non ioniques.*

REM. On dit aussi *surfactif*,* adj. et n. m.

TENSIO-ACTIVITÉ [tãsjoaktivite] n. f. — Mil. xxᵉ ; de *tensio-actif,* et *activité.*

♦ Chim. Aptitude d'un corps à modifier la tension superficielle d'un solvant, lorsqu'il est mis en solution.

TENSIOMÈTRE [tãsjɔmɛtʀ] n. m. — 1949 ; du lat. *tensio-,* et *-mètre.*

Didactique (science).

♦ **1.** Appareil de mesure des déformations d'un corps soumis à des contraintes mécaniques.

♦ **2.** Méd. Syn. de *sphygmomanomètre*.*

TENSIOMÉTRIE [tãsjɔmetʀi] n. f. — Mil. xxᵉ (*in* Larousse, 1964) ; du lat. *tensio-,* et *-métrie.*

♦ Didact. (sc.). Mesure de la tension superficielle (d'un liquide).

TENSION [tãsjɔ̃] n. f. — 1490 ; lat. *tensio,* de *tensum,* supin de *tendere* «tendre». → 1. Tendre.

★ **I.** Concret. ♦ **1.** Méd., physiol. 🅐 Anciennt (seul sens au xvіᵉ). État d'un organe, d'un tissu qui est tendu*, raidi ou étiré ; sensation plus ou moins pénible de raideur, de contraction (⇒ **Ténesme**).

🅑 Mod. État d'un tissu, d'un organe distendu (augmentation de volume). ⇒ **Ballonnement, distension.** *Tension due à un spasme tonique.* — Résistance opposée par une paroi organique aux liquides ou aux gaz contenus dans la cavité qu'elle limite. *Tension de la paroi abdominale dans le météorisme. Tension vasculaire* : résistance de la paroi des vaisseaux à la pression sanguine (ou «tension», au sens 4).

♦ **2.** (xvіᵉ). État d'une substance souple ou élastique tendue (⇒ 1. **Tendre,** I., 1.) ; effort appliqué à une telle substance pour la tendre. *La tension d'un élastique* (⇒ **Allongement**), *d'une courroie, d'un fil de fer* (⇒ **Tendeur**). *Régler la tension d'une corde*. Corde de tension* (d'une scie...). *Ressort de tension.*

0.1 (...) au point de vue de l'effet utile, la trajectoire décrite par le boulet doit être aussi tendue que possible, et cette tension ne peut s'obtenir qu'à la condition que le projectile soit animé d'une très grande vitesse initiale.
                    J. Verne, l'Île mystérieuse, t. II, p. 664.

Rare. Le fait de tendre (1. Tendre, I., 2.) une partie du corps ; le fait d'être tendu. *La tension des bras* (→ Étagère, cit. 2).

Anc. méd. *Tension des muscles, des nerfs,* qu'on croyait agir comme des cordes tendues (*Encyclopédie,* 1765). — Mod. État des muscles contractés. ⇒ **Contraction.** *Tension nerveuse, des nerfs* (d'abord compris comme une métaphore de l'anc. sens physiologique, puis au sens psychologique. → ci-dessous, II.). — Phonét. Effort des muscles, lors de l'émission d'un phonème. Spécialt. Effort sur les cordes vocales pendant l'émission d'un son. Par ext. «Première phase de l'articulation d'un phonème pendant laquelle les organes prennent la position qui convient à l'émission de ce phonème» (Marouzeau).

1 Nous étions à bout de force, à bout de volonté, à bout de tension nerveuse (...)
                    Ed. et J. de Goncourt, Journal, 17 août 1862, t. II, p. 37.

♦ **3.** Phys. Force qui agit de manière à écarter, à séparer les éléments, les parties constitutives d'un corps (par oppos. à *pression*). — Spécialt. **TENSION SUPERFICIELLE** : force, due aux interactions moléculaires, qui s'exerce à la surface d'un liquide au contact d'un autre fluide (exprimée en dynes, agissant sur un élément linéaire de 1 cm de longueur). ⇒ **Tensiomètre, tensiométrie.** *Modification de la tension superficielle par les corps tensio-actifs. C'est par la tension superficielle que les liquides ont tendance à présenter une surface sphérique* (formation des gouttes*, ménisques*... ⇒ **Capil-**

larité). *Tension interfaciale,* à la surface de séparation de deux liquides.

Mécan. Force interne ou contrainte qui agit dans un corps en équilibre. *Étude des tensions.* ⇒ **Tenseur, tensoriel.**

2 (...) dans un corps quelconque en équilibre se développent, en chaque point de la masse, sous l'action des forces appliquées à ce corps, des efforts intérieurs qui reçoivent souvent le nom de tensions. La tension est dite positive si elle tend à séparer deux éléments contigus : elle est négative dans le cas contraire, et devient alors une pression. Dans ces conditions, le mot tension est synonyme de force élastique.   L. Lecornu, in Grande Encycl. (Berthelot), art. Tension.

♦ **4.** (1846, Bescherelle). Phys. Pression. *Tension de vapeur* : pression à une température donnée à laquelle la phase solide (ou liquide) est en équilibre thermodynamique avec la phase vapeur. *Tension de dissociation* : pression d'équilibre d'un gaz ou d'une vapeur (par ex. : dans la *dissociation* d'un solide donnant lieu à la formation d'un autre solide en même temps que du gaz ou de la vapeur). *Mesure des tensions.* ⇒ **Manomètre.** — *Tension osmotique*.* → Rein, cit. 4 (⇒ **Hypotonie, isotonie**).

(1859). Méd. et cour. *Tension artérielle, veineuse* : pression du sang*. *Tension maxima* (au moment de la systole), *minima* (au moment de la diastole) ; *différentielle* (différence entre les tensions maxima et minima). *Accroissement local de la tension dû à une congestion*. Mesure de la tension au sphygmomanomètre. Tension supérieure* (⇒ **Hypertension**), *inférieure à la normale* (⇒ **Hypotension**). — Cour. Hypertension. *Avoir de la tension.*

♦ **5.** (1864 ; 1802, en ital., *la tensione elettrica,* Volta). Électr. Différence de potentiel*. — (1903, *in* D. D. L.). *Haute tension* : tension élevée (plusieurs milliers de volts). *Basse tension. Tension simple* (entre un fil de phase et un fil neutre), *tension composée* (entre deux fils de phase), *dans une distribution triphasée. Tension de saturation. Tension réelle,* mesurée expérimentalement ; *tension théorique,* calculée (leur différence est appelée *surtension,* en électrochimie). Par métaphore. *Un courant de haute tension faisait frémir* (cit. 15) *la foule.*

★ **II.** Abstrait. ♦ **1.** (xvіᵉ). Effort* intellectuel ; application* soutenue. ⇒ **Attention, contention, concentration, éréthisme** (→ Chargement, cit. ; distance, cit. 14 ; efficacité, cit. 3). *Tension d'esprit, de l'esprit* (→ Jeunesse, cit. 20), *de la pensée* (→ Reconstituer, cit. 3), *des facultés d'analyse* (→ Modulation, cit. 4).

3 (...) il en faut de la volonté et de la tension pour ne jamais être distrait !
                    Camus, la Peste, p. 274.

♦ **2.** (1907). Par métaphore de I., 2. État de ce qui menace de rompre. ⇒ **Tendu.** *Tension des relations, d'une situation* (→ aussi Passionnel, cit. 1). Spécialt. *Atmosphère de tension internationale.* ⇒ **Crise.**

(1963). Sociol. *Tension raciale* : situation de conflit entre deux groupes raciaux.

♦ **3.** (Par métaphore de I., 2., spécialt ; et avec infl. du sens II du v. *tendre*). Tout état psychique où le besoin d'une détente se fait sentir ; force psychique considérée comme menant à une modification, en l'absence d'empêchement. ⇒ 1. **Tendre** (II.) ; **tendance.** *Un sentiment* (cit. 14) *est une tension de l'âme. Tension de la mémoire* (→ Brouiller, cit. 11, Bergson). *Tension, élasticité* (cit. 8), *et dépression* (→ Humeur, cit. 16). — Cour. *Tension nerveuse* : énervement.

Didact. *Tension psychologique* : unification des éléments, dans la synthèse mentale ; «nombre, masse des états psychologiques qui doivent faire partie de cette synthèse» (Janet). — Psychol. de la forme. «Force engendrée par une rupture d'équilibre entre les excitations (ou les processus psychiques correspondants)» (Guillaume, in *Vocabulaire de psychologie*). — Psychan. *Pulsions* (2. Pulsion, cit. 1) *et tensions. La réduction des tensions* (→ Refoulement, cit. 3). — Mus., poés. *La dialectique des tensions et des détentes.*

♦ **4.** (De 1. *tendre,* II.). Didact. Le fait de se diriger vers, de tendre à... *La foi, pure tension vers le royaume à venir* (→ Parousie, cit.).

CONTR. Assouplissement, laxité. — Abandon, détente, distraction, relâche, relâchement.
DÉR. Tensionner.
COMP. Bitension, hypertension, hypotension, sous-tension, surtension.

TENSIONNER [tãsjɔne] v. tr. — Mil. xxᵉ ; sans doute antérieur, cf. *tensionnage,* in Larousse, 1933 ; de *tension.*

♦ Techn. Donner la tension correcte à (une lame de scie). — Absolt. *Appareil à tensionner* : laminoir produisant des lames, des rubans à profil et affûtage convenables.

TENSON [tãsɔ̃] n. f. — Mil. xvᵉ ; «querelle», xiіᵉ. → Tancer.

♦ Hist. littér. Genre poétique dialogué du moyen âge où les interlocuteurs s'opposent sur un sujet donné. → Jeu* (*infra* cit. 31.1) parti. *La tenson provençale est une chanson à couplets.*

TENSORIEL, ELLE [tãsɔʀjɛl] adj. — Mil. xxe ; de *tenseur*. Didactique.

♦ **1.** Phys. *Grandeur tensorielle :* ensemble des nombres, formant un système, utilisé pour représenter les tensions à l'intérieur d'un solide déformé (dans la théorie de l'élasticité).

♦ **2.** Math. Qui concerne les tenseurs. *Calcul tensoriel. Analyse, algèbre tensorielle.*

Le calcul tensoriel (...) est en somme une extension de la théorie des vecteurs à des espaces à plus de trois dimensions. Cette extension est aisée (...) si on considère *(un vecteur)* comme un ensemble de trois nombres (ses composantes), donnés dans un ordre déterminé. Cependant, cette définition fait intervenir un système de coordonnées, et pour que les expressions et les propriétés trouvées aient une signification géométrique, il faut qu'elles soient indépendantes du choix de ce système (...) qu'elles soient des *invariants*. L'objet du calcul tensoriel est donc d'étudier les transformations des composantes des tenseurs par changement de système de coordonnées, et d'en déduire des invariants.
André DELACHET, *Calcul vectoriel et Calcul tensoriel*, p. 7.

TENTACULAIRE [tãtakylɛʀ] adj. — 1822 ; n. m. «ver intestin du foie», 1797 ; de *tentacule*.

♦ **1.** Zool. Des tentacules. *Appendice tentaculaire.*

♦ **2.** (1895). Qui se développe dans toutes les directions. *Les Villes tentaculaires*, œuvre de Verhaeren.

1 J'ai perdu les mots mêmes qui me choquaient la tête. Je suis devenue immense, tentaculaire.
Plus vaste que la mer.
Plus vide que le ciel.
Plus fracassante que le tonnerre.   Annie LECLERC, *Parole de femme*, p. 96.

2 C'est la ville tentaculaire
La pieuvre ardente et l'ossuaire.
VERHAEREN, les Villes tentaculaires, « La Ville ».

DÉR. Tentaculairement.

TENTACULAIREMENT [tãtakylɛʀmã] adv. — D. i. (attesté xxe) ; de *tentaculaire*.

♦ Rare, littér. De manière tentaculaire, comme avec des tentacules.

(...) une glycine (...) se hissait tentaculairement jusqu'au toit de verre.
William DE BAZELAIRE, l'Or de la Bérézina, p. 117.

TENTACULE [tãtakyl] n. m. — 1767 ; lat. mod. *tentaculum*, dér. de *tentare* « tâter, palper ».

♦ Organe saillant, allongé et souple (⇒ **Appendice**), servant généralement au tact et à la préhension (chez les infusoires, les vers, les mollusques*). Spécialt. Chez les Décapodes (seiches, calmars), se dit des deux organes préhensiles les plus longs. — Cour. Bras des céphalopodes (poulpes, calmars)..., organes allongés munis de ventouses. *Les tentacules d'une pieuvre.*

Ces lanières, pointues à leur extrémité, allaient s'élargissant comme des lames d'épées vers la poignée. Toutes les cinq appartenaient évidemment au même centre. Elles marchaient et rampaient sur Gilliatt (...) Brusquement une large viscosité ronde et plate sortit de dessous la crevasse. C'était le centre ; les cinq lanières s'y rattachaient comme des rayons à un moyeu ; on distinguait au côté opposé de ce disque informe le commencement de trois autres tentacules, restés sous l'enfoncement du rocher (...) Gilliatt reconnut la pieuvre.
HUGO, les Travailleurs de la mer, II, IV, I.

Par compar. *Jeter ses bras comme des tentacules* (→ Agripper, cit. 3). *Ville qui étend des tentacules.* ⇒ **Tentaculaire.**

DÉR. et COMP. Tentaculaire, tentaculifère, tentaculiforme.

TENTACULIFÈRE [tãtakylifɛʀ] adj. et n. — Av. 1848, Bibron ; de *tentacule*, et *-fère*.

♦ Didact. Qui porte des tentacules (on dit aussi *tentaculé*). N. m. pl. Vx. LES TENTACULIFÈRES : ancien ordre d'infusoires*.

TENTACULIFORME [tãtakylifɔʀm] adj. — 1842 ; de *tentacule*, et *-forme*.

♦ Didact. Qui a la forme d'un tentacule.

TENTANT, ANTE [tãtã, ãt] adj. — Av. 1466, temptant ; de 1. *tenter*.

♦ **1.** Qui tente (3.), inspire ou excite le désir. ⇒ **Alléchant, désirable, excitant, séduisant.** *Sentiers* (cit. 2) *d'une déclivité peu tentante.* — *Projet peu tentant.* Spécialt. Qui inspire un désir amoureux. *Des nuques tentantes* (→ Bestialité, cit. 2 ; et aussi faraud, cit. 5).

♦ **2.** Que l'on peut envier à bon droit. ⇒ **Enviable.** *Une situation assez tentante.*

TENTATEUR, TRICE [tãtatœʀ, tʀis] n. et adj. — 1536 ; temptateur, 1496 ; du lat. *temptator, tentator*, désignant le démon en lat. ecclés., « séducteur » en lat. class., de *temptare*. → Tenter.

♦ **1.** Relig. N. m. Celui qui tente les hommes, les induit au mal. ⇒ **Démon, serpent** (biblique). — Adj. *L'esprit tentateur.*

Le Tentateur lui-même était presque charmé.
Il avait oublié son art et sa victime (...)   1
A. DE VIGNY, Livre mystique, « Éloa », III.

Sans Dieu que reste-t-il ? Leurre et rébellion   2
Venant du Tentateur affamé, ce lion
Qui rôde et qui rugit, qui s'embusque et regarde (...)
LECONTE DE LISLE, Poèmes tragiques, « Hiéronymus ».

♦ **2.** (Déb. xvie). N. m. et f. Personne qui cherche à tenter (2.), à séduire. « *La grande sainte devenait courtisane et se faisait tentatrice* ». → Repentir (se), cit. 8. — Adj. *Piège tentateur* (Delille, *in* Littré). *Beauté tentatrice.*

TENTATION [tãtasjõ] n. f. — 1120, *temptacium* ; lat. *temptatio, tentatio*, de *tentare*. → Tenter.

♦ **1.** Ce qui entraîne, porte à enfreindre une loi religieuse, morale ; action d'un tentateur ; force, impulsion qui pousse au péché, au mal, en éveillant le désir. → Ascèse, cit. 4 ; résistance, cit. 23. *La tentation de l'homme par... La tentation de l'ambition*, dont l'ambition est la cause. *La tentation, les tentations de la chair* (cit. 44). ⇒ **Aiguillon, appel, sollicitation.** *Dieu envoie à chacun des tentations selon sa force* (→ 1. Son, cit. 9). *Les assauts, les pièges de la tentation.* ⇒ **Démon.** *(Une, des tentations). Éviter* (cit. 25), *fuir les tentations. Se défendre, se garder de la tentation. S'exposer à une tentation. Se mettre à l'épreuve des tentations* (→ Garantir, cit. 15). *Céder* (cit. 10), *succomber à des tentations ; résister à la tentation ; repousser, vaincre une tentation.* — Littér. *Les assauts** *de la tentation.* — Allus. bibl. Action du tentateur (1.), du démon. *La tentation d'Adam et d'Ève*, par le serpent. *La tentation de Jésus dans le désert*, par le démon (scènes fréquentes en iconographie). — Hagiographie. *La tentation de saint Antoine*, par les démons, motif qui a inspiré de nombreux peintres (dont Breughel ; cf. la description de Flaubert, *Notes de voyage*, I, p. 28, et *Correspondance*, 13 mai 1845), et œuvre de Flaubert.

Tout est tentation à qui le craint.   LA BRUYÈRE, les Caractères, III, 34.   1

Le malheur m'a tenu lieu de force pour vaincre la nature et triompher des tentations. On a peu de désirs quand on souffre ; et vous m'avez appris à les éteindre en leur résistant.   ROUSSEAU, Julie ou la Nouvelle Héloïse, VI, VII.   2

J'estime avec les Pères, que la tentation est en nous, et que nous sommes à nous-mêmes nos démons et nos maléfices.   3
FRANCE, les Opinions de J. Coignard, IX, Œ., t. VIII, p. 405.

La prudence consiste à voir où est la tentation, et dès qu'on l'a vue, à la fuir. Seuls les Saints peuvent l'affronter, la désirer peut-être.   4
H. BOSCO, Un rameau de la nuit, p. 308.

Loc. EN TENTATION. *Induire en tentation.* → Démon, cit. 14.
Par anal. « *Dieu est la bonne tentation à laquelle beaucoup d'hommes succombent* » (→ Inclination, cit. 8). *La tentation du bien.*

♦ **2.** (Av. 1650). Ce qui incite à (une action) en éveillant le désir (⇒ **Tenter** [3.] ; **attrait, blandice, sollicitation**) ; tendance qui se manifeste alors (⇒ **Envie ; désir**). *La tentation des aventures* (→ Attraction, cit. 13), leur attrait* ; l'envie qu'on en a. *Se laisser aller à la tentation de faire des vers...* (→ Dissiper, cit. 12). *La tentation de s'insurger* (→ 1. Penser, cit. 15), *de se venger* (→ Frôler, cit. 9). *Forte, rude* (→ Rappel, cit. 6), *épouvantable tentation* (→ Choix, cit. 11 ; soif, cit. 1). *L'occasion* (cit. 5) *est la plus forte des tentations.* — *La tentation d'acheter. La tentation de la porte* (dans un magasin). → Marché, cit. 9.

(...) ne cède point à la tentation de briller, garde le silence ; les gens fins verront ton esprit dans tes yeux.   STENDHAL, la Chartreuse de Parme, VI.   5

La femme n'est que le composé de toutes les tentations éparses dans l'air léger, sur la terre fleurie, dans les eaux claires.   FRANCE, Thaïs, p. 271.   6

En Province, ville ou campagne, nous ne savons jamais si, le cas échéant, nous ne céderions pas à telle tentation, puisqu'elle ne s'offre jamais à nous. La Province laisse endormies en nous mille tendances, des aspirations, des inclinations.   7
F. MAURIAC, la Province, p. 42.

Il est clair que toute « tentation » résulte de l'action de la vue ou de l'idée de quelque chose qui éveille en nous la sensation qu'elle nous manquait.   8
VALÉRY, Variété, Études littéraires, *in* Œ., t. I, Pl., p. 618.

TENTATIVE [tãtativ] n. f. — xviie ; 1546, Rabelais, « épreuve de théologie », sens du lat. scolast. *tentativa*, dér. de *tentare*. → Tenter (4.) ; sens mod. au xviie.

♦ **1.** Acte ou suite d'actes que l'on fait en vue d'obtenir un résultat*, de réussir*. — REM. S'emploie généralement lorsque le résultat n'est pas encore atteint, ou après un échec. ⇒ **Effort, essai** (I., 3.), **recherche**. *Faire une tentative*, commencer une entreprise, essayer de... ⇒ **Tenter** (4.). *Faire une tentative auprès de qqn*, essayer d'obtenir de lui quelque chose. ⇒ **Avance** (6.), **démarche**. *La, les tentatives de qqn. Tentative d'évasion* (cit. 2), *d'exploration* (cit. 4) ; *de contrôle, de vérification* (épreuve, expérience) ; *de crime, de meurtre* (⇒ **Attentat, attenter**), *de suicide* (→ Jouer, cit. 11 ; survivre, cit. 9). *Tentative de percée* (cit.), à la guerre. *Tentative de record* (sports). *Une tentative de domination* (cit. 2), *de réconciliation* (cit. 5) *universelle. La tentative des réformateurs politiques de 1789* → Peser, cit. 5. *Tentative pour obtenir...* (→ Entretenir, cit. 10). *L'issue d'une tentative* (→ Sceptique, cit. 4). *Tentative inutile* (→ Préciosité, cit. 5), *nulle* (cit. 14), *vaine* (→ Opposer, cit. 10) : échec (cf. Un coup d'épée dans l'eau). *Avortement* (cit. 5) *d'une tentative. Échouer dans une tentative. Dernière, suprême tentative* (→ La dernière carte* ; et aussi fléchir, cit. 11).

1   Les tentatives d'évasion de Jean Valjean, successives et obstinées, suffiraient à prouver cet étrange travail fait par la loi sur l'âme humaine.
                HUGO, les Misérables, I, II, VII.

2   Après deux tentatives pour se rapprocher de Tartarin, Bompard y renonça de force.   Alphonse DAUDET, Tartarin sur les Alpes, XII.

(1810). Dr. Effort fait en vue de commettre une infraction, que la loi punit lorsqu'il s'est manifesté (commencement d'exécution) et n'a manqué son but que par suite de circonstances indépendantes de la volonté de son auteur. *Tentative d'homicide.* — Procéd. *Tentative de conciliation* * (2.).

♦ **2.** Résultat d'une tentative (⇒ **Essai,** II.). *Les chefs-d'œuvre* (cit. 3) *sont des tentatives heureuses. Tentatives imparfaites, maladroites* (⇒ **Balbutiement, bégaiement**).

1. TENTE [tãt] n. f. — 1150, *Eneas* ; du fém. *tenta* du p. p. *tentus* (ou **tenditus,* forme pop.), du v. *tendere.* → **Tendre.**

★ **I.** ♦ **1.** Abri fait d'une matière souple tendue sur des supports rigides, et servant de couvert, d'habitation provisoire et transportable... ⇒ **Pavillon** (vx). *Tente d'étoffe, de coutil, de toile. Tente individuelle, collective. Groupe de tentes* (⇒ **Campement**). *Toile* * *de tente. Entrée, porte* (→ Ficher, cit. 2) ; *mâts, piquets* (1. Piquet, cit. 1) *d'une tente. Dresser, monter, planter* (cit. 9) *sa tente quelque part* (au fig., s'y installer). *Démonter, plier* (cit. 4) *sa tente* (→ Grâce, cit. 96). *Sous la tente* (→ Habiter, cit. 11). *Lit surmonté d'une tente* (→ Palanquin, cit. 2). *Tentes de marchands, dans une foire, un marché. Tente conique d'un cirque.* ⇒ **Chapiteau.**

1   Des flambeaux intérieurs faisaient briller comme une étoile l'une des dernières tentes du camp ; on distinguait en approchant cette petite pyramide blanche et transparente ; sur sa toile se dessinaient deux ombres qui allaient et venaient.
                A. DE VIGNY, Cinq-Mars, XXIV.

2   Caïn dit (...)
« Étends de ce côté la toile de la tente. »
Et l'on développa la muraille flottante (...)   HUGO, la Légende des siècles, II, II.

Spécialt. **a** Abri des soldats d'une armée en campagne (⇒ **Guitoune**). → Portant, cit. 1 ; section, cit. 4. *Les tentes des armées grecques, romaines.* — Loc. fig. *Se retirer sous sa tente* : se tenir à l'écart, abandonner une cause par dépit, par allus. à Achille qui, irrité contre Agamemnon, se tint à l'écart des combats *(Iliade).*

b Abri servant d'habitation aux peuples nomades (cit. 1 et 5 ; → aussi Bondir, cit. 2). *Un douar* (cit. 1) *de quinze ou vingt tentes. Tentes et gourbis* (cit. 1). *Les tentes de la smala* (cit. 1). *Tentes des anciens Hébreux.* ⇒ **Tabernacle** (1.).

3   Mais le caïd est placé sous l'autorité du chef indigène, l'agha ou le bach-agha. Si ce chef est de grande tente, d'une illustre famille respectée au désert, son influence alors est illimitée.   MAUPASSANT, Au soleil, La Kabylie.

c Abri mobile utilisé par les explorateurs, les voyageurs, et de nos jours les campeurs. *Tente de camping* *.

4   Je découvris les joies du camping. J'étais toujours émue, le soir, quand j'apercevais les tentes dressées sur l'herbe d'un pré (...)
            S. DE BEAUVOIR, la Force de l'âge, p. 205.

(xxᵉ). Méd. *Tente à oxygène* : sorte d'abri étanche où l'on place la tête du patient et où l'on établit une circulation d'oxygène.

♦ **2.** (1622). Mar. Toile que l'on tend au-dessus du pont. ⇒ **Taud, tendelet.** *Tente de gaillard d'avant.* ⇒ **Marsouin** ; et aussi **vélum.**

★ **II.** (1845). Anat. Prolongement de la dure-mère, entre le cerveau et le cervelet (*tente du cervelet.* ⇒ **Tentoriel**) ; repli de la dure-mère recouvrant l'hypophyse *(tente hypophysaire).*

COMP. Tente-abri, tente-caravane.
HOM. Tante, 2. tente, 3. tente.

2. TENTE [tãt] n. f. — 1271 ; déverbal de 1. *tendre.*

♦ **1.** Rare. Action de tendre (spécialt, un filet de pêche).

♦ **2.** Ce que l'on tend (filet, en particulier). **a** Pêche. Filet en nappe formant barrage, destiné à guider le poisson vers une nasse.

b Chasse. Filet à oiseaux.

HOM. Tante, 1. tente, 3. tente.

3. TENTE [tãt] n. f. — xivᵉ ; dér. de *tenter,* au sens vx de « sonder ».

♦ Méd. (Ancienn). Faisceau de charpie, grosse mèche qui servait à sonder les plaies.

HOM. Tante, 1. tente, 2. tente.

TENTE-ABRI [tãtabʀi] n. f. — V. 1840 ; de *tente,* et *abri.*

♦ Tente légère, individuelle (→ Caisse, cit. 2). *Des tentes-abris.*

TENTE-CARAVANE [tãtkaʀavan] n. f. — Mil. xxᵉ ; de *tente,* et *caravane.*

♦ Caravane pliable dont les parois, et parfois le toit, sont en toile. *Des tentes-caravanes.*

1. TENTER [tãte] v. tr. — 1120, *tenter Dieu* ; « éprouver, solliciter ; sonder » (une plaie), 1250 ; empr. lat. *temptare* « toucher ; examiner, sonder », confondu avec *tentare* « agiter », fréquentatif de *tendere* « tendre ».

♦ **1.** Vx. Faire apparaître par une épreuve les qualités et les défauts, la valeur de (qqn). ⇒ **Éprouver.** *« Dieu tenta Abraham »* (Bible, *Genèse,* XXII, 1), il mit sa fidélité à l'épreuve. Absolt. *« Dieu tente, mais il n'induit* (cit. 8) *pas en erreur ».* — (Compl. n. de chose). *Tenter la libéralité* (→ Fleurir, cit. 27), *la patience* (1. Patience, cit. 1), *la pitié de qqn* (→ Inexorable, cit. 2).

Loc. mod. (Littér.). *Tenter Dieu* : tenter sa bonté, sa patience, par des prières inconsidérées, et, par ext., se mettre dans une situation périlleuse (dont on ne pourrait sortir que par miracle). — *Tenter le diable* (même sens). *Tenter la chance, la fortune, le sort,* les mettre à l'épreuve en agissant avec audace. ⇒ **Défier** (→ ci-dessous, le sens 5).

1   Ne savais-tu donc pas que, sur sa tempe ardente,
Ta main de jour en jour se posait plus tremblante,
Et que c'est tenter Dieu que d'aimer la douleur ?
        A. DE MUSSET, Poésies nouvelles, À la Malibran, XXIII.

2   Vous qui tentez la foudre avec vos fronts altiers.
     Albert SAMAIN, le Chariot d'or, « Symphonie héroïque », Forêts.

♦ **2.** (*Tempter,* 1112). Essayer d'entraîner au mal, au péché (qqn). ⇒ **Induire** (en tentation), **solliciter** (au mal). *Le démon tenta Ève. Si le diable vous tente...* (→ Apparier, cit. 2). *Tenter les autres* (→ 1. Son, cit. 9). — *« Ce qui nous est défendu* (cit. 43)*... n'est pas d'être tentés, mais de nous laisser vaincre aux tentations. »*

3   Alors Jésus fut conduit par l'Esprit dans le désert, pour être tenté par le diable.
      BIBLE (SACY), l'Évangile selon saint Matthieu, IV, 1.

(V. 1370). Sujet n. de chose. Constituer une tentation, une incitation au péché, en éveillant le désir. *La pomme qui tenta Ève* (→ Allégorie, cit. 2). *Un dindon dont le fumet* (cit. 1) *aurait tenté un saint.* — Spécialt (en parlant du désir amoureux). → Haut, cit. 74. Absolt. *Le nu antique tente* (→ Luxure, cit. 4).

4   Dieu, à son avis, n'avait créé la femme que pour tenter l'homme et l'éprouver.
           MAUPASSANT, Clair de lune, p. 9.

Spécialt et vx. Essayer de séduire, de corrompre (qqn).

Vx. *Tenter à...* : entraîner (au mal). ⇒ **Inciter, pousser.** *« À quel affreux dessein vous laissez-vous tenter ? »* (Racine, *Phèdre,* I, 3).

♦ **3.** (xiiiᵉ). Éveiller le désir, l'envie de (qqn). ⇒ **Allécher, attirer, envie** (faire), **inviter** (au plaisir), **séduire, solliciter** (→ Offrir, cit. 16). *Ce ruban* (cit. 2) *me tenta, je le volai. Ça ne me tente guère.* ⇒ **Plaire.** — Vx. *Tenter qqn de qqch., de faire qqch. Être tenté de l'argent* (→ Intermédiaire, cit. 5). *On dirait de nos jours par l'argent.* ⇒ **Désirer.** — (Mil. xviiᵉ). *Se laisser tenter à...* (vx), *par... :* céder à (une envie, un désir). *Laissez-vous tenter par la fortune de chaque jour* (→ Facile, cit. 18). *Allons, laissez-vous tenter !* (à table, en présentant un plat, etc.).

5   (...) les objets du dehors nous tentent d'eux-mêmes et nous appellent, quand même nous n'y pensons pas.   PASCAL, Pensées, VII, 464.

Passif ou p. p. *Être tenté, très tenté :* avoir envie d'une chose. Spécialt (en parlant d'un acheteur, d'un client). ⇒ Indécis, cit. 12. *Des clients tentés.*

(Dans un sens affaibli). Avoir envie, besoin de..., tendance à... (→ Glace, cit. 26). *Les identifications* (cit. 1) *qu'on pourrait être tenté d'établir. Être tenté de croire, de penser...* (→ Indirect, cit. 2 ; malheureux, cit. 22).

♦ **4.** Commencer, en vue de réussir ; essayer (⇒ **Essayer ; tentative**). *Tenter une action téméraire.* ⇒ **Oser.** *Tenter le tout pour le tout :* risquer de tout perdre pour tout gagner. ⇒ **Risquer.** *Tout tenter pour...* (→ Épouvanter, cit. 1). *Tenter une aventure* * (→ Cadet, cit. 1 ; mince, cit. 9), *une entreprise* (cit. 4), *une opération* (→ Envergure, cit. 6). *Tenter une démarche* (cit. 9), *une expérience* (→ Grand, cit. 85). — Vx. *Tenter un remède,* l'essayer. — *Tenter des choses impossibles* (cit. 2 et 5), *l'impossible* (cit. 25). *Qui ne tente rien n'a rien.* ⇒ **Hasarder, risquer.** — *Tenter ou consommer un attentat* (cit. 7 et 8) *à la pudeur.* ⇒ **Tentative.**

Vx. Essayer de mener à bien, de résoudre (une chose déterminée). *Tenter l'histoire de la poésie, du drame* (cit. 1).

Absolt. Décider, tenter et exécuter. *« On tente, on veut tout faire »* (→ 2. Expédient, cit. 1).

(1670). **TENTER DE...,** suivi de l'inf. ⇒ **Aviser** (s'), **chercher** (à), **efforcer** (s'), **essayer, éventuer** (s'). *Tenter de battre un record d'altitude* (cit. 2). → aussi Forme, cit. 76. *Tenter de s'enfuir* (→ Évasion, cit. 2). *Tenter de donner la mort.* ⇒ **Attentat, attenter.**

6   Il tentait alors de reprendre ses esprits et de venir à bout de la terreur qui le traquait.   Francis CARCO, l'Homme traqué, p. 34.

7   Les habitants sont réduits à utiliser le bois mort pour en faire du charbon qu'ils tentent ensuite d'aller vendre à Dellys. Je dis qu'ils le tentent, car ils ne possèdent pas de permis de colportage (...)   CAMUS, Actuelles III, p. 44.

(Sens affaibli). Tenter de montrer, de prouver, vouloir le faire. *Nous avons tenté de démontrer dans ce livre...*

♦ **5.** Essayer de rendre favorable, heureuse (une suite d'événements dont l'issue n'est pas certaine). *Tenter la, sa chance :* tenter de gagner, de réussir.

♦ **6.** Vx et littér. Essayer d'aller dans..., par... *« Partout, il tenta des asiles »* (La Fontaine, *Fables,* IX, 14). *Tenter une route* (→ Bronze, cit. 5 ; enrichir, cit. 11, par métaphore).

▶ **TENTÉ, ÉE** p. p. adj. Spécialt. Voir ci-dessus, *infra* cit. 5.
COMP. **Retenter.**
HOM. 2. **Tenter.**

2. TENTER [tãte] v. tr. — 1869 ; de 1. *tente.*

♦ Rare. Couvrir d'une tente, d'une banne, pour protéger. *Tenter des marchandises.*
HOM. 1. **Tenter.**

TENTHRÈDE [tãtʀɛd] n. f. — 1803, Boiste ; lat. sc. *tenthredo* (1748, Linné), du grec *tenthrêdôn* «sorte de guêpe».

♦ Zool. Insecte hyménoptère de la famille des *Tenthrédinidés* ou «mouches à scie». *Les tenthrèdes* (et les autres tenthrédinidés : hylotome, etc.) *mangent les feuilles des végétaux. Tenthrède de la rave, de la vigne.*

TENTORIEL, ELLE [tãtɔʀjɛl] adj. — Mil. xxᵉ (*in* Garnier et Delamare, 1959) ; formation savante, sur le rad. du lat. *tentorium (cerebelli)* «tente (du cervelet)».

♦ Anat. Relatif à la tente du cervelet.
COMP. **Sous-tentoriel, sus-tentoriel.**

TENTURE [tãtyʀ] n. f. — 1538, réfection de l'anc. franç. *tendeüre,* dér. de *tendre,* d'après 1. *tente.*

♦ **1.** ⓐ *(Une, des tentures).* Ensemble des éléments destinés à décorer les murs d'une pièce, d'une salle (→ Détendre, cit. 6). *Motif, dessin, fleurage d'une tenture. Tenture formée d'une suite de tapisseries, de pièces de cuir gaufré,* etc. — Par métaphore. *« La tenture noire des fumées de la cité »* (→ 1. Feu, cit. 62).

1 Outre une bibliothèque contiguë à sa chambre, il avait un boudoir auquel il tenait fort, réduit galant tapissé d'une magnifique tenture de paille fleurdelysée et fleurie (...) HUGO, les Misérables, III, II, II.

ⓑ *(La tenture).* Ce qui sert à tapisser. *Étoffe de tenture, papier de tenture* (→ Quinconce, cit. 2).

♦ **2.** (1589). Pièce (de tissu, de cuir, de papier, etc.) fixée ou non au mur et servant d'élément de décoration. ⇒ **Tapisserie.** *Les tentures d'un baldaquin*, d'une porte* (⇒ **Portière**). *Tenture drapée.* ⇒ **Draperie, rideau.** *Cordon retenant une tenture. Tentures de cretonne, de velours. Tentures lourdes* (→ Feutrer, cit. 5). *Soulever la tenture* (d'une portière). → Enfilade, cit. 2.

2 (...) il y avait tant de rideaux, de tentures, de paravents, de draperies et de tapis pour défendre à l'air extérieur de s'introduire par la moindre fissure (...) G. SAND, Histoire de ma vie, III, II.

Spécialt. *Tentures funèbres* (cit. 1) : tentures noires qu'on pose à la porte du domicile du défunt et à l'entrée de l'église.

♦ **3.** (1690). Vx. Le fait de tendre les tapisseries, de tapisser une pièce.
DÉR. **Tenturer.**

TENTURER [tãtyʀe] v. tr. — Fin xixᵉ, tenturé ; de *tenture.*

♦ Décorer d'une tenture ; tapisser, tendre. — Au p. p. *« Une étude d'huissier, toute tenturée d'affiches pisseuses »* (Romains, *les Hommes de bonne volonté,* t. XI, p. 188).

Les unes *(les pièces)* attristent, bien que claires, blanches et dorées ; d'autres égayent, bien que tenturées d'étoffes calmes. MAUPASSANT, l'Inutile Beauté, «Un portrait».

TENU, UE [t(ə)ny] adj. et n. m. ⇒ **Tenir.**

TÉNU, UE [teny] adj. — 1515 ; *tennue,* 1356 ; lat. *tenuis* (→ Atténuer, exténuer), qui avait donné naissance à la forme pop. *tenve,* attesté dès le xiiᵉ.

Littéraire ou style soutenu.

♦ **1.** Qui est très mince, très fin, de très petites dimensions. *Rendre ténu.* ⇒ **Exténuer** (*supra* cit. 1, vx). *Fil ténu.* — Vx. *En géométrie, une ligne droite est infiniment* (cit. 2) *ténue.* — *Particules, molécules ténues* (→ Incrustation, cit. 2, Buffon). *Les guipures légères*

et ténues du gothique. ⇒ **Délicat** (→ 1. Chant, cit. 3). — Par métaphore :

Déjà je perds le fil ténu de ma pensée. ARAGON, le Roman inachevé, p. 170.

♦ **2.** Vx. Peu dense, subtil. *Vapeurs ténues.* — Mod. *Brume ténue, légère.* ⇒ **Impalpable.**

♦ **3.** (Sons). Qui s'entend à peine. Fig. *Quelques notes extrêmement ténues d'un timbre quasi enfantin.* ⇒ **Frêle** (*supra* cit. 11 ; → 1. Fausset, cit. 4). — (1680). Vx. *Consonnes ténues :* consonnes muettes.

♦ **4.** (1845) Abstrait. À peine perceptible. *Des causes si diverses, si multiples, si ténues* (→ Dénombrer, cit. 2). *Des nuances si ténues de sentiment.* ⇒ **Délié, subtil** (III. ; → Émotionnel, cit. 3). *Distinction ténue entre deux choses presque semblables.* ⇒ **Fragile** (*supra* cit. 9).
CONTR. **Compact, dense, épais, grossier.**

TENUE [t(ə)ny] n. f. — 1156, «tenure» (féod.) ; p. p. substantivé de *tenir.*

A. ♦ **1.** Féod. Le fait de tenir* (I. 5.) un fief ; le fief lui-même. *Tenue noble.* ⇒ **Tenure** (1.).

♦ **2.** (xviᵉ). ⓐ Vx. Continuité, durée, suite. *« Cet été la chaleur n'est pas de tenue. Le temps n'a point de tenue »* (Littré). *« Une tenue incroyable dans les idées »* (Diderot). — Loc. (1636, «d'une tenue»). *Tout d'une tenue, d'une seule tenue :* sans interruption.

ⓑ (1690). Mus. «Continuation d'un même son sur une touche, tandis que les autres parties font d'autres accords» (Furetière). ⇒ **Pédale** (*infra* cit. 2). — Émission prolongée d'un son. *La tenue des trémolos de violon* (→ Phrase, cit. 18). *Les tenues d'un chanteur.*

1 Les Lyonnais font venir une troupe italienne qui va débuter incessamment. Ils applaudiront les *tenues* trop prolongées de madame Persiani. STENDHAL, Mémoires d'un touriste, t. I, p. 167.

ⓒ Phonét. Phase de l'articulation d'un phonème pendant laquelle les organes vocaux conservent la même position (entre la phase de *tension** et la fin de l'articulation du phonème ou *détente*).

ⓓ Fin. Fermeté du cours d'une valeur boursière.

ⓔ (1885, *in* Petiot). Qualité d'un cheval qui est capable de soutenir un effort prolongé, qui a de la résistance sur une longue distance. ⇒ **Fond.** *Ce cheval n'a pas de tenue. Cheval de tenue.*

♦ **3.** (Déb. xviiᵉ). Didact. Le fait de tenir séance ; la durée d'une audience, d'une séance, d'une réunion. *Tenue d'états* (cit. 96, La Bruyère). — Assemblée de francs-maçons. *Tenue d'une loge.*

1.1 Avant la fin de l'année scolaire, j'assistai en tout à cinq ou six «tenues» de la loge, mais j'avoue ne m'être jamais senti tout à fait à l'aise dans ce milieu feutré (...) Raymond ABELLIO, les Militants, p. 117.

♦ **4.** Le fait ou la manière de tenir (I., 1.), de maintenir en place, d'être tenu ou maintenu.

(1680). Mar. Qualité du fond d'un mouillage, du point de vue de l'ancrage. *Fond, rade de bonne tenue.* — Fixation, assujettissement d'un mât au moyen des étais et des haubans. — Équit. Assiette* ferme du cavalier sur son cheval. *Il n'a pas de tenue à cheval.* — *Cette selle a une bonne tenue :* il est facile de s'y tenir ferme.

♦ **5.** (Mil. xixᵉ). Le fait, la manière de tenir* (I., 8.), d'administrer, de gérer, de commander (une maison, un groupe, un organisme, un établissement, etc.) ; la manière dont la discipline, l'économie... y sont assurées. ⇒ **Discipline, ordre** (*supra* cit. 16). *Veiller à la bonne tenue d'un établissement.*

2 La vertu du bourgeois consistait *(au xviᵉ siècle)* à régler ses dépenses d'après ses ressources, et même à obtenir un excédent de recettes. Cet idéal explique le sens pris en français par les mots qui désignent la tenue d'une maison : *ménager* (tenir un ménage) a signifié *épargner; économie* (règle de la maison) est devenu synonyme d'*épargne.* Ch. SEIGNOBOS, Hist. sincère de la nation franç., XIII.

Le fait, la manière de tenir la comptabilité, les livres de compte. *La tenue de la comptabilité* (cit.) *en partie double.*

3 Ancien teneur de livres au Trésor quand le Trésor avait des livres tenus en parties doubles, le sieur Saillard fut indemnisé par sa place actuelle quand on y renonça. C'était un gros et gras bonhomme très fort sur la tenue des livres et très faible en toute autre chose. BALZAC, les Employés, Pl., t. VI, p. 897.

B. Le fait de bien se tenir ; la manière dont on se tient. ♦ **1.** (Fin xviᵉ). Dignité de la conduite, correction des manières. ⇒ **Correction, décence;** et aussi **distinction** (4.). *Avoir de la tenue. Manquer de tenue.*

4 (...) elle souhaitait me donner de la *tenue* et me faire perdre l'invincible laisser-aller de ma nature (...) Il ne fallait plus se rouler par terre, rire bruyamment, parler berrichon. Il fallait se tenir droite, porter des gants, faire silence ou chuchoter bien bas dans un coin avec Ursulette. G. SAND, Histoire de ma vie, II, XVI.

Un peu de tenue! : tenez-vous bien, surveillez vos manières.

4.1 (...) qu'ils se relèvent maintenant, qu'ils époussettent leurs vêtements, remettent leurs chapeaux, allons, un peu de tenue (...) N. SARRAUTE, le Planétarium, p. 40.

Spécialt. (Dans le domaine littéraire, intellectuel). Attitude caractérisée par le refus de céder à la vulgarité, à la facilité, à la complaisance envers les faits scandaleux... *Quotidien qui manque de tenue.*

Écrivain qui a toujours eu une belle tenue littéraire (→ Obscurité, cit. 13).

5 Même parmi les débutants, il flaire tout de suite à qui il a affaire. D'où, malgré tant de complaisances et d'obligations, la tenue surprenante de sa revue (...)
J. ROMAINS, les Hommes de bonne volonté, t. IV, XXII, p. 242.

♦ **2.** Manière (bonne ou mauvaise) de se conduire, de se tenir. *La mauvaise tenue de ces élèves. Bonne tenue en classe, à table, à un office religieux.*

6 (...) je crus remarquer qu'elle faisait exprès de parler haut et d'avoir une mauvaise tenue en revenant de l'infirmerie.
Valery LARBAUD, Enfantines, Rose Lourdin.

Attitude* du corps. ⇒ **Maintien** (*supra* cit. 1). *Mauvaise tenue d'un écolier courbé sur ses cahiers.*

7 (...) toute ma tenue, toute mon attitude, le courbement commençant de mes épaules, cette voûte commençante, l'inclinaison de la tête sur la nuque (...)
Ch. PÉGUY, la République..., p. 265.

♦ **3.** (1798). Cour. [a] Manière dont une personne est habillée ; son aspect, sa « présentation » (4.). ⇒ **Allure, équipage** (II., 3., vx), **extérieur** (B., II., 2.), **habillement** (*supra* cit. 3), **mine** (1. Mine, *supra* cit. 1), **mise.** *Tenue convenable, correcte, décente, impeccable, débraillée, négligée, minable. Une tenue correcte est de rigueur. Rien ne cloche dans sa tenue* (→ aussi 1. Garde, cit. 58).

8 Au moins, Chantilly porte noblement sa misère ; comme ces vieux gentilshommes au linge blanc, à la tenue irréprochable, il a cette fière attitude qui dissimule le chapeau déteint ou les habits râpés (...) NERVAL, Promenades et souvenirs, VIII.

[b] Ensemble des vêtements et des accessoires qui constituent l'habillement particulier à une profession, à une activité quelconque ; le costume qu'on revêt en certaines circonstances. *La tenue du sans-culotte se composait d'un pantalon* (cit. 3) *à pont et d'une carmagnole.* ⇒ **Accoutrement** (péj.), **costume, habit** (vieilli). *Femme en tenue de ménagère* (→ Inoccupé, cit. 3). *Tenue de voyage. Tenue de sport. Tenue de ville. Tenue d'apparat* (cit. 2), *de gala, de cérémonie. Tenue de soirée : habit* (*supra* cit. 22) *ou smoking. Tenue de soirée de rigueur.* — Spécialt. *Tenue militaire.* ⇒ **Uniforme.** *Tenue de service, de sortie, de combat, de campagne** (*supra* cit. 3). Argot milit. *Tenue de combat* (se dit, par ext., de la punition qui consiste à revêtir la tenue complète du combattant et à se présenter ainsi devant un supérieur). *Tenue de vol d'un aviateur* (→ Serre-tête, cit. 3). *La tenue « léopard » des parachutistes,* en toile de camouflage. *Tenue d'hiver, d'été. Tenue n° 1, n° 2. Petite tenue. Se mettre en grande tenue* (→ Hausse-col, cit. 2). Loc. Absolt. EN TENUE. *Se mettre en tenue :* revêtir la tenue exigée pour le service ou le travail ordonné. ⇒ **Équiper** (s'). *Mettez-vous en tenue et vous prendrez le commandement* (cit. 11) *de la patrouille.* — Fam. *Petite tenue, tenue légère,* d'une personne peu vêtue.

9 (...) jeudi prochain je viens vous prendre ; souliers et bas de soie, tenue de rigueur !
MÉRIMÉE, la Double Méprise, III.

9.1 En tenue de campagne, les hommes descendaient de wagon avec leurs sacs, leurs casques, leurs fusils-mitrailleurs et se rangeaient par quatre à la sortie des quais (...) Francis CARCO, les Belles Manières, p. 32.

9.2 Je ne m'étais pas fait beau hier soir, comme le billet m'y invitait (tenue de soirée recommandée), pour aller à l'Opéra-comique.
F. MAURIAC, Bloc-notes 1952-1957, p. 82.

10 (...) les variations infinies des tenues pauvres, où se mêlent la campagne et l'atelier, les casquettes à haut pont, les feutres informes, le bonnet à gland, les blouses (...) enfin la veste tachée de plâtre du maçon à côté du tablier de cuir des teinturiers, une houppelande de berger ou de cocher (...)
ARAGON, la Semaine sainte, X.

♦ **4.** (1908, *in* Petiot). Cour. TENUE DE ROUTE : manière dont une voiture tient* (I., 7.) la route, aptitude d'un véhicule à se maintenir dans la direction commandée par le conducteur. *Bonne, mauvaise tenue de route d'une automobile.* — Techn. *Tenue de cap :* stabilité de la trajectoire en ligne droite pour une automobile.

♦ **5.** Techn. Lieu où qqch., un animal se tient. — Spécialt. Endroit où le poisson se tient souvent.

TÉNUI- Premier élément de mots didact., du lat. *tenuis* « fin ». ⇒ **Ténu** (ex. : *ténuicorne,* 1872, Littré ; *ténuiflore,* 1842, Académie).

TÉNUIROSTRES [tenɥirɔstʀ] n. m. pl. — 1800, Cuvier ; du lat. *tenuis* « fin », et suff. *-rostre.*

♦ Zool. Sous-ordre de passereaux à bec fin et long. — Au sing. *Un ténuirostre.*

Adj. *Oiseau ténuirostre.*

TÉNUITÉ [tenɥite] n. f. — 1377 ; lat. *tenuitas ;* l'anc. franç. avait les formes *tenveté, tenvreté* (XIIᵉ) ; de *tenuis.* → Ténu.

♦ **1.** Littér., didact. Caractère de ce qui est ténu. ⇒ **Minceur ;** et aussi **amenuisement, délicatesse.** *La ténuité extrême des vaisseaux capillaires.* — Vx. Caractère d'une substance très peu dense.

1 (...) la matière travaillée graduellement et subtilisée par un principe de vie, doit passer de l'état passif et brute *(sic),* à ce point d'élaboration, qui la rendra enfin susceptible d'être imprégnée de feu, et pénétrée de lumière.
É. DE SENANCOUR, Oberman, LXXXV.

(...) rien en elle, hors une ténuité de souffle et une mince haleine fébrile, ne trahissait le venin si présent de la mort. SAINTE-BEUVE, Volupté, XXV. 2

Certaines enveloppes de fruits lui fournissaient des filaments d'une extrême ténuité, avec lesquels il exécutait lui-même un tissu plus fin que les toiles d'araignée, mais suffisamment résistant pour arrêter les moustiques au passage.
Raymond ROUSSEL, Impressions d'Afrique, p. 254. 3

♦ **2.** Par métaphore, fig. *Une grande finesse* (cit. 4) *d'observation qui va parfois jusqu'à la ténuité.*

Entre eux deux, il sentait s'effacer un chemin de compréhension, s'évanouir un lien dont la ténuité annonçait la rupture définitive. M. AYMÉ, Travelingue, p. 8. 4

TENURE [tənyʀ] n. f. — 1156, *teneüre ;* de *tenir.*

♦ **1.** Féod. et dr. anc. Mode de concession d'une terre ; cette terre elle-même. ⇒ **Possession** (*supra* cit. 6). *Tenure noble, féodale,* concédée par un seigneur à un autre (⇒ **Fief**). *Tenure roturière, servile.* — Relation de dépendance d'un fief par rapport à un autre. ⇒ **Mouvance** (I.). *« Cette terre était dans la tenure, de la tenure de tel comté, de tel duché »* (Académie).

La tenure est caractérisée par le fait que les attributs de la propriété sont partagés entre deux personnes, le concédant et le tenancier.
P.-C. TIMBAL, Histoire des institutions, 2ᵉ année, p. 45.

♦ **2.** (1839). Techn. Trou qu'on pratique dans un bloc d'ardoise en vue d'y introduire un coin.

CONTR. Alleu.

TENUTO [tenuto] adv. — 1788 ; mot ital. signifiant « tenu ».

♦ Mus. Mot qu'on place au-dessus d'un passage pour indiquer que les sons doivent être soutenus, pendant toute la durée de leur émission (on dit aussi *sostenuto*). — Abrév. : *ten.*

TÉOCALLI [teɔkali] n. m. — 1846 ; mot mexicain, de *teotl* « dieu », et *calli* « maison ».

♦ Archéol. Chez les Aztèques, Pyramide tronquée à quatre côtés, portant un temple et un autel sur son sommet. *Les Aztèques offraient des sacrifices humains sur les téocallis.*

TÉORBE [teɔʀb] n. f. ⇒ **Théorbe.**

TEP [tɛp ; teϕpe] n. f. invar. — 1979, *la Recherche ;* sigle.

♦ Techn. Tonne d'équivalent pétrole, unité de mesure thermique équivalant à la quantité de thermies produite par une tonne de pétrole, et appliquée à d'autres sources d'énergie.

TEPHILLIM ou **TÉPHILLIM** [tefilim] n. m. pl. — 1904, *téphilin ;* empr. hébreu *t'phillim,* plur. de *t'phillah* « prière ».

♦ Didact. (relig.). Bandes de cuir qui contiennent des versets de la Bible et que les Juifs portent à leur front et à leur bras gauche pendant qu'ils disent leurs prières.

TEPHRITE [tefʀit] n. f. — 1876 ; dér. sav. du grec *tephra* « cendre », et suff. *-ite.*

♦ Minér. Roche volcanique microlithique, variété de basalte constituée de feldspath et d'un feldspathoïde.

TÉPHROSIE [tefʀozi] n. f. — 1827 ; lat. bot. *tephrosia,* du grec *tephra* « cendre », à cause de l'aspect duveté et cendré de cette plante.

♦ Bot. Genre de plantes exotiques (*Légumineuses, Papilionacées*) comprenant des arbres, des arbrisseaux et des plantes herbacées, dont une espèce fournit un indigo apprécié et une autre un insecticide. *La téphrosie est parfois cultivée en serre pour ses grandes grappes de fleurs rouges.*

TEPIDARIUM ou **TÉPIDARIUM** [tepidaʀjɔm] n. m. — 1765 ; mot lat., dér. de *tepidus* « tiède ».

♦ Antiq. Chez les Romains, Partie des bains (cit. 8) dans laquelle on maintenait une température modérée et qui servait de transition entre le *caldarium* et le *frigidarium.*

TÉPIDE [tepid] adj. — 1552 ; lat. *tepidus.* → Tiède.
Vieux ou littéraire.

♦ **1.** Tiède.

(...) tout ce temps de ciel couvert au fond d'une humidité tépide, me jette dans une tristesse, dans un ennui (...)
Ed. et J. DE GONCOURT, Journal, 6 juil. 1879, t. VI, p. 60.

♦ **2.** Fig. Qui manque de caractère.

DÉR. Tépidité.

TÉPIDITÉ [tepidite] n. f. — 1354 ; empr. lat. *tepiditas*, de *tepidus*.
→ Tépide.

♦ Vx. Tiédeur (au propre et au fig.).

TEQUILA [tekila] n. m. — Mil. xxᵉ ; de *(l'agave) tequilana* du district de *Tequila*, au Mexique.

♦ Alcool d'agave, liqueur couramment consommée au Mexique. *On boit le tequila avec une pincée de sel et un citron.*

1 (...) nous avons flâné sur l'avenue Jalisco (....) nous avons rôdé dans la zone et bu du tequilla *(sic)* dans les bars mal famés.
S. DE BEAUVOIR, les Mandarins, p. 437 (1954).

2 — Téquila *(sic)*, c'est quoi ?
— Mexicain. Ça se boit avec un citron et une pincée de sel qu'on se met sur le dos de la main et qu'on lèche, c'est plutôt violent !
Pierre GOMBERT, le Prix d'un taxi, p. 32.

TER [tɛʀ] adv. et adj. — 1842 ; mot lat. signifiant « trois fois ».

♦ **1.** Adv. (Mus.). Indique qu'un passage, un refrain... doit être exécuté trois fois.

♦ **2.** Adj. (1854). Se place après un numéro pour indiquer que celui-ci est précédé de deux autres numéros semblables (surtout employé dans la numérotation des immeubles d'une voie). *Le douze, le douze bis et le douze ter de la rue Émile-Zola.*

HOM. Taire, terre.

TÉRA- Élément, du grec *teras* (→ Térato-), qui indique la multiplication par un million de millions (10¹²), → Méga-, et, par ext., par un très grand nombre.

TÉRAGONE [teʀagɔn ; teʀagɔn] n. m. — D. i. (xxᵉ) ; de *téra-*, et *(poly)gone*.

♦ Didact. Polygone à un très grand nombre de côtés.

TÉRAPHIM [teʀafim] n. m. pl. — 1876 dans les dict., mais probablt très antérieur (1382, Wycliff en anglais) ; mot hébreu, pluriel de *teraph*.

♦ Didact. Talisman que l'on faisait tourner sur lui-même. — Var. : *théraphim* (Renan).

TÉRASPIC [teʀaspik] n. m. — 1769 ; altér. de *thlaspi* (1553), d'après *aspic*.

♦ Régional. Ibéride (plante).

TÉRATISME [teʀatism] n. m. — xxᵉ ; dér. sav. du grec *teras, atos* (→ Térato-), et suff. *-isme*.

♦ Pathol. Anomalie ou monstruosité congénitale.

TÉRATO- Élément (tiré du grec *teras, teratos* « monstre ») qui entre dans la composition de mots savants.

TÉRATOBLASTOME [teʀatoblastom] n. m. — Mil. xxᵉ ; de *térato-, blasto-*, et *-ome*.

♦ Pathol. Tumeur malformative congénitale d'évolution maligne.

TÉRATOGÈNE [teʀatoʒɛn] adj. — 1904 ; *tératogénie*, 1842 (→ Tératogenèse) ; de *térato-*, et *-gène*.

♦ Méd. Qui, par son action sur l'embryon, peut produire un monstre *(supra* cit. 1). *Médicament tératogène. Radiations tératogènes.*

TÉRATOGENÈSE [teʀatoʒənɛz ; teʀatoʒenɛz] n. f. — 1897 ; de *térato-*, et *genèse.*

♦ Biol. Formation et développement in utero d'anomalies aboutissant à des malformations ou à des monstruosités. ⇒ **Tératogénie.**

À quoi sert-il de faire des monstres ? Mais, d'abord, à s'en procurer, pour en approfondir l'étude : la tératogenèse, comme la chimie, crée son propre objet.
Jean ROSTAND, Réponse au discours de réception d'E. Wolff à l'Académie, 19 oct. 1972, *in* le Monde, 20 oct. 1972, p. 21.

DÉR. Tératogénétique.

TÉRATOGÉNÉTIQUE [teʀatoʒenetik] adj. — 1897, in *l'Année biol.* ; *tératogénique*, 1877 ; de *tératogenèse.*

♦ Biol. De la tératogenèse.

TÉRATOGÉNIE [teʀatoʒeni] n. f. — 1842, Mozin ; de *térato-*, et *-génie.*

♦ Biol. Production de monstres. ⇒ **Tératogenèse.**
La tératogénie se ramène intégralement à des anomalies de formation et de différenciation des ébauches embryonnaires.
Maurice CAULLERY, l'Embryologie, p. 66.

TÉRATOÏDE [teʀatɔid] adj. — 1907 ; de *térato-*, et *-oïde.*

♦ Biol. Qui a un caractère tératologique.

TÉRATOLOGIE [teʀatɔlɔʒi] n. f. — 1752 ; de *térato-*, et *-logie.*

♦ Didact. Partie de la médecine, de la biologie, de la botanique qui a pour objet l'étude des anomalies et des monstruosités des êtres vivants. ⇒ **Monstre** *(supra* cit. 1). *Traité de tératologie. Tératologie expérimentale* (par action sur l'embryon).
On doit à Geoffroy Saint-Hilaire (...) la création de la science des monstres, ou *tératologie.*   Jean ROSTAND, Esquisse d'une histoire de la biologie, p. 146.

DÉR. Tératologique.

TÉRATOLOGIQUE [teʀatɔlɔʒik] adj. — 1832 ; de *tératologie.*

♦ Didact. Relatif à la tératologie. *Anatomie tératologique.* — Qui relève de la tératologie. *Cas, être tératologique.*

1 On prenait un homme et l'on faisait un avorton ; on prenait un visage et l'on faisait un mufle. On tassait la croissance ; on pétrissait la physionomie. Cette production artificielle de cas tératologiques avait ses règles. C'était toute une science. Qu'on s'imagine une orthopédie en sens inverse.
HUGO, l'Homme qui rit, I, Chapitre préliminaire, II, II.

2 La femme du coiffeur venait d'accoucher heureusement d'un phénomène tératologique viable, susceptible d'être montré en public et de rapporter des sous.
R. QUENEAU, le Chiendent, p. 204.

3 Sa collection tératologique, c'est évidemment dans l'étude des textes des alchimistes, des mystiques et des poètes qu'il devait l'enrichir.
M. TOURNIER, le Vent Paraclet, p. 150.

TÉRATOLOGISTE [teʀatɔlɔʒist] ou **TÉRATOLOGUE** [teʀatɔlɔg] n. — 1872, *tératologiste* ; *tératologue*, 1845 ; de *tératologie.*

♦ Didact. Spécialiste de la tératologie.

TÉRATOME [teʀatom] n. m. — 1897, in *l'Année biol.* ; de *térato-*, et *-ome.*

♦ Biol. Tumeur congénitale constituée de plusieurs types de tissus d'aspect embryonnaire ou bien différenciés qu'on ne trouve pas normalement à l'endroit où elle est située. (On l'appelle aussi *tumeur embryoïde* ou *dysembryome*). « *(Les) tératomes, en croissant, peuvent atteindre un volume considérable. L'expérience d'affrontement des tumeurs consiste à greffer à un rat une tumeur mammaire transplantable quelques jours après lui avoir injecté la pulpe d'embryons broyés. Le tératome se développe considérablement chez les témoins ; il diminue de volume, reste minuscule ou régresse complètement chez les rats porteurs d'une tumeur maligne* » (la Recherche, p. 317, sept. 1970).

TÉRATOPAGE [teʀatopaʒ] n. m. — 1916, Garnier-Delamare, *in* D.D.L. ; de *térato-*, et *-page*, du grec *pageis*, aoriste de *pêgnunai* « fixer ».

♦ Biol. Monstre formé par deux individus accolés et partiellement soudés.

TERBIQUE [tɛʀbik] adj. — Mil. xxᵉ ; de *terbium.*

♦ Chim. Qui contient du terbium ; du terbium. *Groupe terbique.*

TERBIUM [tɛʀbjɔm] n. m. — 1873 ; mot créé par le Suédois Mosander (1843), qui découvrit cet élément ; de *Ytterby*, nom de la localité suédoise où fut découvert le minerai contenant l'oxyde de ce métal (→ Erbium, ytterbium).

♦ Chim. Élément (masse at. 159 ; n° at. 65 ; symb. *Tb*), métal très rare appartenant au groupe des lanthanides, métaux dont les oxydes sont connus sous le nom de *terres rares. La* terbine, *oxyde de terbium. Le terbium, l'europium et le gadolinium constituent le groupe* terbique.

TERCER, TERSER [tɛʀse] ou **TIERCER** [tjɛʀse] v. tr. — 1600, *tiercer; de tiers.*

♦ Agric. Faire subir un troisième labour à (la vigne). *Tercer une vigne.*

TERCEROLE [tɛʀsəʀɔl] n. m. — 1904, *in* Larousse ; du rad. lat. de *tiers.*

♦ Archéol. Petit pistolet à platine de rouet, en usage au XVIe siècle.

TERCEROT [tɛʀsəʀo] n. m. — 1660 ; du rad. lat. de *tiers.*

♦ Hist. Rameur de troisième position, sur une galère.

TERCET [tɛʀsɛ] n. m. — 1674 ; *tiercet* (encore dans Molière, *les Femmes savantes*, III, 2), v. 1500 ; ital. *terzetto*, de *terzo* «troisième, tiers», du lat. *tercius.*

♦ Strophe* (2.) de trois vers ; groupe de trois vers ayant une unité sémantique et formelle. *Les deux quatrains et les deux tercets d'un sonnet.* — Spécialt. ⇒ **Terza rima.**

Je tresserai l'enfer avec le vers du Dante
Je tresserai la soie ancienne des tercets   ARAGON, le Roman inachevé, p. 25.

TERCIO [tɛʀsjo] n. m. — XXe ; mot esp. «tiers», du lat. *tertius* «troisième».

♦ Tauromachie. L'une des trois parties principales d'une corrida. *Pendant le tercio de muleta.*

TÉRÉBELLE [teʀebɛl] n. f. — 1808, *terebelle* «mollusque» ; du lat. didact. mod. *terebella, terebellum*, dimin. de *terebra (terebrum)* «tarière».

♦ (1846). Zool. Ver marin (*Annélides*) dont le corps est enfermé dans un tube fait de sable agglutiné et dont une extrémité porte des branchies rouges à filaments orangés et des tentacules, l'autre étant plongée dans le sable. — REM. On dit aussi *terebellum* [teʀebɛlɔm].

TEREBELLUM ou **TÉRÉBELLUM** [teʀebɛlɔm] n. m. — 1855, au sens II ; mot lat. *terebellum*, du lat. *terebra* «tarière».

★ I. ♦ 1. (V. 1900). Mollusque (*Gastéropodes*) vivant dans l'océan Indien, appelé aussi *tarière.*

♦ 2. (1808, *térébelle ; terebellum*, 1875). Zool. ⇒ **Térébelle** (ver marin).

★ II. (1855). Anc. méd. Instrument de chirurgie utilisé en obstétrique pour percer les os du crâne du fœtus au cours d'une embryotomie.

TÉRÉBENTHÈNE [teʀebɑ̃tɛn] n. m. — 1855, Nysten ; de *térébenthine*, et suff. *-ène.*

♦ Chim. Carbure terpénique ($C_{10}H_{16}$) qui constitue le principe actif de l'essence de térébenthine. *Le térébenthène, solvant énergique, est utilisé pour la fabrication des vernis.*

TÉRÉBENTHINAGE [teʀebɑ̃tinaʒ] n. m. — XXe (*in* Larousse, 1933) ; de *térébenthine.*

♦ Techn. Opération par laquelle on rend la gemme homogène par fusion et addition d'essence de térébenthine.

TÉRÉBENTHINE [teʀebɑ̃tin] n. f. — XIVe ; *terbentine*, 1160 ; lat. *terebinthina (resina)* «(résine) de térébinthe», grec *terebinthinê (retinê)*. → Térébenthe.

♦ 1. Chim., techn. Nom générique des résines* (1.) semi-liquides, durcissant généralement à l'air, qu'on recueille par l'incision (⇒ **Surlé**) ou la perforation (⇒ **Térébration**) de certains végétaux (conifères, térébinthacées, ...). *Térébenthine de Bordeaux* (⇒ **Galipot**), *d'Alsace, d'Amérique, d'Allemagne... Térébenthine de Venise* ou *de Briançon* (extraite du pin laricio ou du mélèze), *de Chypre* ou *de Chio* (extraite du térébinthe). *La distillation de la térébenthine permet d'obtenir l'essence de térébenthine. Résidus de la distillation de la térébenthine.* ⇒ **Arcanson, brai, colophane.** *Odeur de térébenthine* (→ Gélinotte, cit.).

La plus fine résine entre toutes est celle du mélèze, c'est ce qu'on nomme la térébenthine de Venise, substance étonnamment subtile, pénétrante (...)
MICHELET, la Montagne, II, XII.

♦ 2. Cour. *Essence de térébenthine* et (abusif en sc.) *térébenthine* : liquide extrait d'une térébenthine par distillation sèche ou par entraînement par la vapeur d'eau et constitué principalement d'hydrocarbures de la famille des terpènes. *L'essence de térébenthine, utilisée comme solvant (dégraissage des étoffes, fabrication de la cire à cacheter, de l'encaustique, de la peinture, des vernis), est également employée en médecine comme révulsif. Traiter la gemme à l'essence de térébenthine.* ⇒ **Térébenthinage.**

DÉR. Térébenthinage, térébenthiné.

TÉRÉBENTHINÉ, ÉE [teʀebɑ̃tine] adj. — 1836 ; de *térébenthine.*

♦ Chim., pharm. Qui contient une térébenthine.

TÉRÉBINTHACÉES [teʀebɛ̃tase] n. f. pl. — 1803 ; de *térébinthe*, et *-acées.*

♦ Bot. Famille de plantes phanérogames angiospermes, classe des dicotylédones dialypétales, appelées aussi *Anacardiacées*, qui comprend des arbres et des arbrisseaux (parfois des herbes) lactescents ou résineux. *Principales térébinthacées :* anacarde, lentisque, manguier, pistachier, sumac, térébinthe... — Au sing. *Une térébinthacée.*

TÉRÉBINTHE [teʀebɛ̃t] n. m. — XIIIe ; *Val de terebinte*, 1170 ; lat. *terebinthus*, grec *terebinthos.* → Térébenthine.

♦ Bot. Pistachier* (cit.) résineux (*Térébinthacées*), toujours vert, qui croît dans les régions méditerranéennes et qui donne une résine dite *térébenthine de Chio* (→ Asseoir, cit. 44 ; provençal, cit. 1).

Votre langueur venait de la verte saison,
Du parfum des mûriers et des chauds térébinthes.
Csse DE NOAILLES, le Cœur innombrable, Bittô.

DÉR. Térébinthacées, térébique.

TÉRÉBIQUE [teʀebik] adj. — 1875 ; de *téréb(enthine)*, et suff. *-ique.*

♦ Chim. *Acide térébique :* acide qui résulte de l'oxydation de l'essence de térébenthine par l'acide nitrique.

TÉRÉBRANT, ANTE [teʀebʀɑ̃, ɑ̃t] adj. et n. — 1823 ; lat. *terebrans*, p. prés. de *terebrare* «percer avec une tarière» (*terebra*).

★ I. Adj. ♦ 1. Zool. (En parlant de certains animaux). Qui perce des trous dans les matières dures, qui creuse des galeries. *Insecte térébrant.* ⇒ **Perforant** (→ ci-dessous, II.). *Le taret, mollusque térébrant.* — Spécialt. *Coquille térébrante :* coquille bivalve des mollusques qui ont la faculté de faire des trous dans la pierre.

(...) voilà qu'elle le découvrait, le *doux cortège de feuilles, de fleurs et de fruits*, fait aussi d'orties, d'épines-noires, de chardons, de bestioles piquantes, suçantes ou térébrantes, rougets, taons, guêpes, frelons, millepattes, fourmis, perce-oreilles (...)
Hervé BAZIN, Cri de la chouette, p. 228.

♦ 2. (1835). Méd. Qui tend à pénétrer profondément dans les tissus. *Ulcération térébrante. Douleur térébrante*, qui donne l'impression qu'une pointe s'enfonce dans la partie douloureuse. *Névralgie* (cit.) *térébrante.*

♦ 3. (Fin XIXe, Huysmans). Fig. et littér. Aigu, très vif, déchirant. *Souci térébrant.*

(...) d'autres brûlent d'un térébrant désir de marquer leur indépendance, de ne pas faire comme leurs voisins (...)   G. DUHAMEL, le Voyage de P. Périot, IV.

★ II. N. m. pl. (1823). LES TÉRÉBRANTS : groupe d'hyménoptères apocrites comprenant les insectes dont la femelle est démunie d'aiguillon venimeux (à la différence des *aculéates*), mais porte une tarière* (2.) à l'extrémité de l'abdomen. — Au sing. *Un térébrant.*

TÉRÉBRATION [teʀebʀasjɔ̃] n. f. — 1540 ; lat. *terebratio*, de *terebratum*, supin de *terebrare* «percer avec la tarière» (*terebra*).

♦ 1. Chir., méd. Perforation*. « *La térébration du crâne dans l'opération du trépan* » (Académie). *Térébration d'un organe due à un ulcère.* — Par métaphore :

Les mouvements de contrôle mental sont suspendus. Si l'idée est funeste, cet effet de paralysie s'accompagne d'une térébration douloureuse ; et c'est en vous vrillant la chair que l'idée se fixe.
J. ROMAINS, les Hommes de bonne volonté, t. II, II, p. 19.

♦ 2. Techn. Perforation (du tronc d'un arbre) pour en tirer la résine ou la gomme.

TÉRÉBRATULE [teʀebʀatyl] n. f. — 1769 ; *térébratulite* en 1765 ; lat. didact. mod. *terebratula* (1699), à cause du crochet perforé de la valve centrale, de *terebra* «tarière».

♦ Zool. Genre de brachiopodes (*Vermidiens*) à coquille ovale et lisse, répandus dans toutes les mers.

TÉRÉBRER [teʀebʀe] v. tr. — Conjug. *céder.* — 1486 ; repris xixᵉ (1842, Académie) ; lat. *terebrare*, de *terebra* « tarière ».

♦ **1.** Vx. Perforer avec une tarière.

♦ **2.** (Fin xixᵉ). Par métaphore, fig. Littér. Provoquer une douleur térébrante (I., 2.).

TÉRÉDINIDÉS [teʀedinide] n. m. pl. — xxᵉ (*in* Larousse, 1933) ; dér. sav. du lat. *teredo, inis*, grec *terêdôn*, de *terein* « user en frottant », et suff. *-idés*.

♦ Zool. Famille de mollusques bivalves perforants (taret). — Au sing. *Un térédinidé.*

TÉRÉPHTALATE [teʀeftalat] n. m. — 1874 ; de *téréphtalique*.

♦ Chim. Polyester obtenu par l'action de l'acide téréphtalique sur le diéthylène-glycol, produit très résistant utilisé comme textile (notamment le Tergal).

Le transport du matériau à travers les installations réalisant ces opérations se fait au moyen de supports qui sont soit des films de cellulose, d'acétate, ou de téréphtalate. J.-C. DESJEUX et J. DUFLOS, les Plastiques renforcés, p. 79.

TÉRÉPHTALIQUE [teʀeftalik] adj. — 1874 ; de *téré(benthine)*, et *phtalique*.

♦ Chim. *Acide téréphtalique* : isomère de l'acide phtalique, de formule $C_6H_4(CO_2H)_2$.

1. TERGAL, ALE, AUX [teʀgal, o] adj. — 1846 ; mot sav. formé sur le rad. du lat. *tergum* « dos ». → Tergiverser.

♦ Didact. et rare. Qui appartient, qui est relatif au dos. ⇒ **Dorsal** (1.). — Zool. *Plaques tergales* : plaques qui constituent la partie dorsale du test des échinodermes. — *Glandes tergales*, de certains insectes (blattes) dont les orifices sont appelés *tergites*. « *Les glandes tergales, présentes uniquement chez les mâles adultes* (des blattes), *jouent un rôle important pendant la période précédant l'accouplement* » (la Recherche, avr. 1981, p. 409).
HOM. 2. Tergal.

2. TERGAL [teʀgal] n. m. — 1957, *in* D. D. L. ; nom déposé, d'après le nom de l'*acide téréphtalique*, dont ce textile est un dérivé.

♦ Cour. Nom d'une étoffe synthétique fabriquée en France. ⇒ **Dacron.** *Pantalon de tergal. Rideaux, voilages de Tergal.* Plur. (rare) *Tergals.*

Nous avons le même imprimé en bleu clair, mais c'est du tergal, mademoiselle. C'est pour une blouse, dit Élisabeth, j'aurais préféré du coton. J.-M. G. LE CLÉZIO, la Fièvre, p. 36.
HOM. 1. Tergal.

TERGIVERSANT, ANTE [teʀʒivɛʀsɑ̃, ɑ̃t] adj. — 1834, *in* D. D. L. ; de *tergiverser*.

♦ Qui tergiverse ; qui hésite. ⇒ **Hésitant.**

TERGIVERSATION [teʀʒivɛʀsasjɔ̃] n. f. — 1300 ; lat. *tergiversatio*, de *tergiversari*. → Tergiverser.
Presque toujours au pluriel.

♦ **1.** Rare. *La tergiversation* : le fait de tergiverser.

♦ **2.** (Mil. xviiᵉ). *Une, des tergiversations.* Attitude, système, conduite de qqn qui tergiverse. ⇒ **Atermoiement** (2.), **détour, faux-fuyant, hésitation, incertitude** (*supra* cit. 18), **lenteur** (cit. 8).

(...) qu'elle *(la Convention)* ait pu hésiter, qu'elle ait pu, par ses tergiversations, rouvrir l'ère des querelles épuisantes et des contradictions mortelles, c'était un grave danger. JAURÈS, Hist. socialiste, t. VIII, p. 149.

TERGIVERSER [teʀʒivɛʀse] v. intr. — 1532 ; lat. *tergiversari*, littéralt « tourner le dos », d'où « user de détours » ; de *tergum* « dos », et *versare* « tourner ».

♦ **1.** User de détours*, de faux-fuyants* pour éviter de donner une réponse nette, pour retarder le moment de la décision. ⇒ **Atermoyer, biaiser** (cit. 8), **ergoter** (→ Gauchir, cit. 2). *Tergiverser pendant des semaines.*

On y voit Alceste tergiverser et user de détours pour dire son avis à Oronte. ROUSSEAU, Lettre à d'Alembert.

♦ **2.** Hésiter, peser longuement le pour et le contre avant de se décider. ⇒ **Hésiter ; consulter** (3., vx). *Sans tergiverser* : sans hésiter.

Trop de projets. Ne sachant auquel donner le pas, je tergiverse et le temps fuit. GIDE, Journal, 22 janv. 1931.

DÉR. Tergiversant. — (Du lat. *tergiversari*) Tergiversation.

TERITAL [teʀital] n. m. — V. 1960 ; nom déposé, même rad. que *tergal.*

♦ Fibre et fil synthétiques fabriqués en Italie.

TERLENKA [teʀlɑ̃ka] n. m. — V. 1960 ; nom déposé, même rad. que *tergal.*

♦ Techn. Fibre et fil synthétiques fabriqués aux Pays-Bas.

TERMAILLAGE [teʀmajaʒ] n. m. — 1974 ; de *ter(me)*, et *maille*, d'après l'angl. *leads and lags.*

♦ Fin. « Changement dans le rythme des règlements internationaux, caractérisé par une accélération et un retard, en sens inverse, du recouvrement des créances et du paiement des dettes » *(Journ. off.).* — Recomm. off. On dit aussi *jeu des termes de paiement.*

TERME [tɛʀm] n. m. — V. 1050, au sens temporel (II., 4.) ; « limite de paiement », 1283 ; du lat. *terminus*, proprt « borne ».

★ **I.** Sens concret. ♦ **1.** (1562 ; reprise du sens lat.). Antiq. Borne* qui marquait la limite d'un champ, d'une frontière, etc.

♦ **2.** (1571). Statue d'homme, de femme dont la partie inférieure est terminée en gaine (comme celles du dieu latin *Terminus* qui servaient de bornes). ⇒ **Gaine.** *Niches séparées par des termes géants* (→ Rocaille, cit. 1). — Fig. et vx. *Être planté comme un terme* (⇒ **Immobile**).

★ **II.** ♦ **1.** Borne (fig.), limite fixée. **a** Vx. (Dans l'espace). *La nature a donné des termes à la stature humaine* (→ Géant, cit. 6).

b Mod. (Dans le temps). *Le terme d'une durée, d'une existence.* — *Mettre un terme à une vie précaire* (→ Saccader, cit. 3), *aux malheurs* (→ Représenter, cit. 17), *à des exactions*, les faire cesser. ⇒ **Couper** (court). *Passé ce terme* (→ Singer, cit. 2). *Royauté qui vit au delà du terme assigné* (cit. 11). *Je fus prêt au terme prescrit* (cit. 9). *Avancer, reculer le terme.*

Il savait par des lectures que les hommes énergiques ont coutume de se fixer ainsi un terme pour le succès de leurs entreprises. J. ROMAINS, les Hommes de bonne volonté, t. VI, XXIX, p. 253.

(...) autrefois (...) pour mettre un terme à une liaison scandaleuse ou encombrante, les familles du pays expédiaient leurs fils en Amérique du Sud. S. DE BEAUVOIR, Mémoires d'une jeune fille rangée, p. 286.

♦ **2.** (xiiiᵉ). Dr. Date limite à laquelle une obligation (spécialt, une dette) est retardée par contrat ou par la loi et doit être exécutée *(terme suspensif)* ; date à laquelle est fixée l'extinction d'une obligation *(terme extinctif). Le terme est l'expiration* d'un délai. *Terme certain ; incertain* (dont la date dépend d'un événement futur). *Terme de rigueur. Terme de grâce* : délai supplémentaire accordé parfois au débiteur par le juge, pour le paiement de sa dette. *Terme d'une dette** (cit. 1), *d'un prêt* (→ Crédit, cit. 17). *Par la seule échéance du terme, le débiteur sera en demeure* (cit. 2). ⇒ **Échéance.** *Renvoyer à un terme plus éloigné.* ⇒ **Atermoyer** (1. ; vieilli). — *Terme court* (rapproché), *long* (éloigné). *Somme payable par année ou à des termes périodiques plus courts* (→ Arrérage, cit. 3).

(1283). À TERME : dont l'exécution ou l'extinction correspond à un terme fixé. *Vente, achat à terme*, par oppos. à *au comptant.* ⇒ **Crédit** (à). *Paiement à terme. Créances à terme, exigibles immédiatement en cas de faillite. Prêt* (→ Escompte, cit. 2), *emprunt* (→ Geler, cit. 23) *à court terme.*

Fig. À COURT TERME, À LONG TERME : qui doit se réaliser dans peu de temps, dans longtemps. *Projet, programme, prédictions* (cit. 5) *à court* (cit. 14) *terme.*

Spécialt (Bourse). Date qui correspond aux époques de liquidation*, et qui est imposée pour la livraison des titres et pour les paiements. ⇒ **Usance.** *Cours cotés à terme* (→ Cote, cit. 2). *Marché à terme.* ⇒ **Marché.** *Opérations à terme* (marchés à terme et reports).

(...) il garderait les actions qu'il avait reçu ordre de vendre pour Joseph Quesnel, dont il était souvent le prête-nom en Bourse. En revendant à terme, cela ferait un joli magot. ARAGON, les Beaux Quartiers, II, VI.

♦ **3.** (1690). Époque fixée pour le paiement des baux (à loyer ou à ferme). *Arriver à son terme.* ⇒ **Expirer.** *Mon terme était échu* (→ Recors, cit. 1 ; et aussi chambre, cit. 3). — Loc. (Dr.). *Payer à terme échu*, elle était en retard d'un jour sur son loyer (cit. 3). — Par ext. (Plus cour.). Période (généralement de trois mois) qui s'achève au terme. *Le terme courant. Un terme à payer* (→ Menacer, cit. 6). — Par métonymie. Somme due au terme. *Payer son terme* (→ Crever, cit. 23 ; locataire, cit. 3).

Au moment de louer, le prix de trois mille francs l'arrêta, car il fallait payer d'avance le premier terme, et il n'avait rien, pas un sou devant lui. MAUPASSANT, Pierre et Jean, III.

5 — Vous pouvez dire que je ne suis pas de ceux qui tremblent quand ils voient arriver le terme. Puisque je suis mon propre propriétaire!
R. QUENEAU, Pierrot mon ami, II.

♦ **4.** (V. 1050). *Littér.* Dernier élément, dernier stade (de ce qui a une durée). ⇒ **Bout, fin.** *Le terme d'un voyage* (→ Filer, cit. 21). *Une période dont il n'apercevait pas le terme* (→ Guérir, cit. 8). ⇒ **Interminable.** *Le terme d'un mouvement* (→ Ici, cit. 24), *d'un développement* (→ Organe, cit. 8). ⇒ **Achèvement.** *Le progrès* (cit. 4) *et le terme de ses sentiments.* ⇒ **Dénouement.** *Opération qui a pour terme une conclusion* (→ Raisonnement, cit. 6). *Ouvrage* (cit. 19) *près de son terme.* ⇒ **Avancé.** *Mutation* (→ Impénétrabilité, cit. 2), *vie sans terme* (→ Immortalité, cit. 4). — (Avec *à*). *Toucher au terme, à son terme.* ⇒ **Arriver.** *Mener qqch. à terme.* ⇒ **Accomplir, terminer.** *Arriver à son terme.* ⇒ **Aboutir, finir;** → Méthode, cit. 5. *Au terme d'une vie agitée* (cit. 26). *Au terme d'une analyse sur l'humour* (cit. 11).

6 Certaines souffrances, par leur excès même, nous avertissent de leur terme (...)
A. DE MUSSET, la Confession d'un enfant du siècle, V, VI.

7 Et que ce qu'ici-bas nous prenons pour le terme
Est le commencement (...)
HUGO, les Contemplations, IV, XV.

8 Dans l'entreprise que le roi de France, en partie par sa tyrannie, en partie par sa justice, a si admirablement menée à terme, beaucoup de pays ont échoué.
RENAN, Discours et conférences, Qu'est-ce qu'une Nation?, I, Œ. compl., t. I, p. 892.

9 Elle touchait enfin au terme de ses tribulations : dans une demi-heure, elle serait auprès de Jenny, chez elle, devant son plateau de thé.
MARTIN DU GARD, les Thibault, t. VIII, p. 11.

Spécialt. *Le terme de la vie :* la mort. **Vx.** *Toucher à son terme :* être mourant. ⇒ **Mourir** (→ Fatal, cit. 7). *Ce qui promet de durer au delà de son terme* (→ Engranger, cit. 2).

10 Les difficultés de la vie se placent entre nous et la tombe; tout est aplani pour les rois jusqu'au terme, et cela même, le rend plus visible à leurs yeux.
Mᵐᵉ DE STAËL, De l'Allemagne, I, VII.

Terme de l'accouchement : temps normal de la naissance, neuf mois après la conception, chez la femme. — **Loc.** (Vx). *Sur son terme :* sur le point d'accoucher. *Une lice étant sur son terme...* (→ Fardeau, cit. 5, La Fontaine). — **Mod.** *Accoucher, mettre un enfant au monde à terme; avant terme.* ⇒ **Avorter; avortement** (→ Grossesse, cit. 3). *Avorton* (cit. 1) *né avant terme.* ⇒ **Prématuré.** Par métaphore (→ Engrosser, cit. 3).

♦ **5.** (1468). *Au plur.* **Vx.** *Être en termes, dans les termes, aux termes de... :* en position, en état, sur le point, au point de...

10.1 La chose en est aux termes de n'en plus faire de secret.
MOLIÈRE, Dom Juan, III, 3.

Vx. Disposition (bonne, mauvaise...) envers qqn. *Je crois être rentré à votre égard dans les termes d'une indépendance respectueuse* (→ Équitable, cit. 9).

Mod. EN... TERMES. *Être en bons termes, en mauvais termes avec qqn.* ⇒ **Rapport, relation.** *Depuis que nous sommes en mauvais termes.* ⇒ **Fâché.**

11 (...) Wellington, resté dans les meilleurs termes avec l'ex-président du Conseil, intervint, et c'était encore un homme de poids que le haut commandant des troupes d'occupation.
Louis MADELIN, Talleyrand, V, XXXIV.

★ **III.** 1370, Oresme, du lat. médiéval *terminus*, proprt «ce qui limite le sens, définit quelque chose».

A. ♦ **1.** Expression (d'une idée) par le langage; mot ou groupe de mots considéré dans son adéquation à une idée à exprimer ⇒ **Nom.** *Un mot, un terme ou une expression* (→ Académie, cit. 4). *Terme formé de deux ou plusieurs mots* (⇒ **Expression;** → Abrégement, cit.); *d'un seul mot.* ⇒ **Mot.** *Le sens et les termes* (→ Réponse, cit. 3). *Terme qui dénomme* (cit. 2; ⇒ **Dénominatif**), *désigne, qualifie qqch. Le terme d'agitateur* (cit. 1); *le terme «possible»* (cit. 13). *Le sens* (→ Fonction, cit. 14), *la propriété d'un terme. Dans toute la force* (cit. 37) *du terme. Terme propre, impropre* (cit. 1), *juste* (→ Captivant, cit. 8), *équivoque* (cit. 3), *exact* (cit. 16), *expressif. Terme usuel, rare* (→ Bon, cit. 23), *savant* (→ Lexique, cit. 5). — *Termes régionaux.* ⇒ **Glossaire, cit.**

11.1 J'appelle *termes vulgaires*, ceux dont on fait usage ailleurs que dans la science dont il s'agit, c'est-à-dire dans le langage ordinaire, ou même dans d'autres sciences; tels dans par exemple les mots *espace, mouvement* en Mécanique; *corps* en Géométrie (...) J'appelle *termes scientifiques* les mots propres et particuliers à la science, qu'on a été obligé de créer pour désigner certains objets, et qui sont inconnus à ceux à qui la science est tout-à-fait étrangère.
D'ALEMBERT, in Encyclopédie, art. *Élément.*

12 Ainsi en va-t-il (...) des slogans, des plaisanteries à la mode, des scies : autant de termes nouveaux que l'on voit naître, se charger d'allusions, gagner un sens simple et le plus souvent disparaître — couvrant en quelques années, parfois en quelques jours, la carrière d'un lieu commun.
J. PAULHAN, les Fleurs de Tarbes, p. 97.

♦ **2.** *Didact.* Nom correspondant à une notion au sein d'un ensemble structuré (une terminologie*). — **REM.** Les *termes* au sens III, 1 peuvent ou non être des *termes*, en ce sens. — *Terme technique. Terme scientifique* (→ Carnassier, cit. 3; exactitude, cit. 17; pureté, cit. 8). *Terme philosophique* (→ Existence, cit. 7), *didactique* (→ Appétence, cit. 4), *judiciaire* (→ Intermédiaire, cit. 4). *Terme de rhétorique* (→ Narrer, cit. 1); *de palais* (→ 1. Marc, cit.); *d'atelier* (→ Repoussoir, cit. 2). *Terme de piété* (→ Consacré, cit. 10). *Terme consacré.*

(...) J'enrage de voir de ces gens qui (...) prennent par où ils peuvent les termes 13 de l'art qu'ils attrapent, et ne manquent jamais de les estropier, et de les mettre hors de place.
MOLIÈRE, Critique de l'École des femmes, 5.

Le cheminement mènera peut-être la réflexion vers d'autres termes : la Ville, par 13.1 exemple (nous dirions l'urbanité ou l'urbain, si nous ne craignions de multiplier ces «termes» qui désignent des concepts mais glissent vers des entités ou essences).
Henri LEFEBVRE, la Vie quotidienne dans le monde moderne, p. 54.

Les mots *définition* et *terme* sont liés par un trait commun : ils désignent à l'ori- 13.2 gine l'assignation d'une limite, d'une fin (*dé-finir*) et son résultat (*terme*). Au plan notionnel, pour qu'un nom ait droit au titre de *terme*, il faut qu'il puisse, en tant qu'élément d'un ensemble (*une terminologie*), être distingué de tout autre.
Alain REY, la Terminologie, noms et notions, p. 40.

♦ **3.** (V. 1360). *Cour. Au plur.* Ensemble de mots et d'expressions choisis pour communiquer un contenu de pensée; manière de s'exprimer. *Les termes d'une déclaration, d'un contrat* (→ Contractant, cit. 1). ⇒ **Formule.** *Les termes de la loi* (→ Corvée, cit. 3; juris-consulte, cit.). — *En ces termes* (→ 1. Flûte, cit. 7). *Dans les mêmes termes* (→ Dialectique, cit. 3). *En d'autres termes,* pour donner une équivalence à l'aide d'autres mots (→ Athée, cit. 5; inégalité, cit. 4; moi, cit. 65; opinion, cit. 12; recherche, cit. 5). — *Termes formels* (cit. 2; → Goujat, cit. 7), *exprès* (→ Figure, cit. 2), *explicites* (cit. 1), *choisis* (cit. 22), *courtois* (→ Papier, cit. 7), *respectueux* (cit. 3), *voilés* (→ Ligne, cit. 29), *pressants* (→ Prier, cit. 10), *brutaux* (→ Dépravation, cit. 4), *crus... «Ah! qu'en termes galants...* » (cit. 9, Molière). *«...un mot sauvage et bas* (1. Bas, cit. 41) *Qu'en termes décisifs condamne Vaugelas»* (Molière). *Parler sans ménager ses termes. Il nous parla d'elle en fort bons termes* (→ Poule, cit. 1). — *En termes de poésie,* etc. (→ Mœurs, cit. 20) : dans le vocabulaire de la poésie.

(...) en termes militaires, je vous consigne à l'hôtel. Vous m'obligerez de n'être 14 jamais de deux ou trois heures absent, je puis avoir besoin de vous d'un moment à l'autre.
STENDHAL, le Rouge et le Noir, II, XVII.

(...) je passe ma nuit à bien calculer les termes de ma déposition, en tenant compte 15 de tout, même du danger qu'il y aurait à être trop précis (...)
J. ROMAINS, les Hommes de bonne volonté, t. II, XII, p. 128.

B. ♦ **1.** (Fin XVIᵉ, d'Aubigné). *Log.* Chacun des éléments simples entre lesquels on établit une relation*. *Les termes d'une proposition, d'un jugement attributif.* ⇒ **Prédicat, sujet.** *Liaison causale entre deux termes* (→ Nécessaire, cit. 14). *Les trois termes du syllogisme : le grand terme* (⇒ **Majeur**), *le petit terme* (⇒ **Mineur**), *le moyen terme.* ⇒ **Moyen** (1. Moyen, I., 1.). *Fig. Moyen* (cit. 1) *terme :* solution, situation intermédiaire. *Entre deux termes.* ⇒ **Intermédiaire.**

Gramm. *Les termes de la proposition,* le sujet, le verbe et l'attribut (→ Nominal, cit. 4). *Le second terme d'une coordination* (→ Sans, cit. 10), *d'une comparaison*.*

♦ **2.** (1740). *Math.* **ⓐ** Élément simple (nombre ou lettre) en relation avec d'autres. *Les deux termes d'une fraction* (cit. 4), son numérateur et son dénominateur. *Les quatre termes d'une proportion*.*

ⓑ *Alg.* Monôme* en relation avec d'autres. *Les termes d'une somme, d'un polynôme, d'une équation* (cit. 1). *Deux termes variant simultanément* (→ Fonction, cit. 17). *Termes d'une série, d'une progression :* quantité déterminée correspondant à l'un des éléments d'une série, d'une progression. *Du premier au dernier terme de la série** (cit. 1).

Fig. Élément en relation avec un autre, d'autres. *Les termes d'un problème.*

Il y a deux hommes en lui, qui sont les deux termes du long débat entre le moi 16 et le monde : un créateur et un critique.
André SUARÈS, Trois hommes, «Ibsen», II.

CONTR. Comptant (au). — **Commencement, début, départ.**
HOM. Thermes.

TERMINAGE [tɛʁminaʒ] n. m. — Mil. XXᵉ; de *terminer.* → Finissage.

♦ *Techn.* (horlogerie). Assemblage des éléments (d'une montre).

TERMINAISON [tɛʁminɛzɔ̃] n. f. — 1370, sens temporel; *termineison* «mort», v. 1160; de *terminer,* d'après le lat. *terminatio,* de *terminare.*

♦ **1.** *Rare.* Action de terminer (1.), de mettre fin à... *Pour la terminaison de cette affaire.* ⇒ **Conclusion, consommation, règlement, solution.**

♦ **2.** *Rare.* Action de se terminer, de prendre fin. — *Méd.* Manière dont une maladie se termine. *Les chirurgiens déploraient des terminaisons si funestes* (→ Érysipèle, cit. 2).

♦ **3.** *Rare.* Ce qui termine (3.) qqch. ⇒ **Fin.**

ⓐ (Dans l'espace). *Rare* en emploi général. Extrémité d'une chose. ⇒ **Bout, extrémité.** — *Anat. Terminaison d'un nerf. Terminaisons nerveuses dans le muscle.* ⇒ **Synapse** (2.). *Terminaisons nerveuses des organes des sens* (→ Externe, cit. 2; impression, cit. 47).

TERMINAISONS DES NERFS ... Nous savons aujourd'hui que toute fibre nerveuse se termine par des extrémités libres, soit entre les éléments histologiques du territoire auquel elle est destinée, soit dans les appareils spéciaux des organes des sens (corpuscules du goût, crêtes acoustiques, corpuscules de Paccini, etc.).

L. TESTUT, Traité d'anatomie humaine, t. III, p. 53.

Géol. *Terminaison périclinale :* endroit où se termine un anticlinal.

b (Dans le temps). Rare. *La terminaison d'une vie, d'une carrière.* ⇒ **Couronnement.**

♦ **4.** (1550). Gramm. et cour. Fin d'un mot* considéré sous un aspect quelconque (phonique, graphique, morphologique...). ⇒ **Finale.** *Terminaisons italiennes des noms* (cit. 18) *de femmes. Des terminaisons imprononçables. Font, défont, surfont... ont des terminaisons identiques* (→ Se, cit. 11). *Terminaisons des mots en fin de vers.* ⇒ **Assonance, consonance, rime.**

Spécialt. Dernier élément d'un mot qui s'ajoute au radical, à la racine. ⇒ **Désinence, suffixe.** *La terminaison «-age» de breuvage* (→ Boisson, cit. 1). *Terminaison d'un dérivé, d'un verbe.*

CONTR. Amorce, commencement, début. — Préfixe.

1. TERMINAL, ALE, AUX [tɛʀminal, o] adj. — 1763, botanique; «qui peut se terminer», v. 1530; sens général, fin XIXᵉ; bas lat. *terminalis,* du lat. class. *terminus.* → Terme.

★ **I.** ♦ **1.** Didact. Qui termine (3.), qui forme l'extrémité de quelque chose. Bot. *Bourgeon terminal, inflorescence terminale,* qui se développe à l'extrémité de la tige. — Géogr. *Moraines terminales d'un glacier.* — *Partie terminale d'un organe.* ⇒ **Extrême.** *Plaque* terminale.* — *Sifflet* (cit. 1) *à boule terminale. Anneau terminal d'une chaîne.* ⇒ **Dernier.** — (Fin XIXᵉ). Cour. Qui forme le dernier élément, la fin. ⇒ **Final.** *Point terminal.*

1 Si j'avais à formuler un credo, je dirais : Dieu n'est pas en arrière de nous. Il est à venir. C'est non pas au début, c'est à la fin de l'évolution des êtres qu'il faut le chercher. Il est terminal et non initial. C'est le point suprême et dernier à quoi tend toute la nature dans le temps. GIDE, Journal, 30 janv. 1916.

♦ **2.** Spécialt (en parlant du discours oral ou écrit, des éléments du langage). *Lettre terminale d'un mot. Formule terminale d'une lettre.*

2 (...) comme dans cette chanson de «Compère Guilleri» où, pour rimer avec le nom du compère, tous les infinitifs de la deuxième conjugaison perdent tout simplement l'*r* terminale : et l'on dit : *mouri, couri,* pour mourir, courir.
ARAGON, le Crève-cœur, p. 74.

3 Devant chaque forme terminale (valise, brosse, carrosserie d'auto, jouet, étoffe, tuyau, cuvette ou papier), l'esprit ne cesse de poser la matière primitive comme un rébus. R. BARTHES, Mythologies, p. 171.

♦ **3.** (Temporel). Qui termine, achève dans le temps. *Phase terminale d'une maladie. Stade terminal de la publicité.* → Fille, cit. 22. *Phase terminale d'un processus.*

♦ **4.** (1964). Admin. (France) et cour. *Classe terminale :* classe des collèges et lycées où l'on prépare le baccalauréat. — N. f. (1968). *La terminale, une terminale. Les programmes de terminale.*

4 Et de la valeur de mes leçons dépendra la réussite de mes élèves au baccalauréat, surtout celles des Terminales A, à qui j'enseignerai la philosophie huit heures par semaine. Yanny HUREAUX, la Prof, p. 16.

★ **II.** (1842). Didact. (Antiq. rom.). *Loi terminale :* loi relative aux bornes (termes) des champs.

CONTR. Initial, premier.
HOM. 1. Terminal.

2. TERMINAL, AUX [tɛʀminal, o] n. m. — V. 1950; mot angl. «terminus».

Anglic. Élément final, point d'aboutissement (d'une ligne de communication).

♦ **1.** (Lieux). Ensemble des installations pour le déchargement des pétroliers et le stockage des produits pétroliers, à l'extrémité d'un pipe-line. *Terminal maritime. « Le Havre aura son terminal pétrolier géant »* (*l'Express,* 11 sept. 1972, p. 52). — (V. 1970). Lieu équipé pour la réception et l'expédition des conteneurs. *Terminal intérieur maritime.*

(V. 1970). Cour. Gare, aérogare urbaine servant de point de départ et d'arrivée pour les passagers.

♦ **2.** (V. 1960). Inform. et cour. Organe d'entrée et de sortie associé à un ordinateur, et recueillant des données ou des résultats. *Terminal cathodique, imprimante d'un terminal.* ⇒ **Console, périphérique.** *« Outre ces mémoires annexes, et dans la même catégorie de prix que l'ordinateur lui-même (plus exactement ici : "unité centrale"), se répandirent des organes d'entrée/sortie souples, puissants et bon marché : les "terminaux". En général à écran graphique (sorte d'écran de télévision) et clavier »* (le Monde, 19 sept. 1978, p. 40). ⇒ **Écran.**

HOM. 1. Terminal.

TERMINATEUR, TRICE [tɛʀminatœʀ, tʀis] adj. et n. m. — 1765, Diderot, in Littré; du lat. *terminatorem,* accus. de *terminator,* de *terminatum,* supin de *terminare.* → Terminer.

Didactique.

♦ **1.** Adj. Qui termine (1.), limite. Spécialt (XVIIIᵉ, Diderot). *Cercle terminateur,* délimitant la lumière et l'ombre.

♦ **2.** N. m. (1894, cit.). Astron. Ligne de démarcation qui sépare la partie éclairée de la partie obscure du disque observable d'une planète ou d'un satellite; spécialt, de la Lune.

(...) il admet l'hypothèse que les points lumineux aperçus en dehors du terminateur de Mars sont produits par des signaux que nos proches voisins d'en haut nous font. L. FIGUIER, l'Année scientifique et industrielle 1895, p. 27 (1894).

TERMINER [tɛʀmine] v. tr. — XIIᵉ; lat. *terminare,* de *terminus.* → Terme.

♦ **1.** (Vieilli). **a** (Dans l'espace). Arrêter en faisant limite. ⇒ **Borner, limiter.** *Les montagnes qui terminent l'horizon romain* (→ Fuyant, cit. 9). — Au p. p. *« De grandes bruyères* (cit. 2) *terminées par des forêts »* (Chateaubriand).

b (1559). Mod. (Dans le temps). Faire cesser (qqch.) par une décision, une intervention. ⇒ **Fin** (mettre fin à). *Terminer une séance, un débat.* ⇒ **Clore, clôturer, fermer, lever; clôture, levée.** *Terminer un différend* (→ Dextérité, cit. 4), *un conflit.* ⇒ **Arranger, régler, vider; transiger** (→ Mettre un terme [II., 1.] à...).

Quoi? Junie elle-même a terminé sa vie? 1
RACINE, Britannicus, v, 8.

Il se redressa enfin, frappa du poing le garde-fou avec l'air de quelqu'un qui termine une méditation (...) J. GREEN, Léviathan, I, I. 2

♦ **2.** (1671). Faire arriver à son terme (II., 3.), mener à terme (ce qui est fait en grande partie). ⇒ **Achever, finir** (cf. Conduire à sa fin; faire, exécuter en entier; pousser jusqu'au bout, venir à bout de...). *Terminer un travail, une œuvre commencés.* ⇒ **Consommer** (→ Mettre la dernière main* à...). *Quelques petits travaux à terminer* (→ Fauchaison, cit.). *Le barrage fut terminé au mois d'août* (→ Irrigation, cit. 1). *Quand il eut terminé sa plaidoirie* (cit. 2). *Terminer rapidement et mal un travail.* ⇒ **Bâcler, expédier, liquider,** (fam.) **torcher.** *Le repas terminé, on alluma* (cit. 1) *la lampe.* Absolt. *Pour terminer.* ⇒ **Conclure, couronner** (cf. En définitive). *Il faut terminer* (→ Aller jusqu'au bout*). *Avez-vous terminé?,* question posée par la personne chargée de servir et de desservir à table. *Terminer un tableau,* exécuter avec soin les détails (→ Esquisse, cit. 2). ⇒ aussi **Lécher.** — *En avoir terminé avec un travail :* avoir fini ce travail. *La hâte d'en avoir terminé avec une tâche fastidieuse* (→ Furibond, cit. 4). Par ext. *En avoir terminé avec ce monde décevant* (→ Faix, cit. 3), ne plus avoir affaire à lui.

La bonne en avait terminé avec sa vaisselle (...) 3
CÉLINE, Voyage au bout de la nuit, p. 287.

Passer la dernière partie de (un temps). *Nous terminerons la soirée au cinéma. Terminer ses jours dans son lit* (→ Démettre, cit. 6). ⇒ **Mourir.**

Terminer une chose par..., lui donner comme fin... *C'était par la saline qu'il terminait son inspection* (→ Sardine, cit. 1). *Il termina sa réplique par ces paroles* (→ Honorable, cit. 6). *Morale* (cit. 16) *par laquelle on termine les fables.* — (Avec l'inf.). Vieilli. *Finir par.*

(...) l'abbé Gédoyn (...) a terminé son agréable et docte mémoire par y joindre un Éloge de Mᵐᵉ de Caylus (...) 3.1
SAINTE-BEUVE, Causeries du lundi, 28 oct. 1850.

(...) il termina par refuser le dîner que le préfet avait fait préparer pour deux heures (...) STENDHAL, Lucien Leuwen, II, L. 4

♦ **3.** (Mil. XVIIᵉ). Sujet et n. de chose. Constituer, former le dernier élément de quelque chose.

a (Dans l'espace). Se dit d'une chose qui a un sens, un ordre. *Un revers termine la manche. L'élément qui termine la série. La désinence* (cit. 1), *élément qui termine la forme verbale.*

(...) Peters appela mon attention sur une rangée d'entailles d'apparence bizarre dont était décorée la surface de marne qui terminait le cul-de-sac. 5
BAUDELAIRE, Trad. E. POE, les Aventures d'A. Gordon Pym., XXIII.

b (Dans le temps). *Des glaces terminaient le repas. Des vivats et des fanfares terminèrent cette cérémonie* (cit. 5). *Visage ovale* (cit. 1) *terminé par un menton en galoche. Phrase terminée par un point.* ⇒ **Terminal.**

▶ **SE TERMINER** v. pron. (XVIᵉ-XVIIᵉ).

♦ **1.** Prendre fin. **a** (Dans l'espace). Se terminer quelque part. ⇒ **Aboutir.** *Rue qui commence à la Seine et se termine au boulevard Saint-Germain.*

b (Dans le temps). *Le jour se termine.* ⇒ **Décliner** (cf. Toucher à sa fin). *Le déjeuner venait de se terminer* (→ Reste, cit. 16). *Là se termine leur action.* ⇒ **Arrêter** (s'), **cesser** (→ Lumineux, cit. 7). *Nos dissensions se sont vite terminées* (→ Évanouir (s'). *Se terminer bien mal.* ⇒ **Dénouement.** *Ainsi se termina cette échauffourée* (→ Moins, cit. 41). *Manière dont la phrase se termine.* ⇒ **Chute.**

Il avait été chargé par son père d'une affaire de commerce, et cette affaire s'était terminée à son gré. A. DE MUSSET, Nouvelles, Croisilles, I. 6

(...) des mélopées arides et monotones qui se terminaient brusquement au milieu d'une phrase musicale. P. MAC ORLAN, la Bandera, VI. 7

Vx. SE TERMINER À : avoir pour résultat.

♦ **2.** SE TERMINER PAR... **a** (Dans l'espace). Avoir pour dernier élément, pour extrémité. *Les manches des marionnettes* (cit. 3) *se terminent par des mains de bois. Les mots qui se terminent par un* x *ne prennent pas l's du pluriel.*

b (Dans le temps). Avoir pour dernier moment, dernière phase ou pour conclusion. *La soirée se termina par un bal* (→ Jota, cit. 1). *Des guerres qui ne se peuvent terminer que par l'écrasement* (cit. 3) *du vaincu.* — (Suivi d'un inf.). Rare (→ Inflammatoire, cit.).

8 Ces manifestations de la piété publique devaient se terminer le dimanche par une messe solennelle (...)   CAMUS, la Peste, p. 107.

♦ **3.** SE TERMINER EN... **a** (1684, *in* D.D.L.). Dans l'espace. Avoir (telle forme) à son extrémité. *Clocher qui se termine en pointe, terminé en pointe* (→ Hélicoïde, cit.). *Les verbes qui se terminent en* er.

b (Dans le temps). Prendre (tel aspect) à sa fin. ⇒ **Finir** (II., 2.). *L'histoire se termine en queue de poisson. Comédie d'alcôve* (cit. 3) *qui se termine en drame.*

9 (...) toutes ses souffrances se terminèrent en une espèce de léthargie (...)
                                        RACINE, Port-Royal, II.

▶ **TERMINÉ, ÉE** p. p. adj. (Fin XIIIᵉ, «guéri»).

♦ **1.** (V. 1370). Vx (langue class.). Délimité. *Un contour bien, mal terminé.*

♦ **2.** Achevé, mené à son terme. *Travail terminé, à peu près terminé. Considérer sa tâche comme terminée.* → Mission, cit. 6. *Tout est terminé.* → Tout est dit*, c'en est fait*. *Ouf, c'est terminé!*

Ellipt. *La rigolade, terminé!*

Spécialt. Indique la fin d'un message, dans les communications radio. ⇒ **Stop.**

♦ **3.** (De *se terminer*). *Cheveux terminés en boucles.* → Inonder, cit. 17.

CONTR. Ouvrir. — Amorcer, ébaucher, engager, entreprendre, esquisser; commencer, entrer (dans); continuer, durer.

COMP. Interminable.

TERMINEUR [tɛʀminœʀ] n. m. — Mil. XXᵉ; le mot est virtuel au sens général; *termineor* «personne qui accorde un délai — un terme — à un débiteur moyennant intérêt», v. 1265; de *terminer.*

Technique.

♦ **1.** Ouvrier horloger chargé du terminage*.

♦ **2.** Transformateur placé entre un circuit à quatre fils et un circuit à deux fils ou une ligne d'abonné, dans un réseau de télécommunications.

TERMINISME [tɛʀminism] n. m. — 1842; dér. sav. du lat. *terminus* «terme», et *-isme.*

♦ **1.** Hist. des relig. Doctrine des terministes (1.).

♦ **2.** Hist. de la philos. Nominalisme de Guillaume d'Ockham lié à la théorie selon laquelle le réel est individuel (les genres et les espèces n'étant que dans la pensée, seuls les individus existent hors d'elle).

Dans une telle doctrine, tout repose en fin de compte sur la fonction de *suppositio personalis* que remplissent les termes ou noms du discours. C'est pourquoi la doctrine d'Ockham est souvent désignée comme un « nominalisme » ou un « terminisme ».   Étienne GILSON, la Philosophie au moyen âge, p. 645.

TERMINISTE [tɛʀminist] n. et adj. — 1740, Trévoux; dér. sav. du lat. *terminus* «terme», et suff *-iste.*

♦ **1.** Hist. des relig. Calviniste selon lequel la miséricorde divine a un terme assigné par Dieu.

♦ **2.** Hist. de la philos. Partisan du terminisme (2.).

TERMINOGRAPHE [tɛʀminɔgʀaf] n. — 1975, E. Natanson; d'après *lexicographe*, de *termino(logue)*, et suff. *-graphe.*

♦ Didact. Personne spécialisée en terminographie (→ Terminologue, plus cour.).

TERMINOGRAPHIE [tɛʀminɔgʀafi] n. f. — 1976; en russe 1971, Hajutin; de *terminologie*, d'après *(lexico)graphie.*

♦ Didact. Terminologie appliquée, descriptive (→ Terminologie, plus cour.).

TERMINOLOGIE [tɛʀminɔlɔʒi] n. f. — 1801, Mercier, au sens péj.; fin XVIIIᵉ en all. (G. G. Schütz); sens objectif au cours du XIXᵉ, angl. *terminology*, 1837, Whewell; comp. sav. du lat. *terminus.* → Terme III., et *-logie.*

Didactique.

♦ **1.** Vx. Péj. Abus des termes savants et peu compréhensibles pour le profane.

1 TERMINOLOGIE. Abus des termes scholastiques. Nos métaphysiciens modernes ont ressuscité la Terminologie de l'École, et nous ont donné une foule de mots plus inintelligibles les uns que les autres, pour les découvertes les plus heureuses. Au lieu de la Terminologie de la Sorbonne, nous avons des idéologues dévots à la poupée de Condillac.   MERCIER, Néologie..., art. *Terminologie* (1801).

♦ **2.** (Répandu mil. XIXᵉ). Mod. Ensemble des termes appartenant à un domaine d'activités de connaissances et correspondant à un système de notions. ⇒ **Terme** (III., *infra* cit. 12); **nomenclature** (1.), **phraséologie** (→ Initier, cit. 11; et aussi langue II., 2.). *La terminologie de la médecine, de la psychiatrie* (→ Initier, cit. 11). *La terminologie de la musique; de la critique cinématographique. Lexique d'une terminologie. Terminologie linguistique. Terminologie grammaticale* (→ Neutre, cit. 8). *La terminologie d'une théorie, d'un domaine.*

2 Il faut bien avouer que la terminologie dans les arts, et particulièrement dans l'art littéraire, est des plus incertaines : *forme, style, rythme, influences, inspiration, composition,* etc., sont des termes qui s'entendent sans doute; mais qui ne s'entendent que dans la mesure où les personnes qui les emploient ou les échangent entre elles, s'entendent elles-mêmes.
                        VALÉRY, Variété, Enseignement, Œ. compl., t. I, p. 1442.

Spécialt (opposé à *nomenclature*). Système de termes (opposé aux *systèmes de noms* qui ne sont pas opposables par des traits notionnels organisés. Ex. : *une nomenclature de noms propres*).

(1872). Ensemble de termes particuliers à un auteur, à un groupe social (parti, etc.). ⇒ **Vocabulaire.** *La terminologie de Leibniz, de Saussure. La terminologie humanitaire et libérale de 1848* (→ Débarrasser, cit. 11).

Par ext. (Rare). Valeur sémantique précise, dénotative (d'un signe du langage); valeur dans une terminologie (au sens normal du mot).

3 (...) cela a rang de valeur spirituelle que le langage des mots est le langage majeur. Or, il faut admettre même au point de vue de l'Occident que la parole s'est ossifiée, que les mots, que tous les mots sont gelés, sont engoncés dans leur signification, dans une terminologie schématique et restreinte.
                A. ARTAUD, le Théâtre et son double, Lettre sur le langage (1933), p. 179.

♦ **3.** (Répandu mil. XXᵉ; angl. *terminology*, 1933; en all. et en russe, v. 1930). — REM. Ce sens est déjà impliqué par la définition de Bescherelle (1845) «science des termes techniques ou des idées qu'ils représentent». — Ensemble des activités théoriques et pratiques portant sur les systèmes de notions et leurs désignations au moyen de noms organisés en système (termes) [*terminologies* au sens 2]. *Terminologie théorique* (parfois nommée *métaterminologie*), ayant pour objet l'étude des systèmes notionnels organisant les divers domaines spécialisés de la connaissance, et les procédés qu'emploient les langues pour en dénommer les éléments (concepts ou notions; classes d'objets) au moyen de noms*. *La terminologie relève à la fois de la linguistique, de la lexicologie, de la logique, de la théorie de la connaissance* (épistémologie), *de la sémiotique* (notamment de la sémantique et de la pragmatique). — *Terminologie appliquée*, ayant pour objet la description des systèmes de termes, l'étude de leur apparition (néologie), de leur fonctionnement sémantique et pragmatique (circulation, diffusion), l'étude des besoins de dénomination dans la société, de leur satisfaction et de leur régulation (socioterminologie). *La terminologie appliquée est liée à la lexicographie, à la traduction, à la documentation. Terminologie descriptive* (parfois appelée *terminographie*). *Terminologie technique, scientifique, juridique* (appliquée à la technique, aux sciences...). — *Fiche de terminologie. Banque informatisée de terminologie. Services de terminologie et de traduction d'une entreprise, d'une organisation internationale. Bureau de terminologie. Enseignement de la terminologie.* — *Terminologie unilingue, multilingue.*

Description d'une terminologie (2.); ouvrage décrivant une terminologie. *Une terminologie multilingue de l'électrotechnique.* ⇒ **Vocabulaire.**

DÉR. Terminologique, terminologue.

TERMINOLOGIQUE [tɛʀminɔlɔʒik] adj. — 1836; de *terminologie.*

Didactique.

♦ **1.** Qui appartient à une terminologie (2.); est relatif à une terminologie. *Unité terminologique* : terme*. *Ensemble ou système terminologique* : terminologie (2.). *Besoins terminologiques d'un domaine, d'une science, d'une société. Situation terminologique. Création, néologie terminologique.* — *Domaines terminologiques.* — *Banque de données terminologiques.*

Dans cette perspective, la distinction terminologique entre «organisme» et «personnalité» est verbale : il n'y a pas d'organisme qui ne se conduise par rapport à des situations, et il n'y a pas de personnalité sans corps.
                            Daniel LAGACHE, la Psychanalyse, p. 77.

♦ **2.** De la terminologie (3.) théorique ou pratique. *Activités, pratiques, recherches, théories, travaux, interventions terminologiques. Normalisation terminologique. Fiche terminologique.* — *Lexicographie terminologique. Définition terminologique et description encyclopédique.*

TERMINOLOGUE [tɛʀminɔlɔg] n. — V. 1960, d'abord au Québec; de *terminologie*.

Didactique.

♦ **1.** Au sens large. Spécialiste de la terminologie (3.), en général. *Formation des terminologues et des traducteurs. Une terminologue.*

♦ **2.** Spécialt. Spécialiste de la terminologie théorique (opposé à *terminographe*, rare).

TERMINUS [tɛʀminys] n. m. — 1840, *in* Höfler; mot angl. (1836, en chemin de fer; 1571, «borne, limite»); du lat. *terminus* «limite, borne».

♦ Dernière gare ou station d'une ligne de transports (de chemin de fer, de tramway, d'autobus, d'avion...). *Aller jusqu'au terminus.* Par appos. *Gare terminus* (fig.; → Sagesse, cit. 9). *Station terminus.* Exclam. *Terminus! Tout le monde descend.*

Nous arrivâmes vers le soir à la bienheureuse station de Black-Buttes : nous étions à sept cent quatre-vingt-douze milles du Missouri. Pour cette fois c'était bien un *terminus;* rien, plus rien en fait de voie ferrée.
L. SIMONIN, De Washington à San Francisco (1868), *in* le Tour du monde, 1874, t. I, p. 168.

TERMINUS AD QUEM [tɛʀminysadkwɛm] n. m. — 1901; loc. lat. «limite jusqu'à laquelle».

♦ Didact. Limite temporelle finale; temps au delà duquel un fait n'a pas pu se produire.

TERMINUS A QUO [tɛʀminysakwo] n. m. — 1901; loc. lat. «limite depuis laquelle».

♦ Didact. Limite temporelle initiale; temps avant lequel un fait n'a pas pu se produire.

TERMITE [tɛʀmit] n. m. — 1797, Cuvier; angl. *termite* (1781), du bas lat. *termes, termitis*, du lat. class. *tarmes*.

♦ **1.** Insecte archiptère (à quatre ailes, à pièces buccales broyeuses, à métamorphoses incomplètes) scientifiquement nommé *termes* et parfois *fourmi blanche*, qui vit en société comme la fourmi et ronge les pièces de bois par l'intérieur. *Chaque colonie de termites a une femelle féconde* (reine), *des ouvrières et des « soldats »* (stériles) *et un mâle ailé. Nid de termites.* ⇒ **Termitière.** *Maison aux poutres rongées par les termites. La Vie des termites,* ouvrage de Maeterlinck.

♦ **2.** (1872, Littré). Loc. fig. *Travail de termite :* travail de destruction lent et caché.

(...) cette oligarchie insaisissable et irresponsable (...) dont le travail de termites ne se révèle qu'une fois accompli, et, quand la poutre centrale craque (...)
GIRAUDOUX, De pleins pouvoirs à sans pouvoirs, III, p. 81.

DÉR. Termitière.
COMP. Termitophage, termitophile, termitoxénie.
HOM. Thermite.

TERMITIÈRE [tɛʀmitjɛʀ] n. f. — 1830; de *termite*.

♦ **1.** Nid* de termites, monticule de terre durcie pouvant atteindre 2 m (provenant des rejets des termites) et percé de nombreuses ouvertures et de canaux communiquant avec les galeries et les chambres du sous-sol. *Termitière-cathédrale* (élevée); *termitière-champignon* (basse et arrondie).

Grassé a, par exemple, décrit chez les termites des «stigmergies» ou indices tels qu'une boulette de matière, une fois atteinte une certaine grosseur, déclenche sa transformation en piliers, plafonds, etc., mais l'ordre de construction de la termitière demeure variable, le résultat de chaque étape pouvant en déclencher plusieurs autres et non pas seulement une seule.
J. PIAGET, Épistémologie des sciences de l'homme, p. 204.

♦ **2.** Lieu où de nombreux êtres humains sont rassemblés, travaillent... ⇒ **Fourmilière** (2.). *Cette termitière qu'est l'usine* (→ Frustrer, cit. 5).

TERMITOPHAGE [tɛʀmitɔfaʒ] adj. — 1907; de *termite*, et *-phage*.

♦ Didact. Qui se nourrit de larves, d'œufs de termites. *Fourmis termitophages.*

TERMITOPHILE [tɛʀmitɔfil] adj. et n. — 1897, *in* l'Année biol.; de *termite*, et *-phile*.

♦ Didact. Qui vit en commensal ou en parasite des termites. — N. m. pl. *Les termitophiles.*

TERMITOXÉNIE [tɛʀmitɔkseni] n. f. — 1904; de *termite*, et *-xénie*, du grec *xenos* «étranger, hôte».

Didactique (zoologie).

♦ **1.** Relations entre les termites et leurs hôtes (commensaux, parasites...).

♦ **2.** (Mil. xxᵉ). Insecte diptère qui se développe dans le nid des termites.

TERNAIRE [tɛʀnɛʀ] adj. et n. m. — V. 1390; lat. *ternarius*, de *terni* «par trois, trois».

Didactique.

★ **I.** Adj. ♦ **1.** Composé de trois* éléments, de trois unités. *Nombre ternaire.*

♦ **2.** (1845). Chim. Se dit des composés minéraux formés de trois éléments. *Le carbonate de calcium* (CO_3Ca), *la soude* ($NaOH$) *sont des composés ternaires.* — Spécialt. Formé de carbone, d'hydrogène et d'oxygène (glucides, lipides). *Carburant ternaire.*

♦ **3.** (1643, *in* D. D. L.). Mus., poés. Qui se compose de trois éléments rythmiques. *Mesure, rythme ternaire. Forme ternaire. Coupe ternaire. Phrase ternaire,* formée de trois éléments, de trois périodes mélodiques.

Il s'agit donc de refaire l'État, de stabiliser la monnaie, d'en finir avec le colonialisme. Je me retrouvais le rythme ternaire qui lui est aussi familier que le dilemme l'est à d'autres.   MALRAUX, Antimémoires, Folio, p. 148. 1

♦ **4.** (xxᵉ). Math. Relatif au nombre 3. *Système, numérotation ternaire.* — *Forme ternaire :* polynôme homogène à trois variables. — *Relation ternaire sur un ensemble :* partie du triple produit cartésien de l'ensemble sur lui-même.

♦ **5.** (xxᵉ). Sc. (cristallographie). *Axe ternaire :* axe de symétrie d'un cristal tel que celui-ci se superpose à lui-même par une rotation de 120⁰. — *Système ternaire,* cristaux possédant un tel axe.

★ **II.** N. m. Groupe, ensemble de trois éléments.

Certes le souffle humain a des principes qui s'appuient tous sur les innombrables combinaisons des ternaires kabbalistiques. Il y a six ternaires principaux, mais des innombrables combinaisons de ternaires puisque c'est d'eux que toute vie est issue.   A. ARTAUD, le Théâtre et son double, «Lettre sur le langage» (1932), Idées/Gallimard, p. 170. 2

1. TERNE [tɛʀn] adj. — 1533; xvᵉ, «livide, pâle», rare av. xviiiᵉ; dér. de *ternir*.

♦ **1.** Qui manque de brillant, qui reflète peu ou mal la lumière. — REM. Ce qui est *terne* est désagréable à l'œil, alors que *mat** (2. Mat) désigne simplement un caractère objectif. — *Coloris, couleurs ternes.* ⇒ **Délavé, effacé, enfumé, éteint, fade, flétri, passé, sale.** *Blanc, blancheur terne.* ⇒ **Pâle.** *Argenterie, métal, glace terne,* sans reflets. — *Teint pâle et terne.* ⇒ **Blafard, blême.** *Œil, regard terne,* sans éclat ni expression. ⇒ **Inexpressif** (→ Casser, cit. 19; gris, cit. 4; maladif, cit. 4).

Ce tableau est sombre, il est terne, il est sourd.
DIDEROT, Salons, V, Casanove, *in* Œ. esthétiques. 1

Les grandes plaines ternes se perdaient sous le brouillard blanc.
HUGO, l'Homme qui rit, I, I. III. 2

(...) on apercevait les lames des schistes, étincelants de mica, et la masse grossière des grès, ternes et rugueux.   ZOLA, Germinal, I, III. 3

Une voix terne, sourde, sans résonance (⇒ **Enroué**).

♦ **2.** (1832, Balzac). Abstrait. Qui n'attire ni ne retient l'intérêt; sans couleur (III., 1.) et sans force, sans expression. ⇒ **Décoloré, froid, incolore, pâle.** *Conversation terne et languissante*.* ⇒ — *Vie terne et grise* (cit. 11); *journées ternes.* ⇒ **Morne, morose, sombre.** ⇒ — *Paysage, spectacle terne et sans intérêt.* ⇒ **Fade, maussade.** « *Tout devient terne, et la mer, et le ciel, et nos cœurs* » (→ Manteau, cit. 10).

Je n'ai aucun brio, mon style est terne, mais j'ai mis des années et des années à n'avoir aucun brio et à ternir mon style.
G. SIMENON, Interview par J. Cau, *in* le Figaro littéraire, 16 févr. 1963. 4

(Av. 1850). En parlant des personnes. ⇒ **Falot** (2.), **insignifiant** (→ Distinguer, cit. 25). *Gens insipides et ternes* (→ Navet, cit. 2). — *Terne visage* (⇒ Bonasse, cit. 2).

CONTR. Ardent, brillant, brillanté, constellé, doré, éblouissant, éclatant, ensoleillé, étincelant, frais, luisant, radieux, violent. — Expressif, hardi, intéressant...
HOM. 2. Terne.

2. TERNE [tɛʀn] n. m. — 1155; lat. *ternas,* accusatif f. pl. de *terni*. → Ternaire.

♦ **1.** Aux dés, au trictrac, Coup à chaque dé qui amène un trois. *Amener un terne ou un quaterne* (cit.). — Au loto, Groupe de trois numéros sortis sur une même ligne.

♦ **2.** (1790). Anciennt. À la loterie*, Groupe de trois numéros qui

devaient sortir au même tirage pour gagner (→ mod. Tiercé).
Terne sec.

— (...) vous croyez que votre terne sortira le 25, au tirage de Paris. Il faudra que vous fassiez une fameuse mise si vous voulez nous enrichir tous. — Un terne sec de deux cents francs donne trois millions, sans compter les ambes et les extraits déterminés.   BALZAC, la Rabouilleuse, Pl., t. III, p. 909.

Loc. fig. Vx. *C'est un terne à la loterie,* un succès* dû au hasard seul.

♦ **3.** (1949 ; 1903, n. f., in *Rev. gén. des sc.,* n° 8, p. 470). Électr. Ensemble des trois câbles de transport d'un courant triphasé.

HOM. 1. Terne.

TERNÉ, ÉE [tɛʀne] adj. — 1774 ; du lat. *terni* «par trois».

♦ **Didact.** Formé de trois parties. Groupé par trois. *Feuilles ternées,* réunies par trois à leur point d'insertion.

TERNIR [tɛʀniʀ] v. tr. — 1389 ; probablt d'orig. germanique, cf. anc. haut all. *Tarnjan* «cacher, obscurcir» ; P. Guiraud évoque aussi un gallo-romain *tetrinus*, du lat. *tetricus* «sombre», de *tœtrus* «horrible» et «noir».

♦ **1.** Rendre terne (qqch.) en enlevant ou en diminuant la capacité à renvoyer une lumière vive, l'intensité de couleur. ⇒ **Altérer, décolorer, effacer, emboire, faner, passer** (IV., 5. ; faire passer). *Ternir une surface polie, une glace, un miroir par son haleine. Pas un grain de poussière ne ternissait les meubles* (→ Ordre, cit. 17). *Cet éclat de l'or* (1. Or, cit. 10) *que les siècles n'ont su ternir.*

1   Ne ternis plus tes pieds aux poudres du chemin (...)
                    A. DE VIGNY, Poèmes philosophiques, Maison du berger, I.
2   (...) mais l'ombre de M. Achille flottait (...) dans la vapeur des chaudières qui ternissait les vitres du bureau.   A. MAUROIS, B. Quesnay, IV.

(Sujet n. de chose). *Ternir le teint de qqn. Ternir le teint (à qqn).*

♦ **2.** Rendre moins clair, rendre obscur. — (1636). Vx. *Ternir la gloire, le nom de qqn.* ⇒ **Éclipser, effacer, éteindre, obscurcir.**

3   Cela suffit pour embrouiller au moins la matière, non que cela éteigne absolument la clarté naturelle qui nous assure de ces choses (...) mais cela la ternit, et trouble les dogmatistes (...)   PASCAL, Pensées, VI, 392.

♦ **3.** (1559). Diminuer ou supprimer la valeur (morale, intellectuelle) de... ; porter atteinte à... ⇒ **Avilir, déprécier, entacher, flétrir, tacher** (vx). *Ternir la mémoire, la réputation, l'honneur de qqn.* ⇒ **Diffamer** (→ aussi Étaler, cit. 40). *Ternir qqn,* le diminuer aux yeux d'autrui ou encore le salir, le souiller (→ Déshonorer, cit. 8).

4   Ah ! traître, oses-tu bien par cette fausseté
    Vouloir de sa vertu ternir la pureté.   MOLIÈRE, Tartuffe, III, 6.
5   — (Le) jugement dont il osa ternir, à l'étourdie, l'auguste mémoire de mon père.   VILLIERS DE L'ISLE-ADAM, Axël, II, § 3, XIII.

▶ **SE TERNIR** v. pron. (1538).
Perdre son éclat, ses couleurs. *Glace qui se ternit.* ⇒ **Dépolir** (se). — (1538, Montaigne). Par métaphore, fig. *Réputation qui se ternit.* — (Avec ellipse de *se*). *« Comme à cette fleur la vieillesse Fera ternir votre beauté »* (cit. 18).

6   (...) quand le soleil du moyen âge est tout à fait couché, quand le génie gothique s'est à jamais éteint à l'horizon de l'art, l'architecture va se ternissant, se décolorant, s'effaçant de plus en plus.   HUGO, Notre-Dame de Paris, I, V, II.
7   Les gens le remarquent, elle a changé, maigri, ses yeux, ses cheveux se sont ternis.   N. SARRAUTE, le Planétarium, p. 80.

▶ **TERNI, IE** p. p. adj. (1549). *Couleurs ternies* (→ Fresque, cit. 6). ⇒ **Passé, terne, sale.** *Miroir terni* (→ Ranimer, cit. 9). *Un blanc un peu terni par le temps.* ⇒ **Assombri** (→ Passer, cit. 159). — *Yeux ternis et secs* (→ Blaser, cit. 9). ⇒ **Vitreux.**

(1636). Fig. *Gloire* (cit. 3), *réputation ternie.*

CONTR. Aviver, brillanter, briller, éclaircir, luire (faire), nettoyer, polir. — (Du v. pron.) Briller, éblouir, étinceler. — (Du p. p.) Brillant, éclatant, net.
DÉR. Terne (1.), ternissement, ternissure.

TERNISSEMENT [tɛʀnismɑ̃] n. m. — V. 1560, Paré ; de *ternir.*

♦ **Rare.** Action de ternir ; son résultat.

TERNISSURE [tɛʀnisyʀ] n. f. — 1542 ; de *ternir.*
Rare.

♦ **1.** État de ce qui est terni ; endroit où qqch. est terni. *La ternissure d'une glace, d'une vitre.* — *Une, des ternissures,* tache qui ternit.

♦ **2.** (V. 1560). Fig. Ce qui ternit (3.), salit.

— Est-ce que le chevalier Teutonique, devant le pont-levis du château, n'acceptait pas tout pour sauver sa petite fille ? — Il acceptait des blessures. Il n'aurait pas accepté de ternissure.   MONTHERLANT, le Maître de Santiago, II, I.

TERPÈNE [tɛʀpɛn] n. m. — Fin XIXe ; *terpane,* 1888, in *Année sc. et industr.* 1889, p. 215 ; all. *Terpene* (1866, Kekule), de *Terpentin* «térébenthine», et suff. -*ène.*

♦ **Chim.** Ensemble des produits hydrocarbonés (⇒ **Hydrocarbure**), de formule générale (C_5H_8) n, qui se rencontrent dans les essences naturelles ou huiles essentielles, et que l'on extrait de diverses parties des végétaux. *Classes de terpènes : hémiterpènes* (C_5H_8) (ex. : l'isoprène qui sert à préparer le caoutchouc synthétique «butyle») ; *terpènes* $(C_5H_8)2$, dont le géraniol, le menthol sont des dérivés ; *sesquiterpènes* $(C_{15}H_{24})$; *polyterpènes* (ex. : les carotènes, matières colorantes jaunes ; le caoutchouc naturel, haut polymère de l'isoprène).

DÉR. Terpénique, terpine, terpinol.

TERPÉNIQUE [tɛʀpenik] adj. — 1878 ; de l'all. *Terpene.* → Terpène.

♦ **Chim.** Se dit des terpènes et de leurs dérivés de substitution. *Composés terpéniques.*

TERPINE [tɛʀpin] n. f. — 1872 ; mot créé en angl. av. 1848 par Berzélius ; de l'angl. *turp(ent)ine* «térébenthine».

♦ **Chim., pharm.** Dérivé d'hydrocarbure de la famille des terpènes (les pinènes), utilisé en pharmacie pour régler la sécrétion bronchique (→ Bourrache, cit. 1).

TERPINOL [tɛʀpinɔl] ou TERPINÉOL [tɛʀpineɔl] n. m. — 1872, *terpinole* ; de *terpine,* et suff. -*ol.*

♦ **Chim., techn.** Composé tiré de la terpine par déshydratation, utilisé en pharmacie et dans la préparation des parfums (dans ce cas on dit plutôt *terpinéol*). *Le terpinéol est appelé « essence de muguet ».*

TERPOLYMÈRE [tɛʀpɔlimɛʀ] n. m. — Mil. XXe ; de *ter-* «trois fois», et *polymère.*

♦ **Chim.** Copolymère à trois motifs monomères (obtenu par la polymérisation simultanée de trois monomères différents).

TERRA-COTTA [tɛʀakɔ(t)ta] n. f. — 1923 ; mot ital., de *terra* «terre», et *cotta* «cuite».

♦ **Techn.** Argile dégraissée, fortement cuite, utilisée pour la décoration architecturale.

TERRADE [tɛʀad] n. m. — 1842 ; de *terre,* et suff. -*ade.*

♦ **Agric.** (vx). Engrais formé par les boues des voies publiques.

TERRAFUNGINE [tɛʀafɔ̃ʒin] n. f. — V. 1950 ; du lat. *terra* «terre», et *fungus* «champignon».

♦ **Méd.** Antibiotique *(oxytétracycline)* utilisé dans le traitement du typhus. — **Syn.** : *terramycine.*

1. TERRAGE [tɛʀaʒ] n. m. — 1225, «terres, terrassement», en moy. franç. ; dér. de *terre.*

♦ **Féod.** Syn. de *champart** (1.) : redevance féodale (→ Perception, cit. 1).
HOM. 2. Terrage, 3. terrage.

2. TERRAGE [tɛʀaʒ] n. m. — 1813, Thenard ; dér. de *terrer.*
Technique.

♦ **1.** Opération par laquelle on terre* (le sucre), anciennt).

♦ **2.** (1732). Agric. Apport de terres, action de colmater*, de terrer.

♦ **3.** (Mil. XXe). Addition d'une terre à une huile, produisant une décoloration.
HOM. 1. Terrage, 3. terrage.

3. TERRAGE [tɛʀaʒ] n. m. — Mil. XXe ; de *terre.*

♦ **Agric.** Niveau de pénétration dans le sol (d'un instrument agricole, spécialt, dans la culture betteravière).
HOM. 1. Terrage, 2. terrage.

TERRAILLE [tɛʀaj] n. f. — 1723 ; de *terre,* et suff. -*aille.*

♦ **Techn.** (vx). Poterie fine, de couleur jaunâtre ou grise (XVIIe-XVIIIe siècle).

TERRAILLER [tɛʀaje] v. tr. — 1842; «creuser la terre, terrasser», xIIIᵉ; de *terrail* (fin xIᵉ) «rempart de terre», de *terre*.

♦ Agric. Couvrir d'une couche de terre, pour protéger.

TERRAIN [tɛʀɛ̃] n. m. — 1155; du lat. *terrenum*, neutre substantivé de l'adj. *terrenus* «formé de terre», par substitution de suffixe, de *terra*. → Terre. — REM. On a tenté au xVIIᵉ s. (Richelet, Vaugelas, Académie) de restituer une orthographe étymologique *terrein*, que Littré préfère.

La surface de la terre (II., 4.) considérée dans sa forme ou dans ses qualités; portion déterminée de cette surface destinée à un usage particulier.

★ **I.** ♦ **1.** Étendue de terre (considérée dans son relief ou sa situation). ⇒ 2. **Relief** (2.), 2. **sol**. *Terrain plat* (→ Fuyant, cit 10), *accidenté* (→ Éparpiller, cit. 19). *Accidents*, mouvements** (cit. 30), *plis** (cit. 7), *replis* de terrain, du terrain* (→ aussi Humaniser, cit. 9; îlot, cit. 2; montée, cit. 9) : les collines, montagnes, vallées, ravins, ressauts, etc. ⇒ **Vallonnement**. *Élévation de terrain*. ⇒ **Hauteur, montagne**. *En terrain plat* (→ 1. Flamme, cit. 8), *vallonné... Étude géographique, morphologique, topographique du terrain. Portion de terrain dessinée sur la carte* (→ Patrie, cit. 7). — *Terrain uni, aplani artificiellement* (⇒ **Esplanade, terrasse, terre-plein...**).

Vx (abstrait). Espace. *Dévorer le terrain* (→ Enfer, cit. 21) : aller très vite. — Loc. mod. *Gagner, perdre du terrain* (dans une course, une poursuite).

1 — Ils approchent! Ils approchent! — Eh! le premier perd du terrain. — Non, il regagne maintenant.
A. JARRY, Ubu roi, II, 7.

(Collectif, dans sa mesure pour l'appropriation). Espace, surface utilisée pour construire (→ ci-dessous, II.). *Le prix du terrain* (→ Commencer, cit. 5; pièce, cit. 27). *Mille mètres carrés de terrain*.

♦ **2.** (xVIIᵉ). Nature des terres (I., 2. et 3.), du sol* à un endroit donné. *Bon terrain, terrain fertile. Le terrain est trop pauvre. Examiner le terrain. Terrain argileux, calcaire, crayeux, siliceux; compact, léger. Terrain glissant; glissement* (cit. 5) *de terrain. Terrain détrempé d'un marais. S'enfoncer* (cit. 22) *dans les terrains mouvants. Terrain croulier*. Terrains rapportés* (cit. 15). — En parlant du sol d'un «terrain» au sens 3. *L'état du terrain* (en hippisme, en football). *Terrain lourd, collant, sec; bon terrain.* — Géogr. *Terrains perméables, imperméables* (→ Écoulement, cit. 1). *Terrains d'alluvion...*

Loc. adj. **TOUS TERRAINS**, se dit d'un véhicule capable de rouler sur toutes sortes de terrains (au sens 1 : terrains accidentés; et au sens 2 : terrains détrempés, boueux...). On écrit aussi *tout terrain*.

1.1 Bullit se tenait tête nue près de sa voiture, une Land Rover tout terrain (...)
J. KESSEL, le Lion, p. 56.

Fig. et fam. *Tous terrains* ou *tout terrain* : utilisable pour tout le monde ou dans toutes circonstances. *«Un blue-jean, un slip tout terrain, une chemise kaki»* (Conrad Detrez, *l'Herbe à brûler*, p. 157). *«Un grand champion (...) un grand ténor avec une panoplie tous terrains»* (Jean Hougron, *la Gueule pleine de dents*, p. 53).

♦ **3.** Au sing. (1690). Lieux où se déroulent des opérations militaires. ⇒ **Pays** (vx). *Disputer le terrain* (→ Place, cit. 4). *Avoir l'avantage du terrain*, de la situation, de l'emplacement. *Reconnaître le terrain*, le champ de bataille. *La maîtrise* (cit. 5) *du terrain. Le terrain conquis* (cit. 10), *perdu, repris. Disputer* (II., 1.) *le terrain. Nous ne céderons pas un pouce de terrain. Ratisser* (cit. 5) *le terrain.*

Spécialt. Lieu où se déroule un duel*. *Aller sur le terrain* (cf. Sur le pré).

Loc. *Sur le terrain* : en se rendant sur les lieux mêmes du combat, et, par ext., sur place (→ Causse, cit. 1). — *Enquête sur le terrain*, au plus près de la réalité à observer.

Spécialt (de l'expr. *sur le terrain*). *Le terrain* : le lieu même de l'action. — Loc. ... **DE TERRAIN**. *Travail de terrain*, en ethnologie, etc. *«Une quarantaine d'heures de "géologie de terrain" effectuées directement sur le fond... (de l'océan)»* (la Recherche, avr. 1978, p. 317). *Un homme de terrain*, qui observe et agit sur les lieux mêmes de l'action (se dit d'un ingénieur, d'un scientifique, d'un commercial, d'un homme politique, etc.). — *Activité de terrain.*

Par métaphore, fig. *Gagner du terrain* (⇒ **Gagner** III., 4.; et aussi **avancer; progrès**). *Perdre du terrain.* ⇒ **Reculer**. *Regagner* (cit. 2) *le terrain perdu* : reprendre l'avantage. *Disputer* (cit. 11) *le terrain* : se défendre avec vigueur. *Ménager le terrain* : utiliser avec précaution, prudence, les moyens d'action dont on dispose. — *Se conduire comme en terrain conquis*, tyranniquement, avec arrogance.

♦ **4.** (1671). Fig. Les circonstances, les conditions* particulières dans lesquelles se déroule une discussion, une activité. *Le terrain de qqn* : le domaine où il est à l'aise. *Être sur son terrain*, dans un domaine familier. *Terrain favorable, défavorable* (→ Ennui, cit. 28). *Je ne vous suivrai pas sur ce terrain. Terrain de conciliation* (→ Me,

cit. 33), *d'entente*. — (Par métaphore du sens 2). *Terrain fangeux* (cit. 2), *glissant* (cit. 5). — *Le terrain est brûlant :* c'est un sujet qu'il vaut mieux éviter. *Céder du terrain.* ⇒ **Concéder**. — *Reconnaître, préparer, sonder, tâter le terrain*, l'état des choses et des esprits, avant d'agir (⇒ **Prudence**; → 1. Mou, cit. 19; négociation, cit. 3). *Déblayer* (cit. 5) *le terrain.*

2 (...) il s'est fait battre sur son propre terrain; il voulait faire parler Schneider et, finalement, c'est lui qui a mangé le morceau.
SARTRE, la Mort dans l'âme, p. 217.

2.1 Faites vos questions. Si je puis y répondre, j'essaierai de contenter votre curiosité. Pour simplifier les choses, je vais même déblayer le terrain.
M. AYMÉ, Travelingue, p. 70.

Par métaphore, fig. Ce qui est plus ou moins favorable au développement de qqch. — (xxᵉ). Méd. État d'un organisme, d'un organe, d'un tissu, quant à sa résistance aux agents pathogènes, ou sa prédisposition à diverses affections. *Terrain psychopathique.*

3 (...) le caractère de Robert Greslou, déjà dangereux par nature, avait rencontré, dans ses doctrines à lui, comme un terrain où se développer dans le sens de ses pires instincts (...)
Paul BOURGET, le Disciple, V.

♦ **5.** (1830). *Un, des terrains.* Géogr., géol. Portion plus ou moins étendue et épaisse de l'écorce terrestre, considérée quant à sa nature (⇒ **Roche**), sa structure, son âge ou son origine. ⇒ **Formation**. *Couches de terrain correspondant à une ère, une époque, un âge, un étage* (spécialt, *terrain d'une période* [cit. 7] ou *système*). *Classifications des terrains en primitifs, de transition, de sédiment, de transport et volcaniques* (Werner); *puis en terrains primaires* et secondaires** (Hutton), *tertiaires** (Brongniart, Cuvier) *et quaternaires** (Desnoyers). — (Nature). *Terrains carbonifères, houillers, crétacés...* — (Origine). *Terrains glaciaires, neptuniens, plutoniens, volcaniques... Terrains pélagiques.*

4 (La craie) forme une sorte de limite entre les terrains les plus récents, ceux auxquels on peut réserver le nom de *tertiaires*, et les terrains que l'on nomme *secondaires*, qui se sont déposés avant la craie, mais après les terrains primitifs et de transition.
CUVIER, Disc. sur les révolutions..., p. 295.

★ **II.** ♦ **1.** (V. 1160). *Un, des terrains.* Espace, étendue de terres de forme et de dimensions déterminées. ⇒ **Emplacement**. *Acheter, vendre un terrain. Terrain en concession* (⇒ **Concession**). *Terrain cultivé; laissé en friche. Un petit terrain humide et bas* (→ Hache, cit. 11). ⇒ **Bas-fond**. *Niveler, déniveler un terrain. Terrain cadastré, limité, borné, clos* (⇒ **Clos**; et aussi **fonds, parcelle**). *Accroissements d'un terrain.* ⇒ **Accrue, alluvion** (infra cit. 1). — Spécialt. *Fonds sur lequel on construit, on peut construire. Terrains à bâtir, à lotir. Acheter des terrains nus* (→ Opération, cit. 10). *Prix des terrains, plus-value, spéculation sur les terrains.*

TERRAIN VAGUE, vide de cultures et de constructions, alors que les alentours sont construits ou cultivés (→ Dépotoir, cit.; loger, cit. 13; parc, cit. 5).

5 En face des usines, des terrains vagues séparaient la route et le fleuve : ils étaient semés de huttes en carton, en tôle, en fascines, où des familles vivaient dans le vent de la vallée.
P. NIZAN, le Cheval de Troie, I, VI.

Terrain militaire, appartenant au domaine militaire.

♦ **2.** (1690). Emplacement aménagé ou disposé pour une activité particulière. *Terrain de jeu*, de sport** (→ Mi-temps, cit.). — (1912, in Petiot). *Terrain (de football, etc.).* — *Terrain de camping*.* — Manège, turf. Piste qu'on suit à cheval. *Terrains en pente.* ⇒ **Calade**. — Milit. *Terrain d'exercice* (⇒ **Champ**, 3.), *terrain de tir** (⇒ **Polygone**). — *Terrain de chasse.* ⇒ **Chasse, parc**.

Terrain d'aviation (⇒ **Camp**, 1.). — (1918). *Terrain d'atterrissage.* ⇒ **Piste** (→ Aviation, cit. 2). *L'avion prend son terrain* (→ Gaz, cit. 8; pilote, cit. 2).

TERRA INCOGNITA [tɛʀaɛ̃kɔgnita] n. f. — xxᵉ; mots lat. «terre inconnue».

♦ Littér. Domaine inconnu. Plur. *«Il n'y a plus de terræ incognitæ et il n'est plus question de découvrir aucune Amérique»* (le Nouvel Obs., 2 mars 1981, p. 22).

Quand, dans une famille, un des membres émigre dans la haute société (...) il décrit autour de lui une zone d'ombre, une *terra incognita* (...) qui n'est que nuit, pur néant pour ceux qui n'y pénètrent pas et la côtoient sans en soupçonner, tout près d'eux, l'existence.
PROUST, À l'ombre des jeunes filles en fleurs, Pl., t. I, p. 518.

1. TERRAMARE [tɛʀamaʀ] n. f. — 1867, in Littré; mot ital., de *terra* «terre», et *amara* «amère».

♦ Terre ammoniacale utilisée comme engrais.

2. TERRAMARE [tɛʀamaʀ] n. f. — 1867; ital. *terramara*, altér. de *terra mala* «mauvaise terre», de *terra*, et *malo, mala* «mauvais».

♦ Didact. Amas de débris préhistoriques ou protohistoriques de l'Italie du Nord, formant des buttes. — Habitat situé sur ces buttes.

TERRAMYCINE [tɛʀamisin] n. f. — 1950; mot angl., marque déposée, du lat. *terra*, et -*mycine*, du grec *mûke* «champignon» (→ Myco-).

♦ Substance douée d'un pouvoir antibiotique*.

TERRAPLANE [tɛʀaplan] n. m. — V. 1960; nom déposé; de *terre*, d'après *aquaplane*.

♦ Techn. Véhicule à coussin d'air se déplaçant au-dessus du sol, d'après le principe de l'aéroglisseur*. ⇒ **Naviplane**. «*Pour le terraplane (...) toutes les pistes qui sillonnent les nations de cette partie du Tiers Monde sont praticables à volonté*» (O. Willane, in *Afrique actuelle*, déc. 1967).

TERRAQUÉ, ÉE [tɛʀake] adj. — 1747, Voltaire, *Memnon;* bas lat. *terraqueus*, de *terra*, et *aqua* «eau», avec le suff. -*eus*.

♦ Vieilli ou littér. Composé de terre et d'eau, en parlant de notre monde. *Le globe terraqué, la planète terraquée :* la Terre (II.). Géogr. *Eaux terraquées*, souterraines. — *Terraqué*, recueil de poèmes de Guillevic (1942).

(...) et dans ce sentier fortuné miraculeusement rempli de douces promesses, je la vis sous les arbres adresser à Elstir un salut souriant d'amie, arc-en-ciel qui unit pour moi notre monde terraqué à des régions que j'avais jugées jusque là inaccessibles. PROUST, À l'ombre des jeunes filles en fleurs, Folio, p. 502.

TERRARIUM [tɛʀaʀjɔm] n. m. invar. — 1873, Littré, *Suppl.; de terra* «terre», sur le modèle d'*aquarium*.

♦ Biol. Terrain, emplacement aménagé pour l'élevage, l'entretien et l'observation de divers animaux.

On a constaté chez Hydromantes genei une estivation qui persistait même dans des terrarium où les conditions d'humidité et de température demeuraient constantes. Jean GUIBÉ, les Batraciens, p. 45.

TERRA ROSSA [tɛʀaʀɔsa] n. f. — xxᵉ (*in* Larousse, 1933); loc. ital. de *terra* «terre», et *rosso, rossa* «rouge».

♦ Didact. Formation de sol consistant en terre argileuse (rouge) mêlée d'éléments quartzeux, commune en Méditerranée.

TERRASSANT, ANTE [tɛʀasɑ̃, ɑ̃t] adj. — xviiiᵉ, S. Turgot, Bonnet (1762); de 2. *terrasser*.

♦ **1.** Vx. Qui terrasse (2. Terrasser, 2.). *Raisons terrassantes* (d'Alembert).

♦ **2.** Mod. et littér. Qui terrasse (2. Terrasser, 3.). ⇒ **Accablant, consternant**. *Une terrassante évidence. Une terrassante névralgie* (→ Lancination, cit. 1).

♦ **3.** (Fin xixᵉ). Rare. Concret. Qui jette à terre.

TERRASSE [tɛʀas] n. f. — xiiᵉ; *terrace* «sol, torchis, terre à foulon», en anc. franç.; dér. de *terre; de terra* «terre».

★ **I.** Sens spéciaux issus de l'ancien français.

♦ **1.** Blason. Sol figuré dans la pointe de l'écu, représenté avec des ondulations, des inégalités (collines, montagnes*), à la différence de la champagne.

♦ **2.** (1380, *in* Godefroy). Arts. Surface d'un socle plat; ce socle. *Terrasse d'une statue, d'une pièce d'argenterie.* — Peint. Représentation du sol; partie la plus proche d'un paysage.

♦ **3.** Techn. Surface d'un bloc de marbre, d'une pierre précieuse qui ne prend pas le poli.

★ **II.** (1295; *terrace*, 1165; anc. provençal *terrassa*, de *terra*). Cour.

♦ **1.** Levée de terre formant plate-forme*, ordinairement soutenue par de la maçonnerie. *Les terrasses d'un jardin, d'un parc. Arbres d'une terrasse* (→ Promenade, cit. 1). *Une superposition de terrasses* (→ Flore, cit. 2). *Terrasse élevée, qui porte un belvédère, un kiosque. Sur la terrasse* (→ Humer, cit. 4). *Mur, parapet* (cit. 2) *d'une terrasse* (→ Couvert, cit. 11). *Balustrade qui orne une terrasse. Sol d'une terrasse, en terre naturelle; cimenté, dallé. — Contreforts, soutiens d'une terrasse* (murs, murets). *Terrasse contremurée, muraillée.*

¹ *Ce reste des fondations du temple sert de plus à former une sorte de terrasse qui retient la terre végétale nécessaire aux cultures (...)*
NERVAL, Voyage en Orient, Introd., XVI.

² *(...) il y avait au fond une terrasse sablée à laquelle on montait par des marches en pierre, avec un grand vase de terre cuite classiquement bête de chaque côté (...)*
G. SAND, Histoire de ma vie, II, XI.

³ *— (...) Le privilège des grands, c'est de voir les catastrophes d'une terrasse.*
GIRAUDOUX, La guerre de Troie n'aura pas lieu, II, 13.

Cultures en terrasses : dans les terrains en pente, Cultures sur des terrasses horizontales en étages, soutenues par de petits murs.

Levée de terre naturelle; (géogr.) terrain, espace en gradins (qui, à

la différence du plateau*, n'est en surplomb que d'un côté). *Terrasse fluviale :* fond de vallée entaillé par une rivière. *Surface, bord, talus d'une terrasse. Terrasses en gradins, étagées* (escaliers de terrasses). *Terrasses rocheuses* (d'érosion), *construites* (d'accumulation). *Terrasses de méandres. Terrasses parallèles, concordantes; discordantes (divergentes* ou *convergentes).* — *Terrasse structurale,* formée, comme les banquettes, par une couche dure sous-jacente dénudée (dans une structure tabulaire alternée).

Alpin. Large replat horizontal.

♦ **2.** Archit. Plate-forme aménagée à l'un des étages d'une maison*, d'une construction (sans faire saillie, à la différence du balcon*); couverture, toiture* plate et accessible, parfois aménagée. *Porte-fenêtre donnant sur une terrasse. Toiture en terrasse,* plate. *Toit en terrasse,* ou, absolt, *terrasse. Comble* plat supportant une terrasse. Terrasse avec piscine.*

Un jardin étroit, enclos de palissades en lierre, entoure le bâtiment à trois étages, tout en terrasses comme un sanatorium, où les lits des enfants malades sont exposés au soleil. MARTIN DU GARD, les Thibault, t. VIII, p. 122.   4

Balcon en saillie de grandes dimensions (⇒ **Méniane**).

♦ **3.** (1883, Villiers de L'Isle-Adam; → Flâneur, cit. 2). Partie en plein air d'un établissement public, café ou restaurant. Spécialt. Emplacement sur le trottoir* d'une voie publique, où l'on dispose des tables et des chaises pour les consommateurs, devant un café (→ Cirer, cit. 1; pinard, cit. 2). *Aux terrasses des cafés. Terrasse en plein air; couverte l'hiver.*

(La rue) est de plain-pied avec les cafés comme le prouve l'usage de la « terrasse » que ceux-ci poussent sur le trottoir aux beaux jours.   5
SARTRE, Situations III, p. 107.

★ **III.** Métier de terrassier.

Ouvrier tourneur, il était devenu terrassier depuis la crise et se plaisait mieux maintenant dans la terrasse qu'à l'usine (...) Les terrassiers, eux, sont fiers de leur métier. Ils aiment faire voir qu'ils sont de la terrasse.   6
NAVEL, Travaux, p. 168.

DÉR. Terrasser, terrasseux, terrasson.
COMP. Contre-terrasse.

TERRASSÉ, ÉE [tɛʀase] adj. — 1681; de *terrasse*.

Blason.

♦ **1.** Vx. Dont la pointe est occupée par de la terre herbue (d'un écu).

♦ **2.** (1690). Mod. Représenté poussant sur un massif de terre. *Arbre terrassé.*

HOM. Terrassé (p. p. de 2. terrasser).

TERRASSEMENT [tɛʀasmɑ̃] n. m. — 1543; aussi «victoire, action d'abattre», 1547; de *terrasser*.

♦ **1.** Opération par laquelle on creuse, on remue, on déplace ou on transporte la terre; travaux destinés à modifier la forme naturelle du terrain. ⇒ **Déblai** (cit. 2), **remblai**. *Travaux de terrassement, pour rehausser le sol* (⇒ **Plate-forme, terrasse**), *l'excaver* (⇒ **Excavation, fouille**), *creuser les fondations* d'une construction* (⇒ **Maçonnerie**), *asseoir la voie d'une route, d'un chemin de fer, faire des fortifications* (batteries, tranchées, etc.). *Outils* (pelles, pioches), *matériel de terrassement* (excavateurs, etc.).

On attaque la première couche de la ligne nouvelle : des mottes de terre filandreuses d'herbes. La facilité et la rapidité avec lesquelles s'entame le travail — comme tous les travaux de terrassement en pleine terre — donnent l'illusion qu'il sera vite terminé, qu'on pourra dormir d: s son trou, et cela ravive une certaine ardeur. H. BARBUSSE, le Feu, II, XXIII.

♦ **2.** (1876). Terres, matériaux déplacés et disposés par des travaux de terrassement. *Les terrassements d'une voie ferrée.*

1. TERRASSER [tɛʀase] v. tr. — 1547, *terracer;* de *terrace*. → Terrasse.

♦ **1.** (1556). Vx. Former (une élévation), soutenir par une masse de terre* (I., 2.). *Terrasser un mur,* en reprendre les fondations pour le rempiéter (⇒ **Maçon**).

♦ **2.** Mod., agric., techn. Creuser*, remuer la terre de... *Terrasser un arpent de vigne* (P.-L. Courier, *in* Littré). — Absolt. *Ouvriers en train de terrasser.* ⇒ **Terrassement, terrassier.**

♦ **3.** Régional. Recouvrir (la neige) de cendres et de terre pour la faire fondre. *Terrasser la neige pour labourer.*

On plante à l'automne de longues perches de cinq mètres pour délimiter les champs, puis, en mars, on répand de la terre et des cendres pour hâter la fusion de la neige qui atteint en moyenne deux mètres d'épaisseur; le procédé est vieux

de plusieurs siècles. La neige fond rapidement aux endroits ainsi *terrassés*, alors que tout autour la montagne garde sa fourrure d'hiver.
R. FRISON-ROCHE, *Premier de cordée*, p. 180 (1941).

HOM. 2. Terrasser.

2. TERRASSER [tɛʀase] v. tr. — 1534, « battre, vaincre » ; de *terre* « jeter à terre ».

◆ **1.** (1552). Abattre*, renverser (qqn), mettre ou jeter à terre* (I., 1.) dans une lutte. ⇒ **Atterrer** (vx), **coucher** (sur le carreau), **démolir** (II., 1.), **jeter** (III., 3.), **vaincre** (→ Arc, cit. 6 ; énergique, cit. 1 ; fouiller, cit. 17 ; 2. mal, cit. 4). « *Pour un jeune ruffian terrassant sa maîtresse* » (→ Poignet, cit. 3, Baudelaire). *Terrasser son adversaire.*

1 On exposait une peinture
Où l'artisan avait tracé
Un lion d'immense stature
Par un seul homme terrassé. LA FONTAINE, *Fables*, III, 10.

Par métaphore. ⇒ **Dompter, vaincre.** *L'hydre de l'hérésie* (cit. 6) *fut terrassée. Il le laissait battu et terrassé* (→ Interlocuteur, cit. 1).

2 La Révolution de Juillet est le triomphe du droit terrassant le fait. Chose pleine de splendeur. HUGO, *les Misérables*, IV, I, I.

◆ **2. Fig.** Réduire au silence ou à l'impuissance.

3 (...) quel triomphe pour moi, si j'avais su parler (...) Avec quelle supériorité, avec quelle facilité j'aurais terrassé ce pauvre ministre au milieu de ses six paysans !
ROUSSEAU, *les Confessions*, XII.

4 — (...) Vous croyez que les Socialistes voteront les crédits de défense nationale ? — Comme un seul homme, monsieur ! s'écrie le Belge, terrassant son interlocuteur d'un regard flambant de défi.
MARTIN DU GARD, *les Thibault*, t. VIII, p. 101.

◆ **3.** (1690). Sujet n. de chose. Abattre, rendre incapable de réagir, de résister... *La fatigue* (cit. 6) *le terrassa. La violence du venin me terrasse* (→ Gorgée, cit. 2). ⇒ **Foudroyer.** *Être terrassé par le mal, la maladie** (→ aussi Blesser, cit. 15).

5 La violence de cette émotion m'avait comme terrassé ; je ressentais, en rentrant, un assez fort mal de tête, et, dès après le dîner, accablé de sommeil, m'en allai me coucher. GIDE, *Journal*, Dimanche, Mai 1906.

(Au moral). Accabler, atterrer (→ 1. Masse, cit. 6). *Être terrassé par l'émotion.* Consterner. *Cette nouvelle l'a terrassé* (Académie). — Au p. p. « *Pour l'homme terrassé qui rêve encore et souffre* » (→ Attirance, cit. 1).

DÉR. Terrassant, terrassement, terrassier.
HOM. 1. Terrasser.

TERRASSEUX, EUSE [tɛʀasø, øz] adj. — 1694 ; de *terrasse*.

◆ Techn. Qui présente des veines terreuses. *Marbre terrasseux. Pierre terrasseuse.*

TERRASSIER [tɛʀasje] n. m. et adj. — 1690 ; *tarracier*, XVIᵉ ; de *terrasser.*

◆ **1.** Ouvrier ou manœuvre employé aux travaux de terrassement (→ Creuser, cit. 13 ; exagérer, cit. 19). *Brouette ; pelle, pic, pioche, louchet ou curette de terrassier. Terrassiers qui creusent, fouillent, comblent, remblayent. Terrassier en galeries* : terrassier qualifié, capable d'effectuer le boisage des galeries qu'il creuse. *Terrassier de carrières* : pelleteur. — REM. Le fém. *terrassière* est virtuel.

◆ **2.** Adj. (littéraire).
(...) il a son siège au sol formé du grain des mêmes, où le flot terrassier le recherche et le perd. Francis PONGE, *le Parti pris des choses*, p. 99.

TERRASSON [tɛʀasɔ̃] n. m. — 1872 ; de *terrasse.*

◆ **1.** Petite terrasse.

◆ **2.** (Mil. XXᵉ). Archit. Versant d'un comble* à la Mansart.

TERRE [tɛʀ] n. f. — 1050 ; *terra*, v. 980 ; du lat. *terra*, qui possède les principaux sens du français.

★ **I.** Dans le monde physique, dans le milieu naturel où vit l'homme (⇒ Nature, II., 6.), l'élément solide qui supporte les êtres vivants et leurs ouvrages et où poussent les végétaux.

◆ **1.** (Sens abstrait : surface). Surface sur laquelle l'homme, les animaux se tiennent et marchent, qu'il s'agisse de la surface terrestre, à l'état naturel ou aménagé, du sol d'une construction, d'une habitation, d'un véhicule, etc. ⇒ **Sol ; parterre.** — REM. Dans cet emploi, *terre* est plus abstrait que *sol*, et correspond à des expressions figées, déjà courantes en anc. franç., pour la plupart, notamment : (1080) *à terre* et (v. 1175) *par terre.* —*À terre* (on disait aussi en anc. franç. *à la terre*), *contre terre, par terre. Jeter, lancer, mettre* (⇒ **Déposer, poser**) *à terre, par terre, à bas** (→ Sur, dessus la place*, vx). Par ext. *Jeter* (III., 3.) *à terre, par terre.* ⇒ **Abattre** (cit. 1), **atterrer** (vx), **renverser** ; et, au fig., **anéantir, détruire.** — Vieilli. *Mettre à terre, par terre* : abattre, détruire (cf. Mettre sur le carreau). — Fam. *Ficher* (cit. 9), *foutre par terre. Se flanquer* (cit. 9) *par terre*

(→ Instinct, cit. 7). *Tomber à terre* (→ Prendre, cit. 125). *Tomber par terre* (→ Instabilité, cit. 2, Corneille). *Face contre terre. Rouler* (cit. 19) *par terre. Se taper le derrière par terre.* — *Sauter à terre* (→ Musculature, cit. 3). *Mettre pied à terre* : descendre de cheval (⇒ **Pied**, *infra* cit. 17), et, par ext., s'arrêter (⇒ **Pied-à-terre**). *Étendre à terre.* ⇒ **Coucher.** *Se coucher* (1. Coucher, cit. 19 et 21) *à terre, contre terre, par terre* (cf. Sur la dure). *Être assis* (→ Pouf, cit. 1), *couché par terre* (→ Fusil, cit. 5). *Se rouler à terre, par terre* (→ Angoisse, cit. 3 ; mélange, cit. 12). ⇒ **Rouler** (se ; 1.). — *Laver par terre* (→ Main, cit. 6). Fam. *Laver le parterre.* ⇒ **Parterre.** — *Mettre, poser un genou* (cit. 15), *les genoux en terre.* ⇒ **Agenouiller** (s'). — *Regarder à terre, par terre ; avoir les yeux, le regard fiché* (cit. 4) *en terre* : être méditatif et triste. — REM. Seuls des critères d'usage permettent de distinguer *à terre* de *par terre*, plus courant, surtout dans la langue parlée.

1 — Je m'en suis aperçu, Madame, étant par terre.
MOLIÈRE, *les Femmes savantes*, III, 2 (→ Gravité, cit. 13).

Loc. (Avec une valeur moins abstraite. → Sol). *Toucher terre, la terre. À fleur, à ras* de terre* (→ 1. Bas, cit. 1). *Oiseau qui rase la terre.* Loc. fig. (vieilli). *Baiser, raser la terre* : être plat, vil. Fam. *Mesurer la terre* : tomber de tout son long. — *Retomber* (cit. 12), *pendre, tomber, s'incliner jusqu'à terre* (→ Saluer, cit. 2). — *Ventre* à terre. Prosterné* (cit. 5), *ventre à terre.* Loc. *Courir* (cit. 1) *ventre à terre* (d'abord en parlant d'un cheval). → Arrêter, cit. 7. — *Sembler ne pas toucher la terre* (→ Galop, cit. 1 ; marcher, cit. 7). Fig. *Ne pas toucher terre* : avoir l'impression de se soulever, de planer... (→ Inonder, cit. 16). — *Entre ciel* et terre.* — Vx. *Reprendre terre* (par allus. à *Antée*, géant mythologique) : reprendre ses forces, de la vigueur (Mᵐᵉ de Sévigné, 631, 30 juil. 1677). — *Soulever qqn, qqch. de terre.* ⇒ **Porter** (→ Matelas, cit. 3). — *Le plus grand scélérat que la terre ait porté* (→ Enfer, cit. 6). *La terre lui manquait** (cit. 27). — *Sous la terre, sous* terre* : sous le niveau du sol naturel (⇒ **Souterrain**) ; au fig. : dans un lieu caché ; d'une manière sourde, par des intrigues (Mᵐᵉ de Sévigné, Saint-Simon, *in* Littré). *Rentrer* (cit. 17) *sous terre* ; (1573, *in* D.D.L.) *souhaiter d'être à cent pieds sous terre* (par confusion, honte). — *Mettre plus bas** (cit. 66) *que terre* (→ Réagir, cit. 4).

TERRE À TERRE ou **TERRE-À-TERRE** loc. adj. (XVIIᵉ ; loc. adv. « sans s'élever du niveau commun », XVIᵉ), s'est dit au sens propre des chevaux, des danseurs... qui galopent, dansent par petits sauts, sans s'élever beaucoup. N. m. (1719, Richelet). Vx. *Le terre à terre.* Fig. (d'abord en parlant des écrivains ; cf. Furetière, 1690). Matériel et peu poétique. *Écrire, parler, aller terre à terre.* Adj. *Un esprit à terre, terre-à-terre.* ⇒ **Bas** (4.), **matériel, positif.** *Préoccupations terre-à-terre du ménage.* ⇒ **Popote, pot-au-feu.**

2 (...) sa femme n'était pas sensible à la poésie, elle n'habitait pas sa sphère (...) elle marchait terre à terre dans le monde réel, tandis qu'il avait la tête dans les cieux.
BALZAC, *la Maison du Chat-qui-pelote*, Pl., t. I, p. 52.

3 La bourgeoisie des habitudes, la vie terre à terre, le calme plat des consciences, le « bon goût » et le « bon sens », tout le petit égoïsme tranquille est dérangé, avouons-le, par les monstres du sublime. HUGO, *Shakespeare*, II, III.

4 Notre pensée vivant au-dessus des choses bourgeoises, a de la peine à descendre au terre-à-terre de la pensée ordinaire, tout entière alimentée par les basses réalités de la vie et la matérialité des événements journaliers.
Ed. et J. DE GONCOURT, *Journal*, 15 juin 1857, t. I, p. 151.

(Fig., dans le même sens). *Être, ne plus être sur la terre, revenir sur terre*, sur le plan des réalités concrètes, matérielles (→ aussi le sens II, ci-dessous). Fam. *Il a les pieds sur (la) terre* : c'est un homme positif, réaliste.

5 Impossible, en semblable pays, de rêver, de philosopher à l'allemande, de voyager parmi les chimères de la fantaisie et les systèmes de la métaphysique. On est tout de suite ramené sur terre (...) TAINE, *Philosophie de l'art*, t. I, p. 249.

SOUS (LA) TERRE. *Objets cachés sous (la) terre (ou dans la terre, en terre).* — Spécialt. *Enterré ; mort.*

Loc. fig. (1573). *Vouloir être à cent pieds sous terre* : avoir honte, être très confus. → aussi ci-dessous 3, d.

◆ **2.** (V. 1210). Matière qui forme la couche superficielle de la croûte terrestre (⇒ **Sol**, 2.), considérée dans sa surface ou dans son épaisseur. *Sol* (cit. 1) *en simple terre naturelle. Terre battue*. Sol de terre battue* (→ Grange, cit. 2). — *La terre du chemin, du sentier...* (→ Cadence, cit. 4 ; marcher, cit. 10). *La terre des allées, détrempée* (1. Détremper, cit. 1) *par la pluie.* ⇒ **Boue.** — *Chemin* (cit. 22), *route de terre*, non revêtu(e). — *Égaliser* (cit. 3), *tasser la terre. Creuser, fouiller, fouir* (cit. 2), *remuer la terre.* ⇒ **Terrassement.** — *Enfoncer, cacher dans la terre.* ⇒ **Enterrer.** *Piocher, pelleter, transporter de la terre. Terre meuble.* « *Rejeter la terre mouvante et le sable pour trouver le roc* » (→ Irrésolu, cit. 1, Descartes, par métaphore). *Brouettée de terre. Tas de terre* (→ Pelle, cit. 1). *Élévation, monticule de terre.* ⇒ **Butte, chaussée, crête, levée, remblai, terrasse, terre-plein ; cairn, tumulus.** *Talus de terre.* ⇒ **Ados.** *Sac à terre* (vx), *de terre.* ⇒ **Sac.** *Terre pulvérulente.* ⇒ **Poussière.** *Particules, morceaux, mottes de terre* (→ Fantassin, cit. 2). — *Uniformes jaunis* (1. Kaki, cit. 1), *souillés de terre* (⇒ **Terreux**). — *Animaux qui vivent dans la terre.* ⇒ **Terricole, terrier.** *Ver* de terre. On croyait que les petits animaux, les insectes... naissaient de la terre.* « *Excrément* » (cit. 7) *de la terre* ». *Manger de la terre.* ⇒ **Géophage, géophagisme.**

6 La terre, telle que les tranchées que nous suivons en montrent les couches, est

d'abord un mince humus noir comme du charbon, puis du sable jaune, et enfin l'argile, rouge de soufre ou de cinabre.
CLAUDEL, Connaissance de l'Est, Arche d'or dans la forêt.

7 La terre des villes est couverte d'une carapace de pierres taillées, ou d'un enduit noir malaxé par des machines, fondu par des chaudières, d'une croûte qui défend à la terre de respirer, de s'imbiber des eaux de pluie, de se disperser en poussière, qui protège de son contact les hommes des villes.
P. NIZAN, le Cheval de Troie, I, I.

Loc. *Charbon* de terre* (ou *de pierre, de houille* [cit. 1]) : la houille*, par oppos. au *charbon de bois. Huile de terre :* ancienne désignation du pétrole, du bitume...

(Au plur.). Quantité de terre. *Enlever les terres.* ⇒ **Déblayer.** *Terres enlevées* (⇒ **Déblai**), *jetées* (⇒ **Jectisse**), *rapportées, de rapport** (*supra* cit. 8). *Soutenir des terres par un clayonnage, un coffrage.* — En parlant des caractères d'un sol. *Excavation dans des terres molles, dures, grasses.*

Vx. *Une, des terres.* Couche, épaisseur de terre. *Couper des racines entre deux terres,* sans retourner la couche superficielle. — Fig., vx. *Entre deux terres :* d'une manière souterraine, cachée.

♦ **3.** (1252, *tarre*). **a** *La terre, une terre* (qualifiée). Spécialt. L'élément où poussent les végétaux (en particulier, par le travail de l'homme); étendue de cet élément. — REM. Dans cet emploi, *terre* peut désigner une matière, une substance concrète, aussi bien qu'une étendue, et les mêmes expressions (*terre fertile, bonne terre,* etc.) peuvent être prises dans l'un et l'autre sens. → 2. Sol (cit. 2); terrain, terroir. — *La terre et la roche*, et le sous-sol. Terre aride* (cit. 3), *inculte, stérile. Terre où poussent des plantes sauvages.* ⇒ **Lande.** — *Terre arable, cultivée.* ⇒ **Campagne** (II.), **culture, glèbe** (cit. 2 et 3). — *Coin** (cit. 12), *lopin** (cit. 2 et 3), *lot, parcelle* (cit. 1 et 2), *pièce de terre.* ⇒ **Champ.** *Un arpent* (cit. 1) *de terre* (→ Papier, cit. 21). *Fonds* de terre* (→ ci-dessous, 4.). *Cultiver* (cit. 2 et 4), *travailler la terre.* ⇒ **Agriculture, culture** (cit. 2). *Ce que reçoit et donne la terre* (→ Herseur, cit. 1). *Produit, rendement de la terre.* — *Façons* données à la terre. Gratter* (cit. 3), *fouiller* (cit. 3 et 4), *labourer* (cit. 3 et 5) *la terre, les terres.* ⇒ **Labour.** *Colmater, effondrer; ameublir, défoncer, retourner* (cit. 5) *la terre. Terre ameublie. Terre compactée.* — *Enfouir* (cit. 2), *enfoncer dans la terre* (une graine, une plante). ⇒ **Planter.** *Mettre en terre des noyaux* (cit. 1). *Enlever une plante de terre.* ⇒ **Arracher.** *Entourer de terre le pied d'un arbre.* ⇒ **Chausser** (5.), **rechausser, terrer.**

8 (...) vous oubliez que les fruits sont à tous, et que la terre n'est à personne!
ROUSSEAU, Disc. sur l'inégalité des hommes, II.

Loc. **EN PLEINE TERRE,** se dit des plantes, des arbres* qui poussent dans une terre qui n'est pas dans un contenant (pot*, jardinière, caisse, châssis...). *Culture de pleine terre ou de plein champ.* — *Les fruits* (1. Fruit, cit. 33), *les produits de la terre.* — (Qualité, caractères de la terre). *Terre avare* (cit. 28), *ingrate* (→ Dur, cit. 27), *pauvre; fécond*e (cit. 9, par métaphore), *fertile* (cit. 2), *riche.* — *La terre s'épuise* (→ Réparer, cit. 2), *s'appauvrit. Terre usée. Amender, bonifier, fertiliser* (cit. 1) *la terre.* ⇒ **Amendement** (2.), **bonification, compost, composter, engrais, limonage...** (→ Compenser, cit. 5). *Marner les terres* (→ Marnière, cit.). *Laisser reposer la terre. Terre en jachère* (cit. 1). *Cultiver la terre par assolement.* ⇒ **Assoler;** 3. **sole.**

Loc., vx. *Poire de terre.* ⇒ **Topinambour.** — Mod. *Pomme de terre.* ⇒ **Pomme* de terre.**

(Composition de la terre). *Étude de la terre par l'agrologie, l'agronomie, la pédologie*.* ⇒ **Sol.** *Faire analyser une poignée de terre. Terre alluviale, d'alluvion, limoneuse* (cit. 1; ⇒ **Limon**); *terre végétale :* sol riche en substances colloïdales organiques (⇒ **Humus, terreau**). → Dépouille, cit. 10; 1. nu, cit. 13. *Terre compacte, forte, tenace* (riche en argile); *grasse et compacte* (⇒ **Glaise, marne**), *légère* (sablonneuse...), *maigre. Terre froide,* siliceuse et pauvre. *Terre meuble* (cit. 2). *Terre caillouteuse, sablonneuse; argileuse, argilifère* (⇒ **Argile**), *argileuse et calcaire* (⇒ **Marne**), *siliceuse... Terre franche* (*infra* cit. 13). — *Terre jaune.* ⇒ **Lœss.** *Terres rouges* (argile rouge ou *terra rossa*). *Terre noire.* ⇒ **Tchernoziom; humus** (cit. 1). *Terre de bruyère.*

8.1 Il laboura avec une si grande intelligence, en se proportionnant à la nature du terrain; en creusant avec le soc, ou en ne faisant qu'effleurer le sol, suivant que la terre végétale était profonde ou légère.
RESTIF DE LA BRETONNE, la Vie de mon père, p. 137 (1776-1779).

Loc. *Tactique de la terre brûlée,* de destruction des récoltes et des villages (dans une retraite militaire...). Fig. *Politique de la terre brûlée,* consistant à détruire des ressources utilisables par un adversaire, en s'interdisant, de ce fait, d'y avoir soi-même recours.

b *(Une, des terres).* Étendue de terrain où poussent les végétaux (considérée d'une manière vague, à la différence du sens 4). *Terres incultes* (cit. 1). — *Terres à blé, à céréales, à pâturages* (⇒ **Herbue**), *à vignes,* propres à ces usages, à ces cultures. *Terres cultivées, labourées* (cit. 4; ⇒ **Labour** cit. 2), *plantées, complantées de... Terre inondée et cultivée.* ⇒ **Noue** (1.). *Une terre cultivée en jardin, en potager, en verger* (⇒ **Ouche**). *Les palus*, terres d'alluvion plantées de vignobles. Terres enfoncées* (⇒ **Baissière**), *inondées, marécageuses, paludéennes.* — *Défricher, mettre en culture les terres vierges*.*

c **LA TERRE,** symbole des activités de la campagne, de la vie paysanne. ⇒ **Glèbe.** *Le paysan* (cit. 3 et 5) *et la terre* (→ aussi Lien, cit. 7; serf, cit. 1). *Aimer la terre; avoir le goût, la passion* (cit. 24) *de la terre* (→ Classe, cit. 8; gîter, cit. 4). *La possession de la terre* (→ ci-dessous, 4.). — *Le retour à la terre,* à la culture, aux activités agricoles (→ Repliement, cit. 3).

(Le père Fouan) avait aimé la terre en femme qui tue et pour qui on assassine. Ni épouse, ni enfants, ni personne, rien d'humain : la terre! Et voilà qu'il avait vieilli, qu'il devait céder cette maîtresse à ses fils, comme son père la lui avait cédée à lui-même, enragé de son impuissance. 9
ZOLA, la Terre, I, II.

(Le Français) revient à sa compagne séculaire : la terre. C'est elle qui attache les Français à la France, beaucoup plus que les Français. Ils sont tant de peuples différents qui travaillent depuis des siècles, côte à côte, sur cette brave terre, que c'est elle qui les unit : elle est leur grand amour. 10
R. ROLLAND, Jean-Christophe, Dans la maison, I, p. 961.

d (V. 1050, *mettre en terre*). *La terre* (surtout dans des locutions, comme *en terre*). Le sol où l'on place les morts, dans la plupart des civilisations. *Mettre, porter un mort en terre.* ⇒ **Enterrer.** *«Avant qu'un peu de terre, obtenu par prière...»* (→ Enfermer, cit. 1). *Enterrer qqn en terre chrétienne* (→ Secours, cit. 5). — *Terre sainte,* bénie et consacrée à l'inhumation des fidèles (→ un autre sens ci-dessous, I., 5.). — *Ensevelir* (cit. 2) *dans le sein de la terre. Retirer de terre.* ⇒ **Exhumer.** — Loc. fig. *Porter le diable* (cit. 17) *en terre.* — *Pelletées de terre jetées sur le cercueil* (→ Entendre, cit. 34; enterrer, cit. 13; inhumation, cit. 1). *Être sous six pieds de terre, avoir six pieds de terre sur la tête :* être mort (→ Raison, cit. 76). — *«Que la terre te soit légère»* (cit. 1). *«Et son ombre sera légère À la terre où je dormirai.»* ⇒ **Cimetière** (cit. 5). *«Les morts dorment* (cit. 22) *en paix dans le sein de la terre.» «Laissez* (cit. 5) *-moi m'endormir du sommeil de la terre!»*

(...) le refus qu'on a fait à Voltaire et à Molière de les enterrer (...) dans ce que nous appelons *terre sainte* (...) 11
D'ALEMBERT, Correspondance avec le roi de Prusse, 30 avr. 1779.

e *La terre, la Terre,* divinité, abstraction ou symbole (surtout aux sens a et ci-dessus et aussi au sens II). *«La terre nourricière, la terre mère, la terre tombeau»* (→ Inclinaison, cit. 5, Péguy). *La terre, bonne mère nourrice* (cit. 10). *Le sein* de la terre* (→ Ouvrir, cit. 15). *Notre mère la Terre.*

(...) la terre seule demeure l'immortelle, la mère d'où nous sortons et où nous retournons (...) 12
ZOLA, la Terre, V, VI.

(...) j'abandonnai, cette nuit-là, aux puissances élémentaires le soin d'accorder ma pensée aux desseins obscurs de la terre. Car j'avais confiance en elle. La chaleur douce de son sein, où ne soupiraient que les sources et les feuilles, m'inclinait à cette amitié avec la vieille mère des hommes. 13
H. BOSCO, le Jardin d'Hyacinthe, p. 196.

♦ **4.** (V. 1170). **a** *(Une, des terres).* Étendue limitée, bornée, de la surface terrestre (et, spécialt, de terres cultivables. → ci-dessus, 3., a) considérée comme objet de possession. ⇒ **Bien** (2. Bien, 2.), **domaine** (1.), **fonds** (I., 1.), **propriété.** *Acquérir, acheter, vendre... une terre; affermer, amodier une terre* (⇒ **Amodiation,** 2. **ferme**). *Possesseur* (cit. 1) *d'une terre* (→ Posséder, cit. 36). *Le prix de cette terre* (→ Escompter, cit. 1). *Une petite terre* (→ Propriété, cit. 13). *Le rapport* d'une terre. Terre censive.* — Féod. *La terre d'un seigneur, la terre seigneuriale.* ⇒ **Seigneurie.** *Appeler chacun par le nom* (cit. 12) *de sa terre. Nom de terre* (→ aussi Noblesse, cit. 16; particule, cit. 2). *Terre serve.* ⇒ **Servage** (cit. 1). *Nulle terre sans seigneur* (adage féodal). — (1585). Prov. *Qui terre a guerre a* (Molière, *l'Amour médecin,* I, 1).

Elle *(la noblesse)* obligeait celui qui l'avait à n'être que l'homme d'une terre, et le vassal de qui avait l'hommage de cette terre. 14
Valery LARBAUD, Barnabooth, Journal, II, 11 juin.

b Absolt. *La terre,* objet de possession : terrain destiné à la culture ou cultivé. *Avoir pour dix mille francs de terre* (→ Établir, cit. 30). *Morcellement* (cit. 2) *de la terre. Fonds de terre* (→ 1. Manse, cit. 1). *«L'homme s'est fait terre, la loi* (1. Loi, cit. 22) *est territoriale»* (Michelet).

c Au plur. *Des terres* (→ Héritage, cit. 5; indépendance, cit. 15). ⇒ **Foncier.** *Vivre de ses terres* (→ Infélicité, cit. 2). *Propriétaire de terres.* ⇒ **Terrien.** *Partage des terres.* ⇒ **Agraire** (loi). *Se retirer sur ses terres* (par plais., chez soi; → Ouvrir, cit. 42). *Braconner, chasser* sur les terres d'autrui* (par métaphore, aller sur ses brisées). — Féod., hist. *Les terres du seigneur, du suzerain, du souverain* (→ Obéissance, cit. 10). *Les terres de la maison d'Autriche* (→ Incursion, cit. 1). *Jean sans Terre.*

— Si vous poursuivez le mérite, ce n'est pas sur nos terres que vous devez chasser. 15
MOLIÈRE, les Précieuses ridicules, 9.

♦ **5.** (1080). Vaste étendue de la surface solide du globe, de la planète Terre (II., 4.). ⇒ 1. **Pays** (cit. 6), **territoire.** *Terres arctiques, australes, boréales... La terre natale* (cit. 3). *«Milly, ou la Terre natale»,* poème de Lamartine. *La terre de ses Pères* (→ Nationalisme, cit. 1 et 2; patrie, cit. 9). *La Terre et les Morts,* de M. Barrès. *Terre lointaine* (cit. 1), *étrangère* (→ Frontalier, cit.; habiter, cit. 11). — *Terre d'exil :* par métaphore, le séjour ici-bas (→ Exil, cit. 12). — *Terres inconnues* (cit. 15, par métaphore), *inexplorées* (→ Désert, cit. 7). — *Terre d'élection, de malédiction. La terre des dieux :* la Grèce (→ Moitié, cit. 8). *«Grèce, ô mère* (1. Mère, cit. 20) *des arts, terre d'idolâtrie...». L'Allemagne, terre de l'harmonie* (cit. 16), *de la musique.* — **TERRE PROMISE.** *La Terre promise, de promission :* la Palestine; au fig., pays d'abondance.

⇒ **Promettre** (cit. 22 et 23 ; et *supra*). — **TERRE SAINTE** : les lieux où vécut le Christ, selon les Évangiles. ⇒ **Lieu** (les Lieux saints).

16　Godefroi de Bouillon n'eut pas plutôt la terre sainte qu'il s'assit découragé sur cette terre, et languit de reposer dans son sein.
　　　　　　　　　　　　　　　　　MICHELET, Hist. de France, IV, IV.

17　Donc nous voilà en Égypte, *terre des Pharaons, terre des Ptolémées, patrie de Cléopâtre* (ainsi que l'on dit en haut style).
　　　　　　　　　　　FLAUBERT, Correspondance, 245, 15 janv. 1850.

Géogr. *Basses, hautes terres* (→ Mamelon, cit. 3 ; monotone, cit. 4). *Des terres basses et plates* (→ Imperceptible, cit. 3).

Rare. ⇒ **Sol, terrain**. *Ondulation de la terre* (→ Saillir, cit. 4).

♦ **6.** (XIII⁰). **LA TERRE, LES TERRES**, opposées à un autre élément, à la mer, aux eaux, ou limitées par elles. ⇒ **2. Continent, île...** (→ Flottant, cit. 1 ; incertitude, cit. 5). *Courir la terre et les mers* (→ Assoupissement, cit. 7 ; et aussi étendre, cit. 54).

TERRE FERME. *Les îles et la terre ferme* (→ Gelée, cit. 3). *La terre ferme et la mer* (→ Littoral, cit.). — *La terre et l'onde* (cit. 6). *La fin des terres* (finis terræ ; cf. Finistère). *À d'immenses* (cit. 5) *distances de toute une* : *en pleine mer*. — *Une langue* (cit. 48), *une bande de terre*. ⇒ **Péninsule**. — *Transports par air, par mer et par terre. Envoyé par terre, par voie de terre* (→ Indou, cit. 1). — *En terre, dans les terres*, éloigné du rivage, de la côte. *Balbec-en-terre et Balbec-plage* (cit. 6). — *Dans l'eau et sur terre* (→ Poisson, cit. 1), *sur terre et sur mer*.

18　Dieu donna à l'*élément* aride le nom de Terre, et il appela Mers toutes ces eaux rassemblées.　　　　　　　　BIBLE (SACY), Genèse, I, 10.

Mar. (dans des loc.). *Prendre, toucher terre.* ⇒ **Aborder, atterrir** (II., 1.). *Attaquer la terre,* s'en approcher pour atterrir. ⇒ **Atterrer**. *Navire* qui rallie la terre, qui touche terre* (⇒ Navigation). *Marins, matelots qui revoient la terre* (→ Jupe, cit. 6), *qui prennent terre. Aller à terre.* ⇒ **Débarquer, descendre** (à terre). *Avoir toujours un pied en terre.* ⇒ **Plancher** (cit. 5 : plancher des vaches). — *Perdre terre* : cesser de voir la terre, en parlant d'un navire ; et aussi perdre pied. — Vx. *Raser la terre, aller terre à terre* : rester près des côtes. *Voisinage de la terre.* ⇒ **Atterrage**. — *Vent de terre. La mousson* (cit. 2) *de terre. Terre sous le vent.* — *Terre !,* exclamation poussée par la vigie ou par le premier qui aperçoit la terre. — *Terre de beurre* : nuage donnant l'illusion de la terre. — *Terre des feux, de feu.* ⇒ **Feu** (III., 2.). *Terre-Neuve* (⇒ **Terre-neuvas**).

19　À force de naviguer, le bâtiment qui le portait vint prendre terre au fond de la mer Noire, à la petite ville de Poti.
　　　　　　　　　J.-A. DE GOBINEAU, les Nouvelles asiatiques, p. 21.

(D'un avion). *Se poser à terre ; reprendre terre.* ⇒ **Atterrir**. — Milit. *Armée* (cit. 11 et 12), *troupes de terre.* ⇒ **Infanterie** (→ 1. Marine, cit. 5).

(Peint., littér.). *Le sol, dans un paysage, dans le spectacle de la nature* (cit. 60), *opposé au ciel, aux eaux. Le point où commence le ciel et où finit la terre* (→ Lointain, cit. 13). ⇒ **Horizon**. *On ne voit ni le ciel ni la terre* : l'obscurité* est complète. *La scène sur la terre...* (→ Lune, cit. 4). *« Et la terre, et le fleuve... »* (→ Carnage, cit. 3). — Géom. descriptive. *Ligne de terre* : intersection du plan vertical et du plan horizontal de projection.

♦ **7.** *La croûte terrestre* (considérée dans son ensemble ou dans un lieu déterminé). *La terre tremble* (→ Cérémonie, cit. 4 ; ruine, cit. 9), *gronde* (→ 1. Foudre, cit. 5). *Tremblement* de terre.* ⇒ **Séisme** (→ Sismographe, cit.). *La solidité de la terre* (au-dessous [cit. 21] des océans). *Les secousses de la terre* (→ Observatoire, cit. 2). ⇒ **Tellurique**.

♦ **8.** Techn. (électr.). *Le sol considéré comme ayant un potentiel électrique égal à zéro. Prise de terre.* — Par ext. *Réseau de conducteurs enterré, à potentiel constant. Terre constituée par une prise de contact métallique, un grillage... Mettre à la terre* : relier à la terre par un conducteur. Par anal. *Toute masse jouant dans un circuit électrique le même rôle que le sol.* ⇒ **1. Masse** (IV., 2.). *Trouver une borne terre.*

Par ext. *Conducteur allant de l'appareil à la terre.*

★ **II.** (V. 980). *Le milieu où vit l'humanité, dans son ensemble ; notre monde.* ⇒ **Monde** (II., 1.), **univers**.

♦ **1.** *L'ensemble de tous les lieux où l'homme peut aller* (avant les voyages spatiaux), *considérés à l'échelle humaine.* — *Voyager par toute la terre, aller aux confins de la terre* (→ Péril, cit. 7), *parcourir la terre entière* (→ Désennuyer, cit. 5). *Un coin de terre* : un pays (→ Patrie, cit. 6). — *La face* (cit. 28) *de la terre* (→ Nez, cit. 11, Pascal).

Spécialt (dans la Bible, la Genèse). *Dieu créa le Ciel et la Terre* (→ Monothéisme, cit. ; et aussi esprit, cit. 3).

♦ **2.** *Le milieu où vit l'humanité, considéré d'une manière abstraite et générale. Les hommes, le genre* (cit. 4) *humain sur la terre* (→ Sous le soleil*). *De la terre.* ⇒ **Sublunaire, terrestre** (1.). *Tant qu'il y aura des hommes sur la terre* (→ Mien, cit. 27). *Terre des hommes*, œuvre de Saint-Exupéry. *La vie telle qu'elle se manifeste sur la terre* (→ Activité, cit. 1). *Notre part de bonheur tient à la terre, à la vie terrestre* (→ Malheur, cit. 31). — *Les choses de la terre*, terrestres, humaines... (→ Réalité, cit. 8). *Les biens* (2. Bien,

cit. 2 et 27), *les trésors de la terre* (→ Croire, cit. 56). — *Sur la terre, sur terre* : dans la vie humaine (→ Faute, cit. 45). *Être seul sur la terre,* au monde. *Le seul, le plus... sur la terre* (→ Portée, cit. 12), *de la terre* (→ Malheureux, cit. 6). ⇒ **Monde** (au).

LA TERRE : lieu et symbole de la vie. *L'homme vit un jour* (cit. 63) *sur la terre* (→ aussi Proportion, cit. 2). *Rester sur terre* : vivre (→ Prier, cit. 8). *Quitter la terre* : mourir (→ Athée, cit. 9). — *Être sur terre.* ⇒ **Exister, vivre**.

Relig. *Le lieu où l'homme passe sa vie matérielle, charnelle* (opposée au *ciel*, à la *vie éternelle*). *La terre et le ciel* (→ Énigme, cit. 7 ; nécessaire, cit. 5 ; royaume, cit.). *« Paix sur la terre aux hommes de bonne volonté. »* ⇒ **Paix** (→ Gloire, cit. 49). — Loc. *Le sel* (cit. 1 et 2) *de la terre.* — *Représentant* (cit. 6 et 7) *de Dieu sur la terre.* — Par ext. *Le paradis sur la terre* (→ Mariage, cit. 23). Loc. fig. *Remuer ciel** (cit. 1) *et terre.*

♦ **3.** Par métonymie. *Les hommes, l'humanité.* ⇒ **Monde** (II., 4.). *Civiliser la terre* (→ Enthousiasme, cit. 13). *Les maux qui affligent* (cit. 6) *la terre. « Ils avaient vaincu toute la terre »* (→ Grand, cit. 57). *« Ce je ne sais quoi »* (→ Amour, cit. 10) *remue toute la terre.* »

Par exagér., vx. *Toute la terre* : beaucoup de monde (→ Auditeur, cit. 1 ; présomptueux, cit. 1).

♦ **4.** (XVI⁰ ; retour à l'hypothèse grecque de la sphéricité de la terre). *L'habitat humain, notre monde considéré comme un astre, un corps* (très approximativement) *sphérique.* ⇒ **Globe** (3.) ; → Monde, cit. 4, Molière. *La terre est ronde* (→ Antipode, cit. 1). *Rotondité* (cit. 1) *de la terre. Faire le tour* de la terre. Fusée, engin cosmique qui quitte la Terre.* — *La terre est un grain* (cit. 18) *de sable, une goutte de boue* (cit. 5).

(Dans les sciences modernes). Astron. et cour. (après Copernic, 1543 ; Rabelais, 5⁰ Livre, ch. 26). *Planète* appartenant au système solaire, animée d'un mouvement de rotation sur elle-même et de révolution autour du Soleil*.* ⇒ **Révolution, rotation** ; **orbite, pôle** ; **écliptique** (cit. 1). *L'équateur* (cit. 1 et 2) *de la Terre. La Lune, satellite de la Terre. Distance Terre-Lune. Éclipse de Lune produite par le cône d'ombre de la Terre. Rayonnements, radiations reçus sur la Terre* (rayonnement solaire, rayons cosmiques...). *Mouvements de la Terre et mesure du temps. Formation, origine de la Terre. Âge de la Terre* (quatre à cinq milliards d'années).

Étude physique, chimique, descriptive... de la Terre. ⇒ **Géo-**. *Supplément à la théorie de la Terre*, œuvre de Buffon. *Forme* (⇒ **Sphéroïde**), *dimensions de la Terre, aplatissement, élasticité de la Terre. Masse de la Terre* (→ Pesanteur, cit. 2). *Noyau* (cit. 4) *interne de la Terre. Les entrailles de la Terre* (→ Lave, cit. 1 ; plutonique, cit.). *Ancienne hypothèse du feu* central de la Terre. Le centre de la Terre.* — *Parties superficielles, solide* (⇒ **Lithosphère**), *liquide* (⇒ **Hydrosphère**) *et gazeuse* (⇒ **Atmosphère**), *de la Terre. Dynamique interne* (⇒ **Tectonique**) *et externe de l'écorce de la Terre* (⇒ aussi **Sial, sima**). ⇒ **Géologie**. *Champ électrique, magnétique de la Terre.*

Spécialt. *L'ensemble formé par la lithosphère* (écorce terrestre ; ⇒ **Minéral, roche, sol**) *et l'hydrosphère, étudié par la géographie et la géologie.* — *Représentation de la Terre.* ⇒ **Cartographie, géodésie, topographie** (→ Planisphère, cit.). *Coordonnées d'un point de la Terre* (⇒ **Latitude, longitude**).

★ **III.** (V. 1210). Philos., sc., techn. *Matière, substance particulière extraite du sol ou considérée comme caractéristique de l'élément solide de notre globe* (dans l'ancienne science).

♦ **1.** *L'un des quatre éléments** (cit. 10, 11 ; et *supra*), chez Empédocle, Aristote et dans la science médiévale. *Anaximandre considérait la terre comme le principe de toutes choses.* — Anc. Chim. *L'un des principes ou éléments constitutifs de toutes les substances. Au XVII⁰ siècle, Becher divise la terre, principe de la sécheresse, en vitrifiable, inflammable* (⇒ **Phlogistique**) *et mercurielle ; au XVIII⁰ siècle, De Fourcroy n'admet que la terre vitrifiable* (« silice ») *et la terre argileuse pure* (ou alumine). — *Au XIX⁰ siècle, Terre se disait encore de certains oxydes : chaux, alumine, magnésie...* (cf. Thenard, in Littré). *Terres métalliques. Terre pesante* : la baryte.

20　Cette substance *(la terre)* mérite, à juste titre, le nom d'élément, puisqu'elle entre, comme principe constituant, dans la composition de tous les corps et qu'on la retrouve, après les analyses, comme dernier résultat (...). La terre élémentaire est aussi difficile à définir que le feu, l'air et l'eau. La meilleure définition qu'on en peut donner est de dire que c'est un élément (...)
　　　　BAUMÉ, Chimie expérimentale et raisonnée, t. I, p. 90 (1773).

21　Les premiers chimistes qui ont écrit depuis le renouvellement des Lettres (...) reconnaissaient (...) l'existence de six éléments au lieu de quatre. BECHER admettait trois terres et c'était de leur combinaison que résultait, selon lui, la différence qui subsiste entre les substances métalliques.
　　　　LAVOISIER, Traité élémentaire de chimie, Disc. préliminaire, t. I (1789).

(V. 1900). Mod. **TERRES RARES** : oxydes métalliques, à propriétés très voisines, existant en proportion variable dans des minerais disséminés, rarement en quantité suffisante pour être exploitables. — Cour. *Les métaux correspondant à ces oxydes, tous éléments de n⁰ at. 57 à 71* (lanthane, cérium, praséodyme, néodyme, prométhéum, samarium, europium, gadolinium, terbium, dysprosium, holmium, erbium, thulium, ytterbium, lutetium; on y ajoutait autrefois le scandium et l'ytrium).

RÉM. Outre l'expression *terres rares,* la chimie moderne emploie encore celle de métaux *alcalino-terreux* (leurs oxydes : chaux, strontiane, baryte étaient appelés *terres*).

♦ **2.** (XIIIᵉ). Techn. Se dit de diverses matières pulvérulentes dans la composition desquelles entre généralement l'argile*. *Terre à porcelaine* (⇒ **Kaolin**), *à briques. Terre à potier,* se dit de toutes les « terres » utilisées en céramique, en poterie* (⇒ **Boucaro, cérame...**). *Terre anglaise :* mélange d'argile plastique et de quartz (pour la faïence). ⇒ **Caillloutage** (4.). *Terre de pipe :* terre anglaise additionnée de chaux. *Pipe en terre* (→ Fourneau, cit. 9). — *Terre à polir :* tripoli. *Terre pourrie :* argile figuline servant au nettoyage des métaux. — *Terre à foulon :* argile smectique. *Terre à brayer.* ⇒ **Braye.** *Tasser de la terre autour d'un moule.* ⇒ **Enterrage.** — *Terre glaise* * *:* argile malléable servant au modelage. ⇒ **Sculpture** (→ Saillie, cit. 4).

(1536). **TERRE CUITE** : argile ordinaire ferrugineuse durcie par la chaleur; produits céramiques formés de cette substance (→ Charger, cit. 4). *Briques, tuiles, carreaux, poteries de terre cuite; casseroles, cruches, statuettes en terre cuite.* — Absolt. *Le pot* (cit. 3) *de fer et le pot de terre. Plat* (cit. 24) *de terre. Terre vernie* (→ Gras, cit. 37). *Une terre cuite,* statuette, médaillon, modèle, etc., en terre cuite. ⇒ **Sculpture.** *De belles terres cuites.*

Nom de différents colorants (couleurs minérales). *Terre de Sienne; terre d'ombre* (⇒ 1. **Ombre,** *infra* cit. 14), *terre à ombrer*. ⇒ **Ocre.** *Terre verte,* à base de carbonate de cuivre hydraté. *Terre de Cassel* (vert) : manganate de baryum. *Terre de momie*. *Terres brunes.* — *Terre bolaire**(⇒ 2. **Bol**), utilisée autrefois en pharmacie.

En Afrique noire. **TERRE DE BARRE** : argile sablonneuse de couleur rougeâtre, utilisée en construction. *Trois greniers sont « en terre de barre »* (O. Bhêly-Quénum).

DÉR. **Terrage, terrasse, terreau, terrée, terrer, terrier, terril, terrir.** — V. aussi **Terrine.**
COMP. **Terrefort.**

TERRE À TERRE [teRateR] loc. adj. ⇒ **Terre,** I. (cit. 2 à 4 et *supra*).

TERREAU [teRo] n. m. — 1611; *terreau* «terrain» est une var. de *terreau,* dér. de *terral* (XIIᵉ), courant en anc. franç.; dér. de *terre.*

♦ **1.** Engrais naturel, formé d'un mélange de terre végétale et de produits de décomposition (végétaux; fumier). ⇒ **Humus.** *Terreau de couche; de feuilles. L'odeur du terreau* (→ Bouffée, cit. 3). *Amender un sol avec du terreau. Salades* (1. Salade, cit. 2) *grasses encore de terreau.*

1   (...) une plante artificielle cultivée à grand frais, étiolée malgré le terreau dont on l'entoure (...) TAINE, Philosophie de l'art, t. I, p. 203.

♦ **2.** (1765). Humus (d'un sous-bois). → Fouir, cit. 3.

2   Nos pas s'étouffent dans un terreau noir, qui cède sous eux puis rebondit. Derrière nous des empreintes demeurent, d'une netteté rigoureuse et qui paraît définitive. M. GENEVOIX, Forêt voisine, IX.

♦ **3.** Par métaphore, fig. Sol très fertile.
DÉR. **Terreautage, terreauter.**

TERREAUTAGE [teRotaʒ] ou **TERREAUDEMENT** [teRodmã] n. m. — 1869, *terreautage, in* Littré; de *terreau.*

♦ Hortic. Amélioration d'un sol par addition de terreau. Opération par laquelle on couvre de terreau les semis.

TERREAUTER [teRote] v. tr. — 1796; *terroter,* 1732; var. *terrauder* (Littré); de *terreau.*

♦ Hortic. Couvrir de terreau. — Améliorer (un sol, une terre) avec du terreau.

TERRÉE [teRe; teRe] n. f. — V. 1360; «terre, sol», XIIIᵉ; de *terre.*

♦ **1.** Vx. Talus, bord (d'un fossé).

♦ **2.** (1561). Techn., vx. Terre, boue employée comme engrais.

♦ **3.** (1842). Techn. Surface de terre exhaussée par les déblais produits par des fouilles effectuées autour.

TERREFORT [teRfoR] n. m. — Attesté XXᵉ; de *terre,* et *fort, forte.*

♦ Régional (Sud-Ouest de la France). Sol argileux.

TERREMENT [teRmã] n. m. — 1845; «territoire», 1436; de *terrer* (sens mod.), et de *terre.*

♦ Techn. Le fait d'exhausser une zone par l'apport de terres charriées par les eaux.

TERRE-NEUVAS [teRnœva], **TERRE-NEUVIEN** [teRnœvjɛ̃] ou **TERRE-NEUVIER** [teRnœvje] adj. et n. m. — 1691, *terre-neuvas; terre-neuvien,* 1612; *terreneufuiers,* 1610, *in* D.D.L.; de *Terre-Neuve.*

♦ **1.** N. m. (1691). Navire qui pêche à Terre-Neuve (on dit surtout *terre-neuvier* dans ce sens). Marin, professionnel de la grande pêche à Terre-Neuve. *Des terre-neuvas.* — Var. : *terre-neuvier.*

♦ **2.** Adj. (1904). Qui participe à une campagne de pêche à la morue sur les bancs de Terre-Neuve. *Navire, pêcheur terre-neuvier* (ou *terre-neuvas*).

TERRE-NEUVE [teRnœv] n. m. invar. — 1837; ellipse de *chien de Terre-Neuve,* île d'Amérique du Nord, à l'embouchure du Saint-Laurent.

♦ **1.** Gros chien* à tête large, à longs poils, dont la race est originaire de Terre-Neuve. On disait aussi *terre-neuvien, terre-neuvier. Des terre-neuve.*

Je ne vois, dit-il, aucun inconvénient à ce que j'aie trois terre-neuve.   1
                    Rodolphe TÖPFFER, Premiers voyages en zig-zag, p. 170.

♦ **2.** (1881). Fig., par plais. («par allusion à la proposition qu'on avait faite d'employer les chiens de Terre-Neuve pour repêcher les hommes tombés dans la Seine», Littré). Personne très dévouée, toujours prête à aider, à sauver les autres (⇒ **Sauveteur**). *C'est un vrai terre-neuve. Un dévouement* de *terre-neuve.*

Parbleu! (À part.) Je crois avoir affaire à un rival et je tombe sur un terre-neuve.   2
                    E. LABICHE, le Voyage de M. Perrichon, III, 7.

TERRE-NEUVIEN, IENNE [teRnœvjɛ̃, jɛn] adj. et n. — 1845; de *Terre-Neuve.*

♦ **1.** Adj. De Terre-Neuve et notamment de la province canadienne de Terre-Neuve (1949, angl. *Newfoundland*), comprenant l'île de Terre-Neuve et une partie du Labrador. — Subst. *Les Terre-Neuviens.*

♦ **2.** N. m. Syn. rare de *terre-neuvas* (2.).

TERRE-NEUVIER [teRnœvje] n. m. Vieilli. ⇒ **Terre-neuvas.**

TERRE-PLEIN [teRplɛ̃] n. m. — 1561; *terre-plain,* 1556; adapt. de l'ital. *terrapieno* «rempli de terre», de *pieno* «plein». Cf. La forme *terrapin* en 1567.
RÉM. La fausse étym. *terre plane* (lat. *planus*) a entraîné l'orth. *terreplain* (XVIᵉ-XVIIᵉ s.) et a modifié le sens du mot.

♦ **1.** Fortif. Partie horizontale d'un rempart, d'une batterie. ⇒ **Boulevard.**

♦ **2.** Plate-forme, levée de terre soutenue par une maçonnerie. *Le terre-plein d'une terrasse. Un terre-plein élevé* (→ Pyramidalement, cit. 1). — Spécialt. Plate-forme ménagée entre les piles d'un pont.

Je finissais par me trouver dans une auto avec un inconnu; elle heurtait un terre-plein, je sentais un choc à la tête et je fermais les yeux.
                    S. DE BEAUVOIR, Tout compte fait, p. 119.

♦ **3.** Par anal. Sol naturel plat, comparé à une levée de terre.

TERRER [teRe; teRe] v. — XIIᵉ, «jeter à terre, habiter» en anc. franç.; de *terre.*

★ **I.** V. tr. ♦ **1.** Couvrir, recouvrir de terre (une surface, un lieu). — Agric., jard., hortic. Mettre de la nouvelle terre, une terre d'engrais, du terreau au pied de (une plante, un arbre). *Terrer une vigne, terrer un pied d'œillet.*

♦ **2.** Répandre de la terre sur... *Terrer une pelouse.* — Colmater (un bas-fond).

♦ **3.** (1752; de *terre,* III., 2.). Techn. **ⓐ** Enduire (une étoffe) de terre à foulon, pour la dégraisser. *Terrer le drap.*

ⓑ Ancienn. Dans la fabrication du sucre, couvrir le fond des formes (pains de sucre) d'une terre grasse, pour le blanchir* (opération du terrage, 2. Terrage). ⇒ **Blanchissage.**

★ **II.** V. intr. Vx. Creuser la terre (⇒ **Terrier**) pour s'y loger ou s'y cacher. ⇒ **Loger** (I.). *Le lapin terre.*

▶ **SE TERRER** v. pron.

♦ **1.** (1694). Cour. Se cacher dans un terrier ou se blottir contre terre (en parlant d'un animal). Par métaphore. *Se terrer comme des cloportes* (cit. 3) *sous une pierre.*

♦ **2.** (1762). Se mettre à l'abri (dans un lieu couvert, souterrain). *Se terrer dans le métro* (→ Atteinte, cit. 2). Fig. ⇒ **Cacher** (se). *Il se terre chez lui :* il ne se montre plus. ⇒ **Isoler** (s'). *Fugitif, criminel qui se terre.*

1 Une population qui se déterminerait à se *terrer* dans ses caves, pourrait très bien, et sans grand péril, supporter un mois de bombardement à toute volée.
Ed. et J. DE GONCOURT, Journal, 28 janv. 1871, t. IV, p. 166.

2 (...) il retourne se terrer dans le mutisme bienfaisant du cloître (...)
HUYSMANS, En route, Préface.

▶ **TERRÉ, ÉE** p. p. adj.

♦ **1.** *Sucre terré*, blanchi par terrage.

♦ **2.** Caché, à l'abri, à couvert*, dans la terre, dans un lieu souterrain, et, fig., dans un lieu quelconque. *Terrés dans la cave* (→ Embusquer, cit. 4), *dans les tranchées* (→ Salement, cit. 1).

3 Et je suis ici terré dans une attente misérable (...)
ALAIN-FOURNIER, le Grand Meaulnes, III, XIV.

CONTR. Déterrer.
DÉR. 2. Terrage, terrement.

TERRESTRE [tɛʀɛstʀ] adj. — 1050, aux sens 1 et 3 ; lat. *terrestris*, de terra. → Terre.

De la terre* (dans quelques sens de ce mot, les adj. *terreux* et *terrien* ayant des emplois distincts).

♦ **1.** (⇒ **Terre**, II., 1.). Du monde où vit l'homme, d'ici-bas (→ Genre, cit. 4). — Vx (antéposé). *Le terrestre séjour* (→ 1. Idéal, cit. 5) opposé à *céleste*. *La vie terrestre* : l'existence de l'homme en ce monde (par oppos. à *une autre vie, à un au-delà*). ⇒ Nécromancie, cit. ; 2. plan, cit. 7. *L'exil* (cit. 15) *terrestre*. — *Les choses terrestres*, du monde physique (opposé à *religieux, spirituel*). ⇒ **Matériel.** → Détachement, cit. 5 ; matérialisme, cit. 6 ; oubli, cit. 15. *Point de vue terrestre et céleste* (→ Grâce, cit. 26). Par ext. *Un homme terrestre*, attaché aux choses terrestres. ⇒ **Terre** (terre à terre ; → Attacher, cit. 97, La Bruyère ; réfractaire, cit. 2).

1 — (...) J'entrevois avec peine, au fond de votre caractère, une ardeur sombre qui ne m'annonce pas la modération et la parfaite abnégation des ardeurs terrestres nécessaires à un prêtre (...) STENDHAL, le Rouge et le Noir, I, VIII.

Spécialt. Laïc, profane (opposé à *religieux*). *Vertus terrestres* (→ Saint, cit. 13). *Temple terrestre* (→ Fronton, cit. 3).

*Paradis** (cit. 9 et 10) *terrestre*.

Par ext., vieilli (péj.). Qui est exclusivement matériel. ⇒ **Charnel, corporel, grossier** (→ Âme, cit. 61). « *Un amour terrestre et grossier* » (Molière, *Dom Juan*, IV, 6).

♦ **2.** (V. 1600). ⇒ **Terre**, II., 4. De la planète Terre. — (1616, *in D.D.L.*). *Le globe*, le sphéroïde terrestre* : la Terre, considérée comme un solide théorique (en mécanique). → Aplatissement, cit. Spécialt. *Un globe* (cit. 11) *terrestre. L'équateur* (cit. 2), *les méridiens* (cit. 4), *les pôles* (cit. 3) *terrestres. Le rayon, le diamètre terrestre* (→ Fusion, cit. 1). — *La croûte* (cit. 7), *l'écorce* (cit. 6), *la surface ; l'atmosphère terrestre* (→ Éclipse, cit. 2). — *Attraction terrestre. Magnétisme terrestre* (→ Géophysique, cit. ; noyau, cit. 4).

2 Nous restâmes longtemps assis au bord du cratère, découvrant avec surprise la vérité de cette expression éculée : la croûte terrestre.
S. DE BEAUVOIR, la Force de l'âge, p. 277.

Didact. Qui concerne la planète Terre. *Mécanique* (cit. 8) *céleste et terrestre*.

♦ **3.** (⇒ **Terre**, I., 6.). **a** Des terres émergées. *Le milieu terrestre. Habitat terrestre*. Littér. ⇒ **Solide.** « *Des nuées, consistantes comme des choses terrestres* » (→ Déployer, cit. 9).

b (XVIᵉ). Qui vit sur la terre ferme. *Animaux, oiseaux, vertébrés terrestres* (par oppos. à *aquatique, marin*). → Bièvre, cit. ; habitat, cit. 1. *La flore terrestre*. — Qui est, qui se déplace sur le sol (par oppos. à *aérien, maritime*). *Locomotion, transport terrestre* (→ Machine, cit. 8).

3 Les mêmes dénominations sont en usage dans une île du détroit de Torrès, à Babuiag, où, en outre, les totems de l'une des phratries sont des animaux aquatiques, ceux de l'autre des animaux terrestres ou amphibies.
R. CAILLOIS, l'Homme et le Sacré, p. 78.

CONTR. Céleste, divin, éternel, 1. idéal, religieux, spirituel. — Aquatique, marin ; aérien...

TERREUR [tɛʀœʀ] n. f. — 1355 ; *terror*, XIIIᵉ ; lat. *terror, terroris*.

♦ **1.** Peur extrême qui affole, bouleverse, paralyse ; angoisse vive et profonde. ⇒ **Peur ; crainte, effroi, épouvante, étonnement** (vx), **frayeur, horreur.** *Terreur affreuse, folle* (→ Courir, cit. 53 ; 1. point, cit. 3). *Au comble de la terreur. Terreur salutaire. Frisson, crispation de terreur.* ⇒ aussi **Affres** (→ Dépêche, cit. 3 ; effroi, cit. 5). *Inspirer de la terreur à qqn.* ⇒ **Terrifier, épouvanter, trembler** (faire trembler). → Ronde, cit. 1. *Qui inspire la terreur.* ⇒ **Affreux, redoutable, terrible.** *Faire régner, répandre, semer la terreur* (→ Alentour, cit. 3 ; forcené, cit. 7 ; héros, cit. 7). « *Un mal qui répand la terreur...* » (→ Peste, cit. 8, La Fontaine). *Éprouver de la terreur. Être saisi, affolé, glacé, muet de terreur* (cf. Plus mort que vif). *Voir une chose, s'apercevoir de qqch. avec terreur* (→ Hydre, cit. 3 ; renvoi, cit. 2). *Sa terreur est que..., suivi du subj.* : il craint que...

1 Il est extrêmement craint de tous dans sa maison. Ses domestiques vivent dans la terreur. À table, s'il ne parle pas, personne ne dit mot.
HUGO, Choses vues, II, IV, Frédérick Lemaître.

2 On sentait dans la salle cette espèce de terreur religieuse qui saisit la foule lorsque quelque chose de grand s'accomplit. HUGO, les Misérables, I, VII, XI.

3 (...) ils se rencontraient plusieurs fois par semaine, derrière le moulin de M. Du Buch. Leur terreur était que ma belle-mère les découvrît.
F. MAURIAC, la Pharisienne, VI.

Littér. (Dans les théories d'Aristote et de l'époque classique sur la tragédie). *La pitié et la terreur* (→ Entendre, cit. 47, Rousseau ; favori, cit. 2, La Bruyère ; purger, cit. 3, Racine).

4 La terreur est, pour ainsi dire, le comble de la pitié ; c'est par l'une qu'il faut aller à l'autre. Les malheurs les plus épouvantables tomberont sur un homme que j'en serai peu touché, si vous ne m'avez pas montré d'abord digne de ma compassion et de ma pitié.
CHAMFORT, Maximes et pensées, Sur l'art dramatique. XXXVII.

Au pluriel. ⇒ **Alarme** (*supra* cit. 5). *Vaines, fausses terreurs* (→ Affranchir, cit. 12 ; avilir, cit. 21). *Inspirer à qqn des « terreurs salutaires* » (Loti, *Mon frère Yves*, I). — *Terreurs paniques* (cit. 1 et 2).

TERREUR DE..., suivi du nom de la personne ou de la chose qui inspire la *terreur*. *La terreur des gendarmes* (cit. 6). *Lorsque la terreur des lois ne les retient plus* (→ Bête, cit. 23). *Épileptique* (cit. 4) *qui vit dans la terreur incessante d'une attaque.* — Avec un inf. *La terreur d'être assassiné* (→ Feindre, cit. 4).

Psychol., méd. *Terreurs nocturnes* : crise d'angoisse chez l'enfant, entraînant le réveil et une conduite hallucinatoire, et ne laissant en général aucune trace mémorielle (différent du cauchemar*).

♦ **2.** (1789). Peur collective qu'on fait régner dans une population, un groupe pour briser sa résistance ; régime, procédé politique fondé sur cette peur, sur l'emploi des mesures d'exception et de la violence. ⇒ **Terrorisme.** *Gouverner par la terreur* (→ Proscription, cit. 1). *Régime de terreur, d'exception* (cit. 9), *de délation.*
Hist. Sous la Révolution française, Ensemble des mesures d'exception prises pour contraindre les Français à obéir aux lois du gouvernement révolutionnaire ; la période pendant laquelle ces mesures furent en vigueur, depuis la chute des Girondins, en juin 1793, jusqu'à celle de Robespierre, le 27 juillet 1794 (9 Thermidor). « *La Terreur est à l'ordre** (*infra* cit. 15) *du jour** ». *Sous la Terreur. Pendant la Terreur.* — *La Grande Terreur* : la période la plus sanglante de la *Terreur*, du 22 prairial (10 juin 1794) au 9 thermidor. — *Terreur Blanche* : la terreur que firent régner les royalistes dans le Sud-Est au printemps et en été 1795, et jusqu'en 1796. Nom donné aux représailles exercées par les royalistes dans tout le Midi pendant l'été de 1815, contre les bonapartistes et les républicains.

5 Si le ressort du gouvernement populaire dans la paix est la vertu, le ressort du gouvernement populaire en révolution est à la fois la vertu et la *terreur* : la vertu, sans laquelle la terreur est funeste ; la terreur, sans laquelle la vertu est impuissante. La terreur n'est autre chose que la justice prompte, sévère, inflexible ; elle est (...) une conséquence du principe général de la démocratie appliqué aux plus pressants besoins de la patrie.
ROBESPIERRE, Disc., 5 févr. 1794.

6 En l'absence de la religion, le gouvernement fut forcé d'inventer LA TERREUR, pour rendre ses lois exécutoires (...)
BALZAC, le Médecin de campagne, Pl., t. VIII, p. 366.

7 L'on appelle *Terreurs* ces passages dans l'histoire des nations (...) où il semble soudain qu'il faille à la conduite de l'État, non pas l'astuce et la méthode (...) mais bien plutôt une extrême pureté de l'âme, et la fraîcheur de l'innocence commune.
J. PAULHAN, les Fleurs de Tarbes, Portrait de la Terreur, p. 53.

7.1 Cette chaîne sans fin de deux terreurs qui s'enfantent l'une l'autre, qui font naître la répression de l'attentat, l'attentat de la répression (...)
F. MAURIAC, Bloc-notes 1952-1957, p. 88.

Par métaphore. *La Terreur dans les Lettres*, sous-titre des *Fleurs de Tarbes*, de J. Paulhan (→ Terroriste, cit. 1).

(Dans le contexte international). *L'équilibre de la terreur*, créé par la peur de l'emploi des armes nucléaires.

7.2 La terreur remplace la peur : terreur devant les dangers de guerre atomique, devant les menaces de crise économique. Terreur non plus de la nature, mais de la société, malgré le passage à la rationalité idéologique et pratique. La terreur ne supprime pas les peurs ; elle se surajoute à ces peurs. Les petites superstitions de la quotidienneté sont alors non pas supprimées mais « surdéterminées », supplantées par de grandes élaborations idéologiques, envers de la rationalité : horoscopes, reviviscences de religion.
Henri LEFEBVRE, la Vie quotidienne dans le monde moderne, p. 87.

♦ **3.** (Avec un compl.). Être ou chose qui fait régner, qui inspire la *terreur* (au sens 1). « *Attila... La terreur des mortels et le fléau* (cit. 2) *de Dieu* » (Corneille). *Le lion, terreur de forêts* (→ Antique, cit. 8). *La foi* (cit. 34) *est la consolation des misérables, la terreur des heureux.*

8 Terreur du libertin, espoir du fol ermite :
Le Ciel ! (...) BAUDELAIRE, les Nouvelles Fleurs du mal, X.

(1749). Sans compl. Argotique puis fam. Bandit, voyou, individu dangereux qui fait régner la terreur autour de lui. *Jouer les terreurs.* ⇒ **Dur.** — (Dans un surnom). *Jo la Terreur.*

9 Méfie-toi (...) Ces mômes-là (...)
— Des terreurs ?
— Plus moches que des terreurs, disait-il. Ça buterait père et mère, histoire d'se faire la main. Francis CARCO, Jésus-la-Caille, III, III.

DÉR. (Du sens 2) V. **Terroriser, terrorisme, terroriste.** — (Du même rad. lat.) V. **Terrible, terrifier.**

TERREUX, EUSE [tɛʀø, øz] adj. — XIIIᵉ ; *tierreux* «recouvert de terre», v. 1180 ; lat. *terrosus*, de *terra*. → Terre.

♦ **1.** (1265). Qui appartient à la terre, qui est de la nature de la terre (I., 2.). *Matière, substance terreuse. Goût terreux. Odeur terreuse.*

♦ **2.** (1412). Mêlé, souillé de terre* (I., 2.). *Métal, sable terreux. Mains, chaussures terreuses.* ⇒ **Sale.** *Salade terreuse*, mal lavée.

Ses mains terreuses ramenées derrière son dos, crainte de tacher la belle robe, il baisa l'une après l'autre les joues que lui tendait son amie (...)
                                    COURTELINE, Messieurs les ronds-de-cuir, IVᵉ tableau, II.

Fig., fam. (vx). *Avoir le cul terreux*, se disait d'une fille à marier héritière d'une grande fortune foncière, mais de basse naissance. — Mod. (fam.). *Un cul-terreux* : un paysan. ⇒ **Bouseux, glaiseux.**

♦ **3.** (1690). Qui est d'une couleur (grisâtre, jaunâtre ou brunâtre) dépourvue d'éclat et de fraîcheur. *L'uniformité terreuse du ciel* (→ Horizon, cit. 3). — *Couleurs terreuses* (→ Gris, cit. 19, Delacroix). — Spécialt. *Physionomies terreuses et verdâtres* (→ Enlaidir, cit. 5). *Figures terreuses* (→ Ronger, cit. 6). *Visage terreux.* ⇒ **Blafard.** *Un Barbaresque au teint terreux.* ⇒ aussi **Brun.**

TERRI [tɛʀi] n. m. ⇒ **Terril.**

TERRIBLE [tɛʀibl] adj. — 1160 ; lat. *terribilis*, de *terrere* «effrayer». → Terreur.

♦ **1.** (Choses). Qui inspire de la terreur* (I.), de l'horreur ; qui est très angoissant ; qui amène ou peut amener de grands malheurs (⇒ **Dangereux**) ; dur, inhumain, sans pitié. *Visage renfrogné, sourcilleux et terrible.* ⇒ **Effrayant, formidable** (vieilli), **terrifiant** (→ Enjoué, cit. 1). *Un air terrible.* ⇒ **Dur.** *Arme terrible* (→ Perfide, cit. 5). *Cauchemar terrible.* ⇒ **Affreux.** *Un mal soudain et terrible* (→ Jalousie, cit. 27). *Calamités* (cit. 2), *danger, bouleversements, catastrophes terribles.* ⇒ **Dramatique** (*supra* cit. 9), **effroyable, épouvantable, étrange** (*supra* cit. 2, vx), **tragique** (→ Aventurer, cit. 5 ; peupler, cit. 7 ; quinquagénaire, cit.). *L'Année* (cit. 6) *terrible* : l'hiver 1870-1871, pendant la guerre (titre d'un recueil de vers de Hugo, 1872). — *Sous l'effet* (cit. 20) *des plus terribles menaces. Punitions, châtiments, lois terribles* (→ Effrayer, cit. 4 ; frapper, cit. 27 ; juger, cit. 2). «*Seigneur, votre droite* (cit. 11) *est terrible*». *Exemple* (cit. 22 et 25) *terrible.* «*De grandes et de terribles leçons*» (→ Appartenir, cit. 20, Bossuet). — (Personnes). Vx. Dur, sans pitié. «*Daignez d'un roi terrible apaiser* (cit. 8) *le courroux*» (Racine). ⇒ **Implacable.** Subst. (mod.). *Ivan le Terrible.* — *Terrible pour...* (→ Bienveillant, cit. 3). — Vx. *Terrible à...* (→ Héros, cit. 2, Racine ; humble, cit. 4, Pascal).

1   Hénoch dit : Il faut faire une enceinte de tours
    Si terrible, que rien ne puisse approcher d'elle.
                                    HUGO, la Légende des siècles, II, La conscience.
2   Et tout à coup se redressant, blême, tremblant, terrible, le front agrandi par l'effrayant rayonnement de la colère, il étendit le bras vers Marius et cria :
    Va-t'en.   HUGO, les Misérables, III, III, VIII.

Vieilli. Qui inspire, qui est propre à inspirer la terreur tragique. ⇒ **Terreur** (*supra* cit. 4). *Traiter des sujets terribles.* — Subst. *Le terrible et le bouffon* (→ Drame, cit. 5). *Le grotesque et le terrible* (→ Romantisme, cit. 3).

♦ **2.** (1587, sens affaibli). **a** (Choses). Très pénible, très grave, très fort. *Un vent, un froid terrible.* ⇒ **Excessif, horrible** (3.) ; → Fois, cit. 26 ; par, cit. 18. *Une terrible sécheresse* (cit. 3). *Quinte* (3. Quinte, cit. 2) *de toux terrible. Il est d'une humeur terrible aujourd'hui*, de très mauvaise humeur. *Une inquiétude terrible.* — *Il est, c'est terrible de...*, suivi de l'inf. (→ Malveillance, cit. 1). — *Coups* (cit. 53) *terribles.* ⇒ **Violent.** *Bruit, voix terrible.* ⇒ **Formidable, infernal** (cf. Un bruit d'enfer). *Un effort terrible* (→ Maintenir, cit. 16). *Le terrible punch d'un boxeur.* ⇒ **Foudroyant** (→ Massacrer, cit. 4).

N. m. Ce qui est terrible. *Voilà le terrible* (→ Pousser, cit. 46).

b (1690, «fatigant»). Personnes. Qui est agressif, turbulent, très désagréable... *C'est un gosse terrible*, et, subst., *un terrible. Une femme terrible*, acariâtre (cf. fam. Un fléau). *Il est terrible avec sa manie de s'occuper de ce qui ne le regarde pas.* ⇒ **Fatigant, importun.** *Enfant* (cit. 6) *terrible.* — Fig. *C'est l'enfant terrible de son parti. L'enfant terrible du romantisme.* — Littér. *Les Enfants terribles*, roman de Cocteau. *Les Parents terribles*, pièce de Cocteau.

(Antéposé). *C'est un terrible bavard* : il est très bavard et, par là, très désagréable. *Un terrible discoureur. Des parleurs* (cit. 5) *terribles.* ⇒ aussi **Impénitent** (*supra* cit. 4).

♦ **3.** (1664). TERRIBLE, employé comme simple intensif. ⇒ **Extraordinaire, grand** (→ Formidable, sensationnel). — REM. Ce sens, courant dans la langue des Précieuses au XVIIᵉ s., reprend une grande vigueur dans le langage familier. → Terriblement. «*C'est un terrible avantage de n'avoir rien fait, mais il ne faut pas en abuser*» (cit. 5, Rivarol). *Une envie, un appétit terrible.* ⇒ **Féroce** (3.).

3   Langhac est un terrible nom pour la grandeur et pour l'ancienneté.
                                    Mᵐᵉ DE SÉVIGNÉ, 455, 9 oct. 1675.

(En parlant d'une personne). Fam. *C'est un type terrible*, très fort. ⇒ **Étonnant.** *Pas terrible, ton bonhomme.*

4   *Formidable*, qui paraissait si fort à mon adolescence, est, comme on dit *dépassé*. Une fille n'est plus formidable, ni même *trans* : elle est *terrible* — un film aussi, un disque (...)   Pierre DANINOS, Terrible, *in* le Figaro, 2 oct. 1963.

Argot des jeunes. Adverbial. Très bien. ⇒ **Formidablement.** *Ça chauffe terrible* (d'une musique de danse rythmée et excitante). *Ça pousse terrible* (d'une voiture dont les accélérations sont très fortes).

Fam. PAS TERRIBLE : médiocre, faible ; pénible, désagréable.

CONTR. **Débonnaire.**

DÉR. **Terriblement.**

TERRIBLEMENT [tɛʀibləmɑ̃] adv. — 1375 ; de *terrible*.

♦ **1.** Vx. D'une manière terrible* (1.) ; dangereusement. «*La licence excessive ou la patience poussée à l'extrémité menacent terriblement les maisons régnantes*» (Bossuet, *Oraison funèbre d'Henriette-Marie de France*).

♦ **2.** (1470 ; → Terrible, 2. et 3.). D'une manière très dure, très violente, très intense ; à l'extrême. ⇒ **Diablement** (fam.), **énormément, étrangement** (vx), **excessivement** (*supra* cit. 3), **extrêmement, formidablement** (→ Parole, cit. 31 ; patatras, cit. 1 ; 2. Pompier, cit. 2). *Il faisait terriblement chaud* (→ Plaquer, cit. 6). *Un manuscrit terriblement défaillant par endroits* (→ Rapetasser, cit. 2). *Il faut terriblement de talent pour...*, beaucoup de talent (→ Génie, cit. 34).

1   La nuit leur semblait terriblement longue. Par moments, elles se secouaient, buvaient du café (...)   ZOLA, l'Assommoir, IX, t. II, p. 93.
2   Éloy y est habité, mais le gamin qui grandit terriblement ces temps derniers se sent l'estomac creux.   ARAGON, la Semaine sainte, XII.
3   Ces deux brefs chefs-d'œuvre n'en finissaient pas. Cette finesse m'écrasait. C'était bien joué pourtant. Trop bien peut-être. Terriblement bien.
                                    F. MAURIAC, le Nouveau Bloc-notes 1958-1960, p. 344.

♦ **3.** Fam. (Intensif). Extrêmement. — Vx (dans la langue des Précieuses, au XVIIᵉ s.). «*Pour moi, j'aime terriblement les énigmes*» (→ Exercer, cit. 5, Molière). Mod. Beaucoup.

TERRICOLE [tɛʀikɔl] adj. — 1836 ; de *terra*. → Terre, et suff. -cole.

♦ Zool. Se dit de certains animaux (annélides, etc.) qui vivent dans la terre ou dans la vase. — N. m. *Un terricole.*

TERRIEN, IENNE [tɛʀjɛ̃, jɛn] adj. et n. — 1210 ; «terrestre», 1190 ; de *terre*.

★ **I.** Adj. et n. ♦ **1.** Vx (opposé à *céleste, spirituel*). Qui concerne la terre* (II., 2.), le monde d'ici-bas, les choses temporelles. ⇒ **Terrestre** (1.). «*Dame du ciel, régente terrienne*» (→ Infernal, cit. 1, Villon). *Les biens terriens* (→ 1. Appointer, cit. 1, Calvin). — Relig. *Œuvres terriennes* : œuvres serviles* (1.).

N. m. pl. *Les terriens* : les hommes, les mortels.

♦ **2.** Qui possède des terres (I., 4.) ; qui règne sur une certaine étendue de terre. *Seigneur terrien. Propriétaire terrien.* ⇒ **Foncier** (1.).

1   (...) dans cette petite ville de (...) où les anciens seigneurs terriens du pays, ruinés et volés par la Révolution, avaient peut-être pour se consoler, l'inoffensive manie de s'attribuer eux-mêmes des titres de comte et de marquis (...)
                                    BARBEY D'AUREVILLY, les Diaboliques, «Dîner d'athées», p. 290.
2   Son mari est un grand propriétaire terrien, qui depuis deux années nous promène, avec toutes sortes de complaisances et de la bonne gaîté, à travers ses bois, ses champs, ses fermes.   Ed. et J. DE GONCOURT, Journal, 4 nov. 1886, t. III, p. 65.

N. m. Vx. *Un grand terrien*, seigneur qui possède beaucoup de terres ; souverain qui règne sur un vaste pays.

♦ **3.** (XIXᵉ). Opposé à *citadin*. Qui concerne la terre* (I., 3.), la campagne, qui est propre aux paysans. *Ascendance terrienne.* ⇒ **Paysan** (adj.). *Les vieilles vertus terriennes* (→ Piété, cit. 6). — N. m. *Un terrien* : un homme de la terre, un paysan.

3   (*Buteau*) était un vrai terrien, attaché au sol, ne connaissant qu'Orléans et Chartres, n'ayant rien vu, au-delà du plat horizon de la Beauce. Et il semblait en tirer un orgueil, d'avoir ainsi poussé dans sa terre, avec l'entêtement borné et vivace d'un arbre.   ZOLA, la Terre, I, V.

♦ **4.** (Opposé à *marin, maritime*). Qui vit dans l'intérieur des terres* (I., 6.) et non sur les côtes ; qui n'est pas habitué à la mer, qui n'a pas une vocation maritime. *Peuple terrien. L'Orient* (cit. 7) *méditerranéen et l'Orient terrien et mongol* (⇒ aussi **Continental**). — Subst. *Les Turcs, ces terriens, demeurent en marge de l'atmosphère maritime de la Méditerranée* (→ Apport, cit. 6). — Spécialt (dans le langage des marins). *Les terriens* : tous ceux qui ne sont pas des gens de mer.

4   (...) il a toujours été difficile d'intéresser le Français terrien aux choses de la mer.
                                    J. BAINVILLE, Hist. de France, VI, p. 99.

♦ **5.** (Au sens du subst., → ci-dessous II.). De la planète Terre.

5   Peut-on seulement concevoir qu'un ingénieur martien, voulant interpréter le fonctionnement d'une calculatrice terrienne, puisse parvenir à un résultat quelconque

s'il se refusait, par principe, à disséquer les composants électroniques de base qui effectuent les opérations de l'algèbre propositionnelle?

Jacques MONOD, le Hasard et la Nécessité, p. 105.

★ **II.** N. (xxᵉ; «homme», 1270). Habitant de notre planète (opposé aux habitants supposés des autres planètes, d'un autre monde). ⇒ **Extra-terrestre; martien.**

1. TERRIER [tɛʀje] n. m. — 1375; *terrer* «rempart, levée de terre», 1170; aussi en anc. franç. «tertre; terre, terreau»; «seigneur terrien»; de *terre*.

♦ **1.** (1241, *tierier*, dans un texte de Cambrai). Dr. anc. Registre contenant l'état des droits (redevances, obligations diverses) attachés à une terre, à une seigneurie, à une abbaye... *Réfection, renouvellement des terriers.* — Adj. *Livre, registre, papier terrier.*
Dans un monastère, Religieux qui était chargé du recouvrement des droits.

♦ **2.** (V. 1375). Trou, galerie ou ensemble de galeries que certains animaux creusent dans la terre et qui leur sert d'abri et de retraite. ⇒ **Tanière** (1.) et 2; **Furet,** cit. 1 et 2; garenne, cit. 4; lapin, cit. 3. *Le terrier d'un lièvre* (⇒ **Gîte**), *d'un lapin* (⇒ **Rabouillère**), *d'un renard. Faire sortir un animal de son terrier.* ⇒ **Bouquer, débusquer, forcer.** — *Le terrier d'un grillon.*

Sa grand'mère, son père, Fraulein lui dispensaient l'atmosphère de sécurité nécessaire, dont sa mère s'acharnait à le débusquer, comme un furet attaque le lapin au plus profond du terrier. F. MAURIAC, le Sagouin, I.

Par métaphore. Retraite, abri (→ Refuge, cit. 4). *Se retirer dans son terrier* (⇒ Isolement, 2.).

HOM. 2. Terrier.

2. TERRIER, IÈRE [tɛʀje, jɛʀ] n. — 1838; *chien terrier,* 1375; de 1. *terrier.*

♦ Chien utilisé autrefois pour la chasse des animaux à terrier. ⇒ **Airedale, bull-terrier, fox-terrier.** *Les terriers sont de bons chiens de garde.*

1 Nous fûmes accueillis par les abois d'un terrier hirsute qui, partagé entre la joie et l'indignation, consacrait sa queue à son maître et sa gueule à l'étranger.
Henri FAUCONNIER, Malaisie, p. 188.

2 Pour ma petite terrière brabançonne, un seul problème se posait : l'emmènerais-je? ne l'emmènerais-je pas? COLETTE, De ma fenêtre, 30 janvier 1941, p. 71.

HOM. 1. Terrier. — (Du fém.). Terrière.

TERRIÈRE [tɛʀjɛʀ] n. f. — 1403; de *terre.*

♦ Vx. Lieu d'où l'on retire de la terre.

HOM. Terrière (V. 2. Terrier).

TERRIFIANT, ANTE [tɛʀifjɑ̃, ɑ̃t] adj. — 1558; rare av. 1842; de *terrifier* ou du lat. *terrificare.*

♦ **1.** Qui terrifie, qui est propre à inspirer de la terreur, de l'horreur. ⇒ **Effrayant, épouvantable, terrible.** *Cri, appel terrifiant* (→ Bramement, cit. 2; glapissement, cit. 3). *Masques* (1. Masque, cit. 2 et 3) *terrifiants.*

(...) ces juges qui, en des temps de démonomanies et de meurtres, avaient entendu les plus terrifiants des aveux (...) HUYSMANS, Là-bas, XVII.

♦ **2.** Très intense, très grand, très remarquable. ⇒ **Terrible** (2. et 3.). *C'est terrifiant comme il a vieilli.*

TERRIFICATEUR, TRICE [tɛʀifikatœʀ, tʀis] adj. — 1795, Babeuf; dér. sav. du lat. *terrificare* «terrifier».

♦ Vx ou hist. Qui impose la Terreur* (pendant la Révolution française).

TERRIFICATION [tɛʀifikasjɔ̃] n. f. — 1510; lat. *terrificatio,* de *terrificatum,* supin de *terrificare.* →, Terrifier.

♦ Vx. Fait, action de terrifier. — (Sous la Révolution). Le fait d'imposer un régime de terreur.

TERRIFIER [tɛʀifje] v. tr. — 1794; lat. *terrificare;* de *terrificus* «terrifiant», de *terrere* «effrayer», et *facere* «faire». → Terreur.

♦ Frapper de terreur* (1.), d'une vive crainte. ⇒ **Affoler, effrayer, terroriser;** → Agrandir, cit. 11; école, cit. 4.

1 À plusieurs reprises, il prit Madame Raquin à part, il la terrifia en paraissant très effrayé lui-même des changements, des ravages qu'il disait voir sur le visage de la jeune femme. ZOLA, Thérèse Raquin, XIX.

▶ **TERRIFIÉ, ÉE** p. p. adj.

2 Il n'y avait en la ville femme ou fille sur laquelle il n'osât porter le regard et la

main, les poursuivant et les pressant jusqu'à l'église et dans leurs maisons mêmes, puisant sans vergogne dans la bourse d'un père ou d'un époux terrifié.
M. AYMÉ, le Passe-muraille, p. 152.

CONTR. Enhardir, rassurer.
DÉR. Terrifiant.

TERRIFIQUE [tɛʀifik] adj. — Fin xvᵉ, repris par les Goncourt, 1863; du lat. *terrificus.*

♦ Archaïsme (en général par plais.; d'autres emplois calquent l'angl. *terrific,* de même origine). Effrayant.

En un mot, une machine *(un ordinateur)* qui vous dépasse par sa rapidité et son infaillibilité même, dont l'assurance vous déroute. C'est un rêve terrifique? Une merveille inquiétante? Science et Vie, nᵒ 593, p. 119.

TERRIGÈNE [tɛʀiʒɛn] adj. — 1843; «né de la terre», v. 1370; lat. *terrigena.*

♦ **1.** Géol. Se dit des dépôts près des côtes, apportés à la mer par les fleuves. *Dépôts, boues terrigènes.*

Les sédiments terrigènes, tirant leur origine des terres émergées ou du littoral, dominent largement dans les aires les plus proches de la ligne de rivage.
J.-M. PÉRÈS, la Vie dans les mers, p. 22.

♦ **2.** N. m. (1859, Hugo). Littér., rare. Habitant de la Terre.

TERRIL [tɛʀil] ou **TERRI** [tɛʀi] n. m. — xxᵉ, *terril; terri,* 1885; mot du Nord-Est, dér. de *terre.* Cf. *terris* «terrain», xIIIᵉ.

♦ Grand tas de déblais au voisinage d'une mine. ⇒ **Crassier.**

1 (...) il se risqua enfin à gravir le terri (...) Les ouvriers de la coupe à terre avaient dû travailler tard, on sortait encore les déblais inutiles. ZOLA, Germinal, I, I.

2 (...) et dans le détail de leur vie souterraine les mineurs de Lens et de Carvin, pendant que la guerre passe entre les terrils, la retraite française (...)
ARAGON, la Semaine sainte, X.

TERRINE [tɛʀin] n. f. — 1549; *therine,* 1412; féminin substantivé de l'anc. adj. *terrin* «de terre», issu lui-même du lat. pop. *terrinus.*

♦ **1.** Récipient de terre (et, par ext., de métal) en forme de tronc de cône évasé vers le haut, qui sert à divers usages; le contenu de ce récipient (⇒ Cerise, cit. 5; farine, cit. 4; laiterie, cit. 1).

Une grande terrine à fond d'émail vert qui servait aux savonnages fut enterrée jusqu'aux bords dans l'intérieur de la grotte (...)
G. SAND, Histoire de ma vie, II, XVI.

♦ **2.** (1413). [a] Récipient de terre, assez profond, muni d'un couvercle, où l'on fait cuire et où l'on conserve certaines préparations (de viandes, de poisson). *Faire cuire dans une terrine. Pâté en terrine.*

[b] Contenu de ce récipient. *Terrine de pâté de foie* (→ Index, cit. 2), *de pâté* (cit. 5) *de lièvre, de canard. Terrine de veau en croûte* (cit. 5), *de lapin. La terrine du chef. Terrine de poisson, de bar, de brochet, de saint-pierre.*

(...) tout près d'elle, sous sa main, étaient le veau piqué, le pâté de foie, le pâté de lièvre, dans des terrines jaunes. ZOLA, le Ventre de Paris, t. I, p. 102.

♦ **3.** Pop. Tête. *Il a une drôle de terrine.*

Tu parles! Je me demande comment il s'y est pris pour opérer sans que les gars n'aient envie de lui flanquer leurs éprouvettes à travers la terrine.
SAN-ANTONIO, le Secret de Polichinelle, p. 47.

DÉR. Terrinée.

TERRINÉE [tɛʀine] n. f. — 1582; de *terrine.*

♦ Rare. Contenu d'une terrine. — REM. On dit normalement *terrine : manger une pleine terrine de pâté.*

TERRIR [tɛʀiʀ] v. intr. — Fin xvIᵉ; de *terre.*

♦ **1.** Mar. (vx). Arriver près de la terre, à terre. ⇒ **Atterrir** (2.). — (T. de pêche). *Poissons qui terrissent,* viennent près des côtes.

♦ **2.** (1690). *Tortue qui territ,* qui sort de la mer pour venir pondre à terre.

TERRITOIRE [tɛʀitwaʀ] n. m. — 1380; *terretoire,* 1278, rare jusqu'au xvIIᵉ (→ Confins, cit. 1, La Fontaine), répandu au xvIIIᵉ (Montesquieu, Rousseau); lat. *territorium.* → Terroir; de *terra* «terre».

♦ **1.** Étendue de la surface terrestre sur laquelle vit un groupe humain, et, spécialt, une collectivité politique nationale (⇒ **État, nation, pays**). *Le territoire national, français* (→ 2. Neuf, cit. 6). *Un grand territoire* (→ Constitution, cit. 5). *Ligne* (cit. 5) *de démarcation entre deux territoires. Territoire enclavé* (⇒ **Enclave**). — *Défendre son territoire* (→ Face, cit. 65), *le territoire de son pays. Conquête* (→ 2. Objectif, cit. 6), *occupation* (cit. 6) *d'un territoire. Ne pas céder un pouce* (cit. 13) *de son territoire. En territoire ennemi* (→ Étendue, cit. 12). *Défense* (cf. Défense nationale), *sécurité, surveillance du territoire* (D.S.T.; ⇒ **Police**). *Le « libérateur du territoire »,* nom donné à Thiers, après l'évacuation du territoire français par les troupes allemandes en 1873. — Dr. *Le territoire,* élément constitutif de la collectivité ou limite de compétence (par ex. : domaine de la souveraineté de l'État). Admin. *Divisions, subdivisions du territoire.* ⇒ **Territorial; circonscription, région.** *Portions du territoire qui dépendent du domaine* (cit. 3) *public.* Écon. *Aménagement du territoire :* politique qui tend à distribuer les industries, les activités économiques (agriculture, construction, etc.) selon un plan régional (décentralisation, programmes régionaux...).

1   Le peuple français ne fait point la paix avec un ennemi qui occupe son territoire.
                                                   Convention nationale, Séance du 18 juin 1793.

Par ext. *Territoire maritime d'un État :* les mers territoriales*. (1916). *Territoire aérien.*

♦ **2.** Étendue de pays sur laquelle s'exerce une autorité, une juridiction. *Le territoire d'un évêque* (évêché), *d'un juge.* — Surface d'une subdivision administrative. *Le territoire de l'arrondissement, du canton, de la commune...* — *Territoire de Belfort :* circonscription administrative de l'Est de la France, correspondant à la partie du Haut-Rhin restée française après 1871.
Le sol, les terres. *Division du territoire habitable en nations* (→ Frontière, cit. 3). *La race, la langue, le territoire* (→ Nation, cit. 2). *Le territoire relevant de l'influence britannique* (cit. 1).

Spécialt. Étendue de pays qui jouit d'une personnalité propre mais ne constitue pas un État souverain. *Territoires coloniaux, d'outre-mer.* ⇒ **Possession;** → 1. Peuple, cit. 6. Anciennt. *Territoires sous mandat, sous tutelle, associés. Le terme de « territoire dépendant » remplaça, dans la Charte des Nations Unies, celui de « colonie ».* — *Territoires assignés aux Indiens.* ⇒ **Réserve** (cit. 18).

(Angl. *New territories*). *Les nouveaux territoires :* les zones continentales rattachées à Hong-kong.

2   Devant moi, au-delà de la baie, s'étendent les « nouveaux territoires » jusqu'à la barre noire qui ferme l'horizon : la Chine communiste.
                                                   MALRAUX, Antimémoires, p. 484-485.

♦ **3.** Anat., physiol. Domaine localisé (en pathologie, on emploie plutôt *terrain*). → Graisse, cit. 8 ; parasympathique, cit. 1.

♦ **4.** Zool. Zone qu'un animal se réserve et dont il interdit ou limite l'accès. *Le renard délimite son territoire. L'étude de la maîtrise, de la gestion des territoires est l'un des objets principaux de la psychologie animale, de l'éthologie, de la zoosémiotique.* ⇒ **Territorialisme, territorialité** (2.). — (Plantes). *Territoire floristique,* stations à flore similaire.

3   Un territoire est un espace défendu. Le phénomène existe chez de nombreuses espèces, principalement des vertébrés. La défense peut être permanente ou périodique, s'exercer contre tous les congénères ou seulement certains d'entre eux (ou même contre des non-congénères), être le fait d'un ou de plusieurs occupants, etc. On peut distinguer différents types de territorialité selon
la fonction (territoire servant à l'alimentation, à l'appariement, à l'accouplement, à l'élevage des jeunes ou au repos);
la durée (territoire permanent, saisonnier ou temporaire);
la nature et la quantité des occupants (territoire de mâles, femelles, couple ou groupe).   la Recherche, févr. 1979, p. 114.

DÉR. Territorial.

TERRITORIAL, ALE, AUX [tɛʀitɔʀjal, o] adj. — 1748; du lat. *territorialis,* de *territorium.* → Territoire.

Du territoire.

♦ **1.** Qui consiste en un territoire, le concerne. *Extension, fraction territoriale* (→ Douar, cit. 2). *Intégrité territoriale* (→ Outrecuidant, cit.). *Modifications territoriales.* — *Puissance territoriale et puissance maritime d'un État.*

♦ **2.** (1830, Balzac). Vx. Qui consiste en terres (I., 4.). « *L'antique fortune territoriale de la famille* » (Balzac, *le Bal de Sceaux,* t. I, p. 81).

♦ **3.** (Mil. XIXᵉ). Dr. Dont la qualité, l'existence juridique dépend du territoire. *Compétence territoriale* (par oppos. à *personnel, matériel*). → Sécurité, cit. 4. ⇒ **Territorialité.** *Mer territoriale :* zone d'eau, intermédiaire entre la côte et la haute mer, sur laquelle s'exerce la souveraineté (et la compétence de droit interne) d'un État riverain. *Eaux territoriales.*

♦ **4.** (1872, *armée territoriale*). Spécialt. Qui concerne la défense du territoire national. *Armée territoriale,* et, subst. *la territoriale :* troupes sédentaires formées en 1872 pour la défense intérieure du territoire (*la territoriale* correspondait à la deuxième réserve*). *Régiment territorial.* Ellipt. *Le 94ᵉ territorial* (→ Réserve, cit. 16). — (V. 1900; n. m., 1874). Par ext. De l'armée territoriale. *Soldats, volontaires territoriaux* (→ Imposant, cit. 10). — N. m. (surtout plur.). *Les territoriaux* (→ Liaison, cit. 13 ; quartier, cit. 10).

Aussi, dès le début, avait-il été demandé au Gouvernement que, en remplacement d'une partie au moins des unités actives, il envoyât des bataillons territoriaux.
                                                   L.-H. LYAUTEY, Paroles d'action, p. 129.

♦ **5.** (XXᵉ). Qui concerne le territoire des animaux. « *La compétition*

intra-spécifique est (...) le trait caractéristique du comportement "territorial" » (Pierre Grapin, *l'Anthropologie criminelle,* p. 95).

DÉR. Territorialement, territorialisme, territorialité.

TERRITORIALEMENT [tɛʀitɔʀjalmɑ̃] adv. — 1872; de *territorial.*

♦ Du point de vue du territoire.

TERRITORIALISME [tɛʀitɔʀjalism] n. m. — 1973, in *la Clé des mots ;* de *territorial.*

♦ Didact. Tendance (des animaux) à définir et à défendre un territoire.

TERRITORIALITÉ [tɛʀitɔʀjalite] n. f. — 1852; de *territorial.*

♦ **1.** Dr. Qualité juridique tenant au territoire. *Territorialité ou personnalité* du droit. Territorialité d'un impôt, d'une loi.*

♦ **2.** Didact. Rapport (d'un animal, d'une espèce) à son territoire. « *La territorialité à fonction alimentaire a pour conséquence une utilisation optimale de l'habitat : la taille d'un tel territoire est fonction des besoins alimentaires de l'occupant. Au contraire, la territorialité à fonction sexuelle n'a pas d'effet sur l'utilisation de l'habitat : la défense n'est dirigée que contre les mâles* » (la Recherche, févr. 1979, p. 114).

COMP. Extraterritorialité.

TERROIR [tɛʀwaʀ] n. m. — 1246; 1198, *tieroer;* du lat. pop. **terratorium,* altér. gallo-romaine de *territorium.* → Territoire.

♦ **1.** Vx. Territoire, contrée. « *Allez donner mes lois à ce terroir fertile* » (Corneille, *Cinna,* II, 1).

♦ **2.** (V. 1283). Étendue de terre (⇒ **Terre,** I., 3., a) assez limitée, considérée du point de vue de ses qualités ou de ses aptitudes agricoles*. ⇒ **Sol, terrain** (I., 2.). — Spécialt. Sol apte à la culture d'un vin (→ Gourmandise, cit. 6). *Terroir produisant un petit vin* (vin de pays), *un grand cru. Vin qui sent, qui ne dément* (cit. 8) *pas son terroir, a un goût de terroir :* vin dont le goût particulier provient de la nature du sol où pousse la vigne.

Sur la colline, le terroir est assez maigre et coupé de roches, mais il produit d'excellent clairet (...)   Th. GAUTIER, les Grotesques, III, p. 67.

♦ **3.** (XIXᵉ; 1862, Fromentin). Région rurale, provinciale, considérée comme la cause des caractères particuliers de ceux qui y vivent ou qui en sont originaires. ⇒ **Origine.** *Influence du terroir* (→ Déplaire, cit. 20). *Famille enracinée* (cit. 12) *dans un terroir. Il sent le terroir, son terroir :* il est bien de sa campagne, de sa province. — (En parlant des faits de langue ou de culture). *Idiotismes qui sentent leur terroir* (→ Gigantomachie, cit. 1). *Le rondeau* (1. Rondeau, cit. 2) *a un vieux parfum de terroir. Accent du terroir. Poètes du terroir.*

TERRORISANT, ANTE [tɛʀɔʀizɑ̃, ɑ̃t] adj. — Attesté XXᵉ; de *terroriser.*

♦ Qui terrorise. ⇒ **Effrayant, terrible.**

La terrorisante apparition du Mal qui dans les Mystères d'Eleusis était donnée dans sa forme pure, et était vraiment révélée, répond au temps noir de certaines tragédies antiques que tout vrai théâtre doit retrouver.
                       A. ARTAUD, le Théâtre et la peste, *in* le Théâtre et son double, Idées-Gallimard, p. 42.

TERRORISER [tɛʀɔʀize] v. tr. — XIXᵉ; sens 1, 1796; de *terreur,* 2.

♦ **1.** Hist. (sous la Révolution française). Frapper de crainte (au moyen des mesures d'exception prises par le gouvernement révolutionnaire). ⇒ **Terreur** (2.).

Protégé par son père, le jeune Gaubertin fut nommé maire de Blangy. Il put donc faire payer en argent malgré les lois, *en terrorisant* (un mot du temps) les débiteurs qui pouvaient à sa guise être ou non frappés par les écrasantes réquisitions de la République.   BALZAC, les Paysans, Pl., t. VIII, p. 92.   1

Intrans. (Hist.). Appliquer ou préconiser la politique de *terreur,* à l'époque de la Révolution française (→ Avancer, cit. 63).

♦ **2.** (Mil. XIXᵉ). Cour. Frapper de terreur* (1.), faire vivre dans la crainte. ⇒ **Affoler, effrayer, épouvanter, étonner** (vx), **intimider, terrifier** (→ Blandice, cit. 3 ; consommateur, cit. 4). *Bandits qui terrorisent toute une province. Population terrorisée.*

— On les terrorisait, les chérubins. Même que la directrice de l'école nous a félicitées parce qu'on faisait respecter notre sexe.   2
                                                   R. QUENEAU, le Dimanche de la vie, p. 22.

DÉR. Terrorisant, terrorisme, terroriste.

TERRORISME [tɛʀɔʀism] n. m. — 1794; de *terreur* 2., ou du lat. *terror.*

♦ **1.** Hist. (sous la Révolution française). Mot employé dans la période qui suivit la chute de Robespierre pour désigner la politique de *terreur* des années 1793-1794. ⇒ **Terreur** (2.).

♦ **2.** (1922). Cour. Emploi systématique de mesures d'exception, de la violence pour atteindre un but politique (prise, conservation, exercice du pouvoir...). *Le terrorisme peut être une méthode de gouvernement* (cit. 14). ⇒ **Régime** (de terreur).

Spécialt, cour. Ensemble des actes de violence (attentats individuels ou collectifs, destructions...) qu'une organisation politique exécute pour impressionner la population et créer un climat d'insécurité. *Le terrorisme russe de 1905* (→ Équivalence, cit. 2 ; et aussi intellectuel, cit. 10). *Recrudescence du terrorisme. Lutte contre le terrorisme.* ⇒ **Antiterroriste.** *Victimes du terrorisme. Terrorisme et contre-terrorisme. Terrorisme et revendications nationalistes, et contestations sociales. Le terrorisme des brigades rouges, en Italie.*

(...) nous devons condamner avec la même force, et sans précautions de langage, le terrorisme appliqué par le F.L.N. aux civils français comme, d'ailleurs, et dans une proportion plus grande, aux civils arabes. Ce terrorisme est un crime, qu'on ne peut ni excuser ni laisser se développer.
CAMUS, Actuelles III, Avant-propos, p. 17.

♦ **3.** (Mil. xxᵉ). Attitude d'intolérance, d'intimidation, dans un domaine culturel, intellectuel. *Le terrorisme de certains groupes d'avant-garde.*

TERRORISTE [tɛʀɔʀist] n. et adj. — 1794 ; de *terreur* 2., ou du lat. *terror.*

★ **I.** N. ♦ **1.** N. m. (Hist.). S'est dit après la chute de Robespierre de ceux qui avaient soutenu ou appliqué la politique de *terreur.* ⇒ **Terreur** (2.), **terrorisme** (1.) ; → Jacobin, cit. 2 ; ressentir, cit. 5. — Par métaphore :

1 L'on a dit que la Maintenance était plus efficace que la Terreur (...) Mais elle est aussi plus *vraie.* Car le terroriste ne peut faire qu'il ne soit dupe. Il lui *faut* supposer (...) qu'il réinvente le monde et l'homme. Plus il est ouvrier, et minutieux technicien, plus il lui faut *se croire* métaphysicien, général, pape.
J. PAULHAN, les Fleurs de Tarbes, III, 10, p. 169.

♦ **2.** N. (V. 1920). Membre d'une organisation politique qui use du terrorisme comme moyen d'action, qui exécute des actes de terrorisme* (2.). *Un, une terroriste. Terroristes et contre-terroristes.*

2 (...) on doit aborder de front l'argument majeur et ceux qui ont pris leur parti de la torture : celle-ci a peut-être permis de retrouver trente bombes, au prix d'un certain honneur, mais elle a suscité du même coup cinquante terroristes nouveaux qui, opérant autrement et ailleurs, feront mourir plus d'innocents encore.
CAMUS, Actuelles III, Avant-propos, p. 16.

★ **II.** Adj. ♦ **1.** Hist. Relatif au terrorisme (1.), à la *Terreur* (→ ci-dessous, cit. 3, Henriot).

♦ **2.** (V. 1940). Relatif au terrorisme* (2.) ; qui utilise le terrorisme comme moyen d'action. *Attentat, acte, action terroriste. Organisation, groupe terroriste.*

3 Benjamin Constant (...) passionné pour la liberté, à égale distance du despotisme monarchique et du despotisme terroriste, donna des gages de sa sympathie au gouvernement des Cinq-Cents (...)
Émile HENRIOT, Portraits de femmes, p. 240.

4 (...) en novembre des grenades furent jetées dans des restaurants, des hôtels occupés par les Allemands ; les activités « terroristes » se multiplièrent en dépit des répressions.
S. DE BEAUVOIR, la Force de l'âge, p. 512.

♦ **3.** Du terrorisme intellectuel, culturel. *Une attitude philosophique terroriste.*

COMP. Antiterroriste.

TERSER [tɛʀse] v. tr. ⇒ **Tercer.**

TERSON, ONNE [tɛʀsɔ̃, ɔn] n. — 1874 ; *tierçon*, 1510 ; de *tiers.*

♦ Régional (Centre de la France). Jeune bovin âgé de trois ans.

TERTIAIRE [tɛʀsjɛʀ] adj. et n. — 1786, H.-B. de Saussure, sens précisé par Brongniart (1807) ; du lat. *tertiarius* « d'un tiers », sur le modèle de *primaire, secondaire.*

★ **I.** Adj. ♦ **1.** Géol. Qui occupe le troisième rang dans l'échelle stratigraphique. *Terrains tertiaires. Ère tertiaire,* ère géologique correspondant à la formation de ces terrains. ⇒ **Néozoïque.** — N. m. *Le tertiaire :* l'ère tertiaire (environ 70 millions d'années), qu'on subdivise aujourd'hui en deux périodes : le *néogène* (pliocène et miocène) et le *paléogène* (oligocène, éocène et paléocène). *On groupe parfois le tertiaire et le quaternaire sous le nom de cénozoïque.* — Par ext. De l'ère tertiaire. *Flore tertiaire. Faune tertiaire,* caractérisée par l'abondance des nummulites et l'épanouissement des mammifères. *Problème de la présence de l'homme* (cit. 9) *dans le tertiaire.*

1 Il avait passé la moitié de son existence de professeur au sud du Rio-Negro, chez les Patagons, à la recherche de l'homme tertiaire ou tout au moins de son squelette (...)
G. LEROUX, le Parfum de la dame en noir, p. 116.

♦ **2.** (Mil. xixᵉ). Méd. Qui apparaît en troisième lieu, constitue la troisième phase d'une évolution. *Syphilis tertiaire, accidents tertiaires*

de la syphilis (« tertiarisme »), survenant plusieurs années après le chancre (lésions, gommes, exostoses, etc.). *Caractères sexuels tertiaires* (→ Gynécologie, cit. 1).

♦ **3.** (V. 1950). Écon. (d'abord employé par les économistes anglo-saxons : A.-B. Fischer, C. Clark, etc.). *Secteur tertiaire :* secteur* comprenant toutes les activités qui n'appartiennent pas aux secteurs primaire* et secondaire*, et qui est défini soit en fonction de la production (activités à faible progrès) soit en fonction de la consommation (satisfaction des « besoins de passivité »). *Biens, services tertiaires.* ⇒ **Service** (II., 4.).

Les biens tertiaires sont des produits ou services, à progrès technique faible ; ils sont en général fournis par le commerce, l'administration, les professions libérales, l'artisanat, etc.
Jean FOURASTIÉ, la Productivité, p. 34.

N. m. « *Le " primaire ", c'est la matière non élaborée, du minerai de fer jusqu'à la sardine frais pêchée ; le " secondaire ", c'est l'industrie de transformation, le " tertiaire ", c'est le reste : la distribution, le commerce, les affaires, l'information et toutes les activités afférentes* » (le Nouvel Obs., 13 mars 1968, in P. Gilbert, 1971). — N. *Un, une tertiaire :* personne qui a une activité tertiaire. *L'accroissement du nombre de tertiaires dans la vie économique.*

★ **II.** N. (1812 ; *tierçaire,* dès 1690 ; du lat. ecclés. *tertiarius,* de *tertius* [ordo] « troisième [ordre] »). Relig. cathol. Membre d'un tiers ordre*.

TERTIARISATION [tɛʀsjaʀizɑsjɔ̃] n. f. — V. 1970 ; de *tertiaire,* I., 3.

♦ Écon. Développement du secteur tertiaire (3.). — REM. On rencontre parfois la var. *tertiairisation.*

TERTIO [tɛʀsjo] adv. — 1419, in D.D.L. ; mot latin.

♦ En troisième lieu. ⇒ **Troisièmement.** — REM. S'emploie, dans une série, en corrélation avec *primo* (cit.) et *secundo.*

Si vous désirez savoir, ami lecteur, pourquoi je veux avoir de l'argent, je vous répondrai *primo* (...), *secundo* (...), *tertio,* pour manger du flan et des pommes de terre frites le long des quais et des boulevards.
Th. GAUTIER, les Jeunes-France, p. 221, in D.D.L., II, 21.

HOM. Tercio.

TERTRE [tɛʀtʀ] n. m. — 1080, Chanson de Roland ; du lat. pop. *termes,* croisement de *termen, inis* (de *terminus* « borne ») avec *limes, itis* « limite ».

♦ Petite éminence isolée à sommet aplati (→ Esparcet, cit. ; éventer, cit. 11 ; escarpement, cit. 3). ⇒ **Butte, hauteur, monticule ; vigneau.**

(...) c'est un tertre assez élevé qui existe encore et derrière lequel la garde était massée dans une déclivité de la plaine. HUGO, les Misérables, II, I, VII.

(V. 1650). *Tertre, un tertre funéraire,* élévation (cit. 4) de terre recouvrant une sépulture (→ Humble, cit. 33 ; issu, cit. 2). ⇒ **Mound, tumulus.**

TERTULIA [tɛʀtylja] n. f. — 1776, dans une trad. *in* D.D.L. ; mot esp., proprt « réunion savante où l'on commente Tertullien », de *Tertuliano,* lat. *Tertullianus.*

♦ Vx. Réunion amicale, en Espagne. — Lieu de réunion.

TERTULLIANISME [tɛʀtyljanism] n. m. — 1872, Littré ; de *tertullianiste.*

♦ Didact. Doctrine, secte de Tertullien.

TERTULLIANISTE [tɛʀtyljanist] n. m. — xviiiᵉ ; de *Tertullien,* célèbre théologien de l'Église d'Afrique, au iiᵉ siècle.

♦ Didact. Adepte des doctrines religieuses (chrétiennes) de Tertullien et de la secte qui s'en réclamait après que Tertullien eut versé dans l'hérésie montaniste*.

DÉR. Tertullianisme.

TÉRYLÈNE [teʀilɛn] n. m. — 1950 ; de *tér(éphtalique),* et *(éth)ylène.*

♦ Fibre synthétique de fabrication anglaise (marque déposée). ⇒ **2. Tergal.**

TERZA RIMA [tɛʀtsaʀima ; tɛʀzaʀima] n. f. — 1845, Gautier ; mots ital., proprt « troisième rime ».

♦ Didact. Type de poème composé de tercets* dont le premier et le troisième vers riment ensemble, tandis que le deuxième vers fournit les rimes extrêmes du tercet suivant (a, b, a — b, c, b — c, d, c, etc.). *La terza rima, employée par Dante, introduite en France par J. Lemaire de Belges, a été reprise au xixᵉ siècle : Gautier* (Terza rima, à Zurbaran), *Vigny* (Destinées), *Leconte de Lisle* (le Lévrier de Magnus), *Théodore de Banville, Hérédia.*

TERZETTO [tɛʀdzɛ(t)to ; tɛʀzɛ(t)to] n. m. — 1824, cit. ; en angl. 1724 ; mot italien.

♦ Mus. (Rare). Petit trio* vocal ou instrumental.

Il y a *(dans l'*Inganno Felice *de Rossini)* un beau *terzetto,* celui du paysan *Tarabotto,* du seigneur féodal et de la femme que le seigneur a exilée (...)
STENDHAL, Vie de Rossini, I, p. 56 (1824).

TES [te] adj. plur. ⇒ **Ton.**

TESLA [tɛsla] n. m. — Mil. xxᵉ ; « dispositif de couplage », 1930 ; nom d'un physicien yougoslave (1857-1943).

♦ Phys. Unité d'induction magnétique (a remplacé le *gauss*), production d'un flux de 1 weber sur 1 m² par une induction uniforme. — Symb. *T.*

TESSELLE [tesɛl] n. f. — 1827 ; ital. *tessella,* lat. *tessella,* de *tessera* → Tessère.

♦ Techn. Chacune des pièces, généralement de forme régulière, qui constituent une composition ornementale formée par la juxtaposition de petits éléments (mosaïque, pavage, marquetterie...). *Les tesselles en ivoire et en ébène d'un échiquier du xvᵉ siècle. Un pavage en tesselles de marbres rose et vert.*

TESSÈRE [tesɛʀ ; tɛsɛʀ] n. f. — 1765 ; du lat. *tessera,* probablt abrév. du grec *tessaragônos* « carré ».

♦ Antiq. rom. Tablette servant de marque, jeton. ⇒ **Symbole** (étym.). *Tessère frumentaire :* bon de distribution de blé. *Tessère de théâtre,* jeton d'entrée. *Tessère d'hospitalité,* servant aux hôtes à se reconnaître. *Tessère militaire,* portant le mot d'ordre ou les ordres.

Mallarmé (...) compare l'usage commun du langage à l'échange d'une monnaie dont l'avers comme l'envers ne montrent plus que des figures effacées (...) Cette métaphore suffit à nous rappeler que la parole, même à l'extrême de son usure, garde sa valeur de tessère.   J. LACAN, Écrits, p. 251.

TESSITURE [tesityʀ] n. f. — Fin xixᵉ ; ital. *tessitura,* proprt « texture, trame », de *tessere* « tisser ».

Musique.

♦ **1.** Étendue des sons qui conviennent le mieux à une voix donnée et qu'elle peut produire sans difficulté. ⇒ **Registre.**

Je dois éprouver d'abord votre tessiture, l'étendue de votre registre. Je vous donne le ton, chantez cette gamme.
A. ARNOUX, le Rossignol napolitain, Ortensia et son maître à chanter.

Étendue normale des sons produits par un instrument. → Hautbois, cit. 1. *La tessiture de la clarinette est plus élevée que celle du cor de basset.*

♦ **2.** Étendue moyenne des notes d'une partition.

1. TESSON [tesɔ̃ ; tɛsɔ̃] n. m. — 1283 ; de *tes,* forme ancienne de 1. *têt.*

♦ Débris d'un objet de verre ou d'une poterie (→ Insurrection, cit. 4). *Un vieux tesson de pot. Tessons de bouteille.* — Spécialt. Tesson pointu de verre.

(...) rencontrant l'un des angles de l'enceinte hexagonale de la Prison, je me suis détourné de mon chemin pour faire le tour de cette région dangereuse, rasant, dans le crépuscule, son haut rempart à la cime hérissée de tessons (...)
Michel BUTOR, l'Emploi du temps, p. 262.

HOM. Taisson (V. 2. tesson).

2. TESSON [tesɔ̃ ; tɛsɔ̃] n. m. ⇒ **Taisson.**

1. TEST [tɛst] n. m. — xviᵉ ; lat. *testa* « coquille dure » → Tête.

♦ Zool. Enveloppe calcaire ou chitineuse (coquille, coque, carapace...) qui protège le corps de certains animaux (mollusques, crustacés, etc. ⇒ **Testacé**). ⇒ **Cuirasse.** *Test globuleux de l'oursin.*

De ces crustacés, dont le test présentait une couleur bleu cobalt, et qui portaient un rostre armé d'une petite dent, on remplit un sac (...)
J. VERNE, l'Île mystérieuse, t. I, p. 345.

HOM. 2. Test, 3. test.

2. TEST [tɛst] n. m. — 1893, in Höfler ; mot angl. (1890), spécialisation de *test* « épreuve psychologique », empr. à l'anc. franç. *têt* ou *test,* du lat. *testum* « pot de terre ». → 1. Têt, I., 2.

Anglicisme.

♦ **1.** Procédé d'évaluation quantitative ou typologique des caractéristiques d'une substance, d'un corps, d'un organisme ou d'une fonction. ⇒ **Épreuve, essai, réaction ; subtest.** — Techn. Essai partiel de fonctionnement. ⇒ **Mesure, vérification.** — Statist. Épreuve de validité*.

♦ **2.** *Test psychologique* ou *test :* épreuve définie, « impliquant une tâche à remplir, identique pour tous les sujets examinés, avec une technique précise pour l'appréciation du succès ou de l'échec, ou pour la notation numérique de la réussite ; la tâche peut comporter une mise en œuvre soit de connaissances acquises *(test pédagogique),* soit de fonctions sensorimotrices ou mentales *(test psychologique)* » (Association internationale de psychotechnique). *Soumettre qqn à un test. Administrer, faire passer un test à qqn. Passation d'un test. Fidélité, sensibilité, validité d'un test. Cotation, analyse, interprétation d'un test. Tests individuels ou collectifs. Tests verbaux, tests non verbaux* ou *de performance. Test composite* (verbal et non verbal). *Tests d'assemblage, de barrage, de découpage, d'encastrement. Test d'âge* (ou *échelle de développement). Série de tests constituant une échelle** (ex. : échelle Binet-Simon). *Batterie* de tests. Test d'aptitude* (ou *d'aptitudes). Test analytique, synthétique, analogique. Test de réussite, d'observation, de comportement. Tests d'intelligence. Test d'efficience (intellectuelle, sensorimotrice)* ou *test psychométrique :* suite d'opérations normalisées destinées à mesurer le rendement d'un sujet pour évaluer soit le niveau général du fonctionnement mental (quotient* intellectuel), soit des fonctions particulières (mémoire, raisonnement, attention, concentration, etc.). ⇒ **Épreuve.**

Certes, l'intelligence est une fonction trop complexe pour qu'on prétende à la « mesurer » de façon bien précise. Toutefois, la méthode des « tests », appliquée aux enfants, a permis de se faire une idée nette et objective de l'inégalité de leurs aptitudes intellectuelles (Binet-Simon, Standford, Yerkes, Terman, etc.).   [1]
Jean ROSTAND, l'Homme, V.

Tests de projection ou *projectifs* (ex. : le *test d'aperception thématique,* ou T.A.T., de Murray, et le *test de Rorschach* ou *test des taches d'encre ;* ⇒ **Rorschach**). *Test de caractère* ou *de personnalité,* par questionnaire, par stimulus expérimental, destiné à évaluer le comportement dans une situation donnée, par technique projective visant à révéler un mode de réaction, une structure.

Tests de connaissances. Test pédagogique ou *scolaire :* procédé psychométrique (opposé à *concours* ou *examen)* de contrôle des connaissances. ⇒ **Docimologie.** *Test d'orientation scolaire, professionnelle,* utilisant une batterie de tests pour déterminer les aptitudes d'un sujet, afin de lui conseiller le choix d'un métier, d'une carrière, de définir le mode de formation générale et professionnelle qui lui convient, ou de le sélectionner dans l'intérêt d'une entreprise ou d'une administration. *Test sociométrique,* consistant à « demander au sujet de choisir, dans le groupe (...) les individus qu'il voudrait avoir pour compagnons » (J.-L. Moreno) ; épreuve permettant d'établir le diagramme des choix préférentiels et discriminatoires de chacun des membres du groupe entre les autres membres.

Examen, contrôle périodique. *Moniteur faisant passer les tests d'aptitude au pilotage.*

Techn. *Test de lecture :* ensemble de lettres ou de signes de différentes grandeurs permettant de mesurer la vision de près.

(...) le mot test désigne toute expérience effectuée sur un individu soumis à des épreuves préalablement déterminées, afin de déterminer une mesure.   [2]
Jean DELAY, la Psycho-physiologie humaine, p. 101.

Écon. polit. *Test conjoncturel :* méthode d'enquête (par sondage) sur l'évolution probable de la conjoncture.

♦ **3.** Méd. Biopsie, essai de laboratoire. *Test biologique, allergologique. Le test de Zondek.* — Industrie. Épreuve de contrôle portant sur des échantillons prélevés au hasard dans une série de produits.

♦ **4.** Cour. Épreuve ou expérience décisive, opération ou fait-témoin permettant de juger (→ Critère), de confronter un fait avec une hypothèse, une idée a priori. *Le test de sa bonne foi.* → Pierre* de touche. ⇒ **Critérium.**

Certes, sans le test du référendum, sans le discours de Constantine, il eût été fou de courir ce risque.   F. MAURIAC, le Nouveau Bloc-notes 1958-1960, p. 117.   [3]

Par appos. (Fait, lieu, chose). Servant de référence, constituant une expérience. ⇒ **Essai, expérience, expérimentation.** *Zone-test. Département-test. Élection-test. « Cette grève est un conflit-test pour les imprimeries »* (le Monde, 16 févr. 1967).

DÉR. 2. Tester, testeur.
COMP. Alcootest, retest, subtest.
HOM. 1. Test, 3. test.

3. TEST [tɛst] n. m. ⇒ **Têt.**

TESTA [tɛsta] n. m. — 1872, Littré ; lat. *testa* → Tête.

♦ Bot. Partie externe du tégument (d'une graine).

TESTABILITÉ [tɛstabilite] n. f. — 1906 ; du lat. *testabilis* « apte à témoigner ».

♦ Psychol. Caractère d'un fait plus ou moins propre à devenir objet de témoignage.

TESTABLE [tɛstabl] adj. — V. 1900; de 2. *tester.*

♦ Qui peut être testé, évalué, mesuré, contrôlé; qui peut être éprouvé. «*Si une théorie est avant tout une conjecture et si nous ne pouvons pas nous assurer de sa valeur autrement qu'en essayant systématiquement de la prendre en défaut, il est clair que la plus intéressante parmi des théories compétitives sera celle qui se prête le plus aisément à cette opération, celle qui est le mieux testable*» (*la Recherche*, nov. 1974, p. 958).

TESTACÉ, ÉE [tɛstase] adj. et n. m. pl. — 1578; lat. *testaceus*, de *testa* «terre cuite, coquille» → 1. Test.

♦ Zool. Couvert d'une coquille, d'un test (→ Poisson, cit. 1). — N. m. pl. *Les testacés*, ordre de mollusques dans l'ancienne classification de Cuvier. — Au sing. *Un testacé.*

DÉR. **Testacelle.**

TESTACELLE [tɛstasɛl] n. f. — 1803; du lat. sc. *testacella*, dimin. de *testa.*

♦ Zool. Mollusque gastéropode, pourvu d'une petite coquille à l'arrière du corps, qui vit généralement enfoui dans le sol et se nourrit de vers. *Les testacelles sont souvent confondues avec les limaces.*

TESTAGE [tɛstaʒ] n. m. — V. 1950; de 2. *test.*

♦ Zootechn., bot. Méthode de jugement génotypique des reproducteurs d'après la valeur de leurs descendants. *Le testage des mâles destinés à l'insémination artificielle est obligatoire.* — Se dit aussi des plantes cultivées.

(...) ainsi désignés par testage *in vitro* de la faculté germinative du pollen.
Henry BOULAY, Arboriculture et Production fruitière, p. 69.

TESTAMENT [tɛstamɑ̃] n. m. — 1120; lat. ecclés. *testamentum*, employé pour la première fois par Tertullien pour traduire le grec *diathêkê* «disposition testamentaire» mais aussi «convention, pacte», par lequel les Septante avaient rendu l'hébreu *berith* «alliance»; de *testari* «témoigner» → 1. Tester.

★ **I.** Relig. chrét. ♦ **1.** Vx. Alliance* (I.).

1   Voici, dit-il (*Dieu, parlant par la bouche de Jérémie*), que j'établirai avec la maison de Juda un nouveau testament, non selon le testament que j'ai établi avec leurs pères; ils ne sont point demeurés dans mon testament, et moi je les ai rejetés (...)
BOSSUET, Sermon pour 2ᵉ dim. après Épiphanie, II.

♦ **2.** (Avec majuscule). Nom des deux parties de l'Écriture sainte (correspondant aux livres de l'Ancienne et de la Nouvelle Alliance). *L'Ancien et le Nouveau Testament.* ⇒ **Bible.** → Attente, cit. 34; autre, cit. 99; disposition, cit. 7; nativité, cit. 2; pentateuque, cit. 3.

★ **II.** (1213; *tintaument*, 1133; lat. *testamentum*, de *testari* → 1. Tester.) ♦ **1.** Dr., cour. Acte unilatéral et solennel, révocable jusqu'au décès de son auteur, par lequel celui-ci dispose de tout ou partie des biens qu'il laissera en mourant. ⇒ **Legs; héritage, succession.** *Disposer* (cit. 12) *par testament de qqch.* (→ Donation, cit. 1; expression, cit. 41; institution, cit. 5; légataire, cit. 2; paragraphe, cit.). *La loi française reconnaît trois sortes de testaments : testament olographe* (cit.), *testament authentique ou par acte public* (dicté par le testateur à un notaire en présence d'un second notaire et de deux ou quatre témoins), *testament mystique* (écrit par le testateur, ou par un tiers et signé par le testateur, remis clos et scellé à un notaire qui, en présence de deux — d'abord sept — témoins, rédige sur l'enveloppe un acte de suscription*); *elle interdit le testament conjonctif* (fait dans un même acte par deux ou plusieurs personnes au profit d'un tiers) *et le testament mutuel* (fait à titre de disposition mutuelle et réciproque). *Testaments privilégiés :* testaments dispensés de l'observation des formes légales en raison de circonstances exceptionnelles (testament militaire, en voyage maritime, devant les consuls à l'étranger, etc.). *Testament nuncupatif*.* *Clauses, codicille* d'un testament. Faire, rédiger* (cit. 2) *un testament* (→ Légitime, cit. 13). *Donner, laisser* (cit. 59), *léguer* (cit. 1) *par testament. Mettre, coucher qqn sur son testament,* l'y inscrire comme légataire*. ⇒ **Instituer** (→ Grigou, cit. 2; joliment, cit. 3). *Ce testament annule le précédent* (cit. 2). *Annihilation d'un testament. Testament inofficieux. Révoquer* (cit. 4) *un testament. Ouverture, lecture d'un testament* (→ Assembler, cit. 28; partager, cit. 2). *Prendre connaissance* (cit. 10) *d'un testament. Exécuteur* (cit. 3) *d'un testament. Ceci est mon testament* (→ Sain, cit. 3). ⇒ **Volonté** (dernière). *Décédé sans testament.* ⇒ **Ab intestat** (→ Régnicole, cit.). *Captateur, captation* (cit. 2) *de testament.* — *Testament-partage,* l'un des deux modes de partage* d'ascendant, celui qui se fait à cause de mort (par oppos. à *partage entre vifs* ou *donation-partage*). — Loc. fam. *Il peut faire son testament :* il n'en a plus pour longtemps. *Fais ton testament !,* formule plaisante de menace. — Littér. *Le Petit Testament* (ou, mieux, les *Lais,* cit. 1)

et le *Grand Testament, le Testament* (→ Irrévocable, cit. 1), de Villon.

2   Un testament fait par-devant notaire, en présence de témoins qui certifient que le testateur jouit de toutes ses facultés (...)
BALZAC, le Cousin Pons, Pl., t. VI, p. 736.

3   Mon confrère de Paris vient de me communiquer la principale disposition de son testament par laquelle il institue votre fils Jean, M. Jean Roland, son légataire universel.
MAUPASSANT, Pierre et Jean, I.

4   Le père de Fernand (...) avait déshérité son fils mineur au profit de sa femme. Ce testament illégal, jamais Fernand n'aurait eu même la pensée de ne s'y point conformer.
F. MAURIAC, Genitrix, XV.

♦ **2.** Par ext. *Testament politique,* écrit politique posthume attribué à un homme d'État, exposé de ses principes et projets politiques, explication de ses actes, etc. *Le testament politique d'Auguste* (inscription bilingue d'Ancyre), *de Richelieu* (→ Supposer, cit. 8), *de Pierre le Grand...*

Fig. Dernière œuvre d'un artiste, quand elle apparaît comme la suprême expression de sa pensée et de son art. *Le poème « L'Esprit pur »,* considéré comme le testament de Vigny.

5   Que le lecteur me permette aujourd'hui d'être un peu plus long que d'habitude, cette préface étant la préface de mon dernier livre, une sorte de testament littéraire.
Ed. DE GONCOURT, Chérie, Préface.

6   Nous regardons ses dernières figures (*du Greco*) comme un testament, car la mort donne à toutes les dernières œuvres son illusoire perspective sans fin (...)
MALRAUX, les Voix du silence, p. 433.

DÉR. **Testamenter.**

TESTAMENTAIRE [tɛstamɑ̃tɛʀ] adj. — 1435; *testamentari,* 1300; du lat. *testamentarius,* de *testamentum* → Testament.

♦ Qui se fait par testament, se rapporte à un testament (II., 1.). *Dispositions* (cit. 20) *testamentaires. Disposition, donation entre vifs ou testamentaire* (→ Acquérir, cit. 1; condition, cit. 29; instituer, cit. 2). ⇒ **Legs** (cit. 1). *Succession testamentaire. Héritier* testamentaire,* institué par testament. *Exécuteur* (cit. 4) *testamentaire.*

TESTAMENTER [tɛstamɑ̃te] v. — V. 1240; de *testament,* II.

♦ Vx (langue class.). Faire un testament. ⇒ **Tester.** — Trans. Inscrire dans son testament.

TESTATEUR, TRICE [tɛstatœʀ, tʀis] n. — XIIIᵉ, du lat. *testator,* de *testatum,* supin de *testari* → 1. Tester.

♦ Dr. Auteur d'un testament (→ Assigner, cit. 2; dater, cit. 2; exécuteur, cit. 4; exhérédation, cit. 2; légataire, cit. 3; legs, cit. 1 et 2).

1. TESTER [tɛste] v. intr. — 1406; «témoigner», 1290; lat. *testari* «prendre à témoin, témoigner», de *testis* «témoin».

♦ Disposer de ses biens par testament, faire un testament. *Droit de tester* (→ Disposer, cit. 18; 1. mineur, cit. 8; présenter, cit. 18). *Être en mesure* (cit. 39) *de tester.*

Sans famille, Jalamoi pouvait tester en faveur d'un ami, ou connaître une mauvaise femme qui lui mangerait les revenus et le capital, ou simplement se marier.
M. AYMÉ, Maison basse, p. 103.

DÉR. **Testateur.**
HOM. 2. **Tester.**

2. TESTER [tɛste] v. tr. — 1941, J. Rostand; de 2. *test.*

♦ **1.** Soumettre à un test, à des tests. *Tester des élèves.*

Les animaux soumis à l'expérience étaient des rats communs provenant d'une souche ordinaire de laboratoire. Il s'agissait, pour eux, de traverser un petit labyrinthe artificiel : pour éprouver ou «tester» chaque animal, on lui faisait exécuter une vingtaine d'essais, après quoi l'on notait pour chaque essai le nombre de ses erreurs.
Jean ROSTAND, l'Homme, V (1941).

♦ **2.** Par ext. Contrôler, éprouver, essayer, expérimenter. « *Ce produit a été "testé" depuis un an dans un département pilote* » (*le Figaro,* 1ᵉʳ mai 1968).

♦ **3.** Zootechn., bot. Soumettre (un animal, une plante) au testage*.

HOM. 1. **Tester.**

TESTEUR, EUSE [tɛstœʀ, øz] n. — 1952, Porot; de 2. *tester.*

♦ **1.** Personne qui administre les tests. « *Françoise D., "testeuse" de jouets à (...) la Régie française de publicité* » (*F Magazine,* févr. 1980, p. 34). — Technicien chargé du contrôle et du montage d'installations électriques, téléphoniques, etc.

♦ **2.** N. m. (1966, *in* Höfler). Techn. Appareil de contrôle pour l'observation de certains phénomènes.

TESTICULAIRE [tɛstikylɛʀ] adj. — 1812; de *testicule*.

♦ Des testicules; qui concerne les testicules, les gonades mâles (→ Gonade, cit.). *Fonction testiculaire. Insuffisance, atrophie testiculaire. Réseau testiculaire* (ou *de Haller*). *Hormones testiculaires.* ⇒ **Testostérone.**

TESTICULE [tɛstikyl] n. m. — 1304; lat. *testiculus*, dimin. de *testis*, acception spéciale de *testis* «témoin».

♦ Didact. Gonade mâle, paire, glande productrice des spermatozoïdes; spécialt, cet organe et ses enveloppes (bourses, scrotum), chez les vertébrés supérieurs. *Les testicules sont normalement au nombre de deux chez l'homme.* ⇒ **Couille** (fam.), **génitoire**; → fam. Balles, boules (d'amour), burettes, burnes, grelots, joyeuses, noix, roubignolles, roupettes, roustons, valseuses. *Le pénis et les testicules.* → fam. Bijoux* de famille, service* trois pièces. *Les testicules sont situés dans les bourses* (⇒ **Scrotum**). *Canal excréteur des testicules.* ⇒ **Déférent, spermatique** (2.). *Absence de testicules* ⇒ **Anorchidie** (didact.). *Ablation des testicules.* ⇒ **Castration, orchidectomie.** *Membrane du testicule.* ⇒ **Albuginée.** *Inflammation du testicule.* ⇒ **Orchite.** *Testicules des animaux mâles* (→ Hongre, cit. 2); *des animaux de boucherie.* ⇒ **Animelles, rognons** (rognons blancs).

1   Les testicules et les ovaires ont une fonction très étendue. D'abord, ils donnent naissance aux cellules mâle ou femelle dont l'union produit le nouvel être humain. En même temps, ils sécrètent des substances qui se déversent dans le sang, et impriment aux tissus, aux organes et à la conscience, les caractères mâle ou femelle (...) Le testicule engendre l'audace, la violence, la brutalité, les caractères qui distinguent le taureau de combat du bœuf qui traîne la charrue le long du sillon.   Alexis CARREL, l'Homme, cet inconnu, III, ix.

2   Du fond de la chambre, il avait considéré l'opération avec une curiosité morne, dénuée de toute excitation. Il voyait les fesses plates d'Alfieri qui allaient et venaient entre les cuisses ouvertes de la fille et la grappe violacée des testicules qui battaient lourdement l'entrejambe, comme deux patates abandonnées dans un filet à provisions.   Geneviève DORMANN, le Bateau du courrier, p. 170.

Vén. *Testicules du cerf* (daintiers), *du sanglier* (suites).

DÉR. Testiculaire. V. aussi les dérivés du grec *orkhis* : **anorchidie, cryptorchidie, orchialgie, orchidectomie, orchidopexie, orchite...**

TESTIMONIAL, ALE, AUX [tɛstimɔnjal, o] adj. — 1274; lat. impér. *testimonialis*, de *testimonium* → Témoin.

♦ Vx. D'un témoignage. — Mod. (Dr.). *Preuve testimoniale :* preuve qui repose sur des témoignages.

DÉR. Testimonialement.

TESTIMONIALEMENT [tɛstimɔnjalmã] adv. — 1836; de *testimonial*.

♦ Dr. Rare. Par témoin, par témoignage.

TESTOLOGIE [tɛstɔlɔʒi] n. f. — 1958, *in* Höfler; de 2. *test*, et *-logie*.

♦ Didact. (physiol., psychol.). Branche de la psychologie appliquée qui a pour objet l'établissement et l'interprétation des tests psychométriques, projectifs et cliniques (→ Psychométrie).

(...) c'est Alfred Binet qui a rendu la méthode psychométrique susceptible d'applications pratiques et en particulier d'applications médicales. Il fut le fondateur de la testologie clinique.   Jean DELAY, Introd. à la médecine psychosomatique, Notes et observations, p. 55 (1961).

TESTON [tɛstõ] n. m. — 1513; ital. *testone*, de *testa* «tête», d'après l'effigie.

♦ Didact. Ancienne monnaie d'argent, frappée à l'effigie des rois de France, qui eut cours de 1513 (François Iᵉʳ fit frapper les premiers testons à Milan) jusqu'au règne de Louis XIII (→ Dégainer, cit. 2).

TESTONNER [tɛstɔne] v. tr. — 1515; de *teste, tête*.
Vieux.

♦ **1.** Coiffer.

1   Ces deux veuves (...)
L'allaient quelquefois testonnant,
C'est-à-dire ajustant sa tête (...)   LA FONTAINE, Fables, I, 17.

2   (...) Si monsieur le duc veut s'asseoir devant la glace (...) je vais le testonner et l'adoniser de telle sorte qu'il ne rencontrera pas de cruelles.»
Ayant dit ces mots, Picard plongea ses fers à friser dans une coupe d'argent où, recouverts de cendre, des noyaux d'olive faisaient un feu doux comme celui des braseros espagnols, et quand ils furent chauds (...) il commença à pincer par le bout ces belles boucles d'ébène dont la souplesse ne demandait pas mieux que de se tourner mignardement en spirales.   Th. GAUTIER, le Capitaine Fracasse, XIII.

♦ **2.** Battre, frapper.

TESTOSTÉRONE [tɛstɔsteʀɔn] n. f. — 1935, Laqueur; comp. sav., du rad. de *tes(ticule)*, de *sté(rol)*, et de la terminaison de *(horm)one*.

♦ Biochim. Hormone mâle, responsable de la plupart des caractères

sexuels masculins (notamment les secondaires), et qui est employée en thérapeutique. ⇒ **Androgène.** *Préparations naturelles et synthétiques de la testostérone.*

TESTU [tɛsty] n. m. — 1538; de *teste*.

♦ Régional. Poisson à grosse tête. ⇒ **Chabot.**

TÉSURE [tezyʀ] n. f. — 1765, altér. de *tessure*; spécialisation de *tissure* (1538), *tisseure* (v. 1300) «chose tissée»; de *tissu*, p. p. de *tistre*, lat. *texere* → Tisser.

♦ Pêche. Assemblage de nappes (⇒ **Roie**) reliées par un câble et formant un filet de dérive. «*La tésure* (...) *est formée de 200 à 400 "roies" ajustées bout à bout*» (A. Boyer, *les Pêches maritimes*, p. 51).

1. TÊT [tɛ] ou **TEST** [tɛst] n. m. — xiiiᵉ; *tez, tes,* plur., 1130; du lat. *testum* «pot de terre, couvercle de pot de terre».

★ **I.** ♦ **1.** Vx. Tesson (encore *in* Pascal, *les Provinciales*, 16; Voltaire).

♦ **2.** Pot de terre; spécialt (alchim.), pot servant à l'essai de l'or.

♦ **3.** Mod. Chim., métall. *Têt à rôtir :* petite capsule en terre réfractaire employée pour la calcination ou l'oxydation de certaines substances. ⇒ **Coupelle.** *Têt à gaz :* support en terre cuite destiné à soutenir une éprouvette à gaz.

★ **II.** (Spécialisation du sens de l'anc. franç., «crâne»). ♦ **1.** Vén. Crâne du cerf.

♦ **2.** Archaïsme. Crâne (humain). «*Hamlet maniant le test d'Yorick*» (Th. Gautier, *in* G. L. L. F.).

DÉR. V. 1. Tesson.
HOM. Taie.

2. TÊT [tɛt] n. m. — 1842, *in* D.D.L.; mot vietnamien.

♦ Premier jour de l'année vietnamienne. *La fête du Têt.*

HOM. Tête. — Formes du v. téter.

TÉTANIE [tetani] n. f. — 1852, L. Corvisart; de *tétanos*.
Médecine.

♦ **1.** Vx. Syndrome observé surtout chez l'enfant, caractérisé par la contracture intermittente des extrémités.

♦ **2.** Mod. Excitabilité neuro-musculaire anormalement élevée se traduisant par des accès de contractures ou de spasmes musculaires, causée par un manque de calcium ou une alcalose* respiratoire.

TÉTANIFORME [tetanifɔʀm] adj. — 1846, Bescherelle; de *tétanos*, et *-forme*.

♦ Méd. Qui a l'apparence de la tétanie ou du tétanos.

La moindre excitation *(sous l'effet de la strychnine)* donne une réponse généralisée avec augmentation du tonus musculaire et crise tétaniforme.
          A. GALLI et R. LELUC, les Thérapeutiques modernes, p. 66.

TÉTANIQUE [tetanik] adj. — 1554; de *tétanos*.
Médecine.

♦ **1.** Propre au tétanos, de la nature du tétanos. *Rigidité, convulsions, crispations tétaniques.* — Atteint de tétanos. — N. *Un tétanique.*

(Il) se roula, se tordit (...) dans des convulsions omnipotentes qu'aucun bras d'homme n'eût été capable de réprimer! (...) Elle (...) trembla bien plus, quand elle vit (...) l'épouvantable simagrée du *trismus* des tétaniques.
          Léon BLOY, le Désespéré, V.

♦ **2.** *Contraction tétanique :* contraction musculaire persistante; cette contraction, provoquée expérimentalement par des stimulations nerveuses répétées et fréquentes. *Étude des phénomènes tétaniques et de la tétanisation.*

♦ **3.** Qui cause le tétanos. *Bacille tétanique* (bacille de Nicolaïev).

DÉR. Tétaniquement.
COMP. Antitétanique.

TÉTANIQUEMENT [tetanikmã] adv. — xxᵉ, cit.; de *tétanique*.

♦ Rare. De manière tétanique.

Elle rit tétaniquement, comme une cuisse de grenouille sur une table de dissection.
          R. QUENEAU, les Enfants du limon, p. 88.

TÉTANISATION [tetanizɑsjɔ̃] n. f. — 1872; de *tétaniser*.

♦ Physiol., méd. **ⓐ** Fait, pour un muscle, de se tétaniser. *Tétanisation utérine* (complication au cours de l'accouchement).

ⓑ Production expérimentale de la tétanie musculaire.

La tétanisation rapide du muscle par l'excitation électrique a fait comparer sa contraction à celle de la fatigue et l'a fait rapprocher de la crampe ou du spasme.
Henri WALLON, l'Évolution psychologique de l'enfant, p. 132.

TÉTANISER [tetanize] v. tr. — 1862; de *tétanos*.

♦ Physiol. Mettre en état de tétanos physiologique. — Pron. *Muscle qui se tétanise.*

Par ext. Figer, paralyser. — Au p. p. :

Caramel, le malabar de Kelvingrove Park, est là, debout, tétanisé lui aussi, à quinze mètres, de trois quarts, son pistolet pendant au bout du poing. Il contemple son compagnon qui fuit, ivre de douleur, en se tenant le visage dans les deux mains.
Pierre ACCOCE, le Polonais, p. 150.

DÉR. **Tétanisation.**

TÉTANISME [tetanism] n. m. — 1904; de *tétanos* ou *tétanie*, et suff. *-isme*.

♦ Vieilli. Tétanie.

TÉTANOS [tetanos] n. m. — V. 1560; *tetanus*, 1541; mot grec *tetanos*, proprt «tension, rigidité», forme à redoublement, dér. de *teinein* «tendre».

♦ **1.** Méd. Maladie provoquée par le bacille tétanique (de Nicolaïev) qui sécrète au point où il végète (en général une plaie extérieure) une toxine dont l'action sur le système nerveux détermine une contracture douloureuse débutant ordinairement au niveau des muscles masticateurs (⇒ **Trismus**) et s'étendant progressivement à la nuque, au tronc et aux membres, avec des crises convulsives sous l'influence de la plus légère excitation.

♦ **2.** *Tétanos musculaire* ou *physiologique* : contraction prolongée d'un muscle, provoquée expérimentalement par des excitations répétées. ⇒ **Tétanique** (2.). *Tétanos parfait, imparfait.*

DÉR. **Tétanie, tétanique, tétaniser, tétanisme.**
COMP. V. **Tétanotoxine.**

TÉTANOTOXINE [tetanotɔksin] n. f. — 1890, P. Larousse, *Deuxième Suppl.*; de *tétano-* (de *tétanos*), et *toxine*.

♦ Biol. Toxine du bacille tétanique.

TÊTARD [tɛtaʀ; tetaʀ] n. m. — 1690, Richelet, «insecte (voir ce mot, étym.) noir qui nage et vit dans l'eau»; substantivation de l'adj. *têtard, arde* (1303) «à grosse tête» et fig. «têtu»; de *tête*, et suff. *-ard*.

♦ **1.** Larve de batracien*, à grosse tête prolongée par le corps et à respiration branchiale. *Têtard de grenouille* (cit. 3), *de crapaud.*

Par métaphore :

(...) ces enfants hideux, à peine viables, sorte de têtards dont la tête énorme se continue par un torse mollasse, puis par un appendice grêle de membres repliés et tortillés.
TAINE, Philosophie de l'art, t. II, p. 304.

♦ **2.** Régional. Poisson à grosse tête. ⇒ **Chabot.** — Syn. : *testu.*

♦ **3.** Arbor. (1765, *Encyclopédie*, art. *Saule*). Arbre écimé et taillé de façon à favoriser le développement des repousses supérieures qu'on exploite à intervalles déterminés. *Saules taillés en têtards* (rameaux utilisés en vannerie). — Appos. *Orme têtard.* ⇒ aussi **Têteau.**

♦ **4.** Fam. Enfant.

♦ **5.** (1924, Esnault, *être fait têtard*). Argot. Dupe; victime (cf. Céline, *in* Cellard et Rey). *Dans cette affaire, c'est lui le têtard.*

DÉR. (Du sens 5) **Têtarer.**

TÊTARER [tetaʀe] v. tr. — xxᵉ; de *têtard*, 5.

♦ Argot. Duper.

Dis donc, je vois que tu t'es miché en gigolpince *(gigolo)* pour tétarer ceux de la surepige *(Sûreté).*
M. AYMÉ, le Passe-muraille, p. 18.

TÉTASSE [tetɑs] n. f. — xvᵉ; de *tette* «téton», et suff. péj. *-asse.*

♦ Fam., péj. (vx). Sein lourd et flasque. ⇒ **Mamelle.**

Moi je vois ma mère à poil c'est encore mieux énormes cuisses marbrées (...) tremblement des vieilles tétasses laiteuses.
Tony DUVERT, Paysage de fantaisie, p. 127.

TÊTE [tɛt] n. f. — 1050, *teste, test* «crâne», opposé à l'anc. franç. *chef*; du bas lat. médiéval *testa* «boîte crânienne», sens spécialisé de «coquille dure» (→ 1. Test); a éliminé peu à peu *chef* en anc. français.

★ **I. A.** (Chez l'homme). Extrémité supérieure du corps contenant le cerveau.

♦ **1.** Partie supérieure du corps (de l'homme) contenant le cerveau et les principaux organes des sens, qui est de forme arrondie et tient au tronc par le cou. ⇒ **Chef** (vx). — REM. Les synonymes familiers (*caboche, etc.*) sont renvoyés plus bas, aux emplois concernés. → **Tétère.** — *Sommet* (⇒ **Sinciput**), *derrière* (⇒ **Occiput**), *devant* (⇒ **Face**), *côtés* (⇒ **Tempe**) *de la tête. Ossature de la tête,* ou «tête osseuse». ⇒ **Crâne, face** (*infra* cit. 7); et ci-dessous, *tête de mort. Muscles de la tête,* de la face*, muscles masticateurs, muscles peauciers (occipital et frontal). Artères, veines de la tête* ou *céphaliques*. Coiffe* de la tête des nouveau-nés. — Taille et forme de la tête selon les groupes humains, les individus.* ⇒ **-céphale** (brachycéphale, dolichocéphale...), **céphalométrie** (→ Anthropologie, cit. 2). *Petite tête* ⇒ **Microcéphalie** (→ Alpaga, cit. 1); *grosse tête* ⇒ **Macrocéphalie** (→ Difformité, cit. 1; nain, cit. 2); et aussi **acromégalie.** *Avoir une grosse tête et un petit torse. Il a une trop grosse tête.* → ci-dessous les sens fig. — *Tête d'hydrocéphale* (cit. 2). *Tête allongée, ronde, carrée* (→ Balafre, cit.), *en poire.* ⇒ **Acrocéphale.** *Tête pointue, plate...* — *Il, elle a* (par ressemblance) *une tête de moineau* (→ Dresser, cit. 3), *de fouine* (cit. 5), *de cheval* (→ Ingurgiter, cit. 1). *La tête léonine* (1. Léonin, cit.) *de Mirabeau.* — *Tête enfoncée* (cit. 48) *dans les épaules* (→ Difforme, cit. 3). *Belle* (cit. 20) *tête. Yeux à fleur* (cit. 41) *de tête* (→ aussi ci-dessous, 6., «visage»).

Nous n'essayerons pas de donner au lecteur une idée de ce nez tétraèdre, de cette bouche en fer à cheval, de ce petit œil gauche obstrué (...), de ces dents désordonnées (...), de cette lèvre calleuse (...) (...) toute sa personne était une grimace. Une grosse tête hérissée de cheveux roux; entre les deux épaules une bosse énorme (...) — HUGO, Notre-Dame de Paris, I, V, «Quasimodo».   [1]

(...) de taille moyenne, mais d'une extraordinaire vigueur, il se plaisait à sa personne, satisfait de sa tête un peu plate, au front bas, à la nuque épaisse, de sa face ronde et sanguine, éclairée de deux gros yeux vifs.
ZOLA, la Bête humaine, I.   [2]

Il était de taille assez haute, les épaules bien carrées, la tête plutôt enfoncée, grosse, sans être énorme, et d'une forme très singulière : peu de menton, peu de crâne; entre les deux un élargissement progressif; comme un pot évasé et surmonté d'un couvercle en forme de calotte.
J. ROMAINS, les Hommes de bonne volonté, t. V, XXIII, p. 203.   [3]

Des pieds à la tête : de pied en cap* (1.). *De la tête aux pieds, depuis les pieds jusqu'à la tête,* au fig. ⇒ **Pied** (supra cit. 31).

Le haut, le sommet de la tête. Tête nue (1. Nu, cit. 5), *nu*-tête. La tête couverte* (→ Décliner, cit. 1), *coiffée de...* ⇒ **Coiffure** (cit. 2), *couvre-chef* (→ Aigrette, cit. 3). *Prendre de la tête pour faire un chapeau* (⇒ **Conformateur**). *Avoir le chapeau* sur la tête* (→ Froisser, cit. 26). *Casque en tête, sur la tête* (*en tête* suppose une coiffure qui emboîte le crâne). → 2. Justicier, cit. 2. *Capuchon rabattu sur la tête. Tête encapuchonnée* (cit. 1), *couronnée* (→ Archonte, cit.). — Au fig., ci-dessous 3. *Ceindre la tête de qqn d'un bandeau, d'un diadème. Fardeau, charge en équilibre sur la tête* (→ Porteur, cit. 7). *Auréole autour de la tête d'un saint.*

♦ **2.** (V. 1600). Spécialt. Partie de la tête où poussent les cheveux. ⇒ **Crâne.** *Tête chauve* (cit. 4). ⇒ **Caillou.** *Tête ébouriffée* (→ Saut-de-lit, cit.), *poudrée* (→ Recherche, cit. 11), *tonsurée, rasée* (→ Exception, cit. 10). — Allus. hist. *Les têtes rondes,* nom donné par les Cavaliers aux partisans de Cromwell, qui avaient les cheveux coupés court. — *Se gratter* (cit. 5) *la tête. Avoir la tête grasse, sale. Laver* (cit. 12 et 13) *la tête à qqn. Faire dresser les cheveux* (cit. 30) *sur la tête.*

♦ **3.** Contextes spéciaux. **ⓐ** (En parlant d'impressions, de sensations localisées à la tête, au cerveau). *Douleurs dans la tête* (→ Coup, cit. 3). ⇒ **Encéphalalgie.** — MAL DE TÊTE. ⇒ **Céphalalgie, céphalée, entêtement** (vx), **migraine;** → Maladie, cit. 7. *Il a des maux de tête violents.* — MAL À LA TÊTE. *Trop dormir* (cit. 1) *fait mal à la tête* (cf. Mal aux cheveux, au crâne). — Fam. *Souffrir d'un mal à la tête, d'un mal de tête. — Serrement de tête* (→ Éprouver, cit. 26). *Tête lourde* (→ Dormir, cit. 7), *légère* (→ Faiblesse, cit. 10), *bourdonnante* (cit.)... *Bruit qui fend* (→ Apprêter, cit. 2), *rompt la tête.* — Fig. *Fendre*, rompre* la tête. — Crier à tue-tête.* ⇒ **Tue-tête.** — *Sang qui monte à la tête* (→ Percer, cit. 3; réserver, cit. 8), *avoir le sang à la tête* (→ Sangsue, cit. 1). — *Avoir la tête qui tourne; la tête lui tourne.* ⇒ **Étourdissement, vertige.** *Parfum qui fait tourner la tête* (→ Alanguir, cit. 2). — *Monter, porter à la tête :* être capiteux, grisant. *Odeur, vin qui porte* (→ Javelle, cit. 1; provin, cit. 2), *qui monte* (cit. 17) *à la tête.* ⇒ **Entêter, griser.**

Regardant la statue de Napoléon sur la colonne de la place Vendôme, il dit : « Si j'étais si haut, je craindrais que la tête ne me tournât. »
CHATEAUBRIAND, Mémoires d'outre-tombe, t. III, p. 281.   [4]

Puis ce furent de cruelles douleurs à la tête, tantôt des élancements dans la nuque et les côtés du crâne, tantôt un casque de plomb.
R. ROLLAND, Jean-Christophe, L'aube, III, p. 145.   [5]

Elle s'éveilla, la tête creuse et retentissante comme une coquille.
P. NIZAN, le Cheval de Troie, II, VIII.   [6]

Voix de tête : voix de registre aigu; spécialt, chez l'homme, voix de fausset. ⇒ **Haute-contre** (cit. 2; → Aigu, cit. 6; gamme, cit. 4).

(...) Carmichaël se rendit sur la scène des Incomparables et chanta d'une façon éblouissante l'Aubade de Daricelli. Sa voix de tête, montant avec une souplesse   [6.1]

inouïe jusqu'à l'extrême limite du soprano, exécutait en se jouant les plus déconcertantes vocalises (...)
Raymond ROUSSEL, *Impressions d'Afrique*, p. 302.

b (Positions, mouvements de la tête). *Port* de tête* (→ Habitude, cit. 13). *La tête droite* (→ Avancer, cit. 25). *La tête rentrée* (→ Poids, cit. 10). *La tête haute* (cit. 12), relevée par rapport à la poitrine. *Porter haut la tête* (→ Attitude, cit. 18). *Lever, dresser la tête. La tête basse*, penchée sur la poitrine. *Baisser*, courber* la tête* (au fig., voir ces verbes). — *Tête penchée* (→ 1. Avoir, cit. 15), *inclinée* (cit. 1, 5, 6 et 7), *renverser la tête* (→ Franger, cit. 6; pâmer, cit. 8). *Tourner* (→ Cou, cit. 7), *détourner* (cit. 18) *la tête.* — *« Tête (à) gauche ! » « Tête (à) droite ! »*, commandements militaires pour tourner la tête. — N. m. *Un tête à droite, à gauche.*

6.2 Quoique capables de mouvement, une énorme pesanteur nous clouait sur place ou peu s'en fallait. Pour ma part, je mis très longtemps à exécuter le tête à droite et le tête à gauche nécessaires à l'examen des lieux.
M. AYMÉ, *le Vin de Paris*, « La fosse aux péchés », p. 134.

Branler (cit. 2), *hocher* (cit. 2 et 4), *secouer la tête; dodeliner* (cit. 1) *de la tête, dodiner* (cit. 1) *la tête. Branlement* (cit.), *hochement* (cit. 2), *geste* (1. Geste, cit. 14), *inclinaison* (cit. 9), *signe* (cit. 13) *de tête.* — Pathol. *Nutation* de tête.* — *Acquiescer, diriger de la tête* (→ Scander, cit. 1). *La tête sur l'oreiller* (→ Endormir, cit. 19). *La tête dans ses mains* (→ Père, cit. 22). *Mettre sa tête sous le robinet* (→ Ablution, cit. 3); *à la fenêtre* (→ Recoucher, cit. 1). *Passer, risquer* (cit. 5) *sa tête* (dans, à, par...).

7 (...) dans son inquiétude, il regarde, met la tête à la portière.
MICHELET, *Hist. de la Révolution franç.*, IV, XIII.

La tête en bas (1. Bas, cit. 94). → Antipode, cit. 2. *Marcher sur la tête* (→ Romanichel, cit.). *Rouler cul* par-dessus tête.* — *Tomber* sur la tête.* — Fig. *Mais tu es tombé sur la tête ! :* tu es fou ! *Tomber la tête en avant* (→ Insolation, cit. 1), *la première* (cit. 9). *Piquer** (cit. 26) *une tête. Se jeter la tête la première** (→ Enivrer, cit. 28). *Se jeter* tête baissée contre..., sur... Se jeter, se cogner, se taper la tête contre les murs** (cit. 15). *Donner de la tête* (vx) : se diriger (→ Jambe, cit. 16). — *Donner tête baissée dans...* : se jeter sur (qqch.). Fig. Se jeter naïvement, imprudemment dans un piège. *Il a donné tête baissée dans le panneau.*

Fig. *Ne savoir où donner* de la tête* (→ 1. Mort, cit. 42) : ne savoir que faire, avoir trop d'occupations. ⇒ **Occupé, submergé** (→ Mouvementé, cit. 1).

Fig. *En avoir par-dessus* la tête :* en avoir assez*, être excédé (→ Grand, cit. 59; sommeilleux, cit. 1). — *Se taper* la tête.* ⇒ **Cloche.**

Loc. **COUP DE TÊTE** : coup donné avec la tête (aussi sens fig. : ⇒ **Coup**). *Il lui a donné un coup de tête dans l'estomac* (cit. 5). *Donner un coup de tête dans le ballon* (ellipt., ci-dessous *faire une tête*).

c Loc., métaphore de la chasse, à propos des animaux qui *font tête* (ci-dessous B., 2., a). **FAIRE TÊTE** : faire front, s'opposer efficacement à... *Il fit tête à l'orage* (→ Influenza, cit. 2), *aux prévisions* (→ Muscler, cit. 1 ; et aussi athée, cit. 8).

8 Vitalis était resté. Une pierre l'avait décoiffé; une autre meurtri à l'épaule. Il faisait tête, comme un gibier courageux qui cherche où rendre les coups dont il saigne.
P.-J. TOULET, *la Jeune Fille verte*, IX.

TENIR TÊTE (même origine : *«Tenez pied contre pied, et tête contre tête»* Ronsard, *Exhortation au camp du Roy*, t. II, p. 435) : résister (à l'adversaire). *Tenir tête à qqn* (→ Escrime, cit. 2), *à l'ennemi* (→ Recrue, cit. 1). — *S'opposer* avec fermeté* (à la volonté de qqn). → Aligner, cit. 3; blanc-bec, cit. 2. *Tenir tête à son père, à l'opinion* (cit. 31).

9 Ces conquérants ne respectaient rien. La toute petite royauté de France ne leur aurait pas tenu tête sans la jalousie de la Flandre et de l'Anjou.
MICHELET, *Hist. de France*, II, IV.

10 Indigné par l'attitude du gouvernement dans l'affaire de la salle Wagram, il avait aussitôt pris la résolution de tenir tête aux pouvoirs, et d'offrir aux défenseurs de la paix une éclatante revanche (...)
MARTIN DU GARD, *les Thibault*, t. VII, p. 116.

(1549). **TÊTE À TÊTE, EN TÊTE À TÊTE** : l'un en face de l'autre; en n'étant que deux. ⇒ **Tête-à-tête.**

(V. 1600). Vx. **TÊTE POUR TÊTE** : face à face, dans un combat; en se rencontrant inopinément.

d (La *tête*, comme objectif, cible...). *Jeter** (cit. 3, et, fig., cit. 4) *qqch. à la tête de qqn.* — Fig. *Se jeter à la tête de qqn*, se présenter à lui brusquement (→ Dérober, cit. 14); lui faire des avances ⇒ **Offrir** (s'). (→ Caprice, cit. 5; graine, cit. 17). — *Donner un coup sur la tête* (→ Relever, cit. 15). ⇒ fam. **Cabèche, caboche, cafetière, calebasse, carafe, carafon, cassis, ciboulot, citron, citrouille, coloquinte, margoulette, tirelire...** *Se casser** (cit. 5.1) *la tête.* ⇒ **Casse-tête.** *Se fendre la tête* (→ Soigner, cit. 1). — *Couper, trancher la tête* (ou *le cou**) *de qqn.* ⇒ **Décapiter, guillotiner; décollation, guillotine** (→ Haut, cit. 118). — (Au XVIIIᵉ). Vx. *Être condamné à perdre la tête*, à avoir la tête coupée. *Le glaive* (cit. 3) *suspendu sur nos têtes. La tête sur le billot* (cit. 1). — Fig. *Donner sa tête à couper**. — *Faire tomber une tête* (→ Féal, cit. 2). *Une balle dans la tête* (→ Fournée, cit. 7). → fam. **Caisson.** — *Scalper* (cit. 1) *les têtes.*

Loc. *Faire une grosse tête à qqn*, lui infliger une correction, le battre. → Casser la gueule*. — Syn. : *mettre la tête au carré.*

Tomber sur la tête. — Fig. *Il est tombé sur la tête :* il est fou.

e **LA TÊTE**, séparée du corps, après qu'elle a été tranchée. *Salomé présentant la tête de saint Jean-Baptiste sur un plateau. « Tu montreras* (cit. 1) *ma tête au peuple». Têtes sur des piques* (1. Pique, cit. 1). *Les chasseurs de têtes.* Loc. fig. ⇒ **Chasseur.** *Tête réduite d'Indien.*

11 Lorsque Fouqué eut la force de la regarder, elle avait placé sur une petite table de marbre, devant elle, la tête de Julien, et la baisait au front (...)
STENDHAL, *le Rouge et le Noir*, II, XLV.

12 Si je vous laisse tomber, vous savez comment vous tomberez, hein? Le corps d'un côté, et la tête dans le panier de son.
J. ROMAINS, *les Hommes de bonne volonté*, t. II, V, p. 45.

◆ **4.** (V. 1283). **a** Par métaphore (la *tête* représentant la personne tout entière ; → ci-dessous, les emplois métonymiques). *Le malheur qui lui tombe sur la tête* (→ Heureux, cit. 44). *Attirer la haine sur sa tête.* ⇒ **Soi.** *Prendre une chose sur sa tête*, en prendre la responsabilité*. *La faute retombe* (cit. 14) *sur sa tête. Les trois pouvoirs* (2. Pouvoir, cit. 16) *réunis sur la tête du sultan. Placer de l'argent sur la tête de qqn* (→ Mot, cit. 39). *Pension, rente réversible* (cit. 1) *sur la tête de sa sœur. Elle reporta* (1. Reporter, cit. 3) *sur cette tête d'enfant ses vanités brisées.*

b (Dans des syntagmes). La personne elle-même. ⇒ **Personne.** *Une tête couronnée** (cit. 19; → Impératrice, cit. 3). *« J'ignore* (cit. 2) *le destin d'une tête si chère »* (Racine). *Mettre un nom sur une tête* (→ Marotte, cit. 5). — Dr. *Succession* par tête*, personnelle, et non par représentation d'un autre (opposé à *par souche*). *Viager sur deux têtes de plus de soixante-dix ans.* — REM. Pour les personnes désignées par leur esprit, leur caractère, → ci-dessous, II., 1. et 2.

Loc. *Jurer, promettre sur la tête de* (une personne chère).

c Un individu (dans une collection). — Loc. (1283). **PAR TÊTE** : par personne, par individu*. *Dîner à un schelling par tête* (→ Estaminet, cit. 1). *Une livre par tête et par jour* (→ Rationnement, cit. 1). — Hist. *Vote par ordre* (II., 4.) *ou par tête.* — Fam. *Par tête de pipe* (→ ci-dessous, *infra* cit. 18).

13 Bonnes gens donc, qui journellement dînez à trente francs par tête, à la façon d'un député du centre, qui raisonnez de tout sans rien connaître, consolez-vous : voici que le fantastique est à la cuisine.
NERVAL, *Contes et facéties*, Fantastique.

◆ **5.** (Fin XIIᵉ). Dans quelques expressions (la tête étant considérée comme la partie vitale). ⇒ **Vie.** *Répondre* (cit. 29) *de qqn sur sa tête. Jurer sur* (cit. 18) *la tête de qqn* (→ Serment, cit. 2).

(Dans le contexte de la condamnation à mort par décapitation). *Demander la tête de qqn* (→ Âpre, cit. 6). *Le procureur demande la tête de l'accusé*, demande la mort*, demande l'échafaud pour l'accusé. *L'accusé a sauvé sa tête.* — *Mettre à prix* la tête de qqn. Risquer, jouer* (cit. 37) *sa tête. Y laisser sa tête* (→ Avancer, cit. 63). *La Tête des autres*, pièce de Marcel Aymé.

14 (...) elle leva ses deux mains, la droite vers les fronts de ses fils, la gauche vers les fronts de ses filles, et d'un accent ferme, résolu, sans défaillance.
— Sur la tête de mes enfants, je jure que je vous ai dit la vérité.
MAUPASSANT, *l'Inutile Beauté*, II.

15 (...) Querelle entendit nettement la voix (...) du Président : — Vous avez égorgé votre complice (...) Nous réclamons la tête de cet homme ! Le sang appelle le sang !
Jean GENET, *Querelle de Brest*, p. 213.

Vx (dans des jurons où *tête* a probablt la valeur de *jurer sur la tête de*...). *Tête-bleu !* (1657, *teste-bleu*) : sur la tête de Dieu ! ⇒ **Tétigué.** — (Mil. XVIIᵉ). *Par la tête !* ou *Tête !*

◆ **6.** (Déb. XIVᵉ). Le visage, quant aux traits et à l'expression. ⇒ **Face** (1.), **figure** (3.); **gueule** (fam.). *Une belle tête romantique* (cit. 10), *passionnée et ravagée. « Belle tête, dit-il, mais de cervelle* (cit. 4) *point ». Une tête d'ascète, de noceur, d'assassin... Une tête sympathique, antipathique. Une sale tête. Avoir une tête comique, bizarre.* ⇒ **Bille, binette, terrine, trombine, tronche.** *Avoir une bonne tête*, qui inspire confiance. ⇒ **Bouille.** *Avoir une tête à gifles*, à claques*. Quelle tête il a !*, se dit d'une personne qui a un air défait, fatigué. *Avoir la tête à...* (et inf.) *Il n'a pas une tête à ça.* — Loc. *Avoir la tête de l'emploi*.* — *Faire une drôle de tête* (→ Extirper, cit. 4). ⇒ fam. **Bobine, bougie, bouillotte, burette, fiole, museau, poire, trompette.** *Pour voir la tête que vous feriez* (→ Sans-cœur, cit. 5). ⇒ **Mine.** *Faire une tête de six pieds de long* : être triste, maussade. — Loc. **AVOIR SES TÊTES** : manifester de la sympathie ou de l'hostilité suivant l'apparence, sans autre motif. *« Cette femme-là, elle avait ses têtes »* (G. Chevallier, *Clochemerle*, p. 185).

(1907). Absolt. **FAIRE LA TÊTE.** ⇒ fam. **Bouder** (→ fam. Faire la gueule*). — Fam. *Se payer** (cit. 45) *la tête de qqn.*

16 Ce qui attire chaque fois son attention (...) ce n'est pas le détail des traits, c'est l'expression de tout le visage, et même de tout l'être par le visage; la nuance de méchanceté amère, de hargne, de défi que la tête envoie dans l'espace comme une radiation inépuisable.
J. ROMAINS, *les Hommes de bonne volonté*, t. II, XVI, p. 188.

17 (Sa maîtresse) lui reprochait d'être avare de son temps et lui faisait presque la tête.
M. AYMÉ, *le Vin de Paris*, « Faux policier ».

Loc. fam. et péj. **TÊTE DE...** ⇒ **Face.** — Vulg. *Tête de nœud*.*

♦ **7.** (1645, Poussin). Représentation de cette partie du corps de l'homme. *Tête sculptée, peinte ; tête d'une statue* (→ Argile, cit. 7). *Tête khmère* (cit.). *Tête d'une personne réelle.* ⇒ **Portrait.** — *Tête sculptée. Tête plate* (en bas-relief). — Numism. *Tête d'une médaille, d'une monnaie ; côté tête.* ⇒ **Avers, face.** — *Tête de poupée, de marionnette* (cit. 3). — T. de métier. *Tête de bois, de cire des modistes, des coiffeurs.* ⇒ **Marotte.** — Loc. (anciennt). *Tête à perruque.*

18   Une tête gothique est rarement plus belle que brisée.
                                    MALRAUX, les Voix du silence, p. 239.

Loc. **TÊTE DE PIPE** : tête grossière formant le fourneau d'une pipe. — Fig. Se dit familièrement d'une personne (⇒ **Pipe,** cit. 2 et *supra*).

Arts. *Une tête d'étude.* — Blason. *Tête de Maure.*

(1866, in *Année sc. et industr.* 1867, p. 275). **TÊTE DE TURC** : sorte de dynamomètre sur lequel on s'exerçait dans les foires en frappant sur une partie représentant une tête coiffée d'un turban. — Fig. *Être la tête de Turc, servir de tête de Turc,* être sans cesse en butte aux plaisanteries*, aux railleries* de qqn (→ Sarcasme, cit. 1).

19   Chaque semaine, tous les personnages de l'histoire et du roman, depuis la famille des Atrides jusqu'au monde de Rétif de la Bretonne, sont les têtes de Turc, pardessus lesquelles il tape sur ses contemporains (...)
                                    Ed. et J. DE GONCOURT, Journal, 19 mars 1857, t. I, p. 135.

19.1   Je sais qu'on se moque un peu de vous, à l'Assemblée ; vos ennemis bien sûr, mais vos amis aussi, ce qui est humain. Il faut toujours que les Assemblées se choisissent une tête de Turc, cela détend. Tâchez que ce rôle ingrat échoie à quelqu'autre.
                                    J. ANOUILH, Pauvre Bitos, p. 81.

(1670, Ch. Perrault, in Höfler). Ancienn. Tête de carton que des cavaliers devaient atteindre à la lance (plus tard au pistolet). *Course de têtes. Courre les têtes.*

♦ **8.** (1671). Mesure de cette partie du corps ; hauteur d'une tête d'homme. *Plus grande que lui de toute la tête* (→ Diablesse, cit. 2). *Il a une tête de plus qu'elle.* — Fig. *Des hommes qui le passent de la tête* (→ Piédestal, cit.).

20   (...) des enfants debout sur une chaise, fiers de dépasser d'une tête les grandes personnes.   R. RADIGUET, le Diable au corps, p. 168.

♦ **9.** (1888). Tête grimée et parée pour se divertir. *Se faire une tête. Un bal de têtes. Un dîner de têtes. Tentative de description d'un dîner de têtes à Paris-France,* poème de Prévert. *Le Dîner de têtes,* sous-titre de *Pauvre Bitos,* pièce de J. Anouilh.

21   Au premier moment je ne compris pas pourquoi j'hésitais à reconnaître le maître de maison, les invités, et pourquoi chacun semblait s'être fait une tête, généralement poudrée et qui les changeait complètement.
                                    PROUST, le Temps retrouvé, Pl., t. III, p. 920.

♦ **10.** (1905, in Petiot). Par métonymie. Coup donné avec la tête. — Football. Coup de tête dans la balle. *Joueur qui fait une tête. Une superbe tête dans les buts.*

B. (V. 1050). Animaux. ♦ **1.** Partie, extrémité antérieure (et aussi supérieure chez les animaux à station verticale) du corps des artiozoaires, qui porte la bouche et les principaux organes des sens, ainsi nommée lorsque cette partie est distincte et reconnaissable. — On dit autrement (zool.) *extrémité, région, zone... céphalique*.* ⇒ **Céphalo-.** *Animal à tête entourée de tentacules.* ⇒ **Céphalopode.** *Tête et thorax d'un insecte.* ⇒ **Céphalothorax.** *Tête et queue de poisson, de serpent* (cit. 3). *Tête d'oiseau* (→ Gracieux, cit. 9). *La tête d'une linotte* (→ ci-dessous *tête de linotte,* fig.), *de sanglier* (⇒ **Hure**), *de cheval, de chien, de chat, de singe ; tête d'homme. Monstre sans tête* (⇒ **Acéphale**), *à plusieurs têtes* (⇒ **Polycéphale**).

22   La région céphalique peut être une tête hautement différenciée, mais elle manque dans le groupe des Bivalves, ou *Acéphales.*
                                    A. FRANC, in Encycl. Pl., Zoologie, t. I, p. 108.

Cette partie (d'un animal) propre à la consommation alimentaire. *Tête de cochon. Tête de veau*. Fromage* de tête.* — Régional (Belgique). *Tête pressée* : fromage de tête.

Myth. *Le Minotaure, homme à tête de taureau. Dieu à tête d'épervier* (→ Hiéro-, cit.). *Tête de Méduse. Les sept têtes de l'Hydre* (cit. 1) *de Lerne. Aigle à deux têtes.* ⇒ **Bicéphale.** *Tête de furie.* « *Pour qui sont ces serpents qui sifflent sur vos têtes ?* » (→ Enfer, cit. 2, Racine).

Loc. (en parlant d'un cheval). *Avoir une pelote, une liste en tête,* une tache, une traînée blanche sur le chanfrein.

Fauconn. *Faire la tête* (à un oiseau) : habituer (l'oiseau) au chaperon.

Représentation d'une tête animale. *Une tête peinte, sculptée... de chien, de bœuf.* — *Tête plate* : tête (d'animal ou d'homme) en bas-relief.

Pêche. *Tête de poisson* : plomb, cuiller à lancer en forme de tête de poisson.

♦ **2.** (V. 1354). Chasse. Tête d'une bête fauve.

[a] Loc. *Faire tête* (vx) : lutter tête contre tête. *Deux cerfs qui font tête.* → ci-dessus A., 3., c. — *Donner de la tête* : frapper avec la tête. — Fig. ⇒ **Donner.**

[b] Bois ou cornes des bêtes fauves (cerf, daim, chevreuil). *Cerf* qui fait sa tête,* dont le bois pousse. *Première, deuxième... tête,* premier, deuxième... bois, qui pousse la première, la deuxième... année. *Tête en fourche* (les andouillers du sommet en fourche). *Tête pau-*

mée (sommet plat et digité). *Tête ouverte* (à perches écartées). *Tête rouée. Tête seconde bizarre* (inhabituelle).

[c] Fig. → ci-dessous II., A., 2., a.

♦ **3.** Loc. *Faire tête à queue,* se dit d'un cheval qui se retourne brusquement. *La bête fit tête à queue.* → Chanceler, cit. 3. (⇒ **Tête-à-queue,** et → ci-dessous, en parlant des véhicules). *Mettre la tête* (du cheval) *au mur,* la tourner vers le mur du manège.

♦ **4.** (1855, in Petiot). Mesure de la tête ; longueur de tête (d'un cheval), dans une course. *Cheval qui gagne d'une tête, d'une courte tête.* — Loc. fig. *Gagner d'une courte tête,* de très peu.

♦ **5.** (1812). Par métonymie. Animal (d'un troupeau). *Cent têtes de bétail.* ⇒ **Pièce.**

C. (1562). **TÊTE DE MORT.** ♦ **1.** Crâne, squelette provenant de la tête d'un mort (→ Macabre, cit. 6). *Une tête de mort véritable, avec ses trous, ses sutures, ses apophyses* (→ Architecture, cit. 8).

♦ **2.** Emblème de la mort, représentation de ce squelette en métal, etc., ou de la face de ce squelette sur papier, sur tissu... *Tête de mort et tibias croisés. Pavillon à tête de mort des pirates* (→ Emblème, cit. 2).

Appos. *Sphinx** (cit. 8) *tête-de-mort.*

♦ **3.** (Forme fautive, pour *tête de Maure,* à cause de la couleur). Fromage* de Hollande. *Acheter de la tête de mort* (cf. Croûte rouge).

★ **II. A.** (V. 1360). **LA TÊTE,** considérée chez l'homme comme siège de la pensée. ⇒ **Cerveau, cervelle.**

♦ **1.** (Mil. xvᵉ). Le siège des idées, de la mémoire, du jugement. *Une tête qui fonctionne* (→ Matière, cit. 9). — *Trois têtes sous un bonnet*.* — *Tête bien faite* (→ Ignorance, cit. 9 et 14) *et tête bien pleine. Rétrécir* (cit. 5) *les têtes. Tête qui faiblit* (cit. 2). — Loc. prov. *Autant de têtes, autant d'avis.*

23   (...) je voudrais aussi qu'on fût soigneux de lui choisir un conducteur (précepteur) qui eût plutôt la tête bien faite que bien pleine (...)
                                    MONTAIGNE, Essais, I, XXVI.

Loc. *Avoir une petite tête,* un petit esprit sans idées, sans jugement. — Fam. **PETITE TÊTE** [p(ə)tittɛt] : personne qui a une petite tête. *Faut voir plus loin que le bout de son nez* (cit. 26), *petite tête !* — En appellatif. *Salut, petite tête !* (plutôt par plais. que péj.). — (Renforcé). *Petite tête de piaf.*

(1538). **BONNE TÊTE** : forte intelligence.

GROSSE TÊTE. *Avoir une grosse tête,* un esprit sûr de lui, prétentieux. *Depuis qu'il a réussi son coup, il a la grosse tête ! Des types à grosse tête* : des intellectuels. — Fam. *Une grosse tête* : un esprit trop sûr de son pouvoir. *Les grosses têtes du parti* (avec infl. du sens II., B.).

23.1   Une race d'adultes à grosses têtes, les *intellectuels,* a tué la poule aux œufs d'or de la poésie : la rime, l'incantation mnémotechnique qui donnait au poème son sens sacré.   P. GUTH, Lettre ouverte aux idoles, p. 9.

Loc. péj. *Avoir une tête sans cervelle, une tête en l'air.* — Loc. vieillie. *Tête à l'évent.*

TÊTE DE... (et compl. nom d'oiseau, pour désigner péjorativement la nature d'un esprit). *Avoir une tête d'oiseau,* et, par métonymie, *c'est une tête d'oiseau. Tête de linotte*, de moineau* : esprit léger, sans consistance. *C'est une vraie tête de piaf.*

(1965 ; trad. angl. *egg head*). Péj. *Tête d'œuf* (à la fois « crâne d'œuf » et grosse tête) : intellectuel.

Absolt. **LA TÊTE.** *Avoir, ne pas avoir de tête,* du jugement* et de la mémoire. *Vous avez de la tête, du jugement* (→ Dessus, cit. 22). *Il n'a pas de tête.* ⇒ **Écervelé ; oublier.** *Quand on n'a pas de tête il faut avoir des jambes.* — (1440). **DE TÊTE** : qui a de la tête. *Un homme de tête et d'exécution* (cit. 20). *Une femme de tête.*

LA TÊTE, opposée au *cœur.* ⇒ **Raison, réflexion.** *Sa tête dominait* (cit. 15) *son cœur. Gouverner avec la tête* (→ Échec, cit. 17). *Ce n'est pas le cœur, c'est la tête qui fait tout* (→ Sensibilité, cit. 4).

24   On n'écrit pas avec son cœur, mais avec sa tête, encore une fois, et si bien doué que l'on soit, il faut toujours cette vieille concentration qui donne vigueur à la pensée et relief au mot.   FLAUBERT, Correspondance, 344, 25 sept. 1852.

(Mil. xvᵉ). Avec *dans, en* : *dans la tête, en tête. Avoir une idée* dans la tête, en tête. N'avoir qu'une idée, qu'un souci en tête* (→ Pavois, cit. 1), *ne penser qu'à une chose dans la tête.* → Mon, cit. 1. *Tourner, rouler* (cit. 13) *une chose dans sa tête* (→ Entamer, cit. 13). *Projet qui germe* (cit. 7), *mûrit* (cit. 11) *dans la tête. Ce qu'il a dans la tête* : ses idées, ses intentions. *Tout se brouille* (cit. 20) *dans ma tête.* ⇒ **Esprit.** *Mettre, fourrer* (cit. 13) *qqch. dans la tête.* ⇒ **Apprendre.** *Idée qui entre dans la tête.* → Royaume, cit. 1. *Se mettre qqch. dans la tête* (→ Habillement, cit. 1), *en tête,* s'en persuader*. *Il s'est mis dans la tête, en tête de réussir.* ⇒ **Décider.** *Il s'est mis dans la tête que... :* il s'est imaginé et s'est persuadé que... — *Chercher* (cit. 15) *qqch. dans sa tête,* dans sa mémoire.

25   Moi, je crois (...) que vous avez quelque nouvel amour en tête.
                                    MOLIÈRE, Dom Juan, I, 2.

26   Alors il se mit dans la tête (non, il n'avait pas de tête), dans l'idée (...) Oui, c'est bien cela, dans l'idée de faire quelque chose.
                                    Ch. CROS, Monologues, « Autrefois », Pl., p. 297.

Spécialt. *Dans la tête* : en esprit et non en fait. *Tout était arrêté, décidé dans sa tête* (→ Exécuter, cit. 9). *Dessiner dans sa tête* (→ Relever, cit. 38). *Le livre qu'il a dans la tête* (→ Critiquer, cit. 38). — *C'est (tout) dans la tête* : c'est psychique, moral (et non pas physiologique).

Loc. métaphorique. *Du plomb* dans la tête.*

(Avec d'autres prép.). *Passer* (cit. 31, 45) *par la tête. Une idée lui est passée* (cit. 30) *par la tête, lui est venue brusquement.* — Vx. *Se mettre une idée à la tête* (→ ci-dessus *dans la tête*) — *Ôter, enlever à qqn une idée de la tête. Ôter une folie* (cit. 22) *de la tête. Ça lui est sorti de la tête.* — *Avoir une idée derrière la tête,* une idée cachée, non avouée. *Des intentions de derrière la tête.* — (Jeu de mot avec le sens concret) :

26.1 — Qu'est-ce que tu as derrière la tête? lui demanda Valentin.
— Le dos de ma chaise, répondit Julia qui n'était pas bien grande et qui était assise dans un fauteuil.   R. QUENEAU, le Dimanche de la vie, p. 167.

(1766). Loc. adv. DE TÊTE : mentalement. *Calculer de tête. Faire de tête une division de cinq chiffres* (→ Hercule, cit. 4).

Loc. adj. : DE TÊTE : intellectuel, raisonné. *Un amour de tête* (opposé à *de cœur*).

(Mêmes contextes). *Avoir la tête vide* : ne plus pouvoir réfléchir, ou se souvenir. — *Avoir la tête pleine* (d'idées, de connaissances, de souvenirs). *Avoir la tête farcie* (cit. 8) *d'érudition, bourrée* (cit. 5) *de souvenirs.*

Loc. *Se creuser** (cit. 23) *la tête* : chercher avec difficulté. — *Se casser** (cit. 5.3) *la tête* : se fatiguer l'esprit. *Cassement de tête :* recherche fatigante pour l'esprit; problème très difficile. — *Casser* la tête à qqn,* le fatiguer, l'ennuyer.

♦ **2.** Siège et indice des états psychologiques. — (1538). Caractère. *Avoir la tête chaude** (cit. 7) : se mettre facilement en colère, s'emporter. — Loc. fig. *Avoir la tête près du bonnet** (cit. 6), même sens. — *Avoir la tête froide** : avoir du flegme, du sang froid. *Il sait garder la tête froide.* — *Avoir la tête dure** : être entêté. ⇒ **Têtu.**

TÊTE DE... (suivi d'un compl. désignant un animal, une substance, etc.). *Il a une tête de cochon* : il est entêté et de mauvaise volonté. — Par métonymie. *C'est une tête de cochon. Tête de lard** (de cochon). *Tête de bique, de mule** (1. Mule, cit. 4), *tête de mulet* (entêté). *Tête de bois,* (vx) *de fer. Tête de pioche*. Tête de nœud.* — REM. Dans ces emplois métaphoriques, le sens de base de *tête* est «visage». → Face, gueule (loc.).

26.2 Y a pas de danger qu'i comprennent. C'est des têtes de lard surtout dans ce patelin.   Jean GENET, Querelle de Brest, p. 286.

(Avec la valeur de «visage»). *Tête de bois.*

27 (...) elle essaya de lire sur ce front, sur cette atroce physionomie, et trouva ce qu'en affaires on nomme *une tête de bois.*   BALZAC, le Cousin Pons, Pl., t. VI, p. 676.

TÊTE et adj., désignant une personne (péj.). *Une tête carrée*.* — *Tête brûlée*. C'est une tête molle.*

FORTE TÊTE. **a** (1690). Vx. Esprit plein de jugement, de bon sens.

b (1907). Mod. Personne qui s'oppose aux autres et fait ce qu'elle veut. ⇒ **Indiscipliné** (→ Fainéant, cit. 5; résister, cit. 13). *Un frondeur* (cit. 5), *une forte tête.* — (1538). MAUVAISE TÊTE : personne obstinée, querelleuse, boudeuse. *Mauvaise tête, mais bon cœur.*

28 Si méprisé que soit l'homme de troupe, en ce régime de despotisme oriental, il peut toujours braver ses maîtres, pourvu qu'il surmonte la peur; et c'est par ce détour que ceux que l'on appelle les mauvaises têtes agissent souvent en héros.   ALAIN, Propos, 24 juil. 1921, Le canonnier sans peur.

(États passagers). Dans des loc. *Se monter* la tête* (⇒ Couard, cit. 1). ⇒ **Bobèche, bourrichon.** *Se mettre martel** (cit. 2 et 3) *en tête.* — (1561, *in* D. D. L.). *Avoir martel en tête. Avoir la tête à l'envers* (2. Envers, cit. 12). *Mettre la tête à l'envers** (→ Déguiser, cit. 2). *La tête lui tourne* (→ Opulence, cit. 1). *Tourner la tête à qqn* (→ Respecter, cit. 7). — *Égarer, griser, séduire* (cf. Rendre fou, inspirer une passion). *La beauté* (cit. 28) *tourne la tête aux belles. Ma tête s'égare* (cit. 21). — (XVIIIᵉ). *Perdre la tête* : perdre son sang-froid*. ⇒ (fam.) **Boule, boussole; affolement, affoler** (s'). → Escalier, cit. 1; guet-apens, cit. 1; regret, cit. 9. — *Examiner qqch. à tête reposée* — *Avoir la tête à ce qu'on fait,* y appliquer son esprit, son attention. *Avoir la tête à l'ouvrage* (→ Nuage, cit. 6). *Avoir la tête ailleurs* : penser à autre chose, être dans la lune. — *En faire* (cit. 58) *à sa tête* (⇒ **Volonté**), *n'en faire qu'à sa tête* : agir selon son idée, sa fantaisie, selon l'humeur du moment. ⇒ **Entêté, indépendant** (→ Insubordination, cit. 1). — Vx. *Faire un coup de sa tête,* une action irréfléchie.

29 S'il est aucun respect ni pouvoir qui m'arrête,
Et si je ne fais pas quelque coup de ma tête!   MOLIÈRE, Tartuffe, III, 1.

30 (...) il avoua plus tard qu'en ce temps de désespoir la tête lui bouillait comme une marmite (...)   BALZAC, César Birotteau, Pl., t. V, p. 350.

31 (...) il se plaignit du mauvais accueil qu'on lui faisait maintenant chez les Buteau. Mais elle n'avait pas la tête à cela, elle se taisait, elle ne lâchait que des paroles brèves.   ZOLA, la Terre, III, IV.

32 Ce séjour, cette liberté trop grande m'inquiète pour mon pauvre Yves, — auquel ce pays de plaisir tourne un peu la tête.   LOTI, Mᵐᵉ Chrysanthème, XXIV.

33 Fais à ta tête, Père Ubu, il t'en cuira.   A. JARRY, Ubu roi, III, 1.

(1440). COUP DE TÊTE : décision, action inconsidérée*, irréfléchie* (→ Impétuosité, cit. 5; inutile, cit. 3; œuf, cit. 13).

Au plur. *Les têtes* : les esprits. *Les têtes se montaient, fermentaient.* → Gronder, cit. 9.

♦ **3.** (En loc.). Symbole d'état mental. *Avoir la tête fêlée* (cf. pop. *Le coco, le timbre fêlé*). *Avoir une araignée, un cafard dans la tête.* ⇒ **Plafond** (fam.). *Tête qui s'altère* (→ Loup-garou, cit. 1), *qui se dérange* (→ Méchanceté, cit. 5).

34 (...) son honnête homme de mari, lequel avait la tête faible et finit même par être tenu enfermé dans une chambre comme *hébété.*   SAINTE-BEUVE, Causeries du lundi, 9 juin 1851.

Loc. verbales. *Avoir sa tête, toute sa tête, sa tête à soi* : avoir toute sa lucidité, son bon sens. *Elle est très vieille, mais je te garantis qu'elle a toute sa tête.* — *Elle n'a plus sa tête à elle.* — PERDRE LA TÊTE : devenir fou (fig.), commencer à agir de manière irrationnelle. *Le vieux perdait la tête.* ⇒ **Raison; déraisonner.** → Nombre, cit. 19. *Tu as perdu* (cit. 15) *la tête!*

Fam. *Ça va pas dans la tête!; ça va pas la tête!* : tu es fou*.

B. (1636, Corneille). Par métaphore (→ ci-dessous, cit. 35) ou métonymie. Personne qui conçoit et dirige (comme le cerveau fait agir le corps). *Des énergumènes* (cit. 4) *groupés autour de quelques têtes. C'est à la tête qu'il faut frapper* (→ Exécuter, cit. 12). *Donner une tête à un pays.* ⇒ **Chef.** — REM. Ce sens rejoint celui de *personne à la tête de...* (→ ci-dessous, C.).

35 L'empire est à donner, et le sénat s'assemble
Pour choisir une tête à ce grand corps qui tremble (...)   CORNEILLE, Pulchérie, I, 1.

36 Qu'on nomme crime, ou non, ce qui fait nos débats,
Sire, j'en suis la tête, il n'en est que le bras.   CORNEILLE, le Cid, II, 8.

La tête de... : le, les chefs de... *La tête et les bras de la révolution. La dernière tête de la rébellion* (cit. 6).

Fam. *Les grosses têtes de...* (avec infl. du sens II., A., ci-dessus) : les principaux personnages de. ⇒ **Huile.**

36.1 Le mariage fut célébré à Saint-Honoré d'Eylau. Y assistaient, pour le principal, sept grosses têtes de l'industrie lourde, cinq personnes nobles, un ministre et deux généraux.   M. AYMÉ, Travelingue, p. 7.

★ **III.** (Choses). **A.** Par analogie avec la tête humaine — et avec celle de nombreux animaux —, qui est située plus haut que le reste du corps et à l'avant. ♦ **1.** (1560). **a** Partie supérieure d'une chose, notamment lorsqu'elle est arrondie. *La tête des arbres* (cit. 28). ⇒ **Cime** (→ Jungle, cit. 1). *Couper la tête d'un arbre.* ⇒ **Étêter.** *Ormes à tête en parasol* (cit. 5). *Tête d'un épi* (→ Noircir, cit. 1). *La tête d'une montagne* (→ Frimas, cit. 3). *Tête d'un mât. Colonne posée la tête en bas* (→ Équarrir, cit. 2). *Ce tableau est accroché la tête en bas.*

36.2 L'allée d'orangers était vraiment admirable à voir. La lune, déjà levée, la pleine lune, jetait au milieu un mince sentier d'argent, une longue ligne de clarté qui tombait sur le sable jaune, entre les têtes rondes et opaques des arbres sombres.   MAUPASSANT, Julie Romain, Pl., t. II, p. 717.

Mar. *Tête de roche* : roche en saillie sur un fond marin.

b EN TÊTE. (Billard). *Frapper, prendre la bille en tête,* au milieu vers le haut (coup le plus simple). — Fig. et fam. *Faire une chose bille en tête,* avec franchise et décision. ⇒ 1. **Bille** (cit. 3).

Autom. *Moteur à soupapes en tête,* qui s'ouvrent à la partie supérieure du cylindre. *Moteur six cylindres en ligne à arbre à cames en tête.*

c Techn. (reliure). Partie supérieure du dos. Tranche supérieure. *Ouvrage relié en demi-chagrin, tête dorée, jaspée.*

d Techn. Partie supérieure plane; couche supérieure. *Tête dure* (d'un banc de pierre). — Techn. *Tête de mur.* — *Tête de chevalement* : pièce horizontale posée sur deux étais.

♦ **2.** (Mil. XIIIᵉ). Partie terminale, extrémité d'une chose, grosse et arrondie. *Corps, col, et tête d'un os long. Tête du fémur, de l'humérus, des côtes. Tête de l'épididyme, du pancréas.* — (1530). *Tête d'ail*.* — *Tête d'artichaut, de champignon.* ⇒ **Chapeau.** *Chou cabus à tête ronde.* — *Tête de fer d'un outil* (→ Copeau, cit.). *Tête de comète* (composée du noyau* et de la chevelure*). ⇒ **Coma.** — Techn. *La tête d'un marteau,* partie du fer opposée à la panne. *La tête d'un instrument* (de musique) *à cordes. Tête d'un violon. Badine à tête d'or* (→ Menacer, cit. 4). *Tête d'aiguille*, d'épingle** (→ Maintenir, cit. 23). *Clou à tête large* (→ Des, cit. 9), *plate, ronde; dorée. Clou à tête d'homme. Tête de vis. Tête perdue* (de clou ou de vis), enfoncée dans la matière. — *Tête romaine :* tête de vis sphérique percée d'un trou. *Tête de boulon. Tête de bielle* (→ Machine, cit. 14). — *Tête de scion d'une gaule* (pêche).

37 (...) la garniture de boutons d'acier à tête de diamants qui vient de mon père.   G. SAND, Histoire de ma vie, II, VI.

Extrémité (d'un cigare) destinée à être placée dans la bouche. *Tête fermée,* recouverte par la cape.

Techn. *Tête de cornue* : pièce en fonte fixée à l'avant d'une cornue à gaz.

Extrémité (supérieure ou inférieure) d'une glace, en verrerie.

♦ **3.** Partie extrême (d'un lit) sur laquelle on pose la tête (I.). ⇒ **Chevet.**

37.1 Un lit de fer à la peinture écaillée, avec à la tête un numéro 7, et la pancarte.   ARAGON, les Beaux Quartiers, I, XXIV.

B. (1559). Par anal. avec la tête des animaux, qui se présente en premier dans le sens de la marche; souvent opposé à *queue.*

♦ **1.** a Partie antérieure d'une chose qui se déplace. *Tête d'un engin propulsé, d'une fusée, d'un missile. Tête nucléaire, thermonucléaire. Engin à tête nucléaire.* ⇒ **Ogive.** *Récupérer la tête d'une fusée à son retour au sol.*

(1954). **TÊTE CHERCHEUSE.** *Fusée à tête chercheuse,* à tête munie d'un dispositif pouvant modifier sa trajectoire vers l'objectif. — (1973). Inform. *Tête chercheuse :* dispositif d'un classeur électronique destiné à la recherche des informations. — Fig. Personne ou groupe qui a un rôle d'information. « *Les groupes de pression sont munis (...) de têtes chercheuses* » (*Petite Encyclopédie politique,* 1969).

Loc. (fig. du cheval, ci-dessus I., B., 3.). **TÊTE (à, sur) QUEUE.** *Virer tête à queue, tête sur queue,* se dit d'un véhicule qui pivote entièrement. ⇒ **Tête-à-queue.** — Par ext. *Faire tête sur queue, revenir tête sur queue :* s'en retourner sitôt après être arrivé.

38   Les Laharanne, eux, allaient à Hargouët voir les Sainte-Mary. Mais ils ont trouvé visage de bois (...) Bref, les Laharanne ont fait tête sur queue, et m'ont reprise, plus tôt que je ne pensais.   P.-J. TOULET, la Jeune Fille verte, I.

b Premier(s) élément(s) d'un ensemble de véhicules, d'un groupe de personnes qui se déplacent. *La tête d'un train, d'une escadre... Tête d'un rang, tête de colonne* (→ Équipage, cit. 6), *tête d'un défilé* (les premiers rangs*). — Fig. *La tête d'une classe :* les meilleurs élèves.

39   La tête du cortège était déjà entrée dans le cimetière.   FRANCE, l'Anneau d'améthyste, VIII, Œ., t. XII, p. 138.

c Partie antérieure d'une chose orientée, ou première partie de ce qui se présente dans un ordre. — (1869). *Tête de ligne :* station, gare de chemin de fer, de métro, d'autobus... où commence la ligne; point de départ (opposé à *terminus*). *Tête de ligne ferroviaire, maritime, aérienne. Faire tête de ligne à..., dans...*

39.1   (*Le « Great Indian peninsular railway »*) En quittant l'île de Bombay, il traverse Salcette, saute sur le continent en face de Tannah, franchit la chaîne des Ghâtes-Occidentales, court au nord-est (...), s'infléchit vers l'est, rencontre le Gange à Bénarès, s'en écarte légèrement, et, redescendant au sud-est par Burdivan et la ville française de Chandernagor, il fait tête de ligne à Calcutta.   J. VERNE, le Tour du monde en 80 jours, p. 64 (1873).

Tête de pont (→ Démilitariser, cit.) : à l'origine, partie d'un pont du côté ennemi. ⇒ **Pont.** — *Tête de chapitre* (→ Exposé, cit. 2). — (1885, in D. D. L.). *Tête de liste :* premier nom d'une liste. — Par ext. La personne elle-même. *Élire une tête de liste. Tête d'affiche.* — Par ext. *C'est ce chanteur qui est la tête d'affiche.*

Comm. *Tête de gondole :* extrémité d'une gondole* (4.) utilisée pour les présentations « promotionnelles ».

d Partie (d'un ensemble ou d'un organe mécanique) en général située à une extrémité (→ ci-dessus B., 1., a et III., A., 2.) et possédant une fonction spécifique. — **TÊTE DE...** (et nom d'une opération, d'une fonction). *Tête d'allumage. Tête d'amorçage.*

Techn. *Tête d'enregistrement, d'effacement, de lecture :* transducteur électromagnétique (électro-aimant à entrefer très étroit) capable d'inscrire, d'effacer ou de reproduire les sons, les images enregistrés sur un support magnétique (bande, disque...). — (1945). *Tête sonore.* ⇒ **Lecteur.**

Loc. cour. **TÊTE DE LECTURE** (d'un pick-up, d'un appareil de reproduction sonore). ⇒ **Cellule, phonocapteur.** *Changer la tête de lecture.* — Par métaphore :

39.2   La boisson serait-elle *une bonne tête de lecture* (tête chercheuse d'une vérité du corps)?   R. BARTHES, Roland Barthes, p. 99.

Absolt. *Tête.* « *Grâce à des "têtes" en cristal de ferrite (...) on enregistre sur une bande magnétique... (plus étroite)* » (*l'Express,* 25 sept. 1972, p. 36, publicité).

Tête d'impression d'une machine à écrire. ⇒ **Boule, marguerite.** *Tête imprimante.*

Spécial. Partie (d'un appareil, d'une machine-outil) recevant des mécanismes particuliers. *Tête amovible. Changer la tête d'une fraiseuse. Tête mobile, inclinable. Perceuse à tête multiple.*

Tête de remplissage : dispositif destiné à introduire un produit dans son emballage.

(Textile). Ensemble des cylindres qui opèrent l'étirage du ruban textile.

♦ **2.** (1580, *en tête*). a (Surtout *de, en tête*). Place de ce qui est à l'avant d'un ensemble qui progresse. ⇒ **Avant.** *Voiture, wagon de tête* (→ Métro, cit. 9; mitrailler, cit. 1). *En tête et en queue du convoi* (→ Sbire, cit. 1). *Sortie du quai en tête ou en queue* (1. Queue, cit. 25). *À la tête du rang; prendre la tête de la file, du cortège. À leur tête marchait une femme* (→ Homme, cit. 104). *En tête marchait le maréchal* (→ Caracoler, cit. 2). → Ouvrir* la marche. *Musique, tambours en tête* (→ Fournaise, cit. 8; lycée, cit. 1). *Faites-le passer en tête.* ⇒ **Devant, premier** (le). — Milit. *Éclaireur de tête.* — Sports. *Coureur en tête du peloton, coureur qui prend la tête, qui tient la tête.* ⇒ **Mener.** *Groupe de tête.* — Fig. *Le mouvement qui est en tête.* ⇒ **Avant-garde.**

40   Ils le tenaient (*Mars*) pour le protecteur de l'empire, et le voyaient marcher dans les combats en tête de leurs troupes.   Émile HENRIOT, Mythologie légère, p. 77.

b (*À la tête, en tête*). Première place (dans un classement, une compétition). *Être à la tête de sa classe :* être le premier, le meil-

leur élève. *Équipe en tête du championnat. Le candidat qui arrive, vient en tête aux élections.*

41   (...) et néanmoins, (*la France*) est, je le crois, à la tête du monde par ses artistes, par ses hommes de talent, par le goût de ses produits.   BALZAC, Modeste Mignon, Pl., t. I, p. 530.

42   Des cheminots près de la gare, sortant du travail, demandaient les nouvelles. Barbentane en tête (...) Il y aura ballotage.   ARAGON, les Beaux Quartiers, I, xxv.

c (*En tête, de tête*). Place de ce qui est en avant, devant, au début. *Machine en tête d'une voie* (→ Hangar, cit. 3). *Arriver en tête de liste. Article de tête d'un journal. Portrait, épigraphe, avertissement... en tête d'un volume* (→ 2. Loupe, cit. 2). — Gramm. *Mot en tête de phrase* (→ Plus, cit. 97).

Techn. (journal.). *La tête et le ventre d'une page.*

43   Sauf pour certaines présentations particulièrement étudiées et plus ou moins complexes, on commence habituellement une page par la *tête*. C'est normalement en tête que figurent les informations les plus importantes. Mais l'équilibre des illustrations peut amener à rejeter plus bas une information qui « mériterait la tête », et le secrétaire de rédaction n'oublie pas qu'une information illustrée et coiffée d'un gros titre, dans le *ventre* de la page, attire plus l'œil qu'une information sur une colonne et sans illustration en tête.   Philippe GAILLARD, Technique du journalisme, p. 111.

d (1905, in Petiot). Par métonymie de c. (Sports). *Tête de série :* personne qui vient en tête d'une série de concurrents.

e (1892, cit.). Techn. *Produits de tête et de queue de la distillation du pétrole, de la houille...* (dans l'ordre de leur apparition).

44   À la rectification, les éthers et les aldéhydes passent les premiers, et constituent ce qu'on appelle les *produits de tête* (...)   L. FIGUIER, l'Année scientifique et industrielle 1893, p. 246 (1892).

f Loc. (où *tête* correspond à « début, commencement logique »). **SANS QUEUE NI TÊTE** ⇒ 1. **Queue** (cit. 27) ; → Imbroglio, cit. 4 ; improviser, cit. 4.

C. (1651). Fig. **À LA TÊTE,** place de celui qui dirige (fig.), commande. — (En parlant de celui qui conduit ses hommes sur le terrain et les commande). *Prince qui foudroie une ville à la tête de ses armées* (→ Camp, cit. 9). *Il fut tué à la tête de ses troupes.*

Fonctions de direction. *Mettre qqn à la tête d'un gouvernement* (→ Résigner, cit. 1). *Doyen* (cit. 4) *à la tête d'une faculté. Personne(s) à la tête d'un service, d'une entreprise, d'une affaire...* ⇒ **Chef, directeur, état-major** (fig.). *Être à la tête de...* ⇒ **Diriger.** — (1735). Par anal. *Se trouver à la tête d'une fortune* (→ Passe-passe, cit. 2), *d'un capital,* être en mesure d'en disposer. ⇒ **Posséder.**

Loc. verbale. *Prendre la tête d'un mouvement, d'une rébellion.*

CONTR. Pied, 1. **queue.** — **Arrière, fin.**
DÉR. Teston, têtard, têteau, têtère, tétoir.
COMP. Appui-tête, casse-tête, en-tête, entêter, étêter, serre-tête; tête-à-queue, tête-à-tête, tête-bêche, tête-de-chat, tête-de-clou, tête-de-loup, tête-de-maure, tête-moineau, tête-de-nègre, tête-de-pont, tétigué.
HOM. Formes du verbe téter. — Têt, tette.

TÊTE-À-QUEUE ou TÊTE À QUEUE [tetakø] n. m. — 1872, *in* Petiot; de *tête, à,* et *queue.*

♦ **1.** Mouvement du cheval qui pivote sur lui-même et se retourne à 180°.

   Et soudain, un terrible écart, un tête-à-queue. Alban complètement décontenancé perd l'équilibre, se retient à la crinière, vide les étriers. Le cheval part et le cavalier roule sur le sol.   MONTHERLANT, les Bestiaires, II.

♦ **2.** (1902, *in* Petiot). Mouvement de volte-face (d'un véhicule). *La voiture a dérapé et a fait un tête-à-queue. Le bateau fit un tête-à-queue.* → Lof, cit.

TÊTE À TÊTE ou TÊTE-À-TÊTE [tɛtatɛt] loc. adv. et n. m. invar. — 1560; *teste à teste,* 1549; de *tête,* I., A., 3., c.

★ **I.** Adv. ♦ **1.** Face* à face (en parlant de personnes qui se rencontrent). ⇒ **Nez** (à nez), **vis-à-vis.** — REM. On a dit aussi *tête pour tête* (vx) dans ce sens ; → Rencontre, cit. 9.

♦ **2.** Ensemble et seuls (en parlant de deux personnes), seul (avec qqn). ⇒ **Seul** (à seul). *Elle nous laissa* (cit. 43) *tête à tête. Plusieurs heures tête à tête avec elle* (→ Œillade, cit. 5).

1   Quoi? l'on ne peut jamais vous parler tête à tête?   MOLIÈRE, le Misanthrope, II, 1.

2   Mais que vous a-t-il dit dans le petit entretien que vous avez eu tête à tête avec lui?   MARIVAUX, le Jeu de l'amour et du hasard, III, 4.

3   En quelques secondes, et malgré lui, il revivait ces minutes tragiques : le père et le fils, tête-à-tête dans la salle à manger (...)   MARTIN DU GARD, les Thibault, t. IV, p. 102.

Par ext. *Tête à tête avec mon infortune* (→ Pénible, cit. 3).

★ **II.** N. m. ♦ **1.** (1636). **TÊTE-À-TÊTE,** situation de deux personnes qui se trouvent seules ensemble, et spécialt, qui s'isolent ensemble. *Un tête-à-tête amoureux* (→ Édifiant, cit. 2). *Elle essaya de nous ménager* (cit. 16) *un tête-à-tête.* ⇒ **Entrevue.** *S'exposer à..., fuir un tête-à-tête. Le scandale du tête-à-tête* (→ Objecter, cit. 6). *Tête-à-tête où l'on cause* (2. Cause, cit. 6). ⇒ **Conversation, dialogue** (→ Babil, cit. 5). *Le tête-à-tête de deux chefs d'État.*

4 (...) j'évite le tête-à-tête avec cette comtesse ridicule (...)
                                    MOLIÈRE, la Comtesse d'Escarbagnas, 1.
5 Tout son désir est d'habiter une humble maisonnette au bord d'une onde claire,
   et d'y vivre dans un éternel tête-à-tête (...)   Th. GAUTIER, Fortunio, XII.

Loc. adv. (XVIIIe). EN TÊTE À TÊTE ou EN TÊTE-À-TÊTE : dans la situation de deux personnes qui se trouvent seules ensemble ou qui s'isolent. *Quand nous sommes en tête à tête* (→ Coquet, cit. 6). *Être
en tête-à-tête avec qqn* (→ Inconséquence, cit. 11). *Laissons ces
amoureux en tête à tête !* — REM. Cette locution, qui a le même sens
que *tête à tête*, adv., tend à remplacer ce dernier.

6 (...) il gronde, il demande impérieusement à Suzon ce qu'elle faisait en tête-à-tête
   avec le plus débauché des garçons du village, dans l'endroit le plus reculé de la
   chaumière.   DIDEROT, Jacques le fataliste, Pl., p. 683.
7 (...) il imposait tellement à cette jeune et touchante créature, qu'en sa présence,
   ou en tête-à-tête, elle tremblait.
                          BALZAC, la Maison du Chat-qui-pelote, Pl., t. I, p. 55.
8 (...) elle préférait aux dîners même du doge un poisson frais mangé en tête à tête
   avec Pippo sous les tonnelles de Quintavalle.
                          A. DE MUSSET, Nouvelles, « Fils du Titien », VI.

♦ **2.** (1780). *Un tête-à-tête :* un petit canapé à deux places (pour rester en tête à tête).

♦ **3.** (1890). *Un tête-à-tête :* un service à thé, à café pour deux personnes. *Offrir un tête-à-tête en porcelaine de Limoges à des jeunes mariés.*

TÊTEAU [teto] n. m. — 1777 ; de *tête*.

♦ **1.** Arbor. Extrémité d'une grosse branche coupée près du pied.

♦ **2.** Régional. Arbre étêté qui commence à refaire ses branches.
⇒ aussi **Têtard.**

1 Germain jeta un regard sur le buisson et vit dans le fossé, sous les branches épaisses et encore fraîches d'un têteau de chêne, quelque chose (...)
                                    G. SAND, la Mare au diable, VI.

Appos. *Arbre têteau.*

2 Ils continuèrent à marcher dans la plaine déserte où les arbres *têteaux*, c'est-à-
   dire étêtés et mutilés par l'ébranchage, prenaient sur l'horizon, blanchi à l'approche de la lune, les formes les plus monstrueuses et les plus bizarres.
                                    G. SAND, Légendes rustiques, p. 122.

TÊTE-BÊCHE [tɛtbɛʃ] loc. adv. — 1820, franç. mod., altér. de *à
tête bêchevet*, renforcement de *bêchevet*, proprt « double tête », de
bes- (lat. *bis* « deux fois »), et *chevet*, qui n'était plus compris. → Bêche-
veter.

♦ Dans la position de deux personnes dont l'une a la tête du côté où
l'autre a les pieds ; parallèlement et en sens inverse, opposé. *Il fallait coucher* (cit. 7) *tête-bêche pour y loger tous. Tailler les panneaux d'une jupe tête-bêche. Ranger des livres tête-bêche.* ⇒ **Bêche-
veter.** — Spécialt (philatélie). Se dit de deux timbres imprimés sur la
même feuille, l'un dans un sens, l'autre dans l'autre.

TÊTE-CHÈVRE [tɛtʃɛvʀ] n. m. — Fin XVIIe ; proprt « qui tète les
chèvres », anc. croyance pop. ; de *téter*, et *chèvre*.

♦ Régional. Engoulevent (oiseau). *Des tête-chèvres.*

TÊTE-DE-CHAT [tɛtdəʃa] n. m. — 1812 ; de *tête, de,* et *chat*.

♦ **1.** Techn. Moellon, pavé arrondi. *Marcher sur des têtes-de-chat.*

♦ **2.** Minéralogie. Concrétion, morceau de roche plus dur dans une
formation plus tendre.

TÊTE-DE-CLOU [tɛtdəklu] n. m. — 1827, *Académie ;* autre sens,
1795 ; de *tête, de,* et *clou*.

♦ **1.** Archit. Petite pyramide à quatre faces servant d'ornement. *Les
têtes-de-clou d'un portail roman.*

♦ **2.** Typogr. (vx). Caractère typographique usé, déformé.

TÊTE-DE-LOUP ou TÊTE DE LOUP [tɛtdəlu] n. f. —
1862, Hugo ; de *tête, de,* et *loup*, par anal. d'aspect avec la *tête* velue
du *loup*.

♦ Brosse ronde munie d'un long manche, sorte de balai* pour nettoyer les plafonds (→ Houssoir, cit. 2). *Des têtes-de-loup.*

Ce qui m'a frappé d'abord ça a été ses cheveux noirs : il avait dû perdre son béret
et le vent ou les secousses lui faisaient vivre une sorte de couronne si bien qu'on
aurait dit que l'autre tenait un balai, une tête de loup, et qu'il était en train de la
secouer pour en faire sortir la poussière. C'était ça exactement ; une tête de
loup (...)   Claude SIMON, le Vent, p. 37.

TÊTE DE MAURE [tɛtdəmɔʀ] n. f. — Mil. XIXe ; de *tête,* et *Maure*,
à cause de la couleur.

♦ **1.** Blason. Tête d'un homme de race noire (meuble de l'écu).

♦ **2.** Fromage de Hollande, sphérique, à croûte rouge (parfois altéré
en *tête de mort*, régional). ⇒ **Tête** (I., C.).

TÊTE-DE-MOINEAU ou TÊTE DE MOINEAU
[tɛtdəmwano] n. m. — 1877, Littré, *Suppl. ;* de *tête, de,* et *moineau*, par
anal. de taille avec la *tête* du *moineau*.

♦ Charbon pour le chauffage domestique, houille* en petits morceaux. *Des têtes-de-moineau.*

TÊTE-DE-MORT [tɛtdəmɔʀ] n. f. ⇒ **Tête**, I., C. ; **tête de Maure**
(2.).

TÊTE-DE-NÈGRE [tɛtdənɛgʀ] adj. et n. m. invar. — 1874 ; de *tête,
de,* et *nègre*.

★ **I.** De couleur marron foncé. *Maroquin tête-de-nègre.* — N. m. *Le
tête-de-nègre est à la mode.*

(...) d'un brun tirant sur le tête-de-nègre et le chocolat.
                                    A. ROBBE-GRILLET, le Voyeur, p. 23.

★ **II.** ♦ **1.** *Bolet tête-de-nègre,* ou, ellipt, n. m., *un tête-de-nègre :*
bolet à chapeau brun *(Boletus badius),* dit aussi *cèpe des châtaigniers.*

♦ **2.** Meringue ronde fourrée de crème au beurre et recouverte de
vermicelles de chocolat.

TÊTE-DE-PONT [tɛtdəpɔ̃] n. m. ⇒ **Pont** (*supra* cit. 8).

TÊTE DE TURC [tɛtdətyʀk] n. m. ⇒ **Tête** (*supra* cit. 19).

TÉTÉE [tete] n. f. — 1611, *tettée ;* de *téter*.

♦ **1.** Action de téter. *Mécanisme de la tétée* (succion, déglutition).

♦ **2.** Repas du nourrisson, quantité de lait qu'il absorbe en un de
ces repas. ⇒ **Allaitement.** *Espacer, fractionner les tétées. Heure des
tétées. Tétée insuffisante.*

TÉTER [tete] v. tr. — Conjug. *compléter ;* dans l'anc. graphie *teter,*
le verbe se conjuguait comme *jeter.* — 1190 ; de *tette*.

♦ **1.** (Le sujet désigne un enfant, un jeune mammifère). Boire (le lait
d'une femme, d'une femelle, la mère en général) par succion répétée sur le mamelon, et, par ext., sur une tétine (2.). *Téter le lait.*

♦ **2.** Sucer (le mamelon, le sein) de manière à boire le lait. — Par
ext. *Téter sa mère* (→ Frère, cit. 15 ; poulain, cit. 1). — Absolt. *Bébé
qui tète bien, qui tète trop* (→ Sevrer, cit. 2). *Donner à téter à son
enfant, à ses petits* (→ Mammifère cit. 2 ; mêler, cit. 29). ⇒ **Allai-
ter, nourrir, sein** (donner le). *Cesser de donner à téter.* ⇒ **Sevrer.**

1 (...) un gros mioche blond qui vous tette gaillardement (...) qui vous tripote le sein
   à poignées dans ses petites pattes roses en riant comme l'aurore (...)
                                    HUGO, les Misérables, V, v, IV.
2 Estelle s'était mise à téter, en effet. Disparue sous la couverture, calmée par la
   tiédeur du lit, elle n'avait plus qu'un petit bruit goulu des lèvres.
                                    ZOLA, Germinal, I, II.

Par métaphore :
3 (...) à ceux qui s'abreuvent de pleurs
   Et tettent la Douleur comme une bonne louve !
                          BAUDELAIRE, les Fleurs du mal, « Tableaux parisiens », LXXXIX, II
                                    (→ Rythmer, cit. 2, Mallarmé).

♦ **3.** (XXe). Fam. Sucer. *Enfant qui tète son pouce. Téter une pipe,
un cigare.*

4 M. Rebuffard, la tête rejetée en arrière tétait le tuyau de sa pipe qu'il tenait à
   deux mains et écoutait en silence les réclamations des voisins.
                                    M. AYMÉ, le Passe-muraille, p. 172.

♦ **4.** (Avant 1885, Vallès). Fam., vieilli. *Téter la bouteille, la chopine :*
boire. — Absolt. *Téter.*

♦ **5.** (XXe). Fam. Jeux de boules (pétanque, etc.). « *Lorsque la boule
touche au but, on dit qu'elle "tète le petit"* » (*l'Auto,* 23 août 1940).
— Intrans. « *La boule peut toucher le but : on dit alors qu'elle tète
ou que le pointeur a embouchonné* » (*Vie et Langage,* janv. 1953,
in Petiot).

DÉR. **Tétée, téterelle, téteur.**

TÉTÈRE [tetɛʀ] n. f. — 1896 ; p.-ê. par croisement de *tête* avec
pomme de terre, ou infl. de *terrine,* fig.

♦ Argot. Tête ; visage.
On écrit aussi *téterre.*

—Enfin, rappelle-toi le soir de ma victoire sur Ledoux, quand je suis rentré dans
ma loge, j'ai bien crié : « Oh ! tu me fais horreur ! ».... — C'est vrai, tu étais horrible.
— D'accord. La téterre à la sauce de tomate et un œil qui ressortait, mais on ne
devient pas champion d'Europe en se chatouillant le menton.
                                    R. DORGELÈS, Tout est à vendre, p. 37.

TÉTERELLE [tetʀɛl] n. f. — 1851 ; de *téter*.

♦ Techn. Petit appareil qu'on applique au bout du sein pour faciliter l'allaitement de l'enfant (surtout en cas de crevasses du mamelon).

TÉTEUR, EUSE [tetœʀ, øz] n. — 1615 ; de *téter*.

♦ **1.** Fam. Enfant qui tète.

Elle se remit à caresser l'enfant qui tétait (...) — Comment s'appelle la téteuse ? demanda-t-elle ; car c'est une fille, ça.
HUGO, Quatre-vingt-treize, I, I.
Adj. *Des bébés téteurs.*

♦ **2.** (1929, Montherlant). Fam. Personne qui tète (fig.). *Des téteurs de cigares.*

TÊTIÈRE [tɛtjɛʀ ; tetjɛʀ] n. f. — XIIIᵉ ; *testière*, v. 1175 ; de *tête*.

★ **I.** ♦ **1.** Anciennt. Pièce d'armure couvrant entièrement la tête du cheval.

♦ **2.** (XIIIᵉ, *testière*). Mod. Partie inférieure de la bride (⇒ **Caveçon**), qui passe derrière les oreilles et soutient le mors. ⇒ **Frontal** (→ Devanture, cit. 1).

♦ **3.** (XVIᵉ). Vx. Capuchon, coiffe ou bonnet d'enfant (encore attesté chez Rousseau, *Émile*, I).

♦ **4.** (XIXᵉ, Lamartine). Vx. Chevet (1.). — (Déb. XXᵉ). Garniture de broderie, de dentelle, de filet ou petit coussin, qu'on fixe au dossier d'un fauteuil, d'un divan, à l'endroit où l'on appuie la tête.

1 Bonne-maman réussit à m'intéresser à la tapisserie et à la broderie sur filet (...) je confectionnai une douzaine de têtières et recouvris d'une tapisserie, hideuse, une des chaises de ma chambre.
S. DE BEAUVOIR, Mémoires d'une jeune fille rangée, p. 69.

2 (...) une roulotte en remorque et à l'intérieur, sur les banquettes à têtières de filet, une pleine cargaison de faces noiraudes (...) Claude SIMON, le Vent, p. 122.

★ **II.** ♦ **1.** Techn. Pièce disposée à la tête (d'un objet ou d'un appareil). — (1771). Spécialt (mar.). Anc. Partie supérieure d'une voile carrée. *Ralingue* de têtière.* — Mod. Renfort du point de drisse d'une voile triangulaire, consistant le plus souvent en une double plaque en alliage léger ou en matière plastique.

♦ **2.** Typogr. Garniture que l'on place en tête des pages à l'imposition.

♦ **3.** (Mil. XXᵉ). Plaquette d'une serrure à mortaiser, qui s'encastre dans l'épaisseur de la porte.

TÉTIGUÉ [tetige] interj. — 1666, Molière, *testigué* ; var. *tastigué*, 1678 ; *tetiguenne, tatigoine*, XVIIIᵉ ; altér. de *tête-Dieu*.

♦ Vx. Juron de paysan, dans le théâtre classique.

TÉTIN [tetɛ̃] n. m. — XVᵉ-XVIᵉ ; « sein », 1398 ; de *tette*.
Vieux.

♦ **1.** Sein (3.). *De nombreux « blasons du tétin » ont été composés au XVIᵉ siècle* (→ 1. Flasque, cit. 1 ; folâtrer, cit. 1 ; fugace, cit. 1).

♦ **2.** (1398). Mamelon du sein.

(...) et voici le regard des brebis
Et des truies aux tétins roses comme des lobes APOLLINAIRE, Alcools, p. 96.

DÉR. Tétine, téton.
HOM. Tettin.

TÉTINE [tetin] n. f. — 1393 ; « sein », 1165 ; de *tétin*.

★ **I.** ♦ **1.** (XIVᵉ). Mamelle (de certains mammifères, notamment de la vache et de la truie). ⇒ **Pis.** *« Cybèle (...) Abreuvait l'univers à ses tétines brunes »* (Baudelaire, *les Fleurs du mal*, « Spleen et idéal », V).
Bouch. *Tétine de vache,* ou, absolt, *tétine :* morceau de triperie vendu cuit à l'eau.

♦ **2.** Fam., péj. Sein.

★ **II.** Cour. (XVIᵉ, Paré, au sens de « bout de sein artificiel, téterelle » ; 1834, *biberon en tétine incorruptible,* Gautier citant des expressions publicitaires → Pessaire, cit. ; 1867, P. Larousse, à l'art. *Biberon,* parle d'un type de biberon fermé par un bouchon en forme de mamelon que coiffe un bout de sein dit *tétine* ou *pis de vache préparé*).

♦ **1.** Embouchure de caoutchouc d'un biberon. *Percer une tétine. Stérilisation des tétines.*

♦ **2.** Pièce de caoutchouc semblable, sans biberon, qu'on donne aux enfants pour les occuper. ⇒ **Sucette** (3.).

★ **III.** (1694). Techn., anciennt. Dépression que provoque dans une pièce de métal, une cuirasse, une balle qui ne pénètre pas.

TÉTOIR [tetwaʀ] n. m. — 1755 ; de *tête*.
Technique.

♦ **1.** Vx. Cavité dans laquelle on met une tête d'épingle pour la frapper.

♦ **2.** Mod. Machine à frapper les têtes d'épingle.

TÉTON [tetɔ̃] n. m. — 1493 ; de *tétine*.

★ **I.** Sein et, spécialt, sein de la femme (cit. 97 ; → aussi gorge, cit. 7 ; rondelet, cit. 1). *Téton borgne** (cit. 3). — REM. Le mot s'est écrit sans accent jusqu'au milieu du XIXᵉ siècle.

1 Et c'est qu'il y a, monsieur, tant d'espèces de tetons différents. Il y a le teton pomme, le teton poire, — le teton lubrique, le teton pudique, que sais-je encore ? Il y a celui qui est créé pour les conducteurs de diligence, le gros et franc teton rond que l'on retire de dedans un tricot gris, où il se tient là bien chaudement gaillard et dur. Il y a le teton du boulevard, lassé, mollasse et tiède, ballottant dans la crinoline (...) Il y a encore le teton mamelle, pointu, orgiaque, canaille, fait comme une gourde de jardinier à mettre des graines, mince de base, allongé, gros du bout (...) Il y a le teton de la jeune fille qui arrive de son pays, ni pomme, ni poire, mais gentil, convenable, fait pour inspirer des désirs et comme un teton doit être. FLAUBERT, Correspondance, 10 févr. 1851, Pl., t. I, p. 753.

Sein (homme).

2 Le costaud qu'a du poil aux tétons et une plume au chapeau.
J. ROMAINS, les Hommes de bonne volonté, t. V, XXVII, p. 288.

★ **II.** Techn. ♦ **1.** Petite saillie sur une pièce métallique, permettant de l'assujettir à une autre pièce.

♦ **2.** Partie d'une « carotte » de matière plastique qui reste engagée dans le conduit d'une presse.

3 Il arrivait que la matière plastique refroidie collât dans le moule ; il fallait la détacher avec un outil et nettoyer le moule. Il arrivait que la carotte cassât à l'intérieur du conduit injecteur et l'obstruât ; la matière en fusion ne passait plus ; le ventre s'ouvrait et l'on trouvait la matrice vide ; la portion de carotte demeurée dans le conduit s'appelle téton ; on dégage le conduit avec une tige de bronze dénommée chasse-téton. Roger VAILLAND, 325 000 francs, p. 100.

DÉR. Tétonner, tétonnière.

TÉTONNER [tetɔne] v. intr. — XXᵉ ; de *téton*.

♦ Fam. Prendre de la poitrine. *Cette fillette commence à tétonner.*

TÉTONNEUSE [tetɔnøz] adj. fém. — 1850, Flaubert, *Correspondance,* Pl., p. 605 ; de *téton*.

♦ Vx. Qui a de gros tétons. ⇒ **Mamelu.** — Syn. : *tétonnière* (2.).

TÉTONNIÈRE [tetɔnjɛʀ] n. f. — 1701, « sorte de soutien-gorge » ; de *téton*.

★ **I.** Vx. Pièce de linge qui soutenait la poitrine (avant l'invention du soutien-gorge).

★ **II.** (1771). Fam. Femme qui a beaucoup de poitrine.
Adj. (1922, Proust). *Poitrine tétonnière* (Proust, *À la recherche du temps perdu,* t. III, p. 207). ⇒ **Mamelu.**

TÉTRA- Premier élément de nombreux composés savants sur le modèle des composés grecs où *tetra* représente une contraction du neutre de *tessares,* attique *tettares* « quatre ».

TÉTRABRANCHE [tetʀabʀɑ̃ʃ] adj. — 1872 ; de *tétra,* et *branchies*.

♦ Zool. Qui a quatre branchies. — N. m. pl. (1904). *Tétrabranches,* sous-classe de mollusques céphalopodes à deux paires de branchies.

TÉTRACHLORURE [tetʀakloʀyʀ] n. m. — 1878, P. Larousse, *Premier Suppl.* ; de *tétra-,* et *chlorure*.

♦ Chim. Composé dont la molécule comporte quatre atomes de chlore. *Tétrachlorure de carbone* (CCl_4), employé comme détachant.

TÉTRACOQUE [tetʀakɔk] n. m. — Mil. XXᵉ ; de *tétra-,* et grec *kokkos* « grain ».

♦ Bactér. Petite bactérie de forme sphérique (micrococque) disposée par groupes de quatre. — Syn. : *tétragène*.

TÉTRACORALLIAIRES [tetʀakoʀaljɛʀ] n. m. pl. — 1890, *tetracoralla,* Encycl. Berthelot, art. *Coralliaire* ; de *tétra-,* et *coralliaires*.

◆ Zool. Classe de polypiers fossiles (anthozoaires) de l'ère primaire, le plus souvent coniques et possédant des cloisons ou septes au nombre de quatre chez les polypes adultes. *Les tétracoralliaires sont souvent rattachés à la classe des hexacoralliaires, les jeunes tétracoralliaires ayant six cloisons.* — Sing. *Un tétracoralliaire.*

TÉTRACORDE [tetʀakɔʀd] n. m. — 1361 ; de *tétra-*, et *corde*, d'après lat. *tetrachordon*, mot grec.

Musique.

◆ **1.** Système coordonné de quatre sons conjoints, dont les deux extrêmes sont à distance de quarte juste. *Les cinq tétracordes (échelle trétracordale) de la musique antique.*

◆ **2.** (XVIᵉ). Lyre à quatre cordes.

TÉTRACYCLINE [tetʀasiklin] n. f. — V. 1960 ; de *tétra-*, *cycl(e)*, et suff. *-ine*.

◆ Méd. Antibiotique à large spectre d'action, produit par une espèce de streptomycète ou obtenue par synthèse, et dont les dérivés sont utilisés en thérapeutique.

Une étude menée par l'équipe de Bradley Sack (Baltimore) sur deux groupes de voyageurs au Mexique a permis de prouver l'efficacité d'un antibiotique type tetracycline (la doxycycline) prise « en couverture » pendant tout le séjour. Mais cet antibiotique possède un inconvénient majeur : il semble favoriser particulièrement l'émergence de souches multirésistantes à divers antibiotiques.
La Recherche, nᵒ 123, juin 1981, p. 747 (vol. 12).

TÉTRADACTYLE [tetʀadaktil] adj. — 1808 ; de *tétra-*, et suff. *-dactyle*.

◆ Zool. Qui a quatre doigts au pied.

TÉTRADE [tetʀad] n. f. — 1546 ; du grec *tetras, tetrados* « groupe de quatre ».

Didact. Groupe de quatre éléments. — Spécialement :

◆ **1.** Bot. [a] Ensemble formé par quatre grains de pollen issus de la même cellule et collés ensemble.

[b] Ensemble de quatre noyaux contenus dans le prothalle (gamétophyte femelle) pendant sa formation (l'un d'entre eux est à l'origine de l'oosphère).

◆ **2.** (1897). Biol. Ensemble formé par une paire de chromosomes dédoublés, lors de la méiose. ⇒ **Diade.**

◆ **3.** Méd. *Tétrade de Fallot :* forme typique de la maladie bleue*, qui comporte quatre malformations associées. ⇒ **Tétralogie** (de Fallot).

Le rétrécissement pulmonaire s'accompagne de malformations variées constituant la *tétrade de Fallot*, du nom de celui qui étudia cette maladie en 1888.
Paul CHAUCHARD, le Cœur et ses maladies, p. 103.

TÉTRADRACHME [tetʀadʀakm] n. m. — XVIIIᵉ ; du grec *tetradrakhmon* → Drachme.

◆ Didact. Monnaie d'argent de la Grèce ancienne, valant quatre drachmes.

TÉTRADYNAME [tetʀadinam] adj. — 1827 ; de *tétra-*, et grec *dunamis* « puissance ».

◆ Bot. *Androcée tétradyname*, comprenant quatre grandes étamines et deux petites.

TÉTRAÈDRE [tetʀaɛdʀ] n. m. — 1690 ; *tetraedron*, 1542 ; de *tétra-*, et suff. *-èdre*.

◆ Géom. Polyèdre à quatre faces triangulaires. ⇒ **Pyramide** (triangulaire). *Tétraèdre régulier,* dont les quatre faces sont des triangles équilatéraux. — Adj. Tétraédrique. *Figure tétraèdre.*

DÉR. Tétraédrique, tétraédrite.

TÉTRAÉDRIQUE [tetʀaedʀik] adj. — 1846 ; de *tétraèdre*.

◆ Géom. Relatif au tétraèdre. En forme de tétraèdre. ⇒ **Pyramidal.** *Figure, forme tétraédrique.*

TÉTRAÉDRITE [tetʀaedʀit] n. f. — 1922 ; de *tétraèdre*.

◆ Minéralogie. Minerai sulfuré contenant du cuivre, de l'antimoine et de l'arsenic, et cristallisant en tétraèdres réguliers.

TÉTRAGONE [tetʀagɔn] adj. et n. — 1361, au sens 1 ; lat. *tetragonus*, grec *tetragônos* ; de *tétra-*, et suff. *-gone*.

◆ **1.** Géom. (vieilli). Qui a quatre angles, quatre côtés.

◆ **2.** N. f. (1808 ; *tetragonia, Encyclopédie,* 1765 ; ainsi appelée par Linné à cause de la forme de ses graines). Bot. Plante dicotylédone *(Ficoïdées)* herbacée, annuelle, à feuilles épaisses, originaire de la Nouvelle-Zélande, acclimatée en France sous le nom d'*épinard d'été.*

TÉTRAGRAMME [tetʀagʀam] n. m. — 1839 ; *tetragrammaton,* 1765 ; grec *tetragrammos* ; de *tétra-*, et suff. *-gramme.*

◆ Relig. Association mystique des quatre lettres hébraïques constituant le nom de Jéhovah, qui exprimait la Divinité sans qu'on eût à prononcer son nom (→ Phylactère, cit. 1). — Par anal. *Le tétragramme Zeus, Dieu, Gott...* — Adj. Composé de quatre lettres. — N. m. Mot de quatre lettres.

TÉTRAHYDRONAPHTALÈNE [tetʀaidʀonaftalɛn] n. f. — 1948 ; de *tétra-*, *hydro-*, et *naphtalène.*

◆ Chim. Hydrocarbure ($C_{10}H_{12}$) provenant de l'hydrogénation du naphtalène, solvant peu volatil qui peut servir de carburant pour les moteurs à injection. — Syn. : *tétraline.*

TÉTRALINE [tetʀalin] n. f. ⇒ **Tétrahydronaphtalène.**

TÉTRALOGIE [tetʀalɔʒi] n. f. — 1752 ; grec *tetralogia ;* de *tétra-*, et suff. *-logie.*

★ **I.** ◆ **1.** Antiq. grecque. Ensemble de quatre pièces (trilogie* tragique et drame satyrique*) que les premiers poètes grecs présentaient aux concours dramatiques des Dionysies.

◆ **2.** [a] (1861, Baudelaire). *La Tétralogie :* la série des quatre opéras de Wagner constituant *l'Anneau des Niebelungen.*

Outre *Rienzi, le Hollandais volant, Tannhäuser* et *Lohengrin,* il a composé *Tristan et Isolde,* et quatre autres opéras formant une tétralogie, dont le sujet est tiré des *Niebelungen* (...) BAUDELAIRE, l'Art romantique, XXI, III. |1

[b] Didact., littér. Ensemble de quatre œuvres distinctes mais présentant une certaine unité d'inspiration.

★ **II.** Méd. *Tétralogie de Fallot* (⇒ **Tétrade,** 3.), nom scientifique de la maladie ɓleue*, qui comporte quatre malformations associées : sténose pulmonaire, communication interventriculaire*, hypertrophie du ventricule droit, aorte « à cheval » sur les deux ventricules. — Ellipt. (dans le langage des spécialistes). « *La réparation complète de la tétralogie ne peut donc être tentée...* » (Cl. d'Allaines, *la Chirurgie du cœur,* p. 111).

La tétralogie de Fallot. C'est une malformation cardiaque parfaitement connue depuis que Fallot, médecin à Marseille, la décrivit en 1888. |2
Cl. D'ALLAINES, la Chirurgie du cœur, 1967, p. 49.

TÉTRAMÈRE [tetʀamɛʀ] adj. et n. — 1839 ; grec *tetramerês ;* de *tétra-*, et suff. *-mère.*

◆ **1.** Bot. Formé de quatre parties identiques reportées symétriquement.

◆ **2.** (1904). Zool. Se dit des insectes dont les tarses sont composés de quatre articles.

◆ **3.** Chim. Oligomère formé de quatre monomères.

Nous dirons que le changement d'état des deux protomères est « concerté ». C'est cette concertation qui rend compte de la non-linéarité de réponse ; en effet la stabilisation par une molécule de ligand de l'état dissocié R chez un des monomères interdit le retour de l'autre à l'état associé, et il en est de même dans le sens inverse. L'équilibre entre les deux états sera une fonction quadratique de la concentration des ligands. Ce serait une fonction puissance quatre pour un tétramère, et ainsi de suite. Jacques MONOD, le Hasard et la Nécessité, p. 97.

TÉTRAMÈTRE [tetʀamɛtʀ] n. m. — 1587 ; lat. gramm. *tetrametrus,* grec *tetrametros ;* de *tétra-*, et suff. *-mètre.*

Didactique.

◆ **1.** Vers composé de quatre groupes de deux pieds (quatre mètres*), dans la prosodie grecque. *Tétramètre trochaïque, anapestique.*

◆ **2.** Rare. Alexandrin classique divisé en quatre mesures, avec césure à la sixième syllabe.

TÉTRAODION [tetʀaɔdjɔ̃] n. m. — 1876, P. Larousse ; grec *tetraôdion,* de *tétra* « quatre », et *ôdê* « chant ».

◆ Relig. Hymne en quatre parties (chanté le Vendredi saint dans l'Église grecque).

TÉTRAONIDÉS [tetʀaonide] n. m. pl. — 1872, Littré, *tétraonides ;* du lat. *tetrao, onis,* grec *tetraôn, onos* « faisan », et suff. *-idés.*

◆ Zool. Famille d'oiseaux galliformes des régions froides, de teintes sombres ou ternes, à tarses emplumés (⇒ **Tétras**). — Au sing. *Un tétraonidé.*

TÉTRAPARENTAL, ALE, AUX [tetʀapaʀɑ̃tal, o] adj. — 1973, *Science et Vie;* de *tétra-,* et *parental,* formation hybride.

♦ Biol. Se dit d'un sujet vivant obtenu à partir de quatre sujets. *« Les premières souris allophéniques ou tétraparentales »* (*Sciences et Avenir,* avr. 1981, p. 48).

TÉTRAPHONIE [tetʀafɔni] n. f. — V. 1970; de *tétra-,* et *-phonie.*

♦ Techn. Technique de reproduction des sons faisant appel à quatre canaux. ⇒ **Quadriphonie.** *« La stéréophonie à quatre canaux peut mener à réviser certaines (...) conceptions (...) S'il s'agit de tétraphonie "distincte", et que l'on désire assurer à chacun des canaux une possibilité de rayonnement identique, il ne suffira pas de choisir quatre transducteurs de même type, mais il faudra leur assurer des environnements acoustiques individuels qui ne soient pas trop dissemblables »* (*Science et Vie,* Hi-Fi 1974, p. 135).
DÉR. **Tétraphonique.**

TÉTRAPHONIQUE [tetʀafɔnik] adj. — 1972; de *tétraphonie.*

♦ Relatif à la tétraphonie. *La reproduction tétraphonique. Des disques tétraphoniques.*

TÉTRAPLÉGIE [tetʀapleʒi] n. f. — 1904; de *tétra-,* et *-plégie.*

♦ Méd. Paralysie des quatre membres. *Les tétraplégies traumatiques.* — REM. On dit aussi *quadriplégie.*
DÉR. **Tétraplégique.**

TÉTRAPLÉGIQUE [tetʀapleʒik] adj. et n. — Mil. XXᵉ; de *tétraplégie.*

♦ Méd. De la tétraplégie. — (Personnes). Frappé de tétraplégie. — N. *Les tétraplégiques.*

TÉTRAPLOÏDE [tetʀaplɔid] adj. et n. m. — 1948, *Larousse;* du grec *tetraplous* « quadruple », et suff. *-oïde.* → Diploïde.

♦ Biol. Se dit d'un individu dont les cellules ont 4*n* chromosomes au lieu de 2*n. Les plantes tétraploïdes sont assez nombreuses.*
Les types *(de poiriers)* à fruits très gros de la variété *Bon Chrétien Williams* seraient tétraploïdes (4*n* chromosomes).
Henri BOULAY, Arboriculture et Production fruitière, p. 45.
DÉR. **Tétraploïdie.**

TÉTRAPLOÏDIE [tetʀaplɔidi] n. f. — Mil. XXᵉ; de *tétraploïde.*

♦ Génétique. État tétraploïde.

TÉTRAPNEUMONE [tetʀapnømɔn] adj. — 1876, P. Larousse; de *tétra-,* et grec *pneumôn, monos* « poumon ».

♦ Zool. Qui a quatre poumons. *Aranéides tétrapneumones* (ex. : les mygales).

TÉTRAPODE [tetʀapɔd] adj. et n. m. — 1803; grec *tetrapous, podos;* de *tétra-,* et suff. *-pode.*

★ I. Zool. ♦ 1. Vx. Qui a quatre pieds, quatre pattes. ⇒ **Quadrupède.**

♦ 2. N. m. pl. (Mil. XXᵉ). *Les tétrapodes,* ensemble de vertébrés* dont le squelette comporte deux paires d'appendices de structure semblable appelés membres*, que ces membres soient apparents ou non (membres atrophiés). *Les vertébrés comprennent les poissons et les tétrapodes* (⇒ **Batracien, oiseau, reptile; mammifère**). — Adj. *Animal, type tétrapode* (→ Rudimentaire, cit. 2).

★ II. Techn. (trav. publ.). Masse de béton à quatre pieds, en forme de chausse-trappe, utilisée dans la construction des barrages, digues et jetées de protection, pour briser les vagues. *Des tétrapodes.*
DÉR. **Tétrapodie.**

TÉTRAPODIE [tetʀapɔdi] n. f. — 1904; de *tétra-,* grec *pous, podos,* et suff. *-ie.*

♦ Didact. Groupe de quatre pieds, en métrique antique.

TÉTRAPOLAIRE [tetʀapɔlɛʀ] adj. — 1897, in *l'Année biol.;* de *tétra-,* et *pôle,* d'après *polaire.*

♦ Didact. Qui possède quatre pôles.

TÉTRAPOLE [tetʀapɔl] n. f. — 1809, Morin, *Dict. étymologique* (*in* D.D.L.); grec *tetrapolis,* de *tetra* « quatre », et *polis* « cité ».

♦ Hist. Réunion de quatre cités, dans l'antiquité grecque.

TÉTRAPTÈRE [tetʀaptɛʀ] adj. et n. — 1762, E.-L. Geoffroy; grec *tetrapteros;* de *tétra-,* et suff. *-ptère.*

♦ Zool. Se dit des insectes à quatre ailes en deux paires.

TÉTRARCHAT [tetʀaʀka] n. m. — 1750; de *tétrarque.*

♦ Didact. Fonctions, dignité de tétrarque. — (1812). Durée de ces fonctions. — REM. On écrit parfois *tétrarcat.*

TÉTRARCHIE [tetʀaʀʃi] n. f. — 1450; de *tétrarque.*
Histoire ancienne.

♦ 1. Partie d'une province sous l'autorité d'un tétrarque.

♦ 2. (1842). Organisation de l'Empire romain sous Dioclétien, en un gouvernement collégial de quatre empereurs (deux « Augustes » et deux « Césars », l'autorité suprême restant cependant à Dioclétien, *Augustus Jovius*).

♦ 3. (1842). Subdivision de la phalange* grecque.

♦ 4. Gouvernement d'un tétrarque.

TÉTRARQUE [tetʀaʀk] n. m. — V. 1624; *tetrarche,* 1213; lat. *tetarches,* grec *tetrarkhês.*
Histoire ancienne.

♦ 1. Gouverneur d'une partie d'une province divisée en quatre régions. *Hérode était tétrarque de Galilée.*

♦ 2. (1842). Chef d'une tétrarchie, dans une phalange grecque.
DÉR. **Tétrarchat, tétrarchie.**

TÉTRAS [tetʀɑs] n. m. — 1770; *tetrax,* 1752; empr. lat. *tetrax, tetrao,* grec *tetrax, tetraôn.*

♦ Zool. Oiseau gallinacé *(Tétraonidés)* de grande taille, qui vit en compagnies dans les forêts et les prairies montagneuses. *Le grand tétras est appelé aussi* grand coq de bruyère. ⇒ **Grouse.** *Petit tétras ou tétras lyre, coq des bouleaux, coq de montagne ou petit coq de bruyère.*
Ces étranges et sonores fanfares étaient produites par ces gallinacés que l'on nomme « tétras » aux États-Unis. Bientôt on en vit quelques couples, au plumage varié de fauve et de brun, et à la queue brune. Harbert reconnut les mâles aux deux ailerons pointus, formés par les pennes relevées de leur cou. Pencroff jugea indispensable de s'emparer de l'un de ces gallinacés, gros comme une poule, et dont la chair vaut celle de la gélinotte. J. VERNE, l'Île mystérieuse, t. I, p. 70.

TÉTRASOMIE [tetʀasɔmi] n. f. — 1904; de *tétra-,* grec *sôma* « corps », et suff. *-ie.*

♦ 1. Alchim. Ensemble des quatre éléments (l'air, l'eau, le feu, la terre).

♦ 2. (Mil. XXᵉ). État d'un organisme possédant deux extrachromosomes identiques.

TÉTRASPORANGE [tetʀaspɔʀɑ̃ʒ] n. m. — 1904; de *tétra-,* et *sporange.*

♦ Bot. Sporange où les spores sont formées par quatre, par méiose.

TÉTRASPORE [tetʀaspɔʀ] n. f. — 1904; nom d'une algue, 1876; de *tétra-,* et *spore.*

♦ Bot. Chacune des quatre spores d'un tétrasporange.

TÉTRASTIQUE [tetʀastik] adj. — 1872, Littré; grec *tetrastikhos* « disposé sur quatre rangs », de *tetra* « quatre », et *stikhos* « rang, ligne ».
Didactique (antiquité).

♦ 1. Composé de quatre vers.

♦ 2. (1876). Archit. Qui a quatre rangs de colonnes.

♦ 3. (XXᵉ). Bot. *Feuilles tétrastiques,* superposées en quatre séries longitudinales.

TÉTRASTYLE [tetʀastil] adj. — 1740; lat. *tetrastylus,* grec *tetrastulos;* de *tétra-,* et *-style.*

♦ Archit. Dont la façade présente quatre colonnes de front. *Un temple tétrastyle,* et, n. m., *un tétrastyle.*

TÉTRASUBSTITUÉ, ÉE [tetʀasypstitɥe] adj. — 1905, in *Rev. gén. des sc.*, n° 20, p. 903; comp. hybride, de *tétra-*, et *substitué*.

♦ Chim. Obtenu par substitution de quatre atomes ou quatre radicaux à quatre atomes de la molécule.

TÉTRASYLLABE [tetʀasi(l)lab] ou **TÉTRASYLLABIQUE** [tetʀasi(l)labik] adj. — 1611, *tétrasyllabe; tétrasyllabique*, 1836; lat. gramm. *tetrasyllabus*, grec *tetrasullabos*; de *tétra-*, et *syllabe*.

♦ Didact. Qui a quatre syllabes. *Mot, vers tétrasyllabe.* — N. m. *Un tétrasyllabe :* un mot, un vers tétrasyllabe.

TÉTRATOMICITÉ [tetʀatɔmisite] n. f. — 1872, Littré; de *tétratomique*.

♦ Chim. Caractère d'un corps tétratomique.

TÉTRATOMIQUE [tetʀatɔmik] adj. — 1872, Littré; de *tétra-*, et *atome*.

♦ Chim. Se dit d'un corps qui contient quatre atomes par molécule.
DÉR. Tétratomicité.

TÉTRAVALENCE [tetʀavalɑ̃s] n. f. — 1879, *in* Cottez; de *tétra-* et *valence*.

♦ Chim. Caractère d'un élément chimique ou d'un radical quadrivalent («tétravalent»). — REM. Mot mal formé (→ Tétravalent). Syn. recommandé : *quadrivalence*.

TÉTRAVALENT, ENTE [tetʀavalɑ̃, ɑ̃t] adj. — Après 1879 (→ Tétravalence); de *tétra-* et *-valent*.

♦ Chim. Qui a pour valence chimique 4. — REM. Le mot, d'usage très courant en chimie, est mal formé (préfixe grec et radical français). On lui préférera son synonyme *quadrivalent, ente* [k(w)adʀivalɑ̃, ɑ̃t].

(Le docteur) prescrivit le surmenage intensif et, à raison de deux cachets par an, l'absorption de poudre de pirette tétravalente, mélange de farine de riz et d'hormone de centaure.   M. AYMÉ, le Passe-muraille, p. 8.

REM. *Pirette tétravalente* est un terme forgé par la fantaisie de Marcel Aymé et ne désigne évidemment pas un composé chimique existant réellement.

TÉTRODE [tetʀɔd] n. f. — Mil. XXᵉ (*in* Larousse, 1953); de *tétra-*, et *électrode*, sur le modèle de *triode, pentode*.

♦ Techn. Tube électronique comportant quatre électrodes, une cathode, une anode et deux grilles (→ Blindage, cit.).

La tétrode n'est plus seulement alors une triode sans couplage électrostatique entre l'anode et la grille de commande; la tétrode est un tube électronique à grande pente, avec lequel on peut obtenir une amplification en tension de l'ordre de 200, au lieu de 30 à 50 pour la triode.
          Gilbert SIMONDON, Du mode d'existence des objets techniques, 1969, p. 29.

TÉTRODON [tetʀɔdɔ̃] n. m. — 1803; comp. sav. tiré par Linné de *tétra-*, et du grec *odous, odontos* «dent».

♦ **1.** Zool. Poisson plectognathe, sous-ordre des gymnodontes, au corps ovale, massif, qui vit dans les mers chaudes et dans certains fleuves (*tétrodon du Nil*). Le tétrodon est parfois appelé *hérisson de mer*. *Une variété de tétrodon* (au Japon, ⇒ **Fugu**) *renferme une toxine mortelle* (tétrodotoxine).

Dans l'espèce des Tétrodons, la plupart feront difficilement accroire à première vue qu'ils ne sont pas artificiels et fabriqués de toutes pièces (...) Ils ont l'air tellement rembourrés, gonflés, sans forme, espèces d'outres.
          Henri MICHAUX, Un barbare en Asie, p. 94.

♦ **2.** Par anal. (le poisson se gonfle quand il est menacé). Archit. Construction modulaire susceptible d'agrandissement.

TETTE [tɛt] n. f. — XIIᵉ-XIIIᵉ; d'un germanique occidental **titta*, cf. all. *Zitze*, angl. *teat*, ital. *tetta*, etc. → Téter.

♦ Zool. Bout de la mamelle, chez les animaux.
DÉR. Tétasse, téter, tétin, tétine, téton.
HOM. 2. Têt, tête; formes du v. téter.

TETTIGIE [tetiʒi] n. f. — 1904; lat. sc. *tettigia*, du grec *tettix, igos* «cigale».

♦ Zool. Cigale vivant sur les pins, commune dans plusieurs régions méditerranéennes (appelée à tort *cigale du frêne*).

TETTIN [tetɛ̃] n. m. — 1812; var. graphique de *tétin*.

♦ Techn. (anciennt). Ouverture (d'un four de potier).
HOM. Tétin.

TÊTU, UE [tety] adj. — 1265, *testu*; de *tête*.

★ **I.** ♦ **1.** Vx. Qui a une tête, et, spécialt, une grosse tête. — N. m. Personne à grosse tête.

♦ **2.** (XIVᵉ). Techn. Gros marteau à tête carrée d'un côté, pointue de l'autre, employé surtout par les tailleurs de pierres et les démolisseurs.

♦ **3.** (XVIᵉ). Régional. Chabot (poisson). ⇒ **Têtard** (régional *testu*).

★ **II.** (XIIIᵉ). Cour. Qui est par nature, par caractère, attaché à ce qu'il a en tête*, au point que rien ne peut le faire changer d'avis (→ Engouer, cit. 5; opposer, cit. 3; renchérir, cit. 5). ⇒ **Entêté**; → Avoir la tête dure, ne rien vouloir entendre. — (En parlant d'un animal). *Indocile* (cit. 4) *et têtu.* ⇒ **Récalcitrant.** — Loc. compar. (Personnes). *Être têtu comme... Têtu comme une mule* (1. Mule, cit. 3), *un mulet* (1. Mulet, cit. 2). — Subst. ⇒ **Tête** (II., A., 2. : forte tête, tête de mule, etc.). → Leçon, cit. 21; serin, cit. 2.

On est ferme par principe, et têtu par tempérament. Le têtu est celui dont les organes, quand ils ont une fois pris un pli, n'en peuvent plus ou n'en peuvent de longtemps prendre un autre.   Joseph JOUBERT, Pensées, IV, LIII.   1

Terrible, affirma Anne Desbaresdes, en riant, têtu comme une chèvre, terrible.   M. DURAS, Moderato cantabile, p. 16.   2

CONTR. (De II.) Compréhensif, maniable, obéissant.
DÉR. (De I., 2.) Têtuer.

TÊTUER [tetɥe] v. tr. — 1876; de *têtu*, I., 2.

♦ Techn. Ébaucher, tailler (une pierre) au moyen du têtu (I., 2.).

TEUF-TEUF [tœftœf] n. m. — 1897; onomatopée.

♦ **1.** Onomat. et n. m. Bruit du moteur à explosion. *Faire teuf-teuf. Entendre un lointain teuf-teuf.*

♦ **2.** N. m. Fam., vieilli. Motocyclette, automobile ancienne, poussive. ⇒ **Tacot.** *Des teuf-teuf* (invar.) ou *des teufs-teufs.* — REM. Parfois écrit *teufteuf.*

En d'autres mains que celles de son vieux chauffeur, cet engin, qui était une franche et détestable guimbarde, eût donné à rire. Mais ce poussif et démodé teuf-teuf (...) prouvait au contraire que la possession des plus récentes mécaniques est le fait des marchands de cochons enrichis (...)   1
          G. CHEVALLIER, Clochemerle, p. 226.

Spécialt. Automobile ancienne, des premiers temps de cette technique. *Une course de teufs-teufs de l'époque héroïque.*

Devenu connaisseur en cycles puis en voitures automobiles électriques ou pétroliphages, il faisait la conversation avec les mécaniciens et parlait en montrant une certaine compétence (...). Quelquefois il profitait d'une occasion, d'un garagiste bien intentionné ou vantard qui l'emmenait avec lui, et ils faisaient deux ou trois cents mètres en teuf-teuf. Il arriva même qu'Icare tînt le volant.   2
          R. QUENEAU, le Vol d'Icare, p. 119.

DÉR. Teufteufer.

TEUFTEUFER [tœftœfe] v. intr. — 1906, au p. prés., *in* D.D.L.; de *teufteuf*.

♦ Vieilli. Faire teuf-teuf (en parlant d'un véhicule). — Au p. prés. adj. *« Ces vélos endiablés, ces teufteufants bolides »* (R. Queneau, *le Vol d'Icare*, p. 141). — REM. Le dér. *teufteufeur* est attesté (1898, *in* D.D.L.).

TEUGUE [tøg] n. f. — 1687; *tuque*, 1671; var. *tugue*, 1678; orig. obscure, se rattache p.-ê. au lat. *tegula* «toit», de *tegere* «couvrir». Marine.

♦ **1.** Petit abri à l'arrière d'un navire, moins important qu'une dunette.

♦ **2.** (Déb. XXᵉ). Petit gaillard d'avant, peu élevé.

-TEUR, -TRICE Suffixe issu par voie savante du suffixe latin *-torem* (accusatif de *-tor*), *-tricem* (accusatif de *-trix*), servant à former de nombreux substantifs tels que *spectateur, spectatrice; auditeur, auditrice; protecteur, protectrice, etc.* ⇒ **-ateur, -atrice.**

TEUTOMANE [tøtɔman] adj. et n. — 1858, Goucert, *in* D.D.L.; de *teuton*, et *-mane*.

♦ Vx (dans le contexte germanophobe). Partisan excessif du nationalisme allemand, au XIXᵉ siècle.

Les plus graves professeurs, écrivains, etc. *(allemands)* sont en ce moment malades d'une véritable aliénation. J'ai vu jadis dans cet état Goerres, et autres teutomanes, mystiques et à moitié fous.
          J. MICHELET, Journal, t. IV, p. 505 (1871), *in* D.D.L., II, 18.

TEUTON, ONNE [tøtɔ̃, ɔn] adj. et n. — Attesté xviie ; de *Teutons*, du lat. *Teutoni* ou *Teutones*, nom d'une peuplade de la Germanie du Nord qui envahit la Gaule avec les Cimbres et que Marius écrasa près d'Aix.

♦ **1.** Didact. (hist.). Relatif aux anciens Teutons (ou, généralt, aux anciens peuples de la Germanie). ⇒ **Germain.**

♦ **2.** Péj. Allemand, germanique (cit. 3). *Les Teutons.*

Ce neutre était un ingénieur suisse d'origine allemande (il avait tous ses parents teutons employés à l'usine) et il était sorti de l'École polytechnique de Zurich.
G. LEROUX, Rouletabille chez Krupp, p. 108.

N. m. (1872, Littré). Vx. Ancien haut allemand.

DÉR. **Teutonisme.**
COMP. **Teutomane.**

TEUTONIQUE [tøtɔnik] adj. — V. 1660 ; subst., 1512 ; du lat. *teutonicus*, de *Teutoni* → Teuton.

♦ **1.** Didact. (hist.). Qui appartient au pays des anciens Teutons, à la Germanie. *Ordre teutonique, des chevaliers teutoniques :* ordre de chevalerie issu d'un hospice allemand de Jérusalem, fondé en 1128, replié en 1320 en Prusse où sa puissance ne cessa de croître jusqu'à la défaite de Tannenberg (1410), et disparu au xvie siècle après sa sécularisation (→ Dominer, cit. 12).

♦ **2.** Péj. Relatif aux Allemands (dans un contexte de guerre). ⇒ **Germanique, teuton.**

Le Boche veut en découdre et se jette sur nous à Verdun dans l'ivresse de la fureur teutonique.
J. ROMAINS, les Hommes de bonne volonté, t. XVI, xxv, p. 239.

TEUTONISME [tøtɔnism] n. m. — V. 1660 ; de *teuton.*

♦ Vx. Caractère teuton. — Spécialt. Fait de langue propre à l'allemand. — Ling. ⇒ **Germanisme.**

(...) la plupart des autres *(ouvrages)* sont pleins de Gallicismes, de Teutonismes, d'Anglicismes, et de tous les autres idiômes Européens.
Menagiana, ou Bons mots, rencontres agréables de M. MÉNAGE
(v. 1660), vol. 1, p. 133, *in* D. D. L., II, 7.

TÉVÉ [teve] n. f. — V. 1960 ; angl. *T. V.* [tivi], abrév. de *t(ele)v(ision)* « télévision ».

♦ Anglic., fam. Télévision. ⇒ **Télé** (abrév. franç.).

(...) les femmes sont en train de parler de la tévé.
— Tu devrais t'en faire acheter une, dit Bertrande à Lamélie. Qu'est-ce que tu peux fabriquer le soir ? Tu dois t'emmerder.
R. QUENEAU, les Fleurs bleues, p. 61 (1965).

TEX [tɛks] n. m. — Mil. xxe ; abrév. de *textile.*

♦ Techn. Unité de mesure, correspondant au poids exprimé en grammes de 1 000 mètres de fil. *Le tex est utilisé pour numéroter et titrer les fils textiles.*

TEXAN, ANE [tɛksɑ̃, an] adj. et n. — xxe ; *texien*, 1840, *Rev. des deux mondes*, *in* D. D. L., de *Texas*, et suff. *-ien* ; *texan*, empr. anglo-amér. *texan*, de *Texas.*

♦ Du Texas, vaste État du Sud des États-Unis. *Le pétrole texan.* « *Je retourne dans les prisons texanes* » (*l'Express*, 14 févr. 1981, p. 27). *L'espagnol texan*, parlé au Texas. — N. *Un Texan, une Texane.*

TEXTE [tɛkst] n. m. — 1265 ; en parlant d'un évangéliaire, d'un missel, 1175 ; lat. *textus*, proprt « tissu, trame », d'où, à l'époque impériale, « enchaînement d'un récit, texte » ; de *texere* « tisser ».

♦ **1.** LE TEXTE DE, UN TEXTE : la suite d'éléments du langage, de signes, qui constitue un écrit ou une œuvre (orale ou écrite). *Le texte, opposé aux commentaires* (cit. 1), *aux gloses* (cit. 1, 2 et 5), *à l'apparat critique* (→ Index, cit. 6), *aux notes* (cit. 18). *Le texte, opposé à la traduction ou à la paraphrase.* ⇒ **Original** (→ Épeler, cit. 2). *Lire Platon dans le texte*, dans l'original grec (→ Fréquenter, cit. 14). *Texte interpolé* (cit. 2 et 3), *mutilé d'un iota* (cit. 3), *corrompu, incomplet. Les lacunes, les interpolations d'un texte. Altérations du texte* (→ Répertoire, cit. 4). *Établir*, restituer* un texte. Collationner* (cit. 2), *conférer* (cit. 5) *des textes. Collation de textes. Étude, critique des textes* (→ Éclairer, cit. 12 ; érudition, cit. 3 ; grammaire, cit. 8). *Variantes* d'un texte. Texte primitif et copie* (→ Fonds, cit. 11). *Les différents textes de la Chanson de Roland.* ⇒ **Manuscrit** (→ Refaçon, cit.). *Remonter* (cit. 10) *au plus ancien texte.* ⇒ **Source.** *Se reporter au texte. Revoir* (cit. 15) *le texte d'un ouvrage. Corriger, retaper* (cit. 3) *un peu son texte. — Écrire d'avance et réciter le texte d'un discours* (→ Hésitant, cit. 7 ; plume, cit. 21). *Le texte d'une pièce et l'interprétation qu'en donne l'acteur* (→ Contrepoint, cit. 2 ; effet, cit. 36). *Texte autographe.*

Texte manuscrit (cit. 7), *tapé, polycopié...* ⇒ **Manuscrit, tapuscrit ; polycopie.** *Texte imprimé.*

— D'ailleurs le texte de l'histoire du petit poucet n'est pas encore bien établi. Les manuscrits présentent beaucoup de variantes. — Grands dieux. — Des leçons fort différentes. — Misère de nous. — Et on n'en a point encore publié de véritable édition critique. — Qu'allons-nous devenir.
Ch. PÉGUY, Note conjointe, Sur Descartes, p. 306.

On se trouve donc, à l'égard du Théâtre d'Alfred de Musset, en face de deux textes distincts, l'un donnant le texte original fait pour être lu, l'autre, la version scénique.
Émile HENRIOT, les Romantiques, p. 175.

Transcription écrite des paroles d'un enregistrement sonore.

Pour nous *(en Occident)* le théâtre est une branche de la littérature, une sorte de variété sonore du langage, et si nous admettons une différence entre le texte parlé sur la scène et le texte lu par les yeux, si nous enfermons le théâtre dans les limites de ce qui apparaît entre les répliques, nous ne parvenons pas à séparer le théâtre de l'idée du texte réalisé. A. ARTAUD, le Théâtre et son double, p. 103.

Didact. Théorie du texte. ⇒ **Textologie.**

(...) au vœu d'une science sémiologique succède la science (souvent fort triste) des sémiologues ; il faut donc s'en couper, introduire dans cet imaginaire raisonnable, le grain du désir, la revendication du corps : c'est alors le Texte, la théorie du Texte. Mais de nouveau le Texte risque de se figer : il se répète, se monnaye en textes mats, témoins d'une demande de lecture, non d'un désir de plaire : le Texte tend à dégénérer en Babil.
R. BARTHES, Roland Barthes, p. 75.

Dr. *Le texte d'une loi, d'un arrêté, d'une ordonnance, d'une constitution, d'un traité...* ⇒ **Rédaction, teneur** (→ 3. Droit, cit. 55). *Texte d'un acte.* ⇒ **Formule, libellé.**

Spécialt. *Texte d'une chanson, d'un opéra*, par oppos. à *musique.* ⇒ **Livret, parole** (→ Force, cit. 28 ; lied, cit. 2 ; perle, cit. 9).

♦ **2.** [a] Typogr. La composition, la page imprimée. *Les marges et le texte. Illustration dans le texte*, par oppos. à *hors-texte*. Calibrer, composer, saisir un texte.*

[b] Vx. Ancienne dénomination des caractères. *Gros-texte :* corps de 14 points. *Petit-texte :* corps de 7 points 1/2.

♦ **3.** (Mil. xiii[e]). Écrit considéré dans sa rédaction originale et authentique (→ Authenticité, cit. 6). *Connaissance, édition des textes.* ⇒ **Érudition** (cit. 7). *Vieux textes conservés dans les archives.* ⇒ **Document** (→ 2. Canon, cit. 2 ; érudit, cit. 6). *Textes grecs et latins* (→ Glace, cit. 13 ; hermétisme, cit. 1), *de l'antiquité* (→ Reconstitution, cit. 2). *Textes classiques, modernes* (→ Entrer, cit. 38 ; nouveau, cit. 33). *Textes hiéroglyphiques* (→ Copte, cit. 1 ; hiéroglyphe, cit. 3), *cunéiformes. Textes religieux, sacrés.* ⇒ **Exégèse, herméneutique** (→ Irlandais, cit. ; sanscrit, cit. 2). *Solliciter* les textes. — Textes juridiques, législatifs* (→ Avis, cit. 22 ; famille, cit. 29 ; jurisprudence, cit. 2 ; sécurité, cit. 4).

♦ **4.** Œuvre littéraire. *Texte bien écrit* (cit. 56). *Clarté* (cit. 16) *des textes. Revenir aux grands textes* (→ Note, cit. 19). *Un texte-fleuve.*

♦ **5.** Passage de l'Écriture sainte qu'un prédicateur cite au début d'un sermon ou qui lui sert de sujet, ou qu'il cite au cours de son sermon pour appuyer un développement (→ Accablement, cit. 3 ; malédiction, cit. 12 ; prône, cit. 3).

♦ **6.** Sujet* (I.). *Le texte d'un devoir, d'une dissertation.* ⇒ **Énoncé.** *Cahier de textes :* cahier où l'élève inscrit les sujets des divers exercices et devoirs de la semaine. — Vieilli. *Revenir à son texte. Servir de texte* (→ Hébraïque, cit. 2).

♦ **7.** Fig. ⇒ **Sujet** (II.). — Loc. *Prendre texte*, prétexte.

Le jeune comte avait entendu le matin les gens qui pansaient les chevaux dans la cour prendre texte de la chute de Julien pour se moquer de lui outrageusement.
STENDHAL, le Rouge et le Noir, II, III.

♦ **8.** Page, fragment d'une œuvre, caractéristique de la pensée ou de l'art de l'auteur. *Choix de textes, textes choisis.* ⇒ **Morceau** (→ Fourre-tout, cit. 2). *Explication** (cit. 5) *de textes* (→ 1. Ban, cit. 5). *Citer, alléguer un texte d'un auteur.* ⇒ **Citation** (→ Épisode, cit. 2). *Texte isolé de son contexte*.*

Un adolescent (...) sortit brusquement de son silence, pour citer, d'une voix creuse, un texte de Jaurès sur les dangers de la diplomatie secrète.
MARTIN DU GARD, les Thibault, t. VI, p. 58.

♦ **9.** Document écrit prévoyant un ordre déterminé d'opérations à la radio, à la télévision, au cinéma et au théâtre. ⇒ **Conducteur, découpage** (technique), **plan** (de travail), **scénario, synopsis.**

DÉR. **Textuaire, textuel.**
COMP. **Hors-texte.** — V. aussi **Contexte.**

TEXTILE [tɛkstil] adj. et n. — 1752, Trévoux ; lat. *textilis*, de *textum*, supin de *texere* « tisser ».

★ **I.** Adj. ♦ **1.** Susceptible d'être tissé ; d'être divisé en fils* que l'on peut tisser. *Matières textiles naturelles*, minérales (amiante), végétales, animales (⇒ **Laine**, 1. **ploc, poil**, 1. **soie**). *Plantes textiles : végétaux textiles* (sauvages ou cultivés) ⇒ **Chanvre, coton** (cit. 3), **jute, lin ; abaca, agave, crin** (végétal), **phormion, piassava, ramie, raphia, sansevière, sisal, spart** (sparte), **tagal...** *Longueur, élasticité, finesse, résistance d'une fibre* textile. Matières textiles tressées, tordues* (cordes, ficelles).

♦ **2.** (1864, Littré). Qui concerne la fabrication des tissus, depuis la préparation de la matière première jusqu'à la vente du produit fini (⇒ **Étoffe, tissu**). *Industries textiles.* ⇒ **Filature, tissage.** *Fabrications textiles.* — Par ext. *Machine, usine textile.* — N. m. *Le textile. Il ne trouve pas de travail dans le textile, branche touchée par la crise économique.*

★ **II.** N. m. Fibre, matière textile. *Condition*, conditionnement** (1.), *traitement ; acidage, battage, lavage, cordage, peignage, étirage... d'un textile. Textiles naturels.* — (1912, *textiles artificiels,* in D.D.L.). *Textiles chimiques artificiels** (fibranne, rayonne...). *Textiles synthétiques** (nylon, tergal... ⇒ **Polyamide, polyester**).

Les textiles naturels sont constitués par un assemblage (...) de très grosses molécules (polymères), elles-mêmes formées par la polycondensation d'un plus ou moins grand nombre de molécules élémentaires (monomères)... Les textiles chimiques sont, comme les textiles naturels, des agrégats de macromolécules, soit empruntées aux produits naturels, soit créées de toute pièce par synthèse (...)
H. AGULHON, les Textiles chimiques, p. 5.

TEXTO [tɛksto] adv. — D. i. (mil. xxᵉ) ; de *textuel, textuellement,* abrégé et suffixé en *-o.*

♦ Fam. Textuellement. → Sic, tel* que. — Par ext. Très exactement. *« Ça part comme ça* (une chanson rock). *Texto. À fond la caisse »* (*Libération,* 13 janv. 1982, p. 23).

TEXTOLOGIE [tɛkstɔlɔʒi] n. f. — V. 1965 ; de *texte,* et *-logie.*

♦ Didact. Théorie du texte, en tant qu'objet d'analyse scientifique.

TEXTUAIRE [tɛkstɥɛʀ] n. m. — 1636 ; de *texte.*

♦ Didact., vx. Livre qui contient un texte sans gloses, sans commentaires ; partie d'un livre* qui contient le texte seul.

TEXTUEL, ELLE [tɛkstɥɛl] adj. — 1444 ; dér. sav. de *texte.*

♦ **1.** Didact. Qui est tiré d'un texte, figure dans un texte. *Passage textuel. Citation* textuelle.* ⇒ **Authentique, exact.**

♦ **2.** (1812). Cour. Conforme au texte. *Copie, reproduction, traduction textuelle.* ⇒ **Mot** (mot à mot) ; **littéral.** — Par ext. *Voilà ce qu'il a dit, c'est textuel :* ce sont ses propres* mots. — (1880, Nadar, in D.D.L.). Iron. (par amusement, indignation...). *Textuel !* (fam. *texto*). → Sic, tel* que.

♦ **3.** Didact. Du texte. *Analyse textuelle. Études textuelles et études de manuscrit.*
Par plais. *Obsédé textuel* (d'après *obsédé sexuel*).

DÉR. Textuellement.

TEXTUELLEMENT [tɛkstɥɛlmɑ̃] adv. — 1491 ; de *textuel.*

♦ **1.** D'une manière exactement conforme (au texte, aux paroles). ⇒ **Mot** (à mot), **point** (de point en point). *Citer textuellement, entre guillemets* (cit. 1).

♦ **2.** (1826). En citant exactement. *Rapporter, répéter textuellement les paroles de qqn.* ⇒ **Texto** (fam.).

1   On peut tout dire avec un regard, et cependant on peut toujours nier un regard, car il ne peut pas être répété textuellement.   STENDHAL, De l'amour, XXVII.
2   Il m'a dit textuellement : C'est à elle que je dois tout, sans elle je ne ferais rien.   N. SARRAUTE, le Planétarium, p. 157.

TEXTURANT [tɛkstyʀɑ̃] n. m. — V. 1970 ; de *texture.*

♦ Techn. Produit ajouté aux aliments pour leur donner une texture déterminée. *Utilisation des colorants, texturants, aromatisants... dans les industries alimentaires.* — On dit aussi *agent de texture.*

TEXTURATION [tɛkstyʀasjɔ̃] n. f. ⇒ **Texturisation.**

TEXTURE [tɛkstyʀ] n. f. — xvᵉ ; «action de tisser», 1488 ; empr. lat. *textura* «tissu». → Tessiture.
Didactique.

♦ **1.** Vx. Disposition des fils d'une chose tissée. ⇒ **Tissage.**

♦ **2.** (xvIIIᵉ). Didact. Arrangement*, disposition des éléments d'une matière (d'abord à propos des «tissus» organiques). ⇒ **Contexture.** Arrangement de la matière et des pores à l'intérieur d'un solide divisé (en grains) ou poreux. ⇒ **Constitution, disposition, structure** (2.). *Texture compacte, vésiculaire, spongieuse des matériaux volcaniques. Texture des sols.* — Se dit aussi d'une composition liquide. *Texture d'une crème, d'un lait de beauté.*
Techn. Structure spécifique (des métaux et alliages) selon les déformations mécaniques subies. *Texture de forgeage, de laminage.*
Fig. *Texture optique,* caractéristique de l'image rétinienne.

♦ **3.** Par métaphore, fig. Vx. Le fait de tisser une intrigue ; son résultat. *«L'universalité de ses intrigues* (de Mirabeau) *et la texture de ses perfidies»* (Rivarol, *Journal politique national,* Œuvres, p. 157).

♦ **4.** (1950). Agencement des parties (d'une œuvre), des éléments (d'un tout). ⇒ **Liaison** (des scènes, des parties...), **structure.** *Texture d'une pièce de théâtre* (→ Flagrant, cit. 3), *d'un roman...*

TEXTURER [tɛkstyʀe] v. tr. ⇒ **Texturiser.**

TEXTURISATION [tɛkstyʀizasjɔ̃] ou **TEXTURATION** [tɛkstyʀasjɔ̃] n. f. — Mil. xxᵉ ; de *texturiser, texturer.*

♦ Didact. (techn.). Ensemble des procédés propres à donner aux fils d'un textile synthétique de nouvelles caractéristiques permettant de les employer de façon différenciée (fibres mousse, fibres frisées, fibres gonflées, etc.).

TEXTURISER [tɛkstyʀize] ou **TEXTURER** [tɛkstyʀe] v. tr. — Mil. xxᵉ ; de *texture.*
Didactique (technique).

♦ **1.** Traiter (les fils des matières synthétiques) par la texturisation. — Au p. p. *«Bas texturés avec des mailles en relief»* («Noir et Blanc», sept. 1967).

♦ **2.** (1974, in Gilbert). Donner à (une substance) une texture fibreuse, pour produire une viande artificielle.

DÉR. Texturisation ou texturation.

TEXTUROLOGIE [tɛkstyʀɔlɔʒi] n. f. — V. 1970, Dubuffet ; de *texture, -o-* de liaison, et *-logie.*

♦ Didact. (art). Peinture évoquant la texture de la matière (le mot est réservé aux œuvres de Jean Dubuffet, son créateur).

TÉZIGUE [tezig] pron. pers. deuxième pers. — 1830 ; formé avec *tes,* comme *mézigue*, cézigue*.*

♦ Pop. Toi (⇒ aussi **Cézigue, mézigue**).
Tes petits mitrailleurs et tézigue, vaudrait mieux vous déguiser en clandestins.
Albert SIMONIN, Touchez pas au grisbi, p. 86.

T. G. V. [teʒeve] n. m. — V. 1970, selon *la Recherche,* mai 1979, p. 551 ; sigle.

♦ Techn. Train à grande vitesse. *Prendre le, un T. G. V. pour Lyon.*

th [teaʃ] Symbole de la tangente hyperbolique. — Abrév. de *thermie.*

Th [teaʃ] Symbole du thorium.

THAÏ [taj] adj. invar. et n. — 1875, in P. Larousse, art. *Siam ;* mot de la langue thaï.

♦ **1.** Des populations dont la langue est le thaï, vivant pour la plupart en Thaïlande. ⇒ **Thaïlandais.** *La culture, la civilisation thaï. La cuisine thaï.* — N. Personne appartenant à ces populations. — REM. On trouve parfois des formes francisées : *les Thaïs ; la puissance thaïe.*

♦ **2.** Se dit de langues de l'Asie du Sud-Est, parlées par les Siamois (Thaïlandais), les Laotiens et les populations de la Birmanie et du Sud de la Chine. *Langues thaï, groupe thaï.* — N. m. *Le thaï :* les langues du groupe thaï. *Parler thaï.* — Adj. *La grammaire thaï.*

THAÏLANDAIS, AISE [tajlɑ̃dɛ, ɛz] adj. et n. — 1939 ; de *Thaïlande,* du thaï *Muang Thaï* «pays des hommes libres».

♦ Relatif à la Thaïlande (État). *La cuisine thaïlandaise.* — *Massage thaïlandais.* — N. *Un Thaïlandais, des Thaïlandaises.* ⇒ **Siamois.**

THALAMIQUE [talamik] adj. — 1905 ; de *thalamus.*

♦ Anat., méd. Du thalamus. *Faisceau* (nerveux) *thalamique. Hémorragie thalamique. Syndrome thalamique* (angoisse, troubles de l'attention). *Noyaux thalamiques.*
N. Malade qui présente le syndrome thalamique.

(...) un thalamique ne sent pas la musique de la même manière à gauche et à droite. Toute sensation a une composante affective et une composante représentative, celle-là dépend du thalamus, celle-ci de l'écorce, or la lésion du thalamus a précisément pour effet, d'après Head, de le libérer du contrôle de l'écorce.
Jean DELAY, la Psycho-physiologie humaine, p. 41.

THALAMO- Premier élément de composés savants, tiré de *thalamus*. — Ex. : *thalamo-hypothalamique*, adjectif.

THALAMUS [talamys] n. m. — 1877, Littré-Robin ; lat. sav. *thalami nervorum opticorum ;* du grec *thalamos* « lit » (*thalame* s'employait au xixᵉ, en botanique).

♦ Anat. Les deux gros noyaux sensitifs de substance grise situés de part et d'autre du troisième ventricule cérébral, subdivisés chacun en trois groupes de noyaux par une lame de substance blanche. *Le thalamus constitue un relais pour les voies sensitives et un « centre de réactivité affective »* (Piéron). — Syn : *couche optique.*

Le thalamus est un organe essentiellement sensitif, ce n'est pas seulement un relais pour les voies sensitives qui montent vers l'écorce, c'est un récepteur des impressions corporelles, superficielles et profondes de caractère élémentaire (...) ce qui caractérise le rôle du thalamus dans la sensation, c'est qu'il semble régir sa tonalité affective, agréable ou désagréable, douloureuse ou voluptueuse.
Jean DELAY, la Psycho-physiologie humaine, p. 41.

DÉR. **Thalamique.** — **Thalamo-.**
COMP. **Épithalamus, hypothalamus.**

THALASS-, THALASSO- Premier élément de mots savants, du grec *thalassa* « mer » (ex. : *thalassiophytes*, 1812, « sortes d'algues », *thalassique* « marin », *thalassomètre* « sonde »). Voir aussi à l'ordre alphabétique.

THALASSÉMIE [talasemi] n. f. — 1959 ; du grec *thalassa* « mer », et suff. *-émie.*

♦ Méd. Forme grave d'anémie, répandue surtout dans le bassin méditerranéen et due à une perturbation héréditaire de la synthèse de l'hémoglobine. *« La synthèse de chaînes d'hémoglobine normale pourrait être induite et réalisée avec de bons rendements dans les cellules de malades atteints de thalassémie, une anémie particulière aux habitants des pays méditerranéens. Cette anémie héréditaire est si grave que les personnes atteintes doivent recevoir des transfusions de sang tous les deux ou trois mois »* (*la Recherche*, juil.-août 1970, p. 271).

DÉR. **Thalassémique.**

THALASSÉMIQUE [talasemik] adj. et n. — V. 1970 ; de *thalassémie.*

♦ Méd. De la thalassémie. — Atteint de thalassémie. *« Trois cents familles thalassémiques vivant en Grande-Bretagne (...) ces couples entreprenaient des grossesses fréquentes, dont un certain nombre aboutissaient à des avortements ou à la naissance d'enfants thalassémiques »* (*Sciences et Avenir*, janv. 1981, p. 76). — N. *Un, une thalassémique.*

THALASSICOLE [talasikɔl] adj. — 1904 ; de *thalasso-*, et *-cole.*

♦ **1.** Adj. Didact. (sc. nat.). Qui vit en mer, dans les zones éloignées des côtes. *Plantes, animaux thalassicoles.*

♦ **2.** N. f. Radiolaire géante, démunie de squelette.

THALASSO- ⇒ **Thalass-.**

THALASSOCRATIE [talasɔkʀasi] n. f. — V. 1730, Fontenelle ; de *thalasso-*, et suff. *-cratie.*

♦ Didact. Puissance antique fondée sur la suprématie maritime. *La thalassocratie crétoise.*
Par anal. *La thalassocratie anglaise au xixᵉ siècle.*

THALASSOTHÉRAPEUTE [talasoteʀapøt] n. — Mil. xxᵉ ; de *thalassothérapie.*

♦ Méd. Spécialiste de la thalassothérapie. *« La thalassothérapie, utilisant une installation moderne et de l'eau prélevée dans l'océan à une distance d'un kilomètre de la côte. Le traitement est administré par deux thalassothérapeutes, diplômés en France, et s'accompagne d'applications de boues marines et d'algues, et de massages »* (*Science et Vie*, mai 1974, p. 62).

— J'étais, me dit-il, avec une péripatéticienne. — Il m'annonçait cela du ton dont un autre aurait parlé d'une thalassothérapeute.
Vladimir VOLKOFF, le Retournement, p. 339.

THALASSOTHÉRAPIE [talasoteʀapi] n. f. — 1867, La Bonnardière ; de *thalasso-*, et suff. *-thérapie.*

♦ Didact., cour. (depuis 1960). Usage thérapeutique des bains de mer,

du climat marin (⇒ **Balnéothérapie**). *Un centre, un établissement de thalassothérapie.*

DÉR. **Thalassothérapeute.**

THALASSOTOQUE [talasɔtɔk] adj. — 1927, Roule ; de *thalasso-*, et grec *tokos* « frai ».

♦ Biol. *Poisson thalassotoque :* poisson migrateur qui atteint en eau douce son plein développement et se reproduit en mer. — Syn. : *catadrome.* — N. m. *Un thalassotoque.*

Les *Anadromes* ou Potamotoques se nourrissent en mer et remontent les rivières pour y frayer ; leur type est le Saumon. Au contraire les *Catadromes* ou Thalassotoques se nourrissent dans les rivières, puis descendent vers la mer dans les profondeurs de laquelle a lieu l'acte sexuel ; leur type est l'Anguille.
R. et M.-L. BAUCHOT, les Poissons, p. 119.

CONTR. **Anadrome, potamotoque.**

THALER [talɛʀ] n. m. — 1556 ; all. *Thaler* (monnaie), de *Joachimsthal*, abrév. de *Joachimsthaler* (→ Dollar).

♦ Ancienne monnaie allemande d'argent.

Le thaler qu'il avait donné au bambin de Rünenberg était son dernier argent.
B. CENDRARS, l'Or, *in* Œ. compl., t. II, p. 138.

HOM. **Talaire.**

THALIDOMIDE [talidɔmid] n. f. — V. 1960 ; nom déposé, tiré de *acide (N-ph)thal(yl-glutamique)*, *-ide*, et *-imide.*

♦ Méd. Tranquillisant qui s'est révélé doué d'un pouvoir tératogène lorsqu'il était administré à des femmes enceintes, et dont les effets donnèrent lieu à un grand procès (1962).

L'affaire de la thalidomide a entraîné une grande peur dans les services chargés de ce contrôle, notamment de la Food and Drug Administration des États-Unis. Les hommes chargés du contrôle encouraient une lourde responsabilité, s'ils autorisaient une technique stérilisante entraînant des dommages dans le monde entier ; ils risquent moins, en se montrant trop sévères que trop tolérants.
A. SAUVY, Croissance zéro ?, p. 113.

THALLE [tal] n. m. — 1827 ; du grec *thallos* « rameau, pousse ».

♦ Bot. Appareil végétatif de plantes n'ayant pas de cellules différenciées (sans racine, tige, feuille, fleur, vaisseaux), dites *thallophytes. Thalle unicellulaire de bactéries, d'algues. Thalle des champignons* (simple filament [⇒ **Mycélium**], ou appareil de forme variable), *des lichens.*

Chez les bryophytes (mousses). Appareil végétatif simplifié de certaines hépatiques*, dont le gamétophyte peut ressembler à un thalle.

Chez les fougères. ⇒ **Prothalle.**

HOM. **Talle.**

THALLEUX, EUSE [talφ, φz] adj. — 1876, thallieux ; de *thallium.*

♦ Chim. *Composé thalleux*, du thallium univalent.

THALLIQUE [talik] adj. — 1876 ; de *thallium.*

♦ Chim. *Composé thallique*, du thallium trivalent.

THALLIUM [taljɔm] n. m. — 1862, cit. ; angl. *thallium* (Crookes, 1861) ; dér. du grec *thallos* « rameau vert », à cause de la raie verte caractéristique de son spectre.

♦ Chim. Métal (masse at. 204,39 ; nᵒ at. 81 ; symb. *Tl*) blanc bleuâtre (temp. de fusion 303ᵒC ; dens. 11,8), plus mou que le plomb, très malléable. *On retire le thallium des « boues » des chambres de plomb ; ses sels sont très toxiques ; certains isotopes sont radioactifs.*

Cette appréciation n'avait rien d'exagéré ; les faits sont venus, pendant le cours de l'année 1862, la confirmer pleinement. Un métal nouveau, le *Thallium* a été découvert par l'emploi de l'analyse spectrale (...)
L. FIGUIER, l'Année scientifique et industrielle 1863, p. 90 (1862).

DÉR. **Thalleux, thallique.**

THALLOPHYTES [talɔfit] n. f. pl. — 1888, n. m., *in* P. Larousse ; adj., 1884, Van Tieghem ; de *thalle*, et suff. *-phyte.*

♦ Bot. Plantes inférieures, sans cellules différenciées. ⇒ **Algue, bactérie, champignon, cyanophycées** (ou **cyanophytes**). *Thallophytes unicellulaires.* ⇒ **Protophytes.** — REM. Certains font encore ce mot du masculin. — Au sing. *Un, une thallophyte.*

Toutes les Thallophytes (...) se reproduisent sans jamais former de fruits, de graines, pas davantage de fleurs ; ce sont des Cryptogames. Pour marquer que toutes leurs cellules sont assez semblables (...) qu'au moins il n'en est pas chez qui les cellules se transforment en vaisseaux (...) on les dit *Cryptogames cellulaires.*
F. MOREAU, *in* Encycl. Pl., Botanique, p. 16.

THALWEG [talvɛg] n. m. ⇒ **Talweg.**

THANATO- Premier élément de mots savants, tiré du grec *thanatos* «mort» (ex. : *thanatophobie*, etc.).

THANATOLOGIE [tanatɔlɔʒi] n. f. — Mil. xxᵉ; de *thanato-*, et *-logie.*
Didactique.

♦ **1.** Biol., sociol., démogr. Étude des différents aspects (biologiques, sociologiques et juridiques, en particulier) de la mort.

♦ **2.** Étude médico-légale des circonstances ayant entraîné la mort.
DÉR. **Thanatologue.**

THANATOLOGUE [tanatɔlɔg] n. — Mil. xxᵉ; de *thanatologie.*

♦ Didact. Spécialiste de thanatologie. *« Les thanatologues, pour la plupart médecins et juristes... »* (*le Nouvel Obs.*, 25 juin 1973, p. 43).

THANATOPHOBIE [tanatɔfɔbi] n. f. — 1872, *in* Cottez; de *thanato-*, et *-phobie.*

♦ Psychiatrie. Crainte obsessionnelle de la mort.

THANATOPRACTEUR, TRICE [tanatɔpʀaktœʀ, tʀis] n. — 1979; de *thanato-*, et *-practeur*, d'après *chiropracteur, etc.*

♦ Didact. Embaumeur de cadavres. *« Les thanatopracteurs français ont appris les gestes qui plaisent à leurs clients, pas tellement différents des anciens Égyptiens et des autres amateurs d'embaumement »* (*l'Express*, 17 nov. 1979, p. 166).

THANATOPRAXIE [tanatɔpʀaksi] n. f. — V. 1975; de *thanato-*, et *-praxie*, d'après ses comp. → Chiropraxie.

♦ Didact. Technique de l'embaumement des cadavres, destinée à retarder la décomposition et à donner une apparence socialement acceptable au visage du mort.

THANATOS [tanatɔs] n. m. — Déb. xxᵉ; mot grec «mort», nom du dieu grec de la mort, fils de la Nuit et frère d'Hypnos.

♦ Psychan. Ensemble des pulsions de mort (opposé à *Eros** : pulsion de vie). — REM. Le mot s'emploie en général comme un nom propre, sans déterminant et avec la majuscule. *Eros et Thanatos.*

THANE [tan] n. m. — 1775; *thain* ou *than*, 1740; mot angl., anc. angl. *thegn* «soldat, héros», anc. teuton *thegno*, du grec *teknos* «enfant».

♦ Hist. Titre que le roi d'Écosse accordait à certains nobles, à certains hommes d'armes, et qui, plus tard, fut assimilé au titre de baron. *Macbeth, thane de Cawdor.*

THANKSGIVING [θãksgiviŋ] n. m. — 1926, cit.; mot angl., de *thanks* «remerciements», et *giving*, de *to give* «donner».

♦ Fête religieuse annuelle, aux États-Unis, destinée à remercier publiquement la bonté divine, et qui, de nos jours, est célébrée le dernier mardi de novembre.
(...) lorsqu'elle atteignit les premières maisons de Wilmington. Elle descendit la rue principale du village où retentissaient les cris des enfants qui jouaient à la glissade dans les ruisseaux gelés. Des gens allaient et venaient, enveloppés de châles et de foulards, les pieds dans d'énormes chaussons qui faisaient un étrange bruit sourd sur la chaussée pavée de briques. On voyait aux devantures de certaines boutiques des jouets disposés autour de petits sapins; presque toutes étaient décorées de guirlandes et de couronnes de feuillage, en l'honneur de la fête de Thanksgiving qui tombait cette semaine.
J. GREEN, Mont-Cinère, p. 135 (1926).

THAPSIE [tapsi] n. f. ou **THAPSIA** [tapsja] n. m. — xivᵉ, *tapsie*, n. f.; *thapsie* dès 1573; *thapsia*, n. f., 1553; lat. *thapsia*, mot grec.

♦ **1.** Bot. Plante dicotylédone (*Ombellifères*), herbacée, vivace, dont les racines fournissent une résine, une essence, une substance vésicante et de la gomme.

♦ **2.** Pharm. THAPSIA : emplâtre vésicant préparé avec la résine de thapsie. ⇒ **Sinapisme.**

THAUMATURGE [tomatyʀʒ] adj. et n. m. — 1610, *thaumaturgue*; grec *thaumatourgos* «faiseur de miracles», de *thauma* «miracle».

♦ Didact., littér. Qui fait des miracles. ⇒ **Miraculeux** (*infra* cit. 1). *L'hellénisme* (cit. 4) *avec ses philosophes thaumaturges.* — (Cho-

ses). Rare. *« Des reliques thaumaturges »* (Villiers de L'Isle-Adam, *Axel*, I, 8).
L'Orient n'a jamais compris la véritable grandeur philosophique, qui n'a pas besoin de miracles. Il fait peu de cas d'un sage qui n'est pas thaumaturge.   1
RENAN, l'Avenir de la science, XV, Œ. compl., t. III, p. 953.
Je ne crois pas à l'existence du romancier thaumat rge qui tire tout du néant.   2
G. DUHAMEL, Inventaire de l'abîme, IV.
N. m. (xviiᵉ). Faiseur de miracles. ⇒ **Magicien** (→ Maléficier, cit. 4; possession, cit. 17; ranimer, cit. 1; théurgie, cit. 2). — Par métaphore. *Nous regardions Redon comme une sorte de thaumaturge* (→ Homuncule, cit. 2). — REM. Le fém. *une thaumaturge* est virtuel.
Un thaumaturge de nos jours, à moins d'une naïveté extrême, comme cela a eu lieu chez certaines stigmatisées de l'Allemagne, est odieux car il fait des miracles sans y croire; c'est un charlatan.   3
RENAN, Vie de Jésus, XVI, Œ. compl., t. IV, p. 245.
DÉR. **Thaumaturgie, thaumaturgique.**

THAUMATURGIE [tomatyʀʒi] n. f. — 1831; de *thaumaturge.*

♦ Didact. Magie, pouvoir des thaumaturges.

THAUMATURGIQUE [tomatyʀʒik] adj. — 1625; de *thaumaturge.*

♦ Didact. Du thaumaturge.
Par ascèse, pour en mieux souffrir; car, sur soi, il ne pourrait s'empêcher de la guérir grâce à son pouvoir thaumaturgique, naturel en lui, au point d'être totalement inconscient.   Henri MICHAUX, Ailleurs, p. 183.

THÉ [te] n. m. — 1652, *tay*; au sens A, 1, b, «arbuste», 1673; du malais *teh, te* ou de dialectes chinois *t'e* (Formose...) par le néerl., v. 1610, alors que les Portugais importaient en 1559 la forme *cha*, du chinois classique (*cia*, par l'ital., 1589); la forme graphique *thé* (1657) vient du lat. moderne.

A. ♦ **1.** ⓐ Plante dicotylédone (*Camelliacées* ou *Théacées*), arbre à fleurs blanches, à feuilles persistantes, originaire d'Extrême-Orient, cultivé pour ses feuilles, qui contiennent des alcaloïdes (⇒ **Théine**, vx, ou **caféine, théophylline**). *Le thé est un arbre de 10 à 12 mètres à l'état naturel; cultivé, il demeure à l'état d'arbuste, les sommités étant sans cesse cueillies.*

ⓑ Feuilles de thé cueillies jaunes, puis simplement séchées (*thé vert*) ou séchées après fermentation (*thé noir*, ou, simplement, *thé*). — *Qualités de thé noir : Pekoe* (constitué par les jeunes bourgeons), *Souchong, Congou, Lapsang... Thé fumé. Thé Earl Grey. Thés parfumés, au jasmin, etc. Paquet, sachet; boîte de thé. Thé de Chine, de Ceylan.* (1704). *Thé vert. Thé vert du Japon. Thé en vrac. Thé en sachets*, que l'on fait infuser dans un sachet de matière poreuse. *Pincée de thé.* — *Arbre à thé*, le thé ou théier.
Elle tambourina dans le Département une soirée à glaces, à gâteaux et à thé, grande innovation dans une ville où le thé se vendait encore chez les apothicaires, comme une drogue employée contre les indigestions.   1
BALZAC, Illusions perdues, t. IV, p. 513.
Il (*le médecin*) était fort honnête : il m'a dit : Votre mari est ivre mort. — Ivre mort! — Oui, donnez-lui du thé. — Qu'appelez-vous du thé : Plante potagère? — Bon! Où que ça s'achète? — Partout (...)   1.1
J'vas donc chez l'apothicaire, qui me renvoie chez l'épicier (...) Il me met trois petits grains noirs dans le creux de la main et voilà pour mes *vuit* sous (...)
Arrivée chez nous (...) je mets sur le feu mon thé, en le faisant comme dit l'épicier, fuser dans de l'eau. Je bats, je bats... je goûte, c'était fadasse, sans goût, sans montant (...)
Henri MONNIER, Scènes populaires, I, le Roman chez la portière, p. 27 (1835).
(...) on invitait les parents pour déguster des échantillons de thé (...) On commence par les thés les plus délicats, thés de Chine qui gardent un fin parfum de laque, ceux de Formose, presque incolores, qui ont un goût de fleur, orange-Pekoe, un peu orangés, thés de Russie si subtils (...), et on finit par les thés de l'Inde aux larges feuilles, que l'Angleterre cherche à répandre dans le monde, et dont la saveur forte et la couleur foncée plaisent au profane.   2
J. CHARDONNE, les Destinées sentimentales, p. 41.
Thé de fleur, fleur de thé, obtenu avec les boutons des fleurs de thé.
La route du thé : la voie suivie par le commerce du thé, entre l'Extrême-Orient et l'Europe.

♦ **2.** (1657). Boisson* préparée avec les feuilles de thé infusées. *Le thé est une infusion. Usages médicinaux du thé au xviiᵉ siècle. Faire du thé, préparer le thé* (→ Plomb, cit. 15). ⇒ **Théière.** *Passoire à thé.* ⇒ **Passe-thé.** *Boule* à thé. Les Anglais, les Russes, les Chinois sont de grands buveurs de thé. Samovar* (cit. 1) *pour la préparation du thé. Un thé pâle, léger* (cit. 13), *fort. Thé au lait, au citron; thé froid. Thé à la menthe, au jasmin, à la bergamote, à la rose, à la mangue...* — *Un verre* (→ Fondouk, cit. 2), *une tasse de thé* (→ Jouet, cit. 5). *Cuillerée de thé* (→ Madeleine, cit. 1, Proust).
Le thé est d'un grand secours pour s'ennuyer d'une manière calme. Entre les poisons un peu lents qui font les délices de l'homme, je crois que c'est un de ceux qui conviennent le mieux à ses ennuis.   3
É. DE SENANCOUR, Oberman, LXIV.
Elle (...) sourit un peu quand il apprêta son thé. Elle le retrouvait, après cinq ans, préparant son infusion de la même manière, échaudant le métal anglais avec l'eau qu'il reversait dans la bouillotte, ouvrant le couvercle fermé de la théière, faisant couler, par ce trou, la pluie noire des feuilles, les inondant enfin à grands flots d'eau chaude.   4
HUYSMANS, En ménage, X.

4.1 Le thé vert lentement transvasé, noirci et refroidissant sur un fond de sucre jamais dissous, car c'était jour et nuit l'heure du thé à la menthe (...)

Kateb YACINE, Nedjma, IV, II, p. 172.

Loc. fig. (trad. angl. *his, her cup of tea*). *Ce n'est pas ma (sa...) tasse de thé*, mon (son...) goût, activité préférée.

Par ext. Cette boisson, servie généralement avec des pâtisseries, lors d'une collation; cette collation. *Service à thé. Prendre le thé* (→ Causette, cit. 1 ; elle, cit. 1). *Salon de thé* : établissement où l'on sert du thé, des pâtisseries... *Salon* (cit. 6) *de thé anglais.* ⇒ **Tearoom.** *Le thé de cinq heures* (⇒ **Five o'clock**).

♦ **3.** (1782). Réunion où l'on sert du thé, des gâteaux... ⇒ **Réception** (→ Matinée, cit. 4). *Donner un thé d'adieu* (→ 1. Pompe, cit. 3). *Être invité à un thé.* ⇒ 2. Goûter. — Par ext. *Thé dansant* : réunion dansante à l'heure du thé. — Vx. *Thé tango* : établissement, salon de thé dansant.

5 Si je fais jamais quelque chose sur la vie élégante du second Empire, il est de toute nécessité de donner une place au thé de quatre heures, — au thé, à l'instar des thés de l'Impératrice, à Fontainebleau, à Compiègne.

Ed. et J. DE GONCOURT, Journal, 21 avr. 1872, t. V, p. 38.

5.1 Rouletabille s'imaginait bien en reconnaître quelques-uns pour les avoir vus, quelques mois avant la guerre, glisser sur les parquets des « thés-tangos » avec une grâce qui devait leur rapporter dans les vingt francs à la fin de la journée.

G. LEROUX, Rouletabille chez Krupp, p. 60.

5.2 Valentin (...) lui, était très heureux d'aller à un thé.

R. QUENEAU, le Dimanche de la vie, p. 168.

5.3 Elles allaient dans des « thés », elles mangeaient des gâteaux qu'elles choisissaient délicatement, d'un petit air gourmand : éclairs au chocolat, babas et tartes.

N. SARRAUTE, Tropismes, p. 63.

5.4 Là se trouvaient réunis tous les attributs exigés pour un thé de cérémonie dans une demeure anglaise de bonne tradition : théière, bouilloire, et pots de vieil argent ; service de vieille porcelaine ; napperons de dentelle et serviettes brodées ; lait, citron, toasts, cakes, marmelade d'oranges, confiture de fraises, petits sandwiches au fromage de Chester (...)

J. KESSEL, le Lion, p. 88.

La cérémonie du thé, au Japon. *Maison, pavillon de thé.*

♦ **4.** (1844, in D.D.L.). Vieilli. Service à thé.

5.5 Ta tante d'Aubert m'a chargée de te donner de sa part ce petit thé (...) L'heureuse Sophie prit le plateau avec les six tasses, la théière, le sucrier et le pot à crème en argent.

Cᵇˢˢᵉ DE SÉGUR, les Malheurs de Sophie, XII, 1859, in D.D.L. II, 16.

B. (Qualifié par un compl. en *de* ou un adj.). ♦ **1.** (Mil. XVIIIᵉ). Plante à infusion (comparée au thé). *Thé des champs* (origan), *des bois* (aigremoine), *de France* (sauge, mélisse), *d'Europe* (grémil, véronique). *Thé du Brésil, des Jésuites.* ⇒ **Maté.** *Thé du Mexique.* ⇒ **Ambroisie,** 3. *Thé suisse, de Suisse* : mélange de plantes aromatiques (→ Herboriser, cit. 1, Rousseau). *Thé de l'Amazone* (eupatoire). *Thé de l'île Bourbon* (orchidée). — En Belgique (Hanse). *Thé de tilleul, de camomille,* infusion. — Mélange de thé et d'une ou plusieurs substances pharmaceutiques. *Thé médicinal, purgatif.* ⇒ aussi **Bavaroise.**

♦ **2.** Infusion de l'une de ces plantes.

C. Par appos. *Rose thé* ou *rose-thé* (de la couleur de la boisson).

6 C'est comme un ciel de couleur rose thé, rose thé... Qu'est-ce que c'est, une rose thé? (...)
— Et cependant, monsieur Sainte-Beuve, si j'ai voulu exprimer que le ciel était jaune de la nuance jaune rosée d'une rose thé (...) et n'était pas du tout du rosé de la nuance de la rose ordinaire?

Ed. et J. DE GONCOURT, Journal, 2 mars 1869, t. III, p. 205.

DÉR. Théacées, théerie, théier, théière, théine, 2. théisme.
COMP. Passe-thé. — Théiforme.
HOM. T, 1. té, 2. té.

THÉACÉES [tease] n. f. pl. — 1846, Bescherelle, adj. et n. f. pl.; de *thé*, et suff. *-acées.*

♦ Famille de plantes angiospermes (dicotylédones, dialypétales), originaires d'Asie. — Syn. : *camelliacées* ou *ternstroemiacées* (vieilli). *Les théacées comprennent environ 16 genres et 150 espèces, dont deux espèces essentielles,* Camellia thea (⇒ **Thé**) *et* Camellia japonica (⇒ **Camélia**), *cultivée pour ses fleurs.* — Au sing. *Une théacée.*

THÉATIN [teatɛ̃] n. m. — V. 1642, date d'installation de l'ordre en France ; ordre fondé en 1524 par Gian Pietro Carafa, évêque de *Theato* (Chieti), dans le royaume de Naples.

♦ Relig. Religieux de l'ordre fondé par Gaétan de Thiène et Gian Pietro Carafa pour réformer les mœurs du clergé.

THÉÂTRAL, ALE, AUX [teatral, o ; teatral, o] adj. — 1520; lat. *theatralis,* de *theatrum* → Théâtre.

♦ **1.** [a] Qui appartient au théâtre; de théâtre (II., 1.). ⇒ **Dramatique.** *Représentation théâtrale. L'art théâtral. Événements* (cit. 15) *théâtraux.*

[b] Du théâtre (II., 3.), genre littéraire. *Œuvre production théâtrale.*

0.1 Comment se fait-il qu'au théâtre, au théâtre au moins tel que nous le connaissons en Europe, ou mieux en Occident, tout ce qui est spécifiquement théâtral, c'est-à-dire tout ce qui n'obéit pas à l'expression par la parole, par les mots, ou si l'on

veut tout ce qui n'est pas contenu dans le dialogue (et le dialogue lui-même considéré en fonction des possibilités de sonorisation sur la scène, et des *exigences* de cette sonorisation) soit laissé à l'arrière-plan?

A. ARTAUD, le Théâtre et son double, Idées/Gallimard, p. 53.

Le fondement de notre art théâtral est en effet beaucoup moins l'illusion de réalité que l'illusion de totalité : périodiquement, de la *choréia* grecque à l'opéra bourgeois, nous concevons l'art lyrique comme la simultanéité de plusieurs expressions (jouée, chantée, mimée) dont l'origine est unique, indivisible.

R. BARTHES, l'Empire des signes, p. 79.

[c] Qui concerne le théâtre. *La censure théâtrale* (→ Émission, cit. 5). *Chronique** (2.) *théâtrale. La décentralisation théâtrale.* — *Saison théâtrale* : époque de l'année où les théâtres (d'une ville...) jouent régulièrement (→ An, cit. 21).

♦ **2.** Qui a les caractères spécifiques du théâtre. *La liberté théâtrale* (→ Paysage, cit. 9). *Situation, intrigue, valeur théâtrale.* ⇒ **Scénique, spectaculaire.**

Certes, la littérature est faite pour nous embarrasser si elle est littéraire, le roman s'il est romanesque ou le théâtre théâtral.

J. PAULHAN, les Fleurs de Tarbes, p. 171.

♦ **3.** (1690). Fig., péj. Qui a le côté artificiel, emphatique, outré du théâtre, de la scène (opposé au naturel de la vie). *Un coup d'essai théâtral* (→ Avortement, cit. 4). *Les marques de la plus théâtrale aversion* (cit. 9). *Air théâtral, attitude, affectation théâtrale.* — (Personnes). *Un personnage théâtral* (→ Émulation, cit. 2). — N. m. *« Le théâtral est la caricature du sublime »* (Malraux, *les Voix du silence,* p. 487).

Tous ces contrastes, toutes ces symétries, faites à la main et *au pouce,* sont d'un petit effet, déclamatoire et théâtral, contraire à la vraie harmonie.

SAINTE-BEUVE, Chateaubriand..., t. II, p. 20.

DÉR. Théâtralement, théâtraliser, théâtralisme, théâtralité.

THÉÂTRALEMENT [teatralmɑ̃ ; teatralmɑ̃] adv. — 1764, Voltaire ; de *théâtral.*

♦ **1.** Conformément aux lois, aux règles du théâtre.

L'esprit des foules, le souffle des événements se déplaceront en ondes matérielles sur le spectacle, fixant de-ci de-là certaines lignes de force, et sur ces ondes, la conscience amoindrie, révoltée ou désespérée de quelques-uns surnagera comme un fétu.
Théâtralement, le problème est de déterminer et d'harmoniser ces lignes de force, de les concentrer et d'en extraire de suggestives mélodies.

A. ARTAUD, le Théâtre et son double, Idées/Gallimard, p. 194.

Par anal. Comme sur une scène. *Théâtralement, les concurrents font le tour de la piste* (→ Motocycliste, cit. 1).

♦ **2.** Fig. D'une manière théâtrale (3.), artificielle. *S'exprimer, gesticuler théâtralement.*

THÉÂTRALISATION [teatralizasjɔ̃ ; teatralizasjɔ̃] n. f. — Mil. XXᵉ (1969); de *théâtraliser.*

♦ Didact. (théâtre). Action de théâtraliser.

THÉÂTRALISER [teatralize ; teatralize] v. tr. — 1927, B. Crémieux, in D.D.L. ; de *théâtral.*

♦ Didact. (théâtre). Donner le caractère de théâtralité à. *Théâtraliser un roman pour la scène. «À trop vouloir théâtraliser, la danse ne fait plus le poids... »* (le Monde, 18 nov. 1966).
DÉR. Théâtralisation.

THÉÂTRALISME [teatralism ; teatralism] n. m. — 1951, Piéron; attestation isolée, 1845 ; de *théâtral.*

♦ **1.** Psychiatrie. «Tendance aux manifestations émotives spectaculaires» (Piéron). *Le théâtralisme est fréquent dans l'hystérie.* ⇒ **Histrionisme.**

♦ **2.** Littér. Attitude théâtrale (3.).

THÉÂTRALITÉ [teatralite ; teatralite] n. f. — Mil. XXᵉ; de *théâtral.*

♦ Didact. (théâtre). Conformité d'une œuvre (dramatique, musicale, etc.) aux exigences fondamentales de la construction théâtrale. *La théâtralité de cet opéra devrait en assurer le succès.*

Ce n'est pas la théâtralité qui détient le pouvoir de magnétisme, la force de récurrence et le transport du théâtre, mais la vie au théâtre, la vie du théâtre, du jeu, inséparable du reste de la vie (...)

J. GILLIBERT, la Création littéraire, in la Nef, nᵒ 31, p. 88.

THÉÂTRE [teatr] n. m. — V. 1200, t. d'antiq.; lat. *theatrum*; grec *theatron.*

★ **I.** Édifice construit pour la représentation d'une action sur la scène*.

♦ **1.** [a] Antiq. Construction en amphithéâtre*, généralement adossée à une colline creusée en hémicycle et comprenant quatre parties : le « *theatron* » (enceinte destinée au spectateur), l'hyposcénium*, le proscenium* et l'orchestre* (cit. 1). *Théâtres grecs : de Dionysos* (→ Portique, cit. 3), *d'Épidaure, de Delphes, de Syracuse... Dans les théâtres romains l'orchestre était occupé par des sièges, les portes d'accès aux gradins étaient appelées vomitoires*. — Spécialt. Le theatron (par oppos. au *proscenium*, à l'*orchestre*).

1 (...) et dans l'Athènes du – Vᵉ siècle contre le flanc le moins escarpé de l'Acropole, la foule s'amassera, s'étagera, enveloppant sur une moitié seulement le cercle de « l'orchestra » et dessinant en éventail au creux de la pente le second élément du théâtre grec, celui qui devait lui donner son nom, le « theatron », la place d'où l'on voit. P. GUILLON, *in* Encycl. Pl., Hist. de la littérature, t. I, p. 86.

b (XIIIᵉ). À l'époque moderne. Construction ou salle destinée aux spectacles se rattachant à l'art dramatique (*théâtre* au sens II., danse, musique...). *Un grand, un petit théâtre.* ⇒ **Studio** (→ Procurer, cit. 3). *Disposition, aménagements* (⇒ **Scénographie**), *acoustique*... *d'un théâtre. Parties, éléments d'un théâtre.* — (Destinés au spectacle). ⇒ **Scène; avant-scène, cantonade** (vx), **cintre, côté**, 2. **dessous** (6.), 2. **dessus** (3.), **fond** (*infra* cit. 18), **fosse, frise, gril, herse, manteau** (d'Arlequin), **orchestre, planche, plateau** (cit. 4), **projecteur, rideau, rampe** (B., 2.), **traînée, trappe, trappillon, travée, trou** (du souffleur); **coulisse, rue** (*supra* cit. 7); **loge.** — (Destinés aux spectateurs). ⇒ **Salle; banc, banquette; baignoire, balcon, corbeille, fauteuil, galerie, loge, orchestre** (I., 3.), **paradis** (*supra* cit. 11), **parterre, poulailler** (5.), **stalle** (2.); **buvette, corridor, foyer** (II., 3.), **promenoir, vestiaire.** — Hist. *Les théâtres élisabéthains,* à cour ouverte, à galeries, à scène couverte. *Théâtre de poche. Théâtre en rond. Café-théâtre, cabaret-théâtre.* ⇒ **Café-théâtre.**

♦ **2.** **a** (1616). Spécialt, vx. L'endroit où les acteurs jouent. ⇒ **Scène.** « *Le théâtre peut être éclairé avec des bougies* » (→ Coulisse, cit. 3). *Ce qui s'est passé hors du théâtre avant le commencement de l'action* (→ Nœud, cit. 28, Corneille). *Se trouver sur ou sous le théâtre* (→ Étudier, cit. 8). — Loc., vx. *Sur le théâtre :* sur la scène. *Monter sur le théâtre :* jouer (→ Bouffon, cit. 1). *Mettre un personnage sur le théâtre* (→ Gré, cit. 21). — Par métaphore :

2 Je ne demanderais, pour changer la face du genre dramatique, qu'un théâtre très étendu, où l'on montrât, quand le sujet d'une pièce l'exigerait, une grande place avec les édifices adjacents, tels que le péristyle d'un palais, l'entrée d'un temple, différents endroits distribués de manière que le spectateur vît toute l'action, et qu'il y en eût une partie de cachée pour les acteurs. DIDEROT, Entretiens sur le fils naturel, II., *in* Œ. esthétiques.

Spécialt. Sorte de scène mobile construite sur des tréteaux* (utilisée au moyen âge, et par les troupes ambulantes).

3 Thespis du reste a duré plus longtemps qu'on ne croit. La charrette-théâtre existe encore. C'est sur des théâtres roulants de ce genre qu'au seizième et au dix-septième siècle on a joué en Angleterre les ballets et ballades d'Amner et de Pilkington, en France les pastorales de Gilbert Colin (...) HUGO, l'Homme qui rit, II, II, VIII.

b Vx. Décor (Mᵐᵉ de Sévigné, *in* Littré). *Changement de théâtre.* « *Le théâtre change, et représente une ville* » (Molière, *le Malade imaginaire,* I, 8).

c (XVᵉ). Fig. Le cadre, le lieu où se passe un événement (→ Salle, cit. 1). « *Je suis l'impassible théâtre* » (→ Acteur, cit. 6, Vigny). — *Le théâtre de...* ⇒ **Scène.** *Le théâtre de plusieurs échauffourées* (cit. 2). *Cette plaine a été le théâtre de nombreux combats* (cf. Elle a vu de nombreux combats). *Le théâtre d'un drame* (cit. 7), *du crime* (→ Pièce, cit. 18). — Loc. (1915, *in* D. D. L.). *Le théâtre des opérations** (5.), zone d'opérations militaires. *Théâtre d'opérations extérieur,* situé hors de France (abrév. : *T. O. E.*). — *Phénomènes qui ont pour théâtre l'hydrosphère* (→ Géodynamique, cit.).

4 Je ne suis plus qu'un poète de collège. J'ai abandonné deux théâtres qui sont trop remplis de cabales, celui de la comédie française et celui du monde. VOLTAIRE, Correspondance, 303, juil. 1735.

5 (...) monsieur Mouilleron détacha le commissaire de police et le brigadier avec un gendarme pour examiner ce que dans la langue du Ministère public on nomme le *théâtre du crime.* BALZAC, la Rabouilleuse, Pl., t. III, p. 1033.

5.1 Le théâtre choisi pour cette cérémonie, réglée suivant le goût asiatique, était un vaste plateau situé sur une portion de la colline qui domine d'une centaine de pieds le cours du Tom. Tout cet horizon, avec sa longue perspective de maisons élégantes et d'églises aux coupoles ventrues, les nombreux méandres du fleuve, les arrière-plans de forêts noyés dans la brume chaude, tenait dans un admirable cadre de verdure (...) J. VERNE, Michel Strogoff, p. 321.

♦ **3.** (1636, « représentation »). Édifice (théâtre au sens 1) où un spectacle est présenté au public; le spectacle auquel on assiste dans un tel édifice. *Aller au théâtre* (→ Inutile, cit. 7). ⇒ **Comédie** (vx), **spectacle.** *La fenêtre* (cit. 3), *en province, remplace les théâtres. Pleurer* (→ Lieu, cit. 42), *se pâmer au théâtre* (→ Farceur, cit. 5). — (En parlant d'un théâtre spécifique). « *J'étais seul, l'autre soir, au Théâtre français...* » (Musset, *Une soirée perdue*). *Avoir ses entrées au théâtre* (→ Instrument, cit. 7). *La sortie des théâtres* (→ Agitation, cit. 5). *Prendre un billet pour aller au théâtre.* ⇒ **Billet; contremarque, coupon;** et aussi **faveur** (I., 4. : billet de), **supplément.** *Agence*, billet* de théâtre* (→ Frivolité, cit. 8). — *Jumelles* de théâtre.* — *Spectateurs qui manifestent, au théâtre.* ⇒ **Applaudir, bisser,** 1. **bravo, chut, chuter, rappel, rappeler, siffler** (II, 3.), **trisser.** — Par anal. *Le musée est un laboratoire et un théâtre* (→ Musée, cit. 6).

Par métonymie. Les spectateurs qui assistent à une représentation théâtrale. *Amuser le théâtre* (→ Épisodique, cit. 2). ⇒ **Chambrée** (vx), **galerie, loge** (3.), **parterre** (3.); **cabale** (vx). *Tout le théâtre applaudissait debout.* ⇒ **Salle.**

♦ **4.** Entreprise de spectacles dramatiques, généralement attachée à une salle de théâtre (sens 1). ⇒ **Troupe.** *Le théâtre de l'Hôtel de Bourgogne. Le théâtre du Marais. L'Illustre* Théâtre. Théâtre de France, de l'Odéon. Le théâtre Français :* la Comédie-Française, le Français. *Être abonné aux spectacles d'un théâtre.* ⇒ **Abonnement.** *Théâtre national populaire* (T. N. P.). *Le théâtre de l'Opéra, de l'Opéra-Comique* (l'Opéra, l'Opéra-Comique). *Les théâtres subventionnés.* ⇒ **Comédie.** — *Théâtre aux armées :* spectacle en tournée, réservé aux soldats dans la zone des combats. — *Un petit théâtre à quatre sous.* ⇒ **Boui-boui** (cit. 1), **café-concert.** *L'affiche d'un théâtre* (→ Relâche, cit. 5).

Le théâtre donnait une idée plus exacte de la société. Il tenait à Paris, dans la vie quotidienne, une place exorbitante. C'était un restaurant pantagruélique, qui ne suffisait pas à assouvir l'appétit de ces deux millions d'hommes. Une trentaine de grands théâtres, sans parler des scènes de quartier, des cafés-concerts, des spectacles divers, — une centaine de salles, chaque soir, presque toutes pleines. Un peuple d'acteurs et d'employés. Les quatre théâtres subventionnés occupant à eux seuls près de trois mille personnes, et dépensant dix millions. Paris entier rempli de la gloire des cabots. 6
R. ROLLAND, Jean-Christophe, Foire sur la place, I, p. 707.

Théâtre qui joue, qui donne, monte une pièce, un spectacle.* ⇒ **Comédie** (vx), **matinée, programme, représentation** (I., 4.), **séance; coup** (les trois coups), **rideau** (lever, chute du); **entracte; relâche, répétition; reprise, saison, soirée; scène** (mise en). *Répertoire* d'un théâtre. Ouverture, clôture d'un théâtre. Directeur, acteurs*... d'un théâtre* (→ Impresario, cit. 1; mentionner, cit. 1). ⇒ **Metteur** (en scène); **régisseur; décorateur, impresario; accessoiriste, bruiteur, claque, comité, contrôleur, costumier, gagiste** (cit.), **habilleur, machiniste, maquilleur, moucheur** (vx), **ouvreur, placeur, revuiste, souffleur; acteur, figurant, troupe** (et → ci-dessous, II.). *Les habitués* des théâtres. Rapport entre le directeur et les acteurs d'un théâtre.* ⇒ **Audition, cachet, contrat, distribution, engagement, renvoi...** *Partir en tournée* avec un théâtre.*

♦ **5.** Construction, petite scène, écran... où l'on donne un spectacle sans acteurs. *Théâtre de marionnettes*, de guignol** (cit. 1). *Théâtre d'ombres*.* — Théâtre (→ ci-dessus, 1. et 4.) où l'on donne un tel spectacle. *Organiser un théâtre de marionnettes.*

♦ **6.** (1671). Par anal. (de I., 2.). *Théâtre d'eau; théâtre de verdure :* aménagement artistique dans un parc de pièces d'eau, d'arbres et de plantes.

♦ **7.** Fig., vx. Livre présentant le panorama d'un sujet. *Le Théâtre d'agriculture et mesnage des champs* (O. de Serres, 1600).

★ **II.** (XIVᵉ). ♦ **1.** Art visant à représenter devant un public, selon des conventions (cit. 11) qui ont varié avec les époques et les civilisations, une suite d'événements (⇒ **Action**) où sont engagés des êtres humains agissant et parlant. ⇒ **Scène, spectacle.** *Du théâtre.* ⇒ **Dramatique, scénique, théâtral.** *Activités voisines du théâtre : danse* (et chorégraphie*), mime*, pantomime, cirque... Origine religieuse du théâtre* (en Grèce, au moyen âge, etc.). — *Aimer le théâtre, préférer le théâtre au cinéma*, le théâtre à la télévision*. Œuvre adaptée pour le théâtre.* ⇒ **Adaptation.** *L'art de plaire, le succès au théâtre* (→ Équitable, cit. 8; monter, cit. 27). *L'innovation* (cit. 3) *au théâtre. La technique du théâtre et la technique de l'écran* (→ Autant, cit. 45).

Mesdames et Messieurs, c'est une extraordinaire chose que le théâtre. Des gens comme vous et moi s'assemblent le soir dans une salle pour voir feindre par d'autres des passions qu'eux n'ont pas le droit d'avoir — parce que les lois et les mœurs s'y opposent. GIDE, Nouveaux prétextes, p. 19. 7

Nous concevons le théâtre comme une véritable opération de magie. Nous ne nous adressons pas aux yeux, ni à l'émotion directe de l'âme; ce que nous cherchons à créer est une certaine émotion *psychologique* où les ressorts les plus secrets du cœur seront mis à nu. 8
A. ARTAUD, le Théâtre d'Alfred Jarry, Manifeste..., Œ. compl., t. II, p. 23.

Ce qu'on m'a rapporté des fastes japonais, chinois ou balinais, et l'idée magnifiée peut-être qui s'obstine dans mon cerveau, me rend trop grossière la formule du théâtre occidental. On ne peut que rêver d'un art qui serait un enchevêtrement profond de symboles actifs, capables de parler au public un langage où rien ne serait dit mais tout pressenti. JEAN GENET, les Bonnes, Introd. 9

Voilà le vrai théâtre, avait pensé Sartre : un appel à un public auquel on est lié par une communauté de situation. S. DE BEAUVOIR, la Force de l'âge, p. 499. 9.1

Critique de théâtre* (→ Mercenaire, cit. 3), qui juge les spectacles dans tous leurs éléments (scéniques, littéraires, etc.). — *Acteurs, gens de théâtre.* ⇒ **Troupe; acteur, comédien.** *Un homme de théâtre, une femme de théâtre* (→ Enfant, cit. 38). — *Personnages*, rôles de théâtre, dans la tradition de la comédie italienne, classique.* ⇒ **Amoureux, arlequin, bouffon, capitan, coquette, crispin, duègne, confident, ingénue, jocrisse,** 1. **lisette,** 1. **matamore, mère** (II., 1. : mère noble), 2. **paillasse, pantalon, père** (père noble, cit. 10), **pierrot, polichinelle, premier** (I., 5. : jeune premier), **protagoniste, scapin, scaramouche, soubrette, suivante, tartufe, travesti,** 1. **trivelin, turlupin, valet, zanni.**

Pièce de théâtre :* texte littéraire qui expose une action dramatique, généralement sous forme de dialogue entre des personnages. ⇒ **Pièce** (*infra* cit. 20); **à-propos, arlequinade, atellane** (antiq.), **bagatelle, ballet, bluette, bouffonnade, bouffonnerie, comédie, divertissement, entracte,** 2. **farce, féerie, héroï-comique, imbroglio, intermède, livret, mélodrame, mime** (antiq.), **miracle, mystère** (III.), **opéra, opéra-ballet, opéra-comique, pantalonnade** (et aussi **caleçonnade**), **pantomime** (II., 2.), **parodie, pastorale, proverbe, revue** (II., 1), **say-**

nète, sotie, sketch, tableau, tétralogie, tragédie, tragi-comédie, trilogie, vaudeville, zarzuela. — *Parties, éléments d'une pièce de théâtre.* ⇒ **Acte, scène** (II., 1.); **aparté, argument, dénouement, dialogue, didascalie, épisode, événement, exposition, intrigue, monologue, nœud** (I., 7.), **parabase** (antiq.), **péripétie, prologue, protase** (vx), **réplique** (I., 3.), **rôle, scénario, situation** (II., 4.), **sujet, tableau** (vivant), **tirade**. — *Succès, échec* (⇒ **Four**) *au théâtre.*

Accessoires*, costumes, décors de théâtre. ⇒ **Cothurne, socque; décor, décoration** (vx); **costière, 3. ferme** (2.), **mansion** (hist.), **2. plan** (2.), **portant** (II., 3.), **praticable, toile** (de fond). *Grimage, maquillage, masques de théâtre* (→ Apparence, cit. 10), *procédés par lesquels l'apparence physique du comédien est modifiée de façon à réaliser le personnage*. Artifices, trucs* de théâtre.* ⇒ **Machine.**

Loc. **COUP DE THÉÂTRE** : rebondissement, retournement brutal d'une situation dans une pièce, destiné à accroître l'intérêt de l'action. ⇒ **Péripétie** (cit. 1). — (1762, Académie). Brusque changement imprévu. *Des coups de force et des coups de théâtre* (→ Fluctuation, cit. 4).

10 Un incident imprévu qui se passe en action, et qui change subitement l'état des personnages, est un coup de théâtre.
    DIDEROT, Entretiens sur le fils naturel, I (1757), *in* Œ. esthétiques.

11 Il y a, dans ces parages, des coups de théâtre de l'océan desquels il faut se défier. Celui-ci par exemple, qui est un des caprices les plus fréquents de la rose des vents des Channel's Islands : une tempête souffle du sud-est; le calme arrive (...) tout à coup l'ouragan (...) revient du nord (...)
    HUGO, l'Archipel de la Manche, v.

Genre, aspect du théâtre. *Le théâtre religieux,* en Grèce, au moyen âge. *Théâtre profane. Théâtre populaire; écrit, littéraire. Théâtre improvisé* (en Italie ⇒ **Commedia dell'arte**). — Loc. *Théâtre filmé.* — Par ext. Film dont la mise en scène est théâtrale (caméra peu mobile, jeu des acteurs, etc.). — *Théâtre télévisé.* — *Théâtre spectacle; théâtre pur* ou (1927) *théâtre-théâtre. Théâtre musical.* — (1966). *Théâtre total,* impliquant toutes les formes de spectacle.

11.1 À toutes les époques du XIXᵉ siècle et du XXᵉ siècle, il s'est trouvé un auteur dramatique considérable pour incarner ce qu'on pourrait appeler sinon le théâtre pur, du moins le théâtre-théâtre. Scribe et Sardou ont été les plus célèbres.
    A. THIBAUDET, Hist. de la littérature franç. de 1789 à nos jours, p. 561-562 (1936), *in* D.D.L., II, 15.

♦ **2.** Par métaphore et fig. (vieilli). Se dit d'une apparence trompeuse, de ce qui est artificiel. ⇒ **Théâtral.** *Fleurer* (cit. 5) *l'intrigue et le théâtre; sentir* (cit. 29) *un peu son théâtre.*

DE THÉÂTRE : digne du théâtre, théâtral (3.). ⇒ **Comédie.** *Un sentiment* (→ Jaloux, cit. 30), *un geste* (→ 2. Général, cit. 8), *un ton* (→ Griser, cit. 2), *une voix de théâtre.*

♦ **3.** Spécialt. Genre littéraire; ensemble des textes destinés à être représentés en action devant un public. ⇒ **Comédie, drame, tragédie.** *Se vouer au théâtre* (→ Drame, cit. 4). *La perfection où le théâtre a été porté dans la langue française* (→ Français, cit. 16). *Les règles du théâtre. Obtenir* (cit. 8) *du vrai comique au théâtre.*

12 Il y a le vrai théâtre, l'étude des mœurs, la peinture des caractères, la satire des tares et des travers humains, ce grand théâtre comique qui nous met en face de nous-mêmes et, en nous amusant, nous donne sa grande leçon.
    Paul LÉAUTAUD, le Théâtre de M. Boissard, XXXVII.

Vx. Qualité, caractère scénique.

13 (...) il échappe quelquefois de souhaiter la fin de tout le spectacle : c'est faute de théâtre, d'action (...)
    LA BRUYÈRE, les Caractères, I, 47.

♦ **4.** (1561, *in* D.D.L., «ensemble d'œuvres d'un auteur»). Ensemble d'œuvres dramatiques présentant des caractères communs, une origine commune. *Le théâtre d'un auteur.* ⇒ **Œuvre.** *Le théâtre d'Eschyle, de Plaute, de Shakespeare, de Corneille* (→ Conduite, cit. 11), *de Calderon, de Molière* (→ École, cit. 19), *de Racine, de Goldoni, de Marivaux, de Beaumarchais, de Goethe, de Schiller.* — *Le théâtre antique. Le théâtre espagnol* (→ Caractère, cit. 68), *italien, français...* (→ École, cit. 21; empire, cit. 5). *Le théâtre chinois, japonais* (⇒ **Bunraku, kabuki, nô**...). — *Ensemble des pièces d'une école, d'une tendance littéraire, philosophique... Le théâtre religieux du moyen âge* (→ Formidable, cit. 9). ⇒ **Miracle, mystère** (cit. 22). *Le théâtre élisabéthain, classique, romantique, symboliste, réaliste. Théâtre de mœurs. Théâtre de caractères* (psychologique); *de situation. Théâtre poétique, épique* (Bertolt Brecht). *Théâtre à thèse, à programme. Théâtre comique, burlesque* (⇒ **Farce**). *Théâtre-ballet.*

14 Le théâtre, autrefois, était de «caractères» : on faisait paraître sur la scène des personnages plus ou moins complexes, mais entiers et la situation n'avait d'autre rôle que de mettre ces caractères aux prises, en montrant comment chacun d'eux était modifié par l'action des autres. J'ai montré ailleurs comment, depuis peu, d'importants changements s'étaient faits en ce domaine : plusieurs auteurs reviennent au théâtre de situation. Plus de caractères : les héros sont des libertés prises au piège, comme nous tous.
    SARTRE, Situations II, p. 313.

Spécialt. *Le théâtre de la foire,* se dit spécialement du théâtre préclassique italien et français. — *Théâtre de boulevard* : genre de théâtre léger, facile, commun sur les théâtres des Boulevards, à Paris, depuis la fin du XIXᵉ siècle. ⇒ **Boulevard, 3.**

♦ **5.** Activités de l'acteur; profession de comédien de théâtre. *Se destiner au théâtre. Cours de théâtre,* d'art dramatique. *Faire du théâtre* (→ Irrévocable, cit. 3). ⇒ **Jouer** (III., 2.); et aussi **déclamer, répéter, réplique** (donner la). *Avoir le trac* au théâtre. Renoncer au*

théâtre (→ Éprendre, cit. 16). *Les mœurs du théâtre* (→ Planche, cit. 11).

♦ **6.** Franç. d'Afrique. Fam. Représentation théâtrale. *Faire un théâtre* : jouer, représenter une pièce de théâtre.

DÉR. Théâtreux. — V. **Théâtral.**
COMP. Théâtrophone, théâtrothérapie.

THÉÂTREUX, EUSE [teatʀø, øz] n. — 1896, *théâtreuse; théâtreux,* XXᵉ; de *théâtre.*

♦ **1.** N. f. **THÉÂTREUSE.** [a] Péj. Comédienne de théâtre sans talent. *Une petite théâtreuse d'une vingtaine d'années* (→ Approchant, cit. 10). *Une vieille théâtreuse.* ⇒ **Cabotine.**

[b] (1898). Spécialt vx. Actrice demi-mondaine.

♦ **2.** N. Fam. **THÉÂTREUX, THÉÂTREUSE** : personne qui fait du théâtre (comédie, mise en scène, etc.). *Les théâtreux d'une troupe.*
(...) nos maîtresses imaginaires, presque toujours reflets de théâtreuses ou de femmes vues sur les écrans de cinéma. Michel LEIRIS, Frêle bruit, p. 84.

THÉÂTROPHONE [teatʀofon; teatʀofɔn] n. m. — 1881, cit.; de *théâtre,* d'après les comp. en *-phone,* notamment *téléphone.*

♦ Vx. Appareil transmettant les éléments sonores d'un spectacle théâtral.

Le théâtrophone (...) Ce merveilleux phénomène, inauguré dès l'année 1881 à l'Exposition de photographie (...)
    L. FIGUIER, l'Année scientifique et industrielle 1893, p. 151 (1892).

THÉÂTROTHÉRAPIE ou **THÉÂTRO-THÉRAPIE** [teatʀoteʀapi; teatʀoteʀapi] n. f. — Mil. XXᵉ; de *théâtre,* et *thérapie.*

♦ Didact. (psychol.). Psychothérapie à base d'improvisation théâtrale. *Psychodrame et sociodrame sont deux formes de théâtrothérapie. Moreno, initiateur de la théâtrothérapie.*

Sous le nom de théâtrothérapie, on désigne les techniques psychothérapiques utilisant l'improvisation de scènes dramatiques, sur un thème donné, par un groupe de sujets enfants ou adultes, présentant des troubles de la personnalité et de la conduite plus ou moins analogues.
    Daniel LAGACHE, la Psychanalyse, p. 108 (1955).

THÉBAÏDE [tebaid] n. f. — 1674; dér. du lat. *Thebais;* nom d'une contrée de l'ancienne Égypte, voisine de *Thèbes,* dans laquelle vécurent beaucoup d'anachorètes aux premiers temps du christianisme.

♦ Littér. Lieu isolé et sauvage, endroit retiré et paisible où l'on mène une vie austère, calme, solitaire. ⇒ **Désert** (*infra* cit. 18), **retraite** (*supra* cit. 14), **solitude** (*infra* cit. 8); → Aigre, cit. 7.

THÉBAIN, AINE [tebɛ̃, ɛn] adj. et n. — 1872; du lat. *Thebanus* «de Thèbes».

♦ De Thèbes, ville de l'Égypte ancienne. — De Thèbes, ville de Grèce (capitale de la Béotie). *La légende thébaine, le cycle thébain,* dont Œdipe est le centre. *Le poète thébain :* Pindare. *Épaminondas, le héros thébain.* — N. *Les Thébains.*

THÉBAÏNE [tebain] n. f. — 1837; de *thébaïque.*

♦ Chim., sc. Alcaloïde très toxique extrait de l'opium. — Syn. : *paramorphine.*

THÉBAÏQUE [tebaik] adj. — 1833, *extrait thébaïque, in* D.D.L.; *pierre thébaïque* «granit d'Égypte», 1664; lat. *thebaicus,* lui-même empr. grec *thébaikos;* la région de *Thèbes* en Égypte était autrefois un centre important du commerce de l'opium.

♦ Didact. Relatif à l'opium, qui contient de l'opium. ⇒ **Opiacé.** *Extrait, sirop, poudre thébaïque. Pilules thébaïques.*

DÉR. Thébaïne, thébaïsme.

THÉBAÏSME [tebaism] n. m. — 1898; de *thébaïque.*

♦ Didact., vx. Intoxication due à l'opium (⇒ **Opiomanie**).

THÉCOPHORES [tekofɔʀ] n. m. pl. — XXᵉ (*in* Larousse, 1933); comp. sav., du grec *thêkê* «coffre», et *-phore.*

♦ Zool. Ordre de tortues à carapace complète soudée au squelette. — Au sing. *Un thécophore.*

-THÉE Élément, du grec *theos* «dieu». ⇒ **-théisme, -théiste;** → Athée.

THÉERIE [teʀi] n. f. — 1874 ; de *thé*, et suff. *-erie*.

♦ Rare. Établissement où l'on traite les feuilles de thé.

1. THÉIER [teje] n. m. — 1936 ; de *thé*, formé sur le modèle de *caféier*.

♦ Arbre à thé. ⇒ **Thé** (1.). *Cultiver des théiers. Plantation de théiers.*

HOM. V. 2. **Théier.**

2. THÉIER, IÈRE [teje, jɛʀ] adj. — 1872 ; de *thé*.

♦ Rare. Relatif au thé, à son commerce. *Port théier. Industrie théière.*

HOM. V. 1. **Théier,** et, pour le fém., **théière.**

THÉIÈRE [tejɛʀ] n. f. — 1723 ; on a dit aussi *thétière*, 1715 ; de *thé*.

♦ Récipient dans lequel on fait infuser le thé (→ Fêler, cit. 2 ; plateau, cit. 1). *Théière d'argent* (→ Bassin, cit. 2 ; gêne, cit. 9), *de porcelaine. La théière et les tasses d'un service à thé.*

On voit, dans l'angle obscur d'une salle à manger,
Les tasses, la théière et le plateau léger (...)
         C�missᵉ DE NOAILLES, Éblouissements, « L'enivrement ».

HOM. V. 2. **Théier** (fém.).

THÉIFORME [teifɔʀm] adj. — 1732 ; de *thé*, et suff. *-forme*. Didactique, rare.

♦ **1.** *Infusion théiforme,* qui se prépare comme le thé* (2.).

♦ **2.** Bot. Qui ressemble au thé* (1.), à l'arbre à thé.

THEILERIA [tɛlɛʀja] n. m. — Mil. xxᵉ ; du nom de Arnold *Theiler*, parasitologue suisse.

♦ Vétér. Sporozoaire parasite des bovins, transmis par les tiques et responsable d'une maladie infectieuse, la *theileriose* [tɛlɛʀjoz] n. f.

THÉINE [tein] n. f. — 1842 ; de *thé*.

♦ Chim. (vx). Alcaloïde qu'on extrait des graines de café et des déchets de feuilles de thé. ⇒ **Caféine** (mod.).

1. THÉISME [teism] n. m. — 1756 ; angl. *theism*, du rad. du grec *theos* « dieu ».

♦ Didact. Doctrine philosophique (indépendante de toute religion positive) qui admet l'existence d'un Dieu unique, personnel, distinct du monde mais exerçant une action sur lui (⇒ aussi **Déisme**) ; → Religion, cit. 21, Rousseau.

Le théisme, dont le roi *(Charles II)* faisait une profession assez ouverte, fut la religion dominante au milieu de tant de religions. Ce théisme a fait depuis des progrès prodigieux dans le reste du monde. Le comte de Shaftesbury (...) l'un des plus grands soutiens de cette religion, dit formellement, dans ses *Caractéristiques,* qu'on ne saurait trop respecter ce grand nom de *théiste*.
         VOLTAIRE, Essai sur les mœurs, CLXXXII.

REM. *Théisme* peut s'opposer à *panthéisme* (Dieu non personnel), à *polythéisme* (pluralité de dieux) et être distingué de *déisme**. Mais les emplois non techniques en font un quasi-synonyme de *déisme*.

On eût bien étonné nos instituteurs et blessé l'idée qu'ils se faisaient de leur capacité d'héritage et d'accueil en leur objectant que cet optimisme, cette divinisation de l'homme et de la société et même leur vague théisme étaient fondamentalement anti-chrétiens. Obéissant à la morale naturelle, ils croyaient de bonne foi relever le Christ trahi par ses prêtres, le continuer et l'accomplir.
         Raymond ABELLIO, Ma dernière mémoire, t. I, p. 143.

CONTR. **Athéisme.**
DÉR. **Théiste.**
HOM. V. 2. **Théisme.**

2. THÉISME [teism] n. m. — 1871 ; de *thé*.

♦ Méd. Ensemble des accidents aigus ou chroniques dus à l'abus de la consommation de thé.

HOM. V. 1. **Théisme.**

-THÉISME, -THÉISTE Éléments, du grec *theos* « dieu », qui entrent dans la composition de mots savants, tels que : *athéisme ; monothéisme, monothéiste ; panthéisme, panthéiste, polythéisme, polythéiste.* ⇒ **Théo-.**

THÉISTE [teist] n. et adj. — 1705 ; angl. *theist* (fin xviiᵉ), du grec *theos* « dieu ».

♦ **1.** N. Personne qui professe le théisme (→ 3. Mal, cit. 42). — Adj. *Philosophe théiste.*

♦ **2.** Relatif, conforme au théisme. *La transcendance théiste et l'immanence panthéiste* (cit. 2). *Théorie théiste.*

CONTR. **Athée.**

THÉLÉMITE [telemit] n. — 1876 ; du nom de l'abbaye de *Thélème*, dans *Gargantua* (Rabelais, 1534), du grec *thelêma* « volonté, désir », de *thelein* « vouloir bien ».

♦ Didact. Personne menant une vie libre et hédoniste, comme les membres de l'abbaye de Thélème.

THÉLOTISME [telotism] n. m. — 1904 ; dér. du grec *thêlé* « mamelon ».

♦ Didact. Érection du mamelon du sein (réflexe mamillo-aréolaire).

THÉLYGÈNE [teliʒɛn] adj. — V. 1940 ; de *thély-* « féminin, femelle », du grec *thêlu-*, de *thêlus* « féminin », et *-gène*.

♦ Biol. (en parlant d'une femelle fécondée). Qui produit une descendance formée uniquement de femelles (opposé à *arrhénogène*). ⇒ **Monogène** (→ Amphogène, cit.).

DÉR. **Thélygénie.**

THÉLYGÉNIE [teliʒeni] n. f. — Mil. xxᵉ ; de *thélygène*.

♦ Biol. Monogénie* où la descendance est formée de femelles (opposé à *arrhénogénie*).

THÉLYTOQUE [telitɔk] adj. — 1896, Giard, *œufs thélytoques*, in *Année sc. et industr.*, 1897, p. 431 ; grec *thêlutokos*, de *thêlus* (→ Thélygène), et *tokos* « enfantement ».

♦ Biol. Se dit des phénomènes de parthénogénèse qui n'engendrent que des femelles.

THÉMATICIEN, IENNE [tematisjɛ̃, jɛn] n. — V. 1970 ; de *thématique*.

♦ Didact. Qui étudie les thématiques (notamment littéraires).

THÉMATIQUE [tematik] adj. et n. f. — 1836 ; « relatif au thème (1.) », 1572 ; grec *thematikos*, de *thema, atos* → Thème.

★ **I.** Adj. ♦ **1.** Mus. Relatif à un thème* (3.) musical. — *Catalogue, table thématique :* table qui contient les premières mesures de chaque morceau avec, en regard, le numéro de la page où il se trouve, dans un recueil d'airs d'opéra, etc.

♦ **2.** [a] (1872). Phonét. *Voyelle thématique :* voyelle qui s'ajoute à la racine pour constituer le thème (5.) portant les désinences dans certaines langues, et, spécialt, dans quelques langues du groupe indo-européen. — Par ext. Se dit des formations qui comportent cette voyelle.

[b] Se dit d'un lexème qui appartient à un thème de pensée, à une terminologie, et ne peut guère se trouver dans un contexte où ce thème n'est pas présent. *Les mots techniques et scientifiques sont thématiques* (opposé à *athématique,* 1.).

♦ **3.** Philos. mod. « Qui pose ou qui est posé comme objet de l'activité mentale, soit implicitement ou sur le mode non réfléchi, soit explicitement ou sur le mode réfléchi » (Foulquié). ⇒ **Thétique.**

♦ **4.** Du thème littéraire. — Littér. *Critique thématique,* qui étudie la présence dans les œuvres d'un auteur de thèmes constants et leur origine supposée (inconscient personnel ou collectif, structures de l'imaginaire, symbolique...).

♦ **5.** Qui concerne un thème précis. — Admin. *Action thématique programmée* (A. T. P.).

Le style administratif redondant, ampoulé et prétentieux, (telle l'expression vide de sens « action thématique programmée ») se trouve aussi encouragé.   1
         A. SAUVY, Croissance zéro ?, p. 188.

★ **II.** N. f. (1936, cit. ci-dessous). *La thématique,* ensemble, système organisé de thèmes (conscients et inconscients). « *La manière dont la philosophie procède et enchaîne est seule pertinente ; son architecture commente sa thématique* » (P. Ricœur, in *la Nef,* nᵒ 31, p. 121). Ensemble de thèmes (dans une narration littéraire, cinématographique, etc.). « *Cette révélation (...) Elle permet surtout à Antonioni de développer sa thématique et de donner une forme concrète à ses idées sur le monde* » (*l'Express,* 8-14 mai 1967).

On ne pourra jamais identifier l'esthétique médiévale avec la thématique médiévale (si on nous pardonne ce néologisme pesant).   2
         L. CONS, État présent des études sur Villon, p. 125 (1936).

DÉR. **Thématicien, thématiser.**
COMP. et CONTR. **Athématique.**

THÉMATISER [tematize] v. tr. — xxᵉ ; de *thématique*, et suff. *-iser*.

♦ Philos. Rendre thématique* (3.), poser une chose comme objet de l'activité mentale.

THÉMATISME [tematism] n. m. — Mil. xxᵉ ; de *thème*, et *-isme*.

♦ **1.** Philos. Rapport d'un thème* aux phénomènes qu'il dirige. Caractère des phénomènes dirigés par un thème. *Thématisme affectif inconscient des associations d'idées.*

Dans le courant du conscient apparaissent les rêves : ceux-ci relèvent aussi d'un thématisme significatif qui met en relation avec les tendances inconscientes.
Guy PALMADE, la Psychothérapie, p. 72 (1951).

♦ **2.** Utilisation systématique de thèmes (A., 3.).

1. THÈME [tɛm] n. m. — 1538; *tesme*, 1265; lat. *thema*, grec *thema* littéral «ce qui est posé» (→ Thèse); le mot appartient surtout au lang. didactique, jusqu'au xIXᵉ.

★ **I. A.** ♦ **1.** Sujet, idée, proposition qu'on développe dans un discours, un ouvrage didactique ou littéraire. ⇒ **Fond** (V., 4.), **idée** (*supra* cit. 49), 3. **sujet** (I., 2. et 3.). *Thème d'un discours, d'un sermon. Thèmes lyriques* (cit. 6).

♦ **2.** Unité du contenu (d'un discours, d'un texte) isolable ou repérable par des moyens lexicaux et correspondant à des constantes de l'imaginaire, de la symbolique. *Le thème du feu, de la chevelure. Ensemble de thèmes.* ⇒ **Thématique.** *Thème iconographique. Thème de composition d'un peintre.* ⇒ 3. **Sujet** (I., 5.); → Naître, cit. 28.

1 Tout écrivain a ses thèmes personnels, projections de sentiments forts qui l'ont poussé à écrire, et malgré lui la plupart de ses livres sont bâtis autour de ces thèmes. A. MAUROIS, Mémoires, I, VI.

♦ **3.** Idée, pensée qui constitue le sujet des propos d'une personne (→ Lamenter, cit. 4), le centre de ses préoccupations; et sur quoi s'exerce la réflexion ou l'activité. ⇒ **Objet** (II., 4.), 3. **sujet** (I., 1.). *L'étude* (cit. 6) *me semblait être le plus beau thème de la vie humaine. Les grands thèmes directeurs de l'attitude révolutionnaire* (cit. 1). — Psychiatrie. *Thèmes délirants. Thèmes de grandeur, de persécution.* — Milit. *Thème de manœuvre, thème tactique.*

♦ **4.** Log. Le sujet* d'une assertion (opposé à *rhème**).

B. ♦ **1.** Vx. Composition scolaire; devoir.

2 Quant à moi, j'avais plus de six ans avant que j'entendisse non plus de Français ou de Périgourdin que d'Arabesque (...) Si (...) on me voulait donner un thème à la mode des collèges, on le donne aux autres en français; mais à moi il me le fallait donner en mauvais latin, pour le tourner en bon.
MONTAIGNE, Essais, I, XXVI.

♦ **2.** (1690). Mod. Exercice scolaire qui consiste à traduire un texte de sa langue maternelle dans une langue étrangère (⇒ **Traduction**); ce texte lui-même. *Thème et version*. Thème d'application* (des règles étudiées). *Thème oral. Faire, bâcler* (cit. 3) *un thème. Barbarismes, solécismes dans un thème. Composition de thème latin.*

3 THÈME. Au collège, prouve l'application, comme la version prouve l'intelligence. — Mais, dans le monde, il faut rire des forts en thème.
FLAUBERT, Dict. des idées reçues, Thème.

Fam. *Un* **FORT EN THÈME** : un très bon élève; un élève, une personne de culture essentiellement livresque (→ Imprévu, cit. 5).

4 Les polissons l'emportent toujours sur les forts en thème, pour peu qu'une circonstance empêche ces derniers de suivre aveuglément le plan qu'ils se sont fait.
COCTEAU, Thomas l'imposteur, p. 8.

C. (1835). Mus. Dessin mélodique qui constitue le sujet d'une composition musicale et qui est l'objet de variations*. ⇒ **Motif** (*supra* cit. 12); 3. **sujet** (I., 4.); → Antécédent, cit. 4. *Varier* un thème. Répétition d'un thème* (⇒ **Leitmotiv**). *Thème et variations* (jazz, variétés). *Improviser sur un thème. Orchestrer à partir d'un thème* (⇒ **Arrangeur**).

5 J'ai déjà parlé de certaines phrases mélodiques dont le retour assidu, dans différents morceaux tirés de la même œuvre, avait vivement intrigué mon oreille, lors du premier concert offert par Wagner dans la salle des Italiens. Nous avons observé que dans *Tannhäuser* la récurrence des deux thèmes principaux, le motif religieux et le chant de volupté, servait à réveiller l'attention du public et à le replacer dans un état analogue à la situation actuelle.
BAUDELAIRE, l'Art romantique, XXI, III.

6 On confond souvent la notion du thème avec celle de motif. À l'encontre de ce dernier, le thème présente déjà une physionomie bien accentuée; il est généralement engendré par plusieurs répétitions d'un même motif, la juxtaposition d'un motif et d'un motif symétrique ou contrastant.
P. COLLAER, in Encycl. franç., (DE MONZIE), 16.36.1.

Par métaphore. *Les ornemanistes français ont brodé sur ce thème* (pictural) *d'infinies variations* (→ Grotesque, cit. 2). *Les mimes* (cit. 1) *romains brodaient des variations imprévues sur le thème qu'ils avaient annoncé.*

D. (1690). Astrol. *Thème astral, généthliaque* (cit.), *de nativité :* représentation symbolique de l'état du ciel au moment de la naissance de qqn, permettant d'établir son horoscope. ⇒ **Nativité** (*supra* cit. 3).

★ **II.** (1842). Ling. (Dans certaines langues à flexion). Partie du mot (composée de la racine, élargie parfois d'un élément dit *thématique**) à laquelle on ajoute les désinences. ⇒ **Radical** (II., 1.). *Thèmes nominaux, verbaux, modaux, temporels, vocaliques, consonantiques. Mots latins à thème en -i* (civis), *en -u* (manus).

DÉR. Thématique, thématisme.
HOM. V. 2. Thème.

2. THÈME [tɛm] n. m. — 1726; grec byzantin *thema*, spécialisation du grec classique. → 1. Thème.

♦ Hist. Division administrative de l'Empire byzantin.
HOM. V. 1. Thème.

THÉNAR [tenaʀ] n. m. — xvIᵉ, *tenar*; grec *thenar* «paume».

♦ Anat. Saillie formée sur la paume de la main par les muscles courts du pouce. *Quand la paume est tournée vers le haut, le thénar se trouve placé vers l'extérieur* (cf. Région palmaire externe). — Appos. *Éminence thénar.*
COMP. V. Hypothénar.

THÉNARDITE [tenaʀdit] n. f. — 1846, Bescherelle, mais antérieur; 1842, en angl. *thenardite*; du nom du chimiste *Thénard* (1777-1857).

♦ Minér. Sulfate naturel de sodium formant des cristallisations blanches ou brunes et translucides. *Les cristaux de thénardite appartiennent au système orthorhombique. La thénardite fournit un sel alimentaire, notamment dans la zone sahélienne.*

THÉO- Premier élément, tiré du grec *theos* «dieu», qui entre comme préfixe dans certains mots empruntés ou formés directement en français (ex. : *théocratie**).

THEOBROMA [teobʀoma] ou **THÉOBROME** [teobʀom] n. m. — 1765; mot formé par Linné, d'après le grec *theos* «dieu», et *brôma* «nourriture», littéral «mets des dieux».

♦ Didact. Nom scientifique d'un genre de malvacées auquel appartient le *theobroma cacao* ou *cacaoyer**. → Cacao, cit. 1.
DÉR. Théobromine.

THÉOBROMINE [teobʀomin] n. f. — 1843; de *theobroma*, et suff. *-ine*.

♦ Chim. Alcaloïde extrait du cacao, qui existe aussi dans le thé. *La théobromine est un diurétique puissant, un cardiotonique et un vasodilatateur des artères secondaires.*

THÉOCRATE [teɔkʀat] n. m. — 1775; de *théocratie*.

♦ Didact., rare. Celui qui exerce un pouvoir de nature théocratique. *« Ceux qui acceptaient de dire que l'ayatollah Khomeiny était un fou dangereux — dans mon langage, un "théocrate" —»* (*l'Express*, 14 avr. 1979, Interview, p. 161). — Hist. (pendant la Révolution française). *Les théocrates :* les partisans des prêtres, de l'Église; les prêtres eux-mêmes lorsqu'ils prétendaient jouer un rôle politique.

THÉOCRATIE [teɔkʀasi] n. f. — 1679; grec *theocratia*; de *théo-*, et *-cratie*.

Didactique.

♦ **1.** Mode de gouvernement dans lequel l'autorité, qui est censée émaner directement de la divinité, est exercée par une caste sacerdotale ou par un souverain considéré comme le représentant de Dieu sur la terre, parfois même comme un dieu incarné. *La théocratie, telle qu'elle s'exerce au Tibet* (→ Lamaïsme, cit.).

(...) dans la haute antiquité, la force était dans la théocratie; le prêtre tenait le glaive et l'encensoir. BALZAC, la Peau de chagrin, Pl., t. IX, p. 57.
Les interventions de ses dieux sont imprévisibles comme leurs oracles. Nul livre révélé ne fixe à jamais leur loi. Les temples ne dispensent pas d'enseignement religieux, et la Grèce ne possède pas de caste sacerdotale. Les chrétiens ont très vite distingué des autres infidèles les païens sans clergé, sans théocratie, sans Créateur, sans Juge et sans éternité.
MALRAUX, la Métamorphose des dieux, p. 51.

♦ **2.** Par ext. (Dans la langue de la polémique, surtout pendant la Révolution française). Régime où l'Église, les prêtres jouent un rôle politique important.
DÉR. Théocrate, théocratique.

THÉOCRATIQUE [teɔkʀatik] adj. — 1701; de *théocratie*.

♦ Didact. Relatif à la théocratie, qui est de la nature de la théocratie. *Gouvernement théocratique.*

Le royaume de Neustrie était réellement une république théocratique. Les évêques nourrissaient, soutenaient ce roi qu'ils avaient fait; ils lui permettaient de lever des soldats parmi leurs hommes; ils gouvernaient les choses de la guerre comme celles de la paix.   MICHELET, Hist. de France, II, III.

DÉR. Théocratiquement.

THÉOCRATIQUEMENT [teɔkʀatikmɑ̃] adv. — 1834; de théocratique.

♦ Didact. Selon le système, le régime théocratique.

THÉODICÉE [teɔdise] n. f. — 1710, dans le titre de l'ouvrage de Leibniz, Essais de théodicée sur la bonté de Dieu, la liberté de l'homme et l'origine du mal; mot créé par Leibniz d'après le grec theos (→ Théo-) et grec diké «justice»; → aussi Anthropodicée. Didactique.

♦ **1.** Justification de la bonté de Dieu par la réfutation des arguments tirés de l'existence du mal.

(Quand) la théologie dégénérant en théodicée comme si elle avait à justifier, à disculper Dieu des désordres de l'histoire, se contente d'interpréter le monde au lieu d'aider à le transformer (...)   Roger GARAUDY, Parole d'homme, p. 241.

♦ **2.** (1839; emploi dû à l'influence de l'école éclectique). Vx. L'une des quatre parties (avec la psychologie, la morale et la logique) de la philosophie telle qu'on l'enseignait alors dans les lycées et les collèges. La théodicée traitait de l'existence et des attributs de Dieu, de la providence, de l'immortalité de l'âme, etc. — Théologie naturelle (ou rationnelle). ⇒ **Métaphysique.**

THÉODOLITE [teɔdɔlit] n. m. — 1704, pour désigner un instrument d'arpentage; du lat. sc. theodolitus, nom donné en 1571 à son appareil par l'inventeur Digges; cf. en angl. theodelite, 1607; les formes en théodo- apparaissent dans la seconde moitié du XVIIᵉ s.; orig. inconnue (on a proposé alhidada «alidade», et divers éléments grecs sans homogénéité); on peut cependant évoquer le grec dêlos «visible».

♦ Sc. Appareil, instrument de visée muni d'une lunette, qui sert en géodésie à mesurer les angles horizontaux et verticaux, à lever les plans, et en astronomie à déterminer l'azimut et la hauteur apparente d'un corps céleste. ⇒ **Cercle;** → Longitude, cit. 2.

THÉODOSIEN, IENNE [teɔdozjɛ̃, jɛn] adj. — 1872; du nom de Théodose.

♦ Hist. Relatif à l'empereur d'Orient Théodose (Théodose le Grand ou Théodose II). — Code théodosien.

THÉOGONIE [teɔgɔni] n. f. — 1556, in Arveiller; grec theogonia, de theos (→ Théo-), et -gonie (→ -gone).

♦ **1.** Système, récit qui explique la naissance des dieux et présente leur généalogie, dans les religions polythéistes. ⇒ **Mythologie.** — La Théogonie, poème d'Hésiode.

Mais le peu qui nous reste des théogonies phéniciennes, persanes, syriennes, indiennes, égyptiennes, n'est pas mieux lié.   VOLTAIRE, Philosophie, Bible, Genèse.

♦ **2.** Ensemble des divinités d'une religion polythéiste.

DÉR. Théogonique.

THÉOGONIQUE [teɔgɔnik] adj. — 1839; de théogonie.

♦ Didact. Relatif à une théogonie, qui constitue une théogonie. Système théogonique.

THÉOLOGAL, ALE, AUX [teɔlɔgal, o] adj. et n. — 1375; de théolog(ie).

★ **I.** Adj. Relig. cathol. Vertus théologales : vertus qui ont Dieu lui-même pour objet et qui sont les plus importantes pour le salut. Les trois vertus théologales sont la foi* (supra cit. 27), l'espérance* (cit. 27) et la charité*.

★ **II.** N. ♦ **1.** N. m. Chanoine du chapitre d'une cathédrale chargé d'enseigner la théologie. Des théologaux.

♦ **2.** N. f. Théologale : fonction, dignité du théologal.

THÉOLOGICO- Premier élément de composés didactiques signifiant «théologique et à la fois...». Ex. : théologico-historique (1877, in D.D.L.) «qui est à la fois théologique et historique».

THÉOLOGIE [teɔlɔʒi] n. f. — V. 1270; lat. chrétien theologia, lui-même grec theologia; de theos (→ Théo-), et logia (→ -logie).

★ **I.** (Dans la religion chrétienne et dans les systèmes philosophiques d'inspiration chrétienne.)

♦ **1.** ⓐ Étude des questions religieuses (→ Dogme, cit. 4; morale, et aussi culte, droit canon*, prédication) fondée principalement sur les textes sacrés, la tradition, etc. (⇒ **Révélation** 2.), à la différence de sciences comme l'histoire des religions ou la sociologie religieuse, des disciplines comme la philosophie ou la métaphysique, qui considèrent ces problèmes d'un point de vue rationaliste. — Spécialt (dans le christianisme, et notamment le catholicisme romain). Théologie révélée ou sacrée (par oppos. à théologie rationnelle ou naturelle; → ci-dessous, I., 1., b). Théologie positive*, qui se subdivise elle-même en théologie scripturaire, patristique, conciliaire. — Théologie dogmatique, morale (⇒ aussi **Casuistique**), mystique, canonique, liturgique, parénétique. Théologie polémique. ⇒ **Apologétique.** Importance de la théologie au moyen âge. ⇒ **Scolastique** (II., 1.). Question, point de théologie (→ Magistral, cit. 1). Les controverses de la théologie. ⇒ **Disputation** (vx); → Philosophie, cit. 1. École, faculté, professeur, études de théologie (→ Banc, cit. 2; extraire, cit. 6; hésiter, cit. 13; séminaire, cit. 1). La Sorbonne, école de théologie de Paris sous l'Ancien Régime. Faculté de théologie protestante de Strasbourg. Docteur en théologie (→ Grève, cit. 3). — REM. Pour le vocabulaire de la théologie → Christianisme, église, hérésie, religion.

Pour votre question de théologie (...) elle ne touche point à ce qui dépend de la révélation, ce que je nomme proprement théologie; mais elle est plutôt métaphysique et se doit examiner par la raison humaine.
DESCARTES, Correspondance, À Mersenne, 15 avr. 1630.   1

Par anal. (généralement avec une valeur péjorative). Système dogmatique et abstrait. ⇒ aussi **Scolastique** (supra cit. 4).

ⓑ Théologie rationnelle ou naturelle : partie de la philosophie qui traite de l'existence de Dieu, de ses attributs, en se fondant (en affirmant se fonder) sur la raison (I., 5.) et l'expérience. ⇒ **Théodicée** (2.). — Théologie physique, qui a pour objet de démontrer l'existence de Dieu par l'ordre et l'harmonie de l'univers (preuve physicothéologique*). — Théologie morale, qui a pour objet de démontrer l'existence de Dieu en se fondant sur les fins morales de l'homme.

♦ **2.** (Avec un déterminant, adjectif ou complément de nom). Doctrine de l'Église, étude théologique portant sur un point déterminé de dogme, de morale, etc. La théologie du sacerdoce (cit. 2). La théologie sacramentaire (→ Sacrement, cit. 1). — Doctrine théologique particulière, manière particulière d'aborder et de traiter les problèmes de théologie. La théologie de saint Augustin, de saint Thomas d'Aquin. La théologie des Pères. Une théologie subtile mais peu orthodoxe.

Je lui ai montré un peu de théologie, de cette ancienne et bonne théologie des Bossuet, des Arnauld, des Fleury.   STENDHAL, le Rouge et le Noir, I, XXV.   2

♦ **3.** Recueil des ouvrages de théologie d'un auteur; traité de théologie. La théologie de Bellarmin (1613).

♦ **4.** (XIVᵉ). Études de théologie (au sens I, 1, a). Faire sa théologie. Après trois mois de théologie (→ Sacristain, cit.).

★ **II.** (En parlant d'une religion autre que le christianisme). La théologie juive (→ Hypostase, cit. 1). Les plus anciennes théologies furent inventées chez les Indiens (→ Sanscrit, cit. 1, Voltaire). La théologie musulmane.

DÉR. Théologal, théologien, théologique, théologiser.
COMP. V. Théologico-.

THÉOLOGIEN, ENNE [teɔlɔʒjɛ̃, ɛn] n. — 1370; de théologie.

♦ **1.** Spécialiste de théologie* (I., 1., a). ⇒ **Docteur** (1.); et aussi casuiste, consulteur (→ Hypostatique, cit. 1; ministre, cit. 1; pénétration, cit. 1). Colloque, controverse de théologiens. — Au fém. (rare). « L'âme simple et bien intentionnée (cit. 2) ne fait pas tant la théologienne et la savante » (P. Ourdaloue).

♦ **2.** (1743). Étudiant en théologie.

♦ **3.** (Religions autres que le christianisme). Un théologien musulman.

THÉOLOGIQUE [teɔlɔʒik] adj. — 1375; lat. tardif theologicus, lui-même grec theologikos, de theologia → Théologie.

♦ De théologie, relatif à la théologie* (I., 1., a). Opinions, querelles, études théologiques (→ Âpreté, cit. 10; gallican, cit. 2; implicite, cit. 2). Preuves (cit. 5) théologiques de l'existence de Dieu. Somme théologique (→ aussi Fresque, cit. 8).

Spécialt (dans la philosophie de Comte). État (cit. 48) théologique ou fictif : état le plus primitif du développement de l'esprit humain, dans lequel «il se représente les phénomènes comme produits par l'action directe et continue d'agents surnaturels» (Comte, Cours de philosophie positive, 1ʳᵉ leçon). Être (cit. 7), méthode, âge théologique (→ Esprit, cit. 47; idéologie, cit. 8). Étapes de l'état théologique : fétichisme, polythéisme, monothéisme.

DÉR. Théologiquement.
COMP. Physico-théologique.

THÉOLOGIQUEMENT [teɔlɔʒikmɑ̃] adv. — 1586; de *théologique*.

♦ Didact. Selon les principes de la théologie; du point de vue théologique.

THÉOLOGISER [teɔlɔʒize] v. intr. — xive; de *théologie*.

♦ Vx. Faire des spéculations théologiques.

THÉOMANIE [teomani] n. f. — xxe; de *théo-*, et *-manie*.

♦ Psychiatrie. Délire mystique dans lequel l'individu (dit *théomaniaque*) se croit inspiré par des forces divines.

THÉOPHAGIE [teofaʒi] n. f. — xxe; déjà *théophage*, 1566, H. Estienne; de *théo-*, et *-phagie*.

♦ Didact. Pratique qui consiste à manger (symboliquement) le dieu qu'on adore.

Ensuite, ils abandonnent aux gens des autres clans l'espèce dont ils viennent de provoquer la résurrection et qu'ils ont désacralisée en faisant usage les premiers de cette nourriture sainte, identique à eux-mêmes et à laquelle ils ont périodiquement besoin de goûter dans un geste de cannibalisme vivifiant, de fortifiante théophagie (...)   Roger CAILLOIS, l'Homme et le Sacré, p. 140.

THÉOPHANIE [teofani] n. f. — 1872; *tyephane*, xiie, « épiphanie »; du grec *theophania*.

♦ Théol. Apparition d'un dieu (reconnu comme tel). — Naissance du Christ, chez les Pères de l'Église.

CONTR. Aorasie.

THÉOPHILANTHROPE [teofilɑ̃trɔp] n. m. — V. 1796, formation défectueuse, due à l'influence de *philanthrope*, pour exprimer l'idée de « ami de Dieu et des hommes »; de *théo-*, *-phile*, et *-anthrope*.

♦ Hist. Adepte de la théophilanthropie.

Voilà qui aurait surpris l'oncle, le régicide! Lui, il était plutôt théophilanthrope (...) il était contre les figurations de la divinité.   ARAGON, la Semaine sainte, XIV.

THÉOPHILANTHROPIE [teofilɑ̃trɔpi] n. f. — 1801; de *théo-*, et *philanthropie*.

♦ Système philosophique et religieux d'inspiration déiste qui prétendait remplacer le catholicisme et fut à la mode entre 1796 et 1801.

THÉOPHYLLINE [teofilin] n. f. — 1889, in *Année sc. et industr.* 1890, p. 186; de *thé*, et grec *phullon* « feuille ».

♦ Chim. Alcaloïde contenu dans les feuilles de thé, isomère de la théobromine (groupe de la purine), que l'on peut préparer par synthèse. *La théophylline est diurétique et eupnéique* (→ aussi Aminophylline).

La théophylline, substance primitivement retirée des feuilles du thé, augmente l'amplitude et renforce les contractions du myocarde.   A. GALLI et R. LELUC, les Thérapeutiques modernes, p. 73.

THÉORBE ou **TÉORBE** [teɔrb] n. m. — 1661; *tuorbe*, fin xvie; on a dit aussi *tiorbe* (1626); ital. *tiorba*, d'orig. inconnue.

♦ Anciennt. Instrument de musique ancien (xvie et xviie siècles), sorte de luth à deux chevilliers, au son plus grave que celui du luth ordinaire.

Jusqu'à ce que Phœbus recommence son orbe,
J'ai donc sur mes talons ces joueurs de théorbe (...)   Edmond ROSTAND, Cyrano de Bergerac, III, 1.

THÉORÉMATIQUE [teɔrematik] adj. — 1901, Naville; grec *theorematikos*, de *theorema* → Théorème.

♦ Didact. Qui a le caractère d'un théorème. *Sciences théorématiques*, énonçant des rapports, des lois (par oppos. à *sciences historiques* et *normatives*).

THÉORÈME [teɔrɛm] n. m. — 1538; lat. *theorema*, grec *theorema* « objet d'étude, principe », de *theôrein*. → Théorie.

♦ **1.** Log., math. Proposition démontrable qui résulte d'autres propositions déjà posées (par oppos. à *définition*, *axiome*, *postulat*, *principe*). *Théorème réciproque**. *Démontrer un théorème*. ⇒ **Démonstration**. *Théorème de géométrie* (→ Figure, cit. 5), *de mécanique* (→ Parallélogramme, cit.; résultante, cit. 2).

♦ **2.** Cour. (incorrect scientifiquement). Démonstration rigoureuse.

Et, au bout de chaque fable, il y avait une morale, quelque réflexion bien plate et bien prosaïque qui nous donnait l'impression que tout ce qui précédait n'avait été dit que pour en venir là; c'était comme une espèce de théorème : C. Q. F. D.   Valery LARBAUD, Enfantines, « Devoirs de vacances », p. 205.

DÉR. V. Théorématique.

THÉORÉTIQUE [teɔretik] adj. et n. f. — 1721, Trévoux; du lat. *theoreticus*, du grec *theoretikos*, de *theoretos*, de *theôrein*. → Théorème.

Didactique.

♦ **1.** Hist. de la philos. (Aristote). Qui vise à la connaissance (non à l'action). ⇒ **Théorique**. — Spécialt. Qui a pour objet la théorie. *Doctrine théorétique*.

♦ **2.** N. f. Étude de la connaissance qui « voit l'absolu dans la connaissance » (G. Berger) et renonce aux considérations ontologiques.

THÉORICIEN, ENNE [teɔrisjɛ̃, ɛn] n. — 1550; admis *Académie*, 1798, et rare jusqu'au xixe; de *théorie*.

♦ **1.** Personne qui connaît la théorie, les principes d'une science; d'une technique, d'un art. *L'expérimentateur* (cit. 2) *doit être à la fois théoricien et praticien. Une théoricienne de la musique.*

♦ **2.** Personne qui élabore, professe, défend une théorie sur un sujet. *Les théoriciens capitalistes de la population* (cit. 4) *optimale. Le théoricien du nihilisme russe* (→ Fanatique, cit. 8).

♦ **3.** Spécialt (sans complément). Personne qui, dans un domaine déterminé, se préoccupe surtout de connaissance abstraite et spéculative, souvent organisée en système* (et non de la pratique, des applications, du réel). *Théoriciens et ingénieurs, théoriciens et techniciens. Une théoricienne. Les chimères des théoriciens* (→ 1. Pratique, cit. 3; et aussi légiférer, cit. 2).

Ce n'était pas *(Solon)* un de ces théoriciens qui ont rêvé dans le silence du cabinet la transformation du monde, mais un homme d'expérience et de pratique.   FUSTEL DE COULANGES, Leçons à l'Impératrice..., III.

1. THÉORIE [teɔri] n. f. — 1496, rare avant le xviie (Descartes, Pascal) au sens 2; lat. ecclés. *theoria*, grec *theôria* « observation, contemplation », de *theôrein* « observer ».

♦ **1.** (1587). Ensemble d'idées, de concepts abstraits, plus ou moins organisés, appliqué à un domaine particulier. ⇒ **Spéculation; conception, doctrine, idée** (II., 4.), **opinion, système**. *Bâtir* (cit. 38 et 40), *concevoir une théorie. Faire une théorie sur...* (→ Création, cit. 6; jamais, cit. 32). *Faire la théorie de qqch. Théories sociales* (→ Gendarme, cit. 7). *Théories artistiques, littéraires. Les théories, les poétiques* (2. Poétique, cit. 2) *et les systèmes* (Hugo). *Un homme à théories* (→ Croire, cit. 71). *Méthode, théorie applicable* (cit. 2) *à chacun. Mettre une théorie en action*, en application*.*

Mon bon ami, toute théorie est sèche, et l'arbre précieux de la vie est fleuri.   NERVAL, Trad. GOETHE, Faust, I, p. 81.

Dans les arts, les théories ne valent pas grand'chose (...) Mais c'est une calomnie. La vérité est qu'elles n'ont point de valeur universelle. Ce sont des théories pour un. Utiles à lui. Faites à lui, et pour lui, et par lui (...) il manque à la théorie même de déclarer qu'elle n'est pas vraie en général, mais vraie pour X dont elle est l'instrument.   VALÉRY, Tel quel, II, Rhumbs, Littérature, Œ., t. II, Pl., p. 638.

Absolt. La *théorie* opposée à la *pratique** (→ Méthode, cit. 1, Descartes; savant cit. 11, Cl. Bernard). *L'histoire* (cit. 36) *et la théorie. En théorie* : en envisageant la question d'une manière abstraite, spéculative (→ 1. Pratique, cit. 4 et 7), et, par ext., irréalisable, inapplicable (⇒ **Théorique**, 3., **théoriquement** 2.). — REM. Dans cet emploi, *théorie*, comme *système* (I., 2.), est parfois péjoratif.

(...) la grossière tentation pour l'écrivain d'écrire des œuvres intellectuelles. Grande indélicatesse. Une œuvre où il y a des théories est comme un objet sur lequel on laisse la marque du prix.   PROUST, le Temps retrouvé, Pl., t. III, p. 882.

(...) si une théorie me convainquait, elle ne me restait pas extérieure; elle changeait mon rapport au monde, elle colorait mon expérience.   S. DE BEAUVOIR, la Force de l'âge, p. 228.

♦ **2.** Sc. Construction intellectuelle méthodique et organisée, de caractère hypothétique (au moins en certaines de ses parties) et synthétique. ⇒ **Hypothèse, système** (vieilli). *Principes* et lois d'une théorie. Croire à une théorie « sous bénéfice d'inventaire expérimental »* (→ Doute, cit. 12). *Théories mathématiques, physiques* (→ Exprimer, cit. 14)... *La théorie atomique* (atomisme). *Théorie cinétique des gaz. La théorie du plutonisme*, au xviie s. *Théorie de la Terre* (Buffon). — *Théorie des ensembles* (supra cit. 18). *La théorie des nombres. Théorie quantique ou des quanta** (cit. 1). *Théorie de la relativité** (cit. 3 et 4). *Théorie (du champ) unitaire*, qui ferait la synthèse des théories sur les interactions nucléaires, électromagnétiques et de la gravitation. — *Théorie de l'épigénèse, de l'évolution** (→ Fixité, cit. 6). — Psychol. *La théorie de la connaissance**. ⇒ **Épistémologie**. *Théorie de la forme*. Théorie des systèmes* (ou *systémique*). — Philos. ⇒ **Philosophie** (6.). *Théorie* *générale métaphysique* (→ Explication* du monde). — *La théorie de la pratique.*

3   Les faits sont les matériaux nécessaires; mais c'est leur mise en œuvre par le raisonnement expérimental, c'est-à-dire la théorie, qui constitue et édifie véritablement la science (...) La théorie n'est que l'idée scientifique contrôlée par l'expérience.   Cl. BERNARD, Introd. à l'étude de la médecine expérimentale, I, I.

4   Une théorie physique n'est pas une explication, c'est un système de propositions mathématiques, déduites d'un petit nombre de principes, qui ont pour but de représenter aussi simplement, aussi complètement que possible un ensemble de lois expérimentales.   P. DUHEM, la Théorie physique, p. 24.

Éléments de connaissance organisés en système (dans un but didactique). *Les premières lueurs de la théorie musicale* (cit. 1). ⇒ **Règle(s).** — (1636). Milit. Les principes de la manœuvre*. *Cours de théorie.*

Par ext. Exposé d'une théorie (livre*). *Théorie et pratique du piano.*

5   En solfège, je ne mordais qu'à la théorie; je chantais faux et ratais lamentablement mes dictées musicales.
          S. DE BEAUVOIR, Mémoires d'une jeune fille rangée, p. 69.

DÉR. **Théorétique, théoricien.**
HOM. 2. **Théorie.**

2. THÉORIE [teɔʀi] n. f. — XVIIIe; grec *theôria* « procession ».

♦ **1.** Antiq. Députation envoyée par une ville à une fête solennelle, à un grand temple..., pour offrir des sacrifices à un dieu, lui demander un oracle. Procession solennelle.

♦ **2.** (1897). Groupe (de personnes) qui s'avancent les unes derrière les autres. ⇒ **Cortège, défilé, procession.** *Des théories de femmes* (→ Fleurir, cit. 16).

(Choses). Suite, file.

À peine avions-nous retrouvé le sommeil qu'il fallait partir. Notre théorie de camions réquisitionnés s'ébranlait.
          P. GUTH, le Naïf sous les drapeaux, III, II, p. 91.

HOM. 1. **Théorie.**

THÉORIQUE [teɔʀik] adj. — V. 1380, n. f.; « théorie », 1256, jusqu'au XVIe; lat. *theoricus*, grec *theôrikos*, de *theôria*. → 1. Théorie.

A. ♦ **1.** Qui consiste en connaissance abstraite, en spéculations. ⇒ 1. **Théorie** (1.); **spéculatif.** *Jugement théorique et jugement pratique* (2. Pratique, cit. 1). *Un écrit* (→ Genre, cit. 15), *un exposé, un raisonnement théorique.*

♦ **2.** Qui élabore des théories, des spéculations; qui est tourné vers la pensée abstraite. *Le divorce* (cit. 5) *de la vie pratique et de la pensée théorique. La raison théorique et la raison pratique*, chez Kant.

Psychol. *Type théorique*, défini par l'esprit d'analyse, la curiosité intellectuelle...

Sc. *Physique théorique et physique appliquée.*

♦ **3.** (XXe). Cour. (Souvent péj.). Qui est conçu, considéré, défini, étudié d'une manière abstraite (et le plus souvent incorrecte) par oppos. à *expérimental, réel, vécu... Modèle, schéma, type théorique. Une égalité théorique recouvre des inégalités* (cit. 9) *de fait.*

♦ **4.** Sc. *Gaz théorique*, parfait. *Le solide théorique étudié par la mécanique. Rendement théorique d'une machine.* ⇒ 1. **Idéal** (1.).

B. (Du sens A, 3). Cour. Sans rapport vérifiable avec la réalité. *Une décision toute théorique.* ⇒ **Irréalisable.** *Il nous a promis de venir demain, mais c'est assez théorique* (⇒ **Théoriquement**).

CONTR. Pratique; appliqué, clinique, empirique, expérimental; agissant, efficace, réel.
DÉR. **Théoriquement.**

THÉORIQUEMENT [teɔʀikmɑ̃] adv. — 1557; répandu XXe dans le lang. courant; de *théorique.*

♦ **1.** Par la théorie, la spéculation abstraite. ⇒ **Spéculativement.** *Justifier théoriquement une œuvre*, par une théorie (→ Géométrique, cit. 4). *Cette assimilation n'a pas été réalisée théoriquement, mais elle existe en fait* (→ Diplomatique, cit. 1). — Sc. En théorie; envisagé par la théorie (→ Réflexe, cit. 1).

♦ **2.** (V. 1920). D'après une conception, une décision abstraite, générale, qui ne tient pas compte de la réalité. ⇒ **Principe** (en). → Sur le papier. *Théoriquement, l'uniforme des volontaires était bleu* (cit. 14). *Cet idéal auquel on adhère théoriquement* (→ Pratiquement, 2., cit. 1).

♦ **3.** Fam. En principe. *Théoriquement, je devrais arriver à New York vers 11 heures.* — D'une manière théorique (B.).

CONTR. Pratiquement. — Réellement.

THÉORISATION [teɔʀizasjɔ̃] n. f. — 1891; de *théoriser*, et *-ation.*

♦ Didact. Mise en théorie d'opinions (politiques, scientifiques, philosophiques...), de jugements intuitifs.

(...) notre temps a introduit dans la théorisation des passions politiques deux nou-

veautés qui ne laissent pas de singulièrement les aviver. La première, c'est qu'aujourd'hui chacune prétend que son mouvement est conforme au « sens de l'évolution »; au « développement profond de l'histoire » (...) la seconde nouveauté : la prétention qu'ont aujourd'hui toutes les idéologies politiques d'être fondées sur la science, d'être le résultat de la *stricte observation des faits.*
          Julien BENDA, la Trahison des clercs, p. 116-117.

2   S'il est vrai que la théorisation de Freud s'appuie fréquemment sur une véritable dialectique entre des termes couplés deux à deux, à la fois proches et divergents, la pensée marcusienne opère d'emblée l'abolition d'un des deux termes.
          J. LAPLANCHE, Instinct et Société, *in* le Monde, 8 mars 1969.

THÉORISER [teɔʀize] v. intr. et tr. — 1829; de *théorie.*
Didactique.

♦ **1.** V. intr. Émettre, présenter une théorie. *Théoriser sur un problème.* « *On philosophe sur de Sade, on théorise sur Tardieu* » (Goncourt, *Journal*, t. II, p. 28). — Absolument :

Quelques-uns *théorisent* et se prétendent disciples de Bakounine.
          Cecil SAINT-LAURENT, Clarisse, p. 41.

♦ **2.** V. tr. (1907). Mettre en théorie. *Théoriser une opinion, une attitude politique.*

THÉOSOPHE [teɔzɔf] n. — 1704; grec *theosophos* « qui connaît les choses divines »; de *theos* (→ Théo-), et *sophos* (→ -sophe).

♦ Adepte de la théosophie* (→ 1. Mage, cit. 5). *J. Boehme, Saint-Martin, Swedenborg, théosophes célèbres. Une théosophe.*

(Anthelme) parle d'entretenir à ses frais un poète, un penseur, un théosophe, n'importe lequel enfin de ces types formidables que la Société condamne à crever de faim.   BERNANOS, Monsieur Ouine, Romans, Pl., p. 1358.

DÉR. **Théosophie, théosophique.**

THÉOSOPHIE [teɔzɔfi] n. f. — 1765; grec *theosophia*, de *theos*, et *sophia*. → Théosophe.

♦ Didact. Doctrine imprégnée de magie et de mysticisme, qui vise à la connaissance de Dieu par l'approfondissement de la vie intérieure et à l'action sur l'univers par des moyens surnaturels. ⇒ **Cabale, gnose** (3.), **occultisme, religion** (*supra* cit. 21), **spiritisme.**

La *Symbolique* qui déchiffre l'univers comme un texte hiéroglyphique; l'*Herméneutique*, qui donne des Écritures une interprétation plus profonde que la lettre; la *Théosophie*, qui attend et reçoit communication d'une lumière immédiate (...)
          VALÉRY, Variété, Études philos., Œ., t. I, Pl., p. 869.

DÉR. **Théosophique, théosophisme.**

THÉOSOPHIQUE [teɔzɔfik] adj. — 1784; de *théosophie.*

♦ Didact. Relatif à la théosophie.

THÉOSOPHISME [teɔzɔfism] n. m. — Av. 1784, Diderot; de *théosophie.*

♦ Didact. Doctrine, système théosophique.

1. THÈQUE [tɛk] n. f. — 1839, Boiste, au plur.; grec *thêkê* « loge ».

♦ **1.** Bot. Réceptacle contenant les spores de divers champignons. ⇒ **Asque.**

♦ **2.** Sc. nat., anat. Enveloppe; gaine. *Thèque contenant une ponte d'insecte.* ⇒ **Oothèque.** *Thèque du follicule ovarien.*

HOM. Teck, 2. **thèque,** 3. **thèque.**

2. THÈQUE [tɛk] n. f. — 1975, *in* Larousse; de la finale de *bibliothèque, discothèque.* → -thèque.

♦ Service réunissant et classant des documents de diverses natures (livres, disques, bandes, cassettes), dans une entreprise, un réseau de radio ou de télévision.

HOM. Teck, 1. **thèque,** 3. **thèque.**

3. THÈQUE [tɛk] n. f. — Attesté 1894, *in* Petiot, mais très antérieur; mot normand, de l'anc. scandinave *tekja* « lutin ».

♦ Régional (Normandie). Jeu de balle (« balle au camp »). *La grande thèque. La thèque est à l'origine du base-ball américain.* — Bâton, crosse que les joueurs utilisent à ce jeu.

HOM. Teck, 1. **thèque,** 2. **thèque.**

-THÈQUE Élément, du grec *thêkê* « loge, réceptacle, armoire », de quelques mots savants (ex. : *bibliothèque, cinémathèque, discothèque, glyptothèque, pinacothèque, sonothèque,* etc.). ⇒ 2. **Thèque.**

THÉRAPEUTE [teʀapøt] n. — 1704; grec *therapeutês*, de *therapeuein* « soigner ».

★ **I.** Antiq. Ascète juif (homme ou femme) qui vivait en communauté non loin d'Alexandrie (⇒ **Moine**). *Les Thérapeutes formaient probablement « une secte hérétique » dans le judaïsme, « une sorte d'essénisme perfectionné »* (Guignebert, *le Monde juif vers le temps de Jésus*, p. 320).

★ **II.** Didact. ♦ **1.** (1886, Bloy). Personne qui soigne les malades (⇒ **Guérisseur, médecin**).

Le docteur Chérubin Des Bois habite un appartement somptueux (...) C'est le médecin du monde exquis, le thérapeute des salons, l'exorciste délicat des petites névroses distinguées.   Léon BLOY, le Désespéré, p. 18.

REM. Dès son apparition, le mot semble être spécialisé dans le contexte psychologique.

♦ **2.** Psychothérapeute*. ⇒ **Psychanalyste**.

THÉRAPEUTIQUE [teʀapøtik] adj. et n. f. — Av. 1478, *thérapeutice*, n. f. ; grec *therapeutikos*, de *therapeutês*. → Thérapeute.

★ **I.** N. f. ♦ **1.** (XIVᵉ). Partie de la médecine qui étudie et met en application les moyens propres à guérir et à soulager les malades (→ Maladie, cit. 2). ⇒ **Médicament**; chirurgie, cure; **médicament, médication, remède, soin, traitement**; allopathie, homéopathie; et les suff. **-logie** (posologie, radiologie; ophtalmologie, neurologie...), **-thérapie**. *Emploi des produits chimiques, des plantes, des sérums et vaccins,... en thérapeutique. Thérapeutique symptomatique*. — *Thérapeutique scientifique; traditionnelle, magique...* (→ Granule, cit.). *La thérapeutique des guérisseurs, des sorciers*.

1   Il en prit une (*fiole*) pour énumérer les propriétés de la matière qu'elle contenait, puis une seconde, puis une troisième, et il fit un vrai cours de thérapeutique qu'on semblait écouter avec grande attention.   MAUPASSANT, Pierre et Jean, IX.

♦ **2.** (1848). Ensemble des moyens de traitement mis en œuvre dans un cas (cit. 14) particulier; ensemble de procédés de traitement (syn. : *thérapie*).

2   Halpersohn aime l'invention de l'homéopathie, plus à cause de sa thérapeutique que pour son système médical (...)   BALZAC, l'Initié, Pl., t. VII, p. 389.

★ **II.** Adj. (1865, Cl. Bernard). ♦ **1.** Qui concerne l'ensemble des actions et pratiques destinées à guérir*, à traiter les maladies; apte à guérir. ⇒ **Curatif, médical, médicinal** (cit.). *Action thérapeutique de certains agents ou substances* (→ Pathologique, cit.). *Efficacité* (→ Pénicilline, cit.), *vertu thérapeutique. Indications* (cit. 8) *thérapeutiques d'une eau minérale. — Procédés* (⇒ **Remède**), *substances thérapeutiques* (⇒ **Médicament**). *Agents thérapeutiques employés dans l'antisepsie** (→ Asepsie, cit. 2). *Cautérisation, fomentation, pulvérisation... thérapeutiques*.

3   Harbert recueillit ainsi une certaine quantité de pousses de basilic, de romarin, de mélisse, de bétoine, etc., qui possèdent des propriétés thérapeutiques diverses, les unes pectorales, astringentes, fébrifuges, les autres anti-spasmodiques ou anti-rhumatismales. Et quand, plus tard, Pencroff demanda à quoi servirait toute cette récolte d'herbes :
« À nous soigner, répondit le jeune garçon, à nous traiter quand nous serons malades. »   J. VERNE, l'Île mystérieuse, t. I, p. 253 (1874).

Loc. méd. *Avortement* thérapeutique*.

♦ **2.** Qui soigne, tend à guérir d'un mal, d'un trouble (psychique, moral).

4   La confession (...) est devenue, dans le coulage et le dévalage actuel du christianisme, un vulnéraire si parfaitement incolore et neutre que sa force thérapeutique sur les âmes doit, en général, être à peu près nulle.
          Léon BLOY, le Désespéré, p. 151.

COMP. (Adj.) **Sociothérapeutique**.

THÉRAPIE [teʀapi] n. f. — 1669, Molière, *Monsieur de Pourceaugnac*, I., 8.; repris v. 1850 : 1855, Nysten (in *Année sc. et industr.*, 1869, p. 460); grec *therapeia* « soin, cure ».

♦ **1.** Syn. de *thérapeutique* (I., 2.).

♦ **2.** (XXᵉ; angl. *therapy* ou all. *Therapie*). Psychiatrie. *Thérapie de comportement* (ou *comportementale*) : méthode de conditionnement et de déconditionnement utilisée dans le traitement de certaines névroses ou troubles du comportement. *Thérapie psychanalytique, psychique*. ⇒ **Analyse, psychanalyse, psychothérapie**. *Thérapie de famille* (ou *familiale*). *Thérapies institutionnelles; thérapies par le milieu. Thérapies sexologiques* (sexothérapie). *Thérapie (analytique, para-analytique) de groupe. Thérapie de jeu* (pour enfants). *Thérapie systémique. Thérapie centrée sur l'individu, sur les interactions familiales, sociales. Thérapie mère-enfant, thérapie parentale de soutien. — Suivre une thérapie*.

DÉR. **Thérapique**.

-THÉRAPIE Élément de mots de médecine, tiré du grec *therapeia* (le premier élément désigne le plus souvent l'agent thérapeutique). ⇒ **Actinothérapie, aérothérapie, antibiothérapie, apithérapie, aromathérapie, autohémothérapie, bactériothérapie, chromothérapie, cryothérapie, électrothérapie, frigothérapie, héliothérapie, hémothérapie, hydrothérapie, mécanothérapie, métallothérapie, opothérapie, photothérapie, physiothérapie, psychothérapie, radiothérapie,**

radiumthérapie, sérothérapie, sociothérapie, sulfamidothérapie, thalassothérapie, thermothérapie, vaccinothérapie, zoothérapie.

THÉRAPIQUE [teʀapik] adj. — 1968; de *-thérapie*.

♦ **1.** Didact. Qui concerne une thérapie. ⇒ **Thérapeutique**.

♦ **2.** Chim. Se dit d'un acide ($C_{17}H_{27}CO_2H$) que l'on peut extraire de l'huile de foie de morue.

THÉRIACAL, ALE, AUX [teʀjakal, o] adj. — V. 1560; *tiriacal*, 1425; de *thériaque*.
Didactique.

♦ **1.** Qui a les propriétés de la thériaque.

♦ **2.** (XIXᵉ). Qui contient de la thériaque.

THÉRIAQUE [teʀjak] n. f. — 1553; *tiriaque,* v. 1175; lat. médical *theriace*, grec *thêriakê*, de *thêrion* « bête sauvage »; anc. franç. *triacle*.

♦ Méd. Ancienn. Électuaire opiacé qui était employé contre la morsure des serpents. ⇒ **Mithridate**.

(...) Ma langue est une vipère qui porte le venin et la thériaque tout ensemble (...)   CYRANO DE BERGERAC, le Pédant joué, V, 5.

DÉR. **Thériacal**.

THÉRIDION [teʀidjɔ̃] ou **THERIDIUM** [teʀidjɔm] n. m. — 1839; grec *thêridion*, dimin. de *thêrion*.

♦ Zool. Araignée appartenant à un genre d'aranéides comprenant de nombreuses espèces de petite taille, à toile irrégulière.

-THÉRIUM Élément de mots de paléontologie, du grec *thêrion* « bête, animal (sauvage) ». Ex. : *dinothérium, mégathérium, paléothérium*.

THERM-, THERMO- Élément, du grec *thermos* « chaud », ou *thermon* « chaleur », entrant dans la composition de termes scientifiques et techniques. — REM. Les mots traités ci-dessous à l'ordre alphabétique n'épuisent évidemment pas les créations tirées de cet élément, notamment dans le domaine instable des créations commerciales (« *chausson en matière thermo-déformable* », in Gilbert; « *dalles thermo-phoniques* », in Gilbert, etc.). ⇒ aussi **-therme**.

THERMAL, ALE, AUX [teʀmal, o] adj. — 1625, Duchesne; de *thermes*.

♦ **1.** Qui a une température élevée à la source et des propriétés thérapeutiques (⇒ **Thermes**). *Eaux thermales chargées de principes minéralisateurs.* ⇒ **Minéral** (→ Méta-, cit. 3). *Émanations thermales :* sources, geysers, salses, solfatares... — *Source thermale, d'eau thermale* (→ Baigneur, cit. 4).

♦ **2.** (Av. 1876, P. Larousse). Où l'on utilise les eaux médicinales (eaux minérales chaudes ou non). *Établissement thermal.* ⇒ **Hydrominéral**. *Buvette, salles de douches, bains... d'un établissement thermal. Station* (cit. 6) *thermale, où l'on vient prendre les eaux thermales.* ⇒ **Bain**. — *Cure* thermale*.

DÉR. **Thermalisme, thermalité**.

THERMALISATION [teʀmalizasjɔ̃] n. f. — V. 1960 (*in* Larousse, 1968); angl. *thermalization* (*in* Webster's Third), de *to thermalize*, de *thermal* employé en physique, là où le franç. emploie *thermique*.

♦ Anglic., phys. Processus par lequel les neutrons deviennent thermiques*, avec une diminution de leur énergie cinétique par suite de chocs répétés avec d'autres particules. (On emploie aussi le verbe *thermaliser* [teʀmalize], de l'angl. *to thermalize*).

THERMALISME [teʀmalism] n. m. — 1904; néol. proposé par Richard de Radonvilliers, 1845; de *thermal*.
Didactique.

♦ **1.** Science de l'utilisation et de l'exploitation des eaux minérales.

♦ **2.** (1933, *in* Larousse). Organisation, aménagement, exploitation des stations thermales.

THERMALITÉ [teʀmalite] n. f. — 1834; de *thermal*.

♦ Didact. Propriété d'une eau naturelle qui sort de la source à une température relativement élevée (plus de 20-25 ºC).

-THERME, -THERMIE, -THERMIQUE Éléments de mots didact., du grec *thermos* « chaud », ou *thermainein* « chauffer ».

(Ex. : *aérotherme, aérothermique, aluminothermie, diathermie, électrothermie, endothermique, exothermique, géothermie, géothermique, homéotherme, hyperthermie, hypothermie, isotherme, mégatherme, mésotherme, microtherme*). ⇒ aussi **Therm-**.

THERMES [tɛʀm] n. m. pl. — XVIᵉ ; *termes*, v. 1213 ; lat. *thermæ* «bains chauds», grec *thermos*.

♦ **1.** Arts, hist. Établissement de bains publics. ⇒ **Bain** (cit. 8). *Les Thermes de Caracalla, de Dioclétien*, à Rome. *Hypocauste* des thermes.*

♦ **2.** (V. 1398, *termes*). Rare. Établissement thermal*.

DÉR. Thermal.
HOM. Terme.

THERMESTHÉSIE [tɛʀmɛstezi] n. f. — 1904 ; de *therm-*, et *-esthésie*.

♦ Physiol. Aptitude à évaluer les différences de température ; sensibilité à la chaleur. (On dit aussi *thermo-esthésie*).

DÉR. Thermesthésique.

THERMESTHÉSIQUE [tɛʀmɛstezik] adj. — 1904 ; de *thermesthésie*.

♦ Physiol. De la thermesthésie ; doué de thermesthésie. *Région, zone thermesthésique.*

THERMICIEN, ENNE [tɛʀmisjɛ̃, ɛn] n. — Mil. XXᵉ ; de *thermique*.

♦ Didact. (Sc., techn.). Spécialiste de l'énergie thermique. Par appos. « *Ingénieur thermicien, province. Une importante société recherche pour son service des fluides (eau, vapeur, air comprimé) un ingénieur diplômé...* » (*l'Express*, offre d'emploi, 18 sept. 1972).

THERMICITÉ [tɛʀmisite] n. f. — V. 1950 ; de *thermique*.

♦ Phys. Le fait d'avoir un effet thermique. — REM. Mot critiqué par le comité de l'Académie des sciences (*Sciences*, nᵒ 4, p. 80) ; on emploiera plutôt *rendement thermique*.

THERMIDOR [tɛʀmidɔʀ] n. m. — 1793, Fabre d'Églantine, → Fructidor, cit. ; grec *thermon* «chaleur estivale», et *dôron* «présent». → Fructidor, messidor, «d'où vient l'*i* de thermidor» (Bloch).

♦ **1.** Onzième mois du calendrier républicain (19 juillet-18 août). Hist. *Le 9 thermidor* (An II : 27 juillet 1794) : journée de la chute et de l'arrestation de Robespierre (→ Périr, cit. 6). Ellipt. *Réaction républicaine* (réaction thermidorienne) *et royaliste* (Terreur blanche), *après thermidor*.

♦ **2.** (1842). Appos. *Style thermidor* : style à l'antique, à la mode après thermidor et jusqu'au Directoire. — (1894 ; à l'occasion de la première de *Thermidor*, pièce de Victorien Sardou ; plat baptisé par le restaurateur Maire). Cuis. *Homard Thermidor*, divisé en deux, arrosé d'huile et rôti au four, découpé en gros dés et accompagné d'une sauce complexe, puis remis dans la carapace, et gratiné au four vif.

DÉR. Thermidorien.

THERMIDORIEN, IENNE [tɛʀmidɔʀjɛ̃, jɛn] adj. et n. — 1795 ; de *thermidor*.

Histoire.

★ **I.** Adj. Relatif à la coalition qui renversa Robespierre le 9 thermidor. *Le parti thermidorien.* Par ext. *Période thermidorienne de la Révolution* : du 9 thermidor à la fin de la Convention (18 brumaire, An IV).

★ **II.** N. ♦ **1.** (1795). *Les thermidoriens* : les coalisés, députés faisant partie de la coalition de thermidor.

(...) Robespierre avait été renversé par une coalition de Montagnards et de modérés (...) Cette coalition se divisa bientôt en *thermidoriens de gauche*, comme Barère, Collot d'Herbois, Billaud-Varenne (...) et *thermidoriens de droite*, comme Barras, Tallien, Fréron, qui, sans être alors royalistes, s'étaient mis à la tête (...) des *muscadins* pour détruire l'influence des anciens terroristes.
    LAVISSE et RAMBAUD, Hist. générale du IVᵉ s. à nos jours, t. VIII, p. 218.

♦ **2.** (XXᵉ). Littér. Modéré (opposé à *jacobin*). « *Si je suis le guillotineur tendre, lui, c'est un thermidorien* » (Morand, *in* G. L. L. F.).

THERMIE [tɛʀmi] n. f. — 1920 ; de *therm-*, d'après (*calor*)*ie*.

♦ Phys. Unité de quantité de chaleur dans le système M. T. S., égale à un million de (petites) calories*. Abrév. : *th*.

Thermie-gaz, -fuel, -charbon : quantité de chaleur égale à une thermie et produite par différents combustibles (gaz, fuel, charbon).
COMP. Microthermie, millithermie.

-THERMIE ⇒ -therme.

THERMIQUE [tɛʀmik] adj. — 1847 ; dér. sav. du grec *thermos* «chaud».

Phys., cour. De la chaleur*. ⇒ **Calorifique**.

♦ **1.** Relatif à la forme d'énergie appelée *chaleur*, qui se traduit par des sensations spécifiques chez l'homme (⇒ **Chaud**, 2. **froid**), par des phénomènes physiques *(effets thermiques)* et à laquelle correspond la température*.

[a] (En parlant du phénomène physique et de ses effets). *Effet thermique* (ou *calorifique*) : émission ou absorption d'énergie, par contact, convection ou rayonnement. *Convection thermique* (ou *thermoconvection*) : transport de la chaleur par mouvement d'un fluide (liquide ou gaz), dû à une différence de température ou de densité. *Rayonnement thermique* : émission d'un complexe de radiations telles qu'elles se traduisent principalement par des effets calorifiques. *Luminescence thermique* (thermo-luminescence). *Effet thermique d'un courant électrique* (effet Joule) : production de chaleur dans un conducteur électrique sous l'influence de sa résistance *(puissance thermique d'une résistance). Énergie, équilibre ; absorption thermique. Bilan thermique :* quantité de chaleur produite ou absorbée dans une réaction chimique, entre l'état initial et l'état final. — *Les effets thermiques se traduisent par une* modification de la température, *par des* changements d'état de la matière, *par des* dilatations, *des* rétractions, etc.

Relatif à la température d'un lieu. *Régime thermique* (→ Hiver, cit. 6). *État thermique de l'intérieur de la terre.* ⇒ **Géothermique**. *Unités thermiques*, permettant de mesurer des différences de température, la température, l'énergie thermique (en joules, ergs, etc.). — *Propriétés et applications thermiques. Capacité thermique* (on dit plutôt : capacité calorifique). *Conductance, conductibilité, conduction thermique*, dans les métaux, les électrons libres sont principalement responsables de la conduction de la chaleur (comme de l'électricité) ; dans les gaz, *la conductibilité thermique* s'explique par la théorie cinétique élémentaire, à condition que le parcours libre moyen reste supérieur aux dimensions de l'enceinte. *Vibrations thermiques d'un réseau cristallin*, dans les théories de la conductibilité (électrique, thermique), de l'absorption infrarouge, etc. *Diffusion thermique*, dans un mélange de deux ou plusieurs fluides, un gradient de température a pour effet une répartition des molécules selon leurs masses (gradient de concentration). *Séparation des isotopes par diffusion thermique. La conductibilité thermique d'un plasma peut être réduite dans d'importantes proportions par l'application d'un champ magnétique intense. Isolement ou « isolation » thermique*, réduction de la conductibilité thermique par ce procédé. — *Neutron thermique :* neutron lent, en *équilibre thermique* avec le milieu, possédant une énergie cinétique du même ordre que celle des molécules d'un gaz à la température ordinaire. ⇒ **Thermalisation** (des neutrons). — *Facteur d'utilisation thermique :* probabilité pour qu'un neutron thermique soit absorbé d'une manière efficace ; sert, en particulier, à mesurer la probabilité pour qu'un neutron se trouve absorbé dans un matériau fissile. *Écran, bouclier thermique*, dans un réacteur nucléaire.

(V. 1965). Astron. *Rayonnement* (ou *émission*) *thermique :* tout rayonnement produit par un corps solide, liquide ou gazeux à l'état d'équilibre. *Rayonnement thermique d'un plasma. Rayonnement* (ou *émission*) *non thermique*, produit par un corps qui n'est pas à l'état d'équilibre. *Émission non thermique d'un laser.* « *La cosmologie moderne est dominée par deux découvertes remarquables qui ont été faites indépendamment en 1965 (...) la seconde est celle du rayonnement thermique cosmologique* » (la Recherche en astrophysique, p. 215).

Météor. *Ascendance thermique. Courant thermique.* N. m. *Un thermique.*

[b] Cour. Qui produit de l'énergie (mécanique) par transformation de l'énergie thermique. *Moteurs thermiques*, qui transforment l'énergie thermique en énergie mécanique (machine à vapeur, moteur à explosion, à réaction ; → Machine, cit. 8). *Propulsion thermique.* ⇒ **Thermopropulsion**. *Centrale* (électrique) *thermique*, utilisant des moteurs thermiques pour produire l'énergie électrique. *Siphon thermique*, fonctionnant par différence de température entre les différents points de ses branches.

Le transport de l'électricité est désormais possible à de grandes distances. Un réseau d'interconnexion est mis en place. Sur ce réseau, sont désormais reliées les grandes centrales alignées sur les fleuves puissants (...) qui produisent plus économiquement. Les centrales thermiques au charbon, puis au fuel, puis au gaz naturel accomplissent la même fonction.
    A. FEL, Géographie et Technique, in Encycl. Pl., Hist. des techniques, p. 1071.

[c] (Effets psychophysiologiques). Qui concerne la sensation de chaleur. *Sensation, sensibilité thermique* : sensibilité générale superfi-

cielle de chaud et de froid. *Impression* (→ Excitabilité, cit. 3), *stimulation thermique.*

d Techn. Qui fonctionne par effet thermique. Inform. *Imprimante, impression thermique* (sur papier thermosensible).

♦ **2.** Didact. Qui concerne l'étude des phénomènes thermiques. *Science thermique. Analyse thermique :* enregistrement continu, en fonction du temps, de la variation de température d'un système. *Analyse thermique d'un changement d'état, d'une transformation allotropique, d'une réaction chimique. Analyse thermique différentielle.*

N. f. Vx. *La thermique.* ⇒ **Thermodynamique.**

DÉR. **Thermicien, thermicité, thermiquement, thermisation, thermisé.**
COMP. **Suprathermique.**

-THERMIQUE ⇒ -therme.

THERMIQUEMENT [tɛʀmikmɑ̃] adv. — Attesté xxᵉ ; de *thermique.*

♦ Phys. Du point de vue thermique. « *Une chambre d'évaporation thermiquement isolée* » *(la Recherche,* mars 1981, p. 323).

THERMISATION [tɛʀmizɑsjɔ̃] n. f. — V. 1960 ; de *thermique,* et *-isation.*

♦ Techn. Traitement thermique doux, autre que la pasteurisation, que l'on fait subir au lait dans la préparation des fromages pour en réduire la flore microbienne.

Aussi est-on amené à effectuer un traitement thermique assurant la destruction des bactéries indésirables certes, mais respectant encore davantage la structure physico-chimique du lait ; ce point est d'autant plus important que le fromage qu'on désire obtenir aura davantage le caractère de caillé-présure. Ainsi des pâtes fraîches, à caractéristiques presque exclusivement lactiques, aux pâtes pressées cuites, le traitement thermique doit être de plus en plus doux. Et pour différencier ce chauffage de la pasteurisation proprement dite, des auteurs français ont proposé, pour celui-là, la dénomination « thermisation » qui a été reconnue par la *Fédération internationale de Laiterie.*
André ECK, le Lait et l'Industrie laitière, p. 55-56 (1962).

THERMISÉ, ÉE [tɛʀmize] adj. — 1962, cit. ; de *thermique,* et *-isé.*

♦ Techn. Qui a subi la thermisation. *Lait thermisé.*

Dans les fromages de lait thermisé, l'asparagine, la tyrosine et la sérine sont généralement plus abondantes que dans les fromages de lait cru.
André ECK, le Lait et l'Industrie laitière, p. 60 (1962).

THERMISTANCE [tɛʀmistɑ̃s] n. f. — Mil. xxᵉ ; de *therm-,* et *(rési)stance.*

♦ Phys. Résistance électrique dont la valeur varie rapidement en fonction de la température, et, spécialt, en raison inverse de la température.

Un appareil de thermométrie différentielle à thermistances (...) consiste essentiellement en un pont de Wheatstone dont deux des branches sont constituées par des thermistances plongeant dans deux bains liquides isolés thermiquement.
Mireille HARMELIN, la Thermo-analyse, p. 117-118.

THERMISTOR [tɛʀmistɔʀ] ou THERMISTEUR [tɛʀmistœʀ] n. m. — 1956 ; de *therm-,* d'après *(trans)istor.*

♦ Phys. Instrument pour la mesure de l'énergie rayonnante, composé d'une petite quantité de substance semi-conductrice placée entre deux fils d'adduction de courant.

THERMITE [tɛʀmit] n. f. — Av. 1903, Goldschmidt, in *Rev. gén. des sc.,* nº 4, p. 169 (28 févr. 1903) ; dér. sav. du grec *thermê,* et suff. *-ite.*

♦ Techn. Mélange pulvérisé d'aluminium et d'oxyde ferrique utilisé en aluminothermie*.

HOM. **Termite.**

THERMO- ⇒ Therm-.

THERMO-ALGÉSIE [tɛʀmoalʒezi] n. f. — Mil. xxᵉ ; de *thermo-,* et *algésie.*

♦ Méd. Sensibilité exagérée à la chaleur provoquant une sensation douloureuse. — REM. On emploie aussi l'adj. *thermo-algésique.*

CONTR. **Thermo-analgésie.**

THERMO-ANALGÉSIE [tɛʀmoanalʒezi] n. f. — xxᵉ ; de *thermo-,* et *analgésie.*

♦ Méd. Insensibilité à la chaleur ; perte de la faculté d'apprécier les différences de température. (On dit aussi *thermo-anesthésie).* — REM. On emploie aussi l'adj. *thermo-analgésique.*

CONTR. **Thermo-algésie.**

THERMO-ANALYSE [tɛʀmoanaliz] n. f. — Mil. xxᵉ ; de *thermo-,* et *analyse.*

♦ Didact. (Phys.). Analyse des effets des variations de température sur la matière. Syn. : *analyse thermique. La thermo-analyse comprend l'analyse thermique différentielle, la thermogravimétrie*, la dilatométrie.*

DÉR. **Thermo-analytique.**

THERMO-ANALYTIQUE [tɛʀmoanalitik] adj. — Mil. xxᵉ ; de *thermo-analyse,* d'après *analytique.*

♦ Didact. De la thermo-analyse.

Les applications des méthodes thermo-analytiques actuelles couvrent des domaines extrêmement variés. En métallurgie, elles permettent de suivre la corrosion à haute température des métaux et alliages, de contrôler le grillage des minerais, d'étudier les phénomènes d'adsorption, de désorption et d'absorption des gaz. En chimie analytique, elles aident dans la caractérisation des substances animales et végétales, pour suivre les processus de cuisson des aliments et la détection des substances nocives, pour le contrôle de la conservation sous vide et de l'hygroscopicité des substances. Dans l'industrie des produits de synthèse, elles indiquent la stabilité thermique des hauts polymères, le mécanisme de leur décomposition.
Mireille HARMELIN, la Thermo-analyse, p. 7.

THERMOBALANCE [tɛʀmobalɑ̃s] n.f. — Mil. xxᵉ ; de *thermo-,* et *balance.*

♦ Techn. Instrument permettant de mettre en évidence ou d'enregistrer les variations de poids d'une substance en fonction de la température.

On peut distinguer trois parties fondamentales sur une thermobalance : la balance proprement dite, qui assure la pesée, le four (et sa régulation) dans lequel on dispose la substance à chauffer, et le système enregistreur. D'une manière générale, l'ensemble du dispositif doit permettre de placer l'échantillon dans des conditions expérimentales très diverses et bien définies : atmosphère de composition déterminée (inerte, oxydante, réductrice, corrosive, etc.), pression réglable dans l'enceinte du tube laboratoire (pression atmosphérique, vide, haute pression), possibilité de récupérer et d'analyser les gaz dégagés.
Mireille HARMELIN, la Thermo-analyse, p. 10.

THERMOCAUTÈRE [tɛʀmokotɛʀ] n. m. — 1875, Paquelin ; de *thermo-,* et *cautère.*

♦ Méd., chir. Instrument formé d'une tige creuse en platine maintenue incandescente par un courant d'air carburé et utilisé pour cautériser par la chaleur.

(...) le docteur D. qui apporta son thermocautère et commença de s'en servir aussitôt (...) A ce régime de pointes de feu (...) la congestion (...) consentit à se localiser (...)
GIDE, Si le grain ne meurt, II, I.

DÉR. **Thermocautériser.**

THERMOCAUTÉRISER [tɛʀmokoterize] v. tr. — xxᵉ (1929, cit.) ; de *thermocautère.*

♦ Méd., chir. Cautériser avec le thermocautère.

Été me faire thermocautériser la gorge (...)
GIDE, Journal, 17 oct. 1929.

THERMOCHIMIE [tɛʀmoʃimi] n. f. — 1865, in *Rev. des cours sc.,* t. II, p. 461 ; de *thermo-,* et *chimie.*

♦ Didact. Partie de la chimie physique relative à l'étude des relations entre les phénomènes physiques ou les réactions chimiques et les échanges thermiques* qui les accompagnent.

DÉR. **Thermochimique.**

THERMOCHIMIQUE [tɛʀmoʃimik] adj. — 1876 ; de *thermochimie.*

♦ Didact. De la thermochimie*. *Phénomènes thermochimiques. Les « propriétés physiques et thermochimiques (pouvoir calorifique) » des déchets (la Recherche,* avr. 1981, p. 512). — *Méthodes thermochimiques.*

THERMOCHROMIE [tɛʀmokʀɔmi] n. f. — Mil. xxᵉ (in Larousse, 1975) ; de *thermo-,* et *chromie.*

♦ Didact., techn. Propriété (d'une substance) de prendre une couleur plus foncée sous l'effet de la chaleur. *Thermochromie du phosphore, du soufre.*

THERMOCLASTIE [tɛʀmoklasti] n. f. — 1968 ; de *thermo-,* et grec *klastos* « brisé ».

♦ Géol. Fragmentation mécanique des roches sous l'effet de variations répétées et importantes de la température.

THERMOCLINE [tɛʀmɔklin] n. f. — 1964 ; de *thermo-*, et *-cline*, du grec *klinein* « incliner ».

♦ Didact. Différence de température entre deux zones d'eaux marines contiguës (eau plus chaude de surface, plus froide des fonds). *« (...) des circonstances favorables comme une importante différence de température entre l'eau chaude de surface et l'eau froide en profondeur : ce que l'on nomme la thermocline (...) Le thon, très sensible à la température, cesse de descendre dès que l'eau devient trop froide »* (*Sciences et Avenir*, nov. 1980). *« Le niveau de la mer s'élève nettement le long des côtes sud-américaines et la thermocline s'enfonce de façon plus spectaculaire encore »* (*la Recherche*, déc. 1979, p. 1215).

THERMOCOLLABLE [tɛʀmɔkɔlabl] adj. — 1968, *in* Larousse ; de *thermo-*, et *collable*.

♦ Techn. Qui devient susceptible d'adhérer par la chaleur. *Produit thermocollable*.

THERMOCOLLAGE [tɛʀmɔkɔlaʒ] n. m. — 1968, *in* Larousse ; de *thermo-*, et *collage*.

♦ Techn. Assemblage à la colle avec traitement thermique.

THERMOCOMPRESSION [tɛʀmɔkɔ̃pʀesjɔ̃ ; tɛʀmɔkɔ̃pʀɛsjɔ̃] n. f. — 1971 ; de *thermo-*, et *compression*.

♦ Techn. Technique de compression associant la chaleur et la pression.

THERMOCONVECTION [tɛʀmɔkɔ̃vɛksjɔ̃] n. f. — Mil. xxᵉ ; de *thermo-*, et *convection*.

♦ Phys., météor. Mouvements verticaux déterminés par les gradients thermiques de l'air.

THERMOCOPIE [tɛʀmɔkɔpi] n. f. — xxᵉ (*in* Larousse, 1968) ; de *thermo-*, et *copie*.

♦ Techn. Procédé de reproduction des documents utilisant les différences d'absorption de chaleur par les substances claires et sombres.

DÉR. **Thermocopieuse.**

THERMOCOPIEUSE [tɛʀmɔkɔpjøz] n. f. — xxᵉ ; de *thermocopie*.

♦ Techn. Machine reproduisant des documents par thermocopie.

Sur place, en Guinée, des escrocs passent les billets tchèques à la thermocopieuse (ancêtre de la photocopieuse), se fabriquant ainsi leur propre fausse monnaie.
Philippe BERNERT, S.D.E.C.E., Service 7, p. 254.

THERMOCOUPLE [tɛʀmɔkupl] n. m. — 1905, *in Rev. gén. des sc.*, nº 12, p. 586 ; de *thermo-*, et *couple*.

♦ Phys., techn. Couple thermoélectrique*, instrument qui permet de repérer les hautes températures et de mesurer l'énergie rayonnante.

THERMODIFFUSION [tɛʀmɔdifyzjɔ̃] n. f. — 1874, écrit *thermo-diffusion*, cit. ; de *thermo-*, et *diffusion*.

♦ Sc. Diffusion thermique*.

M. Merget de Lyon a donné les résultats de ses recherches sur la thermo-diffusion produite par la présence d'un corps poreux rempli d'une poudre inerte, mouillé et chauffé.
L. FIGUIER, l'Année scientifique et industrielle, 1876, p. 436 (1875).

THERMODURCISSABLE [tɛʀmɔdyʀsisabl] adj. — 1949, *in* Larousse ; de *thermo-*, et *durcissable*.

♦ Techn. Se dit des matières plastiques auxquelles un échauffement prolongé fait perdre leur plasticité (ex. : *la bakélite*).
N. m. *Un thermodurcissable* : une matière plastique à laquelle l'action de la chaleur fait perdre sa plasticité (opposé à *thermoplastique*). *Culots de lampe en thermodurcissable*.

Les résines synthétiques sont classées en deux catégories fondamentales : les thermoplastiques et les thermodurcissables. Les thermoplastiques sont des matériaux ramollissant à la chaleur, et qui ne passent par aucune réaction à caractère chimique lorsqu'on les moule Ils deviennent mous quand on les chauffe, durs quand on les refroidit, et cela aussi souvent qu'on répète l'opération. Par contre les thermodurcissables subissent, pendant le moulage, une réaction chimique de polymérisation ; cette transformation est irréversible quel que soit le traitement thermique qu'on leur applique postérieurement.
J.-C. DESJEUX et J. DUFLOS, les Plastiques renforcés, p. 13.

THERMODYNAMICIEN, IENNE [tɛʀmɔdinamisjɛ̃, jɛn] n. — Mil. xxᵉ ; thermodynamiste, 1904, in *Rev. gén. des sc.*, nº 12, p. 584 ; de *thermodynamique*.

♦ Didact. Physicien, physicienne spécialiste de la thermodynamique*.

THERMODYNAMIQUE [tɛʀmɔdinamik] n. f. et adj. — 1867, in *Rev. des cours sc.*, t. IV, p. 153 ; angl. *thermodynamics* (v. 1850) ; de *thermo-*, et *dynamique*.
Didactique.

♦ **1.** N. f. Branche de la physique et de la chimie qui étudie les relations entre l'énergie thermique (chaleur) et mécanique (travail), et, par ext., les lois générales des phénomènes impliquant des échanges ou des transformations thermiques. *Principes, lois de la thermodynamique : 1ʳᵉ loi :* conservation de l'énergie ; *2ᵉ loi :* la chaleur ne peut pas passer d'un corps froid à un corps chaud sans modification dans les autres corps (l'expression mathématique de cette loi fait intervenir, pour des transformations réversibles, l'*entropie**. ⇒ aussi **Équivalent** (mécanique), **dégradation** (de l'énergie) ; *3ᵉ loi :* chaque substance possède une entropie positive finie qui devient nulle au zéro* absolu. *Le second principe de la thermodynamique fut à l'origine de la théorie cinétique des gaz**.

♦ **2.** Adj. *Système, potentiel, quantité thermodynamique. Équations thermodynamiques d'état*, donnant pour des modifications réversibles, des relations entre la pression, le volume et la température d'un certain état de la matière. *Température* thermodynamique.* — *Centrale thermodynamique.* « Production d'électricité d'origine thermodynamique ou photovoltaïque » (*la Recherche*, juin 1979, p. 694).

DÉR. **Thermodynamicien, thermodynamiquement.**

THERMODYNAMIQUEMENT [tɛʀmɔdinamikmɑ̃] adv. — Attesté mil. xxᵉ ; de *thermodynamique*.

♦ Didact. Du point de vue thermodynamique. *Protéines thermodynamiquement stables.*

Thermodynamiquement spontané, le processus (*d'épigénèse*) l'est également cinétiquement ; aucun catalyseur n'est requis pour l'activer.
Jacques MONOD, le Hasard et la Nécessité, p. 114 (1970).

THERMOÉLASTICITÉ [tɛʀmɔelastisite] n. f. — 1968, *in* Larousse ; de *thermo-*, et *élasticité*.

♦ Comportement élastique des solides en fonction de la température.

THERMOÉLASTIQUE [tɛʀmɔelastik] adj. — Mil. xxᵉ ; de *thermo-*, et *élastique*.
Physique, technique.

♦ **1.** Se dit d'un système dans lequel on n'introduit que des échanges de travail et de chaleur.

♦ **2.** Qui concerne la compressibilité et la dilatation des corps en fonction de la température. *Coefficient thermoélastique.*

THERMOÉLECTRICITÉ [tɛʀmɔelɛktʀisite] n. f. — 1842, *thermo-électricité* ; de *thermo-*, et *électricité*.
Didactique.

♦ **1.** Énergie électrique produite par la conversion directe d'énergie thermique.

♦ **2.** Étude des relations entre les phénomènes thermiques et électriques.

DÉR. **Thermoélectrique.**

THERMOÉLECTRIQUE [tɛʀmɔelɛktʀik] adj. — Av. 1837, *thermo-électrique* ; de *thermo-*, et *électrique*.
Didactique, technique.

♦ **1.** Relatif à la thermoélectricité. *Effet thermoélectrique :* production de courant électrique dans un circuit comprenant deux conducteurs différents (platine-platine rhodié ; chrome-alumel...) dont les deux soudures sont à des températures différentes. *Couple thermoélectrique.* ⇒ **Thermocouple.** — Var. (vieilli) : *thermo-électrique.*

Enfin il convient de terminer par les phénomènes thermo-électriques ; ici viennent se grouper tous les faits dans lesquels l'électricité accompagne ou produit des variations de température ; et plus généralement tous ceux qui indiquent que la chaleur, la lumière et l'électricité ont une origine commune ; c'est en quelque sorte le dernier échelon auquel la physique soit parvenue, dans sa marche progressive vers un principe général qui lie entre elles ses diverses parties.
G. LAMÉ, Cours de physique, t. II, 2, p. 256 (1857).

♦ **2.** Qui fonctionne grâce à la thermoélectricité. *Pyromètre thermoélectrique.* — (1836, G. Lamé, *Cours de physique*, p. 318). *Pile thermoélectrique*, composée de deux rangées de soudures entre des éléments différents et produisant un courant lorsque l'une de ces rangées reçoit un rayonnement électromagnétique.

THERMOÉLECTRONIQUE [tɛʀmoelɛktʀɔnik] n. f. et adj. — 1949; de *thermo-*, et *électronique*.

♦ Phys. *Effet thermoélectronique* : émission d'électrons par une cathode sous l'effet de la chaleur. ⇒ **Filament.** *« (...) d'autres sources d'énergie sont affirmées non polluantes. C'est en particulier le cas de la fusion thermonucléaire (à condition de résoudre les problèmes de protection), de la conversion thermoélectronique (...) Leur mise en œuvre à l'échelle industrielle n'est cependant pas envisagée avant les dernières années de ce siècle »* (Science et Vie, n° 106, hors série, 1974).

(...) dans le tube de Coolidge, la fonction de production des électrons est dissociée de celle de l'accélération des électrons déjà produits; la production est réalisée par effet thermoélectronique (dit abusivement thermoïonique [*sic*], sans doute parce qu'il remplace la production d'électrons par ionisation), et l'accélération a lieu ultérieurement (...)
    Gilbert SIMONDON, Du mode d'existence des objets techniques, p. 32 (1969).

THERMOÉMISSION [tɛʀmoemisjɔ̃] n. f. — 1975, *in* Larousse; de *thermo-*, et *émission*.

♦ Phys. Émission, effet thermoionique.

THERMOFORMAGE [tɛʀmofɔʀmaʒ] n. m. — 1973; de *thermo-*, et *formage*, de *former*.

♦ Techn. Technique permettant la réalisation de formes d'un matériau par chauffage.

THERMOFORMÉ, ÉE [tɛʀmofɔʀme] adj. — 1972, *in* Gilbert; de *thermo-*, et *formé*.

♦ Techn. Qui reçoit, a reçu sa forme par thermoformage. *Plastiques thermoformés.* — REM. On emploie aussi *thermoformable*, adj. (1974, *in* Gilbert).

THERMOGÈNE [tɛʀmoʒɛn] adj. — 1823; de *thermo-*, et *-gène*.
Physique.

♦ **1.** Vx. Qui produit de la chaleur (⇒ **Calorifique, thermique**).

♦ **2.** *Ouate thermogène* : coton rubéfiant dont le principe est une teinture de poivre d'Espagne dans l'alcool.

THERMOGÉNÉRATEUR [tɛʀmoʒeneʀatœʀ] n. m. — 1864, *in* Année sc. et industr. 1865, p. 479; de *thermo-*, et *générateur*.

♦ Techn. (Vx). Appareil générateur de chaleur par transformation d'énergie mécanique.

THERMOGÉNÈSE [tɛʀmoʒenɛz] n. f. — 1890, *Encycl. Berthelot*, art. *Chaleur animale*; 1877, *thermogénie* «production de chaleur», phys.; de *thermo-*, et *-génèse*.

♦ Didact. (Biol.). Production continue et régulière de la chaleur chez les êtres vivants. ⇒ **Chaleur** (animale). — On écrit aussi *thermogénèse*.

Mais il ne sert de rien d'accroître la dose *(d'alcool)* dans le dessein d'accroître les oxydations et donc la thermogenèse, la quantité d'alcool oxydée par unité de temps étant indépendante de la quantité proposée.
    Jacques GUILLERME, la Vie en haute altitude, p. 70.

DÉR. **Thermogénétique.**

THERMOGÉNÉTIQUE [tɛʀmoʒenetik] adj. — 1904, *in* Rev. gén. des sc., n° 13, p. 670; de *thermogénèse*.

♦ Didact. De la thermogénèse.

THERMOGÉNIE [tɛʀmoʒeni] n. f. — 1877; de *thermo-*, et *-génie*.

♦ Phys. Ensemble des techniques ayant pour objet la production d'énergie calorifique.

DÉR. **Thermogénique.**

THERMOGÉNIQUE [tɛʀmoʒenik] adj. — xxᵉ; de *thermogénie*.

♦ Techn. Se dit d'un appareil à très faible déperdition calorifique.

THERMOGRAMME [tɛʀmogʀam] n. m. — 1906, *in* Rev. gén. des sc., n° 8, p. 350; de *thermo-*, et *-gramme*.

♦ **1.** Techn. Courbe inscrite sur le tambour du thermomètre enregistreur.

♦ **2.** Techn. Image obtenue par thermographie*. — Syn. : *thermographie*.

♦ **3.** Biol. Courbe de croissance d'une colonie bactérienne obtenue par mesure de la chaleur dégagée.

THERMOGRAPHE [tɛʀmogʀaf] n. m. — 1866, *in* Rev. des cours sc., t. III, p. 746; de *thermo-*, et *graphe*.

♦ Sc., techn. Thermomètre* enregistreur qui inscrit les variations de température. — Syn. anc. : *thermométrographe*.

DÉR. **Thermographie.**

THERMOGRAPHIE [tɛʀmogʀafi] n. f. — 1896; «emploi du thermographe», 1872; de *thermographe*.

♦ **1.** Sc., techn. Technique d'enregistrement graphique des températures d'un corps, d'une surface. — Syn. : *thermogramme. Thermographie médicale.* — *« Une "carte de chaleur" des régions survolées : une thermographie. Les thermographies peuvent évidemment être recueillies de jour comme de nuit (...) les meilleures thermographies seront (...) obtenues de nuit »* (Sciences et Avenir, mai 1978).

♦ **2.** Techn. Procédé d'impression en relief sur une résine cuite au four.

DÉR. **Thermographique.**

THERMOGRAPHIQUE [tɛʀmogʀafik] adj. — 1896, *in* Année sc. et industr. 1897, p. 295 *(observations thermographiques);* «relatif au thermographe», 1872; de *thermographie*.

♦ Sc., techn. Relatif à la thermographie. *Diagnostic thermographique.* — *L'image thermographique d'une étendue d'eau. Carte thermographique. Bande thermographique.*

THERMOGRAVIMÉTRIE [tɛʀmogʀavimetʀi] n. f. — V. 1960; de *thermo-*, et *gravimétrie*.

♦ Phys., techn. «Technique consistant à enregistrer les variations de masse d'un échantillon (solide ou liquide) en fonction de la température et du temps» (M. Harmelin, *la Thermo-analyse*, p. 9).

DÉR. **Thermogravimétrique.**

THERMOGRAVIMÉTRIQUE [tɛʀmogʀavimetʀik] adj. — xxᵉ; de *thermogravimétrie*.

♦ Phys., techn. Relatif à la mesure des variations de masse dépendant de la température.

THERMOHALIN, INE [tɛʀmoalɛ̃, in] adj. — Av. 1980 (*la Recherche*, n° 107, p. 27); de *thermo-*, et *-halin*, du grec *hals, halos* «la mer».

♦ Didact. Qui concerne à la fois la température et la salinité de l'eau. *Courants thermohalins,* créés par des différences de température et de salinité des eaux marines. *« La différence entre les propriétés thermohalines des eaux dans ces deux bassins... »* (la Recherche, oct. 1981, p. 1086).

THERMO-IMPRESSION [tɛʀmoɛ̃pʀesjɔ̃; tɛʀmoɛ̃pʀesjɔ̃] n. f. — 1974, *in la Clé des mots*; de *thermo-*, et *impression*.

♦ Techn. Technique de transfert des motifs décoratifs par sublimation des colorants chauffés, qui se déposent sur le support définitif.

THERMO-IONIQUE ou **THERMOIONIQUE** [tɛʀmojɔnik] adj. — 1933, *in* Larousse; de *thermo-*, et *ionique*.

♦ Phys. Se dit de l'émission de particules chargées par la surface d'un matériau conducteur porté à haute température. *L'émission, les phénomènes thermo-ioniques jouent un rôle prépondérant dans le fonctionnement des tubes à vide* (utilisés en radio, télévision...). *Émission thermo-ionique.* ⇒ **Thermoémission.** — Par ext. Thermoélectronique* (cit. Simondon).

THERMOLABILE [tɛʀmolabil] adj. — 1905, *in* Rev. gén. des sc., n° 6, p. 293; de *thermo-*, et *labile*, du lat. *labilis* «changeant».

♦ Sc. Qui subit des modifications ou qui perd de ses propriétés lorsqu'une élévation de température déterminée s'est produite. *Le complément (alexine) est thermolabile à 56 °C.* (→ Sensibilisateur, cit.).

CONTR. **Thermostable.**
DÉR. **Thermolabilité.**

THERMOLABILITÉ [tɛʀmolabilite] n. f. — xxᵉ ; de *thermolabile.*

♦ Sc. Propriété d'une substance thermolabile*.

THERMOLOGIE [tɛʀmɔlɔʒi] n. f. — 1846 ; de *thermo-,* et *-logie.*

♦ Vx (Hist. des sc.). Traité de physique sur la chaleur. Étude physique de la nature de l'énergie thermique et de ses effets (doctrine du calorique, etc., avant le développement de la thermodynamique*).

THERMOLUMINESCENCE [tɛʀmolyminesɑ̃s] n. f. — 1905, in *Rev. gén. des sc.,* nº 15, p. 687 ; de *thermo-,* et *luminescence.*

♦ Sc. Luminescence thermique. ⇒ **Phosphorescence.**

DÉR. Thermoluminescent.

THERMOLUMINESCENT, ENTE [tɛʀmolyminesɑ̃, ɑ̃t] adj. — 1905, in *Rev. gén. des sc.,* nº 15, p. 682 ; de *thermoluminescence,* d'après *luminescent.*

♦ Sc. Doué de thermoluminescence.

THERMOLYSE [tɛʀmɔliz] n. f. — Mil. xxᵉ (*in* Larousse 1948) ; de *thermo-,* et *-lyse.*

♦ **1.** Chim. Décomposition d'un corps par la chaleur *(pyrolyse).* *Courbe de thermolyse* (syn. : *courbe thermopondérale), tracée par une thermobalance.*

♦ **2.** Physiol. Déperdition de chaleur par l'organisme, faisant partie du mécanisme normal de thermorégulation*.

DÉR. Thermolytique.

THERMOLYTIQUE [tɛʀmɔlitik] adj. — 1904, in *Rev. gén. des sc.,* nº 13, p. 670 ; de *thermolyse.*

♦ Chim. De la thermolyse.

THERMOMAGNÉTIQUE [tɛʀmomaɲetik] adj. — 1842, Académie ; de *thermo-,* et *magnétique.*

♦ Phys. Qui concerne le magnétisme lié à la température. « *Un pendule thermo-magnétique* » (*Année sc. et industr.* 1891, p. 122).

Dans le cas des *substances ferromagnétiques,* l'analyse thermomagnétique consiste à suivre, en fonction de la température, l'évolution de l'intensité d'aimantation de l'échantillon placé dans un champ H de l'ordre de quelques centaines d'Œrsteds. Si la température s'élève, l'aimantation (appellation courante pour l'induction magnétique) décroît, jusqu'à devenir nulle à une température caractéristique O., dite de Curie.   M. HARMELIN, la Thermo-analyse, p. 113-114.

THERMOMAGNÉTISME [tɛʀmomaɲetism] n. m. — 1842 ; de *thermo-,* et *magnétisme.*

♦ Phys. Magnétisme produit par la chaleur.

THERMOMANOMÈTRE [tɛʀmomanɔmɛtʀ] n. m. — 1876 ; de *thermo-,* et *manomètre.*

♦ Phys. Thermomètre évaluant la pression d'une vapeur saturante, et destiné à la mesure des températures élevées. « *Ce si précieux instrument de contrôle, le* thermomanomètre » (*Année sc. et industr.* 1883, p. 111).

THERMOMASTOGRAPHIE [tɛʀmomastɔgʀafi] n. f. — xxᵉ ; de *thermo-,* grec *mastos* « sein », et *-graphie.*

♦ Méd. Enregistrement graphique des variations de température au niveau du sein, servant au diagnostic des affections mammaires (en particulier d'un cancer de la glande mammaire). ⇒ **Mammographie.**

THERMOMÉCANIQUE [tɛʀmomekanik] adj. — 1872 ; de *thermo-,* et *mécanique.*

♦ **1.** Phys. Relatif à la mécanique de la chaleur. « *Les effets thermomécaniques sont provoqués par les très fortes impulsions concentrées en des temps très courts* » (*Sciences et Avenir,* janv. 1981).

♦ **2.** Techn. *Traitement thermomécanique* (d'un acier) : traitement de déformation mécanique au cours du traitement thermique, destiné à former des pièces à chaud et à améliorer les caractéristiques mécaniques de cet acier.

THERMOMÈTRE [tɛʀmomɛtʀ] n. m. — 1624, Van Etten ; de *thermo-,* et *-mètre.*

♦ **1.** Phys. et cour. Instrument destiné au repérage des températures* généralement grâce à la dilatation d'un liquide (mercure,

alcool, toluène, pentane) ou d'un gaz (hélium, hydrogène, azote) contenus dans un réservoir que l'on plonge dans le milieu dont on désire connaître la température. *Thermomètre à mercure, à alcool.* — *Thermomètre à gaz* (à pression constante ou à volume constant), utilisé pour déterminer les températures thermodynamiques absolues. — *Thermomètre à résistance* (par mesure de la résistance électrique d'une spirale métallique). ⇒ **Bolomètre.** *Thermomètre thermoélectrique*.* ⇒ **Pyromètre** ; → Rayonnement, cit. 1. — *Thermomètre Bourdon,* à tube recourbé qui se redresse quand le liquide qu'il contient se dilate sous l'action de la température. *Thermomètre gradué en degrés** centigrades (division centésimale), *Réaumur, Fahrenheit, absolus* (degrés Kelvin). *Graduations d'un thermomètre. Thermomètre différentiel.* — (1830, Bailly de Merlieux, *Résumé de météorologie : thermomètre à maximum et à minimum). Thermomètre à maxima et minima,* où les températures extrêmes restent indiquées. *Thermomètre enregistreur,* qui inscrit, en fonction du temps par exemple, les variations de la température. ⇒ **Thermographe.** — *Usages du thermomètre :* repérage de la température* de l'air, de l'atmosphère en un lieu. *Le thermomètre donne, indique, marque telle température, tant de degrés* (→ Four, cit. 8). — *Thermomètre à contact* (agissant comme thermostat). — (1904). Météor. *Thermomètre-fronde,* que l'on fait tourner en l'air pour obtenir un repérage plus exact. — *Thermomètre médical,* destiné à repérer la température interne du corps (il indique la température maximale).

Enfin, au grand scandale de M. le curé, ils avaient pris la mode nouvelle d'introduire des thermomètres dans les derrières.   1
                                      FLAUBERT, Bouvard et Pécuchet, III.

Cottard avait recommandé qu'on prît sa température. On alla chercher un thermomètre. Dans presque toute sa hauteur le tube était vide de mercure. À peine si l'on distinguait, tapie au fond de sa petite cuve, la salamandre d'argent. Elle semblait morte. On plaça le chalumeau de verre dans la bouche de ma grand-mère. Nous n'eûmes pas besoin de l'y laisser longtemps ; la petite sorcière n'avait pas été longue à tirer son horoscope. Nous la trouvâmes immobile, perchée à mi-hauteur de sa tour et n'en bougeant plus, nous montrant avec exactitude le chiffre que nous lui avions demandé (...) : 38°3.   2
                     PROUST, le Côté de Guermantes, Pl., t. II, p. 299.

Cour. La colonne de liquide (par ex. : *mercure*) du thermomètre utilisé pour repérer la température ambiante. *Le thermomètre monte, descend.* → Glace, cit. 1. « *Notre thermomètre est au dernier degré* » (→ Geler, cit. 12, Mᵐᵉ de Sévigné).

(Symbole de l'état de l'atmosphère). *Aller se promener malgré le thermomètre,* malgré un froid vif.

♦ **2.** (1694, Regnard). Par métaphore, fig. Indice* qui permet de déterminer, d'évaluer qqch. *Le baromètre* (cit. 3) *ou le thermomètre de notre commerce.* Cf. Prendre la température (fig.).

(...) une dégradation d'honnêteté, sensible à tout le monde et dont vos entrevues étaient le thermomètre (...)   3
                BEAUMARCHAIS, Mémoires sur l'affaire Goëzman, p. 189.

(...) la table est le plus sûr thermomètre de la fortune dans les ménages parisiens.   4
                     BALZAC, la Cousine Bette, Pl., t. VI, p. 183.

DÉR. Thermométrie.

THERMOMÉTRIE [tɛʀmɔmetʀi] n. f. — 1842 ; de *thermomètre.*

♦ Sc. Mesure scientifique des températures. *Méthodes de la thermométrie* (ex. : choix de points fixes [ébullition, fusion, solidification de certaines substances dans des conditions déterminées]). *Objet de la thermométrie* (ex. : établissement d'une échelle internationale et d'une échelle thermodynamique des températures).

DÉR. Thermométrique.

THERMOMÉTRIQUE [tɛʀmɔmetʀik] adj. — 1754 ; de *thermomètre.*

♦ **1.** Sc. Du thermomètre ; de la détermination des températures. *Degrés de l'échelle thermométrique. Échelle thermométrique internationale,* comprenant plusieurs points de fusion déterminés avec précision.

♦ **2.** Relatif à la température atmosphérique.

THERMOMÉTROGRAPHE [tɛʀmometʀɔgʀaf] n. m. — 1853, in D. D. L. ; de *thermo-, métro-,* et *graphe.*

♦ Phys., vx. ⇒ **Thermographe.**

THERMOMINÉRAL, ALE, AUX [tɛʀmomineʀal, o] adj. — 1972, in *la Clé des mots* ; de *thermo-,* et *minéral.*

♦ Techn. Relatif aux eaux chaudes minérales. ⇒ **Thermal.** *Sources thermominérales.*

THERMONUCLÉAIRE [tɛʀmonykleɛʀ] adj. — 1950, *l'Aurore,* in D. D. L. ; de *thermo-,* et *nucléaire.*

♦ **1.** Phys., cour. Se dit des phénomènes qui concernent la condensation (ou « fusion ») de noyaux d'isotopes légers en noyaux plus lourds, se produisent à des millions ou des dizaines de millions de degrés et s'accélèrent considérablement avec l'élévation de la température. *Dans une réaction thermonucléaire l'énergie nécessaire est fournie par la collision des particules soumises à une agitation thermique. L'énergie thermonucléaire des étoiles permet d'entretenir les réactions en chaîne qui sont la source de leur énergie rayonnée. Plasma* thermonucléaire.*

♦ **2.** Cour. Qui utilise l'énergie thermonucléaire, qui en produit. *Armes thermonucléaires. Bombe thermonucléaire :* bombe à hydrogène (cour. bombe H).
Conflit, guerre thermonucléaire (⇒ **Nucléaire**).

THERMOPHILE [tɛʀmɔfil] adj. — 1904 ; de *thermo-*, et *phile*.

♦ **1.** Biol. Qui aime la chaleur. *Micro-organisme thermophile. — Bactéries, cyanophytes thermophiles, vivant dans certaines eaux thermales*, à des températures élevées (jusqu'à 90 °C).

♦ **2.** Bot. *Plantes thermophiles :* plantes habitant les stations chaudes et qui subissent souvent des transformations végétatives (feuilles transformées en épines, par ex.).

♦ **3.** Techn. *Matière thermophile*, qui retient la chaleur.

THERMOPHILIE [tɛʀmɔfili] n. f. — Mil. xxᵉ ; de *thermophile*.

♦ Didact. Caractère des organismes thermophiles. — Propriété d'une substance thermophile.

THERMOPHOBIE [tɛʀmɔfɔbi] n. f. — 1904 ; de *thermo-*, et *phobie*.

♦ Psychol. Crainte morbide de la chaleur.

THERMOPHONE [tɛʀmɔfɔn] n. m. — 1890, P. Larousse, *Deuxième Suppl.* ; de *thermo-*, et *phone*.

♦ Didact. Appareil électroacoustique dans lequel les ondes acoustiques sont produites par des variations de température.

THERMOPILE [tɛʀmɔpil] n. f. — 1877, Littré, *Suppl.* ; de *thermo-*, et *pile*.

♦ Didact. Réunion de couples thermoélectriques produisant une force électromotrice.

THERMOPLASTE [tɛʀmɔplast] n. m. — Mil. xxᵉ ; de *thermoplastique*.

♦ Techn. Matériau rigide à froid et plastique à chaud, dont le moulage n'altère pas les propriétés (⇒ **Thermoplastique**, 2.).

THERMOPLASTIQUE [tɛʀmɔplastik] adj. et n. m. — 1949 ; de *thermo-*, et *plastique*.

♦ **1.** Phys. Se dit d'une substance qui devient plastique* sous l'effet de la chaleur.

♦ **2.** Techn. Se dit d'une matière plastique que l'on peut fondre ou amollir par la chaleur sans modifier ses propriétés. ⇒ **Thermorésistant.** (Peut s'opposer à *thermodurcissable*). — N. m. *Un thermoplastique.* ⇒ **Thermoplaste.**
DÉR. **Thermoplaste.**

THERMOPLONGEUR [tɛʀmɔplɔ̃ʒœʀ] n. m. — Mil. xxᵉ ; de *thermo-*, et *plongeur*.

♦ Techn. Appareil comportant une résistance électrique, que l'on place dans l'eau pour la faire chauffer.

THERMOPOLE [tɛʀmɔpɔl] n. m. — 1876 ; lat. *thermopolium*, grec *thermopôlion*, de *thermos* (→ Thermo-), et *polein* «vendre».

♦ Didact. Dans l'antiquité grecque et romaine, Établissement où l'on vendait des boissons (à l'origine, des boissons chaudes).

THERMOPOMPE [tɛʀmɔpɔ̃p] n. f. — 1875 ; de *thermo-*, et *pompe*.

♦ Techn. Générateur d'énergie calorifique dont le fonctionnement est semblable à celui d'une machine frigorifique.

THERMOPONDÉRAL, ALE, AUX [tɛʀmɔpɔ̃deʀal, o] adj. — Mil. xxᵉ (*in* Larousse, 1975) ; de *thermo-*, et *pondéral*.

♦ Sc., techn. Relatif à la variation de masse en fonction des traitements thermiques d'un échantillon. *Analyse thermopondérale.*

THERMOPROPULSÉ, ÉE [tɛʀmɔpʀɔpylse] adj. — 1949, *in* Larousse ; de *thermo-*, et *propulsé*. → Thermopropulsion.

♦ Techn. Propulsé par thermopropulsion. *« En France, René Dorand a imaginé un type de rotor thermopropulsé à volets fluides »* (*Science et Vie*, n° 588, p. 100).

THERMOPROPULSIF, IVE [tɛʀmɔpʀɔpylsif, iv] adj. — 1949, *in* Larousse ; de *thermo-*, et *propulsif*. → Thermopropulsion.

♦ Techn. Qui permet d'utiliser la thermopropulsion*. *Tuyère thermopropulsive.*

THERMOPROPULSION [tɛʀmɔpʀɔpylsjɔ̃] n.f. — 1949, *in* Larousse ; de *thermo-*, et *propulsion*.

♦ Techn. Propulsion d'un mobile obtenue directement par l'énergie thermique d'une combustion, sans transformation en travail mécanique par un moteur (propulsion thermique). ⇒ **Statoréacteur, tuyère.**

THERMORÉGULATEUR, TRICE [tɛʀmɔʀegylatœʀ, tʀis] adj. et n. m. — Mil. xxᵉ ; «appareil», n. m., 1874, Benoit ; de *thermo-*, et *régulateur*.

♦ Sc. Qui concerne la thermorégulation. *Centres thermorégulateurs de l'organisme.*
N. m. Appareil permettant de régler la chaleur dans les fourneaux sécheurs, et dans divers autres appareils.

THERMORÉGULATION [tɛʀmɔʀegylasjɔ̃] n.f. — 1904 ; de *thermo-*, et *régulation*.

♦ Biol. Fonction régulatrice de la température chez les mammifères (y compris l'homme) et les oiseaux.
Pour lutter contre le froid ou le chaud, il suffit à l'homme de modifier sa vêture, son habitat, son alimentation, son mode de vie. Il n'a pas à attendre l'apparition, lente et toujours aléatoire, de mutations qui modifieraient sa thermorégulation.
J. RUFFIÉ, De la biologie à la culture, p. 257.

THERMORÉMANENCE [tɛʀmɔʀemanãs] n. f. — V. 1960 ; de *thermo-*, et *rémanence*.

♦ Phys. Fait d'acquérir une charge magnétique en cours de refroidissement (en parlant d'une substance ferromagnétique chauffée). — REM. On emploie aussi l'adj. *thermorémanent ;* ex. : *aimantation thermorémanente, substances thermorémanentes.*

THERMORÉSISTANT, ANTE [tɛʀmɔʀezistã, ãt] adj. — 1968, *in* Larousse ; de *thermo-*, et *résistant*.

♦ **1.** Techn. Se dit d'une matière plastique qui, après avoir été soumise à la chaleur ou à la pression, ne se déforme plus par la chaleur.

♦ **2.** Biol. Se dit d'un organisme qui résiste à une température élevée.

THERMOS [tɛʀmos] n. m. ou f. — 1914 ; nom déposé, de *thermo-*.

♦ Récipient isolant à double paroi de verre séparée par un vide qui maintient durant quelques heures la température du liquide qu'il contient. *Le thermos est un petit vase Dewar. « Le panier, le cabas, le thermos »* (Colette, *Belles saisons*, p. 10). *Des thermos.* — Par appos. *Bouteille thermos.*
(...) elle ouvrit son panier et elle en retira (...) une bouteille thermos enveloppée dans une serviette (...) elle déboucha la bouteille et versa du café chaud dans le gobelet (...) SARTRE, le Sursis, p. 103. [1]
Une Thermos remplie de thé, une autre de café, quelques bouteilles de bière, un flacon de whisky, des biscuits et des conserves, qu'avais-je besoin de plus pour un séjour aussi bref ? J. KESSEL, le Lion, p. 34. [2]
Thermos chauffant : ce récipient, muni d'une résistance et d'un thermostat. — *Thermos-fontaine :* grand thermos pour usage collectif (débit d'eau chaude pour thé, café).

THERMOSCOPE [tɛʀmɔskɔp] n. m. — 1810 ; «thermomètre», 1765 ; de *thermo-*, et *-scope*.

♦ Phys. Appareil servant à indiquer une variation de température (sans la mesurer).
DÉR. **Thermoscopique.**

THERMOSCOPIQUE [tɛʀmɔskɔpik] adj. — 1842 ; de *thermoscope*.

♦ Phys. Se dit d'un appareil sensible aux variations de chaleur et capable de l'indiquer (⇒ **Thermoscope**). *Baromètre thermoscopique.*

THERMOSENSIBLE [tɛʀmosɑ̃sibl] adj. — 1972, in *la Clé des mots*; de *thermo-*, et *sensible*.

♦ Techn. Dont les propriétés (mécaniques, électriques, etc.) peuvent changer en fonction des variations de la température. *Conducteur thermosensible. Papier thermosensible,* pour l'impression thermique (1., d).

THERMOSIPHON [tɛʀmosifɔ̃] n. m. — V. 1856, Joigneaux (1856, in *Année sc. et industr.* 1857, p. 392); de *thermo-*, et *siphon*.

♦ Techn. Appareil de chauffage à circulation naturelle d'eau chaude. *Le thermosiphon et le calorifère* (à eau ou à air) *sont fondés sur le même principe* (⇒ **Four**).

REM. On écrit parfois *thermo-siphon*.

(...) le refroidissement par eau est semi-concret : s'il était réalisable entièrement par thermo-siphon, il serait presque aussi concret que le refroidissement direct par air; mais l'emploi d'une pompe à eau (...) augmente le caractère d'abstraction de ce type de refroidissement (...)
        Gilbert SIMONDON, Du mode d'existence des objets techniques, p. 25.

THERMOSPHÈRE [tɛʀmosfɛʀ] n. f. — Mil. xxᵉ; «aérostat thermique», 1894, E. Aimé, in *Année sc. et industr.* 1895, p. 542; de *thermo-*, et *sphère*.

♦ Sc. Couche de l'atmosphère située au-dessus de la mésosphère, caractérisée par une augmentation continue de la température avec l'altitude.

Vers 80-100 km débute la *thermosphère*. Elle s'étend jusqu'à 500 km environ.
        J. COLIN et Y. HOUDAS, la Physiologie du cosmonaute, p. 13.

THERMOSTABLE [tɛʀmostabl] adj. — 1914; *thermostabile*, 1904; de *thermo-*, et *stable*.

♦ **1.** Sc. Se dit d'un composé qui, dans des conditions déterminées, est stable sous l'action de la chaleur. ⇒ **Réfractaire**.

♦ **2.** (1966). Techn. (Autom.). Se dit d'un système de freinage qui n'est pas affecté par l'élévation de température provoquée par son fonctionnement.

CONTR. Thermolabile.

THERMOSTAT [tɛʀmosta] n. m. — 1890; autre sens, 1842; de *thermo-*, et du rad. grec de *istanai* «fixer».

♦ Appareil ou dispositif qui permet d'obtenir une température constante dans une enceinte fermée, en interrompant l'arrivée de la chaleur quand une limite supérieure de température est atteinte et en la rétablissant pour une limite inférieure. *Thermostat électrique. Chaudière, chauffe-bain, four à thermostat. Régler un thermostat.*

DÉR. Thermostater, thermostatique.

THERMOSTATER [tɛʀmostate] v. tr. — Mil. xxᵉ; de *thermostat*.

♦ Didact. Établir et maintenir une température constante. *Thermostater un appartement. — P. p. adj. Incubateur thermostaté. «Une température (...) stable et parfaitement thermostatée»* (Science et Vie, févr. 1976, p. 59).

THERMOSTATIQUE [tɛʀmostatik] adj. et n. f. — 1949, in Larousse; de *thermostat*.
Didactique.

★ **I.** Adj. Qui permet d'obtenir une température constante. *Dispositif thermostatique.*

★ **II.** N. f. *La thermostatique,* thermodynamique de l'équilibre.

THERMOTACTISME [tɛʀmotaktism] n. m. — 1897, in *Année biol.*, p. 338; de *thermo-*, et *tactisme*.

♦ Zool. Thermotropisme des animaux aquatiques.

THERMOTAXIE [tɛʀmotaksi] n. f. — 1904; de *thermo-*, et *-taxie,* du grec *taxis* «disposition».

♦ **1.** Biol. Déplacement du protoplasme sous l'influence de la chaleur.

♦ **2.** (Mil. xxᵉ). Comportement réflexe des animaux en fonction de la température des lieux. ⇒ **Thermotactisme, thermotropisme**.

THERMOTHÉRAPIE [tɛʀmoteʀapi] n. f. — 1876; de *thermo-*, et *thérapie*.

♦ Didact. (méd.). Emploi thérapeutique de la chaleur.

THERMOTROPIQUE [tɛʀmotʀopik] adj. — 1933, in Larousse; de *thermotropisme*.

♦ Biol. Du thermotropisme.

THERMOTROPISME [tɛʀmotʀopism] n. m. — V. 1900 (*in* Larousse, 1904); de *thermo-*, et *tropisme*.

♦ Biol. Comportement locomoteur (d'un animal) en fonction de la température de l'environnement. *Thermotropisme des animaux aquatiques.* ⇒ **Thermotactisme**.

DÉR. Thermotropique.

THÉRO- Élément, du grec *thèro-*, de *thêr, thêros* «bête sauvage» entrant dans la composition de termes didactiques. (Ex. : *théromorphe* adj., «qui ressemble à une bête sauvage»).

THÉROPITHÈQUE [teʀopitɛk] n. m. — 1933; de *théro-*, et *-pithèque*.

♦ Zool. Singe cynocéphale d'Éthiopie, analogue au papion.

THÉSARD, ARDE [tezaʀ, aʀd] n. — Mil. xxᵉ; de *thèse*.

♦ Fam. (argot universitaire). Personne qui prépare une thèse.

Maîtres et jurys s'insurgent contre la longueur excessive des recherches qu'ils dirigent ou qu'ils jugent. Leurs récriminations cependant trouvent peu d'écho chez les *thésards* (thésard : familièrement, chercheur qui prépare une thèse)...   1
        E. LE ROY LADURIE, in le Monde, 19 sept. 1968.
Parlons net. La thèse est une obligation inhumaine. Elle condamne le « thésard »   2
à ne pas avoir, durant une ou deux décennies, de vie de famille.
        Ch.-A. JULIEN, in le Monde, 19 sept. 1968.

THÉSAURISATEUR, TRICE [tezɔʀizatœʀ, tʀis] n. ⇒ **Thésauriseur**.

THÉSAURISATION [tezɔʀizasjɔ̃] n. f. — 1719, in D.D.L.; de *thésauriser*.

♦ **1.** Didact. Action de thésauriser. ⇒ **Capitalisation**.

♦ **2.** (V. 1790, Mirabeau). Écon. Fait de ne pas dépenser le revenu disponible et de l'affecter à des valeurs stables.

THÉSAURISER [tezɔʀize] v. — V. 1350; bas lat. *thesaurizare,* de *thesaurus* «trésor».

♦ **1.** V. intr. Amasser de l'argent pour le garder, sans le faire circuler ni l'investir. ⇒ **Accumuler, capitaliser, économiser, entasser**. — *L'avare (...) «thésaurisant pour les voleurs»* (La Fontaine, *Fables,* IX, 16).

(...) j'aime à faire circuler les espèces, je ne thésaurise point.   1
        A.-R. LESAGE, Gil Blas, VIII, VII.
Le paysan a de l'argent, mais la campagne n'achète jamais; elle thésaurise.   2
        A. MAUROIS, B. Quesnay, XXV.

♦ **2.** V. tr. Amasser (de l'argent) de manière à se constituer un trésor. ⇒ **Épargner**.

(...) il a trouvé le moyen, au moment où l'État redemandait de l'or, de thésauriser   3
quarante écus de vingt francs (...)   GIDE, Journal, 14 janv. 1943.
(Déb. xivᵉ). Fig. Accumuler (des richesses spirituelles, morales). *Thésauriser des connaissances, du savoir.*

▶ **THÉSAURISÉ, ÉE** p. p. adj.
Accumulé par thésaurisation. *Des biens thésaurisés.*

CONTR. Acquérir, dépenser, dilapider, gaspiller.
DÉR. Thésaurisation, thésauriseur.

THÉSAURISEUR, EUSE [tezɔʀizœʀ, øz] n. — 1764; de *thésauriser*.

♦ Didact. (écon.) ou littér. Personne qui thésaurise. ⇒ **Amasseur, avare**. — REM. On trouve aussi *thésaurisateur* (Maupassant, *Fort comme la mort;* Siegfried, *La Fontaine, Machiavel français*, p. 44).

Ce qui compte économiquement, c'est que le revenu distribué doit se retrouver. Or, la thésaurisation représente les parties de revenu distribué qui échappent au circuit. Dès lors, tout dépend de la forme que revêt la thésaurisation. S'agit-il pour le thésauriseur de conserver sous forme de monnaie, ce qu'il ne consomme pas? C'est du pouvoir d'achat retiré de la circulation. S'agit-il (...) de transformer ce qu'il ne consomme pas en valeur-refuge : or, bijoux, œuvres d'art? C'est une redistribution de revenu asociale. En ce sens, la thésaurisation (...) contredit la politique suivie officiellement.   G. PASQUALAGGI, in ROMEUF,
        Dict. des sciences économiques, art. Thésaurisation.

Par métaphore ou fig. Qui amasse des biens (non matériels) précieux. → Compilation, cit. 2. *Les érudits, thésauriseurs du savoir.*

THÉSAURUS [tezɔʀys] n. m. invar. — 1904; mot lat. «trésor».
Didactique.

♦ **1.** Recueil ou lexique de philologie ou d'archéologie. *Thésaurus de la langue latine.* ⇒ **Trésor.**

♦ **2.** (Mil. xxᵉ, angl. *thesaurus,* du lat.). Doc., ling. Répertoire alphabétique de termes normalisés pour l'analyse de contenu et le classement des documents d'information. *Les thésaurus techniques. Thésaurus documentaire.* (On écrit aussi *thesaurus*).

THÈSE [tɛz] n. f. — 1579; lat. rhét. *thesis,* grec *thesis* «action de poser» *(tithenai).*

♦ **1.** Proposition* ou théorie particulière qu'on tient pour vraie et qu'on s'engage à défendre par des arguments (→ Controverse, cit. 1). *Avancer, soutenir, défendre une thèse*(→ Génération, cit. 6). *Contredire, réfuter, renverser la thèse adverse* (→ Connaître, cit. 12; réticence, cit. 4). *Prendre le contre-pied de la thèse traditionnelle. Thèses qui s'affrontent* (cit. 8). *Appuyer une thèse* (→ Parallélisme, cit. 3). *À l'appui de cette thèse* (→ Artisanat, cit. 3). *L'observation* (cit. 12) *scientifique confirme ou infirme une thèse antérieure. Thèses économiques* (→ Industrialisme, cit.; population, cit. 4; profit, cit. 10), *philosophiques, historiques, militaires...* ⇒ **Doctrine, opinion** (→ Percer, cit. 18).

Littér. À THÈSE. *Pièce, roman à thèse,* qui illustre une thèse (philosophique, morale, politique, etc.) que l'auteur propose au public (→ Programme, cit. 4). *La thèse morte, le talent reste* (→ Généralité, cit. 3).

1   Toute cette littérature est à thèse puisque ces auteurs, bien qu'ils protestent avec virulence du contraire, défendent tous des idéologies.
                                                       SARTRE, Situations II, p. 238.
1.1   Une œuvre à thèse non seulement ne montre rien mais elle ne démontre jamais que des fadaises.   S. DE BEAUVOIR, la Force de l'âge, p. 560.

Loc. (Mil. xixᵉ) *En thèse générale :* en règle générale.

♦ **2.** [a] (Mil. xviiᵉ). Ancienn. Proposition ou série de propositions que le candidat à un grade de bachelier (cit. 2), de licencié, de docteur, etc., s'engageait à soutenir (→ Apparat, cit. 1). *Thèse sorbonique.*

[b] (xixᵉ). Mod. Ouvrage présenté pour l'obtention du doctorat (opposé à *mémoire**). — REM. En France, cet ouvrage *(thèse principale)* comportait nécessairement un complément *(thèse complémentaire* ou *petite thèse)* naguère rédigé en latin. *Thèse d'État,* du doctorat d'État. *Thèse d'université* (anciennt), du doctorat d'université. *Thèse de troisième cycle :* thèse assez courte préparée en 2 ou 3 ans après la licence d'enseignement et la maîtrise. Syn. : *thèse de recherche. — Publier sa thèse. Préparer, soutenir une thèse de doctorat* (→ Brillant, cit. 23; passer, cit. 94).

[c] Ancienn. Grande feuille (de papier, de parchemin...) souvent richement décorée où étaient imprimées ces propositions (→ Molière, *le Malade imaginaire,* II, 6).

Mod. Livre imprimé. *Envoyer sa thèse à un collègue.*

2   L'époque approchait cependant où il fallait imprimer la thèse. Elle fut achevée à la hâte et n'en valut pas moins pour cela. Frédéric fut reçu avocat; il adressa à Besançon plusieurs exemplaires de sa dissertation accompagnés de son diplôme.
                          A. DE MUSSET, Nouvelles, « Frédéric et Bernerette », II.
3   — Voici : je crains que le sujet de sa thèse (...) ne soit un peu spécial. — Quelle thèse? fis-je, légèrement inquiet. — La thèse pour son baccalauréat.
                                                         GIDE, Isabelle, III.

♦ **3.** (1904). Philos. [a] Chez Kant, Premier membre d'une antinomie de la raison pure.

[b] (Dans la tradition interprétative de Hegel par Fichte; chez Hamelin). Premier moment de la démarche dite dialectique*. → Antithèse, synthèse.

4   Nous n'avons guère insisté, dans l'analyse qui précède, sur les thèmes qui ont constitué l'essentiel de l'interprétation de l'hégélianisme en France depuis un demi-siècle : la dialectique du désir et de la reconnaissance, celle du travail et de la liberté (qui ont nourri l'humanisme christiano-marxiste) ou la méthode « thèse-antithèse-synthèse » (qui sert de schéma aux mauvaises dissertations). Si nous les avons négligés, c'est qu'à la lecture, nous avons jugé qu'ils ne correspondent ni à l'exposition manifeste ni à une signification cachée des textes. Le système de Hegel n'est pas une anthropologie; c'est une logique.
                                                       F. CHÂTELET, Hegel, p. 178.

[c] Dans la phénoménologie, Position par la pensée (d'un objet), n'impliquant pas une réalité ou une vérité.

CONTR. **Antithèse.**
DÉR. **Thésard.** — (Du même rad.) **Thétique.**
COMP. (Du grec) V. **Antithèse, hypothèse, synthèse.**

THÉSIS [tezis] n. f. — 1872, Littré; mus. 1765; grec *thesis.*→ Thèse.

♦ Didact. Élément métrique marqué par un abaissement soit de la main ou du pied qui frappe la mesure (demi-pied fort), soit de la voix qui scande les vers (demi-pied faible); opposé à *arsis*.*

THESMOPHORIES [tɛsmɔfɔri] n. f. pl. — 1721; grec *thesmophoria,* de *thesmophoros* «législateur», appellation de Déméter, de *thesmo-* «loi», et *-phoros* (→ -phore).

♦ Didact. (antiq. grecque). Fêtes en l'honneur de Déméter, célébrées par les femmes.

THESMOTHÈTE [tɛsmɔtɛt] n. m. — xviiᵉ, Rollin; grec *thesmothetês,* «qui propose» *(-thetês,* de *tithenai)* «les lois» *thesmos.*

♦ Didact. (antiq. grecque). Magistrat athénien, chacun des six derniers archontes chargés de réviser, de coordonner chaque année les lois (→ Aréopage, cit. 4).

THESSALIEN, ENNE [tesaljɛ̃, ɛn] adj. et n. — Attesté xixᵉ; de *Thessalie.*

♦ De la Thessalie, région du Nord de la Grèce (notamment, dans l'antiquité). — N. *Un Thessalien, des Thessaliennes.*
N. m. Dialecte du grec ancien parlé en Thessalie (groupe éolien*).

THÊTA [teta] n. m. — Mot grec.

♦ Huitième lettre de l'alphabet grec* à laquelle correspond *th,* dans les mots français issus du grec. — *Le thêta servait aussi à noter le nombre 9.*

THÈTE [tɛt] n. m. — 1876, P. Larousse; grec *thês, thêtos* «ouvrier, serviteur».
Didactique (histoire).

♦ **1.** Citoyen libre mais non propriétaire (ou propriétaire d'une petite propriété) dans l'Athènes antique à l'époque de Solon.

♦ **2.** Ouvrier agricole, dans la Grèce antique.
HOM. 2. **Têt, tête,** formes du v. **téter, tette.**

THÉTIQUE [tetik] adj. — 1912; lat. *theticus,* grec *thetikos,* dér. de *tithenai.* → Thèse.
Didactique.

♦ **1.** Qui pose un contenu de pensée en tant que thèse. ⇒ **Assertif.** *Termes thétiques.*
Philos. *Jugement thétique,* qui pose de manière absolue, indépendamment d'autres assertions (chez Fichte).

♦ **2.** (1943, Sartre; d'après l'all. → Thèse, 3., c). En phénoménologie, Qui pose qqch. en tant qu'existant. *La conscience thétique et la conscience non thétique* (Sartre, *l'Être et le Néant,* Introduction). ⇒ **Positionnel; existentiel.**

THÉURGIE [teyʀʒi] n. f. — 1375; rare av. xviiiᵉ; lat. impérial *theurgia,* grec *theourgia* «opération divine».

♦ Didact. Magie faisant appel aux divinités célestes et aux esprits supérieurs, dont l'homme utilise les pouvoirs. ⇒ **Théosophie.**

1   La philosophie humaine qui se présenterait pour succéder à la foi (...) qu'aurait-elle à nous donner? Une théurgie? Qui l'admettrait? Et cette théurgie, que cacherait-elle sous ses voiles (...)   CHATEAUBRIAND, Études historiques, III, III.
2   Si le thaumaturge eût effacé dans Jésus le moraliste et le réformateur religieux, il fût sorti de lui une école de théurgie et non le christianisme.
                                RENAN, Vie de Jésus, Œ. compl., t. IV, XVI, p. 250.

Spécialt, philos. Dans le néoplatonisme, le fait de faire agir Dieu en soi.

DÉR. **Théurgique, théurgiste** ou **théurgite.**

THÉURGIQUE [teyʀʒik] adj. — 1375, rare av. 1625; bas lat. *theurgicus;* grec *theourgikos.*

♦ Didact. Relatif, propre à la théurgie (→ Magie, cit. 1).

1   L'homme alors est abandonné à l'une seulement des composantes tyranniques dont toute vie implique l'action concertée, c'est dire que d'ores et déjà, il a consenti à sa perte, qu'il emprunte la voie théopathique du renoncement ou la voie théurgique de la conquête, qu'il se veuille saint ou sorcier, qu'il s'attache à éteindre en lui la passion consumante de vivre ou qu'il s'y livre sans réserve.
                              Roger CAILLOIS, l'Homme et le Sacré, p. 177.
2   Vers 1920, les idées de Saint-Yves d'Alveydre furent reprises par quelques membres des loges martinistes, notamment Vivian du Mas et Jeanne Canudo, dans un document d'inspiration théurgique, intitulé *Schéma de l'Archétype social,* qui inspira lui-même, vers le milieu des années 30, un groupe de jeunes théosophes (...)
                              Raymond ABELLIO, les Militants, p. 107.

THÉURGISTE [teyʀʒist] ou **THÉURGITE** [teyʀʒit] n. — Av. 1784, Diderot, *théurgiste; théurgite,* 1747, Voltaire; de *théurgie.*

♦ Didact. Adepte de la théurgie. — REM. La var. *théurge* (1759) est empruntée au bas lat. *theurgus,* grec *theourgos.*

THIAMINE [tjamin] n. f. — Mil. xxᵉ; de *thi(o)-,* et *amine.*

♦ Biochim. Vitamine B₁.
   Le nom chimique de la vitamine B_1 est «aneurine» ou «thiamine». Ainsi *vitamine B_1, vitamine antibéribérique ou antinévritique, aneurine,* sont trois termes synonymes.   S. GALLOT, les Vitamines, p. 58 (1941).

THIASE [tjaz] n. m. — 1839 ; *thyase*, 1765 ; grec *thiasos*, même sens. Antiquité.

♦ **1.** Cortège d'une divinité. *Thiase bachique.*

(...) le maître incontesté de l'imagerie athénienne est à coup sûr Dionysos, représenté comme l'amant d'Ariadne, le rival d'Apollon, (...) le seigneur du thiase, dont il guide le joyeux cortège.   Henri METZGER, la Céramique grecque, p. 97.

♦ **2.** Association ou confrérie ; spécialt, confrérie dionysiaque ou orphique.

THIASOTE [tjazɔt] n. — 1877, Littré, *Suppl. ;* grec *thiasôtes*, de *thiasos.* → Thiase.

♦ Antiq. Membre d'une thiase.

THIAZINE [tjazin] n. f. — 1904 ; de *thi(o)-, az-,* et *-ine.*

♦ Chim. Matière colorante bleue ou violette contenant du soufre. *Le bleu de méthylène est une thiazine.*

DÉR. Thiazinique.

THIAZINIQUE [tjazinik] adj. — Mil. xxᵉ ; de *thiazine.*

♦ Des thiazines.

THIAZOL ou **THIAZOLE** [tjazɔl] n. m. — 1933 ; de *thi(o)-, azo(te),* et *-ol.*

♦ Chim. Composé hétérocyclique C_3H_3SN, liquide odorant ; nom des corps de la même série (aminothiazol, sulfathiazol, etc.). *Certains thiazoles sont employés en thérapeutique comme antithyroïdiens.*

THIBAUDE [tibod] n. f. — 1830 ; de *Thibaud,* nom traditionnel de berger. Cf. *Thibaud l'Agnelet,* dans *la Farce de Pathelin.*

♦ Molleton de tissu grossier ou de feutre qu'on met sous les tapis de pied. *Clouer une thibaude. Moquette sur thibaude. Thibaude libre ; thibaude incorporée* (fixée au dossier d'un revêtement de sol textile).

Par précaution, Peyrade avait mis un lit de paille, une thibaude et un tapis très épais dans la chambre de la Flamande (...)
    BALZAC, Splendeurs et Misères des courtisanes, Pl., t. V, p. 759.

THINITE [tinit] adj. — Attesté mil. xxᵉ ; de *This,* nom propre, première capitale de l'Égypte.

♦ Didact. Des deux premières dynasties pharaoniques (avant la fondation de Memphis). *Roi, dynastie thinite. — Tombes, monuments thinites,* de cette époque. « (...) l'Égyptien Manéthon, écrivant *en grec au IIIᵉ siècle avant notre ère, dénommait les dynasties qu'il distinguait en se référant à une ville et non à un fondateur de lignée : il parle de dynasties thinites, memphites, thébaines...* » (*Sciences et avenir,* nº 415, p. 64.)

THIO- Premier élément, du grec *theion* « soufre », entrant dans la composition de termes de chimie, et indiquant la présence de soufre dans un composé, et, plus spécialement, en chimie organique, la liaison du soufre au carbone par une seule valence (ex. : *acide thiocarbonique HCO_2SH*).

THIOACIDE [tjoasid] n. m — 1903, in *Rev. gén. des sc.,* nº 6, p. 338 ; de *thio-,* et *acide.*

♦ Chim. Acide de la série thionique* (acide oxygéné du soufre, résultant du remplacement d'un atome d'oxygène par un atome de soufre). — Syn. : *sulfacide.*

THIOALCOOL [tjoalkɔl] ou **THIOL** [tjɔl] n. m. — 1906 ; de *thio-,* et *(alcoo)l.*

♦ Chim. Alcool ou phénol sulfuré. ⇒ **Mercaptan.**

THIOBACTÉRIE [tjobakteʀi] n. f. — D. i. (mil. xxᵉ) ; de *thio-,* et *bactérie.*

♦ Bot. Bactérie sulfureuse (ordre des *thiobactériales*). *Les thiobactéries (thiobactériales) vivent dans les eaux chargées d'hydrogène sulfuré, qu'elles utilisent comme aliment.*

THIOCÉTONE [tjoseton] ou **THIONE** [tjɔn] n. f. — Mil. xxᵉ ; de *thio-,* et *cétone.*

♦ Chim. Cétone sulfurée.

THIOKOL [tjokɔl] n. m. — Mil. xxᵉ (*in* Larousse 1968) ; mot anglo-américain, marque déposée (*in* Webster 3ᵈ) ; de *thio-.*

♦ Chim. Techn. Polymère sulfuré composé d'un radical organique bivalent et de deux atomes de soufre, qui sont représentés de nombreuses fois dans la molécule. *Les thiokols sont des élastomères pouvant être vulcanisés par chauffage.*

THIOL [tjɔl] n. m. ⇒ **Thioalcool.**

THIONATE [tjɔnat] n. m. — 1872 ; de *thionique.*

♦ Chim. Sel (d'un acide de la série thionique).

THIONE [tjɔn] n. f. ⇒ **Thiocétone.**

THIONINE [tjɔnin] n. f. — 1897, in *l'Année biol. ;* de *thio-, -n-,* et *-ine.*

♦ Chim. Matière colorante, dite aussi *violet de Lauth,* dérivée du gaïacol.

THIONIQUE [tjɔnik] adj. — 1858 ; de *thio-, -n-,* et *-ique.*

♦ Chim. Qui concerne le soufre. *Série thionique :* série des acides oxygénés du soufre. ⇒ **Thioacide.**

DÉR. Thionate.

THIOPENTAL [tjopɛtal] n. m. — xxᵉ ; de *thio-,* et *pen(to)tal.*

♦ Méd. Médicament barbiturique à action brève, employé comme anesthésique et en narco-analyse (d'où le nom *sérum de vérité*).

THIOPHÈNE [tjofɛn] n. m. — 1905, in *Rev. gén. des sc.,* nº 20, p. 920 ; de *thio-,* et *-phène.*

♦ Chim. Composé organique cyclique renfermant un atome de soufre, et que l'on rencontre dans les hydrocarbures benzéniques provenant de la pyrogénation de la houille. *Le thiophène est une des impuretés du benzène.*

THIOSULFATE [tjosylfat] n. m. — 1876 ; de *thio-,* et *sulfate.*

♦ Chim. Hyposulfite.

THIOSULFURIQUE [tjosylfyʀik] adj. — 1949 ; de *thio-,* et *sulfurique.*

♦ Chim. ⇒ **Hyposulfureux.**

THIO-URÉE ou **THIOURÉE** [tjoyʀe] n. f. — 1903, in *Rev. gén. des sc.,* nº 1, p. 54 ; de *thio-,* et *urée.*

♦ Chim. Composé (NH_2—CS—NH_2) qui dérive de l'urée par substitution de soufre à l'oxygène. On dit aussi *sulfo-urée.*

Dans le cas de l'hyperthyroïdisme, on emploie depuis quelque temps avec succès des « antithyroïdiens » qui sont des substances chimiques du groupe de la thiourée.
    Pierre REY, les Hormones, p. 108.

THIXOTROPE [tiksɔtʀɔp] adj. — 1964 ; de *thixotrop(ie).*

♦ Chim. Qui se liquéfie et se régénère par thixotropie (d'un gel).

THIXOTROPIE [tiksɔtʀɔpi] n. f. — 1933, *in* Larousse ; du grec *thixis* « action de toucher », et *-tropie* (→ *-trope*).

♦ Chim. Propriété qu'ont certains gels (dits *thixotropes*) de se liquéfier par agitation et de se régénérer au repos.

DÉR. Thixotrope, thixotropique.

THIXOTROPIQUE [tiksɔtʀɔpik] adj. — V. 1933 ; de *thixotropie.*

♦ Chim. Relatif à la thixotropie. *Propriétés thixotropiques* (d'une substance). ⇒ **Thixotrope.** *Peintures thixotropiques.*

THLASPI [tlaspi] n. m. — 1553 ; lat. *thlaspi,* mot grec. Botanique.

♦ **1.** Plante des lieux incultes *(Cruciféracées)* à fleurs en grappes, appelée aussi *tabouret.*

♦ **2.** Ibéride ornementale. *Thlaspi jaune.* ⇒ **Corbeille** (d'or).

THOLÉITE [tɔleit] n. f. — Mil. xxe ; dér. sav. du lat. *tholus* «voûte», grec *tholos*. → Tholos.

♦ Minéralogie. Basalte contenant une forte proportion de silice. *La tholéite prédomine dans les dorsales océaniennes.* — Syn. : *basalte tholéitique.*

THOLIA [tɔlja] n. f. — 1876, P. Larousse ; mot grec, de *tholos*. → Tholos.

♦ Didact. (antiq. grecque). Chapeau à vaste bord et à calotte conique, en paille tressée, porté par les femmes. *Statuette de Tanagra coiffée de la tholia.*

THOLOS [tɔlos] n. f. — 1876 ; *tholus*, 1676 ; *thole* «voûte», 1627 ; mot grec.
Didactique.

♦ **1.** Sépulture préhistorique, à rotonde et coupole, en Mésopotamie, en Crète, à Mycènes.

♦ **2.** Temple grec circulaire.
Le temple qui présente un front de colonnes supplémentaires sur un petit côté est *prostyle* (...) enveloppé d'une double colonnade, il est *diptère* ; d'une seule, *périptère (monoptère,* s'il est rond ; il se nomme alors *tholos)...*
                              G. CONTENAU et V. CHAPOT, l'Art antique, p. 162.

Plur. : *des tholos* ou (plur. grec) *des tholoi* [tɔlɔj].

THOMAS [tɔma] n. m. — 1830 ; du n. propre, par la phrase de l'Évangile *Vide Thomas* (...) «vois, Thomas(...)», par calembour sur *vider,* p.-ê. combiné avec le dialectal *tumer, tomer* «renverser, déborder», d'où à Metz *tomà* «facile à verser, à renverser» (P. Guiraud).
Pop. Vieux.

♦ **1.** Vase de nuit. ⇒ **Jules.**
Le véritable, c'est qu'il ne s'appelait pas Jules. Son véritable prénom était Thomas. Mais ma chère tante ayant entendu dire que les gens de la campagne appelaient Thomas leur pot de chambre, avait décidé de l'appeler Jules, ce qui est encore plus usité pour désigner le même objet. L'innocente créature, faute d'avoir fait son service militaire, l'ignorait, et personne n'osa l'en informer, même pas Thomas-Jules, qui l'aimait trop pour la contredire, surtout quand il avait raison.
                              M. PAGNOL, la Gloire de mon père, t. I, p. 61.

♦ **2.** (1879, Zola). Ancienn. Baquet où urinaient les soldats.

THOMISE [tɔmiz] n. m. — 1829 ; lat. zool. *thomisus,* 1805, Walckenaer ; dér. sav. du lat. *thomix,* grec *thômigx* «corde, fil».

♦ Zool. Animal arthropode arachnide *(Aranéides thomisidés),* araignée vagabonde à marche oblique (d'où son nom d'*araignée-crabe*), qui tend des fils isolés, sans faire de toile.

THOMISME [tɔmism] n. m. — xviiie ; de *thom(iste).*
Philosophie.

♦ **1.** Système théologique et philosophique de saint Thomas (exposé notamment dans la *Somme théologique*). ⇒ **Scolastique.**

♦ **2.** Doctrine, mouvement philosophique qui s'en inspire à l'époque moderne (on dit aussi *néo-thomisme*) sous l'influence de l'Encyclique *Æterni patris* de Léon XIII (→ Écorcher, cit. 8).

THOMISTE [tɔmist] n. et adj. — 1606 ; de *(saint) Thomas (d'Aquin).*
Philosophie.

♦ **1.** N. Partisan du thomisme (et, spécialt, au xviie siècle, de la doctrine de saint Thomas sur la grâce et la prédestination).

♦ **2.** Adj. (Attesté xixe). Relatif, propre au thomisme.
DÉR. Thomisme.

THON [tɔ̃] n. m. — 1393 ; anc. provençal *ton*, du lat. *thunnus,* grec *thunnos*.

♦ **1.** Poisson acanthoptérygien *(Scombridés)* de grande taille qui vit dans l'Atlantique et la Méditerranée, et qui est recherché pour sa chair. *Un banc de thons. Espèces de thon : thon rouge, thon blanc* (⇒ **Albacore, germon**), *bonite, thonine. Pêche au thon.* ⇒ **Combrière, madrague** (cit.), *thonaire, thonier* (→ 2. Pêcher, cit. 2).

♦ **2.** (1690). *Du thon.* Chair de ce poisson. *Thon frais, grillé, en tranches* (escalopes). *Thon mariné* (→ Assaisonnement, cit. 3). *Thon en conserve* (au naturel, à l'huile). *Thon à la catalane. Ouvrir une boîte de thon. Thon cru. Sushi de thon. Rillettes de thon.*
(...) les thons, lisses et vernis, pareils à des sacs de cuir noirâtre (...)
                              ZOLA, le Ventre de Paris, t. I, p. 149.
DÉR. Thonaire, thonier, thonine.
HOM. 1. Ton, 2. ton.

THONAIRE [tɔnɛʀ] n. m. — 1801 ; *thonnaire,* 1681 ; de *thon.*

♦ Techn. (Pêche). Série de filets amarrés bout à bout, dont une extrémité est amarrée à terre à un point fixe et l'autre à un bateau. — On écrit parfois *thonnaire.*
HOM. Tonnerre.

THONIER, IÈRE [tɔnje, jɛʀ] n. m. et adj. — Fin xixe ; de *thon.*

★ **I.** N. m. ♦ **1.** Navire pour la pêche au thon.

♦ **2.** Pêcheur de thon.

★ **II.** Adj. (xxe). Qui se rapporte au thon. *Production thonière. Port thonier.*

THONINE [tɔnin] n. f. — 1779 ; *tonine* «thon», fin xie ; de *thon.*

♦ Régional. Petit thon propre à la Méditerranée.

THORA [tɔʀa] n. f. ⇒ **Torah.**

THORAC-, THORACO- Élément, du grec *thôrax, thôrakos* «thorax».

THORACENTÈSE [tɔʀasɛ̃tɛz] ou **THORACOCENTÈSE** (rare) [tɔʀakosɛ̃tɛz] n. f. — 1823, *thoracentèse* ; *thoracocentèse,* 1872 ; de *thorac(o)-,* et *-centèse.*

♦ Chir. Ponction de la paroi thoracique, destinée à évacuer une collection liquide de la plèvre. ⇒ **Empyème.**

THORACIQUE [tɔʀasik] adj. — 1660 ; *thorachique,* v. 1560 ; du grec *thôrakikos,* de *thôrax.* → Thorax.

♦ **1.** Du thorax. — (1856). *Cage thoracique,* syn. de *thorax* (quand on considère l'extérieur, les côtes). → Expiration, cit. 1. — *Cavité thoracique* : cavité conique que le thorax présente à l'intérieur (→ Diaphragme, cit. 1). *Aorte thoracique* (→ Collatéral, cit. 1). *Artères thoraciques.* — *Canal thoracique* : tronc collecteur de tous les lymphatiques du corps (sauf ceux qui viennent de la moitié droite de la tête, du cou et du thorax, ainsi que du membre supérieur droit). ⇒ **Chyle.**
(...) c'est un étouffement thoracique, un encerclement du tonneau respiratoire.
                              R. QUENEAU, Loin de Rueil, p. 22.

Capacité thoracique (ou *vitale*) : volume d'air maximum susceptible de pénétrer dans les poumons, égal au volume recueilli au cours d'une expiration forcée après inspiration forcée préalable. ⇒ **Spiromètrie.** — REM. La forme archaïque *thorachique* se rencontre encore au xixe s. : «*mon grand ouvrage sur les affections thorachiques*» (Labiche).

♦ **2.** Zool. Du thorax (3.) des insectes. *Région thoracique.*

♦ **3.** (1803, n. m. pl., «classe de poissons» ; adj. mil. xxe). *Poissons thoraciques,* dont les nageoires pelviennes sont situées à l'aplomb des pectorales.

THORACO- ⇒ **Thorac-.**

THORACOPLASTIE [tɔʀakoplasti] n. f. — 1890, *in* P. Larousse, *Deuxième Suppl.* ; de *thoraco-,* et *-plastie.*

♦ Chir. Résection d'une ou plusieurs côtes, ou parties de côtes, pratiquée dans certains cas de tuberculose pulmonaire, pour provoquer l'affaissement du poumon malade, qui cesse alors de fonctionner. — Abrév. *Il a subi une thoraco.*

THORACOTOMIE [tɔʀakotɔmi] n. f. — 1890, *in* P. Larousse, *Deuxième Suppl.* ; de *thoraco-,* et *-tomie* (→ -tome).

♦ Chir. Ouverture chirurgicale du thorax, destinée à atteindre les organes situés en dessous. «(...) *une voix un peu assourdie, due peut-être à une thoracotomie avec ablation d'un poumon* (...)» (le Nouvel Obs., 28 nov. 1977).

THORAX [tɔʀaks] n. m. — 1478 ; *thorace,* n. f., 1314 ; mot lat., empr. au grec *thôrax, thôrakos.*
Anatomie et couramment.

♦ **1.** Chez l'homme, Partie supérieure du tronc limitée par le diaphragme (qui la sépare de l'abdomen), délimitée en arrière par la colonne vertébrale dorsale, en avant par le sternum et latéralement par les arcs dorsaux, et dont l'intérieur constitue la cavité thoracique* où sont logés le cœur et les poumons. ⇒ **Médiastin, poitrine, thoracique** (cage, cavité), **tronc** (→ Épaule, cit. 1 ; étranglement, cit. 4; évasement, cit.; siphonnage, cit. 1). *Malformation du thorax. Thorax en bréchet, en entonnoir, en sablier, en tonneau.*

Il avait le tronc assez noueux, et le poil qui dessinait une palme régulière de l'abdomen au thorax.   ARAGON, les Beaux Quartiers, II, XIX.

Cour. Avoir un gros thorax, un thorax puissant, « un thorax de taureau » (Queneau). ⇒ **Coffre** (fam.), **poitrine.**

♦ **2.** Chez les vertébrés, Partie antérieure du tronc qui fait immédiatement suite à la tête, sans être nettement séparé de l'abdomen (sauf chez les mammifères).

♦ **3.** Zool. Partie du corps de l'insecte* portant les organes locomoteurs (→ Pétiole, cit.). ⇒ **Céphalothorax, écu, écusson, mésothorax, métathorax, prothorax** (ou corselet).

(Le thorax) se compose toujours de trois segments, d'avant en arrière, le pro-, le méso-, et le métathorax. Le prothorax s'articule avec la tête par une membrane souple. Un segment thoracique présente une section sensiblement quadrangulaire; les quatre faces très épaissies et réunies par des régions plus minces comprennent dorsalement le tergum ou tergite, ventralement le sternum ou sternite, latéralement les pleures ou pleurites. Chaque segment porte une paire de pattes et normalement le méso- et le métathorax portent chacun une paire d'ailes; le prothorax est toujours dépourvu d'ailes chez les Insectes actuels.
A. TÉTRY, in Encycl. Pl., Zoologie, t. II, p. 495.

DÉR. **Thoracique.**
COMP. **Céphalothorax, mésothorax, métathorax, prothorax. — Thoracentèse, thoracocentèse, thoracoplastie, thoracotomie.**

THORIANITE [tɔʀjanit] n. f. — 1905, in *Rev. gén. des sc.*, n° 12, p. 585; de *thor(ium), (ur)an(ium),* et *-ite.*

♦ Minéralogie. Oxyde naturel de thorium et d'uranium.

THORINE [tɔʀin] n. f. — 1817; du suéd. *Thor* nom du dieu scandinave → Thorium.
Chimie.

♦ **1.** Vx. ⇒ **Thorium.**

♦ **2.** Oxyde de thorium (ThO_2).

THORITE [tɔʀit] n. f. — 1838, Berzélius, *Traité de chimie, in* D. D. L.; de *thorium.*

♦ Minéralogie. Silicate hydraté de thorium (SiO_4Th), voisin du zircon.

THORIUM [tɔʀjɔm] n. m. — 1838, Berzélius, *Traité de chimie, in* D. D. L.; *thorinium,* 1821; de *thorjord* (minerai, roche), de *Thor* (dieu scandinave); a remplacé *thorine* (1817).

♦ Chim. Élément (masse at. env. 232; n° at. 90; symb. *Th*) assez disséminé dans la nature mais aux faibles doses, qu'on extrait de la monazite (phosphate de lanthanide renfermant l'oxyde ThO_2), métal gris (dens. 11,6; temp. de fusion 1700 °C), radioactif (→ Radioactivité, cit.). *Méthode de détermination de l'âge des minéraux fondée sur la radioactivité du thorium. L'isotope 232 du thorium est l'« ancêtre » d'une des trois familles radioactives naturelles.*

DÉR. **Thorite, thoron.**

THORON [tɔʀɔ̃] n. m. — 1923, cit.; de *thor(ium),* et suff. chim. *-on;* → Argon, radon.

♦ Chim. Émanation du thorium*, isotope du radon. *Utilisation du thoron en émanothérapie, en radiothérapie.*

Les émanations du radium, du thorium et de l'actinium pourraient prendre les noms de *radon, thoron* et *actinon.*
A. BOUTARIC, la Vie des atomes, p. 168 (1923).

THRACE [tʀas] adj. et n. — 1876, *in* P. Larousse; lat. *Thrax, Thracis,* grec *Thrax, Thrakos.*

♦ Didact. (antiq.). De la Thrace, région d'Europe orientale (au nord de la Grèce). *Les armées thraces.* — N. *Les Thraces.*

N. m. Spécialt. Gladiateur (d'abord gladiateur thrace) armé d'un bouclier et d'un glaive qui combattait contre les mirmillons*.

N. m. *Le thrace :* langue ancienne apparentée au phrygien (qui n'est connue que par de courtes inscriptions et par des noms propres). ⇒ **Thraco-phrygien.**

HOM. **Trace.**

THRACO-PHRYGIEN [tʀakofʀiʒjɛ̃] adj. et n. m. — Mil. xxᵉ; de *thrace,* et *phrygien.*

♦ Didact. D'un groupe de langues indo-européennes parlées dans l'antiquité dans les Balkans et sur la côte occidentale de la mer Noire : le thrace, le phrygien, le macédonien. N. m. *Le thraco-phrygien.*

THRÈNE [tʀɛn] n. m. — 1516; du bas lat. *threnus,* grec *thrênos,* de *threisthai* « se lamenter ».
Didactique.

♦ **1.** Antiq. grecque. Chant funèbre accompagné de danses, en l'honneur d'un défunt illustre. *Thrènes en l'honneur de Patrocle, d'Hector, dans l'Iliade.*

♦ **2.** Lamentations de Jérémie, lamentations sur la mort du Christ, etc.

♦ **3.** Littér. Complainte funèbre.

(...) il nous faudrait plutôt un thrène où chacun de nos frères et sœurs dispersés apportât sa note de douleur et d'espérance (...)
M. BARRÈS, la Colline inspirée, IX.

Sa mort fut accueillie par Françoise avec plus de pitié que celle d'Albertine. Elle prit immédiatement son rôle de pleureuse et commenta la mémoire du mort avec lamentations, de thrènes désespérés.
PROUST, le Temps retrouvé, Pl., t. III, p. 848-849.

HOM. **Traîne.**

THRÉNODE [tʀenɔd] n. — 1876, *in* P. Larousse; grec *thrênôdos,* de *thrênos* (→ Thrène), et *ôdé* « chant ».

♦ Didact. Pleureur, pleureuse à gage, dans la Grèce antique.

THRÉONINE [tʀeɔnin] n. f. — Après 1935; de l'angl. *threonin,* de *thre-* ou *threo-* (préf. chimique, probablt anagramme de *erythr-,* et *-o(se),* et *-ine.*

♦ Biochim. Acide aminé entrant dans la constitution des protéines organiques, indispensables à l'alimentation de l'homme.

Le premier acide aminé isolé par un chimiste a été la glycine (appelé longtemps glycocolle) qui est un constituant principal de la gélation, c'était en 1820; le dernier découvert, la thréonine, l'a été en 1935.
Antoine DANCHIN, Ordre et Dynamique du vivant, 1978, p. 136.

THRIDACE [tʀidas] n. f. — 1842; du lat. *thridax,* mot grec « laitue ».

♦ Pharm. Extrait sec préparé avec du suc de laitue, employé comme calmant *(Lactuarium).*

THRILL [tʀil] n. m. — 1863, Jaccoud, dans une trad. de Graves, *in* D. D. L.; mot angl. « frisson, émotion, sensation ».

♦ Anglic. Méd. Frémissement perçu à la palpation. *Thrill artériel.*

THRILLER [tʀileʀ; sʀilœʀ] n. m. — 1927 (roman, récit), 1946 (film); mot angl.; en amér. *thriller-diller,* de *to thrill* « faire frissonner ».

♦ Anglic. Film (policier, fantastique), roman, pièce qui procure des sensations fortes. *« C'est un excellent "thriller" qui a la dimension de la vérité, puisqu'il s'agit d'un fait divers retentissant »* (l'*Express,* 26 mars 1973, p. 140). *« Un thriller politique »* (le *Nouvel Obs.,* 11 déc. 1972, p. 26).

Fritz Lang recourra souvent à ce même facteur dramatique *(le jeu des ombres),* et il en tire ses meilleurs effets dans *Les Espions,* mélodrame à mi-chemin d'un fantastique dû à de savants éclairages et du réalisme du thriller.
L.H. EISNER, *in* la Revue du cinéma, 1ᵉʳ févr. 1947, p. 10.

THRIPS [tʀips] n. m. — 1765; mot grec « ver du bois ».

♦ Zool. Insecte archiptère *(Corrodants),* de petite taille, qui s'attaque notamment à la vigne, aux céréales, etc. *Thrips des serres,* s'attaquant à certaines fleurs.

THROMB-, THROMBO- Élément, du grec *thrombos* « caillot », entrant dans la composition de termes de biologie et de médecine.

THROMBASE [tʀɔ̃baz] n. f. — 1898, *in* Larousse; de *thromb-,* et *-ase.*

♦ Syn. de *thrombine*.

THROMBASTHÉNIE [tʀɔ̃basteni] n. f. — 1953; de *thromb-,* et *asthénie.*

♦ Méd. Modification des propriétés des plaquettes sanguines entraînant une insuffisance. *«(...) la maladie de Glanzman, encore appelée thrombasthénie (...)» (Sciences et Avenir,* août 1979).

THROMBECTOMIE [tʀɔ̃bɛktɔmi] n. f. — Mil. xxᵉ; de *thromb-,* et *-ectomie.*

♦ Méd. (Chir.). Extraction d'un caillot (thrombus) oblitérant un vaisseau, après incision de ce dernier.

THROMBINE [trɔ̃bin] n. f. — 1903, in *Rev. gén. des sc.*, n° 2, p. 61 ; de *thromb-*, et *-ine*.

♦ Biochim. Enzyme provenant de la prothrombine, provoquant la transformation du fibrinogène en fibrine. *La thrombine, facteur de la coagulation sanguine.*

HOM. Trombine.

THROMBO- ⇒ **Thromb-**

THROMBO-ANGÉITE [trɔ̃boãʒeit] n. f. — xxᵉ ; de *thrombo-*, *angi(o)-*, et *-ite*.

♦ Méd. Inflammation de vaisseaux (artères ou veines) associée à la thrombose.

THROMBOCYTE [trɔ̃bɔsit] n. m. — Fin xixᵉ (*in* Larousse, 1904) ; de *thrombo-*, et *-cyte*.

♦ Méd., biol. Plaquette* sanguine, hématoblaste*, globuline*.
(...) on rencontre également dans le sang des thrombocytes responsables de la coagulation.   Jean GUIBÉ, les Batraciens, p. 32.

COMP. Thrombocytémie, thrombocytopénie, thrombocytose.

THROMBOCYTÉMIE [trɔ̃bɔsitemi] n. f. — 1964 ; de *thrombocyte*, et *-émie*.

♦ Méd. Augmentation accusée du nombre des plaquettes (thrombocytes) dans le sang, à plus d'un million par mm³. ⇒ **Thrombocytose.** *La thrombocytémie peut être associée à une leucémie.* — On emploie aussi l'adj. *thrombocytémique.*

THROMBOCYTOPÉNIE [trɔ̃bɔsitopeni] n. f. — Mil. xxᵉ ; de *thrombocyt(e)*, *-o-*, et grec *penia* «pauvreté».

♦ Méd. Diminution anormale du nombre des plaquettes dans le sang (on dit aussi *thrombopénie*). — REM. On emploie aussi l'adj. *thrombocytopénique* (*in* Larousse, 1964).

THROMBOCYTOSE [trɔ̃bɔsitoz] n. f. — xxᵉ ; de *thrombocyte*, et 2. *-ose*.

♦ Méd. Augmentation relativement modérée du nombre des plaquettes dans le sang (ne dépassant pas 800 000 par mm³). ⇒ **Thrombocytémie.**

THROMBO-ÉLASTOGRAPHIE [trɔ̃boelastɔgrafi] n. f. — Mil. xxᵉ ; de *thrombo-*, *élasto-* (de *élastique*), et *-graphie*.

♦ Méd. Détermination du temps de coagulation du sang *in vitro* et de l'élasticité du caillot, par un graphique (*thrombo-élastogramme*, n. m.).

THROMBO-EMBOLIE [trɔ̃boãbɔli] n. f. — xxᵉ ; de *thrombo-*, et *embolie*.

♦ Méd. Obstruction de la lumière d'un vaisseau par un caillot détaché d'un foyer de thrombose situé à proximité.

THROMBOGRAPHIE [trɔ̃bɔgrafi] n. f. — Mil. xxᵉ ; de *thrombo-*, et *-graphie*.

♦ Méd. Étude, description et enregistrement de la coagulation sanguine.

THROMBOKINASE [trɔ̃bokinaz] n. f. — 1953 ; de *thrombo-*, et *kinase*.

♦ Thromboplastine*.

THROMBOLYSE [trɔ̃bɔliz] n. f. — Mil. xxᵉ ; de *thrombo-*, et *-lyse*.

♦ Biol. Méd. Dissolution d'un caillot (thrombus) présent dans la circulation sanguine. *Thrombolyse spontanée, induite par un traitement.* (⇒ **Thrombolytique**).

DÉR. Thrombolytique.

THROMBOLYTIQUE [trɔ̃bɔlitik] adj. et n. m. — Mil. xxᵉ ; de *thrombolyse*.

♦ Méd. De la thrombolyse. — N. Médicament qui agit par thrombolyse. *«Anti-coagulants et thrombolytiques»* (titre ; 1974).

THROMBOPATHIE [trɔ̃bopati] n. f. — Mil. xxᵉ ; de *thrombo-*, et *-pathie*.

♦ Méd. Perturbation de la fonction des plaquettes sanguines. *La thrombopathie se traduit essentiellement par des hémorragies répétées.*

THROMBOPÉNIE [trɔ̃bopeni] n. f. ⇒ **Thrombocytopénie.**

THROMBOPHLÉBITE [trɔ̃boflebit] n. f. — 1933 ; de *thrombo-*, et *phlébite*.

♦ Méd. Inflammation des parois d'une veine, compliquée de thrombose.

THROMBOPLASTINE [trɔ̃boplastin] n. f. — Mil. xxᵉ ; de *thrombo-*, *plast-* (du grec *plassein* «façonner»), et *-ine*.

♦ Chim., biol. Système de substances enzymatiques du plasma sanguin et des tissus jouant un rôle d'activateur dans la transformation de la prothrombine en thrombine (processus physiologique de la coagulation). — On dit aussi *thrombokinase*.
La thromboplastine permet la transformation d'une protéine inactive en substance active sur la coagulation.
                          A. GALLI et R. LELUC, les Thérapeutiques modernes, p. 82.

THROMBOPLASTIQUE [trɔ̃boplastik] adj. — Mil. xxᵉ ; de *thrombo-*, et *plastique*.

♦ Chim. biol. Se dit des substances qui favorisent la coagulation sanguine.
Quant aux phénomènes sanguins indubitables, il faut se rappeler qu'ils peuvent être provoqués par toute substance (...) susceptible de déterminer une action thromboplastique, de troubler l'équilibre colloïdal du sang, d'en augmenter la coagulabilité et d'en déterminer la floculation.
                          A. MARTINET, Thérapeutique clinique, p. 780-781 (1926).

THROMBOSE [trɔ̃boz] n. f. — 1823 ; du lat. mod., mot grec *thrombôsis* «coagulation», de *thrombos*. → Thrombus.

♦ **1.** Méd. «Formation d'un caillot (⇒ **Thrombus**) dans un vaisseau sanguin ou dans une des cavités du cœur chez un être vivant» (Garnier). ⇒ **Thrombo-embolie.** *Thrombose associée à une inflammation des vaisseaux (thrombo-angéite), des parois veineuses (thrombophlébite). Traitement d'une thrombose par thrombolyse.*

♦ **2.** Par métaphore ou fig. Ce qui obstrue. — Par appos. *Grève thrombose.*

DÉR. Thrombosé, thrombotique.

THROMBOSÉ, ÉE [trɔ̃boze] adj. — Mil. xxᵉ ; de *thrombose*.

♦ Didact. Affecté par une thrombose. *Vaisseaux thrombosés. Veines, artères thrombosées.*

THROMBOSTATIQUE [trɔ̃bostatik] adj. — Mil. xxᵉ ; de *thrombo-*, et *statique*.

♦ Chim. Qui empêche la formation de caillots sanguins.

THROMBOTIQUE [trɔ̃bɔtik] adj. et n. — Mil. xxᵉ ; de *thrombose*.

♦ Méd. Relatif à la thrombose. — Atteint de thrombose. N. *Un, une thrombotique.*

THROMBUS [trɔ̃bys] n. m. — 1539 ; *trumbe*, v. 1370 ; mot lat., du grec *thrombos*.

♦ Méd. Masse sanguine coagulée, et, spécialt, coagulée dans un vaisseau où elle peut déterminer une thrombose*. *«Le thrombus ou caillot ainsi formé va obstruer la brèche vasculaire, arrêtant la perte de sang»* (*Sciences et Avenir*, n° spécial 22, p. 36).

THUFUR [tyfyr] n. m. — Mil. xxᵉ ; mot islandais.

♦ Didact. (pédol.). Sol constitué par un réseau serré de buttes dues au soulèvement différentiel des terres sous l'action du gel, caractéristiques des régions froides et humides.

THUG [tyg] n. m. et adj. — Mil. xixᵉ (*in* P. Larousse, 1876) ; angl. *thug*, 1810, du hindi *thag*, mahratte *thag* «malfaiteur» ; le nom antérieur est *p'hansigar* «étrangleur» ; on en a parlé en franç. sous le nom d'*étrangleurs*.

♦ Membre d'une confrérie religieuse de l'Inde, vouée à la déesse Kali, et qui pratiquait des sacrifices humains rituels par strangulation ; par ext., criminel détroussant et tuant les voyageurs, aux Indes (xixᵉ siècle).
REM. Le dér. *thuggisme* [tygism], n. m. (angl. *thuggism*, 1856, *in* Oxford) est attesté *in* P. Larousse (1876).

THULIUM [tyljɔm] n. m. — 1904 ; lat. sav., nom donné en 1879 par le chimiste suédois Clève, du lat. *Thule*, grec *Thoulê*, nom d'un pays mal défini situé par les anciens aux confins septentrionaux de l'Europe.

♦ Chim. Élément (masse at. 168,9 ; n° at. 69 ; symb. *Tm*) du groupe des terres rares, métal blanc argenté (dens. 9,3 ; température de fusion 1500 °C environ).

THUNE [tyn] n. f. — 1800 ; «aumône», 1628 ; le «roi des gueux» s'appelait *roi de Thunes*. (Cf. Hugo, *Notre-Dame de Paris*, I, II, VI). On a évoqué un calembour sur *Tunes*, «Tunis» ; orig. incert., p.-ê. du gallo-romain *tutina*, de *tutari* «(se) protéger» (Guiraud).

♦ **1.** Pop. Vieilli. Pièce de cinq francs (→ Refroidir, cit. 3).

1   Et il se précipita pour ramasser le papier soigneusement plié. «Ça doit être au moins une thune, dit Croquignol, car ça a fait du bruit en tombant.»
        L. FORTON, les Aventures des Pieds-Nickelés, *in* l'Épatant, 1908, p. 21.
2   (...) le petit dada sur lequel il risquera deux thunes (...)
        R. QUENEAU, Pierrot mon ami, éd. L. de Poche, p. 47.
Par ext. Petite somme d'argent. *Il n'avait plus une thune.*
3   (...) et il reste stupéfait devant le mensonge de ces gens, pas assassins du tout, mais qui désirent gagner facilement une «thune», et dont le père ou la mère ou la sœur ressuscitent et remeurent tour à tour, parce qu'ils se coupent dans la conversation qu'ils ont avec le client à qui ils cherchent à plaire.
        PROUST, le Temps retrouvé, Pl., t. III, p. 825.

♦ **2.** Mod. (lang. des jeunes). *De la thune, de la tune :* de l'argent. ⇒ **Blé, pèze.** «*J'suis raide, t'as pas de la tune?*» (P. de Nussac, *les Français de moins de 20 ans, in Signature,* n° 133, 1981).

THURIFÉRAIRE [tyʀifeʀɛʀ] n. m. — 1690 ; du lat. ecclés. *thuriferarius,* lat. class. *t(h)urifer* «qui porte *(ferre)* l'encens *(tus, turis)*».

♦ **1.** Liturg. Clerc chargé de l'encensoir. — Porteur d'encensoir, dans divers cultes.

1   Arrivaient ensuite, sur un triple rang, les thuriféraires, qui, marchant à reculons, balançaient dans les airs leurs encensoirs, où fumaient les parfums de l'Yémen.
        NERVAL, Voyage en Orient, Nuits du Ramazan, III, II.

♦ **2.** (1801, Mercier). Fig. Littér. Encenseur, flatteur, laudateur (→ Machinique, cit.).

2   (...) ils étaient à coup sûr d'aussi intrépides thuriféraires que quiconque ; — leur manière de louer a même quelque chose d'effrontément naïf qui me charme plus que je ne le saurais dire ; point de demi-louange, point de réticence, point de ces petits éloges cauteleux et furtifs qui ne compromettent en rien celui qui les donne.
        Th. GAUTIER, les Grotesques, II, p. 51.
3   Cam se souvint alors avoir déjà vu à un vernissage ce Ménétrier dont les thuriféraires de la critique célébraient le génie en termes ridicules (...)
        A. BILLY, Sur les bords de la Veule, p. 196.

THURINGIEN, IENNE [tyʀɛ̃ʒjɛ̃, jɛn] adj. et n. — V. 1880, Hugo ; de *Thuringe.*

♦ **1.** Qui appartient à la Thuringe, vit en Thuringe. — N. *Les Thuringiens.*

♦ **2.** N. m. (1904). Géol. Étage terminal du permien*.

THUYA [tyja] n. m. — 1553 ; du grec *thuia.*

♦ **1.** Bot. et cour. Plante phanérogame *(Conifères ; Cupressinées),* arbre d'origine exotique proche du genévrier et du cyprès, dont une espèce fournit la sandaraque* (→ Adorable, cit. 4 ; persistant, cit. 1). *Thuyas en caisses.*

♦ **2.** (Mil. XIXᵉ). Bois de cet arbre, susceptible d'un beau poli, apprécié en ébénisterie pour son grain serré et sa teinte d'un brun délicat, régulièrement moucheté.

THYADE [tjad] n. f. — 1546, Rabelais ; du lat. *thyas* (ou *thyias*), *adis,* grec *thuias.*

♦ Didact. Myth. Bacchante. ⇒ 1. **Bacchante.** — On écrit aussi *thyiade.*

THYLACINE [tilasin] n. m. — 1827 ; du lat. zool. *thylacinus* (1827, Temminck), grec *thulakos* «poche, bourse», et suff. lat. *-inus.*

♦ Zool. Mammifère de Tasmanie de l'ordre des marsupiaux, carnivore, vivant le jour dans les grottes et chassant la nuit. — REM. Ce mammifère qui passait pour éteint a été retrouvé en 1961.

THYLLE [tij] n. f. — 1891, Encycl. Berthelot, art. *Cicatrisation* ; grec *thulas* «poche».

♦ Bot. Vésicule qui se forme sur les parois d'un vaisseau (amas de produits de réserve ou d'excrétion) et finit par l'obstruer, empêchant la circulation de la sève. *Les thylles modifient les qualités du bois.*
DÉR. Thyllose.
HOM. Tille.

THYLLOSE [til(l)oz] n. f. — Mil. XXᵉ ; de *thylle.*

♦ Bot. Maladie des plantes, caractérisée par la formation de gommes et de thylles* dans les vaisseaux du bois.

(Ce cépage) peut vivre dans des sols dont la teneur en calcaire actif s'élève jusqu'à 25 %, son premier développement est assez lent et il redoute dans les terres compactes des accidents de thyllose (brusque dessiccation consécutive au passage d'un régime pluvieux à un régime venteux).
        Louis LEVADOUX, la Vigne et sa culture, p. 67 (1961).

THYM [tɛ̃] n. m. — 1538 ; *tym,* XIIIᵉ ; du lat. *thymum,* grec *thumon.*

♦ Plante dicotylédone *(Labiacées),* sous-arbrisseau aromatique des régions tempérées, abondant dans les garrigues et les maquis (→ Aromate, cit. 5 ; embaumer, cit. 5 ; éveiller, cit. 32 ; fleurer, cit. 2). *Parmi le thym et la rosée* (→ Aurore, cit. 17). «*Couronnes* (cit. 18) *de thym et de marjolaine (...)*» — *Thym commun,* employé comme aromate, assaisonnement, condiment. ⇒ **Farigoule** (→ Bouilli, cit. 1 ; court-bouillon, cit. ; cuisiner, cit. 1 ; revenir, cit. 47). *Le thym fait partie des «herbes de Provence». Thym bâtard,* ou *thym sauvage.* ⇒ **Serpolet.** En appos. *Thym citron,* dont l'odeur rappelle celle du citron.
DÉR. Thymol.
HOM. Tain, teint, tin. — Formes des v. **tenir** et **teindre.**

THYMECTOMIE [timɛktɔmi] n. f. — 1910, in *Larousse mensuel* ; de *thym(us),* et *-ectomie.*

♦ Méd. (Chir.). Ablation du thymus*.
DÉR. Thymectomiser.

THYMECTOMISER [timɛktɔmize] v. tr. — XXᵉ ; de *thymectomie.*

♦ Méd. (Chir.). Faire subir une thymectomie à. — Au p. p. «*Ce défaut* (dans la capacité à rejeter des greffes), *chez les animaux thymectomisés était dû à un déficit en lymphocytes*» (la *Recherche,* mars 1980, p. 296).

THYMÉLÉACÉES [timelease] n. f. pl. — D. i. (XXᵉ) ; de *thymelea,* lat. bot. du grec *thumelaia,* de *thymus* «thym».

♦ Bot. Famille de plantes dicotylédones dialypétales de l'ordre des Myrtales, qui regroupe 38 genres et dont le type est le daphné*, ou *bois gentil.* — Au sing. *Une thyméléacée.*

THYMÉLÉE [timele] n. f. — 1876, *thymélé, in* P. Larousse ; du bas lat. *thymele,* grec *thumele,* de *thuein* «sacrifier».
Didact. (Antiq. grecque).

♦ **1.** Lieu de sacrifice, autel ou temple.

♦ **2.** Autel de Dionysos, au centre de l'orchestre d'un théâtre grec. *Le chef de chœur se tenait sur la thymélée.*

THYMIATECHNIE [timjatɛkni] n. f. — 1872, Littré ; du grec *thumia* «parfum», et *technie.*

♦ Didact. Art de composer les parfums.

THYMIATÉRION [timjateʀjɔ̃] n. m. — 1876, *in* P. Larousse ; du bas lat. *thymiaterium,* grec *thumiatêrion,* de *thumiân* «faire brûler des parfums», de *thuein* «sacrifier aux dieux».

♦ Didact. (Antiq. grecque). Brûle-parfum pour les usages religieux.

THYMIE [timi] n. f. — 1945, *in* Garnier et Delamare ; du grec *-thumia,* second élément de comp. comme *euthumia,* de *thumos* «cœur, affectivité».

♦ Psychol. Humeur, disposition affective de base. ⇒ **Cyclothymie, hyperthymie, hypothymie.**
DÉR. 2. Thymique.

-THYMIE Élément, du grec *-thumia,* de *thumos* «cœur, affectivité» (ex. : *cyclothymie*).

THYMINE [timin] n. f. — 1877 ; de *thymus,* et *-ine.*

♦ Biochim. Substance basique dérivée de la pyrimidine et entrant dans la constitution des acides désoxyribonucléiques de la cellule vivante.

Les bases forment (...) deux classes, les *pyrimidines* cycles aromatiques à six atomes, et les *purines* avec deux cycles fusionnés à neuf atomes. Trois pyrimidines entrent dans la constitution des acides nucléiques, *uracile, thymine* et *cytosine* (...)
        Antoine DANCHIN, Ordre et Dynamique du vivant, p. 136.

1. THYMIQUE [timik] adj. — 1611; de *thymus*.

♦ Méd. Qui appartient au thymus. *Artères, veines thymiques. Loge ou capsule thymique :* enveloppe du thymus. — De thymus. *Injection d'extraits thymiques.* — Du thymus. *Involution thymique :* régression physiologique du thymus chez l'adulte.
HOM. 2. Thymique.

2. THYMIQUE [timik] adj. — 1964; de *thymie*.

♦ Psychol. Qui concerne les thymies, l'humeur en général. *Fonction thymique,* dont dépendrait la régulation de l'humeur.
Troubles thymiques, de l'humeur. *Émoussement, indifférence thymique* (par ex., dans la schizophrénie). *Exaltation thymique passagère, dans certaines intoxications* (alcool, éther, amphétamines). *Exaltation, excitation thymique* (par ex., dans les états maniaques). ⇒ **Hyperthymie; euphorie.** *Désordre thymique* (humeur constamment altérée, caractérisée tantôt par l'euphorie, tantôt au contraire par une forte angoisse — dans les psychoses délirantes aiguës).
HOM. 1. Thymique.

-THYMIQUE Dernier élément de mots (adj.) de psychologie et de psychiatrie, du lat. *thymus,* et *-ique* (ex. : *cyclothymique*). — On trouve aussi attestés : *catathymique, holothymique, normothymique.*

THYMITE [timit] n. f. — xxᵉ; de *thymus,* et *-ite*.

♦ Méd. Inflammation du thymus*.

THYMOANALEPTIQUE ou THYMO - ANALEPTIQUE [timoanalɛptik] adj. et n. m. — xxᵉ; du rad. de *thymie,* et *analeptique*.

♦ Psychiatrie. Médicament psychotrope doué d'une action antidépressive, stimulant de l'humeur. *Les I. M.A.O. (inhibiteurs de la monoaminoxydase) sont des thymoanaleptiques.* (On dit plus cour. : *antidépresseur*.)
CONTR. Thymoleptique.

THYMOL [timɔl] n. m. — V. 1860; de *thym,* et *(crés)ol*.

♦ Chim. Crésol*, solide (température de fusion 51°C), d'odeur agréable, qui se trouve dans les essences de thym, de serpolet et d'une ombellifère de l'Inde. *Le thymol est employé comme antiseptique* (ainsi que son dérivé di-iodé, le *di-iodothymol* ou *aristol*).

THYMOLEPTIQUE [timɔlɛptik] adj. et n. m. — xxᵉ; de *thym(ie),* et *-leptique*.

♦ Méd. Se dit d'un médicament psycholeptique qui régularise le tonus émotionnel en agissant comme dépresseur de l'humeur. — N. m. *Les tranquillisants, les neuroleptiques, sont des thymoleptiques* (on dit aussi : *psychodépresseurs,* ou plus générált : *sédatifs*).
CONTR. Thymo-analeptique.

THYMUS [timys] n. m. — 1541; mot lat., du grec *thumos,* au sens méd. «excroissance charnue».

♦ Anat. Organe glandulaire situé à la partie inférieure du cou, composé de deux lobes, très développé pendant l'enfance et régressant après la puberté. *Rôle du thymus dans les processus immunitaires.* — *Le thymus est très développé chez les jeunes ruminants. Thymus de veau, d'agneau.* ⇒ **Ris.**
DÉR. Thymine, 1. thymique, thymite.
COMP. Thymectomie.

THYRATRON [tiʀatʀɔ̃] n. m. — V. 1939; marque déposée; du grec *thura* «porte», et suff. phys. *-tron,* d'*(élec)tron*.

♦ Phys. Tube triode à gaz (vapeur de mercure, hydrogène...) dont le courant électronique ionise les molécules gazeuses lorsque la tension entre les électrodes est suffisante. *Les thyratrons sont utilisés comme relais, redresseurs, changeurs de fréquence...* — REM. S'écrit aussi avec T majuscule.

THYRÉO-, THYRO- Élément signifiant «thyroïde».

THYRÉOGÈNE [tiʀeoʒɛn] adj. — Mil. xxᵉ; de *thyréo-,* et *-gène*. Biologie.

♦ 1. Qui est d'origine thyroïdienne.
♦ 2. Qui a une action sur la thyroïde.

THYRÉOPRIVE [tiʀeopʀiv] adj. — xxᵉ; de *thyréo-,* et lat. *privus* «privé de».

♦ Méd. Qui a trait à l'insuffisance fonctionnelle de la glande thyroïde. *Cachexie thyréoprive* (compliquant une insuffisance grave de la fonction thyroïdienne). ⇒ **Hypothyroïdie, myxœdème.**

THYRÉOSE [tiʀeoz] n. f. ⇒ **Thyréotoxicose.**

THYRÉOSTIMULANT, ANTE [tiʀeostimylɑ̃, ɑ̃t] adj. — 1941; de *thyréo-,* et *stimulant*.

♦ Méd. Qui stimule l'activité de la thyroïde.
La déficience de la thyroïde est elle-même provoquée par un défaut de sécrétion d'hormone thyréostimulante de la part de l'hypophyse (...)
Pierre REY, les Hormones, p. 50.

THYRÉOSTIMULINE [tiʀeostimylin] n. f. — Mil. xxᵉ; de *thyréostimul(ant),* et *(stimul)ine*.

♦ Biol., méd. Hormone hypophysaire qui régularise la formation de thyroxine dans la thyroïde.

THYRÉOTOXICOSE [tiʀeotɔksikoz] ou THYROTOXICOSE [tiʀotɔksikoz] n. f. — xxᵉ; de *thyréo-, thyro-,* et *toxicose*.

♦ Méd. Ensemble de troubles causés par la présence en excès d'hormones thyroïdiennes dans l'organisme. ⇒ **Hyperthyroïdie.** — REM. On dit aussi *thyréose*.

THYRÉOTROPE [tiʀeotʀɔp] adj. — 1953; de *thyréo-,* et *-trope*.

♦ Méd. Se dit d'une substance qui possède une activité stimulante sur la sécrétion de la glande thyroïde. *Hormone thyréotrope* ou *thyrotrope*.
Les insuffisances d'origine hypophysaire doivent être traitées par l'hormone thyréotrope. A. GALLI et R. LELUC, les Thérapeutiques modernes, p. 106.

THYRISTOR [tiʀistɔʀ] n. m. — V. 1960; de *thyr(atron),* et *(trans)istor*.

♦ Phys. Élément à semi-conducteur et à électrode de commande, dont l'emploi et le fonctionnement sont voisins du thyratron. «*Système à thyristor pour le contrôle des moteurs assurant une conduite plus souple et plus économique grâce à une récupération d'énergie en cours de freinage*» (*Science et Vie,* févr. 1976, p. 105).
DÉR. Thyristorisé.

THYRISTORISÉ, ÉE [tiʀistɔʀize] adj. — V. 1960; de *thyristor*.

♦ Phys. Muni d'un thyristor*, de thyristors.

THYRO- ⇒ **Thyréo-.** Outre les composés traités à l'ordre alphabétique, on peut citer : *thyro-épiglottique* adj.; *thyro-hyoïdien, ienne,* adj. «relatif au cartilage thyroïde et à l'épiglotte, à l'os hyoïde».

THYROCALCITONINE [tiʀokalsitonin] n. f. — 1968; de *thyro-, calci(um), ton(ique),* et *-ine*.

♦ Chim., biol. Hormone polypeptidique produite par la glande thyroïde, qui fait baisser le taux du calcium sanguin lorsque celui-ci est anormalement élevé. (On dit aussi *calcitonine*).

THYROGLOBULINE [tiʀoglobylin] n. f. — 1961; en all., Oswald, 1901; de *thyro-,* et *globuline*.

♦ Biochim. Protéine iodée des vésicules thyroïdiennes. ⇒ **Thyroxine.**
L'iode provenant du sang s'y trouve capté puis fixé (*dans la thyroïde*) sur des protéines pour former un complexe appelé thyroglobuline, origine des hormones thyroïdiennes, thyronines iodées dont la plus connue est la thyroxine.
A. GALLI et R. LELUC, les Thérapeutiques modernes, p. 106.

THYROÏDE [tiʀɔid] adj. et n. — 1560; calque du grec *thuroeidḗs* «en forme de porte», altér. de *thureoeidḗs* «en forme de bouclier».

♦ **1.** Anat. *Cartilage thyroïde :* cartilage du larynx, situé à la partie antérieure supérieure du cou, constitué de deux lames dont la réunion sur la ligne médiane peut former une saillie (pomme* d'Adam).
♦ **2.** (1721). *Corps, glande thyroïde,* ou, n. f. (1876), *la thyroïde :* glande endocrine, située à la partie antérieure et inférieure du cou, comprenant deux lobes réunis par un isthme, composée de vésicules remplies d'une substance visqueuse (*la colloïde*) qui contient la thyroglobuline* dont proviennent les hormones thyroïdiennes. Voir les comp. en *thyréo-* et en *thyro-. Action de la thyroïde sur la crois-*

sance, sur les métabolismes, sur le système nerveux, etc. Troubles dus à une sécrétion insuffisante (hypothyroïdie ; ⇒ **Crétinisme, myxœdème**) ou *excessive* (hyperthyroïdie) *de la thyroïde. Tumeur de la thyroïde.* ⇒ **Goitre.**

L'ablation de la glande thyroïde réalisant le myxœdème post-opératoire, ou son insuffisance telle que la manifeste toute la gamme des myxœdèmes et des hypothyroïdies, s'accompagne surtout chez les jeunes sujets, d'un ralentissement considérable de l'activité intellectuelle, allant du simple ralentissement de l'idéation avec viscosité mentale, aux arriérations mentales les plus caractérisées. De tels troubles sont évidemment liés au déficit de l'hormone thyroïdienne (...)
Jean DELAY, la Psycho-physiologie humaine, p. 54.

DÉR. Thyroïdien, thyroïdisme, thyroïdite.
COMP. Parathyroïdes, thyroïdectomie, thyroxine.

THYROÏDECTOMIE [tiʀɔidɛktɔmi] n. f. — 1890 ; de *thyroïde,* et *-ectomie.*

♦ Chir. Ablation totale ou partielle de la thyroïde.
DÉR. Thyroïdectomiser.

THYROÏDECTOMISER [tiʀɔidɛktɔmize] v. tr. — 1903, au p. p. in *Rev. gén. des sc.,* n° 23, p. 1129 ; de *thyroïdectomie.*

♦ Chir. Pratiquer la thyroïdectomie. — Au p. p. *Animaux thyroïdectomisés.*

THYROÏDIEN, IENNE [tiʀɔidjɛ̃, jɛn] adj. — 1765, *thyroïdienne* (glande) ; de *thyroïde.*

♦ Anat., méd. Qui appartient, est relatif à la thyroïde. *Artères, veines thyroïdiennes.*

N. f. [a] Artère thyroïdienne. *La thyroïdienne supérieure* (branche de la carotide externe) ; *inférieure* (branche de la sous-clavière).

[b] Veine thyroïdienne. *La thyroïdienne supérieure, moyenne* (branches de la jugulaire interne) ; *la thyroïdienne inférieure* (branche du tronc brachiocéphalique). — *Gaine thyroïdienne. Capsule thyroïdienne :* membrane recouvrant le *corps thyroïdien* (la glande). *Sécrétion, insuffisance thyroïdienne. Hormone thyroïdienne. Extraits thyroïdiens.*

Les premiers essais d'isolation de l'hormone thyroïdienne sont ceux de MURRAY (1891) et de BAUMANN (1895). Mais ce mot surtout les travaux de KENDALL (1915-1919), puis de BARGER et HARINGTON (1927) qui permirent d'isoler puis même d'obtenir par synthèse la *thyroxine,* de formule relativement simple (dérivé di-iodé de la tyrosine) et qui contient 65 p. cent de l'iode thyroïdien (...) Parmi tous ces composés, c'est la thyroxine qui est de beaucoup la plus active (...) En injection ou même en ingestion, elle fait disparaître ou, tout au moins, atténue très fortement les troubles consécutifs à la thyroïdectomie.
R. FABRE et G. ROUGIER, Physiologie médicale, p. 669.

COMP. Antithyroïdien.

THYROÏDISME [tiʀɔidism] n. m. — 1894, *Année sc. et industr.,* 1895, p. 403 ; de *thyroïd(e),* et *-isme.*

♦ Méd. Intoxication par les extraits thyroïdiens.

THYROÏDITE [tiʀɔidit] n. f. — 1846 ; de *thyroïd(e),* et *-ite.*

♦ Méd. Inflammation du corps thyroïde. *Thyroïdite infectieuse, parasitaire. Il existe de nombreuses thyroïdites.*

THYRONINE [tiʀɔnin] n. f. — Mil. XXᵉ ; de *thyro-, -n-,* et *(am)ine.*

♦ Biochim. Acide aminé dont une variété *(thyronine lévogyre)* est le constituant principal des hormones thyroïdiennes.

THYROTOXICOSE [tiʀɔtɔksikoz] n. f. ⇒ **Thyréotoxicose.**

THYROTROPHINE [tiʀɔtʀɔfin] n. f. — V. 1970 ; de l'angl. *thyrotrophin* ; de *thyro(ïde),* rad. grec *troph,* de *trophê* «nourriture» (→ Troph-), et *-ine.*

♦ Biochim. Hormone du lobe antérieur de l'hypophyse qui stimule la production des hormones de la glande thyroïde. ⇒ **Thyroxine.**

THYROXINE [tiʀɔksin] n. f. — 1933 ; mot angl., 1915 ; de *thyr(oïde),* rad. de *ox(yde),* et *-ine.*

♦ Biochim. L'une des principales hormones thyroïdiennes (cit.), libérée dans le sang par l'hydrolyse de la thyroglobuline*, et contenant de l'iode. *La thyroxine augmente le métabolisme de base.*

THYRSE [tiʀs] n. m. — Fin XVᵉ ; du lat. *thyrsus,* grec *thursos.*
Didactique.

♦ **1.** Antiq. Attribut de Bacchus, bâton entouré de feuilles de lierre ou de vigne, et surmonté d'une pomme de pin, que portaient les bacchantes* (→ Prêtresse, cit. 1). — *Le Thyrse,* poème en prose de Baudelaire (→ Emblème, cit. 3 ; fantaisie, cit. 35). Élément décoratif (par ex., dans le style Louis XVI).

(...) l'imaginaire olympien, agreste et monarchique, chasse l'imaginaire courtois (...) Mais les rinceaux et les thyrses deviendront architecture, se fondront dans les arts majeurs... MALRAUX, l'Homme précaire et la Littérature, p. 58. [1]

♦ **2.** (1742 ; lat. *thyrsus* au sens de «tige»). Bot. Inflorescence pyramidale en grappe composée. *Thyrses de lilas* (cit. 1), *de troène, de marronnier.*

(...) les grandes digitales fleuriraient, aligneraient au long des haies, dans l'ombre humide des fossés, leurs thyrses de clochettes écarlates. [2]
M. GENEVOIX, Raboliot, IV, II.

THYSANOURES [tizanuʀ] n. m. pl. — 1827 ; du lat. zool. *thysanuros,* J.-C. Fabricius, fin XVIIIᵉ ; grec *thusanos* «frange», et suff. *-oure.*

♦ Zool. Groupe d'insectes aptères, de petite taille, sans métamorphoses, vivant dans les endroits humides, qui semblent être parmi les plus primitifs des insectes actuels. ⇒ **Lépisme.** — Au sing. *Un thysanoure.*

Ti [tei].

♦ Symbole chimique du titane*.

TI [ti]

♦ Particule interrogative du langage pop., tirée du *t* de la 3ᵉ pers. verbale combiné avec le pron. *il* (du type *vient-il?*). Ex. : *J'y va-ti, j'y va-ti pas?*

TIAMA [tjama] n. m. — XXᵉ ; mot africain de la Côte-d'Ivoire.

♦ Techn. Bois exotique d'Afrique, brun rougeâtre et rubané.

Le tiama, le palissandre, le bois de rose, etc., fournissent des placages fins de luxe qui sont également souvent figurés, moirés, ondés, rubanés ou flammés.
J.-C. REGGIANI, Industries et Commerce du bois, p. 44.

TIAN [tjã] n. m. — XXᵉ, en franç. central ; *tion,* dans un sens techn., 1803 ; du grec *teganon.*
Régional (Provence).

♦ **1.** Récipient de terre cuite (écuelle, plat, etc.).

(...) une rafistoleuse de faïence avec une pile de cuvettes et de tians fêlés sur la tête. B. CENDRARS, Bourlinguer, p. 147. [1]

♦ **2.** Plat provençal (pâté de légumes) cuit dans un tian.
J'ai déjà mis au feu le tian d'aubergines. R. SABATIER, les Enfants de l'été, p. 127. [2]

TIARE [tjaʀ] n. f. — Déb. XVIᵉ ; *tiara,* 1374 ; *thiaire,* 1382 ; du lat. *tiara,* mot d'orig. persane.

♦ **1.** Coiffure de forme conique, portée par certains dignitaires, dans l'Orient antique (souverains mèdes et perses ; grands prêtres juifs). → 1. Faste, cit. 6 ; pectoral, cit. 3.

Dès longtemps elle hait cette fermeté rare
Qui rehausse en Joad l'éclat de la tiare. RACINE, Athalie, II, 1. [1]
Le front du pontife (*un grand prêtre hébreu*) était ceint d'une tiare terminée en croissant, d'un tissu de lin, brodé de perles (...) [2]
NERVAL, Voyage en Orient, Nuits du Ramazan, III, IX.
Maintes formes souterraines de l'empire, depuis les stèles de Macédoine jusqu'aux dieux Antaios d'Égypte, en passant par la Syrie et le Hauran, lui sont confusément apparentées. Les bas-reliefs de Palmyre et de Doura lui appartiennent. Ceux des Sassanides en sont les successeurs manifestes, comme Shapour est le successeur manifeste de ses rois à tiare. MALRAUX, la Métamorphose des dieux, p. 120. [3]

♦ **2.** Liturg. cathol. Coiffure circulaire, entourée de trois couronnes, que porte le pape (cit. 2) dans certaines circonstances solennelles (→ Mitre, cit. 3). *Tiare pontificale. Ceindre, coiffer, porter la tiare :* devenir, être pape (→ Pontifical, cit. 1). — Par métonymie. Dignité papale.

♦ **3.** Couronne évoquant une tiare. *«Une auréole ou une tiare de lumière»* (Baudelaire).
DÉR. Tiaré.

TIARÉ, ÉE [tjaʀe] adj. — 1887, Huysmans ; de *tiare.*

♦ Didact. Coiffé d'une tiare. *Un roi tiaré.*

TIBÉTAIN, AINE [tibetɛ̃, ɛn] adj. et n. — 1923 ; *tibétin,* 1765 ; var. *thibétain,* 1876 ; de *Tibet.*

♦ Qui se rapporte au Tibet, à ses habitants. *Le lamaïsme tibétain.* — N. *Les Tibétains.* — N. m. Ling. *Le tibétain,* langue littéraire, du même groupe que le birman (langues *tibéto-birmanes*), dont l'écriture est empruntée à l'Inde du Nord. — REM. On écrivait aussi *thibétain, aine.*

(...) un Lama âgé de trente-deux ans, et qui en avait passé dix dans une grande lamaserie de Lha-Ssa. Il parlait à merveille le pur thibétain, l'écrivait avec faci-

lité, et avait une grande intelligence des livres bouddhiques ; de plus il était très familiarisé avec plusieurs autres idiomes, tels que le mongol, le si-fan, le chinois et le dchiahour ; c'était en un mot un philologue extrêmement distingué.
M. HUC, Souvenirs d'un voyage..., le Thibet, t. II, p. 62 (1850).

TIBÉTO-BIRMAN, ANE [tibetobiʀmã, an] adj. et n. m. — xxᵉ ; de l'angl. *tibeto-burman*, 1941, *in* Bulletin de l'École française d'Extrême-Orient, 40, 2 ; de *tibét(ain)*, *-o-*, et *birman*.

♦ Ling. D'un groupe de langues asiatiques comprenant le tibétain, le birman, le colo, etc. — N. m. *Le tibéto-birman commun*.

TIBIA [tibja] n. m. — 1541 ; lat. *tibia* « flûte » ; « os », à l'époque impériale.

A. ♦ **1.** Anat. Cour. Le plus gros des deux os de la jambe*, en forme de prisme triangulaire. *Arête antérieure (crête) ; tête supérieure* (avec les cavités glénoïdes et l'*épine du tibia*), *extrémité inférieure* (avec la malléole interne) *du tibia. Tibia et péroné. Fracture du tibia.*

♦ **2.** Cour. Partie antérieure de la jambe, où se trouve le tibia. *Tibias protégés par des jambières* (→ Casque, cit. 2). *Tibias secs* (cit. 1), *maigres*. — (Au sens 1. ou 2.). Loc. *Coup de pied dans les tibias* (→ aussi Spécialité, cit. 3).

1   Fatigué d'être interrompu, Trompe-la-Mort envoya dans le tibia de Paccard un coup de pied à le lui casser (...)
BALZAC, Splendeurs et Misères des courtisanes, Pl., t. V, p. 1123.
Fam. et vx. *Mes tibias !*, exprimant l'étonnement, le scepticisme.

2   Le tableau a fait trente mille à la vente... On dit que c'est pour rien, qu'aujourd'hui on donnerait de moi cent mille francs comme un sou ! — De toi ! dit Ambérieux... Mes tibias !
ARAGON, Aurélien, I, p. 294.

♦ **3.** Cet os dessiné, symbole de mort. *Tibias croisés et tête de mort du drapeau des pirates.*

B. (1872). Zool. Troisième article (insectes), cinquième division (arachnides) de la patte.
DÉR. (Du lat. *tibialis*) Tibial, tibio-.

TIBIAL, ALE, AUX [tibjal, o] adj. — 1690 ; de *tibia.*

♦ Anat. Du tibia. *Muscle tibial* (vx). ⇒ **Jambier.** *Nerf tibial* (antérieur, postérieur). *Artère tibiale antérieure, postérieure.* — Méd. *Choc tibial. Ponction tibiale.*

Or, puisque c'était un équin, il fallait couper le tendon d'Achille, quitte à s'en prendre plus tard au muscle tibial antérieur pour se débarrasser du varus (...)
FLAUBERT, Mᵐᵉ Bovary, II, XI.
Zool. Du tibia (des insectes, des arachnides).

TIBIO- Premier élément de mots d'anatomie signifiant « du tibia et de (ce qu'indique l'autre élément) ».

TIBIO-PÉRONIER, IÈRE [tibjopeʀɔnje, jɛʀ] adj. — 1933, *in* Larousse ; de *tibio-*, et *péronier.*

♦ Anat. Qui appartient au tibia et au péroné. *Tronc tibio-péronier de l'artère poplitée.*

TIBIO-TARSIEN, IENNE [tibjotaʀsjɛ̃, jɛn] adj. — 1845 ; de *tibio-*, et *tarsien*, de *tarse.*

♦ Anat. Qui appartient au tibia et au tarse. *Articulation tibio-tarsienne.*

TIC [tik] n. m. — 1678 ; *ticq*, 1611 ; formation onomatopéique ; cf. ital. *ticchio* « caprice ».

♦ **1.** Vétér. (Chez le cheval). Déglutition ou régurgitation spasmodique d'air, accompagnée de contraction de certains muscles (*tic* proprt dit). *Tic d'appui, tic rongeur*, où l'animal serre, ronge ce sur quoi il s'appuie (mangeoire, etc.).

♦ **2.** (1654). Cour. Mouvement convulsif, geste bref automatique, répété involontairement sans but fonctionnel (→ Fantassin, cit. 1). *Tic du visage.* ⇒ **Grimace** (→ Consoler, cit. 5). *Face ravagée* (cit. 7) *de tics*. — *Tic douloureux de la face*, dans la névralgie faciale épileptique. *Maladie des tics convulsifs*, syndrome de dégénérescence héréditaire.

1   Elle se tut, les paupières closes (...) Un instant, elle demeura ainsi, avec un petit battement des lèvres, comme un tic involontaire qui lui tirait douloureusement un coin de la bouche.
ZOLA, la Bête humaine, I.

2   Tandis que, possédé d'un tic nerveux, il roulait des yeux terribles et remuait le nez de la racine aux ailes, il faisait couler de sa bouche des sons doux et purs.
FRANCE, le Chat maigre, III, Œ., t. II, p. 175.

2.1   Au lieu de combattre ses tics, il les amplifiait ; il donnait carte blanche à tous ces petits sursauts mécaniques qui seuls peut-être pouvaient désormais lui rendre une famille et un passé.
GIRAUDOUX, Siegfried et le Limousin, p. 140.

♦ **3.** (V. 1770). Geste ou attitude habituels, que la répétition rend

plus ou moins ridicule. *Des types dont il saisissait* (cit. 10) *les habitudes, les tics.*

3   (...) assis, il avait le tic de prendre les basques de son habit, et de les croiser sur ses cuisses ; de tenir ses mains dans les fentes, et d'écouter ceux qui parlaient, les yeux presque fermés.
DIDEROT, Jacques le fataliste, Pl., p. 648.

♦ **4.** (1738, Piron). ⇒ **Habitude, manie.** *Tic de langage. Tics littéraires.*

4   (...) elle a un moyen de gouvernement, un petit artifice qui est à la longue devenu un *tic* et une manie : c'est de gronder (...)
SAINTE-BEUVE, Causeries du lundi, 22 juil. 1850.

5   Un autre esprit est à l'origine de certains tics du style contemporain, bientôt aussi démodé que toutes les affectations du décadentisme, c'est le Mallarmé de Divagations.
A. ARTAUD, Bilboquet, Œ. compl., t. I, p. 195.

DÉR. Ticage, tiquer.
HOM. Tique.

TICAGE [tikaʒ] n. m. — 1867 ; de *tic.*

♦ Vétér. Ensemble des tics, des mouvements convulsifs d'un cheval affecté de ce vice.

TICAL ou **TIKAL** [tikal] n. m. — 1686, *in* Trévoux ; mot portugais *tical*, du hindi *tañkā, takhā*, même sens.

♦ Ancienne monnaie d'argent, au Siam et en Birmanie (XVIIᵉ-XXᵉ siècle). — Plur. *Des ticals* (on rencontre le plur. francisé *ticaux*).

— Hier, j'ai échangé des piastres contre des ticaux. — Il m'a montré les billets siamois.
Jean HOUGRON, la Gueule pleine de dents, p. 241.

TICHODROME [tikɔdʀom] n. m. — 1876 ; du grec *teikhos* « muraille », et *-drome.*

♦ Zool. Oiseau passeriforme (*Certhiidés*) aussi appelé *grimpereau des murailles*, gris et rouge, au long bec recourbé, et qui vit sur les rochers. *Tichodrome échelette*, des Alpes et Pyrénées françaises.

TICKET [tikɛ] n. m. — 1835, répandu après 1850 ; *tiket*, attestation isolée, 1727 ; mot angl. de l'anc. franç. *estiquet.* → Étiquette.

A. ♦ **1.** Billet donnant droit à un service, à l'entrée dans un lieu, etc., et qui a la forme d'un petit rectangle de carton, de papier. ⇒ **Coupon.** *Ticket de bagages* (Ch. de fer ⇒ **Bulletin**), *ticket de quai. Ticket de métro, d'autobus, carnet de tickets. Ticket poinçonné. Composteur* à tickets. *Ticket magnétique. Ticket de pesée* (cit. 1).
REM. La répartition des emplois entre *ticket* et *billet* est assez arbitraire, mais *ticket* suggère un morceau de papier ou de carton imprimé, alors que *billet* peut être plus complexe (*billet d'avion*).

1   L'homme de la police passait devant chacune, avec son escarcelle et son rouleau de tickets, recevant une piécette, délivrant un papier.
R. ROLLAND, Jean-Christophe, La révolte, III, p. 610.

1.1   « Voir pendre un homme », me répétai-je machinalement lorsque l'hôtelier m'eut quitté, et que je me retrouvai seul au milieu du hall, tenant en main cet étrange ticket de faveur. Je me souviens. Je froissai ce chiffon de papier que je jetai par terre dans un des coins de ce promenoir public, pour mettre cet irréparable entre la tentation d'assister à ce supplice et la voix qui me disait : « Tu n'iras pas là... » Et un quart d'heure plus tard, je redescendais de ma chambre pour ramasser le permis. Je le retrouvai, heureusement ou malheureusement, et je lui redonnai une forme présentable.
Paul BOURGET, Outre-mer, Notes sur l'Amérique, t. II, X, p. 248.

1.2   (...) il ne jette pas de bouts de papier dans le ruisseau billets d'autobus ou tickets de tramway (...)
R. QUENEAU, Loin de Rueil, p. 63.
(1915, *in* Höfler). Spécialt. Tickets de rationnement. *Feuille de tickets ; tickets de pain, de viande. Sans tickets :* en vente libre.

1.3   Ses compagnons suivirent son convoi et, en sortant du cimetière, s'attablèrent dans un café où on leur servit à chacun, contre un ticket de cent grammes de pain, un sandwich aux topinambours.
M. AYMÉ, le Passe-muraille, p. 268.

2   (...) de mes soucis alimentaires, je fis une manie (...) Je surveillais la sortie des tickets, je n'en laissai jamais perdre un (...)
S. DE BEAUVOIR, la Force de l'âge, p. 517.

Ticket-repas, payé pour moitié par l'employeur et pour moitié par l'employé, et qui permet à ce dernier de prendre un nombre limité de repas au restaurant. *Restaurant qui accepte les tickets-repas. Ticket-restaurant*, marque déposée de certains *titres*-restaurant* (cour. *tickets-repas*).

♦ **2.** (1936, *in* Höfler). *Ticket modérateur :* quote-part de frais laissée à la charge du malade, dans les Sociétés de secours mutuel, la Sécurité sociale.

♦ **3.** (1931). Fam. Billet de mille anciens francs (→ Sac, mod.). *Il gagne huit cents tickets par mois.*

♦ **4.** (1950). Loc. fam. *Avoir un ticket avec qqn :* avoir une touche*, lui plaire manifestement.

3   James a un sérieux ticket avec la petite Martinez ! (formule qui a remplacé le désuet « Il a une touche avec... » et qui ajoute au cachet anglo-saxon un parfum d'automation)...
Pierre DANINOS, un certain Monsieur Blot, p. 201.

B. (1901, *in* Lavisse et Rambaud, Hist. gén. du IVᵉ siècle à nos jours, t. XII, p. 656 ; réemprunt à l'amér. *ticket*). Fiche ou liste électorale d'un parti, aux États-Unis. « *Le candidat démocrate avait pris la précaution de demander à son coéquipier si rien, dans son passé, ne ris-*

quait de porter atteinte au " ticket " démocrate » (*l'Express*, 6 août 1972, p. 66).

TIC-TAC ou TIC TAC [tiktak] interj. et n. m. invar. — 1552 ; onomatopée.

♦ Bruit sec et uniformément répété d'un mécanisme tel qu'un moulin (cit. 2), et surtout un mécanisme d'horlogerie. *Faire tic tac. Le tic-tac d'un coucou* (cit. 4), *d'une montre, d'une pendule... « Des tic tac* » (J. Romains, *les Hommes de bonne volonté*, t. II, p. 93), *des tic-tac.*

1 Dans la chambre qu'elle occupe, il y a un réveille-matin ; la petite s'en plaint ; elle dit que le tic-tac l'empêche de dormir.   GIDE, Si le grain ne meurt, I, IX, p. 239.

2 À ce moment, la lumière s'éteint. Un noir total remplace le visage maigre et blême, les deux mains pendantes aux doigts écartés, l'ombre et son va-et-vient de pendule. En même temps s'est arrêté le mouvement d'horlogerie qui faisait entendre son tic-tac régulier, sans que le soldat en ait pris conscience, depuis le début de la scène.
Et c'est sur une scène muette que la lumière se rallume.
  A. ROBBE-GRILLET, Dans le labyrinthe, p. 100.

DÉR. Tictaquer.

TICTAQUER [tiktake] v. intr. — 1881, Huysmans ; de *tic-tac*.

♦ Produire un bruit régulier, un tic-tac.

1 Sur la table, la montre tictaquait imperturbablement.
  H. TROYAT, la Tête sur les épaules, p. 97.

2 (...) j'eus l'explication de ce bruit qui m'avait intrigué. Rangées contre le mur, des pendules. Sur toutes les tables, des montres. Et toute cette horlogerie tictaquait.   P. GUTH, le Naïf locataire, p. 91.

TIEBOU DIENE [tjebudjene] — D. i. ; mot wolof.

♦ Au Sénégal, Plat de riz au poisson (var. : *tiébou dienne, thiébou dienne*).

TIE-BREAK [tajbʀɛk] n. m. — 1970, *in* Petiot ; mot amér., de *tie* « égalité des points », et *break* « arrêt, pause ».

♦ Anglic. Tennis. Moment où les joueurs sont à six jeux partout et où, pour abréger la partie, on décide que la victoire ira au premier qui aura sept points.

TIÉDASSE [tjedas] adj. — xxᵉ ; de *tiède*, et suff. péj. *-asse*.

♦ **1.** Péj. D'une tiédeur désagréable. *Boisson tiédasse.*

♦ **2.** Fig. Fam. Tiède (fig.), sans enthousiasme. *Elle est un peu tiédasse quant à ce projet.*

TIÈDE [tjɛd] adj. — V. 1380 ; *tieve*, v. 1190 ; *teide*, v. 1230 ; du lat. *tepidum*. → Tépide.

♦ **1.** Qui procure une sensation thermique modérée, entre le chaud et le froid. Spécialt. Légèrement chaud*. *Devenir tiède*, moins chaud ou moins froid. *Rendre l'eau tiède.* ⇒ **Attiédir, tiédir.** *Eau tiède* (→ Laver, cit. 9), *bain tiède* (→ Baignoire, cit. 1 ; plage, cit. 4). *Eau tiède et douceâtre. Café tiède*, refroidi ou insuffisamment chaud. *Air tiède* (→ Exhalaison, cit. 4 ; senteur, cit. 2). *Souffle* (→ Baigner, cit. 8), *vent* tiède. *Température tiède et agréable.* ⇒ **Doux.** (1876). Fam. *Il fait tiède.* — *Chambre tiède* (→ Douceâtre, cit.). *L'atmosphère tiède d'une pièce.* Par ext. *La tiède quiétude de la cuisine* (→ Fumet, cit. 3 ; et ci-dessous 3.). — *Mur* (cit. 13) *encore tiède* (après avoir été chauffé au soleil). *Cendres tièdes* (→ Horde, cit. 2). — *Chair, peau tiède. Museau* (cit. 1) *tiède. Tiède haleine* (cit. 14 ; → Souffle, cit. 9).

1 On était aux beaux jours de la tiède saison (...)   HUGO, la Légende des siècles, XX.

1.1 L'air tiède de la nuit entrant par souffles légers, par souffles de velours, lui passait de temps en temps sur la face d'une façon exquise, imperceptible. C'était une caresse, quelque chose comme un baiser du vent, comme l'haleine lente et rafraîchissante d'un éventail qui aurait été fait de toutes les feuilles des bois et de toutes les ombres de la nuit, de la brume des rivières, et de toutes les fleurs aussi, car les roses jetées d'en bas dans sa chambre et sur son lit, et les roses grimpées au balcon, mêlaient leur senteur languissante à la saveur saine de la brise nocturne.   MAUPASSANT, Yvette, Pl., t. II, p. 306.

2 Franchement tiède, ne donnant à la main aucune sensation de fraîcheur ? Ou seulement un peu moins froide que de l'eau ordinaire ?
  J. ROMAINS, les Hommes de bonne volonté, t. V, XIV, p. 103.

3 Louisa avait de petites mains frémissantes et tièdes comme des oiseaux.
  J. GIONO, Jean le bleu, II.

Adv. *Boire tiède.*

♦ **2.** (xivᵉ). Par métaphore ou fig. Qui a peu d'ardeur, de zèle ; sans ferveur, sans enthousiasme. ⇒ **Indifférent, nonchalant.** *« Ces tièdes galants »* (→ Amant, cit. 12, Molière). *Les âmes les plus tièdes* (Fléchier, *in* Littré). *Chrétien* (→ Réchauffer, cit. 8), *communiste tiède.* — *Sentiment tiède. Caresses « tièdes et modérées »* (Rousseau, *Julie ou la Nouvelle Héloïse*, VI).

4 S'ils n'étaient que joueurs et libertins, mais ils sont tièdes, ils sont indolents, ils sont imbéciles, ils sont médiocres !   HUYSMANS, Là-bas, XIV.

N. Personne peu zélée (→ Empoté, cit. 1 ; mystique, cit. 9). *Les mous, les tièdes* (→ Gauche, cit. 17).

♦ **3.** (Mil. xixᵉ, Musset). Littér. Doux et agréable, comme une légère chaleur (→ Caressant, cit. 13). *Cette tiède sensation de bien-être* (cit. 6). *« Les tièdes voluptés des nuits mélancoliques »* (→ 2. Calice, cit. 2). *Tiède amitié* (→ Prunelle, cit. 9).

CONTR. Brûlant ; frais, froid. — Ardent, chaleureux, enthousiaste, fanatique, fervent.
DÉR. Tiédasse, tièdement, tiédeur, tiédir.
COMP. Attiédir.

TIÈDEMENT [tjɛdmã] adv. — xivᵉ, attestation isolée ; de *tiède*.

♦ D'une manière tiède* (2.), nonchalante ou indifférente, sans ardeur.

TIÉDEUR [tjedœʀ] n. f. — 1538 ; *tevor*, v. 1172, puis *tiède*, au sens 2., xviᵉ ; de *tiède*.

♦ **1.** État, température de ce qui est tiède ; chaleur modérée. ⇒ **Tépidité.** *La molle* (1. Mou, cit. 5) *tiédeur du bain. La bonne tiédeur du soleil* (→ Faire, cit. 38). *La tiédeur des brises* (→ Lait, cit. 17), *du soir* (→ Malgré, cit. 16), *du printemps, de mai* (→ 1. Goder, cit.). — Littér. *(Une, des tiédeurs). Les tiédeurs d'un soleil bas* (→ Paon, cit. 2). *Les premières tiédeurs du printemps* (→ Pulluler, cit. 5).

1 En ses mains, toutes secouées de fièvre, il emprisonnait la tiédeur des deux petites mains ne tremblaient pas.   COURTELINE, Boubouroche, Nouvelle, v.
Par métaphore. Douceur agréable. *La tiédeur de l'affection, de l'amour maternel.*

♦ **2.** Par métaphore ou fig. Défaut d'ardeur ; de passion, de zèle. ⇒ **Indifférence, nonchalance.** *Tiédeur des sentiments, de l'amitié* (→ aussi Plus, cit. 94).

2 Les passions de la jeunesse ne sont guère plus opposées au salut que la tiédeur des vieilles gens.   LA ROCHEFOUCAULD, Maximes, 341.

3 C'est la seule tiédeur de notre volonté qui fait toute notre faiblesse, et l'on est toujours fort pour faire ce qu'on veut fortement (...)   ROUSSEAU, Émile, IV.

(V. 1700, Bourdaloue ; → Évagation, cit. 1). *Une, des tiédeurs.* Acte, attitude d'une personne tiède (2.).

CONTR. Fraîcheur, froid ; ardeur, chaleur, ferveur, zèle.

TIÉDIR [tjediʀ] v. — V. 1380 ; de *tiède*.

★ **I.** V. intr. ♦ **1.** Devenir tiède (1.). *Faire tiédir l'eau.* ⇒ **Attiédir** (→ Nouveau-né, cit. 1). *Une veilleuse où tiédissait un bol de chocolat* (cit. 4). *Sous les frictions* (cit. 2), *la chair s'amollissait, tiédissait...*

1 On nous réservait une table, près d'une sorte de buffet chauffant où l'on mettait tiédir les assiettes.   J. ROMAINS, Lucienne, I.

♦ **2.** (Mil. xviiᵉ, Scarron). Fig. (Rare). *Ardeur* (cit. 36) *qui tiédit avec le temps.*

★ **II.** V. tr. (1596). Rendre tiède. *Tiédir l'eau.* — Passif et p. p. *L'air tiédi par le soleil* (→ Douceur, cit. 6), *par un petit poêle* (→ Parfumer, cit. 4).

▶ **TIÉDI, IE** p. p. adj. *Un potage tiédi.* — Fig. *Des sentiments tiédis.* — N. (Personnes) :

2 (...) tous ceux qui nous paraissaient avoir flanché, tous les délateurs, les tiédis, les fatigués (...)   B. CENDRARS, Moravagine, Œ., t. IV, p. 124.

DÉR. Tiédissant, tiédissement.

TIÉDISSANT, ANTE [tjedisã, ãt] adj. — xxᵉ ; de *tiédir*.

♦ Qui tiédit. *Un potage tiédissant*, qui commence à se refroidir. — Fig. *Des sentiments tiédissants.*

TIÉDISSEMENT [tjedismã] n. m. — 1845 ; de *tiédir*.

♦ Fait de tiédir (I., 1. ou 2.).

TIEN, TIENNE [tjɛ̃, tjɛn] adj. et pron. poss. de la deuxième pers. du sing. — xiiiᵉ ; du lat. *tuum*, devenu *toon, toen, tuen*, puis *tien.* → Mien, sien (étym. et REM.).

REM. Les emplois de *tien* sont les mêmes que ceux des autres possessifs : *mien*, *sien*...

★ **I.** Adj. poss. Vx ou littér. (Épithète). De toi. ⇒ **Ton.** *Un tien parent.* — (Attribut). Littér. *« Ta Julie sera toujours tienne »* (Rousseau, *la Nouvelle Héloïse*, III.), t'appartiendra*, sera à toi. *« Mien, tien : Ce chien est à moi »* (cit. 35, Pascal).

1 Vis pour ton cher tyran, tandis que je meurs tienne.   CORNEILLE, Cinna, III, 4.

2 Je suis tien, tien de l'ongle à la prunelle.
  R. ROLLAND, Jean-Christophe, Le matin, II, p. 155.

★ **II.** Pron. poss. *Le tien, la tienne, les tiens, les tiennes*, pour désigner l'objet ou l'être lié à la deuxième personne par un rapport. *Mon cœur avec le tien...* (→ Lien, cit. 5). *Voilà mon excuse, à moi, j'attends la tienne* (→ Monde, cit. 47). *Mêle* (cit. 33) *-toi des tiennes* (de tes affaires). *Quand ma main serre* (cit. 4) *la tienne* (→ aussi Marcher, cit. 8). — F̲am. *À la tienne !* à ta santé. Plais. (pour l'assonance). *À la tienne, Étienne !* — (Attribut). *Ce n'est pas le tien, c'est le mien.*

★ **III.** N. (Mil. xvie). ♦ **1.** LE TIEN, n. m. sing. (opposé à *le mien*) : ce qui est à toi, ta propriété (symbolise, opposé au *mien**, cit. 23, ce qui est à autrui ; → Réclamer, cit. 8).

♦ **2.** DU TIEN (partitif). ⇒ **Mien** (III., 2.). *Il faut y mettre* du tien.*

♦ **3.** DES TIENNES : des folies, des fredaines (⇒ **Sien**, III., 3.). « *Tu fais ici des tiennes* » (Beaumarchais, *le Mariage de Figaro*, III, 13).

♦ **4.** LES TIENS (n. m. pl.) : tes parents, tes amis, tes partisans. « *C'est donc quelqu'un des tiens* » (→ Frère, cit. 15).

3 — Tu fais pour elle ce que tu n'aurais fait pour aucun des tiens.
GIDE, *la Symphonie pastorale*, I, 29 février.
4 On dirait qu'il n'y a que toi et les tiens au monde.
F. MAURIAC, *le Nœud de vipères*, II, XVII.

HOM. Tiens (du v. *tenir*).

TIENS [tjɛ̃] interj. et n. m. ⇒ **Tenir.**

TIENTO [tjɛnto] n. m. — Mil. xxe ; mot espagnol.

♦ Mus. Genre de musique instrumentale espagnole (xvie-xviie siècle), équivalant au *ricercare* italien.

TIERÇAGE [tjɛʀsaʒ] n. m. — xxe ; « tiers des biens d'un défunt, qui revenait au curé pour les frais de sépulture », déb. xvie ; de *tiercer*. Technique.

♦ **1.** Fente du schiste ardoisier.

♦ **2.** Mise en place des segments de pistons d'un moteur à explosion.

1. TIERCE [tjɛʀs] adj.

♦ Fém. de *tiers*, adj. ⇒ **Tiers.**

2. TIERCE [tjɛʀs] n. f. — V. 1119, au sens 1., b ; fém. substantivé de *tiers*.

★ **I.** ♦ **1.** a̲ Antiq. rom. Deuxième des quatre divisions du jour, chez les Romains ; heure à laquelle elle commençait (vers neuf heures). *Tierce et sexte.*

b̲ Liturg. cathol. Petite heure* (cit. 44) de l'office, qui se récite après prime, à la troisième heure de la computation juive (vers 9 h). *Tierce pontificale*, qui précède la messe pontificale.

♦ **2.** (1252). Féod. Droit d'un tiers perçu par le seigneur sur les fruits de la terre.

♦ **3.** (1669). Mus. Troisième degré de la gamme diatonique. ⇒ **Médiante.** *Intervalle de tierce*, ou *tierce* : intervalle (consonance) de trois degrés (ex. : *do-mi*). — (1690). *Tierce majeure* (cit. 2), de deux tons ; *mineure*, d'un ton et un demi-ton. *Tierce augmentée, diminuée.*

♦ **4.** (1643). Escr. Troisième garde : position du poignet en dedans, horizontalement, permettant la riposte ou l'attaque en ligne* basse. *Pousser en tierce* (→ 2. Parer, cit. 1). — *Un dégagé de quarte* (cit.) *en tierce.* Par anal. *Poignée de main qui se donne en tierce* (Goncourt, *Journal*, 3 févr. 1895).

♦ **5.** (1677). Cartes. Trois cartes de même couleur qui se suivent. *Tierce majeure*, commençant par la carte la plus forte (as, en général). *Tierce à la dame*, commençant par la dame.

♦ **6.** (1680). Imprim. Troisième et dernière épreuve d'un travail avant tirage ; première feuille sortie de machine après calage de la forme.

♦ **7.** (1680). Métrol. (Anciennt). Soixantième partie de la seconde. *Une minute, douze secondes et cinq tierces.* — REM. On utilise aujourd'hui le *dixième** et *centième** de seconde.

★ **II.** (1680). Religieuse qui accompagnait une autre religieuse au parloir et se tenait en tiers.

TIERCÉ, ÉE [tjɛʀse] adj. et n. m. — 1283, tiercé « soumis au droit de tierce » ; de *tiercer*.

♦ **1.** (1843, *in* D.D.L.). Agric. Qui a subi un troisième labour. *Champ tiercé.*

♦ **2.** (1581). Blason. Divisé en trois. *Tiercé en bande, en pal...* —

(1545). *Rime tiercée* ou *tierce rime* (la *terza rima** italienne), rimes ordonnées par groupe de trois vers.

♦ **3.** (1954). Cour. *Pari tiercé*, et, n. m., *le tiercé* : forme de pari mutuel où l'on parie sur trois chevaux, dans une course. ⇒ **P.M.U.** *Tiercé dans l'ordre*, si l'on a désigné le gagnant et les deux chevaux placés*, dans l'ordre. *Tiercé dans le désordre* (emploi critiqué), ou *dans un ordre différent. Rapport du tiercé.*

1 (...) le sagace calculateur qui ne déteste pas, une fois sa tâche accomplie, soupeser les chances de ses chers quadrupèdes et, par d'habiles « tiercés », faire fructifier son petit patrimoine (...) Pierre DANINOS, *Un certain Monsieur Blot*, p. 181.

Par métonymie. Somme gagnée à ce pari. *Il a touché un beau, un gros tiercé.*

2 — T'as touché le tiercé, Mec ? demande le Maflu.
— Dans le plus grand désordre, rétorqué-je. Visionne un peu ça, Béru.
SAN-ANTONIO, *J'ai essayé : on peut !*, p. 27.

Par anal. Concours, jeu s'inspirant du *pari tiercé.*

♦ **4.** N. m. Série de trois éléments souvent en concurrence entre eux ou avec des tiers. *Un tiercé de politiciens, d'acteurs* (⇒ **Trio, triumvirat ;** aussi **triade**).

DÉR. (De 3.) Tiercéiste.

TIERCÉE [tjɛʀse] n. f. — Mil. xxe ; p. p. de *tiercer*, au féminin.

♦ Techn. Couverture en ardoises dans laquelle l'ardoise est recouverte au tiers.

TIERCEFEUILLE [tjɛʀsəfœj] n. f. — 1690 ; de *tierce*, et *feuille*.

♦ Blason. Figure décorative représentant une fleur à trois pétales.

TIERCÉISTE [tjɛʀseist] adj. et n. — V. 1960 ; de *tiercé*, 3.

♦ **1.** Qui se rapporte au tiercé* (3.).

♦ **2.** (Personnes). Qui joue régulièrement au tiercé. N. *Un tiercéiste enragé.*

TIERCELET [tjɛʀsəlɛ] n. m. — 1373 ; dimin. de l'anc. franç. *terçuel* (xiiie) ; *tercelet*, 1316 ; d'un lat. pop. **tertiolus* ; de *tertius* « tiers ».

♦ **1.** Fauconn. Mâle de certains oiseaux de proie (plus petit d'un tiers que la femelle). *Tiercelet de faucon** (cit. 1), *d'épervier, de sacre** (2. Sacre ; ⇒ **Sacret**). — Absolt. Faucon mâle (→ Fauconnerie, cit.).

♦ **2.** (1575). Vx ou littér. « *Tiercelets de poètes* » (Régnier), *de savants...*, poètes, savants insignifiants.

TIERCELIN [tjɛʀsəlɛ̃] n. m. — Fin xive ; de *tiers*.

♦ Techn. (Ancient). Étoffe faite de trois sortes de fils, étamine ou toile légère. *Vêtement, tenture, bannière de tiercelin.* — (xixe). Syn. : tiersain.

TIERCEMENT [tjɛʀsəmɑ̃] n. m. — 1382 ; de *tiercer*. Vx ou techn. Action de tiercer.

♦ **1.** Vx. Surenchère d'un tiers, ou du triple.

♦ **2.** (Fin xve). Vx. Partage par tiers.

♦ **3.** (1872, Littré). Techn. (Agric.). Action de tiercer (une terre).

TIERCER [tjɛʀse] v. tr. — Conjug. *placer*. — xve-xvie ; *tiercier* « soumettre au droit de tierce », 1283 ; de *tiers*.

♦ **1.** Vx. Augmenter (un prix d'un tiers). Tripler l'enchère.

♦ **2.** (1690). Techn. (agric.). Donner un troisième labour, une troisième façon à... *Tiercer une vigne* (var. : *tercer, terser*).

DÉR. Tiercé, tiercée, tiercement.

TIERCERON [tjɛʀsərɔ̃] n. m. — 1490 ; *tercheron*, 1382 ; de *tiers*.

♦ Archit. Nervure* supplémentaire de certaines voûtes gothiques, unissant l'extrémité de la lierne* (cit.) aux angles de la voûte.

TIERS, TIERCE [tjɛʀ, tjɛʀs] adj. et n. m. — xiiie, adj. m. ; *tierz*, v. 1160 ; adj. fém., xiiie ; *terce*, 980 ; du lat. *tertius*.

★ **I.** Adj. ♦ **1.** Vx. ⇒ **Troisième.** *Le tiers jour* (→ Exotique, cit. 1). *Un tiers crieur* (→ Savant, cit. 1, Montaigne). Littér. *Le Tiers livre*, de Rabelais.

1 Je vous défendrais de le voir et d'échanger avec lui aucune parole, soit dans ma maison, soit dans une maison tierce (...)
A. DE MUSSET, *les Caprices de Marianne*, II, 9.

♦ **2.** Loc. Vieilli. *Remettre en tierce main. De seconde ou de tierce* *main* (cit. 72, Valéry). — Mod. *Une tierce personne* (→ Interprète, cit. 2) : une troisième personne, et, par ext., un étranger (→ ci-dessous, II, 1.).

(1765). Dr. *Tiers arbitre* ou *tiers-arbitre* : celui qui a mission de départager des arbitres en désaccord. ⇒ **Surarbitre** (→ Amiable, cit. 2). *Tiers expert. Tiers acquéreur ; tiers détenteur** (cit. 2). *Tiers opposant ; tierce opposition*, exercée par une personne sur un jugement qui porte préjudice à ses droits (mais où elle n'a pas été appelée). — *Tiers porteur d'un effet de commerce* : celui à qui l'effet est transmis par endossement. —*Assurance tierce* : assurance automobile offrant à l'assuré un remboursement des dommages subis par son véhicule dans tous les cas. *Assurance au tiers collision* (ou *tierce-collision*) : assurance qui ne rembourse que le dommage causé à autrui lorsque l'assuré se trouve dans son tort.

1.1 Vous avez une assurance tierce-collision, un cycliste se jette sous vos roues, vous tuez le cycliste ou vous bousillez la voiture.
S. DE BEAUVOIR, les Belles Images, p. 211.

(1538). Méd. *Fièvre tierce*, qui revient le troisième jour (en comptant le premier jour de fièvre), qui laisse un jour de répit entre deux jours de fièvre.

Tiers parti (vieilli), qui se forme entre deux autres partis. — *Tiers état.* ⇒ **État** (cit. 93, 95 ; et *supra*) ; ellipt *le Tiers* (→ II., 2.). — *Tiers ordre.* ⇒ **Ordre** (cit. 43 à 45 ; et *supra*). — Imprim. *Tierce épreuve.* ⇒ 2. **Tierce** (6.).

(1952). **TIERS MONDE** : ensemble des pays non-alignés (aussi appelés *pays en voie de développement*), par référence au *Tiers État.* « *Les pays sous-développés, le 3e monde, sont entrés dans une phase nouvelle (...) enfin ce Tiers-Monde ignoré, exploité, méprisé comme le Tiers-État, veut, lui aussi, être quelque chose* » (*le Nouvel Obs.*, 14 août 1952). ⇒ **Tiers-mondisme, tiers-mondiste.**

2 La Conférence tenue à Bandoeng en avril 1955, par les délégués de vingt-neuf nations asiatiques et africaines (...) manifeste l'accès, au premier plan de la scène politique internationale, de ces peuples qui constituent un « Tiers Monde » entre les deux blocs, selon l'expression d'A. Sauvy.
G. BALANDIER, in le « Tiers Monde », p. 369.

2.1 (...) tout ce qui fausse radicalement les rapports (y compris politiques et économiques) avec les peuples de ce que l'on appelle « le tiers monde », c'est-à-dire du monde non occidental contre lequel, depuis un demi-millénaire, tout a été mis en œuvre, depuis le pillage de leurs richesses et la destruction de leurs structures sociales, jusqu'à la négation de leur culture, pour arrêter leur développement.
Roger GARAUDY, Parole d'homme, p. 146.

REM. Toutes les combinaisons graphiques (majuscule ou minuscule à *tiers*, majuscule ou minuscule à *monde*, présence ou absence de trait d'union) sont attestées dans notre documentation.

★ **II.** N. m. (XIIIᵉ ; *tierz*, v. 1190). ♦ **1.** Troisième personne. *Un couple et un tiers.* — (1676). *Être en tiers.*

3 (...) mon ami m'accompagnait ; le sieur Santerre était en tiers (...)
BEAUMARCHAIS, Mémoires sur l'affaire Goëzman, p. 16.

Dr. Personne qui n'est pas, et n'a pas été partie à un contrat, à un jugement (→ Indifférent, cit. 1, Pascal). *Le demandeur, le défendeur et les tiers* (→ Incident, cit. 12). *Collusion* entre deux personnes au préjudice d'un tiers.* — *Ayant cause à titre particulier. Un testament fait à un tiers* (→ Fidéicommis, cit.).

Personne étrangère (à une affaire, à un groupe). ⇒ **Étranger, inconnu.** *Devant les tiers* (→ Engueuler, cit. 5). *Apprendre quelque chose par un tiers* (→ Potin, cit. 2). — *Ne supporter personne en tiers* (→ Morganatique, cit.).

4 (...) le vieux n'insista point, car il estimait que ces choses-là ne regardent pas les tiers.
MAUPASSANT, Pierre et Jean, VI.

5 (...) je me refuse à prendre une décision aussi grave et à voter la mort, fût-ce d'une seule personne, devant un tiers qui nous écoute (...)
J. GIRAUDOUX, la Folle de Chaillot, II, p. 129.

Loc. (1656). *Le tiers et le quart* : la troisième, la quatrième personne quelconque ; n'importe qui. « *Et l'on y sait médire et du tiers et du quart* » (Molière, *Tartuffe* I, 1). Loc. fam. *Se moquer, se ficher du tiers comme du quart*, des uns comme des autres. *S'en ficher, s'en moquer du tiers comme du quart* (incorrect) : s'en moquer complètement.

6 Il racontait de vieilles histoires, se moquait du tiers et du quart, faisait de bons mots. S. DE BEAUVOIR, Mémoires d'une jeune fille rangée, p. 108.

♦ **2.** Troisième terme, troisième élément. *Principe du tiers exclu.* ⇒ **Milieu** (principe du milieu [II. 2. log.] exclu).

(1675, cit.). *Le Tiers* : le tiers état* (cit. 131), le peuple.

6.1 En même temps, Monsieur de Saint-Malo se botte pour le clergé ; Tonquedec voulut aller pour la noblesse ; mais M. de Rohan, président, a voulu aller lui-même, et un autre pour le tiers.
Mᵐᵉ DE SÉVIGNÉ, Lettre à Mᵐᵉ de Grignan, 17 nov. 1675, Correspondance, t. II, Pl., p. 166.

♦ **3.** La troisième partie d'un tout ; fraction d'un tout divisé en trois parties égales. *Un tiers de lieue* (→ Descente, cit. 2), *des voix* (→ Exclusif, cit. 9). *Un tiers de la cour*, de sa superficie (→ Fosse, cit. 1). *Description trop longue d'un tiers* (→ Griffonner, cit. 9), *d'un bon tiers. Les deux tiers* (d'un tout). → Arriver, cit. 2 ; reprendre, cit. 8. *Rabattre* (cit. 2) *les deux tiers. Les deux premiers tiers du XIVᵉ siècle* (→ Perpendiculaire, cit. 2). — Par ext. Partie importante, mais inférieure à la moitié.

7 La marquise avait eu, dans la force du terme, ce qu'on appelle une jeunesse ora-

geuse ; en avouant le tiers de la vérité, elle était déjà très divertissante, et avec sa nièce, après dîner, elle en avouait quelquefois la moitié.
A. DE MUSSET, Nouvelles, « Emmeline », III.

Loc. *Tiers consolidé**. — Dr. fisc. **TIERS PROVISIONNEL** : acompte que doit verser aux mois de février et de mai, toute personne assujettie à l'impôt sur le revenu, et qui est égal au tiers de l'imposition de l'année précédente.

8 Il venait de payer son tiers provisionnel (...) et il lui restait de quoi s'offrir un verre d'eau, mais sans bulles.
Claude COURCHAY, La vie finira bien par commencer, p. 63.

Législ. soc. **TIERS PAYANT** : modalité d'application des assurances (maladie, maternité, accidents du travail) selon laquelle l'organisme assureur paie directement le praticien traitant, l'établissement d'hospitalisation, etc.

★ **III.** N. f. ⇒ 2. **Tierce.**

DÉR. 2. Tierce, tiercelin, tiercer, tierceron. — V. Tiercelet.
COMP. Tiercefeuille, tiers-an, tiers-mondisme, tiers-point.

TIERS-AN [tjɛʀzɑ̃] n. m. — 1803 ; *sainglier en tiers an*, v. 1354 ; de *tiers*, et *an.*

♦ Vén. Sanglier* de trois ans.

TIERS MONDE [tjɛʀmɔ̃d] n. m. ⇒ **Tiers** (I., 2.).

TIERS-MONDISME [tjɛʀmɔ̃dism] n. m. — V. 1970 ; de *tiers monde.* → Tiers (I., 2.).

♦ Didact. Solidarité avec le tiers monde. « (...) *le tiers-mondisme béat de ceux qui, ne sachant comment faire la révolution chez eux, espéraient, plus ou moins inconsciemment, la réaliser par tiers monde interposé* » (*le Nouvel Obs.*, 19 juin 1978).

Mitterand semble avoir choisi de plaider auprès de lui pour ce que j'appellerai un « tiers-mondisme atlantiste », c'est-à-dire un moyen d'organiser autour de l'Occident le développement du tiers monde.
Jean DANIEL, in le Nouvel Obs., 24 oct. 1981, p. 44.

DÉR. Tiers-mondiste.

TIERS-MONDISTE [tjɛʀmɔ̃dist] adj. et n. — V. 1970 ; de *tiers-mondisme.*

★ **I.** ♦ **1.** Adj. Qui se rapporte au tiers-mondisme*. *Idéal, rêves tiers-mondistes.*

♦ **2.** N. Personne qui prône le tiers-mondisme.

★ **II.** (De *tiers-monde*). ♦ **1.** Adj. Qui se rapporte au tiers* (I., 2.) monde. « (...) *les aspects tiers-mondistes des sociétés industrielles, les prisons, H. L. M. dortoirs, accidents du travail (...)* » (*l'Express*, 3 nov. 1979). *Une « sensibilité tiers-mondiste »* (*le Point*, 24 mai 1982, p. 74). « *L'Argentine bénéficie* (dans le conflit des Malouines) *d'une solidarité* continentale, hispanique *et tiers-mondiste* » (*le Nouvel Obs.*, 15 mai 1982, p. 35).

♦ **2.** N. Habitant du tiers-monde.

TIERS-POINT [tjɛʀpwɛ̃] n. m. — 1611 ; de *tiers*, et *point.*

♦ **1.** Archit. Sommet d'un triangle équilatéral. *Arc en tiers-point*, inscrit dans un triangle équilatéral (arc brisé équilatéral. ⇒ **Ogive**, abusif).

♦ **2.** (1765). Techn. Lime, poinçon de section triangulaire.

♦ **3.** (1740). Mar. Vx. Voile triangulaire.

TIF ou **TIFFE** [tif] n. m. — 1883 ; de l'anc. franç. *tifer*, v. 1170 (du germanique *tipfon*) « parer, orner », et, spécial, (1789) « coiffer » ; cf. anc. franç. *tiffeure* « parure ; coiffure », XIIᵉ. → Attifer

♦ Fam. (générall. au pluriel). Cheveu*. *Nettoyer les tifs* (→ Gnôle, cit. 1). *Il est allé se faire couper les tifs.*

1 (...) une créature à mi-chemin entre le garçon et la femme (...) les cheveux ou plus exactement les tifs non pas coupés mais taillés — ou plutôt tailladés — courts (...)
Claude SIMON, le Vent, p. 60.

2 M. Pardérière marche par côté. C'est un grand bonhomme qui serait roux s'il avait des tifs (...) SAN-ANTONIO, le Secret de Polichinelle, p. 15.

TIGE [tiʒ] n. f. — 1080, *Chanson de Roland* ; lat. *tibia* (→ Tibia) « tige » en lat. populaire.

★ **I.** ♦ **1.** Partie allongée (des plantes vasculaires), à symétrie axiale, qui naît au-dessus de la racine (⇒ **Collet, mésophyte**), croît en sens contraire de la racine, et porte les feuilles.

REM. En botanique, le terme s'emploie dans tous les cas ; dans l'usage courant, il ne s'emploie que si un autre mot n'est pas normal (on dit *le tronc*, et non *la tige*, pour les arbres), et surtout au sens 2. — *Res-*

semblances de la tige avec la racine (cit. 3). *Mouvement de la sève* (cit. 1) *dans la tige. Géotropisme* (cit.) *négatif de la tige. Tige feuillée.* ⇒ **Foliation, verticille.** *Feuille qui embrasse la tige.* ⇒ **Amplexicaule.** *Allongement terminal* (par le bourgeon terminal*) *et intercalaire* (par l'entre-nœud. ⇒ **Nœud**) *de la tige. Ramification* (cit. 1) *de la tige* (⇒ **Branche**) *par le bourgeon axillaire. Tige qui se ramifie. Tige qui naît de la souche.* ⇒ **Rejet.** *Tige radicante*. Tige de l'embryon.* ⇒ **Gemmule, tigelle.** *Tige des plantes herbacées* (⇒ **Herbe**) : *tige aérienne dressée, grimpante, rampante, volubile; tige souterraine.* ⇒ **Rhizome.** *Tige enroulée autour d'une rame, appuyée sur un tuteur. Tige ligneuse des plantes monocotylédones arborescentes.* ⇒ **Stipe.** *Tige d'un palmier* (→ 1. Hampe, cit. 4; 1. palme, cit. 1). *Tige ligneuse des plantes dicotylédones, des arbres.* ⇒ **Tronc.** — Anat. *des végétaux. Le cylindre central (ou stèle) de la tige, entouré d'un épiderme* (⇒ **Cuticule, écorce**), *contient les faisceaux libéro-ligneux* (⇒ **Bois, liber**), *qui circonscrivent la moelle. Tige médulleuse*. Gemme, résine qui exsude de certaines tiges. Tige laiteuse, glabre*, poilue, pubescente*, épineuse. Cannelures d'une tige. Plante à tige apparente* (⇒ **Caulescent**), *peu apparente* (⇒ **Acaule**); *à longue tige* (⇒ **Longicaule**), *à plusieurs tiges* (⇒ **Multicaule**). *Tige coupée d'une bouture*; tige qui prend racine. Tige des céréales.* ⇒ **Chaume, paille, tuyau; éteule.** *Tige florale qui porte la fleur*.* ⇒ **Hampe, pédoncule, queue** (→ Anémone, cit. 1). — *De la tige.* ⇒ **Caulinaire.** — *Tige ligneuse coupée et effeuillée.* ⇒ **Baguette, bâton, verge.**

1   Cette fève, qu'on sème au hasard sur la terre,
        Sait se retourner dans son sein,
        Place en bas sa racine et pousse en haut sa tige.   FLORIAN, *Fables*, I, 10.

Loc. (1872). *Arbre de haute tige,* et, ellipt, *haute tige,* dont on laisse la tige s'élever. *Arbre de basse tige,* et, ellipt, *basse tige,* qu'on empêche de croître en hauteur pour lui donner la forme voulue. *Arbre de moyenne tige, de demi-tige,* et, ellipt, *moyenne tige, demi-tige* : arbre fruitier dont on a arrêté la croissance à une faible hauteur.

♦ **2.** Cour. Cette partie chez les plantes herbacées, lorsqu'elle n'est pas ligneuse (⇒ **-caule**). *Tige droite, raide, molle, petite et grêle, fine* (→ 1. Faucheur, cit. 3), *cassante. Fleur détachée de sa tige* (→ Couche, cit. 4; 1. jonchée cit. 2). *Briser les tiges du lin* (cit. 2). *Tiges souples utilisées comme lien* (cit. 1), *en vannerie. Tige comestible de l'asperge, du céleri* (⇒ **Branche**), *de la rhubarbe.* — Spécialt. *Tige* (de fleur). *Roses à grandes tiges.*

♦ **3.** Arbor. [a] Jeune plant d'un arbre à une seule tige. *Pépiniériste qui fournit trois cents tiges* (→ Plant, cit. 2).

[b] Fleur avec sa tige. *Couper des tiges de géraniums* (cit. 3). *Une tige de muguet.* ⇒ **Brin.** *Tiges liées en botte, en bouquet.*

★ **II.** (1552, au sens 5). Fig. ♦ **1.** Par ext. *La tige d'un rinceau.* ⇒ **Tigette.**

♦ **2.** *Tige de l'arbre généalogique :* personne dont sont issues les branches d'une famille. — Loc. *Faire tige :* avoir des descendants. ⇒ **Lignée, souche** (2.).

2   Les marquis de Lusace ont une haute tige (...)
    Ils ont pour père Antée, ancêtre d'Attila (...)
           HUGO, *la Légende des siècles*, XV, « Éviradnus », IV.

♦ **3.** Zool. Axe (d'une plume d'oiseau) au-dessus du tuyau (→ 1. Faisan, cit. 1).

♦ **4.** (1660). Partie (d'une chaussure, d'une botte) qui est au-dessus du pied, couvre la jambe. *Bottines* (cit. 2) *à tige.* — Par ext. (Vx). *Tige d'un bas.* ⇒ **Jambe.**

♦ **5.** Partie mince et allongée (d'une chose). *Tige d'une clef, d'une ancre. Tige d'un balustre :* la partie médiane. *Tige d'une colonne.* ⇒ **Fût.** *Tige de guéridon :* partie entre le pied et la table. Pièce allongée droite et mince, de bois ou de métal, qui supporte qqch. *Glace ovale articulée* (cit. 4), *montée sur une tige de métal à trépied. Lampe* (cit. 14) *accrochée à une tige de fer, portée par une tige* (→ Réservoir, cit. 2). Cette pièce lorsqu'elle fait partie d'un mécanisme, d'une machine. ⇒ **Aiguille, barre, bielle, bras, broche, cheville, cylindre, tigeron, tringle.** *La tige d'une crémone. Tige d'une pompe,* fixée au piston. *Frein à tige :* sur les anciennes bicyclettes, frein commandé par une tige rigide (au lieu de câbles). *Tige de démarreur. Tige poussoir. Tige de forage,* servant à l'entraînement du mécanisme de forage dans un puits de pétrole. — Maçonn. Barre de petit diamètre pour l'armature du béton (→ Casemate, cit. 3 ; ciment, cit. 3).

♦ **6.** (1920, Esnault, du nom fam. du levier de commande appelé aussi

« manche à balai »). Fig. et fam. *Les Vieilles tiges :* les premiers pilotes d'avion.

♦ **7.** Argot fam. Cigarette. *T'as pas une tige?*

♦ **8.** Fam. et rare. Verge, membre viril.

DÉR. **Tigelle, tigeron, tigette.**

TIGELLE [tiʒɛl] n. f. — 1815 ; de *tige.*

♦ Bot. Partie de l'embryon comprise entre la radicule et le (ou les) cotylédon(s), et qui devient la tige.

DÉR. **Tigellé.**

TIGELLÉ, ÉE [tiʒele ; tiʒɛlle] adj. — 1817 ; de *tige* ou de *tigelle.*

♦ **1.** Bot. Pourvu d'une tige visible. *Gemmule tigellée.*

♦ **2.** Blason. Représenté avec une tige, en parlant d'une plante.

TIGERON [tiʒʀɔ̃] n. m. — 1765 ; de *tige.*

♦ Techn. anc. Tige très petite située dans l'axe d'une roue ou d'un balancier d'horlogerie.

TIGETTE [tiʒɛt] n. f. — 1549 ; de *tige.*

♦ Petite tige. — (1676). Archit. Tige ornée de feuilles en volutes, du chapiteau corinthien.

TIGLON [tiglɔ̃] n. m. ⇒ **Tigron.**

TIGNARD [tiɲaʀ] n. m. — 1868 ; de l'adj. dér. de *Tignes,* commune de Savoie.

♦ Régional (Savoie). Fromage de lait de vache à pâte persillée, fabriqué dans la région de Tignes et Val d'Isère.

TIGNASSE [tiɲas] n. f. — 1680 ; de *tigne,* forme dial. de *teigne,* par comparaison avec la chevelure du teigneux, ou parce que les teigneux portaient perruque.

♦ **1.** Vx. Vilaine perruque (var. : *teignasse,* 1762).

♦ **2.** (1690, « vilaine chevelure »). Chevelure touffue, rebelle, mal peignée (→ École, cit. 10). *Grosse tignasse frisée* (cit. 14). *Les doigts enfoncés dans sa tignasse rouquine* (cit. 2). Par ext. Péj. et fam. Chevelure, cheveux. *Prendre qqn par la tignasse* (→ Marteler, cit. 4). Plais. *Une jolie tignasse blonde.*

Une femme en robe havane dansait, la tignasse en désordre, sa grande bouche fendue par un rire, — le rire d'une bacchante à la Salpêtrière.   1
    Ed. et J. DE GONCOURT, *Journal,* 16 mars 1865, t. II, p. 203.

(...) son visage — le dur et délicat visage de garçon sous la tignasse rouge, drue   2
sauvage, coupée comme celle d'un garçon (...)   Claude SIMON, *le Vent,* p. 150.

TIGRE [tigʀ] n. m. — 1165 ; du lat. *tigris,* mot grec, d'orig. iranienne.

♦ **1.** Vx. Félin à robe tachetée (léopard, panthère, etc.) ou rayée (⇒ **Tigré**). *Taché comme une peau de tigre* (→ Jaune, cit. 1).

En somme, qu'est-ce que c'est que ces félins? demanda Pencroff.   0.1
— Ce sont des tigres, répondit Harbert.
— Je croyais que ces bêtes-là ne se trouvaient que dans les pays chauds?
— Sur le nouveau continent, répondit le jeune garçon, on les observe depuis le Mexique jusqu'aux pampas de Buenos Aires.
        J. VERNE, *l'Île mystérieuse,* t. I, p. 289 (1874).

Mod. (en franç. d'Afrique). Léopard, serval ou servalin (aussi appelé *chat-tigre*).

♦ **2.** Mod. Mammifère *(Félidés)* scientifiquement appelé *felis tigris,* de grande taille, au pelage jaune roux rayé de bandes noires transversales, félin d'Asie et d'Indonésie, carnassier pouvant être dangereux pour l'homme, qui chasse la nuit ; spécialt, le mâle adulte. *Tigre royal* ou *du Bengale. Couple de tigres* (→ Moustache, cit. 10). *Le tigre et la tigresse*. Des tigres rayés* (cit. 3). *Griffes d'un tigre* (→ Griffon, cit. 2). *Beauté du tigre* (→ Homme, cit. 13). *Chasse au tigre. Le tigre s'apprivoise moins bien que le lion. Tigres d'un cirque. Peau de tigre,* utilisée comme tapis, descente de lit.

Le tigre au contraire *(du lion),* quoique rassasié de chair, semble toujours être   1
altéré de sang ; sa fureur n'a d'autres intervalles que ceux du temps qu'il faut pour
dresser des embûches (...) il désole le pays qu'il habite, il ne craint ni l'aspect ni
les armes de l'homme ; il égorge, il dévaste les troupeaux d'animaux domestiques,
met à mort toutes les bêtes sauvages (...)
        BUFFON, *Hist. nat. des animaux,* Le tigre.

Loc. compar. *Cruel, jaloux comme un tigre.* → Lion, cit. 6.

(Slogan publicitaire adapté de l'anglo-américain : *put a tiger in your tank* — dans votre réservoir). Loc. fig. *Avoir, mettre un tigre dans son moteur :* avoir, acquérir de l'énergie.

♦ **3.** Vx ou littér. Personne cruelle, impitoyable. *Un tigre affamé* (cit. 6), *altéré* (cit. 17) *de sang.*

2 Séphora, quoique à son air doux et modeste on l'eût prise pour un agneau, était un tigre quand la colère la dominait.　　　A.-R. LESAGE, Gil Blas, VII, I.

(Calque du chinois). *Tigre de* (ou *en*) *papier* : adversaire prétentieux, arrogant mais inoffensif.

3 — Une des expressions du président Mao, dis-je, a fait fortune en France, non sans intriguer les Français : les États-Unis sont un tigre en papier.
— Les États-Unis sont un vrai tigre, et l'ont montré *(répond Mao)*. Mais si ce tigre vient ici, il se change en tigre de papier. Parce que la plus puissante armée du monde ne peut rien contre une guérilla générale.
　　　　　　　　MALRAUX, Antimémoires, p. 530.

4 (...) il faut mettre hors d'état de nuire (de nos jours par exemple, l'impérialisme, à long terme *tigre de papier*, mais encore tigre tout court pour ceux qui luttent contre lui au corps à corps.　　　Michel LEIRIS, Frêle bruit, p. 342.

♦ **4.** (1830, Balzac). Vx. Petit groom (cit. 2).

♦ **5.** Danse. Danseuse du corps de ballet, au-dessus du rat, dans la hiérarchie de l'Opéra.

♦ **6.** Zool. (1680 ; par anal. d'aspect avec le *tigre,* 1.). *Cheval tigre, chien tigre,* au pelage moucheté. (1680). *Tigre* (vx) ; *punaise tigre* ou *tigre du poirier :* insecte hémiptère, scientifiquement appelé *tigris piri,* aux élytres tachés de brun, qui s'attaque aux feuilles du poirier.

DÉR. 1. Tigré, tigrer, tigresse, tigron ou tiglon.
COMP. Chat-tigre.

1. TIGRÉ, ÉE [tigRe] adj. — XVIIe ; de *tigre.*

♦ **1.** Marqué de taches arrondies. ⇒ **Moucheté, tacheté.** *Bananes tigrées des Canaries. Fleur tigrée. Poisson tigré de noir* (→ Fretin, cit. 2). — Spécialt. *Cheval tigré,* dont la robe est blanche ou grise tachetée de sombre (taches intermédiaires entre le « pommelé » et le « moucheté »).

1 (...) j'ai rencontré une jolie fille (...) Belle comme le printemps (...) heureuse, aux anges, la misérable, parce que hier un épouvantable banquier tigré de petite vérole a daigné vouloir d'elle !　　　HUGO, les Misérables, IV, XII, II.

♦ **2.** (XIXe). Qui est marqué de bandes foncées. ⇒ **Rayé, zébré.** *Chat de gouttière tigré* (ou *chat européen*).

2 Un gros chat tigré, accroupi sur un angle du comptoir, la regardait dormir.
　　　　　　　　ZOLA, Thérèse Raquin, I.

HOM. 2. Tigré.

2. TIGRÉ [tigRe] n. m. — XXe ; du nom d'un royaume abyssin.

♦ Ling. Langue chamito-sémitique parlée en Éthiopie au nord du domaine « tigréen » (à distinguer du *tigrigna,* dérivé du guèze, et parlé dans le sud du royaume de Tigré).

Le tigré est un représentant d'un dialecte proche du guèze (...) Quoiqu'il ne soit pas langue écrite, il fait figure de langue de civilisation.
　　　　　　　　Marcel COHEN, *in* les Langues du monde, p. 145 (1952).

HOM. 1. Tigré.

TIGRER [tigRe] v. tr. — 1757 ; de *tigre.*

♦ Marquer de taches ou de bandes sombres.

Parmi ces bateaux qui tigraient le sable jaune de la noire couleur de leurs carènes, il y en avait un plus beau et plus fort que les autres (...)
　　　　　　　　BARBEY D'AUREVILLY, Une vieille maîtresse, II, X.

TIGRESSE [tigREs] n. f. — 1546 ; on disait une *tigre* ; de *tigre.*

♦ **1.** Femelle adulte de l'espèce tigre. *Une tigresse avec ses petits.* Loc. compar. *Cruelle, mauvaise comme une tigresse. — Jalouse comme une tigresse.*

1 Elle est rancunière et mauvaise comme une tigresse quand elle s'y met, cette chère petite colombe.　　　Th. GAUTIER, Mlle de Maupin, XIV.

♦ **2.** ⓐ (XVIIe). Vx. Femme inexorable, qui refuse les avances masculines. ⇒ **Cruelle.**

2 Ha ! cruelle. — Cœur dur. — Tigresse. — Inexorable (...)
　　　　　　　　MOLIÈRE, la Pastorale comique, 13.

ⓑ Mod. *Une tigresse :* une femme très agressive, très jalouse. → aussi Sensualité, cit. 4 (s'est dit au XVIIe s. d'une belle cruelle).

TIGRIDIE [tigRidi] n. f. — 1828 ; *tigridia,* 1805 ; dér. sav. du lat. *tigris.*

♦ Bot. Plante monocotylédone *(Iridées),* herbacée, bulbeuse, à sépales violets zonés et mouchetés de jaune et de rouge, dite aussi *œil-de-paon.*

TIGRON [tigRɔ̃] ou TIGLON [tiglɔ̃] n. m. — V. 1937 ; mot-valise, de *tigre,* et *lion.*

♦ Zool. Félin, hybride d'une lionne et d'un tigre.

TIGRURE [tigRyR] n. f. — 1844, Huysmans ; de *tigrer,* et *-ure.*

♦ Marque (bande claire sur fond sombre, ou sombre sur fond clair) de ce qui est tigré.

TIKAL [tikal] n. m. ⇒ **Tical.**

TIKI [tiki] n. m. — 1964, *in* Larousse ; n. d'une divinité océanienne.

♦ Didact. Petit personnage représentant la déesse de la virilité et de la fécondité en Océanie.

TILAKA [tilaka] n. m. invar. — XXe (*in* Larousse, 1964) ; mot sanskrit.

♦ Didact. Signe inscrit sur le corps ou le front des adeptes des sectes brahmaniques.

TILBURY [tilbyRi] n. m. — 1820 ; attestation isolée, *tilburi,* 1819 ; mot angl., nom d'un carrossier.

♦ **1.** Ancienn. Voiture à cheval, cabriolet à deux places, découvert et léger. *Des tilburys* (→ Race, cit. 9). Par extension :

Lucien avait trois beaux chevaux dans son écurie, un coupé pour le soir, un cabriolet et un tilbury pour le matin.
　　　　　　　　BALZAC, Splendeurs et Misères des courtisanes, Pl., t. V, p. 698.

♦ **2.** Agric. Charrue à siège qui se manœuvre au moyen de leviers.

TILDE [tild] n. m. — 1839 ; mot espagnol fém. dans cette langue.

♦ Signe en forme de S couché (∼) qui se met au-dessus du *n* en espagnol, lorsque ce *n* se prononce [ɲ] (ex. : *España* [espaɲa]). *Mettre des tildes* [tilde] ou [tild].
Ce signe, utilisé dans les transcriptions phonétiques pour noter la nasalisation d'une voyelle. — Ex. : [ɛ̃] notant *è, ai...,* [ɛ̃] notant *ain.*

DÉR. Tildé.

TILDÉ, ÉE [tilde] adj. — 1842 ; de *tilde.*

♦ Rare. Muni d'un tilde. *Un n tildé.*

TILIACÉES [tiljase] n. f. pl. — 1798 ; du lat. *tilia.* → Tilleul.

♦ Bot. Famille de plantes phanérogames angiospermes *(Dicotylédones, Dialypétales),* comprenant des arbres et arbrisseaux qui croissent dans l'hémisphère nord, dont les types principaux sont le tilleul et le jute. — Au sing. *Une tiliacée.*

TILL [til] n. m., ou TILLITE [tilit] n. f. — 1893, *till ; tillite,* XXe ; en angl., 1918 ; mot angl. d'Écosse, d'orig. inconnue.

♦ Géomorphol. Argile glaciaire non stratifiée, mêlée de graviers et de sable.

La partie la plus récente de la sparagmite scandinave, c'est-à-dire l'Éocambrien, bien visible en Norvège, représente une sédimentation fluvio-glaciaire et d'anciennes argiles à blocaux nommées *tillites,* comparables à celles que les glaciers et les glaces flottantes de nos jours déposent. Ces tillites indiquent une large répartition des glaciers éocambriens (...)　　　H. et G. TERMIER, *in* Encycl. Pl., la Terre, p. 1389.

TILLAC [tijak] n. m. — 1382 ; on a évoqué l'anc. scandinave *thilja* « planche au fond d'un bateau » ; mais le tillac est « au dessus », et P. Guiraud rattache le mot à *tille,* du lat. *tegulum* « toit ».

Marine.

♦ **1.** Ancienn. Pont supérieur d'un navire (→ Hourra, cit. 1 ; mât, cit. 2 ; proue, cit. 2).

1 Nous échangeâmes quelques paroles touchant notre arrivée à Saint-Malo, fixée au lendemain ; puis, — les fumées du vin et des lumières nous ayant suffisamment troublé l'esprit, — nous montâmes respirer sur le tillac où nous allumâmes nos cigares.　　　VILLIERS DE L'ISLE-ADAM, Tribulat Bonhomet, p. 52.

2 L'aménagement de l'embarcation fut des plus simples. Elle avait d'abord été lestée avec de lourds morceaux de granit, maçonnés dans un lit de chaux, et dont on arrima douze mille livres environ. Un tillac fut posé par-dessus ce lest, et l'intérieur fut divisé en deux chambres, le long desquelles s'étendaient deux bancs, qui servaient de coffres. Le pied du mât devait épontiller la cloison qui séparait les deux chambres, dans lesquelles on parvenait par deux écoutilles, ouvertes sur le pont et munies de capots.　　　J. VERNE, l'Île mystérieuse, t. II, p. 476.

♦ **2.** Rare. Plancher (d'une embarcation).

TILLAGE [tijaʒ] n. m. ⇒ **Teillage.**

TILLANDSIE [tilɑ̃dsi] ou [tijɑ̃dsi] ou TILLANDSIA [tilɑ̃dsja] n. f. — 1845, *tillandsie ; tillandsia,* 1933 ; du lat. sav. *tillandsia,* du nom d'un botaniste suédois Elias *Tillands.*

♦ Bot. Plante monocotylédone *(Broméliacées)* aux variétés nombreuses, le plus souvent épiphytes, d'Amérique tropicale. *La tillandsie usnéoïde* dite *cheveux du roi, mousse d'Espagne, aux touffes pendantes, est utilisée comme crin végétal.*

1. TILLE [tij] n. f. ⇒ **Teille.**

2. TILLE [tij] n. f. — V. 1120 ; du scandinave *telgia* «couper, ce qui coupe».
Technique.

♦ **1.** Outil des tonneliers, des couvreurs qui sert à la fois de hache et de marteau.

♦ **2.** Marteau à panne fendue.
HOM. 1. Tille, var. de *teille.*

TILLER [tije] v. tr. ⇒ **Teiller.**

TILLEUL [tijœl] n. m. — xvᵉ ; *tilluel*, xiiiᵉ ; d'un lat. pop. **tiliolus*, dér. du lat. class. *tilia.* → Teil.

♦ **1.** Grand arbre à feuilles alternes simples, stipulées, à fleurs blanches ou jaunâtres, très odorantes, disposées en cymes (*dicotylédones ;* famille des *Tiliacées,* nom sc. *tilia*). *Tilleul des bois* (T. silvestris)*, tilleul à grandes feuilles* (T. platyphylla)*, tilleul argenté* (T. argentea) *de Hongrie. Parc planté de tilleuls* (→ Municipalité, cit. 2)*. Une allée de tilleuls* (→ Gras, cit. 41 ; sceller, cit. 7)*. Les effluves* (cit. 3) *des tilleuls. Écorce de tilleul.* ⇒ **Teille.** *Exsudation du tilleul.* ⇒ **Miellée.**
Vert tilleul, et, par ext., *tilleul :* couleur d'un vert clair, très doux.
(...) elle est vêtue d'une robe d'un vert tilleul passé et d'un rose moribond à doublure de soufre (...)
        HUYSMANS, l'Oblat, V.

♦ **2.** Adj. (1909). *Des gants tilleul.*

♦ **3.** (1855). La fleur et les stipules de cet arbre, séchées pour faire des infusions. *Un paquet de tilleul. Le tilleul est un calmant, un antispasmodique et un sudorifique.* — (1872). Par métonymie. Infusion de tilleul. *Prendre une tasse de tilleul* (→ Introduire, cit. 12)*.*

♦ **4.** Le bois de cet arbre, tendre et léger, utilisé surtout en tabletterie et en lutherie. *Table de tilleul* (→ Dévidoir, cit. 1)*.*
DÉR. (Du même rad.) **Tiliacées.**

TILLEUR, EUSE [tijœʀ, øz] n. ⇒ **Teilleur.**

TILLITE [tilit] n. f. ⇒ **Till.**

TILLOLE [tijɔl] n. f. — 1726, *tillotte ;* p.-ê. du provençal *tilholo,* même rac. que *tillac.*

♦ Mar. Petite barque utilisée naguère pour la pêche, dans la région d'Arcachon.

TILSIT [tilsit] n. m. — Attesté xxᵉ ; de *Tilsit,* ville de Prusse.

♦ Fromage de lait de vache affiné, à caillé découpé et brassé, de saveur douce.
Certains fromages sont plus souvent utilisés en cuisine, en particulier ceux de Suisse, ou leurs équivalents français ou italien (...)
Le *tilsit* suisse, doux et tendre, qui fond très rapidement et rend plus onctueuses les tartelettes au fromage, la fondue ou la pizza.
        François LÉRY, Technique de la cuisine, p. 98.

TILT [tilt] interj. et n. m. — 1957, *in* Höfler ; mot angl. «action de basculer», v. 1932, Harry Williams (→ Flipper).
Anglicisme.

♦ **1.** N. m. et interj. Au billard électrique, Dispositif interrompant la partie en cas de secousse, de modification de l'inclinaison du jeu, etc. ; signal indiquant que la partie est interrompue (le joueur ayant fait une manœuvre trop brusque sur l'appareil). *Le tilt s'est allumé.*

♦ **2.** Loc. FAIRE TILT : déclencher le tilt (→ ci-dessus 1.)
Fig. **ⓐ** (V. 1965). Échouer (aussi interj. : *Tilt !*).

ⓑ (1964, *in* Höfler). Frapper soudain l'attention (de qqn) ; donner une inspiration subite. *Cette phrase a fait tilt dans son esprit.*

1 A un moment, quand il dit qu'il était normand, elle *(Toinette)* leva les yeux et le regarda avec attention. Théo s'en aperçut. — Ça lui fait tilt à Toinette. Son tonton, il est normand aussi.
        Michel DÉON, le Jeune Homme vert, p. 320.

2 «Le petit Cornetto, le bagagiste, a quitté l'hôtel quelques jours avant le vol.» Tiens, tiens... Le concierge sent que ça fait tilt dans ma tête.
        Roger BORNICHE, le Play-boy, p. 167.

ⓒ Être efficace, produire un effet. Cf. Faire mouche. «*Mise en scène vivante (...), interprétation qui fait tilt*» (l'Express, 2 avr. 1973).

TIMAR [timaʀ] n. m. — 1690 ; *tymar* 1542 ; mot turc.

♦ Didact. (Hist.). Fief militaire secondaire, dans l'empire ottoman.

TIMBALE [tɛ̃bal] n. f. — 1492 ; *tinballe,* 1471 ; altér., d'après *cymbale,* de *tamballe* (1471), lui-même altér., d'après *tambour,* de l'esp. *atabal ;* arabe *(o)jǎt-tǎbl.*

♦ **1.** Instrument à percussion, tambour formé d'un bassin hémisphérique en laiton couvert d'une peau tendue (dont la tension est réglable par des vis) sur laquelle on frappe avec des baguettes, et qu'on utilise généralement par paires accordées à des sons différents. ⇒ **Timbalier,** 2. *Tenir les timbales dans un orchestre.* ⇒ **Timbalier,** 2. *Timbales des cavaliers accrochées de chaque côté de la selle* (→ Dépouille, cit. 4). — *Timbales d'orchestre symphonique montées sur pied, qui font partie de la batterie*.*
Venez voir près de mon vainqueur
Ces timbales étincelantes
Qui, sous sa main toujours tremblantes,
Sonnent et font bondir le cœur !
        HUGO, Odes et Ballades, Ballade VI, « La Fiancée du timbalier. »

♦ **2.** (1771, par anal. d'aspect). Cour. Gobelet de métal de forme cylindrique, sans pied. *Offrir une timbale en argent à un enfant.* — Par métonymie. Le contenu. *Une timbale de lait* (→ Écuelle, cit. 3)*.*
Quand le Babou renverse sur la nappe sa timbale toute pleine, il court spontanément l'annoncer à sa fidèle Anna (...)
        G. DUHAMEL, les Plaisirs et les Jeux, IV, XI.

♦ **3.** (1877). Loc. fam. *Décrocher la timbale* (proprt, la timbale accrochée au mât de cocagne) : obtenir une chose disputée, un résultat important. *Le bonheur* (cit. 35) *n'est pas une timbale qu'on décroche.* — Par antiphrase. *Décrocher la timbale :* s'attirer des ennuis à force de maladresse (cf. Gagner le gros lot).
(...) comme le gamin qui regarde, au sommet du mât de cocagne haut et luisant, la timbale à décrocher, et qui se jure à lui-même d'arriver là (...)
        MAUPASSANT, l'Héritage, IV, Pl., t. II, p. 34.

♦ **4.** (1855). Cuis. Moule de forme circulaire. — Préparation culinaire (viande, crustacés, pâtes, etc., en sauce) entourée d'une pâte et cuite dans ce moule. ⇒ **Vol-au-vent.** *Une timbale de queues d'écrevisses servie comme entrée. Timbale milanaise,* faite avec des pâtes, des champignons et des ris de veau.
DÉR. **Timbalier.**

TIMBALIER [tɛ̃balje] n. m. — 1671 ; de *timbale,* 1.

♦ **1.** Cavalier qui bat les timbales. *La Fiancée du timbalier,* poème de Hugo *(Odes et ballades). Timbalier de la garde républicaine à cheval.*
Le timbalier marchait en tête, tenant entre les dents la bride du cheval et frappant à coups redoublés sur deux petites timbales attachées de chaque côté de la selle et ayant au plus la dimension d'une assiette (...)
        Th. GAUTIER, l'Orient, «Le Danube», II.

♦ **2.** (1876). Musicien aux timbales, dans un orchestre. ⇒ **Percussionniste.**
L'orchestre, véritablement ivre, n'aurait pu continuer. Le bâton du chef n'est plus qu'un morceau brisé sur le pupitre du souffleur ! (...) Dans sa fureur, le timbalier a crevé ses timbales !
        J. VERNE, le Docteur Ox, 1966, p. 58-59.

TIMBRAGE [tɛ̃bʀaʒ] n. m. — 1792 ; *timbraige,* t. de blason, 1575 ; de *timbre.*

♦ **1.** Opération qui consiste à timbrer un document. Spécialt. Oblitération par le timbre de la poste.

♦ **2.** (1871). Techn. Apposition d'un poinçon sur une chaudière à vapeur, pour indiquer qu'elle a subi les épreuves de pression. ⇒ **Timbre.**

TIMBRE [tɛ̃bʀ] n. m. — xiiᵉ ; du grec byz. *tumbanon,* grec class. *tumpanon.* → Tympan.

★ **I.** ♦ **1.** Vx. Tambour en usage au moyen âge.

♦ **2.** (xivᵉ). **ⓐ** Ancient. Cloche* immobile frappée par un marteau. *Timbre d'un jaquemart. Timbres d'un carillon.*

ⓑ Mod. Calotte de métal qui, frappée par un petit marteau ou un vibreur, joue le rôle d'une sonnette. *Le timbre de l'entrée retentit* (cit. 6), *strident.* ⇒ aussi **Clochette, sonnette.** *Le timbre d'une pendule. Timbre d'une machine à écrire,* qui tinte lorsque la frappe est sur le point d'atteindre la fin de la ligne. *Timbre de bicyclette, d'ambulance* (→ Rumeur, cit. 5)*. Timbre d'un réveil. Timbre électrique.* ⇒ **Sonnerie** (2.), **sonnette** (*supra* cit. 2) ; → Annoncer, cit. 18.
J'entends un timbre ; c'est un bruit net, sec, mécanique, anglican, toujours semblable à lui, qui dit qu'on sonne et non qui sonne : c'est la détente d'un ressort d'acier qui tombe dans le vide de votre attente, de vos espérances
        Ed. et J. DE GONCOURT, Journal, mai 1856, t. I, p. 98.
Au moment où il en franchissait la porte, une des nombreuses horloges pendues au mur vint à sonner cinq heures. Ordinairement, les différentes sonneries de ces appareils, admirablement réglées, se faisaient entendre simultanément, et leur concordance réjouissait le cœur du maître ; mais, ce jour-là, tous les timbres tintèrent les uns après les autres, si bien que pendant un quart d'heure l'oreille fut assourdie par leurs bruits successifs.
        J. VERNE, Maître Zacharius, p. 143.

c (1608; métaphore des sens a ou b). Loc. fam. *Avoir le timbre brouillé, fêlé :* être un peu fou*, un peu dérangé. ⇒ **1. Timbré.** → Après, cit. 19.

♦ **3.** (XVIIᵉ; sonorité d'un *timbre*). Qualité spécifique des sons produits par un instrument donné, indépendante de leur hauteur, de leur intensité et de leur durée. ⇒ **Sonorité** (2.). *Le timbre résulte du nombre, de l'intensité relative et de la hauteur des harmoniques** (*supra* cit. 3) *qui accompagnent le son fondamental. Le timbre de la flûte* (1. Flûte, cit. 4). — *Timbre d'une cloche, d'une horloge* (cit. 4). — Par anal. *Le timbre de la voix.* ⇒ **2. Son,** *supra* cit. 5; → Étudier, cit. 15; mobile, cit. 2. *Cantatrice qui a un beau timbre, qui travaille son timbre* (⇒ **1. Chant**). *Timbre vibrant, voilé, enfantin, argentin d'une voix* (→ Distinguer, cit. 23; 1. fausset, cit. 4). *« Sa voix a-t-elle encor ce doux timbre d'argent ? »* (cit. 12, Lamartine). — Absolt. *Voix qui a du timbre,* dont la sonorité est pleine, riche (cf. *Voix bien timbrée*). *Sa voix avait retrouvé du timbre* (→ Larynx, cit. 2). *Une voix sans timbre.* ⇒ **Blanc** (*infra* cit. 12).

2   (...) enfin sa voix, perfectionnée par les meilleurs maîtres, avait un timbre qui donnait à son chant d'irrésistibles séductions.
       BALZAC, le Bal de Sceaux, Pl., t. I, p. 78.

Phonét. (→ cit. 4 pour la définition). *Timbre d'une voyelle. Timbre et quantité. Timbre ouvert, fermé.* — (Poésie). *Le charme des rythmes et des timbres.* ⇒ **Sonorité** (2.).

3   Enfin, les voyelles françaises sont nombreuses et très nuancées, forment une rare et précieuse collection de timbres délicats qui offrent aux poètes dignes de ce nom des valeurs par le jeu desquelles ils peuvent compenser le registre tempéré et la modération générale des accents de leur langue.
       VALÉRY, Regards sur le monde actuel, Images de la France, Œ. t. II, Pl., p. 1000.

4   Timbre. Qualité spécifique du son, qui nous permet indépendamment de la hauteur, de l'intensité, de la durée, de distinguer par exemple une note de flûte d'une note de clairon, un *a* d'un *o*, un *e* ouvert d'un *e* fermé, etc. Les nuances de timbre des voyelles sont fonction des modifications subies par le résonateur que constitue l'appareil vocal, en particulier du point d'articulation et du degré d'aperture.
       J. MAROUZEAU, Lexique de la terminologie linguistique, Timbre.

♦ **4.** (1680). *Timbre* ou *corde de timbre :* corde à boyau tendue en double contre la peau inférieure d'un tambour* *(peau de timbre)* pour augmenter sa résonance.

★ **II.** ♦ **1.** Par anal. de forme avec le tambour ou la cloche qu'on appelait *timbre* (→ ci-dessus, I., 1. et 2.; évolution de sens semblable à celle de *timbale*). Vx ou techn. Auge, bassin, fontaine, vase. — *Timbre d'office :* bassin, dans l'office d'une cuisine, où l'on lave la vaisselle. ⇒ **Évier.** *Timbre en grès, en étain, en acier inoxydable.* — (1890). *Timbre à glace :* petite glacière pour la conservation des aliments.

♦ **2.** a (Par anal. de forme avec la cloche). Vx. Casque en usage au moyen âge. — Partie du casque qui protégeait le crâne.

b (XIVᵉ). Blason. Casque, et, par ext., ornement (couronne, tiare, mitre, mortier...) placé au-dessus des armoiries pour indiquer la qualité de celui qui le porte.

♦ **3.** a Armoiries, marque qu'on apposait sur certains objets ou certains documents pour en indiquer la provenance, en garantir l'authenticité.

b (XVIIᵉ, Richelet). Marque, cachet que doivent porter certains actes juridiques, certains documents à caractère officiel et qui donne lieu à la perception d'un droit au profit de l'État; ce droit lui-même, l'impôt qu'il constitue. *Faire mettre le timbre sur un acte. Dispense, exemption du timbre. Le droit du timbre est recouvré par l'Enregistrement** (*supra* cit. 1). *Acte soumis à l'obligation du timbre fiscal. Droit de timbre sur les effets de commerce, les quittances, les contrats d'assurance et de transport, les passeports, les cartes d'identité, les cartes grises, les affiches... Différentes modalités du droit de timbre : papier** (*supra* cit. 3) *timbré, timbres mobiles* (→ ci-dessous, 5., d), *visa pour timbre. Timbre de dimension,* dont le montant est déterminé par le format du papier portant l'acte. *Timbre proportionnel,* qui varie en fonction de la somme énoncée dans l'acte.

c Marque qu'une administration, un établissement public, une entreprise privée appose sur un document ou un objet pour en garantir l'origine. ⇒ **Cachet,** 1. **marque** (cit. 5), **tampon.** *Apposer, imprimer son timbre sur un document. Effets émis par le Trésor public avec son timbre* (→ Falsifier, cit. 4). *Timbre humide,* marqué à l'encre. *Timbre sec,* marqué sur le papier par la pression d'une estampe métallique, sans encre.

5   Eusèbe prenait une enveloppe sur le tas de gauche, imprimait sur le coin le timbre de la maison et la posait sur le tas de droite.
       M. AYMÉ, le Chemin des écoliers, XII.

d Techn. Poinçon ou plaque qu'on appose sur une chaudière à vapeur pour indiquer la pression maximale qu'elle peut supporter; le chiffre qui exprime cette pression (en kilogrammes par centimètre carré).

♦ **4.** Instrument qui sert à imprimer la marque appelée *timbre.* ⇒ **Cachet, tampon.** *Timbre de cuivre, de caoutchouc. Timbres dateurs, horodateurs, numéroteurs.*

♦ **5.** (1802, par spécialisation du sens II., 3. c). a Ancienn. Marque postale, cachet que la poste apposait sur une lettre pour indiquer le bureau d'origine et certifier que le port avait été payé par l'expéditeur.

6   Au moment où Derville achevait sa phrase, il vit sur son bureau les paquets que son Maître-clerc y avait mis. Ses yeux furent frappés à l'aspect des timbres oblongs, carrés, triangulaires, rouges, bleus, apposés sur une lettre par les postes prussienne, autrichienne, bavaroise et française.
       BALZAC, le Colonel Chabert, Pl., t. II, p. 1109.

b Mod. Cachet sur une lettre, un colis postal, etc., qui indique le lieu, la date et l'heure du départ (parfois de l'arrivée). On dit plutôt *cachet** pour éviter la confusion avec le sens c ci-dessous.

c TIMBRE ou TIMBRE-POSTE (1848; décret-loi du 24 août autorisant l'administration à mettre en vente des «*timbres* ou cachets *dont l'apposition suffira pour opérer l'affranchissement»;* en France les premiers *timbres* postaux furent mis en vente le 1ᵉʳ janvier 1849). Petite vignette au verso enduit de gomme, vendue par l'administration des Postes et qui, collée sur un objet confié à la poste, a une valeur d'affranchissement* égale au prix marqué sur son recto. *Un timbre-poste de quinze centimes* (→ Rien, cit. 92). *Carnet, feuille de timbres. Acheter des timbres à la poste, au bureau de tabac. Dentelures d'un timbre. Lécher* (cit. 3) *un timbre-poste pour le coller sur une enveloppe. Humecter un timbre au moyen d'un mouilleur. Surcharge* d'un timbre-poste. Timbre oblitéré** (cit. 5) *par la poste. Émission de timbres. Timbre rare, précieux. Réparer et maquiller* (cit. 2) *des timbres-poste rares. Timbres tête-bêche. Collection* (cit. 4), *collectionneur de timbres* (⇒ **Philatélie, philatéliste**). *Album de timbres. Pochette de timbres pour collections. Marché aux timbres.*

7   Ces timbres consistent dans une petite estampe, représentant une tête de la Liberté, imprimée en encre rouge, bleue ou noire sur un papier dont le revers est enduit d'une légère couche de gomme. Le prix de chaque timbre se distingue par la couleur de l'encre (...) Pour affranchir une lettre, il suffira donc d'humecter le côté du timbre qui est enduit de gomme et de l'appliquer sur l'adresse de la lettre que l'on peut ensuite jeter à la poste en toute confiance et sans autre formalité.
       Texte d'une Affiche de 1848-49, cité par E. VAILLE,
       Hist. du timbre-poste, P. U. F., p. 148.

8   J'avais dans ma poche, par miracle, plus d'argent que n'en a d'habitude un collégien en deux ans, ayant la veille vendu mes timbres-poste les plus rares à la Bourse aux timbres, qui se tient derrière le Guignol des Champs-Élysées.
       R. RADIGUET, le Diable au corps, p. 40.

(1858). *Timbre-taxe :* timbre indiquant le port à percevoir du destinataire pour une correspondance insuffisamment affranchie ou non acquittée.

d (Par anal. du sens précédent). Dr. fisc. Vignette gommée représentant une valeur déterminée, que l'on colle sur un acte pour attester le paiement du droit de *timbre* (ci-dessus II., 3., b). — REM. Dans ce sens on dit parfois *timbre mobile,* par oppos. au *timbre* imprimé sur le papier lui-même *(papier* timbré),* ou encore *timbre fiscal,* par oppos. à *timbre-poste. Timbre de quittance* ou *timbre-quittance,* sur une quittance, un reçu, une décharge (→ Convocation, cit. 4). *Des timbres-quittance.* — (1967). *Timbre-amende :* vignette qui atteste du paiement d'une amende.

e Vignette qui atteste le paiement d'une cotisation et que l'on colle sur une carte d'adhérent (d'une association, d'un syndicat, d'un parti). — *Timbre-prime, timbre-escompte :* chacune des étiquettes gommées que l'on colle sur un carnet spécial pour obtenir une réduction ou un objet en prime. ⇒ **2. Prime** (*supra* cit. 3). *Timbres antituberculeux :* vignettes vendues au profit d'œuvres de lutte contre la tuberculose. *Timbre-réclame.*

9   (...) un vieux machin carré, en boîte *(un appareil photographique),* comme on en gagnait avant-guerre dans les loteries ou comme vous en proposaient les bons de la Semeuse contre une flopée de timbres-réclame (...)
       SAN-ANTONIO, le Secret de Polichinelle, p. 147.

DÉR. Timbrage, 1. timbré, timbrer.
COMP. Contre-timbre, timbre-poste.

1. TIMBRÉ, ÉE [tɛ̃bʀe] adj. — XVIIᵉ; de *timbre.*

★ **I.** Fam. (en parlant d'une personne). Vx. *Une tête mal (bien) timbrée :* un esprit mal (bien) équilibré. — Mod. Un peu fou. ⇒ **Cinglé, piqué, sonné** (→ Martel, cit. 1).

1   Le brave homme est un peu timbré; c'est le malheur et le chagrin (...) Il est bien doux, pas gênant; il ne dit pas trois paroles dans un jour. Par exemple, la tête a déménagé.
       MÉRIMÉE, Colomba, XXI.

★ **II.** Qui a un beau timbre (I., 3.), qui a du timbre. *Voix bien timbrée.* ⇒ **Sonore.**

2   Sa voix n'était pas moins transformée que le reste : une voix d'homme, chaude et grave, bien timbrée quoique sourde, et assez inattendue dans ce corps d'adolescent.
       MARTIN DU GARD, les Thibault, t. I, p. 174.

HOM. 2. timbré.

2. TIMBRÉ, ÉE [tɛ̃bʀe] adj. — 1562; de *timbrer.*

♦ **1.** Blason. Surmonté d'un timbre* (II., 2., b). *Armoiries timbrées d'une couronne comtale. Écusson timbré de la mitre épiscopale.*

Par ext. *Timbré de...,* orné d'une marque distinctive, d'un insigne. *Casquette timbrée d'une ancre* (Roger Vercel, *Remorques,* 1).

♦ **2.** (1690). *Acte timbré,* marqué d'un cachet, d'un timbre (II., 3., b), du timbre fiscal. Cour. **PAPIER TIMBRÉ** : papier émis par le gouvernement, destiné à la rédaction d'actes civils ou judiciaires soumis au droit de timbre*, et portant une vignette de valeur déterminée correspondant au montant du droit à acquitter (opposé à *papier libre*).

Techn. *Chaudière timbrée à 10 kilos.* ⇒ **Timbrer,** II., 5.

♦ **3.** *Lettre timbrée,* qui porte un timbre (II., 5., c), un timbre-poste. *Joindre une enveloppe timbrée pour la réponse.* ⇒ **Affranchir, timbrer** (6.). *Une lettre timbrée de Mesde* (→ Gel, cit. 1), qui porte le timbre de la poste de Mesde.

Le directeur des postes reçoit ici, depuis un an, des lettres timbrées d'Odessa.
BALZAC, la Vieille Fille, Pl., t. IV, p. 299.

TIMBRE-AMENDE [tɛ̃bʀamɑ̃d], TIMBRE-POSTE [tɛ̃bʀəpɔst], TIMBRE-QUITTANCE [tɛ̃bʀəkitɑ̃s], TIMBRE-TAXE [tɛ̃bʀətaks] ⇒ **Timbre** (II., 5., c et d).

TIMBRER [tɛ̃bʀe] v. — V. 1175, au sens I ; de *timbre.*

★ **I.** V. intr. (Vx). Jouer du tambour appelé *timbre*. Battre du timbre.

★ **II.** V. tr. (V. 1340). ♦ **1.** Vx. Appeler, faire marcher au son du tambour.

♦ **2.** Blason. *Timbrer un écu,* mettre un timbre* au-dessus de lui. ⇒ **Surmonter** (surtout au p. p. ⇒ 2. **Timbré,** 1.).

♦ **3.** Dr. *Timbrer un document, un acte,* mettre en haut de la feuille la date et le sommaire du contenu.

♦ **4.** Marquer un acte, un document du timbre* fiscal. *Faire timbrer un effet de commerce à l'Enregistrement.*

♦ **5.** Marquer un document ou un objet d'un cachet, d'un timbre*. ⇒ **Estampiller, tamponner** (4.).

(1910, *la Science illustrée,* t. I, p. 330). Apposer sur (un appareil à vapeur) un poinçon (⇒ **Timbre,** II., 3., d) indiquant la pression maximale.

(...) l'heure de vérifier la pression et de timbrer les chaudières — la responsabilité la plus grave qui incombe aux inspecteurs du Lloyd et du Veritas (...)
J.-R. BLOCH, Sur un cargo, p. 223.

♦ **6.** *Timbrer une lettre, un envoi postal,* y coller un ou plusieurs timbres-poste dont la valeur représente le prix du port. ⇒ **Affranchir.**

DÉR. 2. Timbré, timbreur.

TIMBREUR, EUSE [tɛ̃bʀœʀ, øz] n. — 1797 ; de *timbrer.*

♦ Personne qui imprime un timbre* sur du papier, sur un document au moyen d'une presse, d'un instrument approprié. — Instrument, machine à timbrer. *Timbreur automatique* (→ 1. Pointer, cit. 2).

TIME-SHARING [tajmʃeʀiŋ] n. m. — 1968 ; mot angl. de *time* « temps », et *sharing* « partage ».

♦ Anglic. Inform. Partage du temps, temps* partagé.

TIMIDE [timid] adj. — 1518 ; lat. *timidus,* de *timere* « craindre ».

♦ **1.** Vx. Qui est d'un naturel craintif, qui est facilement effrayé. ⇒ **Craintif, effarouchable** (→ Poltron, cit. 2). « *Il est le défenseur* (cit. 1) *de l'orphelin timide* » (Racine). *Les cerfs, les moutons* (cit. 3) *sont timides.* — Par ext. « *Là gît la sombre Envie* (cit. 8), *à l'œil timide et louche* » (Voltaire).

♦ **2.** (1528). Qui manque d'audace et de vigueur dans la conception ou l'exécution d'un projet, dans la conduite de ses pensées ; qui est incapable de prendre des décisions franches et énergiques. ⇒ **Douteux** (4., vieilli), **hésitant, indécis, pusillanime, timoré** (2.). *Caractère timide. Écrivain qui paraît timide et étriqué* (cit. 7). — (Choses). *Projets, mesures, tentatives timides. Une satire, une critique bien timide. Traduction, style, langue timide* (→ Enhardir, cit. 4).

♦ **3.** Qui manque d'aisance et d'assurance dans ses rapports avec autrui (→ Déconcerter, cit. 7 ; éloignement, cit. 11 ; libelle, cit. 3). *Enfant timide.* ⇒ **Honteux** (3.). *Jeune homme* (cit. 155), *provincial* (cit. 3) *timide. Un homme timide et modeste*. *Amoureux timide.* ⇒ **Transi.** *Il est timide avec les femmes.* — (Choses). *Manières timides.* ⇒ **Embarrassé, gauche** (I., 2.), **humble** (II., 1.) ; → Maladroit, cit. 12. *Air, ton, voix, inflexion timide* (→ Besoin, cit. 29 ; équivaloir, cit. 4).

[1] Mais timide jusqu'à l'idiotisme, jusqu'à l'imbécillité ! Ainsi, on me tuerait plutôt que de me faire dire tout haut ce que je me dis tout bas depuis trois mois (...)
E. LABICHE, les Deux Timides, 10.

Ah ! Qu'il était passionné et timide. Quand il pensait à sa jambe boiteuse, à sa démarche sautillante, il se sentait ridicule, honteux. Il aurait voulu se cacher, disparaître. A. MAUROIS, la Vie de Byron, I, III. [2]

N. *Un, une timide.* → Courageux, cit. 1 ; évader, cit. 13. *Les timides.*

DÉR. Timidement. — (Du même rad.) Timidité.
COMP. Intimider.

TIMIDEMENT [timidmɑ̃] adv. — 1549 ; de *timide.*

♦ D'une manière timide, avec timidité. *Nous objections timidement que...* ⇒ **Mollement** (→ Interdire, cit. 6). *Il exposa* (cit. 11) *timidement la requête.*

Les premiers jours, il heurtait la porte timidement, et demandait avec insistance : Je ne vous ennuie pas ? F. MAURIAC, l'Enfant chargé de chaînes, XI.

CONTR. Audacieusement, bravement, carrément, délibérément, franchement, hardiment, hautement.

TIMIDITÉ [timidite] n. f. — V. 1400 ; lat. *timiditas,* de *timidus.* → Timide.

♦ **1.** Vx. Manque de courage ; peur devant le danger. ⇒ **Appréhension** (cit. 3), **crainte.**

♦ **2.** Vieilli. Manque d'audace et de vigueur dans l'action ou la pensée ; incapacité à se décider franchement. ⇒ **Pusillanimité** (→ Équilibrer, cit. 7 ; irrésolution, cit. 2 ; 1. point, cit. 84). — Par ext. *La timidité d'une décision, d'une réaction.*

D'après le caractère de Louis-Philippe, on doit présumer qu'il ne prit aucune résolution, et que sa timidité politique, se renfermant dans sa fausseté, attendit l'événement comme l'araignée attend le moucheron qui se prendra dans sa toile. [1]
CHATEAUBRIAND, Mémoires d'outre-tombe, t. V, p. 231.

♦ **3.** Mod. Manque d'aisance et d'assurance en société ; comportement, caractère du timide. ⇒ **Confusion, embarras** (cit. 15), **gaucherie** (cit. 2), **gêne** (cit. 10), **honte** (*supra* cit. 43), **humilité** (*supra* cit. 19) ; → Attirant, cit. 5 ; contact, cit. 11 ; cynique, cit. 4. *Être perclus* (cit. 7) *de timidité. Timidité insurmontable* (cit. 4), *invincible* (cit. 9). *Modestie* et timidité. Surmonter sa timidité.*

J'ai observé que le peu de timidité qui subsiste dans le monde ne se rencontre guère plus que chez les membres de l'Institut ; et singulièrement, quand ils s'exposent en costume. Dois-je vous confier, Mesdemoiselles, que j'ai vu, du côté de la Coupole, des écrivains célèbres, que dis-je... des maréchaux de France, des hommes qui ont commandé des millions d'hommes, tout déconcertés, tout émus et inquiets à la pensée qu'ils allaient paraître et prendre la parole devant une assemblée presque purement composée de dames (...) [2]
VALÉRY, Variété, Enseignement, Œ., t. I, Pl., p. 1419.

(Une, des timidités). Attitude, réaction timide.

CONTR. Bravoure, courage. — Audace, hardiesse. — Aplomb, braverie (vieilli), **culot** (fam.), **cynisme, outrecuidance.**

TIMING [tajmiŋ] n. m. — 1909, en sport (boxe) ; répandu v. 1950 ; mot angl., de *to time* « régler, mesurer le temps ».

♦ Anglic. Minutage* ; action d'établir un emploi du temps, de prévoir les phases successives d'une opération, d'un déroulement. *Les reports de documents sonores sur bande « doivent se faire suivant un timing soigneusement élaboré »* (*Science et vie,* n° 105, p. 143). — REM. Dans la plupart des cas, on peut remplacer ce mot par *calendrier, échéancier, emploi du temps, programme.*

Agir sur la manière dont se passent les choses qui doivent se passer ; agir sur leur « timing » ; choisir la figure que nous y ferons : voilà qui serait déjà une tâche suffisante et conforme à la dignité humaine.
Pierre BERTAUX, la Mutation humaine, p. 272 (1964).

(Dans la vie courante). Emploi du temps. « *Je ne m'en sors* (de mes études) *qu'au prix d'un " timing " sans faille* » (F Magazine, mars 1981, p. 101).

(Emplois spéciaux) ; répandu en particulier dans la langue du sport). Mise en place dans le temps (d'un geste), synchronisation (d'un ensemble de techniques gestuelles). *L'efficacité d'un centre est principalement fonction de son timing.*

TIMO- Élément, du grec *timê* « estimation ; prix ; honneur », qui entre dans la composition de termes didactiques.

TIMOCRATIE [timɔkʀasi] n. f. — XIVᵉ, *tymocracie,* du grec *timokratia* ; de *timê* (→ Timo-), et *kratia* (→ -cratie).

♦ Vx. Forme de gouvernement dans lequel les fonctions publiques sont réservées aux citoyens les plus riches. ⇒ **Ploutocratie.**

DÉR. Timocratique.

TIMOCRATIQUE [timɔkʀatik] adj. — 1846 ; de *timocratie.*

♦ Vx. Relatif à la timocratie.

TIMON [timɔ̃] n. m. — Mil. XIIᵉ ; du lat. pop. *timo, timonis,* du lat. class. *temo.*

♦ **1.** Longue pièce de bois disposée à l'avant d'une voiture ou d'une charrue, selon son axe longitudinal, et de chaque côté de laquelle on attelle une bête de trait. ⇒ 1. **Flèche** (*supra* cit. 18); **palonnier** (1.); ⇒ Essieu, cit. 3; grincer, cit. 8; sillon, cit. 1. *Cheval attelé au timon au moyen d'une volée. Timon articulé à l'armon d'un carrosse.*

Dans le parc, près du mur de clôture, à un endroit où Jean n'allait presque jamais, il y avait dans une place nue et sans arbre un cirque de pierre avec un timon au milieu où, attelés de temps en temps, les chevaux tournaient lentement pour faire monter l'eau. Le reste du temps, l'ombre seule du timon tournait plus lentement encore sur ce cirque en pierre qu'aucun arbre ne venait protéger du soleil, si bien que son oncle avait dit à Jean un jour qu'il passait par là que ce timon était une sorte de cadran solaire.　　　　　　　　　PROUST, Jean Santeuil, Pl., p. 305.

♦ **2.** (V. 1300). Mar. (Vx). Barre du gouvernail, et, par ext., gouvernail. *Le timon d'une galère, d'un navire.* — (1606). Par métaphore. (→ Atteler, cit. 6). *Le timon de l'État.* ⇒ aussi **Direction, gouvernement** (*supra* cit. 7); → Sénat, cit. 1, Racine. *Être au timon* (mod. *au gouvernail, à la barre*).

DÉR. Timonier.

TIMONERIE [timɔnʀi] n. f. — 1791; de *timonier*.

★ **I.** Mar. ♦ **1.** Fonction, spécialité de timonier; service dont sont chargés les timoniers* (1.). *Chef, quartier-maître de timonerie. Journal de la timonerie* ou *livre de loch.*

♦ **2.** (Mil. XIXᵉ). Ensemble des matelots affectés à ce service.

♦ **3.** (Mil. XIXᵉ). Partie du navire qui abrite la roue du gouvernail, les compas et les divers appareils de navigation.

Il y avait là, comme en haut, un compas, un chadburn, une boîte de morse, et un second poste de timonerie.　　　　　　Roger VERCEL, Remorques, II.

★ **II.** (XXᵉ; *in* Larousse 1933). Techn. Ensemble des organes de transmission qui servent à commander la direction et les freins d'une automobile, à appliquer sur les gouvernes les ordres donnés sur les commandes de vol d'un avion, le système de freinage d'un véhicule quelconque. *« Le frein à air (...) est du type courant : timonerie centrale entre bogies... »* (*la Vie du rail*, 14 avr. 1963).

TIMONIER [timɔnje] n. m. — Déb. XIIIᵉ; *tomonier*, v. 1185; de *timon*.

♦ **1.** Mar. Celui qui tient le timon (2.), la barre du gouvernail (→ Homme de barre*); chacun des matelots ou des gradés qui s'occupent de la surveillance de la route, de la direction du navire, de la sonde, des signaux, de la transmission des ordres. ⇒ **Pilote**; → Journal, cit. 5; matelot, cit. 1; 1. patron, cit. 5. *Timonier breveté.*

(...) le navire inconnu semblait changer pour un moment d'intention et remettait le cap sur nous ; — cette singulière manœuvre se répéta deux ou trois fois, si bien qu'à la fin nous ne trouvâmes pas d'autre manière de nous l'expliquer que de supposer que le timonier était ivre.
　　　　　　　　BAUDELAIRE, Trad. E. POE, Hist. extraordinaires,
　　　　　　　　les Aventures d'A. Gordon Pym, X.

Par métaphore. Conducteur, guide. *Le grand timonier,* l'un des surnoms de Mao Tsê-toung. — REM. Dans ce sens, le fém. *timonière* est virtuel.

♦ **2.** (1636). Chacun des chevaux attelés de part et d'autre du timon* (opposé à *chevaux de volée*).

DÉR. Timonerie.

TIMORÉ, ÉE [timɔʀe] adj. — 1578; lat. chrét. *timoratus* «qui craint Dieu», de *timor* «crainte».

♦ **1.** (D'abord relig.). Scrupuleux* (1.) à l'extrême. *Conscience timorée.*

Mon enfant, lui dit souvent l'aumônier des Ursulines, vos scrupules proviennent d'une délicatesse trop grande. Votre conscience est timorée, mais cela est chez vous la preuve d'une grande bonne volonté.
　　　　　　　Francis JAMMES, le Roman du lièvre, Clara d'Ellébeuse, I.

♦ **2.** (XVIIIᵉ). Qui est trop méfiant, trop prudent, trop attaché à ses habitudes, qui craint le risque, les responsabilités, l'imprévu... ⇒ **Craintif, indécis, pusillanime, timide** (2.). *Caractère timoré.*

(...) elle n'aurait pu se décider à venir rejoindre Christophe à Paris : elle était trop timorée, attachée à sa petite ville, à son église, à sa maison, elle avait peur des voyages.　　R. ROLLAND, Jean-Christophe, Foire s. la place, II, p. 796.

N. *(Un, une timorée).* → Prudence, cit. 3. *Ce sont des timorés.*

CONTR. Courageux, crâne (fam.), **effronté, entreprenant, fort, téméraire.**

TIN [tɛ̃] n. m. — 1465; moy. franç. *tin, tind.*

♦ **1.** Mar. Pièce de bois qui supporte la quille d'un navire en construction (⇒ **Béquille, billot, chantier** [1.]). *Tin de ber* (⇒ **Ber**). Chacune de ces pièces placées à des distances régulières au fond d'une cale sèche.

♦ **2.** Techn. Pièce de bois qui soutient les tonneaux dans une cave.

DÉR. 2. Tinter.
HOM. Tain, teint, thym; formes des v. **tenir** et **teindre.**

TINAMIDÉS [tinamide] n. m. pl. — 1876, P. Larousse; de *tinam(ou)*, et -*idés*.

♦ Zool. Famille d'oiseaux dont le tinamou* est le type principal et qui compose à elle seule l'ordre des *Tinamiformes* (n. m. pl.). — Au sing. *Un tinamidé.*

TINAMOU [tinamu] n. m. — 1741; graphie francisée de *tinamu*, mot des Caraïbes.

♦ Zool. Oiseau galliforme *(Gallinacés ; Tinamidés)* à ailes réduites et à queue très courte, qui niche sur le sol et vit en Amérique du Sud.

DÉR. Tinamidés.

TINCAL ou **TINKAL** [tɛ̃kal] n. m. — 1752, *tincal*; *tinkal*, 1765; malais *tingkal*.

♦ Chim. Forme impure du borax (borate de soude).

TINCTORIAL, ALE, AUX [tɛ̃ktɔʀjal, o] adj. — 1796; dér. sav. du lat. *tinctorius*, rac. *tingere* «teindre».

♦ **1.** Qui sert à teindre. *Plantes, matières tinctoriales.* ⇒ **Colorant, teinture.**

♦ **2.** Relatif à la teinture. *Opérations tinctoriales.*

TINDOUL [tɛ̃dul] n. m. — 1892, *Année sc. et industr.*; mot du Rouergue.

♦ Régional. Gouffre en terrain calcaire, dans le Rouergue. ⇒ **Aven** (cit. 1); **igue.**

(... *les*) avens, ces gouffres si nombreux sur les causses (...) : on les nomme *igues* sur les plateaux calcaires du Quercy, *tindouls* dans le Rouergue, *chourouns* dans le Dévoluy.　　Jacques LACARRIÈRE, Chemin faisant..., p. 190.

TINE [tin] n. f. — V. 1230; lat. *tina* «vase pour le vin».
Technique, vieux.

♦ **1.** Récipient pour transporter la vendange.

♦ **2.** Tonneau ou baquet pour transporter l'eau, le lait (parfois écrit *tinne*).

♦ **3.** Techn. Récipient ouvert pour le transport des matières, dans une poudrerie.

REM. Un homonyme, employé en français dans plusieurs pays d'Afrique, désigne «un grand récipient en fer blanc d'une contenance de vingt litres environ, ayant servi d'emballage à divers produits importés, et utilisé pour le transport des céréales» (I. F. A.). *Une tine d'huile* (dans ce sens, le mot est considéré comme un emprunt à l'anglais *tin* «boîte de conserve»).

DÉR. Tinée, tinette.
HOM. Tinne.

TINÉE [tine] n. f. — XVIᵉ; de *tine*.

♦ **1.** Vx. Contenu d'une tine*.

♦ **2.** (1890). Argot vieilli. Grande quantité. *Une tinée de gens; il y en a une tinée.* ⇒ mod. **Chiée, flopée.**

TINÉIDÉS [tineide] n. m. pl. — Fin XIXᵉ; *tinéites*, 1839; du lat. *tinea* «teigne», et -*idés*.

♦ Zool. Famille d'insectes lépidoptères *(Microlépidoptères)* comprenant des papillons minuscules communément appelés mites* ou teignes* dont les chenilles sont très nuisibles. *Types principaux de Tinéidés :* alucite ou sitotrogue, cosmoptéryx, géléchie, gracilaire, hyponomeute... Au sing. *Un tinéidé.*

TINETTE [tinɛt] n. f. — V. 1230; dimin. de *tine*.

♦ **1.** Vx. Petite tine.

♦ **2.** Techn. Tonnelet dont le fond est plus large que le haut, pour le transport du beurre fondu. — (1751). Vx. Beurrier.

♦ **3.** (1836). Cour. Baquet généralement en tôle, servant au transport des matières fécales, qui supplée à l'absence de fosse d'aisances. *Vidangeur qui emporte les tinettes. Corvée de tinette.*

(...) ceux qui vident les poubelles et ceux qui promènent dans la nuit nauséabonde les énormes tinettes ou la pompe qui souffle à la canule des maisons (...)
　　　　　　　　ARAGON, les Beaux Quartiers, II, XXVI.

(Fin XIXᵉ). Vieilli. Lieux d'aisances.

TINKAL [tɛ̃kal] n. m. ⇒ **Tincal**.

TINNE [tin] n. f. — 1909 ; même orig. que *tine*.

♦ Techn. Machine servant à broyer l'argile, destinée notamment à la fabrication des briques.

HOM. Tine.

TINTAMARRE [tɛ̃tamaʀ] n. m. — 1490 ; comp. expressif de *tinter*, suff. obscur ; → Imitatif, cit. 1.

♦ **1.** Grand bruit* discordant. *Le tintamarre des cors* (→ Étonner, cit. 1), *des klaxons, d'un atelier de serrurerie* (cit. 2), *d'un train qui roule* (→ Ballottement, cit.). *Faire du tintamarre.* ⇒ **Boucan, raffut.** *Remplir la tête de qqn de tintamarre et de galimatias* (cit. 3).

1   On les rappelait d'abord à l'ordre *(les chouettes)* par le tintamarre de l'impuissante sonnette ; mais ne cessant point leur criaillement, on leur tirait des coups de fusil pour leur faire faire silence (...)
CHATEAUBRIAND, Mémoires d'outre-tombe, t. II, p. 16.

2   Assourdie par le tintamarre, Mᶦˡᵉ Borboïé n'était pas loin de penser qu'elle fût déjà en enfer.
M. AYMÉ, le Passe-muraille, p. 158.

♦ **2.** (Déb. XVIIIᵉ). Fig. Réaction, protestation. *Le tintamarre des petits talents* (Goncourt, *Journal*, t. III, p. 80).

CONTR. Calme.

DÉR. Tintamarrer, tintamarresque.

TINTAMARRER [tɛ̃tamaʀe] v. intr. — Mil. XVIᵉ, Jodelle ; de *tintamarre*.

♦ Rare. Faire du tintamarre.

Dans la rue, des klaxons tintamarraient derrière une voiture américaine chargée de torses épais, nus et bronzés, qui attendait son essence devant le poste.
Cécil SAINT-LAURENT, les Passagers pour Alger, p. 11.

TINTAMARRESQUE [tɛ̃tamaʀɛsk] adj. — 1868, Bienvenu, dit Touchatout, rédacteur du journal satirique *le Tintamarre* (1840) ; de *tintamarre*.

♦ Fam. et rare. De la nature du tintamarre. ⇒ **Assourdissant, bruyant, retentissant, tonitruant.**

(...) Le Duc et Mammouth portant sa fille sur son dos entrèrent en chantant cet hymne triomphal (sur l'air des Moines de Saint-Bernardin) dans le Café-Hôtel-Pension de Famille.
Cette arrivée tintamarresque affola Corner (...)
René FALLET, le Triporteur, p. 289.

TINTANT, ANTE [tɛ̃tɑ̃, ɑ̃t] adj. — 1538 ; de 1. *tinter*.

♦ Qui tinte, produit un bruit de sonnette.

Lartois ouvrit une petite armoire de verre, prit quelques instruments nickelés et tintants qu'il disposa sur une table.
M. DRUON, les Grandes Familles, III, I, p. 98.

TINTEMENT [tɛ̃tmɑ̃] n. m. — 1490 au sens 3 ; de 1. *tinter*.

♦ **1.** (1636). Bruit (de ce qui tinte). *Tintement de cloche* (→ Osciller, cit. 3). *Le tintement monocorde du glas*. *Tintement de clochette* (cit. 1 ; → Pagode, cit.), *de sonnette* (cit. 2 ; ⇒ **Carillon**), *de grelots* (⇒ **Tintinnabuler**).

1   On avait posé en bas, à la porte du magasin, une sonnette dont le tintement aigu annonçait l'entrée des clientes.
ZOLA, Thérèse Raquin, IV.

♦ **2.** Bruit semblable provoqué par des objets frappés, heurtés, qui résonnent. *Le tintement de mille choses sonores* (→ Fantasia, cit. 1), *d'une harpe éolienne* (cit. 2).

♦ **3.** (Déb. XVIᵉ). Le fait de tinter, en parlant de l'oreille. — Pathol. *Tintement d'oreilles* : bourdonnement* analogue à celui d'une cloche qui tinte. ⇒ **Tintouin** (vx). *Tintement métallique,* perçu lors de l'auscultation de certaines pneumopathies.

2   Sans écouter ni les tintements de mon oreille, ni les battements précipités de mon cœur, je pris deux pièces de vingt francs que je vois encore !
BALZAC, la Peau de chagrin, Pl., t. IX, p. 77.

1. TINTER [tɛ̃te] v. — XIIIᵉ ; *ne tinter mot*, 1080, *Chanson de Roland* ; «résonner», 1190 ; du bas lat. *tinnitare*, fréquentatif de *tinnire*.

★ **I.** V. intr. ♦ **1.** Produire des sons (et surtout des sons aigus) qui se succèdent lentement (se dit d'une cloche dont le battant ne frappe qu'un côté). ⇒ **Résonner, sonner** (→ Évoquer, cit. 17). *On entend tinter les clarines* (cit. 2) *des troupeaux. Timbre d'ambulance* (cit. 3) *qui tinte.* ⇒ **Retentir.** — Par ext. *On entend tinter l'heure* (→ Horloge, cit. 5), *l'angélus* (cit. 1). *Elle écoutait tinter les coups de la cloche* (→ Hébétement, cit. 2).

1   (...) j'entendis le son lointain d'une cloche qui tintait : elle appelait les fidèles à la prière.   CHATEAUBRIAND, Mémoires d'outre-tombe, t. V, p. 10.

1.1 — Et pourquoi ne dirais-je pas ma messe ? demanda le curé. Expliquez-vous ! Le troisième son a tinté.
— Qu'il ait tinté ou non, répliqua Jean Cornbutte, il en tintera bien d'autres

aujourd'hui, monsieur le curé, car vous m'avez promis de bénir de vos propres mains le mariage de mon fils Louis et de ma nièce Marie !
J. VERNE, Un hivernage dans les glaces, p. 217.

2   Les vêpres tintaient dans les brûlantes après-midi de dimanche (...)
F. MAURIAC, l'Enfant chargé de chaînes, xv.

♦ **2.** Produire des sons clairs aux harmonies aiguës. *Les couteaux font tinter les coupes* (→ Conseiller, n., cit. 7). *Pièces qui tintent dans les poches* (→ Hypothéquer, cit. 2). *Trousseau de clefs* (cit. 1) *qui tintent gaiement. Les laitiers* (1. Laitier, cit. 1) *font tinter leurs bidons dans les rues.* Par ext. *Sons qui tintent* (→ Éteindre, cit. 34).

♦ **3.** Résonner, en parlant de l'organe de l'ouïe. *Les oreilles me tintent.* ⇒ **Tintement.** (1718). Fig. *Les oreilles ont dû vous tinter,* se dit à une personne dont on a beaucoup parlé en son absence (→ 1. Parler, cit. 31). ⇒ **Corner, siffler, sonner.**

★ **II.** V. tr. (XVᵉ). Faire tinter. *Tinter la cloche.* ⇒ **Copter, piquer** (mar.). — Par métonymie. *Tinter le tocsin, l'angélus. Tinter la messe :* sonner* les cloches pour annoncer l'office. Absolt. *On tinte à l'église.*

3   Vous tintez le glas pour le traître
Et pour le brave le tocsin (...)   HUGO, l'Année terrible, mars, I.

4   Le dernier coup de vêpres a sonné : l'on tinte.
Entrons donc dans l'Église et couvrons-nous d'eau sainte.
VERLAINE, Liturgies intimes, XIX.

Rare. Produire un bruit de...

4.1 (...) elle accrocha d'une main errante son flacon de lait de beauté qui tinta le cristal.   Thyde MONNIER, Fleuve, p. 244.

DÉR. Tintant, tintement, tintouin.
HOM. Teinter, 2. tinter.

2. TINTER [tɛ̃te] v. tr. — 1835 ; de *tin*.

♦ Techn. (mar.). Anciennt. Soutenir par des tins. *Tinter la quille d'un bateau.*

HOM. Teinter, 1. tinter.

TINTIN [tɛ̃tɛ̃] n. m. — V. 1200 ; onomatopée.

♦ **1.** Vx. Bruit des cloches qui tintent ; des verres qui s'entrechoquent.

♦ **2.** Loc. fam. (1935). FAIRE TINTIN : être privé, frustré de qqch. *On va encore faire tintin* (cf. Se mettre la ceinture).

1   Sous les nôtres, les filles de service ont mis leurs morceaux «pour les garder chauds», mais «nous on veut bien servir ces dames, mais de là à leur filer le meilleur et que nous on fasse tintin (...)   A. SARRAZIN, la Cavale, 1965, p. 52.

(1938). Ellipt. *Tintin !* : rien du tout (cf. La peau !).

2   Mais nous, pendant ce temps-là, tintin : on ne va jamais à Dijon, on n'a pas le droit de chasser à l'étang.
Michel DE SAINT-PIERRE, les Aristocrates, XVII (1954).

Tintin, conclut-elle en se tapant le menton avec l'index et le médius de la main droite.   R. QUENEAU, le Dimanche de la vie, p. 58.

(En fonction d'attribut). *C'est, ça va être tintin :* c'est, cela ne sera pas possible.

4   (...) comme je suis du genre insomniaque, à présent ça va être tintin pour retourner chez Morphée.   SAN-ANTONIO, J'ai essayé : on peut !, 1973, p. 114.

TINTINNABULANT, ANTE [tɛ̃tinabylɑ̃, ɑ̃t] adj. — 1867 cit. ; de *tintinnabuler*.

♦ Littér. Qui tintinnabule. *Des voitures tintinnabulantes* (→ Rouler, cit. 3).

1   L'habitude du voyage donne la faculté de se lever à l'instant précis sans avoir besoin pour cela de réveille-matin à sonnerie opiniâtrement tintinnabulante.
Th. GAUTIER, Voyage en Russie, I, XVIII (1867).

2   La neige, les stalactites festonnant la toiture et engendrant sur le sol autant de stalagmites dressées comme des cierges, le ski, le patin, les promenades en traîneaux tirés par des chevaux tintinnabulants (...)
M. TOURNIER, le Vent Paraclet, p. 22.

TINTINNABULEMENT [tɛ̃tinabylmɑ̃] n. m. — XXᵉ ; de *tintinnabuler*.

♦ Littér. et rare. Bruit de ce qui tintinnabule.

Un tintinnabulement de sonnailles l'arrêta : il aperçut une carriole d'épicier bâchée d'une toile noire goudronnée, dont le cheval grimpait la côte de Buzidan.
M. GENEVOIX, Raboliot, IV, II. (1925).

TINTINNABULER [tɛ̃tinabyle] v. intr. — 1839, Balzac ; var. *tintinnuler* ; lat. *tintinnabulum* «clochette», même rac. que *tinter*.

♦ Littér. Se dit d'une clochette (cit. 2) d'un grelot qui sonne, et, par ext., de ce qui tinte comme un grelot.

1   (...) un paquet de breloques tintinnabulant.
BALZAC, Pierre Grassou, Pl., t. VI, p. 123.

2   Ils marchaient avec noblesse, les plus petits, d'un air héroïque ; cependant que tin-

tinnabulait, comme une mule d'attelage, sous les médailles de clinquant, la bannière de la Fanfare (...) P.-J. TOULET, la Jeune Fille verte, II.

DÉR. Tintinnabulant, tintinnabulement.

TINTO [tinto] n. m. — 1803, d'abord *vin de Tinto,* de *rio Tinto* «fleuve coloré»; du lat. *tinctus.* → Teint.

♦ **1.** Vin espagnol produit par un cépage de ce nom.

♦ **2.** (1904). Cépage cultivé en France et en Espagne.

TINTOUIN [tɛ̃twɛ̃] n. m. — 1490; de 1. *tinter* ou *tintin,* élément final dialectal.

♦ **1.** Vx. Pathol. Bourdonnement* d'oreilles.

♦ **2.** Fam. Vieilli. Bruit fatigant, vacarme. *Quel tintouin dans la rue!* (→ Obséder, cit. 3).

♦ **3.** (1507). Mod. ⇒ **Aria, embarras, inquiétude, mal** (3.), **souci, tracas.** *Avoir, se donner du tintouin* (→ Souvent, cit. 4). — Au plur. (Rare). *Sans tintouins prévus* (Huysmans, *l'Oblat,* p. 3).

1 Nous sommes bien bêtes (...) de nous donner un tel *tintouin* pour savoir ce qu'il y a dans le fond de l'âme de cette femme : probablement il n'y a rien!
BARBEY D'AUREVILLY, les Diaboliques, « Dessous de cartes... »

1.1 Ah! vous en aurez du tintouin, ma pauvre demoiselle (...) gémit l'épicière en m'offrant un siège (...) Ce n'est pas parce que l'on ne me prend plus rien au château (...) mais je puis bien dire que c'est une maison infernale (...)
O. MIRBEAU, le Journal d'une femme de chambre, p. 67.

2 Antoine part en vacances samedi avec un de ses camarades de lycée et il faut que j'aille faire une course avec lui. Quel tintouin, ces gosses.
M. AYMÉ, le Chemin des écoliers, IV.

TIOLÉE [tjɔle] n. f. — Attesté fin xixe; mot dial. (Morvan) d'orig. inconnue. → Trôlée.

♦ Régional. Un très grand nombre. *« Une tiolée de petits flacons »* (Huysmans, *in* G. L. L. F.).

-TION Élément (du lat. *-tio, -tionem*) qui vient d'emprunts du lat. (ex. : rotatio, *rotation*) ou sert à former des subst. (ex. : majorer, *majoration;* finir, *finition*).

TIPHOMYCINE ou TYFOMYCINE [tifomisin] n. f. — Mil. xxe; du rad. de *typhoïde,* et suff. de *streptomycine.*

♦ Méd. Nom d'un antibiotique, le chloramphénicol*.

TIPI [tipi] n. m. — 1890, *in* D.D.L.; d'une langue amérindienne, par l'anglais.

♦ Tente des Indiens d'Amérique du Nord, d'une forme conique caractéristique. — Tente de forme analogue.

(...) dans un tipi translucide (...) un grand avocat new-yorkais, maître Hedelman, fait la sieste avec sa famille. Jeanne CORDELIER, la Passagère, p. 295.

Var. graphique : *tepee, teepee* — « *Indiens, ils* (les enfants) *se couchent dans des teepies* (sic)*, se promènent à cheval (...) »* (*l'Express,* 26 mai 1979, p. 203, « Vacances western »).

TIPOY ou TIPOYE [tipɔj] n. m. — Attesté xxe; mot d'une langue africaine.

♦ En Afrique (Rwanda, Zaïre), Chaise à porteurs, souvent constituée par un hamac fixé à un ou deux bambous, portée par une équipe de deux ou quatre porteurs. *Le tipoye était utilisé à l'époque coloniale pour le transport des notables; il sert aujourd'hui (Rwanda) au transport des blessés* (d'après I.F.A.).

1 Étrange tipoye, improvisé en attachant une grande chaise longue sur deux longues traverses que quatre énormes porteurs ont hissées sur leurs têtes. J'étais suspendu à plus de deux mètres du sol. GIDE, le Retour du Tchad, V, *in* Souvenirs, Pl., p. 938.

2 Le tipoye débouche du sentier. Bien qu'ils soient en nage, les porteurs se mettent au petit trot pour ménager à leur redoutable fardeau — et à eux-mêmes, les plus nobles porteurs — une entrée solennelle devant les lourdauds de paysans!
G. BOLOMBO, Kawanga, 1954, p. 15, *in* I.F.A.

DÉR. Tipoyeur.

TIPOYEUR [tipɔjœʀ] n. m. — D. i. (xxe); de *tipoye.*

♦ Porteur de tipoye*.

TIPULE [tipyl] n. f. — 1611; lat. *tippula* «araignée d'eau».

♦ Zool. Insecte diptère nématocère *(Tipulidés),* mouche de grande taille à longues pattes grêles dont les larves rongent les racines des plantes.

(...) une armure de chevalier ne suffirait pas à protéger contre le dard de ces diptères. C'est là une funeste région, que l'homme dispute chèrement aux tipules, aux cousins, aux maringouins (...) J. VERNE, Michel Strogoff, 1876, p. 218-219.

TIQUE [tik] n. f. — 1464; moy. néerl. *tike,* p.-ê. par l'angl. *tick.*

♦ Acarien* *(Ixodidés)* parasite des animaux, se nourrissant de sang, pouvant aussi piquer l'homme et transmettre diverses maladies infectieuses. *La tique est un arachnide.*

Devant, arrivant telle une armée déployée pour l'attaque, les parasites de toutes sortes : les puces, les tiques, les poux et les punaises, bondissant d'un caillou à l'autre, aveugles mais guidés par l'odeur du sang (...)
J.-M. G. LE CLÉZIO, le Déluge, 1966, p. 223.

Spécialt. Cet acarien *(Ixode)* lorsqu'il appartient à une espèce vivant fixée sur la peau de divers animaux domestiques ou sauvages et qui en suce le sang. *Ce chien a des tiques.*

DÉR. Tiquet.
HOM. Tic.

TIQUER [tike] v. intr. — 1664; de *tic.*

♦ **1.** Vétér. Avoir le tic (1.), en parlant du cheval.

1 (...) dans l'écurie on entendait Bayard tirer sa chaîne et tiquer contre sa mangeoire. Th. GAUTIER, le Capitaine Fracasse, II.

♦ **2.** (1888, Villatte). Rare. Avoir un tic.

♦ **3.** Fig. et cour. Manifester par la physionomie ou par un mouvement involontaire, son mécontentement, sa désapprobation, son dépit. *Ma proposition l'a fait tiquer* (⇒ **Indisposer**).

2 Et je lui racontai que j'avais déniché, à Prague, l'édition originale de *Ma fuite des Plombs.* Je le vis aussitôt tiquer. Émile HENRIOT, la Rose de Bratislava, XII.

Tiquer sur qqch. : signifier son mécontentement, sa désapprobation à propos de qqch. *Le curé tiquait un peu sur ces plaisanteries* (→ Piper, cit. 1). ⇒ **Rechigner.** — (Déb. xxe). Vieilli. *Tiquer sur qqn,* le remarquer. *Tiquer sur une jolie femme.*

DÉR. Tiqueur.

TIQUET [tikɛ] n. m. — 1651; mil. xve «tique»; dimin. de *tique.*

♦ Régional. Petit insecte vivant sur les végétaux.
HOM. Ticket.

TIQUETÉ, ÉE [tikte] adj. — 1715; *ticqueté,* 1578; *ticté,* 1680; du néerl. *tik* «piqûre légère, point».

♦ Rare. Marqué de petites taches. ⇒ **Piqueté, tacheté.** *Oiseau, œillet tiqueté. Chiens tiquetés de blanc* (→ Meute, cit. 2).

1 (...) la peau épaisse et tiquetée sur un fond de hâle, une peau restée une peau de campagne, en dépit de toute la parfumerie parisienne.
Ed. et J. DE GONCOURT, Journal, juin 1864, t. II, p. 164.

2 (...) ceux qui récoltent dans les broussailles les œufs tiquetés de vert (...)
SAINT-JOHN PERSE, Anabase, X.

DÉR. Tiqueter, tiqueture.

TIQUETER [tikte] v. tr. — 1901; de *tiqueté.*

♦ Rare. Couvrir de petites taches. — Pron. *Se tiqueter.* — P. p. adj. ⇒ **Tiqueté.**

(...) les sureaux se tiquetaient de grains noirs, les brioles de grains roses, les sorbiers de grains vermillon, les buissons ardents de grains de terre-de-sienne brûlée.
HUYSMANS, l'Oblat, XIII.

TIQUETURE [tiktyʀ] n. f. — 1845; de *tiqueté.*

♦ Didact. État de ce qui est tiqueté*. *La tiqueture d'une fleur.* — Petite tache.

TIQUEUR, EUSE [tikœʀ, øz] adj. — 1664; de *tiquer.*

♦ **1.** Vétér. Qui tique (1.). *Cheval tiqueur.*

♦ **2.** Qui a des tics. *Un enfant tiqueur.* — N. (1904, *in Rev. gén. des sc.,* no 9, p. 456). Psychiatrie. Personne qui a un tic. *Un tiqueur, une tiqueuse.*

TIR [tiʀ] n. m. — 1660; *vol, voler à tir* «à tire-d'aile», xiiie; de 1. *tirer.*

★ **I. A. ♦ 1.** Le fait de tirer* (III.), de lancer avec une arme de trait ou des projectiles (à l'aide d'une arme, spécialt d'une arme à feu); l'art et la manière de tirer. *Tir à l'arbalète*, à l'arc*; aux armes à feu, au fusil, au pistolet.* — Loc. *Chasse à tir* (opposé à *chasse à courre*). → Nitée, cit. — *Tir au vol* (des oiseaux). *Tir sportif* (à l'arc, au pistolet, à la carabine). *Concours; champion de tir.* — *Exercices de tir,* dans l'armée. *Faire du tir* (→ Polygone, cit. 2). *Tir au pistolet-mitrailleur, à la mitrailleuse. Champ** (→ Marqueur, cit. 1), *polygone, stand* de tir. Instruction de tir.* → *blanc**. *Tir au canon. Mettre une pièce en position de tir.* ⇒ **Batterie** (en). — *Tir à la cible*, de but* en blanc.*

Balist. *Ligne de tir :* droite passant par l'axe de la bouche à feu indéfiniment prolongée. (1872). *Angle de tir :* angle de la ligne de tir avec le plan horizontal. *Plan de tir :* plan vertical mené par la ligne de tir.

(1959). Lancement (d'une fusée, d'un engin). *Tir planétaire, lunaire.* « *Dans les tirs lunaires effectués en U. R. S. S. sous une latitude fortement boréale, la Lune s'est toujours trouvée à une déclinaison australe de 10 à 20 degrés ; par suite d'un choix d'ailleurs volontaire ; il faut donc infléchir la trajectoire, pendant la phase active, d'un angle important et cela avec une précision d'une fraction de degré. A plus forte raison la direction est-elle importante dans le cas de tirs planétaires* » (*Sciences*, nov.-déc. 1959, p. 30).

Loc. fig. (avec quelques verbes). Ligne de conduite. *Ajuster, rectifier le tir.*

Par anal. *Tir de laser, de sonar* : émission brusque et directionnelle de laser, de sonar.

♦ **2.** Direction selon laquelle une arme à feu lance ses projectiles ; leur trajectoire. *Exactitude, justesse du tir. Tir au but. Tir exact, précis. Régler le tir.* ⇒ **Hausse, ligne** (de mire), **mire, pointage, pointer, visée, viser.** *Tir direct, de plein fouet* (trajectoire tendue). *Tir courbe ; plongeant. Canon à tir courbe.* ⇒ **Mortier, obusier.** *Tir direct ; d'écharpe* (oblique), *d'enfilade, à revers.*

♦ **3.** Série de projectiles envoyés par une ou plusieurs armes (considérée dans ses effets). *Tir d'armes individuelles, de mitrailleuse, d'artillerie*.* ⇒ **Coup** (I., 2.), **salve.** *Offrir* (cit. 21) *une cible au tir ennemi.* ⇒ 1. **Feu** (II., 3.). *Tir nourri, dense* (→ Pilonner, cit. 2), *par rafales... Le tir faisait rage* (→ Mitraille, cit. 2). *Tir de barrage* (→ Éclatement, cit. 1 ; 1. lancer, cit. 29) : tir d'artillerie effectué en avant des troupes ennemies pour stopper leur attaque, leur interdire le débouché. *Tir de contre-barrage,* ripostant à un tel tir. *Tir de harcèlement, d'interdiction, de neutralisation, d'écrasement* (→ Repérer, cit. 1). — *Tir fusant* (avec des projectiles fusants), *percutant. Tir à mitraille, à balles* (obus à balles). — **Concentrer, diriger le tir sur...** ⇒ 2. **Objectif.** *Tir croisé.* — *Tir d'artillerie :* préparation du tir (*plan, croquis, canevas de tir ;* → Repère, cit. 1), calcul des trajectoires (*tables de tir*)*, tir de réglage, tir d'efficacité.* — *Puissance de tir d'une arme, d'un ensemble d'armes, d'une unité,* quantité de projectiles d'une puissance donnée qu'ils peuvent lancer dans un temps déterminé. — **Par ext.** Unité considérée quant à sa puissance de tir (→ Escadre, cit. 2).

1 (...) dans le tir à courte distance, la trajectoire n'a pas toute la roideur désirable, la parabole s'exagère, le chemin du projectile n'est plus assez rectiligne pour qu'il puisse frapper tous les objets intermédiaires, nécessité de combat pourtant, dont l'importance croît avec la proximité de l'ennemi et la précipitation du tir.
HUGO, les Misérables, V, I, VII.

2 Le tir, d'abord bloqué devant le bois, s'était élargi sur toute la ligne ennemie et les panaches noirs et verts la bordaient à présent tout entière, comme une infernale allée d'arbres.
R. DORGELÈS, les Croix de bois, III.

♦ **4.** Manière dont une arme envoie ses projectiles (surtout qualifié, dans *à tir...*). *Armes à tir automatique* (mitrailleuses, pistolets et fusils-mitrailleurs, etc.), *semi-automatique. Canon à tir rapide.*

B. Par anal. ♦ **1.** Le fait de tirer* (III., 3.), de lancer une boule, une balle, au jeu de boules. — (1906, *in* Petiot). *Les règles de tir sont différentes à la pétanque.* — (1921). Au football. *Shoot*. Tir au but. Tir d'un penalty, d'un coup franc. Tir brossé :* « tir vicieux qui imprime de l'effet au ballon » (*l'Express*, 5 juin 1978).

♦ **2.** Techn. *Tir au but :* dans un triage, Opération par laquelle on envoie les wagons sur leur voie d'affectation, à une vitesse suffisamment faible pour qu'il n'y ait aucun dommage.

C. Techn. ♦ **1.** Opération par laquelle on fait détoner les explosifs dans des forages. *Tir à l'anglaise,* où on dépose l'explosif sur le bloc à faire sauter (carrières).

♦ **2.** Par métonymie. Conducteur électrique souple reliant l'exploseur à l'artifice d'amorçage.

★ **II.** ♦ **1.** (1834, Balzac). Emplacement aménagé pour s'y exercer au tir à la cible. ⇒ **Stand** (→ Éclater, cit. 5). *Tir forain* (→ Écume, cit. 5). *Faire un carton dans un tir* (→ Milk-bar, cit.). *Poupées* (cit. 8) *d'un tir.* — *Papegais* d'un tir à l'arc.*

3 Un tir a été établi pour les archers dans un des fossés qui se rapprochent de la ville.
NERVAL, les Filles du feu, « Angélique », XII.

4 — (...) il se passionna comme un niais à faire des cartons au *Tir Universel,* tandis que défilaient sur fond noir des pipes, des chameaux, des danseuses (...)
ARAGON, les Cloches de Bâle, II, VI.

♦ **2.** (xxᵉ, *in* Larousse 1933). **TIR AU PIGEON** : dispositif pour s'exercer au tir des oiseaux au vol (lâcher d'oiseaux vivants ; projection de simulacres, etc.) ; emplacement où l'on s'exerce à ce tir.

★ **III.** (1901 ; de *tirer* I., A., 1.). **TIR À LA CORDE** : jeu consistant en une longue corde que tirent en direction inverse, et par ses deux extrémités, deux équipes en nombre égal.

HOM. 1. **Tire,** 2. **tire,** 3. **tire,** 4. **tire.**

TIRADE [tiʀad] n. f. — 1610 ; attestation isolée xvᵉ, surtout dans la loc. *(tout) d'une tirade* « d'un trait », encore *in* Saint-Simon ; de *tirer.*

★ **I.** ♦ **1.** Développement continu (et assez long) d'une même idée. *Des tirades d'amour conjugal* (→ Indigeste, cit. 4). — Développement* littéraire. *Les tirades d'une chanson de geste.* ⇒ **Laisse**

(II.). — Péj. Enfilade de lieux communs, hors du sujet. ⇒ **Tartine** (I., 2.).

♦ **2.** (1672). Théâtre. Longue suite de phrases, de vers, débitée sans interruption. ⇒ **Monologue, réplique.** *Débiter*, nuancer une tirade* (→ Minime, cit. 2). *Tirade lyrique, poétique.* ⇒ **Couplet** (II., 2.). *La tirade du nez,* dans le *Cyrano* de Rostand.

1 L'on a coutume d'admirer surtout, dans cette tragédie, la beauté des vers et de considérer les longues tirades de Phèdre, tout indépendamment de l'ensemble, comme des poèmes que l'on pourrait, sans qu'ils y perdent beaucoup, détacher de la pièce et transporter dans une anthologie ou réciter séparément.
GIDE, Attendu que..., p. 185.

Par anal. (souvent péj.). Longue phrase* emphatique. *Interrompre* (cit. 10) *qqn au milieu d'une tirade.*

2 (...) il voulait voir s'il n'était pas capable de grandes choses. La tirade qu'il déclama à ce propos cachait simplement une féroce envie de reprendre son ancienne vie d'atelier.
ZOLA, Thérèse Raquin, XXV.

★ **II.** ♦ **1.** (xviᵉ). Vx. Mouvement par lequel on tire (Saint-Foix, Voltaire, *in* Littré).

♦ **2.** (1903). Sports. (Lutte). *Tirade de bras :* action de déséquilibrer (un adversaire) en le tirant par un bras. — Gymnastique. « *La rotation du corps sera assurée par l'action de tirade-répulsion des membres supérieurs sur les anneaux. Le fouetté avant est solidaire d'une tirade des bras favorisant l'élévation de la poitrine* » (Piard, *Agrès masculins,* Amphora, 1968, *in* Petiot). — REM. En gymnastique, le mot est en concurrence avec *tiré.*

TIRAGE [tiʀaʒ] n. m. — Av. 1600 ; « droit de halage », 1479 ; de *tirer.*

★ **I.** Le fait de tirer* ; son résultat. ♦ **1.** (V. 1600). Techn. Allongement, étirage. *Tirage de la soie,* afin de former le fil. *Dévidage et tirage.* — *Tirage des métaux* (à la filière*, etc.). ⇒ **Étirage, tréfilage.** — *Tirage des étoffes, des tissus,* tension qu'on leur fait subir (pour leur donner un apprêt*, etc.).

♦ **2.** Vx ou techn. Déplacement. ⇒ **Traction.** Vx. *Le tirage d'une voiture*, d'un bateau* (⇒ **Halage, touage**). *Chevaux de tirage,* employés au halage. — *Port de tirage.* — Par ext. Chemin de halage. « *Il faut laisser tant de pieds de tirage sur le bord de cette rivière* » (Littré).

♦ **3.** **ⓐ** (1845). Résistance offerte au déplacement par traction. — (Vieilli). *Chemin où il y a du tirage.*

ⓑ (1842, Sue). Mod. *Il y a du tirage :* des difficultés, des frottements*. ⇒ **Opposition, résistance.**

1 — (...) je voudrais seulement débuter (...) — Au théâtre ? (...) lui dit Massol (...) — Non, j'ai bien du geste, de la figure, de la mémoire ; mais il y a trop de tirage ; je voudrais débuter dans la carrière... des portiers.
BALZAC, les Comédiens sans le savoir, Pl., t. VII, p. 34.

♦ **4.** Techn. *Tirage d'un cordon, d'une corde,* etc., pour déclencher un mécanisme. — (1847). *Cordon de tirage* (→ Olive, cit. 3).

♦ **5.** (1783, Buffon). Attraction par le foyer de l'oxygène nécessaire à une combustion ; mouvement de l'air qui en résulte. *Tirage d'une cheminée*, d'un four* (→ Foyer, cit. 6), *d'un poêle. Brondissement* dû à un tirage excessif. Régler le tirage. Tirage naturel ; forcé* (par ventilateur).

2 Sur un geste de son chef, le chauffeur venait aussi de lever la tige du cendrier, ce qui activait le tirage. Rapidement, l'aiguille du manomètre était remontée à dix atmosphères, la Lison *(la locomotive)* donnait toute la force dont elle était capable.
ZOLA, la Bête humaine, VII.

♦ **6.** Sport. « *L'efficacité du tirage, qui est la phase motrice des mouvements haltérophiles, comparable à l'appel du saut en hauteur* » (*Éducation physique et sport,* janv. 1960).

★ **II.** (1680). ♦ **1.** **ⓐ** Le fait d'imprimer, de reproduire par impression. ⇒ **Impression ; imprimerie** (→ Forme, cit. 83). *Tirage à la main, à la presse mécanique, à la rotative.*

ⓑ Par métonymie. Ce qui est ainsi imprimé. *Un beau tirage sur papier glacé.*

ⓒ (1837). Ensemble des exemplaires, quantité d'exemplaires tirés, sortis de presse en une fois. *Tirage à mille exemplaires. Premier, deuxième tirage* (→ 4. Rame, cit. 2). *Tirage limité, restreint. Tirages à part* (d'un article de revue). ⇒ **Tirer** (tiré à part). Par ext. (en parlant d'un exemplaire). *Tirage de luxe, numéroté, sur alfa...* ⇒ **Édition.**
Document graphique résultant du transfert sur un support permanent d'une image (recomm. off. pour l'angl. *hard copy*).

ⓓ Quantité totale d'exemplaires (→ Restreindre, cit. 3). *Tirage d'un livre*, d'un journal*. Journal à grand, gros, fort tirage. Livres de passe,* imprimés en plus du chiffre officiel de tirage (*justification du tirage*)*. Quel est le tirage total ?* — *Tirage d'un disque.*

3 Je regarde les étalages de libraires, et il me semble que les numéros des tirages ne changent pas, et que les couvertures des exemplaires exposés, se salissent mélancoliquement.
Ed. et J. DE GONCOURT, Journal, 23 janv. 1882, t. VI, p. 124.

4 *(Cet impromptu)* parut dans un journal du front (...) un tirage à cent exemplaires

en fut fait, orné d'un dessin de Naudin, et j'appris, un peu plus tard, que Gosset avait voulu, de ce tirage, supporter les dépens.
G. DUHAMEL, la Pesée des âmes, VIII.

♦ **2.** (1680). Opération par laquelle on reproduit sous son aspect définitif (sur papier, etc.) une œuvre gravée. ⇒ **Gravure.** *Tirage des gravures*, d'une estampe, d'une planche. Exemplaire de premier tirage. Tirage de photogravures.* — (1858, *Année sc. et industr., p. 47*). Photogr. Opération par laquelle on obtient une image positive (épreuve), soit en transmettant l'image négative sur une émulsion positive *(tirage par contact),* soit en transformant chimiquement le négatif *(tirage par inversion). Développement* et tirage. Faire un tirage sur papier, un tirage papier.* — Cin. *Le tirage d'un film.*

★ **III.** ♦ **1.** (xvᵉ). Vx. Extraction, fait de tirer (des pierres d'une carrière).

♦ **2.** (1752). Désignation par le sort; fait de tirer* au hasard un ou plusieurs numéros. *Tirage d'une loterie*.* — *Tirage au sort** (→ Hasard, cit. 29).

Anciennt. Désignation des conscrits. ⇒ **Conscription** (→ Menace, cit. 6). *Tirage de la milice* (→ Exempt, cit. 3).

Fin. *Tirage d'actions, d'obligations.*

4.1 L'homme arrivait (...) avec dans la main droite un bâton blanc, dans la main gauche un carnet de la Loterie Nationale (...) il le sentit passer, le frôler, quelques centimètres à peine, et d'autres mots arrivèrent en nasillant, une espèce de mélopée triste et nonchalante :
— Les derniers billets... Tirage ce soir... Les derniers billets gagnants... Ce soir le tirage (...)   J.-M. G. LE CLÉZIO, la Fièvre, 1965, p. 115.

♦ **3.** Le fait de tirer le vin.

5 (...) une bouteille (...) soigneusement essuyée, fors le bouchon, qui indiquait d'une manière certaine qu'il y avait longtemps que le tirage avait eu lieu.
A. BRILLAT-SAVARIN, Physiologie du goût, t. I, p. 222.

♦ **4.** Émission d'une lettre de change. *Tirage en blanc, en l'air* (d'une traite qui ne correspond à aucune créance du tireur sur le tiré). *Droits de tirages spéciaux.*

TIRAILLAGE [tiʀajaʒ ; tiʀajaʒ] n. m. — xxᵉ, Malraux in G. L. L. F.; de *tirailler,* II.

♦ Action de tirer des coups de feu répétés mais sporadiques. ⇒ **Tiraillement,** 4.

TIRAILLE [tiʀaj ; tiʀaj] n. f. — 1836; déverbal de *tirailler.*

♦ Techn. Balancier (de certaines pompes).

TIRAILLEMENT [tiʀajmɑ̃ ; tiʀajmɑ̃] n. m. — xviᵉ; de *tirailler.*

♦ **1.** (De *tirailler,* I., 1.). Le fait de tirer à plusieurs reprises, en divers sens. — Vx. Phys. Tension, traction (→ Extensible, cit. 1).

♦ **2.** Fig. Le fait d'être tiraillé, ballotté (entre divers sentiments, désirs, etc.). *Tiraillement entre des sentiments, des désirs contradictoires, entre le bien et le mal* (⇒ **Écartèlement,** fig.).

Spécialt. Difficulté résultant de volontés ou d'intérêts contradictoires. ⇒ **Conflit** (fig.), **désaccord, difficulté, dispute, tirage.** « *Tiraillements entre l'autorité nationale et l'administration* » (Mirabeau, févr. 1790, in Brunot).

1 Alors avait commencé l'ère des doutes, tiraillements de la pensée qui provoquent les crampes d'estomac, les insomnies, la fièvre, le dégoût de soi-même (...)
FLAUBERT, l'Éducation sentimentale, II, IV.

2 Ses contradictions intérieures et ses tiraillements la condamnaient à n'être jamais satisfaite de rien ni de personne.   M. AYMÉ, la Vouivre, p. 100.

♦ **3.** (1721). Sensation douloureuse de tension variable; spasme* qui donne cette sensation (⇒ **Crampe**). *Tiraillements d'estomac*. Tiraillements d'intestin* (accompagnant une colique*).

3 (...) de sa blessure jusque-là si cruelle il ne sentait plus aussi que les tiraillements douloureux des plaies qui se cicatrisent.   MAUPASSANT, Pierre et Jean, IX.

♦ **4.** (1771; de *tirailler,* II.). Rare. Le fait de tirailler; tir effectué en tiraillant. ⇒ **Tiraillage.** *Tiraillements confus dans une bataille de rue.*

TIRAILLER [tiʀaje ; tiʀaje] v. — 1542 (sens I., 1.); de 1. *tirer.*

★ **I.** V. tr. (De 1. *tirer,* I.). ♦ **1.** Tirer à plusieurs reprises, en diverses directions. *Tirailler sa moustache* (→ Irrésolu, cit. 4). *Un rictus* (cit. 4) *tiraillait le menton en tous sens. Tirailler qqn par le bras, par la manche.*

1 (...) toute une légion de monstres se suspendent à son manteau et le tiraillent de tous côtés pour lui faire perdre l'équilibre.
A. DE MUSSET, les Caprices de Marianne, I, 4.

♦ **2.** (1675). Fig. Agir d'une manière fréquente et importune sur... ; en sollicitant* contradictoirement. ⇒ **Harceler, houspiller** (1.), **importuner.** — Spécialt. S'efforcer d'attirer, de convaincre. *Chacun me tiraille de son côté* (Rousseau, in Littré).

---

2 (...) par un de ces conseils contradictoires qui tiraillaient la volonté du roi, on appela le régiment de Flandre à Versailles.
CHATEAUBRIAND, Mémoires d'outre-tombe, t. I, p. 219.

Pron. (1954). Se disputer légèrement.

3 Si nous nous tiraillons un peu trop avec Anne, je me marierai un peu plus tôt.
F. SAGAN, Bonjour tristesse, p. 128.

(Sujet n. de chose). *Sentiments, impulsions, désirs qui tiraillent l'homme.* ⇒ **Ballotter, écarteler, harceler.** — P. p. adj. *Tiraillé par le désir de...* (→ Inexpérience, cit. 1).

★ **II.** (Après 1650; de 1. *tirer,* III.). Tirer souvent, irrégulièrement, en divers sens (⇒ **Tiraillage, tiraillement,** 4.). *Des chasseurs qui tiraillent dans les bois.* — Spécialt. Faire un tir irrégulier, à volonté. *Tirailler individuellement* (cit. 3). *Tirailler sur l'ennemi, pour le harceler* (→ Mettre, cit. 10, par métaphore). ⇒ **Tirailleur.**

3.1 Leurs défenseurs tiraillaient plus ou moins longtemps selon leur inspiration, puis se repliaient sur la barricade suivante.   A. ROBIDA, le Vingtième Siècle, p. 288.

▶ **TIRAILLÉ, ÉE** p. p. adj. (Sens I.). *Figure tiraillée, tiraillée de tics* (→ Secouement, cit.). — *Ballotté* (cit. 3), *tiraillé par les passions d'autrui. Une existence tiraillée* (→ Hébéter, cit. 4).

4 (...) il établit le pour et le contre, changeant à tout moment de résolution, combattu, malheureux, tiraillé par les raisons les plus contraires.
MAUPASSANT, les Contes de la Bécasse, « Aventure de Walter Schnaffs ».

DÉR. Tiraillage, tiraille, tiraillement, tiraillerie, tirailleur.

TIRAILLERIE [tiʀajʀi ; tiʀajʀi] n. f. — 1757; de *tirailler.*

♦ **1.** Rare. Feu de tirailleur* (1.).

♦ **2.** (xxᵉ). Cour. Tiraillements* (2., fig.). ⇒ **Conflit.**

TIRAILLEUR [tiʀajœʀ ; tiʀajœʀ] n. m. — xviᵉ; de *tirailler.*

♦ **1.** (1578). Vx. Celui qui tire en tous sens, qui tiraille. Tireur qui fait feu irrégulièrement, à volonté. Péj. et vx. Chasseur qui tire mal.

♦ **2.** (1740). Milit. Soldat détaché pour tirer à volonté sur l'ennemi. *Francs-tireurs* et tirailleurs.*

(1840). **EN TIRAILLEURS :** se dit d'une formation en lignes espacées, de faible densité et sans profondeur. *Déployer les hommes* (cit. 164) *en tirailleurs* (→ aussi Dos, cit. 19). Par métaphore. *Se déployer en tirailleurs :* se disperser.

Je n'oublierai jamais la conduite d'un bataillon corse à la bataille de Vittoria (...) Toute la journée ils avaient été en tirailleurs dans les jardins, derrière les haies, et nous avaient tué je ne sais combien d'hommes et de chevaux.
MÉRIMÉE, Colomba, II.

Sonnerie qui ordonne le déploiement en tirailleurs.

Fig. Personne qui agit, se bat isolément, en franc-tireur. — REM. Dans ce sens au moins, le fém. *tirailleuse* est virtuel.

♦ **3.** (xixᵉ). Anciennt. Soldat de certaines troupes d'infanterie, hors du territoire métropolitain, formées d'autochtones encadrés par des Français. *Tirailleurs algériens* (dits *turcos*), *marocains, sénégalais* (cit.). *Chéchia de tirailleur. Le troisième régiment de tirailleurs,* et, ellipt, *le troisième tirailleurs.*

TIRANT [tiʀɑ̃] n. m. — 1300, « corde pour tirer »; de *tirer,* I.

♦ **1.** Ce qui sert à tirer. — (1573). Spécialt. *Les tirants d'une bourse.* ⇒ **Cordon.** — (1660). Pièce (de cuir, de tissu ; anse, languette) servant à chausser des bottes (en les tirant). *Ganses servant de tirants. Tirants d'une chaussure, d'un soulier,* les parties qui sont de chaque côté, sur le cou-de-pied, et qui portent les attaches (œillets, crochets, etc.). — Pièce maintenant la corde de tension d'une membrane sonore (tambour...).

♦ **2.** (1335). Techn. **ⓐ** Pièce, généralement horizontale, soumise à un effort de traction. *Tirant d'une ferme de comble*. Tirants sous des arcades, sous une voûte,* établis d'une imposte à l'autre (pour empêcher l'écartement des pieds-droits).

ⓑ Pièce métallique destinée à maintenir l'aplomb d'un mur, les parois des grandes chaudières, etc. *Tirants à chape.*

ⓒ Dispositif maintenant le tablier d'un pont suspendu.

♦ **3.** (1677). Mar. Quantité, volume d'eau que déplace, « tire » un navire; distance verticale entre la ligne de flottaison et la quille. ⇒ **Calaison.**

Plus cour. **TIRANT D'EAU** (même sens). *Tirant d'eau avant, arrière. Navire à égal tirant d'eau.*

(...) son tirant d'eau *(d'une goélette)* était beaucoup trop considérable pour l'usage auquel elle était destinée. Pour ce service particulier *(la chasse au veau marin et le trafic dans le Pacifique),* on a surtout besoin d'un navire plus gros et d'un tirant d'eau relativement faible (...)
BAUDELAIRE, Trad. E. POE, les Aventures d'A. Gordon Pym, XIV.

♦ **4.** Techn. Résistance (d'une encre, d'un corps pâteux) aux forces d'étirement (mesurable au *tirantomètre*).

♦ **5.** TIRANT D'AIR : hauteur maximale entre la flottaison et le sommet des superstructures (ou du, des mâts, pour les voiliers). Par ext. Hauteur libre sous un pont.

♦ **6.** Tendon (de la viande de boucherie).
HOM. Tyran.

TIRASSE [tiʀas] n. f. — 1379 ; de *tirer*, I. Cf. anc. provençal *tirassar* « traîner par terre ».

♦ **1.** Techn. Filet pour prendre certains oiseaux (cailles, perdrix), à la chasse. — Vx. Filet.

♦ **2.** (1808). Mus. Combinaison de leviers qui permettent d'accoupler le pédalier d'un orgue aux claviers manuels, ou bien les claviers manuels entre eux ; commande de ce dispositif. ⇒ **Pédale** (→ Orgue, cit. 2).

TIRASSER [tiʀase] v. — 1694 ; un hom. mil. xvıᵉ, Jodelle ; de *tirasse*. Vieux.

★ **I.** V. tr. Chasser, capturer (des oiseaux) à la tirasse.

★ **II.** V. intr. (1872). Chasser avec la tirasse. *Tirasser aux alouettes.*

TIRAUDE [tiʀod] n. f. — 1872 ; de *tirer*, I.

♦ Techn. Corde, câble servant à hisser le mouton* (II., 5.). *Sonnette* à tiraude.*

1. TIRE [tiʀ] n. f. — xııᵉ, *teire, tiere* « rangée, file » ; nombreuses loc. en anc. franç. *à tire, d'une tire* « sans interruption », encore *in* Voltaire en 1767 ; du francique *teri*.

♦ **1.** (V. 1160). Vx. Loc. À TIRE, D'UNE TIRE : sans interruption. — (1501). Spécialt. Techn. (Eaux et forêts). *Coupe faite à tire et à aire*, en une seule fois et en coupant tout le bois. — Techn. *Pièce de tissu faite à la tire*, en une seule pièce.

♦ **2.** (1690, avec infl. de 2. *tire, tirer un trait*). Blason. Trait ou rangée horizontale du vair*.
DÉR. V. Attirer (étym.).
HOM. Tir, 2. tire, 3. tire, 4. tire.

2. TIRE [tiʀ] n. f. — 1832 ; « action de voler (oiseau) », v. 1354 ; « traction », 1611 ; de *tirer*, IV.

♦ **1.** Loc. VOL À LA TIRE, en tirant de la poche, du sac... — *Voleur à la tire* (⇒ **Pickpocket**).

♦ **2.** Argot fam. *La tire* : le vol à la tire. « *Tu t'es déjà fait choper ? Ouais, mais pour la tire. Je me suis fait arrêter à Saint-Michel. On était dans le métro, on tirait* » (Interview, *in Libération*, 13 mars 1978, p. 20).
HOM. Tir, 1. tire, 3. tire, 4. tire.

3. TIRE [tiʀ] n. f. — 1837 ; de *tirer*, II. « aller ». Argot, puis familier.

♦ **1.** Vx. Route.

♦ **2.** (1935, Esnault). Voiture automobile.

1 Charles avait trouvé une place pour garer sa tire.
            R. QUENEAU, *Zazie dans le métro*, XIV.
2 Passant devant la tire du Gros Pierrot, il note mentalement, à tout hasard : deux litres Chenard... décapotable... Victoire de Samothrace en bouchon de radiateur (...)   A. SIMONIN, *Hotu soit qui mal y pense*, 1971, p. 30.
HOM. Tir, 1. tire, 2. tire, 4. tire.

4. TIRE [tiʀ] n. f. — 1810 ; déverbal de *tirer*.

♦ Canada. Sirop d'érable très épaissi, ayant la consistance du miel. *Tire en boîte.*
Sur la table reposait un grand baquet de neige : on y jetait du sirop qui durcissait aussitôt et devenait une belle tire odorante et couleur de miel.
            Gabrielle ROY, *in Petit Robert.*
Confiserie à la mélasse ou au sirop d'érable.
HOM. Tir, 1. tire, 2. tire, 3. tire.

TIRE- Premier élément de composés du v. *tirer*. Voir à l'ordre alphabétique.

TIRÉ [tiʀe] n. m. ⇒ **Tirer.**

TIRE-AU-CUL [tiʀoky] n. invar. — 1887 ; de *tirer, au*, et *cul*.

♦ Fam. Paresseux, paresseuse. ⇒ **Tire-au-flanc.**

TIRE-AU-FLANC [tiʀoflɑ̃] n. invar. — 1887 ; de 1. *tirer, au*, et *flanc*.

♦ (D'abord dans l'armée). Soldat qui « tire au flanc », qui cherche à échapper aux travaux, aux corvées, etc. ⇒ **Paresseux, simulateur ; carottier.** — Par ext. Personne paresseuse. *La troisième B est une classe de tire-au-flanc.* — REM. On écrit aussi *tire au flanc.*

TIRE-BALLE ou **TIRE-BALLES** [tiʀbal] n. m. — V. 1560 ; de 1. *tirer* « extraire », et 1. *balle.*

♦ Chir. Ancien instrument servant à extraire une balle, un projectile d'une plaie profonde.

TIRE-BONDE [tiʀbɔ̃d] n. m. — 1836 ; de 1. *tirer*, et *bonde.*

♦ Techn. Outil servant à retirer les bondes des tonneaux. *Des tire-bondes.*

TIRE-BOTTE [tiʀbɔt] n. m. — 1690 ; « soufflet d'orfèvre », 1636 ; de 1. *tirer*, et *botte.*

♦ **1.** Crochet que l'on passe dans le tirant* d'une botte (pour la mettre). — Vx. Tirant de botte.

♦ **2.** (1690). Planchette présentant une entaille où peut s'emboîter le talon, qui sert à se débotter. *Des tire-bottes.*
(...) marcher dans ce cloaque n'était pas une opération facile, et il nous semblait à chaque pas qu'un tire-botte invisible empoignait nos chaussures par le talon.
            Th. GAUTIER, *Voyage en Russie*, I, XXI.

TIRE-BOUCHON [tiʀbuʃɔ̃] n. m. — 1718 ; de 1. *tirer*, IV., et *bouchon.*

♦ **1.** Instrument, formé d'une hélice (cit. 2) de métal et d'un manche, qu'on enfonce en tournant dans le bouchon d'une bouteille pour le tirer (→ 2. Manche, cit. 1). *Mèche, poignée d'un tire-bouchon. Tire-bouchon à vis et à écrou. Des tire-bouchons.* — Par ext. *Tire-bouchon à gaz.*

♦ **2.** Par anal. de forme. *En tire-bouchon* : en hélice ou en spirale ; qui évoque cette forme. *Une signature avec des fioritures en tire-bouchon* (→ Mouler, cit. 1). ⇒ **Tire-bouchonner.** *Queue en tire-bouchon* (des cochons).
Un escalier en tire-bouchon menait au premier.   J.-R. BLOCH, ... *Et Cⁱᵉ*, p. 17. 1

♦ **3.** (1805, *in* D.D.L.). Mèche de cheveux frisés en hélice (boucle, anglaise). *Des tire-bouchons* (→ Incroyable, cit. 10 ; serpent, cit. 8).
Il paraît que la mode est à présent, parmi les jolies filles, de porter de longs tire-bouchons tordus très fins et abondants sur les tempes où ils flottent royalement comme des torsades dorées (...)   2
            NERVAL, *Notes de voyage, Lettres des Flandres*, III.

♦ **4.** Sports. « Torsion du corps autour de l'axe de longueur » (Petiot). — Spécialt (natation, 1924). Plongeon (avant, arrière) accompagné d'une torsion du corps.

♦ **5.** (1911). Descente (d'un avion) en vrille. ⇒ **Vrille.**
DÉR. Tire-bouchonner ou tirebouchonner.

TIRE-BOUCHONNANT, ANTE ou **TIREBOUCHONNANT, ANTE** [tiʀbuʃɔnɑ̃, ɑ̃t] adj. — 1907 ; de *tire-bouchonner.*

♦ En tire-bouchon.

TIREBOUCHONNEMENT [tiʀbuʃɔnmɑ̃] n. m. — 1879, *tire-bouchonnement* ; de *tire-bouchonner.*

♦ Disposition en tire-bouchon.
Lahrier passa outre, franchit le porche, s'engagea dans le tirebouchonnement d'un escalier de service spécialement affecté à l'usage du personnel.
            COURTELINE, *Messieurs les ronds-de-cuir*, Iᵉʳ tableau, II.
REM. On écrit aussi *tire-bouchonnement.*

TIRE-BOUCHONNER ou **TIREBOUCHONNER** [tiʀbuʃɔne] v. — xıxᵉ ; de *tire-bouchon.*

♦ **1.** V. tr. (1819). Rare. Mettre en tire-bouchon, en spirale. *Tirebouchonner ses mèches de cheveux.*
(...) ces bourrelets de plis, que Gavarni tirebouchonne au bas de ses pantalons d'inventeurs (...)   1
            Ed. et J. DE GONCOURT, *Journal*, 16 avril 1869, t. III, p. 217.

♦ **2.** V. intr. (1881). Former un, des tire-bouchons.
Elle caressait l'une de ses chaussettes qui avait tendance à tire-bouchonner.   2
            R. QUENEAU, *Loin de Rueil*, p. 120.

▶ **SE TIREBOUCHONNER** v. pron.

♦ **1.** Prendre la forme d'un tire-bouchon.

♦ 2. Se tordre de rire.

3 Tenez, en y pensant, je me tords, je me tire-bouchonne, je vais crever de rire !
Valery LARBAUD, Enfantines, « Le couperet », III.

4 Les Pieds-Nickelés, dont la pitié et le bon cœur n'étaient point les qualités dominantes, se tirebouchonnèrent tels que des accordéons aux dépens de Julius Pigg.
L. FORTON, les Aventures des Pieds-Nickelés, in l'Épatant, p. 141 (1911).

▶ **TIREBOUCHONNÉ, ÉE** p. p. adj. (1843).
Qui présente la forme d'un tire-bouchon. *Pantalons tirebouchonnés.*

5 Chaos de brumes, de fourneaux et de fumées tire-bouchonnées *(dans les eaux-fortes de Whistler).*   BAUDELAIRE, Curiosités esthétiques, XIII.

DÉR. Tire-bouchonnant, tire-bouchonnement.

TIRE-BOURRE [tiʀbuʀ] n. m. — 1505 ; de 1. *tirer* (IV.), et *bourre*, 5.

♦ Ancienn. Instrument servant à débourrer les bouches à feu (gargousses des pièces d'artillerie, bourre des fusils, etc.). *Des tire-bourres.*

(...) ils portent leurs fusils toujours chargés à balle, pour leur sûreté, et ne connaissent point l'usage du tire-bourre.
STENDHAL, Mémoires d'un touriste, t. II, p. 119.

Appos. ou adj. *Crochet tire-bourre.*

TIRE-BOUTON [tiʀbutɔ̃] n. m. — 1680 ; de 1. *tirer* (I.), et *bouton*.

♦ 1. Ancienn. Crochet servant à boutonner chaussures, guêtres, gants (en tirant la boutonnière). *Des tire-boutons.*

La mode exigeait aussi que l'on portât souliers pointus à quadruples brides, qui ne se fermaient qu'à grand-peine et avec l'aide d'un tire-bouton, un triple rang de perles cascadant au corsage, une ombrelle à la main (...)
Edmonde CHARLES-ROUX, l'Irrégulière, p. 210.

♦ 2. (De *bouton* « clitoris »). Argot. *La maison tire-bouton :* le milieu des lesbiennes.

TIRE-BRAISE [tiʀbʀɛz] n. m. invar. — 1828 ; *tirebraze*, xvᵉ ; *tirabrasa* en provençal xivᵉ ; de 1. *tirer* (IV.), et *braise*.

♦ Techn. Ringard* de boulanger, servant à retirer la braise du four.

TIRE-BRAS [tiʀbʀɑ] adj. — 1970, *in* Petiot ; de 1. *tirer* (I., B.), et *bras*.

♦ Sports (alpin.). Qui nécessite un gros effort musculaire des bras. *Passage, prise tire-bras.*

TIRE-CALE [tiʀkal] n. m. — 1904 ; de 1. *tirer* (IV.), et *cale*.

♦ Techn. Outil servant à retirer les cales sous les pierres de taille, lors de la mise en place. *Des tire-cales.*

TIRE-CARTOUCHE [tiʀkaʀtuʃ] n. m. — 1867, *in* D.D.L. ; de 1. *tirer* (IV.), et *cartouche*.

♦ Techn. Instrument permettant de retirer les débris de cartouche d'un canon de fusil. *Des tire-cartouches.*

TIRE-CLOU [tiʀklu] n. m. — 1676 ; de 1. *tirer* (IV.), et *clou*.

♦ Techn. Outil formé d'une tige plate et dentée, pour arracher les clous. *Des tire-clous de couvreur.*

TIRE-COMÉDON [tiʀkɔmedɔ̃] n. m. — xxᵉ ; de 1. *tirer* (IV.), et *comédon*.

♦ Petite curette percée en son centre, servant à extraire des comédons par pression. *Des tire-comédons.*

TIRE-CRINS [tiʀkʀɛ̃] n. m. invar. — 1890 ; de 1. *tirer* (I.), et *crins*.

♦ Techn. Poinçon de tapissier, servant à tirer les crins des garnitures, pour en régulariser l'épaisseur.

TIRE-D'AILE (À) [atiʀdɛl] loc. adv. — 1532, au sens 2. (concret, 1564) ; avec trait d'union, xviiᵉ ; de *tire*, n. f., « le fait de voler » (xviᵉ), croisement entre *tirer* (II.), et 1. *tire* (du francique), et *aile* ; cf. anc. franç. *voler à tire, de tire* « sans s'arrêter ».

♦ 1. Avec des coups d'ailes, des battements rapides et ininterrompus. *Oiseaux qui volent, filent, partent à tire-d'aile* (→ Croassement, cit. 1 ; grain, cit. 4).

1 (...) des oiseaux qui, deux à deux, passaient à tire-d'aile et se dirigeaient soit dans les foins, soit dans les blés (...)   E. FROMENTIN, Dominique, v.

♦ 2. Fig. Très vite, comme un oiseau. ⇒ **Rapidement.** *Le sommeil m'échappe à tire-d'aile* (→ Récupérer, cit. 2). — REM. On trouve aussi la graphie *à tire-d'ailes.*

(M. et Mᵐᵉ Desmarets) ne restaient jamais longtemps dans les salons, et s'en sauvaient impatients de gagner leur nid à tire-d'ailes comme deux colombes égarées.
BALZAC, Ferragus, Pl., t. V, p. 32.

REM. BALZAC écrit ailleurs *À tire-d'aile* (les Marana, Pl., t. IX, p. 794).

TIRE-DOUILLE [tiʀduj] n. m. — xxᵉ ; de 1. *tirer* (IV.), et *douille*.

♦ Techn. Instrument pour extraire les douilles non éjectées d'une arme à feu. *Des tire-douilles.*

TIRÉE [tiʀe] n. f. — 1596, *tout d'une tirée* « sans interruption » ; « ligne qu'on tire », 1573 ; de 1. *tirer*. → 1. Tire.

♦ 1. Régional. Travail fait en une fois. — (1876, P. Larousse). Techn. Étoffe enroulée en une fois (au tissage).

Vx. Longueur de verre produite en une fois par le verrier. — (1765). Portion d'une glace polie en une fois.

♦ 2. Régional. Traite (des vaches). ⇒ **Tirer** (les vaches).

♦ 3. **a** Loc. *Tout d'une tirée, d'une tirée :* sans interruption, sans s'arrêter. ⇒ **Traite.** *D'une seule tirée.*

(...) de grands et fiers bateaux de haute mer, qui naviguent vraiment avec un lourd chargement dans le ventre, parcourant parfois près de mille milles d'une tirée sous les souffles de la mousson donnant à plein dans leurs voiles en feuilles de latanier.
Bernard MOITESSIER, Cap Horn à la voile, p. 18-19.

b (1927). Fam. Longue distance pénible à parcourir. *Il y a une tirée jusqu'à chez toi.*

♦ 4. Fig., fam. Grosse quantité ; grande longueur. ⇒ **Tapée.** *Il y en a toute une tirée.*

TIRE-FESSES [tiʀfɛs] n. m. invar. — V. 1960 ; de 1. *tirer* (I.), et *fesse.*

♦ Fam. Téléski, remonte-pente. *Des tire-fesses.*

Et si l'on plaçait des enceintes BES sur les tire-fesses à la montagne, puisqu'elles ne craignent pas la neige ?   Jean THÉVENOT, Hé ! la France, p. 82.

TIRE-FEU [tiʀfø] n. m. invar. — 1611, « emplâtre contre l'inflammation » ; de 1. *tirer*, et *feu.*

♦ (1872). Ancienn. Instrument pour effectuer la mise à feu d'un canon. *Des tire-feu.* — Appos. *Cordon tire-feu :* mèche, cordeau* de mise à feu. ⇒ **Bickford.**

TIRE-FIL [tiʀfil] n. m. — Av. 1885, Vallès ; de 1. *tirer* (I.), et *fil.*

♦ Techn. Outil de cordonnier pour tirer les fils. *Des tire-fils.*

TIRE-FILET [tiʀfilɛ] n. m. — 1765 ; de 1. *tirer* (II., B.), et *filet.*

♦ Techn. Outil pour tracer des traits fins sur bois ou sur métal. *Des tire-filets.*

TIRE-FOND [tiʀfɔ̃] n. m. invar. — 1549 ; provençal, 1405 ; de 1. *tirer* (I.), et *fond.*

♦ 1. Longue vis dont la tête est un anneau*. — *Tire-fond de tonnelier, servant à placer la dernière douve. — Tire-fond fixé dans un plafond pour y suspendre un ciel de lit, une lampe, un lustre*...* ⇒ **Suspension.**

♦ 2. Longue vis à bois, à tête carrée, servant à divers assemblages*. — Ch. de fer. *Tire-fond fixant un coussinet, un rail à la traverse. « Les rails reposent sur les traverses au moyen de crampons et de tire-fonds »* (Année sc. et industr., 1891, p. 191 [1890]).

DÉR. Tirefonner.

TIREFONNER [tiʀfɔne] v. tr. — 1923, *in* Larousse ; de *tire-fond.*

♦ Techn. Fixer avec un, des tire-fonds.

DÉR. Tirefonneuse.

TIREFONNEUSE [tiʀfɔnøz] n. f. — Mil. xxᵉ ; 1941, l'Illustration, *in* D.D.L. ; de *tirefonner.*

♦ Techn. Machine qui visse et dévisse les tire-fonds (2.), dans la pose des voies de chemin de fer.

TIRE-JOINT [tiʀʒwɛ̃] n. m. — 1876 ; de 1. *tirer* (II.), et *joint.*

♦ Techn. Outil pour tracer dans le mortier les joints des pierres ou des briques. *Des tire-joints.*

TIRE-JUS [tiʀʒy] n. m. invar. — 1808 ; de 1. *tirer* (IV.), et *jus*.

♦ Fam. (d'abord pop.). Mouchoir*.

1 Il arrivait les bras ballants, les goussets vides, souvent même sans mouchoir ; mon Dieu ! oui, il avait perdu son tire-jus, ou bien quelque fripouille de camarade le lui avait fait *(volé)*. ZOLA, l'Assommoir, X, t. II, p. 122.

2 C'est les poches civiles où c'que tu fourres, dans l'civil, ton tire-jus, ton tabac et l'adresse où tu vas livrer. H. BARBUSSE, le Feu, t. I, I, XIV, p. 74.

TIRE-LAINE [tiʀlɛn] n. m. invar. — V. 1600 ; de 1. *tirer* (IV.) *la laine* « voler (les manteaux, les vêtements) la nuit ».

♦ Vx. Voleur, rôdeur qui détroussait les passants. Syn. : *tireur de laine*. — Mod. (1611 ; littér.). Voleur. ⇒ **Tireur**, 4.

1 Comme nous passions (...) sur le Pont-Neuf, bien avant dans la nuit, nous fûmes attaqués par cinq ou six tire-laine. SCARRON, le Roman comique, I, XVIII.

2 De tout temps, en effet, la *fille,* héroïne de tant de vieux romans, fut la protectrice, la compagne, la consolation du grec, du voleur, du tire-laine, du filou, de l'escroc. BALZAC, Splendeurs et Misères des courtisanes, Pl., t. V, p. 1046.

TIRE-LAISSE [tiʀlɛs] n. m. invar. — 1611 ; 1594, « entreprise ratée, échec » ; de 1. *tirer*, et *laisser*.

♦ Vx. Sentiment de celui qui est déçu. ⇒ **Désappointement**. *Des tire-laisse.*

Le Roi essuya pendant le cours de ce siège un cruel tire-laisse. SAINT-SIMON, Mémoires, 2, 35, *in* LITTRÉ.

TIRE-LAIT [tiʀlɛ] n. m. — 1878 ; de 1. *tirer* (IV.), et *lait*.

♦ Petit appareil permettant d'aspirer le lait du sein. *Dégorger un sein au tire-lait. Des tire-laits.*

TIRE-LARIGOT (À) [atiʀlaʀigo] loc. adv. — 1536 ; de 1. *tirer* (IV.) « aspirer », et *larigot*.

♦ Beaucoup, en quantité. *Boire* à *tire-larigot.* ⇒ **Gogo** (à).

Deviens gras, mon Antoine, bois et mange à tire-larigot. Que tu vives au moins le dernier. M. JOUHANDEAU, Chaminadour, IV, Le bandit, II.

TIRELER [tiʀəle] v. intr. ⇒ **Tirelirer**.

TIRE-LIGNE [tiʀliɲ] n. m. — 1680 ; de 1. *tirer* (II.), et *ligne*.

♦ Techn. Petit instrument de métal dont l'extrémité est formée de deux becs serrés par une vis, et servant à tracer des lignes de largeur constante. *Compas à tire-ligne. Utiliser un tire-ligne et l'encre de Chine. Des tire-lignes.*

Le décor qu'il *(le soldat)* traverse n'est plus celui de la grande ville symétrique et monotone, avec ses voies tracées au tire-ligne et se coupant à angles droits. A. ROBBE-GRILLET, Dans le labyrinthe, p. 183.

TIRELIRE [tiʀliʀ] n. f. — V. 1265 ; probablt même mot que *tire-lire*, p.-ê. à cause du bruit que font les pièces de monnaie, ou encore à rapprocher de *turelure* « cornemuse », d'où « cornet, petit sac, poche » (P. Guiraud).

♦ **1.** Petit récipient de forme variée (pot, vase, boîte) percé d'une fente par où on introduit les pièces de monnaie. (⇒ **Cagnotte, caisse,** 2.). *Briser, casser la tirelire,* pour avoir les pièces de monnaie. *Mettre des sous, ses économies dans une tirelire* (⇒ **Économiser**).

Par métaphore (écrit *tire-lire,* vx).

1 Ton père, c'est un brave homme... c'est une caisse qui s'ouvre de temps en temps... comme toutes les caisses. Tandis que le mien, c'est une tire-lire en fonte... et sans porte... Pour l'ouvrir, il faut la casser. E. LABICHE, les Petits Oiseaux, II, 2.

(1863). Par anal. Fam. « *Bouche fendue en tirelire* » (Gautier, *le Capitaine Fracasse,* XII).

Pop. Coffre-fort.

2 — Direction la tirelire ? (...)
— Pardon ? (...)
— Le coffre ? (...)
— Vous allez perdre votre temps... (...) Tout l'argent se trouve à la banque.
— Je sais, je sais. Le coffre, ça sert à mettre les jouets du gosse. Allez, avance... J.-P. MELVILLE, le Doulos, 1963, *in* l'Avant-Scène, n° 24, p. 18.

♦ **2.** [a] Fam. Estomac, ventre. *Qu'est-ce qu'il s'est collé dans la tirelire !* ⇒ **Manger**.

[b] Tête. *Avoir reçu un coup sur la tirelire. Avoir un cafard dans la tirelire :* être fou. *T'en fais une drôle de tirelire !*

3 Et c'lui qu'était à côté faisait : « Oui », avec sa tirelire qu'était plumée en haut. H. BARBUSSE, le Feu, t. I, I, IX, p. 53.

TIRE-LIRE [tiʀliʀ] ou **TIRELI, TIRELIS** [tiʀəli] n. m. invar. — Mil. XVIᵉ ; « refrain de chansons », XIIIᵉ ; onomatopée.

♦ Chant de l'alouette* (cit. 1).
DÉR. Tirelirer.

TIRELIRER [tiʀəliʀe] v. intr. — Attesté xxᵉ ; de *tire-lire*.

♦ Pousser un cri, en parlant de l'alouette (cit. 1). — On trouve aussi *tireler* (1967, Genevoix).

TIRE-LISSE [tiʀlis] n. f. — 1723 ; de 1. *tirer* (I.), et *lisse*.

♦ Techn. (anciennt). Levier qui fait se mouvoir les lisses d'un métier à tisser. *Des tire-lisses.*

TIRELLE [tiʀɛl] n. f. — 1812 ; de 1. *tirer* (I.).
Technique.

♦ **1.** Petite corde de montage de la chaîne, dans un métier à tisser la soie.

♦ **2.** (xxᵉ ; → Tirée). Métrage de tissu fabriqué comme échantillon.

TIRE-L'ŒIL [tiʀlœj] n. m. invar. — 1879, *in* D.D.L. ; de 1. *tirer* (I.), *l(e),* et *œil*.

♦ Vx. Ce qui attire l'attention.

Un homme comme tout le monde, sans une taie, une bosse, un tire-l'œil, n'aurait pas fait son affaire. J. VALLÈS, l'Insurgé, p. 71 (1886).

TIRE-NERF [tiʀnɛʀ] n. m. — 1890, Encyclopédie Berthelot, art. *Carie ;* de 1. *tirer,* et *nerf*.

♦ Chir. dent. Aiguille filetée servant à l'extraction des nerfs dentaires. ⇒ **Dévitalisation**. *Des tire-nerfs.*

TIRE-PIED [tiʀpje] n. m. — 1611 ; de 1. *tirer* (I.), et *pied*.

♦ Techn. Courroie, lanière de cuir dont se servent les cordonniers pour fixer l'ouvrage sur leurs genoux. *Des tire-pieds.*

TIRE-PLOMB [tiʀplɔ̃] n. m. invar. — 1680 ; « instrument pour extraire les plombs d'un fusil », 1669 ; de 1. *tirer* (IV.), et *plomb*.

♦ Techn. Appareil produisant le plomb étiré en fines lames et destiné à garnir les vitraux.

TIRE-POINT [tiʀpwɛ̃] n. m. — 1803, « triangle de cirier » ; de 1. *tirer* (IV.), et *point*.
Technique.

♦ **1.** (xxᵉ). Outil de cordonnier, muni d'une échancrure coupante, et qui sert à ébarber le cuir qui dépasse aux coutures. *Des tire-points.*

♦ **2.** (1872). Poinçon pour trouer le cuir.

1. TIRER [tiʀe] v. — XIᵉ ; *tirer sa barbe,* 1080, Chanson de Roland ; orig. discutée ; selon Wartburg réduction de l'anc. franç. *martirier* « torturer » (→ Martyre), dans l'expression : *le martirans* « le bourreau » — *mar =* mal, adv. mais cette hypothèse est peu vraisemblable ; *tirer* et *tire* « rangée, file » viennent probablement d'un germanique **teri,* p.-ê. par le néerlandais (t. de filature).

★ **I.** Exercer un effort sur..., de manière à allonger, à tendre, ou à faire mouvoir.
A. V. tr. dir. ♦ **1.** Amener vers soi une extrémité, ou éloigner les extrémités de (qqch.), de manière à étendre, à tendre*. ⇒ **Allonger, détirer, distendre, étendre, raidir, tendre.** *Tirer une corde, une courroie, une ficelle...* — *Tirer un drap,* le tendre. *Tirer sa jupe vers le bas* (→ Gêner, cit. 4). *Tirer ses bas, ses chaussettes.* — (Sujet n. de chose). *Élément, pièce qui tire.* ⇒ **Tirant**.

1 (...) le sparadrap, collé sur sa joue, en tirait obliquement la peau tendue. FLAUBERT, Mᵐᵉ Bovary, II, VI.

2 Avant de quitter la pièce, il jeta vers la glace un bref regard d'ensemble, et tira ses manchettes. MARTIN DU GARD, les Thibault, t. VI, p. 10.

Loc. fig. *Tirer la moustache de qqn, tirer sa moustache. Tirer la moustache à qqn, lui tirer la moustache.* ⇒ **Tirailler** (→ 1. Niche, cit. 2). *Tirer les cheveux*.* — Loc. *Tirer les oreilles.* Fig. *Se faire tirer l'oreille :* se faire prier*. ⇒ **Oreille** (cit. 34 et 35). — *Tirer la queue* (1. Queue, cit. 2) à un chien.* — Spécialt *Tirer la chaîne d'une sonnette, le cordon* (cit. 3) de la porte. Par ext. *Tirer le cordon* (⇒ **Concierge**). *Tirer la sonnette d'alarme.* « *Tirez la chevillette, la bobinette* (cit. 1) *cherra* ». *Tirer les fils des marionnettes.* — Fig. *Tirer les cordes, les ficelles* (cit. 3) : faire agir, manœuvrer,

avoir la situation en main. — *Tirer la corde d'un arc, d'une arbalète* (⇒ **Bander,** 2.).

Techn. Étirer*. *La ductilité est la propriété que possède un métal
de se laisser tirer en fils...* ⇒ **Ductile** (→ Malléabilité, cit.). *Tirer
l'or, l'argent. Tirer l'or à l'argue** (arguer).

(XIIIᵉ, « torturer »). Spécialt, vx. *Tirer un supplicié à quatre chevaux.*
⇒ **Écarteler.**

(1530). Dial. *Tirer une vache,* le pis de la vache. ⇒ **Traire.**

2.1 Ça aussi, Moïra, c'est le goût de mon enfance. Je n'ai rien oublié. Je regardais ma
mère, et je me demandais comment elle faisait. Tiens, je me rappelle qu'on disait :
tirer les vaches dans mon pays. J'étais gosse, et pas très adroit. Je n'ai jamais
réussi à tirer grand-chose !   Jean JOUBERT, l'Homme de sable, p. 154.

Loc. fig. (Du sens « allonger, étirer »). *Tirer en longueur* :* faire durer
à l'excès. ⇒ **Allonger.** (*Tirer en longueur* s'emploie aussi intrans.) —
Tirer un article à la ligne*. Absolt. *Ce journaliste tire à la ligne.*

♦ **2.** (V. 1150). Faire aller dans une direction, en exerçant une
action, une force (⇒ **Traction**) sur la partie qu'on amène vers soi.
⇒ **Attirer, saquer** (vx).

ⓐ En restant immobile. *Tirer un tiroir,* pour l'ouvrir. *Tirer un fardeau à soi* (→ Peine, cit. 28), *vers soi, de son côté... Tirer l'échelle,*
le haut de l'échelle, qui était appuyé (contre un mur, etc.). Loc. fig.
Après celui-là, il faut tirer l'échelle. ⇒ **Échelle** (cit. 9). — *Tirer
une porte* derrière soi, après soi.* ⇒ **Fermer** (→ Empoigner, cit. 3).
Tirer la porte sur soi (→ Peau, cit. 8). — Loc. *Tirer l'aiguille,*
l'amener, la ramener vers soi. Travailler à l'aiguille, coudre*
(→ Fourmi, cit. 8 ; retaper, cit. 2).

TIRER (qqch.) à SOI : accaparer, prendre. Loc. *Tirer la couverture**
à soi.

3 (...) Ursus, se mettant de moitié dans le succès de Gwynplaine, et tirant la nappe
à lui, comme on dit en langue cabotine.   HUGO, l'Homme qui rit, II, III, III.

Fig. *Tirer* (qqch.) *à soi.* ⇒ **Amener, attirer** (→ Laisser, cit. 31). *La
ville tire à soi* (cit. 18) *la vie des villages. Tirer un auteur, un
texte à soi* (en l'expliquant), le solliciter, lui faire dire ce qu'on veut
(→ Exégète, cit. 2).

(1855, *in* Petiot). Absolt. Sports (aviron). Exercer une traction sur l'aviron. Loc. argotique. *Tirer sur le bout de bois* (même sens).
Faire mouvoir latéralement (pour ouvrir*, fermer*). *Tirer le ver-
rou** ⇒ Emparer, cit. 13). *Tirer les rideaux*.* Loc. fig. *Tirer le
rideau, un voile... sur :* oublier. « *Il faut passer l'éponge* (1. Éponge,
cit. 7) *ou tirer le rideau.* » *Tirer un voile sur ses yeux.* ⇒ **Ramener.**

4 (...) les Turcs se couchent avec le soleil et tirent les verrous sur leurs portes.
                                                      LOTI, Aziyadé, II, XXI.

Tirer qqn par le bras, par la manche* (1. Manche, cit. 9 et 11).
Loc. fig. *Tirer le diable** (cit. 18 et 19) *par la queue. Quelque chose
qui vous tire par les pieds* (→ Enlisement, cit. 1). — *Le poids*
(cit. 3) *de sa chevelure tire sa tête en arrière.*
Tirer le pied, la jambe, les porter en arrière pour saluer. — Par ext.
Tirer sa révérence. ⇒ **Révérence** (cit. 7 à 9).

Loc. Vx. *Tirer ses chausses, tirer ses grègues :* s'enfuir.

ⓑ (V. 1150). Faire avancer, mouvoir ; déplacer derrière soi.
⇒ **Traîner ; entraîner.** *Tirer une charrette, un chariot* (→ Sel,
cit. 5), *une voiture.* « *Six forts chevaux tiraient un coche* »
(4. Coche, cit. 1, La Fontaine). *Tirer la charrue.* ⇒ **Tracteur.** —
Tirer un navire, une remorque. ⇒ **Haler, remorquer, touer.** *Tirer
les navires à terre* (→ Radoub, cit. 1). — *Tirer qqn près de feu*
(→ Frictionner, cit. 2). — *Tirer qqch. après soi* (→ Espérance,
cit. 3, par métaphore).

Sports (cyclisme ; 1905). *Tirer un coureur :* se dit d'un entraîneur qui
emmène un coureur roulant très près de sa roue arrière. *Se
faire tirer.*

(Automobile). *Se faire tirer :* « se placer dans le sillage d'une autre
voiture pour aspiration (en circuit) ou profiter (circuit et rallye) de
l'expérience d'un pilote plus compétent » (*Voc. de l'automobile,* in
la Banque des mots, nº 8).

Loc. Vx. *Tirer le pied* (→ Boiteux, cit. 2, La Fontaine). *Tirer la
jambe* (→ Débandade, cit. 2). ⇒ **Traîner.**

5 (...) il se releva, poussa du pied un journal, marcha jusqu'à la porte, et, pendant quelques minutes, tirant la jambe comme un insecte blessé, il arpenta la
chambre (...)   MARTIN DU GARD, les Thibault, t. VIII, p. 81.

♦ **3.** (Fin XVᵉ). Fig. Attirer. *Tirer l'attention, le regard, l'œil**
(→ Frapper, cit. 35) ⇒ **Tire-l'œil.**

5.1 Mais en route, Léopold eut une idée : « Tu ferais peut-être bien, avant d'aller chez
le notaire, de passer une ou deux serviettes dans la ceinture, ça tirera l'œil et ça
vaudra mieux. »   MAUPASSANT, l'Héritage, Pl., t. II, p. 62.

6 Rien ne tirait l'œil ; mais la veste noire était de soie ; la chemise molle était de
fine batiste.   MARTIN DU GARD, les Thibault, t. V, p. 172.

♦ **4.** (Abstrait). Solliciter, amener à une attitude. *Les sentiments
contradictoires qui le tirent.* ⇒ **Écarteler, tirailler.**

B. V. tr. indir. ou intr. (absolu). ♦ **1.** (V. 1160). TIRER SUR... : exercer une traction, faire effort sur..., pour tendre (ci-dessus A., 1.)
ou pour amener vers soi (ci-dessus 1., 2.). *Tirer sur une corde*
(→ Force, cit. 63), *une ficelle, un lien* (→ Liage, cit. 1). Loc. fig.,
fam. *Tirer sur la ficelle :* exagérer, aller trop loin. — *Les chiens
aboyaient* (cit. 1) *en tirant sur leur chaîne.* — *Tirer sur les rênes,*
pour arrêter un cheval.

♦ **2.** Absolt ou intrans. *Tirer de tous ses muscles* (→ Piège, cit. 1).
Tirer de toutes ses forces (→ 1. Rame, cit. 2). *Le mulet* (1. Mulet,
cit. 1) *tirait à plein collier.* — (Avec un compl. directionnel). *Tirer en
arrière* → Prolonger, cit. 4. *Tirer sur le côté* (cf. Tirer au cul, au
flanc). *Cheval qui tire à hue, à dia* (vers la gauche, vers la droite).
— Fig. *Tirer à hue et à dia** (cit.).

7 (...) les malheureux chevaux de la remonte des fleuves, qui ne reposent pas, même
quand ils s'arrêtent, et qui tirent toujours, quoiqu'ils cessent de marcher.
                                          BEAUMARCHAIS, le Mariage de Figaro, Préface.

8 (...) ses crocs s'enfonçaient dans le cuir de ma veste (...) Il tirait, glissait, tirait
encore ; il s'arc-boutait de ses grands ongles dans ce sol friable ; il gémissait ;
et cependant ses longs muscles bandés me tiraient peu à peu de la terre ; il
me hissait toujours plus haut (...)   H. BOSCO, Hyacinthe, p. 143.

(1913, *in* Petiot). · Sports (haltères). *Tirer sur* (*l'haltère*), le lever. —
Absolt. Lever les haltères. *Il tire chez les mi-lourds.*

♦ **3.** (Déb. XXᵉ). D'abord en parlant du vent. TIRER SUR... : exercer une
forte aspiration sur (qqch.). ⇒ **Aspirer.** *Tirer sur sa pipe.*

9 On a beau tirer tant qu'on veut sur le tuyau de sa pipe et amener à soi toute la
quantité de fumée qu'on veut : faute d'être vue, elle est comme si elle n'existait
pas.   C.-F. RAMUZ, la Grande Peur..., II.

(Av. 1850). Intrans. Avoir une bonne circulation d'air, un mouvement
ascensionnel. *Poêle qui tire, qui tire bien.* ⇒ **Tirage.** — Régional
(Belgique). *Ça tire :* il y a un courant d'air.

9.1 (...) mais, à cause de l'entrée commune qui donnait même air aux deux pièces, les
deux cheminées ne pouvaient tirer ensemble, et, par les temps froids, quand on
faisait du feu dans l'une, on faisait de la fumée dans l'autre. Les jours où il voulait faire du feu, Tityre prit donc l'habitude d'ouvrir sa fenêtre.
                            GIDE, le Prométhée mal enchaîné, *in* Romans, Pl., p. 337.

♦ **4.** V. intr. Subir une tension, éprouver une sensation de tension.
Ça tire. — (Avec un compl. pron.). *La peau lui tire.*

♦ **5.** Techn. (autom.). *Tirer court, long :* avoir un rapport court, long
entre la boîte de vitesse et le pont.

★ **II.** Se mouvoir, aller dans une direction (A.) ou le long de... (B.).

A. V. intr. (v. 1170).

♦ **1.** **ⓐ** Vx. Aller, s'acheminer vers. *Tirons de ce côté* (Molière,
l'Étourdi, III, 13). *Nous tirâmes vers Valence* (Lesage, *Gil Blas,*
VI, 2). ⇒ **Partir.**

Absolt, vx. *Tirez !,* allez-vous-en (terme employé pour chasser les
chiens : cf. Racine, *les Plaideurs,* III, 3).

ⓑ TIRER À... : aller vers. *Tirer au sud.* — (En conduisant un véhicule). *Tirez à gauche.* — (D'un véhicule). *Cette voiture tire à
droite, à gauche.*

9.2 Les uns rentrent aux États-Unis, les autres en sortent, tirent au sud, vers Santa-
Fé (...)   B. CENDRARS, l'Or, p. 48.

(1881-1883). Loc. fam. *Tirer au flanc* (se dérober sur le côté), *au
cul* (en arrière) : chercher à échapper à un travail, à une corvée.
⇒ **Tire-au-cul, tire-au-flanc.**

(1669 ; *tirer à fin,* XVᵉ). Par métaphore. *Tirer à sa fin :* approcher de
la mort, être à l'agonie. → aussi Pâle, cit. 1. Par ext. Approcher de
sa fin. ⇒ **Toucher.** *Le spectacle tire à sa fin.*

10 — (...) Et ces restes de paille qui sont encore sur la grange, qu'attends-tu pour
les relever ? — On les relèvera demain. — Que de choses nous avons tire à sa fin : et tu
aurais beaucoup mieux fait de les relever aujourd'hui, (...)
                                DIDEROT, Jacques le fataliste, Pl., p. 515.

Fig. *Tirer à conséquence** (cit. 2). → aussi Forme, cit. 70.

♦ **2.** Fig. Avoir un rapport de ressemblance, de convenance. ⇒ **Ressembler.**

ⓐ (XIVᵉ). Vx. TIRER À. *Un brun tirant à l'orangé* → Foncé, cit. 7,
Buffon.

ⓑ TIRER VERS. Vieilli. *L'extrémité rouge* (cit. 16) *du spectre tire
vers l'orangé.*

ⓒ (Fin XVᵉ). Régional (Belgique) ou vx. TIRER APRÈS.

ⓓ (1538). Cour. TIRER SUR (→ Ressembler, cit. 10). « *Un homme
de moyen âge* (cit. 37) *Et tirant sur le grison* » (La Fontaine).

11 Il était blond, et sa barbe tirait sur le roux (...)
                            ROUSSEAU, les Confessions, IX, (1757).

11.1 (...) le rideau en velours vert et le mur d'un or comme celui de la meule, mais
plus étouffé, tirant un peu sur le beige (...)   N. SARRAUTE, le Planétarium, p. 8.

B. Trans. dir. (*Tirer la voie* « s'acheminer », 1210). ♦ **1.** Vx (compl. sans
déterminant). Aller le long de..., suivre. *Tirer chemin.* — S'en aller
dans... *Tirer pays.*

Mar. *Tirer des bordées* (3., et fig.). ⇒ **Bordée.**

♦ **2.** Mar. Vieilli. *Tirer l'eau :* déplacer une certaine masse d'eau (en
parlant d'un navire). ⇒ **Tirant** (3.).

♦ **3.** (1789). Fam. Passer péniblement (une durée, un laps de temps).
Tirer six mois de prison. ⇒ **Faire** (*infra* cit. 52). *Plus qu'une heure
à tirer.*

12 Boris ne répondit pas, il pensait au soldat. Il pensait : Il a de la chance ; moi, j'ai
encore un an à tirer.   SARTRE, le Sursis, p. 269.

13 J'ai pensé que c'était toujours un dimanche de tiré, que maman était maintenant
enterrée, que j'allais reprendre mon travail.   CAMUS, l'Étranger, p. 39.

13.1 Je balance le couteau dans mon sac et je sors de l'atelier, sans un regard pour la
bibine qui refroidit lamentablement dans la gamelle, ni pour le décor où je viens
de tirer sept mois.   A. SARRAZIN, la Cavale, p. 322.

13.2 Sartre repartit, et je tirai de mon mieux le dernier trimestre.
S. DE BEAUVOIR, la Force de l'âge, p. 194.

C. V. tr. ♦ 1. (1538). Allonger sur le papier (une figure), faire s'allonger dans une direction, en écrivant, en dessinant, en gravant. ⇒ **Tracer.** *Tirer une ligne* (⇒ **Tire-lignes**). *Tirer un trait*. Tirer des parallèles à des lignes* (→ Entrecouper, cit. 4). ⇒ aussi **Régler.** *Tirer une perpendiculaire**, abaisser. Par métaphore. *Tirer une ligne de séparation entre le règne animal et le règne* (cit. 1) *végétal.* — Spécialt. *Tirer une allée au cordeau*. Des arbres, bien alignés, tirés au cordeau.* — Par ext. Tracer (sur le terrain, en creusant, etc.). *Tirer des canaux entre des rivières* (→ Inondation, cit. 1).

♦ 2. Par ext. Loc. *Tirer un plan,* le tracer ; et, fig., l'élaborer (⇒ 3. **Plan,** cit. 5). *Tirer des plans sur la comète*.* — *Tirer l'horoscope*,* l'établir (⇒ **Astrologie**).

♦ 3. (1669). Vx ou par plais. Représenter ou reproduire graphiquement. *Tirer le portrait de qqn, à qqn. Se faire tirer le portrait :* se faire dessiner, peindre, puis photographier. — Reproduire en dessin, en peinture (→ ci-dessous cit. 15, 16). — (1842, cit. 14.1 ci-dessous). Pop. *Tirer qqn, qqch.,* le photographier (→ ci-dessous cit. 16.1). *Tirer qqn en portrait, en pied.* — (1898, in *Année sc. et industr.* 1899, p. 77). *Tirer une épreuve, une contre-épreuve** (gravure, lithographie...). *Tirer des épreuves photographiques.* ⇒ **Tirage** (→ Exposer, cit. 15). — Vx. *Tirer la, une copie d'un acte,* recopier. Loc. *Tirer copie.*

14 (...) je demanderai toujours, sur quelle minute le commis de le-Jay a-t-il donc tiré sa copie? BEAUMARCHAIS, Mémoires sur l'affaire Goëzman, p. 96.

14.1 — Vous êtes-vous fait tirer, M. Mouillé?
— Non, madame (...) je n'aime pas les portraits noirs (...) je préfère la couleur (...) comme je suis assez frais, je pense que je perdrais beaucoup au daguerréotype.
Ch. PAUL DE KOCK, la Grande Ville, t. I, p. 197.

15 — Allez chercher vos amoureuses, dit l'artiste. Je vais les croquer (...) L'opinion fut que le Parisien tirait bien les ressemblances (...)
FRANCE, le Chat maigre, XII, Œ., t. II, p. 244.

16 Dans la semaine qui suivit, Diderot fut victime d'un petit accident (...) Garand en profita pour tirer son portrait à l'huile. A. BILLY, Vie de Diderot, p. 201.

16.1 Je bricole un peu le dimanche, avec une vieille boîte... Oh! ce n'est pas bien passionnant! Je tire des maisons, des vieilles boutiques, des petites rues... C'est Barnivel qui m'a donné ce goût-là!
H.-G. CLOUZOT et J. FERRY, Quai des Orfèvres, 1947, in l'Avant-Scène nº 29, p. 29.

Loc. métaphorique. Vx. *Tirer qqn, qqch. en exemple :* dépeindre pour proposer en exemple (Corneille, Saint-Évremond, in Littré).
(1669). Spécialt. ⇒ **Imprimer.** *Tirer une forme* (→ Impression, cit. 6). *Faire tirer un certain nombre d'exemplaires** (→ Prétendre, cit. 17). *Tirer un livre* à tant d'exemplaires.* Par anal. Fabriquer en plusieurs exemplaires (2. Exemplaire, cit. 7). — *Journal qui tire à trente mille,* qui imprime trente mille exemplaires (→ Courtier, cit. 3 ; 2. exemplaire, cit. 4).
(1835). BON À TIRER : mention portée sur une épreuve d'imprimerie corrigée et jugée bonne pour l'impression → Imprimeur, cit. 2. — Adj. *Épreuves bonnes à tirer.* — N. m. *Donner le bon à tirer.* — Par métonymie. *Épreuve bonne à tirer. Les bons à tirer sont déjà chez l'imprimeur. Vérifier les films d'après les bons à tirer.* Abrév. : *b. à t.* [beate]

17 Le bon à tirer de la feuille d'un livre (...) On lit, on relit sa feuille, ne pouvant s'en détacher, retardant toujours le moment où vous abdiquez la correction, la retouche, où vous cessez d'être maître de la faute, de la bêtise, de l'ineptie qui se cache si bien dans l'épreuve, et qui vous saute aux yeux dans le livre.
Ed. et J. DE GONCOURT, Journal, 8 février 1877, t. V, p. 232.

★ III. (Déb. XVᵉ ; *tirar,* provençal, 1280). **♦ 1.** Envoyer au loin (une arme). **a** Vx ou spécialt. Envoyer, lancer (une arme de trait). *Tirer un javelot.* ⇒ **Lancer.**

b Mod. Envoyer au loin (un projectile) au moyen d'un dispositif de propulsion (arc, arbalète), et, spécialt, d'une arme à feu. ⇒ **Tir.** *Tirer une flèche, une balle de fusil.* — *Tirer un coup* (cit. 26) *de pistolet, de revolver ; de fusil, de canon* (→ Équilibre, cit. 4 ; fièrement, cit. 2 ; salve, cit. 1). *Tirer un coup de feu sur qqn.*
— (Le sujet désigne l'arme) :

18 C'était encore la petite pièce de canon (...) et à peine arrivée, mise en batterie par les canonniers de Leipsick, elle tirait cinq coups par minute, comme si les Prussiens eussent été devant elle. STENDHAL, le Rouge et le Noir, I, XVIII.

c Absolt. *On le fait coucher en joue, tirer* (→ Baguette, cit. 8). *Tirez !* ⇒ 1. **Feu** (supra cit. 50). *Ils ont commencé à tirer. Dégainer et tirer. Il tire vite. Tirer au jugé*. Tirer à vue. Tirer à blanc.* Allus. hist. *Messieurs les Anglais, tirez les premiers,* paroles des soldats français à Fontenoy (1745).

18.1 Ils sont toujours les fils de ceux qui, à Fontenoy, au lieu de tirer les premiers, mettaient le chapeau à la main, et, courtoisement, disaient aux Anglais : *Non, Messieurs, tirez vous-mêmes.*
TAINE, les Origines de la France contemporaine, I, t. I, p. 260.

(Sujet n. de l'arme). *Le canon tirait sans discontinuer* (cit. 3).
Par ext. Se servir plus ou moins bien d'une arme à feu. *Apprendre à tirer. Tirer bien ; mal. Il ne sait pas tirer, il tire comme un pied* (fam.).

d (Avec un compl. désignant la cible, la direction du tir). *Engins servant à tirer au loin* (→ Arbalète, cit. 1). *Tirer dans toutes les directions.* ⇒ **Canarder, tirailler.** *Tirer sur une cible.* — Loc. *Tirer à la cible ; tirer au but :* faire mouche. — *Tirer sur un oiseau, sur un ennemi* (→ Rater, cit. 1 et 6). *Faire tirer sur le peuple* (→ 1. Quarteron, cit. 2). — Loc. fam. *Ne tirez pas sur le pianiste** (→ ci-dessous cit. 19). — Par métaphore. *Tirer sur qqn,* l'attaquer, chercher à l'abattre. — *Tirer dessus* (cit. 9). — *Tirer contre* (un objectif). → Servir, cit. 19. — *Tirer dans le dos* (→ Coup, cit. 44, au fig.), *dans les pattes* (cit. 9), *dans les jambes*, aux jambes...* — *Tirer à bout* portant sur...* (au propre et au fig.). — *Tirer en l'air.* — *Tirer dans le tas*.* — *Tirer de but* en blanc.*

19 Ce poète (Oscar Wilde), aux récits invraisemblables, nous fait un tableau amusant d'une ville du Texas, avec sa population de *convicts,* ses mœurs au revolver, ses lieux de plaisir, où on lit sur une pancarte : *Prière de ne pas tirer sur le pianiste qui fait de son mieux.*
Ed. et J. DE GONCOURT, Journal, 5 mai 1883, t. VI, p. 182.

20 (...) rien n'irritait tant Mademoiselle Verdure que le ton persifleur qu'il prenait alors ; elle se découvrait à tous coups et l'abbé tirait dans le vif.
GIDE, Isabelle, VI.

21 Les soldats tiraient sur lui, rechargeaient leurs armes, tiraient de nouveau avec un acharnement de brutes. Ils se battaient pour avoir leur tour, défilaient devant le cadavre et tiraient toujours dessus, comme on défile comme on défile devant un cercueil pour jeter de l'eau bénite. MAUPASSANT, l'Horrible, Pl., t. II, p. 116.

e Vx. **TIRER DE...** avec (une arme). *Tirer de l'arc* (cit. 8).
Mod. **TIRER À...** avec (une arme). ⇒ **Tir.** *Tirer à l'arc*. Tirer à la carabine, au fusil, au pistolet...* — Avec (un projectile, un explosif). *Tirer à poudre, à balles, à mitraille* (⇒ **Mitrailler**). Fig. *Tirer à boulets* rouges sur qqn.*

22 On envoyait de temps à autre des compagnies de gardes françaises, qui tiraient, à poudre d'abord, puis à balles. MICHELET, Hist. de la Révolution franç., I, I.

(Sujet n. de l'arme) :

23 Les deux pièces tiraient maintenant à boulet sur le centre du barrage afin d'y faire une trouée, et, s'il était possible, une brèche, pour l'assaut.
HUGO, les Misérables, V, I, XVIII.

♦ 2. Faire partir (une arme à feu), faire exploser. ⇒ **Décharger.** *Tirer le canon*. Tirer des pétards* (cit. 2), *des fusées. Tirer un feu* d'artifice* (⇒ **Pyrotechnie**). Loc. *Tirer sa poudre** (infra cit. 16) *aux moineaux.*

♦ 3. Par anal. (au jeu de boules). Lancer (la boule) de manière à heurter le cochonnet ou une autre boule (par oppos. à *pointer**). ⇒ **Tir** (I., 5.). *Tirer la boule,* et, absolt, *Tirer.* — (1932, in Petiot, au football). *Tirer la balle. Tirer un corner.* — Intrans. *Tirer au but* (se dit aussi au basket, etc.). ⇒ **Shooter.**

23.1 Peu après, Adrien Delatouche descendait tout le terrain la balle aux pieds et tirait au but adverse sous un angle impossible. René FALLET, le Triporteur, p. 96.

♦ 4. (XVᵉ). Tirer un coup de feu, décocher un trait sur..., contre... ⇒ **Descendre.** *Tirer un oiseau, le gibier..., à la chasse* (⇒ Choucas, cit. 1 ; déranger, cit. 5). *Guillaume Tell tira une pomme* (cit. 5) *sur la tête de son fils. Tirer un oiseau au vol.*

24 J'ai eu (...) un talent naturel et singulier pour tirer les perdrix et les lièvres et, à Brunswick, un corbeau d'un coup de pistolet à quarante pas, la voiture allant au grand trot (...) STENDHAL, Vie de Henry Brulard, 42.

25 Le Blondinet se retourne vers le sergent : Mais oui, papa, mais oui, t'as tiré vingt parachutistes et tu as arrêté un tank à toi tout seul. Tu ne prouve autant : il n'y a pas de preuves. SARTRE, la Mort dans l'âme, p. 210.

Rare, ou par allus. aux animaux. *Tirer qqn. On s'est fait tirer comme des perdreaux.*

♦ 5. Vx. Assener, décocher. *Tirer une ruade.*

25.1 Ce mulet prend le temps, et du grand coup qu'il tire
Lui enfonce la tête (...).
Mathurin RÉGNIER, Satires, III.

♦ 6. Loc. fam. **TIRER UN, SON COUP :** avoir un rapport sexuel ; avoir un orgasme avec un, une partenaire (le sujet désigne le plus souvent un homme, mais peut également désigner une femme, avec une intention stylistique : discours des féministes, revendication d'un libre choix dans les conduites sexuelles, etc.).

25.2 Eh bien, tu peux tirer ton coup sans te presser.
R. QUENEAU, le Dimanche de la vie, p. 89.

★ IV. (1080, *Chanson de Roland*). Faire sortir*.

A. ♦ 1. a Faire sortir (une chose) d'un contenant. ⇒ **Extraire, retirer.** — **TIRER (qqch.) DE (qqch.).** *Tirer un calepin* (cit. 2), *un mouchoir, un porte-monnaie* (cit. 1) *de sa poche, de son sac...* (→ 1. Flûte, cit. 3 ; quoi, cit. 17). ⇒ **Prendre, sortir.** *Tirer qqch. d'une boîte, d'une caisse, d'un placard* (→ Peindre, cit. 13). — *Tirer des seaux d'eau du puits.* ⇒ **Puiser.** — *Tirer de l'argent de la caisse.* ⇒ **Décaisser.** — Loc. *Tirer les marrons* (1. Marron, cit. 4) *du feu* (au fig. ⇒ **Marron**). — *Tirer les écrevisses* (cit. 2) *des pierres.* — *Tirer qqn du lit* (→ Fournée, cit. 7 ; moutarde, cit. 2), le forcer à se lever. *Tirer qqn des draps.*

26 (...) Quelle heure est-il? Tenez. Tirez ma montre de mon gousset.
J. ROMAINS, les Hommes de bonne volonté, t. II, VI, p. 55.

(Sans compl. de provenance). *Il tira sa montre pour regarder l'heure. Tirer la langue*,* l'allonger hors de la bouche. *Tirer la langue de soif*,* et, fig., *tirer la langue :* avoir très soif ; manquer cruellement de ce qu'on souhaite (⇒ **Languir**).
Par métaphore. *Tirer les yeux :* fatiguer la vue. *Les petits caractères lui tiraient les yeux hors de la tête* (→ 1. Lire, cit. 2).

Spécialt. TIRER... DE... : faire sortir (ce qui était assemblé, engagé, enfoncé). *Tirer un oiseau de la broche* (→ Fumet, cit. 1 ; 1. point, cit. 43). *Tirer une plante de terre* (⇒ **Déraciner**), *un poil du nez* (⇒ **Arracher**). — Loc. *Tirer une épine** (*supra* cit. 13) *du pied (à qqn). Tirer son épingle** (cit. 6) *du jeu. Tirer une plume de l'aile**.

27 Il a fallu t'arracher cette parole du gosier comme on tire le bouchon d'une bouteille de vin de Bordeaux ! Il y a donc un secret dans cette maison ?
                                        BALZAC, Vautrin, I, 5.

Littér. *Tirer qqch. des mains de qqn,* enlever, arracher. Par métaphore :

28 Est-ce lui qui naguère aux dépens de sa vie
   Sauva des ennemis votre empereur Décie,
   Qui leur tira mourant la victoire des mains (...) CORNEILLE, Polyeucte, I, 3.

Spécialt (et sans compl. en *de*). Cout. *Tirer les fils,* les dégager pour faire des jours. — Par métonymie. *Tirer des jours.*

b Faire venir, faire couler* (un liquide) en le faisant monter, en l'exprimant (⇒ **Exprimer, extraire**). *Tirer le jus d'un citron. Tirer de l'eau du puits.* — (Sans compl. en *de*). *Tirer de l'eau à la pompe. Piquer* (cit. 5) *et tirer du sang goutte à goutte. Tirer le lait* (⇒ **Téter**), en suçant*. — *Tirer le vin** (du tonneau). Prov. *Quand le vin est tiré, il faut le boire* (1. Boire, cit. 43). — Par ext. *Tirer un liquide,* l'absorber, s'en imbiber.

Loc. *Tirer un liquide au clair,* le rendre plus clair en le filtrant, en le décantant. Fig. *Tirer une affaire au clair.* ⇒ **Clair** (cit. 24) ; **éclaircir** (B.). — *Tirer des larmes*, des pleurs* à qqn,* le faire pleurer* (cit. 9 et 11). *Tirer des soupirs, des gémissements à qqn* (→ aussi Douleur, cit. 6). — Loc. *On tirerait plutôt un pet** (*infra* cit. 5) *d'un âne mort* (→ ci-dessous cit. 39). — *Tirer les vers du nez à qqn.* ⇒ **Ver.**

♦ **2.** Vx. Mettre à jour ; montrer. *Tirer qqch. à qqn. Il me tire cette petite boîte...* (→ Pompadour, cit. 2 ; et aussi opération, cit. 5).

♦ **3.** Spécialt. *Tirer l'épée* du fourreau, son épée* (cit. 8) *hors de la gaine.* ⇒ **Dégainer.** — Par ext. *Tirer l'épée* (cit. 9) : se battre à l'épée. *Tirer le couteau**. (XVIe). *Tirer des armes* (cit. 38), *les armes :* faire de l'escrime*. Absolt. *Il va tirer à la salle d'armes.*

29 (...) je le connaissais avec sa paresse de corps et son horreur pour les exercices violents et l'escrime, destiné à rester sur le terrain, tandis que moi qui tirais très mal, qui ne tirais pas du tout, j'avais cependant un jeu difficile, déconcertant même pour ceux qui tiraient bien.
                    Ed. et J. DE GONCOURT, Journal, 25 janv. 1889, t. VIII, p. 12.

♦ **4.** (1580 ; dans des expressions ; du sens 1 : *tirer une carte du jeu, un billet d'un chapeau*). Choisir parmi d'autres, dans un jeu de hasard. *Tirer une carte* (→ Jeu, cit. 63), *un billet, un numéro de loterie**. *Tirer le bon, le mauvais numéro.* — Loc. *Tirer les cartes* :* dire la bonne aventure, prédire* l'avenir à l'aide des cartes, des tarots (⇒ **Cartomancie**). — *Tirer la fève.* — Par ext. *Tirer le gâteau* (cit. 2) *des rois,* et, ellipt, *tirer les rois*,* à l'Épiphanie.

30 Donc, au jour de l'Épiphanie, Madame Bavretel conviait les amis d'Armand à venir *tirer les rois**
                    GIDE, Si le grain ne meurt, I, VI, p. 180.

Par ext. Désigner, faire désigner ou être désigné par (un procédé de hasard). *Tirer les lots* (cit. 2) *au sort.* ⇒ **Sort.** — (1843). *Tirer à la conscription.* — (1840). *Tirer à la bûchette*, à la courte paille** (cit. 9 et 10).

31 D'ailleurs, Cérizet, qui, selon l'expression populaire, devait *tirer à la conscription* l'année suivante (...)
                    BALZAC, Illusions perdues, Pl., t. IV, p. 894.

♦ **5.** Enlever, ôter (un vêtement, un ornement). *Tirer son chapeau.* Spécialt. *Tirer son chapeau à qqn,* le saluer*, et, fig., lui rendre hommage. — *Tirer les bottes à qqn,* les lui ôter (→ Habiller, 16). ⇒ **Tire-botte.**

32 Sa mort n'a rien à voir avec sa vie, avec ce qui fait que je lui tire tout de même ma casquette.   ARAGON, les Cloches de Bâle, III, IV.

33 (...) après lui avoir tiré, à Hugo l'immense, un immense coup de chapeau.
                    GIDE, Attendu que..., p. 57.

♦ **6.** TIRER (qqch.) DE... : enlever* (une partie d'un tout). ⇒ **Extraire.** *Des copeaux tirés d'une pièce de chêne* (→ Menuisier, cit. 2). — Loc. *Tirer pied ou aile* (d'une volaille, et, fig., de qqn), en tirer un avantage (syn. mod. : *tirer qqch. de qqch.*).

34 (...) j'ai toujours pensé que l'arrivée de ce neveu m'en ferait tirer pied ou aile.
                    STENDHAL, la Chartreuse de Parme, II, I.

♦ **7.** (V. 1180, « délivrer »). Compl. n. de personne. TIRER (qqn) DE... : faire cesser d'être (dans un lieu, une situation où l'on est retenu). ⇒ **Délivrer.** *Tirer des blessés des décombres.* ⇒ **Dégager.** *Tirer qqn de prison* (→ Faiseur, cit. 13). Par métaphore. *Tirer qqn de la boue, du ruisseau...,* extraire d'une condition vile. — (Situation dangereuse). *Tirer du danger* (→ Ami, cit. 24), *du pétrin* (→ Fourrer, cit. 29). *Tirer qqn d'affaire*, d'embarras** (→ 2. Expédient, cit. 4), *d'un mauvais pas.* ⇒ **Dépêtrer, sortir...** « *Il n'est pas indigne* (cit. 11, Pascal) *de Dieu de tirer l'homme de sa misère.* » ⇒ **Sauver.** *Tirer qqn de l'abjection* (→ **Décrasser** (fig.). — REM. *Tirer,* dans ce sens, avait des emplois plus larges dans la langue classique (« *tirer qqn d'un pays, de l'armée* », Racine), etc., et n'impliquait pas l'idée de danger ou de contrainte.

Par métaphore. *Tirer qqch. du néant**. ⇒ **Création, créer** (→ Éma-

nation, cit. 1 ; homme, cit. 51). — *Tirer les morts d'un éternel* (cit. 24) *oubli. Tirer de l'ombre* (→ Moquer, cit. 4). *Le succès qui tire qqn de l'obscurité* (→ Jurer, cit. 7).

35 Profondeurs de la conscience
   On vous explorera demain
   Et qui sait quels êtres vivants
   Seront tirés de ces abîmes
   Avec des univers entiers   APOLLINAIRE, Calligrammes, p. 20.

Vx. *Tirer qqn du pair, de pair.* ⇒ **Pair** (A., 1.).

Fig. Faire cesser d'être dans un état. *Tirer qqn de l'engourdissement* (→ Maillot, cit. 1), *de la prostration* (→ Coup, cit. 28), *du sommeil* (→ Furieux, cit. 10 ; ⇒ **Éveiller, réveiller**), *de la torpeur* (→ Reprendre, cit. 5) ; *de la contemplation* (→ 1. Garde, cit. 47), *de sa méditation* (→ Plonger, cit. 5). — *Tirer qqn du doute* (cit. 17), *de l'erreur* (⇒ **Désabuser, détromper**), *de l'indécision.* ⇒ **Ôter** (2.). *Tirer qqn de sa peur* (→ Invective, cit. 3), *d'une obsession* (⇒ **Guérir**, 2.). Vx. « *Trop heureux que ma main vous ait tiré de peine* » (Molière, les Fâcheux, III, 5).

B. TIRER... DE... (sauf 3., b). Spécialt. Obtenir en séparant, en sortant de... ♦ **1.** (V. 1370). Obtenir (un produit) en utilisant une matière première, une source, une origine. *Tirer de l'huile des olives, des arachides.* ⇒ **Extraire** (1. Fer, cit. 1) *de la mine. Tirer le sel de l'eau par ébullition* (cit. 2). ⇒ **Produire.** *Les anciens tiraient du poisson deux assaisonnements* (→ Garum, cit. 1). *Être tiré de...* ⇒ **Provenir.** *Tirer l'énergie électrique de bornes métalliques* (→ Plot, cit. 1). — Loc. *Tirer d'un sac* deux moutures.*

Par ext. Vx. Faire venir (d'un pays producteur). Cf. Voltaire, Condillac, *in* Littré.
Tirer des sons* d'un instrument. ⇒ **Produire** (→ Langue, cit. 48 ; rang, cit. 1). — *Tirer des étincelles du feu, d'un silex.*
Pièce, chambre qui tire son jour, sa lumière d'une cour, d'un préau (cit. 1). → Cabanon, cit. 2.

♦ **2.** (Fin XVe). Obtenir* (qqch.) d'une personne ou d'une chose. ⇒ **Gagner, obtenir, recevoir, recueillir.** *Savoir tirer de l'instant qui passe* (cit. 6) *toutes les joies. Tirer de force qqch. de qqn.* ⇒ **Extorquer.**

36 (...) puisque Dieu peut du mal tirer du bien, et que sans Dieu on tire le mal du bien ?
                    PASCAL, Pensées, VII, 499.

Tirer avantage* (cit. 46 à 49), *parti** (cit. 1 à 4 ; et *supra*), *profit** (cit. 5 et *supra*) *de...* ⇒ **Profiter.** — *Tirer argument** (cit. 10) *et avantage de...* — *Tirer gloire*, orgueil** (→ Impératrice, cit. 2), *vanité* de... :* s'enorgueillir, se prévaloir de... — *Tirer vengeance* de... :* se venger. *Tirer raison, satisfaction d'une offense.*

♦ **3.** **a** Obtenir (de l'argent, un avantage matériel) de qqn, de qqch. ⇒ **Retirer.** *Tirer de l'argent de qqn, d'un capital, d'une terre...* ⇒ **Soutirer.** *Tirer un intérêt de ses capitaux* (→ 1. Secret, cit. 2). *Tirer des appointements* (cit. 2) *d'un travail.* ⇒ **Gagner** (→ aussi Honnêtement, cit. 1 ; méritoire, cit. 2). *Tirer un gain* d'un travail. Tirer sa subsistance* de* (une action, un travail, etc.). *Tirer argent** (cit. 57) *de tout. Tirer dix mille francs de qqch.* ⇒ **Vendre** (→ Racler, cit. 3). *Je n'ai pas pu tirer grand-chose de ma vieille voiture.* — Loc. fam. *Tirer une carotte* à qqn.*

37 Ce qu'on donne aux méchants, toujours on le regrette.
   Pour tirer d'eux ce qu'on leur prête,
   Il faut que l'on en vienne aux coups,
   Il faut plaider, il faut combattre.   LA FONTAINE, Fables, II, 7.

b Fin. (p.-ê. par infl. du sens de « prélever »). Sans compl. en *de*... *Émettre, tirer une lettre de change, un chèque* (sur qqn, sur le compte de qqn), de manière à prélever une somme sur le crédit d'un compte. ⇒ **Chèque ; tireur, tiré, traite.** — Ellipt. *Tirer sur le compte de qqn, sur qqn.*

38 — (...) pendant deux ans, le sieur du Croisier a constamment laissé tirer sur lui pour de fortes sommes par monsieur le comte d'Esgrignon. Nous produirons des traites pour plus de cent mille écus, constamment acquittées par lui (...)
                    BALZAC, le Cabinet des Antiques, Pl., t. IV, p. 448.

c Obtenir (des paroles, des renseignements) de qqn. *Tirer quatre paroles de qqn.* ⇒ **Parler** (faire) ; → Engager, cit. 20 ; et aussi retrouver, cit. 20. *Tirer de qqn des éclaircissements* (→ Porteur, cit. 4), *des explications... On ne peut rien en tirer :* il reste muet ou sans réaction. — Vx. *Tirer parole, promesse de quelqu'un.*

39 (...) et ne fut possible de tirer de lui une parole non plus qu'un pet d'un âne mort.
                    RABELAIS, Gargantua, XV.

40 (...) il interrogeait un député, dont il tâchait de tirer adroitement des nouvelles, au sujet d'un mouvement de Bourse qu'il flairait (...)   ZOLA, Nana, III.

41 (...) il m'est impossible de rien tirer d'elle. Elle est plus fermée qu'une jeune fille, qu'un prêtre.   Paul MORAND, l'Europe galante, p. 12.

Obtenir (un comportement, une action) de qqn. *Il refuse de nous aider, de travailler ; on ne peut rien en tirer. Il n'y a pas grand-chose à en tirer* (→ Indécrottable, cit. 3). — *Tirer qqch. de soi-même* (→ Incroyable, cit. 13). *Une nature géniale qui tire tout de soi-même* (→ Pastiche, cit. 2).

d (V. 1970). Spécialt. Voler (qqch.) à la tire*. « *J'ai commencé à tirer les portefeuilles à toutes les personnes, jeunes ou vieilles* » (*Interview d'un jeune tireur, in Libération,* 13 mars 1978, p. 20). —

Absolt. « *On était dans le métro, on tirait...* » *(Interview d'un jeune tireur,* in *Libération,* 13 mars 1978, p. 20).

♦ **4.** (1636). Abstrait. Faire venir (une chose) de... ⇒ **Dégager; déduire, inférer.** *Tirer des conséquences décisives d'une formule* (→ Dieu, cit. 10). *Tirer une induction* (→ 1. Droit, cit. 12), *des conclusions** (cit. 3) *de qqch.* ⇒ **Conclure** (→ Suggérer, cit. 1). *Il ne faudrait pas en tirer des conclusions hâtives. Tirer une conjecture de... Tirer bon augure* (2. Augure, cit. 9 et 10) *d'une réponse. Tirer argument de...*

Arithm. Vieilli. *Tirer la racine carrée.* ⇒ **Extraire.**

♦ **5.** Emprunter (son origine, sa raison d'être... de qqch.). ⇒ **Emprunter, prendre.** *Tirer son origine, sa source de... :* descendre, venir de... ⇒ **Provenir** (→ Forme, cit. 38). *Tirer son nom* de...* (→ Fluidité, cit. 2; héros, cit. 6; phalanger, cit.). — *Un sobriquet* (cit.) *tiré de leur profession.* — *Tirer sa force, son pouvoir, ses qualités, son importance de...* ⇒ **Recevoir.**

♦ **6.** Dégager d'un ensemble (un élément) pour utiliser. *Tirer des exemples* (cit. 34) *de l'histoire.* ⇒ **Prendre, puiser.** *Tirer des événements matière* (cit. 26) *à roman* (→ aussi Exploiter, cit. 8). *Tirer des citations** *d'un texte.* ⇒ **Extraire.** *Tirer la quintessence d'une œuvre.* — *Tirer de la culture* (cit. 1) *tout ce qu'elle peut donner.* — (Sujet n. de chose). *Les langues romanes tirent la plupart de leurs mots** *du latin. Le français a tiré chez du substantif casa.* ⇒ **Dériver** (→ Préposition, cit. 1).

Par ext. Élaborer, faire, en utilisant des éléments que l'on a extraits. *Tirer des lois* (1. Loi, cit. 58) *un système de règles. Tirer des fables une moralité* (cit. 6). *Tirer une morale d'une doctrine.* ⇒ **Dégager** (→ Positif, cit. 2). *Tirer une leçon* (cit. 19) *du malheur.* — *Tirer un livre de documents* (→ Séducteur, cit. 2). *Tirer une découverte de tout ce qui se présente* (→ Cristallisation, cit. 4).

42 L'esprit philosophique sait tirer philosophie de toute chose.
RENAN, l'Avenir de la science, X, Œ. compl., t. III, p. 875.

▶ **SE TIRER** v. pron. (V. 1100, au sens B, 1).

A. (Sens passif). ♦ **1.** (Au sens I). Être tiré; pouvoir être tiré. *Corde, élastique qui se tire. Ce verrou doit se tirer. Cette charrette se tire difficilement. Le côté où les bateaux se tirent* (→ Halage, cit. 2).

♦ **2.** (Au sens II). « *Livres... qui se tirent à dix mille exemplaires* » (Zola, *Thérèse Raquin,* p. 10). — (1935). Fam. (En parlant d'une durée qui s'écoule lentement, d'une tâche fastidieuse). *Ça se tire !*

♦ **3.** (Au sens IV). *Se tirer de... :* se retirer, provenir de...

42.1 (...) s'il est un orgueil pardonnable, après celui qui se tire du mérite personnel, c'est celui qui se tire de la naissance. ROUSSEAU, les Confessions, III.

B. (Sens réfléchi). ♦ **1.** SE TIRER : s'en aller, partir. **[a]** (V. 1100, Rachi). S'en aller (loin de...; vers...).

43 Et tirez vous tout droit au temple (...) VILLON, Jargon et Jobelin, Ballade, II.

44 Prenez la peine de vous tirer un peu plus loin (...)
MOLIÈRE, le Bourgeois gentilhomme, IV, et note.

[b] (Repris XIXᵉ; sans compl.). Fam. *Se tirer :* partir, spécialt, mod., s'esquiver, fuir* (cit. 1). ⇒ **Enfuir** (s'). *On s'est tiré en douce, on s'est tiré vite fait.* — *Se tirer des flûtes*.*

44.1 Allons donc, m'sieur le commissaire, fit le prisonnière, moi me tirer ? c'est pas la peine. Au *Ballon* ou à la boîte où vous m'avez emballée, c'est kif-kif.
GORON, l'Amour à Paris, t. II, p. 1024 (1900).

45 (...) Reprends ton billet et tire-toi, avant que je me fiche en colère.
SARTRE, la P... respectueuse, I, 2.

46 Tirez-vous !... Allez-vous vous tirer, oui !...
J. PRÉVERT, le Jour se lève, in l'Avant-Scène, nº 53, p. 11.

46.1 Ses mains lâchent ses chevilles, il se déploie, son long corps efflanqué se dresse sur ses pieds... « Ah, sur ce, je me tire... il est grand temps... »
N. SARRAUTE, le Planétarium, p. 98.

(Avec compl.). *Il est temps de se tirer de ce bled.*

♦ **2.** (Au sens III). *Se tirer un coup de revolver* (→ Humiliation, cit. 12), *une balle dans la tête* (→ Impuni, cit. 3). — (Sens récipr.). *Se tirer dessus.*

♦ **3.** (Au sens IV). Se tirer d'un lieu où l'on est retenu, d'une situation fâcheuse. *Se tirer de prison.* ⇒ **Évader** (s'). *Se tirer du milieu d'une armée en déroute* (→ 2. Pékin, cit. 1). *Se tirer d'un endroit par miracle.* ⇒ **Sortir** (→ Ronde, cit. 4). *Se tirer des mains, des pattes* (cit. 12) *de qqn.* ⇒ **Échapper.** *Se tirer d'affaire** (cit. 43), *d'un mauvais pas* (→ 1. **Pas,** III., 2.), *d'une maladie, du pétrin* (fam.). ⇒ **Sortir** (s'en). *Se tirer de la mauvaise fortune* (→ Adversité, cit. 4), *d'une contrariété* (→ Paraître, cit. 46)... *Dont on ne peut se tirer.* ⇒ **Inextricable.**
Venir à bout d'une chose difficile. ⇒ **Débrouiller** (se), **débourber** (se), **dépêtrer** (se), **sortir** (se). *Se tirer avec habileté d'un sujet épineux* (→ Habile, cit. 12). *Se tirer à merveille d'une besogne aride* (cit. 7). *Se tirer d'une phrase* (cit. 16).
S'EN TIRER : en réchapper*, en sortir indemne; réussir une chose délicate, difficile. *Il s'en est tiré à bon compte* (cit. 10). *Il s'en est bien tiré; il a réussi* à s'en tirer. — *S'en tirer avec grâce* (→ Apprêt, cit. 2), *habilement.*

Et Suzon? — Elle s'en tira. — Mal? — Non; les femmes s'en tirent toujours bien 47 quand on ne les a pas surprises en flagrant délit (...)
DIDEROT, Jacques le fataliste, Pl., p. 685.

Ma famille (...) n'était pas riche. On s'en tirait, voilà tout. 48
MAUPASSANT, Miss Harriet, « Mon oncle Jules ».

Vivre seule, on s'en tire, on s'y fait (...) 49
COLETTE, la Vagabonde, p. 66.

S'il avait été un écrivain célèbre au lieu d'être le second personnage d'une Répu- 49.1 blique déboulonnée, peut-être s'en fût-il tiré lui aussi.
F. MAURIAC, le Nouveau Bloc-notes 1958-1960, p. 165.

Se tirer de..., s'en tirer (à une condition) : en être quitte* pour... *Il s'en est tiré avec une petite amende.*

Tu as fait deux ans de médecine, fiston. Il t'en reste deux à faire, et avec de la 50 protection, tu t'en tireras avec dix-huit mois de service.
ARAGON, les Beaux Quartiers, II, VII.

▶ **TIRÉ, ÉE** p. p. adj. (1534).

♦ **1.** (Au sens I). Qui a été tiré, tendu, ajusté. *Un bas bien tiré* (→ Jarretière, cit. 1). *Des courtepointes bien tirées* (→ Poupée, cit. 5). — *Cheveux tirés en arrière* (→ Filet, cit. 11). Par ext. *Être tiré à quatre épingles*.*

Sa coiffe était bien fine, bien plissée et bien épinglée; ses cheveux, qu'elle portait 51 un peu à la mode des artisanes, étaient bien reluisants, bien peignés, bien tirés en alignement (...) G. SAND, François le Champi, XVI.

(Fin XVIIᵉ, Fénelon). Par ext. Allongé, amaigri* par la fatigue. *Visages tirés* (→ Grelotter, cit. 5). ⇒ **Maigre.** *Mine tirée* (→ Malingre, cit. 2). *Les traits tirés* (→ Dolent, cit. 4). ⇒ **Fatigué.**

La petite figure maigre et tirée du neveu favori de l'académicien était hideuse en 52 ce moment. STENDHAL, le Rouge et le Noir, II, IV.

(...) il fait sombre en elle de nouveau comme avant, comme toujours... son pauvre 52.1 visage tout tiré sous le fard... son œil où aucune lueur ne brille (...)
N. SARRAUTE, le Planétarium, p. 173.

Par anal. *Des yeux tirés, bridés* (→ Saugrenuité, cit.).

(1669). Loc. fig. *Tiré par les cheveux** (cit. 32). — Vx. *Tiré :* affecté*, recherché; forcé, trop subtil*.

♦ **2.** (Au sens II). Qui a été tiré, tracé. *Lignes tirées au cordeau* (→ Espace, cit. 17). *Profil tiré à vue* (→ Silhouette, cit. 1).
Spécialt. Qui a été tiré (en imprimerie). *Exemplaires tirés à part.* N. m. *Un tiré à part :* exemplaire d'un article de revue provenant d'un tirage* à part destiné à l'auteur et formant brochure.

(...) cet ancien camarade de lycée (...) qui m'envoyait les « tirés à part » de ses 52.2 articles parus dans la *Revue de Métaphysique et de Morale.*
GIDE, Carnets d'Égypte, in Souvenirs, Pl., p. 1064.

Reproduit. *Un objet tiré à des milliers d'exemplaires.*

♦ **3.** (Au sens III). Qui est tiré (projectile, coup de feu). *Coups de mousquet tirés au hasard* (→ Fascine, cit. 2). — N. m. UN TIRÉ. Chasse au fusil. « *Il n'y a pas de tiré plus difficile* » (que celui de la bécassine) Buffon, in Littré.
Spécialt. Lieu d'un terrain de chasse réservé au tir. *Layons pratiqués dans un tiré.*

♦ **4.** (Au sens IV). Qui est tiré, que l'on a tiré d'un lieu, d'un ensemble. *L'eau tirée du puits.* — *La langue un peu tirée* (→ Polissoire, cit. 4; pourceau, cit. 2).
Obtenu, extrait de... *Citations tirées des auteurs* (→ Sottisier, cit. 1). *Un sujet tiré du* Roi Candaule (→ Improviser, cit. 3).
(Personnes). Que l'on a tiré d'une situation. *Tiré du danger, de l'indécision.* — *Tiré d'affaire.*
Spécialt. *Épée tirée.* Loc. *Être à couteaux** *tirés* (rare au sing.) :

(...) je déteste Poirier et j'ai toujours été à couteau tiré avec lui. 53
M. AYMÉ, le Vin de Paris, « La bonne peinture », p. 174.

♦ **5.** *Chèque tiré sur qqn,* émis de façon à prélever une somme sur son compte. Par ext. *La personne tirée.* N. m. (1872, Littré). LE TIRÉ : la personne désignée comme devant effectuer le paiement à l'échéance. *Le tireur et le tiré* (d'un chèque, d'une lettre de change).

CONTR. Détendre, draper, froisser, relâcher. — Pousser. — Éloigner, repousser. — Entrer, enfoncer, abîmer; cacher.
DÉR. Tir, tirade, tirage, tirailler, tirant, tirasse, tiraude, 2., 3., 4., tire, tirée, tirelle, tirerie, tiret, tiretaine, 1. tirette, 2. tirette, tireur, tireuse, tiroir.
COMP. Attirer, contre-tirer, détirer, étirer, retirer, soutirer (et leurs dér.); tire-au-cul, tire-au-flanc, tire-balles, tire-bonde, tire-botte, tire-bouchon, tire-bourre, tire-bouton, tire-braise, tire-bras, tire-cale, tire-cartouche, tire-clou, tire-comédon, tire-crins, tire-douille, tire-fesses, tire-feu, tire-fil, tire-filet, tire-fond, tire-joint, tire-jus, tire-laine, tire-laisse, tire-lait, tire-larigot (à), tire-ligne, tire-lisse, tire-l'œil, tire-nerf, tire-pied, tire-plomb, tire-point, tire-sève, tire-sou, tire-veille, tire-veine, — V. Tire d'aile (à).
HOM. 2. Tirer.

2. TIRER [tiʀe] n. m. — 1912, *in* Petiot; de 1. *tirer* (I., B.).

♦ Sport (aviron). Temps de la nage pendant lequel le rameur tire sur l'aviron.
HOM. 1. Tirer.

TIRERIE [tiʀʀi] n. f. — 1658; *tirrie,* 1544; de 1. *tirer.*

♦ Techn. Étirage (des métaux précieux).

TIRE-SÈVE [tiʀsɛv] n. m. invar. — 1842 ; de 1. *tirer* (IV.), et *sève.*

♦ Hortic. Branche garnie de boutons. *Des tire-sève.*

TIRE-SOU [tiʀsu] n. m. — 1836 ; « usurier », 1704 ; « receveur (des impôts) », 1803 ; de 1. *tirer,* et *sou.*

♦ Fam., vieilli. Personne qui extorque, demande de l'argent, quémande. *Des tire-sous.* — REM. On peut écrire *un tire-sous* (invar.).

Cet orgueil ne l'empêchait pas, dans le but d'améliorer ce qu'il appelait *son traitement,* d'accepter pour ses courses des rémunérations qui l'avaient fait prendre en horreur à Françoise : « (...) Tout ça, c'est des tire-sous ». Catégorie où (...) elle rangeait déjà Albertine, parce qu'elle me voyait souvent demander à maman, pour mon amie peu fortunée, de menus objets, des colifichets (...)
PROUST, Sodome et Gomorrhe, Pl., t. II, p. 790.

TIRET [tiʀɛ] n. m. — 1554 ; en typogr., 1611 ; de 1. *tirer* (II., C., 1.).

♦ **1.** Petit trait que l'on place après un mot interrompu en fin de ligne, faute d'espace, pour renvoyer à la fin du mot, au début de la ligne suivante. ⇒ **Division** (→ Abusif, cit. 1).

♦ **2.** Trait un peu plus long qui sépare d'un contexte une proposition, une phrase (pour les détacher, comme les parenthèses ; pour les séparer), ou qui indique un changement d'interlocuteur (dans un dialogue). ⇒ **Ponctuation.**

Il savait d'ailleurs aussi lire dans la main. Il lisait dans les siennes : il allait mourir. Il y aurait, gravées sur sa tombe, deux dates côte à côte, 1876-1926, séparées par un tiret. Ce tiret était sa vie. GIRAUDOUX, Bella, VI.

♦ **3.** Trait* d'union.

DÉR. Tireté.

TIRETAINE [tiʀtɛn] n. f. — 1245 ; probablt de l'anc. franç. *tiret* (1138), de *tire* « étoffe de soie », du bas lat. *tyrius* « étoffe de Tyr », et suff. -*aine* comme dans *futaine* ou (P. Guiraud), de *tirer* par un adj. *tireté* (Wartburg).

♦ Anciennt. Étoffe grossière en laine ou en laine et coton, et lin... ⇒ **Drap** (1.). *Haut-de-chausse* (cit. 2) *de tiretaine.*

Ils étaient mal couverts de sortes de haillons, filles et garçons, tous rapiécés, la plupart vêtus d'une tiretaine sans couleur. ARAGON, la Semaine sainte, VIII.

DÉR. Tiretainier.

TIRETAINIER, IÈRE [tiʀtenje, jɛʀ ; tiʀtɛnje, jɛʀ] n. — 1297, *tiretenier* (in D. D. L.) ; de *tiretaine.*

♦ Vx. Fabricant, marchand de tiretaine.

TIRETÉ [tiʀte] adj. et n. m. — V. 1970 ; de *tiret,* d'après pointillé.

♦ Formé de tirets (d'une ligne). « *Les flèches pleines indiquent le sens des transgressions marines, les flèches tiretées celui des apports détritiques...* » (*Sciences et Avenir,* juil. 1980, p. 52 ; légende de carte). — N. m. « *Le tireté vertical correspond à...* » (*Sciences et Avenir,* janv. 1981, p. 72).

1. TIRETTE [tiʀɛt] n. f. — 1777, dans un sens techn. ; « tiroir », 1589 ; repris mil. XIXᵉ ; de 1. *tirer.*

♦ **1.** Vx. Cordon, lacet. *Tirette de gant, de rideau.* — Techn. *Tirette à détonation :* petite lanière de papier, composante d'un petit artifice, et dont la traction entraîne une petite explosion.

♦ **2.** Pièce métallique mobile servant à obturer le tuyau de cheminée de certains fours. — Pièce, tige métallique que l'on peut tirer pour provoquer un fonctionnement. *Tirette d'aération, de chauffage. Pour ouvrir le capot, actionner la tirette située sous le volant. Tirette actionnant un contacteur.*

♦ **3.** (1923). Cour. Planchette mobile adaptée à certains meubles. *Table, bureau à tirette.* ⇒ **Tablette.**

♦ **4.** Régional (Belgique). Fermeture à glissière.

HOM. 2. Tirette.

2. TIRETTE [tiʀɛt] n. f. — 1932 ; de 1. *tirer,* d'après *poussette.*

♦ Sports. Fam. Geste du coureur qui en tire un autre. *La tirette est interdite.*

HOM. 1. Tirette.

TIREUR, EUSE [tiʀœʀ, øz] n. — XVᵉ ; *tireor,* v. 1220 ; de 1. *tirer.*

♦ **1.** (Correspond à 1. *tirer,* I.). Rare. Personne qui tire, étire. Techn. (1485). Étireur. *Tireur d'or, d'argent.*

♦ **2.** (→ 1. Tirer, II., B.). Personne qui effectue un tirage* (II.). *Tireur de copies. Photographe tireur développeur.* N. f. ⇒ **Tireuse,** 1.

♦ **3.** (1447. → 1. Tirer, III.). Personne qui se sert d'une arme à feu.

⇒ **Tir.** *Un bon, un excellent tireur* (→ 1. Garde, cit. 63 ; premier, cit. 11). *Tireur d'élite. Une seconde balle du même tireur...* (→ Face, cit. 3). — Milit. *Disposer des tireurs derrière une crête.* ⇒ **Fusilier, soldat.** *Tireur au fusil, au pistolet-mitrailleur. Tireur isolé :* tireur d'élite muni d'une arme de précision et occupant un emplacement choisi pour atteindre une cible d'une importance particulière (pour traduire l'angl. *sniper*). — Spécialt. Parmi les servants d'une pièce automatique, d'un canon, celui qui est chargé de déclencher le feu.

(1906). Au jeu de boules, Joueur chargé spécialement de tirer (opposé à *pointeur*). — (1932). Football. Joueur qui tire au but (on dit parfois *shooteur*).

Un penalty, c'est un peu comme un peloton d'exécution : le tireur est tout seul à six mètres du goal (...) René FALLET, le Triporteur, p. 382. 0.1.

♦ **4.** (1508. → 1. Tirer, IV. ; dans quelques expr.). ⓐ Personne qui extrait qqch. de... *Le tireur d'épine,* nom donné à un bronze antique. — Spécialt (noms de métiers). *Tireur de mine* (vx ; Buffon, *in* Littré). *Tireur de sable, de gravier. Tireur de bois flotté. Tireuse de vin* (La Fontaine, *in* Littré). *Tireur à la main, à la machine* (écharneurs* en pelleterie).

(...) le louchet est une caisse sans couvercle, faite de lamelles de fer d'une hauteur de deux pieds environ, au bout d'un manche de trois toises et demie, que le *tireur* enfonce sous l'eau, sous le sol, de manière qu'elle s'emplisse de terre à tourbe. 1
ARAGON, la Semaine sainte, XII.

ⓑ Fig., vx. *Tireur de laine.* ⇒ **Tire-laine.**

ⓒ (XVIᵉ). Spécialt. Escrime. *Tireur d'épée, tireur d'armes* ou *tireur* (→ Battement, cit. 1) : celui qui s'exerce à tirer les armes, escrimeur.

ⓓ (1812). *Tireuse de cartes :* cartomancienne (→ Ressource, cit. 4).

On ne se figure pas ce que sont les tireuses de cartes pour les classes inférieures parisiennes, ni l'influence immense qu'elles exercent sur les déterminations des personnes sans instruction (...) BALZAC, le Cousin Pons, Pl., t. VI, p. 624. 2

ⓔ (1663). Personne qui tire une traite, une lettre de change, un chèque. *Le tireur et le tiré* (⇒ **Tirer**). *Tireur pour compte,* qui exécute les instructions d'un autre. ⇒ **Émetteur.**

ⓕ (1821). Voleur à la tire*. « *L'histoire d'un tireur de la banlieue Nord...* » (*Libération,* 13 mars 1978, p. 20).

Le président interroge l'accusée : une jolie tireuse qui n'en est pourtant pas à son coup d'essai. Hervé BAZIN, Qui j'ose aimer, 14, p. 125. 3

♦ **5.** (1904). Loc. fam. *Tireur au flanc, tireur au cul :* celui qui tire* au flanc, au cul.

REM. Sauf au sens 4 *(tireuse de cartes),* le mot est rare au fém. Ainsi, on dira plutôt d'une femme qu'elle est *un excellent tireur au fusil.*

DÉR. Franc-tireur.

TIREUSE [tiʀøz] n. f. — 1921 ; de *tirer.*
Technique.

♦ **1.** (1921). Appareil effectuant le tirage des films positifs.

♦ **2.** (Av. 1941). Appareil remplissant les bouteilles automatiquement en soutirant la quantité de vin correcte du fût.

TIRE-VEILLE [tiʀvɛj] n. f. — 1701 ; altér. de *tire-vieille* (1678), ancienne plaisanterie de marins, de 1. *tirer* (II.), et *vieille.*
Marine.

♦ **1.** Corde*, filin bordant l'échelle de coupée d'un navire, en manière de rampe*.

♦ **2.** (XXᵉ). Chacun des deux filins reliés au gouvernail et permettant de le manœuvrer.

TIRE-VEINE [tiʀvɛn] n. m. — Av. 1975 ; de *tire,* et *veine.*

♦ Méd. Appareil utilisé pour l'ablation d'un segment de veine (recomm. off. pour remplacer l'anglicisme *stripper*). *Des tire-veines.*

TIROIR [tiʀwaʀ] n. m. — 1583, *tyroir ; tirouer,* 1530 ; XIVᵉ, *tiroir* au sens II, 1 ; *tyroire* « outil de tonnelier », XIVᵉ ; de 1. *tirer,* I., A., 2.

★ **I.** ♦ **1.** Compartiment coulissant emboîté dans un emplacement réservé d'un meuble et servant au rangement. *Ouvrir, tirer ; fermer, pousser un tiroir. Tiroirs d'une armoire, d'une commode* (2. Commode, cit. 2) ; *d'un bureau, d'un secrétaire* (cit. 7), *d'une table. Bouton, poignée* (anneau, main* ; → Recouvrir, cit. 2), *serrure, clé d'un tiroir. Tiroir à secret* (→ Perquisition, cit. 2). *Jeux de tiroirs d'un bonheur-du-jour. Mettre, ranger, enfouir dans un tiroir* (→ Participation, cit. 2). *Forcer* (cit. 1), *fouiller les tiroirs* (→ Piller, cit. 4). — *Boîte à tiroirs. Tiroir d'un moulin à café.*

On vient trouver le grand-père qui est bonhomme au fond, et qui a bien toujours quelques rouleaux de louis dans un vieux tiroir (...) 1
HUGO, les Misérables, IV, VIII, VII.

Et des placards, et des armoires, et des tiroirs et des resserres, et des fouillis de toute sorte, en veux-tu, en voilà... Jamais je ne me retrouverai dans tout cela. 1.1
O. MIRBEAU, le Journal d'une femme de chambre, p. 23.

2 (...) les cinq grands tiroirs de la commode se laissent manœuvrer sans plus de résistance, bien qu'ils ne soient pas munis de poignées, mais seulement des orifices élargis d'anciennes serrures (...) A. ROBBE-GRILLET, le Voyeur, p. 235.

FOND DE TIROIR : ce qu'on met au fond d'un tiroir, ce qu'on y oublie, et, par ext., chose vieille, sans valeur. *Auteur qui publie ses fonds de tiroirs.* — *Racler* ses fonds de tiroirs.*

Loc. fig. *Avoir un polichinelle* dans le tiroir* (être enceinte).

Par métaphore. Case, casier. *Les tiroirs de son cerveau* (cit. 5), *de la mémoire.* ⇒ **Compartiment.**

♦ **2.** À TIROIR(S). *Arme à tiroir*, à culasse glissant transversalement au canon.

Fam. *Nom à tiroirs*, en plusieurs parties. (cf. À rallonges).

(1752). Littér. *Pièce à tiroirs*, dont l'intrigue comprend des scènes étrangères à l'action principale, intercalée et comme emboîtées dedans. *Roman à tiroirs*, avec des récits (contés par un personnage, etc.) à l'intérieur de l'action principale. — Poésie. « *Le* tiroir *ou énumérations indéfinies* » (Claudel, *Positions et propositions,* p. 35).

♦ **3.** Journal. EN TIROIR : intercalé dans une série de petits articles.

♦ **4.** Ch. de fer. DE TIROIR. *Voie de tiroir* : voie en cul-de-sac sur laquelle stationne un train provisoirement.

♦ **5.** Fig. Figure de danse dans laquelle des groupes se croisent. — Tour d'adresse par lequel on substitue une carte à une autre par glissement.

★ **II.** ♦ **1.** (Premier sens attesté, XIVe). Vx. Chaîne, lien reliant les fermoirs (d'une reliure).

♦ **2.** (1854). Mécan. Dans une machine* à vapeur, Dispositif destiné à distribuer la vapeur dans le cylindre (alternativement de part et d'autre du piston). ⇒ 2. **Recouvrement** (→ Imperfection, cit. 5). *Tiroir de Watt, à garnitures. Tiroir cylindrique ; à coquille. Arbre, tige, boîte de tiroir.*

♦ **3.** (1723). Techn. Cylindre d'une machine à fuser les étoffes.

COMP. Tiroir-caisse.

TIROIR-CAISSE [tiRwaRkɛs] n. m. — 1894 ; de *tiroir*, et *caisse*.

♦ Caisse* où l'argent est renfermé dans un tiroir (qu'un mécanisme peut ouvrir lorsqu'un crédit est enregistré). *Tiroir-caisse d'un magasin. Le contenu du tiroir-caisse. Des tiroirs-caisses.*

1 Le tiroir-caisse, en bois vermoulu, portait une plaque de zinc sur laquelle il servait chaque jour une quinzaine de verres (...) M. AYMÉ, Maison basse, III.
2 Le criminel vola le contenu du tiroir-caisse, une petite somme de 20 à 30 fr, et ne chercha pas à fouiller la maison (...) J.-M. G. LE CLÉZIO, la Fièvre, p. 18.

TIRONIEN, IENNE [tiRɔnjɛ̃, jɛn] adj. — 1762 ; de *Tiron*, nom d'un affranchi de Cicéron.

♦ Didact. Antiq. rom. *Notes tironiennes*, sorte de sténographie en usage chez les Romains et dans le haut moyen âge, inventée par Tiron. — Par ext. *Un tironien* : un scribe qui écrivait avec les notes tironiennes (→ Sténographe, cit. 1).

TIROT [tiRo] n. m. — 1872, in Littré ; de l'anc. franç. *tire* « raie », fin XVIe, de *tir* « serpent », 1314 ; du bas lat. *tirus* (Ve) « poisson ».

♦ Régional. Raie grise.

TISANE [tizan] n. f. — 1690, sens mod. ; *tisaine* « décoction d'orge mondé », XIIIe (*tisane*, XIVe) ; bas lat. *tisana*, lat. class. *ptisana*, grec *ptisanê*, proprt « orge mondé ».

★ **I.** ♦ **1.** Boisson contenant une faible proportion d'une substance médicamenteuse végétale (obtenue par macération, solution, infusion ou décoction de plantes). ⇒ **Décoction, infuser, infusion.** *Tisane d'orge, de gruau ; de graine de lin ; de queues de cerise... ; des quatre fleurs** (⇒ **Bourrache, menthe, tilleul, verveine).** *Tisane citronnée ; additionnée de médicaments.* ⇒ **Apozème, hydrolé.** *Propriétés diurétiques et émollientes d'une tisane.* ⇒ **Remède** (→ Avoine, cit. 1). *Passer, sucrer* (→ Grabataire, cit.), *apporter de la tisane à un malade* (→ Lutiner, cit. 4).

1 À partir de ce jour, on me laissa tranquille, sauf pour me donner des tisanes d'herbes, toutes fleuries et qui descendaient en moi, chaudes, parfumées au goût de terre et de soleil qu'ont les eaux d'arrosage, l'été dans les prés.
J. GIONO, Jean le Bleu, VI.

♦ **2.** (1872). *Tisane de champagne*, sorte de champagne plus léger et plus sucré que le champagne ordinaire. Péj. Mauvais champagne, et, par ext., mauvaise boisson alcoolisée.

2 Il se reversa une seconde flûte qui prit le chemin de la première. Tout valsait. C'est méchant sur le Pernod, le champagne. Même celui-là, de la tisane. Comment de la tisane ? Oh, je dis tisane, et puis ce n'est pas de la tisane.
ARAGON, les Beaux Quartiers, I, XX.

(1884). Fam., vx. *Tisane du houblon* : bière.

★ **II.** (1830 ; p.-ê. de *tiser* « administrer des coups », 1907, Chautard ; → Attiser, du rad. de *tison, tisonnier*). Fam. Volée de coups, correction, raclée. *Il lui a passé une tisane. Recevoir une bonne tisane.*

DÉR. Tisaner, tisanerie, tisanière.

TISANER [tizane] v. tr. — D. i. (attesté mil. XIXe) ; de *tisane.*

♦ **1.** Rare. Soigner (qqn) en lui donnant des tisanes.
(...) lui se laisse tisaner et border dans son lit (...)
G. CESBRON, Voici le temps des imposteurs, p. 71.

♦ **2.** Fam. Donner une tisane (II.), une correction à (qqn). ⇒ **Battre, rosser.** *Il s'est fait tisaner.*

TISANERIE [tizanRi] n. f. — 1823 ; de *tisane.*

♦ Anciennt. Lieu d'un hôpital où l'on faisait les tisanes.

TISANIÈRE [tizanjɛR] n. f. — V. 1800 ; repris 1967 ; de *tisane*, p.-ê. avec infl. de *cafetière, théière.*

♦ Rare. Pot à infusion, parfois posé sur une veilleuse et permettant de garder la tisane chaude toute la nuit.

TISARD [tizaR] n. m. — 1723, *tisart* ; de *tiser.*

♦ Techn. (anciennt). Trou dans un four de verrier, pour l'alimentation en combustible.

TISER [tize] v. tr. — 1723 ; de *attiser.*

♦ Techn. (anciennt.). Charger en combustible (un four de verrier).

DÉR. Tisard, tiseur, tisoir.

TISEUR [tizœR] n. m. — 1723 ; de *tiser.*

♦ Techn. (Ancienn). Ouvrier qui tise.

TISOIR [tizwaR] n. m. — 1842 ; de *tiser.*

♦ Techn. (Ancienn). Barre de métal servant à attiser le feu d'un four de verrier. ⇒ **Tisonneur, 2.**

TISON [tizɔ̃] n. m. — Déb. XIIIe ; « morceau de bois », 1190 ; du lat. *titio, titionem.* → Attiser.

♦ **1.** Reste d'un morceau de bois, d'une bûche dont une partie a brûlé. *Tison ardent, éteint. Tisons et braises*. Deux tisons fumaient* (cit. 3) *dans la cheminée. Souffler sur les tisons* (→ Pauvre, cit. 12), *rapprocher les tisons. Tisons utilisés pour s'éclairer* (→ Diablerie, cit. 4 ; flambant, cit. 12), *pour mettre le feu* (→ 2. Meule, cit. 2).

Quelques tisons rougeoyaient encore dans la cheminée. Elle y jeta un fagot (...)
F. MAURIAC, le Sagouin, I. | 1

Lancer un pamphlet (cit. 4) *comme un tison.* ⇒ **Brûlot.** — (V. 1460). *Les tisons* : le feu de la cheminée, l'âtre. — Vx. *Coucher aux tisons* : ne pas s'éloigner de la chaleur de la cheminée. — Par métonymie. Le logis, le foyer. Prov. *Noël* au balcon, Pâques aux tisons.*

♦ **2.** *Allumette tison* : allumette de grande taille, que le vent ne peut éteindre.

♦ **3.** (Déb. XVIe). Loc. fig. *Tison d'enfer* : personne méchante (qui mérite de brûler en enfer). — *Tison de discorde** : personne ou chose qui allume la discorde. ⇒ **Brandon.**

Tison de la discorde, et fatale furie. RACINE, Mithridate, V, 1. | 2
(...) les sentiments religieux d'Agathe lui faisaient regarder les femmes de théâtre comme des tisons d'enfer (...) BALZAC, la Rabouilleuse, Pl., t. III, p. 892. | 3

DÉR. Tisonner, tisonnier.

TISONNÉ, ÉE [tizɔne] adj. — XVIe ; de *tisonner.*

♦ Hippol. Se dit d'un cheval à la robe semée de taches noires allongées. ⇒ **Tacheté.** *Cheval ; poil tisonné.*

TISONNEMENT [tizɔnmɑ̃] n. m. — 1880, Huysmans ; de *tisonner.*

♦ Rare. Action de tisonner.

TISONNER [tizɔne] v. — XIIIe ; de *tison.*

★ **I.** V. intr. Vx. « Remuer les tisons sans besoin » (Littré). → Placidité, cit. 1.

★ **II.** V. tr. ♦ **1.** (Fin XIXe). Remuer les tisons d'un foyer, la braise d'un poêle, pour attiser le feu, faire tomber la cendre. *Tisonner soi-*

gneusement le feu avec un ringard (cit.), *un tisonnier*. ⇒ **Fourgonner.**

1 Marthe s'était de nouveau étendue le long de la cheminée, tisonnant la braise, et prenant garde à ne pas mêler quelque parcelle noire aux cendres.
R. RADIGUET, le Diable au corps, p. 56.

Par métaphore. *« Des vieillards tisonnant les siècles au coin du feu »* (Chateaubriand).

♦ **2.** Fig., littér. Remuer, faire resurgir. *Tisonner ses souvenirs.*

2 Comme elle aurait voulu rester seule, ce soir, à tisonner des souvenirs amers et doux.
Maurice ZERMATTEN, Christine, p. 23.

DÉR. Tisonné, tisonnement, tisonneur.

TISONNEUR, EUSE [tizɔnœʀ, øz] n. — 1630; de *tisonner.*

♦ **1.** Vx. « Personne qui aime à tisonner » (Littré).

♦ **2.** N. m. Mod. Ouvrier qui surveille le four de verrerie (syn. : *tiseur*).

TISONNIER [tizɔnje] n. m. — 1417; *tisonier* « marchand de petit bois », 1313; «foyer», XIVᵉ; de *tison.*

♦ Instrument pour attiser le feu, longue barre de fer à extrémité un peu relevée, avec laquelle on remue les tisons, la braise. ⇒ **Fourgon** (→ Fourgonner, cit. 1; pincette, cit. 1), **ringard.** *Donner un coup de tisonnier pour ranimer le feu.*

Elle remit en place le tisonnier avec lequel elle n'avait cessé, depuis un moment, de tracasser le feu.
Pierre BENOIT, Mˡˡᵉ de la Ferté, p. 64.

TISSAGE [tisaʒ] n. m. — 1262, attestation isolée; rare av. 1812; de *tistre, tisser.*

♦ **1.** Action de tisser, ensemble d'opérations consistant à entrelacer des fils textiles pour produire des étoffes ou tissus. *Opérations préparatoires au tissage.* ⇒ **Bobinage, carte** (mise en), **encollage, ourdissage, rentrage.** *Tissage proprement dit :* entrecroisement, de façon rectiligne ou circulaire, des fils de chaîne* et des fils de trame*, par le passage d'un fil de trame (⇒ **Duite**) dans l'espace formé par la séparation des fils de chaîne en deux nappes, l'une levée et l'autre baissée. ⇒ **Métier** (à tisser), **tissu.** *Ornements formés par tissage.* ⇒ **Brochage.** *Tissage des tapis, des tapisseries.* ⇒ **Lice.**

Peu à peu la chaîne gagnait de notre côté, entraînée par la lente rotation de l'*ensoupleau,* large cylindre transversal auquel tous ses fils étaient rattachés. Le tissage s'effectuait rapidement, et bientôt une riche étoffe apparut à nos yeux, sous la forme d'une bande mince et régulière aux tons finement nuancés.
Raymond ROUSSEL, Impressions d'Afrique, p. 130.

♦ **2.** Établissement, ateliers où s'exécutent ces opérations (→ Gréviste, cit. 2).

♦ **3.** Par métaphore ou fig. Action de tisser (2.). *Le tissage des fils du récit.*

TISSÉ, ÉE [tise] adj. ⇒ **Tisser.**

TISSER [tise] v. tr. — 1361; au p. p. *tissé,* 1428; réfection, par changement de conjug. de l'anc. franç. *tistre, tître* (1150) dont le p. p. *tissu, ue* est encore usité au fig.; du lat. *texere.*

♦ **1.** Fabriquer (un tissu) par tissage (→ Expert, cit. 5; jour, cit. 29; maquiller, cit. 3; pansement, cit. 4); transformer (un textile) en tissu. *Tisser de la laine. Tisser une étoffe d'or :* passer des fils d'or. ⇒ **Brocher, broder.** (1874). Absolt. *Métier* (cit. 1) *à tisser.* — Par métaphore. Former, élaborer, constituer en entrelaçant... (→ Envelopper, cit. 16; honnêtement, cit. 2; 1. maille, cit. 5). — Au p. p. TISSÉ, ÉE. *Étoffe tissée d'or,* où l'on a passé des fils d'or → Étole, cit. 1. — REM. La forme *tissu, ue,* au sens propre, est archaïque.

0.1 Ces femmes *(les religieuses de l'obédience de Martin Verga)* pensent-elles? non. Veulent-elles? non. Aiment-elles? non. Vivent-elles? non. Leurs nerfs sont devenus des os; leurs os sont devenus des pierres. Leur voile est de la nuit tissue.
HUGO, les Misérables, II, VI, II.

1 (...) je me vis vêtu d'un petit habit brun de forme ancienne, entièrement tissu à l'aiguille de fils ténus comme ceux des toiles d'araignées.
NERVAL, Aurélie, I, VI.

2 Cette fois, la pure brute apparaît : tout le vêtement que les siècles lui avaient tissé et dont la civilisation l'avait revêtue, la dernière draperie humaine tombe à terre (...)
TAINE, les Origines de la France contemporaine, t. III, III, VII.

Par anal. *Araignée* (cit. 11) *qui tisse sa toile* (→ Assez, cit. 4, sous la forme *tissu*). Par métaphore. (→ Destin, cit. 25; raisonneur, cit. 2).

♦ **2.** (Déb. XXᵉ). Fig. Former, élaborer, disposer les éléments de (qqch.) comme par tissage. ⇒ **Ourdir, tramer.** *Tisser des liens* (→ Briser, cit. 18), *des intrigues* (→ 2. Ensemble, cit. 15). *Tisser des mensonges.* — Au p. p. TISSÉ, ÉE ou TISSU, UE littér. *L'histoire est tissue de légendes* (→ Doré, cit. 4).

3 (...) il me prit un de ces regrets désolés, une de ces tristesses tout à fait insonda-

bles et sans explication possible, dont ma vie d'enfant était tissée surtout aux heures où s'allongeaient les ombres des soirs.
LOTI, Figures et choses..., «Vacances de Pâques», IV.

Littéraire :

4 Les Français ont édifié une grammaire surprenante, compliquée, tissue de règles strictes et d'exceptions à la règle, de logique et de fantaisie.
G. DUHAMEL, Refuges de la lecture, VIII.

5 (...) de tout ce que cet homme avait tissu autour de lui durant soixante années, il ne resta plus que la valeur d'une petite caisse, qu'on relégua au grenier (...)
MONTHERLANT, les Lépreuses, I, I.

DÉR. Tissage. — Tisserand, tisserin, tisseur, tissure. — V. aussi Tissu.
COMP. Détisser.

TISSERAND, ANDE [tisʀɑ̃, ɑ̃d] n. — V. 1360; *toisseranz,* 1224; au fém. 1297 (D.D.L.), *tesserande,* v. 1250 (D.D.L.); de *tisser.*

♦ **1.** Ouvrier, ouvrière qui fabrique des tissus sur métier à bras ou qui surveille la marche des métiers à tisser Jacquard (→ Appartenir, cit. 35; fileur, cit. 2). ⇒ **Tisseur.**

Les tisserands de village, ceux qui travaillent sur des machines qu'on leur fournit, ou les fileurs (...) les cardeurs (...) sont hors de la juridiction de la ville.
ARAGON, la Semaine sainte, IX.

♦ **2.** Spécialt. Artisan, créateur d'œuvres d'art textile.

TISSERIN [tisʀɛ̃] n. m. — 1817, Cuvier; de *tisser.*

♦ Oiseau passeriforme exotique *(Plocéidés)* de l'Afrique équatoriale, qui construit de remarquables nids tissés en feuilles de palmier (→ Nid, cit. 3).

(...) dans de nombreuses espèces le membre postérieur peut intervenir dans la préhension alimentaire chez les rapaces, ou dans des opérations techniques liées à la confection du nid, comme chez les tisserins.
A. LEROI-GOURHAN, le Geste et la Parole, t. I, p. 52.

TISSEUR, EUSE [tisœʀ, øz] n. — 1567; *tissur,* v. 1170; *tieseur,* XVᵉ; de *tisser.*

♦ Ouvrier, ouvrière sur métier à tisser. *Tisseur de chefs,* assurant le tissage de la première extrémité (→ Chef, I., 2.). *Tisseur de lisses,* qui prépare et monte les lisses. ⇒ **Licier.** *Tisseur d'Aubusson, des Gobelins. Tisseur de tapis, de carpettes.* ⇒ **Tisserand.**

1. TISSU, UE [tisy] adj. ⇒ **Tisser.**

2. TISSU [tisy] n. m. — XVᵉ; «ruban, bandeau», 1175; p. p. subst. de l'anc. franç. *tistre.* → Tisser.

★ **I.** ♦ **1.** Surface souple et résistante constituée par un assemblage régulier de fils textiles* entrelacés, soit tissés (⇒ **Tissage**), soit maillés (⇒ **Maille, tricot; filet, réseau, tulle**). ⇒ **Étoffe, tapis, tapisserie.** — REM. On ne doit pas parler de *tissus* quand il s'agit d'*étoffes* faites de poils non tissés, mais agglomérés, comme le feutre. — *Fabrication des tissus.* ⇒ **Tissage; drap.** *Tissus de laine* (⇒ **Drap, lainage**), *de soie* (⇒ **Soierie**), *de lin et de chanvre* (⇒ **Toile**), *de coton* (⇒ **Cotonnade**). *Tissus de fibres synthétiques* (⇒ **Acrylique, banlon, dacron, lycra, nylon, orlon, perlon, rhovyl, rilsan, tergal, térylène**). *Armures* des tissus, armures de base* (⇒ **Satin, sergé, uni**) *et dérivées. Endroit et envers d'un tissu. Apprêt des tissus.* ⇒ **Apprêt; rosage, ratinage.** *Teinture des tissus.* ⇒ **Teinture, teinturerie.** *Tissus chinés, brochés.* ⇒ **Brochage, chinage.** *Fond*, dessins* d'un tissu. Tissus imprimés.* ⇒ **Clichage, impression.** — *Tissus de crin*, de paille, de jonc...* ⇒ **Lacerie, sparterie.** *Tissus de verre, métalliques, filtrants... Tissus élastiques* (⇒ **Stretch**), *caoutchoutés, plastiques, imperméables... Tissu-éponge*.* — *Marchands de tissus. Représentants en tissus.* *Tissus unis, façonnés. Tissus fantaisie. Tissu haute couture, nouveauté. Tissus d'ameublement, d'art. Contexture, grain d'un tissu. Tissu clair, à claire-voie, lâche, mou, serré, qui a du corps, de la tenue. Qualité d'un tissu. Tissu solide, irrétrécissable, infroissable, bon teint, grand teint... Tissu fragile, qui passe...* ⇒ **Étoffe.** *Coupe d'un tissu.* ⇒ **Biais, fil** (droit fil); *et aussi* **coupon, chute, métrage, recoupe, retaille.**

1 (...) dans l'apparent désordre des tissus, tombés comme au hasard des cases éventrées, il y avait une phrase harmonique, le blanc suivi et développé dans tous ses tons (...) Cela partait des blancs mats du calicot et de la toile, des blancs sourds de la flanelle et du drap; puis, venaient les velours, les soies, les satins (...) et le blanc s'envolait avec la transparence des rideaux, devenait de la clarté libre avec les mousselines, les guipures, les dentelles, les tulles (...) tandis que l'argent des pièces de soie orientale chantait le plus haut, au fond de l'alcôve géante.
ZOLA, Au Bonheur des Dames, XIV, t. II, p. 230.

Loc. (1877). *Tissu-éponge,* présentant des boucles sur chaque face.

NOMS ET TYPES DE TISSUS

Alépine	Batiste	Brocart
Alpaga	Beige	Brocatelle
Anacoste	Biset	Broché
Andrinople	Blanchet	Broderie
Armoise	Bombasin	Brunette
Barège	Bort	Burat
Basin	Boucassin	Buratin
Batik	Bouracan	Bure

Bureau	Homespun	Poil de chameau
Cachemire	Imprimé	Ponge
Cadis	Indémaillable	Popeline
Calicot	Indienne	Pou (ou poult) de soie
Calmande	Jaconas	Pourpre
Cambrai	Jersey	Prince-de-galles
Camelot	Lainage*	Prunelle
Cannelé	Lamé	Ras
Casimir	Lampas	Ratine
Castorine	Lassis	Rayonne
Catalogne	Lasting	Reps
Cellular	Levantine	Rosconne (vx)
Cheviotte	Linon	Rouennerie
Chintz	Lirette	Ruban
Circassien	Loden	Samit
Cloqué	Lustrine	Satin
Côtelé	Madapolam	Satinette
Cotonnade*	Madras	Sayette
Cotonne	Marceline	Serge
Cotonnette	Marègue	Sergette
Coutil	Marengo	Shetland
Crêpe	Masulipatam	Shirting
Crêpon	Matelassé	Siamoise (vx)
Cretonne	Mérinos	Sicilienne
Crinoline	Métis	Silésienne
Croisé	Mignonnette	Singalette
Damas	Mille-raies	Soierie*
Dentelle	Mohair	Stoff
Double face	Moire	Surah
Drap*	Molequin (vx)	Tabis
Droguet	Moleskine	Taffetas
Écarlate (vx)	Molleton	Tamise
Écossais	Moquette	Tarlatane
Escot	Mousseline	Tartan
Estamet	Nankin	Tennis
Étamine	Nansouk	Tergal
Faille	Napolitaine	Thibaude
Fibranne	Nubienne	Tiretaine (vx)
Fileté	Nylon	Tissu-éponge
Filoche	Organdi	Toile*
Filoselle	Orléans	Treillis
Finette	Ottoman	Tresse
Flanelle	Ouatine	Tricot
Foulard	Oxford	Triplure
Frise	Panne	Tulle
Futaine	Passement	Tussor
Gabardine	Patchwork	Tweed
Gaze	Pékin	Twill
Grain de poudre	Peluche	Velours
Granité	Percale	Veloutine
Grenadine	Percaline	Velvet
Grisette	Perse	Vichy
Gros (de Naples, de Tours)	Picote (vx)	Vigogne
Gros-grain	Pied-de-poule	Voile
Guinée	Pilou	Whipcord
Guipure	Piqué	Zéphyr
Hollande	Plumetis	Zéphyrine

Par métaphore (→ Broder, cit. 6; dénouer, cit. 18).

♦ **2.** (1636). Fig. (souv. péj.). TISSU DE... : suite ininterrompue (de choses regrettables ou désagréables). ⇒ **Enchaînement, enchevêtrement, mélange.** *Un tissu d'horreurs* (cit. 55; → Journal, cit. 10), *d'incohérences* (cit. 7), *d'intrigues* (cit. 10), *d'inepties* (→ Patauger, cit. 3). *Un tissu d'observations sensées, mêlées à d'autres fausses* (→ Inintelligence, cit. 1). *Un tissu d'événements chimériques* (→ 1. Roman, cit. 6), *de contradictions. Cette histoire n'est qu'un tissu de mensonges.*

2   Il lira seulement l'histoire de ma vie.
— Là, dans un long tissu de belles actions,
Il verra comme il faut dompter des nations.   CORNEILLE, le Cid, I, 3 (1636).

3   C'est une erreur de ce genre que nous commettons quand nous nous demandons comment de grands esprits ont pu accepter le tissu de puérilités et même d'absurdités qu'était leur religion.
              H. BERGSON, les Deux Sources de la morale et de la religion, p. 212.

4   Nous causions inlassablement, intarissablement; le texte des livres de Proust est ce qui me rappelle le mieux le tissu de nos causeries.
              GIDE, Si le grain ne meurt, I, X.

★ **II.** ♦ **1.** (1751, in *Encyclopédie*; *tissu cellulaire*, Tarin, d'après la *Physiologia* de Haller, 1744; *tissu muqueux*, Bordeu, 1767; noms et théorie générale des *tissus* chez Bichat, 1800; les emplois antérieurs — Furetière, Montesquieu [*l'Esprit des Lois*, XIV, II] — sont plutôt métaphoriques). Biol. Ensemble des cellules ayant une même morphologie et des potentialités identiques. ⇒ **Histochimie, histologie** (cit.; → Circulatoire, cit.; induction, cit. 9; organisme, cit. 3; osmose, cit. 1; oxygène, cit. 4; répondre, cit. 23; santé, cit. 1). *Tissus organiques. Tissus : épithélial* (épithélium de revêtement), *glandulaire* (épithélium glandulaire), *conjonctif* (adipeux, aponévrotique, cellulaire, élastique, fibreux, fibro-hyalin, lamelleux, lamineux, membraneux, muqueux, pigmentaire, réticulé, tendineux). *Tissus osseux** (compact : → Diaphyse, cit.; → réticulé, cit. 4; spongieux : → Diploé, cit. 2). *Tissu cartilagineux, musculaire, nerveux.* — Par ext. *Tissus sanguins* (⇒ **Sang,** cit. 2). — *Un même organe* comprend divers tissus. Tissu érectile, contractile. Formation, destruction des tissus.* ⇒ **Histogénie, histogénèse, histolyse.** *Calcification, carnification, induration, sclérose, ulcération, dégénérescence, régénération... d'un tissu* (→ Régressif, cit. 2). *Cautérisation* des tissus.*

5   Par l'association, dans un seul organe, de tissus restés sains à des tissus déjà altérés, et par la considération des organes différents affectés de maladies semblables en vertu de la lésion d'un tissu commun, l'analyse des principaux éléments anatomiques était ébauchée (...) Ce fut (...) l'innovation de Pinel sur les maladies propres aux diverses membranes muqueuses qui provoqua, dans le génie de Bichat,

le développement de cette grande conception (...) Il a pensé que, si les divers tissus d'un même organe peuvent être isolément malades (...) cela seul doit indiquer que, dans l'état sain, ils offrent des modes d'existence distincts dont la vie de l'organe est réellement composée.
      A. COMTE, Cours de philosophie positive (résumé par É. Rigolage), t. II, XIV.

6   (...) la «culture des tissus», grâce à quoi l'on fait vivre des cellules en dehors de l'organisme. Cette technique, directement dérivée de la technique bactériologique, est due aux efforts combinés de Harrison, Burrows et Carrel (1912). Ce dernier, notamment, a fait voir que des cellules placées dans du plasma sanguin de même espèce peuvent se multiplier indéfiniment pourvu qu'on leur fournisse un peu d'extrait d'embryon.
La technique de la culture des tissus (...) a permis de montrer que certaines cellules des animaux supérieurs sont potentiellement immortelles.
              Jean ROSTAND, Esquisse d'une histoire de la biologie, p. 233.

Bot. Ensemble de cellules de même forme et de même composition, jouant le même rôle. *La cellulose est le constituant fondamental des tissus végétaux. Tissus primaires* de l'épiderme* des tiges et des feuilles, de l'écorce et du cylindre central des jeunes tiges, des parenchymes* de la feuille. *Tissus secondaires* qui apparaissent chez les fougères arborescentes, les gymnospermes, les angiospermes : monocotylédones ligneuses et surtout dicotylédones. *Le tissu libérien* (⇒ **Liber**) *et le tissu ligneux* (⇒ **Bois**) *peuvent être primaires ou secondaires; le phelloderme* et le liège* sont des tissus secondaires. Tissus conducteurs et tissus de soutien* (⇒ **Parenchyme, sclérenchyme**). *Tissus lacuneux, palissadiques.*

♦ **2.** (V. 1965). Sociol. Ensemble d'éléments de mêmes fonctions, organisés en un tout homogène. *Tissu industriel. Le tissu urbain est de plus en plus dense dans le centre des villes. Le tissu social.* ⇒ **Structure.** « *Le tissu industriel français est fait (...) d'une multitude de P. M. E.* » (*le Point,* 28 août 1978, p. 26).

DÉR. (De I.) **Tissutier.** — (De II.) **Tissulaire, tissuthérapie.**
COMP. **Tissu-éponge** (voir ci-dessus), **tissu-feutre.**

TISSU-ÉPONGE [tisyepɔ̃ʒ] n. m. ⇒ 2. **Tissu.**

TISSU-FEUTRE [tisyføtR] n. m. — Mil. xxᵉ; de 2. *tissu,* et *feutre.*

♦ Techn. Composition de pâte à papier et de caoutchouc, mêlée de farines végétales ou animales, formant des revêtements muraux. *Des tissus-feutres.*

TISSULAIRE [tisylɛR] adj. — 1842; de 2. *tissu.*

♦ Sc. nat. Relatif aux tissus (II., 1.). *Systèmes tissulaires.*

TISSURE [tisyR] n. f. — 1501; *tisseüre,* fin xiiiᵉ; de *tisser.*
Vieilli.

♦ **1.** Manière dont un textile est tissé; tissage considéré dans sa manière, son résultat. ⇒ **Croisure.** *Tissure serrée, lâche.*

♦ **2.** Fig., vx. Texture. Fig. ⇒ **Agencement, contexture, disposition, mélange.** *La tissure d'une œuvre d'art.*

TISSUTERIE [tisytRi] n. f. — 1679; de *tissutier.*

♦ Vx. Technique du tissutier.

TISSUTHÉRAPIE [tisyteRapi] n. f. — 1953; de 2. *tissu* (II., 1.), et *-thérapie.*

♦ Chir. Méthode permettant d'implanter des tissus sous la peau.

TISSUTIER [tisytje] n. m. — 1403, *in* Savary (xviiiᵉ), puis 1483; de 2. *tissu,* n. m.

♦ Techn. Artisan faisant des tissus légers pour la passementerie, la rubanerie.

TISTRE [tistR] v. tr. — V. 1130; du lat. *texere.*

♦ Vx. Ancienne forme du verbe *tisser*.*

TITAN [titɑ̃] n. m. et adj. — 1842; xivᵉ comme nom propre; lat. *Titan,* mot grec, nom des enfants d'Ouranos (le Ciel) et de Gaia (la Terre), dont l'aîné était Titan et le dernier Kronos (Saturne), et qui furent vaincus par Zeus, après avoir essayé, avec l'aide des Géants, d'escalader le ciel en entassant Ossa sur Pélion (→ Retourner, cit. 24); par ext., nom de leurs descendants.

★ **I.** N. m. ♦ **1.** Littér. Géant (personne, animal, végétal). ⇒ aussi **Cyclope.** — (1831, Hugo). Fig. Personnage d'une immense importance. *Une œuvre, un travail de titan.* ⇒ **Gigantesque.**

Ce Titan de l'Art *(Michel-Ange)* avait entassé le Panthéon sur le Parthénon, et fait Saint-Pierre de Rome.   HUGO, Notre-Dame de Paris, I, V, II.

♦ **2.** (1904). Zool. Coléoptère de très grande taille.

♦ **3.** Techn. Très puissant engin de levage et de manutention.

★ **II.** Adj. (Av. 1874, Michelet). De titan. *« Les déménageurs, race titane... »* (Audiberti, *in* G. L. L. F.).

DÉR. Titanesque, 1. titanique, titanisme.

TITANATE [titanat] n. m. — 1836 ; de *titane*.

♦ Chim. Composé oxygéné du titane et d'un métal. *Titanate de baryum,* employé dans la fabrication des redresseurs* de courant.

TITANE [titan] n. m. — 1803 ; lat. mod. *titanium,* 1795, Klaproth ; de *Titan,* d'après *uranium.*

♦ Chim. Élément (masse at. 47,90 ; n° at. 22 ; symb. *Ti*) ; métal blanc brillant (dens. 4,5 ; température de fusion 1 675 °C), qui se rencontre dans la plupart des roches ignées ou sédimentaires et dont les principaux minerais sont le *rutile** et l'*ilménite* (titanate de fer). *Le titane est employé en métallurgie pour accroître la résistance mécanique des aciers. L'oxyde de titane est utilisé en peinture comme pigment (blanc de titane).*

DÉR. Titanate, titané, 2. titanique, titanisation, titaniser, titanite.

COMP. Titanifère, titanomagnétite, titanyle.

TITANÉ, ÉE [titane] adj. — 1842 ; de *titane.*

♦ Chim. Qui renferme du titane*. — REM. On trouve aussi *titanifère* (1842).

TITANESQUE [titanɛsk] adj. — 1842, Nerval, *in* D. D. L. ; de *Titan,* et suff. *-esque.*

♦ Digne d'un Titan. ⇒ **Colossal, démesuré, gigantesque.** *Une taille titanesque. Un orgueil titanesque. Une entreprise titanesque.* *« Cette œuvre titanesque témoigne hautement de la puissance de notre industrie métallurgique »* (*Année sc. et industr.,* 1868, p. 8.).

REM. Alors que *titanique,* plus littéraire, évoque les Titans de la mythologie, *titanesque* est seul utilisé en emploi figuré, sans allusion à la mythologie ; cependant on dira aussi : *un combat titanesque.*

TITANIFÈRE [titanifɛʀ] adj. ⇒ **Titané.**

1. TITANIQUE [titanik] adj. — XVIᵉ, Rabelais ; de *Titan.*

♦ Littér. Digne des Titans ; de Titan.

1 (...) quand la nature improvisa sa prodigieuse épopée géologique, quand la masse embrasée du globe souleva l'axe des Pyrénées, quand les monts se fendirent, et que la terre, dans la torture d'un titanique enfantement, poussa contre le ciel la noire et chauve *Maladetta.*   MICHELET, Hist. de France, III.

2 Et en effet ils ne venaient pas seulement de lieux qui nous semblaient irréels parce que nous n'en avions entendu parler que par les journaux et que nous ne pouvions nous figurer qu'on eût pris part à ces combats titaniques et revenir avec seulement une contusion à l'épaule (...)
PROUST, le Temps retrouvé, Pl., t. III, p. 757.

3 Comme il *(Rubens)* a su dominer sa nature titanique.
Suzanne LILAR, le Couple, *in* Littérature de langue franç. hors de France, p. 290.

2. TITANIQUE [titanik] adj. — 1836 ; de *titane.*

♦ Chim. Se dit des oxydes et acides dérivés du titane*.

TITANISATION [titanizɑsjɔ̃] n. f. — Mil. XXᵉ (*in* Larousse, 1975) ; de *titaniser,* de *titane.*

♦ Chim. Action du titane sur la surface d'un objet ; traitement au titane.

TITANISER [titanize] adj. — Mil. XXᵉ ; de *titane,* et *-iser.*

♦ Chim. Faire subir la titanisation à. — Au p. p. *Verre titanisé.*

TITANISME [titanism] n. m. — Déb. XVIIIᵉ, Saint-Simon ; de *Titan.*

♦ Littér., rare. Démesure, grandeur des Titans, titanesque.

TITANITE [titanit] n. f. — 1836 ; n. m., 1803 ; de *titane.*

♦ **1.** Minéralogie. Silicate naturel de titane et de calcium.

♦ **2.** Chim. Sel complexe de titane.

TITANO- Élément tiré de *titane* entrant dans la composition de termes de chimie.

TITANOMAGNÉTITE [titanomaɲetit] n. f. — 1968 ; de *titano-,* et *magnétite.*

♦ Chim. Magnétite riche en titane.

TITANYLE [titanil] n. m. — Mil. XXᵉ ; de *titan(e),* et *-yle.*

♦ Chim. Radical bivalent du titane.

TITI [titi] n. m. — 1830 ; mot pop. de formation enfantine.

♦ Gamin* de Paris déluré et malicieux. ⇒ **Gavroche.** *Blague, plaisanterie d'un titi. Un accent de titi parisien.*

Alors il y a un titi qui s'est écrié : (...) En v'là une blague ! (...)   1
Ch. PAUL DE KOCK, la Grande Ville, t. I, p. 369 (1842).

(...) une petite créature fluette, vive, sautillante, blagueuse et pleine de drôlerie,   2
de cette drôlerie qui tient lieu d'esprit aux titis mâles et femelles éclos sur le pavé
de Paris.   MAUPASSANT, l'Inutile Beauté, « Mouche », Pl., t. II, p. 1171.

TITIANESQUE [tisjanɛsk] adj. — V. 1830, Sand, Balzac, *in* P. Larousse, 1874 ; du *Titien,* peintre italien, 1490-1576.

♦ Relatif à l'art du Titien, qui rappelle la manière du Titien.

(...) l'harmonie titianesque, une technique personnelle, où le pointillé joue un rôle
de plus en plus important.   Jean LARAN, les Estampes, p. 37.

TITILLANT, ANTE [titijɑ̃, ɑ̃t] adj. — 1812 ; « qui éprouve une démangeaison », 1798 ; de *titiller.*

♦ **1.** Qui chatouille légèrement. Irritant. *Une petite douleur titillante.*

♦ **2.** Fig. Excitant.

(...) tous les organes relâchés, fatigués, les nerfs détendus, les titillantes envies de
pleurer, l'impossibilité de s'appliquer à un travail suivi, vous enseignent cruellement que vous avez joué un jeu défendu.
BAUDELAIRE, les Paradis artificiels, « Le poème du haschisch », v.

TITILLATION [titijɑsjɔ̃] n. f. — V. 1495 ; lat. *titillatio,* de *titillare.* → Titiller.

♦ **1.** Littér. Action de titiller, état et sensation qu'elle provoque. ⇒ **Chatouillement ; caresse** (→ Jouissance, cit. 1). — Fig. (→ ci-dessous, cit. 1).

Mais, le moral à part, si tu te représentais quelles sont les sensations physiques de   1
ce divin goût, il est impossible d'y tenir, c'est un chatouillement si vif, des titillations de volupté si piquantes... on perd l'esprit... on déraisonne (...)
SADE, Justine..., t. I, p. 76.

Les tourbillons sont partout, et j'en suis un aussi. Le chaud, le froid. Mal. Les   2
picotements, les titillations. La langue s'enroule dans ma bouche, les souffles passent faiblement.   J.-M. G. LE CLÉZIO, la Fièvre, p. 105.

♦ **2.** (1834, cit.). Fig. Action ou effet de ce qui excite agréablement et légèrement.

Cette âme, fière et dure, était plus sensible aux titillations de la haine qu'elle ne   3
l'avait été naguère aux caresses de l'amour.
BALZAC, la Duchesse de Langeais, Pl., t. V, p. 205.

TITILLER [titije] v. tr. — 1560 ; *tetiller,* 1190 ; rare av. fin XVIIIᵉ ; lat. *titillare.*

♦ **1.** Littér. ou par plais. Chatouiller* de manière à provoquer une démangeaison légère et agréable.

(...) Pierrot, l'œil allumé par la convoitise, les doigts titillés par d'irrésistibles
envies ; et en disant cela, il allonge et retire les mains à plusieurs reprises.
Th. GAUTIER, Souvenirs de théâtre, « Shakespeare aux Funambules ».

♦ **2.** Exciter légèrement, en général de manière agréable.

DÉR. Titillant.
COMP. Titillomanie.

TITILLOMANIE [titijɔmani] n. f. — XXᵉ ; de *titiller, -o-,* et *-manie.*

♦ Méd. Tendance irrésistible à se gratter.

TITISME [titism] n. m. — V. 1960 ; du nom de *Tito,* homme politique yougoslave.

♦ Doctrine politique du régime de Tito en Yougoslavie ; socialisme neutraliste, autogestionnaire.

Ils inquiétaient Salan. Demain ils inquiéteront encore plus de Gaulle, mais s'ils
l'emportent, ils ne peuvent que déboucher sur un titisme ou quelque déviation du
communisme.   Jean LARTÉGUY, les Prétoriens, p. 612.

TITISTE [titist] adj. et n. — V. 1960 ; de *Tito.*

♦ Partisan de Tito, du titisme. — N. *Les titistes.* — (Choses). Conforme aux principes du titisme.

TITRABLE [titʀabl] adj. — xxᵉ ; de *titrer*.

♦ Chim. Qui peut être titré. *Acidité titrable* : acidité du lait, «exprimée en France en décigrammes d'acide lactique par litre (degré Dornic)» (A. Eck, *le Lait et l'Industrie laitière*, 1962, p. 20).

TITRAGE [titʀaʒ] n. m. — 1841, sens 2 ; de *titrer*.

♦ **1.** (1866). Chim. Opération par laquelle on procède au dosage volumétrique des solutions. *Titrage des alcools*.

♦ **2.** Techn. Indication de grosseur (des fils textiles).

♦ **3.** (1925). Opération qui a pour objet de titrer* (un film).
COMP. Sous-titrage.

TITRATEUR [titʀatœʀ] n. m. — 1974, in *la Clé des mots* ; dér. sav. de *titrer*.

♦ Sc., techn. Appareil servant à effectuer le titrage d'une solution.

TITRE [titʀ] n. m. — Fin xiiᵉ ; *title*, v. 1170, au sens IV ; xiiiᵉ au sens I, 2 ; du lat. *titulus* «inscription, titre d'honneur», «titre d'un livre» ; et aussi «écriteau, affiche», «honneur».

★ **I.** ♦ **1.** (Fin xvᵉ). Désignation honorifique exprimant une distinction de rang, une dignité. ⇒ **Dignité**. *Le titre sacré d'Auguste* (cit. 1), *de César. Titres prestigieux* (→ Empire, cit. 14). *Les grands titres que vous portez* (→ Affabilité, cit. 2). *Porter, prendre le titre de...* (→ Prince, cit. 5). *Conférer, donner un titre*. ⇒ **Titrer**. *Les noms et titres du défunt* (→ Inscription, cit. 1). — *Titres de noblesse* (cit. 16) ; *titres nobiliaires*. ⇒ **Noble, noblesse ; baron, chevalier, comte, duc, prince, vicomte ; baronnet, burgrave, connétable, lord, magnat, pair... *Le titre d'écuyer* (cit. 2). *Titres de noblesse et titres de fonctions* (→ Fonctionnaire, cit. 3). *Nom* de terre attaché à la possession d'un titre. S'acheter un titre* (→ Comte, cit. 3). ⇒ **Anoblir**. *Titre ancien, récent ; douteux, contesté, usurpé* (→ Noblesse, cit. 14 et 15). *Être fier de son titre*. ⇒ **Blason**.
— *Titres de souverains, de hauts fonctionnaires qui gouvernent.* ⇒ **Aga, archonte, bach-aga, bey, caïd, calife, cheik, chérif, consul, dame, dey, doge, éfendi, émir** (cit. 1), **empereur, exarque, gouverneur, hospodar, imam, inca, khan, khédive, maharadja, margrave, mikado, nabab, négus, pacha, patrice, pharaon, président, prince, rajah, régent, résident, rhingrave, roi, schah, shogoun, stathouder, sultan, tétrarque, tsar, vali, vizir, voïvode...** *Titres de membres d'une famille royale.* ⇒ **Dauphin, diadoque, infant, kronprinz, prince, tsarevitch ; reine** (mère), **madame** (I., 1.), **mademoiselle** (I., 1.), **monsieur** (I., 1., spécial). *Titres ecclésiastiques*. ⇒ **Archidiacre, archiprêtre, aumônier** (grand aumônier), **doyen, gonfalonier, métropolite, patriarche...** — *Titres militaires. Grades* et titres. Le titre de maréchal, de grand amiral.* — ⇒ aussi les noms de dignités commençant par **Archi-, grand-, vice-**.

0.1 (...) des Comtes, des Ducs, et des Marquis sont les pères de celles de vingt-trois, de celles de douze, de celles de trente-deux ; pas une enfin qui ne puisse réclamer les plus beaux titres, et pas une qui ne soit traitée avec la dernière ignominie.
SADE, *Justine,...,* p. 172.

1 Comme tu es bien ainsi ! tu as l'air d'un vrai gentleman. Il ne te manque qu'un titre ! ajouta-t-il, avec une nuance de regret.
PROUST, *Du côté de chez Swann*, Pl., t. I, p. 246.

Appellation d'une personne qui a un titre, ou à qui l'on veut marquer du respect en ne la vouvoyant pas. ⇒ **Altesse, béatitude, cavalier, dom, don, éminence, éminentissime, esquire, excellence, excellentissime, frère, grâce, grandeur, hautesse, honneur, honorable, illustrissime, madame, mademoiselle, maître, majesté, messire, milady, milord, monseigneur, monsieur, monsignor, père, révérence, révérend, révérendissime, sainteté, seigneur, seigneurie, sérénissime, sidi, sieur, sir, sire, vénérable...

♦ **2.** (xiiiᵉ). Nom de charge, de fonction, de grade. *Le titre de directeur* (→ Dénomination, cit. 2), *de président, de maire* (cit. 1), *de député, de ministre* (→ Portefeuille, cit. 31), *d'échevin, de coadjuteur, de magistrat, de notaire..., de docteur, de professeur, de recteur, de conservateur de musée. Conférer un titre*. ⇒ **Introniser, nommer**. *Le titre de secrétaire général* (1. Général, cit. 23). *Candidat à un titre. Titres universitaires*. Diplôme* qui atteste un titre. Titre qui survit à une fonction.* ⇒ **Honoraire**. *Donner ses titres à qqn, l'appeler* par ses titres* (→ Palotin, cit.) *en lui parlant, en lui écrivant* (ex. : Monsieur le président, madame la directrice...). — *Recrutement sur titres*, fondé seulement sur le titre.

2 Les anciennes formules de politesse qui sont encore en vigueur dans presque toute l'Allemagne s'opposent à l'aisance et à la familiarité de la conversation ; le titre le plus mince, et pourtant le plus long à prononcer, y est donné et répété vingt fois dans le même repas (...) Mᵐᵉ DE STAËL, *De l'Allemagne*, I, XI.

3 — Monsieur le commissaire, dis-je alors (parce qu'il faut toujours donner leurs titres aux personnes), j'ai fait trois voyages en Angleterre, et l'on ne m'a jamais demandé de passeport (...) NERVAL, *les Filles du feu*, « Angélique », v.

(1690). EN TITRE : qui a effectivement le titre de la fonction qu'il exerce (opposé à *auxiliaire, suppléant*, etc.). *Professeur en titre*. ⇒ **Titulaire**. — Par ext. Qui est reconnu pour tel à l'exclusion d'autres ayant le même emploi (opposé à *occasionnel*, etc.). *Four-*

nisseur en titre d'une maison. ⇒ **Attitré**. *Le fou* (1. Fou, cit. 11) *en titre du roi. La maîtresse en titre de Bonaparte* (→ 2. Général, cit. 11 ; et aussi patriarche, cit. 3).

4 Pourtant on ne lui connaissait pas de maîtresse en titre, et il se montrait peu galant envers les femmes. Th. GAUTIER, *la Toison d'or*, I, *in Fortunio...*, p. 176.

♦ **3.** (1886, cyclisme). Sports. Qualité de gagnant, de champion dans une compétition. *Disputer, remporter un titre dans un championnat* (jeux, sports). ⇒ **Champion**. *Tenir, détenir le titre ; défendre son titre. Match qui met un titre en jeu. Concourir pour le titre.*

5 — Depuis combien de temps êtes-vous professionnel, Jack ?
— Depuis trois ans. Après avoir battu Tony Daniels, alors tenant du titre.
Paul MORAND, *Champions du monde*, p. 101.

♦ **4.** (Mil. xviᵉ). Littér. LE TITRE DE... Nom qui qualifie. ⇒ **Nom ; caractère, qualification**. *Le titre d'époux, d'héritier* (→ Enfant, cit. 23). *Le titre d'allié des Romains* (→ Bassesse, cit. 27), *de citoyen américain* (→ Réserve, cit. 18). *Mériter le titre de bienfaiteur* (cit. 8) *de la patrie. Donner le titre de...* ⇒ **Appeler, titrer** (vx). *S'attribuer le titre de...* ⇒ **Intituler** (s').

6 Quelques titres honteux qu'en tous lieux on lui donne,
Son misérable honneur ne voit pour lui personne (...)
MOLIÈRE, *le Misanthrope*, I, 1.

7 J'ai donc refusé la précieuse amitié et m'en suis tenu à mon titre d'Amant.
LACLOS, *les Liaisons dangereuses*, LXX.

8 (...) j'achevai le reste de mes études à Charlemagne, en qualité d'*externe libre*, titre dont j'étais extrêmement fier (...)
Th. GAUTIER, *Portraits contemporains*, « Gautier ».

Titres cardinalices : désignation des cardinaux par le nom de leur église. ⇒ **Cardinal** (II., 1.). *Cardinal du titre de Saint-Pierre-aux-Liens*.

(Des choses ; emploi abusif). *Le titre d'école libérale* (cit. 10).

♦ **5.** Loc. prép. (xviiᵉ). À TITRE, À TITRE DE : en tant* que, comme ; en ayant la qualité de. (Personnes). *À titre de chef du culte domestique...* (→ Autorité, cit. 16). *Je suis ici à titre d'ami* (→ Notarié, cit. 4). — (Choses). *Argent remis à titre d'indemnité* (cit. 3 ; → Improductif, cit. 1 ; plaidoirie, cit. 2). *Dignité accordée à titre de consolation* (→ Archichancelier, cit.). *À titre d'essai* (→ Provisoire, cit. 2), *de curiosité, d'exemple* (→ 2. Que, cit. 39).

9 À dix-huit ans (...) il entra chez un marchand de toile, à titre de commis, il gagnait soixante francs par mois. ZOLA, *Thérèse Raquin*, II.

10 (...) ne fallait-il pas admettre qu'il y a une loi morale collective, et qu'il est presque impossible à l'homme d'agir uniquement à titre d'individu ?
MARTIN DU GARD, *les Thibault*, t. III, p. 219.

À ce titre : pour cette qualité, cette raison (le titre donnant un droit). *À ce titre il fait partie de l'antichambre du pape* (→ Prélat, cit.).
(V. 1360). À QUEL TITRE ? (→ Assassiner, cit. 2). *À quel titre se permet-il de nous juger, de quel droit*. — (Choses). → Excentrique, cit. 2.

AU MÊME TITRE : de la même manière. *Une hypothèse, un postulat* (cit. 2) *sont au même titre des principes du raisonnement*. — *Au même titre que* (loc. conj.) : de la même manière que, de même* que. *Le mouvement* (cit. 4), *état naturel des corps au même titre que le repos* (→ aussi 1. Glacier, cit. 1 ; partie, cit. 11).

11 Haverkamp ne se faisait pas d'illusions sur la médiocrité de cette comédie. Mais il la croyait nécessaire pour les débuts, au même titre qu'une publicité de lancement. J. ROMAINS, *les Hommes de bonne volonté*, t. V, VI, p. 47.

À TITRE (suivi d'un adj. à valeur de compl. de manière). *Mon compatriote à double titre, puisqu'il est breton et malouin* (→ Entremêler, cit. 1). *À des titres divers* (→ Exempt, cit. 16). *À plus d'un titre. Participer à titre égal à la délibération des lois* (→ Démocratie, cit. 4). — (Choses). *Ce groupement ne saurait à aucun titre avoir une valeur...* (→ Invertébré, cit.). — *Cette obligation pèse à titre principal sur le mari* (cit. 2). *À titre temporaire, exceptionnel, personnel. À titre officiel* (→ Entente, cit. 3), *officieux. À titre amical* (→ Qui, cit. 42).
Dr. *À titre étranger. Légion d'honneur remise à un Anglais, à titre étranger*.

REM. La forme *à titre de...* se retrouve au sens II, 2.

★ **II.** (Cause qui établit un droit). ♦ **1.** Écrit qui établit le droit à un titre (au sens I, 1) de noblesse, à une dignité, à une fonction. *Titre de noblesse*. ⇒ **Brevet, parchemin**. *Titre qui confère un grade.* ⇒ **Commission, diplôme, patente**.

(1283, « acte juridique »). Dr. et cour. « Écrit qui constate un acte juridique ou un acte matériel pouvant produire des effets juridiques » (Capitant). ⇒ **Acte, certificat, document, instrument, papier, pièce**. *Authenticité d'un titre, titre authentique. Droit de titre. Titre primordial ; titre nouvel* (par novation*). *Titre exécutoire ; titre paré. Archiviste des titres, dans un monastère*. — *Titres de propriété* (→ Flambant, cit. 17). ⇒ aussi **Cartulaire, charte**. *En fait de meubles, possession* (cit. 2) *vaut titre. Juste titre* : titre translatif de propriété dont le titulaire ignore les vices. — Législ. fin. *Titres de mouvement* (de produits soumis à des droits : douane, contributions indirectes) ⇒ **Receveur**, cit. 1. *Titres de transport.* ⇒ **Billet, carte, ticket**. *Titre combiné*, permettant d'emprunter des lignes de nature différente. *Titres-restaurant.* ⇒ **Ticket** (restaurant) plus cour. — *Titres de crédit* (cit. 17), *de créance*. ⇒ **Billet, effet, warrant**.

(1853, Proudhon ; *titre de monnaie,* mil. XVIᵉ). Certificat représentatif d'une valeur de bourse* (action, obligation*, part de fondateur). *Titre de rente*.* ⇒ **Valeur.** *Titre nominatif, à ordre.* — (1872). *Titre au porteur* (→ 1. Don, cit. 2). *Coupon** (cit. 1) *d'un titre. La propriété des titres* (→ Expliquer, cit. 19). *Vendre des titres* (→ Exécution, cit. 17).

12 Évidemment, le vieux avait des titres cachés, dont il touchait les coupons, chaque trimestre, en profitant de sa visite à M. Baillehache.   ZOLA, la Terre, IV, II.

♦ **2.** Loc. **À TITRE** (et adj.). **ⓐ** Modalité d'un droit, manière d'aliéner et d'acquérir. *Acquérir à titre universel* (succession), *à titre particulier* (achat, etc.). *Legs* (cit. 2) *à titre universel. Acquérir à titre gracieux, gratuit, lucratif* (don), *ou onéreux* (paiement). → Concours, cit. 10. *Contrat** (cit. 1) *à titre gratuit. Tout ce qu'il reçoit et paie à quelque titre que ce soit* (→ Journal, cit. 1). *À titre révocable* (→ Bénéfice, cit. 6) ; *non précaire* (→ Possessoire, cit. 2). *Chose remise à titre de louage, de prêt à usage* (→ Détourner, cit. 22).

13 *(Le titre)* désigne ici un *acte juridique* (...) Comme exemples on peut citer la *vente,* la *donation,* le *legs,* l'*échange ;* ces actes sont des titres *translatifs,* parce qu'ils sont des manières d'aliéner et d'acquérir.
     M. PLANIOL, Traité élémentaire de droit civil, t. I, § 2291.

ⓑ (Fin XVᵉ). Loc. fig. *À juste titre :* à bon droit*, avec fondement, avec raison. C'est à juste titre qu'on l'appelle ainsi* (→ Identité, cit. 18). → Être fondé* à... — (V. 1460). Vx.*À bon titre,* même sens (→ Maître, cit. 81). — Vx.*À faux titres :* sans y avoir droit (→ État, cit. 56).

14 Instruit dès l'école dans les préjugés qui devront guider sa vie, il *(l'Anglais)* considère, à juste titre, le jeu des idées comme une acrobatie spirituelle.
     A. MAUROIS, les Discours du Dr O'Grady, XXI.

♦ **3.** Littér. Qualité ou service qui donne droit* à qqch. *Amoureux, poète et musicien sont trois titres d'indulgence* (cit. 4). *Les titres qui le désignent à la faveur de qqn* (→ Arguer, cit. 2). *Ces soins* (cit. 4) *seront mes titres auprès d'elle. « La République* (cit. 11) *a un titre à mes yeux... ».* ⇒ **Vertu.** *Avoir des titres à la reconnaissance de qqn.*

15 (...) acquérir de nouveaux pouvoirs, ou même des titres à la considération publique.   G. DUHAMEL, Inventaire de l'abîme, XI.

(Choses). → Neutron, cit. 3.

★ **III.** (Désignation d'une proportion). ♦ **1.** (1543). Proportion d'or ou d'argent contenue dans un alliage. ⇒ **Aloi** (vx), **loi.** *Lingot d'un certain titre* (→ Monnaie, cit. 3). *Titre d'une monnaie. Pièces de monnaie de même poids et de même titre* (→ Fongible, cit. 1). *Reconnaître le titre par la pierre de touche.* ⇒ **Touchau.** *Poinçon* qui contrôle le titre d'une pièce d'orfèvrerie, d'un bijou.* **AU TITRE :** au titre légal. *Or au titre.*

♦ **2.** (Mil. XIXᵉ). Chim. Rapport de la masse d'une substance dissoute à la masse ou au volume de solvant ou de solution. ⇒ **Degré, titrage.** — Agron. Proportion de principes fertilisants d'un engrais.

16 Il serait dans sa main une grosse fiole, pleine d'une solution de salicylate de soude dont il venait de modifier le titre avec soin, selon des indications fournies par des épreuves précédentes.   J. ROMAINS, les Hommes de bonne volonté, t. XII, XVIII, p. 193.

♦ **3.** (1872). Techn. (filature). Grosseur (rapport masse-longueur) d'un fil exprimée par un numéro.

♦ **4.** (Mil. XXᵉ). Sc. *Titre pondéral, titre volumique.*

★ **IV.** (Désignation d'un sujet). ♦ **1.** (V. 1200, *title*). Désignation du sujet traité dans un livre ; nom donné à une œuvre littéraire par son auteur (qui évoque plus ou moins clairement son contenu). *Ouvrage qui paraît sous le titre de...* (→ 3. Plan, cit. 9). *« Nous rassemblons sous le titre : Histoires* (cit. 42) *extraordinaires, divers contes (...) de Poe ». Choisir comme titre* (→ 2. Micro-, cit. 3). *Justifier un titre* (→ Intérieur, cit. 3). *Un titre vrai* (→ Mélange, cit. 15). *Un titre obscur, symbolique ; qui pique la curiosité* (→ Rouge, cit. 19). *Pièce qui a un titre impossible* (cit. 19). *Deuxième titre d'un ouvrage.* ⇒ **Sous-titre.** — *Ouvrages classés par titres, par auteurs.*

17 Les titres des livres sont souvent d'effrontés imposteurs. Qui n'a eu à maudire leurs mensongères annonces, et cet art de bateleur qui promet, pour ainsi dire, sur l'enseigne d'un ouvrage ce que l'on ne trouvera pas dedans.
     BALZAC, « Appendices », V, XXXII, *in* Œ. diverses, t. I, p. 638.

18 (...) nous ne commettons pas l'erreur des romanciers, qui se croient tenus, quand ils ont leur titre, d'écrire en supplément le roman lui-même.
     J. GIRAUDOUX, la Folle de Chaillot, I, p. 19.

18.1 (...) le titre *(d'une œuvre)* est une sorte de slip, de cache-sexe, de dignité (...)
     R. QUENEAU, Bâtons, chiffres et lettres, p. 129.

(1853). Par métonymie. Un ouvrage particulier. *Les dix meilleurs titres de l'année.*

Imprim. et reliure. *Page de titre,* qui porte le titre entier, le sous-titre, le nom de l'auteur, etc. Par métonymie. *Le titre :* cette page elle-même. — (1835). *Faux titre :* titre simple sur la page précédant la page de titre. — (1802). *Titre courant :* titre imprimé en bas ou en haut de chaque page. *Titres et intertitres.* ⇒ **Sous-titre.** *Grand titre d'un ouvrage.* ⇒ **Frontispice.** *Titre d'une reliure, gravé au dos d'un livre.*

♦ **2.** Nom d'un poème, placé en tête de la pièce (→ Imputer, cit. 17).

19 Vous avez remarqué. On ne sait jamais les titres de Victor Hugo. Sauf pour l'*Expiation.* Le mouvement est tel que c'est toujours le premier vers, ou les vers conducteurs, qui mangent le titre.
     Ch. PÉGUY, Victor-Marie, comte Hugo, p. 63.

Par ext. Nom (d'une chanson ; d'un film, d'une émission radiophonique, télévisée). *Titre et générique.*

(XIXᵉ). Nom (d'une œuvre musicale ou picturale) donné par l'auteur lui-même ou par la postérité. *Rôle-titre :* rôle du personnage dont l'œuvre porte le nom (spécialt au théâtre lyrique).

♦ **3.** Expression, phrase (souvent elliptique) qui présente et organise le contenu d'un journal, d'un périodique, et est souvent chargée d'attirer l'attention. ⇒ **Rubrique** (→ Information, cit. 3). *Un gros titre. Titre sur cinq colonnes.* ⇒ **Manchette** — *Titres, sous-titres et intertitres,* opposés à *textes* (en argot d'imprimeur, de journaliste : la *titraille*). *Appel de titre,* surmontant le titre principal. — *Cette nouvelle fera les gros titres dans les journaux.*

19.1 Vous avez vu ça, dans l'Écho littéraire d'aujourd'hui ? C'est inouï... en première page, en gros titre...   N. SARRAUTE, le Planétarium, p. 188.

19.2 (...) le même gros titre s'étendant au haut et sur toute la largeur de la première page et répétant avec de légères variantes la même sanglante interrogation, épelant cette fois et à l'envers sur la première feuille (...)
     Claude SIMON, le Palace, p. 23.

19.3 Les *titres* sont, pour le maquettiste, plus importants que les textes. Ce sont eux, en effet, qui attireront l'attention du lecteur sur telle ou telle information. Ils occupent une place de plus en plus importante, au bénéfice, à la fois, de la commodité de lecture et de l'esthétique. Au moment de faire la maquette, il faut donc réserver à chaque information l'emplacement nécessaire pour le titre principal et ses annexes, en fonction de l'importance de la nouvelle, du nombre de ses éléments que l'on veut mettre en vedette, et du souci que l'on a d'« accrocher » le lecteur.
     Philippe GAILLARD, Technique du journalisme, p. 110.

(Dans un prospectus, sur une affiche...) :

20 Sur la table (...) il y avait un tas de journaux dépliés, une affiche avec un gros titre : CANAILLES ! (...)   ARAGON, les Beaux Quartiers, I, XXI.

♦ **4.** Désignation, en tête d'un chapitre, d'une division d'un livre (→ Sommaire, cit. 4). — Dr. Subdivision du livre dans un recueil juridique, portant souvent un chiffre romain. *Divisions du Digeste* (1. Digeste, cit.) *en livres, titres et fragments* (ou *lois*). *Livres, titres, chapitres, sections et articles des codes français* (→ aussi Astreindre, cit. 4).

21 Je suis au titre XIV du IIᵉ livre des *Institutes* et j'ai encore tout le Code civil dont je ne sais pas un article.   FLAUBERT, Correspondance, 59, 21 mai 1842.

★ **V.** Techn. Signe d'abréviation. Petit trait horizontal au-dessus d'un mot écrit en abrégé (→ Tilde, même étym.).

DÉR. Titrer, titrier.
COMP. Banc-titre (V. Banc, II., 3.), **intertitre, sous-titre.**

TITRER [titʀe] v. tr. — XIIIᵉ, *titler,* au sens 4 ; repris XIXᵉ ; n'apparaît à l'actif dans les dict. qu'en 1798 (Académie) ; de *titre.*

★ **I.** ♦ **1.** Vx. Qualifier d'un titre (I., 1.) ; et, par ext., de tout autre nom.

♦ **2.** (V. 1589). Conférer un titre de noblesse à... (→ ci-dessous, Titré). Pron. (1660 ; *se tiltrer,* v. 1450). *« Une gueuse... qui... se titrera marquise »* (Th. Corneille, *in* Littré).

♦ **3.** (Repris XIXᵉ, Maupassant). Donner un titre (IV., 3.) à... ⇒ **Intituler.** *Titrer une collection* (→ Populaire, cit. 6). — Journal. *Titrer sur cinq colonnes.* — *Titrer un film :* y joindre les textes de présentation des séquences (titres, sous-titres, intertitres...) dans les films muets, les versions post-synchronisées, etc.

1 Que de fois j'ai eu envie d'écrire un petit livre, titré « Sur la Seine », pour raconter cette vie de force et d'insouciance, de gaieté et de pauvreté, de fête robuste et tapageuse que j'ai menée de vingt à trente ans.
     MAUPASSANT, l'Inutile Beauté, « Mouche ».

★ **II.** (1872, Littré). Déterminer le titre (III.), la proportion de. *Titrer un alliage. Titrer une solution, une liqueur.* — (1875). Sujet n. de chose. Avoir (tant de degrés) pour titre. *Les liqueurs* (cit. 3) *doivent titrer 15 degrés minimum.*

▶ **TITRÉ, ÉE** p. p. adj.

♦ **1.** (1688). Qui porte un titre de dignité, de noblesse. « On ne le dit guère que des Ducs, Comtes et Marquis » (Furetière, 1690). *Gens* (1. Gens, cit. 17) *titrés* (→ Occasion, cit. 9) ; *les femmes les plus titrées de France* (→ Snobisme, cit. 1).

2 (...) et M. de Chevreuse, qu'on appellera M. de Luynes, a donné le duché de Chevreuse à son fils, qu'on appellera le duc de Montfort. Votre fils a des camarades bien titrés.
     Mᵐᵉ DE SÉVIGNÉ, Lettre à Mᵐᵉ de Grignan, 31 déc. 1688, *in* D.D.L. II, 10.

Vx. (Choses). *Terre titrée,* à laquelle est attaché un titre. *Port d'un nom de terre non titrée* (→ Noblesse, cit. 16).

♦ **2.** (1872). Chim. *Liqueur titrée,* dont le titre est parfaitement déterminé, utilisée pour cette raison comme réactif.

DÉR. Titrable, titrage, titreur, titreuse.
COMP. Attitré, sous-titrer, titrimétrie.

TITREUR, EUSE [titʀœʀ, øz] n. — xxᵉ ; de *titrer*.

♦ **1.** Ouvrier, ouvrière de filature qui surveille le titre des fibres artificielles.

♦ **2.** Imprim., journal. Personne qui rédige ou compose les titres.

TITREUSE [titʀøz] n. f. — 1936 ; de *titrer*.
Technique.

♦ **1.** Cin. Appareil permettant de filmer titres et sous-titres.

♦ **2.** Imprim. Machine utilisée pour composer les gros titres.

TITRIER [titʀije] n. m. — 1798 ; «falsificateur de titres», 1762 ; de *titre* II., 1.

♦ Relig. (vx). Religieux préposé à la garde des titres d'un monastère. ⇒ **Archiviste**.

TITRIMÉTRIE [titʀimetʀi] n. f. — 1949 ; de *titrer*, et -*métrie*.

♦ Chim. Partie de l'analyse chimique relative aux dosages par mesures des volumes de solution ; analyse volumétrique*.

DÉR. Titrimétrique.

TITRIMÉTRIQUE [titʀimetʀik] adj. — 1905, in *Rev. gén. des sc.*, nᵒ 13, p. 623 ; de *titrimétrie*.

♦ Chim. De la titrimétrie. *Analyse titrimétrique.* ⇒ **Volumétrique**.

TITUBANT, ANTE [titybɑ̃, ɑ̃t] adj. — 1580 ; de *tituber*.

♦ **1.** Qui titube. ⇒ **Chancelant, flageolant, vacillant**. *Un ivrogne titubant. De longues files titubantes de rats* (cit. 4).
Le manège en s'arrêtant déversa toute sa troupe titubante qui regagnait le sol avec des rires blancs.   ARAGON, les Beaux Quartiers, I, XXVII.
Par ext. *Jambes titubantes. Démarche titubante.*

♦ **2.** Littér. Qui se balance. «*Des bateaux titubants...*» (Proust, *in* G. L. L. F.).

TITUBATION [titybasjɔ̃] n. f. — 1377 ; lat. *titubatio*, de *titubare*. → Tituber.

♦ Rare. Fait de tituber ; démarche chancelante. ⇒ **Titubement**.
À cette heure-là, il n'y avait plus personne dans le champ de foire, tout au plus quelques titubations d'ivrognes faisant des silhouettes chancelantes dans les coins obscurs (...)   HUGO, l'Homme qui rit, II, III, III.

TITUBEMENT [titybmɑ̃] n. m. — Déb. xxᵉ ; de *tituber*.

♦ Fait de tituber ; démarche titubante. ⇒ **Titubation**.

TITUBER [titybe] v. intr. — 1466 ; rare av. xvIIIᵉ ; lat. *titubare* «chanceler ; être hésitant».

♦ **1.** Vaciller sur ses jambes, aller de droite et de gauche en marchant. ⇒ **Chanceler, vaciller**. *Un ivrogne, un malade qui titube. Tituber de fatigue.*

1   Nous voyant tituber sur le pont à la manière d'un homme ivre, le capitaine crut devoir nous dire, pour nous rassurer sans doute : «Un temps superbe»!   Th. GAUTIER, Voyage en Russie, V.

Avec un complément de lieu :

2   Il jetterait ses vêtements en désordre, il tituberait jusqu'à son lit et s'y laisserait tomber.   SARTRE, l'Âge de raison, XVIII.

3   (...) le grand air, le soleil m'étourdissaient, je titubais.   S. DE BEAUVOIR, la Force de l'âge, p. 302.

♦ **2.** Fig., littér. Se balancer, vaciller (comme une personne qui titube).

DÉR. Titubant, titubement.

TITULAIRE [titylɛʀ] adj. et n. — 1636 ; sens obscur, 1502 ; dér. sav. du lat. *titulus* «titre».

♦ **1.** (1636). Rare. Qui est revêtu d'un titre (I., 1.). *Chanoine* titulaire.*

♦ **2.** (Mil. xixᵉ). Relig. Qui donne son nom à une église. *Patron* titulaire d'une église.* — N. m. *Le titulaire d'une église :* «la Personne divine, le mystère ou le saint dont l'église porte le nom» (B. Rousseau, in *Dict. de liturgie romaine*). Ex. : église Notre-Dame, église de la Trinité...

♦ **3.** (1694). Relig. Qui n'a que le nom d'un diocèse ou d'une église, sans avoir de pouvoir juridictionnel. *Évêques* titulaires.*

♦ **4.** (1680). Cour. Qui a une fonction, une charge pour laquelle il a été personnellement nommé, en vertu d'un titre (II.). *Gref-*

fier (cit. 1) *titulaire de sa charge. Professeur titulaire* (→ Doyen, cit. 4). *Rendre titulaire.* ⇒ **Titulariser**. — N. *Le, la titulaire d'un poste* (→ Initiative, cit. 9), *d'un bureau de tabac* (→ Permuter, cit. 1).

♦ **5.** (xxᵉ). Didact. TITULAIRE DE... : qui possède juridiquement (un droit). *Être titulaire d'un droit* (→ Incapable, cit. 13), *par ext., d'une condamnation.* — N. *Le titulaire d'un droit, d'un marché public* (→ Exercer, cit. 30). — Qui a droit, titre à avoir, à posséder. *La nation* (cit. 4) *est le titulaire de la souveraineté* (mieux, *la titulaire*). *Les personnes titulaires de la carte de combattant* (→ Mutilé, cit. 2), *du permis de conduire...*

CONTR. (Du 4.) Auxiliaire ; adjoint, intérimaire, suppléant, surnuméraire.
DÉR. Titulairement, titulariat, titulariser.

TITULAIREMENT [titylɛʀmɑ̃] adv. — 1883, cit. *infra* ; de *titulaire*.

♦ Didact., rare. **ⓐ** En titre, selon le ou les titres. *Le président de la République française est titulairement coprince d'Andorre.*

ⓑ En titre seulement (et non en fait).
Le piquant de l'affaire, c'est qu'avant l'incorporation du Schleswig-Holstein à la Prusse — œuvre de Bismarck — le petit duché de Luxembourg était l'apanage du Roi de Danemark qui le possède encore *titulairement.*
   Le Triboulet, 22 avr. 1883, *in* D.D.L. II, 17.

TITULARIAT [titylaʀja] n. m. — 1841 ; de *titulaire*.
Droit, administration.

♦ **1.** Possession, en vertu d'un titre, d'une charge, d'une fonction. *Rechercher le titulariat par un concours.*

♦ **2.** (1904). Exercice, en vertu d'un titre, d'une charge, d'une fonction.

TITULARISATION [titylaʀizasjɔ̃] n. f. — 1876 ; de *titulariser*.

♦ Action de titulariser*. *Demande de titularisation.*
(...) il semblait avoir été mis au monde pour exercer les fonctions discrètes mais indispensables d'auxiliaire municipal temporaire (...) Lorsque vingt-deux ans auparavant, à la sortie d'une licence que, faute d'argent, il ne pouvait dépasser, il avait accepté cet emploi, on lui avait fait espérer, disait-il, une «titularisation» rapide.   CAMUS, la Peste, p. 56 (1947).

TITULARISER [titylaʀize] v. tr. — 1876, *in* P. Larousse ; de *titulaire* ; cf. *tituliser*, 1752.

♦ Rendre (une personne) titulaire (4.) d'une fonction, d'une charge qu'elle remplit. *Titulariser un fonctionnaire, un instituteur* (→ Pédagogique, cit. 1). *Passer un examen pour être titularisé.*

▶ **TITULARISÉ, ÉE** p. p. adj. *Fonctionnaire titularisé.*
DÉR. Titularisation.

TITULATURE [titylatyʀ] n. f. — 1834 ; dér. du lat. *titulus*, d'après les mots en -*ature*.

♦ Didact. Titres (d'une personne, d'un groupe). «*" Je suis Darius, le Grand Roi, le Roi des Rois, le Roi des Pays, le Roi de la Terre, le fils d'Hystape, l'Achéménide"* (...) *Cet ordre — la titulature suivie de la référence au dieu — a étonné les spécialistes* (...)» (la Recherche, juil.-août 1970).

TJAËLE ou TJÄLE [tʒɛl] n. m. — 1925 ; mot suédois, «sol gelé».

♦ Géomorphol. Sous-sol gelé permanent. Syn. : *permafrost, pergélisol*.*
Quoi qu'il en soit, un enneigement abondant doit plutôt tendre à freiner la formation de telles formes de relief qu'à y contribuer. La neige est ainsi sans aucun doute un facteur défavorable à la formation d'un sol gelé toute l'année en profondeur — le «tjaële» des Scandinaves —. Une formule empirique due à Schostakowitsch exprime que le tjaële ne peut se former quand l'épaisseur du manteau neigeux mesurée fin janvier, en centimètres, est supérieure au double de la somme des valeurs absolues des moyennes mensuelles négatives de la température.
   Ch.-P. PÉGUY, la Neige, p. 95.

Tl [teɛl] Symbole chimique du thallium*.

Tm [teɛm] Symbole chimique du thulium*.

TMÈSE [tmɛz] n. f. — 1872 ; *tmesis*, 1540 ; lat. gramm. *tmesis*, mot grec, rac. *temnein* «couper».

♦ Didact. (rhét.). Figure de construction, «Cas particulier de disjonction, qui apparaît comme une coupure entre deux éléments habituellement liés» (Marouzeau). Ex. : *lors... que :* lorsque, puisque (cit. 1).

T. N. T. [teɛnte] n. m. — 1964 ; sigle.

♦ Trinitrotoluène*, puissant explosif. — *Tonne de T. N. T.* : unité de compte en équivalent de T. N. T., pour les engins nucléaires.

Sais-tu que 60 tonnes de T. N. T. par être humain peuvent à chaque instant embraser le monde ?   J.-M. G. Le Clézio, le Déluge, p. 273.

TO [to] n. m. — D. i. ; mot mandingue.

♦ Franç. d'Afrique. Épaisse bouillie de mil. Par ext. Bouillie de céréales (maïs, manioc, igname, riz, sorgho), assez consistante pour être divisée en tas dans un plat (d'après I. F. A.).

Var. graphique : *tau, tô.*

TOALIEN, IENNE [tɔaljɛ̃, jɛn] adj. et n. m. — Mil. xxᵉ ; du nom d'une tribu des Célèbes, les *Toala.*

♦ D'un faciès préhistorique découvert aux Célèbes. — N. m. *Toalien ancien,* à éclats. *Toalien récent* (os, céramique).

TOARCIEN, IENNE [tɔaʀsjɛ̃, jɛn] adj. et n. m. — 1842, d'Orbigny ; du lat. *Toarcium,* nom de Thouars, ville des Deux-Sèvres.

♦ Géol. Qui appartient à un étage du jurassique* (liasique supérieur), représenté abondamment près de Thouars (Poitou) et en Lorraine, où il fournit du minerai de fer. *Roches toarciennes.* — N. m. *Le toarcien.*

TOAST [tost] n. m. — 1750 ; *toste,* 1745 et jusqu'au xixᵉ ; aussi fém. : *une toste* au xviiiᵉ (1789, Marat *in* D.D.L.) ; angl. *toast* au sens emprunté (1750), d'abord « pain grillé » (xivᵉ), de l'anc. franç. *tostée,* n. f., de *toster* « griller, rôtir », du lat. *tostus,* p. p. de *torrere* « griller » ; le sens 2 est réemprunté à l'anglais. L'évolution de « pain grillé » au sens 1 n'est pas claire : le mot signifie en 1700 en anglais « dame à la santé de qui on boit », le nom de la dame était censé « parfumer la rasade comme un *toast* épicé trempé dans la boisson » (d'après Oxford Dictionary) ; mais Jean Demy (*in* L. Deray, *l'Emprunt linguistique,* p. 62) met en doute cette explication : le mot pourrait être oriental (cf. persan *dostkām,* de *dost* « ami » et *kām* « amour ») « repris, avec la coutume, à la cour du grand Mogol et confondu avec le gallicisme *toast* » (*in* L. Deray, *l'Emprunt linguistique,* p. 63).

♦ **1.** Action (fait de lever son verre) par laquelle l'on propose de boire en l'honneur de qqn ou de qqch. ; fait de boire à la santé* de qqn, à l'accomplissement d'un vœu, etc. *Porter un toast à qqn. Toast de bienvenue.*

1   À l'âge où l'on est libertin,
Pour boire un toast en un festin,
Un jour je soulevai mon verre.
     A. de Musset, Poésies nouvelles, « Nuit de décembre ».

1.1   À bas la sagesse ! oubliez tout ce que j'ai dit. Ne soyons ni prudes, ni prudents, ni prud'hommes. Je porte un toast à l'allégresse ; soyons allègres !
     Hugo, les Misérables, I, iii, vii, p. 146.

Par ext. Petite allocution, petit discours prononcé à cette occasion. *Répondre à un toast.*

1.2   Il commanda le champagne, balbutia un toast (Jerphanion avait omis de le préparer), vida deux coupes (...)
     J. Romains, les Hommes de bonne volonté, t. VIII, p. 27.

Réunion à l'occasion d'un toast.

1.3   Notre toast ressembla à ces légers au-revoir adressés de la main à des gens qu'on eut plaisir à rencontrer, mais dont on ne sépare sans peine, bien qu'on n'ait pas repris rendez-vous, parce que, n'est-ce pas, la vie est déjà si remplie ! (...)
     Paul Géraldy, la Guerre, Madame..., p. 60 (1916).

♦ **2.** (1826, répandu fin xixᵉ ; *thoast,* attestation isolée, 1769 ; *toste,* attestation isolée, 1777 ; repris angl. *toast*). Tranche de pain de mie grillée. ⇒ **Rôtie.** *Du thé et des toasts beurrés. Manger des toasts dans un lunch.*

1.4   Un qui était à la coule — nous apportait des gâteaux, des toasts au caviar, des tranches de jambon, un tas de bonnes choses (...)
     O. Mirbeau, le Journal d'une femme de chambre, p. 79.

2   (...) Je vais lui donner un petit morceau de toast trempé dans le thé. C'est tout ce qu'il aura.   J. Romains, les Hommes de bonne volonté, t. III, vii, p. 117.

REM. 1. Le mot ne s'écrit *tôste* que par plaisanterie : « *Un tôste ! un tôste pour les fiancés* » (Queneau, *Zazie dans le métro,* p. 150, Folio).
2. Le mot est concurrencé par *rôtie* en français du Canada, mais *toast* s'y emploie aussi, souvent au féminin.

3   Elle s'anime, fait des compliments sur les toasts : « Quelles bonnes toasts ! », parle beaucoup.   Réjean Ducharme, l'Hiver de force, p. 270.

DÉR. **Toaster.**

TOASTER ou (vx) **TOSTER** [toste] v. — 1800, *toaster, in* Höfler ; *toster,* 1750 ; de *toast.*

★ **I.** V. intr. Vx. Porter un toast*. *Toaster à la santé de (qqn, qqch.).*

1   Je n'exige pas que vous tostiez si souvent, quand vous dînerez chez le duc de Richemond.   Montesquieu, Correspondance, 1750, *in* Littré, 1872.

★ **II.** V. tr. ♦ **1.** (1764, Voltaire). Vx. Honorer (qqn, qqch.) par un toast.

2   À cette apparition *(du second service),* le chevalier sentit se ranimer sa valeur expirante, tandis que les autres avaient l'air de rendre les derniers soupirs. Exalté par le changement de vins, il triomphait de leur impuissance, et toastait leur santé des nombreuses rasades dont il arrosait un tronçon considérable de brochet qui avait suivi l'entrecuisse du dindon.
     A. Brillat-Savarin, Physiologie du goût, t. II, p. 176 (1826).

3   Les Anglais, qui se sont piqués de renouveler plusieurs coutumes de l'antiquité, boivent à l'honneur des dames ; c'est ce qu'ils appellent *toster ;* et c'est parmi eux un grand sujet de dispute si une femme est tostable ou non, si elle est digne qu'on la toste.   Voltaire, Dict. philosophique, « Boire à la santé ».

♦ **2.** (De *toast,* 2.). Rôtir (une tranche de pain). — P. p. adj. :

4   (...) il est parti pendant que j'avalais un sandwich aux œufs frits-pain toasté.
     Jacques Godbout, Salut, Galarneau !
     in Littératures de langue franç. hors de France, p. 505 (Québec).

TOASTEUR [tostœʀ] n. m. — 1959 ; *toaster,* 1926 ; angl. *toaster,* de *to toast* « (faire) griller ».

♦ Rare. Ustensile électrique pour griller les toasts. ⇒ **Grille-pain.** — On écrit aussi *toaster,* à l'anglaise.

TOBOGGAN [tɔbɔgɑ̃] n. m. — 1890 ; *tabagan(n)e,* 1691 ; mot d'orig. algonquine *otaban* « traîne », repris à l'angl. du Canada *toboggan.*

♦ **1.** Traîneau* à longs patins métalliques. *Piste de toboggan.*
(Au Canada). Traîneau sans patins, fait de planches minces recourbées à l'avant, appelé aussi abusivt *traîne sauvage* (1704).
(1921). Fig. (sports). *Être sur le toboggan :* être sur le déclin.
(1913, *in* Höfler ; *tobboggan,* attestation isolée, 1900). Sport pratiqué à l'aide du toboggan.

♦ **2.** (1904). **a** Piste où l'on fait des descentes en *toboggan,* (⇒ **Bobsleigh**).

b Longue rampe inclinée sur laquelle on se laisse glisser (jeu dans les foires, les parcs d'attraction pour enfants, les piscines, etc.).

1   (...) une sorte de glissoire d'un bois poli et savonné. On pouvait s'asseoir ou se coucher au sommet de ce toboggan ; le corps, entraîné par son poids, démarrait lentement, puis filait jusqu'à la rivière avec une vitesse sans cesse multipliée, à la fin vertigineuse.   A. Hermant, l'Aube ardente, iv.

♦ **3.** (1933, *in* Höfler). Glissière. Spécialt. Appareil de manutention formé d'une glissière.
(1967). Voie de circulation automobile (viaduc métallique démontable) qui enjambe un carrefour.

2   (...) l'autoroute de l'Ouest, laquelle n'était pas encore nantie de toboggans ni cernée de terriers monstres.   Christine de Rivoyre, le Voyage à l'envers, p. 110.

1. TOC [tɔk] ou **TOC-TOC** [tɔktɔk] interj. et n. m. — 1579 ; onomat. → Tic ; tac.

★ **I. A.** Onomatopée d'un bruit, d'un choc. — (Répété). *Toc, toc, toc.*

1   Le loup ne fut pas longtemps à arriver à la maison de la Mère-grand ; il heurte : toc, toc. — Qui est là ?   Ch. Perrault, Contes..., « le Petit Chaperon rouge ».

2   Alors, il monte à l'échelle — haute, haute, haute,
Et plante le clou pointu — toc, toc, toc,
     Ch. Cros, Choix de poèmes, « Le hareng saur ».

Fig. *Toc ! ; Et toc !* : bien riposté, bien envoyé ! ⇒ **Pan !**

B. N. m. ♦ **1.** Bruit frappé. *On entendit un léger toc à la porte.* — (Répété). *Un toc-toc.* « *Le toc-toc haletant des batteurs* » (→ Grain, cit. 5).

3   Dans la salle de billard, on n'entend que le toc-toc des billes, au centre d'un grand silence ; c'est le champion local qui fait sa série de douze au milieu de l'admiration générale.   R. Queneau, le Chiendent, p. 248.

♦ **2.** (1842). Vx. Sonnerie sourde (d'une montre à répétition). *Montre à toc.*

♦ **3.** Techn. (pêche). Touche (du poisson). *Pêche au toc.*

♦ **4.** (1904). Techn. Organe d'un tour qui maintient et entraîne la pièce à usiner.

★ **II.** Adj. (1888, Villatte, *toc toc*). Fam. **TOC, TOCTOC** ou **TOC-TOC** : un peu fou. ⇒ **Toqué.**

4   Son voisin nous fit un clin d'œil et se toucha le front. « Il est toc toc ! » dit-il entre ses dents (...)   S. de Beauvoir, la Force de l'âge, p. 259.

HOM. 2. Toc.

2. TOC [tɔk] n. m. et adj. — 1835 ; même orig. que 1. *toc,* ou à rattacher à *tocard, tocasse, tocasson,* de *toquer* « donner des coups ».

♦ **1.** N. m. Objet faux ; imitation d'une matière précieuse, d'un objet ancien (→ Oseille, cit. 1). *C'est du toc !* ⇒ **Camelote.** *Bijou en toc.* — Fig. Ce qui est sans valeur. ⇒ **Brillant** (faux).
Par ext. Caractère de ce qui est faux.

1 Vous souriez, messieurs? dit-il. Moi aussi j'ai souri. Le «je me bats pour ma mère», surtout, je trouvais cela d'un toc et d'un démodé à faire mal.
VILLIERS DE L'ISLE-ADAM, Contes cruels, «Sombre récit...».

2 (...) elle avait aperçu juste devant elle une porte arrondie en bois apparent, ça faisait d'un toc... vulgaire, prétentieux (...)
N. SARRAUTE, le Planétarium, p. 11.

3 (...) si j'ignorais que, vu de près, il n'est que du toc dénué même de la drôlerie qui pourrait lui tenir lieu de beauté (...)   Michel LEIRIS, Frêle bruit, p. 347.

Spécialt. Argot. Fausse pièce d'identité (attesté au plur. : *des tocs*).

4 Tu sais combien ça coûte de se faire sauter sous des tocs là-bas? Dix piges, rien que ça.   Jeanne CORDELIER, la Passagère, p. 221.
Faux bijoux.

5 — (...) deux cent mille francs pour des bijoux qui valent des millions (...)
— Je t'en donne trois cents *(sacs)* si tu veux (...)
— D'accord pour trois cents... Tu peux regarder et toucher..., c'est pas des tocs.
J.-P. MELVILLE, le Doulos, 1963, *in* l'Avant-Scène, n° 24, p. 36.

♦ **2. Adj. invar.** (1850, *in* D.D.L. : le mot a eu, semble-t-il, le sens opposé, «chic», 1856). **Fam.** Sans valeur; faux et prétentieux, ridicule. *Un «mobilier toc»* (Romains, *les Hommes de bonne volonté*, t. II, VI, p. 57).

6 C'est toc et province, quoi! (...) Elle n'est pas meublée, pour sûr, comme à Paris (...)   O. MIRBEAU, le Journal d'une femme de chambre, p. 25.
Argot (en parlant des personnes). Mauvais, **tocard.**

7 (...) Ce nouveau, moi, j'en ai rien à foutre, mais si ç'avait pas été lui qui s'amène ici, ç'aurait pu en être un autre... et beaucoup plus toc!... Hein!... Tu crois pas?...
J. BECKER et J. GIOVANNI, le Trou, *in* l'Avant-scène, n° 13, p. 12.

♦ **3. Argot** (du sens «chic»). Culot, courage.

8 Telle que je connais Annie depuis une heure, elle n'aura pas eu le toc de tout prendre.   A. SARRAZIN, l'Astragale, p. 211-212.

DÉR. (De 2.) **Tocard.**

TOCADE [tɔkad] n. f. ⇒ **Toquade.**

TOCANE [tɔkan] n. f. — 1700, Dancourt; origine inconnue.

♦ **Vx.** Vin nouveau (et, spécialt, champagne*) fait avec la mère goutte.

TOCANTE ou **TOQUANTE** [tɔkɑ̃t] n. f. — 1832, *tocante; toquante*, 1725; de *toc* ou du v. *toquer* «heurter».

♦ **Fam.** Montre.

Le pauvre Alfred était toujours sur sa chaise (...) Il était bien doux et gentil, mais le temps passait, passait. De temps en temps, il regardait sa petite tocante en plaqué or (...)   M. AYMÉ, Maison basse, VI.

TOCARD, ARDE [tɔkaʀ, aʀd] adj. et n. m. — 1855; de 2. *toc.*

♦ **1. Adj. Fam.** Ridicule, laid. ⇒ **Tarte, tartignolle,** 2. **toc.** — Var. graphique : *tocquard* (1926), *toquard.*

1 Mais Mᵐᵉ Swann, ayant appris d'un ami qu'elle vénérait le mot *tocard* — lequel lui avait ouvert de nouveaux horizons, parce qu'il désignait précisément les choses que quelques années auparavant elle avait trouvées *chic* (...)
PROUST, À l'ombre des jeunes filles en fleurs, Pl., t. I, p. 615.

2 (...) c'est bien cette poignée hideuse, cette poignée de bistrot, de lavabos, qui donne à la porte, à tout autour cet air faux, tocard (...)
N. SARRAUTE, le Planétarium, p. 19.

♦ **2. N. m.** (1884; normand *toquart* «tête», de *toquer*). Mauvais cheval, aux performances irrégulières (⇒ **Outsider**).

3 Le joueur sérieux ne joue pas le tocard parce que c'est le tocard. C'est connu.
M. AYMÉ, Maison basse, p. 197.

Sports. Mauvais athlète.
(1925). **Fam.** Personne incapable, sans valeur. ⇒ **Ringard.**

4 (...) un flicard trissa derrière le truand en déclarant à haute voix qu'il serait infiniment heureux d'avoir la collaboration bénévole de quelques contribuables en vue de la capture de ce dangereux malfaiteur mais que l'autre qui n'était pas un tocard se jeta dans une maison que Jacques (...) savait être à double entrée.
R. QUENEAU, Loin de Rueil, p. 64.

TOCCATA [tɔkata] n. f. — 1703, Brossard; ital., p. p. fém. de *toccare* «(pièce de musique à) toucher».

♦ **Mus.** Pièce instrumentale, sans structure précise, écrite pour le clavier et organisée à la manière d'un mouvement perpétuel. *Toccata servant de prélude*. *Toccatas et fugues* de J.-S. Bach.

(La toccata) prend forme au XVIᵉ siècle : le XVIIᵉ siècle est son âge d'or. Délaissée à partir de 1750 environ, elle reparaît (...) chez certains maîtres modernes (...) La toccata moderne (...) apparaît comme une pièce de caractère brillant au rythme permanent.   André HODEIR, les Formes de la musique, p. 118.

REM. Au pluriel : *des toccatas* ou *des toccate* (pluriel italien).

-TOCIE, TOCO- Éléments, du grec *tokos* «accouchement». Ex. : *dystocie* (préf. *dys-*) «accouchement difficile, douloureux», *eutocie** (préf. *eu-*). ⇒ **Tocologie, tocophérol.**

TOCOLOGIE [tɔkɔlɔʒi] n. f. — 1839; de *toco-*, et *-logie.*

♦ **Méd.** Théorie, traité des accouchements. ⇒ **Gynécologie.**

TOCOPHÉROL [tɔkɔfeʀɔl; tɔkɔfeʀɔl] n. m. — 1948; de *toco-*, rad. de *phorein* «transporter», et suff. *-ol.*

♦ **Biochim.** Alcool organique entrant dans la composition de la vitamine E (de fertilité) présente dans les huiles végétales, les salades vertes et les germes de blé.
REM. On écrit parfois *tocoférol.*

TOCSIN [tɔksɛ̃] n. m. — 1611; *touquesain,* 1379; *toquesing,* 1564; anc. provençal *tocasenh,* de *toca* «touche» et *senh* «cloche», du lat. *signum.*

♦ Sonnerie de cloche* répétée et prolongée pour donner l'alarme*. ⇒ **Signal.** *Sonner le tocsin* (pour signaler un incendie, une émeute, la guerre...). → 1. Feu, cit. 38; mobilisation, cit. 3; panique, cit. 5; sonner, cit. 6.

1 Drouet et les patriotes accoururent au clocher, et de toutes leurs puissances, sonnèrent furieusement le tocsin. Toute la banlieue l'entendait (...) Est-ce le feu? est-ce l'ennemi? Les paysans courent, s'appellent, s'arment (...) Cependant le bruit du tocsin augmentait d'une manière extraordinaire. C'était les cloches des villages, qui, mises en branle par celles qui sonnaient de Varennes, sonnaient à leur tour le tocsin.   MICHELET, Hist. de la Révolution franç., IV, XIII.

2 Trois heures du matin. Je suis réveillé par le tocsin, le tintement lugubre, que j'ai entendu dans les nuits de juin 1848. La grande lamentation du bourdon de Notre-Dame plane sur les sonneries de toutes les cloches de la ville, dominant le bruit de la générale (...)   Ed. et J. DE GONCOURT, Journal, 20 mars 1871, t. IV, p. 184.

(1611). **Par métonymie.** Cloche destinée à sonner le tocsin.

2.1 On entend le beffroi; la cloche résonne; mais quelle cloche haletante! Le sonneur qui la sonne ne se possède évidemment plus. C'est un tocsin épouvantable, qui lutte de violence avec les fureurs de l'orchestre.
J. VERNE, le Docteur Ox, p. 58.

(1688). **Fig., vx.** *Sonner le tocsin :* exciter, enflammer; alerter, ameuter (contre qqn). Cf. Bossuet, Voltaire, d'Alembert, *in* Littré; → aussi Malédiction, cit. 8.

3 (...) mon livre était le tocsin de l'anarchie et la trompette de l'athéisme; l'auteur était un monstre à étouffer; on s'étonnait qu'on l'eût si longtemps laissé vivre.
ROUSSEAU, Lettre à Mᵍʳ de Beaumont, 18 nov. 1762.

TOC TOC, TOCTOC [tɔktɔk] ⇒ 1. **Toc.**

TODDY [tɔdi] n. m. — 1666; mot angl., du hindi *tādī,* var. de *tārī,* de *tār* «palmier».

♦ **Vx.** Vin de palme, aux Indes.

TODIER [tɔdje] n. m. — 1764, Bonnet; lat. *todus,* empr. lat. zool. par Sloane et Brown.

♦ **Zool.** Petit oiseau grimpeur *(Passereaux)* des Antilles et d'Amérique. *Todier bleu à ventre orangé.*

T.O.E. [teoə] — 1964; sigle.

♦ **Milit.** Abrév. de *théâtre d'opérations extérieures.*

TOFFEE [tɔfi; ou pronc. fancisée tɔfe] n. m. — 1898; mot angl., *toffy, toughy* et *toffeen* d'orig. dialectale.

♦ **Anglic.** Bonbon anglais caramélisé. ⇒ **Caramel.** — **REM.** La graphie est parfois francisée en *toffé* [tɔfe].

Après trois jours de paix, je revins à San Francisco qui est une ville nonchalante, découpée en tranches comme une plaque de toffés.
Michel DÉON, Tout l'amour du monde, p. 103. (cf. aussi p. 248).

TOGATA [tɔgata] adj. f. — 1765; mot lat., fém. de l'adj. *togatus* «vêtu d'une toge», de *toga* «toge».

♦ **Didact.** Joué par des acteurs en toge, dans le théâtre romain (comédie à personnages romains et non grecs, ces derniers portant le pallium). — N. f. *Une togata.*

TOGE [tɔʒ] n. f. — 1546; *togue,* 1213; lat. *toga.*

♦ **1. Antiq. rom.** Ample pièce d'étoffe sans coutures dans laquelle les Romains se drapaient (→ Romaniser, cit. 2). *La toge se portait sur la tunique et servait de manteau. Toge prétexte*, *toge virile**. ⇒ **Robe.** *Les armes le cèdent à la toge* (traduction de la maxime latine *Cedant arma togæ*) : le droit prime la force.

♦ **2.** (1802). **Mod.** Habit long, sorte de robe de cérémonie, dans certaines professions. *Toge et épitoge** *de professeur, de magistrat, d'avocat* (→ Habillement, cit. 8; orphelin, cit. 3).

TOGOLAIS, AISE [tɔgɔlɛ, ɛz] adj. et n. — XXᵉ; de *Togo,* pays d'Afrique.

♦ Du Togo. — N. Habitant du Togo.

TOHU-BOHU [tɔybɔy] n. m. — 1764; *toroul boroul*, XIIIe; *tohu vabohu*, XVIe; cf. *Les isles de Tohu et Bohu*, Rabelais, 1552; trad. de la loc. hébraïque *tohou oubohou* «le chaos».

♦ **1.** Didact. État de la terre, dans le chaos primitif (→ Imitatif, cit. 1, Voltaire).

1 De toute façon, avec la mort comme un ver dans le fruit, le *cosmos* est sorti du *chaos*. L'ère du tohu-bohu est close, l'histoire naturelle commence (...)
Roger CAILLOIS, l'Homme et le Sacré, p. 113.

♦ **2.** (1819). Cour. Désordre, confusion de choses mêlées. ⇒ **Fatras, fouillis, méli-mélo.** *Un tohu-bohu de fioles* (→ Lavabo, cit. 1). «*Le tohu-bohu des constructions du jardin...*» (Ed. et J. de Goncourt, *Journal*, t. III, p. 101).

♦ **3.** Bruit confus, tumulte bruyant. ⇒ **Charivari, foire, ramdam, tapage, tintamarre.** *Un tohu-bohu d'affirmations contradictoires* (cit. 2). → aussi Appareillage, cit. 2; poésie, cit. 8. *Le tohu-bohu d'un départ* (Martin du Gard), *des voitures* (Romains)...

2 Les enfants se poursuivaient avec des cris aigus. Tous les chiens du quartier y répondaient avec leurs aboiements. On entendait des sons de piano, une clarinette un peu plus loin, et dans une rue voisine, un cornet à piston. Des voix s'interpellaient. Les gens allaient et venaient par groupes, devant leurs maisons. Louisa se serait crue perdue, si on l'eût laissée seule au milieu de ce tohu-bohu.
R. ROLLAND, Jean-Christophe, «L'adolescent», II, p. 275.

3 Poétiquement, le tohu-bohu d'une aérogare — carrefour à la foule composite et aux branches multiples où je me sens perdu — me donne un avant-goût de la mort.
Michel LEIRIS, Frêle bruit, p. 319.

TOI [twa] pron. pers. et nominal. — V. 1170; *tei*, XIe; du lat. *te*, devenu *tei, toi* en position accentuée. → Te.
Pronom personnel (forme tonique) de la 2e personne du singulier et des deux genres, qui représente la personne à qui l'on s'adresse. ⇒ **Tu**; → pop. tézigue*, ta pomme*, etc.
REM. Sans préposition, *toi* ne peut être sujet ou compl. d'objet que dans les cas étudiés ci-après.

★ **I. A.** Sans prép. (sujet ou compl.). ♦ **1.** (Compl. d'un verbe pronominal à l'impératif, 2e pers.). —*Aide-toi, le ciel t'aidera* (loc. prov. : La Fontaine, *Fables*, VI, 18). «*S'il faut agir, prodigue-toi ; s'il faut parler* (1. Parler, cit. 6), *ménage-toi*». *Lève-toi, pars* (1. Partir, cit. 2). *Retire-toi* (→ Nommer, cit. 39). *Dépêche-toi* (→ Musarder, cit. 1). *Sauve* (cit. 17) *-toi vite. Une Marie-couche-toi-là* (→ Propre, cit. 20). — *Dis-toi bien...* (→ Provisoire, cit. 1). *Tiens-le-toi pour dit.*

REM. 1. Devant *en* et *y, toi* s'élide en *t'*. → Te. *Garde-t'en bien. Mets-t'y* (dans la langue populaire : *mets-toi-z'y*).
2. *Toi* se place toujours après l'impératif, et y est joint par un trait d'union.
3. Quand il y a deux impératifs coordonnés, on peut remplacer le second *toi* par *te*. «*Approche-toi, et te mets en ma place*» (Littré). → Te, cit. 5.

♦ **2.** Suivi d'un verbe à l'infinitif («vocatif»). «*Toi, nous quitter en ce moment ?*» (Académie). → aussi Nasse, cit. 2; réchauffer, cit. 7. — Sujet d'un participe. «*Toi parti, j'ai couru ici pour te revoir encore*» (H. Bordeaux, *le Pays natal*, in Sandfeld).
(Sujet d'une proposition elliptique, dans une réponse, une proposition coordonnée ou juxtaposée). «*Tu deviens folle? — Moi ! — Oui, toi*» (→ Raseur, cit. 3). «*C'est moi. — Qui* (cit. 76), *toi ?*» «*Moi* (cit. 8) *d'abord, toi ensuite.*» *Comment vas-tu? Et toi?*

♦ **3.** Sujet ou complément, coordonné à un nom, un pronom. — (Sujet). *Gérard et toi, vous entraînez cette petite* (→ Pousser, cit. 11). *Toi ou moi* (nous) *irons ; toi ou lui* (vous) *irez. Maître Guépier ou* (cit. 45) *toi en auriez entendu parler.* — (Compl.). *Il invitera tes parents et toi. Il n'aime ni toi ni tes amis.* — «*Je me suis rendu au désir d'elle et de toi*» (Académie). — REM. Dans ce cas, on emploie plutôt les possessifs *ton..., le tien.*

Décomposant un pronom global : nous* :

1 (...) nous voyant tous deux,
Toi calme et belle, moi violent, hasardeux,
Toi paisible et croissant comme une fleur à l'ombre (...) HUGO, Hernani, III, 4.

(Dans une phrase comparative). *Il est plus gentil que toi* (→ Mascotte, cit.). *Personne mieux que toi...* (→ Ramasser, cit. 1). *J'ai eu autant d'amour que toi de vertu* (→ Étonnant, cit. 8). *Un autre que toi* (→ Plaindre, cit. 2). — Après «ne... que». *Tes injures n'atteignent que toi* (→ Insulter, cit. 3).

2 — (...) Il n'y a que toi pour y voir clair; que toi pour savoir ce qu'il faut faire et que toi pour décider. GIDE, Robert..., III, II, 1.

♦ **4.** Renforçant le pronom *tu. Et toi, tu n'as pas le droit* (3. Droit, cit. 13) *de me juger* (→ aussi Sauver, cit. 18). *Toi, ma fille, tu vas aller voir le curé* (→ Séance, cit. 5). — REM. *Toi* peut se placer après le verbe. *De quelle école sors-tu, toi?* (→ Pépinière, cit. 2; et aussi pied, cit. 26). *Tu l'as oublié, toi* (→ Raquette, cit. 2; et aussi ratée, cit. 14). — Renforçant le pron. compl. *te. T'épouser, toi !* (→ Immariable, cit.). *Que te semble, à toi...?* (→ 1. Part, cit. 26). — Renforçant le possessif *ton. Ton jardin à toi* (→ Cueillir, cit. 12; 2. pas, cit. 22; pourrir, cit. 9).

3 Dans cette phrase de La Fontaine : Car *toi*, loup, tu te plains, quoiqu'on ne t'ait rien pris ; Et *toi* renard, *as pris ce que l'on te demande* (*Fabl.*, II, 3), le nominal

toi, n'est, la première fois (...) qu'un renforcement de *tu* (le vrai sujet); ce n'est que la seconde fois qu'il reçoit réellement fonction de sujet (ce que n'admettrait plus la langue.)
G. et R. LE BIDOIS, Syntaxe du franç. moderne, § 227.
4 Moi, je n'ai aucun crédit sur son esprit... Toi, il t'écoutera.
Paul HERVIEU, les Tenailles, II, 3.

♦ **5.** Sujet, antécédent d'un relatif. **TOI QUI...**, suivi du verbe à la deuxième personne du singulier. *Toi qui connais Pyrrhus, que penses-tu qu'il fasse?* (cit. 60). *Toi qui vois tout mon cœur, juge de son martyre* (cit. 8). «*Toi qui sèches les pleurs* (cit. 7) *des moindres graminées*». — **TOI QUE...** *Ô toi que j'eusse aimée, ô toi qui le savais* (1. Savoir, cit. 26). *Toi, que j'ai vu grand comme ça* (→ Prendre, cit. 63). «*Dis, qu'as-tu fait, toi que voilà, De ta jeunesse?*» (cit. 7). — **TOI DONT...** *Ô noblesse* (cit. 2)... *toi dont le temple...* «*Toi, dont ma mère osait se vanter d'être fille*» (→ Soleil, cit. 9). — *Toi, à qui, pour qui...*, etc.

♦ **6.** En fonction de sujet, comme appellatif, vocatif. (Avec un impératif). *Et toi, viens avec moi...* (→ Ramée, cit. 1). *Et toi, parasite* (cit. 3) *effronté...* — (En appos. à un nom). *Toi Louis ! il t'arrivera malheur* (→ Plat, cit. 18). «*Sacrifice* (cit. 13), *ô toi seul peut-être es la vertu !*»

5 — Et maintenant, toi, Hortense, couche-toi!
COURTELINE, Hortense, couche-toi!, III, in DAMOURETTE et PICHON, § 2382.

♦ **7.** Attribut. *C'est toi...* (→ Négoce, cit. 2; retenir, cit. 17). «*Ô ma pauvre Muse !* (1. Muse, cit. 8) *est-ce toi?... Oui, te voilà, c'est toi, ma blonde, C'est toi, ma maîtresse et ma sœur !*». «*Est-ce toi chère Élise?*» (Racine, *Esther*, I, 1). — *Si j'étais toi...* (→ Secrétariat, cit. 3). «*Ah! insensé qui crois que je ne suis pas toi!*» (→ 1. Parler, cit. 55). «*Si ce n'est toi, c'est donc ton frère*» (cit. 15). — (Suivi d'une relative). *C'est toi qui* (cit. 20)... (→ aussi Frasque, cit. 4).

6 — Hippolyte? Grands dieux! — C'est toi qui l'as nommé.
RACINE, Phèdre, I, 3.

7 Est-ce bien toi, grande âme immortellement triste,
Est-ce toi qui l'as dit? A. DE MUSSET, Poésies nouvelles, «Souvenir».

8 — (...) C'est toi que j'aime, Lucie, *toi*, heureuse ou malheureuse, vivante ou morte, c'est toi.
SARTRE, Morts sans sépulture, III, 2.

Attribut d'objet : «*C'est ce qui te fait toi, tu m'entends, que j'adore*» (Ed. Rostand, *Cyrano de Bergerac*, IV, 8).

B. Précédé d'une préposition. *C'est à toi, Dieu, que je m'adresse* (→ Haïr, cit. 42). *Elle est à toi* (→ Posséder, cit. 5). *Prends garde* (1. Garde, cit. 40) *à toi. Malheur* (cit. 45) *à toi. À toi le pompon* (cit. 3). — *Être à tu* et *à toi avec qqn.* — *Après* (cit. 4), *avant toi* (→ Salaire, cit. 8). *Avec* (cit. 42) *toi. Chez toi. Contre* (cit. 7) *toi* (→ Digne, cit. 7). *Je suis content de toi* (→ Contenter, cit. 4). *Il voulait se servir de toi* (→ Gueux, cit. 8). *Le mal* (3. Mal, cit. 43) *vient de toi. Je ne pouvais plus me passer* (cit. 149) *de toi. Loin de toi* (→ Poison, cit. 3). *Sans nouvelles* (cit. 14) *de toi. — Dans toi* (→ Éternité, cit. 1). *En toi* (→ Autrui, cit. 3; différer, cit. 12). *Je crois en toi, Seigneur* (→ Nom, cit. 24). — *Hormis* (cit. 1) *toi, hors* (cit. 19) *toi. Pour toi* (→ Camus, cit. 1; lettre, cit. 21). — *Sans toi* (→ Argent, cit. 44). *Selon toi. Sur toi* (→ Audace, cit. 20; maladroit, cit. 9). — *Vers toi* (→ Infini, cit. 26; néréide, cit.).

C. (1580). Renforcé. **TOI-MÊME.** ⇒ **Même**; → Descendre, cit. 15; Dieu, cit. 45; initier, cit. 1. *Connais*-*toi toi-même*. Subst. *Un autre toi-même.* — **TOI SEUL***... (→ Immuable, cit. 3; impitoyable, cit. 3; 1. mort, cit. 15). — REM. Dans ce cas, *toi* peut être employé comme véritable sujet. — *Toi aussi*. *Toi non plus*.

9 Toi seule es jeune, ô Cora ; toi seule es pure, Ô Vierge ; toi seule es saine, ô Hygie ; toi seule es forte, ô Victoire.
RENAN, Souvenirs d'enfance..., II, Œ. compl., t. II, p. 757.

10 Ô mon amour ô mon amour toi seule existes. ARAGON, le Crève-cœur, p. 11.

★ **II.** N. m. *Le moi* (cit. 58) *et le toi.* «*Toi*», *c'était le quelque chose à propos duquel et de moi je disais «nous»* (cit. 3).

11 C'est, me dit-il, un toi romancé qui joue des tours désopilants un peu à tout le monde. GIDE, Journal, déc. 1932.
HOM. Toit.

TOILAGE [twalaʒ] n. m. — 1836; de *toile*.

♦ **1.** Techn. Fond sur lequel se détache le dessin d'une dentelle.

♦ **2.** Reliure toilée.

TOILE [twal] n. f. — Fin XIIe; *teile*, 1149; var. *telle*; lat. *tela*, de *texere* «tisser».

★ **I. A.** (Sens général). ♦ **1.** Tissu de l'armure la plus simple (armure unie), fait de fils de lin, de coton, de chanvre, etc. *Ourdir* (→ Métier, cit. 25), *tisser la toile, une toile. Toiles de coton** (cit. 1). ⇒ **Coutil, indienne, mousseline, shirting, vichy, zéphir...** — REM. Au sens large, cette expression inclut les *calicot, cretonne, percale*; mais on l'emploie techniquement (en tissage) dans un sens plus restreint. — *Toile de chanvre, d'étoupe de chanvre* (⇒ **Bourras, serpillière**). *Toile de jute, d'ortie* (cit.). *Toile de lin*, de fil* (de lin). ⇒ **Batiste, cambrai, hollande, linon.** *Toile pur chanvre, pur lin. Toile métisse*. — Toile d'Armentières, de Hollande...* — **Grosse** *toile,* tissée lâche, à claire-voie (⇒ **Canevas, treillis**). *Clairières,* « *clairures* » *d'une toile. Toile fine, serrée. Toile écrue*,* non blanchie. *Blanchiment de la toile* (⇒ **Blanchisserie, buandier**). *Herber* la toile.* — *Toile* (de coton, lin, chanvre) *fabriquée pour des usages déterminés. Toiles de ménage. Toile à matelas, à draps, à torchons... Toile d'emballage* ; toile à sac, à bâches. Toile à tamis.* — (1924). *Toile de parachute. Toile d'avion* (utilisée dans la fabrication des ailes d'avions légers). — *Toile à patrons. Toile pour doublures,* dite *toile doublure* (⇒ **Bisonne, boucassin, bougran**). *Toile à calquer, à peindre* (→ ci-dessous, B. 1.). — *Pièce, bande de toile. Des draps* de toile* (→ Linge, cit. 2 ; lit, cit. 3). *Linge, serviettes, torchons de toile. Linceul de toile. Emballage* (cit. 1) ; *bâche ; banne, sac, musette de toile* (→ Chanteau, cit.). *Housse de toile blanche. Toile à charrée.* ⇒ 2. **Charrier**. *Toile à embourrer.* ⇒ **Embourrure**. *La carcasse de toile d'un pneumatique.* — *Vêtements de toile. Blouse, bourgerons, sarrau* (cit. 1) *de toile. Chemise* (→ Plumage, cit. 4), *pantalon, robe* (cit. 2), *tablier, veste de toile.* — *Culotte* (cit. 1) *en toile ; complet en toile kaki* (→ Hétéroclite, cit. 5). *Couvre-nuque, guimpe, manchettes de toile.* — *La toile d'un sac* (→ Fourrer, cit. 10). *Toile d'un sommier. La toile des tentes** (→ Planter, cit. 9). *La toile des voiles. Toile à voile** (→ ci-dessous B., 4.).

0.1 C'était vraiment une heureuse circonstance pour les colons de l'île Lincoln, que l'aérostat, après avoir fait son dernier bond dans les airs, fût retombé sur l'île et qu'ils eussent cette chance de le retrouver. Ou ils garderaient l'enveloppe sous cette forme, s'ils voulaient tenter une nouvelle évasion par les airs, ou ils emploieraient fructueusement ces quelques centaines d'aunes d'une toile de coton de belle qualité, quand elle serait débarrassée de son vernis.
J. VERNE, l'Île mystérieuse, t. I, p. 365.

1 Il y avait deux heures que les gabiers étaient à ce travail (...) essayant, avec leurs mains crispées de froid qui saignaient, de crocher dans cette toile raide et mouillée qui ballonnait sous le vent furieux.   LOTI, Mon frère Yves, XXVII.

Toile apprêtée, préparée, revêtue d'un enduit. De la toile cirée (→ Cabriolet, cit. 1 ; style, cit. 26 ; et ci-dessous, 3.). *Toile caoutchoutée, engommée, gommée* (→ Paquet, cit. 2). *Toile goudronnée* (cit. 1), *imperméabilisée, imperméable. Toile plastifiée, vernie* (⇒ **Linoléum, moleskine**). *Toile émeri*,* servant d'abrasif. *Toile de diachylon.* ⇒ **Sparadrap**. — *Papier-toile :* toile fine collée sur papier fort (pour la peinture ; → ci-dessous, B.).

Par ext. Toile de laine : tissu de laine à armure unie (mousseline de laine, certains draps). *Toile de soie. Toile d'or, d'argent* (→ Gâter, cit. 4). — *Toile d'amiante. Toile métallique.*

Par anal. Point de toile, se dit d'un point de dentelle au fuseau et d'un point de tricot.

(XIIIe). *Hist. littér.* **CHANSON DE TOILE** : chanson, poème médiéval que les femmes chantaient ou récitaient en tissant, en filant.

(1872). *Loc. fig., vx. Déchirer de la toile :* faire un feu de salve (comparé au bruit d'une toile déchirée).

♦ **2.** Tissu décoratif utilisé comme tenture ; pièce de ce tissu. *De la toile imprimée. Toiles imprimées, à dessin.* ⇒ **Indienne, perse, rouennerie**. *Toile de Jouy :* toile imprimée fabriquée depuis 1760 (d'abord à Jouy-en-Josas) pour concurrencer les indiennes importées (→ Cretonne, cit. 1).

♦ **3.** *(Une, des toiles).* Pièce de toile. — (1916). *Toile de tente* (→ 1. Sac, cit. 8). *Toile à laver.* ⇒ **Serpillière, wassingue**. — (1230). **TOILE CIRÉE** : pièce de toile vernie imperméable, servant de nappe, de revêtement (→ Condamner, cit. 14 ; ocellure, cit. 3 ; 2. style, cit. 1).

2 — J'ai une toile de tente dans mon paquetage, dit-il ; quand il fera trop mauvais temps, je la déploierai au-dessus de mon lit.
M. JOUHANDEAU, Tite-le-Long, XXVI.

2.1 Et maintenant la femme est assise sur une chaise, en face du soldat, de l'autre côté de la table à la toile cirée rouge et blanche, dont les bords pendent en plis raides.   A. ROBBE-GRILLET, Dans le labyrinthe, p. 113.

(1685). *Myth. La toile de Pénélope* (se dit, au fig., d'une entreprise interminable*).

3 Sur cette immense toile, elle *(Pénélope)* passait les jours. La nuit, elle venait aux torches la défaire. Trois années son secret dupa les Achéens.
V. BÉRARD, trad. HOMÈRE, l'Odyssée, p. 26.

Fam. Les toiles : les draps. *Se mettre dans les toiles.* ⇒ **Coucher** (se).

B. (Emplois spéciaux). ♦ **1.** (1604). Pièce de toile (de lin, coton, jute), d'abord marouflée sur bois, puis montée sur un châssis*, poncée et enduite d'un côté (encollage), pour servir de support pour une œuvre peinte. *Au XVIe siècle, la toile l'a emporté sur le panneau de bois.* ⇒ **Peinture** (de chevalet). *Une belle toile toute neuve* (→ Peindre, cit. 13). *Formats* standardisés des toiles* (figure, marine, paysage). *Animer* (cit. 8) *la toile. Gâcher de la toile* (→ Lésiner, cit.). *Barbouiller de la toile, barbouilleur de toile. Sur une toile, sur la toile* (→ Capter, cit. 3 ; esquisse, cit. 1 ; habile, cit. 20 ; modèle, cit. 8). *Fixer sur la toile...* ⇒ **Peindre.** *Changer, restaurer la toile d'un tableau.* ⇒ **Rentoiler.** *Mettre une toile sur un chevalet*, dans un cadre*...* — *Par métaphore. La vaste toile de la mémoire* (→ Rêve, cit. 6).

4 (...) votre style est plat comme votre toile.   DIDEROT, Salons, « Baudouin » (1769).

(1729). *Par métonymie.* Œuvre peinte sur toile. ⇒ **Peinture, tableau.** REM. Alors que les deux mots *peinture* et *tableau* sont du langage le plus usuel, *toile* a une valeur plus technique ; il est très employé par

les peintres, les critiques... (→ Géométrique, cit. 4 ; 1. palette, cit. 5). *Peindre, retoucher une toile* (→ Reprendre, cit. 19). *Les toiles de jeunesse d'un peintre* (→ Influence, cit. 13). *Toile de maîtres* (→ Fastueux, cit. 5). *Exposer* (cit. 6) *ses toiles.* — *Le fond* (cit. 38) *de la toile,* du tableau.

4.1 La pensée exprimée était moins extérieure et plus répandue dans toute la toile. Elle n'était pas saisissable en une seule partie que les autres se pussent contenter de renforcer. La toile était très petite, mais le paysage était très vaste. C'étaient des pommiers. Ils étaient loin les uns des autres et ils occupaient une certaine étendue de campagne.   PROUST, Jean Santeuil, Pl., p. 894.

Spécialt. Décor de théâtre. « *J'aimais les peintures* (cit. 12) *idiotes, toiles de saltimbanques...* » (Rimbaud).

5 C'était quelque chose en effet qui ressemblait à un tableau et que la chandelle éclairait à peu près (...) il entrevoyait un barbouillage grossier, et une espèce de personnage principal enluminé avec la crudité criarde des toiles foraines et des peintures de paravent.   HUGO, les Misérables, III, VIII, XIX.

Loc. **TOILE DE FOND** : toile verticale, au fond de la scène, représentant les derniers plans des décors ; au fig., ce sur quoi se détache une description, etc. ⇒ **Fond** (IV., 4.). ; → **Décor**, cit. 8. *Toile servant d'écran** (→ Lanterne, cit. 12). → ci-dessous, 7.

♦ **2.** (1718). *Vieilli.* Rideau* de théâtre (toile représentant un rideau, etc.). → Levée, cit. 3. *Tirer la toile* (→ Outrageusement, cit. 2). *Baisser la toile.*

6 La toile tombait au milieu d'une salve prolongée d'applaudissements.
ZOLA, Nana, V.

♦ **3.** *Milit.* (vx). Ensemble de tentes*. — (1964). *Mod., cour. Village de toile.* ⇒ **Camping.**

♦ **4.** (Fin XVIIe). *Mar.* Ensemble des voiles déployées d'un navire. *Faire de la toile :* mettre beaucoup de voiles. *Navire chargé de toile,* ayant toutes voiles dehors (→ Paresseux, cit. 4). *Navire à sec de toile. Réduire la toile* (→ Senau, cit.).

7 En moins d'une minute, la tempête était sur nous (...) Nous avions amené toute la toile avant que le coup de vent nous surprît (...)
BAUDELAIRE, trad. E. POE, Histoires extraordinaires, « Descente dans le Maelstrom ».

8 La brise mollissait sensiblement, mais heureusement la mer tombait avec elle. La goélette se couvrit de toile. Flèches, voiles d'étais, contre-foc, tout portait, et la mer écumait sous l'étrave.
J. VERNE, le Tour du monde en 80 jours, p. 182 (1873).

♦ **5.** Ailes (d'un moulin à vent).

♦ **6.** *Chasse.* Vx. Grandes pièces de toile entourées de cordes, vastes filets* servant à prendre les bêtes noires (sangliers), les cerfs*...

♦ **7.** (Du sens 1 « toile servant d'écran »). *Fam.* Écran de cinéma. — Film. *Se faire une toile :* aller au cinéma.

8.1 (...) rien ne nous empêchait d'aller faire une toile l'après-midi.
Jeanne CORDELIER, la Passagère, p. 272.

C. (1939, *in* Petiot). *Sports* (orig. obscure, p.-ê. métaphore de A.). *Faire une toile,* une maladresse.

★ **II.** ♦ **1.** (XIIIe). Réseau* de fils que font les araignées (⇒ **Aranéeux, arantèle**). *Toile d'aragne* (cit. 2 et 3 ; vx), *d'araignée* ⇒ **Araignée** (cit. 3 à 7). *Araignée* (cit. 10 et 11) *qui fabrique* (cit. 1 et 2), *file, ourdit*, tisse sa toile.* — *Fig.* Réseau auquel on se prend comme les mouches dans la toile de l'araignée ; piège (→ Prendre, cit. 98).

9 Pour le voir, pour lui donner les drogues, lui poser les ventouses, il fallait apporter une chandelle à l'entrée. On apercevait alors sa tête creuse, salie par sa barbe longue, au-dessous d'une dentelle épaisse de toiles d'araignées qui pendaient et flottaient, remuées par l'air.   MAUPASSANT, le Père Amable, II, Pl., t. II, p. 745.

♦ **2.** (1904). *Bot.* Maladie de certaines plantes en semis ou en bouture ; formation d'un réseau de filaments produits par un champignon.

♦ **3.** *Techn.* Mince feuille de métal fondu, de matière plastique. — Partie mince d'une roue (ch. de fer). Syn. : *voile.*

DÉR. Toilé, toiler, toilerie, toilette, toileuse, toilier, toiliste.
COMP. Entoiler, entretoile, rentoiler, sous-toiler.

TOILÉ [twale] n. m. — 1680 ; comme adj., « tissé de fil, de chanvre », 1582 ; de *toile.*

♦ **1.** Fond de dentelle. ⇒ **Toilage.**

♦ **2.** (1765). Dentelle (blonde*) d'un point serré.

TOILER [twale] v. tr. — D. i. (XXe) ; de *toile.*

♦ Garnir, couvrir de toile. *Le carton de la reliure a été mal toilé.*

▶ **TOILÉ, ÉE** p. p. adj. *Reliure toilée.* ⇒ **Toilage.** — *Papier toilé,* dont le grain imite la toile.

Je m'assis sur une table en m'arrangeant pour faire tomber un dossier de carton toilé posé dessus.   Vladimir VOLKOFF, le Retournement, p. 31.

TOILERIE [twalʀi] n. f. — 1636; *taillerie*, 1352; *telerie*, 1409; de *toile*.

♦ **1.** Fabrication, commerce des toiles (lin, coton, chanvre). (1872). Atelier, fabrique de toiles.

♦ **2.** Vx, collectivt. Toiles.

♦ **3.** (Fin XIXᵉ). Mauvaise peinture.

TOILETTAGE [twaletaʒ; twalɛtaʒ] n. m. — 1936, *in* D.D.L.; de *toiletter*.

♦ **1.** Soins de propreté donnés à un animal domestique. *Le toilettage d'un chien.*

♦ **2.** (Mil. XXᵉ). Fig. Retouche légère, réforme partielle. *«Au lieu de remanier complètement le gouvernement, le Président de la République se contentera probablement de procéder à un simple toilettage»* (*le Nouvel Obs.*, 13 mars 1973).

TOILETTE [twalɛt] n. f. — XVIᵉ; *tellete, teillette*, 1352; de *toile*.

★ **I.** (Petite toile). ♦ **1.** Vx. Petite pièce de toile. — Vieilli. Pièce de toile dans laquelle certains artisans ou commerçants enveloppent leur marchandise. *Toilette verte* (→ Oreille, cit. 40).

1 Au milieu des groupes, des ouvriers à façon s'en retournaient, leurs toilettes pliées sous le bras.   ZOLA, l'Assommoir, XII, t. II, p. 234.

2 (...) ces carrés de toile noire que les tailleurs appellent des toilettes.   G. DUHAMEL, la Pesée des âmes, IV.

Loc. Vx. *Plier la toilette :* voler des effets, et s'enfuir. — (1723). Ancienn. *Marchande, revendeuse à la toilette* (cit. 3.1 ci-dessous), qui vendait des vêtements, des objets de parure (d'occasion), et qui, souvent, pratiquait l'usure. *Les marchandes à la toilette avaient la réputation d'être des entremetteuses.*

3 C'était une ancienne revendeuse à la toilette et prêteuse sur gages, chez laquelle il s'était donné des rendez-vous de galants et de grandes dames qui avaient été surpris par les sergents (...)   NERVAL, les Illuminés, «Confidences de Nicolas», II, III.

(XVIᵉ). Vx. Linge brodé et orné, placé sur une table de toilette, appelé plus tard *dessus de toilette* (→ II., 1.).

♦ **2.** Techn. Emballage* fait de roseaux fendus, assemblés en claies, en caissettes.

♦ **3.** (1555). Bouch. Membrane (crépine) dont on se sert en boucherie, en charcuterie, pour envelopper certains morceaux.

3.1 Dans la chambre de Pedro je regardais les jupes avec mélancolie. Il me donna quelques adresses de dames, sortes de marchandes à la toilette, où je trouverais des robes à ma taille.
— Tu auras une toilette, Juan.
J'étais écœuré par ce mot de boucher (je pensais que la toilette est encore le tissu graisseux qui enveloppe les tripes dans le ventre des animaux).   Jean GENET, Journal du voleur, p. 71.

★ **II.** Fin XVIᵉ; à cause de la pièce de toile, de la *toilette* (I.) sur laquelle on disposait les ustensiles servant à la parure.

♦ **1.** Vx. Ensemble des ustensiles et des produits servant à la parure. — (1749). Mod. Meuble (table, console, etc.) sur lequel on place ce qui est nécessaire à se parer. ⇒ **Coiffeuse, poudreuse** (1. Lis, cit. 7; pommade, cit. 2). *Toilette de marbre* (→ 1. Psyché, cit. 2). *Glace, miroir, d'une toilette. Dessus de toilette :* pièce de tissu, toilette au sens I, 1, recouvrant ce meuble.

4 (...) mais vous êtes un peu trop négligée, et je suis d'avis de vous arranger un peu la tête. La Brie, qu'on apporte ici la toilette de Madame.   MARIVAUX, la Seconde Surprise de l'amour, I, 1.

5 (...) deux planches servaient de toilette, deux planches garnies d'une toile cirée, noire d'eau répandue, et sous lesquelles traînaient des brocs de zinc bossués, des seaux pleins de rinçures, des cruches de grosse poterie jaune.   ZOLA, Nana, V.

6 Il vit dans la chambre, occupant le coin compris entre les deux fenêtres, une toilette de l'ancien modèle, haute avec des tiroirs et des portes, un plateau et une étagère de marbre, une garniture de faïence blanche et bleue.   J. ROMAINS, les Hommes de bonne volonté, t. VIII, IX, p. 98.

♦ **2.** (Av. 1690). Action de se préparer, de s'apprêter* pour paraître en public; de se peigner, farder, maquiller, parfumer; de s'habiller. *Meuble, table de toilette :* la toilette (au sens 1). *Produits de toilette.* ⇒ **Cosmétique, crème, fard, parfum, poudre...** *Être à sa toilette, passer une partie du jour à sa toilette* (→ Efféminé, cit. 6). ⇒ **Attifer** (s'), **bichonner** (se), **mignoter** (se), **pomponner** (se). — Loc. *Faire toilette* (→ Peinturer, cit. 2).

7 *(Beauvisage)* passait à sa toilette une heure environ, car sa femme l'avait habitué à ne se présenter devant elle, au déjeuner, que rasé, propre et habillé.   BALZAC, le Député d'Arcis, Pl., t. VII, p. 685.

8 Les hommes restèrent dans la salle à manger, tandis que la mariée faisait sa toilette de nuit.   ZOLA, Thérèse Raquin, XX.

(1690). Vx. Moment pendant lequel les grandes dames, la reine, recevaient en s'apprêtant. *Fréquenter les toilettes* (Saint-Simon).

(1829). Spécialt. *Toilette des condamnés, dernière toilette :* préparation corporelle à laquelle on soumettait un condamné à mort, avant de le conduire à l'échafaud.

9 L'une d'elles cependant, la plus jeune, la plus jolie, n'était pas satisfaite. Elle se

fit expliquer par le bourreau, dans les moindres détails, ce qu'on appelle *la toilette des condamnés*.   HUGO, Choses vues, I, 1846, «Visite à la Conciergerie».

♦ **3.** Fait de s'habiller et de se parer. ⇒ **Ajustement, habillement.** *Avoir le goût de la toilette.* ⇒ **Coquet, coquetterie.** *Sa toilette devint une grande affaire* (→ Beau, cit. 108). *Procéder à une toilette en règle* (→ Ficeler, cit. 3). *Elle fit une toilette ravissante* (→ Morbidesse, cit. 2). — (Fin XVIIIᵉ). Habillement, manière dont on est vêtu et apprêté. ⇒ **Habillement, mise, parure** (cit. 1), **vêtement.** — (Se dit surtout des femmes). *Être en grande toilette, en toilette de bal* (→ Éblouissement, cit. 7). *Porter bien la toilette : être, se mettre en toilette* (cf. Sur son trente-et-un). *Aimer à parler toilette.* ⇒ **Chiffon.** *Commerce de la toilette féminine.* ⇒ **Mode.**

10 Jamais dans le carnaval, disait-elle, quand il y a bal à Verrières, madame ne s'est donné tant de soins pour sa toilette; elle change de robes deux ou trois fois par jour.   STENDHAL, le Rouge et le Noir, I, VIII.

11 La toilette, cette magnifique poésie de la vie féminine, épuisée ou méconnue par elle, reparut douée d'une magie inaperçue jusqu'alors. La toilette devint tout à coup pour elle ce qu'elle est pour toutes les femmes, une manifestation constante de la pensée intime, un langage, un symbole.   BALZAC, la Fille d'Ève, Pl., t. II, p. 114.

12 Le talent de se bien mettre, il ne faut vraiment pas trop rabaisser ce don chez la femme (...) La toilette, un don, oui, mais aussi une science qui a ses méditations légères, ses aimables recherches, ses trouvailles, ses illuminations subites. Au fond, la toilette, pour une femme, c'est le moyen de témoigner de l'artiste qui habite en elle (...) — c'est le moyen d'exposer sa grâce, sa gentillesse, sa beauté (...)   Ed. et J. DE GONCOURT, Chérie, LXXVI.

12.1 Chacun passe sa vie à jeter des petites pincées de poudre dans l'œil de son voisin (...) Pourquoi fait-on de la toilette? Pour les yeux des autres!   E. LABICHE, la Poudre aux yeux, I, 6.

UNE TOILETTE : les vêtements que porte une femme (lorsqu'ils sont plus ou moins recherchés; ⇒ **Robe, tailleur...**) → Appareil, cit. 12; classer, cit. 2. *Une toilette élégante* (cit. 3), *luxueuse* (→ Rondeur, cit. 4), *pimpante; criarde, tapageuse, voyante* (→ Flâneur, cit. 2). *... Garnitures, ornements d'une toilette.* ⇒ **Falbala.** — *Les nouvelles toilettes de la saison* (→ Pesage, cit.). *Étrenner une toilette* (→ 2. Point, cit. 24). *Toilette de bal, de ville... Toilette de mariée.*

13 (...) une jolie et spirituelle femme dont les toilettes de velours écarlate à torsades d'or, fort décolletées, effarouchaient ces ténèbres (...)   HUGO, les Misérables, III, III, III.

Loc. (vx). *S'habiller, se mettre en toilette :* mettre une toilette recherchée.

13.1 J'ai aussi deux boucles d'oreilles avec des pierres, et une robe de soie et des bagues; mais je ne les porte pas le matin, je les mets seulement sur le tantôt, quand je m'habille en toilette.   MAUPASSANT, les Sœurs Rondoli, Pl., t. II, p. 159.

♦ **4.** (1842, Balzac). Ensemble des soins de propreté du corps. ⇒ **Ablution**(s), **bain.** *Faire sa toilette.* ⇒ **Laver** (se), **nettoyer** (se), **peigner** (se); *ongle* (faire ses ongles), etc. *Faire sa toilette avant de s'habiller. Après sa toilette* (→ Arôme, cit. 4). *Grande toilette. Toilette minutieuse* (→ Pimpant, cit. 2).

14 Tous les matins, la jeune fille ouvrait sa fenêtre, prenait une serviette qui séchait à l'extérieur, et, à pleins seaux d'eau, elle se faisait une longue toilette. elle était presque toujours toute nue.   J. GIONO, Jean le bleu, IV.

Un brin de toilette (→ Plonger, cit. 3) : une toilette rapide.

... DE TOILETTE. Ustensiles (→ Habitude, cit. 14); *linge, serviette* de toilette. *Éponge de toilette. Gant*, main de toilette. Nécessaire, trousse de toilette. Eau de toilette* (→ Suffocation, cit. 1). *Savon de toilette* (⇒ **Savonnette**).

(1762). **CABINET** (cit. 1) **DE TOILETTE :** petite pièce où est aménagé ce qu'il faut pour se laver, s'apprêter (cuvette, broc, pot à eau, et de nos jours, lavabo [cit. 1], douche, etc.). ⇒ aussi **Salle** (de bains, d'eau). — *Seau* de toilette.* — Par anal. *Le chat fait sa toilette,* il se lèche pour se nettoyer.

15 ...dans cette avenue jusqu'au beffroi, rien... pas un chat... ah, si!... Bébert!... Lili l'a sorti de son sac... il a déjà fait sa toilette... ses oreilles, ses pattes une à une, soigneusement...   CÉLINE, Rigodon, p. 117.

♦ **5.** (XXᵉ). Plur. Par euphém. **LES TOILETTES.** ⇒ **Cabinet** (d'aisances), **w.-c.; lavabo** (cit. 3). — (1902, *in* D.D.L.). *Papier (de) toilette(s) :* papier hygiénique.

♦ **6.** (Av. 1841, Chateaubriand). Fait de nettoyer, d'apprêter, de préparer (une chose). ⇒ **Astiquage, toilettage** (→ Polir, cit. 1). *Faire la toilette d'un bateau, d'un instrument...* (→ Percolateur, cit. 2). — Fig. *Faire la toilette d'un texte,* la préparation d'un manuscrit pour l'édition.

DÉR. Toiletter.

TOILETTER [twalete; twalɛte] v. tr. — 1831, Balzac, v. pron.; de *toilette*.

♦ **1.** Faire la toilette de (un animal d'appartement). ⇒ **Toilettage.**

♦ **2.** Fig. Retoucher légèrement, modifier partiellement. *« Ligotés par l'actualité, les dictionnaires devraient être toilettés tous les six mois »* (*l'Express*, 13 sept. 1980).

▶ **SE TOILETTER** v. pron.

Vieilli. Faire sa toilette. ⇒ **Apprêter** (s'), **parer** (se), **pomponner** (se).

1 (...) vous êtes comme une jeune fille à qui l'on dit : À ce soir, et qui se toilette en se pourléchant comme un chat qui boit du lait.
BALZAC, le Père Goriot, Pl., t. II, p. 933.
Mod. *Chat qui se toilette méticuleusement.*

▶ **TOILETTÉ, ÉE** p. p. adj. *Être toiletté :* être en toilette. ⇒ **Habillé.**

2 (...) elles disaient que les dames de bienfaisance trop toilettées étaient un fléau des quartiers ouvriers. Pierre HAMP, la Peine des hommes (Moteurs), p. 136.
DÉR. Toilettage, toiletteur.

TOILETTEUR, EUSE [twalɛtœʀ, øz; twalɛtœʀ, øz] n. — Mil. xxᵉ; de *toiletter.*

♦ Personne qui procède au toilettage (des animaux). *« Elle est toiletteuse pour chiens »* (*l'Express*, 19 janv. 1980, p. 13).

TOILEUSE [twaløz] n. f. — 1955; de *toile.*

♦ Techn. Piqueuse à la machine qui travaille les toiles.

TOILIER, IÈRE [twalje, jɛʀ] n. et adj. — 1280; *telier*, fin xiiᵉ; de *toile.*
Technique.

♦ **1.** N. Vx. Marchand ou fabricant de toile.

♦ **2.** Adj. (1872). Qui concerne la toile, sa fabrication. *Industrie toilière* (tissage).

TOILISTE [twalist] n. — 1974, le Monde; de *toile.*

♦ Techn. Ouvrier, ouvrière qui procède à l'entoilage des vêtements. *Toiliste patronnière.*

1. TOISE [twaz; twaz] n. f. — Mil. xiiᵉ; var. *teise;* lat. médiéval *teisa*, altér. de *tensa* « étendue », p. p. fém. de *tendere* « tendre ».

♦ Anciennt. Mesure de longueur valant six pieds (soit près de deux mètres); longueur de six pieds (→ Filer, cit. 18; grandeur, cit. 34; spectateur, cit. 2). — Fig., fam. *« Des mots* (cit. 9) *longs d'une toise »* (Racine).
Loc. (1788). Vieilli. *Mesurer à sa toise, juger d'après sa toise :* apprécier, juger d'après soi, d'après ses conceptions personnelles
DÉR. Toiser.
HOM. 2. Toise.

2. TOISE [twaz; twaz] n. f. — 1876; déverbal de *toiser.*

♦ Tige verticale graduée, munie d'une coulisse horizontale, et qui sert à mesurer la taille. *Passer des conscrits, des soldats à la toise. Se mettre sous la toise,* sous la coulisse de la toise. — *Toise pour chevaux.* ⇒ **Potence.**
Par métaphore :
(...) des critiques (...) ont accusé la docte Assemblée *(l'Académie)* de tenir trop rigoureusement élevée la toise sous laquelle il faut passer — on me passera cette comparaison familière — pour être déclaré, en une sorte de conseil de révision littéraire, bon pour le service académique!
A. ROBIDA, le Vingtième Siècle, p. 198.
HOM. 1. Toise.

TOISEMENT [twazmɑ̃; twazmɑ̃] n. m. — 1636; de *toiser.*

♦ **1.** Vx. Fait de mesurer à la toise.

♦ **2.** (Déb. xxᵉ). Rare. Fait de toiser (2.).

TOISER [twaze; twaze] v. tr. — 1268; *teser*, xiiᵉ; *toisier*, 1260; de *toise.*

♦ **1.** Vx. Mesurer (une longueur) en se servant de la toise comme unité. — Vieilli. Estimer (une quantité); considérer de façon à estimer. *Toiser d'un coup d'œil le prix d'une page* (→ Narguer, cit. 4).

1 Il voit les masses d'eau, les toise et les mesure.
A. DE VIGNY, Poèmes philosophiques, « la Bouteille à la mer », III.
Par métaphore, fig. Apprécier, jauger.

2 L'étendue d'un palais se mesure d'orient en occident, ou du midi au septentrion; mais celle d'un ouvrage, d'un livre, se toise de la terre au ciel (...)
Joseph JOUBERT, Pensées, XXIII, CCXVI.

3 La Convention fut toisée par les myopes, elle, faite pour être contemplée par les aigles. HUGO, Quatre-vingt-treize, II, III, I.
Spécialt. Mesurer (la taille de qqn) à la toise.

♦ **2.** [a] Vx. Examiner attentivement qqn « pour apprécier son mérite » (Littré).

[b] Mod. Regarder avec défi (→ Mesurer* du regard), ou, plus souvent, avec dédain*, mépris (cf. Regarder de haut). ⇒ Con-

sidérer, **dévisager, examiner, observer** (→ Brave, cit. 8; mitron, cit. 1; possible, cit. 19). *Il me toisa de la tête aux pieds* (→ Examen, cit. 6; matamore, cit. 2).

4 (...) elle le couvrit de son mépris en le toisant des pieds à la tête, et l'écrasa par ces deux mots : — Pauvre Malaga!
BALZAC, la Fausse Maîtresse, Pl., t. II, p. 53.
Pronominal :

5 Ils se toisèrent. Même rage froide, même rancune.
MARTIN DU GARD, les Thibault, t. IV, p. 208.
REM. Le dér. *toiseur* « celui qui toise, regarde de haut » est attesté (Geneviève Dormann, *Je t'apporterai des orages*, p. 58-59).

▶ **TOISÉ, ÉE** p. p. adj.
Vx. Mesuré à la toise. *Muraille toisée.* — N. m. (1644). *Le toisé,* mesurage à la toise; évaluation des travaux. ⇒ **Métré.** — Sc. Mesure des surfaces et des volumes (solides).
DÉR. 2. Toise, toisement.

TOISON [twazɔ̃] n. f. — V. 1160; *tuison*, v. 1112; bas lat. *tonsio, -onis* « tonte », de *tondere*. → Tondre.

♦ **1.** Pelage laineux des ovidés; ensemble des poils (laine et jarre) mêlés de suint de ces animaux. ⇒ **Lainage.** *Les toisons des brebis, des moutons.* ⇒ **Mouton** (cit. 1, 2 et 5). *Le riflard* (1. Riflard, I.), *meilleure laine d'une toison. Toison épaisse; dense; tassée, « fermée »; « ouverte ».* Par métonymie. Pelage d'un ovidé enlevé par la tonte (*toison en suint,* lavée à dos); peau de mouton préparée avec ses poils (→ Gardeur, cit. 2). — Par ext. *Toison des chèvres, lamas...* ⇒ **Fourrure, pelage.**

1 Les toisons se présentaient sous forme de paquets de laine grasse, comprimés par le séjour dans une balle cerclée de fer et qu'il fallait d'abord ouvrir.
A. MAUROIS, Mémoires, I, VI.
Myth. LA TOISON D'OR, du bélier de la légende, donnée au roi de Colchide par Phrixos; trésor fabuleux célèbre dans l'antiquité (titre d'un conte de Gautier). *« La Conquête de la Toison d'or »,* tragédie de Corneille (1660). *Jason et les Argonautes partirent à la conquête de la Toison d'or.* — Absolt. *« Ou comme cestui-là* (celui-là) *qui conquit la toison »* (→ Âge, cit. 2, du Bellay). — Ordre de chevalerie institué en 1420. *Les chevaliers de la Toison d'or* (→ Ordre, cit. 40). — Spécialt. La chaîne, le collier où est attachée l'image d'une toison de bélier, et que peuvent porter les membres de l'ordre.

2 — (...) Regardez le prince d'Araceli; toutes les cinq minutes, il jette les yeux sur sa Toison d'or; il ne revient pas du plaisir de voir ce colifichet sur sa poitrine. Ce pauvre homme n'est au fond qu'un anachronisme. Il y a cent ans la Toison était un honneur insigne, mais alors elle eût passé bien au-dessus de sa tête.
STENDHAL, le Rouge et le Noir, II, IX.
Compar. *Cheveux, poils épais comme une toison.*

2.1 Son front étroit, très bas, était couvert d'une masse de cheveux d'un noir luisant, pressés comme une toison, mangeant même un peu des tempes.
MAUPASSANT, Yvette, Pl., t. II, p. 242.

♦ **2.** (Mil. xixᵉ). Chevelure très fournie ou d'apparence laineuse. ⇒ **Cheveu, tignasse.** (→ Boucle, cit. 4; laineux, cit. 2). — Poils abondants de certains animaux (chat : → Ardoise, cit. 5; chien : → Froisser, cit. 13) ou de l'homme. *Une toison blonde, brune.*

3 Mais la Renaissance, surtout en Italie, libéra les belles toisons. Venise les roussit au soleil, et les sema de perles, les traversa de ganses, les noua de joyaux (...)
COLETTE, Belles saisons, p. 83.

4 L'inspecteur Colombin n'était pas beau dans l'intimité. Sur ses épaules nues, il y avait une toison fauve qui se continuait en pointes sur les omoplates.
ARAGON, les Beaux Quartiers, III, XI.
Spécialt. Les poils pubiens. *Toison pubienne.* — Absolt. *La toison.*
DÉR. Toisonner.

TOISONNER [twazɔne] v. tr. — Av. 1590, Du Bartas, au p. p.; de *toison.*

♦ Littér. Couvrir comme d'une toison. — Au p. p. *« Le dos des collines, toisonnées de forêts »* (Colette, in G. L. L. F.).

TOIT [twa] n. m. — Fin xiiᵉ; *teit*, v. 1155; lat. *tectum.*

♦ **1.** Surface supérieure d'un édifice, inclinée ou horizontale (⇒ **Terrasse** II., 2.); agencement approprié de certains matériaux (chaume, tuiles, ardoises, zinc...) qui recouvre une construction et la protège contre les intempéries. — Par ext. Cette couverture et son armature qui la supporte. ⇒ **1. Comble, couverture, toiture.** *Toit de chaume** (cit. 3), *de glui** (vx), de *paille* (→ Dorer, cit. 2). *Toit de bardeaux*, de tuiles*, d'ardoises** (cit. 3). *Toit d'étain* (→ Mâchicoulis, cit. 1), *de plomb, de cuivre, de zinc, d'aluminium, de tôle galvanisée (plane* ou *ondulée), de fibrociment... Toit vitré.* ⇒ **Verrière. Couvreur** qui fait, qui répare un toit. ⇒ **Couvrir** (une maison). *Enfaîter, délatter un toit. Éléments, ornements, accessoires d'un toit.* ⇒ **Antéfixe, arbalétrier** (II.), **arête** (II., 2), **battellement, blochet, bourseau, brisis, chanlatte, charpente, chéneau, chevron, chute** (supra cit. 16), **cornier, crête, croupe** (3), **enchevauchure, enfaîteau, enfaîtement, enfourchement, faîtage, faîte, faîteau, faîtière, 3. ferme, gargouille, girouette, gouttière** (cit. 4), **latte,** lucarne, lunette, mansarde, membron, 2. noue, 1. pan (*supra* cit. 8), rampant, solin, solive, sommité (1., vx), tabatière, tanchis (ou tranchis), versant, volige... *Saillie, avancement d'un toit.* ⇒ Auvent, avant-toit (→ Ramasser, cit. 18). *Attique** (*infra* cit. 8) *qui masque le toit. Toit en bâtière*, en pavillon*. Toit pointu, en poivrière, en éteignoir* (→ Hérisser, cit. 13 ; manoir, cit. 1). *Toit en pente* (→ Presbytère, cit. 2), *à pente* (cit. 1) *rapide. Toit presque vertical* (→ Faner, cit. 5). *Toit en coupole, en dôme, en voûte. Maison à toit plat,* faiblement incliné, ou horizontal. ⇒ Terrasse (→ Golfe, cit. 5 ; pot, cit. 10). *Toit en plate-forme, en terrasse. Temple antique à ciel ouvert, sans toit.* ⇒ Hypèthre. *Les toits de Paris, d'une ville, d'un bourg* (→ Maintenant, cit. 6 ; 1. partir, cit. 5 ; poindre, cit. 8). *« Le ciel est, par-dessus le toit, Si bleu, si calme ! »* (→ 1. Palme, cit. 4, Verlaine). *Bruit de la pluie* (cit. 1) *sur les toits. Égout** (cit. 1), *égouttement des toits. Cigognes* (cit. 3) *perchées sur les toits. Grimper, se promener sur les toits* (→ Observatoire, cit. 4). — Littér. *« Le Bœuf sur le toit »* (d'après une enseigne de cabaret brésilien remarquée par Claudel à Rio) : pièce de Cocteau, dont le titre devint le nom d'un cabaret littéraire et artistique en vogue à Paris vers les années 1920-1930. *« Le Hussard sur le toit »,* roman de J. Giono.

1   Pas plus de quarante maisons, larges, trapues, avec de vastes toits en pente douce, de vieux toits d'argile cuite, roux et mauves, dès le matin, quand la lumière est encore très pure.   H. Bosco, le Jardin d'Hyacinthe, p. 19.

1.1   Elle a vu ces toits. Il y a un instant encore ils s'étendaient, régulièrement parsemés sous le ciel, enchevêtrés, nus, au-dessous du balcon, nus et uniformément vides.   M. Duras, Dix heures et demie du soir en été, p. 32.

Construction formée d'un toit reposant sur des supports. ⇒ Halle (cit. 6), hangar, kiosque (cit. 1)... *Toit adossé à un mur et soutenu par des poteaux.* ⇒ Appentis, auvent. *Tuiles saillantes formant toit sur un mur* (⇒ Chaperon).

Habiter, loger sous le toit, sous les toits, au dernier étage d'un immeuble, dans une mansarde.

Loc. fig. (1772). Sur les toits (expression empruntée au langage biblique, d'après l'usage des Orientaux qui montent sur les terrasses pour converser d'une maison à l'autre). *Crier** (cit. 25), *publier** (cit. 2) *qqch. sur les toits.* ⇒ Divulguer, répandre (II., 4.).

2   Car ce que vous aurez dit dans les ténèbres, se publiera dans la lumière ; et ce que vous aurez dit à l'oreille dans une chambre, sera prêché sur les toits.   Bible (Sacy), l'Évangile selon saint Luc, XII, 3.

Par métaphore. Ce qui forme une couverture, un abri (→ Étouffer, cit. 16 ; neige, cit. 4), ou ce qui est comparé à la surface d'un toit :

3   Ce toit tranquille, où marchent des colombes (...)
Mais comble d'or aux mille tuiles, Toit !   Valéry, Poésies, « Charmes », le Cimetière marin, Œ., Pl., t. I, p. 147.

(1887, in *Année sc. et industr.* 1888, p. 343). Loc. fig. (pour exprimer l'idée d'altitude). Géogr. *Le toit du monde :* la région du Pamir, en Asie centrale ; le Tibet.

♦ 2. (XIVe). Par métonymie. Maison*, abri*. ⇒ Asile, domicile, habitation, logement. *Posséder un toit* (→ Inégalité, cit. 6). *Être sans toit. — Sous le toit de... :* dans la maison de... ⇒ Chez. *Recevoir qqn sous son toit,* lui donner l'hospitalité. *Sous le toit paternel.* ⇒ Famille (4.) ; → Fumée, cit. 18. *Habiter, vivre avec qqn sous le même toit.*

4   (...) il était très partagé, il offrait son toit par orgueil, en comptant bien que le père refuserait, en souffrant à l'idée qu'il accepterait peut-être l'hospitalité des Delhomme.   Zola, la Terre, III, III.

♦ 3. *Toit à porcs :* étable à porcs. ⇒ Porcherie, soue.

♦ 4. (1765). Paroi supérieure, plafond d'une galerie de mine (→ 2. Étai, cit. 1 ; 2. pic, cit.). — Géol., géogr. *Toit d'une nappe aquifère, d'une salle souterraine.*

(1954). Sport (alpin.). Partie horizontale inférieure d'un surplomb lorsqu'elle est profonde. *Franchir un toit de plusieurs mètres.*

Anat. *Toit de la caisse :* paroi supérieure de la caisse du tympan. *Toit du quatrième ventricule.*

♦ 5. Cour. Paroi supérieure (d'un véhicule). *Le toit d'un wagon, d'une automobile, d'un tramway* (→ Pester, cit. 2 ; rail, cit. 3). *Galerie* (3.) *de toit d'une automobile,* pour mettre les bagages. — (1931). *Toit ouvrant,* qui coulisse horizontalement. *Voiture à toit ouvrant. Ta voiture est décapotable? Non, mais elle a un toit ouvrant.*

♦ 6. Techn. Partie supérieure (d'un réservoir pour liquides). *Réservoir, bac à toit flottant.*

CONTR. 1. Cave.
DÉR. Toiture.
COMP. Avant-toit.
HOM. Toi.

TOITURE [twatyʀ] n. f. — 1788 ; « toit », 1594 ; de *toit.*

♦ 1. Vx. Toit d'une maison.

♦ 2. Techn., cour. Ensemble constitué par la couverture (1.) d'un édifice et son armature. *Toiture métallique, vitrée* (→ Encorbellement, cit. 1), *en zinc. Faîte, ardoises d'une toiture* (→ Paon, cit. 2 ;

pourriture, cit. 1). *Lucarne* (cit. 2) *enchâssée dans la toiture. Toiture d'une maison, d'une gare, d'un hall d'usine* (→ Parapet, cit. 3 ; pont, cit. 13). *Toiture en terrasse,* en pente (jusqu'à 8 %).

  À la place du champ d'avoine (...) s'élevaient maintenant les quatre murailles de la maison d'Yves ; elle n'avait encore ni auvent, ni plancher, ni toiture, et, au clair de lune, elle ressemblait à une ruine.   Loti, Mon frère Yves, XCV.

DÉR. Toiturer.

TOITURER [twatyʀe] v. tr. — Fin XIXe, Huysmans ; de *toiture.*

♦ Rare. Couvrir d'un toit (une maison). — Techn. Couvrir d'un toit (un véhicule).

TOKAI, TOKAÏ ou TOKAY [tɔkaj ; tɔkɛ] n. m. — 1732, *tokai ; tokay,* 1701 ; de *Tokay,* région de Hongrie.

♦ 1. Prononcé [tɔkaj]. Vin de liqueur de Hongrie (→ Kreutzer, cit.).

♦ 2. Prononcé [tɔkɛ]. Vin obtenu en Alsace et dans le Midi de la France avec le pinot* gris, appelé improprement *tokay.*

HOM. Toquet ; formes du v. toquer.

TOKAMAK [tɔkamak] n. m. — 1973, *la Recherche ;* mot russe (v. 1960).

♦ Phys., techn. Machine à tores produisant des températures extrêmement élevées, grâce à un anneau de plasma isolé par un champ magnétique et chauffé par un courant intense, afin de parvenir à la fusion des atomes. *« Les machines toriques dites "tokamaks", de conception initiale soviétique, et qui sont jusqu'à ce jour les seules machines fermées ayant produit des plasmas réellement chauds »* (la Recherche, nov. 1973, p. 988).

TOKHARIEN, IENNE [tɔkaʀjɛ̃, jɛn] n. m. et adj. — 1914 ; grec *Tokharoi,* désignant un peuple d'Asie centrale.

♦ Ling. Langue du groupe indo-européen, encore parlée au VIIe siècle dans le Turkestan et dont on a retrouvé quelques textes, notés dans une écriture d'origine indienne. — Adj. *Désinence tokharienne.*

TOKO [tɔko] n. m. — 1901, *in* Petiot ; mot angl. *(slang).*

♦ Argot sportif (tir). Tremblement nerveux de la main du tireur, dû à l'appréhension, au trac.

TOKONOMA [tɔkɔnɔma] n. m. — Attesté XXe ; mot japonais.

♦ Didact. Renfoncement dans la pièce principale d'une habitation japonaise traditionnelle, dans lequel on dispose l'autel domestique, des objets décoratifs, etc. *Tokonoma garni d'un kakemono et d'un bouquet.*

TÔLAGE [tolaʒ] n. m. — 1933 ; de *tôle.*

♦ Techn. Opération consistant à garnir (qqch.) de tôle.

TOLAMITE [tɔlamit] n. f. — Mil. XXe ; de *tol(uène),* et *(dyn)amite.*

♦ Techn. Dynamite plastique.

TÔLARD, ARDE [tolaʀ, aʀd] n. — 1750, au sens I ; de 1. *tôle.*

★ I. N. m. Vx. Lit de bagnard (*in* Balzac).

★ II. *Tôlard, arde.* ⇒ Taulard.

TOLBUTAMINE [tɔlbytamin] n. f. — V. 1960 ; de *tol(yle),* but(yl), et *amine.*

♦ Méd. Sulfamide à action hypoglycémiante, administré par voie buccale dans le traitement du diabète.

1. TÔLE [tol] n. f. — 1642 ; *fer en taule,* XVIe ; soit (Bloch et Wartburg) forme dial. de *table** ; cf. gascon *taulo ;* wallon et parlers de l'Est, *tôle.* → Taule ; soit forme réduite du picard et wallon *estaule,* forme de *étable** (Guiraud).

♦ 1. Feuille de fer ou d'acier obtenue par laminage. *Grosses tôles. Tôles moyennes, minces. Tôles et feuillards. Tôle étamée* (⇒ Ferblanc), galvanisée, émaillée. *Cintrer, découper, emboutir, marteler, percer, plier, poinçonner, souder une tôle. Tôle emboutie, profilée. Utilisation de la tôle en chaudronnerie, en carrosserie automobile... Réservoir* (→ Minium, cit.), *parapet* (cit. 3), *table de tôle* (→ Pliant, cit. 1). *Portes doublées de tôle* (→ Fermer, cit. 19). *Les tôles d'un navire.*

0.1 Il remarqua, sur la gauche, une écumoire en tôle émaillée, ronde et à long manche (...)   A. ROBBE-GRILLET, le Voyeur, p. 54.

0.2 Ainsi, l'emploi de tôles au silicium, ayant une perméabilité magnétique plus grande
et une hystérésis plus réduite que les tôles de fer a permis de diminuer le volume
et le poids des moteurs de traction tout en augmentant le rendement (...)
         Gilbert SIMONDON, Du mode d'existence des objets techniques, p. 53.

TÔLE ONDULÉE : tôle de fer, présentant des plis courbes alternés, et
qui sert à couvrir des hangars, des bâtiments industriels, etc. *Toit
en tôle ondulée*. — Fig. Ondulations serrées d'une surface (route,
piste).

1 (...) l'église de Fort-Gono si chaude celle-là, sous les tôles ondulées, qu'on n'y
entrait jamais deux fois de suite, plus tropicale que les tropiques.
                CÉLINE, Voyage au bout de la nuit, p. 137.

Tôle magnétique, utilisée dans les circuits magnétiques (transfor-
mateurs, etc).

Tôle-gouttière : gouttière de tôle en abord d'un pont de navire.

♦ **2.** (1917). Fam. (argot des skieurs). Neige durcie. ⇒ **Tôlé** (1.).

DÉR. Tôlage, tôlard, tôlé, tôlerie, tôlier.
HOM. Taule.

2. TÔLE [tol] n. m. ⇒ Taule.

TÔLÉ, ÉE [tole] adj. — xxᵉ ; de 1. tôle.

♦ **1.** (1924 ; de 1. *tôle,* 2.). Fam. (argot des skieurs). *Neige tôlée :*
neige qui a regelé après un début de fusion. — Syn. : *tôle.* — N. f.
La poudreuse et la tôlée.

♦ **2.** (1933). Techn. Recouvert de tôle (en parlant de la caisse d'un
véhicule). *Fourgonnette tôlée.*

TOLÉDAN, ANE [tɔledã, an] adj. — Av. 1872, Gautier ; esp. *tole-
dano,* de *Toledo* « Tolède ».

♦ De Tolède, ville d'Espagne.

TOLÉRABLE [tɔleʀabl] adj. — 1355 ; lat. *tolerabilis,* de *tolerare.*
→ Tolérer.

♦ **1.** Qu'on peut tolérer, considérer avec indulgence, excuser.
⇒ **Acceptable, admissible, excusable** (→ Agression, cit. 2 ; concubinage, cit. 3). *Une négligence continuelle de style n'est pas tolérable
dans des ouvrages sérieux* (→ Étudier, cit. 25).

♦ **2.** (1390). Qu'on peut supporter*. ⇒ **Supportable.** *La vie n'est
tolérable qu'avec une marotte* (cit. 3), *un travail quelconque.*

1 Tout le monde, disait-elle en riant, est assommant. Il n'y a de tolérables que les
gens qui me plaisent, uniquement parce qu'ils me plaisent.
             MAUPASSANT, Notre cœur, I, II.

2 (...) la certitude que j'avais de pouvoir, dès l'automne, déserter cette condition me
la rendait infiniment plus tolérable (...)
           G. DUHAMEL, Inventaire de l'abîme, XV.

CONTR. Impossible, intolérable.
DÉR. Tolérablement.

TOLÉRABLEMENT [tɔleʀabləmã] adv. — 1549 ; de *tolérable.*

♦ Rare. De façon tolérable*. *Nous étions installés tolérablement,
sans plus.*

TOLÉRANCE [tɔleʀãs] n. f. — 1561 ; attestation isolée, 1361 ; lat.
tolerantia, de *tolerare.* → Tolérer.

♦ **1.** Fait de tolérer* (1.) qqch., de ne pas interdire ou exiger, alors
qu'on le pourrait ; liberté qui résulte de cette abstention. *Par tolérance* (→ Harem, cit. 5). *Ce n'est pas un droit, c'est une tolérance.* — Dr. *Jour** (supra cit. 20) *de tolérance* (ou *de souffrance*).
— *Tolérance orthographique, grammaticale :* liberté de ne pas
appliquer la règle stricte, dans certains cas.

1 En moyenne, il faisait le mort une fois la semaine sans que l'administration, bonne
bête, eût l'air de s'en apercevoir ; mais la question était de savoir jusqu'à quel
point tiendrait, devant l'abus, une tolérance faite, en partie d'inertie et d'habitude
prise.   COURTELINE, Messieurs les ronds-de-cuir, Iᵉʳ tableau, I.

LOC. (1840). MAISON DE TOLÉRANCE : maison de prostitution (tolérée par la loi, avant 1946).

2 Qui se fût risqué par exemple alors à entrer dans ce que nous appelons encore
maintenant avec timidité une maison de tolérance ?
     M. JOUHANDEAU, Chaminadour, I, Contes brefs, I, « Maisons de complaisance ».

♦ **2.** Attitude qui consiste à admettre chez autrui une manière de
penser ou d'agir différente de celle qu'on adopte soi-même. ⇒ **Compréhension, indulgence, libéralisme** (→ Séparation, cit. 5). *Tolérance
réciproque* (→ Paix, cit. 4). *Faire preuve d'intelligence et de tolérance* (→ Avoir l'esprit* large). *Tolérance aveugle* (cit. 22) *et pusillanime.* ⇒ aussi **Acquiescement.**

3 L'Angleterre, dans une de ces crises d'incohérente vertu qui succèdent chez elle
à la plus surprenante tolérance, venait de chasser Lord Byron accusé d'inceste.
            A. MAUROIS, Ariel..., II, V.

♦ **3.** a (Fin xviᵉ). Hist. relig. *Tolérance théologique, ecclésiastique,
religieuse :* indulgence à l'égard de l'opinion d'autrui sur les points
de dogme que l'Église ne considère pas comme essentiels (⇒ **Tolérantisme**). — *Tolérance civile :* liberté, accordée par le pouvoir, de
pratiquer une religion autre que la religion officielle. — Hist. *Édit
de tolérance,* qui accordait aux protestants le libre exercice de leur
culte (1562).

4 Ainsi la tolérance civile, c'est-à-dire l'impunité accordée par le magistrat à toutes les sectes, dans l'esprit de ceux qui la soutiennent est liée nécessairement avec
la tolérance ecclésiastique (...) Si l'on se déclarait ouvertement pour la tolérance
ecclésiastique (...) c'est-à-dire qu'on reconnût tous les hérétiques pour vrais membres et vrais enfants de l'Église, on marquerait trop évidemment l'indifférence des
religions. On fait donc semblant de se refermer dans la tolérance civile.
          BOSSUET, Avertissement aux protestants, VI, III, XI.

b (1681). Cour. Fait de respecter la liberté d'autrui en matière de
religion, d'opinions philosophiques, politiques, etc. *Tolérance mutuelle entre les diverses confessions* (cit. 10) *d'un pays.*

5 Je demande à présent si c'est la tolérance ou l'intolérance qui est de droit divin ?
Si vous voulez ressembler à Jésus-Christ, soyez martyrs, et non pas bourreaux.
     VOLTAIRE, Politique et législation, « Traité sur la tolérance », XIV.

6 J'observerai ici que la tolérance, la liberté des opinions et des croyances est toujours chose fort tardive ; elle ne peut se concevoir et pénétrer les lois et les mœurs,
que dans une époque avancée, quand les esprits se sont progressivement enrichis
et affaiblis de leurs différences échangées.
      VALÉRY, Variété, Études littér., Œ., Pl., t. I, p. 734.

♦ **4.** a (1834). Méd., physiol. Aptitude de l'organisme (variable suivant les sujets et les circonstances) à supporter sans symptômes
morbides l'action d'un médicament, d'un agent chimique ou physique déterminé, etc.

b Sociol. Aptitude d'un individu, d'un groupe à supporter sans
modification l'action d'un altéragène. *Seuil de tolérance d'une communauté.*

♦ **5.** Techn. Limite de l'écart admis entre les caractéristiques réelles
d'un objet fabriqué ou d'un produit et les caractéristiques prévues
(→ Normalisation, cit.). *Marge de tolérance. Tolérance de calibre,
de poids. Tolérance de titre et de poids pour les pièces de monnaie.*
CONTR. Défense ; despotisme, intolérance, sectarisme.
COMP. Intolérance.

TOLÉRANT, ANTE [tɔleʀã, ãt] adj. — 1544 ; p. prés. adjectivé
de *tolérer.*

♦ **1.** Vx. Endurant, patient, qui supporte avec courage les épreuves.
Le tolérant Ulysse.

♦ **2.** Qui fait preuve de tolérance (2.). ⇒ **Compréhensif** (*supra*
cit. 1), **doux, facile** ; → Respectueux, cit. 6. *Mari tolérant.*
⇒ **Débonnaire** (3.). — Par ext. *Dispositions tolérantes.* ⇒ **Indulgent.**

♦ **3.** Qui fait preuve de tolérance (3.). *État tolérant pour tous les
cultes* (→ Laïcité, cit. 1). — Par ext. *Doctrine, religion tolérante.*

— (...) Il n'y a pas un musulman qui n'imaginât faire une action agréable à Dieu,
et au saint Prophète, en exterminant tous les chrétiens, qui, de leur côté, ne sont
guère plus tolérants.
      DIDEROT, Entretien d'un philosophe avec la maréchale de***.

N. (Rare). *Un tolérant. Les tolérants.*
CONTR. Borné, dogmatique, fanatique, exclusif, intolérant.
DÉR. Tolérantisme.
COMP. Intolérant.

TOLÉRANTISME [tɔleʀãtism] n. m. — 1721 ; de *tolérant.*
Histoire des religions.

♦ **1.** Opinion, attitude de ceux qui poussent trop loin la tolérance*
(3.) théologique. — Vx, péj. Opinion de ceux qui sont partisans de
la tolérance religieuse.

(...) Qu'a-t-il produit *(le siècle)* pour qu'on le loue ? Sottises de toute espèce : la
liberté de penser, l'attraction, l'électricité, le tolérantisme, l'inoculation, le quinquina, l'Encyclopédie, et les drames (...)
      BEAUMARCHAIS, le Barbier de Séville, I, 3.

♦ **2.** Vieilli. Tolérance religieuse.

TOLÉRER [tɔleʀe] v. tr. — Conjug. *céder.* — 1393 ; du lat. *tolerare.*

♦ **1.** a Laisser se produire ou subsister (une chose qu'on aurait le
droit ou la possibilité d'empêcher). ⇒ **Autoriser, permettre, souffrir.**
Le premier abus toléré en amène un autre (cit. 41). — Spécialt.
Tolérer un culte, une religion. ⇒ **Tolérance** (3.).

b Considérer avec une certaine indulgence (une chose qu'on
n'approuve pas mais qu'on pourrait blâmer ou condamner formellement). ⇒ **Excuser** (*supra* cit. 12), **pardonner, passer** (laisser passer).
Tolérer un défaut à qqn. ⇒ **Passer** (le lui passer).

c (V. 1560, Paré). Supporter avec patience ce qu'on trouve désagréable, injuste, etc. ⇒ **Endurer** (*supra* cit. 9), **souffrir,** 1. **supporter** (II., 2.). *Qu'on ne peut tolérer.* ⇒ **Intolérable.** *Tolérer une situation avec résignation* (→ Ignorer, cit. 49). — *Tolérer que...* suivi
du subj. ⇒ **Permettre.** — *Tolérer qqch. de qqn. Il tolère de sa sœur*

ce qu'il n'accepterait de personne d'autre. — Vx. *Tolérer qqch. à qqn.*

1 S'il fallait tolérer aux autres tout ce qu'on se permet à soi-même, la vie ne serait plus tenable.   COURTELINE, la Philosophie de G. Courteline, *in* DUPRÉ, n° 3114.

2 (...) Mme Charles se montrait d'une activité extraordinaire, l'œil ouvert partout, ne laissant rien se perdre, tout en sachant tolérer, quand il le fallait, les petits vols des clients riches.   ZOLA, la Terre, I, III.

3 D'ailleurs la promesse était vaine, car ceux qui avaient amené le Gouvernement au nouveau pouvoir prélevaient leur part sur les jeux et n'auraient pas toléré qu'on fermât ce cercle.   Paul MORAND, l'Europe galante, p. 93.

◆ **2.** (1689). *Tolérer qqn :* admettre sa présence, mais à contrecœur. *Un intrus* (cit. 3) *toléré.* — Supporter (qqn) malgré ses défauts. — Pron. *Se tolérer mutuellement* (→ Inconséquent, cit. 2).

4 Ils ne prononçaient pas un mot d'amour, ils feignaient d'avoir oublié le passé; ils semblaient s'accepter, se tolérer, comme des malades éprouvant une pitié secrète pour leurs souffrances communes.   ZOLA, Thérèse Raquin, XXII.

5 Ah! si seulement je pouvais croire que ma présence ici lui est agréable (...) Mais même cette joie m'est enlevée; et tout le jour je puis penser que, simplement, elle me tolère.   GIDE, Et nunc manet in te, Journal intime, 3 janv. 1921.

◆ **3.** (Mil. XIXe). En parlant de l'organisme. Supporter sans réaction fâcheuse. ⇒ **Tolérance** (4.). *Tolérer un médicament, une douleur.* — Au participe passé : *Une piqûre bien tolérée* (→ Anaphylaxie, cit. 1).

6 Chaque individu tolère seulement un certain nombre de bactéries et une certaine virulence de ces bactéries. Au delà de ce nombre et de cette virulence (...) la maladie se déclare.   Alexis CARREL, l'Homme, cet inconnu, VI, XI.

CONTR. **Défendre, interdire, réprimer; contraindre, forcer.**
DÉR. (Du même rad.) **Tolérable, tolérance, tolérant.**
COMP. **Intolérable.**

TÔLERIE [tolRi] n. f. — 1771, sens inconnu; puis 1836; de 1. *tôle.*

◆ **1.** Fabrication, travail ou commerce de la tôle.

◆ **2.** (1836). Atelier où l'on travaille la tôle. *Envoyer une voiture accidentée à la tôlerie.* ⇒ **Carrosserie.**

◆ **3.** (1872). Collectif. Articles en tôle. — Ensemble des tôles d'un ouvrage. *La tôlerie d'une automobile, d'un réservoir.*

TOLET [tolɛ] n. m. — XVIIIe; *thollet,* 1611; mot normand; de l'anc. scandinave *thollr;* ou de l'anc. angl. *tholl,* même sens.

◆ Techn. Cheville de fer ou de bois enfoncée dans le renfort *(toletière)* du plat-bord d'une embarcation et qui sert de point d'appui à l'aviron. → 2. Pêcher, cit. 3. *Fixation de l'aviron au tolet.* ⇒ **Erseau, estrope** (de gouvernail). — *Tolet mobile à fourche.* ⇒ **Système** (II., 2.).

(...) il reprit ses avirons; et le claquement des tolets coupait la clameur de la tempête.   FLAUBERT, Trois contes, « Légende de saint Julien l'Hospitalier », III.

DÉR. **Toletière.**

TOLETIÈRE [toltjɛR] n. f. — 1812; *touletière,* 1679; de *tolet.*

◆ Techn. Pièce de bois fixée sur le plat-bord d'une embarcation et dans laquelle s'enfoncent les tolets.

1. TÔLIER [tolje] n. m. — 1836; de *tôle.*

◆ Personne qui fabrique, travaille ou vend la tôle. *Tôlier de bâtiment. Tôlier en voitures,* travaillant aux carrosseries métalliques d'une automobile. *Tôlier-fumiste. Les cisoires*, cisailles de tôlier.* — REM. Le fém. *tôlière* est virtuel.

HOM. **Taulier.**

2. TÔLIER, IÈRE [tolje, jɛR] n. ⇒ **Taulier.**

TOLITE [tolit] n. f. — 1923; du rad. de *toluène,* et suff. *-ite.*

◆ Techn. Explosif appelé aussi *trinitrotoluène** (⇒ **T. N. T.**).

TOLLÉ [tole] n. m. — 1690; *crier tollé* (après qqn), 1560; de l'anc. franç. *tolez,* impér. de *toldre* « ôter » (du lat. *tollere*), devenu un cri de protestation, et modifié sous l'influence du lat. *tolle hunc* « enlève-le, prends-le », cri par lequel les Juifs demandèrent à Pilate de crucifier le Christ; cf. *Évangile selon saint Jean,* XIX, 15.

◆ Littér. Clameur de protestation. — (XIXe). Mouvement collectif d'indignation*. ⇒ **Blâme** (1.), **clameur** (2.), **cri** (supra cit. 12), **haro** (supra cit. 4), **huée** (2., supra cit. 1). *Un tollé général. Des tollés.* — REM. On a écrit parfois *tolle,* sans accent.

1 (...) vous y avez excité trop de jalousie, pour résister au *tolle* général qui s'élèvera contre vous dans les journaux libéraux.   BALZAC, Illusions perdues, Pl., t. IV, p. 844.

2 (...) Sainte-Beuve, qui dit l'avoir beaucoup connu (*Henri Heine*), s'écrie que c'était un misérable, un coquin, puis sur le *tolle* général de la table, se tait, se dissimulant derrière ses deux mains qu'il garde sur son visage, tout le temps que dure l'éloge.   Ed. et J. DE GONCOURT, Journal, 23 févr. 1863, t. II, p. 77.

Rare (sans idée de protestation). « *Un tollé de rires et d'applaudissements* » (Amiel, *in* G. L. L. F.).

CONTR. **Acclamation.**

TOLOMANE [toloman] n. f. — 1872, Littré; orig. inconnue.

◆ Didact. Fécule alimentaire extraite des rhizomes de plusieurs cannas (balisiers), aux Antilles.

TOLSTOÏEN, ENNE [tolstojɛ̃, ɛn] adj. — 1898; de *Tolstoï,* écrivain russe (1828-1910).

◆ Qui se rapporte à l'œuvre ou aux idées de Tolstoï. — Subst. « *Lui, Yankel, le pacifique, le tolstoïen!* » (R. Ikor, *les Fils d'Avrom,* p. 125).

TOLSTOÏSER [tolstojize] v. intr. — 1906; de *Tolstoï,* écrivain russe (1828-1910).

◆ Didact. Avoir les idées de Tolstoï.

Avançant toujours dans la « pureté », M. Dandillot, sur la cinquantaine, tolstoïsa : l'homme, pour être vraiment « naturel », devait aussi rester chaste, et aimer son semblable (...)   MONTHERLANT, Pitié pour les femmes, p. 13.

REM. On trouve aussi le p. prés. adj. *tolstoïsant, ante* [tolstoizɑ̃, ɑ̃t] (1891, *in* D. D. L.).

TOLSTOÏSME [tolstojsm] n. m. — 1891, *in* D. D. L.; de *Tolstoï.* → Tolstoïen.

◆ Doctrine, opinions de Tolstoï (H. Troyat, *les Héritiers,* III, p. 140).

TOLU (BAUME DE) [bomdetoly] n. m. — 1602; ville, 1598; nom d'une ville de Colombie.

◆ *Baume de Tolu* ⇒ **Baume.** — Ellipt (rare). *Du tolu.*
DÉR. **Toluène, toluifera.**

TOLUÈNE [tolɥɛn] n. m. — 1850, *in* D. D. L.; de *baume de Tolu,* et suff. *-ène.*

◆ Chim. Hydrocarbure de la série benzénique ($C_6H_5CH_3$), liquide incolore, inflammable, à odeur forte (obtenu par Sainte-Claire Deville par distillation sèche du *baume de Tolu;* de nos jours, on obtient le toluène par rectification du benzol brut des goudrons* de houille). ⇒ **Benzène, benzol.** *Dérivés nitrés du toluène.* ⇒ **Nitrotoluène.** *Le toluène est très employé comme solvant et comme diluant; il sert à préparer des peintures, des parfums, des explosifs* (⇒ **Tolite, trinitrotoluène**).

DÉR. **Tolite, toluidine, toluique, toluol, tolyle.**
COMP. **Nitrotoluène, trinitrotoluène.**

TOLUIDINE [tolɥidin] n. f. — 1855, Nysten; de *tolu(ène).*

◆ Chim., techn. L'une des trois amines aromatiques isomères obtenues par réduction des nitrotoluènes correspondants. *Du mélange industriel d'aniline, d'orthotoluidine et de paratoluidine, on extrait l'huile pour bleu* (aniline pure) *et l'huile pour rouge* (mélange d'aniline et des deux toluidines), *qui sert à préparer la fuchsine.*

TOLUIFERA [tolɥifeRa] n. f. — Fin XIXe; *toluifère,* 1846, « qui produit le baume de Tolu »; lat. bot. *toluifera,* de *Tolu* et *-fera* « qui porte ».

◆ Bot. Plante (arbre), originaire d'Amérique (famille des légumineuses papilionacées), appelée aussi *Myroxylon,* qui produit le baume de Tolu *(Myroxylon toluifera)* et le baume du Pérou *(Myroxylon Pereiræ). La toluifera est utilisée aussi pour son bois.*

TOLUIQUE [tolɥik] adj. — 1876; de *toluène,* et suff. *-ique.*

◆ Chim. *Acides toluiques,* dérivés du toluène.

TOLUOL [tolɥol] n. m. — 1858, Nysten; de *tolu(ène),* et suff. chim. *-ol.*

◆ Techn., comm. Toluène brut.

TOLYLE [tolil] n. m. — 1876; de *tol(uène),* et *-yle,* du grec *hulê* « matière ».

◆ Chim. Radical univalent, dérivé du toluène par suppression d'un atome d'hydrogène, et homologue du phényle.

TOM [tɔm] ou **TOM-TOM** [tɔmtɔm] n. m. — Attesté mil. xxᵉ (H. Panassié, *tom tom*, 1954), probablt antérieur; angl. *tom tom*, d'une langue de l'Inde orientale.

♦ Techn. (mus.). Tambour à une seule peau, sans timbre* (I., 4.), rendant à la percussion un bruit net d'impact suivi d'une résonance prolongée évoquant la sonorité de la timbale, mais de hauteur indéfinie. *Les toms d'une batterie. Tom bas, tom médium. Caisse claire à timbre débrayable jouant le rôle de tom aigu.* — REM. La forme *tom-tom*, vieillie dans l'usage des musiciens, est vivante dans le vocabulaire technique de la musicologie.

TOMAHAWK [tɔmaok; cour., mais fautif, tɔmawak] n. m. — 1769, *in* Höfler; *tomahauk*, 1707; mot angl., d'une langue du groupe algonquin.

♦ Hache de guerre dont se servaient les Indiens de l'Amérique du Nord.

1 Les chefs de guerre, le tomahawk à la main (...) prennent la gauche.
CHATEAUBRIAND, Atala, le Récit, les Chasseurs, 1801, *in* LITTRÉ.

2 Il caressait un tomahawk d'Illinois, et sentait le scalpel d'un Cherokee qui lui enlevait la peau du crâne. BALZAC, la Peau de chagrin, p. 27 (1831).

3 Leurs instruments d'attaque et de défense consistaient en un casse-tête (...), et une espèce de «tomahawk», pierre aiguisée très dure, fixée entre deux bâtons par une gomme adhérente. J. VERNE, les Enfants du capitaine Grant, t. II, p. 180.
REM. On rencontre la graphie fautive *tomawak* [tɔmawak] (1904, Larousse).

TOMAISON [tɔmɛzɔ̃] n. f. — 1829; de *tome*.
Imprimerie.

♦ **1.** Indication du numéro du tome*, qui apparaît dans les signatures* sur les pages de titre et au dos des reliures.

♦ **2.** (1877). Division d'un ouvrage par tomes. *Une tomaison irrégulière.*

TOMAN [tɔmɑ̃] n. m. — xIIIᵉ; arabo-persan *tuman*, proprt «dix mille».

♦ Ancienne monnaie d'or de la Perse, unité remplacée aujourd'hui par le *rial*, mais encore utilisée comme monnaie de compte.
Mais, depuis sa tête jusqu'à ses pieds, chaussés de pantoufles persanes, telle était la profusion de bijoux, tomans d'or enfilés de fils d'argent, chapelets de turquoises (...) J. VERNE, Michel Strogoff, p. 326 (1876).

TOMATE [tɔmat] n. f. — Mil. xVIIIᵉ; attestation isolée, 1598; esp. *tomata*, de l'aztèque *tomate*.

♦ **1.** Plante dicotylédone *(Solanacées)*, herbacée, annuelle, originaire de l'Amérique du Sud, cultivée pour ses fruits. *Plants de tomate. Faire pousser des tomates. Repiquer; tuteurer des tomates. Fleurs de tomate. Fruit de la tomate* (→ ci dessous, 2.). — *Tomate Saint-Pierre, tomate des marchés, tomate rouge hâtive. Tomate cerise** (ou *tomate cocktail*), à fruits de très petite taille. *Tomate à fruits ronds; à fruits oblongs.* (⇒ **Olivette**, cit. 3). *Hybride de pomme de terre et de tomate.* ⇒ **Pomate.** — REM. Les expressions s'emploient aussi au sens 2.

♦ **2.** Fruit sphérique rouge de cette plante ⇒ 1. **Pomme** (pomme dorée [vx], pomme d'amour); → Marché, cit. 25; rutilant, cit. *Tomates crues. Salade de tomates. Tomates en salade* (→ Pigment, cit. 2). *Tomates cuites, à la provençale. Tomates farcies,* servies entières, évidées et garnies d'une farce à la viande. *Tomates fraîches, en conserve. Purée de tomates. Concentré de tomates. Sauce à la tomate* (⇒ **Ketchup**).
SAUCE TOMATE, préparée avec des tomates, soit fraîches, soit en conserves ou en concentré. *Spaghettis à la sauce tomate.* — *Jus de tomate,* employé comme boisson. *Confiture de tomates* (rouges ou vertes).

1 (...) le rouge saignant d'un tas de tomates (...)
ZOLA, le Ventre de Paris, t. I, p. 42.

2 Elle parla longtemps de l'achat d'un panier de tomates, elle en décrivit de rouges, de vertes, et d'éclatées. C'était un exercice de style, et il n'y en eut jamais d'aussi utiles, car l'ingénieur aimait les tomates. Il s'informa si elle ne les avait pas choisies trop mûres. M. AYMÉ, Maison basse, p. 140.

3 Un quartier de tomate en vérité sans défaut, découpé à la machine dans un fruit d'une symétrie parfaite.
La chair périphérique, compacte et homogène, d'un beau rouge de chimie, est régulièrement épaisse entre une bande de peau luisante et la loge où sont rangés les pépins, jaunes, bien calibrés, maintenus en place par une mince couche de gelée verdâtre le long d'un renflement du cœur. Celui-ci, d'un rose atténué légèrement granuleux, débute, du côté de la dépression inférieure, par un faisceau de veines blanches, dont l'une se prolonge jusque vers les pépins — d'une façon peut-être un peu incertaine.
Tout en haut, un accident à peine visible s'est produit : un coin de pelure, décollé de la chair sur un millimètre ou deux, se soulève imperceptiblement.
A. ROBBE-GRILLET, les Gommes, p. 161.

(Servant de projectile lancé par des spectateurs mécontents, des manifestants [cit.], etc.). *Recevoir des tomates. Recevoir qqn à coups de tomates.*

4 Hélas! M. Guy Mollet n'a pas pris sa foudre. Il a pris des tomates pourries, mais sur le nez. F. MAURIAC, Bloc-notes 1952-1957, p. 212.

♦ **3.** Loc. compar. *Être rouge comme une tomate,* très rouge (de honte, de timidité). — *En rester comme une tomate* : demeurer stupéfait.

♦ **4.** Adj. De la couleur (rouge) de la tomate. «*Un foulard tomate*» (M. Butor, *in* G. L. L. F.). — *Un beau rouge tomate.*

♦ **5.** Fam. Boisson de café, mélange de pernod et de grenadine (→ Perroquet, cit. 12).
DÉR. Tomateux, tomatier.
COMP. V. Pomate.

TOMATEUX, EUSE [tɔmatø, øz] adj. — Mil. xxᵉ; de *tomate*.

♦ Fam. De la tomate; du rouge de la tomate. «*Un fauteuil au velours tomateux*» (R. Borniche, *Flic story*, p. 269).
Il prend sur le plateau qu'on nous propose un verre conique, de couleur tomateuse et me le tend avec cette grâce désinvolte des parfaits maîtres de maison.
SAN-ANTONIO, T'es beau, tu sais!, p. 25.

TOMATIER, IÈRE [tɔmatje, jɛʀ] adj. et n. — 1966; de *tomate*.

♦ **1.** Relatif aux tomates. *Production tomatière.*

♦ **2.** Agric. Cultivateur de tomates.
(La société américaine Libby) offrait aux tomatiers des machines à ensemencer directement, et cette suppression du repiquage diminue évidemment les frais de main-d'œuvre. L.-V. VASSEUR, J.-J. BIMBENET et M. HILLAIRET, les Industries de l'alimentation, p. 100.

TOMAWAK [tɔmawak] n. m. ⇒ **Tomahawk.**

TOMBAC [tɔ̃bak] n. m. — 1700; *tambagle*, 1604; *tombacque*, 1664; siamois *tambac* ou *tambaga* «cuivre».

♦ Techn. Alliage de cuivre et de zinc (laitons) contenant plus de 60 % de cuivre, et pouvant renfermer de petites quantités d'étain (on dit aussi *laiton demi-rouge*).

TOMBAL, ALE [tɔ̃bal] adj. — 1836; de *tombe*.

♦ **1.** Qui appartient à une tombe, aux tombes. *Pierre tombale* : dalle qui recouvre une tombe (→ Cimetière, cit. 8); stèle dressée sur une tombe (→ Pierre, cit. 25). *Inscriptions tombales.*

♦ **2.** (1876). Littér. Qui évoque la tombe (d'un lieu). ⇒ **Lugubre, sinistre.** *Un pays, un édifice sombre, tombal.*

♦ **3.** Littér. Qui évoque la mort. «*Le visage d'une pâleur tombale*» (A. Billy, *in* G. L. L. F.).
DÉR. et HOM. Tombale.

TOMBALE [tɔ̃bal] n. f. — xxᵉ; de *pierre tombale*. → Tombal.

♦ Techn. Pierre destinée à recouvrir un caveau.
HOM. Tombal.

TOMBANT, ANTE [tɔ̃bɑ̃, ɑ̃t] adj. — 1556, au sens I, B, 2 de *tomber*; ne correspond que rarement au sens I, A du verbe, sauf au fig.; de *tomber*.

A. Adj. ♦ **1.** Vx ou rare. Qui tombe (I., B., 2.); qui est entraîné vers le sol. *La pluie tombante* (→ Bruissement, cit. 3).

1 J'aime ses tourbillons *(de Descartes).* — Moi, ses mondes tombants.
MOLIÈRE, les Femmes savantes, III, 2.

Qui tombe (I., B., 3.); qui arrive d'en haut. *Lumières* (cit. 17) *tombantes.*

♦ **2.** (1642). Qui tombe (I., A., 3.), diminue, perd de sa force. *Brise tombante. Une voix tombante.*

Spécialt (en parlant du crépuscule, → Chute, tombée). *La nuit tombante* : le crépuscule (→ Réverbère, cit. 1). — Littér. *L'heure tombante* (Goncourt).

♦ **3.** (1770). Plus courant. Qui tombe (I., B., 6.). ⓐ Qui, n'étant pas retenu dans toutes ses parties, s'abaisse, va vers le bas (tout en étant suspendu par une partie). *Draperies tombantes.* → Nudité, cit. 6. — (D'une partie du corps). Qui s'affaisse au delà de la normale. *Des paupières tombantes. Seins tombants. Des joues un peu tombantes. Chairs molles et tombantes.* ⇒ **Avalé, pendant;** → Corroder, cit. 1. — *Nez tombant,* long et dirigé vers le bas.

ⓑ Qui pousse de manière à retomber. — *Cheveux tombants.* ⇒ **Long.** *Moustaches tombantes à la gauloise* (cit. 2). — Bot. *Tiges, plantes tombantes,* qui retombent vers le sol.

ⓒ Qui s'incline vers le bas. *Des épaules tombantes* (→ Écru, cit. 6); cf. aussi le syn. fam. : *en bouteille de Saint-Galmier.*

♦ **4.** (Déb. XIXᵉ, Chateaubriand). Rare. Qui tombe (I., A., 2.) en ruine. *Un palais « déjà tombant »* (Chateaubriand).

B. N. m. ♦ 1. (1895). Littér. Filet d'eau qui coule.

♦ **2.** (XXᵉ). Didact. Partie immergée d'une falaise rocheuse (qui « tombe » dans l'eau).

♦ **3.** (1925). Cout. Mouvement de ce qui tombe (I., B., 6.). *Un beau tombant. Le tombant d'une robe.* ⇒ **Tombée,** I., 3.

2   Mᵐᵉ Jérôme pousse le voilage au crochet de la devanture, fait pivoter le présen-
    toir de l'étalage sur ses gonds, détache précautionneusement le tablier, maintien
    droit avec ses épingles sur un appui de planchettes en forme de croix pour faire
    valoir les manches ballon, et garni à l'intérieur de papier de soie pour lui donner
    du tombant.   Catherine PAYSAN, l'Empire du taureau, p. 27-28.

N. f. Coiffure tombante.

TOMBE [tõb] n. f. — V. 1130 ; lat. ecclés. *tumba,* in Prudence, saint Jérôme ; grec *tumbos.*

♦ **1.** Lieu où l'on ensevelit un mort, fosse généralement recouverte d'une dalle de marbre, de pierre. ⇒ **Fosse, sépulture, tombeau.** *Tertre, tumulus abritant une tombe. Mort* (3. Mort, cit. 1) *qui est couché, qui repose dans la tombe* (→ Ligne, cit. 10). *Descendre un cercueil dans une tombe. Les tombes d'un cimetière* (cit. 8 ; et → Enterrer, cit. 10 ; herbe, cit. 8 ; perpétuité, cit. 4), *d'une nécro- pole* (cit. 2 et 4). *Sur la tombe de qqn :* au bord de sa tombe, devant sa tombe* (→ Insincérité, cit. 1 ; obliger, cit. 6). *Fleurir* (cit. 16), *orner des tombes* (→ Perle, cit. 7). *« On me dit une mère et je suis une tombe »* (→ Hécatombe, cit. 3). *« L'œil* (cit. 53) *était dans la tombe et regardait Caïn »* (Hugo). — Loc. *S'il pouvait voir une chose pareille, il se retournerait dans sa tombe,* se dit d'un défunt qu'on imagine bouleversé, soulevé d'indignation par qqch. — Par compar. *Silencieux, froid, triste... comme une tombe.*

0.1 Les képis et les culottes rouges, les galons et les boutons d'or, les sabres, les aiguil-
     lettes de l'état-major, les brandebourgs des chasseurs et les hussards passaient au
     milieu des tombes dont les croix blanches ou noires ouvraient leurs bras lamenta-
     bles, leurs bras de fer, de marbre ou de bois sur le peuple disparu des morts.
                                          MAUPASSANT, l'Ordonnance, Pl., t. II, p. 980.

1.   (...) d'innombrables professions de foi d'immoralisme national capables de faire se
     retourner dans leurs tombes Jules César, Louis XI, Bismarck et Cecil Rhodes.
                                  BERNANOS, les Grands Cimetières sous la lune, p. 19.

2   La tombe, tournée vers le sud, présentait une dalle de pierre dure, à double pente,
     une stèle au fond, surmontée d'une croix, une grille qui en faisait le tour, et quatre
     vases de fonte aux quatre coins de la grille. La stèle portait l'inscription : Sépul-
     ture de la famille Didier-Meslier.   J. ROMAINS, Une femme singulière, V.

♦ **2.** (XIVᵉ). Pierre tombale. *Inscriptions, dates* (cit. 2) *gravées sur une tombe.* ⇒ **Épiphanie.** *« Pour jamais sous la tombe eut enfermé* (cit. 1) *Molière »* (→ aussi Chair, cit. 7). La pierre tombale et le monument (cit. 2) en général. ⇒ **Mausolée, tombeau** (→ Gésir, cit. 13 ; matériau, cit. 4 ; réfection, cit.).

3   Les assistants les plus rapprochés du caveau, ceux qui commençaient à plonger
     leurs regards dans sa profondeur, ont cru voir les tombes se soulever et flotter les
     linceuls (...)   Charles NODIER, Contes, « Trilby ».

♦ **3.** (Mil. XVIIᵉ). Par métaphore, fig. (Symbole de la mort). *Le berceau* (cit. 6) *et la tombe* (→ Antithèse, cit. 7). *« Et quand la tombe enfin a fermé leur paupière »* (cit. 2). *« Aux plus infortunés la tombe sert d'asile »* (cit. 24) ⇒ **Asile** (dernier), **demeure** (dernière). *Une victoire sur la tombe* (→ 1. Mort, cit. 19). *« Obligé d'hypothé- quer* (cit. 4) *ma tombe ». La tombe leur a donné la consécration* (→ Incontesté, cit. 1).

4   La tombe finit toujours par avoir raison.
                                HUGO, Post-Scriptum de ma vie, « Grands hommes », I.

*Être au bord de la tombe, avoir déjà un pied** (cit. 15) *dans la tombe :* être près de mourir. *Descendre dans la tombe :* mourir. *Suivre qqn dans la tombe :* mourir peu de temps après lui. *Empor- ter son secret dans la tombe* (→ Ouvrir, cit. 39).

5   (...) cette grande cocotte du monde que j'avais connue autrefois, la princesse de
     Nassau. Si sa taille n'avait pas diminué (ce qui lui donnait l'air, sa tête située
     à une bien moindre hauteur qu'elle n'était autrefois, d'avoir ce qu'on appelle un
     pied dans la tombe), on aurait à peine pu dire qu'elle avait vieilli.
                                  PROUST, le Temps retrouvé, Pl., t. III, p. 979.

Les « Mémoires d'outre-tombe », de Chateaubriand, destinés à être publiés après la mort de l'auteur.

♦ **4.** Fig. *Être une tombe :* être muet (comme une tombe), garder les secrets.

DÉR. Tombal, tombeau, tombelle.
COMP. Outre-tombe.

TOMBÉ, ÉE [tõbe] adj. et n. m. ⇒ **Tomber.**

TOMBEAU [tõbo] n. m. — XIIIᵉ ; *tombel,* v. 1130 ; de *tombe.*

♦ **1.** Monument (cit. 5) funéraire servant de sépulture* pour un ou plusieurs morts. ⇒ **Caveau, cippe, hypogée, koubba, mastaba** (cit.), **mausolée** (cit. 1), **pierre** (tombale), **sarcophage, sépulcre, stèle, tombe ; cénotaphe, columbarium** (→ Cyclopéen, cit. 6 ; effigie, cit. 1 ; entablement, cit. 1 ; funèbre, cit. 12 ; grille, cit. 9 ; résurrec- tion, cit. 1). *Enterrer, ensevelir dans un tombeau, mettre au tom-*

beau. ⇒ **Funérailles** (→ Cadavre, cit. 3 ; laver, cit. 10). *Le froid, la nuit* (cit. 26) *des tombeaux* (→ Cadavérique, cit. 1 ; inconstance, cit. 3 ; paillon, cit. 2). *Le tombeau de Lénine.* — *Mise au tombeau :* représentation de l'ensevelissement du Christ.

1   Le cloître est rempli de tombeaux, la plupart fermés de grilles très serrées et très
     fortes : ces tombeaux, tous d'illustres personnages, sont pratiqués dans l'épaisseur
     du mur, historiés de blasons et brodés de sculptures.
                                          Th. GAUTIER, Voyage en Espagne, p. 25.

(1752). Techn. *Lit en tombeau, lit tombeau :* lit à colonnes, très drapé, carré et lourd (→ Mobilier, cit. 2). — *Tiroir en tombeau,* galbé. *Brosse en tombeau,* dont le poil est disposé en arc.

2   (...) un immense meuble de marqueterie hollandaise, aux tiroirs *en tombeaux,* por-
     tant sur la corniche des vases argentés (...)
                                 Ed. et J. DE GONCOURT, Journal, 14 nov. 1874, t. V, p. 120.

♦ **2.** (Déb. XIXᵉ). Fig., littér. Lieu clos, sombre, d'aspect funèbre. *Cette espèce de tombeau où vivait le reclus* (cit. 4). *Cette pièce est un vrai tombeau.* — (En parlant d'un couvent). *Elle s'était* (1. Être, cit. 109) *laissé murer dans ce tombeau.*

♦ **3.** (1640). Par métaphore, fig. (Symbole de la mort). ⇒ **Tombe** (3.). *Descendre* (cit. 11) *au tombeau :* mourir. *« Au tombeau comme au trône on me verra courir »* (cit. 11). *« La moitié* (cit. 7) *de ma vie a mis l'autre au tombeau ». « Les tortueux* (cit. 3) *chemins qui vont vers le tombeau »* (Verhaeren). *Jusqu'au tombeau* (→ Rajeu- nir, cit. 1). *Au bord* (cit. 23), *aux portes du tombeau ; approcher* (cit. 9) *du tombeau. Creuser** (cit. 15) *son tombeau.* — Fig. *Le tom- beau de... :* le lieu où meurt... ; la fin, la mort* de... — Loc. *C'est le tombeau des secrets. C'est un tombeau,* se dit de qqn d'extrême- ment discret*, qui ensevelit en lui tous les secrets. cf. Muet comme une tombe.

3   Le bien a pour tombeau l'ingratitude humaine.
                      A. DE MUSSET, Premières poésies, « La coupe et les lèvres », IV, 1.

4   Demain, c'est Waterloo ! demain, c'est Sainte-Hélène !
                                      HUGO, les Chants du crépuscule, V, II.

Fig., littér. Ce qui cause la mort, la disparition de (qqch.). *« Les systèmes sont le tombeau de l'esprit »* (Alain, in G. L. L. F.).

♦ **4.** (1798). Loc. fig. **À TOMBEAU OUVERT :** proprt, avec une telle vitesse qu'on risque un accident mortel. *Rouler à tombeau ouvert.*

5   (...) la vitesse vertigineuse des escortes lancées à fond de train et des carrosses
     courant *à tombeau ouvert* (...)
                          TAINE, les Origines de la France contemporaine, I, t. I, p. 138.

6   (...) il avait rencontré Le Ménil, la veille, au Bois, galopant à tombeau ouvert.
                                          FRANCE, le Lys rouge, I.

7   (...) le champion du triporteur, l'homme qui avait descendu à tombeau grand
     ouvert la rue de la Gare (...)   René FALLET, le Triporteur, p. 47.

♦ **5.** (V. 1700, Couperin). *Le tombeau de...* Composition poétique, œuvre musicale en l'honneur d'un artiste, d'un grand homme dis- paru. *« Le Tombeau d'Edgar Poe, de Charles Baudelaire... »,* par Mallarmé. *« Le Tombeau de Couperin »,* par Ravel.

TOMBÉE [tõbe] n. f. — 1477 ; *tumée, tumeie,* XIIIᵉ ; rare avant 1835 ; de 1. *tomber.*

★ **I. ♦ 1.** Chute (de la neige, de la pluie...). *Tombée de neige* (→ Séraphique, cit. 1, Balzac).

1   Et, maintenant, à leur poste, ils attendaient le coup de sifflet (...) regardant la
     tombée muette et sans fin des flocons rayer les ténèbres d'un frisson livide.
                                          ZOLA, la Bête humaine, VII.

Une tombée de lumière, de soleil.

♦ **2.** (1835). Moment où la nuit tombe*, où le jour tombe. *Tombée de la nuit* (→ Foule, cit. 3), *du soir* (→ Chalumeau, cit. 2 ; ivre, cit. 11), *du jour* (→ Environ, cit. 4 ; pot, cit. 9). ⇒ **Crépuscule.**

♦ **3.** (Rare). Manière de tomber* (d'une étoffe, d'un vêtement). ⇒ **Tombant,** B., 3.

2   La princesse, dans la tombée molle d'un grand manteau de laine, et sur la figure
     un foudroiement étonné, était superbe de douleur !
                             Ed. et J. DE GONCOURT, Journal, 1ᵉʳ janv. 1882, t. VI, p. 122.

★ **II. ♦ 1.** (1872, Littré). Littér. Quantité de choses qui sont tombées. *Une tombée de feuilles.*

♦ **2.** Techn., vx. Masse de houille abattue. — Mod. Chute, déchet récupérable des feuilles massicotées.

♦ **3.** Chute (de tissu).

HOM. 1. Tomber, 2. Tomber.

TOMBELLE [tõbɛl] n. f. — 1625 ; de *tombe.*

♦ Archéol. Petite butte funéraire.

1. TOMBER [tõbe] v. — XVᵉ ; *tumber,* XIIᵉ ; probablt formation expressive française, antér. au lat. médiéval *tombare,* avec infl. de l'anc. franç. *tumer* « danser, gambader », et aussi « tomber, culbuter », francique **tûmon,* haut all. *tûmôn* « tournoyer » (aujourd'hui dialectal).

★ **I.** V. intr. (auxiliaire *être ;* l'auxiliaire *avoir,* normal dans la langue class. pour insister sur l'action, est devenu archaïque, c'est-à-dire soit littéraire : Abel Hermant, Julien Green..., in Grevisse ; Proust, in R. Georgin, soit populaire et rural : G. Sand, Zola, in R. Georgin. Dans la langue courante : *il a tombé de l'eau* sera souvent jugé — à tort — comme simplement fautif).

0.1 *Tomber,* qui se construit d'ordinaire avec l'auxiliaire *être* dans les temps composés, peut aussi recevoir l'auxiliaire *avoir.* Les poètes disent que *Vulcain a tombé du ciel pendant un jour entier ; ce grand courage a tombé tout à coup* (Dictionnaire de l'Académie). *Où serais-je, grand Dieu ! si ma crédulité Eût tombé dans le piège à mes pas présenté?* (Voltaire, *l'Orphelin de la Chine,* II, 3).

LITTRÉ, Dict., art. Tomber.

A. Être entraîné à terre en perdant son équilibre ou son assiette.

♦ **1.** (Êtres vivants). ⇒ **Choir** (vx) ; **basculer, culbuter** (→ Bosse, cit. 2 ; cramponner, cit. 5 ; fracturer, cit. 2 ; incertain, cit. 25 ; retomber, cit. 1). *Trébucher*, *vaciller* avant de tomber. Tomber par terre, à terre.* ⇒ **Chute** (faire une) ; **poussière** (mordre la), **terre** (mesurer la), et, fam. **chuter, dinguer, valdinguer.** (cf. Se casser la figure, la gueule ; se flanquer, se ficher, se foutre par terre, prendre un billet de parterre, ramasser une bûche, un gadin, une gamelle, une pelle...). *Tomber de son haut** (cit. 62), *de sa hauteur** (cit. 10) ; fig. ⇒ **Haut** (cit. 63 à 65). *Tomber de tout son long** (cit. 32). ⇒ **Allonger** (s'), **aplatir** (s'), **étaler** (s'). *Tomber à la renverse** (cit. 2), *sur le dos* (→ Lapider, cit. 3), *les quatre fers en l'air, la tête la première* (cit. 9) *en avant* (→ Garder, cit. 85), *sur le nez* (→ Mazette, cit. 1), *à genoux* (cit. 22), *sur les genoux* (→ Hoquet, cit. 6), *assis* (→ Manager, cit. 2)... — Fig. *Il est tombé sur la tête :* il est fou. *Faire tomber qqn.* ⇒ **Renverser** ; et aussi **plaquer.** *Se laisser tomber en arrière* (→ Maître, cit. 68), *à genoux* (→ Mien, cit. 19). *Tomber évanoui* (→ Inanimé, cit. 2), *dans les pommes**. *Tomber mort, raide mort* (→ Peur, cit. 1), *frappé* (cit. 18) *à mort, ivre mort* (→ Gris, cit. 17). *Tomber comme une masse.* — (1580). *Tomber raide :* mourir ; fig. être frappé de stupeur. Fam. *Tomber faible* (Duhamel, *le Désert de Bièvres,* p. 261). — REM. G. Duhamel emploie volontiers la construction *tomber* (+ adj. ou nom), au sens de «devenir» (de manière pénible) → cit. 1.1, 1.2. — Par exagér. *Tomber de fatigue* (→ Éreinter, cit. 7), *d'épuisement* (→ Poser, cit. 19), *d'inanition, de sommeil* (cit. 8) : avoir du mal à se tenir debout. *Tomber du haut mal**. *Tomber d'étonnement* (cit. 4). — *Tomber aux pieds*, aux genoux* de qqn.* — (Sans aller à terre). *Se laisser aller, choir... Tomber sur un divan, un fauteuil...* ⇒ **Flageoler,** cit. 2 ; **griffonner,** cit. 1). — (1868). *Se laisser tomber dans..., sur...* ⇒ **Affaler** (s'). → Accabler, cit. 10 ; courbe, cit. 6 ; glisser, cit. 17 ; profond, cit. 6. *Tomber dans les bras* de qqn* (→ Éperdu, cit. 5).

1 D'elle-même, elle s'était laissée tomber sur la paille, au fond du trou, comme brisée de fatigue.
ZOLA, la Terre, III, IV.

Spécialt. *Tomber mort, mortellement blessé.* ⇒ **Mourir, succomber.** *On enterra ces héros chacun à la place où il était tombé* (→ Garder, cit. 18 ; et aussi héroïque, cit. 27).

2 Oui, comme ses exploits, nous admirons vos coups :
Hector tomba sous lui, Troie expira sous vous
RACINE, Andromaque, I, 2.

Par ext. (en parlant de princes, de gouvernants). *Cesser de régner, être déchu. Roi, ministre qui tombe* (→ Encas, cit. 1 ; imputer, cit. 9 ; récriminer, cit. 2). *Le pouvoir, le régime tombe* (→ Explosion, cit. 9 ; heurter, cit. 15). ⇒ **Renversé** (être). *Si le ministère* (cit. 8) *tombe. « Un ministère* (cit. 7) *qu'on soutient est un ministère qui tombe.* »

3 Le gouvernement est tombé. Le régime est tombé. À mes pieds. On m'a supplié de les ramasser. Ce qu'il reste de la force publique est entre mes mains.
J.ROMAINS, les Hommes de bonne volonté, t. V, XXIV, p. 233.

3.1 Ah! s'il en devait être ainsi, que le Président du Conseil me pardonne, puisse-t-il tomber alors, sans se rompre le cou, certes, mais tomber, ce qui s'appelle tomber, entraînant avec lui l'Assemblée de Dien-Bien-Phu et du coup de force du 20 août !
F. MAURIAC, Bloc-notes 1952-1957, p. 202.

(Abstrait). *Faire une chute, avoir une défaillance d'ordre moral.* ⇒ **Pécher.** *Péché de scandale* (cit. 2) *commis par celui qui fait tomber son frère.*

3.2 Oh! n'insultez jamais une femme qui tombe
Qui sait sous quel fardeau la pauvre âme succombe!
HUGO, les Chants du crépuscule, XIV.

4 (...) je croyais être sûre de l'innocence de ma fille ; mais les innocents tombent souvent, même par innocence (...)
BARBEY D'AUREVILLY, les Diaboliques, « Le plus bel amour... », p. 116.

Vx. *Tirer un mauvais numéro, dans le système de la conscription par tirage au sort.* ⇒ **Perdre.** → ci-dessous *Tombé, e* p. p. adj. Argot. Être pris par la police ; être condamné. *L'opération de police a fait tomber plusieurs proxénètes.*

♦ **2.** (Choses). *S'écrouler.* ⇒ **Affaisser** (s'), **crouler, écrouler** (s'). *Être près de tomber.* ⇒ **Caduc.** *Faute d'appui* (cit. 13), *une chose tombe. Chose qui tombe du côté où elle penche** (→ aussi Ébranler, cit. 6 ; pilier, cit. 1). *Pan de mur qui tombe, menace de tomber.* — Par métaphore :

5 Je concède que, de certains de ses poèmes énormes, des pans entiers tomberont, de redondances, de ruineux fatras ; mais encore peut-on découvrir des joyaux parmi ces décombres.
GIDE, Attendu que..., p. 55.

Prov. *Tout ce qui branle ne tombe pas.* «*À la septième fois, les murailles* (cit. 2) *tombèrent.* » — Par métaphore. *La barrière tombe*

(→ Physiologique, cit.). *Faire tomber les barrières, les cloisons* (cit. 4 ; et → Prévention, cit. 5). — Fig. ⇒ **Disparaître, effondrer** (s'). *L'obstacle, l'objection, la difficulté tombe* (→ Aussi, cit. 59).
TOMBER EN... : se réduire à l'état de... *Tomber en ruine** (cit. 2), *en poussière*, en pourriture*...* ⇒ **Anéantir** (s'). *Tomber en pâte*, en loques*...*
⇒ **Échouer.** *La pièce est tombée* (→ Huer, cit. 1 ; pardonnable, cit. 2), *est tombée à plat**. *Faire tomber une pièce* (→ Innovation, cit. 3). *Livres qui tombent* (→ Attaque, cit. 5 ; libraire, cit. 4 ; 1. livre, cit. 17).
Être prise (ville, place forte).

♦ **3.** *Perdre de sa force, ne pas se soutenir.* ⇒ **Affaiblir** (s'), **diminuer.** *Le jour tombe.* ⇒ **Décliner** (→ Pour, cit. 55). *Vent, brise qui tombe* (→ 1. Calme, cit. 1 ; 1. rame, cit. 3). *La mer tombe. « Les restes d'une voix qui tombe et d'une ardeur* (cit. 7) *qui s'éteint* ».

6 Alors elle se retrouva seule en face d'elle-même, et son assurance tomba.
MARTIN DU GARD, les Thibault, t. II, p. 232.

B. Être entraîné vers le sol, d'un lieu élevé à un lieu bas ou profond, quand ce qui retenait ou soutenait vient à manquer.

♦ **1.** (Êtres vivants). ⇒ **Dégringoler, précipité** (être). *Tomber du haut d'un clocher, de la fenêtre, dans le vide...* (→ Briser, cit. 25 ; croquis, cit. 1 ; glisser, cit. 2 ; pied, cit. 36). *Tomber dans un abîme, un gouffre.* ⇒ **Abîmer** (s'), **dévaler, rouler.** *Tomber sur ses pieds** : terminer sa chute sur ses pieds. ⇒ **Retomber.** «*Quand sur l'eau se penchant, une fourmi y tombe* » (→ Efforcer, cit. 1). *Tomber à la mer. Tomber de cheval* (→ Insolation, cit. 1). *Cet oiseau est tombé du nid.* — Prov. *Les alouettes ne tombent pas toutes rôties** (cit. 4).

Fig. *Arraché* (cit. 48) *à son rêve, tombé de son ciel*. Tomber des nues** (cit. 8 et 9), *de la lune** (cit. 12). — Impers. «*Il leur tomba du ciel* (cit. 22) *un roi tout pacifique* ».

♦ **2.** (Choses). *Corps qui tombe en chute libre* (→ Masse, cit. 34). ⇒ **Graviter.** *Tuile qui tombe* (→ Hasard, cit. 28). *La manne* (1. Manne, cit. 1) *tombait du ciel. La foudre* est tombée. Les obus* (cit. 3) *tombaient. Faire tomber des projectiles.* ⇒ **Jeter.** *L'avion tombe en flammes.* ⇒ **Abattre** (s'), **piquer.** *Tomber au fond de l'eau* (→ Érosion, cit. 2). ⇒ **Déposer** (se), **descendre.** *Eau, ruisseau qui tombe en cascade* (cit. 2). *Liquide tombant goutte à goutte* (1. Goutte, cit. 38). ⇒ **Couler, dégoutter.** *Larme* (cit. 6) *assez grosse pour tomber.*

(Précipitations atmosphériques). *La pluie** (cit. 4), *la neige** (cit. 4), *la grêle tombe.* — Loc. fig. *N'être pas tombé de la dernière pluie**. — Impers. *Il tombait une de ces pluies* (cit. 3) *menues. Il tombe de la neige.* ⇒ **Pleuvoir, neiger.** *Brouillard, brume qui tombe* (→ Gras, cit. 27).

7 Il tombait une de ces pluies dont on ne devrait pas dire qu'elles tombent, car elles semblent sourdre de l'air malade, du sol, des choses, des hommes.
G. DUHAMEL, Salavin, I, X.

7.1 La femme regarda vers les fenêtres.
— Quelle pluie, hein! dit-elle.
— Oui... Ça tombe, dit Besson.
J.-M. G. LE CLÉZIO, le Déluge, p. 71.

Vieilli. (En suivant une pente). ⇒ **Jeter** (se). *Fleuve qui tombe dans la mer* (→ Dominer, cit. 9). — Par anal. *Rue qui tombe dans telle autre rue.* ⇒ **Aboutir, terminer** (se) ; et aussi **joindre, rejoindre.**

Se détacher, cesser d'être tenu (→ Branche, cit. 4). *Feuilles, fruits qui tombent des arbres* (→ Dépouiller, cit. 20 ; force, cit. 62 ; joncher, cit. 3). — Par métaphore. *Nos illusions* (cit. 25) *tombent.* ⇒ **Perdre** (se). — *Ses cheveux tombent, il devient chauve. Les écailles** (cit. 8) *tombèrent de ses yeux.* — *La tête du criminel est tombée. Faire tomber la tête du roi.* ⇒ **Décapiter** (→ Féal, cit. 4). *La plume me tombe des mains :* je lâche la plume (d'ennui, de fatigue) → Former, cit. 18. *Faire tomber les armes* (cit. 11 et 37) *des mains de qqn.* ⇒ **Désarmer, sauter** (faire). — Par métaphore. *Les traits qui tombent de sa plume* (→ Agile, cit. 8). — *Paraître. Le journal tombe* (des presses) *à cinq heures. Un télégramme vient de tomber.* — Spécialt. (En parlant de vêtements). *Son jupon* (cit. 1) *tomba autour de ses pieds. Faire tomber sa chemise* (→ Regarder, cit. 21).

8 Lisez, si vous en avez le courage, un vaudeville ou une facétie de 1835, la pièce vous tombera des mains.
TAINE, Philosophie de l'art, t. II, p. 257.

LAISSER TOMBER : laisser échapper. ⇒ **Lâcher, répandre** (→ Épouvanter, cit. 13 ; fracas, cit. 2 ; et aussi, par métaphore, coup, cit. 77). « *Laisser tomber exprès des épis, disait-il* » (→ Glaneur, cit. 2). — *Il ouvre un large bec* (cit. 1), *laisse tomber sa proie.* — Fig. et fam. *Laisser tomber qqch. :* ne plus s'en occuper, ne pas y donner suite. ⇒ **Abandonner, négliger** (→ Plainte, cit. 11). *Laisser tomber qqn :* ne plus s'intéresser à lui, l'oublier.

9 (...) je vous quitte, en vous priant (...) de faire jaser Pauline, si vous avez envie de répondre à mes causeries : sans cela, laissez-les tomber (...)
Mme DE SÉVIGNÉ, 1161, 8 avr. 1689.

10 *Laisser tomber quelqu'un,* c'est l'expression la plus à la mode, de nos jours. Il dit ce qu'il veut dire. On *laisse tomber* un parent qu'on ne revoit plus, un ami à qui on refuse un service d'argent. On *laisse tomber* un malade quand on est médecin ou un client qui a un procès quand on est avocat. La langue familière et pittoresque a de ces trouvailles (...) la même pensée hante tout le monde : *Est-ce que nos Alliés ne sont pas en train de nous laisser tomber?*
J. BAINVILLE, la France, t. II, p. 54.

10.1 (...) mon épouse qui m'a quitté, qui m'a abandonné, qui m'a plaqué car elle m'a laissé tomber la garce (...) R. QUENEAU, Loin de Rueil, p. 84.

10.2 — Tiens, mon petit vieux, vous voilà quand même. Vous nous avez salement laissées tomber, tous ces temps, hein ? M. AYMÉ, Travelingue, p. 52.

Absolt. *Laisser tomber* (fam.) : cesser de s'occuper de (qqch.) ; par ext., ne pas tenir compte de (qqch.) Cf. Laisser courir. — À l'impératif. *Allez, laisse tomber ! Laisse tomber, c'est de la briquette !*

10.3 (...) Gisèle, calme-toi. Tu es ridicule de te monter comme ça... laisse donc tomber, ne te fatigue pas. C'est un pauvre gâteux. Il fait plutôt pitié. N. SARRAUTE, le Planétarium, p. 126.

10.4 Un gros copain s'impatiente : « Alors, tu viens ou tu ne viens pas ? » me demande-t-il. Un troisième me glisse : *Laissez tomber.* S. DE BEAUVOIR, la Force de l'âge, p. 429.

♦ **3.** (Le sujet désigne la lumière, les sons, les paroles, etc.). Arriver, parvenir du haut. *Rayons, rayonnement* (cit. 1) *tombant sur une surface.* ⇒ **Frapper** (→ Incommoder, cit. 3 ; nu, cit. 11). *Jour, lumière qui tombe de..., sur...* (→ Exsangue, cit. 4 ; flambeau, cit. 18 ; forêt, cit. 3 ; hublot, cit. 1). « *Du zénith aveuglant le jour tombe d'aplomb* » (cit. 11). *Le soleil tombait en plein sur...* (→ Éclairage, cit. 1). « *Cette obscure clarté* (cit. 1) *qui tombe des étoiles* » (Corneille). — *La nuit* (cit. 1), *le soir tombe* (→ Ardent, cit. 36 ; loin, cit. 16). — *La fraîcheur du matin tombait sur la mer* (→ Gouttelette, cit. 1). — Poét. « *Une immense* (cit. 11) *bonté tombait du firmament* ». — *De là-haut tombe le chant du muezzin* (cit. 2). *Glas* (cit. 2) *dont les notes tombaient une à une. Mots, paroles qui tombent de la bouche, des lèvres de qqn.* — Loc. *Ce n'est pas tombé dans l'oreille* (cit. 10) *d'un sourd. Il laissa tomber ces paroles dédaigneuses.* ⇒ **Dire** (→ Remettre, cit. 7). — *Le regard redoutable qui tombait sur sa tête* (→ Agile, cit. 4).

11 (...) il lui échappa de s'écrier que « depuis ce jour il n'était plus roi », parole fatale, qui ne tomba pas en vain dans l'oreille du jeune roi et des assistants. MICHELET, Hist. de France, IV, v.

♦ **4.** Baisser (de façon mesurable). ⇒ **Baisser, descendre.** *La rente est tombée de trois francs mais elle remontera* (cit. 6). → Cours, cit. 22. *Cours, prix qui tombent. Ses revenus ne tombaient pas au-dessous du million* (→ Dépasser, cit. 7). *Sa température est tombée de cinq dixièmes. Tomber à rien, à zéro* (→ Parti, cit. 4 ; politesse, cit. 4). ⇒ **Réduire** (se).

12 Hourdequin, absorbé, songeait que la laine était tombée à huit sous la livre (...) ZOLA, la Terre, II, I.

♦ **5.** Fig. Être en décadence. ⇒ **Déchoir, dégénérer.** *D'autant plus misérable qu'on est tombé de plus haut* (→ Argument, cit. 2). *Le poète* (cit. 7) *est tombé au rang des spécialistes. Sa réputation est tombée bien bas, est bien tombée* (→ Paon, cit. 4).

13 Je n'admire point l'excès d'une vertu, comme de la valeur, si je ne vois en même temps l'excès de la vertu opposée, comme en Épaminondas, qui avait l'extrême valeur et l'extrême bénignité. Car, autrement, ce n'est pas monter, c'est tomber. PASCAL, Pensées, VI, 353.

(Avec un attribut). Déchoir, en arriver à (tel état, telle condition).

13.1 (...) cinq ans que le professeur Chalgrin est tombé paralytique. G. DUHAMEL, Combat contre les ombres, p. 22.

13.2 J'ai pris des leçons de chant avec un premier ténor de l'Opéra qui était tombé professeur justement parce qu'il ne pouvait plus chanter. G. DUHAMEL, Combat contre les ombres, p. 65.

♦ **6.** (Choses). S'abaisser en certaines parties tout en restant suspendu ou soutenu. ⇒ **Pendre.** *Cheveux* (cit. 19) *qui tombent sur les épaules* (→ Boucle, cit. 3 ; spirale, cit. 2), *jusqu'au jarret* (→ Fille, cit. 13). *Manteau, peignoir* (cit. 2), *pèlerine... qui tombe jusqu'aux talons, jusqu'aux pieds, à mi-jambe...* (→ Cadis, cit. ; convenablement, cit. ; protubérance, cit. 3). *Les manches* (1. Manche, cit. 8) *trop longues lui tombent sur les ongles.* — *Robe, veste qui tombe bien,* dans un mouvement souple, en s'adaptant aux lignes du corps. *Rideau qui tombe devant la fenêtre* (→ Immobile, cit. 10). Théâtre. *Le rideau* tombe.

13.3 De charmants lustres du quinzième siècle, brochés à jour comme des reliquaires, tombent des nervures de la voûte. Th. GAUTIER, Voyage en Espagne, p. 289.

13.4 Leurs rideaux tombaient (...) ce qui leur donnait cet aspect particulier des robes que portent le dimanche les femmes de chambre, et qui tombent mal. MONTHERLANT, Pitié pour les femmes, p. 88.

Donner l'impression de s'affaisser*. *Les bras lui tombent de fatigue.* — Fig. *Les bras m'en tombent :* je suis stupéfait, accablé. S'incliner fortement. ⇒ **Descendre.** *Une large casquette qui lui tombait sur les yeux* (→ Hospice, cit. 2). *Les toits à pente* (cit. 1) *rapide tombaient bien bas sur les fenêtres.* — Mar. *Navire qui tombe sur l'avant, sur l'arrière,* qui cale plus d'eau qu'il ne devrait à l'avant, à l'arrière.

(Parties du corps). *Épaules qui tombent.* ⇒ **Tombant.** — *Un nez* (cit. 6) *épaté* (cit. 9) *qui tombe.*

C. ♦ **1.** TOMBER SUR (par anal. avec la rapidité, la brutalité de la chute) : s'élancer de toute sa force, et en exploitant l'effet de la surprise, sur..., contre... ⇒ **Attaquer, charger, foncer, fondre, jeter** (se), **précipiter** (se). *Tomber sur qqn à bras* raccourcis. *Une armée capable de tomber sur l'Europe comme la foudre* (1. Foudre, cit. 10). *Empêcher les ennemis de nous tomber dessus* (cit. 10). — Fam. *Ils vont nous tomber sur le dos*, la bosse*, le casaquin*, le paletot*, le poil*. *Tomber sur un plat :* en manger abondamment, gloutonnement. — Fig. *Tomber sur qqn :* l'accuser ou le criti-

quer sans ménagement, l'accabler (→ Friponner, cit. ; ligne, cit. 37). *Ils me tombèrent tous sur le dos* (→ Pérégrin, cit.).

14 Peut-être bien que la Cognette, même vendue, resterait la plus forte, et alors ce serait sur lui qu'on tomberait pour se débarrasser d'un témoin gênant. ZOLA, la Terre, II, I.

Les malheurs (cit. 2 et 43), *les calamités tombent sur moi* (→ Coup, cit. 41). « *Le coup* (cit. 39) *qu'on m'a prédit va tomber sur ma tête* ». *La malédiction* (cit. 6) *tombe sur eux* (→ Ligne, cit. 51). *Le sort est tombé sur lui. Poids, charge qui tombe sur qqn.* ⇒ **Retomber.** *Reproche qui tombe à faux,* qui frappe à tort qqn qui ne le mérite pas.

(Mar.). *Navire qui tombe sur...,* qui dérive en direction de...

♦ **2.** TOMBER EN... DANS (un état) (avec l'idée du danger qu'implique la chute) : se trouver, généralement de façon soudaine, entraîné dans (un état critique, une situation fâcheuse, une mauvaise voie, etc.). *Tomber dans un abattement affreux* (→ Malheureux, cit. 6), *dans la mélancolie* (cit. 5)... *Tomber en syncope* (cit. 2), *en faiblesse* (cit. 8), *en défaillance, en pâmoison, en langueur* (cit. 1), *en paralysie* (cit. 4), *en enfance...* — *Tomber dans un piège* (cit. 3), *un panneau* (cit. 4), *une souricière* (cit. 2), *une embûche* (cit. 1), *une embuscade. Tomber entre* (1. Entre, cit. 3), *dans les mains*, aux mains, sous le joug, la coupe, la domination, dans la dépendance, au pouvoir, en la possession... de qqn. Tomber sous le coup* de la loi* (→ Sabotage, cit. 2). *Tomber dans le malheur, le marasme* (1. Marasme, cit. 2), *la misère* (→ Prémontré, cit.), *l'oubli, le discrédit, l'impopularité* (→ 2. Pouvoir, cit. 8), *le mépris...* — *Tomber en désuétude* (cit. 1 à 4), *en défaveur* (→ Nom, cit. 18), *en disgrâce, en décadence, en déliquescence, en friche* (cit. 1), *en quenouille* (cit. 2). *Tomber en panne*. — Vén. *Tomber en défaut, en arrêt.* — *Tomber dans un défaut, un excès, une extrémité* (→ Raillerie, cit. 4), *un vice... Tomber dans la sottise, l'erreur, l'extravagance, le ridicule, la négation* (cit. 1) *de tout, l'athéisme* (cit. 1), *la logomachie* (cit. 2), *le gongorisme* (cit. 2), *la mignardise* (cit. 3). — *Tomber d'un excès dans un autre.* ⇒ **Aller, passer.** « *D'un mal il tomba dans un pire* » (→ Réduire, cit. 9). *Nous tombions de mal* en pis* (→ 1. Point, cit. 32). *Tomber de Charybde* en Scylla.* — (Choses). *Notre projet est tombé dans le lac, à l'eau.*

15 Le paysan allemand le regardait étonné ; car il savait assez de français pour distinguer les énormes bévues dans lesquelles tombait le prince. STENDHAL, le Rouge et le Noir, II, XXIV.

♦ **3.** (XVIe). (En fonction de verbe d'état, suivi d'un attribut). Être, devenir (après une évolution rapide). *Tomber malade* (cit. 2 ; et → Fonds, cit. 2). *Cheval qui tombe boiteux. Tomber amoureux* (→ 2. Point, cit. 13). *Tomber esclave* (→ Garder, cit. 32). *Il est tombé d'accord* pour.* — Pop. *Il est tombé fou.*

(Sujet au plur.). *Ils sont tombés d'accord* (cit. 6, 11).

D. ♦ **1.** (Avec un compl. prépositionnel : *dans, en, sur, sous...*). Par anal. avec le caractère inattendu, imprévisible de la chute.

ⓐ (Personnes). Arriver ou se présenter, inopinément et par l'effet du hasard, à tel endroit ou tel moment. ⇒ **Survenir.** *Me voici tombant en pleine réunion de caillettes* (2. Caillette, cit. 2 ; et aussi Méphitique, cit. 2). *Tomber au milieu, au beau milieu de...* (→ Refuser, cit. 8). — *Tomber sur qqn :* se trouver inopinément en sa présence.

16 Avant-hier tombe ici, pour m'emmener dîner chez lui, Verdurin (...) PROUST, le Temps retrouvé, Pl., t. III, p. 709.

16.1 Après le spectacle, on alla vider des pots mais bien vite Jacques plaqua les copains pour aller au Lion d'Or où il tomba sur la bande et Rojana se trouvait là. R. QUENEAU, Loin de Rueil, p. 135.

ⓑ (Choses). *Une idée qui ne pouvait tomber que dans la tête d'un libertin* (cit. 14).

17 Les pensées les plus brillantes peuvent tomber dans le cerveau des enfants, ou plutôt les meilleurs mots dans leur bouche, comme les diamants du plus grand prix sous leurs mains, sans que pour cela ni les pensées ni les diamants leur appartiennent (...) ROUSSEAU, Émile, II.

18 (...) Quand on attend l'argent, il ne vient pas, et, quand on ne l'attend pas, il tombe. G. DUHAMEL, Chronique des Pasquier, II, VII.

ⓒ Loc. TOMBER SUR... (qqn, qqch.) : rencontrer ou toucher par hasard (cit. 8). *Tomber sur qqn* (→ Ardent, cit. 25), *qqch.* (→ Feuilleter, cit. 2 ; indigeste, cit. 4). — Fam. *Tomber sur un bec** (cit. 17), *un manche*, un os. Son regard, ses yeux tombèrent sur...* (→ Griffonner, cit. 2 ; lucidité, cit. 6). *La conversation était tombée sur les lacunes* (cit. 3) *des dictionnaires. Le sort* tomba sur le plus jeune.*

Tomber sur qqch. de bon, de mauvais. → Idiot, cit. 7 ; pomme, cit. 11.

TOMBER SOUS... : se présenter*. *Tout ce qui lui tombait sous la main** (cit. 34). *Tomber sous la patte*, sous la dent*, sous les yeux...* ⇒ **Venir.** — Loc. fig. *Tomber sous le sens :* être bien compréhensible, évident.

♦ **2.** TOMBER BIEN, MAL : se dit d'une personne qui arrive à un bon, à un mauvais moment (→ Regretter, cit. 15). *Vous êtes mal tombés. Ah ! vous tombez bien : votre commande vient d'arriver.* — (D'une chose). Être une chance, une malchance (→ Raffoler, cit. 3). *Ça tombe assez mal.*

18.1 Eh bien!... me voilà propre. Il ne me manquait plus que cela... Et je suis bien tombée (...)   O. MIRBEAU, le Journal d'une femme de chambre, p. 46.

19 Je m'aperçus aussitôt que ces paroles tombaient mal, car tout le monde fut plongé dans le silence, ce silence particulier qui manifeste, avec une extraordinaire évidence, la gêne, l'embarras.   H. BOSCO, Un rameau de la nuit, p. 85.

Tomber à point*, à propos, (fam.) *à pic* (5. Pic, cit. 3). *Tomber pile*.*

♦ **3.** Arriver par une coïncidence remarquable. *La baisse tombait dans un marché chargé de stocks* (→ Solution, cit. 3). — *Tomber à tel moment, tel jour. La paye* (cit. 1) *tombait ce samedi-là* (→ aussi Placeur, cit. 1). *Fêtes tombant le même jour.* ⇒ **Occurrent.** — *Tomber juste*.*

20 Justement, le dimanche suivant tombait le premier novembre, jour de la Toussaint (...)   ZOLA, la Terre, I, IV.

♦ **4.** Échoir. *Cette couronne tomba à Jeanne II* (→ Cascade, cit. 7). *Tomber en partage*.*

★ **II.** V. tr. (auxiliaire *avoir*). XVᵉ; *tumber,* v. 1230; au XVIIᵉ, l'emploi est blâmé comme gasconisme (Vaugelas); il réapparaît dans les dict. au XIXᵉ.

20.1 On ne donne jamais aujourd'hui le sens actif à *tomber* : ce qui se faisait dans le XVIᵉ siècle et dans l'ancien français, ce qui est resté dans le langage du peuple, et ce qui revient présentement dans un certain usage : *Que M. de Persigny — pour nous servir d'une expression triviale mais très énergique — tombe M. Rouher, rien de mieux! et la galerie ne peut qu'applaudir* (L. Jourdan, *le Siècle,* 15 juin 1869). *C'est un emploi tiré de l'argot des lutteurs où l'on dit :* tomber son adversaire, *« le renverser ».*   LITTRÉ, Dict., Suppl., art. Tomber (1877).

♦ **1.** Vx ou régional. Faire, laisser choir.

21 (...) cette finesse de sens qui percevait les plus légers émois de sa ferme; ce qui lui faisait dire en entrant du labour : «Vous avez tombé les seaux dans le puits», parce qu'il ne voyait pas pendu au clou habituel le crochet qui servait à les retirer.   J. GIONO, Naissance de l'Odyssée, II, Pl., t. I, p. 79.

♦ **2.** (Av. 1869; → cit. 20.1 ci-dessus). Sport (lutte). Vaincre (l'adversaire) en le faisant tomber et en lui faisant toucher simultanément les deux épaules pendant quelques secondes. (→ Lutte, cit. 2). *Il a fini par le tomber, il l'a tombé.*

Par anal. *« Le Métro* (une équipe de rugby) *n'a pas pu "tomber" Cognac »* (*l'Auto,* 18 mai 1944, in Petiot).

♦ **3.** Renverser, vaincre. ⇒ **Terrasser.** — Fam. *Tomber une femme :* la séduire, faire sa conquête. ⇒ **Conquérir;** et aussi **tombeur.**

22 Possédez-vous assez sa manière? — Parbleu! pour m'en servir en la définissant, elle consiste à rouler le libre penseur, à tomber le philosophe (...)   Émile AUGIER, le Fils de Giboyer, I, 7.

23 (...) dans la journée, voilà-t-il pas que je tombe une rombière de la haute, à première vision. La baronne Mouaque. Une veuve.   R. QUENEAU, Zazie dans le métro, p. 159.

(1933, in Petiot). Sports. *Tomber un record :* battre un record.

♦ **4.** Fam. Ôter, enlever (un vêtement). *Tomber la veste :* l'enlever (cf. Se mettre en bras de chemise; → revenir, cit. 47; série, cit. 4) pour avoir moins chaud, être plus libre dans ses mouvements, etc. — Spécialt. *Il tombe facilement la veste, c'est un bagarreur.*

▶ **TOMBÉ, ÉE** p. p. adj.

★ **I.** ♦ **1.** (Au sens I, A, de *tomber*). Rare. Qui a fait une chute. *Un enfant tombé à terre, par terre. Relever, secourir des soldats tombés* (blessés). — Par métaphore. *Un ennemi tombé,* vaincu (→ ci-dessous, 2.).

Spécialt, vx. Qui est «tombé», qui a tiré un mauvais numéro, dans le système de la conscription par tirage au sort.

24 Tout le monde n'était pas soldat comme aujourd'hui, les jeunes gens riches « tombés au sort» avaient le droit de «se racheter du service».   O. MIRBEAU, le Journal d'une femme de chambre, p. 40.

(Choses; *tombé en...*). *Un palais tombé en ruine, en poussière.*

(Au sens I, A, 3). Qui a perdu de sa force. ⇒ **Apaisé, calmé.** *Ardeur* (cit. 37), *fièvre, exaltation, ivresse, colère... tombée.* → Agir, cit. 14; apaiser, cit. 22; 1. geindre, cit. 1; gouaillerie, cit. 2.

♦ **2.** (1683; au sens I, B, de *tomber*). *Tombé de... Oiseau tombé du nid. Pierre tombée du ciel.*

25 (...) je la regarde s'épaissir, la grande ombre douce tombée du ciel : elle noie la ville, comme une onde insaisissable et impénétrable (...)   MAUPASSANT, la Nuit, Pl., t. II, p. 944 (1887).

Absolt. *Ramasser les feuilles tombées. Fruits tombés. Pommes tombées. Mesurer la pluie tombée en un jour, les précipitations tombées en une saison.*

Qui s'est affaissé, est allé à terre.

26 (...) je ramassai la robe tombée en rond, comme un ballon crevé, sur le parquet (...)   MAUPASSANT, la Patronne, Pl., t. II, p. 74.

Par métaphore. *« L'homme est un Dieu tombé qui se souvient des cieux »* (Lamartine).

(Sens I, B, 3). *À la nuit tombée.* ⇒ **Close.**

Fig. (au sens I, B, 5 de *tomber*). *Tombé du faîte* (cit. 5) *de ses espérances. Cette femme tombée plus bas que la bête* (→ Furieux, cit. 3). — Absolt, vx. Qui est dans une situation basse, indigne. *Femme tombée.* — (Mil. XVIIᵉ). Qui a perdu sa haute situation. *Un prince tombé. « Les gens tombés »* (Balzac). *Acteur, auteur tombé,* qui a échoué.

♦ **3.** (Au sens I, C, de *tomber*). *Un vieillard tombé en syncope. Coupable tombé dans un piège.* — *Voiture tombée en panne.*

(Au sens I, D, 3). *Apports* (cit. 3) *tombés dans la communauté.*

(Au sens I, D, 2). *Bien tombé, mal tombé. Une occasion tombée à pic.*

★ **II.** (Au sens II de *tomber* : v. tr.). *Adversaire tombé* (par qqn). *Records tombés.*

N. m. (1905). Situation d'un lutteur tombé les deux épaules maintenues au sol par le vainqueur (distinct de : *un tomber,* → 2. Tomber, 2., qui est actif). *Tombé roulé. Double tombé.*

★ **III.** (De *faire tomber*). ♦ **1.** Danse. *Pas tombé :* pas de danse équivalant à un chassé-sauté. — N. m. *Un tombé.*

♦ **2.** (XXᵉ). Sport (rugby). *Coup de pied tombé* (ou *drop*), exécuté en laissant préalablement le ballon tomber à terre et en le frappant au rebond.

27 (...) le demi jette sa balle à terre, la rattrape au rebond d'un puissant coup de pied, suit la trajectoire modifiée par le vent. Les avants ne sont pas relevés que la balle descendante rase le dessus de la barre et passe entre les poteaux. Si les essais sont la conquête méritoire, le coup tombé est le miracle du jeu (...)   Jean PRÉVOST, Plaisirs des sports, p. 136.

DÉR. Tombée, 2. Tomber.

2. TOMBER [tɔ̃be] n. m. — 1829; de 1. *tomber.*

♦ **1.** Rare. Fait de tomber. ⇒ **Tombée.** *Le tomber du jour.*

Je pris donc l'habitude de l'aller voir, au tomber du jour, d'abord une fois par semaine, puis deux fois, puis finalement tous les après-midi.   Edmond JALOUX, Fumées dans la campagne, XIV.

♦ **2.** Action de tomber un adversaire (distinct de *un tombé,* → 1. Tomber, p. p. adj.).

TOMBEREAU [tɔ̃bro] n. m. — XVᵉ; *tumberel, tumeriaus,* XIIIᵉ; de 1. *tomber.*

♦ **1.** Voiture de charge, faite d'une caisse montée sur deux roues, susceptible d'être déchargée en basculant à l'arrière. ⇒ **Banne, galère** (→ Caillou, cit. 4; meurtrir, cit. 5; montagne, cit. 13). — Par métonymie. Contenu de cette voiture. *Un tombereau de sable.*

Le faubourg secoué par les lourds tombereaux.   BAUDELAIRE, les Fleurs du mal, «Tableaux parisiens», XC.

Un tombereau de choux et un tombereau de pois, au pont de Neuilly, s'étaient joints aux huit voitures de navets et de carottes qui descendaient de Nanterre; et les chevaux allaient tout seuls, la tête basse, de leur allure continue et paresseuse, que la montée ralentissait encore.   ZOLA, le Ventre de Paris, t. I, p. 5.

(XXᵉ). Fig. Une grosse quantité. *Il m'a prêté un tombereau de livres. Il y en a des tombereaux.*

♦ **2.** (XVᵉ). Anciennt. Charrette transportant les condamnés à mort.

♦ **3.** Techn. **a** Wagon à bords surélevés pour le transport en vrac.

b (V. 1970). Trav. publ. Engin de terrassement constitué par une benne automotrice à pans inclinés, ouverte à l'arrière et se déchargeant par basculement.

TOMBEUR [tɔ̃bœʀ] n. m. — 1845; *tombeor* «acrobate (qui faisait des culbutes)», v. 1130; de 1. *tomber,* v. transitif.

♦ **1.** Lutteur qui tombe (son adversaire). — Par anal. *Le tombeur d'une équipe.* Fig. *Le tombeur du ministère. « L'ancien premier secrétaire* (du Parti Ouvrier Polonais) *était allé jusqu'à sauver (...) son futur "tombeur" »* (le Nouvel Obs., 24 oct. 1981, p. 55).

♦ **2.** Fam. *Tombeur de femmes :* séducteur aux nombreuses conquêtes (→ Entraîneur, cit. 2). — Absolt, cour. *C'est un vrai tombeur.* ⇒ **Don Juan, séducteur.**

(...) mais qu'elle te soit restée foncièrement fidèle, sois-en sûr!... D'ailleurs, suis-je un tombeur de femmes?   Sacha GUITRY, N'écoutez pas Mesdames, p. 144.

♦ **3.** Vieilli. *Tombeur de... :* personne qui attaque, discrédite (qqn, qqch.).

TOMBOLA [tɔ̃bɔla] n. f. — V. 1800; mot ital. «culbute», puis «loto», du v. *tombolare* «faire la culbute».

♦ Loterie de société où chaque gagnant reçoit un lot en nature. *Organiser, tirer une tombola. Prendre un billet de tombola. Tombola à l'occasion d'une vente de charité.*

(...) la fête, qui avait commencé par la distribution des lots d'une tombola artistique à laquelle tous les peintres du pays s'étaient intéressés par des offrandes. Cette loterie a produit plus de vingt mille florins.   NERVAL, Lorely, «Fêtes de Hollande», V.

TOMBOLO [tɔ̃bɔlo] n. m. — 1927; en angl., 1899; mot ital. «tumulus, tertre».

♦ Géogr. Cordon littoral constitué par une levée de galets ou de sable, reliant une île au continent (→ Estuaire, cit. 1). *Des tombolos* (pluriel francisé).

1. TOME [tɔm] n. m. — 1530; lat. *tomus*, grec *tomos* «portion», tardivement «tome», rad. *temnein* «couper».

♦ **1.** Division d'un ouvrage prévue (comme le livre ou le chapitre) par l'auteur ou l'éditeur, et ne correspondant pas forcément au volume* (⇒ **Tomaison**). *L'édition originale de* La Princesse de Clèves, *divisée en quatre tomes, se trouve habituellement en deux volumes. — Tome I, II, premier, second* (→ Époque, cit. 16).

♦ **2.** Volume (→ Bible, cit. 10; négligemment, cit. 2).

Familiarisée par une habitude quotidienne avec les tomes divers de leurs ouvrages, elle les prenait dans la bibliothèque à leur place, sans hésitation, les apportait à son maître avec soin, d'une main prudente et sans respect.
PROUST, Jean Santeuil, p. 266.

♦ **3.** (1680, Mᵐᵉ de Sévigné). Fig. Partie, élément. — (1788). Loc. fig., vx. *Être le second tome de qqn :* lui ressembler comme un double, comme le second volume ressemble au premier.

DÉR. Tomaison, tomer.
HOM. Tomme.

2. TOME [tɔm] n. f. ⇒ **Tomme.**

-TOME, -TOMIE Éléments du grec *-tomos* et *-tomia*, rad. *temnein* «couper, découper», marquant une ablation, incision, opération, ou une division, une section. ⇒ **Anatomie, artériotomie, atome, autotomie, bronchotomie, cystotome et -tomie, dichotome et -tomie, embryotomie, gastrotomie, glossotomie, hylotome, kératotome et -tomie, laparatomie, laryngotomie, lithotome et -tomie, microtome, myotomie, neurotomie, ophtalmotomie, ostéotomie, ovariotomie, phlébotome et -tomie, rhizotome, stéréotomie, ténotomie, trachéotomie, zootomie.** (⇒ aussi **Tomo-**). — REM. *-ectomie*, rad *ektemnein* «retrancher en coupant», a servi à former des comp. en chirurgie : *iridectomie, kératectomie, laryngectomie, tarsectomie, thyroïdectomie.*

TOMENTEUX, EUSE [tɔmɑ̃tø, øz] adj. — 1801; dér. du lat. *tomentum* «bourre, duvet», suff. *-eux*.

♦ Didact. Couvert de poils ou d'un duvet blanc et mou. ⇒ **Cotonneux.** — Physiol. Couvert de fibrilles courtes et serrées ressemblant à un duvet.

(...) un végétal bizarre, plante devenant arbuste, à feuilles très larges, d'un gris verdâtre très délicat, épaisses, tomenteuses (je veux dire couvertes d'une épaisse peluche). GIDE, Voyage au Congo, p. 830.

TOMER [tɔme] v. tr. — 1801; de 1. *tome.*
Technique.

♦ **1.** Diviser en tomes*. *Tomer un roman-fleuve.*

♦ **2.** (1836). Marquer de l'indication du tome. *Tomer des dos au fer à dorer.*

TOMETTE ou **TOMMETTE** [tɔmɛt] n. f. — 1877, *tommette*, Littré, *Suppl.; tomette,* 1933; mot régional, du dauphinois *tometa*, de *toma* «fromage plat». → Tomme.

♦ Petite brique de carrelage des maisons du Dauphiné, de Provence, dont l'usage s'est répandu. *Salon rustique à tomettes vernies.* — REM. On écrit parfois *tomète* et *tommette.*

1 (...) freiné par le rebondissement silencieux de la chaise sur chaque rainure des tomètes, Besson progressait plutôt difficilement (...)
J.-M. G. LE CLÉZIO, le Déluge, p. 48.

2 À part un tas de bûches il n'y avait rien sur cette terrasse dallée de tommette rouge. Marie CARDINAL, les Mots pour le dire, p. 91.

DÉR. Tomettier.

TOMETTIER [tɔmetje; tɔmɛtje] n. m. — xxᵉ; de *tomette.*

♦ Techn. Briquetier qui fabrique des tomettes. — REM. On écrit parfois *tommettier.*

TOMIUM [tɔmjɔm] n. m. — 1907; lat. mod., dér. du grec *tomos* «coupant», de *temnein* «couper».

♦ Zool. Bord de la mandibule (d'un bec d'oiseau).

TOMME [tɔm] n. f. — 1581; anc. provençal (xiiiᵉ), lat. pop. *toma* probablt d'orig. prélatine, ou (Guiraud) du lat. *tumere* «gonfler», par un sens «fermenter».

♦ Fromage de Savoie, fermenté, à pâte pressée et persillée. *Tomme*

ordinaire, aux raisins, au fenouil... *De la tomme de Savoie.* — REM. On trouve aussi la forme graphique *tome.*

HOM. 1. Tome.

TOMMY [tɔmi] n. m. — 1865, répandu 1914; mot angl. dimin. de *Tom,* abrégé de *Thomas (Atkins),* nom traditionnel du simple soldat depuis 1815.

♦ Fam. Soldat anglais. *Des tommies* (→ Rembarquement, cit.).

Mon gendre Saint-Loup connaît maintenant l'argot de tous les braves *tommies,* il sait se faire entendre de ceux des plus lointains *dominions* et, aussi bien qu'avec le général commandant la base, fraternise avec le plus humble *private.*
PROUST, le Temps retrouvé, p. 789.

Un autre tommy, dont les cheveux roux flambaient dans la demi-obscurité (...) tenait à la main une petite tasse, et tout en fumant, en buvait le contenu à petites gorgées. Une bonne odeur de thé et de cigarette anglaise régnait.
Robert MERLE, Week-end à Zuydcoote, p. 90.

TOMO- Élément, du grec *tomos,* rad. *temnein* «couper, découper», entrant dans la composition de termes médicaux (chirurgie). Voir à l'ordre alphabétique (⇒ aussi **-tome, -tomie**).

TOMOGRAMME [tɔmɔgram] n. m. — Mil. xxᵉ; de *tomo-,* et *-gramme.*

♦ Méd. ⇒ **Tomographie** (2.).

TOMOGRAPHE [tɔmɔgraf] n. m. — Mil. xxᵉ; de *tomographie.*

♦ Méd. Appareil à tomographies. *«Peut-on imaginer un tomographe gamma?»* (*Sciences et Avenir,* juin 1979, p. 67).

TOMOGRAPHIE [tɔmɔgrafi] n. f. — V. 1930; de *tomo-,* et *(radio)graphie.*
Médecine.

♦ **1.** Procédé d'exploration radiologique ayant pour but d'obtenir la radiographie d'une mince couche d'organe à une profondeur voulue. *Tomographie pulmonaire* (abrév. fam. *tomo*).

♦ **2.** Cliché obtenu par ce procédé (on dit aussi *tomogramme*).
DÉR. Tomographique.

TOMOGRAPHIQUE [tɔmɔgrafik] adj. — Mil. xxᵉ; de *tomographie*.

♦ Méd. Qui concerne la tomographie. *Coupe tomographique sagittale du rocher.*

TOM-POUCE [tɔmpus] n. m. — 1845; trad. de l'angl. *Tom Thumb,* nom de nain des contes, xviᵉ; nom ensuite donné par Barnum au fameux pseudo-nain qu'il exhiba dans le monde entier dans les années 1845-1850.

♦ **1.** Fam. Homme de très petite taille. ⇒ **Nain.**

♦ **2.** (1924). Petit parapluie à manche court.

♦ **3.** Dahlia d'une variété naine, cultivée en pots comme fleur d'ornement.

1. TON [tɔ̃], **TA** [ta], **TES** [te] adj. possessif. — xiiᵉ, *ton; tun,* 1050; fin xiᵉ, *ta;* xivᵉ, *tes;* formes atones des adj. lat. *tuum, tua.* → Tien.
REM. 1. (Forme). En anc. franç. la forme *ta* s'élidait en *t'* (comme *ma* dans *m'amie.* → Mon), ainsi le mot *tante* représente *ta ante.* Cette forme a été remplacée par le masculin dès la fin du xiiᵉ s.
2. (Fonction et sens). *Ton (ta, tes)* se rapporte à un «possesseur» unique; il exprime, comme les autres «possessifs», toutes sortes de relations. → Mon, son.
3. (Place). → Mon (REM. 4).
4. (Renforcement). *Tes idées à toi*. Tes propres* idées.*
5. (Répétition). → Mon (REM. 6).

★ **I.** (Sens subjectif). ♦ **1.** Qui est à toi, t'appartient (⇒ **Tu, toi**). *«Poète, prends ton luth»* (cit. 6; et → aussi Luth, cit. 4; maigre, cit. 6). ⇒ **Vôtre.** *«Une croix, et ton nom écrit sur une pierre, Non pas même le tien*... »* (→ Après, cit. 4). — *Ton bras, ta main, ton cœur.* — *«Mon amour, c'est seulement ton bonheur»* (→ Seulement, cit. 2). *À ta santé* (cit. 6). *Tes peines, tes soucis...* (→ Regarder, cit. 14). — *Ta naissance, ton enfance. Tu rateras* (cit. 14) *ton avenir, toi.* — *Ton espèce, ton époque...* — *Tes actes. «Ton premier coup d'épée égale tous les miens»* (→ Atteindre, cit. 26). — Argot. *Ta pomme :* toi. ⇒ **Tézigue.**

Ton âme est immortelle, et le temps va s'enfuir.
Ton corps est abattu du mal de ta pensée;
Tu sens ton front peser et tes genoux fléchir.
A. DE MUSSET, Poésies nouvelles, «Lettre à Lamartine».

♦ **2.** (Devant un nom de personne). Ton marquant des rapports de parenté, d'amitié, de vie sociale... (⇒ **Mon**, I., 2., rem.) *Ton père et le mien* (→ aussi Déshonorer, cit. 1). *Ton patron. Tu entres à la journée chez ton charpentier* (→ Salaire, cit. 2). — *Tu dis toujours « ton fils », quand tu as à te plaindre de lui* (→ Mon, cit. 13). — *Tu aimeras le Seigneur, ton Dieu* (cit. 45).

♦ **3.** Par ext. Ton, TA, TES marquant l'«intérêt personnel» (→ Mon, I., 3.) ou des rapports d'appropriation très larges (emplois stylistiques). → Son (*supra* cit. 5). *« Ton Pierre, mais il n'est pas célèbre du tout »* (F. Jammes, *la Brebis égarée*, I., 4.). *Ton bonhomme ; ton petit précepteur...* (→ Sournois, cit. 1). — *Ferme donc ta porte. Ne fais pas ta maligne.* — *Tu vas être en retard pour ton cours*, pour le cours que tu vas suivre (→ Sauver, cit. 17).

2 (...) *Tu ne veux pas me jouer ton Prélude ? Pour M*^me *d'Hocquinville. Chopin n'avait écrit qu'un Prélude* (...) *et il était devenu* ton *Prélude, parce qu'elle l'associait à sa petite-fille.* A. MAUROIS, le Cercle de famille, I, XIII.

3 — *Allons, la vieille, tu encore venue faire ta dissipée ?* (...) *Ne fais pas ta furie, Florence* (...) A. DE CHATEAUBRIANT, la Brière, I, III.

3.1 (...) *ton Renouvier (un type très bien que j'avais eu le malheur de lui recommander) c'est un crétin, un propre à rien qui ne sait pas faire son métier* (...) N. SARRAUTE, le Planétarium, p. 29.

★ **II.** Sens objectif (→ Mon, II.; son, I., 2.). *Ton juge :* celui qui te juge, le juge de toi. *Ta condamnation. À ta vue. Ton livre* (sens I.) *et tes lecteurs.* — *À ton service, à ton intention, à ton égard.* — REM. Les emplois de *ton*, dans ce sens, sont limités, à cause de l'ambiguïté qu'ils introduisent :

4 *(Victor Hugo)* fait dire à son héros, — s'adressant à Don Carlos et parlant de Doña Sol : « *J'oubliais en l'aimant* ta haine *qui me charge »* (*Hern.* I.,4.) : ta haine, c'est ici la haine que j'ai pour toi ; on pourrait s'y tromper ; dans ce cas encore, le possessif est pris d'une façon objective. G. et R. LE BIDOIS, Syntaxe du franç. moderne, § 339.

HOM. Thon ; 2. **ton** (V. ce mot).

2. TON [tɔ̃] n. m. — Fin XIe ; «hauteur d'un son, de la voix ; bruit, son», au moyen âge ; lat. *tonus*, spécialisé en musique, en poésie ; grec *tonos*.

★ **I. A.** Courant. ♦ **1.** (XIIe). Hauteur de la voix, à un moment donné ; hauteur moyenne de la voix. *Ton, ton de voix aigu, élevé, haut ; bas, grave.* ⇒ **Voix.** *Parler sur un ton grave.* ⇒ **Note.** *Passage à un ton plus haut. Cris modulés* (cit. 1) *sur tous les tons. Changement de ton.* ⇒ **Inflexion.** — Par ext. Qualité sonore de la voix (timbre, etc.). *Ton criard, nasillard* (→ Aigu, cit. 6) ; *grasseyant* (cit. 1) ; *rauque...* — Manière d'émettre un son. *Ils ronflèrent* (cit. 2) *sur six tons divers, aigus ou sonores, mais continus et formidables.*

Spécialt. Inflexions, intonations dans l'énoncé. *Ton égal, uniforme ; montant, descendant.*

1 L'interrogation est souvent dans le ton, qui, à lui seul, d'une phrase ordinaire quelconque fait une question : *Tu viens avec moi ?* La phrase française d'énonciation ordinaire se compose de deux parties, l'une ascendante, l'autre descendante. L'interrogation, de ce point de vue, est une phrase incomplète : la finale de l'interrogation est la syllabe qui dans une phrase affirmative serait articulée sur la note la plus haute avant la partie descendante. F. BRUNOT, la Pensée et la Langue, p. 489.

♦ **2.** (V. 1200, «*d'un ton moult avenant*»). Qualité de la voix humaine, en hauteur (*ton proprt dit*), en timbre et en intensité, caractéristique de l'expression des états psychologiques et du contenu du discours. ⇒ **Accent** (II.), **expression** (II., 5.), **intonation, langage** (*supra* cit. 20), **manière** (de parler). *Le ton d'une voix* (→ Croire, cit. 35). *Ton, ton de voix aisé, coulant, direct, familier, naturel, simple. Forcer le ton de sa voix* (→ Figure, cit. 18). *Ton ferme, franc ; faux, hypocrite. Ton dégagé* (cit. 37), *détaché* (1. Détacher, cit. 29), *froid* (1. Froid, cit. 19), *indifférent* (cit. 26), *neutre* (cit. 10). *Fermeté, froideur... du ton. Ton mesuré* (cit. 27), *modeste, réservé. Modération du ton. Ton convaincu, passionné, pénétré, véhément. Ton décisif, doctoral* (cit. 1), *doctrinaire* (cit. 1), *dogmatique, magistral, pédant, professoral, sentencieux ; ton d'oracle. Ton badin, léger, goguenard, gouailleur* (cit. 3), *moqueur, persifleur* (cit. 2), *railleur, sarcastique. Ton noble, grave* (1. Grave, cit. 14), *sérieux, solennel, tragique. Ton affecté, maniéré, emphatique, pathétique... Ton absolu* (cit. 6), *acerbe, aigre, arrogant, bref, brusque, brutal, cassant, coléreux, coupant, dictatorial, fier, hargneux, impérieux, menaçant, péremptoire* (cit. 3), *rogue* (cit. 2), *sec, sévère, tranchant... Avoir un ton hautain.* ⇒ **Verbe** (le verbe haut). *Ton dédaigneux, méprisant ; ton d'indignation, réprobateur. Ton doux, radouci, empreint de douceur ; amical, paternel, protecteur. Ton doucereux, mielleux, patelin* (cit. 5), *paterne. Ton câlin* (cit. 1), *coquet* (cit. 9), *galant, langoureux... Ton humble, lamentable, larmoyant, mourant, piteux* (→ Bon, cit. 124), *plaintif, pleurard, pleureur, suppliant, timide, triste...* — *Adopter, garder un ton, le même ton* (⇒ **Monotone**). *Changer de ton.* ⇒ **Déchanter.** *Le ton et les paroles* (cf. L'air et la chanson). *C'est le ton qui fait la chanson. Dire sur le ton de la conversation*, sur un ton calme, de bonne compagnie...

2 Il n'y a pas moins d'éloquence dans le ton de la voix, dans les yeux, et dans l'air de la personne, que dans le choix des paroles. LA ROCHEFOUCAULD, Maximes, 249.

3 La plupart du temps elles *(les paroles)* ne signifient point par elles-mêmes, mais par le ton dont on les dit. Souvent, en redisant les mêmes paroles, on ne rend pas le même sens (...) MONTESQUIEU, l'Esprit des lois, XII, XII.

4 Julien répondit à ces nouvelles remontrances, fort bien, quant aux paroles : il trouvait les mots qu'eût employé un jeune séminariste fervent : mais le ton dont il les prononçait, mais le feu mal caché qui éclatait dans ses yeux alarmaient M. Chélan. STENDHAL, le Rouge et le Noir, I, VIII.

5 (...) ce petit ton sec que les femmes seules savent prendre entre elles (...) Th. GAUTIER, Fortunio, I.

6 Il avait élevé le ton ; sa voix vibrait de plaisir et de défi. MARTIN DU GARD, les Thibault, t. V, p. 58.

Vx. *Avoir des tons décidés...* ⇒ **Intonation.**

7 (...) l'on n'entend point (...) dans un sermon des tons de théâtre (...) LA BRUYÈRE, les Caractères, XIV,18.

Loc. fig. (Souvent par métaphore du sens 1. ou du sens C.). *Parler* sur tel ou tel ton* (haut ou bas) ; *le prendre* sur un ton.* Vx. *Prendre le haut ton, un ton bien haut :* parler d'une manière arrogante, avec un ton de supériorité, d'assurance extrême (→ Opinion, cit. 2). *Hausser* (cit. 2 et 3) *le ton. Baisser* (cit. 20) *le ton :* se montrer moins arrogant, moins exigeant, etc. ⇒ **Diapason** (fig. et fam.), **sourdine.** *Faire parler d'un ton plus bas, faire baisser le ton :* forcer qqn à abandonner le «haut ton». ⇒ **Rabattre** (la chanterelle). *Hola ! un ton plus bas s'il te plaît ! Chanter* sur un autre ton. Changer de ton.* — *Chanter, dire, répéter qqch. sur tous les tons,* de toutes les manières.

8 Si vous le prenez sur ce ton,
Monsieur, je n'ai plus rien à dire,
Et vous aurez toujours raison. MOLIÈRE, Amphitryon, II, 1.

♦ **3.** (Mil. XVIIe). Manière de s'exprimer, dans un écrit. *Le ton d'une lettre* (→ Charmer, cit. 9 ; équivoque, cit. 22). *Radoucir* (cit. 1) *son ton.* — Littér. **Forme** (I., B., 8.), **manière, style** (→ Auteur, cit. 33 ; genre, cit. 14). *Ton oratoire, lyrique, pathétique ; ton majestueux* (cit. 6), *noble, soutenu, sublime. Le ton précieux du madrigal, plaintif de l'élégie... Poésie d'un ton galant, grivois... Ton attaché à un genre*.* — Spécialt. Manière individuelle d'écrire (indépendamment du genre qu'on adopte). *Cet écrivain, ce conteur a un ton inimitable.*

9 Ce qui frappe le plus dans une page de Stendhal (...) c'est le Ton. Il possède, et d'ailleurs affecte, le ton le plus individuel qu'il soit en littérature. Ce ton est si marqué, il fait l'homme si présent qu'il excuse aux yeux des stendhaliens : 1° les négligences, la volonté de négligence, le mépris de toutes les qualités formelles du style ; 2° divers pillages et quantité de plagiats... Des biens mornes d'autrui, il refait des ouvrages qui se lisent, parce qu'il s'y mêle un certain ton. VALÉRY, Variété, «Études littéraires», Œ., Pl., t. I, p. 569.

Au plur. (vx). Accent, intonation. *Mes lettres « ont des tons, et ne sont pas supportables quand elles sont ânonnées »* (cit. 1, Mme de Sévigné). *Les effets et les tons d'un roman* (→ Diapason, cit. 3).

♦ **4.** Littér. Manière de parler et de se comporter en société ; manière d'être (d'une action) quant aux convenances*. *La tournure et le ton d'une plaisanterie. Avoir bon ton, mauvais ton.* ⇒ **Air** (bel air...). — Loc. cour. **DE BON TON :** qui a des manières considérées comme bonnes, raffinées. ⇒ **Honnête** (II., 1.), **poli** (vx). Cf. Comme il faut (cit. 35), bon genre. *Une élégance de bon ton.* ⇒ **Goût.** Vx. *Être dans le meilleur ton. De mauvais ton* (→ Gâter, cit. 13). — (1751). *Le bon ton :* les manières correctes, reçues ou qui prévalent (dans un milieu donné). ⇒ 2. **Mode, politesse.** — (Avec infl. du sens musical C., 4., par métaphore). *Être dans le ton ; se mettre au ton, dans le ton.* ⇒ **Diapason, note** (fig.) ; **conformer** (se). *Ne pas être dans le ton.* ⇒ **Détonner** (fig.). *Donner le ton :* fixer, par ses propres manières, le ton admis, reçu, dans une société (⇒ **Influence**). — *Avoir le ton* (vieilli). *La Belgique n'a pas le ton* (→ Négatif, cit. 5).

10 Je parle si souvent (et trop souvent) du genre d'esprit de la province, du *ton provincial*, qui, à trente lieues de Paris, recouvre tout, pénètre partout et affadit tout, que je songeais à évoquer le génie dramatique à composer une scène en langage provincial. STENDHAL, Mémoires d'un touriste, t. I, p. 238.

11 Au début du Consulat, on a trouve *(Juliette Récamier)* brillante, fêtée, applaudie, la plus jeune reine des élégances, donnant le ton à la mode, inventant avec art des choses simples qui n'allaient qu'à la suprême beauté. SAINTE-BEUVE, les Causeries du lundi, 26 nov. 1849.

12 Le ton où il avait placé leurs relations, le parti pris d'élégance qu'il avait affiché le lui interdisait. J. ROMAINS, les Hommes de bonne volonté, t. V, XVIII., p. 128.

Loc. fam. (vieilli). *Être dans le ton :* avoir raison (cf. Dans le coup).

(Au plur., vx, fréquent chez Mme de Sévigné). Manières, façons (de se comporter).

B. Phonét. Hauteur (et, par ext., changement de hauteur) du son de la voix, à un moment donné ; son particulier prononcé sur une note plus élevée (accent de hauteur. ⇒ **Tonique**).

Ling. *Langues à ton,* dans lesquelles la hauteur d'une syllabe est un trait pertinent, faisant partie du système phonologique de la langue (ex. : chinois, nombreuses langues africaines). — *Ton ponctuel* (haut, bas, moyen), *mélodique* (montant, descendant). — *Ton* ou *ton aigu* (en grec) : élévation de la voix sur un son. — *Ton frappé :* accent de hauteur sur le début de l'émission vocalique. *Ton aiguisé,* au centre d'une même émission vocalique.

13 Dans les langues d'Extrême-Orient, où les éléments grammaticaux sont en petit nombre, on comprend que le ton joue un rôle (...) considérable (...) Ces langues ont utilisé à ce propos pour des fins morphologiques la souplesse, l'étendue, la variété des tonalités que comporte leur phonétique (...) en peul c'est l'intonation qui exprime la négation : (...) L'élévation de la voix a la valeur d'un morphème. J. VENDRYES, le Langage, p. 91.

C. (1549). Mus. ♦ **1.** Intervalle* fondamental, qui s'exprime par le rapport des fréquences de 8 à 9 (*ton majeur* : do-ré ; fa-sol) ou de 9 à 10 (*ton mineur* : ré-mi ; la-si) et correspond à la seconde majeure (l'intervalle de la quarte à la quinte). *La tierce majeure* (cit. 2) *a deux tons. Échelle musicale divisant l'octave en sept échelons* (⇒ **Note**) *et procédant par tons et demi-tons* (⇒ **Diatonique** ; gamme) *ou en douze échelons tempérés* (⇒ **Chromatique**). *Quart de ton* (→ **Intervalle**, cit. 8). — Par ext. Chaque degré de l'échelle diatonique (→ **Échelle**, cit. 15).

♦ **2.** Hauteur absolue d'une échelle de sons musicaux (réglée par le diapason*) ; échelle musicale d'une hauteur déterminée (désignée par le nom de sa tonique*). *Les modes* *sont caractérisés par une distribution différente des intervalles : tons et demi-tons ; les tons* (ou *tonalités*) *ont la même structure interne. Une mélodie est une forme qui subsiste dans ses transpositions en différents tons.* ⇒ **Transposer.** *Dans le système tonal, les tons s'échelonnent par quintes justes. Tons voisins.* ⇒ **Tonalité.** *Passage d'un ton à un autre.* ⇒ **Modulation.** *Ton principal d'un morceau. Armature d'un ton.* — *Le ton de si bémol majeur, mineur : la modalité majeure, mineure du ton de si bémol. Tons relatifs.* — REM. On emploie habituellement «mode» en parlant des *tons* de la musique antique (*ton phrygien*, M. Emmanuel, t. I, p. 135), et abusivt *ton* en parlant des modes du moyen âge («*ton plagal*», «*ton d'église*» : les huit modes du plain-chant ; c'est de cette confusion que vient l'emploi du mot *modulation.*

14 *(Les théoriciens du moyen âge) prirent les Tons pour des Modes : le sénateur Boèce avait donné à ce galimatias un illustre exemple au VIᵉ siècle. Les musicologues (...) prirent les Modes pour des Tons, en ce sens qu'ils affublèrent leurs VIII Tons, — entendez Modes — ecclésiastiques, des étiquettes appliquées à rebours par Boèce aux vieux Modes, — entendez Tons — (...) Le malheur est que l'imbroglio dure encore. Quand se résoudra-t-on à reléguer une terminologie qui (...) applique à la forme d'une échelle, au mode, l'étiquette qui convient à sa hauteur, au ton.* M. EMMANUEL, Hist. de la langue musicale, t. I, p. 180.

♦ **3.** Vx. Hauteur du son ; son considéré quant à sa hauteur. *Ce clavecin est bon dans les tons graves.* ⇒ **Corde** (II.). Abusivt. Bruit, son (→ 1. **Punch**, cit. 2, Gautier).

♦ **4.** Hauteur des sons émis par la voix dans le chant ou par un instrument, définie par un repère. «*C'est en ce sens qu'on dit, dans un concert, que le ton est trop haut ou trop bas*» (Rousseau, *Dict. de la musique*). *Commencer à chanter pour donner le ton.* ⇒ **Entonner.** *Prendre son ton* (→ **Préluder**, cit. 1). *Sortir du ton.* ⇒ **Détonner.** *Se mettre dans le ton* : s'accorder. *Tons des cloches d'un carillon*.* — Par métaphore (ces loc. étant comprises au sens A, 2) : → ci-dessus sens 4, *supra* cit. 10.

Accord. *Changer le ton d'un cor* d'harmonie* (par un corps de rechange).

15 Pour l'office des morts, elles prennent le ton si bas, que c'est à peine si des voix de femmes peuvent descendre jusque-là. HUGO, les Misérables, II, VI, II.

♦ **5.** Instrument (sorte de sifflet à coulisse) servant à donner le ton (comme le diapason).

♦ **6.** Chasse. Sonneries, définies par leur ton, leur hauteur. *Tons de chasse. Ton du débucher, de l'hallali. Ton de quête** (recherche du gibier).

★ **II.** (1669, d'abord t. de peint.). Couleur*, considérée dans sa force, son intensité ; degré d'une couleur. ⇒ **Teinte, nuance** (cit. 1) ; → **Consonance**, cit. 3 ; couleur, cit. 21 ; 2. dégradation, cit. 1 ; 1. masse, cit. 11. *Tons purs* (→ **Impressionnisme**, cit. 1). *Tons fondus* (cit. 9), *liés* (cit. 6). *Des tons doux, pastel. Tons chauds, tons froids* (→ **Modulation**, cit. 6). *Ton criard, monotone, sourd, terne, grisâtre* (cit. 1). *Tons francs, gais* (cit. 9), *riches* (→ **Blond**, cit. 5). *Tons bruns. Éteindre* (cit. 5) *les tons* ; *passé* (cit. 160) *de ton. Gamme** (cit. 7) *de tons. Tons différents d'une même couleur.* ⇒ **Camaïeu.** — *Dans le même ton* : dans la même couleur, avec des intensités différentes. *Ton sur ton* (→ **Parement**, cit. 2). — Techn. *Ton local.* ⇒ **Couleur** (→ **Hachure**, cit. 1). *Relations entre les tons.* ⇒ **Valeur.**

16 L'union, les concerts, et les tons des couleurs. MOLIÈRE, la Gloire du Val-de-Grâce.

17 Oui, je mets du blanc dans tous mes tons, mais je vous jure que je ne le fais pas par principe. Camille COROT, raconté par lui-même..., p. 88.

18 Puis leurs couleurs ne sont pas tout à fait des couleurs de fleurs ordinaires, de fleurs du bon Dieu ; ce sont des tons brisés, des tons rompus, des tons passés, des tons artistiques de tentures et de meubles (...) Ed. et J. DE GONCOURT, Journal, 1ᵉʳ nov. 1885, t. VII, p. 63.

18.1 Tous les tons imaginables, variant délicatement les sept échantillons du prisme, se trouvaient représentés par la garniture interne des navettes, dont le nombre pouvait s'élever à mille. Raymond ROUSSEL, Impressions d'Afrique, p. 126.

★ **III.** (1771 ; grec *tonos* «tension», d'après l'adj. *tonique**). ♦ **1.** Vx, méd. État normal d'élasticité et de fermeté* des tissus organiques. ⇒ **Tension, tonicité, tonus.** *Qui manque de ton.* ⇒ **Atone, atonie.** *Donner du ton.* ⇒ **Tonifier, tonique ; tono-.**

♦ **2.** Fig., littér. Énergie psychique.

19 (...) il n'y rencontra plus ni amis pour le consoler, ni ennemis pour donner du ton à sa vie. BALZAC, Louis Lambert, Pl., t. X, p. 409 (1833).

---

20 (...) il arrive que les hommes, après un don trop généreux d'eux-mêmes, soient sujets à ces abaissements passagers du ton vital (...) MONTHERLANT, Pitié pour les femmes, p. 69.

DÉR. Tonal, tonème, tonétique, tonie.
COMP. (Du grec *tonos*, — ou de l'élément de formation *-tonie*, *-tonique*) V. Atone, atonie, baryton, diatonique, hypotonie, isotonie, triton ; et aussi **intonation, monotone.**

HOM. Thon ; 1. ton.

TONADILLA [tɔnadija] n. f. — 1783, trad. de Dalrymple, *in* D.D.L. ; mot esp., dimin. de *tonada* «chanson», de *tono* «ton», du lat. *tonus.*

♦ Didact. Petite comédie accompagnée de chansons, d'airs, en littérature espagnole.

TONAL, ALE, ALS [tɔnal] (le plur. en *-aux* semble impossible à cause de l'homonymie avec *tonneau*) adj. — 1828 ; de 2. *ton.*

♦ **1.** Qui concerne ou définit un ton, une hauteur caractéristique. *Hauteur tonale des sons* musicaux.*

♦ **2.** Vx. Qui concerne un système musical particulier (⇒ **Tonalité**, I., 1.).

♦ **3.** Qui concerne la tonalité (I., 2.), qui est organisé selon ses principes. *Système tonal, musique tonale,* où l'harmonie et la mélodie sont réglées par l'obligation de respecter un ton* principal. ⇒ **Tonique ; modulation.**

DÉR. Tonalité.
COMP. Atonal, polytonal.

TONALITÉ [tɔnalite] n. f. — 1821, Castil-Blage ; de *tonal.*

★ **I.** En parlant des sons. **A.** Mus. ♦ **1.** Vx. Système musical défini par l'ordre des intervalles dans l'échelle des sons ou gamme*. *La tonalité grecque, du plain-chant* (Fétis). *Une tonalité proche du grégorien* (cit. 1). — REM. Dans ce sens *tonalité* englobait aussi bien les systèmes de modes* que ceux de tons*.

♦ **2.** Organisation de l'ensemble des sons musicaux selon une échelle type, où les intervalles (tons et demi-tons) se succèdent dans le même ordre, et où le premier degré de chaque gamme (⇒ **Tonique**) se trouve au centre de deux quintes caractéristiques (sous-dominante et dominante, dans le ton considéré, qui sont aussi les toniques des *tons voisins*). *La tonalité se dégage à la Renaissance du système modal et régit sans partage la musique occidentale moderne jusqu'au XXᵉ siècle.*

♦ **3.** (Emploi critiqué). Ton (au sens I, C, 4). *La tonalité d'ut, de fa majeur. L'armature* de la clef donne la tonalité principale du morceau.* — *Caractère expressif propre attribué à un ton déterminé. Des tonalités gaies, dramatiques.*

B. Cour. ♦ **1.** (XIXᵉ). Ensemble des caractères de hauteur, de timbre (d'un ensemble de sons, d'une voix). ⇒ **Ton**, I., A.

1 Ce chant (...) monte comme une voix de la brise, à laquelle sa tonalité particulière donne une certaine ressemblance. G. SAND, la Mare au diable, II.

2 Des inflexions vocales, une sorte de tonalité chantante. G. DUHAMEL, le Voyage de P. Périot, p. 19.

Par anal. *La tonalité d'un récepteur radio.*

♦ **2.** Son caractéristique qu'on entend au téléphone quand on décroche l'appareil, avant de composer un numéro. *Faire le 16 et attendre la tonalité pour obtenir l'interurbain.*

3 (...) il n'y a qu'à composer le 10, attendre la tonalité musicale, *pi-i-ou-i... pi-i-ou-i,* et une voix vous tient compagnie : *Ici l'Interurbain — Composez l'indicatif du département* (...) ARAGON, Blanche..., I, VIII, p. 137 (1967).

★ **II.** ♦ **1.** (D'abord t. de peinture). Valeur moyenne, impression générale produite par un ensemble de tons (II.), de nuances. ⇒ **Coloris, couleur.** *La tonalité d'une décoration.* Absolt :

4 Il n'y a en peinture que la tonalité et la beauté de la pâte. Ed et J. DE GONCOURT, Journal, 3 juil. 1891.

♦ **2.** (Abstrait). Impression générale, «coloration» particulière qui distingue un état affectif (→ **Particulier**, cit. 1, Baudelaire). *La tonalité affective du rêve* (cit. 10).

TONCA [tɔ̃ka] n. m. ⇒ **Tonka.**

TONDAGE [tɔ̃daʒ] n. m. — 1337, *tondage* (des draps), repris XIXᵉ ; de *tondre.*

♦ **1.** Techn. Opération par laquelle on égalise les poils d'un drap. ⇒ **Apprêt.**

♦ **2.** (1845). Le fait de tondre le poil (de certains animaux). *Tondage du cheval.*

TONDAILLE [tɔ̃dɑj] n. f. — 1500 ; de *tondre*.

◆ Vx ou régional (plur.). Époque de la tonte des moutons (⇒ **Tondaison, tonte**), fête qui accompagne la tonte.

TONDAISON [tɔ̃dɛzɔ̃] n. f. — Déb. XIVe ; *tondison*, v. 1160 ; de *tondre*.

◆ **1.** Vx. Tonte des moutons ; (par métonymie), époque où elle se pratique.

◆ **2.** Laine qui provient de la tonte. ⇒ **Tondaille, tonte.**

TONDEUR, EUSE [tɔ̃dœʀ, øz] n. — 1247, « tondeur de drap » ; de *tondre*.

◆ Personne dont le métier est de tondre (le drap, les animaux). *Tondeur de chiens, de mulets* (→ Gitan, cit. 1). *Tondeur de moutons.* ⇒ **Tonte.** *Tondeur de haies.* ⇒ **Tailleur.** *Tondeuse en chapellerie ; tondeuse de tissus. Tondeurs de draps* (anciennt, à la main, avec des forces* ; de nos jours, *tondeurs à la machine*). — Fig. *À tondeur, tondeur et demi* (→ Tondre, cit. 4, Hugo).

1 (...) lorsqu'un des tondeurs en saisissait une *(brebis)*, elle se taisait, s'abandonnait, ballonnée par l'épaisseur de sa fourrure, que le suint et la poussière cuirassaient d'une croûte noire. Puis, sous la pointe rapide des ciseaux, la bête sortait de la toison comme une main nue d'un gant sombre, toute rose et fraîche, dans la neige dorée de la laine intérieure.　　　　ZOLA, la Terre, II, I.

2 (...) certains jours de la semaine, un homme se promenait, coiffé d'un melon de cuir noir, orné de ciseaux peints en blanc, une petite caisse retenue sur l'épaule par une bretelle, chantant sur un mode lugubre : v'là le tondeur, tond les chiens, coupe les chats et va-t'en ville !　　　　HUYSMANS, En ménage, V.

TONDEUSE [tɔ̃døz] n. f. — 1836 ; de *tondre*.

◆ **1.** Techn. Machine ou instrument destiné à couper court, et d'une manière égale, les poils de certains tissus (draps).

◆ **2.** Cour. Instrument formé de deux lames agissant par va-et-vient, et destiné à tondre le poil des animaux (moutons, etc.), de l'homme (cheveux : *tondeuse de coiffeur*). *Tondeuse mécanique, électrique.*

◆ **3.** (1876). Cour. *Tondeuse de gazon* (vx), *tondeuse à gazon* (mod.) : petite faucheuse rotative (→ Gazon, cit. 4). *Tondeuse à main*, que l'on pousse à l'aide d'un manche. *Tondeuse mécanique, électrique.*

Deux soldats, sans vestes, en culottes bleues d'uniforme et en bandes molletières, coupaient l'herbe de la pelouse, et Antoine reconnut le cliquetis exaspérant de la tondeuse à gazon.　　　　MARTIN DU GARD, les Thibault, t. IX, p. 60.

TONDIN [tɔ̃dɛ̃] n. m. — 1676 ; ital. *tondino*, de *tondo* « rond ».

◆ **1.** Arts. Astragale ornant le bas d'une colonne.

◆ **2.** Techn. Cylindre servant à former les tuyaux de plomb, en plomberie.

TONDO [tɔ̃do] n. m. — 1923 ; mot ital., abrév. de *rotondo* « rond ».

◆ Peint. Tableau de forme ronde. *Des tondi* (plur. italien).

TONDRE [tɔ̃dʀ] v. tr. — Conjug. *rendre*. — 1130 ; lat. pop. *tondere* (e bref), class. *tondere* (e long).

◆ **1.** Couper* à ras (les poils, et, spécialt, la laine). *Tondre la toison d'un mouton, le poil d'un chien* (⇒ **Tondeur**). — *Tondre les cheveux :* les couper très courts, sans toutefois les raser* (⇒ **Tondeuse**).

Loc. fig. *Tondre la laine sur le dos de qqn :* le dépouiller, lui voler tout ce qu'il a (→ ci-dessous, 2.). *Se laisser tondre la laine sur le dos :* supporter avec patience* les exactions*, les vexations. ⇒ **Faible.**

1 De petits nuages blancs montent de la terre comme si on lui tondait la laine sur le dos.　　　　J. RENARD, Journal, 1er juil. 1894.

Absolt. *Tondre sur un œuf :* être très avare. (→ Œuf, cit. 8).

◆ **2.** Dépouiller (un animal) de son pelage, de sa toison, en coupant les poils ras. *Tondre les moutons.* (⇒ **Tonte**) *avec des forces*, une tondeuse... Tondre un chien.* — (1842). Loc., vx. *Avoir d'autres chiens à tondre*, autre chose à faire (cf. D'autres chats à fouetter). *Tondre inégalement.* ⇒ **Bretauder.** — Fam. *Se faire tondre :* se faire couper les cheveux très courts. ⇒ **Coiffeur.**

Raser les cheveux à (qqn). *Après la Libération, des femmes accusées de collaboration avec les Allemands furent tondues* (→ Tonte, cit., Leiris).

(V. 1175) Spécialt. Vx. Raser les cheveux à (celui qui entre dans les ordres) ; faire moine (⇒ **Tonsure**).

Fig. *Tondre qqn :* le dépouiller. *On vous tond, vous tendez le dos* (→ Mouton, cit. 15). — (XIVe). *Le fisc, l'État tond les contribuables par ses impôts*.

2 Il faut voir le système à l'œuvre. C'est une machine à tondre, grossière et mal agencée, qui fait autant de mal par son jeu que par son objet. Et ce qu'il y a de

pis, c'est que, dans son engrenage grinçant, les taillables, employés comme instrument final, doivent eux-mêmes se tondre et s'écorcher.　　　　TAINE, les Origines de la France contemporaine, t. II, p. 240.

(...) Et votre Excellence, si compétente en matière de finances, sait qu'il y a pourtant un art de tondre le contribuable sans le faire crier.　　　　FRANCE, l'Anneau d'améthyste, Œ. t. XII, xx, p. 241.

Loc. *Il tondrait un œuf :* il ferait n'importe quoi pour satisfaire son avarice, son avidité.

◆ **3.** (XIIIe). Couper à ras ; égaliser, tailler en coupant. — *Tondre le drap, le feutre :* couper l'extrémité des poils pour le rendre uni. ⇒ **Tondage, tonture.** *Machine à tondre.* ⇒ **Tondeuse.** *Tondre le poil après le lavage des peaux.* ⇒ **Surtondre.** *Tondre les tapis.* — *Tondre une haie.* ⇒ **Ébarber, tailler.** *Tondre le gazon :* le couper à la tondeuse.

⇒ **Brouter.** *Les moutons tondent les herbes folles* (cit. 51). Par ext. *« Je tondis de ce pré la largeur de ma langue »* (→ Diable, cit. 4).

Le pré est tondu par le mouton, le mouton est tondu par le berger. Quoi de plus juste ? À tondeur, tondeur et demi.　　　　HUGO, l'Homme qui rit, II, II, XI.

▶ **TONDU, UE** p. p. adj. (V. 1190).

Coupé ras. *Poils, cheveux tondus.* ⇒ **3. Ras.** — *Tout le monde était tondu à neuf* (→ Raser, cit. 11). *Tête frais* (1. Frais, cit. 19) *tondue. Moines* (cit. 3) *tondus.* — N. (V. 1215, *moine*). *Un tondu. Le Petit Tondu*, surnom du général Bonaparte. — *Quatre pelés** (cit. 3) *et un tondu* (→ Maître, cit. 100).

Je l'ai accompagné hier après-midi dans un village. Trois douzaines de tondus, ou plutôt de moustachus, l'ont écouté (...)　　　　J. ROMAINS, les Hommes de bonne volonté, t. VIII, II, p. 17.

(Choses). *Pré tondu*, dont on vient de faucher l'herbe.

CONTR. (Du p. p.) **Chevelu.**
DÉR. Tondage, tondaille, tondaison, tondeur, tondeuse, tondure, tonte, tontisse, tonture.
COMP. Surtondre.

TONDURE [tɔ̃dyʀ] n. f. — 1380 ; *tonture*, v. 1280 ; de *tondre*.
Technique.

◆ **1.** Opération par laquelle on tond les draps, les feutres. ⇒ **Tonture.**

◆ **2.** (1588). Bourre provenant du tondage

TONÈME [tɔnɛm] n. m. — 1972 ; de *ton*, et suff. -ème (d'après *morphème, phonème*).

◆ Phonét. Unité accentuelle de hauteur.

TONÉTIQUE [tɔnetik] n. f. — V. 1950 ; de *ton*, d'après *(phon)étique*.

◆ Didact. Partie de la phonétique qui étudie les tons.

TONIC [tɔnik] n. m. Anglic. ⇒ **Tonique**, I., 3., REM.

TONICARDIAQUE [tɔnikaʀdjak] adj. et n. m. — 1908 ; *toni-cardiaque*, 1905, in *Rev. gén. des sc.*, n° 3, p. 102 ; de *tonique*, et *cardiaque*.

◆ Méd. Qui exerce un effet tonique sur le cœur (syn. : *cardiotonique*). — N. m. *Un tonicardiaque. L'huile camphrée est un tonicardiaque.*

Parmi eux *(les cardiotoniques)* une place à part doit être faite à ceux qu'on appelle les tonicardiaques majeurs.　　　　A. GALLI et R. LELUC, les Thérapeutiques modernes, p. 72.

TONICITÉ [tɔnisite] n. f. — 1803 ; de *tonique*.

◆ **1.** Physiol. Manifestation de l'élasticité* des tissus vivants, et, spécialt, du tissu musculaire (⇒ **Muscle**), sous la dépendance du système nerveux. ⇒ **Ton** (III.), **tonus.** *Absence* (⇒ **Atone, atonie**), *insuffisance, excès de tonicité* (⇒ **Hypo-, hypertonie**).

Ses muscles présentaient de remarquables symptômes de tonicité. Véritablement homme d'action en même temps qu'homme de pensée, il agissait sans effort, sous l'influence d'une large expansion vitale, ayant cette persistance vivace qui défie toute mauvaise chance.　　　　J. VERNE, l'Île mystérieuse, t. I, p. 13.

◆ **2.** (1861). Caractère de ce qui est tonique, stimulant.

(...) la tonicité salée de la Méditerranée, et la tonicité plus moite, plus douce (...) que nous offre l'Océan.　　　　MICHELET, la Mer, IV, II (1861).

CONTR. Atonie, flaccidité.

TONIE [tɔni] n. f. — Mil. XXe ; de 2. *ton*.

◆ Physiol. Caractère de la sensation auditive, dépendant de la fréquence et de la vibration des sons perçus.

-TONIE Élément du grec *tonos* «tension».

TONIFIANT, ANTE [tɔnifjɑ̃, ɑ̃t] adj. et n. m. — V. 1860; de *tonifier*.

♦ **1.** Adj. Qui tonifie. ⇒ **Fortifiant.** *Lotion tonifiante.* ⇒ **Vivifiant.** — Fig. *Une lecture tonifiante.*

Les forêts de pins rivalisent avec la mer en émanations salubres. Les leurs, toutes résineuses, sont tonifiantes comme elles (...) Elles pénètrent tout notre être (...) modifient le sang, l'assainissent (...)   MICHELET, la Mer, IV, IV (1861).

♦ **2.** N. m. (Déb. xxᵉ). Remède tonique. ⇒ **Cordial, fortifiant, remontant.**

Figuré :

Je m'attends un de ces jours à me voir placé à table après un révolutionnaire russe ou simplement après un de nos généraux faisant la guerre par horreur de la guerre et pour punir un peuple de cultiver un idéal qu'eux-mêmes jugeaient le seul tonifiant il y a quinze ans.   PROUST, le Temps retrouvé, Pl., t. III, p. 798.

TONIFICATION [tɔnifikasjɔ̃] n. f. — 1870; de *tonifier*.

♦ **1.** Action de tonifier. *Tonification des muscles du visage par des soins et massages appropriés. Tonification des muscles du corps au moyen des appareils vibromasseurs*.*

♦ **2.** (xxᵉ). T. d'acupuncture. Action de tonifier, à l'aide d'aiguilles spéciales plantées aux endroits appropriés, les organes ou les tissus déficients.

TONIFIER [tɔnifje] v. tr. — 1837; de *tonique* ou du lat. *tonus*, et suff. *-fier*, de *facere*.

♦ **1.** Rendre plus élastique, plus tonique (I., 1.). ⇒ **Raffermir.** *Tonifier la peau, l'épiderme en s'aspergeant* (cit. 4) *d'eau froide.*

J'ai vu dans le journal une voici, reprit-il, quand il eut arrêté sa machine, une annonce de pastilles destinées à tonifier les cordes vocales et à guérir l'enrouement des chanteurs (...)   HUYSMANS, l'Oblat, III.

♦ **2.** Avoir un effet tonique (I., 2.) sur... *Tonifier l'organisme.* ⇒ **Fortifier, vivifier.** — Absolt (→ Désencrasser, cit. 1). Fig. *Maurice Denis tonifie ses harmonies* (→ Assagir, cit. 3).

(...) Bergson, vers la fin de sa vie, dit à Floris Delattre qu'il n'est pas d'œuvre d'art vraiment grande qui n'exalte et ne tonifie l'âme, ce que, pensait-il, ne fait pas la *Recherche du temps perdu.*   A. MAUROIS, À la recherche de Marcel Proust, II, IV.

DÉR. Tonifiant, tonification.

TONIQUE [tɔnik] adj. et n. m. et f. — 1618; *tonicque,* 1538; grec *tonikos* «qui se tend», de *tonos*. → Ton.

★ **I.** Méd. ♦ **1.** Vx. Qui présente une tension, une élasticité, en parlant des tissus vivants, des muscles innervés. ⇒ **Tonicité, tonus.**

♦ **2.** Mod. Relatif au tonus* musculaire. — Par ext. Se dit d'une contraction musculaire anormale prolongée, se traduisant par une rigidité des muscles atteints. *Convulsion tonique. Spasme tonique.*

♦ **3.** (1762). Qui fortifie, stimule les forces de l'organisme. *Médicaments, remèdes toniques.* ⇒ **Réconfortant, reconstituant, réparateur.** *Propriétés toniques de certains amers** (armoise, gentiane, germandrie, quassia amara [quassine], quinquina, sauge, simaruba...), *de la benoîte, du kola, de la kramerie, de la myrrhe. Aliment tonique et stimulant. L'hippocras, boisson tonique. Vin tonique, généreux.* ⇒ aussi **Apéritif.** — N. m. *Un tonique :* substance employée comme médicament tonique. ⇒ **Excitant** (2.), **fortifiant, remontant, restaurant** (1., vx), **stimulant.** *Amers, plantes, alcaloïdes employés comme toniques.*

Votre petite fille est-elle peureuse? traitez-la par des toniques plutôt que par des sermons.   Julien BENDA, Lettres à Mélisande, p. 118.

Il a abandonné le vin blanc gommé pour cette boisson *(le Dubonnet)* tout aussi saine, mais plus tonique.   R. QUENEAU, le Dimanche de la vie, p. 161.

Les toniques du cœur : les cardiotoniques*, qui régularisent les contractions du cœur. *La caféine, la spartéine, toniques du cœur.* ⇒ **Cardiaque, cordial, cardiotonique, tonicardiaque.**

(V. 1965). *Eau tonique* (angl. *tonic water*) : boisson gazeuse, sorte de limonade peu sucrée et aromatisée au quinquina. — REM. On dit, on écrit aussi *tonic,* n. m. « Un peu d'Indien sur un glaçon, de l'eau naturelle ou gazeuse et votre tonic est prêt », *l'Express,* 10 juil. 1972, p. 2 (publicité).

♦ **4.** Fig. Qui stimule, augmente la force vitale, rend plus alerte, plus vif. *Un froid tonique, piquant* (cit. 1). *Littérature* (cit. 18) *saine, tonique...* — N. m. *La haine* (cit. 4), *parfois la misère* (cit. 12) *est un tonique.*

Les femmes les plus délicates ne craignent pas de se promener en calèche et de respirer pendant une heure cet air glacé, mais sain et tonique, qui rafraîchit les poumons oppressés par la température de serre chaude des maisons.   Th. GAUTIER, Voyage en Russie, I, VII.

Cette idée que tout est dit n'est point déprimante; bien au contraire, tonique. Le paradoxe humain c'est que tout est dit et que rien n'est compris.   ALAIN, Propos, 20 oct. 1922, «Mnémosyne».

Il a un rire à lui, un rire de bon géant, un rire tonique (...)   MARTIN DU GARD, les Thibault, t. VII, p. 195.

♦ **5.** Qui exerce un effet tonique (3.) sur la peau, sur l'épiderme. *Lotion tonique et astringente.* — N. m. *Un tonique.*

Avec d'autres bouts de coton imprégnés de «tonique de beauté» elle effaçait sa poudre, sa crème, son fard à joues rose, son fard à paupières bleu.   P. GUTH, le Mariage du naïf, X, p. 95.

★ **II.** ♦ **1.** (1762). Mus. Vx. *Note, corde tonique.* — N. f. LA TONIQUE : note fondamentale, premier degré* de l'échelle des sons dans le système tonal (⇒ **Tonalité**), dont la hauteur caractérise le ton* qu'elle fonde. *Tonique et médiante* (cit.). *Dans l'harmonie classique, la finale* d'une mélodie est la tonique.* — *Donner la tonique* (d'un ton). ⇒ **Note, ton.**

♦ **2.** (1842). Ling. Qui porte le ton (I., B.). *Voyelle, syllabe tonique.* Par ext. *Formes toniques et formes atones des pronoms.* — *Qui marque le ton. Accent* tonique.*

CONTR. Adynamique, amollissant, débilitant. — Atone.

DÉR. Tonicité. — (Du grec) Tonisme.

COMP. Cardiotonique, contre-tonique, électrotonique, tonicardiaque.

TONISME [tɔnism] n. m. — 1836; de *toni(que),* et *-isme.*

♦ Méd. Convulsion ou spasme tonique.

TONITRUANCE [tɔnitʁyɑ̃s] n. f. — 1906; de *tonitruant.*

♦ Littér., rare. Caractère de ce qui est tonitruant. — *Une, des tonitruances.* ⇒ **Tonitruement.**

Vêtue d'un tailleur noir, d'une chemise d'homme ornée d'une lavallière, elle portait les cheveux à la Jeanne d'Arc et pimentait ses tonitruances d'un savoureux accent chtimi.   R. SABATIER, Trois sucettes à la menthe, p. 202.

TONITRUANT, ANTE [tɔnitʁyɑ̃, ɑ̃t] adj. — 1876; lat. *tonitruans,* p. prés. du lat. *tonitruare* «tonner».

♦ Fam. Qui fait un bruit de tonnerre, un bruit énorme. ⇒ **Énorme.** *Voix tonitruante.* ⇒ **Tonnant.**

(...) la masse tonitruante de ce léonin Océan Indien que la mousson du sud-ouest pousse en avant (...)   CLAUDEL, Connaissance de l'Est, p. 8.

(Personnes). *Un homme tonitruant.* ⇒ **Bruyant.** «... le gros, l'épais... le tonitruant Balzac » (Henriot, *les Romantiques,* p. 332).

(...) les voix (...) se faisant maintenant pour Hélène tonitruantes (...) comme lorsqu'on enlève brusquement les paumes qu'on a longtemps gardées sur ses oreilles (...)   Claude SIMON, le Vent, p. 166.

N. Rare. *Un tonitruant.*

Ce tonitruant dut éteindre ses carreaux. Seulement parfois il éclatait et c'était superbe. Comme imprécateur, surtout, il était inouï.   Léon BLOY, le Désespéré, p. 70.

DÉR. Tonitruance. — (Du lat.) Tonitruer.

TONITRUEMENT [tɔnitʁymɑ̃] n. m. — 1888, Villatte; de *tonitruer.*

♦ Bruit tonitruant. — Parole prononcée d'une voix tonitruante.

TONITRUER [tɔnitʁye] v. intr. — 1869; lat. *tonitruare,* ou *tonitruer.*

♦ Faire un bruit de tonnerre; parler, crier* d'une voix tonitruante. ⇒ **Crier, tonner.**

Depuis leur recul, les Allemands ne cessent d'y envoyer de vastes obus qui tonitruent de temps en temps en nous secouant dans notre sous-sol (...)   H. BARBUSSE, le Feu, I, XII.

DÉR. Tonitruement.

TONKA ou **TONCA** [tɔ̃ka] n. m. — 1816, *tonka,* Candolle, in D. D. L.; *tonca,* 1872; *fève de tonka,* 1832, var. *fève Tonga;* mot d'une langue indienne de Guyane.

♦ Fruit du coumarou*, sorte de fève. Par appos. *Fève tonka.*

TONKINOIS, OISE [tɔ̃kinwa, waz] adj. et n. — 1876, P. Larousse, écrit *Tonquinois;* de *Tonkin.*

♦ Du Tonkin, région du Viêt-nam du Nord. — N. *Un Tonkinois, une Tonkinoise.*

TONLIEU [tɔ̃ljø] n. m. — 1273; *tolneu* «bureau de douane», v. 1155; *tonleu,* 1168; lat. *teloneum,* grec *telônion* «bureau du percepteur».

♦ Féod. Impôt ou taxe que l'on percevait sur les marchandises transportées. Droit payé par les marchands pour étaler dans les foires et marchés.

TONNAGE [tɔnaʒ] n. m. — 1477; «droit sur le vin en tonneau», 1300; mot angl., de l'anc. franç.; de *tonne*, I., 1.

Marine.

♦ **1.** Droit payé par un navire d'après sa capacité. — On dit aussi *droit de tonnage*.

♦ **2.** Capacité de transport d'un navire de commerce, évaluée par son volume intérieur dont l'unité de mesure est le *tonneau** ⇒ **Jauge**. *Le tonnage d'un bateau. Tonnage brut* : capacité intérieure totale ; *tonnage net* : capacité pour un contenu commercial (marchandises, passagers). ⇒ **Contenance**. *Bâtiment d'un gros, d'un fort tonnage. Navires de tout gabarit** (cit. 1) *et de tout tonnage.* — (1872, Littré). Statist. Capacité totale de tous les navires marchands entrant dans un port ou en sortant, de tous les navires de commerce d'un pays.

TONNANT, ANTE [tɔnɑ̃, ɑ̃t] adj. — V. 1155; p. prés. de *tonner*.

♦ **1.** Qui tonne (1.). *Jupiter tonnant.*

♦ **2.** (Déb. XVIᵉ). Qui fait un bruit de tonnerre. *Bruit tonnant.* ⇒ **Éclatant, retentissant**. *Voix tonnante*, très forte (→ Chantre, cit. 5 ; 1. solo, cit. 2). ⇒ **Tonitruant**. *Tonnante parole des prédicateurs* (→ Piège, cit. 5). *De tonnantes algarades* (cit. 3). Par ext. *Maître* (cit. 78), *orateur tonnant* (→ Éloquence, cit. 9).

(...) une acclamation tonnante partit jusqu'aux nues (...)
SAINTE-BEUVE, Volupté, VIII.

♦ **3.** (1903, in *Rev. gén. des sc.*, n° 3, p. 164). Chim., vx. *Gaz tonnant, mélange tonnant* : mélange d'hydrogène et d'oxygène dans la proportion volumétrique de 2 à 1.

TONNE [tɔn] n. f. — 1283; bas lat. *tunna, tonna*, mot gaulois «peau», par ext. «outre, tonneau».

★ **I.** ♦ **1.** Techn. (agric., pêche). Grand récipient, plus large que le *tonneau**, fait de douves assemblées au moyen de cerceaux. *Juchés sur une tonne* (→ Ménétrier, cit. 2). *La panse* (cit. 2) *ronde comme une tonne.* Fig. *Cette femme est une vraie tonne.* ⇒ **Barrique**. — (1690). Par métonymie. Contenu d'une tonne. *Acheter deux tonnes de vin.*

1   Quoique chaque banquette de ce cabriolet, au flanc courbé comme celui d'une femme grosse, ne dût contenir que trois voyageurs, on en voyait souvent huit serrés comme des harengs dans une tonne.
BALZAC, Un début dans la vie, Pl., t. I, p. 605.

2   Le vin de Moselle ne se conserve pas dans d'immenses tonnes, comme celles d'Heidelberg et d'autres lieux (...)
NERVAL, Lorely, «Rhin et Flandres», I.

♦ **2.** (1690). Mar. (par anal. de forme). Bouée arrondie, en bois ou en fer. *Tonnes et balises* (→ 3. Droit, cit. 30). *Droit de tonnes*, perçu pour l'entretien des bouées, sur les navires qui abordent.

♦ **3.** (1904). Archéol. *Armure à tonne*, à braconnière évasée en jupe.

♦ **4.** (1676). Coquille univalve arrondie.

★ **II.** ♦ **1.** ⓐ Cour. Unité de masse, mesure valant 1 000 kilogrammes (abrév. : *t*). *Production exprimée en tonnes. 20 tonnes de matériel* (→ Expédition, cit. 13). *Brûler des tonnes de charbon* (→ Chaudière, cit. 2).

ⓑ (1846; «mesure de capacité», 1681). Mar. Unité de poids de 1 000 kilogrammes servant à évaluer le déplacement ou le port en lourd d'un navire. *Un paquebot* (cit. 2) *de 16 000 tonnes.*

♦ **2.** (1812). Par exagér. Énorme quantité (de choses). *Prenez-en, j'en ai des tonnes.*

3   (...) elles aidaient leur mère et leur grand-mère à mettre en bocaux des tonnes de fruits et de légumes (...)
S. DE BEAUVOIR, Mémoires d'une jeune fille rangée, p. 253.

♦ **3.** (1833). *Tonne kilométrique* : unité de calcul du prix de transport des marchandises par voie ferrée (transport d'une tonne sur un kilomètre).
Mesure du poids des véhicules, spécialement des poids lourds (⇒ **Camion**). *Un camion de 7 tonnes*, et, subst., *un 7 tonnes. Un 20 tonnes semi-remorque. Un 600 tonnes* : un train de 600 tonnes (→ Locomotive, cit. 7). — *Pont interdit aux véhicules de plus de 3 tonnes.*

♦ **4.** Unité de poussée, égale à 1 000 kg (fusées).

DÉR. Tonnage, tonneau, tonnelle.
HOM. Formes du v. tonner.

TONNEAU [tɔno] n. m. — 1380; *tonel*, v. 1138; *tonnel*, v. 1190; de *tonne*.

★ **I.** ♦ **1.** Grand récipient cylindrique, en bois, renflé au milieu (⇒ **Bouge, panse**), fait de douves cerclées de bois ou de fer, fermé par deux fonds de bois, qui sert à contenir des liquides, ou est utilisé comme emballage de certains produits. ⇒ **Barrique, botte, boucaut, feuillette, fût, fûtaille, muid, pièce, poinçon**. *Grand*

tonneau. ⇒ **Foudre, tonne**. *Petit tonneau.* ⇒ **Baril, quartaut, tonnelet**. *Parties d'un tonneau.* ⇒ **Bonde, cannelle, cerceau, cercle, chantepleure, douelle, douve, enfonçure, fonçailles, fond, jable, robinet, sommier, traversin**. *Bois à tonneau.* ⇒ **Feuillard, merrain**. *Ouvrier qui cercle, relie... décercle* (→ Chassoir), *recercle, rebat un tonneau.* ⇒ **Tonnelier**. *Fonçage, reliage d'un tonneau. Jaugeage d'un tonneau. Marquer un tonneau.* ⇒ **Poinçon, rouanne**. *Mettre qqch. en tonneau.* ⇒ **Entonner ; entonnage**. *Rouler* un tonneau. *Poulain** *pour charger les tonneaux, charrette pour tonneaux.* ⇒ **Haquet**. *Gerber** *des tonneaux. Tonneau de bière, d'huile* (→ 2. Balle, cit. 3), *de choucroute, de sardines, de poudre. Tonneau de protection.* ⇒ **Chape**. *Tonneau de vin sur un chantier**, *dans une cave* (→ Chanteau, cit.). *Mettre un tonneau en perce** (cit. 1 et 2); *boucher un tonneau.* ⇒ **Bondon, broche, douzil, fausset**. *Débonder un tonneau.* ⇒ **Tire-bonde**. *Vin qui tombe en le tirant au tonneau.* ⇒ **Baquetures, coulage**. *Maintenir un tonneau plein.* ⇒ **Ouiller, rembouger**. *Tonneau en vidange**. *Acide des tonneaux* : acide tartrique. *Détartrer, soufrer** (cit. 1) *les tonneaux.* ⇒ **Méchage, mécher**. *Vin au tonneau et vin bouché* (cit. 6).

(...) son âme s'enfonçait en cette ivresse et s'y noyait, ratatinée, comme le duc de Clarence dans son tonneau de malvoisie.
FLAUBERT, Mᵐᵉ Bovary, II, XII.   1

FOND DE TONNEAU : ce qui reste au fond du tonneau, où il y a de la lie; mauvais vin. ⇒ **Baissière**. Fig. Résidu (→ Fond, cit. 6). — *Rinçure de tonneau* : mauvais vin (→ Piquette, cit. 3). — Par métonymie. Le contenu d'un tonneau. *Boire un tonneau de vin.*

Allus. myth. *Le tonneau des Danaïdes**. «*La haine* (cit. 7, Baudelaire) *est le tonneau des pâles Danaïdes*». *Diogène et son tonneau* (→ Bon, cit. 48). — REM. Le «*tonneau*» de Diogène traduit le lat. *dolium*, «grand vase de terre ou de bois» (Cf. Rabelais, *Prologue du Tiers Livre*).

(...) peut-être les civilisations ne sont-elles bonnes qu'à se succéder pour jeter l'homme au tonneau des Danaïdes (...)   MALRAUX, Antimémoires, p. 48.   1.1

Par compar., fig. *Avoir le ventre comme un tonneau* (→ Gros, cit. 5). — Fig. ⇒ **Ivrogne**.

Loc. fig. (*D'un autre tonneau*, 1552). *Du même tonneau* : du même genre (péjoratif).

Fig., techn. Son rappelant la résonance intérieure du tonneau.

Pratiquement, lorsque deux murs ou surfaces sont en regard, l'un d'eux doit être amorti par un meuble en bois, par une tenture, par un rideau. Les meubles à grands panneaux sont de bons absorbeurs de basses, ils éclaircissent l'audition et évitent le son dit «tonneau» dû à la production d'ondes stationnaires entre les murs.   P. GILOTAUX, L'Industrie du disque, p. 89.   1.2

♦ **2.** Récipient de métal monté sur roues pour distribuer, répartir son contenu en divers lieux. *Tonneau de porteur* (cit. 5) *d'eau.* ⇒ aussi **Tine**. *Tonneau d'arrosage*, pour arroser les allées, les voies publiques.

♦ **3.** (Déb. XVIIIᵉ, Saint-Simon). Ancienn. Demi-tonneau dans lequel se tenait un marchand en plein air. *Harengère* (cit. 3) *dans son tonneau.*

♦ **4.** (1888). Voiture à cheval découverte, à deux roues, dans laquelle on pénètre par derrière.

Quelques jours après la partie de furet, comme nous étant laissé entraîner trop loin dans une promenade, nous avions été fort heureux de trouver à Maineville deux petits «tonneaux» à deux places qui nous permettraient de revenir pour l'heure du dîner (...)
PROUST, À l'ombre des jeunes filles en fleurs, Folio, p. 598.   1.3

♦ **5.** (1835). Jeu. Coffre (peut-être originairement un *tonneau*, 1.) dont le dessus est percé de trous (affectés d'un chiffre) dans lesquels le joueur s'efforce de lancer un palet** de métal. — Par ext. Le jeu. *Jouer au tonneau.*

♦ **6.** Mouvement rappelant celui du tonneau qui roule. — (1917, in Petiot). Mouvement d'acrobatie aérienne ; tour complet de l'appareil autour de son axe longitudinal. *Une série de tonneaux forme une vrille horizontale. Demi-tonneau* : demi-tour. — (1932). Accident par lequel une automobile fait un tour complet en pivotant autour de son axe longitudinal. *La voiture a fait plusieurs tonneaux sur la pente du ravin.*

Sur une autoroute du Lancashire, par un très beau temps, une Taunus qui vient de nous doubler et, dans la longue ligne droite, précède de peu notre voiture semble tout à coup perdre sa direction. Après quelques zigzags, elle se place perpendiculairement à nous, puis exécute une série de tonneaux (...)
Michel LEIRIS, Frêle bruit, p. 131.   1.4

(1961). Natation. Virage effectué en bout de ligne par les nageurs de dos crawlé, par pivotement des jambes à fleur d'eau.

♦ **7.** Anat. Structure en forme de tonneaux des cellules nerveuses du cortex (*zone des tonneaux*).

★ **II.** (XVIᵉ, «tonne»; sens mod. XIXᵉ). Mar. Unité internationale de volume employée pour déterminer la capacité des navires (⇒ **Jauge, tonnage**), et valant 2,83 mètres cubes. *Une goélette* (cit. 3) *de 180 tonneaux.*

En 1845, l'archipel possédait quatre cent quarante navires jaugeant quarante-deux mille tonneaux : il se faisait dans son port un va-et-vient de soixante mille tonneaux entrant et de cinquante-quatre mille tonneaux sortant sur douze cent soixante-cinq navires de toutes nations dont cent quarante-deux steamers.
HUGO, l'Archipel de la Manche, XIII.

Tonneau d'affrètement : «mesure basée à la fois sur le poids et le volume des marchandises employée dans la navigation maritime pour déterminer le montant du fret» (Capitant).

DÉR. **Tonnelage, tonnelet, tonnelier.**

TONNELAGE [tɔnlaʒ] n. m. — 1730; «droit payé pour la mise en tonneaux du vin», 1334; de l'anc. franç. *tonnel* «tonneau».

♦ **1.** Ce qui se rapporte à la tonnellerie.

♦ **2.** (1752). Comm. *Marchandises de tonnelage,* qu'on met en tonneaux.

TONNELER [tɔnle] v. tr. — Conjug. *appeler.* — 1564, *tonneller;* de *tonnelle.*

♦ **1.** Anciennt. Chasser, prendre (des oiseaux) à la tonnelle (2.).

♦ **2.** (XIVᵉ). Fig., vx (ou régional). Prendre au piège (encore chez La Varende).

TONNELET [tɔnlɛ] n. m. — 1295; dimin. de l'anc. franç. *tonnel.* → Tonneau.

★ **I.** ♦ **1.** Petit tonneau, petit fût. ⇒ **Baril.** *Un tonnelet de porto, d'eau-de-vie. Tonnelet aménagé en baratte*.*

♦ **2.** Archéol. Vase à boire du moyen âge.

★ **II.** (1388 «jupon de cuirasse»). Hist. du costume. Haut de chausse court et renflé porté surtout aux XVIᵉ et XVIIᵉ siècles. — Vêtement court évoquant l'antique, porté au théâtre par les hommes au XVIIᵉ siècle.

TONNELIER [tɔnəlje] n. m. — 1255; de l'anc. franç. *tonnel.* → Tonneau.

♦ Artisan, ouvrier qui fabrique et répare les tonneaux, et accessoirement d'autres ustensiles en bois (baquets, etc.). *Chevalet** (⇒ **Marotte**), *tronchet de tonnelier. Outils de tonnelier.* ⇒ **Aissette** (ou aisseau), **chassoir, cochoir, colombe, compas, davier, doloire; hutinet, jabloir, plane** (2. Plane; → Écorcer, cit. 1), **rouanne, serre-joint, tire-fond; foret, gibelet.** *Le métier de tonnelier.* ⇒ **Tonnellerie.** *Haquet* (cit. 1) *de tonnelier.*

1 *Madame? — Qu'est-ce? — Le tonnelier. — Qu'il descende à la cave, et qu'il visite les deux pièces de vin.* DIDEROT, Jacques le Fataliste, Pl., p. 593.
2 (...) *tout le jour dans le chantier des tonneliers, retentit un tintamarre caverneux; tournant autour d'une futaille dressée sur le sol et couronnée de flammes, tandis que le feu de copeaux chauffe les douves assemblées, les tonneliers frappent en cadence sur les cercles de fer.*
J. CHARDONNE, les Destinées sentimentales, p. 12.

REM. Le fém. *tonnelière* est virtuel.

DÉR. **Tonnellerie.**

TONNELLE [tɔnɛl] n. f. — 1340, aussi «tonneau»; dimin. de *tonne.*

♦ **1.** Petite construction circulaire à sommet arrondi, faite de lattes de bois en treillis soutenues par des cerceaux métalliques, sur laquelle on fait grimper des plantes, et dans laquelle on est à l'abri du soleil. ⇒ **Berceau, charmille, gloriette, pavillon** (de verdure). *Feuillage, vignes, pampres d'une tonnelle* (→ Bigarrer, cit. 1; feuillu, cit. 1). *S'asseoir sous une tonnelle. Tonnelle de jardin. Tonnelles des restaurants, des guinguettes** (cit. 1; → aussi Élysée, cit. 2). *Tonnelle et pergola*.*

1 *Compte ce qui sort, un jour de fête seulement, du quartier Saint-Jacques : les bataillons de modistes, les armées de lingères, les nuées de marchandes de tabac; tout cela s'amuse, tout cela a ses amours, tout cela va s'abattre autour de Paris, sous les tonnelles des campagnes, comme des volées de friquets.*
A. DE MUSSET, Contes, «Mimi Pinson», I.
2 *Rien n'a changé. J'ai tout revu : l'humble tonnelle*
De vigne folle avec les chaises de rotin (...)
VERLAINE, Poèmes saturniens, «Melancholia», III.
3 *Nous nous couchions sur la pelouse, nous goûtions sous une tonnelle d'aristoloche, de chèvrefeuille, de vigne vierge.*
R. RADIGUET, le Diable au corps, p. 148.

♦ **2.** (Déb. XVᵉ). Chasse. Filet à oiseaux que l'on traîne au sol, pour la chasse aux perdrix.

4 *Il nous prend avec des tonnelles,*
Nous loge avec des coqs et nous coupe les ailes (...)
LA FONTAINE, Fables, X, 7.

♦ **3.** (1899). Archéol. Partie de l'armure* (cit. 4) du cheval qui recouvrait la croupe. ⇒ **Cuvelière.**

DÉR. **Tonneler.**

TONNELLERIE [tɔnɛlʀi] n. f. — 1295; de *tonnelier.*

♦ Métier, atelier, industrie, commerce du tonnelier. — Articles fabriqués par le tonnelier. *Chêne débité en planches destinées à la tonnellerie.* ⇒ **Merrain.**

TONNER [tɔne] v. intr. — V. 1120; lat. *tonare.*

♦ **1.** Rare. Faire éclater le tonnerre. *Jupiter tonne.* ⇒ **Tonnant.** *Un vacarme à ne pas entendre Dieu tonner* (→ Gesticuler, cit. 2). *Dieu qui tonne pour menacer, manifester sa colère. — Le ciel tonne.*

1 (...) *tout est d'un calme plat, excepté le ciel qui tonne, grêle et pleut à torrents.*
SAINTE-BEUVE, Correspondance, t. I, p. 256.

♦ **2.** (V. 1130). Impers. (Cour.). Se dit du tonnerre qui éclate. *S'il grêle ou s'il tonne* (→ Ouvrier, cit. 1). *Il y a des éclairs; il va tonner.*

♦ **3.** Faire un bruit de tonnerre. *Le canon tonne* (→ 1. Canon, cit. 4; effondrer, cit. 6; faucher, cit. 7; fumée, cit. 1). *Aux accents du bronze* (cit. 1) *qui tonne. —* (Abstrait). *La calomnie* (cit. 5) *éclate et tonne. Je laissais tonner ma fureur* (→ Bouée, cit. 1). ⇒ **Éclater.**

2 *La cour pouvait dès lors rassembler des canons et des armées; une artillerie plus puissante, celle de la presse, tonnait désormais à l'oreille du peuple, tout le royaume entendait.* MICHELET, Hist. de la Révolution franç., I, II.

♦ **4.** (Mil. XVIIᵉ). Sujet n. de personne. Exprimer violemment sa colère en parlant très fort. ⇒ **Crier, fulminer, gronder, menacer, tempêter.** *Robespierre tonnait contre ceux qui voulaient affamer* (cit. 2) *le peuple. Écrivain qui tonne contre une œuvre* (→ Florès, cit. 1).

3 (...) *le curé tonne en chaire contre le moine* (...)
LA BRUYÈRE, les Caractères, XIV, 22.
4 *Mon avocat a triomphé bruyamment et a déclaré que les jurés apprécieraient. Mais le procureur a tonné au-dessus de nos têtes et a dit : Oui, MM. les jurés apprécieront.* CAMUS, l'Étranger, p. 129.

DÉR. **Tonnant, tonnerre.**

TONNERRE [tɔnɛʀ] n. m. — 1560; *tuneire,* 1080; *toneire,* déb. XIIᵉ; var. *tonnoire, tonnare,* jusqu'au XVIᵉ; lat. *tonitrus.* → Tonitruant.

♦ **1.** Bruit de la foudre*, accompagnant l'éclair*, perçu plus ou moins longtemps après lui, et plus ou moins violent selon l'éloignement du phénomène par rapport à l'observateur (⇒ **Tonner**). *Les éclairs, le tonnerre de l'orage*. Coup de tonnerre* (→ Bruire, cit. 2; fulgurant, cit. 1). *Éclat* (→ Coup, cit. 85; inquiéter, cit. 2), *fracas de tonnerre* (→ 1. Foudre, cit. 5). *Le tonnerre retentit; assourdit* (→ Ouragan, cit. 1), *déchire les oreilles* (→ Fracas, cit. 4). *Grondement, roulement de tonnerre* (→ Assourdir, cit. 3; orage, cit. 1). *Le tonnerre gronde* (→ Roulement, cit. 3). *Le tonnerre considéré comme une manifestation de la colère de Dieu.* «*Dieu fait gronder* (cit. 5) *son tonnerre*» (Bossuet).

♦ **2.** Vx ou littér. Foudre (→ Haut, cit. 7). *Champ rasé* (cit. 5) *par le tonnerre. Protéger une maison du tonnerre.* ⇒ **Paratonnerre.** *Le maître du tonnerre :* Jupiter. *Jupiter lançant le tonnerre* (→ Idolâtre, cit. 3). — Prov. *Le tonnerre ne tombe pas toutes les fois qu'il tonne :* toutes les menaces* ne se réalisent pas.

1 *Le tonnerre tombe avec un grand bruit et de grands éclairs sur Dom Juan* (...)
MOLIÈRE, Dom Juan, V, 6 (j. de sc.).
2 *Le tonnerre tombe où il veut, et quand il veut. Mais les sommets l'attirent. Certains lieux — certaines âmes — sont des nids d'orages* (...)
R. ROLLAND, Jean-Christophe, La révolte, I, p. 381.

Faisceau enflammé qui représente la foudre. — Fig. *Les tonnerres que Charlus brandissait étaient en carton* (cit. 2).

Techn. (théâtre). Machine servant à produire une imitation du tonnerre.

♦ **3.** (1644). Fig., cour. COUP DE TONNERRE : événement inattendu, catastrophe. Cf. Coup de foudre (1. Foudre, cit. 11, vx). ⇒ **Bombe.**

3 *Cette vie tranquille fut troublée par un coup de tonnerre : Mina perdit sa mère.*
STENDHAL, Romans et nouvelles, «Mina de Vanghel».
4 *La mobilisation du 2 août 1914 nous réveilla de notre songe. Ce coup de tonnerre interrompit des milliers de drames particuliers intimes.*
F. MAURIAC, la Pharisienne, XVI.

♦ **4.** (1873, «*un froid du tonnerre de Dieu*», Zola, *le Ventre de Paris,* t. I, p. 191). DE TONNERRE, se dit de bruits semblables au tonnerre. *Bruit, grondement* (→ Éboulement, cit. 1), *roulement de tonnerre* (→ Plaque, cit. 2). *Une voix de tonnerre.* ⇒ **Tonitruant, tonnant.** — *Du tonnerre de Dieu* (même sens).

Fam. DU TONNERRE. (Loc. employée avec la valeur d'un superlatif, pour exprimer l'admiration). ⇒ **Formidable, terrible** (3.). *C'est du tonnerre! Une fille du tonnerre. Du tonnerre de Dieu.*

5 *Il faisait très beau, un soleil du tonnerre* (...)
ZOLA, l'Assommoir, III, t. I, p. 81.
5.1 (...) *moi je me marrais, je restais dehors à regarder le feu d'artifice, bam en plein dans le mille, un dépôt de munitions qui saute, la gare pulvérisée, l'usine en miettes, la ville qui flambe, un spectacle du tonnerre.*
R. QUENEAU, Zazie dans le métro, Folio, p. 38.

(1927). Argot (sports). *Marcher le tonnerre :* tenir une grande forme. *Rouler, pédaler le tonnerre,* très vite.

♦ **5.** (Exclam.). En interjection pour exprimer la violence, la menace. — (1790, *in* D.D.L.). *Tonnerre de Dieu!* (→ Poudre, cit. 17). — Vx. *Tonnerre de foutre! Tonnerre!* (→ Bistrot, cit. 3). *Tonnerre! ça va tourner mal!* (→ Plate-bande, cit. 2). *Mille tonnerres! Tonnerre de Brest!* (juron de marins, à l'origine).

5.2 (...) je vous prêche la patience, la modération, mille tonnerres! et vous ne m'écoutez pas, ventrebleu!
E. LABICHE, Embrassons-nous, Folleville, 4.

Tonnerre de Dieu de..., en apposition, pour qualifier ce qui est terrible, ce qu'on maudit.

6 Et, ma foi, je n'ai pas gagné la rente des vices que j'ai contractés dans ce tonnerre de Dieu de pays-là, si toutefois c'est un pays.
BALZAC, Un début dans la vie, Pl., t. I, p. 645.

7 (...) Claude, brutalement, rentra chez lui, referma la porte à la volée, en disant très haut :
— Ah! ces tonnerres de Dieu de femmes!
ZOLA, l'Œuvre, I.

♦ **6.** (XVIᵉ; *tonnoire,* v. 1160). Bruit assourdissant. *Le tonnerre roulant des batailles* (→ Retrancher, cit. 4). *Une nuit de tonnerre* (→ Guerre, cit. 12). *Avec leur tonnerre de locomotive lancée* (→ Rafale, cit. 5). — Manifestation bruyante d'approbation ou de désapprobation. *Un tonnerre d'acclamations* (→ Ovation, cit. 2). ⇒ **Tempête.**

8 Le discours de Mirabeau fut accueilli d'un tonnerre d'indignation, d'une tempête d'imprécations et d'insultes.
MICHELET, Hist. de la Révolution franç., I, III.

9 (...) l'orchestre achevait la pastourelle, avec un tel tonnerre que les trombones semblaient cracher des boulets.
ZOLA, l'Assommoir, XI, t. II, p. 199.

10 On entendait dans la rue, sous les porches, vider les boîtes à ordures sonores, et les laitiers faisaient un tonnerre de fer-blanc sur le pavé.
ARAGON, les Cloches de Bâle, III, II.

♦ **7.** (1752). Partie du canon d'un fusil où se place la charge et où se produit l'explosion.

COMP. Paratonnerre.

TONO- Élément, du grec *tonos* «tension», qui entre dans la composition de termes scientifiques ou techniques. Voir à l'ordre alphabétique.

TONOFIBRILLE [tɔnofibʀij] n. f. — 1904; de *tono-,* et *fibrille.*

♦ Histol. Strie fibrillaire contenue dans le cytoplasme des cellules des couches profondes de l'épiderme, qui joue un rôle dans la production de la kératine.

TONOLYSE [tɔnoliz] n. f. — 1905, in *Rev. gén. des sc.,* nᵒ 11, p. 535; de *tono-,* et *-lyse.*

♦ Biol. Altération des éléments de la cellule due aux variations de tension du milieu.

TONOMÈTRE [tɔnomɛtʀ] n. m. — 1903, in *Rev. gén. des sc.,* nᵒ 15, p. 834; de *tono-,* et *-mètre.*

♦ **1.** Phys. Appareil servant en tonométrie*.

♦ **2.** Méd. Instrument servant à mesurer la pression intra-oculaire.

TONOMÉTRIE [tɔnometʀi] n. f. — 1903; de *tono-,* et *-métrie.* Sciences.

♦ **1.** Phys. Étude des solutions diluées, au moyen de la mesure de leurs pressions de vapeur.

♦ **2.** Méd. Mesure de la pression intra-oculaire. (On dit aussi *tonoscopie*).

DÉR. Tonométrique.

TONOMÉTRIQUE [tɔnometʀik] adj. — XXᵉ; de *tonométrie.*

♦ Phys., méd. De la tonométrie. *Analyse, méthode tonométrique.*

TONOSCOPIE [tɔnoskopi] n. f. ⇒ **Tonométrie** (2.).

TONOTACTISME [tɔnotaktism] n. m. — 1897, *l'Année biol.;* de *tono-,* et *tactisme.*

♦ Sc. nat. Réaction d'orientation (d'un organisme), déterminée par les changements de densité du milieu.

TONSILLAIRE [tɔ̃sil(l)ɛʀ] adj. — 1793; de *tonsille.*

♦ Anat., méd. Des amygdales. Syn. : *amygdalien.*

TONSILLE [tɔ̃sij] n. f. — V. 1560; lat. *tonsilla.*

♦ (Anat., méd.). Syn. de *amygdale*.

DÉR. Tonsillaire, tonsillite.

TONSILLITE [tɔ̃sil(l)it] n. f. — 1845; de *tonsille,* et suff. *-ite.*

♦ (Méd.) Syn. de *amygdalite*.

TONSURE [tɔ̃syʀ] n. f. — 1245; lat. *tonsura,* de *tonsum,* supin de *tondere.* → Tondre.

♦ **1.** Petit cercle rasé au sommet de la tête des ecclésiastiques. ⇒ **Couronne** (ecclésiastique). *Porter la tonsure. Large tonsure.*

♦ **2.** Action de tondre (dans un contexte religieux). *Première tonsure* ou *tonsure :* cérémonie par laquelle l'évêque donne à qqn le premier degré de la cléricature en lui coupant une mèche de cheveux au sommet de la tête (→ Herbe, cit. 5; même, cit. 5). ⇒ **Clerc.**

Chaque séminariste devait passer par cinq ordinations : la «tonsure», les «ordres moindres», le «sous-diaconat», le «diaconat» et le «sacerdoce». La tonsure était le plus simple degré, un pur signe, et n'enchaînait à rien; elle ne s'adressait qu'à une mèche de cheveux coupés, à la portion la plus flottante et la plus légère de nous-mêmes.
SAINTE-BEUVE, Volupté, XXIV.

♦ **3.** (XXᵉ). Fam. Calvitie circulaire au sommet de la tête.

DÉR. Tonsurer.

TONSURER [tɔ̃syʀe] v. tr. — XIVᵉ; de *tonsure.*

♦ Raser le sommet de la tête en tonsure; donner la tonsure (cérémonie). → Abbé, cit. 3.

▶ **TONSURÉ, ÉE** p. p. adj.

Qui porte la tonsure. *Tête tonsurée. Clerc tonsuré.* — N. m. (V. 1450). *Un tonsuré.*

Ses lectures pieuses lui rappelaient chaque jour combien de saints, de prélats, de ministres tonsurés, de papes, sont sortis du peuple.
J. ROMAINS, les Hommes de bonne volonté, t. III, VII, p. 120.

TONTE [tɔ̃t] n. f. — 1387; fém. subst. de l'anc. p. p. de *tondre.*

★ **I.** Agric. ♦ **1.** Action de tondre*. *Tonte des moutons. La tonte d'un cheval* (⇒ **Tondage**), *d'un caniche. La tonte des arbustes* (⇒ **Taille**); *des gazons.* — *Tonte des poils d'une étoffe.* ⇒ **Tonture; tontisse.**

♦ **2.** (1694). Laine obtenue en tondant.

♦ **3.** (1690). Époque où l'on tond les moutons.

★ **II.** (Personnes). Rare. Action de raser, de tondre (les cheveux, les poils).

(...) nos ancêtres, coutumiers des sacrifices humains, n'auraient-ils pas pensé que le ciel s'écroulerait sur leurs têtes scalpées peu à peu par les siècles, s'ils avaient prévu que cet été-là (...) leurs descendants, soûls de moralité autant que du hydromel, infligeraient cette humiliation aux femmes coupables de s'être compromises avec les occupants : la tonte à ras? Tonte du crâne, s'entend, et non du pubis comme la logique l'eût voulu.
Michel LEIRIS, Frêle bruit, p. 27.

DÉR. (Du même rad.) Tontisse.

1. TONTINE [tɔ̃tin] n. f. — 1652; de *Tonti,* nom d'un Napolitain qui inventa cette opération.

♦ **1.** Dr. Association de personnes qui mettent leur capital en commun pour jouir d'une rente viagère, réversible à la mort de chaque participant sur la tête des survivants. — Par ext. La rente reçue par chaque actionnaire.

Nous offrons des intérêts viagers à un taux gradué d'après l'âge, sur une échelle infiniment plus avantageuse que ne l'ont été jusqu'à présent les tontines, basées sur des tables de mortalité reconnues fausses.
BALZAC, l'Illustre Gaudissart, Pl., t. IV, p. 38.

♦ **2.** (1752). Anciennt. Jeu de cartes réunissant de nombreux joueurs dont finalement un seul, après élimination des concurrents, raflait tous les enjeux. — (1876). Corbillon où les joueurs déposaient ces enjeux.

♦ **3.** Franç. d'Afrique. Association de personnes versant régulièrement de l'argent à une caisse commune dont le montant est remis à tour de rôle à chaque membre (I. F. A.); ce montant. *Chef de tontine.* ⇒ **Tontinier.**

(...) j'ai dû donner mille francs à la «tontine» de notre société, mille francs à ma mère, mille francs pour payer le retour au village de la tante et des cousins qui s'étaient incrustés chez nous depuis un mois.
Henri LOPES, Tribaliques, «l'Avance», *in* Littératures de langue franç. hors de France, p. 146.

DÉR. Tontinier.
HOM. 2. Tontine.

2. TONTINE [tɔ̃tin] n. f. — 1906; orig. incert. p.-ê. de 1. *tontine* ou de *tondre,* avec le sens de «brins coupés».

♦ Hortic. Paillon ou mousse dont on entoure la motte de terre adhérant à la racine fasciculée d'une plante que l'on veut transplanter.

DÉR. Tontiner.
HOM. 1. Tontine.

TONTINER [tɔ̃tine] v. tr. — 1907 ; de 2. *tontine.*

♦ Techn. (hortic.). Garnir d'une tontine. — Au p. p. *Plant tontiné.*

Les ouvriers les enrobaient aussitôt d'une pâte faite de glaise et de bouse de vache, et, enduites de cette première couche protectrice, elles étaient « tontinées ». Le mot est charmant : il signifie un emmaillotement par de la mousse.
TAILLEMAGRE, Une peupleraie.

TONTINIER, IÈRE [tɔ̃tinje, jɛʀ] n. et adj. — 1727 ; de 1. *tontine.*

♦ **1.** Vx. Personne qui prend part à une tontine. — Adj. (1904). *Société tontinière,* formée par les tontiniers.

♦ **2.** (En franç. d'Afrique). Chef d'une tontine (1. Tontine, 3.).

TONTISSE [tɔ̃tis] adj. et n. f. — 1690 ; *tondiche,* 1290 ; *tondice,* déb. xvᵉ ; de *tonte.*

Technique.

♦ **1.** Qui vient de la tonture du drap. *Bourre tontisse :* poussière de laine faite des poils des draps rasés. *Toile, papier tontisse :* toile et papier à tapisser sur lesquels on applique de la *bourre tontisse,* pour leur donner un aspect velouté.

♦ **2.** N. f. (1766). Toile tontisse.

1. TONTON [tɔ̃tɔ̃] n. m. Altér. de *toton.* ⇒ **Toton.**

2. TONTON [tɔ̃tɔ̃] n. m. — 1712, cit. 1. ; formation enfantine à redoublement de *tante, tantine* d'après *oncle.*

♦ **1.** Oncle* (lang. enfantin). *Tonton Pierre. Mon tonton. Le tonton et la tata* (tante). — REM. De nos jours, le mot est plutôt non bourgeois.

1 Bonjour, petit fanfan, tu connais la tendresse de Tonton pour toi.
FÉNELON, Correspondance, 1712, *in* D. D. L., II, 5.
2 Tu as aussi les amitiés de ta cousine, de tous les enfants qui se souviennent bien de leur tonton, si édifiant.
L. SILVY, Lettre à G. Nouveau (1908), *in* G. NOUVEAU, Œ., Pl., p. 946.

♦ **2.** (V. 1970, du créole haïtien *Tonton Macoute* « l'ogre au grand sac », de *tonton* « oncle, vieillard », et *macoute,* altér. de *djacoute,* mot caraïbe « grand sac »). Loc. *Tonton Macoute :* en Haïti, membre de la police parallèle (appelé pour ses exactions du nom de l'ogre dont on menace les enfants, le croquemitaine). — (Dans d'autres pays). *« À Salonique, des tontons macoutes armés de barres de fer matraquent les jeunes... »* (*l'Express,* 12 mars 1973, p. 115). « *Ces "tontons macoutes" africains (...) espionnent, kidnappent, torturent... »* (*le Nouvel Obs.,* 1ᵉʳ avr. 1974, p. 29).

1. TONTURE [tɔ̃tyʀ] n. f. — xiiiᵉ ; de *tonte.*

Technique.

♦ **1.** Action de tondre le drap. Syn. : *tondure.* — (1690). Par métonymie. Le poil ainsi tondu. Syn. : *bourre tontisse*.*

♦ **2.** (1842). Action de tondre une haie, un gazon.

2. TONTURE [tɔ̃tyʀ] n. f. — 1643 ; orig. incert. p.-ê. du sens anc. de *tonte* « élagage, émondage ».

Marine.

♦ **1.** Vx. Plancher de revêtement des préceintes ; manière dont les préceintes se relèvent.

♦ **2.** Mod. Courbure des ponts des navires, légèrement relevés aux extrémités.

TONUS [tɔnys] n. m. — 1865, *Rev. des cours sc.,* t. II, p. 724 ; par l'angl. ; grec *tonos* « tension ».

♦ **1.** Physiol. *Tonus musculaire :* état de légère tension des muscles au repos, résultant d'une stimulation continue de leurs nerfs moteurs. *Le tonus dépend des organes de Golgi et des fuseaux neuromusculaires. Anomalies de la régulation du tonus :* hypertonie, paratonies, catalepsie. ⇒ **Tonicité.** *Tonus de repos* (→ Relaxation, cit. 1). — *Tonus nerveux :* excitabilité des nerfs, propriété latente du tissu nerveux, se manifestant sous l'influence d'une excitation centrale ou périphérique.

Il pensait que peut-être chez son patient le nerf vague restait dans un état constant de demi-excitation, supérieur au tonus qu'il semble garder chez l'individu normal (...)   J. ROMAINS, les Hommes de bonne volonté, t. XII, XVIII, p. 181.

♦ **2.** (Mil. xxᵉ). Cour. Énergie, dynamisme. *Donner du tonus à qqn.* ⇒ **Combativité.**

♦ **3.** (1935). Argot des étudiants. Fête, réunion bruyante d'internes des hôpitaux.

COMP. **Électrotonus.**

1. TOP [tɔp] n. m. — 1877 ; onomatopée.

♦ **1.** Signal sonore qu'on donne pour déterminer ou enregistrer avec précision le début ou la fin d'une opération.

1 (...) on règle un pendule de Paris sur un pendule de New York, par la télégraphie sans fil ; mais si vite que courent les ondes, je n'entends toujours pas le « Top » au moment même où il est envoyé. Et que sais-je de la vitesse de ces ondes elles-mêmes, si ce n'est par d'autres mesures ?   ALAIN, Propos, 31 oct. 1921, Thalès...

Signal bref donné par la radio à ses auditeurs pour leur permettre d'avoir l'heure exacte à la seconde (→ Horloge* [cit. 7] parlante). *Au quatrième top, il sera exactement 8 heures douze minutes.*

(On dit dans ce sens : *top naturel*).

♦ **2.** *Top artificiel :* repère silencieux (par ex. visuel, opposé au *top naturel,* signal sonore).

♦ **3.** (1973). *Top (départ) :* signal sonore ou visuel indiquant le début d'un enregistrement.

Techn. Impulsion de courant, de courte durée, servant à la synchronisation. *Tops de ligne, tops d'image d'une émission télévisée.*

2 Le premier modèle *(de deux magnétophones autonomes)* est livrable en version « Dia », c'est-à-dire renfermant une tête supplémentaire pour l'inscription des « tops » sur la bande magnétique.   Revue du son, nᵒ 160-161, p. 364.

Interj. servant de signal. *Attention... Top !*

N. m. *Donner le top,* le signal.

HOM. 2. Top, tope (de *toper*).

2. TOP Élément de mots composés, empr. à l'angl. *top* « sommet », et employé en « franglais », notamment dans l'usage publicitaire : *top model :* mannequin (*Lui,* Noël 1973, p. 146) ; *top man* (*l'Express,* 31 oct. 1977, p. 118). (On parle même de *top niveau*). ⇒ **Top secret, top-weight.**

TOPAZE [tɔpaz] n. f. — 1080, *Chanson de Roland ;* lat. *topazus,* grec *topazos,* nom d'une île de la mer Rouge.

♦ **1.** Fluorosilicate d'aluminium naturel, comprenant de nombreuses variétés dont la plus connue est d'un brun jaune (d'autres sont jaunes, bleues, vertes, roses, incolores), et qui se rencontre surtout dans les gisements d'étain et dans des roches très acides. *La topaze est une des références dans l'échelle de dureté* (elle porte le numéro 8). ⇒ **Chrysolithe** (vx). *Topaze du Brésil. Topaze brûlée :* topaze devenue rose par chauffage. — *Une topaze :* une pierre taillée, montée en bijou. *Collier de topazes* (→ Rational, cit.). *Des topazes brûlées* (→ Pierre, cit. 26).

♦ **2.** (Qualifié, désignant d'autres pierres). *Topaze dorée, topaze d'Espagne :* variété de quartz brûlé. *Topaze d'Orient :* alumine* cristallisée, variété de corindon jaune.

♦ **3.** *Couleur topaze, topaze,* d'un jaune* vif et transparent.

Et des gens soûls, debout,
Dont les larges langues lapent, sans phrases,
Les ales d'or et le whisky, couleur topaze.
VERHAEREN, les Villes tentaculaires, « Les usines » (1895).

COMP. **Topazolite.**

TOPAZOLITE [tɔpazɔlit] n. f. — 1829 ; de *topaze, -o-,* et *-lite* (*-lithe*).

♦ Minéralogie. Grenat mélanite d'une variété jaune pâle ou verte.

TOPE [tɔp] interj. — 1640 ; esp. *topo,* rad. expr. *topp-,* présent en de nombreuses langues, confondu plus tard avec l'impér. du v. *toper.*

♦ Interjection marquant qu'on accepte un défi, qu'on est d'accord avec une proposition. → Toper, cit. 1. (D'abord terme de jeu de dé, pour indiquer que l'on accepte l'enjeu proposé). *Tope et masse.* (vx).

0.1 Masse dix pistoles, pour dire, je veux joüer dix pistoles. & celuy qui tient le dé respond, *tope,* quand il veut tenir. On le dit aussi en desbauche, quand on porte des santez. Masse à qui dit ? Et celuy qui accepte la santé, respond, *tope.*
FURETIÈRE, Dict., art. *Masse.*

0.2 Le marquis m'avait fait conduire (...) à un petit castel ou pavillon de chasse fort retiré et difficile à découvrir (...) C'est là que ce bon seigneur va faire la débauche avec quelques amis francs compagnons. On y peut crier *tope* et *masse* sans que personne vous entende autre qu'un vieux domestique qui renouvelle les flacons.
Th. GAUTIER, le Capitaine Fracasse, VIII.

1 — Tope ! dit MONSIEUR gaiement et frappant l'épaule de Montrésor, j'irai dès aujourd'hui à la toilette de ma belle-sœur, et je prierai mon frère de venir courre un cerf à Chambord avec moi.   A. DE VIGNY, Cinq-Mars, XIV.

2 — J'en suis fâché ; mais le devoir d'un maire est de se conserver à ses adminis-

trés; en conséquence, je vais rendre un arrêté : «Celui de vous deux qui m'amè-
nera le plus de candidats épousera ma nièce.» (...)
— Tope! ça va! enfoncé Gindinet!
E. LABICHE, le Club champenois, 7.

DÉR. Toper.
HOM. 1. et 2. top.

-TOPE Second élément de mots scientifiques. ⇒ **Biotope, isotope**; et aussi **topo-**.

TOPECTOMIE [tɔpɛktɔmi] n. f. — Mil. xxᵉ; de *top(o)-*, et *-ectomie*.

♦ Chir. Excision localisée de certaines aires du cortex cérébral de la région préfrontale, destinée à combattre certains troubles mentaux.

TOPER [tɔpe] v. — 1659; de *tope*; «appliquer en jetant», xiiᵉ; rad. *topp-*.

♦ **1.** V. intr. (Jeu). Accepter l'enjeu de l'adversaire, aux dés, en disant *tope**.

♦ **2.** V. intr. Adhérer, consentir* à une proposition, un marché. — À l'impératif. *Tope! Topez!*

1 — Douze sous et demi, ce n'est guère; vous mettrez bien les treize sous!
— Douze sous et demi, treize sous (...) Tope.
DIDEROT, Jacques le fataliste, Pl., p. 536.

2 En ces sortes de marchés, le débat annonce un négociant capable qui défend ses intérêts. *Qui tope à tout*, disait le vieux Séchard, *ne paye rien*.
BALZAC, Illusions perdues, Pl., t. IV, p. 473.

Trans. ind. Vx. *Toper à une proposition.*

♦ **3.** (Par reprise du sens propre et attraction de *taper*). Taper (dans la main, etc.) pour conclure un marché, montrer qu'on l'accepte. *Topez là, d'accord**! (→ aussi Droguer, cit. 2).

3 — Topez là! dit mon père. Barbe, apportez deux gobelets. Il n'y a point d'affaire conclue quand les parties n'ont pas trinqué en signe d'accord.
FRANCE, la Rôtisserie de la reine Pédauque, *in* Œ., t. VIII, p. 16.

♦ **4.** V. tr. Sports (golf, 1934). *Toper la balle :* frapper la balle sur son sommet. — P. p. adj. *Balle topée.*

TOPETTE [tɔpɛt] n. f. — 1874; *topete*, 1821; mot dial.; var. mérid. *topin, tupin;* d'un francique *topin* «pot».

♦ Petite bouteille longue et étroite. — Par métonymie. Son contenu.

1 (...) nous mangions sur ce banc la tranche de pâté traditionnelle et nous vidions la topette de vin nichée dans le filet.   HUYSMANS, En ménage, III.

2 (...) six gousses d'ail, une topette d'huile bouchée par un morceau de papier, du sel et du poivre (...)   J. GIONO, Colline, Pl., t. I, p. 144.

TOPHACÉ, ÉE [tɔfase] adj. — 1803; «de la nature du tuf», 1791; de *tophus*, d'après le lat. *tofaceus*.

♦ Méd. Relatif au tophus; qui constitue un tophus. *Concrétion tophacée.*

Pourtant, il examinait l'orteil gonflé, dont la peau luisante était d'un rouge sombre (...) constatait au bord de l'oreille droite la présence d'une petite perle, dure et blanche... Cette perle de matière tophacée l'intéressait (...)
ZOLA, la Joie de vivre, II, t. I, p. 41.

TOPHUS [tɔfys] n. m. — 1765; *tophe*, 1560; lat. *tofus* ou *tophus*. → Tuf.

♦ Méd. Chacune des concrétions* d'urate de calcium ou de sodium qui se forment, chez les goutteux, aux articulations et parfois au bord du pavillon de l'oreille. ⇒ 2. **Goutte**. — Au plur. *Des tophus.*

La petite perle blanche de l'oreille était tombée : d'autres, plus fortes, avaient paru; et toutes les jointures se tuméfiaient, la craie des tophus perçait partout sous la peau, en pointes blanchâtres, pareilles à des yeux d'écrevisse. C'était maintenant la goutte chronique, inguérissable, la goutte qui ankylose et qui déforme.
ZOLA, la Joie de vivre, V, t. I, p. 182.

DÉR. (Du même rad.) **Tophacé.**

TOPIAIRE [tɔpjɛʀ] n. f. — Mil. xxᵉ; de l'anc. adj. *topiaire*, v. 1500; lat. *topiarius* «jardinier», de *topia* «paysage».

♦ Didact. Technique décorative par laquelle on taille architecturalement les arbres des jardins. — Adj. *L'art topiaire.*

TOPICALISER [tɔpikalize] v. tr. — Mil. xxᵉ; angl. *to topicalize*, de *topic*. → Topique.

♦ Anglic. Ling. Prendre (un élément de la phrase) pour en faire le topique, ou *thème*. — On emploie aussi *topicalisation* [tɔpikalizasjɔ̃] n. f.

TOPINAMBOU [tɔpinabu] n. m. — 1660; *tououpinambaoults*, 1578; mot indien du Brésil.

♦ **1.** *Topinambous,* peuplade indigène du Brésil, décimée et «réduite à une poignée d'hommes» du xviᵉ au xviiiᵉ siècle (*Encyclopédie,* art. *Tupinambas*). ⇒ **Tupi**. *Un Topinambou.*

♦ **2.** (1658). Vx. Au sing. *Topinambou.* Sauvage, barbare, personne inculte. (On écrivait, au pluriel, *topinamboux.*)

DÉR. **Topinambour.**

TOPINAMBOUR [tɔpinabuʀ] n. m. — 1658; *topinambaulx*, 1617; plante ainsi nommée parce qu'on l'a crue originaire de la région du Brésil où vivaient les *Topinambous;* elle provenait en réalité du Canada.

♦ **1.** Hélianthe tubéreux (plante, famille des Composées). *Cultiver des topinambours.*

♦ **2.** Tubercule de cette plante, utilisé pour la nourriture du bétail et comme aliment de remplacement dans les périodes de restrictions (→ Poire* de terre, vx). *Les topinambours contiennent de l'inuline*. Rutabagas et topinambours.*

(Ils) s'attablèrent dans un café où on leur servit à chacun, contre un ticket de cent grammes de pain, un sandwich aux topinambours.
M. AYMÉ, le Passe-muraille, p. 268.

TOPIQUE [tɔpik] adj. et n. — 1370; lat. didact. *topicus,* grec *topikos* «relatif à un lieu, local», de *topos* «lieu»; → Topo-.

★ **I.** ♦ **1.** Hist. de la philos. (Dans la logique et la rhétorique de tradition aristotélicienne). Relatif aux lieux* communs. *Un lieu topique,* ou, n. m., *un topique :* un lieu commun. — Rhét. Lieu (du discours). — *Les Topiques* (Aristote, *Logique*). — N. f. *La topique :* théorie des catégories générales dans lesquelles on peut classer tous les arguments et développements possibles (lieux communs) en un répertoire pour faciliter l'invention.

♦ **2.** (1538). Méd. *Un médicament topique,* ou, n. m., *un topique :* médicament qui agit sur un point déterminé du corps (se dit surtout des remèdes externes). ⇒ **Épithème**. *Principaux topiques.* ⇒ **Cataplasme, collyre, emplâtre, onguent, pansement, pommade, vésicatoire...**

1 (...) il n'y a peut-être pas une seule drogue, même un seul topique externe, dont on puisse affirmer que les effets soient entièrement explicables sans l'intervention du système nerveux (...)
ROMAINS, les Hommes de bonne volonté, t. XII, XVIII, p. 188.

♦ **3.** (1697). Vx. Relatif à un lieu donné. — Didact. *Divinité topique,* qui règne sur un lieu, le protège... — *Surnom topique,* donné à une divinité d'après le pays où elle reçoit un culte particulier.

★ **II.** (1865). ♦ **1.** Didact. Qui se rapporte exactement au sujet dont on parle. ⇒ **Congruent, pertinent**. *Argument topique.* ⇒ **Caractéristique, significatif, spécifique, typique**.

2 Depuis le 18 mars, je n'ai pas vu à l'étalage d'un seul changeur un billet, un louis, une pièce de cinq francs. C'est peut-être le plus topique témoignage de la confiance qu'inspire à l'Argent la Commune.
Ed. et J. DE GONCOURT, Journal, 2 mai 1871, t. IV, p. 224.

3 Les citations qu'il fait pourraient être mieux choisies, plus topiques. Si l'on ne fait point ressortir la perfection de Racine, la rareté de son orchestre, tout comme celui de Mozart, peut sembler de la pauvreté.
GIDE, Journal, 5 sept. 1922, p. 741.

♦ **2.** N. m. (1972; angl. *topic,* de même origine). Ling. Sujet du discours (du point de vue de la question posée, de la situation) souvent vu comme le sujet de la phrase. ⇒ **Topicaliser**.

♦ **3.** N. f. Psychan. «Théorie ou point de vue qui suppose une différenciation de l'appareil psychique en un certain nombre de systèmes doués de caractères ou de fonctions différentes et disposés dans un certain ordre les uns par rapport aux autres (...). On parle couramment de deux topiques freudiennes, la première dans laquelle la distinction majeure se fait entre Inconscient*, Préconscient* et Conscient*, la seconde différenciant trois instances : le ça*, le moi*, le surmoi* » (Laplanche et Pontalis).
— Adj. *Conception topique de la psyché.*

TOPLESS [tɔplɛs] adj. et adv. — V. 1970; mot angl. «sans haut».

♦ Anglic. Sans soutien-gorge; les seins nus. *Danseuses topless.* — N. m. *Le topless est interdit sur cette plage.*

1. TOPO [tɔpo] n. m. — 1904; mot italien.

♦ Rare. Petit bateau vénitien de l'Adriatique, à fond plat, portant deux voiles au tiers et un foc. — Au plur. *Des topi.*

2. TOPO [tɔpo] n. m. — 1859; n. f., «topographie», 1855; abrév. de *topographie*.

Familier.

♦ **1.** Vx. Croquis, plan.

Alpin. (Randonnée). Description, illustrée de plans, d'un itinéraire, avec mention de la longueur des étapes.

♦ **2.** (1866). Fam. Discours*. ⇒ **Laïus** (fam.). — Bref exposé; court développement, notice. *Faire un petit topo sur une question.* ⇒ **Abrégé.** — Loc. *Le même topo :* la même histoire. ⇒ **Refrain.**

1   Te rappelles-tu les topos de Brunetière, dont on a nourri notre enfance, sur l'opéra considéré comme une forme opulente et décadente de la tragédie?
                J. ROMAINS, les Hommes de bonne volonté, t. XI, VIII, p. 77.

2   Tiens, tout à l'heure, chez Levélan, son petit topo sur les stoïciens, tu sais : «Supporte et abstiens-toi...» De loin, ça paraît un peu la praline, mais il y a du fond (...)
                M. AYMÉ, Maison basse, p. 190.

3   Le topo familial fut modifié. On ne dit plus qu'elle était une «petite tranquille», mais qu'elle était une «nerveuse étouffée».
                MONTHERLANT, Pitié pour les femmes, p. 21.

TOPO-
Premier élément, du grec *topos* «lieu», qui entre dans la composition de termes scientifiques ou techniques. ⇒ **-tope.**

TOPOAGNOSIE [topoagnozi] n. f. — xxᵉ; de *topo-*, et *agnosie.*

♦ Méd. Perte de la capacité de reconnaître les lieux. — REM. On écrit aussi *topo-agnosie.*

TOPOCHIMIQUE [topoʃimik] adj. — 1874, Forel; de *topo-*, et *chimique.*

♦ **1.** Physiol. *Sens topochimique :* sens olfactif spécial attribué par certains entomologistes aux insectes, spécialement aux fourmis, et localisé dans les antennes.

♦ **2.** (1975). Chim. Se dit des réactions ne suivant pas la loi des proportions définies.

TOPOGNOSIE [topognozi] n. f. — xxᵉ; de *topo-*, et *-gnosie.*

♦ Physiol. Aptitude permettant de reconnaître la localisation des sensations perçues à la surface de la peau.

TOPOGRAPHE [topograf] n. — 1757; 1580, Montaigne, Essais, I, 31, «celui qui décrit les pays étrangers qu'il a visités»; du grec *topographos*, ou de *topographie.*

♦ Spécialiste de la topographie*.

  Donc, en dehors du tableau fait pour les tacticiens et les topographes, que nous devons exclure de l'art pur, un tableau militaire n'est intelligible et intéressant qu'à la condition d'être *un simple épisode de la vie militaire.*
                BAUDELAIRE, Curiosités esthétiques, IX, VI.

TOPOGRAPHIE [topografi] n. f. — 1544; bas lat. *topographia,* grec *topographia,* de *topos* «lieu», et *graphein* «écrire». → *-graphie.*

♦ **1.** Rare. Description de la configuration d'un lieu, d'un pays. « *Il se lança dans une topographie touffue...* » (Courteline, *Messieurs les ronds-de-cuir,* p. 196).

♦ **2.** (1757). Technique du levé des cartes et des plans* de terrains assez étendus (à la différence de la *planimétrie*), à échelle relativement petite et en supposant la terre plane (à la différence de la *géodésie**). ⇒ **Arpentage, cartographie, géodésie, géographie** (1.), **niveau, nivellement, planimétrie, triangulation.**

♦ **3.** Représentation graphique (⇒ **Dessin**) d'un terrain, d'une portion de territoire, avec l'indication de son relief.

0.1   Il importe donc de donner au lecteur une idée claire de la topographie de Clochemerle. Pour cela, nous ne voyons pas de meilleur moyen que de placer sous ses yeux un extrait sommaire du plan cadastral (...)
                G. CHEVALLIER, Clochemerle, p. 26.

♦ **4.** Configuration, relief d'un lieu (terrain ou pays). *Des détails de la topographie littorale* (→ Île, cit. 4).

1   Il s'étonna de ce que la ville se fût placée si loin de la rivière, la topographie du pays l'occupait beaucoup.
                BALZAC, la Vieille Fille, Pl., t. IV, p. 298.

2   Ils habitaient le hameau, dont la topographie n'était guère compliquée; pourtant ils entrèrent dans de très longues explications, afin de situer avec exactitude leurs demeures respectives.
                A. ROBBE-GRILLET, le Voyeur, p. 125.

Par anal. *Topographie du système pileux.* — Par métaphore. ⇒ **Géographie.** « *Je ne vous ferai pas la topographie de mon illustre camarade...* » (Gautier, *Caprices et zigzags,* p. 10).

DÉR. 2. **Topo, topographe, topographique.**

TOPOGRAPHIQUE [topografik] adj. — 1756; dans un sens plus vague, 1567; de *topographie.*

♦ **1.** Relatif à la topographie. *Description topographique. Levés, méthodes, opérations, points, signes topographiques. Surface topographique. Boussole topographique. Carte topographique :* carte très détaillée d'une partie de territoire avec des indications précises sur les cotes de nivellement.

1   Si vous avez connaissance de quelque carte nouvelle de la Suisse, ou d'une carte topographique de quelques-unes de ses parties, envoyez-les-moi.
                É. DE SENANCOUR, Oberman, LX.

Qui appartient à un service de topographie.

  Enfin, le Service géographique de l'Armée ayant bien voulu nous prêter son concours, nous allons avoir les brigades topographiques nécessaires; et je puis aujourd'hui vous donner l'assurance que, dès le début de l'année judiciaire, au mois d'octobre prochain, les premières demandes d'immatriculation pourront être reçues.   L.-H. LYAUTEY, Paroles d'action, p. 118.

(...) la S.T.C.A. — Section Topographique du Corps d'Armée — qui distribue les cartes aux divisions et fait des cartes et des plans, d'après les aéros, les observateurs et les prisonniers.   H. BARBUSSE, le Feu, I, VII.

♦ **2.** Sc. *Anatomie topographique,* qui étudie les relations et les connexions entre les organes.

DÉR. **Topographiquement.**

TOPOGRAPHIQUEMENT [topografikmã] adv. — 1818, *in* D.D.L.; de *topographique.*

♦ Didact. Du point de vue de la topographie; par la topographie.

TOPOLOGIE [topoloʒi] n. f. — xixᵉ; de *topo-*, et *-logie.*

★ **I.** Rhét. relig. Étude des lieux communs (⇒ **Topique,** 1.), des sources où peut puiser un prédicateur.

★ **II.** (Déb. xxᵉ; angl. *topology,* 1883). Math. Étude des propriétés invariantes dans la déformation géométrique des objets et dans les transformations continues appliquées à des êtres mathématiques. — Structure où interviennent ces propriétés dans un ensemble. *La topologie a d'abord été appelée* géométrie de situation *ou* analysis situs. *Topologie générale* (ou *des ensembles*). *Topologie combinatoire* (ou *algébrique*).

  La topologie qui étudie celles des propriétés des figures géométriques qui demeurent invariantes sous l'effet des transformations biunivoques et continues est une création de notre siècle (...) Mais la topologie ne s'est véritablement développée comme discipline autonome qu'après la publication à la fin du XIXᵉ siècle de profonds mémoires d'Henri Poincaré sur la topologie combinatoire (étude de propriétés algébriques et géométriques qui lui sont liées) et après la large diffusion de la théorie des ensembles qui permit d'en concevoir une nouvelle branche très vaste, la topologie ensembliste ou topologie générale.
                René TATON, in Encycl. Pl., Hist. de la science, p. 704.

REM. POINCARÉ emploie l'expression *Analysis situs* (cf. Géométrie, cit. 4).

DÉR. **Topologique, topologue.**

TOPOLOGIQUE [topoloʒik] adj. — xxᵉ; «relatif aux lieux», 1846; → *topologie.*

Didactique.

♦ **1.** (xxᵉ). Math. Relatif à la topologie. *Structure topologique des éléments d'un ensemble. Espace topologique :* ensemble sur lequel on a défini une topologie. — *Groupe topologique.*

♦ **2.** (1872; Littré). Vieilli. *Système topologique :* système mnémotechnique par lequel on rattache les idées abstraites à des notions concrètes.

♦ **3.** (1968). *Psychologie topologique,* dont les modèles descriptifs se réfèrent à la topologie mathématique et à la théorie physique des champs.

DÉR. **Topologiquement.**

TOPOLOGIQUEMENT [topoloʒikmã] adv. — xxᵉ; de *topologique.*

♦ Didact. Du point de vue de la topologie*.

  La structure dite primaire est constituée par une séquence topologiquement linéaire de radicaux d'amino-acides associés par des liaisons covalentes.
                Jacques MONOD, le Hasard et la Nécessité, p. 121.

TOPOLOGUE [topolog] n. — D. i. (xxᵉ); de *topologie.*

♦ Didact. (Math.). Mathématicien, mathématicienne spécialiste de topologie. — REM. On dit aussi *topologiste* [topoloʒist] n.

TOPOMÉTRIE [topometri] n. f. — V. 1900; de *topo-*, et *-métrie.*

♦ Didact. Ensemble des travaux effectués sur le terrain pour procéder aux relevés métriques nécessaires à l'établissement d'une carte. (On emploie aussi l'adj. *topométrique*). « *Leçons sur la topométrie et la cubature des terrasses* », de M. d'Ocagne (1905, in *Rev. gén. des sc.,* nº 9, p. 433).

TOPONYME [toponim] n. m. — 1876; de *toponymie.*

♦ Ling. Nom de lieu. — REM. On emploie aussi les termes spécifiques *hydronyme, oronyme...* ⇒ **Hydronyme, oronyme.**

  La *Belle Angerie?* Un nom splendide pour séraphins déchus (...). Disons tout de suite qu'il s'agit d'une déformation flatteuse de la «Boulangerie». Mais ajoutons que «l'homme ne vit pas seulement de pain, mais de toute parole qui sort de la bouche de Dieu», et l'altération du toponyme se trouvera justifiée (...)
                Hervé BAZIN, Vipère au poing, p. 13.

TOPONYMIE [tɔpɔnimi] n. f. — 1869, mais antérieur (→ Toponymique); de *top(o)-*, et *-onymie*.

Linguistique.

♦ **1.** Ensemble, système formé par les noms de lieux d'une région, d'une langue. *La toponymie de la France est formée d'une couche pré-indo-européenne et de couches italo-celtique, gauloise, romaine.*

♦ **2.** Partie de la linguistique qui étudie les noms de lieux. *La toponymie et l'anthroponymie forment l'onomastique*. Toponymie des noms de montagnes* (⇒ **oronymie**), *de rivières* (⇒ **hydronymie**).

1   Douville n'a jamais été Douville, mais Doville, *Eudonis Villa*, le village d'Eudes (...) Mais j'ajoute que la toponymie (...) n'est pas une science exacte; si nous n'avions ce témoignage historique, Douville pourrait fort bien venir d'Ouville, c'est-à-dire : les Eaux.   PROUST, Sodome et Gomorrhe, Pl., t. II, p. 890.

2   La toponymie n'a pas seulement pour but de retrouver la forme primitive des noms de lieux, leur étymologie, leur sens originaire. Prêtant main forte à la géographie humaine, elle doit aider à reconstituer l'histoire du peuplement, de la mise en valeur du sol (...)   A. DAUZAT, la Toponymie française, p. 39.

DÉR. Toponyme, toponymique, toponymiste.

TOPONYMIQUE [tɔpɔnimik] adj. — 1853; de *toponymie*.

♦ Ling. Relatif à la toponymie*, aux noms de lieux.

TOPONYMISTE [tɔpɔnimist] n. — 1939; de *toponymie*.

♦ Ling. Spécialiste en toponymie*.

TOPOPHOBIE [tɔpɔfɔbi] n. f. — 1904; de *topo-*, et *phobie*.

♦ Psychol. Crainte morbide de se trouver en certains lieux.

TOPORAMA [tɔpɔRama] n. m. — 1836; de *topo-*, et *(pano)rama*.

♦ Vx. Panorama d'un lieu spécifique.

TOPOSÉQUENCE [tɔpɔsekãs] n. f. — 1958, in *la Clé des mots*; comp. hybride de *topo-*, et franç. *séquence*.

♦ Didact. Chaîne de sol résultant du relief. *«Genèse et évolution de deux toposéquences de sols tropicaux du Tchad»*, ouvrage de Gérard Bocquier (1973).

TOP SECRET [tɔpsəkRɛ] loc. adj. invar. — V. 1960; *top-secret*, 1953; mot angl., de 2. *top* «du plus haut niveau», et *secret*.

♦ Anglic. Absolument confidentiel. *Dossier, documents top secret.*

1   Secret. — Toujours le plus absolu. Mieux : *top secret*.   Pierre DANINOS, le Jacassin, p. 97 (1962).

2   On attendait un convoi d'émirs, dont les réserves de pétrole étaient taries pour quelques années. On espérait une meilleure répartition de mazout, grâce à la loi des vases communicants; le projet était encore «top secret».   Jean CAYROL, Histoire de la mer, p. 158 (1973).

TOP-WEIGHT [tɔpwɛjt] n. m. — 1854; mot angl., de 2. *top* «sommet, haut», et *weight* «poids».

♦ Anglic. Hippisme. Poids maximum porté par un cheval dans une course. *Dépasser le top-weight.* — Plur. *Top-weights.*

TOQUADE [tɔkad] n. f. — 1850; de *toquer (se)*.

♦ Fam. Goût très vif, généralement passager, souvent bizarre et déraisonnable, pour une chose ou pour une personne. ⇒ **Caprice, engouement, folie, foucade, manie, passade**; → Individu, cit. 25. *Avoir une toquade pour qqn. C'est sa nouvelle toquade.*

1   (...) il avait eu un petit Picard, dont la toquade était de se trimballer en voiture; oui, dès qu'il touchait sa semaine, il prenait des fiacres pendant des journées.   ZOLA, l'Assommoir, t. II, VIII, p. 35.

2   (...) très simple de façons et ayant toujours eu une «toquade» d'objets anciens et de peinture, il *(Swann)* demeurait maintenant dans un vieil hôtel où il entassait ses collections (...)   PROUST, Du côté de chez Swann, Pl., t. I, p. 16.

REM. On rencontre quelquefois la graphie *tocade*.

TOQUANTE [tɔkãt] n. f. ⇒ **Tocante**.

TOQUARD [tɔkaR] n. m. ⇒ **Tocard**.

TOQUE [tɔk] n. f. — 1549; *tocque*, 1454; esp. *toca* (Bloch), ou ital. *tocca* «étoffe de soie, gaze, crêpe», qui viendrait lui-même, selon Dauzat, d'un longobard *toh* (cf. all. *Tuch* «linge»); pour P. Guiraud, s'agissant d'une coiffure «ronde, sans bords», le mot pourrait, comme le provençal *toco* «souche», se rattacher à *toquer*, *toucher*, au sens de «frapper».

♦ **1.** Anciennt. Coiffure en usage aux XVᵉ et XVIᵉ siècles. *Toque de page.*

1   Au mois de février de l'année 1580, un jeune homme traversait, au point du jour, la Piazzetta, à Venise. Ses habits étaient en désordre; sa toque, sur laquelle flottait une belle plume écarlate, était enfoncée sur ses oreilles.   A. DE MUSSET, Nouvelles, «Fils du Titien», I.

♦ **2.** Mod. Coiffure sans bords ou à très petits bords, de forme cylindrique ou tronconique. *Toque de magistrat* (→ Hermine, cit. 6), *d'avocat, de professeur* (→ Épitoge, cit.), *de cuisinier. Toque russe en fourrure. Toque d'astrakan. Toque de femme.* ⇒ aussi **Bonnet**.

2   Cuisinier, il s'affublait pour l'amour de l'ornement, d'une toque blanche monumentale en calicot qui accusait son Pontife à vingt ans (...)   M. JOUHANDEAU, Chaminadour, VII, «Petit Jacques».

♦ **3.** Casquette hémisphérique (de jockey).

DÉR. Toquet.

HOM. Toc; forme des v. (se) **toquer**, 1. **toquer** et 2. **toquer**.

1. TOQUÉ, ÉE [tɔke] adj. et n. — 1830, Balzac; de 2. *toquer*; cf. Avoir le timbre *fêlé*.

♦ Fam. Un peu fou*. ⇒ **Cinglé, piqué, sonné, timbré**; et 1. **toc** (II.).

1   Thénardier s'exclama : — Êtes-vous fous! êtes-vous toqués! en voilà-t-il un tas de jobards!   HUGO, les Misérables, III, VIII, XX.

2   Être *toqué* est une ancienne expression populaire qui signifie avoir reçu un coup sur la tête. En d'autres termes, être timbré.   BALZAC, Souvenirs d'un paria, VIII, II, *in* Œ. diverses, t. I, p. 283, note.

N. *Un vieux toqué. Une toquée. C'est un hurluberlu, un toqué.* — (Appellatif). *Espèce de toqué!*

3   Les filles ne sont supportables qu'à la condition d'être des folles créatures, des toquées, des extravagantes, des êtres qui vous étonnent un peu par l'entrain de leur verve ou l'inattendu de leur caprice.   Ed. et J. DE GONCOURT, Journal, 6 juin 1875, t. V, p. 160.

4   Laissez donc! dit celle-ci, c'est une toquée (...) Elle n'est jamais de l'avis des autres. C'est pour me faire enrager, ce qu'elle a fait là.   ZOLA, le Ventre de Paris, t. I, p. 194.

DÉR. V. Toquer (se).

HOM. Toquer (se), 1. toquer, 2. toquer.

2. TOQUÉ, ÉE [tɔke] adj. ⇒ **Toquer (se)**.

TOQUER (SE) [tɔke] v. pron. — 1662; de *toquer* «sonner les cloches», verbe apparenté à *toucher**, ou de *toque*, comme *se coiffer**, *s'embéguiner* de...*, mais *toque* lui-même pourrait se rattacher à la série.

♦ Fam. *Se toquer de... :* avoir une toquade* pour (qqn). ⇒ **Engouer (s'). *Elle s'est toquée d'un jeune peintre.* ⇒ Amouracher (s'), éprendre (s').**

1   Moi, resté si longtemps indifférent à la nature, si peu soucieux de ses beautés, il arrive qu'une année, je me toque d'arbustes, que je plante, que je fais tout mon bonheur et ma passion d'un petit coin de verdure idéal (...)   Ed. et J. DE GONCOURT, Journal, 8 janv. 1872, t. V, p. 14.

2   Les Boches s'apitoyaient sur le sort de ce pauvre monsieur, un homme si respectable, qui se toquait d'une petite coureuse.   ZOLA, l'Assommoir, t. II, XI, p. 177.

2.1   Je savais que Tristan s'était toqué de la comtesse et l'avait durant un hiver, traînée dans les salles afin de l'y faire admirer.   F. CARCO, Nostalgie de Paris, p. 262.

▶ **TOQUÉ, ÉE** p. p. adj. (1830). *Toqué de qqch., de qqn.*

3   Puisque j'en suis folle, moi, de cet homme-là, pourquoi donc les autres n'en seraient-elles pas aussi toquées?   MAUPASSANT, l'Inutile Beauté, «Le masque».

DÉR. Toquade.

1. TOQUER [tɔke] v. tr. — V. 1460; formation onomatopéique, ou ital. *toccare*.

♦ Vx. Toucher*. — (1654). Loc. prov. *Qui toque l'un toque l'autre :* qui offense l'un offense l'autre.

2. TOQUER [tɔke] v. intr. — V. 1880; tr., xvᵉ; du rad. expressif *tokk-*. → Toucher.

♦ Dial. ou fam. Frapper légèrement, discrètement. *Toquer à la porte.*

1   Le vieux procédait, à l'aide de son bâton, à un sondage méthodique. Il toquait sur le bas des murs et sur les briques du dallage.   H. BARBUSSE, le Feu, I, V.

2   Cependant, l'on toque à la porte, entre une jeune fille (...)   R. QUENEAU, Loin de Rueil, p. 95.

3   Donc la baronne descendit vivement de voiture, (...) et toqua sèchement à la porte du presbytère, offusquée d'avoir à venir sonner chez ce «petit curaillon de village».   G. CHEVALLIER, Clochemerle, p. 227.

DÉR. 1. Toqué.

TOQUET [tɔkɛ] n. m. — 1596; *toguet*, v. 1480; de *toque*.

♦ Vieilli. Petite toque. ⇒ **Bonnet** (I., 1.).

1   (...) une de ces femmes à la blancheur chaude, coiffée au haut de la tête, d'un petit toquet d'astrakan.   Ed. et J. DE GONCOURT, Journal, 28 mars 1885, t. VII, p. 25.

2 Chacun des deux enfants, âgé de sept ou huit ans, portait une coiffure rougeâtre formant contraste avec sa face d'ébène ; celle de Kalj, sorte de toquet très simple taillé dans quelque feuille de journal illustré (...)
Raymond ROUSSEL, Impressions d'Afrique, p. 153.

TORAH ou THORA [tɔʀa] n. f. — 1846 ; mot hébreu « doctrine, enseignement, loi ».

Religion.

♦ **1.** Le Pentateuque ; spécialt, la loi de Moïse (→ Ritualiste, cit.).

1 (...) cette *Thora* ne contient (...) pas de dogmes ; pas même d'*idées* métaphysiques ; pas, proprement, d'éthique. Elle pose des affirmations décisives sur la souveraineté et la volonté de Dieu et elle prescrit des *pratiques*, les unes *négatives :* des interdictions ; les autres *positives :* des obligations.
Ch. GUIGNEBERT, le Monde juif..., p. 86.

♦ **2.** Rouleau de parchemin enroulé autour de deux baguettes, portant le texte du Pentateuque copié à la main, selon des rites stricts, et qui sert aux offices religieux israélites, notamment à ceux du sabbat. *La sainte Torah. Armoire aux thoras dans une synagogue.*

2 (...) Reb Eljé ne s'était pas contenté de copier le Livre avec amour, il avait encore envoyé une gaine de soie brodée d'un écusson aux deux lions de Juda, et deux riches couronnes garnies de clochettes d'argent. Hertz Wolf glissa le parchemin dans sa gaine, posa sur les bâtons de buis les couronnes tintinnabulantes. Et la Thora ainsi parée, il la plaça debout, sur un rayon de l'armoire grande ouverte.
Jérôme et Jean THARAUD, l'Ombre de la croix, V.

TORAILLE [tɔʀaj] n. m. — 1872, Littré ; orig. incert., p.-ê. altér. de *corail.*

♦ Techn. Corail brut utilisé en bijouterie.

1. TORCHAGE [tɔʀʃaʒ] n. m. — 1484 ; de 1. *torcher.*

★ **I.** Vx. Enduisage en torchis.

★ **II.** Fam. Action de torcher, de se torcher.

2. TORCHAGE [tɔʀʃaʒ] n. m. — Mil. xxᵉ ; de 2. *torcher.*

♦ Techn. Brûlage des gaz excédentaires dans une torchère (raffinerie, pétrolochimie).

TORCHE [tɔʀʃ] n. f. — Déb. xiiiᵉ ; *torce* « bouchon de paille », v. 1175 ; *torche* « faisceau, paquet », v. 1190 ; lat. pop. *torca*, du lat. class. *torqua* (Varron), variante de *torquis* « collier » (→ Torque), mot de la famille de *torquere.* → Tordre.

♦ **1.** Techn. Chose tortillée ou roulée en forme de collier. — (1680). Spécialt. **a** Petite natte, bouchon de paille qui protège les arêtes des pierres de taille pendant leur transport.

b Selle* bourrée de paille.

c (1549). Linge roulé que, dans certains pays, les femmes mettent sur leur tête pour y disposer un fardeau. ⇒ **Tortillon.**

d Brin d'osier, enroulé en plusieurs tours, qui constitue le bord d'ouvrages de vannerie.

e Paquet de fil de fer, de cuivre, etc., roulé en cercle. ⇒ **Torque.**

f (1723). Oignons liés autour d'un bâton.

g Aéron. *Mise en torche :* ouverture incomplète (d'un parachute qui se met en torsade au lieu de se déployer). *Parachute en torche.*

♦ **2.** (1294 ; *torke*, déb. xiiiᵉ). **a** Grosse corde retordue, enduite d'une matière inflammable (suif, cire, poix, résine...) ; bâton de bois résineux, botte de paille très serrée, etc., qu'on enflamme pour s'éclairer ou pour mettre le feu. ⇒ **Flambeau* ; luminaire** (2.), **torchère** (→ Instrument, cit. 10 ; lampion, cit. 2 ; et aussi 1. ombre, cit. 18). *Torche de paille.* ⇒ **Brandon, oupille.** *La lumière fumeuse d'une torche. Les laquais portaient des torches quand ils escortaient leur maître, la nuit* (→ Éteignoir, cit. 1). *Torches des cortèges de mariage* (dans l'antiquité, chez certains peuples... → Nuptial, cit. 2). Vx et poét. *Les torches de l'hyménée :* le mariage. ⇒ **Flambeau** (2.). — *Torches d'une retraite aux flambeaux** (→ Magnésium, cit. 1). *Torche ardente.* — (Blason). *La torche renversée,* symbole funèbre (→ aussi Mausolée, cit. 2). *Les torches, attributs des Furies.* — Fig. et vx. *Il entra dans la politique la torche et le glaive à la main* (→ Pamphlet, cit. 3).

1 Et les étoiles à leur tour,
Comme torches funèbres,
Font la funérailles du jour.
RACINE, Poésies diverses, Ode VII.

2 Elle avait allumé sous la voûte du noir souterrain une de ces torches de résine semblables à celles que les pêcheurs penchent la nuit au bord de leurs barques, pour tromper le poisson qu'ils pêchent.
BARBEY D'AUREVILLY, Une vieille maîtresse, II, XVI.

3 Qu'est-ce qui flambe file fume
Quelle lampe ou lune ou flambeau
Quelles torches font ces bitumes
ARAGON, le Roman inachevé, p. 193.

Par métaphore : → Rougeoyer, cit. 2 ; sape, cit. 1. — (1888). *Être transformé en torche vivante.*

b (1919). *Torche électrique :* lampe électrique de poche, de forme cylindrique.

4 Il portait à la main une torche électrique, dont il dirigea le faisceau puissant vers la forêt. Un arbre dénudé apparut dans la projection.
Émile HENRIOT, la Rose de Bratislava, XII.

DÉR. 1. et 2. **torcher, torchère, torchette.**
HOM. Formes des v. 1. et 2. **torcher.**

TORCHÉ, ÉE [tɔʀʃe] adj. ⇒ 1. **Torcher.**

TORCHE-CUL [tɔʀʃəky] n. m. — 1489 ; de 1. *torcher,* et *cul.*

♦ **1.** Fam. Linge, papier, etc., avec lequel on s'essuie après être allé à la selle. « *Comment Grandgousier connut l'esprit merveilleux de Gargantua à l'invention d'un torchecul* » (Rabelais, *Gargantua,* XIII). — Au plur. *Des torche-culs.*

1 Aujourd'hui j'ai reçu, à propos de la publication de mon journal, une enveloppe de lettre toute remplie de torche-culs embrenés : de la m... anonyme.
Ed. et J. DE GONCOURT, Journal, 29 juin 1894, t. IX, p. 181.

♦ **2.** Fig., fam. Écrit méprisable, livre, article, journal sans valeur (→ 2. Bien, cit. 39). *Ce bouquin est un vrai torche-cul.* — Texte mal présenté.

2 (...) ces petits riens, ces nouveautés éphémères, qui courent (...) il tâchait de me faire aimer ces fadaises (...) Pour lui complaire, je prenais ces précieux torche-culs, je les mettais dans ma poche, et je n'y songeais plus que pour le seul usage auquel ils étaient bons.
ROUSSEAU, les Confessions, V.

REM. On écrit aussi *torchecul.*

TORCHÉE [tɔʀʃe] n. f. — 1735 ; mot dial. *torche, torchon,* xvᵉ ; de 1. *torcher,* C.

♦ Fam. Volée de coups, correction.

Les torchées que je lui ai flanquées, à la Robidet, à bien du monde pourrait t'en causer. Je ne suis pas buveur, mais quand on était d'avoir bu un peu, ce n'est pas qu'une fois que je lui ai mis la gueule en sang.
M. AYMÉ, la Vouivre, p. 110.

TORCHE-POT [tɔʀʃəpo] n. m. — 1555 ; « marmiton », v. 1175 ; de 1. *torcher,* et *pot.*

♦ Vx. Oiseau appelé également *sittelle*.* — Au plur. *Des torche-pots.*

1. TORCHER [tɔʀʃe] v. tr. — xiiᵉ ; *torchier* « plier », v. 1155 ; de *torche.*

A. ♦ **1.** Vx. Essuyer, frotter*, nettoyer* avec un bouchon de paille (⇒ **Torche**), du papier, un torchon, etc. — Loc. pop. (Vx). *Il peut s'en torcher le bec :* il n'en aura pas.

Spécialt (mod.). Fam. *Torcher la sauce dans son assiette avec du pain.* — *Torcher son assiette.* — *Torcher un plat :* en manger jusqu'aux derniers restes (→ aussi Engraisser, cit. 8 ; finir, cit. 6).

1 Les assiettes furent si proprement torchées, qu'on n'en changea pas pour manger les pois au lard.
ZOLA, l'Assommoir, t. I, VII, p. 273.

2 Petit-Pouce venait de torcher la dernière goutte de jus...
R. QUENEAU, Pierrot mon ami, V.

♦ **2.** Essuyer les excréments de... *Torcher un enfant, des mioches* (cit. 2). — *Torcher le derrière, le cul d'un enfant, à un enfant. Se torcher le cul* (cit. 1, Rabelais). — Absolt. *Se torcher.* — REM. Ce sens vulgaire a donné une valeur populaire à tous les sens du mot.

3 *(Les anciens)* se torchaient le cul (il faut laisser aux femmes cette vaine superstition des paroles) avec une éponge : voilà pourquoi *spongia* est un mot obscène en latin (...)
MONTAIGNE, Essais, I, XLIX.

Pron. Essuyer ses excréments.

4 — Rends-les-moi *(les titres),* puisque je vas *(vais)* mieux.
— Non ! non ! Pour que vous vous en allumiez votre pipe, merci !
ZOLA, la Terre, V, I.

Fig. *Je m'en torche :* je m'en moque éperdument. ⇒ **Foutre** (s'en).

5 Montrez-moi le papier qui vous rend les maîtres. — Le papier, on s'en torche ! Ça suffit que nous ayons le droit.
ZOLA, la Terre, V, V.

Tu peux te torcher avec (d'une chose méprisable), *tu peux t'en torcher* (cf. Tu peux te le mettre au cul).

B. ♦ **1.** (1453). Construire (un mur, etc.) en torchis*. ⇒ **Bousiller.**

♦ **2.** Fig. (→ Bousiller). Bâcler, faire vite et mal. ⇒ 2. **Gâcher, torchonner.** *Torcher son travail.*

5.1 Tu sais que si tu as envie de faire du reportage, ça ne serait pas difficile (...) Tu as du culot, tu sais faire parler les gens, tu es débrouillarde, tu passerais partout. Et pour ce qui est de torcher un papier, ça s'apprend vite.
S. DE BEAUVOIR, les Mandarins, p. 164.

C. (1214). Fig., vieilli. Battre (cf. Foutre une torchée à qqn). — Pron. (récipr.). *Se torcher :* se battre.

▶ **TORCHÉ, ÉE** p. p. adj.

♦ **1.** Sens A. *Une assiette bien torchée.* — *Des gosses sales, morveux, mal torchés.*

♦ **2.** (1767). Sens B. Peint avec vigueur, bien enlevé. *Ça, c'est un* *morceau torché!* — Par ext. et fam. Réussi, bien fait (on dit plutôt *bien torché*, pour éviter la confusion avec le sens suivant).

6   (...) je vous invite tous à dîner au Rocher de Cancale, pour mardi prochain, si le jour vous convient, et je vous donnerai un dîner *autrement torché que celui-ci.*
                  STENDHAL, Romans et nouvelles, « Féder », VI.

7   Bien sûr, vous avez trouvé que c'était joli, bien torché, mais vous n'êtes pas allé plus loin et l'essentiel vous a passé sous le nez.
                  M. AYMÉ, le Vin de Paris, p. 185.

8   Je sais bien qu'elle ne valait pas grand'chose, ce n'est pas comme celle que vous avez écrite sur le bois de Saint-Cucufa et la route de l'Empereur. C'était torché.
                  R. QUENEAU, Loin de Rueil, p. 29.

Iron., vx. Accoutré, mal fait.

9   Ce qu'elles sont drôlement torchées, dans leurs costumes de fête... des paquets !
                  O. MIRBEAU, le Journal d'une femme de chambre, p. 59.

♦ **3.** (Sens B, 2). Bâclé ; fait trop vite.

DÉR. Torchée, torchis, torchon.
COMP. Torche-cul, torche-pot.

2. TORCHER [tɔʀʃe] v. tr. — Mil. xxᵉ ; de *torche.*

♦ **1.** Techn. Brûler (les gaz excédentaires provenant de l'extraction ou du raffinage des hydrocarbures) dans une torchère.

♦ **2.** Franç. d'Afrique. Éclairer avec une (lampe) torche.

TORCHÈRE [tɔʀʃɛʀ] n. f. — 1653 ; de *torche,* 2., a.

♦ **1.** Ancienn. Grand chandelier* recevant de gros flambeaux de cire. *Une paire de torchères Louis XIV.* — Grand vase métallique dans lequel on fait brûler des matières combustibles pour éclairer une rue, une place, un jardin (au cours d'une fête, d'une cérémonie funèbre...).

♦ **2.** Candélabre* monumental, applique qui porte plusieurs sources lumineuses. ⇒ **Flambeau** (3.) ; → Méprendre, cit. 3. *Torchère électrique.*

♦ **3.** Techn. Tuyauterie élevée qui permet de dégager et de brûler les gaz excédentaires d'hydrocarbures. *Les torchères d'une raffinerie de pétrole.* — Par anal. Flamme jaillissante de gaz naturel, de pétrole, s'échappant d'un forage (le plus souvent, à la suite de l'inflammation accidentelle des hydrocarbures sous pression). ⇒ 2. Torchage, 2. torcher. « (...) *une torchère, de 10 mètres de haut sur 40 de large, brûle sur les flots. Le pétrole continue de couler* » *(l'Express,* 21 juil. 1979).

TORCHETTE [tɔʀʃɛt] n. f. — 1636 ; « collerette », 1332 ; *torquette,* 1521 ; de *torche.*

♦ **1.** Vx. Petite torche.

♦ **2.** (1842). Vx. Petit torchon.

♦ **3.** (1521). Techn. Bouchon, faisceau de paille.

TORCHIS [tɔʀʃi] n. m. — 1303 ; *torcheïs,* 1255 ; de 1. *torcher.*

♦ **1.** Terre grasse argileuse, corroyée avec de la paille hachée ou du foin, qui est utilisée pour lier les pierres d'un mur ou pour former le hourdis (cit.) d'une construction en colombage. ⇒ **Bousillage, mortier** (→ Plafonner, cit. 1). *Torchis maintenu par des palançons*, des poutres. Construire en torchis.* ⇒ 1. **Torcher,** B., 1.

(...) une chaumière basse, aveugle, n'ayant d'air que par la porte pour s'y mieux chauffer, dans ses murs de torchis, épaulés de poutres, badigeonnés de chaux sur un soubassement de planches passées au goudron.
                ARAGON, la Semaine sainte, XII.

♦ **2.** (1857, Flaubert). Vx. Bouchon de paille pour nettoyer. ⇒ **Torchon** (A., 1., vx).

TORCHON [tɔʀʃɔ̃] n. m. — V. 1185 ; de 1. *torcher.*

A. ♦ **1.** Vx. Bouchon (I., 1.) de paille ou de linge. (1680). Mod. (Techn.). Petite natte pour protéger les pierres de taille pendant leur transport. ⇒ **Torche** (1.). — *Pêche au torchon,* que l'on pratique avec une ligne soutenue par un flotteur *(torchon)* formé de brins de jonc réunis en faisceau.

♦ **2.** (V. 1200). Cour. Morceau de toile qui sert à essuyer la vaisselle, les meubles. ⇒ **Linge** (de cuisine) ; **torchette.** *Donner un coup de torchon sur la table, dans un meuble, dans une pièce :* nettoyer sommairement avec un torchon. *Raccommoder des torchons* (→ Manie, cit. 4). *Torchon à poussière* (⇒ **Chiffon**), *à vaisselle.*

1   Durtal essuya avec un linge mouillé ces empreintes (...) polit avec un torchon les bibelots qu'il mit en ordre (...)
                HUYSMANS, Là-bas, X.

2   Sur l'égouttoir, les trois verres étaient presque secs. La femme les prit l'un après l'autre, pour les essuyer d'un coup de torchon rapide et les faire disparaître sous le comptoir (...)
                A. ROBBE-GRILLET, le Voyeur, p. 122.

Techn. *Papier de torchon :* papier spécial, fait avec certains chiffons, pour le dessin, l'aquarelle, la gouache.

Spécialt (Belgique). Serpillière (Simenon, *in* G. L. L. F.).

Loc. fam. *Ne pas mélanger les torchons et* (ou *avec*) *les serviettes :* séparer, traiter différemment les gens selon leur condition sociale, les choses selon leur valeur.

(1798 ; probablt d'un anc. sens de *torchon* « torche », xvᵉ). *Le torchon brûle :* il y a une querelle, un désaccord entre les personnes dont on parle. ⇒ **Discorde.**

2.1   J'ignore tout : et si le torchon brûle entre Mollet et Lacoste, et si l'interview à l'*Express* le prouve (...)   F. MAURIAC, le Nouveau Bloc-notes 1958-1960, p. 52.

♦ **3.** (→ 1. Torcher, C. ; torchée) COUP DE TORCHON. [a] Argot milit., vx. *Se donner un coup de torchon* (Littré) : se battre au sabre, à l'épée.

[b] (Remotivé par le sens 2 ci-dessus). Mod. *Coup de torchon :* coup dur, bagarre ; violente réprimande, vive altercation ; « coup de balai », épuration qui nettoie la place.

3   On va voir ça, quand le peuple sera le maître, et ça ne traînera guère, tout craque, je te promets que notre siècle, comme on dit, finira d'une façon autrement chouette que l'autre. Un fameux nettoyage, un coup de torchon comme il n'y en a jamais eu !   ZOLA, la Terre, IV, v.

[c] Mar. Coup de vent, tempête.

♦ **4.** Loc. pop. Vieilli. *Mettre la viande en torchon, dans le torchon :* se mettre au lit.

4   — Déjà dix heures, les amis (...) Il est temps de mettre la viande en torchon. Chacun, alors, se couche, lentement.   H. BARBUSSE, le Feu, I, XIV.

B. Fig., fam. ♦ **1.** Écrit sans valeur ; texte mal présenté ; journal médiocre. ⇒ **Torche-cul.**

4.1   *(Il)* lève les naseaux de dessus un torchon défenseur simultané des bonnes mœurs et de l'industrie sidérurgique (...)   R. QUENEAU, le Chiendent, p. 38.

♦ **2.** (1718). Vieilli. Femme ou jeune fille sale, mal habillée. ⇒ **Souillon.** — Pop. *Une Marie-torchon.*

5   Elle roula, elle battit le pavé de ses anciennes savates de petit torchon, en quête d'une pièce de cent sous.   ZOLA, Nana, VIII.

♦ **3.** (1873, Zola). Vx. Prostituée.

C. (xxᵉ ; du sens premier ; → Bouchon). Café, caboulot.

6   C'est aussi l'heure où des bandes de fêtards commencent à se répandre en ces lieux *(les Halles)* pour y finir la nuit dans quelque petit torchon renommé, jetant dans la cohue robuste et franche du travail la note noire, mousseuse et équivoque des tenues de soirées, des fourrures et des soies.
                A. BRETON, l'Amour fou, IV, p. 68.

DÉR. Torchonner.

TORCHONNEMENT [tɔʀʃɔnmɑ̃] n. m. — D.i. ; de *torchonner.*

♦ Action de torchonner ; son résultat.

Un astiquage, un torchonnement hystériques faisaient étinceler le verre, sa carapace d'argent et la cuillère.
           Pierre GIRARD, le Gouverneur de Gédéon, p. 96.

TORCHONNER [tɔʀʃɔne] v. — 1872 ; « rosser », v. 1450 ; « bouchonner », v. 1553 ; de *torchon.*

A. V. tr. ♦ **1.** Vx ou régional. Nettoyer, essuyer, frotter avec un torchon*. — Par métaphore. « *... de grands haillons noirs torchonnent le ciel* » (J.-R. Bloch, *... et Compagnie,* p. 262).

♦ **2.** Fig., fam. Exécuter (un travail) rapidement et sans soin. ⇒ **Bâcler, gâcher,** 1. **torcher.** — P. p. adj. *Travail torchonné.* — Vx. Mal fait, mal présenté, sale.

Je laissai s'accumuler la poussière sur et sous les meubles, et je me gardai bien de rien toucher au désordre des salons et des chambres. A la place des maîtres, moi, j'aurais eu honte de vivre dans un intérieur pareillement torchonné.
        O. MIRBEAU, le Journal d'une femme de chambre, p. 359.

B. V. intr. (1904). Exécuter des travaux de nettoyage.

DÉR. Torchonnement.

TORCOL [tɔʀkɔl] ou (rare) TORCOU [tɔʀku] n. m. — 1564, *torcol ; torcou,* 1555 ; de *tordre,* et *col.*

♦ Oiseau grimpeur, à cou flexible, appelé aussi *torticolis* (→ Becfigue, cit. 1).

TORDAGE [tɔʀdaʒ] n. m. — 1723 ; « fabrication de l'huile », 1333 ; de *tordre.*

Technique.

♦ **1.** Action de tordre ; opération qui consiste à joindre bout à bout les fils d'une chaîne nouvelle à ceux d'une chaîne terminée (⇒ **Tissage**). *Tordage de la soie.*

♦ **2.** Torsion des fibres textiles pour faire des cordages.

TORDANT, ANTE [tɔʀdɑ̃, ɑ̃t] adj. — 1896 ; de *(se) tordre.*

♦ Fam. Très drôle, très amusant. ⇒ **Comique** (3.) ; **marrant, roulant.** *Un type tordant. C'est une histoire tordante* (cf. Il y a de quoi se tordre).

1 (...) j'ai lu dernièrement une histoire très curieuse (il ne l'a nullement lue à la vérité, il l'invente à mesure), elle est même tordante.
BERNANOS, Monsieur Ouine, in Œ. rom., Pl., p. 1549.

2 Je suis pris d'un fou rire. Je ne peux plus m'arrêter, c'est vraiment une des choses les plus tordantes que j'aie jamais entendues dans ma vie, et pourtant, dans ma vie, je me suis beaucoup tordu.   R. GARY, Chien blanc, p. 145 (1970).

TORD-BOYAUX [tɔʀbwajo] n. m. invar. — 1855; de *tordre*, et *boyau*.

♦ Fam. Eau-de-vie forte, de mauvaise qualité. ⇒ **Casse-gueule** (vx), **casse-pattes.**

1 (...) dis-nous qui diable vous êtes tous, et quelle besogne vous faites ici, équipés comme de sales démons, et avalant le bon petit *tord-boyaux* de notre honnête camarade (...)
BAUDELAIRE, Trad. E. POE, Nouvelles histoires extraordinaires, « Le Roi Peste ».

REM. On écrit parfois *tord-boyau.*

2 Arsène dut l'appeler trois fois pour qu'il consentît à venir se réchauffer d'un coup d'eau-de-vie. Pressé de retourner à sa maison, il avala son tord-boyau comme on expédie une corvée.   M. AYMÉ, la Vouivre, p. 156.

TORDE [tɔʀd] n. f. — 1740; orig. incert., p.-ê. de *tordre.*

♦ Mar. anc. Anneau de corde placé à l'extrémité des grandes vergues pour protéger les rabans.

TORDEUR, EUSE [tɔʀdœʀ, øz] n. — 1465; *tordeor* « fabricant d'huile »; de *tordre.*

★ **I.** Personne qui tord qqch.

★ **II.** Technique. ♦ **1.** Moulineur, retordeur; préposé au tordage.

♦ **2.** N. f. (1872). **TORDEUSE** : machine qui sert à tordre les fils de fer pour en faire des câbles.

★ **III.** N. f. (1803, Boiste). **TORDEUSE** : papillon de la famille des *Tortricidés* dont la chenille roule les feuilles des plantes en cornets pour s'en faire un étui protecteur. *Les tordeuses causent de grands dégâts aux vignes.*

TORD-NEZ [tɔʀne] n. m. invar. — 1837; de *tordre,* et *nez.*

♦ Vétér. Instrument avec lequel on pince les naseaux d'un cheval pour l'immobiliser pendant certaines opérations (ferrage, soins vétérinaires, etc.). ⇒ **Moraille** (1.), **serre-nez.**

TORDOIR [tɔʀdwaʀ] n. m. — 1259; de *tordre.*

♦ **1.** Vx. Pressoir (de moulin à huile). — Mod. Machine à écraser le minerai.

♦ **2.** (XIVᵉ). Techn. Bâton qui sert à tordre et à serrer une corde (pour assujettir une charge sur une voiture, un bât, etc.). — Var. ⇒ **Tortoir.**

♦ **3.** Appareil à tordre le linge.

♦ **4.** (1765). Machine à tordre* les fils.

TORDON [tɔʀdɔ̃] n. m. — Mil. XXᵉ; de *tordre.*

♦ Techn. Brins disposés en hélice à l'intérieur des fils électriques.

TORDRE [tɔʀdʀ] v. tr. — V. 1160; *tortre,* v. 1138; lat. vulg. *torcere,* du lat. class. *torquere.*

★ **I.** ♦ **1.** Soumettre à une torsion* (1.), déformer par torsion (⇒ **Distordre**); enrouler en hélice, en spirale, en torsade*. ⇒ **Cordeler; tortiller.** *Tordre un écheveau.* ⇒ **Boudiner** (1.). *Tordre du linge,* pour en exprimer l'eau. — Par métaphore. « *Pressez-les, tordez-les, ils dégouttent d'orgueil* » (La Bruyère, VIII, 61).

1 Elle trempait ses pièces de blanc (...) et, après les avoir tordues légèrement, elle les alignait sur les barres de bois, en haut.   ZOLA, l'Assommoir, I, t. I, p. 24.

2 (...) puis, devant sa glace, elle releva et tordit ses cheveux à la diable (...)
MAUPASSANT, Fort comme la mort, II, VI.

(1690). Techn. Enrouler (plusieurs brins) les uns autour des autres (pour en faire un seul fil, une seule corde, un seul câble). ⇒ **Câbler** (1.), **commettre** (I., 5.), **mouliner, retordre.**

♦ **2.** (XIIIᵉ). Soumettre un membre, une partie du corps à une torsion. *Tordre le bras, les poignets à qqn* (→ Résistance, cit. 20). — (1530). *Se tordre les mains, les bras de désespoir, de rage* (→ Dent, cit. 9). Par accident. *Il s'est tordu le pied.* ⇒ **Se tordre le pouce.** — Fig. Torturer, serrer. *L'angoisse* (cit. 4) *lui tordait l'estomac. Une brûlure* (cit. 3) *lui tordait la poitrine.*

3 (...) la fille sanglotant, poussant quelquefois des cris, s'arrachant les cheveux, se tordant les bras, sans que sa mère osât s'approcher d'elle et la consoler.
DIDEROT, Jacques le fataliste, Pl., p. 631.

Dans un moment d'égarement, je pourrais te prendre les bras, les tordre comme   4
un linge lavé dont on exprime l'eau (...)
LAUTRÉAMONT, les Chants de Maldoror, II.

Loc. fam. *Si on lui tordait* (ou *pressait*) *le nez, il en sortirait du lait** (supra cit. 10).

Tordre le cou à un poulet, pour le tuer. — Fam. *Tordre le cou à qqn* : le tuer. — (Compl. n. de chose). « *Prends l'éloquence* (cit. 12) *et tords-lui son cou !* » (Verlaine).

S'il avait pu en tenir un au coin d'une rue, dans l'ombre bien noire, il lui aurait   5
tordu le cou, mais là, sans scrupule, comme il faisait aux volailles des paysans, aux
jours des manœuvres.   MAUPASSANT, Bel-Ami, I, I.

Littér. Faire qu'une personne se torde (de douleur, etc.).

C'était l'heure où l'essaim des rêves malfaisants   6
Tord sur leurs oreillers les bruns adolescents (...)
BAUDELAIRE, les Fleurs du mal, « Tableaux parisiens », CIII.

★ **II.** Déformer par flexion; plier. ♦ **1.** (XIXᵉ). Courber* en déformant. ⇒ **Déformer, fausser** (II., 3.), **forcer** (*supra* cit. 1), **gauchir.** *Tordre une barre de fer.*

À la tombée du soir, tandis qu'une mauvaise rafale de montagne tordait les bran-   7
ches des arbres, Raymond rentrait dans sa maison déserte où le gris de la mort
semblait épandu partout.   LOTI, Ramuntcho, II, VIII.

(1532). Fig. Déformer. ⇒ **Fausser** (III.), **forcer, gauchir** (II., 2.).

Comme on ne peut tordre mes intentions, et donner à mes sacrifices d'argent, la   8
tournure de la corruption (...)
BEAUMARCHAIS, Mémoires... dans l'affaire Goëzman, p. 6.

Argot scol. Vx. *Il s'est fait tordre à son examen.* ⇒ **Cintrer, coller.**

♦ **2.** (XIIIᵉ). Plier brutalement (une articulation, en la forçant). *Tordre le bras à qqn. Se tordre le pied* (cit. 7), *le poignet.* ⇒ **Fouler, luxer; entorse.**

♦ **3.** (1564). ⓐ (Sujet n. de chose). Tourner de travers, en déformant. *La contrariété* (cit. 4) *lui tordait la bouche d'un mauvais sourire.*

ⓑ (Sujet n. animé; le compl. désigne une partie du corps du sujet). *Tordre la bouche, la gueule.* — Fig., fam. *Tordre le nez :* prendre un air mécontent, dégoûté, méprisant.

♦ **4.** Plier, tourner fortement (une partie du corps). *Tordre le cou, renverser la tête* (→ Écraser, cit. 15). — *Se tordre le cou* (→ 1. Tape, cit. 3).

▶ **SE TORDRE** v. pron. (Fin XIIIᵉ, au fig.).

♦ **1.** (Choses). *Rideau qui se tord en spirale.* ⇒ **Entortiller** (s'), **tortiller** (se).

♦ **2.** Être déformé par flexion. ⇒ **Gauchir** (I., 1.). *La tôle s'est tordue. — Son visage se tordait de peur.*

♦ **3.** (Déb. XIXᵉ; sujet n. de personne). Se plier en deux sous l'effet de la douleur, d'une émotion vive... *Se tordre dans des coliques affreuses* (→ Pestiféré, cit. 2). *Se tordre de douleur.* ⇒ aussi **Tortiller** (se); → Néphrétique, cit. — *Se tordre de rire,* ou, absolt. (1847) *se tordre* (→ Hilarité, cit. 5; hurler, cit. 11). *Il y a de quoi se tordre.* ⇒ **Tordant.**

Jamais bouffon, jamais mime, n'eut tel effet sur le peuple; les contorsions bizar-   9
res, les convulsions de la peur, jetaient tous les assistants dans les convulsions du
rire; on se tordait sur les bancs; c'était une tempête effroyable de gaieté, un rugissement de joie.
MICHELET, Hist. de la Révolution franç., Introd., I, § V.

— Oui, dit-il *(Gavroche),* je pouffe, je me tords, j'abonde en joie (...)   10
HUGO, les Misérables, IV, XV, IV.

— Voilà huit jours que nous sommes sur le flanc; huit jours que nous sommes   11
malades avec des crises où l'on se tord sur soi-même (...)
Ed. et J. DE GONCOURT, Journal, 22 févr. 1867, t. III, p. 79.

♦ **4.** (Av. 1778, Voltaire). Se plier, se courber dans tous les sens; suivre une ligne sinueuse. ⇒ **Replier** (se), **tortiller** (se). *Arabesques* (cit. 6) *qui grimpent en se tordant. Racines qui se tordent hors de terre* (→ Parasite, cit. 9). *Ceps* (cit.) *qui se tordent sur le sol comme des serpents.* ⇒ **Serpenter.**

(...) de gigantesques cactus aux palettes vert-de-grisées, aux tronçons difformes, se   12
tordent hideusement comme des boas monstrueux (...)
Th. GAUTIER, Voyage en Espagne, p. 205.

(...) les têtes mortes semblaient crier; des ruisseaux de sang se tordaient sur le   13
plancher selon les balancements du roulis.   HUGO, Quatre-vingt-treize, I, II, V.

▶ **TORDU, UE** p. p. adj.

♦ **1.** (1690). Qui est dévié, qui n'est pas droit; qui est tourné de travers; qui suit une ligne sinueuse. *Règle tordue.* ⇒ **Gauche** (I., 1.), **gauchi.** *Jambes tordues.* ⇒ **Cagneux, contourné, tors.** *Malade aux membres tordus par une crise d'épilepsie.* ⇒ **Retourné.** *Un enfant malingre, au corps tordu.* ⇒ **Déjeté, difforme, recroquevillé.** — *Bouche tordue* ⇒ Madone, cit. 4; ralentir, cit. 8). — Fam. *Avoir la gueule tordue :* être très laid, avoir des traits irréguliers. *Troncs bossués, tordus.* ⇒ **Tourmenté** (→ Platane, cit.). *Baguette* (cit. 1) *de bois tordu.* ⇒ **Tortu.** *Chemin tordu.* ⇒ **Tortueux** (→ Épaulement, cit. 2). — Bot. *Préfloraison tordue,* dans laquelle les pétales sont contournés en vrille.

Une singularité de ce visage aigre et pâle confirmait l'existence de cette invisible   14

gibbosité. Courbe et tordu comme celui de beaucoup de bossus, le nez se dirigeait de droite à gauche, au lieu de partager exactement la figure.
BALZAC, Ursule Mirouët, Pl., t. III, p. 273.

(1841). Personnes. *Un homme tout tordu, tordu de rhumatismes.*

♦ **2.** (xxᵉ). Fig. *Avoir l'esprit tordu,* bizarre, mal tourné. — *Il est complètement tordu,* fou.

N. (Rare au fém.). *Un tordu :* un fou; un individu mal bâti, difforme. — (T. d'injure). *Va donc, eh! tordu! C'est un vrai tordu.*

15   Ce matin, dans mon atelier, deux hommes sont entrés sur leurs pieds, deux tordus, deux paumés, deux clopinards de la mistoufle qui crevaient de faim et des figures de déterrés.   M. AYMÉ, le Vin de Paris, p. 206.

16   Il fait scandale... «Tordus! Tordus! qu'il nous appelle... Bandes de lopes (...)!»
CÉLINE, Guignol's band, p. 63 (1951).

17   Une folle, une cinglée, une malade, une anormale, une tordue : elle avait entendu ce refrain pendant toute son adolescence et elle n'avait pas supporté de le retrouver dans ma bouche.   S. DE BEAUVOIR, Tout compte fait, p. 73 (1972).

Personnage ridicule (quel que soit son physique).

18   Il n'y a pendant les premières heures *(de la surprise-party)* que des tordus sans intérêt, qui arrivent toujours les premiers en apportant des gâteaux faits à la maison (...)   B. VIAN, Vercoquin, p. 24.

DÉR. Tordage, tordeur, tordoir. — V. aussi **Torche, tors, torsade, torsion, tort, torticolis, tortil, tortiller, tortu, tortueux, torture.**
COMP. **Bitor, détordre, distordre, retordre, torcol** ou **torcou, tord-boyaux, tord-nez.**

TORDU, UE [tɔʀdy] adj. et n. ⇒ **Tordre.**

TORE [tɔʀ] n. m. — 1545, *thore;* lat. *torus* «renflement; corde». → Toron.

♦ **1.** Archit. Moulure ronde, demi-cylindrique, qui entoure la base d'une colonne, d'un pilier. ⇒ **Boudin.** *Tronçons de tore.* ⇒ **2. Billette** (2.). *Scotie* entre deux tores.*

♦ **2.** (1842). Géom. Surface de révolution engendrée par une circonférence qui tourne autour d'un axe situé dans son plan et ne passant pas par son centre. — *Machine à tore.* ⇒ **Torique.**

♦ **3.** (xxᵉ). Petit anneau constituant, grâce à ses propriétés magnétiques, certaines mémoires d'ordinateur. *Tore de ferrite.*

DÉR. Torique.
HOM. **Taure, torr, tors, tort,** formes du v. **tordre.**

TORÉADOR [tɔʀeadɔʀ] n. m. — 1659; var. *tauréador,* 1781; mot esp. qui ne s'emploie plus dans ce sens (→ Torero).

♦ Mot archaïque, inusité dans le langage de la tauromachie. Torero*, et, spécialt, matador. — REM. Ce mot, ancien dans les récits de voyage (→ aussi Saint-Simon, XXXVIII, Pl., t. IV, p. 65), est passé dans le langage courant au xixᵉ s. (→ Organe, cit. 1, Flaubert) et a dû sa vogue au livret de Carmen (de Meilhac et Halévy).

(...) tous les mêmes, ces Français : des «toréadors» et des joueuses de castagnettes, voilà ce qu'ils demandaient à l'Espagne.
MONTHERLANT, les Bestiaires, I.

TORÉER [tɔʀee] v. — Conjug. *céder.* — 1926, Montherlant; esp. *torear.* — REM. On employait auparavant *tauricider.*

♦ Didact. Combattre, «travailler» le taureau, selon les règles de la tauromachie.

Je vous prie de sortir de la piste (...) l'homme protestait : *Je suis venu ici pour toréer* (...)   MONTHERLANT, les Bestiaires, VIII, p. 285.

Trans. *Toréer (un taureau).* «*Jésus (...) commença de le toréer*» (Montherlant, *les Bestiaires,* p. 290).

TORÉO [tɔʀeo] n. m. — 1899, *in* Petiot; mot esp., de *torear.*

♦ Tauromachie. Art, technique de celui, de celle qui torée. *Un toréo classique.*

TORERO [tɔʀeʀo] n. m. — 1785, *in* D.D.L.; mot esp., dér. de *toro* «taureau».

♦ Homme qui affronte le taureau, dans une corrida. ⇒ **Banderillero, espada, matador, picador, puntillero, quadrille...** (→ Écarter, cit. 15; taurin, cit. 3). *Des toreros* (→ Monde, cit. 16). *Investiture d'un jeune torero* (novillero*). ⇒ **2. Alternative.**

(...) le côté sanglant des courses, qui frappe le plus les étrangers, est ce qui occupe le moins les Espagnols, attentifs (...) à l'adresse déployée par les toreros, qui ne courent pas d'aussi grands risques que l'on pourrait se l'imaginer d'abord.
Th. GAUTIER, Voyage en Espagne, p. 208.

Une femme-torero (la Banque des mots, 21, voc. sportif).

TOREUTICIEN, IENNE [tɔʀøtisjɛ̃, jɛn] n. — 1872, Littré; de *toreutique.*

♦ Antiq. Personne qui pratique la toreutique.

Les ateliers hellénistiques avaient créé toute une argenterie; leurs modèles furent démarqués à profusion, quand une foule de toreuticiens grecs travaillaient sous l'Empire pour les maîtres du monde.
G. CONTENAU et V. CHAPOT, l'Art antique, p. 302.

TOREUTIQUE [tɔʀøtik] n. f. — 1812; grec *toreutikê (tekhnê)* «art de graver» *(toreuein).*

♦ Didact. Art de ciseler, de graver, de sculpter sur métaux ou sur ivoire (⇒ **Gravure, sculpture**).
DÉR. Toreuticien.

TORGNOLE [tɔʀɲɔl] n. f. — 1773; *tourniole* «mouvement tournant», v. 1270; «panaris autour de l'ongle», *in* Littré; de *tournier,* var. régionale de *tournoyer;* mais la forme *torgnole* est distincte et peut se rapprocher de *trogne*, trognon** (Guiraud).

♦ Fam. Coup, gifle (qui fait tourner) vieilli; série de gifles. *Envoyer des torgnoles* (→ Raclée, cit. 1). — Par ext. Volée de coups. ⇒ **Tournée, valse.** *Flanquer une torgnole à un garnement.*

Papa manie la chaise, faut voir, comme une cognée, et maman le tison comme un sabre! Gare aux faibles alors! C'est le petit qui prend. Les torgnoles aplatissent au mur tout ce qui ne peut pas se défendre et riposter : enfants, chiens ou chats.   [1]
CÉLINE, Voyage au bout de la nuit, p. 243.

O rage! O désespoir, torgnoles, imprécations! Fulgurant doigt pointé vers la grande porte, à franchir dans la honte sans or ni baluchon!   [2]
Hervé BAZIN, le Cri de la chouette, p. 103.
REM. Le passage est parodique du *Cid* de Corneille.
DÉR. Torgnoler.

TORGNOLER [tɔʀɲɔle] v. tr. — 1876; de *torgnole.*

♦ Fam., vieilli. Donner une torgnole* à (qqn). — Pron. (réciproque) :

Les parents se torgnolaient le dimanche matin rapport aux punaises, et s'envoyaient du gros rouge à un sou le litre (...)
B. CENDRARS, Trop c'est trop, p. 25.

TORII [tɔʀii] n. m. — 1893, *in* D.D.L.; mot japonais.

♦ Arts. Portique ornemental des temples shintoïstes japonais.

Il faut dire aussi un mot des portiques qui, élevés en pierre ou en bois, précèdent les sanctuaires et les tombeaux. (...) Ils se sont transmis au Japon où ils prennent le nom de *torii*.   Jeannine AUBOYER, les Arts de l'Extrême-Orient, p. 82.

TORIL [tɔʀil] n. m. — 1765; mot esp., de *toro* «taureau».

♦ Enceinte où l'on tient enfermés les taureaux, avant la corrida. — Au plur. *Des torils.*

L'alguazil (...) qui devait porter au garçon de combat les clefs du *toril* (...)
Th. GAUTIER, Voyage en Espagne, p. 210.

TORIQUE [tɔʀik] adj. — 1890, P. Larousse, *Deuxième Suppl.;* de *tore.*

♦ Géom. Qui a la forme d'un tore; relatif au tore. — Phys., techn. *Machine torique.* ⇒ **Tokamak.** «*(...) des rectifieuses sans centre, et des rectifieuses spéciales, ces dernières pour certaines parties sphériques ou toriques (gorges)*» (Ingénieurs et Techniciens, nº 200, p. 22).

(xxᵉ). Spécialt, opt. *Verre torique :* verre à surface torique, correcteur de l'astigmatisme.

On corrige l'astigmatisme, que l'on négligeait autrefois, en donnant à l'une des surfaces la forme d'un tore (d'où le nom de verre torique).
F. MEYER et P. GRIVET, le Verre, p. 107.

TORMENTILLE [tɔʀmɑ̃tij] n. f. — xvᵉ; *tourmentille,* 1314; lat. médiéval *tormentilla,* de *tormentum* «tourment», à cause des propriétés curatives de cette plante.

♦ Bot. Variété de potentille* *(Rosacées),* dont le rhizome est employé comme astringent.

TORMINEUX, EUSE [tɔʀminø, øz] adj. — 1560; lat. *torminosus,* de *tormina* «tranchées (colique)».

♦ Méd. De la dysenterie, des tranchées (II.). *Douleurs tormineuses. Colique tormineuse,* accompagnée de tranchées.

TORNADA [tɔʀnada] n. f. — Repris mil. xixᵉ; anc. provençal, de *tornar* «tourner».

♦ Littér. Dernier vers en forme d'envoi (dans la chanson provençale).

TORNADE [tɔʀnad] n. f. — 1655; var. *tornado,* 1663; esp. *tornado* (par l'angl. au xviiᵉ); de *tornar* «tourner».

♦ **1.** Mouvement tournant de l'atmosphère, effet local violent de certaines perturbations tropicales. ⇒ **Bourrasque, cyclone, grain,** *ouragan... Les fureurs de la tornade équatoriale* (→ Évoquer, cit. 25). *Une queue de tornade* (→ Pot, cit. 9). — REM. La *tornade* est, pour l'Amérique, le phénomène appelé ailleurs *trombe**.

Par ext. (impropre en météorologie). Ligne de grains orageux.

Franç. d'Afrique. Violent coup de vent. ⇒ **Grain.**

♦ **2.** Par compar. *Entrer comme une tornade,* brusquement, avec impétuosité (cf. En coup de vent).

♦ **3.** Fig., littér. Tourmente. *Une tornade historique, sociale.*

TORO [tɔʀo] n. m. — 1924, *in* Petiot; mot esp. «taureau».

♦ Dans le langage de la tauromachie, Taureau. *Dominguin « sait toréer, et peut le faire devant n'importe quel toro »* (*l'Express,* 21 mai 1973, p. 100).

TOROÏDAL, ALE, AUX [tɔʀɔidal, o] adj. — Mil. xxᵉ; de *tore, -oïde,* et suff. *-al.*

♦ Didact. En forme de tore. *Enroulement toroïdal :* bobinage électromagnétique dont les spires sont enroulées sur un anneau. — Par ext. *Géométrie toroïdale,* des tores.

1. TORON [tɔʀɔ̃] n. m. — 1677; dér. du lat. *torus* «corde». → Tore.

♦ Techn. Réunion de fils de caret tordus ensemble (⇒ **Corde, cordon**). *Le commettage de plusieurs torons forme les câbles, les cordages*. Tordre les torons de deux cordages pour les empatter.*

DÉR. **Toronner.**

2. TORON [tɔʀɔ̃] n. m. — 1762; ital. *torone,* de *toro* «tore (1.)».

♦ Arts. Gros tore (1.).

TORONNER [tɔʀɔne] v. tr. — 1889; de 1. *toron.*

♦ Techn. Mettre en torons*.

DÉR. **Toronneuse.**

TORONNEUSE [tɔʀɔnøz] n. f. — 1949; de *toronner.*

♦ Techn. Machine qui tord les torons.

TORPÉDO [tɔʀpedo] n. f. — 1913; «torpille», 1820, *in* D.D.L.; mot angl. du lat. par l'esp. «torpille».

♦ Vieilli. Automobile décapotable de forme allongée (en torpille fusiforme). *Torpédo grand sport.* — On a écrit aussi *torpedo* sans accent.

Et, en effet, peu après nous avons vu la torpedo soulever en poussière la route de Ravenne (...)   Valery LARBAUD, A. O. Barnabooth (1913), Journal, II, 4 juin.

TORPEUR [tɔʀpœʀ] n. f. — 1470, rare avant xvIIIᵉ, répandu xIxᵉ; lat. *torpor,* de *torpere* «être endormi».

♦ **1.** Ralentissement des fonctions vitales, diminution de la sensibilité, de l'activité (sans perte de conscience). ⇒ **Assoupissement, atonie, engourdissement, léthargie.** *Une sorte de torpeur l'engourdissait* (cit. 3; → aussi Presser, cit. 17). *Des torpeurs léthargiques* (→ 1. Sombrer, cit. 2). *Torpeur qui suit, précède le sommeil*.* ⇒ **Somnolence.** *Torpeur produite par l'emploi de narcotiques*.* — (xIxᵉ). Par ext. Ralentissement de l'activité psychique. ⇒ **Abattement, abrutissement, dépression, inaction.** *Faire sortir, tirer de sa torpeur* (⇒ **Réveiller, secouer**). — Spécialt, pathol. Élément de certains syndromes (confusion mentale, etc.).

1   C'est à peine si le duc a répondu par des signes de tête aux questions du médecin. Il avait un état de torpeur étrange. M. Louis a reconnu qu'il avait voulu s'empoisonner en avalant un narcotique.   HUGO, Choses vues, I, 22 août 1847.

1.1   Mais Ayrton était alors sous l'empire d'un assoupissement profond dont il ne fut plus possible de le tirer. Après les quelques paroles qu'il avait prononcées, une torpeur accablante s'était emparée de lui, et il était retombé sur son lit, sans mouvement.   J. VERNE, l'Île mystérieuse, t. II, p. 751.

2   Pauvre petit Schubert! Quand il écrivait cela, il était seul, fiévreux et somnolent, lui aussi, dans l'état de demi-torpeur qui précède le grand sommeil; il rêvait au coin du feu; des musiques engourdies flottaient autour de lui, comme des eaux un peu stagnantes (...)   R. ROLLAND, Jean-Christophe, La foire sur la place, II, p. 805.

♦ **2.** (1770, Buffon). *La torpeur d'une ville, d'une foule...* (→ Bourdonner, cit. 2; escargot, cit. 4). *Secouer la torpeur publique* (→ Gloire, cit. 27).

Une torpeur résignée appesantissait cette foule perdue, une angoisse muette, une sorte de tragique désœuvrement.   3
       G. DUHAMEL, Récits des temps de guerre, V, L'essaim.

CONTR. **Action, activité, agitation, animation, éveil.**

TORPIDE [tɔʀpid] adj. — 1823; «froid, stagnant», 1531; lat. *torpidus,* de *torpere.* → Torpeur.
Didactique.

♦ **1.** Qui est dans un état de torpeur. Qui a le caractère de la torpeur.

(...) ils écoutaient avec la curiosité torpide en apparence qui distingue le paysan, mais qui est l'observation des choses physiques poussée au plus haut degré.   1
       BALZAC, le Curé de village, Pl., t. VIII, p. 613.

Et sitôt que son esprit n'était pas surtendu, il retombait dans un engourdissement torpide et dont il lui semblait alors que même le bruit du canon proche ne le sortirait pas.   GIDE, Journal, 2 sept. 1914.   2

L'humanité est un immense troupeau d'organismes en demi-sommeil, de natures torpides et pesantes. Elle ne s'éveille qu'à l'appel d'une allégresse aérienne et d'un perpétuel frémissement.   J.-R. BLOCH, Cacaouettes et Bananes, p. 15.   3

♦ **2.** (1876). Accablant, engourdissant.

La poitrine du pauvre enfant s'embarrassait, une chaleur torpide le dévorait. Il s'en allait.   J.-A. DE GOBINEAU, Nouvelles asiatiques, p. 235.   4

♦ **3.** Méd. Qui ne manifeste aucune tendance à l'amélioration ni à l'aggravation. *Lésion, plaie, ulcère torpide.*

TORPILLAGE [tɔʀpijaʒ] n. m. — 1915; de *torpiller.*

♦ **1.** Action de torpiller; son résultat. *Torpillage d'un navire.*

♦ **2.** (xxᵉ). Fig. *Le torpillage d'un projet, d'un plan de paix.*

♦ **3.** Techn. *Torpillage d'un forage :* explosion d'une charge (torpille) au niveau de la couche pétrolifère, destinée à augmenter la production.

1. TORPILLE [tɔʀpij] n. f. — 1549; *torpile,* 1538 (R. Estienne); var. *torpin,* 1547; provençal *torpio,* du lat. *torpedo* «poisson qui engourdit». → Torpeur.

♦ Zool. Poisson sélacien, voisin des raies *(Rajiformes),* au corps presque circulaire et plat, à la queue courte, et qui possède à la base de la tête des organes capables de produire une décharge électrique (→ Endormir, cit. 6, Montaigne). — Appos. *Poisson torpille.*

— Vous n'avez plus de doute, commandant, sur la nature de l'animal?   1
— Non, monsieur, c'est évidemment un narval gigantesque, mais aussi un narval électrique.
— Peut-être, ajoutai-je, ne peut-on pas plus l'approcher qu'un gymnote ou une torpille!   J. VERNE, Vingt mille lieues sous les mers, p. 49.

Tout à coup Nina poussa un cri de joie en apercevant au bout de son hameçon, qu'elle venait de soulever hors de l'eau, un poisson lourd et frétillant. Amenant à elle l'extrémité du fil, elle prit sa proie avec force afin de la décrocher. Mais au premier contact elle reçut une commotion soudaine et s'affala sans connaissance. Le poisson, sorte de raie d'apparence inoffensive, n'était autre qu'une *torpille,* dont la décharge électrique avait causé ce résultat inattendu.   2
       Raymond ROUSSEL, Impressions d'Afrique, p. 224.

2. TORPILLE [tɔʀpij] n. f. — 1812; angl. *torpedo* (trad. de Fulton). → Torpédo.

♦ **1.** Engin de guerre rempli d'explosifs, utilisé sous l'eau. *Torpilles fixes* (appelées plus souvent *mines**), *dormantes, mouillées, en chapelet*, dérivées* (flottantes à la dérive), *portées, remorquées. Torpilles automatiques, électriques* (quant à la mise à feu), *à retardement.*

♦ **2.** (1878). Cour. Engin automobile lancé d'un navire (⇒ **Sousmarin, torpilleur**) pour frapper un objectif (navire, etc.) sous l'eau (→ Couler, cit. 22). *Torpille fusiforme, à gouvernail. Lancer des torpilles.* ⇒ **Lance-torpille.** *Torpille dirigeable, guidée.*

Ainsi donc, tout s'expliquait par l'explosion sous-marine de cette torpille. Cyrus Smith, qui pendant la guerre de l'Union avait eu l'occasion d'expérimenter ces terribles engins de destruction, ne pouvait s'y tromper.   1
       J. VERNE, l'Île mystérieuse, t. II, p. 657 (1874).

— Une torpille! répondit le capitaine, nous avons rencontré une torpille et le yacht a sauté (...)   2
— Mais qu'est-ce que cette torpille? demanda Philippe.
— C'est une torpille oubliée, Monsieur, comme il y en a pas mal un peu partout...
Ça vient des grandes guerres de 1910... c'est bien désagréable pour la navigation. En 1910, au moment du grand branle-bas, quand les Chinois, les Allemands, les Américains du Sud et du Nord, les Anglais, les Européens et le reste se sont donné le grand coup de torchon général et universel, on a semé des torpilles de tous côtés le long des côtes, torpilles fixes et torpilles flottantes, de tous les calibres et de tous les systèmes (...)
       ROBIDA, le Vingtième Siècle, p. 395 (roman d'anticipation écrit avant 1900).

(1916). Projectile terrestre, sorte de bombe à ailettes, lancée par un engin de tranchée, par un avion *(torpille aérienne).*

Les torpilles montent tout droit, ou presque, comme des alouettes, en se trémoussant et froufroutant, puis s'arrêtent, hésitent et retombent tout en annonçant aux dernières secondes leur chute par un « cri d'enfant » qu'on reconnaît bien.   3
       H. BARBUSSE, le Feu, II, XIX.

Par métaphore. Machine explosive (fig.). « *De nouvelles torpilles soi-*

gneusement réglées ou de vieilles affaires qui remontent lentement du fond » (le Point, 28 août 1978, p. 32).

♦ **3.** Techn. Engin explosif de forme allongée pour torpiller un forage.

DÉR. Torpiller, torpilleur.
COMP. Lance-torpille.

TORPILLER [tɔʀpije] v. tr. — 1872, au p. p.; de 2. torpille.

♦ **1.** Vx. Garnir de torpilles (fixes), de mines. — P. p. adj. Une zone torpillée (Littré).

♦ **2.** (1904). Attaquer, faire sauter à l'aide de torpilles, et, spécialt, de torpilles automobiles. Sous-marin qui torpille un navire et le fait couler.

♦ **3.** (1917). Fig. Attaquer sournoisement, faire échouer* par des manœuvres occultes (→ Caste, cit. 5).

L'Allemagne, au lieu d'adhérer avec empressement aux propositions de sir Edward Grey, tergiverse, ergote, et semble faire tout ce qu'il faut pour torpiller la réunion d'arbitrage.   MARTIN DU GARD, les Thibault, t. VI, p. 211.

♦ **4.** Techn. Faire exploser une charge dans (un forage) pour augmenter la production.

DÉR. Torpillage.

TORPILLEUR [tɔʀpijœʀ] n. m. — 1872; de 2. torpille.

♦ **1.** Vx. Marin, officier chargé de la manœuvre des torpilles. Par appos. Officier torpilleur. — Artilleur* chargé de la manœuvre des torpilles.

♦ **2.** (1876; appellation abandonnée; d'abord bateau torpilleur; angl. torpedo boat, 1864). Bâtiment de surface de faible tonnage (jusqu'à 2 000 t) destiné d'abord à porter des torpilles fixes, puis à combattre en lançant des torpilles automobiles. Torpilleurs d'escadre (de moins de 1 000 t). Torpilleurs et contre-torpilleurs* d'une flotte (→ Saborder, cit. 1).

♦ **3.** Fig. et fam. Celui qui attaque sournoisement, de l'intérieur (en adhérant à un groupe pour saboter son action, etc.).

COMP. Contre-torpilleur.

1. TORQUE [tɔʀk] n. f. — 1250, « ballot (de drap) »; torce, XIIᵉ; torque, 1419, forme dialect. de torche*, torce, tourse.

♦ **1.** Torsade d'une chose souple. — Spécialt : a (1690). Blason. Bourrelet d'étoffe tordue, figurant le cimier sur un heaume.

b (1647). Techn. Rouleau de fil de fer.

c (1893). Anciennt. Tabac filé (à chiquer) en rouleau.

♦ **2.** (1876). Régional (Provence). Pain en forme de couronne.

2. TORQUE [tɔʀk] n. m. — XIIIᵉ, var. torche; repris XIXᵉ; lat. torques.

♦ Archéol. Collier métallique rigide (des Gaulois, puis des soldats romains). Torque gaulois.

(...) d'un côté de son visage se balançait sur l'épaule un lourd cercle à pendeloques d'argent qui ressemblait à un torque gaulois (...)
                        Henri FAUCONNIER, Malaisie, p. 66.

TORQUETTE [tɔʀkɛt] n. f. — 1526; de 1. torque.

♦ **1.** Vx. Bouchon de paille. — (1743). Panier d'osier servant à transporter le poisson.

♦ **2.** (1877). Régional. Gâteau en forme de couronne. ⇒ 1. Torque, 2.

TORR [tɔʀ] n. m. — XXᵉ; du n. du mathématicien et physicien Torricelli (1608-1647).

♦ Phys. Unité de pression qui équivaut à la pression produite par une hauteur de 1 mm de mercure.

HOM. Taure, tore, tors, tort, formes du v. tordre.

TORRÉFACTEUR [tɔʀefaktœʀ] n. m. — 1858, torréfacteur mécanique (à tabac), in Année sc. et industr. 1859, p. 257; du rad. de torréfaction.

♦ **1.** Techn. Appareil servant à torréfier (certaines substances). ⇒ Brûloir. Torréfacteur mécanique. Torréfacteur à café, à tabac.

♦ **2.** (XXᵉ). Commerçant vendant le café qu'il torréfie lui-même. — REM. Dans ce sens, le fém. torréfactrice est virtuel.

TORRÉFACTION [tɔʀefaksjɔ̃] n. f. — 1576; du lat. sav. torrefactio, de torrefactum, supin de torrefacere. → Torréfier. Calcination partielle.

♦ **1.** Vx. Action de torréfier (un minerai). ⇒ **Grillage**.

♦ **2.** (1872). Mod. Début de calcination à feu nu, que l'on fait subir à certaines matières organiques (pour éliminer un principe nuisible, provoquer la dessication, exalter le parfum des essences aromatiques). Torréfaction du tabac. Torréfaction du cacao.

Spécialt. (plus cour.) Traitement du café vert par la chaleur, entraînant un brunissement et le développement de la flaveur caractéristique.

TORRÉFIER [tɔʀefje] v. tr. — V. 1520; lat. torrefacere, de torrere « sécher, griller », et facere « faire ».

♦ **1.** Soumettre à une chaleur intense (des graines ou d'autres substances végétales) de manière à produire un début de carbonisation. Torréfier des grains de café, du café, de la chicorée, du malt (→ Mixtionner, cit. 1). — (1854). Vieilli. ⇒ **Griller**. Au p. p. « Galettes torréfiées sur des plaques de tôle » (Gautier, l'Orient, t. I, p. 53).

♦ **2.** (Mil. XIXᵉ). Fig., littér. Brûler, dessécher.

Parmi la chaleur accablante
Dont nous torréfia l'été.   VERLAINE, Poèmes divers, « En septembre ».

DÉR. Torréfieur.

TORRÉFIEUR, EUSE [tɔʀefjœʀ, øz] n. — Mil. XXᵉ; de torréfier.

♦ Techn. Ouvrier, ouvrière qui fait fonctionner un torréfacteur. Torréfieur de café (⇒ **Brûleur**).

TORRENT [tɔʀɑ̃] n. m. — V. 1120; rare avant XVᵉ; lat. torrens « torrent », de torrens « brûlant, dévorant, impétueux », p. prés. adjectivé de torrere « brûler ». → Torréfier.

♦ **1.** (1273). Cours d'eau à forte pente, à rives encaissées, à débit rapide et irrégulier. ⇒ **Avalaison, gave, ravine** (I., vx.), **rivière; torrentiel** (cit. 2). — Bondir, cit. 15; 1. cataracte, cit. 4; rivage, cit. 3. « Avec (cit. 78) grand bruit et grand fracas, Un torrent tombait des montagnes ». « Sources, gaves (→ 1. Gave, cit.), ruisseaux, torrents des Pyrénées ». Torrent qui dévale, descend des montagnes, déborde, forme des cascades. L'eau, les eaux du torrent. ⇒ 2. **Courant**, 1. Torrent impétueux, rapide, grondant, mugissant. Grondement (cit. 4), roulement d'un torrent (→ Nature, cit. 64). Ruisseau dont l'hiver fait un torrent (→ Fleuve, cit. 8). — Torrent à sec (→ Olivette, cit. 3). Le lit du torrent (→ Obvier, cit. 2; soubresaut, cit. 1). — Géogr. Cours d'eau de montagne, à très forte déclivité, qui s'écoule « sur des pentes si fortes que le ruissellement entraîne (...) toute l'eau des pluies » (Martonne). Bassin de réception, canal d'écoulement, cône de déjections* (cit. 3, Martonne) d'un torrent. Alluvions caillouteuses, galets d'un torrent. Torrent glaciaire. — Animaux, plantes vivant dans les torrents ⇒ **Torrenticole**.

Sur le bord du torrent qui jaillit en blanche écume au front des pins, et qui bruine en grise vapeur au fond des châteaux (...)   [1]
                Aloysius BERTRAND, Gaspard de la nuit, La nuit et ses prestiges, XI.

Le torrent (...) se réveille, pétille ainsi qu'une coulée d'argent, siffle et s'agite,   [2]
écume et bondit, engloutit d'un coup les hameaux et les digues.
                                        HUYSMANS, la Cathédrale, I.

Il n'y avait plus de petits ruisseaux mais des torrents musclés aux reins terribles   [3]
et qui portaient des glaçons et des rochers, bondissaient, luisants et tout fumants
d'écume plus haut que les sapins, minaient leurs rives profondes, emportaient des
lambeaux de forêts.   J. GIONO, le Chant du monde, III, I.

Et vous, impétueux torrents,   [3.1]
Qui sur les rochers murmurants
Roulez vos eaux avec contrainte (...)   REGNARD, Voyage en Laponie, p. 90.

♦ **2.** (1640). Écoulement rapide et brutal (⇒ **Torrentiel**). Torrents d'eau (→ Écluse, cit. 1). Torrents de pluie. ⇒ **Cataracte** (fig.). — Couler* en torrents. — À TORRENTS. Pleuvoir* à torrents ou (vx; 1788) par torrents (→ Dru, cit. 2), abondamment. ⇒ **Pluie, verse** (à).

Les colons restèrent (...) silencieusement blottis sous une sorte de portique pro-   [3.1]
fond, creusé dans la roche. La pluie commençait alors à tomber, et ce fut bientôt
en torrents que se condensèrent les nuages déchirés par la foudre.
                                J. VERNE, l'Île mystérieuse, II, p. 792.

Torrents de lave (cit. 1) en fusion. — Par ext. Torrents de fumée, de vapeur (→ Cracher, cit. 10; mazout, cit.; frein, cit. 12).

Fig. Flot. Torrents de larmes*, de pleurs (→ Sangloter, cit. 1). ⇒ **Pleurer; déluge, flot.** — Des torrents de sang (→ Étonner, cit. 20; sueur, cit. 1).

Comme un torrent, en torrent : en se précipitant*. Dévaler (cit. 6) en torrent d'un escalier.

Poét. (Choses non liquides). Des torrents de lumière (cit. 3). — « Le beau torrent de ses cheveux » (→ Dénouer, cit. 3; et aussi ondé, cit. 2).

Le blond torrent de mes cheveux immaculés (...)   [4]
                        MALLARMÉ, Autres poèmes, « Hérodiade », II.

♦ 3. Fig. Grande abondance (avec une idée de violence). *Un torrent de paroles, d'injures.* ⇒ **Débordement, flot** (I., 3.; → Muet, cit. 6; populacier, cit. 1). — *Des torrents de musique* (→ Diluer, cit. 2), *d'harmonies.*

5   Quel trouble! Quel torrent de mots injurieux (...)
                            RACINE, *Iphigénie*, III, 6 *(Var.).*
6   Il a une profusion, le dirai-je? des torrents de louanges pour ce qu'a fait ou ce qu'a dit un homme placé (...)   LA BRUYÈRE, *les Caractères*, VIII, 62.

♦ 4. (1580). Fig., vx. Ce qui a un mouvement rapide et irrésistible.

ⓐ Vx. Conquérant que rien n'arrête; personne qu'on ne peut contrôler, diriger.

ⓑ Sens abstrait. *Le torrent du monde* (Fléchier), *des âges* (Massillon), *des temps* (Buffon). — Ce qui entraîne. *Le torrent des passions*, « *des mauvaises mœurs* » (Bossuet), « *de la coutume* » (Mme de Maintenon; exemples empruntés à Littré). ⇒ **Force.**

7   La monarchie sera débordée et emportée par le torrent des lois démocratiques, ou le monarque par le mouvement des factions.
          CHATEAUBRIAND, *Mémoires d'outre-tombe*, t. V, p. 267.
8   Ma passion m'aveugle, et pour cette conquête
   Croit hasarder trop peu de hasarder ma tête :
   C'est un feu que le temps pourra seul modérer;
   C'est un torrent qui passe et ne saurait durer.
                      CORNEILLE, *l'Illusion comique*, V, 3.

REM. Ces emplois sont de nos jours des métaphores du sens 1.

9   Tandis qu'il songeait ainsi, (...) des torrents d'amertume et de douceur roulèrent en tumulte dans son cœur.   FRANCE, *Les dieux ont soif*, XXVIII.
10   À tous les torrents de l'âme, les mœurs opposent une digue rigide. Le flot se creuse un lit; presque toujours l'eau croupit; ce n'est plus qu'une mare.
                 André SUARÈS, *Trois hommes*, « Ibsen », I.

DÉR. **Torrentiel, torrentueux.**
COMP. **Torrenticole.**

TORRENTICOLE [tɔʀɑ̃tikɔl] adj. — Mil. xxᵉ; du lat. *torrens, torrentis*, et *-cole.*

♦ Didact. Qui vit dans les torrents.

TORRENTIEL, ELLE, ELS [tɔʀɑ̃sjɛl] adj. — 1836; de *torrent.*

♦ 1. Géogr. D'un torrent; qui caractérise les torrents. *Cours d'eau d'allure torrentielle* (→ Gravier, cit. 1). ⇒ **Torrentueux.** *Circulation (d'eau) torrentielle* (→ Caverne, cit. 3). *Régime torrentiel* (des eaux).

1   On connaît (...) peu d'exemples de rivières méditerranéennes qui ne descendent pas de montagnes et ne soient pas influencées par la fonte des neiges au printemps. La plupart ont aussi des pentes très fortes dans leur bassin supérieur et manifestent les caractères du *régime torrentiel* (...) Par extension, on dit d'une rivière qu'elle a un *régime torrentiel*, lorsque son débit est sujet à de très fortes variations, et peut être réduit à près de zéro pendant une partie de l'année.
          E. DE MARTONNE, *Traité de Géographie physique*, t. I, p. 469.

♦ 2. (1872). Cour. Qui coule à flot, comme un torrent. *Pluie* torrentielle.* ⇒ **Diluvien; déluge.** Littér. *Lumière torrentielle* (→ Batterie, cit. 5).

2   Il tombait une pluie torrentielle; on était brouillés et noyés et bousculés par l'inondation, et on mangeait debout, à la file, sans abri, en plein ciel liquéfié.
          H. BARBUSSE, *le Feu*, I, IX.

♦ 3. (xxᵉ). Fig. Qui s'écoule, se répand avec force. *Une éloquence torrentielle. Un lyrisme torrentiel.*

DÉR. **Torrentiellement.**

TORRENTIELLEMENT [tɔʀɑ̃sjɛlmɑ̃] adv. — 1877; de *torrentiel.*

♦ Littér. Comme l'eau d'un torrent, à flots torrentiels. *Il pleuvait torrentiellement.*

TORRENTUEUSEMENT [tɔʀɑ̃tɥøzmɑ̃] adv. — Av. 1889, *in* D.D.L.; de *torrentueux.*

♦ Littér. D'une manière torrentueuse.

TORRENTUEUX, EUSE [tɔʀɑ̃tɥø, øz] adj. — 1823; de *torrent.* Littéraire.

♦ 1. Qui forme, constitue un torrent. *Ruisseau torrentueux, rivière torrentueuse.*

♦ 2. (Av. 1850). Fig. Qui a un caractère inégal, impétueux, mouvementé, irrésistible. ⇒ **Torrentiel, 3.**

DÉR. **Torrentueusement.**

TORRIDE [tɔʀid] adj. — 1496; lat. *torridus*, de *torrere* « griller, sécher ». → Torréfier, torrent.

♦ 1. Où la température est très élevée; où la chaleur est extrême. ⇒ **Brûlant, desséchant.** *Climat torride.* — (Lieux). *Pays, zone tor-*

ride (⇒ **Tropical; équatorial**). → Attiédir, cit. 2. — (Temps). *Jours, journées torrides d'été* (→ 1. Pan, cit. 6; programme, cit. 3).

Te voilà quelque part au mois d'août par une chaleur torride
Par le temps qu'il fait un verre d'eau ne serait pas de refus (...)
          ARAGON, *le Roman inachevé*, p. 87.

♦ 2. Qui répand une grande chaleur. *Un soleil torride* (→ Associer, cit. 23). — (1872). *Chaleur torride*, extrême.

CONTR. **Froid.**
HOM. **Taurides.**

1. TORS, TORSE [tɔʀ, tɔʀs] ou (rare) TORTE [tɔʀt] adj. — V. 1119, *torte; tors*, XIIIᵉ; anc. p. p. de *tordre.*

♦ 1. Qui est tordu* (matière souple). ⇒ **Tordre** (I., 1.). *Fil tors. Soie torse* (⇒ **Organsin**). *Frange torse.* ⇒ **Torsade.**

♦ 2. (1671). Archit. *Colonne* (cit. 3) *torse*, à fût contourné en spirale. Fig. « *La colonne torse de la fumée d'une fonderie* » (Chateaubriand, *Mémoires d'outre-tombe*, VI, IV, 5). — *Verre à pied tors.*

1   (...) des cannes torses que l'on fait à Sparte (...)
          LA BRUYÈRE, *les Caractères de Théophraste, Du complaisant.*

♦ 3. Qui est tordu (II.); qui présente des courbes anormales (parties du corps). ⇒ **Contourné, difforme.** *Jambes arquées* (cit. 2) *et torses.* ⇒ **Tortu.** *Des nains* (cit. 3) *aux pieds tors.* — REM. Dans ce sens, on rencontre le fém. *torte*, de l'anc. p. p. du v. *tordre* (→ Tort, n. m.). *Torte, boiteuse et déhanchée* (cit. 2, Montaigne). « *La jambe torte et circonflexe* » (cit. 2). — (V. 1460). Littér. Tortueux.

2   Danton, la bouche torse, demi-homme et demi-taureau, dans sa laideur royale, troublait les cœurs de son masque tragique (...)
          MICHELET, *Hist. de la Révolution franç.*, VIII, III.
2.1   Je marchais en ligne droite, en diagonale, en zigzag, en rond. J'allais les pieds croisés, les pieds tors. Je faisais des grimaces avec mes jambes. J'essayais le grand écart. Je m'évertuais à ne plus boiter.
          B. CENDRARS, *Moravagine, in* Œ. compl., t. IV, p. 98.
3   Voilà donc le point où la haine n'est plus rien qu'une racine torse entre toutes les autres : et si elle a la forme du serpent ou du ver, ce n'est point pour faire horreur (...)   André SUARÈS, *Trois hommes*, « Dostoïevski », V.
4   Mille délicieuses façades, fardées de jonquille et de rose, des toits et des pignons de toutes formes, des rues tortes, des places de guinguois (...)
          Émile HENRIOT, *la Rose de Bratislava*, III.
5   Au début, Antinoüs emprunté et cherchant de quel pli du ciel allait jaillir la torte force, surveilla du coin de l'œil le faux piteux.
          J. GIONO, *Naissance de l'Odyssée*, Pl., t. I, p. 86.

CONTR. **Direct, 1. droit.** — **Détors.**
DÉR. **Tors, torsade, 2. torse, torser, torseur, torsin.**
HOM. **Taure, tore, torr, tort.** — (Du fém.) **Torse.**

2. TORS [tɔʀ] n. m. — 1753; « torsade », v. 1180; de 1. *tors.* Technique.

♦ 1. Torsion donnée aux brins pour former un fil, une corde. *Tors droit, gauche :* torsion donnée à droite, à gauche.

♦ 2. (1845). Gros cordon de soie qu'on emploie en tapisserie.
HOM. **V. 1. Tors.**

TORSADAGE [tɔʀsadaʒ] n. m. — xxᵉ; de *torsader.*

♦ Techn. Opération par laquelle on torsade (un ou plusieurs éléments filiformes); son résultat. « *En utilisant des filaments supraconducteurs très fins (...) un pas de torsadage serré (quelques millimètres pour des composites de 0,7 mm de diamètre)...* » (*la Recherche*, oct. 1981, p. 1113).

TORSADE [tɔʀsad] n. f. — 1496, sans indication de sens; dér. de 1. *tors.*

♦ 1. (1823). Rouleau de fils, cordons tordus en hélice, en spirale, pour servir d'ornement. ⇒ **Torche** (1.), **torque**, I. *Faire des torsades au guipoir. Torsade retenant un rideau, une tenture. Rideau à torsades. Colback, shakos* (cit. 2) *à torsades* (→ Sabretache, cit.). *Torsade d'une épaulette*.* — *Torsade de mousseline dans les cheveux* (→ Bourrelet, cit. 4). — (1830). *Torsade de cheveux :* cheveux longs réunis et tordus ensemble (⇒ **Coiffure**).

   (...) une grande jeune femme, à la torsade de cheveux noirs un peu dénouée sur le cou (...)   Ed. et J. DE GONCOURT, *Sœur Philomène*, XXXVII.

♦ 2. Archit. Motif ornemental imitant une frange torse. *Colonnes à torsades* (→ Jésuite, cit. 2).

♦ 3. Par ext. *En torsade :* en hélice. *Une embrasse* (cit.) *en torsade. Cheveux en torsades.*

DÉR. **Torsader.**

TORSADER [tɔʀsade] v. tr. — 1845, v. et p. p.; de *torsade.*

♦ Rouler, tordre en hélice; faire une torsade avec... *Torsader une* *frange, un faisceau de brins, des cheveux.* — Techn. *Torsader des fils, un conducteur.*

▶ **TORSADÉ, ÉE** p. p. adj.
Qui forme une torsade. *Ornements torsadés.* ⇒ **Rudenté.**

La paralysie le gagna (...) et il ne quitta plus son grand lit aux colonnes torsadées (...) S. DE BEAUVOIR, Mémoires d'une jeune fille rangée, p. 150.
DÉR. Torsadage.

1. TORSE [tɔʀs] n. m. — 1676, Félibien ; ital. *torso* « trognon de chou ; ... ce qui est attaché au col *(du poulet)* lorsqu'il est dépecé ou découpé » (Duez, Dict. ital., 1660), et, par plais., « tronc humain » ; du lat. *tursus*, forme parlée de *thyrsus*. → **Thyrse.**

◆ **1.** Figure humaine tronquée, sans tête ni membres. *Le torse du Belvédère,* statue antique mutilée, considérée à l'époque classique comme un modèle et un symbole.

1   Devant un torse grec, sans tête, sans bras et sans jambe, divin fragment qui chante l'hymne de la forme pure dans sa muette langue de marbre, la foule passe froide et distraite (...) Th. GAUTIER, Portraits contemporains, « Delaroche ».

Par anal. *Sculpter, peindre, dessiner un torse.*

2   Non, non, restez donc tranquille ! pas le torse, je ne demande pas le torse ! La tête, rien que la tête ! ZOLA, l'Œuvre, I.

(1867). Buste, tronc d'une statue entière (→ Maniérisme, cit. 2).

◆ **2.** (Déb. XIXᵉ). Buste. ⇒ **Poitrine, tronc.** *Un torse mince* (→ Hanche, cit. 2), *gras* (→ Obèse, cit. 2, Hugo), *rhomboïdal* (cit.). *Un torse de lutteur* (→ Poussif, cit. 2), *musclé. Le faucheur, le torse balancé sur les reins...* (→ Faucher, cit. 2 ; et aussi révérence, cit. 6). *Le torse moulé dans un maillot* (cit. 7). *Le torse nu* (→ Laver, cit. 17 ; palanquin, cit. 3). — Loc. *Bomber le torse* (→ Plastronner, cit. 2).

3   Il retira ses habits, afin de ne pas gêner la perspiration, et il *(Pécuchet)* se tenait sur le plateau, complètement nu, laissant voir, malgré sa pudeur, son torse très long, pareil à un cylindre (...) FLAUBERT, Bouvard et Pécuchet, III.

HOM. Torse (fém. de 1. *tors*).

2. TORSE [tɔʀs] n. f. — 1680 ; *torce* « bâton utilisé pour porter les cierges à la procession », 1440 ; fém. substantivé de 1. *tors.*

◆ Techn. Morceau de bois qu'emploient les tourneurs.
HOM. Torse (fém. de 1. *tors*).

TORSER [tɔʀse] v. tr. — 1694 ; « tordre », fin XIIIᵉ ; de 1. *tors.*

◆ Techn. Travailler de façon à rendre tors.

TORSEUR [tɔʀsœʀ] n. m. — 1904 ; de 1. *tors.*

◆ Techn. (math., phys.). Ensemble d'un glisseur et d'un couple dont le moment a la même direction que celui-ci. *Torseur équivalent à un système de glisseurs.*

TORSIF, IVE [tɔʀsif, iv] adj. — 1888 ; de *torsion*, pour le sens. → Se tordre.

◆ **1.** Fam. et vieilli. Tordant* ; qui fait rire, se tordre de rire.

◆ **2.** Rare. Qui fait se tordre (de douleur).
Des souffrances aiguës, torsives, le reprirent.
H. TROYAT, les Dames de Sibérie, p. 185.

TORSIN [tɔʀsɛ̃] n. m. — XXᵉ ; *torcin*, 1872 ; autre sens, 1601 ; de 1. *tors.*

◆ Techn. Délit d'ardoise presque vertical.

TORSION [tɔʀsjɔ̃] n. f. — 1314 ; *torcion, torsion* « douleur de ventre, tranchées », XIIIᵉ ; lat. *torsio* « colique », et *tortio* « torsion ; torture » (→ Tortionnaire), dér. de *torquere* « tordre, tourmenter ».

◆ **1.** (V. 1460). Action de tordre (I.) ; déformation que l'on fait subir à un solide en imprimant à l'une de ses parties un mouvement de rotation transversal (les autres parties restant fixes ou étant soumises à un mouvement de sens contraire). *Torsion des fils, d'un faisceau d'osier, de paille, des fibres d'un tissu... Torsion d'une branche,* pour supprimer l'afflux de sève. — Phys. *Forces de torsion. Torsion simple, composée. Angle de torsion,* dont tourne une section du solide située à une distance égale à l'unité de longueur. *Couple de torsion :* couple d'élasticité, qui tend à ramener le corps à sa forme primitive. *Pièce travaillant par torsion. Barre de torsion :* ressort constitué par une barre métallique tordue (qui tend à reprendre sa forme initiale). — (1842). *Balance de torsion,* permettant de mesurer un couple quelconque au moyen du couple de torsion d'un fil métallique.

Pathol. *Entorse* (cit. 2) *résultant de la torsion d'un membre.* — *Torsion du nez* (→ Enfoncement, cit. 2).

Physiol. Mouvement conjugué de rotation des deux yeux autour de l'axe de fixation antéro-postérieur des globes oculaires, s'effectuant du côté interne ou externe (appelé aussi *giration*).

Julien penchait son corps, dépliait les bras, et, s'arc-boutant des pieds, se renversait avec une torsion de la taille, pour avoir plus de force.   1
FLAUBERT, Trois contes, « Légende de saint Julien l'Hospitalier », III.

◆ **2.** État, position de ce qui subit une force de torsion, de ce qui est tordu. ⇒ **Courbure, distorsion.** *Torsion de la bouche, des traits,* dans une grimace... ⇒ **Contorsion, contraction.** — *Torsion d'un membre, du pied* (cit. 6). *Torsion d'un canal de l'organisme* (volvulus).

(...) il lui suffisait d'examiner attentivement les gestes de la tête et les torsions du cou, si variées, si expressives, pour juger une femme.   2
BALZAC, la Femme de trente ans, Pl., t. II, p. 758.

Dans ces conditions, même une cordelette de grande finesse perd vite une partie de son brillant et de sa netteté ; les spires les plus exposées noircissent, la torsion des brins se relâche, des fils se soulèvent un peu partout.   3
A. ROBBE-GRILLET, le Voyeur, p. 30.

Littér. Chose tordue (→ Hydre, cit. 2).

De hautes torsions d'écume s'envolaient le long de la côte, dans le pillage frénétique du vent. HUGO, l'Homme qui rit, I, II, XV.   4

DÉR. Torsif.

TORT [tɔʀ] n. m. — V. 980 ; du lat. pop. *tortum,* neutre pris subst. de *tortus,* p. p. de *torquere* « tordre », proprt « ce qui est tordu », par oppos. à ce qui est droit.

A. En loc., sans article.

◆ **1.** AVOIR TORT : ne pas avoir le droit, la raison de son côté (opposé à *avoir raison*). *Avoir tort le premier jour et raison le second* (→ Apporteur, cit.). « *Prouver que j'ai raison* (cit. 44) *serait accorder que je puis avoir tort* » (Beaumarchais). « *On a toujours raison, le Destin* (cit. 4) *toujours tort* ». *S'ils pensent cela, ils ont tort.* ⇒ **Tromper** (se). *On ne crie* (cit. 7) *que quand on a tort. Celui qui a tort se fâche* (cit. 9). *Il n'avait pas tort* (→ 1. Être, cit. 81) ; *pas tout à fait tort* (→ Confesser, cit. 12). Prov. *Les absents** (cit. 8) *ont toujours tort.* — Par ext. (Choses). *L'expérience a tort* (→ Argumentateur, cit. 2). *L'une a tort, l'autre a droit* (→ Insurrection, cit. 3).

(...) la subtile adresse de ma carogne de femme pour se donner toujours raison, et me faire avoir tort. MOLIÈRE, George Dandin, II, 8.   1

J'ai tort, madame, j'ai très tort ; mais je n'ai pas pourtant si grand tort que vous le pensez (...) VOLTAIRE, Correspondance, 3912, 10 août 1772.   2

Par plais. *Il a tort, et le tort tue.*

(1580). AVOIR TORT DE... (suivi de l'inf.). *On a tort de dire, de croire que...* (→ Automatique, cit. 1 ; faiblesse, cit. 41 ; nuit, cit. 1) ; *on a bien tort de...* (→ Approfondir, cit. 14), *avoir grand tort de...* (→ Mélodie, cit. 5). *Il n'a pas tort de...* (→ Dénouer, cit. 7 ; fortune, cit. 4). *J'aurais tort de me désespérer* (cit. 14). *Elle avait tort de tant fumer :* elle n'aurait pas dû tant fumer (→ Intoxiquer, cit. 1).

(1788 ; *donner le tort,* 1669). DONNER TORT À... : décider, déclarer que qqn a tort. ⇒ **Accuser, désapprouver.** *Donner* (cit. 55) *tort à qqn* (→ 1. Roman, cit. 10). *Je serais bien embarrassé* (cit. 28) *de donner tort ou raison à qqn.* — (1876 ; sujet n. de chose). *Les faits vous ont donné tort,* ont montré que vous aviez tort.

◆ **2.** Loc. adv. (1080). À TORT : pour de mauvaises, de fausses raisons, d'une manière erronée, en se trompant. ⇒ **Faussement, indûment, injustement.** *Soupçonner* (→ Personne, cit. 36), *accuser, condamner qqn à tort* (→ Pardonner, cit. 18). *Il croit à tort les connaître* (→ Guêpier, cit. 5). *C'est à tort que l'on a prétendu cela* (opposé à *avec raison, à bon droit, à juste titre*). → Homme, cit. 36.

À TORT OU À DROIT (vx) : sans droit ou avec le droit de le faire (→ Attribuer, cit. 18 ; maturité, cit. 6).

À TORT OU À RAISON : sans motifs ou avec de justes motifs (→ Cabale, cit. 3 ; diplomatiquement, cit. 2 ; étranger, cit. 26 ; servir, cit. 6). *Je passe* (cit. 81) *à tort ou à raison pour un esprit fort. Se plaindre à tort ou à raison du marasme* (1. Marasme, cit. 3) *des affaires.*

Elle aurait prononcé le nom de ceux qu'elle regarde (...) à tort, je le sais, comme les meurtriers ; mais non, pas un mot. MÉRIMÉE, Colomba, VII.   3

(1634, Peiresc, *in* D. D. L.). À TORT ET À TRAVERS : sans raison ni justesse. ⇒ **Inconsidérément** (cf. À la légère, sans discernement). *Dépenser à tort et à travers. Parler à tort et à travers :* parler des choses, des gens, sans jugement et hors de propos (→ Lumière, cit. 32). *Un bavard qui parle à tort et à travers,* qui dit n'importe quoi.

Ne manquez pas, à tort et à travers, dans toute occasion, de vous déchaîner contre les philosophes ; criez que Voltaire est l'Antéchrist, sachez par cœur l'ouvrage de votre petit abbé, et colportez-le, s'il le faut (...)   4
DIDEROT, Jacques le fataliste, Pl., p. 609.

(...) ces petits garçons, bavards comme on l'est au comble de la fatigue, avaient parlé à tort et à travers aux premiers officiers rencontrés (...)   5
ARAGON, la Semaine sainte, IX.

◆ **3.** (1671). DANS SON TORT... : dans la situation d'une personne qui a tort (relativement à la loi, à un autre qui est dans son droit). *N'être jamais dans son tort* (→ Ankylose, cit. 2). *Le piéton qui traverse hors des passages réservés est, se met dans son tort. Ils se sentent dans leur tort d'avoir été effrayés.* ⇒ **Coupable** (→ Aggraver, cit. 5). *Mettre qqn dans son tort.* — **Dans le même sens.** (xxᵉ). EN TORT. *Vous êtes en tort et passible d'amende.*

6   Pourquoi Françoise ne se sauvait-elle pas? Les malins hochaient la tête : elle n'était point majeure, il lui fallait attendre dix-huit mois ; et se sauver, se mettre dans son tort, sans pouvoir emporter son bien (...)   ZOLA, la Terre, IV, II.

7   (...) le propre du personnage racinien est que le personnage racinien parle constamment pour mettre l'adversaire dans son tort, ne se propose que mettre l'adversaire dans son tort, ce qui est le commencement même, le principe de la cruauté.   Ch. PÉGUY, Victor-Marie, comte Hugo, p. 157.

B. (xIIᵉ). ♦ **1.** *(Un, des torts ; le tort de...).* Action, attitude blâmable (envers qqn). *Avoir des torts envers qqn ;* (vx) *avec qqn. Il n'a aucun tort :* il est sans reproche*. *Savoir à qui est le premier tort* (→ Agression, cit. 1). *Le pire des torts* (→ 1. Dire, cit. 37). *Ce que vous nommez* (cit. 4) *mes torts. Chercher des torts à qqn. Grossir* (cit. 12) *des torts. Reprocher, remontrer ses torts à qqn* (→ Offensant, cit. 2). *Avouer, reconnaître, confesser ses torts* (→ Exécuter, cit. 25). ⇒ **Faute** (cf. Faire amende honorable). *Convenir* (cit. 12) *de son tort. Torts pardonnés* (→ Envoler, cit. 8). *Les querelles* (cit. 3) *ne dureraient pas longtemps si le tort n'était que d'un côté. Les torts sont partagés** (cit. 22). *Divorce prononcé aux torts du mari, aux torts réciproques.*

8   La conduite de son mari à l'Opéra mettait le comble à tous ses torts, et lui semblait exiger une séparation immédiate.   MÉRIMÉE, la Double Méprise, VI.

Action, attitude qui constitue une erreur, une faute que l'on blâme. *Avoir le tort de...* (et inf.). *Il avait le tort de dire un peu trop qu'il était simple* (cit. 1) *et sincère.* ⇒ **Défaut, démérite.** *Ils ont eu le tort immense de laisser croire que...* (→ Ruser, cit. 3). *Notre tort est de présenter* (cit. 12) *les choses telles qu'elles sont* (→ aussi Croire, cit. 33). *C'est un tort de...* (→ 1. Loi, cit. 38). *Vous faites comme ceci? C'est un tort.* Par ext. « *Ô qui dira les torts de la Rime?* » (cit. 6, Verlaine).

9   J'ai cru, et c'est là mon seul tort, j'ai cru que vous respecteriez une femme honnête (...)   LACLOS, les Liaisons dangereuses, XXVI.

10   Personne ne me payait. J'ai consulté à l'œil, surtout par curiosité. C'est un tort.   CÉLINE, Voyage au bout de la nuit, p. 224.

11   À l'élection présidentielle qu'il avait eu le tort de confier au suffrage universel, le vote national enregistrait la défaite du tribun (...)   Émile HENRIOT, les Romantiques, p. 106.

♦ **2.** Dommage* causé indûment (à qqn). ⇒ **Lésion, 3. mal, outrage, préjudice.** *Demander réparation d'un tort* (cf. Demander justice, raison). *Réparer, redresser* les torts. Redresseur** (cit. 1 et 2) *de torts, des torts* (→ Paladin, cit. 3).

(V. 1190). Vieilli. FAIRE TORT À... ⇒ **Léser, nuire** (→ Frustrer, cit. 6). *Je n'ai pas fait tort d'une obole* (cit. 2) *à mes héritiers.* — (Sujet n. de chose). *Des natures à qui tout fait tort* (→ Guignon, cit. 5). *Il sentait que cette aventure lui ferait tort* (→ Empêtrer, cit. 8). ⇒ **Déprécier, déshonorer.** *Le hâle* (cit. 1) *avait fait tort à son visage. Cela fait tort à son honneur* (cf. Faire brèche, porter atteinte ; faire injure à). — (1694). Mod. FAIRE DU TORT À... (plus usité dans le langage courant). *Il nous a fait du tort ; je ne veux pas lui faire de tort. Je sais le tort que je me fais en racontant ceci* (→ Pénitence, cit. 11). ⇒ **Nuire** (se). — (1657). Par ext. *Cette compromission lui a fait beaucoup de tort. Défauts qui font plus de tort que de grands vices* (→ Délai, cit. 3).

12   (...) vous ne songez pas à réparer le tort qu'on vient de faire à la médecine ?   MOLIÈRE, l'Amour médecin, III, 2.

13   Si j'ai fait tort à quelqu'un, qu'il se présente et m'accuse hautement, je suis prêt à lui faire justice.   BEAUMARCHAIS, Mémoires sur l'affaire Goëzman, p. 121.

13.1   Il touche le corps couché et tout tordu, et le grand souffle qui bout de colère et de peur. « Jules ! Donc, Jules ! Ne te fais pas tort. Pense, dis-moi ... Je suis là (...) »   J. GIONO, le Grand Troupeau, I, PL., t. I, p. 570.

14   (...) je ne dis pas qu'un lord soit nécessairement ignorant, poltron, laid, bête et vieux ; je dis seulement qu'il peut être tout cela sans que cela lui fasse du tort.   HUGO, l'Homme qui rit, II, II, XI.

15   — Elle a raison, qu'est-ce que ça nous fiche ? reprit Jean de son air bonhomme, touché de la voir si bouleversée. Ça les regarde, ça ne fait du tort à personne.   ZOLA, la Terre, II, IV.

CONTR. Droit, raison. — Bienfait.
HOM. Taure, tore, tors ; formes du v. tordre.

TORTE [tɔʀt] adj. ⇒ 1. **Tors.**

TORTICOLIS [tɔʀtikɔli] n. m. — 1562 ; *tortycolly,* 1532, Rabelais, adj., « qui a le cou de travers », probablt création plaisante d'après un lat. fictif *tortum collum.*

♦ **1.** Torsion du cou avec inclinaison de la tête accompagnée de sensations douloureuses dans les muscles. *Le torticolis est un rhumatisme* (→ Douloureux, cit. 1). *Avoir, attraper, prendre un torticolis* (→ Neurasthénique, cit. 1). — (1873). Douleur, gêne provenant d'une position pénible du cou.

1   SŒUR CONSTANCE
Je me suis endormie sous la lucarne, et voilà maintenant que j'ai le torticolis.   BERNANOS, Dialogue des Carmélites, in Œ. roman. Pl., p. 1709.

Tout cela, épuisant à suivre, à déterminer du regard, engendrait une sorte effrayante et presque douloureuse de vertige, de torticolis et de mal de mer.   Émile HENRIOT, la Rose de Bratislava, III.   2

♦ **2.** Torcol (oiseau).

TORTIL [tɔʀti] n. m. — 1581 ; autre forme de *tortis*.

♦ **1.** Blason. Ruban, collier de perles qui s'enroule autour d'une couronne de baron*. Par ext. Cette couronne ; la baronnie.

Joris de Houten éleva une main aristocratique, où l'on voyait une bague avec un tortil de baron (...)   ARAGON, les Beaux Quartiers, II, VI.

♦ **2.** Bourrelet en torsade d'une tête de Maure.

TORTILLA [tɔʀtija] n. f. — 1891 à propos du Mexique (*in* D.D.L.) ; mot esp. du Mexique « galette » ; « omelette » en esp. d'Espagne, de *torta.* → Tourte.

♦ Galette plate de maïs, plat populaire au Mexique, servant aussi de support à la nourriture prise en plein air (→ Crêpe).

(...) nous étions dans la cour d'une auberge, un homme nous souriait poliment. Il dit des choses en espagnol (...) À dîner on nous a servi des tortillas qui collaient aux dents, des fèves violettes, un poulet osseux dont la sauce m'incendia la gorge.   S. DE BEAUVOIR, les Mandarins, p. 426.

TORTILLAGE [tɔʀtijaʒ] n. m. — 1677, Mᵐᵉ de Sévigné ; de *tortiller.*

♦ **1.** Vieilli, fam. « Façon tortueuse et embarrassée de s'exprimer » (Littré) ; style confus* (→ Amphigouri, cit. 2).

♦ **2.** (1812). Rare. Action de tortiller, de se tortiller ; aspect de ce qui est tortillé.

(...) le tortillage d'une vigne aux sarments maigres et noirs.   Ed. et J. DE GONCOURT, Journal, 1ᵉʳ déc. 1862, t. II, p. 59.

TORTILLANT, ANTE [tɔʀtijɑ̃, ɑ̃t] adj. — 1681 ; p. prés. de *tortiller.*

♦ Qui se tortille. — Blason. ⇒ 1. **Tortillard,** 1.

1. TORTILLARD, ARDE [tɔʀtijaʀ, aʀd] adj. — 1681 ; de *tortiller.*

♦ **1.** Blason. *Serpent tortillard,* qui s'enroule autour d'un objet. Syn. : *tortillant.*

♦ **2.** Adj. (1771). Régional. *Orme tortillard* ou *tortillart :* variété d'orme à fibres contournées.

♦ **3.** Fam. TORTILLARD, ARDE : qui se tortille, fait des lacets (d'une ligne, d'un chemin).

Odette fut priée de ne pas trop se distraire de la carte. Il ne fallait pas manquer la route tortillarde qui à Migennes prenait sur la droite et montait vers Chablis.   J. ROMAINS, les Hommes de bonne volonté, t. XXII, p. 292.

2. TORTILLARD [tɔʀtijaʀ] n. m. — Fin xIxᵉ ; de 1. *tortillard.*

♦ **1.** Vx. Petite voie de chemin de fer qui fait de nombreux détours (→ Module, cit. 2).

♦ **2.** Mod. Train d'intérêt local sur voie unique et étroite, qui va très lentement (→ Tacot, cit. 2, Proust). *L'ancien tortillard d'Enghien-Montmorency.*

(...) le fourgon de tortillard provincial, monté sur deux essieux qui louchent de se trouver si rapprochés.   J.-R. BLOCH, Cacaouettes et Bananes, p. 71.   1

Ça, c'est notre chemin de fer. C'est un tortillard, qu'on appelle. Ça doit vouloir dire « qui se grouille pas ». Il n'allait pas vite ! Un escargot y aurait tenu le pied !   H. BARBUSSE, le Feu, t. I, I, XII, p. 69.   2

TORTILLE [tɔʀtij] n. f. — 1835, Académie ; auparavant *tortillère,* 1437 ; de *tortiller.*

♦ Vx. Allée étroite et tortueuse dans un parc, un jardin. — REM. On disait aussi *tortillère* [tɔʀtijɛʀ] n. f. (1798).

TORTILLÉ, ÉE [tɔʀtije] adj. ⇒ **Tortiller.**

TORTILLEMENT [tɔʀtijmɑ̃] n. m. — 1547 ; de *tortiller.*

♦ **1.** Action de tortiller (1.). *Ce perpétuel tortillement d'un élastique entre ses doigts a le don de m'exaspérer.* — Aspect de ce qui est tortillé (→ ci-dessus Tortillage). *Le tortillement d'une cravate.*

♦ **2.** (1568). Action de tortiller (2.) ; mouvement de ce qui se tortille. *Tortillement de croupe du cheval*.* ⇒ **Balancement.** *Tortillement de hanches.*

♦ **3.** (1700). Fig., vx. Détours et subterfuges.

TORTILLER [tɔʀtije] v. — V. 1400, attestation isolée ; *tortoillier*, 1220 ; d'un lat. pop. **tortiliare*, dér. de *tortilis* « enroulé », ou de **intortiliare*. → **Entortiller.**

★ **I.** V. tr. ♦ **1.** Tordre à plusieurs tours (une chose souple). *Tortiller des fibres.* ⇒ **Cordeler.** *Tortiller ses cheveux, ses moustaches. Tortiller son mouchoir par nervosité.* — Par ext. Tordre (à plusieurs reprises). *Tortiller l'oreille, les doigts de pied de qqn ; se tortiller les doigts* (→ Pomme, cit. 13).

1   Je restai debout au milieu de la pièce, en tortillant mon chapeau entre mes doigts.
                        Alphonse DAUDET, *le Petit Chose*, I, v.

2   — Flaubert nous dit que lorsqu'il était enfant, il s'enfonçait tellement dans ses lectures, se mordillant la langue et en se tortillant une mèche de cheveux avec les doigts (...)   Ed. et J. DE GONCOURT, *Journal*, 4 janv. 1863, t. II, p. 64.

2.1   L'enfant n'avait pas levé les yeux, mais se sentant observé, il tortillait avec ses deux mains un pli de son tablier noir d'écolier.
                    M. AYMÉ, *le Passe-muraille*, p. 128.

♦ **2.** (Déb. XVIIᵉ). Tourner de côté et d'autre, remuer* en ondulant. Fig. *Tortiller sa pensée,* lui faire prendre des détours* compliqués.

♦ **3.** (Déb. XIXᵉ). Fam. Manger complètement et rapidement. *Tortiller un plat. Le rôti a été vite tortillé.* — Vaincre rapidement (qqn). *Il s'est fait tortiller en deux rounds.* — Par ext. Faire, enlever rapidement.

3   (...) elle raconta l'agonie de madame Bijard, sa laveuse, morte le matin, après d'épouvantables douleurs. — Ça venait d'un coup de pied (...) en trois jours, elle a été tortillée (...)   ZOLA, *l'Assommoir*, VIII, t. II, p. 26.

★ **II.** V. intr. ♦ **1.** (1640). Se remuer en ondulant. *Tortiller des hanches* (cit. 6), *de la croupe*.* ⇒ **Balancer** (se), **déhancher** (se).

♦ **2.** (1756, *in* D. D. L.). Fig. *Il n'y a pas à tortiller,* à prendre des détours, faire des histoires, hésiter* (cf. Tourner autour du pot).

4   Il lui faut son argent demain, il n'y a pas à tortiller (...)
                BALZAC, *le Cousin Pons*, Pl., t. VI, p. 715.

Loc. fam. *Il n'y a pas (y a pas) à tortiller du cul pour chier droit.*

▶ **SE TORTILLER** v. pron. (1872).
Se tordre avec des mouvements rapides ou répétés, se tourner de côté et d'autre sur soi-même. *Se tortiller comme un ver, un serpent* (→ aussi Remords, cit. 5). ⇒ **Replier** (se). *Le feu follet se tortillait* (→ Conjuration, cit. 9). — Par ext. (Choses). Avoir une forme tourmentée. *Dessins onduleux* (cit. 1) *qui se tortillent comme des fumées de cigare.*

5   Les balcons, les grilles, les frises, rien n'est droit, tout se tortille, se contourne, s'épanouit en fleurons, en volutes, en chicorées.
              Th. GAUTIER, *Voyage en Espagne*, p. 229.

6   Il se tortillait comme une anguille (...) mais je l'avais bien bâillonné, il ne pouvait pas crier.   MAUPASSANT, *l'Inutile Beauté*, « Champ d'oliviers », III.

(XXᵉ). Fig. *Se tortiller pour (faire qqch.)* : faire des efforts embarrassés et pénibles pour... *Se tortiller à...*

7   Quand je vois que nos artistes se tortillent à chercher du nouveau et de l'inouï, je me permets de rire.   ALAIN, *Propos*, 21 mai 1921, Artisans et artistes.

▶ **TORTILLÉ, ÉE** p. p. adj.
Tordu plusieurs fois. *Plusieurs de ces cordons tortillés ensemble* (→ Corde, cit. 3). *Draps tortillés en bouchons* (cit. 1). *Cravate tortillée comme une corde*.* *Moustache tortillée au petit fer* (⇒ **Frisé**).

8   (...) c'est elle que je vois, entière, avec ses jambes et son doux ventre et ses deux seins pleins que le corsage tenait, et sa belle tête aux tresses tortillées.
          J. GIONO, *Un de Beaumugnes*, Pl., t. I, p. 225.

COMP. et CONTR. **Détortiller.**
DÉR. **Tortillage, tortillard, tortille, tortillement, tortillère, tortilleur, tortillis, tortillon.**

TORTILLÈRE [tɔʀtijɛʀ] n. f. ⇒ **Tortille.**

TORTILLEUR [tɔʀtijœʀ] n. m. — D. i. (XXᵉ) ; *tortilleuse*, au fig., 1680, Mᵐᵉ de Sévigné ; de *tortiller.*

♦ **1.** Vx. Ouvrier qui enroule les lames de rotin sur les parties des meubles à habiller.

♦ **2.** (*Journ. off.,* 12 août 1976). Techn. Véhicule dont le châssis articulé est constitué de deux ou plusieurs éléments attelés par un ou des joints à trois degrés de liberté.

TORTILLIS [tɔʀtiji] n. m. — 1694 ; « bonbon tortillé », 1647, vieux.

♦ Archit. Sculpture vermiculée dans un bossage*.

TORTILLON [tɔʀtijɔ̃] n. m. — 1402 ; de *tortiller.*

★ **I.** ♦ **1.** Chose tortillée. *Un tortillon de tissu, de papier, de fils. Tortillon de cheveux enroulés en chignon*.*

(...) Mathias ouvrit le sac de cellophane et prit un bonbon au hasard. Celui-ci était enveloppé d'un papier bleu. Toujours d'une seule main, il défit le tortillon, mit le bonbon dans sa bouche (...)   A. ROBBE-GRILLET, *le Voyeur*, p. 164.

♦ **2.** (1581). Vx. Linge tortillé en bourrelet* qu'on met sur sa tête comme coiffure ou pour porter un fardeau (⇒ **Torche**, 1.).

♦ **3.** (1877). Petit fuseau de papier enroulé en spirale, qui sert à estomper.

★ **II.** (1876 ; altér. possible de *tourtillon*, dér. de *tourte*). Gâteau sec en forme de cercle et présentant des torsions (→ Bretzel).
DÉR. **Tortillonner.**

TORTILLONNER [tɔʀtijɔne] v. tr. — XVIᵉ ; de *tortillon.*

♦ **1.** Rare. Donner (à qqch.) la forme d'un tortillon.

♦ **2.** (1677, Mᵐᵉ de Sévigné). Présenter avec des détours, de façon affectée. — Au p. p. *Des explications tortillonnées.* — REM. On a employé dans ce sens le dér. *tortillonnage* [tɔʀtijɔnaʒ], n. m.

TORTIONNAIRE [tɔʀsjɔnɛʀ] adj. et n. — 1412, adj. ; dér. sav. du lat. médiéval *tortionarius* « injuste », de *tortionare* « tourmenter », latinisation de l'anc. franç. *torçonier,* de *torsio* « torsion », et fig. « torture ».

♦ **1.** Dr. Vx. Qui est inique, violent, tourmente les gens. *« Une loi (...) tortionnaire et tyrannique »* (Voltaire).

1   Louis XI appelait familièrement maître Cornélius de ce vieux nom *(torçonnier)* qui, sous le règne de Saint Louis, signifiait un usurier, un collecteur d'impôts, un homme qui pressurait le monde par des moyens violents. L'épithète *tortionnaire,* restée au Palais, explique assez bien le mot *torçonnier* qui se trouve souvent écrit *tortionneur.*   BALZAC, *Maître Cornélius*, Pl., t. IX, p. 912.

2   Aucune plainte ne s'éleva de ce tas d'hommes bafoués, houspillés, piétinés, rossés avec une férocité inouïe et une autorité tortionnaire de vendeur d'esclaves.
              Léon BLOY, *le Désespéré*, p. 217.

♦ **2.** Qui torture, donne la torture (rare en emploi adjectif). *Appareil tortionnaire.*

🅰 N. m. (XIXᵉ). Celui qui torture les condamnés (dans les époques où l'on infligeait légalement des peines corporelles). ⇒ **Bourreau.** *Les tortionnaires de l'Inquisition.*

🅱 N. (XIXᵉ). Personne qui fait subir des tortures à ses semblables, notamment pour leur arracher des aveux. *Les tortionnaires des résistants* (cit. 3). ⇒ **Tortureur.** Adj. *Militaires, policiers tortionnaires.*

3   Il guettait sur sa figure les intermittences de repos, et avec des ruses de tortionnaire, réveillait par un seul mot la douleur un instant calmée.
          MAUPASSANT, *Pierre et Jean*, VI (1888).

4   Il était de la race qui fournit aux casernes les adjudants corrects et tortionnaires.
       J. ROMAINS, *les Hommes de bonne volonté*, t. X, II, p. 24.

5   Peu de temps après, ces journaux rappelleront les massacres hitlériens, les jeux que d'autres appellent sadiques, d'une police qui recrutait ses tortionnaires parmi les Français. Des photographies montrent encore des cadavres dépecés, mutilés, et des villages en ruine, Oradour et Montsauche, incendiés par les soldats allemands.
         Jean GENET, *Pompes funèbres*, p. 9.

DÉR. **Tortionnairement, tortionner.**

TORTIONNAIREMENT [tɔʀsjɔnɛʀmɑ̃] adv. — XVᵉ ; de *tortionnaire.*

♦ Rare. D'une manière tortionnaire (1.). *« Famille innocente, tortionnairement et abusivement jugée »* (Voltaire, *l'Affaire Calas*).

TORTIONNER [tɔʀsjɔne] v. tr. — 1583 ; de *tortionn(aire).*

♦ Rare. Infliger des tourments à... ⇒ **Torturer.** — Par ext. Représenter comme un corps torturé.

Ce mort, Louis de Brézé, est plus vrai, plus terrible, plus fait de chair inanimée, convulsée encore par l'agonie, que tous les cadavres tourmentés qu'on tortionne aujourd'hui sur les tombes.   MAUPASSANT, *les Tombolas*, Pl., t. II, p. 1240.

TORTIS [tɔʀti] n. m. — 1740 ; « couronne de fleurs, de feuillage », XVIᵉ ; adj., « tordu », et, n. m., « torche », XIIᵉ ; d'un lat. pop. **torticium,* dér. de *tortum,* supin de *torquere* « tordre ». → Tortil.

♦ Vx. Assemblage de plusieurs fils tordus ensemble. *Tortis de chanvre.* ⇒ **Corde.**

TORTOIR [tɔʀtwaʀ] n. m. — 1380 ; d'un lat. pop. *tortorium,* de *tortum,* supin de *torquere* « tordre ».

♦ Techn. Bâton servant à tordre une corde déjà tendue. ⇒ **Tordoir**, 2.

TORTORE [tɔʀtɔʀ] n. f. — 1878 ; de *tortorer.*

♦ Pop. Nourriture cuisinée. ⇒ **Bouffe.**

Le neveu me propose la tortore. Justement le gargotier sonne le repas (...) J'accepte de bon cœur.   SAN-ANTONIO, *Des gueules d'enterrement*, p. 92.

TORTORER [tɔʀtɔʀe] v. tr. — 1866 ; du provençal *tourtoura* « tordre ». → Tortiller.

♦ Pop. Manger.

> Nous avons pu dépenser peu de ronds, grâce à notre reconnaissance de lieux où on tortore aussi magnifiquement bon marché que chez Polydore. Pour quatre ronds, c'est une assiettée de frites et de poissons haute comme ça, chez le ci-devant Dupont, Français anglomanisé.
> Germain NOUVEAU, Lettre à J. Richepin, 26 mars 1874, Pl., p. 817.

DÉR. Tortore.

TORTOUSE [tɔʀtuz] ou **TOURTOUSE** [tuʀtuz] n. f. — 1527 ; mot méridional, proprt « tordue ».

♦ Argot, vieilli. Cordage, corde.

> Cette corde tomba à leurs pieds.
> — Une veuve[1], dit Babet. — Ma tortouse[2] ! dit Brujon.
> HUGO, les Misérables, IV, VI, III.
> Notes de Hugo : 1. Une corde, argot du Temple. 2. Ma corde, argot des barrières.

TORTRICIDÉS [tɔʀtʀiside] n. m. pl. — Déb. xxe ; *tortricides*, 1875, P. Larousse ; de *tortrice* (vx), du lat. zool. *tortrix* « tordeuse ».

♦ Zool. Famille d'insectes lépidoptères *(Microlépidoptères)* comprenant des papillons aux ailes antérieures presque quadrangulaires, et dont certaines chenilles (⇒ **Tordeuse**) vivent dans des feuilles qu'elles roulent en étui. *La pyrale de la vigne, des pommes, la teigne de la grappe sont des tortricidés. — Au sing. Un tortricidé.*

TORTU, UE [tɔʀty] adj. — V. 1230 ; dér. de *tort*, anc. p. p. de *tordre**.

♦ **1.** Vieilli ou littér. Qui présente l'aspect d'une chose tordue*, qui est courbe ou contourné au lieu d'être droit. ⇒ **Tordu, tors.** *Bois tortu de la vigne, de l'olivier.* Prov. *Le bois* tortu fait le feu droit. — Câble difforme et tortu des lianes de glycine* (1. Glycine, cit.). *Nez tortu, de travers*. Jambes tortues.* ⇒ **Arqué, circonflexe, croche ; bancal, bancroche.**

[1] Sous un sourcil épais il avait l'œil caché,
Le regard de travers, nez tortu, grosse lèvre (...) LA FONTAINE, Fables, XI, 7.
[2] (...) le chemin du Nord sur un chemin tortu, bossu, qui fait un coude considérable avant de parvenir à Creil (...) NERVAL, les Nuits d'octobre, XXII.

Adv. (Vx). *Aller* (cit. 21) *tortu*, de travers.

♦ **2.** (1564). Fig., littér. Qui manque de justesse, de jugement. *Esprit tortu. Raisonnement tortu.* ⇒ **Faux.** — Qui agit de façon détournée. ⇒ **Retors, tortueux.** *Un lovelace tortu et batailleur* (→ Mugueter, cit.).

[3] Il faut être bien tristement né, bien ennemi de la nature, bien aveugle et d'esprit tortu, pour prononcer, contre Dieu même que ce charmant organisme et cette tendresse de cœur ne la vouent qu'à l'isolement.
MICHELET, la Femme, I, VI.

CONTR. Droit.
HOM. Tortue.

TORTUE [tɔʀty] n. f. — V. 1190 ; provençal *tartuga*, du lat. pop. *tartaruca*, fém. de l'adj. bas lat. *tartarucus*, lat. class. *tartareus* « qui appartient au *Tartare*, à l'enfer » ; le passage de *tar-* à *tor-* s'explique par l'infl. de la famille de *tordre* (*tortu*, adjectif).

♦ **1.** Animal (reptile) amphibie (→ Bièvre, cit.), à quatre pattes courtes, au corps enfermé dans une carapace (cit. 3) sous laquelle la tête peut rentrer (ordre des chéloniens*, genre *testudo*). *La carapace des tortues est bombée sur le dessus et formée de plaques cornées* (⇒ **Écaille**, 3.), *soudée aux vertèbres et à la face ventrale* (⇒ **Plastron**). *Bec corné des tortues. Tortues terrestres : tortue grecque, tortue mauritanique, tortue d'Amérique du Sud,* qu'on peut apprivoiser dans les jardins. *Tortue géante ou éléphantine. Tortues fluviales,* ou *d'eau douce* (⇒ **Cistude, émyde, trionyx**). — *Tortue franche. Tortue verte. Tortues marines.* ⇒ **Caouane, caret.** — *Bouillon, potage, soupe de tortue,* avec les nageoires de la tortue aquatique. *Œufs de tortue marine* (→ Prestigieux, cit. 1). *Tortue qui territ*. — Le lièvre et la tortue,* fable de La Fontaine (→ Reste, cit. 5). *La Tortue fantaisie,* de Lewis Carrol.

[1] On la trouve principalement (...) dans le groupe d'îles appelées les *Galapagos,* qui, dans le fait, tirent leur nom de l'animal, — le mot espagnol *galapago* signifiant tortue d'eau douce. Sa forme particulière et son allure lui font donner quelquefois le nom de tortue-éléphant. On en trouve souvent qui sont d'une grosseur énorme... Leur démarche est très lente, mesurée, lourde, le corps s'élevant à peu près à un pied du sol. Le cou est long et excessivement grêle (...) La tête a une ressemblance frappante avec celle du serpent.
BAUDELAIRE, Trad. E. POE, les Aventures d'A. Gordon Pym, XII.
[1.1] Dans l'archipel des Galapagos, il existe de grandes Tortues, qui appartiennent à des espèces différentes suivant l'île qu'elles habitent : chaque île, pour ainsi dire, a sa Tortue. N'était-il pas clair (...) que tout ce groupe d'animaux avait une commune origine, et que la différenciation de chaque espèce avait suivi son isolement dans l'île ?
Jean ROSTAND, Esquisse d'une histoire de la biologie, p. 147.
N.B. L'emploi de la majuscule correspond aux habitudes du langage zoologique.

Par ext. Chélonien d'un autre genre que les *vraies tortues. Fausse tortue. Tortue luth,* à carapace sans plaques et non soudée au corps. ⇒ **Luth** (II.).

(1680). Par compar. *Marcher d'un pas de tortue, avancer comme une tortue,* très lentement. ⇒ **Lent.** *Lenteur* (cit. 3 et 7) *de tortue.* Fig. *Quelle tortue, une vraie tortue !,* se dit d'une personne très lente. — *Un cou de tortue,* ridé et à peau flasque.

[1.2] *Samedi 22 novembre.* — Très peu de vent, je marche comme une tortue ; à ce train-là, il me faudra au moins huit jours encore.
A. BOMBARD, Naufragé volontaire, p. 215.
[2] La femme était petite, âgée, et deux pendeloques d'or tombaient des oreilles sur son cou de tortue. MARTIN DU GARD, les Thibault, t. I, p. 109.

♦ **2.** (1680). Par anal. avec la carapace protectrice. Sorte de toit que les soldats romains formaient avec leurs boucliers levés, afin de s'abriter des jets des assiégés. ⇒ **Synaspisme.** — Formation d'animaux (oiseaux, notamment) serrés pour se protéger. « *Durant cette longue période d'incubation dans de sévères conditions, les Manchots empereurs sont serrés les uns contre les autres en formations denses d'environ dix oiseaux au mètre carré, formations appelées tortues par analogie avec celles des soldats romains se regroupant avec leurs boucliers. Ces tortues peuvent se former non seulement parce qu'il n'y a pas de nid chez le Manchot empereur mais aussi parce qu'il n'y a pas de territoire* » (*le Courrier du C.N.R.S.,* mars 1983, p. 16).

(V. 1560). Machine de guerre couverte, pour s'approcher des remparts d'une ville assiégée.

Mar. Abri en bois protégeant l'homme de barre.

[3] Quand le soleil déclinait à l'avant du bateau, ils allaient s'asseoir (...) près de la tortue (...) On y voit se former la route mélancolique de l'hélice, ce bouillonnement marbré qui est déjà le passé d'un navire.
Albert T'SERSTEVENS, l'Or du « Cristobal », p. 168.

(1858). Techn., vx. Forme plate où l'on plaçait les caractères d'imprimerie.

HOM. Tortu.

TORTUEUSEMENT [tɔʀtɥøzmɑ̃] adv. — 1361 ; de *tortueux.*

♦ D'une manière tortueuse.

TORTUEUX, EUSE [tɔʀtɥø, øz] adj. — 1314 ; *tortuous,* fin xiie ; lat. *tortuosus,* de *tortus,* de *torquere* « tordre ».

♦ **1.** Qui fait des tours et des détours, présente des courbes irrégulières. ⇒ **Anfractueux, sinueux.** *Rues, routes tortueuses* (→ Chemin, cit. 26), *chemin tortueux. Ruisseau tortueux et encaissé* (cit. 5). ⇒ **Serpenter.** *Galeries tortueuses des souks* (cit.) ; *labyrinthe* (cit. 7) *de ruelles tortueuses ; tortueux dédale*ṣ (cit. 2). ⇒ **Inextricable.** *Escalier tortueux.* « *Sa croupe se recourbe en replis tortueux* » (→ Monstre, cit. 5). *Le serpenteau, le zigzag, signe tortueux.*

[1] La rue du Tourniquet-Saint-Jean, naguère une des rues les plus tortueuses et les plus obscures du vieux quartier qui entoure l'Hôtel de Ville, serpentait le long des petits jardins de la Préfecture de Paris.
BALZAC, Une double famille, Pl., t. I, p. 925.
[2] Un bruit de pas pressés emplissait le vaste bâtiment tortueux comme un labyrinthe et que sillonnaient d'inextricables couloirs, percés par d'innombrables portes donnant accès dans les bureaux. MAUPASSANT, l'Héritage, I, Pl., t. II, p. 3.

Par métaphore :

[3] Votre voix m'enlaçait comme une chère étreinte,
Et votre cœur brûlait si tranquillement beau
Qu'en ce moment, j'aurais pu voir s'ouvrir sans crainte
Les tortueux chemins qui vont vers le tombeau.
VERHAEREN, les Forces tumultueuses, « Les heures d'après-midi ».

♦ **2.** (Mil. xvie). Fig. Qui est plein de détours, ne se manifeste pas franchement. *Langage tortueux.* ⇒ **Hypocrite, oblique.** *Artifices tortueux de la dialectique* (cit. 4). *Sa vie devenait tortueuse, il lui fallait ruser* (cit. 1).

CONTR. Droit. — Direct, franc, net.
DÉR. Tortueusement. — V. Tortuosité.

TORTUOSITÉ [tɔʀtɥozite] n. f. — 1314 ; du bas lat. *tortuositas* ou dér. sav. de *tortueux.*

Rare.

♦ **1.** Forme, caractère de ce qui est tortueux.

♦ **2.** Par ext. Détour. *Des tortuosités.*

TORTURANT, ANTE [tɔʀtyʀɑ̃, ɑ̃t] adj. — 1480, attestation isolée ; 1845 ; de *torturer.*

♦ Qui torture (2.), en parlant des choses. *Un remords torturant.* ⇒ **Crucifiant.** *Pensée, vision torturante* (→ Inavoué, cit. 1 ; rapport, cit. 22).

> (...) il n'y a point de passion qui persiste très longtemps, je veux dire de passion brûlante, torturante, comme celle dont vous souffrez encore.
> MAUPASSANT, Notre cœur, III, III.

TORTURE [tɔʀtyʀ] n. f. — V. 1190 ; du bas lat. *tortura,* proprt « action de tordre », du lat. class. *tortum,* supin de *torquere* « tordre ».

♦ **1.** (1459). Anciennt. Peine grave, punition corporelle pouvant entraîner la mort, autrefois infligée par la justice. ⇒ **Supplice** (1.). *Faire périr qqn dans les tortures* (→ Payer, cit. 40). *La torture et l'exil* (→ Silence, cit. 1). *Le martyre** (cit. 4), *torture qui sacre.*
Souffrance physique intense infligée pour arracher des aveux. ⇒ **Gêne, question, tourment.** *Infliger* (cit. 1) *la torture à qqn. Mettre qqn à la torture* (→ Intolérant, cit. 4). *Instruments, chambre de torture. Bourreau** qui applique la torture.* ⇒ **Tortionnaire.** *Les tortures de l'Inquisition.*

1   (...) les juges d'Abbeville (...) ordonnèrent, non seulement qu'on lui arrachât la langue, qu'on lui coupât la main, et qu'on brûlât son corps à petit feu; mais ils l'appliquèrent encore à la torture pour savoir précisément (...) combien de processions il avait vues passer, le chapeau sur la tête.
                    VOLTAIRE, Dict. philosophique, art. *Torture.*

2   Les chambres de torture étaient d'âpres demeures;
On n'y passait jamais plus de quatre ou cinq heures (...)
                 HUGO, la Légende des siècles, XXIX, Mansuétude des anc. juges.

3   (...) je me suis senti froid dans le dos, devant toutes ces inventions de souffrance, devant tous ces instruments de torture, avec lesquels l'homme, pendant des siècles, férocisa la mort. Et mes yeux cherchaient, malgré moi, dans cette ferronnerie cruelle, la rouille qui fut autrefois du sang.
                   Ed. et J. DE GONCOURT, Journal, 3 sept. 1872, t. V, p. 57.

3.1   Un peuple qui ferme les yeux sur certains abus pratiqués chez lui n'est pas digne d'effacer de ses lois la torture suprême qu'est la peine de mort, la seule torture qui ne soit pas vile, la seule dont le bourreau ne se déshonore pas.
                   F. MAURIAC, le Nouveau Bloc-notes 1958-1960, p. 21.

(1580). Mod. Violence faite à quelqu'un pour lui faire avouer ce qu'il refuse de révéler, par laquelle on lui inflige des souffrances physiques telles qu'il soit réduit à céder pour les faire cesser. *Employer des tortures, commettre des actes de barbarie...* (→ Assassinat, cit. 4). *Subir, supporter des tortures; mourir des suites de tortures. Raffinement de cruauté dans les tortures. La torture est illégale. Pays, régimes qui emploient la torture au mépris des droits de l'homme.*

4   Quant à la torture, elle est née de la partie infâme du cœur de l'homme, assoiffé de voluptés. Cruauté et volupté, sensations identiques (...)
                   BAUDELAIRE, Journaux intimes, « Mon cœur mis à nu », XXI.

5   (...) la torture est d'abord une entreprise d'avilissement : quelles que soient les souffrances endurées, c'est la victime qui décide en dernier recours du moment où elles sont insupportables et où il faut parler (...)
                   SARTRE, Situations II, p. 247.

6   L'usage de la torture dans les interrogatoires policiers ou politiques (je n'y vois pas de différence fondamentale) est une sorte de crime métaphysique car cela consiste à soumettre l'âme aux dimensions du corps (...) Il me semble qu'un homme qui a cédé à la torture doit en éprouver une honte inguérissable; il a vu se rapetisser son âme.   J. DUTOURD, le Fond et la Forme, I, La torture, p. 265.

♦ **2.** Loc. fig. *Instruments de torture,* se dit d'instruments, d'objets qui font souffrir (→ Punching-ball, cit. 2). *Les instruments de torture du dentiste.*
(1647). **METTRE À LA TORTURE.** *Mettre qqn à la torture, le mettre au supplice**, l'embarrasser ou le faire griller d'impatience** (→ Mollesse, cit. 2; nuit, cit. 17). — (1690). *Mettre son esprit à la torture :* se creuser l'esprit, faire des efforts pénibles en cherchant ce qu'on a oublié.

7   (...) cela me mit l'esprit et les nerfs à la torture, si parfois cela contente un peu mon cœur.   GIDE, Journal, 6 juil. 1914.

♦ **3.** Souffrance physique ou morale intolérable (→ Interrogatoire, cit. 2). ⇒ **Martyre; mal, peine, souffrance, tourment.** *Les tortures du corps* (→ Inapaisable, cit.). *Souffrir d'atroces tortures* (→ Pendaison, cit.), *toutes les tortures* (→ 2. Souvenir, cit.). ⇒ **Douleur.** *Les tortures de l'enfer, de la géhenne. Le remords* (cit. 7) *est une torture. Les tortures de l'absence* (→ Cruellement, cit. 2), *de l'angoisse, de la jalousie* (→ Curiosité, cit. 17). — Par ext. *Ce lui* (cit. 9) *était une torture de travailler.* ⇒ **Pénible.**

DÉR. **Torturer.**

TORTURER [tɔʀtyʀe] v. tr. — 1480; de *torture.*

♦ **1.** Infliger la torture (1.) à (qqn). *Torturer un condamné.* ⇒ **Supplicier.** *Torturer en donnant la question**.* ⇒ **Gêner** (vx). — Mod. Faire subir des tortures à (qqn). *Prisonniers à la veille d'être torturés* (→ Extrême, cit. 9). *Torturer par des coups, des arrachements, des torsions, des brûlures; par l'électricité, l'eau...* (⇒ **Tortionnaire**).

1   On n'entendait que les fouets, les cris de la torture; l'esclave fidèle était torturé contre son maître, la femme contre son mari, le fils contre son père; et, faute de témoignage, on les torturait pour déposer contre eux-mêmes; et quand ils cédaient, vaincus par la douleur, on écrivait ce qu'ils n'avaient pas dit.
                   MICHELET, Hist. de France, I, III.

2   (...) quand ils recommenceront l'interrogatoire, révélez-leur cette cachette (...) Alors je pense qu'ils n'auront plus de raison de vous torturer et qu'ils en finiront vite avec vous.   SARTRE, Morts sans sépulture, III, 2.

♦ **2.** Faire beaucoup souffrir** (au physique et au moral). — (Sujet n. de personne). ⇒ **Martyriser.** *Père indigne qui torture ses enfants.* — *Torturer qqn de ses questions* (→ Inextinguible, cit. 6), *par des allusions incompréhensibles* (→ Gril, cit. 5).

3   Elle avait infiniment d'esprit, et cet esprit triomphait dans l'art de torturer les amours-propres et de leur infliger des blessures cruelles.
                   STENDHAL, le Rouge et le Noir, II, XX.

(Sujet n. de chose). *La toux qui torture un malade* (→ Expectorer,

cit. 1). *Être torturé par la faim* (→ Insondable, cit. 2). — *La jalousie, le doute le torturait.* ⇒ **Agiter** (cit. 27), **tenailler, tourmenter** (→ Continuer, cit. 3). *Pensée, question qui torture qqn* (→ Atteindre, cit. 15; macération, cit. 1; ronger, cit. 7). Par ext. *L'angoisse* (cit. 13) *de la mort à torturé son enfance.*

4   C'est cette idée fixe qui revenait sans cesse, qui le torturait, qui lui mordait la cervelle et lui déchiquetait les entrailles.   HUGO, Notre-Dame de Paris, IX, I.

5   Il souffrait moins du froid, la faim surtout le torturait, il allait pour sûr mourir de faim. Encore une nuit, encore un jour, peut-être.   ZOLA, la Terre, V, II.

♦ **3.** (Fig. avec un retour au sens étym. de « tordre »). Faire grimacer. *La joie et la douleur ont torturé ses traits* (→ Grimer, cit. 1). ⇒ **Ravager.** — Au p. p. *Visage torturé, crucifié* (→ Paisible, cit. 4). — Manipuler en tordant (qqch.). *Torturant les franges* (cit. 2) *de son châle.*

5.1   Une bourrasque qui suivit l'orage et qui est passée. Les blés mûrs et houleux, torturés par les averses de la journée, sont immobiles.
                   M. DURAS, Dix heures et demie du soir en été, p. 103.

(1798). *Torturer son style,* le plier à des formes peu naturelles. ⇒ **Alambiquer.** *Torturer un texte,* l'altérer en le transformant sans respecter la forme, ou le sens. ⇒ **Défigurer, dénaturer, forcer, interpréter, violenter.**

▶ **SE TORTURER** v. pron.

♦ **1.** (Réfl.). Se faire souffrir, physiquement ou moralement, se martyriser. *Être porté à se torturer* (→ Célibataire, cit. 2). — (1797). Se creuser l'esprit, chercher avec effort (→ Gouvernement, cit. 24). *Se torturer l'imagination. Se torturer le cerveau pour trouver du nouveau* (→ Pondre, cit. 6).

6   L'intelligence n'épargne rien. Elle porte la guerre dans toute la contrée; puis, restée seule, elle se met à la question; et, dans la citadelle où elle s'enferme, elle passe le temps à se torturer.   André SUARÈS, Trois hommes, « Ibsen », VII.

♦ **2.** (Récipr.). Se faire mutuellement souffrir. *Ils se torturaient jusque dans leurs caresses* (→ Perquisition, cit. 7).

DÉR. **Torturant, tortureur.**

TORTUREUR, EUSE [tɔʀtyʀœʀ, ɸz] n. — 1863, Goncourt, *Journal,* 19 juin 1863; de *torturer.*

♦ Rare. Personne qui torture. ⇒ **Tortionnaire.** *Le tortureur et le torturé.*

1   Contre qui les lords s'indignaient-ils? Contre le tortureur? Non. Contre le torturé.
                   HUGO, l'Homme qui rit, II, IX, II.

2   Vient un instant où tortureur et torturé sont d'accord : celui-là parce qu'il a, en une seule victime, assouvi symboliquement sa haine de l'humanité entière, celui-ci parce qu'il ne peut supporter sa faute qu'en la poussant à l'extrême et qu'il ne peut endurer la haine qu'il se porte qu'en haïssant tous les autres hommes avec lui.   SARTRE, Situations II, p. 247.

TORULEUX, EUSE [tɔʀylɸ, ɸz] adj. — 1803; dér. sav. du lat. *torulus* « petit bourrelet », dimin. de *torus* « protubérance ».

♦ Bot. Se dit d'organes oblongs qui présentent à intervalles réguliers des sortes de bourrelets. *Les siliques toruleuses de la moutarde blanche.*

TORVE [tɔʀv] adj. — 1532, « louche »; *torvain* en anc. franç.; repris 1846; lat. *torvus.*

♦ **1.** (En parlant de l'œil). Qui regarde de travers, dont le regard est oblique, menaçant. ⇒ **Louche.**
(...) ses yeux torves roulaient des lueurs fauves sous des cheveux en broussailles.
                   FRANCE, l'Île des pingouins, II, IX.
Regard torve, oblique et plus ou moins sournois*.

♦ **2.** Littér. Oblique, placé de travers. *Branche, racine torve.* « Ces lèvres torves, ces yeux fuyants » (Giraudoux, in G. L. L. F.).

TORY [tɔʀi] n. m. — 1704, in Höfler; mot angl., de l'irlandais *toraidhe,* proprt « poursuivant », rebelle faisant la guerila aux troupes anglaises, qui prit en angl. le sens injurieux de « bandit, criminel »; appliqué ensuite aux adversaires du bill d'exclusion du trône, voté contre le catholique duc d'York (1680), et enfin aux partisans de l'autorité royale, groupés au Parlement en parti politique (1689).

♦ Hist. En Angleterre, Membre du parti conservateur. *Les tories* (on écrivait *torys,* au XVIIIᵉ s.). — Adj. *Parti, ministère tory.*
Les tories, c'est-à-dire approximativement les conservateurs, arrivèrent au pouvoir et le parti tory nous était moins défavorable que le whig, c'est-à-dire les libéraux.   J. BAINVILLE, Hist. de France, XIII, p. 248.

DÉR. **Torysme.**

TORYSME [tɔʀism] n. m. — 1727; *torisme,* 1717; de *tory.*

♦ Didact. (hist.). Système, mouvement politique conservateur des tories.
(...) le grand système du torysme anglais était trop immense pour les petites têtes; et son importation demandait trop de temps aux Français (...)
                   BALZAC, la Duchesse de Langeais, Pl., t. V, p. 150.

TOSCAN, ANE [tɔskã, an] adj. et n. m. — 1540, *in* D. D. L. ; ital. *toscano*, du lat. *tuscanus* «étrusque, toscan».

♦ De la Toscane. *La campagne toscane. La civilisation toscane.* Spécialt. [a] (1690). Archit. *Ordre toscan*, ou, ellipt., *le toscan* : un des cinq ordres de l'architecture classique, que les Romains auraient emprunté aux Étrusques, mais qui semble plutôt une forme simplifiée du dorique grec. *Basilique de style toscan* (→ Incrustation, cit. 1). *Toscan rustique* (palais Pitti, à Florence ; palais du Luxembourg, à Paris) : toscan modifié, caractérisé notamment par des bossages, des vermiculations.

[b] (1579). *Langue toscane. Dialecte toscan.* — N. m. (Av. 1798, cit.). *Le toscan* : dialecte du groupe italien, parlé à Florence et dans la Toscane, qui est devenu la base de l'italien.

Cet homme, qui parlait le toscan dans la plus grande pureté, me plaît.
CASANOVA, Histoire de ma vie, t. 9, ch. 7, *in* D. D. L., II, 22.

TOSS [tɔs] n. m. — 1910 ; mot angl., de *to toss* «lancer en l'air», d'où «jouer à pile ou face».

♦ Anglic. Sports. Tirage au sort (du côté du jeu, ou de la mise en jeu) au rugby, au tennis.

(...) les deux capitaines, Marconnot et Adrien Delatouche, tiraient à pile ou face sous l'œil de l'arbitre. Après avoir gagné ce jeu rigolo qui s'appelle le «toss», Marconnot décréta que le C. M. Haut-Médoc resterait où il se trouvait, à gauche de la tribune présidentielle (...)
René FALLET, le Triporteur, p. 367.

TOSSER [tɔse] v. — D. i. ; orig. incert., p.-ê. de l'angl. *to toss.*

♦ **1.** V. intr. Mar. (D'un bateau). Cogner fortement et de manière répétée, sous l'effet du ressac (→ Caisson, cit. 1.1). *Tosser sur, contre qqch. Le clapot fait tosser les bateaux contre le quai. Installer des défenses pour empêcher le bateau de tosser.* «*On peut suspendre le coffre* (le flotteur du mouillage) *à l'étrave* (...) *pour éviter que le bateau ne tosse dessus*» (*Nouveau Cours de navigation des Glénans*, p. 335). — *Bateau qui tosse à la lame*, qui heurte brutalement les vagues en avançant.

♦ **2.** V. tr. Régional (Bretagne). *Bateau mal amarré, qui tosse le quai.* — (Hors du contexte maritime). Frapper, heurter. *Tosser ses sabots contre le mur pour faire tomber la boue. Tosser les verres pour trinquer.*

TÔT [to] adv. — Fin IXe ; *tost*, jusqu'au XVIIe, et encore *in* Furetière ; paraît se rattacher à un lat. pop. *tostum*, neutre pris adv. de *tostus* «grillé, brûlé», p. p. de *torrere*, par une métaphore semblable à celle qu'offrent les emplois fig. de *brûler* ou de *griller* (une station, une étape).

♦ **1.** Vx. Promptement, rapidement. «*Dépêchez* (cit. 4). — *Faites tôt et hâtez nos plaisirs*». — Mod. *Avoir tôt fait de...*, vite fait de... *Ils ont tôt fait de s'associer* (cit. 23). ⇒ **Vite.** *Vous auriez plus tôt fait de...*

1 Il aurait plus tôt fait de dire tout vingt fois,
   Que de l'abréger une.   RACINE, les Plaideurs, III, 3.

♦ **2.** Mod. Au bout de peu de temps et sensiblement avant le moment habituel ou normal. *Grappe tôt mûrie* (→ Confire, cit. 2). *Le passé s'évanouissait tôt dans l'oubli* (→ 1. Présent, cit. 3). *Tôt et aisément consolé* (→ Noter, cit. 7). (1530). *Tôt ou tard** [totutaʀ]. *Très tôt.* ⇒ **Bientôt** (→ 2. Pas, cit. 1 ; préalable, cit. 1). *Trop tôt* (→ 1. Coucher, cit. 15 ; garçon, cit. 4 ; matin, cit. 9 ; naître, cit. 4 ; sevrer, cit. 1). *Trop tôt pour... pour que...* (Dans le même sens). *Un peu trop tôt...* (→ Ganache, cit. 4). *Assez* (cit. 11) *tôt, assez tôt pour...* (→ Lambin, cit. 1). ⇒ **Temps** (à).

2 Il est déjà un peu tard pour aller dîner en ville, encore un peu tôt pour se rendre au spectacle.   J. ROMAINS, les Hommes de bonne volonté, t. III, XII, p. 162.

PLUS TÔT : avant le moment où l'on est ou dont on parle. ⇒ **Auparavant, avant** (→ Cacher, cit. 50 ; chaise, cit. 4 ; faveur, cit. 14 ; majeur, cit. 5). *Beaucoup plus tôt* (→ Estimer, cit. 26 ; 2. lieu, cit. 27). *Un peu plus tôt. Plus tôt que plus tard ; un peu plus tôt ou un peu plus tard ; un jour plus tôt, un jour plus tard.* ⇒ **Tard.** *Douze ans plus tôt* (→ Microbe, cit. 2). — *Il est arrivé plus tôt que moi.* Fam. *Plus tôt que cela, que ça* (→ 1. Foutre, cit. 2) : sans tarder. *Plus tôt que je ne pensais* (cit. 42 ; et aussi payer, cit. 38). — *Pas de si tôt* (mieux que *pas de sitôt**) : pas dans un proche avenir et peut-être même jamais. — Adj. (en tour impersonnel). *Il était trop tôt* (→ Haut, cit. 32 ; passer, cit. 132), *un peu tôt* (→ Pacage, cit.), *trop tôt pour...* (→ 1. Retraite, cit. 5). ⇒ **Prématuré.** *Il n'était pas trop tôt pour que je l'apprisse* (cit. 13).

3 — (...) arrangez-vous pour qu'il ne nous quitte pas de si tôt.
   BARBEY D'AUREVILLY, les Diaboliques, «Dessous de cartes...», p. 228.

(Fin XVIIe). *Ne... pas plus tôt... que...* (et non *plutôt*, cit. 2 et 3), loc. conj. de temps : à peine*... que... (→ Modeler, cit. 8). ⇒ **Aussitôt.**

4 (...) cette locution énonce la postériorité immédiate : «*Fade discoureur, qui n'a pas mis plus tôt la tête hors une assemblée qu'il cherche quelques hommes auprès de qui il puisse s'insinuer*» (La Bruyère, les Caractères, V, 75) ; «*Cette idée n'eut pas plus tôt surgi en moi qu'une autre évidence m'est apparue*» (Bourget, la Geôle, VII, 139). Par ce tour à la fois comparatif et temporel, on rapproche dans la pensée deux faits successifs, et l'on feint de nier que le premier se soit produit avant

(*plus tôt que*) le second ; en somme, on donne à croire que la succession a été si rapide qu'elle équivaut presque à une simultanéité.
G. et R. LE BIDOIS, Syntaxe du franç. moderne, § 1440.

5 Nous n'étions pas plus tôt rentrés à Paris qu'une dépêche rappelait ma mère au Havre (...)   GIDE, la Porte étroite, I.

(1549). **LE (AU) PLUS TÔT...** *Le plus tôt que vous pourrez* (→ Mieux, cit. 16), *le plus tôt possible* : dès que vous pourrez. (1636). Subst. *Le plus tôt sera le mieux* (→ Gourme, cit. 4). *Au plus tôt* : le plus tôt possible, dans un délai aussi court que possible. ⇒ **Incessamment, suite** (tout de). → Brodequin, cit. 2 ; dépouiller, cit. 23 ; fait, cit. 25 ; raccommoder, cit. 8. — (Dans un autre sens). En prévoyant le délai le plus court, en admettant la date la plus avancée. *Mon travail sera terminé dans quinze jours au plus tôt. Le succès du mot nudiste* (cit.) *date de 1925 au plus tôt.*

♦ **3.** (V. 1180). Au commencement d'une portion déterminée de temps, et, spécialt, de la journée. ⇒ **Heure** (de bonne, à la première), **matin** (au). *Se lever tôt, plus tôt* (→ Quitte, cit. 13). ⇒ **Matinal.** *Il était tard* (cit. 6), *c'est-à-dire tôt !*

6 Elle entr'ouvrait les persiennes (...) le soleil était déjà installé sur les toits comme un couvreur matinal qui commence tôt son ouvrage et l'accomplit en silence pour ne pas réveiller la ville qui dort encore (...)
PROUST, À l'ombre des jeunes filles en fleurs, Pl., t. I, p. 669.

CONTR. Tard.
COMP. Aussitôt, bientôt, plutôt, sitôt, tantôt. — Tôt-fait.

TOTAL, ALE, AUX [tɔtal, o] adj. et n. — 1370 ; lat. médiéval *totalis*, du lat. class. *totus* «tout».

★ **I.** Adj. ♦ **1.** (En parlant d'actions). Qui affecte toutes les parties, tous les éléments (de la chose ou de la personne considérée). ⇒ **Complet, général ; molaire.** *Destruction* (cit. 5), *ruine* (cit. 4) *totale* (→ Autodafé, cit. 3 ; et aussi 1. avenir, cit. 24 ; nostalgique, cit. 2). *Éclipse* totale. Réflexion* totale. Changement total* (→ Fouet, cit. 1). *Désastre* (cit. 4) *total. Guerre** (cit. 40) *totale. Spectacle* total.* — *Sacrifice, don total de soi* (→ Cause, cit. 59 ; hors-la-loi, cit. 1 ; 1. pas, cit. 20). *Un total pardon* (cit. 4) *de toute offense. Exclusion* (→ Cacher, cit. 39), *séparation* (→ Compréhensible, cit. 1), *infirmation* (cit.), *négation totale* (→ Nihilisme, cit. 3).

Se dit d'une opération où tout l'organe est enlevé. *Hystérectomie totale.* N. f. Fam. *Une totale.*

0.1 (...) l'opération de Marie l'a enthousiasmée ; j'ai eu droit à un cours complet sur l'hystérectomie, que ma femme de ménage appelle «la totale» (...)
Ces trois dames ont subi une totale et se portent aujourd'hui comme le Pont-Neuf.
J. DUTOURD, Pluche, XI, p. 157.

♦ **2.** (En parlant d'un état, d'un sentiment). Qui n'est réduit, altéré, entamé par rien. ⇒ **Absolu.** *Obscurité totale* (→ 1. Arche, cit. 4 ; refouler, cit. 5). *Silence total* (→ Inégalité, cit. 11 ; ovation, cit. 1). *Absence totale de...* (→ Propice, cit. 3). *Impuissance, incapacité totale* (→ Exiger, cit. 18 ; plat, cit. 9). *Une heure* (cit. 10) *de liberté totale.* ⇒ **Plein.** *Confiance, sécurité totale.* ⇒ **Entier, parfait** (→ Abandon, cit. 6 ; aveuglément, cit. 12). *Indifférence* (→ Discrétion, cit. 11), *disponibilité* (cit. 3) *totale.*

1 — (...) L'une de ces photos a une ressemblance troublante avec l'homme qui est entré chez moi. Troublante, mais non totale.
J. ROMAINS, les Hommes de bonne volonté, t. II, XVI, p. 189.

♦ **3.** (1398). Surtout après un subst. précédé de l'art. défini. Pris dans son entier, dans la somme de toutes ses parties. *Le nombre total, la somme totale* (→ Atoll, cit. 1). *La hauteur, la longueur, la quantité...* (→ Iceberg, cit. 1 ; nature, cit. 2 ; pronaos, cit.). *Le contenu total* (→ Évaluer, cit. 2). *Le dixième de la production totale* (→ Fonderie, cit. 1). *Le prix de revient* (cit. 3) *total. Le revenu total.* ⇒ **Global** (→ 2. Frais, cit. 3). *Le phénomène total* (→ Différenciation, cit. 2).

★ **II.** N. m. (1559, «assemblage de plusieurs éléments, considérés comme un tout»). Nombre total, quantité totale. ⇒ **Chiffre, montant, somme.** *Le total des voix obtenues* (→ Majoritaire, cit. 4), *de la population* (→ Mortalité, cit. 5). *Faire le total de... :* additionner les éléments de... ⇒ **Additionner** (cit. 1). *Un total de trente francs* (→ 1. Poche, cit. 7). *Un total impressionnant* (cit. 1), *monstrueux* (→ Addition, cit. 0.1).

2 (...) l'horreur de la vieillesse, c'est d'être le total d'une vie, — un total dans lequel nous ne saurions changer aucun chiffre.
F. MAURIAC, le Nœud de vipères, II, XVIII.

(1788). **AU TOTAL** : en additionnant, en comptant tous les éléments (→ Fixe, cit. 10 ; révolution, cit. 14). Dans le même sens, en appos. *Total* (→ Perte, cit. 10 ; prébende, cit.).

Fig. *Au total* : tout compte fait, tout bien considéré, somme toute. ⇒ **Somme** (en) ; **ensemble** (dans l'). → Maléfique, cit. 1 ; régence, cit. 2.

3 — Au total, ça ne m'intéresse pas énormément, cette histoire, dit sèchement Julie.
COLETTE, Julie de Carneilhan, p. 11.

(1854). Pop. *Total*, en tête de phrase, pour introduire une conclusion, un résultat final. *Total, on n'a rien pu voir*, en fin de compte. — *Il a voulu faire tout lui-même ; total, rien n'a réussi.* ⇒ **Finalement.**

4   Médé, je me suis dit, tu as fait comme tous les Français, tu as voulu jouir de la vie, et total, ton pays se trouve dans la détresse.
M. AYMÉ, le Vin de Paris, « L'indifférent », p. 12.

5   Il s'imagine toujours que ça se passera mais ça ne passe jamais l'ontalgie, il espère toujours, il patiente et total on en vient toujours aux drogues.
R. QUENEAU, Loin de Rueil, p. 21.

CONTR. Fractionnaire, fragmentaire, partiel ; division.
DÉR. Totalement, totaliser, totalité.

TOTALEMENT [tɔtalmɑ̃] adv. — 1361 ; de total.

♦ **1.** D'une manière totale. ⇒ **Complètement, entièrement.** *Disparaître totalement* (→ Évangile, cit. 5 ; lutte, cit. 8 ; spécimen, cit. 2). *Renouveler, changer totalement.* ⇒ **Fondamentalement** (→ Imprimerie, cit. 2 ; moi, cit. 53). *Totalement guéri.* ⇒ **Bien, parfaitement** (→ Récidive, cit. 1). *Totalement satisfait.* ⇒ **Pleinement, tout à fait.** *Docile* (cit. 3) *et totalement soumise à son mari.*

♦ **2.** Complètement. *Totalement impossible, incapable.* ⇒ **Absolument** (→ Celui-ci, cit. 3 ; minorité, cit. 1). *Totalement inintéressant* (→ Infinitésimal, cit. 3). *Il est totalement idiot.*

CONTR. Partiellement.

TOTALISANT, ANTE [tɔtalizɑ̃, ɑ̃t] adj. — 1946 ; de totaliser.

♦ Philos. Qui synthétise. Log. *Proposition totalisante :* « proposition universelle dont la vérité se fonde sur l'observation antérieure de chacun des individus qu'on y réunit dans une même assertion » (Lalande).

(...) le progrès dialectique est totalisant : à chaque nouvelle étape il se retourne sur l'ensemble des positions dépassées et les embrasse toutes en son sein.
SARTRE, Situations III, p. 157.

TOTALISATEUR, TRICE [tɔtalizatœʀ, tʀis] adj. et n. m. — 1869 ; de totaliser.

♦ **1.** (Appareils). Qui enregistre et compte ; spécialt, se dit des caisses-comptables des commerçants. *Appareil totalisateur, machine totalisatrice.* — N. m. (1870). *Un totalisateur. Le grand totalisateur de l'hippodrome de Longchamp,* totalisant les mises de chaque course. *Totalisateur journalier :* dans un véhicule, Compteur kilométrique que l'on peut remettre à zéro à volonté et qui permet de mesurer la distance parcourue sur un trajet déterminé.

♦ **2.** Qui totalise, tend à considérer un total.

Dans ce domaine, l'École, dès sa lointaine origine, fut d'ailleurs tirée à hue et à dia. Poussée par son esprit totalisateur, elle voulut toujours être, à la fois, le temple de la science « pure » et le conservatoire de la technique.
Raymond ABELLIO, les Militants, p. 17.

TOTALISATION [tɔtalizasjɔ̃] n. f. — 1818, in D. D. L. ; de totaliser.

♦ **1.** Action de totaliser, opération consistant à totaliser. *Totalisation des dépenses.*

♦ **2.** Qui considère l'ensemble, le total.

J'ai actuellement le souci de récupérer ma vie : ranimer les souvenirs oubliés, relire, revoir, compléter des connaissances inachevées, combler des lacunes, élucider des points obscurs, rassembler ce qui est épars. Comme s'il devait y avoir un moment où mon expérience serait totalisée, comme s'il importait que cette totalisation fût effectuée.
S. DE BEAUVOIR, Tout compte fait, 1972, p. 50.

TOTALISER [tɔtalize] v. tr. — 1802 ; de total.

♦ **1.** Réunir, rassembler en un total (en parlant surtout d'un totalisateur*). ⇒ **Additionner** (plus courant).

♦ **2.** Compter au total. *L'équipe qui totalise le plus grand nombre de points* (→ Poule, cit. 10). — Pron. (Rare). → Résumer, cit. 5, Hugo.

Il tenait compte, sur un carnet, des minutes de retard de ses amies, et, quand cela totalisait cinq quarts, il rompait (...) Solange ne totalisait à ce jour, en six semaines, que une heure et sept minutes.
MONTHERLANT, Pitié pour les femmes, p. 121.

♦ **3.** Considérer le total, l'ensemble (et non le détail).

CONTR. (Du 1.) Soustraire.
DÉR. Totalisant, totalisateur, totalisation.

TOTALITAIRE [tɔtalitɛʀ] adj. — V. 1930 ; de totalité.

♦ **1.** Didact. Qui englobe ou prétend englober la totalité des éléments d'un ensemble donné. *Unité* totalitaire* (ou *organique*). *Philosophie, religion totalitaire* (→ Évangile, cit. 1).

1   Désormais un seul parti a droit à l'existence en Allemagne. Il va de soi que c'est le parti national-socialiste. De même le fascisme en Italie, le bolchevisme à Moscou. C'est une nouvelle forme de société politique. L'État-Dieu ne souffre pas de dissidence, mais il est représenté par une minorité qui possède tous les pouvoirs, le reste de la nation se composant de citoyens passifs. La conception « totalitaire » s'achève d'ailleurs par l'épuration.
J. BAINVILLE, l'Allemagne, t. II, L'Allemagne totalitaire, 1er juil. 1933.

2   Nous comprîmes après Faulkner tout de suite qu'il ne fallait pas le réduire (Le

Procès *de Kafka*) à une allégorie (...) mais qu'il exprimait une vision totalitaire du monde (...)
S. DE BEAUVOIR, la Force de l'âge, p. 193.

2.1   La religion de masse, la religion totalitaire contre la religion personnelle, c'est cela que je vois poindre.
F. MAURIAC, Bloc-notes 1952-1957, p. 61.

♦ **2.** (Mil. XXᵉ). Cour. (D'abord en parlant du fascisme* italien). *Régime totalitaire :* régime à parti unique, n'admettant aucune opposition organisée, dans lequel le pouvoir politique dirige souverainement et même tend à confisquer la totalité des activités de la société qu'il domine. ⇒ **Absolu.** *États totalitaires* (→ Montage, cit. 1 ; race, cit. 23).

3   La chrétienté n'avait pas été totalitaire : les États totalitaires sont nés de la volonté de trouver une totalité sans religion, et elle avait connu au moins le pape et l'empereur ; mais, comme l'Inde, elle avait été un tout.
MALRAUX, les Voix du silence, p. 482.

CONTR. Antitotalitaire. — Libéral.
DÉR. Totalitarisme.
COMP. Antitotalitaire.

TOTALITARISME [tɔtalitaʀism] n. m. — 1940 ; de totalitaire, 2.

♦ Système politique des régimes totalitaires. ⇒ **Dictature.**

Il serait absurde de penser que le laïcisme se présentera éternellement sous la forme, qu'il a revêtue cent ans, d'une basse persécution anticléricale. L'état moderne, s'acheminant lentement vers le totalitarisme, était alors en pleine croissance, en pleine mue.
BERNANOS, les Enfants humiliés, Journal, 1940, in Essais et écrits de combat, Pl., t. I, p. 847.

CONTR. Individualisme, libéralisme.

TOTALITÉ [tɔtalite] n. f. — 1375 ; de total.

♦ **1.** Réunion totale des parties ou éléments constitutifs (d'un ensemble, d'un tout). ⇒ **Ensemble, généralité, intégralité, intégrité, masse, plénitude, total, universalité.** *La totalité de ses biens* (→ Legs, cit. 3 ; sauver, cit. 10). *La totalité de ses élèves* (→ Homélie, cit. 3 ; et aussi dieu, cit. 16). *La totalité de la communauté* (→ Apport, cit. 3), *du salaire* (→ Retenue, cit. 1). *La totalité du monde sensible* (→ Hypostasier, cit. 3), *du réel* (→ Mécanisme, cit. 7). — *La presque totalité de...* (→ Fourrure, cit. 7 ; fuite, cit. 7), *la quasi-totalité. L'idée de totalité* (→ 1. Général, cit. 13), *de presque totalité* (→ Majorité, cit. 10).

1   N'est-ce pas l'un des traits principaux de l'illusion de totalité que cette constance d'un même caractère (de sorte qu'il fallait nous défier des opinions qui commencent par : tous les... ou : chaque...)
J. PAULHAN, Entretien sur des faits divers, p. 90.

1.1   Il me fallait viser la totalité de l'univers si je voulais en posséder la moindre poussière.
S. DE BEAUVOIR, la Force de l'âge, p. 369.

♦ **2.** Vx. Caractère total. « *La totalité de la Rédemption* » (Pascal, *Pensées,* 781), le fait que la Rédemption est pour tous les hommes.

(1578). EN TOTALITÉ : sans rien excepter. ⇒ **Bloc** (en), **complet** (au), **intégralement, totalement** (→ Combiner, cit. 8). *Dans sa totalité.* ⇒ **Entier** (→ Relation, cit. 7).

♦ **3.** Philos. Selon Kant, L'une des catégories de l'entendement faisant la synthèse de l'unité et de la pluralité. — Dans les théories de la forme*, *principe de totalité,* d'après lequel un tout organisé (ou *totalité organique,* → Réduire, cit. 10) agit comme un tout, a des propriétés qui manquent à ses éléments constitutifs (⇒ aussi **Structure, 4.**).

2   Le ressort de toute dialectique, c'est l'idée de totalité : les phénomènes n'y sont jamais des apparitions isolées ; lorsqu'ils se produisent ensemble, ils sont toujours dans l'unité supérieure d'un tout et ils sont liés entre eux par des rapports internes, c'est-à-dire que la présence de l'un modifie l'autre dans sa nature profonde.
SARTRE, Situations III, p. 145.

CONTR. Fraction, partie (et cf. Côté).
DÉR. Totalitaire.

TOTEM [tɔtɛm] n. m. — 1833 ; totam, 1793 ; de la transcription angl. totem, 1776, ou totam, 1791, d'un mot ojibwa, langue de la famille Algonquin ; aoutem a été employé dans le même sens, dès 1609 (Lescarbot, Histoire de la Nouvelle France).

Ethnologie, sociologie.

♦ **1.** Animal (ou quelquefois végétal, rarement objet) considéré comme l'ancêtre et par suite le protecteur d'un clan, objet de tabous et de devoirs particuliers, et origine de la parenté (cit. 3) qui lie les membres du clan, les obligeant à l'exogamie*. — (1912). Par ext. *Totem personnel,* avec lequel chaque individu a des rapports analogues à ceux du clan et du totem. — (1912). *Totem sexuel,* avec lequel tous les hommes d'un côté, toutes les femmes de l'autre ont des rapports de ce genre. — *Totem et Tabou*,* œuvre de Freud.

1   Si le totem est un loup, tous les membres du clan croient qu'ils ont le loup pour ancêtre, et par conséquent qu'ils en ont eux quelque chose du loup. C'est pourquoi ils s'appliquent à eux-mêmes cette dénomination : ils sont des loups.
DURKHEIM, la Prohibition de l'inceste, p. 2, in FOULQUIÉ, Dict. de la langue philosophique, art. *Totem.*

2   (...) s'il est difficile de rendre compte du choix des totems de clans et de leurs rapports respectifs, les appellations des totems de phratries paraissent terriblement plus claires. Les êtres qui leur servent d'emblème sont, en effet, de couleurs différentes et souvent opposées.
Roger CAILLOIS, l'Homme et le Sacré, p. 76.

Franç. d'Afrique. Animal protecteur d'un groupe ethnique, faisant l'objet d'un interdit alimentaire ; cet interdit (I. F. A.).

♦ **2.** (1833). Représentation de l'espèce ou de la chose choisie pour totem, qui sert d'emblème protecteur du clan.

3 Les indigènes se divisent en familles ou clans, que la tradition fait descendre de quatre animaux symboliques : le corbeau, le loup, la baleine et l'aigle. Les types de ces animaux sont diversement reproduits par la sculpture en raison des alliances et des mariages, de manière à représenter une sorte d'arbre généalogique. Si le totem est surmonté d'une hideuse figure humaine coiffée d'un chapeau, il indique la demeure d'un chef. Parfois il en existe deux, un de chaque côté de la maison ; l'un indique la généalogie du mari, l'autre celle de la femme. Un de ces totems, et qui n'est pas le moins curieux, n'a d'autre ornement que l'empreinte en creux des pas d'un ours, avec l'animal lui-même figuré au sommet.
Ed. COTTEAU, le Transcanadien et l'Alaska (1890),
in le Tour du monde, 1891, t. II, p. 22.

4 Quoique Wrangell ait beaucoup perdu de son importance, ce n'en est pas moins une place intéressante pour l'étranger, qui peut y observer les plus beaux *totems* de la contrée. On appelle ainsi les larges poteaux en bois sculpté plantés par les Indiens devant leurs maisons. Ce sont des emblèmes destinés à rappeler les origines du chef de la famille et à perpétuer les hauts faits de ses ancêtres. Larges de 60 centimètres à 1,50 m, hauts de 10 à 20 mètres, ces totems représentent des animaux monstrueux entremêlés de figures humaines grimaçantes.
Ed. COTTEAU, le Transcanadien et l'Alaska (1890),
in le Tour du monde, 1891, t. II, p. 22.

♦ **3.** Animal (plus rarement, objet) emblématique adopté comme attribut personnel par un individu, comme signe de ralliement par une collectivité. *L'attribution d'un totem personnel fit longtemps partie des rites du scoutisme. Animal favori choisi comme totem et comme porte-bonheur par un groupe.* ⟹ **Mascotte** ; aussi **fétiche**.

DÉR. Totémique, totémiser, totémisme.

TOTÉMIQUE [tɔtemik] adj. — 1896, *in* Höfler ; de *totem*.
Ethnologie.

♦ **1.** Où intervient, où apparaît un totem, le culte du totem. *Clan totémique.* (1939). *Mât* (2.) *totémique,* portant l'emblème du totem. — (1904). Qui a les caractères du totem. *Animal totémique.*

♦ **2.** Propre au totémisme*. *Système totémique.*

1 Les forces de bénédiction habitent les mâts totémiques aux couleurs brillantes, orgueil de la grande place du village, où s'élèvent conjointement l'autel et la maison des hommes ou la haute case du chef.
Roger CAILLOIS, l'Homme et le Sacré, p. 61.

2 Je dansais, plus noir que les noirs au bruit du tam-tam, j'assouplissais mon corps, je me disposais à recevoir la nourriture totémique.
Jean GENET, Pompes funèbres, p. 157.

TOTÉMISER [tɔtemize] v. tr. — Mil. xxᵉ ; de *totem*.

♦ **1.** Donner un nom totémique à (qqn). *« Déjà ses camarades scouts avaient totémisé "Faon malicieux" l'espiègle petit Georges »* (*l'Express,* 21 mars 1981, p. 134).

♦ **2.** Transformer en totem (3.).

TOTÉMISME [tɔtemism] n. m. — 1833 ; de *totem*, d'après l'angl. *totemism.*

♦ **1.** Organisation socio-familiale fondée sur les totems et leur culte (⟹ **Idolâtrie, religion**).

1 Or le totémisme est acteur car il bouge, et il est fait pour des acteurs ; et toute vraie culture s'appuie sur les moyens barbares et primitifs du totémisme, dont je veux adorer la vie sauvage, c'est-à-dire entièrement spontanée.
A. ARTAUD, le Théâtre et son double, Préface, Idées/Gallimard, p. 14 (1938).

♦ **2.** Théorie d'après laquelle le culte du totem constitue la forme primitive de la religion (Durkheim), et les tabous, dont le totem est l'objet, la forme primitive de la morale (Freud, *Totem et Tabou*).

2 La critique de la notion de totémisme a, depuis longtemps, fourni un excellent exemple de cette difficulté : si on limite son application aux cas incontestables où l'institution apparaît avec tous ses caractères, ces sont trop spéciaux pour permettre de formuler une loi d'évolution religieuse ; et si on extrapole à partir de certains éléments seulement, il est impossible, sans une « histoire détaillée » des idées religieuses de chaque groupe, de savoir si la présence des animaux ou végétaux, ou de telles pratiques ou croyances relatives à des espèces animales ou végétales, s'expliquent comme des vestiges d'un système totémique antérieur, ou pour des raisons entièrement différentes (...).
Claude LÉVI-STRAUSS, Anthropologie structurale, I, I.

DÉR. Totémiste.

TOTÉMISTE [tɔtemist] adj. et n. — 1896, *in* Höfler ; de *totémisme*.

♦ Rare. Qui pratique le totémisme.

TÔT-FAIT [tofɛ] n. m. — 1872 ; de *tôt*, et *fait*, p. p. de *faire*.

♦ Pâtisserie d'une préparation simple et rapide (farine, sucre, œufs et beurre), dite aussi *gâteau à la minute. Des tôt-faits.*

TOTIPOTENT, ENTE [tɔtipɔtã, ãt] adj. — 1897, l'Année biol. ; du lat. *totus* « tout entier », d'après *omnipotent*.

♦ Biol. Se dit des cellules embryonnaires non différenciées.

Les cellules sont bien équivalentes, interchangeables, plastiques (...). Elles ne possèdent encore aucune vocation spéciale, ce sont des cellules à tout faire, totipotentes, comme on dit.
Jean ROSTAND, l'Aventure humaine, 1953, in D. D. L., II, 4.

REM. On emploie aussi le n. f. *totipotence* [tɔtipɔtãs]. *« La totipotence des cellules végétales »* (*la Recherche,* oct. 1981, p. 1181).

1. TOTO [toto ; totᴐ] ou **TOTOCHE** [totᴐʃ ; totᴐʃ] n. m. ou n. f.
— 1875, *toto* ; *totoche*, 1885, in D. D. L. ; nom propre, probablt de *Totor,* de *Victor*, et suff. pop. *-oche.*

♦ Vieilli. Enfant, élève ; par ext., personne (désignée iron.). *« Ces trois vieilles totoches »* (G. Frison, *les Aventures du colonel Rouchomot,* in D. D. L.). — Mod. (surtout en appellatif : nom propre fictif). *Eh, Toto ! Vas-y Toto !*

HOM. 2. Toto, 3. toto.

2. TOTO [toto ; totᴐ] n. m. — 1902 ; mot champenois vulgarisé par la guerre de 1914-1918 ; formation pop. par redoublement.

♦ Argot. Pou.

1 — As-tu des totos ? demande l'infirmier en le déshabillant. Mouchon rougit et se trouble : Oh ! Si j'en avais, ils ne seraient pas à moi, sûrement ! Il n'a pas de poux, mais il a la jambe cassée (...)
G. DUHAMEL, Récits des temps de guerre, I, Mémorial..., I.

2 À la fin elle y regarde, dans mes cheveux. Mon Dieu qu'elle dit ma mère, mais c'est des totos.
R. QUENEAU, Loin de Rueil, p. 19.

HOM. 1. Toto, 3. toto.

3. TOTO [toto ; totᴐ] n. f. — D. i. (xxᵉ) ; par redoublement de la syllabe finale de *auto.*

♦ Fam. (enfantin). Auto.

HOM. 1. Toto, 2. toto.

TOTON [totɔ̃] n. m. — 1680 ; *totum*, 1611 ; du lat. *totum* « tout », prononcé [totɔ̃], comme *dictum* [diktɔ̃] ; l'initiale T de *totum* était marquée sur une des faces du dé, le joueur ramassait « tout » quand le dé s'y arrêtait.

♦ Jouet d'enfant, sorte de dé traversé par une cheville sur laquelle on le fait pivoter. ⟹ **Pirouette** (vx). *L'enfant au toton,* tableau de Chardin. Par ext. Petite toupie qu'on fait tourner en prenant la tige supérieure entre le pouce et l'index. — Loc. compar. *Tourner comme un toton, être métamorphosé* (cit. 3) *en toton.*

1 (...) la nature ressemble à un toton qui, mû par une vitesse accélérée, nous apparaît gris, bien qu'il résume en lui toutes les couleurs.
BAUDELAIRE, Curiosités esthétiques, III, III.

2 Ainsi, sous le fouet railleur d'Eros, elle allait d'Ulysse à Antinoüs comme le toton de la fillette qui court de la case où l'on gagne à la case des petits poulets où l'on perd.
J. GIONO, Naissance de l'Odyssée, II, Pl., t. I, p. 58.

REM. On trouve aussi, par confusion, la forme *tonton* (cf. Balzac, *les Petits Bourgeois,* Œuvres, t. VII, p. 128).

TOUAGE [twaʒ] n. m. — XVIᵉ ; *thouage,* XIIIᵉ ; de *touer.*

♦ **1.** Action de touer ; système de traction, au moyen d'un dispositif spécial *(tambours de touage),* sur une chaîne immergée (dans un canal, un chenal) ; remorquage des navires par un remorqueur muni de ce dispositif (⟹ **Toueur**). — Par ext. (Vx). Droit (3. Droit, cit. 30) perçu pour ce genre de remorquage.

Dans le milieu, il étudia une barque menée à la godille par un marinier, puis un remorqueur plus au fond, un vapeur du touage qui se halait sur sa chaîne et remontait un train de tonneaux et de planches. ZOLA, l'Œuvre, IX.

♦ **2.** Techn. Traction des engins agricoles par câble sur lequel ils sont halés par un toueur.

♦ **3.** (Au Canada). Remorquage des voitures stationnées illicitement (pour rendre l'angl. *tow away). Zone de touage,* de stationnement interdit, où les véhicules sont enlevés par la police.

TOUAILLE [twaj] n. f. — Fin XIIIᵉ ; *toaille,* v. 1155 ; *tevale,* fin XIᵉ ; nombreux emplois en anc. franç., pour désigner divers linges, nappes, etc. ; du francique **thwahlja* « serviette ».

♦ Vx. Essuie-main suspendu à un rouleau de bois.

TOUAREG [twaʀɛg] n. m. pl. — 1839, *Touarik* ; arabe maghrébin *ṭăwāriɡ,* plur. de *Ṭărɡī* (→ Targui), mot berbère.

♦ **1.** Plur. de *Targui. Les Touareg.* — Adj. *Les guerriers touareg.*

1 Les Touâreg sont aussi appelés les *voilés.* L'usage du voile, soit du voile noir, soit du blanc, est, en effet, général chez eux, et ils ne le quittent jamais ni en voyage ni au repos, ni même pour manger, ni même pour dormir.
SAINTE-BEUVE, Nouveaux lundis, 21 nov. 1864.

2 Ils parlaient des caravanes interrompues, quand les soldats des Chrétiens libéraient les esclaves et les renvoyaient vers le sud, et quand les guerriers touareg recevaient de l'argent des Chrétiens pour chaque esclave qu'ils avaient volé dans les

convois. Ils parlaient des marchandises et du bétail saisis, des troupes de brigands qui étaient entrées dans le désert en même temps que les Chrétiens.
J.-M. G. LE CLÉZIO, Désert, p. 37.

♦ **2.** Abusif (mais cour.). Targui. *Un Touareg, des Touaregs.*

♦ **3.** N. m. *Le touareg* : l'ensemble des parlers berbères parlés par les Touareg. ⇒ **Tamahek.**

3 Un trait de lumière a été jeté sur l'obscure histoire de l'Afrique quand il a été constaté (...) que la langue kabyle est à peu près identique au touareg, et que le touareg lui-même est dans la parenté la plus étroite avec tous les idiomes sahariens (...) RENAN, Mélanges d'histoire et de voyages, La société berbère, *in* Œ. compl., t. II, p. 551 (1873).

TOUBAB [tubab] n. m. — D. i. (attesté mil. xxᵉ) ; mot arabe, employé en Afrique sahélienne.

♦ En franç. d'Afrique. Européen, blanc. *Les toubabs.* — Au fém. *Une toubab* ou *une toubabesse.*

1 Ils descendirent et le toubab vint droit vers mon père alors occupé à donner des instructions à ses travailleurs.
— Il paraît que tu as refusé d'obéir à mes ordres, Bakari ? cria-t-il en haoussa qu'il parlait fort bien.
— Je n'ai jamais vu un homme de ma sorte faire le genre de travail que vous m'invitez à accomplir, dit mon père avec un sang-froid qui a dû vexer le toubab.
Olympe BHÉLY-QUENUM, Un piège sans fin, *in* Littér. de langue franç., p. 102.
2 La crainte qui l'envahissait était que ce parent, venu de France, avait une épouse toubabesse (blanche).
Ousmane SEMBÈNE, Vehi Ciosane, *in* Littér. de langue franç., p. 89.

Par ext. Africain, Africaine ayant adopté le mode de vie européen. Syn. : *acculturé, assimilé.* — REM. Dans ce sens, on emploie aussi les dér. *toubabé, toubabisé.*

3 Sokona ne me traitait plus de « toubab », appellation qui me faisait de la peine, à cause justement de la signification qu'elle donnait à ce mot : étranger ou étrangère, non seulement de la ville, non seulement au Soudan, mais aussi à l'Afrique Noire.
A. KEITA, Femme d'Afrique, La vie d'Aoua Keita..., 1975, p. 289, *in* I. F. A.

TOUBIB [tubib] n. m. — 1863 ; *tabib,* 1617, donné comme mot arabe ; arabe d'Algérie *tbeb,* arabe class. *tăbīb* « médecin, habile savant, versé dans la connaissance d'une chose ».

♦ **1.** Argot milit. Médecin militaire.

1 (...) derrière les casernes vides, j'entends soudain des cris joyeux. Je m'approche : les brancardiers jouent au football. Le toubib avec eux.
R. DORGELÈS, la Drôle de guerre, XII.

♦ **2.** (1920). Fam. Médecin. *C'est un bon toubib.* — Adj. *Il, elle est toubib.*

2 Elle ne pense tout de même pas s'en sortir en Médicale, avec la mine qu'elle a (...) — Faut pas vous gourer, dis-je. Evidemment, avec le toubib d'ici on oublie un peu ce que c'est, une consultation. Mais je vous jure que pour l'endormir, celui-là (...) A. SARRAZIN, la Cavale, p. 53.

TOUCAN [tukã] n. m. — 1557 ; empr. esp. *tucan,* mot tupi (Brésil).

♦ **1.** Oiseau grimpeur *(Rhamphastidés),* au plumage éclatant, à bec énorme, qui vit dans les régions montagneuses de l'Amérique du Sud.

♦ **2.** Franç. d'Afrique. Calao *(Lophoceros nacetus ;* Bucérotidés), dit aussi *perroquet gros bec* (d'après I. F. A.).

TOUCHABLE [tuʃabl] adj. — 1314 ; de *toucher.*

♦ **1.** Qu'on peut toucher.

♦ **2.** (1898, Gide, *Lettre à Valéry, in* D. D. L.). Qui peut être touché, perçu. *Un chèque touchable à partir de...*

♦ **3.** (D'après *intouchable*). Fig. Qui peut être attaqué, mis en question (seulement en tournure négative).

1. TOUCHANT [tuʃã] prép. — 1380 ; p. prés. de *toucher.*

♦ Vieilli ou littér. Au sujet* de... ⇒ **Concernant, sur.** *Diverses opinions touchant une même matière* (→ 1. Faux, cit. 2 ; et aussi doléance, cit. 4 ; gestation, cit. 1 ; indiscuté, cit. 1 ; nécessaire, cit. 23 ; obstiner, cit. 4 ; persil, cit. 1 ; religion, cit. 2). — (En tête de phrase). En ce qui concerne, quant à... (→ Pince, cit. 3).

— (...) Je ne sais pourquoi vous avez une mauvaise idée touchant cette femme ; vous en reviendrez ! G. SAND, la Mare au diable, IX.

2. TOUCHANT, ANTE [tuʃã, ãt] adj. — Déb. XVIIᵉ ; p. prés. adj. de *toucher.*
Qui touche (figuré).

♦ **1.** (Mil. XVIIᵉ). Vx (langue class.). Séduisant (→ Avenant, cit. 2).

♦ **2.** Vx (langue class.). Qui impressionne (⇒ **Frappant**) parfois de manière désagréable (⇒ **Pénible**).

♦ **3.** Mod. Qui touche, fait naître une émotion douce, tout intérieur et morale, non dénuée de plaisir. ⇒ **Attendrissant, émouvant, pathé-**

tique (cit. 1). *Scènes, cérémonies, pompes* (1. Pompe, cit. 5 et 6) *touchantes* (→ Funérailles, cit. 4 ; prise, cit. 21). *Parole, histoire, lettre, éloquence touchante* (→ Humain, cit. 2 ; jeune, cit. 14 ; perdre, cit. 68 ; redoubler, cit. 7). *Affabilité* (cit. 3), *affection* (cit. 14), *fraternité* (cit. 11), *mansuétude, reconnaissance touchante* (→ 2. Frais, cit. 11 ; gagner, cit. 32). *« Mais la tendre élégie* (cit. 2) *et sa grâce touchante ».* ⇒ **Poétique, tendre.** *« Racine n'a rien fait de plus beau* (cit. 41), *ni de plus touchant ».* N. m. *Le touchant et le sublime* (→ Beau, cit. 93). — (Avec une légère ironie). Attendrissant. *Il est touchant de maladresse. Des efforts* (cit. 23) *touchants. Docilité d'esprit presque touchante* (→ Snobisme, cit. 2).

— Mais comment voulez-vous, lui disons-nous, que le père Beuve, malgré son touchant désir de tout comprendre, comprenne à fond un talent comme le vôtre ?
Ed. et J. DE GONCOURT, Journal, 23 nov. 1863, t. II, p. 135.

CONTR. Comique.
HOM. 1. Touchant.

TOUCHAU [tuʃo] n. m. — 1721 ; *toucheau,* 1399 ; *touchaul,* 1461 ; de *toucher.*

♦ Techn. Ensemble de petites plaques d'alliages d'or ou d'argent de titres différents, disposées sur un support en étoile, permettant de déterminer le titre d'un bijou, en comparant les empreintes laissées sur la pierre de touche. *Essai au touchau.*

TOUCHE [tuʃ] n. f. — V. 1160 ; subst. verbal de *toucher.*

★ **I.** Action ou manière de toucher* (I.).

A. ♦ **1.** (Av. 1589). Épreuve, essai de l'or et de l'argent (au moyen de la pierre* de touche, du touchau). — Loc. *Pierre* (cit. 9) *de touche.* Fig. ⇒ **Pierre** (cit. 11 ; et → Impromptu, cit. 2).

♦ **2.** (V. 1310). Vx. Coup léger, simple contact. — REM. Dans l'ancienne langue, il pouvait s'agir d'un coup violent (→ Pisser, cit. 5, Ronsard ; et, fig., 1. adresse, cit. 2).

♦ **3.** (1580). Escrime. Fait de toucher l'adversaire (→ Escrime, cit. 1). Point ainsi marqué. *Remporter l'assaut par cinq touches à quatre.*

♦ **4.** (Déb. xxᵉ). Pêche. Action du poisson qui touche, qui mord à l'hameçon. *Pas la moindre touche aujourd'hui, je n'ai rien pris.*

♦ **5.** (1925). Fam. *Faire une touche* : rencontrer qqn qui répond à une invite galante plus ou moins nette. *Avoir la touche, une touche :* plaire manifestement à qqn (→ Bourrer, cit. 7). *Faire une touche.* — *Une touche* (même sens). ⇒ **Ticket.**

1 (...) Costals a pris l'habitude d'y entrer *(à la Madeleine)* chaque fois qu'il vient de faire une touche sur les boulevards. MONTHERLANT, les Lépreuses, II, XXII.

1.1 (...) — À tes amours !
— Qu'est-ce que c'est que cette histoire (...)
— C'est simple, tu as une touche.
R. QUENEAU, le Dimanche de la vie, 1951, p. 37-38.

♦ **6.** Fam. Bouffée de cigarette. ⇒ **Taf.**

1.2 Avec Lerouge, on bavardait agréablement, on partageait fraternellement la Gitane :
— Tirez une touche, c'est une toute cousue (...)
A. SARRAZIN, la Cavale, p. 409.

B. ♦ **1.** (Fin XVIIᵉ). Action, manière de poser la couleur, les tons sur la toile (→ Dessin, cit. 2 ; heurter, cit. 34 ; large, cit. 13 ; portrait, cit. 2) ; couleur posée d'un coup de pinceau (cit. 1 ; et → Habileté, cit. 2 ; impressionnisme, cit. 1, comp. ; lier, cit. 6 ; peindre, cit. 10 ; rehaut, cit. 1).

♦ **2.** (1740). Par compar. (Littér.). *Sûreté de touche d'un écrivain.* ⇒ **Main, style.** *Ajouter quelques touches criardes* (→ Local, cit. 3 ; et aussi partialité, cit. 3). *Écrire à petites touches* (→ Miniaturiste, cit.).

2 Je voudrais trouver des touches de phrases, semblables à des touches de peintre dans une esquisse : des effleurements, des caresses, et pour ainsi dire, des glacis de la chose écrite, qui échapperaient à la lourde, massive, bêtasse syntaxe des corrects grammairiens.
Ed. et J. DE GONCOURT, Journal, 16 mars 1882, t. VI, p. 134.

3 C'était Coupeau (...) qui l'avait fait traduire en norvégien par la romancière Clara Berg (...) tu monteras ta machine avec mon vieil ami Johannessen... Clara y mettra une touche nordique (...) Maurice BEDEL, Jérôme 60° latitude Nord, I.

♦ **3.** (xxᵉ). Élément d'un ensemble, qui confère à ce dernier une valeur particulière.

(Dans un paysage naturel). *Les maisons chaulées mettent çà et là une touche de blanc sur le vert des collines. Des touches d'ocre et de safran* (→ Indigo, cit. 2). — (Dans un décor, une toilette). *Ornement, détail qui met une touche de gaieté.*

♦ **4.** Fam., pop. (1872, Larchey : « Le mot a dû naître dans les ateliers de peinture »). Aspect d'ensemble que présente une personne, une chose. ⇒ **Allure, dégaine, tournure.** *Il, elle a une drôle de touche.*

4 À nous voir et à nous entendre, on n'aurait pas cru que nous étions un élève assez brillant d'un des plus fameux collèges de la capitale, et même, parfois, nous avions toute la touche de sortir d'un orphelinat de province.
Valery LARBAUD, Enfantines, « Devoirs de vacances », p. 220.

C. (1870). Pop. *La sainte-touche* ou *la sainte-Touche* : le jour où l'on touche (sa paye). → Sainte (cit. 1).

D. Sports. ♦ **1.** (1845). Au billard, Action de toucher avec sa bille celle sur laquelle on joue. *Manquer la touche :* ne pas toucher la bille. *Manque de touche.*

♦ **2.** (Jeux de ballon, de balle). *Touche de balle :* manière de jouer et de contrôler le ballon, la balle (ne pas confondre avec II., ci-dessous).

♦ **3.** Fam. (Autom.). *Aller à la touche :* entrer en contact avec une autre voiture, la heurter (sans trop de violence). ⇒ **Touchette,** II.

★ **II.** (1889 ; par l'angl. *touch,* employé d'abord en parlant du joueur qui fait toucher le sol au ballon au delà des lignes). Sports (jeux de ballon). Partie du terrain se trouvant à l'extérieur de chacune des limites latérales du champ de jeu perpendiculaires aux lignes de but *(lignes de touche). Sortie du ballon en touche. Mettre la balle en touche.* — (Rugby). *Coup de pied en touche. Botter, taper en touche. Trouver la touche.* — *Juge de touche,* chargé de désigner les points de sortie en touche, de signaler les hors-jeu, etc. *Banc de touche,* où se trouvent les entraîneurs. — *(Sur la touche). Remplaçant qui reste sur la touche* (→ Team, cit. 1). — (1927). Fig. *Être, rester, être mis sur la touche,* dans une position de non-activité, de non-intervention (→ ci-dessous, cit. 7). — Loc. *Remise en touche :* remise en jeu du ballon, faite depuis la touche. *Rentrée de touche, en touche :* rentrée sur le terrain du ballon sorti en touche. — Par ext. Sortie du ballon en touche. *Il y a touche.* — Remise en jeu du ballon à partir de la ligne de touche. (1901). *Touche longue, courte* (→ aussi ci-dessus I., D., 2.). *Jouer la touche :* effectuer la remise en jeu du ballon. (Rugby). *Disputer la touche :* conquérir la balle remise en jeu depuis la touche. *Le verrouilleur* est chargé de « fermer » la touche.*

5 L'arrière adverse apparaît ; son coup de botte passe obliquement bien au-dessus des avants et gagne trente mètres à son équipe (...) les avants (...) courent disputer la touche. Touche longue, aux adversaires, et une grande ruée d'avants blancs se produit (...) à la poursuite de la balle.
                                                    Jean PRÉVOST, Plaisirs des sports, p. 128.

6 Elle est à leur ailier, qui s'envole le long de la touche, évite le trois-quarts aile bleu (...)   Jean PRÉVOST, Plaisirs des sports, p. 128.

7 On ne ménage pas ceux qui vous aiment : ils se croient aussitôt mis sur la touche.
                                                    Hervé BAZIN, Cri de la chouette, p. 111.

★ **III.** Ce qui sert à toucher.

♦ **1.** Vx. Gaule de toucheur de bestiaux (1386, «*esperons ou touches pour mener le cheval*», in Du Cange). — (V. 1160, *toche*). Bâtonnet crochu servant à lever les jonchets*.

♦ **2.** (1636). **a** Chacun des petits leviers, blancs, noirs, qui constituent un clavier* (2.). ⇒ **Note** (cit. 3) ; → aussi clavecin, cit. 2 ; mouvoir, cit. 9. *Frapper les touches* (→ Accord, cit. 24 ; hasard, cit. 36), *sur les touches* (→ Friser, cit. 11). *Doigts qui glissent* (cit. 26), *courent sur les touches* (→ 1. Piano, cit. 3).

(1884). Loc. fig. *Touches de piano :* grandes dents.

b (1680 ; fin xvᵉ, *touce*). Dans les instruments à cordes pincées ou frottées, Pièce d'ébène collée sur le manche, où appuient les doigts, pour raccourcir la corde ; touchette* (→ Luth, cit. 1).

c (xxᵉ). Chacun des éléments d'un clavier d'une machine. *Touches d'une machine à écrire, d'un clavier de terminal.* — Techn. Lame munie d'un contact métallique qui permet d'assurer une connexion électrique. ⇒ **Plot.**

d Commande manuelle d'un dispositif. *Touches d'une cassette, d'un magnétophone. Abaisser la touche « départ ».*

TOUCHE-À-TOUT [tuʃatu] n. m. invar. — 1836 ; de *toucher à tout.*

♦ **1.** Personne (et, particulièrement, enfant) qui touche à tout (→ Bourrique, cit. 2).

♦ **2.** Fig. Personne qui a des activités multiples (→ Extérieur, cit. 9). Souvent avec une idée de dispersion, de manque de sérieux. *C'est un touche-à-tout, il écrit sur n'importe quel sujet* (⇒ **Polygraphe**). *Ces touche-à-tout de génie que furent les artistes de la Renaissance.*

1 L'homme, un enragé d'activité, mais un peu brouillon, comme tous les trop actifs, et un touche-à-tout tyrannique.
                                 Ed. et J. DE GONCOURT, Journal, 22 juil. 1867, t. III, p. 114.

REM. On notera, dans la cit. suivante, le dér. plaisant forgé par Cocteau, *touchatouisme* [tuʃatuism]·

2 Donc, Messieurs, vous adoptez un poète sans craindre qu'on ne vous fasse reproche d'avoir accepté un touche-à-tout, un homme orchestre, un Paganini du violon d'Ingres, formule par laquelle je ne puis mieux traduire une idée naïve de notre époque dont la hâte exige des étiquettes et qui consiste à prendre pour touchatouisme cette manière propre au poète de toucher un même objet sous différents angles et éclairages (...)
                                 COCTEAU, Discours académique, 1953, in D. D. L., II, 3.

TOUCHE-PIPI [tuʃpipi] n. m. invar. — xxᵉ ; de *toucher,* et *pipi.*

♦ Très fam. Attouchements des parties génitales (⇒ **Se toucher,** fam.). *Jouer à touche-pipi. Du touche-pipi.*

Nous lisions souvent ensemble, des poètes de l'amour courtois, mais souvent nous n'allions pas plus loin pour faire une partie de touche-pipi.
                                 B. CENDRARS, Bourlinguer, p. 81.

1. TOUCHER [tuʃe] v. tr. — xiiᵉ ; var. *tochier, tuchier* (1080), *touchier,* etc., en anc. franç. ; soit d'un lat. pop. **toccare,* formation onomat. «faire toc» (cf. *toquer,* conservé dans toutes les langues romanes) ; soit (Guiraud) d'un roman **tudicare,* doublet de *tuditare,* de *tundere* «frapper, battre» (cf. *toucher* les bœufs).
Établir ou avoir des points communs avec (une surface, un corps).

★ **I.** Trans. dir. **A.** Entrer en contact avec (qqn ou qqch.), de façon légère ou violente.

♦ **1.** (Le sujet désigne une personne, un animal). Entrer en contact avec (qqn, qqch.), en éprouvant les sensations du toucher. — REM. La partie du corps en contact n'est pas toujours désignée, surtout s'il s'agit de la main (→ Tenir). — *Toucher un objet.* ⇒ **Palper, tâter** (→ Marquer, cit. 56 ; noce, cit. 2 ; propre, cit. 27 ; radiateur, cit. 1). *La sculpture* (cit. 1) *se laisse toucher. Toucher qqch. avec (la main, le pied, le bras).*
Se pencher (cit. 6) *jusqu'à toucher le sol avec le front.* ⇒ **Prosternement,** cit. 1. *Lutteur qui touche le sol des épaules* (absolt, *qui touche des épaules*), qui est battu.
Spécialt. *Toucher avec le pied,* ou *les pieds. Toucher la pédale* (cit. 2), d'un piano. Loc. *Toucher le fond de l'eau :* pouvoir se tenir debout dans l'eau ; avoir pied*. Loc. fig. *Toucher le fond.* ⇒ **Fond.** — *Toucher terre* (avec le pied). — Par exagér. *Avec tant de vitesse qu'à peine touchions-nous la terre* (→ Marcher, cit. 7 ; et aussi galop, cit. 1). — Par métaphore. *Il ne touchait pas terre* (→ Inonder, cit. 16).
Absolt. Être informé par le sens du toucher*. *Voir, entendre* (cit. 49), *toucher* (→ Exercer, cit. 3 ; foi, cit. 41).
Spécialt. **a** (Cf. provençal, esp., ital., *tocara.* → Toccata). Manipuler les éléments (→ Touche) d'un instrument de musique, spécialt, d'un instrument à cordes. *Toucher les cordes d'une guitare* (cit. 3). ⇒ **Vibrer** (faire). *Toucher le clavier* (→ Glacer, cit. 22), *le piano, l'orgue.* — Abusivt (par attraction de *jouer). Toucher du piano, de tous les instruments* (cit. 7). — S'oppose à *sonner.*

1 Rien ne le divertit tant qu'une belle voix accompagnée d'un luth touché délicatement.   A.-R. LESAGE, Gil Blas, VIII, XI.

b Manier, manipuler habituellement (une substance, un objet déterminé, un instrument). *Toucher du fer* (→ Œil, cit. 52). *Toucher du (le) bois* :* jouer aux échecs, aux dames. — Loc. (Négatif). *Ne pas, ne plus toucher qqch. :* ne pas, ne plus pratiquer une activité liée à cet objet. *Je n'ai jamais touché une carte** (→ Joueur, cit. 3).

2 (...) un autre, spirituel et paresseux, surnommé La Toque, le seul qui ne touchât jamais une rame sous prétexte qu'il ferait chavirer le bateau (...)
                                 MAUPASSANT, l'Inutile Beauté, « Mouche ».

c (Le compl. désigne un être vivant, son corps, une partie du corps). *Toucher une personne, un animal* (→ Aimer, cit. 37 ; approche, cit. 6 ; perdre, cit. 64 ; ronronner, cit. 1). *Toucher un être sacré* (1. Sacré, cit. 1 et 8). *Gandhi osa toucher les intouchables* (→ Paria, cit. 1). *Ne me touchez pas* (⇒ **Noli me tangere**). *Toucher la main de qqn* ; pour dire bonjour (→ ci-dessous, II., 1. : *touchez là*). — *Toucher qqn de la main* (→ Acanthe, cit. 2), *du doigt** (cit. 13), *avec le dos de la main* (→ Pâtée, cit. 1). *Toucher du bout des doigts.* ⇒ **Chatouiller, effleurer** (→ Frémir, cit. 14 ; pouce, cit. 7). *Toucher à pleines mains.* ⇒ **Manier** (→ Peloter, cit. 2). *Toucher légèrement.* ⇒ **Attoucher.** *Toucher des, avec les lèvres...* (cit. 4).

REM. Les emplois peuvent ou non avoir une connotation érotique, mais celle-ci n'est pas lexicalisée (à la différence du sens d).

3 (...) les vieillards ont besoin de toucher, quelquefois de leurs lèvres, le front d'une femme ou la joue d'un enfant, pour croire encore à la fraîcheur de la vie et éloigner un moment les menaces de la mort.
                                 MAETERLINCK, Pelléas et Mélisande, IV, 1.

d (Le compl. désigne une personne). Avoir un, des contacts érotiques avec... — Toucher pour caresser, émouvoir sexuellement (⇒ **Touche-pipi**).

3.1 Ils allaient au catéchisme le jeudi et à l'église le dimanche ils touchaient des filles l'été aux champs ils n'avaient que quelques sous.
                                 Tony DUVERT, Paysage de fantaisie, p. 108.

Avoir des relations sexuelles avec...

4 Lui *(Jean),* ne la touchait plus du tout, la traitait en camarade avec qui l'on a des intérêts communs.   ZOLA, la Terre, IV, II.

e (Le sujet désigne la partie du corps qui touche). *Main, doigt qui touche qqch.* (→ Céder, cit. 12 ; éternel, cit. 18 ; journal, cit. 10).

f (En parlant d'un contact violent). *Le boxeur a touché son adversaire au menton.* ⇒ **Frapper.**

g (Sans contact direct du corps). Toucher, atteindre. *Toucher qqn* *avec un instrument, d'un instrument. Toucher qqn de sa baguette magique* (→ Galopin, cit. 1 ; pantoufle, cit. 1). *Toucher de l'or avec une pierre* de touche* (⇒ **Touchau**). *Toucher* (avec le fouet) *un cheval, un bœuf,* pour le faire avancer. Absolt. *Touche, touche !* ⇒ **Fouetter** (→ 1. Mèche, cit. 6).

Spécialt. escr. *Toucher* (avec le fleuret, le sabre) *l'adversaire.* ⇒ **Touche.** — Absolt. *À la fin de l'envoi* (cit. 2), *je touche.*

Toucher la balle de sa raquette (cit. 1). *Il n'a pas touché une balle,* se dit d'un joueur de jeu de balle ou de ballon (football, tennis, en particulier) qui a très mal joué. *Toucher la bille, au billard.* Loc. fig. *Toucher sa bille :* être très compétent dans un domaine, dans sa partie. *En économie politique, elle touche drôlement sa bille, la nénette !*

Atteindre avec un projectile. *Lancer* (1. Lancer, cit. 2) *des pierres contre les arbres et n'en toucher aucun. Il tira et toucha son adversaire à l'épaule.* ⇒ **Blesser.** *Toucher la cible, le but.* Absolt. *Toucher :* faire mouche. *Toucher juste.* ⇒ **Porter.**

5 *Toucher, c'est simple : le but n'est pas loin, et il est grand, mais le fer adverse impose au vôtre un petit changement d'angle, la crainte de la riposte vous ramène, et sur cent attaques vous touchez une fois.*

Jean PRÉVOST, Plaisirs des sports, p. 100.

Fig. Joindre (qqn) par un intermédiaire (lettre, coup de téléphone). *Où peut-on vous toucher ?* ⇒ **Joindre, rencontrer.**

♦ **2.** Vx. *Toucher un tableau,* l'exécuter en posant des touches* (→ Paysagiste, cit.). Absolt (→ Empâter, cit. 1). Fig. ⇒ **Peindre** (IV.).

6 *(...) pour mieux conserver l'estime et le respect qu'on doit aux vrais dévots, j'en ai distingué le plus que j'ai pu le caractère que j'avais à toucher (...) et ne me suis servi, dans cette peinture, que des couleurs expresses et des traits essentiels (...)*

MOLIÈRE, Tartuffe, Premier placet.

♦ **3.** (Sujet n. de chose). Entrer en contact avec (qqn, qqch.) au terme d'un mouvement. ⇒ **Atteindre.** *Le chalut* (cit. 1) *soudain toucha le fond. Lorsque le médaillon toucha sa poitrine...* (→ Han, cit. 3). *Bruit de la cuiller qui touche l'assiette* (→ Renaître, cit. 4). *La torpille touche le but* (cit. 2). *Être touché par une balle.* ⇒ **Blesser** (→ Indifférent, cit. 15). *Rayon, lumière, soleil qui touche un corps* (→ Inflexion, cit. 1 ; parasol, cit. 3). *L'ombre ne touchait pas encore les hautes terres* (→ Mamelon, cit. 3). — Par métaphore. Atteindre. ⇒ **Gagner.** *La révolution* (cit. 14) *touche l'Afrique et s'étend en Amérique.*

Mar. (Le sujet désigne un navire). *Toucher le rivage, le port. Toucher terre.* ⇒ **Aborder.** *Toucher un port,* ou, absolt, *toucher,* s'y arrêter pour peu de temps. ⇒ **Escale** (faire), **relâcher.**

7 *(...) la Romania, un cargo mixte qui venait d'Ostende, touchait Le Havre vers 5 heures du matin et repartait une heure plus tard, sans y faire station.*

MARTIN DU GARD, les Thibault, t. III, p. 97.

Navire qui touche le fond, dont les œuvres vives entrent en contact avec le fond (à la suite d'une manœuvre volontaire — échouage — ou accidentellement). *Toucher la roche, le sable* (même sens).

8 *La barque lancée toucha le sable et glissa dessus comme si elle allait gravir toute la plage en y enfonçant sa quille (...)*

MAUPASSANT, l'Inutile Beauté, « Champ d'oliviers », I.

Absolt. *Toucher :* heurter accidentellement et avec plus ou moins de violence le fond, une tête de roche, etc. (plus rarement, un quai, un autre navire, etc.).

8.1 *(...) au moment où le brick sombrait, la mer était haute, c'est-à-dire qu'il avait plus d'eau qu'il ne lui en fallait pour franchir, sans les heurter, toutes roches qui n'eussent pas découvert à mer basse. Donc, il ne pouvait y avoir eu choc. Donc, le navire n'avait pas touché. Donc, il avait sauté.*

J. VERNE, l'Île mystérieuse, III, IV.

♦ **4.** (1585). Sujet n. de personne. Entrer en possession de..., prendre livraison de... (une somme d'argent). ⇒ **Recevoir** (→ Nier, cit. 11). *Toucher de l'argent* (→ Accord, cit. 8), *un joli paquet* (cit. 10). ⇒ **Palper.** *Toucher tant par jour, par mois.* ⇒ **Gagner** (→ Corps, cit. 46 ; fixe, cit. 11). *Toucher un traitement* (⇒ **Émarger,** cit. 2), *des mensualités* (→ Durant, cit. 5), *des revenus* (→ Avance, cit. 11), *des intérêts* (→ Principal, cit. 3), *des dividendes* (→ Expliquer, cit. 19), *un arriéré* (cit. 6), *une pension* (→ 1. Outre, cit. 17), *un pourcentage* (cit. 1), *une ristourne* (cit.). *Toucher un chèque.* ⇒ **Encaisser.** *Toucher le gros sac*.* — Absolt. *Il touche :* il reçoit de l'argent.

9 *— Je n'irai pas donner quittance de ce que je ne reçois pas ; et il faut bien que je touche quelque chose. — Mon Dieu ! vous toucherez assez (...)*

MOLIÈRE, l'Avare, II, 5.

(Turfisme). *Toucher un gagnant, un placé* (1. Placer, cit. 19), *le tiercé...* — Absolt. *Toucher à deux guichets* (→ Incompatible, cit. 5 ; et aussi nombre, cit. 19).

Percevoir (autre chose que de l'argent). *Soldat qui touche sa ration de tabac.*

10 *D'autres, qui ont déjà touché les nouvelles capotes bleu horizon, font les farauds.*

R. DORGELÈS, les Croix de bois, IV.

10.1 *Hier soir, j'ai touché deux œufs, des vrais œufs. En rentrant chez moi, mon pied a manqué le trottoir, je les ai cassés tous les deux.*

M. AYMÉ, le Passe-muraille, p. 255.

♦ **5.** Fig. (Dans le domaine affectif ; sujet n. de chose abstraite). Vieilli ou littér., en emploi général. Affecter de telle manière, faire telle impression sur... (→ Poésie, cit. 18). *Les mêmes biens ne touchent*

pas également notre goût (→ Accoutumer, cit. 16). *Ce qui touche l'esprit si agréablement* (→ Entretenir, cit. 14). — Au passif. *Nous serions cruellement touchés de perdre ce que nous avons obtenu* (cit. 1).

Mod. Procurer une émotion à (qqn), faire réagir en suscitant l'intérêt affectif. ⇒ **Émouvoir, intéresser ; flatter.** *Toucher les sens* (→ Agréer, cit. 14), *le cœur* (cit. 139), *l'âme* (→ Mot, cit. 29 ; 1. roman, cit. 6), *l'imagination* (→ Poète, cit. 10). ⇒ **Adresser** (s'), **aller.** « *Rien ne touche son goût, tant il est difficile* » (cit. 26). *Sentir la beauté, en être touché.* ⇒ **Pénétrer** (→ Goût, cit. 15). *Ce qu'ils aiment* (cit. 46) *et ce qui les touche. Se laisser toucher.* ⇒ **Persuader.** *Incapable d'être touché des intérêts d'autrui.* ⇒ **Indifférent** (→ Déraisonnable, cit. 2). *Touché au vif*.* — Absolt. « *L'exemple* (cit. 5) *touche plus que ne fait la menace* ». — Spécialt (relig.). *La grâce, Dieu l'a touché.*

11 *Mais que sert de parler de ces trésors cachés*
À des esprits que Dieu n'a pas encor touchés ? CORNEILLE, Polyeucte, IV, 3.

12 *S'il est ordinaire d'être vivement touché des choses rares, pourquoi le sommes-nous si peu de la vertu ?* LA BRUYÈRE, les Caractères, II, 20.

13 *(...) il aime encore tout ce qui touche plus particulièrement les sens, la musique, les fleurs, les beaux habits, la chasse, les beaux chevaux (...)*

Th. GAUTIER, les Grotesques, III, p. 69.

14 *L'éloge leur plaît autant qu'à d'autres ; mais le blâme les touche au vif, parce qu'ils sont trop portés à se blâmer eux-mêmes, et à grossir leurs plus petites fautes.*

ALAIN, Propos, 15 oct. 1911, les Méchants.

14.1 *(...) il n'y a aucune proportion raisonnable entre ce qui nous touche, et ce qui touche les autres ; nous sentons l'un physiquement, l'autre n'arrive que moralement à nous, et les sensations morales sont trompeuses (...)*

SADE, Justine..., t. I, p. 49.

(1610). Plus cour. Émouvoir en excitant la compassion, la sympathie et une certaine tendresse. ⇒ **Attendrir** (→ Frémissement, cit. 10). *Mots venus du cœur* (cit. 91) *qui touchent le lecteur. Que rien ne peut toucher.* ⇒ **Inexorable** (cit. 5), **inflexible.** *Sa douleur, ses souffrances m'ont touché* (→ Ilotisme, cit. 2 ; peiner, cit. 2). *Rien n'était plus propre à me toucher que cette émotion contenue* (cit. 18). *Confiance qui touche qqn.* ⇒ **Désarmer** (→ Dos, cit. 16 ; 1. savoir, cit. 62). — Adj. vieilli. *Qqch. qui touche.* ⇒ **Touchant** (→ Faner, cit. 2). « *La principale règle est de plaire* (cit. 23) *et de toucher* ».

♦ **6.** Fig. Vieilli. Prendre en passant comme objet d'attention, de réflexion, de travail. ⇒ **Aborder, effleurer.** *J'ai déjà touché ce sujet.* — (1559, du Bellay, in D.D.L. : *toucher quelque mot de...*). Mod. *Toucher qqch., un mot de... :* dire un mot* de... *Je lui en ai touché un mot, deux mots.*

15 *(...) l'ouvrage qui est joint à la traduction des Caractères (...) est tout différent des deux autres que je viens de toucher (...)*

LA BRUYÈRE, Disc. sur Théophraste.

16 *Dis donc, cette affaire des Ranch, dont nous parlions hier matin, faut-il vendre, faut-il pas vendre ? Si demain matin j'en touchais un mot au père Deutsch ?*

COLETTE, la Fin de Chéri, p. 18.

B. (1080). Sans mouvement. ♦ **1.** Se trouver en contact avec..., et, par ext., être tout proche de... *Qui touche une surface.* ⇒ **Tangent.** *Hommes massés* (1. Masser, cit. 4) *au point que la poitrine des uns touchait presque le dos des autres.* — *Un pendu* (cit. 13) *dont les pieds touchaient presque le plancher. L'église touchait la maison.* ⇒ **Attenant, contigu, limitrophe** (→ Mitoyen, cit. 1). *Les objets qui nous touchent ou nous environnent* (→ Exciter, cit. 14 ; ordre, cit. 2).

♦ **2.** TOUCHER... DE PRÈS, DE LOIN : avoir des rapports de parenté avec... *Toucher de près quelqu'un, une famille.* — *Un homme qui ne nous touche de rien* (→ Dépouiller, cit. 21).

17 *La plupart de ceux qui touchaient le mort même de loin furent nommés l'un après l'autre (...)* P.-J. TOULET, la Jeune Fille verte, IX.

♦ **3.** (Sujet n. de chose). Concerner ; avoir un rapport avec... ⇒ **Regarder.** « *Une chose qui les touche de si près* » (→ Indifférence, cit. 8). « *Sire, j'en ai trop dit, mais l'affaire* (cit. 4) *vous touche.* » — « *Personne ne voit des mêmes yeux* (cit. 38) *ce qui le touche et ce qui ne le touche pas* ». *En ce qui touche... :* en ce qui concerne... (→ Ironie, cit. 1 ; notre, cit. 13 ; satire, cit. 2).

18 *Je viens, par un avis qui touche votre honneur,*
Témoigner l'amitié que pour vous a mon cœur. MOLIÈRE, le Misanthrope, III, 4.

★ **II.** Trans. indir. TOUCHER À... (XIIe).

A. Entrer en contact avec... ♦ **1.** (Dans l'ordre physique, en parlant d'êtres vivants). Porter la main sur... — REM. À la différence du transitif direct, *toucher à...* ne marque jamais un contact violent ; et il exclut la sensation du sujet, pour porter l'attention sur l'objet de l'action. — *Toucher à une chose impure* (cit. 3). *Animal qui touche à la proie proposée dans le piège* (cit. 2). « *N'y touchez pas, il est brisé* » (cit. 31). *Ne pas toucher aux objets exposés* (→ Pertinence, cit. 2). *Toucher aux cordes* (cit. 20) *sensibles.* — Absolt. *Défense de toucher.*

19 *Sa récompense, c'est de pouvoir maintenant toucher aux souvenirs réservés de la nuit du 14 octobre. Y toucher comme à un rouleau d'étoffe somptueuse, ou comme à une grappe de bijoux.*

J. ROMAINS, les Hommes de bonne volonté, t. III, VI, p. 95.

Vx. *Toucher à qqn dans la main, toucher dans la main* (cit. 29) *de qqn,* en signe de marché conclu, d'accord (→ Gant, cit. 1). — Absolt. *Touchez là !* (→ Sergent, cit. 1).

(En mettant l'accent sur l'intervention du sujet qui utilise l'objet). *Je n'osais pas toucher aux outils* (cit. 3). *Ne touche pas au feu* (→ Dessous, cit. 8). *Il défendit qu'on touchât à rien* (→ Expressément, cit. 2; objet, cit. 3). *Cet enfant touche à tout.* ⇒ **Déranger; touche-à-tout.** Pop. *Pas touche, bébé,* n'y touche pas. — (1636). *Toucher à un plat, à la nourriture.* ⇒ **Manger, prendre** (→ Dégoût, cit. 1; frugal, cit. 2; malade, cit. 3). *À quoi l'on n'a point touché.* ⇒ **Intact.** — *Ne pas toucher à son capital.* ⇒ **Entamer** (→ Fric, cit. 2; situation, cit. 2). — *Il n'a jamais touché à une arme* (→ Navigateur, cit. 2), *à un volant* (→ Frousse, cit. 3)... : il n'a jamais tiré avec une arme; jamais conduit.

20 Un jour l'on te dirait (...) *ne mange pas de ce fruit,* et tu n'oserais en manger; *je te défends ce légume ou cet animal,* et tu te garderais d'y toucher.
        DIDEROT, Suppl. au voyage de Bougainville, III.

21 — J'ai fait serment de ne plus tenir un cornet, répondit-il, et de ne plus toucher à une carte; mais, puisque vous voilà, jouons à croix ou pile l'argent que nous avons sur nous.
        A. DE MUSSET, Nouvelles, « Fils du Titien », VII.

21.1 Simon éprouvait tant de respect pour Mˡˡᵉ Saulnier qu'il s'abstenait de la déshabiller par la pensée, lui qui ne pouvait voir une femme nubile sans l'imaginer au lit. Pas touche, Mˡˡᵉ Saulnier! Une vraie jeune fille, une pure jeune fille (...)
        Roger IKOR, les Fils d'Avrom, Les eaux mêlées, p. 482.

Spécialt. *Toucher à (qqn) :* avoir des contacts érotiques avec (qqn). — REM. Cet emploi est plus abstrait que l'emploi analogue du trans. *(toucher à une femme / toucher une femme).*

(1538; abstrait). Se mêler, s'occuper de (qqch.). *Toucher à tout* (→ Encyclopédique, cit. 2). *Toucher délicatement* (cit. 4) *à des matières délicates. Il est délicat* (cit. 11) *de toucher à ce sujet.* ⇒ **Aborder.** — (Surtout en emploi négatif). S'en prendre à (qqch.), pour modifier, corriger. ⇒ **Changer** (→ Coutume, cit. 3; retouchable, cit. 1). *Il vaut mieux ne pas toucher à ce texte. Constitution à laquelle personne n'ose toucher.* ⇒ **Intangible.** — (En attaquant). *Toucher à l'honneur de qqn.* ⇒ **Offenser.** — Y TOUCHER (vieilli) : être mêlé à la chose en question, y avoir quelque responsabilité (→ Avec, cit. 86). *« Et vous n'y touchez pas, tant vous semblez doucette »* (cit. 1). Mod. *Un air de ne pas y toucher,* faussement ingénu. ⇒ **Dissimulé, hypocrite, malicieux.** *Sainte n'y touche.* ⇒ **Nitouche.**

22 Le journalisme touche à tout dans cette époque, à l'industrie, aux intérêts publics et privés, aux entreprises nouvelles, à tous les amours-propres de la littérature et à ses produits.
        BALZAC, Une fille d'Ève, Pl., t. II, p. 124.

23 Il s'était avisé de douter que saint Denys l'aréopagite fût jamais venu en France. Toucher à cette légende, c'était s'attaquer à la religion de la monarchie.
        MICHELET, Hist. de France, IV, IV.

♦ **2.** Littér., didact. Atteindre, arriver à... (un point qu'on touche vraiment ou dont on approche de très près). *Je touche au but* (cit. 6) *du premier coup.* « *Que l'autre touchait presque au bout de la carrière* » (cit. 1). *Ils s'en approchent mais n'y touchent jamais* (→ Asymptote, cit. 1). — (À un point dans le temps). *Toucher à son terme, à sa fin.* ⇒ **Courir** (→ Force, cit. 10; palingénésie, cit. 1). « *Peut-être nous touchons à notre heure* (cit. 69) *dernière* » (→ aussi Désennuyer, cit. 5; matin, cit. 21; maturité, cit. 3 et 4).

24 Cependant la température du corps diminue, touche à son étiage; et au dehors celle de l'atmosphère tombe elle aussi au point le plus bas du cycle de vingt-quatre heures.
        J. ROMAINS, les Hommes de bonne volonté, t. III, XVII, p. 226.

Nous touchons ici à..., formule par laquelle un auteur signale qu'à ce point de son exposé il se trouve en présence de tel problème et qu'il est amené à le considérer (→ Fugitif, cit. 17; malentendu, cit. 2; monothéiste, cit. 2; saillant, cit. 4).

B. (Dans le même sens que I., B.). ♦ **1.** Être en contact avec... « *Et dont les pieds touchaient à l'empire* (cit. 10) *des morts* » (→ aussi Extrémité, cit. 5; fleur, cit. 4). *Les poutres qui touchent presque aux façades des maisons* (→ Métropolitain, cit. 8).

♦ **2.** (Abstrait). Concerner, embrasser (→ Assignable, cit. 2; géographie, cit. 4; grondement, cit. 5; monde, cit. 49). — Par la parenté (→ Ancêtre, cit. 10).

25 — Il me semble, en effet, que cette question de la prohibition touche au centre même de l'âme américaine. Vous n'en convenez pas toujours.
        G. DUHAMEL, Scènes de la vie future, V.

Avoir presque le caractère de... *La maison dont la simplicité* (cit. 9) *touchait au dénuement.* ⇒ **Confiner** (→ aussi Faire, cit. 115).

▶ **SE TOUCHER** v. pron.
(Récipr.). Être en contact l'un avec l'autre, très près l'un de l'autre (→ Assembler, cit. 3; couleur, cit. 1; difformité, cit. 1; fiançailles, cit. 4; incendie, cit. 3). — Fig. Être voisin, en étroit rapport (→ Hérésiarque, cit. 2; organiser, cit. 6). *Les extrêmes* *se touchent.*

26 — Nous nous touchons par tant de points! répondis-je. N'appartenons-nous pas au petit nombre de créatures privilégiées pour la douleur et pour le plaisir (...)
        BALZAC, le Lys dans la vallée, Pl., t. VIII, p. 820.

Fam. Par euphém. *Se toucher :* se masturber. *Celui-là, il se touche la nuit !*

26.1 Moi, disait Charles-Hubert, égrillard, tu veux que je te dise mon idée? Cette gosse-là, elle se touche. T'as pas remarqué? Elle a les yeux qui lui descendent jusqu'au milieu de la figure.
        J. DUTOURD, Au bon beurre, p. 107.

(Faux pron.). *Se toucher le front,* pour signifier que qqn est fou, dérangé.

▶ **TOUCHÉ, ÉE** p. p. adj. *Objet touché. Adversaire touché,* en

escrime. *Argent, chèque touché.* — (Personnes; psychologique). *Touché de piété* (cit. 1), *de reconnaissance, de respect. Je suis touché, profondément touché.* ⇒ **Ému.** *Touché par qqch.* ⇒ **Sensible** (→ Exhortation, cit. 3).

CONTR. Manquer ; endurcir, froisser.
DÉR. 1. Touchant, 2. touchant, touchau, touche, 2. toucher, touchette, toucheur.
COMP. Attouche. — Retoucher. — Touche-à-tout, touche-pipi, touche-touche (à).
— Sainte-nitouche.

2. TOUCHER [tuʃe] n. m. — 1361 ; *toukier,* fin XIIᵉ ; inf. subst. de *toucher.*

♦ **1.** Un des cinq sens* (I., 1.) traditionnels, comprenant l'ensemble des sensibilités (cutanées, kinesthésiques, etc.) qui interviennent dans l'exploration des objets par palpation. ⇒ **Tact** (→ Autant, cit. 43; contact, cit. 1; dimension, cit. 3; étendue, cit. 3; généralement, cit. 1; obtus, cit. 1; palpable, cit. 1). *Les diverses espèces de toucher* (→ Réceptivité, cit. 1). *Illusions* (cit. 7) *du toucher. Toucher passif* (cit. 2) *et actif. Sensible, non sensible au toucher.* ⇒ **Palpable, tangible; impalpable.**

1 On a dit souvent, et d'une manière bien vague, que toutes les sensations pouvaient se réduire à celles du toucher, sens général répandu dans toutes les parties où viennent aboutir les extrémités nerveuses qui sont censées rayonner du cerveau comme de leur centre unique.
        MAINE DE BIRAN, Du physique et du moral de l'homme, II, § III.

2 Mais rien ne remplace le toucher, la palpation, la main qui passe dans les plis et replis d'un quartier comme dans ceux d'un velours.
        J. ROMAINS, les Hommes de bonne volonté, t. V, XVIII, p. 131.

2.1 Le toucher des Vertébrés, source de références spatiales (...) apparaît comme extrêmement subtil. A l'inverse de la vision dont la perception est d'abord synthétique, le toucher analyse, recrée les volumes à partir du déplacement de la main et des doigts, dans un couple tact-mouvement qui intègre le toucher au domaine accessible à la perception figurative.
        A. LEROI-GOURHAN, le Geste et la Parole, t. II, p. 117.

♦ **2.** [a] Action ou manière de toucher. ⇒ **Attouchement, contact.** *Doux, rude, gras* (cit. 29) ... *au toucher* (→ Grossir, cit. 2; maroquin, cit. 2; rêche, cit. 2). *Jouir du toucher d'une chose agréable* (→ Sensation, cit. 5). Poét. *Le toucher du vent, de l'ombre* (→ Frémissant, cit. 4; 1. ombre, cit. 4).

[b] (1690). Mus. Manière de jouer d'un instrument à touches ou à cordes, qui fait la qualité de la sonorité. *Un toucher sensible, délicat, vigoureux. Le toucher du clavecin est différent de celui du piano.*

[c] (1872). Méd., chir. Mode d'exploration consistant à introduire le doigt, la main dans une cavité naturelle. ⇒ **Investigation, palpation.** *Toucher rectal, vaginal, mitral...*

3 Se trouver en hiver, dans un endroit ami, entre des murs familiers, au milieu de choses habituées au toucher distrait de vos doigts (...)
        Ed. et J. DE GONCOURT, Journal, 15 janv. 1866, t. III, p. 9.

♦ **3.** (1762). Qualité que présente un corps au toucher. *Toucher velouté* (→ Labour, cit. 3), *moelleux.*

4 Jacqueline mit dans la main d'Armand quelque chose dont il ne comprit point la nature. Cela avait le toucher de la soie tricotée avec du dur à l'intérieur.
        ARAGON, les Beaux Quartiers, II, XXII.

TOUCHE-TOUCHE (À) [atuʃtuʃ] loc. adv. — 1920, *in* D.D.L. ; de *toucher.*

♦ Fam. En se touchant presque; en se suivant de près (de véhicules; de personnes réunies). « *Là, coincées entre des décharges municipales et des usines, les familles béates d'être "sur la Côte" sont entassées à touche-touche dans des terrains vagues sans ombre (...)* » (le Nouvel Obs., p. 43, 22 juil. 1974). — Var. d'auteur. *À tout touche.*

Il *(ce lieu)* est bondé de monde, gens du peuple ou de la campagne, assis à tout touche.
        LOTI, Vers Ispahan, p. 118.

REM. L'exemple ci-dessus suggère que *à touche-touche* est une altération de *à tout touche* (mais Loti peut avoir modifié la loc. normale).

TOUCHETTE [tuʃɛt] n. f. — 1844 ; « petite barre », XVIᵉ ; de *toucher.*

★ **I.** Mus. Chacune des petites pièces incrustées dans le manche d'une guitare, d'une mandoline, qui permettent de produire les demi-tons.

★ **II.** Argot autom. Petit choc sans gravité. ⇒ **Touche,** C., 4. Loc. *Aller à la touchette :* toucher légèrement (une autre voiture).

TOUCHEUR, EUSE [tuʃœR, øz] n. — 1611, « celui qui conduit (les ânes) avec un bâton » ; de *toucher.*

★ **I.** ♦ **1.** Techn. (Vx). *Toucheur de bestiaux, de bœufs,* chargé de conduire les bêtes en les touchant de l'aiguillon (→ Lanière, cit. 3).

♦ **2.** Personne qui touche (qqn, qqch.). — Vx. *Un toucheur d'orgue, de clavecin.*

♦ **3.** Fam. Personne qui se « touche », se masturbe. ⇒ **Masturbateur.**

Non, mon général, je ne suis pas une toucheuse, murmure Sara à voix très basse en reniflant ses doigts. Nullement. Je voulais seulement vérifier avant de revoir mon amour, si dans ce corps non remué depuis des nuits subsistait l'odeur du désir.
     Jeanne CORDELIER, la Passagère, p. 135.

★ **II.** (1836). Techn. (imprim.). Rouleau ou appareil qui dépose l'encre sur la forme. ⇒ **Encreur** (rouleau).

TOUE [tu] n. f. — Fin XIVe ; de *touer.*

Techn. (mar., navigation).

♦ **1.** Anc. Bateau plat, à une voile et servant de bac*. — (1845). Barque à fond plat qui fait la navette entre la terre et un navire au mouillage.

1   *(Je)* vis au bas une barque, nommée en Touraine une *toue*, attachée à un frêne, et que l'eau balançait.   BALZAC, le Lys dans la vallée, Pl., t. VIII, p. 807.

♦ **2.** (1469). Vx. Action de touer. ⇒ **Touage.** *Ancre de toue, chaîne de toue,* avec lesquelles on touait.

2   (...) la procession des navires remorqués par la marée comme sur une chaîne de toue (...)   CLAUDEL, Connaissance de l'Est, Marée de midi.

HOM. Tout ; formes du v. **touer.**

TOUÉE [twe] n. f. — 1415 ; de *touer.*

Techn. (mar., navigation).

♦ **1.** Câble, chaîne servant à touer. — (1876). Longueur de remorque servant au halage. *Touée de l'arrière, de l'avant :* cordage, grelin servant à haler l'arrière, l'avant d'un navire à quai (on dit aussi *amarre de poupe, de bout*).

♦ **2.** (1798). Longueur de chaîne filée en mouillant. *Touée préparée à plat pont.* ⇒ **Biture.** Fig. Longueur d'un chemin à parcourir.

TOUER [twe] v. tr. — XIIIe ; francique *togon « tirer » ; cf. angl. *to tow.*

♦ Techn. (navigation). **a** Faire avancer (un navire, une embarcation) en tirant à bord sur une amarre. *Touer à bras, au cabestan*.* — Haler par traction sur un câble, une chaîne fixée (à une amarre) ou mouillée au fond de l'eau. ⇒ **Touage, touée.** — (1680). Pron. *Navire qui se toue.* ⇒ **Déhaler** (se).

b (Se dit du *toueur**). Remorquer (d'autres navires).

DÉR. Touage, toue, touée, toueur.

TOUEUR, EUSE [twœR, øz] adj. et n. m. — 1855 ; « ancre de touée », 1643 ; adj. « qui toue », 1771 ; de *touer.*

Techn. (mar., navigation).

♦ **1.** Vx. Qui toue. *Ancre toueuse.*

♦ **2.** N. m. Remorqueur qui avance par touage* et tire des chalands (lesquels ne sont pas reliés à la chaîne immergée).

1   Entre ses deux berges, la Seine
Avec le port Saint-Nicolas,
Le toueur enroulant sa chaîne
Et le remorqueur jamais las (...)
     H. DE RÉGNIER, Flamma tenax, « Promenade ».

2   En l'année 1880, par une brumeuse matinée de fin d'hiver, un voilier venant des Amériques, pris en remorque par un petit toueur hollandais, remonta le canal maritime de Terneuzen et se mit à quai (...)
     Jean RAY, les Derniers Contes de Canterbury, p. 38.

TOUFFE [tuf] n. f. — XIIIe ; *tofe,* v. 1180 ; d'une forme alémanique, selon Bloch-Wartburg, *topf*,* de même rac. que le francique *top,* all. *Topf* (→ Toupet), p.-ê. croisé avec une var. du lat. *tuffa.*

♦ **1.** Assemblage naturel de plantes rapprochées par la base. ⇒ 1. **Bouquet** (*supra* cit. 6), **épi, houppe.** *Croître, pousser en touffes, par touffes* (→ Guéret, cit. 2). *Touffes d'arbrisseaux* (⇒ **Bosquet, broussaille, buisson**), *de jeunes tiges, de rejets* (⇒ **Cépée**), *de rameaux, de fleurs...* (⇒ **Trochée, trochet**) ; *d'ajoncs* (⇒ **Lande,** cit. 3), *de joncs* (jonchère), *de ronces* (roncier), *de scolopendre* (1. Scolopendre, cit.). *Touffe d'herbe* (→ Contraste, cit. 6), *de fleurs* (→ Piédouche, cit.), *d'hortensias* (→ Reposoir, cit. 2), *de fleurs de gui* (1. Gui, cit. 3). *Touffe ronde au sommet d'une tige* (→ Papyrus, cit. 2). — Littér. (En parlant de végétaux de grandes dimensions). Partie épaisse d'un bois, d'un bosquet, d'une forêt (→ Luxuriant, cit. 1). *Touffes d'arbres, de châtaigniers.* ⇒ **Bouquet** (→ Marquer, cit. 30).

1   C'était une guirlande de roses autour d'une touffe de violettes.
     A. DE MUSSET, Nouvelles, « Croisilles », III.

2   Des touffes de cresson ou de menthe cachent au pied qui se hasarde l'endroit où commence l'eau.   R. RADIGUET, le Diable au corps, p. 28.

♦ **2.** Cour. Ensemble de poils, de brins, etc., rassemblés à la base. *Touffe de poils, de cheveux*.* ⇒ **Épi, mèche, toupet ;** 2. **crêpe** (3.). → Peigner, cit. 5 ; résulter, cit. 5 ; sabrer, cit. 3. *Touffe de poils*

---

entre les sourcils. ⇒ **Taroupe.** *Touffe de crins sur un casque.* ⇒ **Crinière.** *Touffe de poils au pied d'un cheval.* ⇒ **Fanon.** — *Touffe de plumes* (→ Efflorescence, cit. 4), *de brins de laine, de soie.* ⇒ **Flocon** (1.), **houppe.**

3   (...) une touffe de poil blanc au front d'un cheval dénote la pureté du sang et la finesse de la race (...)   M. BARRÈS, Un jardin sur l'Oronte, II.

Spécialt. Toison pubienne. ⇒ **Chatte.**

DÉR. Touffu.

TOUFFER [tufe] v. intr. — 1823 ; de *touffe.*

♦ Rare. Se disposer en touffe. — REM. On trouve aussi la forme *se touffer,* pron., et *touffant, ante,* adjectif.

En effet, dans les jardins, dans les potagers, dans les vergers, se manifestaient des symptômes extrêmement curieux. Les plantes grimpantes grimpaient avec plus d'audace. Les plantes touffantes « touffaient » avec plus de vigueur.
     J. VERNE, le Docteur Ox, p. 72.

TOUFFETAGE [tuftaʒ] n. m. — 1973, in *la Clé des mots* ; francisation de *tufling,* d'après *touffe.*

♦ Techn. Technique des revêtements de tapis. — REM. On emploie aussi *tuftage.*

TOUFFETÉ, ÉE [tufte] adj. — 1973 ; francisation de *tufted,* d'après *touffe.*

♦ Techn. Obtenu par touffetage. *Sol textile touffeté. Moquette touffetée.* — REM. On emploie aussi *tufté, ée,* la forme francisée étant refusée par certains professionnels.

TOUFFEUR [tufœR] n. f. — V. 1620 ; aphérèse d'*étouffeur,* dial., « chaleur étouffante » ; de *étouffer.*

♦ Vx ou littér. Atmosphère étouffante* et chaude. ⇒ **Étouffement** (4.).

1   Une touffeur d'orage pesait sur ce Paris des fins de juillet, où, le soir, l'air devient opaque et gris, sans que l'on puisse démêler si c'est de buée ou de poussière.
     MARTIN DU GARD, les Thibault, t. II, p. 78.

2   Sa couleur moins anémiée (dirait-on) que la nôtre à quelque bronzage que nous puissions nous soumettre l'indique (semble-t-il) plus intime avec la touffeur de la nature (...)   Michel LEIRIS, Frêle bruit, p. 97.

TOUFFU, UE [tufy] adj. — 1549 ; *tuffu,* 1438 ; de *touffe.*

♦ **1.** Qui est en touffes, qui est épais (3.) et dense*. ⇒ **Dru, fourni, fourré** (III.), **luxuriant.** *Arbres touffus* (→ Lambris, cit. 4 ; ocre, cit. 3 ; pistachier, cit. ; sceller, cit. 7). *Marronniers touffus.* ⇒ **Feuillu** (→ Cribler, cit. 7). *Jardins touffus* (→ Élysée, cit. 2). *Haie* (cit. 2) *touffue. Maquis* (cit. 1) *épais et touffus. Enlacements touffus et planureux* (cit. 1) *de rosiers.* — *Barbe touffue* (→ Raccourci, cit. 1). *Queue touffue* (→ Gnou, cit.). *Poil long et touffu du raton* (1. Raton, cit. 1). *Poil touffu et en désordre.* ⇒ **Hirsute.** — Par ext. Qui porte un poil serré. « *Il avait les membres touffus* » (→ Poil, cit. 8).

1   Et nos chastes plaisirs, sous ces bosquets touffus,
N'ont d'autre témoin que l'aurore.   HUGO, Odes et Ballades, IV, III.

2   (...) les routes étroites, encadrées de murs trop chauds, au-dessus desquels moutonnaient des grappes de glycines touffues.   A. MAUROIS, Climats, I, IV.

♦ **2.** Par anal. Qui présente des formes compliquées, exubérantes (→ Efflorescence, cit. 3 ; efflorescent, cit.).

♦ **3.** (XIXe). Fig. Qui présente en trop peu d'espace des éléments abondants et complexes. ⇒ **Chargé, compliqué** (cit. 2), **dense, encombré.** *Livre abondant* (cit. 6) *et touffu* (→ Hyperbolique, cit. 4). *Lignes et rythmes touffus* (→ Formel, cit. 6).

CONTR. Clairsemé, maigre. — Concis, simple, succinct.

TOUILLAGE [tujaʒ] n. m. — 1793 ; de *touiller.*

♦ Fam. Action de touiller.

1. TOUILLE [tuj] n. f. — V. 1200, *touelle ;* déverbal de *touiller.*

♦ Vx. Instrument servant à touiller.

HOM. 2. Touille.

2. TOUILLE [tuj] n. m. — 1765, *Encyclopédie ; toil,* 1285 (in Godefroy) ; *touil,* 1758 ; orig. obscure, p.-ê. la même que *touille-bœuf* (in

Boiste, 1808) «bœuf (de mer) qui touille (l'eau)», selon Littré, *Supplément.*

♦ Régional. Lamie (squale).

HOM. 1. **Touille.**

TOUILLER [tuje] v. tr. — 1421 ; *toailler, toeiller,* xııᵉ ; mot dial. usuel jusqu'au xvıᵉ, repris au xıxᵉ dans des emplois spéciaux ; du lat. *tudiculare* «piler, broyer», de *tundere* «frapper».

♦ **1.** Fam. Remuer, agiter (une pâte, un liquide...). *Touiller l'eau, la lessive.* — (1599). Par ext. *Touiller les cartes,* les battre, les mêler. *Touiller la salade.* ⇒ **Fatiguer.** Par métaphore :

1 (...) il est inutile de remuer ma boue ; il sera temps de la touiller quand je serai dans une Trappe (...) HUYSMANS, En route, I, x.

2 ils s'enhardissent entament le pain d'épices de leur quatre heures lèchent le fond des pots de crème glissent leur nez dans les casseroles que touille Claudette
Tony DUVERT, Paysage de fantaisie, p. 122.

♦ **2.** (1842). Techn. Brasser, agiter pour épurer. *Touiller la fécule.*

DÉR. Touillage, 1. touille.

TOUJOURS [tuʒuʀ] adv. de temps — 1080, *Chanson de Roland, tuzjurs* ; comp. de *tous* (tout), et *jour(s)* ; a remplacé l'anc. franç. *sempre,* du lat. *semper.* → Sempiternel.

♦ **1.** (Marquant la permanence). Dans la totalité du laps de temps considéré, à quelque point du temps que l'on se place.

a (Au sens fort). En envisageant la totalité du temps. ⇒ **Éternellement** (cit. 6), **perpétuellement** (cf. Sans fin, sans terme). *L'Être éternel est* (cit. 4) *toujours. L'infini* (cit. 22), *terme auquel le fini tend toujours. Les nombres peuvent toujours être augmentés et diminués.* ⇒ **Infiniment** (cit. 1). — (Placé avant le verbe). *Le temps qui toujours marche* (→ Argent, cit. 4).

b En envisageant une durée limitée (par exemple, la vie : cf. À la vie, à la mort ; le souvenir : → 1. Mémoire, cit. 39) ou un ensemble d'instants discontinus ; pendant une durée ; à chaque instant considéré, sans exception (→ Gronder, cit. 7 ; 1. peuple, cit. 11). ⇒ **Constamment, continuellement, continûment.** → Sans arrêt, sans cesse (cit. 4), sans interruption, à toute heure, tous les jours (valeur originelle de *toujours*), en permanence, en tout temps. *Parfois* (cit. 4 et 5), *souvent* (cit. 1) *et toujours. Jamais* opposé à *toujours* (→ Céder, cit. 15 ; distrait, cit. 21). *Longtemps* ou toujours. Toujours et partout* (cit. 3). *Aujourd'hui, demain, toujours :* tous les jours (→ Plume, cit. 19). *« Cela s'est toujours fait et toujours se fera* (cit. 254)».

Les absents* (cit. 8) *ont toujours tort. La raison du plus fort est toujours la meilleure* (→ Montrer, cit. 13). *On a toujours raison, le Destin* (cit. 4) *toujours tort. Le cœur est toujours jeune et peut toujours saigner* (cit. 4). *Je fais toujours la guerre* (cit. 32). *L'esprit humain est toujours en marche* (→ Fixer, cit. 16). *Être toujours en mouvement* (cit. 18). *La populace* (cit. 3) *est toujours la même. Lieux que j'aimai toujours* (→ Asile, cit. 21). *J'y pensais toujours* (→ Obsession, cit. 2). *« Il neigeait* (Neiger, cit.), *il neigeait toujours ! ». La mort lui fut nuit et jour toujours présente* (→ Attentif, cit. 11). *C'était toujours comme ça avec elle* (→ Nouer, cit. 13). — *Quiconque a pensé* (1. Penser, cit. 1) *pensera toujours* (cit. 21) *de tout temps, on s'épousera toujours. Soyez toujours le même et l'on vous aimera toujours* (→ Changer, cit. 63). — *On chérira toujours les erreurs de la Grèce* (→ Païen, cit. 3). — Fam. et iron. *Cause toujours, parle toujours !*

(Marquant la coïncidence avec une circonstance). *Il grognait* (cit. 5) *toujours, quand...* (cf. Chaque fois que...). — Par exagér. *Il est en retard, lui toujours ponctuel.* ⇒ **Coutume** (de), **généralement.** *Il arrive toujours à cinq heures.* ⇒ **Invariablement.**

1 Car vous aurez toujours des pauvres avec vous ; mais vous ne m'aurez pas toujours. BIBLE (SACY), Évangile selon saint Matthieu, XXVI, 11.

2 Je te dis toujours la même chose, parce que c'est toujours la même chose (...)
MOLIÈRE, Don Juan, II, 1.

3 (...) il est aussi ridicule de jurer à une femme qu'on l'aimera toujours que de soutenir qu'on se portera toujours bien, ou qu'on sera toujours heureux. Quand ils se mettent à une femme qu'ils l'aimeront toujours, ils *(les hommes)* supposent qu'elle, de son côté, leur promet d'être toujours aimable ; et si elle manque à sa parole, ils ne se croient plus engagés à la leur.
MONTESQUIEU, Lettres persanes, LV.

4 Tu crois que tu m'aimeras toujours, enfant. Toujours ! quelle présomption dans une bouche humaine ! Tu as aimé déjà, n'est-ce pas ? comme moi ; souviens-toi qu'autrefois aussi tu as dit : toujours.
FLAUBERT, Correspondance, 114, 8 août 1846.

REM. *Toujours* se place habituellement après le verbe ou entre l'auxiliaire et le participe *(il a toujours été...) ;* il n'en était pas de même dans la langue classique. *Les gens de bien sont enviés* (cit. 1) *toujours.* 2. L'inversion du sujet après *toujours* se rencontre parfois dans la prose contemporaine (cf. H. de Régnier, Gide, in Le Bidois, *Inversion du sujet,* p. 138). *Toujours est-il* (→ ci-dessous).

5 Qui rit toujours, ou toujours pleure ?
A. DE VIGNY, *in* G. et R. LE BIDOIS, Syntaxe du franç. moderne, § 982.

Toujours je la connus pensive et sérieuse. 6
SAINTE-BEUVE, *in* G. et R. LE BIDOIS, Syntaxe du franç. moderne, § 977.

(Se rapportant à un adjectif, un participe). *«Ainsi* (cit. 11), *toujours poussés vers de nouveaux rivages».* «... *un monde toujours beau, Toujours divers, toujours nouveau »* (→ 2. Lieu, cit. 35). *Toujours attirés* (cit. 47) *et toujours trompés. Vos jours toujours sereins coulent dans les plaisirs* (→ Inépuisable, cit. 1). *La vie se déroule* (cit. 11) *toujours pareille... Une vie toujours réprimée* (cit. 8) *et toujours misérable. Toujours ponctuel* (cit. 1 et 2). — (Entre l'article et l'adj. épithète). *La toujours placide* (cit.) *Ligeia.* — Littér. (placé après l'adj.). *La tristesse, éloquente toujours, impérieuse toujours...* (→ Résister, cit. 14).

Toujours plus..., toujours moins (et adj.), marque une évolution qui ne s'arrête pas. ⇒ **Plus** (de plus en plus). → Assommer, cit. 17 ; fandango, cit. 2. *À un rythme* (cit. 5) *toujours plus rapide.*

Ellipt. *Pas un instant de répit, toujours à la chaîne !* (cit. 12). *Toujours petits* (cit. 30) *tableaux, petites idées... Toujours la même histoire* (→ Sot, cit. 1). — Allus. hist. *De l'audace* (cit. 8), *encore de l'audace, toujours de l'audace.*

COMME TOUJOURS : de même que dans tous les autres cas, les autres occasions (→ Plisser, cit. 1). *Pensant à elle comme toujours* (→ Fuite, cit. 4). *Le peuple fasciné* (cit. 10), *comme toujours...* — PRESQUE (cit. 3) TOUJOURS : très fréquemment, très souvent. ⇒ **Habituellement, ordinairement.**

NE PAS... TOUJOURS : pendant une partie seulement d'une durée ou pendant certains instants et pas à d'autres (→ Aimer, cit. 10). *Un courage que je n'ai pas toujours eu* (→ Oser, cit. 8). *On ne vivra pas toujours* (→ Immortel, cit. 4).

DE TOUJOURS : qui est toujours le même. *Le public de toujours* (→ Jeu, cit. 33). — DEPUIS TOUJOURS (→ De tout temps* ; et aussi gouverner, cit. 41 ; partie, cit. 11). — (Déb. xıxᵉ). POUR TOUJOURS : Définitivement (cf. À jamais, à perpétuité, sans retour... ; et → cadre, cit. 7). — (V. 1160). À TOUJOURS (rare) : à jamais.

7 (...) ceux qui en boiront *(du philtre)* ensemble s'aimeront de tous leurs sens et de toute leur pensée, à toujours, dans la vie et dans la mort.
J. BÉDIER, Adaptation de Tristan et Iseult, IV.

8 (...) leur fuite peut-être pour toujours.
PROUST, À la recherche du temps perdu, t. V, p. 123.

Subst. *Les jamais et les toujours* (→ 1. Le, cit. 24).

9 Tout ce bonheur n'est plus. Qui l'aurait dit ? nous sommes
Comme des étrangers l'un pour l'autre ; les hommes
Sont ainsi, — leur toujours ne passe pas six mois —.
Th. GAUTIER, Albertus, LVI.

♦ **2.** (Indiquant la persistance d'un état jusqu'à un moment donné). Encore maintenant*, encore au moment considéré. ⇒ **Encore** (1.). *Ils attendent toujours* (→ 1. Patience, cit. 13). *Le pain est toujours rare* (cit. 4). *Est-on* (cit. 22) *toujours fâchée ?* — *Il court toujours.* — *La marmite bouillait toujours* (→ 3. Poste, cit. 1). *Des ouvriers sortaient toujours* (→ Quinzaine, cit. 2). — *« Je tremble d'être vieille et laide, quand Gaston sera toujours jeune et beau »* (→ Frayeur, cit. 6). — *Des sentiments toujours jeunes* (cit. 13).

10 Je sentis que ma haine allait finir son cours,
Ou plutôt je sentis que je l'aimais toujours. RACINE, Andromaque, I, 1.

11 — Ils ne se verront plus. — Ils s'aimeront toujours. RACINE, Phèdre, IV, 6.

12 (...) j'ai vu, en passant, un homme qui lisait ; il avait dans la main la main d'une jeune femme assise à côté de lui. J'ai repassé deux heures après. L'homme lisait toujours, et il avait toujours la main de la jeune femme dans la main.
Ed. et J. DE GONCOURT, Journal, 21 janv. 1866, t. III, p. 12.

REM. Dans cet emploi, *pas* se met après *toujours. On ne démarrait toujours pas* (→ Flot, cit. 18). *«Albertine, toujours pas venue... »* (Proust, *in* Damourette et Pichon). De même : *toujours rien ; toujours guère* (M. Prévost, *in* Damourette et Pichon).

13 Et la nuit s'avançait. Il ne se couchait toujours pas (...)
A. DE CHATEAUBRIANT, la Brière, I, 1.

♦ **3.** (1668). Emploi non temporel, dit de «constance logique» (Damourette et Pichon). — REM. Ce sens provient d'emplois temporels où *toujours* marque la correspondance — temporelle, puis logique — entre deux choses. Ex. : «*Quand on se fait entendre, on parle* (1. Parler, cit. 13) *toujours bien*», ou, au sens 2, «*Un père* (cit. 3) *en punissant, Madame, est toujours père*». — En tout cas, de toute façon, quelles que soient les circonstances. ⇒ **Cependant, moins** (II., 2. : du moins). *Il vient, il arrive toujours une heure* (cit. 76), *un moment où... « Bon ! Cela fait toujours passer une heure ou deux »* (→ Malheureux, cit. 16). *Je m'arrangerai* (cit. 21) *toujours.* — Loc. *C'est, c'était toujours ça de pris* (cit. 24) *sur l'ennemi.* Fam. *Il peut toujours courir, se fouiller...* : quoi qu'il fasse, il n'aura rien. *C'est toujours pas toi qui l'auras. Cause toujours !*

14 Voilà des gens qui ont la mine de me venir consulter. Allez toujours m'attendre auprès du logis de votre maîtresse. MOLIÈRE, le Médecin malgré lui, III, 1.

15 Il demanda à Tartarin s'il ne devait mettre pour se rendre à bord son manteau de première classe. «Mets-le toujours, ça les impressionnera !» répondit le Gouverneur.
Alphonse DAUDET, Port-Tarascon, II, v.

16 En phrase négative *toujours,* quand il est pris dans ce sens spécial, se met après *pas* : «*Tu ne vas toujours pas me dire* que tu as dépensé tout ton argent ?» C'est sans doute par lapsus que Proust fait dire à Odette : «Ce n'est *pas toujours* ça qui me trahira», Swann, II, 91.
G. et R. LE BIDOIS, Syntaxe du franç. moderne, § 1724.

REM. (1749, *in* D.D.L.). En phrase négative, *toujours* se met parfois à la fin (et prend alors la valeur d'une interjection).

17 — Où est-elle cette preuve? — Pas dans ma poche, toujours!
Alphonse DAUDET, *Port-Tarascon*, I, VII.

18 Il demanda, un peu anxieux : — Tu n'es pas allé chez moi, toujours? — Penses-tu! dit Sarcelotte. M. GENEVOIX, *Raboliot*, III, V.

TOUJOURS EST-IL (QUE)..., «sert à introduire un fait ou un jugement que l'on pose comme certain, en vive opposition avec d'autres faits qui viennent d'être présentés sous le signe de l'hésitation, de l'incertitude ou de la probabilité» (R. Le Bidois, *Inversion du sujet*, p. 104, qui cite des exemples où cette locution s'oppose à des séries de questions, d'hypothèses, de suppositions [peut-être...], etc.). ⇒ **Néanmoins, rester** (reste que...). → 1. Pensée, cit. 29. — REM. Le verbe est généralement au présent. Cf. cependant *Toujours était* (cit. 29) *-il que, fut-il que...* (P. Benoit).

19 Mais je n'ai pas vu Leriche depuis quinze jours au moins. Toujours est-il, monsieur, qu'il est ici (...)
H. MONNIER, *Scènes populaires*, La grande dame, sc. 9, t. I, p. 224.

CONTR. Jamais; parfois, exceptionnellement.

TOULINE [tulin] n. f. — 1872, Littré; francisation de *tow line*, de *to tow* «haler, touer», et *line* «ligne».

♦ Mar. Cordage servant à haler un gros cordage (aussière, câble...).

TOULONNAIS, AISE [tulɔnɛ, ɛz] adj. — 1876; de *Toulon*.

♦ De Toulon. *Marin toulonnais.* ⇒ arg. **Moco.**

TOULOUPE [tulup] n. f. — 1780; 1768, *touloppe*, var. *touloup*, n. m., 1858, *in* D.D.L.; mot russe.

♦ Peau d'agneau, de mouton préparée; veste en peau de mouton, portée par les paysans russes (→ Graisse, cit. 16; quitter, cit. 18).

(...) d'autres (...) étaient affublés déjà de la touloupe ou tunique en peau de mouton. La touloupe se met la laine en dedans, et quand elle est neuve, la peau tannée est d'une couleur saumon pâle assez agréable à l'œil (...)
Th. GAUTIER, *Voyage en Russie*, VI.

TOULOUSAIN, AINE [tuluzɛ̃, ɛn] adj. et n. — D. i.; de *Toulouse*.

♦ De Toulouse.

TOUNDRA [tundʀa] n. f. — 1876, *in* P. Larousse; russe *tundra*; mot lapon.

♦ Plaine de la Russie septentrionale, steppe de la zone arctique, dont le sol est gelé en profondeur une partie de l'année, et qui est caractérisée par des associations végétales de mousses et de lichens, des bruyères et quelques herbacées. *La toundra sibérienne* (→ Homme, cit. 91).

(...) les tourbières sont très fréquentes dans la zone des toundras. Le sol y est généralement tout bosselé, les cuvettes alternent avec des parties rocailleuses (...)
E. DE MARTONNE, *Traité de géographie physique*, t. III, p. 1154.

TOUNGOUZE [tunguz] adj. et n. — 1765; nom turc d'un peuple d'Asie.

♦ Didact. D'un groupe de langues de l'Eurasie et de l'Asie septentrionale, parmi lesquelles le mandjou ou manchou* (langue parlée en Manchourie).

Parmi les langues toungouzes, seul le mandjou a une littérature. Elle se compose de plus de sept cents ouvrages, en majeure partie traduits du chinois (...) Il existe une différence considérable entre les structures morphologiques du mandjou et la plupart des parlers toungouzes. Car si le premier montre un état très primitif, les parlers toungouzes marquent un degré d'évolution très avancé se rapprochant sensiblement du type des langues indo-européennes.
A. MEILLET et M. COHEN, *les Langues du monde*, p. 389-394.

TOUPET [tupɛ] n. m. — V. 1138; signifie aussi «sommet», en anc. franç.; dér. de l'anc. franç. *top*, du francique. Cf. all. *Topf*, angl. *top*. → Toupie.

★ **I.** ♦ **1.** Touffe (de cheveux*). ⇒ **Houppe** (2.). *Toupet de cheveux* (cit. 18; et aussi scalper, cit. 1). — Absolt. Touffe de cheveux sur le sommet du crâne. *Se coiffer en toupet* (Mme de Sévigné).

Loc. *Faux toupet* (Balzac, *la Vieille Fille*, t. IV, p. 306) ou *faux-toupet, toupet postiche* : postiche plus léger que la perruque complète.

0.1 (...) Le faux-toupet enfonce la perruque; on le trouve plus léger, plus jeune et surtout plus trompeur.
A Paris, presque tous les coiffeurs en renom excellent dans la confection et la pose du faux-toupet. Ch. PAUL DE KOCK, *la Grande Ville*, t. I, p. 64.

(Déb. XIXe). *Faux toupet*, vieillot, ridicule (→ Pompadour, cit. 1, Gautier).

Fig. et vx. *Son toupet s'échauffe* : il s'impatiente (Saint-Simon, *in* Littré).

♦ **2.** Touffe de crins à la partie antérieure de la crinière du cheval.

★ **II.** (1808; cf. Avoir du front). Fig., fam. Hardiesse, assurance effrontée. ⇒ **Aplomb, audace, culot** (fam.), **effronterie** (→ Gagner, cit. 13; lascar, cit. 1). *Hypocrite* (cit. 22) *avec toupet. Tu as le toupet!* (→ Jeunesse, cit. 32). *Quel toupet! Il ne manque pas de toupet. Il a un sacré toupet.*

1 Les deux neveux se regardèrent à la dérobée comme pour se dire, en admirant leur oncle : — *Quel toupet!* BALZAC, les Employés, Pl., t. VI, p. 931.

2 (...) lequel devait se présenter? Et une lutte de délicatesse s'engagea. Pécuchet préférait à lui-même son ami. — Non, ça te revient! tu as plus de prestance! — Peut-être, répondait Bouvard, mais toi plus de toupet!
FLAUBERT, Bouvard et Pécuchet, VI.

3 Il avait un sacré aplomb, un toupet du tonnerre, familier, bravant le danger.
ZOLA, l'Assommoir, IV, t. I, p. 142.

DÉR. **Toupillon.**

1. TOUPIE [tupi] n. f. — 1530; *tourpie*, v. 1360; *topoie* en 1205; anglo-normand *topet* (1060), dimin. de l'angl. *top* «sommet, pointe». → Toupet.

★ **I.** ♦ **1.** Instrument servant de jouet, formé d'une masse conique, sphéroïdale, etc., munie d'une pointe sur laquelle elle peut se maintenir en équilibre en tournant. ⇒ **Moine** (II., 1.), **pirouette** (vx), **sabot** (4.), **toton.** *Anciennes toupies de bois plein,* que l'on faisait tourner avec un fouet. *Toupie d'Allemagne,* en bois creux, qui ronfle, vrombit en tournant. *Toupie de Hollande. Toupie ronflante en métal creux. Toupie à musique.* — *Toupie gyroscopique.* — *Toupie qui dort,* reste sur place en tournant sur elle-même. — Par compar. *Tourner, tournoyer, virer... comme une toupie.* (1876). Fig. *On le fait tourner comme une toupie* : c'est un faible. *Ronfler** (cit. 1) *comme une toupie, comme une toupie d'Allemagne.*

0.1 Celui-là reproduisit, au moyen de toupies tournantes, les plus invraisemblables combinaisons; sous sa main, ces ronflantes machines semblaient s'animer d'une vie propre dans leur interminable giration (...)
J. VERNE, le Tour du monde en 80 jours, p. 200.

1 (...) il avait noué le bout de sa ceinture au fer de son lit, et, pour dérouler ses quatre mètres de flanelle, il s'était mis à tourner sur lui-même, comme une toupie, d'une allure de plus en plus rapide.
MARTIN DU GARD, les Thibault, t. V, p. 276.

♦ **2.** Techn. (par anal. de forme et de mouvement). ⓐ (1876). Outil de plombier utilisé pour évaser l'extrémité des tubes (en général avant d'y pratiquer l'épaulement dit *collet battu*).

ⓑ (Déb. XXe). Organe de machine-outil, pour creuser, évider le bois; cette machine-outil. ⇒ **Toupilleuse.** *Pousser des moulures à la toupie.*

♦ **3.** (Par anal. de forme). ⓐ Pied de meuble, tourné et évasé (style Louis XVI).

ⓑ Lampe (cit. 7) à pétrole, à réservoir piriforme.

ⓒ Arbor. Quenouille surbaissée.

★ **II.** ♦ **1.** (1774, *in* Larchey). Vieilli. «Femme de peu, tournant en toutes mains comme une toupie» (Larchey). — REM. Cette valeur était plutôt métaphorique (de I., 1.) que figurée : *«Cette vieille toupie qui a tourné sous le fouet de tous les airs d'opéra»* (à propos d'une danseuse). ⇒ Guenon, cit. 6, Balzac.

♦ **2.** (1896). Mod. Femme sotte et affectée, ridicule, désagréable. *Quelle toupie!* — (En appellatif). *Vieille toupie!*

2 *(Il)* regretta de n'avoir pas su prendre parti pour lui contre la vieille toupie.
M. AYMÉ, le Chemin des écoliers, IV.

DÉR. **Toupiller.** — V. **Toupiner.**

2. TOUPIE [tupi] n. f. — Altér. de *toupine*, d'après 1. *toupie*. ⇒ **Toupine.**

TOUPILLER [tupije] v. — 1547; de l'anc. v. *toupier, topier*, 1288; de *toupie*.

★ **I.** V. intr. ♦ **1.** Fam. et vx ou régional. Tourner, tournoyer comme une toupie. — REM. Le dérivé *tupillement* est attesté (Hervé Bazin, *la Mort du petit cheval*, p. 26).

♦ **2.** Par ext. Aller çà et là (Beaumarchais, *le Barbier de Séville*, III, 4).

♦ **3.** ⇒ **Toupiner.**

★ **II.** V. tr. (Déb. XXe). Travailler, évider avec la toupie (I., 2.). *Toupiller le bois.*

DÉR. **Toupilleur, toupilleuse.**

TOUPILLEUR [tupijœʀ] n. m. — 1876; de *toupiller*.

♦ Techn. Ouvrier du bois travaillant à la toupie (2.). — REM. Le fém., non attesté, est virtuel.

TOUPILLEUSE [tupijøz] n. f. — V. 1960 ; de *toupiller*.

♦ Techn. Tour, machine-outil munie d'une toupie* (I., 2.).

1. TOUPILLON [tupijɔ̃] n. m. — 1414 ; de *toupet*.

♦ **1.** Vx. Petit toupet.

♦ **2.** Vx. Petite touffe, bouquet de branches. — Mod. Botte de dix brins de muguet.

♦ **3.** (1876). Régional. Touffe de poils de la queue des bovidés.

2. TOUPILLON [tupijɔ̃] n. m. — Régional. ⇒ **Toupine.**

TOUPIN [tupɛ̃] n. m. — Attesté xxᵉ ; anc. provençal *topin*, francique **toppin*. → Toupine. Régional.

♦ **1.** Toupine.

♦ **2.** Fromage cylindrique à pâte cuite, à croûte levée (Haute-Savoie).

TOUPINE [tupin] n. f. — Anc. mot dial. à nombreuses var., de l'anc. provençal *topina*, de *topi* «pot», de l'anc. francique **toppin*, même rac. que *topette*.

♦ Régional. Pot de terre, sorte de jarre.

1 «Buvez, dit-il, c'est le moment!» et il lui passa la toupine.
Ulysse colla ses lèvres à l'argile, avala une longue lampée (...)
J. GIONO, Naissance de l'Odyssée, p. 92.

2 Dans l'âtre chauffait un pot de terre — la toupine — où mijotait la ration familiale.
Edmonde CHARLES-ROUX, l'Irrégulière, p. 22.

On rencontre les var. *toupie* et *toupin, toupillon*, n. m.

TOUPINER [tupine] v. intr. — V. 1250 ; de *toupin*, var. de *toupie*. Régional (Normandie).

♦ **1.** Tourner comme une toupie.

Vers la fin de la danse elle commença de toupiner, lentement d'abord, puis de plus en plus vite, d'abord au mitan de la salle, puis en grand cercle, à la manière d'un toton près de choir, suivant le rang des spectateurs qu'elle frôlait.
GIDE, Journal, 1910, *Elche*.

♦ **2.** Se dit d'une bête attachée qui se prend et s'enroule, s'emmêle dans sa longe.

TOUQUE [tuk] n. f. — 1470 ; probablt provençal *tuc* ; var. mérid. *tuco* «courge, gourde», rad. pré-latin **tukka* «courge».

♦ Récipient métallique pour la conservation et le transport des poudres, pâtes, liquides (eau douce, sur les navires ; produits pétroliers, etc.).

1 Nous constatons que sur les douze touques de farine (...) emportées de Brazzaville, il n'en est pas une seule qui n'ait été percée de trous par les clous de l'emballage. Ces touques de fer blanc sont soigneusement soudées, mais par ces trous les charançons sont entrés ; et l'humidité a gâté une partie de la farine.
GIDE, Voyage au Congo, 16 févr. 1925.

2 Il roulait à travers les rues de la ville chinoise avec un grondement qu'écrasait à chaque cahot un tintamarre de fer-blanc : les côtés, près des grillages, étaient garnis de touques à pétrole.
MALRAUX, la Condition humaine, p. 63.

1. TOUR [tuʀ] n. f. — XIIᵉ ; *tur*, 1080, *Chanson de Roland* ; du lat. *turrem*, accusatif de *turris*.

♦ **1.** **ⓐ** Bâtiment construit en hauteur, dominant un édifice ou un ensemble architectural, et souvent destiné à la protection militaire (⇒ **Abri, fortification**). *Tour ronde, polygonale, carrée, quadrangulaire* (→ Architrave, cit. 3 ; ogive, cit. 3). *Grande* (cit. 5), *haute tour. Tour maîtresse ; tour d'un château** (cit. 1), *d'un château fort, d'une forteresse* (cit. 1), *d'un ensemble fortifié.* ⇒ **Donjon.** *Enceinte** (cit. 2) *de tours* (→ Approcher, cit. 28). *Tour qui flanque un mur. Tour garnie de créneaux* (cit. 1), *d'un hourd, de mâchicoulis* (cit. 1). *Tour en poivrière* (cit. 1), *coiffée de toits en éteignoir* (cit. 2). —*Attaquer, battre en brèche ; défendre une tour. Tour ébranlée par le bélier* (→ Pareil, cit. 4 ; poutre, cit.). *Arbalète à tour* : machine de guerre destinée à envoyer des projectiles contre les tours. «*La tour, prends garde* (cit. 61) *De te laisser abattre*» (chanson). — *Tour de guet.* ⇒ **Beffroi.** «*Madame à sa tour monte**» (→ Haut, cit. 90). — *Tour servant de prison* (→ Immonde, cit. 1 ; monter, cit. 24). *Le prisonnier de la tour. La tour du Temple*.* — *La tour de Nesle*, où Marguerite de Bourgogne, selon une tradition populaire, recevait ses amants avant de les faire jeter dans la Seine (titre d'un drame de Dumas père, 1832). *La Tour de Londres*, se dit, par ext., du château bâti près de la Tamise par Guillaume le Conquérant.

1 La sœur Anne monta sur le haut de la tour, et la pauvre affligée lui criait de temps en temps : — Anne, ma sœur Anne, ne vois-tu rien venir ?
Ch. PERRAULT, Contes, « La Barbe bleue ».

2 Et vous, enfants, à la tour de Nesle ! DUMAS, la Tour de Nesle, I, 4.

Archit. et fortif. *Tour chaperonnée*, munie d'un comble apparent. *Tour casematée. Tour creuse* : parement interne d'un mur cylindrique. *Tour ronde* : parement externe, convexe. *Trompe en tour ronde.* — *Tour maximilienne* : tour à étages pourvue de casemates.

ⓑ Clocher d'église à sommet plat (sans toit en pyramide). ⇒ **Campanile, clocher** (→ Honneur, cit. 109 ; monument, cit. 8 ; nef, cit. 4). *Tours de beffroi. La tour de l'Horloge. Forêt* (cit. 5) *de flèches et de tours* (→ aussi Gothique, cit. 12). «*Médine aux mille tours* » (→ Aiguille, cit. 17). *Tour d'une mosquée.* ⇒ **Minaret.** *La tour penchée de Pise* : le campanile de Pise (→ Incliner, cit. 32 ; indécis, cit. 6). *La tour Saint-Jacques*, à Paris. *Les tours de Notre-Dame* (de Paris). → Profiler, cit. 2.

3 L'église, son église, couronnait le large cône des maisons entassées autour d'elle, de ses deux tours de pierre brune, inégales et carrées, qui dressaient dans ce beau vallon méridional leurs silhouettes anciennes plus pareilles à des défenses de château fort, qu'à des clochers de monument sacré.
MAUPASSANT, l'Inutile Beauté, « Champ d'oliviers », I.

Loc. *Tour de beurre*, construite avec les fonds provenant des autorisations de manger du beurre en carême.
Allus. bibl. *La tour de Babel.* ⇒ **Babel** (cit. 1 et 2). Fig. *C'est une tour de Babel, de Babylone* (→ Ancre, cit. 1), on y parle toutes les langues.
Bâtiment civil orné d'une tour, de tours. Les tours d'un château, d'une gentilhommière. Petite tour. ⇒ **Tourelle, tournelle.** *La tour où se trouvait la « librairie » de Montaigne* (→ Étage, cit. 3). *Sa chambre est dans la tour.* — Par anal. Bâtiment rond et élevé d'un phare** (→ Fanal, cit. 5). *Les tours sont des amers de jour.* — Partie élevée d'un moulin. — Par compar. *Piliers* (cit. 2) *gros comme des tours. En forme de tour.* ⇒ **Turriculé.**

ⓒ (Mil. xxᵉ). Bâtiment indépendant de grande hauteur, à usage d'habitation ou de bureaux. ⇒ **Immeuble.** (Ce mot tend à remplacer *gratte-ciel** et *building*). *La tour Montparnasse à Paris. Les tours de la Défense. Il habite au 25ᵉ étage d'une tour. Un quartier de tours. Les tours et les barres* des villes nouvelles.*

♦ **2.** Archéol. Machine de guerre, de siège, haute construction mobile servant à assiéger des remparts, des murs élevés. ⇒ **Beffroi, hélépole.** *Tour mobile.* — *Tour attachée sur le dos d'un éléphant*, où se tenaient les archers.

4 Deux tours roulantes furent construites pour le comte de Saint-Gille et pour le duc de Lorraine. Enfin (...) toute l'armée attaqua : la tour de Godefroi fut approchée des murs, et le vendredi 15 juillet 1099, à trois heures, à l'heure et au jour même de la passion, Godefroi de Bouillon descendit de sa tour sur les murailles de Jérusalem.
MICHELET, Hist. de France, IV, III.

(1611). Aux échecs (a remplacé *roc*. → Roquer, étym.). Pièce en forme de tour crénelée, placée au départ à l'angle de l'échiquier et qui avance en droite ligne (horizontale ou verticale). *Les deux tours noires. Intervertir le roi et une tour.* ⇒ **Roquer.**

♦ **3.** (1830, Sainte-Beuve ; d'après l'expression des litanies *turris eburnea*). **TOUR D'IVOIRE** : image employée par Sainte-Beuve pour désigner la retraite pure et hautaine où il regrettait que Vigny se fût si tôt enfermé. — Par ext. Position indépendante et solitaire de celui qui refuse de s'engager, de se compromettre. *S'enfermer, être, rester... dans sa tour d'ivoire* (→ Dans sa coque*).

5 (...) Vigny, plus secret,
Comme en sa tour d'ivoire, avant midi, rentrait.
SAINTE-BEUVE, Pensées d'août, À M. Villemain.

6 (*Vigny*) est même allé jusqu'à penser (...) qu'il n'y avait de refuge assuré que dans le culte persévérant et le commerce solitaire de l'idéal. Longtemps il s'est donc tenu à part sur sa colline, et, comme je le lui disais un jour, il est rentré avant midi dans sa *tour d'ivoire*. Il en est sorti toutefois, il s'est mêlé depuis aux émotions contemporaines par son drame touchant de *Chatterton*, et par ses ouvrages de prose (...)
SAINTE-BEUVE, Élection de Vigny à l'Acad. franç., in Revue des Deux-Mondes, févr. 1846.

7 Il ne nous restait pour asile que cette tour d'ivoire des poètes, où nous montions toujours plus haut pour nous isoler de la foule. À ces points élevés où nous guidaient nos maîtres, nous respirions enfin l'air pur des solitudes, nous buvions l'oubli dans la coupe d'or des légendes, nous éti ns ivres de poésie et d'amour.
NERVAL, les Filles du feu, « Sylvie », I.

8 D'ivoire ou de cristal, c'est à présent que je voudrais me réfugier dans une tour, entourée de douves infranchissables, avec une poterne dont seuls quelques intimes auraient la clef. GIDE, Journal, 1ᵉʳ déc. 1946.

♦ **4.** Construction en hauteur (qui n'est pas des bâtiments clos) ; construction à usage technique, ne pouvant servir à l'habitation. *Tour métallique. La tour Eiffel, construite de 1887 à 1889*, fut longtemps la plus haute construction du monde et reste un des symboles de Paris (→ Kermesse, cit. 2, Maupassant ; troupeau, cit. 3, Apollinaire). *La tour de Tokyo.*

9 (...) et voici la tour Eiffel! mon Dieu, quelle confiance il possédait en la gravitation universelle, son ingénieur (...) Mon Dieu, qu'elle est belle, vue de la cage du départ, avec sa large baguette cousue jusqu'au deuxième (...) mais elle n'est pas un édifice, elle est une voiture, un navire.
GIRAUDOUX, Juliette au pays des hommes, VI, Prière sur la tour Eiffel.

Mar. *Tour balise.* — (Mil. xxᵉ). Loc. (cour.). *Tour de contrôle* : local surélevé d'où s'effectue le contrôle des activités d'un aérodrome, d'une piste.

Techn. *Tours de Glover, de Gay-Lussac*, dans les fabriques d'acide sulfurique. *Tour d'extraction* (mines). *Tour d'un derrick*, ou, mieux, *tour de forage* : charpente dressée à l'endroit où l'on veut effectuer un forage, pour l'exécution des manœuvres de levage et descente des outils (→ Plate-forme, cit. 4). *Tour de fractionnement*. Tour* (ou *colonne*) *de lavage. Tour de réfrigération : tours humides ; tours sèches* (aérocondenseurs). — *Tour à béton* (fabrication). *Tour à charbon* (stockage).

Milit. Charpente mobile supportant une rampe de missiles. — *Tour de saut*, pour l'entraînement des parachutistes.

♦ **5.** (1669). ⓐ Par compar. *Être gros, massif comme une tour.*

10   La sixième était du même âge ; grosse comme une tour, grande à proportion, de beaux traits, un vrai colosse dont les formes étaient dégradées par l'embonpoint (...)   SADE, Justine..., t. I, p. 145.

ⓑ Objet élevé ; entassement d'objets. *Une haute tour de dentelle gaufrée* (cit. 1).

DÉR. **Tourelle.**

HOM. 2. **Tour,** 3. **tour, tourd.**

2. TOUR [tuʀ] n. m. — xive ; *torn,* v. 1100, puis *tor ;* du lat. *tornus,* grec *tornos* «tour de tourneur». → Tourner.

♦ **1.** (xvie, Amyot). Dispositif (de nos jours, machine-outil) qui sert à façonner des pièces de bois, d'ivoire, de métal, d'argile, etc., en leur imprimant un mouvement de rotation (pièces dites de révolution* : cônes, cylindres, sphères). *Parties d'un tour.* ⇒ **Banc, chariot, poupée, touret.** *Travailler un objet au tour.* ⇒ **Tourner, tourneur.** *Pommeau* (cit. 4) *de canne travaillé au tour. Tour à bois.* — (1723). *Tour de potier. Une motte de pâte tourbillonnant sur un tour* (→ Porcelaine, cit. 1). *Une vasque creusée* (cit. 26) *au tour.* — (Machines-outils). *Tour à aléser, à décolleter, à fileter, à tarauder...* ⇒ **Alésage, aléseuse ; chariotage, cylindrage, dressage, tournage.** *Tour parallèle. Tour en l'air. Tour vertical* (1903, in *Rev. gén. des sc.,* no 7, p. 395), *tour revolver.*

1   Dans les travées des machines neuves de l'atelier de mécanique générale (...) il s'arrêta devant un tour (...) Le chef d'atelier Adouard dit qu'il ne pouvait le confier qu'à un ouvrier de première main tellement le réglage en était délicat et les passes rapides.   Pierre HAMP, la Peine des hommes (Moteurs), p. 285.

♦ **2.** (1671). Loc. fig. *Fait au tour :* bien fait (⇒ **Beau**). *Une jambe, une gorge* (cit. 6) *faite au tour.*

2   (...) c'était une grande fille faite au tour.
                                    DIDEROT, Jacques le fataliste, Pl., p. 528.

3   Car... que sais-tu faire en ce monde,
     Petite reine toute ronde
     Faite au tour pour le bal du roi ?
                     Germain NOUVEAU, Valentines, «Supérieure», Pl., p. 597.

♦ **3.** (1549). Sorte de boîte, d'armoire cylindrique tournant sur pivot. *Les tours des couvents et des hospices** (3.) *où l'on déposait les enfants nouveau-nés que l'on abandonnait à la charité publique.* — *Tour pour passer les plats de cuisine à la salle à manger* (⇒ **Passe-plats**).

♦ **4.** (1680). Cuis. Table utilisée pour travailler les pâtes au rouleau.

DÉR. 1. **Tourer,** 1. **touret, tourier, tourillon.**

HOM. 1. **Tour,** 3. **tour, tourd.**

3. TOUR [tuʀ] n. m. — xiie ; *tor* «volte-face», 1080 ; de *tourner.*

★ **I. A.** Ligne courbe fermée ; mouvement qui la décrit. ♦ **1.** Circonférence* qui limite un corps ou un lieu plus ou moins circulaire ; mesure de cette circonférence. *Le tour de qqch. Tour de taille. Avoir soixante centimètres de tour de taille*. Prendre son tour de taille, de hanches. Une piste de cent mètres de tour* (→ Paddock, cit. 1). *Une boule de dix pieds de tour* (→ Hauteur, cit. 4). *Les tours d'une hélice, d'une spirale, d'une vis.* ⇒ **Spire.**

♦ **2.** Ligne extérieure, partie qui limite une surface circulaire ou non. ⇒ **Bordure, contour, périphérie, pourtour.** *Chez le chimpanzé, le tour des yeux et les joues sont pigmentés* (→ Face, cit. 14). *Le tour du visage,* l'ovale. — Loc. (1885). *Tour de ville :* promenade, boulevard circulaire autour de la ville.

♦ **3.** Par métonymie. **TOUR DE...** : chose qui en recouvre une autre en l'entourant. (Se dit particulièrement de vêtements, de garnitures). *Tour de cou*. Tour de lit :* draperie, bordure d'étoffe qui entoure un lit.

♦ **4.** (Déb. xviie, d'Aubigné). **FAIRE LE TOUR DE** (qqch.).

ⓐ Occuper la circonférence, s'étendre tout autour. ⇒ **Entourer.** *Le mur fait le tour de la ville. Ce foulard fait deux fois le tour du cou.*

1   J'avais autrefois un royaume tellement grand qu'il faisait le tour presque complet de la Terre.   Henri MICHAUX, La nuit remue, p. 52.

ⓑ Aller autour*, se déplacer, passer tout autour (d'un lieu, d'un espace). ⇒ **Parcourir ; tourner** (autour). *Le scorpion* (cit. 1) *fait le tour du cercle. Les concurrents font à pied le tour de la piste* (→ Motocycliste, cit. 1). *Faire le tour du globe* (→ Hameau, cit. 1), *du monde* (→ Conjecturer, cit. 2 ; équipage, cit. 2 ; européen, cit. 3 ; regard, cit. 15) ; par ext., voyager dans le monde entier. *Faire le tour de l'arène* (cit. 8), *de la prairie* (→ Depuis, cit. 26), *du parc* (→ Miroir, cit. 6), *du terre-plein* (→ Invulnérable, cit. 3). *J'ai fait*

trois fois le tour de la cour (→ Main, cit. 36). *Faire le tour de la table, de la salle* (→ Paillasse, cit. 5), *du bar* (→ Serveuse, cit. 1). — Loc. *Faire le tour du propriétaire** (cit. 3). — Par ext. *Faire le tour de* (plusieurs personnes), les voir toutes successivement. *Ils firent le tour des convives* (→ Préséance, cit. 2). *Faire le tour de la table :* faire parler ou interroger successivement toutes les personnes assises autour de la table. *Faire un tour de table :* interroger successivement tous les membres d'une réunion, d'un groupe. — (Sans le verbe *faire*). *Un tour de table,* cette interrogation.

Fig. Passer en revue, examiner tous les éléments. *Faire le tour de la situation* (→ Détente, cit. 4), *de ses connaissances.* — *Avoir fait le tour de tout :* être revenu de tout, être blasé.

(Sujet n. de chose). *Le drapeau* (cit. 2) *tricolore a fait le tour du monde.* Loc. *Le tour du cadran.* ⇒ **Cadran.** — Loc. *Mon sang** (*infra,* cit. 4) *n'a fait qu'un tour.* — *Les crises* (cit. 7) *font le tour du monde.*

♦ **5.** (1226). **FAIRE UN, DES TOURS,** un petit déplacement (où l'on revient au point de départ). «*Ma commère la carpe* (1. Carpe, cit. 1) *y faisait mille tours*». «*Après* (cit. 16) *qu'il eut brouté, trotté, fait tous ses tours*». ⇒ **Allée** (allées et venues). *Gardien qui fait un tour toutes les deux heures.* ⇒ **Ronde, tournée.** — *Faire un tour de promenade* (→ Présenter, cit. 15), ou, absolt (1609, *in* D. D. L.), **FAIRE UN TOUR** : sortir pour revenir bientôt, faire une petite sortie. *Ma femme nous avait envoyés faire un tour* (→ Nous, cit. 17 ; et aussi cependant, cit. 6 ; pleuvoir, cit. 4). *Faire un tour en ville, en montagne* (⇒ **Balade, course, excursion, marche, promenade, sortie, virée**), *au musée* (⇒ **Visite**).

2   La petite ! (À Marie). Mademoiselle... voilà donc que vous êtes venue faire un tour par chez nous !   E. LABICHE, Deux merles blancs, I, 4.

3   Or, un dimanche, comme elle était allée faire un tour aux Champs-Élysées pour se délasser des besognes de la semaine (...)
                           MAUPASSANT, Boule-de-Suif, «La parure».

4   — (...) Est-ce qu'il vous arrive de temps en temps d'aller faire un tour dehors ?
     — La porte est verrouillée.   SARTRE, Huis clos, III.

(Sans le verbe *faire*). *C'est un tour agréable, avant le repas.* ⇒ **Promenade.**

♦ **6.** (1690). **TOUR DE...** : circuit accompli par un voyageur, un touriste*. ⇒ **Voyage ; circuit, périple, tournée.** *Faire le tour des États-Unis. S'embarquer* (cit. 2) *pour un tour du monde de dix mois. Le Tour du monde en quatre-vingts jours*,* roman de Jules Verne. — Spécialt. *Le tour de France des compagnons* (3.), au temps des anciennes corporations. *Le Tour de la France par deux enfants,* ouvrage de G. Bruno (Mme Alfred Fouillée).

(Sans compl.). Voyage touristique. *Un tour organisé de quinze jours.* — (Mêlé au sens de «promenade»). *Nous avons fait un très beau tour au Maroc.* — REM. Sauf en métaphore du sens 5, cet emploi est influencé par l'angl. *tour.* → Tour opérateur (anglicisme).

(1903). *Le Tour de France :* course cycliste disputée (depuis 1903) chaque année, par étapes, sur un long circuit de routes françaises. *L'organisation du Tour de France,* ellipt., *du Tour. La caravane du Tour.* — Par ext. Les coureurs du *Tour ;* la caravane qui les suit.

5   Les jeunes, ils aimaient les sports. Il fallait les voir quand passait le Tour de France.   ARAGON, les Beaux Quartiers, I, XIV.

5.1   Un garçon qui a de l'avenir. Capable de gagner le tour de France.
                           R. QUENEAU, le Dimanche de la vie, p. 157.

Par ext. *Tour de ville :* défilé, cavalcade, parade parcourant une ville.

♦ **7.** (1904, *in* Petiot). Circuit effectué par un athlète, un coureur (sur une piste, un stade). ⇒ **Parcours.** *Elle parcourut son premier tour en trois secondes de plus que la recordwoman* (cit.). *Prendre un demi-tour, un tour à un concurrent. Les coureurs en sont maintenant à leur sixième tour.* — (Sur un circuit). *Le record du tour.* — Loc. *Tour de piste*.* — Fig. *Faire un autre tour (de piste).* — Loc. fig. et fam. *C'est reparti pour un tour !* : on recommence. — (1901, *in* Petiot). *Tour d'honneur :* tour effectué après une arrivée, par le vainqueur.

♦ **8.** Techn. (transports). Ensemble des courses et mouvements d'un véhicule de transports en commun, entre deux passages successifs au même point.

B. (xvie ; *tor* «coude d'une rue, angle», xiie). Ligne sinueuse. ⇒ **Détour.** *Tours et détours* d'un labyrinthe, d'une rivière* (⇒ **Courbe, méandre, sinuosité**). *La route fait mille tours, des tours et des détours,* elle serpente, tourne, zigzague.

★ **II.** Mouvement sur soi-même (⇒ **Retourner**).

♦ **1.** Mouvement giratoire accompli par un corps. ⇒ **Révolution, rotation.** *Le tour d'une planète sur elle-même.* ⇒ **Course.** — *Le rayon* (1. Rayon, cit. 11) *de la roue frottait à chaque tour. La chaîne sauta* (cit. 11) *au premier tour.* — Loc. *Tour de roue :* révolution complète d'une roue. *C'est à quelques tours de roue de chez vous,* tout près. — *Tour de manivelle*.* — Loc. **AU QUART DE TOUR.** *Moteur qui part au quart de tour,* à la première impulsion du démarreur. — Fig. *Partir au quart de tour,* immédiatement et sans difficulté (fonctionnement, etc.). — *Compteur* de tours d'un arbre moteur* (⇒ **Compte-tours**). — Loc. techn. *Prendre des tours :*

monter à son régime maximum (moteur). — *Donner un tour de broche, de cric* (→ Entretien, cit. 9). *Tour de vis*. Tour de clé*.* — *S'enfermer, fermer la porte* à double** (cit. 3) *tour* (→ aussi Recompter, cit.). — *Disque qui tourne à trente-trois tours minute.* — Ellipt. *Un quarante-cinq tours, un trente-trois tours :* un disque microsillon tournant à ce rythme.

(En parlant des êtres vivants). *Faire un tour, des tours sur soi-même.* ⇒ **Tourner ; retourner** (se) ; **demi-tour.** *Tour ou suite de tours d'un danseur, d'un acrobate, d'un gymnaste.* ⇒ **Cabriole, pirouette, roue, saut, virevolte, volte.** *Tour de valse.*

5.2 (...) il l'avait prise comme on prend une femme pour faire un tour de valse, et puis la reconduire à sa chaise.   MONTHERLANT, *Pitié pour les femmes*, p. 74.

Spécialt, en gymnastique. *Tour d'appui. Grand tour,* à la barre fixe, aux anneaux. *Grand tour facial.* ⇒ **Soleil.**

(xxᵉ). Mar. **TOUR D'HORIZON**, et, absolt, **TOUR** : tour complet (360°) décrit par l'avant du bateau. — *Tour d'horizon :* observation circulaire (complète ou non) du terrain d'opérations militaires. — Fig. Examen.

♦ **2.** (V. 1510). Loc. **À TOUR DE BRAS** : de toute la force du bras, le bras (cit. 47) décrivant un tour, des tours, pour prendre de l'élan, garder son élan. *La balle, lancée à tour de bras, rebondit* (cit. 1). *Frapper à tour de bras sur l'enclume* (→ Forge, cit. 4). *Gifler qqn à tour de bras* (→ Insolence, cit. 4). — aussi Fouailler, cit. 3 ; ménage, cit. 5. — Fig. *Rimer à tour de bras* (→ Ravauder, cit. 4). *« À sa venue, ils se festoyèrent à tour de bras »* (Rabelais, *Gargantua*, LVII).

5.3 Nous nous retrouvâmes peu de temps après l'évasion, dans le village de la Drôme dont il était curé, et où il donnait aux Israélites, à tour de bras, des certificats de baptême de toutes dates, à condition pourtant de les baptiser (...)   MALRAUX, *Antimémoires*, p. 9.

TOUR DE MAIN.

a (1640). *En un tour de main.* ⇒ **Main** (cit. 10), **tournemain.**

b Mouvements adroits qu'accomplit la main, et que l'apprentissage et l'aptitude permettent d'exécuter. *Un bateau qui obéit au tour de main du capitaine* (⇒ Manœuvrer, cit. 7). *Le tour de main d'un artisan.* ⇒ **Adresse, habileté.** *Acquérir un tour de main* (→ Aptitude, cit. 11). ⇒ **Manière, métier.**

6 On me jette à l'eau avec les poignets liés, sans m'apprendre le tour de main qui me permettrait de me dégager, et ce tour de main existe.   MONTHERLANT, *les Jeunes Filles*, p. 27.

Vx (langue class.). *Tour de main :* coup.

Loc. *Tour de métier :* tour de main dans un travail manuel, et, fig., action habile de celui qui connaît le métier (→ Diplomate, cit. 2 ; maître, cit. 81).

♦ **3.** (1640). **TOUR DE REIN** : torsion, faux mouvement dans la région des lombes ; douleur qui en résulte. — Fig. et vx (langue class.). *Tour de reins ; tour :* point faible (Guez de Balzac ; Mᵐᵉ de Sévigné).

♦ **4.** Sports (lutte). *Tour de... :* action de prendre (⇒ **Prise**) et de tourner, retourner... *Faire un tour de bras, de hanche, de tête.*

★ **III.** (xiiᵉ, « trait d'habileté » ; fig. du II. ; → II., 2., Tour de main).

A. ♦ **1.** Mouvement, exercice difficile à exécuter, montrés en spectacle pour étonner le public. *Les tours d'un acrobate, d'un bateleur, d'un clown, d'un escamoteur, d'un jongleur* (cit. 2), *d'un prestidigitateur, d'un saltimbanque.* ⇒ **Acrobatie** (cit. 1) ; **clownerie, escamotage, jonglerie, prestidigitation.** — **TOUR DE...** (et n. désignant une qualité d'adresse, un instrument). *Tours d'adresse** (2. Adresse, cit. 6). — *Tour d'agilité* (→ Moucher, cit. 8), *de souplesse.* — Loc. *Tours de bâton** (cit. 19 ; et supra). *Tour de gibecière** (2.). *Tour de gobelet** (→ Escamoteur, cit.). — Cour. *Tour de passe-passe** (cit. 1). — *Tours de cartes :* tours d'adresse faits avec des cartes, tels ceux d'un prestidigitateur (cit. 3).

TOUR DE FORCE : exercice qui exige de la force, et, par ext., action difficile accomplie avec une habileté* remarquable. *On fit des tours de force, on* (cit. 9) *portait des poids* (→ aussi Exercice, cit. 5). *Réussir un tour de force* (→ Solitude, cit. 4). — Fig. *C'est un vrai tour de force* (→ Arrêter, cit. 7). ⇒ **Coup** (de maître), **exploit, succès.**

♦ **2.** Absolt. Action ou moyen d'action qui suppose de l'adresse, de l'habileté, de la malice, de la ruse. *Le singe amuse* (cit. 3) *l'ennemi par ses tours.* Loc. *Avoir plus d'un tour dans son sac*.* — « *Je sais les tours rusés (dont) savent user les femmes »* (cit. 23). *Il savait plus d'un tour* (→ 1. Routier, cit. 2). ⇒ **Artifice, combine** (fam.) ; **coup, malice, stratagème, truc** (cf. En savoir plus d'un).

Spécialt. Action habile commise au détriment de qqn. *Faire, jouer* (un, des) *tours.* ⇒ **Jouer** (cit. 50, 61 ; et supra). *Un petit tour, un tour sans méchanceté.* ⇒ **Facétie, malice, niche, plaisanterie, supercherie, taquinerie, tracasserie.** *Un bon, un mauvais tour* (⇒ Rendre, cit. 19), *un méchant, sale, vilain tour. Un tour pendable*.* ⇒ **Méfait.** — Fam. *Un tour de cochon*.* ⇒ **Crasse, vacherie.** *Un tour de con :* un mauvais tour, bête et méchant. — *Méfiez-vous, cela vous jouera des tours :* cela vous nuira, vous causera du désagrément, un préjudice. — *Le tour est joué :* c'est accompli, terminé (→ Subtiliser, cit. 2).

Toute leur vie ils se *regarderont de travers* et se *joueront des tours.*   7
   STENDHAL, *Mémoires d'un touriste*, t. II, p. 24.

Faire un mauvais tour, qui est la même chose qu'un bon tour, c'est plus que de   8
l'argent. Mauvais pour qui l'endure, bon pour qui le fait.
   HUGO, *l'Homme qui rit*, II, I, VII.

Il ne songeait qu'à briser, à détruire, à taquiner, à jouer de mauvais tours à tout   9
le monde.   G. SAND, *Histoire de ma vie*, III, III.

Jouer des tours (sujet n. de chose) : être décevant, difficile à maîtriser.

Pardonnez-moi si je l'ai oublié. Ma mémoire me joue de ces tours.   9.1
   F. MAURIAC, *Bloc-notes 1952-1957*, p. 142.

B. (Déb. xiiiᵉ, concret ; abstrait, xviiᵉ). ♦ **1.** Vieilli ou littér. Aspect que présente une chose selon la façon dont elle est tournée*, la manière dont elle évolue (surtout avec les v. *prendre, donner*). ⇒ **Tournure ; allure, façon, forme.** *Donner un tour négligé* (cit. 18) *à ses cheveux. Donner aux entretiens un tour plus solennel* (cit. 3). *Le tour que prennent les événements.* ⇒ **Direction, évolution.** *L'affaire prend* (cit. 89) *un tour romanesque, un tour politique* (→ Mieux, cit. 38). *Les affaires de Flandres prennent un mauvais tour* (→ Humeur, cit. 41). *Vos raisonnements ont pris un tour étrange* (→ Endoctriner, cit. 2). *Les grandes pensées prennent le tour de l'antithèse* (cit. 3). *Le tour de la discussion* (→ Rembrunir, cit. 4).

Vx (langue class.). *Être avec qqn sur le tour de...,* dans une disposition d'esprit de...

♦ **2.** **TOUR DE PHRASE** : manière de présenter la pensée selon une forme d'expression, un agencement des mots dans un énoncé. *Le tour de phrase de La Fontaine est une nouveauté* (cit. 12) *au xviiᵉ siècle. Ce tour de phrase appartient à la langue judiciaire, administrative.* ⇒ **Style ; phraséologie.** *Un tour de phrase :* une expression syntaxique. — Absolt. *Un tour.* ⇒ **Tournure.** *Certaines phrases et certains tours exercent une vive influence* (→ Explicable, cit. 5). *La langue* (cit. 39) *est un trésor inépuisable de mots et de tours.* Terme impropre (cit. 1) *ou tour vicieux. Tours neufs, expressions hardies* (→ Sel, cit. 6). *Soyons classiques dans les expressions* et les tours* (→ Changeable, cit.). *Le tour était déjà classique* (→ Des, cit. 7). *Tour oratoire* (→ Harmonie, cit. 23), *populaire* (→ Histoire, cit. 60). *User de tours équivoques* (→ Envelopper, cit. 32). *Tours d'une concision incroyable* (→ Aisance, cit. 5). *Tour interrogatif* (cit. 2), *infinitif* (→ Manière, cit. 31), *direct* (→ Mettre, cit. 21), *négatif* (cit. 4), *positif* (→ 2. Pas, cit. 20).

Les textes modernes ont leur tour ; car ils témoignent de l'état présent de la   10
langue (...)   LITTRÉ, *Dict.*, Préface.

(Littré) a aussi des tours heureux, neufs et vieux à la fois (...)   11
   SAINTE-BEUVE, *Correspondance*, éd. Calmann-Lévy, t. II, p. 144.

♦ **3.** (1659). **TOUR D'ESPRIT** : manière d'être, caractéristique d'un certain esprit. ⇒ **Tournure.** *Elle avait un tour d'esprit* qu'il appréciait* (cit. 7). *Les mots dénoncent* (cit. 14) *un tour d'esprit. Le tour d'esprit des anciennes générations* (→ Institution, cit. 14).

★ **IV.** (Tor « fois », xiiᵉ, de l'idée de « mouvement tournant » à celle de « mouvement successif qui donne à chaque chose un temps propre pour agir », Furetière). Vx (sauf en loc.).

♦ **1.** Moment auquel (ou durant lequel) une personne se présente, accomplit quelque chose dans un ordre, une succession d'interventions, d'actions du même genre.

a (Avec à). *Parler à son tour, selon son rang*.* ⇒ **Alternativement.** *C'est à son tour de* (faire telle chose). → Assurer, cit. 19. *À mon tour de faire des gammes* (→ Pédale, cit. 2). *Il se défendit en l'accusant* (cit. 9) *à son tour.* ⇒ **Après, ensuite** (→ Accabler, cit. 2 ; capituler, cit. 3 ; histrion, cit. 5 ; image, cit. 37 ; insoumis, cit. 3 ; jury, cit. 2 ; normal, cit. 4 ; ouvrir, cit. 14 ; roupiller, cit. 2 ; six, cit. 1). — Fam. *Plus souvent* (cit. 2) *qu'à son tour :* plus souvent qu'il ne conviendrait. *chacun à son tour* (syn. : *à tour de rôle*). → ci-dessous, b : *chacun son tour* (même sens).

(En parlant de choses). *Chaque étoile à son tour vient apparaître...* (cit. 5 ; → aussi Fraternité, cit. 5).

Et chacun à son tour, comme dit le proverbe.   12
   MOLIÈRE, *l'École des femmes*, v, 8.

b (Autres constructions). *C'est son tour :* c'est à lui (de faire qqch). *À présent, c'est le tour de mon fils (de faire la guerre).* → Quatorze, cit. 2. — Fam. *Chacun son tour. Allons, ne vous bousculez pas, pas tous à la fois ; chacun son tour !* — *Attendre* (→ Moucher, cit. 4), *louper* (2. Louper, cit.), *passer* son tour. Le tour d'évasion* (cit. 1) *de Jean Valjean arriva.* — *Prendre son tour de semaine*.*

Patiemment, dans les chaînes de la place, des gens pauvrement mais méticuleusement vêtus attendaient le tramway. Chacun son tour.   13
   ARAGON, *les Cloches de Bâle*, III, II.

c **TOUR DE...** *Tour de faveur :* tour dont on bénéficie par faveur spéciale, sans y avoir directement droit. ⇒ **Priorité ; ordre.**

Tour de chant : série de morceaux interprétés par un chanteur, une chanteuse. — Figuré :

Le tour de chant commence : pas une goutte de pétrole pour nous tant qu'il restera à Port-Saïd un soldat français.   F. MAURIAC, *Bloc-notes 1952-1957*, p. 283.   13.1

Tour de scrutin*, et, absolt, *tour :* chaque vote, dans un scrutin qui en comporte plusieurs. *Scrutin à un tour, à deux tours* (→ Majoritaire, cit.). ⇒ **Élection**. *Le premier, le second tour* (d'élections). → Galvaniser, cit. 2.

d Techn. Chacune des façons données à la pâte à pain (pétrissage), à la pâte feuilletée (maniement).

♦ **2.** Loc. (1538). **TOUR À TOUR** (*à tour en* anc. franç.) : l'un, puis l'autre. ⇒ **Après** (l'un après l'autre). *Nous lisions tour à tour* (→ Entrecouper, cit. 2). — (XVIIᵉ). D'abord telle chose, puis une autre. ⇒ **Alternativement**. *Émouvoir et faire rire tour à tour.* — *Montrer tour à tour la fierté, la résignation, l'insouciance, l'ardeur...* (→ Chanceler, cit. 6). ⇒ **Successivement** (→ aussi Essayer, cit. 13 ; faveur, cit. 7 ; gravure, cit. 4 ; guerre, cit. 30 ; 1. ombre, cit. 32 ; pâlir, cit. 2). — (Avec alternance dans la qualité ou l'état du sujet). *Tour à tour apaisé* (cit. 28) *ou furieux, bouffon* (cit. 9) *et pathétique, enfant et raisonnable* (→ Hommage, cit. 17).

14 La comtesse, douée par la nature des qualités nécessaires pour exercer d'irrésistibles séductions, se montra tour à tour, souple, fière, caressante, confiante (...)
BALZAC, Gobseck, Pl., t. II, p. 661.

15 La femme marche près de lui à petits pas, le flatte de petites phrases, lui dit vous et tu, tour à tour.
J. ROMAINS, les Hommes de bonne volonté, t. IV, xv, p. 158.

16 Mais le Curé n'en veille pas moins sur les Enfants. Il oblige les Parents à les envoyer à l'école, au moins tour à tour, quand on a besoin de leur service.
RESTIF DE LA BRETONNE, la Vie de mon père, p. 277.

À TOUR DE RÔLE. ⇒ **Rôle** (cit. 2 ; et *supra*).

(1549). Vx. *Par tour* : chacun son tour.

DÉR. 2. Touret, touriste.
COMP. Autour. — Demi-tour, entour, pourtour.
HOM. 1. Tour, 2. tour, tourd.

TOURACO [tuʀako] n. m. — D. et orig. incertaines.

♦ En franç. d'Afrique (Côte-d'Ivoire, Bénin). Gros oiseau frugivore, comestible. (Nom commun à plusieurs espèces : *Crinifer piscator, Musophaga violacea*, etc., d'après I. F. A.).

TOURAILLAGE [tuʀaja3] n. m. — 1880 ; de *touraille*.

♦ Techn. En malterie, Opération qui consiste à dessécher le malt vert après la germination. « *Le malteur chauffe (...) à 80-90 ℃ le malt vert afin d'abaisser l'humidité à 1-5 % : c'est le touraillage* » (*la Recherche*, 4 avr. 1980, p. 434).

TOURAILLE [tuʀaj] n. f. — 1597 ; *toraille*, XIIIᵉ ; du rad. de *torrere* «rôtir, brûler» (→ Torréfier).
Technique.

♦ **1.** Étuve dans laquelle on chauffe le malt (orge germé) pour arrêter la germination (opération du *touraillage**, effectuée par le *tourailleur*). *Foyer, chambre de chaleur, plateaux* (où le malt est étalé), *cheminée d'une touraille.*

♦ **2.** Malt séché. ⇒ **Touraillon**.

DÉR. Touraillage, touraillon.

TOURAILLON [tuʀajɔ̃] n. m. — 1803 ; de *touraille*.

♦ Techn. En malterie, Germe d'orge (malt) séché à la touraille. ⇒ **Touraille** (2.).

TOURANGEAU, ELLE [tuʀãʒo, ɛl] adj. et n. — XVIᵉ ; de *Touraine*.

♦ Relatif à la Touraine ou à Tours.

(...) au terme de ma ballade tourangelle, Austerlitz, dans la grisaille et la fumée parisienne, au lieu de me faire penser comme il serait normal à victoire et à soleil, me fit au contraire alors que je m'apercevais soudain regretter terriblement d'avoir quitté les bords de la Loire (...)
J.-L. GODARD, Jean-Luc Godard, *in* coll. des Cahiers du cinéma, p. 181.

TOURANIEN, ENNE [tuʀanjɛ̃, ɛn] adj. et n. m. — 1845 ; du persan *Turan* (opposé par Firdusi à *Iran*), terme vague désignant les pays d'Asie centrale et occidentale.

♦ **1.** Ling. Anciennt. Se disait des langues ouralo-altaïques*, considérées comme les rameaux d'une même famille linguistique (théories de Bunsen, et Max Muller, abandonnées de nos jours). — N. m. (1876). *Le touranien.*

♦ **2.** Géogr. *Dépression touranienne* : plaine située entre la mer Caspienne et le rebord des massifs de la haute Asie.

TOURBAGE [tuʀba3] n. m. — XVᵉ ; de *tourber*.

♦ Techn. Exploitation de la tourbe (2.).

C'est la grande date. Le sol de tourbe est élastique (...) On n'entend qu'un brouhaha de caquets, de voix (...) des bataillons pressés attaquent le terrain. Le salet part en œuvre (...) Six siècles de libre tourbage sont là qui créent l'appel du geste

dans ces corps (...) Le salet coupe. La tranche, dans l'horizontale, achève de tailler, détache la motte, lourde, humide (...)
A. DE CHATEAUBRIANT, la Brière, III, IX.

1. TOURBE [tuʀb] n. f. — 1580 ; v. 1050, *torbe*, a signifié «foule» jusqu'au XVIᵉ (→ Émeute, cit. 2, Ronsard) ; du lat. *turba*.

♦ **1.** Péj. et vx. Foule (*infra*, cit. 12), multitude*. ⇒ **Peuple, populace**.

♦ **2.** Littér. Ramassis (de gens méprisables, vils). *Une tourbe de petits arrivistes* (cit. 2). « *La tourbe vulgaire des soi-disans grands et des soi-disans sages* » (Rousseau, *les Confessions*, VIII).

Lorsque Bonaparte traversait le palais de Dresde (...) la tourbe des princes venait pêle-mêle derrière, dans un respectueux silence.
CHATEAUBRIAND, Mémoires d'outre-tombe, t. III, p. 193.   1

Par métaphore :
Les passions, hélas ! tourbe un jour accourue,
Pour visiter mon âme ont monté de la rue (...)
HUGO, les Chants du crépuscule, XXXII, II.   2

REM. 1. Sous l'influence de 2. *tourbe*, ce mot a pris un sens voisin de lie*, limon*, au fig. (la lie, le limon de la terre...).
2. Les emplois relativement récents du sens 1 paraissent plutôt métaphoriques.

Je me figurais au milieu d'une foule turbulente, grossièrement ambitieuse, et moi, au milieu, simple et timide ; et il fallait se mêler à cette tourbe.   3
RENAN, Souvenirs d'enfance..., Appendice, Œ. compl., t. II, p. 921.

2. TOURBE [tuʀb] n. f. — 1200 ; du francique **turba*, comme l'all. *Torf*. → aussi Turf.

♦ Matière combustible spongieuse et légère qui résulte de la décomposition à l'abri de l'air de certains végétaux (une mousse, la sphaigne — *tourbières bombées* ; ou une autre mousse — *hypnum* — et des joncs — *tourbières plates*). ⇒ **Tourbière ; charbon** (fossile). → Houille, cit. 3. *Tourbe et lignite*. Tourbe mousseuse, superficielle*, à filaments végétaux apparents. Tourbe feuilletée ; compacte ou noire*, qui ne laisse pas reconnaître les espèces végétales dont elle est formée. Extraction de la tourbe au louchet* (→ Tireur, cit. 1), en mottes moulées en briques. Tourbe limoneuse*, formant une boue noirâtre que l'on extrait à la drague. Teneur en carbone d'une tourbe. Feu de tourbe, brûler de la tourbe* (→ Stagner, cit. 1.1). — Gisement de tourbe. ⇒ **Tourbière**, 2. Exploitation de la tourbe. ⇒ **Tourbage**. Centrale thermique à la tourbe, en Irlande.

La *tourbe*, formée dans les marais sur terrains siliceux, principalement par l'accumulation des débris de Sphaignes et de Cypéracées, constitue (...) un humus acide (...) très riche en carbone.
E. DE MARTONNE, Traité de Géographie physique, t. III, p. 1171.

DÉR. Tourber, tourbeux, tourbier, tourbière.

TOURBER [tuʀbe] v. intr. — 1248 ; de 2. *tourbe*.

♦ Techn. Extraire la tourbe.

DÉR. Tourbage, tourbeur.

TOURBEUR, EUSE [tuʀbœʀ, øz] n. — 1923, A. de Chateaubriant ; de *tourber*.

♦ Régional. Tourbier (2.).

TOURBEUX, EUSE [tuʀbø, øz] adj. — 1752 ; de 2. *tourbe*.

♦ **1.** Qui contient de la tourbe. *Terrains, sols tourbeux*, très acides, cultivables après assainissement. — Qui croît dans les tourbières. *Plantes tourbeuses.*

Michel Strogoff lança son cheval au milieu d'une prairie tourbeuse, que ne revêtait plus ce gazon demi-ras de la steppe, dont les immenses troupeaux sibériens se nourrissent exclusivement. Ce n'était plus la prairie sans limites, mais une sorte d'immense taillis de végétaux arborescents.
J. VERNE, Michel Strogoff, p. 217 (1876).

♦ **2.** (1816). Qui est de la nature de la tourbe. *Terre tourbeuse.*

TOURBIER, IÈRE [tuʀbje, jɛʀ] n. et adj. — XIIIᵉ ; repris 1832 ; de 2. *tourbe*.

♦ **1.** N. Ouvrier, ouvrière qui travaille à l'extraction, à la préparation de la tourbe. — Propriétaire, exploitant d'une tourbière.

Les tourbiers s'étaient trop pressés croyant à l'arrivée du printemps : il faudrait encore attendre pour brûler les tas de tourbe terreuse, le rebut de ce qu'on avait retiré des marais la saison précédente, le bouzin *(bousin)* impropre à faire les briquettes et qu'on essaimait sur les terres communales.
ARAGON, la Semaine sainte, XII.

♦ **2.** Adj. (1832). Qui contient suffisamment de tourbe pour qu'on l'exploite. *Terrain tourbier.*

TOURBIÈRE [tuʀbjɛʀ] n. f. — XIIIᵉ ; repris 1765 ; de 2. *tourbe*.

♦ **1.** Géogr. Association végétale décomposée et qui forme une certaine épaisseur de tourbe. *Tourbières couvertes d'eau* (⇒ **Marais**). *Tourbières des pentes, des plaines et des vallées, des forêts. Tourbières noires et rouges d'Irlande. Tourbières à Sphaignes,* des pays tempérés, acides (pH de 3 à 5) *(tourbières bombées* ou *hautes tourbières). Tourbières polaires de la toundra* (cit.; toundra humide ou marais à mousses). *Tourbières à Hypnacées* (Hypne*) *et joncs,* sur terrains calcaires, neutres ou basiques (pH de plus de 7) *(tourbières plates* ou *basses tourbières). Tourbières tropicales* (à Cypéracées), etc. — *Tourbières assainies et cultivées* (→ Hortillonnage, cit.).

Les tourbières de l'Europe occidentale et centrale semblent avoir trois origines différentes. 1° Un certain nombre sont sans doute des survivances de l'époque glaciaire (...) 2° (...) En défrichant la forêt d'une manière irraisonnée, l'homme aurait amené une extension des bruyères et des tourbières. 3° Enfin plusieurs savants estiment que souvent la forêt acidifie le sol sur lequel elle vit; elle prépare ainsi l'avènement de la tourbière (...)
    E. DE MARTONNE, Traité de Géographie physique, t. III, p. 1200.

Milieu de vie protohistorique d'Europe du Nord reconstitué grâce aux corps conservés par la tourbe. *L'homme, les peuples des tourbières.*

♦ **2.** Cour. Gisement* de tourbe en quantité exploitable. *Mettre une tourbière en exploitation.*

TOURBILLON [tuʀbijɔ̃] n. m. — 1487; *torbeillon,* v. 1175; du lat. pop. **turbiculus,* du lat. *turbo, -inis* « tourbillon ».

♦ **1.** Masse d'air qui tournoie rapidement. ⇒ **Cyclone** (cit. 2), **vent.** *Les tourbillons de la bourrasque, de l'ouragan*. — *Tourbillon de vent* (pléonasme, selon Littré, qui cite Mme de Sévigné). → Frimas, cit. 2; intempérie, cit. 3.

1   Soudain, un tourbillon de vent souleva la poussière, tordit les arbres, les fouetta furieusement.   R. ROLLAND, Jean-Christophe, Le matin, II, p. 169.

♦ **2.** Mouvement tournant et rapide (en hélice) d'un fluide, ou de particules entraînées par l'air. *Tourbillon de fumée, de vapeur* (→ Haleine, cit. 32), *de poussière. Le vent soulevait* (cit. 7) *de minces tourbillons* (de terre). — (1611). Masse d'eau animée d'un mouvement hélicoïdal rapide et formant un creux. ⇒ **Maelstrom, vortex** (→ Giratoire, cit. 1; gouffre, cit. 7; succion, cit. 2). *Les tourbillons d'une rivière* (→ Marmite, cit. 5), *d'un torrent.*

2   Un chapelet d'entonnoirs dans les bas-fonds produit dans les vagues un chapelet de tourbillons. Quand l'un vous lâche, l'autre vous reprend. Un navire, happé (...) roule ainsi de spirale en spirale (...)   HUGO, l'Homme qui rit, I, II, XV.

3   Le vent qui soufflait très fort, chassait des tourbillons de sable (...)
    FLAUBERT, Salammbô, VIII.

♦ **3.** (1635). Tournoiement* rapide. *Un tourbillon d'oiseaux* (→ Cri, cit. 28). *Faire des tourbillons.* ⇒ **Tourbillonner.** *Le tourbillon de la valse.* — Fig. et littér. Agitation, hourvari (cit. 5); groupe en mouvement rapide. *« D'horribles escadrons, tourbillons d'hommes fauves »* (→ Ruer, cit. 2).

4   Que les rires, les voix, les lampes et le vin
  Vous doivent faire en l'âme un tourbillon divin!
    HUGO, les Chants du crépuscule, IV.

5   Pour me dire ce bonjour, elle exécuta autour de moi, en me tenant la main, un tournoiement plein de grâce, dans le tourbillon duquel je me sentais emporté.
    PROUST, À la recherche du temps perdu, t. IX, p. 53.

Techn. Artifice qui tournoie rapidement sur lui-même lorsqu'il est mis à feu.

♦ **4.** Par compar. (à cause d'une forme en spirale). EN TOURBILLON, se dit d'une forme de monture de bijoux.

5.1   Mes yeux tombèrent sur son alliance (...) elle était d'or et flanquée d'une bague de fiançailles « en tourbillon » (un maigre diamant de famille que l'économe grand-mère Duplon avait *fait remonter* (...)   Hervé BAZIN, Qui j'ose aimer, 4, p. 38.

♦ **5.** (1647, Descartes, *les Principes philosophiques,* III, 65 et *sq.* : *« Que les cieux sont divisés en plusieurs tourbillons et que les pôles de quelques-unes de ces tourbillons touchent les parties les plus éloignées des pôles des autres »).* Hist. des sc. Système matériel animé d'un mouvement de rotation. *Newton ruina la théorie des tourbillons* (→ Force, cit. 62, Voltaire; monde, cit. 1, d'Alembert).

6   — Descartes pour l'aimant donne fort dans mon sens.
  — J'aime ses tourbillons. — Moi, ses mondes tombants.
    MOLIÈRE, les Femmes savantes, III, 2 (→ aussi Monde, cit. 4).

♦ **6.** (Déb. XVIIe). Fig. et littér. Ce qui emporte, entraîne dans un mouvement rapide, irrésistible. *Le tourbillon de la frivolité* (cit. 5), *du monde* (→ Futile, cit. 2), *de la vie, des affaires* (⇒ **Activité**). *Le tourbillon des pensées* (→ Enrager, cit. 17).

7   (...) le tourbillon nous emporte, nous n'avons pas le loisir de nous arrêter si longtemps sur une même chose (...)   Mme DE SÉVIGNÉ, 785, 28 févr. 1680.

8   Lucien vit pendant un mois son temps pris par des soupers, des dîners, des déjeuners, des soirées, et fut entraîné par un courant invincible dans un tourbillon de plaisirs et de travaux faciles.   BALZAC, Illusions perdues, Pl., t. IV, p. 809.

9   Ceux mêmes des Enfants de notre maison, qui malheureusement jetés dans le tourbillon d'un monde corrupteur, ont pu se livrer pendant quelques années d'effervescence à des plaisirs dangereux, n'ont pas tardé à rentrer en eux-mêmes.
    RESTIF DE LA BRETONNE, la Vie de mon père, p. 253.

♦ **7.** Sports. Mouvement tournoyant. — Spécialt (au catch). Ceinture avant suivie d'un mouvement de pivotement puis d'un placage au

---

sol. — Tactique offensive complexe comportant des mouvements tournants rapides, au football.

DÉR. Tourbillonnaire, tourbillonner.

TOURBILLONNAIRE [tuʀbijɔnɛʀ] adj. — 1842; de *tourbillon.*

♦ **1.** Qui forme, constitue un, des tourbillons. *Mouvement tourbillonnaire de l'air, de l'atmosphère, du vent* (→ Cyclone, cit. 1), *de l'eau. Filets de fluides tourbillonnaires.* ⇒ **Turbulent.**

♦ **2.** Rare. Syn. de *tourbillonnant* (→ Forme, cit. 10).

TOURBILLONNANT, ANTE [tuʀbijɔnɑ̃, ɑ̃t] adj. — 1772, Mme Roland, in D.D.L.; p. prés. de *tourbillonner.*

♦ **1.** Didact. Qui tourbillonne, forme un, des tourbillons. *« Impulsions tourbillonnantes »* (Buffon) : les tourbillons (5.) de Descartes.

♦ **2.** Cour. Tournoyant. *Les jupes tourbillonnantes d'une danseuse.* ⇒ **Tournoyant.**

♦ **3.** Par métaphore, fig. Qui emporte dans un tourbillon (6.). *Le bal tourbillonnant des idées* (→ Orchestre, cit. 7).

Peut-être est-elle, comme moi, plongée dans cette tourbillonnante agitation des sens?   BALZAC, le Lys dans la vallée, Pl., t. VIII, p. 908.

TOURBILLONNEMENT [tuʀbijɔnmɑ̃] n. m. — 1767; de *tourbillonner.*

♦ Mouvement de ce qui tourbillonne, de ce qui forme un tourbillon (1., 2., ou, au fig., 6.). *Un tourbillonnement rapide.*

L'aîné, surpris par ce sanglot au milieu de son tourbillonnement, retomba assis sur le trapèze (...)   Ed. DE GONCOURT, les Frères Zemganno, LXXXVI.

TOURBILLONNER [tuʀbijɔne] v. — 1529, « faire grand vent »; de *tourbillon.*

★ **I.** V. intr. ♦ **1.** (1583). Former un tourbillon; aller ou être emporté en un tournoiement rapide. ⇒ **Tourner, tournoyer.** *Les masses d'air qui tourbillonnent* (→ Dépression, cit. 2). *Colonne d'air* (→ 1. Feu, cit. 12) *qui tourbillonne.*

♦ **2.** Former un tourbillon (2. ou 3.). *Neige* (→ Danse, cit. 15; feutrer, cit. 1), *poussière* (→ Limpidité, cit. 3), *torrent d'eau qui tourbillonne* (→ Écluse, cit. 1). — Par ext. *« Un long vol de corbeaux tourbillonnait dans l'air »* (→ Mêler, cit. 7; et aussi nuée, cit. 7; palétuvier, cit.).

1   C'est pour renaître ailleurs qu'ici bas on succombe.
  Tout ce qui tourbillonne appartient à la tombe.
    HUGO, les Quatre Vents de l'esprit, III, X.

♦ **3.** (Personnes). Évoluer rapidement en tournant sur soi-même. *Danseur, acrobate qui tourbillonne* (→ Rapidité, cit. 5). — Par métaphore. *La calomnie* (cit. 5) *« s'élance, étend son vol, tourbillonne... ».*

♦ **4.** (1876). Fig. Être agité par un mouvement rapide irrésistible. ⇒ **Tourbillon** (4.). *Pensées, idées qui tourbillonnent. « Tout tourbillonnait dans sa tête »* (R. Rolland, *Jean-Christophe,* p. 263).

2   (...) toute ma vie passée tourbillonnait dans ma tête avec le vague désordre des rêves (...)   LOTI, Aziyadé, V, IV.

3   Puis il s'agenouilla, mais les mots s'arrêtaient sur ses lèvres et ses pensées tourbillonnaient comme des feuilles dans un cyclone.
    F. MAURIAC, la Pharisienne, XIII.

★ **II.** V. tr. (1680). Vx. Agiter en tourbillon (6.). *« L'esclavage de nos passions, dont nous sommes tourbillonnés »* (Mme de Sévigné, in Littré).

DÉR. Tourbillonnant, tourbillonnement.

TOURD [tuʀ] n. m. — Fin XIVe; du lat. *turdus,* qui a les deux sens. Zoologie.

♦ **1.** Vx. Variété de grive*, et, notamment, grive litorne* *(turdus pilaris).* Var. : *tourde, tourdre* (1600).

À chaque fois on me disait : — Ah! ce n'est pas un *tourd,* nom de l'oiseau par excellence qu'il faut tuer.   STENDHAL, Mémoires d'un touriste, t. II, p. 277.

♦ **2.** (1560). Labre* (poisson de mer).

DÉR. Tourdelle. — (Du même rad.) Tourdille.
HOM. 1. Tour, 2. tour, 3. tour.

TOURDELLE [tuʀdɛl] n. f. — 1611; dimin. de *tourd.*

♦ Vx. Petit tourd (1.).

TOURDILLE [tuʀdij] adj. m. — 1664 ; de l'esp. *tordillo* « de la couleur de la grive* » ; de *tordo*, lat. *turdus*. → Tourd.

♦ Hippol. *Gris tourdille* : couleur gris-jaune (de la robe d'un cheval).
HOM. 1. Tour, 2. tour, 3. tour.

TOURDRE [tuʀdʀ] n. m. ⇒ **Tourd.**

TOURELÉ, ÉE [tuʀle] adj. — 1562 ; de *tourelle.*

♦ Rare. Qui a des tourelles.
(...) une enceinte tourelée bien plus vaste, qui englobait une bonne part du versant occidental (...)   G. CONTENAU et V. CHAPOT, l'Art antique, p. 279.

TOURELLE [tuʀɛl] n. f. — 1530 ; *turelle*, 1373 ; *touriele*, v. 1175 ; dér. de 1. *tour.*

♦ **1.** Petite tour, sur fondations ou en encorbellement (→ Poudrière, cit.). *Château flanqué* (1. Flanquer, cit. 3) *d'une tourelle à chaque angle. Tours portant des faisceaux de tourelles* (→ Guirlander, cit.). *Tourelle ronde, à plusieurs pans. — Tourelle terminée en cul* (cit. 21) *-de-four, coiffée d'un clocheton. Tourelle en poivrière* (→ Manoir, cit. 1). — *Tourelle ajourée* (surmontant un dôme, un comble, etc.). ⇒ **Lanterne.**

1 L'escalier de la Honville était, comme dans beaucoup de vieux bâtiments, construit dans une petite tourelle qu'il remplissait en entier, tournant en spirale autour d'une colonne de pierre.   A. DE MUSSET, Nouvelles, « Margot », VII.

Mar. Construction portant éventuellement des signaux de balisage et servant d'amer de jour.

♦ **2.** (1680). Techn. (mus.). Partie d'un buffet d'orgue réunissant un faisceau (cylindrique ou prismatique) de tuyaux de montre.

♦ **3.** Milit. Abri blindé, fixe ou mobile, servant à protéger une ou plusieurs pièces d'artillerie. *Tourelles d'un fort, d'une ligne fortifiée, d'un blockhaus.* ⇒ **Casemate.** *Tourelle hémisphérique.* ⇒ **Coupole.** — *Tourelle mobile d'un char d'assaut.* — (1872). *Tourelles d'un navire* (croiseur, cuirassé...). ⇒ **Chambre** (de tir). *Plate-forme, blindage d'une tourelle. Tourelle double, triple,* abritant deux, trois canons. — Par anal. *Tourelle de télépointage.*

2 La tourelle était une chambre basse, sans porte ni fenêtre, une chambre hexagonale, longue de dix mètres, large de huit, toute cuirassée d'acier épais. Les deux canons énormes l'emplissaient aux trois quarts ; et le peu d'espace restant était accaparé par les berceaux, les châssis, les affûts, les monte-charges, les refouloirs, les écouvillons, les pointages, les lunettes, les hausses, les transmetteurs (...)
                    Claude FARRÈRE, la Bataille, XXVII.

♦ **4.** (XXᵉ). Techn. ⓐ Dispositif porte-outil qui peut amener chaque outil en position de travail, sur un tour automatique (machine-outil).

ⓑ (Cinéma). Monture circulaire et tournante portant plusieurs objectifs et permettant d'en changer rapidement. *Caméra à tourelle.*
DÉR. Tourelé.

1. TOURER [tuʀe] v. tr. — 1765 ; de 2. *tour.*

♦ Techn. Plier et replier la pâte, puis l'abaisser, à plusieurs reprises, pour obtenir la pâte feuilletée.
HOM. 2. Tourer.

2. TOURER [tuʀe] v. tr. — Attesté XIXᵉ ; *turrer* « heurter avec une machine de guerre », fin XIIIᵉ ; d'un gallo-roman d'orig. gauloise *tirra* « bloc de bois », plus ou moins confondu avec un dér. de 3. *tour.*

♦ Régional. Renverser, à la lutte.
HOM. 1. Tourer.

1. TOURET [tuʀe] n. m. — XIVᵉ ; *toret*, XIIᵉ ; dér. de 2. *tour* ; sens nombreux en anc. franç. « treuil ; anneau qui empêche une courroie de s'embrouiller ; foret pour percer », etc.

♦ **1.** Petite roue mue par une plus grande, par un tour. — (XIVᵉ). Rouet à filer (La Fontaine, *Fables*, V, 6). — Dévidoir de cordier ; moulinet de bois sur lequel on enroule une corde, des fils de caret, la ligne de loch (marine).

♦ **2.** (1676). Techn. Petit tour actionné par une roue de bois portant les bouterolles enduites de poudres d'émeri ou de diamant. *Touret de graveur en pierres fines* (Diderot, *Salon de 1765*).

(XXᵉ). Petite machine-outil agissant par la rotation de meules ou de disques de feutre. *Touret à meuler, à polir.*
HOM. 2. Touret.

2. TOURET [tuʀe] n. m. — XIVᵉ ; de 3. *tour.*
Vieux.

♦ **1.** Ornement monté en cercle.

♦ **2.** (Fin XIVᵉ). Petit masque ne cachant que le nez ; et, par ext., petit loup*.

Ce petit loup de velours noir, que nos aïeux appelaient *touret de nez*, et que les grandes dames portaient à la promenade, laisse voir la bouche avec son sourire de perles (...)   Th. GAUTIER, Voyage en Russie, XIX.

♦ **3.** (XVᵉ). Anciennt. Coiffure de femme formant un bourrelet en forme de diadème.
HOM. 1. Touret.

TOURIE [tuʀi] n. f. — 1773 ; étym. obscure, p.-ê. du rad. lat. *torrere* (→ Touraille « étuve »), ou *torus* (→ Tore, toron).

♦ Techn. Grande bouteille, bonbonne entourée de paille, d'osier. *Tourie de verre, de grès,* servant au transport des acides.

1. TOURIER, IÈRE [tuʀje, jɛʀ] adj. et n. — XIIIᵉ ; au fém., 1549 ; de 2. *tour.*

♦ Laïc ou religieux (religieuse) non cloîtré qui fait passer au tour les choses que l'on apporte à un couvent, et, par ext., s'occupe des relations avec l'extérieur. *Frère tourier ; sœur tourière, la tourière.* — REM. De nos jours, seul le fém. est d'usage courant.

(...) une grosse tourière qu'on voyait toujours se hâter dans les corridors avec son trousseau de clefs et qui se nommait sœur Agathe.
                    HUGO, les Misérables, II, VI, IV.
HOM. 2. Tourier.

2. TOURIER, IÈRE [tuʀje, jɛʀ] n. — D. i. ; de 3. *tour* (I., 1., d).

♦ Techn. Personne qui travaille la pâte, fait des feuilletages. « *Pâtissier tourier* » (*France-Soir,* 30 mars 1982, p. 12).
HOM. 1. Tourier.

TOURILLON [tuʀijɔ̃] n. m. — XVIᵉ ; *torillon*, XIIIᵉ ; *toreillon* au XIIᵉ ; dimin. de 2. *tour.*
Technique.

♦ **1.** Pièce cylindrique servant d'axe ; spécialt, partie d'un axe, d'un arbre qui tourne dans un support (⇒ **Coussinet**) ou qui reçoit le mouvement de rotation, dans une machine.

♦ **2.** (1400, *thorillon*). Gros pivot*. *Tourillons de porte cochère.*

♦ **3.** (1611, *torillon*). Axe ou courtes pièces cylindriques autour desquels un canon pivote.
DÉR. Tourillonner, tourillonneuse.

TOURILLONNER [tuʀijɔne] v. intr. — XXᵉ (*in* Larousse, 1933) ; de *tourillon.*

♦ Techn. Tourner autour d'un axe grâce à deux tourillons. *Cette pièce tourillonne.*

TOURILLONNEUSE [tuʀijɔnøz] n. f. — XXᵉ ; de *tourillon.*

♦ Techn. Machine-outil dont les outils de coupe sont disposés en couronne.

TOURIN [tuʀɛ̃] n. m. — Attesté XXᵉ ; mot béarnais, du v. *torrer* « cuire », lat. *torrere.* → Torréfier.

♦ Régional (Périgord, région bordelaise). Potage relevé, souvent à la tomate.

TOURISME [tuʀism] n. m. — 1841, Guichard, *in* Petiot : « *ces heureux de la terre* (...) *piqués de la mouche du tourisme, contagion inévitable du monde élégant* » ; angl. *tourism* (1811), terme péj. pour *touring,* empr. en franç. dans *Touring-Club* (1890).

♦ **1.** Le fait de voyager, de parcourir pour son plaisir (pour se distraire, se cultiver, etc.) un lieu autre que celui où l'on vit habituellement (même s'il s'agit d'un petit déplacement ou si le but principal du voyage est autre : *profiter d'un voyage d'affaires pour faire du tourisme,* que l'on fait pour visiter un lieu, un pays. *Tourisme à bicyclette* (⇒ **Cyclotourisme**), *en automobile ; en caravane* (⇒ **Caravanage, caravaning**)... *Tourisme et plein air.* ⇒ **Camping.** *Tourisme pédestre.*

Les dictionnaires du siècle dernier donnent, des mots *touriste* et *tourisme,* des définitions qu'il n'est sans doute pas inutile d'examiner aujourd'hui, en vue de certaines modifications. Pour Littré, par exemple, le tourisme est, essentiellement, un voyage d'agrément (...) Le voyageur que je suis encore, l'homme passionné depuis son plus jeune âge, par la découverte personnelle du monde et de l'humanité, doit-il vraiment se considérer comme un simple amateur de paysages ?
                    G. DUHAMEL, Problèmes de civilisation, p. 187.

♦ **2.** (1933). Ensemble des activités liées aux déplacements des touristes, et, par ext. (dans les statistiques, en t. d'admin., etc.), aux séjours des étrangers. *Le tourisme, considéré comme une industrie.*

une « exportation invisible » (→ Exportation, cit. 5). *Tourisme et hôtellerie. Office du tourisme. Agence de tourisme. Rôle du tourisme dans la vie, le développement économique d'un pays.* — *Le tourisme organisé, individuel. Le tourisme de masse. Tourisme d'affaires.*

2 Le tourisme détruit le lieu touristique du seul fait qu'il y attire des foules et que le lieu (ville, paysage, musée) n'a plus d'autre intérêt que celui d'une rencontre qui pourrait se passer ailleurs, n'importe où.
Henri LEFEBVRE, la Vie quotidienne dans le monde moderne, p. 196.

(Mil. xxᵉ). ... DE TOURISME : destiné aux déplacements privés (opposé à *utilitaire*, à *collectif* ou à *régulier, de ligne*). *Avion, voiture de tourisme* (→ Croisement, cit. 1).

TOURISTE [tuʀist] n. — 1803, *in* Höfler ; angl. *tourist* (1800), de *tour* « voyage », lui-même dér. du franç. 3. *tour*.

♦ Personne qui se déplace, voyage pour son plaisir. — REM. Le mot s'est d'abord appliqué aux voyageurs anglais ; il s'est répandu en français avec Stendhal (*Mémoires d'un touriste*, 1838) et on le rencontre fréquemment au xixᵉ s. ; → cit. ci-dessous, et cf. aussi Balzac, Gautier (l'*Orient*, I, « Le Danube ») ; Nerval (→ Œillette, cit. ; pérégrination, cit. 3), Nodier (*Trilby* et autres *Contes*, p. 407), Baudelaire (*Spleen de Paris*, XV). Il implique alors l'idée de voyageurs « désœuvrés, (qui) ne se mettent en route que pour le plaisir du voyage, ou même pour pouvoir dire qu'ils ont voyagé » (P. Larousse). — *Touristes étrangers. Car de touristes. Groupe de touristes d'un voyage organisé. Guide* qui conduit des touristes, leur donne des explications. L'afflux des touristes pendant la saison des vacances.* ⇒ **Vacancier.** — (En comp.). *Touristes-vacanciers. Séjourner en touriste dans une ville,* pour la visiter. *Boîte de nuit pour touristes.*

1 Aix-la-Chapelle, pour le malade, c'est une fontaine minérale (...) pour le touriste, c'est un pays de redoutes et de concerts, pour le pèlerin (...)
HUGO, le Rhin (1838), Lettre 9.
N. B. Dans *Pyrénées* (1843 ; p. 69), Hugo écrit *tourist*.

2 L'admiration continue des voyageurs enthousiasmés a produit une réaction, et, pour se singulariser, beaucoup de *touristes* aujourd'hui prennent pour devise le *nil admirari* d'Horace.   MÉRIMÉE, Colomba, I (paru en 1840).

3 Nous allons la semaine prochaine commencer nos courses aux Thermopyles, Sparte, Argos (...) Ce ne sera guère qu'un voyage de touriste (oh !!) : il ne nous reste ni temps ni argent.   FLAUBERT, Correspondance, 275, 19 déc. 1850.

4 (...) les voitures des touristes, des types pourvus de casquettes blanches, de chemises à carreaux, d'appareils de photos et de compagnes en shorts (...) traversant rapidement la ville (juste le temps de se photographier (...) devant les vieux remparts ou le portail de la cathédrale) pour gagner au plus vite la mer et s'affaler à la terrasse des casinos.   Claude SIMON, le Vent, XVII.

Adj. Vieilli.
5 J'avais formé le projet de mon voyage à Francfort avec un de nos plus célèbres écrivains touristes *(Dumas)*, qui a déjà, je crois, écrit de son côté nos *impressions* communes ou distinctes (...)
NERVAL, Lorely, Du Rhin au Mein, 1840, II, Pl., p. 751.

(1934, *in* Höfler). *Classe touriste :* classe intermédiaire entre la première classe et les classes populaires (en bateau, avion). ⇒ **Touristique.**

DÉR. Touristique.

TOURISTICO- Premier élément de mots composés, signifiant « touristique et... ». Ex. (in *la Banque des mots*, nᵒ 11, p. 105) : *touristico-culturel, touristico-géographique, -sentimental, -sportif*, etc. ; *(in* P. Gilbert) : *touristico-militaire.*

TOURISTIQUE [tuʀistik] adj. — 1894 ; attestation isolée, 1844, Töpffer ; de *touriste.*

♦ **1.** Qui concerne les voyages, les déplacements des touristes. *La photo, acte touristique par excellence* (→ Photographier, cit. 4). *Guide touristique,* destiné aux touristes.

♦ **2.** Relatif au tourisme. *Activités touristiques :* hôtellerie, agences de voyage, guides, etc. *Renseignements touristiques,* donnés par les syndicats d'initiative. — Spécialt. *Menu touristique, prix touristiques,* destinés en principe aux touristes. *Billet touristique* (→ Classe touriste*).

1 En passant devant le square Saint-Pierre, il y vit entrer quatre fantassins allemands, des campagnards lents et silencieux qui s'acquittaient avec indifférence de leurs obligations touristiques.   M. AYMÉ, le Chemin des écoliers, I.

2 (...) Valentin avait été à l'agence touristique allemande où il eut la veine d'obtenir le dernier billet, tant cette tournée avait de succès.
R. QUENEAU, le Dimanche de la vie, p. 230.

♦ **3.** (1953). Qui attire les touristes, les visiteurs. *Ville touristique. Monument touristique. C'est un endroit agréable, mais pas très touristique.*

Spécialt, écon. Où le tourisme apporte des revenus appréciables. *Pays, régions touristiques.*

1. TOURLOUROU [tuʀluʀu] n. m. — 1830, *in* D. D. L. ; *turlureau* au xviᵉ ; *tourelourou* en 1640, t. d'amitié dans des chansons ; du rad. onomat. *lur-* ; de *luron, turelure, turlututu,* etc., ou (P. Guiraud) forme dial. de *tourloureur « joueur de flûte », de *turelurer* « jouer de la flûte ».

♦ Vieilli. Soldat*, fantassin (→ Peindre, cit. 18, Flaubert). ⇒ **Bidasse, pioupiou, troufion.**

1 Quelques jeunes soldats entraient dans l'église. J'ai suivi ces *tourlourous,* comme on dit aujourd'hui. Car en temps de guerre le soldat appelle le bourgeois *pékin,* en temps de paix le bourgeois appelle le soldat *tourlourou.*
HUGO, Choses vues, I, 1840.

2 Ils considérèrent un instant un soldat qui se disputait avec un cocher, quand le soldat d'un mouvement brusque envoya le cocher donner lourdement dans le bec de gaz.
« Bravo le tourlourou ! » s'écria M. Duroc.   PROUST, Jean Santeuil, Pl., p. 442.

HOM. 2. Tourlourou.

2. TOURLOUROU [tuʀluʀu] n. m. — 1654 ; mot venu des Antilles, adapté p.-ê. d'après 1. *tourlourou.*

♦ Régional. Crabe terrestre des Caraïbes.

HOM. 1. Tourlourou.

TOURMALINE [tuʀmalin] n. f. — 1759 ; *tourmalin* en 1758 ; adapt. du cingalais *toramalli.*

♦ Borosilicate naturel d'alumine. *Certaines tourmalines sont employées en joaillerie comme pierres précieuses* (⇒ **Rubellite**).

Loc. Techn. *Pince à tourmaline :* petite pince dont les branches portent des lames de tourmaline disposées de telle façon que la seconde lame éteigne la lumière polarisée par la première (axes optiques en croix).

TOURMENT [tuʀmɑ̃] n. m. — Fin xiiᵉ ; *torment,* fin xᵉ ; « tourmente ; désordre, perte », en anc. franç. ; sens mod., fin xiᵉ ; du lat. *tormentum* « machine de guerre ; instrument de torture ; supplice, souffrance », de *torquere* « tordre ».

♦ **1.** Vx. Supplice, torture (→ Plaisir, cit. 31). *Le tourment de la question* (→ Disloquer, cit. 1). *Faire périr qqn au milieu des tourments* (→ Indice, cit. 11). *Les tourments de l'enfer* (→ aussi Malédiction, cit. 12).

1 (...) puisque vous êtes diaboliquement réfractaire, vous avez dû être géhenné, et vous avez été, aux termes des statuts criminels, mis à l'épreuve du tourment dit « la peine forte et dure » (...) vous avez été couché tout nu à terre sur le dos, vos quatre membres ont été tendus et liés aux quatre colonnes de la loi, une planche de fer vous a été appliquée au ventre, et l'on vous a mis sur le corps autant de pierres que vous en pouvez porter.   HUGO, l'Homme qui rit, II, IV, VIII.

♦ **2.** (V. 1175). Littér. ou style soutenu. Très grande douleur* physique ; vive souffrance morale ; inquiétude extrême, état d'insatisfaction pénible. ⇒ **Affliction, affres, agitation** (*supra* cit. 7), **amertume, angoisse, anxiété, bourrèlement,** 2. **chagrin, déchirement** (*supra* cit. 3), **désolation, ennui** (1., vx), **fardeau** (*supra,* cit. 5, fig.), **inquiétude** (II.), **martyre, peine, préoccupation,** 1. **souci, supplice** (3.), **torture, tracas, tracasserie.** *Tourments physiques et moraux* (→ Allégretto, cit.). *Dans les tourments inouïs de sa dernière maladie* (→ Augmenter, cit. 18). *L'incertitude* (cit. 12) *est de tous les tourments le plus difficile à supporter. Tourments religieux* (→ Coexister, cit.). « *Car j'ai des tourments multiplié ces causes* » (→ Lien, cit. 8). *Le tourment de...,* suivi de l'inf. (→ Éviter, cit. 18 ; implorer, cit. 2). — *Le mal, la peine qu'on se donne pour obtenir qqch.* (→ Brillant, cit. 12).

2 Le tourment de la jalousie est surtout affreux quand il déchire des cœurs à qui leur penchant comme leurs positions interdisent également tous les moyens de plaire un peu hasardés.   STENDHAL, Armance, XV.

3 Vous savez, aussi bien que moi, que ce qu'il y a de meilleur dans la conscience moderne est le tourment de l'infini.
G. SOREL, Réflexions sur la violence, in DUPRÉ, nᵒ 2902.

4 (...) ce trouble n'est pas amer. Les regrets n'y ont qu'une petite place. Il ressemble plutôt au tourment confus de la puberté.
J. ROMAINS, les Hommes de bonne volonté, t. III, X, p. 141.

(xiiiᵉ). Par métonymie. Personne qui cause de grands soucis, de graves ennuis à qqn. *Pourquoi suis-je devenu pour toi un tourment, un fléau... une spectre ?* ⇒ **Cauchemar** (2.) ; → Poison, cit. 9. *Cet enfant est le tourment de son père, est son tourment.* — (Fin xiiiᵉ). Ce qui est l'objet d'une curiosité, d'une recherche, d'une incertitude angoissée. « *Ô mystère ! ô tourment de l'âme forte et grave !* » (→ Écrire, cit. 20, Vigny).

CONTR. Amusement, 1. calme, consolation, félicité, plaisir.
DÉR. Tourmenter. — V. Tourmenteux.

TOURMENTANT, ANTE [tuʀmɑ̃tɑ̃, ɑ̃t] adj. — 1538 ; p. prés. adjectivé de *tourmenter.*

♦ Vx. Qui tourmente, qui cause du tourment. ⇒ **Rongeant** (→ Avant-goût, cit. 2 ; inaction, cit. 2).

J'avais des amis (...) Cependant cette amitié m'était plus tourmentante que douce, par leur obstination, par leur affectation même à contrarier tous mes goûts, mes penchants, ma manière de vivre (...)   ROUSSEAU, les Confessions, IX.

TOURMENTE [tuʀmɑ̃t] n. f. — xiiiᵉ ; *tormente,* v. 1175 ; *turmente,* v. 1155 ; du lat. pop. **tormenta,* plur. neutre de *tormentum,* pris comme fém. singulier.

♦ **1.** Vx ou littér. Tempête soudaine et violente. ⇒ **Bourrasque, orage** (1.), **ouragan** (1.), **tempête** (1.); → Accès, cit. 12; annonciateur, cit. 3; intempérie, cit. 3. *Tourmente de grêle, de neige.*

1   Nina, ma charmante,
    Pendant la tourmente,
    La mer écumante
    Grondait à nos yeux (...)
                A. DE MUSSET, Poésies complémentaires, « Cantate de Bettine ».

♦ **2.** (1794). Fig. Troubles (politiques ou sociaux) violents et profonds. ⇒ **Révolution, trouble**(s).

2   Les désastres de juillet 1830 vinrent, la société fut dissoute pendant deux ans, les gens riches allèrent durant la tourmente dans leurs terres ou voyagèrent en Europe, et les salons ne s'ouvrirent guère qu'en 1833.
                BALZAC, Une fille d'Ève, Pl., t. II, p. 83.

3   Puis était venue la grande tourmente révolutionnaire : en abattant un ordre plusieurs fois séculaire, elle avait secoué de fond en comble tout le vieil édifice de la nation française. Un ouragan sans précédent dans son histoire s'était abattu sur le pays (...)
                L. DE BROGLIE, Physique et Microphysique, p. 266.

♦ **3.** (Mil. XIXᵉ). Agitation, tumulte. *La tourmente de la vie urbaine, des affaires...*

DÉR. Tourmentin. — V. Tourmenteux.
HOM. Formes du v. tourmenter.

TOURMENTER [tuʀmɑ̃te] v. tr. — V. 1380; *tormenter*, 1120; de *tourment.*

♦ **1.** (1462). Vx. Supplicier, torturer. ⇒ **Supplice; tourment** (1., vx).

♦ **2.** Vieilli ou littér. Affliger de souffrances physiques ou morales; faire vivre dans l'angoisse; être un objet de soucis, de vives préoccupations pour qqn. *Des parents indignes qui tourmentent un enfant.* ⇒ **Brutaliser, maltraiter, martyriser, persécuter.** *Ces maîtresses emportées et difficiles* (cit. 25) *qui tourmentent leurs domestiques.* ⇒ **Ennuyer, houspiller, juguler** (vx), **mécaniser** (vx), **talonner, tanner** (fam.), **tarabuster;** ⇒ aussi Être après qqn; rendre la vie dure* à qqn; faire valser*(fam.). *Tourmenter qqn par des taquineries.* ⇒ **Agacer, entreprendre** (*infra* cit. 15); cf. aussi S'amuser de qqn; faire tourner en bourrique (fam.). *Tourmenter qqn et le mettre en colère.* ⇒ **Énerver, excéder, impatienter, irriter;** → Faire endêver*, enrager* qqn. *Tourmenter qqn de questions et de reproches.* ⇒ **Assaillir** (*infra* cit. 4), **harceler, importuner, molester** (vieilli), **poursuivre** (→ Insistant, cit. 1). *Cessez de le tourmenter :* laissez-le. — (Sujet n. de chose). Plus cour. Faire souffrir. *La maladie le tourmente. Les scrupules le tourmentent. Il est tourmenté par la jalousie, les soucis, les remords, les scrupules.* ⇒ **Assaillir** (*supra* cit. 7), **bourreler, déchirer** (*supra* cit. 15), **gêner** (vx), **oppresser, préoccuper, ronger** (*supra* cit. 7), **tenailler, torturer;** → Apaiser, cit. 13. *Pensée qui tourmente qqn.* ⇒ **Angoisser, assiéger** (*supra* cit. 11), **désespérer** (2.), **effrayer, obséder** (cit. 2), **tracasser, troubler, turlupiner** (fam.). — Absolt. *C'est moins le coup* (cit. 2) *que la crainte qui tourmente quand on s'est blessé.*

1   Une toux me tourmente à mourir (...)
                MOLIÈRE, le Dépit amoureux, v, 2.
2   — Le fait est qu'on n'est pas mal ici, dit Germain en s'asseyant tout auprès d'elle. Il n'y a que la faim qui me tourmente un peu.
                G. SAND, la Mare au diable, VIII.
3   Il avait donc cru pouvoir apaiser le plus lancinant des soucis qui tourmentaient sa femme, en la trompant sur l'origine de la petite somme qu'il apportait chaque quinzaine.
                F. MAURIAC, la Pharisienne, XI.

♦ **3.** Littér. (en parlant d'un besoin, d'un désir). Exciter vivement. ⇒ **Aiguillonner.** *L'ambition* (cit. 16) *qui tourmente le cœur des hommes.* ⇒ **Agiter, dévorer, presser, travailler.** *Besoin* (cit. 18) *de nouveauté qui tourmente les esprits.* — (Souvent au passif et au p. p.). *Être tourmenté par la soif. Tourmenté par la soif insatiable* (cit. 2) *des richesses.*

4   Ainsi les poètes, impuissants décrocheurs d'étoiles, ont toujours été tourmentés par la soif de l'amour mystique.
                MAUPASSANT, la Vie errante, La Sicile.
5   L'idée me tourmentait de composer une comédie.
                G. DUHAMEL, le Temps de la recherche, XV.

♦ **4.** Vieilli. Agiter avec violence. *Vent qui tourmente les arbres.* — *« Les orages tourmentent les vaisseaux »* (Molière, *Dom Juan,* v, 2).

♦ **5.** (1778). Interpréter* tendancieusement. ⇒ **Torturer.** *Tourmenter Tacite pour trouver des torts à Sénèque* (→ Infatigable, cit. 4).

♦ **6.** (1676). Techn. (peinture). *Tourmenter ses couleurs,* altérer leur fraîcheur par des retouches trop poussées. — *Tourmenter son style.*

▶ **SE TOURMENTER** v. pron.

A. ♦ **1.** (V. 1175). Se faire des soucis, éprouver de l'inquiétude, de l'angoisse, des scrupules... ⇒ **Chagriner** (se), **désespérer** (se), **inquiéter** (s'), **soucier** (vieilli : se soucier), **tracasser** (se); → Philosophe, cit. 9; sacrifier, cit. 19. *Ne vous tourmentez pas pour si peu* (cf. fam. Se faire de la bile, des cheveux). — *Se tourmenter de...*

6   — Germain, dit la mère Maurice, vous allez me promettre de vous tenir tranquille pendant toute la semaine, de ne vous point tourmenter, de manger, de dormir et d'être gai comme autrefois.
                G. SAND, la Mare au diable, XVI.
7   Il se tourmentait de mille scrupules, qu'une nature plus énergique eût rejetés.
                R. ROLLAND, Vie de Michel-Ange, p. 26.

♦ **2.** Se donner du mal (pour obtenir, pour faire qqch.). *Il est bon de se tourmenter un peu pour avoir des places* (→ Nommer, cit. 16). — (1559). Vx. *Se tourmenter de..., à...,* suivi de l'inf. : s'occuper activement de..., se donner de la peine pour... (→ Balbutier, cit. 2).

♦ **3.** Vx ou littér. S'agiter dans tous les sens, se remuer avec une sorte d'impatience. *Cheval qui se tourmente* (→ aussi Gondole, cit. 2, par métaphore). — *Remous* (cit. 1) *qui se tourmentent. À la lueur de ma bougie qui se tourmente* (→ aussi Courir, cit. 29).

8   Au bout de ses bras un peu grêles se tourmentaient deux mains déliées, mais rouges (...)
                FRANCE, le Crime de S. Bonnard, III, Œ., t. II, p. 366.

♦ **4.** Techn. Se gauchir, se déformer (d'une pièce de bois).

B. Récipr. *Se tourmenter l'un l'autre* (→ Quereller, cit. 7).

▶ **TOURMENTÉ, ÉE** p. p. adj.

♦ **1.** (1273). Qui est en proie aux tourments*, aux soucis, qui est déchiré par les scrupules, l'angoisse, etc. «... *enchanté, tourmenté, et comme possédé par le démon* (cit. 11) *de mon cœur ». Un être tourmenté.* ⇒ **Inquiet.** → Perplexe, cit. 4. *Conscience* (cit. 17), *âme tourmentée* (⇒ **Anxieux,** 3.; → Pénitence, cit. 3). — (XIXᵉ). Par ext. *Visage tourmenté* (→ Groupe, cit. 3; illuminer, cit. 25).

♦ **2.** Qui est en proie à une violente agitation. — (1559). *Mer tourmentée :* mer très grosse, où les vagues se heurtent violemment.
Qui s'accomplit dans l'agitation, le tumulte, l'incertitude. *Vie tourmentée.* ⇒ **Agité.** *La gestation tourmentée du monde moderne.* ⇒ **Fiévreux.** → Apparaître, cit. 20. *Une époque tourmentée.* ⇒ **Troublé.**

♦ **3.** (1779). De forme très irrégulière; qui a un relief accidenté, déchiqueté... ⇒ **Montueux.** *Branches aux formes tourmentées* (⇒ **Tordu**). *Côtes tourmentées* (→ Angle, cit. 2). *Sol tourmenté* (→ Gratte-ciel, cit. 1).

♦ **4.** (1762). Qui est trop chargé d'ornements, qui sent trop la recherche ou l'effort, qui manque de simplicité. *Façade rocaille tourmentée* (⇒ **Rococo,** cit. 2). *Villa prétentieuse aux balcons tourmentés.* ⇒ **Tarabiscoté** (→ Meneau, cit. 2). — (Abstrait). *Point d'attitudes tourmentées ni recherchées* (cit. 12). *Style tourmenté.* ⇒ **Compliqué, contourné, recherché, torturé.**

CONTR. Consoler. — (Du p. p.) Calme (2.); égal; simple.
DÉR. Tourmentant, tourmenteur.

TOURMENTEUR, EUSE [tuʀmɑ̃tœʀ, øz] n. et adj. — Fin XIIᵉ, *tormenteor;* de *tourmenter.*

♦ **1.** Vx. Bourreau*.

♦ **2.** (1555). Littér. Personne qui tourmente, maltraite, persécute quelqu'un.

1   (...) la mémoire est la tourmenteuse des jaloux (...)
                HUGO, Notre-Dame de Paris, IX, v.
2   (...) voici que reparaît mon ennemi, mon tourmenteur : l'amour.
                COLETTE, la Vagabonde, p. 116.

♦ **3.** Adj. (Rare). Qui tourmente. *Scrupules tourmenteurs.*

3   (...) le génie tourmenteur qui s'est appelé la Force sociale a su rassembler pour eux, en une gerbe unique de tribulation souveraine, toute cette flore éparse de pénalités criminelles.
                Léon BLOY, le Désespéré, p. 253.

CONTR. Consolant.

TOURMENTEUX, EUSE [tuʀmɑ̃tø, øz] adj. — 1636; anc. franç. *tormentos* « qui tourmente, agite l'esprit », 1227; de *tourment* ou de *tourmente.*

♦ Littér. et rare. Frappé par la tourmente.

TOURMENTIN [tuʀmɑ̃tɛ̃] n. m. — 1678; de *tourmente.*

♦ **1.** Mar. Vx. Perroquet de beaupré. — Mod. Petit foc en toile très résistante qu'on utilise par gros temps.

Une seule voile triangulaire, un tourmentin de forte toile, fut hissé en guise de trinquette, de manière à maintenir la goélette vent arrière.
                J. VERNE, le Tour du monde en 80 jours, p. 178-179.

♦ **2.** (1765). Pétrel.

TOURNAGE [tuʀnaʒ] n. m. —*1588, « action de tourner quelque chose »; *tournaige,* 1501; de *tourner.*

★ **I.** ♦ **1.** (1842). Action de tourner, de façonner au tour (2.). *Tournage sur bois, sur métaux.*

Mais surtout le tournage d'un vilebrequin de moteur quatre-cylindres est un travail qui comporte relativement beaucoup de phases, une grande diversité et inégalité d'opérations.
                J. ROMAINS, les Hommes de bonne volonté, t. IX, III, p. 33.

♦ **2.** (1918). Cour. Au cinéma, Action de tourner (I., 7.) un film, de mettre le scénario en images. ⇒ **Réalisation** (4.). *Le tournage de ce* *film dura près d'un an.* — Spécialt. Action de manœuvrer la caméra pour filmer. ⇒ **Filmage, prise** (de vue).

★ **II.** (1773). Par métonymie. Mar. Cabillot, taquet. — Ensemble des objets servant à tourner les manœuvres.

TOURNAILLER [tuʀnaje] v. intr. — 1785, Sade; attesté 1743 en franç. du Québec (*in* D. D. L.); «tergiverser», déb. xvııe; de *tourner,* et suff. *-ailler.*

♦ Faire des tours et des détours sans s'éloigner. ⇒ **Tournicoter, tourniquer.** *Tournailler dans une pièce sans savoir ce qu'on cherche. Tournailler autour de qqn, autour d'un lieu.* ⇒ **Rôder.**

Fargue, je le verrai toujours tournailler autour de sa lampe, autour de sa table en désordre, autour de sa gare de l'Est et de ses manies. Je le verrai toujours tournailler dans le paradis de son enfance qu'il ne se lassera pas de prospecter.
Francis JOURDAIN, Né en 76, p. 231.

1. TOURNANT [tuʀnɑ̃] n. m. — 1671; «pivot, meule», 1272; de 1. *tournant,* adjectif.

★ **I.** ♦ **1.** Endroit où une voie tourne. — Coin* (3.) de rue. ⇒ **Angle** (cit. 4), **croisement.** — Portion plus ou moins courbe d'une rue, d'une route. ⇒ **Courbure; coude.** *Rues pleines d'angles et de tournants* (→ Sinueux, cit. 1). *Les tournants d'une route en lacet, en zigzag. Déboucher à un tournant* (→ Grogner, cit. 2); *disparaître derrière le tournant* (→ Cahotant, cit. 1). *Tournant relevé*. Tournant dangereux, en épingle à cheveux.* ⇒ **Virage.** *Prendre un tournant à la corde** (cit. 7). *Mal prendre son tournant :* ne pas manœuvrer correctement son véhicule pour passer le tournant. *Attention, ce tournant est mauvais.* Par ext. Changement de direction. *Flèche* (1. Flèche, cit. 16) *de direction, feu clignotant pour annoncer qu'on va effectuer un tournant.*

Par anal. *Le tournant d'une rivière* (⇒ **Détour**), *d'un canal* (→ Marinier, cit. 5).
Tournant d'une piste de course (turf, stade, autodrome).

0.1 Philéas Fogg, comme un cheval de course, arrivait au dernier tournant. On le cotait plus à cent, mais à vingt, mais à dix, mais à cinq, et le vieux paralytique, Lord Albermale, le prenait, lui, à égalité.
J. VERNE, le Tour du monde en 80 jours, p. 322 (1873).

Loc. fig. *Attendre qqn au tournant,* l'attendre pour le surprendre lorsque l'occasion s'en présentera. *Rattraper qqn au tournant,* l'atteindre au moment propice. *Celui-là, je le rattraperai, je l'aurai au tournant,* je m'en vengerai. *Attends un peu, toi, je t'attends au tournant !*

♦ **2.** Action de tourner, de prendre un tournant (1.). *Tournant rapide, vif, habile.* — (En ski). *Tournant sauté.*

★ **II.** ♦ **1.** (1837). Fig. Moment où ce qui évolue change de direction, devient autre. *À ce tournant de son destin* (→ Barre, cit. 6). *Il est à un tournant de sa carrière. On est à un tournant décisif de la négociation. L'affaire est à un mauvais tournant. Tournant d'une épidémie* (→ Noter, cit. 6).

1 (...) le père d'Artiailh qui, roulé et volé à tous les tournants de sa vie, ne doutait point que cet apparent retour de fortune cachât un désastre.
F. MAURIAC, le Baiser au lépreux, III.

♦ **2.** (Déb. xxe; de I., 3.). Par ext. Changement plus ou moins radical. *Le tournant de la politique pétrolière des années 1970.* — *Marquer un tournant.* (Sujet n. de chose). Être le signe extérieur d'un changement important. *Cela marque un tournant dans l'Histoire.* « *Cette manifestation marque un véritable tournant dans la politique de la radio* » (*le Monde,* 6 oct. 1965).

1.1 Il est clair, si l'on croit ce que l'on nous dit, que nous sommes à un tournant. Depuis combien de temps? Difficile à calculer. Pour ma part, je n'aurais jamais cru pouvoir rester aussi longtemps dans un tournant : exactement quarante-cinq ans.
Pierre DANINOS, Un certain Monsieur Blot, p. 152.

Loc. fam. *Prendre le tournant :* changer de direction, modifier sa conduite en fonction de l'attitude la plus propre à assurer le succès. *Il a su prendre le tournant.* ⇒ **Opportunisme** (→ Retourner* sa veste). — « *La musique ne prend son tournant décisif qu'à Vienne* » (*le Nouvel Obs.,* 27 mars 1968, *in* Gilbert).

★ **III.** ♦ **1.** (1798). Techn. Vx. Roue motrice d'un moulin à eau.

2 Le pont d'Arcis est en bois. À cent mètres de ce pont, en remontant l'Aube, la rivière est barrée par un autre pont sur lequel s'élèvent les hautes constructions en bois d'un moulin à plusieurs tournants.
BALZAC, le Député d'Arcis, Pl., t. VII, p. 681.

♦ **2.** Partie tournante de certains robinets (dits *à tournant*), par oppos. au corps (dit *boisseau*).

♦ **3.** (Pêche). ⇒ **Tournant** (1., adj.).
HOM. 2. Tournant.

2. TOURNANT, ANTE [tuʀnɑ̃, ɑ̃t] adj. — 1385; *tornant* «changeant», v. 1175; p. prés. de *tourner.*

♦ **1.** Qui tourne (II., 1.), pivote sur soi-même. *Sphère tournante* (→ Pôle, cit. 5). *Cage tournante d'un écureuil.* ⇒ **Tournette.** *Pla-*

que* (cit. 4; et, fig., cit. 5) *tournante. Plateau tournant d'un phonographe. Scène tournante d'un théâtre. Meuble, fauteuil tournant* (→ Amazone, cit. 5). — *Tables** (*supra* cit. 15) *tournantes.* — (1834). *Fusil tournant,* à deux canons mobiles. — (Pêche). *Moulinet à tambour tournant,* dans lequel le déroulement du fil est obtenu par rotation de la bobine.

Ils suivaient le quai de la Mégisserie (...) Les poissons rouges dans leur bocal. L'écureuil dans sa cage tournante.
J. ROMAINS, les Hommes de bonne volonté, t. II, VI, p. 59.

1

Feu tournant (d'un phare, etc.). — Par métaphore. « *Les feux tournants de la jalousie* » (Proust, *la Prisonnière,* Pl., t. III, p. 103).

♦ **2.** (1876). Qui contourne, prend à revers. (Milit.). *Mouvement tournant* (⇒ **Tourner,** I., 6.), pour contourner l'ennemi, le cerner, le couper de ses arrières. — Fig. Manœuvre pour circonvenir qqn. — Méd. *Panaris tournant.* ⇒ **Tourniole.** — Fig. *Grève** (2. Grève) *tournante.*

♦ **3.** (1876). Qui fait des détours, présente des courbes. ⇒ **Sinueux.** *Chemins tournants et malaisés* (→ Camion, cit. 3); *rue tournante* (→ Parallèle, cit. 1). *Escalier tournant* (→ Moleskine, cit. 1), en colimaçon.

(Thésée) se trouvait pris dans ce célèbre labyrinthe aux couloirs tournants, retournants, et si follement enchevêtrés qu'il était impossible d'en sortir.
Émile HENRIOT, Mythologie légère, p. 122.

2

DÉR. 1. Tournant.
HOM. 1. Tournant.

TOURNANTE [tuʀnɑ̃t] n. f. — 1876; argot «clé d'une serrure», 1628; du p. prés. fém. de *tourner,* substantivé.

♦ Techn. (couture). Passementerie circulaire entourant le corps de l'épaulette.

TOURNASSER [tuʀnase] v. — Mil. xvıe; de *tourner,* et suff. *-asser.*

♦ **1.** V. intr. Régional. Tournailler, tourniquer.

♦ **2.** V. tr. (1756). Techn. Façonner au tour (une poterie ébauchée). — REM. Dans ce sens, les dér. *tournassage* (1842), *tournasseur* (1876) sont attestés.
DÉR. Tournassin.

TOURNASSIN [tuʀnasɛ̃] n. m. — 1765, *tournasin;* de *tournasser.*

♦ Techn. Outil servant à tournasser (2.) les pièces de céramique.

1. TOURNE [tuʀn] n. f. — xxe; «carte qu'on retourne», 1690; autres sens, en anc. franç.; de *tourner* (une page).

♦ (Imprim., journal.). Suite d'un article dans le même numéro d'un journal. *Débuter à la une et la tourne en page six.*
HOM. 2. et 3. Tourne. — Formes du v. tourner.

2. TOURNE [tuʀn] n. f. — 1877, Littré *Suppl.;* «maçonnerie pour détourner un cours d'eau», 1571; mot régional, lat. médiéval (xıe) *torna;* de *tourner.*

♦ Régional (Alpes). Amas de pierres disposées de façon à protéger un lieu des avalanches.

Contre les avalanches, la défense de l'homme prend deux formes : protection et prévision. La protection des lieux habités s'effectue soit par une digue (Airolo, Loèche-les-Bains), soit par des éperons en forme de proue, nommés en Savoie des «tournes», tel celui qui abrite l'église et le cimetière de Vallorcine.
Ch.-P. PÉGUY, la Neige, p. 78-79.

HOM. 1. et 3. Tourne. — Formes du v. tourner.

3. TOURNE [tuʀn] n. f. — 1878 (du vin), *Année sc. et industr.* 1879, p. 350; de *tourner.*

♦ Techn. Action de tourner, de s'altérer, se corrompre. *La tourne du lait. Tourne du vin, de la bière,* altération due à des bactéries.
(...) l'ammoniaque augmente parfois considérablement lors de la maladie de la tourne.
Jules CARLES, la Chimie du vin, p. 35.

HOM. 1. et 3. Tourne. — Formes du v. tourner.

TOURNÉ, ÉE [tuʀne] adj. ⇒ **Tourner.**

TOURNE-À-GAUCHE [tuʀnagoʃ] n. m. — 1676; de *tourner,* et *à gauche.*

♦ **1.** Outil formé d'un levier, simple ou double, et creusé d'un œil ou d'une encoche, servant à ployer, à tordre, à faire tourner une pièce.

♦ **2.** Tenaille utilisée par le forgeron pour tenir de grosses pièces.

TOURNEBOULER [tuʀnəbule] v. tr. — XVIᵉ; inusité jusqu'au XXᵉ; altér. d'après *boule*, de l'anc. franç. *torneboele* « culbute », XIIᵉ, proprt « tourne boyau », avec infl. de *boule*.

♦ Fam. Mettre à l'envers*, retourner (fig.; *supra* cit. 7). ⇒ **Bouleverser**. *Cette nouvelle l'a tourneboulé. — Se tournebouler le cerveau*.

1 (...) la politique est en train de te tournebouler la cervelle (...)
G. DUHAMEL, Chronique des Pasquier, VIII.

2 La Bourgoin qui allait sur ses trente-cinq ans, c'était pour passer le temps, bien qu'elle fût foutrement bien faite, la déesse. Ce cou rond de pigeonne! Et ces yeux à vous tournebouler, cette voix (...)
ARAGON, la Semaine sainte, IV.

REM. Le dér. *tourneboulage* est attesté (1889, A. Daudet).

▶ **TOURNEBOULÉ, ÉE** p. p. adj.

♦ 1. ⇒ **Bouleversé**. *Il est tout tourneboulé.*

♦ 2. Contourné (d'un objet fait au tour).

3 Il écrit d'ordinaire sur la table de la salle à manger, tandis qu'Antoinette coud, assise sur un coin au dossier tourneboulé et au siège cannelé.
Roger VAILLAND, Bon pied, bon œil, p. 97.

TOURNEBRIDE [tuʀnəbʀid] n. m. — 1798; « volte-face », 1611; de *tourner*, et *bride*.

♦ 1. (1872). Vx. Hôtellerie proche d'un château, destinée aux domestiques et aux chevaux des visiteurs (→ Pavillon, cit. 2). — Vx. Auberge de campagne.

(...) se disposant à partir, pour aller dîner en quelque « tournebride » près Vincennes (...)
Ed. et J. DE GONCOURT, Journal, 30 août 1892, t. IX, p. 57.

♦ 2. (1973). Mod. Admin. Aménagement d'une voie de circulation permettant de faire demi-tour.

TOURNEBROCHE [tuʀnəbʀɔʃ] n. m. — 1581; *tourne-brocque*, 1461; de *tourner*, et *broche*.

♦ 1. Mécanisme servant à faire tourner une broche (1.). ⇒ **Rôtissoire**. *Tournebroche à ressort, à poids* (→ aussi Rôtir, cit. 1).

1 (...) nous prenons plaisir à nous chauffer les pieds en caressant deux chiens de chasse, attentifs au tournebroche, — qui est l'espoir d'un souper prochain (...)
NERVAL, les Filles du feu, Angélique, XI.

♦ 2. (1671). Vx. Jeune garçon qui tourne la broche. ⇒ **Gâte-sauce, marmiton** (cf. *les Contes de Jacques Tournebroche*, d'Anatole France).

2 (...) ces marauds, servantes et souillons, cuisiniers, rôtisseurs, tournebroches, marmitons, gâte-sauces (...)
Jean RAY, les Derniers Contes de Canterbury, p. 217.

(1678). Vx. Chien que l'on faisait avancer dans une roue pour faire tourner la broche.

TOURNE-DISQUE [tuʀnədisk] n. m. — Mil. XXᵉ; de *tourner*, et *disque* (*supra* cit. 2).

♦ 1. Appareil électrique composé d'un plateau tournant sur lequel on met un disque, et d'une tête de lecture qui produit un signal électrique en passant dans les sillons (pour produire le son, on branche cet appareil sur un amplificateur et un haut-parleur, ou sur ceux d'un poste de radio). ⇒ **Platine**.

♦ 2. Ensemble formé par le tourne-disque proprement dit et le dispositif d'amplification. ⇒ **Électrophone, phonographe, pick-up**. — Appos. *Meuble tourne-disque*. — On écrit aussi *tourne-disques*.

(...) il écoutait des javas et des valses musettes, accoudé à un meuble tourne-disque (...)
Jean GENET, Pompes funèbres, p. 24.

REM. Avec la vogue de la haute-fidélité, le mot tend à vieillir dans ce sens (mais moins que *pick-up*).

TOURNEDOS [tuʀnədo] n. m. — 1864; « poltron », XVIᵉ; de *tourner*, et *dos*, selon Littré parce qu'à l'origine le plat n'était pas présenté sur la table mais circulait derrière les convives; cette étym. paraît douteuse.

♦ Tranche de filet* cuite au gril ou à la poêle. *Tournedos Rossini*, servi avec du foie gras. — REM. On a écrit *tourne-dos*.

La Maréchale se décida pour un simple tourne-dos, des écrevisses, des truffes (...)
FLAUBERT, l'Éducation sentimentale, II, IV.

TOURNÉE [tuʀne] n. f. — 1680; *tornee* « tour, voyage », déb. XIIIᵉ; de *tourner*.

★ I. ♦ 1. Voyage professionnel ou de propagande à itinéraire fixé, comportant des arrêts, des visites* déterminés. *Tournée d'inspection. Tournée électorale d'un député* (→ Réélire, cit.). *Tournées pastorales* (→ 2. Frais, cit. 2). *Voyageur de commerce en tournée. Tournée de facteur.* — (1894). *Tournée théâtrale, dramatique...* : voyage d'une compagnie d'acteurs, d'artistes qui donnent des représentations en province, à l'étranger. *Tournée d'un pianiste, d'un chansonnier.*

Par ext. La compagnie elle-même (→ Papoter, cit. 2) ou l'artiste qui se produit seul.

1 (...) à sa place, je regretterais joliment de n'avoir pas fait partie de cette tournée, en compagnie des vingt-cinq cabotins et cabotines, qu'Antoine traînait à sa suite, et de l'étrange *impresario* belge.
Ed. et J. DE GONCOURT, Journal, 20 mai 1894, t. IX, p. 171.

EN TOURNÉE : en train d'effectuer une tournée.

2 La maman de Dolly est une célèbre actrice américaine; et elle était en tournée au Canada lorsque miss Lucas lui a télégraphié la triste nouvelle.
Valery LARBAUD, Enfantines, « Dolly ».

Par ext. Tour dans lequel on visite des endroits de même sorte. ⇒ 3. **Tour, virée**. *Faire la tournée des cafés, des grands magasins.* — Loc. fam. *Faire la tournée des grands ducs* : faire le tour des restaurants, des spectacles nocturnes les plus coûteux (par allus. aux Grands-ducs de Russie).

♦ 2. (1828). Fam. Ensemble des consommations* (4.) offertes par quelqu'un, au café. *Offrir* (cit. 5) *une tournée de vin, une seconde tournée* (→ Reste, cit. 9; et aussi remettre [cit. 16] une tournée, remettre ça). *C'est ma tournée* (→ Glass, cit.). *La tournée du patron.*

3 Il avait payé le repas et quatre tournées de pastis; il fit apporter des fines.
SARTRE, le Sursis, p. 131.

3.1 (...) il fallait qu'il rende à Bourrelier sa tournée et, s'il buvait un quatrième vin blanc gommé, ça l'enivrerait.
R. QUENEAU, le Dimanche de la vie, p. 43.

3.2 CLARA. Ah!... Et puis, tout de même, vous n'êtes pas aimable... Vous feriez mieux de m'offrir quelque chose.
FRANÇOIS, *vaguement intéressé par la proposition.* Qu'est-ce que vous prenez?...
CLARA, *ricanant.* J'plaisantais. Aujourd'hui, c'est jour de fête... C'est ma tournée!
J. PRÉVERT, Le jour se lève, 1939, *in* l'Avant-Scène, nº 53, p. 19.

♦ 3. (1790). Fam. Volée de coups, raclée. *Recevoir une tournée.*

4 — Oui, oui,... elle a eu une tournée. Et quand je tape, moi, je tape (...)
ARAGON, les Beaux Quartiers, I, XX.

★ II. (1395; *tornee*, v. 1215). Vx. Outil agricole, pioche à manche court, pour défoncer.

DÉR. 2. **Tourneur.**

TOURNEFEUILLE [tuʀnəfœj] n. m. — 1836; « agent de l'administration du timbre », 1802; de *tourner*, et *feuille*.

♦ Petit instrument pour tourner aisément les pages d'un cahier de musique, d'une partition, pendant que l'on joue. *Des tournefeuilles.* — On écrit aussi *tourne-feuille*.

TOURNEFIL [tuʀnəfil] n. m. — 1723; de *tourner*, et *fil*.

♦ Techn. Instrument qui affûte les objets tranchants (leur donne le fil), dans certaines techniques. — On écrit aussi *tourne-fil*.

TOURNELLE [tuʀnɛl] n. f. — V. 1175, *tornele*; altér. de *tourelle*, d'après *tourner*.

♦ Vx. Petite tour (mot conservé dans des noms propres : *le pont de la Tournelle*, à Paris).

TOURNEMAIN (EN UN) [ɑ̃nœ̃tuʀnəmɛ̃] loc. adv. — 1556; *tour de main*, XVᵉ; temps qu'il faut pour *tourner la main*.

♦ Vx ou littér. En un instant*. ⇒ 3. **Tour** (de main). → 1. Lice, cit. 4.

1 Il espère chiper l'héritage en un tournemain.
J. ROMAINS, Volpone, II, I, 2.

2 Restait Louis, qui n'avait pas de prédisposition marquée : le père s'empara de ce garçon tranquille et le fit pasteur en un tournemain.
SARTRE, les Mots, p. 3.

TOURNEMENT [tuʀnəmɑ̃] n. m. — 1355; *tornement* « combat, tournoi », v. 1180; de *tourner*.

♦ Rare. Action de tourner. *Tournement de bouche, de tête.* — (1538). Vx ou régional. *Tournement de tête* : vertige.

Et le tournement de tête plein de rage de M. Huillery (...) ne leur avait pas échappé non plus.
J.-R. BLOCH, ... Et Compagnie, p. 180.

TOURNE-OREILLE [tuʀnɔʀɛj] n. m. — 1846, Bescherelle; comp. de *tourner*, et *oreille* (II.) « versoir ».

♦ Agric. Versoir mobile d'une charrue. Charrue à versoir mobile. — Adj. *Charrues tourne-oreille.* — On dit aussi *tourne-soc*.

TOURNE-PIERRE [tuʀnəpjɛʀ] n. m. — 1780, Buffon d'après l'angl. *turnstone*; de *tourner*, et *pierre*.

♦ Zool. Oiseau charadriiforme (Échassiers, Charadriidés), scientifiquement appelé *arenaria*, qui se nourrit de petits animaux qu'il trouve sous les pierres, retournées avec son bec. *Les tourne-pierres sont des oiseaux de rivage.* — REM. La graphie *tournepierre* serait plus normale.

TOURNER [tuʀne] v. — 980, *torner*; surtout « s'en retourner, revenir; (se) diriger; échanger... », en anc. franç.; du lat. *tornare* « façonner au tour », de *tornus*. → 2. Tour.

★ **I.** V. tr. ♦ **1.** ⓐ (Mil. XIIIe). Façonner au tour. *Tourner le buis, l'ivoire, le fer. Tourner des obus.* — Absolument :

0.1   — Moi, à votre place, j'aurais un tour !
— Mais je ne sais pas tourner, répondait le clerc.
                FLAUBERT, Madame Bovary, II, chap. 6.

(1767 ; en cuis.). Apprêter en pelant et en donnant une forme ronde et régulière. *Tourner une carotte, un navet.*

ⓑ (XVIe). Fig. Agencer, arranger, manier (les mots) d'une certaine manière, selon un certain style. ⇒ 3. **Tour** (III., B., 2.). *On tourne les mots comme on veut* (→ Flexibilité, cit. 2). *Tourner des vers** (→ 1. Sens, cit. 42), *les mots d'un billet* (→ Montrer, cit. 14). *Tourner un compliment* (→ Grain, cit. 29), *une épigramme, des madrigaux* (→ Gras, cit. 33).

1   À force d'avoir mis des homélies au net, j'avais appris à tourner une phrase ; j'étais devenu une espèce d'auteur.   A.-R. LESAGE, Gil Blas, VII, XII.

2   Le bon duc tournait assez joliment les vers.
        FRANCE, l'Anneau d'améthyste, II, Œ., t. XII, p. 25.

♦ **2.** (XIIIe, *torner la mole* « meule »). ⓐ Faire mouvoir autour d'un axe, d'un centre ; imprimer un mouvement de rotation à (qqch.). *Tourner la meule* (supra cit. 1), *les manettes* (→ Grouiller, cit. 4), *la manivelle* (cit.), *une broche* (cit. 4), *l'arbre* (cit. 51) *des moulins. Cheval qui tourne un manège* (cit. 3). — *Tourner la clef* (→ Agenouiller, cit. 6 ; 1. contre, cit. 6 ; gâchette, cit. 1), *le bouton* (cit. 9) *de la porte, la poignée* (supra cit. 6), *les loquets* (cit. 2).

3   (...) Félicité, qui tournait son rouet dans la cuisine.
        FLAUBERT, Trois contes, « Un cœur simple », III.

3.1   Ils avaient tourné la poignée, la porte de la boutique était fermée, mais la poignée n'avait pas été enlevée, c'était de bon augure, l'antiquaire ne devait pas être bien loin...   N. SARRAUTE, le Planétarium, p. 75.

ⓑ Par anal. *Tourner et retourner* (cit. 12) *sa cuiller. Tourner et retourner un cocon entre ses doigts* (→ Examiner, cit. 7). — Par ext. Agiter, remuer (pour délayer*, mélanger, etc.). *Tourner une pâte* (→ 2. Boulanger, cit. 1), *une sauce.* — *Tourner en déformant, en roulant.* ⇒ **Bistourner, tordre, tortiller.** — *Se tourner les pouces* (cit. 6), *tourner ses pouces* (cit. 5).

ⓒ Fig. Agiter, remuer en tous sens ; examiner sous toutes ses faces. *Tourner et retourner* (cit. 13) *un problème, un projet.* ⇒ **Considérer, examiner, rouler, ruminer.** *« Après avoir tourné le cas En cent* (cit. 4) *et cent mille manières ». Tourner dans sa tête le discours qu'on va faire* (→ Entamer, cit. 13).

ⓓ Loc. *Tourner la tête, le cœur* (de qqn ; à qqn). ⇒ **Bouleverser, chavirer.** *Tourner la tête* (à qqn) : étourdir. (1640). *Ce vin lui tourne la tête,* l'étourdit. ⇒ **Griser.** *Le bruit lui tourne la tête.* ⇒ **Excéder, importuner.** *Cette odeur tourne le cœur,* soulève le cœur, écœure. — (Sens moral). ⇒ **Tête** (cit. 32 ; et supra. → aussi Cervelle, cit. 5 ; 2. sourire, cit. 5).

4   (...) les sachets de naphtaline dont la senteur poivrée lui brûlait les narines et lui tournait le cœur.   MARTIN DU GARD, les Thibault, t. VI, p. 79.

ⓔ Loc. fam. P.-ê. factitif du sens intrans. (II., B., 3.) — le sang « s'aigrit » comme le lait — mais l'image du retournement prédomine. *Tourner le sang, les sangs :* causer une impression bouleversante. ⇒ **Bouleverser, émouvoir** (→ Son sang n'a fait qu'un tour* [3. Tour, I., A., 4.]).

♦ **3.** (1530). Mettre à l'envers, faire aller ou disposer en sens inverse. *Tourner un gant à l'envers.* ⇒ **Retourner.** *Tourner le fourrage vert pour le faire sécher* (→ Moyette, cit.). — *Tourner les feuillets* (→ Déroulement, cit. 3 ; humecter, cit. 5). — *Tourner la page, les pages d'un livre* (→ Page ; et supra cit. 5, au figuré).

5   Pour la seconde fois il changea de chemin,
Comme en lisant on tourne un feuillet d'un registre.
        HUGO, la Légende des siècles, X, I.

Par métaphore. « *On tourne une pensée* (1. Pensée, cit. 43) *comme un habit* » (Vauvenargues).

♦ **4.** (1080). Mettre ou présenter (qqch.) en sens inverse, sur une face opposée ou en accomplissant dans une certaine direction un mouvement approprié (demi-tour*, mouvement latéral...). — Loc. (sans déterminant). *Tourner bride, tourner casaque.* ⇒ **Bride** (cit. 14 et 15), **casaque** (cit. 3). — (Avec déterminant). *Tourner le dos à qqn, à qqch.* (⇒ **Dos,** cit. 10 et 11), *les talons* (⇒ **Talon,** infra cit. 2).

♦ **5.** (980). Diriger par un mouvement courbe. ⇒ **Disposer, présenter** (*infra* cit. 5). *Tourner le canon dans la direction de l'objectif.* ⇒ **Braquer.** *Tourner son fauteuil de biais* (→ Origine, cit. 8). *Cette plante tourne ses feuilles vers la lumière.* ⇒ **Exposer, orienter.** *Tourner les pieds en dedans* (→ Bot, cit.). *Tourner la pointe du pied en dehors* (→ Hausser, cit.). *Tourner la tête à droite* (2. Droite, cit. 6) *et à gauche ; vers quelqu'un* (→ Harmonium, cit. 2). Absolt. *Tourner la tête* (→ Cou, cit. 7). *Il tourna vers l'abbé son visage bouffi* (cit. 1). *Tourner le nez d'un autre côté* (→ Émoi, cit. 2). — Par ext. *Tourner les yeux vers, sur qqn,* se mettre à le regarder. ⇒ **Regarder** (→ Fange, cit. 4 ; fuligineux, cit. 4 ; gracieux, cit. 1). — *Tourner son regard, ses regards vers qqn, qqch.*

(→ Émouvant, cit. 1 ; exil, cit. 14 ; face, cit. 43). — Littér. *Tourner sa vue** (→ Daigner, cit. 3) *sur qqn. Tourner ses pas vers... :* aller vers...

6   Le ton de cette voix parut à Jacques d'une tendresse nouvelle ; incapable de prononcer un mot, il tourna vers son frère son visage crispé ; et, cette fois, ses yeux s'emplirent de larmes.   MARTIN DU GARD, les Thibault, t. I, p. 194.

7   Je l'interpellai, rien que pour lui faire tourner la tête de mon côté (...)
        CÉLINE, Voyage au bout de la nuit, p. 439.

Fig. (sens abstrait). *Tourner toutes ses pensées vers...* ⇒ **Adonner, appliquer, penser.** *Tourner son esprit* (cit. 125), *ses idées d'un autre côté* (→ Génie, cit. 47). *Tourner son effort vers l'acquisition du bien-être.* ⇒ **Orienter** (→ Exigence, cit. 2). *La loi allait tourner la majorité du clergé contre la Révolution* (→ 1. Derrière, cit. 8).

♦ **6.** (XIIe). En loc. TOURNER (qqn, qqch.) EN..., À... : transformer (qqn, qqch.) en donnant un aspect différent, une autre nature, un autre caractère. ⇒ **Changer.** *Tourner la gourmandise* (cit. 6) *en habitude. Tourner* (qqn, qqch.) *en ridicule* (⇒ 1. **Ridicule,** cit. 6 ; et supra), *en dérision** (cit. 2), *en raillerie*.* ⇒ **Moquer** (se), **railler, ridiculiser.** *Tourner une chose en plaisanterie** (cit. 7), *en bien, en mal.* ⇒ **Interpréter, prendre.** — *Tourner tout à son profit* (→ Admettre, cit. 15), *à son avantage** (→ aussi Favoriser, cit. 1 ; perspective, cit. 11), de manière à en tirer profit, avantage.

♦ **7.** ⓐ (1680 ; « faire le tour de », XIVe). Suivre, longer en changeant de direction. *Tourner le coin de l'avenue* (→ Qui, cit. 89), *un angle de mur* (→ Plaie, cit. 11). *Tourner un promontoire* (cit. 1), *un cap.* ⇒ **Contourner.**

ⓑ Prendre à revers. *Tourner les positions de l'ennemi, le front ennemi ; tourner l'ennemi.* ⇒ **Déborder.**

ⓒ (En évitant, en éludant). *Tourner l'obstacle** (cit. 4), *la difficulté* (→ Je, cit. 4 ; 2. que, cit. 9). *Tourner la loi* (1. Loi, cit. 18), *les règlements* (→ Côtoyer, cit. 3), éviter de les observer sans les enfreindre.

8   (...) c'était à qui contrarierait ses instructions ou tournerait sournoisement les ordres qu'il donnait.   R. DORGELÈS, le Cabaret de la belle femme, Gousse d'ail.

♦ **8.** (1908, absolt ; par allus. à la manivelle des premières caméras ; → ci-dessus, I., 2.). *Tourner un film* :* faire un film. ⇒ **Filmer ; tournage.** *Tourner une scène, une séquence, un plan. On s'y est repris à vingt fois pour tourner ce plan.* — Par ext. Prendre en film. *Tourner des personnages* (→ 2. Plan, cit. 8).

9   La stupidité des propos de mes voisins, hier soir, au cinéma de Nice (...) Mais c'est pour ces gens-là qu'on tourne les films. D'eux dépend le succès.
        GIDE, Journal, 1er sept. 1930.

9.1   Des escaliers aux marches énormes mènent aux terrasses. Marc y monte, la visite finie, pour tourner quelques films.   GIDE, Voyage au Congo, p. 850.

Absolt. Faire fonctionner la caméra. *Silence ! on tourne.*
Jouer (au cinéma). → Générique, cit. 4. *En ce moment, cet acteur tourne beaucoup, ne tourne pas.*

★ **II.** V. intr. **A.** Être en rotation. ♦ **1.** (Fin Xe). Se mouvoir circulairement, exécuter un mouvement de rotation, de giration, et, par ext., décrire une ligne courbe (fermée ou non) autour de quelque chose. *La Terre tourne autour du Soleil* (cit. 10). ⇒ **Graviter.** *Planètes qui tournent autour du Soleil.* ⇒ **Orbite.** *Tourner sur un axe* (cit. 1 et 2), *sur un pivot* (⇒ **Pivoter**), *autour d'un point* (→ Compas, cit. 1), *d'un centre* (⇒ Attractif, cit. 1), *d'un pôle* (cit. 8)... ⇒ **Roue.** *La roue* tourne. Dispositifs qui tournent :* roue, girouette (cit. 3), hélice (→ Parcourir, cit. 3), meule (→ Passer, cit. 41), toton, toupie... *Rôti tournant à la broche* (→ Espièglerie, cit. 2 ; fumet, cit. 3). — *La porte* (1. Porte, cit. 17) *tourne sur ses gonds* (cit. 2 ; → Huiler, cit. 2 ; serrure, cit. 1). ⇒ **Charnière.** — Décrire plusieurs cercles, plusieurs tours. ⇒ **Tournoyer.** *Le frondeur fait tourner la pierre qu'il veut jeter* (cit. 1). ⇒ **Moulinet.** *On voyait la fumée s'élever en tournant* (→ Poudrière, cit.). ⇒ **Tourbillonner ; volute.** — Effectuer un mouvement de rotation (corps sphériques, cylindriques, coniques). *Tourner sur soi-même comme une toupie** (cit. 1). *Cylindre tournant dans un tourbillon* (→ Succion, cit. 2). ⇒ **Rouler.** *Globe* (cit. 11) *terrestre qui tournait avec lenteur. La Terre tourne, tourne sur elle-même.* — Allus. hist. *Et pourtant elle tourne !* (mot prêté à Galilée à propos de la Terre).

10   Dans le seizième siècle, Galilée a été livré à l'Inquisition pour avoir dit que la terre tournait (...)   Mme DE STAËL, De l'Allemagne, Observations générales.

11   Galilée jura solennellement qu'il s'était trompé, et qu'au fond de son cœur il jugeait que la terre ne tournait point.
        ALAIN, Propos, 24 mars 1922, Nuances de l'humiliation.

12   On sait que la terre tourne sur elle-même et autour du soleil ; on sait que la lune tourne autour de la terre. Mais c'est un savoir abstrait.
        ALAIN, Propos, 8 juil. 1911, Astronomie.

13   Théoriquement on sait que la terre tourne, mais en fait on ne s'en aperçoit pas, le sol sur lequel on marche semble ne pas bouger et on vit tranquille.
        PROUST, À la recherche du temps perdu, t. III, p. 70.

14   L'aiguille tourne et le temps grince (...)
        ARAGON, le Crève-cœur, « Les amants séparés ».

Faire tourner un disque. ⇒ **Tourne-disque.**

15   Il fait tourner, pour soi, un disque luisant qui grouine à l'étouffée.
        G. DUHAMEL, Salavin, VI, VIII.

Spécialt. *Faire tourner les tables** (supra cit. 15).

(Sous l'effet d'une illusion de la vue). *Je vis tout tourner* (→ Appuyer, cit. 33 ; et aussi réveiller, cit. 9). *Il restait ébloui* (cit. 22), *avec des ronds violets qui lui tournaient dans les yeux.*

(Sujet n. animé). Décrire une courbe, un cercle, ou tourner sur soi-même. *Des écuyers prestes* (cit.) *tournèrent sur la piste.* ⇒ **Évoluer.** *Tourner en rapide cadence* (→ Apsara, cit. 1). *Tourner en cercle sur soi-même* (→ Fourvoyer, cit. 2), *en tous sens, sur ses talons.* ⇒ **Pirouetter, pivoter, tournoyer, virevolter** (→ Bloc, cit. 8). *Tourner en rond*.* ⇒ **Marcher, rôder** (→ Calmer, cit. 15). — *Tourner autour de sa table* (→ Gâteux, cit. 3), *autour de l'autel* (→ Évolution, cit. 6).

16 Quel plaisir ça me serait de te tenir par la main et de te faire tourner dans mes bras, et de te voir, si légère et si gentille, ne danser qu'avec moi!
G. SAND, la Petite Fadette, XXVII.

17 Occuper les loisirs d'un homme sain et actif est souvent difficile. Éloigné de son travail il s'ennuie, tourne dans la maison comme une bête en cage (...)
A. MAUROIS, Un art de vivre, III, 7.

18 Il tourne en rond et rôde par les ruelles.
MARTIN DU GARD, les Thibault, t. IV, p. 18.

18.1 Ils allaient plus vite que tous, tournaient, tournaient, couraient en pivotant éperdument, liés à ne plus faire qu'un, et le corps droit, les jambes presque immobiles, comme si une mécanique invisible, cachée sous leurs pieds, les eût fait voltiger ainsi.
MAUPASSANT, Yvette, Pl., t. II, p. 244.

Spécialt. *Avoir le tournis** (moutons).

Par anal. (Sujet n. de chose). *Le vent tournait autour de la maison* (→ 1. Brasser, cit. 2).

Spécialt. Exécuter des tours de piste (athlétisme, cyclisme, automobile).

♦ **2.** (Sujet n. de chose). Fonctionner (en parlant de mécanismes dont une ou plusieurs pièces ont un mouvement de rotation). *Le moulin* (cit. 5, au fig.), *le moteur tourne* (→ Modèle, cit. 12). *Tourner rond.* ⇒ **Rond** (adv. ; cit. 5 et *supra*). *Tourner à vide*.*

19 (...) la Rieule, petite rivière qui se jette dans l'Andelle, après avoir fait tourner trois moulins (...)
FLAUBERT, Mme Bovary, II, I.

Par ext. *Faire tourner une usine, une entreprise.* ⇒ **Fonctionner, marcher.**

♦ **3.** (Sujet n. de chose). S'enrouler, être disposé en rond. *La gaze* (cit. 4) *du pansement tournait autour du cou. Spirale d'un escalier qui tourne.* ⇒ **Tournant** (→ aussi Galerie, cit. 3).

20 (...) au coude de la route qui tourne sur elle-même comme celle que les Italiens appellent des *corniches* (...)
BALZAC, Modeste Mignon, Pl., t. I, p. 358.

Faire tourner des capitaux, de l'argent : obtenir rapidement des bénéfices, réinvestir, etc. *Il ne fait pas tourner son argent, il le place.*

♦ **4.** **TOURNER AUTOUR DE** (qqn, qqch.) : évoluer* autour de (qqn, qqch.) sans s'éloigner. ⇒ **Papillonner, tournoyer, voltiger.** *Les gamins tournaient autour du défilé* (→ Procession, cit. 5). — Vx. *« Il tourne à l'entour du troupeau »* (→ Marquer, cit. 34).

Spécialt. *Tourner autour de qqn, d'une femme,* dans un dessein de conquête (→ Freluquet, cit. 3 ; honte, cit. 47). *Il tourne autour de ma jupe* (→ Rapport, cit. 17).

21 — (...) Où as-tu traîné si longtemps? Sur la Piazza à tourner autour des filles (...)
J. ROMAINS, Volpone, III, 2.

22 Elle sentait tourner autour d'elle ce désir lourd et troublant de l'homme qui va devenir amoureux (...)
Edmond JALOUX, les Visiteurs, IV.

22.1 À propos de votre femme. Y a un type qui tourne autour, un de vos collègues.
R. QUENEAU, le Dimanche de la vie, p. 262.

Loc. fam. *Tourner autour du pot** (*infra* cit. 14).

(Sujet n. de chose). Avoir pour centre d'intérêt, pour sujet principal. *La littérature rabbinique* (cit.) *tournait autour de la loi. Contes qui tournent autour d'un jeune protagoniste* (→ Initiatique, cit. 1). — *Tout tourne autour de vous, sur vous.* ⇒ **Dépendre.**

23 (...) tout tourne ou sur vous, ou de vous, ou pour vous, ou par vous.
Mme DE SÉVIGNÉ, 148, 23 mars 1671.

24 La seconde partie de l'entrevue tourna autour de la confection du thé dans la cuisine.
J. ROMAINS, les Hommes de bonne volonté, t. V, IV, p. 30.

♦ **5.** Spécialt (théâtre, comm.). Faire une tournée*. *Troupe, représentant de commerce qui tourne dans une région.* — (Dans un autre contexte). *« Le curé Ponosse est bien venu tourner ces jours »* (G. Chevalier, *Clochemerle*, p. 87).

♦ **6.** Par métaphore ou fig. Se dérouler. *Paris est la ville pivot* (cit. 3) *sur laquelle l'histoire a tourné. Cercle d'occupations* (cit. 4) *où tourne son existence* (→ aussi Heure, cit. 10).

♦ **7.** Loc. (1606). *La tête lui tourne :* il est étourdi, il perd le sens de l'équilibre. — *Ce vin me fait tourner la tête,* m'étourdit, me donne le vertige (⇒ **Tête,** cit. 4 ; et *supra* cit. 29. → aussi Enivrer, cit. 12; extravagant, cit. 3 ; griser, cit. 2 ; hors, cit. 37). ⇒ **Tourbillonner, tournoyer, troubler** (se). *Il sentait son cerveau tourner dans sa tête* (→ Assembler, cit. 10).

Loc. fam. *Tourner de l'œil* : s'évanouir. ⇒ **Œil** (cit. 47). — Vx. *Tourner de l'œil en dedans :* mourir.

B. (1080, « changer »). ♦ **1.** Changer* de direction, aller en sens inverse ou dans un autre sens. ⇒ **Retourner** (se). *Tourner pour fuir* (→ Retomber, cit. 7). — *Tourner court, dans un très petit espace* (syn. : *tourner serré*). — Fig. *Tourner court* (⇒ 1. Court, cit. 21 et 22). — *On le fait tourner à droite, à gauche.* ⇒ **Obliquer, virer**

(→ Baguette, cit. 8). *Tourner à l'est* (cit. 2) ; *à l'ouest, vers le couchant* (→ Fontaine, cit. 3). *Tourner dans une rue, par la rue X, par le boulevard* (→ Filature, cit. 4 ; forain, cit. 4 ; itinéraire, cit. 1). *Faire tourner une voiture.* ⇒ **Braquer.** *« D'un carrosse en tournant il accroche une roue »* (→ Boue, cit. 1). — (En parlant d'une voie). *Angle où l'avenue tourne.* ⇒ **Tournant** (→ Immobiliser, cit. 9).

25 Le valet de pied sauta sur le siège auprès du cocher; et les chevaux, selon leur habitude, piaffèrent en saluant de la tête jusqu'à ce qu'ils eussent tourné dans la rue.
MAUPASSANT, l'Inutile Beauté, I.

26 Puis, sans nous arrêter au sanctuaire, nous tournons à main gauche, pour entrer dans un jardin ombreux (...)
LOTI, Mme Chrysanthème, XI.

♦ **2.** (XIIe). Abstrait. Changer*. **a** Par métaphore. — Vieilli. *Il tourne à tout vent, au moindre vent :* il est versatile (⇒ **Inconstant, variable**). — Mod. *La chance a tourné.* ⇒ **Chance** (cit. 1 et 2 ; → aussi 1. Cas, cit. 7 ; sort, cit. 5).

b Fig. Évoluer. *Je me demande comment cela va tourner, comment les choses vont tourner.* — (Avec un adv.). **TOURNER BIEN, MAL :** prendre une voie favorable, défavorable ; avoir une bonne, une mauvaise issue*. ⇒ **Marcher ; échouer, réussir.** *L'affaire a mal tourné, c'est un échec*. Les choses* (cit. 22) *peuvent tourner mal.* ⇒ **Gâter** (se). → aussi Malin, cit. 9 ; plate-bande, cit. 2 ; quinquet, cit. 2. *Cela tournait mal* (→ Casser, cit. 2). — (En parlant de la conduite). Devenir objet de réprobation, de honte. *Tourner mal** (2. Mal, cit. 21). *La peur de mal tourner* (→ Préserver, cit. 3).

27 (...) en politique, il y a plusieurs manières différentes dont une chose qui est en train de se faire peut tourner. Quand la chose est faite, on ne voit plus que l'événement.
SAINTE-BEUVE, Causeries du lundi, 4 févr. 1850.

28 Combien de gens accusent la pluie et le vent ; combien disent : Si pourtant les choses avaient tourné autrement!
ALAIN, Propos, 5 janv. 1908, Les prières.

29 (...) et si la fille tourne mal, elle en aura tout le reproche. elle est assez grande pour fauter, elle peut bien aussi se défendre (...)
BERNANOS, Sous le soleil de Satan, Prologue, II.

c **TOURNER À..., EN... :** changer d'aspect, de forme, d'état, se transformer pour aboutir à (tel résultat). ⇒ **Changer, transformer** (se). *Grippe* (cit. 9) *qui tourne facilement à la pneumonie.* ⇒ **Dégénérer.** *Elle tournait à l'obésité* (→ Empâter, cit. 2), *à l'hypocondrie* (→ Hanter, cit. 15). *Le ciel tourne au bleu de lac* (→ Provençal, cit. 1). *Le temps tourne au froid.* ⇒ **Devenir.** — Par métaphore. *La discussion tournait au vilain,* tendait à s'envenimer (→ 2. Politique, cit. 19). *Drames qui tournent au tragique*, à la comédie* (→ Anesthésie, cit. 1). *Antipathie pouvant tourner à la haine* (→ Cordial, cit. 6). *Réflexion qui tourne au radotage* (→ Ressasser, cit. 2). — *Chose qui tourne à l'avantage, au profit, au désavantage* (cit. 3) *de qqn. « Tous leurs efforts pour me nuire ont tourné à leur confusion »* (Rousseau). *« Serait-ce la destinée des mots de tourner peu à peu au sens contraire de leur origine? »* ⇒ **Incliner, tendre** (→ Discursif, cit. 3).

TOURNER EN... *Une amourette qui tourne en mariage d'inclination* (cit. 16). *Hommes dont la pitié tourna en fureur* (→ Ressentir, cit. 5). — *Tourner qqch. en bien, en mal.* ⇒ **Métamorphoser** (→ Blasphémer, cit. 6). — Loc. *Faire tourner qqn en bourrique* (cit. 2).

♦ **3.** (Fin XIe). Absolt. S'altérer, se corrompre, et, notamment, devenir aigre et impropre à la consommation (en parlant de liquides, de préparations). *Laisser tourner le lait* (→ Pester, cit. 3). *Ce vin a tourné.*

♦ **4.** Spécialt. *Tourner à l'aigre :* devenir aigre. ⇒ **Aigrir** (s'). — *Tourner au vinaigre** (fig. : devenir dangereux). — *Tourner à la graisse, à l'huile :* prendre une apparence, une consistance huileuse (par l'effet d'un processus chimique [vin, cidre, bière], d'une mauvaise manipulation [sauces...]).

(1636). Agric. Mûrir en prenant de la couleur (fruits) ; pommer (choux).

▶ **SE TOURNER** v. pron. (Fin Xe, *s'en torner* «s'en retourner»).

♦ **1.** **a** Aller, se déplacer, se mettre en sens inverse ou dans une certaine direction. *Elle se tourna tout d'une pièce* (cit. 32) *comme sur un tabouret de piano.* ⇒ **Retourner** (se). *Plante qui se tourne vers la lumière.* ⇒ **Tropisme.** *Se tourner vers qqn* (→ Ensanglanter, cit. 2). *Il se tourna vers elle pour lui adresser la parole. Il se tourna vers les spectateurs et dit, d'une voix forte...* (→ Reproche, cit. 5). *Les éléphants se tournaient contre leurs troupes* (→ Effaroucher, cit. 1). — *Tournez-vous de côté*. Se tourner du côté de quelqu'un pour le regarder* (→ Fuite, cit. 5). *Se tourner d'un autre côté.* ⇒ **Détourner** (se), **retourner** (se). *De quelque côté que l'on se tourne* ⇒ **Orienter** (s'). → Horizon, cit. 1.

30 — C'est vers les auditeurs qu'on se tourne, quand on lit un discours, non vers l'auteur.
GIRAUDOUX, Amphitryon 38, I, 2.

31 Tournez-vous un peu plus de profil, voulez-vous (...)
A. MAUROIS, les Discours du Dr O'Grady, XVI.

b Fig. Se diriger. *Ne plus savoir de quel côté se tourner* (→ À quel saint* se vouer). *Se tourner vers un métier, vers la couture* (→ Giletier, cit.), *vers une idée, une théorie* (→ Entrevoir, cit. 10; et aussi disponibilité, cit. 2 ; faillir, cit. 7 ; 2. quant, cit. 1). *Se tourner en pensée vers le passé, vers sa jeunesse, vers l'avenir* (→ Futur, cit. 13). *Se tourner vers Dieu.* → Se convertir* (1., vx) à Dieu. —

Se tourner contre qqn : changer d'attitude en prenant parti contre lui.

[c] Changer de position. ⇒ **Retourner** (se). *Se tourner et se retourner dans son lit* (→ Endroit, cit. 8) *au cours d'une insomnie. Se tourner sur l'un et l'autre flanc* (cit. 1).

32   La nuit venue et nous couchés, impossible de dormir. J'entends Yves dans son lit qui se tourne, se *vire*, comme il dit avec son accent breton.
LOTI, Mon frère Yves, XLII.

♦ **2.** Vx ou littér. Se changer (en), passer (d'un état à un autre). *Leur phlegme s'est tourné en bile* (Guez de Balzac, *in* Littré). *Son mal se tourne en langueur.* — (Sens abstrait). *L'enthousiasme se tourna en pessimisme* (cit. 2 ; → aussi Honteux, cit. 14).

▶ **TOURNÉ, ÉE** p. p. et adj.

★ **I.** ♦ **1.** (V. 1360, du sens I, 1; avec un adv.). Fait* (de telle manière). Surtout dans : *bien, mal tourné. Bien tourné.* ⇒ 1. **Beau.** *Jambe bien tournée* (→ Encore, cit. 12). *Mollet parfaitement tourné.* ⇒ 2. **Tour** (fait au). → Exhibition, cit. 5. *Mal tourné.* ⇒ **Laid.** — (XVIIᵉ). Exprimé (par le langage). *Article mal tourné* (→ Premier-Paris, cit.). *Épigramme bien tournée. Vers bien, mal tournés.*

33   *(Elle)* faisait resplendir sous les nappes de lumière ses épaules sans rivales à Paris, un cou tourné comme par un tourneur, sans un pli !
BALZAC, la Cousine Bette, Pl., t. VI, p. 479.

34   Une petite brune, bien tournée, d'une vivacité surprenante, avec le teint clair malgré Saïgon. Le petit pied busqué et la jambe ronde des Provençales.
ARAGON, les Beaux Quartiers, I, VI.

(1690). *Avoir l'esprit mal tourné,* disposé à prendre les choses en mauvaise part, et, particult, à les interpréter d'une manière défavorable, scabreuse.

♦ **2.** (XVIIIᵉ, Voltaire). Façonné au tour (2. Tour). *Objets en bois tourné.*

★ **II.** (V. 1268). Altéré, aigri, corrompu. *Vin tourné. Lait tourné. Sauce tournée. Mayonnaise tournée.* — Loc. *Avoir les sangs tournés.*

★ **III.** (1611). Blason. *Croissant, chevron tourné,* dont l'ouverture est à dextre.

DÉR. **Tournage, tournailler, tournant, tournante,** 1., 2. et 3. **tourne, tournée, tournement, tournerie, tournette,** 1., 3. et 4. **tourneur, tournière, tournailler, tourniquer, tournis ; tournisse, tournoyer** (cf. aussi Tourniquet, tournure).

COMP. **Bistourner, chantourner, contourner, détourner, retourner** (cf. aussi Ristourne). — **Tourne-à-gauche, tournebouler, tournebride, tournebroche, tournedisque, tournedos, tournefeuille, tournefil, tournemain** (en un), **tourne-oreille, tournepierre, tournesol, tournevent, tournevire, tournevis.**

TOURNERIE [tuʀnəʀi] n. f. — Mil. XIVᵉ ; *tornerie* « tournoi », fin XIIᵉ ; de *tourner.*

♦ **1.** Vx. Manière de se tourner.

♦ **2.** (XVIᵉ). Techn. (Vx). Fabrication au tour. — (1611). Ouvrage fait au tour. — (1813). Lieu où l'on exécute des travaux de tournage.

TOURNESOL [tuʀnəsɔl] n. m. — 1291, *tournesot* « teinture » ; empr. de l'ital. *tornasole,* ou de l'esp. *tornasol* « qui se tourne vers le soleil ».

♦ **1.** (1383). Plante *(Composacées),* originaire d'Amérique du Nord, dont la fleur se tourne vers le soleil (héliotrope*, hélianthe). — Syn. : *grand soleil.* — Spécialt. Hélianthe, soleil. *Le tournesol croît surtout en Europe orientale ; on le cultive pour ses graines oléagineuses. Huile de tournesol.*

1   Jamais les fleurs n'avaient été plus vivaces et plus belles. Les tournesols cernaient d'une crinière d'or leur grande tonsure monastique noire (...)
HUYSMANS, l'Oblat, XIII.

♦ **2.** Colorant bleu tiré du croton (anciennt appelé *heliotropium tricoccum*). *Tournesol en pâte, en pain.* — Chim. Substance d'un bleu violet qu'on tire de certaines plantes (*croton* ou *maurelle, orseille* ou *rocelle*...), qui vire au rouge sous l'action des acides* et au bleu sous celle des bases. *Teinture de tournesol, papier de tournesol,* utilisés comme réactifs en chimie.

2   Voulez-vous que je fasse virer du papier de tournesol pour charmer vos yeux ?
R. QUENEAU, Loin de Rueil, p. 96.

Plante fournissant cette substance (croton, orseille). *Tournesol des teinturiers.* ⇒ **Croton.**

TOURNETTE [tuʀnɛt] n. f. — 1384 ; dimin. tiré de *tourner.*

♦ **1.** Vx ou techn. Dévidoir tournant sur un pivot vertical.

♦ **2.** (1803). Cage tournante (d'un petit animal : écureuil, cobaye, hamster, etc.).

♦ **3.** (1872). Techn. Instrument des vitriers, des relieurs (⇒ **Roulette**), fait d'un manche et d'une petite roue très coupante.

♦ **4.** Cadre tournant servant à étendre régulièrement une couche sensible sur un support métallique.

1. TOURNEUR, EUSE [tuʀnœʀ, øz] n. m. et f. — 1234 ; de *tourner.*

★ **I.** ♦ **1.** Artisan, ouvrier qui travaille au tour (⇒ 2. **Tour**) à main ou au tour automatique (→ Machine, cit. 15). *Tourneur sur bois, sur métaux, sur ivoire. Tourneur en porcelaine* (ou *tournasseur*). *Palmer*, archet, mandrin de tourneur.* — (1397). Personne qui tourne une meule, un rouet, un cylindre. *Tourneur de corderie.*

1   J'en ferai un bon tourneur ou un bon horloger. Il se mariera ; il aura des enfants qui tourneront à perpétuité des bâtons de chaise dans ce monde.
DIDEROT, Jacques le fataliste, Pl., p. 731.

1.1   Le même tour adapté à la fabrication de l'obus de 77 fait l'extérieur du projectile en 55 secondes. Cela va aussi vite que de la visserie tirée de la barre. Le plus gros travail du tourneur est de dégager au crochet les copeaux qui sortent brûlants de la coupe.
Pierre HAMP, la Peine des hommes (Moteurs), p. 285.

♦ **2.** N. f. (1836). Ouvrière qui dévide de la soie.

★ **II.** Adj. (1835). Qui tourne sur soi. — Spécialt. *Derviche tourneur* (pratique religieuse).

2   (...) un vieux couvent de derviches tourneurs, et puis plus rien, que des pierres tombales, dans une solitude.
LOTI, les Désenchantées, XI.

HOM. 2., 3. et 4. **Tourneur.**

2. TOURNEUR [tuʀnœʀ] n. m. — V. 1933 ; de *tournée.*

♦ T. de spectacle. Organisateur de tournées de spectacles. *Le tourneur s'occupe de placer une vedette ou un spectacle, de monter un plateau, de prendre les engagements avec les directeurs de salles, d'accompagner éventuellement le spectacle ou la vedette en tournée.* — Adj. *Impresario tourneur.*

REM. Le fém. *tourneuse* est virtuel.

HOM. 1., 3. et 4. **Tourneur.**

3. TOURNEUR [tuʀnœʀ] n. m. — 1917 ; de *tourner,* spécialement.

♦ Vx. Opérateur de cinéma. — (1921). Vx. Réalisateur, metteur en scène.

HOM. 1., 2. et 4. **Tourneur.**

4. TOURNEUR [tuʀnœʀ] n. m. — 1973, *le Monde ;* de *tourner.*

♦ Fin. « Banque disposant d'effets éligibles à l'" open market ", grâce auxquels elle obtient de la Banque centrale des liquidités supplémentaires destinées au marché » (*le Monde, in la Clé des mots*).

HOM. 1., 2. et 3. **Tourneur.**

TOURNEVENT [tuʀnəvã] n. m. invar. — 1311, *tornevent ;* de *tourner,* et *vent.*

♦ Techn. Dispositif mobile, en forme de tuyau coudé, disposé au sommet d'une cheminée et dont l'orifice se place à l'opposé du vent. — On écrit aussi *tourne-vent.*

TOURNEVIRE [tuʀnəviʀ] n. m. — 1672 ; de *tourner,* et *virer.*

♦ Mar. (Anciennt). Chaîne, cordage sans fin, manœuvré à l'aide d'un cabestan, d'un guindeau.

TOURNEVIS [tuʀnəvis] n. m. invar. — 1676 ; de *tourner,* et *vis.*

♦ Outil pour tourner les vis, fait d'une tige le plus souvent métallique emmanchée à une extrémité, et aplatie à l'autre afin de pénétrer dans la fente des têtes de vis. *Serrer, desserrer une vis avec un tournevis. Tournevis de mécanicien, d'électricien.*

(...) Michu était appuyé à l'un des parapets moussus sur lequel se voyaient sa poire à poudre, sa casquette, son mouchoir, un tournevis, des chiffons, enfin tous les ustensiles nécessaires à sa suspecte opération.
BALZAC, Une ténébreuse affaire, Pl., t. VII, p. 451.

TOURNICOTER [tuʀnikɔte] v. intr. — XXᵉ ; de *tourniquer.*

♦ Fam. Faire des tours sur place, sans quitter les lieux. ⇒ **Tournailler.**

1   Dans le va-et-vient du promenoir (...) devant le petit tableau lumineux où tournicotaient les ombres chinoises de dames en corset (...)
ARAGON, les Beaux Quartiers, II, VII (1936).

S'agiter, remuer sans résultats.

Atermoyer, hésiter, tergiverser. — Var. pop., dans ce sens : *tournicoler.*

2   (...) quand chacun n'en a que pour son ventre, que les riches, ils se moquent des lois qu'ils ont fabriquées, y a pas tant à tournicoler : c'est chacun pour soi, n'importe comment.
M. AYMÉ, le Passe-muraille, p. 258.

TOURNIÈRE [tuʀnjɛʀ] n. f. — 1497 ; de *tourner.*

♦ Régional. Coin d'un champ sur lequel le laboureur tourne sa charrue. — On dit aussi *chaintre.*

La motorisation de la viticulture s'est (...) heurtée à de grandes difficultés (...) C'est bien plutôt le fait d'être obligé de réserver de vastes tournières ou de procéder à un remembrement toujours redouté, bien que souhaitable, qui fait parfois hésiter le vigneron.　　　　　Louis LEVADOUX, la Vigne et sa culture, p. 96.

TOURNILLER [tuʀnije] v. — 1784 ; de *tourner*.
Rare.

♦ **1.** V. intr. Faire de nombreux petits tours (→ Intriguer, cit. 5).

♦ **2.** V. tr. Tourner légèrement et à plusieurs reprises. ⇒ **Tortiller.**
Il s'assit alors sans crainte auprès d'elle *(la panthère)* il lui prit les pattes, le museau, lui tournilla les oreilles, la renversa sur le dos (...)
　　　　　BALZAC, Une passion dans le désert, Pl., t. VII, p. 1079.
REM. Le dér. *tournillement* est attesté (1895, Daudet).

TOURNIOLE [tuʀnjɔl] n. f. — 1812 ; même étym. que *torgnole*.

♦ Fam. Abcès, phlegmon superficiel qui se développe en tournant autour de l'ongle et entraîne souvent sa chute. ⇒ **Panaris.**

TOURNIQUER [tuʀnike] v. — 1900, in D. D. L. ; de *tourner*, d'après *tourniquet.*

♦ **1.** V. intr. Tourner sur place, sans but. Tournailler, tournicoter. — Tourner sur soi. *Faire tourniquer le joueur aux yeux bandés, à colin-maillard.* ⇒ **Tournoyer.**
Un chien qui tournique, puis se couche en rond, avec un lourd soupir.
　　　　　Michel LEIRIS, Frêle bruit, p. 281.

♦ **2.** V. tr. Tortiller. *Tourniquer une mèche de cheveux.*

DÉR. Tournicoter.

TOURNIQUET [tuʀnikɛ] n. m. — xvᵉ, « cotte d'armes » ; altération, d'après *tourner*, de *turniquet* ou *turniquel* « vêtement de dessus », de *turnicle, tunicle* ; du lat. *tunicula*, dimin. de *tunica*. → Tunique.

★ **I.** (1575). Vx. Poutre armée de pointes de fer.

★ **II.** (Par infl. du verbe *tourner* ; d'abord au sens de « manivelle », Cotgrave). **A.** ♦ **1.** (1669). Appareil formé d'une croix horizontale tournant autour d'un pivot vertical et placé à l'entrée d'un chemin ou d'un édifice afin de ne livrer passage aux personnes chacune à son tour. ⇒ **Moulinet.** *Tourniquet muni d'un compteur.* ⇒ **Compteur** (d'entrée). *Passer dans un tourniquet.* — Par ext. Porte tournante, à tambour.

♦ **2.** Techn. Rouleau mobile sur un pivot. — (1836). Mar. Rouleau vertical sur lequel on fait passer un cordage pour faciliter la traction. Rouleau pour tirer des fardeaux. ⇒ **Moulinet.** Treuil de mine. ⇒ **Bourriquet.**
Cylindre métallique à volets, tournant sur un pivot, et servant à présenter des cartes postales, des cravates, etc. ⇒ **Présentoir.**
1　Sur l'une de ces tables *(de la buvette)*, un tourniquet de cartes postales grinçait sur son axe lorsqu'on le poussait du doigt.　　J. GREEN, Adrienne Mesurat, II, v.

♦ **3.** (1680). Techn. Morceau de bois tournant qui sert à soutenir un châssis à coulisse, une partie pliante. — (1872). Lame de fer en S, mobile sur un pivot, qui sert de fermeture à une fenêtre, ou à maintenir un volet ouvert.

♦ **4.** (1752). Chir. Garrot* servant à arrêter une hémorragie.

♦ **5.** Vx. Petite roue de loterie. *L'oublieur* (cit.) *et son tourniquet.*

♦ **6.** Phys. *Tourniquet hydraulique :* récipient auquel la force de l'eau, sortant par deux issues recourbées en sens contraire, imprime un mouvement rotatoire. — (1845). Instrument d'arrosage (⇒ **Arroseur**) qui tourne selon le même principe.

♦ **7.** Lame métallique courbée, tournant sur un pivot, et servant à maintenir un volet ouvert.

B. (1769). Gyrin* (insecte).

C. (1888, argot). Conseil de guerre. *Passer au tourniquet.*
2　(...) les sous-offs de service (...) me promettaient le tourniquet. La prise de gueule était sérieuse. Je discutais avec l'adjudant du bataillon les termes mêmes de son rapport, lui disant qu'il n'y entendait rien, que les accusations qu'il portait ne rimaient à rien du tout (...) et que je me chargerais d'en faire la preuve et de le couvrir, lui, de ridicule devant le conseil de guerre ; mais que, d'ailleurs, jamais il n'arriverait à faire passer un de mes hommes au tourniquet que c'est lui, tout adjudant qu'il l'était, qui y passerait en premier, que je le chargerais, oui, que je l'accuserais de prévarication, de couardise, d'indiscipline, d'ignorance, de forfaiture (...)　　　　B. CENDRARS, la Main coupée, *in* Œ. compl., t. X, p. 136.

D. (Abstrait ; emploi dû à Sartre, *l'Être et le Néant*). Didact. Mouvement par lequel un contenu de pensée se retourne et se nie.
3　Les tourniquets tournoient au ras du sol. Consommation de spectacles, spectacle de la consommation, consommation du spectacle de la consommation. Consommation de signes et signes de la consommation. Chaque sous-système qui tente de se fermer donne un de ces tournoiements autodestructeurs.
　　　　　Henri LEFEBVRE, la Vie quotidienne dans le monde moderne, p. 205.

TOURNIS [tuʀni] n. m. — 1812 ; *tourneis, tournisse,* adj. « qui tourne, a le vertige », xiiiᵉ ; « pliant, mobile », 1842 ; de *tourner.*

♦ **1.** Maladie du bétail (mouton principalement), provoquée par la présence du cénure du ténia dans l'encéphale, et qui se manifeste notamment par le tournoiement de la bête atteinte. *Moutons atteints de tournis, qui se mettent à tourner** (spécialement).
(...) la brebis qui, poussée par le *tournis,* se brise la tête contre un arbre.　　　　　BALZAC, le Médecin de campagne, Pl., t. VIII, p. 502.　　1

♦ **2.** (xxᵉ). Fig. et fam. Vertige.
Recouchez-vous (...) Et puis ne vous retournez pas tout le temps comme ça, à droite et à gauche : vous me donnez le tournis.　　SARTRE, le Sursis, p. 42.　　2
Elle ne peut pas supporter le désordre, la saleté, ça la fatigue, ça lui donne le tournis (...)　　　　　N. SARRAUTE, le Planétarium, p. 21.　　3

TOURNISSE [tuʀnis] n. f. — 1765 ; de l'anc. franç. *tourn(e)is,* adj. « qui tourne ». → Tournis.

♦ Techn. Pièce de charpente servant de remplissage entre les poteaux d'une cloison.

TOURNOI [tuʀnwa ; tuʀnwa] n. m. — V. 1175, aussi « tournoiement » ; *tornei* « combat », v. 1130 ; subst. verb. de *tournoyer.*

♦ **1.** Combat courtois entre plusieurs chevaliers (⇒ **Champion ; assaillant, tenant**) qui s'affrontaient en champ clos (⇒ **Champ,** 1. **lice**), à cheval ou à pied, avec la lance, la pique, l'épée ou la massette, et en présence d'une brillante assemblée (⇒ **Hourd**). *Armure, caparaçon de tournoi. Tournoi à fer émoussé, émoulu. Tournois et joutes* (→ Lyrique, cit. 1). *Défi de chevalier à chevalier dans les tournois.* ⇒ **Cartel.**
Enfin, le jour du tournoi arriva. Les reines se rendirent dans les galeries et sur les échafauds qui leur avaient été destinés. Les quatre tenants parurent au bout de la lice, avec une quantité de chevaux et de livrées qui faisaient le plus magnifique spectacle qui eût jamais paru en France. Le roi *(Henri II)* n'avait point d'autres couleurs que le blanc et le noir, qu'il portait toujours à cause de Mᵐᵉ de Valentinois qui était mariée.
　　　Mᵐᵉ DE LA FAYETTE, la Princesse de Clèves, *in* Romans et nouvelles, p. 355.

♦ **2.** (Fin xviᵉ). Fig. et littér. Lutte d'émulation. ⇒ **Assaut, concours.** *Un tournoi d'éloquence, de courtoisie.*

♦ **3.** Jeux, sports. Concours*, compétition à plusieurs séries d'épreuves ou de manches, de matches. *Tournoi de bridge. Tournoi d'échecs (tournoi couvert, tournoi à normes, tournoi-match). Tournoi de tennis.* — Rugby. *Le tournoi des cinq nations :* série de rencontres opposant tour à tour les équipes de rugby de France, Angleterre, Pays de Galles, Écosse et Irlande.

HOM. Tournois. — Formes du v. **tournoyer.**

TOURNOIEMENT [tuʀnwamɑ̃] n. m. — V. 1230 ; *torneiement* « tournoi, combat », v. 1130 ; de *tournoyer.*

♦ **1.** Action de tournoyer, mouvement de ce qui tournoie (4.). *Des tournoiements de feuilles* (cit. 3) *mortes. Tournoiement d'eau.* ⇒ **Remous ; gouffre, tourbillon, trombe.**
On apercevait çà et là des tournoiements de spirales blêmes qui étaient des tourbillons de neige fine arrachés de terre par le vent, et s'envolant.
　　　　　HUGO, l'Homme qui rit, I, I. III.　　1
(...) le vent faisait sur les volets des poussées bruyantes et lançait les vieilles girouettes en des tournoiements de toupie.
　　　　　MAUPASSANT, Clair de lune, « Une veuve ».　　2
(...) le tournoiement dans un coude de rivière d'une pirogue qu'on ne maîtrise plus (...)　　　　　Henri FAUCONNIER, Malaisie, p. 12.　　3
(1549). *Le tournoiement de la valse* (→ Battre, cit. 58).

♦ **2.** *Tournoiement de tête* (vx) : vertige (→ Précipice, cit. 1). *Un tournoiement intérieur* (→ Croisement, cit. 2).

TOURNOIS [tuʀnwa ; tuʀnwa] adj. invar. — 1160 ; *tornai,* déb. xiiiᵉ ; du lat. *turonensis* « monnaie frappée à Tours ».

♦ Anciennt. S'est dit de la monnaie frappée à Tours, devenue par la suite monnaie royale. *Livre* (2. Livre), *denier tournois* (→ Évaluer, cit. 1), inférieurs d'un cinquième à la *livre,* au *denier parisis.* — N. m. *Un tournois :* un denier tournois.

HOM. Tournoi. — Formes du v. **tournoyer.**

1. TOURNOYANT, ANTE [tuʀnwajɑ̃, ɑ̃t] adj. — 1538 ; *torniant,* fin xiiᵉ ; de *tournoyer.*

♦ **1.** Qui tournoie (1. et 4.). *Le corps tournoyant du trapéziste* (→ Rapidité, cit. 5). *Flots, vents tournoyants.* ⇒ **Tourbillonnant.** *Brume blanche et tournoyante* (→ Pastis, cit. 1).
Ce livre, légion tournoyante et sans nombre
D'oiseaux blancs dans l'aurore et d'oiseaux noirs dans l'ombre.
　　　　　HUGO, les Contemplations, « À celle qui est restée en France », IV.　　1

♦ **2.** Qui consiste en un tournoiement, fait tournoyer. *Les pratiques tournoyantes des derviches* (→ Masquée, cit. 2).

2 (...) le mouvement tournoyant des valses (...)
MAUPASSANT, Vie errante, « La nuit ».

♦ **3.** Qui provoque une sensation de vertige.
HOM. 2. Tournoyant.

2. TOURNOYANT [tuʀnwajɑ̃] n. m. — Av. 1559 ; de *tournoyer* (II.) « combattre en tournoi ».

♦ Vx. Combattant dans un tournoi.
HOM. 1. Tournoyant.

TOURNOYER [tuʀnwaje] v. intr. — Conjug. *noyer*. — XIIIᵉ ; *torneier, tournier* « faire tourner (l'épée) ; aller en tous sens », déb. XIIᵉ ; de *tourner*.

★ **I.** ♦ **1.** 🅐 Décrire des courbes, des cercles inégaux sans s'éloigner. *Oiseaux qui tournoient dans le ciel* (→ Émouchet, cit. 1 ; hirondelle, cit. 6 ; mouette, cit. 3 ; ordre, cit. 12).

1 (...) mais ainsi tournoyant
Que le milan qui les poulets regarde (...)
Clément MAROT, Trad. des Métamorphoses d'Ovide, II.

🅑 (V. 1298). Personnes. Vx. Errer sans but. ⇒ **Tournailler.** *Je tournoyais au dehors* (→ Corneille, cit. 2).

♦ **2.** (1606, *in* D. D. L.). Fig. et vx. Prendre des détours, « ne *(pas)* vouloir venir au point » (Nicot, *Thrésor*). ⇒ **Biaiser.** *Exprimer qqch. en délayant, en tournoyant* (→ Emmieller, cit. 3).

♦ **3.** Cour. Tourner sur soi (⇒ **Pivoter**) ou tourner en spirale*, en hélice* (⇒ **Tourbillonner**). *Toupie, arroseur* (cit. 1) *qui tournoie. Feuille morte, objet qui tournoie en tombant* (→ Fusée, cit. 5). *Fumée* (cit. 1) *qui s'élève en tournoyant. Faire tournoyer sa canne* (→ Gesticulation, cit. 2). *La valse, le quadrille* (1. Quadrille, cit. 2) *faisait tournoyer les danseurs.* ⇒ **Tourbillonner.** *Jupe* (cit. 2) *qui tournoie.*

2 Les vents soufflèrent de tous les côtés, la barque tournoya comme une toupie, et la mer y entra. BALZAC, Jésus-Christ en Flandre, Pl., t. IX, p. 255.

3 Chaque réverbère saisissait mon ombre au passage, la faisait tournoyer et la repassait au réverbère suivant. G. DUHAMEL, Salavin, I, VI.

★ **II.** (XIIIᵉ-XVIᵉ, « combattre » [faire *tournoyer* l'épée]). Anciennt. Spécialt. Combattre en champ clos. ⇒ **Tournoi ;** 2. **tournoyant.**
DÉR. Tournoyant. Tournoiement ; 1. tournoyant, 2. tournoyant.

1. TOURNURE [tuʀnyʀ] n. f. — 1512 ; lat. médiéval *tornatura,* de *tornare.* → Tourner.

★ **I.** ♦ **1.** (1512). Vieilli. Forme, port, maintien du corps. ⇒ **Allure ; aspect, encolure,** 2. **extérieur** (II., 2.), **taille.** *Le visage et la tournure de qqn* (→ Demoiselle, cit. 8 ; fat, cit. 6). *Tournure jeune* (→ Serrer, cit. 12). *Mâle et robuste tournure* (→ Farandole, cit. 2). *Tournure désinvolte, délurée* (→ Bordée, cit. 4), *cavalière. Une tournure singulière* (→ Fringuer, cit. 2) ; *une drôle de tournure.* ⇒ **Touche.**

1 En sortant de là, nous avons été chez un teinturier, où nous avons vu une fille dont la tournure et la tête sont admirables, tout en harmonie avec les sentiments que ces beaux ouvrages italiens m'avaient inspirés.
E. DELACROIX, Journal, 30 déc. 1823, t. I, p. 45.

2 Une figure aimable, une tournure élégante, un port de tête assuré (...)
SAINTE-BEUVE, Causeries du lundi, 27 oct. 1851.

Absolt (vx). *Avoir de la tournure.* ⇒ **Allure, chic.**

♦ **2.** (1876). Air*, apparence (d'une chose). *C'est la mode d'être vertueux, c'est une tournure qu'on se donne* (cit. 79). *Un bout de phrase qui a la tournure d'une malice* (→ Incompréhensible, cit. 10).

3 En un tour de main, le cabinet eut une autre tournure (...)
ZOLA, l'Assommoir, IX, t. II, p. 84.

♦ **3.** Forme d'une chose qui se fait, change. — (1773). Fig. Aspect général que prend une évolution. *La tournure des événements.* ⇒ **Couleur, figure,** 3. **tour.** — PRENDRE TOURNURE : prendre sa forme définitive ; commencer à être tel que souhaité. — (Concret). *La meule* (2. Meule, cit. 1) *prenait tournure. Sa statue commence à prendre tournure.* — (Abstrait). *Ce projet commence à prendre tournure.* ⇒ **Dessiner** (se). *Les affaires prirent une tournure différente* (→ Fulminer, cit. 6). ⇒ **Allure, cours, direction, face, évolution, tendance.** *Prendre une bonne, une mauvaise tournure.* ⇒ **Tourner** (bien, mal). — *Sentir* mauvais.

4 (...) il menaçait de nier la part qu'il avait eue à cette affaire, si elle prenait une mauvaise tournure. BEAUMARCHAIS, Mémoires... dans l'affaire Goëzman, p. 22.

♦ **4.** (1701). Littér. Forme (d'esprit) ; manière d'envisager, de juger les choses. *Tournure d'esprit* (→ Cadrer, cit. 5). *La tournure de l'esprit français* (→ Littérature, cit. 12). *Esprit tatillon, tournure pharisienne* (cit. 5).

♦ **5.** (Déb. XVIᵉ). Forme* donnée à l'expression, manière de s'exprimer dans la construction, la syntaxe. ⇒ **Construction.** *La tournure d'une phrase. Tournure impersonnelle, négative. Tournure française* (→ 2. Le, cit. 8). *Tournure élégante, lourde. Tournure de*

style (→ Auteur, cit. 40). — Expression, groupe de mots dont la construction est déterminée. ⇒ **Formule,** 3. **tour** (III., B.). « *Il suffit* (cit. 5) *de...* » *est une tournure qui mérite une explication. Le gallicisme, tournure proprement française. Mots et tournures d'un écrivain* (→ Puiser, cit. 7).

5 (...) on ne peut dire en vers alexandrins qu'on entre ou qu'on en sort, qu'on dort ou qu'on veille, sans qu'il faille chercher pour cela une tournure poétique (...)
Mᵐᵉ DE STAËL, De l'Allemagne, II, XV.

6 Gureau retenait une question depuis le début. Il en cherchait péniblement la tournure, moins par timidité que pour qu'on ne se méprît pas sur son intention (...)
J. ROMAINS, les Hommes de bonne volonté, t. III, XVI, p. 220.

7 Il ne disait rien tout à fait simplement. Dans les phrases les plus banales, il introduisait une tournure précieuse ou littéraire, non pas pour épater ses interlocuteurs, mais plutôt pour son propre plaisir (...)
J. DUTOURD, les Horreurs de l'amour, p. 211.

★ **II.** (1828 ; du sens I, 1). Anciennt. Rembourrage porté autrefois sous la robe, au bas du dos. ⇒ **Cul** (*supra* cit. 11 : faux cul). *Mettre une tournure.*

8 (...) la nature l'avait douée d'un contrepoids naturel qui rendait inutile la mensongère précaution d'une *tournure.* Chez elle tout était bien vrai.
BALZAC, la Vieille Fille, Pl., t. IV, p. 255.

HOM. 2. Tournure.

2. TOURNURE [tuʀnyʀ] n. f. — 1472 ; *torneïere* « détour », v. 1265 ; de *tourner* (I.).
Technique.

♦ **1.** Vieilli. Forme, galbe de ce qui est façonné au tour. *Une tournure réussie.*

♦ **2.** (1872). Fragment métallique détaché par l'outil au travail sur un tour. *Tournure de cuivre, de fer.*

♦ **3.** (1767). Cuis. Lamelle d'une peau de fruit, de légume que l'on détache en tournant.
HOM. 1. Tournure.

TOURON [tuʀɔn ; tuʀɔ̃] n. m. — 1715 ; esp. *turron,* du rad. lat. *torrere* « griller ».

♦ Confiserie aux amandes, aux noisettes, nougat très tendre.

(...) je mangeais des pavés de touron et de pâte de coing (...)
S. DE BEAUVOIR, la Force de l'âge, I, II.

TOUR-OPÉRATEUR [tuʀɔpeʀatœʀ] n. m. — 1973, *in le Nouvel Obs. ;* francisation partielle de l'angl. *tour-operator.*

♦ Anglic. Organisateur de voyages, de vacances ; personne ou organisation qui commercialise des voyages à forfait, souvent par l'intermédiaire d'une agence de voyages. « *Les organisateurs de voyage — les tour-opérateurs, comme on dit en francisant le terme anglais* tour operator... » (*le Point,* 14 août 1978). — REM. On trouve surtout la forme anglaise *tour operator* (*le Nouvel Obs.,* 22 janv. 1973, p. 52 et 54 ; *l'Express,* 14 juil. 1979, p. 56 ; *F Magazine,* juil. 1981, p. 87, etc.) parfois écrite *touroperator* (*le Nouvel Obs.,* 11 mai 1981, p. 9) ou *tour-operator* (*F Magazine,* avr. 1978). L'équivalent français est *organisateur de voyages ;* l'Office de la langue française du Québec et le Journal officiel (3 avr. 1982) recommandent *voyagiste* (n. m. et f.).

TOURTE [tuʀt] n. f. — XIIIᵉ ; du lat. *torta (panis)* « pain rond », mais le *o* fermé pose un problème.

★ **I.** ♦ **1.** Régional. Pain rond. ⇒ 1. **Tourteau** (1.).

♦ **2.** (V. 1398). Cour. Pâtisserie (2.) de forme ronde dans laquelle on met de la viande, du poisson, etc. (→ Godiveau, cit. ; nougat, cit. 1).

1 — Avant de mourir, dit-il, je veux manger encore une fois de la tourte à la viande, comme ma petite sœur Gabrielle seule sait la faire.
M. JOUHANDEAU, Chaminadour, Contes brefs, V.

Tourtes sucrées : tartes couvertes. *Tourte aux pommes, aux poires.* — REM. Le mot peut servir à rendre l'angl. *pie.*

♦ **3.** (1723). ⇒ 1. **Tourteau** (1.).

★ **II.** (1879). Fam. ⇒ **Imbécile, sot.** *Quelle tourte !* — Adj. *Il est tourte.*

2 (...) une très belle fille, riche, élégante, mais plutôt tourte (...)
M. AYMÉ, Travelingue, XVII.

DÉR. 1. Tourteau, tourtière.

1. TOURTEAU [tuʀto] n. m. — XIIIᵉ ; *tortel,* fin XIᵉ ; de *tourte.*

♦ **1.** Vx. Pain bis de forme ronde.

♦ **2.** (1553 ; *tourtiau,* XIIIᵉ). Résidu de graines, de fruits oléagineux dont on a extrait l'huile (⇒ **Maton**), pulpe vendue dans le commerce sous forme de gâteaux, et qui sert d'aliment au bétail, d'engrais. *Tourteaux de colza, de lin, de noix, d'olives, etc.* ⇒ **Pain.**

1 Ces fumiers, ces engrais, la vraie question de la bonne culture était là. *(Hourdequin)* avait essayé de tout (...) Ses expériences se succédaient, les herbes, les feuilles, le marc de raisin, les tourteaux de navette et de colza (...)
ZOLA, la Terre, V, I.

2 Ni le fabricant des aliments composés à base de tourteaux et de farine de poisson, ni l'ingénu consommateur de viande n'ont l'impression de commettre une exaction quelconque.   A. SAUVY, Croissance zéro ?, p. 294.

♦ **3.** (Déb. XIIIᵉ). Blason. Figure circulaire en émail (la même en or s'appelle *besant**; en argent, *plate**). — (1690). *Tourteau-besant :* disque moitié émail (à dextre ou en chef) moitié métal.

HOM. 2. Tourteau.

2. TOURTEAU [tuʀto] n. m. — 1611 ; de l'anc. franç. *tort, tourt* «tordu». → Tordre.

♦ Gros crabe de l'Atlantique du Nord *(cancer pagurus)* à chair très estimée. ⇒ **Dormeur, poupart.**

Des pêcheurs de tourteaux — ces crabes à carapace lisse, encore appelés *dormeurs* (...)   A. ROBBE-GRILLET, le Voyeur, p. 174.
HOM. 1. Tourteau.

TOURTELET [tuʀtəlɛ] n. m. — 1437 ; *turtelet*, v. 1170 ; de l'anc. franç. *tortel* «tourteau». → 1. Tourteau.

♦ **1.** Vx. Gâteau rond ; crêpe.

♦ **2.** (1803). Pâtisserie en feuille mince.

TOURTEREAU [tuʀtəʀo] n. m. — 1694 ; *turtrel* «tourterelle mâle», v. 1180 ; de *tourterelle.*

♦ **1.** Rare. Jeune tourterelle. *Des tourtereaux au nid.*

♦ **2.** (1798). Fig. Au plur. *Des, les tourtereaux :* un couple de jeunes amoureux* (→ Nid, cit. 5).

1 (...) les tourtereaux finissaient par être ennuyeux, tant ils s'embrassaient.
ZOLA, Nana, VIII.

2 Vous êtes toujours là, les tourtereaux ? *(Il apparaît, ravi, dans le couloir.)* Victoire mes enfants ! Elle ne veut pas recevoir le renégat, mais elle consent à voir son épouse (...)   J. ANOUILH, Colombe, p. 47.

TOURTERELLE [tuʀtəʀɛl] n. f. — V. 1380 ; *torterele*, v. 1265 ; *turtrele*, 1050 ; du lat. pop. **turturella*, de *turtur.*

♦ **1.** Oiseau galliforme semblable au pigeon, mais plus petit qui vit dans les bois et les taillis (nom sc. : *Streptopelia*, famille des *Colombins, Gallinacées*). *La tourterelle roucoule* (cit. 1), *gémit* (⇒ **Roucoulement**). *La tourterelle, emblème* (cit. 4) *de l'amour fidèle. Les tourterelles se fuyaient* (→ 2. Partant, cit. 1). *Une tourterelle mâle, femelle.* — Spécialt (à cause de la forme du mot). Femelle de tourterelle.

1 Rodolphe lui serrait la main, et il la sentait toute chaude et frémissante comme une tourterelle captive qui veut reprendre sa volée (...)
FLAUBERT, Mᵐᵉ Bovary, II, VIII.

2 Des paresseraux s'égaillaient (...) tous ceux qui roucoulent, des ramiers bleu d'ardoise, des tourterelles au bec écarlate, grasses du jabot comme de petits pâtons, bombant leur gorge grise et rose sous leur collerette précieuse, noire et blanche.   M. GENEVOIX, Raboliot, II, III.

(Appellatif affectueux. → Pigeon). *Ma tourterelle.*

♦ **2.** (1845). Appos. *Gris tourterelle*, très doux, comme le plumage d'une tourterelle. — (1849). D'un tel gris. *Une « jupe de voile tourterelle »* (Willy, *in* D. D. L.).

DÉR. Tourtereau.

TOURTIÈRE [tuʀtjɛʀ] n. f. — XVIᵉ ; de *tourte.*

♦ **1.** Ustensile de cuisine pour faire les tourtes.

♦ **2.** Par métonymie. Tourte. — (1836, Canada). Régional. Tourte (2.) à base de porc.

L'heure était venue d'apporter la jarre de beignets blanchis de sucre fin, le ragoût où les boulettes reposent dans une sauce onctueuse, les tourtières fondant dans la bouche.   Germaine GUÈVREMONT, le Survenant, *in* Petit Robert.

TOURTOUSE [tuʀtuz] n. f. ⇒ Tortouse.

TOUS AZIMUTS [tuzazimyt] loc. adj. ⇒ Azimut (2.).

TOUSELLE [tuzɛl] n. f. — 1680 ; *touzelle*, 1552 ; *tozelle*, 1505 ; provençal *tosela*, du lat. *tonsus* «tondu».

♦ Agric., régional. Variété de blé* sans barbes, précoce, cultivé dans le Sud de la France. — On écrit parfois *touzelle.*

TOUSSAILLER [tusaje] v. intr. — 1821 ; de *tousser*, et *-ailler.*

♦ Tousser faiblement et souvent.

J'en ai marre. D'autant que le patron n'arrête pas de toussailler, et que la clientèle est plutôt repoussante.   Roger BORNICHE, le Play-boy, p. 133.

TOUSSAINT [tusɛ̃] n. f. — Fin XVIIᵉ ; *Toussains*, v. 1180 ; *Toz sainz*, v. 1131 ; comp. de *tous (toz)*, et *saints*, franç. mod. *tous les saints.*

♦ Fête catholique en l'honneur de tous les saints, le 1ᵉʳ novembre. — REM. L'usage s'est répandu de fêter les morts le même jour, alors que la Fête des Morts* (3. Mort) est le 2 novembre. — *Aller au cimetière à la Toussaint. Un temps de Toussaint*, gris et froid (→ aussi Aspect, cit. 24).

La Toussaint de cette année-là ne fut pas ce qu'elle était d'ordinaire (...) cette année-là, personne ne voulait plus penser aux morts (...) Voilà pourquoi la Fête des Morts, cette année-là, fut en quelque sorte escamotée.
CAMUS, la Peste, p. 255.

TOUSSANT, ANTE [tusɑ̃, ɑ̃t] adj. — 1660, *toussant*, n. m. ; de *tousser.*

♦ Qui tousse.

Certaines concierges de chez nous succombent à leur tâche, on les voit laconiques, toussantes, délectables, éberluées (...)
CÉLINE, Voyage au bout de la nuit, 1932, p. 194.

TOUSSER [tuse] v. intr. — 1534 ; a remplacé *toussir** ; du lat. *tussire.*

♦ **1.** Avoir un accès de toux*. *Tousser à cause d'un coup de froid* (2. Froid, cit. 7), *d'un rhume, d'une angine* (→ Entreprendre, cit. 19 ; 2. râle, cit. 4). *Fumée noire qui fait tousser* (→ Cracher, cit. 10). *Tousser bruyamment, avec violence* (→ Poumon, cit. 2). *Tousser faiblement* (⇒ **Toussailler, toussoter**). *Les gens toussent comme ils se grattent* (→ Pastille, cit. 2). *Tousser et cracher* (cit. 2). ⇒ **Expectorer, graillonner.** — *Chat, chien qui tousse.*

1 Vous parlez trop vivement, et puis vous sortez vos bras du lit, et cela vous fait tousser. En effet, des quintes de toux interrompaient Fantine presque à chaque mot.   HUGO, les Misérables, I, VIII, II.

2 — Que dites-vous d'une douceureuse momie qui joue la poitrinaire ? Elle tousse à petit bruit comme un académicien qui va lire une complainte de réception.
A. DE MUSSET, la Matinée de Don Juan.

2.1 Sans compter que ma femme est malade et que mon petit dernier a la coqueluche (...) Il tousse à fendre vos plafonds (...)   E. LABICHE, les Petits Oiseaux, I, 3.

(1942). Par anal. Se dit d'un moteur qui a des ratés.

2.2 Tiens ! Mon moteur tousse ! Il se refroidit. Je ferme donc les volets du capot.
SAINT-EXUPÉRY, Pilote de guerre, XIX, *in* Œ., Pl., p. 337 (1942).

♦ **2.** Se racler la gorge, volontairement, pour éclaircir* (cit. 1) sa voix avant de parler (→ Canaille, cit. 14 ; gravement, cit. 2) ou faire signe à qqn, l'avertir. *Tousser pour donner un signal. Domestique qui tousse avant d'entrer.*

3 Elle tousse pour avertir son mari.   MOLIÈRE, Tartuffe, IV, 5 *(Jeu de scène).*

DÉR. Toussailler, toussant, tousserie, tousseur, toussoter.

TOUSSERIE [tusʀi] n. f. — 1404 ; de *tousser.*

♦ Vx. Toux prolongée, fatigante.

(...) je pleure et étouffe un peu — étant toujours pris par la tousserie — en composant une scène de GERMINIE LACERTEUX.
Ed. et J. DE GONCOURT, Journal, 3 nov. 1887, t. VII, p. 166.

TOUSSEUR, EUSE [tusœʀ, øz] n. et adj. — 1580 ; de *tousser.*

♦ Personne qui tousse. *Un tousseur continuel* (→ Irriter, cit. 21). — Adj. (Rare). *Une petite fille tousseuse.* ⇒ **Toussoteux.**

— Dieu des siffleurs, moucheurs, cracheurs, tousseurs et perturbateurs, m'écriai-je, il te faut du sang ; bois mon quatrième acte, et que ta fureur s'apaise !
BEAUMARCHAIS, le Barbier de Séville, Lettre sur la critique.

TOUSSIR [tusiʀ] v. intr. — Fin XIIᵉ ; *tossir*, v. 1175 ; lat. *tussire*, de *tussis* «toux».

♦ Vx (langue class.). Tousser.

TOUSSOTEMENT [tusɔtmɑ̃] n. m. — 1845 ; de *toussoter.*

♦ Action de toussoter. *Le toussotement d'un enrhumé. Un, des toussotements.*

(Les oiseaux) surveillaient la jeune fille. Une fois, elle s'arrêta. Celui devant lequel elle fit halte s'envola, avec un mince cri, semblable à un toussotement.
Pierre BENOIT, Mˡˡᵉ de la Ferté, p. 34.

TOUSSOTER [tusɔte] v. intr. — 1845 ; de *tousser*.

♦ Tousser (1. et 2.) d'une petite toux peu bruyante (→ Phtisie, cit. 1).

DÉR. Toussotement, toussoteux.

TOUSSOTEUX, EUSE [tusɔtø, øz] adj. — XXᵉ ; de *toussoter*.

♦ Rare. Qui toussote. ⇒ **Tousseur.**

M'arrive d'aller à la mairie réclamer un bon de supplément, un bon de ceci, un bon de cela. Je devrais pas, je sais ce qui m'attend, mais quand je vois mes gosses toussoteux, maigrefoutus et rien au ventre, c'est plus fort que moi, je m'en vais réclamer. M. AYMÉ, le Passe-muraille, p. 256.

TOUS TERRAINS [tutɛrɛ̃] loc. adj. ⇒ **Terrain** (cit. 1.1).

TOUT [tu] ; **TOUTE** [tut] ; **TOUS** [tu, tuz] adj. ou [tus] pron. **TOUTES** [tut] ; **TOUTS** [tu] adj., pron., adv. et n. — Xᵉ, *tot* ; du lat. vulg. *tottus*, forme expressive de *totus* « tout entier, intégral » ; a pris le sens de *omnis* « tout ; chaque ». → Omni-.

★ **I. Adj. A. TOUT, TOUTE** (adjectif qualificatif). ⇒ **Complet, entier, intégral.** — REM. *Tout* n'est pas synonyme de ces adjectifs ; il a une valeur moins nette, qu'il doit à sa forme monosyllabique et à ses rôles de mot grammatical.

♦ **1.** ⓐ Employé devant un nom précédé de l'article défini. **TOUT LE, LA, LES** (et nom). *Tout le jour, toute la nuit* (→ 2. Mort, cit. 7). *Tout le temps* (supra cit. 4). ⇒ **Toujours.** — *Toute la terre, toute la face de la terre* (→ Nez, cit. 11). *Tout le grand* (cit. 17) *ciel bleu.* **TOUT LE MONDE.** ⇒ **Monde** (II., 4.). — *Tout le reste* (→ Foyer, cit. 21). — Fam. *Tout le bazar, le bataclan, le tremblement* (→ Poudre, cit. 18 ; scène, cit. 8), *le saint-frusquin, le bordel, le toutim... : l'ensemble des choses qui restent à mentionner.* ⇒ **Reste** (II.). — *Toute la marmaille* (cit. 1 et 2), *la smala* (cit. 2). *Tout le pays, tout le village est venu :* (par exagér.) il y a eu grande affluence*. *Tout le plaisir des jours est en leurs matinées* (cit. 1). — *Tout le mal* (→ Intention, cit. 4), *toute la réalité* (cit. 3) *possible.* ⇒ **Possible** (2., A.). — *C'est toute la question* (cit. 12), *tout le problème. Avoir tout l'air, « toute la mine de... »* (Molière, *les Précieuses ridicules*, 9). *Ça m'en a tout l'air.* — *Pour tout l'or* (cit. 25 et supra) *du monde. Dans toute la force du terme.* — *C'est tout le portrait de son père.*

ⓑ Avec l'article indéfini. **TOUT UN, UNE** (et nom). *Tout un hiver* (→ 2. Poêle, cit. 1), *toute une année. Tout un jour* (→ Plage, cit. 1), *toute une longue journée. Tout un passé* (1. Passé, cit. 9) *de gloire, d'honneur... Tout un homme, rien qu'un homme* (→ Réfractaire, cit. 2). *« Toute une mer immense où fuyaient des galères »* (cit. 1). *C'est tout un monde que chacun porte en soi* (→ Solitude, cit. 11). *Il s'en fait tout un monde* (I. 6.).

1 Tout un monde fatal, écrasant et glacé (...)
A. DE VIGNY, Poèmes philosophiques, « Maison du berger », I.

2 Toute une nuit j'ai cru que mon âme était morte
Toute une longue nuit immobile et glacé
Quelque chose dans moi grinçait comme une porte (...)
ARAGON, le Roman inachevé, p. 203.

C'est tout un roman, toute une affaire, toute une histoire. — REM. Dans ce tour, *tout* renchérit sur le nom attribut et prend le sens de « véritable » plutôt que celui de « entier, intégral ». *C'était toute une science* (→ Tératologie, cit. Hugo). *« Cet admirable Roman de Renart, qui est toute une épopée »* (→ Fable, cit. 14). Devant un féminin, certains laissent *tout* invariable, comme s'il était adverbe (→ ci-dessous, IV.) : *« C'est tout une histoire »* (France, *Crainquebille*, in Grevisse). *« Cinq ou six ! c'est tout une écurie ! »* (Hugo, *le Roi s'amuse*, I, 4).

3 — (...) tu ne connais pas l'histoire de Mˡˡᵉ Perle ?... Oh ! mais c'est toute une aventure ! MAUPASSANT, Mademoiselle Perle, Pl., t. II, p. 674.

4 Quant à les aimer (les femmes du monde), c'est toute une affaire.
FRANCE, le Lys rouge, IV.

5 Il (un bébé) connaît le monde par la bouche : c'est toute une méthode.
G. DUHAMEL, les Plaisirs et les Jeux, p. 9.

5.1 Autrefois, Tomsk passait pour être située à l'extrémité du monde. Voulait-on s'y rendre, c'était tout un voyage à faire. J. VERNE, Michel Strogoff, p. 310.

ⓒ Devant un possessif. **TOUT MON, TON, SON...** *Tout mon sang se fige* (cit. 2). *Toute mon ambition* (→ Attacher, cit. 23). *Toute votre félicité...* (→ Instabilité, cit. 2). *Toute sa personne* (infra cit. 8). *Tout son soûl* (cit. 2 et 3). *J'ai tout mon temps* (→ Prier, cit. 18). *Disposer de tout son monde* (II, 5.). *Toute sa petite famille.* — *De tout mon cœur* (cit. 51, 52 ; et supra). *De toute ma hauteur* (→ Flac, cit.). *De tout son poids, de tout son long* (cit. 32).

ⓓ Devant un démonstratif. **TOUT CE, CET...** *Tout ce jour, tout cet été.* — *Tout ceci* (→ Moi, cit. 7 ; préjuger, cit. 2), *tout cela* (→ 1. Louche, cit. 10 ; lourd, cit. 33 ; 3. mort, cit. 10 ; peine, cit. 14 ; prix, cit. 20). — *Tout celui* (→ Posséder, cit. 15), *toute celle* (→ Cacher, cit. 13). — **TOUT CE QUE..., CE QUI...** (→ 1. Bon, cit. 11 ; détailler, cit. 2 ; modèle, cit. 4 ; mourir, cit. 43 ; souffrance, cit. 6). *La liberté* (cit. 23) *consiste à pouvoir faire tout ce qui ne nuit pas à autrui. Tout ce que je hais* (→ Libre, cit. 12, Racine).

Tout ce qui lui passe par la tête (→ Insouciant, cit. 2). — (Désignant des personnes). *Tout ce qui vit, respire. « Oh ! je porte malheur* (cit. 41) *à tout ce qui m'entoure ».* — Prov. *Tout nouveau*, tout beau, tout ce qui est...* — REM. *Tout ce...*, désignant des personnes, peut être repris par un nom au pluriel régissant un verbe au pluriel : *« Tout ce reste ici de braves janissaires (...) Sont prêts à vous conduire à la Porte sacrée »* (Racine, *Bajazet*, v. 621-625). De nos jours, le singulier prévaut : *« Tout ce que la paroisse pouvait fournir de prêtres et d'enfants de chœur précédait le char »* (Mauriac, *le Mystère Frontenac*, p. 215, in Grevisse).

6 (...) je ne puis refuser mon cœur à tout ce que je vois d'aimable (...)
MOLIÈRE, Dom Juan, I, 2.

7 Que tout ce qu'on entend, l'on voit ou l'on respire,
Tout dise : « Ils ont aimé ! »
LAMARTINE, Premières méditations poétiques, « Le lac ».

8 Et nous retrouvions, nous sur qui la douleur passe,
Toute cette douceur dans toute ta beauté ! HUGO, les Contemplations, VI, VIII.

TOUT CE QU'IL Y A DE..., suivi d'un nom pluriel. *Tout ce qu'il y avait à Paris de marauds* (cit. 2). — REM. Avec ce tour l'accord du verbe peut se faire au singulier ou au pluriel.

9 *Tout ce qu'il y a d'hommes sont presque toujours emportés* à croire non pas par la preuve, mais par l'agrément.
PASCAL, Opuscules, III, XV, De l'esprit géométrique, 2ᵉ éd. Brunschvicg, p. 185.

10 — (...) je veux que tout ce qu'il y a en France de merles un peu bien nés y soient solennellement rassemblés. A. DE MUSSET, Histoire d'un merle blanc, VIII.

11 Tout ce qu'il y avait de gens éclairés l'accueillirent, l'exaltèrent (Ronsard).
SAINTE-BEUVE, Tableau de la poésie franç. au XVIᵉ s., p. 70.

12 Tout ce qu'il y a de grands hommes çà et là étouffés me semble composer (...) un cœur mystérieux (...) SAINTE-BEUVE, Volupté, XIII.

Fam. *Tout ce qu'il y a de plus*... (cit. 81 et 82) qualifiant un adjectif (ou un substantif adjectivé), au sens de « très ».

REM. 1. Dans cette expression, le verbe *avoir* reste souvent au présent même lorsque la principale est au passé (l'expression équivaut alors à un adverbe). → ci-dessous, cit. 15, Ramuz.

2. Lorsque le nom dont dépend l'adjectif est au pluriel, cet adjectif peut s'accorder avec lui : *« des embuscades tout ce qu'il y a de plus classiques »* (J. Perret, *Bande à part*, p. 238) ; ou rester au singulier : *« des gens tout ce qu'il y a de plus honorable »* (Romains, *les Hommes de bonne volonté*, t. VIII, p. 106).

13 Il trouvait Louis-Philippe poncif, garde-national, tout ce qu'il y avait de plus épicier et bonnet de coton (FLAUB., Éduc., II, 38) ; — M. Roque déclara le trépas de l'Archevêque « tout ce qu'il y avait de plus sublime » (ID., Ibid., II, 183).
F. BRUNOT, la Pensée et la Langue, p. 691.

14 Sérieux, alors (...) — Tout ce qu'il y a de plus sérieux !
Alphonse DAUDET, l'Immortel, X.

15 (...) c'était de nouveau maintenant un bel et bon chalet, tout ce qu'il y a de plus suffisant (...) C.-F. RAMUZ, la Grande Peur..., IV.

15.1 J'avoue que je me plais beaucoup avec lui, tout ce qu'il y a de plus lié avec les La Rochefoucauld. PROUST, Jean Santeuil, Pl., p. 666.

Tout ce qu'on fait de mieux comme..., tout ce qui se fait de mieux dans le genre.

16 Le cabinet florentin avec des tentures était tout ce qu'on fait de mieux comme confessionnal moderne. ARAGON, les Cloches de Bâle, II, XXII.

ⓔ (Employé devant un nom sans article, dans des loc.). *Avoir toute licence* (cit. 6 et 7), *toute liberté. Donner toute satisfaction.* ⇒ **Entier, plein.** *Avoir tout intérêt*, un intérêt évident et grand (→ Lest, cit. 4). *Tout compte* (infra cit. 4) *fait.* — *À toute force* (cit. 56 ; et supra). *À toute extrémité*. À toute allure* (→ Filer, cit. 27 ; descendre, cit. 38), *à toute vapeur* (→ Jugulaire, cit.), *à toute vitesse* : à la vitesse la plus grande possible (→ Marqueur, cit. 2). Fam. *À toute berzingue, à toute pompe* : à toute vitesse. *À toute bride* (cit. 13). *À toute volée* (→ Gifler, cit. 2). — *De toute éternité* (→ Éternel, cit. 13). *De tout temps* (supra cit. 28). *De toute beauté* : très beau. *De tout cœur* : de bon cœur. — *De toute franchise* : très franchement. *En toute innocence ; en tout respect* (→ Lutiner, cit. 1). *En tout bien* (2. Bien, cit. 75 à 78) *tout honneur. En toute hâte* (→ Laper, cit. 2). *En toute liberté* (→ Négligé, cit. 3), *en toute sûreté* (→ Étrange, cit. 7). *En toute vérité* (→ Lumière, cit. 19). *En toute simplicité*. Selon toute apparence* : d'une manière très probable (→ Rêve, cit. 9).

16.1 Jacques s'était levé, en toute politesse (...) R. QUENEAU, Loin de Rueil, p. 95.

REM. Seules les expressions consacrées sont en usage ; on ne peut dire normalement, malgré le modèle de *de toute beauté*, *de toute splendeur*, *de toute perfection* ; ainsi l'exemple de Queneau, ci-dessus, est stylistique.

Spécialt. ⇒ **Tout-puissant, toute-puissance.** — REM. On a formé sur ce modèle quelques composés (vx ou littér.), dérivés d'expressions du type *tout jeune*, où *tout*, adverbe, modifie un adjectif. *Sa toute-bonté* (→ Santé, cit. 15). *« Sa toute-présence immanente* (de Dieu) » (Gide, *Journal*, 6 janv. 1933). « Dans cette combinaison (tout) devient une sorte d'exposant quantitatif, et marque le plus haut degré » (G. et R. Le Bidois, *Syntaxe du franç. moderne*, § 464).

17 Quoique nous fussions à la toute fin de l'hiver.
Paul BOURGET, Voyageuses, p. 210.

ⓕ (Adj. employé en apposition). — Vx ou littér. *Un siège où elle se ramasse toute* (→ Sangloter, cit. 3). — Cour. (Devant une préposition). *Elle était toute à son travail. La vérité est toute à tous* (→ Devoir, cit. 11). *Tout, toute de..., en..., dans...*

REM. Dans cet emploi, *tout*, adjectif, équivaut à *tout entier*, et se distingue par le sens de *tout*, adverbe. Cf. *Je suis* toute *à vous* (→ ci-dessous, cit. 22, France) et *je suis* tout *à vous* (→ ci-dessous, IV., 1., b), qui, lorsque c'est une femme qui parle, peuvent avoir des valeurs très différentes. — Dans des phrases comme *«Elle était vêtue toute en blanc»* (Gide, *la Porte étroite, in* Grevisse) ou *«Une robe toute en satin»* (→ Frou-frou, cit. 2), seul l'accord permet de distinguer l'adjectif de l'adverbe. Cette distinction est impossible au masculin singulier et lorsque l'adverbe lui-même s'accorde (→ ci-dessous IV., A., 1., a, Accord de *tout*, adv.).

18 Laisse-moi désormais toute à mon désespoir (...) MOLIÈRE, Tartuffe, II, 3.

19 C'est l'épreuve; acceptons-la toute!
HUGO, les Quatre Vents de l'esprit, III, XXVII.

20 Ton âme en me parlant me bouleverse toute. HUGO, Ruy Blas, III, 3.

21 Elle, toute à la violence de ses idées et de ses souvenirs, continua (...)
BARBEY D'AUREVILLY, les Diaboliques, «Vengeance d'une femme», p. 411.

22 (...) depuis que j'ai le bonheur (...) de vous connaître, j'ai été toute à vous. Est-ce que j'aurais pu être à un autre? FRANCE, le Lys rouge, XXXIV.

23 Sa pensée était toute à son frère (...) Émile HENRIOT, Aricie Brun, III, III.

24 Ma mère, toute à son fardeau, toute à la fièvre sacrée de ses devoirs (...)
G. DUHAMEL, Chronique des Pasquier, I, VI.

25 Il est tout dans le trait, le ton, la formule et la flèche, il prodigue les raccourcis et les réactions vives de l'esprit. VALÉRY, Variété II, p. 139.

Littér. *Tout, toute de... :* tout entier formé de...

26 (...) il s'enchantait à la pensée d'une existence toute de conquête spirituelle, de possession intérieure (...) F. MAURIAC, le Mal, X.

27 Contrée toute d'espace et d'appel qui compose sur le sol un site comme il faudrait avoir l'âme (...) Roger CAILLOIS, le Rocher de Sisyphe, p. 117.

g Fam. **C'EST TOUT...** (suivi d'un nom sans article) : la collection entière (désignée par *ce*) présente tel caractère. *C'est tout crapule et compagnie.*

28 — C'est tout espions, dans ce pays (...) R. DORGELÈS, les Croix de bois, VI.

29 À les prendre un à un, remarquez, c'est tout bons garçons et pas maniérés pour un sou. M. AYMÉ, Travelingue, XIX.

REM. Ce tour est à rapprocher de la construction plus rare avec le pluriel (où *tout* est pris au sens I, B, 1) : *«Ce sont toutes fables que vous contez là»* (Littré); *«C'étaient tous comtes, vicomtes»* (Flaubert, *l'Éducation sentimentale, in* Grevisse) : ce ne sont, ce n'étaient que...

h **POUR TOUT...** (suivi d'un substantif sans article) : en fait de..., sans qu'il y ait rien d'autre. ⇒ **Pour** (I., 3.); **seul** (→ Apprêt, cit. 1; faiseur, cit. 14; haranguer, cit. 3; 3. mal, cit. 2; prière, cit. 1). *Pour tout potage** (cit. 4 et *supra*). — REM. L'emploi du pluriel *pour tous* (→ ci-dessous, I., B., 1.)..., fréquent dans l'ancienne langue, semble réservé de nos jours aux substantifs qui ne s'emploient qu'au pluriel *(N'avoir pour tous gages...).*

30 Dans ces phrases (...) «*Pour toute ambition*, pour vertu singulière, Il excelle à conduire un char dans la carrière» (RAC., Brit., 1471-72); «*Pour toute réponse*, Mlle Bernard fondit en larmes» (A. HERMANT, *Le rom. de Loup*, 157); il est visible que, là, *toute* a le sens restrictif de *seule*.
G. et R. LE BIDOIS, Syntaxe du franç. moderne, § 443.

31 Ils avaient pour tout domestique une servante (...) HUGO, les Misérables, I, I, I.

i Devant un nom sans article, qualifiant le sujet ou le nom attribut (ou épithète). — REM. Cette construction ne se distingue pas toujours de celle où *tout* est adverbe (→ ci-dessous, IV., 5.). — *Elle était encore toute mansuétude et charité* (Duhamel, *Pierre d'Horeb*, p. 247) peut signifier soit : «elle était tout entière faite de mansuétude» (*tout* qualifie le sujet — ce cas est en fait très rare et n'apparaît distinctement que dans des exemples du type : elle est toute courage, où *tout* ne peut pas qualifier l'attribut); soit : «elle était la mansuétude même» (*tout* qualifie l'attribut. Cf. *«Il était toutes ténèbres»* (M. Bedel, *in* Grevisse).

32 (...) il est toute science (...) MOLIÈRE, le Médecin malgré lui, II, 1.

33 La solitude est tout mouvement et toute harmonie (...)
CHATEAUBRIAND, Mémoires d'outre-tombe, I, VIII, 3.

34 Ce sont les souhaits innocents d'un enfant qui désire être toute vue pour s'émerveiller des rayons et des ombres, tout odorat pour respirer la bonne odeur des prairies, tout ouïe pour jouir des oiseaux chanteurs, et tout cœur pour accueillir les sourires de l'amitié. M. BARRÈS, le Mystère en pleine lumière, p. 216.

REM. Avec *ouïe*, *tout* est adverbe.

35 Cet homme, mon aîné de trente ans, était envers moi toute simplicité et bienveillance. J. ROMAINS, les Hommes de bonne volonté, XVIII, IX, p. 100.

j Littér. (Employé avec un pronom, en général sous la forme *tout*). *Tout moi* (cit. 54) : tout mon être. *De tout lui-même :* de tout son cœur, de tout son être.

36 Ayant enfin choisi de jouer cette partie (...) il la joue de tout lui-même.
J. ROMAINS, les Hommes de bonne volonté, t. XXI, XVII, p. 257.

REM. 1. *Tout* désignant l'intégralité, la totalité d'une œuvre, s'emploie devant le nom d'un auteur. *Lire tout Racine, tout Madame de La Fayette.* — Devant un titre comportant un article, *tout* reste invariable. *Lire tout* les Hommes de bonne volonté, *tout* Une ténébreuse affaire, etc. — Si le titre commence par un article féminin singulier, certains grammairiens préfèrent l'accord (lire *tout* ou *toute* la Chartreuse de Parme). Avec un article féminin pluriel il vaut mieux éviter ce tour, avec ou sans accord (*tout* ou *toutes* les Fleurs du mal, les Femmes savantes) et dire j'ai lu *en entier, «les...».* — Si l'article ne fait pas partie du titre, on accorde *tout* dans la mesure où le titre désigne un genre littéraire, un texte... *Toutes les* Oraisons funèbres de Bossuet, *les* Méditations de Lamartine (mais évidemment pas : *toutes* Leurs Figures, de Barrès).

2. Devant un nom de ville sans article, *tout*, généralement invariable, peut désigner la totalité de la ville (*il voyait tout Nagasaki;* → Sabord, cit. 2) ou tous les habitants. *Tout Rognes fauchait* (→ Sentir, cit. 3). *Presque tout Stamboul* (→ Monter, cit. 25). *Tout Alençon* (→ Présentation, cit. 1). Cependant, l'accord est assez rare et ne se justifie guère que lorsqu'il s'agit de la totalité matérielle que constitue la ville. Enfin, si le nom de ville est suivi d'un complément, l'article défini s'intercale entre *tout* et le nom propre : *«Tout le Paris du XIIe siècle.»*

— (...) tout Naples peut rendre témoignage de ma naissance. 37
— (...) vous parlez devant un homme à qui tout Naples est connu (...)
MOLIÈRE, l'Avare, V, 5.

Et, durant tout un jour, j'ai eu toute Venise, 38
Venise, tout entière à moi. H. DE RÉGNIER, Vestigia flammæ, «Soir vénitien».

(V. 1820). **TOUT-PARIS, LE TOUT-PARIS :** les personnes les plus notables de Paris, tout ce qui compte à Paris (→ Annuaire, cit.). — REM. On trouve aussi, plus rarement, *le Tout-Londres, le Tout-Nice, le Tout-New York.* — Par anal. *Le Tout-Cinéma :* tous les milieux connus, en vue, du cinéma.

Ce soir «le tout Paris illustre» est réuni aux Italiens, dans une représentation privée. Ed. et J. DE GONCOURT, Journal, 27 nov. 1883, t. VI, p. 196. 39

Je n'avais aucune envie de faire partie du Tout-Paris et de parader en vêtements de fête : mais cela m'amusait de voir de près des notoriétés et de belles toilettes. 40
S. DE BEAUVOIR, la Force de l'âge, p. 362.

k (Suivi d'un nom sans article, dans des tours elliptiques à fonction d'adj.). *«Le travail professionnel toutes catégories»* (*in* Gilbert). *Atterrissage tous temps*, par tous les temps. *Un film tous publics*, pour tous les publics. *Un véhicule tous terrains**, pour tous les terrains (plus cour. : *tout* [adv.] *terrains*).

♦ **2. SOMME TOUTE.** ⇒ **Somme** (cit. 3 et *supra*).

B. Adj. indéfini. ♦ **1.** (Xe). **TOUS** [tu], **TOUTES :** l'ensemble, la totalité de..., sans excepter une unité, et, par ext., le plus grand nombre*, la généralité de... — *Tous, toutes les...* (→ Malédiction, cit. 8; mariage, cit. 13; pauvreté, cit. 12; pavillon, cit. 5; série, cit. 3). *Tous les hommes. Toutes les âmes* (→ Aptitude, cit. 5). *Tous les autres* (cit. 22 et 34). ⇒ **Tutti quanti.** *Entre toutes les femmes.* — *Toutes les connaissances, toutes les matières* (⇒ **Encyclopédie**). *«La chair* (cit. 59) *est triste, hélas, et j'ai lu tous les livres»* (Mallarmé). *Tous les moyens* sont bons. En voir, en dire de toutes les couleurs*. De toutes les morts, la plus basse* (→ Martyre, cit. 7). *Toutes les armes de tous les pays* (→ Carabine, cit. 1). *«Ton premier coup d'épée égale tous les miens»* (→ Atteindre, cit. 26). *Toutes les fois que... :* chaque fois que... *Tous, toutes les... du monde** (II., 6.). *Tous les genres, toutes les espèces, toutes les sortes...* — *Toutes ces histoires. Tous ceux-ci.* — *Tous nos amis. Tous vos souhaits accomplis* (→ Attendre, cit. 64). *Tous vos beaux arguments* (cit. 13). *Toutes nos paroles, tous nos silences* (→ Dérouler, cit. 6). *Avec toutes ses parties.* ⇒ 1. **Complet.** *De toutes ses forces.*

(Devant un nom sans article). *L'amas de toutes connaissances acquises* (→ Authentique, cit. 16). *Un récepteur* (cit. 3) *de toutes ondes... Toutes choses* (au sens de *tout*, II., 2., a.). → Contretemps, cit. 4; faner, cit. 7; fasciner, cit. 2; lui, cit. 49; magicien, cit. 7; mêler, cit. 26; positif, cit. 12; subordonné, cit. 2. *«Toutes choses sont sorties du néant* (cit. 12) *et portées jusqu'à l'infini».* — REM. Pour le singulier *toute chose* → ci-dessous, 4. — *Toutes sortes* (cit. 3; et *supra*) *de... Toutes et quantes* fois.* — *Cesser toutes relations. Avoir tous pouvoirs sur...* — *Pour tous avantages...*

Il mêle à toutes choses de subtiles considérations d'amour-propre. 41
G. DUHAMEL, les Plaisirs et les Jeux, p. 14.

(Devant un nom de nombre, avec ou sans article). *Tous deux* (cit. 2), *tous trois* (→ Larron, cit. 6; lecture, cit. 8; pieux, cit. 3). *Toutes deux* (→ Pincé, cit. 11; pis-aller, cit. 2). — *Tous les deux, les trois, les quatre* (→ Démentir, cit. 8; détour, cit. 4; plaisanterie, cit. 6).

L'emploi de l'article paraît emphatique; il sert aussi à mettre en relief les (...) personnes indiquées, à faire ressortir leur individualité (...) L'absence de l'article au contraire les réunit en bloc (...) 42
K. NYROP, Grammaire historique, t. V, § 434.

Nous irons tous les trois, c'est-à-dire tous deux, 43
Dans ce vallon sauvage (...) HUGO, les Voix intérieures, VII.

Vous êtes tous les deux ténébreux et discrets (...) 44
BAUDELAIRE, les Fleurs du mal, «Spleen et idéal», XIV.

Elle nous donna tort à tous les deux (...) F. MAURIAC, la Pharisienne, IV. 45

Tous, toutes, suivi d'un nom (sans article) et d'un participe ou d'un adjectif. — (1676). *Toutes affaires cessantes. Tous feux éteints. Toutes proportions gardées. Toutes choses égales* (*infra* cit. 7) *d'ailleurs.* — (Concret). *Toutes voiles dehors.*

Le train (...) remontait, tous feux éteints, dans la nuit d'automne (...) 46
G. DUHAMEL, Récits des temps de guerre, II, Visage.

(Dans des tours prépositionnels, avec ou sans article). *À tous les coins de rue. À tous coups* (cit. 64 et 66), *à tous les coups. À tous crins*. À tous égards* (cit. 8). *À toutes jambes** (cit. 17; et *supra*). → Sauver, cit. 16. *À tous moments*. À toutes mains* (→ Gibelin, cit. 1). *À toutes sauces* (vx), *à toutes les sauces*. À tous vents. À toutes voi-*

les*. — *De tous côtés* (cit. 26), *de tous les côtés* (cit. 27). *De tous les diables, comme tous les diables* (cit. 12 et 13), intensif. *De toutes les façons**, *les manières**. *De toutes mains* (cit. 69). *De toutes parts** (cit. 14). *De tous, en tous points** (*supra* cit. 89). *De toutes pièces** (*infra* cit. 12 ; et *infra* cit. 33). — *Dans tous les cas* (cit. 29 et 30). *Dans tous les genres* (cit. 39). — *En tous lieux** (1. Lieu, I.). → Attente, cit. 26 ; fable, cit. 14. *En tous pays. En tous points. En tous sens, dans tous les sens** (cit. 40 ; et *supra*). *En toutes lettres** (cit. 8 ; et *supra*).

REM. 1. Dans cet emploi de *tous, toutes*, l'omission de l'article, en dehors des locutions figées et des noms de nombres, relève du style littéraire ou juridique.

2. Dans certaines locutions traitées ci-dessus, il y a hésitation entre le pluriel et le singulier de l'indéfini (ci-dessous, 4.). Ex. : *De toute part* et *De toutes parts** (cit. 15).

♦ **2.** Littér. **Tous, toutes**, employé devant un nom sans article, pour récapituler une suite de termes, sans en excepter un (après une énumération, une liste, etc.). ⇒ **Autant** (de).

47 (...) qu'éprouva-t-elle ? Apprit-elle ?... Comment s'y prit-elle... ? *Tous mystères*, restés tels à jamais (...)
BARBEY D'AUREVILLY, les Diaboliques, « Dessous de cartes... », p. 248.

48 (...) Novepont, Clairefontaine, Martinville-le-Sec (...) toutes terres vassales de Guermantes (...)
PROUST, Du côté de chez Swann, Pl., t. I, p. 167.

49 Un petit bordeaux, un petit bourgogne, un demi-setier de picolo, de beaujolais, enfin tous vins qui t'iront droit au cœur (...)
Charles VILDRAC, le Paquebot Tenacity, II, 3.

♦ **3.** (XIVe). **Tous, toutes** (marquant la périodicité). **a** Devant une unité de temps. *Tous les jours** (cit. 40, 41, et *supra*), *tous les mois, tous les ans** (→ Laine, cit. 3) : une fois par jour, par mois, par an... ⇒ **Chaque.** *Toutes les heures* (→ 1. Marron, cit. 7). *Tous les matins* (→ Aurore, cit. 16), *toutes les nuits* (→ Dormir, cit. 36). *Tous les lundis* (→ Plume, cit. 19). — *Tous les premiers de l'an. Tous les trente-six du mois. Tous les combien** ? — *Tous les deux ou trois jours* (→ Nettoyer, cit. 13). *Toutes les seize* (→ 1. Mort, cit. 7), *les vingt-quatre heures* (→ Salve, cit. 1). *Tous les quatre ou cinq ans* (→ Sauvagerie, cit. 3). *Toutes les cinq minutes* (→ Lessive, cit. 1 ; sommeiller, cit. 1).

50 (...) la plate-bande dont elle cueillait les fleurs, tous les premiers vendredis de chaque mois (...)
FLAUBERT, Mme Bovary, I, III.

51 (...) tous les samedis, confession : il avouait n'importe quoi (...) tous les dimanches, communion (...)
F. MAURIAC, la Pharisienne, IV.

b Devant une unité de longueur. *Une borne tous les kilomètres. Tous les dix mètres, il s'arrêtait.*

♦ **4. Tout, toute** (suivi d'un nom sans article) : un quelconque, n'importe quel ; un individu pris au hasard parmi l'ensemble, la totalité des individus semblables (avec une valeur proche de *chaque**, mais distincte). → 1. Personne, cit. 19 ; placé, cit. 40 ; plus, cit. 45.
— REM. Sans préposition, cet emploi a une valeur générale et didactique (proverbes, sentences, lois...). — *Tout Français jouira* (cit. 15) *des droits civils... Toute langue* (cit. 38) *vit, travaille, respire. Toute personne...* ⇒ **Chacun, quiconque** (→ Dépôt, cit. 15). *« Apprenez* (cit. 35) *que tout flatteur... » Toute peine mérite salaire* (cit. 9). — (Avec une préposition). *À tout âge. À tout coup* (cit. 72). *À toute heure* (cit. 87, 88 ; et *supra*). *À tout hasard** (*infra* cit. 40). *À tout propos** (*supra* cit. 3 ; et cit. 10). *À tout événement* (cit. 18). *À tout point de vue. À tout prix** (*infra* cit. 17). *À toute occasion** (*supra* cit. 12). *À toute épreuve* (cit. 17 et 19). — *À tout venant* (→ Déplaire, cit. 16 ; opulence, cit. 2). — *Contre toute attente**. — *De tout côté. De toute façon**, *de toute manière** (*infra* cit. 19). *De tout point** (1. Point, cit. 90). *De toute nature. Des poissons de toute sorte* (→ Folâtrer, cit. 3). *En tous sens** (*supra* cit. 40). *De tout temps, en tout temps** (*supra* cit. 28). *En toute saison* (→ Pied, cit. 9) ; *en toute occasion** (*supra* cit. 17). *En tout cas** (cit. 25 à 28). *En tout genre* (cit. 37). *« En tout temps, en tout lieu »* (1. Lieu, cit. 2). *En tout état de cause* : quelle que soit la situation. ⇒ **Aussi.** — *Avant toute chose, sur toute chose* : avant tout, plus que tout (premièrement, préférablement). *En toute chose, il faut considérer* (cit. 9) *la fin.* — REM. Le tour *toute chose* a une valeur proche du pronom neutre *tout* (II., 2.). → Content, cit. 7 ; différent, cit. 13.

52 Ils suivent au hasard le projet ou le rêve.
Toute porte qui s'ouvre ou tout vent qui s'élève.
HUGO, les Chants du crépuscule, XXXV.

53 Tout orage a son temps toute haine s'éteint
Le ciel toujours redevient pur
Toute nuit fait place au matin (...)
ARAGON, le Roman inachevé, p. 85.

Loc. *Tout un chacun*, ou, rarement, *tout chacun* (Claudel, *l'Otage*, I, 2).

54 On savait pas comment l'prendre..., i's faisait vomir par tout un chacun.
H. BARBUSSE, le Feu, IX.

55 N'y a-t-il pas une orthographe et une grammaire admises, seules admises, et tout un arsenal d'enseignement et d'examens pour les imposer à tout un chacun ?
M. COHEN, Grammaire et Style, p. 7.

REM. Avec un substantif abstrait, il est parfois difficile de distinguer *tout*, adj. indéfini (« toute espèce de... ») et *tout*, qualificatif (« intégral, en entier »). *Abandonner toute pudeur. Perdre toute dignité. Laissez toute espérance* (cit. 17). *Avoir toute honte** *bue* (cit. 35).

Toute sorte de... (avec un complément au singulier ou, plus souvent,

au pluriel, et l'accord du verbe commandé par le complément). ⇒ **Sorte** (*supra* cit. 3). — *Toute espèce de...*, s'emploie de la même façon.

(V. 1200). **Tout, toute autre...**, qualifiant le pronom *autre*. *« Tout autre* (cit. 68) *que mon père(...) ». Toute autre* (cit. 70) *se serait rendue... Toute autre histoire*, n'importe quelle autre... *Toute autre* (cit. 17) *considération* (→ aussi Plaisir, cit. 11 ; 2. planer, cit. 4). — REM. On trouve parfois *tout* invariable au féminin, dans *tout autre chose.*

56 (La Bruyère) était assez intelligent pour comprendre, mieux encore que tout autre chose, les raisons qu'on pouvait avoir de ne le lire point ou de le lire mal (...)
Émile FAGUET, l'Art de lire, p. 114.

57 (...) éviter d'être remarquable par son élégance comme par tout autre chose (...)
J. ROMAINS, les Hommes de bonne volonté, t. XXV, XXXIV, p. 277.

REM. 1. Répétition de *tout, tous*, adj. — Régulière devant des noms juxtaposés ou de genres différents (cf. cependant « *tout son corps et son âme fermentaient* », R. Rolland, Jean-Christophe, l'Adolescent, p. 68), la répétition est facultative dans une énumération : « *toutes les affections, haines, curiosités...* » (Lanson), ou lorsqu'il y a « quelque analogie » (Le Bidois) entre les noms juxtaposés : « *tous les instincts et les sens de l'homme primitif* » (Maupassant). *Toute son angoisse et sa fatigue avaient fondu* (cit. 14).
2. *Tout* en phrase négative. — La négation s'applique alors au caractère total, global, et non à l'ensemble qualifié par *tout*. *Il ne plaidait pas toute cause, il choisissait* (→ Malaisé, cit. 6).

58 (....) elle n'attendait jamais passivement du dehors toute jouissance (...)
F. MAURIAC, la Pharisienne, VI.

Lorsque *tout, tous* est sujet d'un verbe à la forme négative, la négation porte sur *tout*. Dans *tout ce qui reluit n'est pas or*, le sens n'est pas « rien de ce qui reluit n'est or », mais bien « ce qui reluit n'est pas, dans sa totalité, de l'or » (cf. Le Bidois, *Syntaxe du franç. moderne*, § 1933). *Toute jalousie* (cit. 2) *n'est point exempte de quelque sorte d'envie.*

59 Tout animal n'a pas toutes propriétés.
LA FONTAINE, Fables, II, 17.

60 Tous ceux qui connaissent leur esprit ne connaissent pas leur cœur.
LA ROCHEFOUCAULD, Maximes, 103.

★ **II.** Pron. (XIe). ♦ **1.** **a** **Tous** [tus], **Toutes** (représentant un ou plusieurs noms, pronoms, exprimés avant). *« Ils ne mouraient pas tous, mais tous étaient frappés »* (cit. 23). *Nous mourrons* (cit. 3) *tous. Ce sont tous des ignorants* (→ Malade, cit. 7), *des fainéants* (→ Protéger, cit. 6). *Toutes se retournaient* (→ Morue, cit. 1). *« Comme nous les avons tous reçus* (ces dons), *nous en sommes tous comptables »* (→ Grâce, cit. 25). *« Si railleuses, toutes »* (→ Gêner, cit. 26). — *Elles* (les étoiles) *se tiennent l'une à l'autre toutes attachées* (→ 1. Dépendre, cit. 7). — *La première, la pire* (→ Jalousie, cit. 22), *la dernière de toutes. Une fois** (cit. 17) *pour toutes. — Tous ensemble** (1. Ensemble, cit. 4 et 7) : en masse. *Ils tapaient tous à la fois* (→ Marteau, cit. 1), *tous en même temps. Tous tant que nous sommes* (→ Cagotisme, cit. ; minute, cit. 2). *« Tous pâles, graves, sévères* (cit. 2), *les proscrits (...) ». — Tous et toutes* (→ Régiment, cit. 4). *« Cette part de l'autre sexe* (cit. 3) *que nous contenons tous, et toutes ».* — (Avec un impératif). *Regardez* (cit. 10) *tous !* — Récapitulant un ensemble, une énumération. « *Vieillards, hommes, femmes, enfants, tous voulaient me voir* » (Montesquieu, *les Lettres persanes*, 30, in Grevisse). — *Nous tous* (→ Poule, cit. 1). *Au milieu de vous tous* (→ 1. Bombe, cit. 4). *Eux tous* (→ Personnification, cit. 1), *elles toutes.*

61 — (...) Vous tous, soyez témoins !
HUGO, Hernani, III, 7.

62 C'était, parmi elles toutes, à qui graverait le plus avant son épitaphe dans son cœur.
BARBEY D'AUREVILLY, les Diaboliques, « Le plus bel amour... », p. 92.

b **Tous** [tus], **toutes** (en emploi nominal) : tous les hommes, tout le monde, et, par ext., une collectivité entière. — (En fonction de sujet). *Tous s'inclinèrent* (cit. 16). *Tous ensemble furent massacrés* (cit. 1). — (Compl. indirect). *Elle se donnait* (cit. 74) *à tous.* — **Chacun***... **Tous**... « *Chacun* (cit. 4) *en a sa part et tous l'ont tout entier. L'expérience* (cit. 37) *de chacun est le trésor de tous. Chacun est responsable* (1. Responsable, cit. 2) *de tous.* — *Être irrité* (cit. 24) *contre tous.* — *Envers* (cit. 1 et 2) *et contre tous.* — (Avec un possessif). *C'est notre faible* (cit. 42) *à tous. Notre ouvrage à tous* (→ Navire, cit. 14). *En leur nom à tous* (→ Occupation, cit. 5).

63 Quant aux femmes, elles étaient toutes, à son avis, charmantes et irréprochables. Elle dînait chez toutes.
FRANCE, le Lys rouge, X.

REM. Quand *tous, toutes* est objet direct, il doit s'appuyer sur un pronom personnel ou relatif objet. *Je les reconnaissais tous* (→ Papillon, cit. 4). *Les grands esprits les voient toutes* (→ Blesser, cit. 12). *Toutes, oui, je vous aime* (→ Excepté, cit. 9).

64 Alors, il se livra aux sports, avec fureur. Il essaya de tous, il les pratiqua tous.
R. ROLLAND, Jean-Christophe, Nouvelle journée, III, p. 1531.

65 Où s'enfonçaient, où se cachaient alors mes turbulences de la veille (...) Le flot de mon amour les avait recouvertes toutes.
GIDE, l'Immoraliste, II, I.

66 (...) ses dents pures que sa grande bouche montrait toutes quand elle riait (...)
F. MAURIAC, la Pharisienne, II.

♦ **2. Tout** (pronom ou nominal, équivalant à un « neutre » ou à un collectif) : l'ensemble des choses dont il est question, soit au sens fort « toutes choses » (ex. : *le temps qui détruit tout* ; → Appui, cit. 31) ; soit, par ext., « beaucoup de choses, la plupart des choses en question » (ex. : *je consens qu'une femme ait des clartés* [cit. 19] *de* *tout*). — *Tout*, opposé à *rien.* ⇒ **Rien*** (cit. 16 ; et 48, 49, 51, 52). — *Tout est quelque chose. Rien n'est rien* (→ Néant, cit. 13, Hugo). *À propos* (cit. 3) *de tout et de rien.* — *Tout, fors* (cit. 1), *hormis* (cit. 2, 3 et 6), *hors* (cit. 14), *sauf* (→ Honneur, cit. 10)... *Tout est à tous* (→ Mien, cit. 23). — « *Un seul être vous manque et tout est dépeuplé* » (cit. 11). *Tout se tait* (→ Midi, cit. 1 ; muet, cit. 16). « *Là, tout n'est qu'ordre* (cit. 16) *et beauté* ». *Tout arrive ! Tout vient à point**... *Tout passe** (cit. 71 et 72). « *Tout ! Tout a disparu* » (cit. 17). *Tout recommence* (cit. 7 et 8). *Tout se sait* (1. Savoir, cit. 66), *tout se* (cit. 7) *dit. Tout est bien* (→ Jour, cit. 39). *Tout va bien, très bien.* — Loc. prov. *Tout est bien qui finit bien :* ce qui finit bien peut être considéré comme entièrement bon, heureux (malgré les difficultés passagères). — *Tout est pur* (cit. 18) *chez les purs. Hors de là, tout est vain* (→ Génie, cit. 30). « *Tout vous est aquilon* (cit. 1), *tout me semble zéphir* ». *Tout s'est bien passé.* — (Dans la langue des sciences). *Tout se passe* (cit. 139) *comme si...* — *Tout est là :* là réside tout le problème ; il n'y a rien d'autre. *La vie !... tout est là!* (→ Lyrisme, cit. 2). — *Tout est dit** (1. Dire, *infra* cit. 30 ; cit. 112). *Tout n'est pas rose* (2. Rose, cit. 9). — *Il sait tout, il nie* (cit. 2 et 5) *tout. J'ignore* (cit. 9) *tout de toi. J'ai tout entendu.* — *Tout oser, tout essayer*. Pour tout dire :* en somme. *Qui peut tout dire arrive à tout faire* (cit. 63). *C'est tout dire* (→ Rieur, cit. 1). — *Tout casser, tout démolir.* Fam. *Une noce à tout casser* (→ Pince-cul, cit. 2). — *Faire tout au monde** pour... — *À tout faire* (→ Intrigue, cit. 6) : utilisable en toutes circonstances, pour toutes sortes de choses. Spécialt. *Bonne* à tout faire.* — *À tout prendre** (cit. 8 et 10), *tout bien considéré* (→ Scélérat, cit. 1). — *Donner* (cit. 23) *tout, tout ce qu'on a. Manquer* (cit. 3 et 22) *de tout, de tout ce dont on a besoin. Tout perdre en voulant tout gagner. Avoir tout à gagner* (cit. 15) *à...* — *Essayer de tout* (→ Fusil, cit. 7). *Il y a des raisons* (cit. 69) *pour tout. Rire de tout* (→ Obliger, cit. 14). *Avoir réponse* à tout.* — *Il faut de tout pour faire un monde* (cit. 32). *Un peu de tout. Le pire de tout* (→ Opportunisme, cit. 2). — *On se fait, on s'habitue à tout.* — *Tout compris** (→ 1. Le, cit. 17). *Tout bien compté, considéré, examiné, pesé...* — (Souvent péj.). *N'importe quoi. Capable* (cit. 15 et 16) *de tout. Propre* (cit. 17 et 18) *à tout et bon à rien. Tout lui est bon*, tous les moyens*.

67 Cette fille voulait aussi
Qu'il eût du bien, de la naissance,
De l'esprit, enfin tout ; mais qui peut tout avoir ? LA FONTAINE, *Fables*, VII, 5.

68 (...) tout tournait autour d'eux, les lampes, les meubles, les lambris, et le parquet (...) FLAUBERT, Mme *Bovary*, I, VIII.

69 Elle a tout ressenti, tout supporté, tout éprouvé, tout souffert, tout perdu, tout pleuré. HUGO, *les Misérables*, I, V, XI.

70 Tout est beau, tout est pur, tout est doux, tout est tendre,
De tout ce qu'alentour je vois. H. DE RÉGNIER, *Vestigia flammæ*, « Soir vénitien ».

TOUT (résumant une série de termes ; → Imprimer, cit. 38). « *Un souffle, une ombre, un rien* (cit. 84), *tout lui donnait la fièvre* ». *Court* (1. Court, cit. 6) *de bras, de jambes, de cou, de nez, de tout* (→ aussi Forge, cit. 6 ; fors, cit. 2 ; gréement, cit. 1).

REM. **Place de** *tout.* — *Tout*, objet direct d'un verbe à un temps composé, se place régulièrement avant le part. passé (ex. « *J'ai tout aimé, tout vu, tout su* », Comtesse de Noailles, *les Éblouissements*). Quand il est complément d'un infinitif, il se place généralement avant. *Bonne à tout faire. À tout prendre. C'est tout dire. Qui sait tout souffrir peut tout oser* (cit. 1). — Avec un temps simple, l'antéposition de *tout* est littéraire (→ ci-dessus, d'autres exemples).

71 Ce grand mouvement, qui tout entraîne, rend bien petites les ambitions, les intrigues et les choses du jour.
CHATEAUBRIAND, Note sur la Grèce, Avant-propos de la 2e édition, I.

72 (...) l'Intelligence elle-même, en tant que bête et animal impénétrable, qui tout pénètre. VALÉRY, *Eupalinos*, p. 68.

Tout peut être détaché en fin de phrase, généralement pour reprendre le terme *tout* déjà exprimé (→ Quoi, cit. 39). « *Il fallait tout oser, pour empêcher la guerre, tout !* » (→ Pacifiste, cit. 3). *Tout est dehors, tout...* (→ Parmi, cit. 6).

TOUT (attribut). *Être tout pour (qqn) :* avoir une extrême importance. *Mon père* (cit. 7) *était tout pour moi.* — *L'amant qui n'est pas tout n'est rien* (→ Préférer, cit. 11).

(XVIIe). **C'EST TOUT** (marquant la fin d'une énumération ou d'une déclaration catégorique). *Et c'est tout. Ce sera tout pour aujourd'hui. Un point* (1. Point, cit. 74), *c'est tout.* — Vx. *C'est tout que (de)...,* suivi de l'infinitif : il suffit de... — *Ce n'est pas tout :* il reste encore quelque chose (→ Illuminer, cit. 1 ; recréer, cit. 2). *Ce n'est pas tout de..., que de... :* ce n'est pas assez* (3.). Fam. *C'est pas tout de s'amuser. C'est pas tout ça... :* il y a qqch. d'autre à faire.

73 (...) ce n'est pas tout que d'être civil, il faut être aussi raisonnable (...)
MOLIÈRE, le Malade imaginaire, I, 1.

74 Le renard dit au bouc : Que ferons-nous, compère ?
Ce n'est pas tout de boire, il faut sortir d'ici. LA FONTAINE, *Fables*, III, 5.

75 Qu'est-ce qu'on me veut ! Je demande ma liberté. Ce n'est pas tout ça. Pourquoi m'a-t-on amené dans cette cave ? Alors il n'y a plus de lois.
HUGO, l'Homme qui rit, II, IV, VIII.

76 On trinque... — Merci, répond Charles... Il ajoute que c'est pas tout ça, faut qu'il aille prévenir Marceline. R. QUENEAU, Zazie dans le métro, XIII.

(1784). **VOILÀ TOUT.** S'emploie dans le même sens, pour marquer que

ce qui est ainsi fini, borné, n'était pas très important (→ Blanchir, cit. 3 ; milieu, cit. 13 ; nez, cit. 29 ; non, cit. 26 ; puer, cit. 1).

Après (cit. 82 à 88) *tout :* après avoir tout considéré, envisagé (sert généralement à écarter comme négligeable ou insuffisant un ensemble d'objections). ⇒ **Demeurant** (au), **enfin** (2.). — *Malgré* (cit. 5) *tout. Nonobstant* (cit. 1) *tout. En dépit de tout* (→ Sentiment, cit. 19). — *Avant* tout :* de préférence à tout le reste. *Par-dessus tout* (→ Forme, cit. 53). — Vx. *Sur tout.* ⇒ **Surtout.** *Au-dessus* de tout.* — *Comme** (cit. 18) *tout :* extrêmement. — *Plus que tout* (→ Objectiver, cit. 2).

EN TOUT. **a** De tout point, à tous égards, complètement (→ Contrôler, cit. 1 ; 1. faux, cit. 48 ; inférieur, cit. 8 et 10 ; réalité, cit. 12). *Mon exposé était en tout conforme...* (→ Prouver, cit. 5).

b Au total. *En tout, douze serviteurs* (cit. 1 ; et → aussi Gros, cit. 6). *Il y avait en tout et pour tout trois personnes.*

(Fin XIXe). Fam. **ET TOUT :** et le reste. *Et tout et tout* (→ Gastronome, cit. 1).

Alors, monsieur le président, voilà que je fus pris de cette maladie subite (...) et même contagieuse et *cangreneuse* et tout (...) 77
Alphonse DAUDET, Port-Tarascon, III, V.

(...) moi qu'étais si heureuse, si contente et tout de m'aller voiturer dans l'métro *(sic)*. R. QUENEAU, Zazie dans le métro, I. 78

Mais sa passion de Chopin, Ravel, Rameau et tout et tout était si grande (...) 78.1
René FALLET, le Triporteur, XXV, p. 261.

TOUT DE... (*Tout*, construit avec un « partitif » [*de, dont*]). *Il ignore tout de cette affaire.* — Fam. *Avoir tout de... :* avoir toutes les qualités, les caractéristiques de... *Il a tout du snob* (→ aussi Mais, cit. 33).

Pour Fanny, elle avait tout d'une mère, la patience infatigable, l'inquiétude (...) 79
Alphonse DAUDET, l'Évangéliste, VI.

Elle avait tout de la petite fille qu'on a tirée du lit dans sa longue chemise pour la montrer aux invités de maman. Elsa TRIOLET, Mille regrets, p. 135. 80

♦ **3.** (Vieilli). **TOUT** (désignant une totalité d'êtres vivants, de personnes ; on emploie plutôt *tout le monde**, de nos jours). *Vous commandez* (cit. 35) *à tout.* « *Tout est abattu, tout est désespéré* » (cit. 17). *Tout, jusqu'à sa servante, est prêt à déserter* (→ Démon, cit. 9). — Prov. (mod.). *Il faut de tout pour faire un monde* (cit. 32). — REM. *Tout* est encore employé dans ce sens pour reprendre et résumer une série de noms de personnes. « *Femmes, moine, vieillards, tout était descendu* » (La Fontaine, *Fables*, VII, 9).

Tout m'est suspect : je crains que tout ne soit séduit (...) 81
RACINE, Britannicus, V, 1.

Quand on arriva à onze heures et demie du soir à la hauteur de Varennes, la fatigue l'avait emporté, tout dormait dans la voiture. 82
MICHELET, Hist. de la Révolution franç., IV, XIII.

Les femmes en sabots cirés, les paysans en blouse neuve, les petits enfants qui sautillaient nu-tête devant eux, tout rentrait chez soi. 83
FLAUBERT, Mme Bovary, I, IX.

★ **III.** N. m. (XIIIe). **A. LE, UN TOUT** (plur. *touts*) : collection, ensemble ; unité d'un ensemble. ⇒ **Totalité.**

♦ **1.** **a** L'ensemble dont les éléments viennent d'être désignés (→ Déposition, cit. 1 ; fagot, cit. 2 ; jeter, cit. 7 ; meuble, cit. 6). *Je déposai le tout* (→ Planche, cit. 3). « *Et le drôle* (cit. 2) *eut lapé le tout en un moment* ».

Il montra son passeport, sa lettre de mission. Il prépara quelques autres papiers (...) Le fonctionnaire examina le tout (...) 84
J. ROMAINS, les Hommes de bonne volonté, t. XX, XXVII, p. 276.

b L'ensemble des choses dont on parle ; l'unité qu'elles forment. ⇒ **Ensemble** (cit. 1 et 2), **total, unité.** *Le tout et la partie, et les parties** (cit. 1 et 2). *Décomposer un tout.* ⇒ **Analyse, division, partage.** *Former un tout.* ⇒ **Composer, composition** (→ Solidairement, cit.). *Portions* d'un tout homogène. Réunir, comprendre dans un tout.* ⇒ **Englober.** *L'intégrité* du tout. Un tout indivisé* (→ Nageur, cit.). *Un individu* (→ Opéra, cit. 3, Valéry) *forme un tout reconnaissable. Le tout de l'œuvre* (→ Opéra, cit. 3, Valéry). « *L'homme* (cit. 44) *est un tout indivisible, un tout à l'égard du néant* » (→ Homme, cit. 51, Pascal). *La structure* d'un tout.*

Que la matière soit éternelle ou créée, qu'il y ait un principe passif ou qu'il n'y en ait point ; toujours est-il certain que le tout est un, et annonce une intelligence unique ; car je ne vois rien qui ne soit ordonné dans le même système, et qui ne concoure à la même fin, savoir la conservation du tout dans l'ordre établi. 85
ROUSSEAU, Émile, IV.

La mort d'un parent menace la vie de chacun de ses proches : la souillure de la mort peut les atteindre à leur tour et les faire périr. Souvent, ils se rachètent du trépas en mutilant leurs corps, en général en se coupant un doigt : ils offrent ainsi la partie pour conserver le tout. 85.1
Roger CAILLOIS, l'Homme et le Sacré, p. 30.

(...) je me jugeai suffisamment pourvu d'exemples. En réalité, je ne l'étais pas (...) Il était urgent de se résigner à un sacrifice, et de procéder au tout en se refusant à mettre la dernière main aux parties (...) Le tout se fit, et c'était l'essentiel ; car, en bien des cas, il faut le juge suprême des parties. 86
É. LITTRÉ, Comment j'ai fait mon dictionnaire..., p. 8.

(Il) avait envie de penser à lui-même et à son existence comme à des touts. 87
J. ROMAINS, les Hommes de bonne volonté, t. XXIV, III, p. 30.

Blason. L'ensemble de l'écu. — Loc. *Brochant sur le tout.* ⇒ **Brocher.**

(1842). Le mot d'une charade*. ⇒ **Entier.** *Mon premier..., mon second... ; mon tout.*

♦ **2.** L'ensemble de toutes choses. *Le tout, le grand tout* (souvent écrit avec la majuscule). ⇒ **Univers** (→ Exact, cit. 15 ; nature, cit. 49).

88 Il faut dans le grand tout tôt ou tard s'absorber (...)
HUGO, les Quatre Vents de l'esprit, III, X.

♦ **3.** Ce qu'il y a de plus important, d'essentiel ; le point capital (⇒ **Important, principal**). *Le tout est de...* (→ 1. Penser, cit. 13). — Loc. *Jouer, risquer* le tout pour le tout* (→ Oser, cit. 2). — Fam. *C'est pas le tout de rigoler...*

89 — Aujourd'hui, dit Carlos à sa créature, nous jouons le tout pour le tout ; mais heureusement les cartes sont *biseautées,* et les *pontes* sont très jeunes !
BALZAC, Splendeurs et Misères des courtisanes, Pl., t. V, p. 784.

90 Ce n'est pas le tout d'aimer le peuple, il faut être juste ; ce n'est pas le tout d'être juste, il faut aimer le peuple et le servir.
René JOHANNET, Éloge du bourgeois franç., p. 214.

♦ **4.** (XVIᵉ). Vx ou littér. LE TOUT (de qqn) : ce qui compte le plus pour qqn ; son seul centre d'intérêt. *« Enfin il en est fou* (1. Fou, cit. 31), *c'est son tout, son héros ».*

B. (1213 ; *del tout*, 1080). DU TOUT. — Vx ou littér. Complètement, absolument. *Cela est du tout admirable* (Bossuet, *Troisième sermon,* « Purification » ; et → ci-dessous, cit. Montherlant, Paulhan). — (1694). Mod. *Du tout au tout :* complètement, en parlant d'un changement (toutes les circonstances envisagées étant modifiées en leur inverse). → Dose, cit. 2. *Changer du tout au tout. Différence* du tout au tout.*

PAS DU TOUT (→ Profond, cit. 15 ; raison, cit. 18 ; retaper, cit. 3). Renforce la négation, *du tout* jouant le rôle d'un adverbe (« absolument pas »). *Il ne fait pas froid du tout* (→ 2. Sourire, cit. 6). *Point du tout* (→ Attendre, cit. 91 ; 1. aube, cit. 2 ; dévisager, cit. 1 ; entrer, cit. 53 ; humaniser, cit. 6 ; nenni, cit. ; obliger, cit. 16). *Plus du tout* (→ 1. Souvenir, cit. 8). *Rien du tout.* ⇒ **Rien** (cit. 18 et *supra ;* 77 et *supra ;* 99, 100 et 101). *Sans du tout* (→ ci-dessous, cit. Gide). — Ellipt. DU TOUT : pas du tout, aucunement (→ ci-dessous, cit. Balzac, Brunot). — Vx. « *Je ne puis du tout demeurer* » (Molière, *Amphitryon,* II, 6). → aussi Office, cit. 6, Molière.

91 (...) Ce que j'ai à vous dire ne veut point du tout de retardement.
MOLIÈRE, Don Juan, IV, 6.

92 Croyez-vous que je le blâme ? du tout. Il a toujours été ainsi.
BALZAC, le Père Goriot, Pl., t. II, p. 937.

93 PAS DU TOUT est quelquefois raccourci en *du tout :* **Du tout, du tout,** *bégaya François ; pourquoi donc que j'y serais allé dans votre jardin ?* (É. SOUVESTRE, *Clairières,* 13) ; — *Pas d'argent, n'est-ce pas ?* **du tout, du tout, du tout** (A. DAUDET, *Immortel,* 14).
F. BRUNOT, la Pensée et la Langue, p. 502.

94 Je commençais chaque phrase sans du tout savoir comment je la finirais (...)
GIDE, Journal, 17 mars 1922.

95 Après quoi il doit aussi veiller à ce que le fait soit du tout semblable à ce qu'il veut prouver (...)
J. PAULHAN, les Fleurs de Tarbes, p. 224.

96 Le jour où un puis deux confesseurs (...) lui posèrent des questions qui lui déplurent, elle cessa de se confesser du tout.
MONTHERLANT, Pitié pour les femmes, p. 17.

96.1 (...) à ton âge surtout on peut changer du tout en quinze jours ; change, mais dans ton essentiel reste ce que tu es. MONTHERLANT, Pitié pour les femmes, p. 282.

C. (1975, *in* P. Gilbert). LE TOUT OU RIEN : une solution extrême, sans compromis. *Des partisans du tout ou rien.* — Se dit d'un dispositif binaire. *« Les capteurs ont été choisis du type "tout-ou-rien" pour éviter un traitement informatique complexe »* (*Sciences et Avenir,* juin 1980, p. 4).

★ **IV. A.** Adv. de quantité. Entièrement, complètement ; d'une manière absolue, intégrale. ⇒ **Absolument,** 1. **bien, complètement, entièrement, exactement, extrêmement.** — REM. *Tout* a une valeur plus faible, moins précise que ces adverbes, qui correspondent plutôt à la forme renforcée *tout à fait* (→ ci-dessous, 1., c.). Voir aussi Très.

♦ **1.** (XIᵉ). [a] Devant des adjectifs les règles d'accord sont traitées ci-dessous. *Tout jeune* (cit. 8). *Tout chétif et malingre* (→ Moutard, cit. 1). *Tout ému* (→ Pivot, cit. 1). *Tout bouillant* (cit. 2 et 3) *de colère. Tout entier, entière.* ⇒ **Entier** (cit. 13 à 19). *La ville tout entière* (→ Nettoiement, cit. 1). *La porte s'ouvrit toute grande* (cit. 18). — *Tout fait.* ⇒ **Faire** (cit. 267 à 270). *Tout petit* (→ Manière, cit. 14 ; scarabée, cit. 2). *Un tout-petit.* ⇒ **Tout-petit.** *Tout enfant* (→ Paresseux, cit. 8). — Fam. *Tout gosse, tout môme...* — *Tout nu* (→ Moût, cit. 2), *tout nus* (→ Mur, cit. 11 ; nef, cit. 3). *Un homme tout rond, tout réjoui* (cit. 7). — *Tout prêt* (cit. 12 et 16) *à..., de... Tout seul* (cit. 27 ; et *supra*). *C'est tout naturel. Tout cru, tout vif. Il est venu nous le raconter tout chaud,* immédiatement, *tout de suite. Tout pareil. C'est son père tout craché.* — Fam. *C'est du tout cuit.*

REM. 1. Seul l'usage détermine les adjectifs devant lesquels *tout* est d'usage normal (ex. : *entier, petit, jeune, nouveau*), avec lesquels il forme de véritables adjectifs composés : *une toute jeune fille* (→ Noble, cit. 8) ; *une toute petite mare* (cit. 2), *de tout petits faits* (→ Matière, cit. 15). Il s'emploie assez fréquemment avec des participes adjectivés : *toute frémissante* (cit. 3) ; *toute frissonnante* (cit. 2) ; *« des jours (...)*

tout fragrants (cit.) *d'odeurs ». « Tout suffocant* et blême quand sonne l'heure* »* (Verlaine). *Tout morfondu* (cit. 4) ; *elle était tout étourdie* (cit. 3). — Dans de nombreux cas, *tout* a une valeur stylistique que n'a pas *très : « une petite femme toute vive, tout énergique »* (→ Janséniste, cit. 3) ; *des qualités toutes françaises* (→ Précieux, cit. 6) ; il peut même jouer parfois un rôle de diminutif (cf. Tout fou « un peu fou »). 2. *Tout* sert à former des composés avec quelques adjectifs : *tout-puissant, tout-fécond* (Voltaire, *in* Littré).
3. *Tout,* employé avec un participe passé adjectivé, prend une nuance temporelle (→ Déjà) : *« je suppose ici les mines toutes trouvées »* (Buffon) ; *tout fait,* etc. *C'est tout vu*.*

97 Le matelot qui suivait le prêtre se sentait sur la langue une envie toute méridionale de causer.
MAUPASSANT, l'Inutile Beauté, « Champ d'oliviers », II.

98 Je vois une toute vieille dame, aux blanches anglaises, appuyée sur le bras d'un homme en blouse, qui porte son sac de nuit à la main.
Ed. et J. DE GONCOURT, Journal, 8 janv. 1871, t. IV, p. 145.

(Avec une loc. adjective). *« Vous avez la physionomie toute je ne sais comment »* (H. Monnier, *Scènes populaires,* p. 266).

TOUT AUTRE : entièrement autre, complètement différent (dans ce tour, *tout* est adverbe, et reste en principe invariable, lorsqu'il modifie *autre* ; → Montrer, cit. 39 ; possible, cit. 13). *C'est une tout autre affaire. Dire* (1. Dire, cit. 22) *tout autre chose* (cf. *« Toute autre considération serait superflue »,* ci-dessus, I., B., 4.).

REM. 1. Avec un masc. sing. *(tout autre homme),* il y a ambiguïté sur le sens.

2. Beaucoup d'auteurs font l'accord, soit par confusion avec le tour traité ci-dessus (I., B., 4.), soit par réaction contre la règle officielle d'accord (→ ci-dessous, REM. sur l'accord) : *une toute autre valeur* (→ Négation, cit. 6).

99 Il la conçut *(l'intervention)* d'une toute autre manière qu'on ne le dit ordinairement.
Pierre GAXOTTE, la Révolution franç., VIII, p. 204.

100 L'Univers n'est-il pas plus complexe que nos pensées et d'une toute autre complexité ?
A. MAUROIS, Mes songes que voici, IX.

Tout l'un ou tout l'autre* (*infra* cit. 109). — Vx. *Tout un autre.*

101 (...) les Anciens avaient, pour ainsi dire, tout un autre univers que nous (...)
MARIVAUX, *in* SAINTE-BEUVE, Causeries du lundi, 16 janv. 1854.

102 Le maire du quatrième arrondissement est tout un autre homme (...)
CHATEAUBRIAND, Mémoires d'outre-tombe, IV, II, 1.

Le tout premier, la toute première : celui, celle qui est exactement, réellement le premier (ne pas confondre avec *tout le premier,* ci-dessous). *Les toutes dernières* (→ Géométrique, cit. 4).

103 Il fit ses toutes premières classes au collège Louis-le-Grand (...)
SAINTE-BEUVE, Nouveaux lundis, VI, 16 nov. 1863, I.

104 Les tout derniers chapitres me paraissent beaucoup moins bons (...)
GIDE, Journal, 27 nov. 1946.

105 Que la toute première lecture du monde, à l'école primaire, en soit une description chaleureuse (...)
J. GUEHENNO, *in* le Figaro, 11 janv. 1962.

106 Un des tout premiers noms que j'avais inscrits sur une liste était celui d'Oppenheimer.
J. ROMAINS, Passagers de cette planète..., p. 93.

[b] Invariable, devant un tour prépositionnel. TOUT EN..., À..., DE... *Portail tout en granit* (→ Rehausser, cit. 3). *Les édifices tout en façade* (cit. 9). *Ce temple est tout de marbre* (→ Architrave, cit. 2). *Être tout en larmes.* — *Il, elle est tout à ses projets,* entièrement à ses projets (→ ci-dessus, I., 1., f., le tour : *elle est toute à... où tout* est adjectif). (Formule de politesse*). *Je suis tout à vous* (cf. Bien à vous, fidèlement vôtre, etc.).

107 Le moment où elles seront tout à leur projet sera quelquefois celui même de leur abandon.
DIDEROT, Sur les femmes.

108 Il y avait de grands espaces pleins de bruyères tout en fleurs (...)
FLAUBERT, Mᵐᵉ Bovary, II, IX.

109 (...) On porte cette année des robes tout en loutre.
FRANCE, l'Anneau d'améthyste, *in* Œ., t. XII, XV, p. 200.

[c] (Dès 980). Invariable, devant un adverbe ou une préposition. *Tout autrement* (cit. 6). *Tout bonnement* (cit. 3), *tout naturellement* (→ Jour, cit. 53). *Tout simplement* (→ Engouer, cit. 2 ; magicien, cit. 3). *Tout doucement* (→ Avaler, cit. 31). — *Tout aussi. — Tout aussi intolérable* (cit. 7). *Je ferais tout aussi bien de recommencer* (cit. 1). — *Tout autant*, tout aussi peu* (→ Fréquenter, cit. 8). — *Tout aussitôt* (→ Retenir, cit. 6 ; soulagement, cit. 1). —*À tout jamais,* où *tout* renforce l'expression *à jamais.* — *Tout bas* (→ Liaison, cit. 2 ; maléfice, cit. 4), *tout haut* (cit. 106, 107, 110 et 111) ; *tout fort.* — *Tout exprès* (→ Fournisseur, cit. 2 ; jasmin, cit. 1). *Tout plein* (de)... ⇒ **Plein** (cit. 15, 51 à 53). *Tout juste* (cit. 42 ; et *supra*). *C'est tout juste si... Tout comme* (si)... ⇒ **Comme** (cit. 14 à 17). — Vx. *Tout ainsi que* (→ Pierre, cit. 9). *Tout au contraire.* — *Tout ensemble** : en même temps (→ Qualifier, cit. 1 ; sérieux, cit. 1). *Tout à la fois. — Tout beau** (1. Beau, III.). — Vx. *Tout bien* (→ 2. Port, cit. 6, Marot). — *Tout doux* (→ Filet, cit. 13). *Tout franc* (→ 1. Lever, cit. 29). *Tout net** (*supra,* cit. 30 ; → Ribambelle, cit. 1). *Se fâcher* (cit. 12) *tout rouge. Tout court* (1. Court, cit. 25 ; et *supra*). — *Tout de go** (cit. 1 et 2). *Tout à trac*.* — *Tout contre* (1. Contre, cit. 5), *tout près* (→ Folie, cit. 12 ; recul, cit. 1). *Tout proche* (→ Contre, cit. 1). *Tout là-haut* (→ Recoin, cit. 4). *Tout au loin* (→ Phrase, cit. 18). *Tout autour* (1. Autour, cit. 17), *tout alentour* (→ Lande, cit. 2). *C'est tout à côté. Tout en haut* (→ Phare, cit. 1), *en bas. Tout le long de...* (→ Putois, cit. 1). *Tout au bout. Tout droit. Tout de travers* (→ 1. Placer, cit. 15). *Tout d'une pièce* (cit. 30 à 32). *Tout d'une traite*.*

Loc. *Tout à coup, tout d'un coup.* ⇒ **Coup** (cit. 83 à 88). — *Tout à l'heure.* ⇒ **Heure** (cit. 91 à 95). — *Tout au moins** (cit. 22; et *supra*). *Tout au plus** (cit. 95 à 97). → Au maximum, tout juste*. — *Tout d'abord.* — *Tout de bon.* ⇒ 1. **Bon** (cit. 125 et 126). *Tout de même.* ⇒ **Même** (III., 4. et 5.). *Tout de même que...* (→ Régisseur, cit. 3). *Tout de suite :* aussitôt, sans délai. ⇒ **Suite** (cit. 9; *supra* et *infra*). — *Tout au long, tout du long. Tout de son long* (cit. 30 et 31). — REM. Le cas est différent de «*de tout son long*», où *tout* est adjectif et modifie «*son long*».

Vx (renforçant un superlatif). «*Quelque bœuf (...) Tout le plus gras du pâturage*» (La Fontaine, XI, 1). — *C'est tout le contraire* (→ Possible, cit. 24). — «*Tout le premier, toute la première, tout les premiers*» (Sainte-Beuve, *les Causeries du lundi*, I, p. 92), *toutes les premières*.

110 De tout ce qu'il adviendra dans les jours prochains, Dieu veuille que la nation (et que vous-mêmes tout les premiers) ne fasse pas les frais.
F. MAURIAC, *in* le Figaro littéraire, 8 juil. 1961.

TOUT À FAIT (renforce à l'origine l'ancienne loc. *à fait* «à mesure que...», *fait à fait que...*). ⇒ **Fait** (cit. 33 et 34); **absolument, 1. bien, complètement, entièrement, pleinement, totalement.** *Ce n'est pas tout à fait pareil.* ⇒ **Exactement.** *Il est tout à fait soûl.* ⇒ **Fin** (adverbe : fin soûl); → aussi Comme tout (où *tout* est pronom).

110.1 (...) la partie est toujours presque perdue, elle ne l'est jamais tout à fait.
F. MAURIAC, Bloc-notes 1952-1957, p. 256.

110.2 Du reste, il avait déjà des exceptions : son père qui était un homme «tout à fait miraculeux», et un vieux notaire qui était «tout à fait bon pour lui» et qu'il admirait pour une profonde connaissance du droit (...)
PROUST, Jean Santeuil, Pl., p. 483.

Accord de *tout* **adv.** — En ancien franç., *tout*, malgré sa fonction d'adverbe, était normalement accordé, en tant qu'adjectif, avec l'adjectif qu'il modifiait. Cet usage était encore vivant au XVIIe s. : *une chose qui vous est toute acquise* (→ Possession, cit. 7, Molière). *Son âme toute entière* (→ Développer, cit. 16, La Bruyère). *Physionomie toute honnête* (→ Manière, cit. 40, Molière). *Toute entière* (→ 1. Sens, cit. 6, Molière). «*C'est Vénus toute entière à sa proie attachée*» (Racine. — N. B. Ce vers célèbre est souvent orthographié selon les règles modernes d'accord, notamment dans les éditions scolaires). *Divers stratagèmes tous prêts à se produire* (→ Main, cit. 33, Molière). *Des hommes qui nous sont tous contraires* (→ Récuser, cit. 1, La Rochefoucauld). — N. B. *Tous* n'est pas ici le pronom pluriel, et il faut lire [tu] et non pas [tus]. L'accord avec le pluriel a été le premier abandonné, et Vaugelas écrit : «*Ils sont tout autres que vous ne les avez vus*»; mais «*elles sont toutes estonnées*»; et Racine, «*Nos vaisseaux sont tout prêts*» (*Andromaque*, v. 790); «*Vous êtes en des lieux tout pleins de sa puissance*» (*Britannicus*, v. 712); La Bruyère : «*(vases) tout enrichis de pierreries*» (*les Caractères*, I, 78); «*personnages tout différents*» (*les Caractères*, II, 103), etc.

La règle officielle (formulée en 1704 dans le *Dict. de l'Académie*) est la suivante : 1. *Tout* est invariable au masculin (→ Mâchicoulis, cit. 1; planter, cit. 1; sifflet, cit. 5). *Tout chargés d'infamie* (→ Descendre, cit. 11). *Ces vers tout remplis d'elle* (→ Devoir, cit. 13), etc.
2. *Tout* est variable en genre et en nombre devant les adjectifs féminins commençant par une consonne ou par un *h* aspiré : *toute belle* (→ Attrait, cit. 16). *Je suis toute disposée* (→ Préjuger, cit. 1). *Tendresse toute platonique* (cit. 1). *Portes qui s'ouvrent toutes grandes. Elle est toute honteuse* (mais on écrit : *des manières tout honnêtes*, le *h* étant muet). Le cas des semi-voyelles est indécis : *des mains tout oisives* ou *toutes oisives* (Grevisse).

111 Tout enfant elle s'escrimait à faire des vers (...)
MÉRIMÉE, Colomba, V.

112 Et la Vatnaz, comme si elle eût profité à ce changement de fortune, paraissait plus gaie, tout heureuse.   FLAUBERT, l'Éducation sentimentale, II, VI.

113 Une petite robe grise, d'un gris léger un peu lilas, mélancolique comme un crépuscule et tout unie (...)   MAUPASSANT, Notre cœur, I, II.

114 — Oui, il y a des heures où vous m'apparaissez, tout éperdue de réalité, toute frémissante de vie, tout inconnue encore de moi (...)
Paul HERVIEU, les Tenailles, II, 6.

115 (...) une certaine licence, tout humble, toute plébéienne (...)
M. BARRÈS, la Colline inspirée, XVII.

116 La graphie officielle est absurde, car elle présente (...) au féminin (...) *tout* comme un adjectif si l'adjectif dont il est complément coalescent commence par une consonne, mais comme un affonctif *(adverbe)* si cet adjectif commence par une voyelle.   J. DAMOURETTE et É. PICHON, Essai de grammaire..., § 2834.

REM. Selon Damourette et Pichon, *tout* dans ces emplois est bien un adjectif «coalescent» d'adjectif, comme dans *fin prêt; grand ouvert*, etc.; ces adjectifs manifestent une tendance à l'invariabilité ou à la variation en genre seulement. Ce serait le cas de *tout*, qui n'a que deux formes phonétiques [tu] ou [tut] au masculin; [tut] au féminin. En fait, la règle de Vaugelas, prescrivant d'écrire : *tout tristes* au lieu de *tous tristes* supprimait une équivoque avec *tous* pronom (prononcé [tus]) : «... dans ce vers du *Cid* (1351) : "Un excès de plaisir nous rend *tous languissants*", on peut douter — du moins à la lecture — si le poète veut donner à entendre la totalité des personnes (...) ou seulement un extrême degré de langueur» (G. et R. Le Bidois, *Syntaxe du franç. mod.*, § 457). Par contre, la graphie illogique et officielle *tout*, devant un féminin commençant par une voyelle, est souvent remplacée par *toute* (et plus rarement, au pluriel, par *toutes*); la langue littéraire moderne, «sans s'inquiéter si [tout] a une valeur d'adverbe ou d'adjectif (...) l'accorde (de plus en plus) avec l'adjectif auquel il se rapporte» (Le

Bidois, § 458). Cf. de nombreux ex. *in* Le Bidois, Grevisse; et → aussi laiteux, cit. 4, Giono; paysage, cit. 9, Valéry.

♦ **2. TOUT EN...,** suivi d'un p. prés. (gérondif) : marque la simultanéité. ⇒ **Temps** (en même temps que); → Finement, cit. 1; garder, cit. 63; 1. laitier, cit. 2; lare, cit. 3; lécher, cit. 3; mâcher, cit. 9; mince, cit. 15; ratisser, cit. 1; réclamer, cit. 2. *Tout en l'écoutant et en savourant* (cit. 4) *le son de sa voix.* «*Tout en chantant sur le mode mineur*» (1. Mineur, cit. 2). — REM. *Tout en...* marque la simultanéité et, dans certains cas, l'opposition (en réunissant dans le temps deux circonstances apparemment peu conciliables).

117 (...) tout en me souhaitant du génie, elle se réjouissait que je fusse sans esprit (...)
FRANCE, le Petit Pierre, I.

Régional. *Tout courant, tout parlant. Elle arriva tout courant, en courant.*

♦ **3.** (XVe). **TOUT...** (suivi d'un nom ou adj. attribut) QUE..., exprime la concession (→ Quelque... que; si... que).

[a] Construit avec l'indicatif. *Tout riche que je suis :* bien que..., quoique* je sois riche (→ Paysannerie, cit. 1; et aussi tenir, cit. 93). *Tout puissant qu'il est* (→ Plus, cit. 72). *Tout lassé* (cit. 16), *tout prévenu que j'étais* (→ Attente, cit. 31). «*Rancé, tout vieux et tout malade qu'il était*» (→ Plonger, cit. 19).

118 (...) toute belle, toute pleine d'attraits, toute aimable que je la trouve.
MOLIÈRE, le Bourgeois gentilhomme, III, 9.

N. B. Pour l'accord, → ci-dessus, REM.

119 Toute dépaysée et terrifiée qu'elle était, elle goûtait le soulagement d'être plus anonyme ici que partout ailleurs.
J. ROMAINS, les Hommes de bonne volonté, t. VI, III, p. 26.

119.1 Et, de plus, ajouta Passepartout, je me charge de lui, tout colonel qu'il est.
J. VERNE, le Tour du monde en 80 jours, p. 245.

[b] (Avec le subjonctif, «soit que l'affirmation se pense d'une façon moins assurée, soit (...) par analogie avec la syntaxe de *si... que*» (G. et R. Le Bidois, *Syntaxe du franç. mod.*, § 1579).

120 (...) tout notre gendre que vous soyez, il y a grande différence de vous à nous (...)
MOLIÈRE, George Dandin, I, 4.

121 Tout formidable que soit ce sublime, il le cède encore à la vision du livre de Job.
CHATEAUBRIAND, le Génie du christianisme, II, V, IV.

122 Enfin, ses jalousies, toutes fréquentes qu'elles fussent, se laissaient deviner et ne s'exprimaient point.   Pierre LOUŸS, la Femme et le Pantin, IX.

123 (...) cet appel, tout médiocre qu'il fût, c'était le premier appel (...)
F. MAURIAC, la Robe prétexte, XII.

Vx. *Tout* (employé seul comme concessif). *Nos pères, tous grossiers* (cit. 6, Molière)..., *tout grossiers qu'ils étaient.*

124 Oui, je te chérirai, tout ingrat et perfide (...)   CORNEILLE, Horace, II, 5.

REM. Avec *tout... que*, concessif, il arrive que l'accord du féminin ne se fasse pas, lorsqu'il s'agit de nom de chose. «*Le cœur se réveille, tout poudre qu'il est*» (Bossuet). «*Tout rêverie que soit l'invisible*» (Henriot, *in* Grevisse).

♦ **4. Fam.** *Tout* (adverbial, modifiant un verbe). — REM. Cette construction est restée très vivante dans la langue parlée; cf. *Ton assiette est tout posée de travers* (ex. parlé). «Cette tournure semble avoir (...) perdu la faveur des littérateurs». Elle a pourtant des racines anciennes» (Damourette et Pichon, § 2831).

♦ **5. Littér.** *Tout* (en emploi adverbial, peut renforcer un nom épithète ou attribut; il reste généralement invariable). *Existence qui est tout passivité, tout inactivité* (cit. 2). *Il était tout hésitation* (cit. 3) *et regrets. On l'attend* (→ Mars, cit.), *tout giboulées et tout bourrasques.* — Loc. *Être tout miel* (→ Doucereux, cit. 3). *Tout yeux tout oreilles* (→ Loup, cit. 8); *tout oreilles* (cit. 4). — Par assimilation plaisante. *Je suis tout ouïe** [tutwi]. — *Ils sont tout feu* (cit. 72) *pour... ; tout feu tout flamme.* — Comm. *Tout laine. Cravate tout soie.*

125 C'est de la tête aux pieds un homme tout mystère (...)
MOLIÈRE, le Misanthrope, II, 4.

126 (...) quand elle le voyait malheureux, souffrant, courbé sous le poids des peines, elle était tout cœur, tout pitié, tout amour, elle eût donné son sang pour rendre Hulot heureux.   BALZAC, la Cousine Bette, Pl., t. VI, p. 385.

N. B. — Cf. le commentaire de G. MAYER : «Il se fait en quelque sorte dans l'esprit du sujet parlant une identification du porteur et de la qualité et tout renforce le caractère affectif de cette identification. En somme on considère que dans le sujet, tout ce qui n'est pas la qualité envisagée cesse de compter pour faire place à la qualité envers laquelle le sujet, non seulement s'identifie, mais se confond». (G. MAYER, la Qualification affective..., p. 104).

127 Le corps de madame est tout plaie !
BALZAC, le Curé de village, Pl., t. VIII, p. 754.

128 Ce n'est pas tout laine (...)   J. VALLÈS, l'Enfant, XXI.

129 (...) celle-ci était un jeune animal tout ardeur, tout force, — une enfant de l'amour.   Paul BOURGET, la Geôle, VIII.

REM. Lorsqu'on fait l'accord de *tout* dans une construction de ce type on le considère comme un adj. qualifiant le sujet (→ ci-dessus, I., 1., h). L'ambiguïté est fréquente au masc. sing. L'ex. de Molière «*un homme tout mystère*» peut être interprété de trois façons : «un homme entièrement mystère (adverbe)»; «un homme qui est tout le mystère, le mystère intégral»; ou «un homme tout entier mystère».

♦ **6.** Dans des tours elliptiques formant un composé à valeur adjectivale ou nominale. «*De nouveaux amplis tout transistors*» (*in* P. Gilbert). *Chauffage, cuisinière tout électrique* (P. Gilbert). *Horloge* *tout électronique. — Le « refus du tout nucléaire »* (*le Nouvel Obs.*, 15 juin 1981, p. 23).

**CONTR. Aucun, nul, rien. — Division, élément, fraction, lot, morceau, partie, pièce.
DÉR. Toutim.
COMP. En-tout-cas** (V. Cas, 1., 9.), **fait-tout, risque-tout,** 1. **surtout,** 2. **surtout, tout-à-l'égout, tout-compris, toute-bonne, tout-en-un, toute-épice, toutefois, toute-présence, toute-puissance, toute-science, tout-fait, tout-fou, tout-petit, tout-puissant, tout-va (à), tout-venant, va-tout.
HOM. Toue, toux.**

TOUT-À-L'ÉGOUT [tutalegu] n. m. invar. — 1886, in *Année sc. et industr.* 1887, p. 403 ; de *tout,* nominal, et *égout.*

♦ Système de vidange* qui consiste à envoyer directement à l'égout les eaux ménagères, résiduelles, les matières fécales, en faisant circuler de l'eau dans les canalisations (chasses d'eau, siphons...).

1   Chacun de nos besoins sera l'esclave d'un système distributeur ou nettoyeur, comme sont déjà les postes, la lumière et le tout-à-l'égout.
                         ALAIN, Propos, 18 avr. 1909, La grève.

Par métaphore :

2   Le cinéma est le tout-à-l'égout du XXe siècle : quand il y a quelque chose de bas entre deux êtres, cela finit toujours par une salle.
                         MONTHERLANT, Pitié pour les femmes, p. 44.

TOUT COMPRIS [tukɔ̃pʀi] adj. et n. — Mil. xxe ; de *tout,* nominal, et *compris.*

♦ Adj. Où tout est compris, qui inclut toutes prestations (dans un prix). *Forfait tout compris. Circuit tout compris.* — N. m. *Le tout compris.* «*Au club X, c'est le tout-compris*» (*l'Express,* 7 mai 1982, p. 125).

TOUT DE GO [tud(ə)go] loc. adv. ⇒ **Go.**

TOUTE-BONNE [tutbɔn] n. f. — 1379 ; de *tout,* adj., et *bon.*

♦ 1. Variété de sauge*. ⇒ **Orvale.**

♦ 2. (1872). Variété de poire*. — Plur. *Des toutes-bonnes.*

TOUT-EN-UN [tutɑ̃œ̃] n. m. — D. incert. (attesté xxe) ; de *tout,* en et *un,* titre d'un ouvrage qui eut son heure de célébrité.

♦ Ouvrage de référence qui regroupe en un volume des informations de toutes sortes.

Qui m'a appris tout ce que je sais, c'est moi tout seul, quand j'errais encore, j'ai tout déduit, de la nature, avec l'aide d'un tout-en-un, je sais bien que non, mais il est trop tard, trop tard pour le nier, les connaissances sont là.
                       S. BECKETT, Textes pour rien, p. 130-131.

TOUTE-ÉPICE [tutepis] n. f. — 1762 ; de *tout,* et *épice.*
Vieux ou régional.

♦ 1. Nigelle (ou nielle).

♦ 2. Myrte* piment. — Plur. *Des toutes-épices* [tutepis].

TOUTEFOIS [tutfwa] adv. — 1456 ; de *tout,* et *fois.*

♦ En considérant toutes les raisons, toutes les circonstances (qui pourraient s'y opposer), et malgré elles. ⇒ **Cependant, néanmoins** (cit.), **pourtant, seulement.** — (En tête de phrase ou de proposition). *Toutefois, il convient que la raison entreprenne sur le sentiment* (→ Attarder, cit. 4 ; et aussi diagnostic, cit. 2 ; friction, cit. 2 ; illuminé, cit. 23 ; oblitérer, cit. 5 ; similitude, cit. 1). — (Après le verbe). *Je ressentis toutefois ces événements* (→ Accident, cit. 4). *Je ne voudrais pas affirmer toutefois que...* (→ Impopularité, cit. 1 ; et aussi pamphlet, cit. 3 ; présenter, cit. 15). — (Après le sujet). *La biologie toutefois connaît des organismes...* (→ 1. Mort, cit. 22). — (En fin de phrase). *Il vous regarde avec confiance, sans naïveté toutefois* » (J. Romains, *in* Le Bidois, § 1140). *Avec toutefois...* (→ Discernable, cit. 2). *À condition toutefois que...* (→ Mélodrame, cit. 4). *Et toutefois* (→ Apparence, cit. 33 ; 1. parler, cit. 1). *Excepté toutefois* (→ Service, cit. 9). *Quand toutefois...* (→ 1. Ombre, cit. 1). *Rien toutefois qui...* (→ Influence, cit. 12). *Sans toutefois...* (→ Dieu, cit. 36 ; intégrant, cit. 2 ; relief, cit. 3 ; sentiment, cit. 8). *Si toutefois...* (→ Impassibilité, cit. 1 ; janséniste, cit. 2 ; masure, cit. 2 ; œuvre, cit. 27).

Loc. (1373). Vx. *Toutefois que... :* toutes les fois que...

TOUT-ENSEMBLE [tutɑ̃sɑ̃bl] n. m. Vx. ⇒ 2. **Ensemble** (étym.)

TOUTE-PRÉSENCE [tutpʀezɑ̃s] n. f. invar. — 1701 ; de *tout,* et *présence.*

♦ Relig. Vx. Présence de Dieu en tous lieux. ⇒ **Ubiquité.**

TOUTE-PUISSANCE [tutpɥisɑ̃s] n. f. invar. — 1377 ; de *tout,* adj., et *puissance.* → Tout-puissant.

♦ 1. Théol. Pouvoir illimité reconnu à Dieu. ⇒ **Omnipotence.**

♦ 2. (1447). Puissance, autorité* absolue (d'un groupe, de qqn). *La toute-puissance d'un monarque.* ⇒ **Prépotence.** *Le parasol* (cit. 3) *vert, insigne de la toute-puissance dans un pays.* — Par ext. *La toute-puisance de l'épée* (→ Justice, cit. 25). «*Du côté de la barbe* (cit. 20) *est la toute-puissance*» (Molière).

TOUTE-SCIENCE [tutsjɑ̃s] n. f. invar. — 1752 ; de *tout,* et *science.*

♦ Relig. Vx. Science, connaissance universelle (de Dieu).

TOUT-FOU [tufu] adj. m. et n. m. — xxe ; de *tout,* adv., et *fou.*

♦ Fam. Très excité, un peu fou. ⇒ **Excité.** *Ils sont tout-fous.*

Puis, l'espoir tout-fou des derniers jours : les agités dans l'ancien salon de Bismarck à Berlin (...)
                       MALRAUX, Antimémoires, Folio, p. 408.

TOUTIM [tutim] n. m. — 1596, *toutime* ; de *tout.*

♦ Argot. *Et le toutim, et tout le toutim :* et le tout, et tout le reste.

1   Dans la penderie de ma chambre, ma bonne valise était prête, comme toujours, avec les trois costards, les six limaces et le toutim.
                     Albert SIMONIN, Touchez pas au grisbi, p. 18.

2   Si quelqu'un doit parler à la première personne, c'est moi ! Pour commencer, je vous retire ma confiance, mes intérêts et tout le toutim.
                     Martin ROLLAND, la Rouquine, p. 208.

TOUTOU [tutu] n. m. — 1640, Cyrano de Bergerac, Scarron ; onomat. de formation enfantine.

♦ 1. (Lang. enfantin ou affectif). Chien ; spécialt, bon chien, chien fidèle.

1   Un caniche très maigre vint à passer. Gavroche s'apitoya. — Mon pauvre toutou, lui dit-il, tu as donc avalé un tonneau, qu'on te voit tous les cerceaux.
                     HUGO, les Misérables, IV, XI, II.

Loc. compar. *Suivre qqn comme un toutou. Il accourait comme un toutou* (→ Lèche-cul, cit. 2).

♦ 2. (1776). Vx. *Le toutou de (qqn) :* le favori.

♦ 3. Loc. PEAU DE TOUTOU : chose, personne sans intérêt, méprisable. — *À la peau de toutou :* médiocre, nul. ⇒ **Peau.**

2   (...) tes pilules, ce sont des pilules à la rien, à la peau de toutou.
                     Christine DE RIVOYRE, les Sultans, p. 92.

TOUT-PARIS [tupaʀi] loc. ⇒ **Tout** (adj., I., A., *infra* cit. 38).

TOUT-PETIT [tup(ə)ti] n. m. — 1936 ; de *tout,* adv., et *petit.*

♦ Très jeune enfant ; bébé. — Au plur. *Les tout-petits.*

L'enfant ne pouvait point en mesurer l'étendue (de l'énormité du Moi). L'être moral du tout-petit est sans proportions avec sa taille minuscule.
                     R. ROLLAND, le Voyage intérieur, p. 24.

TOUT-PUISSANT [tupɥisɑ̃], TOUTE-PUISSANTE [tutpɥisɑ̃t] adj. — V. 1180 ; de *tout,* et *puissant.* → Toute-puissance.

♦ 1. Qui peut tout, dont la puissance est absolue, illimitée. ⇒ **Omnipotent.** Relig. *Dieu tout-puissant* (→ Laisser, cit. 34). *Le Père* (→ Dextre, cit. 3), *le Seigneur tout-puissant* (→ Hysope, cit. 4). *Un être tout-puissant, une intelligence* (cit. 14) *supérieure. La grâce toute-puissante et arbitraire* (→ Gnostique, cit. 3). — N. m. *Le Tout-Puissant :* Dieu (rare au pluriel : cf. *Deux Tout-puissants* [Hugo], et → Monde, cit. 6).

1   Josué s'avançait pensif et pâlissant,
Car il était déjà l'élu du Tout-Puissant.   A. DE VIGNY, Livre mystique, « Moïse ».

♦ 2. Qui a une puissance extrême, non limitée, absolue. *Le tout-puissant cardinal de Richelieu* (→ Intrigant, cit. 5). *Assemblée toute-puissante* (→ Monocaméralisme, cit.). *Le prince, tout-puissant pour faire le bien, a les mains* (cit. 98) *liées pour faire du mal.* — *La seule force toute-puissante, la mort* (→ Garde-malade, cit. 2). *La toute-puissante nature* (→ Étincelle, cit. 10). *La volupté toute-puissante* (→ Fondre, cit. 2).

2   Les regards des deux ennemis se froissaient comme des épées ; on eût dit qu'un lien invisible et tout-puissant les rivait l'un à l'autre (...)
                     Louis PERGAUD, De Goupil à Margot, p. 99.

TOUT VA (À) [atuva] loc. adv. et adj. — xxe ; de l'expression *tout va,* employée dans les casinos pour indiquer que la mise n'est pas limitée, ou que tout l'argent laissé sur le tapis est remis en jeu.

REM. On écrit aussi *à tout-va.*

♦ **1.** Adv. Sans aucune limite, avec la plus grande rapidité et sans retenue.

C'était l'heure du coup de feu. Sa soupe à l'oignon, elle la débitait à tout va aux tables, en prélude à ses langoustes tartares, qu'étaient pas mal non plus.
Albert SIMONIN, *Touchez pas au grisbi*, p. 60.

♦ **2.** Loc. adj. Immodéré. « *L'expansion à tout va* » (*le Monde*, 1974, *in* Gilbert). « *Une croissance à tout va* » (*le Monde*, 1978, *in* Gilbert).

TOUT-VENANT [tuv(ə)nɑ̃] n. m. — 1837; *à tous venans* « à la minute », XIVᵉ; de *venir*.

♦ **1.** Techn. Houille non triée, mêlée de poussier. — Marchandise non triée.

♦ **2.** (XXᵉ). Cour. Tout ce qui vient, tout ce qui se présente (sans triage, sans classement préalable). *Le tout-venant primesautier* (→ Ficher, cit. 17).

1   Et n'est-ce pas faire tort à Normale, dont le tamis sans pareil extrait de l'élite même une poignée, que de la comparer à Polytechnique, où l'on est bien forcé de croire qu'il se glisse, dans le tas, pas mal de tout-venant?
J. ROMAINS, *les Hommes de bonne volonté*, t. IV, XVIII, p. 200.

2   (...) il y avait des colonels, des généraux même qui dans la Maison du Roi n'avaient qu'un ou deux galons à leur culotte (...) Mais le tout-venant, grenadiers, mousquetaires, gendarmes, gardes, tous avec leurs brevets d'officiers achetés (...)
ARAGON, *la Semaine sainte*, I.

TOUX [tu] n. f. — 1847; *tos*, fin XIIᵉ; *tous*, déb. XIIIᵉ; du lat. *tussis*.

♦ Expiration forcée et bruyante à travers une glotte rétrécie, réflexe respiratoire à caractère défensif dû le plus souvent à une irritation des muqueuses du larynx, de la trachée, du pharynx, des bronches (*toux laryngée, pharyngée, bronchique*...) mais pouvant aussi avoir une origine pleurétique ou viscérale (par ex. : *la toux vermineuse des enfants*). *Toux grasse* (cit. 31); *toux sèche*, avec ou sans expectoration (→ Maigrir, cit. 1). *Accès, quintes de toux* (→ Guérir, cit. 27; immobiliser, cit. 3; rhume, cit. 2). *Toux convulsive*, dans la coqueluche. *Toux nerveuse* (→ Gomme, cit. 2; lésion, cit. 5). *Petite toux.* ⇒ **Toussotement** (→ Phtisie, cit. 1). *Toux prolongée.* ⇒ **Tousserie.** *Remèdes contre la toux.* ⇒ **Antitussif, béchique, jujube, sirop** (cit. 1), **tussilage.** — *Toux volontaire.* ⇒ **Tousser** (2.).

Ceux qui se livrent aux accès de toux avec une espèce de fureur espèrent bien qu'ils vont se soulager d'un petit chatouillement dans la gorge; par cette belle méthode, ils s'irritent la gorge, ils s'essoufflent, ils s'exténuent. Aussi dans les hôpitaux et autres maisons de santé, on apprend aux malades à ne point tousser (...)
ALAIN, *Propos*, 31 déc. 1911, Gribouille.

HOM. Toue, tout.

TOX-, TOXI-, TOXO- Premier élément de mots didact., tiré de *toxique* (⇒ **Toxico-**). → aussi Toxalbumine, toxémie, toxi-alimentaire, toxolyse...

TOXALBUMINE [tɔksalbymin] n. f. — 1904; de *tox-*, et *albumine*.

♦ Chim., biol. Protéine animale, végétale ou bactérienne susceptible de provoquer des effets toxiques lorsqu'elle est introduite dans l'organisme (venin des serpents, poisons contenus dans les champignons vénéneux).

TOXÉMIE [tɔksemi] n. f. — 1855; de *tox-*, et suff. *-émie*.

♦ Didact. (biol., méd.). « Accumulation dans le sang d'une quantité excessive de poisons d'origine endogène ou exogène, par suite de l'insuffisance, absolue ou relative, des organes chargés de les transformer et de les éliminer » (Garnier). *Toxémie exogène.* ⇒ **Empoisonnement, intoxication.** — REM. On écrit parfois *toxhémie* [tɔksemi] n. f. (1903, *in Rev. gén. des sc.*, nᵒ 22, p. 1170).

DÉR. Toxémique.

TOXÉMIQUE [tɔksemik] adj. et n. — XXᵉ; de *toxémie*.

♦ Didact. De la toxémie. Atteint de toxémie.

TOXI- ⇒ Tox-.

TOXI-ALIMENTAIRE [tɔksialimɑ̃tɛʀ] adj. — Déb. XXᵉ; de *toxi-*, et *alimentaire*.

♦ Didact. (Vieilli en méd.). Relatif à l'intoxication alimentaire.

Dans mon cas, ce qui était matériellement observable pouvait aussi bien être causé par des spasmes nerveux, par un commencement de tuberculose, par de l'asthme, par une dyspnée toxi-alimentaire avec insuffisance rénale (...)
PROUST, À l'ombre des jeunes filles en fleurs, Pl., t. I, p. 498 (1918).

TOXICITÉ [tɔksisite] n. f. — 1869, *in Année sc. et industr. 1870*, p. 438; de *toxique*.

♦ Didact. Caractère toxique. *Une toxicité faible, élevée. Coefficient de toxicité*, ou, ellipt, *toxicité :* dose mortelle minimale d'une substance toxique.

COMP. Atoxicité.

TOXICO [tɔksiko] n. ⇒ **Toxicomane.**

TOXICO- Élément, du lat. *toxicum* « poison ». ⇒ **Tox-**.

TOXICODÉPENDANCE [tɔksikodepɑ̃dɑ̃s] n. f. — 1970; de *toxico-*, et *dépendance*.

♦ Didact. État pathologique d'une personne qui ne peut se passer d'une drogue qu'elle a pris l'habitude de consommer.

TOXICODERMIE [tɔksikodɛʀmi] ou **TOXIDERMIE** [tɔksidɛʀmi] n. f. — Mil. XXᵉ, *toxicodermie; toxidermie*, 1907; de *toxico-*, ou *toxi-*, et *-dermie*.

♦ Méd. Affection cutanée provoquée par des médicaments.

TOXICOGÈNE [tɔksikoʒɛn] adj. et n. — 1904; « qui est produit par un empoisonnement », 1876; de *toxico-*, et *-gène*.

♦ Didact. (méd., biol.). Qui produit une substance toxique.

TOXICOLOGIE [tɔksikolɔʒi] n. f. — 1803; de *toxico-*, et suff. *-logie*.

Didactique.

♦ **1.** Étude scientifique des poisons et de leurs effets (empoisonnements criminels, toxicomanies, intoxications diverses, toxines). *Toxicologie appliquée à la criminologie. Laboratoire de toxicologie.*

♦ **2.** Traité de toxicologie. *La toxicologie générale*, d'Orfila (1813-1815).

DÉR. Toxicologique, toxicologue.

TOXICOLOGIQUE [tɔksikolɔʒik] adj. — 1836; de *toxicologie*.

♦ Didact. Qui appartient à la toxicologie. *Recherche, expérimentation toxicologique. Laboratoire toxicologique.*

TOXICOLOGUE [tɔksikolɔg] n. — 1842; de *toxicologie*.

♦ Didact. Spécialiste en toxicologie.

TOXICOMANE [tɔksikoman] adj. et n. — 1923; de *toxico-*, et *-mane*.

♦ Didact. et cour. Atteint de toxicomanie. ⇒ **Drogué, intoxiqué; barbitomane, cocaïnomane, éthéromane, héroïnomane, morphinomane, opiomane.** *Il, elle est devenu(e) toxicomane.* — N. *Un, une toxicomane.*

Abrév. fam. *Toxico.* ⇒ **Drogué** (plus cour.). *Il, elle est toxico.* — N. *Des toxicos en manque.* « *Soigner les "toxicos", ce n'est pas les réprimer, c'est avant tout essayer de les comprendre...* » (*le Nouvel Obs.*, 30 janv. 1978, p. 43.).

TOXICOMANIE [tɔksikomani] n. f. — 1912, *in* D.D.L. (fin XIXᵉ, Bloch-Wartburg); de *toxico-*, et suff. *-manie*.

♦ Didact. Appétence morbide et prolongée, dégénérant bientôt en habitude tyrannique, manifestée par une personne pour des substances ou médicaments toxiques (l'opium et ses alcaloïdes, la cocaïne, le haschisch, les hypnotiques — narcomanies —, etc.), excitants ou calmants du système nerveux, dont elle a fait l'expérience accidentellement ou volontairement. ⇒ **Toxicophage; drogue, intoxication, toxicodépendance; stupéfiant.** *Toxicomanie alcoolique* ⇒ **Alcoolisme.** — Spécialt. Habitude des toxiques (autres que l'alcool). *Toxicophilie* dégénérant en toxicomanie.* ⇒ (cour.) **Drogue.**

REM. L'adj. *toxicomaniaque* est attesté.

TOXICOPHAGE [tɔksikofaʒ] adj. et n. — 1876; de *toxico-*, et *-phage*.

♦ Didact. Toxicomane qui consomme des substances toxiques, des stupéfiants par voie buccale.

TOXICOPHILIE [tɔksikofili] n. f. — 1969, *le Monde*; de *toxico-*, et *-philie*.

♦ Didact. Attirance pour les substances toxiques, pour les drogues toxiques. ⇒ **Toxicomanie.** « *Pourquoi l'homme passe-t-il spontané-ment, dans le cas de l'alcool, de la toxicophobie à la toxicophilie, au contraire de l'animal...?* » (*la Recherche,* oct. 1980, p. 1185).

TOXICOPHOBIE [tɔksikɔfɔbi] n. f. — xxᵉ (*in* Larousse, 1933); de *toxico-,* et *phobie.*
Didactique.

♦ **1.** Psychiatrie. Peur morbide, phobie* des poisons, des toxiques. *Refuser de manger des champignons par toxicophobie.*

♦ **2.** Éloignement spontané à l'égard des substances toxiques (→ Toxicophilie, ex.). — REM. On trouve dans ce sens le dér. *toxico-phobique* (*la Recherche,* oct. 1980).

TOXICOPHORE [tɔksikɔfɔR] adj. — 1876; de *toxico-,* et *-phore.*
Didactique.

♦ **1.** Qui produit des substances toxiques (animaux, plantes).

♦ **2.** (Mil. xxᵉ). *Animaux toxicophores,* qui ayant absorbé des substances toxiques pour l'homme peuvent provoquer des empoisonnements chez ceux qui consomment leur viande.

TOXICOSE [tɔksikoz] n. f. — 1901, *in* D.D.L.; de *toxico-,* et suff. méd. 2. *-ose.*

♦ Méd. Intoxication endogène. *Toxicose aiguë du nourrisson :* affection caractérisée par un syndrome analogue à celui du choléra infantile et par un effondrement des processus de défense contre les toxines.

TOXIGÈNE [tɔksiʒɛn] adj. — 1889, *in* D.D.L.; de *toxi-,* et *-gène.*

♦ Didact. Qui produit des toxines. *Bactérie toxigène.*

Le *pouvoir toxigène* est celui que détiennent certaines bactéries de libérer dans l'organisme des poisons ou toxines qui sont (...) responsables de la maladie (...)
V. VIC-DUPONT, la Maladie infectieuse, p. 42.

TOXI-INFECTIEUX, EUSE [tɔksiɛ̃fɛksjø, øz] adj. — xxᵉ; de *toxi-,* et *infectieux.*

♦ Didact. À la fois toxique et infectieux. *Des « substances issues du conflit virus-cellules susceptibles d'intervenir dans la genèse de syndromes toxi-infectieux redoutables »* (V. Vic-Dupont, *la Maladie infectieuse,* 1966, p. 52). *Complications toxi-infectieuses.*

TOXI-INFECTION [tɔksiɛ̃fɛksjɔ̃] n. f. — 1903, *in Rev. gén. des sc.,* nº 22, p. 1173; de *toxi-,* et *infection.*

♦ Méd. Infection compliquée d'intoxication, due à des toxines produites par des germes pathogènes. « *Les toxi-infections à staphylo-coques sont faciles à reconnaître...* » (*le Monde,* 23 févr. 1977, p. 19). ⇒ **Toxi-infectieux.**

TOXINE [tɔksin] n. f. — 1894; nom d'abord donné par Brieger en 1887 à des ptomaïnes toxiques, la *tétanotoxine* et la *thyphotoxine;* du rad. de *toxique,* et suff. *-ine.*

♦ **1.** Didact. Substance toxique élaborée par un organisme vivant, en particulier par les micro-organismes pathogènes, et agissant comme antigène (en provoquant la production d'anticorps). *Toxines et anti-toxines* (cit. 1 et 2). ⇒ **Immunité.** *Rôle du foie* (cit. 1) *dans l'élimination des toxines.*

D'une part, il existe un véritable corps de police cellulaire (...) représenté par l'ensemble des cellules dites phagocytes (...) une véritable lutte s'engage entre le phagocyte et l'élément étranger : celui-ci, englobé par le phagocyte, se défend par la production de ses toxines; le phagocyte, par ses diastases, se livre à une véritable action digestive vis-à-vis du microbe (...) D'autre part, l'organisme est capable de sécréter des substances qui vont « neutraliser » le microbe ou ses toxines et que l'on a désignées du nom d'*anticorps* (...) sécrétés par des lymphocytes.
R. FABRE et G. ROUGIER, Physiologie médicale, p. 50.

♦ **2.** Par métaphore et littér. Poison; ce qui intoxique. « *Leur âme n'élimine pas les toxines* » (Bernanos, *in* G. L. L. F.).

DÉR. Toxinique.
COMP. Amatoxine, anatoxine, antitoxine, autotoxine, endotoxine, exotoxine, phy-totoxine, zootoxine; toxinhémie, toxinothérapie.

TOXINHÉMIE [tɔksinemi] n. f. — Mil. xxᵉ; de *toxine,* et *-hémie,* du grec *haima* « sang ».

♦ Didact. Intoxication de l'organisme par les toxines microbiennes, sans que les micro-organismes toxigènes passent dans le sang.

TOXINIQUE [tɔksinik] adj. — Mil. xxᵉ; de *toxine.*

♦ Didact. Qui a rapport aux toxines.

Il en est ainsi notamment dans la typhoïde qui (...) est aussi une maladie essentiellement toxinique, avec des fixations importantes au niveau des éléments sympathiques et nerveux.
H. BARUK, Psychoses et Névroses, p. 95.

TOXINOTHÉRAPIE [tɔksinoteRapi] n. f. — Mil. xxᵉ; de *toxine,* et *-thérapie.*

♦ Méd. Utilisation thérapeutique de certaines toxines. — On dit aussi *toxithérapie.*

TOXIQUE [tɔksik] n. m. et adj. — V. 1220; *toxiche,* mil. xııᵉ; *tossi-que, in* Chrétien de Troyes, v. 1175; rare av. le xvıᵉ; lat. *toxicum,* grec *toxicon* « poison pour flèches », de *toxon* « arc, flèche ».

★ **I.** N. m. ♦ **1.** (Chim., biol.). Poison. ⇒ **Poison** (*infra* cit. 5). *Toxi-ques gazeux ou volatils, minéraux, organiques.*

(...) la spécificité psychique du toxique dont on a écrit que chacun avait sa faune et sa flore : l'alcool contiendrait en puissance les serpents et les rats, qui peuplent les cauchemars de l'alcoolisme, comme le haschisch l'assassinat.
Jean DELAY, la Psycho-physiologie humaine, p. 95.

♦ **2.** Par métaphore ou fig. Poison (fig.). → Empoisonneur (cit. 5).

★ **II.** Adj. (1583; rare av. 1846). ♦ **1.** Qui agit comme un poison. *Substance toxique* (→ Falsifier, cit. 2; infectieux, cit.). *Gaz toxi-ques.* ⇒ **Délétère** (→ Encombrement, cit. 6; injection, cit. 4). *Dose toxique d'une drogue calmante* (→ Euthanasie, cit. 1). *Substance toxique et antigénique élaborée par un microorganisme.* ⇒ **Toxine.** *Supprimer les effets toxiques.* ⇒ **Détoxiquer.** — Fig. (→ Comprendre, cit. 39).

Les agents toxiques (...) peuvent être envisagés comme des instruments physiologiques plus délicats que les moyens mécaniques, et destinés à disséquer les propriétés anatomiques de l'organisme vivant : ce sont de *véritables réactifs de la vie.*
Cl. BERNARD, Leçon inaugurale au Collège de France, « Sur les effets des substances toxiques et médicamenteuses », 1856, *in* R. FABRE, la Toxicologie, p. 7.

♦ **2.** Qui correspond à une intoxication. *Un état toxique dangereux.*
DÉR. Toxicité.
COMP. Anatoxique, antitoxique, atoxique, syntoxique. V. Toxine, toxoïde, et les éléments tox- (toxi-, toxo-), et toxico-.

TOXITHÉRAPIE [tɔksiteRapi] n. f. ⇒ **Toxinothérapie.**

TOXO- ⇒ Tox-.

TOXOÏDE [tɔksɔid] adj. — 1904; de *toxo- (toxique),* et *-oïde.*

♦ Didact. Corps dérivé d'une toxine, dépourvu de toxicité, mais capable de fixer un anticorps, ce qui lui confère des propriétés immunisantes.

TOXOLYSE [tɔksɔliz] n. f. — 1905, *in Rev. gén. des sc.,* nº 11, p. 535; de *toxo-,* et *-lyse.*

♦ Didact. Altération de la cellule, lyse des substances cellulaires par une substance toxique.

TOXOPLASME [tɔksoplasm] n. m. — 1908, Nicolle et Mameaux; du grec *toxon* « arc », et *-plasme.*

♦ Didact. Genre de sporozoaire en forme de croissant qui vit en parasite dans les cellules du système lymphatique et de divers organes.
DÉR. Toxoplasmose.

TOXOPLASMOSE [tɔksoplasmoz] n. f. — xxᵉ; de *toxoplasme,* et 2. *-ose.*

♦ Méd. Parasitose des vertébrés, qui se manifeste chez l'homme par de la fièvre et des céphalées. *Toxoplasmose congénitale ou acquise.*

TOXOTE [tɔksɔt] n. m. — 1876, P. Larousse; grec *toxotês* « archer », de *toxon* « arc ».

♦ Zool. Poisson osseux des eaux douces du sud de l'Asie, qui envoie par la bouche des gouttes d'eau sur les insectes du rivage pour les faire tomber et les avaler (d'où son surnom d'*archer*).

T. P. [tepe] n. m. pl. — xxᵉ; initiales de *travaux pratiques.*

♦ Fam. et scol. Travaux pratiques de sciences, de lettres. *Cahier de T. P.* — *Faire des T. P. en laboratoire.* ⇒ **Manip.**

TRABAC [tRabak] n. m. — 1876, *in* P. Larousse; de l'ital. *trabaccolo.*

♦ Mar. Caboteur en usage sur l'Adriatique.

TRABAN [tʀabɑ̃] n. m. — Av. 1631, *trabant;* all. *Trabant* «garde du corps».

♦ Anciennt. Hallebardier des régiments suisses; soldat de la garde des princes scandinaves. — Var. : *draban* (1770, Voltaire).

TRABE [tʀab] n. f. — 1690; «poutre», fin xvᵉ; lat. *trabs, trabis* ou *trabes, bis* «poutre».

♦ **1.** Blason. Hampe (d'une bannière).

♦ **2.** Techn. Hampe (d'un drapeau).

TRABEA [tʀabea] n. f. — xxᵉ; mot lat. → Trabée.

♦ Didact. ⇒ **Trabée** (toge de pourpre). — Plur. : *des trabeae*.

1. TRABÉATION [tʀabeɑsjɔ̃] n. f. — 1872; dér. sav. du lat. *trabes* «poutre». → Travée.

♦ Didact. En architecture antique, Entablement.
HOM. 2. Trabéation.

2. TRABÉATION [tʀabeɑsjɔ̃] n. f. — 1803; du lat. médiéval *trabeatio,* de *trabea.* → Trabée.
Didactique.

♦ **1.** Relig. (Vx). Incarnation. *An de la Trabéation.*

♦ **2.** Hist. anc. Fait de revêtir la trabée (ou *trabea*).
HOM. 1. Trabéation.

TRABÉCULAIRE [tʀabekylɛʀ] adj. — 1872; de *trabécule.*

♦ **1.** Biol. Qui est relatif aux trabécules; des trabécules. — Constitué de fines travées. *Zone trabéculaire à la périphérie de la cornée. Épithélioma trabéculaire.*

♦ **2.** (xxᵉ). Archit. Qui est relatif aux travées, formé de travées.

TRABÉCULE [tʀabekyl] n. f. — 1855, Nysten-Littré; lat. *trabecula,* dimin. de *trabs* «poutre». → Travée.

♦ Biol. Fin prolongement d'un tissu qui se détache d'une paroi et fait saillie dans une cavité, se joignant souvent à d'autres. *Le squelette des radiolaires « peut atteindre une complexité remarquable. Ainsi dans les* Hexacontium, *il comporte trois sphères concentriques grillagées réunies par des trabécules »* (P. Bougis, *le Plancton,* p. 22).
DÉR. Trabéculaire.

TRABÉE [tʀabe] n. f. — 1611; lat. *trabea.*

♦ Didact. (Antiq. rom.). Toge de pourpre, ou ornée de bandes horizontales de couleurs variées, comprenant le pourpre. — REM. On emploie aussi la forme latine *trabea.*

TRABOULE [tʀabul] n. f. — Déb. xxᵉ; le mot est absent du *Dict. étym. de patois lyonnais* de Clair Tisseur (1887), du *Littré de la Grand'Côte* (1894), et du *Glossaire des Gones de Lyon* de l'abbé Vacher, 1907; déverbal de *trabouler**.

♦ Régional (Lyon). Passage, allée qui traboule.

1   Juliette s'enfonçait comme un boulet dans une traboule de la maison d'en face (...) Un homme apparut, portant un ballot. — Pardon, Monsieur, est-ce que cela traboule, par là?
Elsa TRIOLET, Le premier accroc coûte deux cents francs, p. 78.

2   (...) il surveillait, armé, avec deux camarades, dans le brouillard glacial, la rue et la *traboule* qui permettraient de fuir (...)   Claude ROY, Nous, p. 43.

TRABOULER [tʀabule] v. intr. — 1894, in *Littré de la Grand'Côte* de Clair Tisseur; semble dér. d'un lat. pop. **trabulare,* de *transambulare,* de *trans* «à travers», et *ambulare* «se promener, aller».

♦ Régional (Lyon). Se dit d'un passage qui traverse un pâté de maisons (→ Traboule, cit. 1).
DÉR. Traboule.

TRABUCAIRE [tʀabykɛʀ] n. m. — xixᵉ; esp. *trabucario,* de *trabuco* «tromblon». → Trabuco.

♦ Anciennt. Soldat espagnol armé d'un tromblon. — Par ext. Brigand qui s'attaquait aux voyageurs, dans les régions pyrénéennes.

Nous avons vu de nos jours en Espagne une affiliation de ce genre, dirigée par le trabucaire Ramon Selles, durer de 1834 à 1866, et tenir trente ans sous la terreur trois provinces (...)
HUGO, l'Homme qui rit, I, Chapitre préliminaire, II, IV (1869).

TRABUCO [tʀabyko] n. m. — 1849; mot esp. «tromblon», employé dans ce sens par Gautier.

♦ Vieilli. Gros cigare de La Havane de forme évasée.

1. TRAC [tʀak] n. m. — Déb. xvᵉ; de *traquer,* selon Guiraud, ou du roman **tracticus,* de *tracticare → Traquer (on voyait classiquement en *trac* une onomatopée **trakk,* d'où *traquer* serait dérivé).

♦ **1.** Vx. Piste, trace d'une bête (→ Détraquer, traquer); allure (du cheval, d'une bête de somme).
Loc. (1493). Vx. *Tout d'un trac :* tout d'une traite.

♦ **2.** Loc. adv. (1549, rare av. 1888, A. Theuriet). Mod. TOUT À TRAC : en s'exprimant d'une façon brusque, en disant les choses sans préparation (→ Gêner, cit. 35).

Un jour, il me considéra, sourit... Puis, tout à trac : — Un chirurgien ne doit pas porter la barbe, me dit-il. Pourquoi portez-vous la barbe?   1
G. DUHAMEL, la Pesée des âmes, VIII.

Mais enfin, dis-je elle n'a pas commencé à vous engueuler là, de but en blanc, j'imagine. Elle n'est pas entrée dans cette chambre, refermant la porte, s'adossant à elle, et se mettant tout à trac comme ça, la troisième fois qu'elle vous voyait, à vous faire une scène comme si (...)   Claude SIMON, le Vent, p. 153.   2
HOM. 2. Trac, traque. — Formes du v. traquer.

2. TRAC [tʀak] n. m. — 1830, *traque;* orig. douteuse, peut-être formation expressive ou métaphore sur 1. *trac, traquer* («fait d'être secoué»); un rapport avec *tracas, tracasser* n'est pas invraisemblable.

♦ **1.** Fam. Peur. ⇒ Frousse, trouille.

— Vous lui avez tellement fichu le trac, qu'elle s'est dit qu'elle ne vivrait plus tant qu'elle sentirait ce paquet dans son coffre.   1
J. ROMAINS, les Hommes de bonne volonté, t. II, XX, p. 225.

♦ **2.** (1833). Peur ou angoisse irraisonnée que l'on ressent avant d'affronter le public, de subir une épreuve, d'exécuter une résolution, et que l'action dissipe généralement. *Le trac d'un acteur, d'un candidat, d'un athlète. Avoir le trac.* ⇒ **2. Traqueur.** *Avoir un trac fou. Être fou de trac.*

Au fond, cet article du *Gaulois* me donne le *trac.* Car si ce soir, il y a quelques sifflets, avec tout ce qu'il y aura dans la salle de mauvaises dispositions latentes, chez la plupart de mes confrères, c'est une partie compromise, un *four* quoi, encore.   2
Ed. et J. DE GONCOURT, Journal, 3 mars 1885, t. VII, p. 16.

(...) le soir de la générale arriva. Béatrice était debout dans sa loge (...) Elle attendait le trac qui ne venait pas. Pourtant tous les bons comédiens l'ont, elle le savait.   3
F. SAGAN, Dans un mois, dans un an, X.

Par extension :

Cet émoi (analogue à une rougeur qui empourpre le visage, de honte ou d'émotion) est un trac. Dans le trac ordinaire — celui qui précède quelque performance à accomplir —, je me vois au futur en état d'échec, d'imposture, de scandale. Dans le trac amoureux, j'ai peur de ma propre destruction, que j'entrevois brusquement, sûre, bien formée (...)   4
R. BARTHES, Fragments d'un discours amoureux, p. 238 (1977).

DÉR. 2. Traqueur.
HOM. 1. Trac, traque. — Formes du v. traquer.

TRAÇAGE [tʀasaʒ] n. m. — 1873; de *tracer.*

♦ **1.** Action de tracer. *Le traçage d'un profil, d'une silhouette.*

♦ **2.** ⓐ Techn. Opérations consistant à exécuter sur le bloc brut le tracé (centre, axes, dimensions...) de la pièce qui sera soumise à l'ajustage. *Traçage à plat,* au moyen du compas, de la règle, de la pointe à tracer. *Traçage en l'air,* à l'aide du trusquin. *Traçage optique,* effectué en projetant sur le sol l'image lumineuse de l'épure en vraie grandeur.

ⓑ (1876). Creusement (d'une galerie de mine). — *Exploitation par traçage,* par galeries parallèles.

♦ **3.** (Mil. xxᵉ). Techn. Réchauffage selon un dispositif linéaire, tuyauterie *(traçage à la vapeur)* ou câble électrique *(traçage électrique).*

TRAÇANT, ANTE [tʀasɑ̃, ɑ̃t] adj. — 1694; *trassant* «qui suit la trace, la piste», v. 1330; de *tracer.*

♦ **1.** Bot. Qui trace* (II.). *Racine traçante,* qui s'étend horizontalement entre deux terres.

♦ **2.** (Mil. xxᵉ; *in* Larousse, 1949). Se dit d'un projectile garni au culot d'une composition combustible qui laisse derrière lui un sillage lumineux. *Balle traçante* (ou *traceuse**).

TRACAS [tʀaka; tʀakɑ] n. m. — 1588, Montaigne, → Marmiteux, cit. 1; *traquas,* déb. xviᵉ; déverbal de *tracasser.*

★ **I.** ♦ **1.** Vx (au sing.). «Embarras des affaires du monde, peine et agitation de corps et d'esprit qu'on se donne pour les faire réussir» (Furetière). «*Un certain rat (...) Dans un fromage* (cit. 11) *de Hollande Se retira loin du tracas ». Se donner bien du tracas.*

C'est le tracas du commerce et des arts, c'est l'avide intérêt du gain, c'est la mol-   1 lesse et l'amour des commodités, qui changent les services personnels en argent. On cède une partie de son profit pour l'augmenter à son aise.

ROUSSEAU, Du contrat social, III, XV.

♦ **2.** Mod. (souvent au plur.). Souci* ou dérangement causé par des préoccupations d'ordre matériel, harcelantes sinon graves. *Des tracas domestiques.* ⇒ **Aria, difficulté, ennui.** *S'éviter* (cit. 47) *des tracas.* ⇒ **Fatigue.**

(...) leur déchéance (...) me consolait un peu de mes tracas personnels.
CÉLINE, Voyage au bout de la nuit, p. 109.

★ **II.** (1765). Techn. (Vx). Ouverture dans un plancher pour le passage vertical des matériaux. ⇒ **Trappe.**

TRACASSANT, ANTE [tʀakasɑ̃, ɑ̃t] adj. — 1872, Littré ; p. prés. de *tracasser.*

♦ Qui tracasse (II.).

TRACASSER [tʀakase] v. — 1580 ; «traquer», XVᵉ ; de *traquer,* et suff. *-asser.*

★ **I.** V. intr. Vx (langue class.). ♦ **1.** S'agiter, se remuer sans résultat, en étant dans le tracas (I., 1.) ; s'agiter vainement (→ Inquiétude, cit. 8). — Syn. mod. partiels : *s'énerver, se tracasser.*

♦ **2.** Être irrésolu, hésitant.

★ **II.** (XVIᵉ). V. tr. ♦ **1.** Donner du souci à (qqn), causer des tracas (I., 2.) à (qqn), souvent pour des raisons plus ou moins futiles. ⇒ **Agacer, énerver, ennuyer, tarabuster.** *Tout le monde le tracasse* (→ Repousser, cit. 4).

(Sujet n. de chose). *Ça me tracasse un peu.* ⇒ **Inquiéter, tarabuster, tourmenter** (→ Formidablement, cit. 2). *Les petits manquements* (cit. 4) *la tracassaient.*

(...) il traversait alors une période de demi-perplexité, d'examen, de doutes (...) dont, à présent, vous voyez qu'il est sorti. — Peut-être pas complètement ; car il avoue qu'une phrase, de ce même Renan, le «tracasse». Oh ! Chardonne sait le français et ce mot est exactement celui qui convient. GIDE, Attendu que..., VII.

♦ **2.** (1546, Rabelais). Vieilli ou régional. Agiter, remuer (qqch.). *Tracasser les cendres, le feu.*

▶ **SE TRACASSER** v. pron.

♦ **1.** (1670). Récipr. *Ils se tracassent mutuellement.*

♦ **2.** (1759, Diderot). Réfl. Se faire du souci (souvent pour des motifs légers). ⇒ **Soucier** (se), **tourmenter** (se). *Allons, ne te tracasse pas pour si peu ! Inutile de vous tracasser.* ⇒ **Faire** (s'en faire).

DÉR. Tracassant, tracasserie, tracassier, tracassin.

TRACASSERIE [tʀakasʀi] n. f. — 1580, Montaigne ; de *tracasser.*

♦ **1.** Vx. Fait de «tracasser» (I.), de s'agiter vainement.

♦ **2.** Rare. Action de tracasser (qqn). *La tracasserie de qqn par* (*qqn, qqch.*).

♦ **3.** (*Une, des tracasseries*). ⓐ Difficulté, ennui suscité à qqn par une personne qui le tracasse. *Les tracasseries d'un patron, d'un contremaître,* infligées par... *Faire subir des tracasseries à qqn.*

Voilà ce qu'à force d'importunités, de vexations, de tracasseries et de surveillances odieuses, on fait écrire par une honnête et charmante fille au premier Lindor venu. Th. GAUTIER, Souvenirs de théâtre, Barbier de Séville.

ⓑ Plus cour. Exigence mesquine qui ennuie, tracasse (II.). *Les tracasseries de l'administration, de la douane, du fisc.*

(...) exposé comme je l'étais aux inimitiés du chef du gouvernement, aux soupçons et aux tracasseries de la police (...) CHATEAUBRIAND, Mémoires d'outre-tombe, t. III, p. 22.

ⓒ Fig. Cause de souci, de tracas.

TRACASSEUR, EUSE [tʀakasœʀ, øz] adj. et n. — XVIᵉ ; de *tracasser.*

♦ Vx. Qui tracasse, suscite des tracasseries.

TRACASSIER, IÈRE [tʀakasje, jɛʀ] adj. et n. — 1680 ; de *tracasser.*

♦ **1.** Qui tracasse (II.), fait subir des tracasseries (3.). *Une personne, une direction tracassière, un directeur tracassier* (→ Fléau, cit. 9 ; méticuleux, cit. 1 ; pâte, cit. 14). *Une administration tracassière.*

Les industriels se plaignent de la rigueur de leurs impôts et de la bureaucratie tracassière. A. SAUVY, Croissance zéro?, p. 67.

N. *Un tracassier, une tracassière* (→ Astuce, cit. 1).

♦ **2.** Qui tracasse (II.), s'occupe de (qqn) avec trop d'insistance et de minutie. *Une affection minutieuse* (cit. 3) *et tracassière.*

Il y a cent fois plus de petitesse provinciale et de *curiosité tracassière* sur ce que fait le voisin à Tours ou à Angers, qu'à Granville ou à Avranches.
STENDHAL, Mémoires d'un touriste, t. II, p. 63.

TRACASSIN [tʀakasɛ̃] n. m. — V. 1903 : «voilà environ trois ans que s'est répandu le terme de *tracassin*» (*Intermédiaire des chercheurs et des curieux,* 30 oct. 1906, *in* D.D.L.) ; le mot a été un temps à la mode, à la suite d'un discours du Général de Gaulle ; de *se tracasser.*

Familier.

♦ **1.** Disposition à se tracasser, à s'inquiéter excessivement. *Avoir le tracassin.* — Fait de se tracasser (pour une personne).

Pour être à peu près heureux, ils ont besoin de sentir constamment une pression, des limites (...) Sans ça, leurs nerfs prennent le dessus ; et tout ce qui devrait leur apporter un plaisir de plus ne fait qu'augmenter leur tracassin.
J. ROMAINS, les Hommes de bonne volonté, t. XXII, VI, p. 57.

♦ **2.** Sujet de tracas.

La grève lui était une cause de chagrin. Les choses autour de lui n'allaient pas comme il voulait (...) il s'inquiéta pour l'usine (...) il lui fallait un tracassin et toujours se tourmenter pour quelque chose. Pierre HAMP, la Peine des hommes (Moteurs), p. 207-208.

♦ **3.** Régional. Agitation ; fait d'être sans repos, de ne pas tenir en place. ⇒ **Bougeotte.**

TRACE [tʀas] n. f. — V. 1120 ; déverbal de *tracer.*

★ **I.** (Idée d'indice). ♦ **1.** Suite d'empreintes ou de marques que laisse le passage d'un être ou d'un objet *(la trace de...)* ; chacune de ces empreintes, de ces marques *(une, des traces).* *Imprimer* (cit. 20) *la trace de ses pas.* ⇒ **Impression.** *La trace des lièvres sur la neige* (→ Route, cit. 8). *Mettre un chien sur la trace* (du gibier). ⇒ **Piste, 1. trac** (vx), **voie** (→ 2. Hallier, cit. 2). *Suivre, poursuivre à la trace* (→ Arriviste, cit. 2 ; draper, cit. 13). *Retrouver la trace de..., une trace* (→ Chemin, cit. 55). *Perdre* (cit. 27) *la trace de...* ⇒ **Dérouter.** *Trace à la poupe d'un navire.* ⇒ **Sillage.** «(...) *Conserve en sillons d'or sa trace dans les cieux*» (→ Brillant, cit. 4). *Une longue trace de sang ; trace sanglante* (→ 1. Parler, cit. 15). — *Les traces de ses pas* (→ Barbare, cit. 21). — *Traces d'une bête.* ⇒ **Connaissance** (II.), 1. **Erre** (II.), **foulée,** 1. **pas** (I., 3.), **passée** (→ Fumet, cit. 5 ; 1. Garde, cit. 88). *Traces de pneus, d'une roue sur le sol.* ⇒ **Ornière** (→ Tâter, cit. 2). *Aller sur les traces de qqn,* derrière lui. ⇒ **Suivre** (→ Atteindre, cit. 33).

La trace de vos pas, plus légère que le vent, n'était pourtant pas effacée. Le bout de vos petits pieds et vos grands talons blancs étaient encore marqués dans l'allée (...) A. DE MUSSET, Contes, «La mouche», I.

Dix mille hommes revirent l'Europe. Qu'était devenu tout le reste? Il était facile d'en trouver la trace ; elle était marquée par la Hongrie, l'empire grec et l'Asie, sur une route blanche d'ossements. MICHELET, Hist. de France, IV, IV.

Simon prit le sentier où des traces de pas sur la neige conduisaient à un pavillon dont toutes les persiennes étaient closes.
Francis CARCO, les Belles Manières, p. 102.

Loc. fig. *Suivre les traces, marcher sur les traces de qqn :* suivre son exemple (→ Badigeonner, cit. 2 ; odelette, cit. ; publicité, cit. 3). «*Galoper sur ta trace*» (→ Apprenti, cit. 11). «*Les bons et vrais dévots* (cit. 9) *qu'on doit suivre à la trace.*»

Jésus reprit : Je suis la lumière et la vie.
Heureux celui qui voit ma trace et l'a suivie!
HUGO, la Légende des siècles, II, VIII.

♦ **2.** ⓐ (V. 1280). Marque laissée par ce qui agit sur qqch. *Égratignures* (cit. 1) *et profondes traces d'ongles. Traces de doigts* (→ Linge, cit. 7), *de coups* (→ Rafistoler, cit. 2). *Les traces de la variole* (⇒ **Couture**), *du sommeil, d'une émotion, de l'âge* (⇒ **Stigmate**) *sur le visage, la peau, le corps* (→ 1. Étranger, cit. 18 ; lotion, cit. 1 ; lutte, cit. 13 ; percevoir, cit. 3). *Traces d'un corps sur l'herbe qu'il a froissée* (cit. 9). *Les traces du vent sur le sable* (→ Régulier, cit. 2). *Traces d'une usure.* ⇒ **Indice** (→ Marmite, cit. 5). *Traces de freinage* (ou, cour., *traces de pneus*). — Fig. *Laisser une trace, ne pas laisser de traces* (→ Anéantir, cit. 16 ; apparition, cit. 3 ; entremêler, cit. 9 ; fragment, cit. 9 ; lettre, cit. 31). *Ne garder, ne conserver aucune trace de...* (→ Écrire, cit. 41 ; migration, cit. 1). *Porter toujours la trace de...* (→ Hacher, cit. 16). — *Traces de sang, d'encre,* que laisse une main tachée de sang, d'encre (→ Marquer, cit. 7 ; pliure, cit.). ⇒ **Tache.** *Trace laissée par une tache mal nettoyée.* ⇒ **Auréole.**

Le lendemain, on réfléchit à ce vol singulier. Il n'y avait nulle trace d'effraction.
RENAN, Souvenirs d'enfance..., Œ. compl., t. II, p. 746.

(...) les effets terribles de ce poison qui foudroie et laisse peu de traces (...)
ZOLA, Thérèse Raquin, XXXI.

Edmée put voir qu'il portait, sur sa joue bleue de barbe naissante, les traces d'une longue fatigue, et d'un amaigrissement sensible.
COLETTE, la Fin de Chéri, p. 122.

ⓑ (V. 1460). Ce à quoi on reconnaît que qqch. a existé, ce qui subsiste (d'une chose passée). ⇒ **Reste, vestige.** «*De mes feux mal éteints* (cit. 58) *je reconnus la trace*». *Les traces des fondations* (→ Bâtiment, cit. 3), *des arts* (→ Attractif, cit. 5), *des civilisations* (→ Couche, cit. 9). *La réminiscence* (cit. 7) *est un réveil*

fortuit de traces anciennes. ⇒ **Mémoire.** *Il ne reste plus trace de...*
⇒ **Apparence** (→ Creuser, cit. 14; guerre, cit. 41; rien, cit. 59).

8 Le bois de la grande double porte, à peine couvert d'une trace de vieille peinture
dans le haut; pourri dans le bas, avec des rapiécetages de tôle rouillée.
J. ROMAINS, les Hommes de bonne volonté, t. V, x, p. 81.

♦ **3.** (1847, Michelet). Très petite parcelle perceptible (indice de présence). *La notion de trace, en chimie, dépend de la précision des
méthodes d'analyse et, d'autre part, de la proportion à partir de
laquelle une très faible quantité d'une substance modifie telle ou
telle propriété d'une autre. Traces de substances que révèle une
analyse* (→ Frapper, cit. 45), *une autopsie* (→ Indubitable, cit. 6).
— Fig. *Sans éprouver nulle trace d'ennui.* ⇒ **Lueur, ombre**
(→ Avance, cit. 17; et aussi compréhension, cit. 3; 2. devoir, cit. 7).

♦ **4.** Techn. En reliure, Empreinte du fer à dorer chauffé, pratiquée
avant de coucher l'or.

★ **II.** (Sans idée d'indice; souvent par métonymie). **A.** ♦ **1.** (xxᵉ).
Chemin frayé dans un milieu dense. *Une trace dans la forêt vierge.*

♦ **2.** (1876). Bot. Stolon. — Ensemble du système vasculaire (d'une
feuille). *La trace d'une feuille.*

♦ **3.** Math., techn. Intersection (d'une surface, d'un volume) avec un
autre plan. *La trace d'une faille, d'une couche sur le front d'avancement d'une mine.* — (1799, Monge, *in* D.D.L.). Géom. *La trace
d'une droite sur un plan, d'un plan sur un plan.* — Math. *Trace
d'une matrice :* somme des éléments de la diagonale principale
(d'une matrice carrée).

♦ **4.** Sport (ski, par métonymie de I., 1.). *Trace directe :* position normale du skieur en descente; mouvement qu'il effectue. ⇒ **Descente,
schuss.** *Trace (directe) en traversée,* oblique par rapport à la ligne
de plus grande pente.

B. (1876). Par métonymie (instrument servant à tracer). Techn. Pioche
à deux tranchants pointus.
HOM. **Thrace.**

TRACÉ [tRase] n. m. — 1798; *tracée,* 1762; mil. xivᵉ, p. p. de *tracer;*
d'abord t. de fortification.

♦ **1.** Ensemble des lignes constituant le plan d'un ouvrage à exécuter et art de reporter ces lignes sur le terrain (→ Impératif, cit. 10;
technique, cit. 8). ⇒ **Dessin, figure, graphique, plan.** *Tracé d'une
route, d'une voie de chemin de fer.* ⇒ **Parcours** (→ Itinéraire, cit. 5).

1 Son tracé *(de la chaussée)* formait, en gros, une large courbe en demi-cercle qui
s'avançait presque jusqu'à l'extrême pointe et ramenait ensuite vers le centre du
pays. A. ROBBE-GRILLET, le Voyeur, p. 150.

Par ext. Itinéraire jalonné par des signaux. *Tracé permanent* (signalisation automatique).

♦ **2.** (1798). Ligne suivie par qqch. dans la nature. *Tracé d'une
rivière* (→ Épigénie, cit.), *d'une côte* (→ Littoral, cit.), *des courbes d'une coquille* (cit. 4; et → Suture, cit. 2).

♦ **3.** Contours, linéaments d'un dessin au trait, d'une écriture.
⇒ **Forme** (→ Graphisme, cit. 1; grapho-, cit. 3).

2 Pour représenter certaines idées concrètes (actions, qualités) et certaines abstractions, on emploie un tracé symbolique, tenant obligatoirement dans la hauteur de
la ligne. Marcel COHEN, l'Écriture, L'écriture en Chine, p. 26.

♦ **4.** Techn. Représentation graphique (d'une grandeur) par une
ligne.
HOM. **Tracée.** — Formes du v. **tracer.**

TRACÉE [tRase] n. f. — V. 1330; de *tracer.*

♦ **1.** Vx. Chose tracée. ⇒ **Trace, trait.**

♦ **2.** (Fin xixᵉ). Rare. Traînée. *Une tracée de poudre.*
HOM. **Tracé.** — Formes du v. **tracer.**

TRACELET [tRaslɛ] n. m. ⇒ **Traceret.**

TRACEMENT [tRasmɑ̃] n. m. — 1476, *trachement;* de *tracer.*

♦ Rare. Action de tracer (une ligne, un dessin). → Sensibilité, cit. 6.
— Action de tracer (une voie, une route).

TRACER [tRase] v. — Conjug. *placer.* — xvᵉ; *tracier,* xiiᵉ; d'abord
trans. au sens de «suivre à la trace, chercher, poursuivre» (→ Pauvre,
cit. 1, Villon) et aussi «rayer, effacer»; intrans. au sens de «chasser,
courir»; d'un lat. pop. **tractiare,* de *tractus* «action de tirer, trait», de
trahere «tirer, traîner».

★ **I.** V. tr. ♦ **1.** ⓐ (xviᵉ). Indiquer et ouvrir plus ou moins (un chemin) en faisant une trace. ⇒ **Frayer.** *Tracer une voie, un chemin,
une piste.* — Passif et p.p. *Chemin tracé à travers la forêt* (→ Épanouir, cit. 7). *Pistes* (cit. 1) *tracées par les troupes et les convois.*
— Fig. *Tracer le chemin, la voie :* indiquer la route à suivre, donner

l'exemple (→ Jalon, cit. 2; nature, cit. 33; notable, cit. 3). — Par
ext. Fixer la disposition de (une voie). *Tracer une route* (→ Amorcer, cit. 3; journalier, cit. 3), *une déviation* (cit. 1), *des allées.*
⇒ **Bornoyer.** — *Tracer un sillon* (→ Aiguillon, cit. 1; rectitude,
cit. 3), *une ornière* (cit. 4). — Passif et p.p. *Canal tracé par la
nature* (→ Irrigation, cit. 1).

ⓑ (Repris xxᵉ; sens initial du mot). Poursuivre (qqn); suivre à la
trace (un, des animaux). *Tracer le gibier.* — Fig. et fam. ⇒ **Courser.**

♦ **2.** (1637). ⓐ (Le compl. désigne une ligne). Mener (une ligne) dans
une certaine direction en marquant sur le papier ou sur le terrain
(→ Frontière, cit. 3); former ou présenter une telle ligne. *Tracer
des lignes droites et des cercles* (→ Linéaire, cit. 1, Descartes).
*Tracer des lignes, des courbes au compas, au cordeau, à la règle.
Tracer une courbe, une circonférence.* ⇒ **Décrire; circonscrire, inscrire** (→ Pôle, cit. 3). *Tracer un contour. Tracer une ligne de
démarcation* (cit. 5), *des limites* (→ Inopérable, cit.), *des divisions*
(→ Percevoir, cit. 5). *Tracer un trait.* ⇒ **Tirer** (→ 2. Équivalent,
cit. 4; figure, cit. 23; purement, cit. 4).

Spécialt (gravure). → Taille-douce (cit. 2). — Absolt. (→ Ligne,
cit. 2). *Pointe à tracer.*

(Sujet n. de chose). *La ligne sombre que traçait la mer* (→ Épanouir, cit. 4).

Toutes les vingt secondes, au ras de l'horizon, des éclairs traçaient une raie violâtre, rapide et triste. ZOLA, la Terre, IV, i. 1

ⓑ (Le compl. désigne une figure). Former, en traçant plusieurs
traits. ⇒ **Dessiner.** *Tracer un triangle, une figure.* ⇒ **Construire**
(→ Générateur, cit. 4; quelconque, cit. 3). *Tracer une croix*
(→ Couteau, cit. 5; svastika, cit. 1). *Tracer un dessin* (→ Dépriser,
cit. 2; raide, cit. 2), *un plan* (→ Fonder, cit. 5; ornement, cit. 5),
une carte (→ Itinéraire, cit. 6). *Tracer au pointillé.* ⇒ **Piquer, poin-
tiller.** *Tracer un canevas. Sur ce fond le peintre trace sa composition.* ⇒ **Ébaucher** (→ Icône, cit. 2).

Par anal. *Les portraits* (cit. 14) *qu'a tracés La Bruyère* (→ aussi
Ébauche, cit. 1; implaçable, cit. 9). *Tracer une image* (cit. 24), *un
tableau de qqch.* (→ Épisode, cit. 8).

Par ext. *Tracer un programme* (cit. 6), *des règles* (→ Espèce,
cit. 20), *un modèle, un code* (→ Évangélique, cit.). *Tracer sa con-
duite* sur qqn.* ⇒ **Modeler.**

(...) j'avais lieu d'espérer faire un livre vraiment utile aux hommes, et même un
des plus utiles qu'on pût leur offrir, si l'exécution répondait dignement au plan que
je m'étais tracé. ROUSSEAU, les Confessions, IX. 2

ⓒ Spécialt. Former par les traits de l'écriture. ⇒ **Écrire** (cit. 4
et 44). *Tracer des lettres, des mots* (→ Fortune, cit. 40;
indifféremment, cit. 3), *un nom* (→ 2. Devoir, cit. 30), *quelques
lignes* (cit. 45 et 46), *quelques pages* (→ Brochure, cit.). *Tracer
qqch. à la craie, au crayon.* ⇒ **Crayonner.** Par métaphore :

Quel autre nom le flâneur pouvait-il donner aux X et aux V que traçaient sur la
façade les pièces de bois transversales ou diagonales dessinées dans le badigeon
par de petites lézardes parallèles?
BALZAC, la Maison du Chat-qui-pelote, Pl., t. I, p. 17.

♦ **3.** Vieilli. Représenter au moyen de traits, d'un dessin au trait.
⇒ **Délinéer, dessiner, esquisser.** *Tracer un feuillage* (→ Acanthe,
cit. 1), *un lion* (→ Terrasser, cit. 1), *des cigognes* (→ Encre, cit. 4),
des paysages (→ Tableau, cit. 5). — Par anal. *Tracer les faits*
(→ Annales, cit. 1), *l'histoire du globe* (cit. 9). ⇒ **Retracer.**

L'un peut tracer en vers une amoureuse flamme (...) BOILEAU, l'Art poétique i.

Le chic peut se comparer au travail de ces maîtres d'écriture, doués d'une belle
main et d'une bonne plume (...) et qui savent tracer hardiment, les yeux fermés,
en manière de paraphe, une tête de Christ ou le chapeau de l'empereur.
BAUDELAIRE, les Curiosités esthétiques, III, x.

♦ **4.** (xxᵉ). Techn. Indiquer la dimension, les formes de (un objet à
travailler, une pièce à construire, etc.). *Tracer la coupe d'une
pierre. Tracer une pièce mécanique.* — Absolt. *Salle à tracer,* où
sont dessinées en vraie grandeur les pièces du bateau à construire
(chantier naval).

★ **II.** V. intr. ♦ **1.** (Survivance de l'anc. franç.; xiiiᵉ). Régional ou pop.
Aller vite, courir. *Ils ont dû drôlement tracer pour arriver avant
nous.*

♦ **2.** (1694). Bot. «Courir et couler entre deux terres» (*Encyclopédie*), être traçant*. *Racine qui trace.*

▶ **TRACÉ, ÉE** p. p. adj.

♦ **1.** (Av. 1536). *Sentier à peine tracé* (→ Chemin, cit. 18). — Fig.
Suivre une route toute tracée (→ Consentir, cit. 5). — *Mots tra-
cés au crayon* (→ Jamais, cit. 31). *Numéros tracés à la craie*
(→ Escouade, cit. 1).

♦ **2.** (1872, Littré). *Cheval tracé,* inscrit au stud-book et dont la
généalogie est connue.

♦ **3.** (xxᵉ). Techn. Se dit des parties d'un gisement minier qui ont été
repérées et découpées, préparées pour l'exploitation. *Réserves tracées,* connues avec certitude (réserves certaines) et ainsi préparées.
DÉR. Trace, traçage, traçant, tracé, tracement, traceret, traceur, traçoir.
COMP. Retracer.

TRACERET [tʀasʀɛ] n. m. — 1676 ; de *tracer.*

♦ Techn. Traçoir (de charpentier, etc.). — Instrument de précision servant à tracer les divisions sur les appareils de mesure. — REM On a dit aussi *tracelet.*

TRACEUR, EUSE [tʀasœʀ, øz] n. et adj. — 1558, «chasseur» ; 1765, «celui qui exécute le tracé d'un jardin», in *Encyclopédie ;* de *tracer.*

★ **I.** N. ♦ **1.** Techn. Personne qui trace (qqch.). — Spécialt. Spécialiste exécutant des tracés, ou chargé des opérations de traçage et d'ajustage (→ 1. Marbre, cit. 12). *Traceur-ajusteur, traceur-coupeur, traceur-outilleur.*

♦ **2.** Ski. Celui qui établit le tracé d'un parcours de compétition ou d'une piste de ski.

Le traceur officiel doit utiliser le terrain de manière à permettre un parcours spectaculaire, sans pièges, évitant les freinages brusques ou les figures qui cassent l'allure.   Jean FRANCO, le Ski, p. 64.

♦ **3.** (1958). Sc. Isotope radioactif dont l'évolution peut, dans certains phénomènes, être suivie par les méthodes de détection de rayonnement. *Les traceurs sont utilisés pour connaître le mécanisme de certains phénomènes physico-chimiques, biologiques, et pour le dépistage de certaines maladies.* — On dit aussi *indicateur radioactif.*

♦ **4.** N. m. *Traceur de courbes :* machine représentant des informations sous forme de courbes.

♦ **5.** N. m. Techn. Canalisation ou câble qui chauffe un tracé.

★ **II.** Adj. ♦ **1.** Qui laisse une trace. *Balle traceuse* (ou *traçante**).

♦ **2.** *Atome traceur* (→ ci-dessus, I., 3.).

TRACHÉAL, ALE, AUX [tʀakeal, o] adj. — 1765 ; de *trachée.*

♦ Anat. Qui appartient, est relatif à la trachée. *Muscle trachéal. Intubation trachéale.*

TRACHÉATES [tʀakeat] n. m. pl. — 1904 ; de *trachée,* et suff. *-ates.*

♦ Zool. Arthropodes respirant par des trachées (2.), et non par des branchies. — Au sing. *Un trachéate.*

TRACHÉE [tʀaʃe] n. f. — Fin xiveᵉ ; du bas lat. *trachia,* du grec *trakheia (artêria).* → Trachée-artère.

♦ **1.** Anat. et cour. Portion du conduit aérifère comprise entre l'extrémité inférieure du larynx et l'origine des bronches. ⇒ Respiration (cit. 1 ; et → Pharynx, cit.). *Incision de la trachée.* ⇒ Trachéotomie.

♦ **2.** (1734 ; du lat. sc., dénomination due à Malpighi, v. 1680). Zool. Chez les insectes, les myriapodes et certains arachnides, Chacun des très nombreux petits tubes rigides qui pénètrent dans tous les organes pour y porter directement l'air qui est entré par les stigmates*. *Trachées et trachéoles* des arthropodes.*

♦ **3.** (1748). Bot. *Trachées :* vaisseaux* annelés ou spiralés.

DÉR. et COMP. Trachéal, trachéates, trachéen, trachéide, trachéite. — V. aussi Trachéo-.

TRACHÉE-ARTÈRE [tʀaʃeaʀtɛʀ] n. f. — Av. 1478 ; *artère traciée,* au xiveᵉ ; grec *artêria trakheia,* proprt «conduit respiratoire raboteux».

♦ Anat. Vx. Trachée. — Au plur. *Des trachées-artères.*

TRACHÉEN, ENNE [tʀakeɛ̃, ɛn] adj. — 1838 ; de *trachée.* Zoologie.

♦ **1.** Relatif aux trachées. *Appareil trachéen.* — (De *trachée,* 2.). *Respiration trachéenne des insectes.*

♦ **2.** Qui respire par des trachées. *Arthropodes trachéens.* ⇒ Trachéates.

TRACHÉIDE [tʀakeid] n. f. — 1905, in *Rev. gén. des sc.,* nᵒ 16, p. 721 ; en all., 1863, Sanio ; de *trachée,* et *-oïde.*

♦ Bot. Vaisseau aréolé ou scalariforme.

Le tissu fibro-vasculaire des gymnospermes : sapins, épicéas, pins, mélèzes (...) est constitué par les trachéides ; il joue un double rôle : donner de la rigidité à la tige, conduire la sève, celle-ci peut sortir des trachéides grâce à des ponctuations latérales.   M. CHÊNE et N. DRISCH, la Cellulose, p. 19.

TRACHÉITE [tʀakeit] n. f. — 1824 ; de *trachée,* et suff. *-ite.*

♦ Méd. Inflammation de la trachée, généralement liée à la laryngite ou à la bronchite. ⇒ Trachéo-bronchite.

TRACHÉO- Premier élément de mots didact., de *trachée.* — Ex. : *trachéo-bronchique,* adj. ; *trachéocèle,* n. m. (1812) «tumeur gazeuse du cou» ; *trachéoscopie,* n. f. et *trachéo-bronchoscopie,* n. f. ; *trachéomycose,* n. f. «maladie cryptogamique des plantes», et les suivants.

TRACHÉO-BRONCHITE [tʀakeobʀɔ̃ʃit] n. f. — 1855 ; de *trachéo-, bronche,* et suff. *-ite.*

♦ Méd. Inflammation simultanée de la trachée et des bronches.

TRACHÉO-LARYNGOTOMIE [tʀakeolaʀɛ̃gɔtɔmi] n. f. — 1855, *in* Nysten-Littré-Robin, art. *Bronchotomie ;* de *trachéo-, laryngo-,* et *-tomie.*

♦ Chir. Incision du larynx et de la trachée. — Syn. : *laryngo-trachéotomie.* ⇒ aussi Laryngotomie ; trachéotomie.

TRACHÉOLE [tʀakeɔl] n. f. — Mil. xxeᵉ ; de *trachéo-,* et suff. *-ole.*

♦ Zool. Ramification terminale de la trachée (2.) des arthropodes, pénétrant à l'intérieur des cellules.

TRACHÉOSTOMIE [tʀakeɔstɔmi] n. f. — Av. 1953 ; de *trachéo-,* et grec *stoma* «bouche».

♦ Chir. Trachéotomie* avec suture des lèvres de la plaie à la peau pour faciliter l'introduction d'une canule.

TRACHÉOTOMIE [tʀakeɔtɔmi] n. f. — 1772 ; de *trachéo-,* et *-tomie.*

♦ Méd. Ouverture chirurgicale de la trachée à travers la peau de la région antérieure du cou, destinée à rétablir le passage de l'air en cas d'obstruction et permettant d'introduire une canule. ⇒ Intubation ; trachéostomie. *Trachéotomie associée à une laryngotomie (trachéo-laryngotomie ou laryngo-trachéotomie).*

DÉR. Trachéotomiser.

TRACHÉOTOMISER [tʀakeɔtɔmize] v. tr. — 1835, Beugnot, *in* D.D.L. ; de *trachéotomie.*

♦ Chir. Pratiquer la trachéotomie sur.

(...) le Pʳ Henry Lassen, devant les nombreuses paralysies respiratoires qui affluaient dans son service (...) décida de trachéotomiser les malades en imminence de mort par asphyxie (...)   V. VIC-DUPONT, la Maladie infectieuse, p. 81.

TRACHOMATEUX, EUSE [tʀakɔmatø, øz] adj. et n. — Mil. xxeᵉ ; de *trachome.*

♦ Du trachome. — Adj. et n. Atteint de trachome.

TRACHOME [tʀakom] n. m. — 1752 ; grec *trakhôma,* proprt «aspérité», de *trakhus* «rude, raboteux». Médecine.

♦ **1.** Granulations qui apparaissent dans la conjonctive* granuleuse. ⇒ Œil.

♦ **2.** Affection contagieuse *(rickettsiose),* endémique dans les pays chauds, caractérisée par la formation de granulations dans les culs-de-sac conjonctivaux et par une inflammation de la conjonctive bulbeuse (→ Juger, cit. 22). — Syn. : *conjonctivite granuleuse.*

DÉR. Trachomateux.

TRACHURE [tʀakyʀ] n. f. — 1791 ; grec *trakhouros,* de *trakhus* «rude», et *oura* «queue».

♦ Zool. Poisson de mer, voisin du maquereau, à flancs épineux. Syn. : *maquereau bâtard.* ⇒ Chinchard.

TRACHY- Élément, du grec *trakhus* «raboteux, rugueux». ⇒ Trachée. — Ex. : *trachyandésite,* n. f. (in Larousse, 1933) «roche intermédiaire entre les trachytes et les andésites» ; *trachycarpus,* n. m. «palmier de Haute-Asie, à fruit *(karpos)* rugueux», etc.

TRACHYLIDES [tʀakilid] n. m. pl. — Mil. xxeᵉ ; de *trachy-,* et suff. zool. *-ide.*

♦ Zool. Sous-classe d'Hydrozoaires comprenant des méduses à

velum et pourvues de cnidoblastes. ⇒ **Narcoméduses, trachyméduses.** — Au sing. *Un trachylide.*

TRACHYMÉDUSES [tʀakimedyz] n. f. pl. — Déb. xxᵉ ; de *trachy-*, et *méduse.*

♦ Zool. Ordre de trachylides *(Hydrozoaires)* comprenant des méduses à velum, à tentacules marginaux pleins, à manubrium très développé, et dont les organes génitaux sont placés le long des canaux radiaires. *La larve planule des trachyméduses évolue directement en méduse sans stade polype.* — Au sing. *Une trachyméduse.*

TRACHYPTÈRE [tʀakiptɛʀ] n. m. — 1846, Bescherelle ; lat. sc. *trachypterus*, 1770, Gouan ; de *trachy-*, et *-ptère.*

♦ Zool. Poisson osseux des mers chaudes à nageoires remarquables par leurs rayons très allongés.

(...) la larve du Trachyptère, qui vit dans les eaux profondes et calmes, porte des rayons de nageoires filiformes et fort longs, qui ne résistent pas à la turbulence des eaux quand elle monte en surface.   R. et M.-L. BAUCHOT, les Poissons, p. 98.

TRACHYSTOMATES [tʀakistɔmat] n. m. pl. — Mil. xxᵉ ; de *trachy-*, et *stomate.*

♦ Zool. Ordre d'Amphibiens. — Syn. : *siren.* ⇒ 2. **Sirène** — Au sing. *Un trachystomate.*

Chez les Trachystomates (Siren) il existe à la fois des branchies et des poumons, et les fentes branchiales persistent.   Jean GUIBÉ, les Batraciens, p. 33.

TRACHYTE [tʀakit] n. m. — 1801, Hauy ; dér. sav. du grec *trakhus* « rude, raboteux ».

♦ Didact. Lave de composition syénitique, à cristaux abondants de sanidine (variété d'orthose), de type porphyroïde, rude au toucher. *L'obsidienne* est une des variétés des trachytes.*

TRAÇOIR [tʀaswaʀ] n. m. — 1676 ; de *tracer.*
Technique.

♦ **1.** Poinçon servant à faire des tracés sur le bois, le métal, etc. *Traçoir de charpentier.* ⇒ **Traceret.**

♦ **2.** Outil de jardinier servant à tracer les limites des massifs, des semis, etc.

TRACT [tʀakt] n. m. — 1832, in D.D.L. ; mot angl., abrév. de *tractate* « traité », spécialisé au sens mod. dès 1762 ; lat. *tractatus* « action de toucher, de traiter (un sujet) ».

♦ **1.** Vieilli. Brochure de propagande religieuse, politique. ⇒ **Pamphlet.** *Distribuer, lancer, afficher des tracts. Une campagne de tracts.*

1   Le tract est imprimé sur quatre pages — deux, en français ; deux, en allemand — tiré sur un papier spécial, léger et résistant.
    MARTIN DU GARD, Les Thibault, t. VIII, p. 131.

♦ **2.** (1840). Feuille imprimée qu'on distribue ou qu'on affiche, pour diffuser une information (souvent interdite, clandestine) de nature politique.

2   Sans doute voit-on *(au xviiiᵉ s.)* se répandre une forme d'écriture populaire et spontanée : le tract clandestin et anonyme.   SARTRE, Situations II, p. 145.

3   Bost promena dans les rues une machine à ronéotyper ; Pouillon transportait une serviette bourrée de tracts.   S. DE BEAUVOIR, la Force de l'âge, p. 496.

TRACTABLE [tʀaktabl] adj. — V. 1965 ; de *tracter.*

♦ Qu'on peut tracter. *« Une caravane est une remorque habitable, tractable par un véhicule à moteur et conforme aux stipulations du code de la Route »* (Brochure de la Fédération Française de Camping et de Caravaning).

TRACTATION [tʀaktasjɔ̃] n. f. — Fin xviiᵉ, Claude, in Trévoux ; « négociation », v. 1460 ; lat. *tractatio*, de *tractare* « traiter ».

♦ **1.** Rhét. (Vx). Manière de traiter un sujet, une matière.

♦ **2.** (1874, in Littré, *Suppl.*, « action de traiter une affaire, de mener une négociation »). Péj. (Presque toujours au pluriel). Négociation de caractère officieux et occulte, où interviennent des manœuvres et des marchandages. ⇒ **Pourparler** (→ Électoral, cit. 2 ; soupçon, cit. 2).

C'était le général Souham qui battait en retraite sur Versailles, de connivence avec l'ennemi, abandonnant son poste, épouvanté que l'Empereur pût savoir les tractations de la veille de Marmont, lui et quelques autres, avec les Autrichiens (...)
    ARAGON, la Semaine sainte, II.

TRACTÉ, ÉE [tʀakte] adj. — 1943, in D.D.L. ; du rad. de *tracteur, traction.*

♦ Milit. Traîné par un tracteur (et non par des chevaux). *Artillerie tractée. Groupe de 105 tracté.*
DÉR. Tracter.

TRACTER [tʀakte] v. tr. — 1965 ; de *tracté.*

♦ Tirer au moyen d'un véhicule (tracteur, auto, camion), ou d'un procédé mécanique (remonte-pente, etc.). *Tracter une caravane avec une voiture, un skieur en haut d'une piste.*

Ce bruit que je connaissais bien maintenant, celui des camions roulant à pleine charge, tractant de tous leurs chevaux, un bruit rond et puissant qui explosait dans l'oreille.   Jean HOUGRON, la Gueule pleine de dents, p. 431.
Par ext. Tirer.

Odile prenait le bras de Louis, un bras de son frère, tractait le tout vers le métro.
    Hervé BAZIN, Madame Ex, p. 65.

DÉR. Tractable.

1. TRACTEUR [tʀaktœʀ] n. m. — 1836, « sorte de forceps » (servant à tirer) ; 1872, in D.D.L., « locomobile à vapeur » destinée à remorquer des wagons ; dér. sav. du lat. *tractum*, supin de *trahere* « tirer ».

♦ **1.** Didact. Agent qui produit une traction.

♦ **2.** Cour. Véhicule automobile destiné à tirer un ou plusieurs véhicules, en particulier des remorques ou des engins roulants *(tracteurs d'artillerie lourde)*, ou des instruments et machines agricoles (⇒ **Motoculteur**). → Cheval, cit. 2. *Tracteurs à roues, à pneus ; tracteur à chenilles* (→ Char, cit. 6). *Petit tracteur utilisé sur les chantiers.* ⇒ **Locotracteur.** *Tracteur à selle. Conducteur de tracteur.* ⇒ **Tractoriste.** — Loc. Agric. *Tracteur navette :* tracteur qui peut travailler dans les deux sens, sans qu'on doive le retourner.

(...) plus les champs sont exigus, plus grand est l'intérêt de certaines machines, comme les tracteurs-navette équipés d'outils portés à leurs deux extrémités (...)
    Tony BALLU, le Machinisme agricole, p. 24 (1951).

♦ **3.** (1971, in *la Clé des mots*). Techn. Dispositif d'une imprimante qui règle la position du papier.
DÉR. Tracté, 2. tracteur.
HOM. 2. Tracteur.

2. TRACTEUR, TRICE [tʀaktœʀ, tʀis] adj. — V. 1950 ; même orig. que 1. tracteur, n. m.

♦ Capable de tracter. *Voiture tractrice d'une caravane*.* — Spécialt (hydrographie). *Force tractrice d'un courant :* force développée par ce courant (en fonction de sa vitesse, de sa profondeur et de sa pente) et qui lui permet le transport de matériaux solides.
HOM. 1. Tracteur.

TRACTIF, IVE [tʀaktif, iv] adj. — 1836 ; dér. sav. du lat. *tractum.* → 1. Tracteur.

♦ Didact. Qui exerce une traction. *Forces tractives.*

TRACTION [tʀaksjɔ̃] n. f. — 1503 ; lat. *tractio*, de *trahere.* → 1. Tracteur.
Action de tirer ; effet de cette action. ⇒ **Tirer.**

♦ **1.** Techn. Action de tirer en tendant, en étendant. — Sc. Force longitudinale agissant sur un solide cylindrique ou prismatique et provoquant ainsi son allongement ou son extension. *Résistance des matériaux à la traction. Essai d'un acier à la traction* (→ Éprouvette, cit.). *Module de traction :* coefficient caractérisant le comportement élastique de la substance d'une tige, d'un fil soumis à une traction. *Force de traction (ou force tractive*). Qui concerne la traction.* ⇒ **Tractoire.**

♦ **2.** Action de tirer en amenant vers soi sans se déplacer. [a] (Méd.). *Tractions rythmées de la langue,* pratiquées en cas d'asphyxie pour exciter le réflexe respiratoire.

[b] Mouvement de gymnastique consistant à tirer le corps (suspendu à une corde, à des anneaux, etc.) en amenant les épaules à la hauteur des mains par contraction des muscles des bras. *Grimper par une série de tractions.* — Par anal. Mouvement qui consiste à relever le corps (étendu à terre, bras repliés sur les avant-bras) en tendant et raidissant les bras. *Faire des tractions pour développer les biceps.*

♦ **3.** (1890, in P. Larousse, *Deuxième Suppl.*). Action de traîner, d'entraîner. ⇒ **Remorquage.** *Traction animale* (⇒ Attelage, trait), *mécanique. Traction d'un moteur* (→ Palonnier, cit. 3). *Traction par véhicule automobile.* ⇒ **Tracteur.** *Traction à vapeur, traction électrique.* ⇒ **Locomotion** (→ Locomotive, cit. 4). — Ch. de fer. *Service du matériel et de la traction :* un des grands services, avec l'exploitation* et la voie*, d'une région ferroviaire (⇒ **Tractionnaire**). — Ellipt. *La traction :* ce service.

(1934). TRACTION AVANT : dispositif dans lequel la transmission de l'effort moteur d'une automobile est répartie entre les roues avant de la voiture. *Une traction avant; une traction* (fam.) : une voiture équipée de ce dispositif (antérieurement à la généralisation du procédé); spécialt, une 11 ou 15 CV Citroën. *Le gang des tractions avant* (malfaiteurs qui se déplaçaient avec ce type de voitures).

(...) le provincial habitué à Vauxbrelles, au passage jovial de la camionnette du boucher, de celle de l'épicier, de la Traction du maire (...)
René FALLET, le Triporteur, p. 333.

La traction-avant file à près de cent sur la route de Malesherbes.
H. BAZIN, Cri de la chouette, p. 91.

À un tournant, elle *(la voiture)* se trouva face à face avec une traction noire qui se tenait à gauche. Éric donna un coup de frein pour éviter le choc mais, dès que sa voiture fut immobilisée, la traction repartit (...) Le canon d'une mitraillette était apparu à la portière gauche de la traction.
Guy DES CARS, le Château de la Juive, p. 328.

CONTR. **Compression, poussée.**
DÉR. **Tractionnaire.** — V. **Tracté.**

TRACTIONNAIRE [tʀaksjɔnɛʀ] n. m. — 1961, *in* D.D.L.; de *traction.*

♦ Ch. de fer. Membre du service de la traction (3.). «*Il doit exister actuellement en France près de 1 200 intermédiaires officiels du transport routier aussi dispersés que le sont les tractionnaires. Cela ne facilite pas la détermination d'un prix "vrai" capable d'orienter le marché vers les solutions les plus économiques*» (*les Transports en France, in Tendances*, p. 162, avr. 1961).

TRACTO- Premier élément de mots techniques, tiré de *tracteur.* — Ex. (in *la Clé des mots*, 1973-74) : *tractochargeur,* n. m. «tracteur équipé pour le levage et le chargement»; *tractogrue,* n. f. «tracteur muni d'une grue»; *tractopelle,* n. f. «tracteur muni d'une pelle métallique».

TRACTOIRE [tʀaktwaʀ] adj. et n. f. — 1547; du lat. *tractorius,* de *tractum,* supin de *trahere* «tirer».

Didactique et vieux.

♦ **1.** Adj. Qui concerne la traction.

♦ **2.** N. f. ⇒ **Tractrice.**

TRACTORISTE [tʀaktɔʀist] n. — 1964; de 1. *tracteur.*

♦ Conducteur, conductrice de tracteur. *Les tractoristes d'une grande exploitation agricole, d'un kolkhoze.*

TRACTRICE [tʀaktʀis] n. f. — 1711; dér. sav. du lat. *tractum,* de *trahere* «tirer».

♦ Math. Courbe possédant une asymptote et telle que la portion de tangente comprise entre le point de contact de la tangente et l'asymptote ait une longueur constante. — Syn. : *tractoire,* n. f.

TRACTUS [tʀaktys] n. m. — 1897; lat. *tractus,* au sens de «traînée», de *tractum,* supin de *trahere* «tirer».

Anatomie.

♦ **1.** Ensemble de filaments, faisceaux de fibres qui se font suite. *Tractus blancs de Laucisi,* à la face supérieure du corps calleux. *Tractus uvéal :* tunique vasculaire de l'œil. ⇒ **Uvée.**

♦ **2.** Anat., physiol. Ensemble d'organes qui constitue un appareil. *Le tractus gastro-intestinal :* l'appareil digestif. *Le tractus uro-génital :* l'appareil génito-urinaire.

Les caractères sexuels primaires se rapportent au tractus uro-génital : chez les poissons, ce sont les papilles génitales du mâle ou de la femelle, et les organes copulateurs mâles quand ils existent.   R. et M.-L. BAUCHOT, les Poissons, p. 85.

TRADE-MARK [tʀɛdmaʀk] n. m. — 1898; mot angl. (1838), de *trade* «commerce, métier, fabrique», et *mark* «marque».

♦ Anglic. Marque de fabrique.

La somme suffira de soixante-seize millions de guinées pour M. Bouguereau, et dix-mille mille séraphs pour M. Henner, de quatre-vingt mille maravédis pour M. Bonnat, car sa toile est estampillée, en guise de *trade-mark,* de l'image d'un autre homme (...)
A. JARRY, Gestes et Opinions du Dr Faustroll, V, XXXII, Pl., t. I, p. 711.

TRADESCANTIA [tʀadeskɑ̃tja], cour. [tʀadeskɑ̃sja] n. f. — 1902; *tradescante,* 1839; *tradescantie,* mil. XIXe; du lat. bot., 1718, Ruppius; de *Tradescant,* nom d'un botaniste hollandais.

♦ Bot. Plante monocotylédone herbacée *(Commelinacées),* exotique, ornementale, dont les variétés les plus connues sont l'*éphémère de Virginie,* et la *tradescantia zébrée,* cultivée comme plante d'intérieur. *La tradescantia est aussi appelée* misère*.

TRADE-UNION [tʀɛdynjɔn] n. f. ou m. — 1904; attestation isolée, *trades'union,* 1836; mot angl., 1835, de *trade* «métier», et *union* «union».

♦ Syndicat ouvrier groupant les professionnels d'une même branche d'activité, en Grande-Bretagne. — Plur. *Des trade-unions.*
DÉR. **Trade-unionisme, trade-unioniste.**

TRADE-UNIONISME [tʀɛdynjɔnism] n. m. — 1923; attestation isolée, 1874; de *trade-union.*

♦ **1.** Hist. Mouvement des trade-unions.

♦ **2.** Tendance professionnaliste dans le syndicalisme*.

TRADE-UNIONISTE [tʀɛdynjɔnist] adj. et n. — 1895, *in* Höfler; de *trade-union.*

♦ Rare. Qui appartient à une trade-union. «*En trade-unioniste conséquent, il demande seulement : — que les travailleurs puissent en permanence, comme en Suède, débattre des conditions de travail et des salaires, chaque fois qu'il y a une modification technique dans l'atelier (...)*» (*le Nouvel Obs.*, 18 juin 1973, p. 26).

TRADITEUR [tʀaditœʀ] n. m. — Fin XVIIe, *in Hist. ecclésiastique* de Fleury; lat. *traditor* «traître», sens spécialisé chez les auteurs ecclés.; «traître», 1487; → Traducteur.

♦ Hist. de l'Église. Chrétien qui, durant les persécutions des premiers siècles, livrait aux païens les livres et les vases sacrés pour échapper au supplice.

TRADITION [tʀadisjɔ̃] n. f. — 1291; du lat. *traditio,* de *traditum,* supin de *tradere* «remettre, transmettre».

★ **I.** Dr. «Remise matérielle d'une chose mobilière en vue soit d'en transférer la propriété, soit d'exécuter une obligation de délivrance» (Capitant). Cf. Code civil, art. 1138. ⇒ **Délivrance, livraison.**

★ **II.** (Transmission non matérielle). ♦ **1.** (1488). Doctrine ou pratique, religieuse ou morale, transmise de siècle en siècle, originellement par la parole ou l'exemple (mais pouvant par la suite être consignée dans un texte écrit). ⇒ **Croyance.** *Vieilles traditions, traditions millénaires* (→ Athénien, cit. 3; hindou, cit. 2). *Croyances et traditions populaires* (→ Absolu, cit. 16). *Une révélation ou une tradition* (→ Irrationnel, cit. 1). *Traditions et mythes, traditions et symboles* (cit. 3). — Ensemble de doctrines et de pratiques ainsi transmises. *La franc-maçonnerie* (cit. 3) *se réfère à une tradition secrète* (→ aussi Gnose, cit. 2). *La tradition juive* (→ Logos, cit.). ⇒ **Cabale, talmud.** *Tradition orphique* (1. Orphique, cit.). *La tradition islamique (hadits).*

Spécialt (relig. cathol.). *Traditions divines,* relatives à la foi et aux mœurs, considérées comme fondées par Jésus-Christ, ou par les Apôtres sous la dictée de l'Esprit Saint. *Traditions ecclésiastiques :* coutumes pieuses et pratiques diverses qui apparaissent et disparaissent dans la vie de l'Église. — *La Tradition* (par oppos. et parallèlement à *l'Écriture**) : l'ensemble de doctrines et de pratiques attribuées aux communautés fondées par les Apôtres; par ext. «la multitude infinie des manifestations de la pensée et de la vie chrétiennes à travers les siècles» (A.-M. Dubarle). — Littér. *Défense de la tradition et des saints Pères,* ouvrage de Bossuet.

La Tradition est en quelque façon la manière dont le texte même ou le message de l'Écriture a été compris dans l'Église, puis mis en application vivante. C'est de cette interprétation soit formelle, soit implicite, que veut profiter le lecteur catholique. Il ne va pas seul à l'Écriture, mais avec tous ses frères dans la foi.
A.-M. DUBARLE, Introd. à l'Écriture sainte, *in* Initiation théologique, t. I, p. 84.

♦ **2.** Information relative au passé, plus ou moins légendaire, non consignée dans des documents originaux, et transmise d'abord oralement de génération en génération; ensemble d'informations de ce genre. ⇒ **Folklore, légende, mythe.** *Traditions incertaines, pour ne pas dire fabuleuses* (cit. 4). *Selon quelques traditions* (→ Papier, cit. 1). *Les Sioux* (cit.), *que leur tradition fait venir du Mexique. La tradition et la légende* (cit. 2). *La tradition populaire* (→ Oubliette, cit.). *Le musée des Arts et Traditions populaires.* — *La tradition orale,* dans les civilisations sans écriture (⇒ **Oralité**). *Un grand connaisseur de la tradition, en Afrique.* ⇒ **Traditionaliste.**

♦ **3.** (1701, Fénelon). Dans le domaine de la connaissance, des techniques, des arts, des mœurs... Manière, ou ensemble de manières, de penser, de faire ou d'agir, qui est un héritage du passé. ⇒ **Coutume, habitude** (→ Imitateur, cit. 7). *Une, des traditions; la tradition de... Peuples conservateurs* (cit. 1), *fidèles à leurs traditions.* ⇒ **Mémoire.** *Traditions de famille* (→ Léguer, cit. 4). *Les traditions des diplomates* (cit. 1), *des étudiants* (cit. 3). *Traditions techniques* (→ Hiératisme, cit. 2). *Tradition libertaire* (→ Groupe, cit. 11), *libérale* (→ Investissement, cit. 2), *jacobine* (→ Outrance, cit. 6). *Traditions académiques en peinture* (→ Exciter, cit. 7). —

La tradition, l'usage et la tradition en matière de langue (→ Consonne, cit. 5 ; 1. en, cit. 1). *Dans la tradition : conforme à la tradition* (→ 2. Farce, cit. 4). — Loc. adj. *De tradition :* traditionnel (→ 2. Secret, cit. 16). — Loc. adv. *Par tradition. Être catholique par tradition.*

2 Faut-il noter combien ce socialisme à base de générosité, combien cette générosité claire, combien cette générosité pleine et pure était dans la tradition française ; plus que dans la tradition française même, plus profondément, dans le génie français.
Ch. PÉGUY, *Notre jeunesse*, p. 147.

3 Françoise devait être heureuse de la mort d'Albertine (...) mais les lois non écrites de son antique code et sa tradition de paysanne médiévale qui pleure comme aux chansons de gestes étaient plus anciennes que sa haine d'Albertine (...)
PROUST, À la recherche du temps perdu, t. XIII, p. 81.

4 Mais, d'autre part, l'Europe, pays de vieilles traditions et malade d'histoire, ne souffre-t-elle pas de cet amour des choses anciennes qui paralyse l'activité des vivants ?
DANIEL-ROPS, le Monde sans âme, III.

CONTR. Innovation.

DÉR. Traditionnaire, traditionnel.

TRADITIONALISME [tRadisjɔnalism] n. m. — 1851, au sens 3 ; de *traditionnel.*

♦ **1.** (1872, Littré). Théol. Doctrine d'après laquelle l'homme ne peut rien connaître que par une révélation primitive et par la tradition de l'Église, la raison individuelle n'étant qu'une source d'erreurs. *Le traditionalisme de Bonald.*

♦ **2.** Philos. Doctrine d'après laquelle il faut conserver les formes politiques et religieuses traditionnelles comme l'expression naturelle des besoins d'une société, même si la raison ne peut les justifier et quand bien même elle serait portée à les rejeter.

♦ **3.** Attachement aux notions et aux coutumes traditionnelles. ⇒ **Conformisme, routine.** *Le traditionalisme moral, idéologique, culturel, technique.*

(...) le véritable traditionalisme reçoit de l'histoire des leçons essentiellement spirituelles, et non formelles. La meilleure façon d'être fidèle à une tradition, c'est de trouver le point où elle pourrait s'insérer dans les conditions actuelles du monde et continuer à être vivante. DANIEL-ROPS, Ce qui meurt..., I.

CONTR. Modernisme.

TRADITIONALISTE [tRadisjɔnalist] adj. et n. — 1849 ; de *traditionnel.*

♦ **1.** Qui professe, qui concerne le traditionalisme ; conformiste. ⇒ **Conservateur.** *Des attitudes traditionalistes.*

N. *Un traditionaliste.*

Ceux qui s'enfoncent dans le passé, et qui n'ont que le mot d'autrefois à la bouche, les traditionalistes pour lesquels un abus a force de loi parce qu'il s'est éternisé, et qui aspirent à être guidés par les morts (...)
H. BARBUSSE, le Feu, II, XXIV.

Var. : *traditionniste* (1891, *in* D. D. L.).

♦ **2.** Franç. d'Afrique. Personne qui connaît et pratique la tradition orale. *Un grand traditionaliste.* ⇒ **Griot.** — Var. : *tradition(n)iste.*

CONTR. Moderniste, révolutionnaire.

TRADITIONNAIRE [tRadisjɔnɛR] adj. et n. — 1696 ; de *tradition.*

♦ Didact. Qui interprète la Bible selon la tradition talmudique, dans la religion juive.

TRADITIONNEL, ELLE [tRadisjɔnɛl] adj. — 1722 ; de *tradition.*

♦ **1.** Qui est fondé sur la tradition, correspond à une tradition. ⇒ **Héréditaire.** *Institutions traditionnelles* (→ Consentement, cit. 4). *Rites traditionnels. Opinions, conceptions traditionnelles.* ⇒ **Orthodoxe** (→ Éliminer, cit. 2 ; indéterministe, cit. 2). *Ordre traditionnel* (→ 3. Casse, cit. 7). *Sentiment profond et traditionnel* (→ Mener, cit. 22 ; et aussi haine, cit. 17 ; incongru, cit. 3 ; portrait, cit. 4). *La médecine* (cit. 6), *la métaphysique* (1. métaphysique, cit. 3), *la grammaire, la psychologie... traditionnelles.* ⇒ **Classique** (→ Introspection, cit. 2 ; nom, cit. 48). *Ce qui est conventionnel et traditionnel* (→ Poncif, cit. 3).

♦ **2.** (Mil. XIXᵉ). En parlant d'objets concrets. D'un usage ancien et familier, consacré par la tradition. ⇒ **Habituel.** *Les traditionnelles gamelles* (cit. 2) *du soldat* (→ aussi Rasoir, cit. 2 ; solliciteur, cit. 1).

(En parlant de phénomènes, d'événements). Qui survient avec régularité.

Il eut bientôt la goutte qui, comme il le disait lui-même, était traditionnelle dans sa famille. Ch.-L. PHILIPPE, Père Perdrix, I, II.

DÉR. Traditionalisme, traditionaliste, traditionnellement.

TRADITIONNELLEMENT [tRadisjɔnɛlmã] adv. — 1784 ; de *traditionnel.*

♦ **1.** D'une manière traditionnelle, conformément à une tradition

ancienne et immuable (→ Fêter, cit. 2 ; flopée, cit. 1 ; 3. sujet, cit. 6).

♦ **2.** Fam. Habituellement, avec régularité. *Il vient traditionnellement à six heures prendre son apéritif.*

TRADITIONNISTE [tRadisjɔnist] adj. et n. ⇒ **Traditionaliste.**

TRADUCTEUR, TRICE [tRadyktœR, tRis] n. — 1540 ; *traduitor* « guide », fin XVᵉ ; de *traduire ;* d'après lat. *traductor,* qui n'a pas ce sens, de *traductum,* supin de *traducere.* → Traduire.

★ **I.** ♦ **1.** Auteur d'une traduction (→ Harmonie, cit. 25 ; intraduisible, cit. 1 ; rendre, cit. 41). *Le traducteur d'une œuvre, d'un écrivain* (→ Baisser, cit. 5 ; enchevêtrer, cit. 3 ; talent, cit. 6). *La traductrice d'un roman russe, italien, d'un ouvrage scientifique américain. Les Septante* (cit. 2), *traducteurs de la Bible. « D'aucuns, vraiment mieux dignes d'être appelés traditeurs que traducteurs »* (Du Bellay, *Défense et Illustration de la langue française,* I, 6 ; Cf. le proverbe italien *traduttore, traditore* «traducteur, traître»). *Traducteur fidèle, scrupuleux ; servile. Le traducteur, esclave de la littéralité* (→ Harmonie, cit. 25). *Saint Jérôme, patron des traducteurs.* — Spécialt. *Traducteur-interprète :* professionnel chargé de traduire des textes dans quelque autre langue. ⇒ aussi **Interprète.** *Traducteur expert juré. École de traducteurs. Traducteur littéraire, scientifique et technique. Traducteur d'anglais, de russe* (dans un contexte français) : traducteur anglais-français, russe-français. *Une remarquable traductrice.*

1 Le traducteur est un peseur perpétuel d'acceptions. Pas de balance plus délicate que celle où l'on met en équilibre des synonymes. L'étroit lien de l'idée et du mot se manifeste dans ces comparaisons des langages humains.
HUGO, cité par M. CRESSOT, Traduction et Transposition.

♦ **2.** (1860). Personne qui traduit, exprime (une réalité quelconque).

2 Mais était-ce bien cela, la réalité ? Si j'essayais de me rendre compte de ce qui se passe en effet au moment où une chose nous fait une certaine impression (...) je m'apercevais que ce livre essentiel, le seul livre vrai, un grand écrivain n'a pas, dans le sens courant, à l'inventer, puisqu'il existe déjà en chacun de nous, mais à le traduire. Le devoir et la tâche d'un écrivain sont ceux d'un traducteur.
PROUST, le Temps retrouvé, Pl., t. III, p. 890.

Appareil électronique fournissant des éléments lexicaux et phraséologiques de deux langues mis en corrélation. ⇒ **Traductrice.** *« Un traducteur de poche électronique »* (la Recherche, mai 1979, p. 489). — *Traducteur de langage :* programme qui reçoit des ordres d'un langage de programmation et les transforme en des ordres équivalents d'un autre langage.

★ **II.** N. m. (1860). Techn. Dispositif servant à transformer un courant électrique en impulsions lumineuses ou inversement. *Traducteur courant-lumière, lumière-courant.*

Radio. Dispositif servant à transformer des variations de courant en impressions sonores. *Traducteur sonore.*

3 Un audiomètre est-il un individu technique ? Non, si on le considère sans le secteur d'alimentation et les écouteurs ou haut-parleurs utilisés comme traducteurs électro-acoustiques. L'audiomètre est alors défini comme devant être placé dans certaines conditions de température, de tension, de niveau de bruit, pour que les fréquences et les intensités soient stables et que les mesures de seuils soient possibles.
Gilbert SIMONDON, Du mode d'existence des objets techniques, p. 61.

DÉR. Traductrice.

TRADUCTIBILITÉ [tRadyktibilite] n. f. — Mil. XXᵉ ; de *traduction, -ible,* et *-ité.*

♦ Didact. Caractère de ce qui est traduisible (traduisibilité). ⇒ **Traduisible.**

(...) les structures symboliques véhiculées chez Joyce par le temps héraclitéen n'assurent-elles pas l'intelligibilité et la «traductibilité»?
Henri LEFEBVRE, la Vie quotidienne dans le monde moderne, p. 18 (1968).

TRADUCTION [tRadyksjɔ̃] n. f. — 1530, Lefèvre d'Étaples ; «livraison», XIIIᵉ ; du lat. *traductio,* qui n'a pas le sens de «traduction», de *traductum,* supin de *traducere.* → Traduire.

♦ **1.** Action, manière de traduire*. ⇒ **Interprétation** (vx). *Traduction littérale** (⇒ **Calque**), *exacte* (→ Docte, cit. 4), *fidèle* (cit. 23). *Traduction flatteuse mais inexacte* (cf. la formule : «Les belles infidèles* »). — *Traduction juxtalinéaire, interlinéaire. Traduction libre.* ⇒ **Adaptation, métaphrase, paraphrase.** *Traduction d'un mot, d'une parole* (→ Lexicographie, cit. 1 ; 1. loi, cit. 41). *Exercice scolaire de traduction.* ⇒ **Explication, thème, version.** *Se servir d'une traduction pour faire un devoir. Traduction d'un nom propre.* ⇒ **Métonomasie.** *Traduction automatique,* opérée par des machines électroniques. *Traduction assistée** par ordinateur (T. A. O.).

♦ **2.** Texte ou ouvrage donnant dans une autre langue l'équivalent du texte original qu'on a traduit. ⇒ **Version.** *Traductions arabes, françaises, latines, hollandaises* (→ Copte, cit. 2 ; 1. écoute, cit. 2 ; édition, cit. 4 ; hermétisme, cit. 1). *Traduction de l'anglais vers le russe. Traduction en latin, en tchèque* (d'un texte d'une autre langue ; spécialt, d'un texte français). → Esprit, cit. 36 ; librairie, cit. 4.

— REM. Sans adjectif qualificatif et en l'absence de contexte spécifique, *traduction* désigne en général une traduction en français. *Il avait dédié* (cit. 4) *au pape sa traduction d'Aristote. Les traductions d'Amyot* (Plutarque), *de Galland* (les Mille et une Nuits), *de Baudelaire* (E. Poe). *Traduction d'une traduction.* ⇒ **Retraduction** (cit.). *La traduction de la Bible en araméen* (targum), *en latin* (vulgate). *Les grandes traductions françaises de Shakespeare* (François Victor-Hugo, Gide, Yves Bonnefoy).

(...) possédant à fond la langue anglaise, il débuta par des traductions d'Edgar Poe, traductions tellement excellentes qu'elles semblent des œuvres originales et que la pensée de l'auteur gagne à passer d'un idiome dans l'autre.
    Th. GAUTIER, Portraits contemporains, « Baudelaire ».

Un des plaisirs favoris de Tytler (...) consiste à instituer une comparaison entre deux traductions, anglaises ou françaises, d'un même texte (...) De tout cela une doctrine assez ferme se dégage (...) la bonne traduction est définie : « une parfaite transfusion du sens de l'original », de telle sorte que le style de la traduction soit « du même genre que le style de l'original », tout en ayant « toute l'aisance d'une composition originale ».
    Valery LARBAUD, Sous l'invocation de saint Jérôme, II, VIII.

Il est surtout difficile de se comprendre sur notre globe où les langues dressent entre les œuvres des murailles infranchissables (...) La traduction ne se contente pas d'être un mariage. Elle doit être un mariage d'amour.
    COCTEAU, Journal d'un inconnu, p. 121.

Tout traducteur se réclame de la fidélité. Mais l'équivalent de la traduction à l'original ne résulte pas d'une simple équation linguistique. À vrai dire, il ne s'agit même pas d'un rapport à deux termes : original-traduction ou auteur-traducteur. La relation comporte trois termes : auteur-traducteur-lecteur. Et c'est ce dernier terme, le plus important, peut-être, qui est souvent négligé.
    Edmond CARY, les Grands Traducteurs franç., p. 34.

Lire, citer un texte en traduction, dans une traduction (et non dans la langue originelle).

◆ **3.** (Fin XVIIIᵉ). Par anal. et fig. Transposition. ⇒ **Expression, représentation.** « *La peinture de Delacroix me paraît la traduction de ces beaux jours de l'esprit* » (→ Surnaturalisme, cit. 1, Baudelaire ; et aussi gravure, cit. 2 ; forme, cit. 59 ; louis-quatorzien, cit.). *L'impuissance* (cit. 13) *peut être la traduction de la frigidité* (→ aussi Symptôme, cit. 3).

(...) tableaux (...) faits avec gravité et conscience dans la manière de Velasquez et de Chardin, si l'on peut appeler manière ce qui est la traduction la plus élevée, la plus ferme et la plus exacte des choses.
    Th. GAUTIER, Portraits contemporains, « E. Appert ».

Porel, en cet Odéon, est vraiment admirable pour la traduction des intentions de l'auteur par des intonations, des mouvements, des gestes, des suspensions, des arrêts, des temps, qu'il imagine et indique à tout son monde.
    Ed. et J. DE GONCOURT, Journal, 20 févr. 1885, t. VII, p. 11.

Enfin elle ajouta : « Votre père est si bon de recommander Julien chaque fois qu'il se présente à un examen au ministère des Affaires étrangères. » Traduction : « Ce n'est pas si bête de l'inviter puisqu'il est utile à Julien et le sera encore. »
    PROUST, Jean Santeuil, Pl., p. 669.

DÉR. V. Traductibilité.

TRADUCTRICE [tʀadyktʀis] n. f. — V. 1970 ; fém. de *traducteur.*

◆ Machine à traduire. ⇒ **Traducteur.** *Traductrice de poche.* « *Il suffit de sortir de sa poche une traductrice électronique, de la grosseur d'un livre (...) de pianoter les mots et les phrases sur le mini-clavier et l'on voit aussitôt apparaître sur l'écran la traduction en lettres colorées* » (*Sciences et Avenir,* n° 389, juil. 1979, p. 18). — REM. Ces *traductrices* ne sont en fait que des dictionnaires (de mots et de constructions) bilingues élémentaires, mis en mémoire.

TRADUIRE [tʀadɥiʀ] v. tr. — 1480 ; du lat. *traducere,* proprt « faire passer », de *trans,* et *ducere* « conduire » ; « traduire » chez Aulu-Gelle, acception qui ne s'est pas étendue aux dér. latins *traductio* et *traductor.*

★ **I.** (1535 ; sens concret, dér. du sens propre du lat. *traducere*). Dr. (vx). Transférer. — Mod. TRADUIRE EN..., AU..., DEVANT... : citer, déférer. ⇒ **Passer** (faire). *Traduire qqn en justice, devant un tribunal, au tribunal, aux assises, en police correctionnelle, par-devant le commissaire de police* (→ Infamie, cit. 5 ; outrage, cit. 6 ; piètre, cit. 1 ; relaxer, cit. 1). « *Devant certaine guêpe on traduisit la cause* » (cit. 44).

★ **II.** ◆ **1.** (1520). Faire que ce qui était énoncé dans une langue le soit dans une autre, en tendant à l'équivalence sémantique et expressive des deux énoncés. ⇒ **Rendre ; gloser, interpréter.** *Traduire un texte dans une langue, en français, en chinois.* ⇒ **Mettre** (→ Fidèlement, cit. 1 ; fragment, cit. 4 ; opérer, cit. 4). *Traduire un texte, un livre d'une langue* (dans, vers une autre), *du russe, de l'anglais. Traduire un mot anglais, une locution anglaise, par un mot, une locution française. Traduire* (un texte) *en prose, en vers* (→ Rimeur, cit.). — Par ext. *Traduire un auteur.* ⇒ **Expliquer** (→ Docte, cit. 4 ; rendre, cit. 40). *Traduire Virgile en style burlesque.* ⇒ **Travestir.** *Traduire en clair.* ⇒ **Déchiffrer.**

(...) tout le travail de la Traduction est une pesée de mots. Dans l'un des plateaux nous déposons l'un après l'autre les mots de l'auteur, et dans l'autre nous essayons tour à tour un nombre indéterminé de mots appartenant à la langue dans laquelle nous traduisons cet auteur, et nous attendrons l'instant où les plateaux seront en équilibre.
    Valery LARBAUD, Sous l'invocation de saint Jérôme, II, IV.

C'est là véritablement traduire, qui est de reconstituer au plus près l'*effet* d'une

---

certaine *cause,* — ici un texte de langue espagnole au moyen d'une *autre cause,* — un texte de langue française.
    VALÉRY, Variété, Études littéraires, Œ., Pl., t. I, p. 451.

Absolt. *Machine* à traduire.*

Par métaphore plais. (vx). *Traduire (qqn, qqch) en ridicule*.* ⇒ **Tourner** (mod.).

◆ **2.** (Fin XVIIᵉ ; répandu au XIXᵉ). Exprimer, de façon plus ou moins directe, en utilisant les moyens du langage ou d'un art. *Hugo a traduit le mystère de la vie* (→ Exprimer, cit. 28, Baudelaire). *L'ode* (cit. 3, Sainte-Beuve) *est un chant destiné à traduire l'ivresse publique. Le chant du rossignol admirablement traduit par Chateaubriand* (→ Harmonie, cit. 27, Sainte-Beuve). *Illustrer* (cit. 7, Gautier), *c'est traduire une page par un dessin. Symphoniste* (cit. 2, Baudelaire) *traduisant par les mille combinaisons du son les tumultes de l'âme.*

Les gens du peuple font peu de réflexions en contant, ils accusent le fait qui les a frappés, et le traduisent comme ils le sentent. Ce récit fut aussi aigrement incisif que l'est un coup de hache.
    BALZAC, Un drame au bord de la mer, Pl., t. IX, p. 894.

◆ **3.** Exprimer (le sujet désigne un signe, des signes). *Les mots qui traduisent notre pensée.* ⇒ **Peindre** (→ Dictionnaire, cit. 11). *La musique traduit certains sentiments* (→ Émotionnel, cit. 3 ; gravité, cit. 10). *Des cris* (cit. 6) *qui traduisent nos sensations.* — Pron. (passif). *Leur joie se traduisait en exclamations* (→ Enthousiasme, cit. 18, Gautier). *Toute idée* (cit. 7) *se traduit par des sons.*

◆ **4.** Manifester aux yeux d'un observateur un enchaînement ou un rapport. *La fièvre* (cit. 5) *traduit les réactions de défense de l'organisme. Un rêve, un geste traduisent la nature profonde d'un homme.* ⇒ **Trahir** (→ Freudisme, cit. 3). *Les mythes* (cit. 3) *traduisent les règles de conduite d'un groupe social.* — Pron. (sens passif). *Cette haine* (cit. 33, Hugo) *se traduit par un vague désir de nuire* (→ aussi Hystérie, cit. 1, Baudelaire). *L'éthérisme* (cit.) *se traduit par un énervement particulier* (→ aussi Frigidité, cit. 3 ; réflexe, cit. 1). *Dépréciation qui se traduit par la hausse des prix* (→ Inflation, cit. 2).

◆ **5.** Didact. Transposer dans un autre système.

Erreurs de transcription qui, en vertu de la fidélité aveugle du mécanisme, seront, à d'autres perturbations près, automatiquement retranscrites. Elles seront tout aussi fidèlement traduites en une altération de la séquence des amino-acides dans le polypeptide correspondant au segment d'ADN dans lequel la *mutation* se sera produite.
    Jacques MONOD, le Hasard et la Nécessité, p. 147.

▶ **TRADUIT, ITE** p. p. adj. *Inculpé traduit en justice.* — *Mot traduit du chinois, de l'anglais* (→ Réaliser, cit. 8). *Ouvrage traduit de l'anglais* (→ Pression, cit. 10). *Texte, livre traduit ; bien, mal traduit.*

DÉR. Traduisible. — V. aussi Traducteur, traduction.

TRADUISIBLE [tʀadɥizibl] adj. — 1725 ; de *traduire.*

◆ Qui peut être traduit. *Ce jeu de mots n'est guère traduisible.* ⇒ **Intraduisible.** — REM. Le substantif dérivé régulier est *traduisibilité.* On emploie parfois *traductibilité*.*

TRAFALGAR [tʀafalgaʀ] n. m. — 1889 ; de *coup de Trafalgar,* par allus. à la défaite de la flotte française devant Nelson le 21 octobre 1805.

◆ Fam. Événement aux conséquences désastreuses. — Syn. : *coup de Trafalgar.*

Merci, vieux, je savais que tu étais là, sur ma droite, et que je pouvais compter sur les cavaliers en cas de trafalgar. Et alors ? Raconte. Qu'avez-vous fait quand la fusée est partie ? Vous ne vous êtes pas méfiés ? Pourquoi n'êtes-vous pas rentrés ?
    B. CENDRARS, la Main coupée, in Œ. compl., t. X, p. 158.

C'était le 19 septembre 1923, un mois après la Saint-Roch, donc, qu'avait déclenché tous ces trafalgars que vous connaissez.
    G. CHEVALLIER, Clochemerle, p. 369 (ou 190 éd. suisse).

TRAFIC [tʀafik] n. m. — 1441, *traffitz* ; var. *trafique,* n. f., aux XVᵉ et XVIᵉ ; ital. *traffico,* d'orig. incert., ou, selon Guiraud, d'un roman *trasficticare (cf. *ficticius* « faux, fictif ») de *transfingere* « transformer ».

★ **I.** ◆ **1.** Vx. (Dans le sens général). Commerce*. « *Le trafic, en détail seulement, est interdit en France aux gentilshommes.* » *Par un édit de 1669, ils ne dérogent point en négociant en gros* » (Trévoux). *Faire trafic de qqch.* (→ Forain, cit. 1). — Vieilli. Petit commerce, de type assez primitif ; troc.

En retour de toutes ces bonnes choses, nous offrîmes aux naturels des colliers à grains bleus, dont les bijoux des clous (...) Nous établîmes sur la côte un marché régulier (...) et tout le trafic s'y opéra avec toutes les apparences de la bonne foi (...)
    BAUDELAIRE, Trad. E. POE, les Aventures d'A. Gordon Pym, XX.

Depuis des centaines d'années, les vendeurs de babouches brodées comme des mitres sont accroupis dans leurs armoires (:.) le marchand de dattes, de noix, d'amandes, de henné (...) trône au milieu de ses denrées (...) Parmi ces trafics puérils, sous des treillages de roseaux (...) circule une foule prodigieusement vivante (...)
    Jérôme et Jean THARAUD, Marrakech, V.

◆ **2.** (Mil. XVIIᵉ). Mod. Commerce plus ou moins clandestin, immoral ou illicite. ⇒ **Agiotage, maquignonnage.** *Trafic des bénéfices* (cit. 7).

⇒ **Simonie** (→ 2. Canon, cit. 1). *Le trafic des esclaves* (cit. 4), *des filles destinées aux harems* (cit. 1). ⇒ **Traite**. *Trafic des stupéfiants. Trafic de reconnaissances du Mont-de-Piété* (→ Ressource, cit. 4).

3 Ces lettres de cachet étaient l'objet d'un profitable trafic ; on en vendait aux pères qui voulaient enfermer leurs fils ; on en donnait aux jolies femmes trop gênées par leurs maris. MICHELET, Hist. de la Révolution franç., Introd., II, IX.

4 Ils raisonnent comme si on leur imputait à crime l'effroyable trafic de chair humaine qui si longtemps ravagea les côtes de l'Afrique.
JAURÈS, Hist. socialiste..., t. I, p. 966.

Dr. **TRAFIC D'INFLUENCE** : « fait d'agréer les offres ou promesses ou de recevoir les dons ou présents pour faire obtenir ou tenter de faire obtenir de l'autorité publique un avantage quelconque » (Capitant). ⇒ **Concussion, malversation, prévarication**. — (Le compl. désigne un bien moral). *Le trafic de...* « *Le trafic de l'honneur n'enrichit pas* » (Vauvenargues, *Réflexions et maximes*, 48). — Loc. *Faire trafic de son honneur*. → Vendre à l'encan*.

4.1 On usait de patients trafics d'influence pour sauver une face cadastrale, et cette énergie suffisait à porter les gosses comme sur un tapis roulant.
Claude COURCHAY, La vie finira bien par commencer, p. 26.

★ **II**. (Mil. XIXᵉ ; angl. *traffic ;* d'abord terme de ch. de fer). Anglic.
♦ **1**. Mouvement général des trains. *Trafic ferroviaire*. — Fréquence des convois sur une même ligne. *Trafic intense*.

♦ **2**. *Trafic maritime* (→ Ferry-boat, cit. 2), *fluvial, aérien. Trafic de transit,* dont les usagers arrivent et repartent par le même service aérien (opposé à *trafic local*). — *Trafic international, extérieur* : trafic des passagers soumis aux contrôles frontaliers.

5 La littérature du canal *(des Deux-Mers)* vous dira quels en sont, d'après elle, les avantages : constituer pour notre flotte de guerre un passage qui la double ; donner au trafic maritime international une voie nouvelle (...)
GIRAUDOUX, De pleins pouvoirs à sans pouvoirs, IV, p. 95.

Spécialt (par retour au sens I, 1). *Le trafic d'un port*.

5.1 Près du môle *(de Santa Cruz)* se trouve la place de la Constitution, entièrement dallée, et sur laquelle s'élève une colonne surmontée de la statue du célèbre navigateur entouré de lions et de figures allégoriques. Trafic du port : agrumes, vins, huile d'olive, sulfate de fer, soufre, lignite. Industries (...)
Claude SIMON, le Palace, p. 32.

♦ **3**. (1933, *in* D.D.L.). Circulation de nombreux véhicules. ⇒ **Circulation**. → Sauver, cit. 9.

6 Le trafic embarrassé se résumait dans un encombrement qui tenait le centre de la place et s'en allait cornant vers la rue Royale.
ARAGON, les Beaux Quartiers, II, XV.

TRAFICOTAGE [tʁafikotaʒ] n. m. — V. 1960 ; de *traficoter*.

♦ Fam. Action de traficoter ; petit trafic malhonnête. ⇒ **Magouillage**.

Quand vous avez découvert le traficotage de Nägel, vous pouviez l'écraser, l'éjecter.
Pierre ACCOCE, le Polonais, p. 68.

TRAFICOTER [tʁafikɔte] v. intr. — V. 1951 ; de *trafiquer*.
Familier et péjoratif.

♦ **1**. Trafiquer, mener un petit jeu malhonnête. ⇒ **Magouiller**.

Pas question, hein (...)
— Question de quoi ? (...)
— Que tu traficotes avec Chantal (...)
R. QUENEAU, le Dimanche de la vie, p. 146.

♦ **2**. Mener des activités secrètes, mystérieuses. *Qu'est-ce qu'il traficote dans son coin ?*

DÉR. Traficotage, traficoteur.

TRAFICOTEUR, EUSE [tʁafikɔtœʁ, øz] n. — Mil. XXᵉ ; de *traficoter*.

♦ Personne qui traficote. « *Les activistes ont toujours refusé (...) de bouter les traficoteurs hors des murs. Car les marchands de hasch ont droit d'asile* » (l'Express, 28 avr. 1981, p. 159).

TRAFIQUANT, ANTE [tʁafikɑ̃, ɑ̃t] n. — 1585 ; p. prés. de *trafiquer*.

♦ **1**. Personne qui fait commerce de... — REM. À la différence de *commerçant* et *négociant, trafiquant* n'est pas une appellation professionnelle et comporte presque toujours une nuance péjorative ; selon le type de complément, cette péjoration vient du mot lui-même (si le compl. est neutre) ou du syntagme (si l'objet du trafic est immoral). *Des trafiquants de métaux précieux* (→ Banquier, cit. 1). *Trafiquants de bois d'ébène* (→ Négrier, cit. 3). *Trafiquants grecs, hindous* (→ Massaliote, cit. ; salopard, cit. 5). *Petit trafiquant* (→ Récriminateur, cit.)

1 Les affaires se traitent à demi-voix, avec la ruse du campagnard et les cachoteries du trafiquant arabe (...) E. FROMENTIN, Une année dans le Sahel, p. 269.

2 Une série de boutiques de brocanteurs qui se suivaient de porte en porte.
Ah ! ils avaient bien choisi leur endroit, ces sordides trafiquants de vieilleries, dans cette fantastique ruelle (...) MAUPASSANT, Qui sait ?, II, Pl., t. II, p. 1232.

♦ **2**. (Déb. XIXᵉ). Péj. Marchand, commerçant malhonnête. ⇒ **Spéculateur ;** → Inavouable, cit. 2 ; marchandage, cit. 3.
REM. Le fém. est rare.

♦ **3**. Adj. Qui trafique. — (En parlant d'un lieu). Commerçant*. — (Écrit anormalement *traficant*) :

Paroisse du vent
Et rue de la mer,
Dans le matin clair
D'embruns délavée,
Dévote, marchande,
Traficante et gaie, Max ELSKAMP, la Rue Saint-Paul.

TRAFIQUER [tʁafike] v. tr. — dir. ou, plus souvent, ind. — Mil. XVᵉ ; ital. *trafficare,* de *traffico*.

♦ **1**. Vx. Faire le commerce de (qqch.), faire un commerce lointain.

♦ **2**. (Mil. XIXᵉ ; *in* Littré). Mod. (presque toujours péj.). Faire trafic de..., acheter et vendre en réalisant des profits illicites par diverses fraudes. ⇒ **Négocier** (→ Agioteur, cit. 1). — Trans. ind. *Trafiquer de...* (→ Équipage, cit. 12 ; mithridate, cit.). *Trafiquer de son sang* (→ Héroïsme, cit. 3). *Trafiquer de son influence, de son crédit.* « *Trafiquent avec lui des secrets de mon âme* » (→ Commerce, cit. 9 ; et aussi implacable, cit. 7). — Fam. *Trafiquer de ses charmes*. ⇒ **Prostituer** (se). — *Trafiquer sur...* ⇒ **Spéculer** (→ Boursicoter, cit. 2). — Absolt. ⇒ **Combiner, maquignonner** (→ Conspirer, cit. 2 ; indien, cit. 2 ; larron, cit. 1 ; marchand, cit. 1).

Un cadet de famille trafiquait d'un régiment, ainsi que d'une marchandise à lui qu'il avait payée, mettait les grades inférieurs aux enchères, poussait le reste de son bétail humain à la tuerie. ZOLA, la Terre, I, II.

Pour un paquet de lames « Pilett » j'allais trafiquer avec eux des ivoires longs comme ça, des oiseaux flamboyants, des esclaves mineures.
CÉLINE, Voyage au bout de la nuit, p. 106.

♦ **3**. (V. 1900). Trans. dir. Se livrer à diverses manipulations sur (un objet, un produit...) en vue de tromper sur la marchandise. *Trafiquer un vin*. ⇒ **Frelater**. *Voiture d'occasion dont le moteur a été trafiqué*. — Spécialt. (le compl. désigne une femme). « *Elle s'est fait trafiquer, il y a quatre jours* » (André Soubiran, *les Hommes en blanc,* t. III, p. 486). → ci-dessous le v. pron.

♦ **4**. V. tr. Fam. Faire, fabriquer. *Qu'est-ce que tu trafiques ici ?* ⇒ **Traficoter**.

▶ **SE TRAFIQUER** v. pron. (Déb. XIXᵉ).

♦ **1**. Vx. Faire l'objet d'un trafic.

♦ **2**. Mod. Se faire, se passer. *Il se trafique des choses louches, ici.*

♦ **3**. Fam. *Se trafiquer* (en parlant d'une femme) : se faire avorter.

Daniel l'avait foutue en cloque et cette connasse, au lieu de faire ça tout de suite, elle avait attendu cinq mois pour se trafiquer. Geneviève DORMANN, la Passion selon saint Jules, p. 139.

DÉR. Traficoter, trafiquant, trafiqueur.

TRAFIQUEUR, EUSE [tʁafikœʁ, øz] n. — XVᵉ ; de *trafiquer*.

♦ Rare. Personne qui trafique, aime à trafiquer.

(...) il y avait encore autre chose, en moins grave évidemment, qu'il n'avait pas pu digérer... c'était d'avoir été obligé de graisser la patte à tout un monde de trafiqueurs pour rien. CÉLINE, Voyage au bout de la nuit, p. 406.

TRAGÉDIE [tʁaʒedi] n. f. — V. 1300 ; lat. *tragœdia,* grec *tragôidia,* composé où l'on reconnaît les mots *tragos,* le plus souvent « bouc », et *ôidê* « chant », mais dont le sens reste controversé.

♦ **1**. Antiq. grecque. Œuvre lyrique et dramatique en vers, née du dithyrambe*, représentant, à l'aide d'acteurs masqués et de chœurs, quelque illustre infortune empruntée au mythe ou à l'histoire et propre à exciter la terreur ou la pitié ; le genre dramatique auquel appartient ce type de pièce. *Melpomène, muse de la tragédie*. Les *tragédies d'Eschyle, de Sophocle, d'Euripide*. ⇒ **Trilogie**. *Les différentes parties d'une tragédie grecque selon la* Poétique *d'Aristote : prologue, épisode, exode* (2. Exode, cit.) *et parties chorales* (parodos, monodie, stasimon...). *Naissance de la tragédie,* œuvre de Nietzsche. — *Tragédies latines,* pour la plupart adaptations des tragédies grecques.

La plainte des Seigneurs fut dite Tragédie.
L'action du commun fut dite Comédie.
RONSARD, Pièces hors recueils, « À O. de Magny », Élégie.

Lamentation rituelle, la tragédie dont le nom reste obscur est en effet d'abord et essentiellement un chant, lié aux pas et aux mimiques de la danse. Le poète qui est chargé, selon la formule, « d'instruire le chœur » (...) compose du même coup le chant qui doit rythmer les pas. Ce chant, il en emprunte naturellement le thème au mythe ou à la légende dont le lyrique ont tour à tour élaboré (...) puis vienne à porter l'attention sur ce thème, comme ne pouvaient manquer de le faire des Grecs épris de beaux récits (...) et la tragédie peut naître. Elle fait aussitôt éclater le cadre du poème lyrique. P. GUILLON, Genèse des genres classiques, in Encycl. Pl., Hist. des littératures, t. I, p. 92.

♦ **2**. (1549). Œuvre dramatique en vers (en France), d'abord assez proche de la tragédie antique ou des adaptations italiennes de la Renaissance, puis, aux siècles classiques, aboutissant à la représentation d'une action tragique (1.) dont les événements, par le jeu de certaines règles (unités) ou bienséances (récits, style noble) se traduisent essentiellement en conflits intérieurs chez des personnages (héros, princes ou grands) aux prises avec un destin exceptionnel; le genre (cit. 14) auquel appartient ce type de pièce (→ 1. Bas, cit. 56; entendre, cit. 47; fable, cit. 2; imagination, cit. 5; imprécation, cit. 6; majestueux, cit. 6; passion, cit. 3; purgation, cit. 2; sentiment, cit. 15). *La première tragédie française est la* Cléopâtre *de* Jodelle (1552). *Tragédies de* Garnier, *de* Montchrestien, *de* Hardy. *Discours de l'utilité et des parties du poème dramatique* et *Discours de la tragédie, œuvres de* Corneille. — *Tragédies classiques. Tragédies de* Corneille (→ Dénouement, cit. 3), *de* Racine (→ Artificieux, cit. 2; incubation, cit. 6; scandaliser, cit. 2), *de* Voltaire (→ Disperser, cit. 4; étonnant, cit. 4). *Tragédie et comédie* (cit. 20 et 24; → aussi cothurne, cit. 3). *La tragédie et le drame** (cit. 5). *L'exposition* (cit. 10), *le nœud, l'action* (péripéties, épisodes, coups de théâtre...), *le dénouement d'une tragédie. Héros et confidents dans la tragédie.*

Lorsqu'on met sur la scène une simple intrigue d'amour entre des rois, et qu'ils ne courent aucun péril, ni de leur vie, ni de leur État, je ne crois pas que, bien que les personnes soient illustres, l'action le soit assez pour s'élever jusqu'à la tragédie. Sa dignité demande quelque grand intérêt d'État ou quelque passion plus noble et plus mâle que l'amour, telles que sont l'ambition ou la vengeance (...) la tragédie (...) veut pour son sujet une action illustre, extraordinaire, sérieuse (...)
CORNEILLE, Discours sur le poème dramatique.

Il n'y a que le vraisemblable qui touche dans la tragédie. Et quelle vraisemblance y a-t-il qu'il arrive en un jour une multitude de choses qui pourraient à peine arriver en plusieurs semaines ?¹ (...) Tout ce grand nombre d'incidents a toujours été le refuge des poètes qui ne sentaient dans leur génie ni assez d'abondance ni assez de force pour attacher durant cinq actes leurs spectateurs par une action simple, soutenue de la violence des passions, de la beauté des sentiments et de l'élégance de l'expression. RACINE, Bérénice, Préface.
1. → Invention, cit.

Nous avons en France des tragédies estimées, qui sont plutôt des conversations qu'elles ne sont la représentation d'un événement (...) Notre délicatesse excessive nous force quelquefois à mettre en récit ce que nous voudrions exposer aux yeux.
VOLTAIRE, Brutus, Discours sur la tragédie.

Quoi de plus invraisemblable et de plus absurde en effet que ce vestibule, ce péristyle, cette antichambre, ce lieu banal où nos tragédies ont la complaisance de venir se dérouler (...) HUGO, Cromwell, Préface.

Pièce de théâtre analogue, drame. *Tragédies de* Gœthe (→ Pied, cit. 54).

Drame (dans l'opposition entre *tragédie* et *comédie*). *Les tragédies de* Shakespeare (→ Atermoyer, cit. 1; mouchoir, cit. 2). — (1741). Vx. *Tragédie bourgeoise* ⇒ **Drame** (bourgeois).

♦ **3.** (1552). Par métaphore ou fig. Événement ou ensemble d'événements tragiques* (2.). ⇒ **Drame**. *Sanglantes tragédies* (→ Concorde, cit. 2). *« Tandis que la tragédie rougissait les rues, la bergerie* (cit. 7) *florissait au théâtre »* (→ aussi Jouer, cit. 59). *Une tragédie se prépare* (→ Gâcher, cit. 6). *La fin de la tragédie hitlérienne* (→ Captif, cit. 2). *Les tragédies de la mine.*

Lamentable tragédie que la vie d'Edgar Poe! Sa mort, dénouement horrible dont l'horreur est accrue par la trivialité!
BAUDELAIRE, E. Poe, sa vie et ses œuvres, I (1856).

Croyez-moi ce ne sont pas les tragédies qui donnent naissance aux confidences, mais les confidences qui provoquent les tragédies.
Paul MORAND, l'Europe galante, p. 139.

Caractère tragique (de qqch.). *« La tragédie de la mort est en ceci qu'elle transforme la vie en destin »* (Malraux).

CONTR. Comédie ; bouffonnerie.
DÉR. Tragédien.

TRAGÉDIEN, IENNE [tʀaʒedjɛ̃, jɛn] n. — 1372, attestation isolée; au fém., 1764; inusité au XVIIe, repris au XVIIIe, parfois au sens d'«auteur tragique» (cf. Voltaire, in Littré); de *tragédie.*

♦ **1.** Acteur, actrice qui joue spécialement les rôles tragiques (tragédie ou drame). → Interprète, cit. 16. *Grande tragédienne* (→ Fondre, cit. 6). *Plutôt une mime* (cit. 2) *tragique qu'une tragédienne.*

Après avoir été complètement abandonnées pendant dix ans, les tragédies de Corneille et de Racine reparaissent tout à coup et reprennent faveur (...) Une jeune fille qui n'a pas dix-sept ans, et qui semble n'avoir eu pour maître que la nature, est la cause de ce changement (...) Mᶫᶫᵉ Rachel (...) cette jeune tragédienne (...) ne déclame point, elle parle : elle n'emploie, pour toucher le spectateur, ni ces gestes de convention, ni ces cris furieux dont on abuse partout (...)
A. DE MUSSET, Mélanges..., Littérature, De la tragédie.

♦ **2.** Personne qui affecte des attitudes tragiques, qui agit comme dans une tragédie.

TRAGI-COMÉDIE [tʀaʒikɔmedi] n. f. — 1545; du lat. *tragi(co)comœdia.*

♦ **1.** Hist. littér. Tragédie dont l'action est romanesque et le dénouement heureux. *La Bradamante de* Garnier *est la première tragi-comédie française* (1582). Corneille *a donné le* Cid *sous le titre de tragi-comédie.*

♦ **2.** (Fin XVIe, Brantôme). Fig., cour. Événement, situation où le comique se mêle au tragique.

Fort honnête homme de naissance et quelque peu gredin par passe-temps, — comédien par tempérament, — il jouait pour lui-même et à huis clos d'incomparables tragédies, ou, pour mieux dire, tragi-comédies.
BAUDELAIRE, la Fanfarlo.

DÉR. V. Tragi-comique.

TRAGI-COMIQUE [tʀaʒikɔmik] adj. — 1624; de *tragi-comédie,* d'après *comique.*

♦ **1.** Hist. littér. Qui appartient à la tragi-comédie.

♦ **2.** (1718). Fig., cour. Où le tragique et le comique se mêlent. *Aventure tragi-comique.*

TRAGIEN, IENNE [tʀaʒjɛ̃, jɛn] adj. — 1765; de *tragus.*

♦ Didact. Du tragus*.

TRAGIQUE [tʀaʒik] adj. — Déb. xvᵉ; *tragicque comédie,* 1549, Rabelais; 1546, dans la liste burlesque des «couillons»; du lat. *tragicus,* grec *tragikos.* → Tragédie.

♦ **1.** De tragédie, de la tragédie (1.). *Le spectacle tragique* (→ Comédie, cit. 1). *Le genre, la muse tragique* (→ Dramatique, cit. 4; mouchoir, cit. 2). *Le cothurne** tragique* (→ Brodequin, cit. 2). *Les personnages tragiques* (→ Horreur, cit. 17; médiocre, cit. 2). *Poème tragique* (→ Remettre, cit. 21). *Auteur, poète tragique* (→ Moderne, cit. 8; œuvre, cit. 18).

Tu dois savoir que toute sorte de poésie a l'argument propre et convenable à son sujet : l'héroïque, armes, assauts de villes, batailles, escarmouches, conseils et discours de capitaines ; la satirique, brocards et répréhensions de vices ; la tragique, morts et misérables accidents de princes (...)
RONSARD, Œuvres en prose, Les odes, Au lecteur. 1

N. m. (1561). *Les tragiques :* les poètes tragiques (→ Favori, cit. 2; instar, cit. 3).

♦ **2.** Propre à la tragédie; qui évoque une situation où l'homme prend douloureusement conscience d'un destin ou d'une fatalité qui pèse sur sa vie, sa nature ou sa condition même. — REM. Est *pathétique* ce qui, tragique ou non, évoque essentiellement l'homme *souffrant,* et *dramatique* ce qui évoque l'homme *luttant.* —*L'action tragique. La fatalité tragique* (→ Incompris, cit. 3). *Sentiments, passions tragiques. Scène tragique dans une comédie.*

(...) à mesure que l'écrivain creuse son type de Sganarelle, il pénètre de plus en plus profondément dans cette région où le comique et le tragique ne sont plus rien que la double interprétation d'une seule réalité (...) Sganarelle incarnait déjà le pauvre homme, ridicule et tremblant, que nous portons en nous (...) Il est naturel que les paroles d'Arnolphe, lorsqu'elles sont lues, rendent un son presque tragique, tandis que ses gestes et sa mimique nous ramènent à la pure comédie.
Antoine ADAM, Hist. de la littérature franç. au XVIIᵉ s., t. III, p. 283. 2

N. m. (Fin XVIIᵉ). *Le tragique et le comique* (→ Satyrique, cit.). *Le tragique et le grotesque* (cit. 16). *Le tragique de Molière.* — Littér. *Les Tragiques,* épopée satirique de d'Aubigné (1616).

♦ **3.** (1596). Qui inspire une émotion intense, par son caractère effrayant ou funeste*. ⇒ **Dramatique, émouvant.** *Situation, accident tragique* (→ Abandonner, cit. 8; entrailles, cit. 12). *Les tragiques spectacles de 93.* ⇒ **Effroyable ; terrible** (→ grossissement, cit. 3). *Dénouement* (cit. 6), *fin tragique* (→ Rehausser, cit. 2). *Destin, existence tragique* (→ Épreuve, cit. 29; larme, cit. 14). *Tragique méprise. Image tragique* (→ Émouvoir, cit. 23). — (1713). *Qui exprime la tragédie. Les masques* (1. Masque, cit. 28) *tragiques et douloureux de Pascal et de Beethoven. Air, ton tragique.* ⇒ **Sombre.** — (Dans un sens affaibli, dans des phrases négatives). *Ce n'est pas tragique* ⇒ **Alarmant, grave.** — N. m. (Mil. XVIIIᵉ). *Passer sa vie à esquiver* (→ Esquiver, cit. 4) *le tragique. Recevoir son contingent* (cit. 3) *de tragique :* (→ aussi Galvaniser, cit. 3). *Il y a un tragique quotidien* (cit. 1). — Loc. (1798, *tourner au tragique*). *Prendre une chose au tragique,* la considérer comme tragique (→ Esprit, cit. 121). ⇒ **Alarmer** (s'). Cf. Prendre au sérieux. *La chose tourne au tragique,* prend une tournure dramatique.

(...) j'avais juré de ne rien prendre au tragique, ne songeant pas qu'une véritable tragédie me tomberait sur la tête.
STENDHAL, Lettres inédites, éd. Charpentier, 1893, p. 248. 3

Il faut tout prendre au sérieux, mais rien au tragique.
THIERS, Disc. à l'Assemblée nationale, 24 mai 1873. 4

Quoi de plus glorieux qu'une âme quand elle se délivre? Quoi de plus tragique qu'une âme qui se captive alors qu'elle croit se délivrer?
GIDE, Journal, 1916, Feuillets. 5

Il arrive que les institutions humaines, quand s'y insèrent des personnalités un peu fortes, finissent par prendre elles-mêmes le caractère tragique des créatures, avec leurs passions et leurs crises, leurs printemps et leurs hivers, leur frémissement, leur lutte contre la mort. MONTHERLANT, la Relève du matin, p. 46. 6

CONTR. Comique ; bouffon, burlesque.
DÉR. Tragiquement.
COMP. Tragi-comédie, tragi-comique.

TRAGIQUEMENT [tʀaʒikmɑ̃] adv. — 1549; de *tragique.*

♦ **1.** Rare. Dans l'esprit de la tragédie.

♦ **2.** (1648). D'une manière tragique* (3.). *Mourir tragiquement. Prendre les choses tragiquement,* au tragique.

(...) c'est ici que son rôle devient assez beau, avant de tourner si tragiquement.
Émile HENRIOT, Portraits de femmes, p. 166.

TRAGOPAN [tʀagɔpɑ̃] n. m. — 1829, Cuvier ; du lat. *tragopan,* grec *tragopan,* de *tragos* «bouc», et *Pan,* divinité mythologique.

♦ Zool. Oiseau galliforme *(Phasianidés)* de l'Inde, dont la livrée ressemble à celle du faisan mais est rehaussée d'ocelles, et qui porte deux caroncules en forme de cornes.

Là, sous le couvert des arbres, voletaient plusieurs couples de gallinacés de la famille des faisans. C'étaient des «tragopans», ornés d'un fanon charnu qui pendait sur leurs gorges, et de deux minces cornes cylindriques, plantées en arrière de leurs yeux. Parmi ces couples, de la taille d'un coq, la femelle était uniformément brune, tandis que le mâle resplendissait sous son plumage rouge, semé de petites larmes blanches.   J. VERNE, l'Île mystérieuse, I, p. 123.

TRAGOSCÈLE [tʀagɔsɛl] adj. — 1876 ; grec *tragoskelês,* de *tragos* «bouc», et *skelos* «jambe».

♦ Didact. Aux jambes de bouc (en parlant d'un personnage mythologique grec). *Pan tragoscèle. Satyres tragoscèles.*

TRAGULE [tʀagyl] n. m. — 1876 ; du lat. zool. *tragulus,* dimin. sav. tiré du grec *tragos* «bouc».

♦ Zool. ⇒ **Chevrotin.**

DÉR. **Tragulidés.**

TRAGULIDÉS [tʀagylide] n. m. pl. — Fin XIXᵉ ; de *tragule.*

♦ Zool. Famille de mammifères ongulés artiodactyles ruminants. — Au sing. *Un tragulidé.*

TRAGUS [tʀagys] n. m. — 1751 ; mot lat., du grec *tragos,* déjà employé comme terme d'anatomie.

♦ Anat. Saillie aplatie triangulaire à la partie antérieure de la conque de l'oreille, au-dessous de l'hélix.

DÉR. **Tragien.**

TRAHIR [tʀaiʀ] v. tr. — 1080, *traïr; trades* (2ᵉ pers. du présent de l'indic.), v. 980 ; de **tradire,* du lat. *tradere* «transmettre, livrer», au sens péj. ; de *trans-,* et *dare* «donner».

♦ **1.** Livrer, ou abandonner (celui à qui l'on doit fidélité). ⇒ **Déceler** (vx), **dénoncer, donner** (fam.), **livrer ; délation.** *Judas trahit Jésus. Trahir qqn par intérêt.* ⇒ **Vendre.** — Vx. *Trahir qqn à qqn.* ⇒ **Donner, livrer.**

(1559). Abandonner (son camp, son armée), en passant à l'ennemi. ⇒ **Déserter ; déserteur, traître.** *Je sais que par sa fuite* (cit. 1) *il a trahi l'État. Trahir pour sauver sa peau* (cit. 18). *Les Bavarois avaient trahi à leur tour* (→ Ouvrir, cit. 14).

♦ **2.** (XVIᵉ). Manquer à la foi donnée à (qqn), à la solidarité envers (qqn), généralement à son insu. ⇒ **Manquer** (à sa parole), **mentir** (→ fam. Jouer* un tour de cochon, faire une vacherie*, une saloperie* à qqn). — *« (...) Si le vizir vous sert ou vous trahit »* (→ Douter, cit. 12). *Confident* (cit. 3) *qui trahit son maître* (en courtisant sa maîtresse). *Trahir qqn en révélant ses secrets* (→ Couvrir, cit. 46 ; enfiler, cit. 11). *Il trahissait Alexandre au profit de Napoléon* (→ Espionnage, cit. 4).

1 (...) on n'a pas le droit de trahir les traîtres mêmes. On n'a jamais le droit de trahir, personne. Les traîtres, il faut les combattre, et non les trahir.
Ch. PÉGUY, Notre jeunesse, p. 161.

Prov. *On n'est jamais trahi que par les siens :* ce sont les amis (qui ont donné leur foi) et non les ennemis qui trahissent. *« Quiconque est soupçonneux invite* (cit. 9) *à le trahir ».*

Trahir la confiance (→ Accabler, cit. 18 ; permettre, cit. 5 ; publier, cit. 1 ; reproche, cit. 2), *l'hospitalité de qqn* (→ Perfidie, cit. 3). ⇒ **Décevoir.** *L'amitié trahie* (→ Inimitié, cit. 1).

2 Il vint trouver votre père, l'accabla de reproches, l'accusa d'avoir trahi sa confiance et d'avoir causé le refus qu'il avait essuyé.
A. DE MUSSET, les Caprices de Marianne, I, 12.

(Sujet n. de chose). Desservir en livrant un secret. *Ses pleurs l'ont trahi. Son trouble, sa rougeur le trahit.*

3 L'amour n'est pas un feu qu'on renferme en une âme :
Tout nous trahit, la voix, le silence, les yeux ;
Et les feux mal couverts n'en éclatent que mieux.   RACINE, Andromaque, II, 2.

4 (...) nous serons bien, à nous tous, aussi forts que cette petite personne, et dans un temps donné, toute fille amoureuse commet une imprudence qui la trahit (...)
BALZAC, Modeste Mignon, Pl., t. I, p. 454.

♦ **3.** (V. 1130). Littér. Abandonner (la personne aimée) pour une autre personne. ⇒ **Tromper ; infidèle** (être). → 2. Garde, cit. 8. *Lui qui me fut si cher et qui m'a pu trahir!* (→ Aimer, cit. 15). *La certitude d'être trahie* (→ Soupçon, cit. 1).

À vingt et un ans, dans tout l'éclat de la jeunesse et de la beauté, Augustine se vit trahie pour une femme de trente-six ans.
BALZAC, la Maison du Chat-qui-pelote, Pl., t. I, p. 54.

♦ **4.** (1636). Rompre, violer* (un engagement librement pris). *Un serment qu'on trahit* (→ Abandonner, cit. 3).

Ne plus suivre (qqn, qqch.), agir contre ou combattre (ce à quoi on était fidèle). *Trahir son Dieu, sa foi.* ⇒ **Renégat.** *Le culte qu'ils ont trahi* (→ Insulter, cit. 10). *Il avait trahi les deux ordres auxquels il appartenait* (→ Ci, cit. 2). *Trahir une cause, un parti.* ⇒ **Défection** (faire), **transfuge.** *Trahir son devoir.* — Par ext. Agir à l'encontre de (ce qui doit être suivi). *Trahir le droit* (→ Absoudre, cit. 5), *le bon sens* (→ Naturel, cit. 29), *la justice* (→ Non-sens, cit. 2). — (À l'encontre d'une partie de soi-même). *Trahir son cœur. De s'abaisser* (cit. 8) *ainsi jusqu'à trahir son âme* (Molière). → ci-dessous, *se trahir* (2.).

Tu sais comment l'Amour peut forcer quelquefois
À trahir le devoir et transgresser ses lois.
THÉOPHILE DE VIAU, Élégie, «À M. de Pesé».

Je trahirais mon cœur de parler d'autre sorte (...)   MOLIÈRE, Tartuffe, I, 1.

Je subirai cet interrogatoire. M'avez-vous vu, monsieur, trahir la vérité dans quelque occasion que ce fût ?   BEAUMARCHAIS, la Mère coupable, III, 8.

♦ **5.** (Sujet n. de chose). Faire défaut*, ne pas seconder. *Ses forces* (cit. 11) *le trahissent.* ⇒ **Abandonner, lâcher.**

Mon bras, qui tant de fois a sauvé cet empire,
Tant de fois affermi le trône de son roi,
Trahit donc ma querelle, et ne fait rien pour moi ?   CORNEILLE, le Cid, I, 4.

Mes nerfs m'ont trahi. J'en suis maître à présent (...)
Paul BOURGET, Un divorce, IV.

♦ **6.** Mal seconder, mal servir (qqch.). ⇒ **Desservir.** *Trahir les intérêts de l'accusé* (cit. 2). *Paroles qui trahissent la pensée,* l'expriment* mal (→ Efféminer, cit. 2).

Donner une idée fausse de... ⇒ **Corrompre, dénaturer.** *La photo nous flatte ou nous trahit* (→ Photogénique, cit. 1). *Citer des échantillons de cette correspondance serait la trahir* (→ Oscillation, cit. 4).

(...) j'ai toujours été paralysé par le sentiment que les mots m'entraînaient, dénaturaient les nuances, trahissaient ma vraie pensée (...)
MARTIN DU GARD, les Thibault, t. VII, p. 117.

♦ **7.** (1580). Livrer, révéler (un secret). ⇒ **Divulguer, révéler.** *Il a trahi son secret par ses bavardages* (cf. Vendre la mèche, manger le morceau). *Trahir un secret au cours de libations* (→ Cuisiner, cit. 5), *en parlant trop; sous la torture...*

Laisser voir (ce qu'on veut cacher). *Ne rien trahir de son secret* (→ Bavard, cit. 8), *de sa duplicité. Il pensa* (cit. 54) *trahir sa joie. De peur de trahir leur émotion* (→ Sympathie, cit. 2).

♦ **8.** (V. 1587). Sujet n. de chose. Être la marque, le signe, l'indice... (d'une chose peu évidente ou dissimulée). ⇒ **Déceler, manifester, révéler.** *Voix qui ne trahit aucune émotion* (→ 1. Lire, cit. 23). *Tout en elle trahissait le mensonge* (→ Sifflant, cit. 2). ⇒ **Dénoncer.** *Écriture qui trahit un caractère* (→ Fleur, cit. 15). ⇒ **Expliquer.** *Objets qui trahissent des habitudes* (cit. 14). *Rien ne trahissait la vie* (→ Contradiction, cit. 6). ⇒ **Indiquer.**

Je m'efforçai en vain de la consoler par mes caresses ; mes propres pleurs trahissaient mon désespoir et ma consternation.
Abbé PRÉVOST, Manon Lescaut, I, p. 70.

Une contraction, vite réprimée, du petit visage trahit la déception de l'enfant.
MARTIN DU GARD, les Thibault, t. III, p. 110.

▶ **SE TRAHIR** v. pron. (XVIIᵉ).

♦ **1.** Récipr. Se livrer, se dénoncer* les uns les autres.

♦ **2.** Réfl. Manquer à soi-même, se renier. *Comment demeurer fidèle* (cit. 13) *à celui qui se trahit lui-même?*

♦ **3.** Laisser échapper, découvrir ce qu'on voulait cacher. *Il s'est trahi par cette question. Le menteur finit par se trahir.* ⇒ aussi **Couper** (se).

Un beau jour, je me trahirais ; je ne pourrais retenir l'expression du dédain qu'ils m'inspirent.   STENDHAL, le Rouge et le Noir, I, XXII.

♦ **4.** (Av. 1750). Se manifester. *Vocation qui se trahit par l'attitude* (→ Critère, cit. 6). *Le défaut* (cit. 5) *de maturité se trahissait dans ce qu'ils disaient. Son caractère envieux se trahit* (→ Montrer le bout* de l'oreille).

L'amour suppose chez celui qui l'éprouve le sentiment d'une intime misère. C'est par lui que se trahit la faiblesse des êtres.   FRANCE, Thaïs, p. 139.

(...) il fit la connaissance d'une femme chez qui l'intelligence ne se trahissait que par une grâce plus subtile (...)   PROUST, les Plaisirs et les Jours, p. 62.

▶ **TRAHI, IE** p. p. adj. *Époux trahi* (→ Aspect, cit. 13). *Des vœux trahis* (→ Écouler, cit. 13).

CONTR. **Aider, fidèle** (être). — **Respecter, servir, soutenir.** — **Seconder ; cacher.**
DÉR. **Trahison.**

TRAHISON [tʀaizɔ̃] n. f. — 1080, *traïsun;* de *trahir.*

♦ **1.** Action de trahir (1.), en livrant ou abandonnant une personne, une communauté... (⇒ **Infidélité ; délation, dénonciation**) ; spécialt.,

en désertant, en passant à l'ennemi. *La trahison des soldats.*
⇒ **Défection, désertion.** *Espionnage** (cit. 5) *et trahison.* — Dr.
Crime de trahison, contre la sécurité extérieure de l'État (port
d'armes contre la patrie, livraison de plans, de secrets intéressant
la Défense nationale). — (1677; angl. *high treason*). *Haute trahison :* intelligence avec une puissance étrangère ou ennemie, en vue
de guerre ou en cours de guerre. Manquement grave, de la part du
président de la République, aux devoirs de sa charge (→ Incriminer, cit. 1).

> (...) des soldats pour mourir, non pour vaincre, des soldats prédestinés à la défaite
> par la désertion du moral, et dont le cerveau trouble est hanté par le grand dis-
> solvant des armées : la Trahison.
> Ed. et J. DE GONCOURT, Journal, 7 sept. 1870, t. IV, p. 25.

> (...) on peut décider *a priori* que les trahisons sont toujours motivées par l'intérêt
> et l'ambition. Mais si, peut-être, cette psychologie à grands traits rend plus faci-
> les les classifications et les condamnations, elle ne correspond pas tout à fait à la
> réalité. Il y a eu des collaborateurs désintéressés (...)
> SARTRE, Situations III, p. 50.

> Personne ne se méprendra si j'écris : « La trahison est belle », et n'aura la lâcheté
> de croire — feindre de croire — que je veuille parler de ces cas où elle est ren-
> due nécessaire et noble, quand elle permet que s'accomplisse le Bien. Je parlais
> de la trahison abjecte. Celle que ne justifiera aucune héroïque excuse. Celle qui
> est sourde, rampante, provoquée par les sentiments les moins nobles : l'envie, la
> haine (...)
> Jean GENET, Journal du voleur, p. 257.

Par métonymie. Ensemble de ceux qui trahissent.

♦ **2.** (1080). Action de trahir (2.); son résultat. ⇒ **Bassesse,
déloyauté, duperie, félonie, forfaiture, fourberie, lâcheté, perfidie,
prévarication, traîtrise.** *Commettre une trahison. Le mensonge et la
trahison* (→ Bassesse, cit. 28; parjure, cit. 2). *Politique et trahison* (→ Panoplie, cit. 3). — Action de trahir une cause, une mission, une fonction. ⇒ **Défection.** *La Trahison des clercs,* œuvre de
J. Benda. — Action de se trahir en se reniant, en changeant
(→ Finalité, cit. 2).

> L'on fait plus souvent des trahisons par faiblesses que par un dessein formé de
> trahir.   LA ROCHEFOUCAULD, Maximes, 120.

> Ses ennemis (...) firent écrire, imprimer la nuit, répandre un libelle atroce. Le
> matin, allant à l'Assemblée, Mirabeau entendit crier partout : La grande trahison
> découverte du comte de Mirabeau.
> MICHELET, Hist. de la Révolution franç., III, VI.

♦ **3.** (Mil. XVIIe). Spécialt. Grave infidélité* en amour. ⇒ **Adultère,
inconstance.** *Un abandon** (cit. 2) *si cruel, une trahison si basse.
Lui reprocher son indigne* (cit. 19) *trahison. La trahison de la
femme* (→ Habituer, cit. 5).

> Honte à toi qui la première
> M'as appris la trahison (...)   A. DE MUSSET, Poésies nouvelles, « Nuit d'octobre ».

> Puis, les baisers perdent leurs charmes,
> Ayant duré quelques saisons.
> Les réciproques trahisons
> Font qu'on se quitte un jour, sans larmes.   Charles CROS, Lendemain.

♦ **4.** Action de dénaturer une pensée en la présentant. *Un arrangement de textes qui est une véritable trahison* (→ Interpoler, cit. 3).
Les trahisons d'une mauvaise traduction.

CONTR. Aide, constance, fidélité, foi.

TRAILLE [tʀaj] n. f. — 1409; du lat. *tragula* « javelot, herse ».

♦ Câble tendu d'une rive à l'autre, le long duquel se déplace par la
force du courant une embarcation servant à traverser une rivière.
Bac à traille.
Cette embarcation elle-même.

> (...) on patinerait sur la rivière, autour des bélandres captives et des trailles au
> repos (...)   A. ARNOUX, Suite variée, p. 65.

TRAIN [tʀɛ̃] n. m. — XIIe, *traïn* « traînée »; déverbal de *traîner*, « ce
qu'on traîne ».

★ **I. A.** ♦ **1.** (V. 1240, *trahin*). Vx. File des bêtes de somme et du
personnel de service qui suivent qqn. *Un train de chevaux, de
mulets portant des vivres.*
(V. 1190). Comm. Convoi de bêtes voyageant ensemble.

♦ **2.** (1660, *train de bateaux*). File de choses traînées ou entraînées.
Un train de chariots. Train de wagons derrière une locomotive
(→ ci-dessous, II.), *de péniches derrière un remorqueur* (cit. 3).
Train de bois de flottage.

> [1] Il regardait couler l'eau, il s'arrêtait pour voir passer les trains de bois qui des-
> cendaient la rivière.   ZOLA, Thérèse Raquin, III.

> [2] Il avait rencontré un train de tombereaux chargés de pierre, venant du Jura.
> Devant lui, un des tombereaux s'était embourbé et le train restait immobilisé. Le
> charretier criait, les chevaux tiraient (...)
> Valery LARBAUD, Enfantines, « Rachel Frutiger ».

Mar. *Train de pêche :* ensemble des filets et engins mis à l'eau par
un bâtiment (pêche au hareng, au maquereau).
Train routier, composé d'un tracteur et de plusieurs remorques.
(V. 1960). *Train spatial :* ensemble de capsules ou de modules circulant soit arrimés ensemble, soit séparément, lors d'une expédition spatiale.
(1836). Techn. Suite ou ensemble de choses semblables qui fonctionnent en même temps. *Train de laminoirs.* ⇒ **Batterie.** *Train de*

roues d'engrenage. — *Train de presses* (imprim.). — (1927). *Train
de roulement. Train de forage* (ou *de sonde*) : ensemble du trépan
et des tiges de forage. — (1912, *train de pneumatiques,* in D.D.L. II,
20). *Train de pneus :* ensemble de pneus neufs d'une automobile.
Ensemble de choses qui se suivent. — Géogr. *Train de vagues.* —
Phys. *Train d'ondes*.*

> Si, en effet, on considère un train d'ondes de petites dimensions, il résulte des lois [3]
> de l'optique géométrique, quand elles sont valables, que ce petit train d'ondes doit
> se déplacer dans l'espace en suivant un des rayons prévus par l'optique géomé-
> trique.   L. DE BROGLIE, Physique et Microphysique, p. 179.

Bouch. *Train de côtes.*

♦ **3.** (Déb. XIXe, *train*). Milit. *Train d'artillerie* (→ Blindé, cit. 1);
train des équipages* (II., 1.) : attelages chargés de conduire
les approvisionnements, les munitions (⇒ **Charroi**). — Matériel de
transport des unités non autonomes de l'armée. *Train de combat.* —
Absolt. *Le train* (→ Armée, cit. 14; pleuvoir, cit. 2; → argot Royal*
cambouis). *Unités du train* (→ Infanterie, cit. 5). *Soldat du train.*
⇒ **Tringlot** (→ 1. Pistolet, cit. 4).
(XXe). Mar. *Train d'escadre :* navires-ateliers et ravitailleurs qui
accompagnent une force navale.

♦ **4.** Fig. Suite, enchaînement de choses. *Un train de pensées*
(→ Rhapsodique, cit. 1).

> Nous voici dans un vilain train de neiges, de pluies et de vents terribles (...)   [4]
> Mme DE SÉVIGNÉ, Correspondance, 1260, 1er févr. 1690.

(V. 1960). Spécialt. **TRAIN DE...** (suivi d'un n.) : série d'actes de
caractère administratif, social, politique, émanant d'un gouvernement. *Train de mesures, de décisions, de réformes. Train d'ordonnances :* ensemble de décrets faisant l'objet d'une législation nouvelle dans un domaine déterminé. *Train d'ordonnances décidé par
le gouvernement en matière de Sécurité sociale.*

♦ **5.** Vx. Ensemble des domestiques, suivants, chevaux, voitures (qui
accompagnent une personne). ⇒ **Arroi, équipage, suite** (→ Désespérer, cit. 3). *Grands qui vont incognito* (cit. 3) *sans leur train ordinaire.* « *De bon matin j'ai vu passer le train De trois grands rois
qui partaient en voyage* » (Chanson, noël populaire). *Un grand train*
(aussi au sens III, 4). — Par ext., péj. et vx. Gens de peu.

> (...) elle condamne fort le train qui vient céans.   MOLIÈRE, Tartuffe, I, 1.   [5]

Fam. *C'est le diable et son train* (en parlant de difficultés, d'ennuis).
(Déb. XIXe). Loc. **TRAIN DE MAISON** (vx) : domestiques qui servent dans
une maison. — Par ext. Domesticité, commodités, dépenses d'une
maison. *Un grand train de maison.* — Loc. **GRAND TRAIN.** *Mener
grand train :* mener la vie à grandes guides*, vivre sur un grand
pied, dans le luxe. ⇒ **Dépenser** (→ ci-dessous, III., *Train de vie*).
Ils mènent trop grand train, ils jettent de la poudre (cit. 5)
aux yeux.

> Depuis quelques jours seulement madame Colleville avait réformé son train de   [6]
> maison, et semblait tourner à la dévotion (...)
> BALZAC, les Employés, Pl., t. VI, p. 945 (1837).

> Et comme il était des habitudes de faire tout avec audace, le mal et le bien,   [7]
> il prit un train de maison, voiture, table ouverte et le petit hôtel de la chaussée
> d'Antin qui subsiste encore.   MICHELET, Hist. de la Révolution franç., III, VI.

B. (1768). Croisement entre cet emploi I et le sens III « manière d'agir ».
Vx. Grande agitation, tumulte. ⇒ **Bruit, tapage.** *Mener un train
d'enfer.*

> Et le jour de la fête de Bicêtre, c'est là que nous avons été beaux! (...) Nous   [8]
> étions plus de vingt (...) Il y avait les officiers, qui se sont mis avec nous (...)
> Nous avons fait un train (...)   Ed. et J. DE GONCOURT, Sœur Philomène, III.

Agitation, tumulte collectif. « *La salle s'emplissait de train, de
rires* » (A. Daudet, in G.L.L.F.). ⇒ **Brouhaha.** *Il y a du train.* —
Loc. *Faire du train :* s'agiter bruyamment.

★ **II.** ♦ **1.** (Après 1840; d'abord *train de chariots* — tiré par une locomotive —, 1827; *train de voyageurs*, 1837; on disait surtout *convoi;* du
sens I, 2 avec infl. de l'angl.). La locomotive et l'ensemble des voitures (ou wagons) qu'elle entraîne. ⇒ **Locomotive, voiture, wagon;
convoi,** (fam.) *dur. Un train de soixante voitures* (→ 4. Rame, cit. 3).
Tronçon de train (→ Garage, cit. 1). *Train qui n'est pas encore
formé* (cit. 46). *Le train de Paris,* qui va à Paris (→ Poinçonner, cit. 1), ou qui vient de Paris. *Train à quai* (cit. 5). *Train qui
démarre* (cit. 3). *Train en marche** (2. Marche, cit. 30), *qui roule*
(→ Insensible, cit. 17), *file* (cit. 26). *Les trains montants* (cit. 1)
et descendants. Entrée du train en gare (1. Gare, cit. 6), *arrêt du
train* (→ Pincer, cit. 19). *Sifflement* (→ Excursion, cit. 3), *halè-
tement* (cit. 6), *fracas* (→ Raviver, cit. 4), *tintamarre du train*
(→ Ballottement, cit. 3). *Train qui déraille.* — *Chef de train, contrôleur* (→ Loterie, cit. 3), *conducteur d'un train.* — *Prendre le train
de 6 h 50* (→ Attaque, cit. 17). — *Il a raté le train. Attraper son
train. Billet, location de place, de couchette dans un train. Monter
dans le train, descendre d'un train* (→ Décor, cit. 7). *Le
train de qqn,* qu'il doit prendre. *Avoir son train* (→ Poil, cit. 23),
manquer (cit. 76) *son train.* — *Compartiments*, couloirs*, souf-
flets*, portières*, banquettes, filets d'un train de voyageurs. Train
à vapeur. Train électrique, train diesel, à turbines. Train omnibus,
direct, express, rapide* (⇒ **Direct, express, omnibus, rapide**). *Train
d'intérêt local* (⇒ **Tortillard**). *Train autos-couchettes :* train de
voyageurs (à couchettes ou wagons-lits), comportant des wagons

porte-voitures à étage. ⇒ **Autos-couchettes.** *Train autos accompagnées. Train mixte,* transportant à la fois des voyageurs et des marchandises. — (1948, *in* Höfler). *Train-ferry,* qui emprunte un ferry-boat. — *Train Bleu,* ainsi désigné par allusion à sa destination (Côte-d'Azur). — *Train Drapeau* (1955), en service sur la ligne Paris-Bordeaux, et tenant son appellation de ce qu'il symbolisait à l'origine la vitesse. — *Train à grande vitesse* ⇒ **T. G. V.** *Bateau qui passe les trains.* ⇒ **Ferry-boat** (cit. 2). — *Trains de marchandises* (⇒ **Fourgon, wagon**). — Techn. *Train-bloc :* train rapide qui ne s'arrête pas aux gares de triage et qui est constitué uniquement de wagons porte-conteneurs. — *Train de mines* (→ Roulage, cit. 3). *Train blindé* (cit. 3) *de l'armée.* — (1890, *in* D.D.L.). *Train sanitaire.* ⇒ **Ambulance.** — *Train postal.* — *Train de neige :* train de voyageurs qui vont faire des sports d'hiver. — (1850, *in* D. D. L.). Vx. *Train de plaisir :* train à prix réduit, qui, le dimanche, emmenait les voyageurs en excursion. — *Le Train de 8 h 47,* œuvre de Courteline.

9   Je songeais à ce promeneur bizarre le 9 mai dernier, me trouvant seul dans le wagon de Mons à Bruxelles, tandis que les trains de plaisir encombrés de voyageurs belges se dirigeaient à toute vapeur sur Paris.
    NERVAL, Lorely, Fêtes de Hollande, I (15 juin 1852).

10 À ce moment, un nouveau train passait, un train de marchandises interminable, dont la queue de wagons semblait rouler depuis une éternité (...)
    ZOLA, la Bête humaine, XI.

11 (...) la sagesse de voyageurs conseille le milieu des trains, qui est l'endroit le moins exposé aux risques des tamponnements comme aux rudesses de la traction, et le milieu des voitures, qui en est la partie la plus délicatement suspendue.
    J. ROMAINS, les Copains, II.

11.1 Le train était à 5 h 33.
    Il y en eut d'autres : à 7 h 15, à 19 h 36, à 21 h 44, à 18 h 12, à 0 h 01, à 13 h 61, des omnibus, des express, des pleins, des bondés, des vides, des cahotants, des ternes, des électriques, il y en eut des longs, des courts, des maigres, des jeunes, des vieux, mais jamais de sleepings, jamais de pullmans, pas même de premières, toujours de la troisième classe, à défaut de wagons à bestiaux.
    R. QUENEAU, Loin de Rueil, p. 137.

Par ext. *Le train,* moyen de transport ferroviaire. *Voyager par le train. Préférer le train à la voiture.* ⇒ **Chemin de fer, rail.** — REM. En ce sens général, on entend aussi bien le *train* proprt dit que l'*autorail* et la *micheline.* — Par anal. Jouet d'enfant représentant un train en miniature avec sa voie ferrée. *Offrir un train électrique* (→ Réseau, cit. 5).

Loc. *Comme une vache regarde passer un train :* avec un air passif, abruti. — Loc. fig. *Prendre (monter, sauter dans) le train en marche :* s'associer à une action déjà en cours; assumer la continuité d'une entreprise.

♦ **2.** Par métaphore (cette valeur récupère en fait les emplois du sens I, *train routier, train spatial* étant facilement interprétés comme des extensions du sens II). *Le « train du ciel »,* suite d'avions à des horaires rapprochés, sur une même ligne (in *l'Express,* 19 mai 1979, p. 147).

★ **III.** ♦ **1.** (xvᵉ). Allure (du cheval, d'une monture, et, par ext., d'un véhicule, ou d'un coureur, d'un marcheur). ⇒ **Marche, mouvement.** *Chevaux qui accélèrent* (cit. 1) *leur train. Galoper* (cit. 1) *d'un train furieux.* — Loc. adv. **GRAND TRAIN** : à grande allure. *Ses chevaux la menaient grand train* (→ Fourrer, cit. 33). — Rare. *Aller petit train.* — (Av. 1850, Balzac). Loc. adv. **À FOND DE TRAIN.** *Lancer ses chevaux à fond de train,* très rapidement (→ Halter, cit.). — Fig. *À fond* de train :* très rapidement, à toute vitesse (en parlant des piétons, des automobiles, etc.). — *Un train de poste,* rapide, et fig. (→ Réveillonner, cit. 2).

12 La discussion déviait. Elle partit à fond de train sur l'aveuglement des époux trompés dont il doutait et qu'elle affirmait avec des airs de mépris si personnels qu'il finit par se fâcher.
    MAUPASSANT, l'Inutile Beauté, « L'épreuve », I.

(1855, *in* Petiot). Sports. Allure générale (d'une course de chevaux). → Peloton, cit. 2. — (1885). Dans une course cycliste, etc. *Le train est rapide, soutenu :* l'allure du peloton de tête est rapide, soutenue. *Mener, suivre le train.* — *Faux train :* allure qui donne l'illusion d'être rapide, mais laisse à celui qui mène assez de ressources pour accélérer.

Allure (surtout dans des loc. intensives : *bon, grand train...*). *Une personne qui marche bon train* (⇒ **Rapidement**). *Aller un train d'enfer* (cit. 21), *aller grand train.* ⇒ **Erre.** — *Ralentir* (cit. 2) *son train.* « *Il laisse la tortue Aller* (1. Aller, cit. 83) *son train de sénateur.* » *Si vous y allez de ce train vous n'arriverez pas de bonne heure* (cit. 102). *De ce train, vous y serez vite.* — Fig. *La conversation allait bon train* (→ 1. Parler, cit. 85). *L'affaire va bon train.* ⇒ **Avancer.** — *Du train où vont les choses. Au train dont va la science* (→ Guerre, cit. 41).

Vx. *Tout d'un train :* sans délai.

♦ **2.** (1580, Montaigne). Littér., vx. Manière d'aller, marche* (des choses). *Voilà le train du monde* (→ Bienfait, cit. 5).

13 Moi qui vous parle si bien, j'ai un peu oublié depuis quelque temps le train des pensées spirituelles et religieuses; j'ai été repris de jeunesse par ces dernières bouffées de printemps (...)   SAINTE-BEUVE, Correspondance, 469, 24 avr. 1835.

14 La religion régnante, qui s'est accommodée au lugubre train des choses, lui dit que la terre est un exil, le monde un cachot, la vie un mal, et que toute notre affaire est de mériter d'en sortir.   TAINE, Philosophie de l'art, t. I, p. 58.

15 Depuis un mois, lui et Françoise étaient installés, et leur existence avait pris le train actif et monotone des campagnes.   ZOLA, la Terre, V, I.

(...) la perspective de jouer un rôle de conseiller dans une histoire si étrangère au train accoutumé de sa pensée (...)   Paul BOURGET, Un divorce, I.

(1671). **ALLER SON TRAIN** : continuer* sa marche, sa progression dans le même mouvement, de la même manière. ⇒ **Cours** (suivre son). *Les ailes du moulin allaient toujours leur train* (→ Devant, cit. 19). *Mes études allaient un train normal* (→ Éprouver, cit. 37). *Laissant le monde aller son train* (→ Heure, cit. 42). ⇒ **Train-train.** — *Reprendre son train* (→ Moquerie, cit. 2).

On me demanda raison de mon éclipse, je dis ce que je voulus : on se contenta de ce que je dis, et tout reprit son train accoutumé.
    DIDEROT, Jacques le fataliste, Pl., p. 706.

La Grande ne parlait pas pour manger davantage, allant son train, d'un broiement continu; et c'était effrayant, ce qu'engouffrait ce corps sec et plat d'octogénaire, sans même enfler.   ZOLA, la Terre, II, VII.

(1889, Bourget). Vieilli. Fig. et fam. *Être dans le train :* être au fait de la mode. Cf. Dans la course, dans le coup.

Ce viveur appartenait à l'espèce de ceux qui (...) se piquent d'être au courant, « dans le train », comme on dit aujourd'hui.   Paul BOURGET, le Disciple, II.

Dans tous les salons, il n'y en a plus que du portrait de Machard; on n'est pas chic, on n'est pas pur, on n'est pas dans le train, si on ne donne pas son opinion sur le portrait de Machard.   PROUST, Du côté de chez Swann, Pl., t. I, p. 375.

♦ **3.** (V. 1175). Vx. Manière d'agir, conduite. *Mon frère prit le train du libertinage* (→ Escapade, cit. 4). *Suivre le train de ses aïeux* (→ Nouveauté, cit. 13).

En vain de son train ordinaire
On le veut désaccoutumer.
Quelque chose qu'on puisse faire,
On ne saurait le réformer.   LA FONTAINE, Fables, II, 18.

(1588, Montaigne). **TRAIN DE VIE** : conduite.

(...) si j'ai dit que je voulais corriger ma conduite et me jeter dans un train de vie exemplaire (...)   MOLIÈRE, Dom Juan, V, 2.

Tu vas mener un train de vie bien différent, mon enfant (...) plus de main-chaude ou de colin-maillard. De bons soldats, morbleu! basanés, mal vêtus (...)
    BEAUMARCHAIS, le Mariage de Figaro, I, 10.

♦ **4.** (Fin xvᵉ). Ensemble des moyens matériels; mode de vie matérielle, sur le plan financier. *Avoir un grand train.* — Loc. *Mener grand train.* — (Fin xixᵉ, Loti; par attraction de *train de maison,* ci-dessus, I., 5.). **TRAIN DE VIE** : manière de vivre, relativement aux dépenses de la vie courante que permet la situation, l'état* des gens. *Un train de vie des plus modestes* (→ Concorde, cit. 3). *L'Amérique a un train de vie supérieur à celui du reste du monde* (→ Consommer, cit. 6). *Éléments du train de vie considérés dans le calcul de l'impôt* (→ Signes* extérieurs de richesse). *Réduire son train de vie.*

Du reste, au petit ménage déchu, un peu d'aisance commençait à revenir, pour un si modeste train de vie.   LOTI, Matelot, XX.

(...) son train de vie de grand seigneur : les centaines de mille francs qu'on lui voyait couler des doigts, à une époque où son travail de journaliste, honnêtement payé, l'aurait juste empêché de crever de faim!
    J. ROMAINS, les Hommes de bonne volonté, t. III, XVII, p. 235.

♦ **5.** (1636). Loc. adv. **EN TRAIN.** ⓐ En parlant des personnes. En action, en mouvement, ou en humeur d'agir. *« Quand une fois l'imagination* (cit. 15) *est en train, malheur à l'esprit qu'elle gouverne »* (Marivaux). ⇒ **Branle, marche. METTRE (qqn) EN TRAIN** : le disposer à agir, le stimuler. *Son travail le met en train et en haleine* (→ Élément, cit. 18). *La mule, mise en train par la musique...* (→ Amble, cit. 2). *Je ne suis pas en train :* je ne me sens pas disposé. — Spécialt. *En train :* dans une disposition agréable, gaie. *Mettre qqn en train :* le disposer à s'amuser, l'inciter à la gaieté. *Il sut mettre en train tous les convives* (→ Pétillant, cit. 2). ⇒ **Boute-en-train.** *Nous étions tous très en train.* ⇒ **Gai; entrain.**

Personne ne se sentait en train, ni les maîtres, ni les élèves.
    Alphonse DAUDET, le Petit Chose, I, IX.

ⓑ En parlant de choses. En cours d'exécution. *Mettre un travail en train :* commencer à l'exécuter*. *Le travail en train,* commencé, en chantier*. **MISE EN TRAIN** : début d'action, d'exécution. *Mise en train d'une affaire, d'une production... :* travaux de préparation qui la mettent en marche et précèdent la période de plein rendement. → aussi ci-dessous, IV, 3. *Deux parties de billard étaient en train,* en cours (→ 1. Point, cit. 69).

— (...) et Frédéric... vous ne voulez donc pas le marier, ce garçon-là?
— Il y a peut-être quelque chose en train.
— Ah! quelque chose de bien?
— Oh! un parti inespéré!   E. LABICHE, la Poudre aux yeux, II, 2.

Mais le commencement et la mise en train de la paix sont plus obscurs que la paix même; comme la fécondation et l'origine de la vie sont plus mystérieuses que le fonctionnement de l'être une fois fait et adapté.
    VALÉRY, Essais quasi politiques, Crise de l'esprit, II.

♦ **6.** (1666). Loc. prép. **EN TRAIN DE...** ⓐ *Être en train de :* « être disposé à... *Être en train de jouer, de courir »* (Littré). *Je suis en train de dire des mais* (cit. 29). ⇒ **Disposition.** — REM. De nos jours, ne s'emploie plus qu'à la négative ou par antiphrase. *Elle n'est pas en train de s'amuser. Si vous croyez que je suis en train de penser à cela!*

ⓑ En état, en passe, en voie de... (Mᵐᵉ de Sévigné, 875, 3 avr. 1681).

(...) n'avez-vous pas de l'étoffe pour présenter au Roi? votre nom (de Grignan) est-il barbare? N'est-il point en train de vous faire du bien?
    Mᵐᵉ DE SÉVIGNÉ, 789, 13 mars 1680.

[c] (1735). *En train de...* : en cours (marque l'aspect de durée du verbe, aspect traduit, en ancien français, par le gérondif, toujours en usage en anglais ; ex. : *He is speaking* «il est en train de parler»). *Il est en train de travailler* : il travaille en ce moment, il est à son travail. *Être en train de vendanger* (→ Moût, cit. 2). *Des cartouches qu'il était en train de faire* (→ Improviste, cit. 2). *Un pas qu'elle était en train de faire* (→ Pochette, cit., Balzac). *En train de faire* (cit. 162) *le pitre.*

8 (...) les grands travaux publics partout en voie d'aboutissement, les monuments en train de s'édifier (...)
MADELIN, Hist. du Consulat et de l'Empire, Vers Emp. Occid., VIII.

★ **IV.** Partie qui traîne, entraîne. ♦ **1.** (XVIᵉ). [a] Partie (de devant, de derrière) des animaux de trait, et, par ext., des quadrupèdes. — Rare. *Train de devant.* ⇒ **Avant-train.** — Cour. *Train de derrière.* ⇒ **Arrière-train.** *Chat dressé, haussé sur son train de derrière* (→ Persan, cit. 2). *L'animal traînait son train de derrière brisé* (→ Fuir, cit. 4). — Par ext. *Train de derrière,* et, absolt, *train.*

9 (Elle) prit son attitude suprême qui consistait à redresser le torse en ramenant le train de derrière pour appuyer le mouvement de bascule des vertèbres cervicales (...)   Léon BLOY, la Femme pauvre, I, XVII.

[b] Pop. Le derrière. *Je vais te botter le train.* — Loc. *Filer le train à qqn* : le suivre de près. — REM. L'expression peut provenir du sens III, 1 ci-dessus, mais est aujourd'hui comprise dans cette acception. — *Se magner (manier*) le train.*

♦ **2.** (1467). Partie qui porte le corps d'une voiture et à laquelle les roues sont solidarisées. ⇒ **Châssis.** — Vx. *Le train d'un wagon, d'une automobile.* — Ensemble des roues avant et de l'essieu* avant *(train avant),* des roues arrière et du pont* arrière *(train arrière).*

(1912). Aviat. TRAIN D'ATTERRISSAGE : parties d'un avion destinées à être en contact avec le sol (roues, le plus souvent ; aussi patins, flotteurs, etc.). ⇒ **Atterrissage.** *Avion qui rentre son train d'atterrissage après le décollage. Train à skis.*

♦ **3.** (1680). Techn. Ancienn. Partie d'une presse d'imprimerie* sur laquelle on posait la forme. — Mod. (d'après les emplois généraux de *mise en train ;* → ci-dessus, III., 5.). *Mise en train* (à l'origine, action de placer la forme sur le *train*) : réglage de la pression sur les divers éléments de la forme, par égalisation des niveaux (éléments d'impression et éléments de la machine) et réglage des pressions, nuancées selon les parties de la composition *(mise en train de puissance). L'imprimeur a mis en train une forme pour la tirer* (→ Impression, cit. 6).

HOM. Trin (adjectif).
COMP. **Arrière-train, train-train.**

TRAÎNAGE [tʀɛnaʒ] n. m. — 1531 ; de *traîner.*

★ **I. A.** Rare. ♦ **1.** Action de traîner (I., 1.).

♦ **2.** (1812). Spécialt. Transport par traîneaux*.

Comme le traînage se maintenait, au bout de quelques jours apparurent les coupés, les berlines et les calèches sur patins.   Th. GAUTIER, Voyage en Russie, VII.

Michel Strogoff eût préféré voyager par la rude saison d'hiver, qui permet d'organiser le traînage sur toute l'étendue du parcours. Alors les difficultés inhérentes aux divers genres de locomotion sont en partie diminuées sur ces immenses steppes nivelées par la neige. Plus de cours d'eau à franchir. Partout la nappe glacée sur laquelle le traîneau glisse facilement et rapidement.   J. VERNE, Michel Strogoff, p. 42.

♦ **3.** Techn. Opération qui consiste à entraîner des wagonnets, des berlines à l'aide d'un câble ou d'une chaîne sans fin.

B. Techn. Moment de l'atterrissage (d'un ballon) où la nacelle est traînée au sol.

Le premier choc, avec toute la vitesse, fut brutal (...) La nacelle versa et la grande enveloppe, tendue par le vent, la traîna sur le sol. Blottis dans la corbeille couchée, plus bas que les herbes, nous ressentions brutalement les soubresauts de la paroi d'osier grattant rapidement le sol. Nous avons traîné pendant presque 200 mètres. Tout aéronaute connaît le «traînage» : ce sont des instants impressionnants.   Science et Vie, nº 595, p. 142.

★ **II.** (Mil. XXᵉ). Sc. *Traînage magnétique* : retard des variations de l'aimantation d'une substance ferro-magnétique par rapport aux variations du champ. → Hystérésis.

TRAÎNAILLER [tʀɛnaje] v. — 1877 ; de *traîner,* et suff. *-ailler.*

★ **I.** V. intr. ♦ **1.** Se déplacer difficilement, péniblement (pour une raison physique ou non). *Traînailler d'une pièce à l'autre.*

♦ **2.** (De *traîner,* II., 9.). *Il traînaille dans les bistrots.*

(...) il crachait, traînaillait dans la boutique, ne se décidait pas à partir pour le chantier.   ZOLA, l'Assommoir, V, t. I, p. 191.

Qu'est-ce qu'elle avait besoin, cette petite sotte de Bérénice, de traînailler avec ce garçon ?   ARAGON, Aurélien, I, p. 147.

♦ **3.** (De *traîner,* II., 6.). Choses. *Le procès traînaille indéfiniment.*

♦ **4.** (De *traîner,* II., 8.). Fig. *C'est un éternel étudiant qui traînaille en faculté sans passer de diplôme.*

★ **II.** V. tr. (Fin XIXᵉ). Traîner péniblement (qqch.). — P. p. «*Son pas, lentement traînaillé par les dalles du couloir*» (→ Grossissement, cit. 1).

TRAÎNANT, ANTE [tʀɛnɑ̃, ɑ̃t] adj. — XIIᵉ ; p. prés. de *traîner.*

A. ♦ **1.** Qui traîne (II., 2.) par terre. *Robe traînante. Couvertures traînantes* (→ Mobilier, cit. 4). — *Pas traînant.*
Qui pend. ⇒ **Pendant.** *L'aile traînante du rossignol* (cit. 3). *Traînante mamelle* (→ Bique, cit. 1).

♦ **2.** (Choses). Qui n'est pas rangé.
Jamais il ne maniait les choses traînantes avec ce geste familier qu'ont presque tous les hommes.   MAUPASSANT, Un fou ?, Pl., t. II, p. 308.
Qui traîne (II., 4.), forme une traînée. *Nuage traînant* (→ Brouiller, cit. 2).

B. Qui traîne (II., 6.). ♦ **1.** (En parlant des sons). ⇒ **Lent, prolongé.** *Les intonations traînantes ou gouailleuses* (→ Élever, cit. 75). *Voix traînante* (→ Graisse, cit. 15 ; interposer, cit. 3 ; inventer, cit. 16).

♦ **2.** Vieilli. (En parlant du style, d'un ouvrage de l'esprit). ⇒ **Languissant, monotone.** *Style traînant* (→ Diffus, cit. 7).

TRAÎNARD, ARDE [tʀɛnaʀ, aʀd] n. et adj. — 1611, adj., «qui se traîne, rampe à terre» ; 1872, Littré, au fém. ; de *traîner,* et suff. péj. *-ard.*

★ **I.** N. ♦ **1.** (1823). Vx. Soldat qui traîne (II., 8.), reste en arrière de la troupe avec laquelle il doit marcher. *Les traînards d'une armée.* — Par ext. Personne qui reste en arrière d'une troupe, ne peut la suivre. ⇒ **Clampin, dernier.** *Allons, les traînards, rejoignez les rangs !*

1 (...) cette route du malheur, semée de traînards, de chevaux morts, d'armes abandonnées, des ruines lamentables de la royauté.
ARAGON, la Semaine sainte, IX.

♦ **2.** Personne trop lente* dans son travail. ⇒ **Lambin, négligent.**

★ **II.** Adj. ♦ **1.** (1836, Stendhal). Qui traîne en longueur, dure... *Voix traînarde.*

2 Dans la suite j'ai pris des leçons du célèbre La Rive et de Dugazon pour chasser les derniers restes du parler *traînard* de mon pays.
STENDHAL, Vie de Henry Brulard, 29.

♦ **2.** Qui n'avance guère, qui s'attarde. *Des files traînardes* (→ Groupe, cit. 5).

★ **III.** N. m. (XXᵉ). Techn. ♦ **1.** Ensemble coulissant sur les glissières du banc d'un tour et portant les organes destinés à maintenir les outils.

♦ **2.** Mar. Câble reliant un télépointeur, une tourelle, au reste du navire.

TRAÎNASSE [tʀɛnas] n. f. — 1635 ; de *traînasser,* ou de *traîner,* et suff. déverbal de *-asser.*

♦ **1.** Plante qui s'étend sur le sol. — Spécialt. Renouée* des oiseaux.

♦ **2.** (1761). Stolon* (d'une plante).

♦ **3.** Techn. Filet à oiseaux, que l'on traîne. ⇒ **Tirasse.**

TRAÎNASSEMENT [tʀɛnasmɑ̃] n. m. — 1954, *in* D.D.L. ; de *traînasser.*

♦ Action de traînasser. ⇒ **Traînasserie.**

Avec des traînassements pantouflards, il promenait une tête de lion de la Banque de France pour faire *monstre sacré.*   P. GUTH, le Naïf locataire, p. 137.

TRAÎNASSER [tʀɛnase] v. tr. et intr. — Fin XVᵉ ; de *train(er),* et suff. péj. *-asser.*

★ **I.** V. tr. ♦ **1.** (1563). Traîner mollement par terre. — Vx. Traîner (une affaire) en longueur. *Traînasser un procès.*

♦ **2.** Traîner (I., 3.).
Traînassant ta faiblesse et ta simplicité.   VERLAINE, Sagesse, III.

★ **II.** V. intr. (1845). ♦ **1.** Traîner (II., 6.), durer trop. ⇒ **Traînailler.** *Cette affaire traînasse.* — Traîner (II., 8.). Être trop long (à faire qqch.). ⇒ **Lambiner.** *Paresseux qui rêve et traînasse.*

♦ **2.** Traîner (II., 9.). *Traînasser dans les rues, les cafés.* ⇒ **Errer, vaguer.**

«Je reviens» et (il) se précipita place du Marché. Il y trouva Respelière qui traînassait là (...)   ARAGON, les Beaux Quartiers, I, XXII.

DÉR. **Traînasse, traînassement, traînasserie.**

TRAÎNASSERIE [tʀɛnasʀi] n. f. — Av. 1729, Caylus, «langueur» ; de *traînasser.*

♦ Action de traînasser, d'être trop lent ; résultat de cette action. *Ces longueurs* (cit. 11), *ces traînasseries.*

TRAÎNE [tʀɛn] n. f. — xiie, « retard » ; fin xiie, *traine* « en traînées irrégulières » ; de *traîner*; mot rare ou techn. jusqu'au xixe.

★ **I.** Ce qui traîne. ♦ **1.** (1843). Bas d'un vêtement qui traîne (II., 2.) par terre, derrière une personne qui marche. — (1843). *À traîne. Manteau ; robe à traîne* (→ Biais, cit. 9). ⇒ **Queue.** — *Une traîne. Étaler sa traîne* (→ Maître, cit. 103). *La traîne d'une mariée.* — Par anal. *Queue en traîne de l'écureuil* (cit. 2).

1   On releva donc la traîne par un ruban à la ceinture, ce qui est en Turquie une règle d'étiquette pour se présenter chez les souverains ; car, si cette traîne de cour est obligatoire, aucune femme, à moins d'être princesse du sang, n'a le droit de la laisser balayer les somptueux tapis du palais. LOTI, les Désenchantées, X.

♦ **2.** (1553). Mar. Corde qui traîne (II., 2.) à la mer. « Tout objet qu'on file à l'arrière d'un navire à l'aide d'un bout de filin » (Gruss). — Filet* de pêche qu'on traîne. ⇒ **Senne** (→ Marinier, cit. 4).

♦ **3.** (1841). Régional. Haie ou buisson bordant un chemin. *Chemin creux et ombragé.*

2   Dans la vallée, vers la rivière, quelques traînes semblables à celles de la Marche et du Berry, indiquaient le cours d'eau, dessinaient leurs franges vertes autour de cette commune, jetée là comme un vaisseau en pleine mer.
BALZAC, le Curé de village, Pl., t. VIII, p. 606.

3   Landry fit comme son frère souhaitait, et au lieu de traverser la joncière, il descendit la traîne qui longe la côte du Chaumois.
G. SAND, la Petite Fadette, XVII.

♦ **4.** Secteur postérieur d'un système nuageux à l'arrière d'un front froid. *Un ciel de traîne.*

★ **II.** Action de traîner. ♦ **1.** Loc. adv. À LA TRAÎNE : en amarrant à l'arrière (ce qu'on traîne). — *Pêche à la traîne,* en traînant, de chaque côté du bateau, une ligne plombée fixée à un espar. — *Bateau à la traîne,* qu'un autre remorque. ⇒ **Remorque** (→ aussi Remorquage, cit. 2).

4   Nous retournâmes en triomphe à la goélette, en remorquant notre trophée à la traîne. BAUDELAIRE, Trad. E. POE, les Aventures d'A. Gordon Pym, XVII.

(V. 1900). *À la traîne* (fig.) : à l'abandon, en désordre* (peut-être avec infl. de *traîner,* II., 5. : *des objets qui traînent*). « *Le désordonné laisse toutes ses affaires à la traîne* » (*Nouveau Larousse illustré*). ⇒ **Négliger.**

5   (...) fauchant d'un revers de main (...) une poignée de cravates à la traîne sur la barre de cuivre du lit et les envoyant sans ménagement avec une paire de chaussettes rejoignant un tas de linge sale (...) Claude SIMON, le Vent, VI.

(1931, argot, Chautard). Fam. En arrière d'un groupe de personnes qui avancent. *Un soldat, un enfant à la traîne.* ⇒ **Traînard.** *Ils se hâtaient en débandade* (cit. 2), *inquiets d'être à la traîne. Laisser qqn à la traîne, rester à la traîne.* — Fig. *Dans sa classe il est toujours à la traîne,* le dernier.

6   Sur les Champs-Élysées, pleins d'enfants, de gouvernantes, de ballons rouges, d'amoureux et de familles à la traîne (...) ARAGON, les Beaux Quartiers, II, XV.

♦ **2.** Fam. Action de traîner (II., 9.) dans les rues. *Par les ruelles, les jeunes gens commençaient la traîne* (→ Interpeller, cit. 4).

HOM. **Thrène.**

TRAÎNE- Premier élément de mots composés, du v. *traîner.* ⇒ **Traîne-patins, traîne-savates** (var. argotique : *traîne-lattes*). → Traîner, comp. — On peut signaler en outre : *traîne-sabre,* n. m. « celui qui traîne un sabre ; militaire arrogant ». → Traîneur (de sabre).

À propos, et mon frère le traîne-sabre ?
— Il est arrivé ce matin. R. QUENEAU, le Chiendent, p. 251.

TRAÎNÉ, ÉE [tʀene ; tʀɛne] adj. ⇒ **Traîner.**

TRAÎNEAU [tʀeno] n. m. — 1549 ; *traneau,* 1227 ; de *traîner.*

♦ **1.** Véhicule à patins pour le transport de certains produits sur une surface lisse. *Traîneau à charbon dans les mines. Traîneau à bois.* ⇒ **Schlitte.** Chariot à patins utilisé sur l'herbe sèche, dans les pays de savane.

(Fin xvie). Cour. Voiture à patins (au lieu de roues) que l'on traîne ou pousse sur la neige, la glace (→ Gel, cit. 1 ; incommode, cit. 3). *Traîneau tiré par un attelage de chevaux ; de rennes, de chiens*. *Traîneau russe.* ⇒ **Briska, troïka.** *Voyager en traîneau. Traîneau bas qui avance seul, dans les descentes.* ⇒ **Luge, toboggan.** *Transport par traîneau.* ⇒ **Traînage, traîneur.**

1   Ce fut là où nous vîmes pour la première fois un traîneau lapon, dont nous admirâmes la structure. Cette machine, qu'ils appellent *pulea,* est faite comme un petit canot, élevée sur le devant, pour fendre la neige avec plus de facilité. La proue n'est faite que d'une seule planche, et le corps est composé de plusieurs morceaux de bois qui sont cousus ensemble avec de gros fil de renne, sans qu'il y entre un seul clou (...) J.-F. REGNARD, Voyage en Laponie, p. 83.

1.1   On s'était procuré, sur la côte de Norvège, un traîneau fait à la manière des Esquimaux, construit en planches recourbées à l'avant et à l'arrière, et qui fût propre à glisser sur la neige et sur la glace. Il avait douze pieds de long sur quatre de

large, et pouvait, en conséquence, porter des provisions pour plusieurs semaines au besoin. J. VERNE, Un hivernage dans les glaces, p. 267.
La neige fondue à la surface par les premières pluies et gelant de nouveau sous le froid des nuits était merveilleusement glissante et fuyait sous les patins du traîneau. Louis HÉMON, Maria Chapdelaine, I.

♦ **2.** (Fin xiiie). Ancienn. Agric. Cadre de bois traîné sur des terres labourées pour les aplanir.

♦ **3.** Filet de chasse, de pêche qu'on tire. ⇒ **Senne.**

TRAÎNE-BÛCHES [tʀɛnbyʃ] n. m. invar. — 1923 ; de *traîne(r),* et *bûche.*

♦ Pêche. Larve aquatique de la phrygane*. — Au plur. *Des traîne-bûches.*

TRAÎNE-BUISSON [tʀɛnbɥisɔ̃] n. m. — 1778 ; de *traîne(r),* et *buisson.*

♦ Régional. Fauvette d'hiver, qui se tient dans les buissons. — Au plur. *Des traîne-buisson (traîne-buissons* serait plus logique).

Tout près, un traîne-buisson voletait de broussaille en broussaille, nous laissant approcher jusqu'à nous donner l'illusion que nous pourrions le toucher de la main. Il filait alors devant nous, rasant les feuilles comme un merle et pépiant à petite voix. Il disparut sous un roncier (...) M. GENEVOIX, Forêt voisine, XI.

TRAÎNE-CHARRUE [tʀɛnʃaʀy] n. m. — 1778, Buffon ; de *traîne(r),* et *charrue.*

♦ Régional. Traquet*, passereau des champs (qui se nourrit d'insectes, notamment dans les terres fraîchement labourées). — Au plur. *Des traîne-charrues.*

TRAÎNÉE [tʀene ; tʀɛne] n. f. — 1375, t. de vén. ; dér. de *traîner.*

★ **I. A.** ♦ **1.** (1493, en parlant de grains de poudre). Longue trace laissée sur le sol ou sur une surface par une substance répandue. *Traînées de plâtre, de suie* (→ 1. Fumer, cit. 8). *Traînée de sueur, de sang* (→ Fendillement, cit.).

Quand le chien veut uriner, le vieux ne lui en laisse pas le temps et il le tire, l'épagneul semant derrière lui une traînée de petites gouttes. CAMUS, l'Étranger, I, III.

Traînée de poudre : poudre à canon répandue selon une ligne, pour communiquer le feu à l'amorce. *Allumer une traînée de poudre.* — Fig. *Se répandre, gagner comme une traînée de poudre* (enflammée), très rapidement, de proche en proche (→ Contagion, cit. 3).

♦ **2.** (1701). Ce qui suit un corps en mouvement et semble émaner de lui. *La traînée lumineuse d'une comète :* sa « chevelure ». *Traînée de condensation* (d'un avion) : trace allongée laissée par les gaz, à très haute altitude. — Fig. *Laisser une traînée de tristesse* (→ Amertume, cit. 10).

(...) la *Circé* s'en allait (...) laissant derrière elle, comme une longue queue, son éternelle traînée bruissante, qui étincelait de soleil. LOTI, Matelot, XXXVIII.

Sc. Trace lumineuse due à la diffraction des cristaux.

♦ **3.** Bande allongée de matière de couleur différente, sur une surface ou dans l'espace. *Des traînées de salpêtre sur les murs* (→ Humidité, cit. 4). *Des traînées de vapeur* (→ Écheveau, cit. 2). *Longues traînées de lueurs* (→ Ondoiement, cit.). *Traînées roses de l'aurore* (→ Crépuscule, cit. 2).

♦ **4.** (1872). Pêche. Longue ligne de fond.

♦ **5.** Fam. et vx. Suite, quantité. *Toute une traînée.*

B. (Mouvement, force). ♦ **1.** (Fin xixe). Action de traîner ; mouvement de ce qui traîne. « *Balayant les chemins de la traînée de leur robe de soie* » (Goncourt, *in* G. L. L. F.).

♦ **2.** (1949). Techn. Composante des forces aérodynamiques sur le vecteur vitesse ; résistance à l'avancement. *Coefficient de traînée* (abrév. : *Cx*). — Contr. : *poussée.*

★ **II.** (V. 1488 ; rare av. le xviiie, Rousseau). Fam. (probablt. de *traîner,* II., 9.). Femme de mauvaise vie. ⇒ **Fille** (II., 5.), **prostituée.** — En appellatif (injurieux). *Salope, traînée !*

(...) elle serait la dernière des dernières, *une traînée,* si elle ne vous aimait pas, car vous la retirez d'un enfer (...)
BALZAC, Splendeurs et Misères des courtisanes, Pl., t. V, p. 816.
Mais la femme se fâcha, révoltée d'instinct, injuriant à pleine gueule sa fille en larmes, la traitant de « manante » et de *traînée.*
MAUPASSANT, Contes de la Bécasse, « Les sabots ».

— (...) D'où sors-tu, paysan ? Ta mère devait être une fière traînée, si elle ne t'a pas appris à respecter les femmes. SARTRE, la P... respectueuse, I, 2.

TRAÎNE-LA-PATTE [tʀɛnlapat] n. et adj. invar. — Mil. xxe ; de *traîne(r),* *la,* et *patte.*

♦ Personne qui traîne la patte, qui boite. — Au plur. *Des traîne-la-patte.*

(...) laissant son canasson le long du trottoir, il reprenait sa place dans le chapelet des miséreux qui ornait la balustrade du square. Aucun de ces accoudés — traîne-la-patte, rêveurs, flâneurs — n'était plus pitoyable que ce vieux cocher (...)
Francis JOURDAIN, Né en 76, p. 18.

TRAÎNE-MALHEUR [tʀɛnmalœʀ] n. invar. — 1664 ; de traîne(r), et malheur.

♦ Vx. Personne qui vit dans le malheur, la misère. ⇒ **Traîne-misère.** Une traîne-malheur. — Au plur. Des traîne-malheur.

TRAÎNEMENT [tʀɛnmɑ̃] n. m. — 1295, au fig. « effort psychique » ; 1501, « fait de traîner un condamné » ; 1538, « action de se traîner, de ramper » ; de traîner.

♦ **1.** Rare. Action de traîner (I., 1.) qqch. Le traînement d'un objet par terre. Trace de traînement. ⇒ **Traînée** (B., 1.).

Plus cour. Fait de traîner (infra cit. 3)... Traînement de jambe (→ Habituel, cit. 1), de pieds. — (Mil. XVIᵉ). Bruit de chose traînée.
Le voilà, se dit-il, en entendant un traînement de pieds et un bruit écrasé de savates.   HUYSMANS, l'Oblat, III.

♦ **2.** Fait de traîner (II., 6.), de durer anormalement. Le traînement de la voix sur une syllabe.

TRAÎNE-MISÈRE [tʀɛnmizɛʀ] n. invar. — 1907 ; de traîne(r), et misère.

♦ Personne qui vit dans la misère, traîne partout sa misère. ⇒ **Gueux, misérable, miséreux, traîne-malheur.** Une traîne-misère. Des traîne-misère. Un traîne-misère ou un tapeur (cit.) venait nous demander cent sous.

TRAÎNE-PATINS [tʀɛnpatɛ̃] n. invar. — XXᵉ ; de traîne(r), et patins.

♦ Fam. Personne qui traîne les pieds (⇒ **Traînard, traîneur, traîne-savates**) ; (fig.) qui traîne (II., 9.). « Critiques littéraires analphabètes, traîne-patins de haute volée, snobs un peu voyous (...) » (l'Express, 19 avr. 1980, p. 53). — Rare. Une traîne-patins.
(...) quand je fais le con avec les autres traîne-patin (sic) de la rue de Nogent.   CAVANNA, les Ritals, p. 159-160.
(...) la voyante tribu des petits Blancs, les coureurs de chance, les traîne-patins sans emploi défini ou peu reluisant (sic).
Jean HOUGRON, la Gueule pleine de dents, p. 234.

TRAÎNER [tʀene ; tʀɛne] v. — V.1131, traïner, au sens I, 2 ; du lat. pop. *traginare, dér. du bas lat. *tragere, du lat. class. trahere « tirer, traîner ». → Traire.

★ **I.** V. tr. ♦ **1.** (V. 1155). Compl. n. de chose. Tirer après soi sur le sol, ou sur une surface. — Tirer (un véhicule) derrière soi. ⇒ **Tirer.** Chevaux qu'on attelle à une voiture pour qu'ils la traînent. Un fardier (cit. 2) que cinq vigoureux chevaux ont peine à traîner. — Passif et p. p. Paquebot traîné par un remorqueur (cit. 1), wagons traînés par une locomotive (→ Train, II.). — Traîner une brouette (→ Garde-chiourme, cit. 2). — Déplacer en tirant derrière soi sans soulever. Traîner une chaise longue près de la cheminée (→ Caban, cit.). Traîner un fardeau. Traîner qqn par les pieds. Traîner un cadavre sur la claie* (et fig.).
(Tous ses efforts) ne firent autre effet que de le traîner à écorche-cul la longueur de sept ou huit pas.   SCARRON, le Roman comique, II, XVI.
Petit Jean, traînant un gros sac de procès.
RACINE, les Plaideurs, I, 1 (jeu de scène).
(...) elle buta, tomba une première fois, se releva pour retomber plus loin ; et, dès lors, la bête s'affolant, elle fut traînée. Maintenant, elle hurlait. Son corps, dans la luzerne, laissait un sillage.   ZOLA, la Terre, I, I.
Laisser frotter sur le sol ou sur une surface. Le cygne (cit. 3) traîne son plumage sur le sol. Traîner ses mains sur un mur, sur une feuille de papier. — (XVIIᵉ). Traîner les pieds : marcher sans soulever les pieds du sol (→ Garçon, cit. 25). Traîner ses pieds (→ Éculé, cit. 1 ; emprisonner, cit.). Traîner ses babouches (cit. 1), traîner les semelles (→ Dehors, cit. 9). — Loc. fig. Traîner la semelle : vivre misérablement (⇒ **Traîne-patins, traîne-savates, traîne-semelles**). Traîner la savate* ; ses guêtres.
Péj. Traîner qqch. dans..., en le souillant au contact de... Traîner son écharpe dans la poussière. — P. p. « (...) un horrible mélange D'os et de chairs meurtris, et traînés dans la fange » (→ Affreux, cit. 1). Drapeau (cit. 2) traîné dans le sang du peuple. — Loc. fig. Proverbes traînés dans les ruisseaux des halles (→ Intervalle, cit. 1). Traîner qqn dans la boue* : nuire à sa réputation en l'attaquant, en le calomniant*.
Entraîner dans sa marche (une entrave). Traîner un boulet (cit. 3 ; au fig. → Plaquer, cit. 12). Traîner sa chaîne* comme un forçat (→ Argousin, cit. 1). Traîner un fil (cit. 19) à la patte. — Loc. Traîner la jambe (cit. 15), la patte (cit. 8) : avoir des diffi-

cultés à marcher (infirmité, maladie, fatigue). ⇒ **Boiter** (→ Sciatique, cit.).

♦ **2.** Compl. n. de personne. Forcer (qqn) à aller quelque part par une contrainte physique ou morale. Traîner un accusé en prison (cit. 4), au supplice (→ Ne, cit. 17). — Fig. Les destins (cit. 12) traînent de force ceux qui leur résistent.
(...) et elle traînait bon gré, mal gré, son mari à ces divertissements qui le fatiguaient affreusement après sa journée de travail.   4
MAUPASSANT, Clair de lune, Les bijoux.
(...) il n'en était plus qu'à jurer de traîner les Buteau en justice, pour se faire rendre sa part (...)   ZOLA, la Terre, V, V.   5

♦ **3.** Compl. n. de personne ou de chose. ⓐ Emmener, emporter, avoir partout avec soi par nécessité (les gens ou les choses dont on voudrait pouvoir se séparer, se libérer). Traîner avec soi un chaperon ; des enfants insupportables... — Par métaphore. Chacun traîne un ange de Satan (→ Familier, cit. 2). Traîner un vieux manteau, malgré l'usure. Cette menace (cit. 8) qu'il traînait nuit et jour.
Tu vis mon désespoir, et tu m'as vu depuis   6
Traîner de mers en mers ma chaîne et mes ennuis.   RACINE, Andromaque, I, 1.
Je traînai quelques jours cette tristesse de rue en rue, de théâtre en théâtre, de lecture en lecture, sans pouvoir la secouer (...)   7
LAMARTINE, Graziella, III, III.
Mener, emmener ou porter, emporter avec soi avec peine, désagrément. ⇒ **Remorquer, trimbaler.** Il la traîne partout où il va. Les Américains traînent partout leurs pénates (→ Home, cit. 2).

ⓑ (V. 1460). Fig. Supporter (une chose pénible qui dure). Traîner une vieillesse douloureuse (cit. 4), une pauvre vieillesse (→ 1. Confort, cit.) ; une existence inutile (→ Soupirer, cit. 5). Traîner une maladie (→ Métrite, cit.), une mauvaise toux.
Elle traîna sa misérable vie encore quatre ans.   8
R. ROLLAND, Voyage musical au pays du passé, VI.

♦ **4.** (1636). Compl. n. de chose. Faire durer, faire se prolonger. Traîner les choses en longueur. ⇒ **Éterniser** (→ Lanterner, cit. 3). Traîner un procès.
(1549). Émettre lentement. Traîner la voix sur certains mots (→ Manière, cit. 7).
Par moments, sa façon dormante et voluptueuse de traîner la fin des phrases imitait les allongements de pattes d'une tigresse marchant dans les jungles.   9
HUGO, l'Homme qui rit, II, I, III, 2.

♦ **5.** (Mil. XVIIᵉ). Vx ou littér. ⇒ **Entraîner.** — Sujet et compl. de personne. Entraîner par intérêt, séduction. Traîner des admirateurs après soi, derrière soi (→ aussi Écoutant, cit. 1). Cotin à ses sermons traînant toute la terre (→ Auditeur, cit. 1). « (...) traînant tous les cœurs après (cit. 35) soi ». — Compl. de chose. Entraîner nécessairement, comme conséquence*. Les faiblesses que la médiocrité (cit. 4) traîne avec soi.

★ **II.** V. intr. ♦ **1.** Rare. Se traîner. Il boite, et traîne avec peine. — Loc. Traîner de l'aile. ⇒ **Aile** (cit. 3).

♦ **2.** (Fin XIIᵉ ; traïner, déb. XIIᵉ). Sujet n. de chose. Pendre à terre en balayant le sol, une surface. — Robe qui traîne par derrière. ⇒ **Traîne.** Cette tenture est trop longue, elle traîne par terre, dans la poussière.
(1694). Pendre, ne pas être retenu. ⇒ **Pendre.** Des tapisseries dont les lambeaux effrangés (cit. 2) traînaient presque jusqu'à terre. Habit qui traîne jusqu'aux pieds (→ Lévite, cit. 4), sur les talons (→ Pli, cit. 2).

♦ **3.** Sujet n. de chose. Toucher le sol, une surface, de tout son long. Des goémons (cit. 2) traînant à terre. Lumière (cit. 6) qui traîne sur les choses.
Sa tête était tournée contre la muraille, ses bras traînaient insensibles sur le lit (...)   10
J.-A. DE GOBINEAU, Nouvelles asiatiques, p. 235.

♦ **4.** Sujet n. de chose. S'étendre en longueur comme une traînée, une trace qui subsisterait. Le ciel où traînent des nuées transparentes (→ Escadrille, cit. 2). Des loques de brouillard traînaient encore sur les pelouses (→ 1. Mou, cit. 7). ⇒ **Traînée** (I., A., 3.).
On sentait traîner dans l'air des odeurs de terre humide, de terre dévêtue, comme on sent une odeur de chair nue, quand tombe, après le bal, la robe d'une femme.   11
MAUPASSANT, Contes de la Bécasse, « Un coq chanta ».
Au ras du sol, des parfums d'herbe traînaient lourdement.   12
FRANCE, le Crime de S. Bonnard, Œ., t. II, p. 339.
Fig. Subsister. Des restes de barbarie traînent encore dans notre civilisation (cit. 6). — Impers. Il traînait dans ce lieu un arôme acidulé (cit. 1), un restant de lumière (→ Imprécis, cit. 1). ⇒ **Traînée** (I., A., 2.).

♦ **5.** (Déb. XVIIᵉ, d'Aubigné). Sujet n. de chose. Être à l'abandon, rester sans avoir été rangé, ramassé. Des savates traînaient sur le tapis (→ Encombrer, cit. 2). Il ramassa un haltère (cit. 1) qui traînait. Rafler (cit. 1) tout ce qui traîne. Papiers gras traînant et voltigeant partout (→ Foule, cit. 7). Mies de pain qui traînent sur la nappe (cit. 2).
Tenez encore ce manchon, ne laissez point traîner tout cela (...)   13
MOLIÈRE, la Comtesse d'Escarbagnas, 2.

(En parlant de choses abandonnées dont personne ne se soucie). Les

TRAÎNER 418 TRAIN-TRAIN

vieux fatras qui traînent dans les livres (→ Butin, cit. 2). *Des vieilleries qui traînent dans les écoles de la Grèce* (→ Fouriériste, cit.).

(1727). Se trouver partout, être banal. *Une chose, une idée qui traîne partout.* ⇒ **Commun, rebattu, trivial, usé.**

♦ **6.** (V. 1460). Sujet n. de chose. Durer* trop longtemps, ne pas finir. *Faire traîner les choses en longueur* (II., 2.). ⇒ **Allonger ; délai.** *Un procès qui traîne,* n'en finit pas. *Maladie qui traîne.* ⇒ **Éterniser** (s'), **prolonger** (se). *On croyait que l'affaire traînerait* (→ Brusquer, cit. 4). *Travail qui traîne,* en retard*. *La conversation traîne.* ⇒ **Languir.** *Ça ne traînait pas avec elle* (→ Gras, cit. 18). *Ça n'a pas traîné ! :* ça a été vite expédié. ⇒ **Tarder.** *Ça ne traînera guère* (→ Torchon, cit. 3).

14   Quand une chose est décidée, je n'aime pas qu'elle traîne. Nous allons mener l'affaire rondement, si vous voulez bien.   J. ROMAINS, Volpone, II, I, 3.

Se dit de la voix qui émet des sons anormalement bas. *Sa voix traîne sur certaines syllabes.*

15   Elle devint singulièrement tranquille, même un peu lente : sa voix s'habitua à traîner et prit un accent *gnian-gnian.*   Ed. et J. DE GONCOURT, Sœur Philomène, II (1861).

♦ **7.** Sujet n. de personne. Languir ; poursuivre une vie pénible.

16   Il vaut mieux, quand on craint ces malheurs éclatants,
En mourir tout d'un coup, que traîner si longtemps.   MOLIÈRE, Mélicerte, II, 6.

S'acheminer vers la mort.

♦ **8.** (1718). Sujet n. de personne. Rester en arrière d'un groupe qui avance. *Soldat, enfant qui traîne.* ⇒ **Traînard** (→ Être à la traîne*). — Aller trop lentement. *Traîner en chemin.* ⇒ **Flâner.** *Ne traîne pas en rentrant de l'école.* — (1580). S'attarder (dans une occupation), agir avec lenteur*. ⇒ **Attarder** (s'), **lanterner ; lambiner, musarder, muser, traînasser.** *Faire qqch. sans traîner. Dépêchez-vous, vous traînez !* (→ Dormir*, s'endormir* sur la besogne).

17   Il était lancé, il ne voulait pas traîner parce que le moment le plus difficile est celui qui précède une décision.   Paul MORAND, le Cheval de Troie, IV.

♦ **9.** (1640). Sujet n. de personne. Aller sans but ou rester longtemps en un lieu (jugé peu recommandable ou peu intéressant). *Traîner dans la rue, par les rues* (→ Désorienté, cit. 4, Courteline). ⇒ **Errer, rouler, vagabonder, zoner.** *Traîner dans les cafés, les cinémas, les mauvais lieux* (→ Peau, cit. 20). *Traîner avec qqn.* — Trans. *Traîner la rue, les cafés.*

18   *(Elle)* avait langui dans la petite noblesse agricole du département, un peu traîné avec de petits jeunes gens mal élevés.   FRANCE, M. Bergeret à Paris, Œ., t. XII, p. 467.

18.1   (...) on se rencontre à l'improviste, on traîne dans les bistrots, on va les uns chez les autres, on se couche sur le divan (...)   N. SARRAUTE, le Planétarium, p. 181.

♦ **10.** Techn. Pêcher à la traîne.

▸ **SE TRAÎNER** v. pron.

♦ **1.** (XIIᵉ). Sujet n. de personne ou d'être animé. Avancer, marcher avec peine (par infirmité, maladie, fatigue). *Se traîner en se soulevant sur des béquilles* (→ Enflammer, cit. 5). *Convalescent qui peut à peine se traîner* (→ Amour-propre, cit. 4). *Des chameaux qui ne pouvaient plus se traîner* (→ Carcasse, cit. 2). *Une voiture qui se traîne sur la route,* qui avance lentement.

19   Les jambes de la pauvre vieille s'étaient alourdies. Il lui fallut une canne pour se traîner dans la salle à manger, et là il lui sembla que les murs vacillaient autour d'elle.   ZOLA, Thérèse Raquin, XIV.

Fig. Se passer péniblement et lentement. *Des vies qui se traînent* (→ Anéantir, cit. 16).

20   Sa vie se traînait inoccupée, ramenant les mêmes heures monotones.   ZOLA, Nana, X.

♦ **2.** (1538). Avancer à plat ventre (⇒ **Ramper**) ou à genoux. *Bébé qui rampe et se traîne* (→ Retomber, cit. 1). *Blessé qui se traîne sanglant* (→ Armée, cit. 7). *Se traîner sur un tapis.* — Par ext. Se vautrer. *Se traîner dans la boue.* — Fig. *Se traîner aux pieds de qqn :* le supplier à genoux, s'abaisser à des humilités*.

♦ **3.** (Déb. XVIIIᵉ). Sujet n. de personne. Aller à contrecœur. *Il faut encore se traîner là-bas ! Se traîner à une visite* (→ Farouche, cit. 4).

Fam. Agir, se comporter avec peine, fatigue.

♦ **4.** (1807, Mᵐᵉ de Staël). Sujet n. de chose. S'étirer en longueur, dans le temps. *La conversation* (cit. 7) *se traîne en paroles de peu de sens* (→ aussi Mendiant, cit.).

21   Puis la conversation reprit, faible et languissante, et se traîna en propos intimes et en observations banales.   FRANCE, M. Bergeret à Paris, Œ., t. XII, p. 369.

▸ **TRAÎNÉ, ÉE** p. p. adj. Voir à l'article.

N. m. *Le traîné,* fait ou façon de traîner (quelque chose).

22   Devant les moutons, l'homme était seul.
Il était seul. Il était vieux. Il était las à mort. Il n'y avait qu'à voir son traîné de pied, le poids que le bâton pesait dans sa main.   J. GIONO, le Grand Troupeau, I, Pl., t. I, p. 545.

CONTR. Pousser, soulever. — Suivre ; galoper ; filer.
DÉR. Train, traînage, traînailler, traînant, traînard, traînasser, traîne, traîneau, traînée, traînement, traînerie, traîneur, traînier.

COMP. Traîne- ; traîne-bûches, traîne-buisson, traîne-charrue, traîne-la-patte, traîne-malheur, traîne-misère, traîne-patins, traîne-savates, traîne-semelles.

TRAÎNERIE [tʀɛnʀi] n. f. — 1601 ; «maladie de langueur», 1555 ; de *traîner.*
Vieux ou rare.

♦ **1.** Vx. Fait de traîner (II., 6.), de durer trop. ⇒ **Traînasserie.** — Spécialt (in J.-J. Rousseau, *Dict. de musique*). Lenteur excessive dans le jeu (en musique).

♦ **2.** Diction, élocution lente, qui traîne.

♦ **3.** (V. 1600). Fait de traîner (II., 8.), de s'attarder inutilement ; lenteur excessive dans une activité.
Ainsi passé de l'accélération du petit métier au freinage de la grande industrie, Chafrenou devint gréviste (...) Il accepta la surveillance des entrées de boisson avec la même placidité que la traînerie d'usine.   Pierre HAMP, la Peine des hommes (Moteurs), p. 144.

TRAÎNE-SAVATES [tʀɛnsavat] n. invar. — xxᵉ ; de *traîne(r),* et *savates.*

♦ Fam. Personne qui traîne (I., 9.), ou qui vit misérablement. ⇒ **Traîne-patins, traîne-semelles.** — Rare. *Une traîne-savates.*

TRAÎNE-SEMELLES [tʀɛnsəmɛl] n. invar. — xxᵉ ; de *traîner la semelle.*

♦ Fam. Personne qui vit misérablement. ⇒ **Traîne-patins, traîne-savates.** — Rare. *Une traîne-semelles.* — On écrit aussi *traîne-semelle.*
Saint-Flébène, pour tout dire, était la ville des chiffonniers, des vendeurs de muguet, des cinglés, des poètes, des poivrots officiels, des gagne-petit de tout poil, des traîne-semelles, des tourne-pouces, des filles de peu de ou pas grand-chose et de tous les flemmards de la région (...)   René FALLET, le Triporteur, p. 185.
REM. Au sens de «action de traîner ses semelles» : «*(...) le grand traîne-semelle de l'exposition*» (François Nourrissier, *Une histoire franç.,* p. 96).

TRAÎNEUR, EUSE [tʀɛnœʀ, øz] n. — V. 1440, *traîneresse,* au fém. ; de *traîner.*

♦ **1.** Personne qui traîne qqch. *Traîneur de chariot.* — Fig. *Traîneur de sabre* (cit. 6) ; syn. : *traîne-sabre* (→ Traîne-). ⇒ **Soudard.** — Spécialt. [a] Anciennt (Saint-Simon). Personne qui traîne une chaise (d'après Littré).

[b] Conducteur de traîneau*.

♦ **2.** (1689, Mᵐᵉ de Sévigné). Traînard (1.). *Les traîneurs, les soldats morts ou égarés* (→ Bagage, cit. 2).

♦ **3.** (Fin XIXᵉ). Fam. Personne qui traîne (II., 9.) quelque part. *Traîneur de cafés.*

TRAINGLOT [tʀɛ̃glo] n. m. ⇒ **Tringlot.**

TRAÎNIER [tʀɛnje ; tʀɛnje] n. m. — 1667, adj. ; de *traîner.*

★ **I.** Adj. (vx). Qui se traîne.

★ **II.** N. m. (Fin XIXᵉ). Vx ou régional. Personne qui traîne (II., 9.) dans des lieux mal fréquentés. ⇒ **Vagabond.**
Un traînier, monsieur Bourrel, je vous jure... Quelqu'un qui n'est pas du pays.   M. GENEVOIX, Raboliot, p. 36.

TRAINING [tʀɛniŋ ; tʀɛniŋ] n. m. — 1854, in Höfler ; mot angl., de *to train* «entraîner, exercer».
Anglicisme.

★ **I.** ♦ **1.** Sports. Entraînement.

♦ **2.** Psychol. Dressage éducatif par répétition d'exercices. — (1958). Entraînement à se relaxer par autosuggestion *(training autogène)* pour atteindre un état psychologique privilégié. Syn. : *autorelaxation. Le training, inspiré du yoga, constitue une psychothérapie des états anxieux.*

★ **II.** ♦ **1.** (1956). Survêtement muni d'une capuche. «*Appelé "training" par les stylistes, le pull-over à capuche en coton molletonné des sportifs gagne des supporters en France*» (*l'Express,* 10 mars 1975, p. 139).

♦ **2.** Plur. (1972). Chaussures d'entraînement, en toile (anglicisme plus rare que *baskets*).

TRAIN-TRAIN [tʀɛ̃tʀɛ̃] n. m. — Fin XVIIIᵉ, in Brunot ; corruption de *trantran* (1680, de *train,* redoublé) d'après le sens III de *train.*

♦ Marche régulière sans imprévu. ⇒ **Trantran** (vx). *Le train-train des habitudes**; *d'une affaire, d'un travail.* ⇒ **Courant, routine** (cit. 4). *Le train-train familial* (cit. 1). *Continuer son petit train-train.* — On écrit parfois *traintrain.*

1 Et quand je repasse toute mon existence, ça *(sic)* été toujours comme ça, rien qui sort du train-train des événements ordinaires et j'ai le droit d'appeler la Providence une marâtre.   Ed. et J. DE GONCOURT, Journal, 23 avr. 1860, t. I, p. 251.

2 Elle m'assurait que l'an prochain, elle ne se laisserait pas abrutir par le traintrain quotidien ; elle lirait, nous causerions.
          S. DE BEAUVOIR, Mémoires d'une jeune fille rangée, p. 279.

TRAIRE [tʀɛʀ] v. tr. — *Je trais, tu trais, il trait, nous trayons, vous trayez, ils traient ; je trayais ; nous trayions ; pas de passé simple ; je trairai ; je trairais ; trais, trayez ; que je traie ; pas d'imparfait du subj. ; trayant ; trait, traite.* — xııᵉ ; d'un lat. pop. **tragere*, réfection de *trahere*, *tractus*, d'après le type *agere, actus.*

♦ **1.** Vx ou régional. ⇒ **Tirer.**

♦ **2.** (1292 ; a remplacé *moudre*, dér. de *mulgere*, éliminé par son homonyme). Tirer le lait d'une femelle (de certains animaux domestiques) en lui pressant le pis ou mécaniquement. *Traire une vache** (→ Califourchon, cit. 1), *une chèvre* (cit. 4 ; → Languir, cit. 25). ⇒ **Mulsion ; traite ;** 1. tirer (*supra* cit. 2.1., régional).

1 On ne se gênait pas pour traire les chèvres et les brebis, voire les vaches et les juments quand elles n'étaient pas trop récalcitrantes.
          G. SAND, Histoire de ma vie, III, ıx.

2 (...) l'inquiétude était venue aux bêtes, qui n'avaient pas été traites de tout le jour. Elles venaient avec leurs mamelles gonflées (...)
          G.-F. RAMUZ, la Grande Peur..., xıı.

Par ext. *Traire le lait* (cit. 11). *Du lait qu'on avait trait pour nous* (→ Film, cit. 3).

♦ **3.** Fig. et vx. Obtenir de (qqn) en lui soutirant de l'argent (Molière, *l'Avare*, II, 5). → Vache* à lait.

▶ **TRAIT, TRAITE** p. p. adj.

♦ **1.** *Or trait*, passé à la filière.

♦ **2.** *Brebis, vache traite.* — *Du lait à peine trait*, tout frais.

DÉR. **Traite, trayeur, trayon.**
COMP. (Du sens 1.) **Entraire** (vx ; V. Entrait, rentraire) ; **fortraire** (vx ; V. Fortrait) ; **portraire, portrait.** — V. aussi **Retraire, retraite.**

TRAIT [tʀɛ] n. m. — xıᵉ ; du lat. *tractus* «action de tirer ; tracé ; mouvement lent et progressif» (par ex. dans l'anc. expr. *à trait* «progressivement»).

★ **I.** ♦ **1.** Vieilli. Ce qui est fait sans interruption, en une seule fois ; durée occupée entièrement par une action, un phénomène. ⇒ **Traite** (II.). *Un trait de temps.* — En loc. **D'UN TRAIT :** d'un seul coup*, sans relâche* (→ Rapide, cit. 5).

1 Un bien-être ineffable se répandait en lui. Il dormit d'un trait jusqu'au lendemain.
          R. ROLLAND, Jean-Christophe, Le matin, III, p. 208.

(xııᵉ). Fait d'aspirer d'une manière continue, de boire en une fois. — (Avec à...). *Avaler* (cit. 22), *boire à grands, à longs traits* (→ Gourde, cit. 3 ; lait, cit. 16). *Vider* (cit. 1. Coupe, cit. 1), *sécher* (cit. 2) *un verre d'un trait.* ⇒ **Haleine** (d'une) ; → Tout de go* (étym.). — Fig. *Savourer un plaisir à longs traits.*

Par ext. Quantité bue en un trait (→ 1. Claquer, cit. 2).

♦ **2.** (xıııᵉ). **[a]** Fait de tirer (I.). ⇒ **Traction.** *Trait de corde :* coup d'estrapade par lequel on tire la corde pour enlever le patient. — Vx. *Le premier trait :* la première impulsion (fig., encore au xvııᵉ). Fait de tirer (I., A., 2.) une voiture* (seult dans l'expr. *de trait*). *Animal, bête* (→ Marquer, cit. 16), *cheval* (cit. 6) *de trait*, destinés à tirer des voitures, des instruments agricoles... *Chiens de trait des Esquimaux. Cheval de gros trait.*

Au trait. Pêche au trait, avec un engin de capture remorqué.

Par métonymie. Espace parcouru en traînant un filet.

[b] Corde, lanière servant à tirer une voiture (⇒ **Harnais**). *Traits d'un attelage* (→ Hourvari, cit. 5). ⇒ **Atteler, attelle.** *Les traits des palonniers* (cit. 1). *Trait rompu* (→ Montée, cit. 1). — Longe à laquelle est attaché un chien. *Limier qui tire sur le trait*, qui a trouvé la voie.

[c] Techn. Poussée, force qui entraîne le plateau (vide) d'une balance, un bras de levier, etc.

♦ **3.** (Déb. xııᵉ, «portée d'un arc»). **[a]** Vieilli. Fait d'envoyer une arme, un projectile au loin. ⇒ **Tirer** (III.). *Armes de trait.* ⇒ **Jet** (de jet) ; **arbalète, arc, baliste, catapulte** (→ Légion, cit. 2). *Gens, hommes de trait :* archers, etc.

[b] Distance à laquelle on peut lancer le projectile. ⇒ **Portée.** *À deux traits d'arc* (cit. 7).

[c] (xvᵉ). Le projectile, qu'il soit lancé à la main (javelot, lance) ou à l'aide d'une arme, arc (⇒ **Flèche**) ou arbalète (⇒ **Carreau**). *Décocher* (cit. 1), *lancer, tirer* (III.) *un trait* (→ Effleurer, cit. 1).

— Par compar. *Filer, partir comme un trait*, comme une flèche*, comme un éclair*. ⇒ **Vite** (→ Arriver, cit. 12).

2 (...) je pus apercevoir ses yeux, qu'elle dirigea de mon côté (...) je sentis que le regard en était des plus vifs, car je le vis partir et m'arriver comme un trait.
          E. FROMENTIN, Une année dans le Sahel, p. 55.

Loc. *Traits de Jupiter :* les «traits», les rayons, la foudre qu'il brandit, figurés par une ligne brisée. — Techn. *Assemblage à trait de Jupiter.*

[d] Vx. Piqûre. *Trait de guêpe* (→ Aiguillon, cit. 7). — Par ext. «Quand le soleil cruel frappe (cit. 13) *à traits redoublés* ». ⇒ **Coup.** Par métaphore. «*Les traits du céleste courroux* » (cit. 2). — *Traits de feu, traits enflammés* (→ Ennemi, cit. 12 ; jaculatoire, cit. 1). *Les traits empoisonnés de la calomnie* (cit. 5).

3 Madame, il vous souvient que mon cœur en ces lieux
Reçut le premier trait qui parti de vos yeux.   RACINE, Bérénice, I, 4.

[e] Par anal. *Avoir le trait*, le coup à jouer aux échecs, aux dames ; spécialt, le premier coup.

3.1 Au début de la partie, par convention, les Blancs ont le trait. Sauf arrangement spécial, avant de commencer une partie, on tire au sort pour désigner le joueur qui aura les Blancs. Si deux joueurs disputent une série de parties consécutives, il est naturel que le trait change de joueur après chaque partie.
          F. LE LIONNAIS, les Échecs, in Encycl. Pl., Jeux et Sports, p. 894.

♦ **4.** (xıııᵉ). **[a]** (Dans : *à, au, de... trait*). Le fait de dessiner une ligne ou un ensemble de lignes. ⇒ **Tirer** (II., B., 4.), **tracer** (4.). *Dessin au trait*, sans ombres ni modelé, constitué seulement par des lignes. *Gravures, cliché au trait.* — *D'un trait de plume :* en traçant d'un seul mouvement ; au fig., se dit d'une décision rapide et brutale. *Il l'a déshérité d'un trait de plume.*

À GRANDS TRAITS. *Esquisser à grands traits*, en traçant rapidement les linéaments*. *Silhouette* (cit. 3) *crayonnée en trois traits*, en trois coups de crayon, de plume. — Par métaphore et fig. *Décrire, dépeindre, peindre, raconter à grands traits*, sans entrer dans le détail.

Vieilli. *Écrire à trait de plume,* sans brouillon (2. Brouillon, cit. 1), rapidement.

[b] Marque allongée, exécutée dans une direction déterminée (ligne droite ou courbe ouverte), surtout quand on la forme sans lever l'instrument (crayon, plume...). ⇒ **Ligne.** *Faire, passer* (vx), *tirer, tracer un trait. Faire un trait sur une ligne d'écriture pour la supprimer.* ⇒ **Barre** (4.), **rature, rayure.** *Barrer*, *biffer, rayer* (cit. 2), *supprimer d'un trait de plume**, en ne traçant qu'un seul trait. *Trait de crayon. De larges traits d'encre* (→ Indispensable, cit. 13). — *Les traits de l'écriture* (hampe, barre, jambage, queue... des lettres). ⇒ **Écrire.** *Traits en imprimerie* (⇒ **Filet,** I., 5., **ligne, tiret**), en gravure (⇒ **Glyphe**). — *Traits parallèles* (⇒ **Hachure** ; → Couper, cit. 11) ; *traits convergents, divergents. Marquer un emplacement d'un simple trait.* — *Trait discontinu d'un pointillé*.

4 (...) il m'arrive même d'arrêter en quelques traits les ballets et les décors de l'Opéra sur un bout de papier, au fond de mon chapeau.
          Camille COROT, cité par Th. SILVESTRE, in Corot raconté par lui-même..., p. 85.

5 On m'adossait au mur du vestibule, on traçait au ras de ma tête un trait que l'on confrontait avec un trait plus ancien : j'avais gagné deux ou trois centimètres (...)
          S. DE BEAUVOIR, Mémoires d'une jeune fille rangée, p. 11.

6 Il dessinait sur un papier très lisse, avec un crayon à mine dure, taillé très fin. En appuyant à peine, afin de ne pas laisser de marque sur les pages suivantes du cahier, il obtenait un trait net et bien noir (...)
          A. ROBBE-GRILLET, le Voyeur, p. 19.

La ligne de l'horizon (cit. 3) *gardait sa netteté de trait d'encre. De simples traits de plus en plus minces* (→ Fuyant, cit. 10). — Par métaphore. «*Un trait imperceptible dans l'ample sein de la nature* » (→ Atome, cit. 9, Pascal). ⇒ **Point.** Ligne apparente.

Techn. *Trait de scie :* marque* faite pour guider la scie. — *Trait de niveau, de repère. Trait carré :* marque en forme d'équerre.

7 (...) ce n'est pas en vain que les flots s'appellent les lames ; chaque marée est un trait de scie.   HUGO, Quatre-vingt-treize, I, II, VII.

Les traits d'un jeu de marelle. — Loc. *Faire trait :* marcher sur un trait (faute).

Le signal long, figuré par un trait (par oppos. au *point*), dans l'alphabet morse.

Élément linéaire (d'un ensemble graphique). *Les traits d'un dessin, d'un portrait.* — Loc. *Reproduire trait pour trait. Copie, copier trait pour trait*, en imitant chaque trait du modèle. *Peindre* (cit. 19 et 22) *sous les traits de...*, sous l'apparence*, sous la forme* de... «*Ces traits que la main de Dieu a gravés sur* (leur) *front* » (→ Majesté, cit. 3).

[c] Par métaphore. Élément d'une description, comparé au trait d'un dessin. *Tracer en traits approximatifs l'histoire de notre globe* (cit. 9).

8 Sans doute un besoin de mon esprit m'amène à tracer plus purement chaque trait, à simplifier tout à l'excès ; on ne dessine pas sans choisir ; mais le plus gênant, c'est de devoir présenter comme successifs des états de simultanéité confuse.
          GIDE, Si le grain ne meurt, I, x.

[d] Arts. *Le trait :* l'élément graphique, par oppos. à *couleur, modelé, ombres.* ⇒ **Dessin.** *Le trait d'un profil.* ⇒ **Contour.** *Faire le trait d'une silhouette.* ⇒ **Délinéer.** *Exagération du trait dans la* *caricature. Hardiesse du trait* (→ Dénoter, cit. 3). — *Par métaphore* (dans une description, etc.). *Charger le trait.*

9 Ce peintre, que beaucoup regardent comme un éblouissant décorateur, s'est préoccupé plus que pas un du dessin général. Qui que ce soit, pas même Michel-Ange, pas même Raphaël, ne tracerait d'une main plus savante le grand trait qui circonscrit ses figures.
Th. GAUTIER, Souvenirs de théâtre..., Paul Véronèse.

e Techn. Tracé préparatoire (d'une opération, d'une construction, d'un assemblage...). *Le trait d'un escalier, d'une voûte... L'art du trait. Cours de trait.* — Fortif. *Le trait principal* (ou *ligne magistrale*). — *Trait de niveau* : trait de référence horizontal, tracé par le maçon sur les murs d'un bâtiment en construction et situé à 1 mètre au-dessus du sol fini.

♦ **5.** (Du lat. *tractus*, et par anal. des sens 3 «flèche» et 4 «ligne»). Ce qui forme une ligne continue et semble se propager rapidement. *Le trait de feu d'un éclair. Traits de lumière.* ⇒ **Rayon** (→ Image, cit. 8). — Fig. *Un trait de lumière* (cit. 29) : un éclair, une brusque lueur, par laquelle on comprend* subitement (→ ci-dessous, II, 3. : *trait de génie*).

10 Le ciel s'est déchiré du côté de Jersey-City. Un fulgurant trait de soleil montre Manhattan et se promène, comme un index, sur ces édifices étranges qui semblent des jouets curieux, compliqués, déconcertants.
G. DUHAMEL, Scènes de la vie future, XV.

♦ **6.** (XVIᵉ, Amyot, *«le trait de son visage»*, le contour, le tracé ; au plur. de nos jours). Les lignes caractéristiques de la face humaine. ⇒ **Figure** (cit. 14), **visage** (→ Agrément, cit. 2 ; forme, cit. 2 ; grimer, cit. 1 ; homme, cit. 92 ; promesse, cit. 9). *Les traits*, par oppos. à *la physionomie, à l'air* (2. Air, cit. 23 et 31), à *l'expression* (→ Modèle, cit. 8). — REM. Traits peut se dire en général de l'aspect du visage. ⇒ **Physionomie** (2.). — *Traits réguliers, irréguliers ; fins, grossiers... Finesse, régularité* (→ Idée, cit. 26) *des traits. Traits délicats* (→ Embellir, cit. 3), *nobles* (cit. 8). *Traits mous, un peu bouffis* (→ Content, cit. 10). *Le détail des traits* (→ Expression, cit. 38). *Proportion des traits* (→ Face, cit. 7). *Étude des traits* : métoposcopie (cit.), physiognomonie. *Lire* (un sentiment, etc.) *sur les traits de qqn. La joie éclairait, illuminait ses traits.* — *Traits altérés, amaigris* (cit. 6), *bouleversés, creusés* (cit. 25) ; *décomposés ; marqués* (cit. 51). *Avoir les traits tirés* (→ Dolent, cit. 4). *Traits qui se durcissent* (cit. 3), *se rembrunissent* (cit. 4). — *Reconnaître les traits de qqn*, son visage.

11 (...) l'énergie et la soudaineté de ses résolutions étaient cachées sous des traits qui avaient encore toute la naïveté et tout le charme de l'enfance, et cette physionomie ne fut jamais détruite par l'air plus grave qui annonce la raison.
STENDHAL, Romans et nouvelles, «Mina de Vanghel».

12 Les traits de notre visage ne sont guère que des gestes devenus, par l'habitude, définitifs.
PROUST, À la recherche du temps perdu, t. V, p. 175.

Au sing. (rare) :

13 (...) chaque trait violent, puissant, rude même ; et l'expression totale, pourtant, pleine de douceur et de finesse.
André SUARÈS, Trois hommes, «Dostoïevski», II.

★ **II.** Fig. ♦ **1.** (XVIIᵉ). Élément caractéristique qui permet d'identifier, de reconnaître (qqn, qqch.). ⇒ **Attribut, caractère, caractéristique.** *Trait dominant* (cit. 3), *essentiel* (cit. 8). *Les traits caractéristiques* (cit. 1) *de la race. Les traits qui caractérisent* (cit. 4) *une personne, une chose... Les grands traits d'une époque* (→ Histoire, cit. 31). *Traits distinctifs* (→ Infernal, cit. 3). *Traits saillants** (cit. 3). *Trait significatif, révélateur, typique... Traits individuels* (→ Reconnaître, cit. 1) ; *collectifs* (→ Grouper, cit. 6). *Traits communs* (cit. 3), *homologues* (→ Ressemblance, cit. 1), *semblables...* ⇒ **Ressemblance, ressembler.** — Loc. *Ressembler trait pour trait à qqn.* — *Apparaître sous les traits de... Trait de ressemblance* (→ Remarquable, cit. 3). — *Traits d'un caractère* (cit. 44). *Un trait de caractère*.

14 (...) deux traits particuliers du caractère d'Albertine qui me revenaient maintenant à l'esprit, l'un pour me consoler, l'autre pour me désoler, car nous trouvons de tout dans notre mémoire.
PROUST, À la recherche du temps perdu, t. XII, p. 235.

15 (...) aux points mêmes où nous était apparu ce véritable sphinx sous les traits d'une charmante femme (...)
A. BRETON, Nadja, p. 101.

16 Le trait dominant de ma nature et qui aurait frappé toute autre femme que toi, c'est une lucidité affreuse.
F. MAURIAC, le Nœud de vipères, I, I.

Didact. Élément caractéristique et distinctif (que l'on peut utiliser pour construire un système d'oppositions rendant compte d'une structure). *Les traits syntaxiques* (ou *fonctionnels*), *sémantiques, phonologiques caractérisant une unité lexicale. Le trait «animé», «non animé», «voisé», «non voisé». Traits distinctifs, pertinents* (⇒ **Pertinence**). — Par ext. Dimension pertinente possédant plusieurs termes (qui sont les traits définis ci-dessus). *La tension, le voisement, la nasalité, traits phonologiques.*

♦ **2.** (1579 ; de l'anc. franç. *traire à* «ressembler à», 1080 ; → Tirer). Loc. verb. **AVOIR TRAIT À** : se rapporter à..., être relatif à... (autre chose). ⇒ **Rapport.** *Ce qui avait trait à son métier* (Saint-Simon). ⇒ **Concerner, intéresser.**

17 (...) aujourd'hui on imprime qu'un article d'une déclaration du roi *a trait* à un arrêt de la cour des aides. Si on avait demandé à Patru, à Pellisson, à Boileau, à Racine, ce que c'est qu'*avoir trait*, ils n'auraient su que répondre.
VOLTAIRE, Dict. philosophique, Français.

18 (...) il était revenu seul et de son plein gré, et cette tentative paraissait avoir trait à mademoiselle Katsantanès personnellement.
J.-R. BLOCH, la Nuit kurde, p. 275.

♦ **3.** (Mil. XIIIᵉ). *Un trait de...* : un acte, un fait qui constitue la marque, le signe ou le symbole (d'une qualité, d'une capacité). ⇒ **Acte** (I., 3.), **action, fait** (II., 1.), **marque** (1. Marque, IV.), **signe.** *Trait de générosité* (→ Animosité, cit. 2), *de bravoure* (→ Piquette, cit. 4) ; *de vertu**. *Citer un trait de gourmandise.* ⇒ **Anecdote** (→ Pauvre, cit. 24).

a Vx. Acte nuisible, manifestation de malveillance, d'hostilité. — «*Traître, tu me gardais ce trait pour le dernier*» (→ Expédier, cit. 10). *Trait de médisance* (→ ci dessous, 4.). *Trait d'infidélité.*

19 Et je mérite enfin, pour punir cette audace,
Que contre moi votre haine ramasse
Tous ses traits les plus furieux.
MOLIÈRE, Amphitryon, II, 6.

Vieilli. *Faire des traits à sa femme*, des infidélités.

20 Vous l'aimiez !... Ça ne vous empêchait pas de lui faire des traits ! — Moi !... la tromper !... un ange !...
LABICHE, Un monsieur qui a brûlé une dame, 14.

b Acte ou parole qui témoigne d'une qualité intellectuelle. *Avec* (cit. 55) *force traits de science.* — *Trait d'esprit**. *Trait de génie* (→ aussi *infra*, 4.). — Iron. *Trait de sottise.*

♦ **4.** (Mil. XVIIᵉ). Acte ou parole qui manifeste un esprit médisant ou piquant et qui est comparé(e) soit à un projectile lancé (→ ci-dessus, I., 3.), soit à un trait de lumière. *Les traits de la satire ; traits de satire** (cit. 2). *Traits acérés, caustiques, blessants, cruels, mordants, piquants ; traits médisants, de médisance.* ⇒ **Attaque**, 2. **brocard, épigramme, flèche** (fig.), **lardon** (cit. 2), **nasarde, raillerie, sarcasme** (cf. Coup de boutoir, de dent, de patte). *Un trait sûr et sans merci* (cit. 3). *Décocher, lancer des traits à qqn* (⇒ **Larder**), *un trait empoisonné* (→ Sibilant, cit. 2). *Les traits de la calomnie, de l'envie* (⇒ **Atteinte, blessure**). — Littér. *Des traits qui percent* (→ Exceller, cit. 4). *Le trait et la pointe finale* (→ Épigramme, cit. 2).

21 C'est une chose remarquable que Molière, qui n'épargnait rien, n'a pas lancé un seul trait contre les gens de finance. On dit que Molière et les auteurs comiques du temps eurent là-dessus des ordres de Colbert.
CHAMFORT, Caractères et anecdotes, Molière et les financiers.

22 Elle nous piquait sans cesse par les traits d'une ironie mordante, l'arme des gens sans cœur (...)
BALZAC, le Lys dans la vallée, Pl., t. VIII, p. 782.

22.1 Bref, M. l'Archiprêtre nous a conté beaucoup d'anecdotes qu'il appelle, selon l'usage, des *traits.*
BERNANOS, Journal d'un curé de campagne, p. 13.

Expression heureuse et spirituelle, dans la conversation ou dans le style*. ⇒ **Mot** (cit. 33 ; bon mot, mot d'esprit), **pensée, pointe** (III., 3.), **saillie.** *Trait brillant, éblouissant* (⇒ **Étincelle**, fig.), *hardi* (cit. 16), *heureux* (cit. 24), *joli* (→ Distinguer, cit. 32), *spirituel... Remplacer le trait par le calembour* (cit. 5).

23 Les plus beaux traits d'une sérieuse morale sont moins puissants le plus souvent que ceux de la satire (...)
MOLIÈRE, Tartuffe, Préface.

24 Le comte Chalvet était bref dans sa parole ; ses traits étaient des éclairs, justes, vifs, profonds.
STENDHAL, le Rouge et le Noir, II, IV.

*Trait d'esprit** (cit. 156 et 157). — *Trait de génie**. ⇒ **Éclair.** *Le trait de génie d'un inventeur* (⇒ **Découverte**).

25 Trait d'esprit, c'est usage du mot ou de l'acte pour son effet de choc instantané. Faible masse, grande vitesse.
VALÉRY, Rhumbs, p. 234.

26 L'accident extérieur excite quelquefois l'événement accidentel intime qui sera ce qu'on nomme un *trait de génie* (...)
VALÉRY, Variété, V, p. 229.

Absolt et vx. Vivacité de style et de langage. *Avoir du trait, du mordant.*

♦ **5.** Mus. Passage brillant formé d'une suite de notes rapides. *Perler les traits* (→ Musique, cit. 25).

27 C'étaient des traits, des fioritures incroyables, des broderies à faire perdre la tête à madame Damoreau, et la voix à mademoiselle Grisi (...)
NERVAL, Lorely, Du Rhin au Mein, V.

♦ **6.** Liturgie (du lat. *tractus* «chanté d'un trait»). Psaume chanté après le graduel.

COMP. Trait d'union.

HOM. Formes du v. **traire** ; **très.**

TRAITABLE [tʀɛtabl] adj. — Déb. XIIIᵉ, «malléable» ; du lat. *tractabilis* «maniable», dér. de *tractare*, et francisé d'après *traiter.*

♦ Littér. Qu'on peut manier, conduire, gouverner... ⇒ **Accommodant, maniable, sociable.** *Caractère traitable. Une vertu traitable* (→ Blâmable, cit. 2, Molière). *Rendre (plus) traitable.* ⇒ **Apprivoiser.** — Spécialt. *Créancier traitable*, qui se laisse fléchir, amadouer.

1 (...) j'emploierai le crédit de mon libraire pour en obtenir de l'imprimeur ; et si je n'en trouve aucun traitable sur mes Mémoires, je vendrai les premiers pour payer les derniers.
BEAUMARCHAIS, Mémoires... dans l'affaire Goëzman, p. 141.

2 Ah ! vivent les duègnes de vingt ans ! elles sont plus traitables qu'à trente.
ROUSSEAU, Julie ou la Nouvelle Héloïse, VI, II.

CONTR. Acariâtre, entêté, exigeant, farouche, inflexible, intraitable, rebours (I., vx.).

TRAITANT, ANTE [tʀɛtɑ̃, ɑ̃t] n. et adj. — 1628 ; p. prés. de 1. *traiter.*

♦ **1.** N. m. Hist. Personne qui, ayant fait un traité (II., 2.) avec

le roi, obtenait la charge de lever droits et impôts à son profit.
⇒ **Financier, partisan** (vx), **publicain.** → Satire, cit. 2. *Les traitants
et les fermiers* généraux. Les exactions* (cit. 1) *des traitants.*
— *Odieux traitant* (...) *infâme partisan, barbare maltôtier, tu prétends que cette
maison est tienne ?*
FRANCE, la Rôtisserie de la reine Pédauque, Œ., t. VIII, p. 174.

♦ **2.** Adj. (1872). a (Personnes). Se dit d'un médecin qui traite,
soigne des malades de manière suivie. *Médecin consultant* et
médecin traitant.*

b (Choses). Qui traite. *Teinture traitante. Crème de beauté traitante.*

COMP. **Sous-traitant.**

TRAIT D'UNION [tRɛdynjɔ̃] n. m. — 1754 ; de *trait,* et *union.*

♦ **1.** Signe* écrit ou typographique, en forme de petit trait horizontal, servant de liaison entre les éléments de certains composés (ex. :
arc-en-ciel) et entre le verbe et le pronom postposé (ex. : Crois-tu ?
Prends-le...). ⇒ **Tiret.** *Emploi stylistique du trait d'union, pour former des sortes de composés* (ex. : « très demoiselle-qui-tapotait-sa-
gamme », H. Bazin, cité par Georgin) *ou pour détacher les syllabes d'un mot* (ex. : « Je serai impitoyable... im-pi-to-yable », Estaunié, cité par Damourette, *Traité de ponctuation,* p. 128).

♦ **2.** (Mil. XIXᵉ). Fig. Personne, chose qui sert d'intermédiaire, de pont
entre deux êtres ou objets (→ Ecouteur, cit. 2).
« *En revenant vers nous, s'écrie-t-il* (M. Schumann), *la France redécouvre le signe
qui lui est le plus nécessaire : un trait d'union !* » *Un trait d'union tout seul, c'est
le signe moins, cher Schumann.*
F. MAURIAC, le Nouveau Bloc-notes 1958-1960, p. 51.
CONTR. (Du 2.) **Cloison, séparation.**

TRAITE [tRɛt] n. f. — XIIᵉ ; substantivation au fém. du p. p. du v. *traire*
« tirer » qui avait de nombreux sens dérivés en anc. franç. (→ Tirer) ;
nombreux sens jusqu'au XVIIᵉ : « espace de temps, durée ; série, poursuite (devant un tribunal) ; traction ».
REM. Sauf au sens III, le mot est rattaché au verbe 1. *traiter* (II., 2.).

★ **I.** ♦ **1.** (1394). Vx. Le fait de faire venir, de « tirer » (IV., B.) des
marchandises d'un lieu, de les transporter pour en faire commerce.
⇒ **Transport.** *La traite des grains* (Pellisson, *in* Littré). — Spécialt.
Trafic maritime sur les côtes d'Afrique (du XVIᵉ au XIXᵉ siècle).
— (1690). Ancienn. *La traite des nègres, des noirs, des esclaves :* le commerce et le transport des esclaves* noirs (délit international depuis le Congrès de Vienne de 1815). ⇒ **Esclavage** (cit. 4 ;
→ Inexpiable, cit. 1 ; négrier, cit. 3). — (1827, Michelet, *in* D.D.L.).
Traite des blancs : esclavage des Européens (par les Barbaresques).
— REM. *Traite* s'est dit des engagements militaires forcés, des contrats de travail abusifs, au XIXᵉ s. (1830). — (1846). *Traite des blanches :* embauche, entraînement ou détournement de femmes en vue
de la prostitution* (le délit implique la fraude ou la contrainte, lorsqu'il s'agit de femmes majeures).
*La traite des nègres nous émeut à bon droit ; nous examinons cette plaie et nous
faisons bien. Mais sachons mettre à nu aussi un autre ulcère, plus douloureux
encore peut-être : la traite des blanches.* HUGO, Choses vues, II, VI.
*Ils disent, ces messieurs, qu'ils nous donnent de l'argent... Allez, cet argent est
bien à nous ; la traite des blanches, ils la font tous les jours avec notre jeunesse,
notre beauté.* Ed. DE GONCOURT, la Faustin, II.
Ils (les jeunes gens tombés [cit. 26] *au sort) s'adressaient à une agence qui* (...)
*leur trouvait un pauvre diable lequel consentait à les remplacer au régiment pen-
dant sept années* (...) *Ainsi, on faisait, en France, la traite des blancs, comme, en
Afrique, la traite des noirs !* (...) *Il y avait des marchés d'hommes, comme des
marchés de bestiaux pour une plus horrible boucherie !*
O. MIRBEAU, Journal d'une femme de chambre, II.

♦ **2.** (XIVᵉ). Vx. Droit levé sur les marchandises transportées. *Traite
foraine :* droit d'entrée sur les marchandises.

♦ **3.** (1679). Vx. *Traite et remise d'argent :* action de retirer de
l'argent, et, par métonymie, commerce des banquiers (⇒ **Banque**).
(1723). Mod. Lettre de change, par laquelle se fait la « traite » de
l'argent. ⇒ **Lettre** (*supra* cit. 31 ; lettre de change) ; **billet, effet** (de
commerce), **retraite** (2. retraite, cit.). *Tirer* (IV., B., 3.) *une traite
sur.* (⇒ **Tiré, tireur**). *Signer une traite, présenter une traite à
l'escompte* ; escompter, payer une traite.* — *Traite documentaire**
(2.). — *Échéance d'une traite. Série de traites échelonnées* (d'une
dette, d'un achat [cit. 3] à tempérament...).

♦ **4.** Franç. d'Afrique. Commercialisation. *La traite du café.*

★ **II.** (XVᵉ ; → Tirer [II., B.] pays, chemin). Trajet effectué en une fois,
sans s'arrêter. ⇒ **Chemin, distance, parcours.** *Cheval capable de
fournir une traite* (→ Ragaillardir, cit. 1). ⇒ **Chevauchée.** — Loc.
(avec de). *Aller, arriver, courir d'une traite, d'une seule traite quel-
que part* (→ Cracher, cit. 8).
— Fig. D'UNE TRAITE, D'UNE SEULE TRAITE : sans interruption*.
Débiter un discours d'une seule traite, tout d'une traite. ⇒ **Trait**
(I., 1.).
— *Adieu, dit le renard, ma traite est longue à faire* (...)
LA FONTAINE, Fables, II, 15.

*Il ne comptait pas faire une longue traite ; mais, trompé de lieue en lieue par les
dires mensongers des paysans qu'il interrogeait, il crut prudent de ne pas s'engager plus loin sans se réconforter l'estomac.*   5
BALZAC, le Médecin de campagne, Pl., t. VIII, p. 322.

★ **III.** (1538 ; → Tirer, IV. «traire»). Opération par laquelle on trait
les vaches et les femelles d'animaux domestiques. ⇒ **Mulsion.**
Traite mécanique.
COMP. **2. Retraite.**

TRAITÉ [tRɛte ; tRete] n. m. — 1300, *traitiet ; traictié,* 1322 ; *traicté,*
1370, puis *traité ;* du lat. *tractatus,* francisé d'après *traiter,* et de 1. *traiter,* au p. passé.

★ **I.** (1370, *traicté ;* de *tractatus ;* → 1. Traiter, I., 6.). Ouvrage didactique, où est exposé d'une manière systématique un sujet ou un
ensemble de sujets concernant une matière. ⇒ **Discours, disserta-
tion** (cit. 2), **livre ;** et -**graphie,** -**logie.** « *Je ne mets pas Traité de la
Méthode* » (cit. 1), *mais Discours de la Méthode* » (Descartes). *Professeur qui réunit ses leçons en un traité.* ⇒ **Cours.** *Traité d'économie* (cit. 11) *politique* (de J.-B. Say), *de morale* (Malebranche).
Traité de théologie en forme de discussion. ⇒ **Disputation** (vx). *Les
traités de Bossuet. Traité de l'amour de Dieu* (François de Sales,
Malebranche). *Traité de l'éducation des filles,* de Fénelon. *Traité
de la lumière* (Huyghens). *Traité des sensations,* de Condillac.
Traité de la peinture, de Vinci.

★ **II.** (XIVᵉ ; dér. de 1. *traiter,* II., 2.). ♦ **1.** (Fin XIVᵉ). Dr. internat. Acte
juridique (⇒ **Contrat, convention**) par lequel les autorités compé-
tentes, et, spécialt, des gouvernants d'États*, établissent des règles
ou des décisions. ⇒ **Accord, capitulation, charte, concordat, engagement, entente, pacte, protocole.** *Traité d'alliance*.* ⇒ **Union**
(→ Lier, cit. 37). *Traité offensif ; défensif. Traité de paix.* ⇒ **Paix.**
Traité politique, diplomatique (⇒ **Diplomatie**). *Traité de commerce,* réglant les échanges de marchandises, les transactions entre
sujets des États contractants. *Traité d'établissement,* réglant les
activités économiques des ressortissants d'un État sur le territoire des autres États contractants. — *Les conditions, les stipulations d'un traité,* rédigées sous forme d'articles. ⇒ **Clause** (cit. 2).
— *Négocier un traité.* ⇒ **Négociation ; conférence, congrès.** *Offrir
ses bons offices dans la négociation d'un traité. Préliminaires*
(cit. 1) *convertis en traité. Conclusion d'un traité.* ⇒ **Conclure** (1.) ;
→ Base, cit. 20. *Rédiger un traité,* l'écrit constatant l'accord. *Parapher, signer, ratifier un traité.* ⇒ **Ratification, signature.** *La foi, le
respect des traités. Respecter* (cit. 9) *un traité. Dénoncer*, violer un
traité. Infraction* à un traité. Expiration ; extinction d'un traité.
Exécuter un traité.* — Hist. *Le traité de Westphalie,* qui mit fin à
la guerre de Trente ans (1648). *Le traité de Versailles* (1919). *Le
traité de l'Atlantique Nord* (1949). *Le traité de Rome,* établissant
le Marché commun (25 mars 1957).
*Nous avons exigé de l'ancienne Europe mourante ce traité, avec ses paragraphes
et ses codicilles, non comme une charte ordonnante et créante, mais comme un*   1
testament. J. GIRAUDOUX, De pleins pouvoirs à sans pouvoirs, II, p. 26.

♦ **2.** Dr. (Vieilli). Convention entre des particuliers, ou entre un par-
ticulier et une autorité (administration, etc.) ; ce qui est convenu.
⇒ **Contrat, convention** (→ Avantage, cit. 29). *Conclure, sceller*
(cit. 3) *un traité. Traité d'amitié, de paix* (→ Failli, cit. 1).
*Et qu'une mort sanglante soit l'unique traité
Qui reste entre l'esclave et le maître irrité.*   RACINE, Bajazet, IV, 7.   2
*Le traité fut aussitôt conclu ; un cordial baiser le scella d'avance, et toutes les con-   3
fidences nécessaires s'ensuivirent sans peine.*
A. DE MUSSET, Nouvelles, « Croisilles », VI.
Vous rappelez-vous notre traité d'alliance (...) ? *Nous nous étions promis de dire du   4
mal de l'univers entier ; en revanche, de nous soutenir l'un l'autre envers et contre
tous* (...) *Mais notre traité a eu le sort de la plupart des traités ; il est resté sans
exécution.* MÉRIMÉE, la Double Méprise, XI.
Hist. Convention par laquelle un financier était chargé par le roi,
moyennant le versement d'une somme, de lever certains droits et
impôts à son profit (⇒ **Traitant**).
HOM. F. des v. 1. et 2. **traiter.**

TRAITEMENT [tRɛtmɑ̃] n. m. — Déb. XVIᵉ ; 1255, « négociation,
accord, traité » ; dér. de 1. *traiter.*

♦ **1.** Manière d'agir, comportement à l'égard de qqn ; acte ou suite
d'actes traduisant ce comportement. — (Vx). *Faire, garder* (cit. 69)
un traitement à qqn. — *Éprouver* (→ Exposer, cit. 9), *recevoir tel
traitement* (→ Maillot, cit. 1). *Faire subir un mauvais traitement*
(→ Un mauvais parti*). *Jouir d'un traitement de faveur* (cit. 17).
— *Dur traitement infligé à des prisonniers. Traitement réservé à
un hôte.* ⇒ **Accueil.**

Au plur. *Bons, mauvais, indignes traitements* (→ Constance, cit. 2).
— Spécialt. *Mauvais traitements :* coups, sévices* (cit. 1).

Spécialt et vx. Honneur (II., 2.) que l'on rend à certains notables,
selon leur rang*. *Traitement fait à un ambassadeur* (dans le cérémonial diplomatique). ⇒ **Étiquette, réception.**

♦ **2.** (XVIIᵉ). Admin. Rémunération (d'un fonctionnaire). *Le traitement consiste en général en une rémunération annuelle forfaitaire*

payable par douzièmes mensuels. — Cour. Gain, profit attaché à un emploi (avec l'idée de régularité, et d'importance sociale de l'emploi). ⇒ **Appointement** (REM.), **dotation, émolument, salaire** (cit. 3; et → Considération, cit. 9; émarger, cit. 2; gratification, cit. 5). *Un traitement rondelet* (cit. 2), *princier* (→ Élévation, cit. 6). *Traitement officiel* (→ Maître, cit. 77). *Émarger* un état de traitement.* ⇒ **Émargement.** *Avance sur le traitement.*

1 — Le commissaire de bord peut atteindre dix mille, et le médecin a cinq mille de traitement fixe, avec logement, nourriture, éclairage, chauffage, service, etc., etc. Ce qui équivaut à dix mille au moins, c'est très beau.
MAUPASSANT, Pierre et Jean, VIII.

♦ **3.** (1536). Vx. Action de nourrir, de soigner (qqn). — Mod. Manière de soigner un malade ou une maladie*; ensemble des moyens thérapeutiques et hygiéniques employés pour guérir. ⇒ **Cure, remède, soin, -thérapie**; → Faveur, cit. 6; malade, cit. 16. *Traitement d'exception* (cit. 7). *Prescrire, ordonner un traitement* (⇒ **Médecine, thérapeutique**). *Suivre* un traitement.* — *Traitement chirurgical* (⇒ **Intervention, opération**), *médical, homéopathique, opothérapique* (→ Insuffisance, cit. 6). *Traitement d'hydrothérapie* (cit.), *de rééducation... Traitement palliatif*; curatif. Traitement énergique, efficace.* — *Mal qui résiste à tous les traitements.*

2 L'examen plus approfondi, qu'il faudrait que je vous fisse, vous prendrait plusieurs jours. Mais ce n'est pas la peine de rien commencer ici (...) puisque (...) c'est naturellement à Paris que vous suivriez votre traitement.
MONTHERLANT, les Lépreuses, XVIII.

En traitement. Cas, malade en traitement. — Par anal. *Traitement des végétaux. Traitement généralisé* (ou *en plein*) *d'un terrain. Traitement localisé. Traitement par injection* (dans le sol).

♦ **4.** Manière d'agir sur une substance, de la traiter (I., 5.); procédé permettant de modifier (qqch.). ⇒ **Manipulation, opération.** *Traitement des textiles.* ⇒ **Conditionnement.** *Traitement du minerai* (enrichissement, extraction du métal...). *Traitement thermique d'un métal. Traitement de surface d'une pièce métallique. Traitement d'une matière première. Traitement du bois*. Traitement des sols*. Traitement de l'eau :* mise en œuvre des techniques utilisées pour rendre l'eau apte à l'usage.

Par anal. *Traitement des documents.* — Inform. *Traitement de l'information :* déroulement systématique d'une suite d'opérations logiques et mathématiques effectuées par des moyens automatiques (⇒ **Calculateur, ordinateur**) sur des données, pour les exploiter selon un programme. *Traitement automatique des données. Traitement de données en temps réel, en temps* partagé. Traitement à distance.* ⇒ **Télétraitement.** *Centre de traitement. Traitement immédiat :* traitement des données dans l'ordre où elles se présentent, sans sélection, regroupement ou tri préalable. *Traitement par lots. Traitement intégré* (des données), dans lequel la saisie des données et les autres phases du traitement sont combinées dans un système cohérent de traitement de l'information. *Traitement vidéo.*

3 Jusqu'à présent les échanges interbancaires ont moins fait appel à l'informatique que les traitements internes aux banques. De ce point de vue, le non transfert des chèques et ultérieurement la monnaie électronique constitueraient des progrès considérables : ils diminueraient le coût du traitement (...)
S. NORA et A. MINC, l'Informatisation de la société, p. 54.

♦ **5.** Manière de traiter (I., 6.) un sujet. *Le traitement d'une question par l'analyse* (→ Écriture, cit. 16).

1. TRAITER [tRɛte, tRete] v. — XIIᵉ, *traitier; traitier sa vie* « se conduire », v. 1130; du lat. *tractare* « toucher, manier » et, au fig., « traiter », fréquentatif de *trahere* « tirer » (→ Traire); a signifié aussi en anc. franç. « conduire, gouverner » (→ Traitable), « décider, traîner, tirer » *(trahere)*.

★ **I.** V. tr. dir. ♦ **1.** (V. 1190; compl. n. de personne). Agir*, se conduire envers (qqn) de telle ou telle manière. ⇒ **User** (en user avec...). *Confondre les personnes et les traiter indifféremment* (cit. 1). *Traiter qqn aimablement, familièrement* (cit.), *durement, méchamment, rudement* (→ Réformer, cit. 4). ⇒ **Mener.** *Traiter mal, mal traiter qqn.* ⇒ **Malmener, maltraiter; accommoder, tyranniser.** *Traiter qqn avec bonté* (→ Dédaigneux, cit. 5), *civilité, complaisance, avec égards, avec respect* (→ Noble, cit. 24). *Traiter correctement, humainement des prisonniers. Traiter qqn sans égards, avec rudesse* (⇒ **Tarabuster**). *On n'attire pas les gens en les traitant ainsi* (→ On ne prend pas les mouches avec du vinaigre*). *Il traite ses subordonnés avec dédain, avec froideur* (cit. 7), *mépris. Traiter qqn avec morgue* (⇒ **Morguer**), *avec une froideur rebutante* (⇒ **Vilipender**). *Traiter qqn gentiment, avec mille attentions.* ⇒ **Mignarder, mignoter** (vx). *Traiter qqn avec brusquerie, tambour battant* (⇒ **Brusquer**). *Traiter avec bonté un ingrat* (cf. Oignez vilain, il vous poindra). *Traiter un visiteur, un hôte de telle ou telle façon.* ⇒ **Accueillir** (et → ci-dessous, 4., b.). *Traiter qqn de haut en bas,* avec un mépris hautain*.

1 Polyeucte pour vous ne manque point d'amour;
S'il ne vous traite ici d'entière confidence (...)
CORNEILLE, Polyeucte, I, 3.

2 Traitez votre élève selon son âge. Mettez-le d'abord à sa place, et tenez l'y si bien, qu'il ne tente plus d'en sortir.
ROUSSEAU, Émile, II.

3 Les servantes et les domestiques sont traités avec une douceur familière bien différente de notre politesse affectée, qui semble à chaque mot leur rappeler l'infériorité de leur position.
Th. GAUTIER, Voyage en Espagne, p. 186.

(1637). **TRAITER DE...** [a] Vx. *Traiter qqn de...* (suivi du nom désignant la nature du traitement). *Traiter qqn de mépris* (→ Car, cit. 2).

[b] *Traiter de...* (suivi du nom indiquant la situation, le rôle que prend celui qui traite). *Traiter qqn d'égal* (cit. 20 et 21) *à égal; d'égale à égal, d'égal à égale,* etc. *Traiter qqn de Turc* à Maure* (comme un Turc traiterait un Maure). — (Dans le même sens). *Traiter en...* (→ Familiarité, cit. 11).

Il vivait sans contrôle au milieu de merveilles qu'il traitait d'égal à égales (...)
GIRAUDOUX, l'École des indifférents, p. 187.

[c] Mod. *Traiter de...* (vx), *en...* (suivi du nom désignant le rôle qu'on assigne à celui ou celle qui est traité). *« Le Syrien me traite et de reine et de sœur »* (Racine, *Athalie,* vers 477). *Il la traitait en gamine* (cit. 7). *Traiter qqn en camarade, en lépreux* (cit. 3; → aussi Autocratique, cit. 3; camarade, cit. 3). — *Traiter comme...* (dans le même sens). ⇒ **Considérer.** *Traiter qqn comme un inférieur* (cit. 10); *comme un chien* (cit. 32), très mal. — (Sans article). Vx. *Traitez-moi comme ami, non comme souverain* (→ Considérer, cit. 3). — *Traiter qqn selon ses mérites, son rang* (→ 2. Dauphin, cit. 1).

Agir de telle ou telle manière avec qqn (en parlant de lui, en écrivant à son sujet, en le dépeignant). *La critique l'a traité durement, sans ménagement, avec complaisance.* — Figuré :

Cette ingrate de fièvre, injuste, malhonnête,
Qui traite mal les gens qui la logent chez eux.
MOLIÈRE, les Femmes savantes, III, 2.

♦ **2.** Avoir telle ou telle attitude envers (une chose). *Traiter la religion avec respect, avec indifférence. Traiter une chose sérieusement, à la blague.* — Vx. *Traiter qqch. de... :* le considérer comme... et se comporter en conséquence. — REM. Cet emploi n'est plus compris de nos jours en raison de la fréquence du sens 3 : on emploie *traiter comme, en...* — *Traiter de...* (vx), avec... « Et traitant de mépris les sens (cit. 6) et la matière ».

Hé quoi? vous ne ferez nulle distinction
Entre l'hypocrisie et la dévotion?
Vous les voulez traiter d'un semblable langage (...)
MOLIÈRE, Tartuffe, I, 5.

Dès longtemps votre amour pour la religion
Est traité de révolte et de sédition.
RACINE, Athalie, I, 1.

(...) si, comme en Angleterre, on était assez sage ici pour traiter les sottises avec ce mépris qui les tue, loin de sortir du vil fumier qui les enfante, elles y pourriraient en germant, et ne se propageraient point.
BEAUMARCHAIS, le Mariage de Figaro, Préface.

Elle lisait Lucrèce, vénérait l'amour physique et traitait l'amour sentimental en maladie dont les symptômes et la durée sont connus.
A. MAUROIS, Vie de Byron, XVII.

♦ **3.** (1660, Pascal). **TRAITER** (qqn; qqch.) **DE...** : lui donner un nom particulier. ⇒ **Appeler, qualifier.** — Vieilli. *Traiter les rois de Majesté* (→ Impérial, cit. 3). *Il m'a traité d'Excellence* (→ Marquer, cit. 13). — Mod., suivi d'un nom péj. *Traiter qqn d'âne* (cit. 9), *de fainéant* (→ Acariâtre, cit. 3), *de fat* (→ 3. Droit, cit. 1), *de félon* (cit. 6), *de fripon* (→ Insulte, cit. 1), *de morveux* (cit. 6), *de paltoquet* (cit. 2). *Traiter qqn de tous les noms* (cit. 37). ⇒ **Injurier, maltraiter.** — *Traiter toute religion d'obscurantisme* (cit. 2).

(...) le baron m'a traitée de pécore, hier soir (...)
A. DE MUSSET, On ne badine pas avec l'amour, II, 1.

♦ **4.** Spécialt (du sens 1; compl. n. de personne). [a] (1636). S'occuper de (qqn) en vue de (le) guérir. ⇒ **Soigner.** *Médecin qui traite un malade.* ⇒ **Traitant** (→ Consultation, cit. 5; guérisseur, cit. 3). *Être traité à l'hôpital.* — Vx. *Traiter qqn d'une maladie.* — *Traiter qqn pour une maladie, une blessure.*

(Elles) Se font des mois entiers, sur un lit effronté,
Traiter d'une visible et parfaite santé (...)
BOILEAU, Satires, X.

[b] (1538). Recevoir, loger (qqn), et, spécialt, donner à manger*, recevoir à sa table, comme invité ou comme client (restaurateurs). *Il nous a bien traités pour le prix* (Académie). ⇒ **Traiteur.** *Traiter ses invités avec faste. Traiter à bouche que veux-tu.*

— (...) je n'entends pas que vous fassiez de dépense (...) je vous demande de me traiter qu'en ami.
MOLIÈRE, Monsieur de Pourceaugnac, I, 7.

Littér. *Convier* à sa table* (⇒ **Inviter, recevoir; hospitalité, réception**) *ou offrir un repas à...* (⇒ **Régaler**). *Traiter ses amis* (→ Club, cit. 2), *des actrices* (→ Gagner, cit. 33).

Je veux vous traiter cependant.
Venez souper chez moi, nous ferons bonne vie.
LA FONTAINE, Fables, I, 14.

Il fit savoir à Vesoul et dans les alentours, qu'en réjouissance de la bonne nouvelle, il donnerait une fête et traiterait à table ouverte. Paysans, bourgeois, soldats, tous arrivent, boivent, dansent (...)
MICHELET, Hist. de la Révolution franç., II, III.

Paris était, sous Napoléon III, l'auberge du monde. On y traitait avec une cordiale magnificence les hôtes venus de tous les pays du monde.
FRANCE, la Vie en fleur, XXVII.

♦ **5.** (Compl. n. de chose). Agir sur (qqch.) de manière à établir ou à modifier. [a] (V. 1196). Régler (qqch.) en discutant, en traitant (II., 2.) avec qqn. ⇒ **Négocier.** *Traiter une affaire* avec qqn* (cf. Faire affaire). *Débattre* une affaire sans parvenir à la traiter.* ⇒ **Conclure.** *Traiter une résiliation* (cit.) *de contrat avec une compagnie.* — Diplom. *Traiter la paix.* ⇒ **Traité.**

Il avait l'intention d'installer un bureau à Paris qui traiterait ses affaires sur place, et directement, avec les grandes compagnies et il voulait savoir si j'étais disposé à y aller.   CAMUS, l'Étranger, I, v.

b (XIII⁰). → ci-dessus, 4., a. Agir sur (une maladie, un symptôme pathologique), en vue de guérir. *Traiter une plaie* (→ Chirurgie, cit. 1), *une maladie* (→ Prophylactique, cit.).

c Exploiter (une forêt) de telle ou telle manière. *Traiter une forêt en futaie.*

d (1765). Soumettre* (une substance) à l'action d'agents physiques ou chimiques, de manière à la modifier*, à la transformer* (⇒ **Manipulation, traitement**). *Traiter une substance par la chaleur, par le froid* (→ **Réfrigérant**, cit.). *Traiter à l'eau bouillante* (→ Pot-au-feu, cit. 3). *Traiter un minerai* (pour obtenir le métal qu'il contient). *Traiter un produit pour le mettre dans le commerce.* ⇒ **Conditionner**. — Par métaphore. *Traiter l'amitié comme le vin...* (→ Méfier, cit. 3).

♦ **6.** (Début XIII⁰; dans le domaine intellectuel, artistique). S'occuper* de..., soumettre (un objet) à l'esprit, à la pensée, en vue d'étudier*, d'exposer*. ⇒ **Examiner** (→ **Proposer**, cit. 3; opération, cit. 3). *Commencer à traiter une question.* ⇒ **Aborder**. *Traiter un problème* à plusieurs. ⇒ **Agiter, discuter**. *Traiter une matière* (→ Assortir, cit. 7; doctoral, cit. 1), *un sujet* (→ Plaisant, cit. 4). *Ne traitons pas ce chapitre, ce point, ce cas. Les choses que traite un orateur* (→ 1. Efficace, cit. 5). ⇒ **Exposer**. *Causerie* (⇒ **Conférence**), *livre* (⇒ **Traité**) *où l'on traite une question.* ⇒ **Développer**. *Traiter des idées dangereuses, des points délicats.* ⇒ **Manier**. *Traiter un mot, une locution dans un dictionnaire.*

7   Je ferais trop d'honneur à mon sujet, si je le traitais avec ordre, puisque je veux montrer qu'il en est incapable.   PASCAL, Pensées, VI, 373.

8   Les Français pensent et vivent dans les autres, au moins sous le rapport de l'amour-propre : et l'on sent, dans la plupart de leurs ouvrages, que leur principal but n'est pas l'objet qu'ils traitent, mais l'effet qu'ils produisent.
                                               Mme DE STAËL, De l'Allemagne, II, I.

(Dans une œuvre d'imagination, dans la création artistique). Faire correspondre à un contenu de pensée (une œuvre ou un élément d'œuvre élaboré). *Certaines scènes sont traitées, d'autres escamotées* (cit. 8). — Au p.p. *Renouveler* (cit. 8) *des sujets cent fois traités.* — (1676, Félibien). Arts. Élaborer, mettre en œuvre, de telle ou telle manière. *Traiter des matériaux, un programme, un sujet* (peinture figurative). → Forme, cit. 31 ; manier, cit. 4 ; style, cit. 16. *Bâtiment traité dans tel style* (→ Établissement, cit. 8). *La cheminée est traitée fort curieusement* (→ Foyer, cit. 3). — Mus. *Traiter un chant appelé sujet* (3. Sujet, cit. 7).

9   Ce tableau est on ne peut plus agréable ; c'est partout la touche du sentiment ; tout y est traité convenablement.
                                               DIDEROT, Salons, v, Casanove, in Œ. esthétiques.

0   (...) rappelez-vous (...) la même scène traitée tour à tour par trois maîtres, Léonard de Vinci, Michel-Ange et Corrège.
                                               TAINE, Philosophie de l'art, t. II, p. 230.

★ **II.** (XII⁰, au sens 3). Trans. indir. ♦ **1.** Vx (correspond au sens I, 1). Agir de telle façon. *Traiter familièrement avec qqn.*

♦ **2.** (Début XIII⁰; correspond au sens I, 5, a). Entrer en affaires, en pourparlers ou simplement en relations. *Traiter avec qqn, avec un vendeur* (pour acheter), *un acheteur* (pour vendre). *Traiter d'égal* (cit. 21) *avec qqn.*
Spécialt (dans une discussion, une négociation diplomatique, politique ou commerciale). ⇒ **Composer, négocier, parlementer ; pourparler, tractation**. *La ville traite de puissance à puissance* (→ Capitulation, cit. 1). — Vieilli. *Traiter de la paix, d'un accord.* — *Traiter à tel prix, pour tel prix :* conclure un marché. *Traiter à des conditions raisonnables.* ⇒ **Arranger**. — Faire commerce. *Traiter à son profit des munitions des armées* (→ Déprédation, cit. 2). ⇒ aussi **Traite**.

1   (...) je suis pour un tiers dans la propriété du journal hebdomadaire. J'ai traité pour trente mille francs comptant à condition d'être fait rédacteur en chef et directeur. C'est une affaire superbe.
                                               BALZAC, Illusions perdues, Pl., t. IV, p. 713.

2   (...) le Roi et la Reine, plus libres enfin, voyaient secrètement, consultaient Barnave, traitaient, en quelque sorte, avec la Révolution (...)
                                               MICHELET, Hist. de la Révolution franç., V, XI.

3   Si les nations s'arment furieusement, c'est pour une raison très simple. ELLES NE PEUVENT PLUS TRAITER ENTRE ELLES, parce que leurs signatures sont absolument sans valeur. Je ne crois pas qu'une société humaine ait jamais connu cette honte.
                                               BERNANOS, les Grands Cimetières sous la lune, p. 331.

♦ **3.** (V. 1170). → ci-dessus, I., 6. Appliquer son esprit, travailler (sur des idées, un sujet) de manière à exposer, à représenter... — REM. Cet emploi est en concurrence avec le transitif direct (I., 6.) dans la langue littéraire, mais il est moins répandu dans l'usage courant. — *Traiter de choses sérieuses* (→ Cercle, cit. 8). *Les écrivains frivoles qui traitent de sujets graves* (→ Différencier, cit. 5). ⇒ **Disserter, parler**. *Traiter du droit* (3. Droit, cit. 65) *positif, de sujets modernes* (cit. 8), *du système du monde* (cit. 1).

4   Le rhétoriqueur fait sa part au langage une fois pour toutes, et se trouve ensuite libre de traiter d'amour ou de peur, d'esclavage ou de liberté.
                                               J. PAULHAN, les Fleurs de Tarbes, p. 166.

Nous sommes tous malades et ne savons lire que les livres qui traitent de notre maladie.   COCTEAU, la Difficulté d'être, p. 95.   25

▶ **SE TRAITER** v. pron.
(Réfl.). *Un homme dur, qui traite sa femme et ses enfants comme il se traite lui-même* (→ Despotisme, cit. 8). — Spécialt et vieilli. Prendre soin de soi. *Des gens qui savent se traiter comme il faut* (→ Fort, cit. 77).
(Récipr.). *Se traiter* (mutuellement) *avec courtoisie* (→ Gourmer, cit. 5). — (Au sens 3). *Ils se sont traités d'idiots.*
(Passif). *Telle valeur se traite à tel prix.*

Les affaires se traitent à demi-voix, avec la ruse du campagnard et les cachotteries du trafiquant arabe (...)   E. FROMENTIN, Une année dans le Sahel, p. 269.   26

▶ **TRAITÉ, ÉE** p. p.adj. Voir à l'article.

DÉR. Traitable, traité (II.), traitement. — Traitant, traiteur.
COMP. Sous-traiter.

2. TRAITER [tRete ; tRɛte] v. tr. — D.i. ; de *traite*, I., 1.

♦ Franç. d'Afrique. Faire la traite de... *Traiter les esclaves.* — Commercialiser (un produit). *Il traite le café.*

TRAITEUR [tRɛtœR] n. m.— 1648 ; «négociateur», 1275 ; de 1. *traiter.*

★ **I.** ♦ **1.** (XVII⁰, Scarron). Vieilli. Celui qui sert des repas, donne à manger* pour de l'argent. — REM. Aux XVII⁰ et XVIII⁰ s., le *traiteur* est l'équivalent du *restaurant* moderne ; au XIX⁰ s., il désigne surtout le petit restaurant, la gargote. *S'attabler* (cit. 3) *chez un petit traiteur* (→ Partie, cit. 28).

Les *traiteurs* à Paris font un corps séparé des Rôtisseurs et des Taverniers. Il n'est   1
permis qu'aux *Traiteurs* d'entreprendre des noces, des festins. Les gens de qualité ne vont point au cabaret, mais vont manger chez le *traiteur.*
                                               FURETIÈRE, Dict. (1690).

♦ **2.** (1893). Mod. Celui qui prépare des repas, des plats à emporter et à consommer chez soi. *Quérir* (cit. 4) *les mets chez un traiteur. S'adresser à un traiteur pour organiser un repas, une réception, un buffet... Charcutier traiteur. Pâtissier traiteur.*

(...) les femmes, revenant de chez le traiteur avec des portions de bœuf entre deux   2
assiettes, marchaient sous la pluie en tendant le dos (...)
                                               FRANCE, le Chat maigre, Œ., t. II, I, p. 137.

★ **II.** Négociant qui fait la traite (Chateaubriand, *Voyage en Amérique,* État actuel des sauvages ; p. 201-202).

TRAÎTRE, TRAÎTRESSE [tRɛtR, tRɛtRɛs] adj. et n. — 1080, *Chanson de Roland ; tradetur,* v. 980 ; francisation du lat. *traditor,* d'après *traïr* (→ Trahir) ; le cas sujet l'a emporté sur le cas régime *traïtor,* «parce qu'il était fréquemment employé comme appellatif» (Bloch-Wartburg).

★ **I.** **N.** ♦ **1.** Celui, celle qui trahit (1., 2. et 4.). ⇒ **Trahison ; délateur, espion, félon** (cit. 6), **judas, parjure, renégat, transfuge** (→ Égorger, cit. 3 ; espion, cit. 1). *Traître qui livre, vend ses amis, qui se dérobe à son devoir, à la foi jurée.* — Par ext. Personne capable de nuire d'une manière hypocrite (⇒ **Perfide**) ou par lâcheté (⇒ **Lâche**). *Les flatteries, les bassesses d'un traître. Traître de mélodrame :* personnage traditionnel du théâtre, du roman populaire, dont l'air fourbe est comiquement exagéré.

Le traître est celui qui livre le trésor, ou le secret, ou les places de son maître,   1
ou son maître lui-même à l'ennemi.   VOLTAIRE, Essai sur les mœurs, CXXIII.
Le véritable traître, le traître au sens plein, au sens fort, au sens ancien de ce mot,   2
c'est celui qui vend sa foi, qui vend son âme, qui livre son être même (...) qui trahit sa mystique pour entrer en tendant la politique (...)
                                               Ch. PÉGUY, Notre jeunesse, p. 40.

Loc. *En traître :* d'une manière perfide, en trompant*. ⇒ **Traîtreusement**. *Attaquer, prendre qqn en traître* (→ Assaillant, cit. 3 ; mouvement, cit. 34). *Un coup en traître* (cf. fam. Un coup de pied en vache ; une vacherie). — Allus. littér. (par métaphore). *Il en rougit, le traître !* (→ Poignard, cit. 1).

Le voilà donc ce nez qui des traits de son maître   3
A détruit l'harmonie ! Il en rougit, le traître !
                                               Edmond ROSTAND, Cyrano de Bergerac, I, 4.

♦ **2.** (1642). Par exagér. Vx (langue class.). Bandit, scélérat. *Mon traître de fils* (→ 2. Épier, cit. 10). — (En apostrophe). *Traître !* (→ Complaisance, cit. 8 ; expédier, cit. 10 ; furieux, cit. 8).

Chose étrange d'aimer, et que pour ces traîtresses *(les femmes)*   4
Les hommes soient sujets à de telles faiblesses !
                                               MOLIÈRE, l'École des femmes, V, 4.

Je renonce à la Grèce, à Sparte, à son empire,   5
À toute ma famille ; et c'est assez pour moi,
Traître, qu'elle ait produit un monstre comme toi.   RACINE, Andromaque, V, 3.

★ **II.** Adj. ♦ **1.** (V. 1360). Qui trahit ou est capable de trahir. *Il serait assez traître pour nous dénoncer.* ⇒ **Déloyal, faux, félon, fourbe, infidèle** (II., 1.). — *Âme traîtresse* (Corneille, *Cinna,* V, 1). *Langue traîtresse* (→ 2. Adresse, cit. 9). — *Traître à... :* qui trahit (celui ou ceux à qui il est lié, avec qui il devrait être solidaire). *Traître à son roi, à sa cause, à sa patrie* (⇒ **Déserteur**). *Traître à sa race* (→ Draper, cit. 13).

(V. 1160). Littér. (Choses). Qui marque la traîtrise. *Masque ricaneur* (cit. 1) *et traître. Traîtres yeux* (→ Larme, cit. 5). — Vieilli. Qui marque de la perfidie, qui est le fait d'un traître. *« Il lui a joué un tour bien traître. Des faveurs traîtresses »* (Académie). *Des paroles traîtresses.* ⇒ **Menteur** (→ Ancrer, cit. 5).

6   Voilà une méchanceté bien grande ! et les hommes sont bien traîtres et scélérats !
                                    MOLIÈRE, Monsieur de Pourceaugnac, II, 4.

♦ **2.** (1680). **a** Qui est capable de nuire, de faire du mal, sans qu'on puisse s'y attendre. — (Animés). *Cheval traître*, à qui il arrive de ruer, de mordre à l'improviste. — (Choses). Qui est dangereux* sans le paraître. *La nappe d'eau traîtresse* (→ Inonder, cit. 3). *Raidillons* (cit. 2) *traîtres. « Cette liqueur traîtresse »* (Boileau, Voltaire, *in* Littré) : le vin.

b (1665). Inopiné ; qui nuit sans être prévisible. *Une pluie traîtresse* (→ Percer, cit. 9). *Un souffle traître* (→ Parapluie, cit. 4). — REM. Cet emploi est assez littéraire, sauf en attribut. *C'est traître, ce verglas. Ce petit vin est traître* (familier).

7.   Partout, sous des formes innombrables, « traîtres » (« c'est traître le soleil d'aujourd'hui, disait la concierge, c'est traître et on risque d'attraper du mal... »), partout (...) cela vous happait au passage.   N. SARRAUTE, Tropismes, p. 17.

Loc. fam. (En phrase négative ; d'abord *« il ne m'en a pas dit le traître mot »*, Académie, 1798). *Ne pas dire un traître mot*, un seul* mot (cf. Rester muet, se taire ; → aussi Engueulade, cit. 2). — Par anal. *Je ne possédais pas un traître liard* (→ Maléficier, cit. 2), *un traître sou.*

8   Cela signifie-t-il proprement : il ne m'en a pas dit un mot qui trahît ce dont il s'agissait ? ou bien traître est-il un simple terme d'injure, comme qui dirait : un chien de mot ?   LITTRÉ, Dict., art. *Traître.*
9   Vous ne direz rien, pas un traître mot.   J. ROMAINS, Volpone, III, 6.

CONTR. Féal, fidèle, loyal.
DÉR. Traîtreusement, traîtrise.

TRAÎTREUSEMENT [tʀɛtʀøzmɑ̃] adv. — Déb. XIVe ; dér. de l'adj. *traîtreux*, XIIIe ; a remplacé l'adv. *traîtrement* (XIIIe-XVIIe, Malherbe).

♦ Littér. ou plais. Par trahison ; en traître. *« Ces hommes retors* (cit. 1), *et traîtreusement doubles »* (Balzac). — Par anal. *« Les désirs troubles, les obscures pensées, qui poussent traîtreusement à s'avilir »* (→ Bataille, cit. 17). ⇒ **Sournoisement.**

Quoi, tu te figures que je sois si peu sensible à l'honneur, que de me résoudre à tromper lâchement, perfidement, traîtreusement, la vigilance d'un honnête homme qui me gardait (...)   CYRANO DE BERGERAC, le Pédant joué, II, 10.
REM. Malgré la condamnation de Vaugelas, cet adv. est resté vivant, au moins dans la langue littéraire.

TRAÎTRISE [tʀɛtʀiz ; tʀɛtriz] n. f. — 1810 ; de *traître*.

♦ **1.** Acte par lequel on trahit (1., 2. ou 4.). ⇒ **Coup** (coup fourré → Fourré, I., 2., à Fourrer), **fourberie, trahison.** *C'est une infâme traîtrise.* — Manière d'agir du traître. *Il l'a pris par traîtrise* (cf. En traître).

♦ **2.** Manque de loyauté, caractère de traître. ⇒ **Bassesse** (3.), **déloyauté.** *J'ai une preuve de ta traîtrise* (→ Dupe, cit. 15).

♦ **3.** Danger que présente ce qui est traître (II., 2.). *La traîtrise d'une côte, de rochers à fleur d'eau.*

1   (...) il ne faut pas oublier que l'eau-forte est un art profond et dangereux, plein de traîtrises, et qui dévoile les défauts (...)
                              BAUDELAIRE, les Curiosités esthétiques, XIII.
2   Monseigneur, il est avéré, pour moi, qu'une perfidie préméditée, qu'une traîtrise (...) fut cachée sous l'apparente « fatalité » de cet assassinat militaire.
                              VILLIERS DE L'ISLE-ADAM, Axël, II, 7.

CONTR. Loyauté.

TRAJECTOGRAPHIE [tʀaʒɛktɔgʀafi] n. f. — 1963 ; de *trajecto(ire)*, et *-graphie.*

♦ Astronaut. Technique de l'étude des trajectoires des fusées et engins spatiaux. — Spécialt. Localisation et contrôle de la trajectoire d'une fusée en vol par le personnel resté au sol.

D'une part, toute une section de l'entreprise travaille en coopération avec la Défense nationale : le calculateur de trajectographie KH qu'elle a mis au point a concouru au succès du lancement de la fusée Diamant, qui a mis sur orbite du premier satellite français ; d'autre part, il faut bien se garantir des curiosités des concurrents éventuels.   Science et Vie, n° 593, p. 119.

DÉR. Trajectographique.

TRAJECTOGRAPHIQUE [tʀaʒɛktɔgʀafik] adj. — Après 1963 ; de *trajectographie.*

♦ Relatif à la trajectographie. *Filières trajectographiques.*

TRAJECTOIRE [tʀaʒɛktwaʀ] n. f. — 1747 ; du lat. sav. *trajectoria* (fin XVIIe, Newton) ; « conduit, tube », v. 1370 ; lat. *trajectorium* « fronde »

(Du Cange) ; « cheminée », « traversée, trajet » ; dér. de *trajectus*. → Trajet.

♦ **1.** Mécan. Courbe décrite par un point en mouvement, par le centre de gravité d'un corps mobile.

La trajectoire d'un point en mouvement par rapport à un repère donné T est la courbe constituée par l'ensemble des points géométriques invariablement liés au repère avec lesquels le point mobile vient successivement en coïncidence au cours de son mouvement. La trajectoire peut être une courbe de l'espace, une courbe plane ou un arc de courbe ; elle peut être fermée ou non fermée (...) En astronomie, le mot « trajectoire » est remplacé par le mot *orbite.*
                              J.-L. DESTOUCHES, la Mécanique élémentaire, p. 31.
Trajectoire portée par une droite (mouvement rectiligne), *une parabole.* — Adj. *Courbe *trajectoire. La trajectoire d'une planète.* ⇒ **Orbite** (→ Rigueur, cit. 10). — Géogr. *Trajectoire d'un éboulement.* — Phys. *Trajectoires décrites par les corpuscules* (→ Lumière, cit. 20 ; et aussi source, cit. 9). *Trajectoires des particules liquides* (dans l'étude des écoulements).

Spécialt. Ligne décrite par un projectile, après sa projection hors de l'arme. *Amplitude, longueur* (⇒ **Portée**), *tension d'une trajectoire.* ⇒ **Jet.** *Trajectoire parabolique. La trajectoire d'une flèche, d'une balle, d'un obus.* — *Éléments caractéristiques d'une trajectoire* (ligne, plan, angle de tir, point de chute, angle de chute, sommet, flèche).

Par métaphore ou fig. Chemin, espace parcouru (domaine abstrait). *La trajectoire des sens* (des mots), *leur courbe d'évolution* (→ Étymologie, cit. 4). *« Trajectoire spirituelle »* (Teilhard de Chardin, cité par Matoré, *l'Espace humain*).

Trajectoires de vie que mon cœur va suivant
Comme un obus lancé qui traverse le vent.
                              APOLLINAIRE, Ombre de mon amour, XXIII.

♦ **2.** (1765 ; Leibniz, Nicole, *in Encyclopédie*). Géom. Courbe ayant une propriété donnée. *Trajectoire isogonale :* courbe qui coupe les courbes planes d'une même famille selon un angle constant, qui peut être un angle droit *(trajectoire orthogonale).*

TRAJET [tʀaʒɛ] n. m. — 1553, *traject* ; de l'ital. *tragetto, tragitto* « traversée », du v. *tragettare*, du lat. *trajectus* « traversée ». Cf. anc. franç. *tragetter, tregetter*, lat. *trajicere* « jeter au travers ».

♦ **1.** Vx. **a** Espace à franchir, à traverser. *Passer « un trajet de mer »* (Mme de Sévigné, 16 mars 1689).

b Espace, étendue à parcourir. ⇒ **Distance.** *Un trajet de dix kilomètres, un long trajet. Votre maison est sur mon trajet.* ⇒ **Itinéraire.** — Par métaphore. *Le trajet parcouru par un écrivain, un penseur, depuis ses débuts.* ⇒ **Chemin, itinéraire** (fig.).

♦ **2.** (1580). Fait de parcourir un certain espace, pour aller d'un lieu à un autre ; chemin ainsi parcouru. ⇒ **Chemin ; course, parcours, route, voyage.** *Effectuer, faire un trajet, le trajet d'une ville à une autre, de Bruxelles à Liège.* ⇒ **Parcourir** (→ Passage, cit. 13). *Le trajet est plus long en passant par Lausanne. Faire le trajet à pied, en calèche* (→ Halte, cit. 1), *en voiture. Trajet suivi dans un voyage de tourisme.* ⇒ **Circuit, tour.** *Trajet par air, par mer.* ⇒ **Traversée.** *Trajet facile, aisé ; rapide* (→ Formalité, cit. 6) ; *agréable, intéressant* (cit. 3). *Un trajet de quelques heures. Tout le long du trajet* (→ Déplacer, cit. 8), *pendant le trajet. Longueur du trajet.* — *Le trajet coûte tant* (→ Section, cit. 6).

Durant le trajet de l'hôpital à la maison, qu'il fit avec son père, il ne posa pas de questions (...)   M. AYMÉ, le Passe-muraille, p. 217.

♦ **3.** Vx. Traversée, passage (d'une rivière, etc.). → Cours, cit. 1, La Fontaine.

♦ **4.** Anat. Espace linéaire qu'occupe un organe, un élément anatomique allongé. *Trajet d'un nerf, d'une artère...* — Chir. *Trajet fistuleux.*

DÉR. Trajeter.

TRAJETER [tʀaʒte] v. tr. — 1627 ; v. intr. *trajecter* « traverser (une rivière) », 1558 ; de *trajet.*

♦ Vx (langue class.). Transporter (des marchandises) par mer.

TRALALA [tʀalala] n. m. — 1833, refrain de chanson ; onomat. servant de refrain (1710, *in* D.D.L.), et employée comme interj. pour exprimer l'incrédulité, l'indifférence. (Cf. *Tra dé ri dé ra*, etc.).

★ **I.** Interj. TRALALA ! Exprime l'incrédulité, l'ironie, la joie.
Cachelin lui coupa la parole avec une brusquerie pleine de respect : Tra la la la. Vous avez l'oreille du chef.   MAUPASSANT, l'Héritage, Pl., t. II, p. 10.

★ **II.** N. m. (1860). Fam. Affectation. *Quel tralala ! C'était tout un tralala.* — *Recevoir à dîner en grand tralala* (Académie). *Une réception à grand tralala.* ⇒ **Fla-fla.** *Et tout le tralala :* et tout le reste.

Aujourd'hui les Delisle, les Cheuvreux-Aubertot ont des châteaux, avec le luxe, la chasse, tout le *tra la la* de l'aristocratie.
> Ed. et J. DE GONCOURT, Journal, 22 juil. 1867, t. III, p. 110.

Adjectif :

(...) Roberti avait un dîner en ville. Un dîner assez tralala, où il y avait un ou deux ministres, un peintre, un milliardaire, une altesse et des femmes à la mode.
> J. DUTOURD, les Horreurs de l'amour, p. 135.

TRAM [tʀam] n. m. — 1877, Littré, *Suppl.* ; abrév. de *tramway*.

♦ Tramway*. *Les trams et le métro* (→ Dépayser, cit. 3). *Ligne* de tram. L'arrêt du tram* (→ Métropolitain, cit. 9). *Prendre le tram.*

À ces heures matinales les trams sont vides. De nombreuses lignes rayonnent dans tous les sens, partant presque toutes de la poste centrale (...) Un de ces trams, longues voitures très propres et très confortables, conduit à Phoenix-park en moins d'une demi-heure.
> Marie-Anne DE BOUET, Trois mois en Irlande, *in* le Tour du monde, 1890, t. I, p. 3.

Ils prirent donc le tram de Sérianne, dans la baladeuse où il y avait encore deux places debout, parce que c'était bondé de gens qui allaient à la fête.
> ARAGON, les Beaux Quartiers, I, XXV.

HOM. **Trame**, formes du v. **tramer**.

TRAMAGE [tʀamaʒ] — 1974, in *la Clé des mots* ; de *tramer*.

♦ Techn. Action de tramer ; son résultat. *Système de tramage au laser.*

TRAMAIL [tʀamaj] ou TRÉMAIL [tʀemaj] n. m. — Fin XIIᵉ, *tramail* ; *trémail*, XVᵉ ; du bas lat. *tremaculum* « à trois mailles », de *tres* « trois », et *macula* « maille ».

♦ **1.** Pêche. Grand filet formé de trois nappes superposées, dont deux (les *aumées*) sont à larges mailles, alors que la nappe intérieure (la *flue*) est plus serrée. *Tramail fixe (dormant* ou *flottant).*

Avisant un filet de pêche (...) il fit observer : — Se promener le dimanche avec un épervier, ce n'est guère prudent. Meunier (...) s'est fait prendre dimanche dernier avec un tramail (...)
> M. AYMÉ, la Vouivre, XIX.

Ainsi, entre deux tramails, pour effrayer le poisson et l'envoyer aux filets se faire prendre par lés ouïes, chahutions-nous le bief.
> Hervé BAZIN, Cri de la chouette, p. 160.

♦ **2.** Filet triple pour la chasse aux oiseaux.

TRAME [tʀam] n. f. — 1549 ; *traime*, au XIIᵉ ; var. *trème* jusqu'au déb. XVIIIᵉ ; *trame* est refait au XVIᵉ sur *tramer* ; du lat. *trama*.

★ **I.** ♦ **1.** Ensemble des fils passés au travers des fils de chaîne, dans le sens de la largeur, pour constituer un tissu. ⇒ **Tisser, tissu.** *Longueur des fils de trame.* ⇒ **Duite.** *La trame est croisée* avec la chaîne.* ⇒ **Chaîne, croisement.** *Trame de laine, de coton, de soie...* *Mélange de trames* (→ Tramer, cit. 1). *Trame grossière* (→ Poil, cit. 1). *Tissu, tapis qui montre la trame, usé jusqu'à la trame.* ⇒ **Corde** (II., 1.). — *Fil* de trame,* ou *trame* : fil qui sert à former les duites. *Envider la trame. Dévideur de trame* (→ Filature, cit. 2). *La trame est enroulée sur des canettes placées dans des navettes qui sont chassées d'un côté à l'autre du métier. Passer la trame sans canette* (au moyen d'un *passe-trame*), *dans certains métiers à alimentation continue.*

(...) le délabrement d'un caleçon de toile cirée que le temps avait réduit à la plus simple expression de sa trame grossière, en enlevant par larges écailles l'enduit solide qui l'avait protégé pendant une moitié de siècle.
> Charles NODIER, Contes, « La fée aux miettes », XVII.

Le métier est on ne peut plus simple : deux pédales croisent les fils de la trame ; un peigne suspendu en travers de la bande retombe sur la chaîne après chaque passage de navette.
> GIDE, Voyage au Congo, VII, 20 janvier.

♦ **2.** (1764). Sc., techn. Structure d'un réseau (cf. Bonnet, *in* Littré). — Anat. *Trame broncho-vasculaire du poumon.* — *Trame des fissures d'un terrain.*

Un petit chêne aux feuilles comme tiquetées de rousseur et mangées en partie par les chenilles, qui en ont mis à jour la trame semblable à un tulle.
> Ed. et J. DE GONCOURT, Journal, 26 oct. 1855, t. I, p. 92.

Photogr. Fin quadrillage sur verre, interposé entre l'original et la couche sensible, dans les procédés de reproduction en relief (photogravure, similigravure). → aussi Héliogravure, cit. *Une trame de 100* (lignes par pouce). *Trame gravée, trame cristal. Trame de contact* (ou, plus cour., *trame contact*). *Trame magenta.*

Télév. Ensemble des lignes d'une image télévisée décrites au cours d'un balayage vertical unique.

★ **II.** (XVIᵉ). Fig. ♦ **1.** Vx ou littér. Ce qui se déroule comme un fil. *La trame des destinées* (→ Dénouer, cit. 18), *de nos jours, des jours* (→ Dimanche, cit. 2). — Vx. Vie (cf. Corneille, *Horace*, vers 1616).

♦ **2.** (Fin XVIᵉ). Vx ou littér. Manœuvre cachée ; intrigue élaborée pour nuire. ⇒ **Complot, manigance, ruse.** → Grippe, cit. 2. *Ourdir** (cit. 3 et 4), *nouer* (→ Conspirateur, cit.), *machiner* (cit. 1) *une trame.* ⇒ **Tramer.** *« Je sais les tours rusés et les subtiles trames (...) »* (→ Planter, cit. 3, Molière).

Cet homme était l'âme de l'invasion, et lui seul, par ses trames depuis longtemps ourdies avait eu assez d'influence sur les khans et sur leurs hordes pour les entraîner à la conquête de la Russie asiatique.
> J. VERNE, Michel Strogoff, p. 494.

♦ **3.** (1829). Mod. Par métaphore (du sens propre). Ce qui constitue le fond, la structure régulière d'une chose organisée. ⇒ **Texture, tissu.** *La trame du récit* (→ Incorporer, cit. 4). ⇒ **Affabulation, fabulation.** *Insérer des exemples* (cit. 36) *dans la trame d'un dictionnaire. La trame de la vie :* sa texture même.

En un instant, Corentin instruisit le soldat des événements dont la trame, quoique cachée, laissait voir quelques-uns de ses fils (...)
> BALZAC, les Chouans, Pl., t. VII, p. 1017.

(...) un de ces petits faits insignifiants et délicieux qui forment le fond même, la trame de l'existence.
> MAUPASSANT, Mˡˡᵉ Perle, IV.

COMP. (Du I.) Casse-trame.
HOM. Tram, formes du v. **tramer**.

TRAMER [tʀame] v. tr. — XIIIᵉ ; d'un lat. pop.* *tramare*, dér. de *trama*. → Trame.

♦ **1.** Former (un tissu, une étoffe) en disposant, en croisant (grâce aux navettes) les fils de trame* avec les fils tendus de la chaîne. ⇒ **Tisser.** — Former avec le fil de trame.

Lorsque l'on veut fabriquer des tissus à plusieurs trames, parce que l'on désire « tramer » des rayures de couleur, de finesse ou de textiles différents (ou mieux mélanger des trames...), il importe d'employer des métiers dits « à boîtes multiples » c'est-à-dire à plusieurs navettes.
> Raymond THIÉBAUT, le Tissage, p. 53.

(Les bruits de la grande ville) s'entremettent entre ce qui est différent. Ils rejoignent ce qui est lointain. Ils trament un tissu d'allusions et de correspondances.
> J. ROMAINS, les Hommes de bonne volonté, t. III, XII, p. 162.

♦ **2.** (1596, mais antérieur ; → Trameur, étym.). Fig. Former (une intrigue secrète), élaborer par des manœuvres cachées. ⇒ **Trame** (II., 2.) ; **brasser** (des intrigues), **combiner, comploter, conjurer, conspirer, couver, fricoter** (fam.), **machiner, manigancer, ourdir.** *Tramer des complots* (cit. 1), *une conspiration. Assez méchante pour tramer une pareille noirceur* (→ Mégère, cit. 2).

Et qui croira qu'un cœur si grand en apparence (...) Trame une perfidie inouïe à la cour ?
> RACINE, Britannicus, III, 6.

À Paris, l'évasion fut tramée chez un Portugais, dirigée par un Suédois ; la voiture qui y servit fut cachée chez un Anglais.
> MICHELET, Hist. de la Révolution franç., IV, XII.

Ils avaient tramé assurément quelque détestable mystification dont ils étaient contents et fiers.
> FRANCE, le Chat maigre, VII, Œ., t. II, p. 205.

▶ **SE TRAMER** v. pron. (sens passif).

♦ **1.** *Étoffe qui se trame avec du coton.*

♦ **2.** (1792). Fig. Se machiner, s'ourdir. *Un endroit où se trament un complot, des calomnies* (⇒ Officine, fig.). *Ce qui se trame à l'arrière* (cit. 5). ⇒ **Apprêter** (s'), **préparer** (se). — Impers. *Il se trame ici quelque horreur* (cit. 44).

(...) vous me tiendrez au courant de ce qui pourrait se tramer contre moi.
> F. MAURIAC, le Nœud de vipères, XVI.

▶ **TRAMÉ, ÉE** p. p. adj. *Une étoffe tramée de coton, de soie,* et, ellipt., *tramée coton, soie...* — Par métaphore. *« Combinaisons compliquées, tramées, tressées, entrelacées et embrouillées »* (cit. 7). — (1898, in *Année sc. et techn.* 1899, p. 296 ; de *trame,* I., 2.). *Photogravure tramée plus ou moins fin. Clichés tramés.* — N. m. *Un tramé.*

DÉR. Tramage, trameur.

TRAMÈTE [tʀamɛt] n. m. — 1876, *in* P. Larousse ; lat. mod. *trametes*, du lat. *trama* « trame », utilisé en bot. (1857 en anglais, *Oxford Dict.*) pour désigner la substance située entre les lamelles des champignons hyménomycètes.

♦ Bot. Champignon du groupe des polyporacées, caractérisé par des pores de grande taille de forme irrégulière, à chapeau généralement brun. *Les tramètes sont lignicoles :* le *tramète bossu et* le *tramète de Bulliard sont fréquents sur les souches et les troncs d'arbres feuillus.* — Syn. (régional) : *leuzite* (des haies, des bouleaux), *coriole hirsute.*

TRAMEUR, EUSE [tʀamœʀ, øz] n. — 1723 ; « celui qui trame un complot », 1588 ; de *tramer*.

♦ **1.** Ouvrier du tissage, chargé de préparer les fils de trame, de les disposer...

♦ **2.** N. f. (1836). *Trameuse* : machine de filature, produisant les fils de trame.

TRAMINER [tʀaminɛʀ] n. m. — 1868 ; mot allemand.

♦ **1.** Cépage blanc cultivé notamment en Alsace.

♦ **2.** Vin fabriqué avec ce cépage. *Une bouteille de traminer.*

TRAMINOT [tʀamino] n. m. — 1930 ; de *tram* (→ Tramway), sur le modèle de *cheminot*.

♦ D'abord fam. ; non marqué aujourd'hui. Employé d'une ligne, d'une compagnie de tramways.

TRAMONTANE [tʀamɔ̃tan] n. f. — V. 1210, *tresmontaine*, du XIIIᵉ au XVᵉ ; *tramontane*, 1298, Marco Polo ; de l'ital. *transmontana (stella)* « (étoile) au-delà des monts » ; lat. *transmontanus*.

♦ **1.** Vx. Étoile polaire.
Loc. fig. et vx. (XVIIᵉ, Scarron, *le Roman comique*, I, XIV ; Voiture ; Molière, *le Bourgeois gentilhomme*, Ballet des nations, etc.). *Perdre la tramontane : être désorienté, troublé* (cf. Perdre le nord).

1   L'indignation, la fureur, le délire, s'emparèrent de moi : je perdis la tramontane. Ma tête se bouleversa (...)   ROUSSEAU, Rêveries..., VIIIᵉ promenade.

♦ **2.** (1298 ; *tramontaigne*, 1284 ; de *vent de la transmontane*). Vent du nord, sur la côte méditerranéenne (France, Italie). Vent qui vient d'au-delà des montagnes (Alpes, Pyrénées). *Mistral et tramontane* (→ Rempart, cit. 4). *Quand la tramontane souffle* (→ Glacière, cit. 2 ; et aussi souffleter, cit. 2).

2   Le bon roi René, qui diminuait les impôts quand la tramontane soufflait (...)   CHATEAUBRIAND, Mémoires d'outre-tombe, t. II, p. 225.

3   Quand l'âpre tramontane
Sonne, au comble de l'or, l'azur du jeune hiver
Sur tes harpes, Platane (...)   VALÉRY, Poésies, « Charmes », Au platane.

Par ext. *Maison exposée à la tramontane*, au nord.

TRAMP [tʀɑp] n. m. — 1903 ; mot angl., proprt « vagabond » ; en franç., 1861.

♦ Anglic. Mar. Cargo* non affecté à une ligne régulière et qui touche tous les ports où il peut trouver du fret (navigation dite *tramping* [tʀɑpiŋ]).
HOM. Trempe, formes du v. tremper.

TRAMPOLINE [tʀɑpɔlin] n. f. — 1961, *Encyclopédie des sports* ; de l'ital. *trampolino*, ou esp. *trampolin* → Tremplin ; p.-ê. par l'angl. des États-Unis, ce dispositif ayant eu un grand succès notamment en Californie.
Sports.

♦ **1.** Dispositif formé d'une surface souple fixée par des tendeurs élastiques à un cadre horizontal, placé à un mètre du sol environ, et sur lequel on peut effectuer des rebonds. « *L'univers élastique sur lequel les uns et les autres nous évoluerions comme une sorte d'immense trampoline (...)* » (*Sciences et Avenir*, juin 1979, p. 94).

♦ **2.** Sport qui consiste à effectuer des figures libres ou imposées sur la trampoline (dér. : *trampoliniste*, nom).

TRAMWAY [tʀamwɛ] n. m. — 1860, *in* Höfler ; *tram way*, 1858 ; « voie ferrée dans une mine », 1818, Gallois ; répandu v. 1873, « date de l'installation de la première ligne de tramways à Paris et à Lille » (Dauzat). → Automobile, cit. 1 (1876) ; angl. *tramway*, de *tram* « brancard ; rail, barre plate de métal », et *way*. → Railway.

♦ **1.** Rare. Chemin de fer à rails plats (dits *à ornières*), servant surtout aux transports urbains (→ Métropolitain, cit. 5).

♦ **2.** Cour. Voiture qui circule sur ce type de rails (→ Rail, cit. 3 ; rambarde, cit. 2). ⇒ **Tram.** *Les anciens tramways à chevaux. Tramway fonctionnant à l'électricité, au moyen de plots* (cit. 1), *de fils aériens. Tramways électriques à trolley*. *Motrice, remorque, baladeuse formant une rame de tramway. Plate-forme impériale de certains tramways. Ligne, station de tramway. Conducteur de tramway* (⇒ **Wattman ;** → Machiniste, cit. 1). *Receveur* (cit. 2) *de tramway* (⇒ **Traminot**). *Tramways pleins, aux heures* (cit. 50) *de pointe* (→ aussi Rumeur, cit. 5). *Remplacer les tramways par des trolleybus. Les tramways ont à peu près disparu en France ; ils sont utilisés en revanche dans de nombreuses villes d'Europe, d'Asie... Les tramways d'Amsterdam.*

1   Armand apprit à conduire un tramway. On le mit sur une des motrices jaunes qui traversaient la campagne, à côté du wattman, qui d'abord conduisait devant lui.   ARAGON, les Beaux Quartiers, I, XII.

2   J'aime en raison de toi le peuple des tramways
Qui rachète en vivant ta faute d'être belle ;
L'employé hâve, et les enfants aux écrouelles,
Je les aime pour l'injustice que tu es.   Marcel THIRY, Statue de la fatigue (1934).

Allus. littér. *Un tramway nommé Désir*, titre d'une pièce de Tennessee Williams (le terminus d'une ligne de tramway, aujourd'hui autobus, de La Nouvelle Orléans s'appelle en effet *Desire*). — Par analogie :

3   Le M. R. P., c'est le tramway nommé pouvoir.   F. MAURIAC, Bloc-notes 1952-1957, p. 101.

DÉR. Traminot.

TRANCHAGE [tʀɑʃaʒ] n. m. — 1863, *in Année sc. et industr.* 1864, p. 499 ; de *trancher*.

♦ **1.** Action de trancher. — Spécialt (technique) : **a** Opération d'ébénisterie par laquelle le bois destiné aux placages est débité en plaques minces.

b Découpage des métaux au tranchet.

c Opération par laquelle on fend les blocs de pierre à tailler.

♦ **2.** Industrie du débitage du bois par tranchage (opposé à *déroulage*).

TRANCHANT, ANTE [tʀɑʃɑ, ɑt] adj. et n. m. — 1080 ; de *trancher*.

★ **I. Adj. ♦ 1.** Qui est dur et effilé, et peut diviser, couper. ⇒ **Aigu, coupant.** *Instrument tranchant*, comportant généralement une ou plusieurs lames, et destiné à couper (ciseaux, couteau*, coutre, hache, poignard ; épée, glaive, sabre...). *Rendre un outil plus tranchant.* ⇒ **Aiguiser.** *Bistouri* (cit. 4), *canif* (→ Ongle, cit. 7) *tranchant. Disques tranchants de certaines machines agricoles* (→ Loco-, cit. 2). *Côté tranchant et non tranchant d'une lame* (→ Stylet, cit. 2). *Partie tranchante du dos d'un sabre* (contrepointe). *Pierres dures, aiguës et tranchantes* (→ Hutte, cit. 1 ; rattraper, cit. 9).

En conséquence il arriva dans ma chambre de grand matin ; il fit approcher une table de mon lit ; et lorsque mes rideaux furent ouverts, je vis cette table couverte d'instruments tranchants (...)   DIDEROT, Jacques le fataliste, Pl., p. 732.

♦ **2.** (1530). (Personnes). Anciennt. Qui est chargé de découper (les mets, les viandes). *Écuyer tranchant* (→ 2. Officier, cit. 2). — N. m. « *Un maître d'hôtel, un tranchant, un secrétaire (...)* » (Fr. Jourdain, *Sans remords ni rancune*, p. 257).

♦ **3.** (Réalités humaines). Qui tranche (II., 2.), décide d'une manière absolue, péremptoire. ⇒ **Affirmatif, audacieux, cassant, décidé, dictatorial, dogmatique, impérieux, incisif, péremptoire.** *Un esprit tranchant, des gens tranchants* (→ Fanatisme, cit. 7). *Autorité* (cit. 36) *tranchante.* — (En parlant de la voix, de la parole). *Élocution* (→ Gouailleur, cit. 4), *manière* (cit. 21) *tranchante. Ton tranchant* (→ Noblesse, cit. 5). *Voix tranchante* (→ Prisonnier, cit. 4). *Paroles tranchantes* (→ Huile, cit. 31). — *Opinions tranchantes ou blessantes* (cit. 1).

Peut-être, un juste ressentiment augmentant ma fierté naturelle, ai-je été dur et tranchant dans la dispute, quand je croyais n'être que nerveux et concis.   BEAUMARCHAIS, Mémoires... dans l'affaire Goëzman, p. 122.

— Vous avez eu, monsieur, un ton tranchant en lançant votre arrêt, qui prouve que vous serez très despote, et vous avez raison ; si vous voulez être ministre, il faut beaucoup trancher (...)   BALZAC, le Député d'Arcis, Pl., t. VII, p. 715.

♦ **4.** (1667). (Choses). Vieilli. Qui tranche, s'oppose avec netteté. « *Couleurs tranchantes* » (Voltaire), contrastées, vives. — Fig. *Opposition tranchante* (→ Disparate, cit. 4). — REM. Dans cet emploi, le mot est en concurrence avec *tranché* (2.), avec la nuance normale de l'actif (→ Trancher, II., 4.).

Il est toujours un peu arbitraire de marquer des limites, des divisions tranchantes dans le progrès ininterrompu et nuancé de la vie.   JAURÈS, Hist. socialiste..., Introduction.

★ **II. N. m.** (V. 1130). **♦ 1.** Le côté mince, destiné à couper, d'un instrument tranchant. ⇒ **Coupant** (n. m.), **taillant** (vx), **taille** (5.). *Le tranchant d'une lame, de ciseaux, d'un couteau, d'un sabre* (cit. 4). ⇒ **Fil** (IV.). *Couteau* (cit. 18), *épée*, *glaive, hache* (→ Francisque, cit. 1) *à deux tranchants. Pointe* *et tranchant d'un sabre. Affiler, affûter, aiguiser le tranchant d'une lame. Brèche, barbes* (⇒ **Morfil**) *sur le tranchant. — Le tranchant d'une charrue* (du soc, du coutre). → Exhaler, cit. 2.

Il faut que l'herbe tombe au tranchant des faucilles (...)   HUGO, les Orientales, XXXIII, I.

(...) le pli du pantalon faisant plutôt penser au tranchant d'une lame de rasoir (...)   Claude SIMON, le Vent, p. 49.

Arme (cit. 30) *à double tranchant* (ou *à deux tranchants*). — (XVIIIᵉ). Par métaphore et fig. *Argument à double tranchant ; à deux tranchants* : moyen ou procédé dangereux, qui peut se retourner contre son auteur, produire deux effets* opposés (→ Procédure, cit. 2).

Par métaphore. « *Mes maîtres (...) avaient fait de mon esprit un tranchant d'acier* » (Renan, *Souvenirs d'enfance*, V, III).

(1789, *tranchant de la main*). Par anal. Partie la plus mince de la main (par oppos. à *plat*). ⇒ 1. **Tranche** (I., A., 6.). *Le tranchant de la main.*

(...) Léon balaya la table du tranchant de la main, d'un geste qui signifiait : *Rien de tout cela ne peut servir à rien.*   COLETTE, Julie de Carneilhan, p. 165.

♦ **2.** Instrument formé d'une lame et d'un manche. — (1872). *Tranchant d'apiculteur*, pour détacher les rayons des parois de la ruche. — (1907). *Tranchant de tanneur*, servant à parer les cuirs.

Si l'on fait abstraction des pierres utilisées comme percuteurs ou des sphéroïdes facetées dont l'emploi reste énigmatique, on peut dire que la totalité de l'outillage de pierre est constituée par des tranchants destinés à couper, à gratter, à percer.   A. LEROI-GOURHAN, le Geste et la Parole, t. I, p. 190.

♦ **3.** (1538). Caractère tranchant (I., 3.), cassant, incisif. *Le tranchant de sa voix* (→ Aspect, cit. 18).

7 Tant de recommandations, d'admonestations, de réprimandes perdent tout leur
tranchant (...) GIDE, la Symphonie pastorale, 10 mai.

CONTR. (De I.) **Contondant** (arme contondante), **émoussé, 3. mousse ; nuancé.** —
(De II.) **Dos, plat ; pointe.**

1. TRANCHE [tʀɑ̃ʃ] n. f. — 1213, nombreux sens en anc. franç. ;
trenche « action de trancher, de couper ; coupure ; tranchée, conduit... »,
v. 1175 ; dér. de *trancher.*

★ **I.** Ce qui est coupé, tranché.

A. (Concret). ◆ **1.** (1288). Morceau* coupé assez mince, sur toute la
largeur d'une chose comestible. *Distribuer à chacun une tranche de
gâteau.* ⇒ **Part, partie, portion, quartier.** *Tranches de pain.* ⇒ **Tartine ; biscotte, sandwich, toast** (→ Bouillir, cit. 1 ; bouillon, cit. 8 ;
soupe, cit. 1). *Tranche de viande* (→ Cabas, cit. 2 ; pavé, cit. 8),
de bœuf (⇒ **Bifteck**), *de veau* (⇒ **Escalope**), *de lard* (⇒ **3. Barde**),
de foie (cit. 2) *gras, de pâté* (cit. 5). *Tranche de jambon. Donnez-
moi quatre tranches de* (jambon de) *Bayonne, de Parme. Tranche de galantine, de saucisson.* ⇒ **Rond, rondelle, rouelle ;** → Hors-
d'œuvre, cit. 5. *Tranche de poisson, de colin.* ⇒ **Darne.** *Tranche de
fruit, de citron* (⇒ **Tailladin**), *de melon* (⇒ **Côte,** I., 2.). — *Tranche
épaisse, mince, fine* (⇒ **1. Lèche**). *Couper en tranches très minces,
en lamelles* (⇒ **Émincer**). *Cake vendu en tranches.*
Tranche napolitaine : glace ayant la forme d'une tranche (paralléle-
pipède plat).

◆ **2.** (1694). Vieilli. Morceau coupé net, tranché selon deux plans
parallèles (⇒ **Coupe**). *Couper le marbre par tranches* (→ Ciseau,
cit. 3). — Spécialt. *Tranche de marbre :* plaque servant à la décoration.

◆ **3.** (1680). Techn. (boucherie). Partie moyenne de la cuisse de
bœuf, au-dessus du gîte. *Bifteck dans la tranche* (on dit aussi *tende*
— altér. de *tendre* — *de tranche*). *Tranche grasse,* située en avant de
la cuisse. — REM. *Quasi** est en principe synonyme, mais se dit plutôt du veau.

◆ **4.** (xvᵉ). Partie des feuillets d'un livre qui est rognée, « tranchée »,
pour présenter une surface unie (→ 1. Livre, cit. 9). *La tranche
supérieure* (ou *tête*), *latérale, inférieure. Tranche marbrée, dorée.
Livre doré* sur tranches* (→ 1. Maroufle, cit.). — (1809). Fig. et
fam. *Un garçon doré sur tranche(s),* très riche. — REM. *Tranche* se
dit aussi des bords extérieurs d'un livre non rogné, mais il s'agit alors
du sens 6.

◆ **5.** (1690, Le Blanc, *in* Encyclopédie). Tour d'une pièce de monnaie.
Faire rouler une pièce sur sa tranche.
Ce terme de monnaie signifie la circonférence des espèces, autour de laquelle on
imprime une légende ou un cordonnet, pour empêcher que les faux-monnayeurs ne
les puissent rogner... François le Blanc, dans son traité des monnaies de France,
dit qu'il faut espérer qu'un jour on protégera la nouvelle invention qui marque les
monnaies sur la tranche, en même temps que la tête *(face)* et la pile.
Encyclopédie (JAUCOURT), art. *Tranche* (1765).

◆ **6.** Bord mince, de faible épaisseur. *La tranche d'une planche,
d'une table* (→ Morsure, cit. 5). ⇒ **Côté.**
Section plane de certains objets. — (1872). Artill. *Tranche de la bouche d'un canon, tranche de culasse :* sections perpendiculaires à
l'axe de la bouche à feu.

◆ **7.** (1845). Agric. Terre que la charrue soulève en traçant le sillon
(en « tranchant » la terre). ⇒ **Ados.**

◆ **8.** Météor. Couche d'eau tombée en un point (mesurée au pluvio-
mètre). — Syn. : *lame.*

◆ **9.** Représentation graphique, dessin de la partie d'un objet comprise entre deux plans parallèles rapprochés. ⇒ **Coupe.**

B. (Abstrait). ◆ **1.** (1771). Sc. Série de chiffres. *On divise habituellement les nombres en tranches de trois chiffres séparées* (en France)
par des points (ex. : 3.000.000) *et, depuis les conventions scientifiques récentes, par des blancs* (ex. : 3 000 000).

◆ **2.** (1871). Partie séparée arbitrairement (dans le temps) d'une
opération de longue haleine. *Tranches d'émission d'une loterie**.
Une deuxième tranche du programme (→ 1. Ressortir, cit. 6).
150.000 actions de 500 francs, émises au pair... Versement en deux tranches, à
six mois d'intervalle, à la rigueur. J. ROMAINS, Donogoo, I, I.
Grâce à la diligence de messieurs les hommes d'affaires, nous n'aurons attendu
qu'un an après la date légale. J'ai reçu, ce matin même, une première tranche, la
moitié. Le reste viendra ces jours-ci.
G. DUHAMEL, Chronique des Pasquier, III, I.
Par métaphore (du sens propre). *Tranche de temps.* — Allus. littér.
Une tranche de vie : une scène réaliste (dans le goût du théâtre
libre d'Antoine).
Je vous ai prié d'indiquer des occupations peu absorbantes, parce que la pensée
réclame de larges tranches de temps. RIMBAUD, Correspondance, 1871, XVI.
Ce n'est donc qu'une tranche de la vie que nous pouvons mettre en scène.
Jean JULLIEN, le Théâtre vivant, Théorie, p. 13 (1892).
La sombre rosserie — alors à la mode — des découpeurs de *tranches de vie* façon
Théâtre Libre, doit paraître à Daudet d'une extrême puérilité (...)
Francis JOURDAIN, Né en 76, p. 97.

Loc. fam. *S'en payer une tranche* (de bon temps) *:* s'amuser beaucoup.

◆ **3.** Partie séparée arbitrairement (d'un objet, d'un concept). *La
première tranche d'un contingent de soldats. Des tranches de livraison d'une fourniture. Tranches d'imposition du revenu. Crédits
débloqués par tranches.*

★ **II.** (1416, *in* Godefroy). Ce qui sert à trancher.

◆ **1.** (xvᵉ). Agric. Bêche, pioche. — Houe.

◆ **2.** (1723). Techn. Ciseau (à chaud ou à froid). ⇒ **Tranchet.**

◆ **3.** (1723). Instrument avec lequel on taille les moules de fonderie
en sable.

◆ **4.** (1877). Ligne séparant les exploitations d'une coupe forestière.
DÉR. Tranchette.

2. TRANCHE [tʀɑ̃ʃ] n. f. — 1878 ; altér. de *tronche,* au sens
de « tête ».
Argot.

◆ **1.** Tête. *« Je lui mets une paire de mornifles sur la tranche »*
(San Antonio, *in* Cellard-Rey).

◆ **2.** (V. 1920, pour *tranche* (tête) *de gail* (cheval), *de melon,* etc., avec
calembour sur 1. *tranche*). Imbécile. *Quelle tranche, ce mec !* — (En
fonction d'adj.). *Ce qu'il (elle) est tranche !*

◆ **3.** Loc. *En tranche :* en tête (dans une file).

TRANCHECAILLE [tʀɑ̃ʃkaj] n. f. ⇒ **Tranchée** (I., 2., b. REM.).

TRANCHÉ, ÉE [tʀɑ̃ʃe] adj. ⇒ **Trancher.**

TRANCHÉE [tʀɑ̃ʃe] n. f. — xiiiᵉ ; *tranchiée,* v. 1130 ; dér. de *trancher ;* a signifié au fig., en anc. franç., « décision » (par laquelle on tranche ; → Trancher, II., 2.).

★ **I.** ◆ **1.** Excavation pratiquée en longueur dans le sol. ⇒ **Fossé,
sillon.** *Creuser, faire, ouvrir une tranchée* (⇒ **Terrassement**). *Refermer, combler une tranchée. Tranchée profonde, étroite. Consolida-
tion des parois d'une tranchée.* ⇒ **Coffrage, dosse, étrésillon, murail-
lement, perré.** *Tranchée maçonnée.* — *Tranchées creusées pour
enfouir des conduites, des tuyaux, des câbles. Tranchée couverte
formant conduit*.* — *Tranchées de dessèchement, de drainage,
d'écoulement* (⇒ **Canal**). *Captage par tranchée. Tranchées de fondation. Tranchée creusée au pied d'un mur* (pour le démolir). —
Agric. *Tranchées de plantation* (d'arbres). — Milit. *Tranchées des
feuillées.*

1 (...) il y avait des gars en bras de chemise, des durs de Gennevilliers qui creusaient une tranchée pour un câble électrique et c'était évident que la guerre allait
éclater. Finalement, ça ne les changerait pas tant, les gars de Gennevilliers : ils
seraient quelque part dans le Nord à creuser des tranchées, sous le soleil, mena-
cés par les balles, les obus et les grenades comme aujourd'hui par les éboulis, les
chutes et tous les accidents du travail (...) SARTRE, le Sursis, p. 15.
Fouille en longueur, généralement aménagée (par des murs de soutènement, etc.) pour donner passage à une voie de communication
(route, canal, voie ferrée...). *Tranchées de chemin de fer* (→ Moutonnement, cit. 2).

2 Cette route était et est encore une tranchée dans la plus grande partie de son parcours ; tranchée creuse quelquefois d'une douzaine de pieds et dont les talus trop
escarpés s'écroulaient çà et là, surtout en hiver, sous les averses.
HUGO, les Misérables, II, I, VII.

◆ **2.** 🅰 (1530). Fossé* allongé, creusé pour s'approcher à couvert
d'une place, dans la guerre de siège*. ⇒ **Circonvallation, fortification, retranchement, sape.** *Banquette, berme sur le revers d'une
tranchée. Parapet*, épaulement* d'une tranchée. Tranchée double*
(à double parapet). — Loc. (vx). *Monter, descendre la tranchée :*
prendre, quitter le service d'une tranchée. — *Tête de tranchée :* partie la plus rapprochée de la place à assiéger. — Par ext. *À la tranchée :* à la guerre (→ Camarade, cit. 2).

🅱 (1915). Mod. Dispositif allongé, creusé à proximité des lignes
ennemies, et où la troupe demeure au abri. *Guerre de tranchées*
(ou *guerre de position,* par oppos. à *guerre de mouvement*), s'est
dit spécialt. de la guerre de 1914-18, après la bataille de la Marne.
→ Debout, cit. 13 ; gadoue, cit. 2 ; godillot, cit. 1 ; patrouille, cit. 5 ;
salement, cit. 6. *Abri de tranchée* (⇒ **Cagna**). *Tranchée protégée
par des gabions, des sacs de terre ; consolidée par des clayonna-
ges. Caillebotis servant de passage dans une tranchée. Réseau de
tranchées.* ⇒ **Boyau, parallèle.** *Lignes de tranchées.* — *Périscope de
tranchée. Artillerie de tranchée.*

3 Ma Lou je coucherai ce soir dans les tranchées
Qui près de nos canons ont été piochées
C'est à douze kilomètres d'ici que sont
Ces trous où dans mon manteau couleur d'horizon
Je descendrai tandis qu'éclatent les marmites
Pour y vivre parmi nos soldats troglodytes.
APOLLINAIRE, Ombre de mon amour, XXX.

4 Cocon explique à son voisin la disposition de l'enchevêtrement de nos tranchées. Il a vu un plan directeur et il a fait des calculs. Il y a dans le secteur du régiment quinze lignes de tranchées françaises, les unes abandonnées, envahies par l'herbe et quasi nivelées, les autres entretenues à vif et hérissées d'hommes. Ces parallèles sont réunies par des boyaux innombrables qui tournent et font des crochets comme de vieilles rues. Le réseau est plus compact encore que nous le croyons, nous qui vivons dedans. Sur les vingt-cinq kilomètres de largeur qui forment le front de l'armée, il faut compter mille kilomètres de lignes creuses, tranchées, boyaux, sapes.　　　　　　　　　　H. BARBUSSE, le Feu, I, II.

Loc. *Nettoyer* (cit. 13, M*me* de Sévigné) *la tranchée, une tranchée :* la prendre, en tuant ou en chassant ses occupants. — REM. Dans ce sens, un dérivé argotique, *tranchecaille*, est attesté (Dorgelès, *Tout est à vendre*, p. 41).

♦ **3.** (1872). Chemin ouvert dans une forêt et formant comme une tranchée entre les arbres.

♦ **4.** (1699). Techn. Entaille creusée en longueur dans un mur (pour recevoir une solive, etc.).

♦ **5.** Par anal. (ou par métaphore). *Une tranchée d'ombre* (→ Creuser, cit. 18). ⇒ **Fossé.** — (Abstrait) :

5 (...) il avait manqué beaucoup de classes, et ses nombreuses maladies avaient creusé des tranchées profondes d'ignorance dans son savoir classique.
　　　　　　　　　　FRANCE, la Vie en fleur, VII.

★ **II.** (1538). Au plur. Colique* aiguë, très douloureuse. ⇒ **Douleur; tourmenteux.** — *Tranchées utérines :* vives douleurs après l'accouchement*, dues aux contractions de l'utérus pour expulser le placenta. — Méd. vétér. Violentes coliques. *Tranchées rouges du cheval* (congestion des intestins).

6 (...) Valerio II, de l'écurie Corbreuse (...) n'était pas prêt, il avait eu des tranchées en avril (...)　　　　　　　　　　ZOLA, Nana, XI.

COMP. (Du sens I., 2., b) **Tranchée-abri.**

TRANCHÉE-ABRI [tʀɑ̃ʃeabʀi] n. f. — 1907; de *tranchée,* et *abri.*

♦ Tranchée aménagée, couverte, pour servir d'abri.

Elles décrivaient (...) les ridicules insuffisances de la défense passive : il paraît que les Allemands se sont marrés quand ils ont vu nos tranchées-abris.
　　　　　　　　　　S. DE BEAUVOIR, la Force de l'âge, p. 464.

TRANCHÉES [tʀɑ̃ʃe] n. f. pl. ⇒ **Tranchée** (II.).

TRANCHEFIL [tʀɑ̃ʃfil] n. m. — 1803; *tranchefile,* 1723; de *trancher,* et *fil.*
Technique.

♦ **1.** Instrument qui sert à couper les boucles des tapis de haute laine (pour former le velouté). — On écrit aussi *tranchefils.*

♦ **2.** (1846, Bescherelle). Tranchefile (3.).

HOM. Tranchefile, tranchefils.

TRANCHEFILE [tʀɑ̃ʃfil] n. f. — 1611; *trenque-fil, trenque-fille* en moyen franç. au sens de «corde, lacs; dispositif servant à tirer la corde d'un arc» (1411, *in* Godefroy); évolution de sens obscure; de *trancher,* et *filer* à l'impératif.
Technique.

♦ **1.** (1680, Richelet). Reliure. Petit rouleau, petit bourrelet entouré de fils, qui garnit et renforce le haut et le bas du dos d'une reliure, pour maintenir les cahiers assemblés. *La tranchefile est placée contre le cuir de la reliure; le signet du livre* y est attaché.

♦ **2.** (1611). Vx. Couture formant bordure, à l'intérieur des souliers.

♦ **3.** (1680, *tranchefille*). Chaînette que l'on fixe d'une extrémité à l'autre du mors* (le mot est écrit *tranchefil* depuis le XIXe s.).

DÉR. Tranchefiler.

TRANCHEFILER [tʀɑ̃ʃfile] v. tr. — 1680; «réparer un câble», XVIe; de *tranchefile.*

♦ Techn. (reliure). Garnir (un livre) d'une tranchefile.

TRANCHEFILS [tʀɑ̃ʃfil] n. m. ⇒ **Tranchefil.**

TRANCHE-GAZON [tʀɑ̃ʃgazɔ̃] n. m. — 1835; de *trancher,* et *gazon.*
Technique.

♦ **1.** Instrument avec lequel on détache le gazon en bandes régulières. — Au plur. *Des tranche-gazon* ou *des tranche-gazons.*

♦ **2.** (1845). Charrue à soc large.

TRANCHE-LARD [tʀɑ̃ʃlaʀ] n. m. — 1463; de *trancher,* et *lard.*

♦ Techn. Couteau à lame longue et mince pour couper le lard en tranches. — Au plur. *Des tranche-lard* ou *des tranche-lards.*

TRANCHEMENT [tʀɑ̃ʃmɑ̃] n. m. — XIIIe; de *trancher.*

♦ Rare. Action de trancher.

TRANCHE-MONTAGNE [tʀɑ̃ʃmɔ̃taɲ] n. m. — 1389, n. propre; n. commun en 1608; de *trancher* «traverser», et *montagne.*

♦ Vx. ou littér. Fanfaron* qui se vante d'exploits fabuleux (→ Fier-à-bras, cit. 2). ⇒ **Matamore, vantard.** — Au plur. *Des tranche-montagnes.*

À ce même bataillon, je viens de retrouver un ami qui, ayant fait l'autre guerre en entier, a tenu, malgré ses cinquante ans, à revenir en première ligne. Ce n'était pas non plus un violent, un tranche-montagne (...) Il était pacifiquement professeur agrégé d'histoire et rédacteur au *Temps.*
　　　　　　　　　　R. DORGELÈS, la Drôle de guerre, XIV.

TRANCHER [tʀɑ̃ʃe] v. tr. et intr. — V. 1380; *trencher,* 1080; probablt d'un lat. pop. **ternicare* (Guiraud) pour **trinicare* «couper en trois» (lat. *trini*). Cf., pour le sens, Écarter, esquinter; avec influence de *tres* «trois», qui expliquerait le passage de *trin-* à *tren-, tran-.*

★ **I.** V. tr. dir. ♦ **1.** Diviser, séparer (une chose en parties, deux choses unies) d'une manière nette, au moyen d'un instrument dur et fin (instrument tranchant*). ⇒ **Couper, tailler.** — REM. Le mot était d'un usage plus général en anc. franç.; en franç. central, il ne s'emploie plus guère que dans des usages particuliers, ou pour insister sur la soudaineté, la violence de l'opération. Mais l'emploi général reste vivant au Canada : «*Tranchez du jambon, je fais un feu pour le thé*» (J.-Y. Soucy, *Un dieu chasseur,* p. 82). — *Trancher une corde. Trancher qqch. avec un couteau, une hache* (⇒ **Hacher**). *La bande que tranchaient les laboureurs* (→ Soc, cit. 1). *Trancher un nœud d'un coup de ciseaux. Trancher du pain à coups de dents* (→ Mouillette, cit. 2).

1 (...) À ces mots, pleins d'un juste courroux,
Il vous prend sa cognée, il vous tranche la bête,
Il fait trois serpents de deux coups :
Un tronçon, la queue et la tête.　　LA FONTAINE, Fables, VI, 13.

2 (...) un matelot prit une hache pour trancher le câble d'amarre. Trancher, signe de hâte; quand on a le temps, on dénoue.　　HUGO, l'Homme qui rit, I, I, II.

Spécialt. *Trancher le col, le cou, la tête* de qqn : le tuer en détachant la tête du tronc. ⇒ **Abattre** (la tête), **décapiter,** 1. **décoller, guillotiner...** (→ Couteau, cit. 17; haut, cit. 118). *Trancher la gorge (de qqn; à qqn) :* égorger (qqn).

3 Son aïeul à lui était de la cour, et eut l'honneur d'avoir la tête tranchée en place de Grève, le 26 avril 1574, pour une intrigue politique.
　　　　　　　　　　STENDHAL, le Rouge et le Noir, II, I.

4 Quand il relâcha son étreinte (...) il tira de sa poche son couteau ouvert et il trancha la carotide au matelot.
　　　　　　　　　　Jean GENET, Querelle de Brest, *in* Œ. compl., t. III, p. 211.

♦ **2.** Par métaphore ou fig. Littér. Couper, diviser net. ⇒ **Interrompre.** *La mort, la Parque tranche le fil des jours.* «*Quoi! la Parque a tranché le cours de ses années!*» (cit. 11). — Loc. *Trancher le nœud* (cit. 6, 8 et 9) *gordien.* — *Tu as tranché les attaches* (cit. 18) *bourgeoises.*

5 Et le fer est moins prompt pour trancher une vie,
Que le nouveau poison que sa main me confie.　　RACINE, Britannicus, IV, 4.

6 Sans éclat, sans éloquence, il trancha de sa logique les nœuds où les plus forts, les Sieyès, les Mirabeau, semblaient s'embrouiller.
　　　　　　　　　　MICHELET, Hist. de la Révolution franç., III, III.

♦ **3.** Fig. ⓐ (1565). Vx. Mettre brutalement fin à (qqch.); abréger, couper court à... — Vieilli. *Trancher son discours, le trancher en un mot, d'un mot. Trancher court. Pour le* (2. le, cit. 16) *trancher net* (→ Distinguer, cit. 6, Molière). «*J'ai vu trancher les jours de ma famille entière*» (Racine, *Andromaque,* vers 929). — *Trancher le débat, la discussion* (cit. 3) *d'un seul mot.* — Absolt. *Tranchons là.* ⇒ **Briser.**

7 Et moi, pour trancher court toute cette dispute (...)
　　　　　　　　　　MOLIÈRE, les Femmes savantes, V, 3.

(En incise). S'exprimer d'une manière tranchante. → Blême, cit. 3.

ⓑ Mod. Terminer par une décision, un choix; résoudre en terminant (une affaire, une question). ⇒ **Résoudre; choisir.** *Trancher une affaire par des moyens énergiques. Trancher une difficulté* (cit. 9). *Trancher la question* (→ Plaquer, cit. 1; remettre, cit. 26). — *Trancher un différend.* ⇒ **Arbitre, arbitrer.** — Par ext. Décider. *Ce que le juge a tranché.* ⇒ **Juger.** *Le concile a tranché que...* ⇒ **Définir.**

8 Nous ne tranchons pas la question, pas plus qu'on ne le fait d'ordinaire quand on parle du devoir de l'homme envers ses semblables. On reste prudemment dans le vague. On s'abstient d'affirmer, mais on voudrait laisser croire (...)
　　　　　　　　　　H. BERGSON, les Deux Sources de la morale et de la religion, p. 25.

9 Quand mon père voyageait en Tchéco-Slovakie *(sic)* et en Pologne, des paysans venaient en foule le supplier de trancher des procès vieux de vingt ans. Il les tranchait en contentant les deux parties, et sans trancher d'enfants.
　　　　　　　　　　GIRAUDOUX, Bella, I.

ⓒ (1611). Littér. Se décider à employer (un mot). *Trancher le mot* (→ Appeler les choses par leur nom* ; et aussi hésiter, cit. 6). *Il vaut mieux trancher le mot,* s'exprimer, dire avec franchise* (cf. Parler net).

★ **II.** V. intr. ou absolt. (xiie, « être tranchant », en parlant d'une lame).

◆ **1.** Vx. Couper, découper les viandes. *L'écuyer* (cit. 1) *tranchait à table.* ⇒ **Tranchant.** — Loc. mod. (1872). Chir. *Trancher, couper* dans le vif :* couper dans la chair encore saine, pour empêcher la gangrène de s'étendre. *Le chirurgien qui tranche à même la chair* (cit. 11) *vive.* — Par métaphore et fig. *Trancher dans le vif :* employer les grands moyens* (→ Excéder, cit. 18).

◆ **2.** Décider d'une manière franche, nette, catégorique, péremptoire. *Il faut trancher sans plus hésiter. Une réponse qui tranche.* — *Trancher de (qqch.) :* en décider.

10   Vous n'avez qu'à trancher, et choisir de nous deux.
												MOLIÈRE, le Misanthrope, V, 2.
11   (...) la grand'maman Saurin est, comme on dit dans son entourage, une femme entière. Elle parle haut, affirme et tranche ; n'hésite jamais.
									Valery LARBAUD, Enfantines, « Le couperet », II.

Vx (→ ci-dessus, I., 3.). *Trancher avec qqn* (Molière, *l'École des femmes,* vers 911), *avec qqch. :* rompre, briser là.

12   Pas de musulman dévot qui ne sache que sa foi lui commandera, un jour, de trancher avec ses aises et de quitter ses biens.
										J.-R. BLOCH, la Nuit kurde, Prélude, p. 14.

◆ **3.** (1475). Vieilli ou littér. **TRANCHER DU..., DE LA... :** prendre d'une manière absolue, prétentieuse, les manières, le personnage de... *Trancher du seigneur* (→ Glacer, cit. 24), *de l'important :* affecter* un tel personnage. *Trancher du brave* (Molière, *la Princesse d'Élide,* II, 4), *du grand...*

13 Monsieur de Chessel jouissait de sa fortune (...) il recevait grandement ; son domestique était plus nombreux que ne le veulent les habitudes du pays, il tranchait du prince.		BALZAC, le Lys dans la vallée, Pl., t. VIII, p. 809.

◆ **4.** (1690). Se distinguer avec netteté ; former un contraste, une opposition*. ⇒ **Contraster, détacher** (se), **ressortir.** *Couleur qui tranche sur un fond ; silhouette sombre qui tranche sur un fond clair...* (→ Habillement, cit. 7 ; membre, cit. 2 ; mouler, cit. 7). *Ce cramoisi tranche trop auprès du vert* (Académie). — (Abstrait). Se distinguer nettement. *Trancher avec...* (→ 2. Original, cit. 11), *sur... Trancher d'une manière désagréable.* ⇒ **Détonner ; disparate.**

14   Voilà les secrètes causes du ton singulier qui règne dans cet ouvrage, et qui tranche si prodigieusement avec celui du précédent.
										ROUSSEAU, les Confessions, X.
15 (...) tout étonné par la pâleur de son visage, qui tranchait en blanc sur le fond noir de la nuit.			FLAUBERT, Mme Bovary, III, VIII.
16 Un jour sur sept, le jeudi soir, la famille Raquin recevait (...) Cette soirée-là tranchait sur les autres ; elle avait passé dans les habitudes de la famille comme une orgie bourgeoise d'une gaieté folle.		ZOLA, Thérèse Raquin, IV.
17   (...) le site un peu romantique tranchait sur la mollesse uniforme de la contrée.
												GIDE, Isabelle, III.

★ **III.** V. intr. (1690). Provoquer des tranchées (II.), de violentes douleurs d'entrailles.

▶ **TRANCHÉ, ÉE** p. p. adj. (xve ; *tranchié* « en pente », xiie).

◆ **1.** Coupé*, sectionné. — Blason. *Écu tranché,* divisé par une diagonale de droite à gauche. — N. m. Cette division. *Tranché crénelé.*

◆ **2.** (1765 ; *mot tranché,* xve). Fig. Qui est nettement séparé des choses semblables ou comparables ; qui se distingue par des caractères très apparents. ⇒ **Net, séparé ; différent.** *Des espèces* (cit. 29) *tranchées.* ⇒ **Distinct.** *Saisons* (cit. 6) *tranchées.* — *Individualité* (cit. 7), *personnalité forte et tranchée,* remarquable parmi les autres. — Par ext. *Ligne de démarcation bien tranchée,* apparente, nette (→ Instinct, cit. 15). ⇒ aussi **Tranchant** (I., 4.). *Couleurs tranchées.* ⇒ **Franc, net.**

18   C'est là l'histoire de ma vie, coupée en deux parties bien tranchées, celle du monde ou des affaires ; et celle d'une solitude complète consacrée aux méditations psychologiques.
					MAINE DE BIRAN, Du physique et du moral de l'homme, Préface.
19   Il faut enfin qu'il y ait en France deux partis, reprit M. de La Mole, mais deux partis, non pas seulement de nom, deux partis bien nets, bien tranchés.
										STENDHAL, le Rouge et le Noir, II, XXII.
20 M. Pinault ressemblait beaucoup à M. Littré par sa passion concentrée et par l'originalité de ses allures. Si M. Littré eût reçu une éducation catholique, il eût été un mystique exalté ; si M. Pinault avait été élevé en dehors du catholicisme, il eût été révolutionnaire et positiviste. Les natures absolues ont besoin de ces partis tranchés.		RENAN, Souvenirs d'enfance..., IV, II, Œ. compl. t. II, p. 839.

Spécialt. Qui est bien net, qui est affirmé avec franchise, catégoriquement (→ ci-dessus, II., 2.). *Opinion* (cit. 7) *tranchée. Refus tranché.* ⇒ **Carré.**

CONTR. Continuer, prolonger ; hésiter ; nuancer. — (Du p. p.) **Confus, indistinct.**
DÉR. **Tranchage, tranchant, tranche, tranchée, tranchement, tranchet, trancheur, trancheuse, tranchoir.**
COMP. **Tranchefil, tranchefile, tranche-gazon, tranche-lard, tranche-montagne, tranche-tête.**

TRANCHET [trãʃɛ] n. m. — 1288 ; de *trancher.*
Technique.

◆ **1.** (1434, *tranquet*). Outil formé d'une lame plate, sans manche, et qui sert à couper le cuir. *Tranchet de bourrelier, de cordonnier, de sellier. Couper les bords d'une semelle* (cit. 2) *au tranchet.*

1   Le docteur Villard taillait un débris de cuir, à petits coups de tranchet.
												G. DUHAMEL, Salavin, V, XVI.
2   Je ne peux pas passer devant une échoppe de cordonnier sans croire que mon père est encore vivant, quelque part dans l'au-delà du monde, assis devant une table de fumée, avec son tablier bleu, son tranchet, ses ligneuls, ses alènes, en train de faire des souliers en cuir d'ange, pour quelque dieu à mille pieds.
												J. GIONO, Jean le Bleu, I.

◆ **2.** (1676). Outil de plombier, de serrurier (pour couper le plomb, le métal chauffé).

TRANCHE-TÊTE [trãʃtɛt] n. m. — 1360 ; de *trancher,* et *tête.*

◆ Vx. Bourreau. — Au plur. *Des tranche-têtes.*

TRANCHETTE [trãʃɛt] n. f. — Attesté xxe ; de 1. *tranche,* et *-ette* (→ -et).

◆ Petite tranche, tranche fine.
Le patron leur apporta une salade mélangée aux tranchettes de foie gras à peine grillées, un vrai délice.	Christine ARNOTHY, Toutes les chances plus une, p. 306.

TRANCHEUR, EUSE [trãʃœr, øz] n. — xve ; *trancheor* « celui qui creuse des tranchées », déb. xiiie ; le fém. est récent ; de *trancher.*

◆ **1.** (1876). Techn. Mineur qui travaille en galerie et détache le minerai.

◆ **2.** (1765). Mar. Matelot qui ouvre les morues et les prépare, au moyen d'un couteau spécial.

◆ **3.** Ouvrier qui procède au débitage (du bois, etc.). — N. f. *Trancheuse :* ouvrière qui effectue certains découpages à la machine (confection).

TRANCHEUSE [trãʃøz] n. f. — 1933, au sens 1. ; fém. de *trancheur.*
Technique.

◆ **1.** Machine à trancher le bois.
Le *tranchage* (...) est effectué par des machines appelées *trancheuses* qui sont des machines lourdes à bâti rigide, destiné à absorber toutes vibrations, ce sont en même temps des machines de précision puisqu'elles peuvent arriver à trancher des feuillets de quelques dixièmes de millimètre d'épaisseur.
Il faut distinguer deux types fondamentaux de trancheuses : les *trancheuses horizontales* et les *trancheuses verticales.*
									J.-C. REGGIANI, Industries et Commerce du bois, p. 39.

◆ **2.** Engin de terrassement destiné à creuser des tranchées (*Journ. off.,* 18 janv. 1973). *Trancheuse sous-soleuse.*

TRANCHIS [trãʃi] n. m. ⇒ **Tanchis.**

TRANCHOIR [trãʃwar] n. m. — 1300 ; *tranchor, trancheor,* 1206 ; de *trancher.*

★ **I.** ◆ **1.** Support sur lequel on coupe, on tranche (la viande). — REM. Le mot désignait au moyen âge des plaques de métal, des tranches de pain spécialement disposées pour recevoir les viandes. Mod. (Bouch., cuis.). Plateau de bois sur lequel on place la viande à découper. ⇒ **Tailloir.** — Planchette, natte sur laquelle on coupe le fromage.

◆ **2.** Palette de bois utilisée en teinturerie (pour placer la chaux, la cendre destinée à être mise dans la cuve).

★ **II.** (xiiie, in Godefroy). Instrument tranchant, couteau, hachoir. *Un coup de tranchoir* (→ Écarteler, cit. 1).

★ **III.** (1876). Par anal. de forme. Poisson à corps mince, en forme de faucille (⇒ **Zancle**).

TRANQUILLE [trãkil] adj. — 1460 ; du lat. *tranquillus.*

★ **I.** ◆ **1.** (Concret). Où règnent des conditions relativement stables ; où se manifeste un ordre et un équilibre qui ne sont affectés par aucun changement soudain ou radical (par ex. : mouvement ; bruit. ⇒ **Immobile, silencieux**). — REM. *Calme** est plus objectif que *tranquille,* qui implique, même dans l'ordre physique, une idée de paix et de sécurité pour l'homme. ⇒ **Calme.** — *Mer, eau tranquille* (→ Avancer, cit. 50 ; érosion, cit. 2 ; expirer, cit. 8 ; naufrage, cit. 3). *Air, ciel tranquille* (→ Palpiter, cit. 11). *La nuit était tranquille* (→ Heure, cit. 47). *« C'était l'heure* (cit. 53) *tranquille où les lions vont boire ». « Tout dort* (cit. 27), *tout est tranquille ». Un petit golfe* (cit. 6) *tranquille. Un endroit, un coin tranquille.* ⇒ fam.

Pépère (→ Passant, cit. 1 ; pied-à-terre, cit. 2). *Maison* (→ Entourer, cit. 8 ; envier, cit. 10 ; ronron, cit. 2), *estaminet* (cit. 2) *tranquille* (→ Indiquer, cit. 3). *Quartier, rues tranquilles* (→ Mi-, cit. 4). *« Ce toit tranquille, où marchent des colombes »* (cit. 4).

1 À minuit, tout était tranquille depuis longtemps sur les bords du lac ; on eût distingué le pas d'un chat.
STENDHAL, Romans et nouvelles, « Mina de Vanghel ».

(En parlant des états d'un être vivant). Que rien ne vient troubler. *Tranquille bien-être* (cit. 3). *Sommeil tranquille* (→ Cours, cit. 1 ; léthargique, cit. 1). *Engourdis* (cit. 13) *dans une ivresse tranquille.* ⇒ **Béat.** — (En parlant de mouvements). Qui s'effectue sans agitation, de façon régulière. *D'un pas tranquille et lent* (→ Bœuf, cit. 3 ; nonchalant, cit. 5). *Une entrée* (cit. 3) *tranquille et silencieuse. Effort tranquille et puissant* (→ Haltère, cit. 1).

(XVIIᵉ ; êtres vivants). Qui est, par nature, peu remuant, n'éprouve pas le besoin de mouvement, de bruit. ⇒ **Paisible.** *Un petit être* (2. Être, cit. 22) *tranquille et silencieux. Une vieille femme tranquille qui tricotait toujours* (→ Huguenot, cit. 6). *Des voisins tranquilles* (→ Lotisseur, cit.). *Bœufs* (cit. 5) *tranquilles* (→ aussi Plat, cit. 1). — Fam. *Un père tranquille.* — N. (rare au fém.). *Des sédentaires* (cit. 2), *des tranquilles.* ⇒ fam. **Peinard.**

Qui est momentanément en repos, qui ne bouge pas. ⇒ **Coi.** *Il se tenait bien droit et tranquille* (→ Frémissement, cit. 14). *Il faut s'enfermer et se tenir tranquille* (→ Simoun, cit. 1). *Les enfants, restez tranquilles !* ⇒ **Gentil, sage.** — Par métaphore. *« Sois sage, ô ma Douleur* (cit. 17) *et tiens-toi plus tranquille. »*

♦ **2.** (Mil. XVIIᵉ ; abstrait). Qui éprouve un sentiment de sécurité (cit. 1), de paix*, que rien ne vient inquiéter (→ Remonter, cit. 15). *Tranquille dans mon innocence...* ⇒ **Confiant** (cit. 3). *Je ne puis être tranquille quand tu seras inquiète* (→ Sûreté, cit. 4). *Avec un homme aimé des femmes, elle n'est pas tranquille* (→ Mariage, cit. 27). *Soyez tranquille : ne vous inquiétez pas* (→ Mystère, cit. 18). — Par antiphrase (comme formule de menace). *Soyez tranquille, nous nous retrouverons !* — *Ils se sentaient tranquilles de ce côté* (→ Nature, cit. 55). *Tranquille dans la possession de... ; tranquille possesseur* (cit. 5) *de...* (→ Détenir, cit. 1) : qui n'est pas troublé, inquiété dans la possession de... *Le spectateur tranquille de qqch.* (→ Approbateur, cit. 3).

2 Soyez tranquille sur ma santé (...) Mᵐᵉ DE SÉVIGNÉ, 804, 3 mai 1680.

3 — Quand je pense qu'hier j'étais si tranquille et si loin de me douter de rien !
HUGO, les Misérables, I, VII, III.

(1808). *Tranquille comme Baptiste* (par allus. à *Baptiste,* type comique de niais au calme imperturbable, dans les parades populaires).

(XVIIIᵉ). **LAISSER TRANQUILLE.** *Laisser qqn tranquille :* s'abstenir ou cesser de l'inquiéter, de le tourmenter, de le harceler (→ Mœurs, cit. 5 ; paix, cit. 29 et 37 ; persuasion, cit. 8). — Cour. *Laissez-moi tranquille avec cette affaire :* cessez de m'en parler (→ Exercice, cit. 12 ; réalité, cit. 13). ⇒ **Paix** (ficher la). *Laisse-nous tranquilles, et va-t-en :* cesse de nous ennuyer (→ 2. Taper, cit. 1). — Par anal. (avec un compl. n. de chose). *Laisse ça tranquille :* n'y touche pas, ne t'en occupe plus (→ Ratiociner, cit. 2 ; et aussi authenticité, cit. 9).

(Avec une valeur semi-adverbiale). *Dormir* (cit. 16) *tranquille. Manger tranquille.*

3.1 — Peut-être qu'on peut l'emmener, dit Ludi.
Ludi aimait beaucoup l'enfant.
— Non, dit Jacques, je veux qu'on mange tranquille.
M. DURAS, les Petits Chevaux de Tarquinia, p. 18.

Avoir l'esprit tranquille (→ Chair, cit. 56 ; reconnaître, cit. 11), *la conscience tranquille :* n'avoir rien à se reprocher (→ Saigner, cit. 8). *Air, mine, visage tranquille* (→ Folie, cit. 11 ; humeur, cit. 39 ; portrait, cit. 3). *Orgueil, assurance, conviction tranquille.* ⇒ **Serein** (→ Diagnostiqueur, cit. ; exempt, cit. 15 ; gouvernant, cit. 7). *Un courage tranquille* (→ Opposer, cit. 6 ; profond, cit. 15).

(Avec l'idée de qualité naturelle, d'état permanent ou habituel). *Caractères* (cit. 41) *doux et tranquilles. La façon d'être flegmatique* (cit. 1) *et tranquille des Hollandais. Âme patiente, tranquille* (→ Indifférence, cit. 9). *Esprit tranquille.* ⇒ **Égal, posé** (cit. 43 ; → Sérieux, cit. 8). *Vie tranquille* (→ Frelater, cit. 4 ; résistance, cit. 8). *Bonheur* (→ Limpide, cit. 6), *amour tranquille* (→ Courtisane, cit. 2). *« Qui goûtant dans le crime une tranquille paix »* (→ Front, cit. 11).

4 Il me reçut avec la joie tranquille d'un ermite délivré de nos craintes et de nos espérances (...) FRANCE, le Jardin d'Épicure, p. 279.

♦ **3.** (XVᵉ). Spécialt. Que n'agite ou ne trouble aucun mouvement de revendication ou de révolte, aucune menace de guerre. ⇒ 2. **Trouble** (1.). *« Le coin est tranquille, le préfet n'a pas d'histoire »* (cit. 55). *Ici tout est très tranquille* (→ Revue, cit. 3). *L'Europe était alors tranquille.*

5 Ces époques sont singulières (...) Au début, la nation ne demande que le repos ; on n'a qu'une soif, la paix ; on n'a qu'une ambition, être petit. Ce qui est la traduction de rester tranquille. HUGO, les Misérables, IV, I, I.

♦ **4.** (XIXᵉ). Fam. Qui ne se pose pas de problème quant à la réalité de la chose en question, qui est sûr de ce qu'il avance. *Il ne reviendra pas, je suis tranquille,* j'en suis certain. *Vous pouvez être tranquille qu'il n'est pas chez lui à cette heure-ci.*

♦ **5.** Adv. Fam. Tranquillement (var. : *tranquillos* [tʀãkilos]). — (En reprise). Sans difficulté, facilement.

— Tordus comme ils sont, je doute fort qu'ils t'aient cru !
— Tranquille ! Ils m'ont même fait remarquer que je devenais casanier. 6
Martin ROLLAND, la Rouquine, p. 186.

★ **II.** (1684). Techn. Qui tranquillise, qui calme. *Baume** (1. Baume, cit. 6) *tranquille.*

CONTR. Agité, bruyant, enflammé, fougueux, furieux ; anxieux, défiant, inquiet, ombrageux, tourmenté, troublé.
DÉR. Tranquillement.

TRANQUILLEMENT [tʀãkilmã] adv. — 1549 ; de *tranquille.*

♦ **1.** D'une manière tranquille (⇒ **Calmement, mollement, paisiblement**) ; sans agitation (→ Éteindre, cit. 43 ; lé, cit. 2 ; paraître, cit. 41 ; particulier, cit. 19 ; tailler, cit. 3).

♦ **2.** (XVIIᵉ). Sans émotion, sans inquiétude (→ Émotionner, cit. 2 ; exercice, cit. 24 ; justice, cit. 4 ; mourir, cit. 26 ; parbleu, cit.).

♦ **3.** Sans l'émotion qui serait naturelle en pareil cas, avec audace ou inconscience. *Il a tranquillement épaulé et tiré le fauve qui chargeait.*

♦ **4.** Sans s'émouvoir, sans se déconcerter ; sans avoir trop de difficultés. *On les a battus tranquillement, sans problèmes.* ⇒ fam. **Tranquille** (I., 5), **tranquillos.**

CONTR. Bruyamment, furieusement. — Anxieusement.

TRANQUILLISANT, ANTE [tʀãkilizã, ãt] adj. et n. m. — 1835 ; de *tranquilliser.*

♦ **1.** Qui tranquillise, est de nature à tranquilliser. ⇒ **Rassurant.** *Nouvelle tranquillisante.*

♦ **2.** Qui agit comme calmant global (⇒ **Neuroleptique**) ou en faisant disparaître l'état d'angoisse (⇒ **Anxiolytique,** et aussi **antidépresseur**).
N. m. *Un tranquillisant :* un médicament sédatif qui supprime l'agitation, l'angoisse.

Elle sourit avec douceur, presque avec timidité, et parle très lentement ; elle abuse des tranquillisants, c'est ce qui lui donne cet air apathique.
S. DE BEAUVOIR, les Belles Images, p. 200.

TRANQUILLISATION [tʀãkilizasjõ] n. f. — Attesté mil. XXᵉ ; de *tranquilliser.*

♦ Action de tranquilliser ; son résultat.

TRANQUILLISER [tʀãkilize] v. tr. — 1420 ; du lat. *tranquillus.* → Tranquille.

♦ Rendre tranquille (I., 2.), délivrer de l'inquiétude. ⇒ **Calmer, rassurer.**

Cette idée, loin de m'être cruelle et déchirante me console, me tranquillise, et m'aide à me résigner. ROUSSEAU, Rêveries..., IIᵉ promenade. 1

Elle se contraignait à sourire afin de le tranquilliser plus vite ; et ce sourire, en fait, était une capitulation momentanée. 2
MARTIN DU GARD, les Thibault, t. I, p. 118.

▶ **SE TRANQUILLISER** v. pron. (1677, « se calmer », en parlant du sang).
(Réfl.). Redevenir tranquille, cesser d'être inquiet. *Il a fini par se tranquilliser.* ⇒ **Calmer** (se), **rassurer** (se) ; → 1. Dire, cit. 28. — *Tranquillisez-vous à ce sujet.*

▶ **TRANQUILLISÉ, ÉE** p. p. adj. *Tranquillisé, il reprit sa lecture.*
CONTR. Affoler, agiter, alarmer, angoisser, effaroucher, effrayer, inquiéter, obséder, troubler.
DÉR. Tranquillisant, tranquillisation.

TRANQUILLITÉ [tʀãkilite] n. f. — V. 1190, au sens 3 ; sens 1, mil. XVᵉ ; du lat. *tranquillitas,* de *tranquillus.* → Tranquille.
État de ce qui est tranquille.

♦ **1.** (⇒ **Tranquille,** I., 1.). État stable, constant, ou qui ne se modifie que régulièrement et lentement. *Tranquillité de la mer.* ⇒ **Accalmie, bonace, calme** (→ Syzigie, cit. 1). *Cette singulière tranquillité des arbres* (→ Repos, cit. 7). — *Rien ne troublait la tranquillité de son sommeil.*

(...) cette tranquillité très particulière des soirs où la mer se calme, tranquillité qui prédispose à comprendre l'incompréhensible. LOTI, Mon frère Yves, XCI. 1

Troubler la tranquillité des habitants, la tranquillité publique. — Loc. adv. *En toute tranquillité :* sans être dérangé (→ Fond, cit. 17).

♦ **2.** (XVIᵉ). (⇒ **Tranquille,** I., 2.). Stabilité morale ; équilibre psychique. ⇒ 1. **Calme** (cit. 11), **confiance, paix** (cit. 34), **quiétude, repos, sécurité, sérénité.** *Après de longues angoisses* (cit. 9), *j'ai retrouvé la tranquillité. Adieu tranquillité, quiétude, paix* (→ Renommer, cit. 2). *Tranquillité dans l'amour, le mariage* (→ Conformité, cit. 1 ; popote, cit. 4). *« Une existence pathétique plutôt que la tranquillité »* (→ Ferveur, cit. 4). *Vouloir, défendre, conserver sa tranquillité* (→ Majorité, cit. 3 ; plier, cit. 18). *Sacrifier sa tranquillité* (→ Place, cit. 43). *Tranquillité matérielle :* absence de souci d'ordre matériel (→ Ère, cit. 5). *Tranquillité de l'esprit, de l'âme* (→ Équanimité, cit. 1 ; préférence, cit. 1 ; sévérité, cit. 3). ⇒ **Égalité** (d'humeur), **placidité, sang-froid.**

2 J'aurais détesté la grande réputation : j'aime trop ma tranquillité. Comme la grande production : j'aime trop mon loisir.
Paul LÉAUTAUD, Propos d'un jour, p. 138.

♦ **3.** (V. 1190). Sens politique. Ordre*, paix* dans les rapports humains, dans une société. *Le besoin général de paix et de tranquillité* (→ 1. Engendrer, cit. 6). *La tranquillité des peuples* (→ Séculier, cit.), *universelle* (→ Amphictyonie, cit. ; et aussi conférence, cit. 2). *Établir* (cit. 11), *obtenir la tranquillité dans une région* (→ Imprimer, cit. 6). *Périodes de tranquillité* (→ Positif, cit. 8).

CONTR. Agitation, bruit ; affolement, alarme, angoisse, anxiété, appréhension, défiance, détresse, effroi, égarement, frénésie, inquiétude, ombrage ; désordre, ébullition, effervescence, excitation, trouble.

TRANQUILLOS [trãkilos] adv. ⇒ **Tranquille** (I., 5.).

TRANS- Préfixe emprunté au lat. *trans* (« par delà »), prépos. et préverbe qui a en français le sens de « au-delà de » *(transalpin),* « à travers » *(transpercer),* et qui marque le passage ou le changement (ex. : *transition, transformation).* ⇒ aussi **Travers, traverser** ; et (forme *tres-*), **trépas, trépasser.**

1 **trans** : préverbe et préposition « par delà, au delà de ». Comme préposition (...) s'emploie avec des verbes marquant le mouvement comme le repos. En composition, à côté du sens de « au delà », a aussi le sens « de part en part » (...) marque le changement total dans *transformo, transfiguro* (...) *Trans* est conservé dans les langues romanes.
ERNOUT et MEILLET, Dict. étymologique de la langue latine, p. 1236.

Outre les comp. traités ci-dessous on peut signaler : *transmembranaire,* adj. (1974, in *la Clé des mots*) : « qui passe à travers une membrane » ; et les emplois rares ou occasionnels, du type des suivants :

2 L'objet technique pris selon son essence, c'est-à-dire l'objet technique en tant qu'il a été inventé, pensé et voulu, assumé par un sujet humain, devient le support et le symbole de cette relation que nous voudrions nommer transindividuelle.
Gilbert SIMONDON, Du mode d'existence des objets techniques, p. 247.

3 (...) son domaine est celui du discours concret en tant que champ de la réalité transindividuelle du sujet (...)
J. LACAN, Écrits, p. 257.

4 De cette analyse *(sociologique)* le linguiste dira peut-être qu'elle est « translinguistique ». Ce qui veut vite dire « transcientifique ».
Henri LEFEBVRE, la Vie quotidienne dans le monde moderne, p. 241.

5 *(la)* reconnaissance d'une valeur liée à la personne (et non plus seulement aux fonctions ou aux services transpersonnels comme sur le terrain juridique).
J. PIAGET, Épistémologie des sciences de l'homme, p. 302.

Parmi les comp. en *trans-,* nombreux sont ceux (adjectifs) qui sont formés sur un adj. dérivé d'un nom géographique. → ci-dessous, et cf. par ex., *transasiatique* (1901, in D.D.L.), *transdanubien* (1775), *transjuran* (1752, in D.D.L.), *transméditerranéen.*

REM. Dans certains cas, on trouve comme second élément un nom géographique, sans suffixe adjectival (ex. : *« le pipe-line trans-Alaska », Science et Vie,* n° 106, p. 5).

TRANSACTION [trãzaksjõ] n. f. — 1298, « transfert d'un bien » ; du lat. *transactio,* au sens jurid., de *transigere,* de *trans-,* et *agere.* → Transiger.

♦ **1.** (1343). ⓐ Dr. Acte par lequel on transige*. « Contrat synallagmatique par lequel les contractants terminent ou préviennent une contestation en renonçant chacun à une partie de leurs prétentions » (Dalloz). ⇒ **Composition, concordat** (→ Failli, cit. 1). *Transaction honorable* (→ Acceptable, cit. 1).

1 Posons d'abord pour premier principe que la plus mauvaise transaction, rédigée même par un notaire ignorant, est meilleure que le meilleur procès, voire même que le gain de ce procès (...)
BALZAC, Code des gens honnêtes, III, I, in Œ. diverses, t. I, p. 129.

Législ. fin. « Convention par laquelle une administration fiscale consent, au cas d'infraction, à n'exercer aucune poursuite contre le contrevenant, en le contraignant à verser une somme pour tenir lieu de pénalités » (Capitant). *Transaction avant, après jugement. — Transaction en matière de prix,* entre l'administration et le délinquant, en cas de pratique de prix illicites.

ⓑ Cour. ⇒ **Accommodement, accord, arrangement, compromis, milieu.** *Transaction peu satisfaisante.* ⇒ **Cote** (mal taillée). — (Sur le plan moral) :

2 (...) la conseillère qui pousse aux abaissements, aux platitudes, aux lâchetés, à toutes les petites misérables transactions de la conscience.
Ed. et J. DE GONCOURT, Journal, 1ᵉʳ mai 1864, t. II, p. 154.

♦ **2.** (1826, in D.D.L. ; 1837, Balzac, Michelet ; → Impôt, cit. 6 ; 1. or, cit. 21). Écon. Contrat entre un acheteur et un vendeur. Opération* effectuée sur les marchés (cit. 27) commerciaux, dans les bourses (2. Bourse, cit. 9) de marchandises, de valeurs. ⇒ **Circulation, commerce, échange.** *Activité, sécurité des transactions* (→ Cours,

cit. 21 ; enregistrement, cit. 1 ; taxe, cit. 3). *Taxe sur les transactions.* — Par métaphore. *Transactions mentales* (→ Œuvre, cit. 18).

DÉR. Transactionnel.

TRANSACTIONNEL, ELLE [trãzaksjɔnɛl] adj. — 1832 ; de *transaction.*

♦ **1.** Dr. Qui concerne une transaction, a le caractère d'une transaction (1.). *Règlement transactionnel. Liquidation transactionnelle* (→ Faillite, cit. 4). *Formule* (cit. 12) *transactionnelle.*

♦ **2.** (Angl. *transactional,* dans *transactional analysis,* Eric Berne, 1960, de *transaction* « relations interindividuelles », de même orig. que le franç. *transaction*). Anglic. *Analyse transactionnelle :* analyse des échanges et relations interindividuelles utilisant des concepts psychanalytiques et psychosociologiques simples (personnes et états du moi ; positions de vie, jeux et scénarios de vie...).

DÉR. (De 1.) Transactionnellement.

TRANSACTIONNELLEMENT [trãzaksjɔnɛlmã] adv. — 1823 ; de *transactionnel.*

♦ Dr. Par une transaction.

TRANSAFRICAIN, AINE [trãzafʀikɛ̃, ɛn] adj. — 1894, in D.D.L. ; de *trans-,* et *africain.*

♦ Qui traverse l'Afrique. *Chemin de fer transafricain,* du Cap au Caire.

TRANSALPIN, INE [trãzalpɛ̃, in] adj. — 1546 ; du lat. *transalpinus,* de *trans-,* et *alpinus.* → Alpin.

♦ Qui est au-delà des Alpes. *Gaule cisalpine* (cit. 1) *et Gaule transalpine* (par rapport à l'Italie).

TRANSAMAZONIEN, IENNE [trãsamazɔnjɛ̃, jɛn] adj. — Mil. xxᵉ ; de *trans-, Amazonie,* et suff. *-ien.*

♦ Qui traverse l'Amazonie. *Autoroute transamazonienne* (ou, n. f., *la transamazonienne).* — REM. On rencontre la var. *transamazonique* (Guy des Cars, *l'Envoûteuse,* p. 21).

TRANSAMINASE [trãzaminaz] n. f. — Mil. xxᵉ ; de *trans-, amine,* et *-ase.*

♦ Biochim. Enzyme qui transporte le groupement moléculaire NH_2 d'un corps à un autre (réaction de *transamination* [trãzaminasjõ] n. f.).

TRANSANDIN, INE [trãsãdɛ̃, in] adj. — 1872 ; *transandien, ienne,* 1874, in *Année sc. et industr.* 1875, p. 159 ; de *trans-,* et *andin.*

♦ Qui traverse les Andes. *Le chemin de fer transandin ; voie transandine.*

TRANSAT [trãzat] n. m. et f. — 1912 ; *transatl',* 1901, in D.D.L. ; abrév. de *transatlantique.*

★ **I.** ♦ **1.** N. m. Vx. Transatlantique (navire).

Voilà, ça sera votre cabine (...) C'est pas grand, mais sur les bateaux, vous savez, la place est toujours limitée. Je ne parle pas des transats comme on en montre au cinéma.
R. QUENEAU, les Fleurs bleues, p. 145.

♦ **2.** N. f. ⓐ *La Transat :* la Compagnie générale transatlantique.

ⓑ (1964). Le plus souvent avec l'article défini. Course transatlantique. *La Transat en solitaire, en double.*

★ **II.** N. m. ⇒ **Transatlantique** (II.). *S'allonger dans un transat.*

Elle passe la nuit sur un « transat », emmitouflée jusqu'à paraître obèse (...)
GIDE, Journal, 14 janv. 1943.

TRANSATLANTIQUE [trãzatlãtik] adj. — 1818, in D.D.L. ; de *trans-,* et *atlantique.*

★ **I.** Qui traverse l'Atlantique. *Paquebot transatlantique,* ou n. m. (1874), *un transatlantique :* paquebot faisant le service entre l'Europe et l'Amérique (→ 2. Môle, cit. 2). — *Compagnie générale des paquebots transatlantiques* (1846), appelée plus tard *Compagnie générale transatlantique* (abrév. fam. : *La Transat* [trãzat]). *Lignes transatlantiques. Câble transatlantique.* — *La course transatlantique* (1960).

★ **II.** N. m. (1933). *Un transatlantique* [trãzatlãtik] : chaise longue,

fauteuil pliant en toile, d'abord en usage sur les ponts des paquebots (employé ensuite sur les plages, les terrasses, dans les jardins).
DÉR. Transat.

TRANSBAHUTEMENT [tʀɑ̃sbaytmɑ̃] n. m. — xxᵉ; de *transba-
huter.*

♦ Action de transbahuter.

(...) épuisé par le transbahutement de son bagage et par la faim n'ayant su comment déjeuner pendant son voyage (...)
R. QUENEAU, le Dimanche de la vie, p. 81 (1951).

TRANSBAHUTER [tʀɑ̃sbayte] v. tr. — 1883; de *trans-*, et *bahu-
ter*, dér. vx de *bahut.*

♦ Fam. Transporter, déménager. *Transbahuter une armoire.*
— Pron. *Se transbahuter :* se déplacer (avec difficulté, en étant
dérangé, etc.).

DÉR. Transbahutement.

TRANSBORDEMENT [tʀɑ̃sbɔʀdəmɑ̃] n. m. — 1792; de *trans-
border.*

♦ Action de transborder; son résultat. *Transbordement de marchandises, de passagers.* — *Unité de transbordement :* unité militaire du train des équipages, chargée du transport des cargaisons
à terre.

TRANSBORDER [tʀɑ̃sbɔʀde] v. tr. — 1792; de *trans-*, *bord*, et
suff. verbal.

♦ Faire passer d'un bord, c'est-à-dire d'un navire à un autre, et, par
ext., d'un train, d'un wagon à un autre.

DÉR. Transbordement, transbordeur.

TRANSBORDEUR [tʀɑ̃sbɔʀdœʀ] n. m. — 1878; de *transborder.*

♦ **1.** Anciennt. Ferry-boat.

♦ **2.** (1898). *Transbordeur* ou (appos.) *pont transbordeur :* pont
mobile établi sur un fleuve ou un bras de mer, comprenant essentiellement une plate-forme qui glisse le long d'un tablier, et destiné
au transport des personnes, des marchandises, des véhicules.

♦ **3.** (1904). Ch. de fer. Châssis servant à faire passer des locomotives, des wagons, des voitures, d'une voie à une autre.

TRANSCANADIEN, IENNE [tʀɑ̃skanadjɛ̃, jɛn] adj. et n.
— 1891, cit.; de *trans-*, *Canad(a)*, et *-ien.*

♦ Qui traverse le Canada d'un océan à l'autre. *Chemin de fer transcanadien*, ou, n. m, *le transcanadien. La route transcanadienne*, ou,
n. f., *la Transcanadienne.*

Nous longeons la rive droite de la rivière Columbia, déjà navigable pour les petits
vapeurs. Peu après, on s'arrête à Donald, où commence la troisième et dernière
section du Transcanadien, 3 930 kilomètres de Montréal.
E. COTTEAU, le Transcanadien et l'Alaska (1890),
in le Tour du monde, 1891, t. II, p. 13.

TRANSCASPIEN, IENNE [tʀɑ̃skaspjɛ̃, jɛn] adj. — 1877; de
trans-, et *caspien, ienne*, de *Caspienne.*

♦ Didact. Qui est au-delà de la mer Caspienne. *Chemin de fer transcaspien*, ou, n. m. (1907), *le transcaspien*, reliant les ports de la Caspienne au Turkestan russe.

TRANSCAUCASIEN, IENNE [tʀɑ̃skokazjɛ̃, jɛn] adj. — 1837;
de *trans-*, et *caucasien.*

♦ Qui est au-delà du Caucase; qui appartient à la région de
l'U. R. S. S. appelée Transcaucasie.

TRANSCENDANCE [tʀɑ̃sɑ̃dɑ̃s] n. f. — 1640; de *transcendant.*

♦ **1.** Caractère de ce qui est transcendant*. — Philos. *Transcendance de Dieu* (cit. 48; par rapport au monde et aux consciences,
→ Rédemption, cit.). *Transcendance du monde* (par rapport aux
consciences). *La transcendance :* l'existence de réalités transcendantes (Dieu — substances permanentes et choses en soi — rapports
de droit ou de vérité immuables indépendants des faits — objets
extérieurs aux consciences. Cf. Sartre, *l'Être et le Néant*, I, III :
La transcendance). Transcendance théiste et immanence panthéiste
(cit. 2). *Religion sans transcendance* (→ 2. Politique, cit. 14).
Scientistes (cit. 3) *dénués de toute illusion de transcendance. Philosophie de la transcendance. Une transcendance :* une réalité transcendante.

Pour penser une transcendance, il faut se défendre des images spatiales. Une
réalité transcendante à une autre n'est pas un réalité séparée et plafonnant au-

dessus d'elle, mais une réalité supérieure en qualité d'être, et que l'autre ne peut
atteindre d'un mouvement continu, sans un saut de la dialectique et de l'expression.
E. MOUNIER, le Personnalisme, p. 83, *in* FOULQUIÉ.

♦ **2.** Action de transcender ou de se transcender*. *Morale de la
transcendance*, plaçant la moralité dans le fait de se transcender.

♦ **3.** (1735). Cour. et vieilli. Supériorité, qualité éminente. ⇒ **Excellence.**
(Déb. xvIIIᵉ, Saint-Simon). *Un air de transcendance.* ⇒ **Affectation.**

CONTR. Immanence.

TRANSCENDANT, ANTE [tʀɑ̃sɑ̃dɑ̃, ɑ̃t] adj. — xIVᵉ, Christine
de Pisan, *transcendent; du lat. transcendens*, p. prés. de *transcendere*
«franchir en montant, surpasser», de *trans-*, et *ascendere* «monter».

♦ **1.** Qui s'élève au-dessus d'un niveau donné, ou au-dessus du
niveau moyen. ⇒ **Sublime, supérieur.** *Génie transcendant*
(→ Entendre, cit. 18). *Mérite transcendant. Lumières, facultés*
(cit. 8) *transcendantes* (→ Découvrir, cit. 22). — Fam. *Il n'est
pas transcendant, il n'a rien de transcendant :* cf. Ce n'est pas
un aigle*.

Tu me retrouveras toujours le même, m'inquiétant peu de l'avenir de l'humanité,
transcendant dans le culottage des pipes.   1
FLAUBERT, Correspondance, 47, 29 mars 1841.

♦ **2.** Philos. [a] (1538). Vx. Se disait des termes qui sont d'une signification si universelle qu'ils dépassent toutes les catégories (par ex. :
Un, Être, Vrai, etc.).

[b] Mod. (Métaphysique; d'abord chez les théologiens, en parlant des
êtres transcendants, Dieu et les anges). Qui dépasse un
ordre de réalités déterminé, «ne résulte pas du jeu naturel d'une
certaine classe d'êtres ou d'actions, mais suppose l'intervention d'un
principe extérieur et supérieur à celle-ci» (Lalande). *Idéal transcendant* (→ Religion, cit. 11). *Réalités transcendantes* (→ Émettre,
cit. 1). *L'État* (cit. 110) *considéré comme pouvoir suprême et transcendant. Transcendant à... :* d'une nature radicalement supérieure
à..., ou, dans un sens affaibli, en phénoménologie (cit. 2), extérieure
à... *Le phénomène, l'objet conçus comme transcendants* (à la
conscience). — N. m. *Le transcendant* (Sartre, *l'Être et le Néant*,
p. 219).

Jamais l'homme ne se contentera d'une destinée finie; sous une forme ou sous une 2
autre, toujours un ensemble de croyances exprimant la valeur transcendante de la
vie et la participation de chacun de nous aux droits de fils de Dieu fera partie des
éléments essentiels de l'humanité.
RENAN, Questions contemporaines,
Chaire d'hébreu..., Œ. compl., t. I, VI, p. 170.
(Chez Kant). Qui dépasse toute expérience possible (qu'il s'agisse
d'êtres ou de principes de connaissance). → Raison, cit. 35.

♦ **3.** (1704, Leibniz). Math. Non algébrique. *Équation, courbe transcendante. Nombre* (cit. 6) *transcendant :* nombre irrationnel qui
n'est racine d'aucune équation algébrique à coefficients entiers
(ex. : π (pi) → Incommensurable, cit. 3). *Fonction transcendante :*
fonction non algébrique, dont la définition fait intervenir des opérations non algébriques (ex. : fonctions trigonométriques et loga-
rithmiques). — Vx. *Géométrie transcendante* (d'Alembert), *analyse
transcendante* (A. Comte), s'est dit parfois pour désigner le calcul infinitésimal.

CONTR. Élémentaire, immanent; algébrique.
DÉR. Transcendance.

TRANSCENDANTAL, ALE, AUX [tʀɑ̃sɑ̃dɑ̃tal, o] adj. —
1503; du lat. scolast. *transcendentalis*, de *transcendens.* → Transcendant.
Didactique.

♦ **1.** Vx. [a] (Log., métaphysique et math.). Transcendant.

Il faut donc entendre sagement et sainement les expressions des scolastiques, lors-   1
qu'ils disent que Dieu, bon en soi, sans rapport à nous, est l'objet spécificatif de
la charité : car à pousser à bout cette expression, il s'ensuivrait qu'on ne pourrait aimer par la charité Dieu comme bienfaisant (...) il faudrait exclure jusqu'à
la bonté de Dieu; je dis cette bonté excellente et transcendantale par laquelle on
l'appelle bon, ainsi qu'on l'appelle vrai (...)
BOSSUET, Divers écrits ou mémoires..., Préface à l'instruction pastorale, V, XI.

[b] Littér. Transcendant, supérieur. *Relation transcendantale :* chez
les scolastiques, relation essentielle.

N. m. plur. Philos. (scolast.). *Les transcendantaux :* l'Un, le Bien, le
Vrai, etc. qui *transcendent* les catégories, au sens défini par Aristote. Rare. *Un transcendantal.*

Tiburce passa ainsi plus de quinze jours dans un état de lyrisme transcendantal, 2
tendant des bras éperdus à sa chimère, implorant quelque miracle du ciel.
Th. GAUTIER, la Toison d'or, II, *in* Fortunio.

♦ **2.** (1801). Chez Kant. ⇒ **Raison**, I., 7. Qui constitue ou exprime
une condition *a priori* de l'expérience. *Esthétique transcendantale.
Idéalisme transcendantal. Apparence transcendantale :* illusion qui
porte notre esprit à dépasser par le raisonnement les limites de
l'expérience. *Dialectique transcendantale :* logique de l'apparence
transcendantale.

◆ **3.** *Le moi, le je, l'ego, le sujet transcendantal :* chez Kant, «principe d'activité connaissante unifiant le divers de l'expérience interne»; chez les phénoménologues, «la conscience pure, c'est-à-dire dégagée de toutes les données de l'expérience soit externe, soit interne» (Foulquié), seule réalité irréductible.

DÉR. Transcendantalisme.

TRANSCENDANTALISME [tʀɑ̃sɑ̃dɑ̃talism] n. m. — 1801, *in* D.D.L.; de *transcendantal.*

Didactique.

◆ **1.** Philos. Système admettant des formes et concepts a priori dominant l'expérience.

◆ **2.** (Angl. *transcendantalism*). Doctrine mystico-philosophique d'Emerson. — ʀᴇᴍ. On rencontre également l'adj. dérivé *ranscendantaliste.*

CONTR. Immanentisme.

TRANSCENDER [tʀɑ̃sɑ̃de] v. tr. — 1903, Bergson; «transgresser» déb. xɪvᵉ; v. 1370 dans un sens fig. proche du sens actuel; du lat. *transcendere* «monter *(scandere)* en allant au-delà *(trans)*».

◆ Dépasser en étant supérieur ou d'un autre ordre, se situer au-delà de... (→ Démocratie, cit. 8; échapper, cit. 32; héros, cit. 27; observation, cit. 12); dépasser (un niveau, un milieu) après avoir traversé.

1   Quelque lié qu'il soit à la civilisation où il naît, l'art la déborde souvent — la transcende peut-être... — comme s'il faisait appel à des pouvoirs qu'elle ignore, à une inaccessible totalité de l'homme.   MALRAUX, les Voix du silence, p. 623.
2   La Vie nous apparaît sous des aspects opposés : tantôt, elle semble se réduire à un ensemble de processus physico-chimique, tantôt elle paraît s'affirmer comme caractérisée par un dynamisme évolutif qui transcende la physico-chimie.
          L. DE BROGLIE, Physique et Microphysique, p. 160.

Pron. *Se transcender :* se dépasser, aller au-delà des possibilités apparentes de sa propre nature. — (Chez les phénoménologues). *Se transcender vers...,* se dit de la conscience qui se porte vers l'objet, parce qu'étant toujours «conscience de quelque chose».

TRANSCODAGE [tʀɑ̃skɔdaʒ] n. m. — 1966, *le Monde;* de *transcoder.*

◆ Didact., techn. Traduction d'une information dans un code différent. — Spécialt. Dans un calculateur électronique, transcription des instructions du programme dans un code interne. — Par ext. Transposition des images télévisées en couleurs d'un système à un autre. «*Un appareil de transcodage des signaux de télévision en couleurs*» (*le Monde,* 21 avr. 1967).

TRANSCODER [tʀɑ̃skɔde] v. tr. — V. 1960; de *trans-,* et *coder.*

◆ Didact., techn. Traduire dans un code différent. Traduire (les instructions du programmeur) dans le code d'un calculateur électronique.

DÉR. Transcodage, transcodeur.

TRANSCODEUR [tʀɑ̃skɔdœʀ] n. m. — 1967, *le Monde;* de *transcoder.*

◆ Techn. Appareil capable d'effectuer un transcodage*. *Le transcodeur d'un ordinateur.*

TRANSCONTENEUR [tʀɑ̃skɔ̃tnœʀ] n. m. — V. 1960; d'abord sous la forme *transcontainer;* de *trans-* (dans *trans[bordement]*), et *container, conteneur,* mot mal formé.

◆ Techn. Conteneur conçu pour un transport par plusieurs moyens successifs, sans difficultés de transbordement. — Navire porte-conteneurs.

TRANSCONTINENTAL, ALE, AUX [tʀɑ̃skɔ̃tinatal, o] adj. — 1872; de *trans-,* et *continental.*

◆ Qui traverse un continent d'un bout à l'autre. *Chemin de fer transcontinental,* ou, n. m. (1911, *in* D.D.L.), *le Transcontinental.*

TRANSCRIPTASE [tʀɑ̃skʀiptaz] n. f. — V. 1975; angl. *transcriptase* (Temin et Baltimore, prix Nobel 1979); de *transcription* (→ Transcription, 5.), et *-ase.*

◆ Biochim. Enzyme qui catalyse la synthèse d'un ARN (acide ribonucléique) en «transcrivant» le «message» inscrit dans l'ADN (acide désoxyribonucléique). «*En 1979, Temin et Baltimore ont démontré que ces virus possèdent une enzyme capable de fabriquer une copie à rebours, c'est-à-dire un ADN à partir de l'ARN viral. Cette découverte de la «transcriptase inverse», qui a valu le prix Nobel à ses auteurs, a permis d'expliquer que des virus à ARN*

puissent, par l'intermédiaire d'une chaîne d'ADN, s'intégrer aux chromosomes des cellules.* (*Sciences et Avenir,* nº 418, déc. 1981, p. 70).

TRANSCRIPTEUR, TRICE [tʀɑ̃skʀiptœʀ, tʀis] adj. et n. — 1556, n. m.; dér. du lat. *transcriptum,* supin de *transcribere.* → Transcrire.

Didactique et technique.

◆ **1.** Personne qui transcrit (quelque chose).

(...) les grands artistes ne sont pas les transcripteurs du monde, ils en sont *les rivaux.*   MALRAUX, les Voix du silence, p. 459.

◆ **2.** N. m. Appareil qui transcrit (quelque chose).

TRANSCRIPTION [tʀɑ̃skʀipsjɔ̃] n. f. — 1338; du lat. jurid. *transcriptio,* du lat. class. *transcriptum,* supin de *transcribere.* → Transcrire.

◆ **1.** Action de transcrire; son résultat. ⇒ **Copie, enregistrement, report.** Dr. *Transcription à l'état civil :* copie sur les registres de l'état civil de certains actes qui n'ont pas été directement dressés, et du dispositif de certains jugements intéressant l'état des personnes. *Transcription hypothécaire :* «formalité consistant dans le dépôt au bureau de la conservation des hypothèques, d'un exemplaire de tous actes translatifs, déclaratifs ou modificatifs de propriété ou de droits réels immobiliers, entre vifs ou par décès, soumis à la publicité (...)» (Capitant). *Droit de transcription.*

Cour. Copie.

(...) j'ai reçu de lui un feuillet (...) ce n'est pas une lettre : une simple transcrip-   1
tion d'un poème de Whitman, sans autre signature. Mais l'écriture de monsieur
votre frère n'est pas de celles qu'on oublie (...)
          MARTIN DU GARD, les Thibault, t. III, p. 282.

◆ **2.** (1558). Ling. Notation des mots d'une langue dans un autre alphabet. ⇒ **Translittération.** *Transcription phonétique :* notation fournissant aux lecteurs le moyen de reconstituer la prononciation réelle. *Système de transcription de graphies phonétiques* (alphabet phonétique).

Pour une langue comme le français (...) où l'orthographe n'a souvent que des rap-   2
ports lointains avec la prononciation, il était nécessaire d'user d'un code de
signes ayant une valeur absolue et indépendants de la graphie, bref de ce qu'on
appelle un système de transcription. Nous avons choisi (...) celui de l'*Association
Phonétique Internationale,* appliqué depuis longtemps aux diverses langues du
monde.   P. FOUCHÉ, Traité de prononciation franç., Av.-propos, p. VI.

◆ **3.** (xxᵉ). Cour. Expression exacte par d'autres moyens (d'un sens, d'un contenu de pensée).

◆ **4.** (1828). Mus. «Arrangement d'une œuvre musicale pour un ou plusieurs instruments ou voix autres que ceux pour lesquels elle a été écrite» (Arma, *Dict. de musique*).

◆ **5.** (1964; angl. *transcription,* de même orig. que le mot franç.). *Transcription génétique,* par laquelle l'information génétique est transportée des chromosomes de la cellule sur l'acide ribonucléique messager. — Le message inscrit. ⇒ **Transcriptase.**

De même qu'un texte écrit peut servir de programme pour l'exécution de tâches   3
manuelles (...) de même le programme *(génétique)* est transposé en une suite d'opérations qui le font passer du niveau des gènes, séquences d'acides nucléiques, au
niveau des protéines, séquences d'acides aminés.
Cette transcription se fait en deux étapes : une première transcription réécrit les
fragments du programme, qui sont utiles dans les circonstances où se trouve la
cellule (...)   Antoine DANCHIN, Ordre et Dynamique du vivant, p. 192.

TRANSCRIRE [tʀɑ̃skʀiʀ] v. tr. — 1234; du lat. *transcribere,* de *trans-,* et *scribere;* francisé d'après *écrire.*

◆ **1.** Copier très exactement, en reportant sur un registre, sur une autre feuille. ⇒ **Copier, enregistrer.** Dr. *Transcrire un acte, des contrats, des jugements* (→ Détenteur, cit. 2; dispositif, cit. 1; greffier, cit. 1). — Cour. *Mes manuscrits* (cit. 5) *qu'il m'a fallu transcrire quatre ou cinq fois. Transcrire des notes, des souvenirs* (→ Mémorandum, cit.; recension, cit. 2). *Transcrire certains passages d'un texte* (→ Connaisseur, cit. 4; éclairer, cit. 11; maint, cit. 5), *des scholies* (1. Scolie, cit. 1).

En ce moment même, des refrains de ballades et des commencements de huitains   1
me remontent en foule à la mémoire. Je feuillette le *Grand Testament* pour les y
trouver, et je ne résiste pas à l'envie de vous en transcrire quelques-uns.
          Jules LEMAÎTRE, Impressions de théâtre, Villon.

Vous vous occuperez, M. Paul et toi, de transcrire sur le registre d'entrées les cinq   2
ou six affaires que nous avons pointées en déjeunant.
          J. ROMAINS, les Hommes de bonne volonté, t. IV, VI, p. 46.

◆ **2.** (Fin xɪxᵉ). Ling. Effectuer la transcription* de... *Transcrire un texte grec en caractères latins.* ⇒ **Translittérer.**

◆ **3.** (V. 1570). Fig. *Transcrire fidèlement la réalité* (→ Hermétisme, cit. 3). Absolt. «*Je ne transcris pas, je construis*» (Robbe-Grillet, *in* G.L.L.F.).

Bref, dans l'œuvre littéraire comme dans l'œuvre pittoresque, il s'agit de trans-   3
crire, non le dehors sensible des êtres et des événements mais l'ensemble de leurs
rapports et de leurs dépendances, c'est-à-dire leur logique.
          TAINE, Philosophie de l'art, t. I, p. 28.

♦ **4.** (1823). Mus. Opérer la transcription* d'une œuvre musicale. *Liszt a transcrit pour le piano des pièces d'orgue de Bach.*

♦ **5.** Biol. Inscrire dans les molécules d'ARN un « message » génétique. ⇒ **Transcription** (5.).

TRANSCULTURATION [tʀɑ̃skyltyʀasjɔ̃] n. f. — V. 1940 ; de *trans-*, et *culture*, d'après *acculturation*.

♦ Ethnol. Processus de transition d'une culture à une autre, de la disparition de la culture traditionnelle jusqu'à l'acquisition de la culture nouvelle. ⇒ **Acculturation.**

TRANSCULTUREL, ELLE, ELS [tʀɑ̃skyltyʀɛl] adj. — Mil. xxᵉ ; de *trans-*, et *culturel*.

♦ Didact. Qui concerne les transitions entre cultures différentes. *La recherche transculturelle.*

TRANSDISCIPLINAIRE [tʀɑ̃sdisiplinɛʀ] adj. — V. 1970 ; de *trans-*, et *disciplinaire*, d'après *interdisciplinaire*.

♦ Didact. Qui traverse les frontières (considérées comme artificielles) entre disciplines. ⇒ **Interdisciplinaire.**

REM. Le mot est senti comme désignant une notion plus dynamique que *interdisciplinaire*.

DÉR. **Transdisciplinarité.**

TRANSDISCIPLINARITÉ [tʀɑ̃sdisiplinaʀite] n. f. — 1974, in *la Clé des mots* ; de *transdisciplinaire*.

♦ Didact. Caractère transdisciplinaire (d'un travail, d'une étude). ⇒ **Interdisciplinarité.**

TRANSDUCTEUR [tʀɑ̃sdyktœʀ] n. m. — 1943, dans un dict. bilingue (D. D. L.) ; de *trans-*, et *(con)ducteur*, pour rendre l'angl. *transducer*.

♦ **1.** Techn. Organe convertissant à l'émission ou à la réception un phénomène physique en vue de sa transmission. — Appareil électromécanique capable de passer d'un signal électrique à un effet mécanique ou acoustique et inversement. ⇒ **Capteur.**

Les microphones, les graveurs, les lecteurs. Nous n'avons pas dissocié ces éléments qui, bien que remplissant des fonctions différentes, relèvent tous des mêmes principes généraux. On leur donne d'habitude le nom de transducteurs ; ce sont en réalité des convertisseurs d'énergie électrique en énergie mécanique ou inversement. Ils sont d'ailleurs réversibles théoriquement, mais leurs réalisations diffèrent suivant qu'ils doivent fonctionner dans un sens ou dans l'autre.
P. GILOTAUX, l'Industrie du disque, p. 27.

♦ **2.** Sc. Système qui fait correspondre à une grandeur physique de valeur déterminée une autre grandeur fonction de la première. — Par ext. → Transduction (cit. 3).

TRANSDUCTIF, IVE [tʀɑ̃sdyktif,iv] adj. — 1969, cit. *infra* ; de *transduction*.

♦ Didact. De la transduction.

C'est de la réalité technique concrétisée que transporte l'élément, tandis que l'individu et l'ensemble contiennent cette réalité technique sans pouvoir la véhiculer et la transmettre ; ils ne peuvent que produire ou se conserver mais non transmettre ; les éléments ont une propriété transductive qui fait d'eux les vrais porteurs de la technicité, comme les graines qui véhiculent les propriétés de l'espèce et vont refaire des individus nouveaux.
Gilbert SIMONDON, Du mode d'existence des objets techniques, p. 73.

DÉR. **Transductivité.**

TRANSDUCTION [tʀɑ̃sdyksjɔ̃] n. f. — 1941, cit. 1 ; de *trans-*, et *-duction*, d'après *(con)duction*.

♦ **1.** Psychol. (probablt de l'angl. *transduction*). Passage, transfert (entre contenus mentaux).

1 *Les premières liaisons entre contenus mentaux de l'enfant sont du type transduction, suivant l'expression de Stern. Ce n'est pas simple succession, c'est passage. Le lien est dans le sentiment de penser ou d'imaginer ceci après cela.*
Henri WALLON, l'Évolution psychologique de l'enfant, p. 178 (1941).

♦ **2.** (Après 1952). Biochim. Transfert entre bactéries du matériel génétique s'effectuant sous l'action d'un bactériophage.

2 *Certains bactériophages (virus bactériens) sont (...) capables de véhiculer d'une bactérie à l'autre un brin d'ADN porteur de gènes actifs. Ce brin s'inclut dans le chromosome de la bactérie réceptrice qui le transmet à toute sa descendance. C'est le phénomène de la transduction.*
Jacques RUFFIÉ, De la biologie à la culture, p. 164 (1976).

♦ **3.** (1969, cit. *infra*). Techn. Mode d'action d'un transducteur (1.). Par extension :

3 *Or, dans un transducteur parfait, aucune énergie n'est actualisée ; aucune non plus n'est mise en réserve : le transducteur ne fait partie ni du domaine de l'énergie potentielle, ni du domaine de l'énergie actuelle : il est véritablement le médiateur entre ces deux domaines (...) C'est au cours de ce passage du potentiel à l'actuel qu'intervient l'information ; l'information est condition d'actualisation.*

Or, cette notion de transduction peut être généralisée. Présentée à l'état pur dans les transducteurs de différentes espèces, elle existe comme fonction régulatrice dans toutes les machines qui possèdent une certaine marge d'indétermination localisée dans leur fonctionnement. L'être humain, et le vivant plus généralement, sont essentiellement des transducteurs. Le vivant élémentaire, l'animal, est en lui-même un transducteur.
Gilbert SIMONDON, Du mode d'existence des objets techniques, p. 143.

TRANSDUCTIVITÉ [tʀɑ̃sdyktivite] n. f. — 1969 ; de *transductif*.

♦ Didact. Capacité transductive ; pouvoir de transduction.

On pourrait dire, en reprenant le mot de transductivité, que l'art est ce qui établit la transductivité des différents modes les uns par rapport aux autres.
Gilbert SIMONDON, Du mode d'existence des objets techniques, p. 199.

TRANSE [tʀɑ̃s] n. f. — V. 1360 ; « agonie, trépas », v. 1050 ; déverbal de *transir*, de *trans-*, et lat. *ire* « aller ».

★ **I.** (Presque toujours au plur. ; vx ou littér. au sing. → 1. Écoute, cit. 6). Inquiétude* ou appréhension* extrêmement vive. ⇒ **Affres, crainte.** *Être dans les transes, dans des transes mortelles. Être dans les transes de... :* avoir grand peur de (→ Merde, cit. 2). *Être dans les transes que...,* suivi du subjonctif.

1 *(...) bientôt la disproportion d'âge et les dangers auxquels est exposée une comédienne jeune et belle jetèrent Molière dans des transes pénibles et continuelles, et rendirent son hymen malheureux. Les soupçons empoisonnèrent sa vie, des querelles de ménage déchirèrent son cœur (...)*
BALZAC, Vie de Molière, in Œ. diverses, t. I, p. 144.

2 *— Je file demain, moi !... J'aime mieux mettre la clef sous la porte et coucher sur le trottoir, que de continuer à vivre des transes pareilles.*
ZOLA, l'Assommoir, IX, t. II, p. 77.

3 *(...) Christophe fut dans des transes qu'un article nouveau n'éveillât la susceptibilité de Georges.*
R. ROLLAND, Jean-Christophe, Nouv. journée, III, p. 1544.

★ **II.** (1884, *trance* ; *transe*, 1891, Huysmans ; de l'angl. *trance*, de même orig., mais de sens plus général « exaltation, transport »).

♦ **1.** État du médium dépersonnalisé comme si l'esprit étranger s'était substitué à lui. *La transe médiumnique. Médium en transe, qui entre en transe.* ⇒ **Hypnose.**

4 *— Ou bien l'apparition est formée par le fluide dégagé du médium en transe et combiné avec le fluide des personnes présentes ; — ou bien, il y a dans l'air des êtres immatériels (...)*
HUYSMANS, Là-bas, IX.

♦ **2.** État de l'artiste inspiré. ⇒ **Enthousiasme, inspiration** (→ Fulguration, cit. 2 ; et aussi ébaucher, cit. 5).

♦ **3.** Cour. EN TRANSE. *Être, entrer* (cit. 42) *en transe :* s'énerver, s'exciter (cit. 33) au plus haut point, être hors de soi (→ Étymologie, cit. 10).

5 *J'étais encore un enfant trop ignorant de ce qui touchait à l'amour humain, pour avoir remarqué que ma belle-mère n'abordait jamais ce sujet, de sang-froid, et qu'elle entrait aussitôt en transe.*
F. MAURIAC, la Pharisienne, II.

TRANSEPT [tʀɑ̃sɛpt] n. m. — 1823, cit. 1 ; var. *transsept*, v. 1830-1840 ; angl. *transept*, XVIᵉ ; comp. sav. du lat. *trans-*, et *saeptum* « enclos », proprt « enclos au delà de la nef » ; a remplacé *croix, croisée* (in Hugo, Michelet, etc.).

♦ Archit. Nef transversale qui coupe la nef maîtresse d'une église et lui donne la forme symbolique d'une croix. *Croisée*, croisillons* (cit.) du transept. Églises rhénanes à deux transepts.*

1 *Cette église (du Bourg-Achard) est bâtie en forme de croix ; mais le transept ou les deux ailes de la croix (...) ont visiblement été ajoutées.*
LÉCHAUDÉ D'ANISY, Trad. de A. DUCAREL, Antiquités anglo-normandes, p. 70 (1823).

2 *Le bras gauche du transept (de la cathédrale de Cologne) n'est encore qu'indiqué et se termine par un grand oratoire, froid, laid (...)* HUGO, le Rhin, X.

TRANSEUROPÉEN, ENNE [tʀɑ̃zœʀɔpeɛ̃, ɛn] adj. — Mil. xxᵉ ; de *trans-*, *Europe*, et suff. *-en*.

♦ Qui traverse l'Europe. *Train transeuropéen* cf. TEE (Trans-Europe-Express).

TRANSFÉRABLE [tʀɑ̃sfeʀabl] adj. — 1596, repris 1819 ; de *transférer*.

♦ Dr. Qui peut être transféré. *Valeur transférable.* ⇒ **Cessible, négociable.** *Monnaie transférable.*

TRANSFÈREMENT [tʀɑ̃sfɛʀmɑ̃] n. m. — 1704 ; de *transférer*.

♦ Action de transférer (un prisonnier ou une personne assimilée). *Transfèrement cellulaire,* en voiture cellulaire. Transfert. ⇒ **Translation** (II. 3.).

Phileas Fogg était en prison. On l'avait enfermé dans le poste de Custom-house, la douane de Liverpool, et il devait y passer la nuit en attendant son transfèrement à Londres.
J. VERNE, le Tour du monde en 80 jours, p. 307.

TRANSFÉRENTIEL, IELLE [tRãsfeRãsjɛl] adj. — 1955; de *transfert*, d'après l'angl. *transferential*.

◆ Psychan. Relatif au phénomène du transfert. *Relation transférentielle. Projections transférentielles faites sur l'analyste. Manifestations transférentielles et contre-transférentielles observées en cours d'analyse.*

Quant aux honoraires, j'accepte de descendre à 80 francs, mais sur le plan transférentiel, ce n'est pas indiqué. Yanny HUREAUX, la Prof, p. 290.

TRANSFÉRER [tRãsfeRe] v. tr. — Conjug. *exaspérer*. — 1356; du lat. *transfere; de trans-*, et *ferre* «porter».

◆ **1.** Dr., liturgie. Transporter en observant les formalités prescrites. *Transférer un prisonnier* (→ Geôle, cit. 1; justice, cit. 22; prison, cit. 6). *Transférer le corps, les cendres d'un mort, des reliques.* — (En parlant d'une autorité, d'une juridiction...). *Le Roi voulait transférer l'Assemblée à Noyon* (→ Ombrage, cit. 7). *Transférer des États d'une dynastie à une autre* (→ Fixité, cit. 5). *Transférer la royauté* (cit. 1), *l'exercice du pouvoir à...* (→ Responsabilité, cit. 1). ⇒ **Passer** (faire). — (1550). Spécialt. (Dr. comm. et législ. fin.). Transmettre la propriété (d'un bien ou un droit) d'une personne à une autre, selon les formalités requises. *Transférer une obligation, des titres de propriété.* ⇒ **Aliéner** (→ Garantir, cit. 3). — Par ext. *Transférer une fête,* la remettre d'une date à telle autre.

1 Lui, avait accepté, sur la promesse qu'au bout d'un certain temps, il serait transféré dans une paroisse meilleure (...) HUYSMANS, l'Oblat, IX.

2 — Oh! ne rusons plus. Vous avez transféré vos créances sur moi entre les mains de Calthorpe (...) Pierre BENOIT, Mlle de la Ferté, p. 310.

◆ **2.** (Fin XIXe; abstrait). Étendre (un sentiment) à un autre objet. (⇒ **Transfert,** II., 1.). *Mères* (1. Mère, cit. 11) *capables de transférer leur propre vie dans les êtres qu'elles ont mis au monde.*

3 L'amant transfère le sentiment causé d'abord par la personne de sa maîtresse, à ses vêtements, ses meubles, sa maison. Pour la même raison, la jalousie, la haine exercent leur rage sur les objets inanimés qui appartiennent à l'ennemi.
Th. RIBOT, Psychologie des sentiments, I, XII, I (1896).

CONTR. Fixer.
DÉR. **Transférable, transfèrement.**

TRANSFERT [tRãsfɛR] n. m. — 1724; lat. *transfert* «il transfère», mot qui apparaissait sur les registres commerciaux; de *transfere*. → Transférer.

Action de transférer.

★ **I.** ◆ **1.** Déplacement d'une personne à un autre. Dr. comm. Acte par lequel une personne transmet un droit à une autre. *Transfert de propriété.* ⇒ **Aliénation, translation, transmission.** *Transfert dit translatif de propriété,* par oppos. au simple *transfert de garantie,* assurant la mise en gage du titre. *Transfert des valeurs mobilières,* effectué, quand il s'agit de la propriété de titres nominatifs, par inscription du nouveau propriétaire sur les livres de la société. *Transfert d'ordre : transfert* provisoire au nom de l'agent de change, du courtier (effectué dans certains cas avant le transfert réel). ⇒ **Bourse** (opération de). *Transfert d'effets publics,* soumis à un régime spécial. — Législ. fin. Substitution du nom du nouveau contribuable sur le rôle des contributions directes à la suite d'un changement de propriété. *Transfert de l'impôt.* ⇒ **Répercussion.** — (Dr. internat.). *Transfert de souveraineté.* — Écon. «Changement d'affectation de ressources» (Romeuf), qu'on entende par là, *lato sensu,* «des cessions de biens ou de créances et des prestations de services sans contrepartie directe» (*Rapport sur les Comptes de la Nation,* 1955), ou, *stricto sensu,* des «revenus enlevés à certains individus pour être distribués à des personnes et à des groupements jugés plus dignes d'intérêt mais ne fournissant aucun service ou produit en contrepartie» (Romeuf). *Le budget de l'État, la Sécurité sociale et les Allocations familiales sont les principales sources de transfert.*

◆ **2.** (1874). Cour. Déplacement d'un lieu à un autre. ⇒ **Translation, transport.** *Le transfert des cendres de Napoléon.* (REM. On a dit à l'époque *translation*). — *Transfert de capitaux d'un pays à un autre* (→ Devise, cit. 5). *Transfert de populations :* déplacement massif et forcé de populations d'un pays à un autre (pendant et après les guerres mondiales, etc.). ⇒ **Migration.** → 1. Exode, cit. 4.

◆ **3.** Techn. Passage automatique de chacune des pièces en cours de fabrication d'un poste de travail au suivant. *Machine à transfert,* ou *machine-transfert :* machine-outil à postes multiples, dans laquelle les pièces à usiner, qui demeurent fixes pendant l'usinage, se déplacent ensuite automatiquement d'un poste de travail au suivant pour les opérations intermédiaires.

◆ **4.** (XXe). Fig. Passage d'un ordre de choses à un autre. — Inform. Déplacement (d'une information) d'un organe ou d'un emplacement à un autre en vue de son traitement. *Fonction de transfert d'un système :* correspondance mathématique entre le signal de sortie et le signal d'ordre définissant l'opération qu'effectue ce système.

★ **II.** Psychol. ◆ **1.** (1879, in *Année sc. et industr.* 1880, p. 356, 377 en psychophysiologie; puis 1896, Ribot pour traduire l'expr. angl.

transference of feeling, James Sully, 1892). Phénomène par lequel un état affectif éprouvé pour un objet est étendu à un objet différent, normalement en vertu d'une association. *Transfert des sentiments. Transfert du châtiment sur le partenaire, dans le sadisme* (cit. 3). ⇒ aussi **Identification, projection.**

1 Ce choix, si rigoureux qu'il ne retient que l'Unique, fait, dit-on, la différence du transfert analytique et du transfert amoureux ; l'un est universel, l'autre est spécifique. Il a fallu beaucoup de hasards, beaucoup de coïncidences surprenantes (et peut-être beaucoup de recherches), pour que je trouve l'Image qui, entre mille, convient à mon désir. R. BARTHES, Fragments d'un discours amoureux, p. 27.

◆ **2.** Psychan. (1914, pour traduire le mot all. de Freud, *Uebertragung;* 1905, Claparède, pour traduire *Verschiebung*). Acte par lequel un sujet, au cours de la cure, reporte sur le psychanalyste soit une affection *(transfert positif),* soit une hostilité *(transfert négatif)* qu'il éprouvait primitivement, surtout dans l'enfance, pour une autre personne (père, mère, etc.). *Transfert et contre-transfert*. Du transfert.* ⇒ **Transférentiel.**

◆ **3.** Psychotechnique. Phénomène par lequel «les progrès obtenus au cours de l'apprentissage d'une certaine forme d'activité entraînent une amélioration dans l'exercice d'une activité différente plus ou moins voisine» (Piéron).

2 BÉRENGER — Ça doit être un acte manqué. Il avait des complexes. Il aurait dû se faire psychanalyser.
DURARD — Même si c'est un transfert, cela peut être révélateur. Chacun trouve la sublimation qu'il peut. IONESCO, Rhinocéros, III, Folio, p. 191.

3 La méthode cathartique de Breuer (...) exigeait l'emploi de l'hypnose (...) L'état d'hypnose paraissait bien dissimuler certains phénomènes dont Freud commençait de soupçonner l'importance déterminante, ainsi ce qu'il appela le «transfert», ensemble d'émois violents, contradictoires et ambigus, que le patient avait éprouvé jadis à l'égard de ses parents et qu'il reportait maintenant inconsciemment sur la personne de son médecin.
Marthe ROBERT, la Révolution psychanalytique, t. I, p. 119 (1964).

TRANSFIGURATEUR, TRICE [tRãsfigyRatœR, tRis] adj. et n. — 1839, Hugo; du lat. ecclés. *transfigurator,* du supin de *transfigurare.* → Transfigurer.

Littéraire.

◆ **1.** Adj. Qui transfigure, est capable de transfigurer (→ Déformation, cit. 2).

1 L'Inconnu fait parfois à l'esprit de l'homme des surprises. Une brusque déchirure de l'ombre laisse tout à coup voir l'invisible, puis se referme. Ces visions sont quelquefois transfiguratrices (...) HUGO, les Travailleurs de la mer, I, VII.

◆ **2.** N. *Un transfigurateur, une transfiguratrice. Pas un menteur* (cit. 8), *un transfigurateur.*

2 Le grand souffle vivant, ce transfigurateur,
Lui mettait sous les pieds la céleste hauteur (...)
HUGO, la Légende des siècles, XXII, III.

3 Voilà ce qu'ils attendent de nous, les peintres, ce qu'ils nous reprochent de ne point leur donner. Il nous faut être les transfigurateurs.
ARAGON, la Semaine sainte, III.

TRANSFIGURATION [tRãsfigyRasjõ] n. f. — 1265; du lat. *transfiguratio,* du supin de *transfigurare.* → Transfigurer.

◆ **1.** Relig. Changement miraculeux dans l'apparence du Christ transfiguré. *Fête de la Transfiguration.* Par métonymie. *La Transfiguration de Raphaël,* le tableau de Raphaël représentant la Transfiguration (→ Sulpicien, cit. 1). — *Mort et transfiguration,* poème symphonique de Richard Strauss.

◆ **2.** (Mil. XIXe). Action de transfigurer, état de ce qui est transfiguré. *C'était moins un sourire qu'une transfiguration* (→ Animer, cit. 35).

1 À partir de ce moment, on l'a vu, il fut un autre homme. Ce que l'évêque avait voulu faire de lui, il l'exécuta. Ce fut plus qu'une transformation, ce fut une transfiguration. HUGO, les Misérables, I, VII, III.

2 Expliquer comment, par un simple coup de baguette de cette miraculeuse fée : la bonté, il arriva, instantanément que c'en fut fini du souvenir de mes humiliations passées, et que je conçus tous les devoirs auxquels m'astreignait cette dignité d'être humain, enfin conférée, je ne le puis... Ce que je puis dire, c'est que, véritablement, je connus la magie de la transfiguration (...) Non seulement le miroir attesta que j'étais devenue subitement plus belle, mais mon cœur me cria que j'étais réellement meilleure (...)
O. MIRBEAU, le Journal d'une femme de chambre, p. 142.

3 (...) d'où ce style qu'il est impossible de comprendre aussi longtemps qu'on veut voir en lui une poursuite du réel, car il est toujours une recherche de la transfiguration. MALRAUX, les Voix du silence, p. 210.

TRANSFIGURER [tRãsfigyRe] v. tr. — XIIe, pron.; du lat. *transfigurare,* de *trans-,* et *figurare,* de *figura* «forme, figure».

◆ **1.** Vx. Transformer, métamorphoser.

◆ **2.** (Par spécialisation de sens, en raison de la valeur particulière donnée au mot par l'Évangile). Relig. chrét. Transformer en revêtant d'un aspect éclatant et glorieux. *Jésus fut transfiguré sur le mont Thabor.*

1 Et il fut transfiguré devant eux. Son visage devint brillant comme le soleil, et ses vêtements blancs comme la neige. BIBLE (SACY), Évangile selon saint Matthieu, XVII, 2.

♦ **3.** (Sujet n. de chose). Transformer en donnant au visage une beauté et un éclat inhabituels. *Une mérveilleuse exaltation* (cit. 12) *la transfigurait. Le soleil est un magicien* (cit. 7) *qui transfigure toutes choses* (→ aussi Participer, cit. 7). *Un brouillard qui ornait, transfigurait les êtres* (→ Pellucide, cit.). — Pron. *Sa face épaisse se transfigurait d'une bonté exquise* (→ Embellir, cit. 11).

2   L'exercice des vertus, la sérénité de la conscience, la pureté de la pensée avaient transfiguré mon oncle, qui de laid devint très beau.
                         BALZAC, Honorine, Pl., t. II, p. 259.

3   La poésie n'est qu'une manière de percevoir les objets extérieurs, un organe spécial qui tamise la matière et qui, sans la changer, la transfigure.
                  FLAUBERT, Correspondance, 379, 31 mars 1853.

♦ **4.** Transformer en améliorant. ⇒ **Embellir.** — Pron. *Se transfigurer.*

4   Or, je te le redis, pour se transfigurer,
  Et pour se racheter, l'homme doit ignorer (...)
  Douter est sa puissance et sa punition.   HUGO, les Contemplations, VI, XXVI.

5   Durant trois ans, je subis cette influence profonde, qui amena dans mon être une complète transformation. M. Dupanloup m'avait à la lettre transfiguré.
      RENAN, Souvenirs d'enfance..., III, III, Œ. compl., t. II, p. 818.

▶ **TRANSFIGURÉ, ÉE** p. p. adj.

♦ **1.** *Jésus transfiguré.*

♦ **2.** *Personnage transfiguré par la renommée* (→ Idée, cit. 19). *Une forme transfigurée du travail* (→ Organiser, cit. 8). *Héros idéalisé, transfiguré par la légende, par l'art.*

TRANSFILAGE [tʀɑ̃sfilaʒ] n. m. — 1836 ; de *transfiler.*

♦ Mar. Opération par laquelle on transfile (une voile).

TRANSFILER [tʀɑ̃sfile] v. tr. — 1836 ; var. de *tranchefiler*, par infl. de *trans-*, et *filer.*
Marine.

♦ **1.** Cour. Joindre (deux toiles) bord à bord en passant un bout de ligne dans les œillets de l'une et de l'autre alternativement.

♦ **2.** Rare. Filer, laisser glisser (une amarre) sur la poupée du treuil sans la virer.

DÉR. **Transfilage.**

TRANSFINI, IE [tʀɑ̃sfini] adj. — 1890 ; all. *transfinit*, 1883, Georg Cantor ; du lat. *trans-*, et *finitus* «fini».

♦ Math. *Nombre transfini* ou *cardinal infini* : nombre d'éléments d'un ensemble* infini, qu'on ne peut compter.

Canton (...) montra comment le concept d'infini pouvait être précisé de façon très utile par l'introduction de la notion de puissance. Il distingua ainsi les ensembles infinis dénombrables, tel celui des nombres entiers ou celui des nombres rationnels, les ensembles infinis ayant la puissance du contenu, tel celui des nombres transcendants, et les ensembles encore plus étendus, ayant la puissance du fonctionnel, tel l'ensemble de toutes les fonctions continues ou discontinues. A ces nombres cardinaux correspondent d'ailleurs des nombres ordinaux transfinis.
      R. TATON, les Mathématiques, in Encycl. Pl., Hist. de la science, p. 694.
N. m. *Les transfinis.*
Fig. et littér. « *Un transfini d'idées* » (Valéry, in G. L. L. F.).

TRANSFIXION [tʀɑ̃sfiksjɔ̃] n. f. — 1859, in D. D. L. ; dér. sav. du lat. *transfixum*, supin de *transfigere* «transpercer» ; de *trans-*, et *figere* «piquer, percer».

♦ Chir. Procédé d'amputation qui consiste à traverser d'un coup, avec le couteau ou le bistouri, la partie que l'on veut amputer et à couper les chairs de dedans en dehors.

Ce coup, d'après sa situation et ses caractères, a très probablement lésé le cœur, si proche de la paroi thoracique. L'examen minutieux de la peau du dos qui ne révèle aucune trace d'ecchymose permet d'éliminer une transfixion complète.
           René FLORIOT, La vérité tient à un fil, p. 44.

TRANSFLUENCE [tʀɑ̃sflyɑ̃s] n. f. — Mil. xxᵉ ; de *trans*, et un élément *-fluence*, tiré du lat. *fluere* «couler».

♦ Didact. Géogr. Passage d'un glacier d'une vallée dans une autre. — Jonction du lit d'une rivière avec une autre rivière.

TRANSFO [tʀɑ̃sfo] n. m. ⇒ 1. **Transformateur.**

TRANSFORMABLE [tʀɑ̃sfɔʀmabl] adj. — 1587, repris xixᵉ, av. 1870, Villemain ; de *transformer.*

♦ Qui peut être transformé, qui peut prendre une autre forme, une autre position. ⇒ **Métamorphosable.** — Cour. *Ensemble transformable.* — Ameublement. *Siège, fauteuil transformable* (en lit).
Fig. *Un être non transformable en un autre* (→ 2. Radiation, cit.).

1. TRANSFORMATEUR [tʀɑ̃sfɔʀmatœʀ] n. m. — 1842 ; «celui qui transforme», 1616 ; de *transformer.*

♦ Électr. Appareil servant à modifier la tension, l'intensité ou la forme d'un courant* électrique (abrév. fam. : *transfo* [tʀɑ̃sfo]). ⇒ **Convertisseur, élévateur** (de tension). *Circuit primaire et circuit secondaire d'un transformateur. Transformateur d'un chemin de fer électrique miniature.*

Parfois, on croit qu'elle *(l'électricité)* est ici, ou là, dans un fil, dans un commutateur, à l'intérieur de la petite boîte noire du transformateur, et on s'approche avec beaucoup de précautions. Mais elle n'est pas là.
                J.-M. G. LE CLÉZIO, les Géants, p. 195.

2. TRANSFORMATEUR, TRICE [tʀɑ̃sfɔʀmatœʀ, tʀis] adj. — 1823 ; de *transformer.*

♦ Qui transforme. — REM. On a dit *transformatif, transformative* 1861, *in* Littré ; on trouve aussi *transformant, transformante, in* Caillois, *l'Homme et le Sacré*, II, 1. — *Action transformatrice, pouvoir transformateur.* — N. Personne qui transforme. « (...) *avant que le transformateur ait fixé toute chose dans sa forme définitive*» (Roger Caillois, *l'Homme et le Sacré*, IV, 2).

TRANSFORMATION [tʀɑ̃sfɔʀmasjɔ̃] n. f. — 1375 ; cour. au xviiᵉ, dans la langue didactique. Cf. Richelet, Furetière ; lat. *transformatio*, de *trans-*, et *formatio.* → Formation.

♦ **1.** Action de transformer, opération par laquelle on transforme. ⇒ **Conversion.** *La transformation des matières premières. Industrie* de transformation. La transformation des institutions politiques réalisée par l'empereur* (cit. 3). *Se livrer à des transformations sur les choses* (→ Commerce, cit. 3). *Faire des transformations dans une maison.* ⇒ **Amélioration, rénovation.**

1   *(Solon)* n'était pas un de ces théoriciens qui ont rêvé dans le silence du cabinet la transformation du monde, mais un homme d'expérience et de pratique.
        FUSTEL DE COULANGES, Leçons à l'impératrice, p. 54.

Spécialt. Sc., techn. **a** *Transformation algébrique :* opération qui consiste à changer la forme d'une équation dans un calcul algébrique. Géom. Correspondance permettant de passer d'une figure à une autre par un processus de construction déterminé (homothétie, inversion, rotation, translation...). *Transformation ponctuelle,* où la correspondance s'obtient en passant d'un point à un autre. — Fonction définissant cette correspondance. — Action de transformer (en...) *Transformation de la série en somme* (→ Nombre, cit. 3).

b *Machine qui effectue la transformation de la chaleur en travail* (→ Rendement, cit. 1). — *Rapport de transformation,* des tensions au secondaire et au primaire d'un transformateur.

c (1925, *in* Petiot). Sports. Action de transformer* un essai (en points, trois autrefois, quatre aujourd'hui, au rugby).

2   On manque la transformation. Trois points seulement de regagné.
            Jean PRÉVOST, Plaisirs des sports, p. 131.

♦ **2.** Le fait de se transformer ; modification qui en résulte. ⇒ **Changement, métamorphose** (cit. 1 et 7), **modification.** *Transformations du relief, cycle* (cit. 5) *d'érosion. Transformations des roches sédimentaires.* ⇒ **Altération ; métamorphisme** (cit. 3). *Transformation des cellules, de l'œuf* (→ Embryologie, cit. 1). ⇒ **Développement, différenciation.** *Transformation des larves.* ⇒ **Métamorphose.** *Transformation des espèces.* ⇒ **Adaptation, transformisme.** *Transformation des aliments dans l'organisme.* ⇒ **Élaboration.** *Transformation de l'énergie. Transformations des dieux de l'Inde.* ⇒ **Avatar** (cit. 1). *Une transformation complète de mon être* (→ Amener, cit. 20). *Fabuleuses transformations* (→ Identité, cit. 8). *Transformations du langage* (→ Lexique, cit. 4), *de l'art.* ⇒ **Renouvellement.** *Suite de transformations* (⇒ **Variation**) *dans un même sens* (⇒ **Évolution**)*. Transformation lente* (⇒ **Transition**), *brutale* (⇒ **Révolution**).

3   Durant trois ans, je subis cette influence profonde, qui amena dans mon être une complète transformation.
      RENAN, Souvenirs d'enfance.., III, III, Œ. compl., t. II, p. 818.
Transformation chimique : modification d'un corps ou d'un système de corps à la suite d'une ou plusieurs réactions chimiques. *Transformation physique :* modification d'un corps ou d'un système de corps qui n'est le siège d'aucune réaction chimique (par ex. : fusion, vaporisation, allotropie*). — Action de se transformer en... ; passage d'une forme à une autre. *La transformation des végétaux en houille* (cit. 3), *du moût en vin* (→ Mûrir, cit. 2). *Transformation de mouvement en chaleur* (→ Irréversible, cit. 1), *d'une substance chimique en une autre* (⇒ **Transmutation**), *d'un proton en neutron* (→ Noyau, cit. 6).

♦ **3.** (Angl. *transformation,* chez Z. Harris). Ling. Relation formelle entre deux classes de phrases ou de constructions (suites d'éléments linguistiques) qui permet de passer de l'une à l'autre ; par ex. : la relation entre N Vt N (Nom-Verbe trans. - Nom : Jean envoie la lettre) et N est V pas. *par* N (la lettre est envoyée par Jean).

a (Sens large). Relation formelle entre classes de formes linguistiques conservant un certain nombre de propriétés.

b Spécialt. *Dans l'économie d'une grammaire générative « standard », les transformations interviennent après la suite ordonnée des règles de réécriture* (qui correspondent à la structure profonde) *et aboutissent à la structure superficielle des phrases.* — REM. Cette terminologie a vieilli avec les modifications rapides de la théorie.

4 *(Les règles syntagmatiques)* n'engendreront plus directement la phrase, mais seulement une suite d'éléments terminaux, qui sera relativement abstraite ; autrement dit, cette suite ne présentera qu'un rapport indirect — notamment du point de vue de l'ordre dans lequel les éléments y sont enchaînés — avec la forme finale de la phrase. Cette forme finale sera à son tour obtenue au moyen d'un nouveau type de règles, qu'on appellera transformations.
Nicolas RUWET, Introd. à la grammaire générative, p. 175-176.

CONTR. Maintien. — Fixité, permanence.

TRANSFORMATIONNEL, ELLE [tʀɑ̃sfɔʀmasjɔnɛl] adj. —
V. 1960 ; de l'angl. *transformational*, dans *transformational grammar*, Chomsky.

♦ Ling. Qui relève des transformations (3.). *Cycle transformationnel. Grammaire transformationnelle :* ensemble des règles régissant les transformations.

Spécialt. Qui concerne l'étape dite « transformation » (3., b), dans une grammaire générative « standard ». *Composante transformationnelle* (opposé à *composante syntagmatique*).

TRANSFORMÉE [tʀɑ̃sfɔʀme] n. f. — 1765, in *Encyclopédie* ; de *transformer*.

♦ **1.** Géom. Figure engendrée par la transformation* d'une autre.
La géométrie nous fournit donc un procédé simple et rigoureux pour construire par point courant et tangente courante la transformée par perspective d'une courbe plane quelconque. A. FLOCON et R. TATON, la Perspective, p. 109.

♦ **2.** Ling. Phrase engendrée par transformation.

TRANSFORMER [tʀɑ̃sfɔʀme] v. tr. — V. 1295 ; du lat. *transformare* « former (formare) au delà (trans) ».

♦ **1.** Faire passer d'une forme à une autre, donner un autre aspect, d'autres caractères formels à... ⇒ **Changer, modifier, renouveler.** *Transformer une maison,* l'aménager autrement. *Transformer un vêtement,* lui donner un autre façon. *Transformer une chose ancienne, démodée.* ⇒ **Moderniser, rénover.** *Transformer une matière première.* ⇒ **Élaborer, traiter.** *Transformer une œuvre littéraire.* ⇒ **Adapter, arranger.** *Luther a transformé le christianisme* (→ Réforme, cit. 1). *Transformer qqch. en mieux* (⇒ **Améliorer**), *en pire... Transformer ce qui doit rester tel quel.* ⇒ **Altérer, défigurer, déformer, dénaturer, trahir, transfigurer, travestir.** *Prétendre modeler* (cit. 7), *transformer qqn.*
(Sujet n. de chose). *Mécanisme* (cit. 2) *qui transforme un mouvement. Le mirage* (cit. 3) *d'amour qui transforme toutes choses. Progrès qui transforme une société* (→ Obscurément, cit. 3). *Aucune éducation ne transforme un être* (→ Éveiller, cit. 10).

1 (...) l'art n'épuise rien : il transforme tout ce qu'il touche, il ajoute aux choses plus encore qu'il ne leur enlève (...)   E. FROMENTIN, Une année dans le Sahel, I, p. 33.

(1900, in Petiot). Sports. *Transformer un essai :* au rugby, au jeu à treize, envoyer le ballon qu'on a posé au sol, entre les poteaux du but adverse pour marquer deux points supplémentaires.

♦ **2.** TRANSFORMER EN... : faire prendre la forme, l'aspect, la manière d'être, la nature de... *Transformer des gens en arbres* (→ Métamorphose, cit. 1). ⇒ **Changer** (I., 4.), **métamorphoser.** *Transformer le plomb en or.* ⇒ **Convertir, transmuer** ou **transmuter.** *Transformer des aliments en sa propre substance.* ⇒ **Assimiler.** *Transformer une église en cathédrale.* ⇒ **Ériger.** Par ext. Fam. (avec l'idée d'équivalence, de troc). *Il transforma ses dix centimes en boules de gomme* (→ Gratification, cit. 4).

2 Le plus fort n'est jamais assez fort pour être toujours le maître, s'il ne transforme sa force en droit, et l'obéissance en devoir.   ROUSSEAU, Du contrat social, III.

(Sujet n. de chose). Être la cause d'une transformation ou y contribuer fortement. *Levure qui transforme le sucre en alcool* (→ Multiplication, cit. 5). *Les cierges qui transformaient l'abside* (cit. 2) *en buisson ardent. Transformer l'inconnu* (cit. 37) *en connu.*

▶ SE TRANSFORMER v. pron. (Mil. XIVe).

♦ **1.** Prendre une autre forme, un autre aspect, une autre manière d'être. *Animaux à métamorphoses qui se transforment au cours de leur vie. Se transformer en perdant ses qualités.* ⇒ **Dégénérer.** *Fillette qui s'est transformée à la puberté. Chacun se transforme de son côté* (→ Éternel, cit. 30). ⇒ **Changer** (intrans.). → *Devenir différent*. — *Quartier ancien qui se transforme* (→ Suranné, cit. 3). ⇒ **Moderniser** (se). *Toute langue* (cit. 38) *vit en se transformant.* ⇒ **Évoluer.**

3 Il n'est pas dans la nature du droit d'être absolu et immuable ; il se modifie et se transforme, comme toute œuvre humaine.
FUSTEL DE COULANGES, la Cité antique, IV, VIII.

4 Une forme ne peut pas se transformer d'elle-même. Il est contraire à son être qu'une forme se transforme. Si on rencontre une transformation, on peut être sûr qu'une imagination matérielle est à l'œuvre sous le jeu des formes.
G. BACHELARD, l'Eau et les Rêves, VI, I.

♦ **2.** SE TRANSFORMER EN... : devenir (différent ou autre) en prenant la forme, l'aspect, la nature de... *Se transformer en des hommes tout différents* (→ Dissemblable, cit. 4). ⇒ **Protée** (→ aussi Insociable, cit. 1). *Les espèces se sont transformées l'une en l'autre.* ⇒ **Transformisme.** *Blocs qui se transforment en cailloux* (→ Gravier, cit. 1). *Un gland se transforme en chêne* (→ Métamorphoser, cit. 2), *une chenille en papillon. Le sang artériel* (cit. 1) *se transforme en sang veineux. Électricité* (cit. 6) *qui se transforme en énergie mécanique. Mariage de raison qui se transforme en mariage* (cit. 19) *d'amour.* ⇒ **Tourner** (à).

5 Une observation assez constante, c'est que les institutions surnaturelles et divines se fortifient et s'éternisent, en se transformant, à la longue, en lois civiles et nationales ; et que les institutions civiles et nationales se consacrent, et dégénèrent en préceptes surnaturels et divins.
DIDEROT, Suppl. au voyage de Bougainville, I, Pl., p. 996.

6 Comme il *(Apollon)* allait la saisir, cette pudique jeune fille se changea en arbuste, ses pieds devinrent des racines, ses bras des branches, ses mains et sa chevelure un feuillage ; et voilà Daphné transformée en laurier.
Émile HENRIOT, Mythologie légère, p. 55.

▶ **TRANSFORMÉ, ÉE** p. p. adj. (V. 1398, « métamorphosé »). *Matière première transformée.* — *Essai transformé* (au rugby). — *Lieu public transformé en hôpital* (→ Endroit, cit. 6).

CONTR. Maintenir. — Rester (le même).
DÉR. Transformable, 1. **transformateur,** 2. **transformateur, transformée, transformisme, transformiste.**

TRANSFORMISME [tʀɑ̃sfɔʀmism] n. m. — 1867, Broca, de *transformer*, et *-isme*.

♦ Sc. Théorie de l'évolution* (cit. 15 et 17) selon laquelle les espèces* dérivent les unes des autres par des transformations successives (⇒ **Évolutionnisme**) expliquées de diverses façons. ⇒ **Darwinisme, lamarkisme ; mutationnisme.**

1 Le mot « transformisme » n'apparaîtra que vers 1867, postérieurement au mot « évolution », d'origine anglo-saxonne, et au mot « descendance » d'origine allemande.   Jean ROSTAND, Esquisse d'une histoire de la biologie, p. 96.

2 À ses débuts, le transformisme partait d'un postulat, aujourd'hui démontré amplement : les espèces voisines (ou tout au moins ayant en commun certains caractères) doivent avoir une même origine. Issues d'une seule et même souche (et donc initialement identiques), elles ont peu à peu divergé au cours des temps. Le transformisme se fonde ainsi sur la notion de parenté qui rapproche certaines espèces et ressort des tableaux de classification.
Jacques RUFFIÉ, De la biologie à la culture, p. 27.

CONTR. Fixisme.

TRANSFORMISTE [tʀɑ̃sfɔʀmist] n. et adj. — 1867 ; de *transformisme*.

♦ Sc. Partisan du transformisme. *L'Église donne aux catholiques la liberté d'être transformistes* (→ Homme, cit. 8). *Théories transformistes.* ⇒ **Évolutionniste.**

CONTR. Fixiste.

TRANSFUGE [tʀɑ̃sfyʒ] n. — 1611 ; une première fois. v. 1355 ; du lat. *transfuga,* de *transfugere* « fuir (fugere) au delà (trans) ».

♦ **1.** N. m. Militaire qui déserte en temps de guerre pour passer à l'ennemi. ⇒ **Traître.**

♦ **2.** (1699). Personne qui abandonne son parti pour rallier* le parti adverse ; personne qui trahit sa cause, sa mission. ⇒ **Dissident.** *Un, une transfuge. Les transfuges du parti. Des transfuges de l'intelligence, des traducteurs à gage* (→ Nègre, cit. 6).

1 *(Bonaparte)* fut assez ferme pour signer dans le *Journal des Débats* un article terminé par cette phrase : Je n'irai pas, misérable transfuge, me traîner d'un pouvoir à l'autre, couvrir l'infamie par le sophisme, et balbutier des mots profanes pour racheter une vie honteuse.
CHATEAUBRIAND, Mémoires d'outre-tombe, t. IV, p. 326.

2 Ils flétrissaient ce relaps (...) On peut être une brute, on ne doit pas être un rebelle. Et puis, qu'était-ce après tout que Lord Clancharlie ? un transfuge. Il avait quitté son camp, l'aristocratie, pour aller au camp opposé, le peuple. Ce fidèle était un traître.   HUGO, l'Homme qui rit, II, I, I, 3.

♦ **3.** (Sens atténué). *Un transfuge d'un pays :* celui qui l'a quitté pour un autre.

3 À Brest, où ils arrivèrent un matin incolore, au lever du jour, ils furent saisis, glacés, — eux, les pauvres transfuges d'un pays de soleil, par ce changement absolu de climat (...)   LOTI, Matelot, XVIII.

Personne qui a changé de situation, qui a abandonné un état, un milieu... pour un autre. *Des cadres supérieurs transfuges de la fonction publique. Un violoniste de jazz transfuge du Conservatoire, de la musique classique.*

CONTR. (De 1. et de 2.). Fidèle.

TRANSFUSER [tʀɑ̃sfyze] v. tr. — 1668, méd. ; de *transfusum,* supin de *transfundere* « répandre (fundere), au delà (trans) ».

♦ **1.** Méd. Faire passer (du sang d'un individu) dans le corps d'un autre. ⇒ **Transfusion.**

1 Le pape Innocent VIII se fit transfuser le sang de trois jeunes gens. Mais après

cette opération il mourut. Il est plausible que la mort fut causée par la technique même de la transfusion.   Alexis CARREL, l'Homme, cet inconnu, V, VI.

Fam. *Transfuser qqn :* transfuser du sang dans son organisme.

♦ **2.** (D'après *transfusion,* 1.). Faire passer (un liquide) d'un récipient dans un autre. ⇒ **Transvaser.** — Fig. Faire passer (à, dans...). — Pron. *Les expressions d'un auteur se transfusent en nous* (→ Assimilation, cit. 5).

2   Son dos vint prendre appui sur la poitrine de l'adolescente, en reçut la forme, se moula sur elle, l'épousa (...) une vie se transfusait en lui et ajoutait ses forces aux siennes.   J.-R. BLOCH, la Nuit kurde, p. 131.

▶ **TRANSFUSÉ, ÉE** p. p. adj. *Sang transfusé.* — *Malade, accidenté transfusé.* — N. (1882). *Un, une transfusée :* personne qui reçoit du sang transfusé (opposé à *donneur*). — Vx. *Vin transfusé.* ⇒ **Transvasé.**

DÉR. Transfuseur, transfuseuse.

TRANSFUSEUR [tʀɑ̃sfyzœʀ] n. m. — 1667, de «partisan de la transfusion»; de *transfuser.*

♦ **1.** Personne qui pratique la transfusion.

♦ **2.** Techn. Appareil servant à la transfusion directe du sang d'un donneur à un receveur. — Dispositif mécanique de l'appareillage employé pour la transfusion du sang conservé.

TRANSFUSEUSE [tʀɑ̃sfyzɸz] n. f. — Mil. xxᵉ; du rad. de *transfusion,* ou de *transfuser.*

♦ Méd. Appareil servant à la transfusion du sang à partir du flacon où il a été conservé.

TRANSFUSION [tʀɑ̃sfyzjɔ̃] n. f. — 1539; «changement», 1307; du lat. *transfusio* «transvasement» de *transfundere.* → Transfuser.

♦ **1.** Action de faire passer un liquide d'un récipient dans un autre. ⇒ **Transvasement.**

♦ **2.** (1374). Fig. Fusion avec une chose qu'on assimile. ⇒ **Assimilation.** *La transfusion de deux âmes* (→ Affection, cit. 7). *Transfusions mentales des artistes* (→ Évoquer, cit. 16).

♦ **3.** (V. 1665). Anc. Opération consistant à faire passer dans une veine d'un malade (généralement après saignée) une certaine quantité de sang (d'abord d'un animal). *La transfusion du sang fut interdite par une sentence du Châtelet en 1668 et abandonnée jusque vers 1865 où le médecin genevois Roussel la pratiqua avec du sang humain.* — (De nos jours). *Transfusion sanguine :* injection de sang humain qui passe de la veine du donneur* à celle du récepteur (de bras à bras) [procédé devenu exceptionnel] ou encore introduction dans le bras du patient de sang préalablement donné et conservé. *La transfusion se pratique en tenant compte des groupes* sanguins. Transfusion goutte à goutte de sang, de sérum.* ⇒ **Perfusion.** *La transfusion, remède en cas d'hémorragie. Blessé sauvé par la transfusion du sang* (→ Obligation, cit. 13).

1   Pendant la maladie, un jeune homme s'était présenté, demandant si l'on voulait essayer la transfusion du sang, offrant le sien pour rajeunir, raviver celui de Mirabeau.   MICHELET, Hist. de la Révolution franç., IV, X.

2   L'opéré venait de mourir. Que voulez-vous? Une bonne laparotomie, une bonne transfusion et puis, quoi! on meurt quand même. Nous savons ça!   G. DUHAMEL, Salavin, VI, XVI.

DÉR. Transfusionnel.

TRANSFUSIONNEL, ELLE, ELS [tʀɑ̃sfyzjɔnɛl] adj. — Mil. xxᵉ; de *transfusion.*

♦ Méd. Relatif à une transfusion. — *Hépatite transfusionnelle,* observée après transfusion du sang d'un porteur de virus B.

TRANSGRESSER [tʀɑ̃sgʀese; tʀɑ̃sgʀɛse] v. tr. — 1385; de *transgression,* d'après le lat. *transgressum,* de *transgredi* «passer (gradi) outre (trans-)».

♦ **1.** Passer par-dessus (un ordre, une obligation, une loi). ⇒ **Contrevenir** (à), **désobéir** (à), **violer** (→ Aller* au delà des limites permises; passer, franchir les bornes*). *Transgresser des ordres* (→ Importance, cit. 1), *les volontés du gouvernement* (→ Contrepied, cit. 3). *Transgresser des règles.* ⇒ **Sortir** (de). *Transgresser la constitution* (→ Dictature, cit. 2).

1   On y mariait fastueusement le poisson à la viande, pour que la loi de l'abstinence et de la mortification, prescrite par l'Église, fût mieux transgressée (...)   BARBEY D'AUREVILLY, les Diaboliques, «Dîner d'athées», p. 300.

2   Presque tous les poètes ont fait des vers admirables en transgressant les règles (...)   ARAGON, les Yeux d'Elsa, Préface, p. XVII.

♦ **2.** V. intr. Didact. (Géol.). Évoluer par une transgression (2.). *« Une mer s'est donc étendue là, transgressant (...) jusqu'à l'actuelle*

Lithuanie et pénétrant même la chaîne hercynienne» (*Sciences et Avenir,* juil. 1980, p. 48).

DÉR. Transgresseur.

TRANSGRESSEUR [tʀɑ̃sgʀɛsœʀ] n. m. — 1370; du lat. eccles. *transgressor,* du lat. class. *transgressum,* supin de *transgredi* → Transgresser.

♦ Littér. Celui qui transgresse. *Un transgresseur de la loi. Si quelque transgresseur enfreint* (cit. 2) *cette promesse.*

Il suffit littéralement d'une conversion obtenue par la pénitence convenable, d'un changement de sens facilité par les pratiques ou l'attitude requises, pour que la puissance sinistre dont a fait preuve le transgresseur des règles sacrées se retrouve intacte et inversée quand il s'agit de les maintenir et de les faire respecter.   Roger CAILLOIS, l'Homme et le Sacré, p. 55.

TRANSGRESSIF, IVE [tʀɑ̃sgʀesif, iv; tʀɑ̃sgʀɛsif, iv] adj. — 1872; autre sens, 1842; de *transgress(er), transgress(ion),* et *-if, ive,* d'après *progressif.*

♦ Didact. Qui transgresse. (1872, géol.). Produit par une transgression (2.). — *Eaux transgressives :* masses d'eau chaude qui remontent des régions tropicales vers le nord.

Les Alevins (...) qui survivent ont une croissance très rapide, surtout dans les eaux froides où le plancton est incomparablement plus dense que dans les eaux tropicales ou transgressives.   R. et M.-L. BAUCHOT, les Poissons, p. 115.

TRANSGRESSION [tʀɑ̃sgʀesjɔ̃] n. f. — 1174; du lat. *transgressio,* de *transgredi* «passer outre» (→ Transgresser); spécialisé au sens moral en lat. ecclésiastique.

♦ **1.** Action de transgresser. ⇒ **Désobéissance** (à), **violation.** *Transgression de la loi, d'une interdiction.* ⇒ **Contravention.** *Grave transgression. Transgression de la loi morale, religieuse.* ⇒ **Faute, péché.** — Spécialt. Ethnol. Le fait de transgresser un interdit, un rite.

(...) un acte est *tabou,* qu'on ne peut accomplir sans porter atteinte à cette ordonnance universelle qui est à la fois celle de la nature et de la société. Chaque transgression dérange l'ordonnance tout entière (...)   Roger CAILLOIS, l'Homme et le Sacré, I, p. 24.

♦ **2.** (1903, in *Rev. gén. des sc.,* nº 15, p. 828; avec reprise du sens étym.). Géol. *Transgression marine :* mouvement de la mer qui déborde sur les aires continentales avoisinantes ou sur les bords des géo-synclinaux (mouvements épirogéniques ou variations du niveau de la mer). *Transgression de la mer des Faluns* (cit. 2). *Temps géologique marqué par une transgression.*

CONTR. Régression.

TRANSHORIZON [tʀɑ̃zɔʀizɔ̃] adj. invar. en genre. — V. 1970; de *trans-,* et *horizon.*

♦ Techn. *Faisceau hertzien transhorizon,* assurant une liaison entre deux stations non visibles l'une à l'autre. — *Radar transhorizon,* à portée supérieure à la portée théorique en ligne droite (à cause de la courbure terrestre). *Des radars transhorizons.*

TRANSHUMANCE [tʀɑ̃zymɑ̃s] n. f. — 1818, in D.D.L.; de *transhumer.*

♦ Migration périodique du bétail de la plaine, qui change de pacage (⇒ **Remue**) en été et s'établit en montagne. *Les bergers conduisent leurs moutons* à l'époque de la transhumance.*

Quand Arnaviel a bien compris les intentions de l'air, pesé le nuage à son poids, jugé de l'eau et tracé dans sa tête ses quatre grandes directions de transhumance, il saisit, dans le fil du vent, l'odeur du premier pâturage à point et, en marchant contre la brise, il commence à se déplacer sur le plateau.   H. BOSCO, le Jardin d'Hyacinthe, p. 27.

TRANSHUMANT, ANTE [tʀɑ̃zymɑ̃, ɑ̃t] adj. — 1803; de *transhumer,* ou directement de l'espagnol.

♦ Qui transhume. *Troupeaux transhumants.* — N. m. *Les transhumants.*

TRANSHUMER [tʀɑ̃zyme] v. intr. — 1818 (probablt antérieur → Transhumant); de l'esp. *trashumar,* de *tras* «au delà» (→ Trans-), et du lat. *humus* «terre».

♦ **1.** V. intr. Aller paître dans la montagne pendant la saison chaude. *Bétail qui transhume.*

◆ **2.** V. tr. (1872, *in* Littré). Mener paître (le bétail) dans la montagne. *Saison où les bergers transhument le bétail.*

DÉR. Transhumance, transhumant.

1. TRANSI, IE [tʀɑ̃zi] adj. ⇒ **Transir.**

2. TRANSI [tʀɑ̃zi] n. m. — xxᵉ; de l'anc. franç. *transi* «trépassé», xiiᵉ; de *transir.*

◆ Art. Figure sculptée représentant un cadavre décomposé (thème fréquent dans la statuaire du moyen âge et de la Renaissance).

TRANSIGEANCE [tʀɑ̃ziʒɑ̃s] n. f. — 1924, Gide; de *transiger,* d'après *intransigeance.*

◆ Littér. et rare. Le fait de transiger.

(...) les aboyeurs vont commencer à l'approuver *(l'U. R. S. S.)* lorsque précisément nous cesserons de le faire; car ce qu'ils approuveront ce seront ses compromissions, ses transigeances (...) GIDE, Retour de l'U. R. S. S., Avant-propos, p. 12.

TRANSIGER [tʀɑ̃ziʒe] v.intr. — 1342; lat. jurid. *transigere* «mener à bonne fin»; de *trans-,* et *agere* «conduire, mener».

◆ **1.** Faire des concessions réciproques, de manière à régler, à terminer un différend. ⇒ **Arranger** (s'), **composer; accommodement, arbitrage, arrangement, transaction.** *Transiger avec qqn sur qqch., à propos de qqch.* — Dr. Faire une transaction avec l'autre partie; passer un acte pour accommoder un procès (→ Demande, cit. 8). *Mieux vaut transiger que plaider. Le tuteur ne pourra transiger au nom du mineur...* (→ Avis, cit. 23). *Le pouvoir de transiger d'un mandataire* (→ Compromettre, cit. 2). — *Transiger sur une question, sur un point* (→ Reddition, cit. 2). *Transiger avec un débiteur.*

1 Que faire, monsieur le comte? (...) Il n'y a qu'un moyen, transiger; mais vous ne pouvez pas transiger vous-même. BALZAC, les Paysans, Pl., t. VIII, p. 123.

◆ **2.** Se prêter à des accommodements, céder, faire des concessions. *L'homme attaqué* (cit. 36) *transige toujours.* ⇒ **Composer.** *Transiger avec qqn.*

2 Il fallut transiger avec elle; elle demandait qu'on fît d'abord l'essai de garder Landry quinze jours à la maison (...) G. SAND, la Petite Fadette, XXXI.

◆ **3.** (V. 1830). Fig. Ne pas se montrer ferme, céder ou faire des concessions, par faiblesse. *Transiger sur l'honneur.* «*Il n'y a rien à gagner à transiger avec l'erreur ou l'injustice*» (É. de Girardin, *in* P. Larousse). ⇒ **Pactiser.** — *Transiger avec sa conscience, son devoir.* ⇒ **Manquer** (→ Homme, cit. 154). *Habitué à ne pas transiger avec ses obligations* (cit. 8) *professionnelles* (⇒ **Fermeté, intransigeant**).

3 Cette noble créature ne savait pas transiger avec la probité, avec la délicatesse, avec toutes les religions domestiques cultivées au foyer de la famille (...) BALZAC, Illusions perdues, Pl., t. IV, p. 908.

4 Il est bien peu de mes contemporains qui soient restés fidèles à leur jeunesse. Ils ont presque tous transigé. C'est ce qu'ils appellent *se laisser instruire par la vie.* GIDE, Journal, 1921, Feuillets.

5 Les intérêts transigent plus facilement que les sentiments (...) MARTIN DU GARD, les Thibault, t. VII, p. 111.

6 Souvent Paule entendait derrière la porte la vieille baronne qui pressait à mi-voix l'enfant d'aller auprès de sa mère. Autant qu'elle détestât sa belle-fille, elle ne transigeait pas sur les principes. F. MAURIAC, le Sagouin, I.

CONTR. Entêter (s'), **opiniâtrer** (s').
DÉR. Transigible.

TRANSIGIBLE [tʀɑ̃ziʒibl] adj. — 1829; de *transiger.*

◆ Dr. Qui peut faire l'objet d'une transaction.

TRANSIR [tʀɑ̃ziʀ] v.tr. — Conjug. *finir;* ne s'emploie plus guère qu'au présent de l'indic., aux temps composés et à l'infinitif. — xvᵉ; «passer de vie à trépas» (→ Trépasser), xiiᵉ, jusqu'au xviᵉ; lat. *transire* «aller, passer (ire) au delà (trans-),* et, spécialt, «mourir», cf. Christine de Pisan : «*Ainsi transit la gloire du monde*». → Sic transit gloria mundi.

◆ **1.** Pénétrer en engourdissant, transpercer, traverser (en parlant d'une impression, d'une sensation qui glace, qui engourdit, d'abord comparée à la mort). ⇒ **Saisir** (I., 5.). *Le mauvais temps nous a transis* (→ Gâter, cit. 2). *Un air inerte, qui sans être froid nous transit* (→ Taillis, cit. 1).

(1580). Fig. Glacer, pénétrer. *La crainte transit le cœur.* «*Une vénération qui me transit de respect*» (Pascal, *in* Littré). *Cette minute de contemplation m'avait transi l'âme et la chair* (→ Ranimer, cit. 11).

1 (...) la peur avait transi leur âme et ôté le mouvement à leur bras. LAMENNAIS, Paroles d'un croyant, III.

◆ **2.** V. intr. (1588; «être stupéfié», mil. xivᵉ). Vx ou littér. Être pénétré d'une sensation, d'un sentiment qui glace, engourdit... ⇒ **Geler.**

Je sentis tout mon corps et transir et brûler (...) RACINE, Phèdre, I, 3. 2

L'amour est descendu au fond du caveau où transissait mon âme accroupie et somnolente (...) Th. GAUTIER, Mˡˡᵉ De Maupin, IX. 3

▶ **TRANSI, IE** p. p. adj. (xivᵉ).
Pénétré, engourdi de froid (⇒ **Gelé** [cit. 16], **glacé, morfondu**) ou d'un sentiment qui paralyse. *Être transi de froid* (→ Délabrer, cit. 6; frissonner, cit. 1), *de peur.* — Loc. (xvᵉ). *Un amoureux, un amant* (cit. 3) *transi,* que son amour rend timide, paralyse. ⇒ **Languissant.**

Je me levai déshabillé, 4
Plus transi, plus froid, plus mouillé,
Que si j'étais sorti de l'onde (...) THÉOPHILE DE VIAU, Maison de Silvie, V.

Il ne proféra pas une parole, mais ses dents claquaient. Il était transi de peur. 5
BALZAC, Sarrasine, Pl., t. VI, p. 108.

Chacun, en valsant, vient sur votre épaule 6
Réciter son rôle
D'amoureux transi (...) A. DE MUSSET, Poésies nouvelles, «Conseils à une Parisienne».

CONTR. (Du p. p.) **Chaud, échauffé.**
DÉR. Transe, transissement.
HOM. (Du p. p.) 2. **Transi.**

TRANSISSEMENT [tʀɑ̃zismɑ̃] n. m. — Mil. xivᵉ; de *transir.*
Vieux ou littéraire.

◆ **1.** Émotion vive qui transit. ⇒ **Angoisse.**

Aucun rapport avec la déprime insidieuse et somme toute civilisée des amours difficiles; aucun rapport avec le transissement du sujet abandonné : je ne flippe pas, même dur. R. BARTHES, Fragments d'un discours amoureux, p. 59.

◆ **2.** (1607). Sensation de froid intense.

TRANSISTOR [tʀɑ̃zistɔʀ] n. m. — 1952, *in* Höfler; angl. *transistor,* après 1947, date de l'invention; comp. contracté de *trans(fer) (res)istor,* «résistance de transfert». → Thermistor.

◆ **1.** Sc. Composant électronique associant en deux jonctions*, trois semi-conducteurs* munis d'électrodes (⇒ **Triode**), et utilisés comme redresseur, amplificateur ou interrupteur de courants électriques. *Le germanium, le silicium et d'autres semi-conducteurs employés purs ou avec des impuretés* (celles-ci modifiant les propriétés, même en proportions extrêmement faibles) *servent à la construction des transistors. Par leurs commodités exceptionnelles* (robustesse, dimension réduite, faible consommation d'énergie, durée d'emploi) *et leurs applications multiples, les transistors remplacent les tubes électroniques; ils ont révolutionné l'électronique et les industries et techniques qui en dépendent. Poste de radio à transistors, muni de transistors (au lieu de lampes).*

(...) elle allume le poste à transistors et la musique envahit l'appartement. 1
J.-M. G. LE CLÉZIO, le Déluge, p. 161.

◆ **2.** (1960). Cour. Poste récepteur portatif de radio, équipé de transistors et alimenté par des piles.

M'arrive-t-il de traverser un boqueteau, la musique mécanique semble sortir de 2
terre : ce sont des promeneurs qui ont apporté leur transistor dans leur voiture et qui souillent le silence pour une grande partie de la vallée.
G. DUHAMEL, Problèmes de civilisations, p. 156.

Le vent au dehors 3
Fait le transistor ARAGON, le Voyage de Hollande et autres poèmes, p. 39.

Je pense à ce que je veux, ou alors j'écoute la radio. J'ai un petit transistor, là, 4
dans ma poche. J.-M. G. LE CLÉZIO, le Déluge, p. 111.

Assis, il tenait sur ses genoux un transistor diffusant des informations italiennes 5
que, dans sa somnolence bovine, il semblait ne même pas écouter.
Michel LEIRIS, Frêle bruit, p. 53.

REM. La forme francisée *transisteur* [tʀɑ̃zistœʀ] proposée par des membres de l'Académie des sciences, n'est pas employée.

DÉR. Transistoriser.

TRANSISTORISATION [tʀɑ̃zistɔʀizasjɔ̃] n. f. — 1962, *in* Höfler; de *transistoriser.*

◆ Techn. Action de transistoriser, équipement avec des transistors. *Transistorisation des appareils de mesure, des machines à calculer, des fusées. Transistorisation et miniaturisation.*

Sur le plan technique, la réalisation de téléviseurs portatifs a été rendue possible par les progrès accomplis en matière de transistorisation et de circuits imprimés (...) Science et Vie, nᵒ 595, p. 130.

TRANSISTORISER [tʀɑ̃zistɔʀize] v. tr. — 1960, *in* Höfler; de *transistor.*

◆ Techn. Équiper de transistors.

On a ainsi transistorisé les appareils classiques de mesure d'intensité, de tension, 1
de fréquence, etc., et aussi tous les nouveaux instruments utilisés dans le domaine de l'énergie nucléaire. J. DEZOTEUX et R. PETIT-JEAN, les Transistors, p. 75.

Un ingénieur authentique aurait d'abord pensé aux transistors, puis il se serait 2

dit : « Transistoriser (c'est le mot, je m'excuse) n'a d'intérêt que si l'on supprime d'abord le tube *(de télévision)*...
J. DUTOURD, les Horreurs de l'amour, p. 154.

▶ **TRANSISTORISÉ, ÉE** p. p. adj.
Muni de transistors. *Téléviseur portatif transistorisé. Remplacement d'équipements à lampes par des équipements transistorisés.*

3 Basés sur le même principe de fonctionnement, tous ces dispositifs régulateurs sont équipés de systèmes photo-électriques, amplificateurs transistorisés (...) qui représentent les constituants standards communs.
Ingénieurs et Techniciens», n° 200, p. 7.

DÉR. Transistorisation.

TRANSIT [tʀɑ̃zit] n. m. — 1663, Colbert ; de l'ital. *transito*, du lat. *transitus* «passage» ; de *trans-*, et *ire*. → Transir.

♦ **1.** Comm. Dérogation au paiement des droits (de douane*, d'octroi), accordée à une marchandise qui ne fait que traverser un lieu (pays, ville) ; passage*, transport de marchandises en franchise* ; situation douanière de telles marchandises. *Transit d'un produit de frontière à frontière, de frontière à entrepôt. Documents de transit.* ⇒ **Acquit-à-caution, passavant.** — Mar. *Marchandises de transit*, déposées dans les magasins d'un port, mais destinées à un autre port. *Port de transit.* — *En transit. Marchandises en transit.*

Par anal. *Chèque en transit*, ne donnant lieu qu'à des opérations d'endossements, dans un pays déterminé.

Dr. pén. Transport dans un État d'un individu livré par un État étranger à un autre État étranger.

♦ **2.** (1935). Passage, transport de marchandises (indépendamment de leur situation douanière).

1 (...) les magasins d'eaux-de-vie, les dépôts de toutes les matières premières voiturées par la rivière, enfin tout le transit borda la Charente de ses établissements.
BALZAC, Illusions perdues, Œ., Pl., t. IV, p. 491.

Situation de voyageurs à une escale (aérienne, maritime...), lorsqu'ils ne franchissent pas les contrôles de police, de douane. *Les salles de transit d'Orly. Passagers en transit.*

2 Un employé africain balayait le sol de la salle de transit dont le vent faisait battre les portes. Pierre MERTENS, les Bons Offices, p. 231.

Par anal. *Cité de transit :* lieu d'hébergement provisoire pour des réfugiés, des immigrés.

♦ **3.** Physiol. Passage des aliments à travers les voies digestives. — Méd. *Transit baryté :* examen radiologique du tube digestif après l'ingestion d'une bouillie contenant du sulfate baryté (opaque aux rayons X).

♦ **4.** Phys. Déplacement des électrons d'un point à un autre. *Temps de transit.*

DÉR. Transitaire, transiter.

TRANSITAIRE [tʀɑ̃zitɛʀ] adj. et n. — 1838 ; de *transit*.
Droit.

★ **I.** Adj. ♦ **1.** Où s'effectue le transit. *Pays, entrepôt transitaire.*

♦ **2.** Qui se fait en transit. *Commerce transitaire.*

★ **II.** N. (1842). Commerçant, courtier en marchandises qui s'occupe des opérations de transit. ⇒ **Commissionnaire, mar. consignataire.**

TRANSITER [tʀɑ̃zite] v. tr. et intr. — 1832, Balzac ; de *transit*.

♦ **1.** Passer, faire passer (des marchandises, etc.) en transit (→ Coprah, cit. 1).

♦ **2.** Être passé, voyager en transit. *Transiter par un pays.*

TRANSITIF, IVE [tʀɑ̃zitif, iv] adj. — 1550, gramm. ; «passager, changeant», xiiie ; du lat. *transitivus*, de *transire* «passer».

♦ **1.** (1550, Meigret, *Traité de la grammaire franç.* : «Nous appelons un verbe actif transitif, quand son action se peut transférer en un autre» ; du lat. *verbum transitivum*. — REM. Le mot est très rare jusqu'au xixe s. ; l'*Encyclopédie* le donne comme t. de grammaire hébraïque ; on disait *actif*). Se dit d'un verbe qui régit son complément sans intermédiaire, par un passage *(transitum)* direct du sujet à l'objet.

1 Les verbes transitifs s'opposent aux verbes intransitifs par la propriété qu'ils ont d'être tournés à la voix passive. En passant à cette voix ils prennent pour sujet grammatical le terme qui était leur complément d'objet à la voix active.
WAGNER et PINCHON, Grammaire franç. classique et moderne, p. 277.

Se dit d'un verbe dont l'énoncé appelle un complément. — On distingue en ce sens les verbes *transitifs directs* (sens précédent) et les verbes *transitifs indirects*, dont le complément est construit avec une préposition *(à, de...)*, et qui étaient traditionnellement appelés *intransitifs.* → Intransitif, REM. 2. — *Tournure, construction transitive.*

2 Si «transitif», c'est par définition même «ce qui passe» (ou «peut passer»), pour-

quoi refuser ce nom à l'action du verbe, sous prétexte que sa façon de passer n'est pas directe, mais indirecte ?
G. et R. LE BIDOIS, Syntaxe du franç. moderne, § 682.

3 (...) dans les dictionnaires, ces derniers verbes (les transitifs indirects) sont considérés comme *intransitifs*, parce que leur complément n'est pas *direct*. Le nom de *transitif* y est réservé aux verbes de forme active qui prennent un objet direct. C'est là le sens étymologique et traditionnel des deux appellations.
F. BRUNOT, la Pensée et la Langue, p. 308.

♦ **2.** (Déb. xviiie, Malebranche). Didact. Philos., log. Qui modifie, agit sur autre chose que l'agent. *Action, causalité transitive* (par oppos. à *immanent*, vx). — «Qui se dépense dans son effet» (Lalande). *Cause transitive.* — Log. Se dit d'une opération ou d'une relation qui, lorsqu'elle lie un premier terme à un second, et ce dernier à un troisième, lie de la même façon le premier terme au troisième (et ainsi de suite). Ex. : *dans A = B et B = C, la relation «égale» est transitive et A = C. Les relations «égale», «plus grand», «plus petit que...», «antérieur», «postérieur à...», «implique...» sont transitives. Relations réflexives symétriques, transitives.* ⇒ **Équivalence.**

♦ **3.** Rare. Qui forme une transition, caractérise une transition. Géol. *Terrains transitifs* (vx).

DÉR. Transitivement, transitivité.

TRANSITION [tʀɑ̃zisjɔ̃] n. f. — 1501, «procédé rhétorique» ; «transe de la mort» en anc. franç., xiiie, → Transir ; du lat. *transitio* «passage», dans son emploi en rhétorique, du supin de *transire*.

♦ **1.** Manière de passer de l'expression d'une idée à une autre ; de lier les parties d'un discours. ⇒ **Passage** (cit. 10). *Ménager* les transitions (→ Écrire, cit. 53). *L'art des transitions. Transitions ingénieuses* (→ Chute, cit. 10, La Bruyère). *Sans transitions* (→ Source, cit. 2).

1 La vie encore laisse tout au même plan, précipite les faits ou les traîne indéfiniment. L'art, au contraire, consiste à user de précautions et de préparations, à ménager des transitions savantes et dissimulées (...)
MAUPASSANT, Pierre et Jean, « Le roman ».

Mus. Vieilli. «Manière d'adoucir le saut d'un intervalle disjoint en insérant des sons diatoniques entre ceux qui forment cet intervalle» (Rousseau, *Dict. de musique*). Mod. Élément servant de passage entre deux thèmes. ⇒ **Pont.**

Peint. Manière de passer progressivement d'un ton à un autre, de l'ombre à la lumière. ⇒ **Passage** (*supra* cit. 9).

Cin. Passage d'un plan à un autre (par fondu, volet, etc.).

♦ **2.** (1807). Littér. Passage d'un état à un autre, d'une situation à une autre. *Passion* (cit. 20) *signifie à la fois souffrance et transition. Transition brutale, rapide. Les brusques transitions de la rêverie à l'exaltation* (→ 1. Bas, cit. 52).

2 Juge de la brusque transition et de la torture d'un malheureux homme qui descend des plus hautes régions du ciel pour s'appliquer à des choses abstraites, exactes, mathématiques, pour ainsi dire.
FLAUBERT, Correspondance, 27, 26 déc. 1838.

3 La transition de l'habit ecclésiastique à l'habit laïque est comme le changement d'état d'une chrysalide ; il y faut un peu d'ombre.
RENAN, Souvenirs d'enfance..., VI, I, Œ. compl., t. II, p. 884.

Mod. Passage lent, graduel, d'une transformation progressive. ⇒ **Changement, évolution.** *Transition douce, insensible* (→ Dieu, cit. 19 ; lobe, cit. 5). *Période, phénomènes... de transition* (→ Renaissance, cit. 5). — **SANS TRANSITION.** *D'abord de larges gouttes* (1. Goutte, cit. 10), *puis sans transition, un déluge. Passer* sans transition, brusquement, brutalement (→ Malveillance, cit. 2).

4 (...) il fallait trouver un moyen adroit, procéder avec mesure, avec précaution ; ne pas trop en avouer à la fois, traîner la confidence pendant huit jours, et s'arranger de telle sorte que, lorsqu'elle serait faite, elle ne causât qu'un plaisir calme, tant les transitions auraient été habilement ménagées.
J.-A. DE GOBINEAU, les Pléiades, II, IV.

5 (...) sans transition, changeant brusquement de ton, effectuant pour la troisième fois une de ces volte-face dont les jeunes filles ont le secret (...)
Claude SIMON, Le Vent, IV.

De transition : qui constitue un intermédiaire ; envisagé comme simple passage entre deux états. ⇒ **Transitoire.** *Régime de transition entre deux constitutions. Gouvernement de transition.*

5.1 Ce ministère de transition (entre quoi et quoi ?) a désormais la voie libre.
F. MAURIAC, Bloc-notes 1952-1957, p. 342.

Arts. *Style de transition.*

6 Notre-Dame de Paris (...) est un édifice de la transition (...) Ces édifices de la transition du roman au gothique ne sont pas moins précieux à étudier que les types purs. Ils expriment une nuance de l'art qui serait perdue sans eux. C'est la greffe de l'ogive sur le plein cintre. HUGO, Notre-Dame de Paris, III, I.

♦ **3.** (xviiie). Sc. Passage d'une planète (dans le « ciel » de l'horoscope).

(1796, *in* Littré). Géol. Vx. Passage d'une formation géologique à une autre. *Terrains de transition.*

Phys. Passage d'un état stationnaire à un autre. *Chaleur, énergie de transition. Force dipolaire, force oscillatoire moyenne d'une transition. Transitions «interdites»* (en spectroscopie). — Passage d'un électron d'un niveau d'énergie quantifié à un autre.

7 (...) ces systèmes quantifiés sont aussi susceptibles de passer par une *transition*

brusque d'un état stationnaire à un autre et c'est par la succession de ces transitions brusques, dont la Physique quantique parvient aujourd'hui à calculer les probabilités, que s'effectue l'évolution du monde matériel envisagée à l'échelle microscopique. L. DE BROGLIE, Physique et Microphysique, p. 209.

Phonét. Passage d'une position des organes vocaux à une autre. *Phonèmes de position et phonèmes de transition.*

♦ **4.** Ce qui constitue un état intermédiaire, ce qui conduit d'un état à un autre. ⇒ **Degré, pont** (B.); → Doute, cit. 14, Balzac. *La plus délicate des transitions, l'adolescence* (cit. 1).

DÉR. Transitionnel.

TRANSITIONNEL, ELLE [tʀɑ̃zisjɔnɛl] adj. — 1865, *in* Littré, *Suppl.* ; de *transition.*

Didactique.

♦ **1.** Qui a le caractère de la transition; qui forme transition. ⇒ **Transitoire** (2.).

1 (...) de ces êtres nuancés ou transitionnels, on ne trouve aucune trace (...)
Jean ROSTAND, Esquisse d'une histoire de la biologie, p. 126.

2 Dans les glaciers *transitionnels* de Lagally, la température en profondeur reste néanmoins en dessous du point de fusion. Exemples : zone intermédiaire du Grœnland et aussi calotte de Barnes, dans la terre de Baffin.
V. ROMANOVSKY et A. CAILLEUX, la Glace et les Glaciers, p. 59-60.

♦ **2.** (Angl. *transitional*, Winnicott). *Objet transitionnel :* objet partiel (au sens psychanalytique) qui assure le passage d'un objet à l'autre dans l'évolution de l'enfant (ex. : l'ours en peluche).

3 — Comme l'enfant redoutant de perdre sa mère joue à manipuler sans relâche une ficelle; mais le fil du téléphone n'est pas un bon objet transitionnel.
R. BARTHES, Fragments d'un discours amoureux, p. 132.

TRANSITIVEMENT [tʀɑ̃zitivmɑ̃] adv. — 1845 ; de *transitif.*

♦ Gramm. D'une manière transitive, avec la construction d'un verbe transitif (direct). *Employer transitivement un verbe intransitif* (ex. : *dormez votre sommeil ; vivre sa vie*).

TRANSITIVITÉ [tʀɑ̃zitivite] n. f. — 1933 ; de *transitif.*

♦ Caractère de ce qui est transitif. *Transitivité directe, indirecte d'un verbe, d'une relation logique.* — *Transitivité d'une relation binaire.*

TRANSITOIRE [tʀɑ̃zitwaʀ] adj. — 1170 ; du lat. *transitorius* « qui sert de passage », de *transire* (→ Transir) ; de *trans-*, et *ire.*

♦ **1.** Qui passe*, ne dure pas. ⇒ **Court, fugitif, passager.** *Ce qui est terrestre et transitoire* (→ Détachement, cit. 5). — Nom masculin :

1 La modernité, c'est le transitoire, le fugitif, le contingent, la moitié de l'art, dont l'autre moitié est l'éternel et l'immuable.
BAUDELAIRE, les Curiosités esthétiques, Peintre vie mod., IV.

♦ **2.** (1798). Qui constitue une transition (4.), qui permet de passer d'un état à un autre; qui remplit l'espace de temps entre deux états (⇒ **Intervalle**). → Dissoudre, cit. 6. *Régime transitoire, dispositions transitoires.* ⇒ **Provisoire.** *Fonction, charge transitoire.* ⇒ **Intérimaire.** *Gouvernement transitoire* (→ Souche, cit. 1). *Être dans une situation précaire, transitoire* (→ Comme l'oiseau* sur la branche).

2 (...) je suis maintenant dans une époque transitoire et je suis sérieux de voir ce qui en résultera, comment j'en sortirai.
FLAUBERT, Correspondance, 28, 24 févr. 1839.

3 (...) le moteur d'une locomotive doit fournir le maximum d'énergie dans les régimes transitoires, soit à l'accélération, soit à la décélération, pour le freinage par contre-courant.
Gilbert SIMONDON, Du mode d'existence des objets techniques, p. 52.

CONTR. Durable, permanent (cit. 4).
DÉR. Transitoirement.

TRANSITOIREMENT [tʀɑ̃zitwaʀmɑ̃] adv. — 1530 ; rare av. 1828 ; de *transitoire.*

♦ Rare. D'une manière passagère ou provisoire (→ Absence, cit. 12).

La différence entre l'état initial et l'état intermédiaire (dit « activé ») est l'énergie d'activation. C'est l'énergie que les molécules doivent transitoirement acquérir pour entrer en réaction. Jacques MONOD, le Hasard et la Nécessité, p. 78.

TRANSLATER [tʀɑ̃slate] v. tr. — V. 1120, « transporter » ; dér. du lat. *translatum*, supin de *transferre.* → Transférer.

♦ **1.** (Vx ; XIIIᵉ-XVIIIᵉ). ⇒ **Traduire.**

1 — Et que chante ton latin, vieux Pédant, fit Zerbine, tu as négligé de translater en français, oubliant que tout le monde n'a pas été comme toi régent de collège et distributeur de férules. Th. GAUTIER, le Capitaine Fracasse, VIII.

♦ **2.** Didact. et rare. Faire passer par une translation*.

2 La double baguette translate la nourriture, soit que, croisée comme deux mains, support et non plus pince, elle se glisse sous le flocon de riz et le tend, le monte

jusqu'à la bouche du mangeur, soit que (par un geste millénaire de tout l'Orient) elle fasse glisser la neige alimentaire du bol aux lèvres.
R. BARTHES, l'Empire des signes, p. 28.

DÉR. Translateur, translatif.

TRANSLATEUR [tʀɑ̃slatœʀ] n. m. — Fin XIIᵉ ; du lat. *translator*, de *translatum*, supin de *transferre.* → Transférer.

♦ Vx. ⇒ **Traducteur.**

TRANSLATIF, IVE [tʀɑ̃slatif, iv] adj. — 1373 ; du lat. *translativus*, de *translatum*, supin de *transferre* → Transfert ; translation.

♦ **1.** Dr. Par lequel on cède, on transfère* à quelqu'un. *Acte, contrat translatif de propriété* (→ Détenteur, cit. 2). ⇒ **Cession ; donation, vente...**

♦ **2.** Ling. Se dit du cas qui, dans certaines langues, correspond à l'idée de passage d'un lieu à un autre, de changement. — N. m. *Le translatif.*

TRANSLATION [tʀɑ̃slasjɔ̃] n. f. — Fin XIIᵉ ; du lat. *translatio*, de *translatum*, supin de *transferre*, de *trans-*, et *ferre* « porter ».

★ **I.** Vx. ⇒ **Traduction.**

★ **II.** (V. 1280 en parlant de reliques). Le fait de transporter selon des formalités (⇒ **Transférer**).

♦ **1.** (1474 ; « action de faire passer (qqn) dans une autre situation », 1406). Le fait de transporter d'un lieu à un autre un dignitaire, une puissance, une juridiction. *Translation d'un tribunal, d'un évêque...* — (Retz, *in* Littré). Transport d'un prisonnier. ⇒ **Transfèrement.**

Par analogie :

1 (...) une lettre du médecin (...) qui me disait que la translation à la maison de santé de M. Dubois était indispensable.
SAINTE-BEUVE, Correspondance, 44, Mai-juin 1828.

♦ **2.** (1363). Le fait de transférer d'une personne à une autre. *Translation de propriété. Translation de la charge de l'impôt* (→ Incidence, cit. 5). *Translation d'un fief* (Montesquieu, *l'Esprit des lois*, XXX, xx).

♦ **3.** (XVIIIᵉ). Littér. Le fait de transporter (les restes, le corps d'une personne). ⇒ **Transfert.** *La translation des cendres de Napoléon Iᵉʳ à Paris. Translation du corps d'un grand homme au Panthéon.* ⇒ **Funérailles.** — Relig. *Translation des reliques d'un saint.* Par ext. Fête célébrée en souvenir d'un tel événement. *Célébrer la translation d'un saint.*

2 La translation des restes de Napoléon est une faute contre la renommée. Une sépulture à Paris ne vaudra jamais la vallée de Slane (...)
CHATEAUBRIAND, Mémoires d'outre-tombe, t. IV, p. 87.

3 Sa réforme de l'Église par les soins de saint Boniface, les nombreuses translations de reliques dont il *(Pépin le Bref)* dépouilla l'Italie pour enrichir la France, lui firent un honneur infini. MICHELET, Hist. de France, II, II.

♦ **4.** (1680). Liturgie. Remise (d'une fête) à une date ultérieure.

★ **III.** (1807, Delambre). ♦ **1.** Astron. Mouvement d'une planète autour du Soleil (révolution sidérale). *Translation de la Terre autour du Soleil.*

♦ **2.** (1796). Mécan., géom. Déplacement, mouvement (d'un corps, d'une figure) au cours duquel les positions d'une même droite liée à la figure ou au corps restent parallèles. *Mouvement de translation uniforme* (→ Relativité, cit. 4). — Géom. Transformation ponctuelle faisant correspondre à chaque point de l'espace un autre point par un vecteur* fixe (⇒ **Déplacement**ˋ.

Cour. Déplacement latéral.

4 (...) ces images fixes projetées sur écran, tirées sur le côté par translation, l'une chassant l'autre (...) Claude SIMON, le Vent, XIII.

5 (...) se rapprochant prestement (la soucoupe de sa tasse à café d'une main, une espèce de mouvement de translation rapide, sans cesser de parler, sans se lever, faisant vivement passer ses fesses d'une chaise à l'autre (...)
Claude SIMON, le Vent, p. 69.

♦ **3.** Ling. (Chez Charles Bally). Rapport existant entre deux unités lexicales ou phraséologiques de nature différente et de même fonction. — (Chez Tesnière). Passage (d'un mot) d'une catégorie grammaticale dans une autre. Syn. : *dérivation impropre.*

♦ **4.** Techn. Inform. Prise en charge de toutes les adresses d'un programme, pour pouvoir le charger ou le déplacer en mémoire.

TRANSLITTÉRATION [tʀɑ̃sliteʀɑsjɔ̃] n. f. — 1874, *in* Littré, *Suppl.* ; comp. sav. de *trans-*, d'après *transcription**, et du lat. *littera* « lettre ».

♦ Ling. Transcription* lettre par lettre, dans laquelle on fait correspondre à chaque signe d'un système d'écriture un signe dans un autre système. *Translittération du russe, de l'hébreu en caractè-res latins.*

REM. On écrit parfois *translitération.*

DÉR. Translittérer.

TRANSLITTÉRER [tʀɑ̃liteʀe] v. tr. — Conjug. *céder.* — V. 1950 ; de *translittération.*

◆ Ling. Faire correspondre à (un signe d'une écriture) un signe d'une autre écriture. — Transcrire (un texte, une langue) par une translittération.

REM. On écrit parfois *translitérer.*

TRANSLOCATION [tʀɑ̃slɔkasjɔ̃] n. f. — 1941 ; angl. *transloca-tion,* de *trans-,* et du lat. *locatio* «disposition, arrangement».

◆ **1.** Biol. Anomalie génétique consistant en la cassure d'un segment de chromosome qui se fixe sur un chromosome non homologue.

1   On appelle translocation le passage de certains gènes d'un chromosome à l'autre.
                                   Jean ROSTAND, Idées nouvelles de la génétique, p. 89.

2   (...) divers types de «mastics» altérant le texte génétique par inversion, répétition, translocation et fusion de segments de séquence plus ou moins longs.
                                    Jacques MONOD, le Hasard et la Nécessité, p. 147.

◆ **2.** Chir. Opération par laquelle on modifie le trajet d'un tendon pour en changer la fonction.

TRANSLUCIDE [tʀɑ̃slysid] adj. — 1556, rare av. 1802 ; du lat. *translucidus* «qui brille à travers» → Trans-, et lucide.

◆ Didact. Qui est perméable à la lumière, la laisse passer, mais ne permet pas de distinguer nettement les objets. ⇒ **Diaphane, lucide** (vx), **pellucide** (→ Ressemblance, cit. 1). *Matières, substances translucides* (→ Huile, cit. 18). ⇒ **Limpide.** *Les Méduses* (cit. 1), *êtres d'une substance translucide. Une bille translucide, en corna-line* (→ 2. Caler, cit. 4). *L'opale* (cit. 2) *est opaque ou translu-cide, rarement transparente. Porcelaine translucide. Verre translu-cide* (verre dépoli). *Des fromages* (cit. 10) *ambrés, translucides.*

1   Lorsqu'un minéral n'est point assez transparent pour qu'on puisse distinguer les objets placés derrière lui, on dit qu'il est translucide (...)
                        A. BRONGNIART, Traité de minéralogie, t. I, p. 32, *in* LITTRÉ.

2   (...) la roche compacte devient translucide, se fond en vapeurs, s'azure et laisse apercevoir, dans une perspective magique, l'intérieur d'une chambre d'architecture ogivale.
                          Th. GAUTIER, Voyage en Russie, XX.

3   (...) ces vitres ne sont visibles que lorsque le battant est grand ouvert, car l'inté-rieur est revêtu d'un papier sombre, à peine translucide, collé exactement sur toute la surface du verre. Quand l'homme a terminé, la pièce entière est plongée dans une demi-obscurité, les cinq ouvertures rectangulaires sont remplacées par cinq séries de six carrés mauvâtres, vaguement lumineux, qui laissent diffuser une lueur comparable à celle des ampoules bleues de la nuit, et d'autant plus insuffisante qu'elle succède sans transition à l'éclat du jour.
                          A. ROBBE-GRILLET, Dans le labyrinthe, p. 133.

CONTR. Opaque.

DÉR. Translucidité. — V. Translucidus.

TRANSLUCIDITÉ [tʀɑ̃slysidite] n. f. — 1567 ; de *translucide.*

◆ Didact. État, caractère d'un corps translucide. — (Techn.). Caractère intermédiaire entre l'opacité et la transparence.

1   *(Il faut que)* l'eau passe de la transparence à la translucidité, qu'elle devienne dou-cement opaque, qu'elle s'opalise.   G. BACHELARD, l'Eau et les Rêves, V, III.

Abstrait :

2   L'originalité de Sartre, c'est *(qu'...)* il accordait tout son poids à la connaissance dans une parfaite translucidité mais aussi dans l'irréductible épaisseur de son être (...)   S. DE BEAUVOIR, la Force de l'âge, p. 35.

CONTR. Opacité.

TRANSLUCIDUS [tʀɑ̃slysidys] n. m. — Mil. XXᵉ ; mot lat. → Translucide.

◆ Didact. (météor.). Nuage en banc, en nappe, assez translucide pour laisser apparaître de la Terre la position du Soleil ou de la Lune.

TRANSMETTEUR [tʀɑ̃smetœʀ] n. m. et adj. — 1450 ; de *trans-mettre.*

◆ **1.** Vx ou littér. Celui qui transmet. — Technicien travaillant dans les services de transmission. — REM. Dans ce sens, le fém. *transmet-teuse,* ou *transmettrice* est virtuel.

◆ **2.** (1860). Télégraphie, téléphonie. Appareil qui sert à transmettre les signaux. — Mar. *Transmetteur d'ordres* (du capitaine au méca-nicien), dispositif mécanique ou électrique.

TRANSMETTRE [tʀɑ̃smetʀ] v. tr. — V. 1170 ; *trametre,* Xᵉ ; *tra-metre,* v. 1040 ; du lat. *transmittere,* de *trans,* et *mittere,* d'après *mettre.*

Faire passer d'une personne à une autre, d'un lieu à un autre, le plus souvent lorsqu'il y a un ou plusieurs intermédiaires.

◆ **1.** Vx. Céder* (une possession, une propriété, un droit) à qqn. ⇒ **Donner.** *Transmettre qqch. à qqn.* (Dr.). Faire passer d'une per-sonne à une autre par une voie légale. ⇒ **Transférer.** *Transmettre un héritage, une succession.* ⇒ **Léguer ; legs.** — Pron. *La propriété s'acquiert* (cit. 1) *et se transmet par succession.* — Par ext. *Ce banquier comptait transmettre à son fils sa succession électo-rale* (→ Pairie, cit.). *Transmettre à un tiers un effet de commerce.* ⇒ **Négocier.** *Transmettre un titre par endos.* ⇒ **Mutation.** — Pron. *La propriété d'une lettre de change se transmet par la voie de l'endossement* (cit.). — *Transmettre son autorité, son pou-voir à quelqu'un.* ⇒ **Déléguer** (II.), **transmission.** *Le pouvoir pon-tifical* (cit. 1) *a été transmis de saint Pierre au prêtre qui porte aujourd'hui la tiare.* — Pron. *Le pouvoir peut bien se transmettre mais non pas la volonté* (→ Souverain, cit. 5). ⇒ **Intransmissible.**

Faire passer (un objet matériel) d'une personne à une autre. *Joueur qui transmet* (le ballon), *au rugby.* ⇒ **Passer.** *Transmettre un flam-beau.* — Par métaphore (au sens 3). *Se transmettre le flambeau* (de la civilisation, etc).

◆ **2.** (Mil. XVIᵉ). Faire passer, laisser à ses descendants, à la posté-rité (un bien matériel ou moral). *Transmettre un nom* (→ Illustre, cit. 8), *la gloire* de son nom. *Transmettre des inclinations* (→ Éternité, cit. 7), *des traditions* (→ Armature, cit. 4), *des croyances* (cit. 13). *Transmettre les chansons les plus anciennes à la postérité* (→ Recueillir, cit. 7). ⇒ **Perpétuer.** *Transmettre la vie. La vie est un bien qu'on ne reçoit qu'à la charge* (cit. 13) *de la transmettre.* — Pron. *Une coutume qui peut se transmettre.* ⇒ **Imiter** (2.).

Faire passer (un caractère) à ses descendants, par l'hérédité. Pronominalement :

1   Le sang qui se transmet des pères aux enfants
   En renouvelle la matière.   LA FONTAINE, Fables, IX, 20.

2   (...) vraiment oui, on se transmet dans ses enfants, et, comme vous dites, plus vive-ment que pour soi-même (...)   Mᵐᵉ DE SÉVIGNÉ, 954, 25 févr. 1685.

Biol. *Les cellules germinales transmettent les potentialités hérédi-taires de la lignée* (→ Germen, cit. 2). — Pron. *Caractères, mala-dies, tares qui se transmettent* (⇒ **Héréditaire, transmissible**), *ne se transmettent pas* (⇒ **Intransmissible**).

◆ **3.** (XIᵉ). Faire passer d'une personne à une autre (un écrit, des paroles, etc.) ; faire changer de lieu, en vue d'une utilisation. *Trans-mettre un ordre* (→ Enterrer, cit. 10 ; pupitre, cit. 3), *des rapports* (→ Fédération, cit. 8), *un message* (cit. 3) *à quelqu'un.* ⇒ **Parvenir** (faire), **tenir** (faire). *Transmettre une communication, une déclara-tion* (→ Force, cit. 52), *une information, une nouvelle.* ⇒ **Commu-niquer, passer** (faire passer). *Transmettre à la radio un message du chef de l'État.* ⇒ **Diffuser** (→ 1. Écouter, cit. 2). — (Dans une formule de politesse). *Transmettez mon souvenir, mes amitiés à M. X.*

3   Debout à la porte du fourgon, le conducteur chef attendait l'ordre du départ, qu'il transmit.   ZOLA, la Bête humaine, I.

4   Transmettez, je vous prie, Madame, mes félicitations à votre mari.
                                FRANCE, le Lys rouge, XXXII.

(En parlant du moyen de transmission). *La poste* (2. Poste, cit. 4) *avait mis dix-sept heures pour vous transmettre une lettre.* ⇒ **Envoyer.** — Au p. p. Informations transmises par radio (→ Réseau, cit. 7).

Pronominal passif :

4.1   Dans le mât d'artimon et le mât de misaine,
   De l'arrière à l'avant où se dardaient les feux,
   Des ordres, nets et continus comme des chaînes,
   Se transmettaient soudain et se nouaient entre eux.
            VERHAEREN, les Rythmes souverains, « le Navire ».

◆ **4.** (Sujet n. de personne ou de chose). Faire connaître ; faire pas-ser à un autre ou à d'autres (des connaissances). *Transmettre des opinions* (→ Glas, cit. 5), *une idée, des connaissances* (→ Franc-maçonnerie, cit. 3), *des doctrines* (→ Fondamental, cit. 2), *des pro-verbes, des sentences* (→ Frapper, cit. 8). ⇒ **Inoculer** (2.). *Le but d'une encyclopédie* (cit. 2) *est de transmettre le système géné-ral des connaissances. Une recette dont le secret était transmis de mère à fille* (→ Cuisinière, cit. 4). — Pron. *La raison et la vérité se transmettent* (→ Imiter, cit. 12). *Personnes qui se transmettent un secret* (→ Ritualiste, cit.).

5   (...) plus les idées sont grandes et fortes, plus il importe que l'on attache un sens précis et uniforme aux signes destinés à les transmettre ; car de funestes erreurs peuvent naître d'une simple équivoque.
              TALLEYRAND, *in* JAURÈS, Hist. socialiste, t. I, p. 1127.

◆ **5.** (XVIIᵉ, Descartes ; sujet n. de chose). Faire parvenir (un phéno-mène physique) d'un lieu à un autre. ⇒ **Conduire.** *Milieu qui trans-met le son, l'électricité.* ⇒ **Propager.** *Transmettre un mouvement.* — Au p. p. *Un son* (2. Son, cit. 7) *est un mouvement vibratoire transmis par l'air à notre tympan. Corps qui transmettent l'élec-tricité.* ⇒ **Conductibilité.** *Axe qui transmet le mouvement dans une machine, un moteur.* ⇒ **Arbre** (de transmission). *Roues disposées en engrenage pour transmettre le mouvement.* — *Dispositif qui trans-met des informations, des signaux sous forme d'impulsions élec-triques* (→ ci-dessus le sens 3). ⇒ **Transmission.**

Physiol. Faire passer d'un point à un autre d'un organisme (les effets psychophysiologiques d'une excitation). *Les fibres sensitives sont chargées de transmettre des excitations* (cit. 12) *à une région centrale. L'excitation de la rétine est transmise par le nerf optique* (→ Épanouissement, cit. 3).

♦ **6.** Faire passer (un germe pathogène) d'un organisme à un autre. *Parasite, insecte qui transmet un microbe, une maladie.* ⇒ **Véhicule.** *Transmettre l'infection* (cit. 5), *une maladie, la peste...* ⇒ **Contaminer, donner** (4.; → Immunité, cit. 5). — Pron. Se propager. *La maladie se transmet.*

▶ **SE TRANSMETTRE** v. pron. Voir à l'article.

▶ **TRANSMIS, ISE** p. p. adj.

CONTR. Acquérir, garder, hériter, recevoir.
DÉR. Transmetteur.

TRANSMIGRATION [tʀɑ̃smigʀasjɔ̃] n. f. — V. 1190; du lat. *transmigratio*; de *transmigrare.* → Transmigrer.

♦ **1.** Rare. Déplacement d'un peuple qui passe* (III.) de son pays dans un autre. ⇒ **Migration; émigration.**

♦ **2.** (1519). Relig. Passage d'une âme, d'un corps dans un autre. — *Croyance dans la transmigration successive des âmes.* ⇒ **Métempsychose.** → Transmigrer, cit. *Cycle de transmigrations.*

1 Quant à la transmigration, elle s'opère d'une manière fort simple : le nombre des hommes est constamment le même sur la terre. À chaque seconde, il en meurt un et il en naît un autre; l'âme qui fuit est appelée magnétiquement dans le rayon du corps qui se forme, et l'influence des astres règle providentiellement cet échange de destinées (...)
NERVAL, Voyage en Orient, Druses et Maronites, II, IV.

2 Ainsi les Bororo considèrent-ils que leur forme humaine est transitoire : entre celle d'un poisson (par le nom duquel ils se désignent) et celle de l'arara (sous l'apparence duquel ils finiront leur cycle de transmigrations).
Claude LÉVI-STRAUSS, Tristes tropiques, p. 201.

DÉR. Transmigrer.

TRANSMIGRER [tʀɑ̃smigʀe] v. intr. — 1767; «émigrer», 1538; lat. *transmigrare,* de *trans-*, et *migrare* «émigrer».

♦ Relig. Passer (III.) d'un corps dans un autre. *Les pythagoriciens croyaient que les âmes transmigrent.*

Les rivales de Bénarès sont les villes d'une autre vie, alors qu'elle est la ville d'une autre mort. La capitale de la transmigration? Mais ce qui transmigre, transmigre d'âme en âme autant que de corps en corps.
MALRAUX, Antimémoires, p. 272.

TRANSMISSIBILITÉ [tʀɑ̃smisibilite] n. f. — 1789; de *transmissible.*

♦ Didact. Qualité, caractère de ce qui est transmissible. *La grande question de la transmissibilité des caractères acquis* (→ Hérédité, cit. 13).

TRANSMISSIBLE [tʀɑ̃smisibl] adj. — 1583; dér. sav. du lat. *transmissum,* supin de *transmittere.* → Transmettre.

Didactique.

♦ **1.** Qui peut être transmis. — *Patrimoine, droit transmissible. Titres transmissibles aux descendants du possesseur* (→ Sénatorerie, cit. 1). *Coutumes, idées transmissibles aux générations futures.* — Biol. *L'expérience ne montre pas que les caractères* (cit. 17) *acquis soient transmissibles. Caractères communs, transmissibles indéfiniment par hérédité* (→ Race, cit. 11). — Méd. *Maladie transmissible,* causée par un agent infectieux que le produit toxique qu'il élabore soit directement d'un sujet à un autre, soit par l'intermédiaire d'un hôte, d'un vecteur biologique ou d'un milieu inanimé. ⇒ **Contagieux, infectieux.**

♦ **2.** (Abstrait, 1690). *Idées, pensées difficilement transmissibles à des lecteurs.*

Le principe juif et chrétien repose précisément sur l'idée contraire. Le péché y est transmissible. Le mérite aussi; celui du Christ, celui des saints, profite même aux moins méritants des hommes.
MICHELET, Hist. de la Révolution franç., III, XII.

CONTR. Incommunicable, intransmissible.
DÉR. Transmissibilité.

TRANSMISSION [tʀɑ̃smisjɔ̃] n. f. — XIVᵉ; répandu XVIIIᵉ-XIXᵉ; du lat. *transmissio.*

★ **I.** Fait, manière de transmettre, de se transmettre. ♦ **1.** Action de transmettre (1.). *Transmission d'un bien, d'un droit... à une autre personne.* ⇒ **Cession.** *On appelle faits juridiques* (cit.) *les événements qui entraînent la naissance, la transmission de droits.* ⇒ **Dévolution, succession.** *Transmission par voie de succession.* ⇒ **Hérédité.** *La transmission de pouvoirs* (→ Négliger, cit. 15). ⇒ **Passation.**

♦ **2.** (1558). Le fait de laisser (qqch.) à ses descendants, à la postérité. *La transmission de biens par qqn (à qqn). La transmission de*

père en fils du patrimoine et du nom (→ Identifier, cit. 11). *La transmission de coutumes, de doctrines.* ⇒ **Tradition.** — *Transmission de la vie.*

Relig. *La transmission du péché* (→ Concevoir, cit. 13, Pascal).

Plus de transmission du mérite, abolition de la noblesse. *Plus de transmission du mal;* l'échafaud ne flétrit plus la famille, ni les enfants du coupable.
MICHELET, Hist. de la Révolution franç., III, XII.

(1793). Biol. *La transmission des caractères.* ⇒ **Hérédité.** *Selon Weismann, la transmission héréditaire* (cit. 3) *d'un caractère acquis serait chose inconcevable* (→ aussi Hérédité, cit. 13).

♦ **3.** Action de porter à la connaissance, de faire connaître. *La transmission de nouvelles, d'information à qqn (par qqn). Transmission d'une lettre, d'un message, d'un ordre, de nouvelles... Personne, fonctionnaire qui sert d'organe de transmission,* qui transmet des ordres, des consignes... (→ Arrondissement, cit. 5; secrétaire, cit. 1). *Erreur de transmission.* — Milit. *Unité de transmissions* (→ Infanterie, cit. 5; et ci-dessous II., 2.).

♦ **4.** *Transmission des connaissances, des idées...* ⇒ **Communication.** *Transmission de pensée;* spécialt, de la télépathie*.

♦ **5.** (1765; en parlant des signaux électriques, télégraphiques, 1869). Sc. Déplacement d'un phénomène physique ou de ses effets (⇒ **Propagation**), lorsque ce déplacement implique un ou plusieurs facteurs intermédiaires, capable d'affecter le phénomène. *Transmission de la lumière. Coefficient* (ou *facteur*) *de transmission,* rapport de l'intensité du rayonnement qui a traversé un milieu avec l'intensité initiale. *Transmission du son* par l'électricité.* ⇒ **Télégraphe, téléphone, T. S. F.** *Transmission d'ondes sonores.* ⇒ **Diffusion, émission.** *Transmission directe, différée.* (⇒ **Retransmission**). *Transmission d'ondes électromagnétiques* (⇒ **Antenne, radar**), *d'informations* (⇒ **Télécommunication**) *par fil, par câble, par voie hertzienne, par radiodiffusion.* — *Transmission des images.* ⇒ **Téléphotographie, télévision.** *Transmission de signaux.* ⇒ **Radiocommunication, télégraphie.**

Transmission du mouvement dans une machine, dans une automobile. Organes de transmission* ⇒ **Boitard, came** (arbre à), **cardan, commande** (organe de), **embrayage, pédale, poulie.** *Organes de transmissions solidaires*. Arbre, chaîne, courroie de transmission. Transmission par câble, par une corde. Transmission par friction* (cônes, roues de friction), *par câbles télédynamiques, par eau* (presses hydrauliques), *par air comprimé.*

Un grondement sortit du chœur des bâtiments. Le purgeur des cylindres cracha longuement. Les arbres de transmission entrèrent en mouvement.
J.-R. BLOCH, Et compagnie, p. 337.

Inform. *Transmission de données. Transmission analogique*, numérique*.*

Le cerveau (cit. 4) *est un organe de transmission entre l'esprit et les organes moteurs. Oreille* (cit. 1) *externe et oreille moyenne assurent la transmission du mouvement vibratoire jusqu'à l'oreille interne.*

Or, une condition essentielle à toute sensation animale, celle que toutes les expériences des physiologues s'accordent à manifester, c'est la transmission directe et continue de l'impression depuis l'organe qui la reçoit jusqu'au cerveau (...)
MAINE DE BIRAN, Du physique et du moral de l'homme, p. 66.

♦ **6.** (1807). → Transmettre, cit. 6. *La transmission d'une maladie.* ⇒ **Contagion.**

★ **II.** Ce qui transmet ou sert à transmettre. ♦ **1.** (1861). Organe ou ensemble d'organes servant à transporter la puissance d'un producteur d'énergie (moteur) au mécanisme utilisateur. *Transmission flexible. Transmission automatique. Casser, remplacer la transmission.*

La chaîne de la bicyclette se mit à produire un bruit désagréable — comme un frottement latéral contre la denture du pignon. Mathias appuya sur les pédales avec vigueur. Mais le grincement s'accentuait de façon si rapide qu'il préféra descendre pour inspecter la transmission.
A. ROBBE-GRILLET, le Voyeur, p. 158 (→ aussi Tendeur, cit.).

♦ **2.** (1933). Au plur. Ensemble des moyens destinés à transmettre les informations (renseignements, ordres...) entre les éléments d'une armée (États-majors, troupes). *Services des transmissions* (hommes de liaison, signaux, téléphone, radio, etc.). — Troupes spécialisées qui mettent en œuvre ces moyens. *Avant 1940, les transmissions dépendaient du Génie. Servir dans les transmissions.*

TRANSMODULATION [tʀɑ̃smɔdylasjɔ̃] n. f. — 1948; de *trans-*, et *modulation.*

♦ Radio. Effet indésirable de modulation résultant d'une interférence entre l'onde sur laquelle un récepteur est accordé et l'onde modulée d'un émetteur voisin.

TRANSMONGOLIEN, ENNE [tʀɑ̃smɔ̃gɔljɛ̃, ɛn] adj. et n. — 1964, *in* Larousse; de *trans-*, et *mongolien,* de *Mongolie.*

♦ *Chemin de fer transmongolien,* ou, n. m., *le transmongolien :* ligne de chemin de fer traversant la Mongolie, de Oulan-Oude à Oulan-Bator et permettant de relier Moscou à Pékin (⇒ aussi **Transsibérien**).

TRANSMUABLE [tʀɑ̃smɥabl] ou TRANSMUTABLE

[tʀɑ̃smytabl] adj. — V. 1300, *transmuable*; *transmutable*, 1812; de *transmuer, transmuter*.

♦ Rare. Qui peut être transmué. *Corps transmuables.*

TRANSMUÉE [tʀɑ̃smɥe] n. f. — 1968; de *transmuer.*

♦ Math. Transformation par laquelle il faut remplacer une transformation ponctuelle *f* de l'espace E si celui-ci a subi une transformation *t*.

TRANSMUER [tʀɑ̃smɥe] ou TRANSMUTER [tʀɑ̃smyte] v. tr.

— XIXᵉ, *transmuter*, Sainte-Beuve, in *Encycl. du XXᵉ s.*; Goncourt, *Journal*, 2 nov. 1886, sous l'infl. probable de *transmutation*; du lat. *transmutare.*

♦ **1.** Transformer (une substance) en altérant profondément sa nature. ⇒ **Changer, convertir.** *La pierre philosophale passait pour transmuer les métaux* (cit. 3) *vils en métaux nobles* (⇒ **Alchimie**).

1 Et (...) deviendrai-je, alors, pareil à ces magiciens des veillées, dont les génies, en secouant des torches sous terre, éclairent de confuses pierreries? Pourrai-je transmuer les métaux, comme Hermès? disposer les aimants, comme Paracelse? (...) VILLIERS DE L'ISLE-ADAM, Axël, III, I, 1.

2 (...) par mon art et industrie, elle *(cette liqueur)* tournera au rouge et acquerra la vertu de transmuer l'argent en or. FRANCE, la Rôtisserie de la reine Pédauque, in Œ., t. VIII, p. 187.

3 Ces quatre éléments *(de l'univers sublunaire)* peuvent se transmuter les uns dans les autres (...) D. DUBARLE, Théologie du cosmos, in Initiat. théologique, t. II, p. 306.

♦ **2.** Fig. Changer (en une autre chose, considérée comme plus noble). — Pron. *Ses engouements* (cit. 2), *ses malédictions et ses bénédictions se transmuent sans raison apparente.*

4 Il n'est rien en nous, même le pire (surtout le pire), qui ne doive se transmuer en richesse. F. MAURIAC, le Jeune Homme, XIV.

5 *(Une esthétique érudite)* n'est qu'une connaissance stérile si elle ne se met pas au service d'une esthétique spirituelle qui, suivant l'expression que Ruskin nous a donnée de l'art, transforme, transmute nos perceptions en émotions, change ce qui s'offre à notre vision en nuances exquises de notre sensibilité. R. LE SENNE, Traité de morale générale, p. 292.

6 (...) je m'enchantais en néophyte de la sorcellerie qui transmute les signes imprimés en récit (...) S. DE BEAUVOIR, Mémoires d'une jeune fille rangée, p. 54.

7 La poète est, essentiellement, quelqu'un qui sent, prend conscience et domine — qui domine, transmue son déchirement. Michel LEIRIS, Frêle bruit, p. 304.

DÉR. Transmuable ou transmutable, transmuée, transmutant, transmutateur.

TRANSMUTABILITÉ [tʀɑ̃smytabilite] n. f. — 1721; dér. sav. du lat. *transmutare.*

♦ Rare. Propriété de ce qui est transmutable. *La transmutabilité des métaux.*

TRANSMUTABLE [tʀɑ̃smytabl] adj. ⇒ Transmuable.

TRANSMUTANT, ANTE [tʀɑ̃smytɑ̃, ɑ̃t] — 1949; de *transmuter.*

♦ Sc. Qui peut provoquer une transmutation atomique.

TRANSMUTATEUR, TRICE [tʀɑ̃smytatœʀ, tʀis] n. et adj.

— XVIIIᵉ, Voltaire; de *transmuter.*

♦ **1.** N. Vx. Alchimiste qui cherchait à transmuter les métaux.

♦ **2.** Adj. et n. Fig. Qui transmue.

1 (tous...) peuvent, au gré de l'être qui veut les mouvoir, changer mille et mille fois dans un jour, sans qu'une seule loi de la Nature en soit un instant affectée, que dis-je? sans que ce transmutateur ait fait autre chose qu'un bien (...) SADE, Justine..., t. I, p. 85.

2 (...) cet esprit (...) érudit et philosophique, dissociateur d'idées, transmutateur de valeurs (...) B. CENDRARS, Bourlinger, p. 316.

TRANSMUTATION [tʀɑ̃smytasjɔ̃] n. f. — V. 1160; du lat. *transmutatio*, emplois très étendus «changement, modification», en anc. franç.; du supin de *transmutare.* → Transmuer.

♦ **1.** Changement* d'une substance en une autre, et, spécialt, d'un corps chimique en un autre. ⇒ **Altération, transformation** (→ Détonation, cit. 1). *L'alchimie s'adonnait à la recherche de la transmutation des métaux.* ⇒ **Conversion, mutation.** *Le vieux rêve de transmutation s'est accompli sous une forme insoupçonnée* (→ Atome, cit. 18). Par métaphore :

1 — Il se trouvait aussi des alchimistes pour se figurer qu'ils cherchaient de l'or.
— Quand ils n'aspiraient de vrai qu'à une transmutation spirituelle. J. PAULHAN, Entretiens sur des faits divers, p. 153.

(1934, cit.). Phys. Modification d'un corps simple ayant pour résultat un changement du numéro atomique. *La transmutation des atomes. Un grand nombre de transmutations s'accompagnent de phénomènes radioactifs.* ⇒ **Radioactivité.**

1.1 À la fin du siècle dernier, la découverte de la radio-activité par Henri Becquerel et des radio-éléments par Pierre et Marie Curie, a fourni à la science le premier exemple de la transformation d'un élément chimique en un élément chimique différent; ces transmutations sont spontanées et nous ne disposons d'aucun moyen pour les provoquer ou les empêcher. F. JOLIOT et I. JOLIOT-CURIE, in Rev. gén. des sc., 1935, t. 45, p. 229 (1934). REM. On trouve dans ce même texte l'expression *transmutation artificielle* (p. 235).

2 (...) les noyaux de certains atomes lourds sont susceptibles de se décomposer spontanément en donnant naissance à un noyau plus léger, cette désintégration pouvant être accompagnée par l'émission d'électrons ou Rayons β, de noyaux d'hélium ou Rayons α et de radiations très pénétrantes ou Rayons γ. Mais ces phénomènes de transmutation, tout en apportant la preuve de la complexité interne des noyaux, ne donnaient guère de renseignements sur leur structure (...) L. DE BROGLIE, Physique et Microphysique, p. 17.

♦ **2.** Par métaphore ou fig. Changement de nature. ⇒ **Métamorphose, transformation.** *L'or* (1. Or, cit. 22) *favorise la transmutation de toutes les choses réelles. Toute transmutation de valeurs est due à un déséquilibre* (cit. 4) *physiologique.*

3 Quelle singulière transmutation des commerces, et quelle bizarre transfiguration des boutiques! Un bijoutier de la rue de Clichy expose maintenant, dans des boîtes à bijoux, des œufs frais enveloppés de ouate. Ed. et J. DE GONCOURT, Journal, 25 déc. 1870, t. IV, p. 131.

4 Chateaubriand prend partout, même dans les littératures vicieuses; mais il opère une vraie transmutation, et son style ressemble à ce fameux métal qui, dans l'incendie de Corinthe, s'était formé du mélange de tous les autres métaux. SAINTE-BEUVE, Chateaubriand..., t. I, p. 170.

5 (...) j'eusse été moins troublé dans mon antre magique que dans ce petit salon d'attente où le feu me semblait procéder à des transmutations, comme dans le laboratoire de Klingsor. PROUST, À la recherche du temps perdu, t. III, p. 125.

6 La seule métamorphose totale qu'ait subie notre continent fut celle du monde antique en chrétienté, parce qu'il y eut destruction de ce monde, transmutation. MALRAUX, l'Homme précaire et la Littérature, p. 306.

TRANSMUTER [tʀɑ̃smyte] v. tr. ⇒ Transmuer.

TRANSNATIONAL, ALE, AUX [tʀɑ̃snasjɔnal] adj. — 1920, Prélot; répandu v. 1965 avec infl. de l'angl.; de *trans-*, et *national*, d'après *international.*

♦ Didact. Qui dépasse le cadre national, concerne plusieurs nations, en parlant notamment d'institutions non étatiques, non gouvernementales (→ Intergouvernemental) et non lucratives (→ Multinational, 1.). ⇒ **International.** «*Organisme "transnational" (c'est le nouveau mot à la mode), la Commission européenne ...*» (*le Monde*, 22 juil. 1965). «*Seront dites transnationales toutes les associations* (de ce type) *non gouvernementales et non lucratives*» (A. Doppagne, in *le Soir*, 24 sept. 1975). *Réseau ferré, entreprises, institutions transnationaux.*

TRANSOCÉANIEN, ENNE [tʀɑ̃zɔseanjɛ̃, ɛn] ou TRANSOCÉANIQUE [tʀɑ̃zɔseanik] adj. — 1846, *transocéanien*; *transocéanique*, 1872; de *trans-*, et *océanien, océanique.*

♦ Didact. Qui est au delà de l'océan. *Région transocéanienne.* — Qui se fait à travers l'océan. *Navigation, télégraphie transocéanique.*

De tout ceci le gentleman se rendit parfaitement compte en consultant son Bradshaw, qui lui donnait, jour par jour, les mouvements de la navigation transocéanienne. J. VERNE, le Tour du monde en 80 jours (1873), p. 290.

TRANSPADAN, ANE [tʀɑ̃spadɑ̃, an] adj. — 1872; du lat. *transpadanus*, de *trans-*, et *padanus* «du Pô», de *Padus* «le Pô».

♦ Didact. Situé au delà du Pô. *La Gaule transpadane.*

TRANSPALETTE [tʀɑ̃spalɛt] n. f. ou m. — 1964; de *trans(port)*, et *palette.*

♦ Techn. Chariot destiné à la manutention des palettes. — Abrév. fam : *un transpal.*

TRANSPARAÎTRE [tʀɑ̃spaʀɛtʀ] v. intr. — Conjug. *connaître.* — 1640, repris XIXᵉ; *transparoir*, 1573; de *trans-*, et *paraître.*

♦ **1.** Se montrer au travers de qqch. ⇒ **Apparaître, paraître.** *La forme du corps transparaît au travers d'un voile. Sa peau laissait transparaître une vive rougeur* (cit. 4). — *L'aquarelle* (cit. 3) *laisse transparaître les fonds.*

1 Lorsqu'il reprit conscience, le jour transparaissait à travers les rideaux, dont il reconnut soudain les ramages bleus. MARTIN DU GARD, les Thibault, t. IV, p. 151.

2 (...) Pauline (...) abaissait la vitre, regardant (...) les grands arbres aux branches

traînantes, cèdres d'un vert gris, érables, bouleaux, frênes dont la structure transparaît sous le feuillage naissant (...)
J. CHARDONNE, les Destinées sentimentales, p. 318.

♦ **2.** Fig. Apparaître, se montrer. *Ce visage où transparaît la face de Dieu* (→ Inconnaissable, cit. 3; et aussi contrepoint, cit. 2). *Cela transparaît sous le voile* de...* (→ Se faire jour*). *Laisser transparaître ses intentions, ses réactions, ses sentiments.* ⇒ **Ressortir.**

TRANSPARENCE [trãsparãs] n. f. — V. 1380 ; de transparent.

♦ **1.** Qualité d'un corps qui laisse passer la lumière et distinguer avec une certaine netteté ce qui est derrière lui. ⇒ **Transparent.** *Une matière de la plus grande transparence* (→ 1. Objectif, cit. 3). *Faible transparence.* ⇒ **Demi-transparence, translucidité.** *Un globe* (cit. 11) *de verre d'une douce transparence. Transparence du cristal* (cit. 8), *de la cornée* (cit.). — *La transparence d'un voile* (→ Indécent, cit. 6). — *La transparence d'une eau profonde* (→ Nager, cit. 1), *d'un lac* (→ Candide, cit. 3), *de l'eau de la rivière* (→ Couper, cit. 9). ⇒ **Clarté, limpidité.** *La transparence ambrée* (cit. 3) *du vin.* — *Air, atmosphère, ciel d'une extraordinaire transparence* (→ Arête, cit. 5). ⇒ **Netteté.**

1 Par une particularité de ces climats où l'atmosphère, entièrement privée d'humidité, reste d'une transparence parfaite.
Th. GAUTIER, le Roman de la momie, Prologue.

♦ **2.** [a] Phénomène par lequel les rayons lumineux visibles sont perçus à travers certaines substances. *Par transparence :* à travers un milieu plus ou moins transparent ou translucide. *Effets par transparence,* derrière un écran, une substance translucide, porcelaine (⇒ **Lithophanie**), verre dépoli, etc. *Les silhouettes agissent derrière un écran de toile éclairé par transparence* (→ 1. Ombre, cit. 40). — (xxᵉ). *En transparence :* à travers un corps, une matière transparente. *On voyait en transparence, derrière le rideau.*

[b] Procédé cinématographique où un fond filmé est projeté sur écran transparent. *Une, des transparences :*

2 La Transparence (...) consiste à projeter un film à l'échelle désirée sur un écran transparent. Les personnages évoluent devant le décor animé et la caméra enregistre simultanément ces deux éléments.
Maurice BESSY, les Truquages au cinéma, p. 182.

[c] Par anal. *Transparence d'une substance,* en spectroscopie (→ Transparent, cit. 1).

♦ **3.** Cour. (incorrect en science). Translucidité (ce dernier mot étant peu usité). *Un peigne en écaille* (cit. 13) *d'une rare transparence. Transparence de la porcelaine.* — Aspect d'une peau fine et d'un teint clair d'une délicatesse et d'un éclat particuliers. *La transparence du teint. La transparence inimaginable de l'épiderme* (→ Cold-cream, cit.).

Par ext. Maigreur et pâleur extrêmes. *La transparence maladive de ses mains* (→ Amaigri, cit. 6). *Ce qui avait été de la maigreur* (cit. 2) *était devenu de la transparence.*

♦ **4.** (1862). Fig. Qualité de ce qui laisse paraître la réalité tout entière, de ce qui exprime la vérité sans l'altérer. ⇒ **Limpidité.** *Toute la personne de Cosette était ingénuité* (cit. 2), *transparence, candeur. On voudrait que l'âme ne soit que transparence et pureté* (→ Innocent, cit. 3). *La transparence de l'idée* (→ Génial, cit. 1). *J'aime qu'on articule sa pensée* (1. Pensée, cit. 24) *en toute transparence.* — *La transparence d'un style, d'une écriture.*

3 Les mauvaises pensées, dans une cervelle de jeune fille, noircissent la transparence de leur *(sic)* regard, comme l'ombre d'un nuage dans une vague.
Ed. et J. GONCOURT, Journal, 3 janv. 1877, t. V, p. 229.

4 Ces œuvres (...) abondent en défauts ; mais les qualités en sont si rares, et surtout l'âme s'y montre avec tant de transparence, une sincérité si touchante y respire, que le courage me manque pour insister sur les faiblesses.
R. ROLLAND, Musiciens d'aujourd'hui, « Don Perosi ».

5 Elle était pure transparence, sans visage ni individualité.
S. DE BEAUVOIR, la Force de l'âge, p. 347.

Caractère de ce qui est visible par tous, public (en matière économique, dans les affaires). *La transparence des salaires dans une entreprise. En France, « même les hauts fonctionnaires qui plaident pour la transparence n'osent pas dire (...) ce qu'ils savent »* (J.-P. Courthéoux, *la Politique des revenus*, p. 44). *Transparence fiscale.*

CONTR. Opacité.

TRANSPARENT, ENTE [trãsparã, ãt] adj. et n. m. — V. 1370 ; *tresparent,* xiiiᵉ ; lat. médiéval *transparens,* de *trans-,* et *parere* « paraître ».

★ **I.** Adj. ♦ **1.** Qui laisse passer la lumière, et paraître avec netteté les objets qui se trouvent derrière. *« L'onde était transparente ainsi* (cit. 22) *qu'aux plus beaux jours »* (La Fontaine). *Une eau limpide* (cit. 1) *et transparente* (→ Limpidité, cit. 1). ⇒ **Cristallin.** — *Le bruit, l'éclat de l'eau* (cit. 2), *sa blancheur transparente. Des lacs transparents* (→ Éphémère, cit. 3). *Ciel transparent* (→ Météo, cit.). *Des nuées transparentes* (→ Escadrille, cit. 2). *Rendre transparente une eau trouble.* ⇒ **Clarifier.** — *Cristal* (cit. 3), *verre transparents.* — *Tissus transparents,* assez fins pour qu'on puisse voir au travers. ⇒ **Vaporeux.** *Un fourreau* (cit. 7) *de gaze transparent*

(→ Gaze, cit. 2). *Un voile* (→ Imprégner, cit. 5), *du tulle transparents ; une mousseline* (cit. 1) *transparente. Papiers transparents.* ⇒ **Calque, cristal, soie** (de).

Sc. Doué d'un coefficient de transmission proche de l'unité. *Un corps* (cit. 1), *un milieu transparent* (→ Réfrangibilité, cit.), *perméable* à la lumière. Tous les corps sont transparents, il n'y a qu'à les rendre assez minces pour que les rayons passent à travers* (→ Feuille, cit. 14, Voltaire). *Spath transparent* (→ Cristal, cit. 1). — *Substance transparente, milieu transparent de l'œil.* ⇒ **Vitré** (humeur vitrée, corps vitré). *Membranes transparentes* (⇒ **Hyaloïde, pellucide**). — Par analogie :

1 (...) les expressions : émission, absorption, réflexion de la chaleur me paraissent aussi renfermer, ou suggérer des idées fausses. Un corps qui rayonne n'émet pas de la chaleur, il émet un rayonnement (de la lumière dans le sens le plus général du mot) qui peut, entre autres choses, provoquer un dégagement de chaleur, lorsqu'il vient à être absorbé (...) De même, ce n'est pas la chaleur qui se réfléchit, c'est le rayonnement. Toute la terminologie inventée par Melloni (diathermane, athermane ...) doit disparaître. Elle n'est pas seulement pédantesque et inutile, elle exprime des idées fausses. Disons simplement *transparent* pour telle radiation, cela sera plus simple et beaucoup plus correct. Mais dira-t-on, le mot *transparent* évoque l'idée de lumière. Tant mieux, et c'est justement pour cela que je l'emploie, cela rappelle que ce qui se passe est bien du rayonnement, de la lumière dans le sens le plus général ; mais pas du tout de la chaleur.
Ch. FABRY, Bulletin de l'Union des physiciens, juin 1913, in Œ., compl., p. 619 et sqq.

♦ **2.** Cour. (incorrect en science). Translucide (ce mot étant relativement rare). *Des tasses transparentes* (→ Flocon, cit. 4). *Une coquille* (cit. 6) *transparente.* ⇒ **Diaphane.** — *Des prunes* (cit. 1) *transparentes. Des raisins couleur de pierre transparente* (→ Dormir, cit. 30). ⇒ **Demi-transparence.**

2 (...) et Chéri pouvait apercevoir, par la fenêtre ouverte, les feuilles printanières, raides et transparentes comme des lames de jade sous le soleil.
COLETTE, Chéri, p. 125.

3 Il se tut et, du doigt, il montra, dans une flaque de soleil, au bout d'une herbe, un limaçon, transparent comme une agate, qui mouvait avec hésitation dans la lumière ses deux cornes gélatineuses.
MARTIN DU GARD, les Thibault, t. II, p. 261.

Cette peau a toute la délicatesse (cit. 4) *qu'il faut pour être transparente. Joue brune et transparente* (→ Étincelant, cit. 5). *Paupières transparentes* (→ Offenser, cit. 22). — Par ext. Diaphane, très pâle. *Teint transparent.*

4 Ma main luit rose et transparente (...)
HUGO, Odes et Ballades, Ball. XV, II.

Fig. Qui tend à disparaître. *Elle se fait plus transparente, plus légère encore* (→ Idéaliser, cit. 8).

♦ **3.** Fig. Qui ne cache rien. — Qui laisse voir clairement la réalité psychologique. *Son âme* (cit. 65) *était transparente et pure comme son teint* (→ Repli, cit. 5). *Cœur* (cit. 128) *transparent comme le cristal.* ⇒ **Limpide.**

5 Je voudrais pouvoir en quelque façon rendre mon âme transparente aux yeux du lecteur, et pour cela je cherche à la lui montrer sous tous les points de vue, à l'éclairer par tous les jours, à faire en sorte qu'il ne s'y passe pas un mouvement qu'il n'aperçoive (...)
ROUSSEAU, les Confessions, IV.

6 Le cœur d'une jeune fille allemande est transparent pour ainsi dire, rien de plus facile pour l'homme habile appartenant à la civilisation française que de lire ce qui s'y passe.
STENDHAL, Romans et Nouvelles, « Le rose et le vert », v.

7 (...) c'était un homme assez transparent (...) On lisait facilement dans sa pensée.
J. ROMAINS, Une femme singulière, VIII.

(V. 1790). Qui laisse voir le sens. *Une langue transparente* (→ Étymologie, cit. 8). *Le mot* (cit. 4) *transparent ou opaque, évoquera toujours un sens donné. Parole, allégorie, allusion transparentes,* facilement compréhensible, déchiffrable (→ Propos, cit. 12). ⇒ **Clair, évident.**

8 (...) la divulgation d'idées générales (...) que tout le monde a entendu développer par lui à Magny et ailleurs, d'idées générales, toutes transparentes dans ses livres quand elles n'y sont pas nettement formulées (...)
Ed. et J. DE GONCOURT, Journal, t.V, p. 6, « Préface ».

Qui est visible par tous, qui n'est pas caché, masqué (en matière économique, fiscale, dans les affaires). *Une comptabilité transparente.*

★ **II.** N. m. ♦ **1.** (1664 ; attestation isolée, xvie). Panneau de matière très fine, peint ou non, derrière lequel on dispose des lumières pour produire un effet décoratif (par transparence, 2.). ⇒ **Tableau.** — (1782). Ancienment. Panneau d'affichage, où des lettres sont éclairées par transparence.

9 (...) les caves et les tavernes luttent d'enseignes illuminées et de transparents bizarres (...)
NERVAL, Voyage en Orient, Introd., VI.

10 (...) je regardais au fond du jardin, à l'angle du parc, les amandiers, les premiers arbres dont le vent de septembre enlevât les feuilles, et qui formaient un transparent bizarre sur la tenture flamboyante du soleil couchant.
E. FROMENTIN, Dominique, III.

11 (...) à chaque fois qu'apparaissent aux transparents des journaux, les chiffres de la majorité écrasante du général Boulanger.
Ed. et J. DE GONCOURT, Journal, 26 janv. 1889, t. VIII, p. 12.

♦ **2.** Archit., sculpt. Motif décoratif sculpté à jour et destiné à être éclairé par derrière (dans le gothique flamboyant, le baroque).

12 (...) nous visitâmes l'église de Brou ; je fus émue par les gisants de marbre et par les petites vertus qui soutiennent les tombeaux ; et personne ne m'obligea à admirer le « transparent » aussi affreusement travaillé sur les pierres de Saint-Maclou.
S. DE BEAUVOIR, la Force de l'âge, p. 61.

♦ **3.** (1718). Feuille de papier réglée que l'on met sous une autre feuille pour écrire droit (par transparence). ⇒ **Guide-âne.**

13   Il tira de son buvard une autre feuille, ajusta dedans son transparent et recommença l'en-tête.   MAUPASSANT, l'Héritage, Pl., t. II, p. 7.

Film transparent, photo transparente. ⇒ **Diapositive.** *Projeter des transparents au rétroprojecteur.*

♦ **4.** Anciennt. (1849, *in* D. D. L.; «vêtement couvert d'une robe transparente», 1676, Mme de Sévigné). Pièce de tissu opaque doublant un vêtement de dentelle, de voile.

CONTR. Opaque, trouble ; brumeux. — Épais. — Caché, obscur.

TRANSPERÇANT, ANTE [trãspɛrsã, ãt] adj. — 1556 ; de *transpercer.*

♦ Littér. Qui transperce, qui blesse (fig.) → Poignant.

(...) quand s'achevait une de ces transperçantes nuits qui paraissaient avoir trois cent soixante heures au vagabond sans linge et sans asile (...)   Léon BLOY, le Désespéré, p. 121.

TRANSPERCEMENT [trãspɛrsəmã] n. m. — 1845 ; de *trans-percer.*

♦ Rare. Le fait de transpercer ; état de ce qui est transpercé. *Le transpercement d'un papier par l'encre.*

Une fantastique déflagration !... trois torpilles ensemble, un bouquet !... à fracasser le ciel et la terre !... à plus reconnaître les éléments !... à vous décrocher le dessus de la tête !... et puis l'âme et les globes des yeux ! et les poumons que ça vous saccage d'un vif atroce transpercement !... poignardé d'avant en arrière !... cloué au battant comme une chouette ! (...)   CÉLINE, Guignol's band, p. 16.

TRANSPERCER [trãspɛrse] v. tr. — Conjug. *percer.* → Placer. — V. 1210 ; *trespercier,* xiiᵉ ; de *trans-,* et *percer.*

♦ **1.** Vieilli ou littér. Percer de part en part. *Transpercer quelqu'un de coups d'épée.* ⇒ **Cribler.** — (Sujet n. de chose). *Des épines qui servaient à transpercer des images* (→ Conjurer, cit. 3). *Une flèche qui transperçait la rose* (1. Rose, cit. 12) *des vents.*

1   (...) il plongea l'épée. Et le roi des rois n'était pas ce bloc d'airain et de fer qu'il imaginait, c'était une douce chair, facile à transpercer comme l'agneau ; il y alla trop fort, l'épée entailla la dalle.   GIRAUDOUX, Électre II, 9.

(V. 1398). Par métaphore et fig. Atteindre profondément, en faisant souffrir. ⇒ **Percer.** *La douleur transperce le cœur.* «*Et le cœur transpercé que la douleur allèche Expire chaque jour en bénissant sa flèche*» (1. Flèche, cit. 10). — Au p. p. *Transpercé par des épigrammes* (cit. 8).

2   Je m'en vais avec un cœur tout transpercé et morfondu d'angoisse en songeant que je ne vous laisse pas heureuse.   G. SAND, François le Champi, x.

3   Quand on traverse la place, à midi, le soleil direct vous transperce le crâne, comme avec des vrilles ardentes.   E. FROMENTIN, Un été dans le Sahara, p. 281.

♦ **2.** (1690). Pénétrer ; passer au travers. *La pluie mouille, transperce. Ses yeux voulaient transpercer les prunelles noires* (→ 1. Point, cit. 68). ⇒ **Percer.**

▶ **TRANSPERCÉ, ÉE** p. p. adj. Voir à l'article.

DÉR. Transperçant, transpercement.

TRANSPHRASTIQUE [trãsfrastik] adj. — 1970 ; de *trans-,* et *phrastique.*

♦ Ling. Qui concerne les unités de discours supérieures à la phrase. *Sémantique transphrastique.*

TRANSPIRABLE [trãspirabl] adj. — xviᵉ ; de *transpirer.*

♦ **1.** Vx. Qui peut s'éliminer par la transpiration. *Liquide transpirable.*

♦ **2.** Qui peut donner passage à la transpiration. *Membrane transpirable.*

TRANSPIRANT, ANTE [trãspirã, ãt] adj. — 1932, cit. Céline ; de *transpirer.*

♦ Qui transpire, est en sueur. ⇒ **Suant.**

1   La sage-femme énorme et blousée (...) bondissante, transpirante, ravie et vindicative.   CÉLINE, Voyage au bout de la nuit, p. 274 (1932).

2   Ces livres épais, charnus, aux pages cornées, souillées par les doigts transpirants (...)   J.-M. G. LE CLÉZIO, le Déluge, II, p. 98.

TRANSPIRATION [trãspirasjõ] n.f. — 1503 ; du lat. médiéval *transpiratio,* du supin de *transpirare.* → Transpirer.

♦ **1.** Sécrétion, par les glandes sudoripares, de la sueur*, qui peut, en s'exhalant par les pores de la peau, se transformer en vapeur, au contact de l'air (⇒ **Perspiration ; exhalation**), ou apparaître sous forme de gouttelettes. *La transpiration est due à un changement de température plus ou moins brusque, provoqué par la chaleur, l'effort, la maladie, l'émotion, et qui agit sur la circulation et le*

système nerveux. Faciliter, diminuer la transpiration (→ Déconcerter, cit. 2). *Produits contre la transpiration. Nous perdons par les urines et par la transpiration, de l'eau, de l'azote, du carbone* (→ Désassimilation, cit.). *Élimination d'acides par la transpiration.* ⇒ **Effluve.** *Différents états de transpiration.* ⇒ **Moiteur ; diaphorèse, sudation.** — EN TRANSPIRATION. *Être en transpiration* (→ 2. Froid, cit. 11) : être couvert de sueur (2. ; → En nage). ⇒ **Suer, transpirer.** *Une foule* (cit. 7) *en transpiration. Un cheval en transpiration qui dégage de la fumée.*

(...) on n'avait que sa chemise sur le corps, pourtant on était en transpiration. Pas une feuille ne bougeait (...)   C.-F. RAMUZ, la Grande Peur..., XVI.

Par métaphore. *Transpiration de mauvaise humeur* (→ Exsuder, cit. 2).

♦ **2.** (1680). Liquide produit par cette sécrétion. ⇒ **Sueur.**

2   L'heure marquée pour le départ approchait, et je retournai à la posada mouillé par ma transpiration comme s'il eût plu à verse (...)   Th. GAUTIER, Voyage en Espagne, p. 200.

3   (...) qu'élevant les bras dans un mouvement qui découvre à leurs aisselles leur façon personnelle d'arborer les cocardes de la transpiration, les femmes se recoiffent ou jouent du tube de fard.   Francis PONGE, le Parti pris des choses, p. 72.

♦ **3.** (1764). Bot. *La transpiration végétale :* évacuation dans l'atmosphère de l'eau excédentaire des plantes, à l'état de vapeur. *L'intensité de la transpiration suit les variations hygrométriques et subit l'influence de la radiation lumineuse.*

TRANSPIRER [trãspire] v. — 1503 ; du lat. médiéval *transpirare,* de *trans-,* et *spirare* «respirer», parce que la transpiration s'entendait alors (cf. encore Furetière et *Encyclopédie*) à la fois de l'excrétion des humeurs et de l'entrée de l'air par les pores.

★ **I.** V. intr. ♦ **1.** [a] Vx. Sortir à la surface de la peau sous forme de liquide. *Les humeurs transpirent au travers de la peau.* ⇒ **Échapper** (s'), **exhaler** (s').

[b] (1738 ; impers., 1718). Mod. Fig. Paraître au jour, finir par être connu. *Rien n'avait transpiré dans la ville sur le nom des prisonniers* (→ Inaccessible, cit. 5 ; et aussi lequel, cit. 18). *Une nouvelle, un secret qui a transpiré, qui est connu, divulgué, ébruité.*

1   Leur séjour avait été long, mais leur menée si adroite qu'il n'en était rien transpiré. Hudson, tout fin qu'il était, touchait au moment de sa perte, qu'il n'en avait pas le moindre soupçon.   DIDEROT, Jacques le fataliste, Pl., p. 656.

2   Ce projet accompli si mystérieusement ne transpira que la veille du jour où l'exécution devait avoir lieu.   BALZAC, le Curé de village, Pl, t. VIII, p. 616.

2.1   Il était sûr que rien de cette aventure secrète (celle qu'il menait en tête à tête avec le voleur) n'en serait deviné. « Rien n'en peut transpirer », pensait-il mot à mot. Derrière son visage sévère il était à l'abri.   Jean GENET, Querelle de Brest, p. 339.

♦ **2.** (1503). Cour. Sécréter la sueur par les pores* de la peau. *Un homme grand et gros qui transpirait facilement* (→ Hydrocéphale, cit. 2). ⇒ **Suer.** *Transpirer abondamment des paumes* (→ 2. Outre, cit. 14), *des pieds. Transpirer de chaleur.* ⇒ **Chaud** (prendre chaud). *Transpirer profusément* (cit. 2). *Lorsque l'on transpire beaucoup, la sueur coule.*

3   Toutes les chairs des animaux palpitent après la mort, d'autant plus longtemps, que l'animal est plus froid et transpire moins.   LA METTRIE, l'Homme-machine, in Textes choisis, p. 175.

4   Brunet se sent sale et moite : il a transpiré pendant la nuit et sa chemise colle à son corps.   SARTRE, la Mort dans l'âme, p. 220.

Par anal. (Sujet n. de chose). Produire un liquide qui coule goutte à goutte. ⇒ **Suinter.** *Les murs transpiraient* (→ Capiteux, cit. 1).

♦ **3.** Fig. (Sujet n. de personne). *Transpirer sur qqch. :* travailler dur, se donner beaucoup de mal pour qqch.

★ **II.** V. tr. ♦ **1.** (1685). Vx. Exhaler (un liquide) par transpiration. ⇒ **Suer.** *Il transpirait des grosses gouttes* (1. Goutte, cit. 21).

♦ **2.** (Mil. xixᵉ). Fig. Littér. Dégager, laisser voir, faire sentir. *Tes habits mouillés transpirent les odieuses rigueurs de la vie nécessiteuse* (→ Imbiber, cit. 3).

DÉR. Transpirable, transpirant.

TRANSPLACENTAIRE [trãsplasẽtɛr] adj. — 1964 ; *in* G. L. E. ; de *trans-,* et *placentaire.*

♦ Méd. Qui se fait à travers le placenta, en passant de la circulation maternelle dans la circulation fœtale. *Transmission transplacentaire d'une infection.*

TRANSPLANT [trãsplã] n. m. — 1956, *in Larousse mensuel*; «action de transplanter», 1556 ; de *transplanter.*

♦ Biol. Organe, tissu transplanté. ⇒ **Greffon, transplantation.**

TRANSPLANTABLE [trãsplãtabl] adj. — 1600 ; de *transplanter.*

♦ Qui peut être transplanté.

TRANSPLANTATION [tʀɑ̃splɑ̃tasjɔ̃] n. f. — 1556; de *trans-planter.*

♦ **1.** Action de transplanter (une plante, un arbre). ⇒ **Plantation.** — (1904, in *Rev. gén. des sc.,* n° 12, p. 578). Méd. Greffe* d'un organe entier provenant d'un donneur, avec rétablissement de ses connections vasculaires. ⇒ **Greffe** (2. Greffe, cit. 6; et *supra*). *« La transplantation du rein »* (Carrel, *l'Homme, cet inconnu,* p. 287). *Transplantation cardiaque, rénale, hépatique. Transplantation et phénomènes de rejet.*

1 Une regrettable confusion de termes conduit souvent à assimiler la transplantation à la greffe, et le transplant à un greffon. La greffe doit être définie comme la conservation ou la reprise par le transplant, dans son hôte, d'un état structural et physiologique normal. Or la transplantation peut ne pas aboutir à la greffe.
M. ARON, Greffes chez les mammifères, *in* Sciences, sept.-oct. 1959, p. 54.

2 L'immunité de transplantation nous est apparue comme une réaction interne spontanée de l'organisme à l'implantation de cellules vivantes étrangères.
L. REY, Immunité de transplantation *in* Sciences, sept.-oct. 1959, p. 73.

♦ **2.** (1680, Mᵐᵉ de Sévigné, 3 janv.). Fig. Déplacement (de personnes, d'animaux) de leur lieu d'origine dans un autre lieu. *Nos plus grands artistes sont le résultat de transplantations* (→ Hybridation, cit. 3).

3 Après un léger sommeil, oubliant à mon réveil ma transplantation, je me croyais encore dans la rue de Grenelle (...)   ROUSSEAU, les Confessions, IX.

4 (...) cette race de chevaux fiers et délicats (...) excellents aux lieux où ils naissent, et sujets à changer par leur transplantation.
BALZAC, le Curé de village, Pl., t. VIII, p. 606.

TRANSPLANTÉ, ÉE [tʀɑ̃splɑ̃te] adj. ⇒ **Transplanter.**

TRANSPLANTEMENT [tʀɑ̃splɑ̃tmɑ̃] n. m. — 1600; de *trans-planter.*

♦ Vx. Transplantation. *Le transplantement d'un arbre.* — Fig. *Le transplantement d'une famille.*

TRANSPLANTER [tʀɑ̃splɑ̃te] v. tr. — 1528; attestation isolée, 1373; du lat. *transplantare.*

♦ Sortir de la terre (un végétal) pour replanter ailleurs (⇒ **Transporter**). *L'art de transplanter les arbres* (cit. 25). ⇒ **Égravillonner, planter; plantation.** *Les cerisiers* (cit. 1) *de la forêt transplantés dans la plaine. Un jardin avec des fleurs transplantées* (→ Rapporter, cit. 15). ⇒ **Dépoter, repiquer.**

Biol. Faire la transplantation, la greffe de (un organe). *Transplanter un organe.*

(1580). Par métaphore et fig. Transporter d'un pays dans un autre, d'un milieu dans un autre. *Samuel était une plante* (cit. 6) *impossible à transplanter là-bas.* ⇒ **Changer** (de place). — *Je sentais qu'il y avait en moi je ne sais quoi de local que je ne transplanterais jamais* (→ Acclimater, cit. 2).

1 (...) les formes de parler, comme les herbes, s'amendent et *(se)* fortifient en les transplantant.   MONTAIGNE, Essais, III, V.

2 La littérature des anciens est chez les modernes une littérature transplantée : la littérature romantique ou chevaleresque est chez nous indigène, et c'est notre religion et nos institutions qui l'on fait éclore.
Mᵐᵉ DE STAËL, De l'Allemagne, II, XI.

3 Probus fut obligé de transplanter de la Germanie des hommes et des bœufs pour cultiver la Gaule.   MICHELET, Hist. de France, I, III.

4 Et sans doute faut-il essayer de se le représenter, seul, dans ce pays où il ne connaissait personne (...) transporté ou pour mieux dire : transplanté sans transition de son patelin à huit cent kilomètres de là (...)
Claude SIMON, le Vent, V.

▶ **SE TRANSPLANTER** v. pron. (1690). *Cette famille s'est transplantée en Argentine, en Australie.*

5 (...) je suis habituée à cette maison, à ce quartier... À nos âges, tu le sais bien, on ne se transplante pas facilement (...)   N. SARRAUTE, le Planétarium, p. 175.

▶ **TRANSPLANTÉ, ÉE** p. p. adj. et n.

♦ **1.** Transporté, installé (dans un autre pays). → Déraciné. *Populations transplantées.*

N. *«(...) une main-d'œuvre étrangère nombreuse et variée est venue s'implanter sur notre territoire (...) La tuberculose fait des ravages parmi ces transplantés très sensibles au bacille de Koch, longtemps inconnu chez eux »* (*Guérir,* oct. 1967, Le point sur la tuberculose).

♦ **2.** N. Méd. *Un transplanté* (cardiaque) : personne qui a subi une transplantation (cardiaque). — REM. Ce substantif est mal formé.

DÉR. Transplant, transplantable, transplantation, transplantement, transplanteur, transplantoir.

TRANSPLANTEUR, EUSE [tʀɑ̃splɑ̃tœʀ, øz] n. m. et adj. — 1606; de *transplanter.*

♦ Rare. Personne qui transplante. Adj. *Jardinier transplanteur.*

TRANSPLANTOIR [tʀɑ̃splɑ̃twaʀ] n. m. — 1796; de *transplanter.*

♦ Agric. Outil employé pour transplanter.

TRANSPOLAIRE [tʀɑ̃spɔlɛʀ] adj. — 1954; de *trans-,* et *polaire.*

♦ Rare. Qui passe par le pôle. *Itinéraire transpolaire. Ligne aérienne transpolaire.*

(...) Hercule entre à la Maison Blanche et règle les relations avec les U.S.A. Insuffisant pour le petit homme qui demande aussitôt : «... Et après ? » Accusant le coup, l'homme de la situation prend l'avion transpolaire, atterrit à Moscou (...)
Pierre DANINOS, Un certain Monsieur Blot, p. 243.

TRANSPONDEUR [tʀɑ̃spɔ̃dœʀ] n. m. — 1968; de l'angl. *transponder.* → Trans(metteur), et (ré)pondeur.

♦ Techn. Appareil équipant les cibles radar actives, et destiné à répondre aux impulsions radar. *Utilisation des transpondeurs en navigation maritime et aérienne.* « Tous les équipements sont en place, du télex au transpondeur » (*l'Express,* 1ᵉʳ sept. 1979, p. 95).

TRANSPORT [tʀɑ̃spɔʀ] n. m. — 1312, « cession d'un droit »; de *transporter.*

★ **I. A.** ♦ **1.** (1538). Le fait de porter* pour faire parvenir en un autre lieu; manière de déplacer ou de faire parvenir par un procédé particulier (véhicule, récipient, etc.). *Le transport de qqch. par qqn d'un endroit à un autre. Transport de bagages; transport d'un colis, d'un fardeau, d'une marchandise, d'un paquet. Transport à la main, à dos d'homme* (⇒ **Coltinage, portage**). *Transport à dos d'animaux, par bêtes de somme*. Transport de liquides dans des baquets, des cuves, des seaux. — Transport d'un malade, d'un blessé sur un brancard, un cacolet, une civière, en ambulance. Il est mort pendant son transport à l'hôpital.* ⇒ **Transfert.** *Transport d'un cadavre, des restes d'un mort.* ⇒ **Translation** (→ Funèbre, cit. 1).

1 *(Le docteur)* vint avec ses aides, et le malade fut enfermé dans un énorme appareil de plâtre qui devait permettre le transport sans trop de souffrance et de danger.
G. DUHAMEL, Salavin, VI, XXIX.

Spécialt. Déplacement de choses ou de personnes sur une assez longue distance et par des moyens spéciaux (le plus souvent par un intermédiaire), ou à des fins commerciales, économiques. ⇒ **Circulation, commerce** (cit. 4), **échange, exportation, importation, trafic, traite** (I., 1.). *Transport des marchandises, de l'expéditeur au destinataire.* ⇒ **Factage.** *Transport des lettres, des messages.* ⇒ **Messagerie** (étym.), **poste; courrier.** — *Emballage, conditionnement en vue du transport.* ⇒ **Expédition.** *Transport en vrac*.* — *Transport des produits en cours de fabrication.* ⇒ **Manutention, remuage.** *Chargement* sur un véhicule de transport. Marchandises détériorées pendant le transport.* — *Bêtes de somme, véhicules, dispositifs utilisés pour le transport des marchandises.* ⇒ **Banne, bard, benne, binard, brouette, camion, chariot, charrette, diable, remorque, tombereau, triporteur; brouettage, camionnage, charroi, roulage.** *Transport du bois* (⇒ **Débosquage**) *par flottage*, traînage** (⇒ **Schlitte**). *Transport des liquides par citernes, tuyaux* (⇒ **Pipeline**). *Caissons pour le transport des munitions. Cadres*, caisses, conteneur pour le transport du mobilier.* ⇒ **Déménagement.** *Transport de minerai, charbon... par câbles aériens* (⇒ **Téléphérage**). — *Transport des personnes, des voyageurs*.* ⇒ **Voyage; arrivée, départ.** *Anciennes voitures servant au transport des voyageurs.* ⇒ **Coche, diligence, malle-poste,** 1. **poste.** *Transport des troupes en convois* (⇒ **Convoyer**), *des prisonniers* (⇒ **Transfert, translation**), *des condamnés* (⇒ **Déportation, transportation**). *Transport modulaire,* de charges constituant des modules. *Prime de transport.* — *Transport à la demande* (⇒ aussi **Charter**).

1.1 Porteurs, chevaux, chameaux, ânes, bateaux, chariots, tout ce qui peut servir au transport des marchandises, était accumulé sur ce champ de foire.
J. VERNE, Michel Strogoff, p. 72.

2 Ensuite, le morcellement, en multipliant les transports, détériorait les chemins, augmentait les frais de production, sans parler du temps perdu.
ZOLA, la Terre, II, V.

3 (...) je suis démobilisable avec le troisième échelon et j'ai mon ordre de transport en poche (...)   A. MAUROIS, les Discours du Dʳ O'Grady, XVII.

Principaux modes de transport. Transports par terre, par voie de terre : par chemin de fer (⇒ **Train**), *par route*. Transport à petite, à grande vitesse, dans les chemins de fer.* ⇒ **Messagerie.** — *Transports automobiles.* ⇒ **Camion, camionnette, poids** (lourd), **remorque; autobus, car.** — *Transport par voie d'eau.* ⇒ **Batellerie, navigation.** *Transports maritimes de marchandises* ⇒ **Cargaison, fret; tonnage.** *Navires* de transport.* ⇒ **Cargo; paquebot.** *Transport aérien*. Avion* de transport.* — *Transports régionaux, continentaux, intercontinentaux.*

Matériel de transport et de manutention : matériel roulant, navigant et aérien; ensemble des dispositifs servant à déplacer marchandises et voyageurs (⇒ **Locomotion**). *Moyen de transport* (→ Emporter, cit. 19) : matériel utilisé pour transporter les marchandises ou les personnes (spécialt, véhicules, avions, navires). ⇒ **Aviation, marine.** — *Entreprise* (cit. 11) *de transport. Entrepreneur de trans-*

ports : personne qui s'engage par contrat *(contrat de transport)* à déplacer un objet qui lui est confié par un expéditeur* pour le remettre à un destinataire, ou à faire parcourir à un voyageur un itinéraire déterminé. ⇒ **Transporteur, voiturier.** *Commissionnaire de transport.* ⇒ **Facteur** (II., 1.). *Compagnie, service* de transports. Itinéraire* desservi par un service de transport.* ⇒ **Ligne, navette.** — *L'industrie* (cit. 10) *des transports :* les activités industrielles directement utilisées par les transports. — *Frais de transport* (→ Déposant, cit. 2). *Prix de transport.* ⇒ **Fret, port.** *Transport franc*, franco* de port. Titre de transport.* ⇒ **Billet, carte, ticket.** *Droit des transports :* branche du droit commercial. *Expertise en matière de transport.* — *(1923). Transports en commun :* transport des voyageurs dans des véhicules publics. — *(Ancienn\t). Transports en commun de la région parisienne (T. C. R. P.), remplacés par la Régie autonome des transports parisiens (R.A. T. P.). Transports urbains, métropolitains (⇒ **Métro**). Transports publics.*

3.1 Autrefois, on y voyageait par tous les antiques moyens de transport, à pied, à cheval, en charrette, en brouette, en palanquin, à dos d'homme, en coach, etc.
J. VERNE, le Tour du monde en 80 jours, p. 63.

4 (...) il suffit de regarder aux heures d'affluence un wagon de transports en commun pour comprendre sans peine que ce n'est point vers la donnée de l'universel que se dirige notre civilisation, mais plutôt vers le concept barbare de la horde.
DANIEL-ROPS, le Monde sans âme, III.

Par ext. Les transports : ensemble des moyens employés pour transporter les marchandises et les personnes. ⇒ **Communication(s)**... *Géographie des transports. Développement des transports aériens, maritimes, routiers... dans un pays, des infrastructures (voies*; aérodromes, ports, gares...) et du matériel (véhicules... ⇒ **Parc**). Ministère des transports,* fondé en 1967.

(1883, *in* D.D.L.). *Transport de force, d'énergie* (électrique) : déplacement du courant électrique de manière à pouvoir utiliser l'énergie loin de son lieu de production.

Fig. Commerce, échange. *Le transport des pensées de province à Paris* (→ Exportation, cit. 6).

♦ **2.** (Premier sens attesté, 1312). *Dr.* Cession* d'un droit, d'une créance (⇒ **Délégation**). *L'endossement* (cit.) *opère le transport.* — *Fig. et vx.* Don, cession (Bossuet, *in* Littré).

♦ **3.** (1668). *Dr.* Le fait de se transporter sur les lieux, pour procéder à une mesure d'instruction *(transport de justice).* — (1835). *Transport sur les lieux :* constatations, saisies, reconstitutions opérées par le procureur, le juge d'instruction, les officiers de police, en matière répressive. ⇒ aussi **Descente** (de police).

5 Rapports d'experts, transports, trois interlocutoires (...)
RACINE, les Plaideurs, I, 7.

♦ **4.** (V. 1560). Le fait de déplacer ou d'être déplacé par une cause naturelle. ⇒ **Mouvement** (cit. 3, Rousseau). — (1872). *Spécialt. Géol. Terrains de transport. Agents de transport* (→ 1. Glacier, cit. 1). — *Phys.* Déplacement (→ Onde, cit. 14).

Loc. (XVIIᵉ). *Transport au cerveau** (cit. 2) : congestion* cérébrale (considéré par l'ancienne médecine comme un déplacement des humeurs). — *Absolt. Vx* (langue class.). Déplacement d'humeurs au cerveau. (Interprétation physiologique du sens II, 1 ci-dessous) :

6 Ai-je l'esprit troublé par des transports puissants?
Ne sens-je pas bien que je veille?
MOLIÈRE, Amphitryon, I, 2.

Gymnastique. Action de faire passer le corps latéralement d'une partie du cheval d'arçons à l'autre.

B. (1787). Ce qui sert à transporter des marchandises, des voyageurs (navire; voitures, spécialt). *Un transport de troupes, d'avions* (⇒ **Porte-avions**). — *Un transport routier* (⇒ **Camion**).

7 Le transport continuait sa route à travers l'océan Indien.
LOTI, Pêcheur d'Islande, III, IV.

8 Dans le port minuscule, des remorqueurs anglais firent tourner avec une grâce facile les transports immenses que les troupes massées sur le pont animaient d'une vie grouillante.
A. MAUROIS, les Discours du Dʳ O'Grady, VII.

★ **II.** (1614). *Fig. Littér.* ♦ **1.** Vive émotion, sentiment* passionné (qui émeut, entraîne), état de celui qui l'éprouve. ⇒ **Agitation** (cit. 17), **bouillon** (fig. et vx), **déchaînement, effusion, élan, enthousiasme, exaltation, excitation, ivresse, mouvement.** *Les angoisses et les transports de l'âme* (→ Gradation, cit. 3). *Transports « de l'esprit et des sens »* (→ Ambre, cit. 1). *Éprouver un transport* (→ Électriser, cit. 4; indifférent, cit. 9). *Se mettre dans un état* (cit. 18) *de transport. « Tout ce que j'ai souffert, mes craintes, mes transports »* (→ Fureur, cit. 26). *Transports de colère*, de fureur** (→ Emportement, cit. 8). ⇒ **Ardeur, emportement, fureur, rage.** *La violence de ses transports. Transports d'admiration, de joie, de reconnaissance. — Vieilli. Le transport d'un esprit amoureux* (→ Passer, cit. 87). *Transport d'amour*.* ⇒ **Délire** (cit. 6), **enivrement, extase.** *Un amoureux transport* (→ Gendarmer, cit. 1). — *Absolt.* Transports amoureux, ivresse sentimentale ou sensuelle (→ Moi, cit. 13). *S'abandonner aux transports* (→ 1. Nu, cit. 16). *Les transports de Phèdre* (→ Sensualité, cit. 4). — *Spécialt. Transport lyrique* (→ Blanc, cit. 20), *poétique; prophétique; mystique.* ⇒ **Délire, enthousiasme.** *Des accès de transports effrayants* (→ Hier, cit. 2).

9 Je pris tous mes transports pour des transports de haine (...)
RACINE, Andromaque, I, 1.

(...) À ces mots, il se livre
Aux transports violents de l'indignation,
Porte le poing sur l'innocente bête. LA FONTAINE, Fables, VIII, 16. 10

La vue de la campagne sembla nouvelle à madame de Rênal; son admiration allait jusqu'aux transports. STENDHAL, le Rouge et le Noir, I, VIII. 11

Modérons les transports d'une ivresse insensée;
Le passage est bien court de la joie aux douleurs (...)
HUGO, Odes et Ballades, I, VII, I. 12

♦ **2.** *Vx ou littér.* Manifestation de passion. *Des transports, des larmes...* (→ Arme, cit. 34). *S'écrier avec transport...*

(...) après tant d'amour et tant d'impatience (...) tant d'hommages pressants (...) de protestations ardentes (...) tant de transports enfin et tant d'emportements (...) MOLIÈRE, Dom Juan, I, 1. 13

Parfois, si la main était nue et que ce fût celle de Sabine, Marie, au passage, en baisait le bout des doigts devant les passants qui s'étonnaient de ce transport.
M. JOUHANDEAU, Tite-le-Long, XV. 14

TRANSPORTABLE [trãsportabl] adj. — 1556, *in* D.D.L.; de *transporter.*

♦ Qui peut être transporté (dans certaines conditions). *Marchandise, matière transportable par train, par avion. Poste de radio, bagage facilement transportable.* ⇒ **Portable, portatif.** *Ce vin n'est pas transportable.*
Qui peut supporter d'être transporté sans danger. *Un malade transportable.*

CONTR. Intransportable.

TRANSPORTANT, ANTE [trãsportã, ãt] adj. — 1671, Mᵐᵉ de Sévigné; de *transporter.*

♦ *Vx.* Qui cause des transports (II.), enthousiasme, exalte.

On a souvent dit de la puissance de la parole qu'elle transporte; jamais le mot ne fut plus applicable que dans ce cas; il n'y eut jamais de discours plus transportant.
SAINTE-BEUVE, Causeries du lundi, 5 nov. 1849.

TRANSPORTATION [trãsportasjõ] n. f. — Av. 1778; attestation isolée, 1519; du lat. *transportatio* « émigration ».

♦ **1.** *Vx.* Déportation, exil forcé (d'un peuple, d'un groupe).

♦ **2.** (1836). *Dr.* Institution par laquelle les condamnés aux travaux forcés étaient transportés dans une colonie pour y subir leur peine (⇒ **Bagne**) et y demeurer pendant un temps égal (doublage) ou à perpétuité. ⇒ **Relégation.** *La déportation, à la différence de la transportation, est une peine politique. Transportation à la Guyane.*

TRANSPORTER [trãsporte] v. tr. — V. 1180; var. *tresporter* aux XIIᵉ-XIVᵉ; du lat. *transportare; de trans-,* et *portare* « porter ».

★ **I.** Faire changer de place. **A.** (Compl. concret). ♦ **1.** Déplacer* d'un lieu à un autre en portant*. — REM. Transporter est resté en un emploi plus général que *transport*;* par rapport à *porter* il exprime un fait notable, soit à cause des moyens employés, soit à cause du poids de l'objet, et fait penser au lieu quitté et au déplacement effectué » (Bénac, *Dict. des synonymes,* art. *Porter),* tandis que *apporter* insiste sur le destinataire.
Transporter qqch. d'un lieu à un autre. Transporter un colis, un paquet, une valise chez qqn. ⇒ **Conduire.** *Transporter à bras** (⇒ **Manipuler**), *sur son dos* (⇒ **Porteur**). *Transporter qqch. dans un récipient, un sac, une hotte (hotter), etc.* ⇒ **Transport; trimballer** (fam.). *On transporte son fauteuil dans la salle à manger* (→ Impotent, cit. 5; ⇒ aussi **Promener**). *Transporter un malade, un impotent, un blessé, un corps* (→ Indispensable, cit. 9), *un cercueil* (→ Maladresse, cit. 2). *Transporter une charge, des marchandises*, des voyageurs* (se dit du moyen de transport : animal, véhicule..., ou des personnes qui organisent le transport). *Transporter en chariot* (⇒ **Charrier**), *en camion* (⇒ **Camionner**), *en carrosse* (⇒ **Carrosser**, vx), *en voiture* (⇒ **Véhiculer, voiturer**); *en train, en avion, par avion...* ⇒ **Mener.** *Transporter un fardeau, un passager en bateau, dans une barque.* ⇒ **Bateler.** *(Felouque, cit. 1; godilleur, cit.). Transporter des marchandises par terre, par eau. Transporter qqch. à quai.* ⇒ **Débarder.** *Transporter sa marchandises avec soi.* ⇒ **Colporter, emporter.** *Schlitteur qui transporte le bois dans la vallée.* ⇒ **Descendre, dévaler.** *Transporter plus haut* (monter), *plus bas* (descendre). *Transporter ses meubles, ses affaires.* ⇒ **Déménager, transbahuter** (fam.). *Transporter à domicile les achats d'un client.* ⇒ **Livrer; livreur.** *Transporter des marchandises à l'étranger.* ⇒ **Exporter, passer.** *Transporter en transit*. Un métal facile à transporter* (→ Monnaie, cit. 6). ⇒ **Portable, portatif, transportable.** *Transporter en faisant traverser de nouveau* (⇒ **Repasser**).

Peut-être l'obligation de mettre le butin sous la forme la plus facile à transporter mit-elle les joyaux en honneur dans l'armée.
BALZAC, la Paix du ménage, Pl., t. I, p. 993. 1

2 (...) l'abbé Vilbois, se mit lui-même à desservir et à transporter, dans l'unique pièce du rez-de-chaussée, le couvert préparé pour lui.
MAUPASSANT, l'Inutile Beauté, « Champ d'oliviers », II.

Par ext. ⇒ **Déplacer**. Loc. prov. *La foi transporte les montagnes**. *Transporter l'énergie à distance, au moyen de lignes à haute tension. Transporter l'information* (par radio, etc.).

♦ **2.** (1748). Compl. n. de personne. Obliger (qqn) à aller (dans un autre lieu). *Transporter un accusé à la Conciergerie* (→ Endurer, cit. 6).

(1564). Dr. Faire subir la peine de la transportation ; condamner au bannissement (cit. 2). ⇒ **Déporter**.

♦ **3.** (1532, Rabelais). Conduire, mener en imagination, par la pensée. *Votre lettre m'a transporté en esprit* (cit. 65) *à...* (→ aussi Paysage, cit. 1). *Le rêve nous transporte dans une autre planète* (→ Sidéral, cit. 2). — Pron. *Transportez-vous par la pensée*. ⇒ **Reporter**.

3 Cet auteur ne fait point couler le sang le long des lambris ; il ne vous transporte point dans des contrées éloignées (...) DIDEROT, Éloge de Richardson.

♦ **4.** (Sujet et compl. n. de chose). Faire passer d'un point à un autre. ⇒ **Transmettre**. *Conducteurs transportant l'influx nerveux* (→ Fibre, cit. 1). *Les ondes transportent l'énergie à distance* (→ Onde, cit. 15). — (1742). Spécialt. Géol. Amener (des matériaux géologiques) d'un point à un autre. ⇒ **Transport** (terrains de). → Érosion, cit. 1 ; 1. limon cit. 1 ; sédiment, cit. 1.

B. (Compl. abstrait). ♦ **1.** (Fin XIIᵉ). Céder (un droit*). ⇒ **Transférer**. *Transporter la propriété d'un bien, une créance...* (→ Contre-lettre, cit.).

♦ **2.** (1564). Vx. ou didact. Faire passer d'un lieu à un autre (un pouvoir, une juridiction). ⇒ **Translation ; transmettre**. *Transporter le siège de l'Empire* (→ Prévaloir, cit. 1), *son trône* (Racine, *Bajazet*, I, 2). *Transporter la souveraineté au conseil des ministres* (→ Gouverner, cit. 31).

♦ **3.** (1541). Faire passer à un autre endroit, dans un autre contexte... *Transporter un passage, un thème, une idée dans une œuvre.* ⇒ **Emprunter, introduire**. *Transporter l'intrigue d'un roman, un fait divers sur la scène,* l'adapter au théâtre. — *Transporter le raisonnement de l'individuel* (cit. 10) *au collectif. Transporter une idée d'un art dans un autre* (→ Gravure, cit. 2). ⇒ **Transposer**. *Rêves transportés dans le domaine des faits* (cit. 28).

4 L'art de traduire est poussé plus loin en allemand que dans aucun autre dialecte européen. Voss a transporté dans sa langue les poètes grecs et latins avec une étonnante exactitude (...) Mᵐᵉ DE STAËL, De l'Allemagne, II, IX.

★ **II.** (V. 1290). Compl. n. de personne ; sujet n. de chose ou de personne. Agiter* (qqn) par un sentiment violent ; mettre hors de soi. ⇒ **Égarer, enivrer, enlever** (cit. 5), **entraîner, exalter, exciter, ravir** (cit. 5), **saisir, soulever** (→ Objet, cit. 18). *Le sublime transporte* (→ Critique, cit. 5). *Le jeu* (cit. 37) *le transporte. Sentiment qui transporte une nation* (→ Ode, cit. 3). ⇒ **Animer, électriser, enthousiasmer**. *Être transporté par la passion**. ⇒ aussi **Transport** (II.). *Orateur qui charme* et transporte son auditoire*.

5 (...) pendant qu'une partie de la bourgeoise fut corrompue par l'égoïsme et *la peur*, l'autre fut effarouchée par *la haine*, aucune démarche, transportée hors de tout sentiment humain. MICHELET, Hist. de la Révolution franç., IV, I.

6 (...) certains cours me transportent : je crois qu'il est impossible de ne pas éprouver une espèce de vertige, à ces premiers contacts avec la science, lorsqu'on commence à distinguer, pour la première fois, quelques-unes de ces grandes lois qui ordonnent la complexité universelle ! MARTIN DU GARD, Jean Barois, I, I.

▶ **SE TRANSPORTER** v. pron. (1356). Réfl. *Animal qui se transporte d'un lieu à un autre.* ⇒ **Aller, déplacer** (se), **voyager** (→ Gerboise, cit.).

(Du sens I., B., 2.). ⇒ **Rendre** (se). *Le chancelier se transportait au Parlement* (→ Hoqueton, cit.). Dr. « *Nous étant transporté au Châtelet, nous avons fait comparaître ...* » (→ Itérativement, cit.).

7 (...) je te prie de te transporter immédiatement chez ledit sieur pour que j'en aie le cœur net. FLAUBERT, Correspondance, 1978, 4 avr. 1880.

(Du sens I, B, 3). *L'auteur se transporte dans un personnage...* (→ aussi Lyrique, cit. 3).

▶ **TRANSPORTÉ, ÉE** p. p. adj.

♦ **1.** Déplacé par un transport. *Marchandises transportées. Voyageurs transportés gratuitement.* — *Condamnés transportés.* — N. *Les transportés.*

♦ **2.** (1549). Fig. Qu'un sentiment violent transporte (II.). ⇒ **Enthousiasmé, enthousiaste ; enivré, éperdu, ivre, soulevé**. *Transporté d'admiration, de passion, de joie* (→ Aventure, cit. 10 ; illumination, cit. 2), *de tendresse* (→ Caressant, cit. 1), *d'amour.* ⇒ **Pétiller** (vx). « *Transportés à la fois de douleur et de rage* » (→ Impatient, cit. 11). — (Sans compl. en *de*). Transporté de joie. « *Perrette là-dedans saute* (cit. 1) *aussi, transportée* » (→ aussi Ne plus se sentir*).

8 Le petit homme sort tous ses joujoux (...) Il donne même les joujoux de son frère. Il est transporté, transfiguré. G. DUHAMEL, les Plaisirs et les Jeux, p. 63.

9 (...) j'étais beaucoup plus qu'heureuse, j'étais transportée. Jamais rien ne m'a donné une extase comparable. J.-R. BLOCH, la Nuit kurde, p. 238.

CONTR. Fixer. — Contrister, fâcher. — (Du p. p.) Calme, tranquille.
DÉR. Transport, transportable, transportant, transporteur.

TRANSPORTEUR, EUSE [tʀɑ̃spɔʀtœʀ, øz] n. m. — 1380, repris XVIᵉ ; de *transporter*.

♦ **1.** Personne qui transporte. Par appos. *Voiturier transporteur.* ⇒ **Roulier**.

♦ **2.** (1869). Personne qui se charge de transporter (des marchandises ou des personnes) par un contrat de transport ; entrepreneur de transports. *Transporteur qui dirige une entreprise de déménagements. Les camions, les véhicules, le parc de véhicules d'un transporteur.* ⇒ **Camionneur**. *Transporteur batelier. Transporteur à la demande.*

REM. Aux sens 1 et 2, le fém. semble peu employé ; on dira plutôt : *Mᵐᵉ X est transporteur,* dirige une entreprise de transports.

♦ **3.** N. m. (1906). Appareil, dispositif (comportant une infrastructure fixe et des éléments mobiles) servant à transporter des marchandises d'un point à un autre. ⇒ **Levage** (appareil de). *Transporteur automatique.* ⇒ **Convoyeur**. *Les transporteurs sont des appareils de manutention continue :* tapis, chemins roulants. *Transporteurs aériens :* funiculaires, téléphériques... *Transporteur élévateur ; transporteur pneumatique, à vis.*

Spécialt (dans des expressions : *transporteur de...*). Navire transportant (tel type de cargaison). ⇒ **Cargo**. *Transporteur de conteneurs.* ⇒ **Porte-conteneur**. *Transporteur de vrac.* ⇒ **Vraquier**. *Transporteur de méthane* (⇒ **Méthanier**), *de pétrole* (⇒ **Pétrolier**), *etc.*

♦ **4.** N. m. (1953). Sc. Élément intermédiaire capable de faire passer (une substance), de transmettre. *Transporteurs d'hydrogène :* corps capables de passer de la forme oxydée à la forme réduite et inversement, et de capter ou de restituer ainsi l'hydrogène aux cellules. — Biol. *Transporteur mécanique :* hôte qui transmet l'infection sans subir d'évolution (opposé à *vecteur*).

TRANSPOSABLE [tʀɑ̃spozabl] adj. — 1829 ; de *transposer*.

♦ **1.** Qui peut être changé de place, interverti. *Propositions transposables, dans une phrase.*

♦ **2.** Qui peut être transposé en autre chose. *Les résultats transposables d'un domaine à un autre.*

♦ **3.** (1876). Mus. Qui peut être transposé (dans un autre ton).

TRANSPOSER [tʀɑ̃spoze] v. tr. — 1350 ; *tresposer* « transférer », 1265 ; de *trans-*, et *poser*.

★ **I.** ♦ **1.** Vx. ou littér. Faire passer ailleurs, et spécialt, à l'opposé (→ Manutention, cit. 1, Valéry).

1 L'éloquence profane est transposée pour ainsi dire du barreau (...) où elle n'est plus d'usage, à la chaire, où elle ne doit pas être.
LA BRUYÈRE, les Caractères, XV, 2.

2 Un éclat de colère à propos dégage la responsabilité, et quelquefois la transpose. HUGO, les Travailleurs de la mer, I, VI, IV.

Par métaphore. *Luther a transposé la religion du miracle à la nature* (→ Réforme, cit. 1). ⇒ **Transporter**.

♦ **2.** (1606). Mod. (Compl. pluriel ou collectif). Placer* en intervertissant l'ordre*. ⇒ **Intervertir, renverser** (l'ordre). *Transposer les syllabes d'un mot, les mots d'une phrase, les lignes d'un texte.* Vx. « *Transposer les termes... d'une équation* » (Académie).

3 (...) l'Orient est extraordinaire (...) Il échappe aux conventions, il est hors de toute discipline ; il transpose, il intervertit tout ; il renverse les harmonies dont le paysage a vécu depuis des siècles. E. FROMENTIN, Une année dans le Sahel, p. 228.

♦ **3.** (1833 ; de 1., par métaphore, avec infl. du sens II). Faire changer de forme ou de contenu en faisant passer dans un autre domaine. — (Sujet n. de chose). *Courbes, diagrammes qui transposent les propriétés en figures* (→ Graphique, cit. 4 ; et aussi prédestiné, cit. 3 ; rébarbatif, cit. 4).

4 On voit que le récitatif — la déclamation poétique du théâtre ou de salon, transposée en musique — est l'arête de l'opéra de Lully.
R. ROLLAND, Musiciens d'autrefois, Notes s. Lully, IV.

5 Pour Flaubert, le style consiste à exprimer le caractère de l'objet par une beauté verbale, à transposer la nature des choses en des natures de phrases.
A. THIBAUDET, Flaubert, p. 260.

★ **II.** (1684). Mus. Faire passer une forme, une structure musicale dans un autre ton*, sans l'altérer.

6 Pour vérifier la chose, un matin, M. de Nangis vient me trouver avec une cantate de Clérambault, qu'il avait transposée, disait-il, pour la commodité de la voix, et à laquelle il fallait faire une autre basse, la transposition rendant celle de Clérambault impraticable sur l'instrument. ROUSSEAU, les Confessions, V.

▶ **TRANSPOSÉ, ÉE** p. p. adj. (1300, « inversé » ; v. 1370, « changé »). *Légende transposée dans une autre culture.*

Mus. *Œuvre transposée.* — Math. *Matrice transposée,* et, n. f., *une transposée :* matrice résultant d'une symétrie par rapport à la diagonale principale (d'une matrice donnée).

DÉR. **Transposable, transpositeur, transpositif, transposition.**

TRANSPOSITEUR, TRICE [tʀɑ̃spozitœʀ, tʀis] n. — 1761, *in* D. D. L.; adj.; de *transposer.*

♦ **1.** N. (1835). Rare. Personne qui transpose.

♦ **2.** Dispositif adapté à un instrument, qui transpose la musique dans plusieurs tons. Adj. *Piano, harmonium transpositeur.*

TRANSPOSITIF, IVE [tʀɑ̃spozitif, iv] adj. — XVIIIᵉ, Girard; de *transposer.*

♦ Vx. Qui permet de transposer les termes. *Langues transpositives,* à construction libre. ⇒ **Inversif.**

TRANSPOSITION [tʀɑ̃spozisjɔ̃] n. f. — V. 1370; de *transposer.*

♦ **1.** Changement de place, et, spécialt (XVIᵉ), interversion. « *Par une transposition de sens, M. de Cambremer vous regardait avec son nez* » (cit. 7, Proust).

1   Chacun d'eux donnait le bras à la femme de l'autre. Au dire de la chronique scandaleuse, cette transposition était complète.
BALZAC, Illusions perdues, Pl., t. IV, p. 533.

Pathol. *Transposition vasculaire :* anomalie congénitale dans laquelle les gros vaisseaux du cœur (aorte et artère pulmonaire) se trouvent en position inversée par rapport à leur situation normale. Ling. Déplacement ou interversion dans l'ordre des éléments de la langue. *Transposition de sons, de phonèmes, de lettres, de syllabes* (dans les mots). ⇒ **Anagramme, métathèse.** *Transposition des mots d'une phrase.* ⇒ **Interversion, inversion** (→ Suffire, cit. 5). Absolt. et vx (Bouhours, d'Olivet, *in* Littré). Inversion. — Imprim., typogr. Interversion de feuilles, de pages..., de signes, etc. (⇒ **Mastic**).

2   (...) une transposition de mots qui est échappée à ma plume (...)
LA BRUYÈRE, Lettres, IV.

Math., log. ⇒ **Permutation, renversement.**

♦ **2.** (1690). Le fait de transposer (I., 3.), de faire passer dans un autre domaine. *La métaphore* est une transposition. Transposition de sens, de valeur* (→ Désignation, cit. 1). *Transposition de la réalité* (dans un livre). → Épouvante, cit. 7.

3   Je puis faire des omissions dans les faits, des transpositions, des erreurs de dates; mais je ne puis me tromper sur ce que j'ai senti, ni sur ce que mes sentiments m'ont fait faire; et voilà de quoi principalement il s'agit.
ROUSSEAU, les Confessions, VII.

4   (...) un moment, avant le choc, il avait eu le pressentiment de l'accident; seulement, par une transposition de vue fraternelle, c'était moi qu'il avait vu blessé, et blessé à l'œil.
Ed et J. DE GONCOURT, Journal, 10 févr. 1869, t. III, p. 199.

Vx. Traduction → Opérer, cit. 4.

♦ **3.** (1694). Mus. Le fait de transposer un morceau de musique (ou un fragment) en modifiant la hauteur des degrés de la gamme d'après laquelle il est composé. *Transposition à vue, par écrit.* — Art de transposer. — *(Une, des transpositions).* Morceau transposé. *Transposition pour baryton d'un lied pour ténor.*

TRANSPYRÉNÉEN, ENNE [tʀɑ̃spiʀeneɛ̃, ɛn] adj. — 1842, Académie; de *trans-,* et *pyrénéen.*

♦ Géogr. Situé au delà des Pyrénées. (⇒ **Espagnol**). — Qui se passe au delà des Pyrénées.
Qui traverse les Pyrénées. *Routes, voies transpyrénéennes.*

TRANSRHÉNAN, ANE [tʀɑ̃sʀenɑ̃, an] adj. — 1835; de *trans-,* et *rhénan.*

♦ Situé au delà du Rhin.

TRANSROULEUR [tʀɑ̃sʀulœʀ] n. m. — 1974, *in* la Clé des mots; de *trans(porteur),* et *rouler.*

♦ Techn. Appareil de transport formé d'une table à rouleaux.

TRANSROULIER [tʀɑ̃sʀulje] adj. et n. m. — 1975; de *trans-,* et *roulier.*

♦ Techn. Navire transportant des camions ou des remorques chargés.

TRANSSAHARIEN, IENNE [tʀɑ̃(s)saaʀjɛ̃, jɛn] adj. et n. m. — 1878, *Trans-Saharien,* in *Année sc. et industr.* 1879, p. 243; de *trans-,* et *saharien.*

♦ Qui traverse le Sahara. N. m. Chemin de fer qui devait réunir la Méditerranée au Niger.

TRANSSEXUALISME [tʀɑ̃ssɛksɥalism] n. m. — 1956; de l'angl. *transsexualism,* de *transsexual.* → Transsexuel.

♦ **1.** Psychiatrie. Sentiment délirant d'appartenir au sexe opposé, malgré une morphologie sexuelle normale, le plus souvent associé au désir de changer de sexe.

♦ **2.** Transsexualité.

TRANSSEXUALITÉ [tʀɑ̃ssɛksɥalite] n. f. — V. 1960; de *transsexuel,* d'après *sexualité.*

♦ Didact. Situation d'une personne qui passe d'un sexe à l'autre, par modification de la sexualité somatique.

TRANSSEXUEL, ELLE [tʀɑ̃ssɛksɥɛl] adj. et n. — V. 1965; de l'angl. *transsexual* → Trans-, et sexuel.

♦ Adj. Didact. Caractérisé par le transsexualisme ou la transsexualité. « *On ne peut assimiler transsexuels et homosexuels* » (le *Monde,* 30 sept. 1969).
N. *Un transsexuel masculin. Une transsexuelle.* «*Aucun transsexuel n'a jamais été guéri par des thérapeutiques psychiatriques* » (l'*Express,* 22 juil. 1974, p. 39). *Histoire de Jeanne transsexuelle,* récit de Catherine Rihoit et Jeanne Nolais.

DÉR. **Transsexualité.**

TRANSSIBÉRIEN, ENNE [tʀɑ̃(s)sibeʀjɛ̃, ɛn] adj. — 1889; de *trans-,* et *sibérien.*

♦ Géogr. Situé au delà de la Sibérie. — Qui traverse la Sibérie. *Ligne transsibérienne. Chemin de fer transsibérien.* N. M. *Le transsibérien :* chemin de fer soviétique qui relie la Russie d'Europe au Pacifique et à la Chine. « *Le chemin de fer transsibérien (...) Le Transsibérien sera une voie d'échange entre l'Asie et la Russie* » (la *Science illustrée,* 1889, t. II, p. 84-85).

TRANSSIDÉRAL, ALE, AUX [tʀɑ̃(s)sideʀal, o] adj. — Mil. XXᵉ; de *trans-,* et *sidéral.*

♦ Rare. Qui traverse les espaces sidéraux. ⇒ **Intersidéral.**
(...) nous préparions notre esprit à affronter les étrangetés qui ont traversé l'imagination de plusieurs générations de poètes à propos des expéditions transsidérales.
Pierre BOULLE, la Planète des singes, p. 40.

TRANSSONIQUE [tʀɑ̃(s)sɔnik] adj. — 1953; de *trans-,* et *son.*

♦ **1.** Phys. *Vitesse transsonique,* voisine de celle du son.

♦ **2.** Relatif aux vitesses proches de celles du son. *Accélération transsonique. Régime transsonique.* « *L'expérience en soufflerie, où l'on peut photographier les ondes de choc, montre qu'elles prennent naissance dès le début de ce qu'on appelle le domaine "transsonique", qu'on fait commencer conventionnellement à Mach 0,8 pour terminer à Mach 1,2* » (*Science et Vie,* nº 594, p. 108-109).

TRANSSONNANCE [tʀɑ̃(s)sɔnɑ̃s] n. f. — 1933; de *trans-,* et *(ré)sonnance.*

♦ Méd. *Transsonnance percutatoire :* modification du bruit perçu à l'ausculation, lorsqu'on passe d'un organe à un autre. — REM. On écrit aussi *transonance.*

TRANSSUBSTANTIATION [tʀɑ̃(s)sypstɑ̃sjasjɔ̃] n. f. — 1495; *transustanciacion,* 1374; lat. ecclés. *transsubstantiatio,* de *trans-,* et *substantia.* → Substance.

♦ **1.** Relig. cathol. et orthodoxe. Changement de toute la substance du pain et du vin (⇒ **Espèce**) en toute la substance du corps et du sang de Jésus-Christ. ⇒ **Eucharistie, hostie, présence** (réelle). *Les protestants n'acceptent pas le dogme de la transsubstantiation.* ⇒ aussi **Consubstantiation, impanation.**

Or, selon votre doctrine de la transsubstantiation, lorsque Jésus fit la dernière cène avec ses disciples, et qu'ayant rompu le pain il donna son corps à chacun d'eux, il est clair qu'il tint son corps entier dans sa main (...)
ROUSSEAU, Lettre à Mᵍʳ de Beaumont.

(...) même, au moment solennel où la clochette annonça le miracle de la transsubstantiation, il ne se courba pas, et il regarda en face l'hostie divinisée que le prêtre élevait au-dessus des fidèles.   J. VERNE, Maître Zacharius, p. 156.

♦ **2.** (1611). Didact. Changement complet d'une substance en une autre.

DÉR. **Transsubstantier.**

TRANSSUBSTANTIER [tʀɑ̃(s)sypstɑ̃sje] v. tr. — 1495; *transsubstentier,* XIVᵉ; de *transubstantiation.*

♦ **Relig.** Changer (le pain et le vin) en la substance du corps et du sang de Jésus-Christ.

(Fin XVIᵉ). **Fig. Didact.** Changer complètement. — Pronominal :
(...) ah ça, est-ce qu'il croyait que, parce qu'un prêtre avait proféré cinq mots latins sur un pain azyme, ce pain s'était transsubstantié en la chair du Christ? (...)   HUYSMANS, En route, II, v.

TRANSSUDAT [tʀɑ̃ssyda] n. m. — 1933 ; de *transsudation*, d'après *exsudat*.

♦ **Méd.** Liquide séreux, pauvre en albumine, accumulé dans une cavité ou un tissu par transsudation*.

TRANSSUDATION [tʀɑ̃ssydasjɔ̃] n. f. — 1714 ; de *transsuder*.
Didactique ou littéraire.

♦ **1.** Action de transsuder. ⇒ **Exsudation, suintement.** *Transsudation de l'eau au travers d'un vase.* — **Méd.** Passage de liquide séreux du plasma à travers les parois vasculaires intactes, à la suite d'une stase sanguine ou d'une modification de la pression osmotique du plasma.

♦ **2.** Figuré :
Quelquefois le mur le plus noir et le plus bourru parle, et d'entre les pierres une lueur sort. Une vague transsudation de clarté se dégage parfois d'un entassement fermé et sombre.   HUGO, l'Homme qui rit, II, VI, IV.

TRANSSUDER [tʀɑ̃ssyde] v. intr. et tr. — 1700 ; en anc. franç. *tressuer*, XIIᵉ ; du lat. *trans-*, et *sudare* «suer».
Didactique ou littéraire.

★ **I.** V. intr. ♦ **1.** [a] Passer au travers des pores d'un corps en fines gouttelettes (comme fait la sueur). ⇒ **Filtrer.** *Transsuder au travers d'une pierre poreuse.*

[b] Sortir des pores d'un corps (comme fait la sueur). ⇒ **Exsuder.** *Eau qui transsude d'une paroi de caverne.* ⇒ **Suinter.**

♦ **2.** **Méd.** Passer par transsudation. — Au p. p. *Liquide transsudé.* ⇒ **Transsudat.**

♦ **3.** **Fig.** Passer, filtrer.
1   De toute cette figure transsudait, au contraire, une bonté joyeuse et active (...)
     Léon BLOY, le Désespéré, p. 122.
2   L'écriture gréco-latine a transsudé chez les peuples du Nord.
     Marcel COHEN, l'Écriture, p. 75.
2.1   (...) la pitoyable diatribe d'un aumônier militaire du Maroc (...) dont la vulgarité transsudait à travers le titre même (...)
     F. MAURIAC, Bloc-notes 1952-1957, p. 25.

★ **II.** V. tr. ♦ **1.** (1779). Émettre en laissant passer les pores. « L'écorce de cet arbre transsude une sorte de gomme » (Académie).

♦ **2.** **Fig.** Exhaler, dégager.
3   — Pauvre créature! se disait-il, je suis Dieu pour elle (...) elle transsude la jubilation.   Léon BLOY, la Femme pauvre, I, X.
DÉR. Transsudation.

TRANSTOCKEUR [tʀɑ̃stɔkœʀ] n. m. — 1973, in *la Clé des mots* ; de *trans(port)*, et *stocker*.

♦ **Techn.** Appareil de manutention utilisé dans les magasins.

1. TRANSURANIEN, IENNE [tʀɑ̃zyʀɑ̃jɛ̃, jɛn] adj.— 1866 ; de *trans-*, et *Uranus*, et suff. *-ien*.

♦ **Astron.** Situé au delà de la planète Uranus. *Pluton, planète transuranienne.*

2. TRANSURANIEN, ENNE [tʀɑ̃zyʀɑ̃jɛ̃, ɛn] adj. et n. m. — 1940 ; de *trans-*, et *uranium*.

♦ **Chim.** (D'un élément). Dont le nombre atomique est supérieur à celui de l'uranium* (92). *Les éléments transuraniens (neptunium, plutonium, etc.), instables, radioactifs*, sont obtenus à partir de noyaux lourds par capture de particules.*
1   On a réussi ainsi à créer de nouveaux éléments inconnus dits éléments transuraniens, dans la nature.
     Théodore KAHAN, Radioactivité et Transmutation des atomes, p. 177.
2   En 1938, c'est la grande révélation : Fermi et ses collaborateurs découvrent non pas un seul, mais 5 éléments nouveaux, plus lourds encore que l'uranium et possédant respectivement 93, 94, 95, 96 et 97 protons. Ils sont vite baptisés : ce sont l'*ékarhénium*, l'*ékaosmium*, l'*ékairidium*, l'*ékaplatine* et l'*ékaor* (...)
Sitôt connue la découverte de Fermi, tous les laboratoires de physique atomique se mirent en devoir d'étudier les 5 nouveaux éléments, dits *transuraniens*.
     Pierre ROUSSEAU, De l'atome à l'étoile, p. 56.

TRANSVASAGE [tʀɑ̃svazaʒ ; tʀɑ̃zvazaʒ] n. m. — Mil. XXᵉ ; de *transvaser*.

♦ **Techn.** Soutirage (du vin).

TRANSVASEMENT [tʀɑ̃svazmɑ̃ ; tʀɑ̃zvazmɑ̃] n. m. — 1611 ; *transvasation*, 1570 ; de *transvaser*.

♦ **1.** Action de transvaser. ⇒ **Transfusion** (vx). *Faire le transvasement d'un liquide dans un autre récipient.*

♦ **2.** **Fig.** Action de transférer, de changer (qqch., qqn) de place.

TRANSVASER [tʀɑ̃svaze ; tʀɑ̃zvaze] v. tr. — 1570 ; de *trans-*, et *vase*.

♦ Verser, faire couler d'un récipient dans un autre. ⇒ **Transfuser** (vx), **transvider.** *Transvaser du vin.* ⇒ **Soutirer.** *Transvaser un liquide que l'on veut décanter*.*
Fig. Transférer, faire passer (d'un endroit à un autre).
Deux heures plus tard, nous sommes encore transvasés dans une nouvelle patache, et une autre fois encore, vers trois heures du matin. À six heures nous descendions à Marburg.   NERVAL, Lorely, Souv. de Thuringe, II.
DÉR. Transvasage, transvasement, transvaseur.

TRANSVASEUR [tʀɑ̃svazœʀ ; tʀɑ̃zvazœʀ] n. m. — 1836 ; de *transvaser*.

♦ **Rare.** Personne, appareil qui opère un transvasement.

TRANSVERBÉRATION [tʀɑ̃svɛʀbeʀasjɔ̃] n. f. — 1901 ; «coup qui traverse de part en part», 1531 ; lat. *transverberatio* «action de transpercer», de *transverberare.* → Transverbérer.

♦ **Didact.** Blessure qu'avait infligé un séraphin au cœur de Sainte Thérèse d'Avila.

TRANSVERBÉRER [tʀɑ̃svɛʀbeʀe] v. tr. — 1876 ; lat. *transverbere*, de *verberare* «battre de verges».

♦ **1.** (Dans le langage des mystiques). Transpercer (le cœur).

♦ **2.** **Fig.** Toucher, blesser profondément.

TRANSVERSAL, ALE AUX [tʀɑ̃svɛʀsal, o] adj. et n. f. — 1534 ; provençal, XIIIᵉ ; du lat. *transversus.* → Traverse.
Didactique.

★ **I.** Adj. ♦ **1.** **Didact.** Qui traverse une chose en la coupant perpendiculairement à sa plus grande dimension (longueur ou hauteur). *Coupe transversale et coupe longitudinale*. La coupe transversale de la tige et de la racine* (cit. 3) *est un cercle* (→ aussi Schéma, cit. 1). *Plan transversal d'un navire.* ⇒ **Latitudinal.** *Incurvation latérale, transversale horizontale.* (→ Courbature, cit. 3). — *Stries transversales des fibres musculaires* (→ Muscle, cit. 1). *Muscles transversaux*, qui sont perpendiculaires à l'axe du corps, horizontaux. *Artère, veine transversale de la face. Sillon transversal de la nuque.* ⇒ **Transverse.** — **Géogr.** *Vallée transversale*, qui coupe une large vallée (→ Épigénie, cit.). — N. f. **Géom.** *Une transversale*, ligne droite coupant deux côtés d'un triangle et le prolongement du troisième.

♦ **2.** **Cour.** Qui traverse, est en travers (par rapport à un axe principal implicite). *Rue transversale*, qui coupe une rue plus importante (→ Endormir, cit. 35). *Bandes transversales. Piliers de fer et poutres transversales du métro* (cit. 8) *aérien.*
1   (...) son front, plein de rides transversales, ne manquait pas de protubérances significatives (...)   BALZAC, Eugénie Grandet, Pl., t. III, p. 488.
2   Les rues transversales ne servent guère qu'à marquer la limite des immeubles entre les avenues.   SARTRE, Situations III, p. 115.

★ **II.** N. f. ♦ **1.** (1812). Barre, ligne qui en coupe une autre ou d'autres. — (1900, in Petiot). **Sports.** Barre horizontale rejoignant les poteaux de but, aux jeux de ballon. **Football.** Passe* en diagonale.

♦ **2.** (XXᵉ). *Rue, route transversale.*
3   Ce sont : la grande route côtière : Mazagan-Casablanca-Rabat-Kénitra, et, comme transversales, la route Mogador-Marrakech ; Mazagan-Marrakech ; Casablanca-Marrakech ; Kénitra-Fez (...)   L.-H. LYAUTEY, Paroles d'action, p. 111.
DÉR. Transversalement.

TRANSVERSALEMENT [tʀɑ̃svɛʀsalmɑ̃] adv. — 1490 ; de *transversal*.

♦ Dans une position transversale (→ Osselet, cit. 1), oblique ou perpendiculaire par rapport au sens habituel, normal.
(...) les maisons, les moins hautes d'étages, s'espacent séparées par des jardins aux clôtures de planches posées transversalement comme en Hollande (...)
     Th. GAUTIER, Voyage en Russie, VIII.

TRANSVERSE [tʀɑ̃svɛʀs] adj. — 1503 ; du lat. *transversus* «tourné en travers».

♦ **Anat.** Qui est en travers. ⇒ **Transversal.** *Apophyses transverses* *des vertèbres. Muscle transverse de l'abdomen. Côlon transverse* (→ Cæcum, cit.).

TRANSVESTISME [tʀɑ̃svɛstism] n. m. — Mil. xxᵉ; de l'angl. *transvestism, de to transvest* «se travestir».

♦ Psychiatrie. Syn. de *travestisme.*

Le transvestisme. Ni homosexuels ni transsexuels, c'est le jeu d'indistinction du sexe qu'aiment les travestis. Le charme qu'ils exercent, sur eux-mêmes aussi, vient de la vacillation sexuelle et non, comme il est coutume, de l'attraction d'un sexe sur l'autre.   J. BAUDRILLARD, De la séduction, p. 24-25.

TRANSVIDER [tʀɑ̃svide; tʀɑ̃zvide] v. tr. — 1829; mot dial.; de *trans-,* et *vider.*

♦ Régional. Faire passer (un contenu) dans un autre récipient. *Transvider le sucre d'un paquet dans le sucrier. Transvider un liquide.* ⇒ **Transvaser.**

TRANSYLVAIN, AINE [tʀɑ̃silvɛ̃, ɛn] adj. — V. 1470, n., *in* D.D.L.; du lat. médiéval *Transylvania,* la Transylvanie, proprt «le pays au delà de la forêt».

♦ De la Transylvanie, propre à la Transylvanie. — N. *Les Transylvains.*

TRANTRAN ou **TRAN-TRAN** [tʀɑ̃tʀɑ̃] n. m. — 1680; «sonnerie de cor», 1611; formation expressive.

♦ Vx ou littér. ⇒ **Train-train.** *S'engourdir* (cit. 10) *dans le tran-tran coutumier. Marins ankylosés* (cit. 4) *dans le tran-tran des ports.*

Comme si le monde n'attendait que la paix pour reprendre tel quel, son trantran d'autrefois.   MARTIN DU GARD, les Thibault, t. IX, p. 196.

TRAPACÉES [tʀapase] n. f. plur. — Mil. xxᵉ, du lat. bot. *trapa* «macle», et *-acées.*

♦ Bot. Famille de plantes angiospermes dicotylédones dialypétales dont le type est la *Trapa* ou *Macle** (châtaigne d'eau). *Les Fuchsia**, *les Gaura, les Clarkia sont des trapacées.* — Au sing. *Une trapacée.*

TRAPAN [tʀapɑ̃] n. m. — 1690; «planche avec des trous», 1331; de *trappe.*

♦ Techn. Haut d'un escalier, endroit où finit la rampe (→ Trappe, cit. 6).

TRAPÈZE [tʀapɛz] n. m. — 1542; du lat. *trapezium,* grec *trapezion,* dimin. de *trapez* «table à quatre pieds».

♦ **1.** Quadrilatère dont deux côtés sont parallèles, spécialt lorsqu'ils sont inégaux. *Petite et grande base d'un trapèze :* les côtés parallèles. *Trapèze isocèle, rectangle. — En forme de trapèze, en trapèze.* ⇒ **Trapézoïdal.** *— Décolleté en trapèze. Ligne trapèze.*

1   (...) le terrain sur lequel la maison était bâtie devait être tronqué, le mur mitoyen se terminait en trapèze à sa mansarde.   BALZAC, Z. Marcas, Pl., t. VII, p. 743.

(V. 1560). Anat. *Muscle trapèze,* et, n. m. *trapèze :* muscle plat en forme de trapèze qui occupe la partie postérieure et supérieure du tronc (→ Élévation, cit. 2). — (1872). *Os trapèze* ou *trapèze,* le premier de la seconde rangée du carpe, en partant du pouce.

Hippol. Partie du cheval entre l'encolure et le garrot.

♦ **2.** (1830, *in* Petiot). Appareil de gymnastique, d'acrobatie; barre horizontale suspendue par les extrémités à deux cordes. *Trapèze d'un portique* (⇒ **Agrès**). *Trapèze de gymnaste* (cit. 2), *d'équilibriste* (cit.). *Faire des exercices, travailler au trapèze, se balancer sur un trapèze* (→ Rapidité, cit. 5). *Faire du trapèze. — Trapèze volant :* exercice d'acrobatie consistant à sauter d'un trapèze à l'autre en se balançant.

2   En frissonnant de plaisir et de peur, je les regardais *(les acrobates)* tomber droit à travers des cerceaux fragiles de verre, saisir un trapèze indocile, au vol, piquer une tige d'argent et bondir, d'agrès en agrès, jusqu'à la poutrelle flexible du portique.   H. BOSCO, Antonin, p. 292.

♦ **3.** (1958). Navigation de plaisance. Dispositif permettant à un équipier de dériveur léger de faire porter tout le poids de son corps à l'extérieur du bateau pour compenser une gîte excessive. *Installer un trapèze. Monter au trapèze. Culotte de trapèze.* — Par ext. *Faire du trapèze. Le trapèze et le rappel.*

DÉR. Trapéziste.
COMP. Trapéziforme, trapézoèdre, trapézoïdal.

TRAPÉZIFORME [tʀapezifɔʀm] adj. — 1803, *in* D.D.L.; de *trapèze,* et *-forme.*

♦ Didact. En forme de trapèze. ⇒ **Trapézoïdal.**

TRAPÉZISTE [tʀapezist] n. — 1879; de *trapèze* (2.).

♦ Gymnaste, acrobate spécialisé(e) dans les exercices du trapèze. *Une trapéziste de cirque. Tous les acrobates, gymnastes, trapézistes* (→ Sciure, cit. 1, Goncourt). *Le métier de trapéziste.*

Avec ce trapèze, au bout de ce tremplin des bras, qui développe des élasticités de muscles et de nerfs surhumaines, Gianni faisait mille exercices, dans lesquels le corps du trapéziste semble prendre quelque chose de voltigeant, d'aérien.
                                      Ed. DE GONCOURT, les Frères Zemganno, IV.

TRAPÉZOÈDRE [tʀapezɔɛdʀ] n. m. — 1846; de *tapèze* (1.), et *-èdre.*

♦ Didact. Solide à faces trapézoïdales. Solide composé de vingt-quatre faces quadrilatérales symétriques.

TRAPÉZOÏDAL, ALE, AUX [tʀapezɔidal, o] adj. — 1839; *trapézoïde,* 1652; du grec *trapezoeidês.*

♦ Didact. En forme de trapèze. ⇒ **Trapéziforme.** *Prisme à bases trapézoïdales.*

TRAPÉZOÏDE [tʀapezɔid] adj. — 1652, comme n. m.; du grec *trapezoeidês.*

♦ Didact. Qui ressemble à un trapèze. — N. m. Trapèze dont deux côtés se croisent. (Syn. : *trapèze de seconde espèce*). — Anat. *Os trapézoïde,* de la rangée inférieure du carpe* (compris entre le trapèze et le grand os). *Corps trapézoïde :* faisceau de fibres nerveuses en avant de la protubérance annulaire.

1. TRAPPAGE [tʀapaʒ] n. m. — 1973, *in la Clé des mots;* de *trappe,* d'après l'angl. *trapping.*

♦ Méd. Phénomène par lequel les gaz inspirés sont retenus lors de l'expiration dans un territoire broncho-pulmonaire pathologique.

2. TRAPPAGE [tʀapaʒ] n. m. — Attesté xxᵉ; de *trappeur,* et suff. *-age.*

♦ Canada. Piégeage des animaux à fourrure.

Tout est prêt pour le trappage, sauf le temps. Assis à longueur de jour sur le pas de sa porte, Mathieu rêve. Devant lui, passé le ruisseau, la forêt s'étale longtemps avant de grimper le flanc de la Montagne Verte.
                                      Jean-Yves SOUCY, Un dieu chasseur, p. 7.

1. TRAPPE [tʀap] n. f. — V. 1175; p.-ê. du francique *trappa «lacet» (moy. néerl. *trappe*) ou (P. Guiraud) de *traper* «fouler aux pieds», du francique **trappon.*

♦ **1.** Piège pour prendre des bêtes, formé d'un trou recouvert de branchages ou d'une bascule. ⇒ **Chausse-trappe.** → 1. Avoir, cit. 56. *Trappes à loups* (⇒ Débouché, cit. 1). *Chasser à la trappe.* ⇒ **Trappeur.** — Fig. *Creuser sous ses pieds une trappe* (→ Abuser, cit. 9). *Faire basculer* (cit. 1) *la trappe qui les maintient prisonniers.*

1   Les trappes employées contre ces animaux sont des planches plus ou moins épaisses, plus ou moins larges. On fait un trou dans la neige : une des extrémités des planches est posée à terre, l'autre extrémité est élevée sur trois morceaux de bois agencés dans la forme du chiffre 4. L'amorce s'attache à l'un des jambages de ce chiffre; l'animal qui la veut saisir s'introduit sous la planche, tire à soi l'appât, abat la trappe, est écrasé.
                                      CHATEAUBRIAND, Voyage en Amérique, Chasse.

1.1 Quelques jours avant, il avait capturé, à l'aide de trappes, un couple de buffles sauvages, qu'il retenait prisonniers avec de fortes lianes enroulées autour de leurs cornes et fixées à un tronc d'arbres.
                                      Raymond ROUSSEL, Impressions d'Afrique, p. 281.

♦ **2.** (1260). Ouverture à abattant pratiquée dans un plancher ou dans un plafond, pour donner accès à une cave, ou à un grenier, une terrasse... *La trappe est une sorte de porte** *horizontale. Échelle pour ouvrir une trappe* (→ Fenil, cit. 1). *Trappe de cave* (⇒ **Trappon**), *d'oubliette. Trappe d'un bateau.* ⇒ **Écoutille** (→ Sampan, cit.). *Trappe de départ d'un avion,* par laquelle sautent les parachutistes (→ Surplus, cit. 5).

1.2 C'est donc, ainsi que je viens de le dire, par une trappe donnant dans les souterrains, que se trouve la sortie du corridor obscur dont je t'ai donné l'idée.
                                      SADE, Justine..., t. I, p. 161.

2   (...) la jeune femme avait trouvé, au pied de l'escalier, la trappe de la cave ouverte, cette trappe placée si dangereusement; et Hourdequin était au fond, mort, les reins cassés à l'angle d'une marche.   ZOLA, la Terre, V, V.

3   (...) on grimpait sur les toits, on passait par tous les pertuis, toutes les trappes, et par ce trou dangereux, au-dessus du pressoir, par où l'on fait crouler les pommes (...)   GIDE, Si le grain ne meurt, I, VI.

Faire disparaître qqn dans, par une trappe. À la trappe !

3.1 Amenez le premier Noble et passez-moi le crochet à Nobles. Ceux qui seront condamnés à mort, je les passerai dans la trappe, ils tomberont dans les sous-sols du Pince-porc (...) où on les décervèlera.   A. JARRY, Ubu roi, II, 2.

3.2 Et de quoi vivrons-nous ? Nous sommes pauvres. Vous aurez les amendes que vous prononcerez et les biens des condamnés à mort (...) — Nous nous refusons à juger dans des conditions pareilles. — À la trappe les magistrats.
                                      A. JARRY, Ubu roi, II, 2.

(1845). Partie mobile du plancher d'une scène qui sert à faire disparaître les acteurs de théâtre ; dispositif utilisé par les illusionnistes pour leurs tours.

— Nous nous étions toujours attendus, disait le derviche Hassaneffendi, à vous voir disparaître ainsi, par une trappe ou un coup de baguette.
           LOTI, Aziyadé, IV, XI.

À ces mots, le plancher de la scène trembla, les frises descendirent sur les épaules de Jérôme, la trappe des apparitions féeriques s'ouvrit sous ses pieds.
           Maurice BEDEL, Jérôme 60° latitude Nord, XI.

♦ **3.** Abattant de trappe. ⇒ **Trappillon.**

♦ **4.** (1694). Par anal. Tablier*, rideau de cheminée (→ Fragment, cit. 3). — Châssis d'une fenêtre à coulisse.

DÉR. Trapan, trappeur, trappillon, trappon.

2. TRAPPE [tʀap] n. f — Fin XVIIᵉ ; de *Notre-Dame-de-la-Trappe* ainsi nommée d'un sens régional (→ ci-dessous, cit. Chateaubriand) rattaché au rad. germanique de *trépigner.*

♦ (Avec une majuscule). Ordre religieux des trappistes (⇒ **Trappiste**). *Quitter* (cit. 7) *le monde et se retirer à la Trappe.* — Par ext. (Prend généralement une majuscule pour la Maison mère, une minuscule pour les autres maisons). Maison de trappistes. *Quand la Trappe fut détruite* (→ Moine, cit. 2). *Des gens qui se réfugient dans les trappes après de longs chagrins* (→ Monde, cit. 38). *Franchir la clôture d'une trappe.*

La Maison-Dieu s'appelle aujourd'hui la *Trappe* : Trappe, dans le patois du Perche, signifie degré, vraisemblablement de *trapan* ; Notre-Dame-de-la-Trappe veut donc dire : Notre-Dame-des-Degrés.
           CHATEAUBRIAND, Vie de Rancé, p. 85.

(...) la Trappe est l'ordre le plus rigide qui ait été imposé aux hommes.
           HUYSMANS, En route, I, VIII.

DÉR. Trappiste.

TRAPPEUR [tʀapœʀ] n. m. — 1827, *in* Höfler ; de l'angl. *trapper* « qui chasse à la trappe », de *to trap* ; cf. anc. franç. *trapper*, 1530.

♦ Chasseur professionnel du Nord des États-Unis et du Canada, qui fait commerce des fourrures. *La rude vie des trappeurs. Les trappeurs canadiens.*

(...) les trappeurs qui descendent du nord avec leur chargement de fourrures (...)
           B. CENDRARS, l'Or, p. 43.

Le fém. *trappeuse* est virtuel.

TRAPPILLON [tʀapijɔ̃] n. m. — 1772 ; de *trappe.*

♦ **1.** Ouverture allongée, dans le plancher de la scène d'un théâtre, pour faire passer les fermes (décors) montant des dessous.

♦ **2.** (1872). Abattant d'une trappe.

TRAPPISTE [tʀapist] n. m. — 1803 ; de *2. trappe.*

♦ Moine cistercien qui observe la règle réformée de la Trappe, instituée en 1664 par Rancé. *Les trappistes mènent une vie austère où le silence est de rigueur* (→ aussi Monde, cit. 38 ; prédestiné, cit. 2). *Monastère de trappistes* ou *trappine.*

J'ai connu des officiers qui s'enfermaient dans un silence de trappiste, et dont la bouche sérieuse ne soulevait la moustache que pour laisser passage à un commandement.   A. DE VIGNY, Servitude et Grandeur militaire, I, III.

DÉR. Trappistine.

TRAPPISTINE [tʀapistin] n. f. — 1844, → *infra*, cit. ; de *trappiste.* Rare.

♦ **1.** Religieuse qui suit la règle cistercienne réformée de Rancé (ordre fondé en 1827).

Dans les environs de Bayeux, les Trappistines, chassées d'abord de la forêt de Sénart, s'établirent sous la conduite de ma cousine, madame de Chateaubriand.
           CHATEAUBRIAND, Vie de Rancé, p. 138.

♦ **2.** (1872). Liqueur fabriquée par les trappistes.

TRAPPON [tʀapɔ̃] n. m. — 1839, Boiste ; de *1. trappe.*

♦ Techn. Trappe servant à fermer une cave où l'on entre par la rue.

TRAPU, UE [tʀapy] adj. — 1584 ; *trape, trappe,* XVᵉ ; p.-ê. d'un subst. *trape* (→ Ventre, ventru), pour *tarpe* « grosse patte, grosse main ».

♦ **1.** (Êtres vivants). Qui est court et large, ramassé sur soi-même (souvent avec l'idée de robustesse, de force). *Colosse trapu* (→ Arc-bouter, cit. 2). *Un homme trapu, robuste, vivace* (→ Hercule, cit. 1). ⇒ **Costaud.** *Une silhouette trapue. Enfants trapus et comme tassés* (→ Dénouer, cit. 15). *Petit, gros, trapu* (→ 1. Fort, cit. 6). — (Des animaux). *Cheval trapu.* ⇒ **Bouleux.** *Le blaireau* (cit. 2), *le sanglier, bêtes trapues.*

(1843 ; choses). Ramassé, massif. *Arbres écimés* (cit. 1) *et trapus. Choux* (cit. 2) *trapus. Piliers trapus, colonne trapue* (→ Architrave, cit. 3 ; 1. palais, cit. 4). *Monument trapu* (→ Majestueux, cit. 7). *Les formes trapues d'une église de campagne.* ⇒ **Épais, lourd, massif.**

Puis, la grosse affaire était le couteau à palette (...) il en possédait une collection, de longs et flexibles, de larges et trapus (...)   ZOLA, l'Œuvre, IX.

Toute la bâtisse avait l'air de se ramasser sous l'orage. Jamais je ne l'avais vue si large, si trapue, et jamais aussi solitaire.   H. BOSCO, Hyacinthe, p. 61.

♦ **2.** (1886). Argot scol. Qui a de grandes connaissances, de grands dons scolaires. ⇒ **Calé, 1. fort.** *Un élève, un candidat trapu.* — Fort, ardu, difficile. *Problème trapu.*

CONTR. Élancé, fluet, gracile.

TRAQUE [tʀak] n. f. — 1798 ; de *traquer.*

♦ Chasse. Action de traquer le gibier. ⇒ **Rabat.**

Tous deux, au fil des jours, des nuits qu'ils passaient dans la forêt, à la traque, à l'affût, à la piste, montraient le même acharnement tranquille où le temps ne signifie plus rien.   M. GENEVOIX, la Dernière Harde, p. 146.

Fig. et fam. Poursuite, chasse à l'homme. — (Dans un contexte érotique). *« Survient un type grand, mince sans excès, un brin rétro, énormément de charme. Je dis à Laurence : "Tu m'excuseras, mais je te quitte, j'ai une traque"... »* (F Magazine, n° 22, déc. 1979, p. 86).

HOM. Trac.

TRAQUÉ, ÉE [tʀake] adj. ⇒ **Traquer.**

TRAQUENARD [tʀaknaʀ] n. m. — 1534 ; du gascon *traconart*, de *traca*, même rac. que *traquer*, au sens de « balancer ».

♦ **1.** Techn. (hippol.). Amble rompu d'un cheval. *Cheval* (cit. 24) *qui va le traquenard.*

♦ **2.** (1680). Chasse. Piège* pour prendre les animaux nuisibles, sorte de trébuchet. ⇒ **1. Traquet.** *Les traquenards, engins* (cit. 9) *prohibés.*

(...) les traquenards à dents, ces pièges circulaires au centre desquels s'érigeait la « marchette », semblable à une petite lyre.   Pierre GASCAR, les Bêtes, p. 98.

♦ **3.** (1622). Cour. Piège. *Nous voilà pris* (cit. 30) *dans un traquenard. Traquenard de police* (→ Conduire, cit. 22). ⇒ **Embuscade, souricière.** *Le français* (cit. 19), *langue pleine de traquenards.* ⇒ **Embûche.** *Texte plein de traquenards, de complications*, *d'embûches.*

Un machiavélique traquenard que les généraux de Berlin tendent à la Russie, par l'entremise de l'Autriche !   MARTIN DU GARD, les Thibault, t. VII, p. 44.

TRAQUER [tʀake] v. tr. — 1743 ; « s'emparer de (qqn) », mil. XVᵉ ; soit dér. de l'anc. franç. *trac* « piste » (→ Tout à trac*), soit (P. Guiraud) du roman *tracicare*, ou réfection sur *trac* (de *tracticus*) d'une forme antérieure ; du lat. *trahere* « tirer », d'où « tirer de côté et d'autre, tirailler, balancer ».

♦ **1.** Fouiller (un bois) pour en faire sortir le gibier.

♦ **2.** (1743). Par ext. Poursuivre (le gibier d'un bois) en resserrant toujours le cercle qu'on fait autour de lui. ⇒ **Forcer.** *Traquer les bêtes des bois* (→ Languir, cit. 14). ⇒ **Traqueur.** — Par anal. Poursuivre (qqn), le forcer dans sa retraite. *Traquer un bandit* (→ Sacrifier, cit. 18), *un évadé* (→ Évasion, cit. 1 ; et aussi exiler, cit. 4). *J'ai été chassé, traqué, poursuivi* (→ Maudire, cit. 10). — Par ext. *Menace* (cit. 8) *qui traque quelqu'un.*

On a beau vanter la pêche et la chasse, traquer l'homme dans Paris est une partie bien plus intéressante.   BALZAC, les Comédiens sans le savoir, Pl., t. VII, p. 22.

Il me racontait la poursuite de quelque bête puissante que l'on traque pendant des jours et qui tout à coup se retourne et fonce (...)
           H. FAUCONNIER, Malaisie, p. 12.

(Dans un contexte érotique, en parlant d'une femme qui cherche à séduire un homme). *« Je traque en douceur. Je me contente de noter son numéro de téléphone. Il paraît soulagé. On s'embrasse gentiment, en copains »* (F Magazine, n° 22, déc. 1979, p. 86). ⇒ **Traque.**

▶ **TRAQUÉ, ÉE** p. p. adj. (1762). *Biche traquée par les chasseurs* (→ Frisson, cit. 9). *Un air de bête traquée. Chat traqueur* (cit. 1) *et traqué. Gangsters traqués par la police.*

Traqué par les siens ; traqué par la société, par les conditions de la vie (...) Traqué par il ne savait quoi, qui semblait venir aussi de lui-même.
           MARTIN DU GARD, les Thibault, t. IV, p. 216.

(...) le goût de la sérénité est faible chez les hommes traqués.
           MALRAUX, la Condition humaine, IV, 3.

Un regard, un œil traqué (→ Combiner, cit. 12 ; gouape, cit. 2), de qqn qui semble pourchassé.

DÉR. Tracasser, traque, 1. traquet, 1. traqueur. V. aussi 2. Traquet.
COMP. Détraquer.

1. TRAQUET [tʀakɛ] n. m. — 1694; de *traquer*. → Traquenard.

♦ Chasse. Piège qu'on tend aux bêtes puantes.
Loc. Vx. *Donner dans le traquet :* se laisser tromper, abuser.

2. TRAQUET [tʀakɛ] n. m. — 1458; aussi «crécelle»; probablt de *traquer*, au sens de «balancer».

★ **I.** Techn. Morceau de bois qui passe au travers de la trémie d'un moulin et dont le mouvement fait tomber le blé sous la meule. ⇒ **Battant.**

★ **II.** (1555). Oiseau passereau *(Turdidés)* appelé aussi cul-blanc, motteux.

1. TRAQUEUR, EUSE [tʀakœʀ, ʤz] n. m. — 1798; de *traquer*.

♦ **1.** Chasse. Chasseur qu'on emploie pour traquer le gibier.

♦ **2.** Personne qui traque un animal, une personne.

1 Chat perdu, chat de ferme traqueur et traqué, maigri d'insomnie (...)
COLETTE, les Vrilles de la vigne, Amours.

2 Il est le meilleur pisteur, traqueur et tireur de ce Parc. Et il le connaît mieux que personne.   J. KESSEL, le Lion, p. 113.

2. TRAQUEUR, EUSE [tʀakœʀ, ʤz] adj. et n. — 1835, adj.; de *trac*.

♦ Fam. Qui a peur, est inquiet, angoissé, timoré. *Elle est un peu traqueuse.* — N. (1880). *Quel traqueur!*

TRASS [tʀas] n. m. — 1872; du néerl. *tiras* «ciment».

♦ Techn. Tuf volcanique utilisé dans la confection de certains mortiers.
HOM. Trace.

TRATTORIA [tʀatɔʀja] n. f. — 1847; mot ital. → Traiteur.

♦ Petit restaurant bon marché, en Italie. *Des trattorias.*
(...) un odeur pénétrante de friture révélait le voisinage d'une *trattoria* (...)
NERVAL, Voyage en Orient, Femmes du Caire, VIII, II.

TRAULET [tʀolɛ] n. m. — 1829; de l'anc. v. *troller* «faire aller çà et là»; lat. pop. *tragulare* «poursuivre», du lat. class. *tragula* «javelot».

♦ Techn. Pointe d'acier utilisée en dessin industriel pour marquer des points.

TRAULISME [tʀolism] n. m. — 1933; du grec *traulismos* «bégaiement»; de *traulos* «bègue».

♦ Didact. Difficulté qu'ont les sourds-muets à apprendre à prononcer le [ʀ] et le [k].

TRAUMA [tʀoma] n. m. — 1876, in D. D. L.; du grec *trauma* «blessure».

♦ Didact. Méd. Lésion, blessure locale produite par un agent extérieur agissant mécaniquement. — Psychol, psychan. Émotion violente qui modifie la personnalité d'un sujet en la sensibilisant aux émotions de même nature (cet emploi est critiqué). *Trauma affectif.* ⇒ **Traumatisme.**
Il est vrai qu'il ne faut infliger aucun «trauma» à aucun des pauvres chéris que nous sommes.   M. CLAVEL, in le Nouvel Obs., 6 nov. 1972, p. 76.

TRAUMATIQUE [tʀomatik] adj. — 1806, in D. D. L.; «vulnéraire», 1549; du lat. *traumaticus*, grec *traumatikos*, de *trauma* «blessure». Didactique.

♦ **1.** Qui a rapport aux plaies, aux blessures. *Hémorragie, tétanos traumatique. Fièvre traumatique. Choc traumatique :* ébranlement de l'organisme après blessure grave, une opération.

1 La moitié des côtes fracturées, un poumon en charpie et, maintenant, le tétanos traumatique, c'est complet.   Léon BLOY, le Désespéré, p. 263.

♦ **2.** Psychiatrie, psychan. Qui a rapport à un trauma psychique. *Névrose traumatique :* névrose qui est la conséquence d'un trauma*.

2 La névrose traumatique est l'état morbide causé par un trauma, c'est-à-dire par un afflux de stimulations externes si grandes, par une situation si critique et si urgente que le sujet se trouve dans l'impossibilité de les maîtriser et que la décharge n'est pas possible.   Daniel LAGACHE, la Psychanalyse, p. 61.
DÉR. V. Traumatisme; traumatiser.
COMP. Psychotraumatique. — V. Traumatologie.

TRAUMATISANT, ANTE [tʀomatizɑ̃, ɑ̃t] adj. — 1926, in D. D. L.; de *traumatiser*.

♦ **1.** Méd. Qui provoque un traumatisme (1.). *Occlusion traumatisante des dents* (provoquant des lésions des dents et des tissus environnants).

♦ **2.** Psychol., cour. Qui provoque un traumatisme psychologique. *Expériences traumatisantes* (→ Résistance, cit. 11). *Des évènements traumatisants. Son attitude est traumatisante pour ses enfants.* «Le psychodrame permet de faire rejouer aux malades, d'une façon imaginaire sur les scènes d'un théâtre, les scènes traumatisantes qui sont à l'origine de leurs névroses» (le Monde, 25 juil. 1963, in Gilbert).

TRAUMATISER [tʀomatize] v. tr. — 1922, in D. D. L.; de *traumatique*, d'après le grec *traumatizein*.

♦ **1.** Didact. Provoquer un traumatisme. Méd. *Cet accident l'a traumatisé.* ⇒ **Choquer.**

♦ **2.** (1950, in D. D. L.). Psychol., psychan. et cour. Causer un traumatisme psychologique à (qqn). *Cette découverte l'a traumatisée.* «Il ne faut pas "traumatiser" les enfants : plus de notes, plus de compositions» (la Croix, 25 mars 1969, in Gilbert). «Pourquoi a-t-on traumatisé la population avec cette annonce spectaculaire de 12 350 suppressions de poste?» (l'Express, 29 nov. 1971, in Gilbert). — Passif et participe passé :
Le peuple, traumatisé par la mort de César, puis par les arguments de Marc-Antoine, le peuple sue, combinant économiquement, dans ce seul signe, l'intensité de son émotion et le caractère fruste de sa condition.
R. BARTHES, Mythologie, p. 29.

▶ **TRAUMATISÉ, ÉE** p. p. adj.
Victime d'un traumatisme. — N. *Les traumatisés.*
DÉR. Traumatisant.

TRAUMATISME [tʀomatism] n. m. — 1855; du grec *traumatismos*, ou de *traumatique*.

♦ **1.** Méd. Ensemble des troubles physiques ou psychiques provoqués dans l'organisme par le trauma*. *Traumatismes crâniens* (avec ou sans plaie), entraînant des perturbations psychiques. *Chirurgie des traumatismes* (→ Chirurgien, cit. 2). *Traumatismes dus à un accident.*

♦ **2.** Psychol., cour. *Traumatisme* (ou, abusivt, *trauma*) *psychique :* ensemble des perturbations résultant d'un violent choc émotionnel. — Psychan. Événement déclenchant chez un sujet un afflux d'excitations dépassant le seuil de tolérance de son appareil psychique.
(...) jamais un traumatisme ne déclenche de sérieux troubles sans qu'un ensemble de circonstances y ait prédisposé le sujet.
S. DE BEAUVOIR, la Force de l'âge, p. 136.

TRAUMATOLOGIE [tʀomatɔlɔʒi] n. f. — Av. 1836; du rad. de *traumat(ique)*, et *-logie*.

♦ Méd. Branche de la médecine qui traite des accidents (accidents du travail, de la circulation, soins d'urgence aux blessés, etc.). *Service de traumatologie d'un hôpital.* — Abrév. fam. : *traumato* [tʀomato].
DÉR. Traumatologique, traumatologiste ou traumatologue.

TRAUMATOLOGIQUE [tʀomatɔlɔʒik] adj. — 1845; de *traumatologie*.

♦ Méd. Relatif à la traumatologie, et, par ext., aux traumatismes. *Chirurgie traumatologique.*

TRAUMATOLOGISTE [tʀomatɔlɔʒist] ou **TRAUMATOLOGUE** [tʀomatɔlɔg] n. — 1965; de *traumatologie*.

♦ Médecin spécialiste de la traumatologie*.

TRAUMATOPNÉE [tʀomatɔpne] n. f. — 1904; de *trauma, traumat(isme)*, et grec *penin* «respirer».

♦ Méd. Bruit de respiration émis par une blessure ouverte atteignant le poumon.

1. TRAVAIL, TRAVAUX [tʀavaj, tʀavo] n. m. — XIIᵉ; de *travailler*.

★ **I.** ♦ **1.** Vx. (Seul sens courant du XIIᵉ au XVIᵉ; vieilli au XVIIᵉ). État d'une personne qui souffre, qui est tourmentée; activité pénible. *Les grands travaux que Notre-Seigneur a soufferts* (Bossuet, Catéchisme des Fêtes, 41). — *Se mettre en travail* (Mᵐᵉ de Sévigné), en peine, dans l'inquiétude. *Amasser du bien avec de grands travaux...* (→ Dépouiller, cit. 21, Molière).
Lui qu'Apollon jamais n'a fait parler à faux,
Me promit par ces vers la fin de mes travaux (...)   CORNEILLE, Horace, I, 2.
(1160). Fatigue*. — «Le travail du chemin», «de la mer» (Voi-

ture), *du voyage.* — (→ Courage, cit. 1). *«Après bien du travail, le coche arrive* (cit. 6) *au haut».*

2 Les voyages ont leurs travaux comme leurs plaisirs; mais les fatigues qui se trouvent dans cet exercice (...) accroissent ordinairement l'envie de voyager.
J.-F. REGNARD, Voyage en Laponie, p. 77.

♦ **2.** (V. 1155). Spécialt. Mod. Période de l'accouchement pendant laquelle se produisent les contractions utérines aboutissant à l'expulsion du fœtus (cour. : *douleurs de l'enfantement*). ⇒ **Accouchement.** *Femme en travail.* ⇒ **Gésine.** Loc. métaphorique. *«La montagne en travail enfante* (cit. 6) *une souris».* Fig. *En travail :* dans les souffrances. — Méd. *Salle de travail,* d'accouchement (→ Gésine, cit. 2).

(Animaux) :

3 Toutes deux commençaient à être inquiètes, ça ne marchait guère, bien que le travail, du côté des os, parût fini. Le passage y était, pourquoi le veau ne sortait-il pas?
ZOLA, la Terre, III, V.

Fig. *En travail :* dans une période difficile, une crise de mutation profonde.

4 Tandis que, anxieusement, le pays fixe les yeux sur le «sauveur», lui, depuis un mois, sonde, jusqu'au tréfonds, l'âme de ce pays qui, depuis dix ans, en douloureux travail, a pensé y succomber.
MADELIN, Hist. du Consulat et de l'Empire, De Brumaire à Marengo, III.

♦ **3. TRAVAUX,** n. m. pl. Littér. Fatigues, activités pénibles qui apportent de la gloire, et, par ext., (avec infl. du sens mod. II), entreprises dangereuses, difficiles et glorieuses. *Les glorieux travaux d'un héros.* ⇒ **Fait.** *Nobles travaux* (→ Approfondir, cit. 3). *«Blanchi* (cit. 12) *dans les travaux guerriers (...)». Pour reconnaître tant de travaux, le roi l'avait fait chevalier de ses ordres* (cit. 40). *Les travaux de Mars* (→ Fracas, cit. 6) : les exploits militaires. *Les travaux d'Hercule* (→ Fleur, cit. 10). — Rare. Au sing. *Le treizième travail d'Hercule* (Gautier, *Mlle de Maupin,* Préface p. 32). — REM. Au sing., *un travail d'Hercule* serait compris au sens II.

5 Faut-il combattre encor mille et mille rivaux,
Aux deux bouts de la terre étendre mes travaux (...) CORNEILLE, le Cid, V, 7.

6 Il invoque à la fin le dieu dont les travaux
Sont si célèbres dans le monde. LA FONTAINE, Fables, VI, 18.

7 Peuple, ce siècle a vu tes travaux surhumains
Il t'a vu repétrir l'Europe dans tes mains. HUGO, l'Année terrible, Mai, I.

★ **II.** (XVe, Charles d'Orléans, *Ballade,* 73; «activité pénible» ou «travail intellectuel», dans la langue classique).

A. ♦ **1.** Ensemble des activités humaines coordonnées en vue de produire ou de contribuer à produire ce qui est utile ou jugé tel; état, situation d'un homme qui agit avec suite en vue d'obtenir un tel résulat. ⇒ **Action, activité, labeur, œuvre (vx), ouvrage.**

8 On appelle travail l'exercice de l'activité humaine qui est dirigé vers une fin *médiate* (...) Cueillir un fruit pour le manger ne s'appelle pas travailler; mais cueillir des fruits pour les mettre en réserve, pour les céder en échange de quelque autre avantage, etc., est travailler (...) une excursion est un exercice de l'activité qui n'est pas travail chez le touriste, parce qu'il y cherche seulement une satisfaction directe; elle est un travail pour le guide (...) Il se mêle souvent à la notion du travail une idée de *contrainte.*
F. SIMIAND, *in* Grande Encycl. (BERTHELOT), art. *Travail.*

9 Le Travail est la rançon que la Nature exige de nous, la monnaie dont nous La payons, car Elle ne nous donne rien (...) Le travail seul situe raisonnablement l'individu dans la collectivité, le fait participer à la communion universelle, donne la vie au mot Solidarité; car c'est par le travail que l'homme prend conscience de l'interdépendance des hommes. Francis JOURDAIN, Né en 76, p. 12.

Travail et repos, et loisir (→ Réglementer, cit. 2), *oisiveté, plaisir. «Le travail est un trésor»* (→ Argent, cit. 30). *Aimer le travail. Amour* (→ Honorer, cit. 13), *goût du travail* (→ Exempter, cit. 8; guérir, cit. 32). *Trouver joie au travail* (→ Condition, cit. 24). *Application, assiduité au travail* (→ 1. Contrecœur, cit. 1). *Paresseux qui déteste, fuit le travail. Le travail est une contrainte.*

Au travail. Se mettre au travail : commencer à travailler (→ Librairie, cit. 2). *Être, demeurer au travail. Exhortation au travail* (→ Ascèse, cit. 5). — *Le travail humain modifie la nature. Travail et société* (→ ci-dessous, B.). *La matière première et le travail. Acquisition d'une technique par le travail. Les fruits* (→ Ardeur, cit. 45), *les produits du travail.* — *Sans travail, le talent n'est qu'un feu* (1. Feu, cit. 56) *d'artifice.* — *Excès de travail. Se crever, se tuer de travail* (→ Embarras, cit. 4). — *Temps de travail,* pendant lequel on travaille. *Le fruit* (1. Fruit, cit. 38) *d'un an de travail. L'inspiration est... la sœur du travail journalier* (→ Contraire, cit. 15).

10 Le travail du corps délivre des peines de l'esprit, et c'est ce qui rend les pauvres heureux. LA ROCHEFOUCAULD, Maximes, 535.

11 (...) le travail éloigne de nous trois grands maux, l'ennui, le vice et le besoin.
VOLTAIRE, Candide, XXX.

12 La tempérance et le travail sont les deux vrais médecins de l'homme : le travail aiguise son appétit, et la tempérance l'empêche d'en abuser.
ROUSSEAU, Émile, I.

13 Quand le matin à Dieu chante son hymne auguste,
Le travail, saint tribut dû par l'homme mortel,
Est la strophe sacrée au pied du sombre autel (...)
HUGO, les Contemplations, III, XX.

14 Le travail est beau et noble. Il donne une fierté et une confiance en soi que ne peut donner la richesse héréditaire.
A. DE VIGNY, Journal d'un poète (1837), p. 120.

15 Le travail est bon à l'homme. Il le distrait de sa propre vie, il le détourne de la vue effrayante de lui-même; il l'empêche de regarder cet autre qui est lui et qui lui rend la solitude horrible. FRANCE, l'Anneau d'améthyste, I, Œ., t. XII, p. 6.

(...) le travail utile est par lui-même un plaisir; par lui-même, et non par les avantages qu'on en retirera. ALAIN, Propos, 6 nov. 1911, Travaux. 16

Dans toute l'Antiquité indo-européenne, la hiérarchie des castes (prêtres, guerriers, agriculteurs ou éleveurs) avait laissé le travail à une place subalterne. Platon nourrissait même pour lui une sorte de mépris aristocratique, et Aristote déclarait : «La cité organisée appartient à ceux qui ne travaillent pas nécessairement pour vivre». Raymond ABELLIO, les Militants, p. 58. 16.1

Loc. (*... de travail*). *Un bourreau* (cit. 6) *de travail.* — Rare. *C'est un foudre* (1. Foudre, cit. 20) *de travail.*

Cabinet (cit. 6 et 7) *de travail* (→ Flamber, cit. 2). *Lieu* (→ Bibliothèque, cit. 7), *salle de travail* (⇒ **Étude**). *Table** (cit. 12) *de travail,* ne se dit que d'un travail intellectuel (⇒ **Bureau**). — *Instrument, outil de travail.* — *Méthode* (→ Disciplinė, cit. 13), *plan de travail* (⇒ **Canevas,** 3. **plan, programme**). — *Séance de travail* (→ Piocher, cit. 3). *Langues de travail,* utilisées dans les séances de travail d'une réunion ou d'une organisation internationale. *Groupe de travail.* ⇒ **Atelier, séminaire.**

Travail manuel, physique. ⇒ **Bras, main.** → Facilité, cit. 2. *Rééducation par le travail manuel.* ⇒ **Ergothérapie.** *Ouvrier aux mains durcies par le travail* (→ Dimanche, cit. 4). — *Travail cérébral* (cit. 2), *intellectuel* (cit. 4), *de l'esprit* (→ Dévouer, cit. 11). *Travail créateur, personnel* (→ Organiser, cit. 8). — *Travail scolaire.* ⇒ **Étude** (études). → Éloigner, cit. 6. *Bulletin de travail. Notes* (cit. 32) *de travail et de conduite.* — *Le travail de recherche* scientifique* (→ Équipe, cit. 3). *Le lent travail de la critique* (→ Érudition, cit. 7).

(...) il y a dans le travail manuel un fond de facilité enivrante *(dit Jallez).* L'animal que nous sommes aime mieux ça. La seule fatigue qu'il redoute réellement est celle de la tête. L'ardeur qu'ont beaucoup de nos camarades à se jeter dans les travaux de pure érudition vient de là : c'est tout près du travail manuel. 17
J. ROMAINS, les Hommes de bonne volonté, t. II, XV, p. 175.

(Qualifié). Manière dont le travail est accompli. *Quatre ou cinq mois d'un travail assidu* (→ Direction, cit. 1). *«Le travail constant est la loi de l'art»* (cit. 43). *Travail continu*, forcené* (cit. 4), *obstiné, opiniâtre, soutenu; interrompu, à bâtons* (cit. 17) *rompus.* — *Travail individuel* (→ Apte, cit. 4), *collectif.*

Mélanie garde le silence. Elle travaille. Jamais de repos. Qu'espère-t-elle de tant de labeur? Son travail est sobre. Elle épargne ses gestes; elle les prépare avec force puis lentement les utilise. Ils accomplissent leur tâche jusqu'à sa perfection. Rien ne lasse ce zèle contenu. H. BOSCO, Hyacinthe, p. 242. 18

(Déb. XVe). Activité nécessaire à l'accomplissement d'une tâche. *Entreprise qui demande beaucoup de travail. Avoir beaucoup de travail* (cf. Du pain sur la planche), *trop de travail. Être débordé, surchargé de travail* (cf. Ne pas savoir où donner de la tête). ⇒ **Occupé, surmené.** *Il y avait un bon mois de travail* (→ Parqueter, cit. 2).

(1668). Activité utile que l'on impose aux animaux. *Bêtes, bœufs de travail* (→ Indistinctement, cit. 2).

♦ **2.** (1866). *Le travail de (qqch.) :* action ou façon de travailler (I.) une matière; de manier un instrument. *Le travail de la pâte* (cit. 11), en peinture. *Le travail du bois, du marbre,* en sculpture. — *Le travail du pinceau, du ciseau :* la peinture, la sculpture, en tant que technique (→ Heureusement, cit. 3).

Exercice de celui qui travaille (II., A., 3.). *Le travail d'un acrobate. Travail sans filet.*

♦ **3.** (Déb. XVe). *Un travail, des travaux; le travail de qqn.* Ensemble des activités manuelles ou intellectuelles exercées pour parvenir à un résultat déterminé (œuvre, ouvrage, production), considéré le plus souvent comme une nécessité ou un devoir. ⇒ **Ouvrage, boulot** (fam.). → Imitation, cit. 10. *Un travail imposé* (⇒ **Besogne, tâche**), *forcé* (⇒ **Corvée**). Spécialt. Anciennt. *Travail forcé,* imposé par le gouvernement à une population, dans une colonie. *Travail qui permet d'obtenir une aptitude, un talent* (⇒ **Exercice, gymnastique,** fig.; **entraînement**). *Travail qui met en œuvre une matière première* (⇒ **Façon**). — *S'appliquer, s'atteler, se mettre à un travail :* commencer, entreprendre (→ Muser, cit. 1) un travail. ⇒ **Entreprise.** *Mettre un travail en chantier*. Accomplir, exécuter, faire un travail. Bâcler, cochonner, saboter, sabrer, saloper, torcher, torchonner un travail. Fignoler, soigner* un travail. Casser* (fam.), *gêner le travail (de qqn). Accomplir un travail avec facilité. Réussir un travail. Aider qqn dans, à un travail* (⇒ **Aide**). *Mettre, atteler qqn à un travail. Il abattait* (cit. 5) *à lui seul le travail de dix journaliers. Cesser, interrompre, suspendre un travail. Poursuivre inlassablement un travail.* — *Achever un travail* (→ Changement, cit. 5). *Changer* (cit. 39) *de travail.* — *Travail aisé, facile. Travail ardu, difficile, interminable; de Sisyphe, de Pénélope* (⇒ **Toile**). — Loc. *Un travail de Romain,* long et dur. *Travail de longue haleine*.* — *Labeurs d'intelligence et travaux corporels* (→ Énergie, cit. 1). ⇒ **Opération.** *Petits travaux manuels.* ⇒ **Bricole, bricoler.** *Se livrer à un travail* (→ Donner, cit. 87). *Chacun vaquait à ses travaux* (→ Lapicide, cit.). *Travaux de l'esprit et effort* (cit. 6) *intellectuel. Travail de recherche.* ⇒ **Recherche** (3.). *Travail intellectuel difficile, pénible.* ⇒ **Cassement** (de tête), **casse-tête.** — *Travail de bénédictin :* travail intellectuel long, difficile et minutieux. *Travaux préparatoires* (→ Manière, cit. 27).

(...) il ne se révélait dans ce logis la présence d'aucun travail; pas un métier, pas un rouet, pas un outil. HUGO, les Misérables, III, VIII, VI. 19

20 (...) réussissant à faire en quatre heures le travail que ne fournissaient pas en deux jours mes anciens condisciples, j'étais libre plus de la moitié du jour.
R. RADIGUET, le Diable au corps, p. 12.

20.1 On pouvait, par exemple, trouver dans un laboratoire (encore en 1929) d'admirables documents récoltés année par année sur les mêmes écoliers et fournissant un tableau longitudinal très riche de leurs performances selon tous les tests connus, sans que les auteurs de ce travail de bénédictin sachent ce qu'ils allaient en tirer (...)
J. PIAGET, Épistémologie des sciences de l'homme, p. 144.

Spécialt. *Travaux scolaires. Travaux pratiques (T. P.). Travaux dirigés :* application d'un cours magistral (abrév. cour. : *T. D.* [tede]). *Séance de travaux dirigés. Assistant chargé des T. D.*

(1751). Spécialt. (Souvent au plur.). **a** Suite d'entreprises, d'opérations exigeant l'activité physique suivie d'une ou de plusieurs personnes (travail professionnel, organisé ou non) et l'emploi de moyens particuliers (technique). *Les travaux de la campagne, des champs* (⇒ **Agriculture, culture**). *Travaux agricoles* (→ Esprit, cit. 37), *aratoires* (⇒ **Façon,** spécialt), *rustiques* (→ Exaction, cit. 2). *Les grands travaux annuels que la terre impose aux paysans* (→ Plein, cit. 62). — Allus. littér. *Les Travaux et les Jours,* poème didactique d'Hésiode.
Travaux domestiques, ménagers, qu'exige la bonne tenue du ménage (→ Friser, cit. 8; 1. Que, cit. 29). *Les travaux les plus pénibles du ménage* (cit. 3). *Gros travaux,* pénibles et n'exigeant pas une habileté particulière. — Vieilli. *Travaux de dames :* couture, broderie, etc.

21 Un joli mot d'une vieille femme de mes amies, à qui sa bru disait qu'elle aimait à lire, à faire de la musique, mais détestait les travaux de femme, la tapisserie, la broderie, etc., etc. : Ma chère, c'est que vous avez été toujours heureuse, que vous n'avez pas eu de chagrins (...) Oui, bien souvent ces travaux sont une occupation mécanique, derrière laquelle on s'enfonce dans ses regrets!
Ed. et J. DE GONCOURT, Journal, 30 déc. 1878, t. VI, p. 42.

Travaux d'assainissement, d'irrigation (cit. 1)... *Travaux d'urbanisme**. *Travaux de réparation, d'entretien* (→ Habitat, cit. 5; régie, cit. 1). *Estimation, état des travaux à exécuter.* ⇒ **Devis.** *Travaux à forfait. Pendant la durée des travaux, le magasin reste ouvert.* ⇒ **Réparation.** — *Travaux d'entretien, de réfection des routes. Attention! ralentir, travaux!,* panneau routier signalant des travaux. — *Travaux de construction. Commencer les travaux* (→ Cri, cit. 17). *Travaux immobiliers.*

GRANDS TRAVAUX (→ Riz, cit. 1). Spécialt. Travaux publics d'importance nationale (grands chantiers) dans le domaine des transports (routes et autoroutes; ouvrages d'art : ponts, viaducs, tunnels...; *travaux maritimes :* ports, canaux, phares; aéroports); dans celui de la production d'énergie (barrages), ou de l'aménagement des terres (assèchements, drainages, irrigation...). — *Financer des travaux. Concéder* un travail, des travaux à un entrepreneur*. Surveiller des travaux. Conducteur** (I., 5.) *de travaux.* — Par plais. *Inspecteur des travaux finis :* paresseux, qui se contente de regarder les autres travailler.

22 Ce fut *(Narbonne)* la seconde colonie romaine hors de l'Italie (la première avait été envoyée à Carthage). Jointe à la mer par de prodigieux travaux, elle eut, à l'imitation de la métropole, son capitole, son sénat, ses thermes, son amphithéâtre. Ce fut la Rome gauloise et la rivale de Marseille.
MICHELET, Hist. de France, I, I.

(Avant 1781). **TRAVAUX PUBLICS.** Anciennt. *Travaux d'utilité générale* (→ Criminel, cit. 9). — Mod. *« Travaux immobiliers faits pour le compte d'une personne morale administrative en vue d'un but d'utilité générale »* (Dalloz, *Petit dict. de droit*). *Travaux publics faisant l'objet d'une déclaration d'utilité publique. Exécution* (régie, concession, entreprise ou marché), *financement* (emprunts, subventions, offres de concours) *des travaux publics. Chantier de travaux publics. Ouvrier des travaux publics.* ⇒ **Cantonnier.**

23 Le travail public doit avoir pour objet la construction, la destruction ou l'aménagement d'un immeuble (...) Sont considérés comme travaux publics (...) l'installation de pylônes électriques, les travaux d'exhumation (...) la pose de canalisation (...) l'abattage, l'exploitation et l'élagage d'arbres.
DALLOZ, Petit dict. de droit, Travaux publics.

Par ext. *Les Travaux publics :* l'administration, le ministère (→ Patauger, cit. 4) des Travaux publics. ⇒ aussi **Pont** (Ponts et Chaussées). — *École des Travaux publics.* Ellipt. *Être reçu aux Travaux publics.* — (1669). Milit., cour. Opérations par lesquelles on établit les lignes, les fortifications. Spécialt. Terrassements faits pour créer des défenses, des fortifications... *Travaux de défense; d'approche, de contre-approche. Travaux de siège*.* ⇒ **Cheminement, sape.** — Par métaphore. *Travaux d'approche* (*supra* cit. 14). → Épistolier, cit. 3. *Les travaux souterrains d'un ambitieux* (→ Pluie, cit. 8).

24 Le Roi, pour ne point accabler ses troupes de trop de travail, n'attaqua d'abord que la ville seule (...) la tranchée fut ouverte la nuit du vingt-neuvième au trentième mai (...) Dès cette nuit on avança le travail jusqu'à quatre-vingts toises près du glacis; on travailla en même temps avec tant de diligence aux batteries (...) que les unes et les autres se trouvèrent bientôt en état de tirer (...) La nuit suivante, le travail qu'on avait fait fut perfectionné.
RACINE, le Siège de Namur.

b (V. 1790; «travail auquel on ne peut se soustraire», fin XVIIIᵉ). Anciennt. **TRAVAUX FORCÉS :** peine de droit commun, afflictive (cit. 2) et infamante, qui s'exécutait dans les bagnes* (⇒ **Bagne, forçat, force,** cit. 47), puis par la transportation*. *Travaux forcés à perpétuité, à temps. La contrefaçon* (cit. 1) *est punie des travaux forcés* (→ aussi Exposition, cit. 1). Ellipt. (vx). *Vingt ans de travaux* (→ Grâce, cit. 43, Balzac).

c (Fin XVIᵉ). Suite de recherches dans un domaine intellectuel, scientifique. *Travaux scientifiques* (→ Ignorant, cit. 10). *Les travaux des astronomes* (cit. 1), *des académiciens* (→ Institut, cit. 4). *Les travaux de Gauss* (→ Parallèle, cit. 2), *de Planck* (→ Noir, cit. 6). — *Travaux de commande,* d'un musicien. → Officiel, cit. 2.

d (1872). Délibérations, discussions suivies d'une assemblée, d'une réunion, devant aboutir à une décision (→ Justice, cit. 41). *L'assemblée* poursuit ses travaux.* ⇒ **Délibérer.** *Rapports, exposés de motifs résultant des travaux préparatoires* (en commission).

♦ **4.** (1690). Manière dont un ouvrage, une chose créée par l'homme, a été exécuté. ⇒ 1. **Facture, façon, forme.** *Un beau travail, un travail fin* (→ 2. Gentil, cit. 8), *délicat, soigné. Une belle arme d'un travail fort recherché* (→ Artistement, cit. 1). *Un travail de fée*.* — *Et voilà le travail!,* se dit pour présenter un résultat dont on est fier. *C'est du travail d'amateur,* du travail mal fait ou peu soigné (propre et fig.). Spécialt. (Gravure). Taille du burin, de la morsure de l'eau-forte. — Iron. *C'est du beau travail. Regardez-moi ce travail!* ⇒ **Bricolage.**

Fam. *Quel travail! Ce travail! Vous voyez le travail!* se dit par ext. et iron. d'une action, d'une situation complexe, embrouillée, périlleuse.

Tu vois ça, les quatre taxis à la file, tu parles d'une virée, je te le dis, c'est à qui doublerait l'autre! Ah ce travail! Aile contre aile! Qu'est-ce qu'on se faisait comme tours de cochon! 24.
Robert MERLE, Week-end à Zuydcoote, p. 21.

♦ **5.** (1636). Surtout au plur. Ouvrage, résultat d'un «travail» ou de «travaux». *Ce remarquable travail de peinture* (→ Routine, cit. 6). *Travaux d'art* (→ Édifice, cit. 5). *Un magnifique travail d'ébénisterie. — Travaux de dames, travaux d'aiguille.* ⇒ **Ouvrage.** — *Travaux d'amateur,* en photographie. — Imprim. *Travaux de ville* (opposé à *labeur**).

(...) Mignon, en face de ce monument magistral, se rappelait de grands travaux. 2.
Près de Marseille, on lui avait montré un acqueduc dont les arches de pierre enjambaient un abîme, œuvre cyclopéenne qui coûtait des millions et dix années de luttes. À Cherbourg, il avait vu le nouveau port, un chantier immense, des centaines d'hommes suant au soleil, des machines comblant la mer de quartiers de roche (...)
ZOLA, Nana, XIII.

(...) par voie d'annonces, elle informait le public qu'elle achetait des dents qu'à 25.
défaut d'autre terme je peux seulement qualifier de dents d'occasion; celles-ci contenaient des travaux en or ou en platine et ma mère les revendait avec profit.
R. GARY, la Promesse de l'Aube, p. 129.

Ouvrage* de l'esprit, considéré comme le résultat d'une suite d'opérations intellectuelles faites avec méthode. ⇒ **Écrit, étude, livre, œuvre, ouvrage.** *Les travaux de l'esprit*. Un travail consciencieux, médiocre. Le travail de X..., du professeur Y* (→ Généalogiste, cit. 2). *Un travail sur l'agoraphobie* (→ Phobie, cit. 1). *Les travaux de Pasteur* (→ Souffle, cit. 14). *Diviser son travail en...* (→ Histoire, cit. 35).

B. Spécialt (valeur développée au XIXᵉ). Cette activité, organisée à l'intérieur du groupe social et exercée d'une manière réglée.

♦ **1.** (1803). Activité laborieuse professionnelle et rétribuée. *Le travail de qqn. Son travail, un travail, du travail.* ⇒ **Emploi, état** (*supra* cit. 89), **fonction, gagne-pain, industrie** (vx), **métier, occupation, profession, service, spécialité;** fam. **boulot, job, turbin.** *Avoir un travail régulier*, bien payé, un bon travail. Travail à mi-temps, à temps partiel, à plein temps. Travail facile et bien payé* (⇒ **Sinécure;** fam. **filon, planque**); *travail pénible, assujettissant* (⇒ **Harnais, collier** [de misère], **joug**). *Travail parcellisé, monotone et répétitif, automatique. Cadences de travail. Gagner sa vie par un dur travail* (→ À la sueur* de son front). *Cesser le travail. Chercher un travail, du travail. Être sans travail.* ⇒ **Chômeur, sans-travail.** *Détourner qqn d'un travail* (⇒ **Débaucher**), *quitter son travail. Engager qqn pour un travail.* ⇒ **Embauchage, embaucher.**
Morte-saison, où il n'y a pas de travail. Le droit au travail (→ Atelier, cit. 8), *la liberté* (cit. 12) *de travail, du travail* (→ 3. Droit, cit. 9). *La classe qui vit du travail de ses bras* (→ Filtrer, cit. 9). — *Apprentissage d'un travail.* ⇒ **Apprenti.** *Les gains* (→ Sucer, cit. 2), *les revenus* (cit. 1 et 2) *du travail.*

AIMEZ LE TRAVAIL, nous dit la morale : c'est un conseil ironique et ridicule. Qu'elle 2
donne du travail à ceux qui en demandent, et qu'elle sache le rendre aimable; car il est odieux en civilisation par l'insuffisance du salaire, l'inquiétude d'en manquer, l'injustice des maîtres, la tristesse des ateliers, la longue durée et l'uniformité des fonctions.
Charles FOURIER, Livret d'annonce du nouveau monde industriel, p. 23, *in* Textes choisis, p. 140.

Le travail avait cessé. Celui qui n'a que ses bras, son travail du jour pour nourrir le jour, allait chercher du travail, n'en trouvant pas, mendiait, ne recevait pas, volait (...) 2
MICHELET, Hist. de la Révolution franç., I, II.

Il fallait proclamer le droit au travail. Ils ont proclamé le droit au fusil. 2
HUGO, l'Année terrible, cité par J. DUBOIS, Voc. politique et social, p. 431.

Exercice effectif de l'activité professionnelle. *Partir au travail* (→ Percolateur, cit. 2). *Il est interdit de fumer pendant le travail.* ⇒ **Service** (II., 1.). *Heure de travail. Travail payé à l'heure; aux pièces. Journée* (cit. 7), *semaine de travail.* ⇒ **Journée, semaine.** *Interruption du travail le dimanche, les jours fériés, pour les vacances* (⇒ **Congé; chômer**). *Travail des jours ouvrables*. Travail intense des périodes de presse*. Cessation concertée du travail.* ⇒ **Grève.** *Arrêt de travail :* grève momentanée, débrayage*. *Observer un arrêt de travail d'une heure. — Interruption de travail pour* *cause de maladie. Obtenir un arrêt de travail de 10 jours* (syn. : *congé de maladie*). — Par ext. *Arrêt de travail :* formulaire mettant qqn en congé de maladie. — *Travail temporaire.* ⇒ **Intérim.** *Entreprise de travail temporaire.* — *Travail nocturne* (→ Roulement, cit. 6), *de nuit,* soumis à une législation particulière. — *Travail continu,* exécuté sans interruption au cours d'une journée par une équipe ; et aussi : travail des entreprises qui fonctionnent au cours de l'année sans autre interruption que les jours fériés. *Travail discontinu.* — *Travail en usine, en atelier.* — (1909). *Travail à domicile,* exécuté en chambre. — *Travail de bureau.* — *Camarades, compagnons* de travail.* ⇒ **Collègue.** *Équipe de travail* (→ Maison, cit. 31). *Lieu de travail.* ⇒ **Atelier, bureau, chantier, local, usine ;** et fam. **boîte, boutique.** → aussi Sur le tas*. *Atteindre le lieu de son travail* (→ Pouillerie, cit.). — *Aller à son travail, au travail,* à son lieu de travail. — *Vêtement de travail,* utilisé dans l'exercice des activités professionnelles (spécialt, en parlant de travail manuel). *Bleu de travail.* ⇒ **Bleu, combinaison, cotte, salopette.** *Instruments de travail.*

28.1 La lune est une petite ville
      Les étoiles sont des gens
      Qui s'en vont au travail.   Maurice CARÊME, Poème de gosses, 1933.

Conditions de travail, du travail (→ Arbitrage, cit. 4). *Accident du travail :* «accident survenu par le fait ou à l'occasion du travail à toute personne salariée ou travaillant (...) pour un ou plusieurs employeurs ou chefs d'entreprise» (Loi 30 oct. 1946), donnant lieu à des réparations, sous forme de prestations en nature (soins, traitements, réadaptation) ou pécuniaires (indemnités, rentes), garanties par la loi. ⇒ **Sécurité** (cit. 4 : sécurité sociale). *Inspecteur, inspection du travail. Médecine du travail.* ⇒ **Maladie** (professionnelle). — *Contrat* de travail* (→ Main-d'œuvre, cit. 2) : convention par laquelle une personne s'engage à exercer pendant un certain temps, et moyennant salaire, son activité professionnelle au profit et sous la direction d'une autre personne (l'employeur). ⇒ **Louage** (cit. 6). — *Convention collective de travail :* accord relatif aux conditions de travail, conclu entre employeurs et salariés (syndicats, groupements), et qui détermine les conditions d'application du contrat de travail. — *Législation, code du travail. Droit du travail.* — *Travail autorisé,* légal. *Travail noir, au noir,* exercé dans des conditions illégales, non déclaré. *Travail clandestin.* — *Carte de travail :* en France, Document délivré par l'administration, qui permet à un étranger d'obtenir un travail salarié. — *Conflits du travail.* ⇒ **Boycott, grève, gréviste ; syndicat, syndicalisme ; social.**

29   Il existe (...) une médecine du travail dont le but n'est pas seulement de détecter les maladies professionnelles strictes et de les éviter mais plus encore par une sélection de donner à chacun une tâche adaptée à ses forces et de régler les conditions du travail (...) pour diminuer la fatigue.
                                          Paul CHAUCHARD, la Fatigue, p. 101.

29.1 (...) comme ils gagnent très peu, ils font du travail noir pendant leur journée de repos.
                                          S. DE BEAUVOIR, Tout compte fait, p. 304.

Fam. Lieu où l'on travaille. *Il quitte son travail à 5 heures. Où est ton travail ?*

Argot. Activité de la personne qui «travaille» (*supra* cit. 23) ; vol, prostitution. ⇒ **Turbin.**

♦ **2.** (1803). *Le travail.* Activité économique des hommes (aidés ou non par les machines), productrice d'utilité sociale. ⇒ **Emploi** (écon.). *Nature, travail et capital dans la production. Le capital*,* considéré comme du travail accumulé. *Coût, prix du travail, de la main-d'œuvre** (⇒ **Salaire**). *Rendement du travail* (⇒ **Productivité**). *Analyse, mesure, étude du travail* (étude des mouvements, chronométrages, etc.). ⇒ **Taylorisme.** *Organisation du travail,* selon les sociétés (⇒ **Esclavage, servage ; compagnonnage, corporation, syndicat**). *Division* du travail. Travail et progrès technique.* ⇒ **Machinisme.** *Travail à la chaîne*. Travail artisanal, d'artisan.* ⇒ **Artisan** (cit. 7 ; → Robot, cit. 1). *Travail à la main, à la machine.* — *Travail qualifié, spécialisé ; non qualifié.*

30   La richesse minérale est si grande dans ce département de la Haute-Marne, qu'elle a amené la *division du travail.* Il y a des gens qui nettoient le minerai, et le vendent aux fondeurs.   STENDHAL, Mémoires d'un touriste, t. I, p. 73.

31   Il a fallu en venir aux siècles du progrès et de l'intelligence pour que se manifestât, avec une brutalité croissante, par le travail humain entraînant le mépris du travailleur. Du jour où l'on a réduit le travail à être seulement défini par la capacité de production et par le rendement, on en a fait une matière amorphe, sans aucun rapport avec l'être humain. Le travailleur ne s'intéresse pas autrement à son travail que le marchand à l'objet qu'il vend. Nous sommes à l'antipode d'une conception spirituelle de l'effort.   DANIEL-ROPS, Ce qui meurt..., p. 170.

32   Le monde s'éclaira d'un jour neuf au moment où je vis dans le travail la source et comme la substance des valeurs.   S. DE BEAUVOIR, la Force de l'âge, p. 56.

♦ **3.** (1877). L'ensemble des travailleurs considérés dans le groupe social («population active»), et, spécialt, les travailleurs salariés des secteurs agricole et industriel. ⇒ **Main-d'œuvre ; ouvrier, paysan, prolétariat.** *Le monde du travail. Le travail, considéré comme une classe sociale. Association capital-travail.* — *Bourse* du travail* (→ Secrétaire, cit. 1). *Confédération générale du Travail (C. G. T.). Confédération française démocratique du travail (C. F. D. T.). Organisation internationale du Travail (O. I. T.).* — *Ministère du Travail,* dont l'administration centrale comprend les directions du travail, de la main-d'œuvre et de la Sécurité sociale.

33   (...) il parle de la population qui a augmenté d'un quart, pendant que le capital quadruplait ; du temps prochain, où le capital sera l'esclave du travail (...)
                              Ed. et J. DE GONCOURT, Journal, 25 août 1880, t. VI, p. 89.

34   (...) le flot s'épuisait, les groupes s'espaçaient, le travail était rentré ; et, dans les flamboiements du gaz, après la journée finie, montait la sourde revanche des paresses et des noces qui s'éveillaient.   ZOLA, l'Assommoir, t. II, XII, p. 234.

C. (1783). ♦ **1.** Action continue, progressive (d'une cause naturelle), aboutissant à un effet constatable (modification des conditions extérieures ; élaboration*...) ; cet effet. *Le travail de la fermentation. Le travail des eaux* (Buffon, *in* Littré), *de l'érosion* (cit. 2). — Effet de certaines contraintes. *Le travail du bois.* ⇒ **Gauchissement.**

(Abstrait). Évolution ; élaboration ou modification progressive. *Travail latent, secret* (⇒ **Gestation**), *intérieur* (→ Subir, cit. 4). *Le travail du temps*.*

Psychan. *Le travail du rêve :* «ensemble des opérations qui transforment les matériaux du rêve (stimuli corporels, restes diurnes, pensées du rêve) en un produit : le rêve manifeste» (Laplanche et Pontalis). — *Travail du deuil*.*

♦ **2.** (1790). Le fait de produire un effet utile, par son activité. ⇒ **Fonctionnement, force.** *Le travail d'une machine*, d'un mécanisme.* — *Centres qui commandent le travail des organes* (→ Ganglion, cit. 1). *Travail musculaire :* quantité de travail (au sens 3, ci-dessous) fournie par l'ensemble des muscles d'un organisme, qui s'ajoute au métabolisme basal et au fonctionnement organique pour définir la dépense énergétique totale (→ Calorie, cit. 1). ⇒ **Synergie.** *Travaux musculaires estimés en calories dépensées par heure. Travail du cœur, du rein...*

35   On peut connaître (...) à combien de livres en poids répondent les efforts de l'homme qui récite un discours, d'un musicien qui joue d'un instrument. On pourrait même évaluer ce qu'il y a de mécanique dans le travail du philosophe qui réfléchit, de l'homme de lettres qui écrit, du musicien qui compose. Les effets, considérés comme purement moraux, ont quelque chose de physique et de matériel qui permet, sous ce rapport, de les comparer avec ceux que fait l'homme de peine.
                  LAVOISIER et SÉGUIN, Mémoire de 1790, *in* Encycl. Pl., Hist. de la science, p. 900.

Effet produit. *Le travail fait par les machines* (cit. 13).

♦ **3.** (1872 ; Carnot n'emploie le mot qu'au sens 2, dans *les Principes de mécanique* ; on disait *force**). Produit d'une force* par le déplacement de son point d'application estimé suivant la direction de la force. *La notion d'énergie* recouvre celles de force et de travail. Unités de travail.* ⇒ **2. Erg, joule, kilogrammètre, kilojoule.** *Le travail d'une force dont le point d'application est immobile* (ou se déplace perpendiculairement à la force) *est nul. Quantité de travail que peut fournir une machine par unité de temps.* ⇒ **Puissance** (*infra* cit. 12). *Unité pratique de travail.* ⇒ **Kilowattheure.** *Rapport du travail produit* (par une machine) *à la quantité de chaleur fournie* (⇒ **Rendement,** cit. 1). *Dispositifs destinés à produire du travail.* ⇒ **Machine, moteur.**

36   (...) les raisonnements de Carnot sous leur forme primitive ne paraissent pas toujours satisfaisants d'après nos vues actuelles, car Carnot ignorait encore la possibilité de transformer la chaleur en travail ou inversement ; autrement dit l'idée d'équivalence entre la chaleur et le travail lui faisait encore défaut.
                              L. DE BROGLIE, Physique et Microphysique, p. 264.

CONTR. **Inaction, oisiveté, repos ; amusement, désœuvrement, divertissement, loisir ; paresse ; campos, vacance ; chômage.**

DÉR. **Travailliste.**

COMP. **Surtravail.**

2. TRAVAIL, AILS [tʀavaj] n. m. — V. 1210 ; du bas lat. *trepalium,* var. de *tripalium* «instrument de torture», du lat. class. *tripalis* «à trois pieux».

♦ Techn. Dispositif servant à immobiliser les grands animaux (chevaux, bœufs) pour pratiquer sur eux certaines opérations.

À propos de chevaux, il paraît qu'ils sont fort méchants en Flandre, ou les Flamands fort prudents ; car on ne les ferre, dans tous les villages où j'ai passé, que dans un travail des plus solides non en chêne, mais en granit.
                                          HUGO, Belgique, v.

TRAVAILLANT, ANTE [tʀavajɑ̃, ɑ̃t] adj. — 1376 ; de *travailler.*

♦ Techn. Qui travaille (organe mécanique, pièce ou partie de pièce). *Surface travaillante d'une meule.*

Les charrues draineuses (...) dont la pièce travaillante est formée d'un cylindre horizontal qui fore dans le sol une galerie (...)
                                  Tony BALLU, le Machinisme agricole, p. 43.

TRAVAILLER [tʀavaje] v. — 1080, v. tr., «faire souffrir» ; nombreux emplois dér. de ce sens en anc. franç. «battre, blesser, molester, tourmenter» (qqn), «endommager, dévaster» (qqch.) ; aussi intrans. «souffrir, accoucher» (→ 1. Travail) ; du lat. pop. **tripaliare* «torturer, tourmenter avec le tripalium». → 2. Travail ; p.-ê. croisé avec un roman **trabaculare,* de *trabicula* «petite poutre» , de *trabes* «poutre» (P. Guiraud).

★ **I.** V. tr. **A.** ♦ **1.** Vx (sauf dans quelques emplois). Faire souffrir, tourmenter, torturer. ⇒ **Gêner.** — Vx. *Les persécutions* (cit. 1) *qui travaillent l'Église.*

1 Jésus-Christ n'a point eu où se reposer sur la terre qu'au sépulcre. Ses ennemis n'ont cessé de le travailler qu'au sépulcre. PASCAL, Pensées, VII, 552.

Littér. (Sujet n. de chose). Causer une souffrance, une gêne physique à qqn. *La maladie, la fièvre le travaille. — Une sourde inquiétude la travaille* (→ Apurer, cit. 2). — Cour. Causer du souci à, inquiéter en obsédant. ⇒ **Tracasser.** *Être travaillé d'un désir* (→ Moscovite, cit. 2), *par un désir, une envie...* (→ aussi Joueur, cit. 2). *Son cœur était travaillé par le désespoir* (→ Envie, cit. 35).

2 (...) notre malade (...) est (...) attaqué, affecté, possédé, travaillé de cette sorte de folie (...) MOLIÈRE, Pourceaugnac, I, 8.

3 (...) Fouan ne put rester au lit, tellement ce qu'il avait vu lui travaillait le crâne. ZOLA, la Terre, IV, IV.

4 Vieux squelettes gelés travaillés par le ver (...) BAUDELAIRE, les Fleurs du mal, « Tableaux parisiens », C.

5 Il se reconnut travaillé et tourmenté d'irrésistibles envies de contradiction et de méchantes paroles, d'irritabilités hargneuses et de mauvaise foi (...) Ed. et J. DE GONCOURT, Sœur Philomène, XLIV.

6 La goutte me travaille les membres. C'est là encore une des malices du temps. FRANCE, le Crime de S. Bonnard, Œ., t. II, V, p. 427.

Par ext. Sans idée de peine, de douleur. ⇒ **Occuper, préoccuper, troubler.** — Vx. *« Et de tous les pensers qui travaillent son âme »* (Malherbe, *in* Littré). *Travailler l'esprit.* ⇒ **Agiter.** — Mod. Fam. *Ça le travaille, cette histoire.*

7 Cette pensée le travaillait encore, le soir, quand il se trouva à table avec toute sa famille (...) R. ROLLAND, Jean-Christophe, L'aube, II, p. 53.

♦ **2.** (1798). Littér. Rendre troublé, agité. ⇒ **Agiter, exciter.** *Travailler les esprits,* les pousser au mécontentement, à la révolte (→ ci-dessous, B., 5.).

8 La minorité de la Noblesse, hommes d'ambition et de bruit, les Lameth et les Duport, travaillaient le peuple par leurs brochures, par leurs agents. MICHELET, Hist. de la Révolution franç., I, V.

♦ **3.** (1931). Fam. Battre, malmener. *Travailler les côtes à quelqu'un* (Littré). *Si un flic* (cit. 3) *me travaille, je me dégonfle.* — (1931, *in* Petiot). Boxe. *Travailler son adversaire au corps.* Fig. *Il a fallu le travailler au corps pour qu'il accepte,* le solliciter de manière pressante en insistant longuement.

8.1 « Est-il exact, lui demande son avocat, qu'on vous ait « travaillé » votre jambe cassée ? » Oui, il assure que les gendarmes lui donnaient de petits coups de pied dans le talon de la jambe blessée. F. MAURIAC, Bloc-notes 1952-1957, p. 157.

Absolument :

8.2 Au troisième round ils travaillent au corps tous les deux. R. QUENEAU, Loin de Rueil, p. 59.

B. (XVIe, Amyot, *« choses travaillées et faites avec peine et labeur »*). Mod. (Compl. n. de chose). Modifier par le travail (II.).

♦ **1.** Soumettre à une action suivie, pour donner forme (ou changer de forme), rendre plus utile ou utilisable. *Travailler la matière, une matière première.* ⇒ **Élaborer** (→ Artisan, cit. 4). *Travailler le marbre au ciseau.* ⇒ **Ciseler.** *Travailler un morceau de fer* (→ Maréchal, cit. 1). ⇒ **Façonner.** *Travailler les métaux, à chaud, à froid...* (1767, *in* D. D. L.). *Le boulanger travaille la farine, la pâte, pour faire le pain.* ⇒ **Fatiguer, remuer, touiller.** — *Travailler la terre*.* ⇒ **Cultiver** ; → Argile, cit. 4. — Par anal. (et avec infl. du sens A « tourmenter »). *« Le chalutier* (cit.) *travaille la mer ».*

9 *(Il)* travaille une poutre : Il est charpentier (...) LA BRUYÈRE, les Caractères, XII, 20.

10 Ils disaient plus simplement : *J'va* **travailler** *la vigne.* Tout ce qu'on faisait à la vigne s'appelait travailler. Ch. PÉGUY, Victor-Marie, comte Hugo, p. 25.

♦ **2.** (1636). Soumettre à un travail intellectuel pour améliorer. *Travailler son style* (⇒ **Aiguiser, ciseler, fouiller, peigner**), *ses phrases. Travailler son ouvrage* (cit. 15).

11 Quelque soin que j'ai pris pour travailler cette tragédie (...) RACINE, Britannicus, Première préface.

12 Ursus, on s'en souvient, avait fait de Gwynplaine son élève. Des inconnus avaient travaillé le visage. Il avait lui, travaillé l'intelligence, et derrière ce masque si bien réussi il avait mis le plus qu'il avait pu de pensée. HUGO, l'Homme qui rit, II, II, VIII.

13 *(Elle)* regardait pendant de longues soirées son mari travailler des phrases. Elle haussait les épaules à la vue de ses hésitations, de sa manière furieuse de mâcher son porte-plume, de ses ratures de lignes entières, de ses surcharges encore biffées, de ses renvois barrés de lignes d'encre (...) HUYSMANS, En ménage, IV.

♦ **3.** (1893). Chercher à acquérir par l'exercice, l'étude, la connaissance ou la pratique de (une science, une technique). *Travailler la philosophie* (→ Licence, cit. 5), *les sciences.* ⇒ **Bûcher, piocher, potasser.** *Travailler un sujet, une technique, une discipline.* (⇒ **Cultiver**). — *Travailler un morceau de piano, une étude* (cit. 47) *de Chopin.* Par ext. *Travailler son piano.* — Sports. *Coureurs de relais* (2. Relais, cit. 3) *qui travaillent les reprises. Travailler son revers* (au tennis), *son battement de jambes* (à la nage).

13.1 Grimpé sur les ruines du premier étage, il travaille donc son allemand. Il apprend par cœur une liste de mots, mais sa mémoire est peu vaillante ; il peine et se voit obligé de répéter cent cinq et des fois un même substantif avant de se l'incruster dans le souvenir. Encore l'a-t-il oublié le lendemain. R. QUENEAU, le Chiendent, p. 350.

♦ **4.** (1373). Soumettre à un exercice, à un entraînement. *Travailler un cheval.* ⇒ **Manier.** — *Travailler le taureau,* lui faire accomplir les mouvements requis par les règles de la corrida.

13.2 Aussi ne fut-il pas trop surpris par ce spadassin *(le taureau)*, et il le travailla prudemment, lui donnant la sortie très large et ne faisant que le nécessaire pour fixer ses premiers ébats brouillons (...) MONTHERLANT, les Bestiaires, p. 104.

♦ **5.** (1798). Soumettre à des influences concertées, de manière à faire agir de telle ou telle façon. *Travailler l'opinion* (→ Blackbouler, cit. 1).

♦ **6.** (Tennis, ping-pong). *Travailler une balle,* la couper, la lifter, etc., pour que le rebond surprenne l'adversaire.

♦ **7.** Trans. ind. (V. 1207, suivi d'un inf.). **TRAVAILLER À...** (suivi d'un compl. ou de l'inf.) : faire tous ses efforts pour obtenir (un résultat), en vue de. *Travailler à son renom* (cit. 3), *au renversement* (cit. 4) *de la monarchie* (→ aussi Contribuer, cit. 1 ; espoir, cit. 3), *à la perte de quelqu'un.* (Suivi de l'inf.) ⇒ **Efforcer** (s'), **tâcher, tendre** (à). → Affaiblir, cit. 8 ; façonner, cit. 17 ; iniquité, cit. 7. *« Notre mauvais génie travaillait à nous perdre »* (→ Glaive, cit. 3).

Toute notre dignité consiste donc en la pensée. C'est de là qu'il faut nous relever 14
et non de l'espace et de la durée, que nous ne saurions remplir. Travaillons donc à bien penser : voilà le principe de la morale. PASCAL, Pensées, VI, 347.

Les vrais grands ministres sont ceux qui travaillent aux événements de leur siè- 15
cle en hommes qui sauraient au besoin travailler à ses idées. HUGO, Post-Scriptum de ma vie, Tas de pierres, V.

Consacrer son activité, apporter ses soins à (un ouvrage). *Il travaille à un exposé qu'il doit faire le mois prochain.* ⇒ **Préparer.** *Travailler à l'œuvre commune.* ⇒ **Collaborer.** — *Travailler à des additions* (→ Attendre, cit. 88), *à la réédition d'un ouvrage.*

★ **II.** V. intr. (« souffrir », XIIe, et, spécialt, « être dans les douleurs de l'accouchement », emplois correspondant au sens I de *travail,* et de *travailler,* complètement disparus en franç. mod., en parlant des personnes).

A. ♦ **1.** (1538 ; remplace *ouvrer**). Agir d'une manière suivie, avec plus ou moins d'effort, pour obtenir un résultat utile. ⇒ **Besogner** (vx), **labourer** (vx), **ouvrer** (vx), **tâcher** (littér.) ; fam. **bosser, boulonner, bûcher, buriner** (vx), **chiader, gratter, marner, trimer, turbiner** (→ Fatiguer, cit. 23 ; imaginaire, cit. 1 ; inégalité, cit. 6 ; 1. reposer, cit. 13). *« Travaillez, prenez de la peine »* (→ Fonds, cit. 5). *Travailler est un devoir* (→ Fripon, cit. 3). *« Travailler est moins ennuyeux que s'amuser »* (cit. 13). *Se mettre à, s'arrêter de, recommencer à travailler.* ⇒ **Retravailler.** *Travailler avec acharnement* (cit. 3), *d'arrache-pied*, avec cœur, courage* (→ Labourer, cit. 3), *opiniâtreté* (→ Avoir du cœur* à l'ouvrage, et aussi ne pas bouder* l'ouvrage, en mettre un coup*, prendre de la peine*). ⇒ **Abattre** (de la besogne). *Travailler comme un esclave, un forçat, un galérien, un mercenaire, un nègre* (→ Férule, cit. 2) ; *travailler comme un bœuf, un cheval, une bête de somme, comme une bête :* travailler à des ouvrages pénibles, en se fatiguant beaucoup. ⇒ **Crever** (se crever de travail), **fatiguer** (se), **suer.** *Travailler dur* (→ Fainéant, cit. 3). *Travailler lentement* (⇒ **Chipoter**), *mal* (⇒ **Bousiller, gâcher...**). *Vous travaillez dans la perfection* (→ Perler, cit. 4), *à la perfection. Travailler doucement, mollement,* sans se presser. ⇒ **Travailloter.** *Travailler sans goût, par devoir. Ne pas travailler, refuser de travailler* (→ Ne pas en ficher un coup*, une rame*, une secousse*). ⇒ **Faire, ficher,** et aussi (fam.) **glander.**

Travailler de ses mains (cit. 78), *manuellement, à un travail manuel* (→ aussi Mettre la main à la pâte*). *Travailler intellectuellement. Travailler pour amasser* (cit. 4 et 5), *pour gagner de l'argent, pour vivre* (→ Paresseux, cit. 1, et ci-dessous, 2., les emplois spéciaux). *Travailler à un ouvrage* (⇒ **Exécuter, faire**), *à sarcler* (cit. 4) *des pois. — Faire travailler qqn. Il le fait travailler dur. Faire travailler qqn en l'exploitant* → (fam.) Faire suer le burnous*. — Allus. bibl. *Les lis* (1. Lis, cit. 1) *des champs ne filent ni ne travaillent.*

Se charger du soin d'un ménage, de la salubrité et de la propreté d'une maison, 16
de la confection des aliments communs, de l'entretien d'un jardin ou d'une écurie, c'est travailler, fonctionner, ce n'est pas servir. G. SAND, Histoire de ma vie, III, VI.

Travailler, c'est imposer aux matériaux et aux êtres donnés par la nature des 17
transformations ou déplacements qui les rendent plus utiles ou plus beaux ; c'est aussi étudier les lois de ces transformations, les préparer ou les diriger. A. MAUROIS, Un art de vivre, III, Avant-propos.

(Animaux). *Les castors travaillent en groupes. Insectes* (cit. 2) *qui travaillent dans l'obscurité.*

Spécialt. (En parlant d'un travail intellectuel). ⇒ **Écrire** (cit. 30), **œuvrer** (→ Difficulté, cit. 11 ; élimination, cit. 1 ; 1. muse, cit. 9 ; nuit, cit. 43 ; œuvre, cit. 15). *Travailler lentement* (→ Expéditif, cit. 4), *vite, facilement, sans effort... « Travaillez à loisir ... »* (cit. 6, Boileau). *Travailler dans un genre* (→ Épopée, cit. 1).

Pour acquérir un nom maintenant, il faut travailler vite, beaucoup et sans relâ- 18
che, et très bien car le public devient de plus en plus exigeant et difficile. Th. GAUTIER, Souvenirs de théâtre..., Gavarni, I.

Je travaille savamment, longuement, avec des attentes infinies des moments les 19
plus précieux ; avec des choix jamais achevés ; avec mon oreille, avec ma vision, avec ma mémoire, avec mon ardeur, avec ma langueur ; je travaille mon travail, je passe par le désert, par l'abondance, par Sinaï, par Chanaan, par Capoue, je connais le temps du trop, et le temps de l'épuration, pour faire de mon mieux quelque chose dont je sais que ce sera rien, sujet d'ennui, d'oubli, d'incompréhension (...) VALÉRY, Rhumbs, p. 277.

Faire des exercices intellectuels (au cours des études). ⇒ **Apprendre, étudier** (→ Étude, cit. 6 ; examen, cit. 15 ; passe-temps, cit. 4). *Finis de jouer et va travailler ! Enfant surmené, qui travaille trop. Il travaille bien en classe ; il ne travaille pas.* ⇒ **Ficher, foutre.**

François travaille à préparer son examen... Fieschi, tiens, en voilà un qui ne tra- 20
vaille pas en ce moment ! Pascal non plus n'aurait pas eu besoin de réviser. En

ce moment, même Lévêque boulonne, Darseval bosse, Vigerie gratte, Mollard chiade, Cayrolle rupine — chacun son mot familier.
G. CESBRON, *Notre prison est un royaume*, XI, p. 307-308.
N. B. *Rupiner* signifie plutôt «réussir», dans l'argot scolaire.

Par ext. *Esprit qui travaille en surface* (cit. 2). *Pensée qui travaille à tâtons* (cit. 2). *Faire travailler sa matière* (cit. 9) *grise.*

21 Les abeilles ne travaillent que dans l'obscurité, la pensée ne travaille que dans le silence, et la vertu dans le secret (...)   MAETERLINCK, *le Trésor des humbles*, I.

♦ **2.** (1690). Exercer une activité professionnelle, un métier* (→ Aumône, cit. 7; métier, cit. 18; perdre, cit. 48). ⇒ **Bosser, boulonner.** *Le droit de travailler* (→ Primordial, cit. 3). *Les jeunes femmes qui travaillent* (→ Misogyne, cit.). *Commencer à travailler à seize ans, à vingt ans* (→ Gagner* sa vie, [fam.] gagner* sa croûte, son bifteck, son bœuf, son entrecôte). *Faire travailler des ouvriers, du personnel.* ⇒ **Embaucher, employer, engager.** — *Travailler en horlogerie* (→ Doigt, cit. 18), *en linge* (→ Hôtesse, cit. 4). *Travailler dans l'édition, dans l'agro-alimentaire. Blanchisseuse qui travaille en gros et en fin. Travailler pour un entrepreneur, un patron* (→ Apprentissage, cit. 4), *pour son propre compte.* ⇒ **Profession.** *Travailler à la mine* (2. Mine, cit. 5), *au fond* (cit. 13); *en usine, à l'atelier* (⇒ **Ouvrier**); *aux champs* (⇒ **Paysan**); *dans un bureau* (⇒ **Employé**). *Travailler en chambre*, *à domicile.* — *Travailler de jour, de nuit, à heures fixes* (→ Élévation, cit. 6). *Travailler à plein temps, à temps partiel. Travailler par nécessité. Travailler aux pièces*, *à la tâche*. *Travailler en continu, par équipes.* ⇒ **Trois-huit** (faire les).

22 Le grain est d'une cherté! Point de vin! Encore si l'on trouvait à travailler; mais les riches se retranchent; les pauvres gens ne font rien (...)
DIDEROT, *Jacques le fataliste*, Pl., p. 519.

23 Le plus sage dans la vie c'est de se la couler douce. Nous ne sommes pas des bêtes de peine, mais des hommes. Quand on naît pauvre, il faut travailler; eh bien! tant pis, on travaille; mais quand on a des rentes, sacristi! il faudrait être jobard pour s'esquinter le tempérament.   MAUPASSANT, *Pierre et Jean*, III.

24 Cela le change tellement, il travaille. Entre nous, je n'en suis pas fâchée. Aujourd'hui un jeune homme doit gagner son pain. Édouard qui n'a jamais rien fait de sa vie (...)   ARAGON, *les Cloches de Bâle*, I, III.

(1623). Argot. Exercer une activité profitable tolérée ou interdite par la société. — Spécialt. Voler. Pratiquer la prostitution.

25 Elle s'appelait Julienne, mais il paraît que pour le travail Maridge c'était mieux (...) alors Maridge a commencé à travailler pour moi.
J. CAU, *la Pitié de Dieu*, p. 46.

♦ **3.** (1859). S'exercer; effectuer un exercice. *Acrobates qui travaillent sans filet* (cit. 14). — *Boxeur qui travaille avec un partenaire, au punching-ball* (→ Knock-out, cit. 1; poids, cit. 10).

♦ **4.** (1669). Sujet n. de personne ou de chose. Agir. *Travailler pour qqn, à son profit** (⇒ **Servir**), *contre qqn, contre ses intérêts** (⇒ **Desservir**). *Le temps travaille autant contre nous que pour nous* (→ Emmener, cit. 1). — Loc. prov. *Travailler pour le roi* de Prusse.*

♦ **5.** (1683, Mme de Sévigné; cf. au XVIe, «un fonds qui travaille en blés, en vins», O. de Serres). Sujet n. de chose. Produire un revenu. *Faire travailler l'argent.* ⇒ **Produire, rendre,** (fig.) **suer.**

♦ **6.** (Sujet n. de chose). Effectuer un travail (II., C., 2.) utile. *Machine, moteur qui travaille.* — Fonctionner :

26 Il y avait là un hangar où la guillotine était toujours dressée. Les étrangers se rangeaient autour et on la faisait *travailler.* On guillotinait des bottes de foin.
HUGO, *Choses vues*, I, 1846, Visite à la Conciergerie.

♦ **7.** (1723). Le sujet désigne une entreprise, une force productive. Fonctionner pour la production. *Les forges* (cit. 7, Raynal) *qui travaillaient en Angleterre. Industrie qui travaille pour une clientèle, pour les masses* (→ Produit, cit. 6). *Travailler à perte,* en dessous du prix de revient.

B. (Sujet n. de chose). Subir une force, une action.

♦ **1.** (1690). Subir une ou plusieurs forces (pression, traction, poussée...) et se déformer sous une telle action. *Cordage, poutre, étai qui travaille. Panneau de bois qui travaille.* ⇒ **Déformer** (se), **gondoler.** *Navire qui travaille par grosse mer.* ⇒ **Fatiguer** (v. intrans.).

27 1° En architecture, on dit qu'une maçonnerie travaille quand elle éprouve un tassement présageant sa ruine : c'est le cas d'un mur qui boucle, d'un plancher qui s'affaisse; 2° En menuiserie et en ébénisterie, un panneau, un assemblage, un meuble travaillent quand ils se disjoignent ou gauchissent sous l'influence de la température; 3° Ce mot est également d'usage courant en peinture où l'on dit que les couleurs à l'huile travaillent quand elles changent de ton sous l'action du temps ou des conditions atmosphériques.
Louis RÉAU, *Dict. d'art et d'archéologie*, art. *Travailler.*

Fermenter, subir une action interne. *Le vin travaille. La pâte travaille,* elle lève. — Par métaphore :

28 Au printemps, tu sais, le sang travaille.
ZOLA, *la Faute de l'abbé Mouret*, I, VII.

♦ **2.** (Av. 1709). Abstrait. Être agité. *Son imagination, son esprit travaille* (→ Guerre, cit. 35). *Les esprits travaillent.* ⇒ **Fermenter.** — Loc. fam. *Travailler du chapeau* : être fou, dérangé.

29 — Faites pas attention, dit Martin. Il travaille de la visière.
M. AYMÉ, *le Vin de Paris*, p. 55.

▶ **SE TRAVAILLER** v. pron.

A. Réfl. (au sens I, A). ♦ **1.** (V. 1155). Vx. Se fatiguer. — (Fin XIIIe). Se tourmenter.

♦ **2.** (Déb. XIIe). S'efforcer. *Il se travaille à dire des bons mots.* ⇒ **Guinder** (se; cit. 9). *La grenouille «Envieuse s'étend, et s'enfle, et se travaille»* (→ Égaler, cit. 2).

B. (XIXe). Passif. (Au sens I, B). *Métal qui se travaille à chaud.*

▶ **TRAVAILLÉ, ÉE** p. p. adj.

♦ **1.** (1080). Vx. (Au sens I, A). Fatigué; tourmenté. Agité. *Esprits travaillés par la révolte.*

♦ **2.** (1559). Mod. (Au sens I, B). Qui est l'objet d'une mise en œuvre, d'une élaboration; qui est fabriqué, façonné, élaboré... ⇒ **Ouvré.** *Corne* (cit. 4) *travaillée. Grilles travaillées et découpées* (→ Moucharabieh, cit. 1). *Donjons travaillés* (→ Guirlander, cit.). *Pommeau* (cit. 4) *travaillé au tour. Objet délicatement travaillé* (→ Foyer, cit. 3). ⇒ **Soigné.** — Exécuté, élaboré avec le plus grand soin. *Prose rythmée* (cit. 4), *travaillée. Style travaillé, trop travaillé.* ⇒ **Affecté, recherché.** — *Lumières travaillées* (en photogr.). → Retouche, cit. 1. — *Contralto travaillé* (→ Soprano, cit. 1).

30 Dans les passages travaillés, le travail reste trop visible. Cela sent l'huile.
A. THIBAUDET, *Gustave Flaubert*, p. 208.

♦ **3.** (1975). Pendant lequel on travaille, on occupe un emploi salarié. «*Le nombre d'heures travaillées en novembre dans le bâtiment a baissé de 8 % sur l'an dernier*» (*l'Express*, 20 janv. 1975, *in* Gilbert).

CONTR. Amuser (s'), chômer, flâner, reposer (se); et cf. fam. et pop. **Cagnarder, flemmarder...** — (Du p. p.) **Brut, grossier.**
DÉR. 1. **Travail, travaillant, travailleur, travailloter.**

TRAVAILLEUR, EUSE [travajœʀ, øz] n. et adj. — 1552; *travailleor* «celui qui fait souffrir, bourreau»; de *travailler.*

★ **I.** N. Personne qui travaille. ♦ **1.** (1680). Vx. Sapeur, terrassier qui effectue des travaux de siège.

♦ **2.** (1606). Personne qui travaille, fait un travail physique ou intellectuel. *L'oisif* (cit. 3) *et le travailleur. Honnête travailleur* (→ Faciliter, cit. 3). *Mains* (cit. 3 et 7) *de travailleur. Des travailleuses* (→ Plein, cit. 31). *Une pierre de taille lentement hissée par les travailleurs* (→ Hisser, cit. 3). — *Les travailleurs de l'esprit* (→ 1. Penser, cit. 29). — *Les Travailleurs de la mer,* roman de Hugo.

1 On devait faucher deux prés, le soir, jusqu'à une heure assez avancée, puis, de grand matin, pour éviter entièrement l'ardeur du jour. J'avais déjà eu le projet de donner, dans cette occasion, quelque encouragement à mes travailleurs, les musiciens furent appelés de Vevay (...)   É. DE SENANCOUR, *Oberman*, XC.

2 Les écrivains sont les travailleurs du progrès. Loin de les entraver, on doit les aider.   HUGO, *Correspondance*, III, 314, 3 mai 1872.

Par anal. *Deux bœufs* (cit. 5), *ces vieux travailleurs.*

♦ **3.** (1765; «personne qui exerce une profession pénible»). Personne qui exerce une profession, un métier. *Travailleurs manuels.* ⇒ **Ouvrier.** *Travailleur de force. Esclaves* (cit. 4) *et travailleurs libres. Travailleurs autonomes* (→ Maître, cit. 106). — (1909, *in* D.D.L.). *Travailleurs à domicile.* — Dr. *Travailleurs maritimes.* ⇒ **Marin.** — *Travailleurs intellectuels. Travailleurs indépendants,* non salariés. *Travailleurs immigrés, migrants. Intéressement des travailleurs à l'entreprise. Les travailleuses de la confection. Travailleuse familiale,* aidant à domicile les mères de famille.

3 Les travailleurs de la pensée, se dit, dans les discussions socialistes, de ceux qui travaillent, mais non de leurs mains.   LITTRÉ, *Dict.*, art. *Travailleur.*

Absolt. *Les travailleurs* : les salariés, et, spécialt, les ouvriers de l'industrie. ⇒ **Prolétaire** (→ Taylorisme, cit.). *C'est l'interchangeabilité* (cit. 1) *qui caractérise les travailleurs. La condition des travailleurs* (→ Chair, cit. 15; ici, cit. 29). *Confédération française des travailleurs chrétiens (C. F. T. C.). Syndicats de travailleurs et syndicats patronaux. Les travailleurs et les agents de maîtrise.* ⇒ **Ouvrier.** — REM. Ce type d'emploi spécialisé relève surtout de l'usage politico-syndical.

4 Considérant (...) Que l'assujettissement du travailleur au capital est la source de toute servitude politique, morale et matérielle; Que, pour cette raison, l'émancipation économique des travailleurs est le grand but auquel doit être subordonné tout mouvement politique (...)
Statuts de l'Association internationale des Travailleurs, adoptés par le Congrès de 1865, *in* P. LAROUSSE, art. *Travailleur.*

♦ **4.** (Qualifié). Personne qui travaille (de telle façon). *Un bon, un grand travailleur. C'est un médiocre travailleur.*

5 — Les bons travailleurs ont toujours le sentiment qu'ils pourraient travailler davantage (...)   GIDE, *les Faux-monnayeurs*, I, IX.

♦ **5.** (1775, Beaumarchais). Fam. et vx. Claqueur, au théâtre.

★ **II.** Adj. (Fin XVIIe). ♦ **1.** Qui aime le travail. ⇒ **Laborieux.** *Âme honnête et travailleuse* (→ Minois, cit. 2). *Élève, étudiant travailleur* (⇒ **Appliqué, consciencieux, courageux; bûcheur**). — Spécialt. vx. *La classe travailleuse.* ⇒ **Ouvrier.**

6 (Pontchartrain) avait de l'esprit, mais parfaitement de travers, et (...) appliqué, sachant bien sa marine, assez travailleur, et le voulait paraître beaucoup plus qu'il ne l'était.   SAINT-SIMON, *Mémoires*, III, LVI.

7   On vivrait mille ans, qu'un homme doué d'une intelligence travailleuse, le jour de sa mort, s'apercevrait qu'il n'a pas fait la moitié de ce qu'il voulait faire.
            Ed. et J. DE GONCOURT, Journal, 18 janv. 1885, t. VII, p. 6.

♦ **2.** Littér. Qui est caractérisé par le travail. *Rues* (1. Rue, cit. 1) *ouvrières, travailleuses... Oisiveté travailleuse* (→ Matériellement, cit. 3).
Les abeilles travailleuses. ⇒ **Ouvrière** (opposé à *la reine*).

♦ **3.** *Des travailleurs* (I., 3.). *Les masses travailleuses.*

CONTR. **Inactif, oisif ; chômeur, désœuvré ; fainéant, paresseux ;** et (fam. et pop.) **cagnard, flemmard...**
DÉR. **Travailleuse.**

TRAVAILLEUSE [tRavajøz] n. f. — 1830, Balzac, *in* D.D.L. ; de *travailleur*.

♦ Petit meuble, table à ouvrage (pour les travaux de dames).
Une travailleuse en bois de merisier déteint remplissait l'embrasure, et le petit fauteuil d'Eugénie Grandet était placé tout auprès.
            BALZAC, Eugénie Grandet, Pl., t. III, p. 493.

TRAVAILLISME [tRavajism] n. m. — 1964 ; de *travailliste*.

♦ Doctrine politique et sociale du «Labour party» (parti du Travail), en Grande-Bretagne et dans certains pays de tradition analogue. ⇒ **Socialisme.**

TRAVAILLISTE [tRavajist] adj. et n. — 1923, *Larousse mensuel* ; «socialiste russe», 1907 ; de *travail*, pour traduire *Labour (party)*.

♦ **1.** Adj. et n. *Parti travailliste* : parti britannique de tendance socialiste.
Relatif à ce parti. *Un dirigeant, un leader travailliste* (→ Important, cit. 7). *Député, gouvernement travailliste. Journal travailliste.*
N. Membre du parti travailliste.

♦ **2.** Relatif à un parti analogue au parti travailliste britannique. ⇒ **Socialiste.**
Notre espoir du lendemain de la Libération, si cruellement déçu, ce grand parti travailliste dont nous ne rêvions même plus, devient une possibilité et sera demain une réalité si des ministres socialistes entrent au gouvernement.
            F. MAURIAC, Bloc-notes 1952-1957, p. 131.

DÉR. **Travaillisme.**

TRAVAILLOTER [tRavajɔte] v. intr. — 1906 ; de *travaill(er)*, et dimin. *-oter*.

♦ Fam. Travailler peu, sans se fatiguer.
— La dernière fois, j'ai vu une voie de Decauville, et deux wagonnets. J'ai eu l'impression qu'on travaillotait dans une des galeries.
            J. ROMAINS, les Hommes de bonne volonté, t. XVIII, p. 207.

TRAVE [tRav] n. f. — 1904 ; du provençal *travo*, anc. provençal *trau* «partie», lat. *trabs, trabis*.

♦ Techn. Assemblage de deux pièces de bois jointes en oblique ou à angle droit.

TRAVÉE [tRave] n. f. — 1356 ; de l'anc. franç. *tref*, du lat. *trabs, trabis* «poutre».

♦ **1.** Techn. Portée d'une poutre (de plafond, de plancher). — Cour. Portion de voûte, de comble, de pont... comprise entre deux points d'appui (colonne, piles, piliers, etc.). *Les travées d'une nef. Nef à cinq travées.*

1   Les parties *(de l'édifice roman)* ne sont pas indépendants, mais elles sont spécialisées, et chacune, selon son rôle, concourt au travail d'ensemble. Par le support, le doubleau de la voûte est lié au mur qui s'épaissit pour le conduire au sol. Chaque travée, chaque cellule de la nef, fortement rythmée, se répercute dans les travées des nefs latérales. Quel noble et ferme langage, scandé par une métrique !
            Henri FOCILLON, l'Art d'Occident, I, II, II.

♦ **2.** (Fin XVIIᵉ). Partie d'un édifice, d'un local, comprise entre deux supports, ou séparée d'une autre par un cloisonnement. *Travées d'une tribune* (→ Arme, cit. 36), *d'un cirque* (cit. 2), *etc.*

♦ **3.** Vx. Tribune :
2   Tout en cheminant dans la cathédrale, j'étais monté dans les travées, puis sous les arcs-boutants, puis dans les combles.
            HUGO, Choses vues, II, à Reims.

♦ **4.** Rangée de tables, de bancs placés les uns derrière les autres (→ Enfiévrer, cit. 4). Ensemble des personnes assises dans une telle rangée.
Espace laissé vide entre deux rangées de sièges. *La travée centrale d'un cinéma.* — Ensemble des rayons d'une bibliothèque compris entre deux montants.

3   Je le revois encore *(Sadi Carnot)*, digne, modeste, immobile à sa place dans une travée du Centre, tandis que les assistants debout pour la plupart, l'acclamaient.
            Georges LECOMTE, Ma traversée, p. 174.

4   (...) le conducteur d'autobus qui court dans la travée, agite la sonnette, crie le nom des stations est pur, dur, rien ne peut le rayer (...)
            N. SARRAUTE, le Planétarium, p. 109.

DÉR. V. **Travelage.**

TRAVELAGE [tRavlaʒ] n. m. — 1949 ; de *traveau, travel*, var. anc. de *travée*.

♦ Techn. Ensemble des traverses d'une voie ferrée ; nombre de traverses au kilomètre. *Un travelage de 1700, 2 000 traverses.*

TRAVELLER'S CHECK, TRAVELLER'S CHÈQUE [tRavlœRsʃɛk] ou TRAVELLER [tRavlœR] n. m. — 1963 ; mot angl., de *traveller* ou *traveler* (amér.) «voyageur», et *check* «chèque».

♦ Anglic. Chèque de voyage, payable en espèces dans les établissements bancaires d'un autre pays que celui où il a été émis. «*La méfiance à l'égard du touriste (...) son viatique en traveller's chèques*» (le Figaro, 20 août 1963). *Des traveller's chèques* (ou *checks*). *Signer, contresigner des traveller's chèques.* Ellipt. *Des travellers. Changer ses travellers. Perdre son passeport et ses travellers. Prendre de l'argent en liquide et en travellers.*
Je me suis levé à cinq heures pour aller au bureau, finir ces notes, prendre de l'argent, mon passeport et des travelers *(sic)*.
            R. GARY, Au-delà de cette limite votre ticket n'est plus valable, p. 260.

TRAVELLING [tRavliŋ] n. m. — 1921 *in* Rey-Debove et Gagnon ; de l'angl. *travelling shot*, de *shot* «prise de vue» et de *to travel* «se déplacer, voyager».

♦ Anglic. Mouvement de la caméra placée sur un chariot qui glisse sur des rails disposés selon les besoins. *Travelling avant, arrière, latéral.* — (1952). *Travelling optique* : effet obtenu par la seule variation de la distance focale tandis que la caméra est immobile. — Par ext. Dispositif d'ensemble permettant ce déplacement de la caméra pendant la prise de vues.

1   (...) dans un atelier, il a vu un ouvrier en bras de chemise qui jouait de l'ocarina, et autour de lui, des ouvriers qui l'écoutaient (...) Comme impression, c'était formidable. Il aurait fallu filmer ça. Il y avait une belle chose à faire en travelling.
            M. AYMÉ, Travelingue, IV.

2   Pour le truquage, nous nous arrêtons au double travelling en pente (avant-arrière) coupé par un plan profil, le tout devant la transparence des nuages qui roulent.
            COCTEAU, la Belle et la Bête, Journal d'un film, p. 78.

TRAVELO [tRavlo] n. m. — V. 1970 ; de l'initiale de *trave(sti)*, et suff. pop. *-lo*.

♦ Fam. Travesti, homosexuel qui se déguise en femme. *Un bar de travelos.*

1   — Tu ne crois pas qu'il sentait un peu le travelo, ton cardinal ?
            SAN-ANTONIO, J'ai essayé : on peut !, p. 29.

2   Nico ne semblait si belle que parce que d'une féminité absolument jouée. Quelque chose de plus que la beauté, de plus sublime, en émanait, une séduction différente. Et il y avait une déception à apprendre qu'elle était un faux travelo, une vraie femme jouant au travelo.
            J. BAUDRILLARD, De la séduction, p. 25.

REM. On rencontre aussi l'abrév. *trav* (J. Merlino, *les Jargonautes*, p. 207), et la graphie *travelot* (G. Dormann, *Je t'apporterai des orages*, p. 113).

TRAVERS [tRavɛR] n. m. — V. 1150 ; *en traver* «directement», 1080 ; du lat. *tra(ns)versus* «transversal, oblique».

★ **I.** Loc. adv., adj. et prép. ♦ **1.** EN TRAVERS : dans une position transversale par rapport à un axe de position ou de direction habituel. ⇒ **Transversalement.** (→ Harde, cit. 5 ; palanquin, cit. 2 ; payable, cit. 2). *Coupe en travers. La voiture s'est mise en travers de la route.* — (V. 1213, «de part en part»). *En travers de qqch.* (→ Branche, cit. 3 ; déraciner, cit. 3 ; épaule, cit. 9 ; passage, cit. 15). Fig. *Se mettre, se jeter en travers de...* : s'opposer, faire obstacle à... (→ Entreprise, cit. 9 ; scientisme, cit. 2).

1   Dieu conduit par la main
  Le vengeur en travers de votre affreux chemin.
            HUGO, la Légende des siècles, XV, III, XVI.

2   Il ne faut pas, pour nos goûts personnels, peut-être pour nos préjugés, nous mettre en travers de ce qui fait notre temps. Il le fait sans nous, et probablement il a raison.
            RENAN, Souvenirs d'enfance..., Préface, Œ. compl., t. II, p. 717.

3   Il gisait, à demi-nu, les bras écartés, en travers du lit.
            MARTIN DU GARD, les Thibault, t. V, p. 14.

(1458 ; «de travers», v. 1155). À TRAVERS : par un mouvement transversal d'un bout à l'autre d'une surface ou d'un milieu (avec l'idée d'un obstacle passé). *Passer à travers* (→ Force, cit. 82). — Vx. *À travers de...* (→ Éloignement, cit. 5). Mod. *À travers qqch.* ⇒ **Entre, milieu** (au milieu de), **par, parmi** (→ Chemin, cit. 13). *Marcher, errer, passer à travers un champ, un bois...* ⇒ **Couper, croiser, pénétrer, percer, traverser** (→ Course, cit. 9 ; distraire, cit. 16 ; éterniser, cit. 13). *À travers champ(s), à travers pré* (→ Démêler, cit. 1 ; espace, cit. 11 ; franc-tireur, cit. 1). *Passer à travers la foule. Lumière qui passe à travers les branches* ⇒ **Couvert, cit. 5 ;** enchâsser, cit. 3), *à travers un globe* (cit. 12) *de verre.* «*(...) tes traîtres yeux, Brillant à travers leurs larmes*» (cit. 5). *Voir, dis-*

tinguer à travers les carreaux, à travers un verre... (→ Bréviaire, cit. 2; glacer, cit. 6; image, cit. 9), *à travers un prisme, le prisme* (cit. 4, 5 et 6) *de...* «*Déjà je ne vois plus qu'à travers un nuage*» (cit. 9). *Une fourrure dont la caresse le réchauffait à travers sa robe* (→ Boule, cit. 1). — Fig. *À travers les âges* (→ Opprimer, cit. 7; résurrection, cit. 5), *toute la vie* (→ Exciter, cit. 7). *Aussi loin que je retourne en arrière* (cit. 15) *à travers ces souvenirs.*

4   À travers toutes les exagérations bouffonnes, les plaisanteries souvent ordurières, perçait un sentiment vrai et profond de parfait mépris pour la femme (...)
Th. GAUTIER, Mlle de Maupin, v, p. 90.

5   (...) l'art ne naît de la vie qu'à travers un art antérieur.
MALRAUX, les Voix du silence, p. 309.

(V. 1210). AU TRAVERS : en passant d'un bout à l'autre; de part en part. ⇒ **Traverser** (→ Cristal, cit. 3; éteindre, cit. 6; fondre, cit. 19). — Fig. (fam.). *Passer au travers :* échapper à un danger, à une punition; dans un autre sens (argot des joueurs) : n'avoir pas de chance, ne ramasser aucun bénéfice. — *Au travers de...* (→ Barreau, cit. 3; bouillon, cit. 2; dommage, cit. 5; effondrer, cit. 1; épée, cit. 4; 1. frayer, cit. 4; grille, cit. 22; minable, cit. 1). Par métaphore et fig. (→ Clair, cit. 27; couvrir, cit. 23; encourager, cit. 2; institution, cit. 18). «*Au travers de son masque* (1. Masque, cit. 12) *on voit à plein le traître*». — (Dans le même sens). *Il lui passa son épée par le travers du corps.* ⇒ **Part** (de part en).

6   On regarde **par une fenêtre** *ouverte, on observe* **à travers un rideau**. L'idée est qu'il y a non seulement un point à passer, mais un obstacle à franchir. Les grammairiens ont prétendu réserver ce sens à *au travers*. La vérité est que l'on ne fait cette distinction que bien rarement : *Les religieuses cloîtrées vous parlent* **à travers** *un* ou **au travers** *d'un grillage*. Littré reconnaît que l'usage n'a pas accepté les règles qu'on a prétendu imposer. F. BRUNOT, la Pensée et la Langue, p. 432.

7   Je vis venir à moi, dans les grands roseaux verts,
La belle fille heureuse, effarée et sauvage,
Ses cheveux dans ses yeux, et riant au travers.
HUGO, les Contemplations, I, XXI.

♦ **2.** Mar. EN TRAVERS, PAR LE TRAVERS : dans une direction perpendiculaire à l'axe longitudinal du navire; sur le côté du bâtiment. *Apercevoir un phare par le travers bâbord. Aller par le travers,* dériver. — *Bâtiment en travers,* que le vent, le courant frappe sur le côté. *Être en travers à la lame,* présenter le côté à la lame (on dit aussi : *être travers à la lame*). *S'échouer en travers,* sur le flanc. *Vent, mer de travers,* qui frappe le navire sur les côtés (→ Fatiguer, cit. 16).

8   On se découvre mutuellement à l'horizon avec la longue-vue (...) Les deux bâtiments s'approchent, hissent leur pavillon, carguent à demi leurs voiles, se mettent en travers. CHATEAUBRIAND, Mémoires d'outre-tombe, t. I, p. 260.

♦ **3.** (V. 1150). DE TRAVERS (loc. adv.) : dans une direction, une position oblique par rapport à la normale; qui n'est pas droit, qui est placé ou dirigé autrement qu'il ne faut. (→ Escarpin, cit. 1). *Sa casquette de travers,* sur l'œil. ⇒ **Traviole** (de). → Gouape, cit. 2; gris, cit. 7; humeur, cit. 40. *Avoir, mettre son bonnet* de travers. *Avoir le nez de travers.* ⇒ **Dévié, tortu.** *Avoir les yeux, regarder de travers.* ⇒ **Loucher** (cit. 3). — Fig. *Regarder qqn de travers,* en lui marquant de l'animosité, du mécontentement, de la suspicion (→ 1. Frais, cit. 23; froncer, cit. 10; 1. louche, cit. 9). ⇒ **Torve** (œil). — *Avaler* de travers. — *Madriers* (cit. 2) *qui se présentent de travers.* ⇒ **Biais** (de). *Les maisons s'éparpillent* (cit. 11) *sans ordre et tout de travers.* ⇒ **Désordre** (en).

(Avec un verbe). ⇒ **Mal.** *Juger, raisonner de travers* (→ Impunité, cit. 1; paysan, cit. 1). *Interpréter tout de travers* (→ Pressentiment, cit. 3). ⇒ **Contresens** (à). *Prendre de travers :* interpréter dans un mauvais sens (→ Hérésiarque, cit. 1). ⇒ **Envers** (à l'). *Répondre de travers,* mal, à côté (→ But, cit. 3; muet, cit. 19).

9   Prélat, bien que notre âge aille tout de travers,
Âge vraiment de fer, de meurtres et de larmes (...)
RONSARD, Sonnets divers, Pl., t. I, p. 307.

10   L'abbé divague. — Et toi, marquis,
Tu mets de travers ta perruque. VERLAINE, Fêtes galantes, « Sur l'herbe ».

11   Encore un qui fait de travers ce qu'il pourrait faire comme il faut,
Encore un qui fait un faux pas pour ne pas regarder où il doit.
SUPERVIELLE, Fable du monde, Tristesse de Dieu.

12   Les paysans, croque-morts improvisés, tous ivres, vont de travers, de gauche à droite, de droite à gauche et le cercueil avec eux comme une galère, avance, recule, plonge, rebondit. M. JOUHANDEAU, Chaminadour, Contes brefs, « Enterrement civil ».

Loc. adj. *Vent de travers,* perpendiculaire à la route du bateau. *C'est un esprit de travers,* mal tourné → Folie, cit. 2.

♦ **4.** À TORT ET À TRAVERS. **ⓐ** (1485; *de tort et de travers,* XIIIe; var. en anc. franç., *de tort en travers, en tort et en travers*). Vx. De droite et de gauche, en long et en large, dans tous les sens. «*Bourdaloue, qui frappe toujours comme un sourd, disant des vérités à bride abattue, parlant à tort et à travers contre l'adultère*» (Mme de Sévigné).

13   À tort, à travers, de çà, de là, par ci, par là, de long, de large, dessus, dessous, abattait bois comme un faucheur fait d'herbes (...) RABELAIS, Gargantua, XVI.

ⓑ Mod. À mauvais escient, sans réfléchir. N'importe comment. ⇒ **Tort** (cit. 4 et 5).

★ **II.** *(Un, des travers).* **A.** (1545). Vieilli. ♦ **1.** Étendue transversale. *Il s'en faut d'un travers de doigt* (Académie). ⇒ **Largeur.**

13.1 Célidée et Hippolyte sont deux voisines dont les demeures ne sont séparées que par le travers d'une rue (...) CORNEILLE, la Galerie du Palais, Examen.

♦ **2.** Techn. Vx. Traverse.

♦ **3.** Bouch. Un des maniements* des bovins, formé par les muscles des vertèbres lombaires et la graisse accumulée dans le tissu qui entoure les reins. ⇒ **Aloyau.**

Travers de porc, côtes coupées en travers (plat classique de la cuisine extrême-orientale).

♦ **4.** Équit. Appuyer* tête au mur, dans l'équitation allemande. *Faire un travers.*

♦ **5.** Autom. *Un travers, un semi-travers :* mise en travers (d'une voiture).

B. (1637). Mod. Défaut, imperfection* (d'une personne) → Inintelligent, cit. *Elle avait de grandes qualités, malgré ses travers* (→ Douer, cit. 4). *De petits travers sans gravité. Les travers et les ridicules* (1. Ridicule, cit. 9; → aussi Faute, cit. 21; fonds, cit. 16; homme, cit. 47). *Être, constituer un travers* (→ Fond, cit. 45; imperceptible, cit. 8). *Critiquer les travers de qqn* (→ Finement, cit. 1; perdre, cit. 30). *Donner* (cit. 65) *dans un travers* (→ aussi Fils, cit. 6).

14   Quoique vous nommiez folies les travers d'auteur où vous vous êtes laissé emporté (...) CORNEILLE, Lettre apologétique.

15   Si j'étais né pour être chef d'école, j'aurais eu un travers singulier : je n'aurais aimé que ceux de mes disciples qui se seraient détachés de moi.
RENAN, Dialogues et fragments philosophiques, Œ. compl., t. I, p. 686.

16   Aussi ne tarda-t-il pas à ressentir une sourde irritation des travers de ses hôtes. Ceux-ci ne cherchaient point à les déguiser. Ils étalaient tout ce qu'ils avaient d'insupportable; et le meilleur restait en eux caché.
R. ROLLAND, Jean-Christophe, L'adolescent, I, p. 238.

DÉR. Traversin, traversine.
COMP. Travers-banc.

TRAVERSABLE [tʀavɛʀsabl] adj. — 1819; de *traverser.*

♦ Qui peut être traversé. *Rivière traversable à gué.*

TRAVERSAGE [tʀavɛʀsaʒ] n. m. — Mil. XXe; « façon donnée à une étoffe de laine », 1723; *travessaige* « droit de traversée », 1507; de *traverser.*

♦ Techn. (t. de brasserie). Passage de la bière de la cave de fermentation principale à la cave de garde.

1. TRAVERSANT [tʀavɛʀsɑ̃] n. m. — XVIIe; de *traverser.*
Vieux.

♦ **1.** Transversale.

♦ **2.** Fléau d'une balance. ⇒ **Traversier.**

2. TRAVERSANT, ANTE [tʀavɛʀsɑ̃, ɑ̃t] adj. — 1382, « transversal »; de *traverser.*

♦ Littér. Qui traverse (1. et 2.), passe à travers, transperce.

Je ressentis (...) cette douleur traversante qui vous avertit, dans le sommeil, qu'un songe heureux va finir. COLETTE, le Pur et l'Impur, p. 175.

HOM. Traversant.

TRAVERS-BANC [tʀavɛʀbɑ̃] n. m. — 1904; de *travers,* et *banc.*

♦ Techn. Galerie horizontale d'une mine, formant un angle droit avec les lignes de niveau des couches. *Des travers-bancs.*

TRAVERSE [tʀavɛʀs] n. f. — V. 1130, *à la traverse;* du lat. pop. *traversa,* fém. substantivé de *tra(ns)versus.* → Travers.

★ **I.** Direction transversale. ♦ **1.** Loc. adv. Vx. À LA TRAVERSE : de travers, de côté, de flanc; fig. : par surprise, inopinément (→ Servir, cit. 16). Vx ou littér. (Fig.). En travers, en faisant obstacle, opposition. *Notre marché eût été conclu si un tel ne fût venu à la traverse* (Académie). — Loc. prép. *À la traverse de... :* en travers de...

1   Après cela viennent les aventures, les rivaux qui se jettent à la traverse d'une inclination établie (...) MOLIÈRE, les Précieuses ridicules, 4.

2   Encore un rêve qui vient à la traverse des autres!
FLAUBERT, Correspondance, 1653, 2 avr. 1877.

♦ **2.** Loc. adj. Vx. DE TRAVERSE : qui est en travers, dans le sens de la largeur (→ Raquette, cit. 4), et, au fig., indirect, par voie détournée.

(1532). Mod. *Chemin* (cit. 36) *de traverse* (→ Aboutir, cit. 1; freiner, cit. 1; 2. relais, cit. 1; soubresaut, cit. 1), ou, ellipt, *traverse :* chemin qui s'écarte de la grand-route et permet de couper. ⇒ **Direct, raccourci.** N. f. (régional). *Rue de traverse,* dans une ville. Par métaphore. *Un chemin de traverse :* un moyen détourné.

♦ **3.** (Ellipt, de *voie... de traverse*). *Une traverse.* ⇒ **Passage, tra-boule** (régional).

3 — C'est à quelle distance d'ici (...)? — Par la route, je ne saurais pas vous dire au juste ; mais par la traverse il y a trois lieues et demie.
ALAIN-FOURNIER, le Grand Meaulnes, I, IX.

4 Des deux galeries, l'occidentale, la galerie du Baromètre, est réunie à l'orientale (galerie du Thermomètre) par deux traverses, l'une à la partie septentrionale du passage, la seconde tout près du boulevard (...)
ARAGON, le Paysan de Paris, p. 20.

★ **II.** (*Une, des traverses*). ♦ **1.** (1387). Barre ou pièce de bois, de fer, disposée en travers servant à assembler* ou à consolider des montants, des barreaux, un châssis, un encadrement... ⇒ **Arase-ment, barlotière, épan, traversine.** *Traverses d'une porte* (1. Porte, cit. 16), *d'une fenêtre, d'une grille* (cit. 9), *d'une persienne, d'un siège* (→ Mufle, cit. 3), *d'une croix* (⇒ **Croisillon**), *d'une armoire, d'une bibliothèque. Traverse à laquelle une cloche est suspendue.* ⇒ **Sommier** (→ Oscillation, cit. 1).

(1845). Plus cour. Pièce de bois de fer ou de béton placée en travers d'une voie de chemin de fer pour maintenir l'écartement des rails et transmettre les charges du rail au ballast (⇒ cit. *infra*).

5 (...) elle en revint à l'idée d'enlever un rail. C'était le moyen le plus sûr (...) rien qu'à chasser les coussinets avec un marteau, puis à faire sauter le rail des traver-ses.
ZOLA, la Bête humaine, X.

(1552). Fortif. Levée de terre en travers d'un parapet, servant de protection contre les feux d'enfilade. — Mar. *Traverses de baux.* ⇒ **Traversin** (2.).

♦ **2.** (V. 1460). Fig. Vx ou littér. Difficulté ou obstacle qu'on trouve en travers de sa route, de ses projets. ⇒ **Contrariété, épreuve, revers** (→ Affliction, cit. 5 ; agiter, cit. 26 ; condition, cit. 30 ; habituer, cit. 3). *« Ce qu'on nomme malheur* (cit. 27), *adversité, traverses ». Rudes traverses* (→ Conciliateur, cit. 3).

5.1 — Allons, mes Enfants, faites-nous un peu le récit de vos traverses, dans le grand voyage que vous venez de mettre à fin ? — Ne vous moquez pas, Monsieur, dit le jeune Étranger ; nous en avons eues des traverses, et de cruelles : mais la plus cruelle de toutes, ç'a été celle de courir les risques de mourir de faim. Nous sommes partis d'Auxerre à neuf heures. — Vous vous êtes donc égarés ? — Justement ! — Comment, mon fils ! tu ne sais pas encore la route ? — C'est que nous avons pris, continua l'Étranger, par des chemins de traverse ; bien nommés, je vous assure !
RESTIF DE LA BRETONNE, la Vie de mon père, p. 258.

6 (...) je regrette pour vous de vous voir partager notre mauvaise fortune, mais ce sont traverses passagères (...)
Th. GAUTIER, le Capitaine Fracasse, VI.

7 Et ce fut souvent, pour moi, après tant de traverses, une source de méditations sans fin.
Raymond ABELLIO, les Militants, p. 71.

♦ **3.** Canada. Lieu où s'effectue la traversée d'un fleuve, d'un lac, d'un bras de mer, en traversier*.

TRAVERSÉ, ÉE [tʀavɛʀse] adj. ⇒ **Traverser.**

TRAVERSÉE [tʀavɛʀse] n. f. — 1678 ; p. p. fém. substantivé de *traverser.*

★ **I.** ♦ **1.** Action de traverser la mer, une grande étendue d'eau. ⇒ **Voyage** (par mer). *La traversée de Calais à Douvres. Longue, bonne, jolie traversée* (→ 2. Exprès, cit. 2 ; guérisseur, cit. 1). *La traversée prend plus de quatre heures* (→ Pagayeur, cit.). ⇒ **Tra-jet.** *La traversée d'un fleuve, d'un lac.* — Par ext. *La traversée de la Manche à la nage.*

1 (...) il s'embarque avec mademoiselle Cunégonde, la vieille, deux valets (...) Pendant toute la traversée ils raisonnèrent beaucoup sur la philosophie du pauvre Pangloss (...) Tout ira bien, répliquait Candide ; la mer de ce nouveau monde vaut déjà mieux que les mers de notre Europe ; elle est plus calme, les vents plus constants.
VOLTAIRE, Candide, X.

2 Un navire qui fait une traversée est une armée qui livre une bataille.
HUGO, Quatre-vingt-treize, I, II, VI.

3 — (...) Bonne traversée ? — Très bonne jusqu'à la hauteur de Pernambouc. Ensuite, ça bougeait.
J. ROMAINS, Donogoo, Épilogue, 1.

Traversée en avion. La première traversée de la Manche par Blé-riot, de l'Atlantique par Lindbergh.
Trajet d'une rive à l'autre d'un cours d'eau.

♦ **2.** (Av. 1841). Action de traverser (un espace quelconque) d'un bout à l'autre. ⇒ **Passage.** *La traversée des Vosges, du Sahara* (→ Exploration, cit. 2 ; quitter, cit. 24). *La traversée d'une ville en voiture.*

4 Pendant sa traversée de la France, on ne permit pas à Pie VII de descendre de voiture.
CHATEAUBRIAND, Mémoires d'outre-tombe, t. III, p. 171.

5 S'il avait fait plus froid et que la solitude eût été complète, il se fût rappelé, avec l'aide de Nordenskjold et de Nansen, ses tentatives de traversée du glacier groenlandais.
Maurice BEDEL, Jérôme 60º latitude Nord, VI.

Par métaphore :

6 Puis il se fit un grand silence et, tandis que je plongeais dans le sommeil, la maison leva l'ancre pour la traversée de la nuit.
GIDE, Isabelle, I.

Loc. fig. (allus. à la traversée du désert par les Hébreux, dans la Bible). *Traversée du désert :* disparition plus ou moins longue d'un homme (notamment, d'un homme politique) hors de la vie publique. (D'abord à propos du général de Gaulle, de 1946 à 1958). *« Une traversée du désert qui allait durer douze ans »* (le Monde, 30 mars 1969).

7 Je devais le revoir à Marly, à Colombey, rue de Solférino au temps du R. P. F.,

---

puis pendant ce que nous avons appelé la traversée du désert. On dit qu'il a toujours su qu'il reprendrait le pouvoir.
MALRAUX, Antimémoires, p. 144.

♦ **3.** (1886, Javelle, *in* Petiot). Sports. Alpin. Progression perpendicu-laire à la ligne de pente (en longeant une arête, etc.). — Ski. Des-cente selon une direction oblique par rapport à la ligne de plus grande pente.

★ **II.** (1876). Techn. *Traversée de voie :* lieu où se croisent deux voies de chemin de fer.

TRAVERSER [tʀavɛʀse] v. tr. — 980 ; d'un lat. pop. *traversare, lat. class. transversare, de transversus. → Travers.

★ **I.** (1080). ♦ **1.** Parcourir (un espace) d'une extrémité, d'un bord à l'autre. ⇒ **Franchir, parcourir.** *Traverser des forêts* (→ 1. Aller, cit. 19), *des bois* (cit. 8), *des marais* (cit. 1), *de vastes déserts de neige* (cit. 2). *Traverser la Manche* (→ Frapper, cit. 22). *« Je n'ai donc traversé tant de mers, tant d'États ... »* (cit. 139). *Traverser l'eau* (→ Passeur, cit. 1), *un gué* (1. Gué, cit. 1), *une rivière.* — *Traverser une ville* (→ Déroute, cit. 6), *des villages* (→ 2. Mar-che, cit. 17). *Traverser une salle* (→ Chambre, cit. 13.3 ; descendre, cit. 4). *Traverser l'espace* (cit. 23). *Traverser un pays dans tous les sens.* ⇒ **Sillonner.** — Spécialt. Couper perpendiculairement (une voie de communication). *Traverser la rue* (→ Encombrement, cit. 3 ; pharmacien, cit. 3), *la route* (→ Hérisson, cit. 2), *la voie* (→ Portillon, cit. 1), *l'allée* (→ Diriger, cit. 8). — Absolt. *Le piéton ne traverse pas assez vite* (→ Signal, cit. 3). *Défense de traverser en dehors des passages pour piétons.* — *Traverser un pont* (expression blâmée par les puristes, mais qui remonte à la *Chanson de Roland*) : aller d'un bout à l'autre du pont dans le sens de la longueur (→ 1. Nu, cit. 15, Balzac ; remonter, cit. 12, Chateaubriand ; tablier, cit. 2, Hugo ; tarir, cit. 6, Zola). — Absolt. → ci-dessous cit. 1 et 2.1.

1 (...) du monde sortait continuellement du passage Jouffroy, des gens attendaient cinq minutes avant de pouvoir traverser, tant la queue des voitures s'allongeait.
ZOLA, Nana, I.

2 Quand on traversait une zone de lumière plus vive, elle reculait sa tête au fond de la voiture.
J. ROMAINS, les Hommes de bonne volonté, t. III, XX, p. 276.

2.1 La môme ne m'avait pas vu, j'étais sur l'autre trottoir et j'ai vite traversé pour être reconnu (...)
É. AJAR (R. GARY), la Vie devant soi, p. 110.

Absolt. Alpin. Effectuer une traversée*.

(Fin XVIᵉ ; en parlant de choses mobiles). *Le train traverse une plaine* (→ Cribler, cit. 8). *Les bateaux traversent l'estuaire* (→ Marée, cit. 5). — (D'un cours d'eau). *Une rivière traverse le parc.* ⇒ **Arro-ser** (→ Imprimer, cit. 12 ; et aussi 1. air, partager, cit. 17). Par anal. *Un courant d'air* (cit. 16) *traversa la salle.*

3 Un omnibus Clichy-Odéon débouchait de la rue des Saints-Pères, traversant la chaussée, pour s'engager sur le pont.
Paul LÉAUTAUD, le Théâtre de M. Boissard, XLIII.

♦ **2.** (Fin XVIᵉ ; choses sans mouvement). Être, s'étendre, s'allonger au travers de... *Chemin* (cit. 2) *de fer, route qui traverse un pays, une montagne* (→ 1. Droit, cit. 27 ; enclos, cit. 2 ; montée, cit. 9). *La route traverse la voie ferrée.* ⇒ **Croiser.** *Ces lianes traversent des bras de rivière* (→ Feston, cit. 2). — Passif et p. p. *La queue grise du gerfaut* (cit. 1) *est traversée de lignes brunes. Front tra-versé d'une profonde balafre* (cit.). ⇒ **Barrer.** *Plafond d'une cui-sine* (cit. 2), *traversé par des solives apparentes.*

♦ **3.** Aller d'un bout à l'autre de (un espace de temps), dépasser (un état durable). *Traverser les âges* (→ Iris, cit. 4). *Traverser une période* (cit. 5), *une époque* (→ Déteindre, cit. 2), *une courte saison* (→ Course, cit. 18). ⇒ **Passer** (par). *Les états que traverse l'humanité* (→ Fautif, cit. 3 ; et aussi indifférence, cit. 28). — *Tra-verser une crise* (→ Après-guerre, cit. 2 ; gémir, cit. 18 ; neurasthé-nie, cit. 1), *une période de chance.*

4 Ô malheureux ! vos noms traverseront l'histoire
À jamais balafrés par l'ombre qui tombait
Sur vos drapeaux des bras difformes du gibet.
HUGO, la Légende des siècles, XXXI, II.

Shakespeare, comme La Fontaine, ne fit que traverser le mariage.
HUGO, Shakespeare, I, I, III, 2.

♦ **4.** (Fin XVIᵉ). Dans l'ordre psychologique. Passer par (l'esprit). *Une supposition* (cit. 5) *me traversa l'esprit.* ⇒ **Présenter** (se). *Les pué-rilités* (cit. 2) *qui traversent la cervelle du plus grand génie.*

Des théories analogues ont plusieurs fois traversé l'imagination des hommes, et des théories analogues la traverseront encore plus d'une fois.
TAINE, les Origines de la France contemporaine, II, t. II, p. 77.

★ **II.** ♦ **1.** (1808). Passer, pénétrer de part en part, à travers (un corps, un milieu interposé). ⇒ **Percer, transpercer** (plus rare que ces verbes, en parlant des choses solides). *Le cadavre du suicidé* (cit. 5) *sera traversé d'un pieu. Il faut traverser plusieurs couches de terre* (→ Puisatier, cit. 1). — *Lumière, jour, radiation qui traverse un milieu.* ⇒ **Transparent** (→ Cornée, cit. ; éclair, cit. 3 ; feuille, cit. 14 ; insolation, cit. 1 ; ombrelle, cit. 1. point, cit. 15 ; prisma-tique, cit. 2). — Par anal. *Le regard glisse sur les objets sans les traverser* (→ Auner, cit. 3 ; et aussi littérature, cit. 23). *L'eau tra-verse la toile.* ⇒ **Filtrer** (→ Planter, cit. 9). *La sueur avait traversé la chemise* (→ Saignée, cit. 3). *L'éclair traverse les nues.* ⇒ **Fen-dre.** — (Abstrait). Se faire sentir (sur une ligne, un trajet). *Une dou-*

leur fulgurante (cit. 4) *le traverse d'une épaule à l'autre* (→ Aura, cit. 2). *Des ondes* (cit. 18) *heureuses la traversaient.*

7 Jamais l'aspect des autres ne s'offrit à moi comme ce qu'il faut crever, comme ce qu'il faut traverser pour les atteindre.
F. MAURIAC, le Nœud de vipères, XVIII.

♦ **2.** (1669). Personnes. Se frayer un passage à travers (des personnes rassemblées). *Traverser un groupe, une foule, plusieurs rangs de spectateurs...* (→ Éperon, cit. 5).

8 Pour arriver seulement à la porte, les magistrats municipaux devaient d'abord, au péril de leur vie, traverser la foule ameutée, les cris des femmes, les menaces des robustes mendiants que nourrissaient les monastères.
MICHELET, Hist. de la Révolution franç., III, VII.

★ **III.** ♦ **1.** (1687). Sans mouvement. **a** Être en travers de... en faisant obstacle. *Banc de sable qui traversait le chenal* (→ Sonde, cit. 1).

b (V. 1190). fig. et vx. Se mettre en travers de, s'opposer à. ⇒ **Empêcher.** (→ Cas, cit. 26 ; honneur, cit. 45). *Traverser les desseins de quelqu'un.*

9 Et je tiens que jamais de tous ces vains propos
On ne doit d'un mari traverser le repos (...)   MOLIÈRE, Tartuffe, III, 5.

10 Mille obstacles divers m'ont même traversé (...)   RACINE, Bajazet, I, 1.

11 (...) mais Mme de Valentinois, ayant été avertie du dessein de ce mariage, l'avait traversé avec tant de soin, et avait tellement prévenu le roi que, lorsque M. d'Anville lui en parla, il lui fit paraître qu'il ne l'approuvait pas (...)
Mme DE LA FAYETTE, la Princesse de Clèves, t. I.

c Au p. p. *Le développement sans cesse retardé, dérangé, traversé d'une idée.* ⇒ **Interrompre** (→ Nature, cit. 36).

12 On n'imagine rien de plus traversé que ces amours de Pierre et d'Angélique, depuis les Montaigu et les Capulet.   ARAGON, les Beaux Quartiers, I, XIII.

♦ **2.** (V. 1155). Mettre de travers. — Équit. *Traverser le cheval :* le mettre de travers.

13 Pour partir au galop à droite, le cavalier traverse d'abord le cheval, en déplaçant légèrement les hanches à droite par une pression de la jambe gauche et en soutenant le poignet gauche (...) Il le laisse se redresser dès que le départ est obtenu (...) Dès que le cavalier a compris le mécanisme du départ au galop, il cesse peu à peu de traverser son cheval et prend le galop en maintenant son cheval aussi droit que possible (...)   Henri AUBLET, l'Équitation, p. 69-70.

Pron. (1680 ; « aller au travers de », fin XIIe). *Cheval qui se traverse.* — (1694). Mar. *Traverser l'ancre :* « la relever lorsqu'elle est pendante, presque sur le plat-bord de côté du navire sur l'avant, et l'y saisir solidement à poste » (Gruss). *Traverser une voile,* en border l'écoute au vent pour activer la manœuvre.

▶ **TRAVERSÉ, ÉE** p. p. adj. Voir à l'article. — Spécialement :

♦ **1.** (1611). Vx. *Cheval traversé,* large et fort de poitrail.

♦ **2.** (1836). Vx. Complètement trempé de pluie.

DÉR. Traversable, traversage, 1. **traversant,** 2. **traversant,** traversée.
COMP. Retraverser.

TRAVERSIER, IÈRE [tʀavɛʀsje, jɛʀ] adj. et n. — XIIIe ; du lat. pop. *traversarius,* lat. class. *transversarius* « transversal ».

★ **I. A.** Adj. (Rare ou en loc.). ♦ **1.** Dirigé, disposé en travers. *Rue traversière,* de traverse. — REM. Une rue de Paris porte ce nom, dans le XIIe arrondissement.

Mar. *Navire traversier,* qui coupe la route que l'on suit. *Barre traversière,* traversin de hune. *Courant traversier à l'entrée d'un port.*

1 (...) une saveur de la vie, en chaque recoin répandue, et que l'on sent dans la plus banale rue traversière, dans la dernière ruelle des vieux quartiers ou des vallons de banlieue (...)
J. ROMAINS, les Hommes de bonne volonté, t. XVIII, XIX, p. 249.

2 On découvrait, traversière, large et semée d'arbres dépouillés avec les premiers ors verts des saules, la vallée de la Somme sous la pluie.
ARAGON, la Semaine sainte, XI.

3 La mer déferle en gros paquets dans le courant traversier qui remonte les côtes de Patagonie.   Bernard MOITESSIER, Cap Horn à la voile, p. 227.

♦ **2.** (1694 ; *traversaine,* v. 1280). Mus. **FLÛTE TRAVERSIÈRE** (ainsi appelée parce qu'on la tient horizontalement, en travers) : la grande flûte habituellement employée dans les orchestres symphoniques (par oppos. à *la flûte à bec* ou *flûte douce*).

B. N. m. TRAVERSIER. ♦ **1.** (1691). Mar. Traversin (2.) d'une embarcation.

♦ **2.** Techn. (T. S. F.). Câble transversal tendu horizontalement entre les extrémités des mâts ou des pylônes et soutenant les brins d'une antenne.

♦ **3.** (XIIIe). Régional (Sud de la France). Bande de terre horizontale, retenue par un petit mur (cultures en terrasses).

4 Les traversiers cévenols sont tout simplement les marches de cet escalier de géants étayé par des murettes en pierraille aiguë, luisante, la pierre même dont la maison est bâtie : de bandes de terre ingrate tout juste bonne probablement (...) à faire pousser la vignette et la pomme à couteau.
A. SARRAZIN, la Traversière, p. 231.

♦ **4. N. f. TRAVERSIÈRE.** (1857). Mar. « Fort cordage dont l'un des

---

bouts se fixe autour du collet d'une ancre de bossoir au moment où on veut traverser cette ancre » (Gruss).

Aussière, amarre posée en travers, reliant une extrémité du navire au point d'amarrage qui en est le plus éloigné.

★ **II.** ♦ **1.** Adj. (1607 ; de *traverse* « traversée »). Mar. Qui sert à traverser, à faire une traversée. *Barque traversière,* faisant le va-et-vient entre deux points peu éloignés. *Vent traversier,* bon pour aller d'un port à un autre et pour le retour.

♦ **2. N. m. TRAVERSIER.** (1880). Canada. Bâtiment servant à assurer la traversée des véhicules d'une rive à l'autre d'un lac, d'un fleuve, d'un bras de mer. ⇒ **Bac, ferry-boat.** *Le traversier de Lévis, face à Québec.*

★ **III.** Adj. (Av. 1615). Fig. Astrol. *Planète traversière,* néfaste.

TRAVERSIN [tʀavɛʀsɛ̃] n. m. — 1368 ; « trajet, distance ; chemin de traverse », XIIe ; de l'anc. adj. *traversain* « transversal, oblique » ; de *travers.*

♦ **1.** Long coussin de chevet, en général cylindrique (à la différence de l'oreiller) qui tient toute la largeur du lit. ⇒ fam. **Polochon.** (→ Coucher, cit. 14 ; endroit, cit. 8). *Traversin de plume, de crin* (→ Coutil, cit. ; éclaboussure, cit. 3).

♦ **2.** (1396). Vx. ou techn. Traverse (2.). — Mar. Anc. *Traversins de hune,* sur lesquels reposent les hunes. *Traversins de baux,* placés entre les baux pour les maintenir à leur distance respective. *Traversins d'une embarcation :* forts bancs où l'on fixe les erses, les estropes où sont accrochés les palans servant à embarquer ou débarquer.

(1671). Techn. Fléau de balance. — (1546). Traverse renforçant le fond d'un tonneau.

TRAVERSINE [tʀavɛʀsin] n. f. — 1752 ; de l'anc. adj. *traversain.* → Traversin.

Technique.

♦ **1.** Traverse reliant des pilotis. Traverse reliant les éléments d'un train de bois flotté. — Traverse d'une palissade, d'un grillage.

♦ **2.** Mar. Planche servant à passer d'un bateau à un autre.

TRAVERTIN [tʀavɛʀtɛ̃] n. m. — 1611 ; de l'ital. pop. *travertino,* de *tivertino ;* lat. *tiburtinus* « de Tibur » (Tivoli).

♦ Roche calcaire déposée en lits irréguliers avec de petites cavités inégalement réparties.

Le Colisée est bâti presque en entier de blocs de *travertin,* assez vilaine pierre remplie de trous comme le tuf, et d'un blanc tirant sur le jaune. On la fait venir de Tivoli.   STENDHAL, Promenades dans Rome, 18 août 1827.

DÉR. Travertineux.

TRAVERTINEUX, EUSE [tʀavɛʀtinø, øz] adj. — 1888, cit. ; de *travertin.*

♦ Didact. Formé de travertin.

Vers le sud, leur relief diminue progressivement et finit par s'effacer entièrement au niveau du plateau travertineux, qui n'a pas moins de 1 kilomètre d'étendue, et qui a été formé aussi par les eaux minérales.
L. FIGUIER, l'Année scientifique et industrielle 1889, p. 561 (1888).

1. TRAVESTI, IE [tʀavɛsti] n. — Mil. XXe ; p. p. de *se travestir.*

♦ **1.** Personne qui se travestit, qui s'est déguisée. Spécialt. Acteur qui se travestit, et, spécialt, qui joue un rôle féminin. *Dans le théâtre traditionnel japonais, chinois, les rôles de femmes sont tenus par des travestis.*

♦ **2. N. m.** (Mil. XXe). Homosexuel habillé, apprêté, éventuellement fardé comme une femme et qui a parfois des caractères sexuels secondaires féminins, naturels ou provoqués. ⇒ **Travelo, travestisme.** *Spectacle de travestis d'une boîte de nuit.*

1 Les travestis prennent sans se gêner les noms des théâtreuses en vogue dont ils essayent de copier les costumes, les bijoux et la physionomie ; c'est ainsi qu'on rencontre ces jours-là des contrefaçons de la Belle Ottero, d'Émilienne d'Alençon, etc., etc.   GORON, l'Amour à Paris, t. II, p. 717 (av. 1900).

2 C'est vrai que j'ai connu des travestis charmants... Des « transexuels », comme dit la science... Et moi aussi, finalement, je suis un transsexuel d'un genre abstrait, tout spécial...   Ph. SOLLERS, Femmes, p. 179.

N. f. (Rare) :

3 Les femmes entretenues, légitimes ou non, sont des baiseuses d'hommes et, à leur sujet, revient et s'impose une deuxième fois sous ma plume le mot travesti. Un travesti, ce n'est pas seulement un homme qui aime se déguiser en femme, se maquiller, s'orner, se faire pousser les seins ; la travestie, ce peut être une femme

à allure de femme, une femme qui joue la féminité à l'excès, la faiblesse, la fragilité, la puérilité. Michèle PERREIN, Entre chienne et louve, p. 125.

DÉR. V. **Travelo.**

2. TRAVESTI [tʀavɛsti] n. m. — 1907 ; de 1. *travesti.*

♦ Déguisement pour une mascarade, un bal masqué.

TRAVESTIR [tʀavɛstiʀ] v. tr. — 1580, Montaigne, pron. ; 1569, *transvesti,* Martin du Bellay ; de l'ital. *travestire,* du préf. *tra-* (lat. *trans-*), et *vestire* « vêtir » (lat. *vestire*).

♦ **1.** Déguiser pour une fête ou un rôle de théâtre. — Pron. (le plus fréquent). *Se travestir pour un bal costumé.*

Spécialt. Prendre l'apparence de l'autre sexe (⇒ 1. **Travesti**).

Par métaphore. (→ Portée, cit. 8). *Un roman à clé* (cit. 18) *où chacun avait reconnu Talleyrand simplement travesti.*

♦ **2.** (1690). Fig. Transformer en revêtant d'un aspect mensonger qui défigure*, qui dénature*. ⇒ **Déformer, fausser.** *On a travesti les vertus théologales* (→ Immobilisme, cit.). *Il a été vilainement travesti dans ce récit* (→ Compréhensible, cit. 3). *Travestir la pensée de quelqu'un,* en donner une expression fausse. ⇒ **Falsifier.** *Travestir les faits, la vérité.* ⇒ **Maquiller, masquer.**

1 Moi qui me sentais digne d'amour et d'estime ; moi qui me croyais honoré, chéri comme je méritais de l'être, je me vis travesti tout d'un coup en un monstre affreux tel qu'il n'en exista jamais. ROUSSEAU, Rêveries..., VIIIᵉ promenade.

2 Presque toujours, pour vivre en repos avec nous-mêmes, nous travestissons en calculs et en systèmes nos impuissances ou nos faiblesses (...) B. CONSTANT, Adolphe, II.

3 Si Lamartine, en ses écrits autobiographiques, a voulu embellir la sienne *(l'image de sa destinée),* ce n'est pas en l'ennoblissant de faux prestiges ajoutés (...) Quand on le surprend en flagrant délit d'arrangement, ce n'est pas un fourbe qu'on arrête, en train de travestir le réel. Émile HENRIOT, les Romantiques, p. 101.

▶ **TRAVESTI, IE** p. p. adj.

♦ **1.** Costumé, déguisé (personnes).

L'escalier est orné de fleurs naturelles ; vous le gravissez, précédé, suivi de dames, d'hommes plus ou moins travestis et d'autres qui ne le sont pas du tout. (Nous parlons des hommes, car les femmes ne sont reçues que déguisées au bal de l'Opéra.) Ch. PAUL DE KOCK, la Grande Ville, t. I, p. 374.

Bal travesti, costumé. ⇒ **Masqué.** *Rôle travesti,* joué par un acteur qui se travestit.

4 (...) toute fête, si simple soit-elle, quand elle a lieu longtemps après qu'on a cessé d'aller dans le monde et pour peu qu'elle réunisse quelques-unes des mêmes personnes qu'on a connues autrefois, vous fait l'effet d'une fête travestie, de la plus réussie de toutes, de celle où l'on est le plus sincèrement « intrigué » par les autres, mais où ces têtes, qu'ils se sont faites depuis longtemps sans le vouloir, ne se laissent pas défaire par un débarbouillage, une fois la fête finie. PROUST, le Temps retrouvé, Pl., t. III, p. 923.

♦ **2.** *Vérité travestie, complètement travestie.* — Vx ou hist. littér. Transposé en vers burlesques. *Le Virgile travesti,* de Scarron. *L'Homère travesti,* de Marivaux.

5 C'était le Racine travesti. Dans les costumes des *Précieuses ridicules,* la troupe du Théâtre-Français a joué les tragédiens ridicules. F. MAURIAC, le Nouveau Bloc-notes 1958-1960, p. 280.

♦ **3.** ⇒ **Travesti.**

DÉR. Travesti, travestisme, travestissement, travestisseur.

TRAVESTISME [tʀavɛstism] n. m. — Mil. xxᵉ ; attestation isolée, 1845 ; de *travesti,* d'après l'allemand.

♦ Psychiatrie. Adoption habituelle, par un inverti, des vêtements et des habitudes de l'autre sexe. Syn. : *transvestime.* ⇒ **Travesti.**

TRAVESTISSEMENT [tʀavɛstismɑ̃] n. m. — 1692, La Bruyère, → Farder, cit. 7 ; de *travestir.*

♦ **1.** Action ou manière de travestir, de se travestir. ⇒ **Déguisement.** *Goût du travestissement et du masque* (→ Multitude, cit. 8). *Pièce, rôle de travestissement,* où l'acteur se travestit plusieurs fois pour jouer plusieurs personnages. — (xxᵉ). Psychiatrie. Utilisation par un individu des vêtements propres à des personnes d'une autre condition ou d'un autre sexe. ⇒ **Transvestisme, travestisme.**

1 (...) l'évêque d'Autun, le sabre au côté, était coiffé d'un chapeau à la Henri IV : les événements forçaient de prendre au sérieux ces travestissements. CHATEAUBRIAND, Mémoires d'outre-tombe, t. III, p. 93.

2 (...) M. d'Ocagne conte spirituellement le dîner Louis XI, organisé par Loti, à Rochefort, et où il a assisté avec sa femme, en compagnie d'une trentaine de personnes. Il nous peint le côté amoureux de travestissement chez l'écrivain, dont la vie est un perpétuel carnaval, avec sa chambre bretonne, où il s'habille en Breton, avec sa chambre turque, où il s'habille en Turc, avec sa chambre japonaise, où il s'habille en Japonais. Ed. et J. DE GONCOURT, Journal, 10 oct. 1894, t. IX, p. 192.

Costume utilisé pour se déguiser. ⇒ **Déguisement.**

2.1 Elle était fort belle dans son travestissement d'officier, avec ses longues boucles blondes qui s'échappaient librement d'un étroit bonnet de police incliné sur l'oreille. Raymond ROUSSEL, Impressions d'Afrique, p. 30.

♦ **2.** (Av. 1869 ; abstrait). Déformation, parodie. *Un scandaleux tra-* vestissement *des faits. Ce fut un complet travestissement de ce qu'il avait dit.*

3 À Paris j'ai lu (en partie) l'abominable livre de Douglas : *Oscar Wilde et moi.* L'hypocrisie ne saurait être poussée plus loin, ni le mensonge avec plus d'impudence. C'est un monstrueux travestissement de la vérité, qui m'a rempli le cœur de dégoût. GIDE, Journal, 1ᵉʳ juin 1918.

4 C'est bien assez des inexactitudes inévitables dans le passage d'une langue dans une autre. Qu'on n'y ajoute pas des travestissements volontaires, qui ne donnent plus qu'une œuvre tronquée et dénaturée. Paul LÉAUTAUD, le Théâtre de M. Boissard, XI.

TRAVESTISSEUR, EUSE [tʀavɛstisœʀ, øz] adj. et n. — V. 1760 ; de *travestir.*

♦ Littér. Qui travestit (qqn, qqch.). Spécialt. Fig. *Un discours travestisseur de la vérité.* — N. *« Le travestisseur d'Homère »* (D'Alembert).

TRAVETEAU [tʀavto] n. m. — Fin xvᵉ ; *travetel,* v. 1213 ; *travetiaux,* v. 1155 ; de l'anc. franç. *trev, tref* « poutre » ; du lat. *trabs, trabis.*

♦ Techn. Soliveau*.

TRAVIOLE [tʀavjɔl] adj. et **DE TRAVIOLE** [dətʀavjɔl] loc. adv. — 1866, *traviole,* n. f. de *traverse* « bagne », 1836, Vidocq ; de *travers.* Familier.

♦ **1.** Loc. adv. *De traviole :* de travers.

Eugène soufflait, l'air hébété, bafouilleur, avec la gueule un peu de traviole (...) ARAGON, les Beaux Quartiers, I, XXII. 1

Le chat (...) sauta sur les genoux de Solange (...) s'installa sur son épaule, poussa du museau contre sa toque, qu'il mit tout de traviole (...) MONTHERLANT, le Démon du bien, p. 194. 2

(Abstrait) :

Merde, je sentais bien que j'avais dit quelque chose de traviole (...) É. AJAR (R. GARY), la Vie devant soi, p. 232. 2.1

♦ **2.** Adj. invar. Rare.

— Eh c'est que tu es de travers ! tu es traviole avec tes prunelles de biseau ! P. GRAINVILLE, les Flamboyants, p. 279. 3

TRAVOIS [tʀavwa] n. m. — 1964 ; p.-ê. de l'anc. franç. *trev, tref* « poutre ». → Travon.

♦ Didact. Techn. Attelage sans roues, constitué par des perches attachées à un animal de trait et traînant par terre. ◆

TRAVON [tʀavɔ̃] n. m. — 1550 ; de l'anc. franç. *trev, tref* « poutre ». → Travée.

♦ Techn. Pièce de charpente, sommier*.

TRAVOUIL [tʀavuj] n. m. — Fin xviᵉ ; *travoul,* v. 1450 ; *traoul,* xiiiᵉ ; du lat. pop. **trahuculus* ; lat. class. *tradux, traducis,* de *traducere.* Technique.

♦ **1.** Vx. Dévidoir servant à mettre le fil en écheveau.

♦ **2.** Pêche. Petit cadre en bois sur lequel on plie les lignes. ⇒ **Plie-ligne** (on trouve aussi la forme *travoul,* 1694, en ce sens).

TRAVURE [tʀavyʀ] n. f. — 1448 ; de l'anc. franç. *trev, tref* « poutre ».

♦ Techn. Ensemble des pièces de charpente qui supportent une travée.

TRAYEUR, EUSE [tʀɛjœʀ, øz] n. — 1400 ; de *traire.*

♦ **1.** Personne chargée de traire.

♦ **2.** N. f. (1923). Machine effectuant la traite. *Trayeuse mécanique, électrique.*

(...) sa ferme modèle, où les entablements Louis XIII des fenêtres (...) n'empêchent pas les trayeuses automatiques et les pondoirs perfectionnés de fournir leur plein rendement. F. MALLET-JORIS, le Jeu du souterrain, p. 15.

TRAYON [tʀɛjɔ̃] n. m. — 1583 ; *traion,* 1551 ; *treon,* xiiiᵉ ; de *traire.*

♦ Chacune des tétines placées à la partie inférieure du pis* (1. Pis, cit. 2), correspondant à une glande mammaire. *On trait en pressant à la fois deux des quatre trayons de la vache.*

(...) il examinait de près la vache, la trouvait telle qu'il la faut pour être une bonne laitière (...) Il se baissa, s'assura de la longueur des pis et de l'élasticité des trayons, placés carrément et bien percés. ZOLA, la Terre, II, VI.

TRÉBUCHAGE [tʀebyʃaʒ] n. m. — 1872 ; de *trébucher* (II.).

♦ Techn. Action de peser au trébuchet. *Le trébuchage de pièces d'or.*

1. TRÉBUCHANT, ANTE [tʀebyʃɑ̃, ɑ̃t] adj. — 1539; de *trébucher* (I.).

♦ **1.** Qui trébuche. ⇒ **Chancelant.** *Un ivrogne trébuchant. Une démarche trébuchante.* ⇒ **Vacillant.**

1 (...) leurs dignes épouses se faisaient des noirs au visage, en buvant à la cave un coup du vin, et remontaient trébuchantes.
Ed. et J. DE GONCOURT, Journal, 12 avr. 1860, t. I, p. 250.

Fig. Qui hésite à chaque difficulté, dont le cours est incertain. *Voix trébuchante* (→ Aigu, cit. 7). ⇒ **Hésitant, heurté, saccadé.**

2 (...) le bruit de la machine à coudre se mêle aux notes trébuchantes d'un piano désaccordé.
Jérôme et Jean THARAUD, Marrakech..., VII.

3 De nouveau la *Marche turque* reprit son cours trébuchant.
F. MAURIAC, le Sagouin, I.

Qui a une forme hésitante, est mal tracé.

4 C'était écrit en grandes majuscules un peu trébuchantes malgré les traits au crayon qui les soutenaient. Henri FAUCONNIER, Malaisie, p. 20.

♦ **2.** (1557). Vx. Se disait d'une pièce ayant le poids requis. — Loc. mod. Par plais. *Espèces sonnantes et trébuchantes* : argent liquide.

5 En bons louis d'or et pistoles bien trébuchantes. MOLIÈRE, l'Avare, V, 1.

2. TRÉBUCHANT [tʀebyʃɑ̃] n. m. — 1680; de *trébucher* (II.).

♦ Vx. Excès de poids qu'on donnait aux pièces d'or en prévision de l'usure.

TRÉBUCHEMENT [tʀebyʃmɑ̃] n. m. — XIIᵉ, «chute, faute»; de *trébucher.*

♦ (1549). Rare. Le fait de trébucher.

1 Je chancelais, je perdais à tout moment l'équilibre; il s'extasiait à chacun de mes trébuchemens *(sic)*... SADE, Justine..., t. I, p. 42.

2 (...) l'homme pratique inconsciemment l'eugénisme pour son compte. Du premier jour, les sujets d'élite se sont recherchés, et, de ces couples, à force de temps, de retours, de trébuchements, a fini par sortir ce type d'humanité moins grossière, dont l'élaboration se poursuit sous nos yeux et nous coûte tant de larmes.
J.-R. BLOCH, Cacaouettes et Bananes, p. 238.

TRÉBUCHER [tʀebyʃe] v. — 1080, *Chanson de Roland*; du préf. *tres-* «au delà» (→ Trans-), et anc. franç. *buc* «tronc du corps», francique **bûk.*

★ **I.** V. intr. ♦ **1.** Vx ou littér. Tomber (proprt : en portant le buste hors du centre de gravité). ⇒ **Affaisser** (s'), **choir, tomber.** « *Il frissonne, il chancelle* (cit. 2), *il trébuche, il expire* ». *Trébucher dans une fosse* (cit. 2). Par ext. *Étonnés* (cit. 35) *que les montagnes trébuchassent au profond de la mer.* ⇒ **Écrouler** (s').

1 Je flattais ta manie, afin de t'arracher
Du honteux précipice où tu vas trébucher (...) CORNEILLE, Polyeucte, V, 2.

2 Tout ici-bas perd pied, se renverse, trébuche,
Et partout l'homme tombe, étant sa propre embûche (...)
HUGO, la Légende des siècles, XIII.

♦ **2.** Perdre soudain l'équilibre en marchant, faire un faux pas. ⇒ **Achopper, broncher, chanceler, chavirer.** *Trébucher et reprendre son équilibre, trébucher et tomber* (→ aussi Alanguir, cit. 4; enfoncer, cit. 19). *Différence de niveau* (cit. 3), *marche qui fait trébucher.* — *Trébucher contre, sur...* ⇒ **Buter, chopper.** *Une marche sur laquelle on trébuche* (→ Gaz, cit. 6). *Il a trébuché contre des paniers* (→ Passage, cit. 14). *Un corps étendu en travers du couloir le fit trébucher; il trébucha sur un corps étendu.* Par ext. *Voleur qui trébuche sur un gendarme* (→ Long, cit. 6; et aussi se cogner* contre, tomber* sur...).

3 On y marchait et on y trébuchait sur de vieilles femmes à genoux, qui y marmottaient leurs patenôtres.
BARBEY D'AUREVILLY, les Diaboliques, «Dîner d'athées», p. 323.

4 Parfois, un homme trébuchait et s'abattait de tout son long, dans un affreux tintamarre de gamelle, de quart et de bidon. R. DORGELÈS, les Croix de bois, III.

♦ **3.** (1572). Abstrait. Fig. Être arrêté par une difficulté, faire une erreur. *Trébucher sur un mot difficile*, devant l'emploi d'un mot (→ Français, cit. 11), *à chaque difficulté.*

(Av. 1865). Faire un écart de conduite.

5 Ennui agaçant, nerveux, d'une répétition, où les rôles ne sont pas sus, et où la mémoire des acteurs et des actrices, à tout moment, trébuche sur votre prose.
Ed. et J. DE GONCOURT, Journal, 19 févr. 1885, t. VII, p. 11.

6 (...) les fautes que je relève, je les choisis chez d'éminents écrivains; n'est-il pas rassurant (...) de savoir que même eux ont pu trébucher?
GIDE, Attendu que..., p. 46.

7 Ma mémoire même trébuche dès les premières mesures du morceau que je sais le mieux. GIDE, Journal, 23 janv. 1917.

8 Je suis comme un cheval qu'on chasse avec le fouet hors du chemin
Je tords mes pieds dans les cailloux je trébuche à tous les problèmes
ARAGON, le Roman inachevé, p. 50.

♦ **4.** (1611). Pencher d'un côté, en parlant de la balance. — Par ext. Faire pencher la balance. *Pièce qui trébuche.*

★ **II.** V. tr. (1329). Techn. Peser au trébuchet. *Trébucher des pièces d'or.* ⇒ **Trébuchage.**

DÉR. Trébuchage, 1. trébuchant, 2. trébuchant, trébuchement, trébuchet.

TRÉBUCHET [tʀebyʃɛ] n. m. — V. 1175; de *trébucher.*

♦ **1.** Piège à prendre les petits oiseaux, cage dont le haut est muni d'une bascule sur laquelle on met des grains (→ Engin, cit. 9). *Échapper au trébuchet de l'oiseleur* (→ Prendre, cit. 29).
Fig. Piège.

1 Elle avait succombé, comme cent mille autres, à l'inamovible trébuchet de la séduction la plus vulgaire. Léon BLOY, la Femme pauvre, I, VI.

♦ **2.** (1326). Petite balance à plateaux pour les pesées délicates (monnaies d'or, d'argent; gemmes, bijoux; pesées de laboratoire).

2 Il s'assied devant sa banque pour compter la monnaie d'un demi-florin (...) Voilà le trébuchet qui sort de la boîte de laque (...)
Aloysius BERTRAND, Gaspard de la nuit, Fantaisies..., III.

♦ **3.** (Fin XIIIᵉ). Hist. Machine de guerre à contrepoids, utilisée au moyen âge pour lancer des pierres contre les murailles des fortifications.

DÉR. Trébucher (II.).

TRECENTO [tʀetʃento] n. m. — 1895, Encycl. Berthelot, art. *Italie*, mot italien.

♦ Hist., arts. Le quatorzième siècle, en Italie.

TRÉCHEUR [tʀeʃœʀ] n. m. ⇒ **Trescheur.**

TRÉDAME [tʀedam] interj. — 1670; de *Notre-Dame.*

♦ Vx. Juron (utilisé par les femmes).

TRÉFAU ou **TRÉFEAU** [tʀefo] n. m. — 1876; aussi *tréfonel*, 1877; *tresfonel*, v. 1320; du moy. franç. *treffeu* «chenêt», de *tré-* (lat. *trans-*) et *feu.*

♦ Régional. Bûche* de Noël.

TRÉFILAGE [tʀefilaʒ] n. m. — 1873, *in* D.D.L.; de *tréfiler.*

♦ Opération consistant à tréfiler (un métal). ⇒ **Tréfilerie** (1.). *Laminage et tréfilage. Le tréfilage de l'or.*

TRÉFILER [tʀefile] v. tr. — 1800; de *tréfilerie.*

♦ Techn. Étirer (un métal) en le faisant passer au travers des trous d'une filière pour obtenir des fils de la grosseur requise. *Tréfiler du fer, du laiton.* ⇒ **Fileter.** — P. p. *Fer tréfilé.*

DÉR. Tréfilage, tréfileur, tréfiloir.

TRÉFILERIE [tʀefilʀi] n. f. — V. 1268; de l'anc. franç. *trefilier* «tréfileur»; de *tré-*, *tres-* «à travers» (→ Trans-), et *fil*, *filière.*

♦ **1.** Opération qui consiste à étirer une barre, un fil de métal (⇒ **Étirage**) en le faisant passer au travers des trous d'une filière* pour lui donner la grosseur requise. ⇒ **Tréfilage.**

♦ **2.** Atelier, usine où se fait cette opération. *Les tréfileries de Seine-Maritime, de Lorraine.*

♦ **3.** Machine à tréfiler.

DÉR. Tréfiler.

TRÉFILEUR [tʀefilœʀ] n. m. — 1800; de *tréfiler.*
Technique.

♦ **1.** Ouvrier employé au tréfilage.

(...) dès que la machine eut été mise en train, Cyrus Smith laissa ses compagnons faire le métier de tréfileurs et s'occupa de fabriquer sa pile.
J. VERNE, l'Île mystérieuse, t. II, p. 559.

♦ **2.** Patron d'une tréfilerie.
REM. Le fém. *tréfileuse* est virtuel.

DÉR. Tréfileuse.

TRÉFILEUSE [tʀefiløz] n. f. — 1964; de *tréfileur.*

♦ Techn. Banc d'étirage. ⇒ **Étireuse.**

TRÉFILOIR [tʀefilwaʀ] n. m. — Mil. XXᵉ; de *tréfiler.*

♦ Techn. Instrument à tréfiler (en bijouterie, orfèvrerie).

TRÉFLAGE [tʀeflaʒ] n. m. — 1933 ; de *trèfle.*

♦ Techn. Surimpression des légendes, sur une monnaie.

TRÈFLE [tʀɛfl] n. m. — 1530 ; *tresfle,* 1314 ; du grec de Marseille *triphullon* « à trois feuilles ».

★ **I. ♦ 1.** ⓐ Plante herbacée, dicotylédone, dialypétale (famille des *Papilionacées*), aux feuilles composées de trois folioles, aux fleurs groupées en capitules ou en épis, qui pousse dans les prairies des régions tempérées. *Trèfle blanc* ou *rampant.* ⇒ **Triolet.** *Trèfle des prés* ou *trèfle rouge* (à fleurs roses, mauves). *Trèfle incarnat* (cit. 4) ou *trèfle anglais.* ⇒ **Farouch.** *Trèfle jaune.* ⇒ **Anthyllis.** — *Le trèfle des prés, le trèfle incarnat sont cultivés pour servir de fourrage** (le premier sec, le second vert). *Un herbage de trèfle. Troupeau qui mange dans les trèfles* (→ Parquer, cit. 1). *Fauchaison* (cit. 1) *des luzernes et des trèfles.*

1 C'était dans tel champ de trèfle rouge aux fleurs sucrées qu'il retrouvait d'ordinaire les autres lièvres de la forêt (...)
  L. PERGAUD, De Goupil à Margot, p. 108.

Par ext. Champ où pousse cette plante. ⇒ **Tréflière.**

ⓑ (1762). Qualifié. Plantes dont la feuille a trois folioles. *Trèfle cornu.* ⇒ **Lotier.** *Trèfle d'eau.* ⇒ **Ményanthe.**

2 Des fleurs y trempaient. C'étaient des épis. Au sommet s'ouvraient des boutons d'un blanc rosé, sans odeur. Je reconnus tout de suite le trèfle d'eau qui ne pousse que sur les étangs.   H. BOSCO, Hyacinthe, p. 42.

♦ **2.** Feuille à trois folioles du trèfle. — Loc. (Mil. xvᵉ). *Trèfle à quatre feuilles :* feuille de trèfle qui comporte anormalement quatre folioles (certaines en ont 5, 6 et 7) et que l'on considère comme un porte-bonheur. *Chercher des trèfles à quatre feuilles. Offrir un trèfle à quatre feuilles.* — Absolt. *Un trèfle* (→ Stérilement, cit.). — Par ext. Amulette, bijou représentant ce trèfle.

♦ **3.** Forme rappelant celle du trèfle (2.). — Motif décoratif représentant un trèfle. — Ornement à jour en forme de trèfle.

3 (...) les volets, percés de trèfles et de cœurs, s'accrochaient aux murs par des crampons qui figuraient de petits personnages (...)
  S. DE BEAUVOIR, Mémoires d'une jeune fille rangée, p. 14.

(1694). Archit. Ornement formé de trois cercles qui se coupent et ont leurs centres respectifs à chacun des sommets d'un triangle équilatéral. ⇒ **Trilobe.** *Les trèfles des églises, des cathédrales gothiques* (→ Dentelle, cit. 5 ; galerie, cit. 12 ; manoir, cit. 2 ; rosace, cit. 1).

4 (...) la haute et frêle galerie d'arcades à trèfle qui porte une lourde plate-forme sur ses fines colonnettes (...)   HUGO, Notre-Dame de Paris, III, ɪ.

♦ **4.** (1552). Aux cartes, Couleur noire représentant un trèfle. *Roi de trèfle. Valet de trèfle.* ⇒ **Mistigri.** *As de trèfle* (→ Dix, cit. 4). ⇒ aussi 2. **Baste.** *Jouer trèfle, du trèfle. Atout trèfle.* — Par ext. Carte de cette couleur. *Avoir trois trèfles en main.*

♦ **5.** (V. 1950). *As de trèfle, croisement en trèfle* ou *trèfle :* croisement de grandes routes, à niveaux séparés, à raccords courbes.

♦ **6.** Pièce comportant trois parties, ou en forme de trèfle. (1831, *in* D.D.L.). Milit. Épaulette des musiciens et des gendarmes.

★ **II.** Fam. ♦ **1.** (1865, Larchey). Argent. ⇒ **Blé.**

5 Vous vous approcherez à un signal convenu et j'vous passerai les objets par la fenêtre. — Ça colle, répondirent Ribouldingue et Filochard en chœur, ton truc tombe à pic pour nous procurer du trèfle !
  L. FORTON, les Aventures des Pieds-Nickelés, in l'Épatant, 1909, p. 56.

♦ **2.** (1725). Tabac ⇒ argot **Perlot.**

DÉR. Tréflage, tréflé, tréflière.

TRÉFLÉ, ÉE [tʀefle] adj. — 1629 ; de *trèfle.*
Didactique.

♦ **1.** En forme de trèfle. *Église à plan tréflé,* dont le chevet présente une abside triple disposée selon une symétrie rayonnante. — (1644). Blason. *Croix tréflée,* aux extrémités trilobées.

♦ **2.** Numism. *Pièce, médaille tréflée,* qui porte la marque arrondie de plusieurs frappes irrégulières.

TRÉFLIÈRE [tʀeflijɛʀ] n. f. — 1872 ; *tréflier,* 1836 ; de *trèfle.*

♦ Champ semé de trèfle. (On dit *tréflerie* en Normandie.)

TRÉFONCIER, IÈRE [tʀefɔ̃sje, jɛʀ] adj. et n. — V. 1283, *treffoncier,* n. m. ; *tresfoncierement,* 1262 ; de *tréfonds,* d'après *foncier.*

♦ **1.** N. Propriétaire de tréfonds (1.).

♦ **2.** Adj. (1857). Relatif au tréfonds (1.). *Propriétaire tréfoncier. Redevance tréfoncière.* ⇒ **Mine.**

TRÉFONDS [tʀefɔ̃] n. m. — xɪɪɪᵉ ; de *tres-* (lat. *trans-*), et *fonds.*

♦ **1.** Dr. Vieilli. Sous-sol* possédé comme un fonds. *Fonds** *et tréfonds d'un héritage.*

♦ **2.** (1690, par attraction de *fond*). Littér. Ce qu'il y a de plus profond (→ Fin fond*). *Au tréfonds de la vallée. Dans le tréfonds forestier* (cit. 2). — Fig. Ce qu'il y a de plus profond*, de plus secret, de plus intime. *Des hérédités* (cit. 17) *qui sommeillaient au tréfonds de lui-même.*

1 Le tréfonds de la femme ressemble à ces abîmes de la mer, perdus et secrets au-dessous du remuement des tempêtes (...)
  Ed. et J. DE GONCOURT, Journal, 27 sept. 1885, t. VII, p. 56.

2 Il se sentait atteint jusqu'au tréfonds : atteint dans sa confiance en lui, dans sa confiance en l'action, en la science, en la vie.
  MARTIN DU GARD, les Thibault, t. III, p. 211.

DÉR. Tréfoncier.

TRÉGOROIS, OISE [tʀegɔʀwa, waz] adj. et n. — 1904, aussi *trécorrois* 1876, *trécorien ;* de *Trégor, Tréguier.*

♦ De Tréguier, ville des Côtes-du-Nord. — Du Trégor, région située entre la baie de Saint-Brieuc et la baie de Morlaix.
REM. On écrit aussi *trégorrois.*

TRÉHALA [tʀeala] n. m. — 1858, cit. ; turc *tigalah.*

♦ Méd. Galle produite sur des chardons par la piqûre d'un charançon *(larinus nidificans)* et qui contient un sucre amer.

M. Guibourt a adressé à l'Académie des sciences la description d'une matière alimentaire venue de l'Orient, qui parut pour la première fois en France à l'Exposition universelle de 1855, et dont la véritable nature était encore ignorée. Le tréhala, d'après M. Guibourt, n'est autre chose qu'un produit fabriqué par un insecte.
Extrêmement employé en Orient comme matière alimentaire, le tréhala ou manne de Turquie a la forme d'une coque ovale de la grosseur d'une olive ; il est produit par un coléoptère voisin des charançons ou calandres.
  L. FIGUIER, l'Année scientifique et industrielle 1859, t. I, p. 200-201 (1858).

DÉR. Tréhalose.

TRÉHALOSE [tʀealoz] n. m. — 1857 ; de *tréhala,* et suff. 1. *-ose.*

♦ Bot. Sucre de certains champignons, notamment basidiomycètes (découvert d'abord par Berthelot dans le *tréhala*).

TREILLAGE [tʀejaʒ] n. m. — 1600 ; de *treille.*

♦ **1.** Assemblage de lattes*, d'échalas posés parallèlement ou croisés en carrés, en losanges, dans un plan vertical. *Treillage qui soutient les ceps de vigne* (⇒ **Treille**) ; *treillage d'un espalier**. *Treillage en voûte dans un jardin,* pour les plantes grimpantes. ⇒ **Berceau, tonnelle.** — *Treillage de menuiserie. Treillage ornant un mur. Représentation d'un treillage fleuri, dans une décoration de peinture* (→ Spécimen, cit. 1), *sur un papier* (cit. 8) *peint.*

1 On devait le lendemain commencer à cueillir le raisin d'un grand treillage exposé au midi et qui regarde les bois d'Armand.   É. DE SENANCOUR, Oberman, IX.

2 (...) ce treillage avec ses chapiteaux tout à fait réussis, et qui doit être dans quelques mois habillé, en son architecture à jour, de roses et de clématites du Japon.
  Ed. et J. DE GONCOURT, Journal, 7 avr. 1893, t. IX, p. 94.

3 Il (...) courait dire bonjour au jardinier qui, son chapeau de paille sur les yeux, tant le soleil était aveuglant, était en haut d'une échelle adossée aux treillages du mur (...)   PROUST, Jean Santeuil, Pl., p. 297.

♦ **2.** (1611). Cet assemblage, utilisé comme clôture à claire-voie (⇒ **Claire-voie, treillis**). — Par ext. Clôture légère à claire-voie faite de lattes de bois ou de fils de fer entrelacés (⇒ **Grillage**). *Domaine clos* (cit. 7) *d'un treillage. Treillages barbelés* (cit. 2).

♦ **3.** Ouvrage de fils métalliques entrelacés, formant des mailles fines. *Treillage pour passer une matière granuleuse ou pulvérulente.* ⇒ **Claie,** 1. **maille, sas, tamis.**

♦ **4.** Fig. Réseau.

4 Le délicat treillage de la pluie.   J. RENARD, Journal, 4 août 1903.

DÉR. Treillager, treillagiste.

TREILLAGER [tʀejaʒe] v. tr. — Conjug. *bouger.* — 1767 ; de *treillage.*

♦ **1.** Garnir de treillage. *Treillager un mur.* — Munir d'une clôture en treillage. *Treillager une cour.* — Fermer par un grillage. *Treillager une fenêtre.*

♦ **2.** Fig. Recouvrir de choses, de dessins entrelacés comme les mailles d'un filet. — Au p. p. :

1 Tous les magasins des rues avoisinant la place Vendôme ont leurs glaces treillagées de bandes de papier.
  Ed. et J. DE GONCOURT, Journal, 11 mai 1871, t. IV, p. 234.

2 (...) couvre-lit de perse treillagé de liserons bleus, de guirlandes vertes (...)
COLETTE, l'Ingénue libertine, p. 41.

DÉR. Treillageur.

TREILLAGEUR [tʀɛjaʒœʀ] ou **TREILLAGISTE** [tʀɛjaʒist] n. m. — 1767, *treillageur; treillagiste*, 1877 ; de *treillager, treillage*.

♦ Ouvrier qui fait des treillages. *Treillageur en bois* (→ Retrouver, cit. 1), *en métal*.

(...) un admirable petit temple vert (...) une merveille de découpure qui portait sur son fronton.
LAMOUR TREILLAGEUR DANS LE GENRE ANCIEN.
Pavillon de musique exécuté d'après les modèles les plus célèbres... Très bel ouvrage de treillage propre à faire l'ornement d'un parc moderne : à céder au prix coûtant.
Ed. DE GONCOURT, les Frères Zemganno, XLV.

TREILLARD [tʀɛjaʀ] ou **TREILLON** [tʀɛjɔ̃] n. m. — 1904, *treillard; treillon*, 1870 ; de 1. *treille*.

♦ Régional. Treille basse sur lattis ou palissage.

Vignes basses et vignes hautes étaient palissées, les premières sur échalas, les secondes sur des arbres ou des treillards.
Louis LEVADOUX, la Vigne et sa culture, p. 51.

1. TREILLE [tʀɛj] n. f. — Fin XIᵉ ; aussi «treillage, grillage» en anc. franç. du lat. *trichila*.

♦ **1.** Berceau de ceps de vigne soutenus par un treillage, tonnelle où grimpe la vigne. *Manger sous la treille* (→ Argent, cit. 1 ; polenta, cit. ; sorbet, cit.). *Treille d'un jardin.* — Par ext. *Treille de glycine :* glycine en berceau. *Taille en treille.*

1 Sous la treille de houblon où nous étions assis, il y a eu une belle causerie sur le théâtre (...)
Ed. et J. DE GONCOURT, Journal, 7 août 1885, t. VII, p. 47.

♦ **2.** (Av. 1220). Vigne* que l'on fait pousser contre un support (treillage, mur, espalier, palissades, arbres), spécialt, pour la production du raisin de table. *Le renard « vit au haut d'une treille Des raisins mûrs apparemment »* (→ Faim, cit. 1, La Fontaine). *Cour couverte de treilles* (→ Partager, cit. 23). *Treille sur la façade d'une maison.*

2 (...) une cueilleuse de chasselas, levant ses bras vers la treille entre un panier d'osier et l'envol des guêpes irritées.
Maurice BEDEL, Jérôme 60° latitude Nord, I.

3 La façade, au rez-de-chaussée, prend un peu d'ombre d'une treille où pendent quelques grappes de muscat.
H. BOSCO, le Jardin d'Hyacinthe, p. 13.

Plais. *Le jus de la treille :* le vin* (→ Fond, cit. 1).

♦ **3.** (1877). Techn. Maille du tulle.

♦ **4.** Techn. Tas d'ardoises* rangées suivant leur qualité.

DÉR. Treillage, treillard, 2. treillis.
HOM. 2. Treille.

2. TREILLE [tʀɛj] n. f. — 1659 ; autre sens, 1409 (la forme postule une origine régionale beaucoup plus ancienne) ; du lat. *tragula* «herse; filet».

♦ Pêche. Filet de pêche à la crevette.

HOM. 1. Treille.

1. TREILLIS [tʀɛji] n. m. — XIVᵉ, *treilliz* ; de l'anc. adj. *treliz* (XIIᵉ) ; du lat. pop. **trilicius*, de *trilix* «à trois fils», de *licium*. → 2. Lice.

♦ **1.** Vx. Toile gommée et luisante.

♦ **2.** Mod. Toile* de chanvre très résistante dont on fait des vêtements (→ Bourgeron, cit.). *Pantalon de treillis.*

(...) il se faufila de son mieux et disparut, — non point si vite, cependant, que la semelle de l'officier ne fût venue effleurer légèrement le fond graisseux de son pantalon de treillis.
COURTELINE, le Train de 8 h 47, I, IV.

Par ext. Tenue militaire d'exercice ou de combat. *Mettre son treillis.*

2. TREILLIS [tʀɛji] n. m. — 1283, *treilleiz* ; de 1. *treille*.

♦ **1.** Entrecroisement de lattes, de fils métalliques formant clairevoie. ⇒ **Treillage.** *Treillis de bois d'une fenêtre.* ⇒ **Jalousie.** *Treillis d'une écoutille.* ⇒ **Caillebotis.** *Treillis en osier pour passer une substance.* ⇒ **Claie.** *Treillis métallique d'un garde-manger.*

Voilà des treillis bien plantés pour faire grimper les clématites.
A. DE MUSSET, Comédies et proverbes, « Le chandelier », I, 4.

Spécialt. Grille de la visière d'un casque.

(1690). Châssis divisé en carreaux pour graticuler un dessin. ⇒ **Graticule.**

(1690). Armature d'un vitrail, d'une verrière, faite de croisillons de fer.

(1581). Blason. Ensemble des frettes lorsque les croisements des pièces sont ornés d'un clou. — Archit. Assemblage de poutrelles métalliques, entrecroisées et maintenues par des rivets. *Pont en treillis.*

♦ **2.** (XXᵉ). Math. Ensemble d'éléments dont la structure est définie par une certaine relation d'ordre. Syn. : *lattice* (anglic.).

DÉR. Treillisser.

TREILLISSER [tʀɛjise] v. tr. — 1497 ; au p. p., 1374 ; de 2. *treillis*.

♦ Garnir d'un treillis. *Treillisser une fenêtre.*

▶ **TREILLISSÉ, ÉE** p. p. adj.
Ajouré en treillis. *Corbeille de faïence à bord treillissé.*

1 (...) ces statues portent sur leurs têtes des corbeilles d'or treillissées (...)
CORNEILLE , la Toison d'or, I, *Décoration Iᵉʳ acte.*

2 C'était une de ces fameuses cages à prisonniers d'État qu'on appelait *les fillettes du roi.* Il y avait aux parois deux ou trois petites fenêtres, si étoffément treillissée d'épais barreaux de fer, qu'on n'en voyait pas la vitre.
HUGO, Notre-Dame de Paris, X, V.

TREILLON [tʀɛjɔ̃] n. m. ⇒ **Treillard.**

TREIZAIN [tʀɛzɛ̃] n. m. — 1296, *trezain* ; de *treize* «sou de treize deniers».

♦ Hist. Monnaie du moyen âge, valant un sou d'argent.

TREIZE [tʀɛz] adj. numéral et n. m. — XIIᵉ, *treze* ; du lat. *tredecim.*

♦ **1.** Adj. numéral cardinal *(13 ou XIII).* Dix plus trois ; douze et un. *Treize mois* (→ Reconnaissance, cit. 7). *Garçon de treize à quatorze ans* (→ Saute-ruisseau, cit.). *Treize cents :* mille trois cents (1300). — (Avec ellipse du subst.). *Treize à la douzaine,* treize choses pour le prix de douze (coutume qui existe encore pour les œufs, les huîtres...). Comm. *Le treize douze :* le fait de livrer treize exemplaires pour douze facturés, en librairie. — *Être treize à table* (circonstance qui passe pour porter malheur, d'après une tradition qui remonterait à un passage des Évangiles, le treizième de la Cène étant Judas). → Malencontre, cit. 2.

Quand je vois qu'un homme d'esprit, dans le plus éclairé de tous les siècles, n'ose se mettre à table si on est treize, n'y a plus d'erreur, ni ancienne ni moderne, qui m'étonne.
VAUVENARGUES, Réflexions et maximes, 598.

(1934, *in* Petiot). Sports. *Jeu à treize, rugby à treize :* rugby joué avec des équipes de treize joueurs.

♦ **2.** Adj. numéral ordinal. Treizième. *Louis treize* (XIII). *Tome treize. Numéro treize. Treize heures,* ou *une heure de l'après-midi.* — *Vendredi treize,* jour qui passe pour porter malheur (→ Fatidique, cit. 1), et pour certains, bonheur.

♦ **3.** N. m. Le nombre, le numéro treize. *Treize est un nombre entier. Le treize porte malheur* (→ 2. Flanquer, cit. 7 ; phobie, cit. 1) *et pour certains porte chance. Prendre appui sur un treize* (→ Superstitieux, cit. 4). — *Le treize (d')avril. D'ici* (cit. 28) *le treize.* — *Habiter au treize* (d'une rue). *Le treize a gagné,* le numéro treize.

DÉR. Treizain, treizième, treiziste.

TREIZIÈME [tʀɛzjɛm] adj. numéral ordinal — 1380 ; *treziesme*, 1366 ; *treszime*, v. 1138 ; de *treize*.

Adjectif ordinal de treize.

♦ **1.** Qui vient après le douzième. *Entrer dans sa treizième année* (→ Réseau, cit. 9). *Le treizième arrondissement.* — N. m. *Habiter dans le treizième. Le treizième siècle.* — N. *Être le treizième, la treizième.*

♦ **2.** Se dit d'une fraction d'un tout également partagé en treize. *La treizième partie.* — N. m. *Un treizième de la somme.*

DÉR. Treizièmement.

TREIZIÈMEMENT [tʀɛzjɛmmɑ̃] adv. — 1636 ; de *treizième*.

♦ En treizième lieu.

TREIZISTE [tʀɛzist ; tʀɛzist] n. m. et adj. — 1935, *in* Petiot ; de *treize*.

♦ Sports. Joueur de jeu à treize.

Adj. Relatif au jeu à treize (rugby). *« L'équipe treiziste de Perpignan »* (l'Express, 21 mars 1981).

TREKKING [tʀekiŋ] n. m. — V. 1975 ; anglic. isolé, dans un autre contexte, 1936 : «L'océan s'est desséché sous les pieds des migrateurs et le *trekking* par delà a continué (...)» (Claudel, l'Élasticité américaine, in Œ. en prose, Pl., p. 1205) ; mot angl. (1890), de *to trek* «avancer, cheminer» ; néerl. *trekken.*

♦ Anglic. Randonnée pédestre en montagne, avec guides et porteurs, pour visiter une région inaccessible autrement. *Faire du trekking au Népal, au Ladâkh. Faire du trekking.* « *La randonnée pédestre, vendue (cher) sous le nom promotionnel de trekking. Passe encore pour le trekking au Népal, mais on vend aussi du trekking sur le tour du mont Blanc, de Corse ou des Cévennes »* (le Monde, 15 avr. 1978).

TRÉLINGAGE [tʀelɛ̃gaʒ] n. m. — 1678 ; de l'ital. *trilingaggio.*

♦ Mar. Cordage, filin, qui attache les bas haubans de bâbord avec ceux de tribord.

Il passa en revue le trélingage, et s'assura que la bridure des bas haubans était en bon état et appuyait bien les gambes de hune (...) HUGO, l'Homme qui rit, I, II, III.

TRÉMA [tʀema] n. m. — 1762 ; *points trematz,* 1600 ; du grec *trêma, trêmatos* «point sur un dé », proprt «trou ».

♦ Signe formé de deux points juxtaposés que l'on met sur les voyelles *e, i, u,* pour indiquer que la voyelle qui précède doit être prononcée séparément. *Astéroïde s'écrit avec un i tréma* (→ aussi Aigu, fém. : aiguë, naïf, maïs...). — REM. L'usage des trémas s'est restreint (cf. vx Poëme, ïambe...).

HOM. Trémat.

TRÉMAIL [tʀemaj] n. m. ⇒ **Tramail.**

TRÉMAT [tʀema] n. m. — 1872 ; orig. obscure ; un rapport avec *trémater* n'est pas établi.

♦ Régional (Normandie). Banc de sable* qui se forme dans les boucles de la basse Seine.

HOM. Tréma.

TRÉMATAGE [tʀemataʒ] n. m. — 1872 ; de *trémater.*

♦ Mar. Action de trémater. — *Droit de trématage :* droit de priorité accordé à certains bateaux pour passer les écluses.

TRÉMATER [tʀemate] v. tr. — 1765 ; *tremarter,* 1415 ; p.-ê. du bas lat. *trema,* lat. class. *trames* «sentier ».

♦ Mar. Dépasser (un bateau) sur une voie fluviale.

DÉR. Trématage.

TRÉMATODES [tʀematɔd] n. m. pl. — 1839, Boiste ; *trématodées,* 1827 ; du grec *trêmatôdês* «troué », de *trêma, trêmatos* «trou » (→ Tréma), à cause des petits trous de leur peau.

♦ Zool. Classe de vers* plathelminthes parasites, au corps non segmenté, dépourvus de cils vibratiles, possédant des ventouses ou des crochets qui leur permettent de se fixer à leur hôte, et dont le type principal est la douve*. — Au sing. *Un trématode. La bilharzie, trématode parasite de l'homme* (⇒ **Distomatose**).

TREMBLAIE [tʀɑ̃blɛ] n. f. — 1294, *trembloie* ; de *tremble.*

♦ Régional. Terrain planté de trembles. ⇒ **Peupleraie.**

1. TREMBLANT, ANTE [tʀɑ̃blɑ̃, ɑ̃t] adj. — V. 1174 ; p. prés. de *trembler.*

★ I. ♦ 1. Qui tremble (1.), est agité de petites contractures musculaires. *Ému, tremblant, palpitant...* (→ Sensation, cit. 6). *Mains* (cit. 26) *ridées et tremblantes. Jambes tremblantes de faiblesse.* ⇒ **Chancelant.** *Genoux* tremblants.

1. Et mes genoux tremblants se dérobent sous moi. RACINE, Phèdre, I, 3.
2. (...) de ses gros doigts tremblants d'alcoolique, il avait coupé la feuille de papier en trois (...) ZOLA, la Terre, I, IV.
3. (...) elle rentre en hâte, les jambes tremblantes, à bout de souffle, au point de n'avoir pas la force de se déshabiller. F. MAURIAC, Thérèse Desqueyroux, IX.

Par ext. *Un pas tremblant* (→ Gîte, cit. 3). *Écriture tremblante et sénile.* ⇒ **Tremblotant.**

♦ 2. (Choses). Qui tremble (2.), bouge, frémit. *Corolles tremblantes* (→ Anémone, cit. 2). *De tremblantes nappes de fil* (→ Renvideur, cit.). — *Images* (cit. 3) *tremblantes.* ⇒ **Tremblotant.** *Remous tremblants comme une clarté* (→ Église, cit. 13). *Lueur* (cit. 5), *lumière tremblante.* ⇒ **Vacillant.** *Torches tremblantes* (→ 1. Ombre, cit. 18) ; *dont la lumière est tremblante.* — Par métaphore. *Quelque chose de vague, de tremblant, d'inachevé* (cit. 2). (XIIIᵉ). *Son tremblant. Voix tremblante et cassée*.* ⇒ **Chevrotant** (→ Radoteur, cit. 1). *La chèvre* (cit. 2) *a quelque chose de tremblant dans la voix.*

♦ 3. Qui n'est pas solide, tremble (3.) à la moindre impulsion. *Un pont tremblant et déjeté* (→ 1. Gué, cit. 3). — (Abstrait). Chancelant, fragile.

4. Et vous, l'un des soutiens de ce tremblant État (...) RACINE, Athalie, I, 1.

♦ **4.** (1553). Qui tremble (4.), craint, qui a peur. ⇒ **Craintif** (→ Effaré, cit. 7). *Lâche et un peu tremblant* (→ Épargner, cit. 27).

★ **II.** (1836, *in* D.D.L. ; « qui fait trembler », XVᵉ). *Maladie tremblante des moutons.* — N. f. **TREMBLANTE :** prurigo lombaire des ovins, caractérisé par des troubles neuro-moteurs (démangeaisons, tremblement).

CONTR. Ferme, immobile, stable ; effronté, hardi ; courageux.

2. TREMBLANT [tʀɑ̃blɑ̃] n. m. — 1669 ; de 1. *tremblant.*

♦ Techn. Mécanisme de l'orgue et de l'harmonium donnant aux sons des jeux qu'il accompagne un vibrato rapide.

TREMBLANTE [tʀɑ̃blɑ̃t] n. f. ⇒ 1. **Tremblant** (II.), et 2. **tremble.**

1. TREMBLE [tʀɑ̃bl] n. m. — V. 1138 ; du bas lat. *tremulus* proprt « le tremblant », de *tremulare* «trembler ».

♦ Peuplier à écorce lisse, à tige droite, dont les feuilles glabres à minces pétioles frissonnent au moindre souffle. ⇒ **Peuplier** (→ Après, cit. 30 ; gazon, cit. 6 ; sempiternel, cit. 1). *Le bois de tremble, comme celui du peuplier blanc, est utilisé pour la fabrication du papier ; l'écorce de tremble est fébrifuge.*

(...) je traversai le disque lunaire pour voir ces arbres de plus près. C'étaient des trembles. Ils déroulaient des montagnes de feuillages qu'argentait l'éclatante lumière de la lune. H. BOSCO, Un rameau de la nuit, p. 140.

DÉR. Tremblaie.

2. TREMBLE [tʀɑ̃bl] n. m. — 1560 ; déverbal de *trembler.*

♦ Régional. Poisson produisant une décharge électrique. ⇒ **Torpille.** Syn. : *tremblante, trembleux.*

TREMBLEMENT [tʀɑ̃bləmɑ̃] n. m. — XIIᵉ, «peur, terreur » ; de *trembler.*

♦ 1. (1549). Agitation du corps ou d'une partie du corps par petites oscillations rapides, involontaires (⇒ **Trembler,** 1.). [*Un, des tremblements*]. Ensemble de ces agitations, pendant une période de temps. *Son tremblement a duré cinq minutes. Ses tremblements se sont arrêtés.* ⇒ **Trémulation.** *Tremblement léger, presque imperceptible* (cit. 5). ⇒ **Frémissement.** *Tremblement convulsif* (cit. 1), *saccadé* (→ Mâchoire, cit. 3), *violent.* ⇒ **Convulsion, saccade.** *Délire accompagné de tremblement.* ⇒ **Delirium tremens.** *Secouée de tremblements effrayants.* ⇒ **Soubresaut, spasme** (cit. 1). — *Tremblement de fièvre*, tremblement fébrile.* ⇒ **Frémissement.** ⇒ 2. Outre, cit. 14 ; *de froid* (⇒ **Frisson**), *causé par la fièvre, le froid. Tremblement d'émotion : de peur*, de frayeur ; de colère, de rage ; d'impatience... Tremblement de fatigue, de vieillesse, de faiblesse...* — *Tremblement de tout le corps ; des doigts* (→ Hectique, cit.), *des mains, des genoux, des jambes ; des lèvres, des mâchoires* (⇒ **Claquement** [de dents]). — Méd. *Tremblement statique,* qui se manifeste au repos ; *kinésique,* à l'occasion d'un mouvement. *Tremblement toxique,* dans les intoxications.

1. — Oh ! mon dieu, que lui est-il arrivé ? dit la pauvre mère saisie d'un tremblement qui la secoua comme une feuille est secouée par le vent d'automne. BALZAC, Un début dans la vie, Pl., t. I, p. 695.
2. La femme leva la tête ; sa voix furieuse s'éteignit subitement. Ses yeux étaient vitreux, de livide elle était devenue pâle, et elle tremblait d'un tremblement de terreur. HUGO, les Misérables, I, v, XII.
3. Rien n'était touchant comme de le voir tendre au blessé une tasse de tisane avec son doux tremblement sénile. HUGO, les Misérables, V, v, II.
4. Mes jambes fléchirent. Je tombai sur le banc. De la tête aux pieds, je fus pris d'un tremblement affreux. Je sanglotais dans un état de douleur à faire pitié, me tordant les mains (...) E. FROMENTIN, Dominique, VI.

Tremblement volontaire. Tremblement de la main sur la corde d'un instrument. ⇒ **Trémolo, vibrato.**

♦ 2. (Déb. XVIᵉ). Mouvement, oscillations* de ce qui tremble* (2.). *Le tremblement des feuilles, des joncs* (→ Friselis, cit. 2). *Le tremblement du plancher d'un véhicule, d'un wagon...* ⇒ **Trépidation.**

5. La main est presque aussi blanche que le drap ; elle tremble d'une façon à peine perceptible : le tremblement d'une aiguille aimantée. MARTIN DU GARD, les Thibault, t. IV, p. 185.

Modifications rapides d'intensité (lumière). *Le tremblement d'une lumière, d'une lueur, des reflets lunaires* (→ Hélice, cit. 3). *Papillotements* (cit. 4), *tremblements de lumière.* — Modifications rapides de hauteur, d'intensité (sons). Hist. de la mus. *Tremblement d'un son, d'une note. Sons fermes, sans tremblement* (→ Poser, cit. 11). — (Impliquant le tremblement [1.] des organes de la phonation, sous l'effet de l'émotion, etc.). *Un tremblement de sa voix* (→ Force, cit. 24). *Tremblement dans la voix* (→ Ni, cit. 43). ⇒ **Chevrotement.** — Vx. Mus. Trille.

6. TREMBLEMENT. *s. m.* Agrément du chant que les Italiens appellent *trillo,* et qu'on désigne plus souvent (...) par le mot *cadence.*
On employait aussi jadis le terme de *tremblement,* en italien *tremolo,* pour aver-

tir ceux qui jouaient des instruments à archet, de battre plusieurs fois la note du même coup d'archet, comme pour imiter le *tremblant* de l'orgue.
ROUSSEAU, Dict. de musique, Tremblement.

7 (...) distribuant les poignées de main, les compliments, les sourires, les plaisanteries avec un tremblement d'émotion inaccoutumé et sympathique dans la voix.
M. JOUHANDEAU, Chaminadour, « Contes brefs », VII, Crime Laubier.

♦ **3.** (1361). Oscillations, secousses* répétées qui agitent une chose solide, jusque-là fixe, immobile (⇒ **Trembler**, 3.). *Tremblement des vitres, du sol... après une explosion.* ⇒ **Ébranlement.**

(1530 ; *tremblement de la terre*, 1361). **TREMBLEMENT DE TERRE :** ensemble des phénomènes liés à la déformation de l'écorce terrestre en un lieu, dans la mesure où ils sont perçus par l'homme (macroséismes). ⇒ **Séisme.** *Conséquences graves, catastrophiques de tremblements de terre* (→ Autodafé, cit. 3 ; écrêter, cit. 2 ; nature, cit. 55 ; rescapé, cit. 1 ; révolution, cit. 10). ⇒ **Séisme, sismo- ; terre** (I., 7.). *Épicentre** (cit.) *d'un tremblement de terre. Raz de marée accompagnant un tremblement de terre.*

8 — (...) Et qu'allaient-ils faire à Lisbonne ?
— Chercher un tremblement de terre, qui ne pouvait se faire sans eux ; être écrasés, engloutis, brûlés ; comme il était écrit là-haut.
DIDEROT, Jacques le fataliste, Pl., p. 541.

9 Si les mots bougent, c'en est fait de cet équilibre si durement acquis. Or, ils bougent. Il y a des tremblements de mots, plus dangereux que des tremblements de terre.
SARTRE, Situations I, p. 226.

Techn. Vibrations de basse fréquence affectant la cellule d'un avion.

♦ **4.** (Abstrait). Sentiment, état psychologique qui correspond au tremblement (1.) physique ; angoisse, crainte, peur. *Tremblement de l'âme* (→ Perfectionnement, cit. 3). *Se demander avec un tremblement*, en tremblant (4.). → Expiation, cit. 7. *Prier avec tremblement* (→ Mortifier, cit. 1). — *Crainte et Tremblement*, titre français d'un ouvrage de Kierkegaard.

10 Elle vivait, maintenant, la pauvre femme, dans une épouvante incessante, dans un tremblement continu de l'âme et du corps, dans une attente éperdue des outrages et des rossées.
MAUPASSANT, l'Inutile Beauté, « Le noyé », I.

♦ **5.** Loc. fam. (1827, *in* D.D.L.). **ET TOUT LE TREMBLEMENT :** et tout le reste*, tout ce qui va avec. ⇒ (fam.) **Tralala ; bordel** (→ Gueuleton, cit. 2 ; poudre, cit. 18 ; scène, cit. 8, Zola). « *Et tout le tonnerre de tremblement !* » (Frison, 1885, *in* D.D.L.).

11 — J'écrivais à l'emporte-pièce ; duels, procès, amendes, tout le tremblement ! Mon éditeur, effrayé, suspendit la publication (...)
Émile AUGIER, le Fils de Giboyer, I, 7.

12 (...) une forte tornade (avec éclairs, tonnerre et tout le tremblement)...
GIDE, Voyage au Congo, V, 21 nov.

13 Les cochons, ils ont le ventre plein quand ils viennent nous causer honneur, loyauté et tout le tremblement.
M. AYMÉ, le Passe-muraille, « En attendant ».

CONTR. Fermeté, immobilité.

TREMBLER [tʀɑ̃ble] v. intr. — V. 1120 ; du lat. pop. *tremulare, de *tremulus* « tremblant », de *tremere* « trembler ».

♦ **1.** (Personnes ; animaux). Être agité par une suite de petites contractions involontaires des muscles, pour une cause physique (froid, fièvre) ou psychique (émotion). ⇒ **Frémir, frissonner** (cit. 1). → Frisson, cit. 15. *La beauté de la chair, c'est de palpiter* (cit. 2), *c'est de trembler. Tout leur corps* (des convulsionnaires) *tremblait* (→ Fureur, cit. 1). *Ses dents claquent* (cit. 5), *tout son corps tremble. Trembler de froid*.* ⇒ **Claquer** (des dents), **grelotter.** *Trembler de fièvre** (cit. 3). — (Le sujet désigne une partie du corps). *Jambes* (cit. 13), *genoux qui tremblent de peur* (cit. 21), *de faiblesse* (cit. 5). ⇒ **Flageoler.** *Ils sentirent leurs doigts frémir* (cit. 8) *et trembler. Ma main tremble* (→ Imbiber, cit. 1 ; et aussi couteau, cit. 15 ; offrir, cit. 1 ; pâté, cit. 6). — Loc. *Trembler comme une feuille, comme la feuille* (vx), beaucoup. — (Avec un compl. circonstanciel de cause). *Trembler sous l'effet d'une émotion. Trembler de peur* (→ ci-dessous, 2.), *de colère* (→ Céder, cit. 27), *de joie* (→ Posture, cit. 1), *de gratitude* (→ Récipiendaire, cit. 2). — Allus. hist. *Tu trembles, carcasse* (cit. 5).

1 Je reçus ma chère maîtresse dans mes bras. Elle tremblait comme une feuille.
Abbé PRÉVOST, Manon Lescaut, I, p. 116.

2 La Zabelle était inquiète de voir l'enfant trembler de la tête aux pieds et son cœur sauter si fort qu'il soulevait sa pauvre chemise.   G. SAND, François le Champi, III.

3 *(Robespierre)* l'avoua à Étienne Dumont, quand il montait à la tribune, jamais il ne tremblait comme la feuille.   MICHELET, Hist. de la Révolution franç., IV, V.

4 Voilà ce que ceux qui tremblent de vieillesse enseignent à ceux qui tremblent de peur !   HUGO, les Misérables, IV, XIV, II.

5 (...) C'est à cause des mots
Que je dis qu'elle tremble entre les bleus rameaux !
Car vous tremblez, comme une feuille entre les feuilles !
Car tu trembles ! car j'ai senti, que tu le veuilles
Ou non, le tremblement adoré de ta main
Descendre tout le long des branches du jasmin !
Edmond ROSTAND, Cyrano de Bergerac, III, 6.

6 Son corps tremblait encore de froid, de fatigue et de fièvre (...)
BERNANOS, Sous le soleil de Satan, I, III.

♦ **2.** (V. 1207). Choses. Être agité de petits mouvements répétés, autour d'une position d'équilibre. ⇒ **Agiter** (s'), **frémir, frissonner, remuer** (→ Gangue, cit. 3 ; marier, cit. 12). *Son aigrette* (cit. 1) *tremble comme une lyre. Mèches de cheveux qui tremblent au vent* (→ Écorce, cit. 10). « *Sous le long rideau blanc qui tremble et se*

soulève » (cit. 13). — *Une sauce* (cit. 2) *qui tremblait comme une gelée.* ⇒ **Trembloter.** — Par métaphore :

7 Je conviens que vous seul savez ce que vous faites,
Et que l'homme n'est rien qu'un jonc qui tremble au vent (...)
HUGO, les Contemplations, IV, XV.

(1767). Produire une image vacillante ; varier rapidement d'intensité. *Lueur* (→ Autan, cit. 3), *lumière* (→ 1. Feu, cit. 32), *reflet qui tremble.* ⇒ **Trembloter.** *Des étincelles tremblaient sur la rivière* (→ 1. Embraser, cit. 10). ⇒ **Scintiller.** *Les étoiles* (cit. 7) *dont les scintillations tremblaient dans l'eau.*

8 Tandis qu'une veilleuse, en tremblant, ose à peine
Éclairer le plafond de pourpre et de lampas (...)   HUGO, les Châtiments, I, XIV.

9 Reverrai-je Paris et sa pâle lumière
Trembler les soirs de brume autour des réverbères
APOLLINAIRE, Ombre de mon amour, Poèmes, XXXV.

(Fin XVIᵉ). Ne pas conserver la même hauteur et la même intensité. *Son, voix qui tremble.* ⇒ **Chevroter, frissonner.** — Mus. (Vx). Exécuter un « tremblement », un trémolo ou un trille.

♦ **3.** (V. 1207). Choses. Être remué ; faire une suite d'oscillations. ⇒ **Étonner** (s'étonner, vx), **frémir, remuer, vibrer.** *La terre tremble.* ⇒ **Séisme, tremblement** (de terre). *Sentir la terre* (→ Ruine, cit. 9), *le sol trembler sous ses pas* (→ aussi Juchoir, cit. ; percevoir, cit. 4). *Le sol ébranlé** (cit. 27) *tremblait sous nos pas. La canonnade* (cit. 1) *fait trembler le sol.* ⇒ **Ébranler.** — *Bruit qui fait trembler le pavé* (→ Marteau, cit. 5.1), *explosion qui fait trembler les vitres* (→ aussi Note, cit. 9).

10 Tout tremblait au son de sa voix, les vitres, les meubles et les gens.
HUGO, les Misérables, II, III, II.

11 (...) tellement émue, que sa main, appuyée sur la table à thé, faisait distinctement trembler le cabaret de porcelaine.   MÉRIMÉE, la Double Méprise, VI.

Par métaphore. *Faire trembler l'édifice social dans ses fondements.* ⇒ **Chanceler.**

♦ **4.** (Fin XIIᵉ). Personnes. Fig. Éprouver une violente émotion, un trouble, sous l'effet de la peur*, accompagnée ou non d'un tremblement physique (→ Expier, cit. 6 ; héros, cit. 20 ; punir, cit. 5 ; résoudre, cit. 13). ⇒ **Peur** (avoir). « *Il* (le lion) *rugit : on se cache, on tremble à l'environ* » (→ Alarme, cit. 5). *On n'ose se hasarder* (cit. 17) *qu'en tremblant. Faire trembler qqn*, lui faire peur, l'effrayer. *Il faisait trembler tout le monde* (→ Oreille, cit. 38). « *Elle me fait trembler, dès qu'elle prend son ton* » (→ Dragon, cit. 6). — *Tout tremblait devant le tyran* (→ Disgrâce, cit. 4). « *Trembler devant les autels* » (→ Sacrifice, cit. 6). — Vieilli. *Trembler sous qqn*, par peur de son pouvoir. *Caligula, tremblant sous Tibère* (→ Atrocité, cit. 4). *Rome allait trembler sous lui* (Cromwell). → Grain, cit. 15, Pascal. *Chacun tremble sous toi* (→ Haut, cit. 117). — Par ext. *Faire trembler l'Europe, le monde...*

12 Mon génie étonné tremble devant le sien.   RACINE, Britannicus, II, 2.

13 Fi donc, trembler ! mauvais calcul, madame. Quand on cède à la peur du mal, on ressent déjà le mal de la peur.   BEAUMARCHAIS, le Barbier de Séville, II, 2.

14 Qui regarde à la porte de Dieu ? et ne tremble.
P.-J. JOUVE, Diadème, « Le beau nu ».

Trembler pour (qqn, qqch.) : craindre un malheur, un danger... *pour* (qqn, qqch.). → On, cit. 42 ; solidarité, cit. 1.

Trembler à l'idée, à la perspective (cit. 8) *de...* ⇒ **Appréhender, craindre.** *Je tremble à cette idée horrible que...* (→ Perdre, cit. 27). — *Je tremble d'inquiétude à la pensée que...*

Vx. *Trembler à...* (suivi de l'inf.) : avoir très peur de...

15 La chose quelquefois est fâcheuse à connaître,
Et je tremble à la demande.   MOLIÈRE, Amphitryon, II, 3.

Trembler de... (suivi de l'inf.). → Pardi, cit. 1 ; réveiller, cit. 3.

16 Je tremble toujours de n'avoir écrit qu'un soupir, quand je crois avoir noté une vérité.   STENDHAL, De l'amour, IX.

Trembler que... ne... suivi du subj. (→ Douter, cit. 3) : craindre qu'une chose n'arrive.

17 (...) il trembla même que son ancienne et future amie ne fût propriétaire de quelque petit hôtel d'artiste.   A. HERMANT, M. de Courpière marié, VI, p. 51.

♦ **5.** Trans. Vx. *Trembler la fièvre, le frisson* (cit. 7).

18 Je les laisse trembler leurs fièvres (...)   HUGO, les Châtiments, VI, VI.

19 Quand nous aurons quitté ce sac et cette corde,
Quand nous aurons chanté nos derniers tremblements (...)
Ch. PÉGUY, la Tapisserie de Notre-Dame, Présentation de la Beauce (...), p. 179.

Faire trembler. Loc. fam. (vx). *Trembler le grelot** : avoir peur.

▶ **TREMBLÉ, ÉE** p. p. adj.

♦ **1.** (1765). Qui est exécuté ou semble l'avoir été par une main tremblante. *Écriture tremblée. Dessin, tracé tremblé. Lignes tremblées.* — (1829). Imprim., typogr. Ondulé, sinueux et alternativement gras et maigre. *Filet** tremblé.* — N. m. *Un tremblé.*

♦ **2.** (XIXᵉ). *Sons tremblés*, dont l'intensité subit des variations rapides. ⇒ **Tremblant.** « *Une voix (...) un peu tremblée* » (Chardonne, les Destinées sentimentales, III, VII, p. 478).

20 La note finale de chaque phrase, ténue et tremblée avec une longueur et une puissance d'haleine incroyable, monte d'un quart de ton en faussant systématiquement.
G. SAND, la Mare au diable, II.

21 D'une voix haute (...) avec des inflexions un peu tremblées, Julie se mit à lire (...)
J. CHARDONNE, les Destinées sentimentales, p. 130.

DÉR. 1. **Tremblant**, 2. **tremblant**, 2. **tremble**, **tremblement**, **trembleur**, **trembloter**.

TREMBLEUR, EUSE [tʀɑ̃blœʀ, øz] n. et adj. — 1657, Loret, *in* Brunot; attestation isolée, xvᵉ; de *trembler*.

★ **I.** N. ♦ **1.** ⇒ Quaker (→ Fanatique, cit. 1).

♦ **2.** (1690). Fig. et rare. Personne extrêmement peureuse ou timide. « *Je ne m'en irai pas comme un trembleur* » (M. Achard).

♦ **3.** N. m. (1861, *Année sc. et industr.* 1862, p. 312-313). Dispositif animé d'une vibration. Électr. (Vx). Électromètre dans lequel un fil métallique tremblait au passage du courant. Interrupteur* automatique. — (1867, Littré, comme t. de ch. de fer). Sonnerie* sans marteau ni timbre, où un bras vibre au passage du courant. ⇒ **Vibreur.**

★ **II.** Adj. ♦ **1.** (1788). Rare. Tremblant.
Mon verre est plein d'un vin trembleur comme une flamme
APOLLINAIRE, Alcools, « Nuit rhénane ».

♦ **2.** (1690). Qui tremble facilement de peur. *Il est un peu trembleur.*

DÉR. **Trembleuse.**

TREMBLEUSE [tʀɑ̃bløz] n. f. — 1872; de *trembleur*.

♦ **1.** Petite tasse retenue sur une soucoupe par un évidement.

♦ **2.** Pêche. *Pêche à la trembleuse*, où l'on agite la ligne. ⇒ **Dandinette.**

TREMBLOTANT, ANTE [tʀɑ̃blɔtɑ̃, ɑ̃t] adj. — 1553; de *trembloter*.

♦ Qui tremblote. ⇒ **Tremblant.** *Les sangliers* (cit. 2), *masses de chair tremblotantes et vautrées. Gestes... tremblotants comme des battements d'ailes* (→ Aigu, cit. 6). *Un vieillard tremblotant.* ⇒ **Trembloteur.**

Nous trouvons ce pauvre vieillard attendant une visite comme on attend une fête. Tout branlant, les mains tremblotantes, il nous fait place avec joie, auprès de son feu. Sa mémoire vacillante, sa parole bégayante et à demi paralysée, cherchent à se rattacher à nous (...)
Ed. et J. DE GONCOURT, Journal, 23 déc. 1866, t. III, p. 72.
(1636; d'une lumière). *Tremblotante lueur des étoiles* (→ Guider, cit. 5). *Lumière* tremblotante.* ⇒ **Vacillant.**

Voix tremblotante. ⇒ **Vacillant.**

TREMBLOTE [tʀɑ̃blɔt] n. f. — 1894, « fièvre »; de *trembloter*.

♦ Fam. Tremblement de froid, de fièvre, de peur... — Loc. *Avoir la tremblote* : trembler; spécialt, avoir peur. *Une sacrée tremblote.*

— Je vous avais dit de faire des prisonniers. Et alors?... où sont-ils?...
— Mais, mon capitaine...
— Je vois ce que c'est, vous avez la tremblote...
— Nous n'avons pas la pétoche, mais nous sommes comme des harengs dans la saumure. On ne peut pas bouger.
B. CENDRARS, la Main coupée, *in* Œ. compl., t. X, p. 146.

TREMBLOTEMENT [tʀɑ̃blɔtmɑ̃] n. m. — 1553; de *trembloter*.

♦ Léger tremblement. *Le tremblotement de la gelée. — (Un, des tremblotements).* Fait de trembloter; mouvement, secousse de ce qui tremblote.

La grue tourna sur elle-même avec un bruit d'engrenage et des tremblotements séniles, tout l'appareil en était secoué.
SARTRE, l'Âge de raison, IX.

TREMBLOTER [tʀɑ̃blɔte] v. intr. — 1555; dimin. de *trembler*.

♦ Trembler légèrement. *Mains qui tremblotent* (→ Effaroucher, cit. 10). — REM. S'emploie surtout en parlant d'un tremblement sénile; il avait un emploi plus général dans la langue classique (cf. Mᵐᵉ de Sévigné, Boileau, *in* Littré). ⇒ **Grelotter.** — (Déb. xviiᵉ; choses). *Un lorgnon* (cit. 2) *qui tremblote toujours. Une lumière tremblotait au loin.* ⇒ **Osciller, vaciller.** — (Des sons, de la voix). *Énoncer* (cit. 2) *en chevrotant, en tremblotant. Sa voix tremblotait.*

1 Mademoiselle Rachel eut donc raison de ne pas avoir, comme on dit, de larmes dans la voix, et de ne pas faire trembloter et chevroter l'alexandrin avec la sensiblerie moderne. Th. GAUTIER, Portraits contemporains, « Mᶫᶫᵉ Rachel ».

2 *(Il)* donnait à son personnage de vieux gâteux une telle vérité que ses membres tremblotaient, que les traits détendus de sa figure (...) ne cessaient de sourire avec une niaise béatitude. PROUST, le Temps retrouvé, Pl., t. III, p. 921.

Trans. Rare. Dire en tremblant.

3 Il y a des peureux qui auraient bien voulu ne pas jurer mais qui se voyaient égorgés, eux, leurs grands-parents, leurs petits-enfants, et tous les propriétaires,

s'ils n'avaient trembloté leur serment : ceci est un effet physique que je n'ai pas encore éprouvé (...) CHATEAUBRIAND, Mémoires d'outre-tombe, t. V, p. 292.

DÉR. **Tremblotant, tremblote, tremblotement, trembloteur, tremblotis.**

TREMBLOTEUR, EUSE [tʀɑ̃blɔtœʀ, øz] adj. et n. — Mil. xxᵉ; de *trembloter*.

♦ Qui tremblote. « *Ce docteur trembloteur* » (Paul Guth, *Jeanne la Mince*, p. 156). ⇒ **Tremblotant.** — N. *Un trembloteur.*

TREMBLOTIS [tʀɑ̃blɔti] n. m. — Mil. xxᵉ; de *trembloter*.

♦ Fam. Mouvement de ce qui tremblote. ⇒ **Tremblotement.**

Par métaphore :
Il fallait me placer au-dessus des remous de la conscience, des tremblotis de remords gélatineux. H. TROYAT, Le mort saisit le vif, p. 199.

TRÉMELLE [tʀemɛl] n. f. — 1765; du lat. bot. *tremella*, 1741, de *tremulus* « tremblant ».

♦ Bot. Champignon basidiomycète à réceptacle gélatineux et irrégulier, poussant généralement sur les souches des conifères.

TRÉMEUR [tʀemœʀ] n. f. — V. 1190; du lat. *tremor* « tremblement, terreur », de *tremere* « trembler ».

♦ Vx (encore au xviiᵉ). Grande peur; effroi.

TRÉMIE [tʀemi] n. f. — 1538; *tremuie*, xiᵉ; du lat. *trimodia* « récipient contenant trois *muids* ».

★ **I.** ♦ **1.** Dispositif en forme de pyramide renversée, récipient formant entonnoir*, où l'on déverse des substances qui doivent subir un traitement (broyage, concassage, tamisage, etc.). ⇒ **Auge.** *Trémie à blé, trémie de moulin,* dans laquelle on met le blé qu'un auget déverse sur la meule. *Claquet, traquet d'une trémie. Rengrener une trémie vide. Trémie d'un broyeur, d'un concasseur, d'un égrappoir, d'un fouloir, etc.* — Anciennt. *Trémie à sel,* servant de mesure et d'appareil à verser. — (1680). Mangeoire* pour les oiseaux, la volaille. — Techn. Entonnoir en planches servant à couler le mortier, le béton. — Pièce où l'on déverse le minerai, dans un haut fourneau*, le combustible dans certains fours*. — Pièce où l'on verse une substance à couler dans un moule. ⇒ **Buse** (d'injection).

(...) la trémie, sorte de grande auge carrée, large du haut, étroite du bas, qui devait permettre aux grains de tomber sur les meules (...)
J. VERNE, l'Île mystérieuse, t. II, p. 534.

♦ **2.** Sc. nat. Entonnoir que creuse le fourmilion (→ Grumeau, cit. 2).

♦ **3.** (1875). Mâcle de cristallisation du sel* marin (en forme de pyramide quadrangulaire creuse).

♦ **4.** Trémie munie d'un tamis à sa partie inférieure. *Trémie à grains; à plâtre* (⇒ **Crible**).

♦ **5.** (1872). Techn. Morceau de flanelle utilisé par les miroitiers comme filtre à mercure.

★ **II.** (1437; *tremuye*). Espace réservé dans un plancher, pour recevoir l'âtre d'une cheminée*, pour faire passer des conduits, ou un escalier (→ Gémissement, cit. 5). *Bandes de trémie.*

Par anal. *Trémie d'aération. Passage souterrain avec trémies couvertes.*

DÉR. **Trémion.**

TRÉMIÈRE [tʀemjɛʀ] adj. f. — 1581; *rose de trémière*, 1690; altér. de *rose d'outremer* (1500).

♦ *Rose trémière* : variété de guimauve *(Malvacées)* à très haute tige, bisannuelle, très décorative. ⇒ **Passe-rose** (régional), **primerose.**

TRÉMION [tʀemjɔ̃] n. m. — 1680; dér. de *trémie*.
Techn. Ancien.

♦ **1.** Pièce qui soutient la trémie d'un moulin.

♦ **2.** (1694). Support de la hotte (d'une cheminée).

TRÉMISSE [tʀemis] n. m. — 1876; du bas lat. *tremissis* « tiers d'un aureus ».

♦ Techn. (numism.). Tiers d'un sou.

TRÉMOIS [tʀɛmwa] n. m. — V. 1210; aussi *tramois*, fin xɪvᵉ, et *traimois*, 1876; du bas lat. *trimensis* «qui pousse en trois mois».
Agriculture.

♦ **1.** Variété de blé poussant en trois mois.

♦ **2.** (1690). Fourrage constitué d'un mélange de blé, de seigle, d'avoine et de vesces.

TRÉMOLITE [tʀɛmɔlit] n. f. — 1779, Saussure; de *Tremola* «vallée du Piémont».

♦ Variété d'amphibole* blanche, fibreuse. ⇒ **Amiante.**

Il nous renseigna (...) sur le cyanite et le lépidolithe; sur l'hæmatite et la trémolite (...)
BAUDELAIRE, Trad. E. POE, Nouvelles histoires extraordinaires, «Lionnerie».

TRÉMOLO [tʀɛmɔlo] n. m. — 1830; comme mot ital. au xvɪɪɪᵉ.
→ Tremblement; mot ital. d'abord adj., «tremblant», du lat. *tremulus*.
→ Trembler.

♦ **1.** Mus. Mouvement de vibration («tremblement» de la main de l'instrumentiste, etc.) produisant un battement continu sur un son, par des répétitions très rapprochées, ou sur deux sons ou accords; émission sonore ainsi produite (fluctuation de fréquence à un rythme de 7 à 10 par seconde). ⇒ **Vibrato.** *Trémolo de violon* (→ Phrase, cit. 18). *Les sons de certains instruments électroniques sont soumis à un trémolo constant* (orgue de cinéma).

1 La force de tonalité de ce *si bémol*, très peu perceptible en commençant, devient de plus en plus grande au fur et à mesure que le trémolo se prolonge (...)
BERLIOZ, Beethoven, p. 32.

♦ **2.** (1872). Cour. Tremblement d'émotion souvent affecté et outré, dans la voix; sons troublés. *Déclamer avec des trémolos dans la voix.*

2 Les répliques suivantes seront d'autant plus émouvantes que dites plus simplement. Oui, gardez-vous de déclamer le
De l'amour j'ai toutes les fureurs.
Les mots suffisent; le trémolo de la voix n'y ajoutera rien.
GIDE, Attendu que... p. 190.

Fig. Expression outrée des sentiments.

3 (...) ne me demandez point de fausser ma voix et d'introduire dans mes écrits des trémolos par opportunisme (...)
GIDE, Ainsi soit-il, p. 164.

REM. L'Académie (1936) et Littré écrivent *tremolo* sans accent.

TRÉMOUSSEMENT [tʀɛmusmɑ̃] n. m. — 1573; de *trémousser.*

♦ Agitation, mouvement d'une personne qui se trémousse. ⇒ **Tortillement.** *Des trémoussements lascifs* (→ Goule, cit. 4). — Fam. et péj. Danse agitée (→ 2. Cancan, cit. 1).

(...) je continuai à me défendre avec autant de sang-froid que m'en permettaient les trémoussements tumultueux, les passes étourdissantes, les écarts et les estrapades gymnastiques de mon avocat (...)
Charles NODIER, la Fée aux miettes, XVII.

TRÉMOUSSER [tʀɛmuse] v. — 1532, Rabelais, v. pron.; v. intr., 1549; de *mousse* «écume», et préf. *tré-* (lat. *trans-*).
Vieux

♦ **1.** V. intr. (Cour. au xvɪᵉ, et employé jusqu'au xvɪɪɪᵉ). Trembler, s'agiter sans repos.

♦ **2.** V. tr. (1611). Secouer (Voltaire, *in* Littré).

▶ **SE TRÉMOUSSER** v. pron. (1532).

♦ **1.** S'agiter* avec de petits mouvements vifs, rapides et irréguliers. ⇒ **Frétiller, gigoter, remuer.** *Enfant qui se trémousse sur sa chaise. Avancer, marcher en se trémoussant.* ⇒ **Dandiner** (se), **tortiller** (se). *Se trémousser en dansant.* ⇒ **Gambiller, sautiller.**

1 (...) la grosse cloche était sa bien-aimée. C'est elle qu'il préférait dans cette famille de filles bruyantes qui se trémoussait autour de lui, les jours de fête.
HUGO, Notre-Dame de Paris, IV, ɪɪɪ.

2 (...) ça étale des chairs peintes, ça joue de la prunelle, ça se trémousse du derrière (...)
O. MIRBEAU, Journal d'une femme de chambre, ɪ.

3 (...) à tout instant, on entendait tomber à bord de gros poissons, lancés sur les planches avec un bruit de fouet; après, ils se trémoussaient rageusement en claquant de la queue contre le bois du pont (...)
LOTI, Pêcheur d'Islande, III, ɪx.

4 (...) c'est en se trémoussant, avec mièvrerie et la même ampleur dont un enjuponnement eût élargi et gêné ses dandinements, qu'il se dirigea vers Mᵐᵉ Verdurin, avec un air si flatté et si honoré qu'on eût dit qu'être présenté chez elle était pour lui une suprême faveur.
PROUST, Sodome et Gomorrhe, Pl., t. II, p. 908.

♦ **2.** (Av. 1672). Fig., fam. (Vieilli). Faire de nombreuses démarches pour le succès d'une affaire. ⇒ **Démener** (se), **dépenser** (se).

DÉR. Trémoussement.

TREMPABILITÉ [tʀɑ̃pabilite] n. f. — 1964, *in* Larousse; de *tremper* (*trempable* n'est pas attesté).

♦ Techn. Possibilité, pour un alliage, d'être trempé.

TREMPAGE [tʀɑ̃paʒ] n. m. — 1836; de *tremper.*

♦ Techn. Action de tremper, de faire tremper. *Trempage des légumes secs.*

Cour. *Trempage du linge :* action de tremper le linge dans l'eau ou la lessive pour dissoudre les impuretés solubles.

Spécial, techn. ⓐ Agric. *Trempage des semences,* action de les faire tremper avant de les semer.

ⓑ Brasserie. *Trempage du grain,* une des opérations du maltage.

ⓒ (1872, Littré). Imprim. *Trempage du papier,* opération qui consiste à l'humecter d'eau pour le rendre propre à l'impression.

ⓓ Techn. *Trempage du caoutchouc* : action de tremper le caoutchouc brut dans des lessives alcalines.

TREMPANT, ANTE [tʀɑ̃pɑ̃, ɑ̃t] adj. — 1872; p. prés. de *tremper.*

♦ **1.** Qui trempe (dans quelque chose). — Techn. Qui plonge dans un liquide.

♦ **2.** (1874). *Acier trempant,* qui peut recevoir la trempe, être trempé. — REM. *Trempable* conviendrait mieux. — *Pouvoir trempant* (d'un acier). ⇒ **Trempabilité.**

TREMPE [tʀɑ̃p] n. f. — 1559; *tempre*, v. 1180; déverbal de *tremper.*

★ **I.** ♦ **1.** Immersion dans un bain froid d'un métal, d'un alliage chauffé à haute température, qui a pour effet de maintenir la structure moléculaire acquise à chaud (en durcissant les uns, comme le fer, la fonte; en assouplissant les autres, comme le bronze). *Trempe de l'acier, du fer cémenté* (→ Cémentation). *Réchauffage après la trempe.* ⇒ **Recuit, revenu.** *Suppression des effets de la trempe.* ⇒ **Détrempe.**

(V. 1570). Qualité qu'un métal acquiert par cette opération. *Une arme de bonne, de mauvaise trempe* (→ Gaulois, cit. 1).

1 À la parade on regarde au vain éclat des armes; on les prise au combat sur la bonté de leur trempe. BEAUMARCHAIS, Mémoires sur l'affaire Goëzman, p. 98.

2 (...) la trempe élastique et souple de l'acier lui permit de supporter cette épreuve sans se rompre. Th. GAUTIER, Voyage en Espagne, p. 127.

(1904). Par anal. Brusque refroidissement du verre au cours de sa fabrication. *Trempe thermique. Trempe chimique.*

(1975). Brusque refroidissement d'un produit pétrolier au cours du raffinage.

♦ **2.** (V. 1460). Quantité plus ou moins satisfaisante d'une chose, d'une personne. — (Vx). Qualité d'âme. « (...) quelque bonne trempe douce et débonnaire » (Montaigne).

3 On n'a jamais mieux senti qu'en lisant d'Antin ce que c'est proprement que la trempe de l'âme; la sienne était souple et molle comme cire.
SAINTE-BEUVE, Causeries du lundi, 15 mars 1852.

Loc. (avec *de*). Vieilli. Qualité d'âme ou de corps considérée dans sa vigueur, sa résistance. *Être de bonne, de mauvaise trempe.* — Mod. *Ils ne sont pas de la même trempe.* ⇒ **Sorte.**

4 La vie saine et rude que l'on mène là (...) opère parmi les jeunes hommes, de trempe inégale, une sélection spartiate : élimine les faibles et fortifie les forts.
LOTI, Matelot, xx.

(Vieilli). Qualité de ce qui est plus ou moins durable, solide.

5 (...) votre ancienne amitié (...) est d'une trop bonne trempe, pour avoir besoin d'être cultivée par le commerce des lettres (...)
Mᵐᵉ DE SÉVIGNÉ, 884, 30 juin 1681.

6 Sa grâce était de si bonne trempe qu'elle avait résisté au mauvais ton de l'Empire.
BARBEY D'AUREVILLY, Une vieille maîtresse, I, ɪ.

(1570). Mod. *De sa, cette trempe; de la trempe de... :* de son énergie, de sa force d'âme. ⇒ **Caractère, endurance.** *Des êtres de sa trempe* (→ Désinvolture, cit. 1). *Un gars de sa trempe* (→ Gaffe, cit. 7).

7 — (...) le duc a le cœur ardent et la tête froide; en ce qui touche les sentiments par lesquels ils vivent, les hommes de cette trempe vont vite dans l'exécution de ce qu'ils ont conçu. BALZAC, Vautrin, I, 8.

♦ **3.** (1803; «détrempe», peint., 1676). Techn. Trempage (des papiers, des peaux...).

Méthode de brassage des bières consistant à élever une partie de l'empâtage à température de saccharification puis d'ébullition.

★ **II.** (1867). Fam. Volée de coups. ⇒ **Raclée, trempée.** *Filer* (cit. 15) *une trempe à quelqu'un.*

TREMPÉ [tʀɑ̃pe] n. m. — 1933; de *tremper.*

♦ Techn. Opération qui consiste à tremper (qqch.) dans un liquide, pour apprêter. — Opération qui consiste à plonger (qqch.) dans une peinture, un vernis.

TREMPÉ, ÉE [tʀɑ̃pe] adj. ⇒ **Tremper.**

TREMPÉE [tʀɑ̃pe] n. f. — 1842; «trempe», 1723; de *tremper*.

♦ **1.** Vx, techn. Façon donnée à une chose en la trempant dans un liquide.

♦ **2.** Vieilli. Correction, volée de coups. ⇒ **Trempe** (II.).

Butscha sait très bien qu'un regard jeté sur Modeste lui vaudrait une *trempée* à la mode de Vannes (...)   BALZAC, Modeste Mignon, Pl., t. I, p. 385.

TREMPER [tʀɑ̃pe] v. — Déb. XIIIᵉ; altér. de *temprer* «mélanger», fin XIᵉ; du lat. *temperare.* → **Tempérer.**

★ **I.** V. tr. ♦ **1.** Vx. Modérer par un mélange. — Mod. *Tremper son vin,* le mélanger avec de l'eau. ⇒ **Couper.**

♦ **2.** Imbiber* d'un liquide. ⇒ **Imprégner, mouiller.** *Tremper la soupe* : verser le bouillon sur le pain. — Techn. *Tremper des couleurs.* ⇒ **Détremper.** *Tremper le papier avant l'impression.* ⇒ **Trempage.** — Littér. *Tremper son mouchoir* (de ses larmes), pleurer*.
Cour. Imbiber, mouiller (le sujet désigne un liquide). *La vague écumait* (cit. 1) *et nous trempait de ses jaillissements.* ⇒ **Arroser, doucher.** *La pluie trempe la terre.* ⇒ **Détremper.** *L'eau trempe le bois d'orme* (cit. 2). ⇒ **Pénétrer.** *Sueur qui trempe la chemise.* ⇒ **Humecter** (→ Perler, cit. 4).

1   Sans doute avait-elle oublié, en partant, de fermer la fenêtre : une averse, la veille, avait trempé le parquet (...)   MARTIN DU GARD, les Thibault, t. VI, p. 78.

♦ **3.** (1530; *temprer,* 1216). Cour. Faire entrer (un solide dans un liquide). ⇒ **Plonger.** — (Pour imbiber). *Tremper une compresse dans l'eau. Tremper dans l'eau bouillante* (ébouillanter, échauder). *Tremper du pain dans du vin.* ⇒ **Trempette** (et aussi **mouillette**). « *Marie trempe ton pain, Marie trempe ton pain dans ta soupe* (...) » (chanson). — (Pour enduire). *Tremper un pinceau dans des couleurs* (→ Coloris, cit. 1). *Tremper sa plume dans l'encre,* et, par ext., *dans l'encrier* (→ Table, cit. 12). — Fig. *Tremper sa plume** (cit. 17) *dans le poison, le fiel*.* — Au p. p. *Flèche trempée dans le curare* (→ Convulsif, cit. 3).

2   La femme avait trempé le coin de son tablier dans du vinaigre et m'en frottait le nez et les tempes.   DIDEROT, Jacques le fataliste, Pl., p. 509.

3   Çà et là, seul à une table, un gaillard, en blouse, trempe de grosses tranches de pain dans sa soupe, comme un roulier.
       J. ROMAINS, les Hommes de bonne volonté, t. III, XIX, p. 258.

Baigner, immerger (sujet n. de personne, compl. désignant une partie du corps ou un attribut du sujet). *Tremper ses pieds dans l'eau* (→ Enivrer, cit. 28; prendre, cit. 72). *Tremper ses lèvres dans une boisson* (→ Effluve, cit. 4), commencer à la boire, y goûter, la boire du bout des lèvres. — *Se tremper la tête dans l'eau* (→ Gras, cit. 29). — Fig. *Tremper ses mains dans le sang* : tuer, commettre un meurtre. *Tremper son nom dans la boue* (→ Infect, cit. 2).

4   Ô Télémaque, craignez de tomber dans les cruelles mains de Pygmalion, notre roi : il les a trempées, ces mains cruelles, dans le sang de Sichée, mari de Didon, sa sœur.   FÉNELON, Télémaque, III.

5   Adieu ! et trempez-le dans la mare, pour le baptiser, votre enfant de sauvages !
       ZOLA, la Terre, III, VI.

6   (...) le bon frère, assis dans la cendre, se trempa la barbe en silence dans le bouillon aromatique.
       FRANCE, la Rôtisserie de la Reine Pédauque, V, Œ., t. VIII, p. 38.

7   (...) elle trempait son front, son buste, dans le clair de lune glacé.
       F. MAURIAC, le Nœud de vipères, XX.

♦ **4.** (XIIᵉ, *tenprer*). Techn. Plonger (l'acier porté à une haute température) dans un bain froid pour le rendre plus dur et plus élastique. ⇒ **Trempe.** *Acier qui s'envoile* quand on le trempe.
(Avant 1613, au p. p.). Fig., littér. Douer de fortes qualités morales (⇒ **Trempe,** 2.). ⇒ **Affermir, aguerrir, durcir, endurcir, façonner, fortifier.** *L'humilité trempe les forts* (→ Circonvenir, cit. 3). *L'expérience l'a trempé.*

★ **II.** V. intr. **A.** (1549; *trempeir,* XIIIᵉ). ♦ **1.** Rester plongé (dans un liquide). *Les fleurs trempent dans l'eau d'un vase,* par ext., *dans un vase* (→ Éguelé, cit. 1). ⇒ **Baigner.** *Cuir qui trempe dans la saumure* (→ Férule, cit. 1). *Faire tremper du linge, mettre du linge à tremper,* le laisser longtemps dans l'eau ou la lessive avant de le frotter. ⇒ **Trempage.** — *Faire tremper des aliments.* ⇒ **Macérer, mariner.** *Faire tremper des légumes secs, des aliments déshydratés,* pour qu'ils reprennent leur eau, *de la morue,* pour la dessaler.

8   — J'irai cueillir des fleurs, je les mettrai tremper pour empêcher qu'elles se fanent (...)   C.-F. RAMUZ, la Grande Peur..., IV.

Par anal. *Tremper dans une atmosphère de futilité* (cit. 2). ⇒ **Baigner.**

♦ **2.** (Fin XVIᵉ, *tremper en*). Fig. *Tremper dans...* (une affaire malhonnête, un crime...) : être impliqué dans..., participer à..., être complice de... *Tremper dans une conspiration* (cit. 1), *une affaire suspecte* (→ Périlleux, cit. 1). ⇒ **Fricoter.** *Quelques casuistes* (cit. 1) *ont trempé dans ces corruptions. Il ne veut pas tremper là-dedans.* ⇒ **Mouiller** (se). *Tremper dans le bain*.*

9   (...) il serait fort étrange que ma fille eût trempé dans ce crime.
       MOLIÈRE, l'Avare, V, 3.

---

10   (...) Houten avait aussi quelque chose à faire avec la *Deutsche Bank,* l'Allemagne (...) N'avait-il pas trempé dans une affaire de drogues, de suicide, l'autre année ?
       ARAGON, les Beaux Quartiers, II, VI.

B. (1876). Techn. Enduire de pâte, de colle, les parties à coller d'un livre. *Tremper gras, maigre,* encoller largement, légèrement.

▶ **SE TREMPER.** v. pron.

♦ **1.** S'imbiber, se mouiller. *Tout se trempait dans l'averse* (→ Gonfler, cit. 34).

♦ **2.** Se plonger. *Se tremper dans un bain acidulé* (cit. 2). — Prendre un bain de très courte durée. ⇒ **Trempette** (faire).

11   (...) chacun de nous, chaque dimanche, allait se rouler sur l'herbe ou se tremper dans l'eau dans les campagnes environnantes.
       MAUPASSANT, Toine, Le père Mongilet.

▶ **TREMPÉ, ÉE** p. p. adj.

♦ **1.** (1673). Vieilli. Coupé d'eau. *Vin trempé.*

♦ **2.** (1559). Imbibé. *Pain trempé de cidre* (→ Picorer, cit. 3). — Par métaphore et vx. *Un style acerbe, trempé dans le fiel.* — Très mouillé*. *Herbes* (cit. 14) *trempées de rosée. Visage trempé de larmes, de pleurs, de sueur* (→ Essuyer, cit. 4). ⇒ **Dégouttant; inondé, ruisselant.** (1669). Très mouillé par la pluie. *Être trempé* (→ 3. Mal. cit. 21), *trempé des pieds à la tête* (→ Ouragan, cit. 1), *jusqu'aux os* (→ Cérémonie, cit. 5). ⇒ **Percer.** — Fam. *Trempé comme une soupe.* — Par extension :

12   Les feuillages étaient comme trempés de lumière. Toute la nature avait la joie profonde du matin.   HUGO, Quatre-vingt-treize, I, IV, V.

13   (...) presque chaque jour la pluie me surprenait dans le jardin ; trempé, je rentrais me sécher devant le feu de la cuisine !   GIDE, Isabelle, V.

♦ **3.** (XIIᵉ, *tenpré*). Durci par la trempe. *Acier trempé, verre trempé. Une épée* (cit. 5) *bien trempée.* (Av. 1613). Fig., littér. ⇒ **Aguerri, énergique, fort.** *Caractère bien trempé.*

14   (...) les hommes trempés comme Tartarin ne se laissent pas facilement abattre.
       Alphonse DAUDET, Tartarin de Tarascon, II, VII.

CONTR. Éponger, essuyer, sécher.
DÉR. Trempabilité, trempage, trempant, trempe, trempé, trempée, trempette, trempeur, trempis, trempoir.
COMP. Attremper, détremper, retremper.

TREMPETTE [tʀɑ̃pɛt] n. f. — 1611; de *tremper.*

♦ **1.** Vx ou régional. Morceau de pain, de gâteau, etc., que l'on trempe dans un aliment liquide. ⇒ **Mouillette.**

1   Tout en trempant le croissant dans le café au lait, et donnant des pichenettes à son journal pour qu'il pût tenir grand ouvert sans qu'elle eût besoin de détourner son autre main des trempettes, elle disait (...)
       PROUST, le Temps retrouvé, Pl., t. III, p. 772-773.

Loc. *Faire trempette* : tremper du pain dans un aliment liquide, du sucre dans une boisson (une liqueur) avant de les manger.

♦ **2.** (1904). Cour. *Faire trempette* : prendre un bain (de mer, rivière...) hâtif, sans entrer complètement dans l'eau.

2   Il n'est donc pas vrai que l'homme soit, comme le veut l'idéaliste, en dehors du monde et de la nature, ou qu'il n'y plonge que par les pieds, en rechignant comme une baigneuse qui fait trempette, pendant que son front est dans le ciel.
       SARTRE, Situations III, p. 220.

Par ext. Bain de courte durée. *Nous avons fait une bonne trempette, une petite trempette.*

TREMPEUR [tʀɑ̃pœʀ] n. m. — 1611; de *tremper.*

♦ Techn. Ouvrier qui trempe l'acier ; ouvrier qui trempe le papier.
REM. Le fém. *trempeuse* est virtuel.

TREMPIS [tʀɑ̃pi] n. m. — 1611; «trempage», 1350; de *tremper.*
Technique.

♦ **1.** Solution acide dans laquelle on fait tremper des pièces de métal plaqué qu'on veut décaper.

♦ **2.** (1690). Eau où l'on met du poisson à dessaler. — (1872). Lieu où l'on dessale du poisson.

TREMPLIN [tʀɑ̃plɛ̃] n. m. — 1680; de l'ital. *trampolino* (→ Trampoline), de *trampolo* «échasse», d'orig. germanique.

♦ **1.** Planche élastique sur laquelle on prend élan* pour exécuter un saut. *Les tremplins d'un gymnase, d'un cirque, d'une piscine* (⇒ **Plongeoir**). *Plonger* du premier, du second tremplin. Plongeon du tremplin. Le Saut du tremplin,* poème de Banville (→ Bondir, cit. 4). — (1908, in Petiot). *Tremplin pour le saut à skis. Tremplin olympique.*

1   Le tremplin était posé, et dans la curiosité éveillée et le calme renaissant de la salle, on élevait quatre supports dominant le tremplin d'une hauteur de six pieds (...)   Ed. DE GONCOURT, les Frères Zemganno, LXVI.

Par comparaison :

2 Pour moi, je pars de zéro, exactement. Comme le sauteur à pieds joints, je dois compter sans la complaisance du tremplin.   G. DUHAMEL, Salavin, IV, 7 janv.

♦ **2.** Par métaphore : « (Ils) *font le saut du tremplin sur leur propre cœur* » (→ Farceur, cit. 5). *Celui à qui l'obstacle* (cit. 3) *sert de tremplin.* — (1893). Fig. Circonstance, moyen qui lance qqn dans une entreprise.

3 Le voici, dès son premier volume, se lancer dans une charge à fond contre « les hautes théories »; quelques lignes de l'introduction à l'entomologie de Lacordaire, lui servent de tremplin (...)   GIDE, Journal, 19 juin 1910.

TREMPOIR [tʀɑ̃pwaʀ] n. m. — 1611; *tremproyr* « coupe, vase », 1338; de *tremper.*

♦ Techn. Cuve dans laquelle on fait tremper quelque chose.

TREMPOLINE [tʀɑ̃pɔlin] n. m. ⇒ **Trampoline.**

TRÉMULANT, ANTE [tʀemylɑ̃, ɑ̃t] adj. — Av. 1848; de *trémuler.* Cf. moy. franç. *tremulant* « tremblant », déb. XVIe; de *tremule,* v. 1500; du lat. *tremulus.*

♦ Rare. Littér. Qui tremble (1.), est agité d'un tremblement (1.). *Une voix trémulante.*

Il a la foi de l'inspiré, l'adhésion palpitante, le verdict lyrique, trémulant.   Émile HENRIOT, les Romantiques, p. 404.

TRÉMULATION [tʀemylasjɔ̃] n. f. — 1873; aussi *trémulement,* 1884, Huysmans; dér. du lat. *tremulus* « tremblant ».

♦ Méd. Tremblement à secousses rapides et peu accusées. *Trémulation épileptoïde.* ⇒ **Trépidation** (1.).

Presque tous, en dormant, mâchent de la gomme; on dirait de ces trémulations involontaires des mandibules que l'on voit aux moribonds dans les grandes familles.   G. DUHAMEL, Scènes de la vie future, XV.

TRÉMULER [tʀemyle] v. — 1801; attestation isolée, XVe; du lat. *tremulare.*
Rare.

♦ **1.** V. intr. Trembler.

Le tintement du grelot trémula dans le silence nocturne, clair, régulier, couvrant le bruit des pas.   M. GENEVOIX, Raboliot, III, VI.

♦ **2.** V. tr. (1876). Agiter d'un mouvement semblable au tremblement. *Trémuler les doigts.*

DÉR. **Trémulant.**

TRENAIL [tʀənaj] n. m. — 1843; de l'angl. *treenail* « cheville », de *tree* « arbre », et *nail* « clou ».

♦ Techn. Cheville servant à mettre le tire-fond dans les traverses des voies. — Plur. *Des trenails.*

TRENCH-COAT [tʀɛnʃkot] n. m. — V. 1920; mot angl. (1921) « manteau *(coat)* de tranchée *(trench)* ».

♦ Anglic. Vieilli. Imperméable à ceinture.

1 Des jeunes femmes, des hommes en *trench coats* entraient tête nue, cheveux libres, cols ouverts, des sacs, jumelles, appareils photographiques, couvertures suspendus au bras.   J. CHARDONNE, les Destinées sentimentales, p. 443.

2 (...) il sentit, encore sur le seuil et tout craintif dans son *trench coat* — malgré son amour de la perfection linguistique il s'avoua n'avoir jamais pu désigner autrement son manteau — que la fureur s'allumait dans la maison de ses hôtes.   Marie-Claire BLAIS, Une liaison parisienne, p. 13.
(1954). Abrév., mode : *trench. Des trenchs.*

TRENNEL [tʀɛnɛl] n. m. — 1869; mot languedocien, d'orig. inconnue.

♦ Techn. Huche où l'on place des moules contenant le lait caillé destiné à la fabrication du roquefort.

TRENTAIN [tʀɑ̃tɛ̃] n. m. — 1472; « mesure de capacité », 1398; de *trente.*

♦ **1.** Relig. Série de trente messes dites pour un défunt pendant trente jours consécutifs. *Trentain grégorien.*

♦ **2.** (1676). Anciennt. Drap de luxe dont la chaîne était composée de trente centaines de fils.

♦ **3.** (1550, *in* Petiot). Invar. Vx, sports. Se disait, à la paume, lorsque chaque joueur avait trente points. *Nous sommes trentains.*

TRENTAINE [tʀɑ̃tɛn] n. f. — V. 1155; de *trente.*

♦ Nombre de trente, d'environ trente. *Une trentaine de plats* (→ Honneur, cit. 99). *Une trentaine de mille francs* (→ 2. Outre,

cit. 15). *Personne d'une trentaine d'années* (→ Bandoulière, cit. 2; labourer, cit. 3; précoce, cit. 8). — (Av. 1720). Absolt. Âge de trente ans. *Elle avait dépassé le cap* (cit. 6) *de la trentaine. Approcher la trentaine.*

1 Et puis, nous nous mîmes à discourir sur les âges avec le curé. Nous avions lui et moi franchi la trentaine d'assez loin déjà.   CÉLINE, Voyage au bout de la nuit, p. 342.

2 Le grouillement de ces êtres jeunes le distrayait un instant de sa préoccupation, et, pour la première fois, il sentit peser sa trentaine.   MARTIN DU GARD, les Thibault, t. IV, p. 10.

(1904). Hist. Division d'une compagnie, au XVe siècle, que commandait un trentenier*.

DÉR. **Trentenier.**

TRENTE [tʀɑ̃t] adj. numéral et n. m. — XIe; *trenta,* 980; d'un lat. pop. **trinta,* lat. class. *triginta.*

♦ **1.** Adj. numéral cardinal (*30, XXX*). Trois fois dix. *Mois de trente jours* (→ Échéance, cit. 1). *Avoir trente points. Trente ans de sa vie* (→ Artisan, cit. 3). *La Femme de trente ans,* roman de Balzac. *Passé trente ans les hommes répètent ce qu'ils ont fait* (→ Singer, cit. 2). *La guerre de trente ans* (1618-1648). *Trente mille morts* (→ Bataille, cit. 13). *Trente-deux dents* (→ 2. Mal, cit. 11).

1 Une femme de trente ans a d'irrésistibles attraits pour un jeune homme (...)   BALZAC, la Femme de trente ans, Pl., t. II, p. 761.

Loc. Sports. TRENTE à (de *trentain,* 3.). Se dit au tennis quand les deux camps ont trente.
TRENTE-SIX : nombre utilisé familièrement pour désigner un grand nombre indéterminé. *Il y en a trente-six sortes.* — Absolt. « *Lequel ? — Il n'y en a pas trente-six !* », il n'y a pas d'hésitation possible. ⇒ **Cinquante.** *En voir trente-six chandelles*. Bête comme trente-six mille pots* (cit. 5).

2 Le père Goriot lui répondit que cette dame était sa fille aînée. — Vous en avez donc trente-six, des filles? dit aigrement madame Vauquer.   BALZAC, le Père Goriot, Pl., t. II, p. 869.

2.1 Dépêchons-nous je t'en supplie il y a encore trente-six mille malades à visiter.   Tony DUVERT, Paysage de fantaisie, p. 75.

Loc. fam. *Être au trente-sixième dessous*.* ⇒ **Dessous.**

Disque trente-trois tours, microsillon* effectuant 33 tours par minute. *Disque trente centimètres,* d'un diamètre de 30 cm. — N. m. *Des trente-trois tours. Enregistrer un 33 tours.*

N. m. (Mus., mar.). ⇒ **Trente-deux pieds.**

♦ **2.** Adj. numéral ordinal. Qui suit le vingt-neuvième. ⇒ **Trentième.** *Numéro trente, page trente. Le trente (de) mai. C'était un trente janvier. Les années trente. Elle habite trente, au trente rue des Granges. La maison est au trente. Du premier janvier au trente et un décembre,* toute l'année. (1890). Loc. fam. *Tous les trente-six du mois,* à peu près jamais (→ La semaine des quatre jeudis*). « *Je nage tous les trente-six du mois* » (Aragon, *Aurélien,* I, p. 158).

3 J'ai bien là sous la remise (...) une vieille calèche qui est à un bourgeois de la ville qui me l'a donnée en garde et qui s'en sert tous les trente-six du mois.   HUGO, les Misérables, I, VII, V.

♦ **3.** N. m. Nombre, numéro trente. — (1464). Spécialt. TRENTE-ET-UN : jeu de cartes où chaque joueur essaie de faire 31 points avec trois cartes. (1648). TRENTE-ET-QUARANTE : jeu de cartes où le banquier aligne deux rangées de cartes dont les points réunis ne doivent être ni inférieurs à 31 ni supérieurs à 40. *Jouer* (cit. 31) *au trente-et-quarante* (→ Joueur, cit. 6; tapis, cit. 7).

4 (...) j'en sais une (...) qui a perdu, à trente-et-quarante, vingt mille francs (...)   MOLIÈRE, l'Avare, II, 5.

♦ **4.** (1833, Vidal). Loc. *Se mettre, être sur son trente et un,* ou (vx), *sur son trente-six :* mettre ses plus beaux habits. *Messieurs et dames sur leur trente et un* (→ 2. Air, cit. 22). — REM. Cette expression n'est pas expliquée; on a proposé une altération de *trentain** (2.), et un fig. de *trente et un,* le nombre de points gagnant au jeu du même nom; on peut penser aussi au *trente et un du mois.* Toutes ces hypothèses sont fausses si *sur son trente-six* est antérieur à *sur son trente et un.* On a employé aussi *sur son trente-deux* (1834, *in* D. D. L.; → ci-dessous, cit. 6, Goncourt).

5 TRENTE ET UN, TRENTE-SIX (SE METTRE SUR SON). — Mettre sa plus belle toilette. — Elle s'était mise sur son trente et un, et je puis vous assurer qu'elle était bien ficelée. » (VIDAL, 1833).   LARCHEY, Dict. de l'argot (1872).

6 Des bottines vernies !... vous mettrez des bottines vernies !... mais vous aurez l'air d'un étudiant sur son *trente-deux* !...   Ed. et J. DE GONCOURT, Journal, 26 févr. 1885, t. VII, p. 13.

6.1 Elle rit de me voir dans mon trente-six (...)   E. LABICHE, Maman Sabouleux, 14.

7 Colmar, par ce beau dimanche, était plus animé qu'en temps de paix. Les cafés regorgeaient, les restaurants refusaient du monde. Des soldats sur leur trente et un

partaient à la recherche des façades classées : le portail de Saint-Martin, l'Ancienne Douane, la Maison des Têtes.   R. DORGELÈS, la Drôle de guerre, VIII.

DÉR. Trentain, trentaine, trentenaire, trentième.

TRENTE-DEUX-PIEDS [trɑ̃tdøpje] n. m. invar. — 1803 ; de *trente-deux*, et *pied*, mesure.
Technique.

♦ **1.** Mus. Tuyau de l'orgue, de cette dimension.

♦ **2.** Mar. Bateau de trente-deux-pieds.

TRENTE-ET-QUARANTE [trɑ̃tekaRɑ̃t] n. m. ⇒ **Trente** (3.).

TRENTE ET UN [trɑ̃tœ̃] n. m. ⇒ **Trente** (3. et 4.).

TRENTENAIRE [trɑ̃tnɛR] adj. — 1495 ; de *trente*, d'après *centenaire*.

♦ Rare. Qui dure trente ans. — Dr. *Prescription trentenaire.*
Bernard repose tranquillement à Bagneux ; il a une concession trentenaire, des couronnes, une croix.   A. ARNOUX, Suite variée, Bernard...

TRENTENIER [trɑ̃tənje] n. m. — xvᵉ ; « service célébré trente jours après le décès », 1265 ; de *trentaine*.

♦ Hist. Commandant d'une trentaine*.

TRENTE-SIX [trɑ̃tsis] adj. numéral. ⇒ **Trente**.

TRENTIÈME [trɑ̃tjɛm] adj. numéral ordinal. — 1487, *trentiesme ; trentisme,* v. 1119 ; de *trente*.

♦ **1.** Ordinal de trente. *Le trentième jour du mois. Dans sa trentième année* (→ Prospérité, cit. 5 ; et aussi polémiste, cit. 2). — N. *Être le trentième de sa classe, le trentième sur une liste.*

♦ **2.** (1723, n. m.). Se dit de chacune des parties d'un tout également divisé en trente. *Trentième partie.* — N. m. *Un trentième de ses revenus.*

DÉR. Trentièmement.

TRENTIÈMEMENT [trɑ̃tjɛmmɑ̃] adv. — 1636 ; de *trentième*.

♦ En trentième lieu.

TRÉOU [trɛu] n. m. — 1904 ; mot provençal.

♦ Mar. anc. Régional. Voile de gros temps, carrée, utilisée autrefois sur les voiliers méditerranéens.

TRÉPAN [trepɑ̃] n. m. — V. 1363 ; du lat. médiéval *trepanum*, grec *trupanon* « tarière, trépan ».

♦ **1.** Instrument de chirurgie en forme de vilebrequin, destiné à percer les os, et, spécialt, ceux du crâne. — Par ext. L'opération elle-même.
Ainsi l'épouvantable martyre exercé brutalement sur Pierrette par deux imbéciles tyrans, et qui, dans ses conséquences médicales, mettait monsieur Martener, approuvé par le docteur Bianchon, dans le cas d'ordonner la terrible opération du trépan (...)   BALZAC, Pierrette, Pl., t. III, p. 772.

♦ **2.** (1611 ; *trapan*, 1562). Vilebrequin pour percer la pierre, la roche, pour forer*. ⇒ **Drille, foreuse.**
(1872). *Trépan de sonde :* outil qu'on ajuste à la dernière allonge d'une sonde et qui, par percussion verticale, s'enfonce dans le sol. — Spécialt. Ce même outil commandé du derrick, souvent remplacé, de nos jours, par une pièce métallique ou un assemblage de fraises agissant par rotation. Pour les forages : *trépan à molettes* (⇒ **Tricône**), *trépan à jets, trépan diamanté.*

DÉR. Trépaner.
COMP. Trépan-benne.

TRÉPANATION [trepanasjɔ̃] n. f. — xivᵉ, *trepanacion* ; de *trépaner*.

♦ Chir. Opération qui consiste à pratiquer une ouverture dans un os (spécialt, cour., dans la boîte crânienne).

COMP. Trépano-ponction.

TRÉPAN-BENNE [trepɑ̃bɛn] n. m. — 1973, *Journ. off.* ; de *trépan*, et *benne*.

♦ Techn. Outil de forage constitué par une benne tubulaire lourde équipée de coquilles ouvrantes, permettant de creuser le sol par percussion et d'extraire les déblais. *Des trépans-bennes.*

TRÉPANER [trepane] v. tr. — Av. 1478 ; de *trépan*.

♦ Effectuer une trépanation sur (un patient). *Trépaner un malade atteint d'une tumeur au cerveau.* (Le complément désignant la partie trépanée). *Trépaner la boîte crânienne, l'os pariétal.* — Au p. p. *Malade trépané.* — N. (1872). *Un, une trépanée.*

DÉR. Trépanation.

TRÉPANG [trepɑ̃] n. m. ⇒ **Tripang.**

1. TRÉPAS [trepa] n. m. — xiiiᵉ, *trespas* ; « passage », v. 1130 ; de *trépasser*.

♦ Vx ou littér. Mort (d'un homme). ⇒ Décès, trépassement. *Le trépas vient tout guérir* (→ Devise, cit. 3). *« Et par un beau trépas couronne* (cit. 10) *un beau dessein. » Après mon trépas* (→ Enterrer, cit. 9).

Le pompeux appareil qui suit ici vos pas
N'est point d'un malheureux qui cherche le trépas.   RACINE, Andromaque, I, 1.   1

Que vais-je voir maintenant dans ce même objet qui faisait et partageait mes transports ? L'image du trépas, un appareil de douleur, la vertu malheureuse et la beauté mourante !   ROUSSEAU, Julie ou la Nouvelle Héloïse, III, XIV.   2

(...) l'homme de plume apparut, *ersatz* du chrétien que je ne pouvais être (...) son séjour ici-bas n'avait d'autre but que de lui faire mériter la béatitude posthume par des épreuves dignement supportées. Le trépas se réduisit à un rite de passage et l'immortalité terrestre s'offrit comme substitut de la vie éternelle.   SARTRE, les Mots, p. 208.   3

(1403). Loc. mod., littér. *Passer de vie à trépas* (→ Pauvre, cit. 27) : mourir.

HOM. 2. Trépas.

2. TRÉPAS [trepa] n. m. — 1340, *trespas* ; de *trespasser* « passer ».

♦ Archéol. Coulant de ceinture, souvent en métal (au moyen âge).

HOM. 1. Trépas.

TRÉPASSÉ, ÉE [trepase] adj. et n. ⇒ **Trépasser.**

TRÉPASSEMENT [trepasmɑ̃] n. m. — V. 1155, *trespassement* ; de *trépasser*.

♦ Vx ou littér. Mort, trépas.

TRÉPASSER [trepase] v. intr. — V. 1155, *trespasser* ; « dépasser en marchant », 1080 ; de *passer*, et préf. *tres-*, lat. *trans* ; → aussi Transir, étymologie.

♦ Vx ou par plais. Mourir ; décéder. *Il a vu passer, repasser* (cit. 2) *et trépasser les ministres. Il avait trépassé ; il était trépassé* (→ Principal, cit. 1).

Ah ! Philis, je trépasse ;
Daigne me secourir (...)   MOLIÈRE, la Princesse d'Élide, IVᵉ intermède, 2.   1

(Il) ne pouvait que la tenir dans ses deux bras, en l'appelant sa chère mère, sa chère amie et en la priant, comme si la chose était en son pouvoir, de ne pas trépasser si vite et sans entendre ce qu'il voulait lui dire.   G. SAND, François le Champi, XVIII.   2

▶ **TRÉPASSÉ, ÉE** p. p. et adj. (xiiiᵉ).
Mort. *« Qu'il vaut mieux être encor cocu* (cit. 3) *que trépassé »* (Molière). — N. m. pl. *Les trépassés :* les morts. *Priez pour les trépassés !* (1690). *La fête des trépassés :* la fête des morts, le 2 novembre. *La baie des Trépassés,* sur les côtes de Bretagne, entre la pointe du Raz et la pointe du Van.

Las ! pour un trépassé vous êtes bien gaillard !   MOLIÈRE, l'Étourdi, II, 4.   3

Dans la plupart des hameaux de la Bretagne, c'est ordinairement à la pointe du jour que l'on sonne pour les trépassés. Cette sonnerie compose, de trois notes répétées, un petit air monotone, mélancolique et champêtre.   CHATEAUBRIAND, Mémoires d'outre-tombe, éd. Levaillant, t. I, p. 132.   4

Et l'archange cria : « Trépassés ! trépassés !
Levez-vous, accourez, venez, comparaissez !
Voici l'instant où l'aigle aura peur des colombes. »   HUGO, la Légende des siècles, LIV, V.   5

DÉR. Trépas, trépassement.

TRÈPE [trɛp] n. m. — xviiiᵉ, *in* Cellard et Rey ; probablt de *trèpe* « troupeau », mot régional, de *tréper* « fouler aux pieds ». → Trépigner.

♦ Argot, puis fam. Foule ; gens en grand nombre.
Les charrettes emmenant le trèpe au spectacle animaient seules la chaussée, et sur les trottoirs les piétons s'étaient raréfiés (...)   Albert SIMONIN, Hotu soit qui mal y pense, p. 43.

Var. graph. : *trêpe. « Quand le trêpe commence à rappliquer... »* (Cavanna, les Ritals, p. 131).

TRÉPHOCYTE [trefɔsit] n. m. — Mil. xxᵉ ; du rad. de *trépho(nes)*, et *-cyte*.

♦ Méd. Leucocyte qui élabore des tréphones*.

Des cellules mises en culture sont capables pendant quelques jours de proliférer en l'absence de tréphones (...) Mais leur prolifération ultérieure ne peut se faire que grâce à l'addition périodique de tréphones, sous forme de jus embryonnaire, au milieu de culture. Certains éléments tels que ceux de la rate et de la moelle osseuse adultes auraient la propriété d'élaborer les tréphones. On leur a donné le nom de tréphocytes.   Jean VERNE et Simone HÉBERT, la Culture de tissus, p. 12.

DÉR. Tréphocytose.

TRÉPHOCYTOSE [tʀefɔsitoz] n. f. — Mil. xxᵉ; de tréphocyte.

♦ Méd. Action des tréphocytes, production de tréphones.

TRÉPHONE [tʀefɔn] n. f. — 1924, Carrel; du grec trephô « je nourris ».

♦ Biol. Substance nutritive des extraits embryonnaires, capable de stimuler la croissance cellulaire (→ Tréphocyte, cit.).

Les extraits embryonnaires, connus depuis les expériences de Carrel, devraient leurs propriétés à la présence de tréphones.
                        Charles BOURGEOIS, Chimie de la beauté, p. 53.

TRÉPIDANT, ANTE [tʀepidɑ̃, ɑ̃t] adj. — 1881; de trépider.

♦ 1. Qui trépide, est agité de petites secousses ou oscillations rapides. Plaque (cit. 2) trépidante d'un passage à soufflets entre deux wagons.

♦ 2. Qui se déroule sur un rythme très rapide, va très vite. Allure trépidante.

1 Mais brusque ou lente, érotique ou chaste, mélancolique ou trépidante, la danse yankee, d'influence nègre, avait comme origine, comme source profonde, la vieille Afrique immémoriale, où tout est magique, rituel et sacré.
                        Francis DE MIOMANDRE, Danse, p. 61.

♦ 3. Fig. D'une activité incessante, d'une agitation perpétuelle. La vie trépidante des grandes villes.

♦ 4. (Personnes). Très agité.

2 Cinq ou six fois, le front plissé, haletante, trépidante et si lasse qu'elle avait, disait-elle, le ventre dans les talons, elle passa la dernière revue de l'hôtel.
                        O. MIRBEAU, le Journal d'une femme de chambre, p. 211.

CONTR. Calme; immobile.

TRÉPIDATION [tʀepidasjɔ̃] n. f. — 1290; du lat. trepidatio, de trepidare → Trépider.

♦ 1. Vx. (D'une personne). Tremblement.

1 Quand il eut écrit ces lettres, il éprouva néanmoins une trépidation involontaire : il palpitait, il tressaillait.   BALZAC, le Père Goriot, Pl., t. II, p. 917.

(1690). Mod., méd. Tremblement à secousses rapides bien marquées. ⇒ Trémulation. Trépidation épileptoïde (ou spinale), rotulienne. ⇒ Clonus.

♦ 2. (1788; du sol). Mod. Ébranlement, agitation de ce qui subit de petites oscillations ou secousses très rapides; mouvement saccadé*. Trépidation d'un navire, d'une automobile au ralenti (→ Ronronnement, cit. 4), d'un wagon de chemin de fer. Pneumatiques, amortisseurs contre la trépidation.

2 Longue attente dans ce roulement de voitures du Boulevard Saint-Germain, dans ce bruit et cette trépidation de la vie parisienne (...)
                        Ed. et J. DE GONCOURT, Journal, 18 août 1887, t. VII, p. 153.

3 Le tapement saccadé de la machine s'accentue, et une chaleur s'épaissit autour de nous. À mesure qu'on avance, l'air tassé du boyau en vibre de plus en plus. Bientôt, la trépidation du moteur nous martèle les oreilles et nous secoue tout entiers.
                        H. BARBUSSE, le Feu, II, XXIII.

4 Brusquement les machines s'arrêtèrent. La trépidation cessa d'un seul coup, en même temps que le bruit de fond qui accompagnait le navire depuis son départ.
                        A. ROBBE-GRILLET, le Voyeur, p. 11.

Fig. Agitation incessante (⇒ Trépidant). La trépidation (les trépidations) d'une vie agitée.

TRÉPIDER [tʀepide] v. intr. — 1801; « s'agiter », 1495; du lat. trepidare, de trepidus « qui s'agite ».

♦ Être agité de petites secousses ou oscillations rapides. La margelle trépidait comme le plancher (cit. 2) d'un train. ⇒ Remuer. Ce petite insecte qui trépidait là-haut (un aéroplane). → Bourdonnement, cit. 3. La maison trépidait au passage des camions.

1 Soufflant dans les plus graves de ses plus gros tuyaux, l'orgue fait trépider l'eau dormante des bénitiers (...)   Hervé BAZIN, Cri de la chouette, p. 56.

Par plais. (jeu avec trépigner) :

2 Elle ne saurait plus tarder; l'autocar qui la transporte fend l'air; sa carrosserie trépide d'impatience (...)   R. QUENEAU, le Chiendent, p. 253.

DÉR. Trépidant.
COMP. Trépidomètre.

TRÉPIDOMÈTRE [tʀepidɔmɛtʀ] n. m. — 1923; de trépider, et -mètre.

♦ Techn. Appareil de sécurité, sismographe servant à enregistrer les trépidations et à mesurer leur amplitude. Le trépidomètre d'un avion, d'un pont, d'un barrage.

TRÉPIED [tʀepje] n. m. — XIIIᵉ, trepiet; trepez, v. 1200; du lat. tripes, tripedis « à trois pieds ».

♦ 1. Support à trois pieds. Trépied d'une lampe. Glace à trépied (→ Articuler, cit. 4). Trépied télescopique d'un appareil photographique. — Spécialt. Support métallique pour mettre un ustensile de cuisine au feu. ⇒ Chevrette. Chaudron, poêle sur un trépied (→ Glapir, cit. 3; goudron, cit. 2).
Techn. Support de bois du charron. ⇒ Selle (I., 4.).

♦ 2. (1559, tripié). Antiq. grecque. Siège à trois pieds où la Pythie rendait l'oracle d'Apollon. Pythie (cit. 1) sur le trépied de Delphes (→ Enthousiasme, cit. 1). Rivalité d'Apollon et de Bacchus pour le trépied du temple (→ 1. Orphique, cit.). — Le trépied, motif décoratif des styles Directoire et Empire.

1 Quand, relevant sa robe antique,
Elle s'assoit au trépied d'or,
Et dans sa pose fatidique
Attend le dieu qui tarde encor.   Th. GAUTIER, Émaux et Camées, « Apollonie ».

♦ 3. (1353, trepié). Meuble à trois pieds (guéridon, tabouret, sellette).

2 (...) sur le trépied en rotin trône un pot de fleur enrubanné.
                        J. ROMAINS, les Hommes de bonne volonté, t. III, XXII, p. 285.

3 De loin en loin se dressaient des sièges d'ébène, des bahuts noirs et des trépieds, qui portaient de vieux vases aux courbures délicates.
                        H. BOSCO, Un rameau de la nuit, III.

♦ 4. Archéol. Vase à trois pieds.

TRÉPIGNANT, ANTE [tʀepiɲɑ̃, ɑ̃t] adj. — 1588, Montaigne; p. prés. de trépigner.

♦ Qui trépigne.

Elle (la petite pièce) fut suivie d'un entr'acte si long que les spectateurs revenus à leurs places s'impatientaient, tapaient des pieds (...)
Et je regardais d'un air suppliant ces brutes trépignantes qui allaient briser dans leur fureur l'impression fragile et précieuse que j'étais venu chercher.
                        PROUST, À l'ombre des jeunes filles en fleurs, Pl., t. I, p. 448.

TRÉPIGNÉE [tʀepiɲe] n. f. — 1867; de trépigner.

♦ Vx, pop. Volée de coups, correction.

TRÉPIGNEMENT [tʀepiɲmɑ̃] n. m. — 1552, trépinement; de trépigner.

♦ Action de trépigner, mouvement d'une personne qui trépigne. Le trépignement des Bacchantes (→ Évoé, cit. 2). Les trépignements d'une danseuse. Trépignements des enfants (→ Niaiserie, cit. 3), du public (→ Battement, cit. 3; 1. flèche, cit. 13; hurlement, cit. 4). Un, des trépignements de colère, d'impatience.

Les cris, les rires, le trépignement de ces mille pieds faisaient un grand bruit et une grande clameur.   HUGO, Notre-Dame de Paris, I, 1.

Mouvement du cheval qui trépigne. ⇒ Piaffement.

TRÉPIGNER [tʀepiɲe] v. — 1534; « avancer d'un pas mal assuré », 1461; de l'anc. franç. treper « frapper du pied, sauter, danser », XIIᵉ; du francique *trippôn « sauter ».

★ I. V. tr. Frapper des pieds contre terre à plusieurs reprises d'un mouvement rapide, en restant sur place. Danseur espagnol qui trépigne. — Par pléonasme. Trépigner des pieds. Pieds qui trépignent.

Cour. Trépigner de (suivi d'un complément désignant un sentiment) : frapper des pieds, s'agiter en tous sens, sous l'effet de. Trépigner de joie. ⇒ Sauter. Trépigner de colère, d'impatience. ⇒ Impatienter (s'); (fig.) piaffer.

1 Ces paroles furent péniblement prononcées d'un ton bas, et elle trépignait des pieds comme un enfant gâté qui s'impatiente.
                        BALZAC, les Chouans, Pl., t. VII, p. 1062.

2 (...) la foule trépignait d'enthousiasme (...)
                        HUGO, Notre-Dame de Paris, VIII, VI.

3 (...) les bras s'arrondissent autour des corsages, les pieds trépignent sur le sol pailleté d'or, et les danses ne tardent pas à se former.
                        Th. GAUTIER, Voyage en Russie, XX.

4 Et nous étions là, tous deux, forcés de rester à table, trépignant d'impatience !
                        ALAIN-FOURNIER, le Grand Meaulnes, II, VI.

Par ext. S'agiter violemment sous l'effet d'un sentiment. Il avait attendu trois heures, et commençait à trépigner.

(1680). Piaffer d'un mouvement rapide, en parlant d'un cheval.

★ II. Trans. (1690; trépigner la terre, XVIᵉ). Rare. ♦ 1. Piétiner* avec violence. Je l'ai vu la jeter par terre, et lui trépigner (→ Accès, cit. 10).

5 (...) je lui collai la tête dans le menton et je lui trépignai les pieds en même temps.
                        J. GIONO, Un de Baumugnes, Pl., t. I, p. 303.

♦ **2.** (Av. 1880, Flaubert). Dire du mal de (qqn), maltraiter verbalement.

DÉR. **Trépignant, trépignée, trépignement, trépigneuse.**

TRÉPIGNEUSE [tʀepiɲøz] n. f. — 1907 ; de *trépigner*.

♦ Agric. Machine utilisant la force animale, dont la partie essentielle consiste en un tablier roulant, incliné, actionné par la marche sur place de chevaux, de bœufs.

TRÉPOINTE [tʀepwɛ̃t] n. f. — 1408 ; de l'anc. franç. *trépoindre* « piquer *(poindre)* au travers ».

♦ Techn. (relativement cour.). Bande de cuir entre deux cuirs cousus ensemble, pour renforcer la couture. — Spécialt. Petite bande de cuir cousue le long du bord de l'empeigne d'une chaussure, pour consolider la semelle.

TRÉPONÉMATOSE [tʀeponematoz] n. f. — xxᵉ ; de *tréponème*.

♦ Méd. Maladie infectieuse et contagieuse causée par des tréponèmes (syphilis, pian, etc.).

TRÉPONÈME [tʀeponɛm] n. m. — 1909, *Larousse mensuel* ; *treponema*, 1905 ; du grec *trepô* « je tourne », et *nêma* « fil ».

♦ Biol. Genre de micro-organisme mobile *(Spirochètes)* présentant des spires, parasite de l'homme et des animaux, comprenant plusieurs espèces pathogènes, dont le *tréponème pâle (treponema pallidum)*, agent de la syphilis.

(...) les infirmiers sénégalais en blouse blanche luttaient à doses généreuses contre la menace des tréponèmes et des gonocoques (...)
R. GARY, la Promesse de l'aube, p. 291.

COMP. **Tréponématose.**

TRÈS [tʀɛ] adv. — 1080, *Chanson de Roland* ; du lat. *trans*, prononcé *tras* « au delà de », qui, employé comme préverbe, pouvait avoir le sens de « de part en part, complètement » ; d'où son emploi comme adv. superlatif en lat. pop., conservé par le franç. *très* ; encore souvent employé en anc. franç. comme préposition, au sens de « depuis, jusqu'à », etc., mais exclusivement adv. depuis le xviᵉ ; son caractère originel de préfixe a longtemps subsisté dans l'orthographe : il est accolé au mot dans le *Dictionnaire* de R. Estienne *(tresbon, treslong,* etc.), et on l'a lié ensuite au mot par un trait d'union *(très-bon),* que l'imprimeur Didot fut le premier à supprimer, suivi par l'Académie, en 1877.

Adverbe d'intensité, marquant le superlatif (cit. 4) absolu. À un haut degré. ⇒ **Bien, fort, tout** ; et aussi **excessivement, extrêmement.**

REM. 1. *Très* est de l'usage le plus courant en français moderne, alors que *bien, fort, tout* sont légèrement archaïques ou régionaux, ou ont une valeur stylistique.
2. La langue parlée le redouble volontiers : *je suis très, très content.*

♦ **1.** (Devant un adj.). *Très égoïste, très habile* (cit. 11). *Il faut être ou très riche ou très malin* (cit. 11). *Très gentil.* ⇒ **Plein** (tout). *Il n'est pas très spirituel* (→ Calembour, cit. 5). *Ma très chère Madame* (cit. 10). *Les rois** (cit. 5) *très chrétiens. Le Très-haut*. Un habit très propre* (cit. 25). ⇒ **Parfaitement.** *C'est très humiliant* (cit. 5). *C'est très drôle.* ⇒ **Rien** (pop. et vieilli), **trop.** *Mort* (1. Mort, cit. 26) *très proche.* « *Le superflu, chose très nécessaire* » (cit. 8). *Supposition* (cit. 5) *très vraisemblable.* ⇒ **Hautement.** *Très supérieur, très inférieur.* (Mais on dit : *bien meilleur, bien pire...*). — REM. On évite d'employer *très* devant un adjectif qui n'est pas susceptible de degré *(très infini, très essentiel)* ou qui a par lui-même une valeur de superlatif. → (cependant) Extrême, infime, minime.

1 Madame d'Arsac, d'Avignon, disait à ses filles : Mesdemoiselles, il ne faut jamais croire au *très* (au très beau, au très méchant ; il n'y a que du médiocre en ce monde).
STENDHAL, Mémoires d'un touriste, t. I, p. 221.

(xiiiᵉ). Devant une expr. employée adjectivement. *Un bourgeois très comme il faut* (cit. 34). *Un objet très bon marché* (cit. 17). *Il a l'air très en forme.* « *Je suis très en colère* ». *Très collet monté. Très au courant, très à la mode, très à la page, très en avance, très en retard...* — (Devant un nom employé adjectivement). « *Oui, vous êtes sergent, Monsieur, et très sergent* » (cit. 1). *Il est très honnête homme* (→ Caution, cit. 7). *Elle est très femme, très enfant, très femme du monde. Amoureux demeurés très enfants* (→ Câlinerie, cit. 2). *Très premier prince du sang* (→ Majesté, cit. 9). *Très Donatello* (→ Maniérisme, cit. 2). *Très fin de siècle, très 1900* (→ Paletot, cit.), *très Régence... Assez Province* (cit. 9), *et très sud-ouest.* — *C'est très dommage.*

2 (...) un vieil émigré français, qui ne s'est jamais abaissé à parler allemand, très aimable, très sourd, très dix-huitième siècle (...)
Ed. et J. DE GONCOURT, Journal, 2 sept. 1872, t. V, p. 56.

3 C'était un très-au vent d'octobre paysage (...)
Jules LAFORGUE, Complaintes, Complainte d'un autre dimanche.

4 Quand il roule l'R, il est très en colère !
Edmond ROSTAND, Chantecler, I, 4.

5 (...) il portait bien la confection, des costumes clairs, très dernière mode, d'après les catalogues.
ARAGON, les Beaux Quartiers, I, VII.

Dans une clairière, une grande antilope-cheval, tout près de nous, qui ne fuit pas quand l'auto s'arrête ; très miracle de saint Hubert. 5.1
GIDE, Voyage au Congo, p. 814.

♦ **2.** Devant un participe (cit. 5) passé à valeur d'adj. *Démarche très assurée* (cit. 66). *Idées très exaltées.* ⇒ **Assez.** *Air très connu* (→ Murmure, cit. 4). *Opinion très répandue* (→ Passer, cit. 25). *Très doué.* ⇒ **Follement, rudement** (→ Plupart, cit. 11). *Très avancé, très précoce* (cit. 9). *Très marqué.* ⇒ **Fortement.** *Je suis très gêné* (cit. 24). *J'étais très lancé* (1. Lancer, cit. 30).

(Devant un p. p. gardant sa valeur verbale de passif). *Il en fut très mortifié* (cit. 4, Lesage). « *Gênes était toujours très menacée par les Piémontais* » (Voltaire, *in* Girault-Duvivier, t. II, p. 1282). *Il était très respecté à la Chambre* (→ Speaker, cit. 1). *Très apprécié en Angleterre* (→ 2. Loupe, cit. 3). *Elle était très flattée* (cit. 15) *de l'impression qu'elle produisait. Il était très saisi de se sentir aux prises* (cit. 7) *avec le souvenir.*

Le grand-duc Michel (...) est très aimé dans le monde et très haï des soldats. 6
HUGO, Choses vues, II, VIII.

REM. Quoique condamné dès le xviiiᵉ s. (Cf. Brunot, *Hist. de la langue franç.*, VI, p. 1510), cet emploi de *très* est autorisé par les meilleurs auteurs et par l'usage, et justifié par le caractère d'adj. qu'y prend le participe passif. Mais il est peu correct d'employer *très* dans le tour pronominal *(je m'en suis très occupé)* ; la présence de l'auxiliaire *être* n'enlève rien au caractère actif du verbe, et *très* ne peut que modifier un état. → Beaucoup. Quant à l'emploi de *très* à l'actif, qu'on rencontre parfois aujourd'hui dans certains écrits, il est franchement incorrect ; l'exemple de Mᵐᵉ de Sévigné, si souvent cité depuis Littré : « *Ils m'ont très assuré que (...)* » (*Lettre du 30 sept. 1676*), n'est qu'une des leçons fautives des éditions anciennes, pour « *Ils m'ont tous assuré que (...)* » (cf. éd. Gérard Gailly, Pl., t. II, p. 213).

Je lis dans les *Phoinissiennes*, traduites par Leconte de Lisle (p. 195) : « Ils ont 7 *très irrité* le malheureux homme », qui me paraît inadmissible... « Ont irrité » n'est ici qu'un temps de verbe, participe conjugué avec son auxiliaire, et ne supporte pas plus le comparatif ou le superlatif que le pluriel. Les fautes de logique me paraissent toujours les plus graves. GIDE, Journal, 30 mai 1930.

♦ **3.** (Devant un adv.). *Elle lisait* (1. Lire, cit. 22) *bien, très bien même.* ⇒ **Drôlement, joliment.** *Très mal* (→ Cadet, cit. 2). *Très peu* (→ Bossuer, cit. 3). *Très souvent* (→ Cadeau, cit. 1). *Très longtemps* (→ Multitude, cit. 5). *Très tôt, très tard. Très loin. Très familièrement* (cit.). *Très profondément* (cit. 2). *Très attentivement* (→ Ombrer, cit. 1). *Très volontiers.* Fam. *Très bientôt, à très bientôt* (ces expr. ont été critiquées).

Heureusement, Villiers nous promet une grande édition de ses œuvres complètes, 8 six volumes, — et quels ! pour très bientôt. VERLAINE, Poètes maudits, V.

Devant une loc. adv. ou prép.). *Très à la hâte* (→ Prêt, cit. 7, Rousseau). *Arriver très en avance. Très en dessous de...* (→ Stock, cit. 3). *Très au-delà de...* (→ Immédiat, cit. 6).

Cette lettre vint très à propos pour eux (...) RACINE, Port-Royal, I. 9
Quand je parle de labourer la terre, je parle très à la lettre. 10
VOLTAIRE, Correspondance, 1595, 19 déc. 1758.

♦ **4.** (1370). Dans des locutions verbales d'état, composées des verbes *faire* et *avoir* et d'un substantif.

a (Devant un adjectif substantivé). *Il faisait très chaud* (⇒ **Bigrement** ; → 1. Manche, cit. 6), *très sombre* (→ Mantelet, cit. 3). *Avoir très froid. J'ai très mal à la tête.* « *Elle s'était fait très mal* » (R. Rolland, *Jean-Christophe*, L'adolescent, p. 60).

— Si vous sortez, repartit M. Leblanc, mettez ce pardessus. Il fait vraiment très 11 froid. HUGO, les Misérables, III, VIII, IX.
Comme j'avais très froid dans ce creux humide, j'en sortis par un sentier (...) 12
FRANCE, Jean Marteau, I, *in* Crainquebille, p. 218.
(...) l'Allemand se planta devant Élisabeth, sourit et grommela : — Beaucoup froid, 13 aujourd'hui, Mademoiselle. — Oui, il fait très froid, dit-elle d'un ton sec.
H. TROYAT, la Rencontre, III, I.
— J'avais mal aux reins, j'avais très mal (...) 14
SAINT-EXUPÉRY, Pilote de guerre, X.

b (Devant d'autres substantifs). *Avoir très faim* (cit. 17), *très soif, très sommeil* (cit. 7, Proust). *Avoir très peur, très envie. Faire très attention.*

(...) il ne trouvait du temps libre que quand il avait très envie d'une chose. 15
PROUST, À la recherche du temps perdu, t. VI, 2, p. 27, *in* DAMOURETTE et PICHON, § 974.
J'ai très peur des images, dit Bertrand 16
A. MAUROIS, le Cercle de famille, III, IV.
Malgré la chaleur déjà étouffante, Angélo avait très soif de quelque chose de 17 chaud. J. GIONO, le Hussard sur le toit, I.
(...) rien ne l'irrite autant que l'emploi de « très » devant des mots qui, comme il le 17.1 dit très justement, ne comportent pas le comparatif (...) Avant qu'il ne m'ait fait remarquer, je disais couramment : « J'ai très faim », ou « J'ai très sommeil », ou « J'ai très peur ».
Pourquoi pas tout de suite : « J'ai très courage » ou : « J'ai très migraine », m'a-t-il dit ?
Je crois comprendre la nuance (...) mais, maintenant, par crainte de me tromper, je n'ose presque plus employer le mot *très*.
GIDE, l'École des femmes, *in* Romans, Pl., p. 1273.
Comme il avait très honte de l'air « mari » avec lequel il avait posé sa question, il 17.2 baissa le nez (...) R. QUENEAU, le Dimanche de la vie, p. 203.

♦ **5.** (xvᵉ ; Charles d'Orléans, Cf. Damourette et Pichon, § 974). Absolt, fam. *Êtes-vous satisfait? — Très. Vous avez passé de bonnes vacances? — Non, pas très,* pas très bonnes.

— Et puis, voyons, il est intelligent. — Ou...i.
Mais pas très : car son œil n'est jamais ébloui.
Edmond ROSTAND, Chantecler, I, 4.

REM. En franç. d'Afrique et dans plusieurs constructions, *très* s'emploie fréquemment au sens de «trop» (I. F. A.).

CONTR. **Faiblement, guère, légèrement, pas, peu.**

TRÉSAILLE [tʀezaj] n. f. — 1765; *tréseille,* 1680; de l'anc. franç. *teseiller,* de *teser* «tendre»; d'un lat. pop. **tensare.* → Étrésillon.

◆ Techn. Pièce de bois horizontale qui maintient les ridelles d'une charrette.

TRÉSAILLÉ, ÉE [tʀezaje] ou **TRÉSALLÉ, ÉE** [tʀezale] adj. — 1923, *trésaillé; trésallé,* 1893; *tressaillé,* 1803; *se trézaller* «se fendiller», 1767; anc. franç. *tresaler* «aller au delà, disparaître», de *trés-* (lat. *trans*), et *aller.*

◆ Techn. Fendillé par la chaleur. *Tableau trésaillé. Faïence trésallée.*

DÉR. **Trésaillure.**

TRÉSAILLURE [tʀezajyʀ] n. f. — 1923; *tressaillure,* 1803; de *trésaillé.*

◆ Techn. État, aspect d'une faïence, d'un enduit trésaillé.

TRESCHEUR ou **TRÉCHEUR** [tʀeʃœʀ] n. m. — 1611, *trescheur; trécheur,* 1765; *trechoir, treschoir,* 1276; de *treceor, treçoir* «galon, ruban de tête», 1160; *trecedoir* «tresse», fin XIe. → Tresse.

◆ Blason. Modification de l'orle (pièce plus étroite).
La bordure intérieure ou *orle* dessinant comme un écusson vidé peut être ornée de fleurs de lys sur le corps desquelles elle broche. On appelle cette figure : *trescheur fleuri contrefleuri* ou *tressure.* G. D'HAUCOURT et G. DURIVAULT, le Blason, p. 64.

TRÉSILLON [tʀezijɔ̃] n. m. — XVIe, *tésillon;* → Étrésillon (étymologie).

◆ Mar. Morceau de bois servant de levier pour serrer deux cordages que l'on veut réunir.

TRÉSOR [tʀezɔʀ] n. m. — V. 1050; du lat. *thesaurus,* grec *thêsauros,* → Thesaurus, avec addition d'un *r.*

★ **I.** ◆ **1.** Réunion de choses précieuses amassées pour être conservées (généralement en les cachant). *Un trésor de pièces d'or, de pierres précieuses... — Une cache* (cit. 1) *pour un gros trésor. Accumuler des trésors* (→ 1. Hypogée, cit. 2). ⇒ **Amasser** (cit. 12), **entasser, thésauriser.** *Enfouir* (cit. 1) *le trésor. Un chercheur de trésors* (→ Bêche, cit. 2). *Chasse au trésor. Découvrir des trésors* (→ Magicien, cit. 4). *Prendre, ravir un trésor* (→ Dragon, cit. 2; joindre, cit. 1). La *Toison d'or, trésor célèbre dans l'Antiquité. Les trésors fabuleux de la Perse, les trésors de Golconde. La caverne des trésors,* dans Ali-Baba. *L'Île au trésor,* titre français d'un roman de Stevenson. — Allus. littér. «*Un trésor est caché* (cit. 51) *dedans...*»

L'avare rarement finit ses jours sans pleurs;
Il a le moins de part au trésor qu'il enserre,
Thésaurisant pour les voleurs,
Pour ses parents ou pour la terre.
LA FONTAINE, Fables, IX, 16.

Il ouvrit le coffre : c'était le trésor à partager, pêle-mêle des vases sacrés, des quadruples, une pluie de perles et une rivière de diamants.
Aloysius BERTRAND, Gaspard de la nuit, Espagne et Italie, IV.

Nous évaluâmes cette nuit le contenu total du coffre à un million et demi de dollars ; et, lorsque plus tard nous disposâmes des bijoux et des pierreries (...) nous trouvâmes que nous avions singulièrement sous-évalué le trésor.
BAUDELAIRE, Trad. E. POE, Histoires extraordinaires, «Scarabée d'or».

Le *trésor d'une église,* comprenant aussi bien des objets d'une valeur matérielle que des objets d'art, des reliques, et conservés dans le «trésor» (I., 4.).

C'est là que l'on garde le trésor, c'est-à-dire les belles chapes de brocart, de toile d'or frisée, de damas d'argent; les merveilleuses guipures, les châssis de vermeil, les ostensoirs de diamants, les gigantesques chandeliers d'argent, les bannières brodées, tout le matériel et les accessoires de la représentation de ce sublime drame catholique qu'on appelle la messe. Th. GAUTIER, Voyage en Espagne, p. 114.

(1690). Dr. «Chose cachée ou enfouie, sur laquelle personne ne peut justifier de sa propriété et qui est découverte par le seul effet du hasard» (Code civil, art. 716, § 2). *Inventeur d'un trésor.*

Par métaphore. Chose précieuse que l'on amasse, que l'on cache, ou que l'on peut découvrir). *Je tirais de mon havresac* (cit. 1) *le manuscrit, puis serrais mon trésor.* — (Sens abstrait). *Accumuler* (cit. 10), *amasser* (→ Aumône, cit. 1) *un grand, de lourds trésors. Trésor caché* (→ Honnête, cit. 12). *Chercher* (cit. 39) *les trésors obscurs de sa mémoire.* Poét. «*Yeux où* (...) *scintillent* (cit. 1) *vaguement des trésors ignorés*».

Ils demandèrent la sagesse :
C'est un trésor qui n'embarrasse point. <div align="right">LA FONTAINE, Fables, VII, 6.</div> 5

◆ **2.** (1534, *thesors*). Souvent au plur. Grandes richesses concrètes; masse monétaire importante. ⇒ **Argent, fortune, magot; thésauriser.** *Carthagène, entrepôt* (cit. 4) *des trésors que l'Espagne tire du Mexique. Dissiper des trésors immenses ménagés* (cit. 1) *avec soin.*

Une ivresse générale avait comme saisi cet empire d'un jour. Tous les militaires, sans en excepter leur chef, jouissaient en parvenus des trésors conquis par un million d'hommes à épaulettes de laine (...) 6
BALZAC, la Paix du ménage, Pl., t. I, p. 992.

Inconcevable dissipation par la main gauche des trésors péniblement gagnés par la main droite. G. DUHAMEL, Scènes de la vie future, XV. 7

C'est l'asile et c'est aussi la formidable cachette. Tous les trésors des rois, grossis de siècle en siècle, tout l'or de France, tout ce qu'on extrait du peuple, tout ce qu'on arrache au clergé, tout le butin ramassé sur les champs de bataille de l'Europe, c'est dans la caverne royale qu'on l'entasse. Vieux sous d'or, écus reluisants, doublons, ducats, florins, guinées, et les pierreries, et les diamants, et tous les joyaux, et toutes les parures, tout est là. Qui le découvrirait? Qui saurait jamais le secret impénétrable de l'Aiguille? M. LEBLANC, l'Aiguille creuse, p. 206-207. 7.1

Trésors artistiques : ensemble, collection d'œuvres considérées comme particulièrement précieuses (→ Changer, cit. 2). *Les trésors qui ornaient cette pièce* (→ Parloir, cit. 1). *Les trésors des musées du Louvre, du Prado... Les trésors de l'art italien.*

(...) dans un quartier qui n'a nullement besoin de voies plus larges, on projette de démolir la maison de Delacroix, celle de Racine et une vingtaine d'hôtels dont chacun serait, aux États-Unis ou en Allemagne, un trésor intangible. 8
GIRAUDOUX, De pleins pouvoirs à sans pouvoirs, III, p. 78.

Par métaphore. *Les trésors de la terre* (→ Croire, cit. 56; ouvrir, cit. 15). — Poét. et vieilli. *Les trésors du printemps, de Cérès, de Bacchus :* les fleurs, les moissons, la vendange.

Trésor de guerre : masse d'argent destinée à subvenir aux dépenses d'une guerre.

◆ **3.** (Fin XIIIe). Ancienn. Ensemble des ressources financières dont disposait un souverain (le Trésor du roi et le Trésor de l'État étaient plus ou moins confondus). ⇒ **Épargne** (cit. 15; et *supra* cit. 14). *Trésor des ducs de Normandie.* ⇒ **Échiquier** (C.; étym.). — *Le trésor particulier du roi était appelé cassette royale. Officier du trésor royal.* ⇒ **Chambrier, trésorier.** *Un financier* (cit. 1) *peut être le dépositaire des fonds qui forment le trésor du souverain.*

Les baillis et sénéchaux centralisaient les revenus, perçus par les prévôts (...) ils envoyaient leurs comptes à la *Curia,* puis à la Chambre des comptes (...) et le surplus de leurs recettes au Trésor royal. D'abord gardé par le chambrier, le Trésor fut confié aux Templiers par Philippe-Auguste (... En 1307), quatre *trésoriers de France* furent chargés de la gestion du Trésor et de la direction des finances ordinaires (...) À partir du XVe siècle, deux de ces trésoriers constituent la Cour du Trésor, Cour souveraine en matière de juridiction domaniale. 9
P.-C. TIMBAL, Hist. des institutions, t. II, § 338.

Mod. Les Caisses de l'État. ⇒ **Coffre**(s). *On était devant le trésor vide* (→ 2. Expédient, cit. 12). *Piller le trésor* (→ Infamant, cit. 2).

Ensemble des moyens financiers dont dispose un État*. *Le trésor ou le trésor public. Le découvert du Trésor. L'emprunt ramènera l'abondance au Trésor* (→ Reprise, cit. 11). — Par ext. Service financier d'exécution du budget, assurant aussi la corrélation des dépenses et des recettes publiques. ⇒ **Finance.** *Le Trésor s'occupe des mouvements de fonds, des emprunts*, de la dette* publique, du financement de l'équipement, du contrôle des entreprises nationalisées, des établissements de crédit*, de la circulation monétaire*. Direction du Trésor,* au ministère des Finances; *comptabilité centrale du Trésor. Services départementaux du Trésor.* ⇒ **Trésorier** (général). *Contentieux du Trésor,* exercé par l'*agent judiciaire du Trésor. Recettes du Trésor.* ⇒ **Fisc.** — *Bons du Trésor.* ⇒ 2. **Bon.** *Falsifier* (cit. 4) *des effets émis par le Trésor public.*

Le terme trésor est employé dans deux sens : tantôt il sert à désigner les caisses de l'État elles-mêmes : par exemple, on parle de la situation du Trésor, du déficit du Trésor... Tantôt il sert à désigner une administration publique. L'évolution des finances publiques a tendu à élargir de plus en plus la seconde définition par rapport à la première. DUVERGER, Institutions financières, p. 228, *in* ROMEUF. 10

◆ **4.** (V. 1206). Endroit, lieu (chambre, meuble...) où les trésors sont gardés. *L'or* (1. Or, cit. 22) *paresseusement dort dans les ténèbres du trésor.*

Musée attenant à une église et contenant des objets précieux. *Le trésor de la Sainte-Chapelle, de Notre-Dame. Visiter le trésor.* — Archéol. Bâtiment destiné à recevoir des statues, des ex-voto, dans les sanctuaires grecs. *Le trésor des Athéniens, à Delphes.*

(1690, Furetière). «Lieu où se gardent et s'amassent les revenus, les richesses d'un roi, d'un prince» (→ ci-dessus, 3.). — *Avoir, posséder la clef du trésor,* la possibilité d'accéder au lieu où sont enfermés les objets précieux.

Par métaphore et fig. «*Qu'un joueur est heureux! sa poche est un trésor!*» (→ Cuivre, cit. 1, Régnard). «*J'ouvre comme un trésor mon cœur tout plein de vous*» (→ Emparer, cit. 13).

★ **II.** Fig. ◆ **1.** (1686). *Un, des trésors de...* Accumulation de choses utiles, belles ou précieuses. ⇒ **Réserve** (2.), **source.** *La langue* (cit. 39) *est un trésor inépuisable de mots et de tours. Un trésor de grâces* (→ Élégance, cit. 3), *de charmes. Un trésor inépuisable de sages conseils* (→ Expérience, cit. 15). *La magie* (cit. 5) *est un trésor d'idées. Des trésors d'esprit et de délicatesse* (→ Perfection, cit. 17), *de dévouement, d'abnégation* (→ Ressource, cit. 6). *Accumuler, dépenser* (cit. 11 et 14) *des trésors de patience, de tendresse. Un trésor infini d'amour* (→ Départir, cit. 4). *« L'Église a des trésors de mansuétude* (cit. 3) *pour le pécheur. »*

11 Elle n'avait pas, enfin, épuisé l'immense trésor de dévouement et d'amour que les femmes aimantes ont dans le cœur.
    BALZAC, la Muse du département, Pl., t. IV, p. 192.

12 Ma mère épuisait des trésors de patience et d'énergie pour maintenir en équilibre l'édifice de la famille. G. DUHAMEL, Inventaire de l'abîme, VIII.
    Accumulation d'œuvres humaines, considérées comme une richesse pour les générations futures. *Les poètes écartés du trésor national* (→ Incorrection, cit. 4). *Des fables, trésor de mythologie celtique* (→ Pareil, cit. 12). *Une langue généreuse* (cit. 20) *est le trésor d'un peuple. Le trésor de l'humanité* (→ Mystique, cit. 7).

13 C'est par goût pour le trésor spirituel de la France plutôt que par esprit utilitaire que des étrangers de tous pays apprennent la langue française.
    G. DUHAMEL, Défense des lettres, IV, I.
    Titres d'ouvrages, notamment d'encyclopédies et de dictionnaires. ⇒ **Thesaurus.** *Le trésor de Brunetto Latini* (v. 1262). *Le trésor de la langue latine*, de R. Estienne. *Le Trésor de la langue française*, de Jean Nicot (1606). *Trésor de la langue grecque*, de H. Estienne. *Trésor du félibrige*, de Mistral. *Le Trésor de la langue française* (T. L. F.), dictionnaire de la langue française du XIXᵉ et du XXᵉ siècle (publié à partir de 1971).

◆ **2.** (V. 1190, *tressor*). Ce qui peut être exploité, employé utilement (et ne doit pas être dilapidé). → Mine d'or (fig.). *« Que le travail est un trésor »* (→ Argent, cit. 30). *Le temps, trésor entre tous précieux** (→ Gaspiller, cit. 4). *« Le vrai trésor de l'homme est la verte jeunesse »* (cit. 1).

14 (...) ils ont placé leur argent plus sûrement qu'avantageusement ; au lieu d'acheter de nouvelles terres, ils ont donné un nouveau prix à celles qu'ils avaient déjà, et l'exemple de leur conduite est le seul trésor dont ils veuillent accroître leur héritage. ROUSSEAU, Julie ou la Nouvelle Héloïse, V, II.

◆ **3.** Personne comparée à une chose précieuse. *Un adolescent ingénieux* (cit. 2) *est un vrai trésor. Une grisette* (cit. 1) *est un trésor* (La Fontaine). — (V. 1860). Terme d'affection. *Mon trésor. Oui, trésor !*

15 (Mon grand-père) m'enlevait de terre, me portait aux nues, à bout de bras, me rabattait sur son cœur en murmurant : *Mon trésor !* SARTRE, les Mots, p. 17.

◆ **4.** (Vx). Au plur. ⇒ **Attrait(s), appas** (d'une femme). *Les trésors de sa gorge d'albâtre* (cit. 4).

DÉR. Trésorerie, trésorier.

TRÉSORERIE [tʀezɔʀʀi] n. f. — XIIIᵉ ; de *trésorier ; a remplacé trésorie*, de *trésor*.

◆ **1.** Vx. Lieu où l'on garde un trésor, et, spécialt, le trésor d'un prince, d'un État.

◆ **2.** Vx. Charge de trésorier d'une église ; logement du trésorier (2.).

◆ **3.** Administration du Trésor (I., 3.), ses bureaux ; ses services. — (1791). *Trésorerie nationale*, sous la Iʳᵉ République (nom donné à l'ancien Trésor royal).

(1798). Hist. Ministère des finances britannique (→ Échiquier). — Par ext. *Trésorerie aux armées. La trésorerie d'une association.*

◆ **4.** État et gestion des fonds, des ressources. *Trésorerie publique, de l'État.* ⇒ **Finance(s), trésor** (I., 3.). *Des emprunts émis par l'État pour des fins monétaires de trésorerie* (→ Dette, cit. 9). — *La politique douanière* (2. Douanier, cit.) *apporte des ressources à la trésorerie publique.* — *Moyens de trésorerie*, par lesquels le Trésor se procure les ressources nécessaires à ses opérations financières (emprunts par dépôts à son compte, avances, émissions de bons...). *Emprunts de trésorerie.* — *La trésorerie d'une entreprise privée, d'une société. Embarras, difficultés de trésorerie*, insuffisance de ressources pour faire face aux dépenses. ⇒ **Disponibilité.** *Rentrée d'argent qui facilite* (cit. 5) *la trésorerie.*

— (...) Cette option, d'ailleurs, je l'ai eue gratuitement. Mais j'étais prêt à la payer. Dans la mesure où je le permettait ma trésorerie. — (...) Mais nous pouvions vous faciliter, justement, ces questions de trésorerie.
J. ROMAINS, les Hommes de bonne volonté, t. V, XXII, p. 180.

◆ **5.** Charge, fonction de trésorier (1.). *Être élu à la trésorerie.*

TRÉSORIER, IÈRE [tʀezɔʀje, jɛʀ] n. m. et f. — 1080, *tresorer* ; de *trésor*, d'après le bas lat. *thesaurarius*.

◆ **1.** Personne chargée de l'administration des finances d'un prince, d'une organisation publique ou privée. ⇒ **Argentier, caissier, comptable.** *Le trésorier doit équilibrer ressources et dépenses* (→ Factotum, cit. 1 ; net, cit. 5). *Secrétaire-trésorier d'une société, d'une association, d'un parti...* Spécialt. Fonctionnaire* du Trésor. — (1865). *Trésorier-payeur général*, chargé de la gestion du Trésor public dans un département. *Des trésoriers-payeurs (généraux).*

Le général, parfait trésorier, venait de présenter un compte de fin de mois, où le passif était néant et où l'actif passait toutes les espérances.
A. HERMANT, les Épaves, II, II.

◆ **2.** Relig. Personne qui a la charge du trésor d'une église.

◆ **3.** (XVᵉ). Officier chargé de la comptabilité d'un corps de troupe.

TRESSAGE [tʀesaʒ] n. m. — 1874 ; de *tresser*.

◆ Action de tresser. ⇒ **Nattage.** *Le tressage de la paille ; d'une corbeille. Un tressage lâche.*

Par métaphore :
(...) il lui semblait que jamais il n'avait éprouvé auparavant un tressage aussi serré de toutes les tortures, en une seule nuit, souffrances de l'amour et de la jalousie, de l'abandon et de l'affolement aussi d'avoir cédé trop vite (...)
Marie-Claire BLAIS, Une liaison parisienne, p. 90.

TRESSAILLANT, ANTE [tʀesajɑ̃, ɑ̃t] adj. — V. 1270 ; p. prés. de *tressaillir*.

◆ Qui tressaille. *Muscles tressaillants* (→ Lacis, cit. 1). *Tressaillant de* (et compl. de cause).

TRESSAILLÉ, ÉE [tʀesaje] adj. ⇒ Trésaillé.

TRESSAILLEMENT [tʀesajmɑ̃] n. m. — V. 1560 ; de *tressaillir*.

◆ **1.** Secousse ou ensemble de secousses musculaires qui agitent brusquement le corps, sous l'effet d'une émotion vive ou d'une sensation inattendue (→ Houle, cit. 7). ⇒ **Agitation, sursaut, tremblement.** *Un tressaillement d'aise* (cit. 23), *de joie* (→ Avertir, cit. 17). *Avoir, éprouver un tressaillement. Un léger, un brusque, un long tressaillement. Un tressaillement imperceptible.*

Mˡˡᵉ de la Ferté eut de la peine à cacher un tressaillement. Elle y parvint, et ce fut sur un ton où il n'y avait plus que de la surprise qu'elle dit (...)
Pierre BENOIT, Mˡˡᵉ de la Ferté, II, p. 133.

À chaque question, Jacques, qui gardait les yeux baissés, avait un léger tressaillement, comme s'il eût eu un effort à faire pour sauter ainsi d'un sujet à un autre.
MARTIN DU GARD, les Thibault, t. I, p. 177.

◆ **2.** Brusque frémissement, sursaut machinal. ⇒ **Frisson, soubresaut.**

Laulerque cligne des paupières. De légers tressaillements parcourent ses narines.
J. ROMAINS, les Hommes de bonne volonté, t. II, XX, p. 220.

TRESSAILLIR [tʀesajiʀ] v. intr. — Conjug. *assaillir.* — 1138 ; « franchir en sautant », 1080 ; de *tres-*, du lat. *trans* (→ Très), et *saillir.*

◆ **1.** (Sujet n. de personne). Éprouver des secousses musculaires, un tressaillement. [a] (Sous l'effet d'une émotion vive, agréable ou désagréable) → Effluve, cit. 5. *Tressaillir d'aise* (cit. 20 ; et → Anecdote, cit. 2 ; hors, cit. 37), *de joie* (→ Forfanterie, cit. 2), *d'allégresse, d'espérance* (→ Finir, cit. 31), *d'amour* (→ Hennir, cit. 1). ⇒ **Frémir, frissonner.** — Poét. *« La terre a tressailli d'un souffle prophétique »* (cit. 1).

La nation entière tressaillit d'une émotion presque sacrée (...)
JAURÈS, Hist. socialiste..., t. I, p. 752.

[b] (Sous l'effet d'une sensation qui surprend). ⇒ **Bondir, sauter, sursauter, tressauter** (→ Froufrou, cit. 3 ; galvaniser, cit. 1 ; indiquer, cit. 1 ; mais, cit. 11 ; rumeur, cit. 2). *Tressaillant de tout, effarée...* (→ Anxiété, cit. 6).

La señora, pourtant, contre sa jalousie,
Collant son front rêveur à sa vitre noircie,
Tressaille chaque fois que l'écho fin d'un pilier
Répète derrière elle un pas dans l'escalier.
A. DE MUSSET, Premières poésies, « Don Paez », IV.

Aussi la pauvre Isabelle tressaillait-elle au plus léger bruit.
Th. GAUTIER, le Capitaine Fracasse, XV.

Il tressaillit comme s'il eût été frappé au visage. L'atmosphère lui sembla s'être raréfiée tout à coup ; il étouffait. MARTIN DU GARD, les Thibault, t. I, p. 53.

◆ **2.** (Sujet n. de personne, d'animal). Être agité de brusques secousses, remuer de façon désordonnée. *L'épouse qui sent pour la première fois son fruit* (1. Fruit, cit. 31) *tressaillir dans son sein* (→ aussi Entrailles, cit. 8). — (Sujet n. de choses). *Rien n'avait tressailli* (→ Hallali, cit. 1). *La vieille maison tressaillit, les planchers frémirent* (cit. 5). ⇒ **Trembler, vibrer.**

(...) malgré la perte de ses sens, son tremblement nerveux la faisait toujours tressaillir, de même que les tronçons d'une couleuvre coupée s'agitent encore.
BALZAC, la Cousine Bette, Pl., t. VI, p. 458.

Le vent souffle à travers les arbres sur les toits
Du hameau noir cachant ses chaumes dans les bois,
Et l'on voit tressaillir, épars dans les ramées,
Le vague arrachement des tremblantes fumées (...)
HUGO, les Contemplations, I, XXIX.

Les muscles tressaillaient sous la finesse de la peau.
MARTIN DU GARD, les Thibault, t. V, p. 10.

♦ **3.** Techn. (de *trésaillé**, confondu avec *tressailler*). Se fendiller sous l'effet de la chaleur (céramique).
DÉR. Tressaillant, tressaillement.

TRESSAILLURE [tʀesajyʀ] n. f. ⇒ **Trésaillure.**

TRESSAUT [tʀeso] n. m. — xvɪᵉ, d'Aubigné ; de *tressauter*.

♦ Rare, littér. Tressaillement, sursaut.

1 (...) et cependant, lorsque la loi fut adoptée par le Parlement, il eut le petit tressaut d'un homme qui se trouve subitement en face d'un danger qu'il croyait moins proche. HUYSMANS, l'Oblat, x.

2 Ça faisait un bruit du côté de Verdun ! C'était noir comme le café avec des tressauts de feu comme une charbonnière qui s'enflamme.
J. GIONO, le Grand Troupeau, Pl., t. I, p. 602.

TRESSAUTANT, ANTE [tʀesotɑ̃, ɑ̃t] adj. — Attesté 1881, *in* D.D.L. ; de *tressauter*.

♦ Qui tressaute.

Les premières *(cigales)* nous échappèrent, mais nous fûmes bientôt d'une adresse si efficace que nous revenions à la maison entourés d'un halo de musique, car nous en rapportions des douzaines qui continuaient à grésiller dans nos poches tressautantes. M. PAGNOL, la Gloire de mon père, t. I, p. 145.

TRESSAUTEMENT [tʀesotmɑ̃] n. m. — 1556 ; de *tressauter*.

♦ Littér. Le fait de tressauter ; tressaillement.

Les gens qui se dépensent trop dans la passion ou dans le tressautement d'une existence nerveuse, ne feront pas d'œuvres et auront épuisé leur vie à vivre.
Ed. et J. DE GONCOURT, Journal, 17 mai 1857, t. I, p. 144.
Mouvement brusque imprimé à un objet. ⇒ **Cahot, secousse.** *Les tressautements d'une voiture sans suspension.*

TRESSAUTER [tʀesote] v. intr. — Mil. xɪvᵉ ; de *tres-*, anc. prép. et préverbe, du lat. *trans* (→ Très), et *sauter*.

♦ **1.** Tressaillir (1., b), sursauter (en particulier sous l'effet de la surprise). *Ce cri l'a fait tressauter.*

♦ **2.** Tressaillir (2.), sauter (→ Courir, cit. 1).

L'autocar (...) roulait lentement sur la route de boue gelée. Derrière les vitres dentelées de givre, tressautait un paysage nocturne, noir de fumée et blanc de neige.
H. TROYAT, la Rencontre, III, VIII.
DÉR. Tressaut, tressautant, tressautement.

TRESSE [tʀɛs] n. f. — 1212 ; *trece*, 1155 ; « tresse de lin non filé », fin xɪᵉ ; p.-ê. d'un lat. pop. **trichia* ; grec tardif *trikhia* « filasse pour cordage », rad. *thrix, trikhos* « cheveu, crin » ; ou (P. Guiraud) déverbal de *trecer* « tresser », du lat. *tertiare* « diviser en trois », « étymologie que le F. E. W. conteste sans raisons convaincantes » (Guiraud).

♦ **1.** Assemblage de trois longues mèches de cheveux entrecroisées à plat et retenues par une attache. ⇒ **Cadenette, natte** (2. ; → Coiffure, cit. 6 ; natter, cit. 1). *Tresses portées pendantes, roulées, en diadème, en chignon. Tresses blondes, noires* (→ Caresse, cit. 6 ; cou, cit. 5 ; fadeur, cit. 1). *Longues, lourdes tresses* (→ Houri, cit. 2 ; 1. queue, cit. 17). *Cheveux en tresses.* ⇒ **Coiffure** (→ Chef, cit. 4).

1 Une sorte de diadème ridicule couronnait ensuite le jeune front, un autre gâteau de tresses chargeait plus bas la nuque humiliée.
COLETTE, Histoires pour Bel-Gazou, v.
Par métaphore (→ Éparpiller, cit. 2 ; épartir, cit. 2).

♦ **2.** (1561). Cordon plat fait de fils entrelacés. — (1904). Galon (cit. 2) uni ou non, employé comme garniture (vêtements, rideaux, etc.), tissé plat ou fait de plusieurs cordons (→ Tarbouche, cit. 2). ⇒ **Galon, soutache.** *Tresse de chapeau.* ⇒ **Bourdalou.** *La tresse d'une fourragère*.*

2 À côté de moi, il y avait un homme assez élégant (c'est très chic une tresse autour d'un feutre mou au lieu de ruban, Adam a dû parler de cette nouvelle mode)...
R. QUENEAU, Exercices de style, « Féminin ».

♦ **3.** (1904). Archit. Motif ornemental, plat ou convexe, figurant des bandelettes entrelacées.

♦ **4.** (1691). Mar. Cordage de fils de caret ou de bitord. ⇒ **Baderne, garcette.**
DÉR. Tresser (contesté).

TRESSER [tʀese ; tʀɛse] v. tr. — 1611 ; *trecier*, fin xɪᵉ ; de *tresse*, ou (P. Guiraud) directement du lat. *tertiare*. → Tresse.

♦ **1.** Assembler, arranger en tresses. ⇒ **Natter.** *Tresser du fil, de la soie.* ⇒ **Cordonner.** — Entrelacer (des brins de paille, de jonc...), de manière à former un réseau fait de tresses. ⇒ **Ourdir.**

1 Elle tressait en guirlandes des coquelicots qu'elle mettait sur sa tête (...)
HUGO, les Misérables, IV, III, VII.

♦ **2.** (1806). Faire (un objet) en tressant (des fils, des brins...). *Tres-* ser des casiers (cit. 2), des corbeilles. *Tresser une guirlande. Tresser un câble.* — Absolt. *Métier à tresser.* « Ils tressèrent une couronne (cit. 9) avec des épines ».
Loc. fig. (1876). *Tresser des couronnes à qqn,* le louer, le glorifier. — Par métaphore. (→ 1. Maille, cit. 7 ; marier, cit. 18).

2 Les gens ne sortent guère de leurs logis, où ils tressent des paniers ; c'est leur métier, leur gagne-pain depuis des siècles (...) tu prends ton fend-bois, tu le pousses au cœur de la bourdaine ; l'aiguillette s'enroule aux lattes du châtaignier, tu passes ici, tu repasses là ; les tiges sifflent, la vannerie crépite (...)
A. DE CHATEAUBRIANT, la Brière, I, VI.

▶ **TRESSÉ, ÉE** p. p. adj. *Les nattes* (cit. 4) *de sa chevelure largement tressées.* ⇒ **Natté.**

3 Ses cheveux à présent rassemblés et tressés au-dessus de son front étaient mêlés aux myosotis que j'avais rapportés pour elle. GIDE, la Symphonie pastorale, 29 mai.

Natte (cit. 1) *de joncs tressés.* — Fig. « *Combinaisons embrouillées* (cit. 7), *tramées, tressées (...)* » « *Cette gerbe* (cit. 10) *de forces tressées pour la lutte* ».

DÉR. Tressage, tresse (selon Guiraud), **tresseur, tressoir.**
COMP. Détresser.

TRESSEUR, EUSE [tʀesœʀ, øz] n. — 1680 ; de *tresser*.

♦ Ouvrier, ouvrière exécutant des travaux de tressage. *Tresseur de corbeilles.* ⇒ **Vannier.** — Techn. *Tresseur de cordons, de câbles électriques.* — *Tresseuse de cheveux pour postiches.*

TRESSOIR [tʀeswaʀ] n. m. — 1721 ; « ornement de tête », fin xɪvᵉ ; *trecedoir* « tresse », fin xɪᵉ ; de *tresser*.

♦ Techn. Instrument utilisé pour faire des tresses de cheveux.

TRÉTEAU [tʀeto] n. m. — xɪɪɪᵉ, *tresteau* ; *trestel,* fin xɪɪᵉ ; du lat. *transtillum,* de *transtum* « traverse ».

♦ **1.** Support formé d'une barre horizontale et de quatre pieds en forme de V. *Tréteaux supportant une table, une estrade, un échafaud* (cit. 7), *un étalage* (→ Écorcer, cit. 1 ; étaler, cit. 2 ; planche, cit. 4). ⇒ **Chevalet.** *Chanlatte et tréteau d'un métier à broder* (→ Brodeur, cit. 1 ; coulisse, cit. 1).

1 Comme le toit était presque plat, il y avait installé son établi, un large volet sur deux tréteaux. ZOLA, l'Assommoir, IV, t. I, p. 141.

2 Après-midi, chacun avait un livre entre les mains ou bien Mᵐᵉ Tite-le-Long lavait son linge dans un baquet de bois qu'elle juchait sur deux tréteaux, pour qu'elle pût laver assise. M. JOUHANDEAU, Tite-le-Long, XI.

♦ **2.** Au plur. Ensemble formé par ces supports et la surface qu'ils supportent. *Dresser des tréteaux.* — Spécialt (à cause de l'aménagement sommaire de ces scènes ou estrades dressées en plein air). Au plur., vieilli. Théâtre de foire, où l'on donne des pièces populaires, des farces ; estrade de jongleurs, d'acrobates, de camelots... *Tréteaux de saltimbanque, de bateleur* (cit. 2), *de charlatan* (→ 1. Primer, cit. 2). — Péj. *Monter sur les tréteaux,* sur la scène. — Par ext. Se faire comédien, faire du théâtre. ⇒ **Planche.** « *Nous avons eu des tréteaux et une parade* » (→ 1. Sacre, cit. 1).

3 Quand on veut éviter d'être charlatan, il faut fuir les tréteaux ; car, si l'on y monte, on est bien forcé d'être charlatan (...)
CHAMFORT, Maximes, Philosophie et morale, XIV.

Au sing. collectif (→ 2. Surgir, cit. 3) :

4 Son éloquence *(d'O'Connell),* faite pour la foule et pour l'Irlande, avait peu d'action sur les Communes d'Angleterre. Cependant, il eut dans sa vie deux ou trois grands succès au parlement. Mais le tréteau lui allait mieux que la tribune.
HUGO, Choses vues, I, 1847, 6 janv.

♦ **3.** (1611). Anc. Instrument de torture servant à étirer le corps du supplicié. ⇒ **Travailler** (étym.).

♦ **4.** (1893). Argot du turf. Mauvais cheval.

TREUIL [tʀœj] n. m. — xɪvᵉ ; *troil,* 1282 ; du lat. *torculum* « pressoir » ; de *torquere* « tordre, tourner ».

♦ **1.** Vx ou dial. Pressoir (cit. 3).

♦ **2.** (1611 ; *tueil,* 1376 ; du type de pressoir à corde s'enroulant sur un cylindre). Cour. Appareil de levage et de chargement, composé d'un arbre ou tambour qu'on fait tourner sur son axe à l'aide d'une manivelle et autour duquel s'enroule une corde, un câble (→ Manutention, cit. 1). ⇒ **Cabestan, cric, élévateur, machine, pouliot, singe.** *Treuil actionné par un manège, une locomobile. Treuil simple. Treuil à engrenages, à vis sans fin* (systèmes démultiplicateurs). *Treuil différentiel,* composé de deux tambours de diamètres différents ayant le même axe.

1 Un treuil est déjà important à considérer ; mais la vraie réflexion, en fin de compte, reviendra toujours à la figure simplifiée, par quoi le treuil apparaît soudain comme un levier, et la poulie de même ; au lieu que la machine réelle cache le mécanisme. ALAIN, Propos, 21 janv. 1914, Leç. de choses p. adultes.

2   Sur la passerelle du petit cargo, un gros homme court (...) indiquait, de temps en temps, la manœuvre des treuils par un coup de sifflet assez discret.
P. MAC ORLAN, Quai des brumes, VIII.

DÉR. Treuiller.
HOM. Treuilles.

TREUILLAGE [tRœjaʒ] n. m. — 1964; de *treuiller*.

♦ Techn. Utilisation d'un treuil pour soulever ou tirer une charge. *Treuillage d'un planeur. Organiser le treuillage d'alpinistes en difficulté.*

COMP. Hélitreuillage.

TREUILLER [tRœje] v. tr. — 1964; *troiller* «pressurer, dévider», 1256; de *treuil*.

♦ Techn. Soulever, manipuler à l'aide d'un treuil. *Treuiller du matériel de secours à des personnes en difficulté.*

DÉR. Treuillage.
COMP. Hélitreuiller.

TREUILLES [tRœj] n. f. pl. — 1872; orig. inconnue.

♦ Viscères du hareng, utilisées comme appât.

HOM. Treuil.

TRÊVE [tRɛv] n. f. — V. 1207; *trive*, v. 1155; *true*, v. 1138; du francique **treuwa* «contrat, traité».

♦ **1.** Cessation provisoire des combats, pendant une guerre, par convention des belligérants; interruption des hostilités. ⇒ **Cessez-le-feu; abandon, suspension** (d'hostilités). *Demander, accepter une trêve. Signer la trêve. Trêve suivie d'une paix.* ⇒ **Armistice.** *Paix* passagère considérée comme une trêve* (→ Paix, cit. 22; reprendre, cit. 4). — Hist. *Trêve de Dieu* : cessation des combats imposée par l'Église aux princes combattants (pendant l'Avent, le Carême et Pâques).

1   Pendant les jours saints de chaque semaine (du mercredi soir au lundi matin), toute guerre était interdite : c'est ce qu'on appela *la paix*, plus tard *la trêve de Dieu.*
MICHELET, Hist. de France, IV, I.

2   (...) la véritable paix, *la paix finale*, elle est peut-être encore éloignée; mais la *trêve* est vraisemblablement assez proche.
MARTIN DU GARD, les Thibault, t. VIII, p. 259.

(1690). Interruption dans une lutte. *Trêve politique. Trêve tacite. Trêve chez les grévistes.* — (1874, *in* D.D.L.). Loc. *Trêve des confiseurs* : arrêt de l'activité politique, diplomatique, pendant les fêtes de Noël, du Nouvel An.

♦ **2.** (1426, *triefve*). Arrêt de ce qui est pénible, dangereux. ⇒ **Relâche, répit.** *S'accorder une trêve, une courte trêve.* — *Faire trêve* : s'interrompre. *Faire trêve à ses haines* (→ Promettre, cit. 21).
Plus cour. SANS TRÊVE. *La vie, bataille* (cit. 17) *sans trêve et sans merci. Un avenir d'humiliation sans trêve* (→ Ouvrier, cit. 4). *Sans repos* ni trêve* (→ Parallèle, cit. 7). — *N'avoir ni paix ni trêve* : n'avoir pas un moment de repos, de tranquillité.

3   Alors, sans nulle trêve, à toute heure, en tous lieux,
Votre belle effigie erre devant mes yeux (...)   RONSARD, Élégies, II.

4   Rompre la trêve qu'il s'était accordée, laisser le tragique des événements saccager cette joyeuse confiance qui, ce soir, lui rendait la vie si belle... Non!...
MARTIN DU GARD, les Thibault, t. VI, p. 167.

Loc. adv. SANS TRÊVE : sans arrêt*, sans cesse*, sans interruption. *Elle nous suivit sans trêve pendant une heure* (→ Échelle, cit. 25). *Marcher sans trêve. Un feu caché, brûlant sans trêve au-dedans de lui* (→ Consumer, cit. 11; et aussi braquer, cit. 2; 1. chant, cit. 5; couche, cit. 8; grincement, cit. 4; hurler, cit. 13; jaillir, cit. 14). — Très fréquemment, en refaisant toujours la même chose, sans relâche. *Elle se plaint sans trêve. Nous avons beau nous élancer sans trêve...* (→ Casanier, cit. 2).
Loc. prép. Vx. TRÊVE À... : assez de. *Trêve aux billevesées* (cit. 4), *aux paroles!* (→ Larmoyant, cit. 2).

5   (...) n'y songeons plus, et trêve aux rêvasseries! Pour moi, il ne s'agit plus d'être heureux dans la vie (...)   Alphonse DAUDET, le Petit Chose, II, XVI.

Loc. prép. Mod. TRÊVE DE... : assez de. *Trêve de plaisanterie!* : cessez, cessons de plaisanter.

6   Trêve, mes tristes yeux, trêve aujourd'hui de larmes!   CORNEILLE, Attila, IV, 7.

7   — (...) je vais te donner une preuve de confiance absolument gratuite. — Ce serait bien la première fois! Allez! Trêve de sous-entendus. Tu as encore fait une bêtise.
J. ANOUILH, Ornifle, II, p. 100.

CONTR. Continuité, occupation.

TRÉVIRE [tReviR] n. f. — 1776; de *trévirer*.

♦ Mar. «Cordage dont le double est amarré à un corps mort au haut d'un plan incliné et que l'on file en douceur pour amener au bas de ce plan un colis de forme cylindrique (barrique, fût, etc.)» (Gruss).

TRÉVIRER [tRevire] v. tr. — 1870; autre sens, 1694; *tresvirer* «faire tourner», 1165; de *tré-* (→ Trans-), et *virer.*

♦ Mar. Affaler ou hisser le long d'un plan incliné, au moyen d'une trévire.

DÉR. Trévire.

1. TRI [tRi] n. m. ⇒ Trick.

2. TRI [tRi] n. m. — 1761; *trie*, n. f., v. 1580; *a tri* «d'une manière choisie, excellente», 1280; de *trier.*

★ **I.** ♦ **1.** Action de trier. *Faire le tri du grain.* ⇒ **Triage.** *Le tri des meilleurs éléments* (→ 1. Trier). *Faire le tri, un tri préalable.* Par métaphore. *Faire le tri de ses paroles et de ses gestes* (→ Rancune, cit. 6).

Mais les gens qui croient avoir des indices, même très faibles, ont raison, dans ces cas-là, de nous les communiquer. C'est à nous de faire le tri.
J. ROMAINS, les Hommes de bonne volonté, t. II, XIII, p. 134.

♦ **2.** Spécialt. Répartition. *Le tri des lettres, des fiches mécanographiques* (⇒ **Trieuse**). — *Tri des informations*, leur classement, avant traitement dans un calculateur. — *Centre de tri postal.* Spécialt. *Tri postal. Bureau de tri. Indicateur de tri. La mécanisation du tri.*

★ **II.** (1764). Variété du jeu d'hombre où l'on élimine le carreau, sauf le roi.

HOM. Trie.

TRI- Préfixe, du lat. et du grec *tri-* «trois» (en chimie, signifie «trois atomes, molécules ou éléments»; → Triacide, trinitrate). Ce préfixe sert à fabriquer de nombreux composés libres. «*La corvée ingrate de la vaisselle tri-quotidienne*» (*l'Express*, 18 oct. 1965, *in* Gilbert). *Un accord trilatéral* (*le Monde*, 21 juin 1978, *in* Gilbert).

TRIABLE [tRijabl] adj. — XVᵉ, «choisissable»; de *trier.*

♦ Qui peut être trié.

TRIACIDE [tRiasid] n. m. — 1872; de *tri-*, et *acide.*

♦ Chim. Acide possédant trois atomes d'hydrogène acide, pouvant donner trois séries de sels.

TRIACLEUR [tRijaklœR] n. m. — 1415; altér. *tiracleur,* 1409; de *triacle,* forme pop. de *thériaque*.*

♦ Vx. Vendeur de thériaque; charlatan.

TRIADE [tRijad] n. f. — 1564; du bas lat. *trias, triadis;* grec *trias, triados.*

♦ Didact. Groupe de trois personnes ou choses. *Triade de divinités* (ex. : Brahma, Vichnou, Civa).
(1904). Hist. de la littér. Ensemble de la strophe, de l'antistrophe et de l'épode, dans les odes pindariques.
Physiol. *Triade réceptrice* : ensemble des trois types de cônes qui est cause de la vision des couleurs.
Méd. *Triade* (ou *trilogie*) *de Fallot* : malformation cardiaque caractérisée par un rétrécissement de l'orifice de l'artère pulmonaire, l'intégrité de la cloison interventriculaire et une communication interauriculaire. → Tétrade (de Fallot).

DÉR. Triadique.

TRIADELPHE [tRijadɛlf] adj. — 1846; de *tri-*, et *-adelphe.*

♦ Bot. Dont la fleur présente des étamines réunies en trois faisceaux.

TRIADIQUE [tRijadik] adj. — 1842; autre sens, 1721; de *triade.*

♦ Didact. Relatif à une triade.

1. TRIAGE [tRijaʒ] n. m. — 1370; de *trier.*

♦ **1.** Le fait de trier, de choisir dans un ensemble ou de répartir; son résultat. ⇒ **Sélection, tri, choix.** *Il fit un soigneux triage de sa monnaie* (cit. 11). *Le rebut* (cit. 1) *d'un rapide triage. Triage du linge à blanchir.* — Techn. *Triage des laines* (→ Champion, cit. 3), *de la houille. Triage des feuilles de papier*, après la fabrication. *Triage des semences, des amandes, des fèves de cacao,* dans la fabrication du chocolat, etc. *Triage au crible.* ⇒ **Criblage.**

Le triage (*du linge*) dura une grosse demi-heure. Gervaise faisait des tas autour d'elle, jetait ensemble les chemises d'homme, les chemises de femme, les mouchoirs, les chaussettes, les torchons.   ZOLA, l'Assommoir, V, t. I, p. 177.

Mais le cerveau est un organe de triage, qui ne laisse passer que les images utiles pour l'action.   A. MAUROIS, Études littéraires I, Bergson, II.

(1904). Spécialt. Séparation et regroupement des wagons pour former des convois. *Gare* de triage.*

♦ **2.** (Fin XVIIᵉ). Par métonymie, vx. Personnes choisies, triées sur le volet.

♦ **3.** Séparation naturelle (d'éléments), répartition. Géol. *Triage des matériaux par l'action du froid, du vent. Dépôt de sédiments accompagné d'un triage.*

♦ **4.** (1948). Dispositif, lieu où l'on trie. *Odeur de laine grasse dans les triages* (→ Rentrayage, cit. 2).

CONTR. Mélange.

2. TRIAGE [tʀijaʒ] n. m. ⇒ **Triège.**

TRIAIRE [tʀijɛʀ] n. m. — Fin XIIIᵉ ; du lat. *triarius.*

♦ Antiq. rom. Soldat de la troisième ligne, dans la légion romaine. *Les triaires étaient les vétérans de l'armée.*

HOM. Trière.

1. TRIAL [tʀijal] n. m. — 1876, P. Larousse ; du nom de *(Antoine) Trial,* (mort en 1795).

♦ Mus. (Vieilli). Ténor léger spécialisé dans l'opéra-comique. *Des trials.*

La conversation avec l'original Léon se perdait dans un murmure, une mélopée triste, regrets du temps passé, vocation perdue, amis oubliés. — Cette année-là, je suis passé premier trial !   R. SABATIER, Trois sucettes à la menthe, p. 176.

2. TRIAL [tʀijal] n. m. — 1907, *in* Petiot ; mot angl. « essai, épreuve ».

♦ **1.** Sports. Épreuve (automobile, etc.) d'endurance et d'adresse sur tout terrain.

(1970). Cour. Course motocycliste d'obstacles sur tout terrain, en tant que constituant une spécialité, une discipline sportive distincte (et opposée au *cross,* à l'*enduro,* etc.). *Faire du trial. Moto de trial. Circuit de trial.*

♦ **2.** Moto conçue pour ce sport. *« Les "trials" sont faits pour circuler partout »* (*Paris-Match,* 17 nov. 1970, *in* Gilbert).

DÉR. 2. Trialiste.

TRIALCOOL [tʀialkɔl] ou **TRIOL** [tʀijɔl] n. m. — 1964 ; de *tri-,* et *alcool.*

♦ Chim. Corps possédant trois fonctions alcool (ex. : la glycérine).

TRIALISME [tʀijalism] n. m. — 1917, *Larousse mensuel,* p. 272 ; de *tri-,* l'élément *-al* de *dualisme,* et *-isme.*

♦ Didact. Système comportant trois éléments (⇒ **Triade**). *Trialisme philosophique, politique.*

DÉR. 1. Trialiste.

1. TRIALISTE [tʀijalist] adj. et n. — XXᵉ ; de *trialisme.*

♦ Didact. Du trialisme. — Partisan du trialisme.

2. TRIALISTE [tʀijalist] n. — 1951, *in* Höfler ; de 2. *trial.*

♦ Sports. Motocycliste qui pratique le trial. *« Les trialistes sont les seuls pilotes motocyclistes à ne pas recevoir de rémunérations pour leurs prestations »* (*Science et Vie,* nᵒ 100, 1973, p. 28).

TRIAMMONIQUE [tʀiamɔnik] adj. — 1872 ; de *tri-,* et *ammonium.*

♦ Chim. Qui possède trois radicaux ammonium.

TRIANDRE [tʀijɑ̃dʀ ; tʀiɑ̃dʀ] adj. — 1846 ; de *triandrie.*

♦ Bot. Qui a trois étamines. *Plante triandre.*

TRIANDRIE [tʀijɑ̃dʀi ; tʀiɑ̃dʀi] n. f. — 1800, Boiste ; « fleur à trois étamines », Lamarck, 1783 ; lat. sav. *triandria ;* de *tri-,* et *-andrie.*

♦ **1.** Hist. des sc. Classe renfermant des plantes à trois étamines, dans le système de Linné.

♦ **2.** (1872). Caractère d'une plante à trois étamines.

DÉR. Triandre.

TRIANGLE [tʀijɑ̃gl] n. m. — V. 1270 ; du lat. *triangulum,* de *tres* « trois », et *angulus* « coin, angle ».

♦ **1.** Figure géométrique, polygone à trois côtés. *Les trois côtés, les trois sommets, les trois angles d'un triangle. Triangle quelconque* (cit. 3), *scalène*, isocèle*, équilatéral* ou *équiangle*, obtusangle*. Triangle rectangle,* qui a un angle droit. *Hypothénuse d'un triangle rectangle. Hauteurs*, bases*, médianes*, médiatrices* d'un triangle. Triangle inscrit. Cas d'égalité, de similitude des triangles. Triangles égaux, semblables. Triangles homothétiques. Calcul des éléments d'un triangle.* ⇒ **Trigonométrie.** *Le triangle dans l'espace* (cit. 9) *non euclidien.* — *Triangle curviligne,* dont les côtés sont des courbes. *Triangle sphérique*.* — *Le triangle (maçonnique),* symbole de la franc-maçonnerie.

On a dit fort bien que si les triangles faisaient un dieu, ils lui donneraient trois côtés.   MONTESQUIEU, Lettres persanes, LIX.   1

— Tu te rappelles bien quelles sont les propriétés de deux triangles semblables ?   1.1
— Oui, répondit Harbert. Leurs côtés homologues sont proportionnels.   J. VERNE, l'Île mystérieuse, t. I, p. 179.

Il y a plus de vingt ans nous fûmes assaillis par d'indiscrets douteurs qui nous voulaient assurer que la géométrie d'Euclide était fausse, et que la somme des angles d'un triangle n'égalait plus deux angles droits.   ALAIN, Propos, 17 janv. 1922, Géomètre intempérant.   2

En triangle : en forme de triangle. ⇒ **Triangulaire.** *Signe en triangle.* ⇒ **Delta.** *Voile en triangle.* ⇒ **Tiers-point.** *Visage chafouin* (cit. 2) *en triangle. Robe échancrée* (cit. 2) *en triangle. Vol en triangle des oiseaux migrateurs. Trois villes en triangle* (→ Neutre, cit. 2).

(...) dans le ciel léger, six aéroplanes, volant bas, en triangle, se dirigeaient vers le Nord-Est.   MARTIN DU GARD, les Thibault, t. VIII, p. 21.   3

♦ **2.** Objet de forme triangulaire ; forme triangulaire. *Les trois focs* (cit. 1), *triangles légers. Le triangle blanc des voiles* (→ Goéland, cit. 2). Mar. *Le triangle avant :* la surface formée par les voiles d'avant.

Anat. Espace triangulaire compris entre des organes, des parties du corps. *Le triangle occipital.*

Autom. *Triangle de signalisation,* ou *de présignalisation,* posé sur la route par un automobiliste afin de signaler son véhicule en panne. *Le triangle de signalisation ou les feux* de détresse sont obligatoires en France.*

♦ **3.** Itinéraire en triangle. *Le triangle de l'Atlantique :* course de voiliers. — Région formant un triangle. *Le triangle des Bermudes. Le triangle d'or.*

♦ **4.** (1834). Instrument de musique à percussion, fait d'une tige d'acier repliée en triangle (les deux extrémités restant libres), sur laquelle on frappe avec une baguette du même métal. *Jouer du triangle. Triangle d'un homme-orchestre* (cit.).

Et tout un soir, autour du feux, on fit ranger les plus habiles de ceux-là qui sur la flûte et le triangle savent tenir un chant.   SAINT-JOHN PERSE, la Gloire des rois, Hist. du Régent.   4

♦ **5.** Ensemble de trois objets, de trois personnes entretenant des relations deux à deux.

(...) la gendarmerie pour les plaintes contre les maraudeurs, la mairie pour l'état-civil et l'église pour le reste. Une sorte de triangle, de trinité avec l'éternel et pittoresque vagabond seul et unique usager du violon sur le bat-flanc duquel il passe de temps en temps quelques nuits (de préférence l'hiver).   Claude SIMON, le Vent, p. 179.   5

Électr. *Montage en triangle.*

Psychan., psychol. *Triangle œdipien.*

TRIANGULAIRE [tʀijɑ̃gylɛʀ] adj. — 1377 ; du bas lat. *triangularis,* de *triangulum.* → Triangle.

♦ **1.** En forme de triangle. *Faces triangulaires d'une pyramide. Base, section triangulaire. Poinçon* (⇒ **Tiers-point**) *; stylet* (cit. 2) *à section triangulaire. Voile triangulaire* (→ Patache, cit. 1). *Visage triangulaire* (→ Soupçon, cit. 3). *Muscle triangulaire des lèvres ; de l'épaule* (⇒ **Deltoïde**). *Oiseaux, avions, qui volent en ordre* (cit. 12) *triangulaire.*

(...) une figure presque triangulaire commencée par un large front sillonné de plis, achevée des tempes à la pointe du menton par les deux lignes maigres que dessinaient ses joues creuses.   BALZAC, le Curé de village, Pl., t. VIII, p. 615.   1

(...) l'archipel de la Manche dessine le triangle. Quand on regarde sur une carte, ce qui est à vue d'oiseau de l'homme, les Channel's Islands, un segment de mer triangulaire se découpe entre ces trois points culminants, Aurigny, qui marque la pointe nord, Guernesey, qui marque la pointe ouest, Jersey, qui marque la pointe sud.   HUGO, l'Archipel de la Manche, XI.   2

♦ **2.** Dont la base ou la section est triangulaire. *Prisme, pyramide triangulaire. Tige triangulaire du papyrus* (cit. 2). *Cupule triangulaire de la faîne* (cit.).

♦ **3.** (1926, *in* D.D.L.). Fig. Qui met en jeu trois éléments. *Tournoi* *triangulaire. Élection triangulaire*, à trois candidats. Psychol. *Test triangulaire* : épreuve pour distinguer le goût de deux substances, en présentant des séries de trois échantillons dont deux sont identiques. *Commerce, trafic triangulaire*, spécialt : trafic organisé autour de la traite des Noirs qui, achetés en Afrique comme esclaves par les Européens, étaient revendus en Amérique contre des épices et des produits ramenés ensuite en Europe.

♦ **4.** Math. Relatif au triangle. *Inégalité triangulaire de Minkowski.* — Psychan., psychol. *Conflit triangulaire* (ou *ternaire*) : conflit œdipien.

DÉR. Triangulairement.

TRIANGULAIREMENT [tʀijɑ̃gylɛʀmɑ̃] adv. — 1803 ; de *triangulaire.*

♦ Rare. En triangle. *Balises disposées triangulairement.*

TRIANGULATEUR, TRICE [tʀijɑ̃gylatœʀ, tʀis] n. — 1876 ; de *trianguler.*

♦ Techn. Géomètre qui fait des triangulations.

TRIANGULATION [tʀijɑ̃gylɑsjɔ̃] n. f. — 1819 ; du bas lat. *triangulatio*, du lat. class. *triangulum.* → Triangle.

♦ **1.** Mesure faite à partir des propriétés du triangle. — Spécialt. Ensemble des opérations géodésiques consistant à diviser un terrain en triangles (canevas) dont on opère successivement la résolution, à partir d'un côté directement mesuré (base) en utilisant le nivellement trigonométrique. *La triangulation permet de mesurer les distances facilement et avec précision. Triangulation photographique. Triangulation radiale.* — Mar. *Faire le point par triangulation.*

C'est toujours l'aventure de la diagonale : à l'aurore de la géométrie, le triangle est considéré comme la *figura simplex* de l'espace, après le segment et l'angle. D'où sa richesse dans son analyse, par triangulation ultra-élémentaires, au moyen des bissectrices, hauteurs, médianes, médiatrices...
                    Michel SERRES, Hermès I, la Communication, p. 90-91.

♦ **2.** Techn. Disposition en triangle. *Triangulation d'un circuit électrique.*
Psychan., psychol. *Triangulation œdipienne.*

DÉR. Trianguler.

TRIANGULER [tʀijɑ̃gyle] v. tr. — 1829 ; en anc. franç. «donner la forme d'un triangle à» ; de *triangulation.*

♦ Sc. (géodésie). Faire la triangulation de... *Trianguler une région.*

Chacun sait comment le *Timée* triangule les éléments cosmiques. D'où encore le théorème de Pythagore, parmi les premières expressions de la métrique, de l'espace métrique.   Michel SERRES, Hermès I, la Communication, p. 91.

DÉR. Triangulateur.

TRIANNUEL, ELLE [tʀianɥɛl] adj. — 1876 ; de *tri-,* et *annuel.*

♦ ⇒ **Trisannuel.**

TRIAS [tʀijɑs ; tʀija] n. m. — 1845 ; all. *Trias,* 1834 ; du bas lat. *trias* «triade».

♦ Géol. Terrain sédimentaire dont les dépôts comprennent trois parties : le grès bigarré, le calcaire coquillier, les marnes irisées. — Par ext. Période géologique la plus reculée de l'ère secondaire où se sont déposées ces roches et qui précède le jurassique. *Climat aride et chaud, gîtes de sel du trias. Le permien et le trias, ou permotrias.*

DÉR. Triasique.

TRIASIQUE [tʀijɑzik] adj. — 1845 ; de *trias.*

♦ Géol. Qui appartient au trias.
Les calcaires carbonifères (...) et la formation houillère recouverte par les terrains triasiques.
                    GÉRARD, *in* D'ORBIGNY,
          Dict. universel d'hist. nat., t. VI, p. 122, *in* D.D.L., II, 10.

TRIATHLON [tʀiatlɔ̃] n. m. — 1929, *in* Petiot ; de *tri-,* d'après *pentathlon.*

♦ Sports. Épreuve d'athlétisme comportant trois parties (course, saut et lancer, le plus souvent). *Record de France du triathlon.*

DÉR. Triathlonien.

TRIATHLONIEN, IENNE [tʀiatlɔnjɛ̃, jɛn] n. — Mil. xxᵉ ; de *triathlon.*

♦ Sports. Spécialiste du triathlon.

TRIATOMICITÉ [tʀiatɔmisite] n. f. — 1872 ; de *tri-,* et *atomicité.*

♦ Chim. Caractère d'une molécule qui a trois atomes.

TRIATOMIQUE [tʀiatɔmik] adj. — 1872 ; de *tri-,* et *atomique.*

♦ Chim., vx. ⇒ **Trivalent.** — Mod. Qui a trois atomes. *Molécule triatomique* (→ Saturé, cit. 1), ex. : ozone, O_3 ; eau, H_2O.

TRIBADE [tʀibad] n. f. — 1566, H. Estienne, *Apologie pour Hérodote* ; du lat. *tribas,* mot grec, de *tribein* «frotter».

♦ Vx ou littér. Femme homosexuelle. ⇒ **Lesbienne.**

DÉR. Tribadisme.

TRIBADISME [tʀibadism] n. m. — 1849, Michéa ; *tribaderie,* Ed. et J. de Goncourt, *Journal,* 17 mai 1863 ; de *tribade.*

♦ Vx. Homosexualité féminine. ⇒ **Saphisme.**

TRIBAL, ALE, AUX [tʀibal, o] adj. — 1872 ; de *tribu,* p.-ê. d'après l'angl. *tribal* (1632).

♦ Sociol. De la tribu. *L'organisation tribale. Les jeux tribaux* (R. Caillois, *l'Homme et le Sacré,* p. 77). *Problèmes tribaux dans l'Afrique contemporaine.*

(...) la prépondérance de la division en phratries dans l'organisation tribale. Les phratries (...) représentent beaucoup plus qu'un intermédiaire entre la tribu et les clans (...) Les clans sont en nombre variable (...) Au contraire, on peut considérer comme fixe le nombre des phratries. Une tribu en comprend deux (...)
                    Roger CAILLOIS, l'Homme et le Sacré, p. 75.
Depuis l'arrivée des Européens, l'individu est devenu lui-même. Il ne s'agit plus de se noyer dans la mer tribale.
          Charles NOKAN, Violent était le vent, in Littér. de langue franç., p. 143.
(...) la magnificence des Turcs, la concentration des richesses dans les coffres de quelques tribus, l'étendue du pays, l'inconsistance de la population citadine ne pouvaient résister aux bouleversements imposés par la conquête. — Les chefs de l'Algérie tribale, ceux qui avaient la jouissance des trésors, la garde des traditions, furent pour la plupart tués ou dépossédés au cours de ces seize années de sanglants combats.   Kateb YACINE, Nedjma, p. 102.

DÉR. Tribalisme.
HOM. Triballe.

TRIBALISME [tʀibalism] n. m. — 1963, *in* Höfler ; de *tribal.*

♦ Sociol. Organisation sociale par tribus.

(...) bien des travailleurs *(zambiens)* savent que, grâce à leurs amis et parents haut placés, grâce au Parti, ils sont protégés contre le renvoi, ou peuvent être réembauchés. Alors ils en abusent : népotisme et tribalisme dominent encore bien des pays d'Afrique.   R. DUMONT et M.-F. MOTTIN, l'Afrique étranglée, p. 57.
Par ext. Formation de bandes organisées (spécialt, de jeunes) dans les grandes villes.

TRIBALLE [tʀibal] n. f. — 1731 ; «sonnerie de cloches ; cabaret», xiiiᵉ ; de l'anc. franç. *tribaler* → Triballer.

♦ **1.** Vx. «Chair de porc frais cuite dans la graisse qui se vend dans les Foires» (*in* Trévoux, 1743).

♦ **2.** (1872). Mod., techn. Petite tringle de fer pour battre les peaux.
HOM. Tribal.

TRIBALLER [tʀibale] v. tr. — 1757, «remuer fort» ; spécialisation de l'anc. franç. *tribaler* «remuer en tous sens». → Trimballer.

♦ Techn. Assouplir (les peaux) en les battant avec la triballe.
DÉR. V. Triballe.

TRIBART [tʀibaʀ] n. m. — Déb. xviiiᵉ ; «gourdin», 1532 ; mot angevin ; orig. incert., p.-ê. de l'anc. franç. *tribler* «harceler», du lat. *tribulare* «tourmenter». → Tribulation.

♦ Techn. ou régional. Bâton ou ensemble de bâtons qu'on attache au cou de certains animaux pour les empêcher de passer au travers des haies.

TRIBASIQUE [tʀibazik] adj. — 1842 ; de *tri-,* et *base.*

♦ Chim. Qui possède trois fonctions base.

TRIBO- Élément, du grec *tribein* «frotter».

TRIBO-ÉLECTRICITÉ [tʀiboelɛktʀisite] n. f. — Mil. xxᵉ ; de *tribo-,* et *électricité.*

♦ Sc. Électricité statique produite par frottement.

TRIBO-ÉLECTRIQUE [tʀiboelɛktʀik] adj. — Mil. xxe; de *tribo-*, et *électrique*.

♦ Sc. Relatif à la tribo-électricité. *Phénomène tribo-électrique.* Cour. Qui produit cette électricité. *Sous-vêtement tribo-électrique.*

TRIBOLOGIE [tʀibɔlɔʒi] n. f. — 1972; de *tribo-*, et *-logie*.

♦ **1.** Mécan. Étude du frottement et de ses effets; science et technique de l'interaction des surfaces en mouvement relatif.

♦ **2.** (V. 1966; angl. *tribology*). Méd. Étude des frottements dans les articulations et de l'usure qu'ils produisent. ⇒ **Tribologue.** *« En Grande-Bretagne, où la tribologie, discipline qui regroupe les sciences et les techniques de la friction, est devenue une discipline bio-médicale »* (*Science et Vie*, nov. 1977, p. 42).

TRIBOLOGUE [tʀibɔlɔg] n. — 1977; de *tribo-*, et *-logue*.

♦ Didact. Médecin spécialiste de la tribologie. *« La marche, telle que la voient les tribologues »* (*Science et Vie*, nov. 1977, p. 44).

TRIBOLUMINESCENCE [tʀibɔlyminesɑ̃s] n. f. — 1905, in *Rev. gén. des sc.*, no 9, p. 439; de *tribo-*, et *luminescence*.

♦ Sc. Propriété de certains corps cristallins qui deviennent lumineux par frottement, écrasement ou rupture.

TRIBOLUMINESCENT, ENTE [tʀibɔlyminesɑ̃, ɑ̃t] adj. — 1905, in *Rev. gén. des sc.*, no 9, p. 439; de *tribo-*, et *luminescent*.

♦ Sc. Qui possède la propriété de triboluminescence. *Corps triboluminescent.*

TRIBOMÈTRE [tʀibɔmɛtʀ] n. m. — 1765; de *tribo-*, et *-mètre*.

♦ Sc. Instrument pour mesurer la force d'un frottement.
DÉR. Tribométrie.

TRIBOMÉTRIE [tʀibɔmetʀi] n. f. — 1922; de *tribomètre*.

♦ Sc. Mesure des frottements.

TRIBORD [tʀibɔʀ] n. m. — 1484; aussi *estribord*, 1573, et *stribord*, 1678; du moyen néerl. *stierboord* «bord *(boord)* du gouvernail *(stier)*».

♦ Mar. et cour. Côté d'un navire qu'on a à sa droite quand on regarde vers l'avant, vers la proue. *Feu à bâbord et à tribord !* (→ Salve, cit. 2). *Aviron, chaloupe de tribord* (→ Guindeau, cit. 1; 1. rame, cit. 2). *Feu vert de tribord. Le bateau pencha à tribord* (→ 1. Porter, cit. 22). *Aller sur tribord. Bordée* de tribord.* — Adj. De tribord. *Le grand hunier tribord* (→ Gabier, cit. 1). — Loc. *Être tribord amure* (ou *tribord amures*): recevoir le vent de tribord.

1   C'est bien à lui de traiter les autres d'*ignares*, lui qui ne serait pas en état de ramer sur les bancs d'une péniche, qui ne connaît pas tribord d'avec bâbord ?
G. SAND, Histoire de ma vie, II, VII, VI.

2   C'est une des lois de la mer que tout navire cède le passage à qui lui arrive ayant le vent à tribord (...) c'est l'adage célèbre : *Tribord amure, roi des mers.*
J. R. BLOCH, Sur un cargo, p. 86-87.

CONTR. Bâbord.
DÉR. Tribordais.

TRIBORDAIS [tʀibɔʀdɛ] n. m. — 1704; de *tribord*.

♦ Mar. anc. Matelot faisant partie de la bordée de tribord. *Les tribordais ont leur hamac à tribord* (→ Bâbordais, cit.).

TRIBOUIL [tʀibuj] n. m. — Fin xiiie; *tribuil*, xiie; de *tribouiller*.

♦ Vx. Agitation, trouble (encore chez Chateaubriand).

TRIBOUILLER [tʀibuje] v. — Fin xve; *tribullier*, xiiie; de l'anc. franç. *triboler*, xiie, sous l'infl. de *brouiller*, *fouiller*...; du lat. *tribulare*.
Vieux.

♦ **1.** Trans. Troubler, contrarier, ennuyer.

♦ **2.** Intrans. (1642). S'agiter, se troubler*. *« Je me sens tout tribouiller le cœur* (cit. 30) *quand je te regarde »* (Molière).
DÉR. Tribouil.

1. TRIBOULET [tʀibulɛ] n. m. — 1611; anc. provençal *tribolet*, 1498; de l'anc. franç. *triboler*, *tribouler* «agiter, secouer»; du lat. *tribulare*.

♦ Techn. Outil d'orfèvre, tige tronconique servant à arrondir les anneaux, les bagues. — Tige servant à mesurer le diamètre des bagues.

1   Pour lui donner la forme d'un cercle, qui est la plus ordinaire, après l'avoir coupée à longueur, on la recourbe, grossièrement, et on en soude les extrémités, puis on la force au maillet sur un cône en fer appelé *triboulet*.
Luc LANEL, l'Orfèvrerie, p. 10.

2   C'était une vieille histoire, jugée entre les deux guerres. Le bijoutier Mestorino avait tué, à coups de triboulet, cet instrument en métal qui sert aux joailliers à mesurer le diamètre des bagues, un certain Truphème, qui venait lui présenter une traite.
R. FLORIOT, La vérité tient à un fil, p. 193.

2. TRIBOULET [tʀibulɛ] n. m. — 1594; nom d'un bouffon de Louis XII et de François Ier, probablt du lat. *tribolare*, avec infl. de *boule*.

♦ Vx. Personnage grotesque, dérisoire. *Des triboulets.*

TRIBRAQUE [tʀibʀak] n. m. — 1671; du lat. *tribrachys*, grec *tribrakhus*, de *treis* «trois», et *brakhus* «bref», proprt «trois brèves».

♦ Didact. Pied d'un vers grec ou latin formé de trois brèves.

TRIBROMURE [tʀibʀɔmyʀ] n. m. — Mil. xxe; de *tri-*, et *bromure*.

♦ Chim. Composé dont la molécule contient trois atomes de brome.

TRIBU [tʀiby] n. f. — 1355; du lat. *tribus*, d'orig. inconnue : l'hypothèse des trois *(tri-)* tribus originelles est gratuite.

♦ **1.** Didact. Division topographique du peuple romain (quatre *tribus* urbaines ou *quartiers;* trente et une *tribus* rustiques). *Les tribus étaient divisées en curies** (1. Curie, cit.). *Comices* par tribus* (→ Plébiscite, cit. 1). — (Correspondant au grec *phulê*). Subdivision ethnique des peuples grecs, formée d'hommes prétendant descendre d'un ancêtre commun, et divisée en phratries (→ Héros, cit. 6). *Président d'une tribu.* ⇒ **Phylarque.** — REM. De nombreux auteurs ont vu dans la *tribu* romaine un groupe ethnique (et non topographique). → Cité, cit. 2, Fustel de Coulanges; famille, cit. 5.

(1450). Antiq. judaïque. Chaque groupe ethnique qui s'estimait issu d'un des douze fils de Jacob (les patriarches). *Les douze tribus d'Israël; la tribu de Benjamin, de Juda* (⇒ **Juif**), *de Lévi* (→ Lévite, cit. 2). *La tribu sacrée, sainte*, celle de Lévi, vouée au culte.

♦ **2.** (1798). Cour. Groupe social et politique fondé sur une parenté ethnique réelle ou supposée, chez les peuples à organisation primitive. ⇒ **Ethnie, société; tribal.** *Divisions ethniques d'une tribu, d'un groupe de tribus.* ⇒ **Clan, phratrie** (cit.). *Tribus d'Asie, d'Afrique. Tribus nomades* (→ Nomadisme, cit. 1). *Douar* d'une tribu arabe. Tribu «sauvage* », «primitive* »* (→ Hospitalité, cit. 3). ⇒ **Peuplade.** *Organisation politique formée de plusieurs tribus. Chef de tribu.* — Les membres d'une telle tribu, alors même qu'ils ne sont plus groupés. *Travailleurs, dockers noirs de telle ou telle tribu.*

1   (...) il n'est pas douteux que sa famille ne fût une des plus considérées de la première tribu, qui était celle des Coracites (...) chaque tribu avait son étoile ou sa planète.
VOLTAIRE, Essai sur les mœurs, VI.

2   Vieillards, bardes, guerriers, enfants, femmes en larmes,
L'innombrable tribu partit, ceignant ses flancs
Avec tentes et chars et les troupeaux beuglants (...)
LECONTE DE LISLE, Poèmes barbares, «Massacre de Mona».

3   Au cours de ces dernières années, l'attention a été appelée sur les institutions de certaines tribus du Brésil central et oriental que leur bas niveau de culture matérielle avait fait classer comme très primitives. Ces tribus se caractérisent par une structure sociale d'une grande complication comportant divers systèmes de moitiés se recoupant les uns les autres (...), des clans, des classes d'âge (...)
Claude LÉVI-STRAUSS, l'Anthropologie structurale, VII.

Franç. d'Afrique. Ethnie ou sous-ensemble d'une ethnie.
Littér. (péj.). Le groupe social. *« Donner un sens plus pur aux mots de la tribu »* (Mallarmé). → aussi Parti, cit. 34, Maurras.

♦ **3.** Fig., iron. Groupe nombreux; grande et nombreuse famille*. *Cette tribu de Grignan* (→ Giron, cit. 5, Mme de Sévigné). ⇒ **Clan.** *Quelle tribu !* ⇒ **Smala.** *Il est arrivé avec toute sa tribu.*

(1770). Vieilli. Groupe d'animaux, de plantes.

4   Une lueur vacilla dans la nuit, Karl venait de tirer; et les deux chiens s'élancèrent. Alors, de minute en minute, tantôt lui et tantôt moi, nous ajustions vivement dès qu'apparaissait au-dessus des roseaux l'ombre d'une tribu volante.
MAUPASSANT, Amour, Pl., t. II, p. 849.

(Fin xviie). Groupe d'intérêt. ⇒ **Coterie, parti.** *La tribu mercenaire* (cit. 3) *des écrivains à tout faire.*

Hist. (Alsacien *Zunft*). Corporation, en Alsace. *La tribu des bateliers, des marchands.*

♦ **4.** (1836). Didact. Subdivision de la sous-famille correspondant à un groupe supérieur au genre. *Tribus d'animaux, de bactéries.*

COMP. Sous-tribu.
HOM. Tribut.

TRIBULATION [tʀibylɑsjɔ̃] n. f. — V. 1120, *tribulatiun;* du lat. ecclés. *tribulatio* «tourment», de *tribulare* «travailler la terre avec le *tribulum*» (sorte de herse), et fig. «tourmenter». → Trimballer (étymologie).

♦ **1.** Relig. Tourment moral, souvent considéré comme une épreuve* (→ Exercer, cit. 16). *Le pontife* (cit. 3) *des tribulations.* — Vx (au sing.). « *Un pain de tribulation et d'amertume* » (Massillon). ⇒ **Affliction.**

1   Que si vous contemplez d'une âme un peu bénigne
Les tribulations de votre esclave indigne (...)
J'aurai toujours pour vous, ô suave merveille,
Une dévotion à nulle autre pareille.   MOLIÈRE, Tartuffe, III, 3.

2   Rancé, au milieu de toutes ces tribulations, n'avait d'autre refuge que la patience chrétienne. On écrivit contre lui, on prêcha même contre lui ; on attaqua sa doctrine et sa conduite (...)   CHATEAUBRIAND, Vie de Rancé, p. 222.

♦ **2.** (V. 1170, *tribulatium*). Au sing., vx. Adversité, épreuve physique ou morale. ⇒ **Ennui.**

♦ **3.** (Av. 1799). Au plur., cour. (souvent iron.). Aventures plus ou moins désagréables. ⇒ **Hasard, mésaventure.** *Passer par des tribulations variées. Il n'est pas au bout de ses tribulations.* ⇒ **Peine** (→ Terme, cit. 9). *Les Tribulations d'un Chinois en Chine,* de J. Verne.

3   Je reviendrai à Paris, vers le 17 à peu près et c'est alors seulement que j'irai vous conter toutes mes petites tribulations.
     SAINTE-BEUVE, Correspondance, 412, 11 oct. 1834.

4   Je ne sais plus rien du sort de la guerre (...) J'ai tout oublié et un jour viendra peut-être où je douterai d'avoir vécu ces tribulations.
     M. AYMÉ, le Passe-muraille, « Le décret ».

TRIBULUS [tʀibylys] n. m. — xxᵉ (*in* Larousse, 1933) ; relatinisation de *tribul*, v. 1363, *tribule*, 1611 ; lat. *tribulus*, grec *tribolos*, de *treîs*, et *ballein* «lancer».

♦ Bot. Plante annuelle (famille des *Rutacées*), dont le fruit se sépare en cinq coques. *Le tribulus pousse notamment dans le sable ;* il est appelé aussi *croix de chevalier de Malte, saligot terrestre.*

TRIBUN [tʀibœ̃] n. m. — 1213 ; du lat. *tribunus*, de *tribus*. → Tribu (1.) ; à Rome, sous la royauté, les *tribuns* militaires commandaient les contingents fournis par les *tribus* urbaines, mais dès la République, le rapport de sens s'était perdu.

♦ **1.** Didact. Officier ou magistrat, dans l'antiquité romaine. *Tribun militaire :* l'un des six officiers, nommés par les consuls, puis élus (dans les comices de tribus), qui commandaient la légion romaine. — (V. 1355). *Tribun de la plèbe* (→ Didacteur, cit. 3), *tribun du peuple* (→ Établir, cit. 7) : magistrat élu pour défendre les intérêts des plébéiens (cit. 1). ⇒ **Plèbe.** *Le pouvoir des tribuns s'accrut sous la République, ils purent être élus consuls* en 367 (tribuns consulaires), et devinrent les chefs de la démagogie romaine ; leur autorité s'amoindrit sous l'Empire* (⇒ **Tribunat**).

♦ **2.** (1649). [a] Vx, péj. «Démagogue, factieux» (Littré).

[b] (1823 ; *tribun du peuple,* 1788 ; sous l'infl. de *tribune**. → Auréole, cit. 10). Mod. Défenseur éloquent (d'une cause, d'une idée), et, spécialt, orateur qui s'érige en défenseur du peuple. *Lassalle, entraîneur* (cit. 2) *d'hommes, poète et tribun. Le peuple ouvrier, venu acclamer son tribun* (→ Heure, cit. 13).

1   Pendant toute la Révolution *tribun* avait eu cours : S'il arrive un événement fâcheux, on nous peindra comme des « tribuns d'un peuple » que nous cherchons à soulever *(Assemblée nationale 1ᵉʳ juillet 1789).* On se souvient du Journal de Babeuf : *Le Tribun du Peuple. Tribunitien* n'est pas rare non plus (...)
     F. BRUNOT, Hist. de la langue franç., t. IX, II, p. 796.

2   Cette retraite du jeune Perrault au Luxembourg est, je le répète, sa retraite du mont Aventin ; il s'émancipe et se prépare à devenir bientôt une sorte de tribun des idées nouvelles.   SAINTE-BEUVE, Causeries du lundi, 29 déc. 1851.

3   Le premier qui au lieu de dire un *tribun* pour un membre du Tribunat parmi les Français, ou parmi les anciens Romains pour un tribun du peuple ou pour un tribun des soldats, eut l'idée de dire un tribun pour un maître de la tribune fut quelqu'un qui ne perdit pas son temps (...) Il semble bien qu'il y a eu contamination du mot tribun, né de tribune, par l'ancien mot tribun, par le vieux mot latin *tribunus,* par le tribun des soldats et par le tribun du peuple. Ainsi le tribun moderne et contemporain, l'homme de la tribune, a été investi confusément de l'autorité romaine (...)
     Ch. PÉGUY, la République..., p. 85 (→ aussi Culminer, cit. 3).

♦ **3.** (1800). Hist. Membre du Tribunat*, dans la constitution de l'An VIII. *Les tribuns étaient élus par le Sénat.*

TRIBUNAL, AUX [tʀibynal, o] n. m. — xvᵉ ; « siège d'un juge », xIIIᵉ ; adj., « où siège un juge », xIIᵉ ; lat. *tribunal,* n. m., « estrade où siègent les magistrats » ; de *tribunus.* → Tribun.

♦ **1.** Lieu où siègent les juges, où l'on rend la justice. ⇒ **Palais** (de justice), **prétoire, siège** (d'un tribunal). Cf. (Poét.) *Le sanctuaire des lois, le temple de Thémis. Dans l'enceinte du tribunal. La barre*, le parquet* ; le greffe* du tribunal.*

(1835). Archit. Hémicycle à la partie postérieure d'une basilique*.

♦ **2.** (1670 ; *tribunal de district,* répandu 1789 ; *tribunal de cassation,* 1790 ; *tribunal criminel,* 1791 ; Brunot, *Hist. de la langue franç.,* t. IX, p. 1026, sqq.). Magistrat ou corps de magistrats exerçant une juridiction. ⇒ **Droit** (*infra* cit. 61) ; **juge, juridiction, justice ; chambre,**

conseil, cour (IV.) ; et aussi **assises, cassation, discipline, haut** (*supra* cit. 38), **martial, directoire.** Spécialt (dr.). Juridiction inférieure (opposé à *chambre, cour*). *Tribunaux administratifs* (Conseil d'État et toutes juridictions qui en dépendent) *et tribunaux judiciaires* (→ Emprise, cit. 2). *Tribunaux de droit commun et tribunaux d'exception** (⇒ **Commission**). *Assemblée* constituée en tribunal* (→ Séance, cit. 3). *Tribunal révolutionnaire*. Tribunal répressif,* chargé de punir (→ Police, cit. 8). — (1790). *Tribunal de commerce*.* ⇒ aussi **Consulaire** (juge consulaire ; et → Commerçant, cit. 3). *Tribunaux maritimes* (→ Évasion, cit. 1). ⇒ **Amirauté** (vx). — (1876). *Tribunaux militaires : tribunal militaire aux armées,* en campagne ou en occupation ; *tribunaux permanents des forces armées, tribunaux prévôtaux.* — *Tribunal civil,* séculier, et *tribunal ecclésiastique* (cit. 3). ⇒ **Pénitencerie.** — *Tribunal d'instance* (autrefois, *justice de paix*) ; *tribunal de police,* formé d'un juge du tribunal d'instance, d'un officier du ministère public, d'un greffier. *Tribunal de grande instance* (autrefois, *de première instance*) ou *d'arrondissement,* compétent pour les affaires civiles qui dépassent la compétence du tribunal d'instance ou de police (Cour d'assises, d'appel, de cassation, Haute Cour de justice, Cour de sûreté de l'État). *Tribunal correctionnel*. Tribunal civil :* tribunal d'arrondissement siégeant en matière pénale, civile. *Tribunal arbitral,* formé d'arbitres* choisis par les parties. *Tribunal jugeant les différends d'ordre professionnel.* ⇒ **Prud'homme** (conseil des). — (1912). *Tribunaux pour enfants,* chargés de juger les enfants et les adolescents délinquants.

Hist. *Tribunal domestique* (Montesquieu, *l'Esprit des lois,* VII, X). *Tribunal des héliastes* (héliée). *Assemblées faisant fonction de tribunaux.* ⇒ **Aréopage, sanhédrin.** — *Tribunal du bailli* (bailliage), *du prévôt* (prévôté, etc.). ⇒ **Juridiction.** *Tribunal aulique*. Le tribunal de la Sainte-Vehme. — Tribunal de l'Inquisition* (cit. 1). ⇒ **Saint-Office.**

Compétence* d'un tribunal. Tribunal incompétent (cit. 1). *Tribunal qui statue ultra-petita*. Tribunal qui connaît* d'une affaire. Conflit de juridiction entre deux tribunaux. Tribunal des conflits* (cit. 7), chargé de régler, quant à la compétence, les conflits d'attribution entre l'autorité administrative et l'autorité judiciaire. — *Porter une cause d'un tribunal à un autre.* ⇒ **Évocation, évoquer.** *Délégation d'un tribunal à un autre.* ⇒ **Commission** (rogatoire). *Dessaisissement d'un tribunal. Litige porté devant deux tribunaux en même temps.* ⇒ **Litispendance** (cit.). *Déni de justice d'un tribunal.* — *Recours à un tribunal d'instance supérieure.* ⇒ **Appel** (cit. 18). *Tribunal souverain,* dont les décisions sont sans appel. — *Session d'un tribunal. Vacances, vacation ; rentrée des tribunaux* (⇒ aussi **Mercuriale**). — *Séance d'un tribunal.* ⇒ **Audience, débat** (débats publics) ; **huis**(-clos) ; **siéger.** *Délibérations, décisions d'un tribunal* (⇒ **Justice**) ; *délibéré, jugement, statuer*). *Interprétation de la loi par les tribunaux.* ⇒ **Jurisprudence** (cit. 2). *Exequatur* (cit.) *d'un tribunal. Acte homologué* (cit. 1 et 2) *par un tribunal.* — (Dr. criminel). *Le prévenu, l'accusé* a été acquitté, condamné par le tribunal.* ⇒ **Acquittement, condamnation.** — *Compte rendu des décisions des tribunaux* (chronique judiciaire). *Gazette des tribunaux. Magistrats statuant dans un tribunal* (⇒ **Juge**), établis près les *tribunaux* (⇒ **Ministère, procureur**). *Composition d'un tribunal.* ⇒ **Juré, jury.** *Huissier qui introduit le tribunal.* — *Défense des droits devant les tribunaux.* ⇒ **Justice, procédure.** *Saisir*, dessaisir un tribunal d'une affaire, d'une contestation, d'un litige.* — *Devant le tribunal. Porter* une affaire devant les tribunaux.* ⇒ **Procès.** *Le jour où l'affaire doit venir devant le tribunal.* ⇒ 2. **Avenir** (cit.). *Contester devant le tribunal.* ⇒ **Plaider, plaideur.** *Citer qqn devant le tribunal* (⇒ **Citation**). *Enquête** (cit. 1) *devant les tribunaux. Traduire*, traîner devant les tribunaux,* en justice. — *Personnes en différend devant un tribunal.* ⇒ **Partie.** *Intervention* (cit. 1) *d'un tiers devant le tribunal. Personnes qui représentent les parties devant le tribunal.* ⇒ **Agréé** (comm.), **avocat, avoué.** *Qui a prêté serment devant le tribunal* (⇒ **Assermenter**). — *Mesures d'instruction* (expertises, etc.) *auprès d'un tribunal. Conseil, curateur* (cit. 2) *nommé par le tribunal* (→ Assistance, cit. 5). Dr. criminel. *Accusation, défense devant le tribunal.*

1   Assurément, monsieur : si le fond des procès appartient aux plaideurs, on sait bien que la forme est le patrimoine des tribunaux.
     BEAUMARCHAIS, le Mariage de Figaro, III, 13.

(1790). Par anal. *Tribunal de famille :* assemblée de famille qui prend une décision impliquant jugement, sanction.

♦ **3.** (1642). Justice (de Dieu). *Le tribunal de Dieu. Comparaître* (cit. 4 et 5) *devant le tribunal suprême. Le tribunal de la pénitence* (cit. 4). ⇒ **Confession, confessionnal** (cit. 2). — Littér. *Jugement moral. Le tribunal de la conscience** (→ aussi Morale, cit. 6). — *Le tribunal de l'histoire, de la postérité...*

2   De la confession j'accomplis l'œuvre sainte ;
Le tribunal divin siège dans cette enceinte.
Répondez, le pardon déjà vous est offert (...)
     A. DE VIGNY, Livre moderne, « La prison ».

3   (...) le monde et la littérature, malgré quelques révoltes çà et là, reconnurent en elle *(l'Académie française)* la régulatrice de la langue et du bel usage, et même un tribunal souverain du goût.   SAINTE-BEUVE, Causeries du lundi, 9 juin 1851.

TRIBUNAT [tʀibyna] n. m. — 1500; du lat. *tribunatus*, de *tribunus*.
→ Tribun.

♦ **1.** Didact. Charge de tribun dans l'antiquité romaine; son exercice; la durée de son exercice. — Institution politique (ou militaire) par laquelle les tribuns exerçaient leur pouvoir. *Le tribunat de la plèbe acquit toute son importance à la fin de la République romaine.* — Par analogie :

Ce corps, que j'appellerai *tribunat*, est le conservateur des lois et du pouvoir législatif. Il sert quelquefois à protéger le souverain contre le gouvernement, comme faisaient à Rome les tribuns du peuple; quelquefois à soutenir le gouvernement contre le peuple, comme fait maintenant à Venise le conseil des Dix; et quelquefois à maintenir l'équilibre de part et d'autre, comme faisaient les éphores à Sparte.   ROUSSEAU, *Du contrat social*, IV, V.

♦ **2.** (1800). Hist. Assemblée proposée par Sieyès pour servir de « tribune de proposition » : le mot procède plutôt de *tribune* que de *tribun* (Brunot, *Hist. de la langue franç.*, t. IX, p. 766 et 796). Assemblée instituée par la constitution de l'an VIII, chargée de discuter les projets de loi devant le Corps législatif (qui ne faisait que voter). *Les pouvoirs du Tribunat furent restreints par le Premier consul; il fut supprimé en 1807.*

TRIBUNE [tʀibyn] n. f. — 1409, *trebune*; du lat. médiéval *tribuna*, lat. class. *tribunal*. → Tribunal.

♦ **1.** Emplacement élevé où sont réservées des places, dans une église (galerie* pratiquée au-dessus des bas-côtés; plate-forme de jubé*). ⇒ aussi **Ambon**. *Tribunes d'une chapelle, d'une église.* — *Tribune d'orgue* : galerie, emplacement élevé où se trouve le buffet d'orgue. — *Tribune de la lanterne d'un dôme* (balcon, galerie).

1 · En haut, dans les deux immenses tribunes qui se superposaient le long des côtés de la nef, les hommes venaient un à un prendre place, graves et le chapelet à la main (...)   LOTI, Ramuntcho, I, III.

Art. Au moyen âge, l'étage situé au-dessus des bas-côtés et qui épaule le mur de la nef. ⇒ **Triforium.**

2 *(Vers 1150)* commencent à s'élever (...) ces vastes églises à tribunes définies par leur élévation à quatre étages (...) Elles inaugurent et caractérisent le premier âge des cathédrales gothiques (...) Au-dessus des arcades s'ouvrent les baies des tribunes surmontées d'un arc de décharge, puis les ajours qui aèrent les combles, galeries sur colonnettes ou oculi, enfin les fenêtres supérieures (...) La perspectives des nefs développe l'horizontalité de ces quatre zones.
                                    Henri FOCILLON, l'Art d'Occident, II, I, II, p. 151.

(Dans un édifice profane). *Les tribunes du public, de la presse,* dans une assemblée. — Par métonymie. Les personnes qui sont dans les tribunes. *Les tribunes interviennent* (cit. 2).

Estrade, échafaudage dans une salle de spectacle (→ Entamer, cit. 14), en plein air... ⇒ **Échafaud** (vx), **estrade.**

(1872; on a dit *stand*, dans ce sens). Emplacement en gradins, généralement couvert, dans un champ de courses* (→ Hippodrome, cit. 3; longueur, cit. 4), un stade (→ Maillot, cit. 8). — Place dans les tribunes. *Louer une tribune.* — Le public placé dans les tribunes. *Les tribunes applaudissent.*

3 (...) les tribunes étageaient leurs gradins chargés de foule, où les étoffes claires se fondaient dans l'ombre fine des charpentes.   ZOLA, Nana, XI.

Emplacement surélevé où se trouve le juge de l'arrivée d'une course.

♦ **2.** Emplacement élevé ou surélevé d'où un orateur s'adresse à une assemblée, où des personnes siègent pour présider. *Monter à la tribune pour prendre la parole.*

[a] (1606). Antiq. (avec infl. de *tribun*). Lieu élevé, estrade où se plaçait un orateur (→ Démocrate, cit. 7). *Tribune aux harangues,* sur le forum. ⇒ **Rostre.**

4 *(Dans Athènes)* Un orateur, voyant sa patrie en danger,
Courut à la tribune, et, d'un art tyrannique,
Voulant forcer les cœurs dans une république,
Il parla fortement sur le commun salut.   LA FONTAINE, Fables, VIII, 4.

[b] Vx (La Bruyère). Chaire à prêcher. — Poét. *La tribune sacrée.*

[c] Mod. Emplacement d'où un orateur s'adresse au public (spécialt, dans une assemblée politique, au parlement). ⇒ **Estrade.** *Parler à la tribune. Discours prononcé d'une tribune. Orateur qui monte à la tribune* (→ Creuser, cit. 28; discours, cit. 13; huissier, cit. 5), *est à la tribune* (→ Carrure, cit. 1; préambule, cit. 3). *La tribune de la Chambre* (→ Prosopopée, cit. 1). *Tribune présidentielle,* réservée à la présidence.

5 (...) je suis diverti par ce naturaliste de volcans, ce Pascal manqué, cet orateur de montagnes qui pérore à la tribune comme ses petits compatriotes chantent au haut d'une cheminée (...)
                                    CHATEAUBRIAND, Mémoires d'outre-tombe, t. II, p. 112.

6 (...) un homme gonflé de rancune ou de colère parvient à conquérir la tribune. C'est alors que l'on comprend que l'éloquence naturelle est tout à fait sans puissance.   ALAIN, Propos, 2 nov. 1921, L'art du comédien.

Par ext. L'éloquence* parlementaire, politique; l'art des débats publics (→ Parlementarisme, cit. 1). *La presse et la tribune* (→ Social, cit. 5).

♦ **3.** (Av. 1799). Par métaphore, fig. Lieu d'où l'on s'exprime par des discours, et, par ext., par tout autre moyen. « *L'éloquence n'a plus de tribune, mais la chaire* (cit. 4) *en est une encore pour la morale* ».

♦ **4.** (xxᵉ). Manifestation orale ou écrite par laquelle qqn s'adresse au public. *La tribune libre d'un journal. Tribune des critiques,* à la radio, à la télévision. *Organiser une tribune sur un sujet d'actualité.* — Titre de publications. *La tribune de Lausanne.*

TRIBUNITIEN, IENNE [tʀibynisjɛ̃, jɛn] adj. — V. 1355; du lat. *tribunitius*, de *tribunus* « tribun ».
Didactique ou littéraire.

♦ **1.** Antiq. Du tribun, du tribunat. *Le pouvoir tribunitien* (→ Cubique, cit. 1).

Dans la confuse imagination populaire et dans l'inconsciemment populaire imagination de tant de gens d'études à qui les études n'ont rien appris, en qui les études n'ont pas pénétré, le grand tribun est revêtu de la vieille autorité romaine, de l'autorité des tribuns militaires, et de la toute particulière puissance tribunitienne.   Ch. PÉGUY, la République..., p. 85.

♦ **2.** (1842). Littér. Du tribun, de l'orateur populaire. *La dictature oratoire et tribunitienne de Lamartine* (→ Descendre, cit. 22). *L'éloquence tribunitienne.*

TRIBUT [tʀiby] n. m. — 1463; *trebu*, déb. xivᵉ; a remplacé la forme pop. *treü* « redevance féodale; impôt, corvée », 1080; par le lat. *tributum* « impôt perçu par la tribu », de *tribuere*.

♦ **1.** Contribution forcée, imposée à un vaincu par un vainqueur; ou payée par un peuple, un État à un autre, en signe de dépendance, de soumission. *Payer un tribut* (et, littér., *payer tribut) à l'envahisseur. Tribut injuste.* ⇒ **Exaction.** *Un lourd tribut. Un tribut de trois cents chevaux* (→ Exiger, cit. 2).

1 Voici don Galcéran de Silva, l'autre Cid! (...)
Il affranchit Léon du tribut des cent vierges.   HUGO, Hernani, III, 6.

2 (...) Minos exigea des Athéniens qu'il venait de vaincre à la guerre un tribut annuel de sept garçons et de sept filles que dévorait le Minotaure.
                                    Émile HENRIOT, Mythologie légère, p. 119.

Par anal. *Payer un tribut expiatoire* (cit. 3).

Dr. Total des impôts perçus dans « une provinve décentralisée ou un État vassal » (Capitant).

♦ **2.** (Av. 1615). Contribution payée à un supérieur (seigneur féodal, État...). ⇒ **Imposition, impôt** (cit. 5). *Lever un tribut* (→ Énumérer, cit. 1). *Le tribut de l'impôt. Le tribut du sang* : l'obligation militaire. — Somme des impositions destinées à un même usage (→ ci-dessous, cit. 4, Diderot).

3 (...) plus la distance du peuple au gouvernement augmente, et plus les tributs deviennent onéreux : ainsi, dans la démocratie, le peuple est le moins chargé; dans l'aristocratie, il l'est davantage; dans la monarchie, il porte le plus grand poids.
                                    ROUSSEAU, le Contrat social, III, VIII.

4 Nous destinons à leur entretien et à la subsistance des vieillards, une sixième partie de tous les fruits du pays; ce tribut les suit partout.
                                    DIDEROT, Suppl. au voyage de Bougainville, III.

5 Je vois bien de nouveaux contribuables, mais il n'est plus question, en notre temps, de lever tribut sur les populations sans leur rendre en services publics l'équivalent de ce qu'elles paient.
                                    ALAIN, Propos, 21 août 1921, L'esprit guerrier...

♦ **3.** Vx. Rétribution, salaire. « *Tirer de son travail un tribut légitime* » (cit. 7, Boileau).

♦ **4.** (1662). Fig., littér. Ce qu'on est obligé d'accorder, de supporter (pour des raisons morales). *La confiance* (cit. 1), *tribut payé au mérite.* ⇒ **Hommage.** *Tributs de louange et d'amour* (→ Rajeunir, cit. 5). — *Payer tribut à la nature, à Nature* (cit. 37) : mourir*. *Le fatal* (cit. 2) *tribut.*

6 Canalis s'arrêta pour recueillir, par un regard jeté sur les figures, le tribut d'étonnement que lui devaient des provinciaux.   BALZAC, Modeste Mignon, Pl., t. I, p. 512.

(1656). Spécialt, vx. Hommages amoureux; gage d'admiration, d'amour. *Les hommages* (cit. 13) *et les tributs où la nature nous oblige.*

HOM. Tribu.

TRIBUTAIRE [tʀibytɛʀ] adj. — xiiᵉ; du lat. *tributarius*, de *tributum*.
→ Tribut.

★ I. ♦ **1.** Vx ou hist. Qui paye tribut à un seigneur, à un souverain, à un État. *Fiefs tributaires d'un suzerain. Pays, peuples tributaires* (→ Remuer, cit. 11). *Être tributaire de qqn. Rendre un pays tributaire, tributaire de... ; (vx) tributaire à...* — Par ext. Assujetti à un pouvoir. ⇒ **Dépendant, soumis.**

1 Rendez de mon pouvoir Athènes tributaire.   RACINE, Phèdre, II, 3.

2 Le tribut qu'ils payent est peu de chose; et c'est une politique du roi de Suède, qui, pour tenir toujours ces peuples tributaires à sa couronne, ne les charge que d'un médiocre impôt, de peur que les Lapons (...) n'aillent sur les terres d'un autre (...)   J.-F. REGNARD, Voyage en Laponie, p. 86.

N. *Les tributaires d'un pays.*

♦ **2.** Rare. Imposé. *Ils rendent le peuple tributaire* (→ Subside, cit.).

♦ **3.** Par métaphore ou fig. [a] Vx. Qui rend un tribut (4.), un hommage. — N. Sujet, sectateur (→ cit., ci-dessous).

3 La discorde a toujours régné dans l'univers;
Notre monde en fournit mille exemples divers :
Chez nous cette déesse a plus d'un tributaire.   LA FONTAINE, Fables, XII, 8.

b Mod. Qui dépend* (de qqn, qqch.). *L'Europe est tributaire des pays tropicaux pour un certain nombre de denrées. — L'art contemporain est tributaire de toutes les recherches de son époque. Marché entièrement tributaire des fluctuations du cours de l'or.*

Nom :

4 Le pays qui rendra tous les autres ses tributaires sera celui qui proclamera la liberté commerciale, il se sentira la puissance manufacturière de tenir ses produits à des prix inférieurs à ceux de ses concurrents.
BALZAC, le Médecin de campagne, Pl., t. VIII, p. 361.

★ **II.** (1771; antérieur comme métaphore). Géogr. Qui se jette dans un cours d'eau plus important. ⇒ **Affluent**. *Les rivières tributaires d'un fleuve* (→ Engraisser, cit. 3). — N. m. *Les tributaires d'un lac* (cit. 4).

TRIBUTE [tribyt] adj. — 1904; du lat. *tribus*, de *tributus*. → Tribu.

♦ Hist. anc. *Comices tributes :* assemblée romaine, où l'on votait par tribu.

TRIC [trik] n. m. ⇒ **Trick.**

TRICALCIQUE [trikalsik] adj. — 1872; de *tri-*, et *calcique*.

♦ Chim. *Phosphate tricalcique*, comportant trois atomes de calcium.

TRICARD, ARDE [trikar, ard] n. et adj. — 1926, *tricard; tricarde*, 1949; de *trique*.

♦ Argot. Interdit de séjour. → Cassement, cit. *Les tricards et les taulards.*

1 (...) si je me justifiais pas en moins de rien, j'allais me trouver en quarantaine, tricard de partout! Angelo, il était pas à court pour les saloperies.
Albert SIMONIN, Touchez pas au grisbi, p. 128.

1.1 Passons aux tricards. Là encore, n'en déplaise à certains, un interdit de séjour, c'est une langue qui peut se délier.   Roger BORNICHE, le Gang, p. 128.

Par ext. Mis à la porte, exclu. *«Après des études mouvementées à travers 14 établissements, Frédéric, "tricard de tous les lycées de France" pour insubordination, décida de faire sa médecine»* (le Point, 26 mai 1975, *in* P. Gilbert).

Var. : *triquard.*

2 Je le connais de vue car ça fait un sacré bout de moment qu'il tient des hôtels craspects (*craspec :* «sale») et qu'il donne asile aux plus effarants triquards de ce département.   SAN-ANTONIO, Des gueules d'enterrement, p. 64.

TRICASTIN, INE [trikastɛ̃, in] adj. — 1876; de *Tricastin*, n. d'une région du Dauphiné, lat. *Tricastinus*, de *tri-* «trois», et rad. de *castellum* «château».

♦ Relatif au Tricastin, ou à la ville de Saint-Paul-Trois-Châteaux.

TRICENNAL, ALE, AUX [trisenal, o; trisɛnal, o] adj. — 1842; n. f., *tricennales* «espace de trente ans», 1721; du bas lat. *tricennalis*.

♦ Didact. Qui couvre trente ans, porte sur trente ans.

TRICENTENAIRE [trisɑ̃tnɛr] n. m. et adj. — 1922, *in* D.D.L.; de *tri-*, et *centenaire*.

♦ **1.** N. m. Troisième centenaire. *Fêter le tricentenaire d'un grand écrivain.*

♦ **2.** Adj. (1934; rare). Qui a trois cents ans. *Bâtiment, loi, œuvre tricentenaire.*

TRICÉPHALE [trisefal] adj. — 1803; du grec *trikephalos* de *tri-*, et *kephalos*. → -céphale.

♦ Didact. Qui a trois têtes. *Cerbère, monstre tricéphale.*
N. m. (1812). Monstre à trois têtes.

TRICEPS [trisɛps] adj. et n. m. — 1560; lat. *triceps* «à trois têtes, triple ».

♦ Anat. Se dit d'un muscle constitué à l'une de ses extrémités par trois portions distinctes s'insérant à des points osseux différents. *Muscle triceps brachial, crural.* — N. m. *Le triceps brachial se trouve dans la partie postérieure du bras. Le triceps crural occupe la moitié antérieure de la circonférence de la cuisse.*

TRICÉRATOPS [triseratops] n. m. — 1891, cit.; de *tri-*, grec *kéras, keratos* «corne», et *ôps* «face».

♦ Paléont. Grand reptile fossile de l'ordre des *Dinosauriens*, à tête munie de trois cornes. *Le tricératops mesurait jusqu'à huit mètres de long.*

Le tricératops de la fin du crétacé est plus bizarre encore, ainsi que l'Académie en peut juger par l'essai de restauration placé sous ses yeux. Son nom provient de ce qu'il a trois cornes : une médiane formée par les os nasaux, deux latérales placées au-dessus des yeux, comme dans plusieurs ruminants. La tête a plus de 2 mètres de long.   La Science illustrée, t. II, p. 416, 1891.

TRICH-, TRICHO-, -TRICHE Éléments du grec *thrix, trikhos* « poil, cheveu » (ex. : *holotriche*).

TRICHAGE [triʃaʒ] n. m. — 1932, cit. *infra;* de *tricher.*

♦ Rare. Action de tricher. ⇒ **Tricherie.**

Et quand ça lui arrivait de perdre malgré ses trichages il nous boudait pendant des heures entières.   CÉLINE, Voyage au bout de la nuit, p. 420 (1932).

TRICHE [triʃ] n. f. — 1660; «tromperie», v. 1180; de *tricher.*

♦ Fam. (surtout dans le langage enfantin). Tromperie au jeu; action de tricher. *C'est de la triche.* → Ce n'est pas de jeu*. — *Tu l'as eu à la triche*, en trichant.

Ah! je n'en ai jamais tant dit, allez!... *La triche en reviendra à son maître!...* ajouta-t-elle après une pause, en employant une expression du langage enfantin.   BALZAC, la Cousine Bette, Pl., t. VI, p. 226.

TRICHER [triʃe] v. — V. 1190, v. tr; var. *trichier, trechier*, en anc. franç.; d'un lat. pop. **triccare*, bas lat. *tricare*, class. *tricari* «chicaner».

♦ **1.** **a** V. intr. (1690). Enfreindre les règles d'un jeu en vue de gagner. *Tricher au jeu. Tricher aux cartes, en falsifiant son jeu.* ⇒ **Maquiller** (les cartes). *En trichant, il lui a escroqué tout son argent.* ⇒ **Filouter**. *Savoir bien le jeu, ce n'est pas tricher* (→ Spadassin, cit. 1).

1 Les messieurs continuèrent la partie de cartes commencée : je remarquai qu'ils trichaient à qui mieux mieux (...)   RIMBAUD, Un cœur sous une soutane.

2 Si on ne peut plus tricher avec ses amis, ce n'est plus la peine de jouer aux cartes.
M. PAGNOL, Marius, III, I, 2.

b V. tr. Vx. Tromper (qqn), spécialt, au jeu. *« J'eus toutes les peines du monde à lui faire apercevoir que je le trichais »* (Rousseau).

3 *(Elles)* lui apprennent le «pigeon-vole» japonais, — et le trichent, — et se disputent, — et se pâment de rire.   LOTI, Mᵐᵉ Chrysanthème, XVIII.

♦ **2.** V. intr. (V. 1265). Enfreindre certaines règles, certains usages, tout en affectant de les respecter. *Tricher aux examens* (en copiant, etc.). *Tricher sur son voisin. — Tricher sur qqch. :* mentir sur la valeur de qqch. *Tricher sur les prix, la qualité, le poids...* ⇒ **Frauder.**

4 Il était un peu marchand des quatre saisons et connaissait sa rue comme on la connaît quand on vend, que l'on triche sur le poids et que l'on tient tête aux volés.
Ch.-L. PHILIPPE, Bubu de Montparnasse, VII.

Fam., vieilli. Avoir des relations sexuelles sans prendre le risque de concevoir (et sans anticonceptionnels).

4.1 Un jour, à la confession, Madame expliquait au curé et lui demandait si elle pouvait tricher avec son mari...
— Qu'est-ce que vous entendez par tricher, mon enfant?... fit le curé.
— Je ne sais pas au juste, mon père, répondit Madame, embarrassée... De certaines caresses...   O. MIRBEAU, le Journal d'une femme de chambre, p. 43.

♦ **3.** V. intr. Se conduire avec mauvaise foi, de manière à trahir les personnes, les principes, les sentiments... que l'on affecte de servir, de respecter. *Dans un monde où chacun triche, c'est l'homme vrai qui fait figure de charlatan* (cit. 5). *Il ne trichait guère que lui* (cit. 70) *-même.* ⇒ **Dissimuler.** *Un homme qui triche en amour, en affaires, en politique* (→ Jeu, cit. 25).

5 (...) ne faites pas servir une peinture, que vous donnez pour objective, aux fins de votre passion. *Vous trichez;* c'est là ce que je vous reproche, et de confondre les genres. L'œuvre d'art *ne doit rien prouver;* ne peut rien prouver sans tricherie.
GIDE, Nouveaux prétextes, p. 286.

6 Il ne trichait plus avec son impatience. Il se marquait des étapes. Il dressait d'avance le calendrier de sa grandeur.
J. ROMAINS, les Hommes de bonne volonté, t. V, XXIV, p. 220.

♦ **4.** V. intr. (1835). Dissimuler un manque, un défaut dans la confection d'un ouvrage matériel. *Il a fallu tricher pour allonger cette robe. Tricher pour faire des raccords de tapisserie, ajuster une pièce.*

DÉR. Trichage, triche, tricherie, tricheur.

TRICHERIE [triʃri] n. f. — 1120, «mensonge»; de *tricher.*

♦ **1.** Vx. Mensonge. — (1690). Mod. Tromperie au jeu. ⇒ **Triche.** *Gagner par tricherie. Un coup franc* (2. Franc, cit. 11) *exécuté sans tricherie aucune.*

1 La tricherie, qui est trop fréquente, trop spontanée, surtout chez les enfants, pour ne pas tenir au jeu par des liens essentiels, pose aussi la question du succès.
Henri WALLON, l'Évolution psychologique de l'enfant, p. 68.

♦ **2.** Tromperie ou mauvaise foi de celui qui triche (2. ou 3.). ⇒ **Filouterie, friponnerie.** *L'envie de se distinguer* (cit. 30) *de ses semblables n'est qu'une tricherie envers la société.*

2   La rêverie attire, enjôle, leurre, enlace, puis fait de vous son complice. Elle vous met de moitié dans les tricheries qu'elle fait à la conscience. Elle vous charme. Puis vous corrompt.   HUGO, l'Homme qui rit, II, III, VIII.

♦ **3.** Le fait de dissimuler un défaut ou de produire une illusion. *La tricherie du peintre qui fait croire qu'une toile possède une profondeur réelle* (→ Cubiste, cit. 1).

3   J'ai toujours eu le plus grand mal à maquiller la vérité. Même changer la couleur des cheveux me paraît une tricherie qui rend pour moi le vrai moins vraisemblable.   GIDE, les Faux-monnayeurs, I, XI.

TRICHEUR, EUSE [tʀiʃœʀ, øz] n. — XIIᵉ ; de *tricher.*

♦ **1.** ⓐ Vx. Trompeur.

ⓑ (1694). Mod. Personne qui triche au jeu. *Tricheur professionnel.* ⇒ **Filou, maquilleur** (de cartes). *Ils font* (cit. 175) *larrons en foire et tricheurs de casino.*

1   Elles se rappelait comment tout cela avait débuté, au cercle, ce soir où elle avait poussé sa mise une fois les cartes tirées. Comme il l'avait regardée. Comme il avait sans être vu repoussé les plaques devant la tricheuse.   ARAGON, les Beaux Quartiers, II, IX.

♦ **2.** Personne qui triche (2. ou 3.). *L'élève qui copie sur son voisin est un tricheur.* Prov. *Le tricheur est souvent dupe de ses propres inventions.*

Les tricheurs (d'après le titre d'un film de Marcel Carné sur la jeunesse) : nom donné dans les années 1960 à la jeunesse bourgeoise qui poursuit son affranchissement sexuel et sentimental et affecte le cynisme.

2   Nous répétons pour nous rassurer que les tricheurs sont une invention de cinéastes et les blousons noirs un phénomène sans portée.   F. MAURIAC, le Nouveau Bloc-notes 1958-1960, p. 245.

TRICHIASIS [tʀikjazis] n. m. — 1765 ; *trichiase,* 1611 ; bas lat. *trichiasis,* grec *trikhiasis.*

♦ Méd. Déviation des cils vers le globe oculaire, pouvant provoquer une irritation de la conjonctive et de la cornée.

Odieux vent coulis ! Avec cela que mon poêle est vieux. Il laisse échapper des bouffées de fumée à vous donner la *(sic)* trichiasis.   HUGO, l'Homme qui rit, I, III, V.

TRICHINAL, ALE, AUX [tʀikinal, o ; tʀiʃinal, o] adj. — 1872 ; de *trichine.*

♦ Méd. De la trichine. ⇒ **Trichineux.** *Infection trichinale.*

TRICHINE [tʀikin ; tʀiʃin] n. f. — 1845 ; lat. mod. *trichina,* du grec *trikhinos* « de poils ».

♦ Didact. Ver filiforme *(Nématodes)* à peine visible à l'œil nu, dont la forme adulte est parasite de l'intestin grêle de divers animaux (porcs, rongeurs) et la forme larvaire s'enkyste dans les muscles (⇒ **Trichinose**).

DÉR. Trichinal, trichiné, trichineux, trichinose.

TRICHINÉ, ÉE [tʀikine ; tʀiʃine] adj. — 1864 ; de *trichine.*

♦ Méd. Qui est envahi de trichines. *Muscle trichiné. Viande trichinée.* « *Le porc est assez fréquemment trichiné...* » *(Année sc. et industr.,* 1867, p. 512).

TRICHINEUX, EUSE [tʀikinø, øz ; tʀiʃinø, øz] — 1872 ; de *trichine.*

♦ Didact. Relatif à la trichine. ⇒ **Trichinal.**

TRICHINOSE [tʀikinoz ; tʀiʃinoz] n. f. — 1864 ; all. *trichiniasis,* Zenker ; de *trichine.*

♦ Méd. Maladie provoquée par les larves de trichines* introduites dans l'organisme (par consommation de viande de porc infestée et mal cuite) et disséminées dans le tissu musculaire.

Le charbon est la maladie de la bactéridie comme la trichinose est la maladie de la trichine, la gale la maladie de l'acarus (...)   Henri MONDOR, Pasteur, VII.

TRICHION [tʀikjɔ̃ ; tʀikjɔn] n. m. — Mil. XXᵉ ; mot grec « petit cheveu ».

♦ Anat. Point situé à l'intersection de la racine des cheveux avec le plan sagittal, et indiquant la limite supérieure du visage.

TRICHITE [tʀikit ; tʀiʃit] n. f. — 1765 ; du grec *trikhitis* « chevelu ».

♦ **1.** Minér. Groupe de cristaux dont l'assemblage ressemble à des paquets de fils. Syn. : *barbe.*

♦ **2.** Techn. Filament métallique monocristallin doué d'une résistance à la rupture très élevée.

♦ **3.** Biol. ⇒ **Trichocyste.**

TRICHLORACÉTIQUE [tʀiklɔʀasetik] adj. — 1877, Littré-Robin ; de *tri-, -chlore,* et *acétique.*

♦ Chim. *Acide trichloracétique* (CCl₃COOH), dérivé de l'acide acétique par remplacement de trois atomes d'hydrogène par trois atomes de chlore.

TRICHLORÉTHYLÈNE [tʀiklɔʀetilɛn] n. m. — 1933 ; de *tri-, -chlore,* et *éthylène.*

♦ Chim. Composé de formule CHCl = CCl₂, liquide insoluble dans l'eau, ininflammable, puissant solvant des matières grasses. — Abrév. fam. : *trichlo* [tʀiklo]. *Du trichlo.*

Cette matière est alors reprise par des solvants, trichloréthylène ou white spirit, chauds qui, après percolation, abandonnent un tourteau ne conservant plus que 1 à 1,5 % d'huile que l'on appelle tourteau de déshuilage.   Jacques LOURD, le Lin et l'Industrie linière, p. 75.

TRICHLORURE [tʀiklɔʀyʀ] n. m. — 1964 ; de *tri-,* et *chlorure.*

♦ Chim. Composé contenant trois atomes de chlore.

TRICHO- ⇒ **Trich-.**

TRICHOCÉPHALE [tʀikosefal] n. m. — 1812, Mozin ; de *tricho-,* et *-céphale.*

♦ Zool. Ver parasite *(Nématodes),* à extrémité céphalique très fine, qui vit dans l'intestin de l'homme et de certains animaux et pouvant provoquer divers troubles, surtout digestifs *(trichocéphalose).*

DÉR. Trichocéphalose.

TRICHOCÉPHALOSE [tʀikosefaloz] n. f. — 1923 ; de *trichocéphale.*

♦ Méd. Maladie due au trichocéphale.

TRICHOCLASTIE [tʀikoklasti] n. f. — 1933 ; de *tricho-,* et *-clastie.*

♦ Méd. Habitude pathologique de s'arracher les poils, les cheveux. REM. Ne pas confondre avec *trichoclasie* [tʀikoklazi] n. f. « cassure fréquente, friabilité anormale (des cheveux) ».

TRICHOCYSTE [tʀikɔsist] n. m. — 1872 ; de *tricho-,* et *-cyste.* Biologie.

♦ **1.** Rare. ⓐ Bulbe pileux.

ⓑ Kyste pileux.

♦ **2.** Organite que lancent certains protozoaires ciliés sur leur proie. Syn. : *trichite.*

TRICHOGLOSSIE [tʀikoglɔsi] n. f. — 1872 ; de *tricho-,* et *-glossie.*

♦ Didact. Méd. État pathologique de la langue, qui paraît velue.

TRICHOGRAMME [tʀikɔgʀam] n. m. — 1968, Larousse ; de *tricho-,* et *-gramme.* Didactique.

★ **I.** Zool. Insecte utilisé pour détruire les œufs des vers parasites des fruits.

★ **II.** Méd. Examen des cheveux.

TRICHOGYNE [tʀikɔʒin] n. f. — 1892 ; « famille de plantes », 1876 ; de *tricho-,* et *-gyne.*

♦ Bot. Organe des algues rouges, formé d'une seule cellule, et qui joue le rôle de style et de stigmate. — Chez les champignons, Production de l'ascogone qui met en relation ce dernier avec l'anthéridie.

Le carpogone comprend une partie basale dilatée et un prolongement grêle, dit trichogyne, qui proémine au-dessus des rameaux végétatifs (...)   F. MOREAU, Botanique, Les algues, *in* Encycl. Pl., p. 229.

TRICHOLOGIE [tʀikɔlɔʒi] n. f. — 1872; de *tricho-*, et *-logie*.

♦ Didact., rare. Étude des poils, des cheveux (les formes *trichologique*, adj., et *trichologue*, n., sont attestées).

TRICHOLOME [tʀikɔlom] n. m. — 1846; de *tricho-*, et grec *lôma* « frange ».

♦ Bot. Champignon de la famille des Agaricinées, assez gros et charnu, à lamelles échancrées. ⇒ **Mousseron** (cour.).

TRICHOMA [tʀikɔma] ou **TRICHOME** [tʀikom] n. m. — 1808; grec *trikhôma* « touffe de poils ».

♦ Méd. Syn. de *plique**.

TRICHOMANIE [tʀikomani] n. f. — 1904; de *tricho-*, et *-manie*.

♦ Méd. Tic consistant à se passer la main dans les cheveux ou la barbe.

TRICHOMONAS [tʀikɔmonas] n. m. — 1837; de *tricho-*, et grec *monas* « unité. ».

♦ Zool. Protozoaire à plusieurs flagelles et à membrane ondulante unique, parasite des cavités naturelles de l'homme et de certains animaux.

DÉR. Trichomonase.

TRICHOMONASE [tʀikɔmɔnɑz] ou **TRICHOMONOSE** [tʀikɔmɔnoz] n. f. — Mil. xxᵉ; de *trichomonas*.

♦ Méd. Maladie due au trichomonas. *Trichomonase uro-génitale* (due au *trichomonas vaginalis*), *intestinale* (due au *trichomonas intestinalis*).

TRICHOMYCINE [tʀikomisin] n. f. — 1968, corps isolé en 1952; de *tricho-*, *myc(e)*, et *-ine*.

♦ Méd. Antibiotique produit par une espèce de streptomycète, employé dans le traitement des infections génito-urinaires dues au trichomonas.

TRICHOMYCOSE [tʀikomikoz] n. f. — 1904; de *tricho-*, et *mycose*.

♦ Méd. Mycose affectant la tige des poils. *Trichomycose des aisselles, du pubis.*

TRICHOPATHIE [tʀikopati] n. f. — 1904, Larousse; de *tricho-*, et *-pathie*.

♦ Méd. Syn. de *trichose*.

TRICHOPHYTIE [tʀikofiti] n. f. — 1877; de *trichophyton*.

♦ Méd. Maladie cutanée causée par un champignon parasite. ⇒ **Trichophyton.** *Trichophytie des ongles, de la barbe, du cuir chevelu* (⇒ **Teigne**). — Adj. *Trichophytique* (1916, *in* D.D.L.).

TRICHOPHYTON [tʀikofitɔ̃] n. m. — 1855, Nysten; lat. sav., du grec; → Tricho-, et -phyte.

♦ Bot. Champignon ascomycète, parasite qui prend naissance et se développe dans les cheveux, sur la peau, les ongles, produisant une sorte de teigne. ⇒ **Trichophytie.**

DÉR. Trichophytie.

TRICHOPTILOSE [tʀikoptiloz] n. f. — 1904; de *tricho-*, et grec *ptilôsis*, de *ptiloûn* « donner des ailes », de *ptilon* « plume ».

♦ Méd. Affection des cheveux qui se dessèchent et se fendent. *La trichoptilose de la barbe s'est appelée* trichorrhexis (n. f.; 1923), *ou* trichorrhexie.

TRICHOSE [tʀikoz] n. f. — 1965, Garnier-Delamare; de *trich-*, et *-ose*.

♦ Méd. Affection des cheveux ou des poils. Syn. : *trichopathie*.

TRICHOTOME [tʀikotom; tʀikotom] adj.— 1812; du rad. de *trichotomie*.

♦ Didact., rare. Qui se divise en trois.

TRICHOTOMIE [tʀikotomi] n. f. — 1836, Académie; du grec *trikha* « en trois », et *-tomie*. → Dichotomie.

♦ Didact., rare. Division en trois parties. *Les trichotomies de Peirce, dans sa classification des signes.*

(...) nous classerons les théories de la connaissance en trois grandes catégories (...) Il va de soi que cette trichotomie est avant tout destinée à montrer qu'il n'y a pas d'épistémologie indépendante des sciences.
                    J. PIAGET, Logique et Connaissance scientifique,
                                           in Encycl. Pl., p. 16.

DÉR. Trichotomique.

TRICHOTOMIQUE [tʀikotomik] adj. — 1836, Académie; de *trichotomie*.

♦ Didact., rare. Relatif à une division par trois.

TRICHROÏSME [tʀikʀoism] n. m. — 1872; de *tri-*, grec *khroa* « coloration, teint », et suff. *-isme*.

♦ Didact. Caractère d'un objet qui présente trois couleurs réparties différemment suivant l'angle sous lequel on le regarde.

DÉR. Trichroïte.

TRICHROÏTE [tʀikʀoit] adj. — 1872; de *trichroïsme*.

♦ Didact.Qui présente trois couleurs réparties par trichroïsme.

TRICHROMATIQUE [tʀikʀomatik] adj. — 1974, *la Clé des mots*; angl. *trichromatic*.

♦ Anglic. Techn. Relatif à la trichromie. ⇒ **Trichrome.**

TRICHROMATISME [tʀikʀomatism] n. m. — 1972, Manuila; de *tri-*, et *chromatisme*.

♦ Didact. (physiol.). Capacité de l'œil humain normal à percevoir toutes les couleurs provenant du mélange des trois couleurs fondamentales.

TRICHROME [tʀikʀom] adj. — 1902, *Année sc. et industr.*, 1903, p. 122; grec *trikhrômos*. → -chrome.

♦ Techn. Relatif au procédé photographique appelé *trichromie*. *Principe, méthode trichrome.*

La reproduction des couleurs en télévision fait appel aux principes de l'analyse et de la synthèse *trichrome des couleurs*, comme en photographie et au cinéma.
                    P. GRIVET, et P. HERRENG, la Télévision, p. 110.

TRICHROMIE [tʀikʀomi] n. f. — 1898, cit.; de *tri-*, et *-chromie*.

♦ Techn. Procédé photographique basé sur la séparation des couleurs fondamentales : bleu, rouge, jaune. (⇒ **Trichromatique, trichromatisme**). *Applications de la trichromie : typographie, offset, phototypie, héliogravure* (⇒ **Gravure**). *Impression en trichromie. La trichromie et la quadrichromie.*

(...) ce qui nous vaut des plaques excellentes pour la trichromie aussi bien que pour la photographie ordinaire.
                    L. FIGUIER, l'Année scientifique et industrielle, 1899, p. 85 (1898).

DÉR. Trichromique.

TRICHROMIQUE [tʀikʀomik] adj. — 1905, *in Rev. gén. des sc.*, n° 10, p. 490; de *trichromie*.

♦ Didact. Qui comporte trois couleurs. *Coloration trichromique d'une préparation histologique.* — Trichromatique.

TRICK ou **TRIC** [tʀik] n. m. — 1814; attestation isolée, 1773; forme altérée *tri*, 1841; mot angl., proprt « ruse, stratagème », du normand *trikier* (→ Tricher).

♦ Jeu, anciennt. Au whist, Levée qui assure le point. — (1923; aussi *tri*). Au bridge, la septième levée, qui est la première (après le « devoir ») à compter un point.

Par ext. *Faire le trick (au whist)* : faire une levée de plus que la partie adverse.

Je me plais à m'acharner à la poursuite d'une idée comme à la poursuite d'un *mat* aux échecs ou d'un *trick* impossible au whist.
Jacques MÉRY, la Chasse au chastre, 1853, p. 137, *in* REY-DEBOVE et GAGNON.

HOM. Trique.

TRICLINAIRE [tʀiklinɛʀ] adj. et n. m. — 1875, *in* P. Larousse, *triclinium*, de *triclinum*.
Didact. (Antiq. romaine).

♦ **1.** Qui a rapport au triclinium. *Lits, esclaves triclinaires.*

♦ **2.** N. m. Esclave qui servait à table. ⇒ **Architriclin.**

TRICLINIQUE [tʀiklinik] adj. — 1872; de *tri-*, et grec *klinein* «pencher».

♦ Sc. Se dit de l'un des systèmes cristallins, dont le seul élément de symétrie est le centre.

TRICLINIUM [tʀiklinjɔm] n. m. — 1765; *tricline*, 1752; mot lat. d'orig. grecque, proprt «lit de table pour trois».

♦ Didact. Antiq. rom. Salle à manger à lits en pente, autour d'une table ronde ou carrée. *Des tricliniums*, ou *des triclinia*.

La *cena* (...) a toujours lieu (...) dans une pièce à part de la maison ou de l'appartement : le *triclinium*, qui mesure une longueur double de sa largeur et tire son nom des lits *(lectus)* à trois places *(triclinia)*, sur lesquels se couchent les convives.
J. CARCOPINO, la Vie quotidienne à Rome, p. 306.

DÉR. Triclinaire.

TRICOISES [tʀikwaz] n. f. pl. — 1904; *triquoises*, 1680; *trequoises*, v. 1380; altér. de *turcoise*, anc. fém. de *turc*, proprt «(tenailles) turques».

♦ **1.** Techn. Tenailles utilisées dans le travail du bois et par le maréchal-ferrant.

(...) et quand les huit clous furent en place, le brochoir retombé dans la poche droite, Müller dit pour lui-même : «Les tricoises...» et sortit de la poche gauche ces petites tenailles courtes que Théodore y avait vu tomber, et en coupa les huit pointes.
ARAGON, la Semaine sainte, X.

♦ **2.** (1904). Hist. Machine de guerre, sortes de pinces, de crochets qui servaient aux assiégeants.

♦ **3.** (1964). Techn. Clé qu'utilisent les sapeurs-pompiers pour visser les tuyaux. — REM. On trouve encore la graphie *triquoises*.

TRICOLOR [tʀikɔlɔʀ] n. m. — 1718; de *tricolore*.

♦ **1.** Bot. Variété d'amarante à trois couleurs : rouge, vert et jaune. — (1732). Variété d'œillet.

♦ **2.** Zool. Variété de tangara, de lori. *Tricolor huppé*, ou faisan doré de la Chine.

Le beau rouge, l'azur et le vert qui frappent les yeux dans le plumage de ce lori (...) nous ont déterminés à lui donner le nom de *tricolor*.
BUFFET, Hist. nat. des oiseaux, «Le lori tricolor».

♦ **3.** (1723). Techn. Peau de chat de trois couleurs.

TRICOLORE [tʀikɔlɔʀ] adj. — 1789; *tricolor*, 1695; lat. *tricolor*.

♦ **1.** Rare. Qui est de trois couleurs. *Une fleur, un animal, un tableau tricolore.*

♦ **2.** Cour. **a** Des trois couleurs adoptées pour le drapeau français en 1789 : le bleu, le blanc et le rouge, ou pour un drapeau analogue (belge, italien, etc.). *Des guirlandes (cit. 3) tricolores en papier. Un bouquet* (1. Bouquet, cit. 5) *de fleurs liées par un ruban tricolore.* «*Le drapeau* (cit. 2, 3 et 4) *tricolore a fait le tour du monde avec le nom, la gloire et la liberté de la Patrie*» (Lamartine) → 1. Partir, cit. 27; planter, cit. 10. *Un insigne* (2. Insigne, cit. 3), *une écharpe tricolore* (→ Poussif, cit. 2). *La cocarde tricolore* (→ Couleur, cit. 10).
N. m. (1883, D. D. L.). *Il s'était orné de tricolore* (→ Cocarde, cit.). *Une liberté gracieusement drapée de tricolore* (→ Déesse, cit. 5).

b (1964). Par ext. (En style journalistique sportif). Français. *L'équipe tricolore.* — N. *Victoire des tricolores.*

DÉR. Tricolor.

TRICONQUE [tʀikɔ̃k] n. m. — 1964; de *tri-*, et *conque*.

♦ Didact. Plan d'une église qui comporte trois absides arrondies.

TRICONTINENTAL, ALE, AUX [tʀikɔ̃tinɑ̃tal, o] adj. — Mil. XXᵉ; de *tri-*, et *continental*.

♦ Qui concerne trois continents, et, spécialt, les trois continents qu'occupent les nations les moins industrialisées (Afrique, Asie, Amérique latine). *La conférence tricontinentale de La Havane.*

Dans la plupart des pays tricontinentaux où aucun contre-pouvoir efficace (État national, syndicats, etc.) ne brise sa stratégie du pillage, il *(ce capital)* crée la faim, le chômage, la maladie, la destruction des familles, comme par nécessité.
Jean ZIEGLER, Main basse sur l'Afrique, p. 10.

TRICORNE [tʀikɔʀn] adj. et n. m. — 1836; lat. *tricornis*; de *tres*, et *cornu* «corne».

♦ **1.** Adj. Vx. Qui a trois cornes. *Un chapeau tricorne.*

♦ **2.** N. m. Mod. Chapeau porté du XVIIᵉ au XIXᵉ siècle, originairement à trois cornes formées par ses bords plus ou moins larges. *Une épée au côté et un tricorne à la main* (→ Honoré, cit. 10). *Un petit tricorne noir* (→ Réitérer, cit. 2). *Le Tricorne*, ballet de Manuel de Falla.

Jérôme-Nicolas Séchard portait depuis trente ans le fameux tricorne municipal, qui dans quelques provinces se retrouve encore sur la tête du tambour de la ville.
BALZAC, les Illusions perdues, Pl., t. IV, p. 468 (1837). [1]

Le chancelier y était en simarre avec l'antique tricorne des chevaliers, orné d'un énorme gland d'or.
HUGO, Choses vues, I, 1847, 31 déc. [2]

1. TRICOT [tʀiko] n. m. — 1666; 1660, Oudin, «aiguille à tricoter»; de *tricoter*.

♦ **1.** Tissu formé d'une matière textile disposée en mailles* et confectionné avec des aiguilles. *Tricot plat, exécuté avec deux aiguilles, et qui présente un endroit et un envers. Tricot rond qui se fait à trois ou quatre aiguilles disposées en circuit fermé et permet l'exécution d'ouvrages sans coutures. Le tricot se fait à la main ou au métier. Industrie du tricot.* ⇒ **Bonneterie.** *Tricot de coton, de laine, de soie. Tricot dentelle*, à mailles fixes comme celles de la dentelle. *Vêtements en tricot. Un gilet de tricot* (→ Étrangler, cit. 20). *Fichu* (→ Frileux, cit. 8), *jaquette* (→ Modéliste, cit.), *jupon de tricot* (→ Rapiécé, cit. 1). *Un maillot* (cit. 3) *en tricot de soie. Mitaines* (cit. 2), *passe-montagne en tricot* (→ 1. Moufle, cit. 1). — REM. Certains vêtements sont dits *de tricot* même s'ils sont exécutés au crochet.

(...) la robe d'indienne aux plis grêles sous laquelle l'œil devinait, tassé, un gros gilet de tricot (...)
Ed. et J. DE GONCOURT, Sœur Philomène, II. [1]

Par métaphore. Réseau serré. *Un tricot inextricable de rues bizarrement brouillées* (→ Oiseau, cit. 23).

♦ **2.** (Av. 1713). Action de tricoter; ouvrage d'une personne qui tricote (→ 1. Maille, cit. 2). *Faire du tricot* (→ Émotif, cit. 1). *Prendre son tricot* (→ Laine, cit. 9). *Augmentations, diminutions d'un tricot. Elle comptait sur de grosses aiguilles les points* (1. Point, cit. 57) *de son tricot.* ⇒ **Crocher, remmailler.** — *Rang de tricot. Points de tricot* : point de côtes, de jersey, de riz, de toile...; point mousse. *Dentelle au tricot.* — *Tricot jacquard.*

(...) le long des murailles, les doigts rapides des femmes, activant les aiguilles de leur tricot, semblaient faire courir des pattes d'araignées géantes, au milieu de tout ce noir.
ZOLA, la Terre, I, V. [2]

Telle activité fébrile de ces femmes, qui ont toujours un tricot entre les doigts, et qui remuent sans trêve les aiguilles, comme si le salut du monde était attaché à ce travail, dont elles n'ont même pas l'emploi. Et puis, il y avait chez elle, — comme les «tricoteuses», — la petite vanité de l'honnête femme, qui fait, par son exemple, la leçon aux autres femmes.
R. ROLLAND, Jean-Christophe, «Foire sur la place», II, p. 754. [3]

(...) les dames se mirent à tricoter des chandails. Mᵉˡˡᵉ Borboïë se distingua par un tricot aussi serré qu'abondant.
M. AYMÉ, le Passe-muraille, p. 152. [3.1]

♦ **3.** (1847, Balzac). Objet, vêtement tricoté (souvent en laine). ⇒ **Chandail, gilet, pull-over, sweater.** *Tricot d'hiver, d'été; épais, fin; rétréci, feutré. Tricot habillé, de sport. Mettre, enfiler un tricot.* ⇒ **Laine** (fam.). *Porter un tricot, un bon tricot bien chaud* (→ Fourrer, cit. 12). *Un bambin en tricot bleu pâle* (→ Grimper, cit. 10). *Un tricot qui bouloche.*

Par ext. Vêtement couvrant le torse, très ajusté, sans ouverture sur le devant. *Un tricot de peau, de corps.* ⇒ **Maillot.** *Tricot de marin. Tricot rayé.*

Ces cinq hommes étaient vêtus pareillement, un épais tricot de laine bleue serrant le torse et s'enfonçant dans la ceinture du pantalon (...)
LOTI, Pêcheur d'Islande, I, I. [4]

Ils quittèrent la table, les joues en feu, étouffant sous leurs tricots.
J. CHARDONNE, les Destinées sentimentales, p. 489. [5]

2. TRICOT [tʀiko] n. m. — 1413, *triquot*; de *trique*.

♦ Vx. Bâton, trique, gourdin.

TRICOTAGE [tʀikɔtaʒ] n. m. — 1680; de *tricoter*.

♦ **1.** Action, manière de tricoter. *Tricotage de la laine à la machine. Le tricotage des bas* (→ Couture, cit. 1). Rare. *Un tricotage lâche, serré.* ⇒ **Tricot.**

♦ **2.** (Av. 1870, A. Dumas père). Fam. Action, fait de tricoter (II., 2.), d'agiter les jambes.

TRICOTÉE [tʀikɔte] n. f. — 1877 ; de *tricoter*.

♦ Fam., vx. Volée de coups de bâton (⇒ 2. **Tricot**).

TRICOTER [tʀikɔte] v. — xive, « battre » ; de *tricote* (1457), *triquot* (1413) « bâton » ; du francique *strikan « caresser, frotter ». → Trique.

★ I. (1560 ; par métaphore de II.). ♦ **1.** V. intr. Exécuter à la main (avec des aiguilles), ou au métier, un tissu à mailles (⇒ **Tricot**), avec une matière textile (laine, coton, soie...). *Apprendre à tricoter. Passer sa vie à tricoter* (→ Racler, cit. 8). ⇒ **Tricot** (faire du). *Tricoter régulièrement, irrégulièrement. Tricoter à la main, à la machine. Tricoter serré, lâche. Elles tricotent en lisant, en regardant la télévision. La manie* (cit. 4) *de tricoter. Elle tricotait sans ralentir le jeu* (cit. 83) *des aiguilles. Il tricote mieux que sa femme.* — À **TRICOTER.** *Aiguille** (cit. 10) *à tricoter* (→ Note, cit. 3). ⇒ **Broche.** *Machine, métier à tricoter.* ⇒ **Bonneterie, tricoteur.** *Laine à tricoter.*

♦ **2.** V. tr. Exécuter au tricot. *Tricoter un vêtement, des bas* (→ Écuyère, cit. 3), *des chaussettes, un chandail.* ⇒ **Tricotage.** *Elle tricotait un chandail à, pour son mari ; elle se tricotait des moufles.* — Par ext. *Tricoter une maille,* faire passer le fil dans cette maille en la changeant d'aiguille, afin de former une maille au-dessus de la première.

1 Madame Grandet (...) était déjà sur son siège à patins, et se tricotait des manches pour l'hiver. BALZAC, Eugénie Grandet, Pl., t. III, p. 535.

2 Grand'mère tricotait des bas ; c'est la seule occupation que je lui connaisse. Elle tricotait tout le long du jour, à la manière d'un insecte (...)
GIDE, Si le grain ne meurt, I, II.

3 (...) elle tricotait pendant des heures des chandails pour une œuvre (...) moins par intérêt à confectionner des vêtements ou par sympathie pour les pauvres, que pour l'espèce de distraction que lui causait le maniement des aiguilles.
MONTHERLANT, les Lépreuses, I, I.

Par ext. Transformer en tricot (un textile). *Tricoter de la laine, de la soie.*

3.1 La patronne (...) tricotait sa laine rouge derrière le comptoir (...)
M. DURAS, Moderato cantabile, p. 70.

★ II. ♦ **1.** V. tr. Vx. Battre à coups de bâton, de tricot (2. Tricot). — Fam., vieilli. *Tricoter les côtes à qqn.* ⇒ **Battre.**

♦ **2.** Intrans. (1790). Mod., fam. Courir, sauter, danser, gigoter. — REM. Ce sens, plus ancien que le sens I., est compris de nos jours comme une métaphore du mouvement des aiguilles. — Loc. *Tricoter des jambes :* s'enfuir. *Tricoter des pincettes. « À pattes tricotantes »* (→ Lapin, cit. 3).

4 Leurs cavaliers bondissaient, tricotaient des pieds, s'agitaient, les bras remués et soulevés comme des moignons d'ailes sans plumes (...)
MAUPASSANT, l'Inutile Beauté, « Le masque. »

5 Ils rencontrèrent le maestro Piranese, du « Chat Botté », et le saluèrent : ses petites jambes tricotaient sous son gros abdomen. SARTRE, l'Âge de raison, II.

(1891, in Petiot). Pédaler à vive allure avec un petit développement. (1765). Spécialt (en parlant du cheval). Remuer vite les jambes en marchant, sans avancer beaucoup.

6 Le cheval peinait aux montées, trébuchait aux descentes et tricotait affreusement en terrain plat ; parfois, tout inopinément, il stoppait. GIDE, Isabelle, I.

Argot des postes. Aller d'un trottoir à l'autre en desservant une rue.

▶ **TRICOTÉ, ÉE** p. p. adj.

♦ **1.** *Laine tricotée. Une devanture où s'entassaient* (cit. 10) *des vêtements tricotés* (→ Fuseau, cit. 3 ; jupe, cit. 1).

♦ **2.** Minér. *La structure tricotée du bismuth,* qui a l'apparence du tricot.

DÉR. 1. Tricot, tricotage, tricotée, tricotets, tricoteur.

TRICOTETS [tʀikɔte] n. m. pl. — 1637 ; de *tricoter*, II.

♦ Hist. de la mus. Danse ancienne, gaie et rapide. *Danser les tricotets. Musique sur laquelle on exécutait cette danse. Les tricotets de Rameau, de Couperin.*

TRICOTEUR, EUSE [tʀikɔtœʀ, øz] n. — 1585, *triquoteuse* ; de *tricoter*.

♦/ **1.** Personne qui tricote. *Tricoteuse au crochet. Tricoteur de filets.*

1 (...) Poil de Carotte dort et rêve : Il se promène le long d'un ruisseau, où les rayons d'une lune inévitable remuent, se croisent comme les aiguilles d'une tricoteuse.
J. RENARD, Poil de Carotte, « Le chat », II.

Hist. *Les tricoteuses :* les femmes qui, pendant la Révolution française, assistaient (en tricotant) aux séances des assemblées populaires. — *Une tricoteuse :* une femme du peuple d'opinions révolutionnaires.

2 Les empereurs qui avaient persécuté les chrétiens, les tricoteuses et les sans-culottes m'apparaissaient comme les plus odieuses incarnations du Mal.
S. DE BEAUVOIR, Mémoires d'une jeune fille rangée, p. 128.

N. f. Fam. Personne qui s'installe dans une salle de vente aux enchères, sans intention d'acheter.

♦ **2.** N. f. (1845). **TRICOTEUSE** : machine, métier à tricoter. — (1884). Table à ouvrage munie de rebords qui empêchent la pelote de glisser.

♦ **3.** N. m. (1808). **TRICOTEUR** : métier à tricoter.

TRICOUNI [tʀikuni] n. m. — 1941 ; marque déposée, n. propre.

♦ Clou à pointes, antidérapant, autrefois utilisé pour les semelles des chaussures d'alpinisme.

Boule se reposa sur les épaules de Fernand. Ses gros tricounis pénétraient douloureusement dans la chair de son camarade, qui supportait le poids sans broncher.
R. FRISON-ROCHE, Premier de cordée, 1941, p. 149.

TRICOURANT [tʀikuʀɑ̃] adj. invar. — Mil. xxe ; de *tri-*, et *courant* (électrique), nom.

♦ Techn. Qui fonctionne avec trois types de courant. ⇒ **Polycourant.** « *Les locomotives "tricourant" et "quadricourant" ne sont employées que pour la remorque de certains trains internationaux...* » (*le Monde,* 5 déc. 1967).

TRICOUSE [tʀikuz] n. f. — 1611 ; *triquehouse,* 1451 ; moy. néerl. *strickhose* « guêtre », de *stricken* « tricoter », et *hose* « culotte ».

♦ Anc. Guêtre tricotée. — Chaussette sans pied portée dans une botte.

TRICRÉSYLPHOSPHATE [tʀikʀezilfɔsfat] n. m. — Mil. xxe ; de *tri-*, *crésyl,* et *phosphate*.

♦ Chim., techn. Liquide incolore, dérivé de la réaction du crésol sur l'oxychlorure de phosphore. *Le tricrésylphosphate est un additif pour les huiles et les essences.*

TRICROTE [tʀikʀɔt] adj. — 1904 ; de *tri-*, et grec *krotos.* → Anacrote, dicrote.

♦ Physiol. *Pouls tricrote,* dont la courbe présente, après son sommet, deux pics.

1. TRICTRAC [tʀiktʀak] n. m. — xve, *pas trictrac* « pas sonore et régulier » ; onomatopée.
Vieux.

♦ **1.** Bruit de chocs successifs. — Var. graphique : « *Un triquetrac de pieds insupportable* » (Molière, *l'Étourdi,* IV, 4). → Imitatif, cit. 1, Voltaire. — « *Ils entendaient le trictrac d'un fusil qu'on armait* » (A. Daudet, *in* G. L. L. F.).

♦ **2.** Fig. Événements, train (des choses). « *Le trictrac du monde* » (G. Patin).

2. TRICTRAC [tʀiktʀak] n. m. — 1549 ; de 1. *trictrac*.

★ I. ♦ **1.** Jeu de dés*, où l'on fait avancer des pions analogues aux dames* sur un tablier (⇒ **Damier**) à deux compartiments (⇒ **Jan**) comportant chacun six cases triangulaires (flèches). → Favori, cit. 4. *Marques de trictrac.* ⇒ **Bredouille, fichet.** *Coups au trictrac.* ⇒ **Bezet** (ou *ambesas*), **caser, doublet, jan, trou.** *Le jacquet*, le backgammon, jeux analogues au trictrac.* — (Fin xviie). Par ext. Partie de ce jeu. *Faire un trictrac.*

1 (...) pendant plusieurs jours, ils se donnèrent rendez-vous, soit au café, soit à bord, essayant toutes sortes de jeux, surtout le trictrac (...) Ils continuèrent à jouer. La chance devint favorable à mon malheureux ami, qui pourtant faisait écoles sur écoles et qui casait comme s'il avait voulu perdre.
MÉRIMÉE, Mosaïque, « La partie de trictrac », Pl., p. 308.

♦ **2.** (Mil. xvie). Damier sur lequel on joue au trictrac (→ Inonder, cit. 6 ; pareil, cit. 8). *Un trictrac et ses accessoires* (pions, dés, cornets). *Tabletier qui fabrique, vend des trictracs* (⇒ **Tabletterie**).

2 Pour jouer à ce jeu, il faut avoir un trictrac ou damier qui ait vingt-quatre flèches ou lames blanches et vertes (...) et le long de la bande ou bord, des trous qui soient percés vis-à-vis chaque flèche (...) Les pièces qui doivent accompagner le trictrac sont quinze dames de chaque côté (...) deux cornets, des dés, trois jetons pour marquer les points, et deux fichets pour marquer les trous ou parties.
Académie des jeux, « Nouveau jeu du trictrac », II (éd. 1786).

★ II. (Allus. au bruit de l'oiseau). ♦ **1.** (1776). Draine.

♦ **2.** (14). Traquet.

TRICUSPIDE [tʀikyspid] adj. — 1654 ; lat. *tricuspis, -idis* « à trois pointes ».

♦ Sc., nat. Qui présente trois pointes. *Valvule tricuspide :* la valvule qui fait communiquer l'oreillette et le ventricule droits, qui présente quatre pointes, dont une plus petite. — REM. Le dér. *tricuspidien, ienne* [tʀikyspidjɛ̃, ɛn] adj., est attesté : *insuffisance tricuspidienne.*

TRICYCLE [tʀisikl] n. m. et adj. — 1869, *in* Petiot; *tryicicle* «voiture publique à trois roues», 1830, *in* D. D. L.; de *tri-*, et *cycle*.

♦ **1.** N. m. Cycle à trois roues. *Tricycle de livreur.* ⇒ **Triporteur.** *Tricycle d'enfant.*

♦ **2.** Adj. (xxᵉ; *omnibus tricycle*, 1828, *in* Petiot). *Train d'atterrissage tricycle.*

DÉR. Tricycliste.

TRICYCLIQUE [tʀisiklik] adj. — Mil. xxᵉ; de *tri-*, et *cyclique.*

♦ Chim. Se dit d'un composé dont la formule comporte trois cycles.

TRICYCLISTE [tʀisiklist] n. — 1884, *in* Petiot; de *tricycle.*

♦ Vx ou plais. Personne qui monte un tricycle. — En apposition :

1 (...) cette chambre à air, malgré sa forme trompeuse, était une croix. La plus lourde croix qu'eût à porter un pécheur tricycliste.
René FALLET, le Triporteur, p. 148.

2 Mon emploi préféré fut celui de livreur tricycliste. J'ai toujours aimé la vue des victuailles et il ne me déplaisait pas de rouler à travers Paris porteur de plats bien cuisinés.   R. GARY, la Promesse de l'aube, p. 202.

TRIDACNE [tʀidakn] n. m. — 1791, *in* D. D. L.; lat. *tridacna*, grec *tridaknos*, de *tri-*, et *daknein* «mordre», parce que selon les Anciens, on ne pouvait le manger en moins de trois bouchées.

♦ Zool. Mollusque lamellibranche dont les valves égales portent des ondulations rayonnantes formées de lamelles imbriquées (en «tuiles»). *Tridacne géant.* ⇒ **Bénitier.**

TRIDACTYLE [tʀidaktil] adj. — 1800, Lacépède; grec *tridaktulos*; de *tri-*, et *-dactyle.*

♦ Didact. Qui a trois doigts. *Mouette tridactyle.* — (xxᵉ). *Membre, patte, pied tridactyle.*

TRIDE [tʀid] adj. — 1611; esp. *trido.*

♦ Hippol., vx. *Mouvement tride*, vif, prompt. — Par ext. *Cheval tride.*

TRIDENT [tʀidã] n. m. — xiiiᵉ; peu attesté avant mil. xviᵉ; lat. *tridens* «à trois dents»; de *tri-*, et *dens, dentis.*

♦ **1.** Fourche à trois dents, à trois pointes (attribut traditionnel de Neptune, dieu de la mer). → Courroux, cit. 5; sourcier, cit. 2. — Par métaphore. *« Le trident de Neptune est le sceptre du monde »* (cit. 20).

0.1 (...) ils attirent le poisson à la lueur de cette flamme, et le harponnent avec un long bâton armé de fer, de la manière qu'on nous représente un trident.
J.-F. REGNARD, Voyage en Laponie, 1709, p. 91.

1 La reine des trinacries(*), c'est la Sicile. La Sicile appartenait à Neptune, et chacun de ses trois angles était dédié à l'une des pointes du trident. Les trois caps portaient trois temples; l'un à Dextra, l'autre à Dubia, l'autre à Sinistra (...)
HUGO, l'Archipel de la Manche, XXI
(*Latin : *trinacria*).

♦ **2.** Instrument à trois dents. — (1611). Spécialt. Poét. et vx. Instrument agricole, bêche* (→ Planter, cit. 5) ou fourche à trois pointes.

2 J'aime à voir le métayer robuste lier la gerbe et l'enlever au bout du rustique trident (...)   CHÊNEDOLLÉ, Journal, 28 août 1823, *in* SAINTE-BEUVE, Chateaubriand..., t. II, p. 125.

(1757; par compar., Cf. Regnard, cit. *supra*). Engin (cit. 8) de pêche, harpon à trois pointes. — Antiq. Arme du rétiaire. (→ Gladiateur, cit. 2).

♦ **3.** (1765). Math. **a** Vx. Courbe du troisième degré, dite *parabole de Descartes.*

b (1904). Mod. Cubique ayant un point double à l'infini.

TRIDENTÉ, ÉE [tʀidãte] adj. — 1803; de *tri-*, et *dent, denté.*

♦ Sc. nat. Qui présente trois dents (II.). *Feuille tridentée et tricuspide.*

TRIDENTIN, INE [tʀidãtɛ̃, in] adj. — Attesté xxᵉ; ital. *tridentino*, de la ville de *Trente*, du *Trentin.*

♦ Didact. Du Concile de Trente. *La discipline, la réforme tridentine.*

TRIDERMIQUE [tʀidɛʀmik] adj. — 1904; de *tri-*, et *dermique.*

♦ Biol. Dont le développement comporte la formation de trois feuillets embryonnaires (ectoderme, mésoderme, endoderme). *Embryon, organisme tridermique.*
Gastrula tridermique, comportant les trois feuillets.

TRIDI [tʀidi] n. m. — 1793, Fabre d'Églantine; de *tri-*, et lat. *dies* «jour».

♦ Hist. Troisième jour de la décade*, dans le calendrier républicain.

TRIDIMENSIONNALITÉ [tʀidimãsjɔnalite] n. f. — 1968; de *tridimensionnel.*

♦ Didact. Caractère de ce qui a trois dimensions.

TRIDIMENSIONNEL, ELLE [tʀidimãsjɔnɛl] adj. — 1953; angl. *tridimensional*, 1875; de *tri-*, et *dimension.*

♦ **1.** Qui a trois dimensions. *Espace tridimensionnel.* *« Comment visualiser la structure tridimensionnelle des molécules biologiques? »* (la Recherche, mai 1981, p. 635). — Qui se développe dans un espace à trois dimensions. *Figure tridimensionnelle. Radar tridimensionnel. Impression tridimensionnelle*, donnant la sensation du relief. *Image, photographie tridimensionnelle.* ⇒ **Hologramme.**

♦ **2.** (Abstrait). Qui se développe suivant trois dimensions, trois axes de référence.

On retrouve dans le mythe le schéma tridimensionnel dont je viens de parler : le signifiant, le signifié et le signe.   R. BARTHES, Mythologies, p. 199.

DÉR. Tridimensionnalité.

TRIDUUM [tʀidyɔm] n. m. — 1876; lat. *triduum* «espace de trois jours»; de *tri-*, et *dies* «jour»; *triduo* (1872, Littré) vient de l'italien.

♦ Relig. Période de trois jours consacrée à la prière. *Le triduum sacrum se compose des trois derniers jours de la semaine sainte (Dictionnaire liturgique romain).*

TRIE [tʀi] n. f. — xvᵉ, «élite, choix»; déverbal de *trier.*

Rare.

★ **I.** (1776; «choix», av. 1589). Action de trier. ⇒ **Tri.** *La trie des poissons.*

★ **II.** (1433). Techn. Abri pour les pigeons, d'une forme différente de celle du pigeonnier.

HOM. Tri.

TRIÉ, ÉE [tʀije] adj. ⇒ **Trier.**

TRIÈDRE [tʀijɛdʀ] adj. et n. m. — 1793; de *tri-*, et *-èdre.*

♦ Sc. Qui a trois faces planes. *Pyramide, prisme trièdre.* — Math. *Angle trièdre.*

N. m. (1876). *Un trièdre :* figure formée par trois plans qui se coupent deux à deux ou par trois demi-droites, de même origine, non coplanaires. *Sommet, arêtes, faces d'un trièdre. Trièdre trirectangle*. *Trièdres symétriques* (opposés par le sommet). *Trièdre isocèle*, qui a deux faces égales. *Trièdres supplémentaires*, quand chaque arête de l'un est perpendiculaire à une face de l'autre. — Spécialt. *Trièdre de référence* (cit. 1).

TRIÈGE [tʀijɛʒ] n. m. — 1875; var. régionale de *triage.*

♦ Techn. Étendue déterminée d'une forêt. ⇒ **Canton.**

TRIEL [tʀijɛl] n. m. — 1933, Marouzeau; de *tri-*, et *duel.*

♦ Ling. Catégorie du nombre exprimant la notion de «trois», de manière formellement distincte du duel et du pluriel.

TRIENNAL, ALE, AUX [tʀijenal, o] adj. — 1352; lat. *triennalis*; de *tres* (→ Tri-), et *annus* «année».

♦ **1.** Qui a lieu tous les trois ans. *Prix triennal. Nomination triennale.* — (1872). *Assolement triennal*, à alternance de trois cultures (ou de deux cultures et une année de jachère : *assolement en jachère triennale*), sur une même sole (3. Sole; → 2. Fumer, cit. 1).

Malgré ses idées sur les assolements, il avait dû adopter celui du pays, l'assolement triennal, sans jachères, depuis que les prairies artificielles et la culture des plantes sarclées se répandaient.   ZOLA, la Terre, II, v.

♦ **2.** (1549). Qui dure trois ans. *Charge, fonction triennale. Plan triennal.* — *Vœux triennaux*, prononcés pour trois ans.

♦ **3.** (1594). Élu, nommé pour trois ans. *Supérieur triennal* (d'un couvent).

DÉR. Triennat.

TRIENNAT [tʀijena] n. m. — 1752 ; de *triennal*, d'après *(épiscop)at*, etc ; *triennal*, n. m., 1671.

♦ Didact. Période de trois ans. — Exercice d'une charge triennale.

TRIENNIUM [tʀijenjɔm] n. m. — 1771 ; *trienne*, 1621, « période de trois ans ».

♦ Hist. Cycle universitaire de trois ans conduisant aux grades de théologie.

TRIER [tʀije] v. tr. — V. 1160 ; p.-ê. bas lat. *tritare* « broyer », du class. *terere*, parce « qu'on broie le grain pour en séparer les parties inutilisables » (Wartburg), mais selon Guiraud, le provençal *triga* est alors inexplicable, et *trier* pourrait venir de *tricare* « chercher noise », de *tricæ* « embarras », par un sens « refuser, écarter ».

♦ **1.** Choisir parmi d'autres ; extraire d'un plus grand nombre, après examen. *Trier des semences une à une* (→ Propriété, cit. 15). *Ouvrier qui trie les assiettes sans défaut* (→ Porcelaine, cit. 1). — *Trier les hommes propres au service* (→ Racoleur, cit. 1). ⇒ **Sélectionner.** — *Trier des graines sur le volet*.* — Au fig. Choisir en opérant une sélection très stricte. *On restreint le nombre des nouveaux arrivants* (cit. 3), *on les trie sur le volet.*

♦ **2.** (1256). Séparer*, dans un ensemble (un certain nombre de choses homogènes) d'avec ce qui était mêlé. ⇒ **Démêler.** *Trier des grains sur une claie, un crible* (⇒ **Cribler**)... *Trier des lentilles :* éliminer les grains non comestibles, les matières étrangères. ⇒ **Nettoyer ; émonder, monder.** *Trier du riz* (→ Marrer, cit.). *Trier les laines. Trier les substances médicales.* ⇒ **Grabeler.**

1 (...) les cribles qui triaient le grain, tout au profit du seigneur, ne laissant que le rebut.   MICHELET, Hist. de la Révolution, franç., III, x.
Secrétaire chargé de trier les visiteurs (→ Expédier, cit. 9).

♦ **3.** (1872). Répartir (un ensemble de choses) en plusieurs groupes (sans rien éliminer). ⇒ **Arranger, classer.** *Trier des poissons. Trier les fruits selon leur grosseur.* ⇒ **Calibrer** (→ Goulotte, cit. 2). *Trier les wagons.* ⇒ **Débrancher ; triage.** — Techn. *Trier un train. Trier les lettres* (⇒ **Tri**), *des papiers.*

2 Tout en parlant, Jallez rangeait ses papiers, les triait.
                          J. ROMAINS, les Hommes de bonne volonté, t. III, II, p. 35.

▶ **SE TRIER** v. pron. (passif).
Être trié. *Ces graines ne se trient pas facilement.*

▶ **TRIÉ, ÉE** p. p. adj. *Semences triées. Les hommes triés pour la cavalerie d'élite.* → Découplé, cit. 2. — *Trié sur le volet.*

CONTR. Mélanger, mêler.
DÉR. 2. Tri, triable, 1. triage, trie, trieur, trieuse.
HOM. Triller.

TRIÉRARCHIE [tʀijeʀaʀʃi] n. f. — 1721 ; grec *trierarkhia*, de *trierarkhos*. → Triérarque.

♦ Hist. Commandement d'une trière. —(1797). Charge de triérarque.

TRIÉRARQUE [tʀijeʀaʀk] n. m. — 1370, *trierarche* ; lat. d'orig. grecque *trierarchus* ; de *trière*, et -*arque.*
Histoire.

♦ **1.** Commandant d'une trière (⇒ **Triérarchie**) ; chef de l'équipage d'une trière.

♦ **2.** (1738). Citoyen athénien tenu d'armer et d'équiper une trière à ses frais.

TRIÈRE [tʀijɛʀ] n. f. — 1872 ; *trierie*, 1370 ; lat. *trieris* ; grec *triêrês* « à trois rangs, trois étages », de *treis* « trois », et *arein* inf. futur de *airein* « lever ».

♦ Didact. (hist.). Navire grec à trois rangs de rames. ⇒ **Galère, trirème.** *Commandant* (⇒ **Triérarque**), *commandement* (⇒ **Triérarchie**) *d'une trière.*

HOM. Triaire.

TRIERGOL [tʀijɛʀgɔl] n. m. — 1968 ; de *tri-*, et *ergol.*

♦ Techn. Carburant utilisé en aéronautique, composé de trois propergols.

TRIESTER [tʀiɛstɛʀ] n. m. — 1964 ; de *tri-*, et *ester.*

♦ Chim. Corps possédant trois fonctions ester. « *Les acides gras sont ensuite stockés sous forme de triglycérides, qui sont des triesters d'un dérivé de sucre, le glycérol, et d'acides gras* » (la Recherche, juin 1979, p. 654).

TRIÉTÉRIDE [tʀijeteʀid] n. f. — 1721 ; lat. *trieteris, idis*, grec *tretêris, idos* « triennal », de *trietês*, de *treis*, et *etos* « année ».

♦ Didact. Période de trois ans, dans le calendrier officiel de la cité d'Athènes. — Au plur. Fête dionysiaque triennale.

TRIEUR, TRIEUSE [tʀijœʀ, tʀijøz] n. — V. 1550 ; de *trier.*

♦ **1.** Personne qui trie. Spécialt. Ouvrier chargé d'une opération de triage, d'un tri. *Trieur de charbon, de minerai ; de briques, de tuiles* (classement selon les qualités). *Trieur en textiles, en papeterie, en verrerie. Trieur de légumes, dans une conserverie. Maladie des trieurs de laine* (broncho-pneumonie provoquée par la bactéridie charbonneuse. ⇒ **Charbon**).
Fig. Chose, personne qui opère un tri.

Ne lis pas un livre qui vient de paraître. Mais laisse au temps qui est le grand trieur, le soin de faire sa tâche silencieuse, qui est d'éliminer.
                          J. GUITTON, Nouvel art de penser, p. 52.

♦ **2.** N. m. (1857, *Année sc. et industr.*, p. 463 ; adj., *van trieur*, 1615). Appareil servant au triage. *Trieur de grains, de graines.* ⇒ **Crible** (mécanique), **décuscuteuse.** *Nettoyage*, répartition des graines à l'aide d'un trieur. Trieur à alvéoles* (utilisé en malterie). *Trieur à disques.* — Métall. Machine servant à séparer des scories les fragments de coke utilisables ; à classer par grosseur des morceaux (de minerai, de charbon), etc. ⇒ **Trieuse.**
Trieur calibreur : appareil triant des objets (fruits, œufs, etc.) selon leurs tailles, leurs formes.

DÉR. Trieuse.
COMP. Électrotrieur.

TRIEUSE [tʀijøz] n. f. — 1845 ; de *trier.*

♦ **1.** Machine à trier, à éplucher les laines.

♦ **2.** (1875). Métall. Machine servant à séparer des scories les fragments de coke utilisables, à classer par grosseur des morceaux. ⇒ **Crible, trieur.**

♦ **3.** (1953). Machine mécanographique capable de classer rapidement des cartes perforées, des papiers. *La trieuse d'une machine à photocopier.*

TRIFIDE [tʀifid] adj. — 1783 ; lat. *trifidus*, de *tri-*, et supin du verbe *findere*. → Fendre.

♦ Sc. nat. Partagé en trois divisions par des fentes profondes (environ la moitié de la longueur totale). *Organe trifide. Graine trifide.*

TRIFLÈCHE [tʀiflɛʃ] adj. — Mil. xxᵉ ; de *tri-*, et *flèche.*

♦ Techn. *Affût triflèche :* affût de canon à trois supports (flèches) permettant de tirer dans toutes les directions.

TRIFLORE [tʀiflɔʀ] adj. — 1872, Littré ; de *tri-*, et -*flore.*

♦ Bot. Qui porte trois fleurs.

TRIFLUORURE [tʀiflyɔʀyʀ] n. m. — 1968 ; de *tri-*, et *fluorure.*

♦ Chim. Composé contenant trois atomes de fluor.

TRIFOLIOLÉ, ÉE [tʀifɔljɔle] adj. — 1876 ; *trifolié*, 1817 ; de *tri-*, et *foliole.*

♦ Bot. Dont le pétiole se termine par trois folioles.

TRIFORIUM [tʀifɔʀjɔm] n. m. — 1831 ; angl. *triforium*, 1703 ; empr. lat. médiéval ; de l'anc. franç. *trifoire* « ouvrage ciselé », du lat. *transforare* « percer à jour ».

♦ Archit. Ouverture par laquelle la galerie ménagée au-dessus des bas-côtés d'une église s'ouvre sur l'intérieur ; cette galerie. *Le triforium correspond à une galerie étroite* (coursière) *et remplace les anciennes tribunes*. Triforium à deux, à trois ouvertures surmontées d'un arc de décharge. Des triforiums.*

La partie moyenne *(des édifices à trois étages)* est occupée constamment par une galerie obscure *(... en note)* La galerie dont je parle ici est désignée par les antiquaires *(archéologues)* sous lᵉ nom de *Triforium*, elle remplace les tribunes qui existaient dans les basiliques romaines.
                          A. DE CAUMONT, Cours d'antiquités monumentales, 1831, in D. D. L., II, 10.

2 C'est cette notion des étages multiples que le XIIIᵉ siècle doit abolir (...) au profit des fenêtres hautes (...), au profit des grandes arcades haussées au niveau supérieur des anciennes tribunes, en ne laissant subsister entre les arcades et les fenêtres qu'un mince triforium, appelé à être absorbé par ces dernières.

Henri FOCILLON, l'Art d'Occident, p. 151 (→ aussi Tribune, cit.).

TRIFOUILLAGE [tʀifujaʒ] n. m. — 1878 ; de *trifouiller*.

♦ Rare, fam. Fait, action de trifouiller. *Un trifouillage indiscret dans mes papiers.*

TRIFOUILLÉE [tʀifuje] n. f. — 1877 ; de *trifouiller*.
Familier.

♦ **1.** Vx. Suite de coups rapprochés que l'on donne à qqn. ⇒ **Frottée, raclée.**

♦ **2.** (1964). Mod. Grande quantité. *Une trifouillée de vieux papiers.* ⇒ **Tripotée.**

TRIFOUILLER [tʀifuje] v. — 1808 ; croisement pop. de *fouiller*, et *tri-*, de *tripoter* ; → Tripatouiller.

♦ **1.** V. tr. Fam. Mettre en désordre, en remuant ; remuer d'une manière incohérente. ⇒ **Tripoter.** *Trifouiller des papiers.*

1 (...) quelques nègres incohérents qui trifouillaient les cendres du bout de leur lance dans les bouffées de cette odeur (...) CÉLINE, Voyage au bout de la nuit, p. 163.
Manipuler, toucher avec de nombreux gestes, de façon insistante. *Trifouiller un poste de radio, l'installation électrique.*

♦ **2.** V. intr. (1808). Farfouiller, fouiller. *Trifouiller dans un tiroir. On cherche, on fouille, on trifouille* (→ Main, cit. 9). *Trifouiller dans les poubelles. Ne viens pas trifouiller dans mes affaires.* — *Trifouiller dans ses cheveux.*

2 Il y eut un silence, puis on se mit à tourner la poignée. Ceci ne donnant aucun résultat, on se mit à trifouiller dans la serrure. R. QUENEAU, Zazie dans le métro, Folio, p. 154.

DÉR. Trifouillage, trifouillée, trifouilleur.

TRIFOUILLEUR, EUSE [tʀifujœʀ, øz] adj. et n. — 1904 ; de *trifouiller*.

♦ Fam., rare. Personne qui trifouille, aime à trifouiller, à mettre en désordre. ⇒ **Brouillon.**

TRIFOURCHU, UE [tʀifuʀʃy] adj. — D. i. ; de *tri-*, et *fourchu*, ou adapt. du lat. *trifurcus*, d'après *fourchu*.

♦ Régional. Qui forme une fourche à trois branches.
Il ne voyait plus que lui (*le grand mélèze*), sa masse trifourchue qui s'érigeait sur la colline. Maurice ZERMATTEN, l'Homme aux herbes, p. 57-58.

TRIFURCATION [tʀifyʀkasjɔ̃] n. f. — 1762 ; du lat. *trifurcus* «qui a trois pointes», d'après *bifurcation*. → Trifourchu.

♦ Rare. Division en trois branches. *Trifurcation d'un tronc d'arbre, d'une route.*

TRIGAME [tʀigam] n. et adj. — 1765 ; v. 1380, «celui qui a contracté trois mariages». → Polygame ; bas lat. *trigamus* ; de *tri-*, et -*game*.

♦ Bot. Qui porte à la fois des fleurs mâles, femelles et hermaphrodites (⇒ **Trigamie**). *Plantes monoïques et plantes trigames. Le frêne est trigame.*

DÉR. Trigamie.

TRIGAMIE [tʀigami] n. f. — xxᵉ ; 1872, Littré, «polygamie» ; de *trigame*.

♦ Bot. Présence de fleurs mâles, femelles et hermaphrodites, chez une même plante.

TRIGAUDERIE [tʀigodʀi] n. f. — 1680 ; de *trigaud* «qui n'est pas franc» (1607) ; du moy. haut all. *Triegolf* «tricheur».

♦ Vx, littér. Caractère d'une personne qui manque de franchise. ⇒ **Duplicité.**

TRIGÉMELLAIRE [tʀiʒemelɛʀ ; tʀiʒemɛllɛʀ] adj. — 1875 ; de *tri-*, et *gémellaire*.

♦ Méd. *Grossesse trigémellaire*, où se forment trois embryons (⇒ **Triplé**[s]).

TRIGÉMINÉ, ÉE [tʀiʒemine] adj. — 1842 ; de *tri-*, et *géminé*.

♦ **1.** Minér. Qui présente trois couples de formes cristallines (six groupées deux à deux).

♦ **2.** (1904). Méd. *Pouls trigéminé*, caractérisé par la succession de trois pulsations suivies d'une pause.

♦ **3.** Anat. Qui se rapporte au nerf trijumeau. — REM. Dans ce sens, on dit plutôt *trigéminal, ale, aux* [tʀiʒeminal, o].

TRIGGER [tʀigœʀ ; tʀigɛʀ] n. m. — 1968, Larousse ; mot angl., «déclenchement», du néerl. *trekker*.
Anglicisme.

♦ **1.** Techn. Déclencheur, dans une machine à calculer électronique.

♦ **2.** Méd. *Trigger*, ou *trigger zone* : zone du corps dont la stimulation entraîne une réaction particulière. Syn. : *zone de déclenchement, zone réflexe.*

TRIGLE [tʀigl] n. m. ou (vx) f. — 1791 ; lat. mod. *trigla*, 1758 ; *treille*, 1507 ; grec *trigla* «rouget».

♦ Poisson à grosse tête portant des plaques osseuses, à corps allongé recouvert d'écailles fines, type de la famille des *Triglidés.* ⇒ **Cardinal, grondin, milan** (2.), **rouget.** *Trigle-hirondelle* (trigla hirundo) ou *perlon*, ou *hirondelle de mer* (à ne pas confondre avec l'*exocet*), à nageoires développées en forme d'ailes (→ Flotter, cit. 2).
Quelquefois un jet d'étincelles fend le courant, vous éblouit (...) C'est la Trigle (...) F. MISTRAL, Calendal, III.

TRIGLIDÉS [tʀiglide] n. m. pl. — 1904 ; de *trigle*, et suff. -*idés*.

♦ Zool. Famille de poissons téléostéens dont le type est le trigle. — Au sing. *Un triglidé.*

TRIGLYCÉRIDE [tʀigliseʀid] n. m. — Mil. xxᵉ ; de *tri-*, et *glycéride*.

♦ Chim. Ester du glycérol, contenant trois molécules d'acide gras. *Taux des triglycérides dans le sang. Les triglycérides constituent les lipides de réserve de l'organisme.*

TRIGLYPHE [tʀiglif] n. m. — 1545 ; lat. d'orig. grecque *triglyphus*. → Glyphe.

♦ **1.** Archit. Ornement de la frise dorique, composé de deux glyphes et de deux demi-glyphes (sur les bords), qui alterne avec les métopes* (cit. 1) dans une frise (1. Frise, cit. 1) dorique. → Dorique, cit. 1, Chateaubriand. *Métope et triglyphe.*

Celle-ci : J'habite un triglyphe
Au fronton d'un temple, à Balbeck ;
Je m'y suspends avec ma griffe
Sur mes petits au large bec.
Th. GAUTIER, Émaux et Camées, «Ce que disent les hirondelles.»

♦ **2.** Ornement de menuiserie, analogue au précédent.

TRIGONAL, ALE, AUX [tʀigonal, o] adj. — 1549 ; de *trigone*.

♦ Didact., rare. Triangulaire. — Spécialt (dans la théorie des matrices). *Matrice trigonale.*

TRIGONE [tʀigon ; tʀigɔn] adj. et n. m. — 1534 ; «triangle», XIVᵉ ; lat. d'orig. grecque *trigonus*. → 1. -gone.

♦ **1.** Adj. (rare). Triangulaire (→ Exercer, cit. 1, Rabelais).

♦ **2.** N. m. (1836). Anat. Nom de divers espaces ou régions triangulaires. ⇒ **Triangle.** *Trigones fibreux* (du cœur). *Trigone cérébral* (ou *fornix*) : lame triangulaire de substance blanche, située entre les deux hémisphères cérébraux au-dessous du corps calleux*. *Trigone de l'artère vertébrale.*

♦ **3.** N. m. Astron., astrol. Aspect de deux planètes séparées par un angle de 120°. ⇒ **Trin.**

DÉR. Trigonal.

TRIGONELLE [tʀigonɛl] n. f. — 1765 ; lat. bot. *trigonella*, de *trigonus*. → Trigone.

♦ Bot. Plante dicotylédone (*Papilionacées*) herbacée, annuelle ou vivace, dont les variétés les plus communes sont le *fenugrec* et le *mélilot bleu.*

TRIGONOCÉPHALE [tʀigonosefal] n. m. — 1829, Boiste ; lat. zool. *trigonocephalus* ; de *trigone*, et -*céphale*.

♦ Zool. Reptile ophidien (*Solénoglyphes*), grand serpent venimeux à tête triangulaire, voisin des crotales. *Trigonocéphales d'Amérique, d'Asie.*

Le Père Arnold retourna presque sur le ciment la caisse du serpent pour l'en faire sortir. Le second fer-de-lance, moins gros que le premier, prit pourtant aussitôt la position correcte, corps enroulé et tête dressée. Mais la mangouste, à peine lâchée, fila par le travers et affolée par les rires, se mit à tourner à toute vitesse, cherchant une issue.

Le Père dédaigna de la poursuivre. Il se contenta de présenter la caisse ouverte au trigonocéphale, qui se hâta de la réintégrer.

Roger VERCEL, l'Île aux revenants, p. 169.

TRIGONOCÉPHALIE [tʀigɔnɔsefali] ·n. f. — 1933 ; du grec *tri-gânon* « triangle », et *-céphale*.

♦ Méd. Malformation du crâne caractérisée par un aspect triangulaire, à sommet antérieur.

TRIGONOMÉTRIE [tʀigɔnɔmetʀi] n. f. — 1613 ; lat. sc. *trigonometria*, 1595 ; de *trigone*, et *-métrie*.
Didactique.

♦ **1.** Branche des mathématiques dont le principal objet est l'application du calcul à la détermination des éléments des triangles, au moyen des fonctions circulaires ou *lignes trigonométriques* (⇒ **Sinus** et **cosinus ; tangente** *supra* cit. 2 et **cotangente ; sécante** et **cosécante**).

♦ **2.** Par ext. (plus cour.). Étude des fonctions circulaires et de leurs propriétés. *Trigonométrie rectiligne* (résolution* des triangles plans) ; *trigonométrie sphérique* (des triangles sphériques). *Applications de la trigonométrie à la géodésie* (⇒ **Triangulation**), *à l'astronomie. — Étudier, repasser* (cit. 13) *la trigonométrie* (argot scol. : *trigo*). *Table de trigonométrie.*

(...) chez lui (*Viète*), l'algébriste génial se double d'un grand géomètre. Toutes ces questions d'arcs et d'angles, de leur multiplication et de leur division, les connaît à fond, et nous pourrons le considérer comme le créateur du calcul trigonométrique : son *Traité des sections angulaires* contient la plupart de nos formules de trigonométrie plane, tandis que son *Liber inspectionum* donne à la trigonométrie sphérique un développement magnifique, et que son *Canon mathematicus* est un recueil de tables trigonométriques, donnant les six lignes trigonométriques des angles, de minute en minute (...)

P. HUMBERT, *in* Encycl. Pl., Hist. de la science, « Les mathématiques », p. 544.

DÉR. Trigonométrique.

TRIGONOMÉTRIQUE [tʀigɔnɔmetʀik] adj. — 1719 ; de *trigonométrie*.

♦ Sc. Qui concerne la trigonométrie ; qui est utilisé en trigonométrie. *Lignes trigonométriques :* les fonctions circulaires définies par leur projection sur un axe. *Fonctions trigonométriques. Rapports trigonométriques. Cercle trigonométrique :* cercle orienté dont le rayon est pris pour unité. — *Calculs* (→ Hauteur, cit. 6), *tables trigonométriques* (→ Trigonométrie, cit.). *Équations trigonométriques,* où l'inconnue (en général un angle) figure par l'intermédiaire d'une ou plusieurs de ses « lignes trigonométriques ». *Inéquation trigonométrique.*

Le problème de la mesure des angles et des côtés d'un triangle a conduit depuis longtemps les géomètres à attacher à un angle des *nombres* qui le caractérisent, qui permettent de le reproduire (...) et d'étudier ses propriétés. Ces nombres, appelés abusivement et maladroitement les « lignes trigonométriques » de l'angle, ont permis de résoudre commodément les problèmes de mesure relatifs aux figures planes. Mais (...) ces outils créés dans un but précis, se sont révélés comme très précieux dans la résolution de beaucoup d'autres questions ; aussi les étudie-t-on aujourd'hui pour eux-mêmes (...)   Robert CAMPBELL, la Trigonométrie, Préface.

DÉR. Trigonométriquement.

TRIGONOMÉTRIQUEMENT [tʀigɔnɔmetʀikmã] adv. — 1762 ; de *trigonométrique*.

♦ Sc. Par la trigonométrie.

TRIGRAMME [tʀigʀam] n. m. — 1872 ; grec *trigrammos* « de trois lettres » ; de *tri,* et *-gramme*.
Didactique.

♦ **1.** Mot de trois lettres. — Groupe fonctionnel de trois caractères (dans une écriture, un code alphanumérique, etc.). *« Certaines combinaisons à deux caractères (digrammes) ou trois (trigrammes) sont purement interdites par la langue »* (la Recherche, oct. 1981, p. 1102).

♦ **2.** Sigle de trois lettres.

♦ **3.** Combinaison de trois signes, dans le système symbolique chinois du *I-ching* (Livre des transformations). ⇒ aussi **Digramme, hexagramme.**

TRIHALOGÉNÉ, ÉE [tʀialɔʒene] adj. — 1968 ; de *tri-,* et *halogène,* suff. *-é.*

♦ Chim. Qui contient trois atomes d'halogènes.

TRIHEBDOMADAIRE [tʀiɛbdɔmadɛʀ] adj. — 1872, Littré ; de *tri-,* et *hebdomadaire.*

♦ Qui a lieu, qui paraît trois fois par semaine. *Journal trihebdomadaire. Réunion trihebdomadaire.*

TRIHYBRIDE [tʀiibʀid] n. m. — 1964 ; de *tri-,* et *hybride.*

♦ Biol. Hybride provenant du croisement de deux organismes différant par trois caractères.

TRIHYDROL [tʀiidʀɔl] n. m. — 1953, *infra* ; de *tri-,* et *hydrol.*

♦ Chim. Polymère de l'eau, existant dans l'eau liquide, de formule $(H_2O)_3$.

En 1900, Sutherland reprit les théories de Röntgen. Il introduisit la notion de polyhydrols de symbole (H_2O) *n* en partant de la forme simple H_2O qu'il appela hydrol. Après de longs et laborieux calculs, Sutherland arriva à la conclusion que la glace est du trihydrol et qu'à l'ébullition l'eau se transforme en monohydrol.

V. ROMANOVSKY et A. CAILLEUX, la Glace et les Glaciers, 1953, p. 6.

TRIIODURE [tʀijɔdyʀ] n. m. — 1872, Littré ; de *tri-,* et *iodure.*

♦ Chim. Composé dont la molécule contient trois molécules d'iode.

TRIJUMEAU [tʀiʒymo] adj. et n. m. — 1572 ; de *tri-,* et *jumeau.*

♦ **1.** Rare. Enfant d'une triplée. ⇒ **Triplé,** II.

♦ **2.** (1765). Anat. *Nerf trijumeau,* et, n. m., *le trijumeau :* cinquième nerf crânien qui innerve la peau de la figure, la langue, les dents et se divise en trois branches, nerf ophtalmique, nerfs maxillaires supérieur et inférieur. *Névralgies du trijumeau* (ou névralgies faciales). *Du trijumeau :* trigéminal. ⇒ **Trigéminé,** 3.

TRILAME [tʀilam] n. m. — xxᵉ ; de *tri-,* et *lame.*

♦ Techn. Massicot* à trois lames utilisé dans l'imprimerie.
DÉR. Trilamer.

TRILAMER [tʀilame] v. tr. — xxᵉ ; de *trilame.*

♦ Techn. Passer au trilame. *Trilamer les feuilles d'impression.*

TRILATÉRAL, ALE, AUX [tʀilateʀal, o] adj. — 1721 ; var. *trilatère,* 1765 ; du bas lat. *trilaterus* ; de *tri-,* et *-latère.*

♦ **1.** Vx. Qui a trois côtés. ⇒ **Triangulaire.**

♦ **2.** Mod. (d'après *bilatéral*). Qui réunit, engage trois parties. *Commission trilatérale* (entre l'Amérique du Nord, l'Europe occidentale et le Japon). *« Dans les cénacles trilatéraux, on ne complote pas... »* (le Nouvel Obs., nᵒ 692, p. 36). *Accords trilatéraux.* — REM. Dans ce sens, on rencontre les dér. *trilatéralisme* et *trilatéraliste.*

TRILATÉRATION [tʀilateʀasjɔ̃] n. f. — V. 1970 ; de *trilatère,* suff. *-ation.*

♦ Techn. Procédé de géodésie, de topographie, qui consiste à mesurer les côtés d'un ensemble de triangles.

TRILATÈRE [tʀilatɛʀ] n. m. — 1803 ; adj., « qui a trois côtés », 1765 ; lat. impérial *trilaterus.*

♦ Géom. Système de trois droites sécantes deux à deux.

TRILINÉAIRE [tʀilineɛʀ] adj. — 1876 ; de *tri-,* et *linéaire.*

♦ Géom. Qui correspond à trois lignes. *Coordonnées trilinéaires.*

TRILINGUE [tʀilɛ̃g] adj. — 1535 ; lat. *trilinguis,* de *tri-,* et *lingua* « langue ».
Didactique.

♦ **1.** Qui sait trois langues. *De nombreux Suisses sont trilingues. Secrétaire, interprète, traducteur trilingue.*
N. Personne qui connaît trois langues. *Une trilingue.*

♦ **2.** (1872). Qui est en trois langues. *Inscription trilingue. Dictionnaire, vocabulaire trilingue.*

TRILITÉRALITÉ [tʀiliteʀalite] n. f. — 1872 ; de *trilitère.*

♦ Didact. Caractère d'une langue, d'une racine trilitère. — On écrit aussi *trilittéralité.*

TRILITÈRE [tʀiliter] adj. — 1845 ; de *tri-*, et lat. *littera* « lettre ».

♦ **1.** Ling. Qui comporte trois consonnes servant de support aux éléments vocaliques. *Racines trilitères des langues sémitiques* (arabe, hébreu). *Mot trilitère.* — Par ext. *Langue trilitère,* à racines trilitères.

Dans cette langue *(de l'Égypte ancienne),* le sentiment de la racine était fort (...) Les racines sont en majorité de trois consonnes distinctes (trilitères) mais d'autres, en assez grand nombre, ont deux consonnes seulement (bilitères).
Marcel COHEN, l'Écriture, p. 32-33.

♦ **2.** (1872). Rare. Qui a trois lettres. *Mot trilitère.* — REM. On écrit aussi *trilittère.*

DÉR. Trilitéralité.

TRILITHE [tʀilit] n. m. — 1872, Littré ; de *tri-*, et *-lithe.*

♦ Didact. Monument mégalithique (cit.) formé de deux pierres verticales et une posée en travers. — REM. Les *trilithes* sont généralt appelés *dolmens,* terme générique désignant les monuments qui forment tables (allées couvertes, etc.).

TRILLE [tʀij] n. m. — 1753, Rousseau ; ital. *trillo,* d'orig. supposée onomatopéique.

♦ **1.** Battement* rapide et ininterrompu sur deux notes voisines, effectué par un instrument de musique ou par la voix. — Mus. *Le trille s'effectue pendant toute la durée de la note, entre cette note et celle qui est immédiatement au-dessus* (d'après l'armature de la clé). *Trille commencé par une appogiature, terminé par un ornement. Cadence ornée d'un trille.*

1 La mélodie se terminait à chaque stance par ces trilles chevrotants que font valoir si bien les voix jeunes, quand elles imitent par un frisson modulé la voix tremblante des aïeules. NERVAL, les Filles du feu, « Sylvie », II.

1.1 (...) les gammes chromatiques partaient comme des fusées, et les trilles, fabuleusement rapides, se prolongeaient à l'infini. Raymond ROUSSEL, Impressions d'Afrique, p. 302.

♦ **2.** (Mil. xxᵉ). Son (non musical) analogue au trille. *Les trilles et les roulades d'un oiseau.*

2 Elle eut un doux rire brutal
Qui s'égrenait en claires trilles,
Un joli rire de cristal. RIMBAUD, Poésies, « Première soirée ».

REM. La faute qui fait de *trille* un fém. est fréquente.

3 Et six années m'ont appris à reconnaître, dans le trille rauque, dans la courte gamme chromatique descendante que jette, dès février, un gosier d'oiseau, la voix du grand chanteur, un rossignol d'Auteuil fidèle à son bosquet (...) COLETTE, la Maison de Claudine, « Bellaude ».

4 Au trille de sonnette timide et entrecoupé, elle rit : « Quelle exactitude ! » et arrangea avant d'aller ouvrir une botte de bluets (...) COLETTE, Julie de Carneilhan, p. 182.

DÉR. Triller.

TRILLER [tʀije] v. — 1836 ; de *trille.*
Littéraire.

♦ **1.** V. tr. Orner de trilles. *Triller un air, un passage.*

Tel, au bois qui vibre
Un oiseau qui part
Trillant son motet. VERLAINE, Amour, « Lucien Létinois », XXIV.

♦ **2.** V. intr. Faire un trille. « *La sonnette trille* » (Colette, *la Vagabonde* p. 105, 1920).

TRILLION [tʀiljɔ̃] n. m. — 1484, « mille milliers de billions », soit 10^{15} ; de *tri-*, sur le modèle de *million.*

♦ **1.** Anciennt (et encore dans le langage des non-spécialistes). Mille milliards, 10^{12}. ⇒ **Billion.** On a dit *milliasse* dans ce sens.

♦ **2.** Mod. (depuis la Conférence des poids et mesures de 1948). Un milliard de milliards (soit 10^{18}). *Un million de trillions.* ⇒ **Quadrillion.**

DÉR. Trillionnaire.

TRILLIONNAIRE [tʀiljɔneʀ] n. — xxᵉ ; de *trillion,* d'après *millionnaire.*

♦ Plais. Personne qui possède au moins un trillion.

(...) il devient trillionnaire et par conséquent l'homme le plus puissant du monde. R. QUENEAU, Loin de Rueil, p. 46.

TRILOBE [tʀilɔb] n. m. — Attesté mil. xxᵉ ; de *tri-*, et *lobe.*

♦ Archit. Élément en forme de trèfle ; arc trilobé.

TRILOBÉ, ÉE [tʀilɔbe] adj. — 1783 ; de *tri-*, et *lobe.*

♦ Sc. nat. Qui a trois lobes*. *Feuille trilobée, stigmate trilobé.* — (1838). Archit. En forme de trèfle*, à trois lobes. ⇒ **Tréflé.** *Fenêtre à*

meneaux (cit. 1) *trilobés. Arc trilobé.* ⇒ **Trilobe.** *Plan trilobé, chevet trilobé de certaines églises.*

1 (...) peut-être la mode de les admirer *(les églises gothiques)* cessera-t-elle avant que le public ait daigné s'informer de ce que c'est que le *style flamboyant* et les ogives *trilobées.* STENDHAL, Mémoires d'un touriste, t. II, p. 41.

Par anal. *Coiffure* (cit. 9) *trilobée.*

2 (...) le sceptre d'osier, épanoui en raquette trilobée, qu'on nomme « tapette » et qui sert à fouetter les rideaux et les meubles. COLETTE, Sido, p. 9.

TRILOBITES [tʀilɔbit] n. m. pl. — 1812 ; lat. mod. *trilobites* (1771). → Trilobé.

♦ Zool. Crustacés fossiles de l'époque primaire, dont le tégument dorsal est divisé en trois lobes. *Tête, thorax, abdomen* (ou *pygidium*) *des trilobites.* — Sing. *Un trilobite.*

TRILOCULAIRE [tʀilɔkyleʀ] adj. — 1797 ; de *tri-*, et lat. *loculus* « loge ».

♦ Didact. Divisé en trois loges. *Ovaire triloculaire, cœur triloculaire.*

TRILOGIE [tʀilɔʒi] n. f. — 1765 ; grec *trilogia* ; de *tri-*, et *-logie.*

♦ **1.** Ensemble de trois tragédies grecques antiques sur un même thème. *L'Orestie d'Eschyle* (Agamemnon ; les Choéphores ; les Euménides), *seule trilogie qui nous soit parvenue complète.*

1 Le système de trois tragédies sur un même thème légendaire ou trilogie, fut peut-être imposé quelque temps par la règle des concours dramatiques. Mais il convient sans nul doute au déploiement de l'imagination et de la pensée, au souffle épique et lyrique d'Eschyle, dont on peut se demander s'il n'a pas forgé ce système pour son compte. P. GUILLON, *in* Encycl. Pl., Hist. des littératures, t. I, Littér. de la Grèce antique, p. 386.

♦ **2.** Groupe de trois pièces de théâtre dont les sujets se font suite. *La trilogie de Beaumarchais* (le Barbier de Séville ; le Mariage de Figaro ; la Mère coupable), *de Pagnol* (Marius ; Fanny ; César). — (1810). Par ext. Suite de trois œuvres ; œuvre en trois parties. *La trilogie de Vallès* (l'Enfant ; le Bachelier ; l'Insurgé).

2 (...) le *Walstein* de Schiller a fait éprouver à tous un égal enthousiasme. Le même sujet est partagé en trois pièces différentes : *le Camp de Walstein* (...) *les Piccolomini* (...) *La Mort de Walstein* (...) Un écrivain d'un grand talent *(B. Constant)* a resserré la *trilogie* de Schiller en une tragédie selon la forme et la régularité françaises. Mᵐᵉ DE STAËL, De l'Allemagne, II, XVIII.

♦ **3.** (Mil. xxᵉ). Ensemble de trois choses, de trois éléments inséparables, ou qui vont ensemble. *« Analyste, programmeur, opérateur, voilà la trilogie nouvelle des serviteurs des nouvelles machines »* (*le Monde,* 5 févr. 1966, *in* Gilbert).

♦ **4.** Méd. *Trilogie de Fallot :* association de trois anomalies congénitales du cœur, une sténose* pulmonaire, une communication interauriculaire et une hypertrophie du ventricule droit. ⇒ **Tétralogie.** — On dit aussi *triade (de Fallot).*

Elliptiquement :

3 En cas de trilogie, il faut sans aucun doute utiliser une C. E. C. *(circulation extracorporelle).* Cl. D'ALLAINES, la Chirurgie du cœur, p. 109.

DÉR. Trilogique.

TRILOGIQUE [tʀilɔʒik] adj. — 1843, Landais ; de *trilogie.*

♦ Didact., rare. Relatif à une trilogie. *Ensemble, groupe trilogique.* — *Poème trilogique.*

TRIMARAN [tʀimaʀɑ̃] n. m. — 1958 ; de *tri-*, et *catamaran* coupé syllabiquement.

♦ Mar. Bateau formé d'une coque centrale flanquée de deux petites coques parallèles réunies transversalement par une armature rigide (⇒ **Multicoque**). *Trimaran à hydrofoils. Trimaran de croisière. C'est un trimaran qui a gagné la course.*

TRIMARD ou (vx) **TRIMAR** [tʀimaʀ] n. m. — 1566, *trimar* « grande route », probablt dér. de *trimer*.

Argot ou pop. (vieilli).

♦ **1.** Route, chemin. — REM. La graphie *trimar* est archaïque. *Sur le trimar* (→ Raisiné, cit. 1, Balzac).

1 (...) on faisait la grande soulasse sur le trimar *(Trad. de Hugo :* On assassinait sur les grands chemins). HUGO, le Dernier Jour d'un condamné, XXIII.

2 (...) il reprit le trimard et, sur le coup de six heures, il était arrivé à la place d'Italie (...) R. QUENEAU, le Dimanche de la vie, p. 81.

♦ **2.** (V. 1880). Vx. *Faire le trimard :* faire le trottoir, se prostituer. ⇒ **Trimarder.**

♦ **3.** Vie de vagabondage, d'errance.

3 Camelot en mercerie, crieur annonçant le passage des *saccaraudes* moulinoises, porteur de panier au marché, Alphonse fut tout cela.
On sait en effet par ses enfants qu'il déclarait volontiers :
« J'ai été mis au trimard à treize ans (...) et toujours dans la rue. »
Edmonde CHARLES-ROUX, l'Irrégulière, p. 90.

Fig. Travail pénible, difficile. ⇒ **Boulot, turbin.**

4 (...) il prit la ligne de la bourgeoisie marchande de Bordeaux et se fit donc homme de droite. Appuyé sur *La Petite Gironde,* disposant par ses correspondants villageois de tout un réseau d'informateurs et de porte-parole, il était devenu après cinq ou six ans de ce trimard un agent électoral influent et recherché.
Raymond ABELLIO, les Militants, p. 80.

DÉR. Trimarder.

TRIMARDER [tʀimaʀde] v. — 1628 ; de *trimard.*
Populaire.

♦ **1.** V. intr. Cheminer, vagabonder sur les routes.

♦ **2.** V. tr. Transporter, trimballer.

(...) c'étaient les mères, qui venaient trimarder elles aussi les sacs de palmistes avec leur enfant en fardeau supplémentaire.
CÉLINE, Voyage au bout de la nuit, p. 122.

♦ **3.** V. intr. (Fin XIXᵉ). Faire le trimard, le trottoir ; se prostituer. ⇒ **Trimardeuse.**

DÉR. Trimardeur.

TRIMARDEUR, EUSE [tʀimaʀdœʀ, øz] n. — 1894 ; « voleur de grand-route », 1712 ; *trimardeux,* 1561 ; de *trimarder.*

♦ **1.** Pop., vieilli. Nomade, vagabond. — Ouvrier qui allait de ville en ville ou de ferme en ferme pour chercher du travail.

1 (...) un trimardeur, un de ceux dont l'aspect farouche met le remords au cœur des uns, la peur aux tripes des autres. Le gueux dont les chansons assurent qu'il est heureux, qu'il est fait pour la route (...)
Francis JOURDAIN, Sans remords ni rancune, p. 75.

♦ **2.** TRIMARDEUSE (n. f.) : prostituée qui fait le trottoir.

2 Valentine était mauvaise trimardeuse... Elle gagnait à peine son entretien ; Pauline, au contraire, avait le cœur à l'ouvrage.
GORON, l'Amour à Paris, t. I, p. 10 (v. 1900).

TRIMBALLAGE [tʀɛbalaʒ] ou **TRIMBALLEMENT** [tʀɛbalmɑ̃] n. m. — 1836, *trimballage* ; *trimballement,* 1845 ; *triballement,* Rabelais, III, *Prologue* ; de *trimballer.*

♦ Fam. Le fait de trimballer (qqch. ou qqn) ; transport difficile ou pénible.

1 Les femmes du monde, à la fin du carnaval, ont un peu de l'hébétement des bestiaux à la fin d'un long trimballement en chemin de fer.
Ed. et J. DE GONCOURT, Journal, 26 févr. 1865, t. II, p. 199.

2 Et quand, enfin, le train se mettait en marche, ils en avaient souvent pour deux ou trois jours de trimballage, avant qu'on ne les sorte de leur paille (...)
MARTIN DU GARD, les Thibault, t. IX, p. 118.

REM. On écrit aussi *trimbalage* et *trimbalement.*

TRIMBALLER [tʀɛbale] v. tr. — 1790 ; altér. de *tribaler,* 1532 ; p.-ê. var., d'après *baller,* de l'anc. franç. *triboler* « agiter, tourmenter » ; lat. *tribulare,* → Tribulation ; ou (Guiraud) de *triqueballe**, du normand *triquer.*
Familier.

♦ **1.** ⓐ (Compl. n. de chose). Mener, porter partout avec soi (souvent avec l'idée de peine, de difficulté). — REM. Le mot est souvent écrit *trimbaler* (cf. ci-dessous cit. 3, 5, 6). ⇒ **Traîner, transbahuter, transporter.** *Trimballer un gros sac de voyage, une armoire à glace* (→ Fourmi, cit. 4). *Trimballer qqch. quelque part, avec soi, d'un endroit à un autre.*

1 (...) un chapeau noir tourné au roux, monumental, qu'il trimballait depuis dix ans, sous la pluie et le soleil.
ZOLA, la Terre, I, IV.

2 Ils avaient trimballé là des chaises de métal prises je ne sais où, et assis en cercle, jouaient aux cartes.
GIDE, Journal, 19 août 1914.

ⓑ (1792). Compl. n. de personne. Transporter (qqn qui reste passif), le conduire, l'emmener avec soi, généralement sans plaisir. *Se faire trimballer à l'œil* (cit. 45).

3 Il y a trois mois que je suis en prison et qu'on me trimbale.
HUGO, les Misérables, I, VII, X.

4 Il fallait trimballer Mᵐᵉ Beurdeley dans les thés, danser avec elle.
ARAGON, les Beaux Quartiers, II, XVIII.

5 (...) il trimbalait ses deux gosses du manège au marchand de beignets et du marchand de beignets à la petite boutique où l'on vendait des bouts de réglisse, des baigneurs et des moulins à vent en celluloïd multicolore (...)
Claude SIMON, le Vent, p. 68.

Pron. *Se trimballer* : se déplacer. *Picard, dont la toquade* (cit. 1) *est de se trimballer en voiture. Il se trimballe toujours avec un immense parapluie.*

♦ **2.** (1937). Loc. fam. *Qu'est-ce qu'il trimballe !* : comme il est bête ! Cf. Qu'est-ce qu'il tient !

♦ **3.** (Abstrait ; in Baudelaire, → Écrire, cit. 27). Fig. Promener, transporter.

6 Devant le père je pliais l'échine, me conformais à un rôle d'esclave complice. Je me vengeais en lui volant de l'argent pour les comptes des frères ou en dessinant sur son bureau des cow-boys monolithiques et fades sachant à peine tenir un revolver. Tout cela ne fit aucun drame, je continuais à trimbaler ma vie ennuyée et docile.
Abdelkebir KHATIBI, la Mémoire tatouée, in Littér. de langue franç., p. 412.

DÉR. Trimballage ou trimballement, trimballeur.

TRIMBALLEUR, EUSE [tʀɛbalœʀ, øz] n. — 1904 ; de *trimballer.*

♦ Rare. Personne qui trimballe (des objets). ⇒ **Triqueballe.** — REM. On écrit aussi *trimbaleur.*

TRIMER [tʀime] v. intr. — 1619 ; p.-ê. altér. de l'anc. franç. *trumer* « courir » (XIVᵉ), de *trumel* « mollet ». → Trumeau.

♦ **1.** Vx. Marcher, aller (sans but, ou avec effort, fatigue). ⇒ **Trimarder ; cheminer.**

1 Mes souliers étaient usés, mes habits décousus, à force d'avoir trimé dans ces chemins-là qui ne sont pas commodes du tout !
BALZAC, le Médecin de campagne, Pl., t. VIII, p. 464.

♦ **2.** (1754). Mod. Travailler* avec effort, à une besogne pénible. ⇒ **Besogner, peiner** (→ Rentier, cit. 1, Verlaine). *Trimer aux ateliers* (cit. 5). *Après avoir bien trimé toute ma vie, je mourrais volontiers dans mon lit* (cit. 12). *Elle faisait trimer ses enfants.*

2 Il faut savoir trimer pendant des années sur les besognes les plus intellectuelles, avec la stupide patience du bœuf.
François DE CUREL, la Nouvelle Idole, II, 5.

3 Ils se sont faits eux-mêmes, disent-ils. On les étonnerait beaucoup en leur représentant qu'ils ont des devoirs envers la classe dont ils sont sortis, où triment encore les leurs.
BERNANOS, les Grands Cimetières sous la lune, p. 61.

4 Quand on a trimé toute une vie, pensez qu'à treize ans j'étais déjà en atelier, toute une vie quand on a trimé, qu'on arrive au bord de ne plus travailler, qu'on est fatigué à n'en plus pouvoir, on voit la vieillesse comme une récompense.
M. AYMÉ, le Vin de Paris, « La bonne peinture, » p. 218.

DÉR. Trimeur.

TRIMÈRE [tʀimɛʀ] adj. — 1839 ; de *tri-,* et du grec *méros* « partie ».

♦ **1.** Biol., bot. Formé de trois parties semblables. *Coléoptères trimères, plantes trimères.*

♦ **2.** N. m. (1953). Chim. Polymère dont la masse moléculaire est le triple de celle du monomère. *Le benzène, trimère de l'acétylène.*

TRIMESTRE [tʀimɛstʀ] n. m. — 1718 ; adj., « trimestriel », 1564 ; lat. *trimestris* « de trois mois », → Tri- ; de *mensis* « mois ».

♦ **1.** Durée de trois mois. *Le premier..., le quatrième trimestre de l'année. Payer par trimestre* (→ Inaliénable, cit. 3). — Spécialt. Division de l'année scolaire (en France). *Premier trimestre,* de la rentrée scolaire aux vacances de Noël. *Second trimestre,* de Noël au printemps. *Troisième trimestre,* jusqu'aux grandes vacances.

1 (...) à l'importance que je leur attachais *(à ces sorties),* je mesure combien m'avait pesé l'austérité des deux premiers trimestres.
S. DE BEAUVOIR, Mémoires d'une jeune fille rangée, p. 239.

♦ **2.** (1834). Somme payée ou allouée tous les trois mois (→ Semestre, cit. 1). ⇒ **Quartier.** *Toucher son trimestre.*

2 — Père, faut pourtant régler nos comptes... Voilà le dernier trimestre de votre rente.
ZOLA, la Terre, IV, IV.

DÉR. Trimestriel.

TRIMESTRIEL, IELLE [tʀimɛstʀijɛl] adj. — 1831 ; *trimestrial,* 1817 ; de *trimestre.*

♦ **1.** Qui dure trois mois. *Fonction, charge trimestrielle.*

♦ **2.** (1835). Qui a lieu, qui paraît tous les trois mois. *Revue, publication trimestrielle. Examen, bulletin trimestriel.*

DÉR. Trimestriellement.

TRIMESTRIELLEMENT [tʀimɛstʀijɛlmɑ̃] adv. — 1845 ; de *trimestriel.*

♦ Une fois par trimestre ; tous les trois mois. *La rente sera versée trimestriellement.*

TRIMÉTALLIQUE [tʀimetalik] adj. — 1968 ; de *tri-,* et *métallique.*

♦ Sc., techn. Composé de trois métaux. *Plaque offset trimétallique.*

TRIMÉTHYLAMINE [tʀimetilamin] n. f. — 1873, in *Année sc. et industr.* 1874, p. 414 : « *La propylamine et la triméthylamine sont isomères (...)* » ; de *tri-, méthyl-,* et *amine.*

♦ Chim. Gaz à odeur de marée, amine tertiaire, $(CH_3)_3N$, employé en thérapeutique.

Les laboratoires se sont penchés sur le problème de l'appréciation du degré d'altération du poisson et ont proposé, depuis une trentaine d'années, bien des méthodes : certaines basées sur le dénombrement des microorganismes, d'autres sur le dosage de tel ou tel produit de dégradation de la chair, mais la ménagère a mieux à faire que de doser la triméthylamine au retour du marché.
François LÉRY, Technique de la cuisine, p. 23.

TRIMÈTRE [tRimɛtR] n. m. — 1701 ; lat. trimetrus, du grec → Mètre.
Didactique.

♦ **1.** Vers composé de trois mètres, dans la prosodie antique. *Trimètre iambique* : vers des parties parlées de la tragédie grecque ; dans la poésie latine, sénaire* iambique.

♦ **2.** Vers partagé en trois unités métriques. *Trimètre romantique* : alexandrin romantique, dit *ternaire* (cf. Morier, *Dictionnaire de poétique*), coupé 4-4-4.
DÉR. 1. Trimétrique.

1. TRIMÉTRIQUE [tRimetRik] adj. — 1842 ; de trimètre.

♦ Didact. Relatif au trimètre. *Rythme trimétrique*.

2. TRIMÉTRIQUE [tRimetRik] adj. — 1872, Littré ; de tri-, et -métrique.

♦ Sc. *Cristal trimétrique*, dont les faces peuvent être ramenées à un système de trois axes.

TRIMEUR, EUSE [tRimœR, øz] n. — Mil. xxᵉ ; de trimer.

♦ Personne qui trime ⇒ **Travailleur**. « *Les démunis, exploités, rêveurs, trimeurs...* » (Conrad Detrez, *l'Herbe à brûler*, p. 207).
HOM. Trimmer.

TRIMMER [tRimœR] n. m. — 1877 ; mot angl., de to trim « se tenir en équilibre (en parlant d'un navire)».
Anglicisme.

♦ **1.** Pêche. Engin formé d'un flotteur circulaire sur lequel est enroulé le fil (le poisson qui a pris l'hameçon déroule le fil). *Placer un trimmer sur un lac. Relever un trimmer.*

♦ **2.** Techn. Condensateur utilisé pour obtenir l'accord parfait dans un récepteur.
HOM. Trimeur.

TRIMORPHE [tRimɔRf] adj. — 1842 ; 1839, Boiste, n. f., nom de plante ; grec trimorphos. → Tri-, et -morphe.

♦ Minér. Qui est susceptible de cristalliser* sous trois formes différentes.
DÉR. Trimorphisme.

TRIMORPHISME [tRimɔRfism] n. m. — 1842 ; de trimorphe.

♦ Minér. Caractère d'une substance trimorphe ; aptitude à se cristalliser sous trois formes.

TRIMOTEUR [tRimɔtœR] n. m. — 1921, Larousse mensuel ; de tri-, et moteur.

♦ Avion à trois moteurs.

TRIN, TRINE [tRɛ̃, tRin] adj. — xiiiᵉ ; lat. trinus « triple ». → Tri-.

♦ **1.** Relig. (⇒ **Trinité**). Divisé en trois, constitué de trois éléments.
L'amour divin (...) ne doit-il pas être en Dieu une complaisance totale en lui-même, Un et Trine, et en toutes ses œuvres ?
J. ISAAC, in Initiation théologique, t. II, p. 188.

♦ **2.** (1562). Astrol. *Trin, trine aspect* : aspect de deux planètes séparées d'un tiers de cercle. *Trine opposition.* ⇒ **Trigone**. — REM. La forme *trine* tend à l'emporter au masculin.
HOM. Train.

TRINACRIE [tRinakRi] n. f. — 1740, Trévoux ; lat. trinacria, grec trinakria, de treis « trois », et akria « sommets », appliqué à la Sicile.

♦ Didact. (géogr. antiq.). Pays, région triangulaire. → Trident, cit. 1.

TRINERVÉ, ÉE [tRinɛRve] adj. — 1799 ; de tri-, et rad. de nervure.

♦ Bot. Qui présente trois nervures. *Feuilles trinervées*.

TRINGLE [tRɛ̃gl] n. f. — 1459 ; altér. de tingle « cale de bois » (mot de marine) ; néerl. tingel.

♦ **1.** Vx. Baguette équarrie.
(1611). Mod. Tige métallique ronde servant de support, d'élément d'un mécanisme (poussoir, tirette) ou d'outil. ⇒ **Barre, broche, verge** (vx). *Tringle à rideaux*, sur laquelle sont enfilés les anneaux supportant des rideaux (→ Ramage, cit. 3 ; réduit, cit. 3). *Poser une tringle. Suspendre des vêtements, des cintres à une tringle* (→ Marchand, cit. 8). *Tringle d'un râtelier* d'établi. — Tringle servant à maintenir un tapis dans un escalier. — Tringles d'un mécanisme, d'une machine. Tringle de commande* (→ 2. Sablière, cit.).

(...) les points des joueurs (de billard) étaient marqués au moyen d'anneaux de bois enfilés dans des tringles.   FRANCE, Jocaste, I, in Œ. Pl., t. II, p. 7.   1

J'avais soulevé ma lanterne et je voyais les marches de cet escalier. On en avait enlevé le tapis, mais il y restait quelques tringles de cuivre.   2
H. BOSCO, Un rameau de la nuit, p. 61.

Outil de zingueur.
Mince cylindre de métal servant de matière première dans la fabrication des clous, etc. *Découpage des tringles d'acier au bistoquet.*

♦ **2.** Archit. Moulure plate à la partie inférieure d'un triglyphe. Par anal. Moulure analogue (en menuis.). Par ext. (vx). Baguette utilisée comme moulure, comme élément d'un treillage, pour remplir un interstice (⇒ **Antébois, baguette**), ou pour servir de support (⇒ **Liteau, tasseau**).
Rare. Menuis. Marque faite au cordeau sur une pièce de bois (⇒ **Ligne**; tringler).

♦ **3.** (1892, *la tringle* : « rien du tout », in Chateaubriand). Fam. *Se mettre la tringle* : se priver (cf. Se mettre la ceinture, faire tintin).

♦ **4.** (Fin xixᵉ, par métaphore). Argot. *Avoir la tringle* : être en érection. → Tringler, II.
DÉR. Tringler, tringlette.

TRINGLER [tRɛ̃gle] v. tr. — xviᵉ ; 1328, tingler ; de tringle.

★ **I.** Techn. Tracer une ligne droite sur une pièce de bois ou de tissu à l'aide d'une ficelle ou d'un cordeau enduits de craie. ⇒ **Ligner**. *Tringler une pièce au cordeau.*

★ **II.** Fam. et vulg. Posséder sexuellement.

Oh! tu sais, des femmes qui aiment se faire tringler, je suis sûre qu'il n'y en a pas une sur cent : c'est un genre qu'elles se donnent, par snobisme.   1
S. DE BEAUVOIR, les Mandarins, p. 95 (1954).

Le roi Charles VII (...) celui-là, oui, il venait à Nogent pour tringler sa poule, une fille qui s'appelait Agnès Sorel.   CAVANNA, les Ritals, p. 29.   2

TRINGLETTE [tRɛ̃glɛt] n. f. — 1676, Félibien ; de tringle.

★ **I.** Techn. Pièce de verre qui entre dans un panneau de vitres. — Outil de vitrier servant à ouvrer le plomb.

★ **II.** (De tringler, II.). Fam. et vulg. Activité sexuelle, coït.

TRINGLOT [tRɛ̃glo] n. m. — 1863, var. tringlos ; de train, par attraction plaisante de tringle « fusil ».

♦ Fam. Soldat du train (I., 2.) des équipages.

(...) nos paniers parvenus à sauver l'équipage et vingt soldats du train qui se trouvaient à bord (...) les pauvres tringlots n'étaient pas à leur affaire, vous pensez!   1
Alphonse DAUDET, Lettres de mon moulin, « Agonie de la Sémillante ».

Dans l'armée, le dragon s'estime supérieur au cavalier du train et le tringlot, parce qu'il monte à cheval, se juge fort au-dessus du fantassin.   2
HUYSMANS, l'Oblat, VI.

Olivier regarda celui qui entrait.   3
C'était un tringlot lourd de houseaux et de boue. Il était en capote flottante, une badine d'osier sous le bras. Il se frottait les mains.
J. GIONO, le Premier Cercle, Pl., t. I, p. 596.

REM. On écrit parfois *tringlot*.

TRINITAIRE [tRinitɛR] n. et adj. — 1541 ; de trinité.
Didactique (religion chrétienne).

♦ **1.** N. Personne qui croit au dogme de la Trinité. — (1690). Membre d'une secte dont l'opinion sur la Trinité n'est pas orthodoxe.

♦ **2.** N. Religieux, religieuse de deux ordres fondés vers 1200 sous l'invocation de la Trinité (l'ordre masculin, pour la rédemption des esclaves chrétiens aux mains des infidèles).

♦ **3.** Adj. De la Trinité (1.). *Le dogme, le mystère trinitaire.*
COMP. Antitrinitaire.

TRINITÉ [tRinite] n. f. — xiᵉ ; du lat. ecclés. trinitas, de trinus « triple ».

♦ **1.** Relig. ⓐ Dans la doctrine chrétienne, Dogme et mystère du Dieu unique en trois personnes coexistantes, consubstantielles, coéternelles ; ce Dieu unique en trois personnes. ⇒ **Père** ; **fils** ; **esprit** (Saint-Esprit) ; **trin** (→ Athée, cit. 2, Pascal). *Chaque personne de la Trinité est considérée comme substantiellement distincte des deux autres.* ⇒ **Hypostase** (II.). *Le Saint-Esprit, personne de la Trinité qui procède du Père par le Fils.* ⇒ **Procession** ; **émanation.** *La Sainte Trinité. Triangle mystique symbolisant la Trinité.*

|b| (1348). Fête en l'honneur du mystère de la Trinité, qui a lieu le premier dimanche après la Pentecôte. — Loc. fam. (de la chanson de *Malbrough* : « il reviendra-t'à Pâques, ou à la Trinité »). *À Pâques ou à la Trinité :* à une époque incertaine, lointaine ; peut-être jamais.

0.1 Ils se reverraient aux congés. Ou à la Trinité.
Claude COURCHAY, la Vie finira bien par commencer, p. 90.

|c| Église, ordre religieux (⇒ **Trinitaire**) consacré à la Trinité. *La Trinité-des-Monts* (Trinita dei Monti), à Rome. *La Trinité*, à Paris.

♦ **2.** (XIXᵉ). Groupe de trois dieux ou divinité triple. ⇒ **Triade.** *Brahmâ, Siva, Višnu, membres de la trinité hindoue.* — Groupe de trois principes ou substances. *La foi, l'espérance et la charité, trinité de vertus.*

1 Le sanctuaire a la forme d'un petit temple carré, voûté, couvert en tuiles, et présente trois niches destinées aux images de la Trinité égyptienne (...)
NERVAL, les Filles du feu, « Isis », III.

2 Il existe dans l'homme une trinité sainte :
La volonté, l'amour et l'esprit sont en nous.
A. DE VIGNY, Poésies, « La trinité humaine ».

♦ **3.** (1838 ; Flaubert, *Correspondance*, 30 nov.). ⇒ **Trio.**

3 Je ne la voyais jamais qu'en présence de grand'mère, de ma tante, de sœur Marie-Henriette, trinité redoutable qui la retenait dans son néant.
F. MAURIAC, la Robe prétexte, XVI.

4 (...) trois personnes (...) représentent la vie supérieure de la tribu : le curé, le poète, le passeur. Grâce à cette trinité, le village passe la mort, le temps et la rivière.
A. ARNOUX, Suite variée, « Le fauteuil ».

5 (...) la gendarmerie pour les plaintes contre les maraudeurs, la mairie pour l'état civil et l'église pour le reste. Une sorte de triangle, de trinité (...)
Claude SIMON, le Vent, p. 178.

DÉR. **Trinitaire.**

TRINITRÉ, ÉE [tʀinitʀe] adj. — 1905, *in Rev. gén. des sc.*, nᵒ 12, p. 559 ; de *tri-*, et *nitré.*

♦ Chim. Qui renferme trois fois le radical -NO_2. *Composés trinitrés. Phénol trinitré*, ou *acide picrique.* ⇒ **Trinitrophénol.**

DÉR. **Trinitrine.**

TRINITRINE [tʀinitʀin] n. f. — 1906, *in Rev. gén. des sc.*, nᵒ 12, p. 575 ; de *trinitré.*

♦ Chim. Ester du glycérol doué de propriétés explosives. ⇒ **Nitroglycérine.** *La trinitrine, constituant essentiel de la dynamite.* — *La trinitrine est utilisée pour soigner certaines affections cardiaques.*

TRINITROBENZÈNE [tʀinitʀobɛzɛn] n. m. — XXᵉ (*in* Larousse, 1933) ; de *tri-*, et *nitrobenzène.*

♦ Chim. Dérivé trinitré du benzène de formule $C_6H_3(NO_2)_3$, utilisé comme explosif.

TRINITROPHÉNOL [tʀinitʀofenɔl] n. m. — XXᵉ (*in* Larousse, 1933) ; de *tri-*, et *nitrophénol.*

♦ Chim. Dérivé trinitré du phénol. — Spécialt. Acide picrique*.

TRINITROTOLUÈNE [tʀinitʀotɔlɥɛn] n. m. — 1874, Würtz ; de *tri-*, *nitro-*, et *toluène.*

♦ Techn. Explosif nitré dérivé du toluène, corps solide cristallisé, de formule $C_7H_5(NO_2)_3$. — Syn. (plus cour.) : *T. N. T.* (ou *tolite*).

TRINÔME [tʀinom] n. m. — 1613 ; de *tri-*, d'après *binôme.*

♦ Alg. Polynôme à trois termes. *Trinôme du second degré* ($ax^2 + bx + c$). *Trinôme bicarré.*

TRINQUART [tʀɛkaʀ] n. m. — 1730 ; orig. incert., p.-ê. de l'angl. *trinker* (boat), de *trink* « filet de pêche ».

♦ Mar. Anc. Petit bâtiment de forme lourde, employé autrefois pour la pêche au hareng.

TRINQUEBALLE [tʀɛkbal] n. f. ⇒ **Triqueballe.**

TRINQUEBALLER [tʀɛkbale] v. tr. et intr. — 1534, Rabelais ; de l'anc. franç. *tribaler* « remuer de côté et d'autre », et de *triqueballe.*

♦ Vx ou littér. Agiter (qqch.), s'agiter en tous sens. *Clés qui trinqueballent bruyamment.*

TRINQUÉE [tʀɛke] n. f. — Attesté XXᵉ ; de *trinquer.*

♦ Rare. Action de trinquer, de boire ensemble.

Il gardait l'habitude de fréquenter les maisons de tolérance et d'y boire à profusion. La trinquée au bistro rien qu'avec des camarades ne lui suffisait pas.
Pierre HAMP, la Peine des hommes « Moteurs », p. 68.

TRINQUER [tʀɛke] v. intr. — 1546, Rabelais, *Tiers livre*, Prologue, « boire » ; all. *trinken*, var. *drinker* (XIIᵉ), moy. angl. *drinken, drinquer* (XVIᵉ), néerl.

♦ **1.** Vx. Boire. Spécialt. Boire avec excès.

1 Prends, ris, bois, mange, et surtout fais-le trinquer jusques à l'ourlet ! Qu'il en crève, ce ne sera que du vin perdu.
CYRANO DE BERGERAC, le Pédant joué, IV, 4.

2 En principe, il aurait pas fallu qu'il en parle de politique, surtout quand il avait bu un peu, et ça lui arrivait. Il était même noté pour trinquer, c'était son faible.
CÉLINE, Voyage au bout de la nuit, p. 419.

♦ **2.** (1690). Boire en même temps que qqn, après avoir choqué les verres (en signe de souhait, de gage d'amitié, etc.). ⇒ **Santé** (porter une), **toast** (→ Inviter, cit. 11 ; pot, cit. 20). *Trinquer avec quelqu'un.*

3 — (...) Barbe, apportez deux gobelets. Il n'y a point d'affaire conclue quand les parties n'ont pas trinqué en signe d'accord.
FRANCE, la Rôtisserie de la reine Pédauque, in Œ., t. VIII, p. 16.

Trinquer à (qqch.) : boire, lever son verre à... *Trinquons au succès de l'entreprise, à notre amitié.*

♦ **3.** Par métaphore. (Choses). Se choquer, se heurter.

4 Les pots trinquaient, et les querelles naissaient au choc des pots, et les pots ébréchés faisaient déchirer les haillons. HUGO, Notre-Dame de Paris, II, VI.

5 La mer est montée, les bateaux dansent dans la baie, au bout de leurs amarres, et trinquent du ventre. COLETTE, les Vrilles de la vigne, « En baie de Somme ».

♦ **4.** (1876, *in* Chateaubriand). Fam. (Personnes). Éprouver, subir des désagréments, des pertes. ⇒ **Écoper, recevoir.** *Trinquer pour les autres. Ce sont toujours les mêmes qui trinquent. Quand les parents boivent, les enfants trinquent* (slogan de propagande antialcoolique). — *Trinquer de* (suivi d'un numéral et d'une unité correspondant à une peine, une punition).

6 — (...) Si nous ne sommes pas rendus à notre poste à heure fixe et que nous trinquions de quinze jours de prison, qui c'est qui les fera ?
COURTELINE, le Train de 8 h 47, II, VIII.

7 GASPARD. Enfin, vous m'avez dit vous-mêmes que mon affaire était antipathique, et que j'allais sûrement trinquer aux Assises (...) Pour ne pas y aller, il faudrait que le juge d'instruction me signe un non-lieu.
J. BECKER et J. GIOVANNI, le Trou, 1960, in L'Avant-Scène, nᵒ 13, p. 39 (1962).

(Choses). *Il n'a rien, mais sa moto a trinqué.* — (Abstractions). Subir des attaques, des critiques.

8 (...) c'est tantôt, avec Léon Daudet, le « stupide dix-neuvième » ; tantôt, avec Abel Bonnard, le dix-huitième qui trinque. GIDE, Attendu que..., p. 33.

DÉR. **Trinquée, trinqueur.**

1. TRINQUET [tʀɛkɛ] n. m. — V. 1500 ; ital. *trinchetto* « voile triangulaire », probablt dérivé de *trini* « par trois ».

♦ Mar. Mât de misaine des bâtiments portant des voiles latines (à antennes). *Le trinquet d'une galère*.

DÉR. **Trinquette.**

2. TRINQUET [tʀɛkɛ] n. m. — Attesté 1899, *in* Petiot ; mot du Sud-Ouest, orig. incertaine.

♦ Régional. Pièce quadrangulaire où l'on joue à la pelote basque.

TRINQUETTE [tʀɛkɛt] n. f. — V. 1500 ; de 1. *trinquet.*

♦ Mar. Celle des voiles d'avant triangulaires qui est la plus proche du grand mât ou de la misaine. *Le foc et la trinquette. Manœuvrer sous trinquette seule.*

Une seule voile triangulaire, un tourmentin de forte toile, fut hissé en guise de trinquette, de manière à maintenir la goélette vent arrière.
J. VERNE, le Tour du monde en 80 jours, p. 178-179.

TRINQUEUR, EUSE [tʀɛkœʀ, øz] n. — V. 1550, Rabelais ; de *trinquer.*

♦ Vx. Personne qui aime à trinquer, à boire.

TRIO [tʀijo] n. m. — V. 1580, d'Aubigné ; ital. *trio.*

♦ **1.** Mus., cour. Morceau pour trois instruments ou trois voix. *Trio pour piano, violon et violoncelle. Trio à cordes. Le trio en si bémol de Beethoven* (→ Chef-d'œuvre, cit. 5). *Trio vocal.* ⇒ **Chant.**
(1690). Formation de trois musiciens. *Trio à cordes* (violon, alto, vio-

loncelle), *trio d'anches* (clarinette, hautbois, basson). *Trio de jazz. Jouer en trio. Faire partie d'un trio.*

♦ **2.** (1829). Mus. Seconde partie du menuet dans le troisième mouvement de la forme sonate. — Seconde partie d'un scherzo, et de nombreuses compositions de danse (marche, valse, polka, mazurka...).

♦ **3.** (1585, Cholières, *in* D.D.L.). Groupe de trois personnes (souvent par plais. ou péj.). ⇒ **Trinité,** 3. *Des trios de sorcières* (→ Quatuor, cit. 2). *Le sombre trio* (→ Fulminer, cit. 7). *Ils font un joli trio! Ils forment un drôle de trio. Joyeux trio.* « *Beau trio de baudets !* » (La Fontaine, *Fables,* Le Meunier, son fils, et l'âne).

Nous admirions qu'elle se donnât sans réserve à l'instant; cependant; notre premier soin fut d'édifier pour elle, pour nous, un avenir : au lieu d'un couple, nous serions désormais un trio.   S. DE BEAUVOIR, la Force de l'âge, p. 250.

TRIODE [tʀijɔd] n. f. — 1923; de *tri-,* d'après *diode.*

♦ Phys. Tube électronique à trois électrodes (grille placée entre l'anode, ou plaque, et la cathode ou filament) contenues dans une lampe où le vide est poussé (→ Tétrode, cit.). *Remplacer une triode par un transistor* (⇒ **Transistoriser**).

(...) je ne chercherai point ici à expliquer le fonctionnement de la lampe triode (...) Ce qui est remarquable, c'est qu'en ajoutant simplement entre le filament et la plaque de la diode de Fleming une troisième électrode ajourée, la grille, susceptible d'être portée à des potentiels variables, on obtient un dispositif infiniment plus souple que la diode, un dispositif qui peut, et de bien des manières différentes, être employé comme détecteur, amplificateur ou émetteur d'ondes entretenues.
                        L. DE BROGLIE, Physique et Microphysique, p. 325.

Par appos. *Lampe triode* (→ Radiodiffusion, cit.).

TRIOL [tʀijɔl] n. m. ⇒ **Trialcool.**

1. TRIOLET [tʀijɔlɛ] n. m. — 1545; mot franco-provençal, du lat. *trifolium* (→ Trèfle).

♦ Régional. Trèfle rampant. — Lupuline*.

2. TRIOLET [tʀijɔlɛ] n. m. — 1488; emploi métaphorique de 1. *triolet.*

♦ **1.** Hist. littér. Poème à forme fixe, de huit vers sur deux rimes, dont le premier, le quatrième et le septième sont semblables. *Les triolets de Banville* (Odes funambulesques).

Le triolet (...) remonte au Moyen Âge. Les Parnassiens ont essayé de le ressusciter; on cite couramment un triolet d'Alphonse Daudet.
                        R. QUENEAU, Bâtons, chiffres et lettres, p. 328.

♦ **2.** (1839; avec infl. de *trio*). Mus. Groupe de trois notes d'égale valeur qui se jouent dans le temps de deux, lorsqu'elles sont surmontées du chiffre trois. ⇒ **Sextolet.** *Un triolet de croches vaut une noire.*

TRIOMPHAL, ALE, AUX [tʀijɔ̃fal, o] adj. — 1534; *trionfal,* mil. XIIᵉ; lat. *triumphalis,* de *triumphus* → 1. Triomphe.

♦ **1.** Qui appartient au triomphe (1. Triomphe, 2.), dans la Rome antique. *Honneurs triomphaux. Couronne triomphale. Pourpre triomphale dont était vêtu le triomphateur. Couronne triomphale. Arcs** (cit. 16) *triomphaux* (→ Faucher, cit. 3), *de triomphe*. *Porche* (cit. 1) *triomphal. Colonne triomphale.* — Subst. *Un triomphal :* grande arcade qui marque l'entrée du chœur des basiliques. — Qui célèbre une grande victoire militaire. *L'entrée triomphale de Louis XIV à Utrecht* (→ Capituler, cit. 2).

C'est un chant triomphal par lequel David rend grâces à Dieu de certaine bataille qu'il gagna (...)   Clément MAROT, Psaumes de David, IX (Note liminaire).

Marche triomphale, jouée pour un triomphe; par ext., marche de caractère solennel et joyeux.

Ce que je voyais me représentait un immense feu d'artifice, quelque chose de riant et de triomphal, une fête ou un tournoi.
                        G. SAND, Histoire de ma vie, II, XIV.

♦ **2.** (XIXᵉ; *in* P. Larousse). Qui est accompagné d'honneurs, d'acclamations. *Recevoir un accueil triomphal. Faire une entrée triomphale dans un salon.*

♦ **3.** (1904). Qui constitue un triomphe (1. Triomphe, 4.), une éclatante victoire, une grande réussite. *Une élection triomphale* (Académie). *Succès triomphal d'un artiste, d'un sportif.* ⇒ **Éclatant.**

♦ **4.** Fam. Triomphant*.

(...) avec le geste triomphal du joueur d'échecs qui déplace une pièce et compromet du même coup la victoire de son adversaire.
                        J. GREEN, Léviathan, p. 23.

DÉR. Triomphalement.

TRIOMPHALEMENT [tʀijɔ̃falmɑ̃] adv. — Déb. XVIᵉ; de *triomphal.*

♦ **1.** D'une manière triomphale, en triomphe. *Il a été triomphalement accueilli, reçu.*

♦ **2.** (1876). D'un air de triomphe, d'une manière triomphante. *Il nous annonce triomphalement qu'il a été élu, reçu.*

TRIOMPHALISME [tʀijɔ̃falism] n. m. — Mil. XXᵉ (1962, dans un contexte religieux); de 1. *triomphe.*

♦ Attitude d'un groupe (ou d'une personne) qui affiche sans retenue sa croyance en la justesse de sa cause, ses succès. *Faire du triomphalisme. Le triomphalisme des communiqués militaires en temps de guerre. Les dangers du triomphalisme en politique.*

Au contraire, le langage militant, révolutionnaire ou religieux (du temps où la religion militait) est un langage triomphant : chaque acte du discours est un triomphe à l'antique : on fait défiler les vainqueurs et les ennemis défaits. On pourrait mesurer le mode d'assurance des régimes politiques et préciser leur évolution selon qu'ils sont (encore) dans le Triomphe, ou (déjà) dans le Règne. Il faudrait étudier, par exemple, comment, à quel rythme, selon quelles figures, le triomphalisme révolutionnaire de 1793 s'est peu à peu assagi, diffusé, comment il a « pris », est passé à l'état de Règne (de la parole bourgeoise).
                        R. BARTHES, Roland Barthes, p. 157.

DÉR. Triomphaliste.

TRIOMPHALISTE [tʀijɔ̃falist] adj. et n. — V. 1960; de *triomphalisme.*

♦ Qui fait preuve de triomphalisme. *Attitude, comportement triomphaliste.*

TRIOMPHANT, ANTE [tʀijɔ̃fɑ̃, ɑ̃t] adj. — Mil. XVᵉ; de *triompher.*

♦ **1.** Vx. Qui reçoit les honneurs du triomphe (1. Triomphe, 2.). *Général triomphant.* Par anal. *La triomphante ascension* (cit. 2) *de Jésus-Christ.*

♦ **2.** (1580, Montaigne). Qui triomphe (II., 2.), qui a remporté une éclatante victoire. ⇒ **Victorieux.** « *Qu'un peuple tout entier, tant de fois triomphant* » (Racine, *Andromaque,* I, 2). *Sortir triomphant d'une cabale* (cit. 4), *d'une épreuve* (→ Entêtement, cit. 3 ; et aussi égorger, cit. 3), *d'une compétition. L'Église militante et l'Église triomphante.* ⇒ **Église, saint** (cit. 8). — Subst. *Les triomphants et les glorieux* (cit. 8) *de ce monde. Saint Michel, le porte-glaive* (cit.), *le triomphant.*

Chaque époque crée son type d'aristocrate, de chevalier. Les hommes ne vont pas le chercher dans la classe dominante, mais dans la classe montante. Non pas chez les triomphants, mais chez les militants. Il sort non pas d'entre les superbes, mais d'entre les humbles.
                        J.-R. BLOCH, Moscou-Paris, Pour le Xᵉ anniversaire de la mort de Gorki, p. 90.

Par anal. *Propagandes triomphantes* (→ Copieux, cit. 5). *Le romantisme triomphant* (→ Louis-Philippard, cit. 1).

♦ **3.** (1694, Boileau). Qui exprime le triomphe (1. Triomphe, 3.), est plein d'une joie éclatante, assurée. ⇒ **Content, heureux, jubilant, radieux.** *Il présenta sa trouvaille, triomphant* (→ Salicoque, cit.). *D'un air placide et triomphant* (→ Majestueux, cit. 1). *Voix triomphante* (→ Faute, cit. 34). *Sourire triomphant.* « *Quand on est jeune, on a des matins triomphants* » (→ Réveil, cit. 1, Hugo). « *Il est des parfums* (cit. 1) *frais... Et d'autres corrompus, riches et triomphants* » (Baudelaire).

Il (...) se mit à marcher devant lui, d'un pas rapide et triomphant, cœur débordant de joie.   MAUPASSANT, Bel-Ami, I, V.

(...) adorable quand même, grâce à sa triomphante jeunesse.
                        ZOLA, le Dr Pascal, IV.

Nous n'y fûmes pas plus tôt assis *(dans la voiture)* que Wilde commença de rire, d'un rire éclatant, non tant joyeux que triomphant; et plus il me parut déconcerté par ce rire, plus il riait.   GIDE, Si le grain ne meurt, II, II.

♦ **4.** Vx ou poét. Qui brille d'un éclat somptueux. ⇒ **Éclatant.** *En triomphant arroi* (cit. 1). *Lumière triomphante* (→ Dispenser, cit. 4).

N. Littér. Personne qui triomphe, qui remporte de brillants succès.

TRIOMPHATEUR, TRICE [tʀijɔ̃fatœʀ, tʀis] n. — V. 1340, au sens 2; lat. *triumphator, trix,* de *triumphare.* → Triompher.

♦ **1.** Personne qui triomphe, remporte une éclatante victoire. ⇒ **Vainqueur.** *Sous les fleurs* (cit. 13) *dont il couvrirait le triomphateur. Les triomphateurs de la journée* (aux élections). → Hitlérien, cit. 1. *La triomphatrice de l'empire ottoman* (Voltaire, *Lettre à Catherine,* 27 mai 1769).

Et son ami Canalis dormait, lui, du sommeil des triomphateurs, le plus doux des sommeils après celui des justes.   BALZAC, Modeste Mignon, Pl., t. I, p. 521.

Adj. (1806). *Armée, équipe triomphatrice.*

♦ **2.** (1690). Antiq. rom. Général à qui l'on faisait les honneurs du triomphe.

Quand les Romains célébraient un de leurs chefs, il y avait toujours près du triomphateur un esclave qui répétait sans arrêt : «Souviens-toi que tu n'es qu'un homme!»   G. DUHAMEL, Chronique des Pasquier, VIII, V.

1. TRIOMPHE [tʀijɔ̃f] n. m. — 1530; *triumphe*, fin XIIᵉ, au sens 1.; lat. *triumphus*.

♦ **1.** Victoire éclatante à l'issue d'un combat militaire (vx), d'une lutte, d'une rivalité. *Le triomphe du méchant et l'oppression du juste* (→ Immatériel, cit. 1). *Le triomphe des Saints* (cit. 8). *Le triomphe la rendit généreuse* (→ Revanche, cit. 5). *Assurer son triomphe* (→ Répertoire, cit. 5). *La journée qui assura le triomphe de Richelieu sur ses adversaires* (→ Dupe, cit. 10). ⇒ **Avantage**.

1 En fait de souvenirs nationaux, les deuils valent mieux que les triomphes, car ils imposent des devoirs, ils commandent l'effort en commun.
RENAN, Discours et Conférences, Qu'est-ce qu'une nation?, III.

(Mil. XVIᵉ, Calvin). Choses. Établissement, avènement éclatant (de ce qui était en opposition, en lutte avec autre chose). ⇒ **Victoire**. *Le triomphe de la mort* (→ Gloire, cit. 8), *de la vie* (→ Spleenétique, cit. 5.1). *Le triomphe du jour sur la nuit* (→ Solaire, cit. 1). *Le triomphe de leurs idées* (→ Novateur, cit. 6), *d'une cause* (→ Existence, cit. 23). « *Le triomphe de l'amour* », comédie de Marivaux. — Ce qui représente, illustre cet établissement. *Waterloo, triomphe de la médiocrité* (cit. 7) *sur le génie. New York est le triomphe de l'individualisme* (→ Étage, cit. 2). ⇒ **Consécration**.

2 C'est bien, si vous y tenez, le triomphe de la morale, mais ce n'est guère celui de l'innocence et de la vertu. BEAUMARCHAIS, le Mariage de Figaro, Notice.
3 La Révolution de Juillet est le triomphe du droit terrassant le fait. Chose pleine de splendeur. HUGO, les Misérables, IV, I, I.

♦ **2.** (V. 1265, *triumphe*). Antiq. rom. Honneur décerné à un général qui avait remporté une grande victoire: entrée solennelle du vainqueur dans la ville, monté sur un char (quadrige) et suivi de son armée, des prisonniers et des dépouilles, sous les acclamations de la foule (→ Triomphalisme, cit.). *La pompe*, *les honneurs* du triomphe. *Triomphe et ovation*. *Demander, décerner le triomphe. Vercingétorix avait vu le triomphe de son vainqueur* (César). → Capitole, cit. 2. *Les vains triomphes dont l'antiquité honorait ses conquérants* (→ Ascension, cit. 2). *Chute* qui suit le triomphe (→ La roche Tarpéienne est près du Capitole*). Loc. *Arc de triomphe.* ⇒ **Arc**. — (Fin XVᵉ). Par anal. Honneur semblable rendu à certaines personnes dans l'antiquité ou en d'autres temps. *Le triomphe de Pétrarque au Capitole* (→ Hommage, cit. 27). ⇒ **Apothéose**.

4 Je n'ai pas besoin de conter le retour de Voltaire, son triomphe, l'Académie en corps venant le recevoir, sa voiture arrêtée par la foule, les rues comblées, les fenêtres, les escaliers et les balcons chargés d'admirateurs (...)
TAINE, les Origines de la France contemporaine, II, t. II, p. 127.

(1553). EN TRIOMPHE : avec les honneurs et les acclamations du triomphe. *Promener des statues en triomphe* (→ Idolâtre, cit. 2). *Porter qqn en triomphe*, le hisser au-dessus de la foule pour le faire acclamer (→ Hisser sur le pavois*). *Libérateur, champion porté en triomphe* (→ aussi Capitole, cit. 3 ; fasciste, cit. 3). — (XVIIᵉ). Vieilli. Fig. (→ Hautain, cit. 2).

5 (...) la garde citoyenne (alors c'était tout le peuple) amena au-devant des députés, au son de la musique militaire, le garde français qui le premier avait arrêté le gouverneur de la Bastille ; il était conduit en triomphe sur la voiture de de Launey, couronné de lauriers, portant la croix de Saint-Louis, que le peuple arracha au geôlier pour le mettre à son vainqueur (...)
MICHELET, Hist. de la Révolution franç., II, I.

Vx. *Captifs menés en triomphe*, enchaînés au char du triomphateur.

♦ **3.** (1462). Joie rayonnante, exultation que donne une victoire. *Un air de triomphe* (→ Noblement, cit. 4; pli, cit. 13). *Sourire, regard de triomphe.* ⇒ **Triomphant**. *Sentiment de triomphe.* ⇒ **Satisfaction**. *Cri de triomphe.*

6 Le malheur était qu'en retrouvant ses forces, Pauline avait arboré un air de triomphe qui manquait de mesure et de tendresse.
A. MAUROIS, les Roses de septembre, I, XII.

♦ **4.** (1527). Réussite éclatante. ⇒ **Gloire, réussite, succès**. *Le triomphe d'autrui* (→ Hostile, cit. 9). *Il avait persévéré* (cit. 2), *secret de tous les triomphes. La vie de Voltaire est une suite de triomphes et d'humiliations* (cit. 19).

♦ **5.** Approbation enthousiaste du public. ⇒ **Acclamation, ovation**. *Quel triomphe! Il a eu, il a remporté* un vrai triomphe. On lui fit un véritable triomphe.

7 Il y a des outrages qui vous vengent de tous les triomphes (...)
FLAUBERT, Correspondance, 303, 16 janv. 1852 (→ Sifflet, cit. 4).

Action, représentation, production... qui déchaîne l'enthousiasme* du public. ⇒ **Succès**. *Le spectacle est un triomphe. Son disque est un vrai triomphe* (⇒ Tube). — *Le triomphe de qqn, son triomphe :* action, représentation, production dans laquelle qqn excelle, triomphe. *Son triomphe était le flamenco* (cit. 1).

8 Norma est le triomphe de Julia Grisi. Quiconque ne l'a pas vue dans ce rôle, ne peut pas dire qu'il la connaît (...)
Th. GAUTIER, Souvenirs de théâtre, « Norma. »

♦ **6.** (1887 ; autre sens, 1821). Fête de la promotion des saint-cyriens après une année d'études.

CONTR. Chute. — Déconfiture, défaite, déroute.
DÉR. Triomphalisme, 2. triomphe.

2. TRIOMPHE [tʀijɔ̃f] n. f. — 1460, *triumphe*, Villon ; du précédent. Vieux.

♦ **1.** Ancien jeu de cartes (voisin de la belote) ; nom de l'atout à ce jeu.

♦ **2.** Jeu voisin de l'écarté.

TRIOMPHER [tʀijɔ̃fe] v. — 1260 ; du lat. *triumphare*, de *triumphus*. → Triomphe.

★ **I.** V. tr. ind. TRIOMPHER DE... : vaincre (qqn) avec éclat, à l'issue d'une lutte, d'un jeu, d'un match. *Triompher de son adversaire* (→ Survivre, cit. 3), *de son pire ennemi, de ses rivaux.* → Avoir l'avantage*, le dessus*. ⇒ **Battre, dominer, gagner** (sur) ; **avoir** (fam.). *Il en a triomphé aisément* (→ Ne faire qu'une bouchée* de...).

Les vrais Juifs et les vrais Chrétiens ont toujours attendu un Messie qui les ferait aimer Dieu, et, par cet amour, triompher de leurs ennemis.
PASCAL, Pensées, IX, 607.

Par ext. *Triompher de la résistance de qqn.* ⇒ **Forcer** (→ Conquérant, cit. 2). *Triompher d'une difficulté, d'un obstacle.* ⇒ **Franchir, surmonter** (→ Venir à bout* de, l'emporter* sur ; et aussi jongler, cit. 1). *Triompher d'une passion, d'une habitude, d'une tentation, de l'envie de...* ⇒ **Dompter, maîtriser.** *Triompher de soi-même* (→ 1. Supporter, cit. 3) : se dominer.

2 (...) la froide raison n'a jamais rien fait d'illustre, et l'on ne triomphe des passions qu'en les opposant l'une à l'autre.
ROUSSEAU, Julie ou la Nouvelle Héloïse, IV, XII.

(Sujet n. de chose). Venir à bout de... ; faire disparaître ou oublier. *Son application triomphait des pires obstacles* (→ Potasser, cit.). *La médecine, le remède a triomphé du mal. Sa physionomie triomphait de sa laideur* (→ 1. Masque, cit. 24). *Ferveur intellectuelle qui triomphe de la fatigue* (cit. 9) *du corps.*

3 Mais il faut triompher du temps et de l'espace, Arriver ou mourir...
VIGNY, Poèmes philosophiques, « la Maison du berger », I.
4 Dans cette transformation merveilleuse, l'esprit a triomphé de la matière, le général du particulier, et l'idée du réel.
MICHELET, Hist. de France, III.
5 (...) la science et la paix triompheront de l'ignorance et de la guerre (...)
PASTEUR, Discours prononcé le 27 déc. 1892 (jour du jubilé).
6 (...) il avait toujours pensé que l'obstination finit par triompher de tout (...)
CAMUS, la Peste, p. 121.

★ **II.** V. intr. ♦ **1.** (1538). Antiq. rom. Avoir les honneurs du triomphe (1. Triomphe, 2.).

♦ **2.** Remporter une éclatante victoire. « *À* (cit. 16) *vaincre sans péril on triomphe sans gloire* » (Corneille). *Quand les Montagnards eurent triomphé...* (→ Sans-culotte, cit. 7). *Le parti qui triomphe aux élections. Les gredins* (cit. 3) *triomphent.* ⇒ **Emporter** (1.). — Avoir raison d'une façon éclatante, définitive. *Triompher dans un procès. Le plaisir de triompher* (→ Perdre, cit. 3).

7 L'habileté de l'avocat, qui espérait faire triompher son client en désavouant en son nom les opinions de sa jeunesse, parut à Shelley une insupportable hypocrisie.
A. MAUROIS, Ariel..., II, VII.

(1636). Sujet n. de chose. S'imposer, s'établir de façon éclatante. « *... des champs de carnage* (cit. 3) *où triomphe la mort* ». *La révolution a triomphé! Le mensonge opportun* (cit. 2) *triomphe partout.* ⇒ **Dominer** (intrans.). *Faire triompher une idée, une pensée* (→ Enthousiasme, cit. 15), *la volonté de paix* (→ Guerre, cit. 26), *la vérité. Faire triompher son point de vue.*

8 L'Amour en tout temps pleure, et triomphe en tout lieu.
HUGO, la Légende des siècles, XXXVI, VI.
9 (...) nous vivons en un temps où le jargon international triomphe.
G. DUHAMEL, la Turquie nouvelle, II.
10 (...) ils sont si certains d'avoir la vérité en poche, que, pour faire triompher leurs convictions, ils ne reculent devant rien (...)
MARTIN DU GARD, les Thibault, t. IV, p. 239.

♦ **3.** (1550). Éprouver et manifester un sentiment de triomphe, de victoire. ⇒ **Applaudir** (s'), **glorifier** (se glorifier de), **prévaloir** (se prévaloir de), **vanter** (se). → Chanter, crier victoire*. « *Elle se hâte* (cit. 18) *trop, Burrhus, de triompher* » (Racine). « *Vous triomphez, ma sœur...* » (→ 1. Mine, cit. 21). *Il triomphe s'il a un arbre rare* (cit. 1) *dans son jardin.* ⇒ **Jubiler** (→ Ne plus se sentir de joie*).

11 Ne triomphez point tant : vous ne tarderez guère à me faire avoir ma revanche.
MOLIÈRE, les Amants magnifiques, II, 1.
12 Parmi les déplaisirs où son âme se noie,
Il s'élève en la mienne une secrète joie :
Je triomphe ; et pourtant je me flatte d'abord
Que la seule vengeance excite ce transport.
RACINE, Andromaque, I, 1.
13 Ici, les faiseurs de romans triomphent : ils s'imaginent avoir là une preuve (...)
Émile HENRIOT, Portraits de femmes, p. 259.

♦ **4.** (1636). Réussir brillamment. *Triompher dans les arts* (→ Raté, cit. 1). ⇒ **Exceller**. — (Choses). Rare, littér. *Une prose qui triomphe dans plusieurs emplois* (→ Déplacer, cit. 10).

14 Je veux des maladies d'importance : de bonnes fièvres continues (...) c'est là que je me plais, c'est là que je triomphe (...)
MOLIÈRE, le Malade imaginaire, III, 10.

Être l'objet des acclamations, de l'enthousiasme du public. *Acteur qui triomphe dans un rôle.*

DÉR. **Triomphant.**

TRIONAL [tʀijɔnal] n. m. — D. i. (xxᵉ) ; de tri- et *sulfonal.*

♦ Pharm. Sulfonal employé comme médicament hypnotique.

(...) vers 22 heures, il avait pris son habituel cachet de trional, car il était atteint du syndrome d'Elpénor. Denyse VAUTRIN, l'Heure d'été, p. 289-290.

TRIONIX [tʀijɔniks] n. m. — 1827 ; de tri-, et grec *onux* «ongle», ainsi nommé parce qu'il n'a d'ongles qu'à trois doigts.

♦ Zool. Grande tortue carnassière d'eau douce, qui vit dans des régions chaudes du globe.

TRIOXYDE [tʀiɔksid] n. m. — Mil. xxᵉ ; de tri-, et *oxyde.*

♦ Chim. Composé dont la molécule comporte trois atomes d'oxygène.

TRIP [tʀip] n. m. — 1966, in Höfler ; mot amér. «voyage», employé dans ce sens v. 1960.

♦ **1.** Fam. Absorption de substances hallucinogènes (notamment le L.S.D.) ; état qui en résulte chez le sujet. *« Un trip d'acide »* (*Actuel,* févr. 1980, p. 108).

Par ext. Voyage mental, dépaysement total. ⇒ **Voyage.**

Un jeune couple, pour s'évader hors de notre monde, recourait au « voyage », mais par la drogue. Dans « la Vallée », le trip consiste à se déplacer dans l'espace, pas dans les vapes. Jean-Louis BORY, in le Nouvel Obs., 28 août 1972, p. 45.

♦ **2.** (V. 1975). Très fam. Aventure intérieure (pour qqn). *Elle s'éclate à fond dans le rock, c'est son trip.*

Que veux-tu, pour moi, le lycée, c'est un trip dégueulasse. Jacques MERLINO, les Jargonautes..., p. 65.

Loc. *C'est pas mon trip* : cela ne correspond pas à ce que je suis.

DÉR. **Triper.**

TRIPAILLE [tʀipaj] n. f. — Mil. xvᵉ ; de 1. *tripe.*
Familier.

♦ **1.** Amas de tripes, d'entrailles.

Un peuple de charcutiers pour émincer le lard ! Un peuple de boyaudiers pour laver toute la tripaille. G. DUHAMEL, Scènes de la vie future, VIII.

♦ **2.** (Déb. xxᵉ). Estomac des ruminants accommodé pour être consommé. *Manger de la tripaille.* ⇒ 1. **Tripe.**

TRIPALE [tʀipal] adj. — 1960 ; de tri-, et *pale.*

♦ Mécan. À trois pales. *Hélice tripale.*

TRIPANG [tʀipɑ̃] ou **TRÉPANG** [tʀepɑ̃] n. m. — 1770, Raynal ; mot malais.

♦ Didact. Grosse holothurie comestible, très appréciée en Extrême-Orient. ⇒ 1. **Bêche-de-mer.**

HOM. (De *trépang*) **Trépan.**

TRIPARTI, IE [tʀipaʀti] ou **TRIPARTITE** [tʀipaʀtit] adj. — 1533 ; *trespertite,* xivᵉ ; *trisparti,* 1460 ; de tri-, et *parti.*

♦ **1.** Divisé en trois parties. — Hist. *Chambre tripartie ou tripartite.*

CHAMBRE TRI-PARTIE, était le nom que l'on donnait à quelques-unes des chambres établies dans chaque parlement (...) par édit du 7 septembre 1577 (...) pour connaître en dernier ressort des affaires où les Catholiques associés, et les gens de la religion prétendue réformée, étaient parties (...) composées des deux tiers de conseillers catholiques et d'un tiers de conseillers de la R.P.R. à la différence des *chambres* qui avaient déjà été établies pour la même objet, par l'édit du mois de Mai 1576, qu'on appelait *mi-parties... (moitié catholiques, moitié réformés).* Encycl. (DIDEROT), art. *Chambre.*

Bot. *Feuille tripartie. Calice tripartite.*

♦ **2.** (xxᵉ). Polit. **TRIPARTITE** : qui réunit trois éléments, trois parties* (II.) ou partis. *Pacte tripartite,* entre trois puissances. *Conversation, accord tripartite. Comité, commission tripartite. Gouvernement tripartite,* où sont représentés trois partis politiques associés.

(Le commissaire du peuple a dit) que le maréchal Staline avait reçu hier soir un message du Premier Ministre britannique lui proposant de négocier un pacte tripartite entre l'Union soviétique, la Grande-Bretagne et la France (...) Ch. DE GAULLE, Mémoires de guerre, t. III, p. 375.

DÉR. **Tripartisme.**

TRIPARTISME [tʀipaʀtism] n. m. — 1937 en Belgique ; 1946 en France ; de *triparti.*

♦ Système de gouvernement tripartite.

TRIPARTITION [tʀipaʀtisjɔ̃] n. f. — 1765 ; lat. *tripartitio,* de tri-, et *partitio.* → Partition.

♦ Didact. Division (d'une quantité) en trois parties égales, (d'un ensemble) en trois parties.

TRIPATOUILLABLE [tʀipatujabl] adj. — 1897, *Année sc. et industr.* 1898, p. 380 ; de *tripatouiller.*

♦ Fam. Que l'on peut tripatouiller, truquer sans scrupule. *Documents, textes tripatouillables à volonté.*

TRIPATOUILLAGE [tʀipatujaʒ] n. m. — V. 1880 ; de *tripatouiller.*

♦ Fam. Action de tripatouiller (un texte, des écritures, des chiffres). *Tripatouillage des comptes, des écritures.* — Modification malhonnête. *Tripatouillages électoraux.* ⇒ **Fricotage, magouille, tripotage.**

Deux autres exemples décisifs de ce goût qu'il *(Lamartine)* avait de brouiller les choses (...) ; la réelle histoire de *Jocelyn,* et les tripatouillages apportés dans le *Manuscrit de ma mère.* Émile HENRIOT, les Romantiques, p. 104. 1

J'ai longtemps préféré *Partage de Midi.* Mais les tripatouillages que l'auteur fit subir à cette dernière pièce m'en ont un peu détaché. F. MAURIAC, le Nouveau Bloc-notes 1958-1960, p. 143. 2

TRIPATOUILLER [tʀipatuje] v. tr. — V. 1880, E. Bergerat, en argot de théâtre ; var. pop. de *tripoter,* p.-ê. avec infl. de *patouiller.*

♦ **1.** Fam. Remanier sans scrupule (un texte original) en ajoutant, retranchant, corrigeant, etc.

(...) La Beaumelle, sur le conseil des dames de Saint-Cyr (...) a fortement tripatouillé les textes dont il publia en 1752 le premier recueil *(des lettres de Mᵐᵉ de Maintenon).* Émile HENRIOT, Portraits de femmes, p. 116. 1

♦ **2.** Altérer, truquer (des comptes, des écritures...). Absolt. Se livrer à des opérations financières louches, douteuses. ⇒ **Tripoter.**

♦ **3.** (Concret). Tripoter.

Je le soupçonne même de les détraquer *(les commutateurs électriques)* de temps en temps pour avoir prétexte à les tripatouiller. G. DUHAMEL, Salavin, IV, 4 févr. 2

DÉR. **Tripatouillable, tripatouillage, tripatouilleur.**

TRIPATOUILLEUR, EUSE [tʀipatujœʀ, øz] n. — 1894 ; de *tripatouiller.*

♦ Personne qui tripatouille, aime à tripatouiller.

(...) on aimerait parfois un bouton *(de radio)* qui imposerait silence général à tous les jaspineurs publics, tripatouilleurs d'abstraction et prophètes à cachet (...) Jacques PERRET, Bâtons dans les roues, p. 13.

1. TRIPE [tʀip] n. f. — 1280 ; esp. *tripa* (ou ital. *trippa*) ; de l'arabe *tārb* «pli de panne» ; P. Guiraud écarte cette origine au profit de l'anc. franç. *triper, treper* «fouler aux pieds», du germ. **trippon* «sauter», les mots 1. et 2. *Tripe* étant apparentés, par une évolution sémantique où le boyau est comparé à «un fil... mou et sinueux» (Guiraud).

♦ **1.** Boyaux d'un animal, et, spécialt, boyaux (et estomacs) de ruminants préparés pour être consommés. ⇒ **Gras-double, tripous.** *Tripes à la mode de Caen, à la lyonnaise. Tripes en conserve.*

Il passa au carreau de la triperie, parmi les têtes et les pieds de veau blafards, les tripes proprement roulées en paquets dans des boîtes, les cervelles rangées délicatement sur des paniers plats, les foies saignants, les rognons violâtres. ZOLA, le Ventre de Paris, t. I, I, p. 48. 1

♦ **2.** (1867). Par anal. (au sing.). Intérieur d'un cigare.

♦ **3.** Fam. Intestin de l'homme, ventre. — Loc. (1640). *Rendre tripes et boyaux.* ⇒ **Vomir.**

(...) la mer bougeait, et j'ai commencé à rendre tripes et boyaux. S. DE BEAUVOIR, la Force de l'âge, p. 314. 1.1

« *Et tout pour la trippe* » (refrain du chap. 57 du *Quart Livre* de Rabelais) : toutes les activités humaines et animales tendent à satisfaire la « tripe ».

Loc. *Mettre les tripes* (de qqn ; à qqn) *à l'air, au soleil,* lui ouvrir le ventre.

(...) si tu bouges d'ici jusqu'au matin, tu m'entends, jusqu'au matin, je te mettrai les tripes à l'air et je te couperai les oreilles (...) ARAGON, la Semaine sainte, X. 2

♦ **4.** (1534, Rabelais). Fig. (au sing. et au plur.). Les entrailles.

Il fallait avoir le cœur bien accroché, et peut-être un peu folle, pour résister à ces rumeurs, mais contre ma raison même, mon sang, mes tripes me disaient que tout n'était pas fini. R. DORGELÈS, la Drôle de guerre, XXIII. 3

Loc. *Prendre, saisir aux tripes, remuer les tripes :* émouvoir vivement.

(Dans le roi Lear) rien qui ne soit voulu, arbitraire, forcé, et les moyens les plus épais sont mis en œuvre pour nous prendre aux tripes. GIDE, Journal, 2 déc. 1946. 4

(...) c'est le mal du pays qui me saisit aux tripes (...) R. QUENEAU, Pierrot mon ami, éd. L. de Poche, p. 32. 4.1

Acteur qui joue, chanteur qui chante avec ses tripes, avec toute sa sensibilité. —*Avoir la tripe sensible :* être émotif.

5　(...) l'homme de ce temps a le cœur dur et la tripe sensible. Comme après le Déluge la terre appartiendra peut-être demain aux monstres mous.
BERNANOS, les Grands Cimetières sous la lune, p. 26 (1938).

Avoir la tripe (suivi d'un adj.) : être viscéralement... — *Avoir la tripe républicaine :* être profondément républicain, jusqu'aux entrailles.

6　Je vous l'accorde, il *(de Gaulle)* n'a pas ce qui s'appelle « la tripe laïque ». Je ne l'ai pas non plus. De la place qu'il occupe, la question laïque doit lui apparaître comme un fil tendu à ras de terre, pour le faire trébucher, lui qui regarde haut et loin.　　　　　F. MAURIAC, le Nouveau Bloc-notes 1958-1960, p. 284.

DÉR. Tripaille, triperie, tripette, tripier, tripière, tripous.
COMP. Étriper.
HOM. Trip, 2. tripe.

2. TRIPE [tʀip] n. f. — 1317; un dér. *triperie* est attesté dès 1275; p.-ê. de *triper* « fouler aux pieds », par un emploi technique analogue à la *foule,* de *fouler* « pression des pieds sur les pédales manœuvrant les lisses », *triper* « fouler » aurait pris le sens de « tisser en velours » (Guiraud).

♦ Vx. Panne (1. Panne, I.) ou moquette (2. Moquette) à poils de laine et à trame de chanvre, qui servait notamment à recouvrir les meubles. *Tripe de velours.*

HOM. Trip, 1. tripe.

TRIPER [tʀipe] v. intr. — V. 1970; de *trip.*

♦ Fam. Faire un trip*. « *Elle "tripait", moi non. Un jour elle me dit : On "tripe" ce soir. J'ai dit oui, question d'honneur, tu vois* » (*le Nouvel Obs.,* 3 mars 1975, p. 42).

DÉR. Tripeur.

TRIPERIE [tʀipʀi] n. f. — 1393; de 1. *tripe.*

♦ **1.** Boutique de tripier. *Les abats sont vendus dans les triperies.*

♦ **2.** (1873, Zola). Commerce du tripier. *Travailler dans la triperie.*

TRIPETTE [tʀipɛt] n. f. — V. 1462; de 1. *tripe.*

♦ **1.** Vx. Petite tripe.

♦ **2.** (1743, Trévoux). Loc. mod. *Ça ne vaut pas tripette :* cela ne vaut rien.

TRIPEUR [tʀipœʀ] n. — V. 1970; de *triper.*

♦ Fam. Celui qui fait des trips. « *Il (...) prend les commandes des "junkies", des "tripeurs", des "fumeurs" et garde une commission au passage* » (*le Nouvel Obs.,* 3 mars 1975, p. 42).
REM. Le féminin *tripeuse* est virtuel.

TRIPHASÉ, ÉE [tʀifɑze] adj. — 1892, *Année sc. et industr.,* 1893, p. 99; de *tri-,* et *phase.*

♦ Électr. À trois phases. *Courant, alternateur triphasé,* dont les trois phases sont deux à deux décalées de un tiers de période. ⇒ **Polyphasé.**

(...) on n'a pu jusqu'à ce jour employer le courant alternatif triphasé pour la traction électrique des trains. Il faut faire appel à un système de transfert qui raccorde et adapte mutuellement le moteur à courant continu de la locomotive au réseau triphasé alternatif de transport à haute tension (...)
Gilbert SIMONDON, Du mode d'existence des objets techniques, p. 52.

TRIPHÉNOL [tʀifenɔl] n. m. — V. 1960 (*in* Larousse, 1968); de *tri-,* et *phénol.*

♦ Chim. Corps possédant trois atomes de phénol par molécule.

TRIPHÉNYLMÉTHANE [tʀifenilmetan] n. m. — 1876; de *tri-,* rad. de *phénol,* et *méthane.*

♦ Chim. Hydrocarbure cristallisé de la série aromatique $(C_6H_5)_3CH$, dont dérivent de nombreux colorants (fuchsine, vert malachite, violet de méthyle, phtaléines, etc.). — REM. On dit aussi *tritane.*

TRIPHONIQUE [tʀifɔnik] adj. — 1977; de *tri-,* et *phonique.*

♦ Techn. Se dit d'un système de reproduction des sons qui fait appel à trois voies (comportant un « caisson » muni d'un haut-parleur de basses). *Reproduction triphonique.*

TRIPHOSPHATE [tʀifɔsfat] adj. (ou n. en appos.). — V. 1960; de *tri-,* et *phosphate.*

♦ Chim. *Adénosine* triphosphate (A.T.P.). ⇒ **Adénosine.**

TRIPHTONGUE [tʀiftɔ̃g] n. f. — 1550; de *tri-,* sur le modèle de *diphtongue.*

♦ Phonét. Union dans une même syllabe de trois voyelles* (phonétiquement parlant et non graphiquement; *eau* n'est pas une *triphtongue*). *Il existait des triphtongues en ancien français.*

TRIPHYLLE [tʀifil] adj. — 1808; empr. du grec *tripullos.* → Trèfle; de *tri-,* et *-phylle.*

♦ Bot. Vx. À trois feuilles ou folioles; à feuilles disposées trois par trois.

TRIPIER, IÈRE [tʀipje, jɛʀ] n. — XIIIe; de 1. *tripe.*

♦ Personne, boucher (bouchère) qui vend des abats (tripes, etc.). *Acheter du foie, des rognons chez le tripier.*

Est-ce chez Chevet que le gros tripier de Vitellius trouverait à remplir son fameux bouclier de Minerve de cervelles de faisans et de paons, de langues de phénicoptères et de foies de scarrus?
Th. GAUTIER, Préface de Mlle de Maupin, p. 35, (éd. critique Matoré).

HOM. (Du fém.) Tripière.

TRIPIÈRE [tʀipjɛʀ] n. f. — XXe; de 1. *tripe.*

♦ Régional. Récipient de grès dans lequel on prépare, on conserve, on sert des tripes.

Sombre forêt touffue, pourvoyeuse de cérame propre à la fabrication des marmites, des poêlons, des pots de fleurs, des tripières.
Catherine PAYSAN, l'Empire du taureau, p. 81.

HOM. Tripier (au fém.).

TRIPLACE [tʀiplas] adj. — Déb. XXe (1919, *in* D.D.L.); de *tri-,* et *place.*

♦ À trois places. *Avion de tourisme triplace.*

TRIPLAN [tʀiplɑ̃] n. m. — 1908; de *tri-,* et *plan.*

♦ Avion à trois plans de sustentation. *Les biplans et les triplans des débuts de l'aviation.*

TRIPLE [tʀipl] adj. — 1380; *treble, trible,* XIIe et XIIIe; lat. *triplus,* var. de *triplex.*
REM. L'adj. est antéposé en épithète, sauf dans quelques emplois (ex. : *point triple*).

♦ **1.** Qui équivaut à trois, se présente comme trois. *Triple rang :* trois rangs (→ Appareil, cit. 7; catacombe, cit. 1). *Triple voile* (→ Coude, cit. 4; envelopper, cit. 4). *Triple épaisseur. Triple cuirasse* (cit. 3). *Triple semelle. Triple menton*. Triple ligne de places fortes* (cit. 13). *Fermé* (cit. 19) *de triples grilles. La triple couronne*. Pouvoir triple* (→ Intendant, cit. 2). *Ce triple et glorieux privilège* (cit. 9).

Dans tout ce que je fais j'ai la triple vertu
D'être à la fois trop court, trop long, et décousu.
A. DE MUSSET, Poésies nouvelles, « Chant troisième ».

Peintre, poète et musicien, il saisit *(Hoffmann)* tout sous un triple aspect, les sons, les couleurs et les sentiments.
Th. GAUTIER, Souvenirs de théâtre, « Contes d'Hoffmann ».

(...) il faut que la femme soit triple en une, épouse, sœur et maîtresse, — l'une étanchant la volupté, l'autre accueillant la tendresse, la troisième berçant la douleur de l'homme, à jamais amant, frère et enfant.
J.-R. BLOCH, la Nuit kurde, p. 35.

(D'après *mettre les bouchées doubles*) :

(...) mon ordinaire était si frugal que lorsque j'en avais l'occasion je mettais les bouchées triples.　　　　S. DE BEAUVOIR, la Force de l'âge, p. 42.

(1740). Mus. *Triple croche*. — (V. 1950). Chim. *Point triple :* point, défini par la température et la pression, où coexistent en équilibre trois phases distinctes d'un corps pur déterminé. *Le point triple de l'eau, où l'on a en équilibre la glace, l'eau liquide et la vapeur d'eau, est à la température de 0,0075 °C sous la pression de vapeur d'eau de 4,579 mm de mercure.* — Sports. *Triple saut*. — Qui concerne trois éléments. Polit. *La Triple Entente :* entente de trois puissances (France, Angleterre, Russie), conclue en 1914 contre la « Triplice ».

♦ **2.** (1876). Qui est répété, reproduit trois fois. *Triple saut. Triple cri* (→ Pivert, cit.). *En triple exemplaire.* — Méd. *Fièvre quotidienne triple :* fièvre intermittente à trois accès quotidiens (cf. Fièvre quotidienne simple, double). — Biol. (postposé) *Jumeaux triples.* ⇒ **Triplé.** *Naissance triple.*

Les naissances triples peuvent êtres dues à la fausse gémellité, ou à la vraie, ou à un mélange des deux : développement simultané de trois œufs distincts (...), ou d'un seul œuf partagé en trois.　　　Jean ROSTAND, l'Homme, p. 42.

♦ **3.** (1772 *in* D.D.L. : *triple chien*). Fam. Grand. *Triple sot, triple idiot, triple buse. Triple gueux* (→ Ignominie, cit. 9; et aussi farceur, cit. 5). — Loc. *Au triple galop :* au grand galop.

♦ **4.** (V. 1380). Trois fois plus grand. *Prendre une triple dose. On m'envoie triple besogne* (→ Assistant, cit. 4). Math. *Raison** (IV., 2.) *triple.* — *Triple de...* (postposé). *Un espace* (cit. 11) *triple du mien.* — N. m. (1611 ; XIVᵉ, « morceau à trois voix »). *Le triple :* quantité trois fois plus grande. ⇒ **Multiple.** *Neuf est le triple de trois. J'en donnerais bien le triple. Vendre qqch. le triple de sa valeur. Augmenter du triple.*
(1872, Littré). *En triple :* en trois unités identiques. *Plier un papier en triple. Posséder un livre en triple.*
DÉR. Triplé, 1. **triplement, tripler, triplet, triplette,** 1. **triplex,** 2. **triplex, triplicité, triplure.**
COMP. Sous-triple.

TRIPLÉ [tʀiple] n. m. — 1916, *in* Petiot ; de *triple.*

★ **I.** Sports. ♦ **1.** Dans une compétition sportive, Triple succès d'un athlète. *Tenter le triplé.* — Les trois premières places obtenues par une même équipe, dans une même épreuve.

♦ **2.** Turf. Combinaison, faite sur le champ de courses, de trois chevaux gagnants. *Gagner, toucher le triplé.*

★ **II.** N. (Mil. XXᵉ, le plus souvent au plur.). Les trois enfants nés d'une même grossesse. ⇒ **Jumeau,** 1. **trijumeau.** — REM. On écrit aussi *triplets.* — (Au sing.). L'un de ces trois enfants.

TRIPLÉGIE [tʀipleʒi] n. f. — 1904 ; de *tri-,* et *-plégie.*

♦ Méd. Hémiplégie associée à la paralysie d'un membre (supérieur ou inférieur) du côté opposé.

1. TRIPLEMENT [tʀipləmɑ̃] adv. — 1380 ; de *triple.*

♦ Trois fois, de trois façons. *Il a triplement raison.*
Jugeant la minute incomparable et miraculeusement propice à la réalisation de ses projets, la jeune femme s'approcha du support triplement ramifié et saisit par son anneau le couvercle adapté à la plaque.
Raymond ROUSSEL, Impressions d'Afrique, p. 200-201.

2. TRIPLEMENT [tʀipləmɑ̃] n. m. — 1515 ; de *tripler.*

♦ Action de tripler, augmentation du triple. *Procéder au triplement des effectifs.*

TRIPLER [tʀiple] v. — 1304 ; de *triple.*

♦ **1.** V. tr. Rendre triple, multiplier par trois. *Doubler* (cit. 1) *et tripler sa fortune. Triplez la somme. Tripler sa mise.* — Au p. p. (Versification). *Rimes* triplées.*
Il lui fallut augmenter sa ration de poison. Tous les jours il en but un peu plus : il doubla, il tripla la dose, la poussant jusqu'à ces quantités où l'absinthe semble devoir foudroyer sur le coup (...) Ed. et J. DE GONCOURT, Sœur Philomène, XLII.

♦ **2.** V. intr. (1690, Furetière). Devenir triple, être multiplié par trois. *Le prix de cet article a presque triplé en deux ans. Les terrains ont triplé de valeur* (→ Engouffrer, cit. 2).
DÉR. 2. Triplement.

TRIPLET [tʀiplɛ] n. m. — 1872, « jet de dés amenant trois points semblables » ; de *triple.*

♦ **1.** (1875). Au plur. Triplés, triplées.

♦ **2.** (1890). Archit. Groupe de trois fenêtres accolées ou de trois arcs réunis ou non sous un arc de décharge.

♦ **3.** (1891, *la Science illustrée,* I, p. 70). Opt. Combinaison de trois lentilles (microscopes, objectifs photographiques). — Raie spectrale triple.

♦ **4.** Math. Association ordonnée de trois éléments appartenant respectivement à trois ensembles (⇒ **Couple, quadruplet**). *Le triplet des points du plan III est appelé tripoint* ou triangle*.*

♦ **5.** Biochim. Unité d'information représentée par trois nucléotides successifs, séquence nécessaire et suffisante pour coder un acide aminé. — On dit aussi *codon.*
(...) la probabilité de voir apparaître un accident (mutation) sur un acide aminé est d'autant plus faible que cet acide aminé peut être codé par un nombre plus élevé de triplets. Ici encore, cette adaptation approximative constitue une véritable protection contre les déviations trop brutales et trop nombreuses qui mettraient en péril la cellule. Jacques RUFFIÉ, De la biologie à la culture, 1976, p. 121.

TRIPLETTE [tʀiplɛt] n. f. — 1889, *in* Petiot ; de *triple.*

♦ **1.** Vx. Cycle analogue au tandem, mais à trois places.

♦ **2.** (XXᵉ). Mod. Équipe de trois joueurs (aux boules, à la pétanque). — (Football ; 1901, *in* Petiot). *Triplette centrale :* l'avant-centre et les deux intérieurs.

1. TRIPLEX [tʀiplɛks] n. m. — 1912, marque déposée ; de *triple,* suff. d'après *duplex.*

♦ Verre de sécurité formé d'une feuille d'acétate de cellulose entre deux feuilles de verre. — Appos. *Verre triplex.*

2. TRIPLEX [tʀiplɛks] n. m. — V. 1960 ; de *triple.*

♦ Métall. Procédé d'élaboration de certains aciers par affinages successifs à l'aide de trois appareils (convertisseur, four Martin et four électrique).

TRIPLICATA [tʀiplikata] n. m. — 1752, Voltaire ; lat. *triplicatus,* p. p. du v. *triplicare,* de *plicare* « plier », d'après *duplicata.*

♦ Troisième copie, second double (d'un acte, d'une pièce). *Délivrer un triplicata.*

TRIPLICE [tʀiplis] n. f. — 1882 ; lat. *triplex, -icis* « triple ».

♦ Hist. *La Triplice :* la Triple-Alliance (Autriche, Allemagne, Italie) de 1882.

TRIPLICITÉ [tʀiplisite] n. f. — 1273 ; de *triple.*

♦ Didact. Caractère de ce qui est triple, le fait d'être trois.
(...) quand on en vint à la santé du roi, on apporta trois verres pleins sur une assiette, qui furent tous vidés. J'avoue que je n'avais pas encore expérimenté cette triplicité de verres, et que je fus fort étonné de voir qu'il ne suffisait pas de boire dans un seul. J.-F. REGNARD, Voyage en Laponie, p. 178. [1]
Ce qui se déploie, c'est la subjectivité, c'est donc le temps. Avec ses traits venant des dualités : l'humain et le divin, le quotidien et le cosmique, l'ici et l'ailleurs. Mais aussi ses triplicités : l'homme, la femme, et l'autre — la veille, le sommeil, le rêve — le banal, l'héroïque, le divin — le quotidien, l'historique, le cosmique. Henri LEFEBVRE, la Vie quotidienne dans le monde moderne, p. 12. [2]

TRIPLOBLASTIQUE [tʀiploblastik] adj. — 1961, *in* Grassé, *Traité de zoologie,* IV, 1 ; de *triple,* lat. *blast(o)-,* et *-ique.*

♦ Zool. Se dit des organismes pluricellulaires qui possèdent entre l'ectoderme et l'endoderme un troisième feuillet individualisé, le mésoderme, qui peut correspondre à un parenchyme (« tissu de remplissage », ex. : les vers plats ou Plathelminthes) ou à une cavité (ex. : les Annélides). ⇒ **Acœlomates, cœlomates.**

TRIPLOÏDE [tʀiploid] adj. — Mil. XXᵉ ; de *tri-,* d'après *diploïde.*

♦ Biol. Se dit d'une cellule qui contient trois assortiments de chromosomes, ou de l'organisme constitué de telles cellules. (⇒ **Polyploïde**).
Certaines variétés de pommier sont triploïdes (3n chromosomes). Henri BOULAY, Arboriculture et Production fruitière, p. 45.
DÉR. Triploïdie.

TRIPLOÏDIE [tʀiploidi] n. f. — Mil. XXᵉ ; de *triploïde.*

♦ Biol. Caractère d'une cellule ou d'un organisme triploïde. ⇒ **Polyploïdie.** *« (...) certaines aberrations chromosomiques sont incompatibles avec la vie (...). Il en est ainsi de la monosomie 21 et des triploïdies, sauf quelques observations exceptionnelles »* (la Recherche, 2 juin 1970, p. 126).

TRIPLURE [tʀiplyʀ] n. f. — V. 1960 ; de *triple,* d'après *doublure ;* « action de tripler », 1636 (*tripleure*).

♦ Couture. Tissu en armure toile, très apprêté, que l'on met entre la doublure et le tissu pour renforcer et soutenir le vêtement. *Triplure pour cols de chemises.*

TRIPODE [tʀipɔd] adj. et n. m. — Fin XIXᵉ ; grec *tripous, tripodos,* « à trois pieds », de *tri-,* et *pous, podos* « pied ».

♦ Mar. *Mât tripode :* mât métallique en forme de trépied. — N. m. Mât, support à trois pieds (⇒ **Trépied**). *Tripode de télémétrie.*

TRIPODIE [tʀipɔdi] n. f. — Fin XIXᵉ ; grec *tripodia,* de *tripous* « trois pieds ». → Tripode.

♦ Métrique anc. Réunion de trois pieds métriques.

TRIPOLI [tʀipɔli] n. m. — 1508 ; de *Tripoli,* ville de la Tripolitaine, autrefois exportatrice de cette substance.

♦ **1.** Sc. Roche siliceuse d'origine organique (*Diatomées.* ⇒ **Algue**), de couleur grise ou jaune pâle.

♦ **2.** Cour. Matière pulvérulente tirée de cette roche, employée au

polissage du verre et des métaux (→ Cuivre, cit. 5 ; écurer, cit. 2).
⇒ **Kieselguhr.**

Alors, je viens vous demander de me fournir du tripoli, ou alors de me renvoyer
dans mon régiment chercher le mien.   A. ALLAIS, Contes et Chroniques, p. 69.

DÉR. Tripolir.

TRIPOLIR [tʀipɔliʀ] ou TRIPOLISSER [tʀipɔlise] v. tr. — 1650,
tripolir ; tripolisser, 1804 ; de *tripoli,* et *polir* ou *lisser.*

♦ Techn. Passer au tripoli (2), polir avec du tripoli.

(...) arrachant le trèfle des pavés, j'en avais les ongles cassés ras, la peau des doigts
écorchée aux arêtes de granit, tout *tripolis, disais-je* (...) du verbe *tripolir* qui
s'emploie pour les objets passés à l'argile mêlée de grès laquelle vient de Venise
ou de Corfou de nos jours, et non d'un Tripoli ou l'autre.
                                              ARAGON, Blanche..., III, I, p. 377.

TRIPORTEUR [tʀipɔʀtœʀ] n. m. — 1900 ; de *tri-,* abrév. de *tricycle,* et *porteur.*

♦ Tricycle muni d'une caisse pour le transport des marchandises
légères. (Abrév. pop. : *tri*). — On a écrit aussi *tri-porteur* (vx). — *Le
Triporteur,* roman de R. Fallet.

1 De son tri-porteur, Barque, garçon livreur, faisait des acrobaties entre les tramways et les taxis parisiens (...)   H. BARBUSSE, le Feu, I, II.

2 Il traversa la rue, faillit se faire écraser par un triporteur (...)
                                              J.-M. G. LE CLÉZIO, la Fièvre, p. 27.

TRIPOT [tʀipo] n. m. — 1460 ; « manège, intrigue », fin XIIe ; p.-ê. de
l'anc. franç. *treper,* ou *tripper* « frapper du pied, sauter », germanique
*trippon « sautiller, sauter » → Trépigner ; étym. contestée par Guiraud
qui voit en *tri-* un préfixe intensif, et en *-pot* le dial. *pote* « patte », d'où
tripoter « jouer à la paume » et « manipuler » (les cartes, etc.), *tripot* étant
un déverbal.

♦ **1.** Anciennt. Enclos aménagé pour le jeu de paume (cit. 3, Hugo).
— (XVIIe). Fig. (Vx). *Dans son tripot :* sur son terrain, dans son fief,
dans le domaine où il est le plus fort (cf. Mme de Sévigné, 118,
3 déc. 1670).

1 Dans toutes les villes subalternes du royaume, il y a d'ordinaire un tripot où
s'assemblent tous les jours les fainéants de la ville, les uns pour jouer, les autres
pour regarder ceux qui jouent ; (...) les deux jeunes hommes (...) entrèrent dans la
chambre *(la salle)* chacun sa raquette en sa main.
                                              SCARRON, le Roman comique, I, III.

♦ **2.** (1707, Lesage ; → aussi Carte, cit. 5). Péj. Maison de jeu. *Tenir
tripot* (→ Perte, cit. 17). *Les tripots, dans ce temps-là, n'étaient
pas publics* (→ Raffinement, cit. 1). *La salle à manger devient tripot* (→ Poker, cit. 1).

2 — Son caractère est vicieux ; c'est un coureur de tripots.
                                              A. DE MUSSET, les Caprices de Marianne, II, 9.

3 Déjà deux fois, il n'avait reparu qu'au petit jour, tout à sa passion grandissante,
ne pouvant plus s'arracher du café, dont une petite salle, au fond, se changeait
peu à peu en un véritable tripot : on y jouait maintenant de grosses sommes, à
l'écarté.   ZOLA, la Bête humaine, VI.

♦ **3.** (Mil. XVIIIe, Voltaire). Par métaphore (vx). Lieu où s'épanouissent
les intrigues, les querelles (appliqué au XVIIIe à la Comédie-Française
→ Fulminant, cit. 1, à la Sorbonne).

DÉR. Tripoter (contesté), **tripotier.**

TRIPOTAGE [tʀipɔtaʒ] n. m. — 1482, « manège, intrigues », repris
au XIXe ; de *tripoter.*

★ **I.** Vx. ♦ **1.** (1515, Crétin). Mélange de choses disparates. — (XVIIe).
Action de mélanger diverses choses.

♦ **2.** (XVIIe). Fig. Petits arrangements (notamment domestiques).

1 Et bien, dit l'autre, en mon amour
As tu fait quelque tripotage ?
Oüy, dit Lubin, et sans gloser,
Pour peu de Jules davantage
On t'eut permis de l'épouser.
                                              SAINT-AMANT, Œuvres, III, 64 (1643) in D.D.L., II, 15.

★ **II.** Mod. ♦ **1.** (1876). Arrangement, combinaison louche. ⇒ **Fricotage, intrigue, magouille, manigance, trafic, tripatouillage.** *Se
livrer à des tripotages politiques. Personnalité impliquée dans
des tripotages financiers. Tripotages électoraux.* ⇒ **Cuisine, fraude,
manipulation.**

2 Il passait pour être un bon administrateur, il fut souvent question de le nommer
maire d'Alençon ; mais le souvenir de ses tripotages dans les gouvernements républicains lui nuisirent, il ne fut jamais reçu à la Préfecture.
                                              BALZAC, la Vieille Fille, Pl., t. IV, p. 227.

♦ **2.** (Fin XIXe). Action de manier, de toucher (qqch.) avec insistance.
Tripotage compulsif d'un objet, d'une partie du corps.

(1900). Fait de toucher indiscrètement (qqn). ⇒ **Pelotage.**

3 A-t-elle pensé que je bavarderais à tue-tête, que je raconterais tout ce que je sais
(au moins), tout le désordre de cette École, le tripotage des grandes filles par le
délégué cantonal et ses visites prolongées à nos institutrices.
                                              COLETTE et WILLY, Claudine à l'école, 1900, in D.D.L., II, 16.

TRIPOTAILLER [tʀipɔtaje] v. tr. — 1875 *in* D.D.L. ; de *tripoter,*
et suff. *-ailler.*

·Péjoratif.

♦ **1.** Toucher, tripoter sans cesse de manière insistante ou maladroite. *Se tripotailler les cheveux.*

♦ **2.** Fig. Se livrer à des trafics malhonnêtes, à des malversations.
⇒ **Tripatouiller, tripoter.**

Si cet émigrant vers le pourrissoir a tripotaillé avec succès, on voit s'empresser à
travers la foule (...) quelques preneurs de notes envoyés par les grands journaux (...)   Léon BLOY, le Désespéré, p. 90 (1886).

TRIPOTANT, ANTE [tʀipɔtɑ̃, ɑ̃t] adj. — 1886, L. Bloy ; de *tripo-
ter.*

♦ Rare. Qui tripote.

Il lui faut, à l'heure présente, exclusivement l'huile de bêtise et le triple extrait de
pourrissoir qui lui sont offerts par les tripotantes mains des vendeurs de jus (...)
                                              Léon BLOY, le Désespéré, p. 240.

TRIPOTÉE [tʀipɔte] n. f. — 1843, *in* D.D.L. ; de *tripoter.*

Familier.

♦ **1.** Râclée, volée. *Recevoir une tripotée. Flanquer une tripotée
à quelqu'un.*

Il allait, frôlant les femmes élégantes, toisant les hommes en gaillard prêt à *se
flanquer une tripotée,* et cherchant... cherchant... car il cherchait.
                                              MAUPASSANT, Bombard, Pl., t. II, p. 366.

(1880). Spécialt. Défaite.

— (...) ce Bismarck va nous flanquer une jolie tripotée... Elle ne put continuer.
Ces dames se jetaient sur elle. Hein ? quoi ? une tripotée ! C'était Bismarck qu'on
allait reconduire chez lui, à coups de crosse dans le dos. Avait-elle fini, cette mauvaise Française !   ZOLA, Nana, XIV.

♦ **2.** (1867). Grand nombre. *Ils ont une tripotée d'enfants.*
⇒ **Kyrielle, potée** (vx). *Il y en a des tripotées.*

Et tu les entendais aussi raconter des batailles, car i's sont au courant mieux
qu'toi des grands machins et d'la façon dont s'goupille la guerre, et après, quand
tu r'viendras, si tu r'viens, c'est toi qu'auras tort au milieu de toute cette tripotée de blagueurs, avec ta p'tite vérité.   H. BARBUSSE, le Feu, t. I, I, IX, p. 53.

TRIPOTER [tʀipɔte] v. — Attesté 1482, mais antérieur (→ Tripo-
tage), « manigancer une affaire », de l'anc. sens de *tripot* « manège,
intrigue », ou directement de *tri-,* intensif, et *pote* « main, paume ».
→ Tripot.

★ **I.** V. tr. ♦ **1.** Vx. Brouiller, mélanger en faisant du gâchis
(→ Gâcher, cit. 3, Gautier, par métaphore). — (XIXe). Spécialt. « *Je
dessinais pour moi ; je tripotais même l'eau-forte, assez bien* ».
(Mac Orlan, *in* G.L.L.F.).

Quelle superbe chose !... comme c'est tripoté ! comme c'est torché ! quel ragoût !
quelle pâte !... Je crus d'abord qu'il s'agissait de préparations culinaires ; mais... je
vis qu'il était question du tableau de M...
                                              Th. GAUTIER, Contes humoristiques, « Feuillets album... », VI.

♦ **2.** (1774, Beaumarchais). Manier (des fonds, de l'argent) à son
profit, faire valoir par diverses combinaisons.

(...) il n'avait pas encore reçu l'ordre exprès de mentir, sous peine de ne plus tripoter vos fonds (...)
                                              BEAUMARCHAIS, Mémoires... dans l'affaire Goëzman, p. 189.

Tout le monde fait valoir son argent et le tripote de son mieux.
                                              BALZAC, la Cousine Bette, Pl., t. VI, p. 400.

♦ **3.** (1843, Landais). Manier*, tâter avec insistance et sans délicatesse. *Ne tripotez pas ces fruits ! Les animaux n'aiment pas
être tripotés.*

Manipuler sans nécessité, compulsivement. *Elle tripotait nerveusement sa bague.*

Alban tripote l'animal, lui soulève l'arrière-train par la queue, lui met les doigts
dans la gueule, lui tord une patte, lui tire la moustache, lui retourne une oreille,
lui fait tout ce qu'un chien aime qu'on lui fasse. MONTHERLANT, le Songe, X.

J'aime à jouer avec les chemises de nuit, les chiffons et les rubans, tripoter les lin-   4.
geries, les chapeaux (...) oxygéner leurs chevelures, les connaître, enfin, du bout
de leurs mules à la pointe de leur chignon (...).
                                              O. MIRBEAU, le Journal d'une femme de chambre, p. 47.

(Le compl. désigne une partie du corps). *Tripoter sa barbe* (→ Malaxer, cit. 2). *Se tripoter les cheveux.*

Sa négresse, accroupie près de la table, se tripotait les pieds et se récurait avec
un petit bout de bois.   CÉLINE, Voyage au bout de la nuit, p. 121.

(1867). Fam. Toucher indiscrètement (qqn). ⇒ **Peloter.** *Tripoter une
femme. Se faire tripoter dans les coins.*

★ **II.** V. intr. ♦ **1.** (1611). Vieilli ou régional. S'occuper à mélanger,
remuer et manier des choses plus ou moins propres. « *Ces enfants
n'ont fait que tripoter avec de la terre, de l'eau* » (Académie, 1694).
⇒ **Patouiller.**

(...) elle trouvait plaisir à jouer avec des pensées douteuses et malpropres, comme
un enfant qui se délecte à tripoter dans l'eau sale.
                                              R. ROLLAND, Jean-Christophe, L'adolescent, III, p. 347.

(1867). Mod. Remuer sans précaution, en dérangeant. *Ne tripote pas
dans mon sac, je déteste ça !* ⇒ **Farfouiller, trifouiller.**

♦ **2.** (1845, Bescherelle). Fig. Se livrer à des opérations et combinaisons peu avouables, malhonnêtes. ⇒ **Fricoter, spéculer, trafiquer.** *Il a tripoté dans pas mal d'affaires.*

DÉR. **Tripatouiller, tripotage, tripotailler, tripotant, tripotée, tripoterie, tripoteur.** — V. **Tripot.**

TRIPOTERIE [tʀipɔtʀi] n. f. — 1833, *in* D. D. L. ; de *tripoter.*

♦ Vx. Tripotage (fig.).

TRIPOTEUR, EUSE [tʀipɔtœʀ, øz] n. — 1802 ; « celui qui brouille les choses », 1582 ; de *tripoter.*

♦ **1.** (Av. 1850, Balzac). Personne qui se livre à des tripotages. ⇒ **Fricoteur, spéculateur, trafiquant.**

Point se passa la main sur le front.
— Cela remonte à plusieurs années, à mes débuts à la Chambre. Une Chambre toute neuve, vous vous en souvenez sans doute, où on s'était juré qu'il n'y aurait plus de tripoteurs.
C'était immédiatement après la guerre et le pays était soulevé par une vague d'idéalisme. On avait soif de propreté.
                                    G. SIMENON, Maigret chez le ministre, p. 104.

♦ **2.** (Mil. xxᵉ). Fam. Frôleur, peloteur. *Il est assez tripoteur.* — Adj. *Des mains tripoteuses.* ⇒ **Baladeur.**

TRIPOTIER, IÈRE [tʀipɔtje, jɛʀ] n. et adj. — 1611, Cotgrave ; de *tripot.*

♦ **1.** (1640, Oudin). Vx. Tenancier d'un jeu de paume, d'une maison de jeu.

♦ **2.** (1777). Adj. Vx. Qui se livre à de petits trafics.

TRIPOUS ou **TRIPOUX** [tʀipu] n. m. pl. — Attesté 1909 ; « boudin », 1655 ; dér. régional de 1. *tripe.*

♦ Régional. Tripes accompagnées de pieds de mouton et de fraise de veau, cuisinés à la mode auvergnate.

TRIPTYQUE [tʀiptik] n. m. — 1838 ; grec *triptukhos* « plié en trois, triple », de *treis* « trois », et *ptukhê* « chose pliée » → Diptyque.

♦ **1.** Arts. Ouvrage de peinture ou de sculpture composé d'un panneau central et de deux volets mobiles susceptibles de se rabattre sur le panneau en le recouvrant exactement. *Prédelle* et couronnement* d'un triptyque. Retable en forme de triptyque.* — Tablette d'ivoire à trois compartiments pouvant pivoter sur des charnières.

L'église de Schleswig renferme un chef-d'œuvre d'un grand artiste inconnu, un triptyque-retable en bois sculpté représentant dans une série de bas-reliefs, séparés par de fines architectures, les diverses scènes du drame de la Passion.
                                    Th. GAUTIER, Voyage en Russie, III.

Fig. Œuvre littéraire en trois tableaux ou récits (⇒ **Trilogie**).

Peu de temps après la publication de *L'École des femmes,* puis de *Robert,* j'ai reçu, en manuscrit, le début d'un récit en quelque sorte complémentaire, c'est-à-dire pouvant être considéré, s'ajoutant aux deux autres, comme le troisième volet d'un triptyque.   GIDE, Geneviève, Note liminaire (1936).

Œuvre musicale offrant une composition ternaire.

♦ **2.** (1938). Dr. comm. Titre de mouvement (sous la forme d'un document en trois feuillets) permettant l'importation temporaire de certains objets, en particulier des automobiles, à charge de réexportation. *Les triptyques sont délivrés par des associations de tourisme accréditées auprès de l'administration des Douanes.*

Il faut déclarer le fusil, l'entrée des armes est interdite en Allemagne. Je le sais très bien, et j'ai même pris, en vue du transit, une permission spéciale, un triptyque, comme cela s'appelle. Où donc ai-je fourré mon triptyque ?
                                    Émile HENRIOT, la Rose de Bratislava, II.

TRIQUE [tʀik] n. f. — 1690 ; *jouer aux triques,* 1385 ; à rapprocher de *estricque* « radoire pour mesure à grains », 1429 ; du francique *strîkan.*

♦ **1.** Gros bâton pouvant être utilisé comme arme pour frapper. ⇒ **Gourdin, matraque, tricot** (vx). *Armé d'une trique, il tapait* (2. Taper, cit. 15) *comme un sourd. Mener les hommes à la trique, à coups de trique* (→ aussi Discourtois, cit. 1). *Battre à coups de trique* ⇒ **Triquer.** *Volée de coups de trique.* — Loc. *Maigre, sec* (cit. 7) *comme un coup de trique,* très maigre (cf. Comme un clou, comme un cotret).

(...) il est le maître chez moi et l'ouvrage qu'il y fait mérite d'être payé à coups de trique.   G. SAND, François le Champi, IX.

(...) Vlan ! Et qu'il nous fasse marcher tout ce monde-là à la trique !
                                    J. ROMAINS, Donogoo, III, II, 2.

(xIxᵉ). Correction, série de coups de trique.

♦ **2.** (1885, Esnault). Argot. Interdiction de séjour. *En avoir pour deux ans de trique* (⇒ **Tricard**).

Lou est ma veilleuse là-bas, ma veilleuse vaillante cependant que je me démène dans la nuit, me heurtant partout : les valises à traîner, le carnet de trique à faire estampiller au plus vite (...)   A. SARRAZIN, la Traversière, p. 67.

Tu sais bien qu'avec ma trique c'est impossible, je ne peux paraître nulle part.
                                    Jeanne CORDELIER, la Passagère, p. 172.   4

♦ **3.** Fig. Autorité brutale. *Il ne marche qu'à la trique,* sous la menace.

♦ **4.** (V. 1940). Loc. argotique. *Avoir la trique :* être en érection. ⇒ **Triquer ; tringle.** — Pénis en érection.

DÉR. **Tricard, 2. tricot, triquer, triquet.** — V. **Trique-madame.**

TRIQUEBALLE [tʀikbal] n. m. — 1777, Encyclopédie, xvᵉ, « instrument de torture » ; de *triquer,* mot normand « sauter », et *baller* « danser » (P. Guiraud).

♦ Techn. Chariot lourd, destiné au transport des fardeaux lourds et longs, formé d'une poutre montée sur un essieu et d'un dispositif de soutien (à treuil, etc.). ⇒ **Fardier.** — REM. On a dit aussi *trinqueballe* [tʀɛ̃kbal].

TRIQUE-MADAME [tʀikmadam] n. f. invar. — 1545 ; semble une altération de *trippe-madame* (attesté seulement en 1547) ; de l'anc. franç. *triper, treper* « danser, frapper du pied », du francique **trippôn* (→ Trépigner), par attraction de *trique,* et de *madame.*

♦ Régional. Orpin blanc.

(...) il avait vu des trique-madame en fleur, chose rare pour la saison.
                                    HUGO, les Travailleurs de la mer, I, IV, I.

TRIQUER [tʀike] v. — 1842 ; de *trique.*

♦ **1.** V. tr. Pop. Battre à coups de trique. *Triquer un âne.*

♦ **2.** V. intr. (1902). Vulg. (d'après *avoir la trique*). Être en érection, en parlant d'un homme. ⇒ **Bander.**

Elle tourne la tête, me sourit. Je remonte jusqu'à l'entre-cuisse, plaque ma main contre le paquet, paume en conque, toute la motte dans le creux de ma main, dodue, chaude, vivante. Je trique à en avoir mal.
                                    CAVANNA, les Ritals, p. 123.

TRIQUET [tʀikɛ] n. m. — 1676, au sens 2 ; de *trique.*

♦ **1.** (1680). Vx. Sorte de battoir utilisé dans le jeu de paume.

♦ **2.** Techn. Échafaud de couvreur.

♦ **3.** (1872). Échelle double.

TRIQUÈTRE [tʀikɛtʀ] n. f. — 1812 ; 1611, « triangle », du lat. *triquetrus* « qui a trois angles ».

♦ ⇒ **Triscèle.**

TRIRÉACTEUR [tʀiʀeaktœʀ] n. m. — V. 1960 ; de *tri-,* et *réacteur.*

♦ Avion à trois réacteurs. *« Le petit triréacteur Falcon-50 de Dassault... »* (*Sciences et Avenir,* juin 1979, p. 23).

TRIRECTANGLE [tʀiʀɛktɑ̃gl] adj. — 1875 ; de *tri-,* et *rectangle.*

♦ Géom. Qui a trois angles droits. *Trièdre trirectangle,* dont les trois faces sont des angles droits.

TRIRÈGNE [tʀiʀɛɲ] n. m. — 1690, Furetière ; ital. *triregno,* de *tri-* « trois », et *regno* « règne, pouvoir ».

♦ *Le trirègne :* la tiare* du pape ou triple couronne, symbolisant les trois pouvoirs impérial, royal ᴄᴛ sacerdotal.

Ici, le Père, couronné ainsi qu'un Pape du trirègne, et assis sur le rebord d'une gloire, pareille à une amande d'or, les pieds appuyés sur l'escabeau du monde (...)
                                    HUYSMANS, l'Oblat, XI.

TRIRÈME [tʀiʀɛm] n. f. — xIVᵉ, rare jusqu'au xVIIIᵉ ; lat. *triremis ;* de *tres* « trois », et *remus* « rame ».

♦ Antiq. Navire de guerre des Romains, des Carthaginois, etc., rapide et léger, à trois rangées de rames superposées. ⇒ **Galère, trière.**

La nuit était glorieusement belle : la trirème, s'élançant hors du Pirée, laissait derrière elle une longue trace de lumière, comme une charrue qui sillonnerait de l'argent fondu.   BAUDELAIRE, le Jeune Enchanteur, Pl., p. 1310.   1

De toutes les maisons des gens sortirent ; on ne voulait pas en croire les paroles, on se disputait, le môle était couvert de peuple. Enfin on reconnut la trirème d'Hamilcar.   FLAUBERT, Salammbô, VII.   2

(...) une côte où la mer brisait ; vers le large couraient des trirèmes et des bateaux sardiniers.   J. GIONO, Naissance de l'Odyssée, Pl., t. I, p. 48.   3

TRISAGION [tʀizaʒjɔ̃] n. m. — 1701 ; grec *trisagios,* de *tris* « trois fois », et *hagios* « saint ».

♦ Liturgie. Triple acclamation de la liturgie grecque et de l'ancienne liturgie romaine du Vendredi saint.

TRISAÏEUL, EULE [tʀizajœl] n. — 1552, *trisayeul*; de *tri-*, et *aïeul*, d'après *bisaïeul*.

♦ Père, mère du bisaïeul ou de la bisaïeule. Plur. : *trisaïeuls* ou *trisaïeux* [tʀizajø].

1   Jusqu'à nos trisaïeux il faut rétrograder.
                                    Ph. DESTOUCHES, l'Homme singulier, II, 1.
2   Quant à la trisaïeule, elle était droite, mince, propre et active.
                                    G. SAND, Histoire de ma vie, III, II.

TRISANNUEL, ELLE [tʀizanɥɛl] adj. — 1771, au sens 1; de *tri-*, et *annuel*, d'après *bisannuel*.

♦ **1.** Qui a lieu tous les trois ans. *Fête trisannuelle.*

♦ **2.** (Mil. XIXᵉ). Bot. Qui dure trois ans. *Plante trisannuelle.*

TRISCÈLE [tʀisɛl] ou **TRISKÈLE** [tʀiskɛl] n. f. ou m. — XXᵉ; lat. *triscelum* « figure à trois côtés, triangle », du grec *triskelês* « à trois jambes, à trois pieds », de *tri-* « trois », et *skelos* « jambe ». → Isocèle.

♦ Numism., archéol., arts. Motif décoratif représentant trois jambes repliées ou trois branches incurvées dans le même sens, rayonnant autour du centre de la figure, souvent inscrites dans un triangle équilatéral. « (...) *des triscèles de complexité variable* (sur une boucle de ceinture) — *celui qui se trouve dans la plus grande de ces figures ayant des lobes dépendants, créant un effet de contre-rotation* » (Catalogue de l'exposition *Trésors d'Irlande*, Paris, Grand Palais, 23 oct. 1982-17 janv. 1983, p. 155).
On dit aussi *triquètre**.
REM. La forme *triskell* (n. m.) constitue un réemprunt au breton :
Que l'on se recelilise à outrance sous le signe du *triskell* et au son de la cornemuse écossaise, et même en plantant de faux menhirs devant sa maison néo-bretonne, profitant de ce que les bulldozers qui dévastent le pays peuvent extraire facilement des blocs de caillous bruts, ce n'est pas pour me déplaire, même si cela me fait parfois sourire (...)   P.-J. HÉLIAS, le Cheval d'orgueil, p. 537.

TRISCOOTER [tʀiskutœʀ] n. m. — V. 1960; de *tri-*, abrév. de *tricycle*, d'après *triporteur*, et *scooter*.

♦ Triporteur constitué à l'avant par un scooter et à l'arrière par une caisse de livraison.

TRISECTEUR, TRICE [tʀisɛktœʀ, tʀis] adj. — 1843; de *tri-*, et *secteur*.

♦ Géom. Qui divise en trois parties. *Courbe trisectrice.*

TRISECTION [tʀisɛksjɔ̃] n. f. — 1691; de *tri-*, et *section*.

♦ Géom. Division d'une grandeur en trois parties égales. *La trisection de l'angle.*

TRISÉQUER [tʀiseke] v. tr. — Conjug. *céder*. — 1872, Littré; du lat. *tri-*, et *secare*.

♦ Rare. Partager en trois parties. — Au p. p. *Feuilles triséquées.*

TRISILICIQUE [tʀisilisik] adj. — 1876, Larousse; de *tri-*, et *silicique*.

♦ Chim. Acide silicique contenant trois molécules de silice.

TRISKÈLE [tʀiskɛl] n. f. ou m. ou **TRISKELL** [tʀiskɛl] n. m. ⇒ Triscèle.

TRISMÉGISTE [tʀimeʒist] adj. m. — 1579; « très grand », 1532, Rabelais; du grec *tris* « trois fois », et *megistos* « très grand ».

♦ Didact. Surnom donné au dieu Thôt par les Grecs d'Égypte, qui sous le nom d'*Hermès Trismégiste* en firent un ancien roi ou sage d'Égypte, fondateur légendaire de la doctrine alchimique, déposée dans les écrits hermétiques.
Mais fier comme Hermès Trismégiste (...)
Passe un jeune entomologiste
Avec sa boîte de fer-blanc.   Th. DE BANVILLE, Dans la fournaise, « Psyché ».
Par anal. « *Satan Trismégiste* » (Baudelaire).

TRISMIQUE [tʀismik] adj. — XXᵉ; de *trismus*.

♦ Méd. Relatif au trismus, qui en a les caractères. *Spasmes trismiques.*

TRISMUS [tʀismys] n. m. — 1806; *trismos*, 1765; var. *trisme*, du grec *trismos* « petit bruit aigu », de *trizein* « grincer ».

♦ Constriction des mâchoires (cit. 2) provoquée par la contraction des muscles du maxillaire inférieur. *Les mâchoires resserrées par le trisme. Le trismus des tétaniques* (cit.). ⇒ **Tétanos.**
(...) elle vit, dans sa réginale horreur, l'épouvantable simagrée du trismus des tétaniques.   Léon BLOY, le Désespéré, p. 263.
DÉR. Trismique.

TRISOC [tʀisɔk] n. m. — 1835, *Maison rustique*; de *tri-*, et *soc*.

♦ Agric. Charrue à trois socs. — Adj. *Charrue trisoc.*

TRISODIQUE [tʀisɔdik] adj. — 1872, Littré; de *tri-*, et *sodique*.

♦ Chim. Qui contient trois atomes de sodium.

TRISOMIE [tʀizɔmi] n. f. — V. 1960; de *tri-*, et du grec *sôma* « corps ».

♦ Biol., méd. Anomalie génétique due à la présence dans une paire chromosomique d'un chromosome surnuméraire. *La trisomie 21, responsable du mongolisme.* « *La "trisomie 13" provoque des malformations généralement incompatibles avec la vie* » (le Nouvel Obs., 27 mars 1968, *in* Gilbert).
DÉR. Trisomique.

TRISOMIQUE [tʀizɔmik] adj. et n. — V. 1960; de *trisomie*.

♦ Méd. Relatif à la trisomie. — N. *Un trisomique* : un sujet atteint de trisomie, et, spécialt, de trisomie 21. (Le mot tend à passer du vocabulaire technique de la médecine au langage courant et à remplacer *mongolien** par euphémisme).
Pour aller plus loin, nous risquons de sauver des malformés, des trisomiques, etc. Voilà déjà un premier plafond contre lequel bute l'humanité : un progrès supplémentaire équivaut à une dégradation.
                                    A. SAUVY, Croissance zéro?, p. 132.

TRISPHÉRIQUE [tʀisfeʀik] adj. — Mil. XXᵉ (*in* Larousse, 1975); de *tri-*, et *sphérique*.

♦ Techn. Formé de trois calottes sphériques. *Culasse* (de moteur d'automobile) *trisphérique.*

1. TRISSER [tʀise] v. intr. — 1839; lat. *trissare*, grec *trizein*, « grincer ».

♦ Rare. Crier (en parlant de l'hirondelle). — REM. Le dér. nominal *trissement*, n. m., est attesté (1845).

2. TRISSER [tʀise] v. tr. — 1853, Gautier; de *tri-*, d'après *bisser*.

♦ **1.** Faire répéter trois fois de suite (un morceau, une réplique) au concert, au théâtre. *Spectateurs enthousiasmés qui trissent une chanson lors d'un récital.*
Aussitôt revenus, ils sont à leur place, bissant et trissant de simples répliques que leurs voisins méprisent et sifflent avec autant de chaleur.
                                    Henri MICHAUX, Ailleurs, p. 155.
Par ext. (Objet n. de personne). *Trisser un acteur, un chanteur, un concertiste.*

♦ **2.** En parlant d'un exécutant, Reprendre une troisième fois ce qu'il a déjà interprété deux fois.
Non, ai-je dit deux fois. Faut-il donc que je trisse?
                                    Edmond ROSTAND, Cyrano de Bergerac, I, 4 (1897).
Chanteur qui trisse une mélodie.

3. TRISSER [tʀise] v. intr. — 1905; *trisser* ou *trincer* déjà dial. « jaillir »; de l'all. *stritzen*, anc. var. expressive de *spritzen* « jaillir ».

♦ Fam. Partir vivement, en toute hâte.
La mouquère se mit à brailler et un flicard trissa derrière le truand (...)
                                    R. QUENEAU, Loin de Rueil, p. 64.
Pron. *Se trisser* : se sauver, s'en aller. ⇒ **Débiner** (se), **enfuir** (s').
Le chemin de repli, en revanche, n'était pas de premier ordre, loin de là, mais on pouvait se trisser hors de vue sous un épais couvert en essuyant des rafales à l'aveuglette, ce qui est tout de même plus intéressant qu'une cavale en rase campagne.
                                    Jacques PERRET, Bande à part, p. 122.

TRISSOTINISME [tʀisɔtinism] n. m. — 1898, P. Bourget; de *Trissotin*, personnage des *Femmes savantes* de Molière.

♦ Littér., par plais. Attitude littéraire prétentieuse, pédante et ridicule (analogue à celle de Trissotin).

TRISTÂTRE [tʀistɑtʀ] adj. — Attesté xxᵉ; de *triste*, et *-âtre*.

♦ Rare. Un peu triste.

J'observais avec un amusement tristâtre les petits mécanismes usuels de mes comportements : mari pas persuadé qu'il fallait être marié, militant pas persuadé que la troupe où il s'était enrôlé s'était mise en marche vers le bonheur.
Claude ROY, Nous, p. 387.

TRISTE [tʀist] adj. — xᵉ, *trist*; du lat. *tristis*.

★ **I.** ♦ **1.** Qui est dans un état de tristesse (1.). ⇒ **Abattu, affligé, chagriné, découragé, morose, sombre;** fam. **cafardeux.** Cf. Avoir le cœur, l'âme en deuil*; avoir la mort* dans l'âme, des idées noires. *Être triste* (→ Nœud, cit. 4). *Se sentir triste* (→ Bord, cit. 27), *un peu triste* (→ Se sentir tout chose*). *Triste et démoralisé.* « *Captive, toujours triste, importune* (cit. 8) *à moi-même.* » « *Seul, triste, amer, songeant à la patrie perdue* » (→ Rôder, cit. 3). *Chacun fut triste et réprima des pensées ou des pleurs* (→ 1. Morne, cit. 6). *J'étais triste et las* (→ Angoisse, cit. 12). *Pensive et triste* (→ Buvard, cit. 1). *La mélancolie* (cit. 8), *bonheur d'être triste.* Loc. *Triste comme une porte* (1. Porte, cit. 23) *de prison, comme un bonnet de nuit, comme la mort. Être triste à mourir*, très triste. « *Triste comme une chanson à boire* » (Dumas, *la Dame aux camélias*, I, 8).

1 (...) je suis triste comme un lendemain de fête.
A. DE MUSSET, les Caprices de Marianne, II, 6.

2 Il se sentit triste comme une maison démeublée (...)
FLAUBERT, Mᵐᵉ Bovary, I, IV.

3 Ô triste, triste était mon âme
À cause, à cause d'une femme. VERLAINE, Romances sans paroles, VII.

4 (...) seuls le désir et l'oisiveté nous rendent tristes. FRANCE, le Lys rouge, IX.

Humeur, caractère triste.
TRISTE DE (et l'inf.). *Elle était triste de devoir partir.*

♦ **2.** (V. 1380). Qui, par nature, présente les caractères extérieurs de cet état; qui ne rit pas, n'est pas gai. ⇒ **Atrabilaire, mélancolique, morose, taciturne.** *Un enfant doux et triste* (→ Olivâtre, cit. 1). *Femme timide et triste* (→ Épanouir, cit. 18). *La personne sèche et triste de Robespierre* (→ Académique, cit. 2). *Clown triste* (→ Taciturnité, cit. 2). *Le sourire exquis* (cit. 12) *des hommes tristes. Les gens tristes sont peu appréciés en société.* ⇒ **Éteignoir, rabat-joie, trouble-fête.**

5 Il y a une foncière gaieté du cœur qui n'appartient qu'aux bonnes gens. Les esprits occupés de mauvaises pensées deviennent, au contraire, facilement tristes. Il y a bien de quoi. Charles NODIER, Contes, « Lidivine ».

Subst. *Les tristes :* les gens tristes. — *Le Bonheur des tristes,* roman de Luc Dietrich.

6 Ils n'ont pas de tendresse pour les tristes et méprisent les sentimentaux.
A. MAUROIS, les Silences du colonel Bramble, VII.

♦ **3.** (1213). En parlant de l'apparence physique, du comportement; après le nom, en épithète, sauf dans quelques expressions. Qui exprime cet état. *Avoir l'air triste.* ⇒ **Consterné, éploré, funèbre, malheureux, maussade, rembruni, sombre** (→ Austère, cit. 16; gâter, cit. 4). *Visage triste* (⇒ **Défait**); *triste mine, mine triste et transie* (→ Enjoué, cit. 1). — *Faire triste mine. Figure éteinte* (cit. 63) *et triste* (cf. fam. Figure de croque-mort, tête d'enterrement). Allus. littér. *Le chevalier à la triste figure :* Don Quichotte. — *Regard triste* (→ Cadavérique, cit. 1). ⇒ **Désespéré.** *Sourire triste.* ⇒ **Désabusé.** *Une voix triste* (→ Diable, cit. 17).

7 L'air triste ne peut être de bon ton; c'est l'air ennuyé qu'il faut. Si vous êtes triste, c'est donc quelque chose qui vous manque, quelque chose qui ne vous a pas réussi.
STENDHAL, le Rouge et le Noir, II, XXIV.

(En parlant des sentiments, des idées; parfois antéposé). *Une gravité triste* (→ Long, cit. 41). *Résignation plus triste que le désespoir* (→ Abdiquer, cit. 6). *La triste impression* (cit. 4) *de vieillir. La foi triste de Pascal* (→ Simple, cit. 3). *Rouler de tristes pensées* (→ Distraction, cit. 4). ⇒ **Sombre.**

(1694). Fam. *Avoir le vin*triste :* être habituellement triste dans l'ivresse.

♦ **4.** (Choses). Qui répand la tristesse, rend triste (l'antéposition est archaïque ou littér.). ⇒ **Ennuyeux, lugubre, morne, sinistre** (*supra* cit. 1). *De tristes devoirs* (→ Asservir, cit. 16). « *La chair est triste, hélas...* » (Mallarmé, → Fuir, cit. 10). *Tristes réunions que ces soupers* (1. Souper, cit. 1) *de famille. Mélopée, chanson triste; air tendre et triste* (→ Musique, cit. 10; pauvre, cit. 29). *Tristes accents.* ⇒ **Élégiaque.** *Note monotone et triste. Couleur triste.* ⇒ **Obscur, terne.** *La triste ardoise* (→ Maison, cit. 4). — « *Le ciel est triste et beau comme un grand reposoir* » (cit. 1). *Un jour douteux plus triste que la nuit* (→ Blafard, cit. 2). *Triste journée sans soleil. L'automne* (cit. 9) *pluvieux et triste.* — (1690). *Temps triste et gris.* — Adv. *Il fait triste, aujourd'hui.* — *Robe triste, sombre et sans rien qui flatte.* ⇒ **Austère, sévère** (→ 1. Friper, cit. 1). *Tristes rues de province* (→ Agrément, cit. 7). *Quartier triste. Bâtiments nus et tristes* (→ Marquise, cit. 2; → Faute, cit. 10). *Tristes Tropiques,* ouvrage de Cl. Lévi-Strauss.

8 Le printemps est triste en Lorraine, ou du moins sévère; la neige, à tous instants, passe encore dans le ciel et prolonge ses derniers adieux.
M. BARRÈS, la Colline inspirée, XIV.

♦ **5.** (Après 1970). Fam. *Pas triste :* très amusant, très plaisant; par ext., Étonnant, hors du commun.

Triste (pas). Étonnant, irrésistible. Sortant du commun. « J'ai passé la soirée avec 8.1 Antonio. Quand il imite Marie-France Garaud, c'est pas triste. »
P. DE NUSSAC, le Français des moins de 20 ans, *in* Signature, nº 133, 1981.

★ **II.** ♦ **1.** (V. 1160). Choses; souvent antéposé en épithète. Qui fait souffrir, fait de la peine. ⇒ **Accablant, affligeant, affreux, attristant, cruel, déchirant, douloureux, funeste, grave, navrant, pénible, rude, tragique.** *Une triste nouvelle* (→ Cacher, cit. 26). *Un bien triste accident. Quelle triste chose! Dire des choses tristes* (→ Parti, cit. 22). *La triste captivité où je vis* (→ Bercer, cit. 8). *Triste sort* (→ Immortaliser, cit. 2); *une triste destinée* (→ Atteindre, cit. 1).

9 J'appréhende au retour cette triste nouvelle :
(...) Votre fils a la fièvre, ou jambe, ou bras cassé.
MOLIÈRE, le Dépit amoureux, II, 5.

Où l'on souffre. *Les jours tristes que nous avons passés* (→ Fortune, cit. 18). *Mener une vie triste et monotone.* ⇒ **Calamiteux, difficile.**

Qui raconte ou montre des choses pénibles. *Histoire triste. Les bons romans sont tristes* (→ Rabâchage, cit. 2). *Ce film est trop triste.*

♦ **2.** (1677, Racine). Vx (personnes; antéposé). Qui fait pitié. ⇒ **Malheureux, pauvre.** « *Pour mes tristes enfants quel affreux héritage* » (→ Après, cit. 3). « *Noble et brillant auteur d'une triste famille* » (cit. 8). *Les tristes victimes de l'Inquisition* (→ Autodafé, cit. 1).

♦ **3.** (1636; antéposé). Qui suscite des pensées, des jugements pénibles, qui afflige. ⇒ **Attristant, déplorable.** *Il a eu une bien triste fin. Rassembler* (cit. 2) *les tristes restes de sa fortune. Une triste et continuelle expérience* (→ Homme, cit. 27). *J'en ai fait la triste expérience. L'argent était une triste nécessité* (→ 2. Lieu, cit. 19). « *C'est une triste chose quand l'amour devient la calamité* (cit. 4) *de la vie». Le triste xivᵉ siècle, plein de fureurs et de folies* (→ Oasis, cit. 3). *Un des tristes côtés de l'Ancien Régime* (→ Patronage, cit. 1). *Triste époque.* ⇒ **Lamentable.** « *Ô triste humanité, je fuis dans la nature* » (Hugo, → Imposture, cit. 3). *Tristes exemples qui feraient douter de la vertu* (→ Renoncer, cit. 8). — *Malade dans un triste état. — Après l'accident, la voiture était dans un triste état, complètement inutilisable.* ⇒ **Mauvais, piètre, pitoyable.** — (En attribut). *C'est bien triste.* ⇒ **Dommage, fâcheux.**

IL EST TRISTE DE (et l'inf.), **QUE** (et le subj.). *Il est triste de devoir partir. Il est triste qu'il soit mort si jeune.*

♦ **4.** (1671, Boileau). Péj. (toujours antéposé). Dont la médiocrité, la mauvaise qualité afflige. ⇒ **Lamentable, piètre; misérable, médiocre; mauvais.** *Une triste affaire. C'est la triste vérité. Les tristes résultats de cette éducation* (→ Pédagogue, cit. 1). *Un triste rôle* (→ Garçon, cit. 19). *Jouer un triste personnage.* ⇒ **Sinistre.** *Un gentilhomme, triste épave du monde parisien* (→ Dévaster, cit. 5). *Un triste sire*. Triste gagne-petit* (cit. 2). *L'idéal et la triste réalité* (→ Folie, cit. 18; imagination, cit. 17). *Les tristes plaisirs des riches* (→ Faufiler, cit. 2).

10 Peut-on être (...) satisfait (...)
Lorsque par la contrainte on obtient ce qu'on aime?
C'est un triste avantage, et l'amant généreux
À ces conditions refuse d'être heureux (...) MOLIÈRE, Dom Garcie, V, 5.

CONTR. Allègre, content, enjoué, folâtre, gai, gaillard, jovial, joyeux, radieux, réjoui, rieur, sémillant. — Amusant, animé, brillant, burlesque, comique, crevant, divertissant, drolatique, drôle, ensoleillé, folichon, fou, hilarant, riant, risible. — Heureux, réconfortant, réjouissant. — Beau, bon, noble.
DÉR. Tristâtre, tristement, tristesse, tristouillet, tristounet.
COMP. Attrister, contrister. — Triste-à-patte.

TRISTE-À-PATTE [tʀistapat] n. m. et adj. — 1788, *in* D.D.L.; de *triste, à,* et *patte.*

Familier, vieux.

♦ **1.** Soldat du guet. — (Av. 1872). Soldat d'infanterie. — Au plur. *Des tristes-à-pattes.*

1 Roger ne perd pas son intarissable gaîté, il décide le sergent et ses triste-à-pattes *(sic)* à boire avec lui. Th. GAUTIER, *in* GUÉRIN, Dict. des dict. (1892).

♦ **2.** Adj. (1847, Balzac). Misérable, malheureux.

2 Il aperçoit dans Paris un ancien camarade de jeunesse, triste-à-patte, sans sous-pieds, vêtu d'une redingote à teintes invraisemblables.
BALZAC, le Cousin Pons, Pl., t. VI, p. 541.

TRISTEMENT [tʀistəmɑ̃] adv. — 1175; de *triste.*

♦ **1.** En étant triste. «*Au coucher du soleil tristement je m'assieds* » (→ Promener, cit. 7). (1656, Pascal). D'un air triste. *Secouer, baisser la tête tristement* (→ 1. Dire, cit. 34; hangar, cit. 1). *Sourire tristement. Un sourire tristement tendre, céleste* (cit. 13) *et désenchanté.*

♦ **2.** (1415). D'une manière qui incite à la tristesse, inspire des pensées tristes. *Deux tisons fumaient* (1. Fumer, cit. 3) *tristement.* « *Les grands nénuphars* (cit.)... *Tristement luisaient sur les calmes eaux* ».

♦ **3.** (Mil. xixᵉ). D'une manière pénible, affligeante. ⇒ **Cruellement, misérablement.** *C'est tristement vrai* (→ Caboulot, cit. 1). *Un personnage, une aventure tristement célèbre.*

CONTR. Gaiement, joyeusement. — Drôlement.

TRISTESSE [tʀistɛs] n. f. — 1180; de *triste*.

♦ **1.** État affectif pénible, calme et durable; envahissement de la conscience par une douleur*, une insatisfaction, ou par un malaise* dont on ne démêle pas la cause, et qui empêche de se réjouir du reste. ⇒ **Dépression, ennui, mélancolie; abattement, affliction, amertume, cafard** (fam.), **morosité, nostalgie, peine.** *Sentiment de tristesse. J'ai des idées noires, de la tristesse, de l'ennui* (→ Spleen, cit. 1). *Douleur suivie de tristesse* (→ Chatouillement, cit.). *Nos plus heureux succès sont mêlés de tristesse* (→ Allégresse, cit. 3). *Une grande tristesse le poignait* (cit. 3), *lui serrait le cœur. Être envahi d'une grande tristesse. Être pénétré, imprégné* (cit. 11) *de tristesse. Nager* (cit. 8) *dans la tristesse. Un flot* (→ 1. Flétrir, cit. 9), *un abîme* (→ Célébrer, cit. 10), *un gouffre* (cit. 15) *de tristesse. Résister* (cit. 14) *à la tristesse. Dissiper* (cit. 7) *la tristesse de qqn. Être enclin à la tristesse* (→ Illusion, cit. 37); *tristesse maladive.* ⇒ **Neurasthénie.** « *C'est le souffle intérieur qui fait joie ou tristesse* » (→ Anémique, cit. 2). *La tristesse peut être une forme de la fatigue* (cit. 8), *un relâchement de la douleur* (→ Intermission, cit.). *Tristesse accablante* (→ Prémonition, cit. 2), *insupportable* (→ Ennui, cit. 23), *mortelle* (→ Divagation, cit. 2), *vague, informulée* (→ Affadissement, cit. 2). *Tomber dans une profonde tristesse. La Tristesse d'Olympio, poème de Hugo. — Par ext. La tristesse du cœur, de l'âme, de l'humeur* (cit. 13). « *Tristesse physique* » (1. Physique, cit. 1).

1 La tristesse, lorsqu'on connaît le monde, prouve qu'on a des passions que l'impossibilité de les satisfaire n'a pas encore pu guérir.
STENDHAL, Journal, 2 mai 1805.

2 Mais la tristesse en moi monte comme la mer,
Et laisse, en refluant, sur ma lèvre morose
Le souvenir cuisant de son limon amer.
BAUDELAIRE, les Fleurs du mal, « Spleen et idéal », LV.

3 Notre littérature, et singulièrement la romantique, a louangé, cultivé, propagé la tristesse; et non point cette tristesse active et résolue qui précipite l'homme aux actions les plus glorieuses; mais une sorte d'état flasque de l'âme, qu'on appelait mélancolie, qui pâlissait avantageusement le front du poète et chargeait de nostalgie son regard. GIDE, les Nouvelles Nourritures, III, II.

4 (...) aucun raisonnement au monde ne saurait provoquer la véritable tristesse — celle de l'âme — ou la vaincre, lorsqu'elle est entrée en nous (...)
BERNANOS, Journal d'un curé de campagne, p. 217.

4.1 Mais la tristesse désolée qui s'échappait par ses yeux ne laissait aucun doute sur la nature de ce mal. C'était cette tristesse que leurs propres maux ne peuvent exciter dans ces âmes aimantes qui s'attachent alors au contraire à une douce résignation. C'était cette tristesse que les maux seuls des autres leur inspirent (...)
PROUST, Jean Santeuil, Pl., p. 657-658.

4.2 La joie est sans autorité, parce qu'elle est trop jeune. La tristesse est sur un trône et toujours trop respectée. D'où je tire qu'il faut résister à la tristesse (...) parce qu'il faut être juste, et que la tristesse, éloquente toujours, impérieuse toujours, ne veut jamais qu'on soit juste. ALAIN, Propos, 4 janv. 1912, Jérémiades.

4.3 À la fin de la vie, « Bonsoir désespoir ! » répond au « Bonjour tristesse ! » du commencement. F. MAURIAC, Bloc-notes 1952-1957, p. 221.
(Allusion au roman *Bonjour tristesse* de Françoise Sagan).

♦ **2.** (V. 1370). *(Une, des tristesses).* Moment où l'on est dans cet état; cause de tristesse. ⇒ **Chagrin.** *Les tristesses d'ici-bas* (→ Plomb, cit. 16). *Des souffrances, des tristesses et des joies* (→ Excitabilité, cit. 1). *La plus grande tristesse de son existence.*

5 — La plus grande force de la religion chrétienne, c'est qu'elle est la religion des tristesses de la vie, des malheurs, des chagrins, des maladies, tout ce qui afflige le cœur, la tête et le corps. Elle s'adresse aux gens qui souffrent. Elle promet des consolations à ceux qui en ont besoin, l'espérance à ceux qui désespèrent.
Ed. et J. DE GONCOURT, Journal, déc. 1860, t. I, p. 271.

6 La fin de la vie d'Émile Zola aura été une des tristesses de notre histoire. L'homme qui représentait l'amour de la justice du peuple français n'a pas connu la justice.
ARAGON, la Culture et les Hommes, Discours prononcé à Médan, 29 sept. 1946.

♦ **3.** (1690, Furetière). Caractère de ce qui exprime cet état. *La tristesse d'un sourire, d'un regard. La tristesse de nos adieux* (→ Forger, cit. 8). *Visage marqué par la tristesse, empreint de tristesse.*

7 C'était le même visage joli et tendre, les mêmes yeux noirs; mais tout cela pénétré d'une tristesse si profonde que le sourire qu'elle fit paraissait sortir d'un abîme; et il ne dissipait pas cette tristesse; au contraire, il l'éclairait d'une évidence pathétique. J. ROMAINS, les Hommes de bonne volonté, t. IV, XX, p. 219.

♦ **4.** (1782). Caractère de ce qui incite à cet état. *La tristesse de sa vie.* ⇒ **Grisaille.** *La tristesse d'un paysage. La morne tristesse du désert* (→ Aride, cit. 2). *La tristesse tropicale* (→ Dispenser, cit. 3). *La lourde tristesse douce du soir* (→ Nourrir, cit. 25). *Noire tristesse d'une façade* (→ Dépenaillé, cit. 1). *Tristesse d'un allegro* (→ Couleur, cit. 30), *des notes graves de la flûte* (1. Flûte, cit. 4).

8 La tristesse de la nuit lui entra dans le cœur. FRANCE, le Lys rouge, VII.

9 La tristesse qui se dégage des choses tombées en désuétude est infinie.
Francis JAMMES, le Roman du lièvre, « Des choses », I, p. 181.

CONTR. Alacrité, allégresse, contentement, enjouement, entrain, euphorie, gaieté, hilarité, joie, jovialité, réjouissance. — Plaisir, satisfaction. — Bouffonnerie, drôlerie.

TRISTOUILLET, ETTE [tʀistujɛ, ɛt] adj. — 1942; de *triste*, *-ouille*, et *-et*.

♦ Fam. Un peu triste. ⇒ **Tristounet.**
(...) il s'en alla tristouillet avec ses deux compagnons.
R. QUENEAU, Pierrot mon ami, éd. L. de Poche, p. 23.
Var. : *tristouillard, arde* [tʀistujaʀ, aʀd]; *tristouille* [tʀistuj].
Il faisait gris, venteux, tristouille. CAVANNA, les Ritals, p. 223.

TRISTOUNET, ETTE [tʀistunɛ, ɛt] adj. — Mil. xxᵉ; de *triste*, et suff. *-ounet*.

♦ Fam. Un peu triste et morne, morose. *Il est tristounet.* — (Choses). *Une ambiance un peu tristounette.* ⇒ **Tristouillet.** « *Finis les pommes de terre gorgées d'eau, les haricots verts tristounets, le fenouil spongieux* » (*F Magazine*, nº 26, avr. 1980, p. 15).

TRISUBSTITUÉ, ÉE [tʀisypstitɥe] adj. — 1905, in *Rev. gén. des sc.*, nº 20, p. 903; de *tri-*, et *substitué*.

♦ Chim. Se dit de composés obtenus par substitution de trois atomes ou radicaux, à trois atomes de la molécule.

TRISULFURE [tʀisylfyʀ] n. m. — 1872, Littré; de *tri-*, et *sulfure*.

♦ Chim. Sulfure contenant trois atomes de soufre dans sa molécule.

TRISYLLABE ou **TRISSYLLABE** [tʀisi(l)lab] adj. et n. m. — 1529; lat. d'orig. grecque *trisyllabus*.

♦ Didact. Qui a trois syllabes. *Un mot trissyllabe.* — N. m. *Un trisyllabe. Le mot écouter est un trissyllabe.*

DÉR. Trisyllabique.

TRISYLLABIQUE ou **TRISSYLLABIQUE** [tʀisi(l)labik] adj. — 1550; de *trisyllabe*.

♦ Didact. Qui est formé de trois syllabes. *Un pied, un vers trisyllabique.*

TRITAGONISTE [tʀitagɔnist] n. m. — 1876; grec *tritagônistês*, de *tritos* « troisième », de *treis* « trois », et *agônizesthai* « concourir », de *agôn*. → Protagoniste.

♦ Didact. Acteur jouant les troisièmes rôles dans les tragédies grecques (après le *protagoniste* et le *deutéragoniste*).

TRITANE [tʀitan] n. m. — V. 1960; de *tri(phénylmé)t(h)ane*.

♦ Chim. Syn. de *triphénylméthane*.

TRITANOPIE [tʀitanɔpi] ou **TRITANOPSIE** [tʀitanɔpsi] n. f. — 1953, *tritanopie*; *tritanopsie*, v. 1970; formation savante, du grec *tritos* « troisième », le bleu étant la troisième couleur du spectre, *an-* (→ 2. a-), et *-opie*.

♦ Méd. Incapacité de distinguer le bleu des autres couleurs. « (...) 30 sujets sur 82 examinés dans cette tribu présentent (...) une tritanopie. Les sujets atteints continuent à voir bleue une région du spectre qui est en fait déjà dans le vert pour un sujet normal (lorsqu'on progresse dans le sens bleu-vert-jaune-rouge) » (la Recherche, nov. 1980, p. 1301).

TRITÉRION [tʀiteʀjɔ̃] n. m. ⇒ 3. **Triton.**

TRITÉRIUM [tʀiteʀjɔm] n. m. ⇒ **Tritium.**

TRITHÉISME [tʀiteism] n. m. — 1727, Voltaire; de *tri-*, et *-théisme*, du grec *theos*.

♦ Didact. (relig.), vx. Doctrine des chrétiens qui accordaient aux trois personnes de la Trinité une substance individuelle. — Ces chrétiens étaient appelés *trithéistes* (1872) ou *trithéites*.

TRITICAL n. m. ou **TRITICALE** [tʀitikal] n. m. ou f. — V. 1974; du lat. *triti(cium)* « blé », et *(se)cale* « seigle ».

♦ Agric. Hybride de blé et de seigle. « *Grâce à la bonne qualité de leurs protéines et acides aminés (ces céréales) pourraient (...) jouer un rôle important dans la correction des malnutritions protidiques dans les pays consommateurs de céréales. Déjà, les cultures de triticale couvrent plus de 500 000 hectares dans le monde* » (la Recherche, févr. 1974, p. 188). « *(...) le récent hybride blé-seigle qui a donné le tritical (...)* » (la Recherche, mai 1975, p. 436).

TRITIUM [tʀitjɔm] n. m. — 1949 ; du grec *tritos* « troisième », d'après *deutérium*.

♦ Chim. Le plus lourd des isotopes connus de l'hydrogène (symb. T = ³H), radioactif avec émission d'un électron, dont la vie moyenne est de 12,26 années et qui donne l'isotope 3 de l'hélium. *Noyau de tritium.* ⟹ 3. **Triton.** — REM. On trouve parfois *tritérium* [tʀiteʀjɔm].

TRITOMA [tʀitɔma] n. m. — 1846, Bescherelle ; de *tri-*, et grec *tomê* « section ».

♦ Bot. Plante monocotylédone *(Liliacées)* vivace, d'Afrique du Sud, à feuilles plissées présentant trois angles, dont une espèce ornementale *(Tritoma uvaria)* est appelée *faux aloès**. — REM. On trouve aussi *tritome* [tʀitɔm ; tʀitom].

1. TRITON [tʀitɔ̃] n. m. — 1512 ; lat. *Triton*, grec *Tritôn*, nom du fils de Neptune et d'Amphitrite.

♦ **1.** Myth. Divinité de la mer à figure humaine et à queue de poisson dont l'attribut est une conque (cit. 3) au son retentissant.
> Racine lui-même, étant fort jeune encore, le vint consulter sur l'ode de *la Nymphe de la Seine*, qu'il fit (...) Chapelain releva obligeamment quelques fautes qui s'y trouvaient, entre autres celle d'avoir mis en eau douce des tritons, divinités essentiellement salées, ce qui est une énorme incongruité mythologique.
> Th. GAUTIER, les Grotesques, VIII, p. 250.

> Les Tritons font sonner leurs trompes en nageant,
> Et de leurs bras la nymphe en vain se dégageant
> Sent ses beaux seins piqués par leurs barbes squalides.
> Albert SAMAIN, Aux flancs du vase, « Cortège d'Amphitrite ».

Par plais. Nageur.

♦ **2.** Zool. ⓐ (1803). Mollusque gastéropode *(Prosobranches, Monotocardes)* de très grande taille, dont la coquille servait de trompette aux Romains, et qui est encore utilisée de nos jours par les bergers, les pêcheurs.

ⓑ (1828). Batracien urodèle aquatique, proche de la salamandre, à queue aplatie, et qui présente une crête dorsale chez certains mâles. *Le triton est carnassier, il mue au printemps.*

DÉR. **Tritonien.**

2. TRITON [tʀitɔ̃] n. m. — 1629 ; *trite*, 1615 ; lat. médiéval *tritonum*, grec *tritonon* « trois tons ».

♦ Mus. Intervalle de trois tons entiers (quarte augmentée). *L'intervalle do-fa dièse est un triton. Le triton, intervalle dissonant, était surnommé* diabolus in musica, *« le diable dans la musique », par les harmonistes classiques.*

3. TRITON [tʀitɔ̃] n. m. — V. 1960 ; de *tritium*, d'après *électron, neutron*, etc.

♦ Chim. Noyau de l'atome de tritium. — REM. On trouve aussi *tritérion* [tʀiteʀjɔ̃].

TRITONIEN, IENNE [tʀitɔnjɛ̃, jɛn] adj. — 1846 ; de 1. *triton*.

♦ Géol. Qui renferme des fossiles d'animaux marins. *Terrain tritonien* (vx).

TRITUBERCULÉ, ÉE [tʀitybɛʀkyle] adj. — 1876 ; de *tri-*, et *tuberculé*.

♦ Qui a trois tubercules. — Spécialt. Muni de trois tubercules disposés en triangle, en parlant des dents de certains mammifères fossiles.

TRITURABLE [tʀityʀabl] adj. — 1581 ; de *triturer*.

♦ Qui peut être trituré. *Matière, substance triturable.*

TRITURANT, ANTE [tʀityʀɑ̃, ɑ̃t] adj. — 1872, Littré ; de *triturer*.

♦ Qui sert à triturer. *Surface, face triturante d'une molaire*, qui effectue la mastication des aliments.

TRITURATEUR [tʀityʀatœʀ] n. m. — 1873 ; du rad. de *trituration*. Sciences, technique.

♦ **1.** Instrument ou appareil servant à la trituration (d'une substance, d'une matière déterminée ; en particulier, d'une matière utilisée dans un processus industriel de fabrication). ⟹ **Broyeur.** *Triturateurs de chiffons de l'industrie papetière.*

♦ **2.** (1876). Vieilli. En teinturerie, Ouvrier qui broyait la garance pour en extraire la couleur.

TRITURATION [tʀityʀasjɔ̃] n. f. — XIIIᵉ ; bas lat. *trituratio*, du supin de *triturare*. → Triturer.

A. Didact. ou techn. ♦ **1.** Action de triturer (1.) ; broyage par friction. *Trituration du camphre dans un mortier. Trituration des aliments par les dents* (au cours de la mastication). *Trituration des roches* (→ Friction, cit. 4), *de squelettes d'organismes* (→ Marne, cit.).
> (...) les plaines couvertes d'un *humus* élaboré par une trituration perpétuelle (...)   1
> É. DE SENANCOUR, Oberman, LXXVII.

Bois de trituration : déchets de scierie servant à fabriquer des panneaux agglomérés.

♦ **2.** (V. 1960). En papeterie, Mise en pâte de la cellulose en balles, des vieux papiers, des chiffons.

♦ **3.** (1933). Pharm. Mode de préparation des remèdes homéopathiques, consistant en la dispersion d'un médicament solide dans un excipient pulvérulent. *Dilution et trituration. Triturations décimales, centésimales.*

Par ext. La préparation ainsi obtenue.
> Les triturations et les dilutions sont obtenues à partir de teintures mères et de drogues naturelles animales, végétales ou minérales par déconcentration. La déconcentration d'une substance aboutit à une trituration si elle est solide ; à une dilution si elle est liquide ou en suspension (...) Les triturations sont déterminées par leur concentration.   Pierre VANNIER, l'Homéopathie, p. 117-118.   2

B. Fig. ♦ **1.** Vieilli. Manière de traiter (une affaire), pratique. ⟹ **Triture** (vx).
> Il va trouver Isabey, qui le place chez Ciceri (...) Il reste quinze jours chez Ciceri. Il sait maintenant la trituration de la chose.   3
> Ed. et J. DE GONCOURT, Journal, 1ᵉʳ mars 1872, t. V, p. 26.

♦ **2.** Mod. Manipulation.
> (...) si j'écris, je me perds — sauf chance rare — en des réflexions piétinantes voire en de stériles triturations du langage (...)   4
> Michel LEIRIS, Frêle Bruit, p. 201.

TRITURE [tʀityʀ] n. f. — V. 1790 ; « action de triturer », 1610 ; lat. *tritura* « frottement », de *tritum*, supin de *terere* « frotter ».

♦ Vx. Habitude de traiter les affaires, pratique. ⟹ **Trituration** (B., 1.).
> — Dis donc, Henri, je suis dans un embarras si grand, que je ne peux prendre conseil que d'un vieil ami qui connaisse bien les affaires et tu en as la triture.
> BALZAC, Splendeurs et Misères des courtisanes, Pl., t. V, p. 869.

TRITURER [tʀityʀe] v. tr. — 1611 ; « battre (le blé) », 1529 ; bas lat. *triturare*, du lat. class. *tritura*. → Triture.

A. ♦ **1.** Réduire en poudre ou en pâte en écrasant par pression et frottement. ⟹ **Broyer, piler, pulvériser.** *Triturer du sel.* ⟹ **Égruger.** — Pharm. *Triturer un remède dans un mortier.* — Physiol. *Aliment « trituré par les molaires »* (Brillat-Savarin). ⟹ **Mâcher.** — Géol. Au p. p. *Roches triturées par les glaciers.*

♦ **2.** (Mil. XIXᵉ). Manier à fond pour pétrir ou mêler. ⟹ **Malaxer, pétrir.** *Peintre qui triture largement la pâte* (cit. 11). *« Triturer sa palette »* (Maupassant, *Fort comme la mort*). *Triturer un mélange. Triturer les chairs et les massant.*
> J'ai senti tous les becs et toutes les mâchoires   1
> Des corbeaux lancinants et des panthères noires
> Qui jadis aimaient tant à triturer ma chair.
> BAUDELAIRE, les Fleurs du mal, CXVI (1857).

> Je le vois tout à coup (...) se jeter sur un sac plein d'herbe et de paille hachée,   2
> attaché au cou de sa monture, le vider sur le sol, triturer l'herbe et la paille (...)
> avaler le tout (je l'ai vu) à l'admiration du public et à la consternation du cheval
> qui, la tête penchée sur son maître, regarde avec mélancolie ce picotin si inutilement gaspillé (...)   Jérôme et Jean THARAUD, Marrakech..., v.

Triturer qqn.
> Je sentis avec surprise des mains qui me palpaient à travers mon manteau de lainage ; je crus qu'on cherchait à me voler mon sac et je le serrai sous mon bras ;   3
> les mains continuèrent à me triturer, absurdement.
> S. DE BEAUVOIR, Mémoires d'une jeune fille rangée, p. 161.

♦ **3.** (XXᵉ). Fam. *Se triturer les méninges, la cervelle :* se mettre l'esprit à la torture en cherchant qqch., en se faisant du souci.
> (...) parce que tu as deux fils qui t'échappent plus ou moins, tu te tritures les   4
> méninges et tu t'ingénies à te persuader que tu es un vieux jeton.
> M. AYMÉ, le Chemin des écoliers, VIII.

♦ **4.** (Fin XIXᵉ). Manier brutalement ou machinalement. *Triturer nerveusement ses clés, son briquet.* ⟹ **Tripoter.** — Au p. p. *Des registres fiévreusement triturés* (→ Poudreux, cit. 5).

B. Fig. Manipuler. *La presse* (cit. 11) *officielle n'a pas cessé de triturer l'opinion.*
> Jean m'écrit tous les jours ou presque. Des lettres sans en-tête et sans conclusion,   5
> des pensées en vrac qu'il me livre et que je lui renvoie après les avoir triturées.
> Benoîte et Flora GROULT, Journal à quatre mains, p. 166.

DÉR. **Triturable, triturant, tritureuse.**

TRITUREUSE [tʀityʀøz] n. f. — 1973, *la Banque des mots*, 3, p. 93 ; de *triturer*.

♦ Techn. Machine automotrice utilisée pour incorporer à un sol préalablement ameubli des matériaux d'apport.

TRIUMVIR [tʀijɔmviʀ] n. m. — 1507, au plur. *triumvires, in* D.D.L.; mot lat. du génitif *trium virum* « de trois hommes ».
Antiquité.

♦ **1.** Magistrat et officier public de Rome chargé, conjointement avec deux collègues, d'une branche de l'administration. *Triumvirs monétaires :* intendants de la monnaie.

♦ **2.** (1545). Spécialt. Celui qui gouverne en association avec deux autres qui sont ses égaux. — Par anal. Sous la Révolution, s'est dit de Robespierre, Couthon et Saint-Just.

Marc-Antoine et César ô triumvirs charnels,
Vous n'avez partagé que la terre et le sable.
Ch. PÉGUY, Suite d'Ève
(Premiers vers, auxquels répond le vers : « Ô Père, Fils, Esprit, éternels Triumvirs, » qui commence de nombreux quatrains de la même œuvre).

DÉR. **Triumviral.**

TRIUMVIRAL, ALE, AUX [tʀijɔmviʀal, o] adj. — 1579; de *triumvir.*

♦ Didact. (hist. de l'Antiq.). Qui appartient aux triumvirs. *Pouvoirs triumviraux.*

TRIUMVIRAT [tʀijɔmviʀa] n. m. — 1560; lat. *triumviratus,* de *triumvir.* → Triumvir.

♦ **1.** Antiq. **a** Fonction de triumvir; durée de cette fonction.

b (1573). Association de trois personnes qui exerçaient le pouvoir. *Le premier triumvirat* (Pompée, César, Crassus) *et le second triumvirat* (Octave, Antoine, Lépide).

1 (...) le Triumvirat de Rome avec celui d'Enfer, c'est-à-dire Antoine, Auguste, et Lépide, avec Radamante, Eaque et Minos (...)
CYRANO DE BERGERAC, Lettres diverses, « D'un songe ».
Durée de ce gouvernement.

♦ **2.** (1615, *in* D.D.L.). Association de trois personnes exerçant un pouvoir, une influence.

2 Ces messieurs formaient avec M. Maslon un triumvirat qui, depuis nombre d'années, tyrannisait la ville. STENDHAL, le Rouge et le Noir, I, XXII.

TRIVALENCE [tʀivalɑ̃s] n. f. — V. 1965; de *trivalent,* d'après *valence.*

♦ Chim. Caractère d'un élément trivalent.

TRIVALENT, ENTE [tʀivalɑ̃, ɑ̃t] adj. — 1876, « qui vaut trois fois »; de *tri-,* et *valence,* d'après *équivalent.*

♦ Chim. Qui possède la triple valence (⇒ **Valence**). *Corps trivalent.*

TRIVALVE [tʀivalv] adj. — 1808; de *tri-,* et *valve.*

♦ Sc. nat. Qui a trois valves. *Coquille trivalve.*

1. TRIVELIN [tʀivlɛ̃] n. m. — 1654, J. Loret, *la Muse historique;* → Arlequin, cit. 1; ital. *Trivellino,* nom propre d'un bouffon de comédie.

♦ Vx. Personnage de la comédie italienne. — Bouffon.

DÉR. **Trivelinade.**

2. TRIVELIN [tʀivlɛ̃] n. m. — 1846, Bescherelle; orig. incert.; p.-ê. de 1. *Trivelin* à cause de la courbure, le personnage ayant les jambes torses.

♦ Techn. Instrument du dentiste, utilisé pour l'extraction des molaires. — Syn. : *langue de carpe.*

Il brandissait un long trivelin, dont il voulait percer les joues de la condamnée (...)
Jean RAY, les Derniers Contes de Canterbury, p. 53.

TRIVELINADE [tʀivlinad] n. f. — 1683, La Fontaine; de 1. *trivelin.*

♦ Vx. Farce, bouffonnerie. → Battologie, cit., Queneau.

TRIVIAL, ALE, AUX [tʀivjal, o] adj. — 1690; 1550, lat. *trivialis* « commun, banal », proprt « de carrefour* » (*trivium* « trois voies »).

★ I. ♦ **1.** (Fin XVIIᵉ). Vx. Qui est connu de tous. ⇒ **Banal** (3.), **commun** (I., 4.), **rebattu.** « *Un endroit... que tous les écoliers savent par cœur... un passage si trivial* » (Bossuet, *Défense de la tradition (...)*, contre Richard Simon, IV).

♦ **2.** (1672). Vieilli ou littér. (en parlant d'opinions, d'idées, de paroles).

Qui, par un emploi répété et répandu, est devenu ordinaire, plat, et quelque peu vulgaire. ⇒ **Bas, commun** (I., 5.). *Un assemblage de sentiments communs* (cit. 21) *et d'expressions triviales...* — « *Tout cela est d'une vérité triviale* » (Voltaire, *in* Littré), reconnue évidente. *Idées* (cit. 56) *devenues triviales. Une sagesse un peu triviale* (→ Épais, cit. 19). *Une foule amoureuse de voluptés triviales* (→ Symphonique, cit. 1).

(...) maxime usée et triviale que tout le monde sait (...)
LA BRUYÈRE, les Caractères, XI, 149.

Décidément, il règne sur cette possession en commun une sorte de bien-être inférieur, d'agrément trivial qui m'irrite. Paul MORAND, l'Europe galante, p. 125.

Vx ou littér. (en parlant d'objets concrets). Ordinaire, sans intérêt particulier. « *Surface monotone* (cit. 4), *assemblage trivial et muet de petites plaines (...), de petits ravins (...)* ».

Antagoras a un visage trivial et populaire (...) LA BRUYÈRE, les Caractères, XI, 125.

(...) Grecs, Chinois, et les pitoyables familles italiennes que l'on peut voir sur les photographies, mal vêtus, sales et serrant contre eux quelques-uns de ces objets triviaux du genre poêle à frire ou édredon sauvé du désastre (...)
Claude SIMON, le Vent, XVI.

Est-ce que je dois les remarquer seulement, préoccupé que je suis par mes recherches, par mes travaux... Un univers intérieur trop riche m'empêche de m'intéresser à ces détails triviaux (...) N. SARRAUTE, le Planétarium, p. 85. 4.

Spécialt. Qui ne présente aucun caractère remarquable, dans le rang social. *Prénom trivial, sinon tout à fait plébéien* (→ Inélégant, cit. 2). — N. m. Vieilli. *Le trivial :* ce qui est trivial, commun, sans élégance ni distinction.

(*Le grotesque*) s'infiltre partout, car de même que les plus vulgaires ont mainte fois leur accès de sublime, les plus élevés payent fréquemment tribut au trivial et au ridicule. HUGO, Cromwell, Préface.

Le style trivial, familier ou populaire (sans idée de grossièreté choquante), par oppos. à *noble, sublime.*

♦ **3.** (1876). Cour., péj. Qui est caractéristique des éléments les plus bas*, les plus décriés de la société; qui est contraire aux bons usages, aux bienséances. ⇒ **Bas, choquant, sale, vulgaire.** *Des manières, des plaisanteries triviales, ignobles.*

(...) c'est un privilège des gens de mer que les plus étonnantes libertés de désinvolture ou de langage puissent, chez quelques-uns, n'être jamais triviales, jamais communes, jamais *peuple.* LOTI, Matelot, XX.

Spécialt (dans le langage). Qui désigne, ouvertement et d'une manière populaire, des réalités que le bon ton passe sous silence. ⇒ **Grossier, obscène, poissard.** *Langage trivial. Mot trivial. Expressions triviales.*

♦ **4.** (Mil. XXᵉ; angl. *trivial* « quelconque, insignifiant »). Anglic. Math., sc. Banal, évident. *Hypothèse, solution triviale.* — *Les sous-ensembles triviaux d'un ensemble :* ceux qui sont évidemment discernables. *Solution triviale d'un système d'équations :* celle où toutes les inconnues prennent la valeur zéro.

(...) pour une définition donnée des concepts « théorie » et « objet de la théorie », il existe une définition de la langue telle qu'elle puisse être considérée comme un objet pour une théorie quelconque. C'est la position qui sera adoptée ici : elle n'a, il faut le dire, rien de trivial (...)
Jean-Claude MILNER, De la syntaxe à l'interprétation, p. 9.

★ II. (1845, Bescherelle; repris lat. *trivialis*). Didact. *Dieux triviaux :* dieux qui présidaient aux carrefours, chez les Romains.

Par ext., qualifiant une représentation (statue, etc.), un monument sans rapport avec l'antiquité romaine. Littér. ou didact. Dressé à un carrefour. *Calvaires triviaux des routes bretonnes.*

Elle brûle, au nom d'Anthime, deux cierges aux côtés de la Madone triviale, à l'angle nord de la maison. GIDE, les Caves du Vatican, *in* Romans, Pl., p. 697. 8

CONTR. **Exceptionnel, rare.** — **Distingué, noble, sublime.** — **Correct.**
DÉR. **Trivialement, trivialiser, trivialité.**

TRIVIALEMENT [tʀivjalmɑ̃] adv. — 1596, « d'une manière banale ».

♦ **1.** Vieilli ou littér. D'une manière banale, commune.

♦ **2.** (1876). Mod. D'une manière grossière, vulgaire. *S'exprimer trivialement. Pour parler trivialement...*

♦ **3.** Sc., math. D'une manière triviale (I., 4.).

TRIVIALISER [tʀivjalize] v. tr. — 1872, Littré; de *trivial.*

♦ Rare. Rendre trivial.

TRIVIALITÉ [tʀivjalite] n. f. — 1611, Cotgrave; de *trivial.*

♦ **1.** (1669). Vieilli ou littér. Caractère de ce qui est rebattu, banal. *Trivialité de style d'une plume banale* (→ Grimaud, cit. 4).

La pire trivialité n'est point du tout d'être comme les autres; mais, n'ayant point reçu le don mortel de l'originalité, de prétendre en avoir une.
André SUARÈS, Trois hommes, « Ibsen », VIII. 1

(*Une, des trivialités*). Chose, parole banale. ⇒ **Banalité.**

Nous le demandons à nos prosaïstes eux-mêmes, que perdent-ils à la poésie de Molière? Le vin, qu'on nous permette une trivialité de plus, cesse-t-il d'être du vin pour être en bouteille? HUGO, Cromwell, Préface. 2

♦ **2.** (1876). Mod., cour. Caractère de ce qui est grossier, vulgaire, choquant. ⇒ **Grossièreté, vulgarité.** *Une plaisanterie, des manières d'une trivialité choquante.*
(Une, des trivialités). Parole, plaisanterie vulgaire et grossière. ⇒ **Obscénité.**

♦ **3.** (Mil. xxᵉ ; d'après le sens 1 et l'angl. *trivial* « quelconque, insignifiant »). Didact. Banalité insignifiante.

3 Une telle étude mérite d'être poursuivie, mais elle risque de ne pas sortir de la trivialité sociologique et de se perdre dans l'anecdote, dans les constats banals que l'on prouve à grand renfort de chiffres, avec un grand appareillage scientifique ou pseudo-scientifique.
        Henri LEFEBVRE, la Vie quotidienne dans le monde moderne, p. 353.

CONTR. Dignité, élévation, noblesse.

TRIVIUM [tʀivjɔm] n. m. — 1845 ; xIIIᵉ, *trive* ; lat. *trivium* « carrefour à trois voies ». → Trivial.

♦ Ancienn., didact. Division inférieure des sept arts enseignés dans les universités du moyen âge. *Le trivium* (grammaire, rhétorique, dialectique) *et le quadrivium*.

TROC [tʀɔk] n. m. — 1636 ; *troche*, 1434 ; *troque*, 1537 ; déverbal de *troquer.*

♦ **1.** Échange direct d'un bien contre un autre. ⇒ **Change** (vx), **échange** (dr.). *Faire un troc avec qqn. Proposer un troc à qqn. Faire le troc d'une chose avec une autre, de deux choses.* ⇒ **Troquer.** *Recevoir en troc* (Montesquieu, *in* Littré).

1 Le commerce avec les Maures (...) se fait en troc de marchandises sans être obligé de porter des espèces d'argent.
        J.-B. LABAT, Nouvelle Relation de l'Afrique-Occidentale, t. II, p. 47 (1728).

1.1 Nous ne trouvâmes pas sa femme chez lui ; elle était allée à une foire qui se faisait à dix ou douze lieues de là, pour troquer du sel et de la farine contre des peaux de rennes, de petits-gris et autres, car tout le commerce de ce pays se fait ordinairement en troc ; et les Russes et les Lapons ne font guère de marchés autrement.
        J.-F. REGNARD, Voyage en Laponie, p. 81.

2 Si rudimentaire que soit une société, on y pratique le troc ; et l'on ne peut le pratiquer sans s'être demandé si les deux objets échangés sont bien de même valeur, c'est-à-dire échangeables contre un même troisième.
        H. BERGSON, les Deux Sources de la morale et de la religion, p. 68.

Loc. Vx. *Troc pour troc* : sans supplément, par simple échange. Système économique excluant l'emploi de monnaie. *Économie de troc. Retour au troc en période d'inflation.*

3 Et notre économie hésite à chaque instant entre un développement illimité de la *symbolique* des *échanges*, et un retour tout à fait inattendu au système primitif, au système des sauvages, au troc.   VALÉRY, Variété III, p. 196.
Exportation de surplus agricoles compensée par l'importation d'autres produits. *Les États-Unis passent de nombreux accords de troc international.* — Par ext. Accord de compensation de marchandise entre deux pays sans règlement financier.

♦ **2.** Fig. Action de troquer (1. Troquer, 2.), d'échanger. *Le troc d'un avantage réel contre un titre flatteur.*

HOM. Troque.

TROCART [tʀɔkaʀ] n. m. — 1694, *troquart* ; altér. de *trois-quarts.*

♦ Chir. Tige métallique pointue coulissant à l'intérieur d'une canule, servant à faire des ponctions évacuatrices, des paracentèses.

TROCH-, TROCHO- Élément tiré du grec *trokhos* « roue, disque », et servant à former quelques termes scientifiques. ⇒ **Tro-choïde, trochoïdal, trochophore, trochotron.**

TROCHAÏQUE [tʀɔkaik] adj. — 1551 ; lat. *trochaicus*, grec *trokhaïkos.* → Trochée.

♦ Prosodie antique. Dont le pied fondamental est le trochée. *Rythme, vers trochaïque.* — *Césure, coupe trochaïque :* coupe de l'hexamètre dactylique, coupant le troisième pied en un trochée et une brève.

TROCHANTER [tʀɔkɑ̃tɛʀ] n. m. — 1541, *trocanter* ; grec *trokhan-têr*, de *trokhazein* « courir ».

♦ **1.** Anat. Chacune des deux apophyses du fémur. *Grand trochanter :* éminence à l'extrémité supérieure du fémur, en dehors du col. *Petit trochanter*, à la partie postérieure et inférieure du col du fémur, où se fait l'insertion du muscle psoas-iliaque.

♦ **2.** (1872, Littré). Zool. Second article des pattes de derrière des

insectes, qui s'articule avec la cuisse. — Second article des pattes de crustacés.

DÉR. Trochantérien, trochantin.

TROCHANTÉRIEN, IENNE [tʀɔkɑ̃teʀjɛ̃, jɛn] adj. — 1810 ; de *trochanter.*

♦ Anat. Relatif au trochanter (1. et 2.).

COMP. Sous-trochantérien.

TROCHANTIN [tʀɔkɑ̃tɛ̃] n. m. — 1810 ; de *trochant(er)*, et suff. *-in.*

♦ **1.** Petit trochanter.

♦ **2.** (1845, Bescherelle). Zool. Petite pièce du thorax des insectes.

DÉR. Trochantinien.

TROCHANTINIEN, IENNE [tʀɔkɑ̃tinjɛ̃, jɛn] adj. — 1810 ; de *trochantin.*

♦ Anat., zool. Du trochantin.

1. TROCHE [tʀɔʃ] n. f. — Fin xiᵉ, « touffe de roseau sur le même pied » ; xivᵉ, Machaut, « buisson » ; du lat. pop. **traduca*, dér. du lat. class. *tradux* « sarment qu'on fait passer *(traducere)* d'un cep à l'autre ».

★ **I.** ♦ **1.** Vx ou dial. Faisceau, gerbe, bouquet. ⇒ **Touffe.**

♦ **2.** (1352, Godefroy). Spécialt. Bouquet de perles, de pierres précieuses montées en fleuron.

★ **II.** N. f. pl. **TROCHES.** (1690, Furetière ; 1561, au sing.). Vén. Fumées à demi formées du cerf.

DÉR. 2. Trochée, trochet, trochure.
HOM. 2. Troche.

2. TROCHE [tʀɔʃ] n. f. — 1768, *in* D.D.L. ; lat. *trochus*, grec *trok-hos* « roue ». → Troch-.

♦ Coquillage univalve en forme de toupie conique, de « sabot ». Spécialt. Mollusque gastéropode *(Prosobranches)* à coquille blanche, bigarrée de diverses couleurs. — REM. On dit aussi *troque.*

DÉR. Trochidés.
HOM. 1. Troche.

1. TROCHÉE [tʀɔʃe] n. m. — 1551, Gruget ; lat. *trochœus*, grec *trokhaios*, proprt « coureur », de *trokhos* « course ».

♦ Didact. Dans la poésie antique, Pied formé de deux syllabes, une longue et une brève. *Vers dont le trochée est le pied fondamental.* ⇒ **Trochaïque ; choriambe, scazon** (trochée et iambe). — REM. On a employé aussi le mot *chorée.*
Dans la poésie moderne :

(...) je ne prétends à aucune originalité dans le rythme ou dans le mètre du *Corbeau.* Le premier est trochaïque (...) les pieds employés, qui sont des trochées, consistent en une syllabe longue suivie d'une brève : le premier vers de la stance est fait de huit pieds de cette nature ; le second de sept et demi (...)
        BAUDELAIRE, Trad. E. POE, Histoires grotesques et sérieuses,
                                « Genèse d'un poème ».

2. TROCHÉE [tʀɔʃe] n. f. — 1820 ; « bouquet de fruits », 1561 ; de 1. *troche.*

♦ Arbor. Faisceau de bourgeons, de rameaux, qui poussent d'un arbre coupé.

TROCHET [tʀɔʃɛ] n. m. — Mil. xviᵉ, Ronsard ; « assemblage de perles », v. 1400 ; dimin. de 1. *troche.*

♦ Bot. Groupe de fleurs, de fruits. ⇒ **Bouquet.** *Mode d'inflorescence en trochets. Trochet de noisettes.*

TROCHIDÉS [tʀɔkide] n. m. pl. — 1904, Larousse ; 1876, *trochidés* ; de 2. *troche*, et suff. *-idés.*

♦ Zool. Famille de mollusques gastéropodes prosobranches renfermant les *troches* et les espèces apparentées. — Au sing. *Un trochidé.*

TROCHILE [tʀɔkil] n. m. — 1872 ; « roitelet », 1611 ; lat. zool. *trochilus*, du lat. class. *trochilus*, grec *trokhilos* « roitelet ».

♦ Zool. Colibri, oiseau-mouche *(Trochilidés).* — REM. On trouve aussi la forme latine *trochilus* (v. 1880, Hugo).

TROCHILIDÉS [tʀɔkilide] n. m. pl. — 1877, Littré; *trochilides*, 1839; du lat. zool. *trochilus*. → Trochile.

♦ Zool. Famille d'oiseaux d'Amérique *(Passereaux)*, petits, à plumage multicolore, à bec arqué (colibris) ou droit (oiseaux-mouches). — Au sing. *Un trochilidé.*

TROCHILUS [tʀɔkilys] n. m. ⇒ **Trochile.**

TROCHIN [tʀɔʃɛ̃] n. m. — Av. 1828, Chaussier; dér. sav. du grec *trokhos* «roue». → Trochanter, trochiter.

♦ Anat. Petite tubérosité de l'extrémité supérieure de l'humérus, située en dedans du trochiter.

TROCHISCATION [tʀɔʃiskasjɔ̃] n. f. — 1872, Littré; de *trochisquer.*

♦ Pharm. Préparation de trochisques (1.).

TROCHISQUE [tʀɔʃisk] n. m. — XVIᵉ; *trocisque*, 1425; du lat. méd. *trochiscus*, du grec *trokhiskos* «petite roue; pastille».
Didactique ou technique.

♦ **1.** Pharm. Médicament composé de substances sèches pulvérisées, et moulées en forme de cônes, destiné aux fumigations par combustion.

♦ **2.** (1845). Tablette ou pastille de couleur à l'usage des peintres.

♦ **3.** Chacun des petits motifs ronds qui composent le décor de poterie dit *pastillage*; ce décor.
(...) on trouve dans les tumulis des poteries faites à la main, moulées ou tournées, séchées au soleil ou cuites au four, ornées soit par incision, soit en relief, en trochisque ou pastillage, enduites de barbotine ou sobrement dessinées (...)
          B. CENDRARS, Moravagine, Œ. compl., t. IV, p. 185.
DÉR. Trochisquer.

TROCHISQUER [tʀɔʃiske] v. tr. — 1588, au p. p., *in* D.D.L.; de *trochisque.*

♦ Pharm. Préparer (une substance) en trochisques (1.).
DÉR. Trochiscation.

TROCHITER [tʀɔkitɛʀ] n. m. — Déb. XIXᵉ; var. arbitraire de *trochanter*. → Trochin.

♦ Anat. Grosse tubérosité de l'extrémité supérieure de l'humérus, saillie située en dehors de la tête de cet os.

TROCHLÉE [tʀɔkle] n. f. — 1721; lat. *trochlea* «poulie», grec *trokhalia.*

♦ Anat. Surface articulaire en forme de poulie. *Trochlée fémorale*, située en avant sur l'extrémité inférieure du fémur (genou). *Trochlée humérale*, s'articulant avec la grande cavité sigmoïde du cubitus (coude).
DÉR. Trochléen.

TROCHLÉEN, ENNE [tʀɔkleɛ̃, ɛn] adj. — Av. 1875, Cruveilhier; de *trochlée.*

♦ Anat. D'une trochlée; qui comporte une trochlée. *L'articulation du genou* (cit. 1) *est trochléenne.*

TROCHO- ⇒ **Troch-.**

TROCHOÏDAL, ALE, AUX [tʀɔkɔidal, o] adj. — 1903, *in Rev. gén. des sc.*, nº 20, p. 1059; de *trochoïde.*

♦ Mécan. Relatif à une trochoïde. *Cavité trochoïdale.*

TROCHOÏDE [tʀɔkɔid] adj. et n. f. — 1872, Littré; grec *trokhoeïdes*. → Troch-, et suff. -oïde.
Sciences.

♦ **1.** Adj. Qui a la forme d'une roue tournant sur son axe. — Anat. *Articulation trochoïde*, ou, n. f., *une trochoïde* : articulation dont les surfaces sont des segments de cylindre, l'un convexe, l'autre concave.

♦ **2.** N. f. Syn. de *cycloïde*. — Courbe analogue, plus complexe. *«Nous n'insisterons pas sur le principe des cycloïdes, courbes engendrées par un cercle mobile roulant sans glisser autour d'un cercle fixe. Si, d'ailleurs, le point qui décrit la courbe n'est pas*

sur le cercle mobile, mais reste toutefois lié à lui, on parle de trochoïde» *(Science et Vie, nº 100, 1973).*
DÉR. Trochoïdal.

TROCHOPHORE [tʀɔkɔfɔʀ] n. f. — 1904, *in Rev. gén. des sc.*, nº 5, p. 247; de *trocho-*, et suff. *-phore.*

♦ Zool. Larve d'annélides ou de mollusques, en forme de toupie, à bouche latérale et double couronne de cils, correspondant au premier stade du développement de l'œuf. (On dit aussi *trochosphère*).

TROCHOSPHÈRE [tʀɔkɔsfɛʀ] n. f. — 1903, *in Rev. gén. des sc.*, nº 20, p. 1059; de *trocho-*, et *sphère.*

♦ Zool. Trochophore.

TROCHOTRON [tʀɔkɔtʀɔ̃] n. m. — V. 1968; de *trocho-*, d'après *trochoïde*, et *-tron*, d'après *électron.*

♦ Sc. Tube électronique à vide poussé, ou spectrographe de masse dans lesquels les trajectoires des ions contrôlés par champs électriques ou magnétiques sont des trochoïdes.

TROCHURE [tʀɔʃyʀ] n. f. — Mil. XIVᵉ; du rad. de 1. *troche* (II.), et *-ure.*

♦ Vén. Quatrième andouiller du cerf.

TROÈNE [tʀɔɛn] n. m. — 1545; *troine*, XIIᵉ; *tronne*, XIVᵉ; *troesne*, 1538; d'une forme dial. *trôy* (Metz), du francique **trugil.*

♦ Plante dicotylédone (n. sc. : *ligustrum;* famille des *Oléacées*), arbuste à feuilles presque persistantes, à drupes noires dont on extrait une teinture et qui est surtout cultivé comme arbuste décoratif. *Une haie de troènes.*
Les arbres, encore jeunes, n'avaient pas étouffé la végétation des aubépines et des troènes *(sic)* qui croissaient à leur pied, serrés comme les herbes d'une prairie.
          G. SAND, Histoire de ma vie, III, VIII.

TROGLO- Élément, du grec *trôglo-*, de *trôglê* «trou».

TROGLOBIE [tʀɔglɔbi] adj. — 1907, Larousse; de *troglo-*, et *-bie.*

♦ Biol. Qui vit en permanence dans les profondeurs souterraines, les cavernes. — N. m. *Les troglobies :* les êtres troglobies. ⇒ **Cavernicole.**
Le biologiste s'intéresse à une sorte de faune représentée, en général, par des individus de très petite taille, quelques millimètres à quelques centimètres, qui sont des invertébrés terrestres ou des aquatiques. Il y distingue les hôtes souterrains occasionnels, *trogloxènes*, les hôtes permanents, mais non différenciés sous l'influence du milieu souterrain, *troglophiles*, et les véritables habitants du milieu souterrain, les cavernicoles ou *troglobies* (les *fossiles vivants*).
          Félix TROMBE, la Spéléologie, p. 106.

TROGLODYTE [tʀɔglɔdit] n. m. — 1721, Montesquieu, *Lettres persanes*, 11-14; n. propre de peuple, XIIᵉ; lat. *troglodyta*, nom d'un peuple sauvage d'Afrique, grec *trôglodutês*, de *trôglê* «trou», et *dunein* «s'enfoncer».

★ **I.** Habitant d'une excavation naturelle (caverne, grotte), et, par ext., d'une demeure aménagée dans la terre, le roc (→ Hamadryade, cit. 3). — Par anal. Celui, celle qui vit, travaille sous terre.
Je venais de parcourir le pays des Matmata, qui vivent en troglodytes dans des cavernes qu'ils fouissent à même les monticules (...)   1
          G. DUHAMEL, Chronique des Pasquier, IX, XIII.
Et puis, j'aime aussi les cimetières, parce que ce sont des villes monstrueuses, prodigieusement habitées. Songez donc à ce qu'il y a de morts dans ce petit espace, à toutes les générations de Parisiens qui sont logés là, pour toujours, troglodytes définitifs enfermés dans leurs petits caveaux, dans leurs petits trous couverts d'une pierre ou marqués d'une croix (...)   1.1
          MAUPASSANT, les Tombales, Pl., t. II, p. 1240.

Par métaphore :
Qu'ils soient de la grotte de droite ou de celle de gauche, ces troglodytes parlent   2
pourtant le même idiome. Ainsi, pour désigner l'endroit, ils ne disent jamais, comme les gens d'en haut, «la ligne Maginot», ou «l'ouvrage», ou même «le béton». Ils disent «le trou». À cette profondeur, on ne pouvait mieux trouver. Cela fait image.   R. DORGELÈS, la Drôle de guerre, XIII.

★ **II.** (1778, Buffon; repris au grec). Zool. Oiseau *(Passereaux)* de petite taille, au corps ramassé, à la queue courte et relevée. *Le troglodyte est insectivore; il doit son nom à son nid couvert; on l'appelle improprement* roitelet.
Dans le choix des dénominations, celle qui peint et qui caractérise l'objet doit toujours être préférée : tel est le nom de *troglodyte*, qui signifie habitant des antres   3

et des cavernes, que les anciens avaient donné à ce petit oiseau et que nous lui rendons aujourd'hui ; car c'est par erreur que les modernes l'ont appelé roitelet.
BUFFON, Hist. nat. des oiseaux, Le troglodyte.

DÉR. Troglodytique, troglodytisme.

TROGLODYTIQUE [tʀɔglɔditik] adj. — 1842, Académie ; de *troglodyte.*

♦ Didact. Des troglodytes. *Habitations, villages troglodytiques.*

TROGLODYTISME [tʀɔglɔditism] n. m. — 1875 ; de *troglodyte.*

♦ Didact. Vie, habitat des troglodytes.

TROGLOPHILE [tʀɔglɔfil] adj. — 1907, Larousse ; de *troglo-,* et *-phile.*

♦ Biol. Qui recherche la vie cavernicole, sans y être entièrement adapté. — N. m. *Un troglophile* (→ Troglobie, cit.).

TROGLOXÈNE [tʀɔglɔksɛn] adj. — V. 1960 ; de *troglo-,* et grec *xenos* «étranger».

♦ Biol. Qui vit de manière non habituelle dans les lieux souterrains, les cavernes. — N. m. *Un trogloxène* (→ Troglobie, cit.).

TROGNARD [tʀɔɲaʀ] n. m. — Attesté XXᵉ ; mot dial. (Sologne) ; de *trognon.*

♦ Régional. Souche, tronçon d'arbre coupé. ⇒ 2. **Trogne.**
(...) l'autre *(porte),* à l'opposé, donnait sur un pré clos de haies, contre un trognard de chêne énorme que l'eau des pluies, à force de stagner sur sa cime, avait creusé comme une grotte. M. GENEVOIX, Raboliot, II, III.

1. TROGNE [tʀɔɲ] n. f. — 1458, *trongne,* var. *troigne,* 1580 *trogne ;* v. 1400, Christine de Pisan, *trongne* «forme, apparence» ; p.-ê. du gaulois **trugna* «groin, museau» ; selon Guiraud, dérivation régressive de *estrogner* (→ Trognon), p.-ê. d'un roman **extortionare,* de *tortionare,* de *torquere.*

Familier.

♦ **1.** Vx. Visage.

♦ **2.** Mod. Visage grotesque ou plaisant, et, spécialt, figure rubiconde d'un gros mangeur, d'un buveur (cit. 1). *« Ces superbes ivrognes, toutes ces trognes de brutes débridées et empiffrées »* (→ Mangeaille, cit. 4). *Trogne enluminée, rouge, rubiconde. — Avoir une drôle de trogne. Sa tignasse, sa trogne de potard mal embouché* (→ École, cit. 10). — REM. Dans le célèbre passage de Pascal : *«ces trognes armées...»* (*Pensées,* 82, éd. Brunschvicg), on considère généralement le mot comme une mauvaise lecture pour «troupe». Cf. Tourneur et Anzieu, éd. des *Pensées,* t. I, p. 26, Bibliothèque de Cluny.

1 (...) aucun détail de sa trogne enluminée par le soleil et par le vin n'est omis ou sacrifié. Th. GAUTIER, Voyage en Russie, XIV.
2 Femmes aux pressureurs, aux laboureurs,
éraflées et moulues,
vidées d'elles-mêmes comme par les pics-verts,
ne possédant plus rien de leur vie de jeunes filles,
ayant couché avec le Valais ivrogne
à la sainte trogne porcine
soufflant le foëhn
qui est cigare et plain-chant.
Maurice CHAPPAZ, « le Valais au gosier de grive »,
in Littér. de langue franç., p. 609.

2. TROGNE [tʀɔɲ] n. f. — 1842, Académie ; de *trognon.*

♦ Régional (Ouest). Arbre étêté. ⇒ **Têtard, trognard.**
Il était toujours droit, résistant et noueux ainsi qu'un bâton d'épine, la face creusée davantage, pareille à une trogne d'arbre, sous l'emmêlement de ses cheveux déteints, couleur de terre. ZOLA, la Terre, IV, I.

TROGNON [tʀɔɲɔ̃] n. m. — 1660, Oudin ; *troignon,* 1393 ; de l'anc. franç. *estroigner* «élaguer», var. de *estronchier,* même sens ; soit du lat. *truncare* «amputer» (→ Tronquer), soit d'un roman **extortionare.* → Trogne.

♦ **1.** Ce qui reste d'un fruit, d'un légume, quand on en a enlevé la partie comestible. ⇒ **Cœur.** *Trognon de pomme, de poire. Un trognon de salade.* — Plus cour. *Trognon de chou.*
1 Trois grandes filles mal peignées, en robes sales, parurent sur le seuil, croquant des pommes, crachant les trognons (...) ZOLA, Nana, VII.
Par anal. Plante rabougrie, sans fleurs ni feuilles (→ Rhododendron, cit. 1).
Loc. fig., fam. *Jusqu'au trognon :* jusqu'au bout (cf. pop. Jusqu'à l'os).

2 (...) celui *(le mot)* de patriotes — que votre propagande de guerre, en 1914, avait d'ailleurs ridiculisé jusqu'au trognon (...)
BERNANOS, les Grands Cimetières sous la lune, p. 306.
3 (...) ah ça, les Tuileries, ils les ont eues, ils les ont eues jusqu'au trognon, mon bon monsieur (...) il n'en restait que des pierres noires (...)
ARAGON, les Beaux Quartiers, II, XIII.
3.1 S'il faut, d'un autre côté, avoir tué père et mère, femme et enfants, avoir fait Buchenwald, s'être sorti de trois cancers, etc. pour se rendre compte enfin exact de ce qui nous attend, non dans l'éternité, mais ici et maintenant, alors oui, sans doute sommes-nous tous damnés jusqu'au trognon (...)
Georges PERROS, Papiers collés, p. 93.

♦ **2.** (V. 1610 comme appellatif, Béroalde de Verville ; 1610, *in* D.D.L.). Fam. Terme d'affection plaisant pour désigner un petit enfant, «une jeune fille petite» (Littré).
4 (...) il ajoutait en me prenant la taille : — Un petit trognon comme toi, ça flatte moins la vanité d'un amant (...) Mais c'est plus sérieux tout de même.
O. MIRBEAU, le Journal d'une femme de chambre, p. 369.
En appellatif. *Oui, mon trognon !* ⇒ **Chou.**
Adj. Mignon (→ Chou). *Ce qu'il est trognon !*

DÉR. Trognard, 2. **Trogne,** trognonner.

TROGNONNER [tʀɔɲɔne] v. intr. — 1838, Hugo ; de *trognon.*

♦ Fam. Prendre la forme d'un trognon. *« Un nez qui trognonne »* (le *Journal amusant,* 6 mars 1875, *in* D.D.L.).

TROGUE [tʀɔg] n. m. — 1875, *in* P. Larousse ; du grec *trôgein* «manger». → Sitotrogue.

♦ Zool. Insecte hyménoptère térébrant *(Ichneumonidés).*

TROÏKA [tʀɔika] n. f. — 1845, n. m., trad. de Gogol, *in* D.D.L. ; *«attelé de troïka»,* 1841, Dumas ; n. f., 1856 ; mot russe, «attelage de trois chevaux».

♦ **1.** Grand traîneau attelé à trois chevaux de front.
La troïka est un grand traîneau qui peut contenir quatre personnes se faisant face, plus le cocher ; elle est attelée de trois chevaux. Celui du milieu, engagé dans les brancards, a le collier et le cintre de bois (...) arrondi au-dessus du garrot ; les deux autres ne tiennent au traîneau que par un trait extérieur (...) Ces trois nobles coursiers, avec leurs têtières à chaînettes de métal, leurs harnais légers (...) rappellent ces attelages antiques qui traînent sur des arcs de triomphe des chars de bronze auxquels ils ne tiennent par rien. Ils semblent jouer et gambader au-devant de la troïka (...) Th. GAUTIER, Voyage en Russie, VII (1866).

♦ **2.** (V. 1965). Groupe de trois dirigeants politiques, de trois entreprises, etc. (d'abord en parlant du groupe formé par Staline, Zinoviev et Kamenev en 1922, en opposition à Trotski). *« Une troïka et un programme (... c'est) le "bulletin de santé" succinct des forces de gauche »* (le Nouvel Obs., 28 août 1972, p. 14).

TROIS [tʀwɑ] adj. numéral. — XIIᵉ ; *treis,* 980 ; du lat. *tres.*

♦ **1.** Adj. numéral cardinal. Trois (en chiffres : 3, III) égale deux plus un (nombre premier). *Les trois Grâces* (→ Lien, cit. 5), *les trois Furies* (→ Démon, cit. 4), *les trois Parques* (cit. 3). *Les trois rois Mages* (1. Mage, cit. 3). *Les trois Mousquetaires. Les trois ours. Les trois petits cochons. Les trois sorcières de Macbeth* (→ Arriver, cit. 15). *Les trois Horace et les trois Curiace.* — *« Que vouliez-vous qu'il fît contre* (1. Contre, cit. 23) *trois ? »* (Corneille). *S'avancer trois par* (cit. 33) *trois. Ils sont venus tous trois.* ⇒ **Trio.** *« Le plus âne* (cit. 7) *des trois n'est pas celui qu'on pense »* (La Fontaine). — *Ménage* (cit. 14) *à trois.* — Relig. *La Trinité*, éternelle coexistence* (cit. 1) *de trois personnes.* ⇒ **Trin.** *Les trois dieux d'une triade.* — *Les trois grands*. Les trois vertus théologales. Les trois messes de Noël* (→ Officiant, cit. ; 2. pale, cit.). *Les Matines ont trois Nocturnes* (cit. 3), *chaque Nocturne trois psaumes.* — *Les trois lois fondamentales du système solaire* (cit. 2). *La règle* (cit. 2) *des trois unités. Pièces en trois actes. Les pieds* (cit. 54) *de trois syllabes. Stances de trois vers.* ⇒ **Tercet.** *Trois mots. Un sot en trois lettres.* — *Un hôtel trois étoiles.* ⇒ **Trois-étoiles.** *Trois galons.* Fam. *Un trois galons :* un capitaine. — *Les trois dimensions de l'espace* (→ Descriptif, cit. 4 ; matière, cit. 1 ; près, cit. 9). *Les trois côtés d'un triangle*.* — *L'esprit humain traverse trois états qui correspondent aux trois phases de la connaissance* (→ Syncrétisme, cit. 2, Renan). — *Les trois états* (cit. 84), *les trois ordres. Les trois mots : Liberté, Égalité, Fraternité* (→ Mairie, cit. 2). *Les trois couleurs.* ⇒ **Tricolore.** — *Trois Contes,* œuvre de Flaubert (1877).

Trois ans. Un enfant de trois ans. Ellipt. *Un bail trois-six-neuf* (ans). — *Espace de trois mois.* ⇒ **Trimestre ; saison** (→ Floréal, cit ; pluviose, cit. 1). *Dix heures moins trois* (minutes). → 2. Pile, cit. 2. *La semaine des trois jeudis* (→ Gueux, cit. 8). *Les trois Glorieuses* (cit. 3). — *En trois fois, par trois fois* (→ Renier, cit. 5). Ellipt. *Et de trois.* — Mus. *Mesure à trois temps* (→ Menuet, cit. 2). Ellipt. *Mesure à trois-deux, à trois-quatre* (→ ci-dessous). — *Frapper trois coups. Frapper les trois coups,* au théâtre (→ Régisseur, cit. 2 ; sifflet, cit. 5). *En deux temps, trois mouvements.* — *Composé de trois éléments.* ⇒ **Ternaire.** *Radio à trois lampes* (ellipt. :

une trois lampes). Trois choses, trois objets. Trois francs (→ Raser, cit. 11). — Loc. *Haut* (cit. 5) *comme trois pommes.* — *Trois mentons.* ⇒ **Triple** (→ Obésité, cit.). — Loc. *Un brave à trois poils* (Molière, *les Précieuses ridicules*, 11). — *Croquis, étude aux trois crayons* (→ Sanguine, cit. 1). — *Trois dizaines.* ⇒ **Trente.** *Trois cents, trois mille. Trois mille six cents fois par heure, la seconde...* (cit. 1). « *Nous nous vîmes trois mille en arrivant* (cit. 2) *au port ». Divisé également en trois parties.* ⇒ **Tiers.** — *Trois moitiés, trois demis :* un et demi. *Trois cinquièmes. Trois quarts, les trois quarts* (par ext. : la plus grande partie). ⇒ 2. **Quart** (cit. 5 et *supra*).

1 Trois réunit l'expression de l'ensemble et celle de la composition ; c'est l'harmonie parfaite. La raison en est palpable, c'est un nombre composé qui ne peut être divisé que par un. De trois points placés dans des rapports égaux, naît la plus simple des figures. Cette figure triple n'est pourtant qu'une, ainsi que l'harmonie parfaite.   É. DE SENANCOUR, *Oberman*, XLVII.

2 Deux amis se promènent. Deux et non pas trois, car à trois on ne sait plus ce que l'on dit. À trois on est orateur, on est sérieux, on est sentencieux, on est éloquent, on est prudent (tous les vices). À trois on est circonspect ou on fait le téméraire (Cela revient au même). On craint ou on brave (C'est le même sentiment). On fait le moral, ou l'immoral (C'est la même chose). Trois, c'est le commencement du parlementarisme.   Ch. PÉGUY, *Note conjointe, Sur Descartes*, p. 62.

Ellipt. *Règle de trois* (ou *de proportion*), par laquelle on cherche le quatrième terme d'une proportion, quand les trois autres sont connus.

Deux ou trois, trois ou quatre : quelques-uns, un très petit nombre (→ Assembler, cit. 8). *Deux ou trois fois* (→ Cage, cit. 2 ; langue, cit. 23 ; philharmonique, cit.). *Je l'ai vu deux ou trois fois. Tous les trois ou quatre ans* (→ Lassitude, cit. 2).

Par ext. (approximatif). *Trois :* très peu de... *Crayonner en trois traits* (→ Silhouette, cit. 3). *Il lui reste trois cheveux sur le crâne. J'arrive dans trois minutes* (⇒ **Deux**). *Ne pas dire trois mots* (→ Suite, cit. 8 ; et aussi mutisme, cit. 1). Loc. *En trois* (ou *en deux*) *coups de cuiller à pot* (cit. 13) : en un tour de main.

♦ **2.** Adj. numéral ordinal. ⇒ **Troisième.** *Henri trois* (Henri III). *Page trois, chapitre trois, livre trois, tome trois. Numéro trois. Trois heures* (→ Office, cit. 12). — Fam. *« C'est la trois ou quatrième fois que... »* (Mᵐᵉ de Sévigné, 1180, 25 mai 1689).

♦ **3.** N. m. ⓐ Le nombre trois. *Trois et un quatre. Trois moins deux. Trois fois trois neuf. Multiplier par trois* (⇒ **Tripler**). Prov. *Jamais deux* sans trois. — Un, deux, trois, partez ! — Trois pour cent* (3 %). → Obligation, cit. 3. — *Le nombre trois* (→ Ellipse, cit. 4).

ⓑ Le chiffre, le numéro trois. *Écrire un trois en chiffres arabes* (3). *Vos trois sont mal faits, on ne peut pas les lire.*
Spécialt. Carte marquée de trois signes. *Le trois de carreau, de trèfle.* — Face d'un dé marquée de trois points. *Le double trois est sorti* (⇒ 2. **Terne**).
(1906). Figure de patinage à glace. *Un trois dedans avant. Trois et contre-trois.*

ⓒ (Au sens de l'ordinal). Troisième jour du mois. *Il est arrivé le trois.* — Maison... chambre... qui porte le numéro trois. *Il habite au trois, rue X. Le trois bis.*

DÉR. **Troisième.**
COMP. **Trois-deux, trois-étoiles, trois-huit, trois-mâts, trois-pièces, trois-points, trois-ponts, trois-quarts, trois-quatre, trois-six.**

TROIS-DEUX [trwadø] n. m. — 1765 ; de *trois,* et *deux.*

♦ Mus. Mesure à trois temps qui a la blanche pour unité.

TROIS ÉTOILES ou TROIS-ÉTOILES [trwazetwal] loc. nom. et adj. — 1694, Thomas Corneille ; de *trois,* et *étoile* au sens de « astérisque ».

♦ **1.** S'emploie pour désigner une personne dont on veut respecter l'anonymat. *« La comtesse de... trois étoiles. C'est ainsi, je crois que vous dites en français quand vous ne voulez pas nommer les gens »* (George Sand). — REM. Le graphisme *** est parfois lu [trwazetwal]. On écrit en toutes lettres *trois-étoiles.*

♦ **2.** (Mil. xxᵉ ; écrit *trois-étoiles*). Hôtel ou restaurant réputé classé dans une catégorie élevée (d'abord trois étoiles, aujourd'hui quatre ou cinq étoiles*). ⇒ **Palace.** *Il ne descend que dans des trois-étoiles. « Le restaurant était un trois-étoiles sur roues. On n'était pas pressé d'arriver »* (*l'Express,* 28 juil. 1979, p. 26). ⇒ **Étoile,** cit. 32.1.

1. TROIS-HUIT [trwaɥit] n. m. — 1768, Rousseau ; de *trois,* et *huit.*

♦ Mus. Mesure à trois temps qui a la croche pour unité.

2. TROIS-HUIT [trwaɥit] n. m. pl. — V. 1960 ; de *trois,* et *huit.*

♦ **1.** Système de travail continu qui nécessite la succession de trois équipes travaillant chacune huit heures. *Faire les trois-huit dans*

une usine. « Le travail posté, les trois-huit » (*l'Express,* 14 mai 1973, p. 32).

♦ **2.** Répartition de la journée en trois périodes de huit heures (travail, loisir, sommeil).

TROISIÈME [trwazjɛm] adj. numéral ordinal et n. — 1539 ; *troisime,* XIIᵉ ; de *trois.*

♦ **1.** (Adj. ordinal de trois). Qui suit le deuxième, le second. ⇒ **Ter, tertiaire** (adj.), **tiers.** *La troisième fois* (→ Blé, cit. 13). *La troisième heure* (→ Marquer, cit. 18). *En troisième lieu* (→ Moi, cit. 65). ⇒ **Tertio.** *Troisième point* (→ 1. Point, cit. 79). *La troisième race* (cit. 6). *Le troisième siècle. Le troisième âge*.* — *Troisième force.* — *La troisième puissance* (cit. 15). *La troisième dimension* (→ Tableau, cit. 4). *Au troisième ciel* (cit. 3). *En troisième page* (→ Information, cit. 3). — *La Troisième République.* — *La troisième personne*. À la troisième personne* (→ Glacer, cit. 27). — *Le troisième étage* (→ Loger, cit. 12), ou, n. m., *le troisième. Au troisième sur la cour* (→ Intimité, cit. 11). — Anciennt (en France, il n'y a plus que deux classes). *La troisième classe,* ou, n. f., *la troisième. Un compartiment* (cit. 1) *de troisième.* — *En troisième vitesse,* et, n. f., *la troisième. Passer en troisième.* — (1694). N. f. Classe qui se fait deux ans avant la première. *Un élève de troisième, la classe de troisième* (→ Lettre, cit. 40). — *Le troisième homme. Le troisième larron* (cit. 2). — N. *Le premier, le second, le troisième* (→ Chameau, cit. 1 ; et aussi frondeur, cit. 1 ; moût, cit. 2). *L'un, l'autre, un troisième* (→ Mouchard, cit. 11). *La troisième.*

1 (...) un rat d'une grande beauté que sa mère (...) a vendu le jour où elle n'a pu devenir ni premier, ni second, ni troisième sujet de la danse (...)
BALZAC, *les Comédiens sans le savoir,* Pl., t. VII, p. 17.

2 Un craquement soudain se déclara dans les murs, et tout rentra aussitôt dans le troisième dessous.   NERVAL, *Lorely,* « Fêtes de Hollande », I.

3 (...) ce manque, cette absence (de poids, inertie, infrastructures ?) qui leur permet de prendre un virage à quarante-cinq degrés ou même de sauter de la troisième à la marche arrière sans seulement avoir besoin de freiner, ni même de passer au point mort (...)   Claude SIMON, *le Vent,* p. 64.

Loc. *Le troisième sexe*.*

♦ **2.** Dans un classement. *Il est second, troisième,* ou, n., *le troisième* (→ Première, cit. 15). — (Dans les nombres composés). *Vingt-troisième, trente-troisième* (→ Ossification, cit.).

♦ **3.** Rare. Qui est contenu trois fois dans un tout. *La troisième partie d'un tout.* ⇒ **Tiers** (n. m.).

DÉR. **Troisièmement.**

TROISIÈMEMENT [trwazjɛmmɑ̃] adv. — 1680 ; de *troisième.*

♦ En troisième lieu, en ce qui concerne le troisième point. ⇒ **Tertio.**

TROIS-MÂTS [trwama] n. m. invar. — 1835, Académie ; de *trois,* et *mât.*

♦ Mar. Navire à voiles à trois mâts. *Trois-mâts carré, franc, à voiles carrées. Trois-mâts barque* (→ Gréer, cit. 2), à voiles carrées au mât de misaine et au grand mât. *Trois-mâts goélette,* dont la misaine seule a des voiles carrées. *Trois-mâts latin,* à voiles latines.

1 Suter n'en écoute pas davantage. Il se rend au bord de l'eau. Un trois-mâts-barque est embossé dans la rivière. C'est le Columbia qui se rend aux îles Sandwich.
B. CENDRARS, *l'Or,* in Œ. compl., t. II, p. 155.

2 Le General-Grant était gréé en trois-mâts goélette, et il possédait une grande surface de voilure, qui aidait puissamment la vapeur.
J. VERNE, *le Tour du monde en 80 jours,* p. 207.

TROIS-PIÈCES [trwapjɛs] adj. et n. m. ⇒ **Pièce.** — REM. En franç. d'Afrique, s'emploie au sens de *costume trois-pièces* (avec gilet).

TROIS-POINTS [trwapwɛ̃] loc. adj. invar. — 1933 ; de *trois,* et *points.*

♦ Fam. *Les frères trois-points :* les francs-maçons, à cause des trois points (.·.) symbole de la franc-maçonnerie.

1. TROIS-PONTS [trwapɔ̃] n. m. invar. — 1843, Landais ; de *trois,* et *pont,* II.

♦ Mar. anc. Navire à trois ponts, à trois batteries superposées.

2. TROIS-PONTS [trwapɔ̃] n. m. invar. — 1881 ; de *casquette à trois ponts.*

♦ Argot. Vx. Haute casquette portée, à la fin du XIXᵉ siècle, par les hommes du milieu.

1. TROIS-QUARTS [tʀwakaʀ] n. m. et adj. invar. — 1690, Furetière au sens I, 1 ; de *trois*, et *quart*.

★ **I.** N. m. invar. ♦ **1.** Chasse. Levraut mâle presque adulte.

♦ **2.** (1872, Littré). Mus. Violon d'une taille un peu inférieure à celle d'un instrument standard. *Les trois-quarts sont principalement destinés aux enfants qui commencent l'étude du violon.* — Appos. (autres instruments de la famille). *Un violoncelle trois-quarts, une contrebasse trois-quarts.*

♦ **3.** (1872, Littré). Vieilli. Coupé plus grand qu'un coupé ordinaire.

♦ **4.** (Mil. xxᵉ). Manteau plus court qu'un manteau ordinaire. *Un trois-quarts en daim, en lainage.* — Adj. *Imperméable trois-quarts.*

♦ **5.** (1900). Au rugby, Chacun des quatre joueurs (deux centres, deux ailiers) formant la ligne déployée derrière les deux demis et devant l'arrière. *Jouer dans une équipe comme trois-quarts centre, trois-quarts aile (trois-quarts aile gauche, aile droite).*

On se tourne enfin vers les plus beaux espoirs, vers la souplesse du trois-quarts centre qui est capitaine et s'avive déjà. Là-bas surtout tâtent le terrain, comme des pattes d'araignée, les jambes anguleuses et brusques du trois-quarts aile, qui sont les meilleures de l'équipe.   Jean PRÉVOST, Plaisirs des sports, p. 126.

★ **II.** Adj. invar. (1909, *in* D.D.L.). *Manches trois-quarts*, s'arrêtant entre le coude et le poignet. *Robe, veste à manches trois-quarts,* (opposé à *manches courtes, manches longues*).

2. TROIS-QUARTS [tʀwakaʀ] n. m. invar. — 1694, Thomas Corneille ; de *trois*, et *quart*, p.-ê. d'après *carre*.

♦ **1.** Chir. Trocart.

♦ **2.** (1872, Littré). Lime de section triangulaire. ⇒ **Tiers-point.**

TROIS-QUATRE [tʀwakatʀ] n. m. invar. — 1765, noté 3/4 ; de *trois*, et *quatre*.

♦ Mus. Mesure à trois temps, qui a la noire pour unité.

TROIS-SIX [tʀwasis] n. m. invar. — Fin xviiiᵉ ; de *trois*, et *six*.

♦ Vieilli. Mod. Alcool rectifié à degré élevé (plus de 85 °C), trois mesures de cet alcool ajoutées à trois mesures d'eau fournissant six mesures d'alcool à boire dit «preuve de Hollande», à 19° Cartier.

1 Il avala une énorme lampée. C'était de l'alcool presque pur ; mais il avait tellement froid que le trois-six lui parut aussi fade et insipide que l'eau claire.   Alphonse DAUDET, Jack, II, VIII.
2 D'ailleurs, Joseph n'aime pas que je me familiarise avec de simples matelots, de sales Bretons qui n'ont pas le sou, et qui se grisent d'un verre de trois-six (...)   O. MIRBEAU, le Journal d'une femme de chambre, p. 392.

1. TRÔLE [tʀol] n. f. — 1852, *in* D.D.L., *vente à la trôle* ; de *trôler*.

♦ Vx. *Vente à la trôle* ou *trôle* : colportage par un ouvrier en chambre (menuisier, ébéniste) des meubles qu'il a fabriqués. *Ouvrier à la trôle,* qui écoulait sa production de cette manière.

2. TRÔLE [tʀol] n. f. ⇒ 1. **Trolle.**

TRÔLÉE [tʀole] n. f. — xviiiᵉ, attestation isolée ; repris xxᵉ ; de *trôler*. Vieux ou régional.

♦ **1.** Bande, troupe. — Grande quantité.

Les veuves y viennent de la Joliette et de Saint-Lazare (...) avec des trôlées d'enfants.   R. DORGELÈS, Partir, p. 7.

♦ **2.** Volée de coups (Genet, *Notre-Dame des Fleurs, in* Cellard et Rey).

TRÔLER [tʀole] v. tr. et intr. — xiiᵉ, *troller* «faire aller çà et là», probablt du lat. pop. *tragulare* «suivre le gibier à la trace» ; lat. class. *trahere.*
Vieux ou régional.

♦ **1.** V. tr. Traîner, promener partout.

♦ **2.** V. intr. (xviᵉ). Aller ou courir çà et là, aller et venir.

On avait peine à se coucher (...) On trôlait autour de sa table.   R. ROLLAND, Jean-Christophe, Foire sur la place, II, p. 742.

DÉR. Trôle, trôlée, trôlerie, trôleur, trôlier, 1. **trolle.**

TRÔLERIE [tʀolʀi] n. f. — Attesté 1900, Colette ; de *trôler*.

♦ Vx ou régional. Vagabondage ; fait de flâner, d'aller sans but.

TRÔLEUR [tʀolœʀ] n. m. — 1660, Oudin, *trolleur* au sens 2 ; de *trôler*.
Vieux ou régional.

♦ **1.** (1852, *in* D.D.L.). Vx. Ouvrier ébéniste qui promenait ses meubles pour les vendre. — (1881). Commissionnaire qui vendait les meubles pour un artisan (on disait aussi *trôlier*).

♦ **2.** (1888). Vagabond.

TRÔLIER [tʀolje] n. m. — 1882, Vallès, *in* D.D.L. ; de *trôler*.

♦ Vx ou régional. Syn. de *trôleur* (1.).

TROLL [tʀol] n. m. — 1842 ; *trollon*, 1836, Académie ; mot suédois.

♦ Esprit follet, lutin des légendes scandinaves. *Des trolls.*
HOM. 1. et 2. **Trolle.**

1. TROLLE [tʀol] n. f. — 1655 ; déverbal de *troller*, forme anc. de *trôler.*

♦ Vén. Manière de chasser au hasard du lancer, après avoir découplé les chiens, si l'on n'a pu détourner le cerf avec le limier. — REM. On dit, on écrit aussi *trôle* [tʀol].
HOM. Troll, 2. **trolle.**

2. TROLLE [tʀol] n. f. — 1791 ; mot allemand.

♦ Plante herbacée appelée aussi *boule d'or (Renonculacées),* dont plusieurs espèces produisent des fleurs jaunes ou orange.
HOM. Troll, 1. **trolle.**

TROLLEY [tʀolɛ] n. m. — 1803 ; mot angl., de *to troll* «rouler». → Trôler.

♦ **1.** Dispositif composé d'une perche fixée au véhicule et d'un organe mobile de contact (petit chariot, poulie, archet), servant à transmettre le courant d'un câble conducteur (⇒ **Caténaire**) au moteur d'un véhicule. *Tramway à trolley. Les trolleys des autos tamponneuses d'une foire.*

1 Les autos se cognaient avec énergie, les trolleys crépitaient contre le filet métallique, des femmes criaient ; et au-delà, dans tout le reste de l'Uni-Park, il y avait cette rumeur de foule qui s'amuse (...)   R. QUENEAU, Pierrot mon ami, éd. L. de Poche, p. 19.

♦ **2.** (1941, *in* Höfler). Fam. Trolleybus.

2 Après avoir pris ses tickets, Besson alla s'asseoir à l'avant du trolley, à côté d'une femme corpulente.   J.-M. G. LE CLÉZIO, le Déluge, p. 88.

DÉR. **Trolleybus.**

TROLLEYBUS [tʀolɛbys] n. m. invar. — 1921, *in* Höfler ; de *trolley*, et *-bus*.

♦ Autobus électrique à trolley. *Dans cette ville, les tramways* ont été remplacés par des trolleybus.*

À un moment donné, un jeune homme traversa le trolleybus et vint s'asseoir en face de Besson.   J.-M. G. LE CLÉZIO, le Déluge, p. 89.

TROMBE [tʀɔ̃b] n. f. — 1642, Oudin ; ital. *tromba* «trompe, trompette», par métaphore ; du francique **trumba*, même sens (→ Trompe).

♦ **1.** Cyclone tropical déterminant, de la masse nuageuse à la mer, la formation d'une colonne nébuleuse tourbillonnante qui soulève la surface des eaux ; cette colonne.

Nous vîmes des trombes dans le golfe Persique (...)   1
Nous aperçûmes d'abord en cet endroit l'eau qui bouillonnait et était élevée de la surface de la mer environ un pied ; elle était blanchâtre, et au-dessus paraissait comme une fumée noire (...)   THÉVENOT, Voyage du Levant, 1664, *in* BUFFON, Preuves sur la théorie de la terre, XV.

Qui sait si l'onde qui tressaille,   2
Si le cri des gouffres amers,
Si la trombe aux ardentes serres,
Si les éclairs et les tonnerres,
Seigneur, ne sont pas nécessaires
À la perle que font les mers ?   HUGO, les Chants du crépuscule, V, VI.

(...) territoires entiers nivelés par des trombes qui broyaient tout sur leur passage,   2.1
plusieurs milliers de personnes écrasées sur terre ou englouties en mer : tels furent les témoignages de sa fureur, qui furent laissés après lui par ce formidable ouragan.   J. VERNE, l'Île mystérieuse, t. I, p. 2.

♦ **2.** *Trombe d'eau :* pluie torrentielle qui se déverse comme retombe l'eau d'une trombe. ⇒ **Cataracte, déluge** (→ Gros, cit. 39). *Il tombe des trombes d'eau.*

Il y vit un violent orage (...) des éclairs rouges brûlant à la pointe des herbes, dans   3
des éclats de foudre. Il y vit une trombe d'eau venir de plus de six lieues (...)   ZOLA, la Terre, III, I.

Par anal. *Une trombe de feu et de gravier, dans une explosion* (cit. 2).

♦ **3.** (xxᵉ). Par compar. (pour désigner un mouvement rapide et violent). *Comme une trombe, en trombe :* brusquement et rapidement (→ Bolide, cit. 1 ; dévaler, cit. 7 ; malle, cit. 6). *Passer comme une trombe. Départ brusque* (cit. 6), *en trombe.*

4 Cent kilomètres, c'est l'étalon de son activité, il passe en trombe, pense en trombe, sent en trombe, aime en trombe, vit en trombe.
O. MIRBEAU, la 628 E-8, le Départ, p. 7.

Par métaphore ou fig. *Ce type est une vraie trombe.* ⇒ **Ouragan, tourbillon.**

♦ **4.** Argot. Voiture (rapide). ⇒ **Bolide.**

C'est alors que de l'avenue du Président-Wilson débouche une trombe qui se dirige vers la rue Boissière.
Christine DE RIVOYRE, les Sultans, p. 192.

TROMBIDION [tʀɔ̃bidjɔ̃] n. m. — 1803, Boiste; du lat. zool. *trombidium* (fin XVIIIᵉ); du rad. de *trompe.*

♦ Zool. Animal arthropode, de l'ordre des arachnides acariens, dont une espèce, le *trombidion soyeux,* est très répandue en été dans les champs. *Les larves du trombidion, appelées* rougets, aoûtats, vendangeons, *s'attaquent à l'homme et aux animaux.*

DÉR. Trombidiose.

TROMBIDIOSE [tʀɔ̃bidjoz] n. f. — 1909, in D. D. L.; de *trombidion,* et -*ose.*

♦ Méd. Dermatose provoquée par le trombidion, dont les symptômes rappellent ceux de la gale.

TROMBINE [tʀɔ̃bin] n. f. — 1836; probablt du rad. de *trompe;* le *b* fait supposer une origine méridionale, cf. ital. *tromba.*

♦ Fam. Tête, visage (→ Moult, cit. 2). ⇒ **Binette, tronche.** *Avoir une drôle de trombine.* Le Trombinoscope, *publication satirique du XIXᵉ siècle qui publiait des caricatures de personnages en vue.*

1 Je compte revoir et baiser ta gentille petite trombine vendredi prochain (...)
FLAUBERT, Correspondance, 628, 17 déc. 1859.

2 On va rire un brin, dit gaiement Filochard, y va en faire une trombine, le vieux grigou, qui crie comme si on l'écorchait, parce qu'on lui emprunte un poulet!
L. FORTON, les Aventures des Pieds-Nickelés, *in* l'Épatant, 1908, p. 36.

HOM. Thrombine.

TROMBLON [tʀɔ̃blɔ̃] n. m. — 1803, Boiste; *trombon,* 1580, Baïf; altér. ital. *trombone.* (→ Trombone).

♦ **1.** Ancienn. Arme à feu portative dont le canon évasé en entonnoir pouvait recevoir une charge de plusieurs balles. ⇒ **Espingole** (→ Carabine, cit. 1; 2. pas, cit. 2). — **1923.** Sorte d'entonnoir qu'on adapte au canon d'un fusil, d'un mousqueton, pour le lancement de grenades.

1 Ali sous sa pelisse avait un cimeterre,
Un tromblon tout chargé, s'ouvrant comme un cratère,
Trois longs pistolets, un poignard (...)
HUGO, les Orientales, XIII.

♦ **2.** (1876). Par anal. *Chapeau tromblon,* ou *tromblon :* ancien haut-de-forme évasé au sommet.

2 Les gens que l'on rencontre en costume moderne, coiffés de chapeaux tromblons, vêtus de redingotes à la propriétaire (...) vous semblent plus ridicules qu'ils ne le sont (...)
Th. GAUTIER, Voyage en Espagne, p. 152.

TROMBONE [tʀɔ̃bon] n. m. — 1703, Brossard; *trombon,* v. 1580, Baïf; ital. *trombone,* augmentatif de *tromba* «trompe», anc. francique *trumba.*

A. ♦ **1.** Instrument à vent à embouchure, qui fait partie des cuivres. *Jouer du trombone dans un orchestre. Trombone à coulisse,* dont le tube replié forme une longue coulisse pouvant être allongée ou raccourcie (sept positions) de manière à produire des sons de hauteurs différentes; cf. Le «trombine à colosse» de Boris Vian. — (Depuis Sax). *Trombone à pistons,* où la longueur du tube varie par l'effet du jeu des pistons.

1 Au fond de la grange, on dansait toujours, Clou enflait les accompagnements de son trombone, dont le tonnerre étouffait le chant grêle du petit violon.
ZOLA, la Terre, III, III.

♦ **2.** (1842). Par métonymie. Joueur de trombone (→ Fripouille, cit. 1). ⇒ **Tromboniste.** *Il, elle est trombone dans un orchestre symphonique. Les grands trombones de jazz.*

B. Par anal. (de forme). ♦ **1.** Petite agrafe repliée en deux boucles, servant à retenir plusieurs feuillets. ⇒ **Attache.** *Trombones en fil métallique, en plastique.*

2 Arborer avec discrétion un ornement incongru. Une attache de bureau dite trombone en place de barrette dans les cheveux pour les filles.
Renée PIERRE-GOSSET, Burokratts *(sic)* et Samouraïs, p. 141.

3 J'accouple ces deux feuilles par une agrafe dite trombone. Pour qu'à deux, comme dans un mariage, elles affrontent mieux l'adversité.
P. GUTH, le Chat beauté, p. 99.

♦ **2.** (V. 1960). Partie centrale d'une antenne de télévision ou de modulation de fréquence, en forme d'ovale aplati.

DÉR. (De A., 1.). **Tromboniste.**

TROMBONISTE [tʀɔ̃bonist] n. — 1821, Castil-Blaze, in D. D. L.; de *trombone.*

♦ Rare. Musicien qui joue du trombone. ⇒ **Trombone** (A., 2.).

TROMMEL [tʀɔmɛl] n. m. — 1843, au sens 2; all. *Trommel,* proprt «tambour».

Technique.

♦ **1.** (1872). Trieur rotatif, cylindre à claire-voie, servant à classer les minerais et les cailloux selon leur grosseur.

♦ **2.** Cylindre employé au lavage mécanique des tubercules.

TROMPE [tʀɔ̃p] n. f. — Fin XIIᵉ; francique **trumba* «trompette» p.-ê. d'orig. onomatopéique.

★ **I.** ♦ **1.** Instrument à vent à embouchure, formé d'un tube évasé en pavillon (cor, olifant, et, spécialt, trompette). → Claironner, cit. 1; renommée, cit. 2. *Sonner de la trompe. La trompe semble être, avec la flûte et le sifflet, l'un des plus anciens instruments à vent.* — LOC. *A sons de trompe. Publier, proclamer* (cit. 1) *qqch. à son de trompe,* se disait des proclamations publiques précédées de coups de trompette (→ Brûler, cit. 8). Mod. *A son de trompe* (1657, Pascal) : à grand fracas, de façon publicitaire. *Annoncer, divulguer qqch. à son(s) de trompe.*

1 (...) ces renseignements qu'elle annonçait à grands sons de trompe, cornés journellement aux oreilles de son amie (...)
BARBEY D'AUREVILLY, Une vieille maîtresse, I, VI.

2 La trompe (...) est demeurée, avec sa suite de dérivés (cor, trompette, etc.), ses formes monumentales, ses attributions liturgiques, royales et militaires. Autant par son aspect que par le caractère de ses sonorités, elle a gardé avec le monde ancien (...) des rapports qui (...) ont joué en sa faveur.
A. SCHAEFFNER, *in* Encycl. Pl., Hist. de la musique, t. I, Genèse des instruments..., p. 114.

♦ **2.** (XVIᵉ). *Trompe de chasse,* ou *trompe :* cor simple (→ Imiter, cit. 4). — REM. Les spécialistes ont proscrit l'expression *cor de chasse* et disent toujours *trompe.*

2.1 L'usage des *Trompes de Chasse* dans l'orchestre est rare, et nous le regrettons vivement (...).
Il existe diverses sortes de *Trompes :* la *Trompe Dampierre,* enroulée à deux tours seulement; la *Demi-Trompe,* enroulée à trois tours; la *Petite Trompe,* enroulée à huit tours. La plus usuelle des *Trompes* est la *Demi-Trompe.* Elles ont toutes la même longueur et donnent la tonalité de *Ré.*
Ch. KOECHLIN, les Instruments à vent, p. 84.

3 Si nous avons partout substitué le terme de *cor de chasse* à celui de *trompe de chasse,* ce n'est point par malignité hérétique. Nous savions que *cor de chasse* était désuet, proscrit et «ridicule». Mais nous avons pensé que les proscripteurs avaient tort, contre la tradition, l'usage, l'équilibre et la musique des mots; et nous avons écrit, et nous maintenons avec une respectueuse fermeté, au besoin à cor et à cri : cor de chasse.
M. GENEVOIX, la Dernière Harde, Note de l'auteur, p. 5.

♦ **3.** Petit instrument à vent sommaire, servant à appeler. ⇒ **Corne, cornet** (→ Beuglement, cit. 1). *Berger qui sonne de la trompe* (→ Ranz, cit. 1). ⇒ **Corner, souffler.**

♦ **4.** (1896). Ancienn. Avertisseur d'auto, de bicyclette (→ Cloche, cit. 5; garer, cit. 3).

4 (...) il fourbissait d'une peau de daim la trompe de sa bicyclette, histoire d'occuper ses loisirs (...)
COURTELINE, Boubouroche, «Nouvelles», IV.

★ **II.** Par anal. (de forme). **A.** ♦ **1.** (1538, R. Estienne). Ⓐ Chez les Proboscidiens (éléphant, cit. 6, etc.), Prolongement musculeux de l'appendice nasal, constituant un organe à la fois tactile et préhensile, ainsi qu'un tube de pompage et de refoulement (→ Éventrer, cit. 3). *Trompe du tapir :* appendice analogue, mais court et non préhensile (→ Prestigieux, cit. 1).

Ⓑ (1685). Chez certains insectes (suceurs), mollusques et vers, Organe buccal très développé, rétractile ou non, armé (⇒ **Stylet**) ou non, servant surtout de tube de pompage. ⇒ **Suçoir** (→ Machaon, cit.). *La trompe des papillons, des mouches.*

♦ **2.** (1677). Par métonymie. Vx. Variété de baleine.

♦ **3.** Fam. Nez proéminent.

5 Avise-toi pas d'ver la trompe en l'air pendant l'moment que dure la chose, ou de tendre la main pour voir s'il pleut.
H. BARBUSSE, le Feu, t. II, p. 13.

B. Anat. ♦ **1.** (1690, Furetière). *Trompe de Fallope,* ou *trompe utérine :* conduit allant de chaque côté de l'utérus vers l'ovaire correspondant, se terminant par un entonnoir pourvu de franges *(pavillon de la trompe).* Inflammation d'une, des trompes. ⇒ **Salpingite.**

♦ **2.** (1765). *Trompe d'Eustache :* canal qui relie au rhinopharynx la partie antérieure de la caisse du tympan. (⇒ **Oreille).**

6 C'est peut-être quelque chose de spécial dans mes oreilles, un nerf qui s'est mal logé : je me suis même fait examiner ma trompe d'Eustache par un spécialiste, une fois, pour voir ce qu'il y avait, mais il n'a rien trouvé.
R. GARY, la Promesse de l'aube, p. 206.

★ **III.** (1567 ; Phil. Delorme). Archit. Section de voûte formant saillie et supportant la poussée verticale d'un élément de construction en encorbellement. *Trompe supportant une tourelle en encorbellement* (à l'angle d'une tour carrée, par ex.). *Trompe en niche, sphérique,* en forme de coquille. *Trompe dans l'angle,* qui occupe un angle rentrant. Spécialt. *Trompes permettant de racheter* le carré. Coupole sur trompes ou sur pendentifs. Petite trompe.* ⇒ **Trompillon.**

★ **IV.** Techn. Machine pneumatique servant, comme la pompe, à aspirer ou à refouler mais utilisant l'écoulement d'un liquide qui entraîne l'air. *Trompe à eau, à mercure.*

DÉR. Trompette, trompillon.

TROMPE- Premier élément de mots composés, tiré du verbe *tromper.* ⇒ **Trompe-la-mort, trompe-l'œil.**

REM. Sur le modèle de *trompe-l'œil,* on rencontre *trompe-oreille* (Apollinaire, 1918, *in* D.D.L.) ou *trompe l'oreille ; trompe-l'esprit* (Cocteau, 1919, *in* D.D.L.) ; *trompe-cœur* (Claude Roy, 1953, *in* D.D.L.).

Il *(Joyce)* emploie tous les subterfuges, truquages, procédés : le demi-mot (avec clin d'œil), le calembour, le faux plein verbal, le trompe-l'oreille, toutes les lacunes du discours cohérent par où il prétend faire passer autre chose.
Henri LEFEBVRE, la Vie quotidienne dans le monde moderne, p. 18.

TROMPE-LA-MORT [tRɔ̃plamɔR] n. invar. — 1835, Balzac ; surnom de Vautrin, personnage de *la Comédie humaine ;* de *tromper,* et *mort.*

♦ Personne qui échappe à la mort, que la mort semble ne pouvoir atteindre.

Allons ! ne vous désolez plus, ma petite demoiselle ; dans huit jours, ce jeune trompe-la-mort sera sur pied ; c'est moi qui vous en réponds (...)
Alphonse DAUDET, le Petit Chose, II, XVI, p. 387.

TROMPE-L'ŒIL [tRɔ̃plœj] n. m. invar. — 1803 ; de *tromper,* et *œil.*

♦ **1.** Peinture visant essentiellement à créer, par des artifices de perspective, l'illusion d'objets réels en relief.

1 Cette armure était une merveille d'exécution, un véritable trompe-l'œil : elle brillait d'un éclat si neuf, elle était si polie, si fourbie, si illuminée de reflets, si étoilée de clous, elle faisait si bien miroir, que l'or du cadre paraissait faux à côté (...)
Th. GAUTIER, Portraits contemporains, « Ziegler. »

2 Les peintres (...) peignaient des colonnes et, derrière ces colonnes, des lignes fuyantes qui donnaient à la pièce des dimensions de palais. Je ne sais pas s'ils se laissaient prendre, ces vaniteux Pompéiens, à ces trompe-l'œil, mais il me semble que j'en aurais eu horreur (...) S. DE BEAUVOIR, la Force de l'âge, p. 278.

(1867, Baudelaire). EN TROMPE-L'ŒIL : en recourant à cette technique picturale. *Décor en trompe-l'œil. Paysage peint en trompe-l'œil.*

♦ **2.** (1876). Fig. Apparence trompeuse, chose qui fait illusion. ⇒ **Façade.**

3 À première vue, il ne s'agit dans ce projet de communauté méditerranéenne que d'un trompe-l'œil : qui pourrait croire possible une confédération franco-maghrébine tant que la guerre durera ?
F. MAURIAC, le Nouveau Bloc-notes 1958-1960, p. 35.

TROMPEMENT [tRɔ̃pmɑ̃] n. m. — 1924, *in* Petiot ; de *tromper.*

♦ Sports. En escrime, Fait de soustraire la pointe du fer à la parade adverse. *Trompement au contact.*

TROMPER [tRɔ̃pe] v. tr. — 1420 ; 1388, Du Cange, *se tromper de (qqn)* « se jouer de (qqn) » ; p.-ê. emploi fig. de l'anc. v. *tromper,* 1217, « sonner de la trompe, annoncer à son de trompe », évolution contestée par Guiraud, qui postule *triumphare* « triompher », d'où « se moquer de... », et « tromper ».

♦ **1.** (Personnes). Induire en erreur quant aux faits ou quant à ses intentions, en usant de mensonge (cit. 9), de dissimulation, de ruse (cit. 2). ⇒ **Abuser, amuser, attraper, berner, blouser, circonvenir, duper, jouer, leurrer, moquer** (se), **mystifier, piper** (vx), **séduire** (littér.), **surprendre** ; fam. **avoir, baiser, couillonner, embabouiner** (vx), **emboîter, empaumer, jobarder, posséder.** Cf. En faire accroire*, mener en bateau*, donner le change*, en conter*, fiche (foutre) dedans*, faire marcher*, bourrer le mou*, dorer la pilule* à (qqn). *Tromper qqn dans un marché, une affaire.* ⇒ **Escroquer, flouer, voler** ; fam. **empiler, enfiler, entôler, estamper, pigeonner, repasser** (vx), **rouler.** *Des charlatans* (cit. 4) *qui se font un jeu de tromper les hommes.* ⇒ **Éblouir ; enjôler.** *Tromper les autres sur sa personnalité :* se faire passer pour un autre. *Tromper les peuples, les hommes, l'opinion* (→ Donner, cit. 38 ; enseigner, cit. 10 ; estimer, cit. 16 ; fort, cit. 61 ; guerre, cit. 19). *Tromper un ami.* ⇒ **Trahir** (→ Publier, cit. 1). *Tromper l'ennemi par une feinte* (cit. 10). « *Qui diable* (cit. 33) *est-ce donc qu'on trompe ici ?* » « *Car c'est double* (cit. 4) *plaisir de tromper le trompeur*. » *Le flatteur* (cit. 5) *ne trompe ordinairement que les sots. Personne facile à tromper.*

⇒ **Crédule, dupe, gogo, innocent, naïf, simple.** *Il est défiant, il a peur qu'on le trompe. Se faire tromper.*

1 (...) malgré sa perspicacité profonde et son habitude de juger les hommes ; il a été trompé par celui à qui tu succèdes, il a failli devenir victime d'un abus de confiance. BALZAC, Honorine, Pl., t. II, p. 256.

1.1 (...) et comme les Lapons, qui agissaient ainsi, se sont vus trompés, la crainte qu'ils ont de l'être encore les met sur leur garde à tel point, qu'ils se trompent plutôt eux-mêmes que d'être trompés.
J.-F. REGNARD, Voyage en Laponie, p. 121.

1.2 Ils aiment mieux dire, on nous trompe, que d'avouer qu'ils se trompent eux-mêmes (...) SADE, Justine..., t. I, p. 122.

Absolt. ⇒ **Bluffer, comédie** (jouer la), **déguiser, dissimuler, feindre, mentir, tricher, truquer** (→ Carte, cit. 9 ; donner, cit. 51 ; fiction, cit. 2 ; humilité, cit. 3 ; imposture, cit. 6 ; renard, cit. 1). « *L'art de plaire* (cit. 8) *est l'art de tromper*. » *Tromper sur la qualité de la marchandise.* ⇒ **Frauder** (→ Exploiter, cit. 10).

2 (...) les grands ont souhaité d'être flattés ; les Jésuites ont souhaité d'être aimés des grands. Ils ont tous été dignes d'être abandonnés à l'esprit du mensonge, les uns pour tromper, les autres pour être trompés. PASCAL, Pensées, XIV, 919.

Spécialt (dans la vie amoureuse et conjugale). Être infidèle* (cit. 6) à... *Tromper son amant* (→ Fidèle, cit. 8). *Tromper son mari* (→ Invention, cit. 13 ; servir, cit. 27), *sa femme* (→ Mérite, cit. 3). ⇒ **Adultère ; infidélité.** *Si tu me trompais avec la première* (cit. 7) *venue. Être trompé.* → Fam. Être cocu* ; avoir, porter les cornes* (→ Duperie, cit. 3).

3 — Elle vous tromperait, répondit-il, parce que « tromper », entendez-vous, tromper encore, tromper sans cesse, toute la femme, monsieur, est là !
COURTELINE, Boubouroche, « Nouvelles », II.

4 Une femme qu'on aime suffit rarement à tous nos besoins et on la trompe avec une femme qu'on n'aime pas.
PROUST, À la recherche du temps perdu, t. XIV, p. 16.

(1673, Racine). Échapper à une surveillance, à une poursuite. *Tromper un gardien* (→ Éternel, cit. 40). *Animal qui trompe le chasseur.* ⇒ **Change** (donner le). — (Le compl. ne désigne pas une personne). *Malfaiteur qui trompe la surveillance, la vigilance de la police.* ⇒ **Déjouer, endormir** (→ Évader, cit. 3). *Tromper les regards de qqn.* ⇒ **Échapper, soustraire** (se).

5 J'ai su tromper les yeux de qui j'étais gardé. RACINE, Phèdre, III, 5.

6 Jean Valjean (...) s'était engagé dans les rues, faisant le plus de lignes brisées qu'il pouvait, revenant quelquefois brusquement sur ses pas (...) Cette manœuvre est propre au cerf traqué. Sur les terrains où la trace peut s'imprimer, cette manœuvre a, entre autres avantages, celui de tromper les chasseurs et les chiens par le contre-pied. C'est ce qu'en vénerie on appelle *faux rembuchement.*
HUGO, les Misérables, II, V, I.

♦ **2.** (Sujet n. de chose). Faire tomber (qqn) dans une erreur, une méprise, ou une illusion, sans intervention volontaire, mensongère d'autrui. *Nos sens ne nous trompent pas* (→ Image, cit. 7 ; œil, cit. 34). « *La raison* (cit. 36) *nous trompe plus souvent que la nature*. » *L'apparence* (cit. 7) *vous trompe.* ⇒ **Abuser.** *Tromper l'œil du spectateur.* ⇒ **Trompe-l'œil.**
Un de ses pressentiments qui ne la trompaient pas (→ Auréole, cit. 11). — Absolt. *Ce saisissement* (cit. 3) *qui ne trompe jamais* (→ aussi Instinct, cit. 32). *La lumière* (cit. 22) *qui ne trompe pas, celle de la conscience.* — *Ce qui vous trompe, c'est que...* (→ Suinter, cit. 4). *C'est ce qui vous trompe :* c'est en quoi vous faites erreur (→ Inculpation, cit. 3). *Cela ne trompe personne.*

7 Les pingouins (...) portent la tête très haut, avec leurs ailes pendantes, comme deux bras ; et comme la queue se projette hors du corps sur la même ligne que les cuisses, l'analogie avec la figure humaine est vraiment frappante et pourrait tromper le spectateur au premier coup d'œil ou dans le crépuscule du soir.
BAUDELAIRE, Trad. E. POE, les Aventures d'A. Gordon Pym, XIV.

♦ **3.** (1580, Montaigne). Sujet n. de chose. Ne pas répondre à..., être inférieur à... (ce qu'on attend, ce qu'on souhaite). ⇒ **Décevoir, frustrer.** *Tout trompe notre attente* (→ Couronner, cit. 13). *L'événement* (cit. 3) *trompe vos souhaits.* ⇒ **Contredire.**

(Au passif). *Être trompé dans son attente, dans ses espoirs.* ⇒ **Désappointer, frustrer.**

8 Tu la connais : ce n'est pas qu'elle soit intéressée ; mais elle est comme toutes les autres, qui n'aiment pas être trompées dans leur attente.
DIDEROT, Jacques le fataliste, Pl., p. 693.

♦ **4.** (1555, Rabelais). Donner une satisfaction illusoire ou momentanée à... (un besoin, un désir). *Tromper la faim, la soif. Les sciences* (cit. 5) *propres à assouvir ou à tromper la curiosité des hommes. Pour tromper mon impatience* (cit. 10). — Par ext. (avec un compl. abstrait). Faire diversion à... (qqch.). « *Et pour tromper l'ennui d'une attente* (cit. 3) *importune*. » *Lire pour tromper son ennui. Chanson pour tromper l'attente* (→ Guetteur, cit. 2). *Cette agitation trompait leur gêne* (→ Rouvrir, cit. 8 ; et aussi forger, cit. 8). — Vieilli. *Tromper le temps :* s'amuser, s'occuper à qqch. afin de ne pas trouver le temps long (Académie).

9 Je lis en quelque livre, ou feins de composer,
Ou seul je me promène encore,
Essayant de tromper l'ennui qui me dévore.
RONSARD, Élégies, « Second discours ».

10 Les arts et la beauté de la nature ne venant pas tromper vos heures, il ne vous reste qu'à vous plonger dans une grossière débauche ou dans ces vérités spéculatives dont se contentent les Allemands.
CHATEAUBRIAND, Mémoires d'outre-tombe, t. VI, p. 27.

11 *(L'arbre)* produit de petites baies réunies en grappes rouges, légèrement acides, fraîches à manger, et qui, faute de mieux, trompent la soif.
E. FROMENTIN, *Un été dans le Sahara*, p. 51.

▶ **SE TROMPER** v. pron.

♦ **1.** (1553). Commettre une erreur (cit. 9 et 24). ⇒ **Abuser** (s'), **blouser** (se), **broncher**, **égarer** (s'), **errer** (I.), **faillir**, **illusionner** (s'), **méprendre** (se), **tort** (avoir); et → les fam. Se ficher dedans*, se gourer*, se mettre le doigt dans l'œil*, se planter*. *Chacun* (cit. 8) *se trompe ici-bas.* « *Ils peuvent se tromper comme les autres* (cit. 2) *hommes* ». *Tout le monde peut se tromper.* ⇒ **Faillible.** « *Et ceux qui ne font* (cit. 44) *rien ne se trompent jamais à demi* ». *Se tromper lourdement* (→ Capital, cit. 8), *grossièrement* (→ Fait, cit. 44). *Tu t'es encore trompé !*

12 *Se tromper est la rançon de penser* (...) L'humanité règne par des erreurs hardies.
ALAIN, *Propos*, 9 oct. 1921, « Divination ».

13 (...) je suis un vieil homme qui a beaucoup vécu, qui s'est souvent trompé et qui, depuis quelques années, se trompe un petit peu moins souvent.
SARTRE, *la P... respectueuse*, I, 4.

13.1 (...) ce ne sont pas mes affaires. Bon. Très bien. je le reconnais ; je me suis trompé, fichu dedans, fourré le doigt dans l'œil, tout ce que vous voudrez. Et pas à moitié. Du tout au tout.
Claude SIMON, *le Vent*, p. 14.

Se tromper dans ses raisonnements (→ 1. Droit, cit. 22), *dans ses calculs, en telle matière* (→ Flair, cit. 3). *C'est en quoi je me trompais* (→ Justice, cit. 8). *Tu te trompes si tu penses que...* (→ Attirail, cit. 4 ; ingrat, cit. 9). *Se tromper sur..., quant à..., pour ce qui est de. Je me suis trompé sur lui.* ⇒ **Méjuger.** *Se tromper à..., en considérant...* « *Et, si je ne me trompe à la couleur* (cit. 15) *du mets...* » (→ aussi Cordialité, cit. 1 ; motiver, cit. 3). « *On pourrait aisément s'y tromper* » (→ Animal, cit. 3). *On s'y tromperait. Ne t'y trompe pas* (→ Étrange, cit. 6 ; et aussi hameçon, cit. 2 ; italique, cit. 1). *L'instinct populaire ne s'y est jamais trompé* (→ Égoutier, cit. 1). ⇒ **Prendre** (se laisser). *Il lui ressemble à s'y tromper.* — *Se tromper de...* (suivi d'un nombre). *Se tromper de tant dans un compte* : faire une erreur de... (→ Bougre, cit. 1). *Se tromper d'un franc en rendant la monnaie.*

(Académie, 1798). **SE TROMPER DE...** (suivi d'un subst. sans article) : faire une confusion* de... ⇒ **Confondre, prendre** (pour). *Se tromper de route* : prendre la mauvaise route (→ Renseigner, cit. 2). ⇒ **Fourvoyer** (se), **route** (faire fausse). *Se tromper de direction* (→ Tasser, cit. 3). *Se tromper d'adresse.* Fig. Ne pas s'adresser à la personne qui convient (→ Prendre, cit. 66). *Se tromper de date, d'heure* (→ Indifférent, cit. 12), *de saison* (→ Ombelle, cit. 2).

(1633, *in* D.D.L.). Loc. *Si je ne me trompe* : sous réserve d'erreur, sauf erreur. → Aumône, cit. 15 ; improvisation, cit. 1. *A moins que je ne me trompe.* → Flamber, cit. 11. *(Ou) je me trompe fort, ou...*, sert à introduire un énoncé que, sauf erreur improbable, on donne comme vrai (→ Bombance, cit. 1 ; diamant, cit. 7). — (Dans l'ordre inverse). *Voilà une histoire morale ou je me trompe fort* (→ Moral, cit. 6).

♦ **2.** (Réfl.). Se mentir. « *Et l'amour-propre engage à se tromper soi-même* » (→ Duper, cit. 2). « *Des hommes qui sont nés faux* (1. Faux, cit. 24), *qui se trompent eux-mêmes* ».

14 Faites voir à des enfants quelque tour de cartes, et puis faites-leur trouver, par l'examen des mouvements à découvert et au ralenti, comment et pourquoi ils ont été trompés ; ils seront bien étonnés en comprenant qu'ils ont très peu constaté, et qu'ils ont supposé beaucoup, enfin qu'ils n'ont pas été trompés, mais plutôt qu'ils se sont trompés eux-mêmes, comme le langage l'exprime si énergiquement.
ALAIN, *Propos*, 7 oct. 1923, Éloge de l'apparence.

♦ **3.** (Récipr.). *Adversaires qui cherchent à se tromper. Époux qui se trompent.*

15 Le mari et la femme que nous montre M. Sacha Guitry, malgré tout leur amour, manquent de bien peu de se tromper mutuellement (...)
Paul LÉAUTAUD, *le Théâtre de M. Boissard*, XL.

▶ **TROMPÉ, ÉE** p. p. adj.

(Au sens 1). *Acheteur trompé, trompé sur la marchandise.* — Spécialt. *Épouse trompée. Mari trompé.* ⇒ Fam. **Cocu, cornard** ; → Égayer, cit. 11 ; indice, cit. 9.

16 Vous venez d'avouer que j'ai été, grâce à vous, un de ces êtres ridicules, toujours bafoués, quoi qu'ils fassent, comiques s'ils se taisent, et plus grotesques encore s'ils se fâchent, qu'on nomme des maris trompés.
MAUPASSANT, *la Revanche*, Pl., t. II, p. 385.

Surveillance trompée, déjouée.

(Au sens 2). Abusé. *Trompé par son jugement* (→ 1. Faux, cit. 11). *Joueur trompé par le rebond d'une balle. Les lièvres trompés par la clarté lunaire* (→ Gîte, cit. 3).

(Au sens 3). *Espérances* (cit. 25) *trompées* (→ Dissiper, cit. 22). *Le regret de son désir trompé* (→ Plaisir, cit. 17). — (Au sens 4). *Impatience trompée.*

CONTR. Avertir, désabuser, détromper, instruire. — Raison (avoir).
DÉR. Trompement, tromperie, trompeur.
COMP. Détromper, trompe-la-mort, trompe-l'œil.

TROMPERIE [tʀɔ̃pʀi] n. f. — XIVᵉ ; de *tromper.*

♦ **1.** Fait d'induire volontairement en erreur ; moyen utilisé dans cette intention (paroles, actes) ; comportement de celui qui trompe

(1.) ou cherche à tromper. ⇒ **Artifice, bluff, duperie, fausseté, feinte, foi** (mauvaise), **fourberie, hypocrisie, imposture, invention, matoiserie** (vx), **mensonge, mystification, piperie** (vx), **supercherie, tricherie** ; → 2. Adresse, cit. 8 ; fabriquer, cit. 12 ; justifier, cit. 10. « *L'autre était passé maître en fait* (cit. 46) *de tromperie* ». *Tromperie en affaires, dans le commerce.* ⇒ **Altération, baraterie, dol, escroquerie, falsification, fraude, gabegie** (vx), **supercherie** ; → Falsifier, cit. 1 ; salir, cit. 5. *Tromperie en amour* (→ Favorable, cit. 8 ; méfiance, cit. 1).

1   Dès que la jalousie est découverte, elle est considérée par celle qui en est l'objet comme une défiance qui autorise la tromperie.
PROUST, *À la recherche du temps perdu*, t. XI, p. 73.

(Une, des tromperies). C'est une énorme tromperie. ⇒ **Attrape.** *Une tromperie ridicule.* ⇒ **Farce.** *Une habile tromperie.* ⇒ **Passe-passe** (tour de).

♦ **2.** (1553). Vieilli. Fausse apparence ; illusion qu'elle détermine. ⇒ **Amusement** (vx), **illusion, leurre.** *Les tromperies que nous font les sens* (→ Erreur, cit. 7).

2   Un soleil de matin, apportant, même à travers des rideaux, des persiennes, des grillages, cette joie éphémère, et cette tromperie éternelle des renouveaux terrestres (...)
LOTI, *les Désenchantées*, II.

TROMPETER [tʀɔ̃pete] v. — Conjug. *jeter.* — 1339 ; de *trompette.*

♦ **1.** V. intr. (Vx). Jouer de la trompette.
Pousser son cri, en parlant de l'aigle. ⇒ **Glatir.**

♦ **2.** V. tr. (1640, Oudin). Vx. Annoncer (une nouvelle), appeler (qqn) à son de trompe.
(Mil. XVIᵉ, Amyot). Fig. Publier bien haut et partout. ⇒ **Crier** (sur les toits).

Son héroïsme l'attendrissait sur elle-même. Ce n'était pas un mufle d'homme qui se serait sacrifié comme ça, sans le trompeter.   ZOLA, *Nana*, VIII.

DÉR. Trompeteur.

TROMPETEUR [tʀɔ̃petœʀ] n. m. — 1530, Palsgrave ; de *trompeter.*

♦ **1.** Vx. Sonneur, joueur de trompette.

♦ **2.** (1721, Trévoux). Anat. (vx). ⇒ **Buccinateur** (2.).

TROMPETTE [tʀɔ̃pet] n. f. et m. — 1319, *in* D.D.L. ; dimin. de *trompe.*

★ **I.** N. f. ♦ **1.** Instrument à vent à embouchure, à son éclatant, qui fait partie des cuivres. *Utilisée dès l'antiquité* (⇒ **Buccin** ; → Bataille, cit. 20), *la trompette a pris différentes formes avant d'être pourvue de trois pistons donnant le chromatisme* (→ Harmonique, cit. 3). ⇒ **Bugle, cornet.** *Trompette simple, dite Trompette de cavalerie.* ⇒ **Clairon** (→ Instrument, cit. 5 ; mouvement, cit. 21). *Trompette d'harmonie* (1820), *à pistons. Trompette basse*, au tube plus long, permettant des notes plus graves. — *Trompette bouchée,* dont l'embouchure a été munie d'une sourdine.

(Non qualifié). Spécialt. **[a]** *Trompette militaire* (sans pistons). *Trompette suspendue par son bandereau. Sonner, jouer de la trompette* (→ Conque, cit. 3 ; hymne, cit. 2). *Sonnerie, fanfare* (cit. 1) *de trompettes* (→ Extinction, cit. 3). *Tambours et trompettes* (→ Barbare, cit. 22). — Loc. *Sans tambours* ni trompettes. *Trompette guerrière* (cit. 6 et 7), qui donnait le signal du combat.

1   (...) tout à coup les trompettes des mousquetaires, des chevau-légers, et des gens d'armes sonnèrent, presque en même temps, le *boute-selle* et *à cheval.*
A. DE VIGNY, *Cinq-Mars*, XXIV.

2   (...) on entendait les trompettes turques, au timbre grave, qui sonnaient en face, sur la côte d'Asie, où les soldats ont un poste (...)
LOTI, *les Désenchantées*, XL.

Allus. bibl. *La trompette du jugement** (cit. 2) *dernier* (→ Résurrection, cit. 1). — *Les trompettes de Jéricho,* qui firent s'effondrer les murs de la ville, quand Josué en sonna.

Loc. fig. (vieilli). *La trompette de la Renommée*. Entonner* (2. Entonner, cit. 7), *emboucher la trompette* : prendre le ton épique, sublime, emphatique. *Sonner de la trompette* : publier ses hauts faits, ses mérites (→ Aumône, cit. 2). — Loc. *« Que l'on déloge* (cit. 7) *sans trompette* », sans bruit. *Déloger sans tambour* ni trompette. — (1640 ; personnes). *C'est la trompette du quartier,* qqn d'indiscret, qui révèle et divulgue les secrets, les nouvelles.

[b] *Trompette d'harmonie,* à pistons (opposé à *clairon,* à *trompette* au sens a ci-dessus, à *cornet,* à *bugle*). *Armstrong est passé du cornet à la trompette.*

(1861). Par compar. EN TROMPETTE. *Nez en trompette,* retroussé (comme le pavillon d'une trompette). *La queue en trompette,* relevée.

♦ **2.** Par anal. **[a]** (1636, Mersenne, *in* D.D.L.). Par anal. de sons. *Trompette marine* : ancien instrument à archet, composé d'une table d'harmonie (trois planchettes jointes en triangle) sur laquelle était tendue une corde (ainsi appelé parce qu'il était utilisé pour les signaux dans la marine anglaise). → Harmonieux, cit. 5. — *Jeu de trompettes d'un orgue** (cit. 2 et 3).

b (Fin XVIIIᵉ). Par anal. de forme. Coquillage en forme de trompe (buccins, tritons, etc.). — Appos. *Oiseau-trompette.* ⇒ **Agami.** (1845). *Trompette de la mort* (ou *des morts*) : craterelle, champignon basidiomycète, comestible.

♦ **3.** Pop. (Vieilli). Tête, figure. ⇒ **Trombine.**

2.1 Dès que le sommeil eut bouclé ses paupières, un bruit imperceptible se fit entendre dans l'intérieur du placard et la sympathique trompette de Ribouldingue s'encadra dans l'étroite ouverture pratiquée dans la cloison.
L. FORTON, les Aventures des Pieds Nickelés, *in* l'Épatant, 1911, p. 44.

★ **II.** N. m. (1365). Joueur de trompette (I., 1., a) d'un régiment de cavalerie. *Un des trompettes de l'escadron.* Appos. *Caporal trompette.* — (1872). *Trompette major :* chef des trompettes.

3 Un trompette traversait le pont, allant d'une échelle à l'autre. Hirata Takamori l'appela, donna l'ordre de sonner le branle-bas du soir (...)
Claude FARRÈRE, la Bataille, XXX.

Musicien qui joue de la trompette d'harmonie. ⇒ **Trompettiste.** *Le trompette d'un orchestre de jazz.*

DÉR. Trompeter, trompettiste.

TROMPETTISTE [tʀɔ̃petist; tʀɔ̃pɛtist] n. — 1821, Castil-Blaze, *in* D.D.L.; de *trompette.*

♦ Musicien qui joue de la trompette (d'harmonie) dans un orchestre. *Trompettiste de jazz; trompettiste classique.*

TROMPEUR, EUSE [tʀɔ̃pœʀ, øz] adj. — XIIIᵉ; de *tromper.*

♦ **1.** (Personnes). Qui trompe, aime à tromper, est capable de tromper*, par mensonge, par dissimulation. ⇒ **Artificieux, déloyal, double, fourbe, hypocrite, menteur, perfide.** *Les méchants sont trompeurs, empressés à s'insinuer* (cit. 15). *Un mauvais génie* (cit. 2), *rusé et trompeur.*

Vx. *Ce sexe trompeur :* les femmes (cit. 24).

N. (rare au fém.) *Un trompeur* (→ Aussi, cit. 40; double, cit. 4; pareil, cit. 13). *C'est un trompeur et un fourbe. Se méfier des trompeurs. Le trompeur des contes populaires* (angl. *trickster*). — Rare au fém. *C'est une grande trompeuse. La fortune* (cit. 6) *est une grande trompeuse.* — Loc. prov. *À trompeur, trompeur et demi.*

1 Un trompeur en moi trouve un trompeur et demi.
CORNEILLE, la Veuve, IV, 7.

(Choses). *Discours trompeurs.* ⇒ **Beau, brillant, décevant, fallacieux** (cit. 1), **insidieux, mensonger** (→ Ajouter, cit. 15; et aussi dissimulateur, cit.). *Promesses trompeuses* (→ Amuser, cit. 6). « *De qui la sacrilège et trompeuse grimace...* » (cit. 11).

2 Mais d'un aveu trompeur voir ma flamme applaudie,
C'est une trahison, c'est une perfidie.
MOLIÈRE, Dom Garcie, IV, 8; et le Misanthrope, IV, 3.

♦ **2.** (1538; choses). Qui induit en erreur. ⇒ **Faux.** *Les apparences* (cit. 17) *sont trompeuses.* ⇒ **Fallacieux** (→ Appât, cit. 1). *Images trompeuses* (→ Cher, cit. 18). *Perceptions trompeuses* (→ Ouï-dire, cit. 4). « *Les puissances* (cit. 20) *trompeuses* » (Pascal). « *Mais l'exemple* (cit. 3) *souvent n'est qu'un miroir trompeur* ». *Espérance* (cit. 2) *trompeuse* (→ 1. De, cit. 103). *Silence trompeur* (→ Renversement, cit. 2). *Éclat trompeur, emprunté.* ⇒ **Clinquant.** *Une apparente et trompeuse stupidité* (→ Distinguer, cit. 15). *Avantage trompeur et faux* (→ Nationaliste, cit. 3). ⇒ **Illusoire.**

3 Et on a beau avoir éprouvé tant de fois combien sont trompeurs ces mirages des printemps, on s'y laisse prendre encore, comme on s'y laissera prendre toujours, jusqu'à l'heure de la vieillesse sombre.
LOTI, Figures et Choses..., Profanation.

4 Mais ces choses qui se font si naïvement, surtout chez une femme, prennent, quand on les rapporte, un air de perversité, trompeur comme un éclairage de théâtre.
J. ROMAINS, les Hommes de bonne volonté, t. V, IV, p. 33.

CONTR. Dupe, simple; droit, sincère, vrai.
DÉR. Trompeusement.

TROMPEUSEMENT [tʀɔ̃pøzmɑ̃] adv. — Mil. XVIᵉ; de *trompeur.* Littéraire ou style soutenu.

♦ D'une manière trompeuse, qui induit en erreur. ⇒ **Menteusement.** *Alléguer trompeusement qqch.* ⇒ **Faussement.**

TROMPILLON [tʀɔ̃pijɔ̃] n. m. — 1676, Félibien; de *trompe.*

♦ Archit. Petite trompe. *Trompillon de voûte.*

TRONC [tʀɔ̃] n. m. — XIIᵉ, au sens 1 ; aussi « morceau » en anc. franç., var. *tron* (→ Tronche); du lat. *truncus*, adj., « ébranché, tronqué », et n., « tronc ».

♦ **1.** Partie inférieure et dénudée de la tige (de certains arbres) entre les racines et les branches maîtresses (⇒ **Enfourchure**) et qui est constituée d'un tissu ligneux au centre (⇒ **Bois, duramen**) et de tissus mous formant l'écorce*. *Un tronc d'arbre mouillé, glissant et rond* (→ Aveuglette, cit. 1). *Tronc lisse, rugueux, avec des flaches, des broussins.* « *Hêtres, charmes, bouleaux, vieux troncs couverts d'écailles, Piliers géants...* » (cit. 15). *Troncs d'oliviers*

(cit. 1), *de platanes* (cit.). *Graver* (cit. 1) *des noms sur un tronc.* « *Dans son tronc caverneux* (cit. 1) *logeaient force souris* » (La Fontaine). *Une greffe* (2. Greffe, cit. 1) *est une bouture plantée dans un tronc vivant. Étronçonner un arbre en ne lui laissant que le tronc. Troncs d'arbres coupés.* ⇒ **Souche.** *Troncs d'arbres utilisés dans la charpenterie, débités, coupés.* ⇒ **Madrier, plançon, poutre, rondin.** *Transport des troncs.* ⇒ **Flottage, radeau, schlittage, train** (de bois).

1 (*Le figuier-sycomore*) est de la taille des plus gros chênes; il atteint des années plus longues encore; son tronc a quelquefois jusqu'à trente ou quarante pieds de tour (...) L'ombre de ces arbres (...) s'étend à une grande distance du tronc (...)
LAMARTINE, Voyage en Orient, « les Druzes », 3 oct. 1832.

2 Au milieu de l'herbe on remarque un tronc déraciné, gisant, verdissant.
HUGO, les Misérables, II, I, II.

3 Tel arbre d'espèce unique, dont le tronc, épaissi par l'âge, garde dans ses couches superposées, dans ses nœuds, dans ses courbures, dans son branchage, tous les dépôts de sa sève, et l'empreinte des innombrables saisons qu'il a traversées.
TAINE, les Origines de la France contemporaine, III, t. I, p. 219.

4 Les troncs se dressaient droits, innombrables comme des faisceaux de colonnettes gothiques (...)
ZOLA, Thérèse Raquin, XI.

(1636). Par anal. *Tronc de colonne :* fût* ou partie d'un fût de colonne. ⇒ **Tronçon.**

TRONC COMMUN : origine commune. *L'homme* (cit. 7) *se rattache au tronc commun d'où sont issus les différents groupes d'animaux.* ⇒ **Origine.** — (V. 1960). Fig. Partie commune appelée à se diviser, à se différencier. *Tronc commun d'une ligne d'autobus, de métro :* portion d'itinéraire commune à plusieurs lignes. — Spécialt. Unification partielle de l'enseignement court (collège moderne) et de l'enseignement long (lycée) pour les premières années.

♦ **2.** (XIIIᵉ). Récipient, boîte en bois ou en métal percée d'une fente permettant d'y déposer aumônes et offrandes, dans les églises (→ Kopeck, cit.). *Le tronc des âmes du Purgatoire* (→ Finir, cit. 24), *des pauvres. Tenir le tronc* (→ Patronnesse, cit. 2). — *Pendant longtemps on a payé les impôts dans une espèce de tronc* (→ Proportionné, cit. 4). *Voler dans les troncs.*

5 (...) un nocturne spoliateur du tronc des pauvres, accoutumé à dévaliser les églises.
Léon BLOY, la Femme pauvre, I, I.

Fig., vieilli. *Voler le tronc des pauvres :* faire des profits malhonnêtes sur les pauvres.

♦ **3.** (1926, Esnault). Fam. Tête (⇒ **Tirelire, tronche**). *Se mettre qqch. dans le tronc.*

6 Mais quoi, on ne compte pas plus que si on était des vieilles femmes, faut pourtant bien se mettre ça dans le tronc.
M. AYMÉ, Travelingue, p. 67.

♦ **4.** (Déb. 1314). Anat. Partie principale (d'un nerf, d'un vaisseau, artère, veine). *Le tronc et les ramifications. L'aorte fournit un tronc commun pour l'irrigation de l'estomac, du foie et de la rate* (→ Collatéral, cit. 1). *Tronc artériel, veineux. Tronc vasculaire. Les troncs brachio-céphaliques veineux du médiastin. Tronc cœliaque d'où provient l'artère hépatique. Tronc cérébral, formé du bulbe rachidien, de la protubérance annulaire et du mésencéphale.*

♦ **5.** (1559). Partie du corps humain où sont fixés la tête et les membres (thorax; abdomen). *Partie supérieure* (⇒ **Buste, torse**), *inférieure du tronc* (⇒ **Bassin**), *séparées par le diaphragme* (cit. 1). *Le membre supérieur s'articule avec le tronc par l'intermédiaire de l'omoplate* (→ Clavicule, cit.). — En appos. *Homme-tronc.* ⇒ **Homme** (3.).

Représentation du tronc humain. *Tronc d'une statue* (⇒ **Buste, torse**), *d'une marionnette* (cit. 3).

(1846). Zool. Chez les vertébrés (*Mammifères*), Partie principale du corps où sont fixés la tête, les membres et la queue. — Vx. Thorax des insectes.

♦ **6.** (1875). Géom. **TRONC DE...** Dans les figures solides, Partie comprise entre la base et une section plane parallèle. *Tronc de cône.* ⇒ **Tronconique.** *Troncs de pyramide, de prisme. La hauteur du tronc de cône de révolution est la distance des plans des deux bases. L'apothème du tronc de cône de révolution est la portion d'une arête du cône comprise entre les plans de base.*

CONTR. Branche.

TRONCATION [tʀɔ̃kɑsjɔ̃] n. f. — Mil. XXᵉ; 1552, « fait de tronquer »; lat. *truncatio* « amputation », du supin de *truncare.*

♦ Ling. Procédé d'abrègement d'un mot polysyllabique par suppression d'une ou plusieurs syllabes. *Radio et vélo sont des troncations de radiographie et de vélocipède.*

TRONCATURE [tʀɔ̃katyʀ] n. f. — Av. 1808, Cuvier, *in* D.D.L.; du lat. *truncatus*, p. p. de *truncare* (→ Tronquer).

♦ **1.** État de ce qui est tronqué; partie tronquée d'une chose.

Entre ces contreforts se creusaient autant de vallées étroites, hérissées d'arbres, dont les derniers bouquets s'élevaient jusqu'à la troncature du premier cône.
J. VERNE, l'Île mystérieuse, t. I, p. 120.

♦ **2.** Minéralogie. Remplacement d'un angle ou d'une arête par une facette. *La troncature d'un cristal.*

TRONCE [tʀɔ̃s] n. f. — 1409, var. de *tronche*; de *trons* «tronçon». → Tronçon.

Vieux ou régional.

♦ **1.** Portion de tronc à sections parallèles et transversales. ⇒ **Billot.**

♦ **2.** Tronche (I., 1.) de Noël.

TRONCHE [tʀɔ̃ʃ] n. f. — 1304, Godefroy; fém. de *tronc*.

★ **I.** ♦ **1.** Vx ou régional. Morceau de bois gros et court. — Bûche de Noël.

♦ **2.** (Mil. XVIᵉ, Belleau). Techn. Arbre de futaie dont on coupe les branches périodiquement.

★ **II.** (1596). Fam. Tête (péj. ou iron.). *Avoir une drôle de tronche.* ⇒ **2. Tranche.**

1   On ne dit pas la tête, cria Gavroche, on dit la tronche.
                                        HUGO, les Misérables, IV, VI, II.
2   Il a sa frime sérieuse, le Nantais, mais comment deviner ses pensées de derrière la tronche?   Albert SIMONIN, Hotu soit qui mal y pense, p. 123.

TRONCHER [tʀɔ̃ʃe] v. tr. — Fin XIXᵉ; var. de *trancher*.

♦ Vulg. Posséder sexuellement (qqn). ⇒ **Baiser,** v.
Les matelots avec une fille s'enfoncèrent sous les arbres : Querelle laissa ses copains la troncher d'abord, puis il s'approcha d'elle étendue dans l'herbe.
                                        Jean GENET, Querelle de Brest, p. 180.

TRONCHET [tʀɔ̃ʃɛ] n. m. — Mil. XIIIᵉ, «billot», en général; de *tronc*. → Tronc, tronche.

Technique (vieux ou régional).

♦ **1.** (1680). Gros billot de bois à trois pieds dont se servent les tonneliers.

♦ **2.** (1765). Billot sur lequel est fixée la bigorne (petite enclume) des orfèvres.

TRONCHIN [tʀɔ̃ʃɛ̃] n. m. — Attesté XXᵉ; de *table à la Tronchin*, 1777, Louis Dufour; du nom de Théodore *Tronchin* (1709-1781), médecin suisse.

♦ Techn. Petite table à écrire et à dessiner, à pupitre inclinable monté sur crémaillère, en usage à la fin du XVIIIᵉ siècle (style Louis XVI).

TRONÇON [tʀɔ̃sɔ̃] n. m. — XIIᵉ; *trunçun*, 1080, *la Chanson de Roland*; du lat. pop. **trunceus*, du lat. class. *truncus* «tronqué».

♦ **1.** Partie coupée, rompue (d'un objet plus long que large). ⇒ **Morceau, fragment.** *Couper qqch. en plusieurs tronçons.* ⇒ **Tronçonner.** *Tronçon de bois* (coupé dans un tronc*). ⇒ **Bille, billon, billot, tronce.** *Des tronçons de statues* (→ Démantibuler, cit. 1).

1   Ce puits n'a point pour devanture la large dalle bleue qui sert de tablier à tous les puits de Belgique. La dalle bleue y est remplacée par une traverse à laquelle s'appuient cinq ou six difformes tronçons de bois noueux et ankylosés qui ressemblent à de grands ossements.   HUGO, les Misérables, II, I, II.
1.1 On pensait malgré soi à ces mannequins de féerie qui, habilement substitués à l'acteur grâce au double fond de quelque meuble, sont proprement découpés sur la scène en tronçons pourvus à l'avance d'un trompe-l'œil sanguinolent.
                                        Raymond ROUSSEL, Impressions d'Afrique, p. 26.

Archit. *Tronçon de colonne :* morceau taillé formant le fût d'une colonne. Par métaphore. → ci-dessous, cit. 3. *Colonne en tronçons, par tronçons,* se dit d'une colonne en ruine dont un ou plusieurs tronçons restent debout.

2   On voit encore des tronçons de colonnes énormes (...)
                                        STENDHAL, Mémoires d'un touriste, t. II, p. 115.
3   (...) les troncs rouges des pins qui semblaient avoir été cassés à une faible hauteur au-dessus du sol par le vent. On a commencé à cheminer entre ces tronçons de colonnes (...)   C.-F. RAMUZ, la Grande Peur..., p. 17.

(1240). Morceau coupé (de certains animaux cylindriques, poissons, reptiles [cit. 3], vers). *Tronçons d'anguille. Tronçons mutilés* (cit. 1) *de serpent* (→ aussi Trancher, cit. 1).

3.1 Le coup fit voler en l'air des têtes et des queues, sectionna des corps enlacés et sépara en trois tronçons une vipère repliée sur elle-même.
                                        M. AYMÉ, la Vouivre, p. 34.

♦ **2.** (1870, *in* D.D.L.). Partie (d'une voie, d'une distance). ⇒ **Portion.** *Un tronçon de rue. Des tronçons d'avenues* (→ Démolir, cit. 3). *La rue américaine est un tronçon de grand'route* (→ 1. Rue, cit. 2). *Un tronçon d'autoroute. Tronçon de chemins de fer, de voie ferrée.*

4   (...) Buteau souffrait surtout, car la part de Françoise, arrachée de ses trois hectares, laissait un tronçon à gauche et un tronçon à droite, ce qui l'obligeait à de continuels détours.   ZOLA, la Terre, V, I.
5   Lorsque s'ouvrit la ligne d'Amérique, Mermoz (...) fut chargé d'étudier le tronçon de Buenos Aires à Santiago, et après un pont sur le Sahara, de bâtir un pont au-dessus des Andes.   SAINT-EXUPÉRY, Terre des hommes, II, I.

6   Le cocher prit une voie moins large, tronçons successifs de chaussée, reliés par des ponts en dos d'âne : la rue coupait une suite de canaux parallèles (...)
                                        MARTIN DU GARD, les Thibault, t. II, p. 228.

Partie coupée ou séparée (d'une chose allongée). *Les tronçons d'un train, d'une rame de métro.* → Garage, cit. 1; module, cit. 2; tampon, cit. 2.

7   (*Le vent*) écartait avec puissance les nuages énormes, les déchirait, en jetait des tronçons aux quatre coins du ciel.
                                        F. MAURIAC, Souffrances et Bonheur du chrétien, p. 149.

Partie d'un groupe de personnes disposées en file. *Les tronçons d'arrière de la colonne* (→ Hésitation, cit. 8).

♦ **3.** Fig. Partie, fragment (d'une phrase, d'un texte, etc.); élément temporel limité d'une chose perçue (tronçons de mélodie, etc.). ⇒ **Lambeau.** *Sa phrase s'était débitée* (1. Débiter, cit. 19) *en trois tronçons.*

CONTR. Bloc.
DÉR. Tronçonner.

TRONCONIQUE [tʀɔ̃kɔnik] adj. — 1868; de *tronc*, et *cône*, d'après *conique*.

♦ Didact. Constituant un tronc de cône. *Segment tronconique.* — Par ext. Qui a la forme d'un tronc de cône. *Objet tronconique.*

On voyait seulement ce que la lumière électrique éclairait avec intensité, au fond de la chambre, l'abat-jour tronconique de la lampe — une lampe de chevet — et la forme plus vague d'un lit bouleversé.   A. ROBBE-GRILLET, le Voyeur, p. 28.

TRONÇONNAGE [tʀɔ̃sɔnaʒ] n. m. — 1933; *tronchonnage* «sciage», 1421; de *tronçonner*.

♦ Action de tronçonner, de débiter en tronçons (le bois, les métaux).

TRONÇONNEMENT [tʀɔ̃sɔnmɑ̃] n. m. — 1600, O. de Serres; «mutilation», 1559, Amyot; de *tronçonner*.

♦ Rare. Action de tronçonner; son résultat.

TRONÇONNER [tʀɔ̃sɔne] v. tr. — 1393; intr., «se briser», XIIᵉ; de *tronçon*.

♦ **1.** Couper, diviser en tronçons. *Tronçonner un arbre, une anguille. Scie à tronçonner.*

♦ **2.** Fig. *Il tronçonne ses phrases, son temps.* ⇒ **Hacher.**

▶ **TRONÇONNÉ, ÉE** p. p. adj. *Arbre tronçonné.*
La cage du rossignol sentait la pourriture. Il fallait le nourrir avec des vers de terre tronçonnés et hachés. Mon père hachait les vers avec une fourchette en fer (...)
                                        J. GIONO, Jean le bleu, IV.

Par métaphore ou fig. *Phrases tronçonnées. Temps tronçonné.*
Quel malheur, quel coup de hache sur ma vie déjà si tronçonnée! Quelle passion insensée, coupable et odieuse s'est emparée de moi!
                                        Th. GAUTIER, Mˡˡᵉ de Maupin, VIII.

DÉR. Tronçonnage, tronçonnement, tronçonneur, tronçonneuse.

TRONÇONNEUR [tʀɔ̃sɔnœʀ] n. m. — 1933; adj., «qui coupe en morceaux», 1606; de *tronçonner*.

♦ Techn. Ouvrier chargé de la conduite d'une tronçonneuse (1.). *Tronçonneur en forêt.* — REM. Dans ce sens, le fém., virtuel, est rendu difficile par la fréquence de *tronçonneuse**.

TRONÇONNEUSE [tʀɔ̃sɔnøz] n. f. — 1920; de *tronçonner*.
Technique.

♦ **1.** Machine-outil servant à découper en tronçons du bois, du métal, etc. *Conduire une tronçonneuse.* ⇒ **Tronçonneur.**

♦ **2.** Cour. Scie mécanique portative, à ruban formé d'une chaîne circulaire, à moteur à essence. *Couper du bois à la tronçonneuse. Se blesser avec une tronçonneuse.*

TRONCULAIRE [tʀɔ̃kylɛʀ] adj. — 1897, *in* D.D.L.; dér. du lat. *trunculus* «petit tronc», de *truncus*.

♦ Anat. Relatif à un tronc nerveux ou vasculaire. *Anastomose tronculaire,* entre le tronc de la veine porte et la veine cave. — Chir. dent. *Anesthésie tronculaire :* anesthésie de l'arcade dentaire du maxillaire inférieur par une injection dans le nerf dentaire inférieur. — N. f. *On lui a fait une tronculaire avant l'extraction de sa dent de sagesse.*

Leur injection (*d'anesthésiques locaux*) au niveau des troncs nerveux conducteurs provoque l'insensibilité dans tout le territoire innervé par ce nerf (anesthésie tronculaire).   A. GALLI et R. LELUC, les Thérapeutiques modernes p. 38.

TRÔNE [tʀon] n. m. — Déb. XIIᵉ; lat. *thronus*, grec *thronos* «siège».

♦ **1.** Siège élevé sur lequel prennent place un souverain, un dignitaire dans des circonstances solennelles. *Le trône d'un roi, d'un évêque, du pape. Le trône pontifical* (→ Église, cit. 10). *Un trône d'or* (→ 1. Faste, cit. 6), *constellé de joyaux* (→ Féerique, cit. 2). *Trône placé sous un dais* (cit. 3), *couronné d'un baldaquin* (cit. 1) ; *placé sur une estrade. Les marches du trône* (fig. : ce qui permet d'approcher le pouvoir). *Fauteuil* (→ Dais, cit. 2), *sofa en forme de trône* (→ Élasticité, cit. 2). *Siéger sur un trône.* ⇒ **Trôner**. *La salle du trône.*

1　Dans le temple déjà le trône est élevé (...)　　　　　RACINE, Andromaque, IV, 3.

2　(...) croyant entendre dans les espaces le chant des harpes séraphiques et apercevoir en un ciel d'azur, sur un trône d'or, au milieu des saints tenant des palmes vertes, Dieu le Père tout éclatant de majesté (...)
　　　　　　　　　　　　　　　　　　　　　FLAUBERT, Mᵐᵉ Bovary, II, XIV.

3　Le roi siégeait, habillé de pourpre et d'hermine, sur un trône très simple et cependant majestueux.　　　　　　SAINT-EXUPÉRY, le Petit Prince, X.

Place du Trône : ancien nom de la place de la Nation, à Paris ; ainsi nommée à cause du trône élevé en 1660 pour l'arrivée de Louis XIV et de Marie-Thérèse. *Foire du Trône,* qui se tenait à proximité de cette place (dite plus tard : foire aux pains d'épice).

Par métaphore. « *Le Fils de l'homme s'assiéra* (cit. 25) *sur le trône de sa gloire* ». « *Grand Dieu, qui fais briller sur la voûte étoilée* (cit. 6) *Ton trône glorieux* » (Racine). *Dieu (...) du haut de son trône interroge* (cit. 2) *les rois. Le ciel est le trône de Dieu* (→ Jurer, cit. 3).

Loc. *Placer qqn sur un trône :* le porter au pinacle, l'élever sur le pavois*.

4　(...) les « Dames » des chevaliers au moyen âge et la Béatrice de Dante étaient peut-être placées sur un trône aussi élevé que les héroïnes de M. Becque.
　　　　　　　　　　PROUST, À la recherche du temps perdu, t. XIV, p. 125.

(1808). Fam., iron. Siège des cabinets d'aisances.

♦ **2.** (V. 1120). Par métaphore ou fig. Puissance, autorité d'un souverain. — (Emplois métaphoriques). *Il passa du berceau* (cit. 5) *sur le trône. S'asseoir sur le trône.* ⇒ **Régner**. *L'élévation* (cit. 5) *du duc d'Anjou sur le trône de Charles-Quint. Placer qqn sur le trône* (→ Brigue, cit. 5). *Asseoir un prince sur le trône.* ⇒ **Introniser**. *Raffermir sur leur trône princes et rois* (→ Dicter, cit. 13). *La Restauration de 1814 a vu les Bourbons remonter sur le trône.* — (Emplois fig.). ⇒ **Pouvoir, souveraineté**. *Perdre son trône* (→ Hotte, cit. 1). *Chasser* (cit. 8) *qqn de son trône* (→ aussi Humble, cit. 18). ⇒ **Détrôner**. *Trône héréditaire. L'ordre de successibilité au trône* (→ Attentat, cit. 9). *Être destiné au trône* (→ Mademoiselle, cit. 1). *L'espoir d'un trône* (→ Premier, cit. 14). *L'héritier* (cit. 13) *du trône. Les prétendants au trône* (→ Sérail, cit. 1). *La splendeur* (→ Liste, cit. 5), *la chute* (→ Abattement, cit. 5), *les débris du trône* (→ Noblesse, cit. 23 ; et aussi disperser, cit. 9, Hugo). « *Combien le trône tente un cœur ambitieux* » (cit. 6, Racine). *Conspirer contre le trône royal* (→ 1. Que, cit. 55). *Les trônes s'élèvent* (cit. 19) *et disparaissent* (→ Justice, cit. 29).

5　Que le peuple à son gré nous craigne ou nous chérisse,
　Le sang nous met au trône, et non pas son caprice (...)
　　　　　　　　　　　　　　　　　　　　RACINE, la Thébaïde, II, 3.

6　— Il revient pour reprendre le trône de son père, pour m'empêcher d'être régent, vous d'être reine (...)　　　　　　GIRAUDOUX, Électre, I, 9.

Le Trône et l'Autel : la puissance politique et celle de l'Église.

7　Ceux qui contraignirent Descartes à s'exiler voyaient juste : sa physique a ébranlé « le trône et l'autel ».　　　　Roger VAILLAND, le Surréalisme contre la révolution,
　　　　　　　　　　　　　　　　　　　　　　« Les découvertes surréalistes », p. 52.

7.1　Les religieux, revenus d'exil, grâce à la guerre et à la victoire de 1918, n'avaient plus le même esprit. Toutes les équivoques qui liaient le trône à l'autel, le goupillon au sabre, furent sinon détruites, du moins fixées (...)
　　　　　　　　　　　　　　　　F. MAURIAC, Bloc-notes 1952-1957, p. 54.

(1842, Balzac). *Les conseillers du trône,* du roi, du souverain (→ Implanter, cit. 3). — (1835, Académie). *Discours du Trône :* dans une monarchie parlementaire, Discours prononcé par le souverain pour l'ouverture de la session parlementaire. *Fête du Trône,* pour l'anniversaire d'un couronnement.

Fig., littér. « *La tristesse* (cit. 4.2) *est sur un trône...* » : elle est respectée, son pouvoir est reconnu.

♦ **3.** (Xᵉ ; au plur.). Didact. (théol.). *Les Trônes :* un des trois ordres parmi les trois chœurs de la hiérarchie des anges*. *Séraphins, Chérubins, Trônes... L'éternelle fête des Trônes, des Vertus, des Dominations* (cit. 7). — REM. Dans ce sens, s'écrit avec la majuscule.

DÉR. et **COMP.** Trôner ; détrôner.

TRÔNER [tRone] v. intr. — 1842 ; « régner », 1801 ; de *trône.*

♦ **1.** Didact. Siéger sur un trône. *Dans un temple trône un Bouddha géant* (→ Socle, cit.). — REM. Cet emploi est rare et, de nos jours, évoque les valeurs des sens 2 ou 3. On ne dirait pas : *le roi, le pape trône,* sans intention stylistique.

♦ **2.** Par anal., cour. Être comme sur un trône, occuper la place d'honneur.

1　Il ne se glissa à table que lorsque déjà y trônaient sa tante et Fernand cravatés de serviettes.　　　　　　　　　F. MAURIAC, le Baiser au lépreux, II.

(Sujet n. de chose). Être placé en évidence (avec une idée d'ostentation). *Un service à thé trônait sur un bureau désaffecté* (cit. 1).

Sa photo trône sur la cheminée. — Fig. *Un front vaste où trône le sens esthétique* (cit. 10).

♦ **3.** (1839). Péj. (Sujet n. de personne). Faire l'important, s'étaler avec orgueil.

2　Payne avait en ce moment, à Paris, deux choses qui souvent vont ici d'ensemble, l'autorité et la vogue. Il trônait dans les salons. Les hommes les plus éminents, les plus jolies femmes lui faisaient la cour, recueillaient ses paroles, s'efforçaient de les comprendre.　　　　　　MICHELET, Hist. de la Révolution franç., V, VI.

3　Comme il était mûr déjà, comme il était lucide, pur, fort (...) il trônait, solitaire, désabusé, amer, sur les hauteurs (...)　　　N. SARRAUTE, le Planétarium, p. 79.

TRONQUER [tRõke] v. tr. — 1538 ; « élaguer », 1495 ; *tronkier, tronchier,* XIIIᵉ ; lat. *truncare.*

♦ **1.** Vieilli. Couper en retranchant une partie importante. *Tronquer un arbre, une statue.* ⇒ **Amputer**. *Tronquer un terrain :* le diviser. — Par ext. (vx). *Tronquer un verger,* les arbres d'un verger.

1　Il tronque son verger contre toute raison,
　Sans observer temps ni saison,
　Lunes ni vieilles ni nouvelles.　　　　　LA FONTAINE, Fables, XII, 20.

Par métaphore :

2　C'était l'époque où on tronquait les familles encombrantes et réfractaires, où l'on coupait court aux filiations, où l'on supprimait brusquement les héritiers.
　　　　　　　HUGO, l'Homme qui rit, I, Chapitre préliminaire, II, IV.

♦ **2.** (1607). Fig., péj. Retrancher qqch. de (un ouvrage de l'esprit, une chose abstraite). *Tronquer un texte.* ⇒ **Altérer, estropier, mutiler**. *Tronquer un passage d'un auteur. Tronquer les propositions d'une thèse* (→ Falsifier, cit. 8). *Tronquer des phrases* (→ Isoler, cit. 13), *des faits.*

3　L'histoire ou les mémoires contemporains ont tronqué ou mal rapporté ou même omis tout à fait certains détails de l'arrivée de l'empereur à Paris (...)
　　　　　　　　　　　　　　　　　　　　HUGO, Choses vues, II, II, II.

▶ **TRONQUÉ, ÉE** p. p. adj.

♦ **1.** (Mil. XVIᵉ). Dont on a retranché une partie. *Statue tronquée. Colonne tronquée :* fût privé de sa partie supérieure. (⇒ **Cippe**). — Techn. *Fer à cheval tronqué, à éponge tronquée. Maillet à manche tronqué* (→ T, cit. 5). — (XVIIIᵉ). Géom. *Cône tronqué, pyramide tronquée.* — Bot. *Feuilles tronquées. Les pédicules* (cit.) *tronqués des palmes.* — Minéralogie *Arête tronquée d'un cristal.* ⇒ **Troncature**.

4　Hors de l'enceinte du bois, trois colonnes tronquées subsistaient debout encore au milieu d'un champ cultivé (...)　　　NERVAL, Voyage en Orient, Introd., XVI.

♦ **2.** (1845). Fig. Altéré par des omissions, des manques (en parlant d'un ouvrage de l'esprit, d'une chose abstraite). *Une citation* (cit. 3) *tronquée.* ⇒ **Dénaturé, écourté**. *Noms tronqués* (→ Juron, cit. 1). *Des faits tronqués, mutilés* (cit. 6).

CONTR. Reconstituer. — (Du p. p.) **Entier**.

TROP [tRo] le *p* se lie : [tRop ; tRɔp], sauf au sens II adv. et nominal — XIᵉ ; francique **throp* « village, troupeau, entassement » ; lat. médiéval *troppus.* → Troupe.

★ **I.** Adv. ♦ **1.** D'une manière excessive, abusive, plus* qu'il ne faudrait. ⇒ **Excès** (à l'), **excessivement, surabondamment**. — (Modifiant un adj.). « *Un feu trop ardent, un trop grand bruit, une odeur trop forte...* » (→ 3. Affecter, cit. 2). *Il faut être un peu trop bon pour l'être assez* (cit. 7). *Trop cher. Capotes* (cit. 1) *trop longues, trop petites. Une trop bonne* (cit. 12) *chère. De trop bonne heure* (→ Exercer, cit. 13). *C'est trop fort* * ! *C'est trop drôle, trop bête !* — *Le trop volage mari* (→ Infidélité, cit. 13). *Trop mou et trop bénin* (cit. 6). *Il est vraiment trop froussard* (cit.). *Il est trop bon.* — « *Ils* (les raisins) *sont trop verts*...* » (→ 1. Gens, cit. 29). *Humain*, trop humain.*

1　L'amour est trop fort ! L'amour est trop dur, l'amour est trop triste, l'amour est trop âpre ; ah ! l'amour est une torture trop raffinée pour que la frêle machine humaine, saisie par une puissance si terrible, réussisse à la combattre avec sa pauvre énergie !　　　　　J.-A. DE GOBINEAU, les Pléiades, III, II.

2　Il a des redingotes bleues (...) trop neuves (...) des cravates trop blanches, des bijoux trop gros, des mouchoirs trop parfumés, des bottines trop vernies, des chapeaux trop luisants (...)　　　O. MIRBEAU, le Journal d'une femme de chambre, p. 365.

2.1　Et comme elle ne remettrait jamais ce petit manteau trop jeune pour son âge, trop riant pour son deuil éternel, trop étroit pour son embonpoint, trop suranné pour les modes nouvelles, jamais plus il ne la retrouverait ainsi.
　　　　　　　　　　　　　　　　　PROUST, Jean Santeuil, Pl., p. 420.

(Modifiant un adv.). *Trop près, trop loin* (→ Autre, cit. 35). *Trop haut ou trop bas* (→ Regarder, cit. 8). *Trop avant. On se levait trop tard, on se couchait trop tôt* (→ aussi Naître, cit. 4 ; passer, cit. 132). *Trop souvent* (→ Passer, cit. 47) : insuffisamment, pas assez. *En amour, assez* (cit. 1) *est trop peu. Ni trop, ni trop peu.*

(Modifiant une loc. prépositive). *Je suis trop en colère* (→ Apaiser, cit. 16). *Bien en face, trop en face* (cit. 50). — (Une loc. verbale). *J'aurais trop peur.* (→ Psychanalyser, cit. 1). *J'avais trop envie...* — REM. Cet emploi est condamné par certains puristes. ⇒ **Très**.

3　Décidément les voyages ne sont qu'une suite de petits supplices. On a, tout le

temps, trop chaud, trop froid, trop soif, trop faim, et tout le temps, on est trop mal couché, trop mal servi, trop mal nourri, pour beaucoup trop d'argent et de fatigue.
Ed. et J. DE GONCOURT, Journal, 23 août 1874, t. V, p. 106.

Vx. *Un trop homme de bien* (La Fontaine, *Fables*, VIII., 18.).

(Modifiant un verbe). ⇒ **Beaucoup**. *S'estimer* (cit. 27) *trop*. « *Elle aimait trop le bal* (cit. 9), *c'est ce qui l'a tuée* ». « *J'ai trop vu, trop senti, trop aimé dans ma vie* » (→ Oublier, cit. 7). *Trop charger* (⇒ **Surcharger**), *trop produire* (⇒ **Surproduction**). — REM. Cet emploi peut se confondre avec le nominal (*supra* cit. 19). — Prov. *Trop gratter cuit, trop parler nuit.*

4 (...) *Je vous aime.*
— *Oh! l'amour serait un bien suprême*
Si l'on pouvait mourir de trop aimer!   HUGO, Hernani, III, 4.

Pop. (par confusion avec II., 1.). **DE TROP**. *Il travaille de trop* : il travaille trop.

TROP... POUR (*supra* cit. 53). « *Trop bête pour être inconstant Et trop laid pour être infidèle* » (cit. 10). Prov. *Trop poli pour être honnête. C'est trop beau pour être vrai.* — *Le discours de Racine est trop nuancé pour n'être pas insensible* (cit. 18) *à ceux-là qui n'ont pas de notre langage une connaissance intime et originelle : il leur est insensible. Il a trop menti pour qu'on le croie* : on ne le croit plus.

5 Comme elles *(ces phrases amenées par* trop*)* expriment un état ou une condition qui a *dépassé* le degré suffisant ou nécessaire pour entraîner tel résultat, la conséquentielle qui suit subit (...) un « changement de signe » (...) si elle *(la subordonnée)* est affirmative, son sens est négatif; si elle contient une négation, elle a une valeur positive.
G. et R. LE BIDOIS, Syntaxe du franç. moderne, § 1534.

6 Le spectacle était trop nouveau pour ne pas attirer son attention tout entière.
A.-R. LESAGE, le Diable boiteux, III.

7 (...) les convictions sont trop rares pour n'en pas tenir compte.
CHATEAUBRIAND, Mémoires d'outre-tombe, t. VI, p. 309.

8 (...) j'étais trop fatigué pour rien regarder, pour rien voir (...)
GIDE, Si le grain ne meurt, II, I.

9 (...) son trouble était trop grand pour qu'elle pût dormir.
A. MAUROIS, le Cercle de famille, I, XIX.

(Modifié par un adv.). *Un peu trop* (→ Manière, cit. 43). *Bien trop jolie* (→ Mépriser, cit. 8). *Beaucoup trop.*

PAR TROP. ⇒ **Par** (cit. 59 et 60).

(Avec la négation). *Ni trop allongé, ni trop raccourci* (→ 1. Pas, cit. 45). — (1652). *Pas trop* : un peu, suffisamment (→ ci-dessous, 2.).

10 (...) il passait aussi, on le comprend, pour magicien; un peu, pas trop; car il était malsain à cette époque d'être cru mage.
HUGO, l'Homme qui rit, I, Chapitre préliminaire, I. I.

11 Rien n'est trop profond pour moi : mes puits percent jusqu'aux eaux de la Veine-mère.
Rien n'est trop élevé pour la flèche qui monte au ciel et dérobe à Dieu la foudre!
CLAUDEL, l'Annonce faite à Marie, IV, 5.

♦ **2.** Très suffisamment. ⇒ **Beaucoup, bien, fort, très**. *Vous êtes trop aimable, trop bon. Être trop heureux* (cit. 8) *de... Un mélange trop joli de vert et de rouge* (→ Printemps, cit. 1). — REM. Cet emploi est réservé, de nos jours, à quelques tours de politesse, ou hypocoristiques *(il est trop mignon, cet enfant).* Il n'en était pas de même dans la langue classique qui employait aussi *trop plus* « beaucoup plus »; *trop mieux...*

12 Rendons-lui les honneurs qu'il a trop mérités (...)
RACINE, Phèdre, V, 7.

13 Ma mère (...) introduisait les visiteurs dans la salle à manger pour qu'ils surprissent le jeune créateur à son pupitre d'écolier; je feignais d'être trop absorbé pour sentir la présence de mes admirateurs; ils se retiraient sur la pointe des pieds en murmurant que j'étais trop mignon, que c'était trop charmant.
SARTRE, les Mots, p. 119.

(1580). *Ne... que trop...* : d'une manière déjà plus que suffisante, bien assez (cf. Encore *trop...*). *Ils ne s'aimaient que trop* (→ Approcher, cit. 50). *On ne se soumet que trop, on n'est que trop humble* (→ Fierté, cit. 2). *Cela n'a que trop duré.*

14 Et l'insolent orgueil de sa cagoterie
N'a triomphé que trop de mon juste courroux,
Et que trop excité de désordre chez nous.
MOLIÈRE, Tartuffe, III, 4.

15 Elle ne serait sans doute que trop sensible, confiante comme elle est, aux premières paroles d'amour qu'elle entendrait (...)
GIDE, la Symphonie pastorale, 8 mars.

(Avec une négation). *Je ne sais pas trop, pas bien, guère* (→ Pontifical, cit. 2). *Ne pas aller trop bien* (euphémisme) : aller assez mal. *Sans trop comprendre...* (→ Inopinément, cit. 2). *Sans savoir trop...* (→ Hasard, cit. 35). *Un soleil (...) point trop à dédaigner* (→ Blême, cit. 6). — *Pas trop* : médiocrement. *Je ne m'y fierais pas trop* (Littré) — *je m'en méfierais.* ⇒ **Guère** (II.). — « *Celui-ci ne disait trop rien* » (Henriot, *Aricie Brun*, II., 7.), à peu près rien.

16 J'ai peur que votre effort n'ait pas trop bonne issue.
MOLIÈRE, les Femmes savantes, IV, 4.

17 — Comment l'aviez-vous connu, ce Maréchal?
Le père Roland leva la tête et chercha dans ses souvenirs :
— Attends, je ne me rappelle plus trop. C'est si vieux.
MAUPASSANT, Pierre et Jean, IV.

18 (...) si tu arrivais seulement à faire que les finances de la commune aillent mieux, car elles ne vont pas trop bien, je crois (...) — Pas trop.
C.-F. RAMUZ, la Grande Peur..., II.

♦ **3.** Fam. (langage des jeunes). Avec une valeur quasi adjective,

employé seul (semble un calque de l'angl. *too much*). *Il est trop, ce mec!* : il est excessif, il exagère. — Exclam. (adverbial). *Trop!*

♦ **4.** Franç. d'Afrique. Très; beaucoup. Loc. *Trop même* : vraiment beaucoup.

★ **II.** ♦ **1.** Nominal. Une quantité excessive, plus que suffisante. ⇒ **Excès**. — (Sujet). Dans des loc. prov. « *Trop ne vaut rien* » (Nerval, *la Bohème galante*, p. 261). — Vx. *Trop et trop peu n'est pas mesure.* — (Compl. d'objet). *Il mange trop. Dépenser trop. En faire trop.* — REM. Cet emploi peut se confondre avec l'adv. (*supra* cit. 4). *Ayant trop, il sera prompt à tout quitter* (→ Exigeant, cit. 4). — *Ils sont trop!* (les ennemis) : mot d'un blessé à la bataille de Paris, 30 mars 1814, attribué par Michelet (*l'Oiseau*, p. 173) à un combattant de Waterloo. *C'est trop!* (en réponse à un compliment, en remerciement pour un cadeau). Prov. *Qui trop embrasse* mal étreint. Chacun* (ou *à chacun*) *le sien n'est pas trop.* — *Il y en a beaucoup trop.*

19 Si vous avez le plaisir de quereller, il faut bien que de mon côté j'aie le plaisir de pleurer : chacun le sien, ce n'est pas trop.
MOLIÈRE, le Malade imaginaire, I, 2.

19.1 Assez, c'est bien, mais trop, c'est trop.   M. AYMÉ, le Passe-muraille, p. 264.

(Mil. XVIIᵉ). Vieilli. *C'est trop que..., que de...* : il y a excès, abus à...

20 C'est déjà trop pour moi que de vous écouter.   RACINE, Iphigénie, V, 2.

DE TROP, EN TROP, avec un nom, un pronom, une expression numérale, « pour exprimer la mesure de l'excès » (Grevisse). *N'avoir rien de trop* (→ 1. Loi, cit. 10). *« Rien de trop est un point... »* (1. Point, cit. 83, La Fontaine). Fam. *Vous le trouvez intelligent? Oh! rien de trop!, pas beaucoup. Boire un coup de trop, un verre* de trop. Avoir des bagages en trop.* ⇒ **Excédent, surplus**. *Qui est en trop.* ⇒ **Excès (en), superfétatoire, superflu, surnombre, surnuméraire.**

21 Garde donc ton argent! Si tu en as de trop, ce trop m'appartient!
BALZAC, la Cousine Bette, Pl., t. VI, p. 410.

DE TROP, en attribut. Superflu, inutile. (En parlant d'une quantité mesurable, d'une durée, etc.). Le plus souvent en phrase négative. *Huit jours de travail ne seront pas de trop pour...*

(En parlant de personnes). *Être, se sentir de trop, en trop* : imposer une présence inutile ou inopportune. ⇒ **Gêner; importun, indésirable, indiscret** (→ Famille, cit. 22). *Restez, vous ne serez pas de trop.*

TROP DE... (suivi d'un nom). Une quantité ou une intensité excessive de... — REM. Certains considèrent dans ce cas *trop* comme un adverbe. Selon G. et R. Le Bidois, il a « une valeur mixte, mi-substantive et mi-adverbiale ». Pour Grevisse, c'est un « déterminatif indéfini numéral ou quantitatif » (*le Bon Usage*, § 853). — (Sujet ou compl.). « *Trop de bruit nous assourdit, trop de lumière éblouit...* » (→ Étonner, cit. 4, Pascal). — REM. Dans ce cas l'adjectif en rapport avec *trop de...* s'accorde en général avec le complément. « *Trop de bonté est cruelle à la vanité d'autrui* » (Vercors, *in* Grevisse). — *On mangeait trop de pain* (→ Cherté, cit. 1). *Faire trop d'honneur* (cit. 69). *Trop de choses* (→ Fantôme, cit. 14; récolte, cit.). *Gagner, dépenser trop d'argent. Avoir trop, beaucoup trop de...* (cf. En avoir par-dessus* la tête, les oreilles; en avoir jusque-là, jusqu'aux yeux; en avoir une indigestion). ⇒ 2. **Marre.** — *Sans trop de peine* (→ Domicile, cit. 3). — *Ne... que trop de...* ⇒ **Que** (1. Que, cit. 49 et 51).

22 Oui, les Grecs sur le fils persécutent le père;
Il a par trop de sang acheté leur colère.   RACINE, Andromaque, I, 2.

23 Paresse de penser incurable, qui n'avait que trop d'excuses (...)
R. ROLLAND, Jean-Christophe, le Buisson ardent, I, p. 1290.

(Attribut). « *Êtes-vous trop pour moi? Suis-je trop peu pour vous?* » (→ Offrir, cit. 11). *C'en est trop* : c'est assez, ce n'est plus supportable.

24 Ah! c'en est trop enfin : tu seras satisfait.   RACINE, Bajazet, II, I.

Vx. **TROP DE...** suivi d'un complément qui exprime la quantité en excès.

25 Nous sommes trois chez vous! C'est trop de deux, madame!
HUGO, Hernani, I, 3.

♦ **2.** Employé comme nom (de nos jours avec l'article défini). — (Sujet). *Le trop d'attention* (cit. 5) *qu'on a... Le trop d'expédients* (2. Expédient, cit. 1) *peut gâter une affaire. Le* (cit. 27) *trop amène le trop peu.* — (Compl.). *Je veux du trop-d'inutile* (cit. 9), *du trop... Entre le trop et le pas assez* (→ Hyper-, cit. 3). — Vx. *Son trop d'amour...* (→ Plaindre, cit. 18) : l'excès de son amour.

26 Mais votre trop d'amour pour cet infâme époux
Vous donnera bientôt à plaindre comme à nous.
CORNEILLE, Horace, III, 6.

27 Sois, en tout, certain que beaucoup c'est bien assez, et que trop ne peut se risquer sur cette planète sans produire des catastrophes, bien qu'on ait une disposition commune à ne vouloir que du trop.
J.-A. DE GOBINEAU, les Pléiades, IV, II.

28 Ce qui arrive sur vous, c'est le trop de lumière, qui est l'aveuglement; c'est l'excès de vie, qui est la mort.
HUGO, l'Homme qui rit, II, VII, III.

(Avec l'article indéfini). Rare. *Un trop.* ⇒ **Excès, surplus.**

29 Je comble (je suis comblé), j'accumule, mais je ne m'en tiens pas au ras du manque; je produis un trop, et c'est dans ce trop qu'advient le comblement (le trop est le régime de l'Imaginaire : dès que je ne suis plus dans le trop, je me sens frustré; pour moi, juste veut dire pas assez).
R. BARTHES, Fragments d'un discours amoureux, p. 65.

COMP. Trop-perçu, trop-plein.
HOM. Trot.

TROPÆLOACÉES [tʀɔpeloase] n. f. pl. — Attesté xxᵉ; dér. du lat. sc. *tropælum*, et suff. *-acées*.

♦ Bot. Famille de plantes angiospermes dicotylédones dialypétales de l'ordre des géraniales, dont le type est le *Tropælum*, connu sous le nom de *capucine**.

TROPAIRE [tʀɔpɛʀ] n. m. — 1721, Trévoux; du lat. médiéval *troparium* «livre de chants d'église», dér. du lat. class. *tropus*. → Trope. Didactique.

♦ **1.** Composition poétique de longueur variable, au rythme fondé sur l'accent tonique, dans l'église grecque.

♦ **2.** Mus. Recueil de tropes (3.).

TROPANOL [tʀɔpanɔl] n. m. — Mil. xxᵉ; de *tropane*, de *(a)trop(ine)*, et suff. *-ol*.

♦ Chim. Base obtenue par hydrolyse de l'atropine, de formule $(C_8H_{14}N)$ OH. ⇒ **Tropine.**

TROPANONE [tʀɔpanɔn] n. f. — Mil. xxᵉ; de *tropane*, de *(a)trop(ine)*, et suff. *-one*, de *(a)cétone*.

♦ Chim. Cétone hétérocyclique correspondant au tropanol.

TROPE [tʀɔp] n. m. — 1554; lat. *tropus*, grec *tropos* «tour, manière».

♦ **1.** Rhét. Figure* par laquelle un mot ou une expression sont détournés de leur sens propre. ⇒ **Figure** (de rhétorique); **métaphore, métonymie, synecdoque** (→ Enrichir, cit. 10). *Relatif aux tropes* ⇒ 2. **Tropique.** *Étude des tropes* ⇒ **Tropologie.**

1   Les tropes sont des figures par lesquelles on fait prendre à un mot une signification, qui n'est pas précisément la signification propre de ce mot (...) Ces figures sont appelées *tropes* du grec *tropos* (...) dont la racine est *trepo*, verto, *je tourne*.
                           C. DU MARSAIS, Des tropes..., I, IV.

2   Et sur l'académie, aïeule et douairière,
     Cachant sous ses jupons les tropes effarés,
     Et sur les bataillons d'alexandrins carrés,
     Je fis souffler un vent révolutionnaire.
                    HUGO, les Contemplations, I, VII.

♦ **2.** (1842, Académie). Philos. Argument des sceptiques grecs en faveur de la suspension du jugement *(tropes de suspension)*.

♦ **3.** Mus. Ornement du chant liturgique au moyen d'additions et d'interpolations, dans la musique médiévale.

3   La musique naît avec le chant grégorien — premier langage musical européen — au VIᵉ siècle en Italie, s'enrichit au couvent de Saint-Gall avec les séquences et les tropes de Notker et de Tutilo, se constitue d'une manière autonome avec les troubadours du Languedoc (...)
             Denis DE ROUGEMONT, Lettre ouverte aux Européens, *in* Littérature de langue franç. hors de France, p. 596.

-TROPE, -TROPIE, -TROPISME Second élément de mots scientifiques (empruntés au grec ou formés en français), tiré du grec *tropos* «tour, direction», de *trepein* «tourner». ⇒ **Actinotropisme, allotropie (-tropique), anémotrope, azéotrope, épitrope, héliotrope, hémitropie, isotrope, somatotrope, zootrope; tropisme.**

TROPH-, TROPHO- Élément, du grec *trophê* «nourriture», servant à former des termes didactiques (ex. : *trophallaxie, trophallergie, trophoblaste, trophocyte, trophoedème, trophologie, trophomicrobien, trophonévrose, trophoplasma*). ⇒ aussi **-trophe.**

TROPHALLAXIE [tʀɔfalaksi] n. f. — V. 1960 (1973, in *Sciences et Avenir)*; 1933, *trophallaxis*; de *troph-*, et grec *allassein* «échanger».

♦ Zool. Alimentation de bouche à bouche chez certains animaux. *Certains insectes adultes pratiquent avec leurs larves la trophallaxie.* — On trouve aussi *trophallaxis* [tʀɔfalaksis].

(...) l'alimentation mutuelle des insectes sociaux, le *grooming* réciproque qu'on rencontre (...) chez les singes ressortissent, selon le langage des zoopsychologues, aux «trophallaxies» et autres manifestations de «biocénoses».
             Pierre GRAPIN, l'Anthropologie criminelle, p. 103.

TROPHALLERGIE [tʀɔfalɛʀʒi] n. f. — Attesté xxᵉ; de *troph-*, et *allergie*.

♦ Méd. Allergie provoquée par un aliment, se manifestant en général sous la forme d'un eczéma ou d'un urticaire.

-TROPHE, -TROPHIE Élément de mots didactiques, du grec *trephein* «nourrir» (ex. : *amyotrophie, autotrophe, dystrophie, hétérotrophie, hypotrophie, hypertrophie)*; ⇒ aussi **Atrophie, limitrophe, troph-.**

TROPHÉE [tʀɔfe] n. m. — 1488; bas lat. *trophæum*, lat. class. *tropæum*, grec *tropaion*, de *tropê* «fuite, déroute».

A. ♦ **1.** Didact. Dans l'antiquité, Dépouille d'un ennemi vaincu (cuirasse, armes...) disposée sur un tronc d'arbre.

♦ **2.** (1509). Réunion des marques tangibles d'une victoire (prises de guerre, captures, etc.) destinée à attester et à commémorer. ⇒ **Butin, dépouille**(s). *Ériger* (cit. 2), *élever un trophée. Un trophée d'armes, de drapeaux pris à l'ennemi.*

♦ **3.** (1857, Flaubert). Objet attestant une victoire, un succès. — Spécialt. *Trophée de chasse* : tête empaillée de l'animal abattu.

0.1   Levant les yeux, il découvrit avec un effarement indicible la tête de Dutilleul, collée au mur à la façon d'un trophée de chasse.
                     M. AYMÉ, le Passe-muraille, p. 11.

Trophées d'un sportif : coupes, médailles, etc.

B. Par métaphore ou fig. ♦ **1.** (1652, Bossuet). Signe, témoignage d'une victoire, d'un triomphe (→ Dépouille, cit. 5; écharpe, cit. 9).

1   Il aimait à se jouer ainsi en face de la destinée, et à planter un trophée où elle avait voulu mettre sa tombe.   VIGNY, Cinq-Mars, XXV.

2   Quand on a été pauvre, qu'on a lutté à Picpus, c'est à Picpus qu'il est agréable de montrer sa réussite, sous l'aspect d'un trophée de sept étages.
           J. ROMAINS, les Hommes de bonne volonté, t. V, XVIII, p. 129.

(1669). Loc. vieillie. *Faire trophée de qqch.* : s'en servir comme d'un trophée, en tirer gloire (→ Glorieux, cit. 20).

♦ **2.** (XVIIᵉ, Voiture). Victoire, triomphe (→ Principicule, cit.).

C. ♦ **1.** (1788). Arts. Monument représentant un trophée (A., 1. ou 2.). → Promontoire, cit. 2. *Le trophée d'Auguste, à La Turbie.*

♦ **2.** (1690, Furetière). Motif décoratif formé d'armes, de drapeaux, etc., groupés autour d'une armure, d'un casque (→ Fouiller, cit. 8; 1. porte, cit. 2). *Trophée sculpté, en bas-relief. Trophée classique, baroque.*

3   (La porte d'Alcala) est une assez belle porte, en manière d'arc de triomphe, avec des trophées et d'autres ornements héroïques (...)
            Th. GAUTIER, Voyage en Espagne, p. 51.

♦ **3.** (1564). Groupe décoratif d'attributs divers servant d'ornement (instruments de musique, emblèmes...). *Trophées d'église. Trophées révolutionnaires* (faisceaux, pique et bonnet phrygien).

(1860, Sainte-Beuve). Groupe d'armes réelles, disposées autour d'une cuirasse. ⇒ **Panoplie** (cit. 2, par métaphore). — Par anal. *Salle décorée de trophées rustiques, faux et râteaux croisés* (→ Fourche, cit. 1).

4   Il y avait là un trophée d'armes formé d'espadons en bois, de cannes, de bâtons et de fleurets.   HUGO, les Misérables, IV, I, V.

Littér. *Les Trophées*, recueil composé presque exclusivement de sonnets, de Hérédia (1893).

TROPHIE [tʀɔfi] n. f. — 1904, Larousse; du grec *trophê* «nourriture».

♦ Physiol. Processus de la nutrition des tissus et organes. — On dit aussi *trophisme* [tʀɔfism].

TROPHIQUE [tʀɔfik] adj. — 1842, Landais; dér. du grec *trophê* «nourriture».

♦ Biol. Qui concerne la nutrition des tissus. *Troubles trophiques.* ⇒ **Dystrophie.** — *Centres, nerfs trophiques*, dont la lésion entraîne des troubles trophiques.

Il se rappelait enfin qu'on soupçonne depuis longtemps les maladies trophiques (...) d'être sous la dépendance du système nerveux, et plus ou moins imputables à ses dérèglements.
          J. ROMAINS, les Hommes de bonne volonté, t. XII, XVIII, p. 188.

TROPHISME [tʀɔfism] n. m. ⇒ **Trophie.**

TROPHO- ⇒ **Troph-.**

TROPHOBLASTE [tʀɔfoblast] n. m. — 1903, in *Rev. gén. des sc.*, nᵒ 11, p. 622; de *tropho-*, et *-blaste*.

♦ Biol., méd. Chez les mammifères, Feuillet mince, formé de petites cellules hexagonales enveloppant l'œuf, qui se fixe au tissu utérin et joue un rôle nourricier.

Des cultures de placenta ont été depuis longtemps réalisées par les techniques histiotypiques. Ce sont, provenant de placentas jeunes les cellules du trophoblaste qui donnent les meilleurs résultats. Ces cellules se sont montrées capables de produire de la gonadotrophine, même pendant de longues périodes. Les résultats sont moins nets pour la production d'œstrogènes.

Jean VERNE et Simone HÉBERT, la Culture de tissus, p. 69.

DÉR. Trophoblastique.

TROPHOBLASTIQUE [tʀɔfɔblastik] adj. — 1905, in *Rev. gén. des sc.*, nº 20, p. 919 ; de *trophoblaste*.

♦ Embryol. Relatif au trophoblaste. *Cellules trophoblastiques.*

TROPHOCYTE [tʀɔfɔsit] n. m. — 1904, in *Rev. gén. des sc.*, nº 21, p. 976 ; de *tropho-*, et *-cyte*.

♦ Biol. Cellule assurant la nutrition d'une autre cellule.

TROPHŒDÈME [tʀɔfedɛm] n. m. — Déb. xxᵉ ; de *troph-*, et *œdème*.

♦ Méd. Œdème lié à des troubles trophiques.

TROPHOLOGIE [tʀɔfɔlɔʒi] n. f. — 1839, Boiste, « diète réglée par la médecine » ; de *tropho-*, et *-logie* (méd.).

♦ Didact. Ensemble d'études concernant la nutrition. ⇒ **Diététique.**

TROPHOMICROBIEN, IENNE [tʀɔfɔmikʀɔbjɛ̃, jɛn] adj. — xxᵉ ; de *tropho-*, et *microbien*.

♦ Dû à des facteurs trophiques et microbiens. *Théorie trophomicrobienne des caries.*

TROPHONÉVROSE [tʀɔfɔnevʀoz] n. f. — 1865, in D.D.L. ; de *tropho-*, et *névrose*.

♦ Méd. Affection caractérisée par des troubles trophiques qu'on ne peut rattacher à une lésion nerveuse.

DÉR. Trophonévrotique.

TROPHONÉVROTIQUE [tʀɔfɔnevʀɔtik] adj. — 1903, in *Rev. gén. des sc.*, nº 6, p. 327 ; de *trophonévrose*, d'après *névrotique*.

♦ Méd. Relatif à une trophonévrose.

TROPHOPLASMA [tʀɔfɔplasma] n. m. — 1897, in *l'Année biologique* ; de *tropho-*, et *-plasme*, d'après *cytoplasme*.

♦ Biol. Substance fondamentale de la cellule nerveuse, d'aspect fibrillaire, jouant un rôle de nutrition de la cellule. — On a dit et écrit *trophoplasme* [tʀɔfɔplasm].

TROPICAL, ALE, AUX [tʀɔpikal, o] adj. — 1824 ; de 1. *tropique*.

♦ **1.** Qui concerne les tropiques, la zone intertropicale, et, spécialt, les régions situées autour de chaque tropique, de part et d'autre de la zone équatoriale proprement dite. ⇒ **Équatorial.** *Région, zone tropicale* (→ Cyclone, cit. 2). *L'Amérique, l'Afrique tropicale. — Climat tropical :* type de climat chaud à faible variation annuelle de température, à forte variation du régime des pluies, qui règne de part et d'autre de chaque tropique (→ Exubérant, cit. 1). *— Pluies tropicales* (→ Latérite, cit.). *Forêt* (→ Jungle, cit. 2), *faune tropicale. Plantes tropicales.*

♦ **2.** (1872, Littré). *Une chaleur, une température tropicale,* très forte, très élevée.

(...) l'église de Fort-Gono si chaude celle-là, sous les tôles ondulées, qu'on n'y entrait jamais deux fois de suite, plus tropicale que les tropiques.

CÉLINE, Voyage au bout de la nuit, p. 137.

♦ **3.** (1904, *l'Illustration*, in D.D.L.). Destiné aux tropiques, au climat tropical. *Vêtements tropicaux. Costume tropical.*

♦ **4.** Fam. (dans quelques syntagmes). Propre aux régions tropicales d'Amérique centrale et d'Amérique du Sud, quant aux styles de musique populaire. *La rumba, la samba et autres rythmes tropicaux. Orchestre tropical.*

DÉR. Tropicaliser, tropicalisme.
COMP. Intertropical, subtropical.

TROPICALISATION [tʀɔpikalizasjɔ̃] n. f. — Mil. xxᵉ ; de *tropicaliser*.

♦ Techn. Protection d'un matériel contre les effets du climat tropical. — REM. Ce mot est sémantiquement mal formé.

TROPICALISER [tʀɔpikalize] v. tr. — Mil. xxᵉ ; de *tropical*.

♦ **1.** Techn. Rendre (un matériau, un matériel) peu sensible aux méfaits du climat tropical, chaud et humide.

Au p. p. *Produits tropicalisés.*

Un récepteur ordinaire à pile est déjà fort utile à bord d'un yacht pour recevoir la Météo. Mais, son existence risque d'être brève dans l'atmosphère marine s'il n'est pas d'une fabrication *tropicalisée*.   Jean GIORDAN, le Yachting, p. 116.   1

REM. Dans ce sens, le mot est sémantiquement mal formé.

♦ **2.** Littér. Donner à (qqch.) un aspect tropical.

À côté d'eux se dressait une table basse, en acajou, aux pieds galbés, qui rappelait un style Louis XV de fantaisie que tropicalisaient des motifs d'oiseaux aux becs énormes : calaos, toucans (...) sculptés dans le bois au niveau du rengorgement médian de chaque pied.   P. GRAINVILLE, les Flamboyants, p. 28.   2

DÉR. Tropicalisation.

TROPICALISME [tʀɔpikalism] n. m. — V. 1970, *in* Gilbert ; de *tropical*.

♦ Au Brésil, Mouvement musical et folklorique d'inspiration populaire (notamment noire) plus violent et expressif que la bossa-nova.

TROPINE [tʀɔpin] n. f. — 1876, *in* P. Larousse ; de *atropine*.

♦ Chim. Alcaloïde dérivé de l'atropine*. ⇒ **Tropanol.**

1. TROPIQUE [tʀɔpik] n. m. et adj. — 1377 ; lat. *tropicus*, grec *tropikos*, de *tropos* « tour », parce que « quand le soleil est... arrivé à chacun, il s'en retourne vers l'équinoxial (l'équateur) », J. Devaux (xviᵉ), *in* Littré.

★ **I.** N. m. ♦ **1.** Géogr. et cour. Chacun des deux petits cercles de la sphère terrestre, parallèles à l'équateur (⇒ **Parallèle**) dont ils sont distants de 23° 27′ (angle de l'équateur sur l'écliptique, déclinaison maximale du soleil) et qui correspondent au passage du Soleil au zénith, à chacun des solstices*. *Le tropique du Cancer* (hémisphère nord), *le tropique du Capricorne* (sud). *Région située entre les tropiques* (⇒ **Équatorial, intertropical, subtropical**), caractérisée par la faible inclinaison des rayons solaires (zone torride). → Phaéton, cit. 4. *L'alizé** (cit. 1) *souffle entre les tropiques. — Franchir, passer le tropique. Baptême du tropique,* analogue au baptême de la ligne.

Deux types extrêmes *(de climats intertropicaux)* peuvent être prévus (...) Le premier devra être réalisé au voisinage de l'équateur (...) Le second (...) au voisinage du tropique, où les deux passages du Soleil au zénith sont très rapprochés et donnent normalement une courte période de pluies ; la variation de la température y sera plus sensible.   1

E. DE MARTONNE, Traité de géographie physique, t. I, p. 234.

Le Soleil arrivait sur le tropique du Capricorne et donnait les plus longs jours de l'année.   J. VERNE, l'Île mystérieuse, t. II, p. 670.   1.1

Astron. *Tropique céleste :* petit cercle de la sphère céleste dont la déclinaison est la même que celle des tropiques terrestres.

♦ **2.** (Mil. xviiiᵉ). Cour. *Le tropique* (vx), ou (mod.) *les tropiques :* la région intertropicale. *L'oiseau du tropique :* le phaéton (→ Paille, cit. 16). *— Sous les tropiques. Le soleil des tropiques* (→ Nonchalance, cit. 7). *« L'azur phosphorescent* (cit. 1) *de la mer des tropiques. » Maladie des tropiques,* la fièvre jaune.

Le rivage entre Rio et Santos propose encore des tropiques de rêve (...) des grèves de sable fin, bordées de cocotiers ou de forêts humides débordantes d'orchidées, viennent buter contre les parois de grès ou de basalte qui en interdisent l'accès, sauf de la mer.   2

Cl. LÉVI-STRAUSS, Tristes tropiques, x, « Le passage du tropique », p. 83.

★ **II.** Adj. ♦ **1.** (1691, *an tropique* ; 1751, Encyclopédie). Didact. *Année tropique* (ainsi appelée « parce qu'anciennement on l'avait conclue du retour du Soleil à un même tropique » [Delambre]) : intervalle moyen de deux retours consécutifs du Soleil à l'équinoxe de printemps.

L'année tropique, qui règle le retour des saisons (...) dure 365,242 2 j. (...) Comme on peut s'en assurer, l'année tropique est plus courte que l'année sidérale, l'écart étant dû à la précession qui fait mouvoir la ligne des équinoxes dans l'écliptique (...) La durée de l'année tropique n'a pas toujours été connue (...) pour qu'on ait pu la substituer récemment au jour solaire comme étalon physique de temps.   3

A. DANJON, Mouvements de la terre, in Encycl. Pl., La Terre, p. 45.

♦ **2.** (1797). Vx. *Plante, fleur tropique,* qui s'épanouit au lever du soleil et se ferme à son coucher.

DÉR. Tropical.

2. TROPIQUE [tʀɔpik] adj. — 1531 ; lat. *tropicus*, de *tropus* « trope ».

♦ Didact. Relatif au trope, à la figure de rhétorique.

(...) les hiéroglyphes « tropiques » (...) qui utilisent une circonstance remarquable (puisque Dieu est tout-puissant, il sait tout, et il peut surveiller les hommes : on les représentera par un œil).

Michel FOUCAULT, les Mots et les Choses, I, IV, 6, p. 127.

TROPISME [tʀɔpism] n. m. — 1900, Garnier-Delamare ; terme proposé en all. par I. Loeb, cf. angl. *tropism*, 1899 ; de l'élément *-tropisme* (→ -trope) de mots antérieurs : *héliotropisme, géotropisme, phototropisme*, etc.

♦ **1.** Biol. Réaction d'orientation ou de locomotion orientée (mouvement), causée par des agents physiques ou chimiques. Spécialt. Réaction d'orientation sans locomotion véritable (par oppos. à *tactisme* ou *taxie*). *Tropisme des plantes.* ⇒ **Nutation** (vieilli). *Direction et sens d'un tropisme. Principaux tropismes.* ⇒ **Actinotropisme, chimiotropisme, géotropisme, héliotropisme, hydrotropisme, phototropisme, thermotropisme**, etc. *Tropismes « mécaniques »*, causés par des agents mécaniques (contacts : *stéréo-, thigmotropisme ;* pression de l'eau : *barotropisme*, etc). *Tropismes et réflexes, et instinct migrateur* (oiseaux, poissons).

1   Les Tropismes se manifestent aussi bien chez les Végétaux que chez les Animaux. Par exemple, les tiges des Plantes poussent dans la direction de la lumière, et de très nombreux animaux sont attirés ou repoussés par les lampes brillant dans l'obscurité (...) Un tropisme est le plus souvent désigné par un nom qui rappelle l'agent qui le provoque (...) le *galvanotropisme* est causé par les courants électriques ; le *géotropisme,* par la pesanteur ; les *chimiotropismes,* par les actions chimiques des corps dissous dans l'eau ou diffusés dans l'air, etc. Quand un tropisme oriente ou conduit l'organisme vers le lieu d'où part l'excitation, on dit qu'il est *positif ;* il est *négatif* quand il se manifeste en sens opposé.
                              Gaston VIAUD, les Tropismes, p. 6.

2   Sachs a montré que les plantes se comportent en présence de la lumière comme de simples machines photochimiques ; Loeb, ayant étendu ce résultat à certains animaux inférieurs (chenilles, pucerons), en tire son audacieuse théorie des tropismes (...)   Jean ROSTAND, Esquisse d'une histoire de la biologie, p. 194.

♦ **2.** (1924, Valéry). Fig. Force obscure, inconsciente qui pousse à se diriger, à agir d'une certaine façon.

(1957, N. Sarraute, *Tropismes,* titre d'un roman). Réaction élémentaire à une cause extérieure ; acte réflexe très simple.

TROPO- Élément, du grec *tropos* « tour », entrant dans la formation de termes didactiques. ⇒ **Tropolone, tropomètre, tropopause, tropophyte, troposphère, tropotaxie.**

TROPOLOGIE [tʀɔpɔlɔʒi] n. f. — 1295 ; lat. *tropologia* « langage figuré », grec *tropologia,* même sens, de *tropos.* → Trope, -logie.

Didactique.

♦ **1.** Emploi figuré du langage.

♦ **2.** (1876). Étude, traité des tropes.

♦ **3.** (1884, Huysmans). Science des symboles. ⇒ **Symbolique,** n. f.

TROPOLOGIQUE [tʀɔpɔlɔʒik] adj. — 1374 ; bas lat. *tropologicus,* de *tropologia.* → Tropologie.

Didactique.

♦ **1.** Fig. (en parlant du sens d'un mot, d'une expression). Symbolique.

♦ **2.** (Mil. xxᵉ). Mod. Qui est de la nature spatiale de la courbe. — Par métaphore (et retour au sens 1).

(Si les langues) ont chacune leur histoire, leurs modes, leurs habitudes, leurs oublis, c'est parce que les mots ont leur *lieu,* non dans le *temps,* mais dans un *espace* où ils peuvent (...) se déplacer, se retourner sur eux-mêmes, et déployer lentement toute une courbe : un espace *tropologique.*
                              Michel FOUCAULT, les Mots et les Choses, I, IV, 6, p. 130.

TROPOLONE [tʀɔpɔlɔn] n. f. — Mil. xxᵉ ; de *tropo-,* infixe *-ol-,* et suff. *-one.* → Cétone.

♦ Chim. Cétone dont la constitution se déduit d'un composé aromatique intercalant le groupe CO entre deux atomes de carbone et le noyau.

TROPOMÈTRE [tʀɔpɔmɛtʀ] n. m. — 1888 ; de *tropo-,* et *-mètre.*

♦ Didact. (anthrop.). Instrument servant à mesurer la torsion de l'humérus.

TROPOMYOSINE [tʀɔpɔmjozin] n. f. — Mil. xxᵉ ; de *tropo-,* et *myosine.*

♦ Chim., biol. Protéine musculaire (moins abondante que la myosine) que l'on trouve dans certains muscles capables de se maintenir en contraction prolongée (muscle utérin, muscles qui assurent la fermeture des coquilles de mollusques).

TROPOPAUSE [tʀɔpɔpoz] n. f. — 1936 ; de *tropo(sphère),* et grec *pausis* « cessation ».

♦ Sc. Limite supérieure de la troposphère (cit.).

TROPOPHYTE [tʀɔpɔfit] n. f. — Mil. xxᵉ ; de *tropo-,* et *-phyte.*

♦ Bot. Se dit d'une plante adaptée à l'alternance de saisons sèches et humides.

TROPOSPHÈRE [tʀɔpɔsfɛʀ] n. f. — Av. 1913, Teisserenc de Bort ; de *tropo-,* et *-sphère.*

♦ Partie de l'atmosphère comprise entre le sol et la stratosphère.

(La troposphère) est la région de l'atmosphère en contact avec le sol. Elle est le siège des hydrométéores (nuages, pluie, neige, etc.) et est caractérisée par une décroissance de la température avec l'altitude. La limite supérieure de la troposphère a reçu le nom de *tropopause (pausis,* cessation) ; son altitude est d'environ 17 km à l'équateur et de 6 km aux pôles.
                              Marcel NICOLET, l'Aéronomie, in Encycl. Pl., la Terre, p. 194.

DÉR. Troposphérique.

TROPOSPHÉRIQUE [tʀɔpɔsfeʀik] adj. — V. 1950 ; de *troposphère.*

♦ Sc. Relatif à la troposphère. *Les phénomènes de réfraction troposphérique.*

TROPOTAXIE [tʀɔpɔtaksi] n. f. — 1975, *in* Larousse ; de *tropo-,* et *-taxie.*

♦ Didact. Réaction d'orientation provoquée chez un animal par l'excitation simultanée de deux récepteurs de nature différente.

TROP-PERÇU [tʀɔpɛʀsy] n. m. — 1908, *Encyclopédie du XXᵉ siècle ;* de *trop,* et *perçu.*

♦ Ce qui a été perçu en sus de ce qui était dû. — Dr. fisc. « Perception excessive par suite de faux ou de double emploi » (Capitant). — Au plur. *Des trop-perçus.*

CONTR. Moins-perçu.

TROP-PLEIN [tʀɔplɛ̃] n. m. — 1671, Mᵐᵉ de Sévigné, *trop-plein de tendresse ;* de *trop,* et *plein.*

♦ **1.** (Sens abstrait). Ce qui est en trop, ce qui excède la capacité, les possibilités. ⇒ **Excédent, excès, surplus.** *Épancher le trop-plein de son cœur, de son âme :* exprimer les sentiments que l'on ne peut garder en soi. *Un besoin d'expansion et un trop-plein de vie* (→ Aveugle, cit. 25), *un besoin d'agir, d'utiliser son énergie. Des trop-pleins d'énergie.*

1   — Répands alors le trop-plein de ton amour, la surabondance de ta charité.
                              A. ARNOUX, Suite variée, « Deux contes pour Noël », II.

♦ **2.** (1743, Trévoux). Ce qui excède la capacité d'un récipient, d'un contenant ; ce qui déborde*. Vider le trop-plein d'un vase :* le survider. *Trop-plein d'un réservoir. Trop-plein d'une mesure.* ⇒ **Comble.**

2   La ferme de Gérard, celle de Grossetête et celle de Fresquin, qui recevaient le trop-plein des eaux des domaines de madame Graslin, furent élevées sur le même plan et régies par les mêmes méthodes.
                              BALZAC, le Curé de village, Pl., t. VIII, p. 730.

3   Paris, serré par la défense insensée qu'on fit de bâtir au dehors, vomissait le trop-plein dans un camp misérable, un Paris de toile et de planches (...) qui couvrait la banlieue.   MICHELET, Hist. de France, t. XVIII, p. 70.

4   Mais rien n'était plus facile que de creuser un fossé, large et profond, qui serait rempli par les eaux du lac, et dont le trop-plein irait se jeter par une seconde chute dans le lit de la Mercy.   J. VERNE, l'Île mystérieuse, t. I, p. 388.

♦ **3.** (1863, *Année sc. et industr.* 1864, p. 287). Techn. Dispositif servant à évacuer, réservoir destiné à recevoir un liquide en excès (lorsqu'il atteint un niveau déterminé). ⇒ **Déchargeoir, déversoir, puisard, tuyau** (d'évacuation). *Trop-plein d'une citerne, d'un barrage... Des trop-pleins.* — Géol. *Lac de trop-plein,* « qui reçoit une partie du débit d'un cours d'eau à la crue et la restitue à la décrue » (Baulig).

1. TROQUE [tʀɔk] n. f. ⇒ 2. **Troche.**

2. TROQUE [tʀɔk] n. f. — 1876 ; de 2. *troquer.*

♦ Techn. Action de troquer les aiguilles. ⇒ 2. **Troquer.**

1. TROQUER [tʀɔke] v. tr. — 1549, Estienne ; *trocher, trochier,* xivᵉ ; lat. médiéval *trocare,* 1257 ; p.-ê. d'un rad. expressif *trokk-* suggérant l'idée de coup ou d'un **tropicare,* de *tropicus* « de changement » (Guiraud).

TROQUER (qqch.) CONTRE (qqch.), TROQUER (plusieurs choses).

♦ **1.** Donner en troc. ⇒ **Échanger.** *Les caravanes des Maures vont à Tombouctou troquer du sel contre de l'or* (→ Échange, cit. 4, Montesquieu). Absolt. (→ Brocanter, cit. 1 ; marchand, cit. 1). — Par métaphore (→ Avide, cit. 9).

1 (...) il en a la passion *(des armures),* il en cherche, il en achète, il en troque, il en échange contre des croquis (...) Th. GAUTIER, Voyage en Russie, XIV.

Absolt. (Rare). Pratiquer le troc.

♦ **2.** (Sans idée de transaction commerciale). Changer ; faire succéder à... *Elle avait troqué son sarrau noir contre une jupe longue* (cit. 5). *Le magistrat a troqué sa dignité d'autrefois contre une morgue* (cit. 2) *intolérable.*

2 Dans bien des moments de notre vie nous troquerions tout l'avenir contre un pouvoir en soi-même insignifiant. PROUST, À la recherche du temps perdu, t. X, p. 325.

3 (...) vous allez troquer votre personnage de fille contre celui de bonne écolière (...) F. SAGAN, Bonjour tristesse, I, VI.

Échanger. *Les gardiens et les gardés troquèrent leurs places* (cit. 38) *respectives.*

(Trans. ind.). Vx. TROQUER DE... ⇒ **Changer** (de).

4 Ne peut-on point en faire un *(contrat)* où les gens
Troquent de femme ainsi que de monture?
Notre pasteur a bien changé de cure :
La femme est-elle un cas si différent? LA FONTAINE, Contes, « Les troqueurs ».

DÉR. Troc, troqueur.
HOM. 2. Troquer.

2. TROQUER [tʀɔke] v. tr. — 1723, Savary ; même orig. que 1. *troquer.*

♦ Techn. *Troquer les aiguilles :* achever de façonner le chas en enlevant les fragments d'acier qui subsistent après le perçage.
DÉR. 2. Troque.
HOM. 1. Troque.

1. TROQUET [tʀɔkɛ] n. m. — 1547 ; altér. de *turquet* dans *blé turquet* « blé turc » (cf. Sarrazin) ; de *turc.*

♦ Régional. Maïs.
HOM. 2. Troquet, 3. troquet.

2. TROQUET [tʀɔkɛ] n. m. — Mil. XIXᵉ ; altér. de *traquet* (1676).

♦ Techn. Chevalet du comble (d'une toiture).
HOM. 1. Troquet, 3. troquet.

3. TROQUET [tʀɔkɛ] n. m. — 1873, Esnault ; abrév. de *mastroquet.*
Familier.

♦ **1.** Vx. Cabaretier, cafetier. ⇒ **Mastroquet.**

1 Rien n'est changé dans sa vie, à cela près qu'il va chez le troquet plus souvent que d'habitude (...) FRANCE, Crainquebille, VI.

2 Pour encourager la femme Dolbeau, Pauline, qui m'avait présenté comme son nouvel homme, nous offrit un gueuleton soigné chez un troquet de l'avenue de Clichy, deux litres et des huîtres. GORON, l'Amour à Paris, t. I, p. 26.

2.1 Si j'étais vous, je descendrais jusque chez le troquet d'en face, et je téléphonerais à la famille. BERNANOS, Un mauvais rêve, *in* Œ. rom., Pl., p. 947.

♦ **2.** (1883, Esnault). Mod. Café. ⇒ **Bistro, bistroquet.** *Un petit troquet tranquille.*

3 Une partie de l'après-midi fut employée par les gens de la noce à rendre visite au zinc des troquets qui jalonnaient leur promenade. L. FORTON, les Aventures des Pieds-Nickelés, *in* l'Épatant, 1909, p. 50.

HOM. 1. Troquet, 2. troquet.

TROQUEUR, EUSE [tʀɔkœʀ, øz] n. — 1586 ; *trocheur*, v. 1550 ; de *troquer.*

♦ Rare. Personne qui fait ou aime à faire des trocs, des échanges.

TROT [tʀo] n. m. — XIIᵉ ; déverbal de *trotter.*

♦ **1.** Allure naturelle du cheval (cit. 24), et de quelques quadrupèdes, intermédiaire entre le pas* et le galop* ; allure diagonale sautée dans laquelle les membres oscillent par paires croisées (par ex. : l'antérieur gauche avec le postérieur droit). *Trot de manège. Trot de course.* ⇒ **Trotteur.** *Petit trot, grand trot, trot allongé* (→ Frappement, cit. 1 ; stepper, cit.). *Prendre le trot. Passer du pas au trot, du trot au galop* (→ Harnachement, cit. 1). — *Au trot. Cheval au galop* (cit. 3) *qu'on remet au trot. Partir au trot* (→ Croupe, cit. 2). — *Trot assis* (où le cavalier reste assis), *enlevé* (où il s'enlève sur ses étriers).

1 Cette année-là, Saumur importait massivement des hunters *(chevaux de chasse),* les selliers de l'École se mettaient à fabriquer des selles anglaises et les écuyers adoptaient — ô scandale, ô révolution — le trot enlevé de préférence au trot assis, principe jusque-là sacro-saint de l'école française. Edmonde CHARLES-ROUX, l'Irrégulière, p. 49.

(1859, *course au trot* et *trot attelé, in* Petiot). *Courses au trot* (→ Hippodrome, cit. 4). *Trot attelé* (où le trotteur est attelé à un sulky), *monté* (où il est monté par un jockey).

♦ **2.** (1798). Par ext. (en parlant des personnes). Fam. *Aller au trot*

à tel endroit, en marchant rapidement, sans traîner (→ Mission, cit. 2). *Allez, au trot, dépêchez-vous !*

Fig. *Mener une affaire au (grand) trot,* vivement, de manière expéditive.

2 — Oui, dit le type, enlève ça et au trot. R. QUENEAU, Zazie dans le métro, Folio, p. 65.

HOM. Trop.

TROTSKISME ou **TROTSKYSME** [tʀɔtskism] n. m. — 1926, *in* D. D. L., *trotskysme* ; de *Trotski* (parfois écrit *Trotsky*), surnom de Lev Bronstein.

♦ Ensemble des théories émises par Trotski ou par les groupes qui se réclament de lui.

TROTSKISTE ou **TROTSKYSTE** [tʀɔtskist] adj. et n. — 1926, *trotskyste, la Revue universelle,* 15 août 1926, p. 438 ; de *Trotski* (parfois écrit *Trotsky*), surnom de Lev Bronstein.

♦ Partisan de Trotski et de ses doctrines. *Des communistes trotskistes, antistaliniens.* — N. *Les trotskistes se sont réunis depuis 1938 dans la IVᵉ Internationale.* — Adj. *Groupe trotskiste. Les thèses trotskistes.*

1 (...) dans le parti trotskyste, dans les groupes dissidents nous rencontrions le même dogmatisme idéologique que dans le P. C., et nous ne croyions pas à leur efficacité. S. DE BEAUVOIR, la Force de l'âge, p. 141.

REM. La graphie *trotskiste* est la plus courante. — Var. péj. : *trotskard, arde* [tʀɔtskaʀ, aʀd]

Bref, il est (...) barré chez un ami trotskard.
René FALLET, Y a-t-il un docteur dans la salle ?, p. 166.

TROTTE [tʀɔt] n. f. — 1680 ; v. 1390 « trot » ; de *trotter.*
Familier.

♦ **1.** Chemin assez long à parcourir à pied. *Il y a une bonne trotte d'ici jusque là-bas. Une petite trotte.* — Course à faire à pied (→ Commission, cit. 5).

1 Grégoire, qui faisait chaque jour de grandes trottes dans Paris, à pied, par horreur du métro, commença de flâner (...) G. DUHAMEL, Chronique des saisons amères, III, XI.

2 — Ça fait une trotte... Je suis pas champion de cross, moi. — Vous ne voudriez tout de même pas qu'on prenne un taxi... R. QUENEAU, Zazie dans le métro, IX.

♦ **2.** Rare. Action de trotter. ⇒ **Course.**

3 Tant que le monde sera monde (...) disait-elle, il y aura des maîtres pour nous faire trotter et des domestiques pour faire leurs caprices. En dépit de la théorie de cette trotte perpétuelle, déjà (...) ma mère (...) disait : « Mais qu'est-ce qu'ils peuvent bien faire, voilà plus de deux heures qu'ils sont à table ». PROUST, le Côté de Guermantes, Pl., t. II, p. 27.

HOM. Formes de v. trotter.

TROTTE-MENU [tʀɔtməny] adj. invar. — 1488 ; de *trotter,* et *menu.*

♦ Vx ou littér. (par plais.). Qui trotte à petits pas. *« La gent trotte-menu » :* les souris (→ Chercher, cit. 28, La Fontaine).

Hélas ! faute d'un peu de toilette, sa beauté trotte-menu (...) ne pouvait être devinée que par les Parisiens adonnés à la chasse des grisettes (...) BALZAC, la Rabouilleuse, Pl., t. III, p. 887.

Fig. *« Au son trotte-menu du violon des noces ».* (Verlaine, *in* G. L. L. F.).

TROTTER [tʀɔte] v. — XIIᵉ ; du francique *trottôn,* forme intensive de *treten* « marcher ».

★ I. V. intr. ♦ **1.** (Le sujet désigne un animal). Aller au trot. *Cheval qui trotte* (→ Dresser, cit. 19 ; éperon, cit. 1). *Âne* (→ Harceler, cit. 4), *chevreuil* (⇒ 3. **Brocard,** cit.), *cerf* (→ 1. Garrot, cit.), *chien* (→ Exciter, cit. 26) *qui trotte.*

Par métonymie (personnes). *Cavalier qui trotte,* qui fait trotter son cheval.

♦ **2.** (De l'homme et de quelques animaux). Marcher rapidement à petits pas. *Trotter menu, à pas menus.* ⇒ **Trotte-menu.** *Trotter court* (rare). *Souris qui trotte. Les oiseaux des marais trottent.*

1 Petite, trottant court, ornée d'une perruque de soie noire, cérémonieuse, polie, en fort bons termes avec le bon Dieu (...) MAUPASSANT, le Rosier de Mᵐᵉ Husson, Pl., t. II, p. 956.

2 Sans cesse affairée, elle trottait d'un pas menu d'un bout à l'autre de la maison ou du jardin (...) GIDE, Et nunc manet in te, p. 57.

Faire de nombreuses allées et venues, de nombreuses démarches. ⇒ **Courir.**

2.1 (...) ces fines et laborieuses filles de Paris qui trottent au matin par les rues, en allant à des besognes honnêtes. MAUPASSANT, Notre cœur, II, II.

♦ **3.** (XVIIᵉ) Fig. (Choses). Passer rapidement, courir. *« Tandis que coups de poings trottaient... »* (→ Champion, cit. 1). *L'imagination galope* (cit. 5) *suivie par la plume qui ne fait que trotter. Pensées* *qui trottent* (→ Rien, cit. 94). *Faire trotter l'imagination* (→ Indécence, cit. 7). — Loc. *Une idée, un air qui vous trotte par la tête, dans la cervelle...* ⇒ **Préoccuper.**

3 À son grand étonnement, l'actrice approuva les nouvelles idées qui trottaient déjà dans la tête de Lucien (...) BALZAC, Illusions perdues, Pl., t. IV, p. 816.

4 J'ai reculé, un peu par répugnance pour ce genre de démarches, un peu aussi pour laisser l'hypothèse mûrir à la réflexion. Ma foi, ça m'a trotté dans la cervelle toute la nuit (...) J. ROMAINS, les Hommes de bonne volonté, t. II, XIII, p. 133.

Ellipt. : *Trotter à qqn.*

4.1 — C'est encore la politique qui me trottait, expliqua Malinier un peu confus. M. AYMÉ, Travelingue, p. 66.

★ **II.** V. tr. ♦ **1.** (En parlant d'un cheval). *Trotter l'amble* (cit. 1).

♦ **2.** (1680, Richelet, en parlant d'un entraîneur). *Trotter un poulain :* le faire trotter.

▶ **SE TROTTER** v. pron. (xvᵉ, Villon).

Fam. Se sauver, partir.

5 — Et l'autre, le benjamin, qui s'est trotté avec une poule; j'espère que tu respectes son choix aussi? M. AYMÉ, le Chemin des écoliers, VIII.

6 « Fais à ton idée, répondait-elle, comme on dit à un malade qui par plaisir se tue à petit feu, moi je me trotte, car je crois que ta montre retarde », et elle prenait ses jambes à son cou. PROUST, À l'ombre des jeunes filles en fleurs, Folio, p. 561.

DÉR. Trot, trotte, trotteur, trotteuse, trottin, trottiner, trottoir.
COMP. Trotte-menu.

TROTTEUR, EUSE [tʀɔtœʀ, øz] n. — 1690; «vagabond», xvᵉ; de *trotter.*

♦ **1.** (1872, Littré). Cheval dressé à trotter. *Un bon trotteur.* — (1859). Spécialt. Demi-sang entraîné pour les courses au trot.

♦ **2.** N. m. pl. et adj. (Modes). [a] Adj. (1904, in D.D.L.). Vx. *Jupe, robe trotteuse, costume trotteur,* permettant de trotter rapidement, de faire des courses. — N. m. (1911) Costume trotteur.

[b] (1928, in D.D.L.) Mod. Chaussure de ville caractérisée par un talon large et bas. *Des trotteurs.* — Adj. *Un talon trotteur.*

[c] Support de métal muni de roulettes et comportant un élément souple (dit *nacelle*) sur lequel l'enfant se soutient. *Trotteur pliant* (Catalogue Prénatal, automne 1983).

TROTTEUSE [tʀɔtøz] n. f. — 1894, Sachs-Villatte in D.D.L.; 1919, «petite lampe à main»; de *trotter.*

♦ Aiguille des secondes. *La trotteuse d'un chronomètre* (1926, in D.D.L.), *d'une montre, d'une pendule.*

TROTTIN [tʀɔtɛ̃] n. m. — 1648, Scarron; de *trotter.*

♦ **1.** Vx. Petit laquais, gamin (cit. 1) qui fait les courses.

♦ **2.** (Mil. xixᵉ). Vieilli (ou par allus. à l'époque 1900). Petite employée d'une modiste, d'une couturière..., chargée de faire les courses en ville. ⇒ **Midinette** (→ Calicot, cit. 2; chiffonner, cit. 7).

1 (...) l'ouvrière en manteaux et en robes, la modiste, au teint mat, aux yeux polissons (...) le trottin, le petit trognon pâle, au nez un peu canaille, dont les reins branlent sur les hanches qui bougent ! HUYSMANS, En ménage, V.

2 La petite était vraiment sémillante et mise avec le goût particulier des trottins parisiens qui savent, en chiffonnant avec goût quelques morceaux d'étoffe, atteindre presque à l'élégance. GORON, l'Amour à Paris, t. II, p. 695.

TROTTINEMENT [tʀɔtinmɑ̃] n. m. — 1869; *trotinement,* 1845; de *trottiner.*

♦ Action de trottiner. *Un trottinement de souris.* — Bruit de qqn, d'un animal qui trottine.

TROTTINER [tʀɔtine] v. intr. — xiiᵉ; dimin. de *trotter.*

♦ **1.** Avoir un trot* court. *Cheval qui trottine* (→ 1. Étalon, cit. 1). *Ânes qui trottinent* (→ Convoi, cit. 2).

♦ **2.** (1660, Oudin). Personnes, animaux. Marcher à petits pas courts et pressés (→ Bûcheron, cit. 3). *Souris qui trottine.*

1 Il marchait à petits pas pressés, ou, plus exactement, il trottinait auprès de moi (...) GIDE, Isabelle, II.

2 Et quand elle se redressa pour trottiner vers la porte et exécuter l'ordre du maître, elle avait déjà composé son minois comme l'exigeait la courtoisie (...) Claude FARRÈRE, la Bataille, XXIV.

DÉR. Trottinement, trottinette, trottineur.

TROTTINETTE [tʀɔtinɛt] n. f. — 1902, Esnault; de *trottiner.*

♦ **1.** Planchette montée sur deux roues, munie d'une tige de direction orientant la roue avant. ⇒ **Patinette.**

♦ **2.** (1952, Esnault). Fam. Petite automobile; automobile.

1 C'est amusant de doubler les cloches qui sont installées dans leur trottinette comme devant leur bureau. J. CAU, la Pitié de Dieu, p. 56.

L'aimable véhicule roula à côté du triporteur, empruntant son allure (...) — Tu viens de loin, avec ta trottinette? René FALLET, le Triporteur, p. 176. 2

TROTTINEUR, EUSE [tʀɔtinœʀ, øz] n. — xxᵉ; de *trottiner.*

♦ Rare. Personne ou animal qui trottine, court d'un trot très court.

Marras m'avait parlé de ces petits chevaux tartares, exprès pour traîneaux... je les vois là, attelés... en effet si poilus, barbus... mais à vrai dire, ils font plus poneys pour enfants qu'attelages d'Extrême Nord... trottineurs des neiges... CÉLINE, Rigodon, p. 83.

TROTTING [tʀɔtiŋ] n. m. — 1865; mot anglais.

♦ Anglic. (hippisme). Courses au trot. *Club national des Gentlemen du trotting.*

TROTTOIR [tʀɔtwaʀ] n. m. — 1577, Montaigne, *être sur le trottoir;* de *trotter.*

♦ **1.** Vx. Piste où l'on fait trotter les chevaux (Duez, *Dict. ital.-franç.,* 1660, *trottiera*). — Fig. (seul emploi signalé par les dict. jusqu'au milieu du xviiiᵉ). Vx. *Se jeter, se mettre sur le trottoir* (Montaigne, Charron, etc.) : se mettre en piste, se produire. *Être sur le trottoir :* être en vue, être un sujet de conversation; (en parlant d'une fille), être bonne à marier.

♦ **2.** (xviiiᵉ). Anciennt. « Chemin élevé, que l'on pratique quelquefois le long des quais et des ponts, pour la commodité des gens qui vont à pied. *Les trottoirs du Pont Neuf* » (Académie, 1762).

Les trottoirs garnis d'arbres, qui courent le long du Rhône, ont une lieue d'étendue. STENDHAL, Mémoires d'un touriste, t. I, p. 154. 1

♦ **3.** (1660, Oudin; répandu au xixᵉ). Mod. Chemin surélevé réservé à la circulation des piétons, ménagé sur les côtés d'une rue, séparé de la chaussée (cit. 1) par une bordure ou une dépression de la chaussée (caniveau), recouvert d'un revêtement d'asphalte (cit. 2), de bitume (cit. 2), etc. ⇒ **Accotement, banquette.** *Dénivellation du trottoir devant une porte cochère.* ⇒ **Bateau.** *Se promener, déambuler* (cit. 2) *sur les trottoirs* (→ Errance, cit. 3; 2. quart, cit. 4). *Étalages, marchandises sur le trottoir* (→ 1. Fruit, cit. 4; marché, cit. 9; mercier, cit. 2). *Balayer, lessiver* (cit. 1) *les trottoirs* (→ Lavage, cit. 1). *Tables de café sur un trottoir.* ⇒ **Terrasse** (cit. 5). — Par compar. « *La conversation* (cit. 12) *de Charles était plate comme un trottoir de rue* ».

À la femme de Paris le génie de la démarche! Aussi, la municipalité lui devait-elle l'asphalte des trottoirs. BALZAC, la Femme comme il faut, in Œ. diverses, t. III, p. 195. 2

Les temps du trottoir sont enfin arrivés; les rues de Paris finiront sans doute par en avoir toutes (...) Dans quelques rues, le trottoir n'apparaît encore que de distance en distance (...) on fait dix pas dessus, puis on se retrouve sur le pavé, puis on aperçoit encore un petit bout de trottoir, et ainsi de suite. Ch. PAUL DE KOCK, la Grande Ville, « Les trottoirs », t. I, p. 49. 2.1

(...) des perspectives de trottoirs brillants d'hiver et de lumière, des masses d'ombre profonde, des angles de rue, des encoignures de porte, et encore des ombres, un peuple d'ombres, toujours inconnues et toujours amies. M. AYMÉ, Maison basse, p. 147. 2.2

Partout (sauf autour de la statue), l'absence complète de trottoir étonnait : la chaussée aux pavés anciens, pleine de creux et de bosses, arrivait au ras des maisons. A. ROBBE-GRILLET, le Voyeur, p. 46. 3

Trottoir où racolent les prostituées (→ Rafle, cit. 1). *Fille de trottoir, du trottoir :* prostituée. ⇒ **Péripatéticienne.** *Il l'avait ramassée sur le trottoir* (→ Rescucée, cit. 1).

Dans la Haute-Rue à Cologne 4
Elle allait et venait le soir
Offerte à tous en tout mignonne
Puis buvait lasse des trottoirs
Très tard dans les brasseries borgnes. APOLLINAIRE, Alcools, « Marizibill ».

Loc. (1852, in D.D.L.). FAIRE LE TROTTOIR : se prostituer. Cf. argot. Faire l'asphalte, le bitume.

(...) Paul entra dans une violente fureur, gesticulant, criant qu'il ne tenait pas à 5
devenir le frère d'une grue, et qu'il aimerait mieux qu'elle fît le trottoir.
— Je t'y rencontrerais, riposta Élizabeth, je n'y tiens pas. COCTEAU, les Enfants terribles, p. 118.

♦ **4.** (1900, *l'Illustration,* 16 juin). *Trottoir roulant :* plate-forme qui roule sur des rails ou des galets, et sert à transporter des personnes ou des marchandises. *Trottoirs roulants d'une station de métro.*

(...) J'avais à passer au Louvre. Je le dis à Gourmont. « Je vais aller avec vous, me 6
dit-il. Je monterai parler à quelqu'un que je connais, au troisième étage, je prendrai le trottoir roulant ». Paul LÉAUTAUD, Journal littéraire, t. I, p. 216.

TROU [tʀu] n. m. — Mil. xiiiᵉ; *trau,* xiiᵉ; lat. pop. **traucum;* lat. médiéval attesté *traugum* (in *Loi des Ripuaires*), orig. prélatine, probablt prégauloise.

A. ♦ **1.** Abaissement ou enfoncement (naturel ou artificiel) de la surface extérieure d'un corps qui présente un vide. ⇒ **Cavité, creux** (cit. 18), **excavation** (cit.). *Le fond d'un trou. Un trou dans un rocher, dans le rocher. Trou de rocher* (→ Homard, cit. 2), *d'un vieux mur* (→ Nid, cit. 1), *de ruines* (→ Corbeau, cit. 3). ⇒ **Crevasse, fente.** *Sol creusé de trous* (→ Saccade, cit.). *Chaussée* *pleine de trous. Tomber dans un trou. Trous d'une pierre ponce* (⇒ **Pore**). *Trous du gruyère. Trous dans le lit d'une rivière.*

1 (...) il parle de l'attrait qu'ont toujours eu pour lui les trous dans les montagnes, les entrées de cavernes, les cratères désaffectés, au fond desquels dorment la Nuit et l'Inconnu. Il est bien souvent descendu là-dedans, une corde suspendue à un arbre jeté en travers.
Ed. et J. DE GONCOURT, *Journal*, 16 avr. 1857, t. I, p. 139.

2 La route, malheureusement, devenait assez mauvaise. Comme il ne voulait pas ralentir, le voyageur était durement cahoté sur sa selle, au gré des irrégularités du terrain. Il s'appliquait tant bien que mal à éviter les trous les plus visibles, mais leur nombre et leur profondeur augmentaient sans cesse (...)
A. ROBBE-GRILLET, *le Voyeur*, p. 155.

Par ext. *Trou d'eau* : tourbillon formé par l'eau dans une dépression du lit d'un cours d'eau.

(1915). Par anal. (aviat.) **TROU D'AIR** : courant atmosphérique descendant qui fait que l'avion s'enfonce brusquement. ⇒ **Cheminée.**
Creuser* un trou dans la terre (→ Pelle, cit. 2 ; rouler, cit. 32). *Percer un trou. Trous pour plantations* (cit. 1). ⇒ **Poquet** (→ Racine, cit. 1). *Trou qu'on creuse pour enterrer un mort.* ⇒ **Fosse** (→ Lapider, cit. 1 ; peste, cit. 5 ; reboucher, cit. 1). *Être dans le trou*, dans la tombe.

2.1 (...) ils font des trous dans la glace d'espace en espace, et poussent par le moyen d'une perche qui va dessous cette glace, leurs filets de trou en trou, et les retirent de même.
J.-F. REGNARD, *Voyage en Laponie*, p. 123.

(1895, *in* Petiot). Spécialt. *Trous d'un terrain de golf**, où le joueur doit introduire la balle. — *Trous d'un jeu de roulette, de trictrac* (cit. 2).
Loc. fig. *Boire comme un trou*, de façon excessive.

2.2 (...) sa carafe est vide il boit toujours comme un trou il ne touche pas au vin (...)
Tony DUVERT, *Paysage de fantaisie*, p. 195 (1973).

♦ **2.** ⓐ Cavité naturelle ou creusée, servant d'abri (à l'homme ou à l'animal). *Soldats qui se creusent un trou, s'abritent dans des trous d'obus* (→ Entonnoir, cit. 3 ; frère, cit. 24 ; planquer, cit. 1 ; poilu, cit. 4). *Animal creusant son trou, se réfugiant dans son trou.* ⇒ **Terrier** (→ Alerte, cit. 2 ; furet, cit. 1 ; lapin, cit. 3 ; observer, cit. 9 ; rat, cit. 3). ⇒ aussi **Clapir** (se). *Trou de souris*, de taupe, de renard.*

2.3 Vous vous étalez sur vos bancs et vous vous enflez comme les juges au lieu de chercher des trous de rat ou des trous de souris, selon vos grosseurs respectives, pour vous y cacher (...)
F. MAURIAC, *Bloc-notes 1952-1957*, p. 111.

Par métaphore. *Vivre tranquille dans son trou* (→ Sujétion, cit. 9). Fig. (fam.). *Faire son trou* : se faire une situation.

3 Que voulez-vous? Il faut vivre. Il faut trouver sa place et faire son trou. Moi, j'ai fait le mien comme un boulet de canon.
A. DE VIGNY, *Servitude et Grandeur militaires*, III, v.

(1800, *in* D.D.L.). **TROU DE SOUFFLEUR** : ouverture pratiquée dans le plancher sur le devant de la scène, où se tient le souffleur (→ Flâner, cit. 3). — (1819). Absolt. *Le souffleur est dans son trou.*

ⓑ Cavité creusée servant de piège. — Loc. *Trou de loup* : excavation dissimulant un pieu aiguisé (comme d'anciens pièges à loups).

♦ **3.** Par métaphore ou fig. *Boucher un trou* : régler une dette parmi d'autres. *Boucher* (cit. 3) *les trous que la guerre a creusés dans le budget.* ⇒ **Déficit** (→ aussi Heure, cit. 78 ; imputer, cit. 9). *Boucher des trous* : réparer des pertes en hommes (→ Fournée, cit. 5).
Vx. *Faire un trou à la lune* (ou *à la nuit*) : s'enfuir sans payer ses créanciers. ⇒ **Banqueroute, faillite** (faire).

4 Pour remédier à ce mal *(être chassé honteusement)* je me deliberay de faire un coup de ma main qui me payait de mes gages, et de faire un trou à la nuict, comme dit le proverbe.
Ch. SOREL, *Histoire comique de Francion*, p. 111,
in REY et CHANTREAU.

Il y a un trou dans sa comptabilité, des sommes d'argent qui ont disparu sans trace comptable.

(Sens abstrait). Espace où manque qqch. ; manque, défaut. *Il y a un trou dans son raisonnement. Œuvre où il y a des trous*, des défaillances, des parties faibles. *Il y a un trou dans son alibi, dans l'emploi du temps qu'il a donné. « Un grand trou dans ma mémoire »* (1. Mémoire, cit. 19). Loc. *Trou de mémoire* : oubli* partiel et momentané. *Avoir un trou de mémoire*, ou, ellipt. (fam.), *un trou.*

5 (...) quand les classiques eux aussi s'abandonnaient, se laissaient aller au métier. Quand il y avait des trous dans le génie, ce qui s'est vu, des carences, des déficiences. Des manques.
Ch. PÉGUY, *Victor-Marie, comte Hugo*, p. 76.

6 Puis, soudain, un trou mental, le vide, l'abolition, une ressemblance parfaite, je pense, avec ce que doit être le début d'une mort, la route perdue, barrée, effacée (...)
COLETTE, *l'Étoile Vesper*, p. 17.

6.1 Alors, riposte Richard, il faudrait admettre qu'on se trouve en présence d'un crime passionnel, ou de la vengeance d'une femme congédiée. Quand vous l'aurez vue, monsieur le juge, vous constaterez que ce n'est pas le genre (...) Cela dit, il y a (...) ce trou dans son emploi du temps.
René FLORIOT, *La vérité tient à un fil*, p. 69.

Par métaphore. Espace libre ; lacune.

7 Des crieurs de journaux (...) Un trou de calme, puis de très loin, d'autres voix reprennent avec une nouvelle invasion de crieurs de journaux.
A. ARTAUD, *Trois Œuvres pour la scène*, « Il n'y a plus de firmament »,
in Œ. compl., t. II, p. 88.

(Autre valeur). *Avoir un trou dans son emploi du temps*, un espace de temps inoccupé. *Le docteur ne peut pas vous recevoir ce matin, mais il a un trou en fin d'après-midi.*

(1876). **TROU NORMAND.** *Faire le trou normand :* boire un verre d'alcool (en principe, de calvados) entre deux plats pour «creuser» l'estomac.

8 Entre chaque plat on faisait un trou, le trou normand, avec un verre d'eau-de-vie qui jetait du feu dans les corps et de la folie dans les têtes.
MAUPASSANT, *les Contes de la Bécasse*, «Farce normande».

♦ **4.** Sports. (1905, au rugby). Défaut de la défense, qui livre un passage à l'attaquant. *Envoyer la balle dans un trou de la défense adverse. Faire, trouver, provoquer le trou :* percer la ligne de défense adverse. — (1936). *Faire le trou :* creuser l'écart entre soi et ses poursuivants (dans une course). (V. 1970). Fig. Prendre l'avantage sur ses concurrents.

♦ **5.** (De *trou*, 2., au sens de «terrier»). Modeste retraite campagnarde où l'on se réfugie (→ Consolation, cit. 3 ; hibou, cit. 7). — Petit village perdu, retiré, à l'écart de la civilisation moderne (→ Manière, cit. 35). *Un trou perdu, au fin fond de la campagne.* ⇒ **Bled, coin, patelin.** *N'être jamais sorti de son trou :* ne rien connaître du monde. *Un petit trou pas cher :* une petite localité où l'on peut passer des vacances à bon marché.

9 Bagnols est un trou si reculé qu'on ne peut le trouver sur la carte du commerce.
RIVAROL, *Lettres*, XXI, 12 mai 1797.

10 Au fond de ce trou perdu, à la lisière de la triste Beauce, pas un acheteur ne s'était présenté, et M. Charles l'avait eue *(la propriété)* pour vingt mille francs.
ZOLA, *la Terre*, I, III.

11 — Mais non, je vous assure, disait Odette, je suis au fond une petite bourgeoise très choquable, pleine de préjugés, vivant dans son trou, surtout très ignorante.
PROUST, À la recherche du temps perdu, t. IV, p. 9.

11.1 Alain a une composition demain... vacances assommantes dans des petits trous... Alain a besoin d'air salin, marin... N. SARRAUTE, *le Planétarium*, p. 141.

♦ **6.** (1725, argot). Fam. Prison. *Être au trou, dans le trou ; aller au trou.*

11.2 ANTOINE. Albert! Ben, mince!... Tu t'es fait faisander ?
L'INSPECTEUR *(Paul Demange).* Guise, une cave, dans une rafle...
ANTOINE. Je te l'avais dit de ne pas rester à Pigalle...
ALBERT *(Raymond Bussières).* Je ne suis pas encore dans le trou!... Pleurez pas !
H.-G. CLOUZOT et J. FERRY, *Quai des Orfèvres,*
in l'Avant-Scène, n° 29, p. 34.

B. ♦ **1.** Ouverture pratiquée de part en part (dans une surface ou un corps solide). *Faire un trou dans qqch.* ⇒ **Percer, trouer.** *Murs percés, en guise* (cit. 9) *de portes, de trous carrés. Trou percé* (cit. 15) *dans une paroi, un mur* (⇒ **Ope**), *la paroi d'un navire* (⇒ **Dalot**), *un tonneau* (⇒ **Bonde**), *un colombier* (⇒ **Boulin**)... *Trou dans une haie.* ⇒ **Trouée** (→ Pourceau, cit. 1). *(La belette) «Entra dans un grenier par un trou fort étroit »* (cit. 1). *Trou d'aération* (⇒ **Chatière**), *d'écoulement des eaux* (⇒ **Souillard**). *Cheville, tampon servant à boucher un trou. Embouchure du trou d'une filière. Trou fait en forant, en perforant.* ⇒ **Forure, perforation.** *Élargir l'orifice d'un trou.* ⇒ **Fraiser.** *Aléser un trou. Bouton à deux, quatre trous* (→ Machine, cit. 14). *Trou d'une aiguille* (cit. 14). ⇒ **Chas.** *Percer de petits trous.* ⇒ **Picoter, piquer.** *Trous d'un fer à cheval* (⇒ **Étampure**), *d'une pièce de cuir* (⇒ **Œillet**)... *Trous d'un crible* (cit. 1), *d'une passoire, d'une claire-voie* (→ 1. Goutte, cit. 34 ; presse, cit. 3). — *Le trou de la serrure. Regarder par le trou de la serrure. Les trous d'une flûte.* (→ 1. Flageolet, cit. 1 et 2 ; galoubet, cit. 1), *d'une clarinette* (⇒ **Perce**).

Spécialt. (Passages). (1842). Mar. **TROU DU CHAT :** sur les grands voiliers, Ouverture permettant d'accéder à la hune. — (1840). **TROU D'HOMME :** ouverture arrondie dans le plafond d'une citerne, dans l'enveloppe d'une chaudière, etc. ⇒ **Regard** (→ Soute, cit.).

♦ **2.** Solution de continuité produite involontairement (du fait de l'usure, d'une brûlure, d'un choc, etc.). *Les trous d'un tissu, d'un vêtement* (→ Gris, cit. 6 ; haillon, cit. 4 ; misère, cit. 11 ; 2. neuf, cit. 4 ; pauvreté, cit. 6). *Avoir un trou dans sa chaussette. Boucher les trous d'un récipient.* ⇒ **Rétamer** (cit. 1).

12 Une demi-bouteille fut vivement engloutie.
— Tu as donc un trou à l'estomac? reprit Laigle. — Tu en as bien un au coude, dit Grantaire. HUGO, *les Misérables*, IV, XII, II.

Trou fait par une balle, une blessure... (→ Écrabouiller, cit. 1 ; fusiller, cit. 2). *Balle qui fait un trou dans une vitre* (→ Pulvériser, cit. 1).

13 Les parfums ne font pas frissonner sa narine ;
Il dort dans le soleil, la main sur sa poitrine
Tranquille. Il a deux trous rouges au côté droit.
RIMBAUD, *Poésies*, « Le dormeur du val » (1870).

Loc. fig., fam. **TROU DE BALLE :** anus. Syn. : *trou du cul* (1.), → ci-dessous, sens 4.

♦ **3.** (XVIIᵉ). Anat. Canal laissant passage à des nerfs *(trou optique, occipital, trous intervertébraux, ...)* ; nom de certains orifices *(trou mastoïdien, ovalaire, obturateur, ...)*, de certaines cavités *(trou borgne de la langue).*

♦ **4.** Loc. fam. (Se dit de certains orifices ou cavités). *Les trous de nez.* ⇒ **Narine.** — Loc. *N'avoir pas les yeux** (*infra* cit. 9) *en face des trous* (des orbites). — **TROU DU CUL :** voir à l'ordre alphabétique.

♦ **5.** (Mil. XXᵉ). Astron. **TROU NOIR :** objet stellaire hypothétique correspondant à une absence apparente de source de radiations, et dont le champ de gravitation serait tel qu'aucun rayonnement n'en pourrait sortir.

14	De façon un peu grossière, on peut dire que la courbure de l'espace est telle à l'intérieur d'un trou noir que la lumière (qui en décrit les lignes géodésiques) ne peut plus en sortir. À l'extérieur, un trou noir ne manifeste sa présence que par sa masse, qui a des effets gravitationnels «normaux», et par une éventuelle charge électrique, qui produit des forces électrostatiques sur des particules chargées placées en son voisinage.
	A. CAMERON, *in* la Recherche en astrophysique, 1977, p. 110.

CONTR. Bosse.
DÉR. V. Trouer.
COMP. Bouche-trou, trou du cul, trou-madame, trou-trou.

TROUBADE [tʀubad] n. m. — 1859; de l'argot *troubadour* «troupier» (1833), avec infl. de *troupier*.

♦ **Fam. Troupier, soldat.**

Je trinquais avec des brigades,
Et nous buvions à nos amours.
Comme il sied avec des troubades,
C'était moi qui payais toujours (...)	VERLAINE, Invectives, «Cognes et flics».

TROUBADOUR [tʀubaduʀ] n. m. — 1575; de l'anc. provençal *trobador* «trouveur», de *trobar* «trouver, inventer, composer». → Trouver, trouvère.

♦ **1.** Poète lyrique courtois de langue d'oc aux XIIᵉ et XIIIᵉ siècle. (→ Chevalier, cit. 4; romantique, cit. 5). ⇒ **Jongleur, ménestrel, musicien.** *En voyage, le troubadour était souvent accompagné de son jongleur. Recueils poétiques des troubadours.* ⇒ **Chansonnier.** *Troubadours d'Aquitaine* (Guillaume IX de Poitiers, Jaufré Rudel, Marcabrun...), *du Limousin et du Périgord* (Bertran de Born, Bernard de Ventadour, Arnaut Daniel), *de Provence* (Raimbaut d'Orange, Raimbaut de Vaqueiras...), *du Languedoc* (Peire Vidal...). *Poèmes des troubadours.* ⇒ **Chanson, pastourelle, sextine, sirvente, tenson.**

1	L'origine de leur poésie est des plus incertaines. D'aucuns en voient les sources dans une vieille lyrique populaire lentement polie (...) D'autres ont voulu voir dans la poésie troubadouresque un héritage des Arabes (...) Quoi qu'il en soit, cette divinisation de la femme, d'où procède l'inspiration des troubadours, est chez eux, telle qu'ils la conçoivent, un fait neuf — un fait d'esprits délicats, non de vilains, de chrétiens, non de maures. C'est le fruit naturel de la société féodale, qui, en même temps qu'elle verrouillait la vierge et l'épouse, exaltait, jusqu'à la confondre avec la créature de beauté, la Mère de Dieu.
	André BERRY, Littér. d'oc, *in* Encycl. Pl., Hist. des littératures, t. III, p. 1462.

♦ **2.** (1872, Littré). En appos. (Littér. et art). *Genre, style troubadour :* genre littéraire (imitation de la poésie chevaleresque et courtoise), style artistique (pseudo-gothique), né dans le premier tiers du XIXᵉ siècle, alors que le moyen âge était remis en honneur. *Les Ballades de Hugo appartiennent au genre troubadour.*

2	(...) la Chapelle de Saint-Louis *(à Carthage)*, rotonde de style troubadour, barbouillée à l'intérieur d'un affreux badigeon, ne se défend du grotesque que par la mémoire héroïque qu'elle perpétue.
	Louis BERTRAND, le Livre de la Méditerranée, «Carthage».

(V. 1940). Ancienn. *Swing troubadour :* style «swing» d'esprit romantique et tendre, mis à la mode par Charles Trenet.

DÉR. Troubadouresque, troubadourisme.

TROUBADOURESQUE [tʀubaduʀɛsk] adj. — 1846, *in* D.D.L.; de *troubadour*.

♦ **Vieilli. Relatif aux troubadours.** *La poésie troubadouresque* (→ Troubadour, cit. 1). — Qui évoque les troubadours, leur style poétique. *Style troubadouresque.*

Je sors tous les jours, je fais des exercices, et je rentre chez moi las, et encore plus embêté, voilà ce que j'y gagne. Enfin votre troubadour (peu troubadouresque) est devenu un triste coco.
	FLAUBERT, Lettre à George Sand, 1874, *in* D.D.L., II, 7.

TROUBADOURISME [tʀubaduʀism] n. m. — 1846, Gautier; de *troubadour*.
Littéraire et vieux.

♦ **1.** Manière, style lyrique des troubadours.

♦ **2.** Style troubadour (2.).

Le romantisme, c'était bien cette poésie vague et brumeuse, cette inspiration indécise entre la mythologie et la Bible, ce troubadourisme élégant.
	Th. GAUTIER, Hist. de l'art dramatique, *in* D.D.L., II, 2.

TROUBLANT, ANTE [tʀublɑ̃, ɑ̃t] adj. — 1581, Sibilet, repris 1850; de *troubler*.

♦ **1.** Vieilli. Qui altère ou affecte (la vie organique, psychique).

1	(...) le haschisch est (...) beaucoup plus véhément que l'opium, beaucoup plus ennemi de la vie régulière, en un mot beaucoup plus troublant.
	BAUDELAIRE, les Paradis artificiels, «Le poème du haschisch», IV.

Qui compromet, altère la sérénité, le contrôle de soi. ⇒ **Bouleversant, inquiétant.** *Un rêve troublant. Des scènes troublantes.*

♦ **2.** (1894, Goncourt). Qui rend perplexe, embarrasse en inquiétant quelque peu. ⇒ **Déconcertant.** *Question troublante. Un mystère troublant* (→ Identifier, cit. 5). *Exécution troublante de vérité* (→ Surmouler, cit.).
Ressemblance troublante, qui fait douter de l'identité de la personne.

2	— Vous me voyez très perplexe, messieurs. L'une de ces photos a une ressemblance troublante avec l'homme qui est entré chez moi. Troublante, mais non totale.	J. ROMAINS, les Hommes de bonne volonté, t. II, XVI, p. 189.

♦ **3.** (Déb. xxᵉ). Qui excite le désir. ⇒ **Ensorcelant.** *Une femme troublante. — Un déshabillé troublant* (⇒ **Galant**).

CONTR. Apaisant, calmant, tranquillisant. — Rassurant. — Chaste.

1. TROUBLE [tʀubl] adj. — xIIᵉ, var. *torble;* du lat. *turbulus,* altér. du lat. class. *turbidus* «agité», et de *turbulentus.* → Turbulent.

A. Concret. ♦ **1.** Se dit d'un liquide qui n'est pas limpide, qui contient des particules en suspension (⇒ **Boueux, bourbeux, fangeux, vaseux**). *Eau trouble* (→ Fenêtre, cit. 6), *d'un bleu trouble* (→ Plancton, cit.). *Rendre trouble.* ⇒ **Troubler.** *Vin trouble.* ⇒ 1. **Louche, louchir.**

1	(...) ce blanc laiteux à peine bleuâtre, un peu trouble, qu'ont les eaux de riz.
	HUYSMANS, Là-bas, VII.

Loc. *Pêcher* (2. Pêcher, cit. 12 et 13) *en eau trouble; pêcheur en eau trouble.*

Par analogie :

2	Il y a des rêveurs en eau trouble. Ils s'émerveillent de l'eau noire du fossé, de l'eau travaillée par les bulles, de l'eau qui montre des veines dans sa substance, qui soulève comme d'elle-même un remous de vase.
	G. BACHELARD, l'Eau et les Rêves, p. 190.

♦ **2.** Dont la transparence est altérée ou insuffisante. *Verre un peu trouble* (→ Couvert, cit. 15). *Des vitres troubles* (→ Imaginer, cit. 7).

♦ **3.** Qui n'est pas net; qui ne se voit pas nettement. *Lueur trouble* (→ Dénaturer, cit. 5). *Images troubles vues à travers un verre dépoli.* — Vieilli. *Le temps est trouble,* nuageux, brumeux.

♦ **4.** (1655, Molière). Par métonymie. *Avoir la vue trouble :* voir des images troubles (par altération de la vision, pour une cause occasionnelle). *Regard trouble.* — Par métaphore. *Voir trouble :* avoir une vision indécise, imprécise des choses.

B. Fig. ♦ **1.** Vx. Qui n'est pas clair, que l'esprit ne peut appréhender avec certitude ou netteté. ⇒ **Complexe, compliqué, confus, nébuleux, nuageux, obscur.**

3	Ils ne veulent pas *(les philosophes)* faire profession expresse d'ignorance et d'imbécillité *(faiblesse)* de la raison humaine, pour ne faire peur aux enfants; mais ils nous la découvrent assez sous l'apparence d'une science trouble et inconstante.
	MONTAIGNE, Essais, II, XII.

Mod. (par métaphore du sens propre). *Souvenirs* (2. Souvenir, cit. 4) *brumeux et troubles,* vagues, incertains. *Une affaire trouble,* qui contient des éléments cachés, suspects.

♦ **2.** (Av. 1782, d'Alembert). Fig. (avec infl. du v. *troubler*). Qui contient des éléments obscurs, plus ou moins inavouables ou menaçants (→ Hésitant, cit. 5). *Conscience trouble. Désirs troubles* (→ Avilir, cit. 20). *Une trouble méfiance* (cit. 4).

4	Nos bonnes actions sont souvent plus troubles que nos péchés.
	M. AYMÉ, Vogue la galère, III, 3, *in* DUPRÉ, 4559.

5	(...) une période absolument trouble, équivoque, au cours de laquelle les événements se succédèrent dans un rythme qui n'était plus du tout celui de la vie ordinaire.	CÉLINE, Voyage au bout de la nuit, p. 389.

Poét. *«Malade et morfondu, l'esprit fiévreux et trouble»* (→ Exaspérer, cit. 18, Baudelaire).

CONTR. Clair, limpide, transparent; net, perçant. — Distinct, évident, simple, net, pur.
HOM. 2. et 3. Trouble. — Formes du v. troubler.

2. TROUBLE [tʀubl] n. m. — 1283, *tourble,* Beaumanoir, au sens 2; de *troubler.*
Action de troubler; son résultat.

A. (Concret). ♦ **1.** Littér. État de ce qui cesse d'être en ordre, en équilibre; agitation confuse qui en résulte. ⇒ **Agitation, bouleversement, confusion, désordre, remue-ménage, tumulte,** et, (par métaphore), **orage, ouragan, tempête, tourmente.** *Des jours passés dans l'agitation et le trouble* (→ Fortune, cit. 18). *Profiter du trouble, du tumulte, de l'encombrement* (cit. 2). *Le trouble qui règne dans l'État* (⇒ **Anarchie**), *dans une famille* (⇒ **Désunion, mésintelligence**...). *Jeter* (cit. 28), *porter, semer le trouble. Être en proie au trouble et au désordre.* ⇒ **Troublé.** *— Le trouble,* Vx. *En trouble,* *l'agitation du monde* (⇒ **Bruit, tumulte**).

(Vx, sauf dans des phrases de sens négatif). État de ce qui est troublé (3.). *Bonheur sans trouble* (⇒ **Nuage**).

Cour. (au plur.). Ensemble d'événements caractérisés par le désordre, l'agitation. Spécial. Opposition plus ou moins violente d'un groupe à l'intérieur d'une société. ⇒ **Désordre** (4.), **émeute, insurrection, manifestation, mutinerie** (cit. 2), **révolte, révolution, soulèvement.**

Troubles sanglants (→ 2. Fratricide, cit. 4). *Troubles intestins* (→ Affliger, cit. 5). — *Troubles politiques, sociaux, économiques* (→ Crise, cit. 13). *Des troubles avaient éclaté dans le pays.* — *Fauteur* (cit. 2) *de troubles, semeur* (cit. 3) *de discordes...* ⇒ **Agitateur, brandon** (de discorde), **excitateur, trublion.** *Susciter, réprimer les troubles.*

1 Des vols, d'autres crimes ordinaires, des pillages de gens affamés, des meurtres d'accapareurs, des justices irrégulières sur les ennemis du peuple, la résistance à leurs complots, la résistance légale, la résistance à main armée (...) Tout cela sous le mot *troubles* (...) Voulait-on y appliquer une répression égale ? Si l'on chargeait l'autorité royale de réprimer les troubles, le plus grand pour elle, à coup sûr, c'était d'avoir pris la Bastille, elle aurait puni celui-là d'abord.
MICHELET, Hist. de la Révolution franç., II, III.

♦ **2.** (V. 1360, Froissart). Dr. Atteinte à l'exercice d'un droit sur une chose. *Trouble de la possession*, de la jouissance*. Trouble de droit*, provenant d'un tiers qui prétend être titulaire d'un droit sur la chose (réclamation d'un droit, etc.). *Trouble de fait* (par usurpation, etc.). *L'année du trouble* (→ Possessoire, cit. 2).

2 Le bailleur n'est pas tenu de garantir le preneur du trouble que des tiers apportent par voies de fait à sa jouissance (...) Code civil, art. 1725.

2.1 Mme de la Lussardière a envoyé au gérant une lettre fulminante : « Ce n'est pas parce qu'un certain Blot (...) a gagné je ne sais quel concours, que la vie privée des habitants de cet immeuble doit en être bouleversée. » Elle va jusqu'à parler de troubles de jouissance (...)
Pierre DANINOS, Un certain Monsieur Blot, p. 182.

♦ **3.** (1876, Larousse). État d'un milieu dont la limpidité est altérée (→ 1. Trouble, 1.). *Le trouble d'un liquide, de l'huile.*

♦ **4.** (Rare). Caractère de ce qui ne se voit pas nettement, est indistinct (→ 1. Trouble, 3.).

2.2 Martin vit la scène à travers un écran de trouble, des silhouettes tordues et obscures s'agitant devant lui comme des gnomes.
J.-M. G. LE CLÉZIO, la Fièvre, p. 169 (1965).

B. (Abstrait). ♦ **1.** (1559, Amyot). Littér. Perte de la lucidité; état anormal d'agitation qui altère le fonctionnement normal des « facultés » mentales. *Trouble de l'esprit*.* ⇒ **Aberration, aliénation, aveuglement, confusion, délire, déséquilibre, désordre, égarement, folie.** *Le trouble horrible de ma pensée* (→ Raison, cit. 28). — REM. Dans cet emploi, qui mêle les sens d' « agitation » et d' « aveuglement de l'esprit » (→ Troubler), *trouble* est vague et plus littéraire que ses synonymes.

3 Ce sont des gens (...) dont je me sers (...) pour pacifier avec leur harmonie les troubles de l'esprit. MOLIÈRE, l'Amour médecin, III, 7.

4 Il était dans cet état d'étonnement et de trouble inquiet où tombe l'âme qui vient d'obtenir ce qu'elle a longtemps désiré. STENDHAL, le Rouge et le Noir, I, XV.

5 Tout était encore confus et se heurtait dans son cerveau ; le trouble y était tel qu'il ne voyait distinctement la forme d'aucune idée (...)
HUGO, les Misérables, I, VII, III.

♦ **2.** (XVIe). Cour. État affectif pénible, fait d'angoisse et d'une activité mentale excessive, incontrôlée (⇒ **Agitation, effervescence, émotion, excitation, fièvre, inquiétude**). *La peur* (cit. 2) *est un trouble de l'âme. Un trouble mêlé de désirs et de craintes* (cit. 6). *Éprouver, ressentir un trouble* (→ Innover, cit. 6; insensible, cit. 3). ⇒ **Émoi, émotion.** *Un trouble extrême* (⇒ **Affolement**), *mêlé d'angoisse* (⇒ **Désarroi, détresse, effroi**), *d'inquiétude. Le trouble de la pitié.* ⇒ **Attendrissement, émotion.** *Trouble moral, intellectuel.* ⇒ **Embarras, indécision, perplexité.** *« Jamais un trouble égal n'a confondu mon âme »* (→ Esprit, cit. 71). *« Un trouble s'éleva* (cit. 49) *dans mon âme éperdue ». « Un trouble assez cruel m'agite et me dévore »* (→ Déchirer, cit. 15). *Jeter un trouble, le trouble en qqn.* ⇒ **Bouleverser** (cit. 8). — *Apaiser, dissiper le trouble de qqn. Remettez* (cit. 22)*-vous de votre trouble. Dominer son trouble* (→ Blanc, cit. 13). *Sans inquiétude et sans trouble* (→ Amortir, cit. 5; jaillir, cit. 17).

6 Vous avez vu depuis les troubles de mon âme (...) CORNEILLE, Horace, I, 2.

7 L'idée de la mort provoquait chez elle ce trouble qui est un des signes de la jeunesse du cœur ; ce n'était pas l'amour de la vie qui lui manquait, mais le don d'accepter sans murmure une vie qui différait de toutes les vies humaines et qui était la sienne. J. GREEN, Léviathan, II, II.

Le trouble : l'état, l'attitude de celui qui manifeste son émotion, son angoisse (rougeur, tremblements, altération de la voix, décomposition des traits, etc.). *Le trouble de la honte. Écouter des reproches, des injures, sans trouble apparent.* ⇒ **Sourciller** (sans). *Son trouble le trahit.*

8 Le trouble des regards, grâce de la décence,
Accompagnait ces mots, forts comme l'innocence (...)
A. DE VIGNY, Livre mystique, « Éloa », III.

État, attitude de celui qui est troublé, violemment ému et privé de ses moyens. ⇒ **Ahurissement, effarement; confusion.** *Le trouble et les balbutiements d'un candidat timide.*

♦ **3.** Émotion tendre; désir amoureux. *« Cet air de trouble et de désordre qui est la véritable éloquence* (cit. 19) *de l'amour ». Quelque gêne* (cit. 11) *ou un peu de trouble. Trouble des sens. Provoquer un trouble chez qqn.* ⇒ **Exciter, troubler.**

9 Le trouble de l'amour naissant est toujours doux.
ROUSSEAU, Julie ou la Nouvelle Héloïse, Amours de Bomston.

10 À chaque femme son trouble, et la comparaison qu'elle en peut faire avec des troubles différents. COLETTE, l'Étoile Vesper, p. 144.

C. (XIXe). Méd. Souvent au plur. Modification pathologique des activités de l'organisme ou du comportement physique ou mental de l'être vivant. ⇒ **Dérèglement, désordre, désorganisation, perturbation** (→ Harmonie, cit. 31, Cl. Bernard). *Troubles physiologiques. Troubles et lésions* d'une maladie* (→ Infectieux, cit.). *Troubles gastro-intestinaux* (cit.). *Troubles de la menstruation, de la grossesse* (→ Envie, cit. 36)... *Souffrir* d'un trouble. Troubles de la vision, de la vue* (éblouissements, etc.). — *Troubles psychiques* (→ Interner, cit. 2). *Troubles névrotiques* (cit. 2). ⇒ **Névrose.** *Troubles de la personnalité** (→ Encéphalite, cit.). *Symptômes* d'un trouble.* — *Troubles causés par un toxique* (⇒ **Intoxication**), *par l'opium, la cocaïne; par l'alcool. Trouble passager. Trouble émotif, traumatique.*

CONTR. Accord, apaisement, bonace, calme, coordination, disposition, équilibre, ordre, paix (I.), repos; bonheur. — Acuité, clarté (d'esprit), équilibre. — Apaisement, ataraxie, béatitude, calme (moral), impassibilité, maîtrise (de soi), paix (III.), repos, sang-froid, sérénité, tranquillité. — Froideur, indifférence. — Guérison, santé.
HOM. 1. et 3. Trouble. — Formes du v. troubler.

3. TROUBLE [tʀubl] n. m. ⇒ **Truble.**

TROUBLÉ, ÉE [tʀuble] adj. ⇒ **Troubler.**

TROUBLEAU [tʀublo] n. m. ⇒ **Truble.**

TROUBLE-FÊTE [tʀubləfɛt] n. invar. — V. 1300; de *troubler,* et *fête.*

♦ **1.** Personne qui trouble des réjouissances; qui empêche qqn de se réjouir. ⇒ **Importun.** *Je ne voudrais pas jouer les trouble-fête, déranger votre bien-être, votre satisfaction. C'est une trouble-fête.* — Au plur. *Des trouble-fête.*

♦ **2.** (1831, Hugo). Personne qui dérange, qui trouble. *L'éternel trouble-fête des siècles satisfaits* (→ Inassouvi, cit. 3).

1 (...) sa gloire dura sans aucun échec jusqu'à ce que Boileau y vînt porter atteinte, en vrai trouble-fête qu'il était (...)
SAINTE-BEUVE, Causeries du lundi, 12 mai 1851.

Adj. *Des importuns trouble-fête.*

2 (...) un homme en bras de chemise, qui promenait un enfant brailleur, avec ce pas énervé des jeunes pères qui casseraient bien le mioche trouble-fête.
ARAGON, les Beaux Quartiers, II, XXII.

TROUBLER [tʀuble] v. tr. — 1080, la Chanson de Roland; du lat. pop. *turbulare (lat. class. turbare), de *turbulus (→ 1. Trouble); var. *tourbler,* et, par métathèse, *troubler, trobler,* en anc. franç., « mêler, mélanger » et, fig., « ennuyer, mécontenter ».

A. ♦ **1.** Modifier (un milieu) en altérant la clarté, la transparence; rendre moins pur. *Troubler l'eau, un liquide* (→ Aucun, cit. 13; reprendre, cit. 17), *une solution. Troubler un liquide en agitant* (⇒ **Bouiller, brouiller, rabouiller** [cit.]), *en mêlant. « Qui te rend si hardi de troubler mon breuvage? »* (cit. 1). *Une eau odorante troublée d'un parfum laiteux* (→ Jouir, cit. 7). — *Troubler l'air, l'azur, le bleu du ciel :* en altérer la pureté ⇒ **Obscurcir.** Rendre moins clair, moins net. *Troubler la vue de qqn.* ⇒ **Aveugler.**

1 Le regard trop avide sautait des mots, des lignes; même avec le secours de son face-à-main elle put à peine comprendre ce qu'elle avait sous les yeux, tant l'émotion lui troublait la vue. J. GREEN, Léviathan, II, II.

♦ **2.** Littér. Altérer ou supprimer l'équilibre, l'ordre, la pureté de (qqch.); rendre agité, confus. ⇒ **Bouleverser** (1.), **déranger, perturber.** [a] Vx. *Troubler la nature, l'ordre de la nature.* ⇒ **Pervertir** (2.). Poét. *Troubler l'air, l'onde... « L'intempérie* (cit. 2) *des éléments qui trouble ce bas monde ». La colère, la peur trouble ses traits.* ⇒ **Décomposer.**

2 L'alcyon, quand l'océan gronde,
Craint que les vents ne troublent l'onde
Où se berce son doux sommeil (...) HUGO, Odes et Ballades, I, I.

Par ext., vx. *Troubler un pays :* y porter l'agitation, y fomenter* des troubles. ⇒ **Subvertir.** *Troubler l'Europe, le monde.* — *Troubler une famille, un groupe :* y causer des brouilles, une agitation. ⇒ **Exciter** (→ Prison, cit. 11).

3 De fait, il n'est pas homme à troubler un État. MOLIÈRE, l'Étourdi, IV, 1.

4 En ce calme trompeur, j'arrivai dans la Grèce;
Et je trouvai d'abord des princes rassemblés,
Qu'un péril assez grand semblait avoir troublés.
RACINE, Andromaque, I, 1.

[b] Mod. *Troubler le calme, l'ordre* (→ Scandaliser, cit. 4), *la paix des ménages* (cit. 11). Cour. *Troubler l'ordre public* (→ Inquiéter, cit. 4), *l'ordre de la société* (→ Dérision, cit. 2). *Troubler les bonnes mœurs.* ⇒ **Offenser, offusquer.**

[c] (Abstrait). *Troubler la paix de l'âme* (cit. 52). *Une égalité* (cit. 14) *d'âme que rien ne peut troubler.* ⇒ **Imperturbable.**

5 Content de vous adorer en silence, je jouissais au moins de mon amour; et ce sentiment pur, que ne troublait point alors l'image de votre douleur, suffisait à ma félicité (...)
LACLOS, les Liaisons dangereuses, XXIV.

♦ **3.** Empêcher (un état calme, paisible) de se continuer. *Troubler le silence* (→ Essence, cit. 21; jet, cit. 6; mystérieux, cit. 3; nature, cit. 64). ⇒ **Rompre.** *Troubler le sommeil de qqn,* le rendre agité ou l'interrompre (→ Susurrement, cit. 3). *Troubler le repos, la tranquillité de qqn* (→ Bouleverser, cit. 6 ; dévorer, cit. 41). *« Rien ne trouble sa fin, c'est le soir d'un beau jour »* (→ Approcher, cit. 40). *Troubler une vie calme, le bonheur, la joie de qqn* (⇒ **Corrompre, détruire, empoisonner, gâter.**)

Rien ne troublait la monotone tranquillité de notre vie.
LAMARTINE, Graziella, III, XIV.

Affranchis-nous du temps, du nombre et de l'espace,
Et rends-nous le repos que la vie a troublé !
LECONTE DE LISLE, Poèmes antiques, « Dies iræ ».

La paix rustique n'y était guère troublée que des bruissements naturels (...)
Ch. MAURRAS, Anthinéa, II, III.

Dans l'âme tranquille de cette femme, jamais un désir, jamais une inquiétude ne venait troubler la sérénité des heures laborieuses. J. GREEN, Léviathan, I, IV.

♦ **4.** Interrompre ou gêner le cours normal, le développement, le fonctionnement de (qqch.). ⇒ **Dérégler, désorganiser, embrouiller.** *Troubler les plans, les projets de qqn* (cf. Venir à la traverse). — *Troubler la digestion. Les soucis troublèrent sa santé naturellement bonne* (→ Assombrir, cit. 2). ⇒ **Assiéger.** — *Troubler un entretien, une réunion.* ⇒ **Déranger, interrompre, rompre** (vx) ; → Madame, cit. 4, Racine. *« Mais quelqu'un troubla la fête »* (cit. 15). ⇒ **Trouble-fête.** — *Troubler la rêverie* (→ Écouter, cit. 5), *la méditation de qqn.*

J'oublie en sa faveur un discours qui m'outrage.
Je n'en ai point troublé le cours injurieux.
RACINE, Bérénice, I, 4.

Vx. Interrompre, déranger (qqn). Spécialt. Interrompre (une personne qui parle). Cf. Corneille, *Cinna,* V, 1.

— (...) on ne vient point ainsi se jeter au travers d'une comédie, et troubler un acteur qui parle — (...) la véritable comédie qui se fait ici, c'est celle que vous jouez ; et si je vous trouble, c'est de quoi je me soucie peu.
MOLIÈRE, la Comtesse d'Escarbagnas, 8.

Dr. *Troubler l'exercice d'un droit.* ⇒ 2. **Trouble** (2.).

B. (Sens moral). ♦ **1.** Priver de lucidité ; empêcher les fonctions mentales de s'exercer normalement. *Troubler le cerveau* (→ Désordre, cit. 17), *la cervelle* (cit. 2), *l'esprit, la raison* (→ Jusque, cit. 10), *la tête... Le chagrin lui avait troublé l'esprit.* ⇒ **Déranger, détraquer, égarer.** *« Des visions troublaient mes sens épouvantés »* (cit. 12). — Par métaphore du sens concret. *« À moins* (cit. 32) *d'une vapeur qui vous trouble l'esprit ».* — Exciter et rendre confus. ⇒ **Affoler, émouvoir** (→ Panique, cit. 5). *Troubler l'imagination* (⇒ **Enfiévrer**), *le jugement.*

Mais la grande différence gît surtout en ceci, que le vin trouble les facultés mentales, tandis que l'opium y introduit l'ordre suprême et l'harmonie.
BAUDELAIRE, les Paradis artificiels, « Un mangeur d'opium », III.

Mais sa vanité, qui était forte, troubla son jugement, qui était faible.
FRANCE, l'Anneau d'améthyste, I, Œ., t. XII, p. 13.

Tout cela, le soleil, l'odeur de cuir et de crottin de la voiture, celle du vernis et celle de l'encens, la fatigue d'une nuit d'insomnie, me troublait le regard et les idées. CAMUS, l'Étranger, I, I.

♦ **2.** (Mil. XVIIᵉ). *Troubler qqn :* susciter chez qqn un état émotif plus ou moins violent, une activité psychique anormale ou pénible qui altère, qui gêne le cours normal des pensées ou l'activité contrôlée (présence d'esprit, sang-froid...). ⇒ **Affoler, agiter, bouleverser, remuer** (→ Enfermer, cit. 21). *Les passions* qui troublent l'homme. Les réactions de l'adversaire l'ont troublé.* ⇒ **Désorienter, inquiéter.** *Rien ne trouble le sage.* ⇒ **Atteindre, toucher.** — *Troubler une personne timide.* ⇒ **Effaroucher, émouvoir ; effarer.**

Vx. Tourmenter ; angoisser. ⇒ **Affliger, alarmer, contrarier.** *Ce souvenir m'a troublé toute ma vie* (→ Contrister, cit. 1). *Récit, spectacle pénible qui trouble* (⇒ **Impressionner**). Passif et p. p. → cit. 15. — *Troubler l'âme* (cit. 63), *le cœur de qqn.*

Troublé de cette fatale vue, transporté d'une juste colère, il descend en robe de chambre dans l'appartement de Léonor, tenant son épée d'une main et une bougie de l'autre. A.-R. LESAGE, le Diable boiteux, IV.

(...) rien n'est plus à craindre que les mouvements désordonnés qui troublent les cœurs. FRANCE, Thaïs, I, p. 16.

(...) certaine révélation singulière qui l'a troublée au point que, l'angoisse seule survivant à sa cause (...) BERNANOS, Sous le soleil de Satan, I, III.

Ce vieillard était la sérénité même (...) il avait le visage tranquille et volontaire de ceux qui ne permettent pas à la vie de les troubler et qui tiennent à leur bonne humeur comme un avare à son trésor. J. GREEN, Adrienne Mesurat, I, II.

Spécialt. Déconcerter en créant une impression d'insécurité. ⇒ **Démonter, désarçonner, impressionner.** *Examinateur sévère qui trouble les candidats* (→ Ahurir, bousculer ; → ci-dessous Se troubler). *Rien ne le trouble.* ⇒ **Imperturbable.**

Cette gêne extrême et l'inaptitude que je me sens me trouble, me déconcerte, et je serais bien plus à mon aise devant un Monarque d'Asie que devant un bambin qu'il faut faire babiller. ROUSSEAU, Rêveries..., « IXᵉ promenade ».

♦ **3.** (1530, Palsgrave). Vieilli. Déranger ou distraire dans son activité intellectuelle. ⇒ **Déranger, gêner, incommoder.**

♦ **4.** (Mil. XVIIᵉ). Sujet n. de chose. Rendre perplexe ; susciter un embarras intellectuel ou moral dans (l'esprit), chez (qqn). ⇒ **Embarrasser, inquiéter** (→ Rosière, cit. 3). *Toutes les questions terribles qui troublent l'esprit humain* (→ Âprement, cit. 2). *Il y a un détail qui me trouble.* ⇒ **Troublant.** — *Une fois que ne trouble aucun soupçon de doute* (→ Piété, cit. 4).

Cette cassette-là me trouble entièrement (...) MOLIÈRE, Tartuffe, V, 1.

Oh ! je n'aime pas beaucoup m'en tirer par des jongleries de ce genre (...) Ta remarque me trouble. J. ROMAINS, les Hommes de bonne volonté, t. III, II, p. 44.

♦ **5.** (Mil. XVIIᵉ, Racine). Mettre dans le trouble en suscitant une émotion amoureuse. ⇒ **Émouvoir, enivrer, ensorceler, fasciner, séduire.** *Troubler le cœur et les sens* (→ Enivrement, cit. 3). *« Je défiais ses yeux de me troubler jamais »* (→ Rabaisser, cit. 6). *Ce charmant visage qui me troublait si profondément* (→ Apercevoir, cit. 22). *Susciter le désir charnel chez* (qqn). → Fugitif, cit. 9. *Aucune révélation charnelle ne les troubla* (→ Réseau, cit. 9).

▶ **SE TROUBLER** v. pron.

♦ **1.** (1690, Furetière). Devenir trouble. *Liquide qui se trouble.* Vx. *Le temps s'est troublé.* ⇒ **Déranger** (se).

(...) le Danube se divise en plusieurs branches ; les ondes de l'Elbe et de la Sprée se troublent facilement par l'orage ; le Rhin seul est presque inaltérable. Mᵐᵉ DE STAËL, De l'Allemagne, I, I.

♦ **2.** (V. 1770, Rousseau). Littér. *Avoir la vue qui se trouble,* devient moins nette. ⇒ **Brouiller** (se). Perdre sa lucidité, s'égarer, s'enfiévrer. *Cerveau, esprit, imagination qui se trouble. Sa mémoire se trouble.*

♦ **3.** (XIVᵉ). Éprouver un trouble, une émotion. ⇒ **Émouvoir** (s'). *« L'ai-je vu se troubler et me plaindre un moment ? »* (→ Étudier, cit. 29).

(1669, Racine). Perdre son sang-froid*, ne plus savoir que faire ou que dire, sous l'effet d'une émotion, de la confusion*. ⇒ **Contenance** (perdre) → Champ, cit. 9 ; changer, cit. 53 ; fautif, cit. 2. *Élève qui se trouble, balbutie, change de couleur, rougit...* ⇒ **Barboter, embarbouiller.** *Il continua sans se troubler le moins du monde.*

♦ **4.** Vieilli. Devenir moins ferme (→ Faiblir, cit. 4). — Devenir perplexe, embarrassé (par un problème intellectuel, moral...). *« À quoi bon se troubler des choses éphémères »* (cit. 8).

▶ **TROUBLÉ, ÉE** p. p. adj.

♦ **1.** (Av. 1613, M. Régnier). Rendu trouble, louche (1. Louche). ⇒ **Altéré, brouillé.** *Eau troublée* (→ Rivage, cit. 5). *Un ciel non troublé* (→ Anémique, cit. 2). — *Œil troublé* (→ Blême, cit. 1 ; mordre, cit. 14), *vue troublée.*

♦ **2.** (Fin XIVᵉ). Bouleversé, rendu confus (→ Sens* dessus dessous). *Ordre troublé.* — Par ext. *Période troublée de l'histoire d'un pays,* agitée par des troubles (2. Trouble, A., 1. ; → Migration, cit. 1). *Temps troublés.* ⇒ **Tourmenté.** — *Assemblée, réunion troublée, agitée* (→ Houleux, orageux).

♦ **3.** Interrompu ou gêné. *Sommeil, repos troublé.* — (1770). Dr. *Possession troublée.* ⇒ 2. **Trouble, A., 2.**

♦ **4.** (1538, Estienne). Qui ne jouit plus de sa lucidité normale. ⇒ **Confus, détraqué, effaré, égaré, envers** (à l'). *Cerveau esprit troublé* (⇒ **Hébété**). *La tête tellement troublée* (→ Régisseur, cit. 2). — *Imagination troublée. « Leur mémoire troublée »* (Racine, les Plaideurs, vers 667).

♦ **5.** (Personnes). Qui est dans un état d'émotion pénible ou gênant. ⇒ **Ému, éperdu ; inquiet.** — *Candidat troublé, qui perd tous ses moyens, ne sait* plus ce qu'il fait.* ⇒ **Ahuri, effarouché.** — Dérangé, distrait. — Perplexe, embarrassé*. — Spécialt. *Se sentir troublé, séduit* (→ Peindre, cit. 34).

CONTR. Clarifier, éclaircir, filtrer, purifier. — Calmer, pacifier. — Accorder, arranger, coordonner, disposer (en ordre). — Ordonner, ranger. — Apaiser, calmer, rasséréner, rassurer, tranquilliser ; aise (mettre à l'aise). — (Du p. p.) Clair, limpide, pur, transparent. — Calme, paisible, tranquille. — Lucide ; équilibré. — Calme, impassible, imperturbable, serein.

DÉR. Troublant, 2. trouble, troubleur.

COMP. Trouble-fête.

TROUBLEUR, EUSE [tʀublœʀ, øz] n. et adj. — 1261 ; de troubler.

♦ Rare. Personne qui trouble (qqch., qqn).

TROU DU CUL [tʀudyky] n. m. — XIXᵉ ; de trou, du, et cul. Familier.

♦ **1.** Anus. → Trou* de balle, troufignon.

♦ **2.** Imbécile, maladroit ou importun. *Petits trou-du-culs !* — Abrév. : *trouduc* [tʀudyk]. — REM. On trouve dans ce sens le dér. *trouducuterie* (É. Pouget, fin XIXᵉ, *in* Cellard et Rey), parfois écrit étymologiquement (ici, par calembour avec *culte*).

Une colère d'ivrogne le dressait contre la bêtise de Guillain, cette trou-du-culterie des chapelles littéraires qui (...) fabriquait une réputation de génie brimé par les méchants critiques, à de pauvres diables sans talent, sans caractère, vaniteux et bouffons. André CAYATTE, les Marchands d'ombre, p. 252.

TROUÉ, ÉE [tʀue] adj. ⇒ **Trouer.**

TROUÉE [tʀue] n. f. — 1611 ; *trauwée,* fin xvᵉ ; de *trouer.*

♦ **1.** Large ouverture qui permet le passage. — (Dans ce qui barre le chemin). *Une trouée dans une haie, une palissade, une digue.* — (Dans une forêt, un bois.) Endroit sans arbres ; où des arbres ont été abattus. *Une longue trouée entre les arbres.* ⇒ **Clairière** (cit. 1), **percée.** — Par ext. Endroit d'un champ où les plantes sont fauchées.

1 (...) en tout sens, des trouées s'ouvraient, comme dans une étoffe mangée, cédant de partout. La Beauce, lambeau à lambeau, au milieu de cette activité de fourmilière, perdait son manteau de richesse, cette unique parure de son été, qui la laissait d'un coup désolée et nue.
                ZOLA, la Terre, III, IV.

2 Je te mènerai bien loin là-bas où le soleil rayonne, et dans les blés drus et penchés nous ferons la trouée. Je couperai, toi tu lieras le froment demi-mûr (...)
         F. MISTRAL, les Îles d'or, « Noces de Félix Gras ».

(Mil. xixᵉ). *Trouée de ciel :* espace entre des nuages découvrant le bleu du ciel. ⇒ **Déchirure, échappée.**

3 (...) le ciel, semé de nuages, avec des trouées d'un bleu sombre (...)
        E. FROMENTIN, Un été dans le Sahara, p. 14.

4 (...) un vent du sud avait balayé les nuages ; des vapeurs grises s'en allaient en longues déchirures, des trouées d'un bleu intense s'élargissaient d'un bout à l'autre de l'horizon.
               ZOLA, Nana, XI.

(1851, Sainte-Beuve). Fig. *Faire sa trouée :* se faire un passage, faire son chemin (→ Faire son trou*).

5 (...) mais, moins docile que Delille, Nicolas, en devenant Chamfort, rejeta bien loin le costume dont il avait si peu l'esprit. Il essaya de faire sa trouée dans le monde.
       SAINTE-BEUVE, Causeries du lundi, 22 sept. 1851.

Fig., littér. Trou.

6 Personne ne se plaint. Les appels continuent. Ils font des trouées d'épouvante dans le silence soudain. À force d'écouter on entend que ces appels sont toujours les mêmes. C'est son nom.
      M. DURAS, Dix heures et demie du soir en été, p. 32.

♦ **2.** (1798, Académie). Milit. Ouverture faite dans les rangs de l'armée ennemie. ⇒ **Brèche, percée.** *L'effrayante trouée des boulets dans ces masses* (→ Flanc, cit. 13). *Large et sanglante trouée dans la cavalerie ennemie* (→ Fondre, cit. 19). Par anal. Passage entre deux zones dangereuses, ou occupées. *Louis XIV forma quelques trouées par l'incorporation* (cit. 2) *des enclaves.*

(1936). Sport (au rugby). *Faire la trouée :* percer les défenses adverses.

♦ **3.** (1907). Géogr. Large passage naturel dans une chaîne de montagnes, entre deux massifs. *La trouée de Belfort* (entre les Vosges et le Jura).

HOM. Trouer.

TROUER [tʀue] v. tr. — xiiᵉ ; de *trou.*

♦ **1.** (Sujet n. de personne ou de chose). Faire un trou, des trous dans (qqch.) *Trouer qqch. par une opération technique.* ⇒ **Percer, perforer.** *Trouer un vêtement* (par usure, accroc, brûlure...). *Trouer ses chaussures.* — Pron. *Tissu qui se troue vite.*

Absolument :

1 Quelle honte ! Je parie que tu as encore un trou à ta culotte. C'est toujours à recommencer ! Je raccommode et monsieur troue ! Il troue en haut, il troue en bas, il troue au genou, il troue sur la cuisse, il troue au derrière !
           H. BOSCO, l'Âne Culotte, p. 20.

Fig. *Des élancements* (cit. 5) *lui trouaient le crâne.*

Fam. (Sujet n. de personne). *Trouer la peau à qqn :* le tuer. *Se faire trouer la peau :* recevoir des balles. Spécialt. Se faire tuer à la guerre.

(1900, Esnault). Argot. *Trouer qqn :* lui trouer la peau.

1.1 Trop absorbé, il n'a pas remarqué ma voiture au passage. Je l'ai rangée dans une rue transversale et je suis revenu à pinces, en promeneur nocturne, trouer ce bon branque.
      Albert SIMONIN, Touchez pas au grisbi, p. 106.

♦ **2.** Faire une trouée dans... « *Trouant les hordes infidèles* » (→ Guerrier, cit. 2). — En parlant de la lumière. *Éclair* (cit. 4) *qui troue les ténèbres.* — Au p. p. *Feuillage troué de lumière* (→ Lointain, cit. 10).

2 (...) on avait autour de soi une tremblante muraille de branches d'où tombait la charmante fraîcheur des feuilles ; des rayons de soleil trouaient çà et là ces ténébres vertes (...)
      HUGO, Quatre-vingt-treize, I, I.

3 Un tramway descend vitement
  Trouant la nuit, la nuit de verre. APOLLINAIRE, Ombre de mon amour, XII.

Par anal. (d'un son).

3.1 Le bruit s'amenuisa, peu à peu repris par le silence d'eau et de feuilles, et je restai le cœur battant, les tempes en sueur, dans ce paysage inconnu que trouait le chant d'un seul oiseau.
      Jean JOUBERT, l'Homme de sable, p. 171.

♦ **3.** (V. 1829). Traverser un milieu. *L'eau des pluies a troué la route* (→ Ornière, cit. 3). *Ses gros souliers trouaient la terre grasse* (cit. 28).

Au participe passé :

4 On y voyait, çà et là, d'énormes arbres troués par les boulets de la dernière guerre, mais qui avaient survécu, leurs grandes plaies bouchées avec du plâtre goudronné.
      Valery LARBAUD, Fermina Marquez, III.

♦ **4.** (1867, Zola). Sujet n. de chose. Former une ouverture dans... *Le*

mur que troue une petite porte (1. Porte, cit. 5). — Au p. p. *Cabinet troué d'une fenêtre à tabatière* (cit. 1).

Former une tache, des taches qui rappellent des trous. ⇒ **Piquer, tacher.** « *Les noirs des fresques trouent l'architecture* » (→ Nuisible, cit. 3).

5 Toutes ces figures osseuses et trouées d'ombre ou rondes et vertes semblaient celles des Rembrandt, libérés de l'Ermitage à la faveur des journées d'Octobre.
    Paul MORAND, l'Europe galante, « Je brûle Moscou », I.

▶ **TROUÉ, ÉE** p. p. adj. (xivᵉ).
Qui est percé d'un trou, de trous. ⇒ **Percé.** *Bas troué qui laisse voir le pouce* (cit. 10). *Châle troué* (→ Nippe, cit. 5). *Guenilles* (cit. 3) *trouées. Drapeau troué* (par les balles) → 2. Général, cit. 8. Fam. *Soldat troué comme une écumoire* (cit.). *Des pierres meulières* (cit.) *trouées comme des éponges. Pièces trouées,* dont le milieu est évidé (→ Strie, cit. 1).

6 Ton feutre humble et troué s'ouvre à l'air qui le mouille ;
  Sous la pluie et le temps ton crâne nu se rouille (...)
      HUGO, les Contemplations, III, II.

7 — Ah ! Oh ! Je suis blessé, je suis troué, je suis perforé, je suis administré, je suis enterré.
       A. JARRY, Ubu roi, IV, 4.

8 Le café ne donne pas directement sur la rue mais sur une galerie carrée, partagée, trouée de part et d'autre par l'avenue principale de la ville.
      M. DURAS, Dix heures et demie du soir en été, p. 10.

DÉR. et HOM. Trouée.

TROUFIGNON [tʀufiɲɔ̃] n. m. — xviᵉ, *trou fignon* ; réattesté en 1860 ; dimin. dial. de *trou,* et *fin, fignon.* → Fignoler, fion.

♦ Fam. Anus (→ Trou du cul, 1.). Par ext. Cul, derrière.

— Oui, je descendais la rue des Martyrs, je regardais une petite qui se tortillait au bras d'un vieux, devant moi, et je me disais : Voilà un troufignon que je connais (...)
      ZOLA, l'Assommoir, XI, t. II, p. 187.

TROUFION [tʀufjɔ̃] n. m. — 1894, Esnault ; probablt altér. de *troupier* ; d'après *fion* ou *troufignon.*

♦ Fam. Simple soldat. ⇒ **Troubade.**

(...) un malheureux bougre flottant dans une houppelande en lambeaux dont on découvrait peu à peu qu'elle avait dû être une capote de troufion.
    Francis JOURDAIN, Sans remords ni rancune, « Ceux de Carnetin », p. 161.

TROUILLARD, ARDE [tʀujaʀ, aʀd] adj. et n. — Av. 1756 ; de 2. *trouille.*

♦ Fam. Peureux, poltron. ⇒ **Pétochard.** *Un gosse trouillard. Quelle trouillarde !*

— Non, ce que tu me fais suer quand tu te mets à être andouille comme ça ! Il n'y a pas plus geignard ni trouillard que les hommes !
    J. ROMAINS, les Hommes de bonne volonté, t. XI, II, p. 12.

1. TROUILLE [tʀuj] n. f. — 1839, Boiste ; étym. obscure, p.-ê. de l'anc. franç. *troiler* « broyer », *troiller* « presser (la vendange) », apparenté à *treuil,* du lat. *torculum.*

♦ Régional. Tourteau de colza.

HOM. 2. Trouille.

2. TROUILLE [tʀuj] n. f. — 1891 ; « excrément, colique », xvᵉ ; orig. incert., p.-ê. de *troiler, trouiller* (→ 1. Trouille), avec infl. de *drouille,* dial. (Nord-Est) du néerl. *drollen* « chier ».

♦ Fam. Peur aiguë. *Avoir la trouille. Avoir la trouille de qqch., de faire qqch. Flanquer la trouille à qqn. Tu m'as fait (fichu, foutu) une de ces trouilles ! Une trouille intense. Une trouille bleue.*

1 (...) comment un homme pourrait-il protéger une femme, s'il passe son temps à avoir la trouille ?
        SARTRE, le Sursis, p. 48.

2 — T'as eu les jetons ?
  — Tu parles. Jamais eu une telle trouille de ma vie. Même pendant les bombardements.
      R. QUENEAU, Zazie dans le métro, III.

3 « La sainte trouille », selon notre homme, qui a lu Lucrèce, crée les dieux, mais aussi les homme providentiels.
      F. MAURIAC, le Nouveau Bloc-notes, 1958-1960, p. 113.

DÉR. Trouillard, trouillomètre.
HOM. 1. Trouille.

TROUILLOMÈTRE [tʀujɔmɛtʀ] n. m. — V. 1940 ; formation plaisante, de 2. *trouille,* et *-mètre.*

♦ Fam. *Avoir le trouillomètre à zéro :* avoir très peur.

Moi, je n'ai vu que des pétochards comme toi, qui couraient sur les routes avec le trouillomètre à zéro.   SARTRE, la Mort dans l'âme, p. 48.

TROUILLOTER [tʀujɔte] v. intr. — 1833 ; de *trouiller* « péter », v. dial., de même orig. que 2. *trouille.*

♦ Fam. et vx. Puer. *Trouilloter du goulot :* avoir mauvaise haleine.

TROU-MADAME [tʀumadam] n. m. — 1611 ; «arcade de ce jeu», 1571 ; de *trou*, et *madame*.

♦ Anciennt. Jeu d'adresse, consistant à faire rouler treize petites boules sous des arcades numérotées. Par ext. La table à arcades où l'on joue. — Au plur. *Des trous-madame.*

1 (...) un trou-madame, et un damier, avec un jeu de l'oie renouvelé des Grecs (...)
MOLIÈRE, l'Avare, II, 1.

2 (...) des tables pour toutes sortes de jeux : lansquenet, billard, reversi, trou-madame, tourniquet, portique, bête, hoca, brelan, échecs, trictrac, dés, bassette et calbas.   FRANCE, les Sept Femmes de Barbe Bleue, III.

TROUN DE L'AIR [tʀundelɛʀ] interj. — 1885, G. Frison, *in* D.D.L. ; loc. provençale, de *troun* «tonnerre», *de*, et *l'air*, euphémisme probable pour «tonnerre de Dieu».

♦ Régional, vx (appartient au répertoire plaisant des provençalismes exportés). Exclamation plaisante (d'enthousiasme, etc.). — REM. Labiche écrit *troun dé l'air* [tʀundelɛʀ].

1 Pour charmer son voyage,
Chantons son refrain.
Canebiéro, bagasso !
Troun dé l'air !
Ayoli, bouillabaisso !
Troun dé l'air !
La casquette en l'air !   E. LABICHE, la Perle de la Canebière, 19.

2 Nous regardons vos mains qui sont pures et nettes,
Car on sait, troun de l'air ! que vous êtes honnêtes,
De peur que quelque don ne me vienne guérir.
Germain NOUVEAU, le Calepin du mendiant, Pl., p. 707.

TROUPE [tʀup] n. f. — 1538 ; *trope*, 1180 ; francique *throp* «village, troupeau, tas». → Trop, troupeau.

♦ **1.** Vieilli. Réunion de personnes qui cheminent, qui vont ensemble, ou qui agissent de concert. ⇒ **Bande, groupe.** *Des troupes craintives* (cit. 1) *de femmes fugitives. Une troupe de paysans* (→ 1. Mannequin, cit. 6). *Une troupe de masques* (1. Masque, cit. 10) *entre dans un bal. Une troupe de jeunes filles* (→ Hammam, cit.). ⇒ **Cohorte, cortège.** *Une troupe d'étrangers sortit de l'hôtel* (→ Polyglotte, cit. 2). ⇒ **Armée** (fig.), **escadron** (fig.), **essaim.** *Troupe de gens sur la voie publique.* ⇒ **Attroupement, foule, multitude, rassemblement.** *Une troupe de voyageurs, de touristes.* ⇒ **Caravane.** *La troupe des poursuivants.* ⇒ **Meute.** *Troupe errante.* ⇒ **Horde.** *Troupe armée* (→ ci-dessous, 2.). — Loc. *En troupe* : à plusieurs, tous ensemble. *On ne voulait partir qu'en masse, en troupe* (→ Laisser, cit. 41). *Courir en troupe.* ⇒ **Cavalcader.** — REM. Comme pour d'autres collectifs le verbe s'accorde parfois avec le complément déterminatif de *troupe : Une troupe d'enfants lui lancèrent des pierres.*

1 On dit bien une troupe de bandits, une troupe de gueux, une troupe d'auteurs, mais apprenez qu'on doit dire une compagnie de comédiens (...)
A.-R. LESAGE, Gil Blas, III, X.

1.1 Tout en surveillant la mise en place d'une immense cuve, apparemment remplie d'eau, qu'une troupe d'anges venait d'apporter, saint Pierre eut un sourire d'ironie.
M. AYMÉ, le Passe-muraille, p. 231.

(XIIIᵉ). Groupe (d'animaux de même espèce vivant naturellement ensemble). *Troupe d'éléphants.* ⇒ **Troupeau.** *Troupe de cerfs.* ⇒ **2. Harde, harpail.** *Oiseaux en troupe.* ⇒ **Volée** (→ Grive, cit. 1 ; huîtrier, cit. 1). — *En troupe. Les moineaux s'ébattaient en troupes* (→ Crottin, cit. 1).

2 (...) une troupe de canards sauvages, tous rangés à la file, traversent en silence un ciel mélancolique.   CHATEAUBRIAND, le Génie du christianisme, I, V, VII.

3 C'est dans cet arbre énorme, plus *puissant* qu'aucun de nos chênes de France, que bondissait une troupe de singes, qui se sont enfuis à notre approche.
GIDE, Voyage au Congo, VII.

Ensemble d'animaux réunis par l'homme pour son service. ⇒ **Troupeau.** *Troupe de cochons* (→ Grogner, cit. 2), *d'oies. Une troupe de chameaux encombrait* (cit. 1) *la rue.* — (Chasse). *Troupe de chiens.* ⇒ **Meute.** — Fig. *Les événements* (cit. 9) *ont ceci de commun avec les oies qu'ils vont en troupe.*

♦ **2.** (1477). Cour. Groupe (d'hommes armés pour le combat) ; spécialt, Groupe régulier et organisé de soldats*. ⇒ **Bataillon, brigade, colonne, compagnie, escadron, escouade, régiment, section, unité** ; et aussi **goum, légion, parti** (vx), **phalange.** *Général d'une troupe armée* (→ Capitulation, cit. 2). *Trois cents soldats formés en trois troupes* (→ Assaut, cit. 4). *Une troupe d'archers* (→ 1. Flèche, cit. 2), *de partisans* (⇒ **Guérilla**), *de maquisards* (cit. 1). *Troupe d'une commune* (⇒ **Milice**). *Troupe qui surveille, accompagne.* ⇒ **Escorte, garde.** *Éléments d'une troupe.* ⇒ **Commando, détachement, échelon, piquet, patrouille, peloton, reconnaissance** ; **éclaireur, flanc-garde, observateur...** *Le gros* de la troupe. *Rallier une troupe. Rassemblement* d'une troupe. *Débander, défoncer une troupe.*

4 Une troupe de légionnaires qui, par principe, est composée d'aventuriers, forme un ensemble moral assez difficile à définir.   P. MAC ORLAN, la Bandera, V.

Fam. *En route, mauvaise troupe !* : allons, avançons !

5 (...) il donna le coup de pied au mulet, fit son mouvement d'épaule et dit : — En route, mauvaise troupe ! — Et nous repartîmes.
A. DE VIGNY, Servitude et Grandeur militaires I, VI.

En route, mauvaise troupe !
Partez, mes enfants perdus !
Ces loisirs vous étaient dus (...)   6
VERLAINE, Jadis et Naguère, «Jadis», Prologue.

LES TROUPES. ⇒ **Armée** (cit. 14), **force** (forces armées). *Les troupes d'un prince, d'un pays* (→ Autant, cit. 42 ; dépouille, cit. 4). *Lever des troupes* (→ Armer, cit. 11) *contre qqn* (→ 1. Contre, cit. 21). ⇒ **Mobiliser, recruter.** *Droit de requérir des troupes donné par une loi martiale* (cit. 2). *Troupes mercenaires* (→ Fiscalité, cit. 1). *Troupes à pied* (⇒ **Infanterie**), *à cheval* (⇒ **Cavalerie**). *Troupes aéroportées. Troupes combattantes. Troupes d'assaut* (→ Parallèle, cit. 4), *de choc*, de débarquement* (→ Ingénieur, cit. 2), *de couverture** (cit. 3 ; → Avant-poste, cit. 2). *Le général à la tête de ses troupes. Le gros* (cit. 37) *des troupes. Troupes au feu* (→ Communauté, cit. 3) ; *en campagne, en ligne. Troupes fraîches* (1. Frais, cit. 31). *Renfort de troupes.* ⇒ **Renfort.** *Masser des troupes. Concentration, déploiement de troupes. Mouvements de troupes.* ⇒ **Évolution, manœuvre, marche** ; **avance, progression, recul, repli** ; **retraite** ; **déroute, fuite.** *Pont occupé par les troupes allemandes* (→ Incident, cit. 6). *Les troupes ennemies. Nos troupes.* ⇒ **Arme** (II., 2.). *Ménager ses troupes* (→ Hasard, cit. 4). *Troupes qui défilent.* ⇒ **Défilé.** *Passer des troupes en revue* (→ 2. Battant, cit. 2). *Établissement, logement des troupes.* ⇒ **Bivouac** (cit. 1), **camp, campement, cantonnement, caserne, garnison, quartier.** *Troupes casernées, cantonnées quelque part* (→ Généralat, cit.), *consignées. Démobiliser des troupes.*

7 (...) je franchis l'Aisne afin de voir comment réagissaient les troupes appelées au combat. En dépit des nouvelles, le moral restait bon.
R. DORGELÈS, la Drôle de guerre, XVIII.

(1872). Sing., collectif. **LA TROUPE** : l'armée, les armées. *Corps** de troupe* (on écrit aussi *corps de troupes ;* → Armée, cit. 14). *Cadre d'un corps de troupe. Une ville pleine de troupe.* — Spécialt. La force armée, la force publique chargée de réprimer les émeutes. ⇒ **Force** (*supra* cit. 48). *La troupe dut intervenir, chargea. On jeta sur la troupe des tessons de bouteille* (→ Insurrection, cit. 4).

L'ensemble des soldats (opposé à *officiers*). *Le moral de la troupe. La troupe n'a pas ménagé les civils.* ⇒ **Soldatesque.** — **DE TROUPE.** *Homme de troupe.* ⇒ **Soldat** (simple soldat), **troufion, troupier.** — (1835). *Enfant** (cit. 36 et 37) *de troupe.*

8 Le fait est qu'il y avait des coups de bottes pour tout le monde ; et l'homme de troupe apercevait en cela une sorte de justice.
ALAIN, Propos, 8 mai 1921, l'Homme nu.

Par appos. *Gauloises troupe* : cigarettes de l'armée. — Par ext. *Un paquet de troupe, fumer des troupe.*

8.1 Soubeyrac fouilla les poches de Magnier, trouva des cigarettes de troupe tordues, en mit une dans la bouche de son compagnon, l'alluma avec le briquet amadou et reprit sa marche.   Armand LANOUX, le Commandant Watrin, p. 169.

♦ **3.** (1663, Molière). Groupe de comédiens, d'artistes attachés à un théâtre ou qui se produisent ensemble. *Troupe de théâtre.* — REM. On voulait remplacer *troupe*, jugé trop péjoratif au XVIIIᵉ s., par *compagnie** (→ ci-dessus, cit. 1). *Troupe qui joue, présente, donne un spectacle* (→ Rejouer, cit. 2). *Comédie donnée* (cit. 84) *par la troupe du Roi. Troupe de casino* (→ Séance, cit. 5), *de cirque* (→ Petiot, cit. 4). *Troupe de chanteurs, de danseurs... La troupe des ballets russes. La troupe Pasdeloup* (→ Exceptionnel, cit. 4). *Faire partie d'une troupe. Directeur de troupe* (→ Pince-sans-rire, cit. 6). *Troupe en tournée.*

9 La troupe n'est pas payée et prend des libertés avec ses rôles, elle vit d'aventures. Aussi est-elle âpre, comme une véritable troupe d'artistes et supporte-t-elle mal les plaisanteries ou le chahut.   ARAGON, le Paysan de Paris, p. 134.

10 Deux prospectus furent remis à Séil-kor, qui les lut avec Nina. Le premier, rédigé en affiche, débutait par une longue phrase annonçant en forts caractères l'arrivée sensationnelle de la troupe Ferréol, composée d'acrobates, de danseurs et d'équilibristes (...)   Raymond ROUSSEL, Impressions d'Afrique, p. 227.

DÉR. **Troupiale, troupier.**
COMP. **Attrouper.**

TROUPEAU [tʀupo] n. m. — 1530 ; *tropel,* fin XIIIᵉ ; «troupe», mil. XIIᵉ ; du francique *throp.* → Trop, troupe.

♦ **1.** Réunion d'animaux domestiques qu'on élève, qu'on nourrit ensemble (se dit surtout des mammifères). *Troupeau de cent têtes de bétail. Troupeaux de vaches, de taureaux* (⇒ **Manade**), *de chevaux* (→ Sonnaille, cit. 2), *d'ânes* (→ Convoi, cit. 2). *Un troupeau de rennes. Troupeau de moutons et de chèvres* (→ Caravane, cit. 2). — *Troupeau d'oies* (cit. 1). — **Grelots** (cit. 2), *sonnailles des troupeaux. Mener paître, pacager les troupeaux. Les troupeaux sont au pâturage, à l'étable. Migrations de troupeaux des nomades pasteurs* (→ Nomadisme, cit. 1). ⇒ **Transhumance.** *Les troupeaux montent à l'alpage. Chien qui surveille les troupeaux. Le croît* (accroissement) *d'un troupeau.*

1 (...) les trépignements d'un troupeau de bœufs s'entendirent à quelque distance, apportés par le vent. Il s'avançait comme une locomotive, harcelé par le bâton d'un pâtre et les mâchoires d'un chien.
LAUTRÉAMONT, les Chants de Maldoror, V.

1.1 Le troupeau des chèvres bises et des moutons marchait devant les enfants. Les bêtes aussi allaient sans savoir où, posant leurs sabots sur les traces anciennes.
J.-M. G. LE CLÉZIO, Désert, p. 9.

Par compar. *Piétinement de troupeau d'une foule* (cit. 6). *Obéir comme un troupeau* (→ Suffrage, cit. 1 ; et ci-dessous, 3.).

Spécialt. Troupeau de moutons. *Les bergers* (cit. 1) *et leurs troupeaux.* ⇒ **Berger, pasteur** (cit. 1), **pâtre** (cit. 2). *« Jeanne la Lorraine, ses petits pieds dans ses sabots, Enfant de la plaine, filait en gardant ses troupeaux »* (Marche lorraine). *Troupeaux bêlants* (→ Gardien, cit. 1). *Chaque brebis du troupeau* (→ Brouter, cit. 2). *Montagnes couvertes de troupeaux* (→ Laine, cit. 1). *Troupeaux épars... remis en leurs parcs* (cit. 1) ⇒ **Bercail, bergerie.** — Loc. *La brebis galeuse* (cit. 6) *d'un troupeau. Parabole du bon berger et de son troupeau, dans l'Évangile* (→ Berger, cit. 1 ; et ci-dessous, 4.).

2 Chaque vendredi soir, à la tombée de la nuit, un troupeau traversait les guérets entre La Commanderie et La Geneste. Deux chiens le flanquaient. Le berger marchait en avant.
                                                    H. BOSCO, Hyacinthe, p. 15.

Fig., poét. *« Le blanc troupeau de mes tranquilles tombes »* (→ Éloigner, cit. 2, Valéry).

3 Bergère ô tour Eiffel le troupeau des ponts bêle ce matin.
                                                    APOLLINAIRE, Alcools, « Zone ».

♦ **2.** (1530, Palsgrave). Troupe* de bêtes sauvages (cit. 2). *Troupeau de buffles* (→ Savane, cit.), *d'éléphants sauvages* (→ Jungle, cit. 1), *de cerfs* (→ Enfonçure, cit. 2), *d'isards* (cit.), *de bouquetins.*

Par anal. Troupe. *Un troupeau de démons* (cit. 15). *Troupeau de djinns* (→ Livide, cit. 3).

♦ **3.** (1642, Corneille). Péj. Troupe nombreuse (de personnes, assimilées par leur nombre et leur passivité à des animaux). *Le troupeau humain* (→ Delà, cit. 15 ; immerger, cit.). ⇒ **Foule, multitude, peuple.** *Des troupeaux d'affamés* (cit. 4). *Un grand troupeau d'émigrants* (→ Embarquer, cit. 1). *Mener à la boucherie d'immenses troupeaux résignés* (cit.). *Un troupeau de soupireurs* (cit.). *Essaim. « ... je hais* (cit. 25)*... Tout ce qui porte l'homme à se mettre en troupeau »* (Musset). ⇒ **Grégaire** (instinct grégaire). — *Le Grand Troupeau,* roman de Giono.

4 Livré à lui-même et ramené subitement à l'état de nature, le troupeau humain ne saura que s'agiter, s'entre-choquer, jusqu'à ce qu'enfin la force pure prenne le dessus comme aux temps barbares, et que, parmi la poussière et les cris, surgisse un conducteur militaire, lequel d'ordinaire est un boucher. En fait d'histoire, il vaut mieux continuer que recommencer.
                                                    TAINE, les Origines de la France contemporaine, I, t. I, p. 41.

5 Ils appartenaient au grand troupeau des hommes. Les résignés.
                                                    R. ROLLAND, le Voyage intérieur, « L'arbre ».

6 Le soir, à la gare d'Orsay, perdue dans le troupeau que parquait une barrière, Fanny interrogeait les figures sales des voyageurs qui surgissaient du sous-sol.
                                                    F. MAURIAC, le Mal, VIII.

♦ **4.** (XVIᵉ). Relig. (de la parabole du bon pasteur). *Le troupeau du Seigneur :* les fidèles, l'Église. — Vieilli. Les gens d'un diocèse, d'une paroisse, pour l'évêque ou le curé (→ Houlette, cit. 3). *« Et le Salut ayant béni l'humble* (cit. 19) *troupeau ». « Il a ramené au troupeau la brebis égarée »* (Furetière).

7 Mais que dirait Saint Paul, s'il revenait ici,
   De nos jeunes Prélats qui n'ont point de souci
   De leur pauvre troupeau, dont ils prennent la laine,
   Et quelquefois le cuir (...)
                                                    RONSARD, Disc. des misères de ce temps, « À G. Des-Autels ».

8 C'est un prélat fort pieux qui s'occupe sans cesse à édifier le peuple, à le porter à la vertu par des sermons pleins d'une morale excellente, qu'il compose lui-même. Il a depuis vingt années quitté la cour pour s'abandonner entièrement au zèle qu'il a pour son troupeau.
                                                    A.-R. LESAGE, Gil Blas, VII, II.

Vx (dans le langage politique de l'Ancien Régime). *Le berger et le troupeau :* le prince et ses sujets (→ Berger, cit. 14 et 15 ; 1. or, cit. 13).

TROUPIALE [tʀupjal] n. m. — 1760, Brisson ; orig. incert. probablt de *troupe*.

♦ Zool. Oiseau exotique *(Passereaux)* qui vit en troupes et bâtit des nids aussi remarquables que ceux du tisserin. *Troupiale babillard. Troupiale à épaulettes rouges.*

TROUPIER [tʀupje] n. m. — 1821 ; de *troupe*.

♦ Vieilli. Homme de troupe, soldat. ⇒ **Bidasse, troubade, troufion.**

Toute la vieille gaieté militaire française sonnait dans son rire de triomphe. C'était la légende, le troupier français parcourant le monde, entre sa belle et une bouteille de bon vin (...)
                                                    ZOLA, la Débâcle, I, I.

Loc. mod. *Boire, fumer, jurer comme un troupier.*

Adj. *Comique troupier :* genre comique grossier, à base d'histoires de soldats, à la mode vers 1900. ⇒ **Tourlourou.**

TROUSSAGE [tʀusaʒ] n. m. — 1875 ; autre sens, v. 1390 ; de *trousser*.

♦ **1.** Cuis. Action de trousser (une volaille), de (lui) lier les membres au corps avec une aiguille à brider.

♦ **2.** (1933, Larousse). Métall. En fonderie, Réalisation d'un moule en sable.

TROUSSE [tʀus] n. f. — XIIIᵉ ; *torse,* v. 1210 (→ Torche) ; déverbal de *trousser*.

★ **I.** ♦ **1.** Vx ou régional. Assemblage de choses ramassées et liées ensemble. ⇒ **Botte, faisceau, trousseau.** *Trousse de foin, de fourrage.*

♦ **2.** (1690). Vx. Manteau, bagage plié qu'on attache derrière la selle d'un cheval. — Loc. adv. Vx. **EN TROUSSE :** en croupe. *« Un hobereau mène sa femme en trousse à la campagne »* (Furetière).

♦ **3.** (1845, Bescherelle). Morceau de cuir qui sert à relever la queue d'un cheval. ⇒ **Trousse-queue.**

♦ **4.** (1677, Miège). Ancienn (au sing. ou plus souvent au plur.). Haut-de-chausses court et relevé, petite culotte bouffante portée au XVIᵉ siècle (et encore au XVIIᵉ siècle par les pages*). *Une trousse bouffante de soie ponceau* (1. Ponceau, cit., Gautier). *Les bas s'attachaient aux trousses.* — Par plais. Vêtements.

1 Son costume de troubadour est varié d'une *trousse* dans le goût du XVIIᵉ siècle et de souliers à bouffettes qu'on a pu porter en effet vers ce temps-là.
                                                    NERVAL, Lorely, « Fêtes de Hollande », V.

2 — Tant pis, fit-il, je vais me débarrasser de la bouteille de chartreuse en la fourrant dans mes trousses ; la maman Bavoil en sera quitte pour gémir et me reprocher, une fois de plus, d'avachir les poches de mon pardessus.
                                                    HUYSMANS, l'Oblat, V.

Loc. fig. **AUX TROUSSES (de...)** : derrière, en suivant* ou en poursuivant*. *Avoir la police, les créanciers à ses trousses* (→ Embarras, cit. 10). — Par ext. *Avoir le feu aux trousses* (cf. Au derrière, au cul). *Une cinquantaine de chiens que le cerf* (cit. 5) *avait aux trousses. Comme s'il avait eu cent bouchers à ses trousses* (→ Clameur, cit. 1). — **SUR LES TROUSSES DE...** (→ Sur les talons*).

3 La maison Quinola et compagnie a fait faillite, et l'on est à mes trousses.
                                                    BALZAC, les Ressources de Quinola, III, 2.

4 (...) soudain parfois l'un des badauds se détache du flot qui le roule, et, le fendant, vous heurte en son passage, comme s'il avait le feu aux trousses (...)
                                                    Émile HENRIOT, le Diable à l'hôtel, I.

★ **II.** (1660 ; « valise, poche de selle », XIIIᵉ). Poche, étui à compartiments pour ranger un ensemble d'objets. — (XVᵉ). Vx. *Trousse de flèches :* carquois. — *Trousse de médecin, de chirurgien,* contenant ses instruments (cit. 3). ⇒ Inciser, cit. 2. *Trousse d'outils, d'un coffre d'automobile*. Trousse à couture. Trousse à ongles,* contenant les instruments utilisés pour les soins des ongles. ⇒ **Nécessaire.** *Trousse de toilette, de voyage,* contenant des objets de toilette. *Trousse d'écolier,* contenant ses plumes, crayons, règles, etc. *Veux-tu un plumier ou une trousse ?*

5 Le vieux tira d'un coffre sordide une manière de trousse pleine de petits stylets, parmi lesquels il parut choisir les plus affilés, préparatifs peu rassurants !
                                                    LOTI, Aziyadé, III, LVIII.

6 De son gros pouce, il feuilleta les billets, et les engouffra dans un portefeuille vaste comme une trousse de voyage.   Pierre BENOIT, Mₗₗₑ de la Ferté, p. 255.

7 Il sortit de sa poche un flacon de trousse de toilette qu'il montra furtivement à Jérôme (...)   Maurice BEDEL, Jérôme 60ᵒ latitude Nord, I.

★ **III.** Techn. ♦ **1.** (1680, Richelet). Cordage de charpentier servant à élever des fardeaux.

♦ **2.** (1872, Littré). Mines. *Trousse de cuvelage,* ou *trousse :* anneau de cuvelage en fonte posé en appui sur le terrain, à la base de chaque retraite de cuvelage.

♦ **3.** (V. 1960). Outil de sondage qui perfore la roche en l'usant avec de la grenaille ou un abrasif.

DÉR. Trousse, troussequin.

TROUSSEAU [tʀuso] n. m. — XIVᵉ ; *torsel, trossel,* XIIᵉ ; de *trousse*.

★ **I.** ♦ **1.** Vx. Paquet, faisceau. ⇒ **Trousse** (1.). *Trousseau de flèches* (→ Arbalète, cit. 3).

(1636). Mod. *Trousseau de clefs* (cit. 1) : réunion de plusieurs clefs attachées ensemble, maintenues dans un anneau, un porteclef (→ Manquer, cit. 67). *Trousseau de clés d'un geôlier. Perdre* (cit. 17) *son trousseau de clefs.*

1 M. de Coëtquidan sortit un trousseau de clés, attachées elles aussi — comme le pantalon, comme la bottine, — par une ficelle, toute cotonneuse d'aspect, tant elle était usée, et ouvrit la porte de la grille.
                                                    MONTHERLANT, les Célibataires, I, I.

♦ **2.** (Fin XIVᵉ). Habits, linge, parures qu'emporte une jeune fille qui se marie ou qui entre en religion. *« ... un dé* (2. Dé, cit.), *du fil et des aiguilles Dont elles travaillaient au trousseau de leurs filles »* (Molière). *Confectionner* (cit. 2) *son trousseau.*

2 — Donnez-moi mademoiselle Hortense telle que la voilà, sans trousseau même (...)
                                                    BALZAC, la Cousine Bette, Pl., t. VI, p. 250.

3 — Les plus luxueux trousseaux de femmes, les chemises de noces des jeunes filles qui apportent six cent mille francs de dot, sont façonnés à Clairvaux. Voilà le dessous de toutes les belles choses du monde.
                                                    Ed. et J. DE GONCOURT, Journal, 15 janv. 1866, t. III, p. 11.

(1835, Académie). Vêtements et linge que l'on donne à un enfant qui quitte ses parents pour un temps assez long (en pension, en apprentissage, etc.). *Un trousseau de pensionnaire.*

4 Il fut décidé qu'on mettrait Hippolyte en pension à Paris (...) On lui fit donc un trousseau (...)   G. SAND, Histoire de ma vie, III, IV.

★ **II.** (1933, Larousse). Techn. Méthode utilisée en fonderie pour fabriquer des moules ou des noyaux en sable de pièces de révolution.

TROUSSE-GALANT [tʀusgalɑ̃] n. m. — V. 1500 ; de *trousser*, et *galant*, n. m.

♦ Vx, fam. Maladie foudroyante (qui trousse, enlève le galant, le jeune homme) ; choléra. ⇒ **Trousser** (B., 1.).

TROUSSE-JUPONS [tʀusʒypɔ̃] n. m. invar. — xxᵉ ; de *trousser*, et *jupons*.

♦ Fam. Homme qui poursuit les femmes, cherche à les trousser.
Lucie, méfie-toi du gars Denis ; c'est un trousse-jupons comme on n'en fait plus.
                                      H. TROYAT, Amélie, p. 620.

TROUSSE-PET [tʀuspɛ] ou **TROUSSE-PÈTE** [tʀuspɛt] n. — 1798 ; *trousse-pète*, 1872, au masc., Littré ; de *trousser*, et *pet*.

★ **I.** Fam., vx, péj. Petit garçon, petite fille. ⇒ **Morveux.**

★ **II.** N. m. (xxᵉ). Fam. Petite veste très courte. ⇒ **Rase-pet.** — Au plur. *Des trousse-pets.*

TROUSSE-PIED [tʀuspje] n. m. — 1812, Mozin ; de *trousser*, et *pied*.

♦ Techn. Lien qui maintient replié le pied d'un animal domestique. *Trousse-pied utilisé par le maréchal-ferrant, pour ferrer un cheval, un bœuf.* — Au plur. *Des trousse-pieds.*

TROUSSE-QUEUE [tʀuskø] n. m. — 1553 ; de *trousser*, et *queue*.

♦ Techn. (hippol.). Pièce de harnais*, morceau de cuir dans lequel on passe la queue d'un cheval pour la relever. ⇒ **Trousse** (I., 3.). — Au plur. *Des trousse-queues.*

1. TROUSSEQUIN [tʀuskɛ̃] n. m. — 1677 ; dér. dial. de *trousse*, et suff. picard.

♦ Techn. Arcade postérieure relevée de l'arçon de la selle (→ Étrier, cit. 3).

2. TROUSSEQUIN [tʀuskɛ̃] n. m. ⇒ **Trusquin.**

TROUSSER [tʀuse] v. tr. — Fin xiiᵉ ; *trusser*, xiiᵉ ; «charger», 1080 ; du bas lat. *torsare*, du lat. class. *torsus*, p. p. de *torquere* «tordre».

A. Concret. ♦ **1.** Vx. Mettre en faisceau, en botte. *Trousser du foin, un paquet, un bagage.* — (1732). Cuis. *Trousser une volaille :* replier ses membres et les lier au corps avant de la faire cuire. ⇒ **Brider.**

♦ **2.** (Fin xivᵉ). Vieilli. Relever (un vêtement qui pend). ⇒ **Retrousser.** *Trousser ses jupes, sa cotte, son cotillon.*

1 On trousse les habits longs, les jupes, de peur des crottes, de peur qu'on ne marche dessus. On trousse les bas, ses chausses, quand ils sont avalez.
                                      FURETIÈRE, Dict., art *Trousser* (1690).
2 La vieille madame de Courtray, debout le dos à la cheminée, troussant sa robe, se chauffait les mollets.   FRANCE, l'Anneau d'améthyste, IX, Œ., t. XII, p. 138.

Fam. *Trousser les jupes d'une femme :* les relever (dans une intention érotique). — *Trousser une femme :* la posséder sexuellement.
3 (...) un mâle brutal, habitué à trousser les filles au fond des fossés (...)
                                      ZOLA, la Terre, III, I.
4 Ce fut là qu'alla vivre le capitaine déchu, mêlé à la Révolution française sans la comprendre, troussant les servantes d'auberge et toujours à court d'un louis.
                                      A. MAUROIS, la Vie de Byron, I, II.
4.1 (...) leur plus pressé, ce serait d'abord de la trousser. Et remarque bien, ce n'est pas l'envie qui m'en manque. Elle est dans son lit, n'est-ce-pas.
                                      M. AYMÉ, la Vouivre, p. 219.

♦ **3.** (1583). Relever, redresser.
5 Il trousse sa moustache en croc et la caresse (...)
                                      HUGO, les Châtiments, III, IV.
Trousser la queue d'un cheval (⇒ **Trousse-queue**). — Par ext. *Cheval qui trousse la queue* (→ Crottin, cit. 2).

B Abstrait. ♦ **1.** (Fin xviᵉ). Fam., vx. Enlever rapidement, faire mourir. *Cette maladie l'a troussé en quelques jours* (⇒ **Trousse-galant**).

♦ **2.** (Fin xviᵉ). Littér. ou vieilli. Hâter, précipiter (une chose, une affaire). ⇒ **Enlever, expédier.** *L'affaire a été vite troussée.* ⇒ **Torcher.** — Spécialt. Composer rapidement (une petite œuvre). *Trousser un compliment.* ⇒ **Tourner.**
5.1 (...) Mademoiselle Supo, le Père Dubaton souhaiterait que je lui trousse un petit cantique de Noël. La commande est urgente.
                                      J. ANOUILH, Ornifle, I, p. 49.

C'est la première fois que je me mêle de trousser un texte de loi.   5.2
                                      F. MAURIAC, le Nouveau Bloc-notes 1958-1960, p. 88.

▶ **SE TROUSSER** v. pron.
Relever ses jupes, un vêtement analogue. — Par ext. Aller à la selle.
Rognes puait le raisin pendant huit jours ; on en mangeait tant, que les femmes   6
se troussaient et les hommes posaient culotte, au pied de chaque haie (...)
                                      ZOLA, la Terre, IV, IV.

▶ **TROUSSÉ, ÉE** p. p. adj.

♦ **1.** Relevé. *Jupes troussées* (→ Fourmi, cit. 8). *Junon troussé* (→ 1. Fou, cit. 50). — Par ext. *Femme troussée* (→ Indécent, cit. 2), aux jupes relevées.
Par terre, les cottes troussées, elle étranglait de rire, elle bégayait qu'elle ne s'était   7
pas fait de mal.   ZOLA, la Terre, II, IV.
On la voyait encore, les manches troussées, le tablier levé d'un coin, moitié diman-   8
che, moitié travail, passer dans la maison, secouer une marmite, glisser un coup
de balai (...)   Ch.-L. PHILIPPE, Père Perdrix, I, V.

♦ **2.** Dont les membres sont liés (volaille). *Des oies troussées* (→ Plat, cit. 24).

♦ **3.** Fig. Tourné (en parlant d'une phrase, d'un compliment, etc.).
Oui, elle est bien troussée, cette phrase-là ! Êtes-vous heureux d'être si savant, mon-   9
sieur Gaudron !   BALZAC, les Employés, Pl., t. VI, p. 999.
— Ah ! vraiment ? Ma circulaire a été goûtée ?   10
— Je vous en réponds !... On peut dire qu'elle était joliment troussée, votre circu-
laire ! Je compte sur une forte majorité.   E. LABICHE, la Grammaire, 3.

DÉR. Troussage, trousse, trousseur, troussière, troussis, troussoire.
COMP. Détrousser, retrousser, trousse-galant, trousse-jupons, trousse-pet, trousse-pied, trousse-queue.

TROUSSEUR [tʀusœʀ] n. m. — Fin xixᵉ, Maupassant ; de *trousser*.

♦ **1.** Fam. Celui qui trousse (les jupons, les femmes). *Un trousseur de jupons.* ⇒ **Trousse-jupons.**
(...) il était bon vivant, joyeux, farceur, puissant mangeur et fort buveur, et vigoureux trousseur de servantes, bien qu'il eût plus de soixante ans.
                                      MAUPASSANT, les Contes de la Bécasse, «Saint-Antoine».

♦ **2.** Ouvrier spécialisé dans le finissage des tissus. — REM. Le fém. *trousseuse* est virtuel.

TROUSSIÈRE [tʀusjɛʀ] n. f. — 1876 ; «trousse», 1559 ; de *trousser*.

♦ Techn. Corde avec laquelle on unit deux pièces d'un échafaudage.

TROUSSIS [tʀusi] n. m. — 1611, Cotgrave ; de *trousser*.

♦ Vx. Pli fait à une robe pour la relever, la raccourcir. ⇒ **Retroussis.**

TROUSSOIRE [tʀuswaʀ] n. f. — 1845 ; «agrafe de ceinture», 1381 ; de *trousser*.

♦ Techn. Pince d'émailleur.

TROU-TROU [tʀutʀu] n. m. — V. 1960 ; de *trou*.

♦ Fam. Ornement de lingerie composé de petits trous alignés, dans lesquels on passe un ruban. *Dentelle, jupon à trou-trou, à trou-trous.*

TROUVABLE [tʀuvabl] adj. — Fin xivᵉ, Christine de Pisan ; de *trouver*.

♦ Qui peut être trouvé, découvert ou rencontré.
Les aventures de l'abîme ne sont limitées en aucun sens ; tout y est possible, même   1
le salut. L'issue est invisible, mais trouvable.   HUGO, l'Homme qui rit, I, III, I.
Et, comme cette femme n'était pas loin, était trouvable, que de simples conven-   2
tions sociales l'empêchaient de la rejoindre à tout instant (...)
                                      MAUPASSANT, Notre cœur, II, IV.

CONTR. et **COMP.** Introuvable (plus cour.).

TROUVAILLE [tʀuvɑj] n. f. — 1160, *trovaille* ; de *trouver*.

♦ **1.** Fait de trouver avec bonheur. *Une trouvaille opportune* (→ Opportunité, cit. 1). — Chose trouvée heureusement, par hasard ou non. ⇒ **Découverte.**
— (...) quelle charmante propriété vous avez là, monsieur Charles !... Et quand on pense que vous avez payé ça rien du tout !... L'autre se rengorgea. — Une occasion, une trouvaille.   ZOLA, la Terre, I, III.

♦ **2.** (Déb. xxᵉ). Fait de découvrir (une idée, une image, etc.) par l'esprit et d'une manière heureuse. ⇒ **Découverte.** *La trouvaille de tel trait par un auteur* (→ Gestation, cit. 6). — Ce qui est ainsi trouvé, inventé ; idée originale, intéressante. ⇒ **Création, invention ; idée, rencontre** (→ Façonner, cit. 6 ; invention, cit. 5). *Trouvaille de laboratoire* (→ Langouste, cit. 2). *Trouvailles dans une œuvre, un poème* (cit. 2) ... *Les trouvailles de l'imagination*. *Trouvaille* *éblouissante, ingénieuse. Réinventer* (cit. 1) *en poésie les trouvailles du douzième siècle.*

Iron. ou péj. Idée saugrenue. *Bravo, quelle trouvaille! Quelle est encore sa dernière trouvaille?* ⇒ **Invention.**

CONTR. **Banalité, cliché, lieu** (commun).

TROUVER [tʀuve] v. tr. — Fin XIIe; *truver*, v. 1050; du lat. pop. **tropare* «composer (un air, un poème)» (cf. le provençal *trobar*, d'où *troubadour*), puis «inventer, découvrir» (cf. lat. médiéval *contropare* → Controuver).

★ **I.** ◆ **1.** Apercevoir, rencontrer, toucher (ce que l'on cherchait ou ce que l'on souhaitait avoir). ⇒ **Découvrir.** *Chercher* qqch. jusqu'à ce qu'on le trouve* (→ Drachme, cit. 1). *Trouver de l'eau* (→ Pourvoir, cit. 4), *un gisement pétrolifère, métallifère* (⇒ **Déceler, détecter**). *Trouver la pâture pour les troupeaux* (→ Nomadisme, cit. 1), *une nourriture abondante* (→ Muer, cit. 4). *Trouver sa subsistance* (→ Glacer, cit. 2), *de quoi tromper sa faim* (→ Porcherie, cit. 2). *Un rossignol construit son nid quand il a trouvé de la mousse* (→ Nicher, cit. 1). *Trouver une grotte pour se gîter* (→ Impénétrable, cit. 2), *une bâtisse où loger des malheureux* (→ Hôtel-Dieu, cit. 2), *un bistrot dans le village* (→ Diable, cit. 20). *Je n'arrive pas à trouver ce livre, ces papiers.* (→ Mettre la main* dessus). *Chose difficile à trouver* (→ Sifflet, cit. 1), *qu'il est rare de trouver* (→ Squelette, cit. 2). ⇒ **Avoir, obtenir, rencontrer**; et, fam., **dégoter, dénicher, déterrer.** «*On n'y trouve que ce qu'on apporte*» (cit. 13). *Je défie qu'on les trouve, mes mille francs bien cachés* (→ Jamais, cit. 29). *Trouver la nuance voulue dans la gamme des tons* (→ Godet, cit. 3). *Ramasser tout ce qu'on peut trouver de brindilles* (→ Fagot, cit. 1). *Fureter afin de trouver un mégot* (cit. 1).

1   Un trésor est caché dedans.
    Je ne sais pas l'endroit; mais un peu de courage
    Vous le fera trouver, vous en viendrez à bout.   LA FONTAINE, Fables, v, 9.

2   Avait-on besoin d'un papier, il fallait perdre un mois à le chercher; encore souvent ne le trouvait-on pas.   DIDEROT, Jacques le fataliste, Pl., p. 537.

Par ext. Sentir en touchant. *Il se prit la main et ne trouva pas son pouls* (cit. 3).

(Le compl. désigne une chose abstraite). *Mots que l'on trouve dans un dictionnaire* (cit. 5 et 12).

◆ **2.** (1273). Se procurer. *Trouver un appartement* (cit. 6), *un gîte à sa convenance* (cit. 6), *des places de cinéma* (→ Lanterner, cit. 2). *Trouver de l'argent, des capitaux. Je n'ai pas trouvé d'avion, de train pour Paris. Essayer mille remèdes pour en trouver un bon* (cit. 19). — *Trouver de l'argent à qqn.* ⇒ **Procurer** (→ Dispenser, cit. 10) — *Se trouver de l'argent.*

3   Cette adresse extraordinaire hâta si fort les progrès de ma fortune, que je me trouvai en peu de semaines des sommes considérables (...)
                                                Abbé PRÉVOST, Manon Lescaut, I, p. 66.

Par métaphore ou fig. Obtenir (un avantage), parvenir à (un état, une situation favorable). *Trouver une activité* (→ Parti, cit. 20), *une occupation lucrative* (→ Remettre, cit. 19), *une position* (cit. 13), *une situation, du travail* (→ Rouler, cit. 25), *de l'ouvrage* (cit. 3)... *Trouver fortune* (→ Promouvoir, cit. 1). — *Ne pouvoir trouver le sommeil* (→ Essayer, cit. 31), *le repos, le calme. Trouver deux heures* (cit. 8) *de repos. Trouver le bonheur.* — *Trouver son chemin* (par métaphore), *le chemin du ciel* (→ Gémissant, cit. 2), *sa voie* (→ Aptitude, cit. 10). *Trouver une issue* (cit. 6). — Loc. *Trouver place* dans une voiture.* — *Trouver un asile* (cit. 17), *trouver asile*, refuge* auprès de qqn, quelque part.* ⇒ **Réfugier** (se; → aussi Grenier, cit. 10). — *Trouver appui* (cit. 32), *assistance* (cit. 7), *soutien* (cit. 5). — Loc. *Trouver grâce** (cit. 15 et 16) *devant qqn.*

4   Que la porte de la vie est petite! que la voie qui y mène est étroite, et qu'il y en a peu qui la trouvent!
                                BIBLE (SACY), Évangile selon saint Matthieu, VII, 14 (→ Étroit, cit. 5).

Spécialt. Recueillir (qqch.) de manière à en tirer avantage, profit. *Trouver un avantage* (→ Dot, cit. 3; rompre, cit. 12). *Trouver son intérêt à faire qqch.* (→ Athée, cit. 16). *Trouver son compte avec qqn. Trouver son affaire* (→ Jeter, cit. 49), *le filon* (→ Inamovible, cit. 3).

◆ **3.** Parvenir à rencontrer (qqn), à être avec (qqn). *Trouver, ne pas trouver qqn. Je ne l'ai pas trouvée chez elle. Où peut-on le trouver à cette heure-ci?* ⇒ **Rencontrer; atteindre, joindre, rejoindre, surprendre**; fam. **dénicher, main** (mettre la main sur qqn), **pêcher** (→ Appeler, cit. 1). *Il, elle est impossible à trouver.* ⇒ **Introuvable** (cit. 4). — Loc. fig. *Trouver le lièvre au gîte* (⇒ **Surprendre**), *trouver la pie* (1. Pie, cit. 4) *au nid* — Spécialt. *Trouver Dieu*: sentir, éprouver sa présence (→ Ailleurs, cit. 3). «*Ceux qui cherchent* (cit. 7) *Dieu le trouvent*». «*Tu ne me chercherais* (cit. 10) *pas si tu ne m'avais trouvé*».

5   (Un homme) Est venu vous chercher (...)
    Et ne vous trouvant pas, m'a chargé doucement (...)
    De vous dire (...)   MOLIÈRE, le Misanthrope, IV, 4.

Absolt. *Cherchez* (cit. 6) *et vous trouverez.*

(V. 1200). *Aller trouver qqn*: se rendre auprès de lui pour le voir, lui parler. ⇒ **Aller** (cit. 35; → Gaillard, cit. 7; impresario, cit. 2;

intimider, cit. 3; montrer, cit. 5; reculer, cit. 8). — «*Adieu: je vais trouver Roxane de ce pas*» (cit. 38). ⇒ **Retrouver, voir.** — Par métaphore. «*Le mérite se cache, il faut l'aller trouver*» (→ Produire, cit. 7).

Spécialt. Obtenir (qqn) pour son service. *Trouver une bonne, une nourrice* (→ Accommoder, cit. 1), *une gouvernante* (→ Griffonner, cit. 4), *un secrétaire* (→ Griffonner, cit. 4), *des ouvriers connaissant le maniement* (cit. 3) *des machines. Trouver qqn qui veuille bien se charger de ce travail. Trouvez-moi qqn qui fasse mon affaire. Trouver un mari* (→ Agréable, cit. 12), *une femme.* — *Trouver un gendre. Trouver un amant.* — *Trouver un compagnon* (cit. 3), *un ami* (→ Expansif, cit. 2). — Loc. fam. (fig.). *Trouver chaussure* à son pied, couvercle* à sa marmite.*

★ **II.** (V. 1050). Découvrir, rencontrer (qqch., qqn) sans l'avoir cherché. ⇒ **Rencontrer.**

a (Compl. n. de chose). *Trouver un mouchoir* (cit. 3) *sur un banc. Je viens de trouver cet éventail* (→ Pompadour, cit. 2). *Un hasard qui lui ferait trouver vingt francs* (→ Inspecter, cit. 5). «*Quand tu trouves un diamant qui n'est à personne, il est à toi*» (→ Posséder, cit. 5). ⇒ **Tomber** (sur). *Prendre tout ce qu'on trouve* (→ Fossé, cit. 5). *Prendre son bien* où on le trouve.*

6   Un jour, elle trouva dans un livre venu du cabinet de lecture un billet ainsi conçu (...)
                                        Jacques DE LACRETELLE, la Bonifas, X, p. 228.

(Abstrait). *Trouver un obstacle sur son chemin** (cit. 51 et 52). *Trouver de la résistance* (→ Mutin, cit. 1). *Trouver sa perte* (→ Exposer, cit. 24), *sa fin, la mort*, une mort cruelle* (→ Salutaire, cit. 1). «*Nous cherchons le bonheur* (cit. 11) *et ne trouvons que misère et mort*» (Pascal).

(Avec on, nous, vous). On rencontre, il arrive de rencontrer, il y a... *On trouve sur cette côte toutes sortes de poissons* (cit. 4). *On trouve tout dans ce magasin.* — On contaste l'existence de... *On trouve chez les baleines des organes rudimentaires* (cit. 2). *Vous trouverez dans les climats du nord des peuples qui...* (→ Midi, cit. 13). Rencontrer au cours d'une lecture, dans un livre, chez un auteur. *Trouver une description dans un livre* (→ Atrophier, cit. 2). *Un mot qu'on trouve dans Larivey* (→ Joindre, cit. 26; et aussi plat, cit. 20; poil, cit. 19). *On ne trouve jamais chez Hugo la moindre impropriété de langage* (→ Gaucherie, cit. 5).

b (Compl. n. de personne). *Trouver trois braves dans un cabaret* (→ Frimas, cit. 5). *Je trouvai en arrivant des alguazils* (cit. 2).

7   Dom Juan, je vous trouve à propos et suis bien aise de vous parler (...)
                                                            MOLIÈRE, Dom Juan, v, 3.

7.1 — Six mois qu'il était marié, continue le client. Il l'a trouvée chez Perez. Qui n'aurait pas agi de la sorte? Il sera acquitté, Rodrigo.
                                        M. DURAS, Dix heures et demie du soir en été, p. 15.

Loc. *Trouver son maître** (→ Quinaud, cit. 2). *Trouver à qui parler** (1. Parler, cit. 40). *Trouver qqn sur son chemin*.*

Fam. *Trouver qqn*: essuyer la riposte, la contre-attaque de qqn (en corrélation avec *chercher qqn*: lui chercher noise). *Si tu me cherches, tu vas me trouver.*

7.2 En revanche, notre ami me reproche d'avoir *attaqué*, dans le «Bloc-Notes», un innocent père dominicain, et Bourdet, et Mandouze (...)
     Si ce Père, que je ne connaissais pas, ne m'avait pas cherché, il ne m'aurait pas trouvé.   F. MAURIAC, le Nouveau Bloc-notes 1958-1960, p. 234.

c (Sujet n. de chose). *Chaque mauvaise nouvelle trouve aussitôt son messager* (→ 1. Savoir, cit. 66). *Sa mort trouvera des vengeurs.*

★ **III.** (1080). Abstrait. ◆ **1.** Découvrir (qqch.) par un effort de l'esprit, de l'imagination. ⇒ **Imaginer, inventer.** *Trouver un moyen, des moyens pour prévenir un danger* (→ Autodafé, cit. 3). *Trouver le moyen de..., trouver moyen de...* ⇒ **Moyen** (cit. 2, 3, 4, et supra), **réussir** (à...). *Trouver un biais*, un expédient* (→ Effet, cit. 2 et 5). *Trouver un remède contre une maladie* (→ Exalter, cit. 9). *Trouver une formule* (→ Populaire, cit. 8), *une méthode* (→ Mur, cit. 9), *une idée, des idées, un plan* (→ Forger). *Trouver une chose à quoi l'on n'avait pas songé.* ⇒ **Aviser** (s'). «*La dernière* (cit. 1) *chose qu'on trouve en faisant un ouvrage...*». *Trouver qqch. de nouveau.* ⇒ **Innover.** — SE TROUVER (à soi-même). *Se trouver une raison, un prétexte pour ne pas faire qqch.*

Spécialt. Découvrir (ce qui était caché, inconnu, rendre clair ce qui était mystérieux). ⇒ **Déchiffrer, deviner, élucider, percer.** *Trouver un secret, la clef d'une énigme, d'un mystère, la solution d'un problème* (⇒ **Résoudre**). *Trouver l'explication d'une expression* (→ Après, cit. 89). *Trouver la vérité* (→ Subtil, cit. 1). — (Dans le domaine de la recherche scientifique, médicale). *Trouver la cause* (→ Hygiéniste, cit. 1), *la source du mal.* ⇒ **Déceler.** *Ne rien trouver à l'auscultation* (cit.). *Les médecins n'ont rien trouvé, ne lui ont rien trouvé. Trouver le secret de l'équilibre* (cit. 24). *Trouver des lois* (→ Imagination, cit. 23), *des principes* (→ Effet, cit. 1).

Trouver que (et l'indic.). ⇒ **Découvrir.** *Newton a trouvé que le poids des corps était proportionnel à la quantité de matière qu'ils contiennent* (→ 1. Masse, cit. 33; et aussi cercle, cit. 1).

Absolt. *Inventer, c'est trouver, en bon français* (→ Créer, cit. 8). *Trouver à force* (cit. 81) *de chercher.* «*Je ne cherche pas, je trouve*» (Picasso). *L'orgueil d'avoir trouvé* (→ Modulation, cit. 4). *J'ai trouvé.* ⇒ **Eurêka!**

(Dans le domaine de l'expression orale ou écrite). *Ne pas trouver les mots* (→ Objectiver, cit. 2), *ses mots* (→ Particularité, cit. 5), *un mot* (→ Nue, cit. 9). *Trouver le mot juste, le terme qui convient. Trouver les paroles dont on a besoin* (→ Entretenir, cit. 28). *Trouver la rime. Trouver des arguments, des raisons, un prétexte** (2. Prétexte, cit. 3), *une excuse à la dernière minute* (⇒ **Improviser**). — Fam. *Où avez-vous trouvé cela? :* qu'est-ce qui vous fait croire cela? — *Où est-ce qu'il trouve tout ça?* Cf. Où est-ce qu'il va chercher tout ça?

♦ **2.** Pouvoir disposer de (temps, occasion, etc.). *Trouver le temps* de faire qqch.* (→ Artiste, cit. 10; astreindre, cit. 4; fric, cit. 2). *Trouver du temps pour observer* (cit. 18), *un moment* (cit. 15) *pour écrire. Trouver l'occasion*, la possibilité de faire* (telle chose).

(V. 1250). **TROUVER À...** (et l'inf.) : trouver le moyen de... *Trouver à placer son mot. Il n'a pas trouvé à se défaire de sa maison* (Littré).

8 Pour moi, je suis peu fait à cet amour austère
Qui dans les seuls regards trouve à se satisfaire (...)
MOLIÈRE, le Dépit amoureux, I, 3.

9 Dès qu'il y aura du danger, nous trouverons bien à vous faire sauver par là-haut.
ZOLA, la Débâcle, VII.

10 (...) j'aurais bien fini par trouver à gagner ma vie (...)
GIDE, les Faux-monnayeurs, I, VIII.

TROUVER À (et un verbe exprimant la critique). ⇒ **Avoir** (à). *Trouver à redire, à reprendre à qqch. :* critiquer, désapprouver. *Il trouve à redire à tout, à tout ce qu'on fait.*

♦ **3. TROUVER** (un sentiment, un état d'âme) **DANS, À,** etc. : éprouver. *Trouver dans la tendresse l'apaisement* (cit. 2) *de ses souffrances. Trouver son bien* (→ Retirer, cit. 23), *la paix* (cit. 34) *en soi-même. Trouver du plaisir dans le calcul de ses richesses* (→ Après, cit. 25), *à parler* (1. Parler, cit. 36) *avec qqn. Trouver la satiété où l'on recherchait le bonheur* (→ Obligeant, cit.).

Trouver (et compl. n. d'un sentiment positif) *à...* (et n. ou inf.). *Trouver du plaisir à un travail, à faire qqch.*

11 (...) comme un curé de village trouve joie à parcourir chaque soir les étroites allées de son jardin.
A. MAUROIS, Un art de vivre, II, 5.

Éprouver en soi-même la capacité, la force de... *Ne pas trouver la force d'articuler* (cit. 12) *une parole. Trouver en soi la force de pardonner* (→ Diable, cit. 5), *le courage nécessaire* (→ Raté, cit. 1), *un courage surnaturel* (→ Presse, cit. 2). *Trouver le courage de faire qqch. Trouver l'espérance* (cit. 14), *la foi* (→ Autel, cit. 16).

★ **IV.** Voir qqn, qqch. se présenter d'une certaine manière.

♦ **1.** (XIIᵉ). Avec un compl. et un attribut du compl. *Trouver la porte fermée* (→ Laisser, cit. 22), *les volets clos. Trouver le dîner cuit* (cit. 15) *à point.* — (Avec un objet direct qualifié par un complément ou une proposition). *Trouver visage* de bois. Avoir de la peine à trouver un soulier qui ne soit pas graissé* (→ Noël, cit. 2).

(Avec un compl. n. de personne). *Trouver qqn vivant* (→ Inanition, cit. 3), *mort* (→ Doute, cit. 8; extrême-onction, cit. 1), *enseveli jusqu'à mi-corps* (cit.)... *Je l'avais trouvée languissamment* (cit. 2) *étendue sur une chaise longue.* — (Avec un objet direct qualifié par un compl. ou une proposition). *Trouver qqn au lit* (→ Égrotant, cit. 2), *debout près de son lit* (→ Improviste, cit. 2), *en veste* (→ 1. Nu, cit. 6), *sur le seuil* (→ Marquer, cit. 18). *Je la trouvai furetant dans un tiroir.* ⇒ **Surprendre**. *Il trouva sa maîtresse qui l'attendait au bas du perron* (→ Étreindre, cit. 10).

12 (...) il la trouva qui mettait des cataplasmes à une vieille dame (...)
FRANCE, Histoire comique, VII.

Trouver qqn en faute* (supra cit. 14). (XVIIᵉ). Fam. *Que je vous y trouve! :* que je vous y prenne (en tel endroit ou en train de faire telle chose).

13 Ah! fourbe, que je vous y trouve!
MOLIÈRE, le Sicilien, 8.

♦ **2.** (XIIᵉ). **TROUVER** (un caractère, une qualité) **À** (qqn, qqch.) : lui attribuer, lui reconnaître un (caractère, une qualité). *Je lui trouve mauvaise mine, bon moral. Trouver des vertus, de l'esprit* (→ 1. Dire, cit. 106), *de la grâce* (cit. 63) *à qqn. Ne trouver aucune saveur à ce qu'on avale* (→ Oblitérer, cit. 2). *«Aux objets répugnants nous trouvons des appas»* (cit. 12). *Trouver des défauts aux plus belles actions* (→ Diminuer, cit. 7), *des torts à qqn* (→ Infatigable, cit. 4). *Il lui trouva l'air poli* (→ Propos, cit. 10). *Trouver au sizerin* (cit.) *beaucoup de ressemblance avec le chardonneret. Elle trouvait à tous ses bibelots une forme amusante* (→ Cattleya, cit. 1). *Nous voudrions trouver en cet ennemi un adversaire digne de nous* (→ Rival, cit. 5).

14 Ses yeux surtout avaient une expression à la fois voluptueuse et farouche que je n'ai trouvée depuis à aucun regard humain.
MÉRIMÉE, Carmen, II.

15 Hélène trouvait à son mari une roideur correcte qui ne lui déplaisait pas. Elle lui savait gré de son bon ton et de son flegme.
FRANCE, Jocaste, VI, Œ., t. II, p. 66.

16 Tel était alors mon état d'esprit que je trouvais à cela une grande poésie.
F. MAURIAC, le Nœud de vipères, III.

Fam. *Qu'est-ce qu'il lui trouve? Qu'est-ce qu'elle peut bien lui trouver?* (comme qualité, agrément...).

♦ **3.** (XIIIᵉ). **TROUVER** (qqn, qqch.), et attribut : estimer, juger que (qqn, qqch.) est... ⇒ **Considérer, estimer, juger, regarder** (comme), **tenir** (pour). *Trouver qqn gentil* (→ Attrayant, cit. 1), *enlaidi* (→ 2. Farce, cit. 12), *ridicule* (→ Horripilant, cit. 2), *moche* (2. Moche, cit. 2), *poseur* (cit. 1), *impertinent* (→ Arrogance, cit. 2). *Je le trouve bon* (cit. 92) *à jeter aux chiens. «Je vous trouve plaisant* (cit. 5) *d'user d'un tel empire». Il la trouvait jolie, elle le trouvait idiot. Ne trouver personne à son gré* (cit. 4), *personne supérieur à soi.*

17 (...) je le trouve bien singulier avec son air emphatique et mystérieux.
MÉRIMÉE, Colomba, IV.

18 (...) je n'en veux pas dire de mal; je la trouve supérieure à presque toutes ses semblables (...)
MAUPASSANT, Notre cœur, II, III.

(Compl. n. de chose). *Trouver son travail amusant* (→ Longer, cit. 2). *Trouver un plat trop salé. Trouver la vie insupportable* (→ Faire, cit. 238). *Un homme ne peut croire ce qu'il trouve absurde* (cit. 3). *Je trouvai Paris pire que laid* (→ Insultant, cit. 1). — *Trouver qqch. bon. Trouver bon qqch. :* trouver qu'il est bon d'avoir, de faire... *Trouver bon, mauvais de...* (et inf.). *Trouver à propos de faire qqch.* (→ Geôle, cit. 1). *Trouver bon ce qui est bon* (cit. 1). *Trouver un livre, un film... bon, médiocre... Trouver le temps* long*, les journées longues* (cit. 21). — Fam. *La trouver mauvaise** (supra cit. 15), *saumâtre.*

19 Je n'ai jamais trouvé fâcheux que les femmes eussent un peu de ventre, pourvu que le reste y fût proportionné.
FRANCE, la Rôtisserie de la reine Pédauque, Œ., t. VIII, p. 68.

20 (...) je ne trouve pas bon ce que vous faites (...) A. MAUROIS, Climats, I, XV.

21 (...) Swann trouva délicieuse sa simplicité.
PROUST, À la recherche du temps perdu, t. I, p. 287.

TROUVER QUE... (et indic.) : juger, croire, penser que. *Elle trouve que son mari ne s'occupe pas d'elle* (→ Modeler, cit. 7). *Ils trouvent qu'il ne fait que son devoir* (→ Générosité, cit. 10). *Trouver que c'est une lâcheté* (cit. 13) *de se tuer.*

(Avec le subj. en phrase négative ou interrogative). *«Mais trouvez-vous que ce soit bien héroïque?»* (Mérimée, *Colomba*, III). — Absolt. *La religion* (cit. 13) *d'Emma, trouvait-il, pouvait friser l'hérésie.* — *Vous trouvez? :* vous croyez?

22 — Il est rudement joli garçon.
— Tu trouves?
— Mais oui, et puis il a l'air d'un bon vivant. MAUPASSANT, Pierre et Jean, III.

23 Il trouvait le plus grand miracle c'était sa vie. Il s'étonnait d'être vivant et cela lui suffisait. GIRAUDOUX, Juliette au pays des hommes, III, p. 95.

(1538). **TROUVER BON*, MAUVAIS QUE...** ⇒ **Approuver, désapprouver**. *Monsieur, trouvez bon que je quitte la place* (cit. 10). *Trouveriez-vous mauvais qu'on protège* (cit. 6) *les arts?* (⇒ **Déplorer**).

24 Oui, je trouverais bon pour moi, loin du bruit,
Une voix s'élevât et parlât à la nuit! HUGO, la Légende des siècles, XLIX, XII.

▶ **SE TROUVER** v. pron.

♦ **1.** (Mil. XVIIᵉ). Être en présence de soi-même, se révéler à soi-même, découvrir sa véritable personnalité. *«Maintenant je me cherche* (cit. 41), *et ne me trouve plus». Uni à d'autres hommes dans une équipe* (cit. 5), *l'homme se trouve lui-même en s'oubliant.*

♦ **2.** Être en présence (de qqn ou de qqch.). *Se trouver tête à tête, nez** (cit. 40) *à nez avec son père, nez à nez* (cit. 39) *avec une grande glace. Se trouver en face de qqn* (→ Bonace, cit. 4), *face à face* (cit. 67) *avec un mur, auprès de qqn* (→ 1. Goutte, cit. 30). *Se trouver en présence de qqn* (→ Fourrer, cit. 26; mystificateur, cit. 1), *en compagnie de qqn. Se trouver sur le chemin* (cit. 52), *sur le passage de qqn* (→ Éloigner, cit. 8). — *Les particules avec lesquelles la langue se trouve en contact* (→ Papille, cit. 30).

25 Nous nous trouvions quarante millions d'agriculteurs face à quatre-vingts millions d'industriels! SAINT-EXUPÉRY, Pilote de guerre, XIII.

(Récipr.). ⇒ **Rencontrer** (se). *Nous nous sommes trouvés nez à nez sur le boulevard* (Académie). — *«Les âmes sœurs* (cit. 3) *finissent par se trouver...».*

♦ **3.** (V. 1460, Villon). *Se trouver à, dans, en, chez... :* être (dans un lieu, une circonstance). ⇒ **Être**. *Il franchit* (cit. 1) *une barrière et se trouva dans le jardin. Je me trouvais à la messe* (→ Accoutumer, cit. 5). *Les personnes qui se trouvaient là* (→ Menu, cit. 10). *D'Alembert se trouva chez Voltaire avec un professeur de droit* (3. Droit, cit. 70). *Se trouver à la porte de la maison* (→ Ouvrir, cit. 5), *à sa fenêtre* (→ Habitant, cit. 11). *Me trouvant à La Haye...* (→ Prêche, cit. 1). *Se trouver aux funérailles de qqn* (→ Médecin, cit. 5). ⇒ **Assister**. *Un dîner où se trouvèrent le Préfet et toutes les sommités* (cit. 2) *administratives.* — *«Trouve-toi demain matin à cinq heures dans le bois»* (Mᵐᵉ de Genlis, in Pougens).

26 — Mais tout s'apprête au temple, et vous avez promis.
— Oui, je m'y trouverai. Mais allons voir mon fils.
RACINE, Andromaque, IV, 1.

Se trouver à... (et l'infinitif).

27 Je me trouvais, un matin, à jouer avec deux nouveaux (...)
Paul BOURGET, André Cornélis, p. 15.

(Sujet n. de chose). *Un dossier qui se trouve sous un serre-papier* (→ Intitulé, cit. 1). *Son nom ne se trouve pas sur la liste.* ⇒ **Figurer**. *À gauche se trouvent les archives* (→ Reléguer, cit. 2). *Cet ouvrage est épuisé, il ne se trouve plus en librairie.* — *Ici se trouve* *un perron.* ⇒ **Exister, offrir** (s'). — *Par ext. L'évêché se trouve au chef-lieu du département.* ⇒ **Siéger.** *Cette espèce de babouin se trouve à la Côte de l'Or* (→ Mandrill, cit.). ⇒ **Rencontrer** (se); **habitat.**

(Abstrait). *Là se trouve l'essentiel de la suggestion* (cit. 5).

Prov. *Cela ne se trouve pas sous les pieds, sous le sabot, dans le pas d'un cheval** (cit. 40).

♦ **4.** (V. 1265). Se présenter, être (dans un état, une position ou situation). *L'espace qui se trouve compris entre le cristallin et la cornée* (→ Chambre, cit. 15). *Les circonstances où nous nous trouvons* (→ Prudence, cit. 2). *Pour le comprendre, il faut se trouver dans une situation semblable* (→ Positif, cit. 10), *à ma place* (→ Représentant, cit. 1). *Se trouver à l'abri* (cit. 4) *dans une rade. Se trouver dans une mauvaise passe* (2. Passe, cit. 16), *en mauvaise posture, dans la misère* (→ Prétendre, cit. 3), *en danger de mort, sans secours, sans un sou* (→ Saisir, cit. 20), *seul au monde* (→ Orphelin, cit. 5). ⇒ **Demeurer.** *Se trouver dans la nécessité de faire qqch.* (→ Plumage, cit. 3), *dans l'impossibilité d'exercer ses droits* (→ Assistance, cit. 12), *hors d'état de payer ses dettes* (→ Cession, cit. 1). *Se trouver en retard d'un jour sur son loyer* (cit. 3). — Loc. *Il ne s'est jamais trouvé à pareille fête* (cit. 21 et supra). — Fig. *La théorie des quanta* (cit. 1) *se trouvait dans une impasse.* ⇒ **Avérer** (s'), **révéler** (se).

♦ **5.** (Fin XVIIᵉ). SE **TROUVER ÊTRE,** SE **TROUVER AVOIR...** : être, avoir, par une rencontre fortuite de circonstances. *Une servante qui s'est trouvée par hasard être sa payse* (→ Redire, cit. 2). *Il se trouve être le dernier* (Académie). ⇒ **Révéler** (se). *La théorie de la lumière* (cit. 20) *se trouve être une théorie électromagnétique. — Différents articles que le marchand se trouvait avoir* (→ Montrer, cit. 2). *Ses inepties* (cit. 3) *qui se trouvaient quelquefois exprimer quelque chose.*

28 (...) je dois vous dire que, sans avoir cherché à savoir vos secrets, je me trouve les avoir appris en partie (...) MÉRIMÉE, Colomba, IV.

29 Le secrétaire se trouvait être un assez mauvais sujet et se dérobait le plus souvent qu'il pouvait à l'ennui de la table de famille (...) Ed. et J. DE GONCOURT, Chérie, p. 20.

30 Elles se trouvent répondre à un sentiment que j'ai très fort depuis quelque temps. J. ROMAINS, les Hommes de bonne volonté, t. VII, I, p. 8.

(Avec un attribut). *Se trouver maître d'un secret* (→ Irréconciliable, cit. 1). *Elle se trouvait libre pour* (cit. 19) *la semaine. « La cigale (...) Se trouva fort dépourvue »* (cit. 1).

31 Notre Hyacinte s'est trouvée la fille du Seigneur Géronte (...) MOLIÈRE, les Fourberies de Scapin, III, 8.

REM. Ce tour (avec un substantif) est vieilli; on dirait aujourd'hui : *elle s'est trouvée être...*

32 *Se trouver prend, dans beaucoup de cas, un sens proche de être par accident : Elle n'a pu continuer son voyage; arrivée à Nancy, elle s'est trouvée lasse, on lui a conseillé de s'arrêter.* F. BRUNOT, la Pensée et la Langue, p. 617.

♦ **6.** (Mil. XVIᵉ). Impers. IL SE **TROUVE...** : il y a, il existe... ⇒ **Avoir.** *Il s'y trouve de l'ouvrage pour tout le monde* (→ Mendier, cit. 1). *Malgré les précautions prises, il se trouva des témoins* (→ Portemanteau, cit. 1). ⇒ **Rencontrer** (se). *Il se trouvera des hommes qui auront une pensée désintéressée* (→ Bouleversement, cit. 2). ⇒ **Être, exister.** *Il s'en trouve à qui l'habitude des périls affermit* (cit. 6) *le courage. Il se trouve dans les trois quarts des hommes, comme un poète* (cit. 11) *qui meurt jeune, tandis que l'homme survit.*

33 Encore s'est-il trouvé des gens qui se sont plaints qu'il s'emportât contre Andromaque (...) RACINE, Andromaque, « Première préface ».

34 Rien n'est changé en France, si ce n'est qu'il s'y trouve un Français de plus. TALLEYRAND, Au comte d'Artois, in GUERLAC, p. 275.

(Fin XVᵉ, Commynes). IL SE **TROUVE QUE...** : il arrive que, il se fait que... ⇒ **Advenir, arriver.** *Il s'est trouvé que, la marée étant haute, on nous a fait sortir* (→ Sasser, cit.). *Il se trouva que réellement il mourait de faim* (→ Office, cit. 8). *Il se trouva que les plus beaux rêves avaient été funestes* (→ Fait, cit. 28). ⇒ **Avérer** (s'). *Cette jeune fille qui vous dérange* (cit. 7), *il se trouve que c'est moi.*

35 Il se trouva que, sur tous essayée,
À pas un d'eux elle ne convenait. LA FONTAINE, Fables, VI, 6.

En tour interrogatif ou négatif (avec le subj.) :

36 (...) comment (...) se trouvait-il que Tartarin de Tarascon n'eût jamais quitté Tarascon? Alphonse DAUDET, Tartarin de Tarascon, I, VI.

Fam. *Si ça se trouve, il ne rentrera pas déjeuner,* cela peut arriver.

37 Vous trouvez cela pittoresque ou même formidable, et si ça se trouve vous irez jusqu'à spectaculaire (...) Jacques PERRET, Bâtons dans les roues, I.

♦ **7.** (Avec un attribut). Se sentir (dans un état), éprouver l'impression, la sensation d'être... *Se trouver dépaysé* (cit. 4 et 5), *embarrassé* (→ 2. Canon, cit. 1), *responsable* (→ Même, cit. 7). *Se trouver porté à faire qqch.* (→ Nature, cit. 44). — *Se trouver bien dans son nid* (cit. 8) : *s'y plaire*. Ils se trouvent bien ensemble. Comment vous trouvez-vous ce matin?* : comment vous sentez-vous? SE **TROUVER BIEN, MAL** (de qqch.) : en être content, en éprouver du désagrément. — (Avec l'infinitif). *Ses amis se sont bien trouvés de s'être fiés à lui* (→ Crédit, cit. 1).

38 (...) l'orviétan est un remède dont beaucoup de gens se sont bien trouvés. MOLIÈRE, l'Amour médecin, II, 6.

39 Et ne me tends plus de panneau :
Tu te trouverais mal d'un pareil stratagème. LA FONTAINE, Fables, IV, 19.

— Alors, dit-il, vous vous trouvez bien dans votre bastide, Monsieur le curé? 40
MAUPASSANT, l'Inutile Beauté, « Champ d'oliviers », II.

SE **TROUVER MAL** : défaillir, s'évanouir. ⇒ 2. **Mal** (supra cit. 6). *Elle a failli se trouver mal.*

Se trouver (et adj.). Se croire, se juger. ⇒ **Considérer** (se), **estimer** (s'). *Se trouver malheureux* (cit. 4 et 8). *Je me trouve un peu avancé en âge* (cit. 11) *pour elle.*

▶ **TROUVÉ, ÉE** p. p. adj. *Trouvé sur la voie publique en flagrant délit de vol, il nie* (cit. 2) *tout.* ⇒ **Découvert.** — Loc. *Enfant trouvé.* ⇒ **Enfant** (cit. 27). *Objets trouvés :* objets égarés par leurs propriétaires, retrouvés et rangés pour être à la disposition de ceux qui les ont perdus. *Aller chercher un sac aux objets trouvés.* ⇒ **Perdu** (perdre, p. p.) I., 2. : *objets perdus.*

Excuse toute trouvée. Endroit tout trouvé pour camper. ⇒ **Désigné.** *Expression, formule bien trouvée,* bien imaginée, neuve, originale. ⇒ **Heureux; trouvaille.** — *Si ce n'est pas vrai, c'est bien trouvé* (cf. Si non è vero, è bene trovato).

— Tu l'aimais, ah! vraiment, voilà qui est bien trouvé (...) C'est sans doute parce 41
que tu aimais ton ami que tu m'as pris pour amant.
ZOLA, Thérèse Raquin, XXIX.

CONTR. Chercher, rechercher. — Enquérir (s'), perdre.
DÉR. Trouvable, trouvaille, trouveur.
COMP. Controuver, retrouver.

TROUVÈRE [tʀuvɛʀ] n. m. — 1670; adapt. de *trovere, troverres,* cas sujet de *troveor* (1160), «trouveur». → Trouver; troubadour.

♦ Au moyen âge, Poète et jongleur de la France du Nord (Normandie, Champagne, Flandre, Picardie, Artois...), s'exprimant en langue d'oïl. *Les trouvères, comme les troubadours* occitans, les minnesingers* allemands, étaient à la fois poètes et musiciens.* ⇒ **Ménestrel** (→ 2. Griot, cit. 1). — *Le Trouvère,* opéra de Verdi. — REM. Certains emploient la forme modernisée *trouveur.*

(...) rien ne peut être comparé à nos trouvères et à nos troubadours; et c'était peut-être à cette source que nous devions puiser une littérature vraiment nationale.
Mᵐᵉ DE STAËL, De l'Allemagne, I, IV.

HOM. Formes du v. trouver.

TROUVEUR, EUSE [tʀuvœʀ, øz] n. — XVᵉ; *troveur,*1380; *troveor* «auteur», XIIᵉ; de *trouver.*
Rare.

♦ **1.** Personne qui trouve, qui invente.

On déclare péremptoirement, que tout en littérature a été déjà fait par un autre, 1
que rien n'est neuf, qu'il n'y a pas de *trouveurs* (...) ils ne veulent pas de génies,
d'esprits originaux. Ed. et J. GONCOURT, Journal, 24 mai 1884, t. VI, p. 223.

Terpsichore, trouveuse de la danse! où serait le chœur sans la danse? 2
CLAUDEL, Cinq grandes odes, I.

(...) à la fois mage et machine, chercheur permanent et trouveur incomblé, 3
déchaînant le meilleur et le pire, cerveau et conscience, Einstein accomplit les
rêves les plus contradictoires (...) R. BARTHES, Mythologies, p. 93.

Adj. *Chiens trouveurs,* qui ont beaucoup de flair.

♦ **2.** Fam., vx. Menteur.

♦ **3.** Didact. Trouvère* ou troubadour. *« Le digne continuateur* (cit.) *des vieux trouveurs ».*

TROY [tʀɔj] n. m. — Mil. XIXᵉ; *troye,* 1669; var. *troy-weight,* 1770; angl. *troy* ou *troy weight* «poids de Troyes», du nom de *Troyes,* en Champagne.

♦ Techn. Système de poids anglais, employé pour les métaux précieux, les pierres fines, où la livre vaut 12 onces (ounces) soit 373,242 g et l'once 481 grains, soit 31,1035 g.

TROYEN, ENNE [tʀwajɛ̃, ɛn] n. et adj. — XIIᵉ; lat. *trojanus,* de *Troja* «Troie».

♦ **1.** De Troie, ville d'Asie mineure qui fut en guerre avec les Grecs (guerre de Troie). — *Les Troyens* (→ Muraille, cit. 5). *Les Troyennes,* tragédie d'Euripide.

♦ **2.** (XIXᵉ). De la ville française de Troyes, en Champagne.

TRUAND, ANDE [tʀyɑ̃, ɑ̃d] n. — XIVᵉ; *truant,* XIIᵉ; soit du gaul. **trugant;* cf. irlandais *truag* «misérable» (Bloch-Wartburg), soit du lat. médiéval *trutanus, trutanus,* de *trudere* «pousser», «le truand est un intrus» (Guiraud).

♦ **1.** Vieilli. Vagabond misérable; mendiant professionnel. ⇒ **Clochard, mendiant, mendigot, vagabond.** — REM. Le mot, considéré comme bas et vieux à l'époque classique (Brunot, *H. L. F.,* t. IV, p. 355), a été remis en usage par les romantiques (Hugo, Gautier). *Les truands de la Cour des Miracles vivaient de mendicité et de rapines* (→ Oscillation, cit. 1). *Compagnon truand* (→ Protester, cit. 2).

— (...) Chose toute simple, messieurs les honnêtes bourgeois! comme vous trai- 1

tez les nôtres chez vous, nous traitons les vôtres chez nous. La loi que vous faites aux truands, les truands vous la font (...)
— Je ne vois pas pourquoi *(dit Gringoire),* les poètes ne sont pas rangés parmi les truands. Vagabond, Æsopus le fut ; mendiant, Homerus le fut ; voleur, Mercurius l'était (...) HUGO, Notre-Dame de Paris, II, VI.

Du truand au rôdeur, la race se maintient pure. Ils devinent les bourses dans les poches, ils flairent les montres dans les goussets.
HUGO, les Misérables, III, VII, IV.

Vx (comme t. d'injure équivalant à « vaurien »). *Ah ! truande...* (Molière, *Sganarelle,* 9).

♦ **2.** (1906, Esnault). Le plus souvent au masc. Homme du milieu *(supra* cit. 32), de la pègre, et, spécialt, voleur. *Un petit truand sans envergure. Ce sont des truands.* ⇒ **Gangster.**

Dans la journée, il la surveillait étroitement, lui arrivant même de la suivre dans les rues de Montmartre. — Toujours à la biglouse *(de* bigler), quoi. C'est de la grosse nature de truand qu'admet pas qu'on ait des vouloirs de piquer dans son réséda *(d'empiéter sur ses droits).* M. AYMÉ, le Passe-muraille, p. 19.

Rare au féminin :

Avant d'être truande, j'ai été Guide de France, mais j'avoue que, devant une occasion sûre, ma parole de girl-scoute aurait peut-être failli.
A. SARRAZIN, la Cavale, p. 313.

Par anal. Personne peu scrupuleuse, aux moyens d'existence plus ou moins louches. *Avoir une mentalité de truand.* — Plais. (en parlant de qqn qui cherche à tromper, à voler). *Regardez-moi ce truand ! Ce vendeur de voitures est un vrai truand !*

DÉR. Truandaille, truander, truanderie.

TRUANDAILLE [tʀyɑ̃daj] n. f. — XIIIᵉ ; de *truand.*

♦ Vx. Réunion de truands (1.).

TRUANDER [tʀyɑ̃de] v. — XIIᵉ ; de *truand.*

♦ **1.** V. intr. (Vx). Vivre en truand (1.).

♦ **2.** V. tr. (Mil. XXᵉ). Mod. et cour. Fam. Voler, escroquer. *Ce commerçant truande ses clients. Se faire truander. « Écoute, tu ne vas pas encore me dire que je t'ai truandé ? (...) Ah ! tu exagères de penser... J'ai pris deux cents francs... »* (Actuel, févr. 1980, p. 15).

TRUANDERIE [tʀyɑ̃dʀi] n. f. — XIIIᵉ ; de *truand.*

Vieux.

♦ **1.** État de truand.

♦ **2.** Ensemble des truands (1.). *Rue de la Grande-Truanderie,* à Paris.

La truanderie, cette *picareria* gauloise, acceptait l'égout comme succursale de la Cour des Miracles, et le soir, narquoise et féroce, rentrait sous le vomitoire Maubuée comme dans une alcôve. HUGO, les Misérables, V, II, II.

Toute la truanderie turque est aujourd'hui sur pied ; je distribue des aumônes à tout ce monde, et recueille toute une kyrielle de bénédictions et de salams.
LOTI, Aziyadé, IV, XXIV.

♦ **3.** *(Une, des truanderies).* Action de truand.

Je ne me mêle en rien à ses orgies ou truanderies diverses, vous savez !
Jeanne BOURIN, la Chambre des dames, p. 76.

TRUBLE [tʀybl] n. f. — 1260 ; « pelle », en Normandie, XIIᵉ ; grec *trublê* « bol ».

♦ **1.** Filet de pêche en forme de poche, ajusté à un cerceau muni d'un manche. ⇒ **Balance, caudrette.** *Truble à crevettes* (crevettière, puche). *Truble de pisciculteur,* pour retirer les poissons des viviers.

♦ **2.** Vx. Filet à papillons (Mᵐᵉ de Genlis, *in* Littré). — REM. Ce mot est parfois employé à tort au masculin. On dit aussi : *trouble* [tʀubl] (1704 ; sous l'infl. de *trouble, troubler*), *troubleau.*

TRUBLION [tʀyblijɔ̃] n. m. — 1901, A. France, *Monsieur Bergeret à Paris,* ch. VIII et X ; adapt. du lat. *trublium* « écuelle », mot grec (→ Truble), par allusion au sobriquet de *Gamelle* donné au duc d'Orléans, chef de file du complot royaliste pendant l'affaire Dreyfus ; et d'après le sens du v. *troubler.*

♦ **1.** N. m. Fauteur de trouble* ; personnage qui fait de l'agitation pour semer le trouble. ⇒ **Agitateur.**

(...) même lorsque au plus noir de l'Affaire Dreyfus, la rue parisienne paraissait être gagnée aux ultras d'alors qu'Anatole France appelait des « trublions ».
F. MAURIAC, le Nouveau Bloc-notes 1958-1960, p. 297.

♦ **2.** TRUBLION, IONNE n. Personne qui amène du trouble. ⇒ **Importun.**

La majorité des hommes ne peut concevoir qu'une femme-ingénieur, qu'une femme-médecin, qu'une femme-comptable souhaitant être estimée et payée à capacités égales comme un homme-ingénieur, un homme-médecin, un homme-comptable, ne soit pas une trublionne voyant très loin au-delà de son nez, rêvant d'anéantir les hommes. Michèle PERREIN, Entre chienne et louve, p. 150.

1. TRUC [tʀyk] n. m. — Déb. XIIIᵉ, repris fin XVIIIᵉ ; « coup », XIIᵉ ; provençal *truc,* du v. *trucar* « cogner » ; lat. pop. *trudicare,* du lat. class. *trudere* « pousser », p.-ê. par *truche* « mendicité », le mendiant « poussant » la porte des gens à qui il s'adresse (Guiraud).

♦ **1.** Fam. Façon d'agir qui requiert de l'habileté, de l'adresse. ⇒ **Astuce, combine, procédé, ruse, stratagème, tour.** → Évincer, cit. 3 ; motus, cit. 3. *Imaginez un truc pour nous voir un peu longuement* (→ Rater, cit. 8). *Trouver le truc. C'est un truc pour que j'ouvre* (→ Mensonge, cit. 6). *C'est un bon truc.*

— C'est un *truc,* dit le pharmacien en apercevant Léon. J'ai voulu interrompre cette visite qui me paraissait vous contrarier. FLAUBERT, Mᵐᵉ Bovary, III, VI. 1

Le vieux marchand de vin, qui connaissait tous les trucs, faisait circuler Désirée entre les tables, pour activer la consommation (...) 2
MAUPASSANT, l'Inutile Beauté, « Le noyé », I.

Spécialt. Procédé habile et plus ou moins caché pour obtenir un effet particulier (dans un art d'adresse, un métier, etc.). *Trucs de théâtre. Les trucs d'un jongleur, d'un prestidigitateur, d'un acrobate* (⇒ Acrobatie). *Les trucs du métier.* ⇒ **Ficelle, secret.** Fam. *Y a un truc,* se dit à propos d'un résultat incompréhensible, inattendu. — *Le truc de qqn,* son *truc :* sa spécialité.

— Il vient d'arrêter une équipe qui trafiquait avec la drogue... Au fait, Silien, c'est un peu ton truc, je crois, l'héroïne (...) la coco ? 2.1
J.-P. MELVILLE, le Doulos, 1963, *in* l'Avant-Scène, nº 24, p. 23.

♦ **2.** (1803). Moyen concret, machine ou dispositif scénique destiné à créer une illusion. ⇒ **Truquage** (→ Spectacle, cit. 5, Goncourt). *Film de trucs.*

Cette voix semblait émise par un phonographe perfectionné, car si c'était celle de mon ami, elle sortait d'un gros bonhomme grisonnant que je ne connaissais pas, et dès lors il me semblait que ce ne pût être qu'artificiellement, par un truc de mécanique, qu'on avait logé la voix de mon camarade sous ce gros vieillard quelconque. PROUST, À la recherche du temps perdu, t. XV, p. 104. 3

♦ **3.** (1886). Fam. Chose quelconque, qu'on ne peut ou ne veut désigner. ⇒ **Bidule, business, chose, fourbi** (cit. 3), **histoire, machin, trucmuche.** *Qu'est-ce que c'est que ce truc jaunâtre ?* (→ Ratatouille, cit. 5). *Des trucs en papier mâché* (→ Ferraille, cit. 3). *Un drôle de truc. C'est bon, ce truc-là ! — Se dire en face* (cit. 56) *des trucs désagréables* (→ aussi Nez, cit. 44).

— (...) dans vingt ans, y aura plus d'institutrices : elles seront remplacées par le cinéma, la tévé, l'électronique, des trucs comme ça. 4
R. QUENEAU, Zazie dans le métro, II.

— Alors on peut être tué ? 5
Je n'y pensais pas. Y penser ne m'effrayait pas. Gilles n'aurait pas été plus désinvolte que moi. C'était bien.
— Ça peut arriver, dis-je. C'est un des charmes du truc.
Jacques LAURENT, les Bêtises, p. 73.

Fam. *Repiquer au truc :* recommencer.

(Euphémisme). **a** Prostitution. *Faire le truc :* se livrer à la prostitution.

Je revins à Paris et je repris le « truc », comme disait la mère Angélique. 6
Mais un nouveau malheur m'attendait... Un après-midi, pendant que j'étais avec un « client », on sonne.
Madame va ouvrir, et je la vois aussitôt entrer en coup de vent dans la chambre.
— Sauvez-vous, c'est la police. GORON, l'Amour à Paris, t. III, p. 1439.

Demoiselle de Sarrebruck 7
Qui descendais faire le truc
Pour un morceau de chocolat. ARAGON, le Roman inachevé, p. 69.

b Activité sexuelle ; posture ou caresse sexuelle.

Rabelais : (...) vis-à-vis des étrangers, toutes ces histoires de truc-chose, cela pourrait choquer. R. QUENEAU, Bâtons, chiffres et lettres, p. 137. 8

DÉR. Truquer.
COMP. Trucmuche.

2. TRUC [tʀyk] n. m. ⇒ **Truck.**

TRUCAGE [tʀykaʒ] n. m. ⇒ **Truquage.**

TRUCHEMENT [tʀyʃmɑ̃] n. m. — Fin XIVᵉ, trucheman ; XIIᵉ, drugement ; arabe *tŭrdjŭmān.* → Drogman.

Littéraire ou didactique.

♦ **1.** Interprète.

J'entendais presque tout ce qu'il disait, et j'étais le seul ; il ne pouvait s'énoncer que par signes avec l'hôte et les gens du pays. Je lui dis quelques mots en italien qu'il entendit parfaitement : il se leva, et vint m'embrasser avec transport. La liaison fut bientôt faite, et dès ce moment je lui servis de truchement. 1
ROUSSEAU, les Confessions, IV.

♦ **2.** Personne qui parle à la place d'une autre, qui exprime sa pensée et lui sert d'interprète, d'intermédiaire. ⇒ **Porte-parole, représentant** (→ Sophistiqué, cit. 1). *Servir de truchement à qqn ; être son truchement auprès de qqn.*

(...) il a été le fils aimé de l'Église, son truchement, celui qu'Elle chargeait d'exprimer ses pensées, de les exposer dans des livres, sur des porches de cathédrales, dans des retables, dans des masses. HUYSMANS, l'Oblat, XII. 2

Le douanier italien ne parle que l'italien, mais le douanier français parle les deux langues, plus le jargon du pays, et c'est ce douanier (qui s'appelle, m'a dit Bernier, Michel) qui nous a servi de truchement général. 2.1
G. LEROUX, le Parfum de la dame en noir, p. 142.

♦ **3.** (xvie, de Brach, *in* Littré). Choses. Ce qui exprime, fait connaître, comprendre les pensées, les sentiments. ⇒ **Interprète** (fig.). *Les « muets truchements »* : les yeux (Corneille).

3
Adorables regards (...)
Doux truchements du cœur, qui déjà tant de fois
M'avez si bien appris ce que n'osait la voix,
Nous n'avons plus besoin de votre confidence (...)   CORNEILLE, Mélite, v, 4.

4
(...) la parole (...) c'est le truchement du cœur, c'est l'image de l'âme.
                                                              MOLIÈRE, le Mariage forcé, 4.

5
La musique, le plus sensuel des arts pour les âmes amoureuses, fut le truchement
de leurs idées (...)   BALZAC, l'Enfant maudit, Pl., t. IX, p. 735.

♦ **4.** (xxe). Fait de servir d'intermédiaire, d'interprète. ⇒ **Entremise, intermédiaire.** *Avoir recours au truchement de qqn, de qqch.* (→ Indigène, cit. 6). *Par le truchement de qqn, de qqch.* ⇒ **Moyen.**

6
Dans le français d'aujourd'hui l'emploi figuré de *truchement* (...) s'est bien effacé.
Truchement a pu se réfugier dans les langues spéciales (...) Surtout il est en pleine
vitalité dans la locution *par le truchement de...* On ne saurait dire que cet emploi
(...) soit d'une langue excellente, mais il s'est étonnamment développé dans la langue des journaux, où il apparaît sans doute comme un substitut élégant de *par
l'intermédiaire de.*
                              G. GOUGENHEIM, *in* le Français moderne, janv. 1939, p. 54.

TRUCIDER [tryside] v. tr. — 1485 ; repris fin xviiie et fin xixe (attesté 1903), par plais. ; lat. *trucidare* « massacrer ».

♦ Fam. (souvent plais.). Tuer. ⇒ **Occire.** *Se faire trucider. Il a été dévalisé et trucidé par une bande de voyous.*

Argot. *Trucidarès* (verbe à l'infinitif). *Il s'est fait trucidarès.*

DÉR. **Trucideur.**

TRUCIDEUR [trysidœr] n. m. — Mil. xxe ; de *trucider.*

♦ Fam. Tueur. — REM. Le fém. est virtuel.

Tu sais, Attia, c'est la bande à Loutrel. C'est pas des rigolos ; des trucideurs, méfie-
toi.   Roger BORNICHE, le Gang, p. 179.

TRUCK [tryk] ou rare, [trœk] n. m. — 1843 ; mot angl., « chariot », proprt « petite roue de bois ».

♦ **1.** Chariot à plate-forme.

♦ **2.** (1862). Wagon de chemin de fer à plate-forme.

♦ **3.** (Sous l'infl. de l'angl.). Rare. Camion. « *Des "trucks" de couleurs vives avaient déversé les passagers des divers districts de
Tahiti...* » (*l'Express*, 2 juil. 1973, p. 22).

TRUCMUCHE [trykmyʃ] n. m. — 1914 ; de 1. *truc*, 3., et suff. argotique *-muche.*

♦ Pop. Truc, machin.

1
D'puis deux jours, une soupe : un trucmuche jaune, brillant comme de l'or. Pas
du bouillon, d'la friture !   H. BARBUSSE, le Feu, t. II, II, XV.

2
(...) un intérieur d'artistes, tapis mous, coussins durs, chinoiseries, éclairages indirects, hallebardes moyenâgeuses, crucifikses *(sic)* bretons, acropoles photogra-
phiées, objets aussi faux que loriques *(jeu de mots sur « folklorique »)* et un tas
d'autres trucmuches de la même farine.   R. QUENEAU, Loin de Rueil, p. 11.

TRUCULENCE [trykylãs] n. f. — 1629 ; de *truculent.*

♦ **1.** Vx. Apparence farouche, terrible.

1
Un rayon de lune (...) eût permis, s'il se fût trouvé là quelque spectateur, d'examiner sa physionomie et son costume d'une truculence caractéristique. Sa face,
basanée et cuivrée comme celle d'un sauvage caraïbe, faisait briller par le contraste ses yeux d'oiseau de proie et ses dents d'une extrême blancheur.
                                          Th. GAUTIER, le Capitaine Fracasse, IV.

♦ **2.** (1853). Mod. Caractère de ce qui est haut en couleur, excessif, violent. *La truculence du style, de la langue* (→ Enlumineur, cit.).

2
Il y a une truculence de nature dans Flaubert, se plaisant à ces femmes terribles de sens et d'emportements d'âme, qui nous semblent devoir éreinter l'amour
à coups de grosses émotions, de transports brutaux, d'ivresses forcenées.
                         Ed. et J. DE GONCOURT, Journal, 21 févr. 1862, t. II, p. 8.

Rare. *(Une, des truculences).* Action, parole truculente.

TRUCULENT, ENTE [trykylã, ãt] adj. — Fin xve ; repris xviiie ; lat. *truculentus* « farouche, cruel », de *trux, trucis* « sauvage ».

♦ **1.** Vx. Qui a ou qui veut se donner une apparence farouche, terrible.

Des gaillards à mine truculente (...) frappaient sur les tables des coups de poing
à tuer des bœufs (...)   Th. GAUTIER, le Capitaine Fracasse, XII.

♦ **2.** (1872, en parlant de l'expression). Mod. Qui est haut en couleur.
Un personnage truculent, pittoresque ou comique par ses excès, son
apparence... *Une trogne truculente* (Académie). — (Choses) *Style*

truculent. *Plaisanterie truculente et poivrée* (→ Liant, cit. 6). *La
prose truculente de Rabelais, de Céline.*

DÉR. **Truculence, truculer.**

TRUCULER [trykyle] v. intr. — 1894 ; du rad. de *truculent.*

♦ Littér., plais. Être truculent.

(...) il y a des satires qui truculent à la Tailhade.
                A. JARRY, Critique littéraire, « F. A. Cazalis, Le jardin des ronces »,
                                      in Œ. compl., t. VII, p. 230 (1894).

TRUDGEON [trydʒɔ̃ ; trœdʒɔn] n. m. — 1905, *in* Petiot ; angl.
trudgen, trudgeon, 1893 ; du nom de *Trudgen,* qui importa cette nage
d'Amérique du Sud.

♦ Anglic. Vieilli. Nage qui consiste en un retournement du corps d'un
côté sur l'autre, accompagné d'un dégagement alterné des bras avec
coup de ciseaux des jambes (→ Indienne).

TRUELLAGE [tryɛlaʒ] n. m. — Av. 1872, Gautier ; de *trueller.*
Technique.

♦ **1.** Travail exécuté à la truelle.

♦ **2.** (1876, Larousse). Peinture posée en épais empâtements.

TRUELLE [tryɛl] n. f. — xiiie ; bas lat. *truella,* lat. class. *trulla,* de
trua « cuiller à pot, louche ».

♦ **1.** Outil de maçon, formé d'une lame triangulaire (parfois à
extrémité arrondie) ou trapézoïdale *(truelle « à bout carré »),* et
d'un manche, reliés par une tige coudée. *La truelle sert à prendre
et à étaler le plâtre* (cit. 1). *Crépir, gobeter, jointoyer à la truelle.
Truelle étroite et longue, dite « langue de chat ». Truelle brette-
lée*,* pour dresser la surface d'un enduit. *La truellisation, crépis-
sage à la truelle.*

Et le maçon m'a dit : Prends la truelle en main.
                              SULLY PRUDHOMME, les Épreuves, « Un songe ».

Art (en peinture). *Travailler à la truelle :* procéder par empâtements,
au couteau (⇒ **Truellage**).

♦ **2.** (1783). Spatule coupante servant à découper et à servir le pois-
son*. *Truelle à poisson en argent.*

DÉR. **Truellée, trueller, truellette.**

TRUELLÉE [tryele ; tryɛle] n. f. — 1344 ; de *truelle.*

♦ Rare. Quantité (de plâtre, de mortier) prise en une fois sur la
truelle. *Étaler, lisser une truellée de plâtre.*

HOM. **Trueller.**

TRUELLER [tryele ; tryɛle] v. tr. — 1561 ; de *truelle.*
Technique.

♦ **1.** Étendre le mortier avec une truelle. — Par métaphore
(→ Excentrique, cit. 3).

♦ **2.** (1887). Étendre la peinture en épaisses couches.

DÉR. **Truellage.**
HOM. **Truellée.**

TRUELLETTE [tryelɛt] n. f. — 1791 ; de *truelle.*

♦ Techn., rare. Petite truelle.

TRUFFADE [tryfad] n. f. — xxe ; de *truffe.*

♦ Préparation culinaire aux truffes.

TRUFFAGE [tryfaʒ] n. m. — 1938 ; de *truffer.*

♦ Techn. (cuis.). Garnissage aux truffes (d'un plat, d'une préparation).

TRUFFE [tryf] n. f. — 1363 ; anc. provençal *trufa ;* du bas lat. *tufera,*
de *tufer,* forme dial., du lat. class. *tuber* « tubercule ».

♦ **1.** Tubercule souterrain que forme le réceptacle de certains
champignons (→ ci-dessous, 2.), et qui constitue un mets très
recherché. *Truffe noire. Truffes blanches. Fibrilles* (cit. 2) *de la
truffe. Faire déterrer les truffes par les porcs*,les chiens* (⇒ **Truffier**). *Pelures* (→ Hachis, cit. 1), *tranches de truffes* (→ Ratatiner, cit. 7). *Truffes cuites* (cit. 17) *sous la cendre. Dindes* (cit. 2)
bourrées de truffes. ⇒ **Truffé.** *Pâté de foie gras aux truffes. Omelette aux truffes. Pâtes aux truffes.* « *La truffe est le diamant de
la cuisine* » (Brillat-Savarin, *Physiologie du goût,* t. I, VI, § 7).

→ Lettre, cit. 29. *De la vertu érotique des truffes* (→ Scabreux, cit. 2).

(...) cette pauvreté cache de l'or, cette terre attristée nourrit la truffe, la truffe capricieuse qui abonde ici, se refuse là ; — nous sommes à Martel, un des meilleurs « crus » limousins de la truffe (...) — Elle y est ! La truffe y est ! Le groin intelligent se relève (...) et nous décollons, ganguée de terre, la truffe noire, grenue, froide, la surprenante chose qui pousse sans racines, se nourrit mystérieusement, et qui semble aussi étrangère au sol que le silex rond, son voisin.
COLETTE, la Paix chez les bêtes, « La petite truie... ».

Trop chère pour nous, la truffe du Périgord cédait la place, l'hiver, à la truffe de Puisaye qui est grise, à peu près insipide, et dont le parfum abuse l'ignorant. Mais, grise ou noire, enfermez la truffe, brossée, dans une papillote de papier huilé, glissez-la, au-devant du feu, dans une taupinière de cendre très chaude.
COLETTE, Prisons et Paradis, p. 115.

— Pour entremets, je voulais vous offrir des truffes à la Lucullus en surprise... mais vous avez déjà beaucoup de truffes.
— Ça ne fait rien, ça ne fait rien !...   E. LABICHE, la Poudre aux yeux, II, 8.

Vx. *Truffe blanche, truffe rouge.* ⇒ **Pomme de terre.** — (Mil. XVIᵉ). *Truffe d'eau :* la macle flottante.

Par anal. *Truffe en chocolat,* ou *truffe :* friandise faite d'une pâte chocolatée, au beurre.

♦ **2.** Bot. Champignon ascomycète, qui vit en symbiose avec les racines des chênes, et dont le réceptacle, surtout dans certaines variétés, forme un tubercule appelé truffe (1.). *Truffe noire ; truffe d'hiver, d'été. Truffe du Périgord* (Tuber melanosporum). *Truffes blanches d'Italie.*

♦ **3.** (1843). Par anal. (du sens 1). Nez* gros et rond.

Tenez, mon enfant, vous être mère de ce petit garçon, qui m'a eu l'air d'avoir la truffe de son grand-père au milieu du visage quand je l'ai tenu sur les fonts avec madame Chardon.   BALZAC, Illusions perdues, IV, Pl., t. IV, p. 932-933.

Argot. *Se piquer la truffe :* se piquer le nez, boire avec excès, s'enivrer.

Un sous-sol peinard, tout plein de bêcheuses endiamantées et de mecs bourrés, qui se piquaient la truffe, sans presque faire de bruit.
Albert SIMONIN, Touchez pas au grisbi, p. 199.

(XXᵉ). Extrémité du museau*, chez le chien (cit. 21). *Chien à la truffe humide, fraîche.*

♦ **4.** (Déb. XXᵉ). Fam. Imbécile. *Quelle truffe !*

(...) je me demande qu'est-ce qu'il peut lui trouver. Il faut qu'il soit tout de même une fameuse truffe.
PROUST, À l'ombre des jeunes filles en fleurs, Pl., t. I, p. 818.

Adj. (seulement attribut). *Ce qu'il est truffe !*

T'es de mon avis ?
Pas forcément ?
Alors c'est que tu es plus truffe que tu n'en as l'air.
SAN-ANTONIO, J'ai essayé : on peut !, p. 128.

DÉR. Truffade, truffer, truffette, truffier. — V. **Truffière.**
COMP. Trufficulteur, trufficulture.

TRUFFER [tʀyfe] v. tr. — 1798 ; de *truffe.*

♦ **1.** Garnir de truffes. *Truffer une volaille, un foie gras.*

♦ **2.** (1845). Fig. Remplir (de choses disséminées en abondance). *Les mines* (2. Mine, cit. 9) *dont les Allemands ont truffé les terrains.* ⇒ **Bourrer, remplir.** — *Truffer un discours de citations, d'allusions. Truffer ses phrases de fautes.* ⇒ **Farcir, larder.**

(...) ce grand flandrin de substantif (« *Utilité* ») dont ils truffent quotidiennement le vide de leurs colonnes (...)
Th. GAUTIER, Préface de Mˡˡᵉ de Maupin, p. 29 (éd. critique MATORÉ).

Marie de Champcenais, qui possédait une chevelure assez abondante, et d'un beau châtain clair, s'était cependant résignée à la laisser truffer d'un rien de postiches, non pour l'ajustement quotidien, mais pour les grandes circonstances.
J. ROMAINS, les Hommes de bonne volonté, t. III, X, p. 135.

♦ **3.** Argot. Tromper, traiter comme une « truffe ».

▶ **TRUFFÉ, ÉE** p. p. adj.

Garni de truffes. *Poulet truffé, dinde* (cit. 2) *truffée. Foie gras truffé à un pour cent.*

Pons regrettait certaines crèmes, de vrais poèmes ! certaines sauces blanches, des chefs-d'œuvre ! certaines volailles truffées, des amours !
BALZAC, le Cousin Pons, Pl., t. VI, p. 571.

Fig. Rempli, parsemé de... *Sa peau est truffée de bleus. Commentaire truffé de citations. — Précieux exemplaire truffé d'autographes,* enrichi d'autographes.

Pour blanchir et poudrer mes épaules, mes genoux truffés de « bleus », — Brague n'y va pas de main morte quand il me jette à terre !
COLETTE, la Vagabonde, p. 41.

DÉR. Truffage.

TRUFFETTE [tʀyfɛt] n. f. — 1611 ; de *truffe.*

♦ Vx. Petite truffe. — Petite truffe en chocolat.

TRUFFICULTEUR, TRICE [tʀyfikyltœʀ, tʀis] n. — 1875 ; de *truffe,* et *-culteur.*

♦ Agric. Exploitant, exploitante d'une truffière.

TRUFFICULTURE [tʀyfikyltyʀ] n. f. — 1875 ; de *truffe,* et *culture.*

♦ Agric. Production méthodique des truffes.

TRUFFIER, IÈRE [tʀyfje, jɛʀ] adj. — 1867 ; « chercheur de truffes », 1801 ; de *truffe.*

♦ **1.** Où poussent les truffes. *Terrains truffiers. Région truffière.* Par ext. *Chêne truffier,* au voisinage duquel se développent les truffes.

♦ **2.** (Animaux). Dressé à la recherche des truffes. *Chien, cochon truffier, truie truffière.*

TRUFFIÈRE [tʀyfjɛʀ] n. f. — 1749 ; provençal mod. *trufiero,* de l'anc. provençal *trufo.* → Truffe.

♦ Terrain où poussent des truffes.

TRUIE [tʀɥi] n. f. — XIIᵉ ; bas lat. *troia* (VIIIᵉ), p.-ê. de *porcus troianus* « porc farci », par allus. plaisante au cheval de Troie ; la truie est « farcie » de petits cochons.

♦ **1.** Femelle du porc, du verrat. ⇒ 2. **Coche.** *Tétines*d'une truie. Portée de la truie.* ⇒ **Cochonnée.** *Sale comme une truie :* très sale.
— Prov., vx. *Tourner la truie au foin* (Rabelais) : détourner la conversation.

« Hé là ! » crie Olivier.   1
La truie relève la tête, elle mâche de la viande. Elle regarde Olivier avec ses petits yeux rouges ; elle plisse le mufle ; elle montre ses grandes dents comme un mauvais chien.   J. GIONO, le Grand Troupeau, Pl., t. I, p. 713.

Cuir (→ Meuble, cit. 5), *peau de truie* (→ 1. Livre, cit. 6). ⇒ **Porc.**

♦ **2.** (1803). *Truie de mer :* scorpène.

♦ **3.** Péj. Par compar., par métaphore ou fig. Se dit d'une femme répugnante. — Terme d'injure à l'adresse d'une femme. ⇒ **Cochon.**

C'était une truie avec le regard d'une tigresse.   2
HUGO, les Misérables, III, VIII, XII.

TRUISME [tʀɥism] n. m. — 1861 ; attestation isolée 1829, Jacquemont, cit. ; angl. *truism* (1708), forme employée en français (→ cit. 2 Stendhal) ; de *true* « vrai » ; admis Académie 1878.

♦ Vérité* d'évidence. ⇒ **Banalité, évidence, lapalissade, tautologie.**

Comme je suis loin de parler purement l'anglais, il se trouve bien malgré moi dans mon langage des gallicismes qui sortent mes truismes de la classe à laquelle ils appartiennent réellement, pour les élever quelquefois à la dignité des *truths* ou vérités profondes et nouvelles.   V. JACQUEMONT, Lettres, XX, 10 nov. 1829.   1

Ce qui serait un blasphème à dire aujourd'hui de M. de Chateaubriand (sorte de Balzac) sera un *truism* en 1880.   STENDHAL, Vie de Henry Brulard, 1.   2

Un des truismes les plus répandus dans les conversations et dans les journaux est que depuis la découverte du télégraphe le rôle des diplomates a considérablement perdu de sa valeur.   3
CLAUDEL, Contacts et Circonstances, in Œ. en prose, Pl., p. 1265.

TRUISSE [tʀɥis] n. f. — 1829, Balzac ; de l'anc. franç. *truis* « tronçon de lance » (v. 1155), du lat. pop. *truscium,* d'un rad. préroman en *truk(o)-,* et du lat. *thyrsum.*

♦ Régional (Ouest). Touffe d'arbres taillés en têtard, dans une haie.

TRUITE [tʀɥit] n. f. — XIIIᵉ ; var. *troite ;* du bas lat. *tructa* (VIIᵉ), du grec *trôktês* « vorace », désignant un autre poisson.

♦ **1.** Poisson physostome *(Salmonidés),* qui vit surtout dans les eaux pures et vives et se nourrit de proies vivantes (→ Frisson, cit. 19). *Truite commune, de rivière, des lacs. Truite saumonée,* à chair rougeâtre comme celle du saumon (couleur due à son alimentation, qui comprend des gammares, contenant de la carotène). — Pêcher (2. Pêcher, cit. 5) *la truite* (→ Leurre, cit. 2). *Élevage des truites.* ⇒ **Truiticulture.** *Alevins de truites. Vivier à truites. Manger une truite meunière* (cit. 4), *une truite au bleu.*

(...) vous faites un repas où rien ne manque, et où paraît enfin la véritable truite des lacs et des torrents, la petite truite bleue tachetée, cette fraise du règne animal, modeste, délicate et parfumée, qu'on doit se garder de confondre avec la truite genevoise, qui, en admettant qu'elle existe encore, n'est rien qu'un saumon déguisé.   NERVAL, Voyage en Orient, Introd., III (*Notes et variantes*).   1

Aujourd'hui à l'*aquarium* de l'Exposition, je suis resté une heure, devant les truites. J'étudiais ce poisson à l'œil carnassier, j'étudiais ses immobilités mortes au profond de l'eau, le ventre sur la grève, puis tout à coup les frottements de côté de ses flancs sur les cailloux...   2
Ed. et J. DE GONCOURT, Journal, 25 août 1878, t. VI, p. 33.

La truite (die Forelle), mélodie et quintette de Schubert.
Truite de mer, très semblable au saumon, qui vit dans les mers du

Nord et remonte au printemps les fleuves. — *Truite arc-en-ciel*, à reflets irisés, originaire d'Amérique.

♦ **2.** Par ext. Jeune saumon. ⇒ **Tacon.**

DÉR. Truité, truitelle, truiticole, truiticulteur, truiticulture.

TRUITÉ, ÉE [tʀɥite] adj. — 1680, Richelet; de *truite*.
Technique, didactique.

♦ **1.** Dont le pelage est marqué de petites taches rougeâtres, brunes ou noires. *Cheval, chien truité. — Robe truitée, pelage* (1. Pelage, cit.) *truité de roux.* ⇒ **Marqueté.**
— Mon cher, tu sauras que je ne me montre pas au Bois sur une jument truitée!
COLETTE, Julie de Carneilhan, p. 28.

♦ **2.** (1803, Boiste). Techn. *Porcelaine, poterie truitée*, dont la surface est couverte d'un réseau de fentes. ⇒ **Craquelé, fendillé.**
— *Fonte truitée* : mélange de fonte grise et de fonte blanche.
N. m. (Av. 1880). Aspect craquelé. *Un beau truité.*

TRUITELLE [tʀɥitɛl] n. f. — 1743, Trévoux; dimin. de *truite*.

♦ Jeune truite.
(...) trente-deux truitelles de treize mois pesaient en moyenne 54 g (...)
Paul VIVIER, la Pisciculture, 1954, p. 41.

TRUITICOLE [tʀɥitikɔl] adj. — Mil. xxᵉ; de *truite*, et *-cole*.

♦ Didact. Qui se rapporte à la truiticulture. *Élevage truiticole.* — On dit aussi *trutticole* [tʀytikɔl].

TRUITICULTEUR [tʀɥitikyltœʀ] n. m. — Mil. xxᵉ; de *truite*, et *-culteur*.

♦ Didact. Éleveur de truites (→ Salmoniculteur). — On dit aussi *trutticulteur* [tʀytikyltœʀ]; le fém. *truiticultrice* est virtuel.

TRUITICULTURE [tʀɥitikyltyʀ] n. f. — Mil. xxᵉ; de *truite*, et *culture*.

♦ Didact. Élevage des truites (→ Salmoniculture).
Réservée à quelques artisans installés à proximité des ports de pêche, la « Truiticulture » ne comprenait alors *(il y a dix ans)* que 350 établissements. Aujourd'hui, ils sont 1 000 attirés par l'extraordinaire rentabilité d'une profession dont les méthodes modernes ont diminué sensiblement les coûts de production.
l'Express, 8-14 juil. 1968.
On dit aussi *trutticulture* [tʀytikyltyʀ].

TRULLISATION [tʀylizasjõ] n. f. — 1691, *trullization*; lat. *trullissatio*, de *trullissatum*, supin de *trullissare*, de *trulla* « truelle ».

♦ Techn. Travail à la truelle de l'intérieur d'une voûte.

TRULLO [tʀy(l)lo], plur. TRULLI [tʀy(l)li] n. m. — 1899, *in* D.D.L.; mot italien.

♦ Géogr. Construction rurale, de forme conique, dans l'Italie du Sud (Pouilles).

TRUMEAU [tʀymo] n. m. — xıvᵉ; *trumel*, xııᵉ; probablt du francique **thrum* « morceau »; cf. all. *Trumm* « tronçon », angl. *thrum* « bout de fil ».

♦ **1.** Vx (jusqu'au xvıᵉ). Gras de la jambe. — Mod. (bouch.). Jarret de bœuf.

♦ **2.** (1503, *in* D.D.L.; cf. l'évol. du sens de *jambage**; var. *trémeau*, *in* Saint-Simon). Partie d'un mur, d'une cloison comprise entre deux ouvertures verticales (portes, croisées); panneau, revêtement (de menuiserie, de glace, etc) qui l'occupe. *Panneaux, trumeaux et dessus de porte* (→ Peintre, cit. 1). *Trumeau orné de moulures, de marqueterie, de sujets décoratifs. Trumeau baroque, rococo. Trumeau en acajou.*

1   Ainsi qu'un vieux trumeau dépeint et décloué
L'idylle aujourd'hui pend au grand plafond céleste.
HUGO, la Légende des siècles, XXXVI, xıx.

(1676, Félibien). Panneau de glace décorant un dessus de cheminée; panneau décoratif servant de couronnement à une telle glace (→ Grisaille, cit. 1).

2   Au-dessus de cette glace était un trumeau, et les petits amours qui y étaient sculptés lui parurent autant de bons génies à l'invitaient à se mirer.
A. DE MUSSET, Nouvelles, « Margot », III.

3   (...) au-dessus de la cheminée en marbre blanc veiné, dessinée en arc d'amour, s'élevait jusqu'au plafond un trumeau encadré par un fouillis de branchages et de nids de tourterelles et de canaris dorés, dans lequel se miraient deux grands bras en cuivre doré, chargés de bougies.
NERVAL, le Marquis de Fayolle, I, v.

Archéol. Pilier qui soulage en son milieu le linteau d'un portail. *Trumeau gothique sculpté. La « Vierge dorée » du trumeau* (de la cathédrale d'Amiens). → Hancher, cit. 5.

♦ **3.** (1846, Baudelaire; par allus. au caractère vieillot, démodé, attribué aux trumeaux du xvıııᵉ; → ci-dessus, cit. Hugo). Fam. *Vieux trumeau* : vieille personne; spécialt, vieille femme fardée.

TRUQUAGE ou TRUCAGE [tʀykaʒ] n. m. — 1872; de *truquer*.

♦ **1.** Vieilli. Fait de truquer, de falsifier (des meubles, des objets d'art...). *La fabrication de faux et le trucage.* ⇒ **Contrefaçon.**
Je lui donnai un coup de poing : ses cils restèrent collés à mes phalanges, ils étaient   0.
faux. Je venais d'apprendre l'existence des truquages.
Jean GENET, Journal du voleur, p. 66.
Par ext. *Le truquage des élections.*

♦ **2.** Au spectacle, Procédé d'illusion comportant l'emploi de trucs.
— Moi, continua Crouïa-Bey *(un fakir de foire)*, ce que je fais c'est du solide, du concret, du réel : les sabres, les épingles à chapeau, les planches à clous, le verre pilé, les charbons ardents. Et pas de trucage avec moi.
R. QUENEAU, Pierrot mon ami, II.
Spécialt. Procédé employé au cinéma pour créer l'illusion d'une réalité impossible, fantastique. *Truquages optiques,* du mouvement (accéléré, ralenti), de la perspective (surimpression, caches, fondus). *Truquages de laboratoire* (au tirage, etc.). *Trucages du son, de la couleur. Accumulation des gags et des trucages.*
On écrit souvent *trucage.*

TRUQUER [tʀyke] v. — V. 1804; dér. de *truc*.

★ **I.** V. intr. ♦ **1.** User de trucs, de coups d'adresse, et, spécialt, de coups malhonnêtes (au jeu, etc.). ⇒ **Tricher.**
On assurait qu'il volait, truquait, escamotait à lui tout seul bien plus que tous les autres employés réunis (...)   CÉLINE, Voyage au bout de la nuit, p. 133.

♦ **2.** Argot. Faire le truc, se prostituer. ⇒ 1. **Truc** (3., euphémisme).
J'ai fait tout pour me remettre avec elle, mais cette canaille lui a fait croire que   1.
je la trompais avec une autre qui truque sur le boulevard des Batignolles (...)
GORON, l'Amour à Paris, t. I, p. 22.

★ **II.** V. tr. ♦ **1.** Changer pour tromper, donner une fausse apparence. ⇒ **Altérer, falsifier, maquiller.** *Truquer un tableau, une œuvre d'art, un meuble* (pour le faire paraître ancien, etc.). *Truquer les dés* (⇒ **Piper**), *les cartes, le jeu,* pour tricher. *Son jeu est truqué* (→ 1. Manche, cit. 16). *Truquer un dossier, un texte... :* modifier la teneur. — Fig. *Truquer ses sentiments.* ⇒ **Feindre, tricher.**
Au p. p. *Élections truquées,* dont les résultats sont faussés, ou dans lesquelles la liberté de l'électeur n'est pas respectée. *Combat truqué* (boxe).
(...) les cheveux de renfort, les corsets truqués, font du moindre laideron piquant une *petite femme épatante.*   COLETTE, les Vrilles de la vigne, p. 148.
Une canaillerie! Le papier est truqué, fraudé. Il n'a pas de valeur.
J. ROMAINS, Volpone, v, 3.
Selon lui, les élections qui désignent les délégués à l'Assemblée algérienne seraient   3.
ostensiblement truquées.   F. MAURIAC, Bloc-notes 1952-1957, p. 146.
(...) j'avais plus d'une fois cédé à la tentation de truquer ma vie afin de l'embellir.
S. DE BEAUVOIR, la Force de l'âge, p. 231.

Pronominal (rare) :
(...) je m'arrange : désabusé, je me truque pour ressentir encore, malgré le vieillissement qui me délabre, la jeune ivresse de l'alpiniste.
SARTRE, les Mots, p. 201.

♦ **2.** Spécialt. Présenter (une scène, un spectacle) en utilisant des trucs, un truquage. — Au p. p. :
Nous avions d'abord pensé à engager des acteurs pour mimer le crime qui nous manquait, mais, outre que nous eussions trompé nos futurs spectateurs en leur offrant des scènes truquées, habitués que nous étions à ne cinématographier que de la réalité, nous ne pouvions être satisfaits par un simple jeu théâtral (...)
APOLLINAIRE, l'Hérésiarque..., p. 216.

▶ **TRUQUÉ, ÉE** p. p. adj. Voir à l'article.

DÉR. Truquage, truqueur, truquiste.

TRUQUEUR, EUSE [tʀykœʀ, øz] n. et adj. — 1840, *in* Esnault; de *truquer*.

★ **I.** N. ♦ **1.** Personne qui truque, fait des contrefaçons, triche.
Au début, j'étais sain comme l'œil : un petit truqueur qui savait s'arrêter à temps... jusque dans le bluff, je restais un fort en thème (...)
SARTRE, les Mots, p. 172.
Cette espèce de truqueur! dit-elle... Est-ce que vous vous figurez qu'il accepterait seulement de monter sur un ring sans savoir d'avance qui sera le vainqueur? Un type qui dans toute sa vie de boxeur... n'a peut-être pas fait dix combats qui n'aient pas été d'abord arrangés dans les vestiaires.
Claude SIMON, le Vent, p. 90.

♦ **2.** Technicien du truquage en laboratoire. ⇒ **Truquiste.**

♦ **3.** N. f. (V. 1880). Vieilli. TRUQUEUSE : prostituée; spécialt, mod., femme qui se prostitue occasionnellement.
Affublée d'un pantalon noir et d'un corsage rouge vif, avec son visage terne, exté-   2.
nué, elle avait plus l'air d'une truqueuse que d'une professionnelle.
Pierre GOMBERT, le Prix d'un taxi, p. 118.

N. m. **Truqueur**, jeune homme qui se prostitue à des hommes.
⇒ **Lope**.

3   Du moins, lui c'est un homme, ce n'est pas un de ces efféminés comme on en rencontre tant aujourd'hui, qui ont l'air de petits truqueurs et qui mèneront peut-être demain à l'échafaud leurs innocentes victimes. (Je ne savais pas le sens de cette expression d'argot : truqueur).
PROUST, le Côté de Guermantes, Pl., t. II, p. 295.

★ **II.** Adj. Qui truque.

4   (...) cette démarche trop sophistiquée (voire truqueuse, si je n'ai pas assez pris garde aux commodes fluctuations de sens que peut subir un même mot) m'a sûrement fait manquer, en accaparant mon attention, nombre de ces merveilles sans oripeaux qui peuvent être reçues comme une manne (...)
Michel LEIRIS, Frêle bruit, p. 378.

TRUQUISTE [tʀykist] n. — 1973 ; de *truquer*.

♦ Techn. (cin.). Spécialiste des truquages cinématographiques.
⇒ **Truqueur**, I., 2. (Mot proposé pour remplacer l'anglicisme *trucman*).

TRUSQUIN [tʀyskɛ̃] n. m. — 1676, Félibien ; mot wallon, dissimilation de *crusquin*, flamand *kruisken* « petite croix », altéré au XVIIIᵉ en *troussequin*, d'après *trousser* ou 1. *troussequin*.

Technique.

♦ **1.** Outil de menuisier, formé d'une planche (la platine) traversée par une tige mobile munie d'une pointe (en faisant glisser la platine le long de l'arête d'une pièce de bois, on trace une ligne parallèle à cette arête).

♦ **2.** Appareil d'ajustage en métal, servant à tracer des lignes parallèles à une surface plane ou marbre* (1. Marbre, cit. 12). *Trusquin de traceur.*

♦ **3.** Pince de bourrelier ; de boisselier (servant à fendre l'osier).
On trouve aussi la var. *troussequin* [tʀuskɛ̃].

DÉR. **Trusquiner**.

TRUSQUINER [tʀyskine] v. tr. — 1845 ; de *trusquin*.

♦ Techn. Tracer au trusquin (1. ou 2.). — On dit aussi *troussequiner* [tʀuskine].

TRUST [tʀœst] n. m. — 1888 ; mot anglo-amér., de *to trust* « confier », à cause des pleins pouvoirs confiés aux dirigeants par les membres.

♦ **1.** Écon. Combinaison financière réunissant plusieurs entreprises sous une direction unique. ⇒ **Holding**. *Le trust est la forme la plus complète de la concentration* des entreprises* (spécialt, de l'industrie*). ⇒ aussi **Association, cartel, comptoir, consortium, entente, groupe** (cit. 12), **syndicat** (de producteurs). *Action des trusts sur les prix. Trust visant au monopole* d'une marchandise ; trust de l'acier, du pétrole. Administrateur d'un trust.* ⇒ **Trustee**. *Réglementation des trusts ; lutte contre les trusts.* ⇒ **Antitrust**.

♦ **2.** (1945). Cour. Entreprise financière et industrielle assez puissante pour exercer une influence prépondérante dans un secteur économique, pour dominer un marché (quelle que soit sa forme réelle : entente, société unique, etc.). → Puissance, cit. 23. *Les grands trusts internationaux.* ⇒ **Multinationale** (n. f.).

Le nom de John Pierpont Morgan est indissolublement lié à la création de ces trusts qui ont porté l'industrie américaine à cet état de perfection et de concentration, qui est le grand fait des cinquante dernières années de la pensée humaine.
ARAGON, les Beaux Quartiers, II, II.

Ils étaient trois vendeurs, trois trusts plutôt puissants
Qu'honore le profit, que la gloire accompagne.
Il leur suffit de dire et le pouvoir consent.
GUILLEVIC, Affaires, in Œ. choisies, p. 190.

(...) chacun connaît la puissance des trusts aux États-Unis — ce qui représente en somme une autre forme d'économie dirigée. SARTRE, Situations III, p. 88.

Ce n'était pas non plus une de ces jeunes Yankees qui, riches d'un sang jeune et des récents milliards des trusts paternels, s'enfièvrent de polo, de boston et de cake-walk, assaisonnés de flirts hardis avec la jeunesse musclée des grands hôtels.
Jean LORRAIN, le Crime des riches, p. 88.

♦ **3.** (1905). Combinaison financière fonctionnant à la manière d'un trust. — Vieilli. *Faire le trust de qqch.* ⇒ **Truster**.

DÉR. **Truster**.
COMP. **Antitrust**.

TRUSTE [tʀyst] n. f. — 1877 ; *trustis*, 1873, Deloche ; lat. médiéval *trustis*, même sens ; du francique *trost* « foi ». → Trust (étymologie).

♦ Hist. Serment prêté par l'antrustion*.

TRUSTEE [tʀœsti] n. — 1855, in Höfler ; mot anglais.

♦ Anglic. Administrateur d'un trust. *Des trustees* [tʀœsti] ou [tʀœstiz].

TRUSTER [tʀœste] v. tr. — 1902, in Höfler ; de *trust*.

♦ **1.** Accaparer, monopoliser, comme le font les trusts. *Truster un produit pour en faire monter les prix.*

♦ **2.** (1935 ; répandu mil. xxᵉ). Fig., fam. Accumuler, accaparer. — S'emparer de... *Truster un marché.*

Le vice et la vertu passent entièrement sous notre contrôle. Nous les trustons.   1
J. ROMAINS, les Hommes de bonne volonté, t. IX, XXX, p. 272.
Comme, timidement, Maury demandait s'il n'avait point vu de lettres pour lui, il   2
ne put s'empêcher de dire :
— J'ai trusté les dernières.   J. KESSEL, l'Équipage, p. 99.

DÉR. **Trusteur**.

TRUSTEUR [tʀœstœʀ] n. m. — 1905, P. Adam ; de *truster*.

♦ **1.** Organisateur d'un trust.

Propriétaires en fait des réseaux, ces trusteurs les considèrent comme les simples   1
prétextes de combinaisons grandioses visant à l'exploitation d'états entiers. Ils y
monopolisent le transport.   P. ADAM, Vues d'Amérique, p. 244.
Jean Galmot, qui fut député de la Guyane, après avoir été chercheur d'or, trap-   2
peur, trusteur de rhum et de bois de rose (...)   B. CENDRARS, Rhum, I.

♦ **2.** Fig., fam. Celui qui truste, accapare qqch.

REM. Le fém. *trusteuse* [tʀœstøz] est virtuel.

TRUTTICOLE [tʀytikɔl] adj. ⇒ **Truiticole**.

TRUTTICULTEUR [tʀytikyltœʀ] n. m. ⇒ **Truiticulteur**.

TRUTTICULTURE [tʀytikyltyʀ] n. f. ⇒ **Truiticulture**.

TRYPANOSOME [tʀipanozom] n. m. — 1843, Gruby ; du grec *trupanon* « tarière », et *sôma* « corps ».

♦ Méd. Protozoaire flagellé, fusiforme, parasite du sang, agent spécifique des trypanosomiases. *La mouche tsé-tsé* peut véhiculer des trypanosomes.*

Entre les lagunes d'alentour et dans le tréfonds forestier stagnaient quelques peuplades moisies, décimées, abruties par le trypanosome et la misère chronique (...)   CÉLINE, Voyage au bout de la nuit, p. 140.

DÉR. **Trypanosomé, trypanosomiase**.

TRYPANOSOMÉ, ÉE [tʀipanozome] adj. — Mil. xxᵉ ; de *trypanosome*.

♦ Qui est atteint de trypanosomiase. *« Le recrutement forcé des travailleurs noirs trypanosomés, afin de les soigner »* (*l'Express*, nᵒ 1525, p. 143).

TRYPANOSOMIASE [tʀipanozomjaz] n. f. — 1904, in *Rev. gén. des sc.*, nᵒ 8, p. 417 ; de *trypanosome*.

♦ Méd. Maladie causée par un trypanosome (maladie du sommeil, maladie de Chagas ; dourine du cheval...).

TRYPSINE [tʀipsin] n. f. — 1890, in P. Larousse, *Deuxième Suppl.* ; du grec *tripsis* « frottement », ou *thrupsis* « broiement », sur le modèle de *pepsine*.

♦ Biochim. Enzyme du suc pancréatique, susceptible d'hydrolyser certaines polypeptides. *La cellule pancréatique élabore une « protrypsine » transformée en trypsine par l'action de divers ferments, notamment par l'entérokinase*.*

DÉR. **Trypsique**.
COMP. **Trypsinogène**. — V. **Tryptamine, tryptophane**.

TRYPSINOGÈNE [tʀipsinoʒɛn] n. m. — 1904 ; de *trypsine*, et *-gène*.

♦ Biochim. Précurseur de la trypsine sécrétée par le pancréas, transformé en trypsine sous l'action de l'entérokinase intestinale. *« Un trypsinogène capable de se transformer en trypsine active »* (*Rev. gén. des sc.*, nᵒ 6, p. 284). — REM. On trouve les dér. *trypsinogénèse* [tʀipsinoʒenɛz] n. f., et *trypsinogénique* [tʀipsinoʒenik] adj. (*Rev. gén. des sc.*, nᵒ 6, p. 284).

TRYPSIQUE [tʀipsik] adj. — 1905, *Rev. gén. des sc.*, nᵒ 2, p. 76 ; de *tryps(ine)*, et *-ique*.

♦ Biochim. Qui contient de la trypsine.

TRYPTAMINE [tʀiptamin] n. m. — xxᵉ ; de *tryp(sine)*, et *amine*.

♦ Biochim. Amine qui résulte de la dégradation du tryptophane.

TRYPTOPHANE [tʀiptɔfan] n. m. — 1904, *Rev. gén. des sc.*, n° 7, p. 361 ; du rad. grec de *trypsine*, et *-phane*.

♦ Biochim. Un des acides aminés indispensables à l'organisme, et dont dérivent plusieurs composés biologiques importants (sérotonine, certains nucléotides).

TSAR [tsaʀ] ; cour. [dzar] n. m. — 1607 ; *czar*, 1561, forme polonaise ; mot slave, du lat. *Cæsar* (→ César), comme l'all. *Kaiser*, titre adopté en 1547 par Ivan le Terrible.

♦ Hist. Empereur de Russie (→ 1. Manche, cit. 15 ; neutraliser, cit. 1). *Les ukases* du tsar.*

(...) les ducs de Moscovie ne se nommaient pas encore *(au xie siècle)* czars, ou tsars, ou tchards ; ils n'ont pris ce titre que quand ils ont été maîtres des pays vers Casan *(Kazan)* appartenant à des tsars. C'est un terme slavon imité du persan ; et dans la bible slavonne le roi David est appelé le csar David.
VOLTAIRE, Essai sur les mœurs, XLIII.

Souverain serbe, bulgare.

On écrit aussi *tzar.*

DÉR. Tsarisme, tsariste. — V. Tsarévitch, tsarine.

TSARÉVITCH [tsaʀevitʃ ; dzaʀevitʃ] n. m. — 1826, *in* D. D. L. ; *czarowitz*, 1727 ; *czaroidg*, 1679, forme polonaise ; mot russe, de *tsar.* → Tsar.

♦ Hist. Fils aîné du tsar* de Russie (héritier du trône).

TSARINE [tsaʀin ; dzaʀin] n. f. — 1717 ; var. *czarine* ; all. *Zarin,* du russe. → Tsar.

♦ Femme du tsar. Impératrice de Russie. — On écrit aussi *tzarine.*

TSARISME [tsaʀism ; dzaʀism] n. m. — Déb. xxe (*in* Larousse, 1907) ; de *tsar.*

♦ Régime autocratique des tsars ; période de l'histoire russe où ont régné les tsars.

TSARISTE [tsaʀist ; dzaʀist] adj. — Déb. xxe ; de *tsar.*

♦ Propre au tsarisme. *Bureaucratie tsariste. Époque tsariste, la Russie tsariste. Les Russes blancs tsaristes.* — N. *Un, une tsariste.*

Le premier homme que vous avez tué (...)
— Un vieil officier du tsar. Je ne sais pas : peut-être êtes-vous tsariste ? Pour moi, c'était comme si j'avais écrasé une limace.
Vladimir VOLKOFF, le Retournement, p. 290.

TSÉGO [tsego] n. m. — 1933, *in* Larousse ; orig. incert. ; d'une langue africaine.

♦ Chimpanzé* à peau noire, dont le crâne est dépourvu de poils.

TSÉ-TSÉ [tsetse] n. f. — 1857, n. m., cit. ; mot bantou.

♦ Mouche d'Afrique, du genre glossine*, abondante pendant la saison des pluies, qui pique pendant le jour, et dont trois espèces sont des agents de transmission de trypanosomiases *(maladie du sommeil** pour l'homme, *maladie de la tsé-tsé* ou *nagana* pour les chevaux, les ruminants et les chiens).

Ils y en a particulièrement à souffrir de la piqûre du tsé-tsé, insecte singulier qui se trouve également au Soudan (...) Par bonheur les tsé-tsé ne quittent pas les localités où ils sont confinés.   A. JACOBS, les Voyages d'exploration en Afrique, *in* Revue des Deux-Mondes, 1er août 1857, p. 672.

(1859, *in* D. D. L.). Plus cour. (sauf en franç. d'Afrique, où l'on dit surtout : *la tsé-tsé.)* Appos. *Mouche tsé-tsé.*

T. S. F. [teɛsɛf] n. f. — 1909 ; sigle de *Télégraphie Sans Fil.*
Vieilli.

♦ **1.** Émission, par procédés radio-électriques, de signaux en morse. ⇒ **Radiotélégraphie.**

1 L'opérateur de T. S. F. nous remit enfin un télégramme : deux pylônes, plantés dans le sable, nous reliaient une fois par semaine à ce monde (...)
SAINT-EXUPÉRY, Courrier Sud, I, I.

♦ **2.** Radiodiffusion. ⇒ **Radiophonie, radiotéléphonie ; radio.** —Poste émetteur, récepteur de T. S. F. (→ 1. Rechange, cit. 3). *Écouter la T. S. F.*

2 L'appareillage alors usité en T. S. F. était essentiellement d'ordre électrotechnique et était fort massif. Puissants alternateurs, imposantes batteries de condensateurs, gros éclateurs en forme de disque ou de couronnes énergiquement ventilés par les jets d'airs de fortes souffleries, voilà ce que l'on voyait dans un poste comme celui de la Tour Eiffel au début de la guerre de 1914 (...)
L. DE BROGLIE, Physique et Microphysique, p. 323.

Spécialt. *Poste de T. S. F.* (→ Chuchoter, cit. 4), et, absolt., *une T. S. F. :* poste récepteur.

3 Le premier soir, nous étions groupés autour de la T. S. F., le père de famille manœuvrait les boutons de l'appareil avec une solennité naïve et touchante ; on

eût dit qu'il célébrait la messe. Et, comme la B. B. C. nous donnait ses premières informations, nous entendîmes un grondement lointain d'avions.
SARTRE, Situations III, p. 32.

Fam., vx. *Teuseufeu* [tøsøfø].

4 Et puis elle aurait aussi acheté une villa à Neuilly avec eau, gaz, électricité, ascenseur, cuisine électrique, frigidaire, chauffage central, teuseufeu, et peut-être une salle de bains. Elle commencerait par faire remplir sa cave de champagne.
R. QUENEAU, le Chiendent, p. 362.

REM. Le mot a été remplacé par *radio*.*
On écrit parfois phonétiquement *téhessef.*

5 Il aura fallu que je sois perdue dans cette île pour découvrir ce qu'est la radio. La téhessef, comme dit encore mon père. C'est un fil entre les gens, un pont dans l'espace, un véhicule de cris, de sanglots ou de révolte.
Geneviève DORMANN, le Bateau du courrier, p. 157.

T-SHIRT [tiʃœʀt] n. m. ⇒ **Tee-shirt.**

TSIGANE [tsigan ; dzigan] adj. et n. ⇒ **Tzigane.**

TSOIN-TSOIN [tswɛ̃tswɛ̃] interj. et adj. — 1917, *in* Esnault ; formation expressive.
Familier.

♦ **1.** Interjection, à la fin d'un couplet (imitant un bruit d'instrument). *Tagada tsoin-tsoin !*

♦ **2.** Adj. invar. (de *soua-soua,* par l'interm. de *soin* et par rattachement populaire au sens 1.). Pop. Réussi, soigné, très bien (en parlant de choses). « *Bourrage de crâne tsoin-tsoin* » (*in* Esnault).
On écrit aussi *tsouin-tsouin.*

Il y en a d'habillées ville, il y en a en déshabillé peignoir à poil dessous, il y en a en robe tsoin-tsoin qui traîne par terre décolletée derrière jusqu'à la raie.
CAVANNA, les Ritals, p. 131.

TSONGA [tsõga] n. m. — xxe ; mot bantou.

♦ Langue bantoue parlée au Mozambique, en Afrique du Sud (environ 1 250 000 locuteurs).

TSS-TSS [tsts] interj.

♦ Interjection exprimant le scepticisme, la complexité, la désapprobation. ⇒ **Ta, ta, ta.** — REM. Cette forme sert souvent, en fait, à transcrire un clic, qui consiste à appuyer la langue contre les dents supérieures et à la retirer brusquement.

Tss, tss. C'est ennuyeux, ça. C'est ennuyeux.
R. QUENEAU, le Dimanche de la vie, p. 29.

TSS-TSS (...) Mêmes effets que « *ba-ba-ba-ba* », mais plus réservé. Montre que vous n'êtes pas tout à fait d'accord — mais vous ne demandez qu'à être convaincu.
Pierre DANINOS, Un certain Monsieur Blot, p. 243.

N. m. :

Il frappe avec force ses dents de devant avec la pointe de sa langue pour produire ces tss... tss... de désapprobation, agacés.
N. SARRAUTE, le Planétarium, p. 255.

TSUGA [tsyga] n. m. — 1876 ; mot japonais, « mélèze ».

♦ Bot. Grand conifère américain et asiatique, voisin du sapin, mais à cônes pendants comme ceux de l'épicéa.

TSUICA [tsɥika] n. f. — 1875, *tzouica, in* P. Larousse ; mot roumain.

♦ Eau-de-vie de prune, courante en Roumanie. ⇒ **Slivovitsa.**

Ces cafés (*à Bucarest*) étaient remplis de Français qui buvaient, dans de petits verres, quelque chose de clair comme de l'eau : la tzuica *(sic).*
Roger VERCEL, Capitaine Conan, II, p. 47.

TSUNAMI [tsunami] n. m. — 1927 ; mot japonais, « vague d'orage ».

♦ Géogr. Raz de marée, sur les côtes du Pacifique.
Par anal. Vague sismique. « *Le tsunami est provoqué par des tremblements de terre, des avalanches atteignant la mer ou des éboulements sous-marins* » (*Télé 7 jours,* 3 janv. 1979, p. 20).

TU [ty] pron. pers. — IXe ; lat. *tu,* cas nominatif et vocatif.
Pronom personnel sujet de la deuxième personne du singulier et des deux genres.
REM. 1. Étroitement conjoint au verbe devant ou derrière lequel il se place, sauf en phrase négative (*tu ne veux pas*).
2. *Tu* est en concurrence avec *vous,* selon les relations qui existent entre les personnes.

♦ **1.** (Pronom). **a** (Devant le verbe). *Tu fais le mystérieux* (cit. 11), *tu as tort. Tu as vingt ans et tu n'en profites* (cit. 5) *pas. Tu viens ? Comment vas-tu ? Tu es là, toi* ? Tu rigoles, non ?* — Fam., langue parlée (élidé en *t'* devant une voyelle ou un *h* muet). *T'es fou. T'as bonne mine. T'entends ?*

1 (...) t'as esté *(sic)* au trépassement d'un chat, t'as la vue trouble (...) t'as la barlue *(berlue)* MOLIÈRE, Dom Juan, II, 1.

2 Sire, vous pouvez prendre, à votre fantaisie,
L'Europe à Charlemagne, à Mahomet l'Asie ;
Mais tu ne prendras pas demain à l'Éternel !
  HUGO, les Chants du crépuscule, V, II.

3 Alors, affolé de rage, il grogna : — Ah ! t'étais là, saleté, et tu n'répondais point !
  MAUPASSANT, les Contes du jour et de la nuit, « L'ivrogne ».

4 — Si tu savais, mon cher...
— Si tu ?... Tu ?... Qu'est-ce donc qu'ensemble nous gardâmes ?
  Edmond ROSTAND, Cyrano de Bergerac, II, 7.

REM. Dans l'ancienne langue, *tu* s'employait parfois pour *toi*. *« Je bois plus que tu »* (Roman de Renart). *« Et tu, Echo, qui faiz l'air résonner »* (Lemaire de Belges).

b (Après le verbe, en inversion). Dans une interrogation. *« Viens-tu du ciel profond* ou (cit. 11) *sors-tu de l'abîme ? » « Tu le savais. Pourquoi me laissais-tu séduire ? »* (cit. 5). *As-tu bien dormi?* (→ 3. Somme, cit. 1). — Dans une incise. *Mais, diras-tu... Vois-tu* (→ Paisible, cit. 5). *Sais-tu* (1. Savoir, cit. 32). — Dans une exclamation. *Puisses-tu* (cit. 14) *dire vrai!* (→ Pouvoir, cit. 14). *Penses-tu !*

5 — Non, mais, crois-tu que j'ai été bête ! GIDE, les Faux-monnayeurs, III, X.

REM. *Tu* est omis dans des constructions archaïques. *Homicide* (cit. 3) *point ne seras.*

◆ **2.** (Emploi nominal). *Vous me diriez tu et non pas vous.* ⇒ **Tutoyer** (→ Sensible, cit. 12).

Loc. (Av. 1835, Académie ; *de tu à toi*, 1798, *in* D.D.L.). *Être à tu et à toi avec qqn :* proprt, être tellement lié avec qqn qu'on le tutoie et qu'on est tutoyé par lui ; être très intime, avoir les rapports les plus familiers avec quelqu'un.

6 Ne m'a-t-il pas dit à table : « Gredin, tu m'as volé ma phrase ! » Ce soir, nous serons à tu et à toi (...) BALZAC, les Petits Bourgeois, Pl., t. VII, p. 161.

7 — Toi, tu me comprendras (...) Il n'usait du « tu » à mon égard, que dans les épanchements et lorsqu'il s'adressait à l'enfant d'un génie infaillible.
  F. MAURIAC, la Pharisienne, XI.

8 Pendant ce temps-là, ma petite se débrouillait, il fallait voir ! À tu et à toi avec des célébrités et disant « mon cher » au directeur.
  COLETTE, l'Envers du music-hall, « L'enfant prodige ».

9 Dire que j'ai été à tu-et-toi avec la préfète de mon temps, comme je vous parle (...)
  G. CHEVALLIER, Clochemerle, p. 253.

DÉR. Tutoyer.
HOM. Formes du v. tuer. — P. p. de taire.

TU, TUE [ty] adj. ⇒ **Taire**.

TUABLE [tɥabl ; tɥabl] adj. — XVIᵉ ; de *tuer*.

◆ Qu'on peut tuer. *Corvéable, taillable et tuable à volonté* (→ Granit, cit. 5).

TUAGE [tɥaʒ ; tɥaʒ] n. m. — XIXᵉ ; de *tuer*.

◆ **1.** Rare. Abattage des bestiaux ; prix de cet abattage.

◆ **2.** Techn. Opération par laquelle on supprime un puits de pétrole (par explosion). *« Le système de sécurité pour le " tuage " des puits en cas d'accident »* (Sciences et Avenir, avr. 1981, p. 34).

TUANT, ANTE [tɥɑ̃, ɑ̃t ; tɥɑ̃, ɑ̃t] adj. — XVIIᵉ ; de *tuer*.

Familier.

◆ **1.** Épuisant, fatigant. *Un travail tuant.*
Le soutenir ainsi à bout de bras, c'était tuant !
  MONTHERLANT, les Lépreuses, XVII.

◆ **2.** (Personnes). Énervant, assommant. *Ces gosses sont vraiment tuants !*

TU AUTEM [tɥaɔtɛm ; tyɔtɛm] n. m. — XVᵉ ; mots lat., probablt empr. à l'expression du bréviaire *Tu autem, Domine, miserere mei* « mais Toi, Seigneur, aie pitié de moi ».

◆ Vx. Nœud d'une difficulté, point essentiel d'une affaire. ⇒ **Hic** (n. m.). — Loc. *Entendre le tu autem :* comprendre la difficulté.

TUB [tœb] n. m. — 1884, Goncourt ; var. anc. *tob*, 1878 ; mot angl. « cuve, baquet ».

◆ **1.** Large cuvette (en zinc, toile imperméable, plastique...) où l'on peut prendre un bain sommaire. ⇒ **Bassin**.

1 (...) le cabinet de toilette, au tub fait d'un immense plateau persan, ayant à côté de lui la plus gigantesque bouilloire en cuivre martelé et repoussé de l'Orient (...)
  Ed. et J. DE GONCOURT, Journal, 7 juil. 1891, t. VIII, p. 201.

2 Ma chambre était meublée d'un petit lit de fer, d'un grand tub, d'une chaise et d'une petite table en bois blanc. Les épures étaient clouées aux murs.
  B. CENDRARS, Moravagine, Œ. compl., t. IV, p. 235.

◆ **2.** (1885, *in* Höfler). Par ext. Ablutions faites dans un tub. *Prendre un tub*, un bain dans un tub (→ Fraîcheur, cit. 4).
DÉR. 2. Tuber.

1. TUBA [tyba] n. m. — Fin XIXᵉ ; *basse-tuba, basse-tube* 1849 ; all. *Bass-tuba* ; du lat. *tuba* « trompette ».

◆ Mus. Instrument à vent à trois pistons et embouchure (catégorie des cuivres), de la famille des saxhorns dont il est la basse. *Jouer du tuba dans un orchestre, un orphéon.* ⇒ 2. **Tubiste**.
DÉR. 2. Tubiste.

2. TUBA [tyba] n. m. — Mil. XXᵉ ; lat. *tuba* « trompette ».

◆ Tube respiratoire pour nager avec la tête sous l'eau. *Nager sous l'eau avec un masque et un tuba. « Palmes, couteau, tuba, masque, lampe, plombs? Je suis fin prêt. Je frappe un mousqueton sur la corde-guide et je me laisse aller à l'eau »* (Science et Vie, nᵒ 590, nov. 1966, p. 86).

TUBACÉ, ÉE [tybase] adj. — 1842 ; du lat. *tubus*, et suff. *-acé*.

◆ Didact. En forme de tube, de tuyau.

TUBAGE [tybaʒ] n. m. — 1818 ; de 1. *tuber*.

◆ **1.** (1858). Méd. Introduction d'un tube (de métal, de caoutchouc, de matière plastique) dans un conduit ou un organe (pour faciliter le passage de l'air, effectuer un sondage*, etc.). *Tubage du larynx.* ⇒ **Intubation**. *Tubage gastrique*, pour prélever des échantillons de suc gastrique, ou faire un lavage. — Méthode d'alimentation des malades par tube.

◆ **2.** (1842). Techn. Fixation des tubes dans une chaudière. — Pose de tubes.

TUBAIRE [tybɛʀ] adj. — 1836 ; dér. sav. du lat. *tubus*, et suff. *-aire*.

◆ Méd. Relatif aux trompes* de Fallope et d'Eustache. ⇒ **Salping(o)-**. *Grossesse tubaire.*
(1837). *Souffle tubaire* (1837), se dit, en auscultation, d'un bruit qui rappelle celui qui sort d'un tube.

TUBARD, ARDE [tybaʀ, aʀd] adj. et n. — 1920, *in* Esnault ; de *tub(erculeux)*, et suff. *-ard*.

◆ Fam. Tuberculeux. *Elle est tubarde.*

1 Je t'avais fichtre bien entendu tousser (...) et Mina m'avait dit que tu devais être tubarde. Mais être tubarde ne t'empêchait pas d'être majeure (...)
  Christiane ROCHEFORT, le Repos du guerrier, II, I, p. 134.

N. *Un tubard, une tubarde.*

2 Pour la radio, je dus me mettre seins nus dans un box ; le détenu extrait en même temps que moi, un tubard squelettique, se rhabillait pendant ce temps dans le couloir moite, en toussottant « Pauvre France, pauvre France... »
  A. SARRAZIN, la Cavale, p. 256.

DÉR. Tubardise.

TUBARDISE [tybaʀdiz] n. f. — XXᵉ ; de *tubard*.

◆ Fam. Tuberculose.

TUBE [tyb] n. m. — 1611 ; « voûte », mot régional (Nord), 1460 ; lat. *tubus* « tuyau, canal, tube ».

A. ◆ **1.** Appareil de forme cylindrique, ou conduit à section circulaire, généralement rigide (verre, quartz, plastique, métal), ouvert à une extrémité ou aux deux. *Diamètre intérieur d'un tube.* ⇒ **Calibre**. *Parois d'un tube.* — Phys., chim. *Tubes de verre, de formes variées, pour les travaux de laboratoire.* — TUBE À ESSAI, cylindrique et fermé à un bout. ⇒ **Éprouvette**. *Tube compte-gouttes ouvert aux deux bouts.* ⇒ **Pipette**. *Tube gradué. Tube en V, en T, en W ; en S* (⇒ **Siphon**). *Tube adducteur, tube à boules. Tube capillaire* d'un baromètre, d'un thermomètre à mercure.* ⇒ **Colonne, ménisque**. *Chauffer un tube. Tube « chaud-froid ». Manipuler* (cit. 2) *des tubes et des fioles.* — Méd., chir. *Tube à injection, pour drainer.* ⇒ **Canule, drain, sonde**.

Techn. (Cour. : *tuyau*). Tuyau (de métal, de matière plastique, etc.). *Tube sans soudure. Aléser un tube. Les tubes d'une canalisation.* ⇒ **Canal, conduite, pipeline**, *d'un puits artésien, d'un puits de pétrole. Tubes d'une machine, d'une chaudière* (tubulaire*). ⇒ **Cuissard, tubulure**. — Autom. *Tube de poussée :* manchon qui enveloppe l'arbre de transmission. — Loc. fig. (1935). *À pleins tubes,* avec toute la puissance du moteur (⇒ aussi ci-dessous, 4.).
Partie cylindrique allongée d'une arme à feu par où passe le projectile (balle, obus...). *Le tube d'un fusil.* ⇒ **Canon**. *Fusil à long tube.* — Par ext., fam. Le fusil lui-même.

Tube lance-torpilles : cylindre métallique pour le lancement des torpilles. *Tube lance*-fusées, lance-roquettes.* ⇒ **Bazooka.** — Jouet d'enfant, tuyau pour lancer des boulettes de papier. ⇒ **Canonnière, sarbacane.**

Tube ou *tuyau acoustique* : porte-voix. *Tube acoustique d'un avion.* — (1895, *tube optique*, in *Année sc. et industr.*). *Tube de lorgnette. Tube télescopique.* — *Tube-allonge d'un appareil de photo.*

(1896, *tube à décharge*, in *Année sc. et industr.* 1897, p. 63 ; *tube de Crookes*, in *Années sc. et industr.* 1897, p. 55). *Tubes électroniques, tubes à vide,* à deux ou plusieurs électrodes (diode, triode, pentode, etc.) où la cathode émet des électrons par effet thermo-électronique. ⇒ **Transistor.** *Tubes amplificateurs, oscillateurs.* ⇒ **Klystron, magnétron.** *Tube à décharges électriques,* muni d'électrodes, contenant un gaz ou une vapeur à une pression convenable. *Tube luminescent, fluorescent,* pour l'éclairage. *Tube au néon, à l'argon... Tube à décharge,* ne laissant passer le courant que dans certaines conditions bien définies et pouvant servir de régulateur. *Tubes redresseurs, régulateurs de potentiel. Tube cathodique,* où les pinceaux d'électrons déviés par un champ électrique visualisent un signal par fluorescence d'un écran. ⇒ **Oscillographe.** *Tubes à rayons X* (→ Radioélectrique, cit.) : *tube de Crookes, tube de Coolidge,* où les rayons cathodiques provoquent l'émission de rayons X. *Cathode et anticathode d'un tube à rayons X. Tube à image « orthicon », tube iconoscope.* ⇒ **Télévision.** — Cour. *Tube au néon, tube de néon* : tube fluorescent (utilisé pour l'éclairage). ⇒ **Néon** (cit. 1).

1   (...) ces blocs en ciment, ces cubes hideux, sans vie, où dans le désespoir glacé, sépulcral, qui filtre des éclairages indirects, des tubes de néon, flottent de sinistres objets de cabinets de dentiste, de salles d'opération...
              N. SARRAUTE, le Planétarium, 1959, p. 18.

Techn. *Tube de Pitot,* servant à mesurer les vitesses d'écoulement des fluides.

♦ **2.** Fam., vx. Pneumatique (message envoyé par tube pneumatique). ⇒ **Pneu.**

2   Comme Françoise n'avait pas eu le temps d'envoyer un « tube » à sa fille, elle nous quitta dès après le déjeuner.
             PROUST, le Côté de Guermantes, Pl., t. II, p. 308.

Pop. Téléphone. « *Pour gagner du temps, j'ai donné quelques coups de tube* » (A. Simonin, *Touchez pas au grisbi,* p. 67). ⇒ **Tuber.** (1901). Turf. Tuyau. ⇒ **Tubeur.** — Par ext. Renseignement confidentiel.

3   Vous n'avez pas d'autre tube sur le conseiller Rousski *(russe)* ?
             Vladimir VOLKOFF, le Retournement, p. 138.

♦ **3.** (V. 1960). Argot (mus.). Chanson, pièce à succès. — Succès durable, dans l'industrie du spectacle, au théâtre. *Ça a fait un tube.*

4   (...) son dernier disque, celui de la chanson lugubre, avait fait « un tabac », il allait devenir « un tube », se propuler en tête du « hit-parade ».
             Jean-Louis CURTIS, l'Horizon dérobé, t. II, p. 73.

♦ **4.** Loc. (1935). Fig., fam. *À plein(s) tube(s)* : avec toute la puissance de l'appareil (radio, électrophone, etc.).

5   L'électrophone à plein tube et le téléphone décroché à cause des voisins qui auraient pu être tentés de réclamer.
             F. MALLET-JORIS, le Jeu du souterrain, 1974, p. 174.

♦ **5.** Sc. (idée de forme cylindrique). *Tube de champ, de force* : portion de l'espace enveloppée par l'ensemble fermé des lignes de champ.

B. ♦ **1.** (1770, Buffon). Organe creux et allongé. — **TUBE DIGESTIF** (cit.) : organe qui traverse le corps de la bouche à l'anus, apparaissant chez le ver, différencié en plusieurs parties chez les animaux supérieurs, et dont la fonction est de transformer les aliments. *Parties du tube digestif* (bouche, pharynx, œsophage, estomac, intestin grêle, gros intestin, anus). *Le nerf pneumogastrique* (cit.) *innerve le tube digestif.*

6   Le marquis souffrait d'un délabrement général du tube digestif (...) Il en résultait à travers la personne du marquis une sorte de traînée diabolique, à la fois spasme et morsure, feu et contraction, qui commençait dès l'arrière-bouche pour se terminer au séant, avec une menée principale entre les côtes et le nombril.
             J. ROMAINS, les Hommes de bonne volonté, t. VIII, I, p. 6.

Tubes urinifères. Petits tubes. ⇒ **Tubule.** (1904). Bot. *Tube criblé* : petit conduit de la sève (cit. 1) élaborée chez les plantes vasculaires. ⇒ **Vaisseau.** *Tube pollinique.*

♦ **2.** (xxᵉ). Emballage formé d'un tube (A., 1.) de verre ou de métal fermé par un bouchon (pour contenir des solides, des poudres). *Tube d'aspirine. Tube de safran, de vanille. Tube de rouge à lèvres* : étui cylindrique qui protège le bâton, le crayon*.

Emballage cylindrique souple à petit goulot fileté pour recevoir un bouchon à vis, au fond formé d'un repli plat, destiné à contenir une matière pâteuse qui sort sous la pression des doigts. *Tube de dentifrice, de lait condensé.*

7   (...) Mathieu pressa sur un tube et un cylindre de pâte rose sortit en chuintant, se cassa, tomba sur les poils de la brosse.   SARTRE, le Sursis, p. 168.

8   Il s'agissait d'un tube de vaseline dont l'une des extrémités était plusieurs fois retournée. C'est dire qu'il avait servi.
             Jean GENET, Journal du voleur, 1949, p. 20.

C. (1878). Anciennt. Chapeau d'homme dont la calotte est en forme de tube. ⇒ **Haut-de-forme, tubette, tuyau** (de poêle).

9   (...) il portait un tube gris d'une forme évasée que Delion ne faisait plus que pour lui, pour le prince de Sagan, pour M. de Charlus, pour le marquis de Modène, pour M. Charles Haas et pour le comte Louis de Turenne.
             PROUST, À la recherche du temps perdu, t. VIII, p. 238.

D. (Angl. *tube*). ♦ **1.** (1901 ; angl. *single tube*, 1896). Sports. Pneu de compétition, de faible diamètre, dont la chambre à air est fermée dans une enveloppe cousue, et coiffée d'une chape légère de caoutchouc. *Des « tubes trop légers, qui crevaient sur les silex »* (R. Dieudonné, *Bordeaux-Paris,* 1923). ⇒ **Boyau.**

♦ **2.** (Déb. xxᵉ ; angl. *tube*). *Le Tube* : le métro de Londres. — REM. La même métaphore qu'en anglais se trouve en français dans le roman d'anticipation de Robida, *le Vingtième Siècle (av. 1900),* pour désigner un train ultra-rapide, propulsé à l'intérieur d'un tube.

10   Les tubes n'en sont pas moins une des plus merveilleuses conquêtes modernes. Sait-on ce qu'il fallait jadis d'heures pour aller à Madrid ? (...) Aujourd'hui le tube vous y transporte en une heure et demie par train omnibus et en moins d'une heure par le grand express.
  (...) Chaque cylindre porte, écrit en grosses lettres, le nom de la station où il doit s'arrêter.   ROBIDA, le Vingtième Siècle, p. 182. (Avant 1900.)

DÉR. (De A.) 1. Tuber, tubeur, tubeuse, 1. tubiste. — (De A. et C.). Tubette.

1. TUBER [tybe] v. tr. — 1842 ; *fer tubé* « sorte de fer peu solide », 1489 ; de *tube.*

Technique.

★ **I.** ♦ **1.** Garnir de tubes (un trou de sonde). — Dans le forage d'un puits de pétrole, Poser des tubes d'acier vissés les uns à la suite des autres au moyen de filetages coniques.

♦ **2.** (1933). Vx. Chemiser* (une bouche à feu) avec un tube d'acier.

★ **II.** (De *tube* « téléphone »). Argot. Téléphoner.

Je vois très bien ce qui a pu se passer. Lorsque Françoise a tubé à Mathias, la femme a pris la communication et a rancardé les pontes du réseau au lieu de prévenir mon ami.
             SAN-ANTONIO, Au suivant de ces messieurs, p. 135.

DÉR. Tubage.

2. TUBER [tœbe] v. tr. — 1894, *in* Höfler ; de *tub.*

♦ Vieilli. Donner un tub à (qqn). ⇒ **Baigner.** *Tuber son chien.* — Pron. (1904). *Se tuber* : prendre un tub.

TUBÉRACÉ, ÉE [tybeRase] adj. — 1839 ; lat. sc., de *tuber(i)-,* et *-acé.*

♦ Bot. Qui ressemble à la truffe. — N. f. pl. (1842). Bot., vx. LES TUBÉRACÉES. ⇒ **Périsporiacées.**

TUBÉRALES [tybeRal] n. f. pl. — Mil. xxᵉ ; de *tuber(i)-,* et *-ales.*

♦ Bot. Ordre de champignons ascomycètes dont le type est la truffe. — Au sing. *Une tubérale.*

TUBERCUL- Élément, du lat. *tuberculum* (⇒ **Tubercule**), qui signifie le plus souvent « bacille tuberculeux » (sous les formes *tuberculi-, tuberculo-*).

TUBERCULE [tybeRkyl] n. m. — 1541 ; lat. méd. *tuberculum* « petite bosse », de *tuber* « truffe, excroissance ».

♦ **1.** Anat. Petit nodule arrondi à la surface d'un os ou d'un organe. *Le hocco* (cit.) *a sur le bec un tubercule rond* (Buffon). *Tubercule de la première côte. Tubercule du grand adducteur. Tubercule vaginal. Tubercules quadrijumeaux* (du mésencéphale*). *Les tubercules des molaires.*

♦ **2.** (1741). **ⓐ** Vx. Petite tumeur, « élevure sur la peau, abcès du poumon » (Académie, 1798). *Tubercule syphilitique.*

ⓑ Mod. Petite masse arrondie constituée par une agglomération de cellules diverses, d'aspect et de localisation variables selon la maladie qui en est la cause (syphilis, lèpre, tuberculose, etc.). — Spécialt. Petit nodule tuberculeux situé sous la peau ou dans un organe interne, dont le centre se nécrose, prenant un aspect caséeux. *Tubercule miliaire* (ou granulation tuberculeuse).

1   TUBERCULE *(Médecine),* ce terme employé quelquefois pour exprimer des petites tumeurs qui paraissent sur la surface du corps, a été plus spécialement consacré dans le langage de la Médecine interne, aux genre de concrétions lymphatiques qu'on a souvent observées dans les poumons des personnes mortes de phtisie (...)   Encycl. (DIDEROT), 1765, art. *Tubercule* (à propos de la *Phtisiologia* du méd. angl. MORTON, 1689).

2   *1er février.* — Menton, capitale des poitrinaires, célèbre par ses tubercules pulmonaires. Tout différent du tubercule de la patate qui vit et pousse dans la terre pour nourrir et engraisser l'homme, ce genre de végétation vit et pousse dans l'homme pour nourrir et engraisser la terre. Je tiens cette définition scientifique d'un aimable et savant médecin du pays.
             MAUPASSANT, Nos Anglais, Pl., t. II, p. 453.

♦ **3.** Bot et cour. **ⓐ** (1703). Excroissance arrondie d'une racine, d'une tige souterraine (rhizome) ou parfois aérienne, qui est une réserve nutritive de la plante, et peut produire des bourgeons pour sa multiplication. *Plante, tige à tubercules.* ⇒ **Tubéreux, tubérisé.** *Formation de tubercules.* ⇒ **Tubérisation.** *Plantes à tubercules comestibles* (apios, crosne, igname, patate, pomme de terre, topinambour, truffe).

b (1904). Racine pivotante (pivot), très renflée, de certaines plantes, qui constitue aussi une réserve nutritive (carotte, betterave, navet, salsifis...), parfois appelée *faux tubercule* ou *tubérosité.*

DÉR. **Tuberculé, tuberculeux, tuberculose.**
COMP. V. **Tuberculo-.**

TUBERCULÉ, ÉE [tybɛʀkyle] adj. — 1779 ; de *tubercule.*

♦ Didact. Qui présente des tubercules (1.). *Feuille tuberculée.*

TUBERCULEUX, EUSE [tybɛʀkylø, øz] adj. et n. — 1611, « qui a des pustules » ; *éminence tuberculeuse* « qui forme un tubercule » (1.), 1570 ; de *tubercule.*

♦ **1.** (1765, *Encyclopédie*, art. *Tubercule*, « *phtisie tuberculeuse* »). Qui s'accompagne de tubercules pathologiques, ou qui en présente. — Vx. *Phtisie tuberculeuse* ou *phtisie pulmonaire. Lupus*, lèpre tuberculeuse. Poumon tuberculeux.* — Vx. *Matière tuberculeuse,* des tubercules (Académie, 1835). — REM. Depuis la fin du XIXᵉ s., ces expressions sont comprises au sens 2.

1   Jean de Gourmont nous parle de son frère et de la maladie qui a donné à Rémy de Gourmont ce visage ravagé, couturé, cicatrisé. Une sorte de lupus tuberculeux, qui a débuté par une tache légère sur une joue, laquelle disparaissait, puis revenait, chaque fois plus grande, finit par atteindre les commissures des lèvres, des paupières, le cuir chevelu, menaçant d'atteindre la langue, et qu'on soigna au cautère.   Paul LÉAUTAUD, Journal littéraire, t. I, p. 347.

♦ **2.** (Depuis la découverte en 1882 du bacille de Koch et de la maladie nommée *tuberculose*). Relatif aux tubercules du bacille de Koch, à la tuberculose. *Bacille tuberculeux :* bacille résistant à l'alcool, à l'acide, qui produit une toxine (⇒ **Tuberculine**) et forme des colonies qui détruisent les tissus. ⇒ **Tubercule** 2., **tuberculose.** *Infection, lésion tuberculeuse* (→ Endormir, cit. 37). — (1835). *Méningite tuberculeuse.* — *Laryngite tuberculeuse. Foyer tuberculeux* (→ Cutiréaction, cit.). *Contagion tuberculeuse.* — *Malade tuberculeux. Elle est tuberculeuse.*

2   Je suis devenu très sensible au froid. N'allez pas croire que je sois tuberculeux. Je peux vous rassurer, en toute loyauté : j'ai vu mes analyses.
                                    G. DUHAMEL, Salavin, V, I.

♦ **3.** N. **a** Malade qui a une « phtisie pulmonaire ».

b (1841, *Journal de méd. et de chir. pratiques*, XII, 246). Malade atteint de tuberculose. *Un tuberculeux, une tuberculeuse. Tuberculeux pulmonaire,* et, absolt, *tuberculeux.* ⇒ **Phtisique** (vx), **poitrinaire** (vx). → Malade de la poitrine*. *Crachements de sang* (⇒ **Hémoptysie**) *du tuberculeux. Tuberculeux bacillaire. Maison de tuberculeux.* ⇒ **Sanatorium** (cit. 2).

3   A-t-on jamais vu un tuberculeux garder sa graisse (...)
                        BERNANOS, Monsieur Ouine, Œ. roman., Pl., p. 1534.

Abrév. fam. ⇒ **Tubard, arde.**

♦ **4.** (1808, *in* Boiste). Bot. Qui produit des tubercules (3.). *Racine, tige, plante tuberculeuse* (ne se dit guère, à cause des sens 2. et 3.). ⇒ **Tubéreux.**

DÉR. **Tuberculine.**
COMP. **Antituberculeux.**

TUBERCULIDE [tybɛʀkylid] n. f. — 1896, Darier ; de *tubercul-,* et suff. *-ide.*

♦ Méd. Lésion cutanée d'aspect variable (surtout papuleux) due à une sensibilisation de l'organisme à la tuberculose, mais dans laquelle on ne trouve pas de bacilles tuberculeux. *Tuberculides miliaires, en plaques.*

TUBERCULIFORME [tybɛʀkylifɔʀm] adj. — 1846 ; de *tubercul(i)-,* et *-forme.*

♦ Didact. En forme de tubercule.

TUBERCULINATION [tybɛʀkylinasjɔ̃] n. f. — 1907 ; de *tuberculiner.*

♦ Méd., vétér. Injection de tuberculine (pour diagnostiquer la tuberculose). — Var. : *tuberculinisation.*

TUBERCULINE [tybɛʀkylin] n. f. — 1891, d'abord appelée *lymphe de Koch,* 1890 ; de *tuberculeux.*

♦ Méd. Substance extraite de cultures de bacilles tuberculeux, qui,

injectée à un sujet atteint de tuberculose, provoque une réaction caractéristique. ⇒ **Cutiréaction.**

DÉR. **Tuberculiner** ou **tuberculiniser, tuberculinique.**

TUBERCULINER [tybɛʀkyline] ou TUBERCULINISER [tybɛʀkylinize] v. tr. — 1907 ; de *tuberculine.*

♦ Vétér. Injecter la tuberculine à (un animal ; rarement, un humain) pour savoir s'il est tuberculeux. — Au p. p. *Troupeaux tuberculinisés.*

DÉR. **Tuberculination** (var. : tuberculinisation).

TUBERCULINIQUE [tybɛʀkylinik] adj. et n. — 1912 ; de *tuberculine.*

♦ Méd. Relatif à la tuberculine. *Cutiréaction, hypersensibilité tuberculinique.*
N. *Un, une tuberculinique :* une personne prédisposée à contracter la tuberculose.

Il faut bien dire ici que ce terme « hérédité tuberculeuse » ne signifie pas que la tuberculose soit héréditaire, mais seulement que des parents ou des ancêtres tuberculeux ont transmis à leur descendance, non pas la tuberculose, mais certains caractères constitutionnels les rendant aptes, beaucoup plus que d'autres, à contracter la tuberculose ; ce sont eux qu'on a appelés les *Tuberculiniques.*
                        Pierre VANNIER, l'Homéopathie, p. 73.

TUBERCULISABLE [tybɛʀkylizabl] adj. — 1890 ; de *tuberculiser.*

♦ Rare. Qui peut être tuberculisé, envahi de tubercules (2., b).

TUBERCULISATION [tybɛʀkylizasjɔ̃] n. f. — 1842 ; de *tuberculiser.*

♦ Méd. Envahissement de l'organisme par les bacilles tuberculeux. — Production de tubercules au cours d'une tuberculose.

TUBERCULISER [tybɛʀkylize] v. tr. — 1903, in *Rev. gén. des sc.,* nº 7, p. 403 ; v. intr., 1842 ; de *tubercule.*

♦ Rendre tuberculeux. — Pron. *Se tuberculiser.*
Méd. Subir une tuberculisation. *Un sujet tuberculisé présente des réactions à la tuberculine.*

DÉR. **Tuberculisable, tuberculisation.**

TUBERCULO- ⇒ Tubercul-.

TUBERCULOLYTIQUE [tybɛʀkylɔlitik] adj. — Mil. XXᵉ ; de *tuberculo-,* et *-lytique* (de *-lyse*).

♦ Méd. Qui détruit les bacilles tuberculeux (→ Tuberculostatique, cit.).

TUBERCULOSE [tybɛʀkyloz] n. f. — 1854, « écrouelles » ; sens mod. v. 1860 (1861, *Année sc. et industr.,* p. 333), précisé par Koch, 1882 ; de *tubercule,* et suff. *-ose.*

♦ Maladie infectieuse et contagieuse, inoculable, causée par le bacille de Koch, commune à l'homme et à certains animaux (Bovidés), dont la lésion caractéristique est le tubercule (2.), et qui affecte le plus souvent le poumon. ⇒ **Bacillose ; tuberculeux.** *Tuberculose générale à petits tubercules,* dite *tuberculose miliaire.* ⇒ **Granulie.** *Tuberculoses localisées. Tuberculose pulmonaire.* ⇒ **Phtisie** (cf. Maladie du poumon, maladie de poitrine) ; et aussi **phtisiologue ; phtisiologie.** *Tuberculose osseuse, articulaire.* ⇒ **Coxalgie, mal** (3. Mal : mal de Pott, *infra* cit. 21), **spina-ventosa.** *Tuberculose cutanée* (⇒ **Lupus**), *ganglionnaire* (⇒ **Carreau**). *Tuberculose du larynx* (laryngite* tuberculeuse), *des méninges* (méningite* tuberculeuse), *du rein, de l'intestin* (tuberculose rénale, intestinale)... *Première lésion de la tuberculose.* ⇒ **Primo-infection.** *Diagnostic de la tuberculose.* ⇒ **Cutiréaction** (cit.) ; **tuberculinisation.** *Faire de la tuberculose* (→ Garder, cit. 55). *Traitement de la tuberculose pulmonaire avancée.* ⇒ **Pneumothorax, thoracoplastie.** *Sérum contre la tuberculose, antituberculeux,* ou *B. C. G.,* « bacille bilié de Calmette-Guérin » (bacilles bovins).

Spécialt, cour. *La tuberculose :* la tuberculose pulmonaire.
Tuberculose bovine, aviaire, des bovins, des oiseaux.

TUBERCULOSTATIQUE [tybɛʀkylostatik] adj. — 1961 ; de *tuberculo-,* et *-statique.*

♦ Méd. Qui arrête la multiplication des bacilles tuberculeux.

Un médicament antituberculeux peut être soit tuberculostatique, s'il s'oppose à la multiplication du bacille, soit tuberculolytique s'il le détruit.
                        A. GALLI et R. LELUC, les Thérapeutiques modernes, p. 111.

TUBÉREUSE [tybeʀøz] n. f. — 1630 ; de *tubéreux.*

♦ Plante monocotylédone *(Amaryllidacées)*, scientifiquement appelée *Polyanthes tuberosa* (à cause de son bulbe), herbacée, vivace, à hautes tiges florales portant des grappes de fleurs blanches très parfumées. — Spécialt. La fleur de cette plante (utilisée en parfumerie). → Neige, cit. 8 ; fleurir, cit. 18. *Parfum* (→ 1. Jonchée, cit. 2), *senteur* (cit. 1) *de tubéreuses.* — *Tubéreuse bleue.* ⇒ **Agapanthe.**

1   (...) songeant à un bouquet de tubéreuses, qui s'était fané dans sa chambre autrefois, et dont il avait failli mourir. Quand les tubéreuses se décomposent, elles ont une odeur humaine.   ZOLA, Nana, V.

2   J'entendrai se glisser le vent peureux et noir
Dans les pipeaux fleuris des grasses tubéreuses (...)
         Cᵉ DE NOAILLES, Forces éternelles, « Attends encore un peu ».

TUBÉREUX, EUSE [tybeʀø, øz] adj. — 1611 ; «(membre) charnu et renflé », 1520 ; *tubéroux*, 1478 ; du lat. *tuberosus* «garni de protubérances ».

♦ Bot. Qui présente des tubercules. ⇒ **Tuberculeux.** *Tige, racine tubéreuse.*

DÉR. Tubéreuse, tubérosité.

TUBÉRI- Élément, du lat. *tuber* « truffe », ou « excroissance », servant à former quelques mots savants.

TUBÉRIFORME [tybeʀifɔʀm] adj. — 1842 ; de *tubéri-*, et *-forme.*

♦ Bot. *Champignon tubériforme*, qui a l'aspect de la truffe.

TUBÉRISATION [tybeʀizɑsjɔ̃] n. f. — 1901 ; dér. sav. du lat. *tuber* «excroissance, tubercule», et *-isation.*

♦ Bot. Transformation totale ou partielle (d'une tige ou d'une racine) en tubercule. *Tubérisation de la tige souterraine du plant de pomme de terre.*

DÉR. Tubérisé.

TUBÉRISÉ, ÉE [tybeʀize] adj. — V. 1960 ; de *tubérisation.*

♦ Bot. Transformé en tubercule. *Tige tubérisée.*

TUBÉRIVORE [tybeʀivɔʀ] adj. — 1846, Bescherelle ; de *tubéri-*, et *-vore.*

♦ Zool. Qui mange des tubercules. *Insecte tubérivore.*

TUBÉROSITÉ [tybeʀozite] n. f. — 1478 ; du rad. de *tubéreux.*

♦ **1.** Anat. Partie proéminente et arrondie, protubérance. *Tubérosité d'un os.* ⇒ **Apophyse, tubercule** (1.). → Appui, cit. 3 ; côte, cit. 1. *Grosse tubérosité de l'estomac*, le renflement supérieur, le sommet. *Petite tubérosité*, le renflement inférieur, entre le fond* et le pylore.

♦ **2.** Bot. Racine pivotante très renflée (carotte, navet...).

TUBETTE [tybɛt] n. f. — Attesté xxᵉ ; de *tube*, et suff. *-ette.*

♦ Régional. Chapeau haut de forme. ⇒ **Tube.**

Vers deux heures arrivent les Pompes. Trois employés, et le maître de cérémonie, tous en habits rayés, la tubette lustrée à la main, ils soulèvent le mort, le déposent dans le cercueil.   Jacques CHESSEX, Reste avec nous, p. 142.

TUBEUR [tybœʀ] n. m. — 1924 ; de *tube.*

♦ Fam. (argot des courses). Vendeur de pronostics, de «tuyaux», aux courses. *«Ceux qui ne peuvent pas investir de pareilles sommes s'orientent plutôt vers les petits métiers. Aléatoires mais souvent rentables (...) Il y a les "tubeurs", c'est-à-dire les donneurs de tuyaux, d'anciens jockeys qui renseignent confidentiellement le joueur naïf moyennant un pourcentage sur les gains éventuels »* (le Nouvel Obs., 8 août 1981).

TUBEUSE [tybøz] n. f. — Mil. xxᵉ ; de *tube.*

♦ Techn. Emporte-pièce à tube utilisé pour découper des bouchons dans le liège.

TUBI- Élément, du lat. *tubus* «tube», qui sert à composer quelques mots savants.

TUBICOLE [tybikɔl] adj. — 1839 ; *tubulicole*, 1808 (du lat. *tubulus*) ; de *tubi-*, et *-cole.*

♦ Zool. Qui vit dans un tube qu'il sécrète (en parlant des animaux). *La serpule, ver tubicole. Annélides tubicoles.*

TUBIFEX [tybifɛks] n. m. — 1839, *in* Boiste ; de *tubi-*, et suff. lat. *-fex* «qui fait ».

♦ Zool. Petit ver annélide *(Oligochètes)* tubicole, commun dans la vase des eaux douces et tranquilles.

TUBIPORE [tybipɔʀ] n. m. — 1763, *in* D.D.L. ; de *tubi-*, et *-pore.*

♦ Zool. Coralliaire présentant un polypier* calcaire formé de tubes juxtaposés rappelant des tuyaux d'orgue. *Les tubipores constituent un genre.* ⇒ **Orgue** (de mer).

1. TUBISTE [tybist] n. m. — 1907 ; de *tube.*
Technique.

♦ **1.** Ouvrier qui travaille en caisson, sous l'eau.

♦ **2.** Ouvrier qui fabrique des tubes de métal, des tubes électroniques.

2. TUBISTE [tybist] n. — Mil. xxᵉ ; de 1. *tuba.*

♦ Musicien spécialiste du tuba. *Le tuba « offre dans l'orchestre, et même en soliste, des possibilités notables... (on organise) à l'intention des jeunes tubistes français, un séminaire d'information... »* (le Monde, 17 févr. 1977, p. 14).

TUBITÈLES [tybitɛl] n. m. pl. — 1839, *in* Boiste ; de *tubi-*, et lat. *tela* «toile ».

♦ Zool. Famille d'animaux arthropodes, de la classe des arachnides, araignées qui tissent une toile horizontale munie d'un tube de fils de soie, où elles se mettent à l'affût. — Sing. *Un tubitèle.*

TUBLEU [tyblø] interj. — V. 1670, Molière ; de *tudieu*, avec l'élément *-bleu* de *morbleu.*

♦ Vx. Euphémisme pour *tudieu*.

Tubleu ! Il faudra qu'on dise que le régiment à moi rechigne plus qu'un poupon et tourne le dos à la canonnade quand cette petite que voilà pique des deux vers les bombes. Haut ! camarades !   BERNANOS, Appendices, Œ. roman., Pl., p. 1755.

TUBOCURARINE [tybokyʀaʀin] n. f. — Mil. xxᵉ ; de *tubo-* (du lat. *tubus* «tube»), *curare*, et suff. *-ine.*

♦ Méd. Alcaloïde extrait d'une plante sud-américaine et obtenu aussi par synthèse, à action curarisante, employé en anesthésie, dans certains états convulsifs et comme antidote de l'atropine.

TUBO-OVARIEN, IENNE [tyboɔvaʀjɛ̃, jɛn] adj. — 1872, *in* Littré ; de *tubo-*, lat. *tubus*, et *ovarien.*

♦ Anat. Qui a rapport à la trompe de Fallope et à l'ovaire.

TUBOTYMPANITE [tybotɛ̃panit] n. f. — Mil. xxᵉ (*in* Larousse, 1953) ; de *tubo-* (du lat. *tubus*), et *tympanite.*

♦ Méd. Otite* de l'oreille moyenne avec inflammation de la trompe d'Eustache.

TUBULAIRE [tybylɛʀ] n. et adj. — 1752 ; du rad. du lat. *tubulus* «petit tuyau, petit conduit ».

★ **I.** N. f. (1755 ; *tubularia*, xvⁱⁱᵉ). Zool. Animal cœlentéré de la classe des hydroméduses *(Hydraires)*, polype de grande taille porté sur un long pédoncule et muni de deux couronnes de tentacules.

★ **II.** Adj. (1846, Bescherelle ; *chaudière tubulaire*, 1766). ♦ **1.** Qui a la forme d'un tube. ⇒ **Cylindrique.** *Lampe tubulaire. Étui, conduit tubulaire.* — Lingerie. *Ruban, épaulettes tubulaires.*

Mais où donc est la branche rose du bignonier, qui toquait aux vitres du bout de ses fleurs tubulaires ?   COLETTE, l'Ingénue libertine, p. 196.

♦ **2.** Qui est fait de tubes métalliques. *Chaudière tubulaire à eau.* ⇒ **Aquatubulaire.** *Pont tubulaire, échafaudage tubulaire.* — Dont une partie (pieds, montants) est faite de tubes métalliques. *Meubles tubulaires.*

COMP. Aquatubulaire.

TUBULE [tybyl] n. m. — Mil. xxᵉ ; lat. *tubulus* «petit tube ».

♦ Anat. Structure en forme de petit tube. *Tubule rénal* (ou *tubule urinifère*). *Tubules dentinaires* (au sein de la dentine des dents).

TUBULÉ, ÉE [tybyle] adj. — 1743, bot. ; du lat. *tubulus* « petit tube ».

♦ **1.** Sc. nat. Qui présente un tube, plusieurs petits tubes. *Fleur tubulée. Épithéliome tubulé.*

♦ **2.** *Draperie tubulée,* dont les plis sont verticaux et cylindriques.
Figuré :
(...) mais voici des draperies qui, voulant paraître légères, sont tubulées et tortillées comme du macaroni. BAUDELAIRE, Curiosités esthétiques, IX, IX.

♦ **3.** Techn. Qui présente une ou plusieurs tubulures (1.). *Flacon tubulé, cornue tubulée.*

TUBULEUX, EUSE [tybyl∅, ∅z] adj. — 1763 ; du lat. *tubulus* « petit tube ».

♦ Sc. nat. En forme de tube. *Corolle tubuleuse* (⇒ **Tubuliflore**). *Champignon à chapeau tubuleux.*
Glandes tubuleuses : glandes cylindriques d'un épithélium (divticules).

TUBUL(I)- Élément, du lat. *tubulus* « petit tube », qui entre dans la formation de quelques mots savants.

TUBULIFLORE [tybyliflɔR] adj. — 1842 ; de *tubuli-,* et *-flore.*

♦ Bot. Dont le capitule est constitué de fleurs tubuleuses (chardon, bleuet, etc.).

CONTR. Liguliflore.

TUBULURE [tybylyR] n. f. — 1762 ; du lat. *tubulus* « petit tube ».

♦ **1.** Techn. Ouverture cylindrique d'un récipient destinée à recevoir un bouchon percé d'un trou par lequel passe un tube. *Les tubulures d'un récipient florentin* (→ Matras, cit.), *d'un flacon.*

♦ **2.** (1898 ; in *Année sc. et techn.* 1899, p. 61). Tube métallique d'un ensemble tubulaire (conduits, pièces de construction, etc.). *Les tubulures qui chauffaient les Romains* (→ Hypocauste, cit.). — (1933). *Tubulure d'admission des gaz.* — (Attesté 1943, in D.D.L.). *Tubulure d'échappement :* ajutage* amenant les gaz brûlés d'un moteur dans le pot d'échappement.
(...) les orgues bombaient leurs tubulures de métal sur un buffet qui paraissait par endroits gonflé ou battu de son propre vent. Émile HENRIOT, la Rose de Bratislava, III.

TUDESQUE [tydɛsk] adj. et n. m. — 1512 ; lat. médiéval *theudiscus,* anc. haut all. *diutisc ;* cf. all. mod. *deutsch.*

♦ **1.** Vx. Propre aux anciens Allemands, aux Allemands (→ Pantomime, cit. 6). *Langue tudesque.* — N. m. (1671, *thudesque*). Ancien allemand. — Vieilli, péj. Germanique (cit. 3), teuton.
1 *(Des)* jeunes gens (...) vinrent à notre secours avec un français tudesque assez semblable à celui dont Balzac se sert dans la Comédie humaine pour faire parler Schmucke et le baron de Nucingen (...) Th. GAUTIER, Voyage en Russie, III.
N. ⇒ **Allemand.**
2 Les fantômes des Esclaves toujours frémissants
Se sont dressés en criant SUS AUX TUDESQUES
APOLLINAIRE, Calligrammes, « À l'Italie ».

♦ **2.** Par ext. Vx, péj. Rude, grossier. *Avoir des manières tudesques.*

TUDIEU [tydj∅] interj. — 1537 ; abrév. de *(par la) vertu (de) Dieu.*

♦ Ancien juron familier, aux XVIᵉ et XVIIᵉ siècles (→ Cajoler, cit. 2 ; égrillard, cit. 1). ⇒ **Tubleu.**

TUE-CHIEN [tyʃjɛ̃] n. m. invar. — 1544 ; *tuechien,* 1510 ; *tukien* « employé chargé de tuer les chiens errants », 1387 ; de *tue(r),* et *chien.*

♦ Régional. Colchique d'automne. — Morelle noire.

TUE-DIABLE [tydjabl] n. m. invar. — Fin XIXᵉ ; de *tue(r),* et *diable,* pour une raison peu claire.

♦ Pêche. Leurre (chenille ou poisson artificiel) à plusieurs hameçons, pour la pêche à la truite.

TUE-LOUP [tylu] n. m. invar. — 1765 ; de *tue(r),* et *loup.*

♦ Régional. Aconit (plante).

TUE-MOUCHE [tymuʃ] n. m. et adj. — 1829 ; de *tue(r),* et *mouche.*

♦ **1.** N. m. invar. Appos. *Amanite tue-mouche :* fausse oronge, champignon vénéneux.

♦ **2.** Adj. (1872). *Papier tue-mouche* ou *tue-mouches :* papier

imprégné d'une substance poisseuse et empoisonnée, qui sert à engluer et tuer les mouches.
Il y avait cet été-là beaucoup de mouches et des rubans de papier tue-mouches pendaient aux quatre coins du bistrot. Ce papier, aujourd'hui, ne s'emploie plus guère que dans les villages du fin fond de l'Auvergne.
Jacques LAURENT, les Bêtises, 1971, p. 63.

TUER [tɥe] v. tr. — V. 1155 ; orig. incert., p.-ê. lat. pop. *tutare, class. *tutari* « protéger », lat. médiéval « éteindre » (ex. : *tutare candelam* « tuer la chandelle ») ; mais en anc. franç. *tuer* signifie d'abord « frapper, assommer », comme le lat. *tundere.*

♦ **1.** Faire mourir (qqn) de mort violente. ⇒ **Assassiner, expédier** (vx), **mort** (donner la), **occire** (vx) ; fam. **buter, crever, descendre, étendre, liquider, nettoyer, zigouiller** (cf. aussi Envoyer ad patres, dans l'autre monde ; avoir, faire la peau ; crever la paillasse). *Tuer qqn avec une épée* (⇒ **Pourfendre**), *un poignard* (⇒ **Poignarder ; égorger**), *à coups de pierre* (⇒ **Lapider**), *par le poison* (⇒ **Empoisonner**). *Tuer qqn avec une arme à feu, un fusil, un revolver.* ⇒ fam. **Flinguer.** *Tuer en asphyxiant.* ⇒ **Étouffer, étrangler, noyer.** — *Tuer son père* (⇒ 1. **Parricide,** cit. 1), *son frère* (⇒ **Fratricide**), *son enfant* (⇒ 2. **Infanticide,** cit. 1), *un roi* (⇒ **Régicide,** cit. 3), *un tyran* (⇒ **Tyrannicide,** et aussi **-cide**). « *On ne sait que tuer un criminel* (cit. 9) *avec appareil ».* ⇒ **Exécuter.** *Tuer un adversaire en duel* (→ Épreuve, cit. 31 ; escrime, cit. 2). *Elle a tué son amant dans un accès de jalousie* (→ Gin, cit. 1). *Il le regarde comme s'il voulait le tuer* (→ Gouape, cit. 1). *Est-ce que ce n'est pas à les tuer ? :* ils mériteraient qu'on les tue ! (→ 2. Foutre, cit. 5) ; *ils sont à tuer,* formules exprimant l'exaspération ou l'indignation.

(1611). Absolt. Causer la mort de son prochain (cf. Faire couler le sang, verser le sang). *Tu ne tueras point* (→ Commandement, cit. 7). *Meurs ou tue* (→ Arrogant, cit. 6). *Quiconque tue se rend coupable d'homicide* (2. Homicide, cit. 1). ⇒ **Meurtre.**
0.1 Tuer un homme est le symbole du Mal. Tuer sans que rien ne compense cette perte de vie, c'est le Mal, Mal absolu.
Jean GENET, Pompes funèbres, 1944, p. 141.

Allus. littér. « *Les gens que vous tuez se portent* (supra cit. 21) *assez bien* ». (→ 3. Mort, cit. 13) *qu'il faut qu'on tue* ». « *Dans ce pays-ci, il est bon de tuer de temps en temps un amiral* (cit. 1) *pour encourager les autres* ».
1 Il faut qu'il ait tué bien des gens, pour s'être fait si riche.
MOLIÈRE, le Malade imaginaire, I, 5.
2 On ne devait pas tuer, il avait sucé cela avec le lait des générations ; son cerveau affiné, meublé de scrupules, repoussait le meurtre avec horreur, dès qu'il se mettait à le raisonner. Oui, tuer dans un besoin, dans un emportement de l'instinct ! Mais tuer en le voulant, par calcul et par intérêt, non jamais, jamais il ne pourrait !
ZOLA, la Bête humaine, IX.

Faire mourir au combat, à la guerre. « *Pourquoi me tuez-vous ?* » (→ Assassin, cit. 7 ; et aussi guerre, cit. 8). *Tuer des ennemis. Tuer des hommes à l'ennemi. On leur tua beaucoup de monde, quelque six mille hommes.* ⇒ **Anéantir, décimer, échiner** (vx), **faucher** (→ Action, cit. 23 ; et aussi avec, cit. 29). *Soldats qui se font tuer* (→ Conquérir, cit. 10 ; discuter, cit. 5 ; lutte, cit. 9), *qui sont tués* (au combat). *Se faire tuer* (plus ou moins volontairement). → ci-dessous cit. 3.1, Proust. *Tuer un blessé.* ⇒ **Achever.** *Invasion* (cit. 2) *pendant laquelle les familles sont tuées ou dispersées.* ⇒ **Exterminer, massacrer** (→ Massacre, cit. 2 et 3). — Absolt. *Mon métier est de tuer et d'être tué* (→ Soldat, cit. 8 ; et aussi ignorer, cit. 7 ; militaire, cit. 5). *Le droit de tuer* (→ Guerrier, cit. 5). *La cavalerie prussienne sabre* (cit. 2), *taille, tue...*
3 (...) il me sembla voir dans chaque général en chef une sorte de Moïse, qui devait seul rendre ses terribles comptes à Dieu, après avoir dit aux fils de Lévi : « Passez et repassez au travers du camp ; que chacun tue son frère, son fils, son ami et celui qui lui est le plus proche. Et il y eut vingt-trois mille hommes de tués », dit l'Exode (C, XXXII, v. 27). A. DE VIGNY, Servitude et Grandeur militaires, II, I.
3.1 (...) je vous dirai que ça me fatigue beaucoup de peine à cause du pauvre Robert, parce qu'il avait beau ne pas être un aigle, il s'en apercevait très bien, et d'un tas de choses (...) c'est pour tout ça que Robert s'est engagé, la guerre lui est apparue comme une délivrance de ses chagrins de famille ; si vous voulez ma pensée, il n'a pas été tué, il s'est fait tuer. PROUST, le Temps retrouvé, Pl., t. III, p. 1027.

Donner involontairement la mort à (qqn). *Tuer qqn au cours d'une partie de chasse, en nettoyant une arme...* — (Passif et p. p.). *Piéton tué par un automobiliste.* ⇒ **Écraser.**

♦ **2.** (V. 1200). Faire mourir volontairement (un animal). *Tuer un animal à la chasse* (→ Apprêter, cit. 19 ; bramer, cit. 1 ; phoque, cit. 2 ; poursuite, cit. 2). *Tuer des loups* (cit. 2). *Le matador tue le taureau* (cit. 4). *Tuer des bêtes à l'abattoir.* ⇒ **Abattre.** — Loc. *Un coup, une gifle à tuer un bœuf* (⇒ Renverser, cit. 11), très violents. — *Tuer un, le cochon.* ⇒ **Saigner** (→ Porcherie, cit. 1). *Tuer des poulets* (→ Poule, cit. 1). *Tuer un animal dans un sacrifice.* ⇒ **Immoler, sacrifier** (cit. 2). — Loc. *Tuer le veau* gras, la poule* aux œufs d'or.*
Loc. fam. *Tuer le ver,* en buvant à jeun un petit verre d'alcool (auquel une tradition populaire attribue des propriétés vermifuges).
4 (...) il se rappela qu'il possédait dans son armoire un litre d'eau-de-vie presque plein ; car il avait conservé l'habitude militaire de *tuer le ver* chaque matin.
MAUPASSANT, Bel-Ami, I, VII.

♦ **3.** (1553 ; sujet n. de chose). Causer la mort de... « *Le boulet* (cit. 2) *qui me tuera n'est pas encore fondu* » (Napoléon). *Le ton-*

nerre qui vous tue. ⇒ **Foudroyer.** *Cette bombe qui peut tuer cent mille hommes* (→ Sauter, cit. 14). *« Une vapeur, une goutte d'eau suffit pour le tuer »* (→ Homme, cit. 52). *Les maladies qui nous tuent.* ⇒ **Emporter** (→ Guerre, cit. 5). *« Ou la maladie vous tuera, ou* (cit. 27) *ce sera le médecin »* (→ Remède, cit. 3, Beaumarchais). *« Elle aimait trop le bal* (cit. 9), *c'est ce qui l'a tuée »* (Hugo).

5   Après avoir tant bourlingué, la nef des Argonautes ne tenait plus guère. Mais Jason continuait à s'en servir, jusqu'au jour où un mât venant à se rompre, lui tomba sur le crâne et le tua net.   Émile HENRIOT, Mythologie légère, p. 142.

Absolt. *Le tonnerre blesse* (cit. 5) *ou tue quelquefois* (→ aussi Faucher, cit. 6). *Poison, dose qui tue.* ⇒ **Mortel** (→ Morphine, cit. 1 ; opium, cit. 5 ; perdre, cit. 4). *La route qui tue.* ⇒ **Meurtrier.**
(Le compl. désigne un animal, une plante). *Substance qui tue les insectes* (⇒ **Insecticide, pesticide** [anglic.]), *les parasites* (⇒ **Parasiticide**), *les microbes.* ⇒ **Bactéricide, microbicide** (→ Antisepsie, cit.). — (1690). *Les froids rigoureux tuent l'olivier* (cit. 1). ⇒ **Détruire, périr** (faire).

♦ **4.** (1690 ; compl. n. de chose). Causer la disparition de..., faire cesser plus ou moins brutalement. ⇒ **Ruiner, supprimer** (cit. 3) ; et aussi **décapiter** (fig.). *« Congédier* (cit. 3) *la passion et la raison, c'est tuer la littérature »* (Baudelaire). *« L'abus des livres tue la science »* (Rousseau). ⇒ **Dispenser**, cit. 18. *Le journal tuera le livre* (→ Fait, cit. 23). *Le livre* (1. Livre, cit. 10) *tuera l'édifice. La réclame* (2. Réclame, cit. 2) *a tué la critique. L'allégorie tue le symbole* (→ Symbolique, cit. 1). *L'esprit* (cit. 96) *tue l'âme. La contrainte, la satisfaction tue le désir* (→ Époux, cit. 5 ; illusion, cit. 33 ; posséder, cit. 30). *L'échec risque de tuer la foi* (→ Inaccessible, cit. 12). *Tuer qqch. dans l'œuf** (cit. 12). — *Le péché* (cit. 12) *tue l'âme.* — **Absolt.** *« La lettre tue, mais l'esprit** (cit. 185 et 186) *vivifie ».*

6   Chez Plon, on disait ces jours-ci, que la bicyclette tuait la vente des livres (...)   Ed. et J. DE GONCOURT, Journal, 3 déc. 1893, t. IX, p. 133.

(1608). **TUER LE TEMPS,** l'occuper, le passer en évitant de s'ennuyer (quand on n'a aucune occupation). — *Tuer une soirée* (→ Farouche, cit. 4). *Il nous reste quelques heures à tuer* (→ Posthume, cit. 3). — *Tuer l'ennui* (cit. 29).

7   De cigarette en cigarette, je finirai bien par le tuer, ce dimanche sans soleil !   Alphonse DAUDET, Lettres de mon moulin, « À Milianah ».

8   Les gens se donnent beaucoup de mal pour tuer leur vie heure à heure. Encore n'en sont-ils pas capables tout seuls, il faut qu'on les dirige. Une revue a été créée dans ce but : signaler aux Parisiens, de façon méthodique, les occasions qui leur sont offertes de perdre leur temps.   MONTHERLANT, les Lépreuses, v.

(1752 ; sujet n. de chose). Détruire l'effet, la qualité de... *Cette couleur tue les autres. Cette table dans le décor, ça va tout tuer.* ⇒ **Bousiller, gâcher.** *La salade tue le foie gras.*

Marine :

8.1   (...) les embarcations d'un petit tonnage souffrent surtout de la houle qui rompt leur vitesse, qui « les tue », pour employer l'expression maritime.   J. VERNE, le Tour du monde en 80 jours, p. 176 (1873).

♦ **5.** (Fin XVIᵉ ; sujet n. de chose ; compl. pron. pers.). Lasser, épuiser en brisant la résistance. ⇒ **Abattre, démolir, éreinter, exténuer, user.** *Ce bruit, ces escaliers me tuent. L'inaction* (cit. 4), *l'ennui me tue* (→ Engraisser, cit. 2). *Mes passions m'ont tué* (→ Fourreau, cit. 5).

9   (...) les jours passent trop vite : c'est ce qui me tue de toutes les manières.   Mᵐᵉ DE SÉVIGNÉ, 1416, 19 juin 1695.

(1636). Plonger dans un désarroi ou une détresse extrême, en enlevant la possibilité ou le goût de vivre. ⇒ **Chagriner, désespérer, peiner.** *« Je demeure immobile* (cit. 6) *et mon âme abattue Cède au coup qui me tue »* (Corneille). *« Un soufflet ne vous fait physiquement aucun mal, et cependant il vous tue »* (→ Déshonorer, cit. 4). *« Je vous connais encore, et c'est ce qui me tue »* (→ Plus, cit. 21, Corneille).

10   Vous m'avez trop accoutumé à la vie élégante, la grossièreté de ces gens-là me tuerait.   STENDHAL, le Rouge et le Noir, I, XXIII.

10.1   Passepartout était anéanti. Avoir manqué le paquebot de quarante-cinq minutes, cela le tuait. C'était sa faute, à lui, qui, au lieu d'aider son maître, n'avait cessé de semer des obstacles sur sa route !   J. VERNE, le Tour du monde en 80 jours, p. 290.

▶ **SE TUER** v. pron. (V. 1130, « s'enivrer », d'abord dans des sens fig.).

A. (Réfléchi). ♦ **1.** Mourir par suicide* (cit. 1 à 3). ⇒ **Suicider** (se). Cf. Mettre fin à ses jours. *« Mourir est passivité, mais se tuer est acte »* (cit. 8, Malraux). *Se tuer pour échapper au déshonneur* (cit. 3 ; et → Fin, cit. 20 ; lâcheté, cit. 13 ; manquer, cit. 71 ; miner, cit. 3). ⇒ **Hara-kiri** (cit.). *Se tuer en se tirant une balle dans la tête* (cf. Se faire sauter la cervelle). — **Fam.** *« C'est à se tuer ! à se jeter la tête contre le mur ! »* (cit. 15).

(1718). Être victime d'un accident mortel ; trouver la mort. — **REM.** Se dit surtout quand la personne a une part de responsabilité dans l'accident. *Un enfant peut se tuer ou s'estropier* (cit. 3). ⇒ **Cou** (se casser, se rompre le cou). *Il glissa* (cit. 14) *et se tua. Au risque* (cit. 6) *de se tuer, il se laissa tomber... Se tuer au volant de sa voiture.*

♦ **2.** (V. 1460). Fig. User ses forces, compromettre sa santé. ⇒ **Nuire** (se). *Se tuer de travail* (→ Embarras, cit. 4 ; faneur, cit. ; reluire, cit. 3). *Ils se tuaient à la peine comme des galériens* (cit. 3).

(1659). **SE TUER À** (et l'inf.) : se fatiguer, se donner beaucoup de mal. ⇒ **Évertuer** (s'). *« Il se tue à rimer : que n'écrit-il en prose ? »* (cit. 7). *Je me tue à vous répéter que...* — (Vieilli). *Se tuer de...* (→ Marteler, cit. 2). — *Je me tuais en explications* (→ Légitimer, cit. 4).

Item, à maître Jacques James,
Qui se tue d'amasser biens (...)   VILLON, le Testament, CLXIX.   11

On se tue à vous faire un aveu des plus doux (...)   MOLIÈRE, Tartuffe, IV, 5.   12

(...) elle le disait bien, que sa pauvre fille se tuait, tant elle se donnait du mal (...)   ZOLA, la Terre, IV, IV.   13

♦ **3.** Techn. (Passif). Devenir brun en perdant sa saveur (en parlant du cidre).

B. (Récipr.). *Se tuer les uns les autres* (→ Dénoncer, cit. 16). ⇒ **Entre-tuer** (s'). *Les hommes sont convenus de se dépouiller, se brûler, se tuer* (→ Règle, cit. 1). *Le peuple se tuait à la porte des boulangers* (→ Pâte, cit. 3). — **Par exagér.** *On s'y tue, il y a foule en cet endroit* (cf. On s'y écrase).

Les coups de canon de rien du tout, ça va maintenant de 300 à 500 francs. Mais nous avons le coup de canon de 1350, et même le 1572 francs. Tout a bien augmenté dans la vie, et c'est devenu bien cher l'art de se tuer.   Ed. et J. DE GONCOURT, Journal, 5 oct. 1889, t. VIII, p. 77.   14

▶ **TUÉ, ÉE** p. p. adj.

♦ **1.** Mort de mort violente. *Tué dans une bagarre, au combat. Tué à l'ennemi. Dix personnes ont été tuées dans cet accident de chemin de fer.* — **N. m.** (surtout au plur.). *Les tués et les blessés.* — Rare au fém. *Les tuées.*

♦ **2.** Très fatigué, épuisé. ⇒ **Crevé.**

Daudet est tué. Voici cinq mois qu'il travaille depuis quatre heures du matin jusqu'à huit heures, de neuf heures à midi, de deux heures à six heures, après deux heures à minuit (...)   Ed. et J. DE GONCOURT, Journal, 9 oct. 1877, t. V, p. 253.   15

CONTR. Épargner, sauver.
DÉR. Tuable, tuage, tuant, tuerie, tueur.
COMP. Tue-chien, tue-diable, tue-loup, tue-mouche, tue-tête (à).

TUERIE [tyʀi] n. f. — 1350 ; de *tuer.*

♦ **1.** Techn. Local où les bêtes sont abattues dans un abattoir. — Local où l'on tue les bêtes de boucherie, en l'absence d'un abattoir.

♦ **2.** (XVᵉ). Cour. Action de tuer en masse, sauvagement. ⇒ **Boucherie, carnage, hécatombe, massacre** (→ Paraître, cit. 2 ; proscription, cit. 1). — Spécialt, en parlant d'une guerre meurtrière (→ Abhorrer, cit. 5 ; armistice, cit. 1 ; intimer, cit. 2). *Les affreuses tueries des guerres modernes.*

J'aimerais autant être un veau
Qui va droit à la boucherie
Que d'aller à telle tuerie.   Clément MAROT, Épîtres, LV.   1

(...) le dénouement (de Bajazet) n'est point bien préparé : on n'entre point dans les raisons de cette grande tuerie.   Mᵐᵉ DE SÉVIGNÉ, 257, 16 mars 1672.   2

Fig., fam., vieilli. Grande réunion mondaine, considérée comme éprouvante. *Cette exposition ? C'est une vraie tuerie !*

Mais comment venez-vous dans des matinées si nombreuses ? me demanda Gilberte. Vous retrouver dans une grande tuerie comme cela, ce n'est pas que je vous schématisais. Certes, je m'attendais à vous voir partout ailleurs qu'à un des grands tralalas de ma tante (...)   PROUST, le Temps retrouvé, Pl., t. III, p. 984.   3

TUE-TÊTE (À) [atytɛt] loc. adv. — XVIᵉ ; de à, *tue(r)*, et *tête.*

♦ D'une voix si forte qu'on casse la tête, qu'on étourdit. *Crier* (cit. 5 ; et → Empereur, cit. 4 ; imprimeur, cit. 1), *chanter* (→ Ivre, cit. 5 ; 2. pays, cit. 2 ; pondre, cit. 2), *déclamer* (cit. 3), *psalmodier* (cit. 2) *à tue-tête.*

Élisabeth avait saisi un journal. D'une voix qui prétendait imiter celle de Paul, elle lut les faits divers. Paul criait : « Assez, assez ! » Sa sœur continuait à tue-tête.   COCTEAU, les Enfants terribles, p. 102.

TUEUR, EUSE [tyœʀ, øz] n. — XIIIᵉ ; *tueour*, v. 1190 ; de *tuer.*

♦ **1.** Personne qui tue (qqn). ⇒ **Assassin, meurtrier.** *Le tueur de jeunes filles qui défraie les faits divers des quotidiens.* — (Sans compl.). *Un tueur sadique, fou. C'est un redoutable tueur, un ennemi public.*

Parlez-moi des riches. Tous assassins, tueurs d'enfants, voilà ce que c'est.   M. AYMÉ, le Passe-muraille, p. 257.   1

(V. 1450). Spécialt. *Tueur à gages* ou *tueur :* meurtrier appointé, professionnel du meurtre (→ Assassin, cit. 1 ; compte, cit. 7). *Les tueurs d'Al Capone. Ces mercenaires, ces nervis sont des tueurs.*

Pendant des mois, à Majorque, les équipes de tueurs, transportées rapidement de village en village par des camions réquisitionnés à cet effet, ont froidement abattu au vu de tous, des milliers d'individus jugés suspects, mais contre lesquels le tribunal militaire lui-même eût dû renoncer à invoquer le moindre prétexte légal.   BERNANOS, les Grands Cimetières sous la lune, p. 185.   2

L'idéal eût été d'avoir un spadassin qui exécutât la besogne devant lui, mais le métier de tueur à gages s'est à peu près perdu, du moins à l'usage du vulgaire.   M. AYMÉ, Travelingue, p. 225.   3

4 Il y a des tueurs sur le marché, ne le saviez-vous pas? Non, bien sûr, à la portée de toutes les bourses. Tout le monde ne peut pas s'offrir un tueur.
F. MAURIAC, le Nouveau Bloc-notes 1958-1960, p. 159.

(1872). *Tueur de...* : personne qui tue (telle espèce d'animaux). *Tartarin, le tueur de lions* (→ Fanfare, cit. 3; et aussi mariolle, cit. 2).

5 Mais qui pourra dire si c'est malignité, cruauté minuscule de tueuse de mouches (...)
F. MALLET-JORIS, le Jeu du souterrain, p. 245.

(1916). Péj. Personne qui chasse, moins pour le sport que pour le profit.

♦ **2.** (1669). Techn. Professionnel qui tue les bêtes dans les abattoirs (→ Boucher, cit. 2; 1. merlin, cit.; salopette, cit. 3).

TUF [tyf] n. m. — 1407; *tufe,* 1280; ital. *tufo;* lat. *tofus* «pierre spongieuse et friable».

♦ **1.** Roche de porosité élevée et de faible densité, souvent pulvérulente. *Tufs calcaires* (dépôts de sources). *Tufs d'origine volcanique. Tufs basaltiques, porphyriques, siliceux. Sous-sol formé de tuf.*

1 (...) il en est comme de la plaine de Montégnac, on n'en peut rien faire. Encore, aurait-on y a-t-il du sable et un peu de terre dans vos cailloux; mais là c'est le tuf tout pur.
BALZAC, le Curé de village, Pl., t. VIII, p. 673.

2 Je ne chante jamais que lorsque mes huit griffes
Ont trouvé, sarclant l'herbe et chassant les cailloux,
La place où je parviens jusqu'au tuf noir et doux!
Edmond ROSTAND, Chantecler, II, 3.

♦ **2.** (Av. 1696). Fig. Élément originel que l'on découvre en profondeur (comme le tuf sous le sol cultivable). *Creuser pour trouver le tuf. Le fond* et le tuf d'une œuvre littéraire* (→ Hystérie, cit. 1).

3 (...) si vous les enfoncez *(ces gens),* vous rencontrez le tuf.
LA BRUYÈRE, les Caractères, VII, 83.

4 Montriveau jeta sur Lucien un regard pour le sonder jusqu'au tuf.
BALZAC, Illusions perdues, Pl., t. IV, p. 616.

5 Nous touchons le tuf, le sol primitif, la sincérité profonde qui fait la base de toute l'œuvre de Proudhon.
SAINTE-BEUVE, Proudhon, p. 35.

6 Tel artiste, de famille parisienne, c'est rare qu'il faille creuser bien loin pour atteindre le tuf provincial qui le nourrit.
F. MAURIAC, la Province, p. 48.

DÉR. Tufacé, tufeau ou tuffeau, tufier.

TUFACÉ, ÉE [tyfase] adj. — Mil. xxᵉ (1972, C.N.R.S.); de *tuf,* et suff. *-acé.*

♦ Didact. Qui contient du tuf; est analogue au tuf. *Roche tufacée.*

TUFEAU ou **TUFFEAU** [tyfo] n. m. — 1466; *tufel,* 1433; de *tuf.*

♦ Didact. ou techn. Variété de tuf calcaire poreux et tendre, qui durcit à l'air et est utilisé dans la construction.

La maison, entre cour et jardin, était bâtie en tuffeau blanc, couverte en ardoise et ornée de sculptures que la facilité du tuffeau permet de prodiguer sans trop de frais.
BALZAC, Illusions perdues, Pl., t. IV, p. 1052.

TUFIER, IÈRE [tyfje, jɛʀ] adj. — 1694; *tuffière,* n. f., «sol qui contient du tuf», 1562; *tuffier,* n. m., «carrière de tuf», 1407; de *tuf.*

♦ Didact. ou techn. Qui est de la nature du tuf. *Terrain tufier. Terre tufière.*

TUFTÉ, ÉE [tyfte] adj. ⇒ **Touffeté.**

TUILAGE [tɥilaʒ] n. m. — 1723; de *tuiler* ou de *tuile.*

♦ **1.** Ancienn. Opération par laquelle on tuile le drap.

♦ **2.** (1842). ⇒ **Tuile** (I., 3.).

TUILE [tɥil] n. f. — 1538; *tuille,* 1330; altér. de *tieulle,* v. 1290; *tiule,* v. 1170; lat. *tegula,* de *tegere* «couvrir».

★ **I.** ♦ **1.** Plaque de terre cuite servant à couvrir des édifices. *Bâtisse couverte de tuiles rouges* (→ 2. Ferme, cit. 3). *Chapelle coiffée de tuiles* (→ Cintré, cit.). *Les tuiles du toit, chauffées par le soleil* (→ Émaner, cit. 2). *Nids d'hirondelles sous les tuiles* (→ Larmier, cit. 1). *Tuiles plates, tuiles rondes* (→ Four, cit. 13); *tuile romaine, sarrasine, creuse* (⇒ 2. Noue, 1.). *Tuile faîtière, à faîteau* (vx), *en faîteau. — Tuiles mécaniques* ou *à emboîtement,* faites à la machine et s'emboîtant peu profondément pour peser moins. — *Tuiles émaillées* (→ Revêtement, cit. 1), *tuiles noires* (→ Faîte, cit. 2), *grises* (→ Foulon, cit.). *Assemblage de tuiles.* ⇒ **Couverture; battellement, cornière, crête.** *Tuiles imbriquées, qui chevauchent. Disposer les tuiles d'un toit.* ⇒ **Embroncher, enchevaucher, enfaîter.** *Partie, fragment de tuile.* ⇒ **Pureau.** *Matériaux destinés à soutenir, raccorder les tuiles.* ⇒ **Chevron, ruilée.** *Solin* entre les tuiles et le mur.*

1 Plus loin, des maisons à toitures rouges, composées de tuiles plates et rondes semblables à des écailles de poisson, annoncent l'aisance due à de longs travaux.
BALZAC, le Médecin de campagne, Pl., t. VIII, p. 318.

2 Il y avait dans ce tableau un grand toit de tuiles qui était bien la chose du monde la plus miraculeuse; chaque tuile était étudiée individuellement et faisait portrait, vous n'en auriez pas trouvé deux pareilles : celle-ci était rouge, celle-là rose, et l'autre, plus ancienne ou plus cuite, prenait des tons de bistre : quelques-unes étaient tachées par la pluie, quelques autres présentaient ces plaques de lèpre moussue que le temps et l'humidité donnent aux vieux toits.
Th. GAUTIER, Portraits contemporains, «Laberge».

3 Sur la tuile faîtière du mur parut enfin le chat de ferme (...)
COLETTE, les Vrilles de la vigne, «Amours».

4 On aperçoit de loin ses murs badigeonnés de chaux, tantôt achevés en terrasses, tantôt couverts de ces tuiles brillantes, d'un vert profond de nénuphar, qui font l'ornement des mosquées et des demeures opulentes.
Jérôme et Jean THARAUD, Rabat..., X.

(1762; sens collectif). LA TUILE : une couverture de tuile. *Préférer la tuile à l'ardoise* (→ Maison, cit. 4).

♦ **2.** (1721). Plaque (d'une autre matière mais de même forme) destinée au même usage. *Tuiles de pierre, de marbre, d'ardoise.*

5 La collaboration avec l'arbre, l'eau, le site, le gazon et la fleur est remplacée aussitôt par la collaboration avec la pierre meulière, la tuile artificielle, le panneau de publicité et le mur de clôture (...)
GIRAUDOUX, De pleins pouvoirs à sans pouvoirs, III, p. 59.

♦ **3.** (1723). Techn., vx. Panneau de bois utilisé par les drapiers pour coucher le poil du drap. ⇒ **Tuilage.** *Passer la tuile sur le drap.* ⇒ **Tuiler.**

♦ **4.** (1938). Pâtisserie, petit four sec moulé en forme de tuile sur un rouleau à pâtisserie. *Des tuiles aux amandes.*

★ **II.** ♦ **1.** Loc. compar. *Tomber comme une tuile,* brusquement, en faisant mal.

6 (...) cette grêle de coups qui tombent bêtement sur ma tête, comme des tuiles, sans que je sache pourquoi.
ZOLA, Thérèse Raquin, Préface de la 2ᵉ éd.

♦ **2.** (1784). Désagrément inattendu (comparé à une tuile qui tombe sur la tête de qqn). ⇒ **Accident, ennui, malchance; avaro** (pop.). *Le jeune homme flaira une tuile* (→ Contrariété, cit. 3). *Quelle tuile! Ça y est, c'est la tuile!*

7 — Voyons qu'y a-t-il? — Une tuile. — Une... — Tuile... Oh! la tuile classique, la note de ma couturière.
A. HERMANT, la Carrière, V, 2.

8 Zut, je l'ai rendue trop amoureuse, et elle me propose le mariage. Quelle tuile!
J. DUTOURD, les Horreurs de l'amour, p. 309.

♦ **3.** (1882, Zola, *in* D.D.L.). Spécialt, vx. Argot des vendeurs. Mauvaise cliente qui dérange et n'achète pas.

9 Ça paraît vouloir s'allumer un peu, dit Hutin à Favier. Seulement, je n'ai pas de chance, il y a des jours de guignon, ma parole!... Je viens encore de faire un Rouen, cette tuile ne m'a rien acheté.
Il désignait du menton une dame qui s'en allait, en jetant des regards dégoûtés sur toutes les étoffes.
ZOLA, Au Bonheur des dames, IV, t. I, p. 119-120.

DÉR. Tuilage, tuilé, tuileau, tuiler, tuilerie, tuilette, tuilier.

TUILÉ, ÉE [tɥile] adj. — 1305; *tuylé; tiulé,* v. 1188; de *tuile.*

♦ **1.** Vx. De couleur brique. — Mod. *Vin tuilé,* qui a pris une couleur orangée.

♦ **2.** (1791). Recouvert de tuiles.

♦ **3.** Disposé comme des tuiles. «*Un monstre japonais (...) au dos couvert d'écailles finement tuilées*» (A. Daudet, *in* G.L.L.F.). — Cintré comme une tuile romaine. *Carte tuilée* (pour tricher, pour un tour de cartes).

♦ **4.** (1876, *in* P. Larousse). Anciennt. *Drap tuilé,* passé à la tuile (I., 3.).

TUILEAU [tɥilo] n. m. — 1611; *tuilleau,* 1458; *thieulleau* «mortier contenant des morceaux de tuiles», xivᵉ; de *tuile.*

♦ Techn. Fragment de tuile.

TUILER [tɥile] v. tr. — 1723; de *tuile.*

♦ **1.** Ancienn. Passer la tuile (I., 3.) sur le drap.

♦ **2.** (1836). Franc-maçonnerie. Interroger (qqn) pour s'assurer qu'il connaît les mots et les gestes par lesquels les affiliés d'une confrérie se reconnaissent.

DÉR. (Du sens 1) **Tuilage.**

TUILERIE [tɥilʀi] n. f. — 1538; *tuillerie,* 1287; *teulerie,* 1264; *tulerie,* 1221; de *tuile.*

♦ **1.** Fabrique de tuiles; four où elles sont cuites.

1 Les champs ensemencés s'étendaient d'année en année. Les Indiens (...) travaillaient dans les différents ateliers : maréchalerie, serrurerie (...) poterie, tuilerie.
B. CENDRARS, l'Or, 1925, p. 166.

♦ **2.** LES TUILERIES : palais édifié sur l'emplacement d'une ancienne tuilerie en 1564 par Catherine de Médicis et détruit en

1871 par un incendie. *La Cour des Tuileries* (→ Pédestrement, cit. 3). *Pour protéger les Tuileries, on ne pouvait compter que sur la Garde Nationale* (→ Méthode, cit. 5). *Je vois de ma fenêtre les Tuileries et le Louvre* (→ Pierre, cit. 16). *Une revue* (cit. 2) *aux Tuileries.* Aujourd'hui, à Paris, Le jardin qui s'étend de l'emplacement de l'ancien Palais des Tuileries jusqu'à la place de la Concorde.

2   Hélène pense aux fleurs à l'herbe des prairies
     Promenons-nous veux-tu ce soir aux Tuileries
                    ARAGON, le Crève-cœur, « Poèmes d'outre-tombe », I.

TUILETTE [tɥilɛt] n. f. — 1573 ; *tiulete*, v. 1190 ; de *tuile.*

♦ Techn. ou régional. Petite tuile. — Spécialt. Petite plaque de terre obturant le pot de fusion, en cristallerie.

TUILIER, IÈRE [tɥilje, jɛʀ] n. et adj. — 1287 ; *tiulier*, 1200 ; de *tuile.* Technique.

♦ **1.** N. Ouvrier, ouvrière qui fait les tuiles.

♦ **2.** Adj. (xxᵉ). Relatif à la fabrication des tuiles. *L'industrie tuilière.*

TULARÉMIE [tylaʀemi] n. f. — 1911 ; du lat. sc. *tular(ensis)* « (bactérie) de *Tulare* » (nom du comté de Californie où la maladie fut découverte), et *-émie.*

♦ Méd. Maladie infectieuse fébrile due au *Francisella* ou *Pasteurella tularensis*, transmise des rongeurs sauvages à l'homme par des tiques et pouvant revêtir des formes variées (gonflement et ulcérations des ganglions lymphatiques, de la bouche et du pharynx, conjonctivite nodulaire ulcérée, forme typhoïde).

TULIPE [tylip] n. f. — 1611 ; *tulipan*, 1600 ; turc *tülbend* « (plante) turban ». → Turban.

♦ **1.** Plante *(Liliacées)* à haute tige, à racines bulbeuses, aux feuilles allongées et dont la fleur renflée à la base est évasée à l'extrémité. *Oignon, bulbe de tulipe* (→ Livrer, cit. 14). *Le commerce des oignons de tulipe. Variétés de tulipes : tulipes sauvages, cultivées, tulipes de Gesner, simples, doubles, panachées, perroquets, flamboyantes, noires. La tulipe fut répandue en Europe à la fin du* xviᵉ *siècle. La Hollande, centre de la culture des tulipes. Champs de tulipes.* « *Vous le voyez planté* (cit. 21) *et qui a pris racine au milieu de ses tulipes* » (La Bruyère). *L'amateur de tulipes*, titre traditionnel donné à un passage des *Caractères* de La Bruyère (*De la Mode*, 2). *La Tulipe noire*, roman de Dumas père. — Par ext. Fleur de tulipe. *Avril fleuri* (cit. 19) *de tulipes.*

1   — Comment appelez-vous cette fleur-là, s'il vous plaît ?
     — Une tulipe. Que veux-tu prouver ?
     — Une tulipe rouge, ou une tulipe bleue ?   A. DE MUSSET, Fantasio, II, 1.
2   Les pots de terre dans lesquels étaient les tulipes dont les noms se lisaient sur des
     ardoises gravées, avaient été enterrés et disposés de manière à former une pyra-
     mide au sommet de laquelle s'élevait une étoile de gaz à ras de bec (...)
     de Balthazar
     (Claës) possédait seul. Cette fleur, nommée *tulipa Claësiana*, réunissait les sept
     couleurs, et ses longues échancrures semblaient dorées sur les bords (...) La tige
     était énorme, bien droite, ferme, d'un admirable vert (...)
                         BALZAC, la Recherche de l'Absolu, Pl., t. IX, p. 527.

♦ **2.** (1752). Objet dont la forme rappelle celle d'une tulipe. — Spécialt. *Tulipe de verre* (verre à boire ; globe électrique, lampe, etc.). *Tulipe de certaines cafetières en verre.*

3   (...) le demi-jour du vestibule, que noyait d'un bleu incertain la tulipe de verre
     suspendue au plafond et où brûlait une étoile de gaz à ras de bec (...)
                         COURTELINE, Boubouroche, Nouv., III.

Loc. Vx. *Faire la tulipe* : se retourner (en parlant d'un parapluie).

4   Ô, vous, Mesdames, qui êtes obligées, par un grand vent, de passer sur le Pont-
     Neuf (...) si vous avez un parapluie, ne l'ouvrez pas, car vous seriez encore plus
     embarrassées : votre parapluie ferait la tulipe ; et pendant que vous chercheriez à
     le remettre dans son état naturel, vos jupons feraient la tulipe aussi !
                         Ch. PAUL DE KOCK, la Grande Ville, t. I, p. 144.

♦ **3.** *La tulipe*, surnom donné, sous l'Ancien Régime, aux soldats gais et pleins d'entrain. *Fanfan* (enfant) *la Tulipe*, héros populaire.

DÉR. 1. Tulipier ou tulipiste, 2. tulipier.

1. TULIPIER [tylipje] ou TULIPISTE [tylipist] n. m. — 1845, *tulipier ; tulipiste*, 1933 ; de *tulipe.*

♦ Techn. Amateur, cultivateur de tulipes. — REM. Le fém. tulipière [tylipjɛʀ] est virtuel.

(...) un haut fonctionnaire hollandais de Sumatra qui passait tous les ans, en rentrant, caresser ses tulipes, devant la côte d'Arabie (...) ça lui mit dans l'idée (...)
d'aller barboter les trésors de la Mecque (...) Enfin, mon tulipiste fait un héritage
et va aux Antilles recruter un équipage de forbans (...)
                         MALRAUX, la Condition humaine, p. 137-138.

2. TULIPIER [tylipje] n. m. — 1751 ; de *tulipe.*

♦ Arbre originaire d'Amérique du Nord *(Magnoliacées)*, dont la fleur ressemble à la tulipe. *Les vignes sauvages s'entrelacent*

(cit. 2), *s'élancent de l'érable au tulipier. Des sassafras* (cit.), *des tulipiers et des chênes.*

(...) la lune passe derrière le grand tulipier qui se découpe en noir sur le ciel bleu
sombre.   FLAUBERT, Correspondance, 98, Fin juin-début juil. 1845.

TULLE [tyl] n. m. — 1765, *Encyclopédie ; point de Tulle*, xviiᵉ ; du nom de la ville.

♦ **1.** Tissu léger, formé d'un réseau de mailles rondes ou polygonales. *Le tulle diffère de la dentelle*, en ce que les fils ne sont pas arrêtés. Tulle de coton, de soie... Métier à tulle. Faire du tulle au tambour* (cit. 6). — *Robe de tulle* (→ Demi-vierge, cit.). *Rideaux* (→ Lustrine, cit. 2), *voiles de tulle. Ruches de tulle* (→ Livrer, cit. 6). — *Tulle servant de fond de dentelle, de broderie* (« filet »). — (1844, *in* D.D.L.). *Tulle illusion*, très fin et transparent. *Tulle point d'esprit ; à pois.*

♦ **2.** (1933). *Tulle gras* : gaze imprégnée de pommade, utilisée dans les pansements. *Compresse de tulle gras.*

DÉR. **Tullerie, tullier, tulliste.**

TULLERIE [tylʀi] n. f. — 1872 ; de *tulle.*

♦ Techn. Industrie ; commerce du tulle. — Atelier, fabrique de tulle.

TULLIER, IÈRE [tylje, jɛʀ] adj. — 1868, adj. f. ; de *tulle.*

♦ Techn. Du tulle. *L'industrie tullière.*

TULLISTE [tylist] n. — 1842 ; de *tulle.* Technique.

♦ **1.** Industriel qui fabrique du tulle. *Les tullistes de Lille, de Saint-Quentin.*

♦ **2.** (1872). Ouvrier, ouvrière de l'industrie du tulle.

TUMÉFACTION [tymefaksjɔ̃] n. f. — 1552 ; lat. mod. *tumefactio*, du lat. class. *tumefacere.* → Tuméfier.

♦ **1.** *La tuméfaction (de...)*, augmentation de volume (d'une partie du corps ou d'un organe) due en général à une inflammation ou à une infiltration œdémateuse. ⇒ **Enflure, gonflement, intumescence, œdème.** *Tuméfaction des chairs. Tuméfaction par infiltration séreuse* (⇒ **Œdème**) ; *tuméfaction d'un furoncle. Tuméfaction du périoste* (périostose), *du testicule* (sarcocèle, spermatocèle...).

♦ **2.** *(Une, des tuméfactions).* Partie tuméfiée. *Une tuméfaction livide s'étendait sur la jambe* (→ Phlyctène, cit.). *Tuméfaction délimitée, de nature inflammatoire, etc.* ⇒ **Tumeur.**

À l'autopsie nous constatâmes l'existence d'une tuméfaction rétro-chiasmatique
nettement fluctuante et de coloration violacée (...) la section de la tige pituitaire
ne fit pas s'écouler le liquide contenu dans la tumeur.
                         B. CENDRARS, Moravagine, 1926, Œ. compl., t. IV, p. 258-259.

TUMÉFIER [tymefje] v. tr. — 1561 ; du lat. *tumefacere* « gonfler », de *tumere* « être gonflé » (→ Tumeur), et *facere* « faire », d'après les verbes en *-fier.*

♦ Causer une tuméfaction sur (une partie du corps). ⇒ **Enfler, gonfler.** *Les engelures ont tuméfié ses doigts.* — Pron. S'enfler, grossir anormalement.

Le nez qui déjà se tuméfie, bourgeonne ; avec ce pli du bord de la narine qui res-   1
semble à une vieille coupure encrassée.
                         J. ROMAINS, les Hommes de bonne volonté, t. III, XVII, p. 232.

▶ **TUMÉFIÉ, ÉE** p. p. adj. Plus courant.

♦ **1.** Qui présente une tuméfaction. *Peau tuméfiée* (→ Lépreux, cit. 2). *Couvert de plaies, l'œil droit tuméfié* (→ Horrible, cit. 8). *Appareil ganglionnaire* (cit.) *tuméfié.*

♦ **2.** Bouffi, boursouflé.

Une femme vieille, courte, trapue, rouge, bouffie, huileuse, tuméfiée, grasse,   2
effroyable, énorme.   HUGO, Choses vues, II, III, I.
Philippe parlait difficilement, à cause de sa lèvre tuméfiée, mais sa voix était   3
claire.   SARTRE, le Sursis, p. 324.

♦ **3.** (Abstrait). « *Esprit tuméfié de prétentions* » (Hugo, *Littérature et philosophie mêlées*, p. 112). « *Prose prétentieuse (...) tuméfiée* » (J. Romains, *les Hommes de bonne volonté*, t. I, p. 159).

CONTR. **Dégonfler, déprimer.**

TUMÉNOL [tymenɔl] n. m. — Mil. xxᵉ ; orig. inconnue.

♦ Méd. Produit obtenu par la distillation des schistes bitumineux, constitué par un mélange d'huiles et d'hydrocarbures se présentant sous la forme d'une masse brunâtre ou de poudre jaunâtre lorsqu'il est purifié. *Pommade au tuménol employée en dermatologie.*

TUMESCENCE [tymesɑ̃s] n. f. — 1839, *in* Boiste ; du lat. *tumescens*, de *tumescere* « s'enfler », de *tumere* « être gonflé ». → Tuméfier. Didact. (anat., médecine).

♦ **1.** Gonflement des tissus. ⇒ **Intumescence, turgescence.** *Tumescence pathologique.* ⇒ **Tuméfaction, tumeur.** *Tumescence physiologique du pénis, du clitoris, du mamelon du sein.* ⇒ **Érection.**

♦ **2.** Littér. Gonflement.

(...) Schahnidjar, voulant voir le coucher du soleil, escaladait avec la favorite certain monticule sablonneux d'où la vue s'étendait largement du côté de l'occident.
Parvenu au sommet de la stérile tumescence, l'aimable marchand se repaissait joyeusement du spectacle féerique offert par l'horizon ensanglanté.
Raymond ROUSSEL, Impressions d'Afrique, p. 370.

TUMESCENT, ENTE [tymesɑ̃, ɑ̃t] adj. — 1839 ; lat. *tumescens*. → Tumescence.

♦ Didact. Qui s'enfle, se gonfle, grossit (en parlant des tissus vivants). *Organe tumescent.*

TUMEUR [tymœʀ] n. f. — V. 1560 ; *tumor,* v. 1398 ; lat. *tumor* « enflure, gonflement », de *tumere* « enfler ».

♦ **1.** (Au sens large ; vx en méd. depuis la fin du xixe). Gonflement pathologique (⇒ **Tuméfaction**) formant une « éminence circonscrite » (Littré), une saillie anormale. ⇒ **Ampoule, bosse, bouton, enflure, excroissance, granulation, grosseur, intumescence, tubercule, tubérosité** ; et aussi **-cèle, -ome.** *Tumeur fluctuante, indurée* (⇒ **Induration**)*, protubérante, rénitente. Tumeur enkystée.* ⇒ **Kyste** ; **athérome, loupe, tanne.** *Poche* d'une tumeur. Tumeur formée par une inflammation, tumeur purulente.* ⇒ **Abcès, anthrax, apostume** (vx)*,* **bubon, furoncle, orgelet, phlegmon** (cit.)*,* **pustule.** *Tumeur furonculeuse, scrofuleuse.* ⇒ **Écrouelles, scrofule** (vx)*. Tumeur formée par une concrétion, un dépôt, un épanchement, une infiltration de liquide.* ⇒ **Anévrisme** (diffus)*,* **hématocèle, hématome, œdème.** *Tumeur gazeuse du cou.* ⇒ **Trachéocèle.** *Petite tumeur inflammatoire des paupières.* ⇒ **Chalaze.** *Tumeur inflammatoire de la plante des pieds.* ⇒ **Botryomycome.** *Tumeurs externes des chairs ; tumeur interne. Tumeur adénoïde. — Apparition, disparition* (⇒ **Délitescence, résolution**) *d'une tumeur. Tumeur qui aboutit, vient à suppuration. Ouvrir, opérer, exciser une tumeur.* — (1876, *in* P. Larousse). *Tumeur blanche :* arthrite tuberculeuse chronique, accompagnée d'un gonflement des tissus. — *Tumeurs des articulations, des régions articulaires, chez le cheval* (⇒ **Capelet, éparvin, éponge, forme** [V., B., 4.]*,* **jarde, javart, osselet, suros, vessigon**)*, chez le chien* (⇒ **Buture**).
(1764, Bonnet). Par ext. Élevure, gonflement du tissu (d'un végétal). *Tumeur du collet des arbres fruitiers. Tumeur parasitaire.*
Fig. Nodosité (cit. Hugo). ⇒ **Bosse, verrue.**

♦ **2.** Production pathologique constituée par un tissu de formation nouvelle (⇒ **Néo-formation, néoplasie, néoplasme**) et distincte d'un processus inflammatoire. *Les cellules des tumeurs peuvent provenir des divers tissus : épithélial* (⇒ **Adénome, carcinome, épithélioma, kyste, papillome, squirrhe**)*, conjonctif* (⇒ **Fibrome, lipome** [ou *tumeur graisseuse*]*,* **molluscum, sarcome ; polype**...) ; *osseux* (⇒ **Exostose**)*, musculaire, nerveux* (*tumeurs au cerveau*, etc.). *Tumeur bénigne,* bien circonscrite, formée de cellules normales de divers types. ⇒ **Adénome, fibrome, lipome, molluscum, papillome, polype, verrue.** *Tumeur maligne (cancéreuse),* à cellules pathologiques, envahissant les tissus voisins, se disséminant à distance (⇒ **Métastase**) et ayant tendance à récidiver. ⇒ **Carcinome, épithélioma, sarcome, squirrhe.** *Tumeur primitive* (première tumeur d'un cancer)*. Tumeurs congénitales.* ⇒ **Angiome, nævus.** *Ablation d'une tumeur. Radiothérapie d'une tumeur.*

1 C'était une tumeur dans l'estomac, toujours croissante, qui l'empêchait de manger, sans que durant très longtemps on en trouvât la cause, et qui finit, après plusieurs années de souffrances, par le faire mourir de faim.
ROUSSEAU, les Confessions, VIII.
2 De même, le cancer ne rencontre aucune opposition de la part de l'organisme. Bénignes ou malignes, les tumeurs sont si semblables aux tissus normaux que le corps ne paraît pas s'apercevoir de leur présence.
Alexis CARREL, l'Homme, cet inconnu, VI, VII.

DÉR. Tumoral.

TUMORAL, ALE, AUX [tymɔʀal, o] adj. — Mil. xxe ; de *tumeur.*

♦ Didact. D'une tumeur. *Nodule tumoral.*

TUMULAIRE [tymylɛʀ] adj. — 1771 ; du rad. du lat. *tumulus* « tombeau ». → Tumulus.

♦ Didact. D'une tombe. ⇒ **Tombal.** *Pierre, colonne tumulaire. Inscription tumulaire* (→ Épigramme, cit. 2). — Qui a trait aux monuments funéraires.

1 J'ai remarqué deux inscriptions tumulaires en forme d'autel (...)
STENDHAL, Mémoires d'un touriste, t. I, p. 143.

2 Le second est un sculpteur, le troisième un marbrier tumulaire, le quatrième un attaché aux Pompes funèbres.
Ed. et J. DE GONCOURT, Journal, 4 janv. 1863, t. II, p. 64.

TUMULTE [tymylt] n. m. — 1238 ; *temulte,* v. 1155 ; *temolte,* v. 1131 ; lat. *tumultus* « soulèvement », de *tumere,* pris au fig. → Tumeur.

♦ **1.** [a] Désordre bruyant ; bruit confus que produisent des personnes assemblées. ⇒ **Agitation, boucan, brouhaha, bruit, chahut, charivari, clameur, cohue, confusion, désordre, hourvari, tohu-bohu, vacarme ; tumultueux.** — *Le tumulte d'une querelle, d'une mêlée.* ⇒ **Bagarre.** *Le tumulte et le bruit* (cit. 4). *Un tumulte s'éleva* (cit. 51). *Profiter du trouble*, du tumulte, de l'encombrement* (cit. 2). *Un tumulte étourdissant* (→ Fantasia, cit. 1). *Les curieux se retirèrent paisiblement* (cit. 3), *sans tumulte. Un tumulte de paroles* (→ Propos, cit. 13), *de cris.*

Vieilli. *En tumulte :* en désordre et bruyamment. *Les moutons s'étaient levés en tumulte* (→ Pépie, cit. 2). — Mod. *Dans le tumulte* (→ Place, cit. 18).

[b] (V. 1570). Vx. Émeute. *Dans les tumultes populaires* (→ Patriarche, cit. 1).

1 Mais quand le peuple est maître, on n'agit qu'en tumulte :
La voix de la raison jamais ne se consulte (...)   CORNEILLE, Cinna, II, 1.
2 Tout à coup il entendit derrière lui un tumulte, des pas précipités, des cris *aux armes !*   HUGO, les Misérables, IV, XII, II.
3 (...) un tumulte d'acclamations, d'applaudissements, de trépignements, d'interpellations bruyantes se prolongea, soudain calmé par la curiosité d'en savoir plus long.   MADELIN, Hist. du Consulat et de l'Empire, « Ascension de Bonaparte », XXII.

[c] Agitation bruyante et incessante. *Le tumulte de la rue, de la ville* (→ Errer, cit. 13). *Il y a du tumulte.*

[d] Par ext., littér. *Le tumulte des flots* (→ Révolution, cit. 11, par métaphore)*, de l'orage, de la tempête* (→ Grondement, cit. 4).

4 Autour de lui l'obscurité, la brume, la solitude, le tumulte orageux et inconscient, le plissement indéfini des eaux farouches.   HUGO, les Misérables, I, II, VIII.

♦ **2.** Poét. Désordre, chaos (emploi fréquent chez Hugo). *Un tumulte d'édifices* (Hugo, *Notre-Dame de Paris,* III, 2).

5 Tout dit à l'infini quelque chose à quelqu'un ;
Une pensée emplit le tumulte superbe.   HUGO, les Contemplations, VI, XXVI.

♦ **3.** (1573). Activité excessive, désordonnée. ⇒ **Trouble.** *Le tumulte du monde* (→ Nourrir, cit. 37)*, des affaires...*

6 Depuis les bergers de Longus jusqu'à ceux de Trianon, la vie pastorale est un Eden parfumé où les âmes tourmentées et lassées du tumulte du monde ont essayé de se réfugier.   G. SAND, François le Champi, Avant-propos.

(1662). Agitation, désordre, dans la vie psychique. ⇒ **Bouillonnement, effervescence, trouble.** *Le tumulte des passions* (→ Justice, cit. 10)*, des sens, des sentiments* (→ Attacher, cit. 34)*. Le cœur* (cit. 43) *en tumulte. L'enfer des hypothèses, le tumulte des soupçons* (cit. 1).

7 Quelque prix que l'homme passionné puisse attacher aux tumultes des sentiments, il ne voit jamais sans émotion les images de cette nature sociale où les battements du cœur sont si bien réglés, que les gens superficiels l'accusent de froideur.   BALZAC, la Recherche de l'Absolu, Pl., t. IX, p. 475.

CONTR. Calme, ordre, paix, silence, tranquillité.

TUMULTUAIRE [tymyltɥɛʀ] adj. — V. 1355 ; lat. *tumultuarius* « enrôlé précipitamment (en parlant d'un soldat) », de *tumultus.* → Tumulte.

Vieux.

♦ **1.** Qui a le caractère d'un soulèvement, d'un « tumulte » populaire. *Contestations tumultuaires* (→ Envoyer, cit. 31, Retz).

♦ **2.** Fig. Agité et désordonné.

Houleux et tumultuaire, ce vaticinateur déchaîné était plein de sanglots (...) et de huées.   Léon BLOY, le Désespéré, p. 217.

CONTR. Calme, tranquille.
DÉR. Tumultuairement.

TUMULTUAIREMENT [tymyltɥɛʀmɑ̃] adv. — 1559 ; de *tumultuaire.*

Vieux.

♦ **1.** En désordre.

♦ **2.** (1580). Avec précipitation.

Des cris s'élèvent contre la troupe privilégiée : « L'armée n'aurait-elle jamais que ses restes ? » Ces cohortes faméliques courent tumultuairement aux magasins comme une insurrection de spectres ; on les repousse ; on se bat (...)
CHATEAUBRIAND, Mémoires d'outre-tombe, t. III, p. 233.

TUMULTUER [tymyltɥe] v. intr. — V. 1360 ; lat. *tumultuare,* de *tumultus.* → Tumulte.

♦ Vx. Faire du tumulte ; s'agiter (encore chez Huysmans).

TUMULTUEUSEMENT [tymyltɥøzmɑ̃] adv. — V. 1355; de *tumultueux.*

Littéraire.

♦ **1.** En tumulte. *Se disperser* (→ Cérémonie, cit. 5), *parcourir la ville tumultueusement* (→ Croiser, cit. 6).

♦ **2.** Dans une agitation désordonnée; avec trouble. *Ces émotions* (cit. 12) *qui s'élèvent si subitement, si tumultueusement.*

TUMULTUEUX, EUSE [tymyltɥø, øz] adj. — 1355; lat. *tumultuosus* «plein d'agitation, de trouble», de *tumultus.* → Tumulte.

Littéraire ou style soutenu.

♦ **1.** Qui se fait avec tumulte* (1.); agité et bruyant. *« De soins tumultueux un prince environné »* (→ Embarras, cit. 7). *La discussion, la séance fut tumultueuse.* ⇒ **Orageux.** *Scènes tumultueuses* (→ Prologue, cit. 4).

1 Ne craignez ni les cris ni la foule impuissante
D'un peuple qui se presse autour de cette tente.
Paraissez; et bientôt sans attendre mes coups,
Ces flots tumultueux s'ouvriront devant vous. RACINE, Iphigénie, v, 2.

Causé par un tumulte. *Le bruit tumultueux de la patrouille* (cit. 2). — Où règne le tumulte. *Foule, rue, ville tumultueuse* (→ Fronton, cit. 6).

♦ **2.** Agité, violent. *Flot tumultueux* (→ Lit, cit. 32). *Mer tumultueuse.* ⇒ **Bouillonnant.** *« Le bouleversement tumultueux de l'onde »* (Hugo, *la Légende des siècles*, « Les sept merveilles », VI).

2 Alors elle souleva et lui tendit son bras. Elle avait la peau brûlante, les battements du sang tumultueux et saccadés. MAUPASSANT, Pierre et Jean, VI.

Par métaphore. *Les flots tumultueux des passions...* (→ ci-dessous, 4.; et aussi cours, cit. 13).

♦ **3.** Qui donne une impression de désordre menaçant, d'instabilité. ⇒ **Tumulte** (2.); **chaotique.** *Des séracs* (cit.) *gigantesques et tumultueux. Scène tumultueuse et troublée* (en peinture). → Nature, cit. 71.

3 C'est une composition tumultueuse, désordonnée, et d'un mouvement trop violent peut-être pour la peinture murale. Th. GAUTIER, Voyage en Russie, XV.

♦ **4.** Plein d'agitation, de trouble. ⇒ **Agité, orageux.** *Jeunesse, vie tumultueuse* (→ Pacte, cit. 3).

4 (...) il disait son étonnement de la ressemblance de sa *tumultueuse* enfance avec celle de Byron, quand il l'avait lue dans Taine.
  Ed. et J. DE GONCOURT, Journal, 1ᵉʳ nov. 1891, t. VIII, p. 225.

(Mil. XVIIᵉ). Qui apporte du désordre, du trouble dans la vie morale; où règne le désordre. *Une mémoire encombrée* (cit. 10) *de souvenirs tumultueux. Évocation* (cit. 8) *tumultueuse d'impressions. Passion tumultueuse.*

CONTR. Calme, silencieux, tranquille.
DÉR. Tumultueusement.

TUMULUS [tymylys] n. m. — 1811, Chateaubriand; lat. *tumulus* «tertre».

♦ Archéol. Tertre artificiel; amas de terre, de pierres, élevé au-dessus d'une tombe. ⇒ **Cairn, galgal, mound.**

1 Tout le monde sait que par le mot latin *Tumulus* on désigne des monticules de terre élevés de mains d'hommes, et qu'on suppose recouvrir une sépulture.
  STENDHAL, Mémoires d'un touriste, t. II, p. 13 (note).

2 De loin en loin on apercevait au bout d'un sentier un mystérieux tumulus : enseveli dans sa gangue caillouteuse, un temple ou un palais ruiné; certains avaient été à demi exhumés (...) S. DE BEAUVOIR, les Mandarins, p. 429.

Plur. *Des tumulus* ou *des tumuli* (plur. latin).

3 (...) aux pyramides, à la tombe de la reine Subad, aux tumuli étrusques, elle *(la Grèce)* oppose l'avenir qu'invoquera Périclès (...)
  MALRAUX, la Métamorphose des dieux, p. 39 (1957).

TUNE [tyn] n. f. ⇒ **Thune.**

TUNER [tynœʀ; tynɛʀ] n. m. — 1956, *in* Höfler; mot angl., de *to tune* «accorder».

♦ (Anglic.). Techn. Amplificateur de haute fréquence accordé, utilisé dans les récepteurs de radio (particulièrement de modulation de fréquence) et de télévision. — Par ext. Récepteur possédant la modulation de fréquence, notamment récepteur sans amplificateur ni système acoustique, destiné à constituer un élément d'une chaîne de haute fidélité. ⇒ **Radio.** — REM. On a proposé de nombreux équivalents français pour cet anglicisme : *accordeur* (recomm. off.), *transducteur, radiocapteur...*; mais *tuner* reste seul usuel dans le commerce.

TUNGAR [tœ̃gaʀ] n. m. — 1948; de *tung(stène),* et *ar(gon).*

♦ Électr. Redresseur de courants alternatifs, permettant le passage de grandes intensités.

TUNGSTATE [tœ̃gstat] n. m. — 1789, Lavoisier; de *tungst(ène),* et -*ate.*

♦ Chim. Sel renfermant l'anion WO_4. *Tungstate de sodium* (Na_2WO_4). ⇒ **Wolfram.** *Le mot* tungstène *a d'abord désigné le tungstate de calcium ou scheelite* (avant que le métal ne soit isolé). *Tungstate ferreux* (wolframite).

TUNGSTÈNE [tœ̃gstɛn] n. m. — 1765, *Encyclopédie,* tungsteen, nom suédois du minerai; du suédois *tungsten* «pierre *(sten)* lourde *(tung)*».

♦ Chim., techn. Corps simple (symb. W; ⇒ **Wolfram** [on a employé le symbole Tu au XIXᵉ et au déb. du XXᵉ]; masse at. 183,92; n° at. 74), métal gris qui, fondu, a l'aspect du platine poli, fusible à 3 482 °C, de densité 19,3, un peu moins dur que l'acier, ne se déformant que très peu sous l'action des efforts mécaniques, même à température élevée. *Le tungstène se rencontre dans la nature sous forme de wolframite* (tungstate ferreux, $FeWO_4$), *de scheelite* (tungstate de calcium, $CaWO_4$); *il sert à faire des filaments de lampes à incandescence, des anticathodes de tubes à rayons X. Métal réfractaire s'opposant à la déformation à chaud* (fluage), *le tungstène est ajouté à des aciers inoxydables à faible teneur en carbone; il entre aussi dans la constitution d'aciers durs pour l'outillage et dans certains alliages spéciaux à haute teneur en nickel et en chrome* (synthèse sous hautes pressions; astronautique). — **CARBURE DE TUNGSTÈNE** : corps extrêmement dur, entrant dans la composition de matériaux spéciaux (stellites) pour le travail du verre, des matières plastiques, et servant de pointe pour les fleurets d'attaque des roches, les trépans de foreuses. — *Blanc de tungstène, bleu de tungstène,* dérivés utilisés comme pigments.

DÉR. Tungar, tungstate, tungstique, tungstite.

TUNGSTIQUE [tœ̃gstik] adj. — 1789, Lavoisier; de *tungst(ène),* et -*ique.*

♦ Chim. Se dit de l'acide, de l'oxyde et de l'anhydride dérivés du tungstène. *Anhydride tungstique :* trioxyde de tungstène, auquel correspondent plusieurs *hydrates tungstiques.*

TUNGSTITE [tœ̃gstit] n. f. — 1904; de *tungstène,* et -*ite.*

♦ Chim., minér. Oxyde naturel de tungstène.

TUNICELLE [tynisɛl] n. f. — XVIᵉ; lat. *tunicella,* dimin. de *tunica.* → Tunique.

♦ Didact. Tunique liturgique. — Spécialt (anciennt). Ornement liturgique porté par un prélat sous la chasuble, au cours d'une messe pontificale.

TUNICIERS [tynisje] n. m. pl. — 1827; dér. sav. du lat. *tunica.* → Tunique.

♦ Zool. Embranchement d'animaux (syn. : *Urocordés*), organismes marins dont le corps est entouré d'un revêtement dit *tunique. Les tuniciers vivent d'abord sous une forme larvaire, voisine de l'Amphioxus* (pharynx servant à la respiration; corde dorsale et cordon nerveux; vésicule sensorielle à ocelle), *puis ils se fixent en dégénérant* (forme adulte des Ascidies*) *seuls ou en colonies, ou restent libres* (Ascidies pélagiques; appendiculaires). — Taxinomie. Ascidiacées (⇒ **Ascidie**); Thaliacées; Pyrosomes; Dalioles; Solpes; Appendiculaires. — Au sing. *Un tunicier.*

Sans doute n'était-il pas très difficile de voir que les phoques sont des mammifères très proches des carnivores terrestres. Il l'était beaucoup plus de discerner un même plan fondamental dans l'anatomie des tuniciers et celle des vertébrés, pour les grouper dans l'embranchement des chordés.
  Jacques MONOD, le Hasard et la Nécessité, 1970, p. 135-136.

TUNICINE [tynisin] n. f. — 1872; dér. du lat. *tunica.* → Tunique.

♦ Didact. Substance formant l'enveloppe (tunique) des Tuniciers.

TUNIQUE [tynik] n. f. — 1156; lat. *tunica* «vêtement de dessous des Romains, à l'usage des deux sexes».

★ **I.** ♦ **1.** (V. 1190). Dans l'antiquité, Vêtement de dessous, chemise assez longue, avec ou sans manches. *Tunique grecque, romaine, orientale.* ⇒ **Angusticlave, calasiris, chiton, dalmatique, éphod** (cit.), **laticlave** (cit.). *Le péplum* (cit.) *se portait sur la tunique. Tunique d'homme, de femme* (→ Agrafe, cit. 2). *La tunique courte des Bacchantes* (cit. 2). *Tunique de lin, de laine fine* (→ Effacer, cit. 13). — Allus. myth. *La tunique de Nessus* (la tunique empoisonnée qui causa la mort d'Hercule (→ Arracher, cit. 7; fabuleux, cit. 3); fig., vx, présent funeste. — *La tunique du Christ, sans couture, ne put être partagée mais fut tirée au sort par les soldats* (d'après l'Évangile selon saint Jean, XIX).

1 Dans la Grèce ancienne, une tunique courte et sans manches pour l'homme, pour la femme une longue tunique qui descend jusqu'aux pieds et, se doublant à la hauteur des épaules, retombe jusqu'à la ceinture...
TAINE, Philosophie de l'art, t. II, p. 138.
Vêtement ample, évoquant la tunique. ⇒ **Robe; kimono; boubou.** *Tuniques des Francs* (→ 1. Franc, cit. 3). *Tuniques portées par certains religieux.*

2 À côté, d'autres musiciens, vêtus ceux-là de tuniques jonquilles, violettes, amarantes, oranges (...) Jérôme et Jean THARAUD, Rabat, VII.
Liturg. cathol. Vêtement liturgique en soie que certains prélats portent sous la chasuble ou la chape, dans les cérémonies solennelles. ⇒ **Dalmatique.** — Syn. : *tunicelle.* — Vêtement porté par le sous-diacre sur l'aube.
Tunique de gymnastique, de danse rythmique. — Veste ou corsage inspiré de la tunique antique (→ Glissant, cit. 8).

♦ **2.** Anciennt. Vêtement couvrant le buste (veste, redingote). *Tunique de héraut d'armes* (→ aussi Paillette, cit. 2). *Tunique d'armes* (Froissart) : veste d'armure en mailles d'acier. ⇒ **Broigne.** — *Tunique de sacre,* portée par les rois sous le manteau, lors du sacre. — (XIXᵉ). Veste ou redingote d'uniforme, portée par certains soldats (⇒ **Dolman, veste**), puis par les collégiens et lycéens (→ Entreprendre, cit. 22; garçon, cit. 7). *Boutons, col de tunique.*

3 La souplesse du torse sanglé dans la tunique sombre à col blanc contrastait avec l'empâtement des jambes, perdues dans les plis de la culotte rouge...
MARTIN DU GARD, les Thibault, t. V, p. 293.

♦ **3.** (1797). Pièce du vêtement féminin (→ Pouf, cit. 2) qui prend la forme, soit d'un corsage de forme droite (ou ample) porté sur une jupe ou un pantalon, soit d'une seconde jupe, courte et portée sur un fourreau.

3.1 Quand Renée entra, il y eut un murmure d'admiration. Elle était vraiment divine. Sur une première jupe de tulle (...) elle portait une tunique de satin vert tendre, bordée d'une haute dentelle d'Angleterre, relevée et rattachée par de grosses touffes de violettes. ZOLA, la Curée, 1871, I, in D. D. L., II, 16.

♦ **4.** Par métaphore. « *L'immense tunique jetée par la nature sur ce paysage* » (→ Niveler, cit. 1).

4 Et la ronce couvrait de sa verte tunique
Tous ces vieux pans de murs écroulés, Salonique (...)
HUGO, la Légende des siècles, XVI, III, I.

★ **II. ♦ 1.** (XIVᵉ). Sc. nat. Membrane formant enveloppe ou tissu de protection. *Tunique de l'œil.* ⇒ **Choroïde, cornée, rétine, sclérotique.** *Tunique vaginale :* enveloppe séreuse la plus interne du testicule.

♦ **2.** (1552). Bot. Enveloppe adhérente. *Tuniques d'un bulbe.*

♦ **3.** Zool. Enveloppe des tuniciers*.

5 Ces animaux *(les tuniciers)* sont ainsi appelés parce qu'ils ont le corps enveloppé dans une sorte de coque, appelée la *tunique,* dont la composition chimique est voisine de celle de la cellulose des végétaux.
A. PIZON, Anatomie et Physiologie humaines, p. 639.
DÉR. **Tuniqué.**

TUNIQUÉ, ÉE [tynike] adj. — 1808; de *tunique* (II.).

♦ Sc. nat. Enveloppé d'une ou de plusieurs tuniques (II.). *Bulbe tuniqué.*

TUNISIEN, ENNE [tynizjɛ̃, ɛn] adj. et n. — XVIIIᵉ; *tunicien* «grand faucon africain», 1373; de *Tunisie.*

♦ **1.** De Tunisie. *Le climat tunisien* (→ Saute, cit. 1). *L'arabe tunisien,* parlé en Tunisie. *Frontière algéro-tunisienne. Beignet tunisien à l'œuf* (brick). *Pâtisseries tunisiennes.*
N. *Les Tunisiens.*

♦ **2.** Spécialt. *Orange tunisienne,* ou, n. f., *une tunisienne.*

(...) les tunisiennes, élite des orangeraies. Ovale, un peu vultueuse autour du point de suspension, la tunisienne emplit la bouche d'un suc sans fadeur, d'une acidité adoucie, largement sucrée. COLETTE, Flore et Pomone, in Gigi, p. 161.

TUNISOIS, OISE [tynizwa, waz] adj. et n. — XXᵉ; de *Tunis,* capitale de la Tunisie.

♦ Relatif à la ville de Tunis ou à ses habitants; habitant ou originaire de Tunis.

TUNNEL [tynɛl] n. m. — 1825, à propos des travaux du passage souterrain sous la Tamise (Wexler, *Voc. des chemins de fer,* p. 66-67); angl. *tunnel,* du franç. *tonnelle* «longue voûte en berceau», XVIᵉ.

A. ♦ 1. Galerie souterraine destinée au passage d'une voie de communication (sous un cours d'eau, un bras de mer; à travers une élévation de terrain). *Tunnel routier. Tunnel sous-marin. Le tunnel du Mont-Blanc. Tunnel ferroviaire. Percer, pratiquer* (→ Obvier, cit. 2) *un tunnel.* ⇒ **Percement.** *Galeries d'avancement d'un tunnel. Creusement d'un tunnel par la méthode ascendante, descendante, à l'aide d'un perforateur, d'un bouclier, par tubage...* (1834, en France). Spécialt. Tunnel de chemin de fer. *Entrée* (cit. 18), *gueule d'un tunnel. Niche aménagée dans la paroi d'un tunnel.* ⇒ **Capon-**

nière. *Sortir d'un tunnel* (→ Blinder, cit. 3 ; locomotive, cit. 2). *Les tunnels du métro. Projet de tunnel sous la Manche.*

1 La plupart des *tunnels* que l'on rencontre aujourd'hui dans les routes de montagnes sont copiés de celui-ci, qui peut avoir quatre à cinq cents pas de long; on s'y battit en 1814. STENDHAL, Mémoires d'un touriste, t. II, p. 178.
Par plais. *Un combat de nègres dans un tunnel :* une scène trop sombre, où l'on ne distingue rien.

♦ **2.** Galerie souterraine (naturelle ou non). *Les tranchées et les tunnels de la fourmilière* (→ Concours, cit. 3). *Ruelles* (cit. 3) *couvertes, en tunnels.*

1.1 Lorsque je leur appris que, dans deux jours, nous serions au milieu des eaux de la Méditerranée, Conseil battit des mains, mais le Canadien haussa les épaules. «Un tunnel sous-marin! s'écria-t-il, une communication entre les deux mers! Qui a jamais entendu parler de cela?»
J. VERNE, Vingt mille lieues sous les mers, p. 348.

2 On peut s'y prendre de deux façons pour pénétrer dans la forêt, soit qu'on s'y découpe un tunnel à la manière des rats dans les bottes de foin (...)
CÉLINE, Voyage au bout de la nuit, p. 150.
Tunnel de lave : cavité souterraine, dans un appareil volcanique.

♦ **3.** (1933, in Höfler). Techn. Salle d'expérimentation de forme allongée. *Tunnel aérodynamique.* ⇒ **Soufflerie.** *Four, séchoir à tunnel. Effet tunnel :* phénomène par lequel des électrons franchissent une barrière de potentiel.

♦ **4.** Couloir de grilles demi-cylindrique réunissant les cages des fauves jusqu'à la piste, dans un cirque. — Assemblage de cerceaux utilisé par les acrobates pour les sauts planés.

B. (1901). Fig. Période obscure, pénible. ⇒ **Souterrain.** *Un brusque tunnel d'inconscience* (cit. 1). *Arriver au bout du tunnel :* sortir d'une période difficile, pénible. ⇒ **Purgatoire** (cf. La traversée du désert).

3 Quand je suis entré «en grippe», les lilas fleurissaient à peine, les pivoines étaient encore en boutons. À la sortie du tunnel, pivoines et lilas sont près de leur fin et les iris se hâtent. F. MAURIAC, le Nouveau Bloc-notes 1958-1960, p. 186.
DÉR. **Tunnelier.**

TUNNELIER [tynəlje] n. m. — 1972, in Höfler ; de *tunnel.*

♦ Techn. Machine foreuse rotative servant à percer des galeries, des tunnels. ⇒ **Taupe.** «*Les travaux déjà réalisés et les machines — les tunneliers — déjà acquises*» (*Sciences et Avenir,* janv. 1981, p. 100).

TUPA [typa] n. m. — 1875, in P. Larousse; mot d'une langue indienne du Pérou, par l'espagnol.

♦ Bot. Plante dicotylédone (*Lobéliacées*), herbacée, vivace, originaire d'Amérique tropicale.

TUPAÏA ou TUPAJA [typaja] n. m. — 1846, Bescherelle, *tupai;* mot malais.

♦ Zool. Mammifère insectivore de l'Asie tropicale. *Les tupaïas ressemblent aux écureuils.*

Chez les Insectivores, groupe très archaïque, l'intervention de la main se présente avec des modalités très variables. Elle peut être à peu près nulle, comme chez le Tenrec de Madagascar, très faible comme chez la Taupe ou au contraire très importante comme chez le Tupaïa dont la position taxonomique parmi les insectivores ou parmi les primates est encore discutée.
A. LEROI-GOURHAN, le Geste et la Parole, t. I, p. 53 (1964).

TUPI [typi] adj. et n. invar. — 1822, *les Tupis,* n. (in D.D.L.); mot de cette langue; on disait auparavant *Topinambous* (→ Topinambour), *Tupinambis.*

♦ D'un groupe ethnique du Brésil et du Paraguay, dont les parlers appartiennent, avec ceux du groupe guarani, à la même famille de langues (ces langues ont fourni au français de nombreux emprunts directs ou par le portugais et l'espagnol). *Tribus tupi-guarani.* — N. *Un, une tupi. Les Tupi, très nombreux au XVIᵉ siècle, n'ont plus que de rares descendants.* ⇒ **Topinambou.**

Il y a de fortes chances pour que ces Indiens soient les derniers descendants des grandes populations tupi du cours moyen et inférieur de l'Amazone, elles-mêmes parentes de celles de la côte que connurent, au temps de leur splendeur, les voyageurs du XVIᵉ et du XVIIᵉ siècles (...) Pénétrer (...) dans un village tupi encore intact, c'était rejoindre, par-delà 400 ans, Léry (...) Thevet, Montaigne même, qui médita dans les Essais, au chapitre des Cannibales, sur une conversation avec des Indiens tupi rencontrés à Rouen.
Claude LÉVI-STRAUSS, Tristes tropiques, p. 359.

N. m. Langue des Tupi.

TUPINAMBIS [typinãbis] n. m. — 1794, *Dict. d'histoire naturelle;* mot lat., probablt forgé par Lamarck d'après le nom des *Tupinambas* (Encyclopédie), indiens *tupi*.

♦ Zool. Reptile saurien d'Amérique tropicale, grand lézard carnassier.

TUQUE [tyk] n. f. — 1726, Canada ; orig. incert. ; probablt apparenté à *toque*. → Toque.

♦ En franç. du Canada. Bonnet de laine à bords roulés, en forme de cône surmonté d'un gland ou d'un pompon. « *Tuques (...) Pour hommes et femmes. Pour avoir les oreilles bien au chaud sur les pentes de ski* » (*la Presse*, 15 nov. 1972, Publicité). « *La seule coiffure rationnelle, la " tuque " de nos pères ou à tout le moins le bonnet de fourrure* » (Ringuet).

Dire qu'il faut se lever, enfiler pantalons, bottes et manteau, mettre la tuque et les mitaines, attacher le capuchon, enrouler le foulard. Pour trouver quoi ? La nuit, la piste, le traîneau cahotant.
Jean-Yves SOUCY, Un dieu chasseur, 1976, p. 102.

TURBAN [tyʀbɑ̃] n. m. — 1538 ; *tolliban,* fin xvᵉ ; *turbelon,* v. 1350 ; turc *tülbend,* mot persan (→ Tulipe) ; cf. ital. *turbante,* dès 1487.

♦ **1.** Coiffure d'homme faite d'une longue bande d'étoffe enroulée autour de la tête. ⇒ **Bandeau.** *Turban turc* (→ Démesuré, cit. 1), *persan, hindou, arabe. Turban à aigrette* (cit. 3). *Émirs* (cit. 2) *en turban de cachemire. Un « maharajah* (cit.) *en turban de soie blanche* » (Loti). — *Chèche* enroulé en turban.*

1   Quant au turban *(des femmes d'El-Aghouat),* il est de cotonnade un peu plus blanche et seulement rayé sur le bord, quelquefois à franges ; on le roule à la mode du turban turc avec un bout sur l'oreille, très bas par-devant, touchant au sourcil ; il devient d'autant plus beau qu'il est plus vaste et plus négligé.
E. FROMENTIN, Un été dans le Sahara, p. 147.

2   La plupart étaient coiffés d'un mouchoir roulé autour de la tête, sorte de rudiment par lequel le turban commence en Espagne.   HUGO, l'Homme qui rit, I, I, II.

3   Ils ont la tête prise dans le monumental turban de leur nation, — deux châles croisés sur une sorte de panière en forme de ruche.
J.-R. BLOCH, la Nuit kurde, p. 21.

(1688). Vx. *La gent* (1. Gent, cit. 1) *qui porte le turban,* les musulmans. *Prendre le turban* (Voltaire) : se convertir à l'islam.

Par ext. Motif funéraire en forme de turban, dans certains pays d'islam (→ Pierre, cit. 25).

♦ **2.** (1827). Coiffure de femme évoquant le turban oriental. *Le turban fut à la mode, en France, pendant le Premier Empire, vers 1917-1918 et vers 1940-1945.*

4   La Présidente se donnait des airs de reine, elle portait des couleurs vives, et n'allait jamais au bal sans orner sa tête de ces turbans si chers aux Anglaises, et que la province cultive avec amour.
BALZAC, le Cabinet des Antiques, Pl., t. IV, p. 429.

4.1   (...) des jeunes femmes allaient tout le jour coiffées de hauts turbans cylindriques comme aurait pu l'être une contemporaine de Mᵐᵉ Tallien (...)
PROUST, le Temps retrouvé, Pl., t. III, p. 723.

5   (...) une mise en plis devenait toute une affaire, aussi les turbans étaient-ils à la mode *(en 1941)* : ils tenaient lieu à la fois de chapeau et de coiffure (...)
S. DE BEAUVOIR, la Force de l'âge, p. 518.

♦ **3.** Linge, bande que l'on enroule autour de la tête. *Un turban de pansements* (⇒ **Bandeau**), « *de ouate et de linge* » (Martin du Gard, *les Thibault,* t. V, p. 266).

6   *(Un chapeau)* entouré par deux énormes tresses de cheveux tordus formant turban autour de la tête, accompagnait admirablement sa physionomie spirituelle...
NERVAL, Voyage en Orient, « Nuits du Ramazan », I, VII.

(1830). Bande circulaire qui entoure la tête, dans certaines coiffures militaires (képi, bonnet de police). → Chique, cit. 1. *Le turban d'un bonnet de police* (1832, in D.D.L.).

♦ **4.** (1765 ; désignant ce qui ressemble à un turban). Fleur (→ Tulipe, étym.). — *Lis turban* ou *martagon.* — Zool. *Turban turc :* coquillage rouge (balane) ; *turban de Pharaon* (→ 2. Troche).

DÉR. Enturbanné.

TURBE [tyʀb] n. f. — V. 1155 ; *torbe,* v. 1050 ; lat. *turba* « foule ». → 1. Tourbe.

♦ Hist., dr. *Enquête par turbe* (ou *par turbes*), faite en prenant le témoignage des habitants pour établir un point de droit coutumier.

TURBÉ [tyʀbe] ou **TURBEH** [tyʀbɛ] n. m. — 1654 ; *tarbé,* 1624 ; mot turc, arabe *türbäh* « tombe », arabe class. « terre, sol ; tombeau ».

♦ Arts. Édifice funéraire musulman, formé d'un cube surmonté d'une coupole basse. ⇒ **Marabout.**

1   Ce turbé que Bagdad montre encore aujourd'hui,
Reçut le sultan mort et se ferma sur lui.
HUGO, la Légende des siècles, XVI, III, V.

2   Suivant sa volonté, elle a été inhumée dans le Turbé des vénérés Sivassi d'Eyoub, pour y dormir son dernier sommeil.   LOTI, les Désenchantées, LV.

TURBELLARIÉS [tyʀbɛlaʀje] n. m. pl. — 1876, in P. Larousse ; du lat. *turbella,* dimin. de *turba* « agitation » (ainsi nommés à cause du mouvement incessant des cils vibratiles), et suff. *-ariées.*

♦ Zool. Classe de Plathelminthes, vers plats à épiderme cilié, à bouche ventrale, comprenant plusieurs ordres. *Les turbellariés sont*

hermaphrodites ; ils sont répandus sous toutes les latitudes dans l'eau (douce et salée) *et la terre humide.* — On les appelle aussi *planaires.* — Au sing. *Un turbellarié.*

TURBICOLE [tyʀbikɔl] adj. — Mil. xxᵉ ; de *turbi-* (de *tourbe*), et *-cole.*

♦ Didact. Qui vit dans les tourbières.

TURBIDE [tyʀbid] adj. — 1615 ; « tempétueux », déb. xvıᵉ, Melin de Saint-Gelais ; lat. *turbidus* « trouble, agité ».

♦ **1.** Littér. Troublé, confus.

(...) les fleuves équatoriaux entraînent dans leur flot turbide des mondes confus d'arbres et d'herbes (...)   CLAUDEL, Connaissance de l'Est, « La dérivation ».

♦ **2.** Didact. *Courants turbides* ou *courants de turbidité*.*

TURBIDIMÉTRIE [tyʀbidimetʀi] n. f. — Mil. xxᵉ ; de *turbidité,* et *-métrie.*

♦ Didact. Mesure optique du trouble produit par les substances insolubles ou émulsionnées dans un milieu liquide. — Dér. : *turbidimétrique* [tyʀbidimetʀik] adj.

TURBIDITE [tyʀbidit] n. f. — Mil. xxᵉ (*in* Larousse, 1968) ; du rad. de *turbidité,* et *-ite.*

♦ Sc. Dépôt des séries géologiques et des fonds marins actuels, formé par les courants de turbidité*. « *Les turbidites et, d'une manière plus générale, les dépôts provenant de l'érosion...* » (*la Recherche,* janv. 1980, p. 35).

TURBIDITÉ [tyʀbidite] n. f. — 1909 ; du lat. *turbidus.*

♦ **1.** Rare. État d'un liquide trouble.

♦ **2.** (1953). Sc. Teneur en matériaux transportés en suspension.

♦ **3.** (Mil. xxᵉ). *Courant de turbidité :* courant glissant sur le fond, dans une nappe d'eau, en raison de l'augmentation de densité due à la suspension boueuse. « *Dès 1883, Forel chercha à expliquer le creusement de la gorge profonde au débouché du Rhône dans le lac de Genève par l'existence de courants turbides qui se propagent par gravité sous l'action de l'augmentation de densité due à la suspension boueuse. Cette hypothèse fut reprise par Daly, en 1936 (...) puis par Kuenen, en Hollande ; ce dernier reproduisit en laboratoire la formation de ce qu'on appelle depuis les courants de turbidité* » (*la Recherche,* janv. 1980, nº 107, p. 69).

DÉR. V. Turbidite.
COMP. Turbidimétrie.

TURBIN [tyʀbɛ̃] n. m. — 1821 ; déverbal de 1. turbiner.

♦ **1.** Fam., vieilli. Travail manuel, tâche salariée. *Aller au turbin. Se mettre au turbin.* « *Le sam'di soir, après l'turbin, l'ouvrier parisien...* » (*Viens poupoule,* chanson de Christiné et Trébitsch ; 1902).

♦ **2.** (V. 1900). Fam. Occupation illicite.

1   « C'est pas l'tout, se dit-il, fini d'être logé, nourri, éclairé et blanchi aux frais du gouvernement, va falloir se r'mettre au turbin, c'est malheureux ! j'commençais à m'y faire, à ma p'tite vie de rentier. » Or le turbin auquel Croquignol faisait allusion consistait en filouteries, vols, cambriolages et autres expéditions de ce genre, dont il avait fait sa réputation très peu recommandable.
L. FORTON, les Aventures des Pieds-Nickelés, in l'Épatant, 1908, p. 7.
Mauvais coup.

2   Mais le grand bonheur de savoir son nom sous une photo, penser que les potes sont jaloux de cette gloire que paye de sa liberté et souvent de sa vie, de sorte que chaque *turbin,* cambriolage ou meurtre, sera une merveille d'art, car de celui-là, du dernier qui soit sortiront votre mort et votre gloire.
Jean GENET, Pompes funèbres, p. 130.

♦ **3.** (V. 1860). Argot. Prostitution.

3   En vieillissant a gobait l'vin,
Et quand j'la croyais au turbin,
L'soir, a s'enfilait d'la vinasse,
À Montparnasse.
A. BRUANT, Dans la rue, p. 41.

♦ **4.** (V. 1930). Irrégularité. *Faire un turbin,* une entorse aux règles (spécialt, en argot des coureurs automobiles) ; par ext., monter une comédie. ⇒ **Esbroufe.**

TURBINABLE [tyʀbinabl] adj. — Mil. xxᵉ (*in* Larousse, 1968) ; de 2. *turbiner* (2.).

♦ Techn. Qui est suffisant pour faire fonctionner une turbine ; qui peut être traité par une turbine. *Débit maximal, minimal turbinable, dans une centrale hydroélectrique.*

TURBINAGE [tyʀbinaʒ] n. m. — 1861 ; de *turbine*.

♦ **1.** Vx. Fonctionnement d'une turbine.

♦ **2.** Techn. Essorage du sirop de sucre par rotation.

TURBINE [tyʀbin] n. f. — 1823, Fourneyron ; «tourbillon», xvie (*in* Rabelais) ; la forme est attestée au xviiie comme altér. de *tribune* ; du lat. *turbo, inis* «objet conique ; roue de fuseau», proprt «tournillon, toupie».

♦ **1.** Dispositif rotatif, destiné à utiliser la force vive d'un fluide et à transmettre le mouvement au moyen d'un arbre (pour qu'il soit utilisé ou transformé en une autre forme d'énergie). ⇒ **Machine** (cit. 8), **moteur ; turbo-.** — *Partie fixe* (⇒ **Stator**), *partie mobile* (⇒ **Rotor**), *aubes, aubages, ailettes, d'une turbine. Tuyère* d'alimentation d'une turbine. Turbines en série, à plusieurs corps. Turbines hydrauliques, à réaction* (fonctionnant sous pression) *ou à impulsion*, dans lesquelles l'action de l'eau s'exerce suivant les rayons *(turbines radiales, centrifuges, centripètes)* ou parallèlement à l'axe *(turbines axiales). Turbines d'une centrale hydro-électrique,* produisant l'électricité. *Conduite forcée amenant l'eau d'un barrage aux turbines. — Turbines à vapeur, à action ou à réaction.* — (1905, *in Rev. gén. des sc.*, no 8, p. 353). *Turbine à gaz,* où la turbine proprement dite est couplée à un compresseur (turbocompresseur*).

Une turbine à vapeur est une machine destinée à transformer l'énergie disponible de la vapeur en un mouvement de rotation. Une telle machine se compose d'un certain nombre d'étages placés en série ; chaque étage se composant d'aubages fixes et d'aubages mobiles (...)
          M. Chasseloup et L. Le Maitre, les Centrales thermiques, p. 46.

♦ **2.** Turbocompresseur (turbine et compresseur). — Turbomoteur (ensemble formé par la turbine et le compresseur, les injecteurs, la chambre de combustion). — *Turbine à hélice.* ⇒ **Turbopropulseur.** *Automobile à turbine.*

DÉR. Turbinage, 2. turbiner. — V. 1. Turbiner.
COMP. Biturbine.

TURBINÉ, ÉE [tyʀbine] adj. — 1541 ; du lat. *turbinatus* «de forme conique», de *turbo, inis* «tourbillon».

♦ Sc. nat. En forme de toupie, de cône. *Racine turbinée. Coquille turbinée.*

HOM. 1. Turbiner, 2. turbiner.

TURBINELLE [tyʀbinɛl] n. f. — 1808, *in* Boiste ; lat. *turbinella,* de *turbo, inis.* → Turbine.

♦ Zool. Mollusque gastéropode *(Prosobranches)* à coquille épaisse, en forme de toupie. *Les turbinelles servent à fabriquer des objets de parure, aux Indes.*

1. TURBINER [tyʀbine] v. intr. — 1800 ; créé en argot, du franç. *turbine* ou du lat. *turbina* au sens de «tourbillon, toupie».

♦ **1.** Fam. Travailler dur, trimer. ⇒ **Turbin** (1.).

1 Filochard ayant déclaré qu'il avait suffisamment turbiné pour la journée, ses deux associés furent du même avis, et constatant qu'à l'instar de l'électricien ils avaient les mains pleines d'ampoules, ils remisèrent leurs outils.
          L. Forton, les Aventures des Pieds-Nickelés, *in* l'Épatant, 1909, p. 90.

2 Mestrance était une sale bête. Ça, pour faire turbiner son monde, il s'y entendait, ce moustachu-là. Et jamais une parole gentille, une attention.
          Aragon, les Beaux Quartiers, I, XIII.

♦ **2.** Se livrer à la prostitution. ⇒ **Turbin** (3.).

3 En même temps, une petite femme aux cheveux rouges, maigre et agile comme un chat s'était attachée à moi.
On l'appelait la Môme de Belleville, parce qu'elle «turbinait» dans ce quartier-là.
          Goron, l'Amour à Paris, t. III, p. 1440.

DÉR. Turbineur.
HOM. Turbiné, 2. turbiner.

2. TURBINER [tyʀbine] v. tr. — 1891, *Année sc. et industr.* 1892, p. 180, «turbiner les beurres» ; de *turbine.*

Technique.

♦ **1.** Faire passer dans une turbine pour purifier. *Turbiner le sucre.* ⇒ **Essorer.**

♦ **2.** Utiliser l'eau pour actionner une turbine. «*Un petit groupe bulbe à génératrices synchrones, qui turbinera les 10 m³/sec...*» (*Tendances,* no 34, 1965, 194-10, *in* D.D.L., II, 3).

DÉR. Turbinable.
HOM. Turbiné, 1. turbiner.

TURBINEUR, EUSE [tyʀbinœʀ, øz] adj. et n. — 1821 ; de 1. *turbiner.*

Populaire.

♦ **1.** Qui est travailleur, ne craint pas le turbin (1.).

J'tiens à ma peau, moi, mes brave homme *(sic),*
Tous les matins j'en jette un coup
Dans les journal *(sic)* et j'y vois comme
Les turbineurs i's s'cass' el' cou...
Moi !... j' m'en irais grossir la liste
Ed' ceux qu'on rapporte aplatis ?...
Pus souvent... ej' suis fataliste...
Respec' aux abattis.
          A. Bruant, Dans la rue, p. 188.

♦ **2.** (Au fém.). *Une turbineuse :* une prostituée active, qui «travaille» (⇒ **Turbin,** 3.) bien (cf. Une gagneuse).

TURBITH [tyʀbit] n. m. — xe ; *turbit,* xiiie ; arabe *tŭrbid, tĭrbid,* même sens.

♦ **1.** Pharm. Jalap* de l'Inde, utilisé comme purgatif. — Bot. Plante fournissant cette racine purgative. ⇒ **Ipomée.**

♦ **2.** Vx. *Turbith minéral :* sels de mercure utilisés en pharmacopée.

1. TURBO [tyʀbo] n. m. invar. — 1819 ; lat. *turbo* «tourbillon». → Turbine.

♦ Zool. Mollusque gastéropode *(Prosobranches)* dont la coquille épaisse et ronde présente une large ouverture circulaire. *L'industrie de la nacre utilise les coquilles de turbo.*

DÉR. V. Turbinelle.
HOM. 2. Turbo, turbot.

2. TURBO [tyʀbo] n. m. — Mil. xxe ; abréviation.

♦ Turbogénérateur. — Turbomoteur. «*Une paisible berline (...) Mais attention (...) sous son capot, un turbo*» (le Point, 19 mai 1980, p. 8, Publicité). — Appos. *Un moteur turbo* (syn. : *à turbine*). *Une deux litres turbo,* à moteur turbo.

HOM. 1. Turbo, turbot.

TURBO- Premier élément de mots composés désignant des mécanismes, des moteurs rotatifs ; du lat. *turbo, turbinis* «mouvement circulaire». ⇒ **Turbine.**

TURBO-AGITATEUR [tyʀboaʒitatœʀ] n. m. — V. 1960 ; de *turbo-,* et *agitateur.*

♦ Techn. Appareil à rotor et à pales ou à aubes, servant à agiter, à mélanger des substances.

TURBO-ALTERNATEUR [tyʀboalternatœʀ] n. m. — 1904, *in Rev. gén. des sc.,* no 22, p. 1046 ; de *turbo-,* et *alternateur.*

♦ Techn. Groupe électrogène composé d'une turbine et d'un alternateur montés sur le même axe. — On écrit aussi *turboalternateur.*

TURBOBROYEUR [tyʀbobʀwajœʀ] n. m. — V. 1960 ; de *turbo-,* et *broyeur.*

♦ Techn. Appareil formé de deux disques tournant parallèlement, entre lesquels une substance peut être laminée.

TURBOCOMBUSTIBLE [tyʀbokɔ̃bystibl] n. m. — 1968 ; de *turbo-,* et *combustible.*

♦ Techn. Combustible pour les turbines à gaz, les turbomachines (terme recommandé pour rendre l'angl. *turbine fuel*).

TURBOCOMPRESSEUR [tyʀbokɔ̃pʀesœʀ ; tyʀbokɔ̃pʀɛsœʀ] n. m. — 1904, *in Rev. gén. des sc.,* no 22, p. 1046 ; de *turbo-,* et *compresseur.*

♦ Techn. Organe mécanique constitué par une turbine et un compresseur montés sur le même axe. *Turbocompresseur d'une turbine à gaz, avec un circuit de circulation de gaz commun aux deux organes.* — Syn. cour. : *turbine.*

TURBODIESEL [tyʀbodjezɛl] adj. et n. m. — V. 1960 ; de *turbo-,* et *diesel.*

♦ Techn. (véhicules ferroviaires). À moteur diesel et turbine.

TURBOFILTRE [tyʀbofiltʀ] n. m. — V. 1960 ; de *turbo-,* et *filtre.*

♦ Techn. Procédé de filtrage qui utilise un système rotatif.

TURBOFORAGE [tyʀbofɔʀaʒ] n. m. — 1964, Larousse ; de *turbo-*, et *forage*.

♦ Techn. Dans l'industrie pétrolière, Forage dans lequel on utilise une turboforeuse*. — Opposé à *forage rotatif* ou *rotary* (anglic.), le plus courant.

TURBOFOREUSE [tyʀbofɔʀøz] n. f. — V. 1970 ; de *turbo-*, et *foreuse*.

♦ Techn. Dans l'industrie pétrolière, Foreuse dans laquelle le trépan est mis en rotation par une turbine actionnée par la circulation des boues (et non par le mouvement du train de tiges, comme dans le forage dit *rotatif* ou *rotary*).

TURBOGÉNÉRATEUR [tyʀboʒeneʀatœʀ] n. m. — 1972, *la Clé des mots* ; de *turbo-*, et *générateur*.

♦ Techn. Générateur d'électricité à turbines.

TURBOMACHINE [tyʀbomaʃin] n. f. — 1900, Rateau ; de *turbo-*, et *machine*.

♦ Didact. Appareil agissant sur un fluide au moyen d'un système rotatif (par réception : turbines ; par génération : pompes, ventilateurs, hélices).

TURBOMOTEUR [tyʀbomɔtœʀ] n. m. — 1890, *turbo-moteur*, *Année sc. et industr.* 1891, p. 200 ; de *turbo-*, et *moteur*.

♦ Techn. Turbine à vapeur. — Moteur dont l'élément principal est une turbine (syn. cour. : *turbine*). — On écrit parfois *turbo-moteur*.

(...) un turbo-moteur ou turbine à vapeur, appareil inventé par M. Parsons, et qui utilise directement la force élastique de la vapeur, sans l'intermédiaire de distributions, cylindres, pistons ni bielles.
Nous avons présenté à nos lecteurs cette machine remarquable qui a réussi à faire passer dans la pratique un mode d'utilisation de la vapeur longtemps cherché sans grand succès. Les *turbo-moteurs* sont faits essentiellement pour les grandes vitesses : huit et dix mille tours à la minute.
la Science illustrée, I, p. 70-71 (1891).

TURBOPOMPE [tyʀbopɔ̃p] n. f. — 1923 ; de *turbo-*, et *pompe*.

♦ Techn. Dispositif formé d'une turbine à vapeur et d'une pompe centrifuge.

TURBOPROPULSEUR [tyʀbopʀɔpylsœʀ] n. m. — 1910 ; de *turbo-*, et *propulseur*.

♦ Techn. Moteur d'avion dans lequel une turbine à gaz fait tourner, par l'intermédiaire d'un réducteur de vitesse, une ou deux hélices. ⇒ **Propulseur** (→ Turboréacteur, cit.).

TURBORAIL [tyʀboʀaj] n. m. — 1967, *l'Express* ; de *turbo-*, et *rail*.

♦ Techn. Autorail à turbine. — REM. On écrit souvent *turbo-rail* (→ Aérotrain, cit.).

(...) le 13 juin *(1967)*, les ingénieurs lançaient un nouvel engin : le turbo-rail. Qui ressemble à un autorail classique comme deux wagons d'une même rame. En fait c'est un autorail classique. On a seulement remplacé le moteur Diesel de série par une turbine d'hélicoptère (...) qui a permis de pousser des pointes de 230 km/h.
l'Express, 10-16 juil. 1967.

TURBORÉACTEUR [tyʀboʀeaktœʀ] n. m. — 1946 ; de *turbo-*, et *réacteur*.

♦ Moteur à réaction dans lequel la turbine à gaz n'absorbe, de l'énergie de la détente, que ce qui est nécessaire pour alimenter les compresseurs, le reste passant dans les tuyères.

C'est au cours de l'année 1944, que furent mises en service les premières turbines à gaz d'aviation. À vrai dire, elles ne se présentèrent pas sous la forme de *turbopropulseurs*, c'est-à-dire de turbines actionnant une hélice, mais bien sous la forme de *turboréacteurs* (...) Georges LEHR, la Propulsion des avions, p. 83.

TURBOSOUFFLANTE [tyʀbosuflɑ̃t] n. f. — 1931 ; de *turbo-*, et *soufflante*.

♦ Techn. Soufflante à grande vitesse de rotation.

TURBOSTATORÉACTEUR [tyʀbostatoʀeaktœʀ] n. m. — 1967, *Science et Vie* ; de *turbo-*, *stato-*, et *réacteur*.

♦ Techn. Turboréacteur couplé avec un statoréacteur. — On écrit parfois *turbo-stato-réacteur*.

Les techniciens de Nord-Aviation eurent recours à un compromis, le turbo-stato-réacteur. Un turbo-réacteur fait décoller l'avion, lui donnant une vitesse de Mach 0,5. Le stato-réacteur est alors allumé et remplace, au fur et à mesure que la vitesse s'accroît, le turbo-réacteur. Le Griffon équipé d'un turbo-stato-réacteur atteignit dès 1957 Mach 2,2.
Science et Vie, nᵒ 593, p. 128.

TURBOT [tyʀbo] n. m. — 1393 ; *tourbout*, xIIᵉ ; scandinave **thorn* (« épine ») *-butr* (néerl. *butte* ; all. *Butt* « barbue »).

♦ **1.** Poisson anacanthinien *(Pleuronectidés)*, à corps plat et ovale, dont un côté est coloré (celui où se trouvent les deux yeux). → Poisson, cit. 4 et 7. *La chair du turbot est très estimée. Turbot poché sauce hollandaise ; turbot grillé.* — Allus. hist. *Le turbot de Domitien* (qui avait réuni son conseil pour discuter de la manière d'accommoder le turbot).

Le Sénat mit aux voix cette affaire importante,
Et le turbot fut mis à la sauce piquante.
BERCHOUX, la Gastronomie, I, *in* DUPRÉ, 1722.

♦ **2.** (Abusif en zool.). Au Canada. *Turbot du Groenland, turbot* : flétan* du Groenland (l'appellation *turbot* est « à proscrire », selon l'Office de la langue française).

DÉR. Turbotière, turbotin.
HOM. 1. Turbo, 2. turbo.

TURBOTIÈRE [tyʀbotjɛʀ] n. f. — 1803 ; de *turbot*.

♦ Récipient en losange destiné à la cuisson des poissons plats (turbots, soles...). ⇒ **Poissonnière**.

TURBOTIN [tyʀbotɛ̃] n. m. — 1694 ; de *turbot*.

♦ Jeune turbot. *Turbotin grillé.*

TURBOTRAIN ou **TURBO-TRAIN** [tyʀbotʀɛ̃] n. m. — 1968 ; de *turbo-*, et *train*.

♦ Rame automotrice mue par des turbines à gaz. *Le turbo-train Paris-Cherbourg.*

TURBOVENTILATEUR [tyʀbovɑ̃tilatœʀ] n. m. — 1904 ; de *turbo-*, et *ventilateur*.

♦ Techn. Ventilateur à turbine. — REM. On écrit souvent *turbo-venti-lateur*.

Debout dans l'étroit puits d'accès avec de l'eau jusqu'à la taille, je me bats maintenant contre un gros cylindre d'aluminium. Il renferme la cartouche d'hydroxyde de baryum et un turbo-ventilateur qui doivent absorber le dioxyde de carbone produit par notre respiration.
Science et Vie, nᵒ 594, p. 87.

TURBULENCE [tyʀbylɑ̃s] n. f. — 1495 ; repris 1646 ; lat. *turbulentia*, de *turbulentus*. → Turbulent.

♦ **1.** [a] Vx. Trouble, tumulte collectif.

[b] Mod. Agitation désordonnée, bruyante (→ Exclure, cit. 12). *Une turbulence stérile* (→ Actif, cit. 2).

Ils semblent d'ailleurs pleins de vigueur *(les oiseaux)*, d'animation et de turbulence joyeuse.   Th. GAUTIER, Voyage en Russie, XVI.   1

Rare. *Une, des turbulences.* — (Sens abstrait) :

Où s'enfonçaient, où se cachaient alors mes turbulences de la veille ?... Le flot de mon amour les avait recouvertes toutes.   GIDE, l'Immoraliste, II, I.   2

♦ **2.** (xIXᵉ). Caractère d'une personne turbulente (1.). ⇒ **Dissipation, pétulance, vivacité**. *Il est la turbulence même* (→ Sens, cit. 43). *Turbulence intérieure* (→ Excentricité, cit. 5).

L'amour d'Hortense avait développé chez l'artiste l'animation polonaise, cette vivacité d'esprit gascon, cette aimable turbulence qui distingue ces Français du Nord.   BALZAC, la Cousine Bette, Pl., t. VI, p. 285 (1846).   3

♦ **3.** (1956). Sc. Formation de tourbillons, dans un fluide. *Turbulence d'un courant fluvial, d'une masse d'air. Étude des turbulences* (en mécanique statistique).

Météor., cour. Agitation se superposant au mouvement moyen de l'air, constituée par des mouvements désordonnés, en continuelle transformation. *Zone de turbulence atmosphérique.* « La turbulence est un phénomène hydrodynamique très familier ; nous avons tous vu des tourbillons dans le sillage d'un bateau ou sur une photographie de l'atmosphère, et pourtant on ne sait toujours pas expliquer les origines de la turbulence et les mécanismes de son développement » (la Recherche, avr. 1980, nᵒ 110, p. 422).

CONTR. Calme, tranquillité ; sagesse.

TURBULENT, ENTE [tyʀbylɑ̃, ɑ̃t] adj. — Fin xIIᵉ, au sens 3 ; repris 1532 ; lat. *turbulentus* « agité, troublé », de *turbare* « troubler ».

♦ **1.** Vx. Agité et violent (→ Bénin, cit. 2 ; incivil, cit. 2, La Fontaine).

Je ne suis pas aussi prudent pour ces gens turbulents
Dont l'imprudent chagrin, qui tempête et qui gronde,
Attire au bruit qu'il fait les yeux de tout le monde,
MOLIÈRE, l'École des femmes, IV, 8.   1

♦ **2.** Mod. (Personnes). Qui est porté à s'agiter physiquement, qui est souvent dans un état d'excitation bruyante. ⇒ **Agité, bruyant, impétueux, pétulant, remuant, vif**. *Enfant, élève turbulent.* ⇒ **Diable** (adj.), **dissipé, insupportable**. *Sa fille est turbulente et malicieuse.* ⇒ **Espiègle.**

2 Des corps turbulents, de dix à treize années environ, foulant aux pieds le vin nouveau.　　　　　　　　　　　Paul MORAND, l'Europe galante, p. 150.

(Choses). *Activité turbulente* (→ Emplir, cit. 7). *Joie turbulente,* bruyante, tumultueuse.

♦ **3.** Vieilli ou littér. Qui aime le trouble, le désordre et qui cherche à les produire. *Le turbulent Louis-Napoléon...* (→ Index, cit. 12). *« Esprits... inquiets et turbulents »* (Massillon). *La disposition turbulente des populations* (→ Humeur, cit. 6). *Foule turbulente* (→ 1. Tourbe, cit. 3).

3 (...) patiente autant que forte, elle *(l'Assemblée)* attendait en silence que cette bande turbulente fût épuisée par ses cris.
　　　　　　　　　MICHELET, Hist. de la Révolution franç., I, III.

(xvie). Littér. Qui est caractérisé par l'agitation, le trouble. ⇒ **Troublé, tumultueux.** *Civilisation turbulente* (→ Méphitique, cit. 2). — Mod. *Vie, jeunesse turbulente.*

4 Ces grandes passions, je ne dis pas les turbulentes, mais les hautes, les larges sont celles *à qui rien ne peut nuire* et dans lesquelles plusieurs autres peuvent se mouvoir.　　　　　　　　FLAUBERT, Correspondance, 467, 12-13 avr. 1854.

♦ **4.** (Concret). 🅐 Poét. *L'onde turbulente.* — Par métaphore. *Cataractes turbulentes* (→ Épancher, cit. 16).

🅑 (V. 1950). Sc. *Régime turbulent* (opposé à *laminaire*) : dans l'écoulement des fluides, Régime caractérisé par l'interaction des filets fluides, la formation de systèmes tourbillonnaires et une faible viscosité. ⇒ **Turbulence.** — *Couche turbulente,* au voisinage immédiat de la surface d'un mobile (par ex. : d'une aile d'avion dans l'air).

CONTR. Calme, paisible, silencieux, tranquille. — Discipliné, sage.

1. TURC, TURQUE [tyʀk] adj. et n. — V. 1207, adj. et n., *Turs* (cf. *Les Teurs,* in A. Daudet, *Tartarin de Tarascon*); du grec byzantin *Tourkos,* mot persan et arabe, de *Türküt,* mot mongol.

★ **I.** ♦ **1.** Adj. De l'empire ottoman (1300-1919), fondé par les peuples *turcs* d'Asie centrale (→ ci-dessous, III.). *Empire turc, gouvernement turc.* ⇒ 2. **Croissant** (II., 3.), **divan** (I., 1.), **porte** (*supra* cit. 28 ; la Sublime-Porte) ; **padischah, sultan.** *Titres turcs.* ⇒ **Aga, ayan, bach-aga, bey, capitan-pacha, icoglan, pacha, reis** (1.). *Soldats turcs.* ⇒ **Janissaire.** *Armée turque* (⇒ Dignitaire, cit.). — De la Turquie ottomane ou moderne. *Vêtements turcs ; cafetan, turban turc.* ⇒ **Tarbouche.** *Pipe turque.* ⇒ **Chibouque, narghilé** (→ Fumeur, cit. 2). *Sabre turc.* ⇒ **Yatagan.** *Galère turque* (→ 1. Port, cit. 1). *Le para, monnaie turque. Livre turque. — Chevaux turcs,* d'une race intermédiaire entre les chevaux arabes et persans. *Selle turque. — Café turc,* noir et fort, servi avec le marc dans une très petite tasse (→ 1. Fumer, cit. 25). — Syn. : *café oriental. —Tabac turc,* blond et parfumé. — *Tapis turc,* s'est dit de tous les tapis d'Orient et de haute laine. — *Bain turc :* bain de vapeur suivi de massages. ⇒ **Hammam.** — Couture, broderie. *Point turc,* utilisé pour faire des jours*.

Loc. (Déb. xviie, d'Aubigné). À LA TURQUE : à la manière des Turcs (→ Camail, cit. 2). *Assis* (cit. 39), *accroupi à la turque,* en tailleur*.

1 Le lendemain, Omer ne se montra pas dans le village. Il passa sa journée à coudre et à broder, accroupi à la turque.　　APOLLINAIRE, l'Hérésiarque..., p. 111.

Cabinets à la turque, sans siège.

1.1 Jules Morel trouva plus avantageux de transformer en logements les bâtiments désaffectés. Il fit installer au centre une fontaine, et des latrines à la turque, comme dans les casernes.　　Roger VAILLAND, 325 000 francs, 1955, p. 85.

Mus. *À la turque* (ital. *alla turca*), se dit d'un morceau à 2/4, très rythmé. *La Marche turque,* « rondo alla turca » d'une sonate de Mozart.

♦ **2.** N. (rare au fém.). *Un Turc. Une Turque. Les Turcs. Croisades contre les Turcs. Les Turcs et les raïas*.

JEUNES TURCS : révolutionnaires qui prirent le pouvoir en 1908. — Fig. *Jeunes turcs,* dans un parti, Éléments jeunes, qui souhaitent une évolution.

Le Grand Turc : le sultan, empereur des Turcs. *Palais du Grand Turc.* ⇒ **Sérail.**

Loc., vx. *Traiter* qqn *de Turc à Maure.* — Mod. *Fort comme un Turc* (→ Dispute, cit. 1) : très fort.

2 (...) que Dea mange des tranches de bœuf et des côtelettes de mouton, dans six mois elle sera forte comme une Turque (...)　HUGO, l'Homme qui rit, II, II, XI.

Tête de Turc. ⇒ **Tête** (*supra* cit. 19).

★ **II.** N. m. (V. 1207). Vx. Musulman, sectateur de Mahomet. — (1872). *Se faire Turc :* devenir musulman.

3 Les temples du païen, du Turc, de l'idolâtre
Haussent dedans le ciel et le marbre et l'albâtre (...)
　　　　　　　D'AUBIGNÉ, les Tragiques (1616), I, « Misères ».

(1660). Fig., péj. Homme dur, cruel. — On employait aussi *arabe,* dans ce sens. ⇒ **Turquerie.**

4 Il est Turc là-dessus, mais d'une turquerie à désespérer tout le monde (...)
　　　　　　　　　　　MOLIÈRE, l'Avare, II, 4.

— Je suis bien sûr que mon oncle augmente ses locataires, lui (...)
— S'il a des raisons, il fait bien... Quand j'ai des raisons, je suis très ferme... je suis même un peu Turc (...)　　　E. LABICHE, les Petits Oiseaux, I, 2.　4.1

★ **III.** Adj. et n. **TURC, TURQUE,** ou **TÜRK** (invar. en genre). Ethnol., hist. D'un peuple d'Asie centrale, dont les divers éléments parlent des langues apparentées au groupe ouralo-altaïque, et dont les migrations conquérantes aboutirent au xe siècle au Moyen-Orient et en Anatolie (Turquie moderne), où furent fondés les empires seldjoukide et ottoman (→ ci-dessus I., 1.).

Les T'ou-kiue ou *Türküt,* car leur nom apparaît dans les sources chinoises sous la forme d'un pluriel mongol (...) étaient les descendants d'une branche des Hiongnou cantonnée dans l'Altaï (...) C'est ainsi *(par une victoire sur les Avar)* que se formèrent les deux États turcs du vie siècle (...) l'Empire des Turcs orientaux en Mongolie (...) celui des Turcs occidentaux en Turkestan (...)　5
　　　　　　　　　　Louis HAMBIS, la Haute-Asie, p. 34-35.

Ling. *Langues turques, du groupe turc :* langues d'un groupe important, apparentées aux langues ouralo-altaïques et parlées en Sibérie (yakoute, tatar), dans l'Altaï, en Asie centrale (kazakhe, kirghiz, ouzbek, turkmène), dans le Caucase et enfin dans l'Anatolie et les Balkans (*turc* proprement dit). — N. m. *Le turc :* la langue du groupe turc parlée en Turquie. *Mots français empruntés au turc* (ex. : bergamote, cafetan, chacal, 3. chagrin, cravache, kiosque, odalisque, pacha, sérail, tulipe, turban). *Mots arabes, persans, empruntés par le turc.* — REM. Dans ce sens, les spécialistes écrivent *türk.*

DÉR. Turquerie, turquet, turquette. — V. aussi Turco-.
HOM. 2. Turc.

2. TURC [tyʀk] n. m. — 1613 ; p.-ê. métaphore plais. du précédent parce qu'il attaque les poiriers de *bon-chrétien.*

♦ Vieilli. Larve qui s'attaque à certains fruits. — Larve de hanneton ou ver* blanc.

HOM. 1. Turc.

TURCIE [tyʀsi] n. f. — 1392 ; bas lat. *torcia,* xiie ; mot de la basse Loire, d'orig. inconnue.

♦ Vx ou régional. Levée*, chaussée au bord d'un cours d'eau.

TURCIQUE [tyʀsik] adj. — 1839 ; lat. sc. *turcicus* « turc », dans l'expr. *(selle) turque.*

♦ Anat. *Selle turcique :* face supérieure du corps de l'os sphénoïde, en forme de selle, où est logée la glande hypophyse.

TURCO [tyʀko] n. m. — 1857 ; mot du sabir algérien, ital. *turco* « turc » (1830), l'Algérie étant restée sous la domination turque jusqu'en 1830.

♦ Vieilli. Tirailleur algérien. *Des turcos.*

1 Il parlait aujourd'hui de l'extraordinaire force physique des turcos, et de l'espèce de joie orgueilleuse qu'ils éprouvaient, quand leur sac, leur écrasant sac, dépassait de beaucoup leur tête.
　　　　　　Ed. et J. DE GONCOURT, Journal, 9 sept. 1889, t. VIII, p. 71.

2 Au cours de la guerre de 1870, les fantassins arabes, dont la conduite fut héroïque (...) étaient devenus populaires sous le nom de *turcos.*
　　　　BERNANOS, la Grande Peur des bien-pensants, XIV, in Essais et Écrits de combat, Pl., t. I, p. 270.

TURCO- Premier élément de mots composés, de 1. *turc.* (Voir à l'ordre alphabétique, et cf. Turco-égyptien, ienne).

TURCOMAN, ANE [tyʀkɔmɑ̃, an] adj. et n. — 1697 ; de *turc,* o- de liaison, pour rendre le mot persan réemprunté sous la forme *turkmène*.

♦ Vx. Relatif aux peuples de langues turques d'Asie centrale. — Var. : *turkoman, ane,* adj. et n. (1876, Gobineau). ⇒ **Turkmène.**

TURCOMONGOL, OLE [tyʀkomõgɔl] adj. et n. m. — xxe ; de *turco-,* et *mongol.*

♦ Ling. Se dit de l'ensemble formé par les langues turque (groupe turc ; → 1. Turc) et mongole.

TURCOPERSAN, ANE [tyʀkopɛʀsɑ̃, -an] adj. — xxe ; de *turco-,* et *persan.*

♦ Ling. Se dit des mots empruntés au persan par le turc.

TURCOPHILE [tyʀkɔfil] adj. et n. — 1839 ; de *turco-,* et *-phile.*

♦ Rare. Qui aime la Turquie, le peuple turc.

TURCOPHOBE [tyʀkɔfɔb] adj. et n. — 1877; de *turco-*, et *-phobe*.

♦ Rare. Qui déteste la Turquie, le peuple turc.

TURCOPHONE [tyʀkɔfɔn] adj. et n. — Mil. xixᵉ; de *turco-*, et *-phone*.

♦ Rare. Qui est de langue turque (soit l'une des langues du groupe türk, soit le turc d'Anatolie).

TURCOTATAR, ARE [tyʀkotataʀ] adj. et n. m. — Mil. xxᵉ; de *turco-*, et *tatar*.

♦ Relatif aux Turcs et aux Tatars. — N. m. Ensemble des langues du groupe turc* (1. Turc, III. : türk) parlées en Turquie (Anatolie) et en Asie centrale.

TURDIDÉS [tyʀdide] n. m. pl. — 1846, Bescherelle, *turdoïdes;* du lat. *turd(us)* «grive», et *-idés*.

♦ Zool. Famille d'oiseaux *(Passereaux)* comprenant les grives* et les merles, le ménure, le rossignol, le rouge-gorge, le traquet. — Au sing. *Un turdidé*.

TURDUS [tyʀdys] n. m. — 1904; mot lat., «grive».

♦ Zool. Genre d'oiseaux *(Turdidés)*, comprenant les grives et les merles.

TURELURE [tyʀlyʀ] n. f. — Fin xixᵉ; substantivation de *ture lure* (xiiiᵉ), refrain de chanson (→ Turlututu), de *loure, lur, lure* «musette; flageolet», d'où *lourer*, du lat. *lura* «outre». → Turlurette.

♦ Vx. Refrain, banalité.

TURF [tyʀf] n. m. — 1828; angl. *turf* (1755, dans ce sens), proprt «pelouse» (d'abord «motte de gazon»). → Tourbe.

★ **I.** Sports. ♦ **1.** Terrain où se disputent les courses de chevaux.

♦ **2.** Ce qui concerne les courses de chevaux (⇒ **Hippodrome, pesage, poteau** [de départ, d'arrivée]), leur préparation (entraînement) et les activités qui en dépendent (paris, etc.). ⇒ **Cheval, course, hippisme.** *Le langage du turf est en grande partie emprunté à l'anglais.* ⇒ **Canter, crack, dead-heat, handicap, omnium, paddock, sweepstake.** *« Le Paris de la fashion, celui du turf »* (→ Incomparable, cit. 4, Balzac).

♦ **3.** (1837). Par ext. (Vx). Ensemble des amateurs de sports hippiques. ⇒ **Turfiste.**

1 En Angleterre où il avait passé huit mois, il avait appris à être un homme de *turf* et à se connaître parfaitement en chevaux (...)
STENDHAL, le Rose et le Vert, vi.

★ **II.** Fig., argot. ♦ **1.** (1864, *in* Höfler). Voie publique où se pratique le racolage. — (1926). *Faire le turf* : se prostituer. — *Le turf* : la prostitution.

2 Quand Willy piqua la Malou, ne pouvant mettre au turf une traîne-savates de son genre, il la fringua, l'installa confortablement dans ses meubles avenue Foch et, pour clore cet excès de bon cœur, trouvant que, pour son standing, le pédestre tapin, ça faisait miteux, lui offrit à son tour une superbe Mercedes.
Martin ROLLAND, la Rouquine, 1976, p. 132.

(1935). Par métonymie. Prostituée. ⇒ **Tapin.**

♦ **2.** (1929). Travail. *C'est (pas) mon turf*, mon affaire. *Se mettre au turf. Faire son turf.*

3 En amour, tu joues un rôle ou tu te bourres le mou, ou tu penses à fignoler. Mais, sur le turf, ah! tu peux y aller, tu vois l'humanité à poil, telle qu'elle est au fond, et si tu as encore des illusions en arrivant tu comprends rapidement.
Alain SERGENT, Je suivis ce mauvais garçon, 1946, p. 51.

4 Quand on vous envoie sur un turf menaçant de durer, on nous donne ça (...)
Pierre ACCOCE, le Polonais, p. 72.

DÉR. Turfiste.

TURFISTE [tyʀfist] n. — 1853; de *turf* (I.).

♦ Personne qui fréquente les courses de chevaux, qui parie. ⇒ **Parieur.** *Le monde des turfistes. Une turfiste.* — REM. Le mot est un pseudo-anglicisme, propre au français.

TURGESCENCE [tyʀʒesɑ̃s] n. f. — 1752; de *turgere* «se gonfler». → Turgescent.

♦ **1.** Physiol. Augmentation de volume d'un organe, notamment par rétention de sang veineux. ⇒ **Congestion, gonflement, tumescence; érection** (cit. 3).

♦ **2.** Littér., rare. Gonflement. *La turgescence des vagues.*

TURGESCENT, ENTE [tyʀʒesɑ̃, ɑ̃t] adj. — 1812; lat. *turgescens, entis*, même sens.

♦ **1.** Physiol. Qui se gonfle, enfle par turgescence. — Spécialt. En érection (verge).

♦ **2.** Littér. Gonflé.

(...) quelque chose de semblable à ce qui forçait les jeunes pousses à sortir, tendait, balancés sans trêve dans le vent, les fragiles, turgescents et impérieux bourgeons.
Claude SIMON, le Vent, 1957, p. 54.

TURGIDE [tyʀʒid] adj. — 1463, rare avant 1833, Balzac; lat. *turgidus* «gonflé, enflé».

♦ Littér. Gonflé, enflé.

1 (...) ses lèvres se gerçaient au moindre froid. Ses mains si molles, si blanches, devenaient rouges et turgides.
BALZAC, Louis Lambert, Pl., t. X, p. 374.

2 Les yeux rougis et ses paupières turgides sous les lunettes d'écaille achevaient de donner à sa physionomie une expression opportune de fatigue et de mélancolie.
FRANCE, Jocaste, VII, Pl., t. II, p. 73.

3 Sans tendresse, elle regardait cette belle gorge turgide qui n'avait jamais encore été gonflée par le lait.
G. DUHAMEL, Chronique des Pasquier, IX, xxii.

TURION [tyʀjɔ̃] n. m. — 1554; lat. *turio* «jeune pousse».

♦ Bot., agric. Bourgeon souterrain ou formé à fleur de terre par une plante vivace. *Turions d'asperge.*

TURISTA [tuʀista] n. f. — 1973, in *Science et Vie*; mot esp. du Mexique, «la touriste», cette dysenterie affectant surtout les étrangers.

♦ Fam. Au Mexique, Affection gastro-intestinale, due à la présence d'algues dans l'eau, et se traduisant par des diarrhées.

TURKMÈNE [tyʀkmɛn] adj. et n. — 1895; *turckmanns*, 1765; mot persan.

♦ **1.** ⇒ Turcoman.

♦ **2.** Du Turkménistan (U. R. S. S.).

♦ **3.** N. m. Langue du groupe turc (1. Turc, III.), parlée surtout en U. R. S. S. (Turkménie, Ouzbékie).

TURLOTTE [tyʀlɔt] n. f. ⇒ 1. **Turlutte.**

TURLUPIN [tyʀlypɛ̃] n. m. et adj. — xivᵉ, nom d'une secte d'hérétiques; «mauvais plaisant», xviiᵉ, nom d'un fameux acteur (Henri Legrand) du Théâtre de la Foire, puis de l'Hôtel de Bourgogne; orig. incert., p.-ê. de *turlupiner* au sens de «jouer un petit air». → Turlupiner.

♦ Vx. Personnage de théâtre qui fait des farces; par ext., mauvais plaisant. ⇒ **Farceur** (→ Assemblage, cit. 6). — *Une foule innombrable de turlupins* (→ Grève, cit. 9).

Toutefois à la cour les Turlupins restèrent
Insipides plaisants, bouffons infortunés,
D'un jeu de mots grossier partisans surannés.
BOILEAU, l'Art poétique, ii.

REM. Le mot a été repris en 1978 dans le vocabulaire politique. *«M. Jacques Chirac (...) a classé ses partenaires en trois catégories : les courtisans, les bouffons, les turlupins...»* (l'Express, 23 janv. 1978, p. 55).

DÉR. Turlupinade, turlupinesque.

TURLUPINADE [tyʀlypinad] n. f. — 1654; de *turlupin*.

♦ Vieilli. Plaisanterie de mauvais goût.

(...) la broderie du vieux canevas est renouvelée à force de lazzis et de turlupinades, de calembours et d'obscénités, selon la loi du genre (...)
BEAUMARCHAIS, le Barbier de Séville, Notice.

TURLUPINER [tyʀlypine] v. — 1615; orig. incert.; aurait pu signifier «jouer et rejouer un air» et provenir de *turlu, turluete* «flageolet» (→ Turlurette), et du régional *pine* «sifflet d'écorce» (Guiraud).

♦ **1.** V. intr. Vx. Faire des farces, des turlupinades.

♦ **2.** V. tr. (1790). Mod., fam. Tourmenter, tracasser. *Arrête de turlupiner ton petit frère.* ⇒ **Taquiner.** — (Sujet n. de chose). *Ça le turlupine.* ⇒ **Travailler.**

1 Il avait sa manie de nous parler de sa peinture, qui le turlupinait vraiment trop fort, de ses tableaux, à toute force et à n'importe quel propos.
CÉLINE, Voyage au bout de la nuit, p. 366.

2 À travers tout ça, apparaissait l'image d'un Barbentane assez débonnaire, turlupiné par sa femme, pas mauvais homme au fond (...)
ARAGON, les Beaux Quartiers, I, xx.

3 Il rêvassa quelques instants encore et finit par décider envers lui-même, que ce qui le turlupinait, c'était l'état civil de Crouïa-Bey; car celui-ci avait montré ses papiers, et dessus, il ne s'appelait pas du tout Mouilleminche.
R. QUENEAU, Pierrot mon ami, éd. L. de Poche, p. 93.

TURLUPINESQUE [tyʀlypinɛsk] adj. — 1623, *in* D.D.L.; de *turlupin*.

♦ Fam., vieilli. Digne d'un turlupin; relatif aux turlupinades.

TURLURETTE [tyʀlyʀɛt] n. f. — 1872; *turelurete* «cornemuse», xɪvᵉ; *turluete* «flageolet de berger», 1174, *in* D.D.L.; du rad. de *loure*. → Turelure.

♦ **1.** Anc. Instrument des musiciens, des chanteurs ambulants, au moyen âge (le nom a désigné différents instruments, à vent — le flageolet, la cornemuse — ou à cordes — la vielle, la *vihuela*, ancêtre de la guitare).

♦ **2.** Vx. Refrain de chanson. ⇒ **Turelure, turlutaine**.

TURLUTAINE [tyʀlytɛn] n. f. — 1843; «serinette», 1803, d'abord refrain de chanson, comme *turlurette**; du rad. de *loure*.

♦ Propos sans cesse répété. ⇒ **Manie, marotte**. *Laissons là ces turlutaines patriotardes* (cit.).

Si la petite salope s'imaginait m'atteindre par de semblables turlutaines! Je ne daignais même point relever ces lâches impertinences.
CÉLINE, Voyage au bout de la nuit, p. 194.

1. TURLUTTE [tyʀlyt] n. f. — 1874, *in* Littré, *Suppl.*; probablt de même origine que *turelure*, exprimant la répétition. → Turlurette.

♦ Techn. Engin de pêche, constitué par une tige de plomb armée d'hameçons disposés en couronne. — On emploie aussi la var. *turlotte* [tyʀlɔt].

HOM. 2. Turlutte.

2. TURLUTTE [tyʀlyt] n. f. — Mil. xxᵉ; probablt de *turlututu* «flûte», et, fig., «pénis».

♦ Argot. Fellation.

(...) Germaine la tapineuse, baptisée Lissac à cause de ses lunettes qui la gênaient quand elle faisait une turlutte.
Martin ROLLAND, la Rouquine, p. 171 (1976).

HOM. 1. Turlutte.

TURLUTUTU [tyʀlytyty] exclam. et n. m. — 1839; onomatopée imitant le bruit de la flûte, 1654; rad. de *loure*, lat. *lura*. → Turelure.

♦ **1.** (1839). Exclamation moqueuse. *Turlututu chapeau pointu!*

1 Parlez donc de réductions, d'adoucissements au Fisc représenté par ce monsieur? (...) il vous répond *turlututu*, en taillant sa plume. Vous êtes *hors la loi*, monsieur le comte. BALZAC, les Paysans, Pl., t. VIII, p. 121.

♦ **2.** (xɪxᵉ, Balzac; mais déjà en dial. normand, 1654). Flûte, mirliton.

2 (...) ce trompette qui n'avait cessé de souffler le même air dans son petit turlututu! BALZAC, Modeste Mignon, Pl., t. I, p. 404.

TURNE [tyʀn] n. f. — 1800; alsacien *türn* «prison», all. *Turm* «tour». Familier.

♦ **1.** Chambre ou maison sale et sans confort. ⇒ **Boutique, taudis**. *Il entra dans la turne en grognant* (→ Délicatesse, cit. 22). — Spécialt (péj.). Lieu de travail (→ Taule, cit. 2.1).

1 (...) je suis fâché qu'il ne soit plus temps, ce 12, de vous prier d'aller donner congé de ma turne. S'il en était encore temps, faites-le. Mais ne vous en préoccupez pas autrement. NERVAL, Correspondance, 201, 12 mai 1852.
2 Une turne misérable, dans le quartier de l'usine.
ARAGON, les Beaux Quartiers, I, xvɪɪɪ.

♦ **2.** (1854). Argot scol. Chambre. — REM. La variante plaisante *thurne* est utilisée dans l'argot de l'École normale supérieure, comme *khagne* pour *cagne*. *De pauvres diables* (cit. 39) *en train de piocher dans les thurnes*.

3 Je suis grimpé à ta turne en compagnie de la dinde Ernest; il n'y avait personne.
Th. GAUTIER, Lettres à la présidente, 11 nov. 1866, *in* D.D.L., ɪɪ, 7.

TURNEP [tyʀnɛp] ou **TURNEPS** [tyʀnɛp(s)] n. m. — 1758, *turnep*, *in* Höfler; *turneps*, 1790; angl. *turnip*, de *to turn* «tourner», et anc. angl. *naep* «navet» (lat. *napus*).

♦ Agric. Variété de navet fourrager. ⇒ **Chou-rave**.
— Ici, dit le comte, je sème des turneps. Le turnep est la base de ma culture quadriennale. FLAUBERT, Bouvard et Pécuchet, ɪɪ.

TURNIX [tyʀniks] n. m. — 1770; abrév. du lat. *coturnix* «caille».

♦ Zool. Oiseau gallinacé de la famille des *Turnicidés*. ⇒ **Caille**.

Nous avons donné à cette caille le nom de *turnix*, par contraction de celui de *coturnix*, pour la distinguer de la caille ordinaire dont elle diffère (...) elle n'a que trois doigts antérieurs à chaque pied (...)
BUFFON, Hist. nat. des oiseaux, «Le turnix».

TURNOVER [tœʀnɔvœʀ] n. m. — 1972, *in* Gilbert; mot angl., de *to turn* («tourner»), et *over* («par dessus»), spécialisé pour désigner la rotation d'un stock de marchandises.

♦ Anglic. Écon. Taux de renouvellement du personnel (dans une entreprise). ⇒ **Rotation**. «*Le turnover est très faible à la Régie*» (le *Nouvel Obs.*, 23 juil. 1973, p. 23). «*Il y a du "turnover" du côté de la main-d'œuvre gouvernementale!*» (F. Giroud, in *l'Express*, 24 oct. 1977, p. 77).

REM. Cet anglicisme est fréquent dans d'autres domaines (physiologie, biochimie, etc.); l'administration recommande alors comme équivalent : *rotation, cycle, circuit, taux de renouvellement...* (Ministère de la Santé, 1ᵉʳ janv. 1975).

TURONIEN, IENNE [tyʀɔnjɛ̃, jɛn] adj. et n. m. — 1842, d'Orbigny; du lat. *Turonia* «Touraine».

♦ Géol. Se dit d'un des étages du système crétacé* qui correspond à la craie marneuse du bassin de Paris. *Le terrain turonien* (et, n., *le turonien*) *est représenté dans la région de Tours, dans l'Yonne, en Bourgogne, en Champagne, en Provence...* — N. m. *Le turonien*. ⇒ **Crétacé**.

TURPIDE [tyʀpid] adj. — 1502, repris 1830; n., «action honteuse», v. 1390; du lat. *turpis* «laid, honteux».

♦ Littér. Qui a une certaine laideur morale. ⇒ **Turpitude**. *Une forme turpide du désespoir.* ⇒ **Honteux, ignoble**.

(...) il est certain que je serai turpide, en proposant au Christ de descendre ainsi qu'un puisatier dans ma fosse (...) HUYSMANS, En route, I, ɪx.

CONTR. Beau, honnête.
DÉR. Turpidement.

TURPIDEMENT [tyʀpidmɑ̃] adv. — 1844; de *turpide*.

♦ Littér. et rare. D'une façon turpide. ⇒ **Honteusement, laidement**.

Enfin, après de belles occasions manquées par sa faute, elle trouvait en ce moment la fortune des Nucingen trop turpidement ramassée pour se prêter à l'ambition de madame de Nucingen (...) BALZAC, Modeste Mignon, Pl., t. I, p. 502.

TURPITUDE [tyʀpityd] n. f. — V. 1390; lat. *turpitudo*, de *turpis* «honteux».

Littér. ou style soutenu (plus cour. que *turpide*).

♦ **1.** Caractère de bassesse, d'indignité. ⇒ **Déshonneur, honte, ignominie, infamie, laideur**. «*J'ai souvent dit le mal dans toute sa turpitude*» (→ Aimable, cit. 10, Rousseau). *En toutes circonstances, il y a place pour la noblesse ou la turpitude* (→ Conduite, cit. 27). — *Se vautrer dans la turpitude.* ⇒ **Débauche, ordure**.

1 (...) tous ces vilains spectacles qu'on a eu raison de nommer des spectacles de turpitude. MOLIÈRE, Tartuffe, Préface.
2 Les régimes de lâcheté sont ceux qui coûtent le plus au monde, et en définitive ce sont ceux qui (...) finissent réellement dans l'atrocité. Et en outre, c'est une atrocité de turpitude. Ch. PÉGUY, la République..., p. 315.

♦ **2.** (1690). *Une, des turpitudes.* Action, parole, idée basse*, honteuse. ⇒ **Bassesse, horreur**. *Imputer à une nation la turpitude d'un seul* (→ Inceste, cit. 3). *Présenter des turpitudes sur la scène* (→ Subventionner, cit.).

3 Autant bâiller aux corneilles que de se nourrir de toutes les turpitudes quotidiennes qui sont la pâture des imbéciles.
FLAUBERT, Correspondance, 308, 8 févr. 1852.
4 La loi électorale mettait ainsi en évidence, chez des gens que tout semblait séparer, le même dégoût devant certaines turpitudes, le même espoir dans un idéal de justice. ARAGON, les Beaux Quartiers, I, xvɪ.

CONTR. Gloire, honnêteté, honneur.

TURQUE [tyʀk] adj. et n. f. ⇒ 1. **Turc**.

TURQUERIE [tyʀkəʀi] n. f. — 1579; de 1. *turc*.

♦ **1.** Vx. Caractère «turc» (1. Turc, II.), dur, impitoyable.

♦ **2.** (1870). Mod. Objet, composition artistique ou littéraire d'origine, de goût ou d'inspiration turcs, orientaux. *L'orientalisme* (cit. 2) *a débuté au xvɪɪɪᵉ siècle par la mode des turqueries. La turquerie du Bourgeois gentilhomme de Molière* (cérémonie turque).

♦ **3.** Rare. Caractère typique, traditionnel des choses, des mœurs de Turquie.

Après les ponts franchis, une montée et un long trajet encore pour arriver là, en pleine turquerie des vieux temps; plus d'Européens, plus de chapeaux, plus de bâtisses modernes; en approchant, à travers les petits bazars restés comme à Bagdad (...) LOTI, les Désenchantées, xɪɪɪ.

TURQUET [tyʀkɛ] n. m. — 1740; *turguet*, 1611; de 1. *turc*.

♦ (1740). Vx. Maïs. — Syn. : *blé de Turquie*.

TURQUETTE [tyʀkɛt] n. f. — 1633 ; de *herbe du Turc*, 1565 ; de 1. *turc*.

♦ Régional. Herniaire glabre (herbe).

TURQUIN [tyʀkɛ̃] adj. m. — 1471 ; ital. *turchino* « turquoise », proprt « de Turquie ».

♦ Littér. Qui est d'un bleu foncé. *Bleu turquin.* — Spécialt. *Marbre turquin* (bleu), et, n. m. (1842), *du turquin. La cheminée de marbre turquin* (Gautier, *Mlle de Maupin*, IV).

La voûte formée par le dôme représentait un ciel bleu turquin léger, où flottaient de petits nuages roses (...)   Th. GAUTIER, le Capitaine Fracasse, IX.

TURQUOISE [tyʀkwaz] n. f. et adj. — XIIIe ; de l'adj. *turquois* « turc », var. *turquesse, turquesque.*

★ **I.** ♦ **1.** N. f. Pierre fine d'un bleu tirant sur le vert (phosphate d'alumine hydraté). *La turquoise se trouve en Perse ; elle change de couleur au contact de l'air. Incrustations de turquoise* (→ Grille, cit. 9). *Le chaton d'une bague composé d'une turquoise* (→ Talisman, cit. 1). — Par ext. Turquoise taillée et montée ; bijou dont la partie principale est une turquoise.

1   Sept heures du soir. Le ciel est bleu pâle, d'un bleu presque vert comme si une turquoise y était fondue !   Ed. et J. DE GONCOURT, Journal, 4 août 1863, t. II, p. 110.

2   (...) la magie naturelle (...) prête de nouveaux sens aux gemmes... la turquoise profite contre la mélancolie, la fièvre quarte et les défaillances du cœur.   HUYSMANS, Là-bas, XXI.

♦ **2.** Adj. invar. Qui a la couleur bleue de la turquoise. *Couleur bleu turquoise.* ⇒ **Turquin.** *Tricot, ensemble turquoise.* — N. m. *Le turquoise. Cette année le turquoise est à la mode.*

★ **II.** ♦ **1.** (1779). Vx. Étoffe croisée fabriquée en Turquie.

♦ **2.** (1793). Petit papillon d'Europe, de couleur bleu turquoise.

♦ **3.** (Mil. xxe). Lit de repos du XVIIIe siècle, à deux chevets symétriques. ⇒ **Ottomane.**

TURRICULÉ, ÉE [tyʀikyle] adj. — 1842 ; de *turricule* « coquillage en forme de tour » ; lat. *turricula* « petite tour ».

♦ Zool. En forme d'une petite tour. *Coquilles, coquillages turriculés. Cérites* (cit.) *turriculées.*

TURRITELLE [tyʀitɛl] n. f. — 1808 ; lat. mod. *turritella* (1739), dimin. de *turris* « tour ».

♦ Zool. Mollusque de la famille des Gastéropodes (*Prosobranches*), répandu dans toutes les mers. *La turritelle a une coquille allongée et pointue, striée ou à côtes.* — REM. Ce coquillage est parfois nommé *tour Eiffel,* par attraction paronymique et par analogie de forme.

TURSAN [tyʀsɑ̃] n. m. — V. 1960 ; nom de lieu.

♦ Vin de Gascogne, rouge ou blanc, sec et fruité. « *Un tursan très bien vinifié* » (*l'Express,* 20 oct. 1979, p. 32).

TURSION [tyʀsjɔ̃] n. m. — 1876, *tursio* ; lat. *tursio.*

♦ Variété de dauphin de grande taille. — N. sc. : *tursiops tursio.*

TUSSAH [tysa] ou **TUSSAU** [tyso] n. m. et adj. — 1857, *Année sc. et industr.,* p. 413 ; angl. *tussah,* 1904, altér. de *tussar* (→ Tussor), de l'hindoustani *tasar.*

♦ Soie sauvage indienne produite par l'attacus*. *Le tussah a un aspect scintillant. Étoffe de tussah.* ⇒ **Tussor ; shantung.** — Adj. *Soie tussah.*

TUSSIFUGE [tysifyʒ] adj. et n. m. — Mil. xxe ; du lat. *tussis* « toux », et *-fuge.*

♦ Didact. Calmant de la toux. *Sirop tussifuge.* — N. m. *Un tussifuge.*

TUSSIGÈNE [tysiʒɛn] adj. — 1884, Littré, *Dict. de médecine* ; comp. hybride du lat. *tussis,* et de *-gène.*

♦ Didact. Qui provoque la toux. *Zones tussigènes :* zones de la muqueuse respiratoire dont l'irritation provoque la toux.

TUSSILAGE [tysilaʒ] n. m. — 1671 ; lat. *tussilago,* même sens, de *tussis* « toux ».

♦ Plante dicotylédone (*Composacées*), herbacée et vivace, appelée communément *pas-d'âne, herbe aux teigneux. Les fleurs du tussilage font partie des espèces pectorales et sont employées comme*

remède contre la toux. ⇒ **Béchique.** *Sirops* (cit. 1) *de tussilage. Terrains où poussent le pissenlit et le tussilage* (→ Gravois, cit.).

TUSSOCK [tysɔk] n. m. — 1874, J. Verne, écrit *tussac* ; angl. *tussock,* 1550 ; orig. obscure comme *tusk* « touffe ».

♦ Anglic., rare. Motte ou surface de terre résistante, formée par des racines végétales, dans un terrain marécageux. — Graminée fréquente dans cette formation pédologique (régions subarctiques et arctiques). « *Les touffes de tussock, graminée des régions polaires* » (*la Recherche,* oct. 1978, p. 838).

(...) les clairières, revêtues de ce haut gazon que l'on appelle « tussac » *(sic)* dans la Nouvelle-Hollande (...)   J. VERNE, l'Île mystérieuse, t. I, p. 153 (1874).

TUSSOR ou (vieilli) **TUSSORE** [tysɔʀ] n. m. — 1873, *tussor* ; *tussore,* 1844 ; angl. *tussore,* proprt « soie tussah », de l'hindoustani *tasar.*

♦ Étoffe de tussah*, et, par ext., étoffe légère de soie, analogue au foulard. ⇒ **Shantung.**

(...) mais quand au printemps je me mis à jouer au tennis, j'arrivai parfois sans m'être changée, en robe de tussor blanc (...)   S. DE BEAUVOIR, la Force de l'âge, p. 100.

TUT ou **TUTT** [tyt] onomat. et n. m. ; variante *t't'.*

♦ **1.** Interj. Variante de *tss,* employée pour écarter une objection, contredire...

1   — T'es un peu cinglé, tu sais. Pour un concierge, travailler du porte-plume, c'est pas une idée.
— Tutte, j'fais c' qui m'plait, hein ? Si tu ne comprends pas, tant pis.   R. QUENEAU, le Chiendent, p. 63.

♦ **2.** (Répété). Onomatopée évoquant le son d'un sifflet, d'une trompette. *Faire tut-tut.* — REM. Plusieurs autres graphies sont attestées (et habituelles) : *tututte, tutte, tutte-tutte,* etc.

2   Chantant sa petite chanson habituelle, tututte, le train entre en gare avec beaucoup d'entrain.   R. QUENEAU, le Chiendent, p. 37.

N. m. pl. *Des tut-tut :* des propos, des paroles. « *(...) l'un d'eux lui soufflait à l'oreille des tut-tut galants* » (Corinna Bille, *le Sabot de Vénus,* p. 183).

TUTÉLAIRE [tytelɛʀ] adj. — 1550, Rabelais ; du lat. impérial *tutelaris,* de *tutela.* → Tutelle.

♦ **1.** Littér. (D'abord en parlant d'une divinité). Protecteur, protectrice. *Dieu* (cit. 21.1), *déesse tutélaire* (→ Mélancolie, cit. 6). *Génies, patrons tutélaires* (→ Religion, cit. 21). *Ange tutélaire* (vieilli) : ange gardien. *L'ibis* (cit. 1), *oiseau sacré et tutélaire.* — *Loi fondamentale et tutélaire* (→ Ébranler, cit. 30 ; 1. politique, cit. 28). *Présence, bonté, amitié tutélaire* (→ Agoraphobie, cit. ; imperturbable, cit. 8).

Ces gens-là sont superstitieux, ils croient que je suis le génie tutélaire de ce vaisseau, de leurs entreprises, de leurs succès.   BALZAC, la Femme de trente ans, Pl., t. II, p. 824.

♦ **2.** (1613). Dr. Qui concerne la tutelle*. *Gestion tutélaire.* — Dr. internat. *Puissance tutélaire,* chargée d'un territoire sous tutelle.

TUTELLE [tytɛl] n. f. — 1332 ; lat. *tutela* « protection, garde », de *tueri* « regarder, surveiller ».

♦ **1.** Dr., cour. Institution (cit. 7) conférant à un tuteur, assisté d'un conseil* de famille (cit. 29) et d'un *subrogé* (cit.) *tuteur,* le pouvoir de prendre soin de la personne (⇒ **Garde**) et des biens (⇒ **Administration**) d'un mineur* ou d'un interdit* (→ Assimiler, cit. 2) ; autorité d'un tuteur. *Tutelle des enfants légitimes. Tutelle légale des père et mère,* en cas de décès de l'un d'eux. *Tutelle testamentaire,* dans le cas où le survivant des père et mère a désigné un tuteur par testament. *Tutelle des ascendants,* en cas d'impossibilité de la tutelle des père et mère et d'absence de tutelle testamentaire. *Tutelle dative,* conférée par le conseil de famille à défaut des précédentes. *Conseil* de tutelle. Excuses, incapacités, exclusions de la tutelle* (→ Infidélité, cit. 4). *Compte de tutelle,* que le tuteur doit fournir à la majorité ou à l'émancipation du pupille* (1. Pupille, cit. 2 ; et → Curateur, cit. 1 ; reddition, cit. 2). *Tutelle des enfants naturels,* où les fonctions du conseil de famille sont dévolues au *conseil des tutelles* (établi dans chaque canton). *Tutelle des interdits,* qui cesse quand l'interdiction est levée. *Gérer* (cit. 1) *une tutelle.* — *En tutelle, hors de tutelle.*

1   Après la dissolution du mariage arrivée par la mort naturelle ou civile de l'un des époux, la tutelle des enfants mineurs et non émancipés appartient de plein droit au survivant des père et mère.   Code civil, art 380.

2   — Ceci, dit Pierquin, est le compte de tutelle que rend monsieur Claës à ses enfants (...) Il y était établi d'abord que la fortune de sa femme montait, au moment du décès, à seize cent mille francs environ et la conclusion de cette reddition de compte fournissait clairement à chacun de ses enfants une part entière, comme aurait pu la gérer un bon et soigneux père de famille.   BALZAC, la Recherche de l'Absolu, Pl., t. IX, p. 638.

Tutelle administrative : ensemble des moyens de contrôle dont dispose le gouvernement (ou ses représentants) sur les collectivités publiques et les établissements privés d'intérêt public (→ Ministre, cit. 7). *Ministère de tutelle. Pouvoir de tutelle* (opposé à *pouvoir hiérarchique*). — « *Tutelle aux prestations sociales* » (loi du 3 oct. 1967).

(1946). Dr. internat. *Régime de tutelle,* prévu par la Charte des Nations Unies (en remplacement du mandat*), pour des territoires dits *sous tutelle,* dont l'administration est confiée à un autre pays en vertu d'*accords de tutelle,* sous le contrôle général du *Conseil de tutelle* des Nations Unies.

(1970). *Tutelle pénale :* mesure remplaçant la relégation et tendant au reclassement des délinquants récidivistes.

♦ **2.** État de dépendance (cit. 10) d'une personne soumise à une surveillance gênante (→ Assujettir, cit. 14 ; illégal, cit.). *Échapper à une tutelle* (→ Développer, cit. 20), *se libérer* (cit. 4) *d'une tutelle.* ⇒ **Contrainte, gêne.** *Une tutelle pesante, pénible.*

2.1 Vous le savez, madame, la tutelle impose des devoirs (...) la loi romaine (...) *lex romana* (...) si prévoyante dans ses dispositions, a pris soin de les définir (...) Tutelle vient du mot latin *tueri,* qui veut dire défendre (...)
E. LABICHE, les Vivacités du capitaine Tic, III, 3.

3 Celui-ci *(Napoléon)* incite ses jurisconsultes (...) à rappeler notamment à la femme qu'elle est « l'éternelle mineure » et qu'en « sortant de la tutelle de sa famille, elle passe sous celle du mari ». Francis JOURDAIN, Sans remords ni rancune, p. 255.

Être sous la tutelle d'une grande puissance. ⇒ **Satellite** (→ Prépondérant, cit. 2). — EN TUTELLE. *Tenir qqn en tutelle.* ⇒ **Lisière.** *Retomber* (cit. 3) *en tutelle.*

4 (...) nul intérêt personnel ne la guidait en ceci, mais bien uniquement le désir de me protéger contre moi-même, de me maintenir en tutelle (...)
GIDE, Si le grain ne meurt, II, II.

♦ **3.** Protection* vigilante. *L'Église prenait en main la tutelle et la garantie des vaincus* (→ Reconnaître, cit. 19). *Être sous la tutelle des lois.* ⇒ **Sauvegarde.**

5 Je suis donc d'avis, non seulement d'imputer sur nos dépenses annuelles des honoraires fixes, et assez élevés, pour les conseils techniques et l'espèce de tutelle scientifique qu'il nous accordera (...)
J. ROMAINS, les Hommes de bonne volonté, t. V, XXII, p. 189.

CONTR. Autonomie, indépendance.
COMP. Cotutelle.

TUTEUR, TUTRICE [tytœʀ, tytʀis] n. — XIIIᵉ ; lat. *tutor, tutrix,* de *tueri.* → Tutelle.

★ **I. ♦ 1.** Dr., cour. Personne chargée de veiller sur un mineur ou un interdit, de gérer ses biens et de le représenter dans les actes juridiques (→ Accepter, cit. 2 ; adjudicataire, cit. 2 ; avis, cit. 23 ; comptable, cit. 2). *Tuteur légal : père, mère* (*tutrice ;* → Curateur, cit. 4) *ou ascendant. Tuteur testamentaire* (désigné par un testament). *Tuteur datif*. Tuteur de fait,* assurant une tutelle sans avoir juridiquement la qualité de tuteur. *Subrogé* (Subroger, cit.) *tuteur, subrogée tutrice* (→ Renommée, cit. 4). *Tuteur ad hoc,* chargé de représenter le mineur dont les intérêts se trouvent en conflit avec ceux du tuteur ou du subrogé tuteur. *Des mineures* (1. Mineur, cit. 7) *et leur tuteur* (→ Maladroit, cit. 4). *Autorisation du tuteur. Le tuteur et sa pupille*.*

1 Cosette devint devant la loi mademoiselle Euphrasie Fauchelevent. Elle fut déclarée orpheline de père et de mère. Jean Valjean s'arrangea de façon à être désigné, sous le nom de Fauchelevent, comme tuteur de Cosette, avec M. Gillenormand comme subrogé tuteur. HUGO, les Misérables, V, V, VI.

Par métaphore ou fig. (→ 1. Mineur, cit. 10). *Il n'a pas besoin de tuteur :* c'est un homme capable, il est majeur*, il sait ce qu'il fait. *La République se fait en France tutrice et institutrice* (→ Semaille, cit. 3).

2 En France, il *(Du Camp)* veut continuer ce rôle de tuteur, régenter Flaubert, l'obliger à produire, à publier. A. THIBAUDET, Gustave Flaubert, p. 65.

♦ **2.** (Dans l'éducation ; probablt empr. à l'angl. *tutor*). Enseignant pratiquant des méthodes d'éducation stimulant l'initiative de l'élève ; enseignant choisi par un élève parmi ses professeurs et acceptant ce choix, pour le conseiller et le suivre dans ses études.

★ **II.** N. m. (1701). Tige, armature de bois ou de métal fixée dans le sol pour soutenir (⇒ **Appui**) ou redresser des plantes. ⇒ **Échalas, perche,** 2. **rame** (→ Lierre, cit. 2 ; quenouille, cit. 5).

3 Comme une plante trop faible, dont un jardinier relève la taille en l'appuyant contre un tuteur, elle était portée et redressée par le soin de celui qui était auprès d'elle (...) J.-A. DE GOBINEAU, les Pléiades, p. 300.

4 Monsieur jardinait (...) Le vent ayant pendant la nuit couché par terre quelques dahlias, il les rattachait à leurs tuteurs (...)
O. MIRBEAU, le Journal d'une femme de chambre, 1900, p. 86.

DÉR. (Du I.) V. **Tutorat, tutoriel.** — (Du II.) **Tuteurer.**
COMP. (Du I.) **Cotuteur, protuteur.**

TUTEURAGE [tytœʀaʒ] n. m. — 1905, in *Rev. gén. des sc.,* nᵒ 17, p. 788 ; de *tuteurer.*

♦ Hortic. Action de tuteurer.

TUTEURER [tytœʀe] v. tr. — 1909 ; de *tuteur* (II.).

♦ Hortic. Munir d'un tuteur (une plante).
DÉR. **Tuteurage.**

TUTHIE ou TUTIE [tyti] n. f. — V. 1560, *tuthie ; tutie,* 1256 ; *totie,* XIIIᵉ ; arabe *tūtīyāz,* du persan.

♦ Chim., alchim. (Vx). Oxyde de zinc qui résulte de la calcination de certains minerais.

TUTIORISME [tytjɔʀism] n. m. — Fin XIXᵉ ; du rad. du lat. *tutior* « plus sûr », compar. de *tutus* « sûr ».

♦ Didact. Doctrine morale selon laquelle il faut suivre l'opinion la plus sûre, en fait celle qui impose les obligations les plus lourdes. *Personne qui a pour doctrine le tutiorisme* (*tutioriste* [tytjɔʀist] n. et adj. ; 1904).

TUTOIEMENT [tytwamɑ̃] n. m. — 1690 ; *tuteiement,* 1636 ; de *tutoyer.*

♦ Action, habitude de tutoyer* (→ Délire, cit. 6 ; resserrer, cit. 7 ; sensible, cit. 12).

De cette séance instructive, Gérard ne retint qu'une chose : Élisabeth l'avait tutoyé. Le lendemain, il essaya de la tutoyer à son tour. Il craignait une gifle, mais elle adopta le tutoiement réciproque et Gérard en ressentit une caresse profonde.
COCTEAU, les Enfants terribles, p. 105.

TUTORAT [tytɔʀa] n. m. — V. 1980 ; du rad. de *tuteur.*

♦ Admin. Qualité, fonction de tuteur (dans l'éducation).

TUTORIEL, ELLE [tytɔʀjɛl] adj. — V. 1980 ; angl. *tutorial* (1742, « d'un tuteur » ; « de l'éducation », 1822) ; de *tutor,* même orig. que *tuteur.*

♦ Anglic. Didact. Relatif à l'enseignement assisté ; au tutorat.
COMP. **Audiotutoriel.**

TUTOYER [tytwaje] v. tr. — Conjug. *noyer.* — 1394 ; var. *tutayer,* jusqu'au XVIIᵉ ; de *tu, toi,* et suff. verbal.

♦ **1.** S'adresser à (qqn) en employant la deuxième personne du singulier. ⇒ **Te, toi, ton, tu.** *En règle générale, on tutoie de nos jours les personnes auxquelles on est uni par des liens de parenté, d'amitié ou de camaraderie* (→ Familier, cit. 11 ; jadis, cit. 4 ; lier, cit. 19).

REM. 1. L'emploi du tutoiement est variable selon les variantes régionales du français et selon les milieux ; cette pratique est beaucoup plus courante, surtout dans les milieux jeunes et professionnels, dans les années 1980 qu'elle ne l'était vers 1950. A l'intérieur de la famille, le tutoiement est la norme ; cependant, dans quelques familles, on ne se tutoie pas entre époux, ou de parents à enfants et surtout d'enfants à parents (→ Respect, cit. 4). Les adultes ont tendance à tutoyer les enfants (→ Gamin, cit. 7).
2. Le tutoiement semble plus normal et plus étendu en français du Canada qu'en français d'Europe (France, Belgique, Suisse). Sa nature est différente en français d'Afrique, où il s'agit d'une langue seconde (ou tierce).
3. Dans le style élevé, on tutoyait Dieu ou les grands (→ Excuser, cit. 15) ; dans les prières, les protestants utilisent encore aujourd'hui le tutoiement (→ Tutoyeur, cit. Gide) ; la tragédie classique offre des exemples de tutoiement, dans les moments dramatiques, entre personnages qui se vouvoient normalement (cf. Corneille, *Polyeucte,* IV, 3 ; et Racine, *Andromaque,* IV, 5). — Si le tutoiement injurieux est courant, le tutoiement comme signe de supériorité sociale (→ Inférieur, cit. 10) tend à reculer.

1 En latin, le tutoiement est de règle. *En ancien français,* on emploie *tu* et *vous* en s'adressant *à la même personne.* Chez Villehardouin, dans un discours officiel, on tutoie d'abord le doge, puis on passe au « vous ». M. Frappier, qui a étudié le problème avec beaucoup de pénétration, considère que le *tu* s'emploie *dans des circonstances solennelles,* ou *sous le coup d'une émotion violente.*
BRUNOT et BRUNEAU, Grammaire historique de la langue franç., § 425.

2 En s'écrivant, on gardait les mêmes formes que dans la conversation. Le tutoiement de Patru et de Perrot d'Ablancourt, de La Fontaine et de Maucroix (...) est chose exceptionnelle. Même en famille, on s'en gardait. Colbert tutoyait son fils, non son frère. Et bientôt Grimarest y verra une manière grossière de s'entretenir, bannie du bel usage. BRUNOT, Hist. de la langue franç., t. IV, I, p. 376.

3 La vérité est qu'aucun système d'éducation n'est en soi préférable à un autre système : les enfants aiment-ils mieux leurs parents aujourd'hui qu'ils ne les tutoient et ne les craignent plus ?
CHATEAUBRIAND, Mémoires d'outre-tombe, t. I, p. 59.

4 — *(Bas, à son mari)* Surtout ne me tutoie pas devant cette dame. — Pourquoi ? — C'est commun... c'est bourgeois ! E. LABICHE, la Poudre aux yeux, I, 4.

5 Je n'osais pas la tutoyer ; lorsque je ne pouvais plus me taire, je cherchais longuement mes mots, construisant mes phrases de façon à ne pas lui parler directement, car si je ne pouvais pas la tutoyer, je sentais combien il était encore plus impossible de lui dire vous. R. RADIGUET, le Diable au corps, p. 61.

♦ **2.** Par métaphore. Être familier avec. *« Tutoyer les chefs-d'œuvre »* (Duhamel, *Chronique des Pasquier,* IX, III).

♦ **3.** Fam., vx. Manier rudement, maltraiter.

6   Une fille, un peu tutoyée des deux mains par un garde national, se dérobe avec les fuites de corps et les révérences d'une soubrette se défendant contre le désir d'un grand seigneur.
Ed. et J. DE GONCOURT, Journal, 23 avril 1871, t. IV, p. 217.

▶ **SE TUTOYER** v. pron. (récipr.). *Ils se tutoient. Ils ne se tutoient pas en public.*

Par euphémisme. Vieilli. Avoir un échange de propos sans aménité, une querelle. *Ils se sont un peu tutoyés.*

DÉR. Tutoiement, tutoyeur.

TUTOYEUR, EUSE [tytwajœʀ, φz] n. — 1752 ; de *tutoyer.*

♦ Rare. Personne qui a l'habitude de tutoyer.

Oui, j'ai pu voir encore les derniers représentants de cette génération de tutoyeurs de Dieu assister au culte avec leur grand chapeau de feutre sur la tête (...)
GIDE, Si le grain ne meurt, I, II.

TUTRICE [tytʀis] n. f. ⇒ **Tuteur.**

TUTTI [tutti] n. m. invar. — 1765, *Encyclopédie* ; mot ital., « tous ».

Musique.

♦ **1.** Signe (noté T) sur une partition, indiquant que tous les instruments doivent jouer.

♦ **2.** Morceau exécuté par l'orchestre tout entier. *Des tutti.*

1   (...) l'accord (...) se répand dans l'orchestre, il y anime un à un tous les instruments (...) il va réveillant chaque source d'harmonie jusqu'à ce que toutes ruissellent dans le *tutti.* BALZAC, Massimilla Doni, Pl., t. IX, p. 360.

Par métaphore :

2   Prêtez donc l'oreille à ce tutti des clochers (...) ce tumulte de cloches et de sonneries (...) HUGO, Notre-Dame de Paris, III, II.

TUTTI FRUTTI [tùtifʀuti] loc. adj. et n. m. invar. — 1899, n. m. ; mots ital., « tous les fruits ».

♦ Composé ou parfumé avec des fruits variés (mets, glaces, etc.). — N. m. (invar.). Glace aux fruits variés.

(...) à Venise, où ils se grisèrent d'amour, de gondoles, de sensuelles chansons napolitaines et des tutti frutti du café Florian.
A. ALLAIS, l'Affaire Blaireau, p. 108.

TUTTI QUANTI [tutikwanti ; tutikwãti] loc. nominale. — 1605, *in* D.D.L. ; mots ital., « tous tant qu'ils sont ».

♦ (Souvent péj. ; à la fin d'une énumération de noms de personnes). Et tous les gens de cette espèce. — Fam. S'emploie parfois comme *et cætera* (etc.). → Proportionnel, cit. 2.

1   J'ai beau faire, je n'aurai jamais d'amour pour Croisenois, Caylus, et *tutti quanti.* STENDHAL, le Rouge et le Noir, II, XI.

2   Étaient de ce festin : Henri de Régnier, Desvallières, Besnard, Suarès, Saglio, Marcel, Ernest Charles, et *tutti quanti.* GIDE, Journal, 15 avr. 1910.

3   (...) punissable pour un retard de quelques instants ou un mot d'impatience à un chef d'équipe, et mille autres choses qui sont suspendues au-dessus de votre tête et à quoi vous ne songez même pas, mais que n'oublient certes pas gardiens, contremaîtres, agent de secteur et tutti quanti. Robert LINHART, l'Établi, p. 67.

1. TUTU [tyty] n. m. — V. 1860 ; altér. enfantine de *cucu,* redoublement de *cul.*

♦ Fam. Fesses. *Panpan tutu* (ou *tutu panpan*).

La maman. « — Prenez garde. Je vais vous donner sur votre tutu ».
A. DE MUSSET enfant, cité in Ch. MONSELET, Curiosités littéraires et bibliographiques, 1890, p. 48, in D.D.L., II, 7.

DÉR. 2. Tutu.
HOM. 2. Tutu, 3. tutu.

2. TUTU [tyty] n. m. — 1881 ; de 1. *tutu* ; a désigné d'abord un « caleçon collant » de danseuse mais a perdu sa valeur évocatrice et familière.

♦ Jupe de gaze courte et évasée, portée par les danseuses de ballet. *Des tutus.*

Maïa Plissetskaïa, dans une ambiance imprégnée de révolution russe (beaucoup de sans-cravate au Bolchoï, en cette soirée qu'un chef d'État étranger honorait pourtant de sa présence), renvoie par-delà 1917 au romantisme des sylphides, péris et

autres créatures qui ne peuvent se manifester qu'en revêtant la parure désuète du tutu, et ainsi elle abolit deux fois le temps.
Michel LEIRIS, Frêle bruit, p. 353.

HOM. 1. Tutu, 3. tutu.

3. TUTU [tyty] adj. — 1952, B. Beck, *in* D.D.L. ; première syllabe redoublée de *tuberculeux.*

♦ Fam., vx. Tuberculeux.

HOM. 1. Tutu, 2. tutu.

TUTUT [tytyt] onomat. ⇒ **Tut.**

TUYAU [tɥijo] n. m. — 1530 ; « ornement », 1337 ; *tuel,* XIIᵉ ; *tuiel,* v. 1100 ; du francique **thuta,* gothique *thut-haurn* « cor à sonner », d'un verbe onomat. *thut* « sonner », selon Bloch-Wartburg ; du lat. *tutella* « protection ; enclos », de *tutari* « protéger », selon Guiraud (le tuyau est une canalisation fermée, protégée), d'où aussi provençal et esp. *tudel.*

A. ♦ 1. Canal fermé, conduit à section circulaire ou arrondie (en matière rigide, flexible ou souple), destiné à faire passer un liquide, un gaz. ⇒ **Buse, boyau, conduite, tube.** *Tuyau de plomb, de fer, de fonte, de cuivre, de caoutchouc, de ciment, de terre cuite, de poterie* (⇒ **Aludel, boisseau**), *de toile* (⇒ **Manche**). *Tuyau rigide, droit, coudé. Tuyau souple. Section* (cit. 2), *ouverture, parois, robinet d'un tuyau ; coude, bifurcation de tuyau.* ⇒ **Culotte, genouillère.** *Support de tuyau.* ⇒ **Collier.** *Poser un tuyau dans un canal, un caniveau. Aboucher, ajointer, embrancher des tuyaux.* ⇒ **Branchement, embranchement.** *Joint de tuyaux.* ⇒ **Manchon, raccord.** *Tuyau qui se bouche, s'engorge. Tamis à l'entrée d'un tuyau.* ⇒ **Crépine, pommelle.** *Tuyau crevé* (→ Haleine, cit. 32), *entartré...* — *Tuyaux des installations hydrauliques.* ⇒ **Canalisation, tuyauterie.** *Tuyau de prise d'eau* (→ Fontaine, cit. 7), *d'écoulement des eaux polluées* (ménagères, etc.). *Tuyau d'amenée. Tuyau collecteur* des égouts, d'un navire.* ⇒ **Drain.** *Tuyau de descente d'eau des toits.* ⇒ **Descente, dévoiement ;** et aussi gargouille. *Tuyau pour régulariser un débit.* ⇒ **Ajutage.** — *Tuyau de drainage, d'irrigation.* — *Tuyau d'arrosage.* — *Tuyaux d'une chaudière tubulaire, d'un calorifère.* ⇒ **Tube.** *Tuyau pour le transport à longue distance.* ⇒ **Gazoduc, oléoduc, pipeline** (anglic.). *Tuyau de distributeur d'essence* (→ Garage, cit. 6). *Tuyau de pompe*.* — *Tuyau à injection, pour l'alimentation artificielle.* ⇒ **Sonde ; tube.** — *Tuyau en spirale* (⇒ **Serpentin**), *en* S (⇒ **Siphon**). — *Les tuyaux d'une machine* (⇒ Cracher, cit. 10). *Tuyau d'admission, d'échappement, de refoulement, d'éjection.* ⇒ **Tuyère.** *Tuyau d'aspiration, d'aération. Tuyau d'échappement d'une automobile*, muni d'un silencieux.* ⇒ **Pot.** — *Tuyau de tirage d'un poêle.* ⇒ **Diable.**

1   Parmi les malades se trouvait un jeune homme, ancien soldat d'Afrique, qui depuis six semaines se refusait à prendre de la nourriture. Au moyen d'un long tuyau de caoutchouc introduit dans son estomac, on lui faisait avaler des substances liquides et nutritives. NERVAL, Aurélia, II, VI.

1.1 Les chaudières du *Caucase* étaient en pression suffisante. Sa cheminée ne laissait plus échapper qu'une fumée légère, tandis que l'extrémité du tuyau d'échappement et le couvercle des soupapes se couronnaient de vapeur blanche.
J. VERNE, Michel Strogoff, I, VII, p. 91.

2   (...) un soleil de printemps baignait l'étendue. Déjà les arroseurs traînaient leurs tuyaux à roulettes et poussaient des jets d'eau contre les jambes des chevaux qui hésitaient. FRANCE, Jocaste, VI, Œ., t. II, p. 66.

Tuyau et fourneau d'une pipe*. — *Tuyaux d'orgue** (cit. 2). *Tuyau qui amène l'air aux tuyaux d'orgue.* ⇒ **Porte-vent.**

Tuyaux sonores : tuyaux dans lesquels une colonne d'air résonne à certaines fréquences.

Tuyau acoustique, qui est utilisé pour porter le son à distance.

(1304, *tuiel*). TUYAU DE CHEMINÉE : partie extérieure du conduit de cheminée, qui évacue la fumée. ⇒ **Souche.** *Capuchon* d'un tuyau de cheminée. Le tuyau de cheminée d'une locomotive, d'un bateau.*

TUYAU DE POÊLE : ensemble de tuyaux de tôle ajointés qui relient un poêle à la cheminée (→ Cracher, cit. 11 ; grille, cit. 17). *Coudes d'un tuyau de poêle.* — (1926, in Wartburg). Fig., vulg. *Famille tuyau de poêle,* dans laquelle les personnes ont des relations sexuelles les unes avec les autres.

3   L'idée de saletés le gênait, souillait son idée de la famille. Il songea douloureusement : « C'est la famille tuyau de poêle ! »
Jean GENET, Querelle de Brest, Œ. compl., t. III, p. 293.

Fam. *Chapeau en tuyau de poêle* ; n. m., (1833) *un tuyau de poêle* : chapeau haut de forme. ⇒ **Tube** (→ Chapeau, cit. 3 ; qui, cit. 41).

4   Il est en habit noir et en chapeau tuyau de poêle qu'il ne quitte jamais et qu'il a perpétuellement sur la tête, quand il peint, quand il mange.
Ed. et J. DE GONCOURT, Journal, sept. 1853, t. I, p. 45.

♦ **2.** (XIIIᵉ). Conduit ; cylindre creux. *Tuyau de plume* (cit. 1) : axe creux à la base de la plume. *Tuyau de tige,* et, absolt, *tuyau* : tige creuse des céréales. *Tuyau de blé.*

(1798). Fam. LE TUYAU DE L'OREILLE : le conduit auditif. *Dire, raconter qqch. dans le tuyau de l'oreille* (cit. 13), confier* tout bas, de bouche à oreille.

♦ 3. (Av. 1493). Pli ornemental en forme de tube que l'on fait au linge au moyen d'un fer spécial. ⇒ **Godron.** *Jabot* (cit. 3) *à tuyaux.* ⇒ **Tuyauté, tuyauter.** *Les tuyaux des garnitures* (d'un bonnet).

(...) ce peuple en veste brodée, en jupon plissé à gros tuyaux (fustanelle), coiffé de bonnets rouges (...) NERVAL, *Voyage en Orient,* Introd., XIX.

♦ 4. Argot. Gosier.

L'effet des piquouses *(piqûres)* du toubib commençait à se dissiper et je dégustais un coup de barre maison. Durant cinq minutes, j'ai déconné à pleins tuyaux.
Albert SIMONIN, *Touchez pas au grisbi,* p. 73.

B. (1872; de *tuyau de l'oreille*). Fam. Indication confidentielle pour le succès d'un pari, d'une opération financière, d'une affaire. ⇒ **Information, renseignement.** *Donner à qqn un tuyau sur qqch.* (→ Immobiliser, cit. 6). ⇒ **Tuyauter.** *Avoir, obtenir un bon tuyau aux courses, à la Bourse. Vendeur de tuyaux à la pelouse. Un tuyau crevé* (par attract. de *tuyau,* A., 1.) : un mauvais tuyau.

(...) il me fut impossible — tant est farouche la discrétion des constructeurs — d'arracher le moindre renseignement quelque peu intéressant. Pour un secret bien gardé, voilà un secret bien gardé! J'obtiens cependant un semblant de tuyau sur un point. A. ALLAIS, *Contes,* « Invasion et conquête de l'Angleterre ».

Il y a des tuyaux qui sont bons; il y a des tuyaux qui sont crevés. Moi, je vais t'apprendre comment on fait du lard avec du cochon. B. CENDRARS, l'Or, II, 6.

— Avec ta clientèle qui défile ici, vous devez avoir beaucoup de tuyaux? — Il en tombe tant qu'on en veut. Mais je ne les ramasse pas. En matière de Bourse, il faut se faire son opinion à soi et se boucher les oreilles.
J. ROMAINS, *Donogoo,* I, II.

(...) avec une sorte de fureur, de douloureuse indignation, celle du joueur qui a payé très cher un tuyau crevé ou du type qui faisant confiance à une des mirifiques annonces qui paraissent dans les journaux reçoit en échange de son mandat le nauséeux et inutilisable galimatias de bons conseils et de bonnes recettes (...) Claude SIMON, le Palace, p. 25.

DÉR. Tuyauter, tuyauterie, tuyère.

TUYAUTAGE [tɥijotaʒ] n. m. — 1872; de *tuyauter.*

A. ♦ 1. Ensemble de tuyauteries.

Cependant, le tuyautage destiné à conduire le gaz oxy-hydrique dans les principaux édifices de la ville s'opérait rapidement. Les conduites et les branchements se glissaient peu à peu sous le pavé de Quiquendone.
J. VERNE, le Docteur Ox, p. 45.

♦ 2. (1872, *in* Littré). Action de tuyauter (1.); son résultat. *Le tuyautage du linge. Un savant tuyautage* (→ Himation, cit.). ⇒ **Tuyauté.**

(...) leur jupe tombant droit devant comme la soutane d'un prêtre, et derrière, en faisant le gros tuyautage d'un jupon de paysanne (...)
Ed. et J. DE GONCOURT, *Journal,* 4 oct. 1885, t. VII, p. 59.

(Elle) était aussi belle dès cinq heures du matin dans sa cuisine, sous son bonnet dont le tuyautage éclatant et fixe avait l'air d'être en biscuit, que pour aller à la grand'messe (...) PROUST, À la recherche du temps perdu, t. I, p. 79.

B. (1904). Fam. Fait de donner des renseignements.

TUYAUTÉ, ÉE [tɥijote] adj. et n. — Mil. XIXe; p. p. de *tuyauter.*

♦ 1. Adj. *Bonnet tuyauté* (→ Encapuchonner, cit. 1). *Rideaux tuyautés* (→ Flotter, cit. 7). *Dentelle tuyautée.*

(...) des bonnets de tulle tuyautés à deux ou trois francs pièce (...)
ZOLA, *Thérèse Raquin,* I (1867).

Par métaphore :

(...) l'ombre à ce moment-là un instant hachurée, ou plutôt tuyautée.
Claude SIMON, le Palace, p. 118.

♦ 2. N. m. (1872). Ensemble de plis (tuyaux) juxtaposés faits avec le fer à tuyauter. *Manière dont une étoffe est tuyautée* (→ Faufiler, cit. 10; perler, cit. 4). *Le tuyauté d'un jabot, d'une guimpe.* ⇒ **Tuyautage.**

(...) une belle Polonaise en soie à traîne, dont le cou est pris dans les tuyautés d'un col, à la mode de Catherine de Médicis.
J.-R. BLOCH, *Moscou-Paris,* p. 123-124.

TUYAUTER [tɥijote] v. — 1822; de *tuyau.*

★ I. A. V. tr. Orner (du linge) de tuyaux (A., 3.) en le repassant* avec un fer cylindrique dit *fer à tuyauter.* ⇒ **Cylindrer.** *Tuyauter un jabot, un bonnet. — Fer à tuyauter.*

B. (1888, cit.). Fam. (Compl. n. de personne). Donner un tuyau (B.), des tuyaux à (qqn). ⇒ **Renseigner.** *Je vais vous tuyauter là-dessus. Se faire tuyauter sur un champ de courses.*

(Les bookmakers) vont même jusqu'à lui faire perdre des courses successives pour faire un coup de filet avantageux quand ils ont pu amorcer les parieurs pour une grosse somme. La bonne foi n'étant pas l'âme du pari de courses, il n'y a là rien qui étonne personne; il s'agit seulement d'être mieux tuyauté que son voisin (...)
É. DAIREAUX, *Voyage à La Plata,* in le Tour du monde, 1888, t. I, p. 118.

★ II. V. intr. (1872). Didact. Se former en tuyau, pousser sa tige (en parlant des céréales). *Le blé commence à tuyauter.*

DÉR. Tuyautage, tuyauté, tuyauteur.

TUYAUTERIE [tɥijotRi] n. f. — 1845; de *tuyau.*

♦ 1. Vx. Fabrique de tuyaux métalliques.

♦ 2. Mod. Ensemble des tuyaux d'une machine, des conduites d'eau, de gaz d'un lieu. ⇒ **Canalisation, tuyautage** (→ Coursive, cit.).

♦ 3. Ensemble des tuyaux d'un orgue* (→ Sommier, cit. 1).

♦ 4. Fig., pop. *S'envoyer un coup (de vin, d'eau-de-vie) dans la tuyauterie,* dans le gosier.

(...) pour se faire gicler un coup de gniole dans la tuyauterie, ils ne craignent personne! Roger VERCEL, *Capitaine Conan,* XIV, p. 227.

TUYAUTEUR, EUSE [tɥijotœR, øz] n. — 1901; de *tuyauter.*

♦ Fam. Personne qui vend des tuyaux (B.), aux courses; qui donne un tuyau à qqn.

TUYÈRE [tyjɛR; tɥijɛR] n. f. — 1450; *toiere* « ouverture où aboutit un tuyau de soufflerie », 1389; de *tuyau.*

♦ 1. Large tuyau d'admission ou de refoulement des gaz, dans une machine; conduit conique qui amène le vent d'un soufflet dans un four, une forge, un haut fourneau. *Revêtement d'une tuyère. — Buse qui passe dans une tuyère.*

(...) oui, là, entre la calandre et le joint de caoutchouc du pare-brise, la joie d'être blindé, trente-six chevaux vapeur, des tuyères (...)
J.-M. G. LE CLÉZIO, le Déluge, 1966, p. 278.

♦ 2. (XXe). Tuyau d'admission de la vapeur dans une turbine. *Tuyère (d'éjection) :* canal d'éjection des gaz qui, après avoir été brûlés dans la chambre à combustion d'un réacteur, d'une fusée, sont accélérés pour créer par réaction la force d'avancement. *Tuyère orientable. Tuyère à noyau central.*

TV, T. V. [teve] n. f. — 1959; empr. graphique à l'angl. *TV* [tivi], abréviation de *television.*

♦ Anglic. Télévision. ⇒ **Télé.**

Demain peut-être, la vidéo-cassette ou le film miniaturisé à piste multiple surclasseront le théâtre, le concert et même le film et la TV.
Roger GARAUDY, *Parole d'homme,* 1975, p. 174.

T. V. A. [tevea] n. f. — 1954; sigle de *Taxe à la Valeur Ajoutée.*

♦ (En France). Taxe à la valeur ajoutée. ⇒ **Taxe** (3.). — REM. S'écrit *T.V.A.* ou *T. v. a.* ou *t. v. a.* « Or, en raison de l'union douanière, les prix des produits français parvenant à Monaco incluent une *T. v. a.* déjà versée par les producteurs aux services français. C'est cette *T. v. a.* qui donne lieu à un remboursement annuel à l'administration monégasque, sur la base d'un décompte » (l'Express, p. 5, 23 oct. 1972).

TWEED [twid] n. m. — 1844, « pardessus de tissu anglais »; mot angl., proprt « tissu de laine », altér. de l'écossais *tweel* (angl. *twill*) « étoffe croisée », probablt sous l'infl. de *Tweed,* fleuve côtier entre l'Angleterre et l'Écosse.

Anglicisme.

♦ 1. Vx. Robe de chambre ou pardessus importé d'Angleterre.

♦ 2. (1876, *in* Höfler; *twed,* 1859). Mod. Tissu de laine cardée (d'abord fabriqué en Écosse), avec armure en toile ou sergé. *Tailleurs, manteaux, vestes de tweed. De beaux tweeds.*

(...) elles avaient depuis plusieurs jours couru à la recherche à travers les boutiques d'« un petit tailleur sport », en gros tweed à dessins, « un petit dessin comme ça, je le vois si bien, il est à petits carreaux gris et bleus... »
N. SARRAUTE, *Tropismes,* 1938, p. 82.

TWEETER [twitœR] n. m. — 1954, *in* Höfler; mot angl., de *to tweet* « pépier ».

♦ Anglic., techn. Haut-parleur conçu pour reproduire les fréquences aiguës. *Des tweeters.* « *Deux petits baffles supplémentaires faisant office de "tweeters"* » (Son Magazine, févr. 1971, p. 36). — Syn. franç. : *haut-parleur d'aigu; aigu.*

TWILL [twil] n. m. — 1875; mot angl. (1329), var. écossaise de l'angl. *twilly,* d'orig. germanique.

♦ Anglic. Tissu très souple en soie ou en schappe de soie, d'armure sergée, à côtes très fines.

TWIN-SET [twinsɛt] n. m. — 1955, *in* Höfler; mot angl., de *twin* « jumeaux », et *set* « ensemble ».

♦ Anglic. Ensemble de tricot pour femme, formé d'un chandail et d'une veste assortis. *Des twin-sets.* « *Assorti pull-over et gilet. Le vieux twin-set revient. Avec des emmanchures plus basses, un peu plus d'aisance dans la largeur et des motifs jacquard* » (l'Express, 26 mars 1973, p. 173). — REM. On trouve la graphie sans trait d'union *twin set* (in D.D.L., II, 16).

TWIST [twist] n. m. — 1960 ; mot angl., de *to twist* « tordre, tourner ».

♦ Anglic. Danse d'origine américaine, sur un rythme rapide, caractérisée par un mouvement de rotation, sur place, des jambes et du bassin (à la mode v. 1960-1970).

Ils s'étaient rencontrés dans un débat (...) Une autre fois dans un bal. Ils n'avaient cessé de danser ensemble. Toute la nuit : des twists, des rocks, beatles, stones *(Rolling Stones, nom du groupe)* et compagnie (...)
Jean-Paul FARGIER, Atteinte à la fiction de l'État, p. 53 (1978).

DÉR. Twister.

TWISTER [twiste] v. intr. — 1961, *in* Höfler ; de *twist*.

♦ Danser le twist. *Un couple twistait.*

DÉR. Twisteur.

TWISTEUR, EUSE [twistœʀ, φz] n. — 1961, *in* Höfler ; de *twister*.

♦ Personne qui danse le twist. « *Les twisteuses ont été balayées par les jerkeuses* » (*le Nouvel Obs.*, 25 juin 1973, p. 40).

TWO-STEP [tustɛp] n. m. — 1902, *in* D.D.L. ; mot angl., de *two* « deux », et *step* « pas ».

♦ Anglic. Anciennt. Danse à deux temps, à la mode pendant les « années folles ». ⟹ **One-step.**

Rouletabille rentra, lui aussi, dans la salle de danse, pour voir le Slave esquisser les premiers pas d'un *two step* en compagnie d'une jeune femme d'une beauté un peu étrange et très fardée. Le couple avait un succès de curiosité marqué.
G. LEROUX, Rouletabille chez Krupp, p. 72.

TYFOMYCINE [tifomisin] n. f. ⟹ **Tiphomycine.**

TYLENCHUS [tilɛ̃kys] n. m. — 1904 ; du grec *tulos* « bosse, excroissance », et *egkhelus* « anguille ».

♦ Zool. Animal némathelminthe *(Nématodes)*, qui s'attaque à plusieurs plantes cultivées (provoquant la formation de galles sur les tigelles), et notamment au blé (maladie dite *nielle du blé*). ⟹ **Anguillule.**

TYMPAN [tɛ̃pɑ̃] n. m. — xiie, « tambourin » ; lat. *tympanum*, qui, outre le sens du grec *tumpanon* « tambourin », a divers sens techniques et, chez Vitruve, celui de « panneau de porte » et de « tympan (I., 1.) ».

★ **I.** ♦ **1.** (1506). Archit. Espace triangulaire entre la corniche et les deux rampants d'un fronton (cit. 1). — Dans les églises romanes ou gothiques, Espace compris entre le linteau et l'archivolte d'un portail (cit. 3). *Tympan sculpté. Registres horizontaux d'un tympan roman.*
Par anal. Panneau de menuiserie.

♦ **2.** Techn. **[a]** (1611). Imprim. Dans les presses à bras, Châssis tendu d'étoffe sur lequel on place la feuille à imprimer (→ Frisquette, cit.).

[b] Mécan. Roue hydraulique élévatoire.

[c] (1676). Pignon enté sur un arbre et qui engrène sur une roue dentée. *Le tympan d'une horloge.*

★ **II.** (1677). Anat. Membrane fibreuse translucide qui sépare le conduit (cit. 2) auditif externe de l'oreille moyenne. ⟹ **Tambour** (vx). → Osselet, cit. 1. — REM. Certains auteurs appellent cette membrane *membrane du tympan,* et *caisse du tympan* ou *cavité tympanique* ou simplement *tympan* l'oreille moyenne. Le mot *tympan* désigne la membrane dans les premiers textes, comme dans le langage courant. Il serait souhaitable de s'en tenir à ce sens. — *Dans l'audition, le tympan se comporte comme une membrane non tendue qui transmet les vibrations sonores à l'oreille moyenne* (→ Auditif, cit. 1 ; 2. son, cit. 7). *Briser le tympan* (→ Infirmité, cit. 9). — Loc. (1835 ; en parlant d'un bruit assourdissant). *Crever, déchirer* (cit. 14), *rompre le tympan* (→ Glapissant, cit. 1) : être assourdissant.

1   Il faudrait aussi remarquer (...) le petit tambour appelé *tympan,* c'est-à-dire cette pellicule si mince et si bien tendue, qui (...) reçoit le battement de l'air, et le fait passer par ses nerfs jusqu'au dedans du cerveau.
BOSSUET, Connaissance de Dieu..., II, VI.

2   Tu ne me comprends pas ? Écoute. Deux corps se heurtent. L'air vibre. Ces vibrations sont plus ou moins nombreuses, plus ou moins rapides, plus ou moins fortes, selon la nature du choc. Or, nous avons dans l'oreille une petite peau qui reçoit ces vibrations de l'air et les transmet au cerveau sous forme de son. Imagine qu'un verre d'eau se change en vin dans ta bouche. Le tympan accomplit cette incroyable métamorphose, ce surprenant miracle de changer le mouvement en son. Voilà.
MAUPASSANT, Un fou ?, Pl., t. II, p. 310.

DÉR. Tympanal, 1. tympanique, 2. tympanite.
COMP. Tympanectomie, tympanoplastie, tympanosclérose, tympanotomie.

TYMPANAL, ALE, AUX [tɛ̃panal, o] adj. et n. m. — 1872 ; de *tympan* (II.).

♦ Anat. *Os tympanal,* ou, n. m., *le tympanal :* le plus petit des trois os du temporal, en forme de gouttière, constituant les parois antérieure, inférieure et postérieure du conduit auditif externe.

TYMPANECTOMIE [tɛ̃panɛktɔmi] n. f. — Mil. xxe ; de *tympan,* et *-ectomie.*

♦ Chir. Excision de la membrane du tympan.

1. TYMPANIQUE [tɛ̃panik] adj. — 1814, Nysten ; de *tympan* (II.).

♦ Anat. Du tympan, qui a rapport au tympan (II.). *Cavité tympanique. Artère tympanique.*

2. TYMPANIQUE [tɛ̃panik] adj. — 1837 ; du grec *tumpanon* « tambour ».

♦ Méd. *Son tympanique :* sonorité particulière à timbre aigu que manifestent à la percussion certaines régions du corps.

L'estomac dont la cavité (...) contient une grande quantité de gaz, donnera aussi le son clair (stomacal), mais plus éclatant et imitant assez bien celui du tambour, d'où lui est venu le nom de tympanique, ainsi qu'au son intestinal.
A. RACIBORSKI, Précis pratique et raisonné du diagnostic, 1837, *in* D.D.L., II, 8.

DÉR. 1. Tympanisme.

TYMPANISER [tɛ̃panize] v. tr. — 1611 ; *tympanizer* « faire connaître à grand bruit », v. 1520 ; lat. impérial *tympanizare,* grec *tumpanizein* « tambouriner », de *tumpanon*. → Tympan.

♦ **1.** Vx. Critiquer, ridiculiser publiquement (qqn). → 2. Gare, cit. 4 ; rédacteur, cit. 1.

♦ **2.** (1838, *in* D.D.L.). Gonfler l'abdomen, l'estomac de (une personne ; un animal, et, spécialt, un ruminant). ⟹ **Météoriser.**

♦ **3.** (Mil. xixe ; *tympaniser les oreilles de qqn,* Baudelaire, 1867). Casser les oreilles, les tympans à (qqn).

1. TYMPANISME [tɛ̃panism] n. m. — 1868 ; de 2. *tympanique.*
♦ Méd. Son tympanique*.

2. TYMPANISME [tɛ̃panism] n. m. — 1872 ; de 1. *tympan(ite),* avec changement de suffixe.

♦ Méd. État de l'abdomen quand l'intestin est distendu par des gaz. ⟹ **Gonflement, météorisme.**

1. TYMPANITE [tɛ̃panit] n. f. — 1759 ; *tympanites,* v. 1560 ; *timpanides,* 1372 ; bas lat. *tympanites,* grec *tumpanitês,* proprt « maladie où le ventre est tendu comme un tambour ».

♦ Méd. Distension considérable de l'abdomen sous l'action des gaz intestinaux ou des gaz dégagés dans le péritoine.

DÉR. 2. Tympanisme.

2. TYMPANITE [tɛ̃panit] n. f. — xxe ; de *tympan,* et *-ite.*

♦ Méd. Otite* de l'oreille moyenne.

TYMPANON [tɛ̃panɔ̃] n. m. — 1690 ; *timpanon,* 1680 ; grec *tumpanon.*

♦ Mus. Instrument composé de cordes tendues sur une caisse trapézoïdale, dont on joue en frappant sur les cordes avec deux petits maillets. *Le tympanon, venu d'Allemagne en France selon Richelet, est un très ancien instrument d'origine asiatique. Tympanons des orchestres tziganes.*

Elle tournait toujours ; les tympanons sonnaient à éclater, la foule hurlait.
FLAUBERT, Trois contes, « Hérodias », III.

TYMPANOPLASTIE [tɛ̃panoplasti] n. f. — Mil. xxe ; de *tympan,* et *-plastie.*

♦ Chir. Réfection du tympan perforé (otite chronique, accident) au moyen d'un fin lambeau de peau prélevé dans le conduit auditif ou derrière l'oreille.

TYMPANOSCLÉROSE [tɛ̃panoskleʀoz] n. f. — Mil. xxe ; de *tympan,* et *sclérose.*

♦ Méd. Épaississement cicatriciel des tissus qui entourent les osselets de l'oreille moyenne et de la muqueuse qui tapisse la caisse du tympan, en général à la suite d'une otite chronique.

TYMPANOTOMIE [tɛ̃panɔtɔmi] n. f. — Mil. xxe ; de *tympan,* et *-tomie.*

♦ **Méd.** Ponction ou incision de la membrane du tympan destinée à évacuer les sécrétions accumulées dans l'oreille moyenne en cas d'otite.

TYNDALLISATION [tɛ̃dalizɑsjɔ̃] n. f. — 1901 ; du nom de *Tyndall*, savant anglais, 1820-1893.

♦ **Chim., techn.** Procédé de stérilisation* consistant à porter plusieurs jours de suite une substance putrescible à une température de 60 à 80 degrés et à la laisser chaque fois refroidir, de façon à détruire les micro-organismes sans altérer la composition chimique du milieu.

TYPE [tip] n. m. — V. 1380, sens abstrait (II) ; du lat. *typus* « modèle, symbole » ; grec *tupos* « empreinte d'un coup ; marque ; caractère d'écriture », de *tuptein* « appliquer, frapper ».

★ **I.** Techn. Pièce portant une empreinte destinée à reproduire des empreintes semblables ; cette empreinte. ⇒ **Contretype.** ♦ **1.** (XVIᵉ, « *livres qui ont passé sous le tippe de l'impression* »). Vx. Caractère d'imprimerie ; ensemble des caractères. ⇒ **Typographie.** — Mod. Modèle de caractère ; ensemble de caractères de hauteur, largeur et dessin déterminés. *Types royaux,* caractères grecs gravés par Garamond pour François Iᵉʳ. *Corps d'un type ; type de tant de points. Type gothique, romain, elzévir, Didot.*

1 Actuellement, l'imprimerie emploie couramment le type romain, qui se subdivise en type *français, anglais* et *anglo-français ;* le type *elzévir,* plus ou moins large et plus ou moins maigre ; et le type *Didot,* qui comprend les Didot gras, demi-gras, vieux style et néo-Didot. Le besoin de nouveauté, la nécessité pour les fondeurs de créer des types nouveaux (...) et aussi un certain snobisme, qui tend à vouloir remettre à la mode les types anciens, ont fait surgir (...) un certain nombre de types dont quelques-uns ont une forme originale (...) Parmi ces nouveaux types, nous citerons le *Cheltenham* (...) le *Grasset,* l'*Auriol,* le *Cochin,* le *Garamond,* le *Bodoni,* etc.   Henri LEDUC, Composition typographique, p. 24.

♦ **2.** Numism. Figure représentée sur une ou plusieurs séries de médailles (effigie, symbole...). *Monnaie au type de César.*

2 (...) je voudrais simplement mettre pour type la croix même de Saint-Louis, et à la légende : ORDO MILITARIS, etc.   RACINE, Lettres, 110, 30 mai 1693.

★ **II.** ♦ **1.** Didact. **ⓐ** Élément figuré (image) ou fait (narration) que l'on considère comme l'« empreinte », le « reflet » d'un concept (spécial, dans le voc. théologique, d'un concept qui n'est pas encore révélé). *L'Ancien Testament contient les types des mystères, des révélations du Nouveau Testament.* ⇒ **Figure, symbole.** — Par ext. « Le même terme s'emploie au figuré, pour signifier un *modèle moral,* et dans ce sens-là il ne signifie autre chose qu'un *exemple* ou une *similitude* » (1765, *Encyclopédie*).

3 J'appelle miracles typiques ceux qui sont évidemment le type, le symbole de quelque vérité morale.   VOLTAIRE, Questions sur les miracles, I, « Miracles typiques ».

ⓑ Philos. (D'abord métaphore du sens I). Modèle idéal déterminant la forme d'une série d'objets ; concept abstrait et générique considéré comme un tel modèle. ⇒ **Archétype, conception, étalon, 1. original, 3. original, prototype.**

4 (...) une âme humaine, dont le caractère et le type original imprimé par le Créateur, ne sauraient jamais être complètement effacé.   MAINE DE BIRAN, Du physique et du moral de l'homme, II, VI, p. 144.

ⓒ (XVIIIᵉ). Cour. Concept abstrait, considéré comme exprimant l'essence d'un ensemble d'objets réels (ou de personnes) et comme un modèle à imiter ; ensemble d'images qui correspond plus ou moins exactement à un tel concept. *Un type de beauté éternelle* (→ Grec, cit. 2). ⇒ 2. **Canon** (*supra* cit. 3). *Un certain type du beau* (→ Face, cit. 41). ⇒ **Idéal.** *Le type allongé, élancé* (cit. 2), *chez les artistes florentins.* ⇒ **Gabarit.** — *Les types humains dans la littérature. Les amants, le père, l'avare, tous les grands types* (→ Renouveler, cit. 7). *Le type du bourgeois* (cit. 10) *de province. Des caractères* (cit. 67), *c'est-à-dire des types généraux* (→ Matamore, cit. 1). — *Désigner un individu par un type en rhétorique.* ⇒ **Antonomase.** — « *On aime un type, c'est-à-dire la réunion dans une seule personne (de) qualités humaines...* » (→ Séduire, cit. 10). *Incarner, réaliser un type, le type de la vieille fille* (→ Funeste, cit. 21 ; et aussi piètre, cit. 1). *Le type de la sainte nitouche* (cit. 2). — *Avoir tel type,* présenter les caractères de ce type (→ 2. Officier, cit. 5).

5 (...) M. Winkelmann observe que (...) les Grecs se sont élevés au beau idéal dans tous les genres (...) à force de voir de belles personnes dans les gymnases, dans les amphithéâtres, dans les bains (...) ces Grecs semblables à l'abeille, qui du butin des fleurs compose son miel, réunirent les yeux les plus admirables à la bouche la plus parfaite, etc., ils se composèrent par ce moyen un type du beau dans le genre humain.   Encycl. (DIDEROT, Suppl. 1777), art. *Grec.*

6 Aussi voilà un principe étranger à l'antiquité, un type nouveau introduit dans la poésie, et, comme une condition de plus dans l'être modifie l'être tout entier, voilà une forme nouvelle qui se développe dans l'art. Ce type, c'est le grotesque. Cette forme, c'est la comédie.   HUGO, Cromwell, Préface.

7 Ce n'était pas une petite tâche que de peindre les deux ou trois mille figures saillantes d'une époque, car telle est, en définitive, la somme des types que présente chaque génération et que LA COMÉDIE HUMAINE comportera.   BALZAC, Avant-propos, Pl., t. I, p. 13.

8 La province nous oblige de vivre au plus épais d'une humanité dont les traits sont accusés ; elle nous fournit des *types.* Enlevez à l'œuvre de Balzac tout ce qu'la

enrichi la Province, il n'en restera que le pire. Ce n'est pas par ses duchesses qu'il est éternel, mais par les Grandet.   F. MAURIAC, la Province, p. 35.

♦ **2.** Sc. Ensemble des caractères organisés en un tout, constituant un instrument de connaissance par « abstraction rationnelle » (Cournot) et permettant de distinguer des catégories d'objets et de faits (⇒ **Classe, espèce, famille, genre, modèle**), d'individus. *Sans type déterminé.* ⇒ **Atypique.** — Biol. Spécimen permettant de faire la description d'une unité taxonomique (taxon*), d'une espèce.

♦ **3.** Schéma ou modèle de structure*. *Utilisation des types.* ⇒ **Classification, division, typologie.** *Types d'êtres vivants étudiés par la systématique*. Le type opposé à l'individu* (cit. 7). Types chimiques* (J.-B. Dumas), *organiques* (Geoffroy Saint-Hilaire), *logiques, moraux* (Rauh), *psychologiques* (par ex., chez Jung : *type introverti,* etc.). — (1845). Cour. *Types humains* (→ Espèce, cit. 33), considérés du point de vue ethnique (→ Race, cit. 16), sexuel, esthétique, psychique, etc. *Type provençal* (→ Croiser, cit. 9). *Elle a le type nordique, latin,* elle présente les caractères de ce type. *La persistance* (cit. 3) *d'un type physique* (dans un lieu). — *Types moraux et types organiques* (→ Diverger, cit. 3). — *Types psychologiques, de caractères,* etc., étudiés par la typologie, la caractérologie. — *Types de langues indo-européennes* (cit. 1). — *Types de sociétés, de groupes. Le type, « construction artificielle », doit être distingué de la structure « qui désigne (...) une partie de la réalité sociale elle-même »* (Gurvitch, Traité de sociologie, I, II, 4).

9 Esthétiquement, le nombre des types humains est trop restreint pour qu'on n'ait pas bien souvent, dans quelque endroit qu'on aille, la joie de revoir des gens de connaissance, même sans les chercher dans les tableaux de vieux maîtres, comme faisait Swann.   PROUST, A la recherche du temps perdu, t. IV, p. 106.

Du type... (suivi d'un adj. ou d'un nom). *Des savanes du type jungle* (cit. 2), *du type tropical.*

(1901). Fam. *Le type de qqn,* le type physique, esthétique, qui l'attire. *Ce n'est pas son type.* ⇒ **Genre, idéal.**

10 Il poursuivit, avec une irritante douceur, que Mᵐᵉ de Passelieu lui plaisait infiniment, qu'elle était un type, étonnante de jeunesse, commode, avec son vieux mari et son amant invisible, enfin inespérée (...)   A. HERMANT, Souvenirs du vicomte de Courpière, IX.

10.1 Cependant, j'ai aimé ou j'aimerai plusieurs fois dans ma vie. C'est donc que mon désir, tout spécial qu'il soit, s'accroche à un type ? Mon désir est donc classable ? Y a-t-il dans les êtres que j'ai aimés, un trait commun, un seul, si ténu soit-il (un nez, une peau, un air), qui me permette de dire : voilà mon type ! C'est tout à fait mon type », « Ce n'est pas du tout mon type » : mot de dragueur : l'amoureux n'est-il qu'un dragueur plus difficile, qui cherche toute sa vie « son type » ?   R. BARTHES, Fragments d'un discours amoureux, 1977, p. 43.

♦ **4.** (1931). Ensemble des caractères, des propriétés (d'une série d'objets concrets fabriqués), tel qu'il a été défini avant leur fabrication, leur production (notamment dans l'industrie). ⇒ **Modèle, norme, standard.** *Types réglementaires de certains matériaux.* ⇒ **Échantillon.** *Objet conforme au type réglementaire. Types de voitures* (→ Roder, cit. 3). *Une pompe* (2. Pompe, cit. 4) *du type B 4.*

♦ **5.** Personne ou chose qui réunit les principaux éléments d'un type abstrait (→ ci-dessus II., 1., c), et qui peut être donnée en exemple (exemple typique*). ⇒ **Modèle, personnification, représentant** (II.). *Des types observés, des natures spéciales* (→ Idiosyncrasie, cit. 1). — (1845 ; types esthétiques, littéraires). *Les types de Balzac* (→ 2. Ensemble, cit. 15). — Péj. *Des types tout d'une pièce* (→ 1. Mannequin, cit. 9).

10.2 Ce qui dans notre esprit survit de Proust, ce sont des types : Charlus, les Verdurin, Swann, la grand-mère et la mère de Marcel.   F. MAURIAC, le Nouveau Bloc-notes 1958-1960, p. 208.

(Types humains). *Certains prodigieux mimes, dont Frégoli reste le type* (→ Identité, cit. 8). *Types exceptionnels, dans l'histoire.* ⇒ **Figure** (IV.). *C'est le type du parfait imbécile. C'est le type de femme à histoires* (cit. 54). — (1926). En appos. *C'est l'intellectuel type.*

11 (...) en littérature on ne compose un type qu'en employant les singularités de plusieurs caractères similaires.   BALZAC, Modeste Mignon, Pl., t. I, p. 441.

12 Un type, j'ai créé un type (...) Tout armé, il est sorti de mes entrailles (...) Olivier Maldone, c'est son nom, ne m'appartient plus ; il a emprunté mon apparence et s'est séparé (...) J'ai offert mon corps et ma face ; un type, un héros en est sorti (...)   A. ARNOUX, Suite variée, « L'écran ».

13 Il ne lui manquait, pour être une provinciale type, que l'esprit de dénigrement.   COLETTE, Sido, I.

14 (...) c'était le type de l'affaire à tout casser, de l'affaire à grande manchette dans les journaux.   J. ROMAINS, les Hommes de bonne volonté, t. VI, XXX, p. 260.

(Choses). Forme particulière. *Un type raffiné de civilisation.* — En appos. ⇒ **Typique.** *Le caractère type de la manufacture* (cit. 3). *Budget* type* (→ Salaire, cit. 5). *Cas* type. Des objets types.*

♦ **6.** (1844, argot). **ⓐ** Fam., vieilli. Personnage, personne (homme ou femme) remarquable, soit parce qu'il (elle) incarne visiblement un type (humain, littéraire), soit parce qu'il (elle) se rapproche d'un type pittoresque. ⇒ **Bizarre, 2. original** (4.). → Numéro, cit. 6. *Quel type !*

15 Dans le bureau, le père Mongilet passait pour un type. C'était un vieil employé bon enfant qui n'était sorti de Paris qu'une fois en sa vie.   MAUPASSANT, Toine, « Le père Mongilet ».

15.1 — Un type hein.
— Surtout à Rueil. Fallait pas grand'chose pour les épater les gens à Rueil.   R. QUENEAU, Loin de Rueil, 1944, p. 197.

b (1881). Mod. (Fam. ou pop.). Individu (du sexe masculin). ⇒ **Asticot, bonhomme, citoyen, coco** (cit. 2), **être, garçon, gars, gazier, gonze, homme, individu, mec, zèbre, zigoto, zigue** (→ Bougre, cit. 2 ; palotin, cit.). *Un type à moustache* (→ Narine, cit. 6). *Bon, brave, chic* type* (cf. Bon bougre). *Un type épatant* (cit. 3). *Sale type, type infect* (cit. 7). *Pauvre type :* individu sot, ou méprisable. *Un type foutu* (1. Foutre, cit. 14). ⇒ **Typesse.**

16   En tout cas, vous vous êtes conduit, vous, comme un chic type.
                 J. ROMAINS, les Hommes de bonne volonté, t. X, XXX, p. 298.

17   On ne savait presque rien des choses du monde en général, enfin des inconscients (...) Les petits types dans mon genre prenaient encore bien plus facilement qu'aujourd'hui des vessies pour des lanternes.
                 CÉLINE, Voyage au bout de la nuit, p. 75.

18   Il affirma que ce garçon était certainement un sale type comme tous ceux de la coloniale (...)   R. QUENEAU, le Dimanche de la vie, p. 58.

(Sans qualificatif). Spécialt. Homme. ⇒ **Mec.** *Les types et les bonnes femmes* (→ Typesse, cit. Cocteau.)

19   (...) ceux que l'on peut voir, le samedi ou le lundi, faire patiemment la queue (les types avec des casquettes neuves posées bien droites sur leurs têtes terreuses, le col de chemise propre fermé par un énorme bouton de cuivre)...
                 Claude SIMON, le Vent, p. 104.

(1880). Pop. Amant ; « homme ». *Elle se promène avec son type.* — REM. Très courant depuis son apparition, ce sens tend à perdre du terrain au profit de *mec**.

CONTR. Copie.

DÉR. Typé, typer, typesse, typifier, typiser.

COMP. Atypie, atypique, biotype, génotype, phénotype. — V. Typo-, -type.

-TYPE, -TYPIE

♦ **1.** Derniers éléments de mots composés, empruntés ou formés en français, du grec *tupos* « empreinte ; modèle ». ⇒ **Type.** — Ex. : *albertypie, archétype, collotypie, contretype, dactylotype, daguerréotype, électrotype* (et *-typie*), *héliotypie, linotype, monotype, phototype, platinotypie, polytypie, prototype, sténotype, stéréotype.*

♦ **2.** Seconds éléments de lexies où *type* constitue une apposition. La formation de noms composés en *-type* est un phénomène qui s'intensifie dans la seconde moitié du XXᵉ siècle. — Ex. : *besoin-type, phrase-type, portrait-type, statut-type...* (cf. aussi Art-type). « *Le comité interministériel établira le texte de la convention-type qui liera l'Éducation nationale au ministère des Affaires sociales et aux employeurs* » (le Figaro, 11 janv. 1967). « *Le consommateur-type, aux besoins connus et classés une fois pour toutes, ça n'existe pas* » (Elle, 28 janv. 1974).

TYPÉ, ÉE [tipe] adj. — 1844 ; de type (II.).

♦ **1.** Formé, élaboré d'après un type, un modèle. *Personnage typé, fortement typé.*

1   Les personnages vont jusqu'au bout de leurs impulsions, de leurs pensées. Ils atteignent par là à cette vérité générale qui est le but même du théâtre, tout en demeurant extrêmement typés et marqués par leur temps.
             A. ARTAUD, Deux projets de mise en scène, Œ. compl., t. II, p. 125-126.

♦ **2.** Qui présente nettement les caractères d'un type. ⇒ **Caractéristique.**

2   (...) ma brabançonne à poil ras, que les éleveurs estiment *un sujet bien typé* (...)
             COLETTE, la Maison de Claudine, « La merveille ».

HOM. Typer.

TYPER [tipe] v. tr. — 1873 ; de type.

♦ **1.** Techn. Marquer d'un type (I.), d'une marque, d'une empreinte, faire correspondre à un type (II.). « *Poudres typées à un degré connu* » (in Littré, Suppl.). — Intrans. Présenter tel type.

♦ **2.** Donner à (une création) les caractères apparents d'un type. *Ce dramaturge a fortement typé son personnage.*

♦ **3.** Rare. Transformer en type ; prendre pour modèle. — Dans ce sens, on dit aussi *typifier.*

HOM. Typé.

TYPESSE [tipɛs] n. f. — 1879 ; de type (II., 6.).

♦ Pop., péj. (Vieilli). Femme, fille.

— Gérard, mon vieux, disait Paul entre ses lèvres, n'écoute pas cette sale typesse (...) Elle nous embête. Élisabeth bondit sous l'insulte : — Typesse ! Eh bien, mes types, débrouillez-vous. Soigne-toi tout seul.
             COCTEAU, les Enfants terribles, p. 33.

Spécialt. Femme d'allures masculines. ⇒ **Hommasse.**

TYPHA [tifa] n. m. — 1784, cit. ; typhe, 1611 ; lat. mod. et grec *tuphê*, même sens.

♦ Bot. Plante monocotylédone (*Typhacées*) herbacée, aquatique, communément appelée *massette* ; roseau des étangs, de la Passion ; quenouille*, etc.

(Les plantes aquatiques) au lieu d'avoir leurs feuilles creusées en gouttière, les ont unies et lisses (...) ou renflées dans le milieu en lames d'épée, comme celles du roseau appelé *typha*, qui est cette espèce commune dont les Juifs mirent une tige entre les mains de Jésus-Christ.
             BERNARDIN DE SAINT-PIERRE, Études de la nature (1784), XI, p. 227.

DÉR. Typhacées.

TYPHACÉES [tifase] n. f. pl. — 1808 ; de typha, et suff. -acées.

♦ Bot. Famille de plantes phanérogames angiospermes (*Monocotylédones*), comprenant des herbes aquatiques, vivaces, à rhizome rampant, à tiges droites, à feuilles linéaires ou engainantes, à fleurs en épis formant des chatons cylindriques ou sphériques au sommet d'une hampe. ⇒ **Typha.** — Au sing. *Une typhacée.*

TYPHIQUE [tifik] adj. et n. — 1836 ; de typhus.

♦ Du typhus (notamment exanthématique) ou de la fièvre typhoïde (⇒ **Typhoïdique**). *Bacille typhique,* de la typhoïde.

Prenons la fièvre typhoïde. Cette maladie est essentiellement une infection du tractus intestinal déterminée par le bacille typhique. Mais c'est aussi une intoxication comme le prouve déjà l'état de stupeur (ce que signifie le mot *tuphos,* d'où vient *typhoïde*) où se voit plongé le malade. Quel est ici le responsable ? C'est précisément l'endotoxine typhique.
             DELAUNAY, les Endotoxines bactériennes, *in* Revue des sciences, juil. 1959, p. 69.

N. (1855). Malade atteint de la typhoïde ou du typhus exanthématique. *Du sang de typhique* (→ Forcer, cit. 32).

COMP. Antityphique.

TYPHL-, TYPHLO- Premier élément, du grec *tuphlos* « aveugle », appliqué au cæcum « intestin aveugle », ou à la notion d'« aveugle ». ⇒ **Typhlographe, typhlologie.**

TYPHLITE [tiflit] n. f. — 1855 ; de typhl(o)-, et suff. -ite.

♦ Méd. Inflammation du cæcum. *La plupart des typhlites sont en fait des péritonites localisées autour du cæcum et de son appendice* (appendicite). ⇒ **Pérityphlite.**

TYPHLOGRAPHE [tiflɔgraf] n. f. — 1872, in Littré ; de typhl(o)-, et -graphe.

♦ Didact. Dispositif permettant aux aveugles d'écrire d'une façon régulière, grâce à un triangle mobile qui sert de repère.

TYPHLOLOGIE [tiflɔlɔʒi] n. f. — Mil. XXᵉ ; de typhl(o)-, et -logie.

♦ Didact. Études sur la cécité.

TYPHLONECTE [tiflɔnɛkt] n. m. — Mil. XXᵉ ; de typhlo-, et -necte, « qui nage à l'aveugle ».

♦ Didact. (zool.). Amphibien de l'ordre des Apodes, aquatique, vivipare ou ovipare.

TYPHO- Premier élément, du grec *tuphos* « fumée » et, en grec médical, « torpeur ». ⇒ **Typhoïde, typhose...** ; et aussi **typhus.**

TYPHOBACILLOSE [tifobasiloz] n. f. — 1883, Landouzy ; de typho-, et bacillose.

♦ Méd. Forme de primo-infection tuberculeuse (⇒ **Tuberculose**) accompagnée d'une fièvre élevée et continue rappelant celle de la fièvre typhoïde.

TYPHOÏDE [tifɔid] adj. et n. f. — 1813, « qui ressemble au typhus » ; typhodes, 1660 (grec *tuphôdês* « qui s'accompagne de délire ») ; de typho-, et -ide.

♦ **1.** Vx. Qui ressemble au typhus. *Affections typhoïdes. État typhoïde* (abattement, stupeur). *Ictères typhoïdes.*

Dans les quartiers du côté du dépotoir aux ordures, la typhoïde avait mis des graines et presque toutes les maisons avaient un malade dans son cocon de draps et de couvertures, ratatiné et grelottant.
             J. GIONO, Jean le Bleu, IX.

♦ **2.** (1824, *in* D.D.L.). Méd., cour. *Fièvre typhoïde,* ou, n. f., *la typhoïde :* maladie infectieuse, contagieuse et souvent épidémique, due au bacille typhique (*bacille d'Eberth* ou *Salmonella typhi*), caractérisée par une fièvre élevée « en plateau », un état de stupeur (grec *tuphos ;* → Malin, cit. 9 ; sec, cit. 15) et des troubles digestifs graves. ⇒ **Paratyphoïde.** *Attraper la typhoïde. Typhoïde légère ou « fièvre muqueuse ».* — *Typhoïde des chevaux.*

DÉR. Typhoïdique.

COMP. Paratyphoïde. — Typhotuberculose.

TYPHOÏDIQUE [tifɔidik] adj. — 1877; de *typhoïde*.

♦ Méd. De la fièvre typhoïde.

COMP. **Antityphoïdique.**

TYPHON [tifɔ̃] n. m. — XIXᵉ, repris de l'angl. *typhoon;* déjà 1643 en franç. au sens actuel; *tifon*, 1571; *tiffon*, 1531; correspond à l'ital. *tifone*, au port. *tufao;* empr. au chinois dial. *t'aifung* «grand vent», avec infl. du moy. franç. *typhon* «violent orage», 1504 (lat. *typhon*, grec *tuphon* «tourbillon de vent, ouragan»).

♦ Cyclone* des mers de Chine et de l'océan Indien (→ Haut, cit. 7). *Typhon*, titre d'un roman de J. Conrad, traduit par A. Gide.

Au mois de novembre suivant, une épreuve nouvelle était réservée à cette même frégate dans les parages qu'elle venait d'aborder. On était cependant déjà hors de la saison des *typhons* (nom qu'on y donne aux cyclones), car c'est dans le mois de septembre que ces tempêtes s'y manifestent le plus souvent, comme partout dans l'hémisphère nord.   ZURCHER et MARGOLLE, Tempêtes et Naufrages,
in le Tour du monde, 1869, t. II, p. 350.

TYPHOSE [tifoz] n. f. — 1904; de *typh(o)-*, et *-ose*.

♦ **1.** État fébrile voisin de celui que produit la typhoïde.

♦ **2.** Vétér. Maladie contagieuse des oiseaux de basse-cour (état fébrile d'abattement). *La typhose est causée par un autre bacille que celui de la typhoïde.*

TYPHOTUBERCULOSE [tifotybɛʀkyloz] n. f. — 1904; de *typhoïde*, et *tuberculose*.

♦ Méd. Tuberculose miliaire aiguë (à symptômes ressemblant à ceux de la fièvre typhoïde).

TYPHUS [tifys] n. m. — 1667; lat. méd. *typhus* «typhus»; grec *tuphos* «torpeur, stupeur». → Typhique.
Méd. (nom donné à plusieurs maladies infectieuses).

♦ **1.** Leptospirose* ictéro-hémorragique *(typhus hépatique)*. Fièvre jaune *(typhus amaril)*. Purpura aigu *(tiphus «angiohématique»)*.

♦ **2.** Plus cour. *Typhus* ou (1760) *typhus exanthématique :* maladie infectieuse, contagieuse et épidémique, causée par une rickettsie et transmise par les poux, caractérisée par une fièvre intense à début brutal, un exanthème purpurique généralisé et un état de stupeur (grec *tuphos*) pouvant aller jusqu'au coma. *Typhus récurrent*.*

Au début du siècle, mon illustre maître et ami, Charles Nicolle, a trouvé le moyen de prévenir les épidémies de typhus. Or, le directeur d'un de nos instituts Pasteur en Afrique me disait, hier, que l'on pouvait craindre le retour du typhus qui a, d'ailleurs, pendant les guerres et en certains pays du vieux monde, fait d'innombrables victimes.   G. DUHAMEL, Problèmes de civilisation, p. 57.

DÉR. **Typhique.**

-TYPIE ⇒ **-type.**

TYPIFICATION [tipifikɑsjɔ̃] n. f. — XXᵉ; de *typifier*.

♦ Didact. Transformation en type.

(...) le réalisme suppose une typification, c'est-à-dire une présence de la structure, donc de la durée.   R. BARTHES, Mythologies, p. 170.

TYPIFIER [tipifje] v. tr. — 1845; de *type*, *-i-* de liaison, et suff. *-fier*.

♦ Didact. Ériger en type. *Typifier un individu, un phénomène.* ⇒ aussi Typer (2.), **typiser.**

DÉR. **Typification.**

TYPIQUE [tipik] adj. et n. — 1495, relig., «qui réalise un type» (de l'Ancien Testament); lat. ecclés. *typicus*, grec *tupikos* «symbolique, exemplaire», de *tupos*. → Type.

★ **I.** Adj. **A.** ♦ **1.** Relig. Qui constitue un type, un symbole. ⇒ **Allégorique, symbolique.** — Didact. (Voltaire; → Type, cit. 3). Qui constitue un modèle idéal *(type* au sens II, 1 et 2).

♦ **2.** (Déb. XIXᵉ). Cour. Qui possède d'une manière apparente les principaux caractères d'un type (I., 3.). *Voltaire, personnage principal* (cit. 2) *et en quelque sorte typique du XVIIIᵉ siècle*, qui incarne le type humain, psychologique de l'homme du XVIIIᵉ siècle. *Personnage typique,* de convention.

(...) des figures qui, certes, eussent été typiques pour un peintre.
BALZAC, Une ténébreuse affaire, Pl., t. VII, p. 458.

♦ **3.** Propre à un type; qui constitue un type, un exemple caractéristique. ⇒ **Type** (II., 4. et 6.). ⇒ **Caractéristique, distinctif, original, remarquable.** *Caractère, cas, exemple* (→ Inconséquence, cit. 10) *typique.* — *Ce qui a été produit en France de plus typique par notre génération* (→ Barbare, cit. 19). — *Typique de... :* caractéristique de... (→ Oscillation, cit. 3).

Le dévouement social s'exprimant dans la réalisation matérielle est typique du protestantisme américain.   André SIEGFRIED, l'Âme des peuples, VII, IV.

♦ **4.** (1765, *Encyclopédie; fièvre typique* «réglée», par oppos. à «erratique»). Sc. Qui caractérise un type (I., 4.) et lui seul; qui présente suffisamment les caractères d'un type pour servir d'exemple, de repère (dans une classification); qui peut être utilisé en typologie. *Exemplaire typique :* individu servant à la description d'une classe. *Forme typique* (d'une espèce). *Caractères typiques et atypiques,* en biologie. ⇒ **Spécifique.** *Différences typiques et différences individuelles en psychologie.* — Sociol. *Ressemblances, différences, «discordances typiques* (qui touchent) *à la structure même de la société»* (Lévi-Strauss, *Anthropologie structurale,* p. 132).

Méd. *Tumeur typique,* qui rappelle la structure des tissus sur lesquels elle se développe.

B. (Esp. *tipico*). *Musique typique :* musique de caractère sud-américain (danse, variétés). — N. m. *Orchestre de typique.*

★ **II.** N. f. ♦ **1.** Philos. *Typique du jugement* (Kant) : procédé par lequel on détermine si une action particulière est ou non conforme au concept du bien moral (idées ou types du bien et du mal).

♦ **2.** Didact. ⇒ **Typologie** (I., 2.).

CONTR. **Atypique.**
DÉR. **Typiquement.**

TYPIQUEMENT [tipikmɑ̃] adv. — Fin XVIIᵉ, Abbadie; de *typique*.

♦ Cour. D'une manière typique. ⇒ **Spécifiquement.** *Un comportement typiquement anglais.*

L'acte typiquement humain (...) semble bien être l'acte du langage.
A. MARC, Psychologie réflexive, I, 9, *in* FOULQUIÉ.

TYPISER [tipize] v. tr. — 1834, cit.; de *type*.

♦ Rare. Caractériser par les traits les plus remarquables, rendre typique (sans forcément ériger en type). ⇒ **Typer** (2.); et aussi **typifier.**

Aussi, dans les *Études de Mœurs* sont les *individualités* typisées : dans les *Études philosophiques* sont les *types* individualisés. Ainsi, partout j'aurai donné la vie : du type en l'individualisant, à l'individu en le typisant.
BALZAC, Lettres à l'Étrangère, 1834, *in* D. D. L., II, 9.

TYPO [tipo] n. — 1874; abrév. de *typographe, typographie.*

♦ **1.** Typographe (→ Main, cit. 82). *Des typos.* — *Elle est typo* (et : *une typote,* argot de métier).

♦ **2.** N. f. Typographie. *Passer de la typo à la photocomposition programmée.*

DÉR. **Typote.**

TYPO- Premier élément, du grec *tupos* «marque, caractère». ⇒ **Type;** et suff. *-type, -typie.*

TYPOCHROMIE [tipokʀomi] n. f. — 1846, Bescherelle; de *typo-*, et *-chromie*.

♦ Techn. Impression typographique (⇒ **Typographie**) en couleurs*. ⇒ **Chromotypographie.**

TYPOGRAPHE [tipoɡʀaf] n. — 1594; *tipographe*, 1554; de *typo-*, et *-graphe*.

♦ Professionnel qui exerce une des spécialités de la typographie. ⇒ **Imprimeur** (metteur en pages, im oseur, minerviste...). → Savant, cit. 3. *Les typographes réclament la copie* (cit. 5). — Spécialt. Compositeur* à la main. ⇒ **Paquetier.** — Par appos. *Ouvrier typographe.* — Abrév. fam. *Un typo, une typote.* ⇒ **Typo.**

TYPOGRAPHIE [tipoɡʀafi] n. f. — 1557; de *typo-*, et *-graphie*.

♦ **1.** Ensemble des techniques et des procédés permettant de reproduire des textes par l'impression* d'un assemblage de caractères en relief (imprimerie typographique; par oppos. aux procédés par report : lithographie, offset, photolithographie, phototypie...). *Opérations, travaux de typographie.* ⇒ **Imprimerie; bibelot** (2.), **bilboquet** (3.), **clichage, composition, correction, distribution, habillage, tirage** (→ Justifier, cit. 18). — *Matériel employé en typographie.* ⇒ **Imprimerie.** *Typographie électrotypique* ⇒ **Électrotypie.** — REM. Les termes de typographie (abrév. : *typo* ou *typogr.*) forment une partie importante du vocabulaire de l'imprimerie.

♦ **2.** Composition typographique. ⇒ **Composition.** *Vocabulaire de la typographie.* ⇒ **Caractère** (*supra* cit. 5), **lettre, ponctuation, signe; corps** (III., 2.), **œil, point, type; accolade, astérisque, crochet, guillemet, ligature, parenthèse, réglet, tiret, trait** (d'union); **blocage.** — REM. On trouvera d'autres termes techniques à *imprimerie*.* *Typo-*

2

graphie à la main (à l'ancienne ou pour des ouvrages de luxe). *Typographie à la machine.* ⇒ **Linotype, monotype.** *Erreurs de typographie.* ⇒ **Bourdon, coquille, doublon, mastic.**

♦ **3.** (Fin XVIIIe). Partie d'une imprimerie, atelier où se font la composition typographique et la mise en page. *Le prote est à la typographie.*

♦ **4.** Manière dont un texte est imprimé (quant au type des caractères, à la mise en page, etc.). *Une belle typographie.*

À la typographie des en-têtes, Bernard se divertit à deviner la psychologie de ces inconnus.   A. MAUROIS, Bernard Quesnay, III (1926).

DÉR. **Typographier, typographique.**

TYPOGRAPHIER [tipɔgʀafje] v. tr. — 1903; de *typographie.*

♦ Rare. Présenter (un texte imprimé) dans une composition particulière. *Typographier un article en courts paragraphes, en tableaux.*

Absolument :

Les « genres » subsistent toujours : on imprime toujours sur une couverture blanche, jaune ou illustrée : « roman » ou « poème ». Ou tout au moins on typographie ou on rythme différemment dans l'intérieur.
                    A. JARRY, la Tiare écrite, *in* Œ. compl., t. VII, p. 159 (1903).

Au p. p. *Texte bien, mal typographié.*

TYPOGRAPHIQUE [tipɔgʀafik] adj. — 1560; de *typographie.*

Technique.

♦ **1.** De l'impression par caractères mobiles en relief. *Matériel, caractères, signes typographiques* (→ Pilule, cit. 2). *Composition typographique. Travaux typographiques. Fautes* (cit. 32) *typographiques* (coquilles, doublons, mastics).

Vu le peu de moyens dont il pouvait disposer, son invention dut remonter aux éléments premiers de l'art typographique. Il parvint à tailler, avec une patience infinie, vingt-cinq lettres de bois, dont il se servit, pour marquer, lettre à lettre, les ordonnances rendues fort courtes à dessein...
                    NERVAL, les Illuminés, Roi de Bicêtre, III.

♦ **2.** Des typographes. *Argot typographique* (→ Pressier, cit.). — Par ext. *La rage typographique* (Flaubert, *Correspondance,* 10 juin 1862) : la rage de publier sous forme de publications imprimées.

♦ **3.** Qui ressemble à la typographie. *Écriture typographique, en graphologie.*

DÉR. **Typographiquement.**

TYPOGRAPHIQUEMENT [tipɔgʀafikmã] adv. — 1800; de *typographique.*

♦ **1.** Par la typographie. *Un projet typographiquement réalisable.*

♦ **2.** En ce qui concerne la typographie. *Cette page est typographiquement mauvaise.*

TYPOLITHOGRAPHIE [tipolitɔgʀafi] n. f. — 1846, Bescherelle; de *typo-,* et *lithographie.*

♦ Techn. Utilisation conjointe de la typographie* et de la lithographie* pour l'impression (texte et illustrations, etc.).

TYPOLOGIE [tipolɔʒi] n. f. — 1840; de *typo-,* et *-logie.*

★ **I.** Didact. ♦ **1.** Vieilli. Science des types humains, considérés du point de vue des rapports entre les caractères organiques et mentaux. ⇒ **Biotypologie.** *Typologie anthropologique,* de Wechniakoff (1897).

♦ **2.** Science de l'élaboration des types, facilitant l'analyse d'une réalité complexe et la classification. ⇒ **Systématique, taxinomie; classologie.** *Typologie des structures sociales, économiques.* — Systèmes de types. *Une typologie des régimes politiques.* — On dit parfois une *typique.*

Étude des types, en psychologie différentielle, en caractérologie. *La typologie de Kretschmer* (1921), *de Sheldon* (1927), *de Heymans et Wiersma* (diffusée en France par Le Senne).

★ **II.** Arts, relig. «Concordance de l'Ancien et du Nouveau Testament qui est à la base de l'iconographie chrétienne du moyen âge» (Réau).

DÉR. **Typologique.**
COMP. **Biotypologie.**

TYPOLOGIQUE [tipolɔʒik] adj. — 1915; de *typologie.*

♦ Didact. Qui appartient à la typologie; est fondé sur une typologie. *Classification typologique des langues.*

DÉR. **Typologiquement.**

TYPOLOGIQUEMENT [tipolɔʒikmã] adv. — 1916; de *typologique.*

♦ Par la typologie; du point de vue typologique. — Spécialt (archéol.). En suivant la méthode typologique. « *Typologiquement et stratigraphiquement les harpons magdaléniens à un rang de barbelures sont les plus anciens, mais ils ont persisté après l'apparition des harpons à deux rangs de barbelures* » (J. Dechelette, *in Larousse mensuel,* 1916, p. 770).

TYPOMÈTRE [tipɔmɛtʀ] n. m. — 1907; de *typo-,* et *-mètre.*

♦ Techn. (imprim., typogr.). Règle divisée en cicéros, demi-cicéros et quarts de cicéros (trois points), pour évaluer les compositions typographiques. *Le typomètre sert au maquettiste pour apprécier la longueur des lignes, les hauteurs... Typomètre et lignomètre.*

TYPON [tipɔ̃] n. m. — V. 1960; nom d'une firme suisse qui utilisa la première le procédé.

♦ Techn. (imprim.). Film à grand contraste, à points tramés, destiné à être reproduit sur la plaque offset. ⇒ **Film.**

TYPOTE [tipɔt] n. f. — D. i.; de *typo.*

♦ Fam. Ouvrière typographe. ⇒ **Typo.**

TYPTO- Élément, du grec *tuptein* « frapper ».

TYPTOLOGIE [tiptɔlɔʒi] n. f. — 1876; de *typto-,* et *-logie.*

♦ Didact. Communication des esprits « frappeurs ». ⇒ **Spiritisme.**

On interrogeait les esprits par la typtologie, c'est-à-dire en convenant avec eux soit de la valeur alphabétique, soit de la signification conventionnelle des coups frappés par la table.   FRANCE, la Vie en fleur, XXIX.

TYR-, TYRO- Élément, du grec *turos* « fromage ».

TYRAMINE [tiʀamin] n. f. — 1945, *in* D. D. L.; de *tyr(o)-* et *amine.*

♦ Chim. Médicament préparé à partir de la tyrosine; vaso-constricteur employé pour contracter l'utérus et pour élever la pression sanguine par contraction des vaisseaux périphériques. — Syn. : *utéramine.*

TYRAN [tiʀɑ̃] n. m. — V. 1380, «homme cruel, brutal»; *tiran,* 980; lat. *tyrannus,* grec *turannos,* proprt «maître», se disait de Zeus.

★ **I.** ♦ **1.** (XVIIe; *in* Furetière, 1690). Hist. Chez les Grecs, Celui qui s'emparait du pouvoir par la force. *Pisistrate, tyran d'Athènes.* (XVIIIe). Didact. Usurpateur* de l'autorité royale (→ Despote, cit. 3), du pouvoir. *Mort* (1. Mort, cit. 35) *au tyran!* (à Bonaparte, le 18 Brumaire).

Dans le sens vulgaire, un tyran est un roi qui gouverne avec violence et sans égard à la justice et aux lois. Dans le sens précis, un tyran est un particulier qui s'arroge l'autorité royale sans y avoir droit. C'est ainsi que les Grecs entendaient ce mot de tyran : ils le donnaient indifféremment aux bons et aux mauvais princes dont l'autorité n'était pas légitime. Ainsi *tyran* et *usurpateur* sont deux mots parfaitement synonymes.   ROUSSEAU, Du contrat social, III, x.   [1]

Le terme même de *tyrannos* (...) n'est pas grec. Il n'implique pas d'abord de nuance péjorative. C'est bien plus tard, au IVe siècle, que les Grecs firent mauvaise réputation à la tyrannie (...) Pourtant le *tyrannos* se distingue du *basileus :* par son origine, par son existence et par son caractère éphémère. Le tyran ne se réclame ni du droit divin, ni de l'hérédité, mais fonde son autorité sur la force (...)   Yves BÉGUIGNON, *in* Encycl. Pl., Hist. universelle, t. I,   [2]
                    La Grèce archaïque et classique, p. 608.

♦ **2.** (V. 1155). Cour. Personne qui, ayant le pouvoir suprême, l'exerce de manière absolue et oppressive. ⇒ **Autocrate, despote, oppresseur, potentat.** *Ce souverain, ce roi, ce dictateur était un tyran. La reine était un tyran. Cruels tyrans* (→ Paraître, cit. 31). *Tyran féroce* (→ Poignarder, cit. 1). *Lorsque tout tremble devant le tyran* (→ Abjection, cit. 1). « *Et les peuples... Oubliant le tyran* (Napoléon) *s'éprirent du héros* » (Hugo; → Empereur, cit. 5). — (Sous la Révolution). Roi*. « *Tyrans, descendez* (cit. 12) *au cercueil* » (Chant du départ). *Abattre les tyrans* (→ Champion, cit. 5). — *Le tyran, personnage de tragédie* (→ aussi Hurler, cit. 19; loge, cit. 7).

Le seul expédient que proposent dans leurs journaux Marat et Fréron, c'est précisément un tyran, un bon tyran, dictateur ou tribun militaire.   [3]
                    MICHELET, Hist. de la Révolution franç., V, I.

(...) la terreur est le régime de tous les tyrans.   [4]
                    André SUARÈS, Vues sur Napoléon, XVI.

À chaque degré de la hiérarchie, le problème se pose dans les mêmes termes ; du maréchal au caporal, chacun est impuissant, si ses subordonnés, plus nombreux, mieux armés, refusent d'exécuter ses ordres. La Boétie a bien montré qu'il n'était de servitude que volontaire : le *tyran* n'a pour épier les hommes que leurs yeux et leurs oreilles, il n'a pour les opprimer que les bras qu'ils lui prêtent.
Roger CAILLOIS, l'Homme et le Sacré, p. 112.

♦ **3.** (1625). Fig. (Littér. ou plais.). Personne autoritaire qui impose sa volonté, abuse de son pouvoir. ⇒ **Despote, dictateur** (fig.). *C'est un vrai tyran. Ses parents, son père, sa mère sont des tyrans* (→ Geôlier, cit. 5). — Loc. *Un tyran domestique :* une personne qui exerce un pouvoir absolu et cruel dans sa famille (→ Goton, cit. 2). — *Un « petit tyran* (un enfant) *qui asservit son gouverneur »* (→ Désobéir, cit. 6). *Une coquette est un tyran qui veut tout asservir* (cit. 15). *« L'homme, tyran goulu, paillard, dur et cupide »* (Baudelaire ; → Esclave, cit. 16). *Chaque moi...* (cit. 56) *voudrait être le tyran de tous les autres.* — Adj. *Les esprits tyrans* (→ Race, cit. 15). ⇒ **Tyrannique.** — Par ext. (Sujet n. de chose). *« L'amour* (cit. 7) *est un tyran qui n'épargne personne ». « Honneur* (cit. 45), *cruel tyran des belles passions ».*

Mon Dieu, que votre amour en vrai tyran agit (...)   MOLIÈRE, Tartuffe, IV, 5.
La vieillesse est un tyran qui défend, sur peine de la vie, tous les plaisirs de la jeunesse.   La ROCHEFOUCAULD, Maximes, 461.
Mariée avec un vaurien de bonnes manières, un de ces tyrans domestiques devant qui tout doit céder et plier, elle avait été d'abord fort malheureuse.
MAUPASSANT, Notre cœur, I, I.

REM. *Tyran* (aux sens 2 et 3) s'emploie aussi en parlant des femmes. Cependant la forme féminine *tyranne* [tiʀan] est attestée (1573, Desportes ; XIXᵉ, Hugo, *les Misérables*).

★ **II.** (1775, Buffon, selon qui l'oiseau est ainsi nommé à cause de son naturel méchant). Oiseau dentirostre *(Passereaux ; Tyrannidés),* gobe-mouches d'Amérique tropicale.

CONTR. (Du I.) **Libérateur, protecteur.** — **Esclave, faible** (n.).
DÉR. **Tyranneau, tyrannie, tyranniser.** — V. aussi **Tyrannicide.**
HOM. **Tirant.**

TYRANNEAU [tiʀano] n. m. — 1574 ; dimin. de *tyran.*

♦ Littér. Petit tyran, tyran subalterne.

Et c'est un beau pillage ! Des généraux et des tyranneaux politiques s'adjugent les plus riches domaines, et les Indiens, dépouillés de tout, maltraités, misérables se retirent dans les solitudes et dans la brousse.   B. CENDRARS, l'Or, 18.

Fam., plais. Jeune tyran.

TYRANNICIDE [tiʀanisid] n. — 1487 ; lat. *tyrannicida,* n. m., même sens, de *tyrannus.* → Tyran, -cide.

♦ **1.** Littér. Personne qui tue un tyran.

♦ **2.** N. m. (V. 1562 ; lat. *tyrannicidium,* même sens, de *tyrannicida*). Meurtre d'un tyran. *Légitimité du tyrannicide.*

TYRANNIE [tiʀani] n. f. — V. 1213 ; *tirannie,* 1155 ; de *tyran.*

♦ **1.** Hist. antiq. Usurpation* et exercice du pouvoir par un tyran (1.). *Tyrannie grecque et dictature* (cit. 1) *romaine.* — (En parlant des Romains). *« Lorsque Cassius fut condamné pour avoir aspiré à la tyrannie... »* (Montesquieu, *l'Esprit des lois,* XII, XVIII).

♦ **2.** Gouvernement absolu et oppressif du tyran (2.), considéré surtout dans ce qu'il a d'injuste, d'arbitraire, de cruel ; domination, oppression exercée par ce gouvernement. ⇒ **Arbitraire, autocratie, despotisme, dictature.** *Tyrannie impitoyable ; les chaînes, les violences, les cruautés, les persécutions de la tyrannie. Tyrannie des rois* (→ Cataclysme, cit. 2). *Oppresseur* (cit. 2) *qui joint le mensonge à la tyrannie. Autorité* (cit. 20) *n'est pas tyrannie. « Contre nous de la tyrannie L'étendard* (cit. 6) *sanglant est levé »* (la Marseillaise). *Lutte des intellectuels* (cit. 10) *contre la tyrannie* (→ Flatter, cit. 46). *« Toujours la tyrannie a d'heureuses prémices »* (cit. 2, Racine). *« Les excès de la tyrannie ne mènent* (cit. 40) *qu'à la tyrannie ».* — Dictature oppressive d'un groupe. *La tyrannie militaire* (→ Perdre, cit. 42). *Tyrannie des révolutionnaires.*

(...) on sentait l'approche d'une jeune tyrannie plébéienne, féconde, il est vrai, et remplie d'espérances, mais aussi bien autrement formidable que le despotisme caduc de l'ancienne royauté : car le peuple souverain étant partout, quand il devient tyran, le tyran est partout ; c'est la présence universelle d'un universel Tibère.   CHATEAUBRIAND, Mémoires d'outre-tombe, t. II, p. 10.
(...) je me demande si l'avenir ne nous réserve pas, sous le nom du gouvernement absolu de l'État, servi par le despotisme d'une bureaucratie française, une tyrannie bien autre que celle d'un Louis XIV.   Ed. et J. de GONCOURT, Journal, 18 nov. 1860, t. I, p. 269.
Une tyrannie totalitaire pourrait nous satisfaire, elle aussi, dans nos besoins matériels. Mais nous ne sommes pas un bétail à l'engrais.   SAINT-EXUPÉRY, Lettre à un otage, V, Pl., p. 402.

♦ **3.** (V. 1460). Littér. Autorité oppressive, abus de pouvoir du tyran (3.). ⇒ **Dictature** (3.), **empire.** *Se libérer* (cit. 3) *de la tyrannie d'un père. Cette tyrannie des maris* (cit. 4). *La tyrannie du maître d'école* (→ Aigre, cit. 16). *Exercer sa tyrannie sur qqn.* ⇒ **Tyranniser.** *Le masque de la tyrannie contre celui de la servilité* (→ 1. Contre, cit. 28).

(...) la tyrannie de l'homme, qui a converti la possession de la femme en une propriété.   DIDEROT, Suppl. au voyage de Bougainville, IV.

♦ **4.** (1790). Fig. (Compl. n. de chose). Contrainte impérieuse. — (Abstrait). *La tyrannie des passions. Souvenir qui exerce* (cit. 19) *une tyrannie. Tyrannie de l'opinion* (cit. 30), *de l'imprimé* (cit. 38), *de la mode...* ⇒ **Influence, servitude.** *La tyrannie du travail continu* (→ Inquiétude, cit. 5) ; *de la propreté* (cit. 7). *Les rhétoriques* (cit. 2) *ne sont pas des tyrannies arbitraires.*

Qu'à présent la jeunesse a d'étranges manies !
Les règles du devoir lui sont des tyrannies (...)
CORNEILLE, l'Illusion comique, III, 2.

CONTR. **Liberté, protection.** — **Dépendance, esclavage, servilité, soumission.**

TYRANNIQUE [tiʀanik] adj. — V. 1370 ; lat. *tyrannicus,* grec *turannikos* « de tyran », de *turanos.* → Tyran.

♦ **1.** Qui tient de la tyrannie (2.). *Pouvoir tyrannique* (→ Liberté, cit. 19). ⇒ **Absolu, arbitraire, despotique.** *Le despotisme* (cit. 1) *tyrannique des souverains. Régime tyrannique.* ⇒ **Autocratique, oppresseur** (→ Exploitation, cit. 10 ; police, cit. 5). *Système, mesure tyrannique.* ⇒ **Oppressif** (→ Malendurant, cit. ; presse, cit. 6). *« La force* (cit. 45) *sans la justice est tyrannique »* (Pascal). *Des visées tyranniques* (→ Dissoudre, cit. 5).

♦ **2.** Qui tient de la tyrannie (3.) ; autoritaire, injuste et violent. *Un homme tyrannique* (→ Prise, cit. 17). ⇒ **Impérieux.** *Ô cœur barbare et tyrannique !* (→ Humaniser, cit. 6). *Enfant tyrannique. Traiter d'une manière tyrannique* (→ Homme, cit. 140).

♦ **3.** (Mil. XVIIᵉ). Littér. Qui contraint impérieusement et péniblement ; à quoi on ne peut se dérober. *Loi tyrannique.* ⇒ **Tortionnaire** (I.). → Attacher, cit. 20. *Règle tyrannique* (→ Bravade, cit. 2). *Amour, passion tyrannique* (→ Excéder, cit. 14). *La mode est tyrannique.* ⇒ **Assujettissant.** *Un sommeil tyrannique.* ⇒ **Irrésistible.** *Sentiments, passions, penchants, tendances... tyranniques* (→ Esclave, cit. 30).

A-t-on jamais rien vu de plus tyrannique que cette coutume où l'on veut assujettir les pères ?   MOLIÈRE, l'Amour médecin, I, 5.
La « loi » valait mieux sans doute que la volonté du « grand roi » ; mais elle n'était pas moins tyrannique, en ce sens qu'elle se mêlait d'une foule de choses qui, selon nos idées, ne regardent que l'individu.   RENAN, Questions contemporaines, I, Œ. compl., t. I, p. 34.

CONTR. **Libéral.** — **Débonnaire, doux.** — **Compréhensif.**
DÉR. **Tyranniquement.**

TYRANNIQUEMENT [tiʀanikmɑ̃] adv. — V. 1370 ; de *tyrannique.*

♦ Littér. D'une manière tyrannique, avec tyrannie. *Abuser tyranniquement de son pouvoir. Exiger qqch. tyranniquement.* ⇒ **Impérieusement.**

(...) me servir tyranniquement de la puissance que le Ciel me donne sur toi.
MOLIÈRE, la Princesse d'Élide, II, 4.

TYRANNISER [tiʀanize] v. tr. — 1370 ; d'abord au fig., « exercer une tyrannie politique », 1690 ; de *tyran.*

♦ **1.** Traiter (qqn) avec tyrannie (3.) ; abuser de son pouvoir ou de son autorité. ⇒ **Contraindre, forcer, fouler** (vx), **opprimer, persécuter, violenter.** *Les hobereaux* (cit. 2), *petits seigneurs qui tyrannisent les paysans. Il est intolérable* (cit. 7) *qu'un seul homme tyrannise une masse. La femme qui aime plus qu'elle n'est aimée sera tyrannisée* (→ Équilibre, cit. 9). *Se laisser tyranniser par ses enfants.* — Pron. (récipr.). *Se tyranniser* (l'un l'autre). → Suspecter, cit. 1.

Faut-il que désormais, renonçant à vous plaire,
Je prétende à mon tour à vous tyranniser ?   RACINE, Mithridate, II, 4.
Ne dois-je donc jamais entendre une de ces charmantes créatures m'appeler maman, me tirer par ma robe, me tyranniser ?
BALZAC, Mémoires de deux jeunes mariées, Pl., t. I, p. 273.

♦ **2.** (Sujet n. de chose). Contraindre impérieusement. *Se laisser tyranniser par de fausses obligations. Cette mode a tyrannisé les femmes* (→ Panier, cit. 7). ⇒ **Dominer, régenter.**

CONTR. **Affranchir, protéger.**

TYRANNOSAURE [tiʀanozɔʀ] n. m. — V. 1890 ; lat. sav. *tyrannosaurus,* même sens, du grec *turannos* « maître », et *sauros* « lézard ».

♦ Paléont. Reptile fossile du crétacé supérieur, carnivore, et dont la longueur pouvait atteindre une quinzaine de mètres.

TYRIEN, IENNE [tiʀjɛ̃, jɛn] adj. et n. — 1876, *in* P. Larousse ; de *Tyr.*

♦ Didact. De la ville antique de Tyr. — *Rose tyrien,* un peu mauve. *« Cette joue rose tyrien »* (Volkoff, *le Retournement,* p. 24).

TYRINE [tiʀin] n. f. — 1872, *in* Littré ; de *tyr(o)-*, et *-ine*.

♦ Chim. Vx. ⇒ **Caséine.**

TYRO- ⇒ **Tyr-.**

TYROLIEN, IENNE [tiʀɔljɛ̃, jɛn] adj. et n. — Déb. XIXᵉ ; du *Tyrol*, région d'Autriche.

♦ Du Tyrol. *Population tyrolienne.* — N. *Un Tyrolien, une Tyrolienne.* — (1874). *Chapeau tyrolien* (d'homme, de femme), en feutre (généralement vert), au ruban orné d'une petite plume.

Le chapeau tyrolien, en feutre blanc, bordé de velours royal avec aile blanche de côté (...)　　　　　　　MALLARMÉ, la Dernière Mode, 26 déc. 1874.

N. m. *Tyrolien* : ensemble des parlers rhéto-romans de l'Est.

DÉR. Tyrolienne.

TYROLIENNE [tiʀɔljɛn] n. f. — 1816 ; de *tyrolien*.

♦ **1.** Chant montagnard à trois temps, originaire du Tyrol, caractérisé par le passage rapide de la voix de poitrine à la voix de tête et vice-versa (⇒ **Jodler**) sur des notes séparées par un grand intervalle. *Chanter une tyrolienne.*

(...) pour nous remercier, ils *(les prisonniers allemands, à Nohant en 1813)* se groupaient en chœur et nous chantaient des tyroliennes qui me charmèrent. Je n'avais jamais entendu rien de semblable. Ces paroles étrangères, ces voix justes chantant en parties, et cette classique vocalisation gutturale qui marque le refrain de leurs airs nationaux étaient alors choses très nouvelles en France (...)
　　　　　　　G. SAND, Histoire de ma vie, III, V.

♦ **2.** (1836). Danse du Tyrol.

♦ **3.** (1934). Alpin. Technique utilisée pour franchir en traversée deux pointes rocheuses séparées par le vide, à l'aide d'une double corde lancée de l'une à l'autre et solidement tendue. « Position couchée ou pendue : on passe un genou sur les cordes et l'on progresse en se tirant par les mains. Position assise : on enjambe les deux cordes et on traverse assis entre elles, légèrement penché en avant » (Gautrat, *Dict. de la Montagne*, 1970, *in* Petiot).

TYROSINASE [tiʀozinɑz] n. f. — 1897 ; de *tyrosin(e)*, et *-ase*.

♦ Biochim. Enzyme qui active l'oxydation de la tyrosine, aboutissant à la production de mélanine.

TYROSINE [tiʀozin] n. f. — 1855 ; de *tyro-*, *-s-*, et *-ine*.

♦ Biochim. Acide aminé essentiel très répandu dans la nature (graines de céréales, pommes de terre, fruits mûrs), jouant un rôle important grâce aux composés organiques qui en dérivent (mélanine, adrénaline, dérivés iodés de la glande thyroïde).

DÉR. Tyrosinase.

TYROTHRICINE [tiʀotʀisin] n. f. — 1939 ; de *tyrothrix* (1906), nom d'une bactérie, lui-même de *tyro-*, et grec *thrix* « cheveu, filament ».

♦ Méd. Antibiotique extrait des cultures de *bacillus brevis*, employé en applications locales dans diverses affections bactériennes de la peau, de la bouche et du pharynx.

TYRRHÉNIEN, ENNE [tiʀenjɛ̃, ɛn] adj. et n. m. — Déb. XVIIIᵉ, Huet, *in* Trévoux ; de *Tyrrhénie*.
Didactique.

♦ **1.** Archéol. De l'ancienne Tyrrhénie ou Étrurie. *Vases tyrrhéniens.*

♦ **2.** Géol. Se dit d'un âge du paléolithique situé entre le moustérien et l'acheuléen. — N. m. *Le tyrrhénien.*

TZAR [tsaʀ ; cour. dzaʀ] n. m. (et dér.). ⇒ **Tsar, tsarévitch, tsarine, tsarisme, tsariste.**

TZELTAL [tsɛltal] n. m. et adj. — 1876, *in* P. Larousse, *tzendal* ; mot maya.

♦ Ling. Langue indienne du sud du Mexique, appartenant au groupe maya-quiché (quechua).

TZIGANE (cour.) ou **TSIGANE** (didact.) [tsigan ; cour. dzigan] n. et adj. — 1826 sous la forme actuelle ; *tchinguéniennes*, 1664 ; *cigain*, XVᵉ ; *singuani*, 1553, P. Belon, *in* D.D.L. ; *cuiganes*, v. 1578 ; *zinganes*, 1637, *in* D.D.L. ; all. *Tzigeuner*, du hongrois *czigany*, p.-ê. du grec byzantin *atsinganos*, prononc. pop. de *athinganos* « qui ne touche pas », désignant une secte de manichéens venus de Phrygie.

♦ **1.** N. et adj. *Les Tziganes*, nom d'un peuple (qui s'appelle lui-même *Rom ;* ⇒ **Romani**) venu de l'Inde, apparu d'abord en Grèce et en Europe orientale vers la fin du XIIIᵉ siècle, au XVᵉ siècle en Europe occidentale, qui a mené une existence de nomades exerçant diverses activités (artisanat, spectacle). *Les tsiganes furent souvent persécutés en raison de leur réputation de magiciens et de chapardeurs.* ⇒ **Bohémien, boumian** (régional), **égyptien** (2.), **gipsy, gitan, romanichel, zingaro** (vx). → Montreur, cit. 1 ; racler, cit. 6 ; rebec, cit. — Adj. (1872). *La langue tsigane*, ou, n. m., *le tsigane* (romani), langue issue du groupe indien du Nord-Ouest, avec de nombreux éléments pris au grec, puis aux diverses langues de l'Europe.

Les gitanas vendent des amulettes, disent la bonne aventure (...) la petitesse du front, la forme busquée du nez, accusent leur origine commune avec les tziganes de Valachie et de Bohême, et tous les enfants de ce peuple bizarre qui a traversé, sous le nom générique d'Égypte, la société du moyen âge, et dont tant de siècles n'ont pu interrompre la filiation énigmatique.
　　　　　　　Th. GAUTIER, Voyage en Espagne, p. 178.

Puis, sur les places, entre les quartiers de cette ville improvisée, c'était une agglomération de bateleurs de toute espèce : saltimbanques et acrobates, assourdissant avec les hurlements de leurs orchestres et les vociférations de leur parade ; bohémiens, venus des montagnes et disant la bonne aventure aux badauds d'un public toujours renouvelé ; zingaris ou tsiganes — nom que les Russes donnent aux gypsies, qui sont les anciens descendants des Cophtes —, chantant leurs airs les plus colorés et dansant leurs danses les plus originales (...)
　　　　　　　J. VERNE, Michel Strogoff, 1876, p. 74.

Sur le chemin du bord du fleuve lentement
Un ours un singe un chien menés par des tziganes
Suivaient une roulotte traînée par un âne
　　　　　　　APOLLINAIRE, Alcools, « Rhénanes », Mai.

♦ **2.** (1861). *Musique tsigane* : musique populaire de Bohême et de Hongrie, adoptée et adaptée par les musiciens tsiganes depuis le XVIIᵉ siècle (d'où la fausse appellation de *« musique tsigane »* donnée à la musique populaire hongroise, confusion entretenue par l'ouvrage de Liszt, *Des Bohémiens et leur musique*, 1859). *Violonistes tsiganes*, ou, absolt, *tsiganes*, jouant dans les grands cafés, les cabarets (→ Regret, cit. 15).

(...) tout le dîner, égayé, animé, fouetté, par des violons tsiganes faisant rage, et dont les chabraques rouges promènent leurs musiques nerveuses derrière le dos des convives.　　Ed. et J. DE GONCOURT, Journal, 6 mars 1895, t. IX, p. 246.

Les cafés gonflés de fumée
Crient tout l'amour de leurs tziganes
　　　　　　　APOLLINAIRE, Alcools, « Chanson du mal-aimé ».

U

U [y] n. m.

★ **I.** Vingt-et-unième lettre de l'alphabet; la cinquième des voyelles. *U majuscule; u minuscule. Le u note la voyelle palatale antérieure arrondie* [y]. *U accent circonflexe* ou *û. U accent grave* (dans *où*). *U tréma* ou *ü* (le tréma se met sur le *u* placé après une voyelle, pour indiquer que les deux voyelles se prononcent; ex. : *Ésaü* [ezay]). *Groupe* AU, EAU [o]. — *Groupe* EU ou ŒU [ø] ou [œ]. — *Groupe* OU [u].

REM. 1. En phonétique, on distingue le *u voyelle* [y] (dans *bu*) et le *u consonne* (ou demi-voyelle) noté [ɥ], et prononcé comme dans *lui, suivre.*

2. Jusqu'au XVIIᵉ s., le signe *u* sert à noter aussi le son [v], appelé *u consonne.* Dans les anciens dictionnaires (jusqu'à celui de l'Académie, 1762), on trouve sous la lettre V tous les mots en U et V (U devant consonne; V devant voyelle).

(L'abbé) s'efforçait de prononcer le latin à l'italienne, mais les gallicismes abondaient dans son langage de séminaire; de plus, l'*u* français y revenait souvent, incompréhensible pour le pape qui interrompait l'orateur et se faisait répéter ce qu'il ne comprenait point.   APOLLINAIRE, l'Hérésiarque..., p. 75.

★ **II.** (Par anal. de forme). *Membres d'u :* forme longue et étroite remplie de chevrons (en V; les deux lettres étant autrefois confondues). Forme donnée aux arbres fruitiers (en espalier, etc.). *U simple, double.* — (1892, *in* D. D. L.). EN U : en forme de U. *Tube en U, banquette en U.*

★ **III.** (*U*, initiale ou symbole). Dénomination des sous-marins allemands *(Unterseeboot).* — Pavillon du code international de signaux (danger). — Symbole chimique de l'uranium*.

U. A. [ya] n. f. — Mil. XXᵉ (1949, *in* P. Guintini, *les Planètes*); acronyme de *unité astronomique.*

♦ Sc. Unité* astronomique (distance moyenne de la Terre au Soleil). *« Un véhicule spatial qui (...) explorera la partie de l'espace se trouvant à des distances du Soleil comprises entre 1 et 2,17 UA »* (*Sciences et Avenir*, nov. 1979, p. 19).

UBAC [ybak] n. m. — Attesté XXᵉ; anc. provençal, XVᵉ; lat. *opacus* « sombre ».

♦ Régional. Versant d'une montagne exposé au nord, par oppos. à l'*adret*, exposé au sud. ⇒ **Ombrée.**

Il a pris son fusil de chasse. Il a dit : « Là, je sais pourquoi ! » et il est parti dans les ubacs. Il a déserté.   J. GIONO, le Grand Troupeau, Pl., t. I, p. 662.

UBÉRALE [yberal] adj. f. — 1909, *Larousse mensuel*; du lat. *uber* « mamelle ».

♦ Didact. *Fontaine ubérale :* fontaine ornée de représentations féminines d'où l'eau jaillit par la pointe des seins.

U. B. F. [ybeɛf] adj. et n. f. invar. — V. 1970; acronyme de *ultra basse fréquence.*

♦ Sc. Ultra basse fréquence (au-delà des ondes à très basse fréquence ou T. B. F.). *Ondes U. B. F.*

UBIQUE [ybik] adj. — 1917, J. Vaché, *in* D. D. L., II, 15; lat. *ubique* « partout ».

♦ Littér., didact., rare. Qui est partout, omniprésent. ⇒ **Ubiquiste, ubiquitaire.**

Connaître l'avenir.
Être immortel.
(...) Impassible, incorruptible, ubique.   VALÉRY, Tel quel, « Suite », *in* Œ., t. II, Pl., p. 760.

UBIQUISME [ybikɥism] n. m. — 1580, Montaigne; de *ubiquiste* (1.).

♦ Didact. (relig.). Doctrine selon laquelle la présence réelle du Christ dans l'eucharistie s'explique par le fait que sa nature humaine participe à l'omniprésence de Dieu (et non à la transsubstantiation*). *L'ubiquisme luthérien.*

UBIQUISTE [ybikɥist] adj. et n. — 1808; « docteur en théologie n'appartenant pas à un collège », 1585; lat. *ubique* « partout ». Didactique.

♦ **1.** Relig. Partisan de l'ubiquisme.

♦ **2.** Qui est présent partout à la fois. ⇒ **Omniprésent, ubique, ubiquitaire.** Littér. Qui agit dans de nombreux domaines, qui est présent partout. *L'« esprit ubiquiste »* de Valéry (F. Gregh, *in* G. L. L. F.).

UBIQUITAIRE [ybikɥitɛʀ] n. et adj. — V. 1620, François de Sales; de *ubiquité.*

♦ **1.** Relig. Ubiquiste (1.).

♦ **2.** (1872, *in* Littré). Didact. ou littér. Omniprésent. ⇒ **Ubique, ubiquiste.**

En même temps, il *(l'amour)* est ubiquitaire, quant au temps et quant à l'espace, comme le vrai Dieu dont il est la plus effrayante défiguration.   Léon BLOY, le Désespéré, p. 77.   [1]

La mort ubiquitaire, qui se pose sur une tête, sur une autre (...).   J. ROMAINS, les Hommes de bonne volonté, t. XXIV, p. 280.   [2]

UBIQUITÉ [ybikɥite] n. f. — 1548, Du Fail; dér. sav. du lat. *ubique* « partout ».

♦ **1.** Théol. Attribut de Dieu, présent partout dans un même instant (→ Polyvalent, cit.).

♦ **2.** (1808). Littér. ou style soutenu (mais plus cour. que les autres mots de la famille). Possibilité d'être présent en plusieurs lieux à la fois. *La technique de l'écran enseigne au XXᵉ siècle la simultanéité et l'ubiquité* (→ Autant, cit. 45).

Vous les surprenez dans la même soirée en flagrant délit d'ubiquité : ils disent avoir été arrêtés à Paris lors de la conspiration Mallet, en oubliant qu'ils venaient, une demi-heure auparavant, de passer la Bérésina.   BALZAC, Mᵐᵉ Firmiani, Pl., t. I, p. 1032.   [1]

Loc. (1878). *Avoir le don d'ubiquité.* ⇒ **Dédoubler** (se). — Par exagér. Se dit de qqn que l'on voit partout.

Il y avait à Montmartre, dans la rue de l'Abreuvoir, une jeune femme prénommée Sabine, qui possédait le don d'ubiquité. Elle pouvait à son gré se multiplier et se trouver en même temps, de corps et d'esprit, en autant de lieux qu'il lui plaisait souhaiter.   M. AYMÉ, le Passe-muraille, « Les Sabines ».   [2]

♦ **3.** Présence normale dans de nombreux lieux (d'une chose non individuelle). *L'ubiquité de la lumière et de l'air* (→ 1. Mort, cit. 21). *L'ubiquité des intérêts personnels, des fantasmes de l'être humain.*

DÉR. Ubiquitaire.

UBUESQUE [ybyɛsk] adj. — 1922, *Mercure de France*, 1ᵉʳ mai 1922, *in* D. D. L., II, 7; du nom d'*Ubu*, personnage imaginé par A. Jarry.

♦ Qui ressemble au personnage d'Ubu roi (par un caractère comiquement cruel, cynique et couard, avec outrance). *Personnage, caractère, situation ubuesques.*

Nous avons connu la blague à froid genre anglais (...) Et puis une évolution s'est produite, sous l'influence de notre camarade Jarry et sous le signe du Père Ubu, professeur d'égoïsme (...) pantin féroce, baudruche à forme atrocement humaine, caricature hideuse, grotesque (...) Erik Satie ne pouvait manquer d'être séduit par   [1] l'ampleur paradoxale du cynisme ubuesque, mais il était sans cruauté, ni amertume (...)   Francis JOURDAIN, Né en 76, Erik Satie.

Par extension :

2 L'indépendance de l'Inde, celle de l'Indonésie et de l'Égypte, ne paraissent avoir eu aucune signification pour ces hommes qui ont donné leur mesure au Maroc et en Indochine et dont la politique coloniale tient tout entière dans le principe ubuesque : *montrer la force qu'on n'a pas pour être obligé de s'en servir.*
F. MAURIAC, le Nouveau Bloc-notes 1958-1960, p. 278.

UCHRONIE [ykʀɔni] n. f. — 1876, Renouvier ; de *-chronie*, du grec *chronos* «temps», d'après *utopie.*

♦ Philos. Reconstruction historique d'événements fictifs, d'après un point de départ historique et un ensemble de lois.
Évocation imaginaire dans le temps ; époque fictive (analogue à l'utopie*).

U. E. R. [yœɛʀ] n. f. — 1968 ; sigle de *Unité d'enseignement et de recherche.*

♦ Structure de base de l'enseignement supérieur français, depuis la loi d'orientation de 1968, correspondant approximativement aux anciens départements* des facultés. *L'U. E. R. d'anglais, de géographie.*

UFO [yfo] n. m. — 1972 ; mot anglo-amér., acronyme de *unidentified flying object.*

♦ Anglic. Objet volant non identifié. ⇒ **Ovni.** *Des ufos.* — REM. Ce terme ne s'est pas bien acclimaté en français et a été supplanté par l'acronyme de la traduction française : *ovni.*

DÉR. **Ufologie, ufologue.**

UFOLOGIE [yfɔlɔʒi] n. f. — Après 1972 ; de *ufo,* et *-logie.*

♦ Anglic. Étude des objets volants non identifiés (dite aussi *ovnilogie*). *« Cette pratique est malheureusement courante en ufologie, à savoir, relater des cas d'OVNI sans même avoir épuisé toutes les possibilités qui peuvent en faire des simples OVI (objets volants identifiables ; le terme est de Hynek et Vallée) »* (la Recherche, juil. 1979, p. 753).

DÉR. **Ufologique.**

UFOLOGIQUE [yfɔlɔʒik] adj. — 1979 ; de *ufologie.*

♦ Anglic. Relatif à l'ufologie. *Congrès ufologique. Travaux ufologiques.*

UFOLOGUE [yfɔlɔg] n. — Après 1972 ; de *ufo,* et *-logue.*

♦ Anglic. Personne qui étudie les objets volants non identifiés. *« Des deux côtés de l'Atlantique, elle* (la question des ovnis) *devient l'affaire des associations d'"'ufologues"', dont certaines s'astreignent à un travail d'enquête consciencieux »* (l'Express, 11 août 1979, p. 59).

UHLAN [ylɑ̃] n. m. — 1748, *houlan, hulan* ; mot all., *Uhlan* ; du polonais *oglan,* mot tartare, «enfant».

♦ Cavalier mercenaire des armées de Pologne, de Prusse, d'Autriche et d'Allemagne. ⇒ **Lancier.** *Les premiers uhlans étaient des Tartares.*

Ça n'est peut-être pas bien épatant ce que je vais vous dire : figurez-vous tout de même qu'aux premiers jours de septembre 1914, quand les premières patrouilles de uhlans n'étaient plus très loin de la tour Eiffel... Eh bien, figurez-vous que j'ai pleuré ! Oui ! j'ai pleuré à l'idée que les Fritz allaient abîmer Paris ! (...)
G. LEROUX, Rouletabille chez Krupp, p. 71.

UKASE ou OUKASE [ukaz] n. m. — 1774, *oukas* ; *ukase,* 1775 ; *oukase,* 1798 ; du russe *ukasat'* «publier».

♦ **1.** Dans l'ancien régime absolutiste russe, Édit* promulgué par le tsar. *Se conformer à l'ukase* (→ Prohiber, cit.).

0.1 En vérité, le grand maître de police, habitué aux décisions autocratiques des ukases qui jadis ne pardonnaient pas, ne pouvait admettre cette façon de gouverner ! Mais il se tut, attendant que le czar l'interrogeât de nouveau.
J. VERNE, Michel Strogoff, p. 19-20.

1 Si l'ukase de mobilisation, — de mobilisation *générale,* — était enfin officiellement lancé, ce soir, à Pétersbourg, ça n'étonnerait aucun de nous !
MARTIN DU GARD, les Thibault, t. VII, p. 91.

♦ **2.** (Fin XIXᵉ). Fig. Décision arbitraire, ordre impératif.

2 Mais vous n'en faites, c'est le cas de le dire, qu'à votre tête, et ne traitez que par ukases et décrets.   COLETTE, Belles saisons, « Cheveux en quatre ».

UKRAINIEN, IENNE [ykʀɛnjɛ̃, jɛn] adj. et n. — 1731, Voltaire ; de *Ukraine,* du russe *oukraïna* «frontière».

♦ De l'Ukraine. *Folklore ukrainien. République ukrainienne.* — N.

Habitant, habitante de l'Ukraine, ou personne qui en est originaire. *Un Ukrainien, une Ukrainienne. Les Ukrainiens émigrés des États-Unis, du Canada.*

N. m. Langue slave parlée en Ukraine et comportant une douzaine de variétés dialectales. *Parler l'ukrainien, mais pas le russe. Après l'anglais et le français, l'ukrainien est une des langues les plus parlées au Canada.*

UKULÉLÉ [ukulele] n. m. — 1948 ; angl. *ukulele,* 1900, mot hawaïen «personne de petite taille *(uku),* vive de gestes, d'allures *(lele)*», p.-ê. surnom de personne.

♦ Instrument de musique d'origine hawaïenne, petite guitare à quatre cordes dont la sonorité mate et grêle rappelle celle du banjo.

ULCÉRATIF, IVE [ylseʀatif, iv] adj. — 1495 ; de *ulcérer.*

♦ Méd. Qui a trait à l'ulcération ; qui produit une ulcération. *Propriété ulcérative.*

ULCÉRATION [ylseʀasjɔ̃] n. f. — 1314 ; anc. provençal *ulceratio,* 1300 ; lat. *ulceratio,* de *ulcus, ulceris.* → Ulcère.

♦ **1.** Formation d'un ulcère. *Début d'ulcération. Ulcération rapide.*

♦ **2.** (1803). Perte de substance en voie de constitution provoquée par des causes mécaniques, physiques (⇒ **Brûlure**), chimiques ou microbiennes (⇒ **Ozène**). *Ulcérations cancéreuses, tuberculeuses, syphilitiques. Ulcérations superficielles.* ⇒ **Abrasion, aphte, exulcération.** *Extension d'ulcération.* ⇒ **Phagédénisme.** *Ulcération artificielle.* ⇒ **Cautère.** *Ulcération des membres de certains animaux.* ⇒ **Crapaudine.**

C'était un lupus, qui avait envahi le nez et la bouche (...) une ulcération lente s'étalant sous les croûtes, dévorant les muqueuses.   ZOLA, Lourdes, I, I.

ULCÈRE [ylsɛʀ] n. m. — 1546 ; fém., 1314 ; anc. provençal *ulcera,* 1300 ; du lat. *ulcus, ulceris.*

♦ **1.** Perte de substance de la peau et des muqueuses, formant une ou plusieurs plaies qui ont tendance à ne pas se cicatriser, et qui a une évolution chronique. *Ulcère tuberculeux, peptique, sanieux, vénérien, variqueux. Ulcère duodénal ; ulcère gastrique, ulcère à l'estomac* (→ Faim, cit. 8), *de l'estomac.* ⇒ **Ulcus.** *Ulcère rongeant, phagédénique, putride. Ulcère artificiel.* ⇒ **Exutoire.** *Petits ulcères.* ⇒ **Chancre** (vx). *Ulcères des lépreux* (cit. 2). *Job, plein de plaies et d'ulcères* (→ Notre, cit. 7).

Harold Wolf, chez un malade porteur de fistule gastrique, a montré que les poussées de tension émotionnelle produisaient des poussées ulcéreuses et ce fait est à rapprocher des ulcères digestifs d'origine centrale, en particulier des ulcères rapportés par Cannon à l'excitation du diencéphale.
Jean DELAY, Introd. à la médecine psychosomatique, p. 22.

Spécialt. Ulcère à l'estomac. *Il a un ulcère d'origine psychosomatique. Son ulcère le rend hargneux.*

♦ **2.** Par compar. ou métaphore (des ulcères de la peau). *Un lazaret* (cit. 2) *sordide, semblable à quelque ulcère honteux. Un nouvel ulcère, une sombre cour des miracles* (→ Pouillerie, cit.). ⇒ **Lèpre ; cancer.**

La guerre étrangère, c'est une écorchure qu'on a au coude ; la guerre civile, c'est l'ulcère qui vous mange le foie.   HUGO, Quatre-vingt-treize, II, II, II.

♦ **3.** (1812). Arbor. Sur les plantes, Plaie causée par irritation locale ou maladie infectieuse, et qui ne se cicatrise pas.

COMP. V. **Ulcérogène, ulcéroïde.**

ULCÉRER [ylseʀe] v. tr. — Conjug. *céder.* — 1314, p. p. et pron. ; v. 1500, inf. ; *s'ulcérer* «se changer en ulcère» ; lat. *ulcerare,* de *ulcus* «ulcère».

♦ **1.** Produire un ulcère. *Une affection microbienne qui a pour effet d'ulcérer certains tissus.* ⇒ **Altérer.** *Ulcérer de façon peu profonde, superficielle.* ⇒ **Exulcérer.** — Pron. *Plaie qui s'ulcère,* qui prend le caractère d'un ulcère.

♦ **2.** (1611). Fig. Blesser qqn profondément, en l'irritant. ⇒ **Froisser.** *Ce manque de confiance l'a profondément ulcéré.*

▶ **ULCÉRÉ, ÉE** p. p. adj.

♦ **1.** (1314). Atteint par l'ulcère. *Lésion ulcérée de la peau. Sa jambe ulcérée ne se guérit pas.*

♦ **2.** (1546, Saint-Gelais). Qui éprouve un violent ressentiment. *Le cœur ulcéré* (→ 1. Grief, cit. 4), *déchiré par la violence, les ressentiments, la colère* (cf. Meurtri, saignant...). *Être ulcéré par le ressentiment.* ⇒ **Froissé, vexé.** *Âme, conscience ulcérée.*

Mais Waldhaus restait ulcéré ; sa dignité avait été outragée ; et, ce qui rendait l'affront plus mortifiant, c'est qu'il avait eu des témoins (...)
R. ROLLAND, Jean-Christophe, La révolte, II, p. 490.
DÉR. Ulcératif.

ULCÉREUX, EUSE [ylseRɸ, ɸz] adj. et n. — V. 1370 ; «couvert d'ulcères», 1546 ; lat. *ulcerosus*, de *ulcus* «ulcère».
Médecine.

♦ **1.** Qui a la nature de l'ulcère ou de l'ulcération. *Plaie ulcéreuse. Maladie ulcéreuse intra-utérine. Lésions ulcéreuses.* ⇒ **Chancre.** *Poussée ulcéreuse* (→ Ulcère, cit. 1, Delay.)

♦ **2.** Qui est atteint d'un ulcère de l'estomac ou du duodénum. — N. (1875, *in* D.D.L.). *Un ulcéreux, une ulcéreuse.*

ULCÉROGÈNE [ylseRɔ3ɛn] adj. — V. 1960 ; de *ulcéro-* (de *ulcère*), et *-gène.*

♦ Méd. Qui favorise la formation d'ulcères. *Substance ulcérogène.*

ULCÉROÏDE [ylseRɔid] adj. — 1878 ; de *ulcéro-* (de *ulcère*), et suff. *-oïde.*

♦ Méd. Qui ressemble à un ulcère. *Plaie ulcéroïde.*

ULCUS [ylkys] n. m. — 1923 ; mot lat., «ulcère, plaie».
Médecine.

♦ **1.** Ulcère de l'estomac.

♦ **2.** Cancer de la peau, siégeant à la face. — REM. Ce mot est critiqué.

ULÉMA [ylema] ou **OULÉMA** [ulema] n. m. — 1765 ; arabe *ĕŭāmā* «savants».

♦ Docteur de la loi, théologien, dans les pays arabes de religion musulmane. *Le mot uléma, pluriel en arabe, a été pris pour un singulier. Les ulémas en turban blanc à bandelettes d'or* (→ Émir, cit. 2).
Il est obligé de compter avec l'influence des ulémas, qui forment à la fois l'ordre judiciaire et religieux du pays (...)
NERVAL, Voyage en Orient, «Nuits du Ramazan», II.
Si Mokhtar, en se retournant sur sa couche, prononça un grand discours dans la langue classique des Ulémas. Je n'y comprenais rien.
Kateb YACINE, Nedjma, IV, 6, p. 143.

ULEX [ylɛks] n. m. — 1858 ; lat. *ulex* «sorte de romarin».

♦ Bot. (n. scientifique). Ajonc.

ULIGINAIRE [yli3inɛR] adj. — 1803, *in* Boiste ; de *uligineux*, par changement de suffixe.

♦ Syn. de *uligineux.*

ULIGINEUX, EUSE [yli3inɸ, ɸz] adj. — 1546, «mouillé, trempé ou détrempé» ; lat. *uliginosus*, de *uligo* «humidité».

♦ **1.** Humide. *Terrains uligineux.*

♦ **2.** Qui vit dans l'humidité. *Plantes uligineuses.*
REM. On dit aussi *uliginaire.*

ULITE [ylit] n. f. — 1846 ; du grec *oulon* «gencive».

♦ Vx. Inflammation de la membrane muqueuse des gencives. ⇒ **Gingivite.**

ULLUQUE [ylyk] n. m. — 1848, d'Orbigny, *Dict.*, esp. *ulluco*, quichua *ullucu.*

♦ Bot. Plante dicotylédone (*Salsolacées**) herbacée d'Amérique du Sud, vivace, à tubercules comestibles. — REM. On trouve aussi *ulluco* [yl(l)yko] ou *melloco* [meloko] (1876, *in* P. Larousse).

U. L. M. [yɛlɛm] n. m. invar. — 1982 ; sigle de *ultra léger motorisé.*

♦ Engin volant de sport, petit avion monoplace ou biplace à moteur de faible cylindrée, de construction très légère (souvent plans de sustentation en tissu résistant tendu sur une armature d'alliage léger).

ULMACÉES [ylmase] n. f. pl. — 1828 ; lat. *ulmus* «orme».

♦ Bot. Famille de plantes dicotylédones apétales. ⇒ **Orme, micocoulier** (cit. 1). — Au sing. *Une ulmacée.*

ULMAIRE [ylmɛR] n. f. — 1583 ; lat. bot. *ulmaria*, de *ulmus* «orme».

♦ Bot. Spirée. ⇒ **Reine-des-prés.**
DÉR. V. Ulmique.

ULMEAU [ylmo] n. m. — 1314 ; var. de *ormeau.*

♦ Régional. Orme* commun.

ULMIQUE [ylmik] adj. — 1834, *in* Boiste ; orig. obscure, p.-ê. de *ulm(aire).*

♦ Chim. *Acide ulmique :* acide issu de la décomposition de matières animales et végétales et contribuant à la formation de l'humus.

ULNAIRE [ylnɛR] adj. — 1843, Landais ; du lat. *ulna* «avant-bras».

♦ Anat. (Rare). Qui a rapport à l'os cubital.

ULOTRICALES [ylɔtRikal] n. f. pl. — V. 1960 ; de *ulotrix**. → Ulotriche.

♦ Bot. Algues vertes (*Chlorophycées*) comprenant de nombreuses espèces qui ont en commun leur structure cellulaire et des zoospores à deux flagelles. — Au sing. *Une ulotricale.*

ULOTRICHE [ylɔtRiʃ] ou **ULOTRIQUE** [ylɔtRik] adj. — 1855, Nysten, *ulotriche ; ulotrique*, xxᵉ ; du grec *oulos* «frisé, crépu», et *thrix, thrikhos* «cheveu».

♦ Anthrop. Qui a les cheveux crépus. *Les Noirs sont ulotriches.*
CONTR. Lissotriche.

ULOTRIX [ylɔtRiks] n. m. — 1904, Larousse ; *ulothrix*, 1876 ; du grec *oulothrix* «aux cheveux frisés». → Ulotriche.

♦ Bot. Algue filamenteuse d'eau douce, type de l'ordre des *ulotricales. Les ulotrix forment un genre.*
DÉR. Ulotricales.

ULSTER [œlstɛR ; ylstɛR] n. m. — V. 1872 ; de l'angl. *Ulster*, province d'Irlande.

♦ Vx. Manteau d'homme, pardessus d'hiver long et confortable.
Ils étaient trois, vêtus d'ulsters garnis de martre.
Ils rentraient, ce matin, d'une orgie à Montmartre (...)
Charles CROS, le Coffret de santal, Pl., p. 147 (1873).

ULTÉRIEUR, EURE [yltɛRjœR] adj. — 1531 ; lat. *ulterior*, compar. formé sur le rad. de *ultra.*

♦ **1.** Géogr. Qui est au-delà par rapport à une ligne donnée. *Calabre ultérieure et Calabre citérieure.*

♦ **2.** Cour. Qui sera, arrivera dans un futur proche ou éloigné. ⇒ **Futur, postérieur, suivant** (→ Camaraderie, cit. 1). *Les générations ultérieures* (→ Glorification, cit. 2). *Renvoi à une date ultérieure.* ⇒ **Ajournement.**
CONTR. Antécédent, antérieur, citérieur.
DÉR. Ultérieurement.

ULTÉRIEUREMENT [yltɛRjœRmã] adv. — 1570, Huguet ; de *ultérieur.*

♦ Plus tard. ⇒ **Après, ensuite.** *Nous reparlerons de cette question ultérieurement. Ces problèmes seront examinés ultérieurement.*
J'ai fait mettre dans le journal qu'on paierait deux fois tous les impôts et trois fois ceux qui pourront être désignés ultérieurement.
A. JARRY, Ubu roi, III, 4.
REM. Claudel (le Soulier de satin, I, 2) a forgé le mot-valise *adultérieurement*, de *adultère*, et *ultérieurement.*
CONTR. Antécédemment, antérieurement.

ULTIMA RATIO [yltimaRasjo ; ultimaRatjo] n. f. — xvııᵉ ; mots lat., *ultima* «ultime», et *ratio* «cause, raison».
Didactique.

♦ **1.** Dernier argument. *Ultima ratio regum* («le dernier argument des rois»), traduction latine d'un apophtegme de Richelieu, que Louis XIV avait fait graver sur ses canons.

♦ **2.** Épistémologie. Principe d'explication ultime.
L'*ultima ratio* de toutes les structures et performances téléonomiques des êtres vivants est donc enfermée dans les séquences de radicaux des fibres polypeptidiques (...) saurait-on non seulement décrire ces séquences, mais énoncer la loi d'assemblage à laquelle elles obéissent, on pourrait dire que le secret est percé, l'*ultima ratio* découverte. Jacques MONOD, le Hasard et la Nécessité, p. 126.

ULTIMATIF, IVE [yltimatif, iv] adj. — 1923; de *ultima(tum)*.

♦ Littér. Qui a les caractères d'un ultimatum. « *La forme ultimative de leur démarche* » (Suarès).

ULTIMATUM [yltimatɔm] n. m. — 1792; «décision irrévocable», 1740; lat. médiéval *ultimatus*, class. *ultimus* «dernier», signalé par Du Cange comme employé au neutre *ultimatum* dans les chancelleries allemandes au sens de *ultimatum consilium* «dernière décision».

♦ **1.** Dernières conditions et propositions présentées par un État à un autre «et comportant une sommation péremptoire de faire ou de ne pas faire quelque chose» (Delbez). *Lancer, adresser, envoyer un ultimatum. L'ultimatum de l'Autriche à la Serbie déclencha la guerre de 1914. On attendait la réponse à l'ultimatum* (→ Optimisme, cit. 5; et aussi note, cit. 21). — *Des ultimatums.*

0.1 Les Virgamenois connaissaient de longue date la longanimité des Quiquendoniens, et ils se moquaient d'eux, de leur réclamation, de leur *casus belli* et de leur ultimatum.
Il n'y avait plus qu'une chose à faire : s'en rapporter au sort des armes, invoquer le dieu des batailles et, suivant le procédé prussien, se jeter sur les Virgamenois avant qu'ils fussent tout à fait prêts. J. VERNE, le Docteur Ox, p. 101.

1 L'éventualité d'un ultimatum agressif adressé à la Serbie par l'Autriche semblait, dans les circonstances actuelles, devoir amener des complications (...)
MARTIN DU GARD, les Thibault, t. VI, p. 57.

1.1 Dans la nuit du 13 au 14 mai, lorsque la Chambre fit mine de ne pas capituler devant l'ultimatum d'Alger et investit Pierre Pflimlin, nous pûmes croire un instant que le Front Populaire allait renaître.
F. MAURIAC, le Nouveau Bloc-notes 1958-1960, p. 60.

♦ **2.** (1792). Exigence impérative. ⇒ **Sommation; demeure** (mise en). *La sentinelle* (cit. 2) *présenta sa baïonnette en manière d'ultimatum.*

2 (...) la main ouverte, prête pour une gifle, et ramenée derrière la fesse, dans un large geste d'élan, il posa son ultimatum : — Une! deusse! troisse! Voulez-vous vous *barrer*, oui ou non? COURTELINE, le Train de 8 h 47, II, VIII.

DÉR. Ultimatif.

ULTIME [yltim] adj. — 1834; attesté XIIIᵉ; lat. *ultimus* «dernier».

♦ **1.** Dernier, final (dans le temps). *La gloire ultime est réservée aux pauvres* (→ Esprit, cit. 52).

Les premiers symptômes d'une maladie mortelle fournissent au professeur le sujet de brillantes leçons; mais toutes les maladies mortelles présentent le même phénomène ultime, l'arrêt du cœur. Il n'y a pas grand'chose à dire là-dessus.
BERNANOS, les Grands Cimetières sous la lune, p. 18.

♦ **2.** Qui constitue le dernier élément (d'une analyse, d'un raisonnement) auquel on puisse parvenir. *L'atome, particule ultime* (→ Molécule, cit. 4). — (De Gramont). *Raies (spectrales) ultimes,* qui subsistent aux grandes dilutions (sans qu'elles aient forcément présenté une intensité élevée pour une forte concentration). (Abstrait). *Cause ultime.* ⇒ **Ultima ratio.**

REM. On trouve chez Littré la var. *ultième* [yltjɛm] (d'après *deuxième, troisième*...).

DÉR. Ultimement.

ULTIMEMENT [yltimmɑ̃] adv. — xxᵉ; de *ultime*.

♦ D'une manière ultime, en dernier lieu. ⇒ **Ultimo.**

ULTIMO [yltimo] adv. de temps — 1842; lat. *ultimus* «dernier».

♦ Didact., rare. En dernier lieu. ⇒ **Dernier** (en), **ultimement.** *On utilise* ultimo *dans les énumérations après* primo, secundo, etc.

ULTRA [yltʀa] n. et adj. — 1792, Brunot; emploi substantivé du lat. *ultra* ou ellipse de *ultra-royaliste* (→ Royaliste, cit. 4, Chateaubriand), *ultra-conservateur.*

♦ **1.** Vx. Personne qui pousse à l'extrême une opinion, et, spécialt, une position politique. ⇒ **Partisan** (extrémiste, fanatique). *Un, une* ultra. *Le rôle des ultras sous la Restauration.*

♦ **2.** Mod. Réactionnaire extrémiste.

1 Plus de soixante ultras sont à la veille de siéger au Palais Bourbon.
F. MAURIAC, le Nouveau Bloc-notes 1958-1960, p. 127.

Adj. *Ils sont ultras. Elle est ultra.*

2 Être ultra, c'est aller au delà. C'est attaquer le sceptre au nom du trône et la mitre au nom de l'autel; c'est malmener la chose qu'on traîne; c'est ruer dans l'attelage; c'est chicaner le bûcher sur le degré de cuisson des hérétiques (...)
HUGO, les Misérables, III, III, III.

REM. On fait parfois l'adj. invariable au pluriel :

3 Ils apprirent *(les enquêteurs belges)* que Scheerlink avait passé la journée ainsi qu'une partie de la nuit du 24 juin en compagnie de Tschombé, de Munongo et de plusieurs leaders ultra d'Élisabethville.
Jean ZIEGLER, Main basse sur l'Afrique, p. 245.

♦ **3.** Adj. (Choses). *Déclaration ultra.* — REM. Dans cet emploi, *ultra* est à nouveau utilisé pour qualifier toute attitude extrémiste. «*Au soir du premier tour, Georges Marchais se désistera bien en faveur de*

François Mitterrand, mais pour mener une campagne " ultra " qui cherchera à piéger le leader socialiste » (*le Point,* 13 avr. 1981, p. 57).

ULTRA- Élément, du lat. *ultra* «au-delà», servant à former des composés (adjectifs et noms) qui indiquent une position située au-delà de qqch. Cet élément entre dans la formation de termes géographiques (ex. : *ultramarin, ultramontain*) et de termes scientifiques (ex. : *ultracentrifugation, ultramicroscope, ultrason, ultra-violet*). Les composés en *ultra-* expriment parfois le degré extrême de qqch. ⇒ **Extra-, hyper-, super-, supra-, sur-.** Ils sont nombreux dans la terminologie idéologique et politique (ex. : *ultraracisme, ultracollaboration, ultraconservateur, ultra-gauche, ultramontanisme, ultraroyaliste*). ⇒ **Ultra.**

Laval était nommé chef du gouvernement, sa politique d'ultra-collaboration triomphait. S. DE BEAUVOIR, la Force de l'âge, p. 526.

Très productif, le préfixe *ultra-* sert à former librement de nombreux adjectifs de la langue usuelle (ex. : *ultra-chaud, ultra-chic, ultra-moderne, ultra-sensible,* etc.) avec le sens de «très, extrêmement».

Le sentiment que je suis le maître absolu de mes actions m'a rendu ultra-prudent. Je redoute ma propre ardeur.
LA FAYETTE, Lettre à A. Hamilton, 23 mai 1781, in MANCERON, les Hommes de la liberté (in D.D.L., II, 11).

Il a des redingotes bleues, à revers de moire, ultra-collantes, trop neuves; des pantalons de coupe anglaise, trop clairs (...)
O. MIRBEAU, le Journal d'une femme de chambre, p. 365.

(...) on s'apercevait qu'en effet c'était très ingénieux et très hardi, ces costumes ultra-chauds pour la pluie, ultra-légers pour la chaleur, qui ne reculaient devant aucune adaptation au besoin du temps. PROUST, Jean Santeuil, Pl., p. 466.

Mais j'ai craint que vous, esprit subtil et cœur ultra-sensitif, ne vous mettiez martel en tête en ne recevant pas de lettre (...)
PROUST, À l'ombre des jeunes filles en fleurs, Folio, p. 531.

(...) être nationaliste c'est s'inscrire sur les registres d'un cercle ultra-élégant où siègent Du Guesclin, Jeanne d'Arc, Richelieu, Louis XIV (pas Napoléon).
J. BENDA, in N.R.F., nᵒ 191, août 1929, 151 (in D.D.L., II, 15).

(...) le «Jeune homme devant une tête de mort» *(tableau de Cézanne)* de 1890, dans sa conception apparente de romantisme ultra-conventionnel mais dans son exécution très au-delà de ce romantisme (...)
A. BRETON, l'Amour fou, VI, p. 156.

(...) des pâmoisons de la voix, des prononciations ultra-distinguées, dont elles s'imaginent certainement que c'est la marque d'une éducation aristocratique (...)
J. ROMAINS, les Hommes de bonne volonté, t. XXII, p. 125.

(...) eux *(les personnages modernes)* doués sans doute de pouvoirs, d'armes occultes, ou ultra-perfectionnées comme dans les romans de science-fiction, en tout cas invisibles, et leur donnant le pouvoir, sans faire ni proférer un mot, de se foudroyer à distance, l'un tombant mort sans que l'autre ait même regardé dans sa direction, ou esquissé un mouvement (...)
Claude SIMON, le Vent, p. 216.

Pourtant ma peinture n'est pas, comme beaucoup le croient, une peinture abstraite. Ma peinture est au contraire ultra-réaliste.
M. AYMÉ, le Vin de Paris, «La bonne peinture», p. 214.

Cette boîte ultra-snob qu'on a inaugurée avant-hier? Non, s'il te plaît; trouve autre chose. S. DE BEAUVOIR, les Mandarins, p. 291 (1954).

REM. Ces composés peuvent s'écrire avec ou sans trait d'union. Toutefois, les composés formés avec des adjectifs tendent à conserver le trait d'union, ceux qui comportent un nom à être soudés.

Outre les mots cités ci-dessus et traités à l'ordre alphabétique, on peut signaler : **a** Adj. *Ultra-aigu* (1934, in D.D.L.); *ultra-bas (températures ultra-basses, la Recherche,* avr. 1981, p. 451), *ultra-classique* (1843, in D.D.L.), *ultra-colonialiste* (1936, in D.D.L.), *ultra-conformiste* (1935, in D.D.L.), *ultra-excité (le Nouvel Obs.,* 15 mai 1982), *ultra-fantaisiste* (1883, in D.D.L.), *ultra-frais (produits ultra-frais, l'Express,* 14 févr. 1981, p. 117), *ultra-gazeux* (1880, in Année sc. et industr. 1881, p. 8), *ultra-germanique* (1842, in D.D.L.), *ultra-irradié, ultra-marchand* (1829, in D.D.L.), *ultra-matinal* (1859, in D.D.L.), *ultra-méridional* (1891, in D.D.L.), *ultra-naturel* (1832, Balzac, in D.D.L.), *ultra-nerveux* (1868), *ultra-papiste* (1861, Mérimée, in D.D.L.), *ultraperformant (le Point,* 23 mars 1981, p. 67), *ultra-policé* (Georges Sorel, 1908), *ultra-pratique* (1901, in D.D.L.), *ultra-progressiste (l'Express,* 14 févr. 1981, p. 82), *ultra-prudent* (1854, in D.D.L.), *ultra-radical* (1841, Fourier, in D.D.L.), *ultra-raisonnable* (1853, Baudelaire; → Anti-poétique, cit. 2), *ultra-récent* (1931, in D.D.L.), *ultra-rétrograde* (1899, in D.D.L.), *ultra-révolutionnaire* (1793, Danton, in D.D.L.), *ultra-robuste* (1902), *ultra-romanesque, ultra-romantique, ultra-sélectif* (1880, Nadar, in D.D.L.), *ultra-simpliste (l'Express,* 28 avr. 1981, p. 47), *ultra-sophistiqué (Sciences et Avenir,* mars 1981, p. 29), *ultra-spécialisé (le Nouvel Obs.,* 6 avr. 1981, p. 52).

b Noms (formations plus rares et nettement moins naturelles). *Ultra-compétition,* n. f. (*Sciences et Avenir,* oct. 1981, p. 38); *ultra-miniaturisation,* n. f. (*la Recherche,* juin 1981, p. 760); *ultra-rareté* (in D.D.L.); *ultratechnologie,* n. f. (*F Magazine,* mars 1981, p. 92); *ultra-vérité,* n. f. (1843, Sainte-Beuve, in D.D.L.). — (Politique). « *L'ultra-droite et l'ultra-gauche* » (*le Nouvel Obs.,* 15 mai 1982, p. 50).

(...) pour rejeter la culpabilité nazie, ils (...) n'ont trouvé d'autre issue que de se mettre au service d'un ultra-gauchisme, d'une ultra-violence absolument destructrice. Michèle PERREIN, Entre chienne et louve, p. 201.

On trouvera de nombreux autres exemples récents dans P. Gilbert, *Dict. des mots contemporains.*

ULTRABASIQUE [yltʀabɑzik] adj. — 1933, Larousse ; de *ultra-*, et *basique*.

♦ Didact. (minéralogie). Se dit d'une roche à minéraux lourds (amphibole, pyroxène, etc.) et riche en silice. *« Les ophiolites, ces complexes de roches basiques et ultrabasiques (...) »* (*la Recherche*, avr. 1978, p. 316).

ULTRACENTRIFUGATION [yltʀasɑ̃tʀifygasjõ] n. f. — 1949 ; de *ultra-*, et *centrifugation*.

♦ Sc. Centrifugation obtenue à l'aide d'une centrifugeuse* dont la vitesse de rotation est très élevée.

(V. 1970). Spécialt. Cette centrifugation, utilisée comme procédé de séparation des isotopes d'un élément (par ex., des isotopes 235 et 238 de l'uranium naturel). — On trouve aussi la graphie *ultra-centrifugation*. *« Il n'est pas exclu que la mise au point de la technique d'enrichissement par ultra-centrifugation puisse permettre la construction de petites usines d'enrichissement de l'uranium »* (*le Monde*, 10 juil. 1974, *in* Gilbert).

DÉR. Ultracentrifugeuse.

ULTRACENTRIFUGEUSE [yltʀasɑ̃tʀify3øz] n. f. — 1949, Larousse ; de *ultracentrifug(ation)*, et suff. *-euse*.

♦ Appareil à centrifuger à vitesse de rotation très élevée (plus de 50 000 tours/minute). — On dit aussi *ultracentrifugeur* [yltʀasɑ̃tʀify3œʀ] n. m. *« Les possibilités de l'ultracentrifugeur analytique M.O.M., face à la concurrence internationale »* (*Ingénieurs et Techniciens*, nº 200, p. 29).

ULTRA-CHIC [yltʀaʃik] adj. — V. 1900 ; de *ultra-*, et *chic*.

♦ Fam. Très élégant. — REM. Invar. en genre. *Elles sont ultra-chics.*
Et les gens qui ne pratiquent point ce vice par passion, s'y adonnent par snobisme... C'est ultra-chic...
O. MIRBEAU, le Journal d'une femme de chambre, p. 127.
(...) j'ai croisé une voiture de la Croix-Rouge qui semblait sur le point de démarrer. Je suis montée au fond entre une infirmière ultra-chic, une demoiselle de Hérédia, et qui ne l'oubliait pas, et une grande cheftaine à lunettes (...)
S. DE BEAUVOIR, la Force de l'âge, p. 464.

ULTRACISME [yltʀasism] n. m. — 1825, Berryer, *in* D.D.L. ; de *ultra*, et *-isme*.

♦ Polit. (Vx). Attitude politique des ultras. ⇒ **Extrémisme**.

ULTRA-CONSERVATEUR, TRICE [yltʀakõsɛʀvatœʀ, tʀis] adj. — 1841 ; de *ultra-*, et *conservateur*.

♦ Très conservateur (en politique). *Un parti ultra-conservateur. Opinions ultra-conservatrices. « Depuis des mois, soutenus par le pape, les mouvements ultra-conservateurs menaient une campagne habile dans ce pays catholique en présentant le vote contre l'avortement comme un choix pour la vie »* (*F Magazine*, juin 1981, p. 54).

ULTRA-COURT, -COURTE [yltʀakuʀ, kuʀt] adj. — 1933 ; de *ultra-*, et *court*.

♦ **1.** Se dit des ondes électromagnétiques de très grande fréquence (longueur d'onde de quelques centimètres), utilisées en télévision, radar. — On écrit aussi *ultracourt, ultracourte*.
(...) la Radioélectricité s'oriente depuis quelques années vers des voies nouvelles par l'emploi des ondes électromagnétiques de longueurs d'onde de plus en plus courtes, de l'ordre du mètre et même du centimètre. Ces ondes ultra-courtes, par leur pouvoir de pénétration, par leur faculté de former des faisceaux dirigés, analogues à des faisceaux de lumière, ont permis récemment des applications extraordinaires telles que le fameux Radar (...)
L. DE BROGLIE. Physique et Microphysique, p. 307.

♦ **2.** Cour. Très court. *Jupe ultra-courte.* ⇒ **Mini-jupe**.

ULTRACOUSTIQUE [yltʀakustik] adj. — xxᵉ ; de *ultra-*, et *acoustique*.

♦ Didact. Se dit des fréquences immédiatement supérieures aux fréquences acoustiques.

ULTRADIEN, IENNE [yltʀadjɛ̃, jɛn] adj. — 1968, Larousse ; de *ultra-*, et lat. *dies* « jour ».

♦ Sc. Se dit d'un rythme de variations biologique, physiologique, selon une alternance inférieure à vingt-quatre heures. *« Chez l'homme, par exemple, les diverses activités métaboliques, nerveuses, endocriniennes, etc. sont programmées dans le temps suivant des rythmes courts inférieurs à 24 heures (ultradiens), des rythmes de 24 heures (rythmes circadiens) ou des rythmes plus longs (rythmes circannuels) »* (*la Recherche*, mai 1981, p. 616). — REM. Le

terme est mal formé, *ultra-* évoquant un rythme supérieur (*infra-* conviendrait mieux).

ULTRADYNE [yltʀadin] adj. et n. m. — xxᵉ ; de *ultra-*, et *-dyne*.

♦ Électr. Se dit d'un montage changeur de fréquence, dans lequel la modulation se fait par l'anode.

ULTRAFILTRAT [yltʀafiltʀa] n. m. — 1974, *la Clé des mots*, oct. 1974 ; de *ultra-*, et *filtrat*.

♦ Sc. Filtrat obtenu par ultrafiltration.

ULTRAFILTRATION [yltʀafiltʀasjõ] n. f. — 1908, Bechold ; de *ultra-*, et *filtration*.

♦ Sc. Filtration sous pression à travers une paroi capable de retenir les très petites particules qui traversent les filtres habituels. *« (...) l'ultrafiltration pratique la sélection des constituants d'un mélange suivant la taille des molécules, sous l'effet de la pression »* (*Sciences et Avenir*, avr. 1981, p. 38).

ULTRAFILTRE [yltʀafiltʀ] n. m. — 1933, Larousse ; de *ultra-*, et *filtre*.

♦ Sc. Appareil utilisé pour l'ultrafiltration.

ULTRAFILTRER [yltʀafiltʀe] v. tr. — Mil. xxᵉ ; de *ultra-*, et *filtrer*.

♦ Sc., techn. Soumettre à l'ultrafiltration.

ULTRA-FIN, -FINE [yltʀafɛ̃, fin] adj. — xxᵉ ; de *ultra-*, et *fin*.

♦ Extrêmement fin. *« Une aiguille ultra-fine est introduite... »* (*F Magazine*, mai 1981, p. 10).

ULTRAGAUCHISME [yltʀagoʃism] n. m. — Mil. xxᵉ ; de *ultra-*, et *gauchisme*.

♦ Polit. Gauchisme* extrémiste (→ Ultra-, cit. 12). — REM. Le comp. *ultra-gauche* [yltʀagoʃ] n. f., attesté en 1968, est demeuré très rare.

ULTRAGAUCHISTE [yltʀagoʃist] adj. et n. — 1936, *ultra-gauchiste*, Aragon, *in* D.D.L. ; de *ultra-*, et *gauchiste*.

♦ Polit. Gauchiste extrémiste.

ULTRA-LÉGER, ÈRE [yltʀale3e, ɛʀ] adj. — 1901, *in* D.D.L. ; de *ultra-* et *léger*.

♦ Extrêmement léger. *Un alliage ultra-léger.*

ULTRALIBÉRAL, ALE, AUX [yltʀalibeʀal, o] adj. et n. — 1817, Maine de Biran, *in* D.D.L. ; de *ultra-*, et *libéral*.

♦ **1.** Polit. (Vx). Libéral extrémiste (partisan de la république libérale sous la Restauration).

♦ **2.** Écon. Libéral* sans concession. *« Le modèle de développement ultra-libéral qu'elle* (la Corée) *a choisi »* (*le Nouvel Obs.*, 2 mars 1981, p. 33).

ULTRAMARIN, INE [yltʀamaʀɛ̃, in] adj. — Av. 1871, Rimbaud ; de *ultra-*, et *marin*.

♦ **1.** Littér. Couleur outre-mer.

♦ **2.** Rare. Des pays d'outre-mer. *« L'intégration ultramarine des entreprises »* (*le Figaro*, 16 mars 1974).

ULTRAMÉTAMORPHISME [yltʀametamɔʀfism] n. m. ⇒ **Anatexie**.

ULTRAMICROSCOPE [yltʀamikʀɔskɔp] n. m. — 1904, *Rev. gén. des sc.*, nº 22, p. 1023 ; de *ultra-*, et *microscope*.

♦ Microscope optique muni d'un dispositif d'éclairement qui permet de rendre visibles les éléments trop petits pour être observés au moyen du microscope optique classique. *L'ultramicroscope induit la formation de franges de diffraction autour des particules col-*

loïdales, des goutelettes de suspension, etc., et fait apparaître celles-ci brillantes sur fond noir.

DÉR. Ultramicroscopie.

ULTRAMICROSCOPIE [yltʀamikʀɔskɔpi] n. f. — 1903, *Rev. gén. des sc.*, n° 23, 15 déc. 1903; de *ultramicroscope*.

♦ Sc. Technique de l'utilisation de l'ultramicroscope; ensemble des investigations, des recherches qui sont menées, ou peuvent l'être, au moyen de l'ultramicroscope.

ULTRAMICROSCOPIQUE [yltʀamikʀɔskɔpik] adj. — 1876; de *ultra-*, et *microscopique*.
Sciences.

♦ **1.** (Choses). Qui ne peut être observé qu'à l'ultramicroscope. *Structure ultramicroscopique.* ⇒ **Ultrastructure.**

♦ **2.** (1923, Larousse). Relatif à l'ultramicroscopie.

DÉR. V. Ultrastructure.

ULTRAMODERNE [yltʀamɔdɛʀn] adj. — 1891, *in* D.D.L.; de *ultra-*, et *moderne*.

♦ Cour. Très moderne. *Matériel ultramoderne. Maison, usine ultramoderne.*

DÉR. Ultramodernisme.

ULTRAMODERNISME [yltʀamɔdɛʀnism] n. m. — 1930, C. Mauclair, *in* D.D.L.; de *ultramoderne*, d'après *modernisme*.

♦ Didact. Caractère ultramoderne. *L'ultramodernisme d'une maquette d'urbanisme.*

ULTRAMONTAIN, AINE [yltʀamɔ̃tɛ̃, ɛn] adj. et n. — 1323; lat. médiéval *ultra-montanus*, de *ultra*, et *mons, montis* «montagne».
Didactique.

♦ **1.** Vx. Qui est au-delà des montagnes, et, spécialt, des Alpes, par rapport à la France — c'est-à-dire italien (→ Pantomime, cit. 6, Rousseau) — ou par rapport à l'Italie — c'est-à-dire français, allemand, etc.

♦ **2.** Relig. Qui soutient la position traditionnelle de l'Église italienne (pouvoir absolu du pape), par oppos. à *gallican**. *Principes ultramontains. Théories, prétentions ultramontaines.*
Par ext. Soumis au pouvoir de l'Église catholique.

Cette période *(1860)* pourtant sera de plus en plus ultramontaine. Avec les années 60 qui correspondent au Syllabus (condamnation vaticane des erreurs modernes : 1864), les libéraux du pays appelés les «rouges» — Papineau, Barthe, Dessaulles, Guibord... — vont devoir se ranger devant le pouvoir monolithique du clergé catholique.   André GAULIN, *in* Littératures de langue franç.
                                          hors de France, Québec, Introd., p. 430.
N. *J. de Maistre, Veuillot, Lammenais, célèbres ultramontains.*

CONTR. Gallican.
DÉR. Ultramontanisme.

ULTRAMONTANISME [yltʀamɔ̃tanism] n. m. — 1733; de *ultramontain*.

♦ Relig. Doctrines favorables à l'autorité absolue du pape, à la primauté de l'Église romaine.

L'ultramontanisme et le goût de l'irrationnel s'introduisaient dans la citadelle de la théologie modérée.   RENAN, Souvenirs d'enfance..., v, Œ. compl., t. II, p. 856.

CONTR. Gallicanisme.

ULTRANATIONALISME [yltʀanasjɔnalism] n. m. — 1943, *in* D.D.L.; de *ultra-*, et *nationalisme*.

♦ Nationalisme extrémiste. — REM. *Ultranationaliste* [yltʀanasjɔnalist] adj. et n., est lui aussi attesté. «*Une faction militaire extrémiste et ultranationaliste* (en Argentine)» (*le Nouvel Obs.*, 15 mai 1982, p. 50).

ULTRANOIR [yltʀanwaʀ] n. m. — Mil. xxᵉ; de *ultra-*, et *noir*, n. m.

♦ Techn. Partie d'un signal vidéo de télévision limitée par le noir et réservée aux signaux de synchronisation.

ULTRA-PETITA [yltʀapetita] adv. et n. m. — 1846, Bescherelle; mots lat., «au-delà de ce qui a été demandé».

♦ Dr. Au-delà de ce qui a été demandé. *Juge, tribunal qui statue ultra-petita.* — N. m. Fait de statuer sur une chose non demandée, d'adjuger plus qu'il n'a été demandé. *Vice d'ultra-petita.*

ULTRAPRESSION [yltʀapʀesjɔ̃; yltʀapʀesjɔ̃l] n. f. — Mil. xxᵉ; de *ultra-*, et *pression*.

♦ Didact. Pression très élevée, atteignant plusieurs milliers d'atmosphères.

ULTRA-PUISSANT, ANTE [yltʀapɥisɑ̃, ɑ̃t] adj. — 1929, *in* D.D.L.; de *ultra-*, et *puissant*.

♦ Très puissant. ⇒ **Surpuissant.** *Moteur ultra-puissant. Nation ultra-puissante.* — REM. La graphie *ultrapuissant* serait normale.

ULTRA-RAPIDE [yltʀaʀapid] adj. — 1929, *in* D.D.L.,; de *ultra-*, et *rapide*.

♦ Extrêmement rapide. *Avion, auto ultra-rapide. Service ultra-rapide* (dans un restaurant).

ULTRA-ROYALISTE [yltʀaʀwajalist] adj. et n. — 1798; de *ultra-*, et *royaliste*.

♦ Partisan extrémiste des principes de l'Ancien Régime (royauté absolue, de droit divin), sous la Restauration. ⇒ **Ultra.**

ULTRASENSIBLE [yltʀasɑ̃sibl] adj. — 1855, Baudelaire; de *ultra-*, et *sensible*.

♦ Extrêmement sensible; sensible à l'excès. *Nerfs ultrasensibles* (→ Surnaturalisme, cit. 1, Baudelaire). *Appareils, instruments ultrasensibles. Balance, pellicule ultrasensible.* — On écrit aussi *ultra-sensible.* «*Quand ils sont bons, constate Stephen King, les films d'horreur " servent de baromètres ultra-sensibles aux remous qui agitent les rêves de toute une société "* » (*le Point*, 27 avr. 1981, p. 123).

ULTRASON [yltʀasɔ̃] n. m. — 1936; de *ultra-*, et *son*.

♦ Phys. Vibration sonore de fréquence supérieure à 20 000 hertz, qui n'est pas perceptible par l'oreille humaine. *Sondeur sous-marin à ultrasons.* ⇒ **Échosondeur; asdic, sonar.** — REM. On a parfois écrit *ultra-son.*

DÉR. Ultrasonique, ultrasonore.
COMP. Ultrasonographie, ultrasonothérapie.

ULTRASONIQUE [yltʀasɔnik] adj. — 1955; de *ultrason*.

♦ Des ultrasons. ⇒ **Ultrasonore; supersonique** (réservé aux vitesses). *Diffraction ultrasonique de la lumière, dispersion ultrasonique* (production de suspensions ou d'émulsions par ondes ultrasoniques de grande intensité). *Stroboscope ultrasonique. Action thermique ultrasonique.*

ULTRASONOGRAPHIE [yltʀasɔnɔgʀafi] n. f. — V. 1970; de *ultrason*, et *-graphie*.

♦ Méd. Enregistrement au moyen d'ultrasons d'une structure organique (pour localiser un organe, une tumeur, etc.). *Ultrasonographie oculaire.* ⇒ **Échographie.** — On trouve aussi *ultrasonoscopie* [yltʀasɔnɔskɔpi] n. f.

ULTRASONORE [yltʀasɔnɔʀ] adj. — 1928, Langevin; de *ultrason*, d'après *sonore*.

♦ Didact. Relatif aux ultrasons. *Ondes ultrasonores. Vibrations ultrasonores.* «*Transmettre à travers un préamplificateur des fréquences infrasonores et ultrasonores* » (*Revue du son*, n° 160, p. 362). «*Le faisceau ultrasonore émis " balaye " un plan de l'organisme* » (*Sciences et Avenir*, mars 1978, p. 67). «*Irradiation ultrasonore* » (*la Recherche*, mars 1981, p. 339). — REM. Ce mot est gênant, à cause des emplois courants de *sonore*. On lui préférera *ultrasonique*.

ULTRASONOSCOPIE [yltʀasɔnɔskɔpi] n. f. ⇒ **Ultrasonographie.**

ULTRASONOTHÉRAPIE [yltʀasɔnɔteʀapi] n. f. — 1953, Larousse; de *ultrason*, et *thérapie*.

♦ Méd. Utilisation thérapeutique des ultrasons.

ULTRASTRUCTURE [yltʀastʀyktyʀ] n. f. — Mil. xxᵉ; de *ultra-(microscopique)*, et *structure*.

♦ Biol. Structure cellulaire fine, décelable à l'ultramicroscope. «*Squelette, ultrastructure de l'émail dentaire* » (*la Recherche*, oct. 1981, p. 1179).

REM. Le dérivé *ultrastructurel, elle, els* [yltʀastʀyktyʀɛl] adj. est attesté. *«(...) l'étude ultrastructurelle de l'épiphyse (...)»* (la Recherche, juin 1981, p. 725).

ULTRAVIDE [yltʀavid] n. m. — 1975, Larousse ; de *ultra-* et *vide.*

♦ Phys. Vide extrêmement poussé (pression inférieure à 10^{-8} torr). *« D'autre part les progrès réalisés, tant dans la maîtrise de l'ultravide que dans les systèmes électroniques de contrôle (...) ont permis non seulement de réaliser les nouvelles machines, mais surtout, de les avoir à un bien meilleur coût (...) »* (Sciences et Avenir, n° 389, juil. 1979, p. 77).

ULTRAVIOLET [yltʀavjɔlɛ] adj. et n. m. — 1864, *Rev. des cours sc.*, t. I, p. 344 ; de *ultra-,* et *violet.*

♦ Phys. Se dit des radiations électromagnétiques dont la longueur d'onde se situe entre celle de la lumière visible (extrémité violette du spectre) et celle des rayons X (sans qu'il y ait de solution de continuité et, par conséquent, de limites précises) ; par ext., qui correspond à ces radiations. *Le domaine ultraviolet se caractérise par des effets photographiques, photo-électriques, et par des effets ionisants qui permettent de le déceler aisément ; il se divise, par ordre de longueurs d'ondes décroissantes, en trois régions : de Schumann* (étudiée avec un prisme comme organe dispersif), *de Lyman* (étudiée en recourant à un réseau par réflexion), *de Millikan. La partie ultraviolette du spectre* (cit. 8) *solaire. L'arc à vapeur de mercure avec une enveloppe de verre, de silice fondue, source la plus usitée de rayons ultraviolets. Lampe à bronzer aux rayons ultraviolets.*

N. m. **a** *Les ultraviolets* (abrév. : *U. V.*) : les rayons ultraviolets.

b Sing. *L'ultraviolet. Le visible et l'ultraviolet.*

Bien que cette sensibilité de la plaque photographique, convenablement préparée, déborde par ses frontières la région de sensibilité de l'œil et s'étende du commencement de l'infrarouge, c'est surtout du côté de l'ultraviolet, dans la région des petites longueurs d'onde, qu'elle supplée à l'infirmité de nos sens.
Ch. FABRY, Préface à l'Ultraviolet, de Th. LYMAN,
Trad. RIVIÈRE, éd. Alcan, 1924.

ULTRAVIRUS [yltʀaviʀys] n. m. — 1921 ; de *ultra-,* marquant l'extrême petitesse, et *virus.*

♦ Microbiol. (Vieilli). Virus.

ULTRAZODIACAL, ALE, AUX [yltʀazɔdjakal, o] adj. — 1858, *ultra-zodiacal* ; de *ultra-,* et *zodiacal.*

♦ Astron. *Planètes ultrazodiacales,* dont l'orbite n'est pas entièrement comprise entre les plans (8° de part et d'autre de l'écliptique) qui limitent le zodiaque.

ULULANT, ANTE [ylylɑ̃, ɑ̃t] adj. — Fin XIXᵉ, Huysmans ; de *ululer.*

♦ Littér., rare. Qui ulule, qui ressemble au cri des oiseaux qui ululent.

ULULATION [ylylasjɔ̃] n. f. — XVᵉ, Godefroy ; *ululacion,* XIIIᵉ ; bas lat. *ululatio,* du supin de *ululare.* → Ululer.

♦ **1.** Cri de certains oiseaux de nuit. ⇒ Hululement, ululement.

♦ **2.** Méd. Dysarthrie* très sévère qui rend la parole incompréhensible par l'altération de l'articulation (dans certaines psychoses).

♦ **3.** Électron. ⇒ **Vobulation.**

ULULEMENT [ylylmɑ̃] n. m. — 1541 ; de *ululer.*

♦ **1.** Hurlement, plainte prolongée (de l'homme ou de l'animal).

(...) une vieille chanson d'amour arabe, finissant par une plainte, une espèce d'ululement, qui vous met un petit frisson derrière la nuque (...)
Ed. et J. DE GONCOURT, Journal, 23 févr. 1878, t. VI, p. 15.
Pourtant ni les dieux, ni les cosmos, ni la mort, ne suffisent à emplir la voix profonde qui unit le désert aux étoiles, comme ailleurs le flamboiement de la grande forêt au soleil de midi, les vallées emplies du ululement désespéré des singes à la naissance du jour (...)
MALRAUX, la Métamorphose des dieux, p. 7.

♦ **2.** (1868). Cri des oiseaux de nuit. ⇒ Hululement, ululation (→ Glapissement, cit. 2).

ULULER [ylyle] v. intr. — XVᵉ, «hurler» ; lat. *ululare,* d'orig. onomatopéique.

♦ **1.** Pousser un long cri plaintif.

Le vent du Rhin ulule avec tous les hiboux
Il éteint les cierges que toujours les enfants rallument
APOLLINAIRE, Alcools, «Rhénane d'automne».
Dehors, le vent de mer ululait toujours, poussant sur la grève sa vaste plainte, puis s'engouffrant tout à coup dans les petites rues de la ville, comme dans des corridors.
G. LEROUX, le Parfum de la dame en noir, p. 33.

♦ **2.** (1876). Crier (en parlant d'oiseaux rapaces nocturnes). — On écrit aussi *hululer*.

DÉR. Ululant, ululement.

ULVE [ylv] n. f. — 1808, Boiste ; *ulva,* 1765, *Encyclopédie* ; mot lat. désignant une plante de marais.

♦ Bot. Algue verte *(Chlorophycées ; Confervacées)* qui croît en eau salée, appelée communément *laitue de mer.*

UMBO [œbo] n. m. — 1874 ; mot lat., «bosse d'un bouclier, bouclier».

♦ Archéol. Partie centrale en forme de bosse des boucliers antiques. *«(...) pourquoi dans les fosses de Gournay, les objets protecteurs — fourreaux et umbos — sont-ils à peu près deux fois plus nombreux que les armes mêmes, épées et lances ? »* (Sciences et Avenir, mars 1981, p. 83).

UMBRE [œbʀ ; ɔ̃bʀ] n. m. — Fin XIVᵉ, «ombre». → 2. Ombre.

♦ Zool. Poisson physostome, type de la famille des *Umbridés.*

UMLAUT [umlawt ; umlo] n. m. — 1903 ; mot allemand.

♦ Ling. (phonétique). Inflexion vocalique, notée en allemand par un tréma sur la voyelle. — Ex. : *ä, ü, ö.*

UN, UNE [œ̃, yn] adj. numéral, article et pron. indéfinis — Xᵉ ; lat. *unus.*

REM. Phon. En liaison, *un* se prononce [œ̃n]. Ex : *un ami* [œ̃nami]. Certains grammairiens voient dans l'indéfini *un* le même mot que le numéral. Pour d'autres, comme Damourette et Pichon (§ 2518), *un* n'est pas un «nombrant» comme *deux, trois,* etc., mais un «strument individualisant», et l'emploi dit numéral n'est, en linguistique synchronique, qu'un cas particulier de l'emploi d'article individualisant. Si l'indéfini garde toujours quelque chose de numéral, l'indétermination y est telle qu'elle fait oublier la détermination numérique.

★ **I.** Numéral (expression de l'unité). ♦ **1.** (Adj. cardinal). *Quatre hommes et un caporal. Une ou deux fois* (→ 1. Désappointer, cit. 2). *Une fois* (cit. 9) *le mois, par mois. Une fois* (cit. 3) *pour toutes. Un jour sur deux. Une ou deux législatures* (cit.). *Une ou plusieurs personnes* (→ Legs, cit. 1 ; et aussi progrès, cit. 8). *Encore un coup*. Tout d'un coup*. En un mot*. En un instant*. « Qu'en un lieu, qu'en un jour, un seul fait accompli... » Sans un liard* (→ 1. Mort, cit. 29), *sans un sou ;* fam. *sans un.*

— Tu ne me feras pas croire qu'il te laissait sans un ?   0.1
— Tout a été saisi, le compte en banque bloqué (...)
M. AYMÉ, le Vin de Paris, « L'indifférent ».

Une heure (cit. 3) *ou deux. Un quart d'heure* (→ Mutilation, cit. 1). *Un mois. Emprisonnement d'un à cinq ans* (→ Mutilation, cit. 3). *« Des enfants de un à douze ans »* (Littré). *Un an et quelques mois* (→ Pente, cit. 10). *Deux heures un quart* (→ Réciproque, cit. 1). *Trois heures une* (minute). *Il était moins* une. Vingt et un ans* (→ 1. Penser, cit. 47). *Un dixième* (→ Motion, cit. 3). *Cent un, deux cent un soldats. Quatre-vingt-un. Le quatre-cent-vingt et un. Les Mille et Une Nuits*. Deux coups au lieu d'un* (→ 1. Fumer, cit. 26). *Trois voix contre une* (→ Hypothèse, cit. 11). *Plutôt deux fois qu'une. Dix positions* (cit. 13) *pour une.*

(...) elle se présente avec deux bouteilles de champagne, une dans chaque main (...)   1
DIDEROT, Jacques le fataliste, Pl., p. 602.

Elles-mêmes (...) n'avaient qu'une volonté, qu'un intérêt, qu'une table. Tout entre   2
elles était commun.   BERNARDIN DE SAINT-PIERRE, Paul et Virginie, p. 22.

(En corrélation avec le pronom *en*). *Il en tenait un sous chacun de ses genoux* (→ Pression, cit. 4). *« Entre les expressions* (cit. 13) *il n'y en a qu'une qui est la bonne ». « Et s'il* (cit. 24) *n'en reste qu'un, je serai celui-là ! »*

Souvenirs de mes compagnons morts à la guerre (...)   3
Souvenirs qui n'en faites plus qu'un
Comme cent fourrures ne font qu'un manteau
Comme ces milliers de blessures ne font qu'un article de journal
APOLLINAIRE, Calligrammes, «Étendards», Ombre.

(Renforcé par *seul*). *Un seul... ; pas un seul...* ⇒ **Seul** (cit. 16 et 17).

Un seul terme ne recouvre-t-il pas plusieurs activités qui n'ont justement en com-   4
mun que leur nom ?   Roger CAILLOIS, l'Homme et le Sacré, p. 202.

Plus d'un... ⇒ **Plus** (cit. 51 à 54). *Un de plus. Pas un de plus. Pas un... :* aucun, nul. ⇒ 2. **Pas** (cit. 27 et 28). *Il est malin comme pas un.*

Nous sommes quelques-uns, si peu sur ce monde, depuis l'huître jusqu'à l'homme.   4.1
Pourquoi pas un de plus, une fois accomplie la période qui sépare les apparitions successives de toutes les espèces diverses ?
Pourquoi pas un de plus ?   MAUPASSANT, le Horla, Pl., t. II, p. 934.

UN À UN (→ Couple, cit. 4 ; différenciation, cit. 2 ; froisser, cit. 18), *UNE À UNE* (→ Faner, cit. 11 ; fléchir, cit. 12 ; glas, cit. 2) : à tour de rôle et un seul à la fois. — (Dans le même sens). *Un par un, une par une.*

UN CHACUN, tout un chacun. ⇒ **Chacun** (cit. 12 et 13).

♦ **2.** (Emploi nominal). Une unité ; le chiffre notant l'unité. *Un et un font deux. Il y a cent, vingt à parier* (cit. 10) *contre un* (→ Asseoir, cit. 45). *Débit qui passe de un à dix* (→ Périmètre, cit. 2). *Je pose neuf et je retiens un. Plus un* (+ 1), *moins un* (− 1). *Cela fait déjà un. Vous avez oublié un un.*

5   Sans Un, il n'y aurait ni deux, ni trois : l'unité est donc le principe universel. Un est infini par ce qui sort de lui ; il produit co-éternellement deux et même trois, d'où vient tout le reste.   E. DE SENANCOUR, Oberman, XLVII.

(Dans une énumération). ET D'UN! (fam. *et d'une !*).

6   — Ceux qui ne sont pas de la compagnie n'ont qu'à la boucler et d'une (...)   R. DORGELÈS, les Croix de bois, X.

♦ **3.** Fig. Une réalité unique, une seule et même chose ou personne. *Nos âmes ne sont qu'un, ne font qu'un,* sont très unies (→ Lumière, cit. 17 ; seul, cit. 1). — NE FAIRE QU'UN AVEC (qqn, qqch.) : se confondre avec. — Vx. *C'est un, ce n'est qu'un* : il n'y a pas de différence, pas d'intervalle.

7   Et comme est vrai que nos cœurs ne sont qu'un
Ainsi de nous bien et mal est commun.   Clément MAROT, Opuscules, XI.

8   Le passé, le présent, l'avenir, ne sont qu'un pour Dieu.   LAMARTINE, Premières méditations, Préface.

8.1   Je n'ai pas besoin de vous dire, messieurs, que Ayrton ou Ben Joyce et moi, nous ne faisons qu'un !   J. VERNE, l'Île mystérieuse, p. 552.

9   Moi qui ai fait un si passionnément avec mon pays dans ma jeunesse et pendant la guerre (...)   MONTHERLANT, Pitié pour les femmes, p. 82.

(1390, *in* D.D.L.). C'EST TOUT UN : c'est la même chose. — Par ext. C'est égal, sans importance.

10   Être exacte, être prête, être en règle, c'est tout un.   COLETTE, l'Étoile Vesper, p. 172.

♦ **4.** (Emploi ordinal). ⇒ **Premier.** *Livre un, chapitre un. Acte un* (I), *scène un* (1). — Argot de théâtre. *Le un :* l'acte un. *En scène pour le un. La page un.* — Fam. *La une :* la première page d'un journal. *Être à la une, faire la une des journaux :* être l'événement dont on parle. *Cinq colonnes à la une.*

10.1   *La une* est un service central, composé, en principe, seulement d'un secrétariat de rédaction, mais auquel peuvent être rattachés les grands reporters, s'ils ne constituent pas un service distinct.   Philippe GAILLARD, Technique du journalisme, p. 19.

Fam. *La une :* la première chaîne de télévision, en France.
Il est une heure. Vers les une heure. Le numéro un.

11   — (...) Marius rentre à présent à des une heure du matin !   HUGO, les Misérables, IV, VIII, III.

N. m. *Au un de la rue. Le un est sorti, a gagné.* ⇒ **As.** — (Pour marquer le premier temps d'un mouvement, d'une sommation). *Un !* (→ Mouvement, cit. 12). — N. f. *Une !... deux !...* ⇒ Régisseur, cit. 2 ; remettre, cit. 18). — (1786, *n'en faire ni une ni deux, in* D.D.L.). Fam. *Ne faire ni une ni deux :* agir sans hésitation, avec décision.

12   Oh! oh! je n'en ai fait ni une ni deux, je me suis rafistolé, requinqué ; j'ai vendu pour six cents francs de couverts et de boucles (...)   BALZAC, le Père Goriot, Pl., t. II, p. 1054.

♦ **5.** (Adjectif qualificatif). Qui n'a pas de parties et ne peut être divisé. ⇒ **Simple.** *Le Dieu* (cit. 37) *un et indivisible.* ⇒ **Consubstantiel.** *La République une et indivisible* (cit. 4). — Qui, tout en pouvant avoir des parties, forme un tout organique (cit. 2) et ne peut être divisé sans perdre ce qui le constitue essentiellement (→ Correspondance, cit. 1 ; foudre, cit. 32 ; individu, cit. 11). *Parler de la personnalité* (cit. 2) *humaine, c'est dire que chaque homme est un et qu'il est unique. «Cette grande figure une et multiple, fatale* (cit. 4) *et sacrée, l'homme.»*

Constant, identique. *«Il n'y a rien qui demeure ni qui soit toujours un»* (→ Hier, cit. 1).

13   Mais l'homme n'est pas un et simple : pourquoi y a-t-il si peu de portraits fidèles? parce qu'on a fait poser le modèle à telle époque de sa vie ; dix ans après, le portrait ne ressemble plus.   CHATEAUBRIAND, Mémoires d'outre-tombe, t. IV, p. 100.

N. m. Philos. *L'Un :* l'Être unique et absolument *un* d'où émane tout ce qui est. *L'un et le multiple.*

(Dans un sens affaibli, surtout esthétique). Qui n'est pas fait d'éléments disparates ou contradictoires, qui constitue un ensemble uni, harmonieux (→ Fondre, cit. 32).

14   Quand on introduit un personnage sur la scène, il faut que son rôle soit un : or je vous demanderai, notre charmante hôtesse, si la fille qui complote avec deux scélérates est bien la femme suppliante que nous avons vue aux pieds de son mari ?   DIDEROT, Jacques le fataliste, Pl., p. 633.

15   Ce tout est l'unité sans laquelle il n'y a pas de résultat, ni d'ouvrage qui puisse être beau, parce qu'alors il n'y a pas même d'ouvrage. Tout produit doit être un : on n'a rien fait si on n'a pas mis d'ensemble à ce qu'on a fait.   É. DE SENANCOUR, Oberman, XXI.

REM. Dans ce sens, *un* a un pluriel. *«Les mondes monstrueux et beaux, uns et divers»* (Hugo, *Dieu,* Pl., p. 1001).

★ **II.** Indéfini. **A.** Article. (880).

REM. 1. Depuis la grammaire de Port-Royal (II, 7), la plupart des grammairiens s'accordent à reconnaître l'existence de cet article «indéfini» à valeur de présentatif, dont le pluriel est *des**. L'anc. franç. employait aussi le plur. *uns, unes,* pour désigner «une paire de», ou avec valeur collective.

2. Rare en ancien français, l'article indéfini s'impose au XVIIᵉ s. Cependant, aujourd'hui encore, il est absent dans de nombreuses locutions figées (cf. G. et R. Le Bidois, *Syntaxe du franç. moderne,* §§ 127 à 132), ainsi que dans des phrases négatives (→ Jamais, cit. 19 et 22), devant un attribut énonçant une condition sociale *(être médecin, soldat)* et une caractérisation, ou devant une apposition *(Sceaux, commune de la Seine).*

♦ **1.** (Désignant un individu ou une chose distinct mais indéterminé). *Il a reçu une lettre. Un homme est venu. — Un télégramme annonçant une maladie devait être adressé à un oncle ou à un cousin* (→ Préparer, cit. 14). *«Un poète mort* (2. Mort, cit. 24) *jeune à qui l'homme survit». Un animal ou une plante* (2. Plante, cit. 1).

16   On conte qu'un serpent voisin d'un horloger
(C'était pour l'horloger un mauvais voisinage)...   LA FONTAINE, Fables, V, 16.

*Un jour** (cit. 34), *une fois** (4.)... *Pour, pendant un temps**. *Un temps**. *Un peu** (cit. 13 à 18). *Un rien**. *Un autre..., un certain..., un quelconque..., un tel...* ⇒ **Autre, certain, quelconque, tel.**

♦ **2.** (Avec une valeur générale au sens de «tous les»). *Une nation* (cit. 1) *est une âme.*

(Désignant un individu représentant l'espèce). *Un quadrilatère est une figure à quatre côtés.*

17   — (...) Vous êtes ambitieux, mais vous n'êtes pas un ambitieux.   J. ROMAINS, les Hommes de bonne volonté, t. XXII, XI, p. 88.

18   Mais ce n'est pas un coupable qu'il nous faut ! C'est le coupable.   M. AYMÉ, la Tête des autres, III, 10.

18.1   Le Canaque ne connaît pas l'article indéfini : il ne dit pas *une* maison, mais l'autre maison, car aucun être, aucun objet ne possède d'existence indépendante. Tout un est senti comme le complément d'un autre au sein d'une dualité (...)   Roger CAILLOIS, l'Homme et le Sacré, p. 107.

18.2   (...) cette sorte de sérieux, de gravité qui émane des choses au caractère, au rôle pour ainsi dire essentiel — non pas «une» chaise, «une» table, «un» bol, mais «la» chaise, «la» table, «le» bol (...)   Claude SIMON, le Vent, p. 183.

Un... (au lieu de l'article défini, devant un superlatif). ⇒ **Les** (cit. 36 et 37). *«(...) votre élève, accusé d'un crime le plus infâme (...)»* (Bourget, *le Disciple,* IV, p. 89).

♦ **3.** (En relation avec le pronom *en,* pour éviter la répétition du nom). *Quand on est sans caractère, et quand on en a un* (→ Gloriole, cit. 1)... *Ce ragoût, car il y en avait un* (→ Friandise, cit. 1). *L'infidélité... il ne faut pas hésiter* (cit. 21) *d'en faire une* (→ aussi Payer, cit. 43 ; propre, cit. 11). *Combattre un ouvrage que le public approuve, en défendre un qu'il condamne* (→ Multitude, cit. 11 ; perroquet, cit. 3). — Fam. *En pousser une* (chanson). *En fumer, en griller une* (cigarette). *S'en jeter un* (verre). — Vieilli. *Encore un que les Prussiens* (les Allemands, les Anglais) *n'auront pas,* se dit plaisamment après avoir bu un verre de vin, d'alcool, ou à la fin d'un bon repas. — (Avec *en,* désignant un homme en général). *En voilà un qui les secouait !* (cit. 8). — (En fonction d'attribut). *Était-ce une idolâtrie, ou n'en était-ce pas une ?* (→ Relique, cit. 1). *Songez que demain est un mythe* (cit. 8), *que l'univers en est un.* — Pop. (Avec un nom précédé de *de*). *«Que j'en trouve encore une de montre !»* (Courteline, *Le commissaire est bon enfant,* IV).

19   J'en ai trouvé une gentille de bonne (...)   MAUPASSANT, le Père Milon, Le colporteur, p. 258.

20   — (...) En voilà un qui ne manque pas de toupet !   Alphonse DAUDET, Tartarin sur les Alpes, III.

(Sans *en,* avec simple ellipse du nom sujet). *«Des voisins se trouvaient moins avancés : un (...) foulait ; un second surveillait»* (→ Moût, cit. 2). *«On logea des filles... Une dit : C'est le Roi !»* (→ Parc, cit. 6).

21   Sur la route, maintenant, on essayait des chevaux. Un, tout blanc, courait (...)   ZOLA, la Terre, II, VI.

♦ **4.** (En phrase exclamative, avec une valeur emphatique ou intensive marquée par l'intonation). *Il fait une chaleur ! En voilà un idiot ! «Quelle péroraison ! D'une concision, d'une violence, d'une aigreur !»* (→ Mouche, cit. 12).

22   Ce mouchoir de cou est jeté d'une manière ! il est d'une souplesse et d'une légèreté !   DIDEROT, Salon de 1765, Greuze, La jeune fille qui pleure...

23   — J'ai cru, ma foi, que j'y resterais ! Il y a un monde ! (...) un monde ! (...)   FLAUBERT, Mme Bovary, II, XV.

(De même, devant un adjectif substantivé). *La robe est d'un réussi !* (→ 1. De, cit. 88). *Ce livre est d'un bête !*

24   Je ne peux pas dire comme je trouve que Swann change, dit ma grand'tante, il est d'un vieux !   PROUST, À la recherche du temps perdu, t. I, p. 51.

24.1   Elle est d'un jaloux, conclut-il avec une indulgence amusée.   R. QUENEAU, le Dimanche de la vie, p. 126.

Fam. *Un, une de ces* (suivi d'un nom, avec une valeur intensive). *J'ai une de ces faims ! Il a un de ces toupets ! Il fait un de ces froids !*

(Avec une relative) :

24.2   — Allez, descendez, ou vous allez vous retrouver dans une de ces voies de garage dont vous me direz des nouvelles !   René FALLET, le Triporteur, p. 418.

♦ **5.** Devant un nom propre, servant à : **a** Dépersonnaliser un individu célèbre en le rattachant à une catégorie supposée d'individus comparables (→ ci-dessous, cit. 25, 27) ou à créer avec un nom célèbre une classe à laquelle on rattache un autre individu *(c'est un autre Staline, un Staline au petit pied,* etc.);

b Mettre en relief (emphatique ou méprisant) la personne alors considérée dans l'ensemble des caractères qu'on lui connaît (→ ci-dessous, cit. 26);

c Présenter la personne comme inconnue (au sens de «un certain, un nommé»); → ci-dessous, cit. 28;

d Désigner un aspect de la personne *(c'est un Corneille romantique qui apparaît ici)*; → ci-dessous, cit. 30 et 30.1.

5 N'allez pas d'un Cyrus nous faire un Artamène (...)
                                        BOILEAU, l'Art poétique, III.

6 — Aller chez un Merval! moi! moi! — Oui, vous, vous viendrez (...)
                                        DIDEROT, Jacques le fataliste, Pl., p. 692.

7 Ô ciel! serait-il un Danton, se dit Mathilde; mais il a une figure si noble, et ce Danton était si horriblement laid, un boucher, je crois.
                                        STENDHAL, le Rouge et le Noir, II, IX.

8 — (...) Qu'est-ce que c'est qu'un M. Dalens, qui demeure sur la montagne (...)?
                                        A. DE MUSSET, la Confession d'un enfant du siècle, IV, I.

9 Christophe Wren est un Mansart fort passable; Somers vaut Lamoignon. Anne a un Racine qui est Dryden, un Boileau qui est Pope, un Colbert qui est Godolphin, un Louvois qui est Pembroke, et un Turenne qui est Marlborough.
                                        HUGO, l'Homme qui rit, II, I, V, III.

0 Devant M. Baslèvre interdit, un Gustave inconnu apparaissait (...)
                                        É. ESTAUNIÉ, l'Ascension de M. Baslèvre, II, IV.

0.1 Je refermai la porte et revins me coucher discrètement. Le lendemain matin, je fus réveillé par un Rouletabille épouvanté.
                                        G. LEROUX, le Parfum de la dame en noir, p. 33.

♦ **6.** (Devant un nom de famille). *Un, une Leroux; un, une Dupré* : un homme, une femme de la famille Leroux, Dupré.

1 Elle était, dit Mme de Séryeuse, la tante à la mode de Bretagne de mon arrière-grand-mère, qui jeune fille était une Sanois comme la mère de Joséphine.
                                        R. RADIGUET, le Bal du comte d'Orgel, p. 101.

REM. *Un* s'emploie normalement devant les noms propres devenus noms communs. *Un Jocrisse, un Don Juan.*

B. Pronom. ♦ **1.** UN, UNE. *Un des hommes les plus remarquables de ce temps* (→ Nuance, cit. 4). *Un de mes camarades d'école* (→ Nul, cit. 17). *Une de vos poésies* (→ Morceau, cit. 11). *Une des plus importantes usines de Rouen* (→ Prospère, cit. 2). *Un de ces jours*.

♦ **2.** *Un, une des... qui...; un, une des... que...* (suivi d'un verbe au pluriel, accordé avec le compl. de *un*).

2 Un des ouvrages qui contribuèrent le plus à former le goût de la nation (...) fut le petit recueil des Maximes (...) Les recueils des estampes du roi ont été souvent un des plus magnifiques présents qu'il ait fait aux ambassadeurs.
                                        VOLTAIRE, le Siècle de Louis XIV, XXXII-XXXIII.

3 Au milieu de ces saccagements (...) nous voyons un amour de l'ordre qui anime en secret le genre humain (...) C'est un des ressorts de la nature qui reprend toujours sa force; c'est lui qui a formé le code des nations (...)
                                        VOLTAIRE, Essai sur les mœurs, CXCVII.

4 À relire ma pièce, elle m'apparaît une des meilleures choses que j'aie écrite, et peut-être la plus surprenante.
                                        GIDE, Journal, 15 juil. 1931.

♦ **3.** L'UN, L'UNE; LES UNS, LES UNES. *L'un des auteurs les plus célèbres de ce temps* (→ Intime, cit. 5). *L'une d'eux eut une idée* (→ Libertin, cit. 14). *L'Europe doit à la Méditerranée l'un de ses contacts avec l'Orient* (cit. 7), *mais un seul. L'une des pièces du devant était libre* (→ Orgueil, cit. 23). *Votre profession* (cit. 6) *est l'une des plus entières qui soient.* — (Avec ellipse du complément). *Selon l'expression de l'une* (→ Ironie, cit. 10).
L'un, l'autre; les un(e)s..., les autres. L'un(e) et l'autre. Ni l'un(e) ni l'autre. ⇒ **Autre.** — REM. Pour *un* en corrélation avec *un autre, l'autre,* → Autre.

C. (Nominal). *Un homme, une femme; quelqu'un.* — REM. Cet emploi ancien de *un,* attesté jusqu'au XVIIe s., est resté ensuite régional, ou familier, et a été repris par certains écrivains depuis le XIXe s., notamment dans le tour *comme un qui* (cf. Aragon, *les Beaux quartiers,* I, XVII). — *Un qui était content c'était Vinet* (→ Suffrage, cit. 3). *Un de Baumugnes,* roman de Giono.

5 À UN QUI CALOMNIA L'ÉPÎTRE PRÉCÉDENTE (Titre de l'épître XXIX). À UN POUR AVOIR DE L'ARGENT (Titre de l'élégie XXVI). À UN POUR AVOIR DE L'ARGENT (Titre du rondeau LXXI).
                                        Clément MAROT, Œ. compl., t. I, p. 179, 333 et 444.

6 Comme un qui tout ému d'un effroyable songe
   Se réveille en sursaut, et par le lit s'allonge (...)   DU BELLAY, les Regrets, LXXXIX.

7 Le même jeune homme reprit : — Nous en tenons un; qu'il ne nous échappe pas. Un cria : — Jetons-le à la Seine.
                                        HUGO, Choses vues, I, 1853, L'espion Hubert.

8 Ô vous, comme un qui boite au loin, Chagrins et Joies (...)
                                        VERLAINE, Sagesse, I, VI.

9 Un que je plains de tout mon cœur (...) c'est Gaspard Hénin.
                                        Alphonse DAUDET, la Belle Nivernaise, p. 237.

0 Et l'Adèle de pas pouvoir cacher les yeux d'une qui a pleuré.
                                        G. CHEVALLIER, Clochemerle, XVIII.

1 Comme un qui crie «au secours!» après s'être jeté à l'eau (...)
                                        Michel LEIRIS, Frêle bruit, p. 119.

CONTR. (De I., 5.) Multiple. — Divers, varié.
DÉR. Unaire, unième. — V. Uni-.
COMP. V. Aucun, quelqu'un.

UNAIRE [ynɛʀ] adj. — Mil. XXe; de *un.*

♦ Didact. Singulier. *Transformations unaires et transformations généralisées,* en grammaire transformationnelle.

UNANIME [ynanim] adj. — 1530; v. 980, attestation isolée; lat. *unanimus,* de *unus,* et *animus* «esprit».

♦ **1.** Au plur. (Personnes). Qui ont tous la même* opinion, le même avis. ⇒ **Accord** (d'). *Les témoins avaient été unanimes* (→ Identité, cit. 13). *Être unanimes à..., pour...* (et l'infinitif). *Tous ont été unanimes pour dénoncer le scandale.* — Vieilli. Au sing. En accord complet. *Un prélat unanime avec ses consécrateurs* (→ 1. Sacre, cit. 3, Bossuet).

♦ **2.** (1534; choses). Qui exprime un avis, un sentiment commun à plusieurs. ⇒ **Commun, général.** *Le consentement unanime des peuples* (→ Ménage, cit. 3). *Un accord unanime* (→ Raffinement, cit. 4). *Approbation; condamnation, réprobation... unanime.* — *Le mouvement du peuple, spontané, vaste, unanime* (→ Mouvement, cit. 40).

1 Un mouvement si vaste (...) si peu préparé, et néanmoins unanime! (...) c'est un phénomène admirable. Tous y prirent part, et (moins un nombre imperceptible) tous voulurent la même chose. Unanime! il y eut un accord complet, sans réserve, une situation toute simple, la nation d'un côté, et le privilège de l'autre.
                                        MICHELET, Hist. de la Révolution franç., I, I.

Par ext. Qui est fait par tous, en même temps. ⇒ **Universel.**

2 Cette démarche (...) fit éclater autour du bassin un éclat de rire unanime, universel.   STENDHAL, Lamiel, III.

♦ **3.** (1908). Spécialt. *La vie unanime* (Jules Romains), en accord profond avec le sentiment du collectif. — N. m. *L'intuition de l'unanime* (→ Intégrer, cit. 2).

3 Et le mélange de nos âmes identiques
   Forme un fleuve divin où se mire la nuit.
   Je suis un peu d'unanime qui s'attendrit.
   Je ne sens rien, sinon que la rue est réelle,
   Et que je suis très sûr d'être pensé par elle.
                                        J. ROMAINS, la Vie unanime (1908).

CONTR. Divisé. — Contradictoire, partagé.
DÉR. Unanimement, unanimisme, unanimiste.

UNANIMEMENT [ynanimmɑ̃] adv. — 1467; de *unanime.*

♦ Par tous; d'un commun accord. *Attester, dire unanimement. Décider, déclarer unanimement* (cf. En chœur, faire chorus).

UNANIMISME [ynanimism] n. m. — V. 1910; de *unanime.*

♦ Didact. Doctrine littéraire d'après laquelle le créateur doit exprimer la vie unanime, les états d'âme collectifs.

Par unanimisme (...) entendez simplement l'expression de la vie unanime et collective. Nous éprouvons un sentiment de la vie qui nous entoure et qui nous dépasse.   J. ROMAINS, in H. CLOUARD, Hist. de la littérature franç., t. I, p. 549.

UNANIMISTE [ynanimist] adj. et n. — 1910; de *unanime.*

♦ Didact. Partisan de l'unanimisme. *Le groupe unanimiste.*

UNANIMITÉ [ynanimite] n. f. — 1361; lat. *unanimitas,* de *unanimus.* → Unanime.

♦ **1.** Conformité d'opinion ou d'intention entre tous les membres d'un groupe. ⇒ **Accord, communauté** (de vues), **conformité, consentement, harmonie.** *Il y a unanimité dans cette assemblée pour dire, penser... Ce projet a fait l'unanimité en sa faveur.* — Spécialt. Expression de la totalité des opinions dans le même sens. ⇒ **Élection, suffrage, vote.** *Décision adoptée, prise, votée à l'unanimité* (→ D'une commune* voix; au complet*). *Être élu à l'unanimité moins trois voix.*

Mes amis, nous sommes tous également coupables. Donnons-nous la main et adoptons l'enfant. La décision fut prise à l'unanimité. On leva les bras vers le plat de poissons frits et on jura.   MAUPASSANT, l'Inutile Beauté, «Mouche».

♦ **2.** (Mil. XIXe). Caractère unanime (d'un sentiment, d'une action...). *Accoutumer la jeunesse à l'unanimité dans l'action* (→ Rang, cit. 6). *L'unanimité des efforts* (→ Fourmi, cit. 5).

CONTR. Contradiction, discorde. — Minorité, partage.

UNAU [yno] n. m. — 1614; d'une langue indienne du Brésil.

♦ Zool. Mammifère d'Amérique tropicale; variété de paresseux* distinct de l'aï.

UNCI- Premier élément de mots savants, tiré du lat. *uncus* «crochet».

UNCIFORME [ɔ̃sifɔʀm; œ̃sifɔʀm] adj. — 1808, *in* Boiste; de *unci,* et *-forme.*

♦ Didact. (anat.). En forme de crochet. *Os unciforme du carpe. Apophyse* (cit.) *unciforme.*

UNCINAIRE [ɔ̃sinɛʀ ; œ̃sinɛʀ] n. f. — 1803, *in* Boiste ; du lat. *uncinus*, de *uncus* «crochet».

♦ Didact. Ver nématode de l'intestin, dit aussi *ankylostome duodénal* et responsable de *l'uncinariose* [ɔ̃sinaʀjoz, œ̃sinaʀjoz] n. f. ; (1923) ou *ankylostomiase.*

UNCINÉ, ÉE [ɔ̃sine ; œ̃sine] adj. — 1808 ; de *uncus* «crochet».

★ **I.** Bot. Qui porte un crochet, se termine en crochet, par des crochets.

★ **II.** (De *uncus*, anat.). *Crise uncinée :* illusions épileptiques de rêve (appellation impropre, Manuila). *Épilepsie uncinée :* épilepsie temporale dans laquelle la lésion ou la décharge neuronique intéresse la région de l'uncus de l'hippocampe.

UNCINULE [ɔ̃sinyl ; œ̃sinyl] n. f. — 1846, Bescherelle ; lat. mod. *uncinulus,* dimin. de *uncus* «crochet».

♦ Bot. Champignon parasite, agent de l'oïdium, dont les différentes espèces vivent aux dépens de nombreux végétaux. *Les uncinules constituent un genre.*

UNCINUS [ɔ̃sinys ; œ̃sinys] adj. invar. — V. 1960 ; mot lat., de *uncus* «crochet».

♦ Météor. *Cirrus uncinus,* terminé à son sommet par des formes aiguës, en crochet (et non par des protubérances arrondies, comme c'est généralement le cas).

UNCUS [ɔ̃kys ; œ̃kys] n. m. — xxᵉ ; mot lat., «crochet».

♦ Anat. *Uncus de l'hippocampe :* «segment réfléchi de l'extrémité antérieure de la cinquième circonvolution temporale (...) séparé de la tête de cette circonvolution par le sillon de l'uncus» (*Dict. de médecine et de biologie,* Manuila *et al.*). — *Uncus des vertèbres cervicales :* apophyse semi-lunaire.

UNDA-MARIS [ɔ̃damaʀis] n. m. invar. — 1834, *in* D.D.L. ; mots lat., «vagues, onde *(unda)* de la mer».

♦ Didact. Registre d'orgue associé au salicional et accordé plus haut.

UNDÉC-, UNDÉCI- Élément, du lat. *undecim* «onze», qui entre dans la composition de quelques mots didactiques. ⇒ **Undécennal, undecimo.**

UNDÉCENNAL, ALE, AUX [œ̃desenal, o ; œ̃desɛnnal, o] adj. — 1877, *in* Littré ; de *undec(i),* et *-nal,* d'après *décennal.*

♦ Rare. D'un intervalle de onze ans. «*La variation undécennale des aurores boréales...*» (*Rev. gén. des sc.,* 15 août 1903, nᵒ 15, p. 804).

UNDECIMO [œ̃desimo] adv. — 1846, Bescherelle ; mot latin.

♦ Rare. Onzièmement.

UNDERGROUND [œ̃ndœʀgʀawnd ; œ̃ndɛʀgʀawnd] adj. et n. m. invar. — 1966 ; mot anglo-amér., «souterrain».

Anglicisme.

♦ **1.** N. Ensemble de mouvements artistiques expérimentaux et semi-clandestins, voulant intégrer toutes les formes d'expression, indépendamment des courants culturels dominants et en marge des circuits traditionnels de diffusion commerciale. *L'underground américain.* — Adj. invar. *Cinéma, film, metteur en scène underground. Bande dessinée underground. Presse underground.* — REM. Le terme est daté (surtout : années 60 et 70).

1 À ce stade, la nouvelle école de la bande dessinée mérite bien le nom de «underground» (souterrain) que lui ont donné les Américains lors de son apparition au grand jour : en 1967, à San Francisco. Appellation bien trouvée.
Magazine littéraire, nᵒ 95, déc. 1974, p. 10.

2 Sur le modèle américain de la presse underground, une presse parallèle s'est constituée en France. Avec 500 000 exemplaires et une centaine de titres, elle publie, à l'échelon local et régional, des informations que les journaux traditionnels négligent.
l'Express, nᵒ 1096, 16 juil. 1972, p. 36.

N. m. (1967). *L'underground américain, européen.*

3 Donc, je ne vois pas en quoi il y a identité sémantique entre «*underground*» et «*contre-culture*» ou «*culture parallèle*». Il ne peut jamais y avoir identité complète, le terme que vous proposez ne rend *plus* compte de ce phénomène social et partant vous dites seulement ce que *vous,* vous en pensez, comment *vous,* vous voyez l'«underground».
J. KRESS, *in* le Nouvel Obs., 31 juil. 1972, p. 6.

♦ **2.** Fig., rare (emploi d'auteur). Espace «souterrain» de la psyché, inconscient.

Gisant dans mon underground depuis longtemps mais revenu à la surface il y a peu, ce modèle possible du nom de la petite ville : «Wiesengrund» (...)
Michel LEIRIS, Frêle bruit, p. 158.

UNDERSTATEMENT [œ̃ndœʀstɛtmənt] n. m. — V. 1960 ; mot angl. (1799), de *under* «au-dessous», et *statement* «assertion».

♦ Anglic. Affirmation en dessous de la vérité ; litote. — REM. Terme surtout employé par évocation d'une forme d'humour et de diplomatie typiquement anglaise.

Vous me direz que la plupart de nos contemporains ignorent ce qu'est la litote ou l'antiphrase. Mais savent-ils mieux ce qu'est l'*understatement ?* Et s'il faut absolument nommer ce tour par lequel on exprime le plus en disant le moins, pourquoi écarter des mots incontestablement français, et adopter un terme typiquement anglais, difficile à prononcer, et qui se prête à tous les contresens ?
R. LE BIDOIS, les Mots trompeurs, p. 259, *in* REY-DEBOVE et GAGNON.

UNE [yn] adj. numéral, article et pron. indéfinis ⇒ **Un.**

UNE-DEUX [yndø] n. m. — 1859, *in* Petiot ; de *un,* au fém., et *deux.* Sports.

♦ **1.** En escrime, Attaque précédée d'une feinte de dégagement.

♦ **2.** (1912 ; calque de l'angl. *one-two*). Boxe. Coup du gauche suivi du droit (ou l'inverse) frappant un même point.

♦ **3.** Football. Passe redoublée entre deux joueurs.

UNGU- Premier élément de mots savants, tiré du lat. *unguis* «ongle». ⇒ **Ongui-.**

UNGUÉAL, ALE, AUX [ɔ̃gɥeal, o ; œ̃gɥeal, o] adj. — 1812, *onguéal ;* du lat. *unguis.*

♦ Didact. Relatif à l'ongle. *Phalange unguéale,* celle qui porte l'ongle. *Sillon unguéal* ou *matrice unguéale. Plaque unguéale,* qui apparaît à l'extrémité des doigts chez l'embryon humain à quatre mois. *Substance unguéale.*

COMP. **Sous-unguéal.**

UNGUI- Élément, du lat. *unguis* «ongle». ⇒ **Ongui-.**

UNGUIFÈRE [ɔ̃gɥifɛʀ ; œ̃gɥifɛʀ] adj. — 1842 ; de *ungui-,* et *-fère.*

♦ Didact. Qui porte un ongle.

UNGUINEUX, EUSE [ɔ̃g(ɥ)inø, øz ; œ̃ginø, øz] adj. — 1872, *in* Littré ; lat. *unguinosus,* de *unguen, -inis* «corps gras». → Onguent.

♦ Anat., vx. Onctueux. «*Capsules unguineuses*» (Littré).

UNGUIS [ɔ̃gɥis ; œ̃gɥis] n. m. — 1721 ; mot lat., «ongle».

♦ Anat. Mince lamelle osseuse à la partie antérieure de la paroi interne de l'orbite (os lacrymal).

UNI, UNIE [yni] p. p. adj. et n. m. ⇒ **Unir.**

UNI- Premier élément de mots savants formés en français sur le modèle d'emprunts ou de mots latins (du lat. *unus* «un»). ⇒ **Mono-.** Outre les mots traités à l'ordre alphabétique, on peut mentionner : *unidisciplinaire,* adj. (1967, *in* Gilbert) ; *uninational, ale, aux,* adj. (1971, *in* Gilbert) ; *unimonétaire,* adj. (1972) ; *uninucléé, ée,* adj. (1898) ; *uniracial, ale, aux,* adj.

(Formation plaisante d'auteur, sur le modèle de *quadragénaire, quinquagénaire*). *Unigénaire :* enfant de dix ans.

C'était un socialiste octogénaire qui avait comme quadragénaire publié les classiques grecs et latins, et conservé le ton pleurard qu'il avait comme unigénaire.
J. GIRAUDOUX, Siegfried et le Limousin, p. 12 (1922).

UNIATE [ynjat] n. et adj. — 1853, *in* D.D.L. ; du russe *ounyiat,* de *ounyia* «union», du lat. ecclés. *unio.*

♦ Relig. Se dit de chacune des Églises chrétiennes orientales qui acceptent tous les dogmes du catholicisme, reconnaissent l'autorité du pape* tout en conservant leur liturgie et leur organisation : Église ruthène ; catholiques de rite byzantin (Russes, Grecs, Roumains...), arménien (Syriens), copte (Égyptiens), chaldéen (Persans). *Patriarchats uniates d'Antioche* (Syrie, Liban).

UNIATOMIQUE [yniatɔmik] adj. — D. i.; de *uni-*, et *atomique*.

♦ Syn. de *monoatomique*.

UNIAXE [yniaks] adj. — 1903, *Rev. gén. des sc.*, n° 20, p. 1018; de *uni-*, et *axe*.

♦ Sc. Qui n'a qu'un axe. *Cristaux biréfringents uniaxes.*

UNICAULE [ynikol] adj. — 1846; lat. *unicaulis*, de *caulis* «tige».

♦ Bot. Qui n'a qu'une tige (opposé à *multicaule*).

UNICELLULAIRE [yniselylɛR] adj. et n. m. — 1838; de *uni-*, et *cellulaire*.

♦ Biol. Formé d'une seule cellule. ⇒ **Monocellulaire**. *Œuf* (cit. 18) *unicellulaire. Organismes unicellulaires : plantes* (⇒ **Protophyte, cyanophycées** ou **cyanophytes; bactéries; bacille**), *algues unicellulaires, champignons* ou «*animaux*» (protozoaires). — N. m. *Les unicellulaires.* ⇒ **Protiste**.

UNICHROÏSME [ynikRɔism] n. m. — 1872, *in* Littré; de *uni-*, et grec *khroa* «teint, couleur».

♦ Sc. Propriété qu'ont certains minéraux de présenter toujours la même couleur.

UNICISME [ynisism] n. m. — 1872, *in* Littré, «doctrine de ceux qui attribuent à un virus unique tous les accidents syphilitiques»; du lat. *unicus* «unique», et suff. *-isme*.

♦ **1.** Méd. Doctrine selon laquelle les troubles mentaux et les troubles organiques procéderaient de la même cause. — Spécialt (méd. homéopathique). Doctrine conforme à la théorie hahnemannienne du traitement par l'emploi du seul remède spécifique de la maladie. — Contr. : *complexisme*.

♦ **2.** (Déb. xxᵉ). Didact. Doctrine réduisant à un seul élément primitif un ensemble de faits, de phénomènes. — (Déb. xxᵉ). Spécialt (philos.). ⇒ **Monisme**.
CONTR. **Dualisme**.

UNICISTE [ynisist] n. m. — 1876; de *unique*, et suff. *-iste*.

♦ **1.** Méd. Partisan de l'unicisme.
Cette voie (*l'anatomie pathologique*) consistait à chercher la cause des troubles mentaux dans des altérations du système nerveux et visait à associer et à intégrer les symptômes psychologiques et les symptômes organiques dans une conception *uniciste* qui s'opposait au dualisme classique.
H. BARUK, Psychoses et Névroses, p. 86.
Spécialt (méd. homéopathique) :
Hahnemann recommandait l'emploi exclusif du *simillimum* auquel certains homéopathes sont restés fidèles, quoique en petit nombre. Ce sont les *unicistes*.
Pierre VANNIER, l'Homéopathie, p. 113.

♦ **2.** (1921, *in* D.D.L.). Philos. Partisan du monisme. ⇒ **Moniste**.
CONTR. **Dualiste**.

UNICITÉ [ynisite] n. f. — 1730; dér. sav. du lat. *unicus*. → Unique.

♦ Didact. Caractère de ce qui est unique, seul dans une classe donnée. *L'unicité d'un cas, d'un exemple. L'unicité de l'individu.*
Toutes les idées générales ou abstraites qu'expriment nos termes de classes ou de genres n'ont aucun élément réel qui soit proprement un ou principe d'*unicité*, comme dit Leibnitz.
MAINE DE BIRAN, Du physique et du moral de l'homme, p. 212.
CONTR. **Multiplicité, pluralité**.

UNICOLORE [ynikɔlɔR] adj. — 1846, Bescherelle; du lat. *unicolor*, de *color* «couleur».

♦ Littér. Qui est d'une seule couleur. ⇒ **Uni; monocolore**.
CONTR. **Multicolore**.

UNICORNE [ynikɔRn] n. m. et adj. — 1120, fém., «licorne»; lat. *unicornis*, de *cornis* «corne».

♦ **1.** N. m. Myth. (Vx). Licorne. — Vx. Narval.

♦ **2.** Adj. Qui n'a qu'une corne.
— Comment savez-vous que l'un des deux rhinocéros a deux cornes et l'autre une? Et lequel?
— Il ne le sait pas plus que nous.
— D'abord, on ne sait pas s'il y en a eu deux. Je crois même qu'il n'y a eu qu'un rhinocéros.
— Admettons qu'il y en ait eu deux. Qui est unicorne, le rhinocéros d'Asie?
IONESCO, Rhinocéros, p. 78.
REM. On trouve dans le même texte les formes *unicornu* et *bicornu*.
Albert Dürer. *La Mort et le Chevalier*. Il est précédé par la mort qui lui montre

un sablier (ainsi Hitler aujourd'hui, il n'a qu'un certain délai) et il est suivi par le diable sous la forme d'un monstre borgne et unicorne avec un groin de sanglier.
CLAUDEL, Journal, t. II, Pl., p. 315.

UNICURSALE [ynikyRsal] adj. f. — 1903, cit.; de *uni-*, et lat. *cursus* «course, direction», de *currere* «courir».

♦ Math. *Courbe unicursale* : courbe telle que les coordonnées de ses points sont fonctions rationnelles d'un paramètre. «*Les lignes de courbure circulaires des surfaces-enveloppes de variétés sphériques unicursales à une dimension*» (*Rev. gén. des sc.*, 30 juin 1903, n° 12, p. 683).

UNICUSPIDÉ, ÉE [ynikyspide] adj. — xxᵉ; de *uni-*, *cuspide*, et suff. *-é*.

♦ Anat. *Dent unicuspidée*, pourvue d'une seule pointe. *Les canines, les incisives sont unicuspidées.*

UNIDIMENSIONNEL, ELLE [ynidimãsjɔnɛl] adj. — V. 1968; de *uni-*, et *dimensionnel*, d'après *One-Dimensional Man*, ouvrage de H. Marcuse.

♦ **1.** Philos. Qui n'a qu'une dimension.
Émigré aux États-Unis, Marcuse y découvre un totalitarisme de type nouveau, imposé moins par la terreur que par une certaine rationalité technocratique dont il décrit les effets déshumanisants dans l'*Homme unidimensionnel*.
R. GARAUDY, Herbert Marcuse, *in* le Monde, 8 mars 1969.
N. m. *L'unidimensionnel.*

♦ **2.** (En parlant d'un objet concret). Qui n'a qu'une dimension. «*Un nombre aussi grand que possible de projections unidimensionnelles selon des axes qui se recoupent*» (*Sciences et Avenir*, mars 1978, p. 7).

UNIDIRECTIONNEL, ELLE [ynidiRɛksjɔnɛl] adj. — xxᵉ; de *uni-*, et *direction*.

♦ **1.** Sc. Qui se propage, qui reçoit ou propage selon une direction déterminée. *Faisceau, émetteur, récepteur unidirectionnel.*

♦ **2.** Cour. Qui va dans une seule direction. «*Le boulevard périphérique à Paris comporte deux chaussées unidirectionnelles nettement matérialisées*» (*la Croix*, 3 déc. 1972).

UNIÈME [ynjɛm] adj. numéral ordinal — 1552; *unime*, 1240; de *un*.

♦ Qui vient en premier, immédiatement après une dizaine (sauf soixante-dix, quatre-vingt-dix), une centaine, un millier.
REM. 1. L'adjectif ordinal de *un*, employé seul, est *premier**.
2. *Unième* se construit avec et. *Vingt, trente... et unième. Le trois cent soixante et unième jour de l'année. La mille et unième nuit.*
DÉR. **Unièmement**.

UNIÈMEMENT [ynjɛmmã] adv. — 1718; de *unième*.

♦ (Adverbe correspondant à *unième* et s'employant dans les mêmes conditions). *Vingt et unièmement.*

UNIFICATEUR, TRICE [ynifikatœR, tRis] adj. — 1907; de *unifier*, d'après les mots en *-ificateur*.

♦ Qui unifie, qui contribue à unifier. *Mouvement unificateur, forces unificatrices d'un pays. Se faire l'unificateur d'une nation.*
La Peste, de CAMUS, qui vient de paraître, me semble un bon exemple de ce mouvement unificateur qui fond dans l'unité organique d'un seul mythe une pluralité de thèmes critiques et constructeurs.
SARTRE, Situations II, p. 316, Note.

UNIFICATION [ynifikasjɔ̃] n. f. — 1838; de *unifier*, d'après les mots en *-ification*.

♦ Fait d'unifier (plusieurs éléments; un ensemble d'éléments), de rendre unique et uniforme; fait de s'unifier. ⇒ **Intégration**. *L'unification d'un pays* (→ Héritier, cit. 16). *Unification des esprits* (→ Partager, cit. 26). *Tentative de simplification* (cit. 2), *d'unification*.
Entre tous les phénomènes remarquables qu'il nous est donné d'observer, à nous, hommes du xxᵉ siècle, le plus frappant est sans doute l'unification de la civilisation. Ce phénomène, dû à l'extrême facilité des échanges entre les peuples et les races, est en plein développement.
G. DUHAMEL, Défense des lettres, IV, I.
L'unification des services de la T.S.F. et de l'Aéronautique, dont la dualité m'a frappé avec tous ses inconvénients, va se réaliser (...)
L.-H. LYAUTEY, Paroles d'action, p. 216.
CONTR. **Schisme, séparation, fédéralisme**.
COMP. **Réunification**.

UNIFIER [ynifje] v. tr. — 1380, *unifaiz* (p. p.), rare jusqu'au XIXᵉ ; lat. médiéval *unificare*, du lat. class. *unus* «un», et *facere* «faire».

♦ **1.** Faire de (plusieurs éléments) une seule et même chose ; rendre unique, faire l'unité de... ⇒ **Unir.** *Unifier des régions* (en un seul pays), *des races, des classes sociales.* ⇒ **Fusionner, mêler.** *Unifier un pays* (en rassemblant plusieurs régions).

♦ **2.** Rendre semblables les divers éléments que l'on rassemble (réellement ou en esprit) pour former un tout. ⇒ **Homogénéiser, normaliser, uniformiser.** *Unifier l'orthographe d'un texte ancien* (→ Note, cit. 17). *Les pays à dialectes tendent à se laisser absorber et unifier par une langue commune* (→ 2. Parler, cit. 4). *Unifier des programmes scolaires.*

♦ **3.** Rendre homogène, cohérent ; faire l'unité morale de... — Spécialt. *Unifier un parti.*

1 (...) réunion dont le but précis était d'unifier la résistance dans tous les États d'Europe, et de prendre des mesures collectives efficaces (...)
MARTIN DU GARD, les Thibault, t. VI, p. 170.

♦ **4.** Fig. Former un seul concept, faire correspondre exactement à un type (→ 1. Penser, cit. 6).

▶ **S'UNIFIER** v. pron.

♦ **1.** Former un objet ou un concept unique.

2 Après quelques jours de cohabitation dans ce sac, les objets les plus disparates entrent dans un commerce intime ; les boîtes crèvent et s'épanchent ; tout s'agglutine et s'unifie en un conglomérat sans nom.
GIDE, Journal, 1910, Voyage en Andorre, Merens.

♦ **2.** S'unir étroitement, de manière à former un être unique (→ Mahatma, cit.).

▶ **UNIFIÉ, ÉE** p. p. adj. (1380, puis 1889, *unifié à qqch.*). *Pays unifié* (→ Français, cit. 12). — *Orthographe unifiée.*

Parti unifié. — N. m. pl. *Les unifiés,* membres du parti socialiste unifié de 1905 (cf. Romains, *les Hommes de bonne volonté,* t. V, p. 225).

Psychol. *Caractère unifié,* où les tendances sont hiérarchisées, subordonnées à une dominante.

CONTR. **Désunir, séparer.** — **Différencier, diversifier.** — **Bigarrer.** — **Contraster, opposer (s').**
DÉR. **Unificateur, unification.**
COMP. **Réunifier.**

UNIFILAIRE [ynifilɛʀ] adj. — 1904, *Revue gén. des sc.*, nᵒ 12, p. 621 ; de *uni-,* et *filaire,* de *fil.*

♦ Techn. Qui ne comprend qu'un fil électrique. *Circuit unifilaire. Magnétomètre unifilaire.*

UNIFLORE [yniflɔʀ] adj. et n. m. — 1778, Lamarck ; de *uni-,* et *-flore.*

♦ **1.** Bot. Qui ne porte qu'une fleur. — N. m. *Un uniflore :* un végétal uniflore.

♦ **2.** Non technique et rare. *Vase uniflore,* destiné à contenir une seule fleur. — N. m. *Un uniflore.*

UNIFOLIÉ, ÉE [ynifɔlje] adj. — 1846 ; de *uni-,* et *folié.*

♦ Bot. Qui ne porte qu'une feuille. *Rameau unifolié.*

UNIFORME [ynifɔʀm] adj. et n. m. — 1361, Oresme, *mouvement uniforme ;* lat. *uniformis,* de *unus,* et *forma.* → Forme.

★ **I.** Adj. ♦ **1.** Qui présente des éléments tous semblables ; dont toutes les parties sont identiques ou perçues comme telles. *Mouvement uniforme,* d'un corps qui parcourt des espaces égaux dans des temps égaux. ⇒ **Régulier.** *Mouvement rectiligne et uniforme* (→ Force, cit. 63 ; inertie, cit. 1), *circulaire et uniforme* (→ Sauver, cit. 11). *Translation uniforme* (→ Relativité, cit. 3). *Accélération uniforme.* ⇒ **Réglé.** *— Pouls uniforme.* ⇒ **Réglé.** *— Une avance régulière et uniforme, un mouvement uniforme.* ⇒ **Égal.**

1 (...) nous allons d'un pas égal, par un mouvement uniforme et si doux, si bien le même, que pour des gens qui nous verraient passer, nous paraîtrions un même être glissant sur le sable des allées à la façon des immortels d'Homère.
BALZAC, Mémoires de deux jeunes mariées, Pl., t. I, p. 303.

♦ **2.** Qui ne varie pas ou varie peu, au cours du temps (→ Bonheur, cit. 21). *Varier ce qui semble uniforme* (→ Caractère, cit. 18). *Vie uniforme, mais pleine* (cit. 12). *Existence uniforme* (→ 1. Cosmos, cit. 1 ; hétérogène, cit. 2).

2 (...) élevé par son caractère au-dessus des jugements humains, il abandonne aux âmes communes le mérite d'une vie suivie et uniforme (...)
LA BRUYÈRE, les Caractères, I, 24.

Dont les caractères, l'aspect restent les mêmes d'un bout à l'autre. *Peau d'une couleur uniforme* (→ Astrakan, cit. 2). *Ciel uniforme et gris* (→ Crépuscule, cit. 3). *— Pays plat et uniforme* (→ Ni, cit. 38). ⇒ **Monotone** (2.). *— Style uniforme* (→ Égal, cit. 32). —

Tactique uniforme et régulière, semblable, quelles que soient les circonstances (→ Étourneau, cit. 1).

(...) rien n'est plus variable que l'administration, elle a peu de principes généraux. La loi est uniforme, les mœurs, les terres, les intelligences ne le sont pas (...)
BALZAC, le Médecin de campagne, Pl., t. VIII, p. 364.

Une courbe de viaduc énorme
Longe les quais mornes et uniformes (...)
VERHAEREN, les Villes tentaculaires, «Âme de la ville».

♦ **3.** (XVIIᵉ). Vx. *Témoignage uniforme,* unanime (cf. Bossuet, *in* Littré). *Approbation uniforme* (Boileau).

Par ext. Dont les éléments se distinguent peu, qui est homogène*.

Les bruits : ronronnements, roulements, cliquetis, achevaient de le mettre mal à l'aise ; peut-être parce que, sous l'apparence d'une rumeur uniforme, ils recèlent toutes sortes d'irrégularités élémentaires.
J. ROMAINS, les Hommes de bonne volonté, t. V, XXV, p. 241.

♦ **4.** **a** Dont la forme est identique ; par ext., qui ressemble beaucoup aux autres. ⇒ **Même, pareil.** *Caractères, choses uniformes.* — (Avec un sing. collectif). *La servitude* (cit. 3) *militaire donne à tout homme de guerre une figure uniforme et froide.*

Avant que d'avoir pris les uniformes préjugés du monde, nous avons des manières uniformes de sentir et de voir (...) ROUSSEAU, Julie ou la Nouvelle Héloïse, I, I.

b Vx. *Habit uniforme,* fait suivant un modèle prescrit et invariable pour un groupe de personnes, d'abord des soldats (cf. Saint-Simon, Voltaire, *in* Littré). → ci-dessous, II. : *un uniforme.*

♦ **5.** (XXᵉ). Math. Caractère d'une fonction pour laquelle à chaque valeur de x correspond une seule valeur de y. — Par anal. ⇒ **Univoque.**

★ **II.** N. m. (1709). ♦ **1.** Costume dont la forme, le tissu, la couleur sont définis par un règlement pour tous les hommes d'une même unité militaire. ⇒ **Habit** (militaire). → Bleu, cit. 1 ; guerrier, cit. 3 ; 2. kaki, cit. 1. *Uniforme d'officier, de soldat ; d'aviateur, de fantassin, de marin. L'uniforme d'un régiment* (cit. 2), *d'une armée. L'uniforme national* (→ Rage, cit. 1). *— En uniforme ou en civil, en bourgeois. Uniforme de cérémonie, de parade. En grand uniforme* (→ Passementerie, cit. 2 ; riche, cit. 6). *Un bel uniforme* (→ Prestance, cit. 1).

L'autre jour j'avais oublié la couleur d'un des uniformes que j'ai portés. Or avez-vous éprouvé, ô lecteur bénévole, ce que c'est qu'un uniforme dans une armée victorieuse et unique objet de l'attention de la nation comme l'armée de Napoléon!
STENDHAL, Vie de Henry Brulard, 41.

Ici le bariolage était fait de plus de trois mille hommes et de quinze à seize cents chevaux sellés d'écarlate, où dominaient les manteaux blancs des gardes, un émail d'uniformes à casques, bonnets, bicornes, crinières et plumets, épaulettes, gibernes, galons, dragonnes, glands et boutons, fleurs de lys, soleils et grenades, banderoles, étendards, cravates, boucles, aiguillettes, épées et sabres, fusils et mousquets (...) toute la Maison du Roi (...) ARAGON, la Semaine sainte, II.

Par ext. *L'uniforme* : la tenue, l'habit militaire, et, par métonymie, l'armée. *Le prestige* de l'uniforme. *Endosser, quitter l'uniforme. Vingt-cinq ans d'uniforme* (→ Dont, cit. 19).

Ils haïssaient particulièrement l'uniforme qui donne à tous le même aspect et soumet les esprits à l'habit et non à l'homme.
A. DE VIGNY, Servitude et Grandeur militaires, I, II (1835).

♦ **2.** (1831, Stendhal). Habit, vêtement déterminé, obligatoire pour un groupe (professionnel, etc.). → Ecclésiastique, cit. 1. *Uniforme de facteur* (cit. 13), *d'huissier, de collégien, de contractuelle, de pompier. Casquette d'uniforme* (→ Guide, cit. 3). — Par ext. *L'uniforme de Pierrot, de Gugusse...* ⇒ **Accoutrement.** *— Un chapeau de feutre, un imperméable* (cit. 3), *c'est presque un uniforme.*

Les élèves du lycée portaient un uniforme : veste croisée à boutons dorés, casquette et capote. G. DUHAMEL, Inventaire de l'abîme, XII.

♦ **3.** Fig. Aspect extérieur, vêtement semblable pour tous. *Sous l'uniforme social du moderne américain* (→ Assimilable, cit. 4). — Par métaphore. *Paris nous impose un uniforme* (→ Caractère, cit. 61).

♦ **4.** Par métonymie. Personne vêtue d'un uniforme.

CONTR. **Changeant, divers, inégal, irrégulier.** — **Accidenté, bigarré, diapré.**
DÉR. **Uniformément, uniformiser.**

UNIFORMÉMENT [ynifɔʀmemɑ̃] adv. — 1507 ; *uniformeement,* v. 1380 ; de *uniforme.*

♦ **1.** D'une manière uniforme (I., 1.). Par un mouvement régulier. *Orbites* (cit. 3) *décrites uniformément.*

Proportionnellement au temps. *Mouvement uniformément accéléré ; retardé* (cit. 6).

♦ **2.** De la même façon dans toute sa durée ; sans varier. *Vie, existence qui s'écoule uniformément.*

De la même façon dans toute son étendue (→ Brume, cit. 1 ; image, cit. 63 ; 2. kaki, cit. 1). *Des rochers mesquins uniformément amassés.* ⇒ **Régulièrement** (→ Monotone, cit. 4). *Campagnes uniformément riches* (→ Pousser, cit. 51).

♦ **3.** Comme tous les autres ; tous de la même façon (→ Convention, cit. 13). *La mort n'atteint pas uniformément tous les hom-*

mes (→ Épargner, cit. 26). *Femmes vêtues de noir uniformément* (→ Sinistre, cit. 1).

Il est certain qu'une Nation, formée d'apports si divers, vivant sous des climats si divers, travaillant sur un sol si divers et pratiquant des mœurs si diverses, pâtit, dans une certaine mesure, d'être *uniformément* administrée et de subir cette loi *unique* que lui dicte sa capitale.
MADELIN, Hist. du Consulat et de l'Empire, De Brumaire à Marengo, XII.

UNIFORMISATION [ynifɔʀmizasjɔ̃] n. f. — 1824, Thiers; de *uniformiser*.

♦ Fait de rendre uniforme; son résultat. *« La simplification (...) l'uniformisation partielle* (des formes)» (Gide, *Journal*, 1er févr. 1902).

En Europe et en Amérique, l'uniformisation est très avancée et le costume masculin ou féminin, d'une classe à l'autre, ne se distingue plus guère que par sa valeur monétaire plus ou moins grande et son adaptation plus ou moins immédiate à la mode.   A. LEROI-GOURHAN, le Geste et la Parole, t. II, p. 191.

UNIFORMISER [ynifɔʀmize] v. tr. — 1725; de *uniforme*.

♦ **1.** Rendre uniforme. *Uniformiser une teinte, une couleur.*

♦ **2.** Rendre semblables ou moins différents. *Uniformiser les programmes, les types de production.* ⇒ **Standardiser.**

▶ **S'UNIFORMISER** v. pron. *Les matériels disponibles sur le marché se sont uniformisés et sont désormais tous compatibles.*

▶ **UNIFORMISÉ, ÉE** p. p. adj. *Normes internationales uniformisées.*

CONTR. **Bigarrer.** — **Diversifier.**

UNIFORMITARISME [ynifɔʀmitaʀism] n. m. — 1904; de *uniformité*, d'après les mots en *-arisme*, qui supposeraient normalement un adj. en *-aire*.

♦ Didact. Théorie expliquant l'évolution géologique de la Terre par des causes analogues à celles qui agissent dans la période actuelle.

UNIFORMITÉ [ynifɔʀmite] n. f. — 1370; lat. *uniformitas*, de *uniformis*. → Uniforme.

♦ **1.** Caractère de ce qui est uniforme. — *Uniformité d'un mouvement* (→ Mobile, cit. 4), *d'une accélération.*

♦ **2.** (1719). Absence de changement, de variété. ⇒ **Égalité, régularité.** *L'uniformité continue des fonctions* (cit. 3) *du professorat.* — *Uniformité du ciel* (→ Horizon, cit. 3), *du paysage.* ⇒ **Monotonie.** *Uniformité des coutumes, des mœurs...* ⇒ **Ressemblance.** *Un mélange d'uniformité et de régionalisme* (cit. 1). *L'égalité engendre l'uniformité* (→ Remarquable, cit. 5).

Cette uniformité même, qui semblait devoir ennuyer et blaser, servit Marat. Il eut la force, l'effet d'une même cloche, d'une cloche de mort, qui sonnerait *toujours*.
MICHELET, Hist. de la Révolution franç., IV, VIII.

Nous mesurons la vitesse de la lumière, et toujours par le moyen de quelque mouvement que nous supposons uniforme; cela même, l'uniformité, est relatif à la rotation de la terre, que nous supposons se faire toujours en un même temps.
ALAIN, Propos, 31 oct. 1921, Thalès...

Monotonie de ce qui ne varie pas. *Fastidieuse* (→ Individualité, cit. 5), *insipide* (→ Fatigant, cit. 5), *maussade uniformité* (→ Bienséance, cit. 2). *« L'ennui* (cit. 11) *naquit un jour de l'uniformité ».*

C'est un spectacle douloureux pour le poète, l'artiste et le philosophe, de voir les formes et les couleurs disparaître du monde, les lignes se troubler, les teintes se confondre et l'uniformité la plus désespérante envahir l'univers sous je ne sais quel prétexte de progrès. Quand tout sera pareil, les voyages deviendront complètement inutiles (...)   Th. GAUTIER, Voyage en Espagne, p. 156.

Vieilli. Unanimité, constance dans l'opinion (→ Incroyable, cit. 6).

CONTR. **Diversité, inégalité, variété; contraste.**

UNIGRAPHIE [yniɡʀafi] n. f. — Mil. xxe; de *uni-*, et *-graphie*.

♦ Didact. Comptabilité en partie simple.

UNIHORAIRE [yniɔʀɛʀ] adj. — Mil. xxe; de *uni-*, et *horaire*.

♦ Didact. *Puissance unihoraire :* puissance que peut fournir une locomotive pendant une heure sans que l'échauffement des conducteurs dépasse une valeur donnée.

UNIJAMBISTE [yniʒɑ̃bist] n. et adj. — 1914; de *uni-*, *jamb(e)*, et suff. *-iste* (mot mal formé).

♦ Personne qui a été amputée d'une jambe.

Adjectivement :

Si toutes les mères coupent l'index droit de leur fils, les armées de l'univers se feront la guerre sans index (...) Et si elles lui coupent la jambe droite, les armées seront unijambistes (...)   GIRAUDOUX, La guerre de Troie n'aura pas lieu, I, 3.

UNIJONCTION [yniʒɔ̃ksjɔ̃] n. f. — V. 1960; de *uni-*, et *jonction*.

♦ Didact. Semi-conducteur comportant une seule jonction dont la conductibilité s'amorce lorsque la tension appliquée à la jonction atteint une valeur donnée. Syn. : *diode à double base.* — REM. Le mot est mal formé, s'agissant d'un dispositif, et non d'une action ou d'un état.

UNIJUGUÉ, ÉE [yniʒyge] adj. — 1846; de *uni-*, et lat. *jugum* «couple», d'après *conjugué*.

♦ Bot. *Feuille unijuguée*, qui n'a qu'une paire de folioles (par oppos. à *conjugué**).

UNILATÉRAL, ALE, AUX [ynilateʀal, o] adj. — 1778; de *uni-*, et lat. *latus, -eris.* → Latéral.

★ **I.** ♦ **1.** Bot. Disposé ou situé d'un seul côté. *Fleurs unilatérales. Cordons unilatéraux* (→ Poirier, cit. 1).

♦ **2.** (Déb. xixe). Qui ne se fait que d'un côté. *Appui* (cit. 1) *unilatéral, dans la marche.*
Méd. Qui ne concerne qu'un seul côté (du corps, d'un organe). *Strabisme unilatéral. Épilepsie unilatérale.*
Cour. *Stationnement unilatéral*, autorisé d'un seul côté d'une voie.

★ **II.** ♦ **1.** (1804). Dr. Qui n'engage qu'une seule partie. *Contrat unilatéral,* «lorsqu'une ou plusieurs personnes sont obligées envers une ou plusieurs autres, sans que, de la part de ces dernières, il y ait engagement» (Code civil, art. 1103). *Engagement unilatéral. Promesse unilatérale.* Contr. : *synallagmatique.*

♦ **2.** Qui provient d'un seul, n'intéresse qu'un seul (lorsque deux personnes, deux éléments sont concernés). *Dénonciation unilatérale d'un traité. Décision unilatérale,* prise sans consulter le ou les partenaires.

(...) les seules « preuves » de la faute de madame Hugo, ce sont les *copies* de ses lettres, faites de la main de Sainte-Beuve, et les vers du *Livre d'amour :* documents unilatéraux.   Émile HENRIOT, les Romantiques, p. 238.

DÉR. **Unilatéralement, unilatéralité.** — Cf. chez Romain Rolland, **unilatéralisme,** n. m.

UNILATÉRALEMENT [ynilateʀalmɑ̃] adv. — 1778, *in* D.D.L.; de *unilatéral*.

Didactique ou littéraire. D'une manière unilatérale.

♦ **1.** (*Unilatéral,* I.). *Objets disposés unilatéralement.*

♦ **2.** (*Unilatéral,* II.). *S'engager unilatéralement,* sans réciprocité de la part de l'autre partie. *Dénoncer un accord, décider qqch. unilatéralement,* sans consulter.

UNILATÉRALITÉ [ynilateʀalite] n. f. — 1879, en méd.; de *unilatéral*.

♦ Didact. Caractère de ce qui est unilatéral. *L'unilatéralité d'un acte juridique.*

UNILATÈRE [ynilatɛʀ] adj. — xxe; de *uni-*, et lat. *latus, lateris.* → Unilatéral.

♦ Géom. Qui n'a qu'un côté. *Le ruban de Moebius est unilatère.*

UNILINÉAIRE [ynilineɛʀ] adj. — 1899, *in* D.D.L.; de *uni-*, et *linéaire*.

♦ **1.** Qui suit une seule ligne. *Série unilinéaire.*

♦ **2.** (xxe). Didact. (ethnol.). Se dit d'un mode de filiation ne reconnaissant qu'une seule ligne, soit patrilinéaire*, soit matrilinéaire.
DÉR. **Unilinéarité.**

UNILINÉARITÉ [ynilineaʀite] n. f. — 1920, *in* D.D.L. (en politique); de *unilinéaire*.

♦ Didact. Caractère de ce qui suit une ligne unique.

UNILINGUE [ynilɛ̃ɡ] adj. — 1872, Littré; de *uni-*, et lat. *lingua*.

♦ Didact. Qui est en une seule langue. — Qui parle, écrit une seule langue.
REM. On dit aussi *monolingue* (composé hybride).
CONTR. **Plurilingue.**
DÉR. **Unilinguisme.**

UNILINGUISME [ynilɛ̃ɡɥism] n. m. — xxe; de *unilingue*.

♦ Didact. Fait de ne parler qu'une langue. — Situation dans laquelle une seule langue est parlée (dans un pays, un ensemble social donné). Syn. : *monolinguisme.*

UNILOBÉ, ÉE [ynilɔbe] adj. — 1839 ; de *uni-*, et *lobé.*

♦ Sc. nat. Qui n'a qu'un seul lobe.

UNILOCULAIRE [ynilɔkylɛʀ] adj. — 1771, Trévoux ; de *uni-*, et *loculaire.*

♦ Sc. nat. Qui ne comprend qu'une seule loge ; qui n'est pas divisé en compartiments. *Capsule, ovaire uniloculaire.*

UNIMENT [ynimɑ̃] adv. — 1120, *uniement* ; de *uni.* → *Unir.*

♦ **1.** Vx. Semblablement ; toujours de la même façon. « *Cette toile est travaillée uniment* » (Académie).

♦ **2.** Littér. Avec régularité. ⇒ **Également, régulièrement.** *Tout aurait été uniment...* (→ Sabler, cit. 4). *L'auto roule uniment* (→ Reprise, cit. 6). — *Vivre uniment* (→ Capital, cit. 10).

♦ **3.** (xviiᵉ). Avec simplicité. (Le plus souvent renforcé par *tout ;* fin xviiiᵉ). *Tout uniment.* ⇒ **Franchement, simplement** (cf. Sans ambages, sans détour).

1 Madame, dis-je, je me serai mal expliqué chez moi ou je vous aurai mal compris ici. Dans les deux cas, une déclaration nette est nécessaire. Permettez-moi, madame, de la faire tout uniment.
FRANCE, le Crime de S. Bonnard, Œ. t. II, p. 456.

2 — Est-ce toi qui as pris la pièce de deux sous ?
— Oui, fis-je tout uniment.   G. DUHAMEL, Inventaire de l'abîme, IV.

3 Notre robuste Puck au nom d'esprit turbulent a, paraît-il, été très sage et j'irais presque jusqu'à penser que c'est grâce au voisinage de cette aimable fée, si uniment fleur de roulotte et digne échantillon du peuple qui, pendant des siècles, eut la maîtrise de la mer.   Michel LEIRIS, Frêle bruit, p. 164.

UNIMODAL, ALE, AUX [ynimɔdal, o] adj. — Mil. xxᵉ ; de *uni-*, et *modal.*

♦ Didact. Qui décrit une distribution de fréquences à un seul mode. ⇒ 2. **Mode** (5.). *La courbe de Gauss est unimodale.*

UNIMODULAIRE [ynimɔdylɛʀ] adj. — Mil. xxᵉ (in *Larousse*, 1968) ; de *uni-*, et *modulaire.*

♦ Math. *Nombre complexe unimodulaire*, dont le module est égal à l'unité.

UNINAIRE [yninɛʀ] adj. — xxᵉ ; de *uni-*, et *-aire*, d'après *binaire.*

♦ Log. *Opérateur uninaire*, qui n'affecte qu'une seule proposition. ⇒ **Singulaire.**

On doit distinguer, pour les opérateurs de vérité, entre un opérateur *singulaire* (nous préférons ce terme à celui, plus usuel mais peu heureux, de *uninaire.* On dit aussi *monadique*, qu'on oppose alors à *dyadique*) et des opérateurs *binaires.*
Robert BLANCHÉ, Introd. à la logique contemporaine, p. 41.

UNINERVÉ, ÉE [yninɛʀve] adj. — 1923 ; *uninerve*, Littré, 1872 ; de *uni-*, et *nervé* ou lat. *nervus.* → Nerf.

♦ Bot. Qui ne présente qu'une nervure. *Feuille uninervée.*

UNINOMINAL, ALE, AUX [yninɔminal, o] adj. — 1874 ; de *uni-*, et *nominal.*

♦ Qui porte sur un seul nom. *Scrutin, vote uninominal* (opposé à *de liste*).

1. UNION [ynjɔ̃] n. f. — V. 1225, « unité (de Dieu en trois personnes) » ; lat. *unio, -onis* (iiiᵉ) « perle unique » ; → 2. Union ; « plante à bulbe unique, sans caïeux » (→ Oignon).

★ **I.** Relation entre des termes unis. ♦ **1.** Relation qui existe entre deux ou plusieurs êtres (personnes ou choses) considérés comme formant un ensemble organique (que ce soit sous un ou plusieurs rapports (⇒ **Assemblage, association, réunion...**), ou d'une manière globale (⇒ **Fusion, unité**). — REM. Alors qu'*unité* est statique et désigne un caractère (→ Unité, I.), *union* est plutôt dynamique et désigne les relations résultant d'un processus. — *La société* (cit. 4) *est l'union des hommes, et non pas les hommes* (Rousseau). *Union étroite, solide, durable, indissoluble.* — Relig. *Union intime*, personnelle, hypostatique (cit. 1). *L'union du Verbe et de l'homme dans le Christ* (→ Devenir, cit. 2, Pascal). — *Union du corps et de l'âme* (cit. 30 ; → Désunion, cit. 3), *de l'esprit et de l'âme.* — *Union parfaite, mystique* (de l'âme et de Dieu). → Extase, cit. 2. *Union des âmes en Dieu.* — Par ext. EN UNION. *Se sentir en union intime avec les choses* (→ Profondément, cit. 2). ⇒ **Communion.**

1 (...) cette union substantielle *(de l'esprit et du corps)* n'empêche pas qu'on ne

puisse avoir une claire et distincte idée ou concept de l'esprit, comme une chose complète (...)   DESCARTES, Objections et réponses, IVᵉ réponse, I.

Au sens le plus fort (...) *Union* désigne l'état volontairement acquis ou spirituellement infus que décrivent les maîtres de la vie ascétique et mystique (...) Il ne s'agit plus d'une donnée native, comme l'union de l'âme et du corps, ni du mouvement de deux esprits qui se rencontrent en un unisson transitoire et partiel (...) En ce sens fort (...) il n'y a d'union possible et parfaite qu'en Dieu et par Dieu, à travers un dépouillement provisoire de ce qui n'est pas l'Unique et l'Universel (...)   M. BLONDEL, *in* LALANDE (→ aussi Ascèse, cit. 13).

(En parlant de choses concrètes ou abstraites). *Union plus ou moins étroite, intime, entre les éléments d'un tout composé* (de la simple jonction à la fusion). ⇒ **Adhérence, alliance, cohérence, contexture, jonction** (cit. 1), **liaison, mélange.** *Union forcée entre des parties hétérogènes.* « *L'union bizarre de certains mots* » (Académie). ⇒ **Amalgame.** *Union des couleurs* (→ Effet, cit. 30 ; nuance, cit. 1). — *Union de concepts, d'idées.* ⇒ **Connexion, correspondance.** — REM. Dans ce sens, *union* se dit surtout des éléments qui sont réunis harmonieusement (→ Cohésion).

La sépulture avait établi l'union indissoluble de la famille avec la terre, c'est-à-dire la propriété.   FUSTEL DE COULANGES, la Cité antique, II, VI.

♦ **2.** (xviiᵉ). Relation réciproque qui existe entre deux ou plusieurs personnes liées par un échange psychologique durable ; cet échange (sentiments réciproques et relations suivies : vie en commun, liens de parenté*, etc.). ⇒ **Accord, amitié, attachement, fraternité.** → Affection, cit. 7. *Union des cœurs** (→ Appas, cit. 11 ; attraction, cit. 6), *des âmes* (→ Instaurer, cit. 3). *La mort seule peut briser votre union* (→ Inséparable, cit. 6). Spécialt. *L'union de l'homme et de la femme dans le couple. Union conjugale* (⇒ **Mariage** (cit. 1), **hymen** (littér.). *Union libre.* ⇒ **Concubinage.** *Union morganatique**. ⇒ aussi **Chaîne** (fig.), **lien** (liens). *Composer* (→ Peine, cit. 25), *former une union* (→ Effrayer, cit. 12). *Le fruit* (1. Fruit, cit. 29) *d'une union.*

Tous les hommes sont menteurs (...) toutes les femmes sont perfides (...) mais il y a au monde une chose sainte et sublime, c'est l'union de deux êtres si imparfaits et si affreux.   A. DE MUSSET, On ne badine pas avec l'amour, II, 5.

Spécialt. Se dit des relations sexuelles entre deux personnes. *Union charnelle* dans le mariage* (⇒ **Consommation**). *Union des corps.* — « *L'union d'animaux d'espèces différentes (...)* » (Buffon). ⇒ **Accouplement, coït.**

L'union des corps ne se contentait plus d'être l'achèvement d'un rite d'adoration mutuelle. Elle devenait aussi une revanche sur l'absence, une lutte contre la séparation, une espèce d'affirmation tragique.   J. ROMAINS, le Dieu des corps, VII.

♦ **3.** (1636). Dr. Régime contractuel ou état dans lequel se trouvent des personnes (physiques ou morales) liées par un accord ou par des intérêts communs (→ ci-dessous, II.). *Union des créanciers*, leur état à l'égard d'un failli ou d'un liquidé judiciaire (⇒ **Faillite, liquidation**), lorsqu'il n'y a pas de concordat (Code de commerce, art. 529 et suivants). — *Union douanière* : régime contractuel entre États qui suppriment réciproquement leurs frontières douanières. *Union monétaire.*

♦ **4.** (xvᵉ). Entente entre plusieurs personnes, plusieurs groupes. ⇒ **Concorde, entente, harmonie.** *L'union entre les amis* (⇒ **Amitié, camaraderie**), *dans les familles* (→ 2. Politique, cit. 17). *Resserrer l'union entre deux personnes.* ⇒ **Intimité.** *Embrassement* qui scelle la paix, l'union. Union de personnes qui ont un but commun.* ⇒ **Accord, conformité** (de vues) ; et ci-dessous, II. *L'union qui doit régner entre les hommes.* ⇒ **Fraternité.**

(...) l'expérience du monde nous apprend cette chose triste, étrange à dire, et pourtant vraie, que l'union trop souvent diminue dans l'unité.
MICHELET, Hist. de la Révolution franç., III, XII.

Prov. *L'union fait la force** : l'entente, la communauté de vues et d'action engendrent la force. — Polit. *Ministère d'union nationale.* Allus. hist. *L'union sacrée.*

Dans la guerre qui s'engage, la France (...) sera héroïquement défendue par tous ses fils, dont rien ne brisera devant l'ennemi l'union sacrée, et qui sont aujourd'hui fraternellement assemblés dans une même indignation contre l'agresseur et dans une même foi patriotique.
Raymond POINCARÉ, Message du 4 août 1914, *in* le Temps, 5 août 1914.

★ **II.** (1343). ♦ **1.** Ensemble de ceux qui sont unis. Groupe d'individus ou de collectivités associés. ⇒ **Assemblage** (de personnes), **association, coalition, groupement, ensemble, entente, ligue.** *Union qui tend* (→ Fédération, cit. 6), *gravite* (cit. 2) *à l'unité. Former une union* (cf. Faire cause commune). *Union des fidèles.* ⇒ **Communion.** *Union d'associations* (Loi du 1ᵉʳ juil. 1901). *Union de producteurs, de consommateurs. Union de partis.* ⇒ **Bloc, rassemblement ; parti.**

Union ouvrière (calque de l'angl. *trade union*, employé vers 1870) : syndicat. — *Union de syndicats* : groupement de plusieurs syndicats similaires ou connexes ou de syndicats d'une ville (bourse du travail), d'une région. ⇒ **Confédération, fédération.**

(Dans la vie politique). *Union nationale, union sacrée* : union de partis idéologiques opposés, dans une circonstance grave. *Politique, gouvernement d'union nationale.* — *Union de la gauche. Union populaire.* — (Dans des noms de partis). *Union pour la nouvelle république* (U. N. R.), 1958-1967. *Union des démocrates pour la république* (U. D. R.), 1967-1976.

Union postale (cit.) : office qui constitue un agent de liaison entre les États signataires du traité de Berne (1874).

Union d'États (au sens large ; cour.). ⇒ ~~Association, confédération,~~ **fédération**. *Union des Républiques socialistes soviétiques* (U. R. S. S.).

Dr. Union d'États qui conservent leur autonomie complète mais obéissent à un même souverain *(union personnelle)*, ou qui s'associent sous une même autorité en perdant leur capacité et leur personnalité internationales *(union réelle)*. — Se dit, specialt, des États-Unis d'Amérique. *Le message du Président aux États de l'Union.* — *Union douanière* (entre États). *Union économique belgo-luxembourgeoise.*

Hist. *L'Union française,* groupant, sous la IVᵉ République, la France métropolitaine, les départements et territoires d'outre-mer ainsi que les départements et territoires associés. *Assemblée, haut conseil de l'Union française.*

♦ **2.** (xvIIIᵉ). Établissement d'une union ; acte d'association. ⇒ **Alliance, traité**. *Opérer l'union, la fusion entre les modérés* (cit. 8) *des deux partis.*

★ **III.** ♦ **1.** (1636). Le fait d'unir, de combiner, de mélanger (des éléments concrets ou abstraits) ; le processus qui forme un tout de deux ou plusieurs choses séparées. ⇒ **Réunion**. *L'union de deux domaines, de deux terres.* ⇒ **Réunion**. — Anciennt. *Lettres d'union* (unissant deux terres). *Bulles d'union* (unissant deux bénéfices). Sc. *Union de deux ou plusieurs atomes* (→ Saturer, cit. 1), *de deux corps.* ⇒ **Combinaison**. *Union des cellules.*

♦ **2.** Loc. *Trait d'union.* ⇒ **Trait** (*infra* cit. 7). — Fig. Ce qui unit. ⇒ **Lien** (→ Barbarie, cit. 5).

CONTR. **Désunion ; désagrégation, dislocation, division, écartement, séparation. — Discorde, dispute, dissension, dissidence, divorce, haine, opposition, rupture...** DÉR. **Unionisme, unioniste.**

2. UNION [ynjɔ̃] n. f. — 1532 ; lat. class. *unio, unionis* « plante à bulbe unique » (→ Oignon), et « perle unique, très grosse ».

♦ Grosse perle.

C'est le Hollandais Gika, le marchand de perles, et ce sont des colliers, des unions, des fils aux éclairs argentés, des perles grosses comme des noisettes (...)
Ed. et J. DE GONCOURT, Journal, 17 oct. 1866, t. III, p. 60.

UNIONIDÉS [ynjɔnide] n. m. pl. — 1904 ; *unionides,* 1876, P. Larousse ; du lat. zool. *unio,* désignant un mollusque, lat. class. *unio.* → 2. Union.

♦ Zool. Famille de mollusques bivalves d'eau douce (nombreux genres, parmi lesquels les *unios* et les *anodontes**). — Sing. *Un unionidé.*

UNIONISME [ynjɔnism] n. m. — 1836 ; de *union.*

♦ **1.** Vx. Doctrine politique des unionistes.

♦ **2.** (1870 ; Leroy-Beaulieu). Vx. Système des unions ouvrières. ⇒ **Syndicalisme**.

♦ **3.** Doctrine des partisans d'une union (internationale, économique) ; type d'intégration économique.

UNIONISTE [ynjɔnist] n. et adj. — 1836 ; de *union.*

♦ **1.** Hist. Partisan de l'union politique, de l'unité (à propos de l'Amérique du Nord ; du groupe politique anglais qui s'allia aux conservateurs pour refuser le Home Rule à l'Irlande, etc.) nationale. *Parti unioniste.*

Unioniste, il semble que cela s'entende de reste. Ce sont apparemment des gens qui veulent l'union. Mais laquelle ? (...) Ils ne prétendent rien moins que de liguer les grandes villes contre les campagnes.
Fr. SARCEY, le Drapeau tricolore, 13 mai 1871, *in* J. DUBOIS, Voc. politique et social...
La politique irlandaise est une *olla podrida* des éléments les plus divers, qui mijotent dans la même marmite en donnant autant de bouillons différents. Une même famille compte des membres aussi résolument unionistes que d'autres sont nationalistes passionnés.
M.-A. DE BOUET, Trois mois en Irlande, *in* le Tour du monde, 1890, t. I, p. 26.

(Au Québec). Membre du parti de l'Union.

♦ **2.** (V. 1870). Vx. Membre d'une union ouvrière, syndicaliste ouvrier.

♦ **3.** (1930). *Éclaireurs unionistes* (scouts protestants français).

UNION JACK [ynjɔndʒak ; junjɔndʒak] n. m. — xvIIIᵉ, une fois en 1687 ; nom anglais (1674) du drapeau du Royaume-Uni de Grande-Bretagne et d'Irlande, de *union* « union », et *jack* « pavillon », terme de marine.

♦ Anglic. Drapeau du Royaume-Uni. « *De petits Union Jacks* » (P. Morand, *in* Rey-Debove et Gagnon).

Sur le turf, nous apercevons des mâts fichés en terre où flottent des banderoles. On distingue la double croix rouge et blanche de Saint-Georges et de Saint-André, l'*Union Jack,* le pavillon national du Royaume-Uni.
L. SIMONIN, Un voyage aux ruines de Cornouailles, *in* le Tour du monde, 1865, p. 372.

UNIOVULAIRE [yniɔvylɛr] adj. — Mil. xxᵉ ; de *uni-,* et *ovulaire.*

♦ Biol. *Jumeaux uniovulaires* (par oppos. à *biovulaire*). ⇒ **Monozygote, univitellin.**

UNIOVULÉ, ÉE [yniɔvyle] adj. — Mil. xxᵉ ; de *uni-,* et *ovule.*

♦ Didact. Qui ne possède qu'un ovule. *La capucine, les ombellifères sont uniovulées.*

UNIPARE [ynipar] adj. — 1836 ; de *uni-,* et 1. *-pare.* Biologie.

♦ **1.** Se dit des femelles des mammifères lorsqu'elles ne donnent généralement naissance qu'à un seul petit à chaque grossesse. *Les vaches, les juments sont unipares.*

(Rare). Se dit de la femelle qui n'a eu qu'un seul petit, de la femme qui n'a qu'un seul enfant. — REM. Dans ce sens, on dit plutôt *primipare.*

♦ **2.** Bot. *Cyme unipare,* où un seul rameau floral prend naissance sur celui qui le précède.

CONTR. **Multipare.** DÉR. **Uniparité.**

UNIPENNE [ynipɛn] adj. — 1876, P. Larousse ; de *uni-,* et lat. *penna,* au sens d'« aile », métaphoriquement.

♦ Didact. Qui n'a qu'une nageoire impaire, formée de la dorsale, la caudale et l'anale réunies. *Poissons unipennes.*

UNIPERSONNEL, ELLE [ynipɛrsɔnɛl] adj. et n. m. — 1818, *in* D. D. L. ; de *uni-, personne,* et *-el.*

♦ Ling. Se dit des verbes qui ne peuvent être employés qu'à la troisième personne du singulier (du point de vue conceptuel, ce sont des verbes impersonnels). — Ex. : *il y a, il faut, il s'agit ;* les verbes dits « météorologiques » (*il pleut,* etc.). ⇒ **II.**

UNIPÉTALE [ynipetal] adj. — 1872, Littré ; de *uni-,* et *pétale.*

♦ Bot. Qui n'a qu'un pétale. ⇒ **Monopétale.**

UNIPOLAIRE [ynipɔlɛr] adj. — 1846 ; de *uni-,* et *polaire.*

♦ Sc. Qui ne concerne qu'un des deux pôles (électricité, biologie, etc.). DÉR. **Unipolarité.**

UNIPOLARITÉ [ynipɔlarite] n. f. — 1903, *in Rev. gén. des sc.,* nᵒ 23, p. 1231 ; de *unipolaire,* et *polarité.*

♦ Didact. (sc. : électr., biol., etc.). Caractère de ce qui ne concerne qu'un pôle.

UNIPRIMAUTÉ [yniprimote] n. f. — 1894 ; de *uni-* « un seul », et *primauté.*

♦ Rare. Caractère de ce qui est à la fois unique et premier.

(...) de la synthèse du complexe se refait la simplicité première (...) uniprimauté qui contient tout, comme l'insexué engendre tous les nombres (...)
A. JARRY, Critique d'art, Filiger, *in* Œ. compl., t. VII, p. 168 (1894).

UNIPRIX [ynipri] n. m. — 1934, *in* D. D. L. ; nom déposé, de *uni(que),* et *prix.*

♦ Premier magasin à succursales multiples (→ Monoprix, Prisunic), originairement à prix unique pour un groupe déterminé de marchandises (1, 3, 5 et 10 francs).

(...) l'antique halle des marchands muée en café dernier cri (rutilant aussi, pourvu, dans ses arcs gothiques, des mêmes portes de verre invisible sur gonds invisibles que l'Uniprix voisin, des torchères en staff et d'un bar américain (...) [1]
Claude SIMON, le Vent, p. 42.

Les rois se déguisaient en bergers ; aujourd'hui, s'habiller pour quinze jours dans un Uniprix, tel est pour eux le signe du déguisement. [2]
R. BARTHES, Mythologies, p. 35 (1957).

UNIQUE [ynik] adj. — 1480, au sens 1 ; lat. *unicus,* de *unus* « un ».

★ **I.** (Quantitatif). ♦ **1.** (Avant ou après le nom). Qui est un seul, n'est pas accompagné d'autres du même genre. — REM. *Unique* a plus de force quand il est placé après le nom ; il ne peut alors être remplacé par *seul.* — *Enfant unique; fils, fille unique* (→ Gourgandine, cit. 1 ; légitime, cit. 2). *Un Dieu unique* (→ Monothéiste, cit. 2). *L'unique chaise qui meublait* (cit. 1) *sa cellule. Élément unique dans un ensemble.* ⇒ **Singleton.** *À élément, à organe... unique.* ⇒ **Mono-; uni-.** *Sens* unique. Voie, rail unique. Régime de parti* unique. Article unique d'un projet de loi* (→ Propriété, cit. 9). *L'unique exemple* (→ Monastique, cit. 1), *l'exemple unique de...* (→ Musique, cit. 3). *Un cas unique.* ⇒ **Isolé.** *L'expérience* (cit. 30), *source unique de toute science. L'unique ou du moins le principal revenu* (→ Capitaliste, cit. 1). *Allocation de salaire unique, perçue par un couple marié où une seule personne est salariée.* — *L'unique but* (→ 1. Fou, cit. 33), *le but unique de sa vie* (→ 1. Avocat, cit. 17). *Dans l'unique dessein de...* (→ Disséquer, cit. 4). *« Rome, l'unique objet de mon ressentiment »* (→ Anaphore, cit., Corneille). *L'unique occupation de qqn* (→ Estime, cit. 17). *Son unique bien* (→ Dieu, cit. 35), *souci* (→ Provoquer, cit. 9). ⇒ **Exclusif.**

1 — Cet enfant-là lui donnera bien du chagrin. C'est un enfant unique, bonne raison pour n'être qu'un vaurien (...) DIDEROT, Jacques le fataliste, Pl., p. 716.

2 Il ne se marierait pas, ne voulant point encombrer son existence d'une femme unique et gênante, mais il aurait des maîtresses parmi ses clientes les plus jolies. MAUPASSANT, Pierre et Jean, III.

(Renforçant *seul*). *Une seule et unique observation* (→ Physico-, cit. 1). *Seul et unique propriétaire de l'imprimerie* (→ Libérer, cit. 5).

♦ **2.** (Généralement après le nom). **a** Qui est un seul, qui répond seul à sa désignation et forme une unité. *Dieu unique en trois personnes* (→ aussi Essence, cit. 7). *Fusion de deux cellules qui donne une cellule unique* (→ Fécondation, cit. 2). — (Renforçant *même*, avant le nom). *Deux aspects d'un même et unique univers* (→ Séparer, cit. 12).

b Qui est le même* pour plusieurs choses, plusieurs cas. *Le message des Évangiles* (cit. 7) *reste unique. Y a-t-il un principe unique des choses?* (→ Monde, cit. 10). *Foch reçut le commandement unique des armées alliées* (→ Généralissime, cit.). *Le caractère de l'enfance paraît unique* (→ Assez, cit. 45). ⇒ **Constant, uniforme.** — *Magasin à prix unique.* Ellipt. (n. m.). *Un prix unique* (cf. Prisunic, mot déposé, abrév. : *prisu;* ⇒ **Monoprix, uniprix**).

★ **II.** (Qualitatif). — REM. Dans ce sens, le comparatif et le superlatif sont possibles. *« Je verrai mon amant, mon plus unique bien »* (Corneille, *Horace*, I, 2).

♦ **1.** (1640, Corneille). Généralement après le nom. Qui est le seul de son espèce ou qui dans son espèce présente des caractères qu'aucun autre ne possède ; qui n'a pas son semblable. ⇒ **Singulier.** *L'individu** (cit. 8 et 15), *exemplaire unique de l'espèce. Le phénomène particulier est un fait unique. Chaque homme est un et unique* (→ Personnalité, cit. 2). *Ce qu'un objet a d'unique et d'inexprimable* (→ Intuition, cit. 2). *La pensée est personnelle, unique, fugitive* (cit. 11). *Des vices uniques* (→ Singularité, cit. 1, La Bruyère). *Le mot juste, le mot unique* (→ Expression, cit. 3). *On faisait tout unique pour Madame de Pompadour* (→ Reproduire, cit. 4). *La toile unique se multiplie par la gravure* (cit. 3).

3 Ce fut une de ces situations uniques auxquelles on n'a rien éprouvé qui soit semblable. Abbé PRÉVOST, Manon Lescaut, I, p. 72.

4 C'était bien elle, pourtant : une armoire Louis XIII unique, reconnaissable par quiconque avait pu la voir une seule fois. MAUPASSANT, l'Inutile Beauté, « Qui sait ? », II.

♦ **2.** Au sens fort (toujours placé après le nom). Qui est ou qui paraît foncièrement différent des autres. ⇒ **Irremplaçable; exceptionnel.** *Le Talmud, ce livre unique* (→ Extravagance, cit. 4). *Poe est unique dans son genre* (→ Nouvelliste, cit. 2). *Cette femme unique* (→ Innombrable, cit. 5). *Un homme unique en son espèce* (→ 1. Original, cit. 6), *en son genre.* ⇒ **Seul** (de son espèce).

5 Ce n'était qu'un renard semblable à cent mille autres. Mais j'en ai fait mon ami, et il est maintenant unique au monde. SAINT-EXUPÉRY, le Petit Prince, XXI.

6 Chacun de ses personnages (de Dos Passos) est unique : ce qui lui arrive ne saurait arriver qu'à lui. SARTRE, Situations I, p. 23.

Cour. Supérieur, remarquable. ⇒ **Incomparable, transcendant.** *La Fontaine, homme unique dans les excellents morceaux qu'il nous a laissés* (→ Honnêtement, cit. 5). *Un talent unique* (→ D'exception*). *Ce siècle unique* (le XVIIIe siècle). → Siéger, cit. 2. ⇒ **Excellent, extraordinaire.** *Attraction sensationnelle, unique au monde! Des occasions* (cit. 13), *des conditions uniques.*

7 La première chose que la flatterie sait faire, après la mort de ces hommes uniques, et qui ne se réparent point, est de leur supposer des endroits faibles, dont elle prétend que ceux qui leur succèdent sont très exempts (...) LA BRUYÈRE, les Caractères, IX, 11.

8 (...) À chaque propos gai, le chevalier confondu me disait : Il n'y a point d'homme comme vous; vous êtes unique; vous valez cent fois mieux que moi. DIDEROT, Jacques le fataliste, Pl., p. 709.

♦ **3.** Fam. Qui étonne beaucoup (en bien ou en mal). ⇒ **Curieux, extravagant, inouï.** *Un type unique; il est vraiment unique! Ça c'est unique, alors!* (cf. C'est un peu fort, un peu raide!).

CONTR. — (De I.) Multiple, plusieurs. — Différent, divers. — (De II.) Commun, fréquent, habituel, reproduit.
DÉR. Uniquement.

UNIQUEMENT [ynikmɑ̃] adv. — XVe ; de *unique.*

♦ **1.** Littér. ou style soutenu. À l'exclusion des autres. ⇒ **Exclusivement, seul.** *Dieu veut être aimé uniquement* (→ Jaloux, cit. 3). *Le succès comptait* (cit. 41) *uniquement à ses yeux. Un livre habitait uniquement mon cœur* (→ Entier, cit. 19).

Mais elle t'aimait uniquement, Landry, et se contentait de ne point déplaire aux autres; elle ne cherchait d'autre approbation que la tienne (...) G. SAND, la Petite Fadette, XXX.

♦ **2.** (Restreignant l'objet, un compl. indirect, un attribut). **a** Littér. D'une manière unique (II.). *Un être qui m'était si uniquement dévoué* (→ Liaison, cit. 9). *Elle s'en attribue* (cit. 19) *uniquement la gloire.*

b Cour. Seulement, sans autre motif. *Il se propose uniquement de la rendre heureuse.* ⇒ **Seulement** (→ Frivolité, cit. 7). *Je m'occupe de ces études uniquement par goût* (→ Helléniste, cit. 2). ⇒ **Purement.** *Je les considérerai uniquement comme critiques littéraires* (→ Aspect, cit. 26). ⇒ **Strictement.** *Uniquement pour les faire enrager* (cit. 8). ⇒ **Rien** (que), **simplement** (cf. A seule fin de). *Cette religion consistait presque uniquement en observances* (cit. 6). *Tout devenait objet de convoitise* (cit. 2), *uniquement parce que j'étais privé de tout.* — *Pas uniquement :* pas seulement. *Il n'est pas uniquement critique : il écrit des romans.*

Je me suis donnée à lui sans amour et sans plaisir, uniquement pour vous tromper. MAUPASSANT, l'Inutile Beauté, I.

UNIR [yniʀ] v. tr. — V. 1190; *unir un conte* « réunir les éléments d'un récit », v. 1165 ; lat. *unire,* de *unus* « un ».

★ **I.** Mettre avec ou mettre ensemble de manière à former un tout, une réunion perçue comme une*.

♦ **1.** (Rare en emploi concret). Mettre ensemble (les éléments d'un tout). ⇒ **Agglutiner, agréger, amalgamer, assembler** (cit. 3), **attacher, confondre, fondre, fusionner, joindre, lier, marier, mélanger, mêler, raccorder, réunir, souder.** *Unir une chose à une autre, avec une autre; unir plusieurs choses* (ensemble, emploi critiqué). *Unir une province à un pays.* ⇒ **Annexer.** *Unir par deux, par couples.* ⇒ **Apparier, coupler.**

(Le) mystère du Rédempteur, qui unissant en lui les deux natures, humaine et divine, a retiré les hommes de la corruption du péché pour les réconcilier à Dieu en sa personne divine. PASCAL, Pensées, VIII, 556.

Cette unification de la France, cet anéantissement de l'esprit provincial est considéré fréquemment comme le simple résultat de la conquête des provinces. La conquête peut attacher ensemble, enchaîner des parties hostiles, mais jamais les unir. MICHELET, Hist. de France, III.

♦ **2.** **a** Faire exister, vivre ensemble (des personnes). *La destinée unit brusquement ces deux existences* (cit. 31) *déracinées. Unir sa destinée à celle de qqn.* ⇒ **Enchaîner** (→ ci-dessous *s'unir*). — (XVIIe). Spécialt. *Unir deux jeunes gens. C'est le prêtre qui les a unis.* ⇒ **Marier.**

Plus on les veut brouiller, plus on va les unir. RACINE, Andromaque, I, 2.

b (1538). Sujet n. de chose. Constituer l'élément commun, la cause de l'union (des personnes). ⇒ **Allier, assembler, assortir ; associer, conjuguer, joindre, lier, rapprocher, rassembler.** *Affinité, lien, nœud* (fig.), *rapport, relation qui unit des êtres. Sentiment qui unit deux êtres. L'amitié, l'affection, l'amour, l'intérêt qui les unit. L'amitié qui m'unissait à lui* (→ Maldonne, cit. 2). *L'amour indestructible* (cit. 4) *qui unit parents et enfants.* — (Principes moraux, religieux et formes sociales qui les sanctionnent). *Ce qui unit les membres de la famille* (cit. 3) *antique* (→ aussi Chaîne, cit. 7). *« Deux êtres dans l'ombre unit un saint mystère »* (→ Ciel, cit. 48).

(Liens sociaux). *Les choses qui unissent les citoyens, entre eux et avec leur patrie* (cit. 1). *La grandeur* (cit. 30) *d'un métier est d'unir les hommes.* — *Un certain romantisme... les unissait en une sorte de caste* (→ Aristocratie, cit. 10).

Je pense à tant de conciliateurs qui appliquaient une pauvre méthode trop connue : « Retenons ce qui nous unit ; oublions ce qui nous divise ». Pour mon compte, je n'ai jamais vu aucun bien ni aucun progrès sortir de la conciliation ; c'est plutôt la commune sottise que la commune sagesse qui se trouve rassemblée par ce moyen. ALAIN, Propos, 7 déc. 1921, Christianisme et socialisme.

♦ **3.** (Mil. XVIIe). Associer par un lien politique, économique, sans fondre les éléments en une unité (II., c). *Unir deux États, deux pays, deux provinces.* ⇒ **Allier, fédérer, réunir.** — (Sujet n. de chose). Constituer un principe d'union. *Le lien fédéral* (cit. 1) *qui unit les parties d'un vaste empire.* — Par ext. (en parlant d'un principe abstrait). *La solidarité qui unit les parties d'un monde* (cit. 3).

♦ **4.** (Abstrait). Mettre en communication; faire se toucher. ⇒ **Joindre, rapprocher, réunir.**

(...) la nature, dans l'enchaînement méthodique des innombrables anneaux de sa création, n'a point laissé d'espace vide. Ainsi le lichen tenace qui s'identifie avec le rocher unit le minéral à la plante; le polype (...) unit la plante à l'animal; le pongo (orang-outan), qui pourrait bien devenir éducable (...) unit le quadrupède à l'homme. Ch. NODIER, Contes, « Fée aux miettes ».

Unir des mots pour former des phrases. ⇒ **Agencer, associer, attacher.**

(Sujet n. de chose). Constituer un lien entre deux ou plusieurs concepts. ⇒ **Relier**. *Conjonction qui unit* (⇒ **Copulatif**).

(Concret). Rare. *Unir deux pièces de bois par un assemblage, une charnière*. — (Sujet n. de chose). Constituer un élément de liaison. *Des trottoirs de planches unissent les maisons les unes aux autres* (→ Pilotis, cit. 1). *Articulation qui unit deux os ; ligament qui unit deux éléments*. ⇒ **Unitif**.

♦ **5.** Relier par un moyen de communication*. ⇒ **Desservir**. *Ligne aérienne qui unit deux continents*.

♦ **6.** Littér. Faire exister en même temps. ⇒ **Allier, fiancer** (*supra* cit. 2). Faire entendre. *« Unissez en votre musique la flûte à la viole et la lyre au tambour »* (→ Harmonieux, cit. 1).

★ **II.** Posséder* à la fois (deux ou plusieurs caractères nettement différents et souvent en opposition). ⇒ **Ajouter, allier, associer, joindre**. *Unir les qualités les plus opposées* (→ Drame, cit. 5 ; et aussi faisceau, cit. 2 ; historien, cit. 3). *Unir le familier* (cit. 16) *au rare ; la nonchalance et la vivacité* (→ Forme, cit. 26).

★ **III.** (1539 ; de *uni* ci-dessous). Rare. Rendre uni. ⇒ **Aplanir, égaliser, polir**. *Unir une surface, une teinte*.

▶ **S'UNIR** v. pron.

A. (Récipr.). ♦ **1.** (Choses). Ne plus former qu'un tout. ⇒ **Fondre** (se), **joindre** (se), **mêler** (se) ; **composer** (se). *Organismes* (cit. 3) *élémentaires distincts qui s'unissent, se soudent et se groupent. Les lois quantitatives* (cit. 1) *suivant lesquelles les corps simples s'unissent. Tendance de deux atomes à s'unir* (→ Saturer, cit. 1). — *Rivières qui s'unissent en mêlant leurs eaux* (⇒ **Confluer**).

♦ **2.** (Fin XVIᵉ). Sujet n. de personne. *S'unir, puis se brouiller* (cit. 23). — Spécialt. (Par l'union sexuelle, le mariage). *Les mâles et les femelles s'unissaient fortuitement* (cit. 1). ⇒ **Prendre** (se prendre).

6   (...) je suis ravi que vous soyez unis ensemble. Je la félicite d'avoir (...) un mari comme vous (...)
        MOLIÈRE, le Médecin malgré lui, II, 2.

Mod. Faire cause commune. ⇒ **Associer** (s'), **coaliser** (se), **solidariser** (se) ; **Fédération**, cit. 5. *« Prolétaires de tous les pays, unissez-vous »* (→ Communiste, cit. 2). *S'unir contre l'agresseur, contre un ennemi*. ⇒ **Bloc** (faire). *S'unir pour atteindre un but*. ⇒ **Concourir**. — (Au sing. collectif). *Peuple, nation qui s'unit pour faire face à l'envahisseur*.

♦ **3.** S'associer politiquement, économiquement. *Groupes, sociétés ; États, nations qui s'unissent*.

B. (Sens passif). ♦ **1.** Se trouver ensemble, de manière à communiquer. ⇒ **Joindre** (se) ; **adhérer**. *Les pièces du squelette s'unissent...* (→ Article, cit. 1 ; articulation, cit. 1). *Les cellules* (cit. 7) *s'unissent pour former les organes*. — *Couleurs qui s'unissent harmonieusement*. ⇒ **Associer**.

♦ **2.** (Abstrait). *Qualités différentes, opposées, qui s'unissent en un même sujet. Idées qui s'unissent sans peine*. ⇒ **Enchaîner** (s'), **marier** (se).

7   (...) l'intérêt s'unissait à l'humanité pour conseiller des concessions.
        FUSTEL DE COULANGES, la Cité antique, IV, VI.

C. (Sens réfl.). S'UNIR À..., AVEC... ♦ **1.** (Choses). *Esprit* (cit. 54) *capable de s'unir à Dieu* (→ aussi Perdre, cit. 56, Bossuet). — (Personnes). *S'unir à, avec qqn. Chacun s'unissant à tous* (→ Association, cit. 6). — *S'unir avec une femme* (→ 1. Lever, cit. 10), *avec un homme :* épouser ; avoir des relations sexuelles avec ; vivre avec (selon les contextes).

8   C'est un tombeau de famille, dont la légende s'arrête à un abbé. — Il reste ensuite des filles qui s'unissent à des bourgeois. — Tel a été le sort de la plupart des anciennes maisons.
        NERVAL, les Filles du feu, « Angélique », XI.

♦ **2.** (Choses). Se trouver avec... (en même temps que...). *Les acteurs, dont l'art s'unit à celui du poète dramatique* (cit. 7). *Cette vivacité qui s'unit à une nonchalance* (cit. 7) *pleine de grâce*.

▶ **UNI, IE** p. p. adj. (V. 980, en parlant des personnes).

★ **I.** ♦ **1.** Qui est avec *(uni à, avec)* ou qui sont ensemble *(unis)* de manière à former un tout ou à être en union, en association. ⇒ **Confondu** (→ Accessoire, cit. 2). *L'homme, nature* (cit. 6) *intelligente unie à un corps*. — *Cœurs unis* (par le sentiment, l'affection, l'amour). *Indissolublement* (cit. 1) *unis. Unis par le mariage* (cit. 4, Code civil). ⇒ **Joint**. — *Société* (cit. 5) *d'hommes unis ensemble*. ⇒ **Union** (II.). *Les Francs* (cit. 1), *unis par l'amour de la liberté*. *« Et tous unis, fumez* (1. Fumer, cit. 24) *le calumet de paix. »* ⇒ **Concorde**. — Loc. *Unis comme les deux doigts* de la main (⇒ **Accord**). — *Diviser* (cit. 9) *ceux qui étaient unis*.

9   Les orateurs, unis pour détruire, ne s'entendaient ni sur les chefs à choisir, ni sur les moyens à employer (...)
        CHATEAUBRIAND, Mémoires d'outre-tombe, t. II, p. 16.

10 Quand, la main à la main, et l'âme à l'âme unie,
    On ne fait plus qu'un être (...)
        A. DE MUSSET, Premières poésies, « La coupe et les lèvres », II, 3.

Spécialt. (Groupes, États, sociétés,... : formant un nom propre). *Les*

Provinces-Unies. Les États-Unis d'Amérique. Les Nations* Unies : l'organisation des Nations Unies (O. N. U.).

♦ **2.** (Fin XIIᵉ). Qui est en communication ; joint, réuni. — (Concret). *Les talons unis, le corps droit* (→ Haltère, cit. 1). *Les deux aiguilles, unies à minuit* (cit. 3). — (Abstrait). *Deux noms si souvent unis* (→ Aspect, cit. 26). *Des activités qui étaient longtemps restées unies* (→ Spécialisation, cit. 2). ⇒ **Connexe**. *Science et sagesse unies en un même sujet* (3. Sujet, cit. 18).

♦ **3.** Qui est formé d'éléments liés ; qui constitue une union, une unité. *Toute puissance est faible à moins* (cit. 34) *que d'être unie. Présenter, opposer un front uni. Le Royaume-Uni* (de Grande-Bretagne et d'Irlande du Nord).

♦ **4.** (Personnes ; groupes). En bonne entente ; qui est dans la concorde. *Couple uni. Un ménage* (cit. 12) *tendrement uni. Une famille vivant unie de corps et d'esprit* (→ Individualisme, cit. 9).

★ **II.** (1530 ; *oni, onni*, déb. XIIIᵉ). Dont les éléments sont semblables ; qui ne présente pas d'inégalité, de variation apparente. ⇒ **Cohérent, homogène**. *« Nous estimons net* (cit. 12) *ce qui, étant uni en soi-même, n'est corrompu par aucun mélange »*.

♦ **1.** (En parlant d'une surface). ⇒ **Égal** (cit. 31) ; **lisse, nivelé, plain, plan** (adj.), **plat** (→ Aplanir, cit. 1). *Sable* (1. Sable, cit. 1) *uni et fin. Mer unie*, qui n'est pas agitée (→ Mer d'huile*).

Sa peau, d'ailleurs parfaitement unie, approchait fort de la teinte du cuivre.   11
        MÉRIMÉE, Carmen, II.

Bot. *Tige unie* (par oppos. à *cotonneux*, etc.). ⇒ **Glabre**.

(1787). Qui présente une couleur, un aspect uniforme. *Couleur unie*. *« Le bleu uni du ciel inaltérable »* (→ Bourdonnement, cit. 3). *Mousselines* (cit. 1) *unies ou rayées. Teint uni. Miroir uni*, poli. ⇒ **Net**. — *Étoffe unie, tissu uni*, et, n. m., *de l'uni :* tissu non ouvré, lisse et d'une seule couleur. *Velours uni. De l'imprimé et de l'uni*.

(1640). Spécialt. Sans ornement* (qui romprait l'uniformité d'aspect). *Tailleur tout uni* (→ Gainer, cit. 1) ; *robe unie. Un vêtement uni et tout simple*. — N. m. (1845). Étoffe, tissu d'une seule couleur, sans dessin. *Porter de l'uni*.

♦ **2.** (Déb. XVIIIᵉ, Saint-Simon). Vx. Qui est simple et naturel. *Gens simples et unis* (Marivaux, *in* Littré). — Ordinaire, sans rien de remarquable (Mᵐᵉ de Sévigné).

♦ **3.** (V. 1170). Qui s'écoule sans changement notable. ⇒ **Calme, monotone, tranquille, uniforme**. *Vie unie* (→ Agnosticisme, cit. 1 ; envelopper, cit. 25 ; monotonie, cit. 3).

(...) un bonheur tout uni nous devient ennuyeux ; il faut du haut et du bas dans   12
la vie (...)
        MOLIÈRE, les Fourberies de Scapin, III, 1.

J'ai beau chercher, je n'ai rien qui vaille la peine d'être rapporté ; — ma vie est   13
la plus unie du monde, et rien n'en vient couper la monotonie.
        Th. GAUTIER, Mˡˡᵉ de Maupin, I.

♦ **4.** Adv. (1694). D'une manière égale. *Raboter uni*.

♦ **5.** Loc. adv. (XVIIᵉ). Vx. À L'UNI : au même niveau.

CONTR. Désunir ; désaccorder, détacher, disjoindre, diviser, éloigner, enlever, fractionner, isoler, opposer, séparer. — Casser, concasser, écraser... — Abstraire, analyser. — (Du sens III) Bossuer, creuser... ; contrarier (les couleurs). — (Du p. p.) Abrupt, accidenté, anfractueux, âpre, cahotant, cahoteux, inégal, raboteux, rude, rugueux ; bigarré, chamarré, décoré, orné, ouvragé, ouvré.

UNIRADICULAIRE [yniradikylɛʀ] adj. — XXᵉ ; de *uni-*, et *radiculaire*.

♦ Didact. (bot., anat.). Pourvu d'une seule racine. *« Les incisives sont très fines, uniradiculaires, de forme ovalaire, aplaties au centre »* (P.-L. Rousseau, les Dents, p. 14).

UNIRAMÉ, ÉE [yniʀame] adj. — 1876, P. Larousse ; de *uni-*, et lat. *ramus* «rameau, branche». → Ramée.

♦ Sc. nat. Qui n'a qu'une seule branche, n'est pas bifurqué. *Patte uniramée*.

UNIRÉFRINGENT, ENTE [yniʀefʀɛ̃ʒɑ̃, ɑ̃t] adj. — 1872, Littré ; de *uni-*, et *réfringent*.

♦ Didact. Qui produit une seule réfraction. *Cristal uniréfringent*.

UNISEXE [ynisɛks] adj. — V. 1960 ; de *uni-*, et *sexe*.

♦ Destiné indifféremment aux hommes et aux femmes (en parlant d'habillement, de coiffure). *Mode unisexe. Vêtements unisexes. Pantalon unisexe*.

REM. 1. On écrit parfois *unisex*, et aussi *uni-sexe*.
2. Le mot est quelquefois considéré comme invariable. *«Des jeunes uni-sexe se cherchent, s'interpellent (...)»* (Roger Borniche, le Ricain, p. 185).

UNISEXUALITÉ [ynisɛksyalite] n. f. — 1894, *in* D. D. L. ; de *uni-*, et *sexualité*, d'après *unisexué* (→ aussi Unisexuel).

♦ **1.** Bot. Caractère d'une fleur unisexuée.

♦ **2.** Biol. Caractère d'un individu unisexué.

UNISEXUÉ, ÉE [ynisɛksye] adj. — 1846 ; *unisexuel*, 1794 ; de *uni-*, et *sexué*.

♦ **1.** Bot. Se dit d'une fleur qui n'a qu'un seul sexe, mâle ou femelle. *Fleurs unisexuées des plantes dioïques* (fleurs mâles ou fleurs femelles), *des plantes monoïques* (fleurs mâles et fleurs femelles).

♦ **2.** (1890, *in Année sc. et industr.* 1891, p. 334). Biol. Qui n'a qu'un seul sexe. *Les animaux supérieurs sont unisexués.*

CONTR. Bisexué, hermaphrodite.

UNISEXUEL, ELLE, ELS [ynisɛksyɛl] adj. — 1894, *in* D. D. L. ; «unisexué», 1794 ; de *uni-*, et *sexuel*.

♦ Vx. ⇒ **Homosexuel.**

UNISPORT [ynispɔʀ] adj. — 1950, Dumazedier, *in* Petiot ; de *uni-*, et *sport*.

♦ Sport. Qui ne concerne qu'un seul sport. *Société, fédération unisport* (opposé à *omni-*, et *plurisport*).

UNISSON [ynisɔ̃] n. m. — 1372 ; lat. médiéval *unisonus* «d'un seul *(unus)* son».

♦ **1.** Mus. Son unique produit par plusieurs voix ou instruments faisant entendre en même temps la même fréquence. ⇒ **Consonance.** «*Les voix mâles et féminines entonnent naturellement l'octave, croyant entonner l'unisson*» (Rameau, *Traité de l'harmonie, in* Littré). → Octave, cit. 1. *L'unisson strident des cuivres* (→ Hallali, cit. 2).

1 J'aime beaucoup l'unisson de deux ou plusieurs voix ; il laisse à la mélodie tout son pouvoir et toute sa simplicité. Éd. DE SENANCOUR, Oberman, LXI.

Loc. adv. ou adj. (1694). Cour. **À L'UNISSON.** *Chanter, jouer à l'unisson* (→ Malin, cit. 17). *Chant à l'unisson.*

2 On entend de toutes parts, comme un cri de flûte, la note à l'unisson des norias qui montent l'eau dans les champs (...) CLAUDEL, Connaissance de l'Est, L'entrée de la Terre.

♦ **2.** (XIXᵉ). Littér., fig. Accord de pensées, de sentiments entre personnes. ⇒ **Accord, conformité, harmonie** (→ Corde, cit. 18 ; enseignement, cit. 4). «*Une unisson parfaite*» (Hanse). *L'unisson de leurs pensées, de leurs sentiments.* ⇒ **Sympathie.**

3 Cependant nous sentîmes que nous nous convenions ; il y a un certain unisson d'âmes qui s'aperçoit au premier instant (...) ROUSSEAU, Julie ou la Nouvelle Héloïse, I, XLV.

(1829). Plus cour. **À L'UNISSON.** *Leurs sentiments sont à l'unisson.*

CONTR. Polyphonie. — Désaccord.

UNITAIRE [ynitɛʀ] n. et adj. — 1688, Bossuet, n. ; de *unité*.

★ **I.** N. Relig. chrét. Protestant, protestante qui nie la Trinité. ⇒ **Socinien, unitarien.** — Adj. (1845). *Églises protestantes unitaires d'Angleterre.*

★ **II.** Adj. ♦ **1.** (1803, Boiste). Sc. Qui forme une unité (II.). ⇒ **Simple.** — *Vecteur unitaire*, de longueur unité (II., A., 4.). *Théorie du champ unitaire.* — *Animaux unitaires* (vx). *Monstre unitaire*, qui n'est pas composite, qui ne présente que les éléments d'un seul individu.

♦ **2.** (1830). Qui forme une unité politique. *Un empire unitaire* (→ Confédération, cit. 1). — Qui concerne cette unité, la recherche de cette unité (dans le domaine politique ou syndical). *L'idée unitaire* (→ Parti, cit. 34). *Manifestation unitaire. Stratégie unitaire, action, journée unitaire* (C. G. T. U., 1922-1936).

1 (...) on y retrouve les innombrables débris d'une grande organisation sociale unitaire, qui, arrivée à son déclin par suite des progrès de la société qu'elle régissait, avait délié par sa chute les individualités nationales qu'elle unissait auparavant sous son empire. BALZAC, le Feuilleton, XIX, Œ. diverses, t. I, p. 395 (1830).

♦ **3.** (XXᵉ). Relatif à l'unité (II., 1.), à un seul objet d'un ensemble. *Prix unitaire.*

2 Pour simplifier le calcul, Mathias supposa un prix moyen unitaire de deux cents couronnes (...) A. ROBBE-GRILLET, le Voyeur, p. 24.

CONTR. Double, multiple. — Morcelé. — Global, total.
DÉR. Unitarien, unitarisme, unitariste.

UNITARIEN, IENNE [ynitaʀjɛ̃, jɛn] n. — 1842, *unitairien*, angl. *unitarian*, du lat. *unitas* ; de *unitaire*.

♦ Relig. chrét. Membre d'une secte protestante qui nie la Trinité. ⇒ **Unitaire** (I.). — Adj. *Doctrine unitarienne.*

UNITARISME [ynitaʀism] n. m. — 1865, au sens 2 ; *unitarianisme*, 1838 ; de *unitaire*, ou angl. *unitarism*, *unitarianism*.

♦ **1.** (1872). Relig. Doctrine des unitaires.

♦ **2.** Polit. Théorie unitaire ; des unitaires.

UNITARISTE [ynitaʀist] adj. — 1868 ; de *unitaire*.

♦ Relig., polit. Partisan de l'unitarisme (religieux, politique).

UNITÉ [ynite] n. f. — V. 1120 ; lat. *unitas*, de *unus* «un».

★ **I.** Caractère de ce qui est un. ♦ **1.** Caractère de ce qui est unique (I., 1.), un seul (identité numérique). *Unité et pluralité* (→ Pluriel, cit. 1). — *Nombre exprimant l'unité.* ⇒ **Un.** *L'unité divine* (Monothéisme, cit.). *L'unité et la multiplicité d'un symbole* (→ Scolaire, cit. 2). — Philos. *Ensemble des choses réductibles à l'unité* (⇒ **Monisme**). *Unité parfaite.* ⇒ **Monade.** — Hist. littér. *Unité d'action* (cit. 27), *de lieu, de temps d'une pièce*, dans une pièce de théâtre qui montre une seule action se déroulant dans un seul lieu, et en moins de vingt-quatre heures. *Les trois unités* (→ Forme, cit. 47). *La règle* (cit. 2) *des trois unités*, tirée d'Aristote par Scaliger (XVIᵉ siècle), fut suivie par les auteurs du XVIIᵉ siècle, notamment pour la tragédie, et rejetée par les romantiques (cf. Hugo, *Préface de Cromwell*).

1 C'est une question si rebattue que celle des trois unités, qu'on n'ose presque pas en parler ; mais de ces trois unités il n'y en a qu'une d'importante, celle de l'action, et l'on ne peut jamais considérer les autres que comme lui étant subordonnées. Mᵐᵉ DE STAËL, De l'Allemagne, II, XV.

1.1 Le romantisme ou la déroute des trois unités. STENDHAL, Mémoires d'un touriste, t. I, p. 330.

2 Quoi de plus juste, par exemple, et de plus satisfaisant pour l'esprit que la fameuse règle des unités, si conforme aux exigences de l'attention et si favorable à la solidité, à la densité de l'action dramatique ? VALÉRY, Variété IV, p. 248.

UNITÉ DE... : caractère unique. ⇒ **Identité, uniformité.** *Unité de culture de plusieurs pays* (→ Latinité, cit. 3). *L'unité de naissance et de culte se marqua par l'unité de nom* (→ 2. Gens, cit. 3). *Unité de sentiments des membres d'un groupe. Unité de vues dans le gouvernement* (→ Parti, cit. 37). ⇒ **Communauté, conformité ; accord.** *Unité de style dans une œuvre musicale* (→ Messe, cit. 7).

3 La veille de la Toussaint, il *(Louis XI)* avait mandé de savants orfèvres, afin d'établir en France l'unité des mesures et des poids, comme il y avait établi déjà l'unité du pouvoir. BALZAC, Maître Cornélius, Pl., t. IX, p. 935.

Unité d'action : principes d'action commune entre des groupes politiques distincts.

Fin. *Unité budgétaire de l'État* : principe selon lequel un seul budget doit être présenté en une seule fois.

Unité dans, quant à, pour, en ce qui concerne (qqch.). *Unité dans l'aspect et variété, dans le détail* (→ Problème, cit. 4).

♦ **2.** (V. 1265). Didact. Caractère de ce qui n'a pas de parties, ne peut être divisé. *L'unité d'une classe d'êtres, d'une espèce. L'unité de notre espèce* (cit. 33) *n'est pas rigoureusement prouvée. L'unité du mot* (cit. 3) *n'est pas aisément reconnaissable. Le sujet* (3. Sujet, cit. 13) *est un être considéré dans son unité. Unité de l'homme* (→ Indivisible, cit. 1). Dr. *L'unité indivisible* (cit. 3) *de la France, de la patrie, de la République.* ⇒ **Indivisibilité** (cit. 1). — *Unité de la Trinité.* ⇒ **Consubstantialité.**

3.1 L'individu isolé, sorti de la dualité élémentaire est un être perdu, un errant. Il ne constitue pas une unité, mais le débris dépareillé d'une totalité vivante. Roger CAILLOIS, l'Homme et le Sacré, p. 107.

Cour. État de ce qui forme un tout organique, dont les parties sont unies* par des caractères communs, par leur concours au fonctionnement de l'ensemble. *La variété dans l'unité* (→ Individualité, cit. 2). *L'unité, expression de l'ordre* (cit. 27). *L'unité organique d'un être.* Faire, maintenir..., briser, rompre l'unité. *Unité d'une nation* (cit. 2) ; *unité nationale. Unité territoriale, politique... Formation de l'unité italienne, allemande. La paix* (cit. 9) *romaine apporte l'unité au monde méditerranéen. Unité morale d'une nation* (→ Laïcité, cit. 3), *manifestation d'unité spirituelle du prolétariat. Unité syndicale.* — Par ext. Formation de l'unité. ⇒ **Unification.** *Pays morcelé* (cit. 1) *dont l'unité rencontre des obstacles. L'Église celtique s'isole* (cit. 9) *et résiste à l'unité.*

4 J'ai, Messieurs, à vous prêcher un grand mystère : c'est le mystère de l'unité de l'Église. Unie au dedans par le Saint-Esprit, elle a encore un lien commun de sa communion extérieure, et doit demeurer unie par un gouvernement où l'autorité de Jésus-Christ soit représentée. Ainsi l'unité garde l'unité, et sous le sceau du gouvernement ecclésiastique l'unité de l'esprit est conservée. BOSSUET, Sermons, Sur l'unité de l'Église, I.

5 L'unité de l'Empire carolingien était rompue. De cette rupture, il allait mourir (...) J. BAINVILLE, Hist. de France, III.

♦ **3.** Cohérence interne. ⇒ **Cohésion, homogénéité.** *Mouvement d'ensemble exécuté avec unité.* ⇒ **Ensemble.** *Ces décisions, ces projets manquent d'unité. Unité dans la conduite* (⇒ **Cohérence**) ; *unité d'inspiration, de vues de qqn. Les digressions* (cit. 1) *rompent* *l'unité du sujet.* — (Mil. XVIIᵉ). Arts. Qualité d'une œuvre dont les parties concourent à former un tout harmonieux. ⇒ **Harmonie, régularité.**

6 Ne faut-il pas reconnaître qu'il y a au-dessus de nos esprits une certaine unité originale, souveraine, éternelle, parfaite, qui est la règle essentielle du *beau*, et que vous cherchez dans la pratique de votre art ? D'où saint Augustin conclut, dans un autre ouvrage, que *c'est l'unité qui constitue, pour ainsi dire, la forme et l'essence du beau en tout genre.*
DIDEROT, Sur l'origine et la nature du beau, *in* Œ. esthétiques, p. 393.

7 (...) elle me guidait et m'encourageait, purifiait mon cœur et donnait à mes vouloirs cette unité sans laquelle les forces de la jeunesse se dépensent inutilement.
BALZAC, le Lys dans la vallée, Pl., t. VIII, p. 910.

★ **II.** (1370, Oresme, au sens 2). Chose qui est une.

A. ♦ **1.** Élément simple d'un ensemble homogène. *Le département, unité administrative, résultat d'un découpage arbitraire de la France. Le bassin fluvial, unité naturelle régionale* (→ Rivière, cit. 6). *Le morphème, le monème, unité sémantique minimale. La phrase* (cit. 8), *unité syntactique. La syllabe* (cit. 1), *unité phonique. Le gène, unité héréditaire* (cit. 4).

Pharm. *Unités physiologiques* ou *biologiques* (d'insuline, de pénicilline, etc.), définies d'une manière arbitraire (par exemple d'après la quantité de la substance considérée qui arrête la croissance ou le développement d'un micro-organisme donné). *Antibiotique à 500 000 unités.*

Objet fabriqué en série. *Une commande de tant d'unités. Prix d'un produit à l'unité. C'est tant l'unité.* ⇒ **Pièce.** *Usine qui sort tant d'unités par jour. Un parc de 6 175 000 unités* (→ Motocycle, cit.). — Quantité de marchandise conditionnée (balle, rame, bobine, paquet, palette...).

Fam. Million (de centimes ; de francs). *Ça vaut au moins trois unités !*

En parlant d'êtres vivants (plus rare). ⇒ **Individu.** *Un nombre d'apprentis n'excédant pas cinq unités* (→ Artisan, cit. 7). — (1923). Sports. *Le peloton a perdu quelques unités.*

8 *(La prostituée)* n'est plus qu'une personne, plus quelqu'un, mais seulement une unité dans un troupeau.
Ed. et J. DE GONCOURT, Journal, 15 févr. 1862, t. II, p. 7.

9 Quant à moi, je prétends que s'il y a quelque chose de plus méprisable que l'homme, et de plus abject, c'est beaucoup d'hommes. Aucun raisonnement ne saurait me convaincre que l'addition d'unités sordides puisse donner un total exquis.
GIDE, les Faux-monnayeurs, III, XI.

♦ **2.** [a] Élément arithmétique qui forme les nombres. *Collection d'unités.* ⇒ **Nombre.** *Mesure des unités.* ⇒ **Quantité.** *Ensemble de dix, de douze, de vingt, de cent... unités* (dizaine, douzaine, vingtaine, centaine...). *Nombre exact d'unités* (sans décimales). — Spécialt. Dans les nombres de 2 chiffres et plus, *le chiffre des unités,* placé à droite de celui des dizaines, des centaines... (par ex. : dans 325, le chiffre 5 est celui des *unités*). — *Partie de l'unité.* ⇒ **Fraction.** *Parties aliquotes* de l'unité.*

0 (...) nos dictionnaires définissent le nombre une collection d'unités : en sorte que l'unité qui est le principe de tous les nombres, devient étrangère au terme qui les exprime. Je suis fâché que notre langue n'ait pas un mot qui comprenne l'unité, et tous ses produits plus ou moins directs, plus ou moins composés.
É. DE SENANCOUR, Oberman, XLVII.

[b] Le nombre un. *L'unité opposée à l'infini* (→ Disproportion, cit. 1). *Un nombre est premier* (cit. 16) *quand il n'admet d'autre diviseur que lui-même et l'unité.*

♦ **3.** (1904). Formation militaire ayant une composition, un armement, des fonctions déterminés et spécifiques. *Petites unités* (⇒ **Bataillon, compagnie, groupe, régiment, section**), *grandes unités* (⇒ **Armée, corps, division** ; et → Armée, cit. 13 ; infanterie, cit. 5). *Petites unités égarées* (→ Replier, cit. 7). *Rejoindre son unité.*

1 (...) on vous voyait ordonnant des travaux, organisant et réorganisant vos unités, vous inquiétant de la nourriture, du repos, de l'esprit des soldats (...)
VALÉRY, Variété IV, p. 54.

Bâtiment de guerre d'une flotte.

♦ **4.** « Grandeur finie servant de base à la mesure des autres grandeurs de même espèce » (Lalande). ⇒ **Étalon.** *Unités de mesure.* ⇒ **Mesure** (cit. 3 et 18). *Choix des unités* (→ Quantité, cit. 8). *Objets mesurés avec la même unité* (→ Grandeur, cit. 36), *unité qui est une commune mesure.* ⇒ **Commensurable, incommensurable.** *Unités du système international. Le mètre, unité de longueur. La lieue* (cit. 3), *le kilomètre, unités itinéraires. Unité de superficie, de surface* (→ Extensif, cit. 1).
Unité volumétrique. La seconde, unité de temps. Systèmes d'unités en physique. ⇒ **C.G.S., M.K.S., M.T.S.** *Les sept unités de base du système internationale SI. Unités d'énergie, de puissance, de pression. Unité monétaire* (→ Inflammation, cit. 2 ; monnaie, cit. 1). — Agric. *Unité fourragère :* énergie utile d'un kilogramme de grains.

2 Nous employons usuellement dans nos mesures le système des unités *c. g. s.* qui prend le centimètre comme unité de longueur, le gramme comme unité de masse, la seconde comme unité de temps. Ces trois unités ont l'avantage d'être pour nous relativement petites tout en étant directement perceptibles les deux premières à nos sens, la troisième à notre conscience de la durée. Elles sont donc très bien à mesure.
L. DE BROGLIE, Physique et Microphysique, p. 140.

2.1 (...) si l'on supprimait par sciage ou meulage les ailettes de la culasse d'un moteur

à refroidissement par air actuel, l'unité volumétrique constituée par la culasse seule ne serait plus viable (...)
Gilbert SIMONDON, Du mode d'existence des objets techniques, p. 22.

UNITÉ ASTRONOMIQUE : longueur équivalant au rayon de l'orbite circulaire d'une planète de masse négligeable, sans perturbation, dont la révolution sidérale serait celle de la Terre (distance moyenne de la Terre au Soleil). ⇒ **U. A.**

♦ **5.** (1968). UNITÉ DE VALEUR : unité d'enseignement universitaire exprimée par l'unité de temps consacré à un sujet dans un domaine déterminé et sanctionné par le contrôle des connaissances. Abrév. cour. ⇒ 2. **U. V.** — *Unité d'enseignement et de recherche.* ⇒ **U. E. R.**

B. (Mil. XXᵉ). ♦ **1.** Dans un processus de production ou d'échanges, Ensemble d'installations, d'appareils, etc., correspondant à la réalisation d'un type d'opérations (indépendamment du reste des processus). *Les unités de production d'une usine. Les unités de raffinage d'une raffinerie. Unité pilote.* — Techn. *Conduite en unités multiples :* couplages de locomotives, automotrices identiques pouvant être conduites de l'une d'entre elles.

♦ **2.** Inform. Partie (d'un ordinateur) affectant un type d'opérations. *Unité de contrôle, d'entrée, de sortie, de traitement. Unité de mémoire.* ⇒ **Mémoire.** *Unité centrale (de traitement) :* partie de l'ordinateur groupant les organes de calcul et la mémoire centrale, à l'exclusion des sous-ensembles périphériques (organes d'entrée et de sortie).

♦ **3.** Comm. *Unité de vente* (dans un marché en gros : *travée*).

C. Didact. Chose qui a de l'unité (I.), dont les éléments sont liés, unis, cohérents. *L'organisme forme une unité harmonique. Notre personne, unité psychique transcendante* (→ 2. Psyché, cit.). *Un public* (cit. 6), *une unité organique de lecteurs. Les grandes unités politiques* (→ Région, cit. 1). *L'unité politique appelée Canada* (→ Canadien, cit. 1). *Unité administrative.*

D. Philos. L'être unique, principe de toute existence.

13 — Dieu est l'unité, car il est la vérité qui est une. Le monde est divers parce qu'il est l'erreur *(dit Paphnuce).*
FRANCE, Thaïs, p. 271.

CONTR. Dualité, multiplicité, pluralité ; diversité. — Discordance, disparate, incohérence. — Ensemble. — Fragment.
DÉR. Unitaire, unitéisme.
COMP. Sous-unité.

UNITÉISME [yniteism] n. m. — Av. 1842, Fourier ; de *unité.*

♦ Hist. des idées. Besoin d'unité (l'un des mobiles du comportement humain, selon Charles Fourier).

(Fourier) aimait les réunions mondaines, la danse, tout ce qui est harmonisé par les règles du savoir-vivre, dont il était scrupuleux, parce qu'elles lui paraissaient un des effets bien rares et bien faibles que projette l'unitéisme (ou tendance à l'harmonie) sur notre société marchande.
M. BARRÈS, l'Ennemi des lois, p. 73, *in* I.G.L.F.

UNITIF, IVE [ynitif, iv] adj. — 1429, au fém. ; lat. scolast. *unitivus,* du lat. class. *unitum,* supin de *unire.* → Unir.

♦ **1.** Relig. Qui unit (union* mystique). *Amour unitif, vie unitive.*

1 (...) il faut successivement vivre la vie Purgative, la vie Illuminative, la vie Unitive, pour joindre le Bien incréé et se verser en lui.
HUYSMANS, En route, II, IV.

2 La poésie et l'amour sont les ingrédients majeurs de la connaissance unitive, dont la foi et la politique, qui divisèrent et dévorèrent cette génération, ne sont que des ingrédients mineurs, ceux-là même que brûle l'œuvre au noir, premier stade de l'œuvre tout court.
Raymond ABELLIO, les Militants, p. 28.

♦ **2.** (1872, Littré). Anat. Qui unit des parties. *Les fibres unitives du cœur.*

UNIVALENCE [ynivalãs] n. f. — Mil. XXᵉ ; de *univalent,* 2.

♦ Math. Caractère d'une fonction univalente. *Domaine d'univalence d'une fonction.*

UNIVALENT, ENTE [ynivalã, ãt] adj. — 1890, P. Larousse, Deuxième Suppl. ; de *uni-,* et *valent.*

♦ **1.** Chim. Dont la valence est égale à 1. ⇒ **Monovalent.** *Radical univalent.*

♦ **2.** (Mil. XXᵉ). Math. Se dit de la fonction d'une variable complexe qui prend une seule fois les valeurs qu'elle peut prendre, dans un domaine.

DÉR. Univalence.

UNIVALVE [ynivalv] adj. — 1742 ; de *uni-,* et *valve.*
Sciences naturelles.

♦ **1.** Dont la coquille n'est formée que d'une pièce. *Mollusque univalve.*

♦ **2.** (1778). Bot. *(vx)*. *Péricarpe univalve*, qui ne s'ouvre que d'un côté. — (1876). *Fruit univalve* : fruit capsulaire d'une seule pièce.

UNIVERS [yniveʀ] n. m. — V. 1530, Marot ; lat. *universum*, neutre substantivé de l'adj. *universus* «intégral», «tourné *(versus)* de manière à former un ensemble, un tout *(unus)*» ; adj. du xiiᵉ au xviᵉ : les «*universes terres*», l'«*empire univers*» (Rabelais), le «*monde univers*» (Marot).

★ **I.** ♦ **1.** (xviᵉ). Vieilli. La surface du globe terrestre. ⇒ **Monde, terre.** → Grand, cit. 16 ; migration, cit. 2. *Les bouts de l'univers* (→ Fugitif, cit. 5 ; fuir, cit. 25). *Les cantons* (→ Lasser, cit. 4), *les extrémités de l'univers*. *Errer* (cit. 10) *dans l'univers*. *Le tour de l'univers* (→ Resserrer, cit. 9). «*Une ample comédie à cent actes* (cit. 15) *divers, Et dont la scène est l'univers*» (La Fontaine). «*Car tout parle dans l'univers*» (→ Langage, cit. 31). — Mod. Cette surface considérée par rapport à l'homme ; l'ensemble des sociétés de la terre. *Les nations* (cit. 3) *et l'univers*. *Citoyen de l'univers* (→ Patrie, cit. 2). *Le destin* (cit. 21) *de l'univers*.

1 Voir le monde tel qu'il est. L'univers : un ensemble de forces aveugles, qui s'équilibrent par la destruction des moins résistants.
    MARTIN DU GARD, les Thibault, t. IX, p. 208.

Par exagér. Une grande partie de la terre. «*Je suis maître* (cit. 37) *de moi comme de l'univers*». — Spécialt. *Un univers :* une vaste région, considérée comme un monde à part (→ Désert, cit. 7). — Vx. *Le plus... de l'univers,* du monde (→ Enfant, cit. 40). — Par plais. «*Connu dans l'univers (...) et dans mille autres lieux!*» (Scribe, *le Philtre,* I, 5).

2 Pas un être vivant n'a lu mes manuscrits,
Et seul dans l'univers je connais mes écrits.
    A. DE MUSSET, Poésies nouvelles, «Dupont et Durand».

♦ **2.** (1553, dans les trad. de la Bible ; répandu au xviiᵉ). Vx. Les hommes, habitants du globe terrestre. *Tout l'univers, le reste de l'univers* (les autres)... → Entour, cit. 3. *Cette majesté «dont l'éclat orgueilleux étonne l'univers»* (→ Hautain, cit. 4). «*Craint de tout l'univers, il vous faudra tout craindre*» (→ Punir, cit. 5). — *Subdiviser* (cit. 3) *l'univers en deux parts*. *L'univers a les yeux sur lui* (→ Pied, cit. 19). *Aux yeux de l'univers* (→ Brutalité, cit. 1).

3 Périsse l'Univers, pourvu que je me venge !
    CYRANO DE BERGERAC, Agrippine, IV, 3 (1653).

4 Avec tout l'univers j'honorais vos vertus (...)   RACINE, Bérénice, I, 4.

5 Et la plus glorieuse *(estime)* a des régals peu chers,
Dès qu'on voit qu'on nous mêle avec tout l'univers (...)
    MOLIÈRE, le Misanthrope, I, 1. — Cf. les deux vers suivants (Estimer, cit. 13).

♦ **3.** (xviiᵉ ; parfois écrit avec une majuscule). Mod. L'ensemble de tout ce qui existe considéré selon les philosophies comme la totalité des choses créées (⇒ **Création**), la totalité des êtres, l'ensemble des choses perçues, qu'il s'agisse ou non d'un système, comprenant ou non la conscience humaine. ⇒ **Monde** (cit. 9) ; **nature, tout ; macrocosme** (→ Animer, cit. 4 ; attribut, cit. 2 ; pourquoi, cit. 25 ; 1. savoir, cit. 23 ; science, cit. 13). *L'Univers, opposé à l'homme** (cit. 52, 54 et 55) → Écraser, cit. 1 ; espace, cit. 1, Pascal). *L'univers visible* (→ Pâture, cit. 4). — *L'univers considéré comme une machine, un mécanisme* (→ 2. Importer, cit. 2). *Les lois* de l'univers. Connaissance de l'univers. L'histoire* (cit. 37) *naturelle embrasse tous les objets que nous présente l'univers. L'univers, conçu comme fini ou comme infini* (cit. 3) *que sur le papier*». «*L'univers n'existe* (cit. 3) *que sur le papier*». — Relig. *L'auteur, la cause de l'univers :* Dieu*.

6 Et, mesurant les cieux sans bouger d'ici-bas,
Il connaît l'univers, et ne se connaît pas.   LA FONTAINE, Fables, VIII, 26.

7 Tous les êtres que nos sens peuvent apercevoir, conjointement avec ceux que leur ténuité ou leur éloignement nous rendent imperceptibles, forment dans leur ensemble, ce qu'on exprime par le mot univers.
    LAMARCK, Recherche sur les causes..., Introd.

Poét. Le ciel, les astres.

Sc. Ensemble de la matière distribuée dans l'espace et dans le temps. *La structure de l'univers est étudiée par l'astronomie, la radioastronomie* (cit.). *Répartition de la matière dans les diverses régions de l'univers* (→ 1. Rayon, cit. 8 ; rayonnement, cit. 5). ⇒ **Cosmologie.** *Le concept scientifique moderne d'Univers dépend de la théorie de la Relativité**, *qui a élaboré un modèle d'Univers non-euclidien, relativiste* (cit.). *Univers courbe ; courbure de l'univers. Modèle d'Univers statique d'Einstein. Théories de l'Univers en expansion* (fuite des galaxies*), *de l'apparition ponctuelle de l'Univers* (⇒ **Big bang,** anglic.). *Âge de l'Univers.*

8 (...) on parlait d'univers. On en calculait le rayon, l'élargissement (...) Je demandai ce qu'on entendait par ce mot. Je n'obtins rien de bon. L'un me dit : c'est une sphère, en dehors de laquelle il n'y a rien (...)   VALÉRY, Mélange, p. 173.

9 L'espace et le temps, unis par cet invariant *(l'invariant S ou intervalle d'univers, qui remplace les deux anciens invariants : le temps et la distance),* ne sont pas indépendants (...) *L'Espace-Temps* ou *Univers* est l'ensemble des événements ; c'est une multiplicité «quadridimensionnelle». L'Univers est indépendant du système de référence sert à repérer les événements (...) la succession continue des événements qui constituent la vie d'une même portion de matière ou d'un même être (...) forme dans l'Espace-Temps une *ligne d'Univers* (...)
    J. BECQUEREL, Exposé élém. de la théorie d'Einstein, V, L'Univers de Minkowski, *in* LALANDE.

♦ **4.** Système planétaire ou galactique. ⇒ **Monde** (→ Détourner, cit. 24 ; épicycloïde, cit.). — Planète, astre considéré comme un

milieu (→ Art, cit. 81, par métaphore). *En ce bas* (1. Bas, cit. 10) *univers.*

Un groupe d'univers, en proie aux passions,   10
Tourne autour de chacun de mes soleils de flammes (...)
    HUGO, la Légende des siècles, LXI.

Loc. (Astron.). *Univers-île.* ⇒ **Galaxie.**

♦ **5.** (xviiiᵉ). Fig. Milieu* réel, matériel ou moral *(univers mental).* ⇒ **Monde** (cit. 53). *L'amour... se fait un autre univers* (→ Illusion, cit. 35, Rousseau). *Univers clos* (→ Effort, cit. 12). *Enclose* (cit. 5) *dans son univers.* ⇒ **Domaine.** *L'univers de la vie intime* (→ Illimité, cit. 5). *L'univers poétique* (1. Poétique, cit. 4) *et l'univers du rêve. L'univers de l'enfance.*

11 (...) de même qu'il y avait un certain univers (...) dans telles demeures, dans tels musées, et qui étaient l'univers d'Elstir, celui qu'il voyait, celui où il vivait, de même la musique de Vinteuil étendait, notes par notes, touches par touches, les colorations inconnues d'un univers inestimable, insoupçonné (...)
    PROUST, À la recherche du temps perdu, t. XII, p. 66.

12 Le sommeil possède son univers, ses géographies, ses géométries, ses calendriers. Il arrive qu'il nous reporte avant le déluge.   COCTEAU, le Grand Écart, VII.

13 Tout homme est un univers qui vaut d'être révélé.
    Francis JOURDAIN, Sans remords ni rancune,
    Des diableries de Huysmans..., p. 42.

Système, tout organisé. ⇒ **Ensemble.** *L'univers mathématique* (→ Intelligence, cit. 7). *Le lexique* (cit. 3) *français, un univers coloré.* (xxᵉ). Log. *L'univers du discours :* l'ensemble des éléments logiques impliqués dans un jugement ou un raisonnement donnés. — Psychol. *Univers d'attitude,* définissant les attitudes d'un individu.

Didact. Ensemble d'éléments qui répondent à tous les critères employés dans l'étude d'un domaine (statistique, psychosociologie...). — Spécialt. Ensemble des personnes, définies par un certain nombre de caractéristiques, sur lesquelles porte une enquête.

★ **II.** (1904). Techn. GRAND UNIVERS : format de papier pour impressions lithographiques (1 m × 1,30 m).

UNIVERSAL [yniveʀsal] n. m. — Fin xiiᵉ ; repris xxᵉ ; par singularisation de *les universaux**, avec infl. de l'angl. *universal* et de l'adj. *universel,* lat. *universalis.*

♦ Didact. Concept, terme universel.

Chomsky (...) avait énoncé en 1965 (...) à propos du *self* anglais, une condition sur les transformations qu'on a, sans garder sa prudence, de plus en plus utilisée comme un universal (...)   Claude HAGÈGE, la Grammaire générative, p. 90.

UNIVERSALISATION [yniveʀsalizasjɔ̃] n. f. — 1795, Brunot ; de *universaliser.*

♦ **1.** Le fait de répandre largement, d'étendre à tous les hommes, à toute la terre. *L'universalisation d'une culture humaine* (→ Socialisation, cit. 1).

♦ **2.** (Av. 1865, Proudhon). Passage du particulier ou de l'individuel à l'universel. «*L'universalisation des principes de morale*» (Levy-Bruhl, *in* Lalande).

UNIVERSALISER [yniveʀsalize] v. tr. — 1770 ; du lat. *universalis.* → Universel.
Rendre universel.

♦ **1.** Rendre commun à tous les hommes ; répandre largement. ⇒ **Diffuser, généraliser.** *Universaliser un principe, un usage.* — Pron. (1823). Plus cour. *Cette coutume commence à s'universaliser.*

♦ **2.** (1846). Log. Rendre universel, considérer sous son aspect universel (1.).

DÉR. Universalisation.

UNIVERSALISME [yniveʀsalism] n. m. — 1872 ; de *universaliste.*

♦ **1.** Relig. Doctrine, croyance selon laquelle tous les hommes seront sauvés.

♦ **2.** Caractère d'une doctrine, d'une religion universaliste.

♦ **3.** Philos. Doctrine qui considère la réalité comme un tout unique, dont dépendent les individus (opposé à *individualisme, atomisme*).

UNIVERSALISTE [yniveʀsalist] adj. et n. — 1704, Trévoux ; de *universel.*

♦ **1.** Relig. Partisan de la doctrine suivant laquelle tous les hommes sont destinés au salut par la grâce. «*Ceux qu'on appelle universalistes et particularistes*» (Leibniz, 1710, *in* Lalande).

♦ **2.** Qui s'adresse à tous les hommes sans distinction de peuple, de race... ⇒ **Universel** (5.). *Religion universaliste.*

La religion bientôt est dépendante de l'homme et non plus de la collectivité : elle est universaliste, mais aussi, de façon corrélative, personnaliste.
    Roger CAILLOIS, l'Homme et le Sacré, p. 170.

♦ **3.** (xxᵉ). Philos. De l'universalisme philosophique. *Doctrine universaliste.* ⇒ **Universalisme,** 3. — Nom :

2 Pour les *universalistes,* l'individu n'est pas une fin, mais un moyen, une partie, un élément du Tout. L. BOISSE, *in* LALANDE (1922).

DÉR. Universalisme.

UNIVERSALITÉ [ynivᴇʀsalite] n. f. — 1375; lat. philos. *universalitas,* de *universalis.* → Universel.

★ **I. ♦ 1.** Log., philos. Caractère de ce qui est universel (1.) ou considéré sous son aspect de généralité universelle (unité de similitude). *Universalité d'un terme, d'une proposition; d'un jugement; d'une notion, d'une vérité. Universalité et abstraction.* — Qui est indépendant des circonstances, des accidents (et, péj., du réel). *Être impersonnel* (cit. 2), *le roi vit dans l'universalité.*

♦ **2.** (1601). Caractère d'un esprit universel (3.). → Spécificité, cit. *L'universalité de Voltaire* (→ 3. Droit, cit. 70).

1 L'universalité, qui disperse l'esprit sur tout objet, est une cause d'énervation. MICHELET, Hist. de la Révolution franç., V, IV.

♦ **3.** (Déb. XVIIIᵉ, Saint-Simon). Caractère de ce qui concerne la totalité des hommes, de ce qui s'étend à tout le globe (correspond à *universel* 5. et 6.). *Drame doué d'un caractère d'universalité* (→ Fresque, cit. 7). *L'universalité du français* (1. Précis, cit. 3).

2 Le temps semble être venu de dire le *monde français,* comme autrefois le *monde romain;* et la philosophie, lasse de voir les hommes toujours divisés (...) se réjouit maintenant de les voir, d'un bout de la terre à l'autre, se former en république sous la domination d'une même langue. Spectacle digne d'elle, que cet uniforme et paisible empire des lettres (...) Mais cette honorable universalité de la langue française, si bien reconnue et si hautement avouée dans notre Europe, offre pourtant un grand problème (...) RIVAROL, Universalité de la langue franç.

Spécialt. *L'universalité de l'Église.*

★ **II. ♦ 1.** Vx. Ensemble, totalité*. *L'universalité des choses* (→ Émaner, cit. 3; nature, cit. 50).

♦ **2.** (1690, Furetière). Dr. Ensemble de biens (ou de biens et de dettes), considéré comme formant un tout soumis à des règles particulières. ⇒ **Fonds** (de commerce), **patrimoine** (cit. 3). *Universalité des biens dans un legs* (cit. 1). — *Universalité budgétaire :* règle qui exige que toutes les recettes et les dépenses soient inscrites au budget.

UNIVERSAUX [ynivᴇʀso] n. m. pl. — XVIIᵉ, Descartes; de *universalia,* plur. neutre de *universalis.*

♦ **1.** Hist. philos. Les cinq concepts qui définissent les manières par lesquelles un prédicat est lié au sujet par un rapport (attributs dialectiques) : le genre*, l'espèce*, la différence* ou différence spécifique, le propre* (*infra* cit. 41) et l'accident*.

♦ **2.** Les concepts et termes universels (1.) applicables à tous les individus d'un genre ou d'une espèce. *Les universaux du langage :* ensemble de concepts, formes, relations existant (hypothétiquement) dans toutes les langues du monde.

REM. Le terme a été repris au sing. ⇒ **Universal.**

UNIVERSEL, ELLE, ELS [ynivᴇʀsᴇl] adj. et n. m. — V. 1265; var. *universal;* lat. *universalis* «relatif au tout, à l'ensemble», de *universus* (→ Univers).

♦ **1.** **a** Adj. Log. Qui concerne la totalité des individus d'une classe *(proposition universelle),* qui est pris dans toute son extension *(sujet universel). Universel et général* (1. Général, cit. 13). *Terme universel.* — (V. 1265). *Proposition universelle,* qui s'applique à chacun des individus composant l'extension du sujet. — *Quantificateur universel,* signifiant que toute valeur d'une variable appartenant à une fonction propositionnelle vérifie la proposition (symb. : ∀, «pour tout» ou «quel que soit»). *Quantificateur universel et quantificateur existentiel*.* — *Jugement universel* ou *particulier.*

Cour. *Principe universel* (→ Nombre, cit. 9). *Valeur universelle de la pensée,* qui vaut pour tout esprit (→ Science, cit. 16). *Notions universelles et nécessaires dont notre esprit ne peut se passer* (→ Réalité, cit. 4). *Vérités absolues, universelles* (→ Ressouvenir, cit. 1). *Valeurs abstraites et universelles. Notion universelle,* indépendante du lieu, du moment (et, pour les philosophies de l'existence, du réel).

1 (...) il entre dans la notion d'homme universel cette caractéristique essentielle qu'il n'est engagé dans aucune époque particulière (...) L'homme universel ne saurait penser autre chose que les valeurs universelles, il est affirmation pure et abstraite des droits imprescriptibles de l'homme. SARTRE, Situations II, p. 126.

b N. m. Log. Ce qui est exprimé par un terme général (prédicat de différents sujets); le terme lui-même (dans les théories nominalistes). ⇒ **Universal, universaux.** Ce qui s'étend à tous les individus d'une classe; à tous les objets considérés. *Le particulier et l'universel* (→ Concret, cit. 3).

2 L'universel comporte donc *(pour Aristote)* à la fois la considération d'une *classe,* de la somme des individus qui la composent, et la considération d'une *essence* (...) J.-M. LE BLOND, Logique et méthode chez Aristote, p. 75, *in* FOULQUIÉ.

L'universel concret : chez Hegel, «l'unité des éléments logiques antérieurs dont le concept est la synthèse (...) universelle puisqu'elle est susceptible d'un nombre indéfini d'applications, et concrète» (Lalande). — Par ext. Concept universel et réalisé concrètement (par oppos. à *pseudo-concept,* chez B. Croce, par ex.). — L'unité d'organisation, par oppos. à *l'unité de similitude,* dite *universalité.* — «Type réalisé dans un être individuel» (J. Chevalier, *Idée et réel*).

c N. f. *Une universelle :* une proposition universelle.

♦ **2.** (XIVᵉ). Qui s'étend, s'applique à la totalité des objets (personnes ou choses) que l'on considère. *Un dictame* (cit. 1), *un remède universel* (→ 1. Baume, cit. 8). — Abusivt (pléonasme). *Panacée** (cit. 1) *universelle.* — *Le système universel de la nature et de l'art* (→ Encyclopédie, cit. 2). ⇒ **Complet.**

3 Que de talents vous réunissez en vous! ou plutôt, pour me servir d'une expression de notre tripot, vous avez *l'outil universel,* c'est-à-dire vous êtes propre à tout. A. R. LESAGE, Gil Blas, VIII, IX.

4 J'envoie un médecin, un empirique qui m'appartient, au glorieux Cardinal, que les plus savants de Paris ont abandonné; si vous vous entendez avec moi, il lui portera un remède universel et éternel. A. DE VIGNY, Cinq-Mars, XXV.

Système universel, servant à plusieurs usages. — *Moteur universel :* moteur électrique alimenté indifféremment en continu ou en alternatif. — *Clé universelle,* qui s'adapte à différents types de boulons, d'écrous... — *Machine universelle :* machine-outil pouvant exécuter plusieurs opérations d'usinage successives.

♦ **3.** (1601; personnes). Dont les connaissances, les aptitudes s'appliquent à tous les sujets. ⇒ **Complet, omniscient.** *On ne peut être universel* (→ 1. Savoir, cit. 16). *Des gens universels* (→ Enseigner, cit. 11). *Goethe est un esprit universel* (→ Esquisser, cit. 3). Fam. *C'est un homme universel :* il est capable de tout comprendre, de tout faire.

5 *Arrias* a tout lu, a tout vu (...) c'est un homme universel, et il se donne pour tel (...) LA BRUYÈRE, les Caractères, V, 9.

6 Ce génie fut universel : non seulement Ampère fut, nous le verrons, un savant admirable (...) mais il a été aussi un profond penseur et un philosophe de talent. L. DE BROGLIE, Physique et Microphysique, p. 247.

♦ **4.** (XIIIᵉ, en provençal). Dr. À qui échoit la totalité d'un patrimoine. *Héritier** (cit. 9), *légataire** (cit. 2 et 3) *universel.* Par ext. *Legs** (cit. 1 et 2) *universel, à titre universel.*

♦ **5.** (XVIᵉ). Qui concerne la totalité des hommes, le monde, ou la totalité d'un groupe. *Histoire universelle* (→ Carte, cit. 13), qui concerne tous les peuples, tous les pays. *Exposition* (cit. 5) *universelle. Le rêve d'une langue universelle, d'un dialecte universel.* ⇒ Espéranto, cit. — *Instruction* (cit. 5) *universelle, suffrage* (cit. 2) *universel,* étendus à tous les individus, sans distinction ni exclusion, sauf les exceptions prévues par la loi (⇒ **Commun**). — (1568). Qui provient de tous. ⇒ **Unanime.** *Consentement universel* (Pascal, *Pensées,* IX, 635).

7 Ô République universelle,
Tu n'es encor que l'étincelle,
Demain tu seras le soleil ! HUGO, les Châtiments, «Lux», I.

Commun à tous les hommes, ou à un groupe donné, qui peut s'appliquer à tous. *La justice* (cit. 6) *naturelle et universelle* (opposé à *la justice spéciale nationale).* → aussi Justice, cit. 11. *Accorder sa raison particulière avec la raison universelle* (→ Accommoder, cit. 17). *La science est universelle* (→ Constatation, cit. 1). *Expérience de signification universelle* (→ Qualité, cit. 5). *La langue du musicien est universelle* (→ Idiome, cit. 2). *Dialecte universel* (→ Espéranto, cit.).

Par ext. Qui concerne un groupe de personnes tout entier. ⇒ **Général.** *Fièvre* (cit. 7) *universelle. Un blâme, un chorus* (→ Cri, cit. 20) *universel* (→ Heurter, cit. 13). *Risée* (2. Risée, cit. 3) *universelle.*

REM. Dans ce sens, ainsi qu'aux sens 3 *(un homme universel)* et 6 *(paix universelle),* le mot peut être mis au comparatif. — *Le langage le plus universel* (→ Cri, cit. 21). *La pitié* (cit. 6), *vertu d'autant plus universelle... Génie trop universel* (→ Illimité, cit. 7).

♦ **6.** (XVIIᵉ). Qui s'étend à toute la surface de la terre, partout (ou, par hyperb., à une grande partie). ⇒ **Mondial.** *Prétendre* (cit. 4) *à l'empire universel. Guerre, paix* (cit. 19) *universelle. Tentative de domination* (cit. 2) *universelle. Le mal* (3. Mal, cit. 47) *universel.* — Sc. *Temps** *universel.* ⇒ **Temps** (I., B., 1.).

8 *(Il)* s'occupait de la Révolution universelle, et, en même temps, de recherches non moins universelles, mais d'aspect plus débonnaire : une langue mondiale, une méthode nouvelle pour l'enseignement musical de la musique. R. ROLLAND, Jean-Christophe, Dans la maison, I, p. 969.

(XIIIᵉ). Dont la juridiction s'étend à la terre entière. *L'Église* (cit. 1) *universelle.* ⇒ **Œcuménique.**

♦ **7.** Didact. Qui concerne le cosmos, l'univers (3.) tout entier. ⇒ **Cosmique; astral, céleste.** *L'ordre de la nature est universel* (→ Déterminisme, cit. 2). — *Gravitation* (cit. 1) *universelle.* ⇒ Impensable, cit. 1; monde, cit. 1). *Pesanteur universelle* (→ Séculaire, cit. 3). — REM. Dans les emplois abstraits, ce sens englobe le sens 1 (logique). *«Un système de rapports universels»* (→ Matérialisme, cit. 3).

Littér. De la terre et du ciel. *« L'universelle nuit pèse sur l'univers »* (→ Étendre, cit. 54).

CONTR. Individuel, particulier, partiel.

DÉR. Universalisme, universaliste, universellement.

UNIVERSELLEMENT [ynivɛʀsɛlmɑ̃] adv. — xɪvᵉ ; *universaument* «en tout», 1265 ; de *universel*.

♦ **1.** Philos., log. Dans son universalité (1.); en tant que terme universel (1.). *Conclure, concevoir universellement.* D'une manière totale, complète (→ Appréhension, cit. 2, Montaigne).

♦ **2.** (V. 1700; «tous», xɪvᵉ). Cour. Par tous les hommes, sur toute la terre, et, par hyperb., par beaucoup. ⇒ **Mondialement.** *Vérité universellement reçue* (cit. 28), *reconnue* (→ 1. Avoir, cit. 73). *Notion universellement acquise* (→ Juste, cit. 12). *Talents universellement estimés* (→ Réfléchir, cit. 16). — *Par toute une société* (→ Méthodique, cit. 3; potin, cit. 2).

CONTR. Particulièrement, partiellement ; individuellement.

UNIVERSIADE [ynivɛʀsjad] n. f. — 1957, jeux mondiaux universitaires ; de *univers(ité)* ou *univers(itaire)*, et *(olymp)iade*.

♦ Sports. Jeux mondiaux universitaires. *L'universiade* (ou, *les universiades) de Moscou* (1973).

UNIVERSITAIRE [ynivɛʀsitɛʀ] adj. — 1810, *in* D. D. L.; de *université*.

♦ **1.** Qui appartient, est relatif à l'université (2.). ⇒ **Académique** (Belgique, Canada). *Le corps universitaire. Personnel universitaire. Ambitions universitaires* (→ Naufrage, cit. 7). *Carrière universitaire.* — N. *Un, une universitaire :* un membre du corps enseignant (assistant, maître-assistant, maître de conférences, professeur).

1   Ce qui manque aux universitaires, ce sont les idées claires, l'esprit d'observation, le sens pratique.   IONESCO, Rhinocéros, p. 101.

N. (Régional, Belgique). Étudiant, étudiante dans une université ; personne ayant un diplôme universitaire.

♦ **2.** Qui appartient, est propre à une université, aux diverses universités et à leurs étudiants, à l'enseignement supérieur en général. *Études universitaires. Diplômes, grades* universitaires. Cités* (cit. 11) *universitaires. Bâtiments universitaires. Campus* universitaire. Restaurant universitaire* (fam., *resto U*).

2   Il persiste chez lui un restant de professeur faisant sa classe. On ne se défroque pas de cela, mais le côté universitaire est sauvé par une grande simplicité, une remarquable douceur de rapports (...)
       Ed. et J. DE GONCOURT, Journal, 1ᵉʳ mars 1863, t. II, p. 77.

Qui est lié à une université. *Éditions, presses universitaires.*

♦ **3.** Qui est pratiqué à l'université. *Critique universitaire. Travaux universitaires. Son livre est intéressant, mais un peu trop universitaire.*

3   Gide consacra une partie de sa préface, à ce qu'eût signifié jadis une telle entreprise, en face de la critique universitaire.
       MALRAUX, l'Homme précaire et la Littérature, p. 7.

♦ **4.** *Ville universitaire*, possédant une université.

♦ **5.** Qui concerne les étudiants d'universités. *Sport universitaire. Jeux mondiaux universitaires.* ⇒ **Universiade.**

UNIVERSITÉ [ynivɛʀsite] n. f. — Mil. xɪɪɪᵉ ; «communauté», 1218 ; lat. jurid. *universitas* «communauté, corporation», lat. class. «totalité, ensemble», de *universus*. → Univers.

♦ **1.** Chacune des institutions ecclésiastiques d'enseignement secondaire et supérieur, nées, sous l'autorité papale, de la fusion des écoles cathédrales, monastiques et privées (d'abord à Bologne, Paris et Oxford). *Sécularisation, nationalisation des Universités, du XIIIᵉ au XVIIIᵉ siècle. Les quatre facultés* d'une université. Recteur, chancelier, conseil d'une université. Collèges d'écoliers d'une université. Grades conférés par une université* (bachelier, licencié, maître docteur). *L'université de Paris, « la fille aînée des rois de France »* (→ Instruire, cit. 7).

1   Puis *(Pantagruel)* retourna non à Poitiers, mais voulut visiter les autres universités de France. Dont, passant à la Rochelle, se mit sur mer et vint à Bordeaux (...) De là vint à Toulouse (...) Puis vint à Montpellier (...) et se cuida *(et voulut se)* mettre à étudier en médecine (...) Pourtant voulait étudier en lois (...) et vint en Avignon (...) son pédagogue, nommé Epistémon, l'en tira et le mena à Valence (...) Après il s'en partit, et (...) vint à Angers (...) à Bourges, où étudia bien longtemps et profita beaucoup en la faculté des lois (...) Partant de Bourges, vint à Orléans (...) il fit le blason et devise des licenciés en ladite université (...)
       RABELAIS, Pantagruel, v.

2   L'existence de l'école de Paris était pour l'Église un danger. Les idées, jusque-là dispersées, surveillées dans les diverses écoles ecclésiastiques, allaient converger vers un centre. Ce grand nom d'*Université* commençait dans la capitale de la France, au moment où l'universalité de la langue française semblait presque accomplie.   MICHELET, Hist. de France, IV, ɪv.

Spécialt. Avec la majuscule. Les bâtiments et le quartier (dit *quartier* ou *pays latin*) de l'université de Paris (→ Bataillon, cit. 9;

grand, cit. 12; oiseau, cit. 23), au moyen âge. *La police et la justice, dans les limites de l'Université, relevaient d'un régime particulier.*

♦ **2.** (Décrets de 1806 et 1808). Avec la majuscule. En France, Corps des maîtres de l'enseignement public des divers degrés (placé à l'origine sous l'autorité d'un *grand maître). Entrer dans l'Université, dans les rangs de l'Université.* ⇒ **Alma mater.** *Il est rattaché à l'Université.*

La force de l'Université tenait à ce qu'enseigner la littérature est d'abord enseigner son histoire, supposée soumise à la courbe traditionnelle : maladresse, perfection, décadence.   MALRAUX, l'Homme précaire et la Littérature, p. 7.   3

♦ **3.** **[a]** Établissement d'enseignement supérieur, constitué par un ensemble d'organisations didactiques (portant des noms divers selon les systèmes nationaux : collèges*, facultés*, etc.) et formant un ensemble administratif dont dépendent des installations matérielles réunies ou non. *Les universités anglaises, françaises* (voir ci-dessous b.)*, américaines, brésiliennes, soviétiques, chinoises. Création d'universités dans les pays en voie de développement. Universités anciennes, historiques, célèbres. Universités nouvelles. Grande, petite université. Nombre d'enseignants, d'étudiants d'une université.* — *Les bâtiments, les salles, les amphithéâtres, le campus* d'une université. Les instituts, les laboratoires, les musées annexés à une université.* — *Ville d'université*, où se trouve (au moins) une université. ⇒ **Universitaire.** ⇒ Munir, cit. 4. — *L'université de... L'université de Cambridge, d'Oxford* (Grande-Bretagne), *de Heidelberg* (Allemagne fédérale), *de Yale, de Harvard, de Cambridge, Massachusetts* (États-Unis), *de Moscou... Les universités de Londres, de Tokyo.* — *Université d'État. Universités libres,* en général confessionnelles (catholiques, protestantes...). *Universités musulmanes. Université privée.* — (Dans des noms propres, avec une majuscule). *L'Université de Moscou. L'Université libre de Bruxelles, d'Amsterdam. L'Université de Californie à Los Angeles* (UCLA). *L'« Université des mutants »* (à Gorée, près de Dakar).
Association, groupement d'universités. L'Association des universités entièrement ou partiellement de langue française (AUPELF). *Universités anglophones, arabophones, francophones.* — *Universités francophones de France* (voir ci-dessous), *de Belgique, de Suisse, du Canada, du Québec, d'Afrique noire. L'Université néerlandophone de Louvain, francophone de Louvain-la-Neuve. L'Université du Québec à Montréal* (UQAM), *à Trois-Rivières. L'Université Laval* (Québec)*. L'Université de Liège, de Lausanne, de Genève, de Dakar...*

[b] (Dans le système français). Établissement public d'enseignement supérieur, constitué par un ensemble de facultés* puis (1968) d'unités d'enseignement et de recherche (UER), établies dans une même académie*. *Président, chancelier d'une université. Les unités* (⇒ **U. E. R.**) *d'une université. Conseil d'université :* organisme élu, comprenant des représentants des enseignants, des étudiants, du personnel administratif et des personnalités extérieures, avec la mission de veiller à la gestion et au fonctionnement d'une université. *Les universités de Paris :* Paris I, Paris II, etc. *L'Université de la Sorbonne nouvelle, de Vincennes-Saint-Denis* (ellipt. La Sorbonne nouvelle; Vincennes...). *L'Université de Strasbourg, de Lille, de Lyon...* — Ancient. *Docteur, doctorat, thèse d'université.* —*Agrégé de l'université.*

(1898). *Universités populaires :* établissements privés donnant aux adultes des milieux populaires un complément d'instruction générale ou un enseignement technique et scientifique. — *Université du troisième âge :* organisation d'enseignement aux personnes âgées.

[c] L'enseignement supérieur. *Depuis qu'il est à l'université,* qu'il est étudiant. *Professeur d'université* (abrév. fam. [Belgique] : *prof d'uni*).

Enseignement universitaire. *L'université d'été* (d'une université au sens a).

[d] Bâtiments universitaires. *L'université se trouve dans la banlieue, dans un campus, en ville... Nanterre-ville et Nanterre-université.*

UNIVITELLIN, INE [ynivitelɛ̃, in] adj. — 1956, *in* D. D. L.; de *uni-*, et lat. *vitellus* «jaune de l'œuf».

♦ Biol. *Jumeaux univitellins*, provenant du même œuf (syn. cour. : *vrais jumeaux*). ⇒ **Monozygote, uniovulaire.**

CONTR. Bivitellin, dizygote.

UNIVOCITÉ [ynivɔsite] n. f. — xxᵉ; 1921, Vendryes ; de *univoque*.

♦ Didact. Caractère d'un terme, d'un concept, d'une relation univoque. *L'univocité d'une proposition logique.*

(...) cette tendance à l'uniformité n'est pas (...) une tendance à l'univocité. L'univocité est un principe logique suivant lequel chaque fonction grammaticale doit s'exprimer par un seul signe et chaque signe exprimer une seule fonction. C'est une sorte d'adaptation idéale de la grammaire à la logique.
       Jacques VENDRYES, le Langage, II, v.

(On dit plus rarement *univocation* [ynivɔkasjɔ̃]).

UNIVOLTIN, INE [ynivɔltɛ̃, in] adj. — Mil. xxe ; n. m. «ver à soie ne se reproduisant qu'une fois par an», 1876 ; de *uni-*, ital. *volta* «tour, fois», et suff. *-in*.

♦ Biol., zool. *Insectes univoltins*, qui ne se reproduisent qu'une fois dans l'année.

DÉR. Univoltinisme.

UNIVOLTINISME [ynivɔltinism] n. m. — Mil. xxe ; de *univoltin*.

♦ Biol. Particularité pour une espèce animale (insectes, en particulier) de produire une seule génération par année.

UNIVOQUE [ynivɔk] adj. — V. 1370 ; lat. impérial *univocus*, de *unus*, et *vox, vocis* «voix, mot».
Didactique.

♦ **1.** Se dit d'un mot qui garde le même sens dans des emplois différents (par oppos. à *équivoque*). ⇒ **Monosémique** (didact.).

1 (...) on a raison dans l'École de dire que le nom de substance n'est pas *univoque* au regard de Dieu et des créatures, c'est-à-dire qu'il n'y a aucune signification de ce mot que nous concevions distinctement, laquelle convienne à lui et à elles (...)
DESCARTES, Principes de la philosophie, I, 51.

2 Pour que la pensée se coule sans hésitation dans les signes, il faut qu'une discipline ait impérieusement établi un rapport univoque de ceux-ci aux idées (...)
S. DE BEAUVOIR, Tout compte fait, p. 131.

♦ **2.** (En parlant d'une réalité). Qui n'est pas équivoque, qui n'est pas ambigu.

3 Mais chaque fois qu'elle se manifeste (*la force*), c'est dans un seul sens, comme source de bénédictions ou comme foyer de malédictions. Virtuelle, elle est ambiguë ; en passant à l'acte, elle devient univoque. Aucune hésitation n'est désormais permise.
Roger CAILLOIS, l'Homme et le Sacré, p. 39.

♦ **3.** Se dit d'une correspondance, d'une relation dans laquelle un terme entraîne toujours le même corrélatif. ⇒ aussi **Uniforme**. — REM. La relation est dite *bi-univoque* s'il y a réciprocité. *Correspondance univoque entre le monde et l'image que nous nous en faisons* (→ Réalité, cit. 1).

♦ **4.** (1876). Méd. *Signes univoques* : signes symptomatiques, caractéristiques d'une maladie. *Maladie à étiologie univoque. Remède univoque* : remède spécifique d'une maladie. ⇒ **Unique** (II.).

4 On devine qu'il ne puisse pas exister un remède univoque pour une maladie donnée, ni un remède univoque pour un individu déterminé ; mais qu'il existe des séries de remèdes pour une maladie (...) et des séries de remèdes pour un malade.
Pierre VANNIER, l'Homéopathie, p. 106.

DÉR. Univocité, univoquement.

UNIVOQUEMENT [ynivɔkmɑ̃] adv. — 1905, cit. ; de *univoque*.

♦ Didact. D'une manière univoque.

Je pense en français — c'est-à-dire que ce sont des mots français qui en moi provoquent directement et sont provoqués univoquement par — mes phénomènes directs, réels, non traduits.   VALÉRY, Cahiers, vol. 1, *in* D.D.L., II, 7.

UN TEL, UNE TELLE [œ̃tɛl ; yntɛl]. ⇒ **Tel**.

UPAS [ypas] n. m. — 1808, Boiste ; mot malais «poison».

♦ Bot. Poison végétal, spécialt, latex de l'antiar*, utilisé par les indigènes des îles de la Sonde pour empoisonner leurs flèches.

UPÉRISATION [yperizasjɔ̃] n. f. — 1964 ; angl. *uperization*, de *to uperize*, de *u(ltra)-p(ast)e(u)rize* «ultra-pasteuriser», d'après les v. en *-erize*.

♦ Techn. Méthode de stérilisation des produits alimentaires liquides (en particulier des produits laitiers) par injection continue de vapeur très chaude (140-150 °C) dans le produit.

UPÉRISÉ, ÉE [yperize] adj. — 1968 ; angl. *uperized*, de *to uperize* (→ Upérisation).

♦ Techn. Traité par upérisation. *Produits laitiers upérisés*. «(Un financier) *est convaincu que le lait "upérisé", qui peut se garder deux mois, se distribuera un jour comme de l'eau minérale*» (l'*Express*, 18 sept. 1972, p. 64). — REM. Le verbe *upériser* est virtuel.

UPPERCUT [ypɛrkyt] n. m. — 1895, les Sports, *in* Höfler de *upper* «vers le haut, le haut», de *up* «haut», et *cut* «coup».

♦ Boxe. Coup porté de bas en haut. ⇒ **Crochet**. *Uppercut du gauche, du droit. Uppercut à la pointe du menton*.

1 (...) il se jeta en avant, le front bas, prêt à frapper des deux mains ; mais avant que les muscles de ses épaules ne fussent entrés en action un upper-cut (*sic*) lui relevait la tête (...)   Louis HÉMON, Battling Malone, XIII.

2 Des huées s'élevèrent, blâmant Sariéloubal (*un footballeur*). Pourquoi plonger sur un tir qu'il se devait de capter sans grand mal ? Et surtout pour plonger de la sorte ! Envoyer un uppercut dans les nuages !
René FALLET, le Triporteur, p. 373.

UPSILON [ypsilɔn] n. m. — 1872, Littré ; grec *u psilon* «u mince».

♦ Vingtième lettre de l'alphabet grec* (v).
Signe numérique grec valant 400 (v′) ou 400 000 (,v).
(V. 1975). Phys. Particule élémentaire lourde, nécessitant l'hypothèse d'un cinquième quark*.

UPWELLING [œpwɛliŋ] n. m. — 1961, *in* Höfler ; mot angl., même sens ; de *up* «vers le haut», et de *to well* «monter, jaillir».

♦ Anglic. Océanographie. Remontée vers la surface des eaux océaniques profondes le long de certains littoraux.

URACILE [yʀasil] n. m. — 1903, *Rev. gén. des sc.*, no 16, p. 844, découverte en 1900, Ascoli ; du rad. *ur(o)-, ac(étique)*, et suff. *-ile*.

♦ Biochim. Base dérivée de la pyrimidine* qui entre dans la constitution des acides ribonucléiques cellulaires, sous forme de composés complexes, et que l'on trouve à l'état libre dans l'ergot de seigle.

URAÈTE [yʀaɛt] n. m. — 1904 ; lat. zool. *uroætus*, même sens, du grec *oura* «queue», et *ætos* «aigle».

♦ Zool. Grand aigle d'Australie, rapace diurne, remarquable par son bec épais et sa queue étagée.

URÆUS [yʀeys] n. m. invar. — 1858, Gautier ; lat. mod., du grec *ouraios* «de la queue».

♦ Archéol. Représentation du serpent naja, dressé sur sa queue et portant sur la tête un disque solaire, emblème du Soleil et de la royauté, ornant la coiffure des pharaons.

Au-dessous du plafond régnait une frise d'uræus dressés sur la queue et gonflant la gorge.   Th. GAUTIER, le Roman de la momie, IV.

URANATE [yʀanat] n. m. — 1846, Bescherelle ; de *urane*, et *-ate*.

♦ Chim. Sel de l'acide uranique.

URANE [yʀan] n. m. — 1790 ; empr. all. *Uran*, Klaproth, en hommage à Herschel (qui avait découvert la planète Uranus en 1781), nom du père du dieu Saturne ; grec *Ouranos*.

♦ Chim. Ancien nom de l'oxyde d'uranium (UO_2), pris pour l'uranium lui-même jusqu'en 1841. *Verre d'urane*, obtenu en ajoutant de petites quantités d'uranates à du verre blanc.

DÉR. Uranate, uraneux, uranifère, uraninite, uranique, uranium.

URANEUX [yʀanø] adj. m. — 1872, Littré ; de *urane*, et *-eux*.

♦ Chim. Se dit des dérivés de l'uranium tétravalent.

URANIDES [yʀanid] n. m. pl. — 1872, Littré ; de *uran(ium)*, et *-ides*.

♦ Chim. Groupe d'éléments comprenant l'uranium et des éléments à propriétés voisines (neptunium, plutonium, américium).

URANIE [yʀani] n. f. — 1839 ; du lat. zool. *urania* (Latreille), du nom de la muse de l'Astronomie.

♦ Zool. Insecte lépidoptère, papillon de grande taille aux vives couleurs.

(...) un tapis de papillons verts et noirs, uranies aux ailes effilées, se soulevait devant nous (...)   Henri FAUCONNIER, Malaisie, p. 151.

URANIFÈRE [yʀanifɛʀ] adj. — 1904, *Rev. gén. des sc.*, no 2, p. 686 ; de *urane*, et *-fère*.

♦ Didact. Qui contient de l'uranium. *Minéraux uranifères*.

URANINITE [yʀaninit] n. f. — 1843 ; de *urane*, et *-inite*.

♦ Minéralogie. Variété de pechblende* formée de cristaux cubiques et pouvant renfermer divers éléments (thorium, lanthanides, etc.) en proportions variables.

URANIQUE [yʀanik] adj. — 1846 ; de *urane*.

♦ Didact. De l'uranium. *Acide uranique. Sels uraniques*.
Vx. *Radiations uraniques*, de l'uranium.

URANISME [yʀanism] n. m. — 1893; all. *Uranismus* (1860), de *(Aphrodite) Ourania* «la Céleste».

♦ Didact. Homosexualité masculine.

Loin de cacher son uranisme *(Proust)*, il l'expose, et je pourrai presque dire : s'en targue. Il dit n'avoir jamais aimé les femmes que spirituellement et n'avoir jamais connu l'amour qu'avec des hommes.
GIDE, Journal, 14 mai 1921, Pl., p. 692.

DÉR. Uraniste.

URANISTE [yʀanist] n. m. — 1895, *in* D.D.L.; de *uranisme*.

♦ Homosexuel.

Il *(Proust)* me dit la conviction où il est que Baudelaire était uraniste : «La manière dont il parle de Lesbos, et déjà le besoin d'en parler, suffiraient à m'en convaincre», et comme je proteste :
— En tous cas, s'il était uraniste, c'était à son insu presque; et vous ne pouvez penser qu'il ait jamais pratiqué.
— Comment donc! s'écrie-t-il. Je suis convaincu du contraire; comment pouvez-vous douter qu'il pratiquât? Lui, Baudelaire!
GIDE, Journal, 14 mai 1921, Pl., p. 692.

Adj. « *Les principales des obsessions criminelles sont : les obsessions impulsives (...) les obsessions génitales susceptibles de se présenter sous la forme (...) uraniste...* » *(Rev. gén. des sc.,* 30 mars 1903, n° 6, p. 337).

URANIUM [yʀanjɔm] n. m. — 1840; «urane», Péligot, 1804; de *urane*, et suff. lat. *-ium*.

♦ Élément radioactif naturel (masse at. : 238,03; n° at. : 92; symb. : U), métal gris, dur (dens. 18,68; température de fusion 1130 °C), présent dans plusieurs minerais où il est toujours accompagné de radium, en particulier dans la pechblende. ⇒ **Radioactivité** (cit.; et → Hypothétique, cit.; insolation, cit. 2; radiant, cit.). *Isotopes* naturels* (^{234}U, ^{235}U, ^{238}U) *et artificiels* (^{233}U, ^{236}U, ^{237}U, ^{239}U) *de l'uranium. L'uranium-238 et l'uranium-235 (ou* ^{238}U, ^{235}U) *sont tous deux têtes de file d'une série radioactive naturelle dont le dernier terme stable est le plomb. Certains des isotopes de l'uranium peuvent donner lieu sous l'action de neutrons thermiques au phénomène de fission** (découvert en 1939), *très fortement exothermique et qui permet de concevoir une réaction* en chaîne entretenue par les neutrons provenant de chaque fission et produisant des quantités considérables d'énergie* (piles atomiques, susceptibles de faire fonctionner des centrales thermiques; bombes atomiques : bombe A, 1945). *Dans l'uranium naturel l'isotope le plus abondant,* ^{238}U, *n'est pas fissible sous l'action des neutrons thermiques; il faut donc en séparer* ^{235}U, *seul fissible, ou «enrichir» l'uranium naturel en* ^{235}U (cependant sous l'action de neutrons rapides issus de la fission de ^{235}U, ^{238}U *peut donner naissance au plutonium*-239* [^{239}Pu] *qui à son tour est fissible* [bombe au plutonium]). *L'uranium enrichi sert de combustibles aux réacteurs nucléaires produisant de l'électricité. — Au point de vue chimique, l'uranium s'apparente à la famille du chrome. Dans la métallurgie de l'uranium, on distingue l'uranium* α (stable au-dessous de 660 °C, *l'uranium* β (de 660° à 770 °C), *et l'uranium* γ (au-dessus de 770 °C). *L'uranium est toxique pour l'organisme.*

1. URANO- Élément, du grec *ouranos* «ciel», et en lat. anat. «voûte du palais», entrant dans la formation de termes médicaux.

2. URANO- Élément, tiré de *uranium*, entrant dans la formation de termes chimiques.

URANOCIRCITE [yʀanosiʀsit] n. f. — 1904, Larousse, *uranocirgite*; de 2. *urano-*, et p.-ê. du lat. *circus* «cirque», grec *kirkos*.

♦ Chim. Phosphate hydraté de baryum et d'uranium.

URANOGRAPHE [yʀanɔgʀaf] n. — 1836, Académie; de *uranographie*.

♦ Didact. Vx. Spécialiste de l'uranographie.

URANOGRAPHIE [yʀanɔgʀafi] n. f. — 1762; *ouranographie*, 1694; grec *ouranographia*.

♦ Didact. Vx. Description du ciel; science ayant pour objet cette description. ⇒ **Cosmographie.**

DÉR. Uranographe.

URANOLOGIE [yʀanɔlɔʒi] n. f. — XVIIIe; lat. sc. *uranologia*, 1630, Petau, du grec *ouranos*, et *logia* (→ -logie).

♦ Vx. Traité du ciel, d'astronomie.

URANOMÉTRIE [yʀanɔmetʀi] n. f. — XVIIIe; lat. sc. *uranometria*, 1603, Bayer, du grec *ouranos*, et *-metria* (→ -métrie).

♦ Vx. Astronomie mathématique. ⇒ **Cosmographie.**

URANOPHANE [yʀanɔfan] n. f. — 1904, Larousse; de 2. *urano-*, et *-phane*.

♦ Chim. Silicate hydraté d'uranium et de calcium. Syn. : *uranotile*.

URANOPILITE [yʀanɔpilit] n. f. — 1892; de 2. *urano-*, et p.-ê. du grec *pîlos* «laine, feutre», par anal. d'aspect, et suff. *-ite*.

♦ Chim. Sulfate hydraté d'uranium.

URANOPLASTIE [yʀanɔplasti] n. f. — 1862, *in* D.D.L.; de 1. *urano-*, et *-plastie*.

♦ Chir. Opération destinée à restaurer le voile du palais et à obturer ses perforations.

URANOPLÉGIE [yʀanɔpleʒi] n. f. — XXe; de 1. *urano-*, et *-plégie*.

♦ Méd. Paralysie du voile du palais.

URANORAMA [yʀanɔrama] n. m. — 1839; de 2. *uran(o)-*, et grec *orama* «spectacle».

♦ Vx. Globe mobile exposant les corps célestes, avec leurs positions et leurs mouvements.

URANOSCOPE [yʀanɔskɔp] n. m. — 1546, Saint-Gelais; grec *ouranoskopos* «qui regarde le ciel», de *ouranos* et *-skopos*, → -scope.

♦ Zool. Poisson acanthoptérygien *(Trachinidés)*, à grosse tête plate, aux yeux dirigés vers le haut, assez commun en Méditerranée, où il est appelé *rascasse blanche.* Syn. fam. : *tape-con.*

URANOSPATHITE [yʀanɔspatit] n. f. — V. 1960; de 2. *urano-*, *spath*, et *-ite*.

♦ Chim. Phosphate d'uranium, de couleur jaune verdâtre.

URANOSPHÉRITE [yʀanɔsferit] n. f. — 1923, Larousse; de 2. *urano-*, de *sphère*, et *-ite*.

♦ Chim. Uranate hydraté de bismuth.

URANOTHALLITE [yʀanɔtalit] n. f. — 1923, Larousse; de 2. *urano-*, *thallium*, et *-ite*.

♦ Minéralogie. Carbonate hydraté naturel de calcium et d'uranium.

URANOTHORITE [yʀanɔtɔrit] n. f. — 1923; de 2. *urano-*, *thorium*, et *-ite*.

♦ Minéralogie. Silicate naturel de thorium et d'uranium.

URANOTILE [yʀanɔtil] n. f. — Mil. XXe; de 2. *urano-*, et du grec *tilai* «duvet, peluche».

♦ Chim. Uranophane.

URANYLE [yʀanil] n. m. — 1888, Larousse; de *uran(ium)*, et suff. chim. *-yle*.
Chimie.

♦ **1.** Radical UO_2.

♦ **2.** *Sels d'uranyle :* sels renfermant le cation bivalent UO_2.

URASE [yʀaz] n. f. — 1923, Larousse; de *urée*, et *-ase*.

♦ Biochim. Enzyme hydratant l'urée.

URATE [yʀat] n. m. — 1798; de *ur(e)*, et *-ate*.

♦ Chim. Sel ou ester de l'acide urique. *Urate de calcium, d'ammoniaque. Présence d'urates dans l'urine, la sueur, le sang. Dépôts d'urates.* ⇒ **Goutte.**

URATOLYTIQUE [yʀatɔlitik] adj. et n. m. — XXe; du rad. de *urate*, et de *lytique*.

♦ Méd. Médicament qui dissout les urates (utilisé dans le traitement de la goutte et de la lithiase). — N. m. *Un uratolytique.*

URBAIN, AINE [yʀbɛ̃, ɛn] adj. — 1353, Bersuire, attestation isolée, repris au XVIIIe (1725, in D.D.L.); du lat. *urbanus* «de la ville» (*Urbs* «Rome»).

★ **I. ♦ 1.** Didact. (Antiq. rom.). De la ville de Rome. (1740, Trévoux). *Les tribus urbaines* (urbanæ), *et les tribus rustiques* (rusticæ). *Préteur urbain et préteur pérégrin.*

♦ **2.** (V. 1768, Rousseau). Cour. Qui est de la ville, des villes (par oppos. à *rural*). ⇒ **Citadin.** *Fonds urbain. Servitude urbaine. Voirie urbaine. Transports urbains. Chauffage urbain,* réalisé par une municipalité pour chauffer tout un quartier. *Agglomérations, populations urbaines* (→ Marché, cit. 30). *Horizons, paysages urbains* (→ Gratte-ciel, cit. 1; imprécis, cit. 5). *L'habitat urbain.* ⇒ **Urbanisme.** *L'art urbain.*

1   Pour me tirer un peu de l'urbaine cohue (...) je fus passer à Passy huit ou dix jours, qui me firent plus de bien parce que j'étais à la campagne, que parce que j'y prenais les eaux.   ROUSSEAU, les Confessions, VIII.

Milieu urbain : milieu humain des grandes villes. *Civilisation urbaine. Sociologie urbaine.*

2   Quant à l'expression « milieu technique », elle peut se contester. Il est plus correct et plus exact de parler d'un *milieu urbain* que d'un milieu technique. C'est dans et par la ville que la technique permet à la société et qu'elle produit un « milieu ».
                                       Henri LEFEBVRE, la Vie quotidienne dans le monde moderne, p. 98.

N. (Rare). ⇒ **Citadin.** *Un urbain, les urbains.*

3   Nous pouvons, au hasard de courses dans les Causses ou les Pyrénées, rencontrer encore aujourd'hui bien des bergers, mais, parmi eux, l'urbain retiré et philosophe est extrêmement rare.   A. SAUVY, Croissance zéro?, p. 275.

★ **II.** (1508). Qui témoigne, fait preuve d'urbanité. *Un homme très urbain.* — *Ton urbain.* ⇒ **Mondain, poli.**

4   Oui, en 34 Dubreuilh a sacrifié beaucoup de son temps à la lutte antifasciste, dit Scriassine d'une voix urbaine; mais elle lui semblait moralement conciliable avec des préoccupations littéraires.   S. DE BEAUVOIR, les Mandarins, p. 34.

CONTR. Agreste, campagnard, rural.
DÉR. Urbaine.
COMP. Interurbain. — V. Suburbain.

URBAINE [yʀbɛn] n. f. — 1845; de l'adj. *urbain.*

♦ Anciennt. Voiture de place, dans une grande ville (Paul Morand, *in* G.L.L.F.).

URBANISATION [yʀbanizɑsjɔ̃] n. f. — Av. 1924, *in* D.D.L.; de *urbaniser.*

♦ **1.** Concentration croissante de la population dans les agglomérations urbaines. *Processus d'urbanisation. L'urbanisation a pour corollaire le dépeuplement des campagnes.*

♦ **2.** (Mil. XXe). Fait (pour une zone géographique) de prendre des caractères urbains. — Aménagement (d'un espace géographique) en zone urbaine. *Urbanisation d'une zone agricole. Zone à urbanisation prioritaire* (abrév. : Z.U.P.). *« Une urbanisation réussie, c'est d'abord celle où la densité d'occupation des sols n'est pas trop élevée... »* (*l'Express,* 27 mai 1974).

COMP. Sururbanisation.

URBANISER [yʀbanize] v. tr. — 1873; «faire acquérir l'urbanité», 1783, Restif de La Bretonne; du lat. *urbanus.*

♦ Donner le caractère urbain, citadin à (un lieu); transformer en ville. *Urbaniser des terrains en friche à la périphérie d'une ville.* — V. pron. *S'urbaniser. Zone rurale qui commence à s'urbaniser.*

▶ **URBANISÉ, ÉE** p. p. adj. (Mil. XXe). Aménagé de manière à constituer une zone urbaine; qui a les caractères d'une ville. *Région peu urbanisée, fortement urbanisée. Zones nouvellement urbanisées.*

DÉR. Urbanisation.

URBANISME [yʀbanism] n. m. — 1910; mot proposé en 1842 par Richard de Radonvilliers; «science de l'urbanité», XVIIIe; du lat. *urbanus.*

★ **I. ♦ 1.** Ensemble des arts et des techniques concourant à l'aménagement des espaces urbains en fonction de données démographiques, économiques, esthétiques en vue du bien-être humain et de la protection de l'environnement. *Architecture* et urbanisme. Travaux d'urbanisme. Fédération internationale pour l'Habitation et l'Urbanisme* (1913).

1   Simple discipline d'aménagement des cités, l'urbanisme s'est étendu à l'aménagement des régions et des villages, puis de la Nation. On a vu forger, à partir de 1930, les composés : urbanisme rural, urbanisme régional, urbanisme national et même (...) urbanisme mondial. Présentement, l'urbanisme désigne donc l'aménagement du sol à toutes les échelles, l'étude de toutes les formes de localisations humaines sur la terre.   Gaston BARDET, l'Urbanisme, p. 30.

2   Les réformes qui donneront à la France une doctrine officielle de l'urbanisme et

octroieront au citoyen français ses droits urbains sont celles dont dépend avant tout l'avenir de notre pays (...)
                                       GIRAUDOUX, De pleins pouvoirs à sans pouvoirs, L'urbanisme (écrit en 1943), p. 225.

3   (M. Prost) nous apporta, avec son expérience, la science de l'Urbanisme. Si le mot est récent, la chose est ancienne. L'admirable ordonnance de tant de villes de l'antiquité gréco-romaine, de l'Égypte, de l'Orient et de l'Extrême-Orient et, chez nous, de tant de créations des XVIIe et XVIIIe siècles, Versailles, le Nancy de Léopold et de Stanislas, le Tours entre la Loire et le boulevard Bérenger, et tant et tant d'autres, c'est de l'Urbanisme.
                                       L.-H. LYAUTEY, Paroles d'action, p. 457.

♦ **2.** Dr. Ensemble des règles juridiques concernant l'utilisation du sol en milieu urbain.

★ **II.** Ling. (Rare). Variété linguistique propre aux locuteurs des villes. *Urbanismes et ruralismes.*

DÉR. 1. Urbaniste, urbanistique.

1. URBANISTE [yʀbanist] n. et adj. — 1911; de *urbanisme.*

♦ **1.** N. Spécialiste de l'aménagement des espaces urbains. *Une urbaniste.*

1   (...) le monde s'accorde à proclamer que la France compte encore des urbanistes et des constructeurs sans rivaux, auxquels il confie d'ailleurs, hors de France, de gigantesques tâches.
                                       GIRAUDOUX, De pleins pouvoirs à sans pouvoirs, L'urbanisme, p. 234.

2   (...) enfin le grand urbaniste M. Prost qui fut réellement l'inspirateur de nos villes nouvelles et de la conception qui leur permit de voisiner sans trop de dommages avec les villes indigènes.   L.-H. LYAUTEY, Paroles d'action, p. 451.

(1922). En appos. *Architecte urbaniste.* — *Urbaniste-décorateur* (1925, Le Corbusier).

♦ **2.** Adj. (1923). *Réglementation urbaniste.* → Étage, cit. 2. ⇒ **Urbain.**

2. URBANISTE [yʀbanist] n. — 1743, Trévoux; du nom des papes Urbain IV et VI.
Religion.

♦ **1.** N. f. Religieuse de l'ordre de Sainte-Claire suivant la règle mitigée d'Urbain IV (1263).

♦ **2.** N. (1869, *in* P. Larousse). Partisan d'Urbain VI, pape de Rome, lors du schisme d'Occident.

URBANISTIQUE [yʀbanistik] adj. — 1941, cit.; de *urbanisme.*

♦ Didact. Qui a trait à l'urbanisation, à l'urbanisme. *Projet, option, politique urbanistique. «... la grande œuvre urbanistique urgente de la capitale »* (Le Corbusier, *Sur les 4 routes,* p. 49, *in* D.D.L.).

URBANITÉ [yʀbanite] n. f. — 1370, Oresme; lat. *urbanitas,* de *urbanus* «de la ville, qui a les qualités de l'homme de la ville».

★ **I. ♦ 1.** Politesse, manières* où entrent beaucoup d'affabilité naturelle et d'usage du monde (→ Bienveillance, cit. 3; mœurs, cit. 11). *On comparait autrefois l'atticisme* (grec) *et l'urbanité* (romaine). → Attique, cit. 3. *Urbanité parisienne* (→ Nouveau, cit. 4). — *Critique* (2. Critique, cit. 28) *plein d'urbanité* (→ aussi Fréquenter, cit. 4). *Paroles, sourire plein d'urbanité.* ⇒ **Urbain,** II.

1   Puissances de la terre, aimez les talents, et protégez ceux qui les cultivent. Peuples policés, cultivez-les : heureux esclaves, vous leur devez ce goût délicat et fin dont vous vous piquez, cette douceur de caractère et cette urbanité de mœurs qui rendent parmi vous le commerce si liant et si facile (...)
                                       ROUSSEAU, Disc. sur les sciences et les arts, I.

2   Selon l'abbé Gédoyn, l'*urbanité,* ce mot tout romain, qui dans l'origine ne signifiait que la douceur et la pureté du langage de la *ville* par excellence (*Urbs*) (...) ce mot-là en vint à exprimer bientôt un caractère de politesse qui n'était pas seulement dans le parler et dans l'accent, mais dans l'esprit, dans la manière et dans tout l'air des personnes.   SAINTE-BEUVE, Causeries du lundi, 28 oct. 1850.

3   (...) la vie dans l'agglomération urbaine doit elle-même faire naître chez ses habitants ce respect d'autrui et de soi-même qui s'appelle d'ailleurs, à juste titre, l'urbanité.   GIRAUDOUX, De pleins pouvoirs à sans pouvoirs, III, p. 57.

♦ **2.** (XVIIe). Didact. Manières civiles des anciens Romains (souvent comparé à l'*atticisme* grec).

★ **II.** (V. 1970). Didact. Caractère urbain, de ville.

4   En semaine, Ventrauze dort, sauf le jeudi, jour de marché. Devant le déferlement des villageois, la Ville se refait une urbanité.
                                       Claude COURCHAY, La vie finira bien par commencer, p. 19.

5   C'étaient des huttes, des maisons, des villes, des capitales tentaculaires, des phénomènes d'urbanité comme en Indonésie, à Hong-Kong peut-être...
                                       P. GRAINVILLE, les Flamboyants, p. 162.

URBI ET ORBI [yʀbietɔʀbi] loc. adv. — XIXe, Balzac, fig., mot lat. « à la ville » (*urbs* : Rome) « et à l'univers ».

♦ **1.** Liturgie cathol. Se dit en France (l'expression ne figure pas au rituel pontifical) de la bénédiction que le Pape donne à Rome et au monde entier du haut du balcon de la basilique Saint-Pierre.

♦ **2.** Fig. Partout, à tous les coins du pays, du monde. *Publier, proclamer une nouvelle urbi et orbi.*

(...) des Commis-Voyageurs chargés de présenter avec adresse, *urbi et orbi*, à Paris et en province, le lard grillé des Annonces et des Prospectus (...)
BALZAC, l'Illustre Gaudissart, Pl., t. IV, p. 16 (1833).

URBINATE [yʀbinat] adj. et n. — Mil. xixᵉ ; ital. *urbinato*, de *Urbino*, ville d'Italie.

♦ D'Urbino, ville des Marches (Italie). — N. m. *L'Urbinate* : Raphaël (né à Urbino).

URCÉOLA [yʀseɔla] n. m. — 1839 ; lat. sav. *urceolus* (→ Urcéolé).

♦ Bot. Plante dicotylédone gamopétale de la famille des Apocynacées, liane du genre *landolphia*, qui fournit du caoutchouc. (On dit aussi *urcéole* [yʀseɔl]).

URCÉOLE [yʀseɔl] n. m. — 1845 ; lat. *urceolus* (→ Urcéolé).

♦ Bot. Vx. Utricule, calice urcéolé.

URCÉOLÉ, ÉE [yʀseɔle] adj. — 1802 ; du lat. sav. *urceolus*, de *urceus* «cruche, pot», et suff. *-é.*

♦ Bot. Renflé en forme d'outre, de grelot. *La bruyère cendrée a une corolle urcéolée.*

URDU [yʀdu] n. m. ⇒ **Ourdou.**

-URE Suffixe de chimie indiquant que le composé (ex. : *carbure, chlorure, sulfure...*) est un sel d'hydracide.

URE [yʀ] n. m. ⇒ **Urus.**

URÉ, URÉO- Premier élément, du grec *oûron, ourein* «urine, uriner», qui représente *urée.* ⇒ **Uréase, uréide, uréine, uréique, urémie, uréomètre, uréthanne.**

URÉASE [yʀeaz] n. f. — 1876 ; de *uré-,* et *-ase.*

♦ Biochim. Enzyme qui décompose l'urée en carbonate d'ammonium, contenue dans divers végétaux ou produite par des microorganismes.
DÉR. Uréasique.

URÉASIQUE [yʀeazik] adj. — Mil. xxᵉ ; de *uréase.*

♦ Biochim. De l'uréase. «*L'activité uréasique transformant trop rapidement l'urée alimentaire en ammoniaque...*» (la Recherche, sept. 1980, p. 981).

URÉDINÉES [yʀedine] ou **URÉDINALES** [yʀedinal] n. f. pl. — 1842, *urédinées ; urédinales,* xxᵉ ; *uredo,* 1765, Encyclopédie ; du lat. *uredo* «nielle, charbon», rac. *urere* «brûler», et suff. *-inées.*

♦ Bot. Groupe de champignons basidiomycètes, à thalle filamenteux, parasites des plantes phanérogames où ils produisent la rouille*. ⇒ **Puccinie.** — Sing. *Une urédinée, une urédinale.*

URÉDOSPORE [yʀedospɔʀ] n. f. — 1891 ; du lat. *uredo* (→ Urédinées), et *spore.*

♦ Bot. Spore de dissémination, spéciale aux urédinées.

Des corpuscules allongés d'un rouge brun portés par un filament : ce sont les premières spores du champignon et on les appelle urédospores (fig. 5).
E.-L. TROUESSART, les Microbes, les Ferments et les Moisissures, p. 13, *in* D.D.L., II, 15.

URÉE [yʀe] n. f. — V. 1363 ; rare jusqu'à 1797 ; du rad. d'*urine.*

♦ Biochim. Substance cristalline, de formule $CO(NH_2)_2$, que l'on rencontre dans le sang et l'urine des carnivores. *L'urée constitue le produit final de décomposition des acides aminés de l'organisme, qui sont synthétisés dans le foie (*uréogenèse*) aux dépens de l'ammoniaque ; elle est transportée par le sang (taux normal : 0,20 à 0,40 g par litre) et éliminée par les urines (20 à 30 g par jour). Accumulation pathologique d'urée dans le sang.* ⇒ **Urémie.** *L'urée est utilisée dans la fabrication de matières plastiques (résines uréeformol).*
DÉR. Urase.
COMP. V. Uratolytique, uré- (et comp.), urotélique.

URÉIDE [yʀeid] n. m. — 1857 ; de *uré-,* et *-ide.*

♦ Chim. Composé dérivant de l'urée par la substitution, à un ou plusieurs atomes d'hydrogène, d'un nombre correspondant de radicaux acides. *Les barbituriques sont des uréides.*

URÉINE [yʀein] n. f. — 1905, *Rev. gén. des sc.,* n° 2, p. 82 ; de *uré-,* et *-ine.*

♦ Chim. Corps obtenu par substitution à un (ou deux) atomes d'hydrogène de l'urée de un (ou deux) radicaux alcoyle ou phényle.

URÉIQUE [yʀeik] adj. — 1903, *Rev. gén. des sc.,* 15 janv., n° 1, p. 53 ; de *uré-,* et *-ique.*

♦ Qui est contenu dans le sang sous forme d'urée *(azote uréique).*

URÉMIE [yʀemi] n. f. — 1847 ; de *uré-,* et *-émie.*

♦ Pathol. Intoxication due à l'accumulation dans le sang de produits azotés (urée*, notamment), que le rein élimine à l'état normal (⇒ aussi **Azotémie**). *Une crise d'urémie.*
— (...) le rein est bouché, mon vieux. Il ne filtre plus (...) Malheureusement, l'urémie a pris la forme convulsive.
MARTIN DU GARD, les Thibault, t. IV, p. 146.
Après plusieurs rémissions qui avaient fait croire à la guérison, la pauvre femme avait cessé de se lever et elle avait été emportée par une crise d'urémie. Elle avait été malade un peu plus de cinq ans. La mort avait été pour elle une délivrance.
A. BILLY, Sur les bords de la Veule, p. 260.
DÉR. Urémique.

URÉMIQUE [yʀemik] adj. — 1858 ; de *urémie.*

♦ Méd. Qui a rapport à l'urémie. *Accidents urémiques.*
N. *Un, une urémique :* une personne atteinte d'urémie. «*Le régime de l'urémique ne devrait pas descendre au-dessous de 2000 calories par jour. Il sera donc riche en aliments hautement énergétiques : corps gras, aliments féculents et sucrés, auxquels on joindra fruits et légumes verts*» (Contre un excès d'urée, *in* Guérir, oct. 1967).

URÉO- ⇒ **Uré-.**

URÉOGENÈSE [yʀeoʒɛnɛz] ou **URÉOGÉNÈSE** [yʀeoʒenɛz] n. f. — xxᵉ ; cf. *uréogène,* in *Rev. gén. des sc.,* 15 janv. 1905, n° 1, p. 21 ; de *uréo-* (→ Uré-), et *-genèse.*

♦ Didact. Élaboration de l'urée.

URÉOMÈTRE [yʀeomɛtʀ] n. m. — 1904 ; de *uréo-* (→ Uré-), et *-mètre.*

♦ Sc. Appareil destiné au dosage de l'urée. — Syn. : *uromètre*.* «*Un nouvel uréomètre à eau*» (Rev. gén. des sc., 15 févr. 1905, p. 135).

URÉOTÉLIQUE [yʀeotelik] adj. ⇒ **Urotélique.**

URÉTÉRAL, ALE, AUX [yʀeteʀal, o] adj. — 1904 ; de *uretère.*

♦ Didact. (physiol., méd.). Qui se rapporte à l'uretère.

URETÈRE [yʀtɛʀ] n. m. — 1538 ; grec *ourêter.*

♦ Anat. Canal qui conduit l'urine du rein à la vessie ; conduit urinaire. *L'uretère droit et l'uretère gauche. Rétrécissement de l'uretère.* — «*(...)sans un petit grain (cit. 15) de sable qui se mit dans son uretère*» (Pascal).
DÉR. Urétéral, urétérite. — V. aussi urétéro-.

URÉTÉRITE [yʀeteʀit] n. f. — 1923 ; *urétéritis,* 1803 ; de *uretère.*

♦ Méd. Inflammation des uretères (généralement due à une infection rénale ou vésicale).

URÉTÉRO- Élément, de *uretère.* ⇒ **Urétérocèle, urétéropyélographie.** — On peut encore citer *urétérorraphie,* n. f. : suture de l'uretère ; *urétérostomie,* n. f. : abouchement de l'uretère à la peau ou dans le côlon ; *urétérotomie,* n. f., 1912 : ouverture chirurgicale d'un uretère ; *urétéro-vésical, ale, aux,* adj. : de l'uretère et de la vessie.

URÉTÉROCÈLE [yʀeteʀosɛl] n. f. — 1964 ; de *urétéro-,* et *-cèle.*

♦ Pathol. «Dilatation kystique de la portion terminale, intravésicale,

de l'uretère, consécutive à un rétrécissement du méat urétéral»
(Manuila).

URÉTÉROPYÉLOGRAPHIE [yʀeteʀɔpjelɔgʀafi] n. f. — 1964 ;
de *urétéro-*, et *pyélographie*.

♦ Syn. de *pyélographie**.

URÉTHANNE [yʀetan] n. m. — Mil. xxᵉ ; *uréthane*, 1846 ; de *uré-*,
et *éthane*.

♦ Chim. Éther carbonique de formule type $NH_2\text{-}CO\text{-}OR$, R représentant un radical carboné. *Les uréthannes sont des solides cristal-
lisés solubles ; certains ont des propriétés plastiques (par ex. l'iga-
mid,* qui peut être moulé ou étiré et filé).

Un isocyanate peut réagir avec un alcool (...) pour former un uréthanne.
> Jean VÈNE, Caoutchoucs et Textiles synthétiques, p. 94.

Appos. *Caoutchouc uréthanne.*

REM. On rencontre souvent la graphie *uréthane.*

URÉTRAL, ALE, AUX [yʀetʀal, o] adj. — 1798 ; *uréthral*, 1796 ;
de *urètre*.

♦ **1.** Anat. Qui a rapport à l'urètre. *Sphincter urétral ; muqueuse
urétrale.*

♦ **2.** Psychan. Relatif à la miction. *Composante urétrale de la
libido* (Mélanie Klein). *Fantasmes urétraux.*

URÈTRE [yʀɛtʀ] n. m. — 1667 ; d'abord *uréthre*, lat. médical
urethra ; grec *ourêthra*, même sens.

♦ Anat. Canal excréteur de l'urine, qui s'ouvre dans la vessie et
aboutit à l'extérieur. ⇒ **Méat** (urinaire). *Les sphincters de l'urètre. Chez l'homme, l'urètre traverse la verge et sert aussi de canal
spermatique (canal uro-génital). Canal éjaculateur qui conduit le
sperme de la vésicule séminale dans l'urètre. Portion de l'urètre
entourée de la prostate**. Bulbe de l'urètre.*

DÉR. **Urétral, urétrite.** V. aussi **urétro-**.

URÉTRITE [yʀetʀit] n. f. — 1836 ; *urétritis*, 1829 ; *uréthrite*, 1824 ;
uréthritis, 1803 ; de *urètre*.

♦ Méd. Inflammation de l'urètre.

URÉTRO- Élément, de *urètre*. ⇒ **Urétrographie, urétrorragie,
urétroscope.** — On a écrit *uréthro-*. — Ex. (outre les mots traités à
l'ordre alphabétique) : *urétro-périnéal, ale, aux*, adj. (1872, Littré) : de
l'urètre et du périnée ; *urétro-rectal, ale, aux*, adj. (1904) : de l'urètre
et du rectum ; *urétrotomie*, n. f. (1872, Littré) : incision d'une partie
de l'urètre ; *urétro-vésical, ale, aux*, adj. (1876) : de l'urètre et de
la vessie.

URÉTROGRAPHIE [yʀetʀɔgʀafi] n. f. — 1953 ; de *urétro-*, et
-graphie.

♦ Méd. «Radiographie de l'urètre après injection d'un produit opa-
cifiant» (Manuila).

URÉTRORRAGIE [yʀetʀɔʀaʒi] n. f. — 1904 ; *urétrorrhagie*, 1876 ;
uréthrorrhagie, 1872 ; de *urétro-*, et *-rragie*.

♦ Méd. «Hémorragie provenant de l'urètre» (Manuila).

URÉTROSCOPE [yʀetʀɔskɔp] n. f. — 1867, in *Année sc. et
industr.* 1868, p. 423 ; de *urétro-*, et *-scope*.

♦ Méd. «Instrument muni d'un dispositif d'éclairage, utilisé pour
l'examen du canal urétral. Il peut être à vision directe *(urétroscope
à air)* ou à vision dans l'eau *(urétroscope à eau)*» (Manuila).

URF ou **URFE** [yʀf] adj. — 1871, in D. D. L. ; aphérèse de *turf* «terrain de courses», emploi métaphorique *avoir du turf* «du chic», 1805.

♦ Argot, vx. Distingué, chic, élégant. *«Les gens urf qui vont au
Bois»* (L. Tailhade, *Poèmes aristophanesques*, Au pays du mufle).

(...) ce restaurant c'est tout ce qu'il y a de plus urf, gratin et mai(z)ouimachère
(¹), avec des bonnes femmes décolletées tant que ça peut et des bonzommes *(sic)*
fringués spécialement pour aller ribouldinguer (...)
> R. QUENEAU, le Dimanche de la vie, p. 189.

(¹) Prononciation affectée de *mais oui, ma chère.*

-URGE, -URGIE Élément du grec *-ourgos*, et *ourgia* ; rad. *ergo*
«je fais», *ergon* «œuvre, art» (ex. : *chirurgie ; démiurge, dramaturge, dramaturgie, énergie, hyalurgie, léthargie, liturgie, métallurgie, sidérurgie, synergie, thaumaturge, thaumaturgie, théurgie...*).

URGEMMENT [yʀʒamɑ̃] adv. — D. i. (xxᵉ) ; de *urgent.*

♦ Français d'Afrique. D'urgence*, sans aucun retard. ⇒ **Immédiatement.** *Porter urgemment une lettre à la poste.*

URGENCE [yʀʒɑ̃s] n. f. — 1573 ; rare av. fin xɪxᵉ ; de *urgent.*

♦ **1.** Caractère de ce qui est urgent. *L'urgence de leur besogne*
(→ Politesse, cit. 10).

♦ **2.** (1792). Nécessité d'agir vite. *Extrême urgence* (→ Chirurgie,
cit. 2). *Il y a urgence :* c'est urgent. *En cas d'urgence. Mesures d'urgence* (→ Garantir, cit. 18). *Procédure d'urgence. Soins
d'urgence. Secours d'urgence.*
(Mil. xxᵉ). *Une urgence :* un cas urgent, un malade à opérer, à soigner sans délai. *Service des urgences dans un hôpital.*

♦ **3.** (V. 1790). Loc. adv... D'URGENCE : sans délai, en toute hâte*.
Opérer d'urgence (→ Passer, cit. 75). *Appeler d'urgence un médecin*
(→ Lambiner, cit.). *Ministres mandés* (cit. 6) *d'urgence, de toute
urgence.*

Il renoncerait à avoir un entretien grave avec cette femme ; il la laisserait partir,
et, d'urgence, convoquerait le mari.
> MARTIN DU GARD, les Thibault, t. III, p 151.

URGENT, ENTE [yʀʒɑ̃, ɑ̃t] adj. — 1340, méd. ; répandu xɪxᵉ ; lat.
urgens, p. p. adj. de *urgere* «pousser, presser».

♦ Dont on doit s'occuper sans retard. *Des travaux urgents.*
⇒ **Pressé ;** → Régie, cit. 1. *Affaires urgentes. La saignée était
urgente* (→ Lancette, cit. 2). *Opération inévitable, mais nullement
urgente* (→ Aigu, cit. 13). *Un cas urgent. C'est urgent.* — *Besoin
urgent, nécessité urgente.* ⇒ **Impératif, pressant ;** → Dessiner, cit. 2.
Il y a des dangers plus urgents (→ Institution, cit. 20). ⇒ **Important.** *Secours urgents* (→ Premiers* secours). — Vx ou stylistique (avant le nom). *Urgents problèmes* (→ Nœud, cit. 9). — N. m.
«L'urgent pour moi était de savoir où tu es» (Colette, *J. de Carneilhan*, p. 130).

Ce sont drogues dont on se sert dans les nécessités urgentes.   1
> MOLIÈRE, le Médecin malgré lui, III, 7.

Par chance, rien de très urgent ne l'obligeait à sortir.   2
> MARTIN DU GARD, les Thibault, t. III, p. 250.

DÉR. **Urgemment, urgence, urger.**

URGER [yʀʒe] v. intr. — Conjug. *bouger*. — 1903, in D. D. L. ; de
urgent, sur le mode de *presser, pressant.*

♦ Fam. Être urgent, presser (III.). *Ça urge !*

— (...) De cette présence il est urgent qu'on purge (...)   1
— On ne dit pas : « Il est urgent » ; on dit : « Il urge ! ».
> Edmond ROSTAND, Chantecler, I, 4.

Il aurait fallu que nous prévoyions ; que nous établissions avant de passer à l'action   2
une liste de bonnes questions. Je lance des S. O. S. à Nicole. Elle est plus en panne
que moi. J'insiste, je presse, ça urge. Elle hausse les épaules, elle prend son visage
dans ses mains, elle lève les bras au ciel.
> Réjean DUCHARME, l'Hiver de force, p. 38.

URGONIEN, ENNE [yʀgɔnjɛ̃, ɛn] adj. et n. m. — 1843, Alcide
d'Orbigny ; orig. incert., p.-ê. d'un nom de lieu.

♦ Didact. (géol.). Se dit d'un étage du crétacé inférieur *(Éocrétacé)*
situé au-dessous du Néocomien. — N. m. *Les différentes couches
de l'Urgonien sont l'Aptien (divisé en Gargasien et Bedoulien) et le
Barrémien.* — De cet étage. *«Le sommet des calcaires urgoniens
est marqué généralement par un dépôt uniforme d'orbitolines»* (la
Recherche, 2 juin 1970, p. 164).

URIC-, URICO- Élément, de *urique* (acide urique). ⇒ **Uricase,
uricémie, uricopexie, uricosurique, uricotélique.**

URICASE [yʀikaz] n. f. — Mil. xxᵉ ; de *uric-*, et suff. *-ase*.

♦ Chim., biol. Enzyme qui décompose l'acide urique, présente chez
les animaux dits *uricotéliques**.

URICÉMIE [yʀisemi] n. f. — 1868 ; *uricæmia*, 1867 ; de *uric-*, et
suff. *-émie*.

♦ Méd. Teneur du sang en acide urique. — Par ext. (abusif). Accumulation de quantités excessives d'acide urique et d'urates dans le
sang (le terme exact est *hyperuricémie*).

URICOPEXIE [yʀikopɛksi] n. f. — xxᵉ ; de *urico-*, et grec *pêxis*
«fixation».

◆ **Méd.** Précipitation et fixation de l'acide urique dans les tissus ou dans les reins (calculs).

URICOSURIQUE [yʀikozyʀik] adj. — Mil. xxᵉ; de *urico-*, et grec *surein* «charrier, entraîner».

◆ **Didact.** *Substances uricosuriques,* qui déterminent l'élimination de l'acide urique et des urates de l'organisme. — N. m. *Les uricosuriques* (dits aussi *uricoéliminateurs*).

Bien qu'on ignore toujours la raison de l'accumulation sanguine et tissulaire de l'acide urique, les efforts de ces dernières années ont eu pour but d'accélérer l'élimination urinaire de cette substance. Ainsi sont nés les médicaments dits uricosuriques (...)   A. GALLI et R. LELUC, les Thérapeutiques modernes, p. 101.

URICOTÉLIQUE [yʀikotelik] adj. — Mil. xxᵉ; de l'*acide urique,* et grec *telikos* «qui concerne la fin».

◆ **Biol.** *Animal uricotélique,* dont le métabolisme protidique aboutit à la formation d'acide urique (qui est éliminé comme produit de déchet). *Les oiseaux sont des animaux uricotéliques.* ⇒ **Urotélique.**

URIDINE [yʀidin] n. f. — Mil. xxᵉ (av. 1972, Manuila); de *ur(o)-,* dans *uracile, ri-* dans *ribose,* et *-ine.*

◆ **Chim., biol.** Produit (nucléoside) résultant de la décomposition partielle des acides nucléiques, formé d'uracile et de ribose, dont les dérivés estérifiés jouent un rôle important dans le métabolisme (biosynthèse des glycoprotéines). — REM. Le mot sert de base à de nombreux composés : *uridine-diphosphate-...; uridine-diphosphoglucose; uridine-monophosphate...*

-URIE Élément, latin *-uria,* grec *-ouria,* de *ourein* «uriner», qui indique une émission d'urine anormale (par la rareté, la fréquence, la quantité, etc.), ou la présence anormale d'une substance dans les urines. — Ex. : *acidurie, albuminurie, ammoniurie, bacillurie, calciurie, hématurie...*

URINAIRE [yʀinɛʀ] adj. — 1556; de *urine.*

◆ **1.** Qui a rapport à l'urine, à sa production et à son élimination. *Appareil urinaire,* qui forme et évacue l'urine. ⇒ **Rein, uretère, urètre, vessie.** *Voies urinaires.* Méat* *urinaire.* *Médecine* (⇒ **Urologie**)*, radiographie de l'appareil urinaire* (⇒ **Urographie**)*. — Appareil génital et urinaire.* ⇒ **Génito-urinaire, uro-génital.**

◆ **2.** De l'urine. *Pigments urinaires,* renfermés par l'urine (urochrome*, urobiline*). — Pathol. *Lithiase* urinaire.*

COMP. **Génito-urinaire.**

URINAL, AUX [yʀinal, o] n. m. — V. 1462; *orinal* «pot de chambre», v. 1175; lat. *urinal,* de *urina.* → Urine.

Didactique, technique (médecine).

◆ **1.** Récipient à col incliné dans lequel un malade peut uriner allongé.

◆ **2.** Récipient où l'on conserve l'urine (pour examen, analyse).

URINE [yʀin] n. f. — Mil. xiiᵉ, var. *orine,* lat. pop. **aurina,* d'après *aurum* «or», à cause de la couleur, refait sur le lat. class. *urina.*

◆ Liquide organique clair et ambré, limpide, odorant, qui se forme dans le rein, passe dans les uretères, séjourne dans la vessie et est évacué par l'urètre lorsque les sphincters se relâchent. *Par l'urine, l'organisme élimine de l'eau et des déchets, essentiellement les produits de la combustion des matières azotées* (l'urée, l'acide urique, l'ammoniaque). ⇒ fam. **Pipi, pisse;** aussi 1. **Uro-, -urie.** *Pigments qui donnent sa couleur à l'urine.* ⇒ **Urobiline, urochrome.** *Toxicité de l'urine. Évacuer l'urine.* ⇒ **Miction; pisser, uriner.** *Incontinence* d'urine.* ⇒ **Énurésie.** *Rétention* d'urine.* ⇒ **Anurie, ischurie.** *Excrétion d'urine.* ⇒ **Diurèse, polyurie.** *Qui augmente la sécrétion d'urine.* ⇒ **Diurétique.** *Urine du rein droit, du rein gauche, que l'on prélève au moyen d'une sonde urétérale* (pour comparer le fonctionnement des deux reins). — *Les urines :* l'urine évacuée. *Analyse d'urines. Examen, essai des urines* (→ Médecin, cit. 8). ⇒ **Uroscopie.** *Urines claires, troubles* (⇒ **Jumenteux**)*. Présence anormale dans les urines de glucose* (⇒ **Glycosurie; diabète**)*, d'albumine* (⇒ **Albuminurie**)*, d'acétone* (⇒ **Acétonurie**)*, d'hémoglobine* (⇒ **Hémoglobinurie**)*, de pus* (⇒ **Pyurie**)*, de sang* (⇒ **Hématurie**)*... Sable dans les urines.* ⇒ **Calcul, gravier; gravelle.** — *Urine d'animaux.* ⇒ **Pissat** (→ Purin, cit.)*. Acide hippurique* de l'urine des herbivores.* — Anc. pharm. «Eau de mille-fleurs», *extraite de l'urine de vache.* — *Sentir l'urine* (→ Odeur, cit. 3)*. Souillé d'urine.* ⇒ **Pisseux.**

[1] L'opiniâtreté de mes pierres, spécialement en la verge, m'a parfois jeté en longues suppressions d'urine, de trois, de quatre jours (...)   MONTAIGNE, Essais, III, IV.

[2] Dès ses premiers jours de vie parisienne, il *(le chien Macaire)* avait observé que

ces socles de fonte portent la trace d'un très grand nombre d'urines de chiens. Il en résulte une sorte d'appel irrésistible.
    J. ROMAINS, les Hommes de bonne volonté, t. IV, VIII, p. 78
                                                      (→ aussi Goutte, cit. 23).

La sécrétion de l'urine, comme celle de la bile, est continue, et son excrétion commence dans le rein lui-même, au niveau des tubes collecteurs qui la déversent, au niveau des papilles rénales, dans le bassinet. Du bassinet, elle passe dans l'uretère et atteint la vessie où elle s'accumule. De là, elle sera expulsée, périodiquement, par le canal de l'urètre; c'est la *miction.* [3]
                                R. FABRE et G. ROUGIER, Physiologie médicale, p. 346.

DÉR. **Urinaire, uriner, urineux, urique.**
COMP. **Urinifère.**

URINEMENT [yʀinmã] n. m. — Mil. xxᵉ; de *uriner.*

◆ **Didact.** (éthologie). Le fait d'uriner, notamment en parlant des animaux. *« Le comportement d'urinement des chiens errants »* (la *Recherche,* févr. 1980, p. 214). *« Traces d'urinement* (des loups)» (la *Recherche,* févr. 1980, p. 214).

URINER [yʀine] v. tr. — 1375; *oriner* «traiter par l'inspection des urines», xiiiᵉ; de *urine.*

◆ (Rare dans le lang. cour.). Évacuer l'urine. ⇒ **Pisser, pissoter; pipi** (1. Pipi, cit. 2 : faire pipi), **lansquiner** (argot). *Envie, besoin d'uriner. L'action d'uriner est à la fois réflexe et volontaire. Uriner dans un vase de nuit, un urinal; un urinoir. Difficulté d'uriner.* ⇒ **Dysurie, strangurie.** *Sonder un malade qui ne peut uriner. Produit diurétique, qui fait uriner beaucoup. Bête qui urine* (cf. Lâcher de l'eau).

REM. Ce mot est surtout employé dans la langue médicale.

Par plais. (Sujet n. de chose). ⇒ **Pisser.**

(...) pour un peu de sable qu'elle a dans les reins, elle *(la fontaine)* n'urine que goutte à goutte (...)
                CYRANO DE BERGERAC, Lettres diverses, «Description Aqueduc...».

DÉR. **Urinement.**

URINEUX, EUSE [yʀinø, øz] adj. — 1611; de *urine.*

◆ **Méd.** Qui a rapport à l'urine. *Odeur urineuse, goût urineux* (→ aussi Papaye, cit.)*. Abcès urineux,* produit par l'infiltration d'urine dans le tissu cellulaire. *Empoisonnement urineux :* intoxication par résorption de l'urine qui n'arrive plus dans la vessie.

URINIFÈRE [yʀinifɛʀ] adj. — 1843, Landais; de *urine,* et suff. *-fère.*

◆ **Anat.** Qui conduit l'urine. *Tubes urinifères :* éléments fonctionnels du rein* (au nombre d'un million chez l'homme), longs canaux sinueux qui sécrètent l'urine. (On a dit *tubes urinipares,* vx).

URINOIR [yʀinwaʀ] n. m. —1872; «urinal», 1754; de *uriner.*

◆ Lieu (et, spécialt, petit édifice sur la voie publique, ⇒ **Édicule**) aménagé pour uriner, à l'usage des hommes. ⇒ **Pissoir, pissotière, tasse** (argot), **vespasienne.**

— (...) si le maire a voté pour moi les balayeuses automobiles, c'est parce que j'ai voté pour lui l'affaire des urinoirs souterrains (...) — Je n'aime pas du tout cette façon de mettre des urinoirs dans la conversation (...) épargnez-moi vos grossièretés.   M. PAGNOL, Topaze, II, 1. [1]

— Je veux faire construire un urinoir, Tafardel.
— Un urinoir? s'écria l'instituteur tout saisi, tant la chose aussitôt lui parut d'importance. Le maire se méprit sur le sens de l'exclamation : — Enfin, dit-il, une pissotière!   G. CHEVALLIER, Clochemerle, p. 16. [2]

Appareil sanitaire (cuvette, vasque, etc.) pour uriner. *Urinoir en porcelaine.*

URIQUE [yʀik] adj. — 1803; de *urine.*

◆ **1.** Biochim. *Acide urique :* substance azotée à propriétés acides, résultant de l'oxydation des bases puriques, présente dans le sang et les tissus, et éliminée par les urines (surtout sous forme d'urates). *Accumulation pathologique d'acide urique dans l'organisme* (⇒ **Goutte**).

Allais-je dans les pays chauds, ce que force m'était de faire pour remplir diverses missions, et je souffrais presque toujours de coliques néphrétiques. Il fallait, coûte que coûte, éliminer ce redoutable acide urique.
                                G. DUHAMEL, Problèmes de civilisation, p. 63.

◆ **2.** Qui se rapporte à l'acide urique, qui en contient. ⇒ **Purine.**

COMP. V. **Uric-, urico-.**

URITE [yʀit] n. m. — xxᵉ (in Larousse, 1933); dér. du grec *oura* «queue», et suff. *-ite.*

◆ **Zool.** Segment abdominal (des insectes). — Syn. : **uromère.**

URNE [yʀn] n. f. — 1487; lat. *urna.*

◆ **1.** Vase qui sert à renfermer les cendres d'un mort. *Urne funé-*

raire (cit. 1), *urnes cinéraires* (Cinéraire, cit. 1). *Une urne de bronze ciselé.*

1   Mais au feu du bûcher ravie
Une pincée entre les doigts,
Résidu léger de la vie
Qu'enserrait l'urne aux flancs étroits.
                        Th. GAUTIER, Émaux et Camées, « Bûchers et tombeaux ».

♦ **2.** (1503). Vase antique à flancs arrondis, servant notamment à puiser de l'eau. *Les urnes et les amphores* (→ Récipient, cit. 2).

Poét. Vase. « *Comme une onde qui bout dans une urne trop pleine* » (→ Bataillon, cit. 5, Hugo). *Verser d'une urne* (→ Lutin, cit. 2 ; mortalité, cit. 4).

Vase décoratif à panse cylindrique monté sur pied.

2   Et les urnes d'amour dont vos grands cœurs sont pleins !
                        BAUDELAIRE, les Fleurs du mal, « Spleen et idéal », CXI.

♦ **3.** (1549). Vase, récipient dans lequel les anciens recueillaient les suffrages.

Mod. Boîte dont le couvercle est muni d'une fente, dans laquelle les électeurs déposent leur bulletin* de vote (→ Fidèle, cit. 12). *Urne électorale. Vider les urnes à la fermeture du scrutin.* — Loc. (Mil. xxᵉ). *Aller aux urnes* : aller voter. ⇒ **Élection.**

3   — (...) imagine qu'on nous ait fait voter ce soir, nous huit ou dix, chez Sampeyre, avec entière liberté, à bulletins secrets (...) Est-ce que deux ou trois noms ne seraient pas sortis des urnes ?
                        J. ROMAINS, les Hommes de bonne volonté, t. IV, X, p. 101.

4   (...) dans les mauvais quartiers les femmes étaient plus « rouges » que les hommes ; si elles accédaient aux urnes, la bonne cause en pâtirait.
                        S. DE BEAUVOIR, Mémoire d'une jeune fille rangée, p. 254.

♦ **4.** (1797). Bot. Partie du sporange des mousses en forme d'urne, fermée par un capuchon (coiffe, opercule) qui se détache à maturité.

♦ **5.** (1970). En statistique, dans le calcul des probabilités, Échantillon sur lequel se fait un tirage. *Schéma d'urne.*

1. URO- Élément, du grec *ouron* « urine ». ⇒ **Urobiline, urochrome, urodynie, urogénital, urographie, urolagnie, urologie, uromètre, uropode, uroscopie.**

2. URO- Élément du grec *oura* « queue ». ⇒ **-oure ; urodèles, urogastre, uropygial, uropygien, urostyle.**

UROBILINE [yʀɔbilin] n. f. — 1877, Littré-Robin ; de 1. *uro-, bile,* et suff. *-ine.*

♦ Méd. Pigment biliaire de couleur jaune orangé, résultant de la dégradation de la bilirubine dans l'intestin, et dont une petite partie passe dans l'urine. *Élimination excessive de l'urobiline dans les urines :* urobilinurie*.

La couleur de l'urine est due, essentiellement, à la présence de deux pigments : l'urochrome, dont la nature chimique et l'origine sont encore très mal connues (on sait simplement que ce corps est riche en soufre), et l'urobiline, qui dérive de la bilirubine après transformation de cette dernière dans l'intestin et réabsorption au cours du cycle entéro-hépatique.
                        R. FABRE et G. ROUGIER, Physiologie médicale, p. 335.

DÉR. **Urobilinogène, urobilinurie.**

UROBILINOGÈNE [yʀɔbilinɔʒɛn] n. m. — 1971 ; de *urobilin(e),* et *-gène.*

♦ Biochim. Produit de dégradation de la bilirubine, précurseur de l'urobiline, qui se forme dans l'intestin sous l'action d'enzymes bactériens. *Élimination urinaire excessive d'urobilinogène dans les lésions du foie.*

UROBILINURIE [yʀɔbilinyʀi] n. f. — 1890, P. Larousse, *Deuxième Suppl.* ; de *urobilin(e),* et *-urie.*

♦ Méd. Présence d'urobiline dans les urines. — Par ext. Élimination excessive d'urobiline par les urines (cirrhose, hépatite, anémies hémolytiques).

UROCHORDÉS [yʀɔkɔʀde] n. m. pl. ⇒ **Urocordés.**

UROCHROME [yʀɔkʀom] n. m. — 1865 ; de 1. *uro-,* et *-chrome.*

♦ Biochim. Pigment brun-rouge de l'urine (→ Urobiline, cit.).

UROCORDÉS ou **UROCHORDÉS** [yʀɔkɔʀde] n. m. pl. — 1895, *urochordés,* in D.D.L. ; de 2. *uro-,* et *chordés, cordés.*

♦ Zool. Syn. de *tuniciers*.* « *Pour Garstang, les vertébrés auraient (...) évolué à partir d'un stade larvaire modifié d'urochordés primitifs* » (la Recherche, juin 1980, p. 672). — Au sing. *Un urocordé.*

URODÈLES [yʀɔdɛl] n. m. pl. — 1839 ; de 2. *uro-,* et grec *dêlos* « apparent ».

♦ Zool. Batracien d'un ordre caractérisé par un corps allongé et une queue, et portant des membres propres à la reptation. *Les batraciens comprennent les Urodèles et les Anoures*. Principaux urodèles :* amblystome, axolotl, protée, salamandre, triton. — Au sing. *Un urodèle.*

URODYNIE [yʀɔdini] n. f. — 1846, Bescherelle ; de 1. *uro-,* et grec *odunê* « douleur ».

♦ Méd. Sensation douloureuse éprouvée en urinant.

UROGASTRE [yʀɔgastʀ] n. m. — 1846, Bescherelle ; de 2. *uro-,* et *-gastre.*

♦ Extrémité caudale des crustacés à abdomen allongé. — On dit aussi *uropode* [yʀɔpɔd] (1904, au sens moderne).

UROGÉNITAL, ALE, AUX [yʀɔʒenital, o] adj. — 1846 ; de 1. *uro-,* et *génital.*

♦ Didact. Qui a rapport aux appareils urinaire et génital. ⇒ **Génito-urinaire.** *L'urètre, canal urogénital chez l'homme. Le tractus urogénital.*

UROGRAPHIE [yʀɔgʀafi] n. f. — Av. 1947 ; de 1. *uro-,* et *-graphie.*

♦ Méd. Radiographie de l'appareil urinaire après administration par voie intra-veineuse d'une substance opaque aux rayons X, qui s'élimine par les reins.

UROLAGNIE [yʀɔlagni] n. f. — Av. 1962 ; de 1. *uro-,* et lat. *lagneia* « rapport sexuel ».

♦ Didact. Comportement sexuel déviant lié à une érotisation anormale des fonctions urinaires.

UROLOGIE [yʀɔlɔʒi] n. f. — 1851 ; de 1. *uro-,* et *-logie.*

♦ Didact. Branche médico-chirurgicale qui traite des affections des voies urinaires, et, par ext., des maladies génito-urinaires chez l'homme. ⇒ **Néphrologie.**

DÉR. **Urologique, urologue.**

UROLOGIQUE [yʀɔlɔʒik] adj. — 1923 ; de *urologie.*

♦ Didact. Relatif à l'urologie.

UROLOGUE [yʀɔlɔg] n. — 1860 ; de *urologie.*

♦ Didact. Médecin spécialiste en urologie*.

UROMÈRE [yʀɔmɛʀ] n. m. ⇒ **Urite.**

UROMÈTRE [yʀɔmɛtʀ] n. m. — 1872 ; de 1. *uro-,* et *-mètre.*

♦ Sc. Appareil (aréomètre) servant à déterminer la densité de l'urine. Syn. : *uréomètre.*

UROPELTIDÉS [yʀɔpɛltide] n. m. pl. — 1876, P. Larousse ; de 2. *uro-,* et grec *peltê* « bouclier léger ».

♦ Zool. Famille de serpents non venimeux, fouisseurs, à queue épineuse, dont le type est l'*uropeltis* (Asie). — Au sing. *Un uropeltidé.*

UROPODE [yʀɔpɔd] n. m. — 1904 ; de 2. *uro-,* et *-pode.*

♦ Zool. Appendice abdominal des crustacés (syn. cour. : *queue*). ⇒ aussi **Urogastre.**

UROPYGIAL, ALE, AUX [yʀɔpiʒjal, o] adj. — 1846, Bescherelle ; de 2. *uro-, -pyge* « fesse, croupion », et suff. *-(i)al.*

♦ Zool. Du croupion des oiseaux. *Plumes uropygiales.* ⇒ **Tectrice.** *Glande uropygiale* ou *uropygienne*.*

UROPYGIEN, IENNE [yʀɔpiʒjɛ̃, jɛn] adj. — 1872. → Uropygial.

♦ Zool. *Glande uropygienne :* glande cutanée des oiseaux, à la base du croupion et dont la sécrétion grasse protège les plumes.

UROSCOPIE [yʀɔskɔpi] n. f. — 1836 ; de 1. *uro-*, et *-scopie*.

♦ Méd. Examen des urines.

UROSTYLE [yʀɔstil] n. m. — Mil. xxᵉ ; de 2. *uro-*, et *style*.

♦ Didact. (anat., zool.). Os long résultant de la fusion des vertèbres caudales, chez les Anoures.

Les vertèbres caudales (...) sont fusionnées en un élément unique, l'Urostyle, complètement incorporé au tronc et articulé sur la vertèbre sacrée.
Jean GUIBÉ, les Batraciens, p. 28.

UROTÉLIQUE [yʀɔtelik] adj. — Mil. xxᵉ ; de *urée*, et grec *telikos* « qui concerne la fin ».

♦ Biol. *Animaux urotéliques,* dont le métabolisme protidique aboutit à la production d'urée (qui est éliminée comme déchet). *Les mammifères sont des animaux urotéliques.* ⇒ **Uricotélique.** Var. : *uréotélique* [yʀeɔtelik].

URSIDÉS [yʀside] n. m. pl. — 1846, Bescherelle ; du lat. *ursus* « ours », et suff. zool. *-idés*.

♦ Zool. Famille de mammifères carnivores, plantigrades aux griffes non rétractiles, dont le type est l'ours*. — Au sing. *Un ursidé.*

URSULINE [yʀsylin] n. f. — 1639 ; on a dit aussi *urselines ;* de sainte *Ursule.*

♦ Religieuse d'un ordre fondé en 1537, en Italie, par sainte Angèle de Mérici, et établi en France (Avignon, puis Paris), grâce à la protection de Marie de Médicis (1611). — Par ext. *Les Ursulines :* leur couvent.

Adj. *Religieuses ursulines* (→ Maléfice, cit. 2).

URTIC- Élément, du lat. *urtica* « ortie ». ⇒ **Urticacées, urticant, urtication.**

URTICACÉES [yʀtikase] n. f. pl. — 1843, *in* Cottez ; var. *urticinées* 1868 ; *urticées,* 1803 ; de *urtic-*, et *-acées*.

♦ Bot. Famille de plantes dicotylédones apétales comprenant des herbes, des arbrisseaux et quelques arbres, annuels ou vivaces. ⇒ **Antiar, artocarpe, ortie, pariétaire, ramie.** *Les urticacées, cannabinacées*, ulmacées* sont peu distinctes et parfois considérées comme une seule famille* (Moreau). → Haschisch, cit. 2, Baudelaire. *Les urticacées sont la famille type des urticales.* — Au sing. *Une urticacée.*

URTICAIRE [yʀtikɛʀ] n. f. — 1806, Capuron ; *urticaria,* 1795, *in* Bosquillon, trad. de Cullen ; adj., *fièvre urticaire,* 1759 ; du rad. du lat. *urtica* « ortie ».
Courant.

♦ **1.** Éruption passagère de papules rosées ou blanchâtres (semblables à des piqûres d'ortie) accompagnée de démangeaisons et d'une sensation de brûlure. *L'urticaire est souvent due à une allergie.*

♦ **2.** Tendance à cette éruption. *Ne mangez pas de fraises, avec votre urticaire.*

DÉR. **Urticarien.**

URTICALES [yʀtikal] n. f. pl. — Mil. xxᵉ ; dér. du lat. *urtica* (→ Urticacées), et suff. *-ales*.

♦ Bot. Ordre de plantes dicotylédones, comprenant de nombreuses espèces, dont les urticacées*, les ulmacées* (orme), les moracées* (mûrier), les cannabinacées* (chanvre). — Au sing. *Une urticale.*

URTICANT, ANTE [yʀtikɑ̃, ɑ̃t] adj. — 1864 ; dér. sav. du lat. *urtica* « ortie ». → Urtic-.

♦ **1.** Didact. Dont la piqûre ou le contact produit une urtication sur la peau humaine, une démangeaison*. *Poils urticants, feuilles urticantes* (ortie*). *Organe urticant des méduses.*

♦ **2.** (Fin xixᵉ). Fig., littér. Qui irrite désagréablement l'esprit.

Avec la vie revenaient toutes sortes de pensées urticantes.
G. DUHAMEL, le Désert de Bièvres, p. 100.

URTICARIEN, IENNE [yʀtikaʀjɛ̃, jɛn] adj. — 1904 ; dér. sav. de *urticaire.*

♦ Méd. Qui a rapport à l'urticaire ou a l'aspect de l'urticaire. *Éruptions urticariennes.*

URTICATION [yʀtikasjɔ̃] n. f. — 1759 ; de *urtic-*, et *-ation*.
Didactique.

♦ **1.** Rubéfaction obtenue par flagellation avec des orties (⇒ **Révulsif**).

♦ **2.** Méd. Éruption analogue à celle que produisent les piqûres* d'orties ; sensation de brûlure qui l'accompagne. *Urtication causée par une intoxication* (⇒ **Urticaire**), *par un organe animal ou végétal* (⇒ **Urticant**).

URUBU [uʀubu] n. m. — 1770, Buffon, *Oiseaux étrangers,* Vautours ; cf. *ourou,* 1765 ; mot tupi, probablt par l'angl. *urubu,* 1672.

♦ Zool. Vautour de petite taille, répandu dans l'Amérique tropicale.

Des maigres fumées montent encore des décombres. Des nuées d'urubus, de vautours, de corbeaux à bec rouge se disputent les charognes des chevaux et des bestiaux éparses dans les champs. B. CENDRARS, l'Or, p. 231. [1]

(...) les urubus — charognards — descendus par centaines sur le lieu de carnage, disputent aux chiens le sang et les déchets.
Claude LÉVI-STRAUSS, Tristes tropiques, p. 147. [2]

URUGUAYEN, ENNE [yʀygwejɛ̃, ɛn] adj. et n. — Déb. xxᵉ ; de *Uruguay.*

♦ De l'Uruguay, État d'Amérique du Sud situé entre le Brésil et l'Argentine. *Montevideo est la capitale uruguayenne. L'élevage uruguayen.* — N. *Les Uruguayens.*

URUS [yʀys] n. m. — 1876 ; *ure,* 1560 ; mot lat. « taureau sauvage », d'orig. germanique.

♦ Zool. Aurochs (n. sc. *Bos primigenius*). — Var. (rare) : *ure.*

C'est alors qu'un urus surgit de la forêt (...)
La bravoure et la ténacité des urus se retrouvent dans telle race de nos taureaux, mais l'urus avait une tête moins obscure. L'espèce était à son apogée. Lestes, avec une respiration vive, un sens clair du péril et une ruse complexe, ces forts organismes circulaient magnifiquement sur la planète (...)
Naoh se leva avec un grondement. Après la victoire sur un fauve, rien n'était plus glorieux que d'abattre un grand herbivore (...) son ardeur augmentait à mesure qu'approchaient le poitrail spacieux et les cornes luisantes.
J.-H. ROSNY aîné, la Guerre du feu, 1911, p. 37.

1. US [y] ou [ys] n. m. pl. — V. 1155, « habitude » ; lat. *usus,* p. p. substantivé de *uti* « se servir ».

♦ **1.** Vx ou littér. ⇒ **Usage.** — Par archaïsme. *Les anciens us* (→ Matrone, cit. 3, Sand). *Les mœurs, les us, le langage...* (→ Particularité, cit. 4, Gide).

(...) l'histoire de l'homme aurait pu être différente, différents nos us, nos mœurs, nos coutumes, nos goûts, nos codes et nos étalons de beauté — et rester humains tout de même. GIDE, Si le grain ne meurt, II, I. [1]

Au singulier, rare :

Panturle quitte la branche avec laquelle il tournait sa soupe. Il met sous sa langue ses deux gros doigts et il répond à rougir comme une pomme d'amour, d'un même sifflement qui monte.
C'est l'us. Il sait que Gaubert s'est avancé jusqu'à la placette de l'église et qu'il lui a, comme ça, souhaité le bonjour à sa manière, avec sa vieille langue et ses vieux doigts. J. GIONO, Regain, Pl., t. I, p. 333. [1.1]

♦ **2.** (1170). Loc. mod. *Les us et coutumes* [ysekutym ; yzekutym] : les habitudes, les usages traditionnels. *Observer les us et coutumes d'un pays.*

Le consul (...) nous dit que nous étions des fous, qu'il fallait respecter les us et coutumes des pays où l'on voyage (...) MÉRIMÉE, la Double Méprise, IX. [2]

2. US [ys] n. m. — 1661, Molière ; de la terminaison des noms lat. masc. de la deuxième déclinaison (type *dominus*).

♦ Fam., vx. *Savant en us, dont le nom est en us,* qui latinise son nom par pédantisme.

Non pas de ces savants dont le nom n'est qu'en *us* :
Il n'est rien si commun qu'un nom à la latine (...) MOLIÈRE, les Fâcheux, III, 2.

U.S. [yɛs] adj. invar. — V. 1965 ; sigle de *United States (of America),* « États-Unis (d'Amérique) ».

♦ Anglic. Des États-Unis d'Amérique. ⇒ **Américain** (II., 1.). « *Les réserves d'or U.S.* » (*le Figaro,* 16 nov. 1965). *Les troupes, les armées U.S.* — N. m. pl. *Les U.S.* [lezyɛs], nom propre : les États-Unis.

USABLE [yzabl] adj. — 1858 ; « dont on peut user », xiiiᵉ ; de *user.*

♦ Rare. Qui peut s'user. — N. m. *De l'usable.*
CONTR. (Plus cour.) **Inusable.**

USAGE [yzaʒ] n. m. — V. 1155, au sens II, Wace ; du lat. *usus* (→ 1. Us), et suff. *-age*.

★ **I.** ♦ **1.** (1190). **ⓐ** Le fait d'appliquer, de faire agir (un objet, une matière), pour obtenir un effet qui satisfasse un besoin, que cet objet, cette matière subsiste (⇒ **Utilisation**), disparaisse (⇒ **Consommation**) ou se modifie (⇒ **Usure**). ⇒ aussi **Application ; dépense, emploi, service**. *La possession* fonde, permet l'usage. — L'usage d'un outil, d'un instrument* (cit. 1). *L'usage de qqch. par qqn. Choses qui résistent à un usage prolongé* (→ Consomptible, cit.). *Livres écornés* (cit. 3) *par l'usage. — L'usage de la poudre de riz* (→ Maquillage, cit. 1), *d'un parfum* (cit. 13). *L'usage des masques* (1. Masque, cit. 1). — *Un usage abusif* (⇒ **Abus**), *excessif, immodéré* (cit. 5), *intempérant* (cit.),... *(d'un produit, d'un aliment, d'un remède...).* ⇒ **Abus**. *Le bon, le mauvais usage des richesses* (cit. 3). *L'usage de faux* (cit. 56).

1   *Ma lampe, ce n'est pas seulement cette ampoule électrique, cet abat-jour, ce support de fer forgé : c'est une certaine puissance d'éclairer ce bureau (...) elle est animée, colorée, définie par l'usage que j'en fais ; elle est cet usage et n'existe que par là.*   SARTRE, l'Être et le Néant, p. 680.

Didact. Emploi (d'un procédé, d'une technique par un groupe social). ⇒ **Utilisation**. *L'usage de la roue ; de la boussole* (→ 1. Manœuvre, cit. 1). *Avant l'usage de l'artillerie* (→ Fortification, cit. 1).

(Avec un compl. abstrait). *L'usage que nous faisons d'une notion* (→ Néant, cit. 1). *L'usage d'une analyse mathématique fait de l'algèbre* (→ Inconnu, cit. 4). *L'usage des nombres* (cit. 1). — *L'usage d'une facilité, d'une possibilité, le fait d'en profiter. Le bon, le mauvais usage de... Prière pour le bon usage des maladies,* de Pascal. *L'usage de la force.* — Rare (avec l'article indéfini). *Un usage désordonné de parties lyriques, orchestrales* (→ Opéra, cit. 3). ⇒ **Utilisation**. — Compl. n. de personne :

2   *Que le commerce des belles nous les rend bientôt moins nécessaires ; au lieu que l'usage des médecins finit par nous les rendre indispensables.*   BEAUMARCHAIS, le Barbier de Séville, « Lettre sur la critique ».

ⓑ Mise en activité effective (d'une faculté, d'une fonction physique ou mentale). ⇒ **Activité, exercice, fonctionnement**. *L'usage de l'esprit* (→ Égarer, cit. 17), *de la raison* (→ Héros, cit. 9). *Le bon usage des facultés* (→ Positif, cit. 2). *L'usage des qualités* (→ Mérite, cit. 8), *des dons... L'usage du libre arbitre* (→ Humilité, cit. 2). — *L'usage de la bonté divine...,* son exercice (→ Infini, cit. 4). — *L'usage des sens** (cit. 10) : le fait de sentir, de percevoir. *Perdre, reprendre, retrouver l'usage des sens* (→ Proférer, cit. 1). *L'usage des yeux* (chez l'enfant). → Retard, cit. 4. *Le défaut d'usage* (d'un organe, cit. 8). — *L'usage de la parole* (→ Langage, cit. 3).

3   *(...) ces jours-là, il se soulageait de ce qu'il renfonçait en lui, il en disait, il en disait, à étourdir son compagnon, ne parlant déjà plus qu'avec difficulté, perdant l'usage de sa langue, depuis qu'il cessait de s'en servir.*   ZOLA, la Terre, V, II.

ⓒ (XVIIᵉ). Sens concret ou abstrait. FAIRE USAGE DE : se servir de... ⇒ **User** (de), **utiliser ; consommer, employer, servir** (se servir de..). *Faire usage d'une pièce fausse, de faux noms* (→ Escroquer, cit. 4). *Faire usage de tous les moyens à sa disposition. Faire mauvais usage de qqch.* ⇒ **Mésuser**. — Vx. METTRE EN USAGE : se servir effectivement de..., faire agir, faire fonctionner en vue d'un certain résultat. ⇒ **Utiliser**. *Mettre son pouvoir en usage* (⇒ **Exercer**). *Mise en usage* (⇒ **Exercice**). — À L'USAGE : lorsqu'on s'en sert, lorsqu'on l'utilise (→ Rattacher, cit.). *À l'usage, ce procédé s'est révélé excellent, mal adapté. — D'usage* (vx), *en usage :* qui est encore employé. *Dispositifs* (cit. 3) *encore en usage.*

4   *Vous voyez (...) les adroites complaisances qu'il m'a fallu mettre en usage pour m'introduire à son service (...)*   MOLIÈRE, l'Avare, I, 1.

5   *On se monte le coup, on se hâte de détruire, de remplacer ; et on s'aperçoit, à l'usage, que le nouveau régime crée de nouveaux abus (...)*   MARTIN DU GARD, les Thibault, t. V, p. 224.

Absolt, fam. *Faire de l'usage :* pouvoir être utilisé longtemps sans se détériorer. ⇒ **Durer**.

♦ **2.** (XVIIᵉ). Le fait de pouvoir produire un effet particulier et voulu. ⇒ **Fonction, utilité ; service**. *Toutes les poches* (1. Poche, cit. 4) *ont un usage précis. Détourner un objet de son usage* (→ Pervertir, cit. 5). *Ne pas connaître l'usage d'un outil* (→ Figure, cit. 3). *Objet approprié ou non à un usage.* ⇒ **Commode, incommode**. *Servir à divers usages* (→ Lame, cit. 4).

6   *Tu m'as trouvé comme un caillou que l'on ramasse sur la plage*
Comme un bizarre objet perdu dont nul ne peut dire l'usage
    ARAGON, le Roman inachevé, p. 174.

Vx. ⇒ **Destination, fonction**. *L'usage de la rate* (2. Rate, cit. 1) *est de...*

(1538). HORS D'USAGE : qui ne peut plus être mis en œuvre, fonctionner, produire son effet (→ Mutilation, cit. 2 ; réticule, cit.). — *Valeur d'usage* (→ Pire, cit. 11, par métaphore) : valeur, quant à l'usage qu'on peut en faire.

À USAGE (DE) : destiné à être utilisé (de telle ou telle façon). *Médicament à usage externe, interne. Employer « à des usages presque domestiques ce qui est destiné pour les pharmaceutiques »* (cit. 1). *Locaux à usage d'habitation* (cit. 4). *Il gardait* (cit. 70), *à cet usage, un canif. Véhicule à usage général* (dans l'armée). ⇒ **Jeep**.

7   *À cinquante mètres, ils avaient fait édifier un vaste bâtiment à usage de collège.*   J. ROMAINS, les Hommes de bonne volonté, t. V, IX, p. 74.

♦ **3.** Littér. Le fait de pouvoir se servir (d'une chose). ⇒ **Disposi-**

---

tion. *Avoir l'usage d'une chose :* savoir l'utiliser ; en avoir la pratique, ou encore, avoir l'occasion de s'en servir. ⇒ **Connaître** (I., 2. : s'y connaître).

(1928, Martin du Gard). Cour. À L'USAGE : destiné à être utilisé (par). ⇒ **Pour**. *Des livres à l'usage des pensionnats* (cit. 1), *à l'usage du Dauphin* (cf. Ad usum Delphini). *Une vertu... qui n'est pas à mon usage* (→ Pardon, cit. 2). — *Réserver à son usage personnel,* pour soi (→ Rez-de-chaussée, cit. 2).

8   Ce monde, ouvrage de ses mains *(de Dieu),*
N'est point bâti pour son usage,
Car il l'a fait pour les humains.   THÉOPHILE DE VIAU, À M. de Boquiguant.

9   Les fabricants ont arrangé
Pour notre usage, les objets
Usuels — Les objets aimés (...)   Léon-Paul FARGUE, Poèmes, « Chanson ».

10   Que le mal nous façonne, il faut bien l'accepter. Mieux est de façonner le mal à notre usage, et même à notre commodité.   COLETTE, l'Étoile Vesper, p. 10.

♦ **4.** **ⓐ** Le fait d'employer les éléments du langage, de les réaliser dans le discours, par la parole ; manière dont ils sont employés. ⇒ **Emploi**. — (Avec le verbe faire). *Faire usage d'un mot* (→ Dictionnaire, cit. 4, Voltaire), *d'une expression, d'une locution, d'un tour... Faire un usage impropre et abusif* (cit. 1) *de... « L'Académie ne prétend pas régler l'usage de chaque mot, elle indique l'usage qu'on en fait »* (Académie). — EN USAGE. *Mot, tour en usage à une époque donnée, dans un milieu donné.* ⇒ **Usité ; usuel**. *Remettre en usage les antiques vocables* (→ Langue, cit. 32). — (Avec de...). *Être sorti de l'usage, hors d'usage. Mot hors d'usage* (→ Insomniaque, cit. 1). ⇒ **Désuet, obsolète, vieux.**

11   De tous vocables, quels qu'ils soient, en usage ou hors d'usage (...)   RONSARD, Œuvres en prose, l'Art poétique, Pl., t. II, p. 1011.

ⓑ Mise en œuvre de l'ensemble des éléments du langage par la parole ; expression verbale de la pensée dans un milieu et un temps donnés (par oppos. aux possibilités abstraites, définies comme la langue, et aux instances sociales théoriques, normes, règles...). *L'usage oral* (→ Patois, cit. 2), *écrit ; l'usage contemporain* (→ Archaïsme, cit. 1), *ancien ; courant* (→ Ponctuation, cit. 1), *populaire* (cit. 4) ; *littéraire, soutenu. « L'usage contemporain est le premier et principal objet d'un dictionnaire »* (cit. 6, Littré). *Le Bon Usage* (celui des bons écrivains), titre de la Grammaire française de Maurice Grevisse. — Vx. *Le bel usage,* celui qui est considéré comme esthétiquement satisfaisant (→ 1. Jargon, cit. 5).

12   Si l'on considère l'ensemble et la connexion de ces éléments, on reconnaît qu'ils donnent précisément l'idée d'un dictionnaire qui, usant de la part d'histoire inhérente à toute langue, montre quels sont les fondements et les conditions de l'usage présent, et par là permet de le juger, de le rectifier, de l'assurer.
    LITTRÉ, Dict., Préface, p. V.

13   Du moment que l'on considère une langue comme vivante, l'usage ancien de cette langue peut servir à en *expliquer* l'usage moderne : il ne peut servir à le justifier ou à l'entraver.
    Gaston PARIS, Mélanges linguistiques, in Revue des Deux-Mondes, 1901.

ⓒ Absolt. *L'usage :* l'utilisation effective (spécialt, normale, correcte) du langage (dans une langue, à une époque donnée, par tous les hommes qui la parlent). *L'usage a été appelé « le père des langues »* (Bossuet), *« le tyran des langues vivantes »* (Caillères), *« le maître absolu des langues »* (d'Olivet). *L'« empire despotique » de l'usage* (La Bruyère, XIV, 73). *L'usage, seule règle pour écrire* (→ Cuistre, cit. 3). *Un dictionnaire* (cit. 8) *de l'usage. Extension que l'usage donne à un mot* (→ Hiérarchie, cit. 5).

14   L'usage n'est pas aussi peu fondé en raison qu'ils le prétendent ; il s'établit d'après ce qu'on sent, et le sentiment est bien plus sûr que les règles des grammairiens (...)
    CONDILLAC, l'Art d'écrire, I, 10, in LITTRÉ.

Orthographe* d'usage.

★ **II.** (V. 1170). ♦ **1.** Pratique que l'ancienneté ou la fréquence rend normale, courante, dans une société donnée. ⇒ **Coutume, habitude, mode, mœurs, us**. *Un usage ancien, immémorial* (→ Eunuque, cit. 3) ; *bien établi*, reçu*. Le deuil* (cit. 8) *n'est ni un usage ni une loi, c'est une institution. Un code d'usages consacrés* (→ Police, cit. 13). *Confirmer un usage. Cet usage n'a plus cours. Usages qui se perdent. Les usages sont bouleversés* (→ Exister, cit. 10). *« Je viens, selon l'usage antique et solennel »* (cit. 1, Racine). *Suivant l'usage du pays... Les usages d'une famille* (→ Manquer, cit. 40), *des régiments* (cit. 2), *de la cour* (→ Fait, cit. 8), *de la bonne société* (⇒ **Manière**). — Absolt. *Les usages :* les habitudes, les comportements considérés comme les meilleurs, ou les seuls normaux dans une société. *Conforme aux usages.* ⇒ **Classique, correct, courant, normal. Oublier les usages** (→ Prison, cit. 5). *Contraire aux usages.* ⇒ **Inconvenant, incorrect ; bizarre, excentrique. Hostile aux usages.** ⇒ **Anticonformiste, non-conformiste.**

15   Mais il faut partout se conformer aux usages des peuples : ôter son bonnet sous la porte Spasskoï et ses bottes au seuil de la Solimanieh ou de Sainte-Sophie.
    Th. GAUTIER, Voyage en Russie, XVII.

16   Mais cette coutume est constituée par un ensemble d'usages, d'une complexité si grande, d'un formalisme si étroit, d'une application si difficile dans son menu détail, qu'au lieu d'être un principe d'ordre, elle devient une source de désordre.
    Jérôme et Jean THARAUD, Marrakech..., II.

Habitude particulière (dans un groupe). — *L'usage du bain* (cit. 3). — *C'est un usage que...,* avec le subj. (→ Amphithéâtre, cit. 4), *c'est l'usage de...,* suivi de l'inf. (→ Bouillon, cit. 8 ; 1. dire, cit. 38). *Être*

dans l'usage de... (→ Inceste, cit. 3). — *L'usage selon lequel...,
en vertu duquel* (→ Religionnaire, cit.). — *S'autoriser d'un usage*
(⇒ **Précédent**).

Dr. Règle de droit établie par une pratique ancienne. ⇒ **Coutume.**
*Usages locaux, professionnels, commerciaux. Constatation d'un
usage.* ⇒ **Parère.** — Absolt. *L'usage* :

17   — (...) ledit Figaro *(plaidant)* pour lui-même, si la cour le permet, contre le vœu
de l'usage et la jurisprudence du siège.
— L'usage, maître Double-Main, est souvent un abus.
                     BEAUMARCHAIS, le Mariage de Figaro, III, 15.

♦ **2.** (V. 1170). **L'USAGE** : l'ensemble des pratiques sociales. ⇒ **Coutume** (cit. 7), **habitude.** *Nos idées* (cit. 60) *morales sont la suite
de l'usage. Suivre l'usage et les coutumes* (cit. 2) *reçues. L'usage,
les choses reçues* (→ Extraordinaire, cit. 17). *C'est l'usage, l'usage
reçu...* (→ Maternité, cit. 1 ; outrer, cit. 3) : c'est ce qu'il convient*
de faire, de dire. *Cela fait partie de l'usage.* — *Consacré* par
l'usage. Contre l'usage* (→ 1. Nu, cit. 3). ⇒ **Indu, insolite ; anormal, bizarre...** *Cérémonies réglées par l'usage.* ⇒ **Cérémonial, étiquette, forme** (II., 3.). — Vx. *L'usage de qqn, d'un groupe,* ses coutumes, ses mœurs. *« Chacun appelle barbarie* (cit. 1) *ce qui n'est
pas de son usage »* (Montaigne). — Spécialt. *L'usage du monde, de
la bonne société.* ⇒ **Bienséance ; civilité, convenance.** *Bienséances
d'usage* (→ Individualité, cit. 5).

18   Les coutumes les plus absurdes, les étiquettes les plus ridicules, sont, en France et
ailleurs, sous la protection de ce mot : C'est l'usage. C'est précisément ce même
mot que répondent les Hottentots, quand les Européens leur demandent pourquoi
ils (...) dévorent la vermine dont ils sont couverts.
                     CHAMFORT, Maximes, « Sur l'homme et la société », LXX.

... **D'USAGE** : conforme à l'usage ; habituel*, normal ; convenable. *Les compliments, la formule d'usage. Comme il est d'usage*
(→ Pause, cit. 2). — Par plais. *Il est d'usage de vivre longtemps à
l'Académie* (→ Longévité, cit. 2).

19   — Il me reste à vous présenter les observations d'usage, ajouta le notaire.
                     ZOLA, la Terre, I, II.

♦ **3.** Vx (appliqué à une habitude intellectuelle, morale et non pas
sociale). *Principes éloignés de l'usage commun,* dont on ne se sert
pas habituellement (→ Esprit, cit. 125, Pascal). — Vieilli. Pratique
particulière. ⇒ **Habitude.** *Son usage était de...* (→ Presser, cit. 9).
Contre votre usage (→ Propre, cit. 25). — Coutume, façon d'agir
(dans une activité professionnelle, technique). *Si l'on conserve
l'usage de forer* (cit. 1) *les canons.*

♦ **4.** (xvᵉ). Vx ou littér. Pratique habituelle (d'une activité). *Accoutumance, familiarité due à un usage suivi. Habitudes* (cit. 5) *acquises par un long usage* (→ aussi Apprentissage, cit. 16). *« Et puis
est revenu, plein d'usage et raison... »* (→ Âge, cit. 2). ⇒ **Connaissance, sagesse.** — *L'usage de la vie* (→ Écouler, cit. 11 ; expérience,
cit. 39) : les enseignements qu'on en retire. ⇒ **Fréquentation.** *Usage
des sacrements.*

L'usage de... : la fréquentation habituelle (d'un milieu). *L'usage du
grand monde* (→ Paraître, cit. 17). *« Mais ceux qui de la cour ont
le plus long usage »* (→ Composer, cit. 12).

♦ **5.** (xvIIᵉ). Mod. Les bonnes manières que donne l'expérience de la
bonne société ; le respect des meilleurs usages (aux sens II., 1.
et 2.). ⇒ **Civilité, éducation, politesse.** *Avoir de l'esprit, de l'usage
du monde* (→ Engouer, cit. 4), et, absolt, *de l'usage* (→ 1. Boire,
cit. 21).

20   (...) l'usage du monde est à la délicatesse d'âme à peu près ce que la science est
à l'esprit.   STENDHAL, Armance, XXV.

21   Je n'osai me risquer à prendre part au festin, dans la crainte de manquer d'*usage*.
                     NERVAL, Voyage en Orient, Femmes du Caire, I, II.

★ **III.** Dr. (« Usufruit », 1255). Droit réel qui permet à son titulaire
(⇒ **Usager**) de se servir d'une chose appartenant à autrui (⇒ aussi
Usufruit). Cf. Code civil, art. 625-31. *Avoir l'usage d'un bien.*
⇒ **Jouir** (dr.). *Propriété* et usage. Usage des fruits d'un fonds :* droit
d'en prendre « autant qu'il (...) en faut pour ses besoins et ceux de
la famille » (Code civil). — *Usages forestiers :* droit par lequel certaines personnes peuvent prendre certains produits dans une forêt.
⇒ **Affouage, glandage, pâturage.** *Usage d'une culture intercalaire*
(partage). *Droit d'usage aux morts-bois, feuilles sèches...* (sou-
trage). — *Prêt* à usage* (⇒ **Commodat**).

CONTR. **Désuétude, non-usage.**
DÉR. **Usagé, usager.**

USAGÉ, ÉE [yzaʒe] adj. — 1782, cit. 1 ; « d'usage », xvᵉ ; *usagié*
« accoutumé », 1289 ; de *usage* « déchet de ce qui est usé » (1636).

★ **I.** Vx. Qui a de l'usage (II., 5.).

1   (...) préférera-t-il une jeune fille bien timide (...) aux agréments d'une femme parfaitement *usagée*?   LACLOS, les Liaisons dangereuses, CLV.

★ **II.** Mod. ♦ **1.** (1877). Qui a été longtemps en usage, qui a beau-
coup servi* (sans être forcément détérioré, à la différence de *usé**).
Vêtements usagés (→ Munir, cit. 5). *Houppelande* (cit. 3), *jupe*
(→ Jupon, cit. 2) *usagée. Une bible* (cit. 9) *fort usagée.*

♦ **2.** (Abstrait). Qui a trop servi ; trop connu.

Un repas en commun dans une gare est prétexte seulement à vacarme, à plaisanteries usagées, quand cette excitation ne fait pas place à la gloutonnerie maussade
et silencieuse (...)   COLETTE, Belles saisons, p. 153.

HOM. **Usager.**

USAGER, ÈRE [yzaʒe, ɛʀ] adj. et n. — V. 1380 ; *usagier*, v. 1321 ;
de *usage*.

★ **I.** Adj. (Vx ; d'abord au sens de « usuel »). Destiné à l'usage courant, habituel. *Effets usagers,* non soumis aux droits de douane
(effets personnels). — *Qui fait un bon usage.* ⇒ **Utile.**

— C'est l'amour, Mesa, et je ne l'appellerai point une chose bonne et usagère, et
l'on plaint ce fou qui ne sait point s'en servir (...)
                     CLAUDEL, Partage de Midi, II, p. 143.

★ **II.** N. (1321). ♦ **1.** Dr. Qui a un droit réel d'usage* (III.). *Franc
usager,* qui a un droit d'usage non soumis à une redevance. *L'usager
ne peut céder ni louer son droit à un autre* (Code civil, art. 631).

♦ **2.** (1926). Cour. Personne qui utilise (un service public, le
domaine public). *Les usagers de la route. Redevance* (cit. 2) *payée
par l'usager d'un service public* (→ aussi Taxe, cit. 2). ⇒ **Utilisateur.**

(...) leur parenté réside, non pas dans l'usage que chacun fait de l'art (...) *(mais)*
dans le fait que chacun en fait momentanément usage. *(Ce qui nous concerne)* c'est
la lectrice, la pianiste, le touriste (...) en tant qu'usagers occasionnels de l'œuvre
d'art. Nous n'avons pas le choix des termes (...) Le seul qui s'impose est celui
d'*usager.*   P. ABRAHAM, *in* Encycl. franç. (DE MONZIE), XVI, 58.3.

♦ **3.** (1960). Utilisateur (de la langue). ⇒ **Usage** (I., 4.). *Les usagers
du français. Le style* (cit. 15) *défini comme l'attitude que prend
l'usager écrivant ou parlant, vis-à-vis du matériel que la langue
lui fournit.*

HOM. **Usagé.**

USANCE [yzɑ̃s] n. f. — V. 1230, « redevance d'usage » ; au xIIIᵉ,
« emploi qu'on fait d'une chose » (encore chez G. Sand) et « coutume »
(encore chez Chateaubriand, *Mémoires d'outre-tombe,* t. I, p. 429, *in*
Brunot) ; de *user.*

♦ **1.** (1655). Droit. Terme* de trente jours, fixé par l'usage à la
place du mois réel, pour un paiement ; échéance* qui y correspond.
L'usance d'une lettre de change, d'une traite.

♦ **2.** (1669). Dr. forestier. Cours d'une exploitation. *Coupe en usance.*
— Temps écoulé depuis la coupe.

USANT, ANTE [yzɑ̃, ɑ̃t] adj. — Mil. xxᵉ ; « qui use » (concret), 1872 ;
les usants « usagers », 1477 ; p. prés. de *user.*

♦ Qui use la santé, les forces. *Un travail usant. Cet enfant
est usant.*

Et quant à la chair
C'est une autre histoire
À la longue usante
Drôle de musique
Que cette physique
Qu'on dit amusante.   ARAGON, le Voyage en Hollande, p. 73.

Travail usant, épuisant, travail à recommencer sans fin (...)
                     F. MAURIAC, Bloc-notes 1952-1957, p. 210.

USÉ, ÉE [yze] adj. — 1508 ; « accoutumé, usité », 1165 ; « habitué
(à) », v. 1155 ; de 1. *user.*

♦ **1.** Vx. Dont on a fait usage ; qui a été détruit par la consommation. *Matières usées* (→ Excrétion, cit. 2).

♦ **2.** (1508). Altéré par un usage* prolongé, par des actions physiques (frottement, etc.). ⇒ **Détérioré ; vieux.** *Vêtements, tissus usés ;
hardes* (cit. 7) *usées.* ⇒ **Avachi, déchiré, déformé, défraîchi, fatigué, fripé, mûr** (fam.), **râpé.** *Usé jusqu'à la corde* (⇒ **Élimé**). *Usé
et déchiré* (⇒ **Délabré**). *Harnais* (cit. 13) *usés, raccommodés. Cuir
usé.* ⇒ **Culotté.** *Tapisserie usée, élimée, passée* (cit. 160) *de ton.
Chaussure* (→ Sale, cit. 1), *semelle usée.* ⇒ **Éculé.** — *Banc*
(cit. 1) *usé ; margelle usée d'une fontaine* (cit. 8). *Pièces de monnaie* (cit. 1) *usées.* ⇒ **Fruste.** — Par ext. *Que l'usure* rend difficile à déchiffrer. *Inscription usée. Initiales usées, sur un médaillon*
(cit. 2). — Hors d'usage. *Remplacer les pièces usées d'un moteur.*
— REM. En parlant de *machines,* de *moteurs,* de *véhicules,* etc., on se
sert plutôt de *vieux, hors d'usage,* et, fam., *foutu, mort.* — Par
métaphore. *Je me sens vieux, je suis une machine usée* (→ Breloque, cit. 4).

Sali, souillé par l'usage. *Eaux usées.*

(...) dans le faux petit matin des égouts où ruisselaient interminablement des eaux
sans éclat et tiédies que les urbanistes appellent les « eaux usées » (...)
                     Pierre GASCAR, les Bêtes, p. 105, 1953.

♦ **3.** Diminué*, affaibli*, par une action progressive. ⇒ **Émoussé,
éteint, fini.** *« Tout est usé, aujourd'hui, même le malheur »*
(→ Multitude, cit. 4). *Souvenirs* (2. Souvenir, cit. 6) *usés. Passion
usée, refroidie*.* *Théories usées.* ⇒ **Démodé.**

Fam. *C'est usé!* prononcé sans liaison [sɛyze] : c'est inutile, sans intérêt.

♦ **4.** (1636). Choses humaines ; personnes. Dont les forces, la santé sont diminuées. *Corps usé, usé par l'âge.* ⇒ **Décrépit, dévasté** (→ Supportable, cit. 1). *Les sens usés, usés par les excès.* ⇒ **Blasé** (cit. 3). *Avoir le goût usé. Usé de corps et d'âme* (→ Lampe, cit. 17). — *Usé jusqu'à la fibre* (→ Ingrat, cit. 10, au moral) : qui n'a plus de goût à vivre, qui est blasé, dégoûté (→ aussi Ennuyer, cit. 9). ⇒ **Lassitude.**

2   En 1836, Lousteau, fatigué par seize années de luttes à Paris, usé tout autant par le plaisir que par la misère, par les travaux et les mécomptes, paraissait avoir quarante-huit ans, quoiqu'il n'en eût que trente-sept.
         BALZAC, la Muse du département, Pl., t. IV, p. 85.

3   Il n'était pourtant pas facile de faire un chef de parti de ce duc d'Orléans ; il était usé, à cette époque, fini de corps et de cœur, très faible d'esprit.
         MICHELET, Hist. de la Révolution franç., I, V.

4   Ce n'est pas une vieille. C'est une femme usée, ravagée, pas une vieille.
         ARAGON, la Semaine sainte, XII.

♦ **5.** (1690, Furetière). Qui a perdu son pouvoir d'expression, d'évocation par l'usage* courant, par la répétition. ⇒ **Banal, commun, éculé, rebattu.** *Mots usés* (→ Expressif, cit. 2), *dont le sens est usé. Termes vagues et usés* (→ Horreur, cit. 1). — *Maxime usée et triviale* (cit. 1). *Calembour usé, rebattu* (cit. 4). *Les redites les plus usées* (→ Retentissement, cit. 3). *Rajeunir* (cit. 5) *un sujet bien usé. Images vieilles et usées* (→ Emprunter, cit. 16). ⇒ **Ressassé.**

5   — On dirait qu'il y a dans les dictionnaires certains mots usés qui attendent qu'il paraisse un grand écrivain pour reprendre toute leur énergie.
         RIVAROL, Littérature, I, VI.

1. USER [yze] v. — 1080, *user son temps, sa vie* «consommer, achever», d'un lat. pop. **usare,* du lat. class. *usum,* supin de *uti* «se servir de».

★ **I.** (1267). V. tr. indir. USER DE. ♦ **1.** Vx ou didact. (le mot cour. est *se servir de...*). Faire en sorte que (qqch.) produise un effet souhaitable, profitable, soit en exerçant une action destructrice, en épuisant (⇒ **Absorber, consommer, détruire, dévorer, épuiser**), soit en faisant fonctionner, agir (⇒ **Disposer, employer** [cit. 1], **servir** [se], **utiliser**). *Les métaux* (cit. 1), *tels que nous en usons. User de vin* (⇒ **Boire** ; → Boisson, cit. 2). *User de petits remèdes anodins* (cit. 2). — *User d'une pièce fausse* (1. Faux, cit. 56). *User d'un vêtement, d'un véhicule.* ⇒ **Prendre, porter.** — *User de son bien,* en faire usage ⇒ **Jouir** (de) ; → Ne pas se faire faute* de.

1   — *(Mon bien)* est entièrement à vous, aussi bien que mon cœur, et vous en userez de la façon qu'il vous plaira. — J'userai bien de tous les deux.
         MOLIÈRE, le Bourgeois gentilhomme, V, 2.

2   (...) elle se moque de se piquer de jeunesse, et de vouloir user d'ajustements qui ne conviennent plus à une femme de quarante ans.
         LA BRUYÈRE, les Caractères, III, 8.

3   (...) dans un grand nombre de cas, posséder un objet, c'est pouvoir en *user.*
         SARTRE, l'Être et le Néant, p. 675.

Absolt. *Le goût de posséder, d'user et d'abuser** (→ Esclave, cit. 6). Spécialt. User avec modération (par oppos. à *abuser*). *Il use, mais n'abuse pas.*

♦ **2.** (V. 1400). Cour. (avec un compl. désignant une chose abstraite). Avoir recours à, mettre en œuvre. ⇒ **Servir** (se servir de). *User d'un droit* (→ Particulier, cit. 19), *d'un privilège* (→ Permettre, cit. 4). *User d'une possibilité, d'une permission avec modération.* — *User du temps,* l'employer de telle ou telle façon (cf. La Fontaine, *Fables,* VIII, 11).

4   Mon frère, vos conseils sont les meilleurs du monde (...)
    Mais vous trouverez bon que je n'en use pas.   MOLIÈRE, Tartuffe, IV, 3.

5   Vous pouvez l'assurer que je n'userai point en lâche ennemi de l'avantage des circonstances pour lui causer un désagrément public (...)
         BEAUMARCHAIS, Mémoires... Goëzman, p. 25.

*User d'un moyen** (2. Moyen, cit. 5). *La méthode dont use le détective* (cit. 2). *User d'un artifice* (→ Gagner, cit. 36), *de longs détours* (cit. 10), *d'un ressort* (→ Agent, cit. 3), *d'un stratagème* (→ Éluder, cit. 2). *User d'adresse, d'industrie* (cit. 2). *User de certaines précautions* (→ Filtrage, cit. 1). — *La discrétion* (cit. 8) *dont les amis usent entre eux. User de clémence, de courage...* ⇒ **Déployer.** *User de beaucoup de soin.* ⇒ **Mettre** (mettre du soin à...).

6   Je déplore que sa longue pièce sur Romain Rolland use d'arguments souvent douteux.   GIDE, Journal, 27 déc. 1915.

User de ses forces (→ Danseur, cit. 3), *de sa force* (cit. 13), *du libre arbitre* (→ Généreux, cit. 5), *de sa puissance* (→ Main-forte, cit. 5).

7   Le sophisme qui me perdit est celui de la plupart des hommes, qui se plaignent de manquer de force quand il est déjà trop tard pour en user.
         ROUSSEAU, les Confessions, II.

(Fin XVᵉ, Commynes). Employer, se servir de (un élément du langage). ⇒ **Usage.** *C'est un mot dont tout le monde use.* ⇒ **Usité.** *User d'un mot* (→ Fixer, cit. 9 ; et aussi mesquinerie, cit. 1 ; mission, cit. 10 ; romancer, cit. 2). *User de termes ambigus* (cit. 2). — *User d'un jargon dévot* (cit. 11) *d'un vocabulaire réduit* (cit. 18)... *User savamment des ressources d'une langue.* ⇒ **Manier.** — Par anal.

User de tel ou tel élément (dans la création littéraire, artistique). → Paysage, cit. 9 ; rencontre, cit. 7.

♦ **3.** (V. 1360). Vx ou littér. (*User de qqn, in* Froissart : «se conduire d'une certaine façon avec lui»). EN USER... (1611) : agir* (cit. 23), se conduire* d'une certaine manière. ⇒ **Comporter** (se). *En user avec qqn* (→ Sueur, cit. 4). *En user bien, mal..., honnêtement* (cit. 3), *librement. Elle en usait très mal avec le cadet* (cit. 2). ⇒ **Traiter.** *C'est fort mal en user* (→ Damner, cit. 1). — *Nous en usons ainsi* (→ Possible, cit. 3). *Il n'en use pas ainsi par modestie* (→ Entresol, cit. 1). — *En user avec désinvolture à l'égard de...* (qqch.). → Limiter, cit. 1.

8   Vous avez vos raisons pour en user ainsi,
   Et pour faire autrement j'ai les miennes aussi.   MOLIÈRE, Tartuffe, III, 4.

9   — Et vous, Madame, reprit Zanubio, en se tournant vers don Garcie, de quelle manière en useriez-vous avec un jeune cavalier en pareil cas?
         A. R. LESAGE, le Diable boiteux, IX.

★ **II.** V. tr. dir. (*User son temps* «l'épuiser», 1080 ; «se servir de», 1131).

♦ **1.** Vx. Faire usage de... (→ ci-dessus, I. ; et aussi utiliser). Spécialt (encore au XVIIIᵉ). *User une coupe de bois,* en avoir l'usage. — Fig. «... j'ai tout vu, tout fait, tout usé» (Beaumarchais, le Mariage de Figaro, V, 3).

Mod. Détruire par la consommation, utiliser (qqch.) jusqu'à l'épuiser. *Ce poêle use beaucoup de charbon ; cette voiture use trop d'essence.* ⇒ **Consommer, dépenser, manger.** *User un paquet de lames de rasoir* (→ Entamer, cit. 3).

♦ **2.** (1530). Modifier (qqch.) progressivement en enlevant certaines de ses parties, en altérant son aspect, par l'usage prolongé qu'on en fait. ⇒ **Abîmer, élimer, entamer, mordre, râper, roder, rogner.** *User une pointe* (⇒ **Émousser, épointer**), *une pièce, une médaille* (⇒ 1. **Frayer,** I., 1. ; **oblitérer**). *User par frottement.* ⇒ **Abraser.** *User ses vêtements, les user jusqu'à la corde* (cit. 13), *les porter jusqu'à ce qu'ils soient inutilisables. User un câble.* ⇒ **Raguer** (mar.). *Une veste d'ordonnance* (cit. 18) *qu'il achevait d'user.*

Passif et p. p. «*Ces habits bleus* (cit. 14) *par la victoire usés*». ⇒ **Usé.** — Loc. *User ses fonds de culottes sur les bancs* (→ Flopée, cit. 1) : aller à l'école. — *User la semelle de ses souliers* (→ Granit, cit. 2). *Les presses* (cit. 4) *en fonte usent les caractères.* — Absolt. *Le frottement du corps, ça use* (→ 2. Neuf, cit. 4). — Loc. métaphorique. *La lame, l'épée use le fourreau** (cit. 4 et 5).

10   (...) si l'éducation d'abord, ensuite le grand usage du monde, ne les usaient comme ces pièces d'argent qui, à force de circuler, perdent leur empreinte.
         DIDEROT, Jacques le fataliste, Pl., p. 663.

11   (...) utiliser, c'est user. En usant de ma bicyclette, je l'*use* c'est-à-dire que la création (...) appropriative se marque par une destruction partielle. Cette usure peut peiner (...) mais, dans la plupart des cas, elle cause une joie secrète (...) c'est qu'elle *vient de nous ; nous consommons.*   SARTRE, l'Être et le Néant, p. 683.

Par anal. (le sujet désigne le temps, un processus naturel ou une action volontaire). Altérer ou entamer (qqch.). «*Les pins que l'âge use et mutile*» (⇒ Reptile, cit. 4). *Les pluies, l'érosion ont usé cette terre.* ⇒ **Effriter.** *Courant rapide qui use la roche.* — *User une pièce métallique par le frottement*.* ⇒ **Limer, polir, roder ; abrasif, 1. meule.**

♦ **3.** Par métaphore. Diminuer, affaiblir* (une sensation, la force de qqn) par une action lente, progressive. *La jouissance* (cit. 6) *use les plaisirs.* ⇒ **Amoindrir.** *User l'énergie* (→ Proscrire, cit. 2), *la patience de quelqu'un* (→ Combattre, cit. 15). *User l'amitié.* ⇒ **Corroder** (fig.). *Le temps use les vieux préjugés* (→ Funeste, cit. 11). — *User ses forces, son énergie, sa santé.* ⇒ **Miner.** «*Les vains efforts usent la vie et nous empêchent d'en user*» (→ Lutter, cit. 5). — *User la vue, les yeux*.* ⇒ **Gâter.** — *S'user les yeux, la vue, la santé à...* (→ Carte, cit. 21).

12   Le bonhomme avait recommencé à faire ce trajet plusieurs fois par semaine ; l'accoutumance n'avait pas encore usé sa joie ; son éloquence se débridait (...)
         J.-R. BLOCH, Sur un cargo, III, «Gand».

♦ **4.** (Fin XVᵉ). Diminuer ou supprimer les forces de (qqn). *Ils usaient leurs ennemis plutôt qu'ils ne les domptaient* (→ Ravage, cit. 3). *Le plaisir nous use.* ⇒ **Consumer** (→ Fortifier, cit. 3). Absolt. *Une volupté qui use et tue* (→ Tendre, adj., cit. 11).

12.1   Le temps épuise, exténue. Il est ce qui fait vieillir, ce qui achemine vers la mort, ce qui use : c'est le sens même de la racine d'où sont tirés en grec et en iranien les mots qui le désignent.   Roger CAILLOIS, l'Homme et le Sacré, p. 128, 1939.

Par anal. (Compl. n. de personne). Rare ou stylistique. Diminuer l'importance, la popularité de (quelqu'un).

13   Il arriva bientôt à Milan, aide du camp du ministre de la Guerre Carnot. Napoléon avait employé ce grand citoyen pour l'*user* (*id est :* rendre impopulaire et ridicule, s'il se pouvait).   STENDHAL, Vie de Henry Brulard, 43.

Par métaphore (du sens 1). Affaiblir tout en utilisant. *User son talent à...* (→ Lubrique, cit. 1). *User tout son crédit*.*

14   Le philosophe consume sa vie à observer les hommes, et il use ses esprits à en démêler les vices et le ridicule (...)   LA BRUYÈRE, les Caractères, I, 34.

♦ **5.** (1080). Passer. *User le temps, les jours* (→ Divaguer, cit. 1). «*Ces réunions où l'on use le temps*» (Alain, *Propos,* 29 janv. 1909).

15   On vit, usant ses jours à se remplir d'orgueil (...)
         HUGO, les Contemplations, VI, XXII.

16 Comme onze heures sonnaient à peine, il usa encore une demi-heure çà et là (...)
COLETTE, *Chéri*, p. 127.

▶ **S'USER** v. pròn. (1530 ; en anc. franç. on employait *user*, intransitivement).

♦ **1.** Se détériorer* à l'usage ; perdre de son effet, de son utilité. *Tissu, instrument, machine qui s'use vite. S'user par frottement.* ⇒ **Attrition.**

(Sans idée de détérioration). Se modifier, devenir lisse par frottement.

17 (...) ces pierres dont la matière s'use et se polit si doucement avec le temps
J. DE LACRETELLE, *in* G. L. L. F.

Disparaître à l'usage ; être consommé. *Le flambeau* (cit. 2) *s'use, il brûle.*

18 Je sais bien que je recherchais l'amitié de machines qui tournent trop vite et s'usent dramatiquement.   COCTEAU, la Difficulté d'être, p. 86.

Être diminué, altéré par une action physique (notamment un frottement). — Devenir stérile, improductif. *Terres qui s'usent.*

♦ **2.** (XVIIᵉ). Abstrait. S'affaiblir, être diminué avec le temps. ⇒ **Aller** (II., 5. : s'en aller). *Ce qui s'use le plus vite, c'est la volonté* (→ Flottant, cit. 5). *Les grâces* (cit. 83) *ne s'usent pas comme la beauté. Dans ce monde où tout s'use, où tout périt* (→ 2. Chagrin, cit. 14). *Les natures les plus fortes s'usent à la longue* (→ 1. Lime, cit. 2). *Son ascendant s'use.* ⇒ **Perdre.**

19 Mais tout s'use, et les beaux sentiments comme autre chose.
MARIVAUX, la Vie de Marianne, I.

20 Les gens qui se disent blasés n'ont jamais rien éprouvé : la sensibilité ne s'use pas.
J. RENARD, Journal, 28 déc. 1896.

♦ **3.** (Fin XVIIᵉ, Fénelon). Sens réfléchi. Perdre sa force, sa santé... *S'user à chercher la meilleure solution* (→ Obstination, cit. 4). ⇒ **Fatiguer** (se) ; **épuiser** (s'). « *Je me suis usé d'amour* » (→ Ferveur, cit. 4).

21 C'était en vain que Léontine s'était usée et dépensée à lui donner, par sa présence, un réconfort qu'il ne soupçonnait pas.   Francis CARCO, l'Homme traqué, p.167.

Perdre son ascendant, sa puissance, son influence. *Dans ce régime, les ministres s'usent vite.*

▶ **USÉ, ÉE** p. p. adj. ⇒ **Usé, ée** adj.

DÉR. Usable, usance, usant, usé, 2. user, useur, 2. usure.
COMP. Mésuser

2. USER [yze] n. m. — 1667, La Fontaine ; de 1. *user.*

♦ Vx ou littér. Usage prolongé.

Ces trois presses te feront un bon user, l'ouvrage sera proprement *tirée* (sic) (...)
BALZAC, Illusions perdues, Pl., t. IV, p. 472.

(1685). **À L'USER** : après usage. — Fig. Par la fréquentation habituelle. *On ne connaît les gens qu'à l'user.* ⇒ **Usage** (à l').

USEUR, EUSE [yzœʀ, øz] n. — V. 1750 ; « celui qui se sert (d'une chose) », XIIIᵉ ; de 1. *user.*
Rare.

♦ **1.** Personne qui use, en frottant, en se servant de quelque chose. Spécialt. Ouvrier qui fait disparaître les défauts (ou « grains » de la porcelaine [cit. 1]) ; qui use le verre à l'émeri.

♦ **2.** (1943). Fig., littér. Personne qui épuise les forces, la santé (de quelqu'un).

Adj. Rare. Qui affaiblit, fatigue. *Un travail useur.* ⇒ **Usant.**

(...) elle était la dévorante, la ravageuse, la tempête, l'useuse d'hommes et la mangeuse de pucelages.   M. AYMÉ, la Vouivre, p. 95, 1943.

USINABILITÉ [yzinabilite] n. f. — Mil. xxᵉ (1973, in *la Clé des mots*) ; de *usinable.*

♦ Techn. Aptitude d'un matériau à être usiné.

USINABLE [yzinabl] adj. — 1919, *in* D.D.L. ; de *usiner.*

♦ Techn. Qui peut être usiné.
DÉR. Usinabilité.

USINAGE [yzinaʒ] n. m. — 1876 ; de *usiner.*

♦ **1.** Action d'usiner. *Usinage des pièces mécaniques, d'un arbre de transmission. Opérations d'usinage. Machines-outils* pour l'usinage.

Par ext. Façonnage par enlèvement de matière. *Usinage chimique,* par faisceau électronique, par jet de plasma.

♦ **2.** Par métaphore ou fig. Travail industrialisé, en série, à la chaîne (P. Hamp, *in* G. L. L. F.).

USINE [yzin] n. f. — 1732 ; « boutique, atelier », 1355 ; du lat. *officina,* par *wisine,* et *uisine* « fabrique, forge », 1274.

♦ **1.** Vx. (*Uisine,* 1274 ; *usine,* au xviiiᵉ). Établissement industriel utilisant des machines hydrauliques. *Grosses forges,* « *c'est ainsi qu'on appelle les usines où l'on travaille la mine du fer* » (*Encyclopédie,* art. *Forge,* 1757).

♦ **2.** (1732). Mod. Établissement de la grande industrie destiné à la fabrication d'objets ou de produits, à la transformation ou conservation de matières premières, ou à la production d'énergie, et employant des machines qui utilisent une source importante d'énergie. ⇒ **Fabrique, industrie, manufacture.** — REM. Le mot élimine ses principaux concurrents (fabrique, manufacture) avec le développement de la grande industrie, au xixᵉ s. — *Le faubourg avec l'usine* (→ Haut, cit. 23). *La suie des usines* (→ Faubourg, cit. 3). *Construire* (→ Équipement, cit. 5), *faire marcher* (→ Fortune, cit. 21), *diriger une usine* (→ Entrepreneur, cit. 10). *Aller à l'usine* (→ Demi-journée, cit.). *Entrée, sortie d'usine* (→ Sari, cit. 2). *Emplacement* (cit. 3) *des usines. Ateliers*, *bâtiments... d'une usine. Cheminées* (cit. 4 et 5) *d'usines. Équipement, matériel, outillage d'une usine.* ⇒ **Machine.** *Usines automatiques, automatisées.* — *Usines et mines, et chantiers.* — *Usines traitant les produits de la mine.* ⇒ **Cockerie, laverie.** *Usines de transformation. Usines de métallurgie.* ⇒ **Aciérie, aluminerie, fonderie, forge, fourneau** (haut fourneau). *Usine d'automobiles* (→ Notable, cit. 3). *Usine de constructions aéronautiques. Usines de fabrication* (→ 1. Rechange, cit. 3). *Usine qui débite le bois, la pierre.* ⇒ **Scierie.** *Usines de produits chimiques. Usines chimiques, de parfums* (⇒ **Dépotoir,** indigoterie, savonnerie, soudière). *Usines de produits textiles* (⇒ **Filature, tissage, lainerie**). *Usines de produits alimentaires* (⇒ **Brasserie, chocolaterie, cidrerie, conserverie, distillerie, féculerie, huilerie, malterie, rizerie, saurisserie**). Par appos. *Navire-usine,* où l'on traite les produits de la mer. *Usines effectuant le raffinage.* ⇒ **Raffinerie.** *Usines d'armements.* — *Usines génératrices d'énergie.* ⇒ **Centrale, station** (d'électricité). *Usine à gaz. Usines hydro-électriques* (→ Houille, cit. 5).

Le triomphe du machinisme a été fatal à cette magnifique floraison des industries rurales. L'usine a tué presque partout le métier rural.
DEMANGEON, la France économique et humaine, *in* Géographie universelle, t. VI, p. 652.

Usine-pilote. ⇒ **Pilote.** *Acheter une usine clés en mains.*

♦ **3.** L'industrie qui travaille, produit, dans les usines ; la grande industrie. *L'ouvrier* (cit. 3) *d'usine* (→ Taximètre, cit. 1). *Le travail d'usine* (→ Minutage, cit.). *Organisation du travail d'usine.* ⇒ **Chaîne** (II., 11. : travail à la chaîne), **travail.** — Loc. *Travailler en usine.* — *L'usine et la ferme, et le bureau.*

♦ **4.** (1896). Fig. **a** Fam. Local qui, par ses dimensions, son nombreux personnel et l'importance de son rendement, évoque une usine. *Ce bureau, ce restaurant est une véritable usine. Quelle usine, cette boîte !*

b Loc. péj. USINE À... : organisme qui exerce des activités ou offre des prestations à une échelle ou suivant une cadence comparable à ceux de l'industrie. *Usine à vendre* (*l'Express,* 24 févr. 1969), *à penser* (*l'Express,* 17 avr. 1967), *à idées* (*le Nouvel Obs.,* 21 juil. 1969).

Changé en usine à penser des choses tristes,
Je produis toutes les nuits à partir d'une heure
Quand me réveille la sirène ultrasonore.
Marcel THIRY, Usine à penser des choses tristes, 1956.

USINER [yzine] v. — 1877 ; « travailler », 1773 ; de *usine.*

★ **I.** V. tr. ♦ **1.** Soumettre (une matière brute ou dégrossie) à l'action d'une machine-outil. *Usiner des métaux.*

(...) ces nouveaux cimetières pour humains ou autos, désertiques étendues parsemées de carcasses rouillées ou de tombes achetées sur catalogues, sans même un cyprès, parce qu'il faut sans doute plus de temps pour faire pousser un arbre que pour usiner, tailler et graver à la machine une tonne de marbre et mettre un mort dessous (...)   Claude SIMON, le Vent, 1957, p. 120.   1

Par ext. Façonner (une pièce) avec une machine-outil.

♦ **2.** (1918). Fabriquer dans une usine. *Usiner des produits finis.*

★ **II.** V. intr. (Mil. xxᵉ, personnes ; 1859, choses). Fam. Travailler dur.

La belle-mère et sa fille, elles, usinaient en silence aux soins de ménage et de la basse-cour.   René FALLET, le Triporteur, p. 114.   2

(Tournure impersonnelle). *Ça usine, ici !*

DÉR. Usinable, usinage, usineur.

USINEUR, EUSE [yzinœʀ, øz] adj. et n. — 1913 ; de *usiner.*

♦ **1.** Techn. Ouvrier spécialisé dans l'usinage sur machine-outil.

Établissant la liaison entre le théorisme des dessinateurs et la main des usineurs, il connaissait le moteur pièce par pièce.
Pierre HAMP, la Peine des hommes (Moteurs), p. 14.

♦ **2.** (V. 1960). Fam. Personne qui travaille dur, qui « usine ».

USINIER, IÈRE [yzinje, jɛʀ] n. m. et adj. — 1845 ; «celui qui exploite un atelier», attestation isolée, 1367 ; de *usine*.

★ **I.** N. m. Vx. Personne qui exploite une usine. ⇒ **Industriel.**

(...) lorsqu'un moulin n'allait pas, et qu'un usinier se présentait pour remplacer le meunier, le marquis se refusait à établir une usine, disant que l'industrie amenait la corruption des mœurs dans les campagnes.
Ed. et J. DE GONCOURT, Journal, 18 sept. 1895, t. IX, p. 273.

★ **II.** Adj. Didact. ou techn. ♦ **1.** Qui a rapport à l'usine. *Industrie usinière.* — Qui concerne l'activité industrielle en usine.

Ils unissaient leurs sentiments qui n'étaient point de protestation contre le comité de grève mais de chagrin de l'arrêt du travail. Enclins à obéir par toute une vie usinière, ils se soumettaient.
Pierre HAMP, la Peine des hommes (Moteurs), p. 74 (1942).

♦ **2.** Où il y a des usines. *Pays usinier.* ⇒ **Industriel.**

(...) ce faubourg usinier de la grand-ville. G. DUHAMEL, la Pesée des âmes, IX.

USITÉ, ÉE [yzite] p. passif et adj. — 1538, aux sens 1 et 2 ; «versé en qqch., habitué à qqch.», v. 1360 ; lat. *usitatus*, de *usitari*, fréquentatif de *uti* «se servir de».

♦ **1.** Vieilli. Qui est en usage*, en parlant d'un objet matériel ou d'une habitude, d'un trait de mœurs. *Fardiers* (cit. 1) *usités dans les pays de forêts. Les pilons naguère usités pour broyer le chanvre* (→ Papier, cit. 4). *Un supplice usité en Chine* (→ Hacher, cit. 6).

♦ **2.** Didact. Qui est employé, en usage, en parlant d'un mot, d'une tournure, d'une langue, etc. *Un mot usité* (→ Berceau, cit. 1 ; gicler, cit. 1). ⇒ **Courant, usuel.** *Le vocabulaire maritime usité à Guernesey vers 1820* (→ Navire, cit. 5). *Les temps usités en français* (→ Parfait, cit. 15). *Le passé* (1. Passé, cit. 20) *composé, temps passé le plus usité. Une orthographe qui n'est pas usitée* (→ Rigodon, cit. 2). *Une formule usitée* (→ Majesté, cit. 10). — *Peu usité :* rare.

♦ **3.** V. passif. (1541). ÊTRE USITÉ, utilisé, employé. «*Cette façon de parler a été fort usitée autrefois par les meilleurs écrivains*» (Vaugelas). *(Le mot)* living-room «*a commencé (...) à être usité chez nous entre les deux guerres*» (Dauzat).

USNÉE [ysne] n. f. — 1530, Le Fournier ; lat. médiéval *usnea ;* arabe ɔŭšnăh «mousse».

♦ Bot. Lichen de couleur grisâtre et à longs cils, qui croît généralement sur les branches d'arbres. *Usnée barbue. Certaines variétés d'usnées sont tinctoriales.*

USTENSILE [ystɑ̃sil] n. m. et adj. — 1639 (*ustensil*, 1534) ; *ustencile*, 1439 ; *utensile*, 1351 ; lat. *utensilia* «tout ce qui est nécessaire aux besoins», de *uti* «se servir de» ; *s* d'après *user.*

A. N. m. ♦ **1.** Objet ou accessoire d'usage domestique composé généralement d'une seule pièce et dont l'utilisation n'exige pas la mise en mouvement d'un mécanisme.

REM. 1. Se dit parfois pour des *appareils* ou *instruments** d'usage très courant et de mécanisme simple.
2. À la différence de l'*outil**, l'*ustensile* n'implique pas généralement une action physique sur la matière.
Un bahut, un meuble garni d'ustensiles (→ Mobilier, cit. 2). *Ustensiles de cuivre pendus aux murailles* (→ Ébranler, cit. 22). *Ustensiles de ménage** (→ Incompétence, cit. 2 ; insurrection, cit. 4). — *Ustensiles de cuisine.* ⇒ **Cuisine ; récipient.** *Ustensiles d'argent* (⇒ **Argenterie**) ; *de cuivre jaune* (⇒ **Dinanderie**), *d'étain. Ustensile de petite chaudronnerie.* — *Ustensiles de jardinage* (⇒ **Jardinier**). *Ustensiles de toilette* (→ Habitude, cit. 14). *Ustensiles de campement* (→ 1. Sac, cit. 10). — *Matériel. Magasin où l'on vend des ustensiles.* ⇒ **Bazar, droguerie, quincaillerie.**

Ils sont occupés pendant la nuit d'une charrue, d'un sac, d'une faux, d'une corbeille, et ils rêvent à qui ils ont prêté ces ustensiles (...)
LA BRUYÈRE, les Caractères de Théophraste, «De la rusticité».

Tous les ustensiles qui servent au ménage sont faits de la main des hommes ; les cuillers, d'os de renne, qu'ils ornent de figures (...)
J.-F. REGNARD, Voyage en Laponie, p. 149.

(...) un vieux lit de sangles, la braise, le charbon, les fers à repasser, la fontaine filtrante, la vaisselle et tous les ustensiles particuliers aux petits ménages.
BALZAC, la Bourse, Pl., t. I, p. 335.

♦ **2.** (1439). Vx. ⓐ Tout ce qui est nécessaire dans une maison. ⇒ **Meuble** (II., 1.), **objet, outil.** «*(...) il vous faut être habile* (cit. 1) *à vider de céans jusqu'au moindre ustensile*» (Molière).

ⓑ (Langue class. ; souvent au fém. : *une ustensile*). Objet d'usage. «*Les ustensiles sacrées*» (Fontenelle).

♦ **3.** (1636). Milit. Vx. Ce dont avaient besoin les troupes de passage et qu'elles prenaient, de droit, chez l'habitant (→ État-major, cit. 1).

♦ **4.** (XXᵉ). Fam. (iron.). Objet. *Qu'est-ce que c'est que cet ustensile?* ⇒ **Engin, machin, truc.**

B. Adj. Didact. Qui a valeur d'ustensile, concerne l'ustensile.

(...) questionnaires «psychologiques», trucs, bricolages, appareils ménagers, emplois du temps, tout ce paradis ustensile d'Elle ou de l'Express *(publications)* glorifie la clôture du foyer, son introversion pantouflarde, tout ce qui l'occupe, l'infantilise, l'innocente et le coupe d'une responsabilité sociale élargie.
R. BARTHES, Mythologies, p. 48, 1957.

USTENSILITÉ [ystɑ̃silite] n. f. — Mil. XXᵉ ; de *ustensile.*

♦ Didact. Caractère d'ustensile ; capacité à servir comme ustensile.

(...) une substance plane qui ne va nulle part, et qui suspend ainsi le devenir de l'homme, le détache d'une raison, d'une ustensilité des lieux.
R. BARTHES, Mythologies, p. 61, 1957.

USTILAGINALES [ystilaʒinal] n. f. pl. — XXᵉ ; a remplacé *ustilaginées*, 1876 ; dér. du lat. tardif *ustilago* «charbon sauvage».

♦ Bot. Groupe des champignons basidiomycètes à thalle pluricellulaire, qui provoquent le charbon et la carie, maladies de végétaux dont ils sont les parasites. — Au sing. *Une ustilaginale.*

USTILAGINISME [ystilaʒinism] n. m. — Mil. XXᵉ ; de *Ustilago*, nom scientifique du charbon (champignon parasite).

♦ Méd. Intoxication provoquée par la consommation de maïs infesté de charbon.

USTION [ystjɔ̃] n. f. — 1314 ; lat. *ustio, -onis* «brûlure, cautérisation».

♦ **1.** Vx. Combustion (d'une substance). *L'ustion des corps.*

♦ **2.** (1839). Chir. Application d'un cautère* ; brûlure qui en résulte.

USTRINUM [ystʀinɔm] n. m. — 1752, *ustrine*, Trévoux (*in* D.D.L.), forme reprise chez Littré ; bas lat. *ustrinum*, du lat. class. *ustum*, supin de *urere* «brûler».

♦ Didact. Lieu où l'on brûlait les morts, chez les Romains de l'Antiquité.

USUCAPION [yzykapjɔ̃] n. f. — XIIIᵉ ; lat. *usucapio*, de *usus* «usage», et *capere* «prendre».
Droit.

♦ **1.** Dr. rom. Mode d'acquisition de la propriété par possession prolongée et ininterrompue.

♦ **2.** (1690). Dr. mod. Prescription* acquisitive, et, en particulier, prescription abrégée des immeubles par dix à vingt ans de possession.

Les États, non plus que le droit international, ne connaissent la prescription, l'usucapion et la chose jugée, garanties principales de la protection juridique des individus. Gaston BOUTHOUL, Sociologie de la politique, p. 122.

USUEL, ELLE [yzɥɛl] adj. et n. m. — 1606 ; attestation isolée, XVᵉ, *monnaie usuale* «qui a cours» ; *usuau*, 1298 ; bas lat. *usualis*, de *usus* «usage».

♦ **1.** Adj. Qui est utilisé habituellement, qui est dans l'usage courant. *Un objet usuel* (→ Esquisser, cit. 6 ; lunette, cit. 3). ⇒ **Commun, familier** (3.), **ordinaire.** — (Du langage). *Les mots les plus usuels* (→ Aphasique, cit. 2 ; et aussi locution, cit. 1). ⇒ **Courant, fréquent.** *La langue usuelle* (→ Archaïque, cit. 1). *Expressions* (→ Après, cit. 89), *locutions* (→ Logistique, cit. 1), *formes* (→ 1. Passé, cit. 20) *usuelles.* ⇒ **Usité.** *Procédés usuels* (→ Marotique, cit. 2).

(...) j'honore les remèdes qu'on appelle usuels.
Mᵐᵉ DE SÉVIGNÉ, 801, 19 avr. 1680.

(...) il avait façonné des objets usuels, tout à fait réels, entre autres un échiquier (...) S. DE BEAUVOIR, la Force de l'âge, p. 502.

Impersonnel. *Il est usuel de...* (→ État, cit. 1 ; ministre, cit. 9) : il est d'usage, il est habituel de... — *Quelque chose d'usuel. Tout ce que le mot contenait d'usuel* (→ Biscornu, cit. 3).

♦ **2.** N. m. (Mil. XXᵉ). Ouvrage de référence laissé à la libre disposition du public dans une bibliothèque. *Le catalogue des usuels. Bibliothèque, collection d'usuels.*

CONTR. Archaïque, désuet.
DÉR. Usuellement.

USUELLEMENT [yzɥɛlmɑ̃] adv. — 1507 ; de *usuel.*

♦ De façon usuelle, ordinaire. ⇒ **Communément, couramment, habituellement.** → Grandeur, cit. 36 ; ressemblance, cit. 1.

USUFRUCTUAIRE [yzyfʀyktɥɛʀ] adj. — 1580; «usufruitier», n. m.; lat. *usufructuarius*, de *usufructus*. → Usufruit.

♦ Dr. Qui a rapport à l'usufruit. *Droit usufructuaire.*

USUFRUIT [yzyfʀɥi] n. m. — 1276; *usufruis* et *usefruis*, xiiie; lat. jurid. *usufructus* «droit d'usage et jouissance d'un bien dont on n'est pas propriétaire».

♦ Dr. (relativement cour.). «Droit réel de jouissance sur une chose appartenant à autrui (...) qui s'éteint nécessairement à la mort de l'usufruitier» (Planiol). ⇒ **Jouissance** (2.), **possession.** *Donner sa fortune en toute propriété en ne s'en réservant que l'usufruit* (→ Enter, cit. 2). *Biens susceptibles d'usufruit* (→ Immeuble, cit. 2). *Usufruit légal, au profit des père et mère sur les biens de leurs enfants mineurs. Usufruit conventionnel. Laisser l'usufruit de tous ses biens* (→ Indivis, cit. 1), *à titre gratuit ou à titre onéreux.* ⇒ **Fruit** (II., 2.), **produit, revenu.** *Avoir l'usufruit ou la nue** (1. Nu, cit. 15) *propriété de qqch. Quasi-usufruit :* restitution, quand on ne peut se servir d'une chose sans la consommer, de sa valeur en bien ou en argent. — *L'expropriation* (cit. 1) *de l'usufruit. Extinction de l'usufruit* (→ Caution, cit. 10) *par sa consolidation*, la mort de l'usufruitier, le non-usage pendant trente ans ou l'abus de jouissance.*

Par ext. Jouissance d'un bien par usufruit ; ce bien.

DÉR. Usufruitier.

USUFRUITIER, IÈRE [yzyfʀɥitje, jɛʀ] n. et adj. — 1411; de *usufruit.*

Droit.

♦ **1.** Personne qui détient un usufruit. *L'usufruitier prend les choses dans l'état* (cit. 65) *où elles sont.* — Fig. *Usufruitier d'un patrimoine glorieux* (→ Fondation, cit. 6).

Un ministre de Thiers qualifie ainsi la politique de son chef : C'est un usufruitier qui ne fait pas les grosses réparations.
     Ed. et J. DE GONCOURT, Journal, 23 juil. 1872, t. V, p. 49.

♦ **2.** Adj. (1765). *Jouissance usufruitière.* ⇒ **Usufructuaire.** *Réparations usufruitières,* qui sont à la charge du bénéficiaire de l'usufruit.

USURAIRE [yzyʀɛʀ] adj. — 1521; «à intérêt» (→ Usure), 1320; lat. *usurarius* «relatif aux intérêts».

♦ **1.** Qui a le caractère de l'usure, est propre à l'usure.

♦ **2.** Qui est relatif à l'usure. *Dette usuraire.*

(xixe). Qui s'accompagne d'usure. *Prêt usuraire. Marché usuraire.* ⇒ (vx) **Mohatra** (contrat).

(...) Brigitte amassait le surplus de ses propres rentes ; elle faisait, disait-on dans les bureaux, des prêts usuraires par l'entremise de son frère, qui passait pour un escompteur.   BALZAC, les Petits Bourgeois, Pl., t. VII, p. 83.

DÉR. Usurairement.

USURAIREMENT [yzyʀɛʀmɑ̃] adv. — 1584; «en stipulant des intérêts», 1448; de *usuraire.*

♦ Rare. D'une manière usuraire. *Prêter usurairement.*

Elles avaient compté qu'en me plaçant chez de vieilles bigotes, elles pourraient se rembourser, usurairement, sur mes gages, des frais de la pension (...)
     O. MIRBEAU, le Journal d'une femme de chambre, p. 282.

1. USURE [yzyʀ] n. f. — 1138; lat. *usura* «intérêt de l'argent».

♦ **1.** Vx. Intérêt pris sur une somme d'argent.

♦ **2.** (Mil. xviie). Mod. Intérêt de taux excessif ; le fait de prendre un tel intérêt (⇒ **Usurier**). *L'usure a été condamnée par l'Église et traditionnellement regardée comme immorale. La tradition juive interdisait aux juifs de pratiquer l'usure entre eux mais non avec les étrangers. Prêter à usure* (→ Débiteur, cit. 1 ; grippe-sou, cit. 1 ; retirer, cit. 10). ⇒ 2. **Prêt.** *Les bénéfices de l'usure* (→ Placement, cit. 1). *Délit d'usure habituelle, d'usure simple. Forme de prêt qui servait à pallier l'interdiction de l'usure* ⇒ **Pignoratif** (contrat pignoratif). *La concussion* (cit. 2) *pour solder l'usure.*

1   (...) vous enrichir par des usures si criminelles ?   MOLIÈRE, l'Avare, II, 2.
2   Là, dans l'arrière-boutique, où se faisait en secret la grande et la petite usure, venait tous les jours l'étudiant pauvre et sans souci, amoureux peut-être, emprunter à énorme intérêt quelques pièces dépensées gaîment le soir, et chèrement payées le lendemain.   A. DE MUSSET, Contes, « Mimi Pinson », VI.

Rare. Le fait d'emprunter à un usurier. « *L'usure et le trompeur secours des renouvellements lui firent mener une vie heureuse... »* (Balzac, *Ursule Mirouët,* Pl., t. III, p. 358).

AVEC USURE (fig., 1608) : au delà de ce qu'on a reçu (comme dans le prêt à usure). *Payer avec usure* (→ Magistralement, cit. 1). *Rendre qqch. avec usure.*

3   Babylone paya nos pleurs avec usure.   RACINE, Esther, III, 4.

Ce fut ainsi que Pippo trouva moyen de se débarrasser de la Bianchina, et de lui rendre avec usure le mauvais tour qu'elle lui avait joué.
     A. DE MUSSET, Nouvelles, « Fils du Titien », III.   4

J'estime les Allemands, tout en souhaitant de leur rendre un jour, avec usure, la raclée que nous en avons reçue.
     R. ROLLAND, Jean-Christophe, Dans la maison, II, p. 1052.   5

DÉR. Usurier.

2. USURE [yzyʀ] n. f. — 1530; rare av. xixe; de *user,* et suff. *-ure.*

♦ **1.** Détérioration par un usage prolongé, par effet mécanique (frottement, etc.), chimique. ⇒ **User ; abrasion, amoindrissement, corrosion, dégradation, éraillement.** *L'usure de deux métaux par cisaillement*. Résister à l'usure. Planche* (cit. 5), *mangée et blanchie par l'usure de l'eau.* — Par anal. ⇒ **Érosion.** *L'usure des roches par un courant d'eau rapide.*

Des escamoteurs, des hercules arrivaient, qui étalaient sur la terre de l'avenue un tapis mangé d'usure.   ZOLA, l'Assommoir, XI, t. II, p. 160.   1

Techn. (Sans idée de détérioration). *Usure légère du métal.*

(Rare en emploi concret). *L'usure de..., par...* Fig. Action de ce qui use, dégrade, affaiblit progressivement. *L'usure des siècles* (→ Dieu, cit. 15), *du temps* (→ 1. Marbre, cit. 3).

Et sans cesse, malgré l'assaut des jours,
Et les peuples minant son orgueil lourd,
Elle *(la ville)* résiste à l'usure du monde.   2
     VERHAEREN, les Villes tentaculaires, « L'âme de la ville ».

♦ **2.** (Déb. xxe). Diminution ou altération (d'une qualité, de la santé). « *Mais qu'est-ce que cette sagesse, sinon l'usure de nos sentiments, et le refroidissement de notre ferveur? »* (Larbaud). *L'usure des forces, de l'énergie.*

En 1871, il *(Flaubert)* atteint ses cinquante ans, il est vieilli avant l'âge par l'usure nerveuse, la claustration, la mauvaise hygiène, le calvados.   3
     A. THIBAUDET, Gustave Flaubert, p. 164.

Loc. Le fait d'user qqn. *L'usure de l'ennemi* (→ Maquis, cit. 3). — *Guerre* (cit. 38) *d'usure.* À L'USURE. Fam. *Avoir qqn à l'usure,* prendre l'avantage sur lui en l'usant peu à peu (→ Au finish*). *En principe, il a moins d'atouts, mais il compte l'avoir à l'usure.*

♦ **3.** État de ce qui est altéré, détérioré par l'usage (⇒ **Usagé**). *L'usure des marches d'un escalier* (→ Abord, cit. 9). *Usure d'une étoffe par endroits.* ⇒ **Clair.** *Usure d'une monnaie* (⇒ **Frai**), *d'une inscription à demi effacée*.*

Vimeux (...) toujours vêtu en monsieur, un chapeau, une redingote, un pantalon noirs, abominables d'usure et de taches (...)   ZOLA, la Terre, IV, III.   4

Par anal. *L'usure de cette vieille contrée* (→ Aplanir, cit. 2). — Par métaphore, fig. « *Un vieux débauché qui s'en va de fatigue et d'usure »* (Loti, *Aziyadé,* III, v).

♦ **4.** Par métonymie. Rare. *(Une, des usures).* Partie usée. *Les usures d'un tapis, d'une plaque de cheminée ancienne.*

USURIER, IÈRE [yzyʀje, jɛʀ] n. — 1170, *usurer* ; de 1. *usure.*

♦ **1.** Vx. Personne qui prête à intérêt.

♦ **2.** Mod. Personne qui prête à usure. ⇒ **Prêteur.** *Les usuriers qui gagnent gros* (→ Agioteur, cit. 1). *Les usuriers ne se fient à personne, ils veulent des garanties* (→ Patelin, cit. 3). *Les serres d'un usurier rapace, sordide.* ⇒ **Fesse-mathieu** (vx). — Littér. *Gobseck,* type balzacien de l'usurier.

Cette véreuse affaire se fit par l'entremise d'un petit usurier nommé Vauvinet, un de ces *faiseurs* qui se tiennent en avant des grosses maisons de banque (...)   1
     BALZAC, la Cousine Bette, Pl., t. VI, p. 256.

Le seul de mes créanciers qui se soit conduit avec moi (...) comme un usurier de Balzac, tous les créanciers qui m'ait traité avec une dureté balzacienne, avec la dureté, la cruauté d'un usurier de Balzac n'était point un Juif (...) c'était hélas un «chrétien», trente fois millionnaire. *Que n'aurait-on pas dit s'il avait été juif.*   Ch. PÉGUY, Notre jeunesse, p. 185.   2

♦ **3.** Fig. Personne avide. ⇒ **Rapace.**

USURPATEUR, TRICE [yzyʀpatœʀ, tʀis] n. — V. 1430; bas lat. *usurpator,* même sens; de *usurpare.* → Usurper.

♦ Littér. ou style soutenu. Personne qui usurpe (un pouvoir, un droit; spécialt, la souveraineté). ⇒ **Imposteur.** *Usurpateur du pouvoir souverain* (→ Despote, cit. 3). Spécialt. Personne qui usurpe la souveraineté, le trône. ⇒ **Tyran** (→ Gauchir, cit. 2; spolier, cit.). — Allus. hist. *L'usurpateur,* nom donné par les royalistes à Napoléon Ier (→ Rêver, cit. 36).

Il était tout naturel que les royalistes fussent heureux de retrouver leurs princes et de voir finir le règne de celui qu'ils regardaient comme un usurpateur : mais vous, créatures de cet usurpateur, vous dépassiez en exagération les sentiments des royalistes.   CHATEAUBRIAND, Mémoires d'outre-tombe, t. III, p. 322.

USURPATION [yzyʀpasjɔ̃] n. f. — 1374; lat. *usurpatio,* même sens (à basse époque), du supin de *usurpare.* → Usurper.

♦ **1.** Action d'usurper; son résultat. ⇒ **Appropriation.** *L'usurpation de qqch. par qqn. Usurpation du pouvoir souverain.* ⇒ **Tyrannie.**

« *Voilà le commencement et l'image* (cit. 38) *de l'usurpation de toute la terre* ».

(1936). Dr. *Usurpation de pouvoir. Usurpation d'état civil commise par un agent administratif qui empiète sur le domaine réservé aux autorités judiciaires* (→ Immiscer, cit. 1). *Usurpation de fonctions :* délit commis par une personne qui s'immisce dans des fonctions publiques, civiles ou militaires, ou qui fait sans titre les actes de ces fonctions. *Usurpation de nom* (⇒ **Supposition**), *de titre, d'uniforme, de décoration... Usurpation de titre professionnel.*

Archéol. *Usurpation de statues :* appropriation par un souverain des œuvres de ses prédécesseurs, par le maquillage des inscriptions (notamment dans l'ancienne Égypte).

(Sur le plan psychologique, moral). *L'usurpation d'une influence morale par un démagogue.*

♦ **2.** **USURPATION SUR...** : empiètement sur... — Fig. « *Le mal est le plus souvent un effet de la faiblesse, une usurpation de la partie mauvaise sur la bonne* » (Suarès).

(...) et ce qu'ils voulaient renverser en renversant la royauté en France, nous l'avons expliqué, c'était l'usurpation de l'homme sur l'homme et du privilège sur le droit dans l'univers entier.   HUGO, les Misérables, V, I, XX.

♦ **3.** (1690). Par métonymie. Ce qui est usurpé. « *Toute monarchie est une usurpation...* » (Hugo).

USURPATOIRE [yzyRpatwaR] adj. — 1762 ; lat. jurid. *usurpatorius*, même sens, du supin de *usurpare*. → Usurper.

♦ Dr. Qui a un caractère d'usurpation. ⇒ **Abusif, illégal, inique.**

USURPER [yzyRpe] v. — 1340 ; lat. *usurpare*, de *usu*, ablatif de *usus* «usage», et *rapere* «entraîner, emporter, ravir».

♦ **1.** V. tr. **ⓐ** S'approprier sans droit, par la violence ou la fraude (un pouvoir, une dignité, un bien...). ⇒ **Arroger** (s'), **attribuer** (s'), **emparer** (s'), **ravir, saisir.** *Usurper un pouvoir, un titre, un nom* (cit. 19), *une particule, des honneurs...* (→ Critique, cit. 34 ; faraud, cit. 2 ; impatienter, cit. 8 ; maréchal, cit. 2 ; noblesse, cit. 14 ; prépotence, cit.).

ⓑ Obtenir de façon illégitime. *Usurper sa réputation, l'estime de qqn.*

♦ **2.** V. intr. Littér. **USURPER SUR...** : commettre une usurpation au détriment de... ⇒ **Empiéter, envahir.** *Usurper sur les droits, sur les possessions de qqn, sur qqn.* — Fig. (Sujet n. de chose). Étendre son pouvoir sur (qqch). *La paresse* « *usurpe sur tous les desseins et sur toutes les actions de la vie* » (La Rochefoucauld, *Maximes*, 266).

▶ **USURPÉ, ÉE** p. p. adj. (1690).
Qui n'est pas légitime. *Un pouvoir usurpé.*

(Sur le plan psychologique, moral). *Une réputation usurpée,* excessive, imméritée.

(...) c'est qu'il a une réputation usurpée ; que quantité de gens le croient digne du ministère : il faut les détromper (...)   CHAMFORT, Caractères et anecdotes, « M. de Vergennes... ».

UT [yt] n. m. — XIIIᵉ, Gautier de Coincy ; subst., XVIIᵉ ; tiré au Xᵉ par Guy d'Arezzo du premier mot de la première strophe de l'hymne lat. à saint Jean-Baptiste, dont il retint six syllabes pour désigner les notes : « **Ut** queant laxis — **Re**sonare fibris — **Mi**ra gestorum — **Fa**muli tuorum — **Sol**ve polluti — **La**bii reatum — **Sancte Joannes**» (⇒ Si).

♦ **1.** Ancienn ou techn. (mus.). Première note de la gamme* majeure sans accidents (dite *gamme d'ut* ou *de do*). ⇒ **Do.** — (1841). Mod. *Ut de poitrine :* le do le plus élevé que puisse atteindre un ténor en voix de poitrine (⇒ **Contre-ut**).

L'amer, que Vallès a en lui, il le soigne, il le caresse, il le dorlote (...) comprenant fort bien, que s'il venait à le perdre, il serait un ténor dépossédé de son ut.   Ed. et J. DE GONCOURT, Journal, 1ᵉʳ mars 1881, t. VI, p. 100.

♦ **2.** Mod. Ton de do. *La Cinquième symphonie de Beethoven, en ut mineur. Clef* d'ut.* — Fig. *Donner l'ut :* donner le ton. Syn. : *donner le la** (→ Gai, cit. 5).

HOM. Eûtes (forme du v. *avoir*), **hutte.**

UTÉRIN, INE [yteRἕ, in] adj. — 1455 ; lat. jurid. *uterinus* «de la même mère ».

♦ **1.** Dr. Se dit des frères (cit. 1) et sœurs qui ont la même mère, mais un père différent (par oppos. aux *frères germains*). ⇒ **Demi-frère, demi-sœur.** *Sœur utérine. Parents utérins ou consanguins* (cit. 2, Code civil). ⇒ **Parenté.** — *Neveu utérin,* de l'oncle maternel, dans un système matrilinéaire.
Noblesse utérine, qui passe de la mère aux enfants (cf. Par le ventre).

♦ **2.** (1560). Anat. De l'utérus, relatif à l'utérus. *Trompe* utérine,*

artère utérine. Cavité utérine. Veines utérines. — *Grossesse utérine, extra-utérine. Coliques, tranchées utérines. Hémorragie utérine.*

♦ **3.** Vx. *Fureur utérine.* ⇒ **Nymphomanie.**

DÉR. Utérinité.

UTÉRINITÉ [yteRinite] n. f. — 1829 ; de *utérin*, 1.

♦ Dr. Qualité de frère utérin, de sœur utérine.

UTÉRO- Premier élément de mots d'anatomie et de physiologie, tiré de *utérus*. Ex. : *utéro-ovarien, ienne,* adj. (1876) : de l'utérus et de l'ovaire. — *Utéro-placentaire,* adj. (1872) : de l'utérus et du placenta. — *Utéro-sacré, ée,* adj. (1872) : de l'utérus et du sacrum. — *Utéro-vaginal, ale, aux,* adj. (1872) : de l'utérus et du vagin.

UTÉRUS [yteRys] n. m. — XVIᵉ (v. 1560, Paré) ; lat. *uterus* «matrice».

♦ **1.** (Chez la femme). Organe situé dans la cavité pelvienne, entre la vessie et le rectum et au-dessus du vagin, destiné à contenir l'œuf fécondé jusqu'à son complet développement. ⇒ **Matrice, sein** (vx) ; et aussi **génital** (appareil), **gestation.** *Corps, isthme et col de l'utérus. Cavité de l'utérus* (cavité utérine), *tapissée par l'endomètre** (cit.). *Orifice vaginal de l'utérus.* ⇒ **Museau** (de tanche). *Antéversion, latéroversion, rétroversion de l'utérus. Annexes de l'utérus :* les trompes utérines, les ovaires et les ligaments. *Affections de l'utérus :* endométrite, fibrome, métrite, prolapsus. *Hémorragie de l'utérus.* ⇒ **Métrorragie.** *Chute de la muqueuse du corps de l'utérus, lors de la menstruation*. Tumeurs, kystes, polypes de l'utérus. Malformations de l'utérus : utérus bicorne*, utérus didelphe. Opérations pratiquées sur l'utérus.* ⇒ **Césarienne, curetage, éradication ;** et préf. **hyster-.**

♦ **2.** (Chez les animaux supérieurs vivipares). Organe de la gestation chez la femelle. *Utérus double, ou bicorne, ou biparti de certains mammifères primitifs. Renversement de l'utérus,* fréquent chez les animaux domestiques après une parturition difficile.

♦ **3.** Chez la femelle des invertébrés, Partie de l'appareil reproducteur où séjournent les œufs ou les embryons.

COMP. V. Utéro-.

UTILE [ytil] adj. et n. m. — 1260 ; *utle, utele,* déb. XIIᵉ ; du lat. *utilis* «qui sert, avantageux».

♦ **1.** Dont l'usage* (l'emploi, la pratique...) est ou peut être avantageux (à qqn, à la société), qui satisfait un besoin. ⇒ **Bon, expédient, important, fructueux, profitable, salutaire ;** et aussi **indispensable, nécessaire.** *Objets* (cit. 9) *utiles* (→ Art, cit. 64 ; produire, cit. 6). *Quand les vents sont tombés, la rame* (1. Rame, cit. 3) *devient utile.* — **UTILE À...** *Un livre vraiment utile aux hommes* (→ Exécution, cit. 10). *Un ouvrage qui pouvait être utile à ses travaux* (→ Indication, cit. 6). « *Mais on dit qu'aux auteurs* (cit. 38) *la critique est utile* » (→ aussi Blâme, cit. 3). *D'utiles conseils* (→ Renseignement, cit. 3). *Précautions* (cit. 1) *utiles. Utile et louable pratique* (→ 2. Frais, cit. 1). *Métier* (cit. 4) *utile. Dépenses* (cit. 6), *impenses* (cit.) *utiles. Les lois* (cit. 16) *sont utiles à ceux qui possèdent. Des relations* (cit. 8) *qui se seront agréables et utiles* (→ aussi Farouche, cit. 16). *Vérités, inventions* (cit. 3) *utiles.* ⇒ **Pratique** (→ Instituer, cit. 4 ; nécessité, cit. 17 ; occasion, cit. 6). *Faire œuvre utile.*

Dès lors que cet ensemble plus ou moins composé, mais pourtant un et complet, a des analogies sensibles avec la nature de l'homme, il lui est utile directement ou indirectement. Il peut servir à ses besoins, ou du moins étendre ses connaissances ; il peut être pour lui un moyen nouveau, ou l'occasion d'une industrie nouvelle ; il peut ajouter à son être, et plaire à son espoir inquiet, à son avidité.   É. DE SENANCOUR, Oberman, XXI.   1

« *Apprendre* (cit. 7) *ce qui nous peut être utile* ». ⇒ **Servir.** « *Si je savais quelque chose qui me fût utile...* » (→ Crime, cit. 6, Montesquieu). *Faire ce que j'ai cru bon* (cit. 114) *et utile* (→ aussi Espoir, cit. 3). « *Ce qui n'est point utile à l'essaim* (cit. 1) *n'est point utile à l'abeille* ». « *Rien n'est utile que ce qui est juste* » (cit. 13). « *Tout ce qui est utile est laid* » (→ Ignoble, cit. 7, Gautier). — (1679). *Il est utile de...,* suivi de l'inf. (→ Anachronisme, cit. 4 ; 1. balance, cit. 8 ; douceur, cit. 31 ; prévention, cit. 5). *Il n'est rien de plus utile à leur instruction que de...* (→ Expérience, cit. 14). *Il est utile que...,* suivi du subj. (→ Crédit, cit. 10). — *Utile à...,* suivi de l'inf. : *qu'il est utile de... Ouvrages utiles à consulter.*

(...) il n'y a rien pour nous d'utile à savoir que ce qui nous apprend à bien faire.   ROUSSEAU, Émile, V.   2

Y a-t-il quelque chose d'absolument utile sur cette terre et dans cette vie où nous sommes ? D'abord, il est très utile que nous soyons sur terre et que nous vivions.   Th. GAUTIER, Mˡˡᵉ de Maupin, Préface.   3

Techn. *Poids* ou charge utile d'un véhicule. Travail utile d'un moteur,* travail utilisable (compte tenu des résistances). ⇒ **Efficacité.**

N. m. (1617). **L'UTILE.** ⇒ **Bien** (n. m.), **utilité.** *Le beau* (cit. 102) *et l'utile* (→ Art, cit. 82). « *(...) un sujet Où je puisse mêler le plaisant* (cit. 8) *à l'utile* ». « *Je voudrais qu'à l'utile on joignît l'agréable* » (→ Égayer, cit. 7).

4   L'utile est ce qui répond à la satisfaction des besoins physiologiques des hommes, ce dont la possession affranchit l'homme de quelque sensation de peine, de déficience, de diminution physiquement définie.

VALÉRY, Regards sur le monde actuel, p. 212.

Adverbial. (Mil. xxe). Fam. *Voter utile,* pour l'efficacité du vote, indépendamment de ses convictions profondes. — **Familier :**

4.1   Je vivais toujours avec ma mère et ma grand-mère ; toujours, nous avons mangé mal parce que nous mangions utile (« tout fait ventre » disait ma mère).

Jacques LAURENT, les Bêtises, p. 65.

◆ **2.** (1637). **En parlant des personnes.** Dont l'activité est ou peut être avantageusement mise au service d'autrui. ⇒ **Précieux** (→ Atelier, cit. 9 ; honorable, cit. 8). *Tâcher d'être* (1. Être, cit. 64) *utile, chercher à se rendre utile* (→ Aspirer, cit. 9 ; 2. falot, cit. 5 ; nécessaire, cit. 11). *L'homme le plus utile...* (→ Fonder, cit. 6 ; négociant, cit. 1). *Est-il utile ou néfaste ?* (cit. 2). *Vous m'avez été utile* (→ Office, cit. 14).

5   (...) bien qu'il soit vrai que chaque homme est obligé de procurer, autant qu'il est en lui, le bien des autres, et que c'est proprement ne valoir rien que de n'être utile à personne, toutefois il est vrai aussi que nos soins se doivent étendre plus loin que le temps présent (...)   DESCARTES, Discours de la méthode, VI.

6   Il n'est médecin ou savant ingénieur qui ne se croie bien plus utile qu'un saint ou qu'un grand poète, — et, après tout, qui le soit.

André SUARÈS, Trois hommes, « Ibsen », IX.

(En parlant des animaux). *Animaux utiles* (opposé à *animaux nuisibles*). *Cette meute féroce* (cit. 2) *m'est utile* (→ aussi Promener, cit. 1).

Écon. Qui a de l'utilité*.

◆ **3.** (1718). **Dr.** *Jours utiles,* pendant lesquels un acte peut encore être accompli. — **Loc. EN TEMPS UTILE :** dans le temps prescrit. *Faire sa réclamation en temps utile.* — Au moment opportun (→ Loyalisme, cit. 2).
Domaine utile (vx) : les fruits*.

CONTR. **Inefficace, infructueux, inutile, stérile, superflu ; dommageable, importun, nuisible.**
DÉR. **Utilement, utiliser.**

UTILEMENT [ytilmɑ̃] adv. — 1538 ; *utielement,* xive ; *utlement,* fin xiie ; de *utile.*

◆ D'une manière utile. ⇒ **Fruit** (avec). *Employer utilement des instruments* (cit. 1), utiliser, mettre à profit*. *Renseigner, guider utilement.* ⇒ **1. Bien** (→ Directeur, cit. 4 ; informer, cit. 17). *Corriger, reprendre utilement* (→ Retremper, cit. 2 ; succès, cit. 5). *Méditer utilement.* → Raisonnement, cit. 9.

CONTR. **Inutilement.**

UTILISABLE [ytilizabl] adj. — 1842 ; de *utiliser.*

◆ Qui peut être utilisé. *Matière, puissance utilisable.* ⇒ **Employable** (→ Anémie, cit. ; pédagogique, cit. 2 ; progrès, cit. 12). — (xxe). **Fam.** *Hommes utilisables* (→ Remarquer, cit. 6). — *Moyen utilisable.* ⇒ **Bon, praticable** (→ Parthénogénèse, cit. 2).

CONTR. **Inutilisable.**

UTILISATEUR, TRICE [ytilizatœʀ, tʀis] n. et adj. — xxe (*in* Larousse, 1948) ; de *utiliser.*

◆ **1. N.** Personne qui utilise (une machine, un appareil). → Information, cit. 5 ; 1. rechange, cit. 3. ⇒ **Usager.** *Les utilisateurs d'un mode de transport.*

◆ **2. Adj.** Qui utilise. *Les industries utilisatrices d'énergie.*

UTILISATION [ytilizasjɔ̃] n. f. — 1796 ; de *utiliser.*

◆ Action, manière d'utiliser. ⇒ **Application, destination, emploi, maniement.** *Utilisation de choses* (→ Aubier, cit. 1 ; 2. envers, cit. 7 ; liaison, cit. 16 ; 2. punch, cit. ; radar, cit. 1 ; 1. rayon, cit. 12 ; rythme, cit. 5 ; satellite, cit. 4), *d'êtres vivants* (→ Géniteur, cit. 2). *Mode d'utilisation de l'avion* (cit. 3), *de la houille* (cit. 5) *blanche...* — *Utilisation collective, partagée, d'un ordinateur.*

Il n'est pas possible qu'une eau aussi éloignée d'être de l'eau pure ne trouve pas son utilisation médicale.

J. ROMAINS, les Hommes de bonne volonté, t. V, XIII, p. 95.

COMP. **Sous-utilisation.**

UTILISER [ytilize] v. tr. — 1792 ; répandu milieu xixe ; d'abord didact., Izarn, *Explications sur la nouvelle langue des chimistes,* Avant-propos (1803) ; de *utile.*

◆ **1.** Rendre utile, faire servir à une fin précise (ce qui n'y était pas nécessairement ou spécialement destiné). ⇒ **Exploiter, tirer** (profit, parti). → Outil, cit. 2. *Utiliser les matériaux* (→ Embrasser, cit. 22 ; gneiss, cit. ; lien, cit. 1). *L'homme utilise l'eau qu'il découvre* (→ Irriguer, cit. 1 ; pragmatisme, cit. 1). *Usine qui utilise le flux et le reflux de la mer* (→ Lester, cit. 4). *Un terrain vague qu'on utilisait comme dépotoir* (cit.). *L'art d'utiliser*

les restes. *Utiliser un mot qu'on prend dans une acception nouvelle* (→ Logos, cit.). — (Compl. n. de personne). *L'art de choisir les hommes et de les utiliser* (→ Faculté, cit. 9 ; et aussi état-major, cit. 3 ; exploiter, cit. 11 ; ravaler, cit. 9). *Utiliser les compétences* (cit. 5).

1   Un citoyen a fait hommage au conseil des Cinq-cents d'un ouvrage intitulé : *Vues générales sur les moyens d'utiliser les défenseurs de la patrie invalides.*

L.-S. MERCIER, Néologie (1801), p. 332.

2   (...) ce fut un temps de production intense (...) la Révolution (...) utilisa au plus haut degré les choses et les hommes. Elle tira de toute force minérale, animale, humaine, tout ce que cette force pouvait donner.

J. JAURÈS, Hist. socialiste..., Convention nationale, p. 1785.

◆ **2. Employer.** ⇒ **Manier, pratiquer, servir** (se), **user** (user de). — **REM.** Verbe de conjugaison et de construction facile, *utiliser* est entré en concurrence avec les verbes ci-dessus dans un sens très général qui n'est pas son sens primitif. — *Utiliser un procédé* (→ Disque, cit. 2 ; extraction, cit. 3 ; illustration, cit. 10), *un moyen* (→ Somato-, cit. 2), *un instrument.*

▶ **UTILISÉ, ÉE** p. p. adj. *Espace bien utilisé.* → Place, cit. 22. — *Procédé correctement utilisé.*

CONTR. **Éprouver, perdre.**
DÉR. **Utilisable, utilisateur, utilisation.**
COMP. **Sous-utiliser.**

UTILITAIRE [ytilitɛʀ] adj. et n. — 1831 ; de *utilité,* par l'angl. *utilitarian,* 1781.

◆ **1.** Qui professe l'utilitarisme philosophique ou qui le concerne. ⇒ **Utilitariste.** *Morale utilitaire.*

◆ **2.** (1872). Qui vise essentiellement à l'utile. *Arts utilitaires.* ⇒ **Pratique.**

Arts :

C'est par goût pour le trésor spirituel de la France plutôt que par esprit utilitaire que des étrangers de tous pays apprennent la langue française.

G. DUHAMEL, la Défense des lettres, IV, I, I.

Véhicules utilitaires (opposé à *véhicules, voitures de tourisme*), destinés soit au transport collectif des personnes (autocars, etc.), soit au transport des marchandises (camions, etc.).

◆ **3.** (1834 ; souvent péj.). **a** Attaché à ce qui est utile, préoccupé des intérêts matériels. *Matérialisme purement utilitaire. Calculs, préoccupations utilitaires.* ⇒ **Intéressé.** — *Une époque utilitaire,* qui donne la priorité aux intérêts matériels. ⇒ **Matérialiste, pratique.**

b Vx. Utilitariste.

DÉR. **Utilitairement, utilitarisme.**

UTILITAIREMENT [ytilitɛʀmɑ̃] adv. — 1834 ; de *utilitaire.*

◆ Littér. ou didact. À des fins utilitaires.

UTILITARISME [ytilitaʀism] n. m. — 1831 ; de *utilitaire.*

◆ **1. Philos.** Doctrine selon laquelle l'utile est le principe de toutes les valeurs, dans le domaine de la connaissance *(pragmatisme)* et dans le domaine de l'action *(utilitarisme moral et économique).*

◆ **2.** (1853). **Littér.** Esprit utilitaire, culte de l'utile.

1   Ce qui y choquera toujours les hommes vraiment religieux, c'est que la religion y est préconisée comme *utile,* recommandée pour l'*avantage* qu'y trouve la législation. Il ne faut pas croire qu'on fasse rien de sérieux par un tel *utilitarisme.*

MICHELET, Hist. de la Révolution franç., XIX, 2.

2   J'ai montré plus haut que l'œuvre d'art, fin absolue, s'opposait par essence à l'utilitarisme bourgeois. Croit-on qu'elle peut s'accommoder de l'utilitarisme communiste ?   SARTRE, Situations II, p. 286.

DÉR. **Utilitariste.**

UTILITARISTE [ytilitaʀist] adj. — Av. 1922, *in* Lalande ; de *utilitarisme.*

◆ **Philos.** Qui professe l'utilitarisme philosophique ou qui le concerne. *Théories utilitaristes.* — N. *Un utilitariste.*

UTILITÉ [ytilite] n. f. — 1120 ; lat. *utilitas,* de *utilis.* → Utile.

◆ **1.** Caractère de ce qui est utile (→ Intriguer, cit. 3). ⇒ **Service** (vieilli). *L'utilité d'un instrument* (→ Gouvernail, cit. 3), *d'une méthode* (→ Attendre, cit. 90), *d'une étude* (cit. 10), *d'une explication* (cit. 3), *d'un art* (→ Médiateur, cit. 4), *d'une théorie* (→ Séculaire, cit. 3)... *Utilité matérielle* (→ Lester, cit. 1) *ou spirituelle d'un livre. Être d'une grande utilité* (→ Donner, cit. 17), *sans utilité* (→ Fendiller, cit. 1). *Ce n'est d'aucune utilité.* ⇒ **Secours.** *Avoir son utilité.* ⇒ **Fonction, mérite** (→ 2. Canon, cit. 3). *Ressentir l'utilité de quelque chose.* ⇒ **Besoin** (avoir). — Personnes. → 1. Placer, cit. 10.

1   (...) les hommes vous estiment en raison de votre utilité, sans tenir compte de votre valeur.   BALZAC, le Lys dans la vallée, Pl., t. VIII, p. 891.

2 L'art d'à présent ne doit plus chercher seulement le beau, mais encore le bien. Ce n'est pas d'ailleurs que nous soyons le moins du monde partisan de l'*utilité directe* de l'art, théorie puérile émise dans ces derniers temps par des sectes philosophiques (...)
HUGO, Littérature et philosophie mêlées, « But de cette publication ».

3 (...) Poe (..) se proposait surtout pour objet la réfutation de ce qu'il appelait spirituellement *la grande hérésie poétique des temps modernes*. Cette hérésie, c'est l'idée d'utilité directe (...) Que la poésie soit subséquemment (...) utile, cela est hors de doute, mais ce n'est pas son but ; cela vient par-dessus le marché !
BAUDELAIRE, E. Poe, sa vie et ses ouvrages, Notices, I.

Absolt. *Ne considérer en tout que l'utilité. Le principe, la morale de l'utilité.* ⇒ **Utilitarisme** (→ Beauté, cit. 15 ; 2. idéal, cit. 16). *Voir les êtres sous l'aspect de l'utilité* (→ Pire, cit. 11).

(Mil. XIXᵉ). Écon. « Dans son acception économique, le mot d'utilité ne signifie rien de plus que la propriété de répondre à un besoin ou à un désir quelconque, et cette utilité se mesure uniquement par l'intensité de ce besoin ou de ce désir » (Ch. Gide). → Consommation, cit. 5 et 6 ; consommer, cit. 5. *Utilité totale, marginale. Utilité et valeur.*

4 L'utilité totale c'est l'ensemble des satisfactions que procurent toutes les choses d'un bien économique. Le degré d'utilité c'est la satisfaction procurée par une dose de ce bien. L'utilité finale, limite ou marginale d'un bien composé de plusieurs exemplaires, c'est la satisfaction procurée par la dernière dose disponible de ce bien.
Gilles PASQUALAGGI, in ROMEUF, Dict. des sciences économiques.

◆ **2.** (Sens subjectif). Le bien ou l'intérêt (de qqn). ⇒ **Convenance.** *Pour l'avantage* (cit. 38) *de tous et non pour l'utilité particulière de ceux...* (→ aussi Édification, cit. 4 ; plusieurs, cit. 2). *L'utilité commune* (cit. 10), *publique* (→ Exagérer, cit. 11 ; 1. peuple, cit. 11).

5 Il prend (...) l'intérêt d'un allié, s'il y trouve son utilité (...)
LA BRUYÈRE, les Caractères, X, 12.

(1677). Dr. *Utilité publique* : « avantage qu'une déclaration officielle de l'autorité publique reconnaît pouvoir être procuré soit au public, soit à un service public » (Capitant). *Association reconnue d'utilité publique. Établissement* (cit. 10) *d'utilité publique. Expropriation* (cit. 3) *pour cause d'utilité publique.*

◆ **3.** (1314). UNE, DES UTILITÉS. [a] Vx. Ce en quoi une chose est utile. ⇒ **Avantage.** « *Le but, les utilités et les parties du poème dramatique* » (Corneille, *Premier discours*).
Écon. Bien utile (→ Produit, cit. 2 ; propriété, cit. 7).

[b] (1812). Emploi subalterne d'acteur (⇒ **Acteur**). *Jouer les utilités.* — Par anal. Rôle ou personnage secondaire. ⇒ **Comparse.**

6 (...) Marius remplissait dans la littérature-librairie le modeste rôle d'*utilité*. Il faisait des prospectus, traduisait des journaux, annotait des éditions, compilait des biographies, etc.
HUGO, les Misérables, III, v, II.

CONTR. Futilité, gratuité, inefficacité, inutilité, nuisance.
DÉR. Utilitaire.

UTO-AZTÈQUE adj. ou UTO-AZTEC [ytoastɛk] adj. invar. — 1924 ; angl. *uto-aztecan*, 1913, Sapir ; de *Ute*, territoire d'Amérique du Nord (cf. Utah), nom de la langue parlée par les tribus indiennes de ce territoire, -*o*, et *Aztèque*.

◆ Ling. *Famille uto-aztèque* : famille de langues indiennes d'Amérique réunissant six groupes de langues d'Amérique du Nord et du Centre (groupes shoshone : Paiute, Comanche, etc. ; groupe hopi ; groupe pima : Papago, etc. ; groupe comprenant le tarahumar du Mexique) et le groupe aztèque dont la principale langue est le Nahua(tl), principale langue indienne d'Amérique Centrale. *Les langues uto-aztèques sont groupées avec les familles Tano, Kiowa et Zuñi pour former un ensemble* (uto-aztec-tano).
Se dit des populations parlant ou ayant parlé ces langues.

Le niveau culturel des peuples Uto-Aztec était très variable : les plus misérables étaient les pauvres nomades collecteurs et chasseurs qui vivaient sur les plateaux couverts de sauges du Grand Bassin, avec une densité de population qui pouvait s'abaisser à moins d'un habitant par cent kilomètres carrés. Les tribus californiennes avaient un pays plus riche en fruits et en gibier, et elles trouvaient un complément de ressources dans la pêche et la récolte des mollusques du littoral ; aussi atteignaient-elles d'assez fortes densités (0,30 habitants par kilomètre carré) sans le secours de l'agriculture. Kiowa et Comanche étaient devenus des chasseurs de bisons dans les Grandes Plaines. Hopi, Zuñi, Tano et Pima vivaient dans des villages construits en pierres ou en adobe, et s'adonnaient à une agriculture intensive. Les peuples Uto-Aztec du Nord-Ouest du Mexique pratiquaient également l'agriculture là où l'humidité était suffisante ; mais ceux qui nomadisaient sur les plateaux désertiques à l'Est de la Sierra Madre Occidentale étaient à un très bas niveau de misère et de barbarie. Enfin, les peuples Nahua de la zone méso-américaine avaient une des civilisations les plus élevées du Nouveau Monde, avec une densité de peuplement qui pouvait atteindre plusieurs dizaines d'habitants par kilomètre carré. Si la Grande Famille Uto-Aztec-Tano est actuellement la plus importante d'Amérique du Nord par le nombre des individus qui s'y rattachent, elle le doit à ces peuples mexicains.
P. RIVET, G. STRESSER-PÉAN et C. LOUKOTKA, in MEILLET et COHEN, les Langues du monde, p. 1049.

UTOPIE [ytɔpi] n. f. — 1532, Rabelais, nom propre d'un pays imaginaire : lat. mod. *utopia* (Thomas Morus, *De optimo reipublicæ status deque nova insula Utopia*, 1516), forgé sur le grec *ou* « non », et *topos* « lieu », c'est-à-dire « en aucun lieu » ; le grec a en ce sens *atopia*.

◆ **1.** Vx. *L'Utopie* : pays imaginaire où un gouvernement idéal règne sur un peuple heureux.

◆ **2.** (1710, Leibniz, *Théodicée*). « Plan d'un gouvernement imaginaire, à l'exemple de la République de Platon » (Académie, 1762). *L'Utopie de Fénelon* (le royaume de Salente, organisé par Mentor, dans le *Télémaque*), *de Cabet* (*Voyage en Icarie*), *de D. Vairasse* (*Histoire des Sévaranches*), etc. ⇒ **Mythe, roman.**

1 (...) depuis que la terre tourne, jamais utopie n'a servi de rien, ni fait aucun mal, que l'on sache, pas plus Thomas Morus que Platon, Owen et autres (...)
A. DE MUSSET, Lettres de Dupuis et Cotonet, II.

◆ **3.** (Mil. XIXᵉ). Didact. Idéal, vue politique ou sociale qui ne tient pas compte de la réalité. *Utopies et uchronies** (→ Acclimater, cit. 4 ; duperie, cit. 2 ; incliner, cit. 13). *Faire d'une utopie la réalité* (→ Illusion, cit. 16).

2 À présent qu'on l'emportait, on n'avait pas assez de mépris pour les utopies « *à la française* » : paix universelle, fraternité, progrès pacifique, droits de l'homme, égalité naturelle (...)
R. ROLLAND, Jean-Christophe, La révolte, III, p. 596.

3 Comme si tout grand progrès de l'humanité n'était pas dû à de l'utopie réalisée ! Comme si la réalité de demain ne devait pas être faite de l'utopie d'hier et d'aujourd'hui (...)
GIDE, les Nouvelles Nourritures, III, III.

(1862). Cour. Conception ou projet qui paraît irréalisable. ⇒ **Chimère, illusion, mirage, rêve, rêverie.** « *Utopie pédagogique* » (Baudelaire, *Curiosités esthétiques*, V, I).

4 (...) c'était une mécanique bonne à pas grand'chose, une espèce de joujou, une rêverie d'inventeur songe-creux, une utopie : un bateau à vapeur.
HUGO, les Misérables, I, III, I.

DÉR. Utopien, utopique, utopiste.

UTOPIEN, IENNE [ytɔpjɛ̃, jɛn] adj. — Fin XVIIIᵉ ; 1717 comme n. m. ; de *utopie*.

◆ Didact. D'une utopie (1.). — Syn. : *utopique* (1.). — Nom :
— Utopiste !
— En effet. Je ne prends pas ce mot pour une injure. En effet : puisque je n'entérine pas les contraintes, les normes, les règlements et règles, puisque je mets l'accent sur l'appropriation, puisque je n'accepte pas la « réalité » et que le possible pour moi fait partie du réel, je suis un utopien. Je ne dis pas utopiste, notez-le. Utopien, partisan du possible.
Henri LEFEBVRE, la Vie quotidienne dans le monde moderne, p. 352.

UTOPIQUE [ytɔpik] adj. — V. 1840 ; *lettres utopiques* « qui se rapportent au pays appelé Utopie », 1529 ; de *utopie*. — REM. On a dit *utopien*, à la fin du XVIIIᵉ s.

◆ **1.** Qui constitue une utopie ; de l'utopie* (1.). ⇒ **Imaginaire.** *Systèmes utopiques* (→ Pressant, cit. 6). — Syn. : *utopien*.

C'est ainsi que les transformations sociales s'opèrent un peu différemment de l'imagination première que s'en font les grands esprits prophétiques, toujours les voyant d'une manière un peu utopique, que vient corriger la réalité.
ARAGON, la Semaine sainte, VII.

Spécialt. *Socialisme utopique* (all., Engels, 1878), celui des saint-simoniens, de Fourier, etc., qui dérive d'un système idéal plus que de l'analyse des réalités économiques (opposé à *socialisme scientifique*).

◆ **2.** Cour. Qui ne tient pas compte des contraintes de la réalité. ⇒ **Chimérique, impossible, irréalisable.** *Votre idée est complètement utopique.*
N. m. *L'utopique* : l'utopie (2.).
Adj. et n. (Personnes). Qui se complaît dans l'utopie (2.). *Esprit utopique.* — *Un, une utopique.* ⇒ **Utopiste.**

DÉR. Utopiquement.

UTOPIQUEMENT [ytɔpikmɑ̃] adv. — Mil. XIXᵉ ; de *utopique*.

◆ Rare. D'une manière utopique (1. ou 2.).

Je n'étais pas, je crois, le premier homme qu'elle eût aimé (...) Elle avait déjà aimé une fois, et ce n'était pas son mari ; mais ç'avait été vertueusement, platoniquement, utopiquement, de cet amour qui exerce le cœur plus qu'il ne le remplit.
BARBEY D'AUREVILLY, les Diaboliques, « Le plus bel amour de Don Juan » (1874).

UTOPISTE [ytɔpist] n. et adj. — 1792 ; de *utopie*.

★ I. N. Didact. Auteur de systèmes utopiques (1.), esprit attaché à des vues utopiques (→ Absolu, cit. 9 ; 1. bas, cit. 13 ; ignorer, cit. 41). *Le réaliste* (cit. 5) *méprise l'utopiste.* ⇒ **Nuée** (assembleur de), **rêveur.** *Les utopistes de la paix* (cit. 14).

Périsse l'humanité plutôt que le principe ! c'est la devise des utopistes comme des fanatiques de tous les siècles. Le socialisme, interprété de la sorte, est devenu une religion (...) qui au dix-neuvième siècle est ce qu'il y a de moins révolutionnaire.
PROUDHON, Idée générale de la Révolution au XIXᵉ siècle, III.

★ II. Adj. Vx. Utopique.

UTRAQUISTE [ytʀakist] adj. et n. m. — 1872, Littré, au plur. ; dér. du lat. *utraque* dans *sub utraque specie* « sous chacune des deux espèces ».

◆ Didact. (relig.). Adepte d'une secte de Hussites, en Bohême, dont les membres communiaient sous les deux espèces (leur doctrine est dite *utraquisme*, n. m.).

1. UTRICULAIRE [ytʀikylɛʀ] n. f. — 1808 ; du lat. bot. *utricularia*, même sens, du lat. *utriculus* « petite outre ». → Utricule.

♦ Bot. Plante angiosperme dicotylédone gamopétale herbacée, aquatique, à feuilles immergées et portant des outres qui servent à la capture de petits animaux (type de la famille des *Utriculariacées*).

À l'époque quaternaire, au moment où avait été sculpté le relief actuel, des rivières occupaient la totalité de la vallée. Plus tard, lorsque leur débit avait diminué, le lit s'était rétréci, était devenu divaguant, s'était déplacé, avait formé des méandres et laissé derrière lui des bras morts souvent couverts de mille-feuille aquatique, jolie primulacée aux fleurs d'un rose pâle et d'utriculaires aux fleurs jaunes.
                    A. BILLY, Sur les bords de la Veule, 1965, p. 180.

DÉR. Utriculariacées.

2. UTRICULAIRE [ytʀikylɛʀ] adj. — 1872 ; du rad. de *utricule*.

♦ Didact. En forme d'utricule.

3. UTRICULAIRE [ytʀikylɛʀ] n. m. — 1876 ; lat. impérial *utricularius*, de *utriculus* « petite outre ». → Utricule.

♦ Didact. Batelier qui utilisait un radeau soutenu par des outres gonflées.

UTRICULARIACÉES [ytʀikylaʀjase] n. f. pl. — 1876 ; *utriculariées*, 1872 ; du lat. *utriculus*, et suff. *-acées.*

♦ Bot. Famille de plantes dicotylédones, à fleurs gamopétales, comprenant des herbes aquatiques (certaines sont considérées comme carnivores) et dont l'utriculaire* est le type. — Au sing. *Une utriculariacée.*

UTRICULE [ytʀikyl] n. m. — 1726, « vésicule du tissu cellulaire des plantes » ; lat. *utriculus*, de *uter, utris* « outre ».
Botanique.

♦ **1.** Vx. Vésicule du tissu cellulaire où « se prépare le suc nourricier de la plante » (*Encyclopédie*).

♦ **2.** [a] Bractée qui entoure presque entièrement l'ovaire de la fleur, chez les Cypéracées. ⇒ Urcéole.

[b] (1788). Chacune des petites outres que portent les rameaux immergés des utriculaires.

♦ **3.** (1846). Anat. Vésicule occupant la partie supérieure du vestibule de l'oreille interne, dans lequel débouchent les canaux semi-circulaires. — *Utricule prostatique* (dit aussi *vagin mâle*, ou *utérus mâle*) : canal se dirigeant en haut et en arrière dans l'épaisseur de la prostate.

DÉR. 2. Utriculaire, utriculeux.

UTRICULEUX, EUSE [ytʀikylø, øz] adj. — 1842 ; de *utricule*.

♦ Bot. Pourvu d'utricules. ⇒ Urcéolé.

1. U. V. [yve] n. m. pl. — Mil. xxᵉ ; abrév. de *ultra-violets*.

♦ Rayons ultra-violets (langue technique familière). *Cabine d'U. V. d'un institut de beauté. Elle a fait quelques séances d'U. V. avant de partir en vacances. U. V. A. :* rayons ultra-violets A.

Mais les rayons ultra-violets, les U. V. comme on les désigne d'habitude, n'ont pas exclusivement des effets nuisibles (...)
                    F. MEYER et P. GRIVET, le Verre, p. 99.

2. U. V. [yve] n. f. invar. — 1968 ; abrév. de *unité de valeur*.

♦ Unité* de valeur, dans une université. *Suivre plusieurs U. V. Faire une U. V. de littérature anglaise. U. V. groupées en certificats*.*

UVAL, ALE, AUX [yval, o] adj. — 1874 ; au fig., v. 1363, *hémorroïdes uvales* « en grappes » ; du rad. du lat. *uva* « raisin ».

♦ Didact. Qui a rapport au raisin. *Cure uvale,* à base de raisin. *Station uvale,* où l'on fait cette cure.

UVA-URSI [yvayʀsi] n. m. — 1765 ; mots lat. « raisin d'ours ».

♦ Bot. Busserole *(Éricacées).*

UVE [yv] n. f. — 1808 ; orig. incertaine.

♦ Vx. Pommade de blanc de plomb.

UVÉAL, ALE, AUX [yveal, o] adj. — 1878 ; de *uvée*.

♦ Anat. De l'uvée.

UVÉE [yve] n. f. — 1495 ; du rad. du lat. *uva* « raisin », par anal. de couleur « avec un grain de raisin noir », Paré.

♦ **1.** Vx. Choroïde.

♦ **2.** (1855). Anat. Tunique moyenne, vasculaire, de l'œil, comprenant la choroïde, le corps ciliaire et l'iris (appelée aussi *tractus uvéal*).

DÉR. Uvéal, uvéite.

UVÉITE [yveit] n. f. — 1855, Nysten ; de *uvée*.

♦ Méd. Inflammation de l'uvée, du tissu uvéal. *Uvéite de l'iris* (iritite), *du corps ciliaire* (cyclite), *de la choroïde* (choroïdite).

UVIFÈRE [yvifɛʀ] adj. — 1846, Bescherelle ; du rad. du lat. *uva* « raisin », et *-fère.*

♦ Didact. Qui porte des raisins ; qui produit du raisin.

(...) le genre *Ampelocissus* qui comprend des plantes uvifères tropicales dont certaines ont pu être accidentellement mises en culture, en particulier (...)
                    Louis LEVADOUX, la Vigne et sa culture, p. 19.

1. UVULAIRE [yvylɛʀ] n. f. — 1808 ; lat. bot. *uvularia*, du rad. du lat. *uva*, désignant le raisin et des fruits ou grappes semblables.

♦ Bot. Plante dicotylédone, de la famille des liliacées, de l'Amérique du Nord, de l'Inde et de la Chine.

HOM. 2. Uvulaire.

2. UVULAIRE [yvylɛʀ] adj. — 1735 ; de *uvule*.

♦ Anat. Qui a rapport à la luette.

(xxᵉ). Phonét. *R uvulaire,* produit par l'action de la luette contre le dos de la langue. *Dans la prononciation parisienne le R* [ʀ] *est une uvulaire fricative sonore et non une vibrante uvulaire.* — Syn. : *R grasseyé.*

HOM. 1. Uvulaire.

UVULE [yvyl] ou UVULA [yvyla] n. f. — 1314 ; dér. du lat. sav. *uvula*, de *uva*, au sens de « luette ».

♦ Anat. Luette.

DÉR. 2. Uvulaire, uvulite.

UVULITE [yvylit] n. f. — 1876 ; de *uvule*.

♦ Méd. Inflammation de la luette.

UXORICIDE [yksɔʀisid] n. m. — 1531 ; du lat. *uxor* « épouse », et *-(i)cide.*
Didactique.

★ **I.** Meurtre de l'épouse par le mari.

★ **II.** (1628). Homme meurtrier de sa femme.

UXORILOCAL, ALE, AUX [yksɔʀilɔkal, o] adj. — Mil. xxᵉ ; du lat. *uxor, uxoris,* et *-local.* → Matrilocal, patrilocal.

♦ Didact. (ethnol.). Se dit du type de résidence des couples, lorsqu'elle est déterminée par la résidence de l'épouse.

UZBEK [yzbɛk] adj. et n. ⇒ Ouzbek.

V

V [ve] n. m. — Du U semi-consonne latin, qui se prononçait [w]; autrefois appelé U consonne en français. → U.

♦ **1.** Vingt-deuxième lettre et dix-septième consonne de l'alphabet, servant à noter la fricative labiodentale sonore [v]. *V majuscule, v minuscule.* — *Double v.* ⇒ **W.**

♦ **2.** Ce qui est en forme de V. — *Le V lingual :* papilles de la langue, disposées en V. — *Le V hercynien :* relief hercynien dont la pointe est représentée par le Massif central. — *Le V de la victoire :* signe fait avec l'index et le médius écartés, et la main levée (d'abord par les Alliés, en 1939-1945).

C'est à cette époque que commencèrent à fleurir sur les murs de Paris, sur les faïences des métros, les V, symbole de la victoire anglaise (...)
S. DE BEAUVOIR, la Force de l'âge, p. 497.

♦ **3.** V., abrév. de *Votre (Altesse, Excellence, etc.)*, ainsi que de *voir, voyez.* — Math. Abrév. de *volume* (v).

Électr. Abrév. de *volt* (V); *voltampère* (VA).

Chim. Symbole du *vanadium.*

V, cinq en chiffres romains.

♦ **4.** Loc. adv. ou adj. (1900). EN V : qui est disposé en forme de V. *Décolleté en V*, en pointe. — *Moteur en V*, à deux lignes de cylindres disposés en V.

Anaïs décrit à Luce sa robe de demain (...)
— Le col? Il n'y en a pas, de col! C'est ouvert en V devant et derrière, entouré d'une chicorée de mousseline de soie et fermé par un chou de ruban rouge (...)
WILLY (COLETTE), Claudine à l'école, 1900, p. 295, *in* D. D. L., II, 16.

(1964). *Chromosome en V :* chromosome médiocentrique, présentant deux « bras ».

V1, V2 [veœ̃; vedø] n. m. — 1944; *Vergeltungswaffe* « arme de représailles ».

♦ Fusée porteuse d'explosifs, à grand rayon d'action, créée et utilisée par les Allemands contre les Alliés pendant la guerre en 1944-1945.

(...) j'aurais poussé des cris de génie, que les boches avaient tout inventé, les plus pires V2 génocides, les camps de dissection, la Volkswagen, et le Grand Guignol...
CÉLINE, Rigodon, p. 257.

1. VA

♦ Électr. Symbole de *voltampère*.*

2. VA

[va] troisième pers. du sing. de l'indicatif présent, et première personne de l'impératif du verbe *aller*.*

♦ (En loc., ou interjectif, avec des valeurs stylistiques diverses). *Va pour :* j'y consens. *Va pour 100 francs, les voici.* — En interj. *Va !*, s'emploie pour encourager ou menacer. — *Je t'aime bien, va ! Va, je ne te hais point* (→ Litote, cit.). *Je sais bien que tu mens, va !* Pop. *Va donc !*, s'emploie devant une injure. *Va donc, eh, péquenaud !*
À la va-comme-je-te-pousse [alavakɔmʒtəpus]. ⇒ **Pousser** (*supra* cit. 5).
À la va-vite : rapidement et sans soin.

— Et encore, triomphait l'aîné, tu as dû lire ça à la va-vite!
COLETTE, Sido, III.

(...) je demande à La Vigne s'il a revu sa Claire... et ce qu'ils ont dit à la brasserie?... je vous raconte tout à la va-vite!... à repenser plus tard!...
CÉLINE, Rigodon, p. 134.

COMP. Va-et-vient, va-t-en guerre, va-tout.

VACANCE

[vakɑ̃s] n. f. — 1594; *vacance (de la foy)* « manque », 1531, au sens I, 1; de *vacant.*

★ **I.** Au plur. VACANCES (de *vacant* « absent; oisif »).

♦ **1.** Dr. Période où les tribunaux interrompent leurs travaux. *Les vacances de la magistrature* (→ Origine, cit. 7). ⇒ **Vacation;** interruption, suspension (des travaux). *Vacances judiciaires.*

♦ **2.** (1623). Cour. Période pendant laquelle les écoles, les facultés rendent leur liberté aux élèves, aux étudiants (⇒ **Campos).** *Vacances scolaires. Les grandes vacances* (→ Demeurer, cit. 22) : les deux ou trois mois d'été. *Les vacances de Pâques* (→ 1. Mue, cit. 2), *de Noël et du Jour de l'An* (→ Quoique, cit. 11). *La saison des vacances. Devoirs de vacances. Colonie* de vacances, camp de vacances.* « *Vivent les vacances, à bas la rentrée, les maîtres sont à vendre et l'école à louer* » (chanson enfantine).

En juillet, la perspective des vacances me permettait de dire au revoir sans regret au cours Désir. Cependant, de retour à Paris, j'attendais fiévreusement la rentrée des classes.
S. DE BEAUVOIR, Mémoires d'une jeune fille rangée, p. 71.

♦ **3.** (1669). Repos, cessation des occupations, du travail ordinaire. *Écrivain qui prend des vacances* (→ Repos, cit. 2). *Se donner des vacances. J'obtins huit jours de vacances* (→ 2. Prétexte, cit. 7). *Vous êtes fatigué, vous avez besoin de vacances.*

Mes vacances? C'est d'aller travailler ailleurs.
COLETTE, Belles saisons, p. 15.

♦ **4.** (1907). Temps de repos excédant quelques jours, accordé légalement aux employés, aux salariés. ⇒ **Loisir.** *Depuis 1936, les vacances sont payées aux salariés.* ⇒ **Congé** (congés payés). *Prendre ses vacances en été, en hiver. Semaine de vacances d'hiver* (→ ci-dessous, 5.). *Vacances des jours fériés où l'on fait le pont*.*

♦ **5.** Période annuelle d'arrêt* du travail coïncidant en partie avec les vacances scolaires (grandes vacances d'été; vacances d'hiver), pendant laquelle un grand nombre de personnes se déplacent (⇒ **Vacancier).** *Vacances de neige :* vacances d'hiver passées à la montagne. *L'étalement* des vacances. Une maison où l'on ne va qu'aux vacances* (→ Habitable, cit. 2). *Passer ses vacances dans sa résidence secondaire. Voyager pendant les vacances. Bonnes vacances! Budget des vacances.* Par ext. *Les vacances figurent dans le minimum* (cit. 3) *vital.*

Les mois de la grande dispersion ont toujours été choisis par les méchants : les vacances, c'est la saison des mauvais coups; la guerre et la mort nous surprennent le plus souvent sur une plage ou dans notre jardin de province, au tournant d'une allée.
F. MAURIAC, Bloc-notes 1952-1957, p. 246.

... DE VACANCES. *Maison de vacances. Un lieu, un pays de vacances* (→ 1. Patience, cit. 17), où l'on va volontiers en vacances (⇒ **Vacancier).** *Une robe, un costume de vacances.*

EN VACANCES. *Partir en vacances.* → 1. Patience, cit. 17.

★ **II.** (De *vacant* « libre, vide »). ♦ **1.** (1611). État d'une charge, d'un poste... vacant. *L'invalidation* (cit.) *entraîne la vacance du siège. Vacance d'une chaire de faculté, d'un fauteuil d'académie, d'une place, d'une fonction. Le roi touchait la régale* (1. Régale, cit.) *pendant les vacances.* — Par ext. Poste sans titulaire, à pourvoir. *Vacance à remplir.*

Six mois passèrent ainsi (...) et puis une vacance survint dans notre personnel et nous eûmes tout à fait besoin soudain d'une infirmière bien au courant pour les massages (...)
CÉLINE, Voyage au bout de la nuit, p. 424.

(1893). Dr. *Vacance de succession :* caractère d'une succession vacante. — *Vacance de maison :* état d'un immeuble vacant, inhabité.

♦ **2.** (En politique). *La vacance du pouvoir :* situation, période où les organes institutionnels du pouvoir politique ne sont pas en mesure de fonctionner.

♦ **3.** Littér., rare. Caractère de ce qui est vacant, disponible. *Se sentir « en état de vacance »* (Duhamel, *Cri des profondeurs*, VI).

Moment délicieux de la maladie où la fièvre s'éloigne, où l'appétit revient, mais non les obligations ni les corvées. Temps de vacance (au singulier qui ne comporte pas, comme le pluriel de ce mot, la nécessité redoutable du divertissement et du voyage).
F. MAURIAC, Bloc-notes 1952-1957, p. 94.

CONTR. Rentrée. — Occupation, travail.
DÉR. Vacancier.

VACANCIER, IÈRE [vakãsje, jɛʀ] n. et adj. — V. 1925, répandu mil. xxᵉ; de *vacances*.

♦ **1.** N. Personne qui se trouve en vacances, dans un endroit autre que son domicile habituel. *Les habitants de Saint-Tropez se plaignent de l'afflux des vacanciers.* ⇒ **Estivant.** *Les vacanciers du mois d'août* (⇒ **Aoûtien**), *du mois de juillet* (⇒ **Juillettiste**).

ʀᴇᴍ. L'emploi de ce mot est généralement lié à une image traditionnelle des vacances, et au contexte des congés payés et du tourisme de masse (→ Touriste).

1 « Vacancier », utilisé depuis longtemps dans le Sud-Ouest, tend à gagner de proche en proche quantité de régions, et le voici qui pénètre jusqu'en première page des journaux parisiens. Quelle sera sa fortune? Il a pour lui la simplicité et la clarté de sa formation qui le dépouille de toute amphibologie.
Gérard Aɴᴛoɪɴᴇ, *in* le Franç. moderne, p. 157 (*in* P. Gɪʟʙᴇʀᴛ).

2 Ce qui prouve la merveilleuse singularité de l'écrivain, c'est que pendant ces fameuses vacances, qu'il partage fraternellement avec les ouvriers et les calicots, il ne cesse, lui, sinon de travailler, du moins de produire. Faux travailleur, c'est aussi un faux vacancier.
R. Bᴀʀᴛʜᴇs, Mythologies, p. 31 (1957).

♦ **2.** Adj. (1942). Relatif aux vacances; de vacances.

3 La langueur frappe l'économie française pendant les beaux jours et une frénésie inverse touche les activités vacancières.
Le Monde, 27 sept. 1975.

4 Les bons repas vacanciers lui donnaient des biceps (...)
Pierre Hᴀᴍᴘ, la Peine des hommes (Moteurs), p. 278.

5 (...) le foulard qu'en tenue vacancière on noue parfois sous la chemise (...)
Michel Lᴇɪʀɪs, Frêle bruit, 1976, p. 196.

VACANT, ANTE [vakã, ãt] adj. — 1207; aussi «oisif» en anc. franç.; lat. *vacans,* p. prés. de *vacare* «être vacant», proprt «être vide».

♦ **1.** Qui n'a pas de titulaire. *Trône vacant pendant un interrègne.* « *Ces trônes déclarés vacants* » (Chateaubriand, *Mémoires d'outre-tombe,* t. V, p. 96). *Poste vacant, chaire vacante. Place vacante* (→ Calculer, cit. 2; envier, cit. 7; lancier, cit.; mécontent, cit. 9). *Emploi vacant.*

1 J'ai sollicité la place de préparateur actuellement vacante dans le laboratoire du professeur Rohner. J'attends la décision.
G. Dᴜʜᴀᴍᴇʟ, Chronique des Pasquier, VI, ɪɪ.

♦ **2.** Dr. Qui n'a pas de maître, de propriétaire. *Biens vacants.* ⇒ **Abandonné** (cf. Sans maître). *Succession* vacante.* ⇒ **Jacent.** *Curateur* (cit. 3) *à succession vacante.*

♦ **3.** (1608). Concret. Qui n'est pas rempli, qui est libre. ⇒ **Disponible, libre, inoccupé.** *Logement vacant. Lit vacant* (→ Fièvre, cit. 3). *Chaise vacante.*

2 Il y avait un angle vacant à côté de ma fenêtre. Cet angle demandait un secrétaire, qu'il obtint. Dɪᴅᴇʀoᴛ, Regrets sur ma vieille robe de chambre.

♦ **4.** (xxᵉ; avant 1951). Littér. Sans occupation, disponible; absent (de l'esprit).

3 Étant eux-mêmes pourvus, déjà, ils regardaient, d'un air vacant, pendre aux murs de l'étude les affiches jaunes et blanches, un almanach des postes, la liste des notaires.
P.-J. Toᴜʟᴇᴛ, la Jeune Fille verte, ɪx.

4 (...) nos aînés écrivaient pour des âmes vacantes, mais pour le public auquel nous allions nous adresser à notre tour, les vacances étaient finies : il était composé d'hommes de notre espèce qui, comme nous, attendaient la guerre et la mort.
Sᴀʀᴛʀᴇ, Situations II, p. 244.

5 Gilles me plaît, me disais-je, parce qu'il est vacant, à la fois vacance et vacuité. Puis Gilles me plaît, mais il est vide. Maintenant : Gilles est vide mais il me plaît.
Jacques Lᴀᴜʀᴇɴᴛ, les Bêtises, p. 109.

CoNTR. Occupé, pris.
DÉR. Vacance.

VACARME [vakaʀm] n. m. — 1534; *wascarme,* 1288; moy. néerl. *wacharme* «hélas! pauvre!».

♦ **1.** Vx. Cri, clameur. *Les vacarmes des maris.* → Avec, cit. 64.

♦ **2.** (*Wacarme,* fin xɪvᵉ). Grand bruit* de gens qui crient, se querellent (sens primitif), qui s'amusent. *Le vacarme d'une quantité de mécontents* (→ Fulminer, cit. 1). ⇒ **Aubade** (iron.). *Un vacarme d'enfer* (→ Allant, cit. 2), *assourdissant* (cit. 4). *Je n'ai jamais entendu un vacarme pareil* (→ Ouragan, cit. 5). ⇒ **Chahut, chambard, ramadan, tapage, tumulte.** *Cessez ce vacarme!*

1 Le public siffle tous les soirs tous les vers; c'est un rare vacarme, le parterre hue, les loges éclatent de rire.
Hᴜɢo, Choses vues, II, ɪv, 7 mars 1830.

♦ **3.** (xɪxᵉ). Bruit assourdissant. *Un vacarme de casseroles et de tonneaux* (⇒ **Charivari,** cit. 2), *de verres* (→ Halte, cit. 4), *de sabots* (→ Galoche, cit. 3). ⇒ **Boucan, 2. bousin, tintamarre.** *Un vacarme de camions, de perforatrices. Le vacarme des klaxons. Le vacarme des autobus* (→ Assommer, cit. 17); *des déflagrations* (cit. 3), *de bombardement* (→ Remue-ménage, cit. 2).

2 Je comprends sans doute le travailleur industriel qui, tout le jour a vécu dans le vacarme inhumain de l'usine (...)   G. Dᴜʜᴀᴍᴇʟ, Manuel du protestataire, vɪ.

CoNTR. Murmure, silence.
DÉR. Vacarmer.

VACATAIRE [vakatɛʀ] adj. et n. — V. 1950; de *vacat(ion),* et suff. *-aire.*

♦ Admin. Personne qui, sans être titulaire de son emploi, est affectée

à une fonction précise pendant un temps déterminé (⇒ aussi **Auxiliaire**). *Les vacataires cherchent à être titularisés. Engager une nouvelle vacataire.* « *Licenciement de 6 assistants à l'Université de Paris Dauphine, réintégrés après une campagne de soutien, deux vacataires licenciés* » (*l'École,* 1972; *in* Gilbert).

En apposition :

Tout aurait été en place, dit-il. J'aurais proposé Stern comme animateur vacataire et l'affaire était dans le sac.   René Mᴀssoɴ, Drugstore, p. 139.

VACATION [vakasjɔ̃] n. f. — 1408; de *vaquer.*

♦ **1.** Vx. Fonction, profession. *La vacation militaire. La plus honorable* (cit. 8) *vacation.*

♦ **2.** Temps consacré par la justice, par des experts à l'examen d'une affaire, à l'accomplissement d'une fonction. ⇒ **Séance.** *Vacations d'inventaire. Vacation des avoués aux actes de leur ministère.* — Spécialt. Séance de vente aux enchères.

Touché du sort de pauvres Orphelins et d'une Veuve éplorée, il expédiait tout en une vacation, encore faisait-il remise de ses honoraires.   0.1
Rᴇsᴛɪꜰ ᴅᴇ Lᴀ Bʀᴇᴛoɴɴᴇ, la Vie de mon père, p. 162.

Le clerc fait cela en une matinée : il y a quelquefois sept ou huit pages de minute :   1
on vous comptera trois vacations. Une vacation est une période donnée de temps pendant laquelle on travaille chez vous. Cette vacation se paye cher.
Bᴀʟᴢᴀᴄ, Code des gens honnêtes, III, ɪ, Œ. diverses, t. I, p. 123.

Aujourd'hui se vend ma collection de livres dans la vente Burty. J'avoue que   2
j'aurais aimé assister à cette vacation, mais c'est vraiment gênant de se voir vendre.
Ed. et J. ᴅᴇ Goɴᴄoᴜʀᴛ, Journal, 14 mars 1891, t. VIII, p. 174.

♦ **3.** (1668). Au plur. Honoraires, émoluments (des officiers ministériels, des experts).

Et mes vacations, qui les paiera? Personne?   Rᴀᴄɪɴᴇ, les Plaideurs, ɪɪ, 13.   3

♦ **4.** (xxᵉ; par ext. du sens 2). Période d'une durée déterminée pendant laquelle une personne recrutée à titre d'auxiliaire est affectée à une tâche, à une fonction précise, le plus souvent de nature intellectuelle; cette tâche, cette fonction. *Elle est étudiante en architecture, et un bureau d'urbanisme lui propose une vacation de deux mois.* — Le type de contrat de travail ou le mode de rémunération attaché à cette tâche, à cette fonction. *Être recruté sur vacation, payé par (sur, à la) vacation.*

VACATIONS [vakasjɔ̃] n. f. pl. — V. 1355; lat. *vacatio* «exemption, dispense».

♦ Vacances judiciaires; cessation du travail des tribunaux. *Chambre des vacations* (→ Cassation, cit. 1).

Du reste, je le voyais dans un état si anormal que, n'eût-il point voulu de moi, je ne l'aurais pas quitté. Et puis, nous entrions en pleines vacations et mes affaires du Palais me laissaient toute liberté.
G. Lᴇʀoᴜx, le Parfum de la dame en noir, p. 38 (1909).

VACCAIRE [vakɛʀ] n. f. — 1861; dér. du lat. *vacca* «vache».

♦ Bot. Plante appelée aussi *saponaire des vaches, saponaire.* — ʀᴇᴍ. On trouve aussi la forme latine *vaccaria* [vakaʀja] n. f. (1845) puis n. m. (xxᵉ).

VACCIN [vaksɛ̃] n. m. — 1801; de *vaccine.*

♦ **1.** Virus de la vaccine* (variole des vaches) qui, inoculé à l'homme, le préserve de la variole*.

♦ **2.** (1852). Substance préparée à partir de microbes, virus ou parasites (tués, inactivés ou atténués par des procédés spéciaux), qui, inoculée à un individu, lui confère une immunité contre le germe correspondant. *Sérum et vaccin. Injection, inoculation d'un vaccin. Plume à vaccin* (vaccinostyle). *Vaccin antivariolique, antirabique* (→ aussi Enrager, cit. 10). *Vaccin antityphique* (→ Prescription, cit. 4). *Vaccin antigrippal. Vaccin antituberculeux, vaccin de Calmette, vaccin B. C. G.* ⇒ **B.C.G.** *Vaccin qui prend. Vaccin préventif, curatif. L'autovaccin, vaccin obtenu par la culture du microbe qui a déterminé l'infection* (furonculose, etc.). *Vaccin et injection de rappel*.*
Triple vaccin : vaccin permettant de pratiquer simultanément trois types d'immunisation.
Vaccin tétravalent ou *tétracoq,* permettant de pratiquer simultanément quatre types d'immunisation.

La tribu sainte d'Oberammergau n'était pas sortie intacte de la guerre. Les mobi-   1
lisés avaient dû, malgré les démarches du bourgmestre, laisser couper pour la première fois de leur vie leurs chevelures; sur les bras nus demeuraient les marques du vaccin antityphique, anticolérique, antitétanique (...)
Gɪʀᴀᴜᴅoᴜx, Siegfried et le Limousin, p. 280.

Fig. Ce qui immunise contre..., préserve de...

Un des meilleurs vaccins contre la frénésie des passions publiques est la passion   2
«privée», la passion au sens propre, l'amour.
R. Roʟʟᴀɴᴅ, le Voyage intérieur, p. 90.

DÉR. Vaccino- (cf. Vaccine).
CoMP. Anavaccin, autovaccin.

VACCINABLE [vaksinabl] adj. — 1803; de *vacciner*.

♦ Qui peut être vacciné. *« Des animaux facilement vaccinables contre une maladie donnée »* (*Année sc. et industr.*, 1895, p. 385).

VACCINAL, ALE, AUX [vaksinal, o] adj. — 1812; de *vaccine*.

♦ **1.** Méd. Qui a rapport à la vaccine. *Bouton vaccinal.*

♦ **2.** Qui a trait à la vaccination, qui est causé par une vaccination. *Complication vaccinale* (⇒ **Vaccine**). *Encéphalo-myélite vaccinale.*

VACCINATEUR, TRICE [vaksinatœʀ, tʀis] n. et adj. — 1801; de *vacciner*.

♦ **1.** N. Vieilli. Personne qui vaccine.

♦ **2.** Adj. Qui vaccine.

VACCINATION [vaksinɑsjɔ̃] n. f. — 1801; de *vaccine*.

♦ **1.** Action de vacciner; administration d'un vaccin tiré des pustules de pis de vache ayant la vaccine ou d'une personne atteinte de la vaccine *(vaccine jennérienne).*

♦ **2.** (1830). Le fait de vacciner; administration de vaccin (à qqn) (→ Anticorps, cit.). *Procéder à la vaccination d'enfants. Vaccination par scarification* (ex.: *vaccination antivariolique*), *par la bouche* (ex.: *vaccination anti-poliomyélitique*), *par injection* (ex.: *vaccination antityphoïdique*). *Vaccination préventive* (contre une maladie infectieuse, microbienne ou virale, ou parasitaire). *Rôle de la vaccination dans la prophylaxie individuelle. Vaccination curative* (vaccinothérapie). *Vaccinations obligatoires à l'école, aux armées.*

1   S'il est donc possible et recommandé, dans nos climats, d'éviter les animaux qui sont connus comme réservoirs de virus, il est nécessaire de prévenir certaines maladies infectieuses par diverses pratiques couramment nommées «vaccinations», parce que la vaccine est l'une des plus heureuses découvertes permettant de rendre tel ou tel sujet inattaquable par telle ou telle maladie.
G. DUHAMEL, *Problèmes de civilisation*, p. 74.

2   Pasteur ne se contente pas d'éclairer par ses recherches le rôle pathogène des microbes; il apporte des méthodes décisives pour les combattre. Il démontre, en effet, qu'en inoculant à un animal des microbes de virulence amoindrie, atténuée, on peut lui communiquer une maladie bénigne qui le prémunit ensuite contre la maladie grave, déterminée par le microbe en pleine virulence. Tel est le principe de la vaccination (...)
Jean ROSTAND, *Esquisse d'une histoire de la biologie*, p. 165.

VACCINE [vaksin] n. f. — 1749; lat. méd. *(variola) vaccina* «variole de la vache».

♦ **1.** Maladie infectieuse (observée chez la vache, le cheval) due à un virus morphologiquement identique au virus de la variole humaine, et dont l'inoculation chez l'homme confère une immunité contre cette maladie (⇒ **Vaccination**, 1.).
Par ext. Préparation du virus de la vaccine employée pour la vaccination antivariolique.

♦ **2.** (1800). Vieilli. Inoculation de la vaccine (1.) à un individu pour l'immuniser contre la variole. *La vaccine fut inventée par l'Anglais Jenner qui avait remarqué que les vachers, ayant contracté la variole des vaches* (cow-pox) *en les trayant, résistaient aux épidémies de variole. Pratiquer, propager la vaccine.* ⇒ **Vaccination.**

Et ils montrèrent beaucoup de zèle pour la vaccine, apprirent à saigner sur des feuilles de chou, firent même l'acquisition d'une paire de lancettes.
FLAUBERT, *Bouvard et Pécuchet*, III.

♦ **3.** Réaction provoquée chez l'homme par l'inoculation du vaccin* antivariolique. *Vaccine généralisée :* éruption disséminée de pustules compliquant la réaction normale. — *Fausse vaccine.* ⇒ **Vaccinelle.**

DÉR. Vaccin, vaccinelle, vacciner, vaccinide, vaccinifère, vaccino-.

VACCINÉ, ÉE [vaksine] adj. ⇒ **Vacciner.**

VACCINELLE [vaksinɛl] n. f. — 1836; de *vaccine*.

♦ Méd. Éruption vaccinale bénigne que l'on observe souvent chez un sujet revacciné. ⇒ **Vaccinoïde.** *La vaccinelle est appelée aussi fausse vaccine.*

VACCINER [vaksine] v. tr. — 1801; de *vaccine* ou de *vaccin*.

♦ **1.** Inoculer la vaccine à (qqn) pour immuniser contre la variole. *Lancette à vacciner.* ⇒ **Vaccinostyle.**

♦ **2.** (1852). Immuniser par un vaccin (2.). ⇒ **Vaccination.** *Vacciner qqn contre la fièvre typhoïde. Se faire vacciner contre la grippe.*
Fig., fam. (surtout au passif). *Être vacciné contre qqch. :* être préservé d'une chose désagréable, dangereuse pour en avoir fait la pénible

expérience. *Plus d'affaires sentimentales, je suis vacciné pour un moment. Sa dernière mésaventure l'a complètement vacciné.*

▶ **VACCINÉ, ÉE** p. p. adj. *Des enfants vaccinés.* — N. (1807). *Les vaccinés :* les sujets vaccinés. — Fig. → ci-dessus, 2.

DÉR. Vaccinable, vaccinateur, vaccination.

VACCINIDE [vaksinid] n. f. — 1872, «vaccinelle»; de *vaccine* ou de *vaccin*, et de *-ide*.

♦ Lésion cutanée pouvant survenir après une vaccination antivariolique (rougeurs, pustules, vésicules).

VACCINIER [vaksinje] n. m. — 1855; *vaccinium*, 1750; mot lat., p.-ê. du grec *wakinthos* «jacinthe».

♦ Bot. Airelle*.

VACCINIFÈRE [vaksinifɛʀ] adj. — 1863; de *vaccine* (1.), et *-fère*.

♦ Didact. Se dit d'un animal ou d'un individu porteur de pustules de vaccine ou de variole et dont on prélève le pus pour en préparer le vaccin antivariolique.

VACCINO- Élément, de *vaccin* ou de *vaccine*. ⇒ **Vaccinogène, vaccinoïde, vaccinostyle, vaccinothérapie.**

VACCINOGÈNE [vaksinɔʒɛn] adj. — 1865; de *vaccino-* (élément tiré de *vaccin*), et *-gène*.

♦ Didact. Se dit d'un organisme producteur de vaccin.

VACCINOÏDE [vaksinɔid] n. f. et adj. — 1836; de *vaccino-* (élément tiré de *vaccine*), et *-oïde*.
Médecine.

♦ **1.** N. f. Vaccinelle*.

♦ **2.** Adj. (1842). Qui ressemble à la vaccine. *Réaction vaccinoïde.*

VACCINOPRÉVENTION [vaksinopʀevɑ̃sjɔ̃] n. f. — Mil. xxᵉ; de *vaccino-*, et *prévention*.

♦ Méd. Vaccination préventive destinée à immuniser contre une infection.

VACCINOSTYLE [vaksinostil] n. m. — 1907; de *vaccino-* (élément tiré de *vaccin*), et 2. *style*.

♦ Méd. Lancette à vacciner, plume métallique très pointue.

VACCINOTHÉRAPIE [vaksinoteʀapi] n. f. — 1910; de *vaccino-* (élément tiré de *vaccin*), et *-thérapie*.

♦ Méd. Traitement des maladies infectieuses par les vaccins (qui accroissent les capacités de défense de l'organisme après le contage).

VACHARD, ARDE [vaʃaʀ, aʀd] adj. — 1867; de *vache*.

♦ **1.** Vx. Qui est vache (II., 1.); mou, paresseux. ⇒ **Vache** (cit. 9).

♦ **2.** (1918). Fam. Qui est vache (II., 3.); méchant, sévère. *Un prof vachard.* — *Une réflexion vacharde.*

J'étais dans un état que Chuck appelle les deux sources de la morale et de la religion, c'était l'angoisse. Ce qu'il y a de plus vachard chez Chuck, c'est sa façon de vous connaître sur le bout des doigts, en haussant les épaules, en faisant un geste de la main et en murmurant «c'est classique». Il me met hors de moi, ce salaud-là, avec sa somme de connaissances.
É. AJAR (R. GARY), l'*Angoisse du roi Salomon*, 1979, p. 246.

DÉR. Vachardise.

VACHARDISE [vaʃaʀdiz] n. f. — Mil. xxᵉ; de *vachard*.

♦ Fam. Caractère vachard (de qqn, d'une action). ⇒ **Vacherie.** *Il est d'une vachardise inouïe.*

VACHE [vaʃ] n. f. — Fin xiᵉ; lat. *vacca*.

★ **I.** ♦ **1.** Femelle du taureau, mammifère *(bovidés). La vache est élevée pour son lait, sa chair, pour la reproduction et éventuellement pour le travail agricole... Mamelles* (⇒ 1. **Pis**, cit. 3), *écusson* (5.) *d'une vache. Vache dagorne*. *Bouse* (→ cit. 2), *urine de vache. De la pisse de vache. La vache meugle* ⇒ Lent, cit. 2), *beugle* (→ Pâturage, cit.). *Jeune vache.* ⇒ **Génisse, taure.** *Taureau* (cit. 2) *qui saillit une vache. Vache qui met bas son veau.* ⇒ **Vêler.** *Petit de la vache.* ⇒ **Veau** (→ 1. Étable, cit. 2). *Mener pacager les vaches* (→ Banal, cit. 1). ⇒ **Vacher.** *Vaches qui paissent* (→ Meuglement, cit. ; vénéneux, cit.), *pâturent* (→ Herbe, cit. 16), *brou-tent... Vaches qui ruminent* (cit. 1). *Étable à vaches.* ⇒ **Vacherie** (I.). — (1290). Cour. *Vache laitière* (cit. 2). — Rare. *Vache beurrière.* — *Traire, tirer* (régional) *les vaches* (→ Califourchon, cit. 1 ; pai-siblement, cit. 1). *Lait de vache.* ⇒ **Lait.** *Fromage* (cit. 1) *de lait de vache ; fromage* (cit. 10) *de vache.* — *L'enflure* (cit. 1), *la vac-cine** (cow-pox), *la tuberculose, maladies de la vache. Vache tau-relière*.* — *Vendue en boucherie sous le nom de bœuf*, la vache a la chair plus savoureuse que celui-ci.*

1 La porte ouverte, on aperçut, sur deux rangs, aux deux côtés de l'allée centrale, les trente vaches de la ferme, les unes couchées dans la litière, les autres broyant les betteraves de leur auge (...)
ZOLA, la Terre, I, I.

1.1 La maison est sur un coteau, au milieu d'un parc en pente jusqu'à la rivière qu'enjambe un pont de pierre en dos d'âne. Derrière l'eau, des prairies s'étendent et vont, d'un pas lent, de grosses vaches nourries d'herbe mouillée, et dont l'œil humide semble plein des rosées, des brouillards et de la fraîcheur des pâturages.
MAUPASSANT, Nos lettres, 1888, Pl., t. II, p. 1026.

2 Par les pâtures bordées de peupliers, des vaches rousses et blanches vaguaient, ou ruminaient, couchées de biais dans l'herbe.
M. GENEVOIX, Raboliot, III, II.

Courses de vaches landaises (⇒ **Vachette**). *Écarteur* de vaches landaises.*

Myth. *La nymphe Io fut transformée en vache* (→ Poursuivre, cit. 6). Relig. *Sacrifier une vache* (→ Repentir, cit. 3). *La vache, animal sacré aux Indes.*

2.1 La vache et le singe, les deux animaux sacrés les plus impudents. Il y a des vaches partout dans Calcutta. Elles traversent les rues, s'étalent de tout leur long sur un trottoir qui devient inutilisable, fientent devant l'auto du Vice-roi, inspectent les magasins, menacent l'ascenseur, s'installent sur votre palier (...)
Henri MICHAUX, Un barbare en Asie, p. 16 (1932).

Les sept vaches grasses et les sept vaches maigres dont parle la Bible (→ Abondance, cit. 10), symbole de l'alternance de l'abon-dance* et de la disette*. — Fig. *Les vaches grasses :* l'abondance. *Les vaches maigres :* la disette.

3 Sous peine de mériter les années de vaches maigres, le cultivateur, aujourd'hui, doit tout savoir.
G. DUHAMEL, Turquie nouvelle, IV.

3.1 (...) cette maudite lettre anonyme la privait de l'homme qu'elle aimait, qu'elle admirait, dont elle était fière, et qui subvenait généreusement à tous ses besoins. Demain ce serait à nouveau les vaches maigres, les amours sans lendemain, les fins de mois difficiles.
René FLORIOT, La vérité tient à un fil, p. 172 (1970).

Loc. régionale. *Blé de vache :* le mélampyre. — *Arbre à (la) vache :* le galectodendron. — *Le ranz* (cit. 1) *des vaches.*

Par anal. (autres animaux). *Vache marine.* ⇒ **Dugon** (→ 1. Morse, cit.). *Vache denier.*

3.2 Il avait vu une vache de mer (...) qui s'était perdue dans les herbages.
Claude COURCHAY, La vie finira bien par commencer, p. 180.

♦ **2.** Loc. *Le plancher* des vaches.* — *Montagne à vaches,* peu éle-vée, peu escarpée, où l'on peut se promener (employé par plais. par les alpinistes). *A vache(s) :* ridiculement facile (d'une course).

3.3 Ces garçons viennent d'informer la salle entière que le Grépon était « à vaches ».
SAMIVEL, l'Amateur d'abîmes, 1940, in PETIOT.

(1612, in D.D.L.). *La vache à Colas* (vx) : les protestants.
Une vache qui regarde passer les trains*. — *Manger de la vache enragée.* ⇒ **Enrager,** supra cit. 2.

Parler français comme une vache espagnole (1640), corrigé pour le sens en « *comme un Basque espagnol* » : parler mal le français. — *Une vache n'y trouverait pas son veau,* se dit d'un grand désordre. — *Ça lui va comme un tablier à une vache :* ça ne lui va pas du tout (cf. Comme des guêtres à un lapin). — Prov. *Chacun* (cit. 9) *son métier*, les vaches seront bien gardées :* que chacun se mêle* de ses propres affaires et tout ira mieux.

(XVIIe). **VACHE À LAIT :** personne qu'on exploite, source de profit.

4 Je jugeai par là que le public était une bonne vache à lait qui se laissait aisément traire.
A. R. LESAGE, Gil Blas, VII, XIII.

Compar. **COMME UNE VACHE.** *Être gros comme une vache.* — *Il pleut* comme vache qui pisse,* beaucoup. *Pleureur* (cit. 1) *comme une vache* (Rabelais).

5 — (...) Nous avons suivi son cercueil au cimetière, lui et moi, est-ce drôle... dites... lui et moi... et trois domestiques... c'est tout... Il pleurait comme une vache.
MAUPASSANT, l'Inutile Beauté, « Champ d'oliviers », III.

Coup de pied en vache (1860, Gautier ; *ruer en vache,* 1694), d'abord t. de chausson, de boxe : coup de pied de côté, imprévisible. *Don-ner des coups de pied, des coups* (cit. 15) *en vache,* et (au fig.) : agir en traître, hypocritement, contre quelqu'un.

6 — Alors ? On donne des coups de pied en vache comme une femme ?
SARTRE, la Mort dans l'âme, p. 119.

6.1 Allait-il ruer, tenter de mordre, décocher un coup de pied en vache, ou se laisse-rait-il faire ?
F. MAURIAC, le Nouveau Bloc-notes 1958-1960, p. 83.

Péj. *Queue de vache :* d'un roux pisseux ou terne. *Des cheveux queue de vache.*

♦ **3.** [a] *Peau de la vache* (1.), apprêtée en fourrure, en cuir. *Sac en vache. Cuir de vache.* ⇒ **Croupon, vachette.** — Objets faits, garnis de cette peau.

[b] *(Une vache).* Vx. Coffre de voyage recouvert de cuir. *Le doua-nier ne fit pas fouiller* (cit. 11) *ma vache.* — Mod. Sac en cuir. — *Récipient de toile* (p.-ê. autrefois de cuir de vache) utilisé par les campeurs pour transporter et conserver l'eau.

★ **II.** Fig. ♦ **1.** (XVIIe). Vx. Femme trop grosse. *C'est une vache* (on

---

dit encore, par métaphore du sens propre : *c'est une grosse vache*). — Adj. « *Elle devient vache, elle prend trop d'embonpoint* » (Lit-tré, 1872).

Pop., vx. Personne molle et paresseuse. — (1844, Larchey). Vx. Pros-tituée.

7 (...) je suis trahie, et pour qui ? pour une Anglaise qui a de gros pieds, de gros os, une grosse poitrine, quelque vache britannique.
BALZAC, Mémoires de deux jeunes mariées, Pl., t. I, p. 318.

Adj. Paresseux et mou.

8 *(Flaubert)* emploie *vache,* en attribut, comme synonyme de *veule, mou, sans res-sort :* « Depuis que je fais de l'hydrothérapie, cependant, je me sens un peu moins vache (...)
M. SCHÖNE, la Langue de Flaubert, p. 11.

REM. C'est à ce sémantisme métaphorique qu'il faut sans doute ratta-cher l'exemple suivant, qui a l'intérêt de fournir le modèle syntactique de l'emploi plus récent : *une vache de...* (ci-dessous).

8.1 Devant nous, la plaine, une grande vache de plaine toute nue, où il pleuvait de la neige.
MAUPASSANT, les Idées du colonel, Pl., t. II, p. 163.

♦ **2.** N. f. (De *coup de pied en vache* ; argot, 1879). Agent de police ; policier ; gendarme. « *Mort aux vaches !* » (→ Poivrot, cit. ; sergot, cit. 1). *Vache à roulettes :* agent cycliste. ⇒ **Hirondelle.**

8.2 Frénétique l'une d'elles *(l'une des mégères « gendarmicides »)* attache
Le vieux maréchal des logis
Et lui fait crier : « Mort aux vaches,
Mort aux lois, vive l'anarchie ! »
Georges BRASSENS, Hécatombe.

9 On accuse mon client d'avoir dit : « Mort aux vaches ! » Le sens de cette phrase n'est pas douteux. Si vous feuilletez le *Dictionnaire de la langue verte,* vous y lirez : « *Vachard,* paresseux, fainéant ; qui s'étend paresseusement comme une vache, au lieu de travailler. — *Vache,* qui se vend à la police ; mouchard ». *Mort aux vaches !* se dit dans un certain monde. Mais toute la question est celle-ci : Comment Crainquebille a-t-il dit ?
FRANCE, Crainquebille, III.

10 Les flics comme une nuée s'étaient abattus sur ce coin de Montmartre (...) les gens fuyaient sous les coups de matraque, et au centre, quatre ou cinq vaches s'acharnaient sur un homme à terre.
ARAGON, les Cloches de Bâle, III, XVIII.

♦ **3.** (1900, Mirbeau). [a] N. f. Fam. Personne méchante, qui ne passe rien, se venge ou punit sans pitié. *Quelle vache, ce prof ! C'est une vieille vache, une belle vache. Tu es une vache* (→ Taule, cit. 1). *Ne fais pas la vache !* ⇒ **Carne, rosse.** *Cette vache de propriétaire.* — Loc. *Peau de vache :* personne méchante. *C'est une vraie peau de vache.* Adj. *Il est un peu peau de vache.*

11 Ma femme ?... c'est... c'est... une vache... oui, Célestine... une vache... une vache... une vache (...)
— Oh ! vous êtes si douée, vous... vous êtes si gentille !... Vous devez être si bonne !... Tandis que cette vache...
O. MIRBEAU, le Journal d'une femme de chambre, p. 90.

12 Sur simple vue et à cent mètres, tout biffin français eût dit de ce gaillard-là : « Voilà une belle vache ! » Il se promenait entre les baraques, une baguette à la main, la casquette sur les yeux, appliquant sur le sol des ribouis formidables et combinant des punitions précises et féroces qu'il priait le commandant du camp d'assener à ses Boches (...)
G. DUHAMEL, Récits des temps de guerre, IV, XI.

(En appellatif). *Sale vache ! Vieille vache !*

12.1 Il descendit près du malade, non sans avoir dit de la porte à État : « Et fais atten-tion à ne pas me chiper mon verre, vache ! »
PROUST, Jean Santeuil, Pl., p. 697.

Exclam. Fam. (Dans un sens plus faible en parlant d'une personne dont on a à se plaindre). *Ah ! les vaches, ils m'ont oublié, ils m'ont bien eu !* — Par ext. Se dit de choses pénibles, désagréables. *J'ai reçu un de ces coups, la vache !* ⇒ **Merde, vacherie.** *Vache de mouche !*

12.2 Nullement consterné, il murmura en serrant les dents : — La vache ! il m'a flan-qué une balle en plein dans ma mitrailleuse.
M. AYMÉ, le Passe-muraille, p. 218 (1943).

Par antiphrase (admiratif). *Ah la vache ! Il faut voir comment il a gagné l'épreuve !* — *Une vache de...* (intensif). *Une vache de belle maison !*

[b] Adj. (1880). En épithète, toujours postposé. Fam. Méchant, sévère. *Il a été vache avec moi. Un examinateur vache, qui colle les élè-ves. Il n'y a pas plus vache !*

13 — Je serai vache comme tout avec elles *(mes élèves).* je leur ferai lécher le par-quet. Je leur ferai manger l'éponge du tableau noir. Je leur enfoncerai des coups pas dans le derrière.
R. QUENEAU, Zazie dans le métro, II.

(Action, chose). *C'est vache d'avoir fait cela. La remarque, la plai-santerie est un peu vache. Une critique très vache, un esquintage.* — *L'amour vache* (par plais.), où il y a plus de coups que de cares-ses. — *C'est vache !,* se dit aussi d'un contretemps, d'une mal-chance. *Si près de réussir, ça c'est vache alors !* — (1925 ; par anti-phrase, devant le nom). Vieilli. Beau, bon, épatant. *Une vache petite salle* (→ Ring, cit. 3). *Une vache pépée.* — Pop., au masc. *Un vache dîner, de dîner* (→ 2. Chouette).

14 — Si l'un de nous se casse la pipe, on ne sait jamais, celui qui s'en sera tiré fera un vache tombeau à l'autre, avec une vache inscription, hein ?
Michel DE SAINT-PIERRE, les Aristocrates, XVI.

♦ **4.** (Av. 1970). Techn. *Vache à radioélément* ou *vache :* radioélé-ment de longue vie utilisé pour l'obtention d'un radioélément de courte vie. « *(...) "vaches" à radionucléides vendues par des fir-mes de radiochimie : le parent radioactif est dans un conteneur fermé. En ajoutant un solvant convenable, on peut éluer l'élément radioactif de période courte* » (P. Blanquet et D. Blanc, *la Méde-cine nucléaire,* p. 11-12).

CONTR. (De II., 2.) **Chic, gentil, indulgent.**

DÉR. **Vachard, vachement, vacherin, vachette.**

VACHEMENT [vaʃmã] adv. — Av. 1930, Montherlant; de *vache*. Familier.

♦ **1.** (Vieilli). D'une manière vache (II., 3.), méchamment, durement. *Il a agi vachement.*

1 — (...) J'ai été plaqué deux fois. Et vachement.
MONTHERLANT, les Jeunes Filles, p. 119.

♦ **2.** (Intensif, admiratif). Beaucoup; très. ⇒ **Drôlement** (*supra* cit. 2), **rudement.** *Elle est vachement bien. Il nous aide vachement.* ⇒ **Formidablement.** *T'as aimé? — Vachement! C'était vachement chouette.*

2 — Tout de même, la ceinture de papa fait vachement bien dans le décor, dit Louis-César. On se croirait au Muséum.
Michel DE SAINT-PIERRE, les Aristocrates, XIV.

3 Malheureusement Dominique s'entêtait et s'obstinait et demeurait vachement honnête et prude quoiqu'elle ait fini par concéder un peu de pelotage (...)
R. QUENEAU, Loin de Rueil, p. 172.

4 Je vois l'indice du prix de la vie : depuis quatre mois, il est vachement en hausse.
J. DUTOURD, Au bon beurre, p. 96.

VACHER, ÈRE [vaʃe, ɛʀ] n. et adj. — 1200, *vachier; vachière*, 1348; du lat. pop.* *vaccarius*, même sens.

★ **I.** N. Personne qui mène paître les vaches et les soigne. ⇒ **Berger, gardien** (de troupeaux). *Deux vachers, un berger et un porcher* (→ Serviteur, cit. 1). *Vachères aux mains gercées* (cit. 3).

1 Je pensais à ces bestiaux que j'entendais tousser dans le brouillard et que le petit vacher, revenant de l'école, son cartable sous le bras, mènerait tout à l'heure à travers les pâtures trempées, vers l'étable chaude, odorante (...)
BERNANOS, Journal d'un curé de campagne, I.

2 Il dit : J'ai vendu mes vaches. Je me suis débarrassé de toutes mes vaches laitières. Je ne trouve plus de vacher. Aucun de mes ouvriers ne veut plus être vacher. C'est un métier assujettissant : il faut être toujours là (...)
G. DUHAMEL, Manuel du protestataire, IV.

Loc. vieillie. *Des manières de vacher, de vachère*, de rustre, grossières.

★ **II.** Adj. *Foire vachère*, où l'on vend surtout des vaches.

VACHERIE [vaʃʀi] n. f. — 1336; *vacerie* «troupeau de vaches», 1160; de *vache*.

★ **I.** Vx ou régional. Étable à vaches (→ Habitation, cit. 3).

0.1 Des routes, des églises, avec des villages autour, des noms de lieux, Marie, Saint-Delmas-le-Selvage, les Baux. Des vacheries, des prés verts, des étangs, des ruisseaux habités par les poissons.
J.-M. G. LE CLÉZIO, la Fièvre, 1965, p. 189.

★ **II.** Fig., fam. ♦ **1.** (1867). Vx. Veulerie. *«Nous périssons par l'indulgence, par la clémence, par la vacherie...»* (Flaubert, *Correspondance*, 1264, 28 janv. 1872).

♦ **2.** (1885, Chautard). Mod. **a** *(Une, des vacheries)*. Parole, action méchante. ⇒ **Méchanceté.** *Dire, faire des vacheries.*

0.2 Les autres personnages, à peine plus heureux, étaient prédestinés qui retrouvaient parfois quelque liberté pour prononcer un mot à l'emporte-pièce ou faire une vacherie à un vieil ami.
M. AYMÉ, Travelingue, 1941, p. 92.

0.3 Je le dirai que j'ai été infect avec toi et aussi que j'ai passé mon temps à dire des vacheries sur ton compte.
M. AYMÉ, le Vin de Paris, «La bonne peinture», p. 221.

1 — (...) Des coups de trique seulement, des misères, des bobards et puis des vacheries encore.
CÉLINE, Voyage au bout de la nuit, p. 15.

VACHERIE DE (et un nom) : personne, chose désagréable, pénible, injuste. ⇒ **Saloperie.** *Quelle vacherie de temps!*

— Tu as vu tout à l'heure cette vacherie de Levélan le boniment qu'elle m'a envoyé?
M. AYMÉ, Maison basse, p. 187.

Interj. *Ah! vacherie!* ⇒ **Saloperie.**

b *(La vacherie de...)*. Caractère vache (II., 3.), méchant. *La vacherie d'une critique. Il est d'une vacherie!*

2 Ce que je sais, c'est que les hommes sont de plus en plus vaches. Ils s'excitent eux-mêmes au contact de leur propre vacherie.
P. MAC ORLAN, Quai des Brumes, V.

♦ **3.** Situation pénible (due à la «vacherie» de la vie, du destin...).

3 (...) les véritables rapports sympathiques, la cruauté les engendre, et la haine. On admirait la vacherie de Querelle, que l'on haïssait.
Jean GENET, Querelle de Brest, p. 259.

4 (...) je suis en pleine vacherie et c'est pas aujourd'hui qu'il faut venir me casser les pieds.
A. SARRAZIN, la Cavale, p. 245.

CONTR. Gentillesse.

VACHERIN [vaʃʀɛ̃] n. m. — 1605; *fromage vachelin*, 1469; de *vache*.

♦ **1.** Régional. Fromage de Franche-Comté, à pâte molle et onctueuse.

♦ **2.** (1906). Meringue* à la crème fraîche, souvent servie glacée.

VACHERON [vaʃʀɔ̃] n. m. — xxᵉ; de *vacher*.

♦ Régional. Jeune vacher. *«À 7 ans, on est vacheron ou domestique...»* (*l'Express*, 7 juin 1980, p. 73).

VACHETTE [vaʃɛt] n. f. — xⁱⁱᵉ; de *vache*.

♦ **1.** Petite vache. *Courses de vachettes dont la cocarde, fixée au front, doit être arrachée par les raseteurs* (dans le Sud de la France).

♦ **2.** (1679, *vaquette*). Cuir de jeune vache, de génisse. *Sac en vachette.*

VACILLANT, ANTE [vasijã, ãt; vx vasilã, ãt] adj. — 1355, «incertain», en parlant du sort des armes; *vaxillant*, 1480; de *vaciller*.

♦ **1.** Qui vacille (1.), remue par manque d'équilibre, menace de tomber. ⇒ **Chancelant, tremblant.** *Pile énorme et vacillante* (de dossiers). → 2. Caler, cit. 2. *Genoux vacillants de faiblesse.* — (T. de manège). *Jarrets vacillants d'un cheval.* — (Personnes). *Le messager vacillant se remit au garde-à-vous* (cit. 3). — Par métaphore. *La base vacillante de l'emprunt* (cit. 3), fragile. — Par ext. *Démarche vacillante* (→ Girafe, cit. 1). ⇒ **Titubant.**

♦ **2.** (⇒ **Vaciller,** 2.). Qui scintille faiblement, tremble. *Flamme, lumière vacillante.* ⇒ **Clignotant, tremblant** (2.); → Pétrole, cit. 1; révélation, cit. 6; soufre, cit. 1. — Par métaphore. (→ Espérance, cit. 26).

♦ **3.** («Instable»; changeant», xivᵉ). Fig. Qui hésite et change d'avis, d'intention (par faiblesse). ⇒ **Incertain, indécis, irrésolu, mobile.** *Une volonté vacillante, bégayante* (cit. 2). *Esprit vacillant.* ⇒ **Changeant.**

♦ **4.** Fig. (du sens 1). Qui manque de fermeté, de force, de sûreté; sur quoi ou sur qui on ne peut compter. ⇒ **Faible.** *Caractère, esprit vacillant. Notre raison vacillante* (→ Dépravé, cit. 6).

Il faut donc mettre notre foi dans le sentiment; autrement il le sera toujours vacillante.
PASCAL, Pensées, IV, 252.

CONTR. Fixe, immobile; assuré, ferme, sûr; décidé.

VACILLATION [vasijɑsjɔ̃; vx vasil(l)ɑsjɔ̃] n. f. — 1512, fig.; lat. *vacillatio*, de *vacillare*. → Vaciller.

♦ **1.** (1549). Le fait de vaciller; ensemble des mouvements de ce qui vacille. ⇒ **Balancement, oscillation, tremblement.**

1 La vacillation de sa tête et la fixité de sa prunelle faisaient songer à l'aiguille qui cherche le pôle.
HUGO, les Misérables, V, VIII, IV.

♦ **2.** *Vacillation d'une flamme, de la lumière.*

♦ **3.** (1512). Fig., vieilli. *(La vacillation)*. Hésitation à agir, à décider; changements d'opinion, d'intention dus à la faiblesse. ⇒ **Doute, incertitude, indécision, irrésolution, mobilité, variabilité.** *Un esprit de vacillation et d'incertitude* (Bossuet, *in* Littré).

(Une, des vacillations) :

2 Mais lui, la voyant chaque jour, dans les faiblesses et les vacillations de sa conduite, lui dérober son temps, sa vie, que dans la fermeté de ses plans, avec la certitude de ses principes, elle lui avait si récemment encore promis tout entiers, s'irrita de la voir si sûre d'elle, prétendant donner par devoir et malgré elle au monde ce qu'elle se laissait arracher par plaisir, contre tous ses systèmes.
PROUST, Jean Santeuil, Pl., p. 814.

♦ **4.** Rare. Affaiblissement. *Vacillation de la raison.*

CONTR. Aplomb, décision.

VACILLEMENT [vasijmã; vx vasilmã] n. m. — 1606; dér. de *vaciller*.

♦ **1.** Mouvement, oscillation de ce qui vacille. *Les vacillements d'une pile de livres.*

1 À voir sous la cognée tomber ces grands arbres, avec des vacillements de blessés à mort (...)
Ed. et J. DE GONCOURT, Journal, 21 août 1870, t. IV, p. 12.

Par métaphore.

2 (...) qui allait sourdre d'elle et devenir Duras. Mais il montait déjà, de ces pages, ce vertige de surprise, ce questionnement du monde en sourdine des mots, et ce vacillement de solitude entre les êtres ensemble, — sa musique à elle tout au long de son œuvre.
Claude ROY, Nous, 1972, p. 120.

♦ **2.** *Les vacillements d'une lueur.* ⇒ **Clignotement.**

♦ **3.** Vacillation (3.). *«Un vacillement des esprits»* (Colette, *Belles saisons*, p. 84).

VACILLER [vasije; vx vasile] v. intr. — 1180; lat. *vacillare*, même sens.

♦ **1.** Être animé de mouvements répétés, alternatifs, être en équilibre instable et risquer de tomber. ⇒ **Balancer** (se); **branler** (vx), **chanceler, chavirer, trembler.** *Objet mal assujetti qui commence à vaciller. Vaciller sur ses jambes. Mes genoux vacillaient sous moi* (→ Perdre, cit. 13). ⇒ **Fléchir.**

1   Les jambes de la pauvre vieille s'étaient alourdies. Il lui fallut une canne pour se traîner dans la salle à manger et là il lui sembla que les murs vacillaient autour d'elle.   ZOLA, *Thérèse Raquin*, XIV.

2   (...) la serve conscience hésite : elle va lentement, par le dédale ; elle vacille, comme épuisée ; elle tâte les murs de la prison (...)   André SUARÈS, *Trois hommes*, « Dostoïevski », IV.

♦ **2.** Trembler, être sur le point de s'éteindre ; subir des variations (lumière), scintiller faiblement. ⇒ **Frissonner, osciller, trembloter.** *Bougie** (cit. 1), *flamme, lumière qui vacille* (→ Demi-, cit. 15 ; souffle, cit. 2).

3   *(La rue)* débouchait sur une place immense, où mille lumières éparses vacillaient dans le brouillard confus de la nuit.   HUGO, *Notre-Dame de Paris*, II, VI.

Par métaphore. S'affaiblir, se manifester faiblement. *Une faible lueur* (cit. 11) *d'intelligence vacillait dans son âme.*

4   Quand la lumière de l'esprit vacille, on cherche celle du cœur.   MICHELET, *Hist. de la Révolution franç.*, VI, IX.

♦ **3.** (Sujet n. de personne). Vx. Être incertain, irrésolu. ⇒ **Balancer** (II., 2.), **hésiter.** *Vaciller dans ses réponses.* — Manquer de fermeté ; chanceler. *« Si l'ivresse de quelque passion m'eût fait vaciller encore »* (Rousseau, *la Nouvelle Héloïse*, IV, XII).

5   Le trait qui domine dans cette longue vie de souffrance, de martyre dès les jeunes ans (...) est une vérité parfaite, une parfaite simplicité (...) à aucun moment depuis, elle ne vacilla.   SAINTE-BEUVE, *Causeries du lundi*, 3 nov. 1851.

♦ **4.** Fig. (du sens 1 ou 2, par métaphore). Devenir faible, incertain ; manquer de solidité, de fermeté. *Mémoire* (→ Heure, cit. 103), *intelligence qui vacille.* ⇒ **Vacillant ; affaiblir** (s'). *Sa résolution vacilla.* — Spécialt, vx. Faire un lapsus ; ne pouvoir prononcer (un mot).

6   Oh ! dans l'esprit de l'homme où tout vacille et fuit,
Où le verbe n'a pas un mot qui ne bégaie (...)   HUGO, *la Légende des siècles*, LX.

7   Le petit, subjugué, fait bravement quelques pas ; mais, dès qu'Antoine ne le regarde plus, son courage vacille : il tourne vers son frère un visage qui appelle au secours (...)   MARTIN DU GARD, *les Thibault*, t. III, p. 112.

8   En même temps, elle se multipliait par neuf et Théorème sentit un moment sa raison vaciller en voyant évoluer autour de lui neuf Sabines toutes pareilles.   M. AYMÉ, *le Passe-muraille*, 1943, p. 29.

CONTR. Aplomb (être d'aplomb).
DÉR. Vacillant, vacillement.

VACIVE [vasiv] n. f. — 1500, var. *vassive ;* mot régional, provençal *vacivo* « vide », lat. *vacivus,* doublet archaïque de *vaccus* « vide ».

♦ Agric. ou régional. Brebis de deux ans (⇒ **Antenais**), qui n'a pas encore porté. — Adj. *Agnelle*, brebis vacive.*

DÉR. Vassiveau.

VA-COMME-JE-TE-POUSSE (À LA) [alavakɔmʒtəpus] loc. adv. ⇒ **Pousser.**

VACUISME [vakyism] n. m. — 1771 ; du rad. du lat. *vacuum* « le vide ».

♦ Didact. (hist. des sc.). Système de ceux qui, avant la découverte de la pression atmosphérique, admettaient l'existence du vide dans la nature (et s'opposaient ainsi à l'idée alors communément admise de la nature ayant « horreur du vide »).

VACUISTE [vakyist] adj. et n. — 1752 ; du rad. du lat. *vacuum* « le vide ».

♦ Didact. (hist. des sc.). Partisan du vacuisme ; relatif au vacuisme.

VACUITÉ [vakyite] n. f. — 1314, « espace vide » ; lat. *vacuitas,* de *vacuus* « vide ».

♦ **1.** Didact. État de ce qui est vide. ⇒ **Vide** (n. m.).

1   Calme et vacuité de la place de la Bastille.   Ed. et J. DE GONCOURT, *Journal*, 20 avr. 1874.

♦ **2.** (1601, « irrésolution » ; 1801, « nullité d'un système »). Vide moral, intellectuel ; absence de valeur. *La vacuité d'une œuvre, d'une conversation. Son discours est d'une vacuité complète, absolue.* — *Vacance* (cit. 5) *et vacuité* (de quelqu'un).

2   Tout homme est juge, et juge exclusif, de la quantité de douleur physique, ou encore de vacuité mentale qu'il peut honnêtement supporter.   A. ARTAUD, *l'Ombilic des limbes, in* Œ. compl., t. I, p. 65.

CONTR. Plénitude.

VACUOLAIRE [vakyɔlɛʀ] adj. — 1849 ; de *vacuole.*

♦ Didact. Relatif aux vacuoles ; qui renferme des vacuoles. *Membrane vacuolaire. Dégénérescence vacuolaire de la cellule.*

VACUOLE [vakyɔl] n. f. — 1734 ; du rad. du lat. *vacuum* « le vide ».

♦ Didact. Petite cavité, intervalle vide. *Vacuoles de certaines scories, des lapilli...*

Histol. Espace circonscrit, parfois limité par une membrane, au sein de cytoplasme d'une cellule ou d'un organisme unicellulaire, à contenu variable.

DÉR. Vacuolaire, vacuolisation, vacuoliser, vacuome.

VACUOLISATION [vakyɔlizasjɔ̃] n. f. — 1897 ; de *vacuole.*

♦ Didact. Transformation en vacuole ou apparition de vacuoles. *Un tissu « devenu perméable par vacuolisation de certains de ses éléments »* (P.-L. Rousseau, *les Dents*, p. 28). *« Une vacuolisation du sarcoplasme avec nécrose des noyaux »* (J. Guibé, *les Batraciens*, p. 80).

VACUOLISER [vakyɔlize] v. tr. — 1904, v. pron., in *Rev. gén. des sc.*, n° 21, p. 975 ; 1903, *ibid.*, n° 21, p. 1102 ; au p. p. *vacuolisé ;* de *vacuole.* → Vacuolisation.

♦ Didact. (biol.). Transformer en vacuole ; produire des vacuoles dans... — Pron. *Se vacuoliser.*

VACUOME [vakyɔm] n. m. — Mil. XXᵉ ; de *vacuole,* et suff. *-ome.*

♦ Biol. Ensemble des vacuoles aqueuses d'une cellule végétale.

HOM. Vacuum.

VACUOMÈTRE [vakyɔmɛtʀ] n. m. — Mil. XXᵉ ; du lat. *vacuum* « vide », et *-mètre.*

♦ Didact. Indicateur de vide, dispositif capable d'évaluer la pression des gaz résiduels dans une enceinte où l'on a fait le vide.

VACUUM [vakyɔm] n. m. — 1872 ; mot latin.

♦ Sc. Espace vide, sans matière. ⇒ **Vide** (II.).

HOM. Vacuome.

VACUUM CLEANER [vakyɔmklinœʀ] n. m. — 1904 ; mots angl. « nettoyeur par le vide ». → Vacuum.

♦ Anglic. vieilli. Aspirateur (domestique).

Ce fauteuil *(la chaise électrique)* est à l'antique guillotine ce qu'est le vacuum cleaner au balai poussiéreux et microbien des ménagères d'autrefois.   A. ARNOUX, *Suite variée*, 1925, p. 196.

VADE [vad] n. f. — V. 1540 ; ital. *vada* « qu'il aille », de *vadere* « aller », lat. *vadere.*

Vieux (langue classique, XVIᵉ-XVIIIᵉ).

♦ **1.** Première mise, enjeu, dans certains jeux de cartes.

♦ **2.** (1666). Participation dans une affaire. — Loc. (Déb. XVIIIᵉ, Saint-Simon). *Pour sa vade :* dans son intérêt personnel.

VA-DE-LA-GUEULE [vadlagœl] n. invar. — 1881 ; « glouton », 1829 ; de *aller de la gueule*.*

♦ Fam. Personne qui parle beaucoup sans agir (cf. Fort en gueule). *C'est un va-de-la-gueule, mais il ne ferait pas de mal à une mouche. Vous êtes tous des va-de-la-gueule !*

VADE-MECUM [vademekɔm] n. m. invar. — 1465 ; expression latine signifiant « viens » *(vade)* « avec » *(cum)* « moi » *(me).*

♦ Ce que l'on porte habituellement avec soi. (1690). Spécialt. Littér. Livre (guide, manuel, aide-mémoire, répertoire...) que l'on garde sur soi pour le consulter.

VADE RETRO (SATANAS ou **SATANA** [vadeʀɛtʀosatana(s)] interj. — Mots latins signifiant « retire-toi (Satan) » (cf. *Évangile selon saint Matthieu*, IV, 10 ; *Marc*, VIII, 33) ; *Satanas,* de l'hébreu, par le grec.

♦ Littér. Va-t'en ! Retire toi ! Arrière ! (pour repousser avec indignation une tentation, une proposition).

1   (...) chaque fois que je rencontre un volume qui m'a induit en erreur (...) — Va ! lui dis-je avec une joie amère, va ! imposteur, traître, faux témoin, fuis loin de moi, *vade retro* (...)   FRANCE, *le Crime de S. Bonnard*, Œ., t. II, p. 503.

2   Vade retro, Satana ! On ne lui dit pas de s'en aller, mais seulement de se mettre à sa place, qui est par derrière, afin de nous empêcher de reculer. On le remet à sa place !   CLAUDEL, *Journal*, mai 1939, Pl., t. II, p. 268.

Cour., par plais. (l'indignation étant jouée, feinte). *Des chocolats ? Vade retro, Satanas, je suis au régime !*

1. VADROUILLE [vadʀuj] n. f. — 1678 ; p.-ê. de *drouilles* « hardes », et préf. régional de renforcement *va-*, selon Wartburg ; P. Guiraud suggère un dérivé *vadum* « gué », *vadare* « passer à gué » (gallo-roman *vadulare* ou *vaditulare*).

♦ **1.** Mar. Gros tampon fait de bouts de cordages, que l'on serre sur un manche ; instrument de nettoyage formé d'une vadrouille et de son manche. ⇒ **Balai, fauber.** *Nettoyer le pont d'un navire avec la vadrouille.*

Régional (Canada). Balai à franges (pour les usages domestiques).

♦ **2.** (1867). Fig., fam. Vieilli. Femme de mauvaise vie (qui traîne comme une vadrouille), prostituée.

Je ne suis qu'une vadrouille, mais je ne suis pas mauvaise encore.
Ch.-L. PHILIPPE, Bubu de Montparnasse, IX.

DÉR. Vadrouiller.
HOM. 2. Vadrouille.

2. VADROUILLE [vadʀuj] n. f. — 1890 ; déverbal de *vadrouiller*.

♦ **1.** Vieilli. Le fait d'errer en quête de débauche.

♦ **2.** Fam. Promenade ; action de vadrouiller. ⇒ **Balade.** *Une agréable vadrouille.* — EN VADROUILLE. *« Une famille en vadrouille »* (Céline). — (1932). *Être en vadrouille :* ne pas être chez soi, être sorti. — (1904). *Faire la vadrouille :* se promener à la recherche d'aventures galantes (→ 1. Vadrouille).

1 *(Il)* est presque toutes les nuits à Düsseldorf, avec ces femmes. À dix heures, il y a couvre-feu et les Allemands sont obligés de rentrer (...) Les étrangers, non. J'ai demandé au consul chilien de m'emmener faire la vadrouille.
Paul MORAND, l'Europe galante, p. 35.

Par ext. (par plais.). Déplacement, voyage. *La Grande Vadrouille,* titre de film.

2 Les vadrouilles représentent le bon côté du journalisme. On voit d'autres pierres, d'autres gueules, d'autres Prisunics. On voit le monde. On voit ce qu'on fait à Pithiviers, à Maubeuge ou à Rome. En échange de quelques lignes, on est bien logé, bien nourri et bien vu.
Geneviève DORMANN, le Chemin des dames, 1964, p. 122.

HOM. 1. Vadrouille.

VADROUILLER [vadʀuje] v. intr. — 1881, mais beaucoup plus ancien régionalement (« se vautrer », p.-ê. doublet de *gadrouiller* « patauger ». → 1. Vadrouille) ; de 1. *vadrouille,* ou directement d'un gallo-roman dérivé du lat. *vadum* « gué » (Guiraud).

Familier.

♦ **1.** Vx. Traîner dans les rues (d'abord en parlant des prostituées). — Par ext. Errer avec une intention de débauche.

À quatre heures et demie il sortait, et vadrouillait jusqu'à la mi-nuit, faisant alors un grand nombre de choses (...) toutes plus défendues les unes que les autres (...) Il ne connaissait personne à Gênes, que des femmes.
MONTHERLANT, le Démon du bien, p. 165.

♦ **2.** (1890). Se promener sans but précis, sans raison. ⇒ **Traînasser, traîner.**

DÉR. 2. Vadrouille, vadrouilleur.

VADROUILLEUR, EUSE [vadʀujœʀ, øz] adj. et n. — 1893, Courteline ; de *vadrouiller.*

♦ Fam. Qui traînasse, vadrouille. *De longues bandes vadrouilleuses* (→ Gueule, cit. 11).

VA-ET-VIENT [vaevjɛ̃] n. m. invar. — 1765 ; de *aller, et,* et *venir.*

♦ **1.** Dispositif servant à établir une communication en un sens et dans le sens inverse. — Mar. Système de double cordage. *Va-et-vient utilisé entre un navire et la côte,* pour un sauvetage, etc. — Petit bac* (1. Bac) faisant l'aller et le retour. — Organe qui effectue un mouvement alternatif (dans une machine, un mécanisme). — Gond de porte permettant l'ouverture dans les deux sens, et le retour à la position d'équilibre ; porte munie de ce système d'ouverture. *Pousser le va-et-vient* (→ Sous-maîtresse, cit. 1). — Par appos. *Pivot va-et-vient.*

(1932). Dispositif électrique comportant deux interrupteurs (ou plus) montés en circuit, et permettant d'allumer, d'éteindre, de plusieurs endroits.

♦ **2.** (1812). Mouvement alternatif ; action de ce qui va et vient alternativement. *Mouvement de va-et-vient* (→ Pressier, cit.). *Va-et-vient d'un piston* (⇒ Course), *d'une balançoire, d'un pendule* (⇒ **Balancement**).

1 « Vos roses embaument, ce soir, Amie », déclara-t-il en s'abandonnant au va-et-vient d'un fauteuil à bascule (...) MARTIN DU GARD, les Thibault, t. II, p. 277.

2 Ce tout petit va-et-vient de l'avant-bras sur le papier, il tond le velours, cire la soie, use la laine et moi-même. COLETTE, l'Étoile Vesper, p. 211.

♦ **3.** (1846). Déplacement de personnes ou de choses en sens inverse ; allées et venues. ⇒ **Passage.** *Le va-et-vient bruyant* (cit. 5)

de la rue. *Le va-et-vient perpétuel d'un café-tabac* (cit. 3). *Le va-et-vient des visiteurs* (→ Courbatu, cit. 2).

3 En 1845, l'archipel possédait quatre cent quarante navires jaugeant quarante-deux mille tonneaux ; il se faisait dans son port un va-et-vient de soixante mille tonneaux entrant et de cinquante-quatre mille tonneaux sortant (...)
HUGO, l'Archipel de la Manche, XIII.

4 À la porte des mosquées arabes, c'est un va-et-vient continuel de croyants qui vont prier et de croyants qui en reviennent (...)
E. FROMENTIN, Un été dans le Sahara, p. 269.

(1862). Fig. Échange. *Un va-et-vient d'idées.*

VAE VICTIS [vaeviktis]

♦ Mots latins signifiant « malheur* aux vaincus », parole de Brennus, chef gaulois, aux Romains vaincus (Tite-Live, V, 48).

VAGABOND, ONDE [vagabɔ̃, ɔ̃d] adj. et n. — 1382, antérieurement en provençal ; bas lat. *vagabundus,* de *vagari* « errer ». → Vaguer.

★ **I.** Adj. ♦ **1.** Vx ou littér. Qui erre* (cit. 9), se déplace sans cesse ; qui mène une vie errante. *Tribus vagabondes de bohémiens, de romanichels. Peuples vagabonds.* ⇒ **Nomade** (→ Delà, cit. 8). — (Animaux). *Oiseaux vagabonds,* migrateurs, de passage. *Troupes vagabondes d'animaux. Chatte vagabonde* (→ Papier, cit. 5).

0.1 Nous sommes revenus à la nuit à Scutari. — Mon compagnon, avec un grand fouet de poste, frappait les chiens, dans les villages où nous passions. Toute la meute vagabonde hurlait effroyablement. Nos chevaux continuaient leur train insensé.
FLAUBERT, À Louis Bouilhet, 19 déc. 1850,
in Correspondance, Pl., t. I, p. 728.

Par ext. (Choses). *Course, errance vagabonde. Une vie, une existence vagabonde,* où l'on se déplace, où l'on voyage constamment. *Si notre vie est vagabonde, notre mémoire est sédentaire* (→ Casanier, cit. 2). *« Sa mise déréglée, en ses vers vagabonds... »* (→ Bond, cit. 3, Boileau).

1 Il bavardait depuis plus d'une heure que j'en étais encore à chercher les desseins de cet entretien vagabond.
G. DUHAMEL, Récits des temps de guerre, V, Mémorial de Cauchois.

Par ext. Qui aime à errer, à se déplacer sans cesse. *Il est assez vagabond.* — *Humeur vagabonde de la chèvre* (→ Caprice, cit. 11).

♦ **2.** (XIVᵉ, « instable »). Fig. Qui change sans cesse, n'est pas fixé, tenu par une règle ou par une disposition naturelle. *Âmes errantes et vagabondes.* ⇒ **Déréglé, fugitif** (→ Conducteur, cit. 2). — (En parlant des faits psychologiques, et souvent avec métaphore du sens 1). ⇒ **Errant** (II., 2.), **flottant** (4.). *Imagination vagabonde* (→ Errer, cit. 21). *Pensées vagabondes. Allure vagabonde de l'esprit* (→ Repli, cit. 2). *Humeur inquiète et vagabonde* (→ Fantasque, cit. 3). *Sa folie, d'abord hésitante, vagabonde* (→ Grandissant, cit. 2).

2 Ils ignorent ces agitations de l'âme, ces violences des sentiments comprimés, qui impriment au style un accent tragique, et cette fantaisie vagabonde (...)
TAINE, Philosophie de l'art, t. I, p. 252.

★ **II.** N. (1530 ; *vaccabond,* 1502). ♦ **1.** Littér. Personne qui se déplace sans cesse, qui erre de par le monde. ⇒ **Aventurier, voyageur.** *La Vagabonde,* roman de Colette. — Par métaphore. *« Mon esprit est un vagabond qui se plaît à s'égarer »* (cit. 13, Descartes).

3 Il faut, — se dit-il, — que ma pensée soit une grande vagabonde pour aller chercher si loin ce qui est si près de moi.
BAUDELAIRE, le Spleen de Paris, XXIV.

4 Mais quoi ! je sens qu'il faut à ce cœur de vagabond
La trépidation des trains et des navires (...)
Valery LARBAUD, A. O. Barnabooth, Poésies, II, V.

♦ **2.** Cour. Personne sans domicile fixe et sans ressources avouables, qui erre, traîne à l'aventure. ⇒ **Ambulant** (vx), **chemineau, clochard, coureur** (de routes), **galvaudeux** (vx), **rôdeur** (→ Maraud, cit. 2). *Des vagabonds sans feu ni lieu. Vagabond misérable, en haillons, qui mendie* (⇒ **Gueux, mendiant**), *vit de rapines. Les vagabonds nocturnes* (→ Fureter, cit. 9). *Cette vagabonde, cette rouleuse* (cit. 3). *Jusqu'à la loi du 27 décembre 1917, les souteneurs étaient assimilés par la loi aux vagabonds.* ⇒ **Vagabondage** (spécialt). — Dr. *Jeune vagabond :* mineur coupable du délit de vagabondage (J. Chazal, l'Enfance délinquante, p. 7).

5 La loi anglaise (...) tolérait le vagabond à état, devenu un sujet. On n'inquiétait ni le saltimbanque, ni le barbier ambulant, ni le physicien, ni le colporteur, ni le savant en plein vent, attendu qu'ils ont un métier pour vivre. Hors de là, et à ces exceptions près, l'espèce d'homme libre qu'il y a dans l'homme errant faisait peur à la loi. HUGO, l'Homme qui rit, I, II, VI.

6 De loin s'avançait une ligne sombre. Quelqu'un, près d'Armand, expliqua : « La rafle ! » Armand avait sommeil. Dans quoi tombait-il ? Il ne connaissait pas trop ses droits, mais il n'ignorait pas que, sans papiers et sans domicile, il n'était qu'un vagabond pour la police. ARAGON, les Beaux Quartiers, II, XXXI.

DÉR. Vagabonder.

VAGABONDAGE [vagabɔ̃daʒ] n. m. — 1767 ; de *vagabonder.*

♦ **1.** Le fait ou l'habitude d'errer, d'être vagabond. ⇒ **Course, errance** (→ Aventure, cit. 25). *Le démon du vagabondage* (→ Emparer, cit. 12), *des voyages. Les vagabondages imprévus* (→ 2. Bande, cit. 4).

1   Sa poésie *(de Shakespeare)* a le parfum âcre du miel fait en vagabondage par l'abeille sans ruche.   HUGO, Shakespeare, II, I, V.

♦ **2.** État de vagabond (II., 2.). *La Cour* (cit. 5) *des Miracles, ce ruisseau de vices, de mendicité, de vagabondage.* — Dr. Délit de toute personne qui n'a ni domicile ni moyens de subsistance et n'exerce habituellement aucun métier (Code pénal, art. 270). *Vagabondage de mineurs :* état des mineurs qui, ayant quitté sans motif légitime le domicile des parents, tuteurs, etc., vivent sans exercer une profession ou un métier légalement admis. *Vagabondage et fugue*. Procédure de vagabondage :* mesures d'éducation et de « protection » prises par la justice à l'égard du *jeune vagabond.*
(En raison de l'assimilation juridique des souteneurs aux vagabonds, jusqu'en 1917). *Vagabondage spécial :* délit par lequel une personne aide, assiste ou protège le racolage en vue de la prostitution, pour en tirer profit.

♦ **3.** (1831). Fig. État de l'imagination entraînée d'objet en objet. *Vagabondage(s) de l'imagination, de l'esprit.* ⇒ 1. **Écart** (2.), **errance...**

2   (...) j'ai l'impression d'être parti pour une série de vagabondages de l'esprit qui m'éloignent de plus en plus du travail scolaire.
       J. ROMAINS, les Hommes de bonne volonté, t. IV, VII, p. 56.

VAGABONDANT, ANTE [vagabɔ̃dã, ãt] adj. — V. 1355 ; p. prés. de *vagabonder.*

♦ Vieilli. Qui vagabonde, mène une vie errante.

VAGABONDER [vagabɔ̃de] v. intr. — 1526 ; p. prés. *vagabondant*, 1355 ; var. *vagabonner*, XVIIIᵉ ; de *vagabond.*

♦ **1.** Aller, marcher sans but, à l'aventure ; se déplacer sans cesse. ⇒ **Errer.** *Vagabonder sur les chemins, les routes..., en mendiant* (⇒ **Vagabond**). *Aventurier qui vagabonde dans le monde entier.* ⇒ **Voyager.** *Vagabonder en esprit* (→ Essor, cit. 11). *Enfant, jeune homme qui vagabonde des soirées entières.* → Courir les rues* (1. Rue), la pretentaine*... — *Animal qui vagabonde* (→ Immondice, cit. 5). Dr. Commettre le délit de vagabondage*.

1   (...) étendus sur le bord d'une chaloupe, ils regardaient les poissons vagabonder dans l'eau, claire comme le ciel.
       FLAUBERT, Trois contes, « La légende de saint Julien l'Hospitalier », II.

♦ **2.** (1588, Montaigne). Abstrait. Errer, passer sans s'arrêter d'un sujet à l'autre. *Sa pensée vagabondait* (→ Fixer, cit. 13). « *Mon style* (cit. 10) *et mon esprit vont vagabondant* » (Montaigne).

2   Être seul, sur l'eau, et sous le ciel, par une nuit chaude, rien ne fait ainsi voyager l'esprit et vagabonder l'imagination.   MAUPASSANT, la Vie errante, La nuit.

DÉR. Vagabondage, vagabondant.

VAGAL, ALE, AUX [vagal, o] adj. — 1926 ; de 3. *vague (nerf vague).*

♦ Anat. Qui a rapport ou concerne le nerf pneumogastrique (nerf vague). *Syncope vagale.*

(...) beaucoup d'asthmatiques présentent une hyper-réflectivité vagale : une inspiration forcée ou une crise de rire peut, par ce moyen nerveux, déclencher une crise d'asthme.   La Recherche, nᵒ 115, oct. 1980, p. 1112.

VAGILE [vaʒil] adj. — 1964, Husson ; formation savante, du lat. *vagari* « aller çà et là, errer », et *-ile.*

♦ Zool. *Faune vagile*, composée d'animaux mobiles, non fixés (opposé à *faune sessile*).

VAGIN [vaʒɛ̃] n. m. — 1680 ; *vagina*, 1668 ; lat. *vagina*, proprt « gaine ».

♦ (Chez la femelle des mammifères ; spécialt, chez la femme). Conduit qui s'étend de l'utérus à la vulve ; partie de l'appareil génital féminin qui constitue l'organe de la copulation. *Orifice supérieur, voûte, culs-de-sac du vagin.* ⇒ **Col** (de l'utérus). *Orifice vulvaire du vagin. Du vagin, qui concerne le vagin.* ⇒ **Vaginal,** et les éléments **colp(o)-, vagino-.** — *Sphincter lisse, anneau du vagin. Colonnes du vagin :* parties épaissies des plis et rides du vagin, formant saillies. *Muqueuse du vagin. Muscles du vagin. Contraction du vagin.* — *Pathologie du vagin.* ⇒ **Vaginisme, vaginite.** — *Le spéculum*, instrument d'exploration du vagin.*

Le vagin (...) est un conduit musculo-membraneux (...) qui s'étend de l'utérus à la vulve. Continuation de la cavité utérine, il livre passage au flux menstruel, aux produits de sécrétion de l'utérus, et, au moment de l'accouchement, au fœtus (...) il est l'*organe de la copulation* chez la femme.
       L. TESTUT, Traité d'anatomie, t. V, p. 413.

DÉR. Vaginal, vaginisme, vaginite.

VAGINAL, ALE, AUX [vaʒinal, o] adj. et n. f. — 1762 ; « en forme de gaine », 1727 ; de *vagin.*

♦ **1.** Anat. Qui enveloppe, qui constitue un étui protecteur. Seule-

ment dans la loc. : *tunique vaginale (du testicule).* — N. f. *La vaginale :* la tunique vaginale du testicule.

♦ **2.** Anat. et cour. Du vagin. *Orifice vaginal* (→ 2. Hymen, cit. 1). *Conduit vaginal :* le vagin. *Cloison vésico-vaginale ; urétro-vaginale. Tunique, muqueuse vaginale. Artère vaginale,* et, n. f., *vaginale* ou *vaginale inférieure. Rameaux vaginaux de l'artère utérine. Veine vaginale longue.*
Érotisme, orgasme vaginal. — (Personnes). *Elle est plutôt vaginale que clitoridienne.* — N. f. *C'est une vaginale.*

Auparavant, je regardais une bonne femme pour voir si elle me plaisait ; maintenant, je la regarde et je me demande : et si ce n'est pas une clitoridienne ? Si c'est une vaginale ? On ne peut pas savoir d'avance, il faut aller sur le terrain...
       R. GARY, Au delà de cette limite votre ticket n'est plus valable, p. 25.

DÉR. Vaginalement, vaginalite.

VAGINALEMENT [vaʒinalmã] adj. — Attesté après 1950 ; de *vaginal.*

♦ Par, avec le vagin. « *J'en vois qui arrivent affolées parce qu'elles ne jouissent pas vaginalement, racontent-elles* » (*F Magazine,* mars 1981, p. 48).

VAGINALITE [vaʒinalit] n. f. — 1855 ; de *(tunique) vaginale.* → Vaginal.

♦ Méd. Inflammation de la tunique vaginale du testicule. — REM. Ne pas confondre avec *vaginite.*

VAGINELLE [vaʒinɛl] n. f. — 1803 ; dér. du lat. *vagina* « gaine ». Sciences naturelles.

♦ **1.** Vx. Zool. Ver de forme tubulaire.

♦ **2.** Mod. Bot. Gaine membraneuse entourant la base du faisceau de feuilles, chez le pin.

VAGINIQUE [vaʒinik] adj. — Mil. XXᵉ ; de *vaginisme.*

♦ Qui souffre de vaginisme. « *Je désirais qu'elle voie un médecin, raconte le mari d'une femme vaginique...* » (*F Magazine,* mars 1981, p. 50). — Qui a rapport au vaginisme, qui y a trait. *Spasme vaginique.*

VAGINISME [vaʒinism] n. m. — 1868 ; de *vagin.*

♦ Méd. Contraction spasmodique douloureuse des muscles constricteurs du vagin, qui peut se produire au cours d'un rapport sexuel. *Vaginisme et frigidité.*

DÉR. Vaginique.

VAGINITE [vaʒinit] n. f. — 1833 ; de *vagin.*

♦ Méd. Inflammation de la muqueuse du vagin. *Vaginite simple ; blennorragique* (infection par le gonocoque). ⇒ **Blennorragie.** — Méd. vétér. *Vaginite aiguë ; chronique* (de la vache, etc.). — REM. Ne pas confondre avec *vaginalite.*

VAGINO- Premier élément de termes de médecine ; de *vagin.*
Ex. : *vagino-rectal,* adj. (1835, in D.D.L.) ; *vagino-vésical,* adj. (1835, in D.D.L.) ; *vagino-vulvaire,* adj. (→ Vulvo-vaginal).

VAGIR [vaʒiʀ] v. — 1555 ; repris XIXᵉ ; lat. *vagire.*

A. V. intr. ♦ **1.** Pousser un cri, des cris, en parlant du nouveau-né. Par métaphore, poét. « *L'espace vagissait ainsi qu'un nouveau-né* » (Hugo, *la Légende des siècles,* II, I, II).

♦ **2.** (1845). Pousser un cri faible, semblable à celui des nouveaunés (se dit de quelques animaux : lièvre, crocodile). *Le crocodile vagit* ou *lamente.*

(...) la chouette poussait son cri funèbre, et les crocodiles vagissaient entre les roseaux du fleuve, imitant le cri d'un enfant en détresse.
       Th. GAUTIER, le Roman de la momie, XI.

♦ **3.** (1859, Hugo). Par métaphore, littér. S'exprimer faiblement, en naissant.

B. V. tr. Pousser (des cris...) en vagissant. — Fig. Émettre faiblement par la voix.

Parce que j'ai vagi des chants de royauté ;
Suis-je toujours rivé dans l'imbécillité ?   HUGO, les Contemplations, V, III, II.

DÉR. Vagissant, vagissement.

VAGISSANT, ANTE [vaʒisã, ãt] adj. — 1829 ; de *vagir.*

♦ Qui vagit. *Voix vagissante.*

VAGISSEMENT [vaʒismɑ̃] n. m. — 1536, repris 1735; de *vagir*.

♦ **1.** Cri de l'enfant nouveau-né.

1 (...) elle crut entendre la voix de deux anges quand, à la faveur des vagissements du nouveau-né, le rebouteur lui dit à voix basse, en se penchant à son oreille : Ayez-en bien soin, il vivra cent ans.
BALZAC, l'Enfant maudit, Pl., t. IX, p. 677.

2 (...) le singe, effrayé dans la brume, poussait parfois un petit cri semblable au vagissement d'un enfant nouveau-né (...)
APOLLINAIRE, l'Hérésiarque..., p. 174.

♦ **2.** (1845). Cri plaintif et faible (de quelques animaux).

VAGO- Premier élément, tiré de 3. *vague* (*nerf vague* ou *pneu-mogastrique*, dixième paire des nerfs* crâniens) : ⇒ **Vagolytique, vagomimétique, vagotomie, vagotonie, vagotonique.**

VAGOLYTIQUE [vagɔlitik] adj. — Mil. xxᵉ; de *vago-*, et *-lytique*.

♦ Physiol. Qui paralyse le nerf pneumogastrique, ou *nerf vague;* qui inhibe l'activité du système parasympathique. ⇒ **Parasympatholytique.** — N. m. *Un vagolytique :* une substance, un médicament vagolytique.

Parmi les médications préventives *(au mal de l'air)* mentionnons des sédatifs du système nerveux comme le Gardénal (...) des vagolytiques, comme l'Atropine et la Génatropine (...) Jacques GUILLERME, la Vie en haute altitude, p. 125.

CONTR. **Vagomimétique.**

VAGOMIMÉTIQUE [vagomimetik] adj. — de *(nerf) vague*, et grec *mimêtikos* «qui imite».

♦ Physiol. Qui stimule le nerf pneumogastrique, ou *nerf vague;* qui active le système parasympathique. — N. m. *Un vagomimétique :* une substance, un médicament vagomimétique.

CONTR. **Vagolytique.**

VAGON [vagɔ̃] n. m., **VAGONNET** [vagɔnɛ] n. m. ⇒ **Wagon, wagonnet.**

VAGOTOMIE [vagɔtɔmi] n. f. — 1923; de *vago-*, et *-tomie*.

♦ Méd. Section du nerf pneumogastrique, ou *nerf vague*, destinée à diminuer l'hyperacidité gastrique et à favoriser la guérison d'un ulcère d'estomac.

VAGOTONIE [vagɔtɔni] n. f. — 1923; de *vago-*, et *-tonie*.

♦ Méd. Prédominance de l'activité du système parasympathique (du *nerf vague*), se traduisant principalement par une lenteur du pouls, une tension artérielle basse avec tendance aux syncopes, des accès de sudation, de la constipation, des crampes musculaires.

CONTR. **Sympathicotonie.**
DÉR. **Vagotonisant.**

VAGOTONIQUE [vagɔtɔnik] adj. — 1916; de *vago-*, et *-tonique*.

♦ Physiol. *Sujet vagotonique*, chez qui prédomine l'activité du système parasympathique (dont le nerf principal est le nerf pneumogastrique, ou *nerf vague*). ⇒ **Sympathicotonique.** — N. *Un, une vagotonique :* un sujet vagotonique.

Selon la prépondérance de l'un des deux nerfs antagonistes qui constituent le système nerveux végétatif, le nerf sympathique et le nerf vague, on peut opposer deux types d'émotifs : le sympathicotonique et le vagotonique.
Jean DELAY, la Psycho-physiologie humaine, p. 27.

VAGOTONISANT, ANTE [vagɔtɔnizɑ̃, ɑ̃t] adj. — Mil. xxᵉ; de *vagotonie*.

♦ Méd. Susceptible de provoquer de la vagotonie. *Action vagotonisante d'un médicament.*

VAGUAGE [vagaʒ] n. m. — 1845; de 2. *vaguer*.

♦ Techn. Vx. Opération consistant à vaguer la bière.

1. VAGUE [vag] n. f. — 1150; *wague*, v. 1130, anc. scandinave *vâgr;* cf. all. *Woge*, moyen all. *wâge*, selon le F. e. w.; mais Guiraud se base sur les variantes romanes pour postuler un étymon latin *vadum* «gué», mais aussi «eau, mer».

♦ **1.** Inégalité de la surface d'une étendue liquide (mer, en particulier; → Nuer, cit. 1), due aux forces naturelles qui s'exercent sur le fluide en mouvement (pesanteur, courants, vent, etc.); masse d'eau qui se soulève et s'abaisse en se déplaçant ou en paraissant se déplacer. ⇒ **Houle, lame** (3.), **onde** (I., 1.). *L'ondoiement* (cit.), *le rythme des vagues.* ⇒ **Flot.** *La courbe* (cit. 7), *le dos* (→ Dérober, cit. 23), *la crête, l'écume, le moutonnement* (⇒ **Mouton**) *des vagues. Petites vagues* (⇒ **Clapotement, vaguelette**); *yagues hautes, monstrueuses* (cit. 2). *Vagues écumantes* (cit. 2). ⇒ **Écumer** (cit. 1). *Embruns* des vagues. Vagues de gros temps.* ⇒ **Tempête.** *À la merci des vagues et des tempêtes* (→ Navigation, cit. 2). — *Les vagues déferlent*, se brisent; battent* (cit. 38) *les rochers, fouettent le rivage.* ⇒ **Barre, ressac, rouleau.** *Construction pour amortir la force des vagues.* ⇒ **Brise-lames.** — *Le bruit* (→ Agitation, cit. 1), *le refrain* (cit. 4), *les murmures des vagues* (→ Exhaler, cit. 22). ⇒ **Clapotis.** — *Les peintres de marine* (1. Marine, cit. 4) *font des portraits de vagues.*

1 Pas de vision comme les vagues. Comment peindre ces creux et ces reliefs alternants, réels à peine, ces vallées, ces hamacs, ces évanouissements de poitrails, ces ébauches? Comment exprimer ces halliers de l'écume, mélangés de montagne et de songe? HUGO, l'Homme qui rit, I, II, VI.

2 *(Vieil océan, tu déroules)* tes vagues incomparables, avec le sentiment calme de ta puissance éternelle. Elles se suivent parallèlement, séparées par de courts intervalles. À peine l'une diminue, qu'une autre va à sa rencontre en grandissant, accompagnée du bruit mélancolique de l'écume qui se fond (...)
LAUTRÉAMONT, les Chants de Maldoror, I.

2.1 (...) il alla sur cette plage déserte (c'était déjà décembre) jusqu'au bord de la mer qui, dans tout l'infini de la plage, montait à la fois à toutes petites vagues perlées sur le sable. C'était une plage où jamais de sa vie il n'était venu, une mer qu'il ne connaissait pas, où tout lui donnait l'impression de l'étranger, et pourtant ces petites vagues il les connaissait. Peut-être tout au plus avaient-elles changé un tout petit peu de couleur, une couleur grise et froide qui leur donnait comme un accent du Nord. Mais pourtant il les reconnaissait : c'étaient bien les mêmes qu'il avait vues tant de milliers de fois, sur la Manche, dans tant de plages qu'il connaissait. Leur forme, leur mouvement, leur enchaînement l'une à l'autre formaient cette physionomie qui fait que les choses nous affirment qu'elles sont les mêmes, que nous les connaissons. PROUST, Jean Santeuil, Pl., p. 393.

Sillage d'un bateau qui produit des vagues. Faire des vagues en agitant l'eau. — Par compar. *Comme des vagues contre un rocher* (→ Battre, cit. 40). «*Graphismes roulés, déferlants comme la vague*» (→ Écriture, cit. 9).

Littér. (Sing. collectif). LA VAGUE : le mouvement de la surface de l'eau, le flot*. *Abaissement* (cit. 1) *et gonflement de la vague.* «*Comme sur l'océan la vague au doux roulis*» (→ Bercer, cit. 3). *La vague écumait* (→ Fraîchir, cit. 1). «*Son beau corps écumait sous la vague marine*» (→ Flot, cit. 6, Chénier). «*La vague est hypocrite...*» (→ Receler, cit. 3, Hugo).

2.2 La mer fouette la côte de sa vague courte et monotone. De petits nuages blancs passent vite à travers le grand ciel bleu, emportés par le vent rapide, comme des oiseaux; et le village, dans le pli du vallon qui descend vers l'océan, se chauffe au soleil. MAUPASSANT, le Retour, Pl., t. II, p. 206.

Didact. (en hydrographie). Déplacement d'ensemble des particules superficielles d'un fluide (spécialement sous l'effet de forces perturbatrices; opposé aux oscillations libres de la houle*). *Hauteur des vagues. Trains de vagues, dus à la superposition de houles de périodes différentes. Profil d'une vague* (crête). *Vague moutonnante, dont la crête s'écroule.* ⇒ aussi **Déferler.** *Vagues au rivage :* rouleaux; barres. — *Vagues non périodiques, produites par une ondulation des couches profondes que la diminution de profondeur transforme en lame* de fond, en raz de marée. — *Vagues stationnaires des lacs.* ⇒ **Seiche.** *Vague produite par la marée dans un estuaire.* ⇒ **Mascaret.** — *Vagues et marées* (cit. 1), *et courants* (⇒ **Mer, océan**). — *L'érosion par les vagues* (→ Falaise, cit. 2).

♦ **2.** (1830). Fig. Mouvement qui se développe, fait remuer un milieu, comparé à la vague (par l'ampleur, la puissance, la progression...). *Les vagues d'un océan* (cit. 6) *humain. De pauvres hères charriés par on ne sait quelle vague de misère* (→ Épave, cit. 8) — *Vague de tendresse* (→ Retrouver, cit. 18), *de détresse* (→ Lame, cit. 1), *sentiment subit* qui envahit, soulève l'âme.* «*Tranquille amour, vague assoupie...*» (→ 2. Calme, cit. 3). *Une petite vague de chaleur humaine* (→ Respiration, cit. 3). *Des vagues d'enthousiasme.*

Loc. *Vague de fond :* ce qui déferle irrésistiblement (mouvement d'opinion, etc.). ⇒ **Raz-de-marée.**

3 Nonchalant, délicieux glissement dans l'indifférence. Une vague d'oubli submerge tout. MARTIN DU GARD, les Thibault, t. IV, p. 185.

Fam. *Il y a des vagues, des remous*, des difficultés. Pas de vagues! Faire des vagues :* inquiéter, scandaliser.

3.1 (...) Sartre part faire des vagues, et je reste dans cette grande pièce vide qui s'éclaire peu à peu. S. DE BEAUVOIR, la Force de l'âge, 1960, p. 430.

Masse (d'hommes, de choses qui se répandent brusquement). *Vagues successives d'immigrants.* — Loc. *Vague d'assaut :* unité de premier échelon dans une attaque, durant la Première Guerre mondiale.

4 Des multitudes fourmillent par masses distinctes. Sur des champs, des assauts, vague par vague, se propagent, puis s'immobilisent (...)
H. BARBUSSE, le Feu, I, I.

(1957). *La nouvelle vague :* la génération des personnes nées entre 1919 et 1939, à la fin des années cinquante. «*Nous mettons au point avec la collaboration des sociologues (...) un questionnaire qui s'adressera à tous ceux qui constituent la nouvelle vague. C'est-à-dire une génération complète celle qui a aujourd'hui de 18 à 38 ans environ*» (*l'Express*, 13 août 1957). — Par ext. La dernière génération ou tendance (en littérature, en art).

Toutes les vagues, depuis qu'il y a des hommes et des femmes qui se pourchassent, ont subi la loi qui est celle de toutes les marées. Pourquoi faire à la nouvelle vague l'honneur de la croire plus «sexuelle» que les autres?
F. MAURIAC, le Nouveau Bloc-notes, 9 janv. 1959.

5.1 Au vrai, la nouvelle vague est un mythe. Il n'y a pas de nouvelle vague, mais un moutonnement de vagues courtes et pressées qui s'écroulent l'une sur l'autre.
F. MAURIAC, le Nouveau Bloc-notes 1958-1960, p. 370.

♦ **3.** Phénomène physique qui se propage, envahit un lieu. *Une vague de parfum* (→ 1. Fraise, cit. 2). *Une vague de gaz délétère* (cit. 1). ⇒ **Nappe.** — *Vagues de sons. Les vagues orchestrales* (→ Poser, cit. 36). — Météor. *Vague de chaleur, de froid* : afflux* de masses d'air chaud, froid.

5 À mesure que le soleil s'élève sur l'horizon, les vents du pôle nous arrivent; de là ces vagues de froid qui suivent les beaux printemps.
ALAIN, Propos, 2 mars 1909, Fête de la lumière.

♦ **4.** Surface ondulée. ⇒ **Houle.** *Les vagues de blé* (cit. 8). *Les vagues fauves des fougères* (→ Lamenter, cit. 11). *Une plaine sans vagues* (→ Îlot, cit. 4). — Archit. Ligne ondulée figurant des flots, et servant de motif décoratif. ⇒ **Ondé.**
Large ondulation de la chevelure.

♦ **5.** (1908, *in* D.D.L.). Vx. Danse à la mode au début du XXᵉ siècle, variété de boston qui se danse en diagonale.

DÉR. **Vaguelette, vaguette.**
HOM. 2., 3., 4., 5. **Vague.**

2. VAGUE [vag] adj. et n. m. — 1307, « inhabité »; *vaque* « vide; sans titulaire (d'une fonction) »; lat. *vacuus* « vide ». → Vacant, vacuité.

♦ **1.** (1611). Vide de cultures et de constructions. ⇒ **Inoccupé, vacant.** *Terrain vague.* ⇒ **Terrain** (cit. 5). *Champ vague* (→ Garde-feu, cit. 2). *Terres vagues* (→ Monastère, cit. 2), *vaines et vagues.* ⇒ **Inculte.** — REM. Cet emploi est vieux ou stylistique sauf dans le syntagme courant *terrain vague.*

1 Le soleil tape dur sur l'herbe grise des talus. De l'usine de linoléum, de l'autre côté de la voie, parvient une odeur de bonbon sur. Ordures et papiers usagés complètent un paysage de terrains vagues et de planches.
R. QUENEAU, le Chiendent, 1932, p. 52.

Par métaphore (vx). « *Le vague champ des imaginations* » (Montaigne, I, XXXII).

♦ **2.** (1307). Vx. Abandonné, dépeuplé. « *Tout est vide et vague* » (Satire Ménippée).

♦ **3.** N. m. Vx. Espace vide. *Le vague des cieux* (M. Régnier), *de l'air* (Buffon).
Mod. (avec infl. de 3. *vague*). Espace indéterminé, sans limite précise.

2 Haverkamp, les reins bien calés contre la banquette, regarde devant lui, dans le vague.
J. ROMAINS, les Hommes de bonne volonté, t. IV, VI, p. 43.

HOM. 1., 3., 4., 5. **Vague.**

3. VAGUE [vag] adj. et n. m. — V. 1375; lat. *vagus.*

★ **I.** Adj. ♦ **1.** Vx. Errant, vagabond. *Le « vague peuple hébreu »* (Ronsard, *Sonnets pour Hélène,* VII).

♦ **2.** (1690; du lat. médiéval). Mod. Anat. *Nerf vague* (à cause de ses ramifications dispersées) : nerf pneumogastrique*.

).1 Il pensait que peut-être chez son patient le nerf vague restait dans un état constant de demi-excitation supérieur au tonus qu'il semble garder chez l'individu normal, et surtout dans un état d'*alerte* (...)
J. ROMAINS, les Hommes de bonne volonté, t. XII, XVIII, p. 181.

♦ **3.** (1531). Choses. Que l'esprit a du mal à saisir, à cause de son caractère mouvant; dont le sens n'est pas précisément défini, établi, fixé. ⇒ **Confus, flou, imprécis, incertain, indécis, indéfini, indéterminé.** *Mot vague* (→ Âme, cit. 2; mouvement, cit. 3). *Phrase* (→ Concrétiser, cit.), *termes vagues* (→ Énigme, cit. 3; esprit, cit. 137). ⇒ **Approximatif, douteux, nébuleux, obscur.** *Sens vague et général,* pouvant correspondre à plusieurs concepts (→ 1. Fou, cit. 27; poésie, cit. 1). — *Indications* (cit. 2) *vagues et contradictoires. Indices* (cit. 7 et 8) *vagues,* qui ne permettent pas de tirer des conclusions sûres. — *Concept, idée* (cit. 19) *vague* (→ Germanique, cit. 4). ⇒ **Confus, flou** (*infra* cit. 5), **fumeux** (fig.), **grossier.** *Idée indécise, vague, flottante* (→ Rigoureux, cit.). *Le sujet de cette discipline, de cette science est encore vague* (→ Enfance, cit. 14), *mal délimité. Notions vagues* (→ Influence, cit. 12), sans référence à une réalité précise. ⇒ **Général; abstrait.** — *Paroles, propos* (cit. 12); *déclarations, discours vagues. Promesses vagues.*

1 (...) je ne veux pas me contenter de connaissances vagues, car il n'y a rien de plus faux que les demi-vérités.
FUSTEL DE COULANGES, Leçons à l'impératrice, p. 51.

(Personnes). Dont les propos sont imprécis. *Vague et prudent* (→ On, cit. 19). *Il a été très vague :* il n'a rien dit qui puisse l'engager, il n'a dit ni oui ni non.

(Employé avant le nom, dans un sens affaibli). *Avoir une vague idée* (cit. 22) *de...* ⇒ **Faible.** *Il n'avait, il ne possédait pas la plus vague notion de* (→ Pirouette, cit. 2) : il n'avait aucune idée de... *Il a fait de vagues dénégations.*

♦ **4.** (Avant ou après le nom). Dont l'objet ou la raison manque de netteté, est changeant. ⇒ **Indéfini.** *La vague appréhension* (cit. 6), *l'appréhension vague d'une menace.* « *Tourmentés d'une inquiétude vague, qui se promène sur tout et qui ne trouve rien qui la calme* »

(→ Mélancolie, cit. 5). *Une inquiétude* (cit. 16) *vague l'envahissait.* ⇒ **Sourd** (II., 3.). *De vagues pensées*. — *Nous avions une vague intention, nous la précisons par des mots* (→ 1. Dire, cit. 22). *Un vague et incessant désir de nuire, n'importe à qui* (→ Haine, cit. 33). *Éprouver un besoin vague* (→ Homme, cit. 58). *Rêve vague* (→ 2. Idéal, cit. 18).
Que le caractère lointain, indiscernable de son objet rend faible. *Souvenir vague.* ⇒ **Faible** (→ Couvent, cit. 5; poignant, cit. 2; réminiscence, cit. 7). *Tristesse vague* (→ Ennui, cit. 24; imprégner, cit. 11). *Tentation lointaine et vague* (→ Résister, cit. 20). *Espoir vague* (→ Atroce, cit. 4). *Un air de vague ennui* (→ Démon, cit. 19).

2 (...) Françoise, à petits pas, faisait le tour, regardait partout. Des sensations confuses, des souvenirs vagues s'éveillaient en elle.
ZOLA, la Terre, IV, VI.

(Après le nom). Surtout dans le vocabulaire romantique. Que son caractère imprécis rend doux et plutôt agréable. *Une vague mélancolie, rêverie.* « *Les pensées vagues que font naître la nature et l'amour* » (Mᵐᵉ de Staël, *in* Littré). — Par ext. Qui exprime des pensées ou des sentiments vagues, indécis. ⇒ **Distrait.** *D'un air vague et rêveur* (→ Lubricité, cit. 3). *Regard* (cit. 6) *lourd et vague. Œil vague* (→ Régler, cit. 7). *Ses yeux de myope* (cit. 1) *vagues et absorbés.*

♦ **5.** (Réalité sensible; plutôt après le nom). Qui est perçu d'une manière imparfaite; qui est reconnu sans pouvoir être analysé. ⇒ **Confus, flou, imprécis, incertain, indéfini, indéfinissable, obscur; changeant, vaporeux.** *Formes* (cit. 12) *confuses et vagues* (→ aussi Mirage, cit. 1). *Point vague et confus.* ⇒ **Imperceptible** (→ Écartement, cit. 1). *Quelque chose de plus vague qu'un spectre* (→ Bosseler, cit. 1). *Linéaments* (cit. 5), *contours vagues.* — *Lueur* (→ cit. 7), *reflet vague.* ⇒ **Indécis.** *Vapeur vague* (→ Estomper, cit. 7). — *Vague murmure* (→ Litanie, cit. 1). *Quelques soupirs vagues et inarticulés* (cit.). *Son vague* (→ Inachevé, cit. 1).

3 La mémoire d'Elvire y gagnerait-elle? Cette vague figure, que l'on n'avait entrevue qu'à la clarté des étoiles, en devenant plus précise, resterait-elle aussi élevée et aussi pure?
SAINTE-BEUVE, Causeries du lundi, 29 oct. 1849.

(1762). Qui n'est pas appuyé, reste vaporeux (en peinture, dessin...). *Manière vague, floue* (cit. 5). ⇒ **Vaporeux.** *Dans les plus vagues ébauches, il a laissé l'empreinte de son talent* (→ Produire, cit. 3).

♦ **6.** (Après le nom). Qui n'est pas ajusté, serré. ⇒ **Flou** (*infra* cit. 4), **lâche.** *Manteau, veste vague.*

♦ **7.** (1611). Après le nom. Qu'on ne peut localiser avec précision ou certitude. *Malaise* (cit. 5) *vague et énervant. Douleurs vagues.*

4 (...) la panne d'oxygène n'est pas sensible à l'organisme. Elle se traduit par une euphorie vague qui aboutit, en quelques secondes, à l'évanouissement, en quelques minutes à la mort.
SAINT-EXUPÉRY, Pilote de guerre, V.

♦ **8.** (1893). Toujours avant le nom. Dont l'identité précise importe peu. ⇒ **Insignifiant, quelconque.** *Un vague sous-ordre* (→ Envoyer, cit. 4). *Dans un vague état-major* (→ Planque, cit. 3). *Un vague boulot. Une vague réunion, un vague congrès.*

5 Qu'importe la mort de vagues humanités si le geste est beau!
Laurent TAILHADE, à propos de l'attentat de Vaillant, le 9 déc. 1893, *in* GUERLAC.

★ **II.** N. m. (1765). ♦ **1.** Ce qui n'est pas défini, fixé (dans le domaine intellectuel, affectif ou sensible). ⇒ **Imprécision, indécision, indétermination** (cit. 2). → Indécis, cit. 4; mélancolie, cit. 7. *Le besoin de rigueur, l'horreur du vague* (→ Contenu, cit. 1). *Se perdre dans le vague. Rester dans le vague :* ne pas préciser sa pensée, ses intentions. *Laisser qqch. dans le vague :* la confusion. *Le vague lamartinien d'une phrase* (→ Fluer, cit. 2). ⇒ **Clair-obscur** (fig.).

6 Le vague était complet. Cela voulait tout dire et ne rien dire.
STENDHAL, le Rouge et le Noir, II, XXVII.

(1699). Peinture :

7 (...) tout cela d'un léger, d'un flou, d'un vague, d'un limpide, d'un clair à n'être rendu par aucune palette, ni aucun vocabulaire.
Th. GAUTIER, Voyage en russie, V.

♦ **2.** Littér. Caractère vague, imprécis ou indécis. *Sensation dont le vague n'exclut pas l'intensité* (→ Infini, cit. 25). *Le vague d'une rêverie* (→ Monologue, cit. 5). *Le vague des passions.*

8 Il reste à parler d'un état de l'âme qui, ce nous semble, n'a pas encore été bien observé; c'est celui qui précède le développement des passions, lorsque nos facultés, jeunes, actives, entières, mais renfermées, ne se sont exercées que sur elles-mêmes, sans but et sans objet. Plus les peuples avancent en civilisation, plus cet état du *vague* des passions augmente (...) On est détrompé sans avoir joui; il reste encore des désirs, et l'on n'a plus d'illusions (...) On habite, avec un cœur plein, un monde vide; et, sans avoir usé de rien, on est désabusé de tout.
CHATEAUBRIAND, le Génie du christianisme, II, III, IX.

♦ **3.** Loc. cour. (1830). VAGUE À L'ÂME : état de l'âme, indécis et mélancolique, empreint de rêverie. *Avoir du vague à l'âme :* être dans un état de douce mélancolie*.

9 Tout le divertissait. Il ne s'ennuya jamais. Vous ne trouveriez pas dans les milliers de ces feuillets une trace de vague à l'âme, de «À quoi bon?» ou de neurasthénie.
R. ROLLAND, le Voyage intérieur, L'arbre.

CONTR. Décidé, défini, déterminé, distinct, évident, géométrique, précis. — Évidence, précision.
DÉR. Vaguement.
HOM. 1., 2., 4., 5. Vague.

4. VAGUE [vag] n. f. — 1751 ; de 2. *vaguer.*

♦ Techn. Rateau servant à vaguer la bière.
HOM. 1., 2., 3., 5. Vague.

5. VAGUE [vag] n. f. — 1889, Esnault ; orig. obscure ; p.-ê. abrév. de *vaguenaude* « poche », altér. de *baguenaude ;* l'idée de *vide* (→ 2. Vague) a pu jouer.

♦ Argot. Poche. ⇒ **Fouille.** « *Je retourne encore un coup mes vagues...* » (Céline, *Mort à Crédit,* p. 370, *in* Cellard et Rey).
DÉR. 3. Vaguer.
HOM. 1., 2., 3., 4. Vague.

VAGUELETTE [vaglɛt] n. f. — 1894 ; de 1. *vague.*

♦ Petite vague (clapotis, faible houle) ; ride à la surface de l'eau. ⇒ **Onde, remous.** *Une vaguelette soulevée* (→ Reflet, cit. 3).

(...) il y eut une série de vaguelettes causées par l'hélice du petit vapeur. Mais le port était vide. Seule une barque de pêche dansait au beau milieu, en agitant son mât.   A. ROBBE-GRILLET, le Voyeur, p. 163.

VAGUEMENT [vagmɑ̃] adv. — 1448 ; de 3. *vague.*
D'une manière vague.

♦ **1.** Sans donner de précision. *Dire, soutenir vaguement que...* (→ Égal, cit. 12). *Parler vaguement de quelque chose. Affirmer, nier vaguement. Désigner vaguement qqch.* (→ Extraordinaire, cit. 8). *Terme employé vaguement,* d'une manière imprécise (→ Quiddité, cit.).
En se faisant une idée vague, imprécise. *Apercevoir* (→ Incohérence, cit. 2), *voir, entendre vaguement* (→ Courbatu, cit. 2 ; pétiller, cit. 2). ⇒ **Confusément, faiblement.**

1   (...) je n'étais pas réellement en prison les premiers jours : j'attendais vaguement quelque événement nouveau.   CAMUS, l'Étranger, II, II.

♦ **2.** D'une manière faible, peu accentuée. ⇒ **Faiblement, peine** (à). *Sentir vaguement qqch., que...* (→ Formuler, cit. 4). *Vaguement émue* (→ Miniature, cit. 9). — *Prendre vaguement un aspect humain* (→ Pierre, cit. 25). *Objets qui luisent vaguement* (→ Dressoir, cit. ; et aussi étoiler, cit. 3 ; scintiller, cit. 1, Baudelaire). *Remuer vaguement* (→ Reste, cit. 26).

2   Peu à peu, ce jour de cave qui suinte on ne sait d'où et qui flotte dans les lieux obscurs, et auquel s'ajuste la dilatation des pupilles, lui fit distinguer çà et là un linéament, et le couloir s'ébaucha vaguement devant lui.
    HUGO, l'Homme qui rit, II, IV, VII.
Peau (cit. 3) *vaguement bleuie, jaunie.*

♦ **3.** D'une manière incertaine ou douteuse. ⇒ **Peu** (un peu). *Geste vaguement incrédule* (→ Esquisser, cit. 7). *Un ensemble vaguement oriental* (→ Hérisser, cit. 31). — *Il se moucha vaguement :* il esquissa le geste de se moucher (→ Réticule, cit. ; et aussi barboter, cit. 2).

CONTR. Distinctement, nettement, précisément.

VAGUEMESTRE [vagmɛstR] n. m. — 1667 ; all. *Wagenmeister* « maître d'équipage », de *wagen* « véhicule, équipage ».

♦ **1.** Anciennt. Officier maître d'équipages.

♦ **2.** (1825). Mod. Sous-officier chargé du service de la poste* dans l'armée. — Quartier-maître ou officier marinier chargé du service postal sur un navire de guerre.

Huit fois déjà le vaguemestre a répondu
« Pas de lettres pour vous » Et j'ai presque pleuré
    APOLLINAIRE, Ombre de mon amour, XXI.

♦ **3.** Franç. d'Afrique. Employé (d'une entreprise, d'une administration) préposé au courrier, à la transmission des plis officiels. *Le vaguemestre et les coursiers* (2. Coursier). ⇒ **Planton.**

1. VAGUER [vage] v. intr. — V. 1380 ; *vaquer,* v. 1240 ; *vajer,* XIIᵉ ; lat. *vagari* « errer » ou (Guiraud) gallo-romain* *vagicare.* → Vagabond.
Littéraire.

♦ **1.** Errer*, aller au hasard, sans but précis. *Laisser vaguer les fous* (1. Fou, cit. 6). ⇒ **Divaguer.** « *Les maigres chiens, vaguant par la nuit en tourmente* » (→ Hurler, cit. 1).

1   Hier j'ai vagué au clair de lune dans la campagne entre la porte Angélique et le Mont Marius.   CHATEAUBRIAND, Mémoires d'outre-tombe, t. V, p. 148.

2   Aussi (...) sans avoir aucune idée fixe, ni aucun système arrêté dans la pensée, ai-je vagué pendant des journées entières à travers les rues, sur les quais, dans les musées et dans les jardins publics.
    BALZAC, le Médecin de campagne, Pl., t. VIII, p. 476.

♦ **2.** (1580). Pensées, regards. Errer, ne pas se fixer (⇒ **Divaguer, extravaguer, vagabonder...**). *Laisser vaguer ses pensées* (→ Distrait, cit. 20), *son imagination* (⇒ **Flotter ; mobilité**), *son regard* (→ Regarder d'un œil distrait*).

3   J'ai bien pressé jusqu'au pied du mur toutes les idées que je laisse si volontiers s'épandre et vaguer en moi (...)
    SAINTE-BEUVE, Correspondance, 282, 7 avr. 1833.

4   Elle avait toujours l'impression que son mari laissait vaguer son regard au delà de la famille sans s'apercevoir de sa présence.
    M. AYMÉ, le Chemin des écoliers, VI.

(Sujet n. de personne.) « *Je ne vague point ici dans les idées systématiques* » (Mirabeau, 12 déc. 1790, *in* Brunot).
HOM. 2., 3. Vaguer.

2. VAGUER [vage] v. tr. — 1751, *Encyclopédie,* art. *Bière ;* du même rad. que 1. *vague.*

♦ Techn. Brasser (le moût) dans la cuve. *Rateau à vaguer.* ⇒ 4. Vague. *Vaguer le moût, la bière.*
DÉR. Vaguage.
HOM. 1., 3. Vaguer.

3. VAGUER [vage] v. tr. — Fin XIXᵉ, *in* Cellard et Rey ; de 5. *vague* « poche ».

♦ Argot. Fouiller les poches de (qqn). — Syn. : *faire les poches à (qqn).*

Le soir, je fais l'emballage là-haut, le matin je descends ça tranquillement dans ma savate...
— Pourquoi la savate ?
— Et si elle me vague par surprise à l'ouverture ? Je carre les bafouilles dans leur cachette définitive après la toilette...
    A. SARRAZIN, la Cavale, p. 271.

HOM. 1., 2. Vaguer.

VAGUETTE [vagɛt] n. f. — 1880, A. Daudet ; de 1. *vague.*

♦ Rare. Petite vague. ⇒ **Vaguelette.**

VAHÉ [vae] n. m. — 1765, *vahia,* in *Encyclopédie ;* mot de Madagascar.

♦ Bot. Arbre à caoutchouc *(Apocynées)* de Madagascar. ⇒ **Urcéole.**

VAHINÉ [vaine] n. f. — 1893, Gauguin, *Noa Noa ; vehine,* 1875, in *le Tour du Monde,* p. 263 ; mot tahitien, « femme ».

♦ Jeune fille ou femme de Tahiti ; épouse, maîtresse (à Tahiti). *Des vahinés vêtues du paréo. Un Tahitien et sa vahiné.*

Je partis un matin à la recherche de ma case. Ma vahiné m'accompagnait (Titi elle se nommait), presque une Anglaise, mais elle parlait un peu français. Ce jour-là elle avait mis sa plus belle robe, une fleur à l'oreille et son chapeau de canne à sucre, par elle tressée, était orné par-dessus le cordon de fleurs en paille d'une garniture de coquillages orangés (...) Elle était fière d'être la vahiné d'un homme qu'elle croyait important (...)   Paul GAUGUIN, Noa Noa, *in* Oviri, p. 104-105.

VAIGRAGE [vɛgRaʒ] n. m. — 1759 ; *vegrage,* 1752 ; de *vaigre.*
Technique (marine).

♦ **1.** Ensemble des vaigres ; bordage intérieur des membrures. *Sur les navires métalliques, le vaigrage sert à protéger les membrures des frottements, des chocs occasionnés par la cargaison. Panneau de vaigrage :* panneau du vaigrage de fond.

1   À la hauteur des Baléares, le bordé s'était fatigué et ouvert, et, comme le vaigrage ne se faisait pas alors en tôle, le navire avait fait de l'eau.
    HUGO, les Misérables, II, II, III.

2   Comme le bois ne manquait pas, Pencroff proposa à l'ingénieur de doubler intérieurement la coque avec un vaigrage étanche, ce qui assurerait complètement la solidité de l'embarcation.   J. VERNE, l'Île mystérieuse, t. II, p. 474 (1874).

♦ **2.** Rare. Pose des vaigres ; action de vaigrer.

VAIGRE [vɛgR] n. f. — 1681 ; *bègre,* 1634 ; orig. scandinave ; cf. danois *voeger,* suéd. *vaegare.*

♦ Techn. (mar.) ; moins cour. que *vaigrage.* Planche de bordage qui revêt le côté intérieur des membrures d'un navire. ⇒ **Vaigrage.**

Ce qui le sauvait de cette perdition, c'était la bonne conservation de la coque, parfaitement étanche. Aucune vaigre n'avait cédé sous la flottaison.
    HUGO, l'Homme qui rit, I, II, X.

DÉR. Vaigrage, vaigrer.

VAIGRER [vegRe ; vɛgRe] v. tr. — 1765 ; de *vaigre.*

♦ Techn. (mar.). Garnir (un navire) de vaigres. — REM. Le mot est moins cour. que *vaigrage.*

VAILLAMMENT [vajamɑ̃] adv. — V. 1298 ; *vaillantment*, v. 1120 ; de *vaillant*.

♦ Avec vaillance. ⇒ **Bravement, courageusement.** *Combattre, lutter vaillamment. Pasteur poursuivait vaillamment sa croisade* (→ Flamber, cit. 8). *Travailler vaillamment.* — Syn. : *bravement*.
CONTR. Mollement.

VAILLANCE [vajɑ̃s] n. f. — V. 1130, « valeur » ; de *vaillant*.

♦ **1.** Vx. Valeur*, prix moral. *La vaillance militaire* (Montaigne). « *(...) la vaillance De son courage et de sa lance* » (Malherbe).

♦ **2.** Littér. Vertu guerrière ; absence de peur devant le danger. ⇒ **Bravoure, courage, générosité** (vieilli). → Entre-tuer, cit. 1 ; héroïsme, cit. 2. « *Laisse* (cit. 1) *faire le temps, ta vaillance et ton roi* ». — *Acte de vaillance.* ⇒ **Prouesse** (→ Peur, cit. 18). *Vaillance à la guerre, dans la lutte.*

1 — *(...) sa vaillance sans mesure (d'Ajax), irréfléchie, ressemble plus souvent à l'impétuosité qu'au courage ; c'est une élémentaire fureur qui se satisfait d'elle-même et l'enivre (...)*   GIDE, *Ajax*, 1.

♦ **3.** (Av. 1865). Courage d'une personne que la souffrance, les difficultés, le travail n'effraient pas.
Accueillir avec une vaillance lucide les avertissements (cit. 9) *de l'âge.*

2 *Gervaise était alors enceinte de huit mois. Mais elle montrait une belle vaillance, disant avec un rire que l'enfant l'aidait, lorsqu'elle travaillait ; elle sentait, en elle, ses petites menottes pousser et lui donner des forces.*   ZOLA, *l'Assommoir*, IV, t. I, p. 122.

CONTR. Lâcheté. — Faiblesse.

VAILLANT, ANTE [vajɑ̃, ɑ̃t] adj. — V. 1050, « précieux » ; de l'anc. p. prés. de *valoir* « valant ».

★ **I.** (1080). Avec la forme d'un participe présent ou d'un gérondif (→ Comptant) et une valeur quasi adverbiale : « en valeur ». Vx. « *Il a dix mille francs vaillant* » (Littré). « *On prétendait qu'il devait plus qu'il n'avait vaillant* » (Marivaux, *la Vie de Marianne*). — Loc. (1690). Mod. *N'avoir pas un sou, pas un denier vaillant* : être pauvre, démuni (→ Ruse, cit. 5).

1 *Cet homme eut assez de courage pour prendre notre tuilerie à bail sans avoir un denier vaillant.*   BALZAC, *le Médecin de campagne*, Pl., t. VIII, p. 404.

2 *(...) un pauvre enfant trouvé, qui n'aura vaillant qu'une chaumine et un champ de fèves.*   Charles NODIER, *Contes*, « Trésor des fèves... »

N. m. (V. 1300). Vx. *Le vaillant* : le capital. — Vieilli. « *(...) tout ce qu'il possédait de vaillant* » (Balzac, *le Père Goriot*, t. II, p. 1053).

★ **II.** (1080). ♦ **1.** Littér. Qui a du courage, que le danger, la souffrance n'effraie pas. ⇒ **Brave, courageux, généreux** (vieilli). « *Ce n'est pas toujours par valeur (...) que les hommes sont vaillants* » (→ Chaste, cit. 2, La Rochefoucauld). *Guerrier, soldat vaillant* (→ Assaillant, cit. 3 ; inexpérience, cit. 2). — (Avant le nom). *Vaillant capitaine* (→ Draper, cit. 12). *Vaillant chasseur* (cit. 1). — *Vaillante armée.*

3 *Ce moi vaillant, dont le courroux*
Au plus poltron s'en fait connaître (...)   MOLIÈRE, *Amphitryon*, II, 1.

N. m. Vx. *Un vaillant* (→ Captif, cit. 4 ; fort, cit. 80) : un brave. « *Et tout ce que l'Espagne a nourri de vaillants* » (→ Castillan, cit.). ⇒ **Preux.**

(Choses). Qui marque du courage, de la bravoure. *Action vaillante* (→ Fabriquer, cit. 13).

♦ **2.** (1600 ; repris 1788). Qui a de l'ardeur au travail ; qui est prêt à agir, à supporter avec courage les difficultés (→ Pardonner, cit. 3, Loti). *Vaillante en face* (cit. 63) *de l'avenir. La vaillante petite Mᵐᵉ Pepys* (→ Rabattre, cit. 14). — Régional. Travailleur. *Le vaillant maître orfèvre* (cit.). *Les résiniers ne sont pas vaillants comme ici* (→ Gemme, cit. 3).

♦ **3.** Qui est en bonne santé, prêt à agir. *Un vieillard encore très vaillant.* ⇒ **Vert, vigoureux.**

4 *(...) il me conte qu'on lui a ouvert deux fois le ventre, et quoique l'opération, au dire du chirurgien, ait parfaitement réussi, il attend qu'il soit tout à fait vaillant, pour recommencer.*   Ed. et J. DE GONCOURT, *Journal*, 5 mai 1895, t. IX, p. 254.

(1771). *Cheval vaillant.* ⇒ **Fougueux.**

CONTR. Couard, lâche, poltron. — Paresseux ; faible.
DÉR. Vaillamment, vaillance, vaillantise.

VAILLANTIE [vajɑ̃ti] n. f. — 1845 ; lat. bot. *valantia* (1706, Tournefort), corrigé par de Candolle en *vaillantia*, du nom de S. *Vaillant*.

♦ Bot. Plante herbacée des lieux arides (*Rubiacées*), à fleurs blanches ou jaunâtres.

VAILLANTISE [vajɑ̃tiz] n. f. — V. 1360 ; *vaillentise* « vaillance, bravoure », v. 1213 ; de *vaillant*.

♦ Vx (langue class.). Acte de bravoure.
Par archaïsme stylistique :

Et Pierrot, au lieu de s'esbigner, demeurait là, regardant avec intérêt les conséquences de sa vaillantise.   R. QUENEAU, *Pierrot mon ami*, Folio, p. 31.

VAILLE QUE VAILLE [vajkəvaj] loc. adv. ⇒ **Valoir.**

VAIN, VAINE [vɛ̃, vɛn] adj. — V. 1175 ; *vein*, v. 1120 ; lat. *vanus*, même sens.
REM. En liaison, *vain* se prononce [vɛn]. Ex. : *vain espoir* [vɛnɛspwaʀ]

★ **I.** ♦ **1.** Vx. Vide, dégarni. *Vain tombeau* : cénotaphe (cf. Corneille, *Polyeucte*, I, 3). — Mod. (dr.). *Vaine pâture. Terres vaines et vagues** (2. Vague). ⇒ **Inculte.**
Par métaphore (l'idée de « vide » est ici dominante).

1 *Vains objets dont pour moi le charme est envolé ? (...)*
Un seul être vous manque, et tout est dépeuplé !   LAMARTINE, *Premières méditations*, « L'isolement ».

♦ **2.** **a** Vieilli ou poét. (plutôt avant le nom). Qui est sans consistance, sans réalité. ⇒ **Irréel.** *Ombre* (1. Ombre, cit. 50 et 51) *vaine, vaine apparence* (cit. 21). *Vains fantômes* (cit. 16). *Vaine idole* (cit. 7). *Vaines images* (→ Abuser, cit. 13). *Les vaines fantaisies* (cit. 13) *de nos songes. Est-ce un vain rêve ?* (→ Image, cit. 4). *Vaine apparence* (→ Immuable, cit. 2 ; maudire, cit. 12). *Une chimère vaine* (→ Apercevoir, cit. 3).

2 *Hélas ! L'image est vaine et les pleurs éternels !*   VALÉRY, *Poésies*, « Narcisse parle ».

b Littér. (plutôt avant le nom). Dépourvu de valeur ou de sens ; qui n'est ni solide ni sérieux. ⇒ **Creux, dérisoire** (cit. 1 à 3), **futile, insignifiant, puéril.** *Vaines paroles* (→ Badinage, cit. 1 ; tarir, cit. 5). ⇒ **Calembredaine, faribole.** *Le solide bonheur est préférable* (cit. 1) *aux vains plaisirs.* « *Tout est vain en nous, excepté le sincère* (cit. 15) *que nous faisons de nos vanités devant Dieu* » (→ aussi Doigt, cit. 19 ; 1. sable, cit. 5). « *C'est un sujet merveilleusement vain, divers* (cit. 1) *et ondoyant, que l'homme* ».
Loc. *Ce n'est pas un vain mot* : c'est une chose prise au sérieux. *La gloire n'est pas un vain mot pour moi* (→ Enivrer, cit. 7).
Qui n'a pas de base sérieuse, qui est sans fondement. ⇒ **Chimérique, 1. faux, illusoire.** *Vaine gloire* (→ Égoïsme, cit. 1 ; humilité, cit. 9). *Épicure affranchit* (cit. 12) *l'âme des vaines terreurs. Vain espoir, espoir vain.* ⇒ **Impossible** (→ Songe, cit. 4). *Vaine excuse* (→ Payer, cit. 7).

c (Personnes). ⇒ **Léger** (cit. 20). « *Nos prêtres ne sont point ce qu'un vain peuple pense* » (1. Penser, cit. 39 ; → aussi Assembler, cit. 34 ; attrouper, cit. 1). *Le peuple n'est pas si vain qu'on dit* (→ Fonder, cit. 25).

3 *Nous avons donc montré que l'homme est vain, par l'estime qu'il fait des choses qui ne sont point essentielles (...)*   PASCAL, *Pensées*, V, 328.

♦ **3.** (XIVᵉ). Cour. (avant le nom, en épithète). Qui est dépourvu d'efficacité, qui reste sans effet. ⇒ **Inefficace, infructueux, inutile.** *Mais les élans qu'il fit furent vains. Faire de vains efforts* (→ Bourbier, cit. 1 ; et aussi arriver, cit. 12 ; dépasser, cit. 18 ; discréditer, cit. 3 ; et → C'est peine* perdue). « *Puisqu'après tant d'efforts ma résistance est vaine* » (→ Entraîner, cit. 14). *La lutte* (cit. 9) *est vaine* (→ aussi Marché, cit. 12). *Vaines conjectures* (→ Ignorance, cit. 12). *Vaine discussion* ⇒ **Oiseux.** *Vaines tentatives* (→ Opposer, cit. 10). *Vaines souffrances* (→ Acclimater, cit. 2). *Vain regret* (cit. 11). ⇒ **Stérile, superflu.** *Vaines attentes* (→ Disputer, cit. 12). *Vains souhaits* (→ Moquer, cit. 12). « *Quel fruit recevront* (cit. 8) *-ils de leurs vaines amours ?* ». *Sang gaspillé, larmes vaines* (→ Révolution, cit. 6). *Alexis ou le Traité du vain combat*, récit de Marguerite Yourcenar.

4 *Moi, je n'ai pour me guider que des situations plus ou moins analogues, où j'ai constaté quelles précautions étaient efficaces et quelles autres vaines (...)*   J. ROMAINS, *les Hommes de bonne volonté*, t. III, XVI, p. 221.

Impers. *Il est vain de...* (suivi de l'infinitif) : il est inutile et sans intérêt de... (→ Bourgeoisie, cit. 2 ; inaccessible, cit. 12 ; matériel, cit. 2).

5 *Il est vain d'agir ou de s'abstenir ; il est indifférent de vivre ou de mourir. J'ai renoncé en effet aux choses vaines qui font communément le souci des hommes.*   FRANCE, *Thaïs*, p. 28.

♦ **4.** (V. 1165). Personnes ; placé après le nom, en épithète. Littér. Fier* de soi sans avoir de bonnes raisons de l'être ; qui veut se faire admirer pour des choses frivoles. ⇒ **Glorieux** (cit. 14), **vaniteux** (→ Orgueil, cit. 13). *C'est un homme vain, assez vain.* « *Te mesurer* (cit. 23) *à moi ! Qui t'a rendu si vain... ?* ». « *(...) bruyants* (cit. 1) *dans leurs faits et vains dans leurs paroles* ». « *L'histoire* (cit. 24) *rend les nations amères, superbes, insupportables et vaines* ». « *(...) ces grands tombeaux où leurs âmes hautaines* (cit. 4) *Font encore les vaines (...)* ». ⇒ **Important.** — *Vain de...* : qui tire vanité de... (→ Âge, cit. 65 ; étaler, cit. 32).

6 *Les gens vains ne peuvent être habiles ; car ils n'ont pas la force de se taire.*   VAUVENARGUES, *Réflexions et maximes*, 548.

(...) la seule erreur d'un secrétaire de mairie lui avait valu cette particule dont, toute jeune déjà, elle devint si vaine, et préoccupée, que toute sa vie en fut en quelque manière orientée (...)   P.-J. TOULET, la Jeune Fille verte, III.

(Choses). Avant ou après le nom. Qui est d'une personne vaine, qui marque de la vanité. *Vaine ostentation* (cit. 2). *Leur parure vaine* (→ Art, cit. 18). *« Que ces vains ornements* (cit. 2), *que ces voiles me pèsent ! »* (→ aussi 1. Parer, cit. 15). *Une parole vaine et pleine d'ornements affectés* (cit. 15).

★ **II.** EN VAIN. Loc. adv. (V. 1112 ; lat. pop. *in vanum*). Sans obtenir de résultat, sans que la chose en vaille la peine. ⇒ **Inutilement, vainement.** *« En vain nous appelons mille gens à notre aide »* (cit. 4). *« En vain sur les autels* (cit. 4) *ma main brûlait l'encens ». « Mais je demande* (cit. 8) *en vain quelques moments encore ». C'est en vain que...* (→ Atteindre, cit. 22 ; 1. geste, cit. 16 ; prétendre, cit. 14). *Ce n'est pas en vain que...* (→ Gronder, cit. 5). *Mais en vain* (→ Cadet, cit. 1). ⇒ **Peine** (perdue). — (Avec inversion du sujet). Littér. *En vain reprit-il ses arguments un par un* (Barrès, *la Colline inspirée*, p. 90) ; *en vain chercherait-on parmi eux...* (Morand, *New York*, p. 174), *in* R. Le Bidois, *l'Inversion du sujet*, p. 121.

(...) ce qui est terrible, ce n'est pas de souffrir ni de mourir, mais de mourir en vain.   SARTRE, Situations III, p. 31.

Spécialt (Marot). *Prendre le nom de Dieu en vain, jurer Dieu en vain :* employer sans nécessité le nom de Dieu dans un serment.

CONTR. Agissant, efficace, utile.

DÉR. Vainement.

HOM. Vin, vingt ; formes des v. vaincre, venir ; (du fém.) veine.

VAINCRE [vɛ̃kʀ] v. tr. — *Je vaincs, tu vaincs, il vainc, nous vainquons, vous vainquez, ils vainquent ; je vainquais ; je vainquis, je vaincrai ; je vaincrais ; que je vainque ; que je vainquisse ; vainquant ; vaincu.* — XIIᵉ ; *veintre,* IXᵉ ; lat. *vincere.*

♦ **1.** L'emporter par les armes sur (un ennemi public ou privé). ⇒ **Battre, défaire ; abattre, accabler, anéantir, écraser** (→ Fonction, cit. 2). *« Jamais on ne vaincra les Romains* (cit. 2) *que dans Rome ». Les rois qu'il avait vaincus* (→ Atteler, cit. 3). *« Pour les vaincre, il nous faut de l'audace... »* (cit. 8). *Un habile capitaine* (cit. 3) *peut être vaincu. Qu'on n'a pas vaincu.* ⇒ **Invaincu.** *Qu'on ne peut vaincre.* ⇒ **Invincible.** — Absolt. *Il veut vaincre. Vaincre ou mourir.* ⇒ **Triompher.** *« Il apprendrait* (cit. 19) *à vaincre en me regardant faire ». L'espoir de vaincre* (→ Démoraliser, cit. 3). *« Grand roi, cesse de vaincre, ou* (cit. 23) *je cesse d'écrire ». « Sachons vaincre, ou sachons* (1., cit. 58) *périr »* (Chant du départ). — Allus. hist. *« Je suis venu, j'ai vu, j'ai vaincu »* (*« Veni, vidi, vici »*), mots par lesquels César aurait résumé sa foudroyante campagne contre Pharnace. *« Tu sais vaincre, Hannibal, mais tu ne sais pas profiter de ta victoire »,* mots qu'aurait prononcés Maharbal, un des lieutenants d'Hannibal, quand celui-ci, après la victoire de Cannes, n'osa pas attaquer Rome. *Par ce signe* tu vaincras,* trad. de la devise latine *in hoc signo vinces. « À vaincre sans* (cit. 2) *péril, on triomphe sans gloire »* (Corneille).

Les révolutions parfois versent le sang,
Et, quand leur volonté de vaincre se déchaîne,
Leur formidable amour ressemble à de la haine.   HUGO, l'Année terrible, « Juin », XVI.

(Sujet n. de chose). *La Révolution était vaincue par l'armée* (→ Autoritaire, cit. 1 ; et aussi césarisme, cit. 1 ; implanter, cit. 3).

Dominer et réduire à sa merci (au terme d'une lutte qui fait songer à la guerre). *Vaincre des êtres et les réduire au désespoir* (→ Facile, cit. 5). *Avoir une femme, c'est la vaincre.* ⇒ **Conquérir** (→ Homme, cit. 130). — (Dans un sens affaibli). ⇒ **Fléchir, persuader.** *Vaincre la mère de Dieu à force de prières* (→ Litanie, cit. 2). *Se laisser vaincre.* ⇒ **Convaincre.**

Selon le jeu d'amour chevaleresque et précieux, il n'était guère de maîtresse qui ne se laissât vaincre de haute lutte, ni de cruelle qu'on ne pût à la fin adoucir.   F. MAURIAC, la Vie de Jean Racine, VII.

Pron. (réfl.). *Se vaincre :* imposer sa volonté aux instincts, aux passions ; acquérir la maîtrise de soi. *« Qui se vainc une fois peut se vaincre toujours »* (Corneille, *Tite et Bérénice*, v. 514 ; 1651).

♦ **2.** (1538). L'emporter sur (un adversaire, un concurrent) dans une compétition pacifique. ⇒ **Battre.** *Vaincre des rivaux.* ⇒ **Éclipser** (→ Plaire, cit. 6). *Vaincu dans une course* (→ Fair-play, cit. 2). — Absolt. *Aimer vaincre.* ⇒ **Gagner.**

VAINCRE QQN EN... (avec une idée d'émulation). *Vaincre qqn en générosité :* montrer plus de générosité que lui. ⇒ **Surpasser.** *S'il peut le vaincre en détermination* (cit. 9).

♦ **3.** (Fin XIIᵉ). Être plus fort que (une force naturelle, une réalité puissante), faire reculer ou disparaître. ⇒ **Dominer, surmonter.** *Le Christ a vaincu la mort* (→ Croix, cit. 11). *Vaincre la chair* (cit. 40), *les instincts mauvais* (→ Courage, cit. 18), *les tentations. « Vous aimez. On ne peut vaincre sa destinée »* (→ Fatal, cit. 3). *Vaincre les maux, la maladie* (→ Inépuisable, cit. 3 ; soulager, cit. 5). *« La distance et le temps sont vaincus »* (→ Rétrécir, cit. 2). *Être vaincu par la fatigue, le sommeil.* ⇒ **Succomber** (→ Fou-

droyer, cit. 10). *Vaincu par la vie* (→ Satisfaire, cit. 5). — Vx. *Être vaincu de...*

Je suis vaincu du temps, je cède à ses outrages (...)   F. DE MALHERBE, Poésies, « Ode pour le roi... ».

Il neigeait. On était vaincu par sa conquête.   HUGO, les Châtiments, V, XIII, I.

Vaincre une résistance (cit. 12 et 21). ⇒ **Forcer** (→ Épaule, cit. 20). — Vx. *Vaincre des épreuves* (→ Rabougrir, cit. 1), *des périls* (→ Abri, cit. 12). *Avoir un obstacle, des difficultés à vaincre.* ⇒ **Franchir, renverser, surmonter** (→ Assortir, cit. 10 ; atteindre, cit. 43 ; matérialiser, cit. 2).

Au p. p. *Théorie esthétique de la difficulté vaincue,* d'après laquelle le mérite de l'artiste se manifeste dans son habileté à surmonter les problèmes que lui imposent la nature, les conventions, les règles.

On parle souvent dans les arts du mérite de la difficulté vaincue ; néanmoins, on l'a dit avec raison, *ou* cette difficulté ne se sent pas, et alors elle est nulle ; *ou* elle se sent ; et alors elle n'est pas vaincue.   Mᵐᵉ DE STAËL, De l'Allemagne, II IX.

(V. 1265). Parvenir à supprimer, à faire disparaître. *Vaincre sa timidité* (→ Cynique, cit. 4). *« Apprends sur* (1. Sur, cit. 19) *mon exemple à vaincre ta colère ». Vaincre des scrupules* (→ Arme, cit. 34 ; langoureux, cit. 2). ⇒ **Endormir** (cit. 11), **étouffer.** *Vaincre ses passions.* ⇒ **Dompter, maîtriser.** — *Ne pouvoir vaincre un fou rire.*

Cette folie de croire, d'abord que nous puissions vaincre les passions par la volonté ; nous ne pouvons les vaincre que par des passions contraires, et par exemple la peur par la vanité.   Émile FAGUET, Études littéraires, XVIIᵉ s., Malebranche, III.

▶ **VAINCU, UE** p. p. adj.

♦ **1.** (V. 1145). Qui a subi une défaite (de la part d'un ennemi, d'un rival, d'une force quelconque). *S'avouer vaincu :* reconnaître sa défaite. ⇒ **Abandonner, rendre** (se). *Il était vaincu d'avance :* sa nature, les circonstances rendaient sa défaite inévitable (→ Infection, cit. 4).

N. *Les vaincus* (→ Arriviste, cit. 2 ; bataille, cit. 9 ; ennemi, cit. 19). *Poursuivre les vaincus.* ⇒ **Fuyard.** *Malheur aux vaincus !* (→ Déprédateur, cit. 2). ⇒ **Væ victis.** *Les vainqueurs et les vaincus* (→ Exploit, cit. 4). *Le vaincu :* l'individu, le peuple vaincu (→ Boucher, cit. 4 ; écrasement, cit. 3 ; estomac, cit. 15). *Une attitude de vaincu,* résignée, défaitiste. — (Rare au fém.). *Une vaincue.*

Certes nous sommes déjà vaincus. Tout est en suspens. Tout s'écroule. Mais je continue d'éprouver la tranquillité d'un vainqueur !   SAINT-EXUPÉRY, Pilote de guerre, XXIV.

Toujours cette idée ancrée en moi, que l'amour de la femme ne peut pas être une condescendance, puisque, dans l'acte de chair, c'est elle la vaincue.   MONTHERLANT, les Jeunes Filles, p. 42.

♦ **2.** *Difficulté vaincue.* → ci-dessus, cit. 5.

CONTR. Céder. — (Du p. p.) **Vainqueur.**

DÉR. Vainqueur.

VAINEMENT [vɛnmɑ̃] adv. — V. 1190 ; *veinement,* v. 1120 ; de *vain.*

♦ **1.** En vain, inutilement (→ Barre, cit. 14 ; bataille, cit. 6 ; chercher, cit. 24 ; fatiguer, cit. 6 ; leçon, cit. 3 ; perdre, cit. 30 ; rappel, cit. 2). *C'est vainement que...* (→ Impassible, cit. 6 ; mordre, cit. 19). *Mais vainement* (→ Requin, cit. 1).

♦ **2.** (1365). Vx. Avec vanité. *« Des femmes et des jeunes filles vainement parées »* (Fénelon, *Télémaque*, IV).

VAINQUEUR [vɛ̃kœʀ] n. m. — V. 1120 ; de *vaincre.*

REM. Le mot n'a pas de féminin (on trouve *vainqueresse* au XVᵉ s.) et on l'emploie pour désigner une femme (→ Réprouver, cit. 1, Racine).

♦ **1.** [a] N. m. Personne qui a vaincu, gagné la bataille, la guerre. *Son vainqueur, leurs vainqueurs* (→ Capitole, cit. 2 ; hellène, cit. 1). *Le vainqueur de Valmy,* le général qui a gagné la bataille de Valmy (→ Laurier, cit. 8). *« Les vainqueurs tout sanglants partagèrent leur proie »* (cit. 4). *« Songe* (cit. 6) *aux cris des vainqueurs, songe aux cris des mourants ». Honneurs du triomphe décernés au vainqueur.* ⇒ **Triomphateur.**

Vx. Celui qui a l'habitude de vaincre (→ Avare, cit. 8).

Figuré :

Bérénice me plut. Que ne fait point un cœur
Pour plaire à ce qu'il aime, et gagner son vainqueur ?   RACINE, Bérénice, II, 2.

[b] Adj. (1640, *gros vainqueur*). Victorieux. *Tantôt presque vainqueurs, tantôt presque enfoncés* (cit. 51). *« Sors vainqueur d'un combat dont Chimène est le prix »* (cit. 23). — (Choses). *Ce bras vainqueur* (→ Immoler, cit. 16). *Air vainqueur, air de vainqueur ;* par ext. air orgueilleux et satisfait. ⇒ **Prétentieux, suffisant, triomphant.**

Reconnaissez Satan à son rire vainqueur (...)   BAUDELAIRE, les Fleurs du mal, « Les épaves », XVIII.

♦ **2.** (1690). [a] N. m. Gagnant. ⇒ **Champion, gagnant, lauréat.** *Couronne, lauriers du vainqueur.* ⇒ **Olympique.** *Défier le vainqueur* (→ Courir, cit. 7 ; et aussi fair-play, cit. 2 ; officiel, cit. 1). *Remettre* *le prix, la coupe au vainqueur. La concurrente allemande a été le vainqueur de la course. Vainqueur probable. Vainqueur aux points, par K.O.,* en boxe.

3 Dès sa première heure à Rome, dans Ibsen, sûr du triomphe pour demain, je sens un vainqueur dégoûté de la victoire, et dédaigneux de la cause qu'il fait vaincre.
André SUARÈS, *Trois hommes*, « Ibsen », VI.

b Adj. *L'athlète* (cit. 4) *vainqueur.* ⇒ **Victorieux** (seul adj. possible au féminin). *Sortir vainqueur d'une lutte, d'une discussion.*

♦ **3.** *Le vainqueur de...* : l'homme qui le premier a triomphé de (une force, une difficulté naturelle). *Le vainqueur de l'Atlantique* (l'aviateur qui a le premier traversé l'Atlantique), *de l'Éverest* (l'alpiniste qui le premier en a atteint le sommet).

♦ **4.** (1644). Littér., vx. **a** N. m. Celui qui a conquis le cœur d'une femme (→ Masochisme, cit. 2 ; rude, cit. 3).

b Adj. (1690). Destiné à remporter la victoire amoureuse. *Sourire vainqueur,* qui exprime la certitude du succès amoureux. ⇒ **Conquérant** (→ Œillade, cit. 6).

CONTR. **Vaincu.**

VAIR [vɛʀ] n. m. — V. 1168 ; adj., « gris-bleu, bigarré », 1080 ; lat. *varius* « tacheté, varié ». → Varier.

♦ **1.** Vx. Fourrure d'une espèce d'écureuil (le petit-gris*). ⇒ **Menuvair.** *La pantoufle de vair de Cendrillon.* — REM. Le texte original du conte de Perrault est *« la Petite Pantoufle de verre ».* ·

1 Cette fourure était faite de la peau d'une espèce d'escurieu *(écureuil)* qu'on nommait aussi *vair* (...) qui était blanche par-dessous, et colombine par-dessus. Les Pelletiers l'appellent à présent *escuriu de Hollande,* ou *petit-gris.* On la diversifiait en grands ou petits carreaux, qu'on appelait *grand vair* ou *petit vair.*
FURETIÈRE, Dict., art. *Vair* (1690).

2 (...) le choix du verre gris comme matière dans laquelle pouvait être conçue électivement la pantoufle s'expliquait par le désir de concilier les deux substances très distinctes que sont le verre (proposé par Perrault) et le vair, son homophone, dont la substitution au premier rend compte d'une correction d'usage très significative (...À remarquer, d'ailleurs, que la fourrure de vair, lorsqu'elle n'était constituée que de dos d'écureuils, prenait le nom de *dos de gris,* ce qui ne va pas sans rappeler que, pour l'aînée de ses sœurs, l'héroïne de Perrault s'appelait *Cucendron).*
A. BRETON, l'Amour fou, III, p. 53.

♦ **2.** (1549). Une des deux fourrures* du blason (⇒ aussi **Hermine**), composée de petites pièces en forme de clochetons (ordinairement d'argent et d'azur), disposées tête-bêche sur des lignes horizontales, chaque pièce du métal étant opposée par la pointe à une pièce de la couleur.

3 (...) le droit d'aînesse (...) allait rétablir la société française sur la seule base de sa grandeur et de sa force ; puis tout à coup, cette idée, doublement juste de justesse et de justice, qui avait brillé aux regards de ces hommes, dupes sublimes de leur dévouement monarchique, comme un dédommagement à leurs souffrances et à leur ruine, comme un dernier lambeau de vair et d'hermine qui doublât leur cercueil et rendît moins dur leur dernier sommeil, périt sous le coup d'une opinion publique qu'on n'avait su ni éclairer ni discipliner.
BARBEY D'AUREVILLY, les Diaboliques, « Le dessous de Cartes... ».

DÉR. **Vairé,** 1. et 2. **vairon.**
HOM. **Ver, verre, vers, vert.**

VAIRÉ, ÉE [vɛʀe ; vɛʀe] adj. — 1380 ; de *vair.*

♦ Blason. Chargé de vair (2.). *Écu vairé ; pièce vairée.*

1. VAIRON [vɛʀɔ̃] n. m. — 1764 ; *verron,* 1530 ; *veron,* v. 1280 ; *veiron,* v. 1165 ; de *vair,* adjectif.

♦ Petit poisson physostome *(Cyprinidés),* au corps presque cylindrique, vivant dans les eaux courantes. *Le vairon est aussi appelé gendarme, grisette, verdelet. Friture de vairons.*

(...) un rire qui n'était plus celui, intermittent et presque automatique, de l'enfance, détente spasmodique qui autrefois faisait à tous moments faire un plongeon à ces têtes, comme les blocs de vairons dans la Vivonne se dispersaient et disparaissaient pour se reformer un instant après (...)
PROUST, À l'ombre des jeunes filles en fleurs, Folio, p. 479 (1918).

DÉR. **Vaironné, vaironner.**
HOM. **2. Vairon.** — Formes du v. **voir.**

2. VAIRON [vɛʀɔ̃] adj. m. — 1690 ; *veron,* v. 1560 ; n. m. « cheval tacheté », v. 1170 ; de *vair,* adjectif.

♦ *Yeux vairons,* dont l'iris est cerclé d'un anneau blanchâtre, ou qui sont de couleurs différentes.

1 (...) deux petis yeux vairons recouverts de sourcils très épais et bizarrement noirs (...)
Th. GAUTIER, le Capitaine Fracasse, II.

Littér. (Par anal. avec l'œil). *Vairon, vaironne.*

2 L'autre œil brillait sombrement derrière une lentille grossissante. Cette prunelle agrandie et cette vitre vaironne juxtaposées (...)
M. DRUON, les Grandes Familles, III, III, p. 114.

HOM. **1. Vairon ;** formes du v. **voir.**

VAIRONNÉ, ÉE [vɛʀɔne] adj. — Mil. XXᵉ ; de 1. *vairon.*

♦ Techn. (pêche). *Leurre vaironné :* leurre artificiel qui imite exacte-

ment l'apparence du vairon. *« De belles captures furent faites aux leurres vaironnés, ce qui (...) rehausse le prestige des leurres artificiels »* (la Pêche, n° 261, p. 8 [1967]).

VAIRONNER [vɛʀɔne] v. intr. — Mil. XXᵉ ; de 1. *vairon.*
Technique (pêche).

♦ **1.** Pêcher (la truite) à l'aide d'un vairon mort comme appât. *Canne à vaironner,* utilisée pour cette pêche (à la truite).

♦ **2.** Poursuivre et manger les vairons, en parlant de la truite.

VAISSEAU [vɛso] n. m. — XIVᵉ ; *vaissel,* v. 1155, Wace ; signifie aussi « cercueil, cuve », en anç. franc ; bas lat. *vascellum,* class. *vasculum,* dimin. de *vas* « vase » (1. Vase).

★ **I.** Vx. ♦ **1.** Récipient pour les liquides. ⇒ 1. **Vase ; vaisselle** (→ Fluidité, cit. 1 ; résistance, cit. 4). — REM. Le mot était vieilli au XVIIᵉ s. ; il s'est encore employé en sciences (*en vaisseaux clos* [Buffon]) et dans des dialectes.

(...) sans autre objet de garantie qu'un grabat, deux chaises, un bahut et quelques vaisseaux de terre.
G. SAND, François le Champi, I.

(Relig.). *Vaisseau d'iniquité ; vaisseau d'élection :* créature élue.

♦ **2.** (1314, Mondeville). Organe tubulaire, canal permettant la circulation des liquides organiques : sang* *(vaisseaux sanguins),* chyle* *(vaisseaux chylifères),* lymphe *(vaisseaux lymphatiques* [cit. 1]) ; lait *(vaisseaux galactophores). Vaisseaux afférents, efférents. Gros vaisseau* (⇒ **Tronc**), qui se divise en *branches* (collatérales, terminales), en *rameaux. Vaisseaux anastomosés. Étude des vaisseaux.* ⇒ **Angiologie,** et préf. **angio-.**

(1649). Spécialt. Conduit dans lequel circule le sang (vaisseaux sanguins). ⇒ **Circulation** (sanguine) ; **artère, capillaire, veine ; vaso-.** *Ensemble des vaisseaux :* appareil, système circulatoire. — *Vaisseaux émulgents.* — *Inflammation, oblitération* (embolie) *d'un vaisseau. Excès de sang dans les vaisseaux :* congestion. *Effusion de sang hors d'un vaisseau :* hémorragie. *L'ecchymose, rupture de vaisseaux sous-cutanés. — Vaisseaux de l'abdomen* (→ Ganglion, cit. 1), *mésentériques...*

(1751). Bot. *Vaisseaux de plantes :* chacun des petits tubes où s'effectue la circulation de la sève* (cit. 1). ⇒ aussi **Tube** (criblé). *Plantes dont les cellules ne se transforment pas en vaisseaux* (⇒ **Cellulaire**) ; *plantes à vaisseaux* (⇒ **Vasculaire**). *Vaisseaux ligneux du bois (vaisseaux annelés, spiralés, aréolés, scalariformes :* vaisseaux imparfaits ; *vaisseaux réticulés, rayés... :* vaisseaux parfaits).

★ **II.** (XIVᵉ ; *vaissel,* v. 1207 ; le mot à peu à peu remplacé *nef,* avant d'être lui-même concurrencé, en franç. mod., par *bateau, navire).*

♦ **1.** **a** Vieilli (sauf dans certaines loc.) ou littér. Navire de mer d'une certaine importance. ⇒ **Bateau, bâtiment, navire** (→ Ancrage, cit. 1 ; arriver, cit. 2 ; 1. embraser, cit. 14 ; fendre, cit. 7 ; gouffre, cit. 5 ; resserrer, cit. 9). *Bâtir, construire des vaisseaux* (→ Arsenal, cit. 1 ; ber, cit. ; 1., port, cit. 3). *Calfater* (cit. 2), *radouber des vaisseaux. Armer* (cit. 27), *fréter* (cit. 1 et 3) *un vaisseau. — Vaisseau de guerre. Bords, canons d'un vaisseau de guerre.* ⇒ **Bordée.** — (1671). *Vaisseau de haut bord* (cit. 1). *Vaisseau de premier rang, de ligne, de 120 canons. Proue* (cit. 2), *poupe ; coque ; mâts d'un vaisseau* (→ Roulis, cit. 3). *Servir sur les vaisseaux* (→ 2. Marin, cit. 1). ⇒ **Équipage.** *Vaisseau d'escorte. — Vaisseau marchand* ⇒ Place, cit. 19). — *Vaisseau qui sort du port, prend le large* (→ par métaphore et poét. Effet, cit. 38 ; paresseux, cit. 4 ; plonger, cit. 1, Baudelaire). *Vaisseau qui fait escale. Vaisseau démâté* (→ Errer, cit. 18), *en perdition, qui sombre* (1. Sombrer, cit. 1), *périt corps et biens* (→ Désespoir, cit. 17 ; naufrage, cit. 2). — Myth. *Le vaisseau des Argonautes* (cit.). *Le Vaisseau fantôme,* légende qui a fourni le thème d'un opéra de Wagner.

2 Un vaisseau de ligne est une des plus magnifiques rencontres qu'ait le génie de l'homme avec la puissance de la nature.
HUGO, les Misérables, II, II, III.

REM. *Vaisseau* s'employait encore naguère dans certaines expressions de la marine de guerre. *Vaisseau amiral** (1680). → Piquer, cit. 10. *Vaisseau-école* (→ ci-dessous, comp.). — On dit encore : *capitaine*, enseigne*, lieutenant* de vaisseau,* pour désigner des grades.

Loc. fig. (1835). *Brûler ses vaisseaux.* ⇒ **Brûler** (cit. 11.1 et *supra).*

Par métaphore. ⇒ **Navire** (cit. 14). *Le vaisseau de l'État. Mener* (cit. 24) *le vaisseau de la France.*

3 (...) les changements qui s'étaient faits à la cour depuis que le comte d'Olivarès tenait le gouvernail du vaisseau de la monarchie.
A. R. LESAGE, Gil Blas, XI, II.

b (1961). *Vaisseau spatial* (ou *cosmique*) : véhicule destiné au déplacement à travers l'espace et à l'exploration spatiale. ⇒ **Aéronef, spationef.** *Fusée à étages et cabine d'un vaisseau spatial.*

3.1 Un homme, n'importe quel homme-femme, arrivé sur la planète Terre il y a bien longtemps, après avoir voyagé pendant des éternités le long des chemins célestes, tout à coup atterrissant sur le sol plat, rejeté par le vaisseau spatial dans un nuage de sang, étourdi, abasourdi (...)
J.-M. G. LE CLÉZIO, les Géants, 1973, p. 23.

♦ **2.** (V. 1680). Espace allongé que forme l'intérieur d'un grand bâtiment, d'un bâtiment voûté. ⇒ **Nef.** *Vaisseau d'une église*, d'une cathédrale* (→ Stabilité, cit. 3). *Un vaste vaisseau* (→ Fumerie, cit. 3). *Vaisseau gothique* (→ Bas-côté, cit. 1 ; jouer, cit. 5).

COMP. **Vaisseau-école.**

VAISSEAU-ÉCOLE [vɛsoekɔl] n. m. — xixᵉ ; de *vaisseau,* et *école.*

♦ Vx. Vaisseau sur lequel vivaient les élèves de l'École navale (fondée en 1814), puis sur lequel ils faisaient une croisière de fin d'études (on dit aujourd'hui *navire-école*).

Vers la fin d'octobre de cette même année 1823, les habitants de Toulon virent rentrer dans leur port, à la suite d'un gros temps et pour réparer quelques avaries, le vaisseau l'*Orion.* qui a été plus tard employé à Brest comme vaisseau-école et qui faisait alors partie de l'escadre de la Méditerranée.
HUGO, les Misérables, II, II, III.

VAISSELIER [vɛsəlje] n. m. — 1568 ; *veisselier* «fabricant de vaisselle», 1295 ; de *vaisselle.*

♦ Meuble formé de deux parties, le corps inférieur à vantaux étant analogue à un bahut, le corps supérieur étant formé d'étagères, généralement munies de rebord et sur lesquelles on peut exposer divers objets (vaisselle, etc.). ⇒ **Dressoir, crédence.** *Rayons de vaisselier* (→ Loqueteux, cit. 1). *Assiettes* (2. Assiette, cit. 18) *rangées au vaisselier.*

VAISSELLE [vɛsɛl] n. f. — xivᵉ ; *vessele,* 1138 ; désigne surtout en anc. franç. les riches ustensiles de ménage, l'argenterie ; du lat. pop. *vascella,* plur. de *vascellum,* pris pour un fém. singulier.

♦ **1.** Ensemble des récipients qui servent à manger, à présenter la nourriture. *Pièces de vaisselle.* ⇒ 2. **Assiette, 1. bol, légumier, plat** (II., B., 3.), **plateau, saladier, saucière, soucoupe, soupière, sucrier, tasse** (→ Commodité, cit. 6 ; étinceler, cit. 10 ; luisant, cit. 4). *Service* (*supra* cit. 9) *de vaisselle. Meuble où l'on met la vaisselle.* ⇒ **Buffet, crédence, dressoir, vaisselier.** *Vaisselle au poinçon de Paris ; aux armes* (→ Éconduire, cit. 2). *Vaisselle godronnée* (cit. 1) ; *en bosse* (relief). — *Vaisselle d'or, d'argent* (⇒ **Grosserie**), *de cuivre* (dinanderie). *Métal à vaisselle :* alliage de plomb*.

(...) le père Léonard aimait à faire montre de sa richesse, et la veuve n'était pas fâchée non plus d'étaler sa belle vaisselle et de tenir table comme une rentière.
G. SAND, la Mare au diable, XII.

Les seuls vestiges de son existence royale qui restassent au prince était son argenterie et la vaisselle ornée de couronnes royales richement gravées et dorées.
HUGO, Choses vues, II, XI, IV.

Loc. fam., vieilli (argot milit. de l'Empire, Brunot, *Hist. de la langue franç.,* t. IX, p. 1005). *Vaisselle de poche :* monnaie, argent en pièces.

Loc. (1405). *Vaisselle plate,* faite avec une seule lame de métal (→ 1. Plate). — REM. Bien qu'employé avec une valeur technique particulière, l'adjectif *plat* a ici son sens courant. — (Depuis le xviiiᵉ) *Vaisselle plate, de plate :* vaisselle de métal précieux (y compris les pièces soudées, montées). — REM. Le contresens vient en partie de la fausse étymologie espagnole donnée à l'expression (*plata* «argent»).

De la vaisselle plate ; de la vaisselle moulée : l'une est unie, comme les plats et les assiettes ; l'autre est élevée, comme les flambeaux et les aiguières.
FURETIÈRE, Dict., art. *Vaisselle* (1690).

Mod. (la vaisselle métallique étant devenue l'exception). *Vaisselle de faïence, de porcelaine, de poterie. Vaisselle épaisse* (→ Gras, cit. 10). *Vaisselle blanche, à décor, à fleurs, unie. Vaisselle en verre incassable, en matière plastique.* — *Pile de vaisselle. Casser de la vaisselle. Débris* (→ Famélique, cit. 2), *tessons de vaisselle* (→ Insurrection, cit. 4). — Fig., fam. *S'envoyer la vaisselle à la tête :* se disputer violemment.

♦ **2.** (xixᵉ). Ensemble des plats, assiettes, ustensiles de table, etc., qui sont à laver. *Laver*. faire la vaisselle.* ⇒ **Nettoyer, relaver** (régional). → Gerçure, cit. 1 ; souillarde, cit. 1. — Vx. *Laver* (cit. 5) *les vaisselles.* — *Écurer** (vx), *égoutter, rincer, essuyer... la vaisselle.* — *Bac à vaisselle* (→ Rincer, cit. 2). ⇒ **Évier.** *Lavette, balai, torchon à vaisselle. Laveur de vaisselle.* ⇒ **Plongeur.** *Machine à laver la vaisselle.* — *Laisser s'entasser la vaisselle.*

(...) j'aidais maman à faire la vaisselle ; elle lavait des assiettes, je les essuyais (...)
S. DE BEAUVOIR, Mémoires d'une jeune fille rangée, p. 105.

— Voyons, monsieur, dépêchez-vous (...) il est bientôt une heure, ma vaisselle ne peut pas traîner comme ça jusqu'à demain (...) Elle commençait à enlever les assiettes (...)
ZOLA, la Joie de vivre, X, t. II, p. 143 (1884).

Lavage de la vaisselle (⇒ **Plonge**). *Faire le ménage et la vaisselle. Eau de vaisselle.* ⇒ **Eau.**

♦ **3.** Ensemble d'ustensiles, de récipients servant à un autre usage que la table. — (1875, *in* Littré, *Suppl.*). *Vaisselle vinaire :* paniers,

cuves, tonnes... servant à la vendange, à la fabrication du vin. — *Vaisselle de toilette en or* (Aragon, *les Cloches de Bâle*, p. 26).

DÉR. **Vaisselier.**

VAL, VAUX ou VALS [val, vo, val] n. m. — 1080, masc., sauf dans les noms de lieu (cf. Laval) ; du lat. *vallis,* n. féminin.

♦ **1.** Vx (sauf dans des expressions toponymiques). Vallée, vallon (→ 1. Fumer, cit. 12). *Les vaux d'Ollioules* (Mᵐᵉ de Sévigné), *les gorges.* — *Le val de Loire :* la région qui entoure une partie de la vallée de la Loire. *Les Vaux-de-Cernay. Le Val travers. Le Val-de-Grâce.* — REM. Un pluriel régulier *vals* s'emploie encore parfois (cf. Michelet, Giono, *in* Grevisse, § 278).

La Rivière de Cassis roule ignorée
En des vaux étranges (...)   RIMBAUD, Poésies, LXX.   1

Spécialt. Régional. Petite vallée.

♦ **2.** Loc. *Par monts et par vaux.* ⇒ 3. **Mont.**

(1559). À VAL : en suivant la pente de la vallée. ⇒ **Aval, dévaler.** *À val des rochers* (P.-L. Courier, *in* P. Larousse).

Vx. Sous la forme À VAU DE..., par division de *aval* et vocalisation du *l. S'enfuir à vau* de route* (Malherbe, Racine, *in* Littré, *vau-de-route*), en descendant la route.

(1552). Mod. À VAU-L'EAU : au fil de l'eau, du courant. Fig. *(Être, aller, s'en aller) à vau-l'eau :* se perdre, péricliter. *Le rêve semblait à vau-l'eau* (→ Espérance, cit. 38). *Dans cette affaire tout est à vau-l'eau.* ⇒ **Désordre.** — Littér. *À vau-l'eau,* roman de Huysmans.

— (...) Voilà tous mes plans à vau-l'eau.   2
BALZAC, Une ténébreuse affaire, Pl., t. VII, p. 592.

Tout ce monde gesticulait, hurlait, babillait, par groupes de trois ou quatre. Tous   3
en uniforme : la même peau grise, les dents jaunes, les yeux rougis, les cheveux
gras et le veston à vau-l'eau. Des mots mystérieux, que je mis des mois à comprendre, déclenchaient d'énormes rires parmi le troupeau.
Geneviève DORMANN, le Chemin des Dames, 1964, p. 90.

CONTR. **Mont.**
DÉR. et COMP. **Aval, avaler, dévaler, ravaler** (cf. Ravauder, étym.). — **Vallée, vallon.**
HOM. (Du plur.) **Veau, vos** ; formes du v. **valoir.**

VALABLE [valabl] adj. — xiiiᵉ ; var. *vaillable,* en anc. franç. (→ Vaillant) ; de *valoir.*

♦ **1.** Qui remplit les conditions requises pour être reçu en justice. ⇒ **Valide.** *Acte, contrat, consentement* (→ Erreur, cit. 40), *donation* (cit. 2), *mariage* (→ Divorce, cit. 2) *valable. Le contrat est toujours valable, reste valable.* ⇒ **Tenir.** — Qui remplit les conditions pour être accepté par une autorité, pour produire son effet. *Certificat, passeport* (cit. 4), *permis... valable,* en règle. ⇒ **Réglementaire.** *Billet valable quinze jours.*

(...) *valide* fait considérer la chose en elle-même, comme étant revêtue de toutes   1
les formalités nécessaires ; et *valable* la représente (...) en rapport avec l'avenir et
l'effet qui s'ensuivra, celui d'être admise.
LAFAYE, Dict. des synonymes, Valide...

♦ **2.** À quoi on reconnaît une valeur, un fondement. *Excuse* (cit. 7), *explication valable.* ⇒ **Acceptable, admissible, 1. bon, recevable.** *Raisons valables.* ⇒ **Sérieux** (→ Préface, cit. 3). *Argument valable* (→ Ingérence, cit. 1). *Ne donner aucun motif* (cit. 7) *valable.* — Par ext. Qui est solide, bien fondé. — REM. Le passage de l'idée d' «acceptable» à celle de «fondée, solide», est une des raisons de l'apparition du sens 4.

— (...) Si votre frère me propose des excuses, pourvu qu'elles soient bonnes et   2
valables, je suis prêt à les recevoir.
A. DE MUSSET, Contes, «Secret de Javotte», v.

(...) l'incapacité des gens du monde à porter un jugement valable sur les choses de   3
l'esprit et leur propension à s'attacher dans cet ordre à de faux-semblants (...)
PROUST, À la recherche du temps perdu, t. XIII, p. 234.

♦ **3.** (xviᵉ). Rare. Qui a une valeur marchande. *Effets valables :* «des meubles, des bijoux de quelque prix» (Littré).

♦ **4.** (xivᵉ, *vaillable de croire* «digne d'être cru», Froissart ; *valable,* «qui a du mérite, qui est digne d'être cru», xivᵉ et xvᵉ ; repris et étendu au xxᵉ, sous l'infl. de l'angl. *valuable*). Qui a un effet, qui a une valeur dans telle circonstance. *« Une connaissance n'est scientifique qu'autant qu'elle est valable pour tout esprit »* (→ Science, cit. 16, Goblot). *Domaine où les conceptions classiques sont pleinement valables* (→ 2. Micro-, cit. 3, De Broglie). *Des moyens valables pour toute l'humanité* (→ Insurrection, cit. 8). *« Les lois de la nature peuvent être valables jusqu'à une certaine limite »* (Camus, le Mythe de Sisyphe, p. 56). *Une définition valable de la poésie* (cit. 7, Gide).

Ni herbe ni onguent contre Amour n'est valable,   4
Car rien ne peut forcer de Vénus le pouvoir.
RONSARD, le Second Livre des amours, «Amours de Marie», LIX.

(...) la méthode critique la plus valable et le messianisme utopique le plus con-   5
testable.   CAMUS, l'Homme révolté, p. 233.

Qui a un certain mérite, des qualités qu'on peut apprécier, estimer à bon droit. — REM. Ce sens, critiqué par les puristes, apparaît chez de nombreux auteurs contemporains (cf. Grevisse, *le Bon Usage*). L'abus qui en est fait résulte plus des extensions récentes du mot *valeur** (qui remplace souvent *bien, bonté*) que de l'influence de l'anglais. « *Des héros romantiques (...) dont la psychologie est valable, sans une fausse note* » (Henriot, *les Romantiques*, p. 150). *Un problème toujours valable, et peut-être même encore actuel* » (Henriot, *les Romantiques*, p. 151), digne d'être étudié, envisagé. *Sentiment de fraternité* (cit. 10), *plus valable que l'égoïsme de tant de bourgeois* (Daniel-Rops). *Un commandement interallié valable* (→ Inter-, cit. 1, De Gaulle).

6 (...) des hommes (...) pour qui, naturellement, le seul élément valable de la France est l'électeur (...)   GIRAUDOUX, De pleins pouvoirs à sans pouvoirs, III, p. 65.

7 — En quoi, pour un athée comme toi, l'instant de la mort est-il plus valable, plus important si tu veux, quant au jugement qu'il fait porter sur la vie, que tout autre instant?   MALRAUX, l'Espoir, I, II, II, VII.

(Personnes). Vx. Qui a une valeur personnelle (→ Vaillant). « *Duc d'Orléans, seigneur digne et valable* » (Christine de Pisan, *Débat de deux amants*, 5.). — Mod. Capable, estimable ; de valeur.

8 Devrons-nous au scrutin d'arrondissement une semence d'hommes d'État valables? On le dit.   F. MAURIAC, le Nouveau Bloc-notes 1958-1960, p. 118.

Loc. *Interlocuteur* valable*, qualifié, autorisé.

DÉR. Valablement.

VALABLEMENT [valabləmã] adv. — 1636 ; *vàillablement*, v. 1450 ; *vaillaulement* « d'une manière convenable », XIIIᵉ ; de valable.

♦ **1.** Dr. De manière à être reçu, à produire ses effets juridiques. *Valablement autorisé.*

♦ **2.** À bon droit. *Alléguer valablement que...*

1 Et pendant tout ce temps il n'y aurait plus personne? s'écria Franz alarmé, plus personne pour éprouver «valablement», patiemment, chaque jour, l'horreur des temps présents et des temps qui viennent?   Pierre GASCAR, les Bêtes, p. 189.

♦ **3.** (Dans l'emploi critiqué de valable, 4.). D'une manière efficace, appréciable.

2 Tu ne t'es jamais demandé si mon énergie n'aurait pas pu être utilisée plus «valablement»?   F. MALLET-JORIS, le Jeu du souterrain, 1973, p. 178.

VALAIS [valɛ] n. m. — 1904 ; du nom géographique.

♦ Vitic. Cépage noir du Jura.
HOM. Valet ; formes du v. **valoir.**

VALAISAN, ANNE [valɛzã, an] adj. et n. — 1876 *in* P. Larousse ; de *Valais*.

♦ Du Valais, canton de Suisse. — N. *Les Valaisans.*

VALANGINIEN [valãʒinjɛ̃] n. m. — D. i. ; de Valangin, en Suisse (près de Neuchâtel).

♦ Géol. Étage du crétacé, compris entre le berriasien et le hauterivien (néocomien inférieur).

VALAQUE [valak] adj. — 1876 ; du nom de lieu, d'orig. slave.

♦ Didact. De la Valachie, ancienne région de Roumanie.

La Roumanie restera neutre! C'est moi qui vous le dis!
— Et qui vous l'a dit, à vous?...
— Une certaine princesse valaque qui est au mieux avec Enver Pacha!
        G. LEROUX, Rouletabille chez Krupp, p. 65.

COMP. **Moldo-valaque.**

VALAT [vala] n. m. — 1845 ; anc. provençal *volat*, de *val* «vallée», lat. *vallis*.

♦ Techn., régional. Rigole pour draîner les eaux de ruissellement.

VALDA [valda] n. f. — 1926 ; du nom des pastilles *Valda* contre la toux, marque déposée.

♦ Argot. Balle (d'une arme à feu).

1. VALDINGUE [valdɛ̃g] n. f. ou n. m. — 1894 ; déverbal de *valdinguer*.

♦ Fam. Chute. — Loc., vx. *Aller à valdingue* : tomber.

L'autre charrette a salement embarqué. Dérapage du train arrière, valdingue en zigzag, elle a ripé sur les gravillons de la berme après avoir traversé le chemin, en crabe.   Pierre ACCOCE, le Polonais, p. 143.
HOM. 2. **Valdingue.**

2. VALDINGUE [valdɛ̃g] n. f. — V. 1940 ; de *valise*, resuffixé d'après *valdinguer* et *faire sa valise* «partir».

♦ Argot. Valise (Boudard, *l'Hôpital, in* Cellard et Rey).
HOM. 1. **Valdingue.**

VALDINGUER [valdɛ̃ge] v. intr. — 1894 ; de *valser*, et *dinguer*.

♦ Fam. Tomber, dégringoler. *Envoyer valdinguer.* ⇒ **Dinguer.** *Il l'a envoyé valdinguer dans le décor.*

VALDISME [valdism] n. m. — 1872 ; de *Valdo* (fin du XIIᵉ siècle), fondateur de la secte.

♦ Hist. relig. Doctrine, secte des vaudois* (1. Vaudois).

VALDOTAIN, AINE [valdotɛ̃, ɛn] adj. et n. — 1890 ; de *Val d'Ao(s)te.*

♦ De la vallée d'Aoste.

VALENÇAY [valãsɛ] n. m. — XXᵉ (*fromage de Valençay*, 1938) ; nom d'une ville située aux confins de la Touraine et du Berry.

♦ Fromage de chèvre de forme pyramidale. *Des valençays.*

1. VALENCE [valãs] n. f. — 1839 ; de la ville de *Valence* (*Valencia*), en Espagne.

♦ Orange provenant de la région de Valence, en Espagne.
HOM. 2. **Valence.**

2. VALENCE [valãs] n. f. — 1890 ; P. Larousse, *Deuxième Suppl.* ; bas lat. *valentia* «valeur», d'après *équivalence.*

♦ **1.** Chim. Nombre de liaisons chimiques qu'un atome ou un ion engage avec d'autres atomes ou ions dans une combinaison. *Théorie électronique de la valence*, fondée sur la stabilité de la couche la plus externe d'électrons (*électrons* dits *de valence*) dont certains se distribuent par transfert ou mise en commun. *Électrovalence*, ou *valence électrostatique. Covalence* ou *valence homopolaire, homéopolaire.* ⇒ **Covalence.** *Multi-* ou *polyvalence*, correspondant à des liaisons multiples (*bivalence, trivalence...*). *Valence de coordination*, les électrons mis en commun provenant du même atome. *Liaisons de valence*, représentées symboliquement par des tirets, chaque tiret représentant deux électrons. *Bande de valence :* dans le spectre d'un cristal à l'état solide, domaine dans lequel se placent les énergies des *électrons de valence* qui permettent la cohésion du cristal ; *la bande de conduction* et *la bande de valence d'un isolant, d'un semi-conducteur*, sont séparées par un intervalle vide ; la première se trouve dans un état énergétique supérieur (ce schéma explique actuellement les propriétés de conductibilité, de semi-conductibilité et d'isolement électrique). *Champ de force de valence :* hypothèse simplificatrice selon laquelle une constante de force se trouve associée avec chaque liaison de valence et chaque angle de valence (au lieu de supposer un champ quelconque, pour les forces qui ramènent chaque atome à sa position d'équilibre, lorsqu'on veut exprimer l'énergie potentielle de vibration*).

♦ **2.** (1968). Psychol. Puissance d'attraction (*valence positive*) ou de répulsion (*valence négative*) d'un objet ou d'une activité.

♦ **3.** (1975). *Valence écologique, d'une espèce animale ou végétale :* tolérance (de cette espèce) envers les différents facteurs du milieu vital.

COMP. Covalence. — Valence-gramme.
HOM. 1. **Valence.**

VALENCE-GRAMME [valãsgʀam] n. f. — 1933 ; de *valence*, et *gramme*.

♦ Chim. Rapport de la masse atomique (en grammes) à la valeur de la valence. *Des valence-grammes.*

VALENCIEN, IENNE [valãsjɛ̃, jɛn] adj. et n. — 1876, P. Larousse ; de *Valence*, ville d'Espagne.

♦ De Valence. *Paëlla valencienne*, préparée comme à Valence. — N. *Un Valencien, une Valencienne :* une personne qui habite cette ville, ou qui en est originaire. N. m. *Le valencien :* le dialecte catalan parlé dans la région de Valence.

VALENCIENNES [valɑ̃sjɛn] n. f. invar. — 1761 ; du nom de la ville de *Valenciennes.*

♦ Dentelle fine, fabriquée initialement à Valenciennes, puis en Belgique. *De la valenciennes de Courtrai.*

1   Diane s'était fait faire des déshabillés avec ces dentelles, et elle ne recevait plus guère dans la journée qu'en valenciennes.   ARAGON, les Cloches de Bâle, I, IV.

2   De longs après-midi se passaient pour elles en visites dans les propriétés des environs, en thés au polo, en glorieuses apparitions aux courses où elles se rendaient vêtues en linon blanc — de ces robes, brodées au plumetis, travaillées d'entre-deux en valenciennes, qui étaient le cauchemar des femmes de chambre.
   Edmonde CHARLES-ROUX, l'Irrégulière, p. 219.

-VALENT, -ENTE Élément de composition d'adjectifs de chimie, signifiant « qui a pour valence » (ce qu'indique le premier élément). Ex. : *bivalent, trivalent, quadrivalent* (ou, moins correct, *tétravalent*)... : « qui a pour valence deux, trois, quatre,... ».

VALENTIEL, IELLE, IELS [valɑ̃sjɛl] adj. — Mil. XXᵉ ; de 2. *valence.*

♦ Chim. De la valence chimique ; qui correspond à la valence. *Électrons valentiels.*

VALENTIN, INE [valɑ̃tɛ̃, in] n. m. et f. — V. 1460, masc. « celui qui vendait les cadeaux pour les femmes courtisées » ; déb. XVᵉ au fém., Charles d'Orléans « dame aimée » ; sens spécialisé, 1694 ; du nom de saint *Valentin,* patron des amoureux, honoré le 14 février.
Anciennement.

♦ **1.** N. m. Jeune homme choisi comme amoureux par une jeune fille, pour la saint Valentin, et qui devait lui offrir des présents.

♦ **2.** N. f. Jeune fille qui choisissait un valentin.

VALENTINIANISME [valɑ̃tinjanism] n. m. — 1845 ; du rad. de *valentinien.*

♦ Hist. relig. Hérésie gnostique des valentiniens. ⇒ **Gnosticisme.**

VALENTINIEN, IENNE [valɑ̃tinjɛ̃, jɛn] n. et adj. — 1740, *in* Trévoux ; du rad. de *Valentin,* n. propre.

♦ Hist. relig. Membre ou partisan de l'hérésie de Valentinus (IIᵉ siècle) qui n'admettait ni l'incarnation du Verbe, ni la divinité de Jésus-Christ et qui croyait en un démiurge, issu d'un couple d'éons* (Jésus étant l'éon supérieur). ⇒ **Gnostique.** *Pour les valentiniens, les hommes dégagés de la matière sont les pneumatiques et les psychiques.*
DÉR. **Valentinianisme.**

VALENTINITE [valɑ̃tinit] n. f. — 1877, Littré, *Suppl.* ; all. *Valentinite,* 1845 (Haidinger) d'après le nom de l'alchimiste, Basil *Valentin.*

♦ Minér. Oxyde naturel d'antimoine.

VALÉRIANACÉES [valeʀjanase] n. f. pl. — 1872 ; *valérianées,* 1807 ; du rad. de *valériane.*

♦ Bot. Famille de plantes dicotylédones *(Gamopétales)* comprenant des herbes annuelles à racines grêles et des herbes vivaces à rhizome. ⇒ **Centranthe, mâche** ou **valérianelle, nard, valériane.** — Au sing. *Une valérianacée.*

VALÉRIANATE [valeʀjanat] n. m. — 1842 ; du rad. de *valériane.*

♦ Chim. Sel de l'acide valérianique. *Valérianate d'amyle* (antispasmodique), *de quinine* (stimulant nerveux), *de zinc,* etc.

VALÉRIANE [valeʀjan] n. f. — XIIIᵉ ; lat. médiéval (Xᵉ) *valeriana,* de *Valeria,* province romaine de Pannonie.

♦ **1.** Bot. Plante dicotylédone *(Valérianacées),* herbacée, vivace, dont la racine blanchâtre est très ramifiée. *Valériane officinale,* dite *herbe-aux-chats,* à cause de son odeur camphrée qui attire ces animaux. — *Valériane dioïque* ou *valériane des marais :* nard champêtre. *Valérianes celtique, des Pyrénées, des montagnes...* ⇒ **Nard.** *Valériane rouge, des jardins.* ⇒ **Centranthe.** — Par ext. *Valériane grecque.* ⇒ **Polémoine.**

1   (...) la valériane, poussée dans la muraille et dont les fleurs d'un rose de papier buvard, désalourdi de son blanc qui semble reporté dans le vert de ses feuilles, sont jolies (...)   HUYSMANS, l'Oblat, XVI.

♦ **2.** Racine de la valériane officinale, utilisée comme antispasmodique et fébrifuge. *Administrer de la valériane* (→ Camphre, cit. 1). *Tisanes de valériane.*

---

2   (...) ce monde qu'il traversait en pantoufles ou étendu au fond d'une alcôve parfumée de valériane et d'éther.   F. MAURIAC, le Baiser au lépreux, I.

DÉR. **Valérianacées, valérianaie, valérianelle, valérianique** ou **valérique.**

VALÉRIANELLE [valeʀjanɛl] n. f. — 1765 ; de *valériane.*

♦ Bot. Mâche.

VALÉRIANIQUE [valeʀjanik] ou **VALÉRIQUE** [valeʀik] adj. — 1855 ; de *valériane.*

♦ Chim. *Composé valérianique, valérique,* extrait de la valériane. *Acides valériques,* de formule $C_5H\ COOH$ (valérique, isovalérique...). *Aldéhyde valérique,* ou, n. m., *valéral* [valeʀal].

VALET [valɛ] n. m. — V. 1138, *vallet* « jeune écuyer » et, par ext., « jeune garçon » ; var. *vaslet,* d'où *varlet* ; lat. pop. **vassellittus,* dimin. d'un *vassellus,* du gaulois *vasso-.* → Vassal.

★ **I.** ♦ **1.** Anciennt. Écuyer au service d'un seigneur. ⇒ 2. **Page.** Officier d'une maison princière, royale. *Valets de garde-robe du roi. Premier valet de chambre du roi :* « officier considérable de sa maison (...) qui est toujours en sa chambre, garde la cassette, etc. » (Furetière). → Estampille, cit. 1.

♦ **2.** (1611). Carte sur laquelle est représenté un jeune écuyer, et qui vient en général après le roi et la dame (→ Dix, cit. 4 ; roi, cit. 20). *Valet de cœur* (Lahire), *de pique* (Rogier), *de carreau* (Hector), *de trèfle* (Lancelot). *Nom des valets de trèfle* (⇒ **Mistigri**) *et de pique* (⇒ **Polignac**), *dans certains jeux. Valet de cœur* (→ Quinola, cit.). *Un brelan, un carré de valets.*

★ **II.** XIIIᵉ, Chrestien de Troyes ; semble l'avoir emporté au XVIᵉ sur le sens I : « maintenant le mot de valet se donne... à ceux qui entre nos serviteurs sont de moindre condition » (Pasquier, *Recherches sur la France,* VIII).

♦ **1.** (Vieilli). Homme employé par une personne pour la servir. ⇒ **Domestique, laquais, serviteur** (→ Compte, cit. 13 ; étrenne, cit. 5 ; famille, cit. 1). *Valet fidèle* (→ Cruche, cit. 7), *dévoué, zélé. Son valet et ses laquais* (→ Fils, cit. 7). *L'intendant* (cit. 5) *et les valets.* — Vx. **Valetaille.** — Vx. *Valet à louer,* sans emploi — *Valet à tout faire* (au fig.) : homme à toutes mains (→ Intrigue, cit. 6). — *L'homme juste* (cit. 3) *a l'estime de son valet. Valets et maîtres** (cit. 7). *Maître Puntila et son valet Matti,* pièce de B. Brecht. — Allus. littér. (→ Digne, cit. 4, Beaumarchais). — Prov. *Tel maître, tel valet. Les bons maîtres font les bons valets* (⇒ **Maître,** *supra* cit. 4).

1   Ce n'est point assez que le valet plaise au maître, il faut encore que le maître plaise au valet ; autrement ils sont l'un et l'autre fort mal ensemble.
   A. R. LESAGE, Gil Blas, XII, XII.

2   (...) maître ici, valet là, selon qu'il plaît à la fortune (...)
   BEAUMARCHAIS, le Mariage de Figaro, V, 3.

3   Qu'eussent-ils fait de leur grâce sans leurs valets pour leur tenir lieu de bras, de mains et jambes ?   G. SAND, Histoire de ma vie, III, II.

Le personnage traditionnel d'un valet dans la comédie. ⇒ **Crispin.** *Valets bouffons* (cit. 3), *niais.* ⇒ **Jocrisse.**

Péj. ⇒ **Laquais, larbin.** *Avoir l'âme d'un valet* (→ Petit, cit. 32), *un caractère bas** (1. Bas), *servile*.* — *Être chassé, congédié comme un valet,* brutalement.

(Mil. XVIIᵉ). Par métaphore ou fig. Personnage servile, d'une complaisance exagérée. Caudataire. *« Le tyran est doublé du valet »* (→ Antre, cit. 4). *« Roi des valets sans livrée, parasite* (cit. 3) *effronté... ».* — Serviteur soumis à son maître. ⇒ **Esclave.**

4   Ces gens-là n'ont qu'une idée, quand ils voient une fleur : la mettre en pot, — un oiseau : le mettre en cage, un homme libre : en faire un valet.
   R. ROLLAND, Jean-Christophe, Les amies, p. 1102.

Anciennt. *Valet armé, valet d'armes :* garde du corps. ⇒ **Estaffier, goujat.**

Valet d'artillerie : servant (2. Servant) d'une pièce d'artillerie.

Valet de justice. ⇒ **Sergent.**

♦ **2.** Loc. (Vx). *Je suis votre valet,* et, ellipt, *votre valet* (Beaumarchais, *le Barbier de Séville,* IV, 1), formule de politesse. ⇒ **Serviteur.** — Iron. Formule de refus, de dénégation.

5   — Je suis votre valet, Monsieur, de tout mon cœur.
   — Et moi, je suis, Monsieur, votre humble serviteur.
   MOLIÈRE, le Misanthrope, I, 2.

♦ **3.** (1609). **VALET DE PIED.** **a** Anciennt. Homme en livrée qui suivait les grands personnages.

b Mod. Domestique de grande maison, en livrée (→ Susceptible, cit. 5).

♦ **4.** (1559). **VALET DE CHAMBRE.** **a** Anciennt. Domestique chargé du service personnel du maître. ⇒ **Camérier.**

b Mod. Domestique masculin (→ Domestique, cit. 7 ; 1. livre, cit. 42 ; maternel, cit. 4 ; suite, cit. 15). — Dans un hôtel. ⇒ **Garçon** (d'étage).

6 Il n'y a pas de grand homme pour son valet de chambre, dit un proverbe. Pas seulement pour son valet de chambre.
       Paul LÉAUTAUD, Passe-temps, p. 124.
REM. Le mot est attribué à Mme Cornuel (1605-1694), précieuse du XVIIe s. (Mlle Aïssé, *Lettres*, 13 août 1728).

7 Le valet en livrée verte à boutons d'or se tenait debout devant la table (...)
       G. DUHAMEL, Chronique des Pasquier, VII, XII.

♦ **5.** Salarié chargé de certains travaux.

[a] Vx. *Valet de cuisine.* ⇒ **Cuisinier** (aide), **marmiton**. *Valet de bourreau :* aide-bourreau (→ Exécuteur, cit. 5). *Valet de jeu de paume* (→ Garçon, cit. 19).

[b] Mod. *Valet* (→ Madré, cit. 2), *valet de ferme* (→ Marteler, cit. 3). — *Valet de chiens, de limiers, de meute.* — *Valet d'écurie,* chargé des soins des chevaux*. ⇒ **Palefrenier.**

8 En moins d'un an, l'ancien ouvrier devint un bon valet de ferme, charriant, labourant, semant, fauchant (...)
       ZOLA, la Terre, II, I.

★ **III.** (xve). ♦ **1.** Techn. Appareil, pièce, dispositif destiné à faciliter un travail.

[a] (1622). *Valet de menuisier* ou *valet :* instrument, pièce de fer coudée dont se sert le menuisier pour maintenir une pièce sur l'établi.

9 Des menuisiers emportaient le valet de leur établi « pour enfoncer les portes ».
       HUGO, les Misérables, IV, X, III.
Pince métallique à ressort destinée à maintenir la lame porte-objet sur la platine du microscope.

[b] (1611 ; *varlet,* 1539 ; *varlet d'huis,* 1539). Contrepoids qui fait se refermer une porte.

10 (...) il a entendu rouler et tonner la porte derrière ses épaules. Des serrures ont grincé, les valets de fer massif dont on étayait les vantaux se sont abattus (...)
       J.-R. BLOCH, la Nuit kurde, p. 47.

[c] (1590). Pied d'un miroir.

[d] (xixe). Appareil en forme de tore permettant de poser un vase à fond sphérique sur une surface plane.

[e] (1752). Système de blocage immobilisant un verrou lorsqu'il est fermé. — Techn. Arrêt d'appui du rouleau, dans un métier à tisser.

[f] (1770). Pêche. Pièce de bois munie de deux crochets, pour maintenir un filet ouvert.

[g] Vx. *Valet à débotter :* tire-bottes.

♦ **2.** (xxe). Cintre monté sur pieds et pourvu d'accessoires tels que crochets, vide-poche, etc., sur lequel on place ses vêtements quand on se déshabille.

DÉR. Valetaille, valeter.
HOM. Valais ; formes du v. valoir.

VALETAGE [valtaʒ] n. m. — 1680 ; *varletage,* 1401 ; de *valet, varlet.*
Vieux (langue classique).

♦ **1.** Service, office de valet.

♦ **2.** (Déb. XVIIIe, Saint-Simon). Caractère de valet (fig.), servilité. *(Un, des valetages).* Acte servile.

VALETAILLE [valtɑj ; valtaj] n. f. — 1588 ; de *valet.*
Péjoratif.

♦ **1.** Vx. Ensemble des valets (d'une maison). ⇒ **Domestique** (n. m.).

1 L'émigration, la ruine de beaucoup qui n'émigraient pas, avaient mis sur le pavé une masse de valetailles, de gens attachés aux nobles, aux riches, à différents titres, agents de mode, de luxe, d'amusement, de libertinage.
       MICHELET, Hist. de la Révolution franç., V, VIII.

2 Partout, une valetaille à larges galons d'or circulait. Les grandes torchères, comme des bouquets de feu, s'épanouissaient sur les tentures (...)
       FLAUBERT, l'Éducation sentimentale, II, II.
Les domestiques en général.

♦ **2.** (Av. 1825). Fig., littér. La race des personnes serviles. — Par extension :

3 Dans l'ombre, avec son compagnon, il suit l'escorte. Il s'arrange pour en faire partie. Tous deux semblent être là par ordre, avec ces gardes du corps et cette valetaille militaire que les pas de l'empereur du feu traînent toujours derrière lui.
       G. LEROUX, Rouletabille chez Krupp, p. 170.

VALETER [valte] v. intr. — Conjug. *jeter.* — V. 1570 ; *varleter,* mil. xvie ; de *valet.*

♦ Vx ou littér. Faire le valet ; être servilement actif (pour obtenir quelque chose).

1 Je me suis transporté au Comité militaire, j'ai valeté dans tous les bureaux de la guerre sans pouvoir trouver des pièces justificatives.
       MARAT, in AULARD, la Société des Jacobins (in D. D. L. II, 11).

2 *(Jamais)* elle ne levait ni la tête ni les yeux vers la fenêtre où je l'attendais ! Tels étaient les misérables exercices auxquels elle m'avait condamné ! Certes, je sais

bien que les femmes nous font tous plus ou moins valeter, mais dans ces proportions-là !
       BARBEY D'AUREVILLY, les Diaboliques, « Le rideau cramoisi ».

VALETOUSE [valtuz] n. f. ⇒ **Valtouze.**

VALÉTUDINAIRE [valetydinɛʀ] adj. et n. — 1657 ; *ovalitudinaire* 1346 ; lat. *valetudinarius,* de *valetudo* « état de santé », spécialt « mauvaise santé » ; de *valere.* → Valoir.

♦ Vieilli ou littér. Qui est souvent malade* ; dont la santé précaire est souvent altérée. ⇒ **Cacochyme, égrotant, maladif.** *Un élève infirme* (cit. 1) *et valétudinaire.* — N. *Un, une valétudinaire.*

1 Les valétudinaires n'ont pas, comme les autres hommes, une vieillesse qui accable leur esprit par la ruine subite de toutes leurs forces. Ils gardent jusqu'à la fin les mêmes langueurs ; mais ils gardent aussi le même feu et la même vivacité. Accoutumés à se passer de corps, ils conservent, pour la plupart, un esprit sain dans un corps malade. Le temps les change peu ; il ne nuit qu'à leur durée.
       Joseph JOUBERT, Pensées, III, LXXIX.

2 À vingt-trois ans, il se croyait valétudinaire et passait sa vie à regarder sa langue dans son miroir.
       HUGO, les Misérables, III, IV, I.

VALEUR [valœʀ] n. f. — 1080 ; lat. *valor, valorem* « valeur ».

★ **I.** ♦ **1.** Ce en quoi une personne est digne d'estime (au regard des qualités que l'on souhaite à l'homme dans le domaine moral, intellectuel, professionnel). ⇒ **Mérite.** *La valeur de qqn. Haute valeur morale* (→ Sévère, cit. 1). ⇒ **Distinction, moralité.** *Quelle que soit leur valeur et leur compétence* (→ Dictatorial, cit.). *Valeur technique et morale des ministres* (→ Guider, cit. 13). ⇒ **Capacité.** *Valeur personnelle. Il n'a aucune valeur :* il est nul*. *Il avait une haute conscience de sa valeur* (→ Génie, cit. 44). *Un homme, un savant de sa valeur, de cette valeur.* ⇒ **Calibre, carrure, classe, envergure, étoffe, stature, trempe.** — (Par anal. de II., 1.). *Calculer* (cit. 5), *mesurer la valeur d'un homme* ⇒ **Enraciner, cit. 2.** *Jauger qqn à sa juste valeur* (→ Fatuité, cit. 7).

1 (...) cela ne m'éclaire pas sur votre valeur intrinsèque et essentielle, à vous qui venez avec la prétention probable de m'apporter de la sagesse. À qui est-ce que je parle ? Qui êtes-vous ?
       HUGO, les Misérables, I, I, X.

DE VALEUR : qui a beaucoup de valeur. *Un homme de valeur* (→ 1. Bien, cit. 103 ; et aussi hors ligne*, hors pair, de premier ordre*, exceptionnel). *Un homme de peu de valeur,* médiocre*, qui ne vaut pas cher*.

UNE VALEUR (xvie) : une personne qui a de la valeur. *C'est une valeur* (cf. fam. C'est quelqu'un). *D'indiscutables* (cit. 3) *valeurs. Les valeurs et les déchets* (→ Égal, cit. 7). ⇒ **Non-valeur, nullité.**

2 Il devint en peu de temps un remarquable reporter, sûr de ses informations, rusé, rapide, subtil, une vraie valeur pour le journal, comme disait le père Walter, qui s'y connaissait en rédacteurs.
       MAUPASSANT, Bel-Ami, I, IV.

♦ **2.** (1170 ; vieilli depuis le xviie). Littér. Courage et hardiesse au combat, dans la lutte. ⇒ **Bravoure, fermeté** (d'âme), **générosité, héroïsme** (cit. 2), **vaillance** (→ Courage, cit. 6). *Valeur guerrière* (→ Barbare, cit. 13) *dans les combats* (→ Célèbre, cit. 5). *Indomptable* (cit. 3) *valeur.* « *La valeur n'attend pas le nombre des années* » (→ Jeune, cit. 1, Corneille).

★ **II.** ♦ **1.** (xiiie). Caractère mesurable (d'un objet) en tant que susceptible d'être échangé, d'être désiré. ⇒ **Prix** (→ Valeur d'échange, ci-dessous). *La valeur d'un bien* (→ Attributaire, cit.), *d'un terrain* (→ Question, cit. 16), *d'un bijou. Déterminer la valeur de qqch.* ⇒ **Apprécier, estimer, évaluer ; appréciation, estimation, évaluation.** *Connaître la valeur de l'argent* (→ Aumône, cit. 10). *Objet estimé au-dessus de sa valeur* (⇒ **Surévaluer ;** cher), *au-dessous de sa valeur* (⇒ **Sous-évaluer**). *Valeur approchée, approximative.* ⇒ **Approximation** (→ Avis, cit. 24). *Choses d'égale valeur,* qui se valent* (⇒ **Équivalent, équivaloir**) ; *chose de grande valeur, de valeur considérable. Atteindre la valeur d'un million. Objet de peu de valeur.* ⇒ **Camelote, pacotille ; babiole, bagatelle...** (→ aussi De quatre*, de deux* sous). *Chose sans valeur,* dont on ne peut obtenir de l'argent. ⇒ **Plus-value.** *Tripler de valeur* (→ Engouffrer, cit. 2). *Rapporter le centuple de sa valeur. Diminution, perte de valeur.* ⇒ **Dépréciation, dévalorisation, moins-value.** *Chute de valeur* (→ Immobilier, cit.). *Valeur locative*. Valeur d'une chose assurée* (⇒ aussi Découvert, II., 3.). *Valeur déclarée d'un objet expédié par la poste* (→ Charger, cit. 1). *Valeur vénale, valeur marchande,* se dit en ce sens pour spécifier qu'il ne s'agit pas de la valeur (au sens III, 1). *La valeur vénale de son trésor* ⇒ Bric-à-brac, cit. 1). *Valeur marchande** (cit. 14) *d'une œuvre d'art.*

3 Il avait vendu la bague, ou du moins remis à l'inconnue cent francs, qui en étaient la valeur.
       STENDHAL, Romans et nouvelles, « Le philtre ».

EN VALEUR : en l'état d'une chose qui a de la valeur. — Loc. *Mettre un bien, un capital en valeur ;* le faire valoir*, le faire produire*. *Mise en valeur.* ⇒ **Valorisation** (→ Dresser, cit. 16 ; irriguer, cit. 3). *Mise en valeur d'un pays, d'une région.* ⇒ **Développement.**

4 Un million de piastres et la présence du maître pendant un demi-siècle seraient nécessaires pour mettre en valeur ces terres magnifiques (...)
       BALZAC, Mémoires de deux jeunes mariées, 1841, Pl., t. I, p. 156.

(xviiie, in Littré). Fig. *Mettre en valeur :* faire valoir* (une personne, une chose) en la montrant à son avantage ; mettre en évidence, en relief, monter en épingle*. ⇒ 1. **Ressortir** (faire). *Savoir se mettre en valeur. Mettre en valeur ses dons, sa beauté* (→ aussi Graduer, cit. 2). *Une couleur qui mettait son teint en valeur.* ⇒ **Rehausser.** *Étalagiste qui sait mettre sa marchandise en valeur.* ⇒ **Présenter.** *Être en valeur,* à son avantage. *La ponctuation met en valeur les éléments de la phrase* (→ Ponctuer, cit. 2). *La chose est bien mise en valeur* (⇒ **Frapper**).

♦ **2.** (1705). Écon. Qualité d'une chose fondée sur son utilité* objective ou subjective *(valeur d'usage),* sur le rapport de l'offre à la demande *(valeur d'échange),* sur la quantité de travail nécessaire à la production (→ Demande, cit. 7 ; échange, cit. 5). *Le prix*, aspect économique de la valeur des choses.*

5 La valeur n'a d'autre mesure que la valeur : il n'y a point d'unité fondamentale donnée par la nature, il n'y a qu'une unité arbitraire et de convention. Toute marchandise a les deux propriétés essentielles de la monnaie de mesurer et de représenter toute valeur, et, dans ce sens, toute marchandise est monnaie.
TURGOT, *in* ROMEUF, Dict. des sciences économiques, art. *Valeur.*

Valeur ajoutée : différence entre la valeur de la production évaluée aux prix du marché et la valeur des biens et services utilisés dans le processus de production. *Taxe à la valeur ajoutée (T. V. A.).*

Fin. *Valeur d'échange* (de la monnaie). *Valeur métallique ou intrinsèque* de la monnaie* (cit. 3). *Rapport de valeurs entre monnaies.* ⇒ **Change, cours.** *Valeur conventionnelle, monétaire, nominale* ou *extrinsèque* de la monnaie. Valeur or*, valeur officielle du franc* (3. Franc, cit. 3). *Maintenir la valeur de la monnaie* (→ Financier, cit. 3) *par la stabilisation des prix.* ⇒ **Pouvoir** (d'achat). *Diminution de la valeur de l'argent.* ⇒ **Déprécier ; dépréciation** (cit. 1) ; **dévaluation.** *Monnaie dévalorisée ; sans valeur.* ⇒ **Démonétisé.**

♦ **3.** *(Une, des valeurs). Valeur mobilière* ou *valeurs :* nom générique de tous les titres négociables cotés ou non en Bourse. ⇒ 2. **Action,** 2. **bon** (du Trésor), **obligation, part, rente, titre.** *Les cours* (cit. 21) *des valeurs. Valeurs admises à la cote* (cit. 2) *officielle, négociables en banque* (cit. 2). *Portefeuille* (cit. 4) *de valeurs. Le 3 %, les valeurs de tout repos* (cit. 8). *Une valeur sûre* (→ De l'or en barre*). *Des valeurs refuges*, des valeurs de père de famille. Trafiquer sur les valeurs* (→ Boursicoter, cit. 2). *Baisse, hausse des valeurs.* — Effet de commerce. ⇒ **Billet, effet, papier.** *Les valeurs, instruments de crédit. Escompte* d'une valeur. Valeur à recouvrer.* — Fig. « *La valeur (...) la plus réalisable, est l'objet d'art* » (Goncourt, *Journal,* 25 mai 1865).

♦ **4.** Dr. mar. *Valeur agréée :* valeur reconnue, fixée d'un navire.

★ **III.** ♦ **1.** Caractère de ce qui répond aux « normes idéales de son type » (Foulquié), qui a de la qualité *(infra* cit. 5), est objectivement digne d'estime (à l'intérieur d'une norme d'évaluation sociale). ⇒ **Mérite, prix.** *L'originalité et la valeur de cette œuvre* (→ Éparpiller, cit. 22 ; et aussi esthétique, cit. 4). *Des sentiments qui ont peu de valeur* (→ Fond, cit. 47). *La haute valeur de l'enseignement historique* (→ Amoindrir, cit. 2). *Une chose de peu de valeur* (⇒ **Insignifiant, malheureux, médiocre, misérable, négligeable ;** → Babiole, bêtise...), *de valeur, de grande valeur* (⇒ **Inappréciable, inestimable, remarquable...**). *Attacher de la valeur à un objet, un souvenir* (→ aussi Émietter, cit. 3). *L'attente* (cit. 13) *de la mort donne de la valeur à l'instant.* — *L'esprit fait la valeur de l'homme.* ⇒ **Force, grandeur.**

6 Toute la valeur de mon livre, s'il en a une, sera d'avoir su marcher droit sur un cheveu, suspendu entre le double abîme du lyrisme et du vulgaire (que je veux fondre dans une analyse narrative).
FLAUBERT, Correspondance, 312, 20-21 mars 1852.

♦ **2.** Qualité estimée par un jugement. ⇒ **Qualité.** *Des œuvres de valeur inégale. La valeur de l'image* (cit. 47) *dépend de..., se mesure à...* (→ Imaginaire, cit. 10). *Juger au-dessus* (⇒ **Surestimer**), *au-dessous de la valeur* (⇒ **Déprécier, méjuger, sous-estimer**), *à sa valeur* (→ Gerçure, cit. 3). — Philos. **JUGEMENTS DE VALEUR** (opposé à *jugements de réalité*), par lesquels on affirme qu'un objet est plus ou moins digne d'estime (→ Fatalité, cit. 8 ; implicitement, cit.).

7 Je tiens que l'écrivain qui traite de positions morales, non pas sur le mode objectif de l'historien ou du psychologue, mais en moraliste, c'est-à-dire en les marquant de jugements de valeur (...) a le devoir d'adopter une position nette (...)
Julien BENDA, la Trahison des clercs, p. 69.

♦ **3.** Qualité de ce qui produit l'effet souhaité. ⇒ **Efficacité** (cit. 4), **utilité.** *La valeur d'un argument* (cit. 9), *d'une méthode. Son autorité n'avait aucune valeur pour l'avenir* (→ Avant, cit. 70). — Spécialt. Caractère de ce qui a cours légalement, juridiquement. ⇒ **Validité ; valable.** *Une loi abolie* (cit. 6), *déclarée sans valeur.* ⇒ **Lettre** (morte).

♦ **4.** Caractère de ce qui est important. ⇒ **Importance, portée.** *Des documents* (cit. 4) *qui ont une valeur indéniable. Ce qu'il dit n'a aucune valeur.*

♦ **5.** Caractère de ce qui satisfait à une fin déterminée. ⇒ **Intérêt,** 1. **sens** (→ Ogive, cit. 1). *Les lignes* (→ Creux, cit. 21), *les couleurs* (cit. 21) *ont une valeur par elles-mêmes. La valeur expressive* (cit. 2), *harmonique* (cit. 8) *des mots. Valeur éducative d'un exercice.* — En équivalence. *Avoir la, une valeur de...,* la même fin,

la même fonction que... (→ Dispositif, cit. 4 ; exclamation, cit. 2 ; message, cit. 2.).

8 Donné par lui, même implicitement, un certificat de probité prenait une valeur qu'il n'aurait pas eue dans une bouche plus solennelle.
J. ROMAINS, les Hommes de bonne volonté, t. III, XVI, p. 209.

♦ **6.** ⓐ Philos. Caractère de ce qui est estimé subjectivement et posé comme estimable objectivement. *Valeur morale, esthétique. La valeur esthétique du laid* (cit. 13). *La valeur de nos actes. Après une guerre, la valeur des choses n'est plus la même* (→ Bouleverser, cit. 5). *Valeur universelle d'une pensée* (→ Science, cit. 16).

9 La valeur est toujours une préférence objectivée et rectifiée (...) Cependant la préférence ne se change en valeur qu'à la condition de fonder le préféré sur le préférable.
L. LAVELLE, Traité des valeurs, I, 523, *in* FOULQUIÉ.

10 La Valeur (...) est une qualité que nous attribuons aux choses, comme la couleur, mais qui, en réalité, comme la couleur n'existe qu'en nous, d'une vie toute subjective. Elle consiste dans l'accord des jugements collectifs que nous portons sur l'aptitude des objets à être plus ou moins, et par un plus ou moins grand nombre de personnes, crus, désirés ou goûtés. Cette qualité est donc de l'espèce singulière de celles qui *(présentant des degrés),* méritent le nom de *quantités.* Cette quantité abstraite se divise en trois grandes catégories (...) la valeur-vérité, la valeur-utilité et la valeur-beauté.
Alfred DE TARDE, Essai de psychologie économique, t. I, p. 63.

ⓑ **UNE, DES VALEURS.** (Après 1850, « *valeurs morales... littéraires* », *in* Taine, *Philosophie de l'art,* II, p. 289). Ce qui est vrai, beau, bien, selon un jugement personnel, plus ou moins en accord avec celui de la société de l'époque ; ce jugement (→ Jugement de valeur, ci-dessus, 2.). *Les valeurs morales, sociales, esthétiques. Théorie des valeurs.* ⇒ **Axiologie.** *En morale, la notion de valeur a remplacé celle « d'obéissance à une loi révélée »* (Ribot), *de souverain bien, d'impératif catégorique. Les valeurs d'une personne, d'un milieu* (→ Statut, cit. 2), *d'une société* (→ Raz, cit. 2). *Évidence qui fonde* (cit. 20) *la première valeur. Se référer* (cit. 2) *à une valeur commune. Valeurs absolues, relatives* (⇒ **Relativisme**). *La liberté, seule valeur impérissable* (cit. 4) *de l'histoire. Une vérité* qui transcende la vie, une valeur de portée universelle* (→ Héros, cit. 27). *L'humanisme* (cit. 5) *prend l'homme pour fin et comme valeur supérieure. Valeurs de civilisation* (→ Dépassement, cit.), *valeurs pratiques* (→ Jeu, cit. 3). *Avoir des valeurs, affirmer des valeurs* (→ Renaissance, cit. 4). *Changement dans les valeurs d'une société, d'une époque.* ⇒ aussi **Mode.** *Transmutation de valeurs* (Nietzsche). → Déséquilibre, cit. 4. *Valeurs humaines remises en question* (→ Hiérarchie, cit. 9). *L'effondrement* (cit. 5) *des valeurs de notre vie.* — **ÉCHELLE** (cit. 14) **DES VALEURS :** valeurs classées relativement les unes aux autres, de la plus haute à la plus faible, dans la conscience d'un individu, et qui sert de référence dans ses jugements, sa conduite. — *Hiérarchie des valeurs, table des valeurs.* « *Le système de valeurs* (d'une société) *reflète sa structure...* » (Sartre, *Situations III,* p. 194).

11 « L'intelligence n'est pas créatrice de valeurs, elle ne fait que reconnaître les valeurs existantes, lesquelles sont biologiques en leur fond » (EISLER)... Comme, d'une part, il y a (...) une grande ressemblance entre les hommes dans leur détermination des valeurs, c'est-à-dire dans leur réactions morales, sociales, esthétiques, religieuses, etc. Comme, d'autre part, il y a des différences d'organisation entre les individus, il en résulte des variations individuelles dans l'estimation des valeurs.
Th. RIBOT, la Logique des sentiments, p. 38-39.

12 Il y a eu des valeurs, mais il n'y en a plus (...) Le monde a marché tant qu'on a cru en Dieu, dans la raison, le progrès. Mais nous ne croyons plus qu'à une chose qui ne comporte aucune politique. Nous ne croyons plus qu'à la mort.
P. NIZAN, le Cheval de Troie, V.

13 (...) les hommes assouvissent leurs goûts, et sont *voués* à leurs valeurs (...) Les vraies sont celles pour lesquelles ils acceptent la misère, la dérision et parfois la mort.
MALRAUX, les Voix du silence, p. 528.

13.1 Les militants, eux, sont plus dangereux ; ils dressent des échelles de valeur et les défendent avec la dernière énergie, à moins que, sur le point de connaître la défaite, ils ne retournent leurs échelles : entre adorer et brûler, ils ne voient pas de troisième voie.
Alain BOSQUET, les Bonnes Intentions, p. 213.

★ **IV.** ♦ **1.** Mesure* (d'une grandeur ou d'une quantité variable). *La valeur d'une grandeur* (→ Référence, cit. 1), *d'un nombre* (→ Supprimer, cit. 9), *du nombre entier N* (→ Suite, cit. 25), *d'un quantum* (→ Quantifier, cit. 2). *Expressions d'une valeur. Valeur d'une variable. Valeur numérique.* ⇒ **Mesure.** *Valeur absolue d'un nombre réel :* ce nombre s'il est positif, son opposé s'il est négatif. ⇒ **Module** (ex. : *la valeur absolue de* −2 *est* 2, *notée* $|2|$. — *Valeur absolue d'une grandeur ou d'une quantité dotée d'un sens,* sa mesure par un nombre arithmétique, indépendant du sens.

14 (...) affirmer d'une grandeur qu'elle est mesurable, c'est affirmer qu'on peut en fixer la valeur en lui faisant correspondre un nombre bien déterminé.
L. DE BROGLIE, Physique et Microphysique, p. 92.

« *Valeur limite* » (*Rev. gén. des sc.,* 30 janv. 1904, n° 2, p. 62).

Quantité approximative*. *La valeur d'un kilomètre, d'un litre, de deux cuillers à soupe. Écrire* (cit. 30) *la valeur d'une moitié de feuilleton.*

♦ **2.** Mesure conventionnelle (attachée à un signe). *La valeur des cartes* (→ Milieu, cit. 6). *Les cartes à l'atout ont une valeur supérieure à celle des autres.* — (1740). Durée relative (d'une note, d'un silence), indiquée par sa figure, éventuellement modifiée par certains signes (point, triolet, etc.). *La valeur d'une blanche est deux noires ; d'une noire pointée, trois croches.*

♦ **3.** (1690, « sens »). Ling. Sens (d'un mot) limité ou précisé par son appartenance à une structure (champ associatif, contexte...).

⇒ **Signification.** *Synonymes* (cit. 3) *qui n'ont de valeur propre que par leur opposition. Valeur d'un mot dans une expression, un emploi stylistique. La valeur juste des mots* (→ 1. Bon, cit. 23). *Connaître la valeur des mots.*

15   Un état du jeu *(d'échecs)* correspond bien à un état de la langue. La valeur respective des pièces dépend de leur position sur l'échiquier, de même que dans la langue chaque terme a sa valeur par son opposition avec tous les autres termes.
F. DE SAUSSURE, Cours de linguistique générale, p. 125-126
(cf. aussi *ibid.,* p. 160 *sqq.*).

♦ **4.** (1792). Peint. Qualité (d'un ton plus ou moins foncé ou plus ou moins saturé). *Les valeurs d'une même couleur. Des écarts de valeurs plutôt que des contrastes de tons* (→ Lumière, cit. 19). *Tons chauds et froids de valeurs équivalentes* (→ Modulation, cit. 6).

16   (...) mais aussitôt s'établit une confusion dans son esprit entre couleur et clarté ; et je me rendais compte que son imagination ne parvenait à faire aucune distinction entre la qualité de la nuance et ce que les peintres appellent, je crois, « la valeur». Elle avait le plus grand mal à comprendre que chaque couleur à son tour pût être plus ou moins foncée, et qu'elles pussent à l'infini se mélanger entre elles.
GIDE, la Symphonie pastorale, 28 févr., p. 49. — N. B. Il s'agit d'une aveugle.

CONTR. — (Du sens I) Médiocrité, nullité ; médiocre, non-valeur, nullité. — Faiblesse, lâcheté. — (Du sens III) Médiocrité.
DÉR. Valeureusement, valeureux, valorisation.
COMP. Contre-valeur, non-valeur, survaleur.

VALEUREUSEMENT [valœʀøzmã] adv. — V. 1460 ; de *valeur.*

♦ Rare. Bravement, en personne valeureuse. *Il s'est battu valeureusement.*

VALEUREUX, EUSE [valœʀø, øz] adj. — V. 1400 ; *valoros* «digne d'estime», XIIIᵉ ; de *valeur.*
Littéraire.

♦ **1.** Choses. Rare. Qui a de la valeur. *Un travail valeureux, une œuvre valeureuse.*

♦ **2.** (V. 1460). Personnes. Plus cour. Brave, vaillant. *Nos valeureux soldats.*

CONTR. Lâche, poltron.

VALGUE [valg] n. m. — 1875, P. Larousse ; lat. *valgus* «bancal», les pattes de cet insecte étant déjetées.

♦ Zool. Insecte coléoptère *(Lamellicornes*)* dont une espèce commune dans nos régions pond des œufs dans le bois. — On dit aussi *valgus.*

VALGUS [valgys] adj. et n. m. invar. — 1839 ; lat. *valgus* «qui a les jambes tournées en dehors, bancal».

♦ Méd. Se dit du pied, du genou, de la cuisse, de la main qui sont déviés en dehors (opposé à *varus*). *Pied bot valgus.*
REM. Dans les locutions latines d'anatomie, l'adjectif s'accorde au substantif : *tibia valga ; genu valgum.*
N. m. *Valgus du pied :* position du pied lorsqu'il est tourné vers l'extérieur.

HOM. Voir **valgue.**

VALI [vali] n. m. — XVIIIᵉ, *wali* ; turc *vali* ; arabe *wālī* «préfet, gouverneur».

♦ Anciennt. Gouverneur d'un vilayet, nommé par le sultan, en Turquie.

VALIDABLE [validabl] adj. — Mil. XXᵉ ; de *valider.*

♦ Qui peut être validé. — (Au Québec). Admin. *Services validables :* temps de service pris en compte pour l'attribution d'une rente de retraite.

VALIDATION [validɑsjɔ̃] n. f. — 1600 ; du rad. de *valider.*

♦ Le fait de valider ; son résultat. ⇒ **Confirmation, consécration, homologation...** *Validation d'un contrat. Validation d'une élection, procédure de validation* (vérification des pouvoirs).

CONTR. Annihilation, annulation, invalidation.

VALIDE [valid] adj. — 1528 ; lat. *validus* «bien portant». → Valoir.

♦ **1.** Qui est en bonne santé*, capable de travail, d'exercice. ⇒ **Portant** (bien portant), **sain, fort,** 1. **gaillard, robuste, vigoureux** (qui disent plus que *valide*). *Les hommes, les personnes valides* (→ Conscrit, cit. 1 ; ennui, cit. 21 ; recruteur, cit. 2). — Par ext. *Main, coude valide* (→ Éveiller, cit. 21). — N. *Infirmes et valides.*

(...) ces mauvaises nuits de maladie, où sans personne à la maison, le plus valide de nous est à courir le pharmacien, à découvrir un médecin quelconque (...)
Ed. et J. DE GONCOURT, Journal, 10 oct. 1865, t. II, p. 244.

♦ **2.** (1570). Qui présente les conditions requises pour produire son effet ; qui n'est entaché d'aucune cause de nullité*. ⇒ **Valable.** *Acte, contrat valide. Certificat valide.* ⇒ **Réglementaire.** — Dr. canon. *Sacrement valide.*
Votre passe-port est vieux. — Il n'a pas un an de date ; il est légalement valide.
CHATEAUBRIAND, Mémoires d'outre-tombe, t. VI, p. 28.

CONTR. Boiteux, cacochyme, estropié, impotent, infirme, invalide, malade. — Annulable, nul, périmé ; faux.
DÉR. Validement.

VALIDEMENT [validmã] adv. — 1604 ; de *valide.*

♦ Dr., admin. Dans les conditions requises pour produire un effet juridique. ⇒ **Valablement.** — Relig. *Administrer validement les sacrements* (Bossuet).

VALIDER [valide] v. tr. — 1411 ; bas lat. *validare* «fortifier, rétablir».

♦ Rendre ou déclarer valide, valable. ⇒ **Confirmer, entériner, homologuer, ratifier, sanctionner.** *Valider un acte, un contrat, des élections.* — Par ext. *Valider une opération,* en constituer la preuve (→ Éventualité, cit. 3).
On dit qu'elle résista longtemps à donner sa signature, indispensable aux termes de nos lois pour valider la vente des biens (...)
BALZAC, Gobseck, Pl., t. II, p. 659.

▶ **VALIDÉ, ÉE** p. p. adj. *Acte, contrat validé.*
CONTR. Annihiler, annuler, invalider.
DÉR. Validation.

VALIDITÉ [validite] n. f. — 1508 ; bas lat. *validitas* «force (du corps), solidité».

♦ **1.** Caractère de ce qui n'est entaché d'aucune cause de nullité. *Validité d'un acte, d'un contrat* (→ aussi Cause, cit. 42 ; dessaisir, cit. 1). *Formalité* prescrite pour la validité. Durée de validité d'un titre, d'un billet de chemin de fer.* — Relig. *Validité d'un sacrement.*

♦ **2.** Caractère de ce qui est valable, recevable. *La validité d'une excuse.*
(...) elle n'avait plus qu'une pensée : disculper Jérôme, — ce qui diminuait d'autant la validité des raisons qu'elle aurait pu donner pour légitimer son départ.
MARTIN DU GARD, les Thibault, t. VI, p. 113.

♦ **3.** *Validité mentale :* état mental d'un individu considéré comme entièrement responsable de ses actes.

♦ **4.** Log. Caractère d'un raisonnement qui est formellement valable, indépendamment de la vérité de ses propositions.

♦ **5.** Conformité d'un élément réel avec sa représentation. *Validité d'une information. Test de validité.*

CONTR. Invalidité, nullité.

VALINE [valin] n. f. — XXᵉ (*in* Larousse, 1933) ; du rad. de *valérique, valériane,* et suff. de *amine.*

♦ Biochim. Acide aminé indispensable à la nutrition (acide α-aminoisovalérique), présent dans tous les organismes vivants, surtout sous forme combinée dans les protéines, et qui constitue une source pour la production des glucides. *La valine dextrogyre se forme dans le dédoublement de certains albuminoïdes. La valine, «acide aminé utilisé pour des lotions capillaires»* (Ch. Bourgeois, *Chimie de la beauté,* p. 97).

VALISE [valiz] n. f. — 1558, Du Bellay ; ital. *valigia,* d'orig. incert. ; cf. lat. médiéval *valisia* (XIIIᵉ), ou arabe *wālīhāh* «sac de blé» ; P. Guiraud postule une forme *vallitia,* de *vallare* «protéger, défendre», la valise «protégeant» son contenu.

♦ **1.** Anciennt. Long sac de cuir qui se portait en croupe (cf. Académie, Première éd., 1694). ⇒ **Porte-manteau.**

♦ **2.** (1876). Bagage de forme rectangulaire, relativement plat et assez petit pour pouvoir être porté à la main par une poignée. ⇒ **Valoche** (fam.), **valtouze** (pop.). — *Valises, cartons à chapeaux, sacs* de voyage.* ⇒ **Bagage.** — *Grande, petite valise* (⇒ **Mallette**). *Valise rigide ; souple, à soufflets*. Valise de cuir* (⇒ Montée, cit. 5), *en peau* (cit. 21) *de porc, en osier* (anciennt), *en matière plastique, en toile renforcée. Poignée, serrure, couvercle, compartiment d'une valise.* — *Bourrer* (cit. 2), *remplir une valise. Faire sa valise,* y disposer ce qu'on emporte, et, par ext., s'apprêter à partir en voyage. — Fig. *Faire ses valises :* partir (→ Germaniser, cit.). → fam. Faire son balluchon*. — Fam. *On se fait la valise :* on s'en va (souvent précipitamment). ⇒ **Malle.** — *Boucler* (cit. 2), *fermer une valise* (→ Agenouiller, cit. 6). *Prendre* (cit. 7), *porter ses vali-*

ses. Donner sa valise à un porteur (→ Gêner, cit. 7). *Valise expédiée.* ⇒ **Colis.**

Il regarde sa valise, qui est sur le filet, en face de lui, et qui déborde de beaucoup. C'est une valise de pauvre : de la toile beige sur une carcasse de carton ; du mauvais cuir pour renforcer les coins ; des poignées lourdaudes, bêtement écartées.   J. ROMAINS, les Hommes de bonne volonté, t. I, VI, p. 65.

Contenu d'une valise. *Il a emporté une valise de bouquins.*

♦ **3.** (1872, Littré). *Valise diplomatique :* ancient, la « valise » (au sens 1) dans laquelle les courriers de cabinet transportaient les dépêches diplomatiques. ⇒ **Paquet** (A., 2.). — Mod. Ensemble de la correspondance et des objets couverts par l'immunité diplomatique (secret ; franchise des droits de douane*).

♦ **4.** (Av. 1952). Par métaphore. *Mot-valise.* ⇒ **Mot-valise.**

♦ **5.** Fig., fam. Poche sous les yeux. ⇒ **Valoche** (2.). *Tu as de ces valises, aujourd'hui !*

REM. M. Aymé, dans la *Traversée de Paris*, forge le dérivé *valisard* « porteur de valise » : *« (...) les deux valisards, sans se consulter (...) tournèrent dans une rue latérale... »* (p. 336).

DÉR. Valoche, valtouze.

VALKYRIE [valkiʀi] n. f. ⇒ **Walkyrie.**

VALLAIRE [valɛʀ] adj. — XVIᵉ, Brantôme, *in* Godefroy ; *vaillaire, in* Bersuire, 1352-1356 ; de *vallum* « retranchement, palissade ».

♦ Antiq. rom. *Couronne vallaire,* donnée au premier soldat qui avait franchi les retranchements ennemis.

VALLÉCULE [valekyl] n. f. — 1839, Boiste, « petite vallée » ; lat. *vallicula,* dimin. de *vallis* « vallée ».

♦ Bot. ⓐ Sillon qui sépare les côtes des fruits des ombellifères.

ⓑ Sillon des tiges cannelées de certaines plantes, et, notamment, de l'équisetum (ptéridophyte).

VALLÉE [vale] n. f. — V. 1315 ; *valee,* 1080 ; « descente », en moy. franç. XIVᵉ-XVIᵉ, cf. *à la vallée* (Malherbe), « en descendant » ; de *val*.

♦ **1.** Espace allongé entre deux zones plus élevées (pli* concave ; synclinal, 2.) ou espace situé de part et d'autre du lit d'un cours d'eau. ⇒ **Val** (→ Harmonie, cit. 50 ; ruissellement, cit. 3). *Un système de pics et de vallées* (→ Mur, cit. 18). *Les mille vallées creusées dans les montagnes* (→ Combler, cit. 9). *Vallée large, étroite* (→ Fournaise, cit. 5), *profonde. Petite vallée.* ⇒ **Vallon.** *Vallée rocheuse* (cit. 1), *herbue, sauvage, cultivée. Le fond de la vallée* (→ 1. Brouillard, cit. 7 ; maïs, cit. 1). *Direction d'une vallée* (vers l'aval*). — Didact. Géogr. (→ Rivière, cit. 6 ; ruissellement, cit. 5). *Une vallée est caractérisée : par son* profil en travers ; *la* pente de ses versants, *la* nature du fond. *Vallée évasée, en berceau... ; encaissée, en trait de scie, en V* (⇒ **Cañon,** gorge). *Petite vallée encaissée.* ⇒ **Ravin, ravine** (cit.). *Resserrement, constriction d'une vallée* (qui traverse des roches dures). ⇒ **Cluse** (cit. 1), **combe, défilé, gorge, goulet,** 1. **porte.** *Vallée aveugle,* qui se termine en cul de sac *(tête de vallée). Vallée à méandres*. *Vallée suspendue*. — *Érosion modelant les vallées. Creusement des vallées transversales* (→ Épigénie, cit.). *Cycle des vallées. Vallée jeune* (versants rocheux, irréguliers), *« mûre »* (versants régularisés ; « couverture » de débris). *Vallées emboîtées* (par érosion régressive). *Vallée sèche, morte* (par disparition du cours d'eau. ⇒ **Perte**). — (1908). *Vallées glaciaires* (anciens lits de glaciers) ; *en U* (auge glaciaire), avec une *vallée principale* et des *vallées tributaires* suspendues, perchées. ⇒ aussi **Fjord** (cit. 2). — *Vallées sous-marines.*

1 Ô rives du Jourdain ! ô champs aimés des cieux !
   Sacrés monts, fertiles vallées (...)
                                          RACINE, Esther, I, 2.

2 On fait quelques pas, et l'on découvre tout l'horizon de la vallée solitaire. Elle semble fermée de toutes parts, pareille à une vasque de terre cachée entre des collines boisées.   André SUARÈS, Trois hommes, « Pascal », I.

2.1 Maintenant, ils étaient apparus au-dessus de la vallée de la Saguiet el Hamra, ils descendaient lentement les pentes de sable. Au fond de la vallée, commençaient les traces de la vie humaine.   J.-M. G. LE CLÉZIO, Désert, 1980, p. 13.

Allus. bibl. *La vallée de Josaphat, du Cédron :* lieu où, selon la Bible, les morts ressusciteront au jugement dernier. — Par métaphore (dans le lang. relig.). *Vallée de larmes** (cit. 24 ; et *supra*), *de misère :* la vie.

3 Remerciez donc la bonté divine, ma chère fille, qui vous retire si vite de cette vallée de misère.   CHATEAUBRIAND, Atala, Le drame.

♦ **2.** Dépression allongée.

4 Paris, autour d'eux, étendait son immensité grise, aux lointains bleuâtres, ses vallées profondes, où roulait une houle de toitures (...)
                                          ZOLA, l'Assommoir, III, t. I, p. 102.

♦ **3.** (V. 1530). Région qu'arrose un cours d'eau. ⇒ **Bassin.** — *La vallée de la Seine* (→ Baigner, cit. 9), *de la Loire* (⇒ **Val**), *du Rhône, du Rhin ; du Pô ; du Nil. Vallée supérieure ; inférieure d'un fleuve.*

REM. Ces expressions géographiques sont traditionnelles ; on ne parle guère de *vallée de l'Amazone* ou d'autres grands fleuves (on dit *bassin*).

Par ext. *Vallée d'Auge :* le pays d'Auge (entre deux vallées). → Position, cit. 5.

♦ **4.** (1810). En montagne, se dit des régions les moins hautes, par oppos. aux *pentes,* aux *sommets. Les hommes de la vallée et les hommes de la montagne* (→ Poids, cit. 12). *Ramener les troupeaux dans la vallée.* — Par ext. Les habitants de la vallée. *Des maîtres d'école payés par toute la vallée* (→ Magister, cit. 1).

5 À la vallée, ils ont leurs idées, qui ne sont pas toujours les nôtres, parce qu'ils vivent près d'un chemin de fer.   C.-F. RAMUZ, la Grande Peur..., II.

VALLEUSE [valøz] n. f. — Av. 1880 ; mot dial. ; var. *avalleuse, avalure ;* de *avaler* « descendre rapidement ».

♦ Régional (Ouest de la France). Petite vallée suspendue, aboutissant à la mer et formant entaille dans une falaise.

Pécuchet (...) retourna en arrière pour gagner les champs par une « valleuse » que Bouvard avait prise, sans doute.   FLAUBERT, Bouvard et Pécuchet, III.

Var. graphique : *valeuse* (Maupassant, *Pierre et Jean,* p. 196).

VALLICULTURE [valikyltyʀ] n. f. — Mil. XXᵉ ; ital. *vallicoltura,* de *valli,* plur. de *valle* « marais », d'après *culture.*

♦ Techn. Pisciculture en marais ou canaux d'eau salée. « *Cette pisciculture primitive atteint sa forme la plus élaborée, la valliculture, en Italie, dans les canaux de pêche ("Valli da pesca") du delta du Pô* » (la Recherche, janv. 1980, p. 37).

VALLISNÉRIE [valisneʀi] n. f. — 1845 ; *vallisnère,* 1808 ; lat. bot. *vallisneria,* 1729, Micheli ; du nom de A. Vallisnieri.

♦ Bot. Plante herbacée aquatique *(Hydrocharidacées)* à longues feuilles rubanées. *La vallisnérie est surtout abondante en France dans les eaux du Rhône.*

VALLON [valɔ̃] n. m. — 1564 ; « grande vallée », 1529 ; ital. *vallone* « grande vallée », le sens mod. est dû à l'infl. du suff. français *-on.*

♦ **1.** Petite dépression allongée entre deux collines, deux coteaux. ⇒ **Val, vallée.** *« Les montagnes et les creux* (cit. 13) *vallons »* (→ Jouer, cit. 2). *Vallon resserré* (→ Faufiler cit. 9). ⇒ **Ravin.** *« Waterloo (...) Dans ton cirque de bois, de coteaux, de vallons »* (→ Bataillon, cit. 5). *Hameau* (cit. 2) *enfoncé dans un pli du vallon. Au penchant* (→ Recueillir, cit. 12), *au versant d'un vallon. Un étroit vallon* (→ Rossignol, cit. 2), *un vallon ombreux, secret* (→ Ramage, cit. 1). *Le Vallon,* titre d'une des *Premières méditations* de Lamartine (→ Prêter, cit. 4).

0.1 L'autre jour, au fond d'un vallon
     Un serpent piqua Jean Fréron
     Que pensez-vous qu'il arrivât ?
     Ce fut le serpent qui creva.   VOLTAIRE, Épigrammes.

1 Le vallon où je vais tous les jours est charmant,
   Serein, abandonné, seul sous le firmament.
                                          HUGO, les Contemplations, V, XXIII.

2 *(Jean)* avait devant lui, tout proche, coupant la plaine ainsi qu'un fossé, l'étroit vallon de l'Aigre, après lequel recommençait la Beauce, immense, jusqu'à Orléans.
                                          ZOLA, la Terre, I, I.

3 Je suis né dans un pays de ruisseaux et de rivières, dans un coin de la Champagne vallonnée, dans le Vallage, ainsi nommé à cause du grand nombre de ses vallons. La plus belle des demeures serait pour moi au creux d'un vallon, au bord d'une eau vive, dans l'ombre courte des saules et des osières.
                                          G. BACHELARD, l'Eau et les Rêves, p. 11.

♦ **2.** (1658). Poét., vx. *Le sacré vallon, le double vallon :* le séjour des Muses* entre les deux croupes du Parnasse. Par ext. La poésie (→ Alliance, cit. 9 ; audace, cit. ?).

DÉR. Vallonné, vallonnement, vallonner.
HOM. Formes du v. valoir.

VALLONNÉ, ÉE [valɔne] adj. — 1845 ; de *vallon.*

♦ Parcouru de vallons. *Pays vallonné, région vallonnée. Relief, profil vallonné.* ⇒ **Courbe.** — REM. On dit, on écrit aussi *vallonneux, euse* [valɔnø, øz].

Le sentier, d'abord, montait entre des terrains vallonnés comme la pelouse d'un parc, puis arrivait sur un plateau (...)
                                          FLAUBERT, Trois contes, « Un cœur simple », II.

Fig., vx. *Figure fatiguée, vallonnée* (Legouvé, *in* Littré).

VALLONNEMENT [valɔnmɑ̃] n. m. — 1845 ; de *vallon.*

♦ **1.** Relief* d'un terrain où il y a des vallons et des collines. ⇒ **Courbe, mouvement** (de terrain).

Pour ses jeux en luge, Max dédaignait les beaux vallonnements de neige vierge aux abords de la demeure paternelle.   J. CHARDONNE, les Destinées sentimentales, p. 272.

♦ **2.** (1872). Rare. Action de vallonner (un terrain). — Résultat de cette action.

(1869). Hortic. Ondulation du sol dans un jardin anglais, un parc paysager.

VALLONNER [valɔne] v. tr. — 1872 ; de *vallon*.

♦ Rare. Creuser en formant un vallon. *L'érosion a vallonné le pays.*

▶ **SE VALLONNER** v. pron. (1873).
Présenter des vallonnements, des ondulations de terrain.

VALLONNEUX, EUSE [valɔnø, øz] adj. ⇒ **Vallonné.**

VALLUM [valɔm] n. m. — 1876, P. Larousse ; mot lat. « palissade, rempart ».
Didactique.

♦ **1.** Archéol. romaine. Palissade de pieux précédée d'un fossé, servant de fortification.

♦ **2.** (Mil. xxᵉ). Géogr. *Vallum morainique* : moraine frontale en arc de cercle.

VALOCHE [valɔʃ] n. f. — 1913 ; de *valise*, et suff. argotique *-oche*.
Familier.

♦ **1.** Valise. ⇒ **Valtouze.**
Elle me regardait avec une muette imploration de chien, serrant la poignée de sa petite valoche avec résolution. R. GARY, la Promesse de l'aube, 1960, p. 270.
Contenu d'une valise. « *J'ai amené toute une valoche* » (E. Ajar [R. Gary], *l'Angoisse du roi Salomon*, p. 98).

♦ **2.** Poche sous les yeux. ⇒ **Valise** (5.).

VALOIR [valwaʀ] v. — *Je vaux, tu vaux, il vaut, nous valons, vous valez, ils valent ; je valais, nous valions ; je valus, nous valûmes ; je vaudrai ; je vaudrais ; vaux, valons, valez ; que je vaille, qu'il vaille, que nous valions, que vous valiez, qu'ils vaillent ; que je valusse ; valant* (→ Vaillant) ; *valu*. REM. On trouve chez les classiques les formes : *que je vale..., qu'il vale,* et encore de nos jours les formes *vaillions, vailliez* (Colette, *in* Grevisse). — 1080 ; var. *valeir,* xiᵉ, *Vie de Alexis* ; lat. *valere* « être bien portant », d'où « avoir de la valeur, du mérite ; un prix ».

★ **I.** V. intr. ♦ **1.** Correspondre à (une certaine valeur) ; avoir un rapport d'égalité, etc., avec (autre chose) selon l'estimation qui en est faite. ⇒ **Coûter, faire.** *Valoir tant, tel prix*, cent francs* (→ Mousseline, cit. 3 ; parure, cit. 4 ; perle, cit. 2 ; rabaisser, cit. 5 ; rabattre, cit. 1). *Cela vaut mille francs comme un sou, bien plus de mille francs. Qu'est-ce que valent les veaux actuellement ?* (→ Faire, cit. 118). *C'est plus que ça ne vaut. C'est tout ce que ça vaut. — Valoir cher, plus, moins cher* (→ Architecture, cit. 8) ; ⇒ **Cher.** — *C'est trop cher pour ce que ça vaut. — Cela vaut beaucoup d'argent, cela vaut de l'argent* : c'est une chose de prix. — *Valoir son prix* (→ Monde, cit. 5) : avoir une certaine valeur, n'être ni surestimé, ni sous-estimé. — (Avec un adv.). *Combien ça vaut ? Valoir beaucoup, peu... Les choses valent plus ou moins suivant l'offre* (cit. 6) *et la demande. Valoir plus* (⇒ **Gagner**), *moins* (⇒ **Perdre**).

1 On dit couramment aux États-Unis qu'un homme vaut tant de dollars (...) Mais la valeur ainsi figurée est aux abords immédiats du rendement et de la fonction. G. MARCEL, les Hommes contre l'humain, 130, *in* FOULQUIÉ.

Fam. (Personnes). *Valoir tant* : avoir une fortune, des revenus estimés à... — *Avoir un salaire, une rémunération normale de...*

Loc. *Savoir ce qu'en vaut l'aune** (d'un drap). — *Valoir de l'or, son pesant d'or* (au fig. → ci-dessous, 4.).

2 Ce petit cheval était une jument nommée Bichette, elle mangeait peu, elle avait du feu, elle était infatigable, elle valait son pesant d'or. BALZAC, Un début dans la vie, Pl., t. I, p. 606.

Rapporter, produire (des revenus). *Cette terre vaut tant par an. Faire, valoir un domaine* (→ Exploitation, cit. 4). ⇒ **Exploiter ; valeur** (mettre en) ; **faire-valoir.** *Faire valoir son argent, des capitaux* : faire produire un intérêt (cit. 2). — Absolument :

2.1 Il cultive les lettres par délassement, mais il mène la vie heureuse et paresseuse du propriétaire faisant valoir. BALZAC, Illusions perdues, Pl., t. IV, p. 1056.

♦ **2.** (1080). Correspondre, dans l'estimation ou le jugement des hommes, à (telle qualité*, tel mérite, telle utilité...). ⇒ **Valeur.** *Valoir exactement ce qu'on paraît* : ne pas chercher à paraître plus qu'on ne vaut (→ Authentique, cit. 17). *Les peuples valent ce que valent leurs élites* (cit. 4). « *Je sais ce que je vaux, et crois ce qu'on m'en dit* » (Corneille, *Poésies diverses*, XXII, *Excuse à Ariste*). — *Ce que vaut qqch.* : l'importance, la considération qu'on lui accorde généralement (→ Alchimiste, cit. 1 ; parole, cit. 14). *Apprécier* (cit. 1) *les choses au-dessous de ce qu'elles valent. Prendre une chose pour ce qu'elle vaut,* ne pas se faire d'illusions à son sujet. *Aimer les choses pour ce qu'elles valent et non pour les apparences* (→ Mentir, cit. 18). *Un service vaut ce qu'il coûte* (cit. 12). *La*

vie vaut-elle plus que l'honneur ? (cit. 12). — Loc. *Chaque chose, chacun vaut son prix,* doit être justement estimé.

♦ **3.** Absolt. Avoir du prix (fig.), de l'intérêt, de l'utilité (⇒ **Valeur**). *Ces événements valent moins par eux-mêmes que comme vérification* (→ Catégorie, cit. 5). *Une démocratie ne vaut que si...* (→ Refondre, cit.). *Une chose ne vaut que par l'importance* (cit. 9) *qu'on lui donne.*

3 Il répétait souvent que l'homme vaut en proportion de sa faculté d'admirer. RENAN, Souvenirs d'enfance..., III, Œ. compl., t. II, p. 811.

Être applicable, produire son effet dans telles conditions (⇒ **Valable**). *Ce raisonnement ne vaut que si... Les constatations* (cit. 1) *de la science valent pour tous les peuples* (→ aussi Évolution, cit. 13 ; rationalité, cit. 1 ; séparer, cit. 13).

Dr. Avoir une validité (⇒ **Valable, valide**). — Loc. prov. *Donner** (cit. 15) *et retenir ne vaut. — Valoir ce que de raison* : être valable sous certaines conditions ; pouvoir servir éventuellement*.

Loc. *Rien qui vaille* : rien qui ait quelque valeur, qui soit important (→ Plat, cit. 27). *Rien à montrer qui vaille* (→ 1. Gens, cit. 20). « *Ce bloc* (cit. 2) *enfariné ne me dit* rien qui vaille* », rien de bon*. *Ne faire, n'écrire rien qui vaille* (→ Dépêcher, cit. 6 ; tarder, cit. 3). N. m. Vx. *Un rien qui vaille* : une personne sans aucun mérite.

4 Humble comme je suis qui ne suis rien qui vaille APOLLINAIRE, Alcools, « La porte ».

Loc. **VAILLE QUE VAILLE** (d'abord « que la chose vaille peu ou beaucoup ») : ni bien ni mal, à peu près. ⇒ 1. **Bien** (tant bien que mal), **passablement.** Rare, au plur. « *Vaillent que vaillent la syntaxe* (...) *et le mot* » (Ed. et J. de Goncourt, *Journal,* Préface).

5 Ce n'est pas que j'eusse la moindre foi à la cérémonie *(du sacre) ;* mais, comme tout manquait à la légitimité, il fallait pour la soutenir user de tout, vaille que vaille. CHATEAUBRIAND, Mémoires d'outre-tombe, t. IV, p. 221.

À **VALOIR** : en constituant une somme dont la valeur est à déduire d'un tout. *Prix à valoir sur une créance.* ⇒ **Compte** (à). *Verser un acompte*, une avance à valoir sur telle somme.*

FAIRE VALOIR **ⓐ** Faire apprécier plus (souvent en exagérant). *Faire valoir un nom médiocre* (→ Acquérir, cit. 12). *Faire valoir un rôle,* le mettre en vedette par une habile mise en œuvre. *Une personne qui sert à faire valoir les autres* (→ Sacrifier, cit. 15). ⇒ **Briller.** — *Se faire valoir* : se montrer à son avantage*. ⇒ **Étalage** (faire étalage de...), **mousser** (se faire), **paraître** (→ Argumenter, cit. 2 ; humilier, cit. 28 ; modestie, cit. 7). *Se faire valoir aux dépens de qqn, en lui nuisant*.* — (Sujet n. de chose). Mettre en évidence, faire ressortir la valeur de... ⇒ **Exalter, relever, souligner.** *Un ton est toujours destiné à en faire valoir un autre* (→ Tableau, cit. 2 ; et aussi liquide, cit. 3). *Rapprochements* (cit. 4) *de citations qui s'expliquent et se font valoir* (mutuellement).

6 — (...) à quels comédiens la donnerez-vous ? *(la comédie).* — (...) Aux grands comédiens. Il n'y a qu'eux qui soient capables de faire valoir les choses (...) — En effet, il y a manière de faire sentir aux auditeurs les beautés d'un ouvrage, et les choses ne valent que ce qu'on les fait valoir. MOLIÈRE, les Précieuses ridicules, 9.

7 Serré dans une redingote gris perle, qui faisait valoir sa haute taille (...) PROUST, À la recherche du temps perdu, t. VIII, p. 238.

Spécialt. Montrer la valeur, l'intérêt, l'importance* de... par le raisonnement, la parole. ⇒ **Évidence** (mettre en), 1. **ressortir** (faire ; → Chanter les louanges* de...). *Faire valoir sa marchandise.* ⇒ **Vanter.** *Faire valoir que...* : souligner l'intérêt du fait que... (→ Laisser, cit. 56 ; reste, cit. 12). *Rendre des services et les faire valoir* (→ Insinuer, cit. 12).

8 — Je lui ai fait valoir comme il faut la richesse de ce présent et la grandeur de votre amour. MOLIÈRE, le Bourgeois gentilhomme, III, 6.

ⓑ (1580, *faire valoir un argument*). Rendre plus actif, plus efficace. *Faire valoir ses droits,* les exercer, les défendre. ⇒ **Soutenir.** *Avoir des titres à faire valoir,* dont on peut se prévaloir (→ Relater, cit.). *Faire valoir une excuse ; une occasion* (en tirer* parti, profit*). — Vieilli. Employer.

9 Elle savait persuader et convaincre aussi bien que commander, et faire valoir la raison non moins que l'autorité (...) BOSSUET, Oraison funèbre de Henriette-Anne d'Angleterre.

♦ **4.** (Fin xiiᵉ). Être égal en valeur, en utilité, équivalent à (autre chose). *La toile d'ortie* (cit.) *vaut la toile de chanvre. Un second regard qui valait le premier* (→ Daigner, cit. 6). — Prov. *Un lion* (cit. 5) *mort ne vaut pas un moucheron qui respire.*

10 Le jour qui va finir vaut le jour qui commence. HUGO, Quatre vents de l'esprit, III, XLVIII, III.

Pouvoir remplacer, avoir la même utilité que... ⇒ **Lieu** (tenir lieu de...). → Expérience, cit. 40 ; geler, cit. 18 ; 2. moulage cit. 1. *Mille intentions* (cit. 9) *ne valent pas un geste. Il n'est pas de discours qui vaille un dessin* (→ Dépriser, cit. 2). « *Un sonnet sans défaut vaut seul un long poème* » (→ Phénix, cit. 2). *Un jardin* (cit. 3) *à la mode française qui en vaut bien une autre*,* qui n'est pas inférieure à une autre.

11 (...) il faut vivre tous les jours, et les plus beaux vers alexandrins ne valent pas sous la dent un morceau de fromage de Brie. HUGO, Notre-Dame de Paris, VII, II.

12 Entends battre mon cœur d'amant.
Ce cœur en vaut bien plus de mille
Puisque je t'aime éperdument. APOLLINAIRE, Ombre de mon amour, XII.

Dr. *En fait de meubles, possession* (cit. 2) *vaut titre*, a la même valeur juridique qu'un titre.

Se valoir. → ci-dessous.

(Personnes). Avoir les mêmes qualités, le même mérite que (qqn). *La femme vaut un homme et souvent mieux* (→ Pousser, cit. 51). *D'autres, et qui te valent bien* (→ Faim, cit. 7). *Le héros ne vaut pas un homme de bien.* ⇒ **Peser** (vx). — Péj. *L'un vaut l'autre*, n'est pas meilleur* que l'autre (→ ci-dessous pron. *Ils se valent*). — Loc. *Un bon averti*, un homme averti en vaut deux.*

13 « Ne le valons-nous pas ? » Vous valez cent fois mieux ;
Mais que vous sert votre mérite ?   LA FONTAINE, Fables, VII, 12.

Souvent en phrase négative (le second terme ne servant que de référence). *Valoir, ne pas valoir qqch.* « *De bien des gens, il n'y a que le nom qui vale* (sic) *quelque chose* » (→ Imposer, cit. 38, La Bruyère). *Cela vaut son pesant d'or* : c'est inestimable, remarquable, et, par antiphr., plais., c'est étonnamment ridicule !. Var. *Ça vaut son pesant de cacahuètes.* — Loc. fam. *Ça vaut mille, ça vaut le jus* : c'est remarquable. — Fam. *Ça ne vaut pas un clou, pas un pet* (cit. 4), *pas un pet* (cit. 5) *de lapin, pas chipette, pas tripette* : ça ne vaut rien. — Loc. (Vx). *Ne pas valoir la gale, le diable* (cit. 10) : être très mauvais. — Loc. *Il, elle ne vaut pas la corde pour le (la) pendre* (→ Salope, cit. 3). « *Tout ça ne vaut pas l'amour* » (Refrain). — Loc. prov. *Ça ne vaut pas les quatre fers d'un chien.*

14 (...) elle ne vaut pas la gale, elle m'aurait fait couper le cou comme un poulet, sans dire : Il est innocent ! (...)   BALZAC, la Rabouilleuse, Pl., t. III, p. 1108.

15 (...) je reconnais que tu es sage, laborieuse et que tu vaux ton pesant d'or.
     G. SAND, François le Champi, II.

Rien ne vaut cela : cela vaut plus que tout le reste. « *Rien ne vaudra jamais deux beaux chevaux...* » (→ Dresser, cit. 19). — REM. On emploie dans le même sens *tout ça ne vaut pas...* — *Rien ne me vaut* : rien ne vaut pour moi (→ Rayonnant, cit. 1).

NE RIEN VALOIR : être inutile ou néfaste. *Ne valoir rien pour...* (→ Poète, cit. 2 ; recommander, cit. 3). *La fierté* (cit. 6) *ne vaut rien. Ne valoir rien pour, à qqn. L'inaction ne lui vaut rien*, lui est inutile et même nuisible*. — (Personnes). Être méchant, dangereux, nuisible (⇒ **Vaurien**). — Être nul, et, par exagér., médiocre. *Ces articles ne valent rien* (→ Feuilleton, cit. 2). ⇒ **Mauvais, nul.** *Votre excuse ne vaut rien*, est sans poids*, sans valeur. *Cela ne vaut plus rien*, se dit de ce qui est devenu inutilisable (⇒ Usé). — Allus. littér. « *C'est proprement ne valoir rien que de n'être utile à personne* » (Descartes). — Prov. (Vx). *Trop ne vaut rien.*

16 Tout le monde me prend pour un homme de bien ;
Mais la vérité pure est que je ne vaux rien.   MOLIÈRE, Tartuffe, III, 6.

Vx. (Sujet n. de personne). *Valoir beaucoup* (Corneille, *Andromède*, v. 483), *trop* (Corneille, *la Veuve ou le traître trahi*, III, 4), *peu, assez...* — Loc. *Tant** (cit. 20 et 21) *vaut..., tant vaut...*

17 — Et vous pensez qu'il est tout à fait indifférent que nous soyons chrétiens ou païens ; que païens, nous n'en vaudrions pas moins ; et que chrétiens, nous n'en valons pas mieux.
     DIDEROT, Entretien d'un philosophe avec la Maréchale de ***.

Autant vaut, vaudrait... ⇒ **Autant** (cit. 32, 33, 35).

♦ **5.** (V. 1265, *mieux vaut...*). Avec *mieux. Valoir mieux que...* (suivi d'un nom) : avoir plus de valeur, être plus estimable, plus utile... ⇒ **Meilleur, supérieur** (→ Laine, cit. 3). *En amour, un silence vaut mieux qu'un langage* (→ Éloquence, cit. 18 ; et aussi considération, cit. 6 ; espérance, cit. 40 ; fumée, cit. 16 ; humilité, cit. 13 ; inégalité, cit. 4 ; prière, cit. 1). *Un autre qui ne valait pas mieux*, qui était aussi mauvais (→ Impudent, cit. 5) — Prov. *Bonhomie* (cit. 2) *vaut mieux que raillerie. Bonne renommée* (cit. 5) *vaut mieux que ceinture dorée. La façon de donner* (cit. 6) *vaut mieux que ce qu'on donne.* « *Un Tiens vaut mieux que deux Tu l'auras* ».

18 Un bon mot vaut mieux qu'un mauvais livre.
     J. RENARD, Journal, 18 janv. 1895.

Mieux vaut telle chose que telle autre (avec omission de *il*) → Chien, cit. 41 ; éteindre, cit. 40.

Impers. *Il vaut mieux, mieux vaut...* (suivi de l'inf.) : il est mieux, meilleur de... ⇒ **Préférable.** *Dans certains cas, lorsque..., quand..., il vaut mieux faire telle chose* (→ Demi, cit. 24) — *Il vaut mieux... que...* « *Scélérat pour scélérat* (cit. 1), *il vaut mieux être un loup qu'un homme* ». *Mieux vaut être assis que debout* (→ Distique, cit.). — Prov. *Il vaut mieux tenir que courir.* — *Il vaut mieux... que...* (et l'inf.). → Arbre, cit. 2 ; oisiveté, cit. 2. *Mieux vaudrait n'avoir pas commencé plutôt* que de...* (→ 2. Frais, cit. 13). — *Cela vaut mieux que de...*

(Sans *que*). *Ça valait* (→ Face, cit. 51), *ça vaudrait, ça vaut mieux.* « *Mieux vaudrait un sage ennemi* » (→ Ami, cit. 5). *Lequel vaut mieux : faire ceci ou cela* (→ Gagner, cit. 46). — Vx. *Il vaut mieux, mieux vaut de... que de...* (et l'infinitif).

19 (...) il me vaudrait bien mieux d'être au diable que d'être à lui (...)
     MOLIÈRE, Dom Juan, I, 1.

Il vaut mieux, mieux vaut que... (suivi du subj.), *que de...* (et l'inf.). *Il vaut mieux qu'il dure et soit malheureux que de s'éteindre* (cit. 36) *au sein des plaisirs. Il vaut mieux qu'elle écrive dix phrases inutiles que d'en omettre une intéressante* (→ Indifférent, cit. 36).

REM. Pour éviter la rencontre du *que* de comparaison (→ 1. Que), et de *que* introduisant la complétive (il vaudrait mieux qu'il meure *que qu'il* souffre tant), on a employé un démonstratif interposé *(il vaut mieux que... que ce que...)*, puis la négation *non pas* (Il vaut mieux tuer le diable que non pas que le diable vous tue [Littré, art. *Diable*, 23°]), ou *si*, remplaçant le second *que* (il vaut mieux tuer le diable que si le diable nous tue (Stendhal, *la Chartreuse de Parme*, VI, in Le Bidois, *Syntaxe du franç. mod.*, § 1197), et enfin *plutôt* que.*

♦ **6.** Être comparable en intérêt à (autre chose), mériter (tel effort, tel sacrifice). « *Cette leçon* (cit. 10) *vaut bien un fromage sans doute* ». *Le jeu* (cit. 49) *n'en vaut pas la chandelle*. Cela vaut, cela ne vaut pas le dérangement, le voyage* (→ Sterlet, cit.). Fam. *Ça vaut le coup*, la peine. *Ça ne vaut vraiment pas le coup.* — Allus. hist. *Paris vaut bien une messe** (*infra* cit. 5).

20 Les amis de ce pays-là
Valent bien, dit-on, ceux du nôtre.   LA FONTAINE, Fables, VIII, 11.

21 Bérénice, Seigneur, ne vaut point tant d'alarmes (...)   RACINE, Bérénice, V, 7.

Vx. *Valoir faire quelque chose* (Corneille, *Cinna*, IV, 2) : mériter qu'on fasse qqch. (tour loué par Littré).

(Fin XIX°). Méd. VALOIR DE... ⇒ **Mériter.** *Une scène ne vaut d'être représentée que dans la mesure où...* (→ Monde, cit. 26 ; et aussi ranger, cit. 2). — *Valoir que...* (et le subj.). *Le discours ne vaut pas qu'on l'écoute* (→ Jurer, cit. 11 ; et aussi soin, cit. 4). ⇒ **Digne** (être digne que...).*Cela ne vaut pas qu'on en parle.* — REM. Ce tour est littéraire, le langage courant emploie *valoir la peine** (*de..., que...*).

22 (...) même avec l'assurance de réussir, cela valait-il de tant s'agiter ?
     Alphonse DAUDET, l'Immortel, IV.

23 (...) la propriété est l'unique bien de ce monde, et rien ne vaut de vivre que de posséder la terre.   F. MAURIAC, Thérèse Desqueyroux, VI.

Littér. *Il vaut de...*, s'emploie dans le même sens (impersonnellement).

23.1 Il vaut d'ailleurs d'en faire la remarque : si la Rose de sable marque un progrès de l'objectivité (...)   P.-H. SIMON, in le Monde, 16 mars 1968.

(V. 1600). VALOIR LA PEINE : mériter qu'on prenne la peine de... ⇒ **Mériter.** *Quelque chose qui vaille la peine d'être communiqué.* (⇒ **Important,** I.). → 1. Dire, cit. 111. *Ce qui ne vaut pas la peine d'être dit, on le chante* (cit. 16 ; → aussi Abandonner, cit. 4 ; détail, cit. 12). — *Ça ne vaut pas la peine d'en parler* : c'est insignifiant, négligeable. — Ellipt. (avec *en*). Mériter d'être vu, considéré, apprécié, envisagé... « *Tu montreras* (cit. 1) *ma tête au peuple ; elle en vaut la peine* ». *Une personne qui en valût la peine* (→ Malheureux, cit. 10). — *Valoir la peine que...* (et le subj.) → Missive, cit. 3.

24 Aussi la folle comtesse aimait-elle son mari à l'excès ; rien n'était beau pour elle que lui, et, quand elle lui donnait le bras, rien ne valait la peine qu'elle tournât la tête.   A. DE MUSSET, Nouvelles, « Emmeline », II.

25 — (...) Ne vous tourmentez plus pour ce qui n'en vaut pas la peine.
     FRANCE, le Lys rouge, XXXI.

26 Une fois cuvée la première griserie du triomphe, rien plus ne paraissait valoir la peine de vivre.   GIDE, Ainsi soit-il, in Souvenirs, Pl., p. 1235.

Impers. *Il vaut la peine de...*

26.1 Mon cher Louis,
Il vaut la peine de vivre vieux, si l'on retrouve, au bout de la route, l'ami perdu.
     R. ROLLAND, Lettre à Louis Gillet, 7 août 1942,
in Correspondance entre L. Gillet et R. Rolland, p. 321.

26.2 Mais il vaudrait la peine de dissiper ici un préjugé (...)
    M. RAYMOND, Génies de France, in les Cahiers du Rhône, n° 4, p. 133.

26.3 La Suisse a si peu de communistes qu'il ne vaut presque pas la peine de les mentionner.
    André SIEGFRIED et Pierre BÉGUIN, la Suisse, démocratie-témoin, p. 180.

★ **II.** V. tr. (V. 1155). Faire obtenir. VALOIR (**qqch.**) À (**qqn**), lui faire obtenir, avoir pour (qqn) tel effet. — REM. Dans ce sens, le participe passé s'accorde : *les honneurs que lui a valus cette action* (Littré), *les réprimandes qu'il nous a values* (Académie). *Valoir à qqn un avantage* (→ Considération, cit. 9), *une réputation* (→ Plume, cit. 4). ⇒ **Attirer, concilier, procurer.** *Les regards que lui vaut sa mâle tournure* (→ Farandole, cit. 2). — *Leurs larmes, qui leur valent tant, ne leur coûtent rien* (→ Muscade, cit. 3). — *Valoir un sobriquet* (→ Pressier, cit.), *un surnom* (→ Illustre, cit. 5) *à qqn. Cinq ans d'exil* (cit. 6) *que lui avait valus sa condamnation.* — *Qu'est-ce qui nous vaut cet honneur ?* — Vx. *Qui me vaut, nous vaut...* ⇒ **Qui** (II., REM. ; et cit. 71 et 73).

27 Les nombreuses réflexions que m'ont values la lecture et la méditation des œuvres de Paul Claudel   G. DUHAMEL, Paul Claudel, p. 13, in GREVISSE.

28 La liberté que lui valait ma maladie lui permettait de longues courses dont elle revenait éblouie (...)   GIDE, l'Immoraliste, I, IV.

▶ **SE VALOIR** v. pron.

(Récipr.). Correspondant au sens I, 4. Avoir même valeur ; être équivalent, égal. *Tous les coins de terre se valent* (→ Exil, cit. 5 ; et aussi métier, cit. 13). — Péj. *Ils se valent* : ils sont aussi mauvais l'un que l'autre. — Fam. *Ça se vaut* : ce n'est ni meilleur, ni pire.

DÉR. Vaillant, valable, value.
COMP. À-valoir, faire-valoir, revaloir, vaurien, value (cf. Évaluer, moins-value, plus-value).

VALOREM [valɔʀɛm] ⇒ **Ad valorem.**

VALORISANT, ANTE [valɔʀizɑ̃, ɑ̃t] adj. — 1966, *le Monde ;* de *valoriser.*

♦ Qui valorise (surtout au sens 2). *Un succès valorisant.*

VALORISATION [valɔʀizasjɔ̃] n. f. — 1907 ; du rad. de *valeur.*

♦ **1.** Écon. Fait de valoriser (qqch.). *La valorisation de quelque chose par quelqu'un.*

(...) dans l'intérêt de l'hygiène, de l'économie des forces, de la meilleure utilisation des moyens d'action, de la valorisation de vos immeubles, de l'esthétique même, vous me permettrez de le dire.   L.-H. LYAUTEY, Paroles d'action, p. 116.

♦ **2.** (1930). Philos., psychol. Fait de conférer une valeur plus grande à... « *L'apprentissage d'une langue est pour un individu, un moyen de valorisation culturelle* » (*le Monde,* 19 sept. 1973).

DÉR. Valoriser.

VALORISER [valɔʀize] v. tr. — 1925, *in* D.D.L. ; de *valorisation.*

♦ **1.** Écon. Produire une hausse de la valeur marchande de (qqch.) ; augmenter le prix* de (qqch.). *Valoriser un produit par des moyens autoritaires.* ⇒ **Revaloriser.**

♦ **2.** Philos., psychol. Augmenter la valeur, l'estime portée à (qqn, qqch.). *Sa réussite le valorise à ses propres yeux, aux yeux de sa femme.* — Pron. (1965). *Se valoriser.*

1   Dans le domaine des représentations individuelles ou collectives, les jugements sont valorisés en vrais ou faux (valeurs bivalentes), ou vrais, faux et plausibles et encore indécidables, etc. (tri- ou polyvalence) en fonction des règles admises.
          J. PIAGET, Épistémologie des sciences de l'homme, 1970, p. 276.

♦ **3.** Math. Donner une, des valeurs* (IV.) à (une variable, un paramètre).

▶ **VALORISÉ, ÉE** p. p. adj.

2   Il dit qu'on est les seuls correcteurs de Montréal à qui il fasse confiance les yeux fermés. On se sent valorisés quand on travaille pour lui, importants.
          Réjean DUCHARME, l'Hiver de force, p. 111.

CONTR. Dévaloriser.

COMP. Dévaloriser, revaloriser, survaloriser.

VALPOLICELLA [valpɔlitʃɛlla] n. m. — xxᵉ ; nom d'une région d'Italie, dans la province de Vérone.

♦ Vin rouge de la région de Valpolicella. — Abrév. fam. : *valpo. Un bon valpo. Une pizza du chef et un demi valpo.*

Là coule un peu de valpolicella en carafe sur des pâtes mal cuites.
          Michel DÉON, Tout l'amour du monde, p. 260.

VALSE [vals] n. f. — 1800 ; attestation isolée 1627, Racan ; all. *Walzer.*

♦ **1.** Danse à trois temps, où chaque couple tourne sur lui-même tout en se déplaçant. *Valse viennoise,* à pas glissés, rapides. *Valse lente, anglaise.* ⇒ **Boston.** *Tournoiement, tourbillons de la valse* (→ Battre, cit. 58). « *La valse d'un coup d'aile a détrôné* (cit. 3) *la danse* ». *Valse musette*.* — (1911). *Valse chaloupée*.*

1   Et, dans les tourbillons de mes valses joyeuses,
Je vous sens, dans mes bras, plier comme un roseau.
          A. DE MUSSET, Poésies nouvelles, « À Ninon ».

2   (...) de temps en temps, une danse lente et compassée, comme un menuet ; parfois une valse, mais une de ces valses allemandes qui ne donnent pas plus d'un tour et demi à la minute, et pendant lesquelles les valseurs se tiennent embrassés aussi loin l'un de l'autre que leurs bras le peuvent permettre, tel est l'ordinaire de ces bals que fréquentait la haute société de Quiquendone.
          J. VERNE, le Docteur Ox, p. 67.

Air, musique qui accompagne cette danse. *Jouer* (cit. 54) *une valse* (→ aussi Murmure, cit. 4 ; taper, cit. 5). *Valses de Johann Strauss. Jouer une valse musette* à *l'accordéon.* — Morceau de musique instrumentale de forme libre composé sur le rythme de cette danse. *Les Valses de Chopin. Valses nobles et sentimentales,* de Ravel. *La Valse,* poème chorégraphique pour orchestre, de Ravel.

♦ **2.** (Mil. xxᵉ). Fig. et fam. Mouvement fréquent et rapide de personnel à des postes politiques ou administratifs, que les titulaires ont l'air d'échanger entre eux. *La valse des ministres, des portefeuilles.*

(1966). *Valse-hésitation* (du nom d'une valse caractérisée par des pas en avant puis en arrière) : suite de décisions, d'actes contradictoires. « *Après la lente valse-hésitation sur l'emprunt communautaire...* » (*le Monde,* 27 sept. 1974).

♦ **3.** Sports. En gymnastique, Succession de deux quarts de tour autour de l'axe de longueur, aux barres parallèles. *Valse à gauche, à droite.*

VALSE-HÉSITATION [valsezitasjɔ̃] n. f. ⇒ **Valse** (2.).

VALSER [valse] v. — 1789, *in* D.D.L. ; all. *walzen ;* cf. la var. *walser,* 1815.

★ **I.** V. intr. ♦ **1.** Danser la valse, une valse. *Il valse bien. Nous avons valsé plusieurs fois. Valser à l'envers.*

(...) on causait valse, et je soutenais que les peuples qui sont des peuples valseurs, sont des peuples où le patinage est une habitude. Les Françaises valsent, le corps tout droit, tandis que les Hollandaises et les autres femmes des pays du patinage valsent avec ce penchement, cette courbe en dehors d'un corps courant sur la glace.   Ed. et J. DE GONCOURT, Journal, 28 févr. 1892, t. IX, p. 14.

Par anal. Se balancer, rouler souplement ; tourner (→ Méchant, cit. 13).

2   Sa gorge, qui était belle, valsait à chaque mouvement dans des chemisettes de soie blanche, rose ou *tango.*   G. DUHAMEL, le Voyage de P. Périot, III.

♦ **2.** (1956). Fam. Être projeté (→ Dinguer, valdinguer). *Il est allé valser sur le trottoir. Faire valser :* projeter ; bousculer. — *Faire valser l'argent,* le dépenser sans compter.

(1867). *Faire valser des fonctionnaires, des employés,* les déplacer. *Envoyer valser :* congédier. ⇒ **Balancer ; rembarrer.**

3   D'où sortent ces énergumènes
Ces grands gaillards qui font valser
Les kiosques par les chaussées
Tables et guéridons basculent
À la terrasse des cafés   ARAGON, le Roman inachevé, p. 195.

★ **II.** V. tr. Danser (une valse).

4   Cette valse est le vin que j'ai bu dans tes bras
Valsons la comme on saute un mur.   ARAGON, les Yeux d'Elsa, p. 75.

Exécuter (une danse) à la manière d'une valse.

5   (...) le grand public populaire de la « Magic City » qui (...) dansait le tango à la lumière violette et valsait la samba pour la franciser.
          P. GUTH, Jeanne la Mince à Paris, p. 219.

DÉR. Valseur.

VALSEUR, EUSE [valsœʀ, øz] n. — 1801 ; de *valser.*

♦ **1.** Personne qui valse (→ Calicot, cit. 2), qui sait valser (bien ou mal). ⇒ **Danseur.** *Bon, mauvais valseur.* — Cavalier, cavalière avec qui on valse. « *Leur valseur de fatigue mort* » (→ Elfe, cit. 1). — Adj. *Peuples valseurs* (→ Valser, cit. 1).

♦ **2.** (1928). Fam. *Le valseur :* le derrière. ⇒ **Popotin.**

1   (...) elle racolait la main sur la hanche, en ondulant du valseur comme la reine des cigarières.   Martin ROLLAND, la Rouquine, p. 28.

2   Il vient de se planter une série d'épines dans le valseur. Sans l'ombre d'une hésitation, il tombe le grimpant et demande à Béru de lui ôter ces corps étrangers. Bonne âme, le Gros s'agenouille devant les fesses maigrichonnes et flétries du père Lajoie.   SAN-ANTONIO, le Secret de Polichinelle, p. 19.

♦ **3.** N. f. pl. (1905). Vulg. *Les valseuses :* les testicules.

♦ **4.** N. f. Boisson de café, bière additionnée de sirop de menthe.

VALTOUZE [valtuz] n. f. — Mil. xxᵉ ; du rad. de *valise,* et suff. populaire.

♦ Pop. Valise. ⇒ **Valoche** (1.). — On trouve aussi les graphies *valtouse* et *valetouse.*

Il se jette sur ma valise et l'empoigne, puis il fend la foule hilare des Allemands. — Tu vas voir où qu'elle va nager ta valtouze, espèce de pourri.
          SAN-ANTONIO, Du plomb dans les tripes, p. 181.

VALUE [valy] n. f. — 1248 ; p. p. fém. substantivé de *valoir.*

♦ Vx. Rapport, valeur (ne subsiste que dans les composés *moins-value* et *plus-value ;* voir ces mots).

VALVACÉ, ÉE [valvase] adj. — 1846 ; de *valve.*

♦ Bot. *Fruit valvacé :* fruit indéhiscent mais à valves distinctes.

VALVAIRE [valvɛʀ] adj. — 1812 ; de *valve.*

♦ Sc. Relatif à une, à des valves. (Bot.). *Préfloraison, préfoliation valvaire,* dans laquelle les pièces du périanthe ou les feuilles se touchent bord à bord. *Déhiscence valvaire,* d'une gousse qui s'ouvre par deux fentes longitudinales.

VALVE [valv] n. f. — 1752 ; « battant de porte », 1560 au sens du lat. *valvae* (plur.), mot repris par le lat. sc. dans des acceptions spéciales.

★ **I.** ♦ **1.** (1752). Coquille de certains mollusques (univalves), ou chacune des deux parties de la coquille (dite *bivalve*) de certains mollusques et crustacés. ⇒ **Charnière** (d'une coquille). *Valve supérieure, inférieure. Valve rainurée d'une coquille Saint-Jacques* (→ Madeleine, cit. 1).

1   (...) cette petite coquille à sillons profonds et rayonnants dont les valves rebondies,

et comme lavées d'un incarnat pâle, ornent si souvent le camail grossier du pèlerin. On l'appelle la coque (...)

Charles NODIER, Contes, « La fée aux miettes », VI.

Bot. **ⓐ** (1771). Fraction du péricarpe d'un fruit, qui se soulève quand se forment les fentes de déhiscence (→ Germe, cit. 9 ; jacinthe, cit.). *Valve operculaire**.

ⓑ Chacun des deux éléments de la carapace des diatomées.

Anat. *Valves cardiaques :* chacune des lames membraneuses qui forment les valvules cardiaques.

♦ **2.** (1845). Système de régulation d'un courant de liquide ou de gaz (assurant souvent le passage du courant dans un seul sens). *Valves coulissantes,* ou *registres* (par ex. au travers des cheminées de cuisine, des tuyaux d'orgue) ; *valves rotatives* ou *papillons* (par ex. au travers des tuyaux de poêle), commandées par une clé. — Soupape à clapet, servant spécialement d'obturateur de chambre à air (d'un ballon, d'un pneu...).

Appareil laissant passer le courant électrique plus facilement (ou même exclusivement) dans un sens que dans l'autre, et provoquant une conductibilité unilatérale. ⇒ **Détecteur, diode, redresseur.** *Valves électrolytiques, thermo-ioniques, électroniques, à contact solide. Valve à gaz :* tube thermo-ionique servant de redresseur*. *Valve à cristal* redresseur à contact tungstène-silice, utilisé pour la réception (cit. 3) des ondes ultra-courtes. ⇒ **Récepteur.** — (Parfois abusivt). Lampe à plusieurs électrodes utilisée dans les amplifications de courant.

Faut-il donc réserver le nom de diode à la valve de Fleming ? Techniquement, la valve de Fleming peut-être remplacée dans plusieurs applications par des diodes au germanium (pour les faibles intensités et les fréquences élevées) ou par des redresseurs au sélénium ou au cuproxyde.

Gilbert SIMONDON, Du mode d'existence des objets techniques, p. 43.

Chir. *Valve à bille :* valve artificielle destinée à remplacer une valvule irréparable par valvuloplastie.

La valve à bille de Starr-Edwards (...) Il s'agit d'une valve à soupape formée d'une simple valve en matière plastique jouant dans une cage métallique. Selon sa position, elle ouvre ou ferme (...) l'orifice cardiaque représenté par une couronne en tissu sur laquelle s'insère la cage.

Cl. D'ALLAINES, la Chirurgie du cœur, p. 116.

★ **II.** N. f. pl. (Sens étym. du lat.). Belgique. Tableau d'affichage, généralement sous vitrine. — REM. Cet emploi est également vivant en français du Zaïre.

DÉR. Valvacé, valvaire, valvé.
COMP. Bivalve, quadrivalve, univalve.

VALVÉ, ÉE [valve] adj. — 1812 ; de *valve.*

♦ **Bot.** Muni, formé de valves. *Péricarpe valvé.*

VALVULAIRE [valvylɛʀ] adj. — 1740 ; de *valvule.*

♦ **Anat.** Qui présente des valvules, ou qui remplit l'office d'une valvule. *Repli valvulaire.* — Relatif aux valvules du cœur. *Lésion, insuffisance valvulaire.* — *Remplacement valvulaire,* d'une valvule (par prothèse ou greffe).

VALVULE [valvyl] n. f. — XVIᵉ, Paré ; lat. *valvula* (employé au plur. pour désigner les valves d'une gousse) dimin. de *valva.* → Valve.

♦ **1.** Anat. Repli muqueux ou membraneux ayant pour fonction d'empêcher le reflux, de régler le cours de liquides ou de matières circulant dans les vaisseaux et conduits de l'organisme. *Valvules auriculo-ventriculaires du cœur (valvule mitrale* ou *bicuspide, valvule tricuspide, valvules sigmoïdes) :* soupapes mobiles qui s'abaissent au moment de la diastole et se ferment au moment de la systole. *Valvules pariétales* (à divers points de la paroi veineuse), *ostiales* (à l'orifice d'abouchement d'une veine dans une autre). *Valvules conniventes* (dans l'intestin grêle), *rectales* (sur la face interne du rectum). *Valvule iléo-cœcale,* à l'embouchure de l'iléon dans le gros intestin (2. Intestin, cit.). *Valvule pylorique* (→ Squirre, cit.).

♦ **2.** (1774). Bot. Petite valve. — Petit clapet à l'orifice de certaines anthères.

♦ **3.** Techn. Robinet à vanne.

DÉR. Valvulaire, valvulite.

VALVULITE [valvylit] n. f. — 1836 ; de *valvule.*

♦ **Méd.** Inflammation d'une valvule cardiaque.

VALVULOPLASTIE [valvyloplasti] n. f. — Mil. XXᵉ ; de *valvul(e),* et *-plastie.*

♦ **Chir.** Opération par laquelle on répare une valvule altérée.

VAMP [vãp] n. f. — 1921, J. Giraud ; mot anglo-amér., 1918 ; abrév. de *vampire.*

♦ **Fam.** Femme fatale et irrésistible (d'abord, type du cinéma). *Des vamps. Un sourire de vamp.*

Elle avait l'air bonne fille aujourd'hui et pas vamp du tout.

R. QUENEAU, le Dimanche de la vie, p. 170.

DÉR. Vamper.

VAMPER [vãpe] v. tr. — 1952, de vamp ; d'après l'angl. *to vamp.*

♦ **Fam.** Séduire par des allures de vamp. *Elle va essayer de le vamper.*

Par ext. Séduire (qqn) au moyen de procédés identiques à ceux d'une vamp. *« Les plaisantins feront des gorges chaudes à voir* (dans un film) *un beau jeune homme "vamper" de A à Z une famille bourgeoise »* (le Monde, 1 févr. 1969). *Vamper qqn pour en obtenir qqch. Se faire vamper.*

VAMPIRE [vãpiʀ] n. m. — 1746, dom Calmet ; all. *Vampir,* du serbe.

★ **I.** ♦ **1.** Fantôme sortant la nuit de son tombeau pour aller sucer le sang des vivants (→ Certificat, cit. 1). *Vampire féminin.* ⇒ **Goule, strige.**

Ces vampires étaient des morts qui sortaient la nuit de leurs cimetières pour venir sucer le sang des vivants, soit à la gorge ou au ventre, après quoi ils allaient se remettre dans leurs fosses. Les vivants sucés maigrissaient, pâlissaient, tombaient en consomption ; et les morts suceurs engraissaient, prenaient des couleurs vermeilles (...)

VOLTAIRE, Dict. philosophique, Vampires. [1]

Crâne bosselé, yeux obliques, oreilles pointues, il ressemblait à un vampire du romantisme allemand, arrivé du royaume des contes dans un costume neuf. [1.1]

MALRAUX, Antimémoires, Folio, p. 46.

Par métaphore. *« Je suis de mon cœur le vampire »* (Baudelaire, *les Fleurs du mal, l'Héautontimorouménos*).

♦ **2.** (1760, marquis de Mirbeau). Vieilli. Suceur* de sang, homme avide d'argent.

Princes, on sent en vous des goules, des lamies, [2]
D'affreux êtres sortis des cercueils soulevés (...)
Hors du trône, tyrans ! à la tombe, vampires !

HUGO, la Légende des siècles, XV, « Éviradnus », XVI.

(1835 ; → Entendre, cit. 25, Gautier). Assassin coupable de nombreux crimes, meurtrier cruel, sadique. *Le vampire de Düsseldorf.*

Il n'y eut que le vampire de Düsseldorf qui nous fit rêver, car nous pensions que pour comprendre quelque chose aux hommes, il faut interroger les cas extrêmes. [3]

S. DE BEAUVOIR, la Force de l'âge, 1960, p. 55.

★ **II.** (1761, Buffon). Mammifère chiroptère de l'Amérique centrale et du Sud, grande chauve-souris, surtout insectivore, qui suce aussi le sang des animaux pendant leur sommeil.

DÉR. Vampirique, vampirisme.

VAMPIRIQUE [vãpiʀik] adj. — Fin XVIIIᵉ ; de *vampire.*

♦ **Littér.** Relatif aux vampires ; qui ressemble aux vampires.

Nous n'avons jamais été riches en numéraire ; pourquoi ? C'est qu'un gouvernement vampirique a, depuis plus d'un siècle, sucé le sang des peuples.

MIRABEAU, Collection compl. de travaux, t. IV, p. 131, *in* LITTRÉ.

VAMPIRISER [vãpiʀize] v. tr. — Mil. XXᵉ ; de *vampire.*

♦ **Rare.** Sucer le sang de (qqn). — Fig. Absorber la substance, la force vitale de (quelqu'un).

(...) les orateurs de foules : ils se sont tellement dépensés que certains le noment à tort un état de vide, parce que, vampirisant la foule pendant une heure ou deux, ils ont été aussi sans s'en rendre compte vampirisés par elle et ont maintenant besoin de se récupérer, de retrouver leur « moi » (...)

Raymond ABELLIO, les Militants, p. 210 (1975).

VAMPIRISME [vãpiʀism] n. m. — 1746 ; de *vampire.*

♦ **1.** Vx. Faits attribués aux vampires, croyance à leur activité.

♦ **2.** (1891). Psychiatrie. Perversion sexuelle dans laquelle l'agresseur saigne sa victime.

♦ **3.** (1801). Fig. Âpre avidité, exploitation féroce.

1. VAN [vã] n. m. — 1175 ; lat. *vannus* « van ».

♦ Panier à fond plat, large, muni de deux anses, qui sert pour le nettoyage des grains de blé. ⇒ **Vanner.** *Le grain qu'un vanneur agite et tourne dans son van* (→ Rythmique, cit. 1). *Trieurs, tarares, vanneuses mécaniques qui remplacent les vans.*

Quand on avait balayé un coin de l'aire et élevé, au bord, un petit tas de blé, Françoise prenait le grand van d'osier tendre et, cherchant dans l'air chaud le passage d'un souffle, elle secouait les grains roux (...)

H. BOSCO, le Mas Théotime, VIII.

DÉR. Vanneau, vannette, vannier.
HOM. 2. Van, vent ; formes du v. vendre.

2. VAN [vã] n. m. — 1894 ; comme mot angl. dans un texte français (*in* Mackenzie), 1823 ; angl. *van* « fourgon, camion », de *caravan.*

♦ Voiture, fourgon servant au transport des chevaux de course.
— Et deux chevaux.
— Et deux chevaux. Dans un van. Vous ne connaîtriez pas un autre terrain, à leur indiquer ? R. QUENEAU, les Fleurs bleues, p. 230.

HOM. 1. Van, vent ; formes du v. vendre.

VANADATE [vanadat] n. m. — V. 1830 ; de *vanad(ium),* et *-ate.*

♦ Chim. Sel simple ou complexe dérivé d'un acide vanadique. « *Du vanadate de plomb qui constitue le principal minerai de vanadium* » (*Rev. gén. des sc.,* 30 juin 1904, n° 12, p. 616).

VANADEUX [vanadø] adj. — V. 1850 ; du rad. de *vanadium.*

♦ Chim. Se dit du sesquioxyde de vanadium, V_2O_3 *(oxyde vanadeux)* et des sels de vanadium trivalent *(sels vanadeux).*

VANADIÉ, ÉE [vanadje] adj. — V. 1850 ; du rad. de *vanadium.*

♦ Didact. Se dit des substances renfermant du vanadium. *Alliage vanadié.*

VANADIFÈRE [vanadifɛʀ] adj. — V. 1850 ; de *vanadi(um),* et *-fère.*

♦ Didact. Qui renferme du vanadium. *Minerai vanadifère.*

VANADINE [vanadin] n. f. — Fin XIXᵉ ; du rad. de *vanadium.*

♦ Chim. Anhydride vanadique naturel V_2O_5.

VANADINITE [vanadinit] n. f. — 1884 ; du rad. de *vanadium.*

♦ Minér. Combinaison naturelle du plomb avec le chlore et le vanadium.

VANADIQUE [vanadik] adj. — 1831, Berzélius ; du rad. de *vanadium.*

♦ Chim. Se dit des dérivés du vanadium pentavalent, en particulier de l'oxyde V_2O_5 et des acides qui en dérivent.

VANADIUM [vanadjɔm] n. m. — 1842 ; lat. sc. forgé en 1830 par le Suédois Sefström ; de *Vanadis,* nom latin d'une divinité scandinave ; baptisé *erythronium* par del Rio, en 1801.

♦ Chim. Métal blanc (symb. *V ;* n° at. 23 ; masse at. 50,942 ; dens. 6,11 ; température de fusion : 1 710 °C), relativement rare, disséminé dans un grand nombre de minéraux (vanadinite ; patronite, *sulfure de vanadium* contenant du fer et du nickel, etc.) et de roches diverses (argiles, basaltes, etc.). *Ferro-vanadium,* servant à obtenir les *aciers au vanadium,* de grande dureté, d'élasticité et de charge de rupture élevées. *Oxyde de vanadium* (V_2O_5), utilisé comme catalyseur dans la synthèse industrielle de l'anhydride sulfurique.

Dans ma tête chante encore la symphonie dramatique qu'il évoquait hier soir : la vibration des marteaux sur les nervures de « dural », la scie musicale des limes sur les tôles. Une clef de vanadium, tombée d'une échelle, tinte sur toutes les notes en heurtant l'acier des poutres maîtresses, les filins des tendeurs ou les tubulures des commandes. Roger GARAUDY, Parole d'homme, 1975, p. 19-20.

DÉR. **Vanadate, vanadeux, vanadié, vanadifère, vanadine, vanadinite, vanadique, vanadyle.**

VANADYLE [vanadil] n. m. — V. 1850 ; du rad. de *vanadium.*

♦ Chim. Radical bivalent VO. *Chlorure de vanadyle,* $VOCl_2$.

VANDA [vãda] n. f. et m. — 1842 ; lat. bot., de l'hindi.

♦ Bot. Plante monocotylédone épiphyte *(Orchidacées),* exotique (Inde, Océanie), à grandes fleurs bleu de ciel ou à fleurs moyennes brunes, tachetées de pourpre. *La vanda est une orchidée* cultivée en serre chaude.

VANDALE [vãdal] n. — XIIIᵉ ; bas lat. *Vandali, orum,* nom d'un peuple germanique.

♦ **1.** Membre d'un peuple germanique originaire de la région de l'Oder, de la Vistule, qui, au début du Vᵉ siècle, envahit et dévasta la Gaule, l'Espagne du Sud et l'Afrique du nord. — Adj. *L'empire, les armées vandales.*

♦ **2.** (1732). Fig. Destructeur brutal, ignorant. ⇒ **Dévastateur, iconoclaste** (→ Marquer, cit. 8). *La collection a été saccagée par des vandales.*

— Un fragment d'armée étrusque a pénétré jusqu'à Deuf-Omécourt. Il a saccagé le bureau des douanes et le bureau du télégraphe.
— Quelles vaches ! I n'respectent rien ! De vrais vandales !
R. QUENEAU, le Chiendent, p. 396.

Par exagér. *Ces vandales ont encore laissé la télé allumée, ont pillé le réfrigérateur... ! Ces gosses sont des vandales.* — Appellatif. *Bande de vandales !*

Par métaphore. *L'âme a ses vandales qui viennent dévaster* (cit. 3) *notre vertu.*

Adj. (Vieilli). *Des usages vandales.* ⇒ **Barbare.**

(...) le beau badigeonnage jaune dont nos vandales archevêques ont barbouillé leur cathédrale ? HUGO, Notre-Dame de Paris, I, III, I.

DÉR. **Vandalisme.**

VANDALIQUE [vãdalik] adj. — 1795 ; t. d'hist. « vandale », en anc. franç. ; de *vandalisme.*

♦ Littér. Digne d'un vandale ; relatif au vandalisme. ⇒ **Vandale** (2., adj.).

Le temps et la pudeur vandalique des desservants ont successivement endommagé ces sculptures satiriques, joyeuses et paillardes comme un chapitre de Rabelais (...) O. MIRBEAU, le Journal d'une femme de chambre, 1900, p. 235.

VANDALISME [vãdalism] n. m. — 1793 ; de *vandale.*

♦ Tendance à détruire, à détériorer, par ignorance ou malveillance, des œuvres d'art. *Actes, faits de vandalisme* (→ Perversité, cit. 5). *Le vandalisme des armées.* — Par ext. *De nombreuses cabines publiques de téléphone sont hors d'usage du fait du vandalisme.*

À Paris, le vandalisme fleurit et prospère sous nos yeux. Le vandalisme est architecte (...) Le vandalisme est entrepreneur de travaux pour le compte du gouvernement (...) Tous les jours il démolit quelque chose du peu qui nous reste de cet admirable vieux Paris. Que sais-je ? le vandalisme a badigeonné Notre-Dame, le vandalisme a retouché les tours du Palais de Justice, le vandalisme a rasé Saint-Magloire, le vandalisme a détruit le cloître des Jacobins, le vandalisme a amputé deux flèches sur trois à Saint-Germain-des-Prés.
HUGO, Littérature et Philosophie mêlées, Guerre aux démolisseurs !, 1832.

DÉR. **Vandalique.**

VANDOISE [vãdwaz] n. f. — Déb. XVᵉ ; *vendoise,* v. 1193 ; gaulois *vindisia,* de *vindos* « blanc ».

♦ Poisson physostome *(Cyprinidés)* scientifiquement appelé *leuciscus* et communément *chevesne, cyprin, dard* (2. Dard), *meunier. La vandoise vit dans les eaux douces, calmes et claires ; elle est comestible.*

(...) ton père m'en raflait des nasses pleines : brochets, anguilles ou dards.
— Dard ? répéta Aubin, très intéressé (...)
Je traduisis :
— Vandoise, si tu préfères. Hervé BAZIN, Cri de la chouette, 1972, p. 114.

VANEL [vanɛl] n. m. — 1868 ; de *vanne,* au sens ancien de « engin de pêche » (1636 ; *venne,* XVᵉ).

♦ Techn. (pêche). Filet fixe à une seule nasse (pour la pêche aux poissons de rivière).

HOM. **Vannelle.**

VANESSE [vanɛs] n. f. — 1827 ; lat. sc. *vanessa ;* probablt du lat. *vanities* « vanité, frivolité » (P. Guiraud).

♦ Insecte lépidoptère, papillon diurne *(Nymphalidés)* aux riches couleurs, au vol rapide et dont les chenilles se trouvent surtout sur l'ortie et le chardon. *Variétés de vanesses : la belle-dame, le morio, le paon-de-jour, la grande et la petite tortue. Vanesses brunes* (→ Papillon, cit. 4).

Nathalie a l'éclat passager des vanesses
Elle change de robe et de nom tous les jours. ARAGON, le Fou d'Elsa, VI, XII.

Par apposition :

(...) les pluies de sang du Moyen Âge étaient les myriades de gouttes rouges lancées par les papillons Vanesses (...) MALRAUX, Antimémoires, Folio, p. 476.

VANILLE [vanij] n. f. — 1664 ; esp. *vainilla* « petite gaine », dimin. de *vaina,* lat. *vagina* « gaine ».

♦ **1.** Fruit du vanillier, charnu, vert, dur, très allongé qui, séché, devient noir et aromatique. *La gousse de vanille* (→ 1. Frais, cit. 20) *prend la couleur de café grillé à la dessiccation et se givre de cristaux de vanilline.*

Plus cour. Gousse de vanille.

♦ **2.** (Déb. XIXᵉ). Cour. Substance aromatique contenue dans ce fruit. *Parfum, fine odeur de vanille* (→ Œuf, cit. 4). *Un bâton de vanille* (→ Macération, cit. 3 ; prune, cit. 1). *La vanille sert à la préparation du chocolat, est utilisée en pâtisserie, en confiserie et comme assaisonnement dans les entremets, les desserts. Crème, glace à la vanille* (souvent à la vanilline ; pour distinguer, on dit parfois : *à la vanille naturelle*). — *Crème de vanille,* à base de vanille.

— Sens-tu (...) parmi ces parfums légers, un arome fruité (...) par exemple la prune (...) et comme un soupçon de vanille (...)
J. CHARDONNE, les Destinées sentimentales, p. 17.

♦ **3.** Syn. de *vanillier. Un pied de vanille.*

DÉR. Vanillé, vanillerie, vanillier, vanilline, vanillisme, vanillon.

VANILLÉ, ÉE [vanije] adj. — 1845 ; de *vanille.*

♦ Aromatisé avec de la vanille naturelle. *Sucre, chocolat vanillé.*
Spécialt. En parfumerie, « se dit d'une note généralement obtenue à partir des produits extraits de la gousse du vanillier et reconstituée parfaitement par la synthèse » (in *la Banque des mots*).

VANILLERIE [vanijʀi] n. f. — 1877 ; de *vanille.*

♦ Plantation de vanilliers.

VANILLIER [vanije] n. m. — 1764 ; de *vanille.*

♦ Plante des régions tropicales, monocotylédone *(Orchidées)* épiphyte, à tige grimpante ou liane, à racines adventives qui s'attachent aux végétaux environnants. *Les fleurs du vanillier sont disposées en grappes axillaires et ses fruits* (⇒ **Vanille**) *contiennent de la vanilline. Le vanillier ne se développe que dans les climats chauds et humides.*

VANILLINE [vanilin] n. f. — 1872 ; de *vanille.*

♦ Chim. Aldéhyde phénolique qui cristallise sous forme d'aiguilles blanches, présent avec d'autres parfums plus fins dans les gousses de vanille, et utilisé comme succédané de la vanille. *Glace, crème... parfumée à la vanilline* (dite : *à la vanille*).

VANILLISME [vanilism] n. m. — 1894 ; de *vanille.*

♦ Méd. Intoxication provoquée par la manipulation ou l'ingestion de la vanille. *Vanillisme professionnel. Vanillisme alimentaire qui provoque crampes, diarrhées et vomissements.*

VANILLON [vanijɔ̃] n. m. — 1845 ; «morceau de vanille», 1836 ; de *vanille.*

♦ Comm. Vanille d'une variété à petites gousses du Mexique et des Antilles, moins prisée que la vanille à grandes gousses.

VANISAGE [vanizaʒ] n. m. — Mil. xxᵉ ; de *vanisé.*

♦ Techn. Point de tricot dans lequel deux fils de couleurs différentes sont travaillés ensemble (l'un recouvrant l'autre).

VANISÉ, ÉE [vanize] adj. — Mil. xxᵉ (in Larousse, 1953) ; orig. obscure.

♦ Techn. Doublé (en parlant d'un fil). — Confectionné avec un fil doublé.

VANITÉ [vanite] n. f. — V. 1120 ; lat. *vanitas* «vaine apparence ; jactance».

♦ **1.** Vieilli ou littér. Caractère de ce qui est vain* (2., a et b). ⇒ **Caducité, fragilité, frivolité, futilité** (cit. 1), **inconsistance, insignifiance, néant, vide** (→ Bâiller, cit. 8 ; fantaisie, cit. 2). *La vanité des choses humaines* (→ Éternité, cit. 2), *de l'homme* (→ Amour, cit. 10). — *(Une, des vanités).* Chose vaine. ⇒ **Chimère, fumée, illusion** ; et aussi **erreur, mensonge** (→ Gloire, cit. 25). *Errants de vanités en vanités* (→ Attirer, cit. 47). *« Quelle vanité que la peinture... ! »* (→ 1. Original, cit. 4). — Mod. (avec infl. du sens 2). *Les vanités : les prestiges du monde.* ⇒ **1. Pompe.**
Vanité des vanités, dit l'Ecclésiaste ; vanité des vanités, et tout *n'est que* vanité.
BIBLE (SACY), l'Ecclésiaste, I, 2.
(...) je me promenais le soir dans la basilique (...) que je songeasse à la vanité des grandeurs humaines parmi ces tombeaux dévastés, cela va de suite : morale vulgaire qui sortait du spectacle même (...)
CHATEAUBRIAND, Mémoires d'outre-tombe, t. III, p. 331.
Tréguier, en peu d'années, redevint (...) une vaste monastère où nul bruit du dehors ne pénétrait, où l'on appelait vanité ce que les autres hommes poursuivaient, et où ce que les laïques appellent chimère passait pour la seule réalité.
RENAN, Souvenirs d'enfance..., I, I, Œ. compl., t. II, p. 727.
(Fin xviᵉ). Caractère de ce qui est vain* (2., c). ⇒ **Inanité, inefficacité, inutilité.** *La vanité de nos efforts. Il mesurait la vanité de ses prétentions éducatrices* (→ Cendre, cit. 6).

♦ **2.** Défaut d'une personne, satisfaite d'elle-même et étalant cette satisfaction. ⇒ **Autosatisfaction, complaisance, fatuité, gloriole, importance, infatuation, jactance, orgueil*, ostentation, présomption, prétention, suffisance ; bouffissure, boursouflure, enflure** (cit. 6) ; → Admirateur, cit. 1 ; gloire, cit. 32 ; moi, cit. 57). *Fierté, orgueil*

sans vanité. *« La sotte vanité nous est particulière »* (→ Orgueil, cit. 13). *Mesquine, basse et petite vanité* (→ Détail, cit. 12 ; enthousiasme, cit. 20). *Vanité ridicule* (→ Fumier, cit. 7). *« La sottise et la vanité sont compagnes inséparables »* (cit. 4). *« La flatterie* (cit. 1)... *n'a de cours que par notre vanité ». Sa vanité était blessée* (cit. 13) *pour peu de chose. Caresser* (cit. 22), *flatter* (→ Marâtre, cit. 3), *ménager* (cit. 12) *la vanité de qqn. Faire qqch. par vanité* (→ But, cit. 17 ; confier, cit. 13 ; démordre, cit. 7 ; dépasser, cit. 15). *Plein, rempli de vanité* (→ Glorieux, cit. 18 ; haut, cit. 98). *Avoir une attitude pleine de vanité.* ⇒ **Pavaner** (se). — Vx. *Homme de vanité* (→ Appareil, cit. 6). *« Amour* (cit. 15) *de vanité »* (Stendhal). — Ellipt. *Sans vanité,* soit dit sans vanité (→ Beauté, cit. 36), sans vouloir me vanter. *Sans vanité, j'ai bien réussi.* — *Faire vanité* (vieilli), *tirer vanité de...* : tirer un sujet de vanité de... ⇒ **Enorgueillir** (s'), **glorifier** (se), **vanter** (se). → Détenir, cit. 2 ; émanation, cit. 7 ; figuré, cit. 14. *Avoir la vanité de...,* suivi de l'inf. (→ Fidèle, cit. 6 ; imposer, cit. 3). *La vanité de briller, de plaire* (→ Coquetterie, cit. 5), *de paraître* (→ Seyant, cit.). *Vanité de donner* (cit. 7), *de juger* (→ 1. Faux, cit. 3), *de se montrer savant* (→ Étude, cit. 13), *de penser* (1. Penser, cit. 15) *librement.*

Quelle est la différence entre orgueil et vanité ? En ceci que le vaniteux se contente de signes menteurs, comme si on loue un auteur pour ce qu'il a copié d'un autre ; au lieu que l'orgueilleux se réjouit d'une puissance réelle, qui a donné ses preuves ou qui a fait ses œuvres (...) un homme est vaniteux s'il porte avec plaisir les insignes du courage sans les avoir mérités ; un homme est orgueilleux s'il s'établit dans son courage cent fois prouvé comme dans un bien, considérant toujours ses actions passées et voulant qu'elles suffisent. [4]
ALAIN, Propos, 9 sept. 1921, Orgueil et vanité.

La vanité est la passion dominante de l'homme. Il est faux qu'on puisse faire faire tout ce qu'on veut aux hommes avec de l'argent. Mais on peut faire faire tout, à la plupart des hommes, en les prenant par la vanité. [5]
MONTHERLANT, les Jeunes Filles, p. 162.

(Fin xiiᵉ). Manifestation de la vanité, occasion où elle se manifeste (→ Aristocratie, cit. 4 ; enivrement, cit. 1 ; renoncer, cit. 12).

Il aurait ce nouveau petit triomphe auprès de ses paroissiens, lui, qu'on respectait surtout, parce qu'il était peut-être, malgré son âge, l'homme le mieux musclé du pays. Ces légères vanités innocentes étaient son plus grand plaisir. [6]
MAUPASSANT, l'Inutile Beauté, « Champ d'oliviers », I.

♦ **3.** Concret. *(Une, des vanités).* Image, le plus souvent picturale, évoquant la vanité (sens 1) des occupations humaines et la précarité de l'existence, très en vogue au xviiᵉ siècle. *Les vanités représentent en général un crâne humain entouré d'objets symbolisant les sens* (un instrument de musique pour l'ouïe, une fleur pour l'odorat, etc.).

CONTR. Efficacité, utilité, valeur. — Componction, humilité, modestie, pudeur, simplicité.
DÉR. Vaniteux.

VANITEUSEMENT [vanitøzmɑ̃] adv. — Fin xviiiᵉ, repris 1850 ; de *vaniteux.*

♦ Avec vanité. *Faire vaniteusement étalage de ses mérites et de sa fortune.*

VANITEUX, EUSE [vanitø, øz] adj. — 1743 ; de *vanité* (2.).

♦ Plein de vanité* (2.). ⇒ **Avantageux, content** (de soi), **faraud, glorieux, infatué, orgueilleux, prétentieux, satisfait** (de soi), **suffisant, vain.** — REM. *Vain* et *vaniteux* ont le même sens, mais le premier est vieilli ou littéraire, le second d'usage courant. — *Homme* (cit. 108) *vaniteux* (→ Occasion, cit. 9 ; plaisir, cit. 35 ; renchérir, cit. 5). *Vaniteux comme un paon*.* — Par ext. *Air vaniteux.* ⇒ **Pénétré.** *Solennité, raideur vaniteuse* (→ Augure, cit. 3 ; infatué, cit. 6).

Il était, comme toutes les natures essentiellement vaniteuses et légères, sujet à ce singulier point d'honneur qui consiste à ne pas déchoir aux yeux de son public (...) [1]
BALZAC, la Muse du département, Pl., t. IV, p. 204.

N. *C'est un vaniteux.* ⇒ **Crâneur, fat ;** → Exterminer, cit. 6.

Car Valmont est surtout un vaniteux. Il est d'ailleurs généreux, toutes les fois qu'il ne s'agit pas des femmes et de sa gloire. [2]
BAUDELAIRE, l'Art romantique, XVI, II.

CONTR. Modeste.
DÉR. Vaniteusement.

VANITY-CASE [vanitikɛz] n. m. — 1967 ; mot anglo-amér., de *vanity* « vanité » (employé dans des comp. avec cette valeur), et *case* « valise ».

♦ Anglic. Petite valise ou sac rigide pour les objets de toilette féminins.

Le bouquet *(de jonquilles)* allait juste dans mon grand sac, une mallette carrée genre vanity-case, armoire et salle de bains portatives.
A. SARRAZIN, l'Astragale, 1967, p. 176.

Abrév. cour. : *vanity. Un vanity en cuir, en plastique transparent.*

1. VANNAGE [vanaʒ] n. m. — XVIᵉ; *vanage*, 1293; de 1. *vanner*.

♦ Action de vanner (le grain).

HOM. 2. Vannage.

2. VANNAGE [vanaʒ] n. m. — XVIIᵉ; *vanage*, 1293; de 1. *vanne*. Technique.

♦ **1.** Ensemble des vannes, et, plus généralement, des organes mobiles qui règlent le débit d'un fluide dans un réseau de canalisations; disposition de ces vannes.

♦ **2.** Lieu où un ensemble de vannes est disposé. *Vannage d'une usine de traitement des eaux.*

HOM. 1. Vannage.

1. VANNE [van] n. f. — 1274; var. *venne*, 1375; lat. médiéval *venna*, p.-ê. qui pourrait remonter au celtique, probablt à rapprocher de *van* «treillis d'osier» (Guiraud).

♦ **1.** Panneau vertical mobile disposé dans une canalisation pour en régler le débit. ⇒ **Bonde, déversoir.** *Vanne papillon, à flotteur, à pointeau, à soupape, à registre, automatique. Vannes d'une écluse* (⇒ **Pale,** II.), *d'un moulin. Grille d'une vanne d'écluse. Ouvrir, fermer une vanne.*

1 (...) vous allez fertiliser cette plaine inculte avec de l'eau sagement distribuée dans des rigoles maintenues par ces vannes (...)
BALZAC, le Curé de village, Pl., t. VIII, p. 654.

2 (...) à certaines heures le bruit lointain du réservoir m'arrivait grossi à travers les saules, et en même temps s'élevait, devenait noire, et bientôt mugissait sous mes pieds. C'est là que pour la première fois j'ai éprouvé une espèce de terreur religieuse; car je n'avais pas vu le meunier manœuvrer ses vannes.
ALAIN, Propos, 3 oct. 1907, «L'écluse».

Fig. et fam. *Ouvrir les vannes* : parler d'abondance. — Par métaphore. *Les vannes du ciel se sont ouvertes* (⇒ **Cataracte**).

♦ **2.** Par appos. *Eaux-vannes* : dans certaines industries, eaux chargées de matières en dissolution et qui sont rejetées après avoir servi (→ Eaux usées*). *Écoulement des eaux-vannes.*

DÉR. 2. Vannage, vannelle, 2. vanner.
HOM. 2. Vanne.

2. VANNE [van] n. f. — 1928; «mensonge», 1883; de 1. *vanner* au sens métaphorique de «tourmenter».

♦ Fam., pop. Remarque ou allusion désobligeante à l'adresse de qqn. *Lancer un(e) vanne, des vannes.*

1 (...) la questionneuse imbécile et collante qui, lasse de recevoir des vannes de notre côté, fait causette avec qui veut d'elle (...)
A. SARRAZIN, la Cavale, 1965, p. 356.

On trouve aussi le mot au masculin.

2 «Je reste encore un moment, m'attendez pas!» dit-il. C'était le vanne péremptoire, invitant à évacuer les lieux bécif, et sans commentaires.
Albert SIMONIN, Hotu soit qui mal y pense, 1971, p. 25.

Par ext. Propos excessif. *Arrête tes vannes!* ⇒ **Salade.**

DÉR. 3. Vanner.
HOM. 1. Vanne.

VANNÉ, ÉE [vane] adj. ⇒ Vanner.

VANNEAU [vano] n. m. — 1530; *vaneau*, v. 1360; *vaniel*, v. 1228; de 1. *van*, probablt à cause du bruit, de l'essor ou de la forme de ses ailes.

♦ **1.** Oiseau charadriiforme, de la taille du pigeon, avec une huppe noire. *Des passées de vanneaux et d'outardes* (cit. 2; → aussi pluvier, cit.). *Un œuf de vanneau jaspé* (cit. 2).

(...) il y avait encore les oiseaux du marais, toutes les pattes fines qui font des étoiles sur la vase : des vanneaux huppés de noir, dont les ailes noires, sous la coulée de la lumière, brillaient de reflets chatoyants, tantôt violets et tantôt verts (...)
M. GENEVOIX, Raboliot, II, III.

♦ **2.** (1690; *venniaux, vénaux*, XIIIᵉ). Fauconn. Au plur. Grandes plumes des ailes (⇒ **Penne, rémige**), et, spécialt, plumes d'essor (des oiseaux de proie). On dit aussi *vannes.*

VANNELLE [vanɛl] n. f. — 1904; de 1. *vanne*. Technique.

♦ **1.** Petite vanne. *Vannelles d'écluses des canaux.*

♦ **2.** Petite valve servant à régler l'écoulement de l'eau dans une conduite.

HOM. Vanel.

1. VANNER [vane] v. tr. — XIIIᵉ; *vaner*, 1100; lat. pop. *vannare, class. *vannere*, même sens.

♦ **1.** Secouer (les grains) dans un van, de façon à les nettoyer en les séparant de la paille, des poussières et des déchets. *Vanner du blé, de l'orge...* «*Cependant* (cit. 5) *que j'ahanne, À mon blé que je vanne*» (Du Bellay). — Par métaphore. Secouer, faire voler. «*Les tempêtes vannaient leur poussière*» (Leconte de Lisle, *Poèmes barbares,* Le corbeau).

La France (tant de poussières vannées par le souffle de la Révolution l'attestent) n'est pas fidèle aux ossements.
CHATEAUBRIAND, Mémoires d'outre-tombe, t. II, p. 331.

Grâce à ce vent, Corbières avait le grain le plus propre de toute la vallée, et, quand on vannait sur l'aire, il fallait fermer les fenêtres, là-bas, de l'autre côté de la vallée, dans le petit village de Vinon qui était alors tout assailli par de monstrueux essaims de balles de blé.
J. GIONO, Jean le Bleu, VI.

La mort est là, vannant les âmes dans un crible,
Qui juge, et, de la vie invisible témoin,
Rapporte l'ange à l'astre ou le jette plus loin.
HUGO, les Contemplations, III, XII.

♦ **2.** (1938). Techn. (cuis.). «Remuer une sauce passée au chinois pendant qu'elle refroidit pour éviter la formation d'une croûte» (F. Léry, *Petit lexique des termes culinaires*, in *Technique de la cuisine*, p. 124).

♦ **3.** Fig. (1526; repris XIXᵉ, «poursuivre, tourmenter, railler» en anc. franç., d'où en 1874, *vanner qqn* «attaquer en paroles», qui a donné 3. *vanner**). Accabler de fatigue. ⇒ **Éreinter, harasser.** *Ce travail, cette excursion l'a vanné.*

— Moi, la campagne, ça me vanne, dit le comique en bâillant. Ça me fiche un sommeil! (...) Oui, mais c'est une fatigue saine! décrète la duègne.
COLETTE, l'Envers du music-hall, «La halte».

▶ **VANNÉ, ÉE** p. p. adj.
Épuisé de fatigue. ⇒ **Fatigué, moulu.** *Je suis vanné.*
— Cristi! dit-il, la veuve avait l'air bien vanné ce soir, les excursions ne lui réussissent pas.
MAUPASSANT, Pierre et Jean, VII.

DÉR. 1. Vannage, 2. vanne, vanneur, vannure.
HOM. 2. Vanner, 3. vanner.

2. VANNER [vane] v. tr. — 1694, «garnir de vannes»; de 1. *vanne*.

♦ Techn. Poser des vannes, garnir de vannes.

HOM. 1. Vanner, 3. vanner.

3. VANNER [vane] v. intr. — XXᵉ; de 2. *vanne*, cf. les emplois métaphoriques; de 1. *vanner*, 3.

♦ Dire des vannes.

HOM. 1. Vanner, 2. vanner.

VANNERIE [vanʀi] n. f. — 1680; «atelier de vannier», 1642; «confrérie des vanneurs», 1340; de *vannier*.

♦ **1.** Métier de vannier; industrie qui fabrique des objets tressés avec des fibres végétales, des tiges. *Bois utilisés dans l'industrie de la vannerie.* ⇒ **Bambou, jonc, osier, paille, raphia, roseau, rotin, sorgho.** *Le travail de la vannerie est à la fois un tissage et un tressage.* ⇒ **Lacerie** (ou **lasserie**).

♦ **2.** Objets fabriqués en vannerie. *Grosse vannerie* : corbeilles, paniers, vans... *Vannerie fine, artistique, de fantaisie.*

♦ **3.** Ornementation imitant un travail de vannerie avec des entrecroisements... *Les chapiteaux en vannerie sont fréquents dans l'art roman* (Réau).

VANNES [van] n. f. pl. ⇒ Vanneau, 2.

VANNET [vanɛ] n. m. — 1732; *venet*, XVIᵉ; de 1. *vanne* (au sens ancien de «engin de pêche»).

♦ Techn. (pêche). Filet de pêche qu'on tend sur le bord de la mer pour qu'il soit recouvert par le flux.

VANNETAIS, AISE [vantɛ, ɛz] adj. et n. — 1876, P. Larousse; de *Vannes*, chef-lieu du Morbihan.

♦ De Vannes.
N. m. Dialecte breton parlé dans le Morbihan.

VANNETTE [vanɛt] n. f. — 1680; de 1. *van*.

♦ Agric. Panier rond et plat muni d'un petit rebord, qui sert à vanner l'avoine que l'on donne aux chevaux. ⇒ **Van.**

VANNEUR, EUSE [vanœʀ, øz] n. — 1538; *vanere*, v. 1268; de 1. *vanner*.

♦ **1.** Ouvrier qui vanne les grains (→ Rythmique, cit. 1).

♦ **2.** N. f. Techn. **VANNEUSE** : machine avec laquelle on vanne le grain. ⇒ **Tarare.**

VANNIER [vanje] n. m. — 1530 ; *vanier* «ouvrier qui fabrique des vans», 1296 ; de 1. *van.*

♦ Ouvrier qui travaille l'osier, le rotin, qui les tresse pour la fabrication d'objets divers. *Vannier qui tresse les casiers* (cit. 2) *à homards. Entrelacer des roseaux* (cit. 2) *à la manière d'un vannier. Couteau à équarrir du vannier. Vannier rotinier* (qui travaille le rotin), *vannier canissier* (qui travaille le roseau). Étendu sur

1　(...) il avait pris une fille de rien, une Nomade. Des vanniers ambulants, venus Dieu sait d'où, s'étaient installés pendant un mois à l'entrée du village.
　　　　　　　　　　　　　　　　　　　　H. BOSCO, Hyacinthe, p. 52.
2　Deux jours avant la céleste visite, l'aîné des enfants, jeune garçon de quinze ans, pâle et débile, était mort subitement en exerçant son métier de vannier. Étendu sur sa couche, il tenait encore dans ses doigts crispés l'antenne d'osier maniée par lui au moment fatal.　　　Raymond ROUSSEL, Impressions d'Afrique, p. 444.

DÉR. Vannerie.

VANNURE [vanyʀ] n. f. — 1372 ; de 1. *vanner.*

♦ Matières séparées du grain par le vannage. *Les vannures du blé sont les poussières, la balle, la paille.*
REM. On dit aussi *vannée.*

VANTAIL, AUX [vɑ̃taj, o] n. m. — 1690 ; *ventaille*, 1080 ; *ventail* «vanne», 1144 ; de *vent.*

♦ **1.** Dans l'armure de tête, Partie du casque, du heaume recouvrant le bas du visage et percée d'une ouverture pour laisser passer l'air.

♦ **2.** (1240, *ventaile* «volet»). Panneau mobile pivotant autour d'un axe vertical, et venant battre la rive d'une baie (porte, fenêtre) ou d'une ouverture de meuble qu'il est destiné à fermer. ⇒ **Battant.** *Les vantaux d'une fenêtre, d'une porte. Les vantaux d'une armoire, d'un bahut, d'un dressoir, d'un vaisselier. Porte fermée de deux vantaux de chêne* (→ Bossage, cit. 1). *Le heurt* (cit. 3) *d'un lourd vantail qui se referme* (→ aussi Mécontent, cit. 6).

1　Ces ornements, dont la couleur a passé, décrivent un croissant dans le haut de chaque vantail, et se réunissent en formant une grosse pomme de pin figurée par le haut des montants quand la porte est fermée.
　　　　　　　　　　　　BALZAC, le Médecin de campagne, Pl., t. VIII, p. 329.
2　D'un côté de la galerie s'ouvrent les doubles vantaux des hautes portes enluminées comme des pages de Coran, qui donnent accès dans ses chambres (...)
　　　　　　　　　　　　Jérôme et Jean THARAUD, Rabat..., X.

VANTARD, ARDE [vɑ̃taʀ, aʀd] adj. et n. — Av. 1576 ; de *vanter.*

♦ **1.** Qui a l'habitude de se vanter. ⇒ **Bluffeur, fanfaron, hâbleur, matamore, menteur, rodomont** (vx). *Faire le vantard.* — REM. *Vain* et *vaniteux* désignent un trait de caractère, *vantard* un comportement ; en outre, il est plus péjoratif (suff. *ard*). *Il était vantard, grand parleur* (→ Journalier, cit. 5).

♦ **2.** (1768). Qui manifeste de la vantardise. ⇒ **Vaniteux.** *Avoir un air vantard.*

DÉR. Vantardise.

VANTARDISE [vɑ̃taʀdiz] n. f. — Av. 1850 ; de *vantard.*

♦ Caractère du vantard. *Il est d'une vantardise insupportable.* — Action, propos de vantard. ⇒ **Bluff, exagération, fanfaronnade** (cit. 2), **forfanterie, jactance.** *Ce besoin de forfanterie, de vantardise ingénue propre à tout soldat* (→ Épate, cit. 1). *Des vantardises ridicules.*

　　(...) sans rodomontade et vantardise à l'espagnole ou à la gasconne (...)
　　　　　　　　　　　　Th. GAUTIER, le Capitaine Fracasse, XIV.

VANTER [vɑ̃te] v. — V. 1180 ; pron., 1080, «se glorifier» ; au trans., d'abord «louer, exalter», rare jusqu'au xvie (Montaigne) ; lat. ecclés. *vanitare*, de *vanitas.* → Vanité.

★ **I.** V. tr. Littér. ou style soutenu. Louer les mérites de (qqn, qqch.), parfois exagérément. ⇒ **Célébrer, élever, exalter, louer.** *Vanter qqn par admiration, par intérêt ; sincèrement, hypocritement* (⇒ **Flatter**). — Vx. *Vanter qqn pour un héros.* — «*Les peuples vanteront et Bérénice et Tite* » (→ Levant, cit. 4). — «*Et l'on voit les amants vanter toujours leur choix* » (→ Malpropre, cit. 2, Molière). *Entonner les louanges de qqn, en vanter le mérite. Vanter les exploits* (cit. 3) *d'un héros.* ⇒ **Panégyrique** (faire le). « *Cependant à le voir avec tant d'arrogance* (cit. 3) *vanter le faux éclat de sa haute naissance* ». ⇒ **Sonner** (faire), **surfaire** ; et fam. **mousser** (faire). *Les vérités qu'on vante sans y ajouter* (cit. 16) *foi.* ⇒ **Publier.** *On vantait la générosité de son cœur* (→ Fouler, cit. 7). *Ces femmes dont les hommes vantent la beauté* (→ Minaudière, cit. 2).

1　Chacun vantait la paix, que partout on chassa !
　　　　　　　　　　　　VOLTAIRE, Sahris, « Les cabales ».

───────────────

　(...) il mettait la conversation sur les rares qualités, sur le cœur tendre et l'esprit de Camille ; il vantait sa victime avec une impudence parfaite.
2　　　　　　　　　　　　ZOLA, Thérèse Raquin, XIX.
　(...) de sa voix invincible, de sa voix qui parlait aux entrailles des femmes, il lui vanta la nature et la solitude (...)　　　FRANCE, Les dieux ont soif, XI.
3

Plus cour. *Vanter la forme d'un discours* (→ Fond, cit. 56). *Vanter le célibat* (cit. 4). ⇒ **Préconiser, prôner.** *Vanter ce qu'on propose, sa marchandise** (→ Faire l'article*). *Vanter qqch. à qqn, auprès de qqn* (→ Fille, cit. 9).

★ **II.** V. pron. (1080). ♦ **1.** Absolt. Exagérer ses mérites ou déformer la vérité par vanité. « *La petite assure* (...) *qu'elle a su se défendre. Je parierais bien qu'elle se vante* » (Laclos). « *S'il se vante, je l'abaisse* » (cit. 16). *Il passe son temps à se vanter* (cf. fam. Ne pas se moucher du coude, ne pas se donner de coups de pied...). Ellipt. *Sans me vanter, je pense en être capable.* ⇒ **Flatter** (se). → fam. *Ce n'est pas pour dire*, mais...*

4　Le beau sujet de se réjouir, et de se vanter, la tête levée en cette sorte : Donc, réjouissons-nous, vivons sans crainte et sans inquiétude, et attendons la mort (...)
　　　　　　　　　　　　PASCAL, Pensées, III, 194 bis.
5　Dès que nous avons fait par hasard quelque chose,
　　Nous nous vantons, hélas ! vains souffles qui fuyons !
　　　　　　　　　　　　HUGO, les Contemplations, VI, V.

♦ **2.** (Fin xiie). **SE VANTER DE** : tirer vanité, se glorifier de (qqch. de vrai ou de faux). *Ces fanfarons qui se vantent du bien qu'ils n'ont point fait* (→ Obliger, cit. 11). — Loc. *Il n'y a pas de quoi se vanter :* il n'y a pas à être fier* de sa conduite ; c'est une chose médiocre ou même blâmable, honteuse (→ Déshonorer, cit. 22). *Il n'a pas à s'en vanter :* il n'y est pour rien (→ Ce n'est vraiment pas sa faute* si...).
Se vanter de... (et inf.) : affirmer que l'on a fait (ou que l'on est capable de faire) telle chose, en en tirant gloire ; s'en prévaloir ou s'en féliciter exagérément, avec fatuité. ⇒ **Piquer** (se), **targuer** (se) ; **profession** (faire profession de...). *Il se vantait d'avoir vu le feu* (→ Arme, cit. 10). *Se vanter d'aller jusqu'au bout* (cit. 39) *de ses idées, d'avoir le travail facile* (cit. 2). ⇒ **Flatter** (se). *Il se vante de pouvoir... :* il se fait fort* de... « *Nul ne peut se vanter de se passer* (cit. 145) *des hommes* ». ⇒ **Prétendre.** *Se vanter d'être...* (→ Badaud, cit. 2 ; faible, cit. 16). *Se vanter d'avoir agi avec élégance* (→ Se donner les gants* de...) *...et je m'en vante,* se dit d'un acte qui pourrait être mal interprété, et qu'on ne renie pas. — Vieilli. *Se vanter que...*

6　Trissotin s'est vanté, Madame, qu'il épouserait votre fille.
　　　　　　　　　　　　MOLIÈRE, les Femmes savantes, IV, 4.
7　(...) je mettais de l'orgueil à passer pour ce qu'au fond je n'étais pas du tout ; je me vantais de faire pis que je ne faisais, et je trouvais à cette forfanterie un plaisir bizarre, mêlé de tristesse.
　　　　　　　　　　　　A. DE MUSSET, la Confession d'un enfant du siècle, II, IV.

Iron. *Il ne s'en est pas vanté :* il l'a caché. « *Par prudence, il ne s'était pas vanté d'être champi...* » (Sand, *François le Champi,* p. 96).

▶ **VANTÉ, ÉE** p. p. adj.

Réputé, connu d'une manière flatteuse (→ Avide, cit. 1). *Un lieu visité, vanté* (→ Examiner, cit. 5). « *Ces fleuves tant vantés demeurent sans nom...* » (→ Rivière, cit. 1, Bossuet). *Un homme dont le nom est partout si vanté* (→ Humilité, cit. 21).

CONTR. Abaisser, blâmer, censurer, décrier, dénigrer, déprécier, détracter, diffamer, discréditer, éreinter, excuser (s'), **médire.**
DÉR. Vantard, vanterie.
HOM. Venter.

VANTERIE [vɑ̃tʀi] n. f. — V. 1235 ; de *vanter.*

♦ **1.** Vieilli ou régional. Propos, action de vantard. ⇒ **Bravade, fanfaronnade, forfanterie, gasconnade, hâblerie, jactance** (→ Goguenardise, cit. 2). *Les vanteries les plus extravagantes se succédaient* (→ Monter, cit. 17 ; et aussi histoire, cit. 39). *Vanteries d'un fanfaron.*

1　(*Marat*) a bien plus souvent, parmi ses cris de fureur, des accès de charlatanisme, de vanteries délirantes, qu'un fou seul peut hasarder (...)
　　　　　　　　　　　　MICHELET, Hist. de la Révolution franç., IV, VIII.

♦ **2.** Vx. Caractère du vantard, présomption impertinente. ⇒ **Prétention, vanité.** *Il est d'une vanterie insupportable.*

2　Ce caractère de vanterie excessive était alors assez commun, ainsi qu'on le voit par les types des Taillebras et des Capitans Matamores, reproduits sans cesse dans les pièces comiques, de l'époque, et doit, je pense, être attribué à l'irruption victorieuse de la Gascogne dans Paris, à la suite du Navarrois.
　　　　　　　　　　　　NERVAL, Contes et facéties, « La main enchantée », VII.

VANTERNE [vɑ̃tɛʀn] n. f. — 1800 ; probablt de l'esp. *ventana,* croisé avec *lanterne.*

♦ Argot. Fenêtre.
— As-tu du mastic pour frangir la vanterne (*) ?
(*) *Casser un carreau* au moyen d'un emplâtre de mastic, qui, appuyé sur la vitre, retient les morceaux de verre et en empêche le bruit.
　　　　　　　　　　　　HUGO, les Misérables, IV, VIII, V (La note est de Hugo).

VA-NU-PIEDS [vanypje] n. invar. — 1615, en parlant de paysans insurgés de Normandie ; proprt « (qui) va nu-pieds ».

♦ Personnage très pauvre, misérable qui vit en vagabond. ⇒ **Gueux.** *Un homme de rien* (cit. 76), *un va-nu-pieds. Avoir l'air d'un va-nu-pieds* (→ Habit, cit. 10) : être déguenillé, sale, loqueteux.

1 Il paraîtrait qu'un bohémien, un va-nu-pieds, une espèce de mendiant dangereux serait en ce moment dans la ville.   HUGO, les Misérables, I, II, II.

2 Vous vous serez, ami, sur nos vers égayé ;
   Ou bien vous leur voudriez soulier plus habillé ;
   Oui, mais des va-nu-pieds ne riment pour la gloire.
   D'avoir pris votre avis nous n'irons à la foire.
                                    Germain NOUVEAU, le Calepin du mendiant, Pl., p. 697.

VANVOLE (À LA) [alavãvɔl] loc. adv. — 1607, *à la venvole ; tenir a venvole* « tenir pour inconstant, volage », XIIe ; de *vent,* et *voler.*

♦ Vx. À la légère (encore chez Chateaubriand).

VAPE [vap] n. f. — 1935 ; « bain de vapeur », 1925 ; abrév. de *vapeur.*

♦ Fam. Loc. *Être dans la vape, dans les vapes,* dans l'hébétude due à la somnolence, à un choc, un malaise, une drogue...

1 Je descends l'escalier, telle Line sur les degrés du Casino, les jupes de nuit ramassées sur le bras, les nattes embrouillées, les yeux miteux, encore dans la vape.
                                    A. SARRAZIN, la Cavale, 1965, p. 240.

2 Le sommeil commence à me gagner pour de bon et j'ai idée qu'une ronflette ne me fera pas de mal.
   Il ne me faut pas longtemps pour sombrer dans les vapes.
                                    SAN-ANTONIO, le Secret de Polichinelle, 1958, p. 92.

Fig. *La vape :* situation confuse, suspecte (A. Boudard, *in* Cellard et Rey).

1. VAPEUR [vapœR] n. f. — XIIIe ; lat. *vapor* « vapeur d'eau, fumée ».

♦ **1.** Amas visible, en masses ou traînées blanchâtres, de très fines et légères gouttelettes d'eau de condensation. — REM. Ce sens est impropre, du point de vue scientifique (le mot exact serait *brouillard*). — *La vapeur des brouillards* (1. Brouillard, cit. 2), *de la brume, des nuages* (→ Écheveau, cit. 2 ; estomper, cit. 7 ; grisâtre, cit. 1 ; haut, cit. 8 ; heurter, cit. 35 ; lumière, cit. 5 ; miroir, cit. 6 ; sèchement, cit. 1). *La terre exhalait* (cit. 2) *une vapeur légère.* ⇒ **Fumer ; fumeux.** *Amoncellement* (cit. 2) *de vapeurs* (→ Assembler, cit. 31). *Vapeurs qui circulent* (cit. 6), *voltigent* (→ Levant, cit. 1), *roulent* (→ Montagne, cit. 7). *Lointains* (cit. 13) *estompés de vapeurs. Vapeur en buée* (cit. 1 et 4). *Le cheval expire* (cit. 1) *par les naseaux une vapeur blanche.*

1 Les vapeurs qui s'élèvent ordinairement sur le lac, et s'étendent au-devant des montagnes sous la forme d'un rideau de crêpe, avaient peu à peu élargi les losanges flottantes *(sic)* de leurs réseaux de brouillards.
                                    Charles NODIER, Contes, « Trilby ».

2 (...) la ville entière était ensevelie déjà sous cette vapeur menue, qui, sans tomber, mouillait comme une pluie et glissait sur les maisons et les rues à la façon d'un fleuve qui coule.   MAUPASSANT, Pierre et Jean, IV.

2.1 Pendant que nous mangeons, une marmite où bout la soupe des chiens exhale une vapeur fétide qui vous prend à la gorge et vous fait tousser (...) C'est à vomir ! (...)
                                    O. MIRBEAU, le Journal d'une femme de chambre, p. 35.

(De l'eau vaporisée). *La machine* (cit. 17) *souffle des torrents de vapeur* (→ Frein, cit. 12 ; et aussi fuser, cit. 8 ; haleine, cit. 32). *Vapeur qui s'échappe de la bouilloire.*

2.2 Quel spectacle que le combat entre l'eau et le feu ! Quelle plume pourrait décrire cette scène d'une merveilleuse horreur, et quel pinceau la pourrait peindre ! L'eau sifflait en s'évaporant au contact des laves bouillantes. Les vapeurs, projetées dans l'air, tourbillonnaient à une incommensurable hauteur, comme si les soupapes d'une immense chaudière eussent été subitement ouvertes.
                                    J. VERNE, l'Île mystérieuse, t. II, p. 851 (1874).

Par métaphore. « *Et tout ce bruit... se dissipe* (cit. 15) *en vapeur* ».

♦ **2.** *Vapeur d'eau,* ou, absolt, *vapeur :* eau à l'état gazeux*, état normal de l'eau au-dessus de son point d'ébullition*. *Vapeur atmosphérique provenant de l'évaporation* (cit. 2) *des masses liquides et des parties humides des continents, ainsi que de la respiration des plantes.* ⇒ **Humidité** (atmosphérique).

3 — Une puissance invincible, la vapeur (...) Sire, étendue en vapeur, l'eau veut un espace bien plus considérable que sous sa forme naturelle, et pour le prendre elle soulèverait des montagnes.
                                    BALZAC, les Ressources de Quinola, Prologue, 13.

Utilisation industrielle (cit. 1) *de la vapeur comme force. Cheval*-*vapeur.* — (1794). À VAPEUR : actionné par la vapeur d'eau. *Machine** (cit. 7 et 8). ⇒ **Machine.** *Locomotion, locomotive* (cit. 4) *à vapeur. Vapeur surchauffée**. *Manège* (cit. 3), *batteuse, cisaille... à vapeur. Bateau à vapeur* (→ Indéfiniment, cit. 1 ; progressif, cit. 2). ⇒ **2. Vapeur.**

3.1 On entendait les bourdonnements de la chaudière surchauffée, et la vapeur s'échappait par les soupapes. Le mécanicien siffla, le train se mit en marche, et disparut bientôt, mêlant sa fumée blanche au tourbillon des neiges.
                                    J. VERNE, le Tour du monde en 80 jours, 1873, p. 275.

Loc. fam. *Être à voile** *et à vapeur.*
Couper* *la vapeur. Renverser la vapeur,* la faire agir sur l'autre face du piston, afin d'inverser le sens de la marche de la machine (ce qui a pour premier effet de freiner le mouvement). Fig. Arrê-

ter net une action qui se développait dans un sens dangereux et la mener dans un sens opposé.

4 Soudain la vapeur se renverse
   Toi qui croyais faire la loi
   Tout existe et bouge sans toi   ARAGON, le Roman inachevé, p. 111.

4.1 Soucieuse de démocratiser le pays, l'Amérique a fait sortir de prison les adversaires du régime militariste — les communistes, les socialistes — et s'est appuyée sur eux ; elle a imposé une réforme agraire, dissout les trusts et encouragé la formation des syndicats. Mais elle a rapidement renversé la vapeur : en 47, la grève générale souhaitée par les travailleurs a été interdite.
                                    S. DE BEAUVOIR, Tout compte fait, p. 285.

À toute vapeur : en utilisant toute la vapeur possible, à toute vitesse. *Locomotive* (cit. 2), *train* (cit. 9) *filant à toute vapeur* (→ 1. Grêle, cit. 1 ; jugulaire, cit.).

4.2 Certain, monsieur, répondit le mécanicien. N'oubliez pas que, depuis notre départ, nous chauffons avec tous nos fourneaux allumés, et si nous avions assez de charbon pour aller à petite vapeur de New York à Liverpool !
                                    J. VERNE, le Tour du monde en 80 jours, 1873, p. 299.

Fig. *Aller à toute vapeur,* très vite. — *Faire qqch. à la vapeur,* à la hâte, en se pressant.

Vx. *Sous petite vapeur* (J. Verne, le Tour du monde en 80 jours, p. 140).

(1762). *Bain de vapeur.* ⇒ **Étuve.** *Chauffage par circulation de vapeur.* — *À la vapeur. Cuire à la vapeur* (→ 1. Farce, cit. ; riz, cit. 2). *Pommes de terre cuites à la vapeur* (ellipt. *pommes vapeur*). *Repassage à la vapeur. Assouplir à la vapeur.* ⇒ **Bruir.** *Stérilisation à la vapeur* (⇒ **Autoclave**).

♦ **3.** (XVIe ; → Cinabre, cit. 2). Vieilli. Toute espèce d'exhalaison de corps liquides ou solides. ⇒ **Émanation** (cit. 4), **esprit** (II., 2.), **exhalaison, fumée, gaz.** *Vapeur souterraine qu'on appelle mouffette* (cit.). ⇒ **Mofette.** *Le feu dissipe le mercure* (cit. 3) *en vapeurs. Vapeur d'encens* (→ Anéantir, cit. 15), *d'opium* (→ Lourd, cit. 19), *de tabac* (→ 1. Feu, cit. 41). *Vapeurs aromatiques* (→ Imprégnation, cit. 3), *désinfectantes* (⇒ **Fumigation**), *suffocantes.*

5 Les mots d'*exhalaison* et de *vapeur* se prennent d'ordinaire indifféremment l'un pour l'autre ; mais les auteurs exacts les distinguent. Ils appellent *vapeurs,* les fumées humides qui s'élèvent de l'eau et des autres corps liquides ; *exhalaisons,* les fumées sèches qui viennent des corps solides, comme la terre, le feu, les minéraux, les soufres, les sels, etc.
                                    D'ALEMBERT, in Encycl. (DIDEROT), art. Exhalaison (1756).

6 Une vapeur de tabac voilait un peu, comme un très fin brouillard, les parties lointaines, la scène et l'autre côté du théâtre. Et s'élevant sans cesse, en minces filets blanchâtres, de tous les cigares et de toutes les cigarettes que fumaient tous ces gens, cette brume légère montait toujours (...)   MAUPASSANT, Bel-Ami, I, I.

(XVIIe). Méd. (Ancienn). Exhalaison* qu'on supposait s'élever du sang et des diverses humeurs jusqu'au cerveau (→ Exhaler, cit. 16 ; fuligineux, cit. 3 ; infecter, cit. 2 ; muet, cit. 1). *Vapeur noire et maligne.* — (1664 ; cour.). Vieilli. N. f. pl. VAPEURS : troubles et malaises divers (étourdissements, vertiges, migraines...) supposés dus à ces « vapeurs » (→ Éteindre, cit. 56 ; hébéter, cit. 5 ; langueur, cit. 7). *Prise de pâmoisons* (cit. 2) *et de vapeurs.* — Hypocondrie (cit. 1). *Le spleen* (cit. 1) *ou les vapeurs anglaises.*

7 — C'est que ma maîtresse a ses vapeurs. J'accourais vous prier de nous prêter votre flacon d'éther.   BEAUMARCHAIS, le Mariage de Figaro, III, 9.

(Av. 1613). Se dit de tout ce qui peut troubler le cerveau (⇒ **Entêter**). *Les vapeurs du vin fermentaient dans mes veines* (→ Bien-aimé, cit. 5 ; et aussi doute, cit. 23). *Les vapeurs de l'ivresse, de la colère* (→ Ablution, cit. 3). — Fig. *Les vapeurs enivrantes* (cit. 3) *de l'orgueil.*

♦ **4.** Phys., chim. Substance à l'état gazeux au-dessous de sa température critique ; en particulier, gaz dont le point de condensation, sous la pression atmosphérique, se trouve au-dessous de la température ordinaire. *Vapeur d'eau* (→ ci-dessus, 2.), *d'essence. Pression** *de vapeur. Tension** *de vapeur. Un liquide dans une enceinte fermée est surmonté de sa vapeur. Vapeur saturante,* dont la pression cesse de croître (elle existe en équilibre avec son liquide). *Abaissement des pressions de vapeur des deux constituants volatils d'un mélange* (pour permettre la séparation par distillation). *Condensation de la vapeur par diminution de l'espace libre au-dessus du liquide pur. Point critique des vapeurs,* pour lequel elles présentent la même densité que le liquide. *Vapeur sèche,* sans son liquide générateur.* — *Densité de vapeur :* densité d'un gaz par rapport à celle de l'hydrogène ou de l'air.

DÉR. et COMP. Contre-vapeur. — Vape, vapocraquage.
HOM. 2. Vapeur.

2. VAPEUR [vapœR] n. m. — 1842 ; n. f., 1828 ; ellipse de *bateau à vapeur.*

♦ Bateau à vapeur. ⇒ **Steamer** (→ Cheminée, cit. 5 ; parcourir, cit. 3 ; quai, cit. 1). *Petit vapeur italien.* ⇒ **Vaporetto.**

À côté des clippers apparaissent dans le port de San Francisco les énormes vapeurs du Pacifique, véritables villes flottantes ; puis d'autres vapeurs, de formes moins

grandioses, faisant les voyages de la côte de Californie et de l'Orégon; enfin les steamers de la baie et des fleuves et rivières de l'intérieur.
L. SIMONIN, Voyage en Californie, in le Tour du Monde 1862, t. I, p. 6.

HOM. 1. Vapeur.

VAPOCRAQUAGE [vapokʀakaʒ] n. m. — 1973, Journ. off.; du rad. de vapeur, et craquage.

♦ Techn. Craquage* d'un hydrocarbure en présence de vapeur d'eau (équivalent franç. de l'angl. steam cracking).

DÉR. Vapocraquer, vapocraqueur.

VAPOCRAQUER [vapokʀake] v. tr. — 1975, Larousse; de vapocraquage.

♦ Techn. Procéder au vapocraquage* de (une coupe pétrolière) pour dégager de l'éthylène.

VAPOCRAQUEUR [vapokʀakœʀ] n. m. — 1973, Journ. off.; de vapocraquage.

♦ Techn. Installation de vapocraquage (équivalent franç. de l'angl. steam cracker).

VAPOMÉTALLURGIE [vapometalyʀʒi] n. f. — V. 1970; de vapeur, et métallurgie.

♦ Techn. Technique permettant d'obtenir des dépôts métalliques par évaporation sous vide, puis condensation sur les surfaces à revêtir, de métaux chauffés.

VAPORETTO [vapoʀeto; vapoʀɛtto] n. m. — Attesté mil. xxᵉ (1973, in D.D.L.); mot ital., de vapore «vapeur».

♦ Petit vapeur, bateau faisant le service des voyageurs, en Italie (notamment à Venise).

VAPOREUSEMENT [vapoʀøzmɑ̃] adv. — 1862; de vaporeux.

♦ Littér. D'une manière vaporeuse; avec qqch. de vaporeux (→ Fange, cit. 4).

Je n'ai encore rien vu en peinture d'aussi vaporeusement lumineux, et d'une qualité de pastel aussi neuve (...)
Ed. et J. DE GONCOURT, Journal, 21 janv. 1882, t. VI, p. 124.

VAPOREUX, EUSE [vapoʀø, øz] adj. — xivᵉ, lat. impérial vaporosus «plein de vapeurs»; de vapor.

♦ 1. Littér. Où la présence de la vapeur* est sensible; que des vapeurs couvrent, voilent. ⇒ Nébuleux. Horizons, ciel (cit. 18) vaporeux. « Et le char (cit. 2) vaporeux de la reine des ombres... ». Lumière frisante (cit. 1) et vaporeuse. — (En peinture). Lointain (cit. 10) vaporeux, aux contours incertains comme s'il était voilé de vapeurs. ⇒ Flou, fondu (→ 1. Feuillé, cit. 2).

1 Les peupliers sur l'autre rive sont à peine dessinés d'un trait immatériel dans la brume. On devine le ciel bleu; les mouettes effleurent d'un vol blanc les fantômes d'arbres. Ce paysage vaporeux où tout est silence, pureté de givre, joie rose d'aurore, doit ressembler aux jardins du Paradis.
J. CHARDONNE, Éva, II.

N. m. Le vaporeux. ⇒ Sfumato.

♦ 2. Qui est léger, fin et transparent, quasi immatériel. ⇒ Aérien, éthéré. Tissu vaporeux. Cheveux vaporeux, mousseux. Nuques, tempes vaporeuses (→ Bestialité, cit. 2; bourrelet, cit. 4; saut-de-lit, cit.). — (Personnes). Qui semble immatériel, enveloppé de vapeurs.

2 Il vient de se lever là, devant moi (...) une femme étrange : elle m'a semblé plutôt appartenir à la nature des ombres qu'au monde des vivants. Elle est si svelte, si légère, si vaporeuse, qu'elle doit être diaphane.
BALZAC, Adieu, Pl., t. IX, p. 756.

♦ 3. (1696; n., 1689). Vx. Qui souffre de vapeurs*, est sujet aux vapeurs. — Mélancolique (→ Libertin, cit. 10). ⇒ Hypocondre.

3 Je vous avertis, ma chère enfant, de la part de Mᵐᵉ de La Fayette et de toute la nombreuse troupe des vaporeux, que les vapeurs d'épuisement sont les plus dangereuses et les plus difficiles à guérir.
Mᵐᵉ DE SÉVIGNÉ, Lettre à Mᵐᵉ de Grignan, 6 avr. 1689, in D.D.L., II, 9.

VAPORISAGE [vapoʀizaʒ] n. m. — 1867; de vaporiser.

♦ Techn. Opération consistant à soumettre des textiles à l'action de la vapeur, en vue de donner de l'apprêt, de fixer les couleurs, etc.

VAPORISATEUR [vapoʀizatœʀ] n. m. — 1891; «appareil à produire de la vapeur, inhalateur», 1824; du rad. de vaporiser.

♦ Petit pulvérisateur (→ Injecter, cit. 3). Vaporisateur à parfum, à fixatif. ⇒ Aérosol, atomiseur, nébuliseur.

VAPORISATION [vapoʀizasjɔ̃] n. f. — 1756; de vaporiser.

♦ 1. Phys. Passage d'une substance de l'état liquide à l'état gazeux (sous l'effet de la chaleur). ⇒ Évaporation; et aussi sublimation, volatilisation. Vaporisation dans le vide, en atmosphère gazeuse limitée... Chaleur latente* de vaporisation.

Mon dessein, en substituant dans tout cet article le mot de vaporisation à celui d'évaporation (...) n'était nullement de mettre un mot nouveau à la place d'un ancien, mais de ne pas confondre sous une seule dénomination deux phénomènes très différents. La vaporisation est le passage d'un corps de l'état de liquidité à celui d'expansibilité (...) c'est ce qui arrive à l'eau échauffée au-dessus du degré de l'eau bouillante. L'évaporation est la déperdition que fait un corps liquide, ou même solide, d'une partie de son volume, lorsqu'il est exposé à l'air libre.
Encycl. (DIDEROT), art. Expansibilité.

♦ 2. (1904). Action de vaporiser (2.). ⇒ Pulvérisation.

VAPORISER [vapoʀize] v. tr. — 1771; dér. sav. de vapeur, en lat. vapor.

♦ 1. Didact. Opérer la vaporisation* de... ⇒ Gazéifier. — Pron. Liquide qui se vaporise à telle température (⇒ aussi Évaporer).

♦ 2. (1866, in Année sc. et industr. 1867, p. 352). Disperser et projeter en fines gouttelettes. L'embrun (cit.) que la pluie vaporisait. ⇒ Pulvériser. — (Sujet n. de personne). Vaporiser un parfum (→ Santal, cit.), un insecticide (cit. 2).

♦ 3. Poét. Revêtir d'un aspect vaporeux (→ Fondre, cit. 34). La rêverie qui vaporise tout (→ Pluriel, cit. 2).

De l'air plus transparent le cristal est limpide,
Des mots vaporisés l'azur vague et liquide
S'y fond avec l'azur des cieux.
LAMARTINE, Recueillements poétiques, XL.

CONTR. Solidifier.
DÉR. Vaporisage, vaporisateur, vaporisation, vaporiseur.

VAPORISEUR [vapoʀizœʀ] n. m. — 1876; de vaporiser.

♦ 1. Appareil produisant la vaporisation.

♦ 2. (1904). Syn. de vaporisateur.

VAPORISTE [vapoʀist] n. m. — Mil. xxᵉ; dér. sav. de vapeur, en lat. vapor.

♦ 1. Agent de conduite d'une locomotive à vapeur.

♦ 2. Partisan de la traction à vapeur. « Levis Armand fut nécessairement vaporiste à ses débuts » (Sciences et Avenir, 1980, p. 47).

VAPOR LOCK [vapoʀlɔk] n. m. — 1964; mots angl. (1934), de vapor, var. amér. de vapour «vapeur», et lock «obstruction», de to lock «fermer, verrouiller».

♦ Angl. Techn. Panne d'alimentation d'un moteur à explosion (avion, auto), due à une trop forte évaporation du carburant. Calque français : bouchon de vapeur. « (...) si la tendance à s'évaporer est trop forte, comme cela se produit parfois en été, elle perturbe l'alimentation. Ce phénomène est appelé vapor lock : des tampons de vapeur se forment dans le circuit d'alimentation et, lorsqu'ils atteignent le carburateur, aucun mélange inflammable n'est plus admis » (Science et Vie, nº 100, p. 54, 1973).

VAQUER [vake] v. — 1265; du lat. vacare, proprt «être vide».

♦ 1. V. intr. (Vieilli). Être vacant, inoccupé, sans titulaire. — (1636). Admin. Être en vacances. Le temps où le tribunal vaque (→ Origine, cit. 7). Les classes, les cours vaqueront de telle date à telle date. ⇒ Cesser.

1 (...) il a les yeux ouverts sur tout ce qui vaque, poste, abbaye, pour les demander (...)
LA BRUYÈRE, les Caractères, VIII, 26.

2 Le roi percevait les fruits de la vacance, on pouvait être sûr que les sièges vaqueraient longtemps comme sous Guillaume le Roux, qui avait affermé un archevêché, quatre évêchés, onze abbayes.
MICHELET, Hist. de France, IV, v.

♦ 2. V. tr. indir. (xiiiᵉ). Vaquer à... : s'occuper de..., s'appliquer à... ⇒ Livrer (se). Vaquer à son ouvrage (→ 1. Dire, cit. 1), à ses travaux (→ Lapicide, cit.), à ses occupations (→ Pleurer, cit. 29), aux soins du ménage (→ 1. Le, cit. 18), au soin des sacrifices (→ Sacerdoce, cit. 1). Vieilli. Vaquer à la philosophie (→ Génie, cit. 9), à la recherche de la vérité (→ Doute, cit. 11).

3 On ne peut imaginer que le peuple reste incessamment assemblé pour vaquer aux affaires publiques (...)
ROUSSEAU, Du contrat social, III, iv.

4 Les deux vieilles mères sont très heureuses et vaquent aux menus détails de la maison et du commerce.
BALZAC, le Médecin de campagne, Pl., t. VIII, p. 405.

5 Il s'était démis en 1829 de ses fonctions de Secrétaire perpétuel de l'Académie française, soit pour vaquer plus entièrement à ses études, soit pour quelque autre motif (...)
SAINTE-BEUVE, Causeries du lundi, 6 oct. 1851.

6 En permission, il ne parlait jamais de la guerre et, dès en arrivant, se mettait à vaquer aux travaux de la ferme comme s'il eût repris une besogne lâchée la veille.
M. AYMÉ, la Vouivre, p. 56.

7 Pour ne pas me laisser devancer par l'Humanité qui devra bientôt, j'imagine, vaquer à la réhabilitation de Trotsky, je me décide à entrer dans l'épaisse auto-biographie du compagnon de Lénine devant laquelle j'avais, jusqu'ici, reculé.
F. MAURIAC, Bloc-notes 1952-1957, p. 223.

(XVIIᵉ). Vx. *Vaquer à qqn*, s'en occuper.

Absolt. Par plais. Aller (en manifestant une activité dont le but n'apparaît pas); s'occuper à des riens. *Qu'est-ce que tu fais? — Oh, rien! Je vaque.*

8 Que de tracas pour un coq qui vivait jusque-là en paix, vaquant la crête en l'air d'un poulailler à l'autre!   R. FALLET, Y-a-t-il un docteur dans la salle?, p. 270.

DÉR. 1. Vacation.

VAQUERO [vakeʀo] n. m. — 1847; *vaqueiro*, 1822; mot esp., de *vaca* «vache».

♦ Bouvier, vacher, conducteur de taureaux (dans un pays de langue espagnole). — REM. La var. *vaqueiro* est portugaise (et brésilienne).

VAQUETTE [vakɛt] n. f. — 1872; dimin. de *vaque*, forme dial. de *vache*.

♦ Régional. *Arum maculatum* (plante).

VAR [vaʀ] n. m. — 1948; initiales de *(v)olt (a)mpère (r)éactif*.

♦ Phys. Unité de puissance réactive, correspondant à un courant alternatif de 1 ampère sous une chute de tension de 1 volt. *Mesure d'une puissance réactive en vars.* ⇒ **Varmètre.**

COMP. Varheure, varmètre.

VARA [vaʀa] adj. — 1977; sigle de *Vol Apprêté (avec) Réservation à l'Avance.*

♦ *Vol vara :* vol pour lequel les passagers doivent réserver et payer soixante jours à l'avance. — N. m. *Un vara.*

VARACTOR [vaʀaktɔʀ] n. m. — 1968; mot angl., de *var*, et *(re)actor*.

♦ Électron. Diode à semi-conducteur utilisée à des fréquences élevées (plusieurs centaines de mégahertz).

VARAIGNE [vaʀɛɲ] n. f. — 1752; *varengue*, 1580; probablt forme dial. de *varenne*, var. de *garenne*.

♦ Régional. Ouverture, tuyauterie de bois par laquelle l'eau de mer entre dans un marais salant.

VARAN [vaʀɑ̃] n. m. — 1812; du lat. zool. *varanus*; 1810, une première fois, *varain*, v. 1210; de l'arabe *wărăl* «lézard géant».

♦ Reptile saurien *(Lacertiens)*, grand lézard à langue protractile, vermiforme. *Les varans sont carnassiers; certaines espèces, le varan du Nil, et le varan à deux bandes (d'Asie) atteignent 1,50 m à 3 m de long. — Varan de terre, varan d'eau.*

HOM. Warrant.

1. VARANGUE [vaʀɑ̃g] n. f. — 1573; *varengue*, 1382; mot germanique selon le F. e. w., cf. néerl. *Vrang*, anc. angl. *wrang(a)*, etc.; mais l'esp., le portugais postulent pour un dérivé du lat. *vara* «perche» avec un suff. *-inicus* (Guiraud).

♦ Mar. Pièce courbe ou fourchue placée sur la quille, fixée par son milieu perpendiculairement à l'axe du bâtiment et qui est prolongée par les allonges (⇒ aussi **Genou**). *Courbure des varangues.* ⇒ **Accutement.**

Nous passons ensuite à l'assemblage des varangues sur les membrures et, deux semaines après le coup de sifflet, la quille prend place à l'intérieur de deux grandes roues disposées verticalement sur un même plan. Puis les couples sont alignés.
Bernard MOITESSIER, Cap Horn à la voile, 1971, p. 43.

HOM. 2. Varangue.

2. VARANGUE [vaʀɑ̃g] n. f. — 1752; *warangue*, 1736; in Chaudenson, *Lexique du parler créole de la Réunion*; du port. *barandra.* → Véranda.

♦ Ancienn. Véranda (en usage notamment dans les anciens Établissements français de l'Inde, etc.).

1 Elle était flanquée, sur les deux façades, de galeries ouvertes, assez insolites si loin des Indes, où on les nomme : varangues.
P.-J. TOULET, la Jeune Fille verte, I.

2 Dans la brousse, aussitôt qu'on s'éloigne des maisons des fonctionnaires, où les

photophores grésillent sous les varangues, la chaleur est plus dense, et la nuit est lourde de paroles et de murmures.   B. CENDRARS, Rhum, p. 155.

HOM. 1. Varangue.

VARAPPE [vaʀap] n. f. — V. 1925; «réunion d'ascensionnistes qui, les premiers, descendirent le ravin de la Varappe», 1876; de *Varappe* (n. d'un couloir rocheux du mont Salève, près de Genève).

♦ Alpin. Ascension d'un couloir rocheux, d'une paroi abrupte, en montagne, dans un groupe de rochers ou sous terre (→ cit. ci-dessous).
Faire de la varappe : pratiquer l'escalade de rocher. ⇒ **Varapper.**

(...) l'alpiniste retrouve, sous terre, tous ses droits, mais la varappe et le pitonnage sont bien plus difficiles sur des parois engluées d'argile et dans de la roche calcaire que sur un bon granit sec.   Félix TROMBE, la Spéléologie, p. 50.

DÉR. Varapper, varappeur.

VARAPPER [vaʀape] v. intr. — 1898; de *varappe.*

♦ Faire de la varappe*.

VARAPPEUR, EUSE [vaʀapœʀ, øz] n. — 1895; de *varapper.*

♦ Alpiniste qui fait de la varappe. ⇒ **Grimpeur, rochassier.**

VARECH [vaʀɛk] n. m. — 1369; *warec* «épave», v. 1112; anc. scandinave *vágrek* «épave». → Vrac.

♦ **1.** Vx. Tout ce que la mer rejette (épaves). *Droit de varech.*

♦ **2.** (1732, *varech* ou *vraicq;* dès le XIVᵉ, en normand). Mod. Ensemble des algues, goémons, fucus... rejetés par la mer et qu'on récolte sur le rivage, notamment pour les utiliser comme engrais* (→ Algue, cit. 2; 2. pêche, cit. 4). *Soude de varech. — Paillasse de varech.*

1 La vague l'épargne-t-elle quand, dans les terribles nuits de l'hiver, il va par les écueils attirer le varech flottant qui doit engraisser son champ stérile, et que si souvent le flot apporte l'herbe et emporte l'homme?
MICHELET, Hist. de France, III.

2 Quand la mer se retire, j'ai cueilli le varech;
Sec, il a fait la couche rêche et parfumée
Où, chaque soir, femme et moi, fatigués, nous dormons.
GIDE, le Roi Candaule, I, Prologue.

3 Toujours la même émotion à retrouver la mer, cette personne chère, au bout de l'allée de peupliers (...) À peine les portières ouvertes, cette odeur d'iode et de varech qu'on ne sent qu'en Bretagne s'engouffre brutalement dans la voiture.
Benoîte et Flora GROULT, Journal à quatre mains, p. 29.

♦ **3.** Algues brunes ou *Phéophycées (Fucacées).*

VARENNE [vaʀɛn] n. f. — 1685; *varene* «terrain où il est défendu de chasser sans la permission du seigneur», 1271; var. de *garenne*.
REM. Selon Dauzat, le mot, confondu parfois avec *garenne*, dérive initialement du prélatin *vara* «eau». → Varaigne.

♦ Terrain inculte (⇒ Friche, I., 2.), où l'on fait pâturer les bestiaux et que fréquente le gibier (⇒ **Garenne**).

VAREUSE [vaʀøz] n. f. — 1784; de *varer*, v. 1180, var. normande de *garer*.

♦ **1.** Blouse courte en grosse toile, que mettent les marins*, les pêcheurs pour protéger leurs vêtements (→ Rapiéçage, cit. 3; suroît, cit. 1). — Par ext. *Vareuse de laine*, de forme analogue.

Ryno les vit descendre de la falaise, et suivit de l'œil jusque sous les maisons de Carteret la longue vareuse¹ et le mantelet de ratine de Velleni.   BARBEY D'AUREVILLY, Une vieille maîtresse, II, XV.
1. C'est le nom que les paysans du Cotentin donnent à la blouse. — Note de l'auteur.

Blouse courte de l'uniforme des matelots et quartiers-maîtres de la Marine nationale.

♦ **2.** (1849, *in* D. D. L.). Veste assez ample, petit par-dessus féminin.

♦ **3.** (1872). Veste* (de drap, etc.) de certains uniformes (→ Col, cit. 11; distinguer, cit. 29). *Vareuse kaki* (2. Kaki, cit. 2).

♦ **4.** Veste assez ample (de drap, de flanelle...) servant de vêtement d'intérieur (→ Lâche, cit. 1) ou de sport (→ Marine, cit. 8). ⇒ **Caban.**

VARGUEÑO [vaʀgeɲo] n. m. — XXᵉ; mot esp., de *Vargas*, nom de lieu.

♦ Didact. (hist. de l'art). Meuble espagnol du XVIᵉ ou XVIIᵉ siècle, coffre sur pieds en colonnes torses, dont le devant est constitué par un abattant décoré de plaques métalliques ouvragées et dorées.

(...) la ville de Vargas près de Tolède, fabriquait des cabinets à volet abattant, décorés d'une marqueterie géométrique assez particulière, appelés *Vargueños.*
Guillaume JEANNEAU, le Mobilier français, p. 45.

VARHEURE [vaʀœʀ] n. m. — 1953 ; de *var*, et *heure*.

♦ Électr. Unité d'énergie réactive correspondant à la mise en jeu d'une puissance de 1 var pendant une heure.

DÉR. **Varheuremètre.**

VARHEUREMÈTRE [vaʀœʀmɛtʀ] n. m. — 1953 ; de *varheure*, et *-mètre*.

♦ Techn., sc. Appareil de mesure de l'énergie réactive.

VARI [vaʀi] n. m. — 1761, Buffon ; mot malgache.

♦ Animal lémurien, variété de maki*, dans la classification de Buffon (*Hist. nat. des animaux, in* Œ., t. III, p. 467).

HOM. Formes du v. **varier.**

VARIA [vaʀja] n. m. pl. — 1872, *in* Littré ; mot lat. « choses variées ».

♦ **1.** Didact. Recueil d'œuvres variées.

♦ **2.** (1973). Article ou reportage se rapportant à des sujets variés et souvent anecdotiques (t. d'agence de presse ; équivalent de l'angl. *features*).

HOM. Forme du v. **varier.**

VARIABILITÉ [vaʀjabilite] n. f. — V. 1400 ; *variableté*, xivᵉ ; de *variable.*

♦ **1.** Caractère de ce qui est variable. *Variabilité du temps* (⇒ **Incertitude**), *des goûts, des humeurs.* ⇒ **Fluctuation.** — *Variabilité d'une grandeur.* — (1872). Gramm. *Variabilité d'un mot.* ⇒ **Accord.**

♦ **2.** Caractère des éléments variables (2., b) d'un ensemble.

♦ **3.** Biol. Grandeur qui mesure l'ampleur des variations d'un caractère.

On emploie souvent, dans les ouvrages de biologie, *variabilité* dans le même sens que *variation*, c'est-à-dire pour désigner le fait que les individus d'un même groupe, ou d'une même population, diffèrent entre eux. Mais *variabilité* exprime l'idée d'une *capacité* de variation (...) Les *indices de variabilité* sont les valeurs qui expriment la dispersion autour de la moyenne ; ce sont notamment l'Écart-étalon, la Variation moyenne, l'Écart probable (...) Le *coefficient de variabilité* est l'indice de variabilité rapporté à la moyenne ou au mode (...)
CLAPARÈDE, *in* LALANDE, art. *Variabilité.*

CONTR. **Constance, invariabilité.**

VARIABLE [vaʀjabl] adj. — Fin xiiᵉ, « inconstant » ; du lat. *variabilis*, de *variare* « varier ».

Qui varie, est de nature à varier.

♦ **1.** Qui est susceptible de se modifier, de changer souvent au cours d'une durée. ⇒ **Changeant.** *Temps variable.* ⇒ **Incertain, instable.** — N. m. (Météor.). *Le variable :* désignation, sur un baromètre, des limites de pression qui correspondent en un lieu à une forte probabilité de changement rapide dans l'état de l'atmosphère. *L'aiguille est au variable, sur le variable.* — *Vent variable*, qui change souvent de direction ou d'intensité. *Flamme variable* (→ 1. Ombre, cit. 33).

Le temps était variable alors, mais le baromètre n'oscillait pas par mouvements brusques, et l'on pouvait compter sur un temps maniable.
J. VERNE, l'Île mystérieuse, 1874, t. II, p. 572.

♦ **2.** Sc. **a** Adj. (1704). Qui prend, peut prendre plusieurs valeurs distinctes ; qui est sujet à variations (opposé à *constant*). *Grandeur* (→ Limite, cit. 12), *quantité variable.* — Astron. *Étoiles* variables, dont l'éclat varie au cours du temps.

b N. f. (1765). *Une variable :* symbole ou terme auquel on peut attribuer plusieurs valeurs numériques différentes (→ Indéterminisme, cit. 1). *Variables indépendantes* (→ Dimension, cit. 2) ; *dépendantes. Correspondance entre deux variables.* ⇒ **Fonction.** *Fonction de deux variables.* — Log. « Terme indéterminé susceptible d'être remplacé alternativement par divers termes déterminés » (Lalande). *Variable apparente, liée ; variable réelle, libre*, qui peut rendre vraie ou fausse une proposition selon ses valeurs. *Variable individuelle, prédicative* (termes abstraits).
Inform. Information identifiée par un nom, une adresse et pouvant prendre différentes valeurs.
Statist. *Variable aléatoire*, ensemble des événements élémentaires probables, exprimés par des nombres réels.
Phys., chim. Facteur dont dépend l'état d'un système. *Variable de position* (volume, entropie, etc.). *Variables de tension* (pression, température, etc.). — Biol. *Variable écologique, taxinomique.*

♦ **3.** Adj. (1798). *Mot variable*, dont la forme (⇒ **Morphologie**) est susceptible de se modifier (par changement de désinence*, etc.). *Mot variable en genre et en nombre, variable selon la fonction grammaticale.*

♦ **4.** Qui prend plusieurs valeurs, plusieurs aspects, qui varie selon les cas individuels, ou selon les circonstances. *Part variable, de 30 à 50 %* (→ Moyenne, cit. 5). *Intensité variable des excitations* (cit. 13). *Loi, règlements, dispositions,... variables selon les cas* (⇒ aussi **Élastique**).

Humanité, constante (cit. 5) *dans sa nature et si variable dans ses apparences.* ⇒ **Diversiforme.**

♦ **5.** Qui présente ou peut présenter des transformations, se réaliser diversement. *Formes variables, évanescentes des nuages*, variées et changeantes. ⇒ **Fugitif.** *Les formes du beau* (cit. 99) *sont variables.*

♦ **6.** (xxᵉ). Qui est conçu, fabriqué pour subir des variations. *Moteur à vitesse de rotation variable. Hélice à pas variable* (→ 1. Pale, cit.). *Lentilles à foyer variable* (appareils de prise de vues de cinéma, de télévision). *Objectif à focale variable.* ⇒ **Zoom.** *Avion à flèche variable.*

CONTR. **Constant, continu, ferme, fixe, immuable, invariable, stationnaire.**
DÉR. **Variabilité, variablement.**

VARIABLEMENT [vaʀjabləmã] adv. — V. 1380 ; de *variable.*

♦ Rare. D'une manière variable, inégale. ⇒ **Inégalement.**

CONTR. **Invariablement** (plus courant).

VARIANCE [vaʀjãs] n. f. — 190?, *in Rev. gén. des sc.*, n° 8, p. 417 ; de *-variant* dans *invariant, covariant.*

♦ **1.** Sc. Nombre de conditions définissant un système physique ou chimique et que l'on peut faire varier arbitrairement sans détruire l'état d'équilibre du système.

♦ **2.** (1964). Statist. Moyenne des carrés des écarts* (d'une variable aléatoire par rapport à sa valeur moyenne, caractérisant sa fluctuation ou sa dispersion*). *L'écart type, racine carrée de la variance.* « *La part de la variance des salaires expliquée par les écarts interentreprises est plus grande pour les ouvriers que pour les non ouvriers* » (Simonnot, 72, *in* P. Gilbert).

VARIANT, ANTE [vaʀjã, ãt] adj. et n. m. — 1382, « versatile » ; de *varier.*

♦ **1.** Vx. Qui varie, change sans cesse. *Humeur variante* (Académie). ⇒ **Changeant, variable.**

♦ **2.** Qui présente des variations par rapport à une moyenne. ⇒ **Variable.**

♦ **3.** Chim. En composition. Qui a une variance non nulle. *Uni-* ou *monovariant, bi-* ou *divariant.*

♦ **4.** N. m. (1933). Biol., vieilli. ⇒ **Mutant.**

DÉR. **Variante.**
COMP. **Sous-variant.**

VARIANTE [vaʀjãt] n. f. — 1718 ; de *variant*, p. prés. de *varier.*

★ **I. ♦ 1.** Passage (d'un texte) qui diffère de la leçon* principale ou admise généralement, pour les textes imprimés, de celle que porte les éditions courantes. *Édition critique d'une œuvre, accompagnée des variantes. Les variantes des manuscrits d'une chanson de geste. Collationner les variantes d'un texte.*

♦ **2.** **a** Moyen d'expression (mot, construction, ensemble de traits phonétiques...) qui s'écarte de la norme* d'une langue, telle qu'elle est acceptée par une communauté. *Variantes régionales, dialectales... d'un mot, d'une expression* (→ 2. Gonfle, cit. 1 ; pataquès, cit.). *Rescapé est une variante picarde de réchappé. Variantes individuelles, stylistiques.*

b Forme différente d'une forme de référence et ayant la même nature (étymologique, fonctionnelle). *Ce mot présente de nombreuses variantes orthographiques, morphologiques...* — *Variantes libres :* formes que peuvent prendre un phonème, un morphème, dans un contexte donné, sans modification de l'énoncé (ex. : assiedstoi, assois-toi). *Variante combinatoire*, l'une des formes prises obligatoirement par un phonème, un morphème dans des contextes différents où ils ne sont pas commutables (ex. : les formes du radical de certains verbes).

♦ **3.** Forme ou solution légèrement différente mais voisine. « *De nouvelles expériences qui ne sont que des variantes des miennes* » (Pasteur).

♦ **4.** Manière de commencer une partie, aux échecs. *Début riche en variantes.*

★ **II.** (1842). Au plur. (Régional). Condiments variés, pickles.

VARIATEUR [vaʀjatœʀ] n. m. — 1904, in *Année sc. et industr.,* p. 265 ; du rad. de *variation.*

♦ **1.** Mécan. *Variateur de vitesse :* appareil permettant de transmettre le mouvement d'un arbre à un autre arbre en modifiant la vitesse de rotation de ce dernier. *« Cet appareil est destiné à faire varier la vitesse des moteurs électriques universels (...) Il peut être fourni sous la forme d'un bloc modulaire... (Cette) version convient parfaitement chaque fois que l'on désire intégrer le variateur dans une installation existante »* (*France-Europe*, n° 16, p. 58).

♦ **2.** Adj. *Variateur, trice* [vaʀjatœʀ, tʀis]. *« Poulies variatrices de 0,25 à 25 ch »* (*Ingénieurs et techniciens*, n° 200, p. 48).

♦ **3.** N. m. (V. 1970). Électr. Appareil permettant de doser l'intensité du courant selon les besoins. *On peut poser un variateur d'intensité dans une chambre pour lire quand l'autre dort* (*le Monde*, 15 févr. 1975, *in* P. Gilbert).

VARIATION [vaʀjɑsjɔ̃] n. f. — 1314 ; du lat. *variatio* « action de varier », de *variatum*, supin de *variare.*

A. ♦ **1.** État de ce qui varie au cours d'une durée ; suite des changements qui affectent ce qui varie. ⇒ **Changement, évolution.** *Variation continue, progressive ; alternative. Variation du regard en direction, en durée* (→ Frapper, cit. 35). *Variation d'un prix* (→ Indice, cit. 13), *de la population. Ensemble des variations d'une grandeur.* ⇒ **Évolution, mouvement.** *Variation d'un mouvement, d'une vitesse* (accélération, ralentissement). *Enregistreur* des variations d'un phénomène.*

1   Elles *(les paroles d'Albertine)* étaient tout simplement le reflet d'un changement intervenu dans une situation que nous ne connaissons pas, et qui est tout le secret de la variation de la conduite des femmes qui ne nous aiment pas.
PROUST, À la recherche du temps perdu, t. XII, p. 235.

Spécialt. Sc. **a** Techn. Biol. *Variation continue et variation discontinue* (⇒ **Mutation**). → Darwinisme, cit. Spécialt. *Variation continue* (opposé à *mutation*). *Variation et adaptation*.*

1.1 Je me dirai : tous les hommes, tous les animaux, toutes les plantes croissant, se nourrissant, se détruisant, se reproduisant par les mêmes moyens, ne recevant jamais une mort réelle, mais une simple variation dans ce qui les modifie (...)
SADE, Justine..., t. I, p. 85 (1791).

1.2 Il est aujourd'hui bien établi que les variations acquises dues aux circonstances (phénotypiques) s'éteignent avec l'individu qui les présente : nécessairement passagères et incapables de se transmettre à la descendance, elles ne sauraient jouer aucun rôle dans l'évolution. Seules peuvent compter pour celle-ci les variations innées d'origine germinale (génotypiques).
Jean ROSTAND, Esquisse d'une histoire de la biologie, p. 184.

b Astron. *Variation séculaire, périodique...* (d'une quantité mesurable). Spécialt. L'une des inégalités du mouvement de la Lune.

c Phys. *Variation de la masse* (d'un corpuscule), importante pour les vitesses voisines de celles de la lumière (⇒ **Relativité**).

d (1618, in D.D.L.). Mar. *Variation de l'aiguille aimantée, du compas** (cit. 4) : l'angle formé par l'aiguille et le méridien géographique (somme algébrique de la déviation et de la déclinaison). — *Boussole, compas de variation* (→ 1. Pinnule, cit.).

e Bot. Changements au cours de la vie d'une plante.

♦ **2.** Passage d'un état à un autre ; différence entre deux états successifs. ⇒ **Modification ; écart** (cit. 8), **intercurrence.** *Variations alternées.* ⇒ **Alternance, alternative.** *La nature admet des variations* (→ Successif, cit. 3). *Variations qualitatives* (cit.) *et quantitatives, physiques et morales* (→ Bloc, cit. 9). *Inconséquences* (cit. 7) *et variations de notre orthographe.*

2   Les variations de ce kaléidoscope domestique à quatre éléments se compliquaient tellement par les naissances et les mariages, que l'arbre généalogique des bourgeois de Nemours eût embarrassé les Bénédictins de l'Almanach de Gotha eux-mêmes (...)
BALZAC, Ursule Mirouët, Pl., t. III, p. 277.

Psychol. *Méthode des variations minimales,* ou des plus petites différences perceptibles.

♦ **3.** Changement dans les opinions, les conduites ; opinions variables, en évolution (→ Géométrie, cit. 1). *Histoire des variations des Églises protestantes,* ouvrage de Bossuet. — *Variation d'humeur.* ⇒ **Caprice, fluctuation ; déviation** (fig.).

3   Cette variation étrange n'est pas particulière à la Reine. Je la retrouve, alors, dans tous les personnages historiques qu'il m'est donné d'observer. Pour en commencer légitimement l'histoire, il faudrait remonter au héros commun, au modèle de la plupart des meneurs révolutionnaires, à Mirabeau ; c'est le maître en variations.
MICHELET, Hist. de la Révolution franç., V, III.

3.1 (...) et vous voulez que j'aille me faire près de lui le complice de vos variations... je dirais même de vos caprices.
E. LABICHE, les Vivacités du capitaine Tic, II, 5.

♦ **4.** **a** Écart entre deux valeurs numériques d'une quantité variable ; modification de la valeur d'une quantité ou d'une grandeur. ⇒ **Dispersion, variance.** *Variations de température** (⇒ **Amplitude,** 4.). *Variations d'intensité* (d'un courant, etc.). ⇒ **Inégalité.** *Variations périodiques, alternatives.* ⇒ **Oscillation.** — *Les variations du baromètre* (→ Hausse, cit. 2). *Enregistrement de variations. Variations du magnétisme terrestre. Variations d'un champ électrique, magnétique.*
Méthode des variations concomitantes, par laquelle on induit, de la

variation simultanée de deux phénomènes, qu'il y a une connexion causale entre eux (→ Observateur, cit. 12). ⇒ **Induction.**

b (1812). Différentielle totale d'une fonctionnelle* (2. ; en général, une intégrale définie). *Calcul des variations.*

Le calcul des variations, inventé par Euler et réduit en algorithme par Lagrange, est, au fond, une branche du calcul différentiel. Alors que le calcul différentiel étudie les changements de valeur que prend une fonction quand on modifie infiniment peu sa variable, le calcul des variations étudie les changements de forme que prennent les fonctions quand on modifie infiniment peu les circonstances qui les font naître.
H. LAURENT, in Grande Encycl. (BERTHELOT), art. *Variations.*

B. (L'élément temporel n'étant pas pertinent). État de ce qui présente des différences internes. ⇒ **Variété.** *La variation d'un milieu géographique selon les zones.* — Spécialt. Ling. Propriété d'un système linguistique (une « langue ») de ne pas être actualisée de manière identique non seulement selon le temps (*variation diachronique,* sens A) mais selon d'autres facteurs, géographiques *(variation géographique),* sociaux, institutionnels (⇒ **Usage ; norme**), de situation des locuteurs.

C. (1703). Mus. Modification d'un thème* par un procédé quelconque (transposition modale, changement de rythme, introduction d'harmonies nouvelles et surtout modifications mélodiques). → Lyrique, cit. 6. — (Chant). *Chanteur qui brode des variations* (mélodiques). ⇒ aussi **Double** (vx), **répétition.** — Composition formée d'un thème et de la suite de ses variations. *Variations Goldberg,* de J.-S. Bach. *Variations pour piano* (Mozart, Haydn, Beethoven...). — Au sing. *La variation :* le genre musical dans lequel un thème est varié plusieurs fois.

DÉR. Variationnel.

VARIATIONNEL, ELLE [vaʀjasjɔnɛl] adj. — Mil. xxᵉ (*in* Larousse, 1968) ; de *variation.*

♦ Didact. Relatif à la variation d'une grandeur.

VARICAP [vaʀikap] n. f. — 1968 ; mot anglo-amér., contraction de *vari(able) cap(acitor)* « condensateur variable ».

♦ Techn. Électron. Diode semi-conductrice dont la capacité varie suivant la pression appliquée.

VARICE [vaʀis] n. f. — 1314 ; du lat. *varix, icis* « varice ».

♦ **1.** Pathol. Dilatation permanente d'un vaisseau, et, spécialt, d'une veine. *Varice anévrismale* (ou *anévrisme artério-veineux*). *Varice artérielle, lymphatique. Varices à l'anus.* ⇒ **Hémorroïdes.** *Relatif aux varices.* ⇒ **Variqueux.** — *Bas à varices.*

Un de mes amis disait d'une célèbre femme du monde, qui ne porte ni chemise ni jupon, et semble emmaillotée dans des bandes (...) qu'elle était habillée avec des *bas à varices.*
Ed. et J. DE GONCOURT, Journal, 10 mars 1884. t. VI. p. 209

♦ **2.** Zool. Relief axial à sommet arrondi, sur le test de certains gastéropodes.

DÉR. Varicocelle.

VARICELLE [vaʀisɛl] n. f. — 1764 ; de *variole,* d'après les dimin. lat. en *-cellus, -cella.*

♦ Maladie infectieuse, contagieuse, d'origine virale, caractérisée par une éruption* en plusieurs poussées de papules et vésicules dont le contenu devient trouble, qui s'aplatissent au centre et se couvrent de petites croûtes. (On l'appelait autrefois *petite vérole volante*).

VARICOCÈLE [vaʀikɔsɛl] n. f. — 1716 ; du rad. de *varice,* et *-cèle.*

♦ Pathol. Dilatation variqueuse des veines du cordon spermatique, des veines utéro-ovariennes.

VARIÉ, ÉE [vaʀje] adj. — 1314 ; *veirié,* xiiᵉ ; du lat. *variatus,* p. p. adj. de *variare.* → Varier.

♦ **1.** Qui présente plusieurs teintes, n'est pas de couleur unie. ⇒ **Bigarré.** *L'écorce variée des pastèques* (→ Diapré, cit. 1). *Goéland varié* (→ Grisard, cit.).
(xviiᵉ). Qui présente des aspects ou des éléments distincts. ⇒ **Divers,** et préf. **diversi-, multi-, poly-.** *Un passé lourd et varié* (→ Crime, cit. 9). *Le devenir* (cit. 16) *est infiniment varié. Provision variée et choisie* (→ Assortiment, cit. 7). *Dessin varié à l'infini* (cit. 30). *Répertoire varié* (→ Divertir, cit. 15). *Composition riche, variée* (→ 3. Sujet, cit. 9). *Style varié.* ⇒ **Chatoyant, diapré.** *Un programme de musique variée.*

Archit. *Colonne variée,* faite de plusieurs matériaux. — *Terrain varié,* accidenté*. *Exercices militaires en terrain varié.*

Phys. Qui varie en fonction du temps. *Mouvement uniformément varié* (accéléré ou décéléré, retardé), dont l'accélération, positive ou négative, est constante. (Carnot, *Principes fondamentaux de l'équilibre*, § 19 et 22).

Mus. Qui comporte des variations. *Thème varié.*

♦ **2.** (1314). Au plur. Qui sont nettement distincts, différents les uns des autres et donnent une impression de diversité. ⇒ **Divers ; multiple.** *Des récipients* (cit. 2) *infiniment variés. Couleurs variées.* ⇒ **Bigarré, bigarrure.** *Œuvre composée d'éléments variés.* ⇒ **Mosaïque.** *Considérations variées* (→ Discussion, cit. 5). *Aspects variés* (→ Longer, cit. 7), *formes* (→ Dragon, cit. 1), *perspectives variées* (→ Jouir, cit. 13). — *Détails nombreux et variés* (→ Fouiller, cit. 10). — *Mets peu variés* (→ Garçon, cit. 22). *Hors-d'œuvre* variés.*

CONTR. Monotone. — Identique, semblable.

VARIER [vaʀje] v. — V. 1155 ; du lat. *variare* « diversifier, nuancer ».

★ **I.** V. tr. ♦ **1.** Donner à (une seule chose) plusieurs aspects distincts, en changeant* à plusieurs reprises certains de ses caractères ; rendre divers. ⇒ **Diversifier ; bigarrer** (→ Caractère, cit. 18). *Varier le style** (→ Reproduire, cit. 7), *la phrase* (vieilli), *l'expression.* — **Mus.** *Varier un thème.* ⇒ **Variation** (C.). — **Pron.** « *La pensée se varie et passe par différents états* » (La Mettrie, *Textes choisis*, p. 111).

1 On en a vu *(des maux)* qui ont sapé par les fondements de grands empires (...) pour varier et renouveler la face de l'univers.
LA BRUYÈRE, les Caractères, X, 7.

2 (...) on dirait que les cinq romans de Stendhal sont des expérimentations, c'est-à-dire des manières de varier, la plume à la main, son expérience personnelle.
A. THIBAUDET, Hist. de la littérature franç..., p. 203.

Fam. *Varier la sauce* (→ Rabâcher, cit. 3), *la présentation* d'une même chose, d'une même idée.

♦ **2.** Rendre (plusieurs choses) nettement distinctes, diverses, spécialt, de manière à surprendre, à étonner ou à distraire. « *Sans cesse en écrivant variez vos discours* » (cit. 24, Boileau). *Varier ses plans* (→ Prendre, cit. 9), *ses lectures* (→ Parade, cit. 4), *ses plaisirs* (→ Éterniser, cit. 9). ⇒ **Changer.**

3 Remarquable dans ses mystifications, il les variait avec tant d'habileté, qu'il y prenait toujours quelqu'un.
BALZAC, les Employés, Pl., t. VI, p. 940.

Iron. *Pour varier les plaisirs :* en passant d'un ennui à l'autre.

★ **II.** V. intr. (V. 1190 ; aussi « être inconstant, douter ; chanceler », en parlant de la foi, de la raison...).

♦ **1.** (Sujet n. de chose). Présenter au cours d'une durée plusieurs modifications* ; changer* souvent. ⇒ **Modifier** (se), **osciller.** *Le mécanisme du raisonnement* (cit. 6) *varie beaucoup, mais il conserve sa marque propre. Les traits du même homme varient...* (→ 1. Dire, cit. 62.1). *Faire varier un son.* ⇒ **Moduler.**

4 Rien, au fond de mon cœur, puisqu'il faut le redire,
Non, rien n'a varié ; je suis toujours celui
Qui va droit au devoir, dès que l'honnête y lui (...)
HUGO, les Contemplations, V, III, VI.

(XIIᵉ). Sujet n. de personnes. Ne pas conserver la même attitude, les mêmes opinions. ⇒ **Changer** (d'opinion, etc.). *Souvent femme varie...* (→ Plume, cit. 3). *Les hérétiques varient dans leurs règles* (→ Hérésie, cit. 2, Bossuet). *Il n'a pas varié d'un iota.*

5 (...) nous prenons le parti d'affirmer que nous n'avons jamais varié, ou que nous n'avons varié que par la transformation progressive de nos idées et par notre compréhension éclairée des temps.
CHATEAUBRIAND, Mémoires d'outre-tombe, t. VI, p. 260.

Sc. Présenter une ou plusieurs variations. — (1727). Prendre plusieurs valeurs différentes entre des limites. *Valeur qui varie en fonction* du temps, d'une autre valeur* (→ Évaporation, cit. 2). ⇒ **Variable.** *Relation entre deux termes variant simultanément* (⇒ **Fonction**, cit. 17). *Varier en raison*, dans la raison inverse de...* (→ Attractif, cit. 1). — *Faire varier une donnée, un indice*, en modifier la valeur, ne plus la considérer comme constante.

Par métaphore :

6 Au fond il *(Racine)* faisait toujours la même tragédie (...) en variant, en en faisant varier constamment les données (presque arbitrairement et comme intellectuellement, comme on fait varier, à titre d'exercice, les données d'un problème de géométrie ou d'arithmétique, généralement d'un problème de mathématiques).
Ch. PÉGUY, Victor-Marie, comte Hugo, p. 168.

Gramm. *Varier en genre*, en nombre* :* être variable (1.).

♦ **2.** Présenter des différences qualitatives ou quantitatives (le temps n'étant pas pertinent). ⇒ **Variation, B.**). *La dimension des navajas* (cit.) *varie depuis trois pouces jusqu'à trois pieds. La forme des ruches* (cit. 1) *varie à l'infini.* — *La langue française varie selon les lieux, les milieux sociaux.*

♦ **3.** Présenter des changements essentiels ; changer de nature, se transformer à plusieurs reprises. *Faire varier ou modifier les phénomènes naturels* (→ Expérimentateur, cit. 1). *Corps dont les propriétés varient sans cesse* (→ Matière, cit. 3), qui a des propriétés nouvelles, différentes. — *Varier d'une manière essentielle :* cesser d'être un, identique (→ Identité, cit. 10). — (Dans un même temps, et selon les circonstances). ⇒ **Différer ; variable** (4.), **variété** (2.).

Idées, coutumes... qui varient d'un pays à l'autre (→ aussi Esprit, cit. 43). *Les opinions varient sur l'origine du patriarcat* (cit.), il y a plusieurs opinions différentes. — (1694). Par ext. (Personnes). *Les historiens varient sur l'interprétation à donner à ce texte,* sont d'avis différents sur...

7 Les raisons d'aimer et de vivre
Varient comme font les saisons
ARAGON, les Yeux d'Elsa, « Pour un chant national ».

CONTR. Fixer (se).
DÉR. Varié.

VARIÉTAL, ALE, AUX [vaʀjetal, o] adj. — xxᵉ ; de *variété* ; → Racial.

♦ **Didact.** D'une variété, en sciences. *Caractères spécifiques* (de l'espèce) *et caractères variétaux.*

1 Chaque ramification *(du lin),* dont l'intensité est un caractère variétal, donne naissance à une fleur qui forme à son tour la capsule et les graines.
Jacques LOURD, le Lin et l'Industrie linière, p. 23.

2 Les caractères morphologiques des graines sont variétaux (...)
Henri BOULAY, Arboriculture et Production Fruitière, p. 52.

VARIÉTÉ [vaʀjete] n. f. — V. 1160 ; « ornements variés », v. 1120 ; du lat. *varietas* ; a signifié « inconstance, humeur changeante » en moyen français.

♦ **1.** Vx. Variation, changement. *Incertitude et variété des choses humaines* (→ Heureux, cit. 1, Montaigne). *Le charme de la variété, du changement* (→ Goût, cit. 39). « *Cette inconstante* (cit. 14) *variété des mœurs dans divers temps* » (Pascal). « *Quelque incertitude et quelque variété qui paraisse dans le monde* » (→ Ordre, cit. 22, La Rochefoucauld).

1 La vie d'un être à peu près immobile est un tourbillon de hâte et de variété.
COLETTE, l'Étoile Vesper, p. 214.

♦ **2.** Caractère d'un ensemble formé d'éléments variés* ; différences qui existent entre ces éléments. ⇒ **Bigarrure, diversité** (→ Barioler, cit. 2 ; coquille, cit. 4). *L'immense variété des types de Balzac* (→ 2. Ensemble, cit. 15). *Variété des objets d'étude et des esprits* (→ 1. Moule, cit. 4). *La variété de ses travaux* (→ Latitude, cit. 1).

2 La multitude dans l'unité, ou l'unité variée, signe expressif de tout chef-d'œuvre de la nature et de l'art, caractérise très bien les produits du génie de Leibnitz. Variété extrême dans le nombre et l'espèce des idées dont il a enrichi le monde intellectuel, des vérités qu'il a découvertes ou démontrées, des éléments de tout ordre qu'il a combinés (...)
MAINE DE BIRAN, Du physique et du moral de l'homme, p. 303.

3 Le machinisme travaille contre la variété. Cette notion de variété, à mesure qu'elle perd de sa réalité vivante et tend à disparaître de notre civilisation, prend je ne sais quelle figure de mythe (...) Esthétiquement parlant, la variété correspond-elle *toujours* à un bénéfice de beauté ? Sans en être sûr, accordons-le. Mais, puisqu'il ne s'agit pas, en ce moment, d'objets d'art, mais d'objets usuels, il faut faire intervenir l'économique, et alors la variété a bien du mal à se justifier.
DANIEL-ROPS, le Monde sans âme, III.

Qualité d'une création littéraire, artistique qui donne une impression de changement, de renouvellement. *La variété du style, d'une intrigue. Variété dans le détail* (→ Problème, cit. 4). — Par ext. (En parlant du créateur). *Manquer de variété* (→ Fécondité, cit. 7).

4 Il faut de la variété dans l'esprit ; ceux qui n'ont que d'une sorte d'esprit ne peuvent pas plaire longtemps.
LA ROCHEFOUCAULD, Réflexions diverses, De la société.

♦ **3.** (1690). Subdivision de l'espèce* (elle-même divisée en races*, dans le monde animal), délimitée par la variation de caractères individuels. ⇒ **Classification ; type** (→ Commun, cit. 22 ; cultiver, cit. 7 ; milieu, cit. 28). *Croisement entre sujets de variétés différentes* (⇒ **Hybridation**).

5 La Société ne fait-elle pas de l'homme, suivant les milieux où son action se déploie, autant d'hommes différents qu'il y a de variétés en zoologie ?
BALZAC, Avant-propos de la Comédie humaine, Pl., t. I, p. 4.

Subdivision dans une classification quelconque. *Il y a beaucoup de variétés dans le genre gamin* (cit. 1). *Les nombreuses variétés du plaisir* (cit. 21). ⇒ **Forme, variante.** *Une variété de...* ⇒ **Manière** (I., 4., a), **sorte.**

6 D'un côté le brigandage, la fraude, le vol, la violence, la lubricité, l'homicide, toutes les espèces du sacrilège, toutes les variétés de l'attentat ; de l'autre une seule chose, l'innocence.
HUGO, les Misérables, II, VIII, IX.

♦ **4.** (1798). Au plur. Titre de divers recueils contenant des morceaux sur des sujets variés. ⇒ **Mélange(s).** *Variétés*, de Valéry. — Partie d'un journal contenant des articles variés.

7 (...) il brocha l'un de ses articles *Variétés* dus au petit journal (...) un de ces petits charmants articles sur les particularités parisiennes, qui firent la fortune du journal (...)
BALZAC, Illusions perdues, Pl., t. IV, p. 797.

8 De ces essais (...) il n'en est point une seule circonstance, où l'auteur eût écrit de son propre mouvement (...) Presque toujours surpris, au début de son travail, de se trouver engagé dans un ordre d'idées inaccoutumé (...) il lui fallut, à chaque fois, retrouver (...) le naturel de sa pensée. Toute l'unité de cette *Variété* ne consiste que dans ce même mouvement.
Note de l'éditeur pour « Variété » de VALÉRY (éd. N. R. F., 1924).

(1807). *Théâtre des Variétés* (nom propre) : théâtre dont le répertoire était surtout composé de bouffonneries, de vaudevilles (→ 2. Original, cit. 4). *La revue* (cit. 9) *des Variétés*. — (1913). Ensemble des activités de spectacle concernant un type de chansons, de musique populaire, d'attractions*, de spectacles comiques, destinés à un public très nombreux. ⇒ **Music-hall**. *Spectacles de variétés*.

9 L'instant d'avant, je l'avais vue sur une des grandes scènes de variétés d'une capitale, devant dix mille spectateurs (...)
Valery LARBAUD, A.-O. Barnabooth, Journal, 10 mai.

(Radio, télév.). *Émission de variétés*, composée de chansons, de numéros variés.

♦ **5.** Math. Ensemble des éléments d'un espace* abstrait. *Variété à n dimensions*.

♦ **6.** Loc. fam. *Peau de balle et variétés* (... *et variétés* a la valeur vague de *et caetera, et le reste*).

CONTR. Monotonie, ressemblance, uniformité.

VARIETUR [vaʀjetyʀ] ⇒ Ne varietur.

VARIOCOUPLEUR [vaʀjokuplœʀ] n. m. — 1929; de *vario* (→ Variomètre), et *coupleur*.

♦ Électr. Appareil formé d'enroulement à taux de couplage variable.

VARIOLE [vaʀjɔl] n. f. — 1761; au plur., v. 1398; bas lat. méd. *variola* (vɪᵉ), dimin. de *varus* «pustule» avec attraction de *varius* «varié, tacheté». → aussi Vérole.

♦ Maladie infectieuse, épidémique et contagieuse grave, d'origine virale, caractérisée par une éruption généralisée qui passe rapidement par le stade de papules, vésicules et pustules dont la cicatrisation laisse des marques indélébiles. ⇒ **Vérole** (petite vérole). *Variole confluente* (papules confondues dès leur apparition), *cohérente* (papules en contact à la suppuration). *Variole noire, hémorragique. Variole mineure, variole blanche*. ⇒ **Alastrim**. *Cicatrices de variole. Les formes aiguës de la variole sont devenues très rares depuis l'invention de la vaccine* par Jenner (⇒ **Vaccin**). — *Variole des animaux :* ⇒ **Vaccine** (vache), **clavelée** (cheval, mouton), **picote** (vx). *Variole aviaire* (poule, dindon, pigeon).

Avant Jenner, il existait une méthode propre à protéger les sujets ordinaires contre la variole. On trouve, dans les *Lettres philosophiques* de Voltaire, des pages fort étonnantes, intitulées : *De l'insertion de la petite vérole*.
G. DUHAMEL, Problèmes de civilisation, p. 74.

DÉR. Variolé, variolette, varioleux, variolique, variolisation, variolite, varioloïde.
COMP. Varioliforme.

VARIOLÉ, ÉE [vaʀjɔle] adj. — 1829; de *variole*.

♦ **1.** Méd. Marqué de cicatrices dues à la variole. — N. (1876). *Un variolé, une variolée*.

♦ **2.** Par métaphore. Rare. Marqué, taché (de traces analogues à celles laissées par la variole). «... *les soutanes variolées du vieux curé*» (Maurice Zermatten, *Christine*, p. 173).

VARIOLETTE [vaʀjɔlɛt] n. f. — 1812; de *variole*.

♦ Vx. Varicelle.

VARIOLEUX, EUSE [vaʀjɔlø, øz] adj. — 1766; de *variole*.

♦ Méd. De variole; qui est relatif, qui appartient à la variole. *Une éruption varioleuse*. ⇒ **Variolique**. — N. (1812). Personne atteinte de la variole. *Salle des varioleux. Une varioleuse*.

VARIOLIFORME [vaʀjɔlifɔʀm] adj. — 1833, *in* D. D. L.; de *variole*, et *-forme*.

♦ Méd. Qui a l'aspect de la variole. *Éruptions varioliformes*.

VARIOLIQUE [vaʀjɔlik] adj. — 1764; de *variole*.

♦ Méd. Relatif à la variole. *Des boutons varioliques*. ⇒ **Varioleux**.
COMP. Antivariolique.

VARIOLISATION [vaʀjɔlizasjɔ̃] n. f. — 1876; de *variole*.

♦ Hist. méd. Inoculation prophylactique de la variole, par le déclenchement d'une variole bénigne et immunisation ultérieure.

VARIOLITE [vaʀjɔlit] n. f. — Mil. xxᵉ; de *variole*, et *-ite*.

♦ Minér. Roche présentant des «pustules» sphériques de quelques millimètres, composées d'albite (feldspath) et de chlorite, qui se vident par altération. «*Ces pustules se vident et donnent à la roche un aspect "vérolé". D'où le nom de "variolite" donné à cette*

roche, *que l'on trouve en galets dans la Durance*» (*la Recherche*, févr. 1974, p. 179).

VARIOLOÏDE [vaʀjɔlɔid] n. f. — 1834; de *variol(e)*, et *-oïde*.

♦ Méd. Variole bénigne, à évolution rapide et sans suppuration. *Varioloïde des sujets vaccinés*.

VARIOMÈTRE [vaʀjɔmɛtʀ] n. m. — 1894; du rad. de *varier*, et *-mètre*.
Technique.

♦ **1.** Appareil servant à la mesure des inductances électriques (par variation entre deux limites de la self-induction). — Par ext. (magnétisme). «*L'intensité du champ magnétique des lieux d'installation des boussoles (...) et du magnétomètre bifilaire a été comparée au moyen du variomètre local de Kohlrausch*» (*Rev. gén. des sc.*, 15 févr. 1904, p. 164).

♦ **2.** Aviat. Instrument de mesure des vitesses ascensionnelles.
La mesure de l'altitude (...) en appelle aux *altimètres* à cadran, aux *barographes* (...) et aux *variomètres* mesurant les vitesses verticales de montée ou de descente de l'avion, ce qui permet au pilote d'obtenir les meilleures vitesses ascensionnelles (...) Les variomètres très sensibles peuvent enfin assurer le contrôle de l'horizontalité du vol (...)
Edmond BLANC, l'Aviation, p. 165.

VARIORUM [vaʀjɔʀɔm] adj. invar. — 1842; n. m., «édition variorum», 1721; abrév. de la loc. lat. *cum notis variorum scriptorum* «avec les notes de plusieurs commentateurs».

♦ Didact. *Édition variorum*, avec des notes et des commentaires.
Si l'on recueillait toutes leurs corrections et toutes celles qu'ont proposées depuis quatre-vingts ans, en tant de revues de philologie, tant de commentateurs, on pourrait publier du poème une édition *variorum* où les conjectures foisonneraient, presque aussi nombreuses que dans une édition *variorum* des *Odes* d'Horace.
J. BÉDIER, la Chanson de Roland, Avant-propos, p. 11.

VARIQUEUX, EUSE [vaʀikø, øz] adj. — 1520; *varicent*, v. 1370; du lat. *varicosus* «qui a des varices».
Médecine.

♦ **1.** Des varices; affecté ou accompagné de varices. *Vaisseau variqueux. Ulcère variqueux* (cour.). — *Jambe variqueuse*.
(...) il avait disséqué le matin, une jambe de frotteur, la jambe sur laquelle il posait, dont toutes les veines étaient variqueuses, et avec des varices, comme jamais on n'en avait vu.
Ed. et J. DE GONCOURT, Journal, 26 juin 1893, t. IX, p. 107.
(Personnes). Qui souffre de varices. — N. *Des variqueux*.

♦ **2.** *Coquille variqueuse*, qui présente des renflements analogues à des varices.

VARISTANCE [vaʀistɑ̃s] n. f. — Mil. xxᵉ; de *vari(able)*, et *(rési)stance*.

♦ Techn. Semi-conducteur dont la résistance varie avec la tension qu'on lui applique. *Varistance au carbure de silicium*.

VARLET [vaʀlɛ] n. m. — V. 1200; altér. de *vaslet*; → Valet.

♦ **1.** Ancient. Valet. ⇒ **2. Page, valet** (1.). — REM. On trouve encore le mot chez les romantiques (Hugo, *Odes et ballades*, 2; Gautier, *Préface de Mˡˡᵉ de Maupin*), dans des évocations médiévales, etc.
Au-delà de la porte à son souffle oscille un follet
Luisant comme un flambeau dans la main ferme d'un varlet.
A. JARRY, la Revanche de la nuit, Pl., p. 251.

♦ **2.** Régional et techn. Valet* d'établi.
Pierre reprenait goût au travail dès l'aurore; sitôt que le bébé et lui avaient bu leur premier lait, il débarrassait l'établi qui lui servait de table de cuisine, y plantait les varlets, se mettait à raboter si l'enfant voulait dormir encore, ou à scier s'il était éveillé.
Jean PRÉVOST, les Frères Bouquinquant, p. 129.

VARLOPAGE [vaʀlɔpaʒ] n. m. — 1876, *in* P. Larousse; de *varloper*.

♦ Techn. Action de varloper; son résultat. ⇒ **Rabotage**.

VARLOPE [vaʀlɔp] n. f. — 1660; *ouarloppe*, 1564; *vrelope*, fin xvᵉ; mot dial. du Nord-Est; du néerl. *voorloper* «varlope», proprt «qui court *(loop)* devant *(voor)*».

♦ Techn. Grand rabot* à poignée, muni à l'avant d'une corne, qui se manie à deux mains et qui sert à dresser, à planer le bois. *Fût, fer, lumière, mortaise d'une varlope*. — *Demi-varlope* ou *riflard*.
En bas, un menuisier chantait, accompagné par les sifflements réguliers de sa varlope (...)
ZOLA, l'Assommoir, II, t. I, p. 55.

2

Par métaphore :
(...) on abordera le plateau, l'étendue toute rabotée par la grande varlope de ce vent (...)   J. GIONO, Regain, I, I, Pl., t. I, p. 325 (1930).
DÉR. **Varloper.**

VARLOPER [vaʀlɔpe] v. tr. — 1836 ; *vrelopper*, 1546, Rabelais ; de *varlope*.

♦ Techn. Travailler (dresser, 1. planer) à la varlope (le bois). ⇒ **Raboter.**
Une place demeurait vide (...) celle du bahut Renaissance. Il n'était pas achevé, Gorju y travaillait encore, varlopant les panneaux dans le fournil, et les ajustant, les démontant.   FLAUBERT, Bouvard et Pécuchet, IV.
DÉR. **Varlopage, varlopeuse.**

VARLOPEUSE [vaʀlɔpøz] n. f. — Déb. xxe ; de *varloper*.

♦ Techn. Machine-outil servant à dégrossir les grands ouvrages de menuiserie. *Varlopeuse électrique.*

VARMÈTRE [vaʀmɛtʀ] n. m. — Mil. xxe ; de *var*, et *-mètre*.

♦ Sc., techn. Appareil de mesure de la puissance réactive en vars.

VARON [vaʀɔ̃] n. m. — 1923 ; «bouton», 1605 ; mot dial., anc. provençal, du lat. *varus* «pustule».

♦ Vétér. Tumeur avec perforation, sur la peau des bovins, provoquée par la larve de l'hypoderme ; cette larve. — REM. On écrit aussi *varron*.
DÉR. **Varonné.**

VARONNÉ, ÉE [vaʀɔne] adj. — 1923 ; de *varon*.

♦ Techn., vétér. Attaqué, perforé par les larves appelées *varons*. *Bœuf varonné.* — REM. On écrit aussi *varronné, ée. Peau varronnée.*

VARSOVIEN, ENNE [vaʀsɔvjɛ̃, ɛn] adj. et n. — xixe ; de *Varsovie*.

♦ De Varsovie. *La population varsovienne.* — N. *Les Varsoviens.*

VARSOVIENNE [vaʀsɔvjɛn] n. f. — 1876, *in* P. Larousse ; de *Varsovie*, capitale de la Pologne.

♦ Anciennt. Danse à trois temps, qui tenait de la polka et de la mazurka (→ Polka-mazurka).

VARUS [vaʀys] adj. et n. m. invar. — 1839 ; mot latin.

♦ Méd. Se dit du pied, du genou, de la cuisse, de la main, quand ils sont tournés en dedans (opposé à *valgus*). ⇒ **Équin.** *Pied bot, tibia varus.* — REM. Dans les expr. du latin anatomique, *varus* s'accorde au substantif : *tibia vara, coxa vara. Genu varum.* — N. m. *Un varus :* un pied bot varus.
Il avait un pied faisant avec la jambe une ligne presque droite, ce qui ne l'empêchait pas d'être tourné en dedans, de sorte que c'était un équin mêlé d'un peu de varus, ou bien un léger varus fortement accusé d'équin.
    FLAUBERT, Mme Bovary, II, XI (→ Équin, cit.).

VARVE [vaʀv] n. f. — Mil. xxe ; en méd., 1910, C. de Geer ; du suéd. *varv* «révolution périodique».

♦ Géol. Mince lit de vase. *Dépôts à varves :* dépôts formés dans des eaux calmes en avant des grands glaciers du Quaternaire, et faits de couches annuelles bien caractéristiques, les lits fins correspondant aux dépôts hivernaux et les lits grossiers aux dépôts charriés par les eaux de fonte de l'été.

VAS- ⇒ Vaso-.

VASARD, ARDE [vɑzaʀ, aʀd] adj. et n. m. — 1687 ; de 2. *vase*.
Régional ou technique (marine).

♦ **1.** Adj. Formé, constitué de vase. ⇒ **Vaseux.** *Côte vasarde, fond vasard. Sable vasard,* mêlé de vase.

♦ **2.** N. m. Fond de vase molle.

VASA VASORUM [vɑzavɑzɔʀɔm] n. m. pl. — 1876 ; mot lat. «vaisseau des vaisseaux».

♦ Anat. Vaisseaux irriguant les parois des troncs sanguins.

VASCULAIRE [vaskylɛʀ] adj. — 1721, dér. sav. du lat. *vasculum*, dimin. de *vas*. → 1. Vase.

♦ **1.** Anat. et méd. Relatif aux vaisseaux, qui appartient aux vaisseaux. *Système vasculaire :* ensemble des vaisseaux de l'organisme (artères*, veines*, vaisseaux lymphatiques*). *Nævus vasculaire :* angiome. — *Parois vasculaires* (→ Artérite, cit.). *Anses, renflements vasculaires* (→ Segment, cit. 2). *Bruits, mouvements vasculaires.* — *Faisceau vasculaire. Ramifications vasculaires.* — Qui contient des vaisseaux, qui est vascularisé.

♦ **2.** (1807). Bot. [a] *Tissu vasculaire,* dont certaines cellules sont différenciées en vaisseaux (une file de cellules allongées épaississent et lignifient leurs membranes latérales). ⇒ **Bois.**

[b] *Plantes vasculaires* (De Candolle) : végétaux supérieurs à tige, racine et feuilles (opposé à *plantes cellulaires*). *Cryptogames vasculaires.* ⇒ **Ptéridophytes** (équisétinées, fougères*, lycopodinées ; isoète*). *Tous les spermatophytes (ou phanérogames) sont vasculaires.*
N. f. *Les vasculaires :* les plantes vasculaires.
DÉR. V. **Vascularisé.**
COMP. (De 1.). **Cardio-vasculaire.**

VASCULARISATION [vaskylaʀizasjɔ̃] n. f. — 1846 ; de *vascularisé*.
Anatomie, médecine.

♦ **1.** Développement de nouveaux vaisseaux (dans un tissu, un organe).

♦ **2.** Disposition des vaisseaux (dans un organe, dans une partie du corps). — Densité du réseau vasculaire. *Une vascularisation faible, forte.*

♦ **3.** Embryol. Formation du réseau des artères et des veines (dans l'embryon).
Formation de vaisseaux de nature pathologique. *Vascularisation cancéreuse.*

VASCULARISÉ, ÉE [vaskylaʀize] adj. — 1846 ; du rad. de *vasculaire*.

♦ Anat. Qui contient des vaisseaux. *Tissu richement vascularisé.*
DÉR. **Vascularisation.**

VASCULARITE [vaskylaʀit] n. f. — 1933 ; du lat. *vasculum*, et *-ite*.

♦ Méd. Inflammation des vaisseaux.

1. VASE [vɑz] n. m. — 1539 ; *vez*, déb. xiiie ; du lat. *vas* «vaisseau».

★ **I.** ♦ **1.** Vx. Récipient, contenant pour les liquides. ⇒ **Vaisseau.** *Vases à boire :* chope, coupe, gobelet, godet, tasse, verre (→ Bol, cit. 1 ; calebasse, cit. 1). *Une coupe ou quelque autre vase* (→ Aventure, cit. 9). *Capacité, contenance d'un vase. Changer un liquide de vase.* ⇒ **Extravaser, transvaser** (mod.).
Je le voyais tous les jours, couvert d'un manteau râpé, aller acheter chez une petite marchande pour deux sous de lait dans un vase de fer-blanc.   **1**
    RENAN, Souvenirs d'enfance, II, v, Œ. compl., t. II, p. 775.
Remplir un vase. Loc. prov. (mod.). *La goutte d'eau qui fait déborder** (cit. 1) *le vase.*

♦ **2.** Mod. Récipient servant à des usages nobles ou ayant une valeur historique, artistique. *Vase d'agate, d'albâtre* (cit. 3), *d'argent* (→ Parfum, cit. 14), *de bronze* (cit. 4), *de jaspe* (cit. 2), *d'opaline* (cit. 1), *de porcelaine. Vases anciens, antiques, d'argile, de terre cuite* (⇒ **Boucaro, cérame, céramique, figuline, poterie ; cruche, jarre, pot**). *Vase murrhin*. Vase cinéraire** (⇒ **Urne**), *lacrymatoire** (⇒ **Œillère**). *Vase à parfum en albâtre, en alabastrite...* (⇒ **Alabastre, aryballe**). *Se laver les mains dans un vase d'argent.* ⇒ **Bassin.** — *Forme, parties d'un vase.* ⇒ **Anse, bord, col** (cit. 5), **galbe, gorge, goulot, panse.** *Les flancs, les parois d'un vase. Aux flancs du vase,* poèmes d'Albert Samain. *Le vase brisé* (cit. 31, Sully Prudhomme). *Un vase fêlé, cassé, égueulé. Fêlure* (cit. 1) *d'un vase.* — *Vase décoré, vase en émail cloisonné, craquelé ; vase peint. Vase égyptien* (⇒ **Canope**). *Vases grecs* (⇒ **Amphore, canthare, coupe, cratère, lécythe, rhyton...**). *Style des vases grecs à décor* (à figures noires, rouges). *Peinture de vase* (⇒ **Palestre,** cit.). *Les figures des vases antiques* (→ Estomper, cit. 7). — *Vase étrusque.* ⇒ **Étrusque.** — *Vase chinois. Vase de Saxe, de Sèvres,* en porcelaine de Saxe, de Sèvres. — Allus. hist. *Le vase de Soissons :*
On sait que c'est après la bataille de Soissons, gagnée par Clovis, que ce chef des Francs subit l'humiliation de ne pouvoir garder un vase d'or, produit du pillage de Reims. Peut-être songeait-il déjà à faire sa paix avec l'Église, en lui rendant un objet saint et précieux. Ce fut alors qu'un de ses guerriers voulut que ce vase entrât dans le partage, car l'égalité était le principe fondamental de ces tribus franques, originaires d'Asie. — Le vase d'or fut brisé, et plus tard la tête du Franc égalitaire eut le même sort, sous la *francisque* de son chef. Telle fut l'origine de nos monarchies.   NERVAL, les Filles du feu, «Angélique», XII.   **2**

♦ **3.** Récipient destiné à recevoir des fleurs coupées. ⇒ **Bouquetier,**

porte-bouquet. *Disposer des géraniums* (cit. 3) *dans un vase. Vase à fleurs. Vase de fleurs :* vase à fleurs garni.

3   (...) elle avait replacé la rose dans un vase à long col.
A. MAUROIS, Terre promise, XXXI.

♦ **4.** (1694). *Vases sacrés,* destinés à la célébration du saint sacrifice (⇒ **Messe**) ou à la conservation du saint-sacrement. ⇒ **Burette, calice, ciboire, patène** (→ Profaner, cit. 1). *Vases d'autel*.*

♦ **5.** Récipient (de nature et de formes diverses) utilisé en chimie. — Ancienn. *Vase sublimatoire. Luter, déluter un vase* (⇒ **Lut**). — *Vases utilisés en chimie :* capsules, éprouvettes, matras, etc. (⇒ **Chimie ; récipient**). *Vase florentin :* récipient muni de deux tubulures, l'une à la partie supérieure, l'autre à la partie inférieure, permettant en particulier la séparation de deux liquides non miscibles superposés par ordre de densité. — *Vase de Mariotte,* destiné à produire un écoulement constant.

Loc. *Vases communicants. Principe des vases communicants,* quand deux récipients contiennent un même liquide en équilibre, les surfaces libres du liquide sont dans le même plan horizontal ; quand les liquides sont superposés, la surface de séparation est horizontale. Fig. *C'est le principe des vases communicants,* se dit de deux choses en communication dont l'une s'accroît quand l'autre diminue. *Vase Dewar :* récipient isotherme dont le principe est appliqué dans la bouteille dite *thermos*.* — Techn. *Vase d'expansion :* réservoir situé à la partie haute d'une installation de chauffage et qui comprend un trop-plein pouvant s'écouler.

♦ **6.** (1820 ; on a dit auparavant : *vase nocturne*). *Vase de nuit,* et, absolt, *vase :* pot* de chambre. ⇒ (vx) **Bourdaloue, goguenot, urinal.** *Le bébé est sur le vase.* ⇒ **Pot** (plus cour.).

4   Le jardin est tout de suite derrière la cour. Vous trouverez facilement (...) Maintenant vous avez un vase sous le premier lit à droite en venant de la porte (...)
J. ROMAINS, les Copains, III.

♦ **7.** (1660). Par métaphore et fig. (en style relig., mystique). Les êtres humains, considérés comme des contenants (de la grâce divine, d'une qualité...). ⇒ **Vaisseau.** *Vase d'élection, de miséricorde, de pureté* (expressions empruntées aux Épîtres de saint Paul). Poét. « *Le cœur d'un homme vierge est un vase profond* » (→ Laver, cit. 25, Musset).
VASE CLOS (→ Clore, cit. 5, et *supra*). *En vase clos :* sans communication avec l'extérieur. *Vivre en vase clos,* dans un état de claustration*. — REM. Cette expr., attestée au XXᵉ s., vient du langage de la chimie ; cf. art. de M. Berthelot, *Méthode des vases clos, in* Laboulaye, *Dict. des Arts et Manufactures..., Compl.* (1886).

5   Et cette démarcation était rendue plus absolue encore parce que cette habitude que nous avions de n'aller jamais vers les deux côtés à un même jour, dans une seule promenade, mais une fois du côté de Méséglise, une fois du côté de Guermantes, les enfermait pour ainsi dire loin l'un de l'autre, inconnaissables l'un à l'autre, dans les vases clos et sans communication entre eux d'après-midi différents.
PROUST, À la recherche du temps perdu, t. I, p. 184.

★ **II.** Fig. ♦ **1.** (1690). Forme en vase (1. Vase), dans la taille des arbres (buis, etc.), dans un jardin, un parc. — Partie ornée de feuilles, de volutes, dans un chapiteau corinthien. *Vase du balustre** (ou *tige*).

♦ **2.** Calice (2. Calice, cit. 1, La Bruyère) de certaines fleurs.

♦ **3.** *Vase à puiser,* nom d'un coquillage.

★ **III.** (1926, « anus », *in* Esnault). Argot. Chance. ⇒ **Bol, pot.**

COMP. V. Évasé, extravaser, transvaser.
HOM. 2. Vase.

2. VASE [vɑz] n. f. — 1484 ; une première fois v. 1155 ; *voyze, voyse,* 1396 ; moy. néerl. *wase,* germanique **wasa,* rad. qui a donné *gazon.*

♦ **1.** Dépôt de terre et de particules organiques en décomposition, qui se forme au fond des eaux stagnantes ou à cours lent. ⇒ **Boue, limon** (→ Cimenter, cit. 2 ; dépêtrer, cit. 2). *Rivière, étang, lac à fond de vase. Fleuve qui dépose de la vase. La vase d'un fossé, d'un ruisseau sale.* ⇒ **Fange.** — *Navire échoué* (cit. 10) *dans la vase.* ⇒ **Envaser ; souille** (→ Gésir, cit. 4). *Tirer de la vase* (⇒ **Désenvaser**). *Curer la vase.* ⇒ **Draguer.** *Enfoncer* (cit. 18) *dans la vase. Poissons, tanches* (cit. 2) *blotties dans la vase.*

0.1   (...) le ronflement de la chute faisait frémir le sol, tandis qu'une fine buée, une vapeur humide flottait dans l'air, s'élevait de la cascade comme une fumée légère, jetant aux environs une odeur d'eau battue et une saveur de vase remuée.
MAUPASSANT, l'Héritage, 1884, Pl., t. II, p. 35.

1   Souvent aussi on poussait jusqu'au Loir, dont les fonds de vase nourrissent de belles anguilles.   ZOLA, la Terre, IV, III.
Loc. *Ver* de vase.*

Par anal. *Vase atmosphérique.* « *À près de 3 000 mètres, on élimine le tiers inférieur de l'atmosphère, le plus pollué. En effet, les poussières, gouttelettes et autres particules en suspension descendent dans les basses couches, formant ce qu'on appelle la "vase atmosphérique"* » (*Sciences et Avenir,* sept. 1978, nᵒ 379).

♦ **2.** Par métaphore ou fig. Boue, fange.

Ce qui dormait sous les eaux endormies, ce principe de corruption, ce secret putride, je ne fis rien pour l'arracher à la vase.   2
F. MAURIAC, le Nœud de vipères, IV.

DÉR. Vasard, vaseux, vasière.
COMP. Envaser, vasicole.
HOM. 1. Vase, 3. vase.

3. VASE [vɑz] n. f. — 1880 ; selon Esnault, de l'all. *Wasser,* p.-ê. par l'argot savoyard.

♦ Argot anc. Eau (notamment, eau de rivière ou eau de pluie).
DÉR. Vaser.
HOM. 1. Vase, 2. vase.

VASECTOMIE [vazɛktɔmi] n. f. — 1933 ; de *vas-,* et *-ectomie.*

♦ Chir. Résection partielle ou totale des canaux déférents, entraînant la stérilité masculine. « *Un des moyens de contraception les plus sûrs est de pratiquer une vasectomie chez les hommes (...) un million d'Américains adultes ont subi à l'heure actuelle une vasectomie pour des raisons uniquement anticonceptionnelles* » (*le Point.* 28 mai 1973, *in* P. Gilbert). Syn. (moins cour.) : *vasotomie.*
DÉR. Vasectomiser.

VASECTOMISER [vazɛktɔmize] v. tr. — V. 1970 ; de *vasectomie.*

♦ Chir. Pratiquer une vasectomie sur. — Au p. p. *Le « mari, non stérile mais vasectomisé* » (*F. Magazine,* déc. 1979, p. 62).

(...) l'amour est devenu un problème à une époque où la contraception féminine et masculine (des centaines de milliers d'Américains sont vasectomisés) a transformé radicalement les mœurs puritaines du pays.
Benoîte GROULT, in F. Magazine, déc. 1979, p. 98.

VASELINE [vazlin] n. f. — 1877, cit. 1 ; mot angl., 1872, Chesebrough ; marque commerciale ; tiré de *vas-* (all. *Wasser* « eau »), *el-* (du grec *elaion* « huile »), et *-ine.*

♦ **1.** Techn. Substance molle, onctueuse et incolore, obtenue à partir des pétroles de la série des paraffines après distillation, cristallisation de la paraffine (utilisée surtout en pharmacie comme excipient pour diverses préparations médicamenteuses à usage externe). *Vaseline artificielle :* mélange de paraffine et d'huile lourde de pétrole. *Huile de vaseline.*

1   La vaseline, dit M. J. Moss, est très employée aux États-Unis, comme excipient des pommades, et aussi pour lubrifier les instruments de chirurgie et faciliter leur introduction.
L. FIGUIER, l'Année scientifique et industrielle 1878, p. 203-204 (1877).

♦ **2.** Cour. Pommade utilisant cette graisse. *Vaseline boriquée, camphrée. Tube de vaseline.*

2   (...) le policier étonné retira de ma poche, entre autres choses, un tube de vaseline. Sur lui on osa plaisanter puisqu'il contenait une vaseline goménolée. Tout le greffe pouvait, et moi-même parfois — douloureusement — rire aux éclats et se tordre à entendre ceci :
— « Tu les prends par les narines ? »
— « Risque pas de t'enrhumer, à ton homme, tu lui foutrais la coqueluche ».
Jean GENET, le Journal du voleur, 1949, p. 20.

(Allus. aux emplois érotiques de la vaseline, → cit. ci-dessus). *Sans vaseline :* brutalement (par métaphore de la possession physique anale).
DÉR. Vaseliner.

VASELINER [vazline] v. tr. — 1904 ; de *vaseline,* d'après l'angl. *to vaseline* (1891).

♦ Enduire, oindre de vaseline.

▶ **VASELINÉ, ÉE** p. p. adj.
Enduit de vaseline. — Fig. (sans doute d'après *pommadé*). Douceâtre (cf. Pâte de guimauve, pommade).

(...) la romance napolitaine, tendrement exaltée, urgente, persuasive, vaselinée (...)
Valery LARBAUD, Amants, heureux amants..., III, XVI.

REM. On trouve dans le même sens *vaselineux, euse,* [vazlinø, øz] adj. : « *Le fondu enchaîné vaselineux (...) les couleurs beigeasses (...)* » (J.-L. Bory, in *le Nouvel Obs.,* 16 oct. 1972, p. 77).

VASER [vaze] v. impers. — 1878 ; de *vase* « pluie ».

♦ Pop. Pleuvoir. *Il vase encore ? Ça vasait ! On n'y voyait pas à trois mètres !* — « *Une bruine vicieuse vase sur la ville* » (San-Antonio, *Ne mangez pas la consigne,* p. 95).

VASEUSEMENT [vazøzmã] adv. — 1967, in *le Monde* ; de 1. *vaseux,* au sens fig., 2.

♦ Rare. D'une manière vaseuse, incertaine ou embarrassée. *Il a parlé assez vaseusement de ses projets.*

Dali, qui, dans son dernier livre, réussit un *readymade* (...) en recopiant purement et vaseusement de très longs passages de *Locus Solus* (...) sans citer sa source.
J. FERRY, *in* le Monde, 29 nov. 1967.

1. VASEUX, EUSE [vazø, øz] adj. — 1484 ; de 2. *vase*.

★ **I.** ♦ **1.** Rare. Qui contient de la vase, est formé de vase. *Mer vaseuse* (Montesquieu). *Fond vaseux. Une côte vaseuse* (Académie).

♦ **2.** (Fin xvɪᵉ). Fig. Vx. De boue, vil. ⇒ **Boueux, fangeux.**

1 Véronique, discernant à merveille ce qui se passait dans cette âme vaseuse, se décida (...) à en finir par l'intimidation. Léon BLOY, le Désespéré, p. 129.

★ **II.** Mod. ♦ **1.** (V. 1833). Fam. Qui se trouve dans un état de malaise, de faiblesse. ⇒ **Abruti, fatigué.** *Je me sens vaseux, ce matin.*

♦ **2.** Trouble, embarrassé, obscur. *Un raisonnement vaseux.* ⇒ **Vasouillard.** — Médiocre et confus. *Cet article, ce bouquin est plutôt vaseux.*

2 Sa mauvaise humeur se marquait dans ses rapports avec moi. Ce fut la période la plus vaseuse de notre amitié. Ce fut une des périodes les plus vaseuses de ma vie. S. DE BEAUVOIR, la Force de l'âge, p. 327.

N. m. Obscurité embarrassée.

3 Quatre jours à Rome, éreintants, et au retour, de nouveau la grippe. Voilà qui n'intéresse pas l'univers. Je le note simplement pour excuser le vaseux de mes propos et pour enlever toute espérance à ceux de mes correspondants qui comptent sur une réponse. F. MAURIAC, le Nouveau Bloc-notes 1958-1960, p. 305.

DÉR. **Vaseux**, n. m. ; **vasouiller.**
COMP. **Sablo-vaseux.**
HOM. 2. **Vaseux.**

2. VASEUX [vazø] n. m. — Mil. xxᵉ ; de 1. *vaseux*, adj. (I., 1.).

♦ Ver de vase. *« Quelle que soit l'esche offerte : vaseux (...) cherfaix, asticots (...) »* (*l'Écho des pêcheurs*, n° 267, p. 12).

HOM. 1. **Vaseux.**

VASICOLE [vazikɔl ; vazikɔl] adj. — Mil. xxᵉ ; de *vas(e)*, et *-cole.*

♦ Zool., biol. Qui vit dans la vase. *Vers, bactéries vasicoles.*

VASIÈRE [vazjɛʀ ; vazjɛʀ] n. f. — 1415 ; *wazier*, n. m., 1282 ; de 2. *vase.*
Régional ou technique.

♦ **1.** (1872). Endroit, trou, fond vaseux (1. Vaseux, I., 1.).

♦ **2.** Premier bassin d'un marais salant, où arrive l'eau de mer (on dit aussi *vasais*, n. masc.).

♦ **3.** (1872). Parc à moules.

VASISTAS [vazistas] n. m. — 1798 ; *wasistas*, 1784 ; *wass-ist-dass*, 1776, *in* D.D.L. ; de l'all. *was ist das ?* « qu'est-ce que c'est ? », question posée à travers un guichet.

♦ Petit vantail mobile pouvant s'ouvrir dans une porte ou une fenêtre.

Le cachot ne recevait de jour que par là et par le vasistas de la porte, jour de souffrance qui venait du corridor et de la greffe et non du préau.
HUGO, Choses vues, ɪ, 1846, Visite Conciergerie.

VASO-, VAS- Premier élément, du lat. *vas* « vaisseau, canal ». ⇒ **Vasectomie, vasoconstricteur, vasoconstriction, vasodilatateur, vasodilatation, vasolabilité, vasomoteur, vasoplégie, vasopresseur, vasopressine, vasotomie.**

REM. On trouve d'autres composés, comme *vaso-actif, ive,* adj., « qui a une action sur la vasoconstriction ».

VASOCONSTRICTEUR [vazokɔ̃stʀiktœʀ] adj. et n. m. — 1859 ; de *vaso-,* et *constricteur.*

♦ Physiol. et méd. Qui diminue le calibre d'un vaisseau par contraction de ses fibres musculaires (en déterminant la vasoconstriction). *Nerf vasoconstricteur. Médicament vasoconstricteur.* — N. m. *L'adrénaline est un vasoconstricteur.*
REM. On écrit encore *vaso-constricteur.*

VASOCONSTRICTIF, IVE [vazokɔ̃stʀiktif, iv] adj. — 1890 ; de *vasoconstriction.*

♦ Didact. Qui produit ou améliore la vasoconstriction. *Propriétés vasoconstrictives de l'hamamélis.*

VASOCONSTRICTION [vazokɔ̃stʀiksjɔ̃] n. f. — 1890 ; de *vaso-,* et *constriction.*

♦ Diminution du calibre d'un vaisseau par contraction de ses fibres musculaires (commandées par les nerfs *vasoconstricteurs* ⇒ **Vasomoteur).** *Vasoconstriction cutanée.* — On écrit aussi *vaso-constriction.*

DÉR. **Vasoconstrictif.**

VASODILATATEUR [vazodilatatœʀ] adj. m. et n. m. — 1859 ; de *vaso-,* et *dilatateur.*

♦ Physiol. et méd. Qui augmente le calibre d'un vaisseau par relâchement de sa musculature (en déterminant la *vasodilatation*). *Nerf vasodilatateur. Agent vasodilatateur.* — N. m. *L'histamine est un vasodilatateur.* — On écrit aussi *vaso-dilatateur.*

VASODILATATION [vazodilatasjɔ̃] n. f. — 1890 ; de *vaso-,* et *dilatation.*

♦ Dilatation d'un vaisseau (par l'action des nerfs vasodilatateurs, ⇒ **Vasomoteur).** — REM. On écrit aussi *vaso-dilatation.*

VASOLABILITÉ [vazolabilite] n. f. — Mil. xxᵉ ; de *vasolabile,* et *-ité.*

♦ Méd. Instabilité vasomotrice.

VASOMOTEUR [vazomɔtœʀ] adj. — 1861 ; de *vaso-,* et *moteur.*

♦ Physiol. et méd. Relatif à la contraction et à la dilatation des vaisseaux. *Nerfs vasomoteurs* (vasoconstricteurs ou dilatateurs). *Troubles vasomoteurs* (→ Émotion, cit. 11). — N. m. *Les vasomoteurs.* — REM. On écrit aussi *vaso-moteur.*

VASOMOTRICITÉ [vazomɔtʀisite] n. f. — Mil. xxᵉ ; dér. de *vasomoteur,* d'après *motricité.*

♦ Physiol. et méd. Fonction régulatrice de la circulation du sang chez les vertébrés.

VASOPLÉGIE [vazopleʒi] n. f. — Mil. xxᵉ ; de *vaso-,* et *-plégie.*

♦ Méd. Vasodilatation provoquée par un agent qui abolit le tonus des parois vasculaires.

VASOPRESSEUR [vazopʀesœʀ ; vazopʀɛsœʀ] n. m. — xxᵉ ; de *vaso-, press(ion),* et *-eur.*

♦ Méd. Substance qui contracte les artères. — REM. On écrit aussi *vaso-presseur.*

S'il subsiste une vaso-dilatation, on utilisera des vaso-presseurs du type nor-adrénaline. A. GALLI et R. LELUC, les Thérapeutiques modernes, p. 64.

VASOPRESSINE [vazopʀesin] n. f. — Mil. xxᵉ (*in* Larousse, 1953) ; de *vaso-, press(ion),* et *-ine.*

♦ Méd. Hormone hypophysaire qui contracte les artères et élève la pression sanguine (syn. : *hormone antidiurétique* ou *ADH*). — REM. On écrit aussi *vaso-pressine.*

L'analyse complète, puis la synthèse d'hormones polypeptidiques, comme l'ocytocine et la vaso-pressine, ont été réalisées. A. GALLI et R. LELUC, les Thérapeutiques modernes, p. 10.

VASOTOMIE [vazotɔmi] n. f. ⇒ **Vasectomie.**

VASOUILLAGE [vazujaʒ] n. m. — Mil. xxᵉ ; de *vasouiller.*

♦ Fam. Fait de vasouiller ; comportement ou action, parole d'une personne qui vasouille. *Avec ses vasouillages continuels, il va finir par se faire renvoyer.*

VASOUILLARD, ARDE [vazujaʀ, aʀd] adj. — 1916 ; de *vasouiller.*

♦ Fam. Qui vasouille, est plutôt vaseux. *Un discours vasouillard.* ⇒ **Fumeux, vaseux.**

(...) je commençais la rédaction d'un papier vasouillard sur je ne sais quelle campagne électorale (...) Jacques PERRET, Bâtons dans les roues, p. 72.
REM. La var. *vasouillant, ante* (p. prés. du v. *vasouiller*) s'emploie aussi.

VASOUILLER [vazuje] v. intr. — 1908 ; « fainéanter », 1904 ; dér. argotique de *vaseux.*
Familier.

♦ **1.** Être hésitant dans ses actes ou ses paroles ; être maladroit. ⇒ **Merder, merdouiller, merdoyer.**

1 Viviani devait se mordre la langue en me le disant. Je n'ai vasouillé un peu qu'au début de la seconde moitié ; et personne ne s'en est aperçu.
J. ROMAINS, les Hommes de bonne volonté, t. V, XXIV, p. 215.

♦ **2.** (1932 ; choses). Marcher mal. *« Cet accouchement vasouille depuis le matin »* (Céline). *« (...) il faut que je retourne au labo ! Une expérience qui vasouille »* (Troyat, *Une extrême amitié,* p. 118-119).

2 C'est d'ailleurs d'une délicatesse extrême dans les tons pastel, surtout les paysages, mais alors dès qu'il s'agit de portraits ça vasouille complètement (...)
Pierre DANINOS, Un certain Monsieur Blot, 1960, p. 226.

DÉR. Vasouillage, vasouillard, vasouilleux.

VASOUILLEUX, EUSE [vazujφ, φz] adj. — Mil. xxᵉ ; de *vasouiller.*

♦ Fam. Vasouillard. — REM. L'adv. *vasouilleusement* est attesté (Malraux, *Antimémoires,* p. 409).

VASQUE [vask] n. f. — 1548, repris 1826 ; *vasca,* d'un dial. *vaschia* « cuve du pressoir » ; du lat. *vascula,* plur. de *vasculum.* → Vasculaire.

♦ **1.** Bassin ornemental peu profond. *Vasque de pierre, de marbre, d'albâtre, de porphyre* (→ Cinnamome, cit.). *Vasque creusée* (cit. 26) *au tour. Eau qui coule, ruisselle dans une vasque* (→ Patio, cit. 2). *Vasque aménagée en fontaine. Vasque lumineuse dans un jardin.*

(...) une de ces fontaines de féerie, doucement bruyantes, qui se versent de vasque en vasque, mêlent la pluie à la cascade, ressemblent à une dispersion d'écrin, et font au vent une folle distribution de leurs diamants et de leurs perles (...)
HUGO, l'Homme qui rit, II, V, III.
Cuvette d'un appareil sanitaire. *Vasque de W.-C. en porcelaine blanche.*

♦ **2.** (1893, *in* D. D. L.). Cavité d'une banquette rocheuse due à la dissolution des eaux. *Source qui émerge d'une vasque.*

♦ **3.** (1904). Coupe large et peu profonde servant à décorer une table.

VASSAL, ALE, AUX [vasal, o] n. — 1080, *Chanson de Roland* ; du lat. médiéval *vassallus,* du gaul. *vassus* « serviteur ». → Valet.

♦ **1.** Homme lié personnellement à un seigneur, un suzerain* qui lui concédait la possession effective d'un fief*. ⇒ **2. Sujet.** *Le seigneur et le vassal étaient liés personnellement par une cérémonie symbolique* (⇒ **Aveu,** cit. 1) *comprenant la prestation de foi et d'hommage** (cit. 3 et 5). *Service, soumission du vassal à son seigneur. Les vassaux du roi* (→ Arrière-fief, cit.), *de la couronne.* ⇒ **Antrustion.** *Les pairs* de France, vassaux privilégiés* (→ Cour, cit. 26). ⇒ **Feudataire.** *Grands vassaux,* ceux qui relevaient directement du roi. *Convocation, réunion des vassaux.* ⇒ **Ban.** *Vassal-lige*. Arrière-vassal.*

♦ **2.** Par ext. Homme, groupe dépendant de qqn et considéré comme un inférieur. *Assujettir, acquérir, abaisser* (cit. 14) *des vassaux.*

1 Quant à vous, acceptez le moins que vous pourrez des autres. Ne soyez le vassal d'aucune âme, ne relevez que de vous-même.
BALZAC, le Lys dans la vallée, Pl., t. VIII, p. 895.

2 Ma sœur bénéficiait, en tant que vassale, de la souveraineté que je m'attribuais : elle ne me la disputait pas. Je pensais que si j'avais dû la partager, ma vie aurait perdu tout sens.   S. DE BEAUVOIR, Mémoires d'une jeune fille rangée, p. 61.

Adj. *« Pour son trône, appuyé sur l'Europe vassale »* (Hugo, *Chants du crépuscule,* À la colonne).

CONTR. Alleu ; autonome.
DÉR. Vassalique, vassaliser, vassalité, vasselage.

VASSALIQUE [vasalik] adj. — xxᵉ ; *vassalitique,* 1829 ; de *vassal.*

♦ Didact. (hist.). Relatif à la vassalité ; des vassaux. *Régime féodal vassalique. Relations vassaliques,* du vassal au suzerain.

VASSALISATION [vasalizasjɔ̃] n. f. — V. 1950 ; de *vassaliser.*

♦ Fait de soumettre complètement (une personne, un groupe de personnes) ; état de soumission totale. *« Certains pays d'Europe occidentale sont tellement habitués à la domination des U.S.A., tellement dociles à leur propre vassalisation que toute résistance collective devient difficile »* (le Monde, 31 mars 1966, *in* Gilbert).

VASSALISER [vasalize] v. tr. — Mil. xixᵉ ; de *vassal.*

♦ Asservir, assujettir, rendre semblable à un vassal.
Les Américains (...) se proposent seulement de gagner de l'argent et du temps, en vassalisant l'Europe occidentale.
Pierre NORD, les Espionnes au coin du feu, p. 431.

▶ **VASSALISÉ, ÉE** p. p. adj. *Des pays vassalisés par une grande puissance.* ⇒ **Satellisé.**
DÉR. Vassalisation.

VASSALITÉ [vasalite] n. f. — Déb. xviiiᵉ ; *vassalté,* xvᵉ ; de *vassal.*
Didactique (1.) ou littéraire (2.).

♦ **1.** Hist. Condition de dépendance du vassal envers son suzerain. *Le serment d'allégeance, consécration de la vassalité.* ⇒ **Féodal, féodalité.** *Vassalité du dey* (cit. 2) *d'Alger au sultan de Constantinople.*

♦ **2.** État d'assujettissement, de subordination, de soumission. *Vassalité d'un peuple opprimé.*

(...) une *République cisalpine* avait été fondée sur le modèle de la République française et subordonnée si étroitement à celle-ci, que le mot *vassalité,* s'il n'apparaissait pas dans les textes, éclatait dans les faits.
Louis MADELIN, Hist. du Consulat et de l'Empire, Vers l'Empire d'Occident, X.

CONTR. Autonomie.

VASSELAGE [vaslaʒ] n. m. — 1549 ; *vaisselaige,* 1530 ; « courage, bravoure », 1080 ; de *vassal.*

♦ **1.** Hist. Vassalité (→ Hommage, cit. 3), envisagée sous le double rapport de la dépendance du vassal envers le suzerain et des obligations qu'ils contractent l'un envers l'autre. *Vasselage lige.*

1 Pour mieux confirmer cette promesse de dépendance et de vasselage, Guillaume le mena avec lui contre les Bretons.   MICHELET, Hist. de France, IV, II.

♦ **2.** Fig. et littér. *Vasselage où l'esprit s'avilit* (cit. 19).

2 La mécanique du vasselage amoureux exige une futilité sans fond. Car, pour que la dépendance se manifeste dans sa pureté, il faut qu'elle éclate dans les circonstances les plus dérisoires, et devienne inavouable à force de pusillanimité : attendre un téléphone est en quelque sorte une dépendance trop grosse ; il faut que je l'affine, sans limites.
R. BARTHES, Fragments d'un discours amoureux, 1977, p. 97.

VASSEUR [vasœR] n. m. — 1147 ; de *vavasseur.*

♦ Vx ou régional. Vassal.

VASSIVE [vasiv] n. f. ⇒ Vacive.

VASSIVEAU [vasivo] n. m. — Déb. xviiᵉ ; de (bête) *vassive,* 1500 ; → Vacive.

♦ Régional. Agneau de moins de deux ans.

VASTE [vast] adj. — 1611 ; « désert », 1495 ; *guast, wast* « dévasté, inculte », 1088 ; lat. *vastus* « vide, désert ; immense ».

♦ **1.** (Le plus souvent avant le nom, en épithète). Très grand, immense* (d'une surface) → Immensité, cit. 11. *Caractère de ce qui est vaste.* ⇒ **Vastité, vastitude.** *Vaste étendue** (→ Attacher, cit. 94 ; devant, cit. 1). *Vaste espace* (→ Sacrifier, cit. 12). *Mer* vaste, mer immense* (→ Engloutir, cit. 7). *Vastes régions* (→ Rizière, cit. 1), *forêts* (→ Secours, cit. 1), *garrigues* (cit. 2). *Vastes campagnes* (→ Moisson, cit. 7). *La vaste plaine* (→ Hostile, cit. 11 ; marnière, cit.). *Vaste marécage* (cit. 1). — *Vaste terrain* (→ Fermer, cit. 23). *Le désert est muet* (cit. 16), *vaste et nu. Un vaste empire* (→ Gloire, cit. 36). — (Par métaphore). *Vaste désert* (cit. 11) *du monde. Le vaste horizon humanitaire* (→ Borné, cit. 19). — Par ext. *Le vaste ciel* (→ Grève, cit. 4). — Par anal. *Une vaste plaie* (→ Gangrène, cit. 1).

1 La mer, la vaste mer, console nos labeurs !
BAUDELAIRE, les Fleurs du mal, « Spleen et idéal », LXII.

♦ **2.** (Plutôt avant le nom, sauf précédé d'un adv.). Très grand, important (d'une construction). ⇒ **Ample, large.** *Rendre plus vaste.* ⇒ **Agrandir.** *Vaste édifice* (→ Bibliothèque, cit. 5 ; grange, cit. 2). *Vaste forteresse* (→ Digue, cit. 1). *Vaste hangar* (cit. 3) ; *vaste coupole* (cit. 3). *De vastes magasins* (→ Requin, cit. 4). *Un appartement très vaste* (→ Feutré, cit. 5). *Vastes salles décorées avec luxe* (→ Magnificence, cit. 7). *Un vaste foyer* (→ Calciné, cit. 3). *« J'ai longtemps habité sous de vastes portiques »* (cit. 2, Baudelaire). Par métaphore. *« Mon âme* (cit. 24) *est à l'étroit dans sa vaste prison »*.

2 Les gens se réunirent dans le salon, qui était très vaste, mais aussi très sombre, et garni d'une grande diversité de meubles.
J. ROMAINS, les Hommes de bonne volonté, t. V, XXII, p. 171.

Spacieux, ample, grand. ⇒ **Grand.** *Une vaste berline* (cit. 2). *Une vaste table ovale* (→ Joueur, cit. 7 ; rocaille, cit. 2). *Vaste lit Régence* (→ Joufflu, cit. 2). *Vaste pardessus* (→ Descendre, cit. 29) ; *vaste robe de chambre* (→ Relief, cit. 5).

(1611). Anat. *Muscles vastes,* et, n. m. (1690), *les vastes. Muscles vastes du membre inférieur* (cuisse), *du membre supérieur* (bras). *Muscle vaste externe du membre inférieur* (l'une des quatre portions du quadriceps), *du membre supérieur. Muscle vaste interne du membre inférieur, du membre supérieur* (une des trois parties du triceps brachial).

♦ **3.** (1820). Av. le nom. Grand en quantité, en nombre. ⇒ **Important, nombreux.** *Un vaste groupement de jeunes révolutionnaires* (→ Affilié, cit. 1). *Vaste foule* (cit. 13). *La Ligue* (cit. 3) *est une vaste confrérie. La vaste Humanité...* (→ Couvercle, cit. 1, Baudelaire).

♦ **4.** (1678). (Av. ou après le nom). Étendu dans sa portée ou dans son action. *Un vaste et puissant génie* (→ Autel, cit. 14; despotiquement, cit.). *Esprit* vaste* (→ 3. Droit, cit. 14), *d'une grande étendue.* ⇒ **Compréhensif.** *Intelligence vaste* (→ Induire, cit. 12; intelligence, cit. 15), *qui embrasse* de nombreuses connaissances. Une vaste érudition. Des connaissances très vastes* (→ Ingénieur, cit. 3). *Une matière aussi vaste* (→ Diversifier, cit. 2).

3   Les esprits (...) qu'une vaste imagination emporte hors des règles (...)
                         LA BRUYÈRE, les Caractères, I, 55.

Vieilli ou *littér.* Qui s'étend, dure longtemps. *Une vaste solitude* (→ Multitude, cit. 7). *Les vastes chagrins* (→ Brumeux, cit.).
Littér. (le plus souvent av. le nom). Important, ample, développé (→ Épique, cit. 1; fresque, cit. 7). *Vaste fiction* (cit. 9) *en prose. Vaste composition lyrique* (cit. 9). *Une affaire* (cit. 55) *de vaste envergure. Une vaste conspiration s'ourdissait* (→ Aventurier, cit. 8). *Les plans les plus vastes* (→ Énergie, cit. 9). *La plus vaste des entreprises** (→ Exécuter, cit. 26).

4   (...) la ville en formation, sur laquelle doivent se porter tous les espoirs, toutes les imaginations et toutes les vastes entreprises.
           GIRAUDOUX, De pleins pouvoirs à sans pouvoirs, III, p. 69.

♦ **5.** (xxᵉ; toujours av. le nom). *Fam. Une vaste blague, une vaste rigolade.*

CONTR. Étroit, exigu, petit.
DÉR. Vastement.

VASTEMENT [vastəmɑ̃] adv. — V. 1450; de vaste.

♦ Rare. Largement, amplement.

VASTITÉ [vastite] n. f. — Mil. xvıᵉ; «dévastation», 1517; du lat. *vastitas* «grandeur démesurée» et «dévastation», de *vastus.* → Vaste.

♦ Vx ou littér. Grandeur, ampleur. ⇒ **Vastitude.**

1   Montaigne était accoutumé à la *vastité sombre de nos cathédrales gothiques* (...)
           CHATEAUBRIAND, Mémoires d'outre-tombe, t. V, p. 26.
    N. B. Le texte en italique est de Montaigne.

2   — Rawoo! fit le butor en virant brusquement sur l'aile et en se perdant dans l'éblouissement azuré de la vastité marine.
    — Ah, dis-je, comme tout cela est délicieusement bleu!
    Je gardais les yeux obstinément fixés sur l'immense nappe de la mer et du ciel conjugués, faisant un effort pour ne pas tourner la tête.
        Jean RAY, les Derniers Contes de Canterbury, 1944, p. 117-118.

CONTR. Étroitesse, exiguité, petitesse.

VASTITUDE [vastityd] n. f. — 1546; du lat. *vastitudo* «proportions énormes» et «ravage»; de *vastus.* → Vaste.

♦ Vx ou littér. Immensité. ⇒ **Vastité.** — (Abstrait). Caractère de ce qui est vaste.

    — Albert, quel monsieur Albert? Vous croyez que je connais tous mes clients par leur nom?
    Il jette un coup d'œil circulaire pour indiquer la vastitude de la chose, vastitude à inférer de la constatation du désert ambiant.
        R. QUENEAU, les Fleurs bleues, 1965, p. 265.

VA-TE-LAVER [vatlave] n. m. et f. invar. — 1867; de *va* (impér. de *aller*), *te,* et *laver.*

♦ **1.** N. m. ou f. Gifle («allusion à la nécessité d'effacer les traces sanglantes laissées sur ceux qui en sont les victimes» : Larchey, *Dict. d'argot*). *Un, une va-te-laver.*

    Elle lui en retourne une... vlof! une mandale... une splendide va-te-laver!
        Alphonse BOUDARD, les Combattants du petit bonheur, p. 260.

♦ **2.** (1916, *in* D. D. L.). Vx. Personne malpropre. *Des vrais va-te-laver.*

VA-T-EN-GUERRE [vatɑ̃gɛʀ] n. invar. — 1937; de la troisième pers. du sing. de *aller,* suivi d'un *t* euphonique, de *en,* et de *guerre.*

♦ **1.** Fam. Militaire; personne qui a le goût des armes. ⇒ **Belliciste.** *Un, une va-t-en-guerre.*

    C'est le tango des joyeux militaires
    Des gais vainqueurs de partout et d'ailleurs
    C'est le tango des fameux va-t-en-guerre
    C'est le tango des fous les fossoyeurs
        Boris VIAN, les Joyeux Bouchers, *in* Textes et chansons, p. 150.

♦ **2.** Fig. Personne qui aime, recherche le combat, la dispute. ⇒ **Batailleur.**

VATÈRES [vatɛʀ] n. m. pl. — xxᵉ; francisation de *waters,* de *water-closet.*

♦ Pop. *Les vatères* : les cabinets*. ⇒ **Vécés, waters, W.-C.**

    Antoine aperçut son frère, accroupi en belle vue dans le réduit que l'administration nommait les vatères.   MARTIN DU GARD, les Thibault, t. II, p. 64.

HOM. V. Water.

VATÉRIEN, IENNE [vateʀjɛ̃, jɛn] adj. — Mil. xxᵉ; de *ampoule de Vater,* du n. d'un anatomiste all., 1684-1751.

♦ Anat. Relatif à l'ampoule de Vater, cavité où le canal cholédoque s'abouche avec le canal de Wirsung.

VATICANE [vatikan] adj. f. — 1867; de *Vatican,* lat. *Vaticanus (mons),* une des sept collines de Rome.

♦ Didact. Qui a rapport, appartient au Vatican, au Saint-Siège. *La politique vaticane.* ⇒ **Vaticanesque.** *La Bibliothèque vaticane* (ou, n. f., *la Vaticane*).

VATICANESQUE [vatikanɛsk] adj. — 1893, P. Bourget, *in* D. D. L.; de l'ital. *vaticanesco,* de *Vaticano, Vatican.*

♦ Du Vatican (souvent péj.). « *Le cardinal qui à 52 ans est le plus jeune membre du Sacré Collège, s'exprime avec une réserve très vaticanesque* » (*l'Express,* 14 févr. 1981, p. 82).

VATICANISTE [vatikanist] n. m. — 1978, *in* P. Gilbert; de *Vatican,* d'après l'italien.

♦ Spécialiste de la politique vaticane.

VATICINANT, ANTE [vatisinɑ̃, ɑ̃t] adj. — Mil. xxᵉ; de *vaticiner.*

♦ Rare. Qui vaticine, prophétise. ⇒ **Prophétique.**

    (...) le cataclysme nucléaire illumine les perspectives du socialisme éperdu. Cette formule vaticinante m'est inspirée par les toutes dernières révélations de l'ésotérisme druidique.   Jacques PERRET, Bâtons dans les roues, p. 162 (1953).

VATICINATEUR, TRICE [vatisinatœʀ, tʀis] n. et adj. — 1512; du lat. *vaticinator* «devin, prophète».

♦ **1.** N. Littér. ou didact. Personne qui prétend connaître l'avenir. ⇒ **Devin, prophète.**

    (...) cet argot mystique, creux et sonore, avec lequel pontifient des hommes comme Michelet, comme Hugo, cherchant à s'imposer à leur entourage, ainsi que des vaticinateurs ayant commerce avec les dieux.
        Ed. et J. DE GONCOURT, Journal, 28 mars 1872, t. V, p. 36.

♦ **2.** Adj. (1546, Rabelais). *L'assurance vaticinatrice d'un prophète* (→ Scientifique, cit. 1).

VATICINATION [vatisinɑsjɔ̃] n. f. — 1512; du lat. *vaticinatio, vaticinationis* «prédiction, oracle», de *vaticinari.* → Vaticiner.

♦ Littér. Prédiction* de l'avenir. ⇒ **Oracle, prophétie.** *Vaticinations sibyllines*,* difficiles à interpréter.

    M. Maurras, dans son concevable désir de trouver partout des saints pour sa cause, fait naturellement grand état des vaticinations et des jugements de cette doctrinaire inattendue *(Aimée de Coigny)...*
        Émile HENRIOT, Portraits de femmes, p. 217.

VATICINER [vatisine] v. — 1481; du lat. *vaticinari* «prophétiser», de *vates* «devin, prophète».

Littéraire.

♦ **1.** V. intr. Prédire l'avenir (en parlant comme un oracle), prophétiser (→ Forêt, cit. 4). *Le fait de vaticiner.* ⇒ **Vaticination.** *Les pucelles qui vaticinent à l'exemple des sibylles* (cit. 2). — S'exprimer dans une sorte de délire verbal, comme si on était habité par un dieu. *Bavarder est facile* (cit. 4), *vaticiner l'est également.*

1   Tout le monde se presse autour de Léopold. Il vaticine, il recommence ses discours passionnés et mystérieux (...)
        M. BARRÈS, la Colline inspirée, VIII (1913).

♦ **2.** V. tr. Annoncer, comme le ferait un oracle. ⇒ **Prédire.**

2   Il commença de vaticiner que la Lorraine n'avait pas épuisé sa destinée et que cette héroïque racine allait rejeter une pousse.
        M. BARRÈS, la Colline inspirée, II.

VA-TOUT [vatu] n. m. sing. — 1671; *faire un va-tout à qqn* «disputer le prix à qqn», 1691; de la 3ᵉ pers. du sing. de *aller,* et de *tout.*

♦ **1.** Coup où l'on risque tout son argent, aux cartes*. *Faire va-tout. Tenir le va-tout.*

♦ **2.** Loc. cour. *Jouer son va-tout* : risquer le tout pour le tout, prendre les derniers moyens (→ Jouer sa dernière carte*).

Mais si les gouvernements sont assez fous pour jouer leur va-tout et risquer la ruine totale, plutôt que de céder (...)
    MARTIN DU GARD, les Thibault, t. VII, p. 264.

1. VAU, VAUX [vo] n. m. — Mil. xxᵉ ; graphie mod. de *veau*, 1701, en ce sens ; emploi métaphorique de *veau*.

♦ Constr. Pièce porteuse de la ferme (3. Ferme) d'un cintre, utilisée pendant la construction d'une voûte.

COMP. Sous-vau.

HOM. Vaux (plur. de val), veau, vos ; formes du v. valoir.

2. VAU [vo] n. m. — Var. anc. de *val*, → Val.

♦ Seulement en loc. *À vau-de-route.* ⇒ Vau-de-route (à). *À vau-l'eau.* ⇒ Val. *À vau-vent.* ⇒ Vau-vent (à).

VAUCHÉRIE [voʃeʀi] n. f. — 1808 ; du nom de J. Vaucher, botaniste suisse (1763-1841).

♦ Bot. Algue verte *(Xanthophycées hétérocontes)* filamenteuse, ramifiée, qui croît sur la terre humide ou dans les eaux douces.

VAUCLUSIEN, IENNE [voklyzjɛ̃, jɛn] adj. — 1876, *in* P. Larousse ; du nom du département du *Vaucluse*.

♦ **1.** Adj. et n. Du Vaucluse.

♦ **2.** (1904). Géol. *Source vauclusienne* : rivière souterraine qui arrive au jour à la façon des eaux de la Fontaine de Vaucluse. ⇒ **Résurgence.**

VAUDAIRE [vodɛʀ] n. f. — D. i. (attesté xxᵉ) ; de *Vaud*, nom géographique.

♦ Régional (Suisse). Vent d'est qui souffle de la vallée (vaudoise) du Rhône vers le lac Léman.
(...) Le *Grèbe* du docteur Nadal reportait au vent arrière par une belle « vaudaire », emportant son petit monde plein de regrets.
    Guy DE POURTALÈS, la Pêche miraculeuse, p. 41.

VAU-DE-ROUTE (À) [avod(ə)ʀut] loc. adj. — V. 1536 ; de à, *vau* (de l'anç. franç. *avau, aval*, 1159), *de*, et *route*.

♦ Vx. Dans la confusion, en débandade (encore chez Chateaubriand, au figuré).

VAUDEVILLE [vodvil] n. m. — 1549 ; *Vault de ville*, 1507 ; altér., d'après *ville*, de *vaudevire* « chanson de circonstance », xvᵉ ; rattaché traditionnellement à *vau* (« val ») *de Vire*, région du Calvados (cf. livre des *vaux de Vire*, 1610), mais probablt, selon P. Guiraud, de *vauder* « tourner », mot dialectal normand, et *virer* (→ Virelai).

♦ **1.** Vx. Chanson populaire à thème satirique ou bachique (chanson à boire). « *Le Français* (cit. 8), *né malin, forma le vaudeville* » (Boileau).

1   Il y a des gens qui ressemblent aux vaudevilles, qu'on ne chante qu'un certain temps.   LA ROCHEFOUCAULD, Maximes, 211.

♦ **2.** (V. 1697). Pièce de théâtre mêlée de chansons et de ballets. — (1825, Mᵐᵉ de Genlis). Comédie légère, divertissante, fertile en intrigues et rebondissements. *Le Théâtre du Vaudeville. Scénario* (→ Piocheur, cit. 1), *personnage de vaudeville* (→ Quel, cit. 20). *Les drames-vaudevilles* (→ Grisette, cit. 5). *L'extinction* (cit. 5) *du vaudeville et de l'opéra-comique en France.*

2   (...) le vaudeville (...) est à la vie réelle ce que le pantin articulé est à l'homme qui marche, une exagération très artificielle d'une certaine raideur naturelle des choses.   H. BERGSON, le Rire, p. 78.

♦ **3.** Fig. Se dit de ce qui a le caractère léger, superficiel, l'intrigue burlesque et compliquée du vaudeville. *Un vaudeville joyeux* (→ Corser, cit. 2) *s'ébauche à la cuisine. Cette histoire est un vrai vaudeville.* ⇒ **Opérette.** *Conspirateur de vaudeville.*

DÉR. Vaudevillesque, vaudevillisé, vaudevilliste.

VAUDEVILLESQUE [vodvilɛsk] adj. — 1891 ; de *vaudeville.*

♦ Qui a le caractère léger et burlesque du vaudeville. *Une histoire vaudevillesque* (→ Nègre, cit. 7).

Il eût été piquant pour le moins de lui *(B. Constant)* voir raconter la scène de l'auberge de Sècheron (...) L'élément comique, quasi vaudevillesque, qui chez lui presque toujours accompagne le drame et le déchirement, n'aurait pas manqué dans cette circonstance, sous sa plume.
    Émile HENRIOT, les Romantiques, p. 475.

VAUDEVILLISÉ, ÉE [vodvilize] adj. — 1826, cit. ; 1832, comme verbe ; de *vaudeville.*

♦ Vx. Traité en vaudeville.

Chacun sait que, dans ce mélodrame vaudevillisé, le bourgmestre prend le charpentier Pierre pour le czar Pierre.
    BALZAC, Dictionnaire des enseignes, Suppl., 1826, p. 118, *in* D. D. L., II, 10.

VAUDEVILLISTE [vodvilist] n. — 1735 ; de *vaudeville.*

♦ Auteur de vaudeville. *Une habile vaudevilliste.*

J'ai dîné hier avec des vaudevillistes, parmi lesquels il y avait Labiche, l'auteur du *Chapeau de paille d'Italie.*
    Ed. et J. DE GONCOURT, Journal, 12 févr. 1874, t. V, p. 87.

1. VAUDOIS [vodwa] n. — 1285 ; du nom de (Pierre) *Valdo.*

♦ Membre d'une secte chrétienne apparue en France au xiiᵉ siècle, qui écartait tout ce qui n'était pas expressément dans la Bible. *Les Vaudois sont maintenant rattachés au protestantisme. Les Vaudois fondaient leur foi sur les deux testaments mais refusaient la messe, le culte des saints... ; considérés comme hérétiques ils furent pourchassés au cours des siècles.* — Adj. *L'hérésie vaudoise fut férocement réprimée. Les martyrs* (cit. 2) *vaudois.*

HOM. 2. Vaudois.

2. VAUDOIS, OISE [vodwa, waz] adj. — Fin xviiiᵉ ; du lat. médiéval *(pagus) Valdensis* « pays de Vaud ».

♦ Du pays de Vaud, en Suisse romande. *La population vaudoise. Il parle le français avec l'accent vaudois.*

HOM. 1. Vaudois.

VAUDOU [vodu] n. m. et adj. — 1864 ; « danse des Noirs », 1839 ; du dahoméen *vodu.*

♦ **1.** Culte animiste originaire du Bénin (Dahomey-Togo) répandu chez les Noirs des Antilles et d'Haïti, mélange de pratiques magiques, de sorcellerie et d'éléments pris au rituel chrétien (→ Candomblé, cit.) ; les divinités du culte et les individus qui pratiquent ce culte. *Les vaudous* ou (vieilli) *vaudoux.*

— Massa, on dit que les papistes sont comme les païens d'Afrique ; ils ont des vaudous.
— Qu'est-ce qu'un vaudou ?
— Massa, c'est un petit bon dieu qu'on se fait à soi-même et qui n'est pas le vrai bon Dieu.   René LEFEBVRE, Paris en Amérique, p. 177 (1864).

♦ **2.** Adj. invar. (1876). *Culte vaudou. Cérémonie vaudou.*

DÉR. Vaudouisme.

VAUDOUISME [voduism] n. m. — D. i. (xxᵉ) ; de *vaudou.*

♦ Culte vaudou ; ensemble des pratiques vaudou.
(...) elle se consacrait entièrement au vaudouisme.
    Maurice DENUZIÈRE, Fausse-Rivière, p. 133.

VAURIEN, ENNE [voʀjɛ̃, ɛn] n. — 1558 ; *vault rien*, déb. xviᵉ ; *rienne-vault*, v. 1530 ; de *(qui ne) vaut rien.*

★ I. ♦ **1.** Vieilli. Personne peu recommandable. *Ah ! le brigand ! le vaurien ! le séditieux !* (cit.). ⇒ **Bandit, brigand, gredin.** *Un « perfide vaurien »* (Molière, *Tartuffe*, v, 1615). *La bassesse d'un vaurien* (→ Héroïsme, cit. 4).

1   (...) j'aurais fini par épouser dans mes vieux jours, une vaurienne, une saltimbanque, une fille d'Opéra (...)   BALZAC, la Cousine Bette, Pl., t. VI, p. 237.

Adj. Vx et littér. « *Produits avariés, nés d'un siècle vaurien* » (Baudelaire, *les Fleurs du mal*, l'Idéal).

♦ **2.** (1718). Enfant, adolescent effronté ; jeune voyou. ⇒ **Chenapan, coquin, galapiat, galopin, garnement, gouspin** (vx), **gredin, pendard, rossard, sacripant** (cf. Mauvaise herbe, mauvais sujet). *Un petit vaurien. Passer pour un vaurien* (→ Âne, cit. 11).

2   (...) Nana, vers la fin de l'été, bouleversa la maison. Elle avait six ans, elle s'annonçait comme une vaurienne finie.   ZOLA, l'Assommoir, v. t. I, p. 195.

3   Le cadet, Ernst, avait douze ans : c'était un petit vaurien, vicieux et effronté, qui passait ses journées avec quelques chenapans de sa sorte, et qui, dans leur société, avait pris non seulement des façons déplorables, mais de honteuses habitudes (...)
    R. ROLLAND, Jean-Christophe, Le matin, I, p. 143.

★ II. N. m. (1952). Petit bateau de régate, dériveur monotype gréé en sloop (nom de série ; à ce titre, le mot prend la capitale). *Un Vaurien. Une régate de Vauriens.* — REM. Le nom évoque à la fois la conception simple et bon marché (« vaut rien ») de ce bateau très populaire, et la clientèle de jeunes gens (*vaurien*, sens 2, pris en bonne part) pour laquelle il fut conçu à l'origine.

VAUTOUR [votuʀ] n. m. — 1564 ; *voutour*, xiiiᵉ ; *voltur*, fin xiᵉ ; du lat. *vultur.*

♦ **1.** Oiseau de proie falconiforme de la famille des ægypiidés ou vulturidés ; rapace de grande taille, aux ailes vastes, au bec crochu et dont la tête et le cou sont dénudés. ⇒ **Charognard, condor, grif-**

fon, gypaète, percnoptère (→ Paillasse, cit. 4). *Le vautour vit dans les hautes montagnes et se nourrit de charognes et de détritus. Vautours qui planent* (→ Fiente, cit. 3). — *Son cou maigre, son nez busqué font penser à un vautour* (→ Bréchet, cit. 1).

1 Je lève les yeux et je l'aperçois qui s'en va, les ailes étendues, immobiles, le grand dépeceur de charognes, le vautour qui plane sur son domaine (...)
MAUPASSANT, Au soleil, Province d'Alger.

Adj. *Le peuple vautour* (La Fontaine, *Fables*, VII, 8).

Allus. mythol. *Le vautour de Prométhée* (→ Démon, cit. 4), *symbolisant le supplice infligé par le remords.*

Par métaphore. « *La nation entière est promise* (cit. 24) *aux vautours* ».

2 L'amour est le vautour et nos cœurs sont la proie.
HUGO, la Légende des siècles, XXXVI, X.

♦ **2.** (1723). Fig. Personnage avide, rapace* et dur. ⇒ **Pirate, requin.** *Ce propriétaire est un vautour.*

♦ **3.** (1967 ; calque de l'angl. *vulture*). Partisan des solutions de force dans un différend international. ⇒ **Faucon** (souvent opposé à *colombe*). « *Le président Johnson l'a emporté sur les partisans de l'extension des hostilités* (au Vietnam) *ceux qu'on appelle les vautours (...) Encore un pacifiste pour le Vietnam qui est un foudre de guerre quand il s'agit d'Israël ! Toutes les "colombes" sont devenues des "vautours"* » (*Paris-Match*, 27 avr. 1968).

VAUTRAIT [votʀɛ] n. m. — 1554 ; *vaultroy*, 1405 ; du bas lat. *vertragus* « chien courant » ; orig. celtique.

♦ Chasse. Grand équipage de chiens courants (⇒ **Vautre**) pour la chasse au sanglier. *Capitaine du vautrait* (du roi).

HOM. Formes du v. **vautrer.**

VAUTRE [votʀ] n. m. — 1640 ; *vaultre*, 1532 ; *veltre*, 1080 ; du bas lat. *vertragus* « lévrier ».

♦ Chasse. Chien pour la chasse à la bête noire (ours, sanglier). *Les vautres du vautrait.*

DÉR. 1. Vautrer.
HOM. Vôtre.

1. VAUTRER [votʀe] v. tr. — 1690 ; *vaultrer* « chasser le sanglier avec des vautres », 1573 ; *veautrier*, v. 1387 ; de *veautre*, du bas lat. *vertragus*.

♦ Chasse. Chasser le sanglier avec des chiens courants, des vautres.

HOM. 2. Vautrer.

2. VAUTRER (SE) [votʀe] v. pron. — V. 1636 ; *voltrer, viltrer, vautrer* « se rouler sur le sol », v. 1190 ; fig. *se vautrer en péchié*, 1300 ; *se vautrer sur...* aux XVIᵉ et XVIIᵉ ; du lat. pop. **volutulare*, du lat. class. *volutum*, supin de *volvere* « tourner ».

★ **I.** V. pron. *Se vautrer.* ♦ **1.** Se coucher, s'étendre (sur, dans qqch.) en se roulant*, et, par ext., en prenant une position abandonnée. *Un âne qui court se vautrer dans une mare* (→ Brusque, cit. 6), *dans la boue.* ⇒ **Barboter.** *Le cochon se vautre dans sa bauge, le sanglier dans sa souille* (→ aussi Porc, cit. 1). *Se vautrer nonchalamment sur son lit, dans l'herbe...* (→ Enivrer, cit. 28). — *Se vautrer sur les plages.*

1 Il se vautrait sur son lit, en sueur, à plat ventre, collant sa face moite dans l'oreiller où avait traîné le chignon de Thérèse. ZOLA, Thérèse Raquin, IX.

2 Elle *(la bête, un marcassin)* faisait le porc. Elle labourait la boue avec son groin puis elle se couchait dans la boue fraîche et elle se vautrait à pleins poils, le ventre en l'air. J. GIONO, le Chant du monde, I, III.

2.1 Ma mère s'inquiétait, me secouait, menaçait, suppliait. Mon père me considérait avec dégoût : rien n'y faisait. Je me vautrais sur les chaises, sur les lits, sur le tapis, comme si ma charpente ne supportait plus la station droite. J'étais terne et malheureux. Seul un événement important ou un excès quelconque pouvait me tirer de ma torpeur. Geneviève DORMANN, le Chemin des dames, 1964, p. 42.

♦ **2.** Fig. (péj.). Se complaire. *Se vautrer dans la concussion et l'abus d'autorité* (→ Rendre, cit. 22). *Se vautrer dans la débauche, le vice.*

3 Non, tu te vautrais dans un souvenir délicieux (...)
F. MAURIAC, le Nœud de vipères, I.

★ **II.** V. tr. *Vautrer.* (1636 ; *voutrer*, XVᵉ). Rare. *Vautrer son corps :* se vautrer.

▶ **VAUTRÉ, ÉE** p. p. adj. *Toute la journée vautrée sur notre tapis* (→ Fainéantise, cit. 2). *Un chien vautré sur le carrelage* (→ Bruit, cit. 17).

(...) Satin, en chemise, vautrée et les pieds plus hauts que la tête, l'écoutait en fumant des cigarettes. ZOLA, Nana, VIII. 4

HOM. 1. **Vautrer.**

VAU-VENT (À) [avovã] loc. adv. — 1763 ; *aval vent*, v. 1155 ; de *à, vau* (var. de *val*), et *vent.*

♦ Vén. et vx. En ayant le vent derrière soi.

VAUVERT (AU DIABLE) [odjabləvovɛʀ] loc. ⇒ **Diable.**

VAUX [vo] n. m., plur. de *val*. ⇒ **Val.**

HOM. V. **Veau.**

VAUXHALL [voksol] n. m. — 1724 ; var. *wauxhall*, 1790, *in* Arveiller ; angl. *Vauxhall*, nom d'une localité proche de Londres qui abrite un jardin public célèbre ; le mot est attesté en 1769 comme nom commun en angl., à propos de la France.

♦ Vx (entre 1750 et 1850 env.). Jardin public, puis salle avec attractions, danse, etc.

VAVASSEUR [vavasœʀ] n. m. — 1229 ; *vavasour*, 1090 ; du bas lat. d'origine gaul. *vassus* « vassal ».

♦ Féod. Vassal d'un arrière-fief. ⇒ **Arrière***-**vassal.** *Ces arrière-vassaux ou petits vavasseurs* (→ Arrière-fief, cit.).
REM. On a dit aussi *vavassal, vasseur.*

VA-VITE (À LA) [alavavit] ⇒ **Va.**

VEAU [vo] n. m. — Fin XIIᵉ ; *vedel, veel*, v. 1120 ; du lat. *vitellus.*

★ **I.** ♦ **1.** Petit de la vache, pendant sa première année, qu'il soit mâle ou femelle (et éventuellement tué entre trois et sept mois). *Veau nourri au lait, au fourrage* (⇒ **Broutard**). *Après un an, le veau mâle s'appelle bouvillon, taurillon, le veau femelle génisse**. *La vache** *a fait son veau.* ⇒ **Vêler.** *Veau mort-né.* — *Veau fermier,* qui tète sa mère (syn. : *veau sous la mère*) ; *veau de batterie* (élevé en groupe, tué à trois mois). *Veau de rivière* (⇒ **Rivière,** II.). *Une vache et son veau* (→ Étable, cit. 2). « *(...) adieu veau, vache, cochon, couvée* » (→ Sauter, cit. 1, La Fontaine).

0.1 Il est dans mon petit hameau
Trois grand'merveilles de la faune,
trois doux trésors de petits veaux,
tous les trois blancs marqués de jaune.
Paul FORT, les Petits veaux d'Haizettes, *in* Paul Fort, éd. Seghers, p. 142.

Loc. (Bouch.). *Veau blanc. Veau rose.*

0.2 Il m'expliqua une fois de plus que Paris réclamait du veau blanc. Le veau blanc, en terme de boucherie, ça ne pouvait être qu'une bête très jeune soumise au préalable à une journée d'obscurité et de diète hydrique.
Pierre GASCAR, les Bêtes, p. 53.

Loc. *Tuer le veau gras* (par allus. au repas et à la fête donnés en l'honneur du retour de l'enfant* prodigue) : faire un repas en l'honneur de qqn, des réjouissances familiales.

1 Cherchez dans nos étables le veau le plus gras, tuez-le ; préparez un festin de joie, car le fils que je disais mort est vivant. GIDE, le Retour de l'enfant prodigue, I.

(1606, *crier comme un veau*, *in* D.D.L.). *Pleurer comme un veau,* en sanglotant bruyamment. — Par plais. « *Gargantua riait comme un veau et pleurait** (cit. 1) *comme une vache* » (Rabelais).

2 Les anciens vers que vous m'envoyez m'ont tellement ému que j'en ai pleuré comme un veau (...) FLAUBERT, Correspondance, 1911, nov. 1879.

Geindre, crier comme un veau, comme un veau qu'on égorge.

2.1 Dès qu'il aperçut son colonel, il se mit à geindre comme un veau qu'on mène à l'abattoir en criant : Mon col'nel, mon col'nel, on r'fuse d'me soigner, on veut m'faire mourir.
G. FRISON, les Aventures du colonel Ronchonot, 1885, p. 614, *in* D.D.L., II, 17.

Prov. (vx). *Changement d'herbe réjouit les veaux* : les jeunes gens aiment le changement.

Faire le veau (→ Asseoir, cit. 30) : s'étendre, se prélasser nonchalamment. ⇒ **Avachir, vache.** *S'étaler comme un veau.*

VEAU D'OR : idole d'or adorée par les Hébreux. — Fig. *Adorer le Veau d'or* : avoir le culte de l'argent*, de la richesse (→ Adorer* Mammon). « *Depuis le Sinaï, le Veau d'or est le dieu du genre humain* » (Proudhon, *in* P. Larousse). « *Le Veau d'or est encor debout ; On encense Sa puissance D'un bout du monde à l'autre bout !* » (Barbier et Carré, livret du *Faust* de Gounod, II, 4).

♦ **2.** Viande de cet animal (viande blanche), vendue en boucherie. *Morceaux de veau.* ⇒ **Bajoue, collet** (2.), **côte, fraise, jarret, longe, noix,** 2. **quasi,** 3. **ris, rouelle, tendron.** *Escalope, côte, foie, pied, rôti, tête de veau. Paupiettes de veau. Veau marengo. Blanquette de veau.*

3 On ne sait pas assez que la moitié de l'Europe est privée de beefsteaks et de côte-

lettes passables, et que le veau domine dans certaines contrées avec une déplorable uniformité.   NERVAL, Voyage en Orient, Introd., v.
Fond* de veau.

♦ **3.** (V. 1534). Peau de cet animal (ou de génisse), tannée et apprêtée. ⇒ **Cuir, box-calf, vélin.** *Veau velours, veau retourné.* ⇒ **Daim** (2.), **suédé** (cuir). *Chaussures en veau* (→ Sensible, cit. 3). — *« Livres* (1. Livre, cit. 6) *vêtus de veau »*, reliés (cit. 6) en veau. — *Reliure en veau.* Fig. *« Le scandale est de mode, il se relie en veau »* (→ Fortune, cit. 27).

(1832). Vx. Argot milit. Sac (du soldat). → **Vache.**

♦ **4.** (1538). *Veau de mer* (vx), *veau marin* (1. Marin, cit. 2). ⇒ **Phoque.**

★ **II.** Fig. ♦ **1.** (V. 1534). Fam. Personne niaise, paresseuse ; ou encore, indolente et veule. *C'est un jeune veau. De grands veaux* (ital. *vitellone*).

4   Il entassait manuscrits sur manuscrits pour prouver à ses confrères de la Société d'Agriculture que M. Cadet de Vaux était un âne et M. Rougier de la Bergerie un veau (...)   G. SAND, Histoire de ma vie, III, IV.

5   Un garçon de vingt-quatre ans qui ne fiche rien !... pas seulement l'étoffe d'une petite crapule ! rien, du vent, du vide... Regardez-moi ce grand veau.
                                    M. AYMÉ, Travelingue, X.

6   Le premier des Français *(le général de Gaulle)* confie à l'un de ses interlocuteurs que les Français sont des veaux.
        DANINOS, le Major tricolore (1969), *in* GILBERT, Dict. des mots contemporains.

♦ **2.** (1901). Mauvais cheval de course. *« On a le droit de traiter les chevaux de "veaux" s'ils vous déçoivent, de "morts" quand ils ne sont pas à la hauteur de leurs promesses, de "chiens" quand ils ne méritent que la boucherie »* (le Point, 13 mai 1974).

♦ **3.** [a] (1917). Cour. Automobile peu nerveuse. *Sa voiture est luxueuse, mais c'est un gros veau,* elle n'a aucune reprise. *« L'avenir de l'automobile ? Des "veaux" qui rouleraient à l'essence ordinaire, plus lourds, plus lents, plus chers ? »* (Paris-Match, 7 oct. 1972).

[b] Bateau sans qualités de vitesse. — Bateau à voiles qui remonte mal au vent, qui est mou*.

7   (...) le *Pointu* méridional est un « veau » à la voile mais fait un bateau à moteur de promenade et de pêche, léger, marin et économique.
                                    J. GIORDAN, le Yachting, p. 62.

★ **III.** Régional. ♦ **1.** Partie d'un champ mal labourée ; partie où le blé n'a pas poussé.

♦ **2.** (Belgique). *Veaux de mars :* giboulées.

♦ **3.** Techn. Chute, déchet de matière.

DÉR. V. **Vêler, vélin.**
HOM. 1. **Vau** ou **vaux,** 2. **vau, vaux** (plur. de **val**) ; **vos.** — Formes du v. **valoir.**

VÉCÉS [vese] n. m. pl. — 1946, M. Aymé ; graphie de la prononc. pop. de *W.-C.*

♦ Fam. Cabinets* (I., 2.). ⇒ **Water-closet**; (pop.) **vatères.**

1   La bonne a cassé la cuvette des vécés.
                                    M. AYMÉ, le Chemin des écoliers, 1946, p. 20.
2   — Et du côté vécés ? demanda-t-il encore. Il n'est pas allé aux vécés ? — Non. — Pas même pour pisser ?   R. QUENEAU, Zazie dans le métro, 1959, p. 75.

VECTEUR [vɛktœʀ] adj. et n. m. — 1752 ; « conducteur », 1596 ; lat. *vector* « conducteur », du supin de *vehere* « conduire ». → **Véhicule.**

★ **I.** Adj. ♦ **1.** Astron. *Rayon vecteur :* segment de droite joignant un foyer (centre du Soleil, en général) à une planète en une position quelconque de son orbite.

♦ **2.** Géom. *Rayon vecteur :* coordonnée qui représente la distance de l'origine au point variable de la courbe considérée, en coordonnées polaires.

★ **II.** N. m. ♦ **1.** (1899 ; angl. *vector,* 1865, Hamilton, du lat. *vector*). Math. Segment de droite orienté, formant un être mathématique (grandeur indicatrice d'une direction et d'une amplitude) sur lequel on peut effectuer des opérations. *Module, norme, direction, sens d'un vecteur. Vecteur directeur d'une droite, d'une demi-droite. Vecteur libre,* défini par ses trois caractères (ou n caractères, dans un espace à n dimensions), indépendamment de son origine dans l'espace. *Vecteur lié. Famille de vecteurs linéairement indépendants* (⇒ **Base**). *Vecteur glissant.* ⇒ **Glisseur.** *Somme de vecteurs.* ⇒ **Résultante.** *Vecteurs et tenseurs.*

♦ **2.** (1949 ; angl. *vector,* 1926). Didact. Animal susceptible de transmettre un agent infectieux d'un sujet à un autre, directement ou après multiplication de l'agent dans son organisme.
REM. D'après Manuila, le mot, dans son usage technique, ne s'applique qu'aux organismes « appartenant à un embranchement différent de celui auquel appartient l'organisme infecté ». À ce titre, « le chien ou la chauve-souris qui transmettent la rage ne sont pas considérés comme des vecteurs » ; le sont en revanche la tique ou le moustique, qui transmettent aux animaux supérieurs diverses infections virales. La langue

non technique, journalistique en particulier, fait du mot un usage moins étroit : des emplois tels que *le renard, vecteur de la rage* ou *la peste a pour principal vecteur le rat* y sont largement attestés.

♦ **3.** (V. 1960). Aéronef, engin capable de transporter une charge nucléaire.

DÉR. Vectoriel.
COMP. Vectocardiogramme, vectocardiographe, vectocardiographie.

VECTOCARDIOGRAMME [vɛktokaʀdjɔgʀam] ou **VECTOGRAMME** [vɛktɔgʀam] n. m. — Mil. xxᵉ ; de *vect(eur),* et *(cardio)gramme.*

♦ Didact. (méd.). Courbe résultant de l'addition vectorielle des électrocardiogrammes vecteurs. *Le vectogramme est fourni par le vectographe et permet d'analyser le comportement électrique du cœur. « Un électrocardiogramme pris suivant une certaine dérivation n'est jamais la représentation du phénomène tout entier pour la même systole (...) Or, le vecto-cardiogramme n'est pas affligé de ce défaut »* (Science et Vie, nᵒ 594, p. 98).

VECTOCARDIOGRAPHE [vɛktokaʀdjɔgʀaf] ou **VECTOGRAPHE** [vɛktɔgʀaf] n. m. — Mil. xxᵉ ; de *vect(eur),* et *(cardio)graphe.*

♦ Didact. (méd.). Appareil électronique effectuant l'addition vectorielle des électrocardiogrammes (chacun de ceux-ci possède un potentiel et un axe de dérivation qui constituent la grandeur et la droite d'action vectorielles). *Vectographe à tube cathodique* (syn. : *cardiovectographe). Courbe fournie par le vectographe.* ⇒ **Vectocardiogramme.**

VECTOCARDIOGRAPHIE [vɛktokaʀdjɔgʀafi] ou **VECTOGRAPHIE** [vɛktɔgʀafi] n. f. — Mil. xxᵉ ; de *vect(eur),* et *(cardio)graphie.*

♦ Techn. (méd.). Électrocardiographie où chaque cardiogramme est considéré comme un vecteur (⇒ **Vectocardiographe**) et où tous sont additionnés (addition vectorielle) par le vectographe. ⇒ **Vectocardiogramme.** *« Au lieu de ne faire ressortir qu'un aspect local du phénomène électrique, selon une certaine direction, la vecto-cardiographie le restitue absolument dans son ensemble »* (Science et Vie, nᵒ 594, p. 98).

DÉR. Vectocardiographique ou vectographique.

VECTOCARDIOGRAPHIQUE [vɛktokaʀdjɔgʀafik] ou **VECTOGRAPHIQUE** [vɛktɔgʀafik] adj. — Mil. xxᵉ ; de *vectocardiographie.*

♦ Méd. De la vectocardiographie. *« L'interprétation d'un document vectocardiographique présente d'autres difficultés que celle d'un simple électrocardiogramme »* (Science et Vie, nᵒ 594, p. 98).

VECTOGRAMME [vɛktɔgʀam] n. m. ⇒ **Vectocardiogramme.**

VECTOGRAPHE [vɛktɔgʀaf] n. m., **VECTOGRAPHIE** [vɛktɔgʀafi] n. f., **VECTOGRAPHIQUE** [vɛktɔgʀafik] adj. ⇒ **Vectocardiographe, vectocardiographie, vectocardiographique.**

VECTORIEL, IELLE [vɛktɔʀjɛl] adj. — 1899, Encycl. Berthelot ; de *vecteur,* d'après l'angl. *vectorial* (1882), de *vector.* → **Vecteur.**

♦ Math. Relatif aux vecteurs. Qui opère sur des vecteurs. *Espace* vectoriel. Calcul vectoriel :* étude des opérations que l'on peut effectuer sur les vecteurs ; étude de grandeurs vectorielles. *Analyse vectorielle :* application du calcul différentiel et du calcul intégral aux champs de vecteurs.
Que symbolise un vecteur. *Grandeur vectorielle :* grandeur physique non scalaire, ne pouvant être déterminée que par plusieurs êtres mathématiques. *Produit vectoriel.*

Un vecteur est une abstraction mathématique qui est à la grandeur vectorielle ce que le nombre est à la grandeur scalaire : de même que l'étude des grandeurs scalaires se ramène à des raisonnements sur les nombres, de même, l'étude des grandeurs vectorielles se ramène à des raisonnements sur les vecteurs. L'étude des règles suivant lesquelles les vecteurs peuvent être combinés entre eux fait l'objet du *Calcul Vectoriel.*
                        André DELACHET, Calcul vectoriel et Calcul tensoriel, p. 6.

VÉCU, UE [veky] adj. et n. m. — 1874 ; p. p. du verbe *vivre.* → 1. Vivre, II.

♦ **1.** Qui appartient à l'expérience de la vie. ⇒ **Réel.** *Histoire vécue.* ⇒ **Vrai.** *Expérience vécue.*

♦ **2.** Philos. *Durée vécue, temps vécu* (opposé à *physique, objectif*). ⇒ **Psychologique.** *Espace vécu.*

♦ **3.** N. m. (1933). *Le vécu :* l'expérience vécue. *« Le flux du vécu »* (Merleau-Ponty).

1 Les combinaisons des systèmes de symboles organisés par le langage ressortissent sans doute à une région de l'élaboration existentielle rigoureusement définie mais qui ne peut couvrir la totalité du vécu.
J. DUVIGNAUD, l'Impossible Rencontre, *in* la Nef, n° 31, p. 135.

REM. Comme n. m., le mot fait partie d'un vocabulaire à la mode :

2 Le vécu est un enfant de Mai 68. Il exprime la nécessité d'une référence à la vie réelle en la débarrassant des prismes déformants de la publicité, du discours politique et psychanalytique. Il est aspiration à une simplicité et en même temps, affirmation de la difficulté de cette simplicité.
Jacques MERLINO, les Jargonautes, p. 13.

VÉDA [veda] n. m. — 1765 ; *Veidam*, 1756, Voltaire ; sanscrit *veda* « savoir, connaissance ».

♦ Didact. Texte religieux et poétique formant les premiers documents littéraires de l'Inde, écrit en sanscrit archaïque (→ Brahman, cit. 1.1). *Les trois védas* (Samhitâs ou « recueils ») : le *Rig-Veda* ou *« Véda des strophes »,* recueil d'hymnes aux divinités ; le *Yajur-veda (véda des formules cérémoniales) ;* le *Sama-veda (véda des mélodies),* qui contient la plus ancienne musique liturgique connue (d'après L. Renou, *les Littératures de l'Inde,* p. 5-11). *Un quatrième véda* (Attarva-veda) *a été admis plus tard. Les brâhmanas et les upanishads, commentaires en prose ; les soutras, compléments rituels aux védas. Le vedânta, doctrine des védas.*

DÉR. Védique.

VEDÂNTA [vedãta] n. m. invar. — 1845, Bescherelle ; mot sanskrit « fin du Veda ».

♦ Didact. Doctrine philosophique des Védas, et en particulier des Upanishads ; monisme spiritualiste. *Le Vedânta est l'une des philosophies brahmanistes.*

VEDETTARIAT [vədɛtaʀja ; vedetaʀja] n. m. — 1947 ; de *vedette,* sur les dér. en *-ariat* des noms en *-aire ;* → Actuariat, etc.

♦ **1.** Situation de vedette (II., 2. et 3.) ; condition sociale des vedettes. *Gravir les échelons du vedettariat. Un écrivain qui recherche le vedettariat.*

Il lui a offert un beau contrat ! Et quand « il » offre un beau contrat, on sait ce que ça veut dire : publicité, lancement, vedettariat, etc.
Nicole LOUVIER, les Marchands, p. 54.

Attitude de vedette (→ Cabotinage). *« Tant est digne et dépourvue de tout "vedettariat" l'attitude des deux chefs d'État »* (*le Nouvel Obs.,* 5 nov. 1973).

♦ **2.** Ensemble des phénomènes liés à l'existence de vedettes (dans un domaine quelconque). *Être opposé à toute forme de vedettariat en politique. Émission télévisée qui favorise le vedettariat. « La médecine a fait son entrée sur la place publique. On peut le déplorer : le vedettariat va remplacer le mandarinat »* (*l'Express,* 17 sept. 1973).

VEDETTE [vədɛt] n. f. — 1581 ; de l'ital. *vedetta* « lieu élevé, observatoire » (où l'on place une sentinelle), croisement probable de *veletta,* dimin. de *vela* « petite voile en haut du grand mât », et de *vedere* « voir ».

★ **I.** Vx. Soldat placé en sentinelle pour observer et renseigner. *Poser des vedettes* (→ Insurgé, cit. 1). *Vedette qui monte la garde*.*

0.1 Il y a de lieue en lieue une tour : la première qui descouvre une fuste (sorte de navire) de corsere, faict signal (...) à la seconde vedette, d'une telle vitesse qu'ils ont trouvé qu'en une heure du bout de l'Italie l'avertissemant (sic) court jusqu'à Venise. MONTAIGNE, Journal de voyage en Italie, 1581, *in* D. D. L., II, 15.

1 Souvent emportée par une nécessité comparable à celle du soldat en vedette, elle oubliait de manger (...) BALZAC, le Lys dans la vallée, Pl., t. VIII, p. 932.

★ **II.** Mod. ♦ **1.** (1786). *Mettre en vedette (un nom, un titre),* le détacher en gros caractères sur une seule ligne, en tête de page.

1.1 (...) l'exhortation commençait ainsi : « Tremble, peuple français !... » et le mot « Tremble », destiné à capter les regards, s'étalait en grosse vedette, formant une sorte d'entête isolé. Raymond ROUSSEL, Impressions d'Afrique, 1932, p. 227.

(1855). Fig. *En vedette :* dans un lieu ou une situation remarquable, qui attire l'attention. *Mettre, mise en vedette.* ⇒ **Évidence** (en), **vue** (en). → Ordinaire, cit. 4.

2 L'écrivain perd le droit de mettre en tête et en vedette l'objet ou le trait qui le frappe le plus vivement et d'abord : le cadre est fait, les places sont désignées d'avance. TAINE, les Origines de la France contemporaine, III, II, t. I, p. 297.

3 Dans ces soirées, François n'aspirait qu'à se faire oublier de tous (...) Mais Anne d'Orgel ne l'entendait pas ainsi. Son amitié le poussait à mettre François en vedette. R. RADIGUET, le Bal du comte d'Orgel, p. 95.

♦ **2.** (1826). Au théâtre, Le fait d'avoir son nom imprimé en gros caractères. *Avoir, partager la vedette.* — Fig. *Le congrès du parti a, tient la vedette,* est au premier plan de l'actualité.

♦ **3.** (Fin XIXe). Par métonymie. Cour. Artiste qui a la vedette, et, par ext., personne qui jouit d'une grande renommée, dans le monde du spectacle. *Les vedettes de la scène, du cinéma.* ⇒ **Étoile, star, superstar.** *Situation, attitude de vedette.* ⇒ **Vedettariat.**

L'affiche du Casino mentionnait des représentations d'*Aïda* avec les chœurs de l'Opéra de Marseille et de plusieurs concerts classiques. Des noms de vedettes se détachaient en capitales grasses sur ceux de la distribution. 4
Francis CARCO, les Belles Manières, II, VI.

Loc. *Faire la (sa) vedette, jouer les vedettes :* faire l'important.

(...) il faut que ce soit lui la vedette, qu'il parle, qu'il fasse la roue, sinon il n'écoute 4.1 pas, tout le dégoûte, les gens sont stupides, assommants (...) Personne n'a jamais le droit de dire un mot. Il n'y en a que pour lui (...)
N. SARRAUTE, le Planétarium, p. 27.

(1919). Personnage de premier plan, très connu, dans n'importe quel domaine. *Les vedettes de l'actualité. Une des plus grandes vedettes du Palais* (1. Palais, cit. 7).

Par appos. ou adj. *Un « joueur vedette »* (*le Monde,* 1968, *in* Gilbert). — (Choses). Très important ; qui est mis en vedette. *« La session du Conseil de Paris dont le sujet vedette sera la rénovation des Halles »* (*le Monde,* 25 sept. 1968, *in* Gilbert).

REM. Dans ce sens, plusieurs dér. sont attestés : *vedettiser,* v. tr. et *vedettisation,* n. f., *vedettisme,* n. m., *vedettomanie,* n. f. ; mais seul *vedettariat* est courant.

★ **III.** (1828). Petit navire de guerre utilisé pour l'observation. — *Vedette lance*-torpille.* — (1901). Petite embarcation automobile rapide. *Une vedette de la douane.*

Une vedette passa dans le cadre de la fenêtre (...) Le ronronnement feutré du 5 moteur s'entendit dans toute la ville. Rares étaient les bateaux de plaisance.
M. DURAS, Moderato cantabile, I.

CONTR. (De *mettre en vedette,* II., 1.) **Cacher, enterrer.**

DÉR. Vedettariat. — V. ci-dessus REM.

VÉDIQUE [vedik] adj. — 1845 ; de *véda.*

♦ Didact. Relatif aux védas, et à leurs commentaires. *Le savoir védique* (→ Brahman, cit. 1). *Langue védique,* et, n. m. (1876), *le védique :* forme archaïque du sanscrit « qui ressemble à l'iranien des portions anciennes de l'Avesta et qui (...) n'est pas fort éloigné de la langue mère, l'indo-européen » (L. Renou). → Sanscrit, cit. 3. *Les parlers védiques* (→ Latin, cit. 12).

Les hymnes védiques auraient-elles pu devenir des œuvres d'art, présentes pour nous de la même façon que les statues de Chartres ? On y pense, lorsqu'un traducteur de talent, archaïsant systématiquement sa traduction, fait de quelques passages des Prophètes, des versets claudéliens (...)
MALRAUX, l'Homme précaire et la Littérature, 1976, p. 234.

DÉR. Védisme. — V. Védisant.

VÉDISANT, ANTE [vedizã, ãt] adj. et n. — 1939 ; de *védisme, védique.*

♦ Didact. Adepte du védisme, du brahmanisme des védas.

VÉDISME [vedism] n. m. — 1904 ; de *védique.*

♦ Didact. (relig.). Brahmanisme primitif.

VÉGÉTAL, ALE, AUX [veʒetal, o] n. et adj. — V. 1516, au plur. ; *végétable,* 1515 ; du lat. scolast. *vegetalis* « végétal », du bas lat. *vegetare* « croître ».

★ **I.** N. m. Être vivant caractérisé par rapport aux autres (les animaux) par une motilité et une sensibilité plus faibles, une composition chimique particulière (⇒ **Chlorophylle, cellulose**), une nutrition à partir d'éléments simples. ⇒ **Plante, végétation.** — REM. La distinction des *végétaux* et des *animaux* est claire pour les êtres complexes, connus depuis longtemps ; elle pose des problèmes de plus en plus ardus à mesure que la science étudie certains organismes (→ Zoophytes) et les formes de vies les plus simples (→ Monère, protiste). *Classification, étude des végétaux.* ⇒ **Botanique, flore.** *Végétaux à cellules dépourvues de noyaux* (⇒ **Procaryotes**) : cyanophytes et bactéries. *Végétaux à cellules pourvues de noyaux* (⇒ **Eucaryotes**). *Végétaux inférieurs* (⇒ **Thallophytes**) : algues, champignons. *Mousses et végétaux supérieurs* (⇒ **Arbre, herbe, plante**). *Végétaux à feuilles, à fleurs. La vie des végétaux* (biologie végétale : germination, croissance, floraison, fécondation, cit. 2, fructification). *Végétaux à spores. Mouvements des végétaux.* ⇒ **Tactisme, tropisme** (→ Géotropisme, cit.). *Culture des végétaux.* ⇒ **Agriculture, horticulture.** *Végétaux comestibles* (⇒ **Légumes**). — Collectivt. *L'animal* (cit. 1) *et le végétal.*

— J'ai étudié le végétal dans tous ses mystères, dans la tige, dans le bourgeon, 1 dans la sépale, dans la pétale, dans l'étamine, dans la carpelle, dans l'ovule, dans la thèque, dans la sporange et dans l'apothécion. J'ai approfondi la chromatie, l'osmosie et la chymosie, c'est-à-dire la formation de la couleur, de l'odeur et de la saveur. HUGO, l'Homme qui rit, I, Chapitre préliminaire, I.

★ **II.** Adj. (1701 ; « qui fait végéter, pousser* », 1611). ♦ **1.** Des plantes, des êtres vivants appelés végétaux. *Le règne** (cit. 1) *végétal* (opposé à *animal* et *minéral*). — *Espèces* (cit. 30) *végétales. Biologie, anatomie, embryologie, histologie, physiologie, pathologie végétale.* ⇒ **Phyto-.** *Cellule végétale,* à vacuole centrale et à paroi cellulosique. *Tissus* végétaux. Fibres végétales textiles*. Pâte de fibres végétales* (pâte à papier*). — *Tapis végétal :* couverture du sol par les végétaux. *Associations ou formations végétales :* groupements de végétaux relativement constants dans une aire déterminée (prairies, steppes, savanes, brousses, forêts... ; marais, tourbières, etc. ⇒ **Végétation**), étudiés par la « *sociologie végétale* ». *Facies locaux d'une association végétale. Espèces caractéristiques* (exclusives, électives, « préférantes », accessoires, accidentelles) *d'une association végétale.*

♦ **2.** (1687). Qui provient d'organismes de végétaux. *Graisses* (cit. 19), *huiles* (cit. 4) *végétales. Colle* végétale. Crin* ; ivoire végétal* (corozo). *Couleurs, teintures végétales* (bleus, rouges...). — *Sol végétal, terre* végétal*, riche en éléments organiques, et, par suite, aptes à la végétation. *Sol végétal arable :* terre franche*. — *Aliments végétaux, riches en glucides et lipides* (⇒ **Céréale, légume, fruit**).

♦ **3.** (1832). Littér. Qui est comparé à la vie des plantes, qui semble réduit aux seules fonctions de la vie organique. ⇒ **Végétatif.**

2 Prêt à reconnaître une sorte de bonheur végétal dans ces journées passées sans soins et sans idées (...)   BALZAC, la Femme abandonnée, Pl., t. II, p. 210.

♦ **4.** Qui représente des plantes. *Chapiteau gothique à décor végétal* (opposé à *géométrique, animal* ou *historié*).

DÉR. **Végétalisme.** — V. aussi **Végéto-.**

VÉGÉTALISME [veʒetalism] n. m. — 1890 ; « conversion en végétal », 1836 ; de *végétal.*

♦ Rare. Régime alimentaire (⇒ **Alimentation**) excluant tous les aliments qui ne proviennent pas du règne végétal. ⇒ (plus cour.) **Végétarisme.**

VÉGÉTANT, ANTE [veʒetɑ̃, ɑ̃t] adj. — 1690 ; « qui fait pousser les plantes », 1587 ; p. prés. de *végéter.*

♦ **1.** Qui végète, qui vit en tant que végétal.

Dès sa naissance, l'homme était voué au végétal, il avait son arbre personnel. Il fallait que la mort eût la même protection que la vie. Ainsi replacé au cœur du végétal, rendu au sein végétant de l'arbre, le cadavre était livré au feu (...)
      G. BACHELARD, l'Eau et les Rêves, p. 99.

(Fin xixᵉ). Fig. Qui végète (fig.). *Une « génération déjà végétante »* (L. Frappié, *in* G. L. L. F.).

♦ **2.** Mod. Qui produit des végétations. *Kyste végétant. Épithélioma végétant.*

VÉGÉTARIEN, IENNE [veʒetaʀjɛ̃, jɛn] adj. — 1873, *Traité de la cuisine végétarienne d'Outre-Rhin,* de Th. Hahn ; de l'angl. *vegetarian,* 1842, de *vegetable* « légume », et suff. d'adj. *-arian,* de l'anc. franç. *vegetable.* → **Végéter.**

♦ Qui ne mange que des produits d'origine végétale *(végétalisme)* ou qui ne mange pas la chair des animaux *(végétarisme).* → Intensifier, cit. 1. — N. *Un végétarien ; une végétarienne.*

Fi de la sole normande,
Fi de l'entrecôte au jus,
Puisque tous ces jours-ci j'eus
La satisfaction grande
D'être un végétarien   VERLAINE, Invectives, LVII.

Propre au régime alimentaire du végétarisme. *Régime végétarien. Cuisine végétarienne.* — *Restaurant végétarien. Menu indien végétarien.*

DÉR. **Végétarisme.**

VÉGÉTARISME [veʒetaʀism] n. m. — 1878, *Du végétarisme,* trad. d'un titre de F. W. Dock, (*in* D. D. L.) ; *végétarianisme,* 1877 ; de *végétarien,* d'après l'anglais.

♦ Didact. Doctrine diététique qui exclut de l'alimentation la viande, mais permet certains produits du règne animal (lait, beurre, œufs, miel) à la différence du végétalisme strict.

VÉGÉTATIF, IVE [veʒetatif, iv] adj. — V. 1265 ; du lat. scolast. *vegetativus* « végétatif », du bas lat. *vegetare.* → **Végéter.**

♦ **1.** Vx. Qui est cause de la vie végétale ; qui fait végéter. *Âme, faculté, vertu végétative. Principe végétatif.*

♦ **2.** (1611). Vieilli. Qui concerne la vie des plantes, la végétation. *Un être végétatif :* un végétal. *Vie végétative,* « mouvement végétatif de la plante » (Maine De Biran, *Du physique et du moral de l'homme,* II, 1). — Mod. *Multiplication, reproduction végétative* (opposé à *reproduction sexuée* et *sporulation*). ⇒ **Multiplication** (*infra* cit. 5). *Point végétatif* (→ Ramification, cit. 1).

♦ **3.** (Déb. xixᵉ). Vx. Physiol. Qui concerne les fonctions vitales communes aux végétaux et aux animaux (nutrition, circulation, reproduction).
Mod. Qui concerne les fonctions physiologiques contrôlées par le système nerveux autonome (ou *neuro-végétatif**). *Vie végétative* ou *organique* (opposé à *vie animale* ou *de relation*). → Muscle.

♦ **4.** (xviiiᵉ, Rousseau). Fig. Qui évoque la vie des végétaux, par son inaction (⇒ **Végéter,** 4.). *Mener une existence, une vie végétative,* inactive. *Vie végétative d'un malade.*

L'existence végétative du midi de l'Allemagne a quelques rapports avec l'existence contemplative du nord : il y a du repos, de la paresse et de la réflexion dans l'une et l'autre.   Mᵐᵉ DE STAËL, De l'Allemagne, I, VII.   1

(...) c'étaient là des mouvements simplement mécaniques, qui avaient fini par entrer comme des habitudes de corps dans sa vie végétative.
      ZOLA, la Bête humaine, XI.   2

DÉR. **Végétativement.**

VÉGÉTATION [veʒetasjɔ̃] n. f. — 1525 ; de *végéter,* d'après le bas lat. *vegetatio* « animation ».

♦ **1.** Rare. Vie des végétaux (et, spécialt, des végétaux supérieurs) ; le fait de végéter (1.), de pousser. ⇒ **Pousse.** *La végétation d'une plante. Arbre en pleine végétation.* ⇒ **Croissance.**

Les pierres de l'escalier, déplacées par la force imperceptible mais continue de la végétation, laissaient passer de hautes herbes et des plantes sauvages.
      BALZAC, le Curé de village, Pl., t. VIII, p. 607.   1

Fig., vx. Vie paisible et inactive. ⇒ **Végétal** (II., 3.), **végétatif.** *Une douce* (Marmontel), *une insipide végétation* (Mᵐᵉ de Genlis).

♦ **2.** (V. 1790). **a** Ensemble des végétaux, des plantes... qui poussent en un lieu (⇒ **Flore**). *Végétation folle et drue* (→ Loge, cit. 4), *exubérante* (⇒ **Exubérance**), *luxuriante* (cit. 1). *Tapis de végétation* (→ Fourmiller, cit. 7). *Des végétations aquatiques* (→ Marécage, cit. 1), *parasites* (→ Envahissement, cit. 3). *Sol sans végétation, à végétation pauvre...* ⇒ **Dénudé, pelé.**

b Ensemble des végétaux (formations végétales, etc.) distribués à la surface du globe, en fonction du climat* (cit. 1), de l'hydrographie, du sol*, de l'environnement biologique..., et étudiés par la géographie botanique (phytogéographie), par l'écologie. *Zones de végétation :* glaciale arctique, tempérée (conifères, arbres à feuilles caduques, prairie), *subtropicale* (arbres, arbustes des steppes, plantes du désert. ⇒ **Oasis**), *tropicale* (forêts...), *subtropicale australe, antarctique* (buissons, plantes herbacées). *Étages, bandes de végétation,* selon l'altitude. *Végétation spontanée. Action de l'homme sur la végétation.* ⇒ **Culture, déboisement.** — *Végétations particulières,* ou *associations végétales*. Végétation planctonique, benthique* (marine), *microscopique du sol.* — *Série de végétation.*

c Par métaphore ou fig. « *Cette extraordinaire végétation de charité qui pousse entre les pavés de Paris* » (→ Pulluler, cit. 5). « *Des allées de colonnes (...) comme une végétation de marbre jaillie du sol* » (→ Perte, cit. 13).

Ses cheveux étaient gris et rares, mais sur les arcades sourcilières à l'architecture massive, s'accrochait une énorme et buissonneuse végétation.
      G. DUHAMEL, Chronique des Pasquier, VII, X.   2

♦ **3.** (1706). Disposition naturelle (notamment, cristallisation) reproduisant des formes végétales. ⇒ **Arborisation.**

♦ **4.** (1806). Pathol. Papillome de la peau ou d'une muqueuse ayant un aspect bourgeonnant. *Végétations de la muqueuse génitale ou anale.* ⇒ **Condylome.** — (1933). *Végétations adénoïdes*.* Fam. *Opérer un enfant des végétations* (adénoïdes).

COMP. **Sous-végétation.**

VÉGÉTATIVEMENT [veʒetativmɑ̃] adv. — Mil. xxᵉ ; de *végétatif.*

♦ Didact. D'une manière végétative, en parlant de la reproduction, de la multiplication.

De nature et (...) d'origine très diverses, les cépages présentent cependant un point commun capital : ils sont multipliés végétativement (...) parce que le semis ne permettrait pas de les reproduire fidèlement.
      Louis LEVADOUX, la Vigne et sa culture, 1961, p. 26.

VÉGÉTER [veʒete] v. intr. — Conjug. *céder.* — 1375 ; du bas lat. *vegetare* « croître », en lat. class. « vivifier », de *vegetus* « vigoureux ».

♦ **1.** (1530). Vx. Accomplir les fonctions propres à un végétal* (I.). ⇒ **Vivre ; croître, pousser** (→ Garrigue, cit. 1 ; pousser, cit. 53). *Chaque chose vit ou végète par sa propre loi* (→ Création, cit. 8). — Par ext. « *La terre commençait à végéter* » (Rousseau, *les Confessions,* t. II, p. 243).

La plante mise en liberté garde l'inclinaison qu'on l'a forcée à prendre ; mais la sève n'a point changé pour cela sa direction primitive ; et, si la plante continue à végéter, son prolongement redevient vertical.   ROUSSEAU, Émile, I.   1

On sentait sourdre, et vivre, et végéter déjà
Tous les arbres futurs, pins, érables, yeuses,
Dans des verdissements de feuilles monstrueuses (...)
      HUGO, la Légende des siècles, II, I, II.   2

♦ **2.** Vx. Accomplir les fonctions communes au végétal et à l'animal. *L'enfant « vit ou plutôt végète d'une vie particulière, toujours faible, renfermée en lui-même... »* (Buffon, *Histoire naturelle,* II). *L'animal végète comme la plante* (Balzac, Avant-propos à la Comédie humaine).

3 *(Condillac)* dit avec assurance dans sa *Logique* que le principe qui fait végéter l'animal est le même qui le fait penser ou sentir.
MAINE DE BIRAN, Du physique et du moral de l'homme, I, III.

Figuré :

4 L'histoire démontre, au contraire, que le mouvement, la guerre, les alarmes sont le vrai milieu où l'humanité se développe, que le génie ne végète puissamment que sous l'orage (...)
RENAN, l'Avenir de la science, XXI, Œ. compl., t. III, p. 1062.

♦ **3.** (1833). Spécialt. Pousser, croître difficilement. *Des légumes tristes, des fleurs navrées y végètent* (→ Effluence, cit. 1).

5 Au bas, le long du mur, quelques rosiers du Bengale végètent tristement, à demi noyés par l'eau du toit (...)
BALZAC, le Médecin de campagne, Pl., t. VIII, p. 360.

♦ **4.** (1718). Fig., cour. Avoir une activité réduite ; vivre dans une morne inaction*, dans l'inertie ; mener une existence insipide. ⇒ **Encroûter** (s'), **languir** (→ Gaieté, cit. 15, Laclos). *Végéter passivement* (→ Entretenir, cit. 11), *paisiblement* (→ Réserve, cit. 18). *Malade, vieillard qui végète.*

6 On ne vit qu'à Paris, et l'on végète ailleurs.
J.-B.-L. GRESSET, le Méchant, III, 9.

6.1 Il convient de dire que ces animaux, en temps ordinaire, étaient non moins flegmatiques que leur maîtres. Chiens et chats végétaient plutôt qu'ils ne vivaient. Jamais un frémissement de plaisir, jamais un mouvement de colère.
J. VERNE, le Docteur Ox, p. 73-74.

7 Un morne engourdissement de l'esprit me fait végéter depuis trois ans. Peut-être, m'occupant trop de mon jardin, au contact des plantes ai-je pu prendre leurs habitudes.
GIDE, Journal, nov. 1904.

(1835). Rester dans une situation médiocre, dans la gêne ou l'obscurité. ⇒ **Vivoter.** *Il végétait dans l'ombre d'un politicien* (→ Gage, cit. 24). — (Sujet n. de chose). *Le restaurant Londe végétait sans espoir* (→ Prostituer, cit. 3).

8 Je m'appelle Charruel. C'est nature, c'est rustique, mais sans aucun éclat (...) Si j'avais pris un pseudonyme (...) je serais aujourd'hui chef d'emploi à la Comédie-Française, ou directeur de théâtre ; j'aurais la rosette... Eh bien ! non ! j'ai gardé l'honorable nom de mes ancêtres. Résultat : je végète et ne trouve à jouer que des rôles de second plan (...)
G. DUHAMEL, Chronique des Pasquier, IX, VII.

9 Quand je pense qu'autrefois des peintres d'avenir, des maîtres déjà reconnus acceptaient de végéter toute une moitié de leur vie et de vendre leurs tableaux pour une bouchée de pain, quel changement.
M. AYMÉ, le Vin de Paris, « La bonne peinture », p. 174.

DÉR. Végétant, végétation.

VÉGÉTO-
VÉGÉTO- Premier élément de mots composés, tiré de *végétal.* ⇒ **Végéto-animal, végéto-minéral.**

VÉGÉTO-ANIMAL, ALE, AUX
VÉGÉTO-ANIMAL, ALE, AUX [veʒetoanimal, o] adj. — 1818 ; de *végéto-,* et *animal.*

♦ Vieilli. Qui tient à la fois de la nature des animaux et des végétaux.

VÉGÉTO-MINÉRAL, ALE, AUX
VÉGÉTO-MINÉRAL, ALE, AUX [veʒetomineʀal, o] adj. — 1828 ; de *végéto-,* et *minéral.*

♦ Vieilli. Qui tient de la nature végétale et minérale.

VEGLIONE
VEGLIONE [veglijone] n. m. — 1906, *in* Larousse ; mot ital., augmentatif de *veglia* « veille ».

♦ Vx. Fête de nuit, souvent costumée. ⇒ **Carnaval.** — Plur. *Des veglioni.*

VÉHÉMENCE
VÉHÉMENCE [veemɑ̃s] n. f. — 1491 ; du lat. *vehementia,* de *vehemens, vehementis.* → Véhément.

Littér. ou style soutenu.

♦ **1.** Force* impétueuse (des sentiments ; de leur expression). ⇒ **Ardeur, chaleur, emportement, énergie, feu, fougue, impétuosité, intensité, violence.** *La véhémence des désirs* (→ Forcer, cit. 18), *des passions. Parler, discuter avec véhémence.* ⇒ **Force, fougue, vigueur, vivacité** (→ Individu, cit. 23). *Déclarer qqch. avec véhémence. Il fulminait contre le gouvernement avec véhémence. Quelle véhémence ! La véhémence d'un discours.* — *Embrasser qqn avec véhémence* (⇒ **Passion**). → Étreinte, cit. 6.

1 Votre cœur, avec véhémence,
M'étala de ses feux toute la violence (...)
MOLIÈRE, Amphitryon, II, 2.

2 Le temps où vous séparâtes ces deux amants fut celui où leur passion était à son plus haut point de véhémence (...) leur imagination vivement émue les a sans cesse offerts l'un à l'autre (...)
ROUSSEAU, Julie ou la Nouvelle Héloïse, IV, XIV.

3 Tout en moi s'épanouit, s'étonne ; mon cœur bat ; une surabondance de vie monte à ma gorge comme un sanglot. Je ne sais plus rien ; c'est une véhémence sans souvenirs et sans rides (...)
GIDE, Journal, 30 nov. 1917.

♦ **2.** (Déb. XVIIᵉ). Vieilli. Intensité extrême (d'un agent physique). *La véhémence du vent, du « souffle céleste »* (→ Raidir, cit. 4).

CONTR. Calme, froideur, impassibilité.

VÉHÉMENT, ENTE
VÉHÉMENT, ENTE [veemɑ̃, ɑ̃t] adj. — V. 1170 ; *veement* « violent », 1119 ; du lat. *vehemens, vehementis,* de même sens.

Littér. ou style soutenu.

♦ **1.** Qui a une force impétueuse. ⇒ **Impétueux, passionné.** *Désir, sentiment véhément ; envie, passion véhémente.* ⇒ **Ardent.** — *Les entraînements* (cit. 3) *les plus passionnés de sa nature véhémente. Caractère, esprit véhément* (→ Ombrage, cit. 11). *Sensibilité véhémente.* — *Femmes impétueuses* (cit. 6), *véhémentes.*

1 Sa déception est de nouveau si grande, son désespoir si soudain, si véhément qu'une telle disproportion de l'effet à la cause inquiète tout de même ce qui lui reste encore de bon sens ou de raison, à travers son délire grandissant.
BERNANOS, Sous le soleil de Satan, I, III.

Vieilli (à propos d'un besoin physique). *Une soif véhémente* (→ Gorge, cit. 15).

♦ **2.** (Fin XIVᵉ). Qui a une grande force expressive, qui emporte, entraîne ou émeut. ⇒ **Emporté, enflammé** (cit. 25), **entraînant, fougueux.** *Discours, prêche* (cit. 3), *style, ton véhément. Éloquence ; sortie véhémente* (⇒ **Catilinaire**). *Une voix pathétique* (cit. 2) *chantant les vers de Racine comme une mélopée véhémente, emphatique. Voix véhémente, forte.*

2 (...) en ses plus véhémentes menaces il *(Vergniaud)* restait encore conditionnel (...)
JAURÈS, Hist. socialiste..., La Gironde, t. VI, p. 308.

(Personnes). *Avocat* (cit. 15), *orateur véhément.* → Enthymème, cit. *Il a été véhément dans ses déclarations.*

♦ **3.** (1573). Littér. Intense, violent. *Ciel d'un bleu véhément* (→ Importation, cit. 2).

CONTR. Langoureux.
DÉR. Véhémentement.

VÉHÉMENTEMENT
VÉHÉMENTEMENT [veemɑ̃tmɑ̃] adv. — 1363 ; de *véhément.*

♦ **1.** Vx. Fortement. *« Véhémentement soupçonné... »* (→ Malappris, cit. 3).

♦ **2.** (1552). Vieilli ou littér. Avec véhémence. *Parler véhémentement.* ⇒ **Fort, violemment.** *Chose véhémentement désirée* (Rabelais, *Pantagruel,* IV, III).

Yvette protesta véhémentement avec un accent de sincérité douloureuse (...)
M. AYMÉ, le Chemin des écoliers, IX.

VÉHICULAIRE
VÉHICULAIRE [veikylɛʀ] adj. — 1935 ; « relatif aux véhicules », 1842 ; de *véhicule.*

♦ Didact. *Langue véhiculaire,* servant aux communications entre des peuples de langues différentes. *Le souahéli, le bambara, le wolof, grandes langues véhiculaires africaines. Rôle du latin, du français, de l'anglais comme langues véhiculaires.* — REM. Souvent opposé à *vernaculaire*.*

VÉHICULE
VÉHICULE [veikyl] n. m. — 1551, au sens 1. ; lat. *vehiculum* « moyen de transport », de *vehere* « transporter ».

♦ **1.** Didact. [a] Ce qui sert à transmettre, à faire passer d'un lieu à un autre. *« Les veines, les artères sont les véhicules du sang et des esprits »* (Furetière). *Le sang, véhicule fluide* (cit. 1, La Fontaine). *L'éther, véhicule de la lumière.*

[b] Méd. Substance, objet servant d'intermédiaire dans la transmission d'un germe infectieux.

[c] (1680). Pharm. Substance dans laquelle on dissout les principes actifs d'un médicament ; excipient* liquide.

[d] (1812). Peint. Liquide dans lequel la couleur* est délayée.

[e] (1949). Techn. (Opt.). Dispositif qui redresse l'image dans une lunette terrestre. *Véhicule de Képler, de Porro.*

♦ **2.** (V. 1660 ; abstrait). Ce qui sert à porter, à communiquer (→ Auxiliaire, cit. 4). *Le beau langage* (cit. 17), *véhicule de la pensée française. Les idées et leurs véhicules* (→ Semence, cit. 3).

1 Chez les peuples qui ont une longue tradition musicale, comme l'Allemagne, la musique est le véhicule des paroles, elle les imprime dans le cœur.
R. ROLLAND, Musiciens d'aujourd'hui, p. 266.

(1872). Hist. des relig. Voie du salut, dans le bouddhisme. — *Le Grand véhicule* (Mahâyâna) : le bouddhisme* indien tel qu'il s'est développé. *Le Petit véhicule* (Hinâyâna) : la première tradition bouddhique, moins métaphysique.

♦ **3.** (1551). Didact., admin. (ou pour éviter d'employer un autre mot). Engin muni de roues ou d'un moyen de propulsion, servant à transporter des personnes ou des marchandises. — REM. Ne se dit guère, dans l'usage, que des engins terrestres, mais la notion couvre les transports par eau et par air. ⇒ **Autobus, autocar, autochenille, automobile, automotrice, autoneige, autorail, avion, bateau, bâtiment** (3.), bicyclette, brouette, bulldozer, camion (et comp.), caravane, char, chariot, charrette, deux-roues, diable, draisine, hélicoptère, hydravion, jeep, locomotive, locomotrice, locotracteur, moto, motocycle, motoneige, navire, planeur, remorque, remorqueur, semi-remorque, side-car, tank, tender, tracteur, train, tramway, van, vélocipède, voiture, wagon. *Véhicule à coussin d'air.* ⇒ **Aéroglisseur, naviplane, terraplane.** — Plus cour. Moyen de transport routier. *Véhicule hippomobile, automobile, tracté. Véhicule qui avance, marche, s'arrête, se renverse, capote. Véhicules à deux roues.* ⇒ **Deux-roues.** — *Véhicules de tourisme, de commerce* (→ Périphérique, cit. 1), *utilitaires*, militaires. Le parc de véhicules d'un pays. Véhicule lourd de dépannage. Véhicule-citerne.* — *Voie interdite à tout véhicule. Véhicule prioritaire.* — *Véhicule de série aménagé* (pour une compétition).

2   Outre les masques, on regardait ce défilé, propre au mardi gras comme à Longchamp, de véhicules de toutes sortes, fiacres, citadines, tapissières, carrioles, cabriolets, marchant en ordre, rigoureusement rivés les uns aux autres par les règlements de police et comme emboîtés dans des rails.
HUGO, les Misérables, V, VI, I.

Plais. Voiture. *Peut-on emprunter votre véhicule?*

♦ **4.** *Véhicule spatial :* engin spatial destiné à transporter une charge utile. ⇒ **Astronef, engin, sonde, vaisseau** (spatial); **lanceur** (par rapport au satellite qu'il propulse); **satellite** (par rapport aux instruments scientifiques, aux passagers qu'il transporte).

DÉR. **Véhiculaire, véhiculer.**

VÉHICULER [veikyle] v. tr. — 1835; de *véhicule.*

♦ **1.** Transporter au moyen d'un véhicule. ⇒ **Voiturer. Fam.** *Se véhiculer :* se transporter.

1   (...) un tas de drôles véhiculants, voulant véhiculer, ne demandant qu'à véhiculer, qui vous véhiculeront; n'en doutez pas. Et je ne veux pas, moi, qu'on me véhicule; je ne veux pas!... Et voilà pourtant que j'entre dans le wagon, que je m'assieds sur la chaudière; car j'aime mieux être dans la machine, que broyé par elle.
Rodolphe TÖPFFER, Mélanges, 1835, p. 144, *in* D. D. L., II, 12.

♦ **2.** Didact. (Sujet n. de chose). Constituer un véhicule (1.) pour (qqch.). *Le sérum sanguin véhicule divers pigments. Les substances que véhiculent les systèmes circulatoires de la plante* (→ Sève, cit. 1).

♦ **3.** Par métaphore ou fig. Transporter.

2   Peut-être considère-t-il avec une sombre dérision la façon qu'il a de véhiculer tout le long de la rue un abîme que tant de gens coudoient sans s'en douter; de le véhiculer exactement comme le garçon là-bas pousse son triporteur.
J. ROMAINS, les Hommes de bonne volonté, t. IV, VII, p. 52.

Spécialt. Franç. d'Afrique. *Être véhiculé :* disposer d'un moyen de transport. Syn. (partiel) : *être voituré.*

VEHMIQUE [vemik] adj. — 1863; de *Vehme,* mot allemand.

♦ Hist. Du tribunal de la Sainte-Vehme (organisation secrète de tribunaux allemands; fin XIIᵉ -XVIᵉ siècle).

VEILLANT, ANTE [vɛjã, ãt] adj. — V. 1200; p. prés. de *veiller.*

♦ Vx (langue class.). Vigilant.

VEILLAQUE [vɛjak] adj. — 1577, écrit *vieillaque;* de l'ital. *vigliaccio,* var. de *vegliaccio,* de *vello* « vil ».

♦ Vx (langue class. ou archaïsme littér.). Homme sans honneur, lâche.

VEILLE [vɛj] n. f. — V. 1155; du lat. *vigilia* « veille, insomnie ».

★ **I.** ♦ **1.** Action de veiller* (1. Veiller, I., 1.); moment sans sommeil, généralement consacré à une occupation pendant le temps normalement destiné à dormir. *Veilles et insomnies*.* — (Surtout au plur.). *Disperser ses forces* (cit. 11) *en veilles. Brisé* (→ Somnolence, cit. 2), *amaigri* (cit. 4), *usé par les veilles. Consacrer de longues veilles à l'étude de...* (→ Élégant, cit. 7). — (Au sing.). *Une phrase* (cit. 9) *seule occupait toute une veille* (de Balzac). — (1732). *Veille des armes.* ⇒ **2. Veillée.**

♦ **2.** (1553). Vx. Grande et longue application qu'on donne à l'étude (Académie); travaux ainsi faits (⇒ **Élucubration**). *Dans tes fécondes veilles* (→ Expression, cit. 25). *De doctes, de savantes veilles* (Furetière).

♦ **3.** (1596). Dans quelques expr. Garde de nuit. *Nos guetteurs* (cit. 3) *prenaient la veille. Les opérateurs de veille* (→ 3. Poste, cit. 2). — Mar. *Homme de veille.* ⇒ **Quart.** *Poste, chambre de veille.* — *Radar de veille,* de surveillance.

Veille automatique : système de sécurité assurant le freinage et l'arrêt automatique des trains, en cas de défaillance du conducteur. — *Veille météorologique mondiale* (V. M. M.).

★ **II.** ♦ **1.** (XIIᵉ; du lat. ecclés.). Vx. Jour précédant une fête religieuse, employé en veilles (I., 1.) et en prières.

♦ **2.** (XVIᵉ). Mod. Jour qui en précède un autre, qui précède celui dont il est question. *La veille du 14 Juillet* (→ Illumination, cit. 11). *La veille d'aujourd'hui* (⇒ **Hier**). *La veille de l'offensive* (→ Liaison, cit. 15), *de sa mort* (→ Guillotiner, cit. 1). *La veille au soir* (→ Faneur, cit. 1; joue, cit. 3; 2. maille, cit. 4; stupeur, cit. 1). *Le jour d'avant la veille.* ⇒ **Avant-veille, surveille.** *Depuis la veille* (→ Planter, cit. 12). *Un Ministère qui ne sait pas la veille s'il existera le lendemain.* ⇒ Employé, cit. 2). *Une soupe* (→ Ordre, cit. 17), *du pain de la veille.*

(...) heureuses encore, si (...) vous vous contentez d'un abandon humiliant, et ne faites pas de l'idole de la veille la victime du lendemain!
LACLOS, les Liaisons dangereuses, LXXXI.

Loc. fam. *Ce n'est pas demain la veille :* ce n'est pas pour bientôt, c'est encore loin ou cela ne se fera jamais.

♦ **3.** (1599, *in* D. D. L.). À LA VEILLE DE (un événement) : dans la période qui le précède immédiatement, juste avant. *Je suis à la veille du plus grand malheur* (→ Jamais, cit. 7). *Religion à la veille d'une destruction universelle* (→ Relever, cit. 2). *À la veille de la découverte de l'Amérique* (→ Dépréciation, cit. 1). — (Avec un inf.). ⇒ **Point** (1. Point, I., 4. : sur le point de). *Il fallait du personnel et l'on était toujours à la veille d'en manquer* (→ Improviser, cit. 10).

— Saad, as-tu remarqué comme ton cheval ressemble à ces chevaux qui sont à la veille de boiter?
J.-R. BLOCH, la Nuit kurde, p. 26.

★ **III.** (1636). État d'une personne qui ne dort pas (opposé à *sommeil**). *État de veille* (→ Frange, cit. 8). ⇒ **Vigile.** *Passer du sommeil à la veille :* s'éveiller, se réveiller. *Conscience du moi et activité libre dans l'état de veille* (→ Sommeil, cit. 1). *État de veille et hypnose** (cit. 2). *Ne sachant qui vous trompe, de la veille ou du sommeil* (→ Frotter, cit. 11). *États entre la veille et le sommeil.* ⇒ **Hypnagogique** (cit. 2). — Neurophysiologie. *Centre (réticulaire) de la veille.*

(...) pour dire la vérité, monsieur, mes impressions de la veille et du sommeil se sont quelquefois confondues, et je ne me suis jamais fort inquiété de les démêler, parce que je ne saurais décider au juste quelles sont les plus raisonnables et les meilleures.
Ch. NODIER, Contes, « Fée aux miettes », XIV.

Quand je rêve — je rêve peu — je me délecte assez souvent de ce dont ma veille sagement se prive.
COLETTE, l'Étoile Vesper, p. 160.

CONTR. (De II.) Lendemain. — (De III.) Sommeil.
DÉR. 1. Veillée, 2. veiller.
COMP. Avant-veille, surveille. — V. Éveiller.
HOM. Formes du v. **veiller.**

1. VEILLÉE [veje; vɛje] n. f. — 1617; *veilliee,* 1316; de *veille.*

♦ **1.** Temps qui s'écoule entre le moment du repas du soir et celui du coucher, et qui était consacré à des réunions familiales ou de voisinage, surtout dans les campagnes (⇒ **Après-dîner, soirée**). *Récits à la veillée* (→ 1. Parler, cit. 86). *Le conteur des veillées d'hiver* (→ Djinn, cit. 2). *Prolonger la veillée* (→ Intraitable, cit. 2; soir, cit. 2). — (De nos jours). *Passer la veillée à regarder la télévision.*

(...) la veillée commença. Les femmes, autour de l'unique chandelle, tricotaient, filaient, travaillaient à des ouvrages, qu'elles ne regardaient même pas. Les hommes, en arrière, fumaient lentement avec de rares paroles, pendant que, dans un coin, les enfants se poussaient et se pinçaient, en étouffant leurs rires.
ZOLA, la Terre, I, V.

♦ **2.** Réunion familiale ou amicale, de voisinage, où l'on disait des contes. — *La Veillée des chaumières,* titre d'une publication populaire.

DÉR. 2. Veilleur.
HOM. 2. Veillée, 1. veiller, 2. veiller.

2. VEILLÉE [veje; vɛje] n. f. — 1690; « état de veille », 1580; de 1. *veiller.*

♦ **1.** Action de veiller (un malade, un mort); nuit passée à le veiller. *Veillée d'un mort* ou *veillée funèbre* (cit. 9), coutume qui consiste pour les parents, les amis à passer la nuit sans dormir auprès du défunt.

(...) la pompe funéraire avait été supprimée. Les malades mouraient loin de leur famille et on avait interdit les veillées rituelles, si bien que celui qui était mort dans la soirée passait sa nuit tout seul (...)
CAMUS, la Peste, p. 191.

♦ **2.** (1904; en remplacement de *veille,* I., 1.). Loc. VEILLÉE D'ARMES : nuit que le futur chevalier passait à veiller avant d'être armé. — Fig. Préparation morale à une épreuve, une action difficile.

HOM. 1. Veillée; 1. veiller, 2. veiller.

1. VEILLER [veje; vɛje] v. — 1120; du lat. *vigilare* « être éveillé; être vigilant ».

★ **I.** V. intr. ♦ **1.** Être en état de veille, ne pas dormir. *Chacun songe en veillant* (→ Doux, cit. 10). *Doutera* (cit. 14)*-t-il s'il veille, si on le pince, si on le brûle?*

Veillé-je, et n'est-ce point un songe que je vois?
LA FONTAINE, Fables, X, 9.

♦ **2.** Rester volontairement éveillé pendant le temps habituellement consacré au sommeil. *Veiller lorsque tout dort* (cit. 28), *jusqu'au*

jour (→ Messager, cit. 1). *Veiller pour travailler, étudier ; pour s'amuser* (⇒ **Noctambule**), *pour prier* (→ Chair, cit. 44), *pour s'occuper de qqn. Veiller au chevet* d'un malade.* ⇒ **Veillée.**
— Par métaphore et fig. *Souvenir inexorable qui veille* (→ Recoin, cit. 4).

1   — Quel silence ! dit Ginevra. Mon ami, je trouve un grand plaisir à veiller. La majesté de la nuit est vraiment contagieuse, elle impose, elle inspire (...)
                       BALZAC, la Vendetta, Pl., t. I, p. 919.

(Sujet n. de chose). Littér. *Rester allumé pendant la nuit. Une petite lampe veillait.* ⇒ **Veilleuse** (→ Abat-jour, cit. 1).

♦ **3.** (1180). *Être de garde.* « (...) *les gardes Qui veillent aux créneaux Des arsenaux* » (→ Fors, cit. 1). « *Et la garde* (1. Garde, cit. 71) *qui veille aux barrières du Louvre* (...) ». « *Je veille* (...) *comme une sentinelle* » (→ Guetter, cit. 2).
Être en éveil, vigilant. Il veillait, circonspect (cit. 3), *prêt à tout. La police veille. L'homme du rideau* (cit. 5) *veillait.*

★ **II.** V. tr. ♦ **1.** Trans. dir. (1580). Vx. *Surveiller (qqn).* — (1465). Mod. *Rester la nuit auprès de (un malade, pour s'occuper de lui).* → Soucier, cit. 8.

2   — Que faites-vous là ?
    — Je te veille. Tu es mon serviteur, quand je suis malade ou bien portant ; mais je suis le tien quand tu te portes mal. DIDEROT, Jacques le fataliste, Pl., p. 561.

2.1   « Rentrons, avait dit Jean, j'aimerais tant t'embrasser. » Maintenant ils étaient tous deux dans la chambre, mais Françoise s'était assise loin de lui. Et Jean, semblable à ceux qui veillent un être cher qu'une longue maladie affaiblit lentement avant de l'emporter, Jean contemplait avec une attention anxieuse et découragée leur amour finissant (...)   PROUST, Jean Santeuil, Pl., p. 816.

(1409). *Passer la nuit au chevet de (un mort).*

♦ **2.** (1538). Trans. indir. **VEILLER À (qqch.),** *y prêter attention et s'en occuper activement.* ⇒ **Attention** (faire attention à), **aviser** (à), **occuper** (s'), **soin** (prendre soin de...) ; vx, **parer** (à), **soigner** (à). *Garde, escorte qui veille à la sécurité, à la sûreté de qqn. Pour veiller à leurs intérêts* (→ Député, cit. 2). *Veiller nuit et jour à l'ordre public* (→ Permanent, cit. 7). *Le président* (cit. 4) *de la République veille au respect de la Constitution.* « *Veillons au salut de l'Empire** » (7.). *Veillez à notre paix* (→ 1. Foire, cit. 4). *Veillez-y bien* (→ Souvent, cit. 3). — Mar. *Veiller au grain** ; (fig.) guetter un péril pour y parer. ⇒ **Précautionner** (se) ; **vigilance** (→ Plus, cit. 46).

3   Tu n'as pas plus de défense qu'un bébé. Si je ne veillais au grain, le premier venu te roulerait (...)   F. MAURIAC, Genitrix, XVI.

Veiller à ce que..., suivi du subj. (→ Attention, cit. 38 ; round, cit.). *Veillez à ce qu'il ne manque de rien. Il veilla à ce que la futaille* (cit. 3) *fût bien placée.* — (XVIIᵉ). Rare. *Veiller que..., suivi du subj.* ⇒ **Garde** (prendre garde que). → Cruche, cit. 3. — *Veiller à..., suivi d'un v. à l'inf.* ⇒ **Appliquer** (s'appliquer à), **occuper** (s'occuper à), **songer** (à). → Prendre garde* de... *Veiller à soigneusement* (cit. 2) *respirer. Veillons à conserver notre calme. Veillez à ne pas l'oublier, à ne pas être en retard.*

4   — Le préfet fera son devoir (...) Il veillera à ce que l'ordre ne soit pas troublé à Pietranera, il prendra soin que la justice soit faite.   MÉRIMÉE, Colomba, XV.

(1553). *Veiller sur ... Veiller sur qqn, prêter attention à ce qu'il fait, à ce qui lui arrive (pour intervenir, le protéger...). Veiller sur un enfant.* ⇒ **Garder** (→ Maillot, cit. 1). *Ange gardien, bon génie qui veille sur qqn. Saint Michel veille sur la Normandie* (→ Porteglaive, cit.). ⇒ **Protéger.** *Jaloux qui veille sur sa femme.* ⇒ **Surveiller** (→ 1. Pas, cit. 6). — *Veiller sur qqch., l'observer pour exercer un contrôle.* ⇒ **Surveiller.** *Magistrats chargés de veiller sur l'ordre public* (→ Lieutenant, cit. 3). *Une effigie* (cit. 1) *d'Osiris semble veiller sur le sommeil du mort.* — (Vieilli). *Elle veillait sur son linge* (→ Homme, cit. 131) : *elle s'occupait de son linge, en prenait soin.*

CONTR. (Du I., 3.) Dormir.
DÉR. 2. Veillée ; 1. veilleur.
COMP. Surveiller.
HOM. 1. Veillée, 2. veillée, 2. veiller.

2. VEILLER [veje ; vɛje] v. intr. — 1690 ; de *veille.*

♦ *Faire la veillée* (1. Veillée).

Aussi, l'hiver, veillait-on là, sur la terre battue, bien à l'aise, au chaud, sans autre dérangement que d'y transporter une petite table ronde et une douzaine de vieilles chaises. Chaque voisin apportait la chandelle à son tour (...)
                       ZOLA, la Terre, I, V.

HOM. 1. Veillé, 2. veillée, 1. veiller.

1. VEILLEUR, EUSE [vɛjœʀ, øz] n. — 1355, « garde » ; *veilliere,* v. 1190 ; de 1. *veiller.*

★ **I.** ♦ **1.** Vx. *Personne qui veille qqn ; garde-malade de nuit.*

♦ **2.** (1645). Rare. *Personne qui veille* (1. Veiller, I., 1.), *qui ne dort pas.* — Par ext. et adj. :

1   Il lui rendit, lui dédia la nuit, la liberté, la terre spongieuse et douce, les insectes veilleurs et les oiseaux endormis.   COLETTE, la Chatte, p. 177.

★ **II.** N. m. *Soldat de garde.* ⇒ **Épieur, guetteur** (→ Envoyer,

cit. 22). *Le veilleur fait sa ronde sur les remparts.* — Dans certains pays ou à certaines époques, *Employé municipal qui veille au calme de la ville pendant la nuit* (par ex. : *le sereno en Espagne*). *Le veilleur du quartier* (→ Tac, cit. 1).

Loc. cour. VEILLEUR DE NUIT (ou *veilleur*) : *gardien** (d'un magasin, d'un chantier, d'une banque, etc.), *qui est de service la nuit. Veilleur de nuit attaqué par des malfaiteurs.* — *Employé d'hôtel chargé d'assurer le service et la réception pendant la nuit.*

2   Dans un hôtel, il y a au moins un veilleur de nuit, un garçon d'étage, on peut sonner, crier, on ne risque pas de mourir seul (...)
                       P. NIZAN, le Cheval de Troie, V.

3   Qui m'a changé ainsi en désert travailleur,
En usine-robot avec pour seul veilleur
Ce moi qui fut pays libre (...)
      Marcel THIRY, Usine à penser des choses tristes, 1956.

DÉR. Veilleuse.
HOM. 2. Veilleur ; (du fém.) veilleuse.

2. VEILLEUR, EUSE [vɛjœʀ, øz] n. — Mil. XIXᵉ ; de 1. *veillée.*

♦ Vx ou régional. *Personne qui participait à une veillée* (1. Veillée).

HOM. 1. Veilleur ; (du fém.) veilleuse.

VEILLEUSE [vɛjøz] n. f. — 1762 ; fém. de 1. *veilleur.*

A. ♦ **1.** *Petite lampe ou ampoule électrique éclairant peu, qu'on laisse allumée pendant la nuit ou en permanence dans un lieu sombre. Veilleuse à l'huile* (→ Chocolat, cit. 4). *Veilleuse qui brûle lentement* (→ Éteindre, cit. 2), *tremblote...*

1   Dans leur godet de verre allongé, pendu à deux branches de fer arrondies, les veilleuses s'éteignent et se raniment. Leur lumignon se lève et s'abaisse, comme un souffle, sur l'huile lumineuse et transparente.   Ed. et J. DE GONCOURT, Sœur Philomène, I.

2   J'ai repris un petit train noir, avec au plafond de sombres veilleuses bleues qui n'éclairent rien (...)   S. DE BEAUVOIR, la Force de l'âge, p. 403.

Lanterne* (d'automobile). *Allumez vos veilleuses à l'entrée du tunnel.*

♦ **2.** (XXᵉ). Loc. **EN VEILLEUSE.** *Mettre une lampe en veilleuse,* en diminuer l'éclairage pour en faire une veilleuse. *Il mit le gaz* (de la lampe) *en veilleuse* (→ Grimper, cit. 9). *Mettre ses phares* en veilleuse.*

3   Mais, dans un angle de la scène, une ampoule qui brûlait en veilleuse les guida vers un couloir (...)   MARTIN DU GARD, les Thibault, t. VII, p. 129.

(1935). Fig. *Dont l'intensité, les effets, l'activité sont réduits*. Cette usine est en veilleuse* (Académie). Fam. *Mets-la en veilleuse* (→ Doucement, du calme*). ⇒ (argot) **Écraser.**

4   En tout cas, les patrons de l'entreprise vont se mettre en veilleuse.
                       M. AYMÉ, le Chemin des écoliers, IX.

♦ **3.** (1835). *Petite mèche montée sur une rondelle de liège, qui flotte sur l'huile d'une veilleuse. Changer la veilleuse.* — *Petit bec d'un chauffe-eau à gaz, d'un réchaud. Allumer la veilleuse d'un chauffe-eau.* (On dit aussi, dans ce sens, *mettre le chauffe-eau en veilleuse*).

B. (XVIIIᵉ). Techn. (Hist. du mobilier). *Canapé à dossier de fond et à dossier latéral, en usage notamment au XVIIIᵉ siècle.* → Méridienne.

C. (1842 ; soit parce que cette plante fleurit à l'époque des veillées [1. Veillée], soit parce qu'elle résiste au froid de la nuit). Bot. *Colchique** (cit. 2) *d'automne.* ⇒ 2. **Veillotte.**

DÉR. 2. Veillotte.
HOM. Fém. de 1. veilleur et 2. veilleur.

1. VEILLOTTE [vɛjɔt] n. f. — 1551 ; *viellotte,* 1549 ; du lat. *viticula* « cep ; vrille de la vigne », parce que le foin est ramassé en rouleaux.

♦ Agric., régional. *Petit tas de foin qu'on laisse sécher sur le pré.*

HOM. 2. Veillotte.

2. VEILLOTTE [vɛjɔt] n. f. — 1872 ; de *veill(euse).*

♦ Bot. *Syn. de veilleuse* (C.).

HOM. 1. Veillotte.

VEINARD, ARDE [vɛnaʀ, aʀd] adj. et n. — 1854 ; d'abord *vénard,* adj. ; de *veine* (III., 3.).

♦ Fam. *Qui a de la veine* (III., 3.), *de la chance. Il est veinard.* ⇒ **Bidard** (argot), **chanceux, fortuné, heureux,** (fam.) **verni.**

N. (1867). *Quel veinard ! Elle a gagné, la veinarde.*

1   (...) le père Roland vint taper de ses deux mains ouvertes sur les deux épaules de son jeune fils en criant : — Eh bien ! sacré veinard, tu ne m'embrasses pas ?
                       MAUPASSANT, Pierre et Jean, I.

2 (...) les autres s'exclamaient, les traitant de veinards, affectant d'envier leur bonheur. ZOLA, Nana, VIII.

CONTR. Malchanceux, malheureux.

VEINE [vɛn] n. f. — 1165; «influence, inspiration», v. 1160; du lat. *vena*, anatom. et fig. «inspiration».

★ **I. ♦ 1.** Vaisseau* à ramifications convergentes, qui ramène le sang des capillaires au cœur. *Les veines et les artères*, parties de l'appareil circulatoire. *Les veines sont des canaux cylindriques flasques, munis intérieurement de valvules, qui naissent des veinules, forment des rameaux, puis des troncs; elles sont profondes ou superficielles; plus nombreuses et plus volumineuses que les artères. Veines de la grande circulation, qui portent du sang noir au cœur droit. Veines de la petite circulation — veines pulmonaires** — qui portent du sang rouge au cœur gauche* (→ Élaborer, cit. 3). *Veines axillaires* (cit.), *azygos. Veine cave.* ⇒ **Cave** (cit. 2). *Veines coronaires, jugulaires, ombilicales, saphènes. Veine porte.* ⇒ 2. **Porte.** *Veines nombreuses anastomosées.* ⇒ **Plexus** (veineux). *Étude des veines.* ⇒ **Phlébologie.** *Inflammation d'une veine.* ⇒ **Phlébite.** *Saignée d'une veine.* ⇒ **Phlébotomie.** *Piqûre dans une veine.* ⇒ **Intra-veineux.** *Le dessin* (cit. 12), *l'affleurement* (cit. 1) *bleuâtre des veines. Le réseau** (cit. 4) *de veines azurées. Veines gonflées* (cit. 17) *par la chaleur, par l'effort.* — *S'ouvrir les veines :* se trancher les veines du poignet pour se donner la mort par hémorragie. — Loc. fig. *Se saigner** aux quatre veines. — Loc. prov. *Qui voit ses veines voit ses peines :* les travaux manuels font saillir les veines.

1 On voyait ses mains où se gonflaient en embranchements bleuâtres le réseau des veines chaudes de fièvre. HUGO, l'Homme qui rit, II, Conclusion, III.

2 Il mourut tout d'un coup : une veine se cassa et le médecin dit qu'il avait la peau des veines dure comme un tuyau de pipe. Ch.-L. PHILIPPE, Père Perdrix, II, II.

3 J'aimerais tenir dans mes mains la main de ma grand-mère, écraser et faire jouer sous mon doigt les grosses veines qui saillaient sous la fine peau douce et jaune. Grand-mère disait : Qui voit ses veines, voit ses peines. Francis JOURDAIN, Né en 76, p. 36.

3.1 BERENGER, *qui avait lâché le poignet de Jean, le prend de nouveau.* Vos veines ont l'air de se gonfler. Elles sont saillantes. JEAN C'est un signe de force. IONESCO, Rhinocéros, II, 2.

♦ **2.** (XIIIᵉ). Au plur. (Dans des expr. de la langue cour., souvent fig.). Les vaisseaux sanguins (artères et veines), conduits du sang, symbole de la vie. *Le sang de ses veines.* — *Dans ses (les) veines. Un peu de sang étranger* (1. Étranger, cit. 6) *coulait dans ses veines.* Par ext. *La paresse qui coulait dans ses veines* (→ Fainéantise, cit. 3). — Fig. *Avoir du sang dans les veines, du courage, de l'énergie. N'avoir pas de sang dans les veines :* être lâche, pleutre, poltron (→ aussi Église, cit. 12). *Avoir du feu, du vif-argent dans les veines* (→ Horripilant, cit. 1). *Sang qui bout** dans les veines. Allumer* (cit. 11) *le désir dans les veines.* «*Ce n'est plus une ardeur* (cit. 17) *dans mes veines cachée*» (Racine). *Cette horreur qui glace le sang dans les veines* (→ Cheveu, cit. 30). *Tout mon sang dans mes veines se glace* (cit. 3). *Je sens un froid mortel* (→ Flageoler, cit. 1), *un frisson de mort dans mes veines* (→ Fatal, cit. 8).

4 Un grand trouble montait à son crâne avec le sang de ses veines, son premier mouvement fut de fuir, dans l'angoisse qui l'envahissait. Toujours le désir l'avait rendu fou, il voyait rouge. ZOLA, la Bête humaine, II.

★ **II. ♦ 1.** (1230). Filon* mince (d'un minéral) dans une roche. ⇒ 2. **Délit.** *Veine de glaise, de quartz, de houille, d'argent... Exploiter une veine dans une mine.* ⇒ **Gisement.** *Extrémité d'une veine.* ⇒ **Airure.** *Le prolongement d'une veine de houille.* ⇒ **Sillage.** *Veine épaisse de 50 cm* (→ Charbon, cit. 2).

4.1 Toute la roche ne fournit pas partout le métal; il faut chercher les veines, et lorsqu'on en a trouvé quelqu'une, on la suit avec autant de soin qu'on a eu de peine à la découvrir. J.-F. REGNARD, Voyage en Laponie, 1731, p. 96.

5 (...) marbre de couleur vert de Gênes, griotte, jaune de Sienne, jaspes variés, porphyres rouges de Finlande, tout ce que les veines des plus riches carrières ont pu livrer de beau. Th. GAUTIER, Voyage en Russie, XV.

♦ **2.** (1607). Dessin coloré, mince et sinueux (dans le bois, les pierres dures). ⇒ **Veiné, veinure.** *Bois à veines.* ⇒ **Ronce** (4.). *Les veines d'un marbre** (1. Marbre, cit. 2).

6 (...) le vert profond du marbre et ses veines dorées (...) Valery LARBAUD, Enfantines, «L'heure avec la figure».

♦ **3.** Nervure très saillante (de certaines feuilles). *Les veines du chou.*

★ **III. ♦ 1.** (1165). Inspiration* de l'artiste. *La veine poétique, dramatique... La veine mélodique* (cit. 1) *de Gluck est exquise. Ses romans qu'il produisait d'une veine avare* (cit. 30). *Veine abondante, fertile* (→ Rare, cit. 14). *Veine qui se tarit* (→ 2. Lai, cit.). «*Ai-je par un écrit Pétrifié* (cit. 3) *sa veine?*». *Cela coupe la veine* (→ Brider, cit.). *Être en veine :* être inspiré. ⇒ **Verve.** *Rester toujours en veine et en haleine* (cit. 25).

♦ **2.** (1798). EN VEINE DE... : disposé à... ⇒ **Disposition, humeur** (II., 3.). *J'étais en veine d'indulgence* (cit. 9). *En veine de taquinerie*

(Ed. et J. de Goncourt, *Sœur Philomène*, XVII), *de gaieté* (Courteline, *le Train de 8 h 47*, I, VI).

Par bonheur, le jour où on lui annonça qu'il fallait mourir, un beau soleil réjouissait la nature, et Julien était en veine de courage. STENDHAL, le Rouge et le Noir, II, XLV. 7

♦ **3.** (1835; *être en veine* «avoir de la chance au jeu», 1801, *in* D.D.L.; *avoir aucune veine* «avoir de la chance», v. 1350). Fig. [a] Vx (avec un adj. ou un déterminatif). ⇒ **Chance.** *Une bonne, une heureuse veine.* ⇒ **Hasard.** *Être dans une bonne veine, tomber sur une bonne veine. Une mauvaise veine.*

Il y a depuis un mois une veine de malheur sur nous. Tout avorte, tout manque, tout rate. Ed. et J. DE GONCOURT, Journal, 27 avr. 1859, t. I, p. 211. 8

— Êtes-vous contents des opérations dans ce moment-ci? demanda le docteur. — Heu! heu! — Non, ça ne réussit pas depuis quelque temps. — Il y a des veines comme ça (...) Ed. et J. DE GONCOURT, Sœur Philomène, III. 9

[b] (1876). Mod. Bonne chance, heureux hasard. ⇒ **Chance** (3.); (fam.) **bol, cul, pot.** *Avoir de la veine.* ⇒ **Veinard.** *Flanquer* (2. Flanquer, cit. 7) *la guigne ou la veine à qqn.* ⇒ **Bonheur.** *Une veine de cocu*, de pendu :* une chance extraordinaire. *On peut s'en tirer avec deux sous de veine* (→ 1. Bon, cit. 120). *Quelle veine!* (→ Menotte, cit. 2). *Ça c'est une veine! Pas de veine!* Joueurs (cit. 7) *en veine, que la chance favorise. Objet porte-veine, un porte-veine* (→ Portebonheur).

Il y a des jours où on n'a pas de veine, et, à ce titre, la journée du 14 Octobre est de celles dont je me souviendrai. 10
COURTELINE, Boubouroche, Petit historique.

Interj. (Vieilli). *Veine, alors! Veine!* ⇒ **Chic.**

Elle connaissait les êtres et les habitudes de la maison; au garçon endormi, elle jeta le nom de Jules, et monta sans difficulté (...) La clef était sur la porte de la chambre. — Veine! pensa-t-elle; je vais lui faire une bonne surprise! 11
GORON, l'Amour à Paris, t. III, p. 1452 (av. 1900).

REM. Sans être vieilli, le mot, dans ce sens, est un peu passé de mode; on emploie plutôt **bol, pot.**

CONTR. Déveine.
DÉR. Veinard, veiné, veinette, veineux, veinule.
HOM. Fém. de vain; vêne.

VEINÉ, ÉE [vene] adj. — 1690; «rempli de veines», 1611; de *veine.*

♦ **1.** (1850). Qui présente des veines bleues apparentes sous la peau. *Peau* (cit. 5) *blanche veinée de bleu.*

Quand elle me tendit son bras pâle, veiné comme une nacre bleuâtre, un poignet fin et de race, où le pouls à l'état normal battait languissamment (...) 1
BARBEY D'AUREVILLY, les Diaboliques, «Bonheur dans le crime».

Qui présente des nervures saillantes (feuilles des végétaux). *Choux aux feuilles veinées* (→ Pommeler, cit. 1).

♦ **2.** (Av. 1854). Qui présente des veines (II.), des filons. *Terrains d'ocre* (cit. 3) *rouge veinés de plâtre et de glaise.* — (1690). Qui présente des veines (bois, pierres dures). *Bois veiné.* ⇒ **Madré.** *Jaspes* (cit. 1) *ondés ou veinés. Marbre vert veiné de blanc.*

(...) on la croirait *(la ville)* sortie de la veille d'un immense bloc de marbre blanc, veiné de rose. E. FROMENTIN, Une année dans le Sahel, p. 11. 2

DÉR. Veiner, veinure.

VEINER [vene] v. tr. — 1812; de *veiné.*

♦ **1.** Orner de dessins sinueux imitant les veines du bois, du marbre. *Veiner un mur, un panneau avec une veinette** pour faire du faux marbre, du faux chêne.

♦ **2.** (Sujet n. de chose). Orner en faisant des dessins sinueux. *Un marbre* (1. Marbre, cit. 4) *que veinaient de grandes branches minérales.* ⇒ **Jasper, marbrer.** — Par métaphore :

Un petit vent s'était levé et veinait de froid la nuit douce.
André SOUBIRAN, les Hommes en blanc, t. I, p. 67.

VEINETTE [vɛnɛt] n. f. — 1611; *veinete*, fin XIIᵉ; de *veine.*

♦ **1.** Rare. Petite veine.

(...) les veinettes bleutées qui barraient les tempes de Kayl.
Jeanne CORDELIER, la Passagère, p. 226.

♦ **2.** (1904). Techn. Brosse employée par les peintres pour veiner le faux bois, le faux marbre.

VEINEUX, EUSE [vɛnø, øz] adj. — 1545; de *veine.*

♦ **1.** Qui a rapport aux veines; des veines. *Système veineux* (→ Lymphatique, cit. 1). *Plexus** veineux. Circulation veineuse. Sang veineux*, des veines de la grande circulation, qui a perdu son oxygène, dit aussi *sang noir* (opposé à *sang artériel). Tension veineuse. Hémorragie veineuse.* ⇒ **Phléborragie.**

♦ **2.** Qui présente de nombreuses veines (II., 3.). *Bois veineux.*
⇒ 1. **Madré, marbré, veiné.**

COMP. **intra-veineux.**

VEINOSITÉ [vɛnozite] n. f. — xxᵉ ; *vénosité* «mode de distribution des veines dans un organe», 1873 ; «surabondance de sang dans les veines», 1855 ; du rad. du lat. *vena* «veine».

♦ Méd. Petite veine visible à travers la peau.

VEINULE [venyl] n. f. — xvIIIᵉ ; *venule*, 1615, Louis Guyon ; de *veine.*

♦ **1.** Petit vaisseau veineux qui, convergeant avec d'autres, forme les veines (→ Épanouissement, cit. 2). *Veinules et artérioles.*

Le souffle qu'il expirait s'en allait en buée légère : le froid accentuait, à ses joues, un lacis de veinules violettes.   M. GENEVOIX, Raboliot, III, I.

♦ **2.** (1817). Bot. Ramification extrême des nervures des feuilles.

DÉR. **Veinulé.**

VEINULÉ, ÉE [venyle] adj. — xxᵉ ; de *veinule.*

♦ Qui présente des veinules.

Il ne s'effrayait ni des yeux révulsés dont n'apparaissait que le blanc veinulé, entre les paupières en sang (...)
                    F. MAURIAC, le Mystère Frontenac, II, 18 (1933).

VEINURE [venyʀ] n. f. — Av. 1922 ; de *veiné, ée.*

♦ Dessin des veines du bois. Aspect veiné.

VÉL-, VÉLI- Premier élément, du lat. *velum* «voile (de bateau)». ⇒ **Véliforme, véliplanchiste, vélique.**

VÊLAGE [vela3] ou **VÊLEMENT** [vɛlmã] n. m. — 1834, *vêlage; vêlement*, 1841 ; de *vêler.*

♦ **1.** Parturition de la vache.

On soignait davantage la vache à mesure que le vêlage approchait.
                    ZOLA, la Terre, III, v.

♦ **2.** (1910, J.-B. Charcot). Géogr. Désagrégation d'une partie de la banquise qui produit les icebergs (forme d'ablation). — Par anal. *Vêlage des dunes.*

VÉLAIRE [velɛʀ] adj. — 1874 ; du rad. du lat. *velum* «voile (du palais)».

♦ Phonét. Se dit des sons du langage (voyelle ou consonne) dont le point d'articulation est proche du voile du palais. *Le l vélaire du latin ne s'est pas conservé en français* (à la différence du *l* palatal). — REM. On dit plutôt *postérieur*, pour désigner les voyelles articulées vers le voile du palais. *Vélaire* se dit surtout d'une consonne articulée avec le dos de la langue contre le voile du palais ou s'en approchant (ex. : [k] dans *cou*, en français). — N. f. *Une vélaire* ou *une dorso-vélaire :* une consonne vélaire.
Une articulation vélaire, au niveau du voile du palais.

DÉR. V. **Vélarisation, vélariser.**

VÉLAMENTEUX, EUSE [velamãtø, øz] adj. — 1923 ; dér. du lat. *velamentum* «voile, membrane», de *velum.*

♦ **1.** Qui ressemble à un voile.

♦ **2.** Embryol. Qui a trait aux membranes de l'œuf humain.

VÉLANÈDE [velanɛd] n. f. — 1876 ; *valanède*, 1723 ; *velonie*, 1553 ; du mot grec *balanidi* «gland», de *balanos*, même sens.

♦ Techn. Cupule des glands du chêne vélani, employée en teinturerie, en tannerie.

VÉLANI [velani] n. m. — 1836 ; «vélanède», 1721 ; *velonie*, 1553 ; du mot grec *balanidi* «gland». → Vélanède.

♦ Bot. Chêne* à feuilles oblongues, à gros fruits, à cupules écailleuses.

VÉLAR [velaʀ] n. m. — 1545 ; du lat. médiéval *velarum*, du lat. (d'orig. gaul.) *vela* «cresson d'hiver».
Didactique.

♦ **1.** Sisymbre (plante).

♦ **2.** Violier* (fausse giroflée).

VÉLARISATION [velaʀizasjɔ̃] n. f. — 1933, Marouzeau ; du rad. de *vélaire.*

♦ Phonét. Transformation (d'une palatale) en vélaire.

VÉLARISER [velaʀize] v. tr. — 1970 ; du rad. de *vélaire.*

♦ Phonét. Modifier (une consonne) en lui conférant le caractère vélaire. — Pron. *Se vélariser :* prendre un caractère vélaire au contact d'une voyelle postérieure.

▶ **VÉLARISÉ, ÉE** p. p. adj. *Consonne vélarisée.* — N. f. *Une vélarisée.*

VELARIUM ou **VÉLARIUM** [velaʀjɔm] n. m. — 1836 ; mot lat., de *velare* «voiler».

♦ Antiq. Grande toile formant tente amovible (sur un amphithéâtre, un cirque). ⇒ **Velum.** — Au plur. *Des velariums.*

(...) un palais orné de portiques, et couvert d'une terrasse que fermait une balustrade en bois de sycomore, où des mâts étaient disposés pour tendre un vélarium.   FLAUBERT, Trois contes, « Hérodias », I. ┊1

(...) les villes tyriennes étaient prises, les Nomades dispersés, tous les Barbares anéantis. L'Acropole disparaissait sous des velariums de couleurs (...) partout on sentait l'ordre rétabli, une existence nouvelle qui recommençait, un vaste bonheur épandu : c'était le jour du mariage de Salammbô avec le roi des Numides.   FLAUBERT, Salammbô, Pl., t. I, p. 1020 (1862). ┊2

VELAUNIEN, IENNE [vəlonjɛ̃, jɛn] adj. — 1876, P. Larousse ; du lat. *Velauni*, peuple de cette région.

♦ Rare. Du Velay (région de France, au sud-est de l'Auvergne). — Var. : *velaisien, ienne* [vəlɛzjɛ̃, jɛn]. — N. m. Dialecte occitan parlé en Velay.

VELCHE ou **WELCHE** [vɛlʃ] n. m. — xvIIIᵉ, Voltaire ; de l'all. *Welsch* «étranger», du lat. *gallicus* «gaulois».

♦ **1.** Péj., vx. Français ignorant, plein de préjugés. Par ext. Homme ignorant, crédule et sans goût (→ Béotien). *Discours aux Velches,* de Voltaire.

♦ **2.** Rare (*in* Littré). Étranger, pour les Allemands (surtout : Français, Italien).

VELCRO [velkʀo] n. m. — 1958 ; de *vel(ours)* et *cro(chet);* marque déposée.

♦ Matière utilisée pour la confection de fermetures de vêtements, de sacs, etc., et consistant en deux tissus présentant respectivement à leurs surfaces des boucles et des barbules qui s'accrochent ; chacun de ces deux tissus. *Du velcro. Une bande de velcro. Fermeture par velcro.* — Appos. *Bande, fermeture velcro.*

Par métonymie. Morceau de cette matière ; fermeture en velcro. *Coudre un velcro au col d'un ciré.*

VELD ou **VELDT** [vɛlt] n. m. — 1902 ; mot néerl. «champ, campagne», par l'afrikaans.

♦ Géogr. Steppe de l'Afrique du Sud. *La végétation du veld est une savane.*

HOM. **Velte.**

VÉLELLE [velɛl] n. f. — 1808 ; du lat. sc. *velella*, par lequel Lamarck a désigné la *velette* des Provençaux, 1723 ; cf. *Encyclopédie;* du lat. *velum* «voile».

♦ Zool. Méduse (embranchement des Cœlentérés, sous-classe des *Siphonophores*) à très vaste flotteur, coloré en bleu violet et qui flotte à la surface de la mer. *La vélelle vit en Méditerranée.*

Les vélelles (...) entraînées par les vents, sont souvent rejetées à la côte.
                    Paul BOUGIS, le Plancton, p. 33.

VÊLEMENT [vɛlmã] n. m. ⇒ **Vêlage.**

VÊLER [vele] v. intr. — 1688 ; *vellee*, p. p., 1328 ; *vesler*, fin xvᵉ ; anc. franç. *veel.* → Veau.

♦ Mettre bas (se dit de la vache). ⇒ **Veau** (faire son veau). *Cette vache n'a pas encore vêlé, vient de vêler.*

Lise et Françoise, s'étant débarrassées de Blanchette, trop grasse et qui ne vêlait plus, avaient résolu, ce samedi-là, d'aller au marché de Cloyes acheter une autre vache.   ZOLA, la Terre, II, VI.

DÉR. Vêlage ou **vêlement.**

VELET [vəlɛ] n. m. — 1680; «petit voile», anc. provençal, v. 1350; de *voile;* → Voilette.

♦ Anciennt. Doublure garnissant le voile de dessous des religieuses.

VÉLI- ⇒ Vél-.

VÉLIE [veli] n. f. — 1839, Boiste; du lat. zool. *velia*, n. m.; orig. incertaine.

♦ Zool. Insecte hémiptère, aquatique, qui court à la surface des eaux vives (cour. : *araignée d'eau, punaise d'eau*).

VÉLIFORME [velifɔrm] adj. — 1904; de *veli-,* et *-forme.*

♦ Didact. En forme de voile.

VÉLIGÈRE [veliʒɛr] n. f. et adj. — 1896, *in* D.D.L.; du bas lat. *veliger* «couvert de voiles».

♦ Zool. Larve des mollusques marins (Gastéropodes ou Lamellibranches), caractérisée par une coquille dorsale et un voile muni de cils, le *velum,* et qui succède dans la plupart des cas à la larve trochophore*. (N. B. Les mollusques gastéropodes terrestres ne connaissent pas ce stade).

Adj. *Larve véligère.*

Il est en effet une période où la vie de l'huître échappe à leur contrôle *(celui des ostréiculteurs);* c'est le temps où elle mène une vie larvaire planctonique sous forme de larve véligère.   Paul BOUGIS, le Plancton, p. 56.

VÉLIN [velɛ̃] n. m. — 1611; *veeslin,* une première fois au XIIIᵉ; *veelin,* 1380; anc. franç. *veel.* → Veau.

♦ **1.** Peau de veau mort-né, plus fine que le parchemin* ordinaire (→ Ébahir, cit. 1; maroquin, cit. 2). *Manuscrit, ornements sur vélin. Dessiner sur vélin* (⇒ Guiper). *Miniature sur vélin.* — Cuir de veau. *Reliure de vélin* (surtout aux XVIᵉ et XVIIᵉ siècles).

REM. Selon M. Rheims, *vélin* désigne aussi une peau de porc :

Les deux difficultés qui s'offraient au frère de Louis XIII sont celles rencontrées encore aujourd'hui par Jean Dorst, l'actif directeur du Muséum. Au premier chef, trouver de beaux vélins, c'est-à-dire des peaux de porc parfaitement lisses, parfaitement blanches
                Maurice RHEIMS, la Très Noble Science des «vélins du Roi»,
                                in le Figaro Magazine, 21 avr. 1979, p. 108.
Ouvrage ancien, incunable imprimé sur vélin.

♦ **2.** (1723). Dentelle d'Alençon dite «point royal».

♦ **3.** (1798). Par appos. *Papier vélin* (→ 1. Garde, cit. 87, Balzac); n. m. (mil. XIXᵉ), *vélin :* papier très blanc et de pâte très fine (où les traces de pontuseaux et de vergeures ne paraissent pas). *Exemplaire sur vélin.* — *Toile vélin* (et adj. *toile véline*), «(...) *sur laquelle on estompe les lettres qui doivent former le filigrane intérieur du papier à billets* (de banque)» (Maxime du Camp, 1869, *in* Littré).

VÉLIPLANCHISTE [veliplɑ̃ʃist] n. — V. 1980; de *véli-,* et *planchiste.*

♦ Didact. Personne qui pratique la planche* à voile. ⇒ **Planchiste** (cour.). «*Nouvelle mode, la planche à voile* (150 000 *ont déjà été vendues) est, désormais, la bête noire des sauveteurs.* (...) *On récupère des véliplanchistes à 7 milles du rivage, soit à près de 13 kilomètres. La dernière passion est de s'exercer la nuit*» (l'Express, 12 juil. 1980).

VÉLIQUE [velik] adj. — 1727; de *vél-,* et *-ique.*

♦ Mar. Des voiles. — (1842). *Point vélique :* centre de voilure (point d'application de la résultante des forces que le vent exerce sur la voile). — Par métaphore :

1   On sait ce que c'est que le point vélique d'un navire; c'est le lieu de convergence, endroit d'intersection mystérieux pour le constructeur lui-même, où se fait la somme des forces éparses dans toutes les voiles déployées. Paris est le point vélique de la civilisation. L'effort partout dispersé se concentre sur ce point unique; la pesée du vent s'y appuie.   HUGO, Paris, III, II (1867).
2   L'Est ne *rencontre* pas l'Ouest : Kipling avait raison. Il se retrouve avec lui au même point *vélique :* Kipling avait tort.   Claude ROY, Nous, p. 360.

VÉLITE [velit] n. m. — 1213; du lat. *veles, velitis* «soldat armé à la légère».
Didactique.

♦ **1.** Hist. rom. Soldat d'infanterie légèrement armé, chargé de harceler l'ennemi. *Un corps de vélites* (→ Défilé, cit. 2).

♦ **2.** (1804). Hist. Soldat d'un corps de chasseurs à pied, sous le premier Empire.

Parti comme vélite à dix-huit ans, de l'étoffe dans laquelle se taillaient les maréchaux à cette époque, le fils Mesnilgrand avait fait les guerres de l'Empire (...)
        BARBEY D'AUREVILLY, les Diaboliques, «À un dîner d'athées».

VÉLIVOLE [velivɔl] adj. et n. — Av. 1841, Chateaubriand; lat. *velivolus* «qui vole, va vite *(volare)* à la voile *(velum)*».

♦ **1.** Vx ou poét. Que sa voile fait voler sur l'eau.

1   Cynthie, ta voix s'affaiblit : il expire sur tes lèvres le refrain que t'apprit le pêcheur napolitain dans sa barque vélivole ou le rameur vénitien dans sa gondole légère.
        CHATEAUBRIAND, Mémoires d'outre-tombe, IV, 5, 5, t. II, p. 286 (1848).
2   Cette marche vélivole avait démarré en lui les fantômes de tartanes et de balancelles dont il était plein.   J. GIONO, Naissance de l'Odyssée, p. 149.

♦ **2.** (1932, comme nom, *in* Petiot). Mod., didact. Relatif au vol à voile; qui pratique le vol à voile. «*Pour apprendre à piloter un planeur il faut s'inscrire dans un aéro-club comportant une section vélivole*» (*Tendances;* oct. 1972, *in* Gilbert).

N. (Rare). *Un, une vélivole :* une personne qui pratique le vol à voile. «*Si, le plus souvent le* vélivole *prend place à bord d'un planeur monoplace, il apprend à piloter à bord d'un biplace équipé de double commande*» (*Tendances;* oct. 1972, *in* Gilbert).

VELLÉITAIRE [veleitɛr; vɛlleitɛr] adj. et n. — 1894; de *velléité.*

♦ Qui n'a que des intentions faibles, qui ne se décide pas à agir ou n'agit pas selon ses décisions. ⇒ **Hésitant, versatile.** *Il est trop velléitaire pour se décider, pour passer à l'acte.*

1   Ces amateurs velléitaires et stériles doivent nous toucher comme ces premiers appareils qui ne purent quitter la terre mais où résidait (...) le désir du vol.
                        PROUST, À la recherche du temps perdu, t. XV, p. 40.
N. *Un, une velléitaire.*

2   Mais je suis loin de faire toujours ce que je me sens porté à faire. Je ne suis pas un caractère énergique. Je me connais. Par certains côtés, je suis ce qu'on appelle un velléitaire (...)   J. ROMAINS, les Hommes de bonne volonté, t. VII, III, p. 21.

VELLÉITÉ [veleite; vɛlleite] n. f. — 1600; du lat. médiéval *velleitas* «velléité», de *velle* «vouloir» (au subj. imparfait *vellet* «il voudrait»).

♦ **1. a** Vx. Désir faible. — Psychol. Vx. Faible degré de désir, qui incite à souhaiter sans rien faire pour obtenir.

Philos., théol. «Espèce imparfaite de volonté* conditionnelle» (Leibniz).

b Cour., vieilli. Désir, envie faible (pouvant aboutir à un acte). «*Une velléité de fausse élégance lui faisait porter des boucles d'oreilles...*» (→ Chrysocale, cit. 1; 2. fin, cit. 11).

1   (...) j'ai pu sourire des immenses tourments que de petites difficultés me causaient, appeler par leur nom des velléités indistinctes encore et qui m'épouvantaient parce que je n'en discernais point le contour.
                                GIDE, Si le grain ne meurt, II, I.

♦ **2.** (XVIIIᵉ, Voltaire). Mod. Volition faible, passagère, intention qui n'aboutit pas à une décision. → 1. Don, cit. 4; éréthisme, cit. 1. *Un abattement* (cit. 3) *entravait en lui toute velléité d'action.*

2   Alarmiste et soupçonneux, il provoque à la délation, et, faute de trouver des complots, il en invente. Pour lui, les velléités sont des actes et les projets flottants deviennent des attentats commis.
                TAINE, les Origines de la France contemporaine, III, t. I, p. 209.
Tendance mal affirmée, tentative hésitante. *Des velléités belliqueuses* (cit. 4).

3   Ainsi, quelque incertaines que fussent les velléités révolutionnaires de la Gironde, Robespierre les condamnait.   JAURÈS, Hist. socialiste..., t. IV, p. 39.

♦ **3.** (1834). Fig. Faible esquisse. «*Une velléité de sourire*» (Sainte-Beuve, *Volupté,* IV).

CONTR. Décision, détermination, résolution.
DÉR. Velléitaire.

VÉLO [velo] n. m. — 1885; d'abord dans des composés : *vélo-car* (1870), *vélo-club* (1869); le mot a remplacé *véloce*, n. m., v. 1885-90; «postillon d'une voiture rapide», 1837, Vidocq; abrév. de *vélocipède.*
Courant.

♦ **1.** Bicyclette. *Cadre de vélo* (→ Embardée, cit. 3). *Guidon* (→ 1. Musette, cit. 5), *timbre de vélo* (→ Cloche, cit. 5). *Acheter un vélo de course. Une bicyclette d'homme et un vélo de femme* → Vélocipédique, cit. 4. *À vélo :* en vélo (Montherlant, Troyat, Mauriac, *in* Grevisse, § 916), sur son vélo. ⇒ **Bicyclette** (cit. 1, Dauzat).

1   (...) il y avait une petite remise en planches où les maçons posaient leur bicyclette. Gil entra. Il s'approcha de son vélo. Le cadre était jaune. Le nickel luisait. Gil aimait sa légèreté, la courbe du guidon de course qui l'obligeait à se pencher sur lui, il aimait ses chambres à air, les jantes en bois, les pare-boue.
                                Jean GENET, Querelle de Brest, p. 238.

♦ **2.** (*Vélo-sport,* 1877; *vélo-club,* 1869; → 2. Véloce). Le fait de monter, de rouler à bicyclette; sport cycliste. ⇒ **Cyclisme**. *Faire du vélo, aimer le vélo et la moto.*

2   Le vélo est un appareil sanitaire d'usage externe et qui est employé principalement comme antidote de la marche à pied.
Paul COLINET, le Vélo, in Phantomas, nº 14, 1959.

DÉR. Vélociste.

COMP. Vélomoteur, vélopousse, véloski, vélotaxi. V. **Vélodrome.** — REM. Le mot *vélo* sert de premier élément à quelques composés : **vélomane,** adj. et n.; **vélomanie,** n. f. (1890, *in* D.D.L.); **vélophobe,** adj. et n. (1897). *« Il ne suffit plus de gémir : "Ras le bol !" sans reconnaître le remède : devenir vélomane »* (le Sauvage, juin-juil. 1973, p. 52).

1. VÉLOCE [velɔs] adj. — 1765; t. d'astron., 1634; lat. *velox, velocis* «rapide».

♦ Littér. Agile, rapide. *Des lévriers, plus véloces que des gazelles* (→ Meute, cit. 2). *Les pattes véloces des perdrix* (cit. 2). *Une écriture* (cit. 8) *véloce. Doigts véloces d'un pianiste* (⇒ **Vélocité**).

Maintenant, les hommes que l'étude a doués de cette vue intérieure dont les véloces perceptions amènent tour à tour dans l'âme, comme sur une toile, les paysages (...)   BALZAC, Séraphîta, Pl., t. X, p. 461.

DÉR. Vélocement.
HOM. 2. Véloce.

2. VÉLOCE [velɔs] n. m. — 1869, in *Année sc. et industr.*, p. 128; abrév. de *vélocipède*.

♦ Vx. Vélocipède. — REM. Mot à la mode à la fin du XIXᵉ s., qui a fourni de nombreux dérivés : *véloce-club* n. m. (attesté en même temps que *vélo-club,* 1869, *in* D.D.L.); *vélocéen, enne* adj. (1869, *in* D.D.L.); *vélocéman* (1869, *in* Petiot) et *vélocewoman* (1869, *in* D.D.L.) n., faux anglicismes; *vélocer* (1869, *in* Petiot) v. intr. «faire du véloce». — *Véloce* a été supplanté par *vélo* vers 1885, sauf régionalement : en 1893, on disait *vélo* à Paris mais *véloce* dans le Midi (*le Vélo,* 19 janv. 1893, *in* Petiot).

Pourquoi ne pas dire un véloce?
       F. SARCEY, *in* le Vélocipède illustré, 12 déc. 1869 (*in* PETIOT).

HOM. 1. Véloce.

VÉLOCEMENT [velɔsmɑ̃] adv. — Fin XIIIᵉ; de l'ital. *veloce* «véloce», du lat. *velox.* → 1. Véloce (mot postérieur en franç., l'adverbe doit être considéré, depuis que *véloce* est courant, comme un dér. de ce dernier [fin XIXᵉ]).

♦ Littér. Avec vélocité, rapidité.

À présent, elles *(les femmes)* sont agenouillées devant le bassin; leurs mains crispées à ses bords, et leur corps battant de droite à gauche, d'avant en arrière, vélocement, tel qu'un furieux balancier (...)
       GIDE, Journal, Feuilles de route, 1896, Biskra.

VÉLOCI- Premier élément, de *véloce* «rapide». ⇒ **Vélocifère, vélocipède.**

VÉLOCIFÈRE [velɔsifɛʀ] n. m. — 1803; de *véloci-,* et *-fère.*

♦ **1.** Vx. Voiture publique à cheval, très rapide.

♦ **2.** Anciennt. Véhicule à deux roues que l'on faisait avancer par appui des pieds sur le sol, ancêtre du vélocipède. ⇒ **Célérifère.**

VÉLOCIMÈTRE [velɔsimɛtʀ] n. m. — 1881, in *Année sc. et industr.,* 1882, p. 434; de *véloci-,* et *-mètre.*

♦ Didact. Appareil mesurant les pressions exercées dans le canon d'une arme à feu, en fonction des vitesses du recul.

VÉLOCIMÉTRIE [velɔsimetʀi] n. f. — V. 1970; de *véloci-,* et *-métrie.*

♦ Didact. Mesure du paramètre de la vitesse, caractérisant l'état dynamique d'un système sans le perturber. « *La vélocimétrie laser* » (*la Recherche,* juin 1980, p. 752).

DÉR. Vélocimétrique.

VÉLOCIMÉTRIQUE [velɔsimetʀik] adj. — V. 1970; de *vélocimétrie.*

♦ Didact. De vélocimétrie. « *Les premières études vélocimétriques* (de l'instabilité de Rayleigh-Bernard) *avaient été développées en France vers 1974* » (*la Recherche,* avr. 1980, p. 427).

VÉLOCIPÈDE [velɔsipɛd] n. m. — 1829; 1808, «conducteur de célérifère ou vélocifère», selon J. Durry, *la véritable Histoire des géants de la route*; «voiture rapide» (à chevaux), 1804; aussi «coureur à pied», 1826; de *véloci-,* et *-pède.*

♦ Anciennt. Appareil de locomotion, généralement formé d'un siège

sur deux ou trois roues, mû d'abord par appui des pieds sur le sol (*célérifère, draisienne, vélocifère*) puis au moyen de pédales*. *Vélocipède à deux roues* (⇒ **Bicycle**), *à trois roues* (⇒ **Tricycle**). *Le vélocipède est l'ancêtre direct de la bicyclette.* ⇒ **Vélo.**

Il y avait un manège de vélocipèdes. Blanche (...) chahutait là-dessus en montrant ses mollets et tout.   Ch.-L. PHILIPPE, Bubu de Montparnasse, VIII.   1

Quant aux motos, il ne faut pas en parler à des gens qui, comme moi, sont contemporains du mot : «vélocipède».   2
       J. GIONO, l'Esclave, Pl., t. I, p. 802 (1924).

DÉR. Vélocipédie, vélocipédique, vélocipédisme, vélocipédiste.

VÉLOCIPÉDIE [velɔsipedi] n. f. — 1863; de *vélocipède.*

♦ Vx. Cyclisme. Syn. de *vélocipédisme.*

Une nouvelle religion s'est récemment fondée. Religion qui, paraît-il, répondait à un véritable besoin social, puisqu'elle a, comme par enchantement, pénétré du premier coup dans un nombre déjà considérable de jarrets de bonne volonté... Je veux parler de la VÉLOCIPÉDIE.
     le Vélocipède illustré, 1ᵉʳ avr. 1863, *in* JEANES, p. 157 (*in* D.D.L., II, 3).

VÉLOCIPÉDIQUE [velɔsipedik] adj. — 1877, *Union vélocipédique parisienne;* la var. *vélocipédien* (1869) n'a pas vécu; de *vélocipède.*

♦ Vieilli ou iron. Du vélocipède. *Le sport vélocipédique.*

Soudain, au hasard d'un sentier, il aperçut, à dix mètres, une bicyclette d'homme et un vélo de femme enlacés et appuyés à un bouleau. Cette idylle vélocipédique n'eût offert qu'un intérêt limité si les propriétaires avaient été en vue et si les deux guidons ne s'étaient ornés de quatre bottes d'un muguet épanoui et ciré de rosée.
       René FALLET, le Triporteur, p. 248 (1951).

VÉLOCIPÉDISME [velɔsipedism] n. m. — 1892, *in* D.D.L.; de *vélocipède.*

♦ Vx. Pratique du vélocipède. Syn. : *vélocipédie.* — Mod. Cyclisme.

VÉLOCIPÉDISTE [velɔsipedist] n. et adj. — 1868; *vélocipédeur,* 1867; de *vélocipède.*

♦ **1.** N. Vx. Utilisateur, utilisatrice d'un vélocipède.

♦ **2.** Adj. (1869). Qui concerne les vélocipèdes, les vélocipédistes. ⇒ **Vélocipédique.**

Le steeple-chase vélocipédiste qui a eu lieu au camp de Sathonay, près de Lyon a présenté de nombreux incidents.
     le Vélocipède illustré, 20 mai 1869, *in* JEANES, p. 170 (*in* D.D.L., II, 3).

VÉLOCISTE [velɔsist] n. — 1968; de *vélo.*

♦ Comm. Spécialiste de la réparation et de la vente des cycles (bicyclettes, cyclomoteurs, vélomoteurs, etc.).

VÉLOCITÉ [velɔsite] n. f. — V. 1270; du lat. *velocitas* «vitesse, rapidité», de *velox.* → Véloce.

♦ **1.** Littér. ou didact. Mouvement rapide, aptitude à aller vite. ⇒ **Vitesse.** *La vélocité du cerf* (cit. 5; → aussi Habiller, cit. 17). *Articuler, parler avec une surprenante vélocité* (→ Sténographe, cit. 1; et aussi intelligible, cit. 9).

Un homme se glissa sous le porche avec la fantastique vélocité d'une ombre aussitôt que le général eut entrebâillé la porte (...)   1
       BALZAC, la Femme de trente ans, Pl., t. II, p. 795.

(Robert) était devenu plus élancé, plus rapide (...) Cette vélocité avait d'ailleurs   1.1
diverses raisons psychologiques, la crainte d'être vu, le désir de ne pas sembler avoir cette crainte, la fébrilité qui naît du mécontentement de soi et de l'ennui.
       PROUST, le Temps retrouvé, Pl., t. III, p. 698.

♦ **2.** (1918). Cour. Agilité, vitesse (dans le jeu d'un instrument de musique). *Exercices de vélocité, de grande vélocité, au piano.*

(...) à l'étage au-dessus sa fille passait son dépit en d'interminables vélocités pianistiques.   2
       J.-R. BLOCH, ...Et Cie, p. 221.

♦ **3.** Fig. Agilité intellectuelle, rapidité dans le domaine de l'esprit.

(...) elle se mit à faire du calcul mental, avec vélocité.   3
       R. QUENEAU, Pierrot mon ami, 1942, éd. L. de Poche, p. 69.

VÉLODROME [velodʀom] n. m. — 1879, *in* Petiot; de *vélo,* et *-drome.*

♦ **1.** Piste entourée de gradins (cit. 3), aménagée pour les courses de bicyclettes (→ Course, cit. 8). *Stade aménagé en vélodrome.* ·

♦ **2.** Ensemble formé par cette piste et par les installations qui lui sont jointes. — Anciennt. *Le Vélodrome d'hiver,* à Paris (fam. *le Vel' d'hiv'). Le Vel' d'hiv' était souvent utilisé pour des réunions politiques, des meetings.*

Le dimanche, j'allais avec lui au rugby, au fodeballe *(football)* ou au vélodrome. J'applaudissais, je criais : « Vas-y, ou bien allez, dégage. » Tous les jours*, je lisais *l'Auto,* je lui disais : « Dis donc, Magne a l'air de *tenir* la grande forme. »
       M. AYMÉ, le Passe-muraille, «En attendant».

VÉLOMOTEUR [velomɔtœʀ] n. m. — 1931, *in* Petiot; «vélocipède à moteur auxiliaire», 1893; de *vélo*, et *moteur*.

♦ Motocycle* de cylindrée généralt supérieure à 50 cm³ (cyclomoteurs) et inférieure à 125 cm³ (motocyclettes). *Le «murmurant vélomoteur»* (→ Hélicoptère, cit. 2). *Monter sur un vélomoteur.*

Elle avançait, bien droite sur la selle de son vélomoteur bleu, les cheveux tirés autour de sa figure enfantine, les yeux regardant devant elle.
J.-M.G. LE CLÉZIO, le Déluge, 1965, p. 204.

REM. La graphie *vélo-moteur* (cf. par ex. Carco, *Ombres vivantes*, p. 206) est vieillie.

DÉR. **Vélomotoriste.**

VÉLOMOTORISTE [velomɔtɔʀist] n. — 1933; de *vélomoteur*.

♦ Rare. Personne qui circule sur un vélomoteur. ⇒ **Cyclomotoriste.**

VÉLO-PALATIN, INE [velopalatɛ̃, in] adj. — Mil. xxᵉ; du rad. du lat. *velum* (→ Vélaire), et *palatin*.

♦ Anat., méd. Relatif au voile du palais. *Fissure vélo-palatine.*

VÉLOPOUSSE [velopus] n. m. — 1956; de *vélo*, et *pousse(-pousse)*.

♦ Véhicule analogue au pousse (ou pousse-pousse), tiré par une bicyclette, en Extrême-Orient. ⇒ **Cyclopousse.**

VÉLOSKI [veloski] n. m. — V. 1970; de *vélo*, et *ski*.

♦ Engin de sport d'hiver, comparable à une bicyclette dont les roues seraient remplacées par des skis. — Syn. (anglic.): *ski-bob*.
«Le véloski et le bobsleigh peuvent tenter les non-skieurs» (l'Express, 19 févr. 73).

VELOT [vəlo] n. m. — 1811; «petit veau», 1611; de l'anc. franç. *veel*. → Veau.

♦ Techn. Veau mort-né. *La peau du velot sert à fabriquer le vélin.*

VÉLO-TAXI [velotaksi] n. m. — V. 1941; de *vélo*, et *taxi*.

♦ Ancienn. Bicyclette tirant une remorque légère, et transportant des voyageurs (notamment dans les périodes de pénurie d'essence). *Les vélo-taxis remplacèrent les taxis en France, entre 1941 et 1944.*

On écrit aussi *vélotaxi*:

Le 29 juillet au matin, les quatre Poissonard, couverts de valises, de vêtements et de vivres, se juchèrent dans trois vélotaxis dûment convoqués et appareillèrent vers des destins enviables.
J. DUTOURD, Au bon beurre, p. 141.

VELOURS [v(ə)luʀ] n. m. — xvᵉ; *velos, velous*, xiiᵉ; anc. provençal *velos*; lat. *villosus* «couvert de poils», de *villus*. → Velu.

♦ **1.** Tissu à deux chaînes superposées dont l'une (chaîne de pièce, à armure taffetas ou sergé) produit le fond du tissu et l'autre (chaîne du poil) le velouté* (poils dressés); tissu analogue dont le velouté est produit par une trame *(velours par trame)*. *Tissus voisins du velours.* ⇒ **1. Panne, peluche.** — *Velours par chaîne; velours bouclé, frisé, épinglé* (à poils non coupés formant de petites boucles); *velours coupé* (boucles du poil coupées au tissage), *ciselé* (en partie bouclé, en partie coupé). *Velours plain, uni; cannelé, à côtes* (alternativement plain et ras). *Velours façonné; velours broché, velours frappé* (→ Appui-tête, cit. 2). *Velours ciselé, gaufré* (→ Gaufrage, cit.). *Velours de soie, velours mélangé* (soie et coton). — *Velours par trame: velours de coton, côtelé* * ⇒ (**Côte;** → Bretelle, cit. 2), *ou uni* (façon soie, dit *velvet, velvétine); velours de laine.* — *Mâchures du velours. Velours râpé, rêche* (cit. 4). — *Costume, habit, toilette* (cit. 13), *robe de velours; pantalon, veste de velours* (→ Doubler, cit. 11; jaquette, cit. 3; noir, cit. 2). *Veste en velours. Col de velours* (→ Noceur, cit. 1; paletot, cit. 3). *Nœuds de velours dans les cheveux* (→ Coiffeur, cit. 1; grâce, cit. 87). *Bourse de velours rouge* (→ Quêter, cit. 2). *Le velours des masques* (1. Masque, cit. 8). *Loup** de (ou: en) *velours noir.* Ancienn. *Chevaux enharnachés* (cit. 1) *de velours* (→ Housse, cit. 1).

0.1 (...) une étoffe très vilaine qui était à la mode cet hiver-là, du velours frappé.
S. DE BEAUVOIR, la Force de l'âge, 1960, p. 16.

0.2 (...) ce rideau de velours, un velours très épais, du velours de laine de première qualité, d'un vert profond, sobre et discret... et d'un ton chaud, en même temps, lumineux...
N. SARRAUTE, le Planétarium, 1959, p. 7.

Loc. prov. *Habits** de velours, ventre de son.* — Loc. fig. *Une main** (cit. 44) *de fer sous* (ou: *dans*) *un gant de velours.*

Utilisation du velours en ameublement, décoration... Chaises recouvertes de velours (→ 1. Bourre, cit. 1). *Fauteuils de velours, en velours,* couverts de velours (→ Capiton, cit. 1). *Tentures, rideaux de velours* (→ 2. Estrade, cit. 3; ouvrir, cit. 26).

1 Comme le tapis et la tenture de la chambre, le dais, le baldaquin, le lit, l'escabeau, les rideaux, la cheminée, les housses des tables, les fauteuils, les chaises, tout était velours cramoisi.
HUGO, l'Homme qui rit, II, V, III.

Argot de théâtre. (Vx). *Faire rire le velours*: jouer devant les fauteuils vides.

Par ext. *Velours de laine*: tissu de laine pelucheux sur l'endroit, utilisé dans l'ameublement (*Velours d'Utrecht,* gaufré par cylindrage, ou tondu par endroits; → Meuble, cit. 10; siège, cit. 6).

Techn. Partie d'une moquette constituée par des fils ou des fibres coupés ou bouclés fixés verticalement par rapport au soubassement (syn.: *couche d'usage*). *Boucles, touffes d'un velours de tapis moquette. Velours coupé, bouclé (bouclé-rasé, coupé-bouclé), frisé, ciselé* (dessins par tondage), *en relief* (zones de hauteur différente). *Tapis de velours d'une table de jeu* (cf. argot *velours* «tapis de jeu», en 1867).

Loc. SUR LE VELOURS (1740). *Jouer sur le velours,* avec le gain, sans risquer d'entamer sa mise initiale. (1872). Fig. Agir de telle sorte qu'on ne puisse qu'y gagner, sans risques*. *Il joue sur le velours, ça lui est facile*.* — REM. Cette loc. est plus ou moins confondue avec *aller, marcher sur le velours* (→ cit. ci-dessous).

2 Il avait érigé en politique de vie (...) d'aimer (et de pouvoir) autant que toute chose son contraire. Ainsi, de sa destinée, qu'elle lui donnât le oui ou le non, cela le satisfaisait-elle également. Et il jouait toujours sur du velours, ce qui lui était bien agréable (...)
MONTHERLANT, Pitié pour les femmes, p. 65.

Par compar. (→ ci-dessous 3.).

3 (...) une soupe qui embaumait la carotte et le poireau, quelque chose de doux à l'estomac comme du velours.
ZOLA, la Débâcle, I, IV.

Loc. *C'est le petit Jésus en culotte de velours qui vous descend dans le gosier,* pour exprimer la qualité d'un vin. → ci-dessous 3.

♦ **2.** Par métaphore. Douceur (au toucher) semblable à celle du velours. *Le velours de la pêche* (1. Pêche, cit. 2). *Le velours d'une pelouse, d'un gazon* (cit. 3).

DE VELOURS: qui donne (ou donnerait) une impression de douceur, au toucher. *Fleurs* (→ 2. Pensée, cit.), *fourrure* (→ Panthère, cit. 2), *papillons de velours sombre, noir...* (→ Sphinx, cit. 8). *Une peau de velours* (→ Promener, cit. 8; nez, cit. 10).

3.1 L'air tiède de la nuit entrant par souffles légers, par souffles de velours, lui passait de temps en temps sur la face d'une façon exquise, imperceptible. C'était une caresse, quelque chose comme un baiser du vent (...)
MAUPASSANT, Yvette, 1884, Pl., t. II, p. 306.

Loc. PATTE DE VELOURS. *Chat* (cit. 3) *qui fait patte de velours,* qui rentre ses griffes et présente le velouté des coussinets de sa patte. Par ext. *Chat, félin qui marche à pas* (1. Pas, cit. 4) *de velours.* (1718). Fig. *Faire patte de velours*: dissimuler un dessein de nuire sous des attentions, des caresses*, une douceur affectée. — Loc. fig. *Chemin** (cit. 43) *de velours.*

Aller, marcher sur le velours. Au fig. Être en toute sécurité; faire qqch. avec facilité (→ ci-dessus Jouer sur le velours).

(Par appos.). *Veau velours*: peau de veau qui a subi un apprêt et dont la surface douce ressemble au «daim», au tissu suédé.

♦ **3.** Par métaphore (xviᵉ, *cautère de velours* «indolore», A. Paré). Ce qui offre (au goût, à l'ouïe, etc.) une sensation de douceur veloutée. *C'est du velours, un vrai velours,* une nourriture, une boisson délectable* (se dit d'un vin moelleux*, etc.). — *«Faire des yeux de velours»* (France, *le Lys rouge,* XIII), des (ou les) yeux doux.

Littéraire:

4 (...) les livres de leur âge mûr ont, à cause de cela, plus de force que ceux de leur jeunesse, mais ils n'ont plus le même velours.
PROUST, À la recherche du temps perdu, t. XV, p. 47.

♦ **4.** (1822; rare). Faute de liaison, qui consiste à remplacer le son *t* par le son *z* (*ils allaient -z' à la campagne*), alors que le cuir*, à l'origine, ne désignait que la faute inverse.

5 Mais le moment du sermon faisait de ma mère une diablesse. Les cuirs, les «velours», les naïvetés chrétiennes d'un vieux curé paysan, rien ne la désarmait.
COLETTE, la Maison de Claudine, Ma mère et le curé.

DÉR. (De *veloux, velous*) **Velouté, veloutier.**

VELOUTAGE [vəlutaʒ] n. m. — Mil. xxᵉ; de *velouter*.

♦ Techn. Opération de peignage des poils (en peausserie).

VELOUTÉ, ÉE [vəlute] adj. et n. m. — 1450, *veluté*; de *veloux, velous*. → Velours.

★ **I.** Adj. ♦ **1.** Doux (au toucher) comme du velours; qui présente des poils fins, un duvet. ⇒ **Duveté, floche.** *Étoffes claires* (cit. 6) *et veloutées. Un étui plus souple qu'une joue d'enfant* (→ Pipe, cit. 1). *Peau veloutée.* ⇒ **Pêche** (de). *Fruit, pêche veloutée* (→ Meurtre, cit. 7). *Pelage, poil velouté.*

Qui a l'aspect du velours. *Un teint velouté par la poudre.* — Spécialt. Techn. (joaillerie). *Pierre veloutée,* d'une riche teinte foncée.

♦ **2.** (Mil. xviᵉ, Rabelais). Doux et onctueux* (au goût); doux (à l'ouïe). *Potage velouté. Sauce veloutée. Crème veloutée.* — *Vin velouté*: «bon vin d'un rouge un peu foncé, sans âcreté» (Littré). — *«Une voix veloutée de baryton»* (Colette, la Maison de Claudine), vibrante et douce. *Accents forts et veloutés* (→ Médium, cit. 2).

♦ **3.** Vieilli. De velours (2.). *Pas veloutés* (→ Froufrou, cit. 3). *Mou-*

vements veloutés du jaguar (cit. 2). — Mod. (littér.). *Yeux* (→ Brillant, cit. 7), *regards veloutés.*

1 (...) lancer un de ces regards veloutés qui ranimeraient un cœur mort à l'amour; voiler ses longs yeux noirs sous de larges paupières (...)
BALZAC, les Chouans, Pl., t. VII, p. 834.

♦ **4.** Techn. *Étoffe veloutée,* qui porte des applications de velours (fleurs, ramages). *Satin velouté.* — *Papier velouté,* présentant des ornements de laine tontisse* imitant le velours.

★ **II. N. m. ♦ 1.** (1680). *Un, des veloutés :* galon, ruban tissé en velours. — Techn. *Le velouté :* les fils qui se dressent perpendiculairement au fond, dans certains tissus dont le type est le velours (1. Panne, peluche, etc.).

♦ **2.** (1767). Douceur de ce qui est velouté au toucher ou à l'aspect. *Le velouté d'une fleur; d'un fruit* (1. Fruit, cit. 17), *de la pêche* (1. Pêche, cit. 1), *de la peau. Le velouté de l'éclairage.*

2 Quelquefois le fini du trait et le velouté de la forme, ce qui fait comme le printemps d'une œuvre de sculpture, est resté tout à fait sensible.
Ch. MAURRAS, Anthinéa, I, III, IV.

Fig. (littér.). Douceur, délicatesse agréable.

3 Quelle magie que celle du bonheur! Quel velouté il met sur toutes choses!
BARBEY D'AUREVILLY, Une vieille maîtresse, II, I.

♦ **3.** (1846, Bescherelle). Liant onctueux pour la préparation de diverses sauces. — (1938). Potage très onctueux. *Velouté d'asperges, de tomates, de champignons, de volaille.*

4 (...) des bécasses au vin de Champagne, dont la recette a été rapportée par Mme Zola, de Belgique, et dans la sauce duquel salmis, est écrasé du foie gras; ce qui fait un velouté sucré inénarrable.
Ed. et J. DE GONCOURT, Journal, 7 mars 1894, t. IX, p. 150.

CONTR. Âpre, dur, glabre, rêche, rugueux. — Aspérité, dureté.
DÉR. Velouter, velouteux, veloutine.

VELOUTEMENT [vəlutmɑ̃] n. m. — 1845; de *velouter.*

♦ Rare. Le fait de se velouter; aspect velouté.

(...) les sables avaient des veloutements dans l'ombre (...)
GIDE, Journal, Feuilles de route, 1896.

VELOUTER [vəlute] v. tr. — 1680; intrans., «fabriquer du velours», XVIᵉ; de *velouté.*

♦ **1.** Donner à (une surface) l'apparence du velours. *Velouter du papier.* — Absolt. *Laines à velouter,* hachées et projetées sur le papier. — Par anal. Littér. Rendre plus doux, donner un aspect velouté à (par l'adjonction d'une matière, un effet de lumière, etc.). *Souches que veloute la mousse* (→ 2. Coupe, cit. 1). *« Une clarté suave qui veloute les objets »* (→ 1. Feuillé, cit. 2, Chateaubriand). — Pron. *Le sable se veloute* (→ Embraser, cit. 11). *« Sa joue se veloutait d'un duvet blond »* (Giono, *Jean le Bleu,* II).

Figuré :

1 (...) rien n'y manque, — pas même cette ombre de mélancolie qui veloute le bonheur, comme certain duvet veloute les pêches (...)
BARBEY D'AUREVILLY, Une vieille maîtresse, I, VI.

♦ **2.** (1737). Rendre plus doux, plus onctueux (au goût), plus agréable, plus suave (à l'ouïe). *Velouter sa voix.* — Pronominal :

2 Cette voix, qui tenait de la basse-taille par son volume, se veloutait comme celle des barytons (...)
BALZAC, le Député d'Arcis, Pl., t. VII, p. 654.

DÉR. Veloutage, veloutement.

VELOUTEUX, EUSE [vəlutø, øz] adj. — 1904; du rad. de *velouté.*

♦ **1.** Qui, au toucher, rappelle (ou rappellerait) le velours. ⇒ Velouté. *Lainage velouteux.*

1 Jacques s'était offert du velouteux fauteuil, aux meilleures places, quelque part du côté du mezzanine, dans le coin où ça devient climatisé (...)
R. QUENEAU, Loin de Rueil, 1944, p. 142.

♦ **2.** Fig. De velours. ⇒ Velours, 2.

2 Un sommeil velouteux et profond (...) M. GENEVOIX, la Dernière Harde, I, VI.

VELOUTIER [vəlutje] n. m. — 1530; de *veloux.* → Velours.

♦ **1.** Techn. Ouvrier qui fabrique le velours (tisseur spécialisé). — Ouvrier qui donne aux peaux un aspect velouté. ⇒ **Suédé.**

♦ **2.** (1842, G. Sand). Plante *(Borraginacées)* à feuilles veloutées.

VELOUTINE [vəlutin] n. f. — Av. 1875, Fay; de *velouté.*

♦ **1.** Poudre de toilette qui veloute la peau.

♦ **2.** (1907; «étoffe de soie brochée, en usage au XVIIIᵉ», 1876). Tissu de coton qui a été gratté pour avoir un aspect velouté (→ Suédine).

VELTAGE [vɛltaʒ] n. m. — 1723; de *velte* ou de *velter.*

♦ Techn. (Anciennt). Mesurage à la velte.

VELTE [vɛlt] n. f. — 1679; de l'all. *Viertel,* dial. *vertel* «quart».

♦ **1.** Ancienne mesure de capacité, variable selon les régions (de 7 à 8 l).

♦ **2.** (1723). Instrument, règle graduée servant à jauger les tonneaux.

♦ **3.** (1904). Régional. Récipient en tôle étamée ou en fer-blanc pour le vin.

DÉR. Velter, veltage, velteur.
HOM. Veld ou veldt.

VELTER [vɛlte] v. tr. — 1723; de *velte.*

♦ Techn. *Velter un tonneau :* en mesurer la capacité à la velte.
DÉR. Veltage, velteur.

VELTEUR [vɛltœʀ] n. m. — 1723; de *velte* ou de *velter.*

♦ Techn. Celui qui jauge (les tonneaux) à la velte.

VELU, UE [vəly] adj. — V. 1130; du bas lat. *villutus* «velu» (lat. class *villosus.* → Villosité), de *villus* «poil».

♦ **1.** Qui a les poils très abondants. ⇒ **Poilu.** *« Toute sa personne velue Représentait un ours (...) »* (→ Cacher, cit. 52). *Il est velu* (→ Poil, cit. 22), *velu comme un singe.* — *Main* (→ Arrivant, cit. 4), *phalange velue* (→ Poil, cit. 11). *Bras* (→ Muscle, cit. 5), *thorax velu* (→ Combinaison, cit. 14).

Tenez! dit cet homme extraordinaire en défaisant son gilet et montrant sa poitrine velue comme le dos d'un ours, mais garnie d'un crin fauve qui causait une sorte de dégoût mêlé d'effroi (...) BALZAC, le Père Goriot, Pl., t. II, p. 932.

♦ **2.** (1549). Garni de poils fins, serrés et plus ou moins longs (plantes). ⇒ **Peluché.** *Feuille velue.* ⇒ aussi **Villeux.** — Par anal. *Oreille finement velue* (→ Juger, cit. 25). *Partie velue d'une étoffe.* ⇒ **Poil** (5.), *velouté* (II., 1.). — N. m. *Le velu d'une feuille.*

♦ **3.** Littér. Qui a de longs poils. *Fourrure velue. Manteau velu* (vx). *Une outre* (1. Outre, cit. 2) *ruisselante et velue.* — Par ext. *La caresse velue d'une fourrure* (→ Boule, cit. 1).

CONTR. 1. Lisse.

VELUM ou VÉLUM [velɔm] n. m. — 1872; mot. lat., «voile».

♦ **1.** Grande pièce d'étoffe servant à tamiser la lumière ou à couvrir un espace sans toiture. ⇒ **Velarium** (antiq.); **tendelet, tente.** *Le velum d'une exposition en plein air* (→ Dérouler, cit. 2), *d'un atelier d'artiste. « Des velums (...) tendus entre les premiers étages »* (Morand, *l'Europe galante,* p. 100).

1 Il faisait dehors un limpide ciel de mai, le velum de toile, tendu sous les vitres du plafond, tamisait le soleil en une vive lumière blanche (...)
ZOLA, l'Œuvre, X.

♦ **2.** (1899, Encycl. Berthelot; art. *Hydroïde).* Zool. Membrane musculaire de certaines méduses, fixée sur le pourtour de la partie concave de l'ombrelle, et servant essentiellement à la locomotion. *Méduses à velum* (craspédotes), *sans velum* (acraspèdes).

2 Le velum, qui a la forme d'un large anneau aplati (...) est fait de deux couches ectodermiques séparées par une lame de mésoglée.
O. TUZET, les Cœlentérés, in Encycl. Pl., Zoologie, t. I, p. 476.

Membrane munie de cils (de la larve véligère* des mollusques).

VELVET [vɛlvɛt] n. m. — 1780; angl. *velvet* «velours».

♦ Anglic. Techn. Velours de coton uni (par trame) imitant le velours de soie (à deux chaînes). ⇒ **Velours.**
DÉR. Velvétine (velvantine, velventine), velvétique.

VELVÉTINE [vɛlvetin] n. f. — 1819; de *velvet.*

♦ Techn. Velours de coton uni. — REM. On trouve également les variantes *velvantine* (1819) et *velventine* [vɛlvɑ̃tin] (1876).

VELVÉTIQUE [vɛlvetik] adj. — 1855, Littré-Robin; de *velvet.*

♦ Didact. (sc. nat.). Qui ressemble au velours. *Dégénérescence velvétique d'un cartilage articulaire.*

VELVOTE [vɛlvɔt] n. f. — 1583, *veluote; veluete,* 1514; de *velu,* n. m. «velours» (Froissart).

♦ Bot. Plante à feuilles velues (véronique des champs, linaire* bâtarde...).

VENAISON [vənɛzɔ̃] n. f. — V. 1175 ; *veneison*, 1138 ; du lat. *venationem*, accus. de *venatio* «chasse ; gibier», de *venari* «chasser». → Vener, vénerie.

♦ **1.** Chair de grand gibier (cerf, chevreuil, daim, sanglier). *Manger de la venaison, des venaisons. Goût de venaison. Pâté de venaison* (→ Munitionnaire, cit. 2).

Le long des sentiers à demi obscurs, on respirait l'odeur des feuilles tombées, pénétrante et sauvage, comme un parfum de chasse, comme un relent de venaison.
Edmond JALOUX, le Jeune Homme au masque, I.

♦ **2.** (1373 ; *veneson*, v. 1354). Vénerie. Graisse du cerf, du sanglier. *Bête chargée de venaison. — Cerf en venaison*, à l'époque du rut.

VÉNAL, ALE, AUX [venal, o] adj. — XIIᵉ ; du lat. *venalis* «qui est à vendre», de *venum* (cas régime de *venus*) «vente».

♦ **1.** Qui se vend*, qui se laisse acheter* au mépris de la morale. ⇒ **Cupide.** *Un homme vénal*, qui n'agit que par intérêt, vend ses services au plus offrant. ⇒ **Intéressé, mercenaire.** *Femme vénale, qui vend ses faveurs* (⇒ **Prostituée**).

1 — Si vous vouliez n'être que mon père, je vous aimerais bien, je ne vous quitterais jamais, et vous vous apercevriez que je ne suis pas une femme mauvaise, ni vénale, ni intéressée, comme j'en ai l'air en ce moment (...)
BALZAC, Splendeurs et Misères des courtisanes, Pl., t. V, p. 819.

Âme vénale et basse. ⇒ **Corrompu.**

(Choses). *Activités vénales, services vénaux. Amour vénal. — Métier vénal. «Une plume vénale»* (Rousseau, *les Confessions,* t. II, p. 241). *Rien de vénal ou de mercantile* (→ Bienveillance, cit. 3).

♦ **2.** (XVIᵉ-XVIIIᵉ). Hist. Qui peut s'obtenir pour de l'argent, en payant. *Offices vénaux.* ⇒ **Vénalité.**

2 — (...) je vous ai dit la vérité sur les temps passés ; mais les choses sont bien changées à présent : tout est devenu vénal en France ; tout y est aujourd'hui le patrimoine d'un petit nombre de familles (...)
BERNARDIN DE SAINT-PIERRE, Paul et Virginie, p. 101.

(1798). Écon. *Valeur vénale,* estimée en argent (→ Bric-à-brac, cit. 1).

CONTR. **Intègre.**
DÉR. **Vénalement.**

VÉNALEMENT [venalmɑ̃] adv. — 1552 ; de *vénal.*

♦ D'une manière vénale. *Agir vénalement. Il a été vénalement intéressé.*

VÉNALITÉ [venalite] n. f. — 1573 ; bas lat. *venalitas* «vénalité», de *venalis.* → Vénal.

♦ **1.** Hist. Le fait (pour une charge, une fonction) de pouvoir s'acheter, se vendre. *La vénalité des charges*, des offices*,* sous l'Ancien Régime : système complémentaire de l'hérédité des offices, qui donnait au titulaire la faculté d'aliéner sa charge contre une somme d'argent (ce système fut supprimé le 18 sept. 1789 par Mirabeau, après *la nuit du 4 août*). → Inamovibilité, cit. 3 ; partisan, cit. 5).

1 Toute la France répétait, et croyait répéter après le cardinal de Richelieu, que la vénalité des offices de judicature était très avantageuse (...) non seulement cet abus paraissait à tout le monde irréformable, mais utile : on était si accoutumé à cet opprobre qu'on ne le sentait pas (...)
VOLTAIRE, Dict. philosophique, Vénalité.

♦ **2.** (XVIIIᵉ). Le fait d'être cédé pour de l'argent au mépris des valeurs morales ; habitudes vénales, dans un groupe. ⇒ **Corruption** (→ Boue, cit. 10 ; contamination, cit.).

♦ **3.** (1780). Caractère ou comportement d'une personne vénale. ⇒ **Bassesse, corruption** (→ Compter, cit. 35). *Le parlement ne pouvait rester sous l'accusation d'une vénalité déshonorante* (→ Prévarication, cit. 1). *La vénalité des consciences.*

2 (...) espéra-t-il, enfin, désarmer le Duc, en tablant sur sa vénalité, en lui offrant une rançon de manoirs et de prés ?
HUYSMANS, Là-bas, XVI.

VENANT, ANTE [v(ə)nɑ̃, ɑ̃t] adj. et n. — 1270, *vegnant* «montant» (flux) ; p. prés. de *venir.*

♦ **1.** Adj. (XIIIᵉ). Vx. *Bien venant, bien venante :* qui vient, qui pousse bien, et spécialt, qui est payé régulièrement. *«Quatre mille écus de rente bien venants»* (Molière, *l'École des maris,* I, 2).

♦ **2.** N. (1380). Loc. *À tous venants* (→ 1. Pas, cit. 51, Mᵐᵉ de La Fayette), ou plus souvent, *à tout venant* (→ Déplaire, cit. 16 ; opulence, cit. 2) : à chacun, à tout le monde*. ⇒ **Venir** (le premier venu*).

1 Mais, dans nos temps, tout se simplifie, tout se banalise ; les sanctuaires n'ont plus de défenses et s'ouvrent à tous venants.
LOTI, Figures et Choses..., «Messe de minuit».

Vx. *Contre tous venants* (Molière, *le Dépit amoureux,* V, 3). *Tout venant* (sujet) :

2 (...) elle était comme une belle fleur que tout venant peut froisser.
Valery LARBAUD, Enfantines, «Rose Lourdin».

Adj. *Une marchandise tout-venant,* non triée. *Le tout-venant.* ⇒ **Tout-venant** (→ Ficher, cit. 17).

♦ **3.** (XIIᵉ). Adj. et n. Littér. *Allante* (cit. 1) *et venante.* ⇒ **Allant.** *Allant et venant :* qui va et vient ; qui passe. — Collectif. «*L'allant et le venant que nous rencontrons»* (Ed. et J. de Goncourt, *Journal,* 4 déc. 1863).

3 À la ville, le temps était moins réglé. La journée avait des allants et venants et des dérangements imprévus. LITTRÉ, Comment j'ai fait mon dictionnaire, p. 27.

VENDABLE [vɑ̃dabl] adj. — 1249 ; de *vendre.*

♦ Qui peut être vendu. *Ces vieux livres sont encore vendables. Cette bagnole n'est même plus vendable.*

CONTR. **Invendable.**

VENDANGE [vɑ̃dɑ̃ʒ] n. f. — 1553 ; *vendeignes* «raisins récoltés», 1291 ; du lat. *vindemia* «vendange ; temps des vendanges», de *vinum* «vin», et *demere* «récolter, enlever».

♦ **1.** Le fait de cueillir et de rassembler les raisins* mûrs pour la fabrication du vin (→ Automne, cit. 11 ; raisin, cit. 4). *Les vendanges* (→ 1. Gens, cit. 7). *Commencer, terminer la vendange, les vendanges. Matériel de vendanges :* ciseaux, seaux, paniers (⇒ 3. **Baste,** 2. **bouille, caque, comporte, hotte**) ; récipients pour le transport (⇒ 3. **Benne**) ; entrepôt pour le raisin (⇒ **Cellier**). *Faire la vendange.* ⇒ **Vendanger** (→ Gaver, cit. 2 ; rite, cit. 3). *Les grappes de raisin qu'on trouve encore après la vendange* (→ Diligence, cit. 1). ⇒ **Grappiller.** — Prov. *Adieu* paniers, vendanges sont faites :* tout est fini, terminé (Rabelais, *Gargantua,* XXVIII). — Par métaphore. «*Quand notre cœur a fait une fois sa vendange»* (Baudelaire, *les Fleurs du mal,* XL).

1 Si monsieur s'y prend bien, s'il s'abonne avec un fermier général pour l'exploitation des Aigues, dans ce cas, adieu paniers, vendanges sont faites, vous y perdrez peut-être plus que moi (...) BALZAC, les Paysans, Pl., t. VIII, p. 275.

Par ext. *Les vendanges :* l'époque des vendanges, en automne. *Aller passer les vendanges à la campagne* (Académie). *Le mois des vendanges.* ⇒ **Vendémiaire.**

♦ **2.** Raisin* récolté pour faire le vin ; récolte des raisins à vin. *Supputer la vendange* (→ Attente, cit. 24). *L'orage hachera* (cit. 12) *la vendange. Fouler, presser la vendange* (⇒ **Pressoir** ; → aussi Damer, cit. 2).

2 Le raisin écrasé dans la cuve.
Comme les flots de la vendange
Écumeront dans le pressoir. THÉOPHILE DE VIAU, Lettre à son frère.

DÉR. **Vendangette.**

VENDANGEABLE [vɑ̃dɑ̃ʒabl] adj. — 1907 ; de *vendanger.*

♦ Agric. Qui est en état d'être vendangé. *Domaine, vigne vendangeable. La vigne est à peine, n'est pas encore vendangeable.*

VENDANGEOIR [vɑ̃dɑ̃ʒwaʀ] n. m. — 1660 ; *vendangeoire,* n. f., 1611 ; de *vendanger.*

♦ Techn. ou régional. Hotte, panier pour la vendange. ⇒ **Vendangerot.**

VENDANGEON [vɑ̃dɑ̃ʒɔ̃] n. m. — 1904, var. *vendangeron,* 1872 ; de *vendanger.*

♦ Techn. ou régional. Larve du trombidion* *(acarien).* ⇒ **Aoûtat, rouget** (II., 2.).

VENDANGER [vɑ̃dɑ̃ʒe] v. — Conjug. *bouger.* — XIVᵉ ; *vendengier,* 1213 ; du lat. *vindemiare,* de *vindemia* «vendange».

♦ **1.** V. tr. Récolter les raisins de... *Vendanger des vignes* (→ Biner, cit. 2), *un vignoble* (→ Concevoir, cit. 5). — Récolter (les raisins) pour faire le vin. «*Plût aux dieux que j'eusse (...) vendangé vos raisins»* (Bernardin de Saint-Pierre, *in* Littré).

♦ **2.** V. intr. Faire la vendange, cueillir les raisins et les transporter ; par ext. fouler (cit. 2), presser le raisin.

Tout ce qu'on faisait à la vigne s'appelait travailler. Excepté toutefois vendanger, parce que c'est la récompense et le gain, qui s'appelait *faire la vendange.* Et bien qu'on y attrape des rudes courbatures, ce n'était censément par travailler. C'était la plus grande fête chômée de l'année religieuse et civile.
Ch. PÉGUY, la République..., p. 268.

♦ **3.** [a] Par métaphore. *La grêle, les oiseaux ont tout vendangé* (→ Passereau, cit. 2).

[b] Fig. («Récolter» [le miel, etc.] ; «tuer» en moy. franç.). Fam. et vx.

Prendre, rafler* (→ Faucher). *Une panerée* (cit. 2) *d'écus à vendanger.*

DÉR. Vendangeable, vendangeoir, vendangeon, vendangerot.

VENDANGERON [vãdãʒRɔ̃] n. m. ⇒ **Vendangeon.**

VENDANGEROT [vãdãʒRo] n. m. — 1904 ; de *vendanger.*

♦ Techn. ou régional. Hotte, panier individuel pour la vendange. ⇒ **Vendangeoir.**

VENDANGETTE [vãdãʒɛt] n. f. — 1791 ; de *vendange.*

♦ Régional. Grive* dite *vendangeuse* (oiseau qui mange le raisin sur pied).

VENDANGEUR, EUSE [vãdãʒœʀ, øz] n. — V. 1283 ; fém., 1508 (a remplacé *vendangeresse*) ; du lat. *vindemiator*, de *vindemiatum*, supin de *vindemiare*. → Vendanger.

♦ **1.** Personne qui récolte les raisins, fait la vendange (→ Diligence, cit. 1 ; sulfateur, cit. 2). *Engager des vendangeurs*, des ouvriers agricoles pour les vendanges *(vendangeurs coupeurs*, ouvriers de pressoir, porteurs).

Chaque année, je m'arrache avec plus de regret à ces journées d'automne chargées de présages, où l'odeur du cuvier, les cahots de charrette, les rires des vendangeurs suppriment magiquement la durée.
F. MAURIAC, Bloc-notes 1952-1957, p. 273.

Appos. *Grive vendangeuse.* ⇒ **Vendangette.**

♦ **2.** N. f. (1876). *Vendangeuse* : plante qui fleurit en automne (aster, colchique sauvage).

VENDÉEN, ENNE [vãdeɛ̃, ɛn] adj. et n. — Av. 1831 ; de *Vendée*, n. propre.

♦ **1.** De la Vendée, province de l'Ouest de la France. *La « mère vendéenne »,* de V. Hugo (→ Jalousement, cit. 2 ; père, cit. 4).

♦ **2.** (1793). Hist. De l'insurrection royaliste des provinces de l'Ouest, pendant la Révolution. — *Les Vendéens.* ⇒ **Chouan** (→ Place, cit. 41). — REM. Dans ce sens, *Vendée* a donné d'autres dérivés, utilisés notamment à l'époque révolutionnaire : *vendéiser*, v. intr. «se révolter à la manière des Chouans»; (1794, Robespierre, *in* D.D.L.); *vendéiste*, adj. et n. «révolté à la manière des Vendéens, des Chouans» (1793, *Ibidem*).

VENDÉMIAIRE [vãdemjɛʀ] n. m. — 1793, Fabre d'Églantine ; du lat. *vindemia* «vendanges».

♦ Premier mois du calendrier républicain, qui commençait le 22 (ou 23) septembre (→ Brumaire, cit.). — Hist. *Journées des 12 et 13 vendémiaire an IV* (4-5 oct. 1795), où Bonaparte défit les insurgés royalistes contre la Convention (d'où les dér. *vendémiairiste, vendémiariser*, 1796, *in* D.D.L.). *Après Vendémiaire... :* après ces journées.

VENDERESSE [vãdRɛs] n. f. — Fin XIIe ; forme féminine de *vendeor, vendeur.*

♦ Dr. Femme qui vend, a vendu (qqch.). *La venderesse a exigé un acompte.* — Appos. ou adj. *La société venderesse.*

VENDETTA [vãdeta ; vã(n)dɛtta] n. f. — 1803 ; mot ital., «vengeance», repris au corse.

♦ Coutume corse, par laquelle les membres de deux familles ennemies poursuivent une vengeance réciproque jusqu'au crime. — REM. Mérimée (in *Colomba*) emploie la forme francisée *vendette* (→ Garder, cit. 75).

— Mais je puis fermer les yeux, reprit Bonaparte. Le préjugé de la *vendetta* empêchera longtemps le règne des lois en Corse, ajouta-t-il en se parlant à lui-même. Il faut cependant le détruire à tout prix.
BALZAC, la Vendetta, Pl., t. I, p. 862.

VENDEUR, EUSE [vãdœʀ, øz] n. et adj. — 1200, *vendeur* ; *vendeuse*, 1552 ; du lat. *venditor*, de *venditum*, supin de *vendere*. → Vendre.

★ I. ♦ **1.** Personne qui vend* ou a vendu qqch. *Le vendeur et l'acheteur, et l'acquéreur* (→ Délivrer, cit. 11 ; dresser, cit. 15 ; marché, cit. 1). *Vendeur de bonne foi, vendeur lésé* (cit.) ; *vendeur exigeant.* — *Vendeur au comptant, à crédit* (cit. 17). — Fém. ⇒ **Venderesse** (dr.).

Par métaphore. Personne qui vend (I., 2. et 4.).

1   Des dames en capeline sortent des soirées honnêtes ; des vendeuses de volupté chuchotent leurs offres, modestes, à cause de l'heure avancée.
Ch. CROS, l'Heure froide.

Écon., fin. Personne physique ou morale, privée ou publique, qui vend. *État vendeur d'un produit.* ⇒ **Exportateur** (fém. ⇒ **Venderesse**). — Adj. Qui est disposé à vendre. *Je suis, je ne suis pas vendeur.*

♦ **2.** Personne dont la profession est de vendre, de faire commerce de marchandises (surtout lorsqu'elle ne dispose pas de local fixe comme le *commerçant*). ⇒ **Marchand.** *Jésus chassa les vendeurs du Temple*, les marchands. *Vendeur ambulant* (→ Obtempérer, cit. 2). *Les vendeurs des souks* (cit.), *d'un marché. Vendeur à la sauvette, à l'éventaire. Boniments d'un vendeur.* ⇒ **Camelot.** — *Une vendeuse de fromages, de légumes sur les marchés.* ⇒ **Marchande.** — *Vendeur, vendeuse en gros* (→ Mouron, cit. 1), *au détail* (⇒ **Grossiste ; détaillant**).

2   Des ouvriers gîtaient là, des femmes du pays latin, des vendeurs à la petite voiture, un peuple assez paisible.
G. DUHAMEL, Chronique des Pasquier, III, IV.

Vendeur, vendeuse de (qqch.). Personne dont le métier est de vendre (qqch.). *Un vendeur de sabots* (→ Extraction, cit. 4). *Vendeur de journaux* (→ Cri, cit. 19 ; endormir, cit. 34).

Loc. vieillie. *Vendeur de drogues, d'onguents* (→ Jongleur, cit. 3), *d'orviétan* (→ Frimas, cit. 5) : charlatan*, et, au fig., hâbleur, menteur, trompeur (→ Arracheur* de dents).

♦ **3.** (1882). Employé chargé d'assurer la vente dans un établissement commercial. *Une vendeuse, un vendeur de grand magasin. Elle est vendeuse chez X. Vendeur démonstrateur. La vendeuse*, type social traditionnel. ⇒ **Midinette** (cit. 1).

3   On aperçoit par la porte du magasin de chaussures de jeunes vendeuses sveltes en tablier noir.
J. ROMAINS, les Hommes de bonne volonté, t. IV, xv, p. 151.

♦ **4.** (xxe). Personne qui connaît et applique les procédés de vente*, qui sait vendre. *Ce directeur commercial est un excellent vendeur.*
REM. *Vendeur* s'emploie aussi en parlant des femmes, la forme fém. *vendeuse* étant réservée dans l'usage aux sens 2. et surtout 3.

Péj. Personne dont l'activité commerciale est considérée comme mercantile, inspirée surtout par le goût du lucre. «*On a parlé "neige" en l'appelant "produit" : quel est son meilleur "profil", quels ingrédients peut-on y incorporer, quelle étiquette lui attribuer pour mieux* la *"vendre" aux skieurs et aux vacanciers d'hiver? Le vocabulaire à faire frémir tous les amoureux des cimes. Les vendeurs de neige, eux, prenaient fébrilement des notes*» (le Point, 10 déc. 1973). — REM. Dans cet emploi, le tour *marchand de* (suivi d'un n.) paraît plus fréquent (→ Marchand, I., 1.).

★ **II.** Adj. (Répandu v. 1980). Qui fait vendre. *Un slogan accrocheur et vendeur. Les «créatifs» de l'agence X ont réussi une campagne très vendeuse.*

CONTR. Acheteur, acquéreur, client, importateur.
COMP. Covendeur.

VENDIQUER [vãdike] v. tr. — V. 1490 ; du lat. *vindicare*, de *vindex, vindicis* «celui qui se porte garant en justice ; celui qui punit».

♦ Vx (langue class.), dr. Réclamer pour soi. ⇒ **Revendiquer.**

VENDRE [vãdR] v. tr. — Conjug. *rendre.* — 980, «trahir» ; de *venum*, accus. de *venus* «vente», et *dare* «donner».

★ **I.** V. tr. ♦ **1.** [a] (xie). Céder (qqch.) à qqn en échange d'une somme d'argent*, faire passer la propriété de (qqch.) à une autre personne, en la faisant payer*. ⇒ **Aliéner, céder.** *Vendre à qqn ce dont on ne veut plus.* ⇒ **Coller, colloquer** ; **bazarder** (→ Se débarrasser, se défaire de...). *Proposer à qqn de lui vendre qqch.* ⇒ **Offrir** — (Sans compl. second). *Vendre ses livres, ses meubles, sa maison, une ferme* (→ Fermage, cit.). *«Gardez* (cit. 81)*-vous, leur dit-il, de vendre l'héritage...* » (La Fontaine). *Vendre une chose à tel prix** ; *vendre tel prix, tant.* ⇒ **Prendre.** *À quel prix le vendez-vous? Cf.* Le faites vous ? *«Achetant cher, vendant à bon marché* » (→ Herbe, cit. 20). *Demander tel prix de ce qu'on vend.* Loc. *Vendre la peau de l'ours* (cit. 3). — *À vendre :* offert pour la vente. *Maison à vendre ou à louer* (→ Écriteau, cit. 2). — Dr. *Vendre franc et quitte. Vendre à faculté de rachat, à réméré**. *Promettre de vendre ; s'engager à vendre* (⇒ **Promesse** ; → Arrhes, cit. 1). *Vendre à l'encan* (vx), aux enchères*. — *Vendre des actions, des titres en bourse.* — Absolt. *Vendre à la baisse, à la hausse* (⇒ **Spéculer**). *Vendre à découvert**, *à terme.* — *Vendre qqch. cher, trop cher* (⇒ **Survendre ; saler** (le client), **voler**). *Vendre qqch. au poids de l'or, au prix fort. Vendre à bon compte, à bas prix* (⇒ **Revendeur**, cit. 2), *à perte* (cit. 7 et 8). ⇒ **Donner, laisser, mévendre** (vx), **sacrifier.** *Vendre à prix coûtant, sans bénéfice. Vendre au comptant**, *à crédit**. *Vendre un produit à prix fixe ; au plus offrant* (⇒ **Marchander ; marchandage**). *Vendre au dernier enchérisseur. Liberté d'acheter et de vendre :* libre concurrence*. — *Vendre ses services, son travail* (→ Héroïsme, cit. 3).

1   J'y vendrai ma chemise ; et je veux rien ou tout.
RACINE, les Plaideurs, I, 7.

2   Pour se faire de l'argent, elle se mit à vendre ses vieux gants, ses vieux chapeaux, la vieille ferraille ; et elle marchandait avec rapacité, — son sang de paysanne la poussant au gain.
FLAUBERT, Mme Bovary, III, VI.

[b] (xiiie). Spécialt. Faire commerce de (ce qu'on a fabriqué ou

acheté). *Il vend des livres, des marchandises en gros*, au détail. Vendre qqch. en réclame, au rabais, en solde.* ⇒ **Brader, liquider, solder.** *Vendre qqch. à la criée*.*

c (XIXᵉ). Par ext. Faire acheter par un client (une chose qui appartient à qqn d'autre). *Vendre qqch. pour le compte d'un mandant.* ⇒ **Placer.** *Démarcheur, placier qui vend des valeurs financières.* — (En exerçant le métier de vendeur). *Vendre un article à un client.* ⇒ **Servir** (le client). Procéder à la vente de (qqch.); mettre en vente. *Vendre un domaine par autorité de justice, judiciairement* (cit.). *Vendre par licitation.* ⇒ **Liciter.**

2.1 On vendit le chien, et la chaîne,
Et la vache, et le vieux buffet,
Mais on ne vendit pas la peine
Des paysans que l'on chassait.
                    Maurice CARÊME, la Maison blanche, « La peine ».

Par métonymie. *Vendre qqn*, vendre ses meubles après une saisie.

d Écon. Organiser, faire la vente de... *Acheter des matières premières et vendre des produits finis* (le sujet désigne une entreprise, un pays ; → Exporter, cit. 2). *Vendre à l'étranger au-dessous du prix national.* ⇒ **Dumping.**

e Proposer (qqch.) de manière commerciale (le compl. ne désignant pas une marchandise ni un service). *Vendre des vacances ; vendre du rêve, du sensationnel, du voyage ; vendre de la neige, des séjours aux sports d'hiver.* (Exemples recueillis in *la Banque des mots*, nº 5). → Vendeur, 4. (péj.).

♦ **2.** (V. 1283). Souvent péj. Accorder* ou céder* (un avantage, un service) en faisant payer, au contre un avantage matériel. ⇒ **Échanger.** *Ésaü vendit son droit d'aînesse* (cit. 1) *contre un plat de lentilles. Les honneurs sont vendus au plus ambitieux* (→ Magistrat, cit. 1). *Vendre les charges, les offices.* ⇒ **Vénalité** (→ Donner, cit. 4). — *Vendre des indulgences* (cit. 14). — Par plais. *Il vend du grec* (→ Helléniste, cit. 2).

(V. 1265, *vendre sa char* « sa chair »). Spécialt. *Personne qui vend ses faveurs, ses charmes, son corps,* qui se vend, se prostitue. *Vendre son honneur* (cit. 11). ⇒ **Livrer.** — *Vendre son âme* au diable*.*

3 On raisonne beaucoup sur les qualités d'un bon gouverneur. La première que j'en exigerais, et celle-là seule en suppose beaucoup d'autres, c'est de n'être point un homme à vendre.
                    ROUSSEAU, Émile, I.

4 Celui-là vend son fils, l'autre vend sa femme. Ils vendraient Dieu s'il leur tombait dans les pattes. L'argent. L'argent partout.
                    J. ROMAINS, Volpone, II, II, 4.

♦ **3.** (XIIIᵉ). Exiger qqch. en échange de... *Vendre cher** (cit. 21 et 22), *chèrement* (→ Fortune, cit. 6) *qqch.,* ne pas l'accorder facilement ; le faire payer* cher (fig.). — Loc. (*Vendre cher*, v. 1570 ; *vendre chèrement...,* 1615). *Vendre chèrement sa vie :* se défendre avec vaillance jusqu'à la mort. — Fam. *Vendre cher sa peau.*

5 Vous m'avez vendu cher vos secours inhumains (...)
                    RACINE, Bajazet, V, 1.

6 Il lit au front de ceux qu'un vain luxe environne
Que la fortune vend ce qu'on croit qu'elle donne.
                    LA FONTAINE, Philémon et Baucis.

♦ **4.** (Compl. n. de personne). Abandonner par intérêt d'argent. ⇒ **Trahir.** *Judas vendit Jésus pour trente deniers* (cit. 2). — Dénoncer* par intérêt. ⇒ **Délation, donner** (→ Procès, cit. 3).

7 — (...) tu aimes Paul. Si Paul t'aime, tout est pour le mieux. Je ne te vendrai pas, sois tranquille. Je l'interrogerai sans en avoir l'air et je saurai.
                    COCTEAU, les Enfants terribles, p. 175.

7.1 — D'ici t'as rien à redouter ?
— Non. Si je suis pas vendu, personne peut venir.
                    Jean GENET, Querelle de Brest, p. 280.

Vendre un secret*. Vendre la mèche* (cit. 4).

★ **II.** V. intr. (Sujet n. de chose). Publicité. Faire vendre ; être un facteur d'augmentation des ventes. *« Que de fois il a été remarqué qu'une affiche "vendait" alors qu'elle venait à l'encontre des règles admises »* (B. de Plas et H. Verdier, *la Publicité,* p. 21).

▶ **SE VENDRE** v. pron. (1080, *soi vendre cher,* → ci-dessus, I., 3. Vendre cher sa vie).

♦ **1.** Passif. Être vendu. ⇒ **Marchandise** (→ Boucher, cit. 6 ; gros, cit. 46). *Ce drap se vend vingt-sept livres l'aune* (→ Pièce, cit. 13). *Cela se vend bien* (⇒ **Écouler** [s'], **enlever** [s'], **épuiser** [s']). — Loc. *Cela se vend comme des petits pains*. — Se vendre sur un marché.* ⇒ **Débouché.** — Impersonnel. *Il s'en vendit 500 exemplaires* (→ Insuccès, cit. 2). — Par ext. *Écrivain qui se vend,* dont les œuvres se vendent bien.

7.2 Je suis à peu près reconnu, et je me vends.
                    Ed. et J. DE GONCOURT, Journal, 19 avr. 1884.

♦ **2.** (1552). Réfl. Aliéner sa liberté (en se faisant esclave, en se mettant au service de qqn pour de l'argent). — (1764). Vx. Se faire soldat. Spécialt. *Se vendre comme remplaçant* (cit. 1), au service militaire.

7.3 Enfin, il résolut de se vendre, de s'offrir comme remplaçant pour le service militaire (...) Il alla donc trouver un de ces hommes qui font la traite des blancs, et il éprouva une sorte de bonheur à reconnaître en lui un ancien officier de la garde.
                    BALZAC, la Vendetta, 1830, in Scènes de la vie privée, t. I, p. 156.
                    (in D.D.L., II, 16).

(XIVᵉ). Spécialt. *Femme qui se vend,* qui se prostitue. → Honnir, cit. 3 ; promettre, cit. 19.

Les amoureuses du jour d'huy[1]
En se vendant aiment celui
Qui le plus d'argent leur apporte.   RONSARD, Odes, IV, XXXVI.
1. D'aujourd'hui.

Se mettre au service de qqn, par esprit de lucre, au mépris de la morale (⇒ **Vénal**). *Se vendre à un parti.*

♦ **3.** (Récipr.). Se trahir mutuellement. *Les complices se sont vendus.* ⇒ **Donner** (se).

CONTR. Acheter, acquérir, conserver, donner, garder, payer.
DÉR. Vendable. — V. Vendu.
COMP. Mévendre, revendre, survendre.

VENDREDI [vɑ̃dRədi] n. m. — 1119, *vendresdi ;* du lat. *veneris dies* « jour de Vénus ».

♦ Le sixième jour de la semaine. *Les catholiques doivent faire maigre le vendredi* (appelé *« jour maigre »*). → 1. Maigre, cit. 10 ; provision, cit. 1. *Le vendredi, jour de repos chez les musulmans.* — (XVIIᵉ). Loc. *Vendredi saint :* vendredi précédant le dimanche de Pâques, jour où l'Église catholique célèbre l'anniversaire de la mort du Christ. — *L'enchantement* du Vendredi Saint.* — Fam. *Un temps de vendredi saint :* un mauvais temps (comme le veut la tradition). — *Vendredi treize*.*

Au fait, l'élection tombait un vendredi. Jour chic, mais jour maigre. Sale affaire pour les restaurateurs versaillais (...)   ARAGON, les Beaux Quartiers, II, VII.
Nous sommes restés ainsi de longues minutes.
Puis le R.P.S. a parlé :
— Moi, a-t-il dit, je ne suis pas un Blanc pour vous : je ne veux pas être un Blanc pour vous. Simplement, je voulais vous faire comprendre que vous ne pouvez pas danser ainsi le premier vendredi du mois, parce que Jésus-Christ...
                    Mongo BETI, le Pauvre Christ de Bomba, 1956,
                    in Littératures de langue franç. hors de France, p. 131.

Prov. *Tel qui rit vendredi dimanche pleurera* (Racine, *les Plaideurs,* I, 1).

VENDU, UE [vɑ̃dy] adj. — V. 1283 ; p. p. de *vendre*.

♦ **1.** (Choses). Cédé pour de l'argent. ⇒ **Acquis.** *Garantir* (cit. 5) *la chose vendue. Adjugé, vendu !* (aux enchères). *Accrocher l'écriteau « vendu » à un tableau.*

♦ **2.** (1669, Racine ; personnes). Qui a aliéné sa liberté, promis ses services pour de l'argent. *Personnes secrètement vendues* (→ Mouton, cit. 19). *Le nom sept fois vendu d'un pâle pamphlétaire* (cit. 1). *Juge vendu.* ⇒ **Corrompu, vénal.**

(...) un juge très occupé dans le piège que lui tendrait un secrétaire infidèle, et vendu à l'une des parties.
                    BEAUMARCHAIS, Mémoires... sur l'affaire Goëzman, p. 45.

N. (Rare au fém.). Personne qui s'est vendue, qui a trahi pour de l'argent. ⇒ **Traître.**

Oui, il fallut faire de Danton un royaliste ; il fallut en faire un vendu ; il fallut en faire un traître (...)   JAURÈS, Hist. socialiste..., t. VIII, p. 350.
Vous verrez qu'on ne les pincera pas... Les magistrats, c'est tous des vendus.
                    O. MIRBEAU, le Journal d'une femme de chambre, 1900, p. 180.

(T. d'injure). Crapule, homme sans honneur. *Tas de vendus !*

CONTR. (Du 1.) Invendu. — (Du 2.) Intègre, probe.
HOM. Vendue.

VENDUE [vɑ̃dy] n. f. — 1239 ; substantivation de *vendu,* adj., au féminin.

♦ Vx, régional (Ouest : Flaubert, La Varende). Vente aux enchères.
HOM. Fém. de vendu.

VÈNE [vɛn] n. m. — D. i. (attesté XXᵉ) ; wolof *ven.*

♦ Plante de la famille des Papilionacées, arbre africain dit aussi *palissandre du Sénégal.* — Le bois de cet arbre.

Ces statuettes étaient (...) plus belles que les nains noircis (...) taillés dans le vène, le caïlcédrat et l'ébène.
                    Birago DIOP, les Contes d'Amadou Koumba, p. 184, in I.F.A.N.
HOM. Fém. de vain ; veine.

VÉNÉFICE [venefis] n. m. — XIIIᵉ ; du lat. *veneficium* « empoisonnement ; maléfice » ; de *venenum* « venin ».

♦ Dr. anc. Empoisonnement par sorcellerie. *Conjurer* (cit. 3) *les vénéfices.*

VENELLE [vənɛl] n. f. — V. 1160 ; repris fin XIXᵉ ; dimin. de *veine* (→ Veinule).

♦ Petite rue étroite. ⇒ **Ruelle.** — REM. Ce terme donné comme vieilli par Littré, a été repris à la fin du XIXᵉ s. (France, *le Crime de S. Bonnard*).

Une sordide venelle de la banlieue sud, entre Montrouge et Malakoff.
                    G. DUHAMEL, Chronique des Pasquier, IV, IX.

(Cf. aussi ARAGON, *les Beaux Quartiers*, p. 169 ; Maurice BEDEL, *Jérôme 60° latitude Nord*, p. 148).

(XVIᵉ). Loc. fig. (Vieilli). *Enfiler la venelle :* s'enfuir (encore chez A. France).

VÉNÉNEUX, EUSE [venenø, øz] adj. — 1496 ; bas lat. *venenosus*, du lat. class. *venenum* « venin ». → Venimeux.

♦ **1.** (En parlant de plantes). Qui contient un poison (⇒ **Vireux**) ; dont l'ingestion empoisonne. ⇒ **Toxique**. *Plantes vénéneuses. La belladone, la ciguë, le colchique* (cit. 2), *la mandragore* (→ Somnifère, cit.) *sont vénéneux. Champignons vénéneux.* — Par extension :

Le pré est vénéneux mais joli en automne
Les vaches y paissant
Lentement s'empoisonnent   APOLLINAIRE, Alcools, « Les colchiques ».

♦ **2.** (XIXᵉ ; d'un serpent, 1552). Par ext. (en parlant de la chair d'un animal). *Des moules vénéneuses.*

♦ **3.** Par métaphore. *L'aristocratie, plante vénéneuse* (→ Extirper, cit. 1).

Fig., littér. Qui empoisonne, fait du mal. *Une idée vénéneuse* (→ Rêverie, cit. 10). *Littérature* (cit. 18) *vénéneuse.*

Spécialt. Qui envenime* une situation (par des actions hypocrites, méchantes...).

N. m. « *On n'en sort pas. On reste dans le vénéneux* » (*F Magazine*, juil. 1981, p. 136).

DÉR. **Vénénosité.**

VÉNÉNIFÈRE [venenifɛR] adj. — 1872 ; du lat. *venenum*, et *-fère.*

♦ Didact., rare. Qui porte, transmet un poison, un venin.

VÉNÉNOSITÉ [venenozite] n. f. — V. 1380 ; de *vénéneux.*

♦ Rare. Caractère de ce qui est vénéneux.

VENER [vəne] v. tr. — Conjug. *lever.* — V. 1155 ; du lat. *venari* « chasser ».

♦ **1.** Vx. Chasser à courre. *Vener le gibier.*

♦ **2.** (V. 1560). Par ext. Faire courir (un animal de boucherie) pour attendrir sa chair. — Mortifier* (une viande).

DÉR. **Vénerie.** — V. **veneur.**
HOM. Formes du v. **venir.**

VÉNÉRABLE [veneRabl] adj. et n. — 1200 ; lat. *venerabilis* « respectable, auguste » ; de *venerari.* → Vénérer.

Littér., plaisant ou religieux.

♦ **1.** Digne de vénération. *Des maîtres vénérables* (→ Depuis, cit. 19). *Monument vénérable,* consacré par la religion ou le souvenir. *Deux places augustes et vénérables, l'autel et la chaire* (cit. 1). ⇒ **Sacré, saint.** *Cette vénérable institution.*

(...) des nœuds aussi vénérables que le sont ceux du mariage.
     MOLIÈRE, George Dandin, II, 2.

♦ **2.** (Personnes). Dont l'âge inspire le respect. *De vénérables aïeules* (→ Amulette, cit. 2). *Vénérable vieillard* (→ Armer, cit. 26). ⇒ **Patriarche.** — (Choses). *Des chênes vénérables* (→ Orme, cit. 1).

C'est un digne Homme (...) un vénérable Vieillard, grand, majestueux ; des cheveux blancs, (...) il inspire du respect (...)
     RESTIF DE LA BRETONNE, la Vie de mon père, p. 181.

Par ext. *D'un âge vénérable :* très vieux. ⇒ **Respectable, antique, séculaire.**

♦ **3.** (Mil. XVIᵉ). Choses. Qui confère une marque d'honneur. *Une barbe vénérable. Un titre vénérable.*

♦ **4.** Qui suscite l'admiration et l'affection.

Mademoiselle Baptistine était une personne longue, pâle, mince, douce ; elle réalisait l'idéal de ce qu'exprime le mot « respectable » ; car il semble qu'il soit nécessaire qu'une femme soit mère pour être vénérable.
     HUGO, les Misérables, I, I, I.

♦ **5.** N. ⓐ Relig. Celui, celle qui obtient le premier degré dans la procédure de canonisation. *Vénérable, bienheureux* et *saint*. — Titre accordé à une personne décédée qui est en instance de procès de canonisation. *Bède le Vénérable.*

ⓑ *Vénérable maître,* et n. m. (1773), *Vénérable :* président d'une loge maçonnique.

DÉR. **Vénérablement.**

VÉNÉRABLEMENT [veneRabləmɑ̃] adv. — V. 1265 ; de *vénérable.*

♦ Rare. D'une manière vénérable ; avec dévotion, respect.

Ce qui est trop grand est... né... est insignifiant. Je n'aime pas les... caves, non, vous dites : les grottes. Encore le drame. Vous sculptiez votre Christ mort ; nous représentons rarement le Bouddha mort. Jamais par la sculpture. Je suis désolé. — Il n'est pas mort pour le salut des hommes.
— Vous sculptiez le crucifix, le bouddhisme sculptait vénérablement l'Illumination.
     MALRAUX, Antimémoires, Folio, p. 583.

VÉNÉRATION [veneRasjɔ̃] n. f. — V. 1170, relig. ; lat. *veneratio* « respect », de *venerari.* → Vénérer.

♦ **1.** Respect religieux, fait d'adoration et de crainte. *Exposer des reliques à la vénération des fidèles. Symbole en grande vénération chez les Arabes* (→ 1. Hermétique, cit. 7). *Idole* (cit. 4), *fétiche, statue, image qui est un objet de vénération.*

Ces dieux sont faits d'une pierre longue, sans autre figure que celle que la nature lui a donnée (...) et plus elle est extraordinaire, plus ils ont de vénération pour elle.   0.1
     J.-F. REGNARD, Voyage en Laponie, 1731, p. 129.

♦ **2.** (1512). Grand respect fait d'admiration et d'affection. ⇒ **Adoration, considération, culte, déférence, dévotion, dévouement, révérence.** *Sa vénération pour son père* (→ Paralysant, cit. ; professer, cit. 2). *Mère traitée non seulement avec respect, mais avec vénération* (→ Cheville, cit. 5). *Vénération religieuse* (→ Chérir, cit. 4). *Marque de vénération.* ⇒ **Hommage, honneur.** — Vx. *En vénération. Avoir en vénération les opinions reçues autour de soi* (→ Nature, cit. 22). — (Par plais). *Vénération d'un gourmand pour un fromage* (→ Marbrer, cit. 2).

Cet homme adore sa femme ; il en parle avec tendresse, avec vénération.   1
     MAUPASSANT, l'Inutile Beauté, « L'épreuve », I.

Il est vêtu de cette vieille robe de bure qu'il porte par habitude, et sans doute aussi par vénération pour Honoré de Balzac dont il admire le génie.   2
     G. DUHAMEL, Chronique des Pasquier, III, XII.

CONTR. **Blasphème, mépris.**

VÉNÉRÉOLOGIE [veneReɔlɔʒi] n. f. ⇒ **Vénérologie.**

VÉNÉRER [veneRe] v. tr. — Conjug. *céder.* — 1413, rare av. XVIIᵉ ; du lat. *venerari* « révérer ».

♦ **1.** Considérer avec le respect dû aux dieux, aux choses sacrées. ⇒ **Adorer, honorer, révérer.** *Vénérer un saint, une relique, une idole. Vénérer le souvenir de la révélation mosaïque* (→ 2. Canon, cit. 2).

♦ **2.** (1528). Littér. Avoir de la vénération (2.) pour (qqn, qqch.). ⇒ **Adorer, aimer, déifier, estimer.** *À mon très cher et très vénéré Maître* (cit. 87) *et ami. Mère vénérée et crainte* (→ Marcher, cit. 34).

En fait, elle avait besoin de vénérer un être, de trouver en lui la perfection et de lui rendre en son cœur un culte assidu (...)   A. MAUROIS, Lélia..., I, IV.

CONTR. **Blasphémer.** — **Dédaigner, mépriser.**

VÉNÉRICARDE [veneRikaRd] n. f. — 1842, Landais ; du lat. zool. *venericardium* « cœur de Vénus », de *Venus, Veneris,* et *cardium* « mollusque ». → Cardite.

♦ Zool. Mollusque lamellibranche *(Carditidés),* à robuste coquille côtelée, en forme de cœur.

VÉNERIE [venRi] n. f. — XVIᵉ ; v. 1155, « le fait de chasser » ; de *vener* « chasser à courre ».

♦ **1.** Art (cit. 1), technique de la chasse à courre. ⇒ **Chasse** (*infra* cit. 3). *Petite, grande vénerie. Termes de vénerie,* concernant : *les chasseurs* (⇒ 2. **Étranger, forhuer, forlancer, hucher, rebaudir ; relancer, requêter ; trompe ; hallali, taïaut**), *les chiens* (⇒ **Meute, piqueur, relais ; contre-pied, outrepasser ; curée, fouaille**), *la bête* (⇒ **Bois, fumée[s], laissées, porchaison**), *ses mouvements* (⇒ **Change, débucher, forlonge, forlonger, refuir, refuite, rembucher, revenue**), *ses traces et ses repos* (⇒ **Brisée, connaissances** [*supra* cit. 8] ; 3. **fort** (3.), **repaire, reposée, ressui**).

Le soir, pendant le souper, son père déclara que l'on devait à son âge apprendre la vénerie ; et il alla chercher un vieux cahier d'écriture contenant, par demandes et réponses, tout le déduit des chasses.
     FLAUBERT, Trois contes, « Légende de Saint Julien l'Hospitalier », I.

♦ **2.** (1550). Vx. L'équipage d'une chasse.

♦ **3.** Administration des officiers des chasses. *Chef de la vénerie.* ⇒ **Veneur** (grand).

(1718). Lieu où l'on logeait la vénerie d'un souverain.

VÉNÉRIEN, ENNE [veneʀjɛ̃, ɛn] adj. et n. — Mil. xvᵉ; du rad. du lat. *venerius* « de Vénus », déesse de l'amour.

◆ **1.** Vieilli. Qui a rapport à l'acte sexuel, à l'amour physique. *Acte vénérien; désir, plaisir vénérien. La volupté vénérienne* (Montaigne, → Lâcher, cit. 2). ⇒ **Sexuel.**

◆ **2.** (xviᵉ). Mod. *Maladies vénériennes* : maladies contagieuses qui sont transmises principalement par les rapports sexuels. ⇒ **M. S. T.;** **blennorragie, chancre, syphilis** (cf. vx Maladies honteuses, vilaines maladies; loc. fig. coup de pied de Vénus). *Transmettre une maladie vénérienne à qqn.* ⇒ fam. **Plomber, poivrer.**
N. (1872; vieilli). Méd. Personne atteinte d'une maladie vénérienne. *Hôpital, service où sont traités les vénériens.*

COMP. Antivénérien, vénérologie.

VÉNÉROLOGIE [veneʀɔlɔʒi] n. f. — Mil. xxᵉ; 1901, *vénéréologie;* de *vénér(ien),* et *-logie.*

◆ Méd. Partie de la médecine qui s'occupe des maladies vénériennes. *Emplois des antibiotiques en vénérologie.* — En composition. *Dermato-vénérologie* : spécialité médicale qui regroupe l'étude et le traitement des maladies de peau (⇒ **Dermato-**) et des maladies vénériennes (la plupart de celles-ci, et au premier chef la syphilis, affectant principalement les téguments et présentant des analogies notables avec les premières).

DÉR. Vénérologique, vénérologiste.

VÉNÉROLOGIQUE [veneʀɔlɔʒik] adj. — Mil. xxᵉ; de *vénérologie.*

◆ Méd. De la vénérologie.

VÉNÉROLOGISTE [veneʀɔlɔʒist] ou **VÉNÉROLOGUE** [veneʀɔlɔg] n. — Mil. xxᵉ; *vénéréologiste,* v. 1900; de *vénéro-, vénéréologie.*

◆ Méd. Spécialiste de vénérologie.

VENET [vənɛ] n. m. — 1681; attestation isolée, 1423; dimin. de l'anc. franç. *venne* « engin de pêche »; gallo-romain *venna.* → Vanne.

◆ Pêche. Enceinte demi-circulaire de filets verticaux pour retenir le poisson à marée basse.

HOM. Formes du v. **venir.**

VENETTE [vənɛt] n. f. — 1662, *in* D. D. L.; dimin. du moy. franç. *vesne* « vesse » (1552, Rabelais), *vesner* « vesser »; lat. vulg. **vissinare,* de *vissire,* même sens.

◆ Vieilli ou régional. Peur ⇒ **Frousse.** — *Avoir la venette* : avoir peur.
Les bourgeois sont devenus sincèrement républicains : 1° par venette, 2° par nécessité. FLAUBERT, Correspondance, 1130, 29 sept. 1870.

VENEUR [vənœʀ] n. m. — 1345; *veneres* « chasseur », *veneor,* puis *venor,* v. 1120; du lat. *venator, venatoris* « chasseur ». → Vener.
Didactique. (Hist.).

◆ Officier de la *vénerie** d'un prince, d'un particulier, s'occupant des chasses à courre.
(1474). GRAND VENEUR : chef d'une vénerie. *La dignité de grand veneur, sous l'Ancien Régime* (→ Grand, cit. 41).
Le prince ordonna la journée; car, il en est d'une chasse comme d'une bataille, et le Grand-Veneur de Charles X fut le Napoléon des forêts. Grâce à l'ordre admirable introduit dans la Vénerie par le Premier Veneur, il pouvait s'occuper exclusivement de la stratégie et de la haute science. BALZAC, Modeste Mignon, Pl., t. I, p. 597.

VÉNÉZUÉLIEN, IENNE [venezɥeljɛ̃, jɛn] adj. et n. — 1875; de *Venezuela,* mot esp. « petite Venise ».

◆ Du Venezuela. *Le pétrole vénézuélien.* — *L'espagnol vénézuélien.* — N. *Un Vénézuélien, une Vénézuélienne* : un habitant, une habitante du Venezuela, ou une personne qui en est originaire.

VENEZ-Y-VOIR [v(ə)nezivwaʀ] n. m. invar. — 1579; de *venez,* impératif de *venir, y,* et *voir.*

◆ **1.** Vx (langue class.). Par ironie. Chose sans importance. — Loc. *Un beau venez-y-voir* : une bagatelle.

◆ **2.** (Au xixᵉ). Vx. Objet par lequel on cherche à attirer l'attention.

VENGEANCE [vãʒãs] n. f. — xvᵉ; *venjance,* 1080; de *venger.*

◆ **1.** Action de se venger*. — (L'accent étant mis sur la réparation). Dédommagement moral de l'offensé par la punition de l'offenseur. — *Une, des vengeances; la vengeance de qqn, sa vengeance. Goûter,*

savourer sa vengeance (→ 2. Lieu, cit. 6). — (L'accent étant mis sur le châtiment). Punition de l'offenseur, laquelle dédommage moralement l'offensé. ⇒ **Châtiment, punition, revanche; représaille** (cit. 3). *Haine* (cit. 5) *et vengeance. Noir projet de vengeance* (→ Couver, cit. 7). *Préférer la pitié* (→ Secourable, cit. 2), *le pardon à la vengeance. Soif, désir de vengeance* (→ Désarmer, cit. 7; éteindre, cit. 14). ⇒ **Rancune, ressentiment.** *L'espoir d'une atroce* (cit. 4) *vengeance. Vengeance exemplaire. Exercer sa vengeance sur qqn. Vengeances dans un gang* (→ Inépuisablement, cit. 2), *dans le milieu, la maffia. Vengeances corses.* ⇒ **Vendetta.** — *La vengeance. La vengeance, ce fruit amer* (cit. 7) *et délicieux. La vengeance ne répare pas le mal, elle l'aggrave* (→ Dédommagement, cit. 3). — (Dans les loc. verbales, sans déterminant). *Tirer vengeance d'un affront, d'un outrage, d'une offense, d'une trahison..., d'un meurtre; d'un crime.* ⇒ **Réparation; punir.** *Un soufflet qu'il avait reçu sans en tirer vengeance* (→ Mitre, cit. 2). — *Mon père est mort, j'en demande vengeance* (→ 1. Allégeance, cit. 1). *Crier, réclamer vengeance. Une chose horrible* (cit. 1) *qui crie* vengeance au ciel.*

C'est que la vengeance est douce à tous les cœurs offensés; il leur en faut une, il n'y a que cela qui les soulage; les uns l'aiment cruelle, et les autres généreuse (...) MARIVAUX, la Vie de Marianne, VIII.
En vieillissant, on s'aperçoit que la vengeance est encore la forme la plus sûre de la justice. Henry BECQUE, cité par Louis JOUVET, Réflexions du comédien, p. 88.
Eh bien! je pense qu'une injure qui ne finirait pas par être pardonnée, ou tout bonnement oubliée, aboutirait, de vengeance en vengeance, à la destruction du monde, car où s'arrêter, comment s'arrêter? G. DUHAMEL, Récits des temps de guerre, IV, v.

Loc. prov. *La vengeance se mange froide, est un plat qui se mange froid* : il faut savoir attendre pour se venger.
Vengeance privée : système juridique dans lequel la victime d'un dommage avéré a le droit d'exercer un préjudice contre l'auteur du dommage, avec des limitations (⇒ **Talion**) ou des équivalences pécuniaires.

◆ **2.** *(La vengeance).* Besoin, désir de se venger. *Il ne faut écouter* (cit. 24) *que la vengeance. Esprit de vengeance* (→ Manigancer, cit. 3). *C'est par vengeance qu'il a agi. Délation inspirée par la vengeance.* « *L'enivrante jouissance de la vengeance satisfaite* » (Balzac, *les Illusions perdues,* Œuvres, t. IV, p. 787).
— *(...) Ce n'est plus cette Done Elvire (...) dont l'âme irritée ne jetait que menaces et ne respirait que vengeance.* MOLIÈRE, Dom Juan, IV, 6.

◆ **3.** Relig. Action de punir. ⇒ **Châtiment.** *La vengeance divine* (→ Impression, cit. 14; présupposer, cit.), *céleste. Les vengeances du ciel** (→ Fureur, cit. 31). *Un Dieu de vengeance* (→ Infini, cit. 4).

VENGER [vãʒe] v. tr. — Conjug. **bouger.** — 1080; *vengiar,* v. 980; lat. *vindicare* « réclamer en justice, revendiquer ».

◆ **1.** Dédommager moralement (qqn) en punissant son offenseur, la personne qui lui a nui. « *Il faut venger un père et perdre une maîtresse* » (→ Animer, cit. 20). « *Va, cours, vole et nous venge* » (→ Ranger, cit. 10). *Venger un mort.* « *Nous aurons le sublime orgueil* (cit. 24) *De les venger ou de les suivre!* » (la Marseillaise). — *Venger qqn de qqch.,* au sujet de, pour (un affront, un tort subi). → Soufflet, cit. 3.
(...) vous imaginez-vous que la justice de Dieu n'attende pas ce malhonnête homme dans un autre monde pour venger celui-ci. Ah! ne croyez pas le contraire, Monsieur, ne croyez pas, ajoutai-je avec des larmes, c'est la seule consolation de l'infortuné, ne nous l'enlevez pas; dès que les hommes nous délaissent, qui nous vengera si ce n'est Dieu? SADE, Justine..., t. I, p. 54.
La Bourdonnais vengea le pavillon français en Asie (...) CHATEAUBRIAND, Mémoires d'outre-tombe, t. VI, p. 315.

(Compl. n. de chose, abstraite et humaine). *Venger son honneur* (→ Faire, cit. 56; humain, cit. 22). *Venger son autorité méconnue* (→ Implacable, cit. 5). *Venger la mémoire d'un ami. La satire...* « *Va venger la raison des attentats* (cit. 11) *d'un sot.* »
(Sujet n. de chose). Constituer une vengeance ou une compensation pour (qqn). *Une haine impuissante* (cit. 16) *qui ne nous venge point de leur élévation. Ça nous vengerait d'eux* (→ Pruneau, cit. 3).

◆ **2.** Réparer (une offense) en punissant l'offenseur. *Venger un affront, un outrage* (→ Armer, cit. 2; solidarité, cit. 1). *Venger une insulte dans le sang.* ⇒ **Laver.** *Je vengerai l'injure qu'on lui a faite.* — *Venger (qqch.) sur (qqn). Venger une offense sur son auteur, sur un tiers. Le Dieu qui venge l'iniquité des pères sur les enfants* (→ Génération, cit. 14).
(L'aigle) Remplit le ciel de cris, et, pour comble de rage, Ne sait sur qui venger le tort qu'elle a souffert. LA FONTAINE, Fables, II, 8.

▶ **SE VENGER** v. pron. (1080). Plus cour.

◆ **1.** ⓐ Rendre une offense (à qqn) pour se dédommager moralement (cf. Se faire justice, exercer des représailles, rendre le mal pour le mal... ⇒ **Talion**). *Se venger de qqn* (→ Bon, cit. 68), *d'un ennemi* (cit. 2). *Je me vengerai de lui.* → Je lui garde un chien* de ma chienne, il ne l'emportera* pas au paradis, il me le revaudrai* ça, il me le paiera*... — Absolt. *Le besoin de se venger* (⇒ **Ressentiment; vindicatif**). *Quand j'ai à me plaindre de qqn je me venge*

(→ Manière, cit. 15). *Je me vengerai. La société ne doit pas punir* (cit. 7) *pour se venger, elle doit corriger pour améliorer.*

3   Tombe sur moi le ciel, pourvu que je me venge !   CORNEILLE, Rodogune, V, 1.

4   Il n'y a point d'injure qu'on ne pardonne quand on s'est vengé.   VAUVENARGUES, Réflexions et maximes, DLXXIII.

5   Lorsque les premières fureurs furent calmées, et qu'elle jouit de toute la tranquillité de son indignation, elle songea à se venger, mais à se venger d'une manière cruelle (...)   DIDEROT, Jacques le fataliste, Pl., p. 604.

Se dédommager (d'une offense ou de ce qui est considéré comme tel) en punissant son auteur. *Se venger d'une insulte, d'une injure. Je me vengerais de son impertinence* (→ Médecin , cit. 2). *Se venger d'un bon mot par un autre bon mot* (→ Épigramme, cit. 10). *Se venger sur... : exercer sa vengeance sur... Se venger de* (qqn, qqch.) *sur qqn :* lui faire payer les torts d'un autre (→ Cyclope, cit. 1). *Se venger de son conjoint sur ses enfants.*

b Trouver une compensation à (une humiliation, une contrainte, un ennui...) ⇒ **Compenser.** *Se venger de qqch. ;* absolt, *se venger. Ne pouvant avilir l'esprit, on se venge en le maltraitant* (cit. 7). *Ils bouffonnent* (cit.) *pour se venger de leur sérieux.*

6   (...) les hommes méconnus se vengent de l'humilité de leur position par la hauteur de leur coup d'œil.   BALZAC, Illusions perdues, Pl., t. IV, p. 486.

7   M. Godeau, dont le nom, tant soit peu commun, soutenait mal une immense fortune, se vengeait par sa morgue du tort de sa naissance, et se montrait, en toute occasion, énormément et impitoyablement riche.   A. DE MUSSET, Nouvelles, «Croisilles», I.

Vx. *Se venger par* (et inf.). *« N'ayant jamais pu réussir dans le monde, il se vengeait par en médire. »* → Envieux, cit. 8, Voltaire.

♦ **2.** (Passif). Être, devoir être vengé. *Une insulte se venge. Cela se venge comme les assassinats* (→ Irrémissible, cit. 1).

DÉR. Vengeance. — V. Vengeur.
COMP. V. Revancher.

VENGERON [vãʒʀɔ̃] n. m. — 1380 ; lat. pop. d'orig. gauloise *vingarius, même sens.

♦ Régional (Suisse). Gardon *(Leuciscus rutilus ;* Cyprinidés).

Le lac en produit *(des perches et des vengerons)* toutefois beaucoup et il semble même, sans être mauvaise langue, qu'on puisse affirmer que si la pêche des vengerons est plus abondante que celle des perches, les ventes se produisent souvent dans l'ordre inverse !   M. NORTH et J. MONTANDON, Neuchâtel à table, p. 153.

VENGEUR, VENGERESSE [vãʒœʀ, vãʒʀɛs] n. et adj. — 1380 ; vengeor, av. 1191 ; vengedur, v. 1120 ; du bas lat. vendicator, oris «vengeur», puis rattaché à venger.

A. ♦ **1.** N. Personne qui venge (une personne, sa mémoire, ses intérêts...). *Pyrrhus, vengeur de la famille de Ménélas* (→ Disposer, cit. 19). *Épauler* (cit. 2) *le vengeur de nos intérêts. Misérable* (cit. 1) *vengeur d'une juste querelle.*

♦ **2.** Adj. Littér. ou plais. Qui venge, est animé par la vengeance ou sert la vengeance. *Un bras vengeur, un main vengeresse. Un billet, un article, un pamphlet vengeur.*

B. ♦ **1.** N. Personne qui venge, punit. *Dieu, le vengeur du péché* (→ Servile, cit. 1). — Par ext. (chose abstraite humanisée) :

La solitude, vaste, épouvantable à voir,
Partout apparaissait, muette vengeresse.   HUGO, Châtiments, V, XIII, I.

♦ **2.** Adj. *Les dieux vengeurs* (→ Bras, cit. 32). *Une intervention vengeresse.* — REM. Le fém. *vengeresse* est littér. et rare.

VENIAT [venjat] n. m. invar. — 1690 ; mot. lat., «qu'il vienne».

♦ Dr. anc. Ordre donné par un juge supérieur à un juge inférieur de se présenter à lui pour rendre compte de sa conduite.

VÉNIEL, ELLE [venjɛl] adj. — V. 1380 ; venial, v. 1230 ; lat. ecclés. venialis, de venia «pardon».

♦ **1.** Théol. (relig. cathol.). *Péché** (cit. 5) *véniel,* digne de pardon (⇒ **Rémissible**) ; opposé à *péché mortel** (→ Béatitude, cit. 3).

Le péché véniel ne fait pas perdre l'absolution ; un acte fervent de contrition en efface la souillure et permet d'approcher de la sainte table (...)   G. SAND, Histoire de ma vie, IV, II.

♦ **2.** (1718). Littér. Se dit d'une faute légère. ⇒ **Excusable, insignifiant, léger, pardonnable.** *Un larcin véniel* (→ Honte, cit. 8).

DÉR. Véniellement.

VÉNIELLEMENT [venjɛlmã] adv. — 1442 ; venialment, 1279 ; de véniel.

♦ Théol. *Pécher véniellement :* faire un péché véniel.

VENIMEUSEMENT [v(ə)nimøzmã] adv. — V. 1380 ; de venimeux.

♦ Littér. Avec l'intention de nuire. *Parler venimeusement de qqn.*

(...) un vrai délire de charité est en train de ravager les riches — les riches catholiques surtout que l'ingratitude des crevants de misère ose venimeusement qualifier de l'épithète d'horribles mufles.   Léon BLOY, le Désespéré, 1886, p. 86.

VENIMEUX, EUSE [v(ə)nimø, øz] adj. — XIIIᵉ ; venimos, v. 1170 ; de l'anc. franç. venim. → Venin.

♦ **1.** Qui a du venin. *L'aspic, le cobra*, la vipère sont des serpents* venimeux.* — *Sangsue* (cit. 1), *araignée* (cit. 12), *scorpion venimeux. Traiter qqn en bête venimeuse* (→ Autocratique, cit. 3). — Par ext. *Abeille au dard venimeux* (→ Métaphore, cit. 3). — (D'une plante). *Piquants venimeux des nopals* (cit. 2).

♦ **2.** Vx. Vénéneux.

♦ **3.** (XIIIᵉ ; correspond à *venin,* 3.). Fig. Qui manifeste de la haine, de la méchanceté. *Personne venimeuse* (→ Panégyrique, cit. 2). *Le plus venimeux de vos collègues* (→ 1. Aspic, cit. 5). ⇒ **Haineux, médisant, perfide.** — Par ext. *Langue venimeuse :* mauvaise langue (→ Langue* de vipère). *Jeter un regard venimeux* (→ Sale, cit. 5). *Une haine* (cit. 16) *vivace et venimeuse. Paroles, notes venimeuses* (→ Canard, cit. 5 ; émailler cit. 5). ⇒ **Calomnieux, corrosif, empoisonné, fielleux, méchant.**

(...) maintenant que je suis riche, tu ne te contiens plus, tu es devenu venimeux, tu tortures notre mère comme si c'était sa faute !   MAUPASSANT, Pierre et Jean, VII.

DÉR. Venimeusement, venimosité.
COMP. Antivenimeux.

VENIMOSITÉ [v(ə)nimozite] n. f. — 1314 ; du rad. de venimeux.
Littér., rare.

♦ **1.** Caractère de ce qui est venimeux.

Ils sont gris de poussière, ils rampent comme les dernières des créatures, sans avoir la venimosité des serpents.   Robert PINGET, Graal Flibuste, p. 79.

♦ **2.** Caractère venimeux (3.). *La venimosité de ses propos dénotait l'envie et la haine.*

VENIN [venɛ̃] n. m. — V. 1240 ; venim, aussi parfois velin, 1120 ; du lat. pop. venimen, de venenum, par substitution de suffixe.

♦ **1.** Substance toxique sécrétée (chez certains animaux) par une glande spéciale, qu'ils injectent par piqûre* ou morsure*. *Venin de serpent* (cit. 3), *de vipère. Dents*, crochets à venin.* — *Venin de scorpion, d'araignée. Venin de guêpe* (⇒ **Aiguillon, dard**). *Venin mortel pour l'homme. Sérum contre les venins.*

Loc. prov. *Morte la bête*, mort le venin.*

Par anal. Substance toxique des piquants de certaines plantes.

♦ **2.** (Mil. XIIᵉ, venim). Vx ou littér. Poison (→ Expirant, cit. 2). *La violence du venin me terrasse* (→ Gorgée, cit. 2). Fig. *Sous le venin apparent, j'eus soin de cacher l'antidote* (cit. 5). ⇒ aussi **Vénéfice.**

♦ **3.** (V. 1190). Par métaphore, fig., littér. Haine, méchanceté (⇒ **Malignité**) ; discours dangereux (⇒ **Bave,** fig. ; → Aspic, cit. 4). *Cacher son venin* (→ Ambigu, cit. 3) *sous le couvert de l'hypocrisie. Distiller son venin* (→ Intention, cit. 14). *Répandre du venin contre qqn* (→ Cantonner cit. 2). ⇒ **Calomnie, médisance.** *« Contre le noir venin des langues médisantes »* (→ Contrepoison, cit., Corneille). *À l'un le couteau, à l'autre le venin :* (→ Hypocrite, cit. 21). — Loc. cour. *Jeter, cracher son venin :* dire des méchancetés dans un accès de colère*.

1   M. de L... me disait de M. de R... : C'est l'entrepôt du venin de toute la société. Il le rassemble comme les crapauds, et le darde comme les vipères.   CHAMFORT, Caractères et anecdotes, M. de R... bien jugé.

2   Les deux demoiselles jetèrent à Canalis un regard chargé d'autant de venin qu'en insinue la morsure d'une vipère (...)   BALZAC, Modeste Mignon, Pl., t. I, p. 541.

DÉR. V. Venimeux.
COMP. Anavenin, dompte-venin, envenimer.

VENIR [v(ə)niʀ] v. intr. — Je viens, tu viens, il vient, nous venons, vous venez, ils viennent ; je venais ; je vins ; je viendrai ; je viendrais ; que je vienne, que nous venions ; que je vinsse ; viens, venons, venez ; venant ; venu. Aux. être. — 880 ; lat. venire.

★ **I.** (Sens spatial). Se déplacer de manière à aboutir ou à être près d'aboutir à un lieu (où se trouve une personne de référence, qui peut être ou non le locuteur). ⇒ **Aller, déplacer** (se), **rendre** (se) ; (fam.) **amener** (s'). — REM. *Aller* exprime le mouvement, *arriver* l'aboutissement du mouvement, *venir* le mouvement et son terme par rapport à qqn.

A. (Sans compl. de lieu). *Les femmes ne viennent pas quand on les appelle* (cit. 4) *et viennent quand on ne les appelle pas. Elle regretta d'être venue* (→ Calculateur, cit. 3). *Je ne t'ai pas demandé* (cit. 28) *de venir. Venez avec moi :* accompagnez-moi.

Venez à neuf heures sans faute (cit. 13). ⇒ **Passer.** *Il peut venir d'une seconde à l'autre* (→ Sérieux, cit. 3). ⇒ **Arriver.** « *Vient-il ? — N'en doutez pas, Madame, il va* (1. Aller, cit. 38) *venir* » (Racine). *Il vient, il va venir, il ne viendra pas. Nous sommes venus en hâte. Venir à l'aide*, *au secours* *de qqn.* — Par métaphore, (sujet n. de chose). *Les passions viennent ensemble* (→ Arriver, cit. 57). « *La vengeance est boiteuse* (cit. 8), *elle vient à pas lents.* » — Loc. *Aller et venir.* ⇒ **Aller** (cit. 3 à 6). Fam. *Je ne fais qu'aller et venir* : je reviens tout de suite, rapidement.

FAIRE VENIR. *Faire venir qqn.* ⇒ **Appeler, convoquer, demander** (→ Laboureur, cit. 3). *Sonnez, ça les fera venir, ces lambins* (cit. 3). — *Les confitures font venir les mouches.* ⇒ **Attirer.** — *Faire venir qqch. Faire venir un livre, un produit.* ⇒ **Apporter** (faire), **commander** (→ 1. Penser, cit. 14).

Laisser... venir. Elle les laissait venir (→ Paraître, cit. 41). *Regarder venir un train de péniches* (→ Remorqueur, cit. 3). — *Voici* *venir...*

VOIR VENIR : voir (qqn, qqch.) qui vient. *Il vit venir Pierre lui-même* (→ Renier, cit. 6). *Tu as vu venir le grain* (cit. 37; → Prendre, cit. 116; prodrome, cit.). ⇒ **Attendre** (s'attendre à). — Loc. *Je te vois venir avec tes gros sabots* (cit. 1). *Je te vois venir :* je devine tes intentions. « *Taisez-vous... je vous vois venir* » (Molière, *le Bourgeois gentilhomme*, III., 12.). — *Voir venir les événements,* ou, ellipt, *voir venir :* attendre prudemment en observant l'évolution des événements, ne pas se presser (→ Se, cit. 1).

1 Un état singulier de l'inquiétude humaine se traduit par ce mot : voir venir. Gwynplaine était dans cet état. On ne se sent pas encore en équilibre avec une situation qui surgit. On surveille quelque chose qui doit avoir une suite. On est vaguement attentif. On voit venir. Quoi ? on ne sait. Qui ? on regarde.
                                    HUGO, *l'Homme qui rit*, II, v, IV.

(Impersonnel). *Il est venu qqn. Il en viendra* (→ Dix, cit. 5), *il en est venu d'autres.*

Loc. *Venir en aide à qqn :* aller auprès de lui pour l'aider (équivaut, la valeur de *venir* étant affaiblie, à *venir aider qqn* → ci-dessous II., 1.). ⇒ **Aider.**

B. (Avec un compl. marquant le terme du mouvement). **VENIR À, CHEZ, DANS...** ♦ **1.** *Demain vous viendrez chez moi* (→ Assez, cit. 20). *Elle s'attendait* (cit. 112) *à ce qu'il vînt à Paris. Venez ici* (cit. 16), *allez là. Venez près de moi* (cit. 3). ⇒ **Approcher, avancer, rapprocher** (se). *Venez avec moi aux lavabos* (cit. 3). *Elles venaient au-devant d'eux* (→ Flamber, cit. 12), *à leur rencontre. Il vint vers moi* (→ Cahier, cit. 3). — Impers. *Il* (cit. 23) *vint à Genève un charlatan italien.* — Mar. (le sujet désigne le navire). *Venir au lof*, *au vent*. *Venir sur bâbord, sur tribord :* gouverner de manière à se diriger vers bâbord, vers tribord.

VENIR À (qqn) : aller vers lui, aller le trouver. *Des cavaliers qui venaient à nous* (→ 1. Caravane, cit. 2). — Fig. *Mon Dieu je viens à vous* (→ Blessure, cit. 10). « *Vous qui passez, venez à lui, car il demeure* » (cit. 28). « *Laissez venir à moi les petits enfants* » (cit. 1) (cit. des Évangiles). *Il croyait voir qqn venir à lui* (→ Personne, cit. 29). — Fam. (exprimant le défi, la menace). *Viens-y !* (→ Mais, cit. 32). *Qu'il y vienne !* — (Sujet n. de chose). *Inviter les objets à venir à nous au lieu que nous allions vers les objets* (→ Effort, cit. 26). *Les odeurs de la campagne ne venaient pas jusqu'à lui* (→ Aspirer, cit. 19). *Les larmes me vinrent aux yeux* (→ Reconduire, cit. 1). *Faire venir les larmes* (cit. 4) *aux yeux de qqn. Faire venir l'eau à la bouche*. ⇒ **Mettre.** *Cela m'est venu aux* (entre les) *mains.* ⇒ **Tomber.** — *Mot qui vient aux lèvres* (cit. 25), *sous la plume* (→ Influence, cit. 12). *Cela m'est venu aux oreilles*, *à la mémoire*. — *Venir auprès de qqn, près de qqn* (même sens).

2 Si vous n'avez rien à me dire,
Pourquoi venir auprès de moi ?   HUGO, *les Contemplations*, II, IV.

♦ **2.** (Fin XIIᵉ). Par métaphore (le sujet désigne des idées, des sentiments, avec une valeur temporelle). Commencer à être, à se présenter. — Vieilli. *Venir dans l'esprit* (cit. 102), *dans l'idée* (cit. 66) *de qqn.* (Impers.). *Jamais il ne m'est venu dans l'idée, à l'esprit de...* (→ Blasphémer, cit. 5; drogue, cit. 1). — Mod. *Venir à l'esprit.* ⇒ **Présenter** (se). *Cela ne m'est pas venu à l'idée.* — *Idée, pensée... qui vient à qqn. Il me vient une idée* (cit. 50). ⇒ **Concevoir, imaginer.** — *L'idée ne lui vient pas un instant que...* (→ Droiture, cit. 3). *Que cette idée ne vous vienne jamais à...* (→ Douter, cit. 26). ⇒ **Aviser** (s'), **penser.** — *Les pensées plaisantes qui lui venaient* (→ Enfouir, cit. 5). *Une pitié lui venait au cœur* (→ Dérisoire , cit. 2). *Cette peur lui venait quand...* (→ Blesser, cit. 5). *Un scrupule lui vient* (→ Infirmer, cit. 4). *Des pudeurs* (cit. 9) *lui venaient. La dévotion leur venait quelques-uns* (→ Âge, cit. 40). — *L'appétit me vient en mangeant* (1. Manger, cit. 14).

3 Tout ce que je fais me vient naturellement, c'est sans étude.
                         MOLIÈRE, *les Précieuses ridicules*, 9.

4 Comment cette sympathie lui était-elle venue ?   FRANCE, *le Lys rouge*, XII.

♦ **3.** (1690). Arriver à... (une limite, un niveau), atteindre. *Votre fils me vient à l'épaule* (Académie). — Fig. *Je ne connais pas de femme qui lui vienne à la cheville*. *(cit. 5). — (Sujet n. de chose). Son col venait à la hauteur de ses oreilles* (→ Muscadin, cit. 2).

♦ **4.** Abstrait. (Sujet n. de personne). Parvenir à... (un but, une étape d'un développement). Vieilli. *Venir à ses fins* (→ Afféterie, cit. 1),

à son but (→ Détour, cit. 10). ⇒ **Arriver.** Mod. *Venir à bout de...* ⇒ **Bout** (cit. 35, 36, et 36.1). — *Venir à composition*, *à résipiscence*. *Venir à maturité*. — *Venir à la démocratie* (cit. 8), *au communisme* (cit. 3), *à la révolution* (→ Générosité, cit. 9). — *Il faudra bien qu'il y vienne :* il finira bien par s'y résoudre, par l'accepter.

(Fin XIIᵉ). *Venir à...* (un sujet, une question). ⇒ **Aborder.** « *Mais venons au sujet qui m'amène* (cit. 4) *en ces lieux* » (Molière). *Pour venir à notre affaire* (cit. 6). ⇒ **Parler** (de). *Venons au fait* (cit. 37). — (Avec l'inf., vieilli. *Si maintenant nous venons à considérer...* (→ Dieu, cit. 36).

(1690). **EN VENIR À... [a]** Dans le même sens que *venir à...*, ci-dessus (→ Afin, cit. 1 ; préambule, cit. 3 ; rétrospectif, cit. 2).

5 Mon cher ami, intervint le secrétaire, vous feriez mieux d'en venir tout de suite à l'objet de notre réunion.   P.-J. TOULET, *la Jeune Fille verte*, VII.

[b] Mod. Finir par faire, par employer, après une évolution. *En venir aux moyens extrêmes, aux extrémités* (cit. 19). Loc. *En venir aux mains* (cit. 54), *aux coups* (cit. 6) : engager la lutte. — *En venir aux invectives* (→ Disputeur, cit. 1), *à la brutalité* (→ Régler, cit. 11),... *« ... puis en vint au baiser »* (→ Apprivoiser, cit. 12). « *Sans doute il est fâcheux d'en venir jusque* (cit. 24)*-là ». On n'en peut venir là* (→ Douter, cit. 14). *Où veut-il en venir ? :* que veut-il, que cherche-t-il en fin de compte ? (→ Déplacer, cit. 13 ; folâtre, cit. 2).

[c] *En venir à...* (suivi de l'inf.). ⇒ **Finir** (finir par...), **réduire** (être réduit à...). (→ Deviner, cit. 8 ; lendemain, cit. 8 ; liguer, cit. 2 ; 1. lire, cit. 25 ; manquer, cit. 74 ; parier, cit. 9 ; reste, cit. 6.

6 J'en suis venu maintenant à regarder le monde comme un spectacle et à en rire.
               FLAUBERT, *Correspondance*, 22, 13 sept. 1838.

C. (V. 1175). **VENIR DE...** ♦ **1.** (Avec un compl. marquant le point de départ du déplacement l'origine du mouvement, la provenance). *Un ange* (cit. 4) *venant du ciel.* « *Rien ne suffit aux gens qui nous viennent de Rome* » (→ Assouvir, cit. 2 ; joie, cit. 27). *De quel pays venait cette famille* (⇒ **Originaire**) → Piraterie, cit. 1. *D'où* (cit. 58) *venaient-ils ? Il venait le diable sait d'où* (cit. 79). *Venir de la part* *de quelqu'un.*

(Choses). *La lumière vient du Soleil en 6 minutes et demie* (→ Newtonien, cit.). *Un souffle glacial* (cit. 1) *venait de la route. Regarder d'où vient le vent*. ⇒ **Souffler.** *Les nuages viennent du Nord.* « *Cette paisible rumeur* (cit. 4)*-là vient de la ville.* » — Provenir de, être fabriqué à... *Bracelets d'argent filigrané* (cit.) *qui venaient de Tolède.* — (Héritage). *Des biens qui lui venaient de son grand-père.* ⇒ **Échoir.**

♦ **2.** (XVᵉ). Provenir, tirer son origine de. — (Personnes). *Venir d'une bonne famille* (vieilli). ⇒ **Sortir.** *Jumeaux* (cit. 4) *qui viennent de deux œufs.* ⇒ **Descendre, issu** (être). — (Choses). *Les maux qui affligent* (cit. 6) *la terre ne viennent pas de Dieu* (→ aussi Diable, cit. 5). « *Ce pelé, ce galeux* (cit. 4) *d'où venait tout le mal* » (La Fontaine). « *L'apologue* (cit. 3) *est un don qui vient des immortels ». Toute justice* (cit. 11) *vient de Dieu.* ⇒ **Émaner.** *Tout bien vient du peuple* (→ Démocratie, cit. 6). « *Tout ce que nous connaissons de grand nous vient des nerveux* » (cit. 12). « *Les grandes pensées viennent du cœur* » (Vauvenargues).

(1606). *La plupart des mots français viennent du latin* (cit. 12). ⇒ **Dériver.** « *Ironie* » (cit. 1) *vient d'un mot latin, qui lui-même vient d'un mot grec.*

♦ **3.** (V. 1175). Avec un complément de cause. Être l'effet de. ⇒ **Découler.** *L'ingratitude vient peut-être de l'impossibilité où l'on est de s'acquitter* (cit. 10). « *Tout le malheur des hommes vient d'une seule chose...* » (→ Chambre, cit. 4). *C'est de l'unique despotisme* (cit. 7) *des pères que viennent les vices des enfants.* « *D'où vient ce sombre accueil* (cit. 3) *et ces regards fâcheux ? »* — « *Tout notre mal vient de ne pouvoir être seuls* » (→ Dissipation, cit. 6). — *Cela vient de ce que* (avec l'ind.) → Justice, cit. 17. « *La prétendue légèreté* (cit. 9, Mᵐᵉ de Staël) *des femmes vient de ce qu'elles ont peur d'être abandonnées* ».

7 Toutes les erreurs de ma vie sont venues d'avoir sacrifié mes opinions à celles d'autrui.   A. MAUROIS, *Disraëli*, p. 83.

(1655). Impers. *De là vient que..., d'où vient que... :* c'est pourquoi (→ Incompréhensible, cit. 5). Interrog. *D'où vient que...?* (avec l'indic. ou, rare, le subj.). ⇒ **Pourquoi** (→ Accorder, cit. 15 ; agir, cit. 28). Vx (anacoluthe). « *D'où vient donc, monsieur le marquis, me l'avez-vous laissé ignorer...? »* (Marivaux, *le Legs*, p. 11).

8 D'où vient que l'on ne peut guère plus faire de bonne littérature avec de bons sentiments, ni mettre en poésie la vertu.
            J.PAULHAN, *les Fleurs de Tarbes*, p. 34.

9 D'où vient qu'une parole, un geste, puissent faire des ronds à n'en plus finir, dans une destinée ?   SAINT-EXUPÉRY, *Pilote de guerre*, XIV.

★ **II.** En fonction de semi-auxiliaire, suivi d'un infinitif.

♦ **1.** (1080). Sans prép. Se mettre à (faire), faire en sorte d'être dans la possibilité de. « *Oui, je viens dans son temple adorer* (cit. 1) *l'Éternel* » (Racine). « *J'oublie, en le voyant, ce que je viens lui dire* » (1. Dire, cit. 10). « *Viens, mon fils* (cit. 1), *viens mon sang, viens réparer ma honte* » (Corneille). *L'infanterie débouchant de ses lignes venait attaquer* (cit. 4). *Elle est venue chercher les enfants.*

Venir chercher qqn. « *Lorsqu'elle vient me voir, je souffre le martyre* » (cit. 10). « *Regarde ! je viens seul m'asseoir* (cit. 26) *sur cette pierre...* ». *Elle vint se mettre* (cit. 57) *à côté d'elle. Des images sombres venaient m'assaillir* (→ Angoisse, cit. 12 ; et aussi apparaître, cit. 5 ; briser, cit. 30).

10
Et plus tard un Ange entr'ouvrant les portes,
Viendra ranimer, fidèle et joyeux,
Les miroirs ternis et les flammes mortes.
            BAUDELAIRE, les Fleurs du mal, « La mort », CXXI.

10.1
Mon oncle dit d'une voix faible, essoufflée, mais nette.
« *Bonjour, mon enfant. Il est tard pour me venir voir. Notre connaissance ne sera pas longue.* »
Je balbutiai : « *Mon oncle, ce n'est pas ma faute...* »
Il répondit : « *Non. Je le sais. C'est la faute de ton père et de ta mère plus que la tienne* (...) »   MAUPASSANT, le Marquis de Fumerol, Pl., t. II, p. 810.

(Pour marquer une idée d'intervention plus ou moins fortuite). *Et vous venez prétendre* (cit. 24) *que vous ne m'avez pas questionné ! Et quand un philosophe viendra me dire que...* (→ 1. Penser, cit. 17). — (Sujet n. de chose). *Jamais une indiscrète censure ne venait arrêter son babil* (→ Aise, cit. 9). *Une lumière* (cit. 5) *que nul reflet ne vient tempérer. Une expérience que rien n'est jamais venu contredire* (→ Miraculeux, cit. 1 ; et aussi approfondir, cit. 5 ; boucher, cit. 3).

11
Le barbier (...) *les poussa tous deux dans la rue, et referma sa porte en disant :*
— *Venir refroidir le monde pour rien !*   HUGO, les Misérables, IV, VI, II.

♦ **2.** (1549). VENIR À (surtout à la 3ᵉ pers.) : se trouver en train de (faire, subir qqch.). *Si par hasard on vient à rencontrer...* (→ Portrait, cit. 12). *S'il venait à me perdre :* au cas* où il me perdrait (→ Joie, cit. 18). ⇒ **Cas** (au cas où). *Lorsque je viendrais à tourner de l'œil* (cit. 47). — *Le roi vint à passer* (cit. 1). *Le prêtre vient à éternuer* (→ Assister, cit. 13). — *Lorsque les vivres viennent à manquer* (→ Boucaner, cit. 1). *Si ta santé venait à dépérir* (cit. 3). *Quand toutes les douleurs* (cit. 2) *viendraient à se taire.*

12
Mais si ce feu, Seigneur, vient à se rallumer ?
S'il lui rendait son cœur, s'il s'en faisait aimer ?   RACINE, Andromaque, I, 3.

Impersonnel :

13
S'il venait à passer, sous ces grands marronniers
Quelque alerte beauté de l'école flamande (...)   A. DE MUSSET, Poésies nouvelles, « Une bonne fortune », XXV.

♦ **3.** (XVIᵉ ; → Monde, cit. 22, Montaigne ; « revenir », XIIIᵉ). VENIR DE... (avec l'inf.).

ⓐ Pour marquer, à l'indicatif présent, un passé récent, à l'indicatif imparfait, un plus-que-parfait récent. Avoir (fait) très récemment, avoir juste fini de... (→ Ne faire* que de..., sortir* de...). *Écoute une chanson* (cit. 1) *que je viens de faire. L'âme qui vient d'obtenir ce qu'elle a longtemps désiré* (cit. 4). *Ce qui est neuf* (2. Neuf, cit. 1) *vient d'être fait. Livre qui vient de paraître* (cit. 7). *Les toutes dernières toiles qu'il vient de peindre* (cit. 14). *Il venait de commettre une infraction* (cit. 3). *Comme s'il venait de faire une découverte* (→ Moins, cit. 33). *Cette chambre qui venait d'être retapissée* (1. Retapisser, cit.).

14
La félicité que je venais d'éprouver était bien en effet la même que celle que j'avais éprouvée en mangeant la madeleine (...)   PROUST, À la recherche du temps perdu, t. XV, p. 8.

(En corrélation avec *que* temporel ; → Que, I., 5.). *Mon télégramme* (cit. 1) *venait de partir que j'en reçus un.* ⇒ **Juste, peine** (à).

ⓑ À d'autres modes que l'indicatif, avec la même valeur. « *Un soir, venant de perdre une bataille honnête...* ». *Il semblait qu'il vînt de reprendre quelque nouvelle vigueur* (→ Pâle, cit. 1).

15
Tout à l'heure (...) *vous avez fait allusion à quelque chose de sérieux, qui viendrait d'arriver ?*   Pierre BENOIT, Bethsabée, XIII.

★ **III.** Arriver, se produire, survenir. ♦ **1.** (Personnes). Arriver (dans la vie, dans l'activité sociale, dans l'histoire). VENIR AU MONDE (1560 ; *venir à vie*, 1250). ⇒ **Naître** (→ Abreuver, cit. 6 ; apporter, cit. 24 ; désespérer, cit. 22 ; 1. fer, cit. 13). Littér. « *Je suis venu trop tard dans un monde* (cit. 31) *trop vieux* » (Musset). — Absolt. « *Tout est dit* (1. Dire, cit. 112) *et l'on vient trop tard...* » (La Bruyère). « *Les grands poètes sont venus après de grandes calamités* » (cit. 1). *Mille scolastiques sont venus ensuite.* ⇒ **Suivre** (→ Irréfragable, cit. 1). *Ceux qui viendront après nous.* ⇒ **Succéder.** « *Enfin Malherbe vint...* » → Cadence, cit. 1 (Boileau). — Impers. *Il viendra une autre génération* (cit. 21 ; → Libérateur, cit. 1).

(Événements). ⇒ **Apparaître, arriver, produire** (se), **survenir.** — REM. L'inversion du sujet est fréquente en ce sens. *Si la guerre vient* (→ Raison, cit. 69). « *Vienne encore un procès et je suis achevé* » (cit. 7). *Vinrent les ventes d'Anvers* (→ Descendre, cit. 38). *Tout vient à son temps dans la vie* (→ Revue, cit. 11). *Prendre* les choses comme elles viennent, avec philosophie. — *Voir venir* (les événements). → ci-dessus, I., A. — Prov. *Tout vient à point à qui sait attendre*. *La fortune vient en dormant*.

(Moments). Arriver, apparaître dans le cours du temps. *Le moment* (cit. 18), *le temps est venu, viendra...* (→ Dépister, cit. 3 ; 1. manger, cit. 12 ; mourir, cit. 27 ; 1. placer, cit. 14). *L'heure est venue de réfléchir* (→ Dimanche, cit. 3). *Un jour viendra où...* (→ Pouce, cit. 8). *Quand vint son tour* (→ Père, cit. 22). *Les jours, les années qui viennent.* ⇒ **Prochain, suivant.** *Nous anticipons* (cit. 1) *l'avenir*

comme trop lent à venir. ⇒ **Tarder.** *Vinrent juin et les plus longs* (cit. 26) *jours*. « *Quand la bise fut venue* » (→ Dépourvu, cit. 1). — Au p. p. *Le printemps venu* (→ 1. Pêcher, cit.). *Avril venu* (→ Cèdre, cit. 3). *La nuit venue* (→ Arrêter, cit. 54). — Impers. *Il vient un moment où...* (→ Alchimie, cit. 1 ; assainir, cit. 22).

Loc. adv. À VENIR : qui doit venir, qui viendra. ⇒ **Futur, avenir.** *Leur descendance* (cit. 1) *encore à venir. Les générations à venir. Les faits présents et à venir* (→ 1. Politique, cit. 24). *Notre vie passée* (cit. 157) *et notre vie à venir*.

♦ **2.** (1560). Naître et se développer (végétaux ; tissus vivants). ⇒ **Pousser.** *Des végétaux qui puissent venir dans les mauvais terrains* (→ Matière, cit. 10). *Un sol où le blé vient bien, vient mal. Faire venir une plante.* ⇒ **Cultiver.** *Lent à venir.* ⇒ **Tardif.** *Ainsi le riz* (cit. 2) *vient*. « *Nulle moisson ne vient sur la grève arrosée* » (→ Rosée, cit. 4).

16
Il semait bonnement pour pouvoir recueillir.
Aussi dans son terrain tout venait à merveille (...)   FLORIAN, Fables, I, 10.

17
Chacun de ces maudits noyers (...) *me coûte la récolte d'un demi-arpent, le blé ne peut venir sous leur ombre.*   STENDHAL, le Rouge et le Noir, I, VIII.

Par anal. *La peau qui vient sur le lait* (cit. 13). *Des boutons qui viennent sur le visage.*

♦ **3.** (En parlant des productions de l'esprit, de l'art). Se manifester. *Deux livres écrits d'une haleine que je publiai comme ils étaient venus* (→ Distance, cit. 7). *Les idées ne venaient pas facilement* (cit. 3).

♦ **4.** Fig. VENIR BIEN, MAL : se développer bien, mal.

17.1
Et j'ai décidé de reprendre le haut, je trouve la lumière trop jolie. Mais je crois que la toile ne vient pas mal. Je la sens. Je l'ai dans les doigts.
     M. AYMÉ, le Vin de Paris, « La bonne peinture », 1947, p. 173.

Gravure, photogr. *Estampe, épreuve qui vient bien, mal,* dont le tirage est bon, médiocre. *Si le profil* (cit. 6) *d'une pièce venait mal.*

▶ **S'EN VENIR** v. pron. (1080).

Vx ou régional. Venir. *Le voilà qui s'en vient, qui s'en vient vers nous* (→ Amoureusement, cit. 3 ; monter, cit. 21 ; protestataire, cit.).

18
Je disais : Viens-nous-en dans les profondeurs sombres (...)
     HUGO, les Contemplations, II, XIV.

19
L'abbé vira vers la route et aperçut en effet un homme, qui lui parut, de loin, fort mal vêtu, et qui s'en venait, à petits pas, vers la maison.
     MAUPASSANT, l'Inutile Beauté, « Champ d'oliviers », II.

(Suivi d'un inf.). → Carnassier, cit. 1 ; perfectionner, cit. 2 ; pierrot, cit. 4.

▶ **VENU, UE** p. p. ⇒ **Venu** (adj. et nom).

CONTR. Aller. — (De *faire venir*) Envoyer.

DÉR. Venant, venue.

COMP. Avenir. — Bienvenu, malvenu. — Survenir. — V. Advenir, contrevenir, convenir, devenir, parvenir, provenir, subvenir.

VENISE [vəniz] n. m. — Déb. XXᵉ ; de *verre de Venise*.

♦ Verre très fin et ciselé ou travaillé (qu'il provienne ou non des verreries vénitiennes). *Du venise. De beaux venises.*

VÉNITIEN, ENNE [venisjɛ̃, ɛn] adj. et n. — Déb. XIIIᵉ, Villehardouin ; ital. anc. *venetiano*, ital. mod. *veneziano*, de *Venezia*, « Venise ».

♦ De la ville de Venise, de l'ancienne république de Venise. *La peinture vénitienne* (XVᵉ et XVIᵉ s.), *les peintres, les artistes vénitiens* (→ Ample, cit. 3 ; goût, cit. 51 ; et aussi pasticher, cit. 2). — (Av. 1841). *Le dialecte vénitien* (→ Gondole, cit. 2). — N. m. (1771). *Le vénitien* : dialecte italien de Vénétie.

Blond vénitien : blond tirant sur le roux (que les Vénitiennes obtenaient par un traitement spécial de leurs cheveux).

(...) *le docteur Tardieu, ayant été visiter une fabrique de potasse, avait été frappé du ton de la chevelure des ouvriers et des ouvrières. C'était le blond flamboyant vénitien.*   Ed. et J. DE GONCOURT, Journal, 1ᵉʳ juil. 1874, t. V, p. 99.

*Lanternes** (cit. 5) *vénitiennes.*

(1886). *Pantoufle vénitienne* : « *pantoufle demi-montante, dont la tige est légèrement ouverte sur le cou de pied (sic)* » (Voc. technique de l'industrie de la chaussure, 122 ; in D. D. L.).

*Stores** vénitiens.*

DÉR. Vénitienne.

VÉNITIENNE [venisjɛn] n. f. — 1667 ; substantivation de *vénitien*, adj., au fém.

♦ **1.** Étoffe de soie fabriquée d'abord à Venise.

♦ **2.** (Av. 1889). Tissu d'ameublement (laine, soie et coton) dont les ornements brillants, rouge et or, se détachent sur un fond foncé.

VENT [vɑ̃] n. m. — 1080, Chanson de Roland ; du lat. *ventus*.

★ **I. A.** Déplacements naturels de l'atmosphère.

♦ **1.** **ⓐ** *Le vent, les vents...* : mouvement de l'atmosphère ressenti

au voisinage du sol; déplacement d'air; air déplacé (⇒ **Brise, souffle, zef** [argot]; **alizé, aquilon, bise, foehn, khamsin, mistral, noroît, simoun, sirocco, suroît, tramontane, zéphir**). *Du vent.* ⇒ **Éolien.**
Force (→ **Cyclone,** cit. 1), *vitesse du vent, des vents. Vent doux, faible, modéré* (⇒ **Brise**), *fort, impétueux* (cit. 2), *violent. Direction du vent. Vents cardinaux** (appelés aussi *les quatre vents*). *Cadran* d'une rose des vents.* ⇒ 1. **Rose** (II., 2.; cit. 12); **aire** (II., 2.), **rhumb.**
*Vents de mousson** (cit. 1 et 2). *Vent d'orage* (⇒ **Orage, ouragan**). *Vent tournant* (⇒ **Cyclone, tourbillon**). *Le vent du Nord* (cit. 1, Vigny), *qui vient du Nord. Vent d'Est, vent d'Ouest. Vent du Nord-Ouest* (⇒ **Noroît**), *du Sud-Ouest* (⇒ **Suroît**). *Vent du large** (→ **Eau-forte,** cit. 2). *Vent de mer, vent marin. Vent de terre.*
— *Vents réguliers; irréguliers; constants; périodiques. Rafales de vent.*

1 Il arrivait parfois des rafales de vent, brises de la mer qui, roulant d'un bond sur tout le plateau du pays de Caux, apportaient, jusqu'au loin dans les champs, une fraîcheur salée.   FLAUBERT, Mme *Bovary*, I, VII.

(1611). **COUP DE VENT** (→ **Aventurer,** cit. 4; bruit, cit. 20) : *courant momentané ou augmentation, changement brusque de force ou de direction* (⇒ **Saute**) *dans les mouvements de l'air.* ⇒ **Bouffée** (cit. 3), **bouffer, bourrasque** (cit. 4 et 6), **rafale** (cit. 1) **grain** (II.). *Étaler un coup de vent. Fig. Être coiffé en coup de vent :* avoir les cheveux en désordre; *aussi* (coiffure), *peignés en arrière.* → ci-dessous *En coup de vent :* rapidement.

1.1 Jeanne avait enfin trouvé le temps d'aller chez le coiffeur; les cheveux rejetés en arrière, en coup de vent, dégageaient le front, qui est haut et large.
          Roger VAILLAND, *Bon pied, bon œil*, 1950, p. 221.

Bruit (cit. 7) *du vent* (→ **Palmier,** cit.). *Murmure* (cit. 8 et 9), *soupirs du vent. Le vent brame, bruit, gémit* (cit. 8 et 9), *hurle* (cit. 13 et 15), *se lamente* (cit. 11), *mugit* (cit. 4), *rugit* (cit. 2), *siffle* (cit. 5). *Les hurlements, les sifflements du vent. Le vent se tait*. *La chanson, la musique* (→ **Renouveau,** cit. 1), *les orgues* (cit. 5) *du vent.*

2 Dans l'immense largeur du Capricorne au Pôle
Le vent beugle, rugit, siffle, râle et miaule,
Et bondit à travers l'Atlantique tout blanc (...)
          LECONTE DE LISLE, *Poèmes tragiques*, « L'albatros ».

2.1 Sur la bruyère, infiniment,
Voici le vent
Qui se déchire et se démembre
En souffles lourds battant les bourgs
Voici le vent,
Le vent sauvage de Novembre (...)
Le vent rafle, le long de l'eau,
Les feuilles mortes des bouleaux,
Le vent sauvage de Novembre,
Le vent mord, dans les branches,
Des nids d'oiseaux;
Le vent râpe du fer
Et précipite l'avalanche,
Rageusement, du vieil hiver (...)   E. VERHAEREN, « le Vent », *les Villages Illusoires.*

2.2 Sans le bruit du vent faisant claquer les carreaux, trembler les cheminées, claquer les portes, et le bruit plus aigu et plus continu du vent qui siffle et qui d'ailleurs, maintenant qu'on n'avait plus à lutter contre lui, était un accompagnement monotone qu'on finissait par ne pas entendre, on se fût cru non pas dans un village maudit (...) mais dans une sorte de retraite heureuse (...)
          PROUST, *Jean Santeuil*, Pl., p. 375.

Le vent se lève (1. **Lever,** cit. 36), *s'élève* (⇒ **Démonter,** cit. 12); *fraîchit* (→ **Engloutir,** cit. 7); *s'accroît d'heure* (cit. 99) *en heure; diminue, se calme, faiblit* (cit. 5), *mollit* (cit. 3), *tombe; cesse. Il n'y a pas un souffle*, pas un brin* (fam.) *de vent. — Le vent tourne*, change de direction.

3 Le vent se lève! Il faut tenter de vivre!   VALÉRY, *Poésies*, « Cimetière marin ».

(Effets du vent). *Le vent agite* (cit. 1 à 3), *balaye* (cit. 4 et 5), *emporte, éparpille* (cit. 7), *soulève* (cit. 7)... *les feuilles, la poussière,* etc. *Le vent chasse, disperse** les nuages. — *Le vent court* (cit. 32), *s'engouffre* (cit. 3). *Le vent attise le feu.* « L'absence (cit. 5) *est à l'amour ce qu'est au feu le vent* ». *Maison exposée au vent* (⇒ **Éventé**), *ouverte** au vent, aux quatre vents.* → *Infra* cit. 6. Par ext. *Abriter, garantir, protéger un lieu du vent.* ⇒ **Abri; abat-vent, abrivent, contrevent, paravent.** *Être hâlé, tanné par le vent. Marcher contre le vent.* — Loc. (1694). *Fendre le vent* (au fig.) : aller très vite. ⇒ **Bise.**

3.1 Le vent soulève le ciel comme une mer. Il le fait bouillonner et noircir, il le fait écumer comme les montagnes (...) il n'y a plus que la course des nuages. Ils descendent vers le sud.   J. GIONO, *Regain*, 1930, Pl., t. I, p. 326.

4 Je me rappelle que le vent souffla presque sans interruption pendant trois mois, au point que lorsque par hasard il s'arrêtait (...) on avait l'impression de l'entendre encore, gémissant et tempêtant (...) Et, aux environs de la Pentecôte, il redoubla, souffla durant huit jours et huit nuits consécutifs en ouragan, jonchant les rues de feuilles et de branches cassées, brisant les sarments dans les vignes (...)
          Claude SIMON, *le Vent*, XVII.

Utilisations du vent. Énergie du vent. ⇒ **Éolien.** — *À vent :* mû par le vent. — *Moulin** à vent. — *Girouette* (cit. 1 et 3) *qui tourne** au vent. — *Manche à vent :* manche à air.

L'air brassé par les courants atmosphériques. Un vent brûlant (cit. 5, par métaphore), *chaud, desséchant; aride* (cit. 2). *Vent aigre* (cit. 6), *cinglant*, froid, glacial* (⇒ **Bise**), *humide, pluvieux, piquant, qui pince, pique... Un vent parfumé* (cit. 7). ⇒ **Brise.**

Littér. (Le vent personnifié). *Souffles capricieux** du vent. La caresse, l'haleine du vent. La colère, la fureur des vents. Le combat des*

vents. « *L'esprit du vent soufflait* (cit. 3) *dans ses clairons de fer* ». *Le vent redouble ses efforts* (→ **Arbre,** cit. 7). *Les assauts* (cit. 11) *du vent.*

4.1 Ils arrivèrent en haut de l'éminence, quand, tout à coup, ils entrèrent dans le royaume du vent dont ces collines défendaient l'entrée, et ils durent et entrer malgré eux à genoux, car sa force qu'ils n'avaient pas encore éprouvée et à laquelle ils ne s'attendaient pas, les souleva de terre et les jeta quelques pas plus loin, prosternés, accrochés des pieds et des mains au sol pour s'y retenir, n'osant pas relever la tête pour ne pas être étouffés.   PROUST, *Jean Santeuil*, Pl., p. 375.

4.2 (...) elle pense au vent, qui est grand, transparent, qui bondit sans cesse au-dessus de la mer, qui franchit en un instant le désert, jusqu'aux forêts de cèdres, et qui danse là-bas, au pied des montagnes, au milieu des oiseaux et des fleurs. Le vent n'attend pas. Il franchit les montagnes, il balaie les poussières, le sable, les cendres, il culbute les cartons, il arrive quelquefois jusqu'à la ville de planches et de carton goudronné, et il s'amuse à arracher quelques toits et quelques murs.
          J.-M. G. LE CLÉZIO, *Désert*, 1980, p. 75.

b Spécialt. Les déplacements de l'air en relation avec la navigation*, et spécialt, la navigation des navires à voiles*; → 1. **Manœuvre,** cit. 1; navire, cit. 5 et 6; 2. **quille,** cit. 2. *Direction du vent* ⇒ **Aire, lit** (cit. 33), **rhumb.** *Force du vent* (du moins au plus fort) : *calme, légère, petite brise, jolie brise, bonne brise, bon et grand frais*, coup de vent, fort coup de vent, tempête, ouragan* (échelle de Beaufort). *Changements de la force ou de la direction des vents. Le vent tourne, vient au Nord. Le vent adonne*, refuse*. Absence de vent.* ⇒ **Accalmie, bonace, calme** (plat). *Côté du vent, d'où il souffle.* ⇒ **Amure**). *Le bateau reçoit le vent de bâbord, de tribord* (⇒ **Amure**). *Bord de vent.* ⇒ **Lof.** *Vent largue*. Vent arrière* (cit. 3). *Recevoir le vent par l'arrière.* ⇒ **Fuir.** *Vents contraires,* qui empêchent de suivre la route prévue (→ **Louvoyer,** cit. 1 et 2). *Vent debout* (cit. 20; et *supra*). *Être vent devant, dans un virement de bord. Être pris vent dessus :* être masqué, avoir ses voiles coiffées. *Avancer, marcher contre le vent :* avoir le vent debout et courir des bordées*. *Gagner** au vent :* avancer contre le vent (→ **Cape,** cit. 6). — *Venir au vent :* gouverner plus près du vent. ⇒ **Lofer.** *Prendre, serrer*, pincer le vent. Remonter** au vent. Le vent jette un navire à la terre, le drosse*.

AU VENT : dans la direction d'où vient le vent par rapport à l'objet considéré; **SOUS LE VENT :** dans la direction opposée. *Navire, cap, côté qui est au vent, sous le vent d'un navire. Les Iles sous le vent. Passer au vent d'une bouée :* passer du côté au vent.

Avoir le vent en poupe. ⇒ **Poupe** (cit. 1; et au fig. : *infra* cit. 2). *Avoir du vent dans les voiles.* ⇒ **Voile.**

Loc. *Contre vents et marées*, (rare) *contre vent et marée* (cit. 6).

c (1172). Chasse. (dans des loc.). *Le vent,* qui porte les odeurs vers les chasseurs ou les animaux (ou loin d'eux). *Chasser au vent, dans le vent; aller à bon vent. Chien qui tire au vent* (en prenant les devants de l'animal chassé). — *Porter le nez au vent, porter au vent :* avoir la tête haute (au fig. l'air fier, dédaigneux). — Loc. cour. *Le nez* (cit. 49) *au vent,* se dit du chien qui flaire le gibier. *Prendre le vent.* ⇒ **Éventer** (cit. 7), **flairer.** — Figuré :

5 Profites-en pour prendre le vent, regarder de près ce qui se passe (...)
          MARTIN DU GARD, *les Thibault,* t. V, p. 163.
Vén. *L'odeur de la bête.* ⇒ **Émanation.** Vieilli. *N'avoir ni vent ni voie*, ni vent ni nouvelles.*

Loc. cour. **AVOIR VENT DE** (qqch.) : avoir appris, avoir au moins une idée de (qqch.).

6 L'affaire, grâce à lui, resta tellement souterraine, le secret fut si hermétiquement gardé, que ni Josiane, ni lord David n'eurent vent du prodigieux fait qui se creusait sous eux.   HUGO, *l'Homme qui rit*, II, V, II.

d Mythol. Personnages dont le souffle était censé produire les vents. *Éole, roi des vents.* — Icon. *Têtes, bouches de vents :* têtes aux joues enflées, représentées sur les cartes anciennes, comme motif décoratif, etc.

e Par ext. Direction du vent. *Les quatre vents :* les quatre points cardinaux. *Aux quatre vents :* partout, en tous sens « *Un cabinet ouvert aux quatre vents* » (Montesquieu, *les Lettres persanes*, XLV). — Par métaphore. *Les quatre vents de l'Esprit* (poésie satirique, dramatique, lyrique, épique), recueil de Hugo (1881). *Les trente-deux vents.* ⇒ **Aire.** — **QUART DE VENT :** l'une des aires (ex. : N. O.1/4 O.), vent signifiant alors « une des huit directions ». — *Aux vents, à tous (les) vents,* s'emploie dans un sens voisin de « au vent ».

Prov. *Petite pluie abat** grand vent. Qui sème le vent, récolte la tempête*. À brebis tondue, Dieu mesure* le vent.*

♦ **2. LE VENT. a** Sc. Mouvement de l'atmosphère; phénomène météorologique dû aux propriétés physiques inégales et changeantes de l'atmosphère (densité, pression, température). ⇒ **Courant, météore** (aérien), **perturbation; climat, météorologie;** et préf. **anémo-.** *Augmentation du vent avec l'altitude. Instabilité dynamique, thermique du vent. Relations entre les précipitations et le vent.*

b Cour. *Il y a, il fait* (cit. 200) *du vent, il fait grand vent* (⇒ **Souffler, venter;** → Pied, cit. 3). « *Le temps a laissé son manteau de vent, de froidure* (cit. 2) *et de pluie* » (Charles d'Orléans). *Un pays de vent.*

♦ **3.** (Dans quelques expressions). L'atmosphère, l'air (générait agité par des courants). *Flotter au vent* (⇒ **Brandiller, flotter** [cit. 6 et 7]), *au gré* du vent. Voler* au vent. Une plume* au vent. Autant** (cit. 40) *en emporte le vent.*

Par ext. L'air, l'atmosphère (qu'il y ait ou non du vent). *En plein vent :* en plein air, à découvert* (→ Atelier, cit. 3).

AU VENT (même sens) :

7   (...) une négresse la gorge au vent, un collier au cou, une plume sur la tête.
                                            HUGO, *Choses vues*, II, III, II.

Mettre flamberge* (cit. 1 à 3) *au vent* : tirer l'épée, dégainer. *Le nez au vent* (→ Badaud, cit. 5), *la tête au vent* (→ Promener, cit. 12) : le nez en l'air, d'un air étourdi. — *Le derrière au vent :* tout nu.

Loc. PLEIN VENT. *Arbre de plein vent* (→ Peupleraie, cit.), *en plein vent*, qui pousse relativement isolé, sans être abrité.

♦ **4.** *Vent solaire*. ⇒ **Solaire.**

B. (Fin XVIᵉ). Loc. fig. ♦ **1.** (*Le vent*, symbole des impulsions, des influences). *Vent favorable, défavorable*. ⇒ **Impulsion** (cit. 4; et *supra*). *« Il se sert d'un bon vent qui souffle pour faire son chemin »* (La Bruyère, VIII, 24). — Loc. *Aller contre vents et marées* (→ Marée, cit. 6) : envers et contre tous. *Avoir le vent en poupe, le vent dans le dos :* être favorisé*, poussé; profiter d'avantages, d'influences favorables. — *Être au vent*, dans la direction générale (de la mode, etc.). ⇒ **In** (anglic.). *Les distractions dans le vent*, à la mode. — *Le vent est à... :* la tendance est à...

7.1   J'ai choisi comme témoin une jeune femme assez complice de son entourage pour
     ne pas la juger, assez honnête pour vivre cette connivence dans le malaise. Je l'ai
     dotée d'une mère « dans le vent » et d'un père passéiste : cette double appartenance
     expliquait ses incertitudes.   S. DE BEAUVOIR, *Tout compte fait*, p. 139.

(1613, *in* D.D.L.). *Quel bon vent vous amène*!* (ou, ellipt., *« Quel bon vent... »* Daudet, *le Curé de Cucugnan*) : quelle est la cause* de votre venue (formule d'accueil).

Formule de souhait. *Bon vent!*, (Iron.). Bon débarras.

8   — Partie! La dame est partie. Et même sans laisser d'adresse. Bon vent! Bon
     voyage! Voilà tout ce que je lui souhaite.
                          G. DUHAMEL, *Chronique des Pasquier*, II, XVI.

8.1   (...) utilisez chaque matin la crème hydratante Pollen, Pollen fabriqué exclusi-
     vement par Boyer-Vidal qui maintiendra votre visage dans son quotient normal
     d'humidité pour toute la journée, Pollen, la crème hydratante pour tous les temps,
     et... bon vent, mesdames!   J.-M. G. LE CLÉZIO, *le Déluge*, 1966, p. 162.

Loc. *Tourner à tous les vents, au moindre vent :* être inconstant, changer (cit. 40) *selon les influences.* — *Le vent tourne :* les événements vont changer. *Prendre le vent* (loc. qui vient de l'emploi en vénerie); *voir venir le vent, observer d'où vient le vent*, les événements.

Fig. *Le vent du changement souffle en rafales* (→ Peine, cit. 6). *Le vent était à l'optimisme* (cit. 5; cf. Il y avait de l'optimisme dans l'air). — *Un vent d'espoir* (→ Maîtrise, cit. 3), *de fronde* (3. Fronde, cit. 4 et 5), *de révolution, de sédition. Le vent de l'adversité.*

9   Un vent de bêtise et de folie souffle maintenant sur le monde. Ceux qui se tien-
     nent debout, fermes et droits, sont rares.
               FLAUBERT, *Correspondance*, éd. Charpentier, t. III, p. 388.

♦ **2.** (*Le vent*, symbole de vitesse). — (XIVᵉ). Par compar. *Aller comme le vent, plus vite que le vent* (⇒ **Rapide, vite**).

COUP DE VENT. *Entrer* (cit. 3 et 11), *passer* (cit. 3) *en coup de vent.*

9.1   (...) il était différent de tous les autres professeurs; il s'amenait en coup de vent,
     il était toujours en retard de quatre ou cinq minutes (...)
                            S. DE BEAUVOIR, *les Mandarins*, p. 44.

♦ **3.** Par compar. (Liberté, légèreté). *Insouciant* (cit. 4), *libre comme le vent*, comme l'air*.

♦ **4.** (1160, *de vent* : de rien). Par métaphore, fig. *La vanité et l'orgueil, qui sont proprement du vent* (→ Enflure, cit. 6). *C'est du vent, ce n'est que du vent :* ce sont des choses vaines, vides. ⇒ **Insignifiant** (→ Des mots*). — Spécialt. De promesses* faites à la légère. *« Mais qu'en sort* (cit. 15)-*il souvent? Du vent ». Il est rempli de vent :* ses qualités ne sont qu'apparentes (⇒ **Baudruche**).

10   Je hais le vent doré qui gonfle la sottise (...)
           A. DE MUSSET, *Premières poésies*, « La coupe et les lèvres ».

(XIIIᵉ-XVIIᵉ). Spécialt, vx. Vanité.

★ **II.** Mouvement de l'air. ♦ **1.** (1552). Vx. Courant, déplacement d'air. ⇒ **Esprit** (vx, cit. 2), **souffle** (→ Grisou, cit. 1). *« Les esprits animaux* (2. Animal, cit. 1) *qui sont comme un vent très subtil »* (Descartes). — Loc. mod. *Vent coulis** (cit. 2). — *Vent du boulet :* onde de choc, zone d'air comprimé qui précède et accompagne un projectile en mouvement rapide. ⇒ **Souffle.** — Loc. fig. *Il a senti le vent du boulet :* il s'en est fallu de peu qu'il n'éprouve un grave inconvénient, un sérieux dommage. — *Le vent d'une hélice* (cit. 4), *d'un ventilateur.*

11   Le cadet bégaya, se fit tout petit sur sa chaise. Il avait senti le vent de la gifle,
     il était repris des peurs de son enfance, levant le coude pour se garer.
                                 ZOLA, *la Terre*, I, II.

Faire du vent avec un soufflet, un éventail. ⇒ **Éventer.** — Loc. fam. *Faire du vent :* s'agiter; « déplacer de l'air », faire l'important.

♦ **2.** (XVIᵉ). Vx. Respiration, souffle, haleine (→ Essoufflement, cit. 3). *Tenir, prendre, retenir son vent.*

12   J'ai peu avancé mon roman, ayant été bien distrait et tiraillé; je reprendrai vent
     un de ces jours (...)   SAINTE-BEUVE, *Correspondance*, 300, 13 juil. 1833.

13   On se précipite sans parler, à travers le dédale du boyau extraordinairement vide,
     et qui n'en finit plus.
     — J'ai pus d'vent, dit Blaire, j'suis foutu...
     Il titube et s'arrête.   H. BARBUSSE, *le Feu*, t. II, p. 11.

Loc. fig. Vx. *Donner vent à une bouteille* (→ 1. Mousse, cit. 6), *à un tonneau :* y faire une ouverture. — (Sens abstrait). Donner libre cours à...

♦ **3.** (1685). *Instrument* à vent* (→ Octavier, cit.). ⇒ **Bois, cuivre.**

♦ **4.** (1680; av. 1250, *vent de cul*). Vx, régional, ou euphém. Gaz* intestinaux. ⇒ **Flatulence, flatuosité**, pet. *Qui produit* (⇒ **Flatueux, venteux**), *expulse* (⇒ **Carminatif**) *les vents; s'accompagne de vents* (⇒ **Flatulent**). → Remède, cit. 6.

14   (...) le gigot avec dedans des gousses d'ail si grosses qu'on dirait des asticots cuits.
     Cette masse de bidoche s'accompagne de flageolets; tout le monde pense aux
     vents que leur absorption provoquera, mais on a de l'éducation ou on n'en a pas :
     motus! pas de plaisanteries sur ce sujet!
            R. QUENEAU, *Pierrot mon ami*, 1942, éd. L. de Poche, p. 31.

CONTR. Calme.
DÉR. Venteau, venter, ventillon, ventis.
DÉR. et COMP. Abrivent, contrevent, coupe-vent, paravent, vol-au-vent. — Évent, éventaire, éventer. — Sous-venté.
HOM. Van. — Formes du v. vendre.

VENTA [vɛnta] n. m. — 1654; une première fois déb. XVIᵉ, *in* D.D.L.; mot espagnol.

♦ Auberge isolée, en Espagne. *Des ventas* [vɛntas].

HOM. Formes des v. vanter, venter.

VENTAGE [vɑ̃taʒ] n. m. — 1783; *ventaige* « vent, tempête », v. 1501; de *venter*.

♦ Techn. Vannage.

VENTAIL, VENTAUX [vɑ̃taj, vɑ̃to] n. m. — 1314; *ventaille*, n. f., 1080; de *venter*.

♦ Archéol. Partie de la visière des casques clos (⇒ **Heaume**) par où passait l'air. — La forme *ventaille* (n. f.) était fréquente en anc. franç. *La ventaille du haubert* (cit. 1).

HOM. Vantail; venteau.

VENTE [vɑ̃t] n. f. — V. 1200; « droit, taxe », 1197; du lat. pop. *vendita*, plur. neutre de *venditum*, pris pour un féminin singulier; de *vendere*. → Vendre.

★ **I.** Action de vendre*; échange d'un bien contre une somme d'argent (⇒ **Marchandise, prix**).

♦ **1.** Le fait d'échanger une marchandise* contre son prix, de la transmettre en toute propriété à un acquéreur en le faisant payer; activité consistant en de telles opérations. *Lieux consacrés à la vente.* ⇒ **Boutique, débit, magasin, marché; commerce.** *Bureau, comptoir, coopérative de vente. Vente insuffisante* (⇒ **Mévente**), *continue, régulière...* (⇒ **Débit, écoulement**). *Denrée d'une vente difficile* (⇒ **Placement**). *Les ventes restaient au-dessous de la normale* (→ Stock, cit. 3). — Loc. *Marchandises de vente, hors de vente*, qui se vendent bien, ne se vendent pas. *Marchandises de grande, de petite vente.*

0.1   Elle s'attarda plus longuement, avec une compassion affectueuse, aux articles de
     petite vente, vanille, réglisse, fruits confits, sucre d'orge, noix exotiques, qui
     traînent une existence oubliée sous les bocaux et les transparents de papier.
                        M. AYMÉ, *Maison basse*, p. 232.

EN VENTE : pour être vendu (→ Exposer, cit. 5), ou disponible dans le commerce. *Cet ouvrage n'est pas encore en vente. En vente libre, rationnée. Mettre qqch. en vente :* proposer aux acheteurs, aux consommateurs éventuels. — *Fabriquer un objet pour la vente. S'occuper de la vente* (⇒ **Vendeur; courtier**). *Pousser à la vente. Faire une première vente* (⇒ **Étrenne**). *Manquer, rater une vente* (→ Coucheur, cit. 2). — *Vente à prix fixe, débattu. Vente en gros, en demi-gros, au détail, en magasin; vente au déballage, en boutique; à la sauvette. Vente de la viande à la cheville. Vente directe, vente par coupons, à l'abattage*. Vente par correspondance* (V.P.C.) : vente réalisée sur catalogue. *Vente à domicile* (par courtage, démarchage...). *Vente automatique*, utilisant des machines qui débitent des marchandises en échange d'une somme d'argent introduite dans la machine par l'acquéreur. — *Vente au prix courant, à prix trop élevé* (⇒ **Survente**), *à bas prix* (→ Résultat, cit. 2), *au rabais, avec remise* (⇒ **Liquidation, rabais, solde; braderie**). *Vente-réclame* (2. Réclame, cit. 8). *Ventes promotionnelles. Ventes d'objets d'occasion, de restes* (⇒ **Regrat, regrattier** vx).

1   Mathias tenta d'imaginer cette vente idéale qui ne durait que quatre minutes :
     arrivée, boniment, étalage de la marchandise, choix de l'article, paiement de la
     valeur inscrite sur l'étiquette, sortie.   A. ROBBE-GRILLET, *le Voyeur*, p. 35.

Vente au comptant, à crédit, à tempérament*.

Comm., écon. *Technique de la vente.* ⇒ **Commerce.** *Équipe de vente. Animateur des ventes.* « *Promotion** (développement) *des ventes* », expressions calquée de l'anglais, devenue courante dans l'usage commercial. ⇒ aussi **Marché** (étude des marchés), **marketing** (anglic.), **publicité.** *Prix de vente* (et prix d'achat, de revient). ⇒ **Bénéfice, prix, profit** (cit. 9). *Service après-vente,* chargé de l'entretien après la vente. ⇒ **Après-vente.**
Promesse, engagement (→ 2. Reçu, cit.); *acte* (→ Passation, cit.), *contrat* (→ Lésion, cit. 2) *de vente* (→ ci-dessous, 2.). — *Vente d'objets matériels, de meubles, d'immeubles, de titres, de devises, d'effets de commerce.*

(Au Canada). *Vente-débarras* : mise en vente à prix réduits, par un particulier, sur sa propriété, d'objets dont il veut se défaire (coutume fréquente en Amérique du Nord, notamment avant un départ). ⇒ **Bric-à-brac, 3.**

Publicité. *Vente d'espace publicitaire* (par une publication).

♦ **2. Dr.** Contrat par lequel une des parties (le vendeur, la venderesse) s'engage et s'oblige à transférer la propriété d'un bien et à le livrer à l'autre partie (acheteur, acquéreur), qui s'oblige à en payer le prix*. ⇒ **Aliénation, cession, marché, transfert** (de propriété); **livraison** (→ Titre, cit. 13). *Ratification* (cit. 1), *réalisation* (cit. 3) *d'une vente. Vente entachée de lésion*. Vice rédhibitoire* d'une vente.* ⇒ **Rédhibition.** *Rescision* d'une vente* (→ Léser, cit.). — *Vente à terme,* où l'obligation du vendeur *(vente à livrer),* de l'acheteur *(vente à crédit)* n'est exigible qu'à l'expiration d'un terme. *Location-vente. Vente au disponible, en disponible,* où la marchandise offerte est en magasin et mise à la disposition de l'acquéreur (opposé à la *vente à livrer). Vente à la consommation, à l'acquitté* (le vendeur supporte les frais de transport, les droits de douane). *Vente à l'essai. Vente à réméré* (cit.). *Vente sur documents,* réalisée par la remise d'un titre. *Vente libre, volontaire; forcée* (cit. 34). *Vente après, sur saisie* : vente forcée des biens d'un débiteur. ⇒ **Saisie, récolement.** *Vente judiciaire*,* par autorité (cit. 22) de justice. *Vente sur publication. Vente par adjudication*. Vente de biens de mineurs, de biens de faillite* : soumis à une législation spéciale. — *Vente administrative,* portant sur des biens appartenant aux collectivités publiques. *Vente domaniale.* — **Hist.** *La vente des biens nationaux* (→ Naître, cit. 15).

Vente publique, dans laquelle toute personne peut se porter acheteur. — **Spécialt.** *Vente aux enchères* (cour.) ⇒ **Enchère.** — *Vente à l'encan** (→ Entreprise, cit. 11) : vente publique de meubles aux enchères. *Vente par licitation** (⇒ aussi **Colicitant**).

Bourse. *Vente à livrer* : marché à terme. *Vente à couvert, à découvert.*

♦ **3.** (1580). Réunion des vendeurs et des acquéreurs éventuels, au cours de laquelle on procède à une vente publique. *Assister à une vente. La vente aura lieu tel jour. Salle des ventes* (→ Envoyer, cit. 16), où ont lieu les ventes publiques. *Une vente de la Salle Drouot* (→ Oreille, cit. 41).

2 Les deux sœurs, d'une commune entente, l'avaient choisi pour procéder à la licitation de la maison, des meubles et des bêtes. La vente par voie d'affiches fut fixée au deuxième dimanche du mois (...)   ZOLA, la Terre, IV, VI.

Vente à la criée. ⇒ **Criée.**
Vente de charité, au cours de laquelle on vend au bénéfice d'une œuvre des objets généralement donnés.

★ **II.** (V. 1200). ♦ **1. Techn.** (eaux et forêts). Coupe réglée dans un bois, une forêt ; (1373) partie de la forêt* qui vient d'être coupée (pour être vendue). ⇒ **Ventier.** *Jeunes ventes,* où le bois commence à repousser. — *Les Grandes Ventes* (nom de lieudit). — **Spécialt.** Lieu où des charbonniers fabriquaient sur place le charbon de bois.

3 (...) leurs richesses glacées les laissent plus démunis que le charbonnier dans sa vente (...)   M. GENEVOIX, Forêt voisine, I.

♦ **2.** (Av. 1848, Chateaubriand, ital. *venta*). **Hist. ital.** Réunion de carbonari* ; section de leur société.

★ **III. Féod.** *Lods et ventes.* ⇒ **Lods.**

CONTR. Acquisition ; achat.
DÉR. Ventier.
COMP. Après-vente, mévente, revente, survente.
HOM. Formes des v. vanter, venter.

VENTÉ, ÉE [vãte] adj. — XIXᵉ ; XIIIᵉ, « jeté au vent » ; de *venter,* v. tr., « pousser par le vent ».

♦ **Rare.** Où il y a du vent. ⇒ **Éventé, venteux.** *Une plaine ventée.*

HOM. Vanter, venter.

VENTEAU [vãto] n. m. — 1757, « soupape de soufflet de forge » ; sens inconnu (« vantail » ?), 1640 ; de *vent.*

♦ **Techn.** Ouverture munie d'une soupape par laquelle l'air pénètre dans un soufflet, une soufflerie de forge. *Des venteaux.*

HOM. Plur. de vantail, ventail.

VENTER [vãte] v. impers. — 1150 ; de *vent.*

♦ **1.** Se dit du phénomène météorologique appelé *vent,* quand il se produit. *Il vente* : il fait du vent. *Il ne pleuvait ni ne ventait davantage* (→ Gros, cit. 30). *Sans s'inquiéter s'il pleut ou s'il vente* (→ Ouvrier, cit. 1).

1 Ce sont amis que vent emporte,
Et il ventait devant ma porte.   RUTEBEUF, la Complainte Rutebeuf.

Cour. en loc. *Qu'il pleuve ou qu'il vente* : par tous les temps.

2 Qu'il vente, qu'il pleuve, qu'il grêle, ceux qui sont morts sont morts (...)   MOLIÈRE, l'Amour médecin, III, 1.

♦ **2.** (Emploi personnel). **Rare.** Produire du vent (La Fontaine, *Fables,* VI, 4); souffler. — **Prov.** *On ne peut empêcher le vent de venter.*

COMP. Surventer.
HOM. Vanter.

VENTEUX, EUSE [vãtø, øz] adj. — 1380, *venteus,* méd., XIIIᵉ ; souvent fig. au XVIᵉ, « vain, enflé ; léger, rapide comme le vent » ; lat. *ventosus,* de *ventus* « vent ».

♦ **1. Rare.** Où il y a du vent; exposé au vent. ⇒ **Éventé.** *Plaine venteuse. Mois, jour venteux.* ⇒ **Venté.**

(...) il était transpercé de froid en longeant l'île venteuse, car habitué aux grands froids, il eût préféré recevoir en plein cœur le féroce déploiement des tempêtes de son pays plutôt que ce maigre filet de brouillard (...)   Marie-Claire BLAIS, Une liaison parisienne, 1976 ; p. 35.

♦ **2.** (1256). Qui produit des vents, des flatuosités. *Aliments venteux* (Fourcroy, *in* Littré). ⇒ **Flatueux.** — (V. 1560). Qui s'accompagne de flatuosités. *Colique venteuse* (Paré). ⇒ **Flatulent.**

VENTIER [vãtje] n. m. — 1577 ; autre sens 1264, « surveillant des ventes » ; de *vente.*

♦ **Techn.** (eaux et forêts). Acheteur des coupes de bois. — Ouvrier qui marque le bois devant être abattu, dans une vente (II., 1.).

VENTILATEUR [vãtilatœr] n. m. — 1744, M. Demours, trad. de Hales ; angl. *ventilator,* calque du lat. *ventilator* « vanneur », de *ventilatum,* supin de *ventilare.* ⇒ **Ventiler.**

♦ **1.** Appareil, dispositif servant à brasser l'air, à produire un courant, un flux d'air. Abrév. fam. : *ventilo. Le ventilateur de Hales était une sorte de soufflet à cloison mue par un levier* (cf. Encyclopédie, 1765). *Ventilateur à main* (⇒ **Panka**), *mécanique, à vapeur, électrique. Ventilateurs puissants utilisés dans les galeries, les puits de mine. Ventilateur d'appartement, à hélice,* servant à renouveler l'air, à rafraîchir (→ Balancer, cit. 6 ; buée, cit. 3). ⇒ aussi **Aérateur.**

1 Je vous demande un peu ce que signifiait votre petit ventilateur ! D'abord rien ne m'agace comme ça tourne sur votre place ; vous devriez savoir cela, depuis le temps ! — Et puis en fait-il un vilain bruit quand il tourne !   GIDE, Paludes, *in* Romans, Pl., p. 124.

2 *(Le jeune homme)* fabriqua un ventilateur à hélice pratique et léger. Cet appareil avait sur un simple soufflet l'avantage d'une parfaite régularité dans son haleine douce et ininterrompue.   Raymond ROUSSEL, Impressions d'Afrique, p. 357.

3 Au plafond, un ventilateur à larges pales brassait l'air en silence, coupant les volutes de fumée de cigarettes.   J.-M.G. LE CLÉZIO, la Fièvre, 1965, p. 33.

Ventilateur-aérateur : appareil fixe, placé sur la vitre d'une fenêtre.

♦ **2.** Appareil produisant un courant d'air plus ou moins puissant pour alimenter en oxygène une combustion; pour effectuer le séchage*, pour trier, nettoyer une substance en éliminant les impuretés plus légères (tarare). ⇒ **Soufflerie.** *Ventilateurs à force centrifuge* (axe en rotation muni de palettes, tambour muni d'ouïes ou d'œillards), *à hélice, mixte* (hélice et palettes), *à turbine* (turboventilateur). *Ventilateurs à capacité variable* : les pompes rotatoires, qui aspirent* et refoulent le fluide. *Ventilateurs injecteurs* (⇒ **Trompe**). — **Mar.** *Ventilateur de chauffe.*

(Déb. XXᵉ). *Le ventilateur,* utilisé dans le refroidissement du moteur d'une automobile (par air ou par eau. ⇒ **Radiateur**). *Courroie de ventilateur. Ventilateur débrayable.* « *Le radiateur nid d'abeilles* (...), *toujours accompagné d'un ventilateur* » (*Rev. gén. des sc.,* 30 sept. 1903, nº 18, p. 942).

♦ **3.** (Emploi adj.; fém. *ventilatrice*). **Techn.** Qui sert à ventiler. « *Cheminées ventilatrices* » (*Année sc. et industr.,* 1876, p. 397).

VENTILATION [vãtilasjõ] n. f. — 1531 ; lat. *ventilatio* « exposition à l'air », de *ventilare.* → Ventiler, de *ventus* « vent ».

★ **I.** (Rare av. 1819). ♦ **1.** Opération par laquelle l'air est brassé, renouvelé. *Ventilation naturelle, ascendante, descendante* (par évacuation de l'air vicié). ⇒ **Aération.** *Ventilation forcée,* par aspiration de l'air vicié ou insufflation d'air pur. ⇒ **Aérage.** — Techn. *Ventilation thermique* (⇒ **Cheminée**; **tirage**). *Ventilation mécanique* (⇒ **Soufflerie, ventilateur**).

♦ **2.** Techn., didact. Production d'un courant d'air pour permettre ou faciliter un phénomène physique ou chimique, lors d'une opération technique. — Par anal. *Ventilation pulmonaire* (⇒ **Respiration**). → Souffle, cit. 12.

Méd. *Ventilation artificielle* : respiration* artificielle. *Ventilation assistée* : ensemble des techniques permettant de pallier l'insuffisance de la ventilation pulmonaire naturelle (on dit aussi *respiration assistée*).

♦ **3.** Par métonymie. Tuyauterie de ventilation. *Une ventilation de gros diamètre. Ventilation en tôle galvanisée.*

★ **II.** (1574). Fig., dr. Le fait de ventiler (II.). — Estimation de la valeur relative d'une partie. *Ventilation entre la valeur des droits incorporels, et celle des éléments corporels lors de la vente d'un fonds de commerce.* — (xxᵉ). Fin., comptab. Répartition entre divers comptes, divers chapitres. *Ventilation des frais généraux.*

À la fin de décembre 15, Haverkamp avait récapitulé ses opérations de l'année. Son calcul (certains reports, certaines ventilations y étaient un peu arbitraires) lui donna, pour les bénéfices, le chiffre d'un million quarante-deux mille deux cent cinquante francs.
J. ROMAINS, les Hommes de bonne volonté, t. XVI, XVIII, p. 177.

VENTILEMENT [vãtilmã] n. m. — 1596, *ventillement* (des comptes); de *ventiler.*

♦ Rare, littér. Action de ce qui fait du vent.
La Faustin fut soudainement tentée (...) de sentir sur sa figure le ventilement rafraîchissant de la brise neigeuse.   Éd. DE GONCOURT, la Faustin, XIV.

VENTILER [vãtile] v. tr. — 1820; *se ventiler* «s'éventer», 1530; *venteler* «agiter en l'air», 1150; «flotter au vent», 1080; lat. *ventilare,* de *ventus.* → Vent.

★ **I.** Produire un courant d'air dans..., sur... ⇒ **Aérer, souffler** (sur). *Ventiler une pièce par des ouvertures* (⇒ **Aération**), *un courant d'air chaud* (ventilation naturelle et thermique), *un appareil* (⇒ **Ventilateur**), faire que l'air y soit brassé, s'y renouvelle*. *Ventiler une galerie de mine, la cale d'un navire.* — Techn. *Ventiler un four, un moteur.*

1   (...) le souffle tiède d'une bouche de calorifère, qui ventile le poil remuant des petits chiens dans leur corbeille.
Éd. et J. DE GONCOURT, Journal, 14 nov. 1874, t. V, p. 120.

★ **II.** (1265; lat. jurid. *ventilare*). Fig. ♦ **1.** Vx. Examiner, discuter une cause (→ Agiter, sens fig. du lat. class. *ventilare*).

♦ **2.** (1611). Dr. Évaluer* (une ou plusieurs portions) relativement au tout, dans une vente (⇒ **Ventilation,** II.). — Comptab. Répartir entre plusieurs comptes. *Ventiler les dépenses.*

♦ **3.** (Mil. xxᵉ). Répartir en plusieurs groupes (des choses, des personnes).

1.1 Roudax, latiniste, avait ventilé les élèves de façon radicale, au niveau de la 6ᵉ.
Claude COURCHAY, la Vie finira bien par commencer, 1972, p. 25.

▶ **VENTILÉ, ÉE** p. p. adj. *Local bien ventilé.*

2   (...) j'ai dû marcher longuement sous la pluie avant d'entrer enfin dans un restaurant souterrain mal éclairé, mal ventilé, bruyant, bondé.
Michel BUTOR, l'Emploi du temps, p. 248.

Par métaphore (littéraire) :

3   Chaque guitariste, à tour de rôle, module la part du poème qui lui revient, en observant un silence après chaque quatrain, silence ventilé par les guitares.
René CHAR, les Matinaux, p. 13.

Dépenses ventilées.

DÉR. (Du sens I) **Ventilement, ventileuse.**

VENTILEUSE [vãtilØz] n. f. — 1901, Maeterlinck, *la Vie des abeilles*; de *ventiler,* I.

♦ Zool. Abeille qui bat des ailes à l'entrée de la ruche pour en renouveler l'air.

VENTILLON [vãtijõ] n. m. — 1872; de *vent.*

♦ Techn. Soupape qui ferme le venteau d'un soufflet de forge.

VENTILO [vãtilo] n. m. — 1952; de *ventilateur,* abrégé et suffixé en *-o.*

♦ Argot, fam. Ventilateur. *Arrêtez les ventilos!*

VENTIS [vãti] n. m. pl. — 1829; *venti,* 1812; de *vent.*

♦ Techn. (eaux et forêts). Arbres abattus par le vent. *Faux ventis :* arbres déchaussés pour que le vent les abatte.

VENTOLIER [vãtɔlje] adj. m. — 1599; provençal *ventolier,* de *ventoler* «mettre au vent».

♦ Fauconn. *Oiseau ventolier,* qui se plaît au vent ou qui résiste bien au vent. — N. m. *Un ventolier.*

VENTÔSE [vãtoz] n. m. — 1793; mot créé par Fabre d'Églantine, du lat. *ventosus* : ce mois prend son étymologie «des giboulées..., et du vent qui vient sécher la terre de février en mars». → Venteux.

♦ Sixième mois du calendrier républicain (du 19 ou 21 février au 19-21 mars).

VENTOSITÉ [vãtozite] n. f. — 1256; *ventosetei,* v. 1220; bas lat. médical *ventositas,* même sens, du lat. class. *ventosus.* → Venteux.

♦ Vx et rare. Accumulation de gaz dans l'intestin. ⇒ **Flatulence, vent** (II., 4.).

VENTOUSAIRE [vãtuzɛR] adj. — xxᵉ; de 1. *ventouse.*

♦ Didact. (biol.). Qui a une fonction de ventouse.
Les modifications les plus importantes sont réalisées pour faire de la soudure des pelviennes un organe ventousaire. Le plus simple est la ventouse des *Gobius,* où la structure des nageoires avec leurs rayons est bien conservée.
R. et M.-L. BAUCHOT, les Poissons, p. 23.

1. VENTOUSE [vãtuz] n. f. — 1314; *venteuse,* 1256; du lat. médical *ventosa (cucurbita)* «(courge) pleine de vent, d'air».

♦ **1.** Méd. Petite cloche de verre appliquée sur la peau après qu'on y a raréfié l'air, pour provoquer une révulsion. *Ventouses scarifiées* (cit.) *et ventouses sèches.*

1   Puis, sur ses indications, Gise lui avait posé ces ventouses; elles commençaient à agir, déjà les bronches se dégageaient, la respiration devenait plus aisée.
MARTIN DU GARD, les Thibault, t. VIII, p. 224.

♦ **2.** (1828). Organe de succion, d'aspiration, de forme circulaire et où un vide partiel se fait. *Ventouses des céphalopodes* (pieuvres, etc.), *des vers* (sangsues, trématodes), *des échinodermes* (étoiles de mer, oursins). — Disque adhésif de certains batraciens.

2   *(La pieuvre)* est inarrachable. Elle adhère étroitement à sa proie. Comment? Par le vide. Les huits antennes, larges à l'origine, vont s'effilant et s'achèvent en aiguilles. Sous chacune d'elles s'allongent parallèlement deux rangées de pustules (...) il y a cinquante pustules par antenne (...) ces pustules sont des ventouses. Ces ventouses sont des cartilages cylindriques, cornés, livides.
HUGO, les Travailleurs de la mer, II, IV, II.

Par anal. *La bouche, l'avide ventouse musclée* (→ Sucer, cit. 3). *Faire ventouse :* adhérer. — Par métaphore. *Être collé* (cit. 14) *comme une ventouse.*

3   (...) il faut descendre encore, enfoncer jusqu'aux chevilles dans la prairie d'où il arrache ses pieds avec un bruit de ventouse. F. MAURIAC, les Anges noirs, XIV.

Fig. ⇒ **Sangsue.** « *Ces hideuses ventouses* (ces commerçants) *épuisent ainsi peu à peu la substance de notre peuple...* » (Bernanos, *les Grands Cimetières sous la lune,* p. 312).

♦ **3.** Par appos. *Voiture ventouse* : véhicule automobile qui occupe pendant une durée excessive une place de stationnement, dans une grande ville. *La police fait enlever les voitures ventouses.* « *Les commerçants sont partis en guerre contre les "voitures ventouses" qui empêchent le stationnement de leurs clients* » (*la Croix,* 5 mars 1970).

♦ **4.** Ⓐ Dispositif (rondelle de caoutchouc, etc.) qui se fixe contre une surface plane par vide partiel. *La ventouse d'une flèche de pistolet d'enfant.*

Par appos. (à propos d'objets munis d'un tel dispositif). *Mine-ventouse* (in P. Gilbert).

Ⓑ (V. 1960). *Ventouse obstétricale* : appareil à vide utilisé pour extraire la tête du fœtus, lors d'un accouchement.

DÉR. **Ventousaire, ventouser.**
HOM. 2. Ventouse.

2. VENTOUSE [vãtuz] n. f — 1676; de *vent* ou du lat. *ventus.* → Vent.

Technique.

♦ **1.** Constr. Ⓐ Ouverture pratiquée dans une fosse, un conduit, etc. — Ouverture dans un mur épais (pour l'écoulement de l'humidité).

— Alors, c'est la cheminée...
— Probablement... et si c'était un effet de votre bonté de nous faire poser une petite trappe et une petite ventouse...   E. LABICHE, les Petits Oiseaux, I, 3.

Ⓑ Hublot d'aération.

© Appareil servant à purger l'air des conduites d'eau.

♦ **2.** Effondrement partiel dans une chaussée, formant un trou.

♦ **3.** Petite ouverture dans la calotte d'un chapeau imperméable. ⇒ **Œillet.**

HOM. 1. Ventouse.

VENTOUSER [vɑ̃tuze] v. tr. — XIIᵉ ; de 1. *ventouse.*

♦ Poser des ventouses à (un malade).

▶ **SE VENTOUSER** v. pron.

(Fam., fig.). S'accrocher, tenir à (qqch.) comme par une ventouse. *« Tu glisses des tracts dans les boîtes aux lettres annonçant la création d'une radio dans le voisinage, une radio pour tous ! Mais attention, une radio-suspense ! Ils se ventousent au transistor et là tu fais « Vous êtes là... ».* (Charlie-Hebdo, 12 janv. 1978).

▶ **VENTOUSÉ, ÉE** p. p. adj.

(La chienne) allaite couchée en sphinx (...) et s'en va (...) remorquant deux nourrissons ventousés à ses mamelles. Ils tètent, oubliés, vivaces (...)
     COLETTE, la Maison de Claudine, La «merveille».

VENTRAILLES [vɑ̃tRaj] n. f. pl. — XIIᵉ ; de *ventre.*

♦ Vx ou régional. Viscères (d'un animal). ⇒ **Tripaille.**

VENTRAL, ALE, AUX [vɑ̃tRal, o] adj. — V. 1363 ; lat. *ventralis* «du ventre», de *venter, ventris.* → Ventre.

♦ **1.** Relatif au ventre, à l'abdomen. ⇒ **Abdominal.** (En zool., on dit aussi *sternal.*) *Région ventrale. Nageoires* ventrales. — Le bord ventral d'une coquille.*
N. f. Nageoire ventrale. *Les pectorales et les ventrales.*

♦ **2.** Qui se porte sur le ventre. (Mil. XXᵉ). *Parachute ventral* (par oppos. à *dorsal*). — N. m. Parachute ventral. *Son dorsal s'était mis en torche, mais il a pu ouvrir le ventral.*
Qui se fait sur le ventre. Sports. *Rouleau* ventral.*

♦ **3.** Bot. *Suture ventrale :* ligne joignant les deux bords d'une feuille carpellaire pliée ou roulée sur elle-même.

DÉR. Ventralement.

VENTRALEMENT [vɑ̃tRalmɑ̃] adv. — XXᵉ ; de *ventral.*

♦ Didact. (sc. nat.). Selon une disposition ventrale ; sur la face ventrale.

Le cœur, situé ventralement juste en arrière des branchies, n'est qu'un conduit vasculaire aux parois épaissies et dont l'ensemble est coudé en forme de S.
     R. et M.-L. BAUCHOT, les Poissons, p. 40.

VENTRE [vɑ̃tR] n. m. — V. 1050, au sens I, 5 ; du lat. *venter, ventris* «estomac».

★ **I.** (Chez les humains). ♦ **1.** (1080). Partie antérieure du tronc, au-dessous de la taille, correspondant à la paroi abdominale et à une partie de la cavité de l'abdomen*. *Ventre et cuisses.* ⇒ **Giron** (1.). *Le nombril* est sur la ligne médiane du ventre. Entrer dans l'eau, s'enfoncer jusqu'au ventre. Coucher, dormir sur le ventre* (→ Oreiller, cit. 3). *Se traîner sur le ventre.* ⇒ **Ramper.** *Se coucher, se jeter* (cit. 42) *à plat ventre.* ⇒ **Plat** (cit. 6, 7 ; et *supra*).

1   Je lui déprimai pour commencer la paroi du ventre, avec beaucoup de précaution, graduellement, depuis l'ombilic jusqu'aux bourses, et puis je l'auscultai (...)
     CÉLINE, Voyage au bout de la nuit, p. 249.

Douleurs de ventre. Avoir mal (cit. 17) *au ventre, aux entrailles, à l'intestin.* ⇒ **Colique, colite.** *Avoir le ventre ballonné, enflé, gonflé, tendu* (⇒ **Ballonnement**), *durci par une maladie.* — (1877). Méd. *Ventre en bateau. — Coup dans le ventre. Marcher, passer* sur le ventre de qqn. — Ouvrir, percer le ventre à qqn, de qqn* (⇒ **Bedaine, paillasse**). *Recevoir une balle dans le ventre* (⇒ fam. **Baquet, buffet, burlingue, caisse**). *Blessure au ventre. Coup de pied dans le ventre. Mouvements du ventre* (→ Ondulation, cit. 3).
(1889). *Danse du ventre* (→ Suggestif, cit. 2) : danse orientale féminine caractérisée par des mouvements rythmés du bassin.

1.1   Le bonisseur vint voir s'il pouvait y aller. On pouvait commencer. Il fit donc fonctionner le piqueuse qui se mit à dégabouler Travadja la moukère et le Boléro de Ravel, et, lorsque les luxurieux supposant quelque danse du ventre se furent arrêtés devant l'établissement, il dégoisa son boniment.
     R. QUENEAU, Pierrot mon ami, 1942, éd. L. de Poche, p. 67.

BAS VENTRE. ⇒ **Bas-ventre.** Par euphémisme. Le sexe. — **REM.** Dans la langue classique, *ventre* était réservé à la prose, au genre burlesque, surtout au sens propre (→ 2. Flanc).

(V. 1462). Loc. vx. *Petit ventre :* bas ventre.

Loc. fig. *Se mettre à plat* ventre devant qqn :* s'humilier, le plus souvent par intérêt. — *Taper* sur le ventre de (à) qqn.* — *Marcher, passer sur le ventre de qqn :* écraser, éliminer (qqn) pour arriver à ses fins.

---

2   (...) quand on est bien décidé à passer sur le ventre de tout, les obstacles se simplifient singulièrement, car, parmi ceux qui encombrent la vie humaine, la plupart n'ont d'autre force que notre répugnance à les aborder et notre parti pris de les ménager.
     J.-A. DE GOBINEAU, les Pléiades, III, VII.

Loc. prov. *Le dos* au feu* (1. Feu, cit. 2), *le ventre à table.*

(Dans des jurons anciens). *Ventre Dieu !* ⇒ **Ventrebleu.** *Ventre Saint-Georges ! Ventre-Saint-Gris* (voir ce mot).

♦ **2.** (1080). Chez les animaux. Partie analogue au ventre humain chez les mammifères, et, par ext., Paroi inférieure du corps (opposé à *dos**). *Cheval qui a trop de ventre* (→ Race, cit. 10). *Sangle qui passe sous le ventre du cheval* (⇒ **Sous-ventrière, ventrière**).

3   (...) à chaque gémissement son ventre nu se creusait, comme se creusent les ventres des fauves qui rugissent.   MONTHERLANT, le Songe, XII.

Oiseau au dos brun, au ventre gris (→ Rossignol, cit. 3). *Le ventre argenté des morues* (cit. 1). *Poisson mort, qui flotte le ventre en l'air* (→ Carène, cit. 1).

(1690). Loc. **VENTRE À TERRE** (se dit d'un quadrupède — cheval, etc. — et, par ext., d'une personne). *Courir ventre à terre*, très vite. *Il est arrivé ventre à terre.*

3.1   (...) la grande sécheresse est encore loin ; ce ne sont pas non plus des terres que l'on flambe, car les travaux des champs ne sont pas encore commencés. Et cette direction, en plein nord-ouest ! Il n'y a pas de doute, c'est l'Ermitage !
    — Ah, les salauds !
    Suter enfourche son cheval, tourne bride et rentre ventre à terre à la maison.
     B. CENDRARS, l'Or, in Œ. compl., t. II, p. 228.

♦ **3.** Proéminence que forme la paroi antérieure de l'abdomen, de la taille au bas-ventre. ⇒ fam. **Bedaine, bedon, bedondaine, berdouille, bide, bidon, brioche, panse.** *Avoir un gros ventre, un ventre piriforme* (cit.), *proéminent* (→ Embonpoint, cit. 5). *Avoir le, un ventre comme une outre, un tonneau* (→ Gros, cit. 5). *Un ventre de bourgeois* (→ Poussif, cit. 2), *de propriétaire* (→ Friser, cit. 14), *d'homme bien nourri* (→ ci-dessous, 4.). *Rentrer* le, son ventre.*

4   Il avait un gros ventre de boutiquier, rien qu'un ventre où semblait réfugié le reste de son corps, un de ces ventres mous d'hommes toujours assis qui n'ont plus ni cuisses, ni poitrine, ni bras, ni cou, le fond de leur chaise ayant tassé toute leur matière au même endroit.   MAUPASSANT, Pierre et Jean, III.

(Mil. XIXᵉ). *Avoir, prendre du ventre, un peu de ventre.* ⇒ **Bedonner ; embonpoint** (→ Détériorer, cit. 4).

5   Le ventre, ce n'est pas une simple affaire de graisse et d'avachissement, c'est une déformation morale. On prend du ventre quand l'esprit se relâche et consent à la décadence.   G. DUHAMEL, Chronique des Pasquier, VI, VIII.

♦ **4.** (V. 1225). Cour. L'abdomen, en tant que siège de la digestion (estomac* et intestins). ⇒ fam. **Bocal, buffet, panse.** *Les gloutons dont le ventre est un abîme* (→ Gastronome, cit. 1). *Le ventre est l'outre* (1. Outre, cit. 4) *des vices.* Loc. *Avoir le ventre creux** (⇒ **Faim,** cit. 7), *l'estomac vide. Ventre affamé* n'a pas d'oreilles.* **REM.** Ce prov. se trouve chez Rabelais, Tiers livre, 15 ; La Fontaine (→ aussi Surnom, cit. 2, Proust).

5.1   (...) quand je vois mes gosses toussoteux, maigrefoutus et rien au ventre, c'est plus fort que moi, je m'en vais réclamer.
     M. AYMÉ, le Passe-muraille, 1943, p. 256.

(1552, *remplir son ventre*). *Se remplir le ventre :* boire, manger*. — *Tenir au ventre. Nourriture qui tient au ventre* (→ fam. Caler), qui rassasie. — *Avoir le ventre plein :* être rassasié*. — *Avoir les yeux plus gros (plus grands) que le ventre :* vouloir manger plus que son appétit ne réclame. — *Œil,* I., 4. — *Se serrer** (cit. 7) *le ventre* (⇒ **Ceinture**). — (1888). *Se brosser, se frotter le ventre :* se passer de manger. *Bouder*, contre son ventre.*

6   — Mais on t'aime autant que les autres, imbécile ! (...) Tu boudes contre ton ventre. Accepte !   ZOLA, la Terre, I, V.

La reconnaissance* (cit. 17) *du ventre.* — Loc. prov. *Habits* de velours, ventre de son.* — Régional. *Manger, boire à plein ventre.*

6.1   Il y a deux jours qu'elle grelottait malgré la touffeur immobile de l'air. Elle a dû boire à plein ventre de l'eau de la citerne qui sert seulement pour les bêtes.
     J. GIONO, Colline, 1928, Pl., t. I, p. 171.

Par ext. *Manger, rire à ventre déboutonné** (en desserrant les vêtements qui serrent, compriment le ventre).

(V. 1225). Loc., vx. *Faire un dieu de son ventre :* ne songer qu'à manger.

Jonas dans le ventre de la baleine*. — Par métaphore. *Le Ventre de Paris* (les Halles), roman de Zola.

Les intestins par leur fonction physiologique. *Du ventre.* ⇒ **Alvin, intestinal.** *Avoir le ventre serré, paresseux* (⇒ **Constipation**). *Médicament qui resserre* le ventre. Flux de ventre.* ⇒ **Diarrhée ; dévoiement** (2.). *Se décharger le ventre.* ⇒ **Déféquer.**

MAL AU VENTRE. *Avoir mal au ventre, aux intestins.* Loc. fig. *Faire mal au ventre à qqn,* lui être très désagréable. *Ça me fait mal au ventre :* cela m'écœure, me répugne. « *Encore un pour l'Alsace-Lorraine ! Il me fait mal au ventre !* » (Céline). → Faire mal au cœur*, aux seins*.

Franç. d'Afrique. Loc. *Avoir le ventre sec :* être constipé. Fig. *Avoir le ventre serré :* avoir peur.

♦ **5.** (V. 1050 ; premier sens attesté). Cour., littér. Chez la femme, l'abdomen en tant que siège de la gestation et des organes génitaux internes. ⇒ **Sein, utérus.** *Dès le ventre de ma mère* (→ Ennui, cit. 26). *Au sortir du ventre de leur mère.* ⇒ **Naissance** (→ 2. Neuf, cit. 15). — *Euphém. Avoir mal au ventre* (en parlant d'une femme) : avoir ses règles.

7 Maudite soit la nuit aux plaisirs éphémères
Où mon ventre a conçu mon expiation !
                  BAUDELAIRE, les Fleurs du mal, «Spleen et idéal», I.

8 Yvonne avait été malade, des trucs au ventre, comme toutes les femmes. Elle avait dû continuer à faire son service. En avril, il l'avait trouvée plusieurs fois pliée en deux, les poings sur les ovaires.   ARAGON, les Beaux Quartiers, II, XXI.

(1685). Dr. *Curateur* (cit. 4) *au ventre.* — **Par ext.** Ascendance maternelle. — (1556). *Le ventre anoblit* (cit. 3 et 4).

Franç. d'Afrique (dans des expressions). Les organes féminins. Loc. *Avoir le ventre* : être enceinte. — (Au Togo). *Ventre madame* (même sens ; opposé à *ventre tout-le-monde*).

◆ **6.** ⓐ **Vx.** L'intérieur du corps humain ; une des grandes cavités du corps (⇒ **Ventricule**). *«La division commune et vulgaire qui est faite en trois ventres : supérieur, moyen et inférieur... tête, thorax et épigastre»* (Paré, I, 1).

ⓑ **Loc. mod.** *Mettre, remettre du cœur au ventre,* de l'énergie, du courage. ⇒ **Cœur** (II., 2.). — *Faire rentrer les paroles dans le ventre :* interrompre qqn, empêcher de parler qqn et lui faire regretter ce qu'il a dit, le faire se rétracter. — (1463, *savoir ce que qqn a au ventre* ; 1618, *...dans le ventre*). *Ce que qqn a dans le ventre,* ce dont il est capable. *Il n'a rien dans le ventre :* il manque d'énergie, de ressources (⇒ **Incapable**). — *Chercher à savoir ce que qqn a dans le ventre,* quels sont ses projets, ses intentions* secrètes.

9 Ce petit Lucien n'avait que son roman et ses premiers articles dans le ventre (...) Il nous envoie des choses pitoyables.
Ne rien avoir dans le ventre, mot consacré dans l'argot du journalisme, constitue un arrêt souverain dont il est difficile d'appeler, une fois qu'il a été prononcé.
              BALZAC, Illusions perdues, Pl., t. IV, p. 874.

ⓒ **Franç.** d'Afrique (d'après les langues africaines). Siège des émotions humaines. ⇒ **Cœur.** *Avoir le ventre amer* (Côte-d'Ivoire, Bénin...) : être rancunier.

◆ **7. Par métaphore.** ⓐ (Du ventre des animaux). → ci-dessous, II., 4.

ⓑ *Le ventre mou* (de qqch.) : le point faible, de moindre résistance.

◆ **8.** (1680). **Par métonymie, techn., vx.** Planchette que l'ouvrier appuyait contre son ventre quand il planait une pièce. *Ventre à planer.*

★ **II. Par anal.** ◆ **1.** (1368). Partie creuse, lorsqu'elle présente à l'extérieur un renflement*. *Le ventre d'une cruche* (cit. 1), *d'une marmite* ⇒ Fendiller, cit. 1), *d'un vase, de certaines bouteilles.* ⇒ **Panse.**
Partie renflée de la caisse de résonance (d'un instrument à cordes) → Guitare, cit. 5 ; luth, cit. 1.

(Fin XVIᵉ). **Spécialt.** Partie bombée de la coque* (d'un navire). *Le ventre d'un chalutier* (cit.).

10 (...) le bassin du Commerce plein de navires, prolongé par d'autres bassins, où les grosses coques, ventre à ventre, se touchaient sur quatre ou cinq rangs.
           MAUPASSANT, Pierre et Jean, I.

(1904). **Vx.** *Ventre d'une voile :* son arrondi, quand elle est gonflée par le vent.

(Mil. XIXᵉ). Partie la plus large (d'un haut fourneau, d'une cuve, d'un four*, etc.).

◆ **2.** (1368 ; 1314, *ventre du doigt* «partie charnue, pulpe»). **Techn.** Renflement. — **Spécialt., constr.** Bombement, convexité que prend une partie de construction sous l'effet d'une pression, d'un poids excessifs ou d'un affaiblissement de ses éléments de soutien — charpente, contreforts, etc. (Se dit surtout des murs, mais aussi des plafonds, cf. cit. Nerval *infra*). *Un léger ventre, un ventre marqué.* — Loc. (1552). *Faire ventre* (→ Cuvelage, cit.). ⇒ **Boucler.** *Le mur de soutènement de la terrasse a fait ventre sous la pression des remblais.*

11 (...) les plafonds faisaient ventre et menaçaient la tête des habitants (...)
          NERVAL, Voyage en Orient, Femmes du Caire, III, VI.

(1562). Partie remplie, centrale (d'un muscle).

◆ **3.** (1700). **Phys.** Lieu des points d'un corps en vibration où les oscillations ont la plus grande amplitude (correspond à l'élongation maximum dans un système d'ondes stationnaires). *Ventres et nœuds d'une onde* (points* caractéristiques).

◆ **4.** (1933). Partie inférieure (par anal. avec le ventre des animaux). *Le ventre d'un char d'assaut. Hauteur sous ventre. Le ventre d'un avion, du fuselage.*

12 (...) l'homme couché sous le ventre de sa voiture, et qui reçoit un filet de cambouis sur le nez.
          J. ROMAINS, les Hommes de bonne volonté, t. III, XII, p. 164.

13 Ayant oublié, au retour d'un vol, de commander son train d'atterrissage, il avait posé l'avion sur le ventre.
          SAINT-EXUPÉRY, Pilote de guerre, 1942, *in* D.D.L., II, 16.

◆ **5.** Partie centrale (d'une page). *« (...) une information illustrée et coiffée d'un gros titre, dans le ventre de la page, attire plus l'œil*

qu'une information sur une colonne et sans illustration en tête» (Ph. Gaillard, *Technique du journalisme,* p. 111).

DÉR. Ventrailles, ventrée, ventrière, ventrouiller, ventru.
COMP. Bas-ventre, éventrer, sous-ventrière, ventrebleu, ventre-saint-gris.

VENTREBLEU [vãtRəbl∅] interj. — 1552 ; *ventre-Dieu,* XIVᵉ-XVᵉ ; de *ventre,* et *bleu,* euphém. pour *Dieu.*

◆ **Vx.** Jurement (cit. 1) en usage du XVᵉ au XVIIᵉ siècle (→ Juron, cit. 1).

— Mais écoutez-moi donc, sacrebleu ! je vous prêche la patience, la modération, mille tonnerres ! et vous ne m'écoutez pas, ventrebleu !
— C'est que vous prêchez... en jurant (...)
          E. LABICHE, Embrassons-nous, Folleville !, 4.

VENTRÉE [vãtRe] n. f. — 1226, «nourriture» ; v. 1167, «contenu du ventre ; excréments» ; de *ventre.*

◆ **1.** Nourriture qui remplit bien le ventre ; repas au cours duquel on s'empiffre (⇒ **Manger**). *Faire ventrée.* **Fam.** *Se flanquer une ventrée.*

L'eau du bassin se moire de débris où des mouettes font ventrée.
        J.-R. BLOCH, Cacaouettes et Bananes, p. 259.   1
Je me fiche une ventrée de couleurs, comme un âne s'emplit d'avoine.
        FLAUBERT, Correspondance, 235, 17 nov. 1849.   2

◆ **2. Par métaphore ou fig.** Profusion, débauche.

◆ **3.** (1600). Portée (d'une femelle).

VENTRE-SAINT-GRIS [vãtRəsɛ̃gRi] interj. — V. 1530 ; euphém. pour *ventre-dieu* ; de *ventre,* et *saint-Gris,* nom fantaisiste de saint.

◆ **Vx.** Juron (attribué à Henri IV).

VENTRICULAIRE [vãtRikylɛR] adj. — 1842 ; de *ventricule.*

◆ **Anat., méd.** Relatif à un ventricule, spécialt à un ventricule du cœur ou à un ventricule cérébral. *Parois, planches, sommet ventriculaires. Orifices ventriculaires. Contraction ventriculaire. Liquide ventriculaire.*

Sur les coupes frontales des hémisphères, les rapports de la tumeur avec les parois ventriculaires apparaissent nettement.
Cette tumeur, à la coupe, se montre formée d'une membrane isolable, distincte de la paroi épendymaire formant une cavité close, indépendante du ventricule qu'elle remplit, et cloisonnée.   B. CENDRARS, Moravagine, 1926, p. 259.

VENTRICULE [vãtRikyl] n. m. — 1314 ; lat. *ventriculus (cordis)* «petit ventre» (du cœur).

◆ **1.** Chacun des deux compartiments inférieurs du cœur, séparés par une cloison *(interventriculaire). Orifices veineux* (⇒ **Auriculoventriculaire ; valvule**), *artériels des ventricules. Parois, « colonnes charnues » des ventricules. Piliers du ventricule droit, gauche. Le sang artériel* (cit. 1) *sort du ventricule gauche et passe dans l'aorte ; le ventricule droit chasse le sang veineux, reçu de l'oreillette droite, dans l'artère pulmonaire* (→ Circulation, cit. 3).

◆ **2.** (1314, *ventricule du cervel*). **Didact.** Chacune des cavités contenues dans l'encéphale. *Ventricules latéraux,* s'étendant du lobe frontal au lobe occipital, complètement séparés mais tous deux en communication avec le *ventricule moyen (troisième ventricule.* ⇒ **Infundibulum**). *Ventricule bulbo-cérébelleux* ou *quatrième ventricule.*

Cette tumeur distend ainsi le 3ᵉ ventricule, écarte l'une de l'autre les couches optiques, mais amincit surtout le segment inférieur du ventricule, et la lame terminale laissant complètement intacte l'hypophyse dont la tente n'apparaît même pas déprimée. Les ventricules latéraux sont légèrement distendus.
        B. CENDRARS, Moravagine, 1926, *in* Œ. compl., t. IV, p. 259.

◆ **3. Zool.** *Ventricule succenturié des oiseaux :* renflement du duodénum qui forme un «second estomac».

DÉR. Ventriculaire.
COMP. Auriculo-ventriculaire ; ventriculographie, ventriculoscopie.

VENTRICULOGRAPHIE [vãtRikylogRafi] n. f. — 1953 ; de *ventricule,* et *-graphie.*

◆ **Méd.** Radiographie des ventricules (du cerveau, du cœur). *La ventriculographie du cerveau se fait par injection d'air et celle du cœur par injection d'une substance opaque.*

L'usage tend à réserver le nom de *ventriculographie* à l'injection directe d'air dans les ventricules selon les indications de Dandy (1918). Il s'agit d'un véritable acte de pratique neurochirugicale bien réglé où, sous anesthésie locale, sont pratiqués deux trous de trépan au regard des cornes occipitales que l'on atteint avec deux trocards mousses spéciaux traversant les pôles occipitaux. On procède à un lavage gazeux des ventricules latéraux, le liquide épendymaire s'écoulant par l'un des trocards, tandis que l'air est insufflé par l'autre, le sujet étant basculé en arrière.
      Ch. BARDENAT, *in* A. POROT, Manuel de psychiatrie, art. *Pneumographie et pneumothérapie cérébrales.*

REM. On trouve aussi *ventriculogramme*, n. m., «partie du cardio-gramme qui correspond à l'action du ventricule».

VENTRICULOSCOPIE [vãtʀikylɔskɔpi] n. f. — Mil. xxᵉ; de *ventricule*, et *-scopie*.

♦ Méd. Radioscopie des ventricules cérébraux.

VENTRIÈRE [vãtʀijɛʀ] n. f. — xiiᵉ, «ceinture de l'armure»; de *ventre*.

♦ **1.** (1325). Sangle qui passe sous le ventre dans le harnais du cheval. ⇒ **Sous-ventrière.** — Pièce de toile servant à soutenir et soulever un animal (pour l'embarquer, par exemple).

♦ **2.** (1935). Techn. Pièce de bois qui soutient par le milieu un assemblage de charpente, de menuiserie. *La ventrière d'une écluse.* — (1872). Mar. Pièce qui soutient le ventre d'un navire, avant le lancement. *Ventrière de ber** (on dit aussi *coussin*).

COMP. Sous-ventrière.

VENTRILOQUE [vãtʀilɔk] n. et adj. — 1552, Rabelais, *Quart livre*, 58; lat. *ventriloquus* «qui parle *(loqui)* du ventre».

♦ Personne qui peut articuler sans remuer les lèvres, d'une voix étouffée qui semble venir du ventre. *Ventriloque qui se produit dans un music-hall, fait parler un pantin... Voix de ventriloque.* — Adj. *Être ventriloque. Certains oiseaux* (par ex. : le hocco*) *sont ventriloques.*

1 (...) Ursus était ventriloque. On le voyait parler sans que sa bouche remuât. Il copiait, à s'y méprendre, l'accent et la prononciation du premier venu; il imitait les voix à croire entendre les personnes. A lui tout seul il faisait le murmure d'une foule, ce qui lui donnait droit au titre d'*engastrimythe*. Il le prenait. Il reproduisait toutes sortes de cris d'oiseaux (...)
HUGO, l'Homme qui rit, I, Chapitre préliminaire, I.

2 S'étant mordu la queue, il devint ventriloque.
Achille CHAVÉE, Choix d'aphorismes, 1959-1969, *in* Littératures de langue franç. hors de France, p. 303.

DÉR. Ventriloquie.

VENTRILOQUIE [vãtʀilɔki] n. f. — 1817; de *ventriloque*.

♦ Didact. Manière d'articuler, technique du ventriloque.

Dans les entr'actes, Ursus justifiait sa qualité d'engastrimythe et faisait de la ventriloquie transcendante; il imitait toute voix qui s'offrait dans l'assistance, un chant, un cri (...)
HUGO, l'Homme qui rit, II, III, III.

VENTRIPOTENT, ENTE [vãtʀipotɑ̃, ɑ̃t] adj. — 1552, Rabelais, à propos de Bacchus; de *potens* «puissant», d'après *omnipotent*.

♦ Fam. Qui a un gros ventre. ⇒ **Bedonnant, gros, pansu, ventru.**

1 (...) ce gros cuisinier, gras et ventripotent comme moine (...)
Th. GAUTIER, le Capitaine Fracasse, XI.

On trouve le dérivé *ventripotence* (fait d'être ventripotent; forte corpulence) :

2 La trouille donnait des ailes à sa ventripotence,
André CAYATTE, les Marchands d'ombre, p. 252.

VENTROUILLER [vãtʀuje] v. intr. — V. 1250; *ventroillier* «se coucher sur le ventre», v. 1155; de *ventre*, croisement probable avec *vautrouiller* (xviᵉ), de *vautrer*.

★ **I.** Fam. (T. de pêche). Rester le ventre posé sur le fond.

(...) certains poissons d'eau douce effectuent une migration partielle au moment du frai, tels (...) le barbeau et le hotu, émigrant parfois loin en amont du secteur où ils ventrouillaient inlassablement pour de seules raisons alimentaires.
Toute la pêche, nᵒ 57, p 39.

★ **II.** SE VENTROUILLER v. pron. (Fin xixᵉ, Huysmans).

Fig., rare. Se complaire dans une situation, un milieu sordides.

VENTRU, UE [vãtʀy] adj. — 1490; *ventré*, xiiiᵉ; de *ventre*.

♦ **1.** Qui a un gros ventre. ⇒ **Gros, pansu, ventripotent** (→ Court, cit. 5; pataud, cit. 1). *Une femme un peu ventrue.* — N. *Un ventru, une ventrue* (moins cour. au fém.).

1 (...) on en voyait (*des enfants*) de grands, l'air ficelle, de gros, ventrus déjà comme des hommes (...)
ZOLA, l'Assommoir, t. I, v, p. 196.

Fig. Homme riche, nanti. — (Av. 1834, Béranger). Spécialt. Député du centre qui soutenait le ministère (ils étaient souvent les hôtes des dîners officiels). → Nez, cit. 45; satirique, cit.

♦ **2.** (1586). Choses. Qui est renflé, bombé (⇒ Ventre, II.). *Bocal* (→ Macération, cit. 3), *réservoir* (→ Houka, cit. 2) *ventru. Commode ventrue.*

2 (...) des maisons noires en vieux bois pourri, avec (...) des étages ventrus qui avancent les uns sur les autres (...)
O. MIRBEAU, le Journal d'une femme de chambre, p. 63.

VENTURI [vãtyʀi] n. m. — xxᵉ (1949, *in* Larousse); n. propre.

♦ Techn. Appareil de mesure pour le débit d'un gaz, fondé sur la mesure des pressions différentielles (tube de Pitot). — Buse* d'un carburateur (étranglement ou *diffuseur* autour du gicleur*).

VENU, UE [v(ə)ny] adj. et n. — 1559, au sens 2.; p. p. de *venir*.

♦ **1.** Littér. (avec un adv.). *Être bien, mal venu* : arriver à propos (ou non); être bien (ou mal) accueilli (⇒ **Bienvenu, malvenu**). — *Être mal venu à* (vieilli), *de* (et inf.) : n'être pas fondé à.

1 — (...) Je vous trouve mal venus, trop fortunés mortels, à vous plaindre des imperfections de vos maîtresses!
BAUDELAIRE, le Spleen de Paris, XLII.

2 Les deux Simler auraient donc été mal venus de s'en plaindre.
J.-R. BLOCH, ... Et Cie, p. 33.

♦ **2.** N. (1580; 1559, comme adj.). *Le premier venu* : la première personne à se présenter; par ext., n'importe qui. ⇒ **Premier** (cit. 7). — *De nouveaux** *venus. Les derniers* (cit. 8) *venus.*

♦ **3.** Adj. (Êtres vivants). *Bien venu, mal venu.* Qui s'est développé (bien, mal). *Un enfant mal venu, chétif. Sujets malingres* (cit. 4), *mal venus, mal conformés.* ⇒ **Malvenu.**

(Choses). Qui a été produit (bien ou mal). *Gravure bien venue.* ⇒ **Réussi.**

3 — Ma lithographie de chez Leblond n'est pas mal venue.
E. DELACROIX, Journal, 20 avril 1824.

4 J'avais appris par cœur la pièce (...) elle était d'un écolier sans doute, mais prodigieusement bien venue. Je commençai de la lui réciter.
GIDE, Si le grain ne meurt, I, VIII.

Tard venu : qui s'est développé tard; qui est né longtemps après ses frères ou sœurs.

HOM. Venue.

VENUE [v(ə)ny] n. f. — 1155; p. p. subst. (au fém.) de *venir*.

♦ **1.** Action, fait de venir* (I.). ⇒ **Arrivée** (cit. 1). — *La venue de qqn, sa venue* (→ Apocalypse, cit. 3; incognito, cit. 1; seul, cit. 21). *Depuis sa venue.* ⇒ **Arrivée.** — Loc. *Allées* (cit. 1 et 2) *et venues* (→ Heure, cit. 26; illicite, cit. 2).

1 — (...) en attendant la venue de l'accusé, faites votre rapport.
J. ROMAINS, Volpone, IV, 2.

2 L'ennui, c'était que cela allait gêner la venue des paysans en ville pour les marchés du mercredi.
ARAGON, la Semaine sainte, XI.

(Fin xivᵉ). Naissance. *La venue d'un enfant.* ⇒ **Arrivée.**

(Rare, en parlant de choses). ⇒ Exister, cit. 23. — Fig. ⇒ **Apparition.** *Naissance et venue des idées* (cit. 32).

Sc. (Concret). Épanchement (d'une roche, de minéraux de nature éruptive). *Des venues acides.*

♦ **2.** Littér. Action, fait de venir* (III.). *Prédire le temps de la venue du Messie.* ⇒ **Avènement** (→ Envoyer, cit. 6; et aussi antéchrist, cit. 3). *La venue du printemps.* ⇒ **Approche.**

♦ **3.** (xviᵉ). Loc. adj., avec *de*. Manière de pousser, de se développer. ⇒ **Croissance.** *D'une seule venue, tout d'une venue* : d'un seul jet, d'une forme, d'une ligne simple et unie. — Fig. *Une page d'une belle venue.*

3 Au bord de la route, des arbres d'une belle venue dressaient leurs troncs vigoureux (...)
Th. GAUTIER, le Capitaine Fracasse, VI.

4 On disait, du reste, que cette chaleur vivante, cette couche en fermentation, molle et chaude, était nécessaire à la belle venue des moutons.
ZOLA, la Terre, II, I.

5 Une sorte de noblesse grecque : dans la courbe des sourcils, l'attache et la ligne du nez, dans l'ovale d'une seule venue qui cerne la figure.
J. ROMAINS, les Hommes de bonne volonté, t. III, IV, p. 59.

CONTR. Départ.
HOM. Formes du v. venir; venu (adj.).

VÉNUS [venys] n. f. — 1674; de *Vénus*, déesse de la beauté et de l'amour.

REM. Aux sens 1 et 2, le mot s'écrit en général avec la majuscule.

♦ **1.** (xviiᵉ). Femme d'une grande beauté. *Ce n'est pas une Vénus.*

1 Il demeurait là, le cœur battant comme si un de ses rêves sensuels venait de se réaliser, comme si une fée impure eût fait apparaître devant lui cet être troublant et trop jeune, cette petite Vénus paysanne, née dans les bouillons du ruisselet, comme l'autre, la grande, dans les vagues de la mer.
MAUPASSANT, la Petite Roque, 1885, Pl., t. II, p. 638.

Vx, fam. (1794). *Une Vénus banale,* (av. 1850) *des carrefours* : une prostituée.

2 Ce n'est point assez que le libertinage audacieux s'affiche et m'assiège à chaque pas, il faut qu'il soit encore autorisé à m'offrir publiquement (...) l'indication de l'adresse des honteux repaires du vice, l'abrégé des talents de chaque Vénus banale (*sic*).
BABEUF, le Tribun du peuple, déc. 1794, *in* D. D. L., II, 11.

♦ **2.** Statue de Vénus. *Des Vénus antiques. La Vénus de Milo.* (1876). Par ext. (Qualifié, dans des noms propres de pièces archéologiques ou ethnographiques supposées représenter le canon féminin d'une culture). Statuette représentant une femme. *La Vénus de Lespugue, la Vénus hottentote.*

♦ **3.** (1778 *in* D.D.L.; *conque de Vénus*, 1736). Zool. **a** Mollusque lamellibranche bivalve comestible (genre *Venus*), à valves semblables striées de côtes concentriques, traversées ou non, selon les espèces, de stries rayonnantes, vivant enfoncé dans le sable ou le gravier. *Vénus ovale* (n. sc. *ovata*), *vénus fasciée* (n. sc. *fasciata*).

b Spécialt. Coquillage comestible *(Venus verrucosa)*, appelé aussi *praire**.

♦ **4.** (1611). Le cuivre, en alchimie. *Vert de Vénus, cristaux de Vénus :* acétate de cuivre.

♦ **5.** (1876). Loc. *Vénus attrape-mouche :* plante carnivore.

DÉR. **Vénusiaque, vénusien.**

VÉNUSIAQUE [venyzjak] adj. — Déb. xxᵉ; de *Vénus*.

♦ Littér. D'une beauté voluptueuse, digne de Vénus. ⇒ **Vénuste.**

VÉNUSIEN, ENNE [venyzjɛ̃, ɛn] adj. — 1872, Charles Cros; de *Vénus*.

♦ **1.** De la planète Vénus. — N. *Les Vénusiens*, habitants imaginaires de Vénus.

♦ **2.** Psychol. Qui a une douceur accommodante, évite les heurts.

VÉNUSTE [venyst] adj. — 1481; repris xixᵉ; lat. *venustus* «plein de charme, de grâce», de *Venus* «Vénus».

♦ Littér. Qui a de la vénusté, une grâce, une beauté digne de Vénus. ⇒ **Vénusiaque.**
Le corps aussi s'était épanoui. La taille et les hanches avaient quelque chose de nouveau et de vénuste.   J. DUTOURD, les Horreurs de l'amour, p. 289.

VÉNUSTÉ [venyste] n. f. — V. 1500; lat. *venustas* «beauté physique, grâce, charme», de *Venus* «Vénus».

♦ Littér. Grâce , beauté*, charme* digne de Vénus. *Vénusté d'une femme; d'une esquisse* (→ Faire, cit. 226).
J'aime tes yeux pour leur liesse
Et ton corps pour sa vénusté.   VERLAINE, Dédicaces, XXXV.

VÊPRE [vɛpʀ] n. m. — 1080, *vespre*; v. 980, *vesprae;* lat. *vesper, vesperis.* → Vêpres.

♦ Vx (langue class.). Soir (dans la loc. : *donner le bon vêpre*, encore chez Molière).

DÉR. **Vêprée.**
HOM. **Vêpres.**

VÊPRÉE [vepʀe] n. f. — xvıᵉ; *vespree*, 1080; de *vêpre*.

♦ Vx ou archaïsme poét. (allus. à la poésie du xvıᵉ siècle). Soirée.
« *Mignonne, allons voir si la rose (...) A point perdu cette vêprée...* »
→ Déclore, cit. Ronsard.
L'aurore pénétrée
De la fraîcheur de la dernière vêprée (...)   APOLLINAIRE, *in* G. L. L. F.
On écrit aussi *vesprée*.

VÊPRES [vɛpʀ] n. f. pl. — 1636; *vespres*, fin xııᵉ; francisation, d'après *vêpre*, du lat. ecclés. *vesperæ*, de *vespera* «soir».

★ **I.** Heures* de l'office divin, dites autrefois le soir, aujourd'hui dans l'après-midi (après nones et avant complies). *Sonner les vêpres* (→ Hébétement, cit. 2). *Vêpres chantées* (→ Office, cit. 12). *Aller à vêpres* (vieilli), *aux vêpres*.
Hist. *Les vêpres siciliennes :* massacre des Français en Sicile le jour de Pâques (1282) au premier coup de vêpres.

★ **II.** Vx ou régional. *Bonnes vêpres :* bonsoir. → Donner le bon vêpre*.

HOM. **Vêpre.**

VEPSE [vɛps] n. m. — 1904, *in* Larousse; mot de cette langue.

♦ Ling. Langue finno-ougrienne (groupe finnois) parlée au sud du lac Onega.

VER [vɛʀ] n. m. — V. 1380; *verm*, v. 1155; *verme* «larve», 980; du lat. *vermis.*

A. Cour. ♦ **1.** Petit animal allongé, souvent cylindrique, au corps mou, sans pattes et formé d'anneaux. ⇒ **Annélide.** *Les vers rampent, se tortillent. Vers marins. En forme de ver.* ⇒ **Vermiforme; vermiculaire, vermiculé.**

0.1 Dans le langage courant, le terme «ver» désigne des animaux caractérisés essentiellement par une forme allongée, une certaine mollesse, et le corps ne comprenant

aucun élément dur, ni extérieur ni intérieur, et enfin l'absence de pattes ou la présence de pattes très réduites. C'est pourquoi des animaux aussi différents qu'un ver plat (Ténia), un ver rond (Ascaris), un ver de terre (Lombric), un ver-flèche (Sagitta), un ver à soie (larve de Papillon) et même un ver luisant (Insecte adulte) ont reçu le nom de *Vers*, mot qui a perdu toute signification zoologique et qui devrait être rayé du vocabulaire scientifique. L'ancienneté du terme démontre toutefois sa persistance ; il a subi des éclipses à certaines époques, mais il réapparaît toujours, même dans les textes scientifiques.
André TÉTRY, *in* Encycl. Universalis, art. *Vers.*

Loc. *Se tortiller, se tordre comme un ver,* sans répit (→ Asticot).
— Vx. *Écraser qqn comme un ver,* impitoyablement.

(1530). VER DE TERRE ou, absolt, VER : le lombric* terrestre. *Oiseaux* (cit. 4) *qui mangent des vers de terre* (→ Gallinacé, cit. 1 et 2). *Ver de terre coupé, qui se tortille. Petit ver de terre.* ⇒ **Vermisseau.** *Le poète au ver de terre*, poème de la *Légende des siècles* (Hugo).

La cage du rossignol sentait la pourriture. Il fallait le nourrir avec des vers de terre tronçonnés et hachés.   J. GIONO, Jean le Bleu, IV.   1

Fig., vx. Personne faible et d'humble condition. *Le vautour s'acharnant sur le ver de terre* (→ Abattre, cit. 22). « *Ver de terre amoureux d'une étoile* » (cit. 12, Hugo). *Petit ver de terre, petit mirmidon* (cit.) *que vous êtes.* « *Juge de toutes choses* » (l'homme), *imbécile ver de terre* » (→ Cloaque, cit. 4 ; homme, cit. 54).

Ver de sable : l'arénicole (plus cour. *ver de vase; aussi ver des pêcheurs*).

♦ **2.** (V. 1380). Animal (ver au sens 3 ou animalcule non identifié) parasite (de l'homme, des animaux).

a Non qualifié; plus cour. au plur. (Emploi non scientifique). *Vers intestinaux*. Médecine pour chasser les vers.* ⇒ **Vermifuge.** *Un grand nombre de maladies étaient expliquées par la présence de prétendus vers, aux XVIIᵉ et XVIIIᵉ siècles. Cet enfant a des vers, des vers intestinaux.* — ci-dessous : *ver solitaire*, etc.

Toutes les affections proviennent des vers. Ils gâtent les dents, creusent les poumons, dilatent le foie, ravagent les intestins, et y causent des bruits.
FLAUBERT, Bouvard et Pécuchet, III.   2

Jeanne le priait instamment de se laisser enlever deux vers qui s'étaient logés, paraît-il, sous la peau du front.   HUYSMANS, En ménage, XI.   3

b Qualifié. Vx. *Ver de peau.* ⇒ **Comédon.**

Vx. *Ver spermatique.* ⇒ **Spermatozoïde.**

Vx. *Vers rinaires, vers nasicoles,* «qui s'engendrent dans la racine du nez» (*Encyclopédie* de Diderot).

(1866, in *Année sc. et industr.* 1867, p. 298). VER SOLITAIRE : le ténia.
Loc. fig. *Avoir le ver solitaire :* avoir toujours faim.

Franç. d'Afrique. *Ver de Guinée.* ⇒ **Filaire.** Syn. : *dragonneau.* (En parlant de larves ⇒ ci-dessous 3.) *Ver de* (ou *du) Cayor :* larve d'une mouche (Cordylobia), qui s'introduit sous la peau. — *Ver des cases :* larve d'une mouche qui suce le sang humain (aussi *ver de case, ver des planchers*).

c Loc. fig. — (Du sens a). *Tuer** (cit. 4 et *supra*) *le ver :* boire un petit verre.

(Du sens b : *vers rinaires*, xvııᵉ; cf. Molière, *George Dandin*, ıı, 5). *Tirer les vers du nez (à qqn) :* faire parler, questionner habilement.

Comment, Monsieur, je vous charge d'aller chez un bonhomme lui tirer les vers du nez, et c'est vous qui lui racontez des histoires sur le journal!   4
Paul LÉAUTAUD, Journal littéraire, t. I, p. 352.

♦ **3.** **a** (Souvent dans des syntagmes figés). Larve (et parfois forme adulte) d'insecte, de papillon (⇒ **Chenille**). — *Ver blanc :* spécial (1771), larve de hanneton (se dit aussi d'autres larves). — *Ver d'eau :* larve de phrygane, utilisée comme appât pour la pêche. — *Ver assassin :* larve de dytique. — *Vers gris :* chenilles des noctuelles. — Vx ou régional. *Ver de cœur :* chenille d'une noctuelle, qui s'attaque aux potagers (syn. : *mamestre*). — *Ver coquin :* chenille de la cochylis de la vigne. ⇒ **Ver-coquin.** — *Ver fil de fer :* larve de taupin. — *Vers laineux :* phrygane. — *Ver militaire :* larve d'un insecte qui se déplace en colonnes. — *Ver noir :* thrips des olives. — *Ver palmiste :*

(1538). Cour. VER À SOIE : chenille du bombyx* du mûrier, qui s'enferme dans un cocon fait d'un enroulement de fils de soie. ⇒ **Magnan** (→ Bombyx, cit.; cocon, cit. 2). *Élevage du ver à soie dans les magnaneries* (cit. 1). ⇒ **Nourricerie, sériciculture.** *Chrysalide du ver à soie, dans le cocon terminé. Œufs du ver à soie.* ⇒ **Graine.** *Maladies du ver à soie.* ⇒ **Flacherie, muscardine, pébrine** (→ Graine, cit. 14). *Des vers à soie* [veʀaswa]. → 2. Pêcher, cit. 5.

Il avait découvert, dans ses albums japonais, un ver de l'Extrême-Orient, un ver tout enveloppé de poils blancs, comme de la soie, un ver charmant, un petit animal d'art enfin, et comme il était vivant, il l'avait mis avec le plus grand soin dans une boîte (...)   Ed. et J. DE GONCOURT, Journal, 20 nov. 1874, t. V, p. 124.   5

(1572). VER LUISANT : luciole ; femelle de la lampyre.

Dans le creux d'une pierre, au bord d'un chemin aux pavés herbeux, un ver luisant choyait sa goutte de lumière lunaire.   Valery LARBAUD, Barnabooth, Journal, II, 10 juin.   6

Les premières lueurs aperçues par Colomb et qu'il prit pour la côte, provenaient d'une espèce marine de vers luisants occupés à pondre entre le coucher du soleil et le lever de la lune (...)   Claude LÉVI-STRAUSS, Tristes tropiques, p. 81.   6.1

VER DE, DES... : qui se nourrit de..., vit dans... *Vers des fruits*, des cerises, des pommes, des poires, des noisettes* (⇒ **Véreux**). *Ver de farine.* ⇒ **Ténébrion.** *Ver de la viande, du fromage.* ⇒ **Asticot.**

Franç. d'Afrique. *Ver de palmier* : larve comestible d'un charançon qui vit dans le tronc du palmier à huile. Syn. : *ver palmiste*.

ⓑ (Employé seul). Larve d'insecte (surtout lorsqu'elle a une activité destructrice). *Partout fourmillaient* (cit. 2) *des vers et des insectes. Vers dans le bois, dans un arbre pourri* (→ Grouillant, cit. 1). *Ver qui ronge* (cit. 2), *mouline* le bois. Un meuble que rongent les vers* (→ Dépérir, cit. 7). ⇒ **Artisonné, piqué, vermoulu ; vermoulure.** *Mangé aux vers, piqué des vers.*

Par métaphore. *Ver rongeur*.*

Loc. fig. *Le ver est dans le fruit :* qqch. (ou qqn) renferme le germe de sa propre destruction.

N'être pas piqué des vers. ⇒ **Piquer** (cit. 7).

Fig., vx. *Le ver :* ce qui ronge.

6.2 Heu !... je suis triste !... c'est au point que je ne connais pas dans les murs de Châteauroux un Berrichon plus triste que moi... Ma position n'est pas tenable... je me promène avec un ver dans le cœur... *(Au public.)* Pardon... avez-vous vu jouer Geneviève ou la Jalousie paternelle ?... Non ?... Eh bien, voilà mon ver !... la jalousie !
E. LABICHE, Mon Isménie, 2.

♦ **4.** (V. 1174). Littér. Vermine qui, selon la croyance populaire, ronge la chair des morts... *Que le ver déjà dévore* (cit. 4) *cette chair de notre chair. La corruption et les vers* (→ Néant, cit. 6). *Le remords* (cit. 5) *se nourrit des vers comme le ver des morts.* — Littér. *L'épopée du ver,* poème de la *Légende des siècles* (Hugo).

7 Et dans ces grands tombeaux où leurs âmes hautaines
Font encore les vaines,
Ils sont mangés des vers.
MALHERBE, Imitation du psaume « *Lauda anima mea Dominum* ».

8 Et puis plus rien ; et puis, sortant par mille trous,
Ainsi que des serpents frileux de leur repaire,
Sur le corps froid les vers se mêlèrent aux poux.
— Philippe Deux était à la droite du Père.
VERLAINE, Poèmes saturniens, « La mort de Philippe II ».

9 Et ceux-là qui sauront blanchir nos ossements
Les bons vers immortels qui s'ennuient patiemment
APOLLINAIRE, Alcools, p. 168.

10 Mais une fois passé de l'autre côté, hein ? Parce qu'après non ? même chose pour tous : viande à vers. Ha ha ! Alors maintenant, je suppose, lui aussi : complètement bouffé par les bestioles (...) Claude SIMON, le Vent, 1957, p. 70.

B. Zool. (Groupe d'animaux invertébrés).

♦ **1.** Vx. (Hist. sc.). L'une des classes d'animaux de Linné (1735), groupant tous les invertébrés sauf les insectes (en 1773, O. F. Müller y joignit les *Infusoria*). — REM. En 1809, Lamarck restreint la dénomination en créant la classe des Annélides* ; puis la classification de Cuvier supprime la classe des Vers, mais le terme est repris par Ehlers (1864).

♦ **2.** Mod. Ensemble des métazoaires à mésoderme (métazoaires triploblastiques) comportant des animaux sans cœlome, souvent parasites (embranchements des Plathelminthes ou *Vers plats,* des Acanthocéphales, des Priapuliens, des Némertes, des Némathelminthes) et des animaux à cœlome (embranchements : Annélides, Sipunculiens, Echiuriens).

DÉR. V. Vermi-.
COMP. Ver-coquin.
HOM. Vair, verre, vers, vert.

VÉRACE [veRas] adj. — 1842 ; lat. *verax, veracis* « véridique ». Littéraire, rare.

♦ **1.** Qui fait preuve de véracité (2.), qui dit la vérité ; sincère. ⇒ **Véridique.** *Des gens peu véraces.*

♦ **2.** Doué de véracité (3.). ⇒ **Vrai.** *Une narration, un rapport vérace.*

CONTR. Menteur.

VÉRACITÉ [veRasite] n. f. — 1644, relig. ; dér. du lat. *verax, veracis* « véridique » ; de *verus* « vrai ».

♦ **1.** Relig. *Véracité divine :* attribut de Dieu qui garantit la vérité de notre connaissance des choses (→ Redondant, cit.).

♦ **2.** (1735). Littér. Qualité de celui qui dit la vérité ou croit la dire. *La véracité est une vertu* (→ Franchise, cit. 7). *Décrire, raconter avec véracité.* ⇒ **Exactitude, fidélité, vérité.** *Je ne doute pas de sa véracité.* ⇒ **Sincérité.** — REM. Balzac emploie *vérace* (1842), pour *véridique**, qui a de la véracité (cf. *les Petits Bourgeois, Œuvres,* t. VII, p. 202).

1 Quoiqu'ils *(les Mémoires de ma vie)* ne fussent pas jusqu'alors fort intéressants par les faits, je sentis qu'ils pouvaient le devenir par la franchise que j'étais capable d'y mettre, et je résolus d'en faire un ouvrage unique par une véracité sans exemple, afin qu'au moins une fois on pût voir un homme tel qu'il était en dedans.
ROUSSEAU, les Confessions, X.

2 Je supplie le lecteur, si jamais j'en trouve, de se souvenir que je n'ai de prétention à la véracité qu'en ce qui touche *mes sentiments,* quant aux faits j'ai toujours eu peu de mémoire. STENDHAL, Vie de Henry Brulard, 11.

3 (...) il est bien certain que, parmi la foule de bureaux entretenus à l'étranger, avant la guerre, par les agences, quatre ou cinq seulement présentaient les garanties de véracité qu'une presse décidée à jouer son rôle doit réclamer. Il revient au journa-

liste, mieux renseigné que le public, de lui présenter, avec le maximum de réserves, des informations dont il connaît bien la précarité.
CAMUS, Actuelles I, p. 266.

♦ **3.** (1752). Qualité de ce qui est rapporté avec véracité (2.). *La véracité de ses dires, de son témoignage.* ⇒ **Authenticité, sincérité, véridicité.** *Véracité d'une description.* ⇒ **Vérité.**

CONTR. Fausseté, hypocrisie, inauthenticité, inexactitude, mensonge.

VÉRAISON [veRεzɔ̃] n. f. — 1877, Littré, antérieur dans les dialectes ; de *vérir* (1585), de *vair* « varié », var. de *varier,* dial., « commencer à mûrir » ; lat. *variare.*

♦ Agric. Maturation des fruits, et, spécialt, du raisin qui prend sa couleur.

Les grains de raisins ressemblaient à des billes opaques, dures et glauques. Au début du mois d'août, les jours lumineux, la chaleur les rendirent transparents et la véraison s'accomplit.
TAILLEMAGRE, Peine des hommes, *in* le Monde, 20 nov. 1956.

VÉRANDA [veRɑ̃da] n. f. — 1758 ; répandu mil. XIXᵉ (var. graphiques : *verranda, veranda,* 1861) ; mot angl. de l'Inde ; port. *baranda* « balustrade », de *vara* « verge » ; lat. *vara* « traverse, bâton ».

♦ **1.** Aux Indes et en Extrême-Orient, Galerie légère en bois, vitrée, adossée à la façade d'une maison. ⇒ **Varangue.** *Maison à véranda.* ⇒ **Bungalow** (étym.).

1 (...) toute en bois rouge et verni, avec véranda à balustrade ajourée dont le dessin se reproduisait au-dessus des portes et des cloisons (...)
Henri FAUCONNIER, Malaisie, 1930, p. 27.

REM. La graphie *vérandah* est vieillie :

2 (...) de loin déjà, comme la nuit commençait à tomber, nous vîmes le cottage éclairé par deux lampes chinoises suspendues sous la vérandah que maître Typoon, un domestique chinois de mon frère, avait illuminée (...)
H. DE CASTELLA, Souvenirs d'un squatter français en Australie (1858-1859), *in* le Tour du Monde, 1861, t. I, p. 87.

♦ **2.** (1844). Galerie vitrée adossée à une maison, qui met en communication l'intérieur et l'extérieur, servant généralement de petit salon et souvent ornée de plantes d'intérieur (→ Jardin, cit. 8 ; ménager, cit. 20). *Véranda au rez-de-chaussée ; à l'étage, en surplomb. Dîner dans une véranda, sur la véranda* (lorsqu'elle est plus haute que le sol), « *sous la véranda* » (M. Duras) : sous le toit de la véranda (→ ci-dessous 3.).

3 Une jolie galerie découpée règne au premier étage, et une véranda projette sa cage de verre au milieu de la façade. BALZAC, Modeste Mignon, Pl., t. I, p. 364.
Bow-window. → Demeure, cit. 11.

♦ **3.** Franç. d'Afrique. Toit en pente, vitré ou non, sur la façade ou le côté d'une construction de style colonial. ⇒ **Auvent.** « *Les vérandas des magasins* » (le Soleil, *in* I. F. A.). *S'installer sous la véranda.* (Au Mali, au Niger). Salle de séjour, salon (*in* I. F. A.).

VÉRASCOPE [veRaskɔp] n. m. — 1921, cit. ; de *véra-,* du lat. *verus* « vrai », et *-scope* « appareil pour voir », probablt par l'anglais.

♦ Didact. Appareil stéréoscopique (passe-vues, et, par ext., appareil de photo).

Par intervalles, tout devient très clair et je vois en vous comme dans un vérascope.
ARAGON, Anicet, XIV, p. 181 (1921).

VÉRATRE [veRatR] n. m. — 1564 ; lat. *veratrum* « ellébore ».

♦ Bot. Plante monocotylédone *(Colchicées),* herbacée, vivace, vénéneuse. *Vératre noir. Vératre blanc,* ou *vératre vairaire,* utilisé en médecine comme émétique et purgatif. — Abusivt. *Vératre cévadille.* ⇒ **Cévadille.**

DÉR. Vératrine.

VÉRATRINE [veRatRin] n. f. — 1821 ; de *vératre.*

♦ Pharm. Mélange d'alcaloïdes extrait du rhizome et des racines de l'ellébore blanc, à action hypotensive.

VERBAL, ALE, AUX [veRbal, o] adj. — 1337, attesté par l'adv. *verbalement* ; lat. tardif *verbalis,* de *verbum* « verbe ». → Verbe.

★ **I.** ♦ **1.** (D'abord juridique). Qui se fait de vive voix (opposé à *écrit*). ⇒ **Oral.** *Menace écrite ou verbale* (→ Extorquer, cit. 1). *Promesse, parole verbale* (→ Promettre, cit. 1). *Ordres, rapports verbaux. Convention verbale. Location verbale,* sans contrat. — Par ext. Diplom. *Note* verbale.*

Dr. civ. ⇒ **Procès-verbal.**

♦ **2.** (1489 ; déjà 1300 en provençal ; rare av. XXᵉ). Qui concerne les mots représentant une chose, une idée, plutôt que la chose ou l'idée. *Une explication purement verbale, peu satisfaisante. Antithèse verbale* (Littré). ⇒ **Formel.**

Enfin qui déniaiserait l'homme d'une si scrupuleuse superstition verbale n'apporterait pas grande perte au monde. MONTAIGNE, Essais, III, v.

Par plais. *Des paroles verbales :* de simples paroles, qui n'engagent pas — comme le ferait un écrit.

♦ **3.** (V. 1880; répandu par Mallarmé et les théoriciens symbolistes du «verbe»). Qui se fait, s'exprime par des mots (et non par d'autres moyens d'expression). *Délire verbal* (→ Panique, cit. 4). *Explication verbale* (→ Réconcilier, cit. 7). *Violence verbale* (→ Invective, cit. 4).

♦ **4.** Des mots. *Expression verbale.* ⇒ **Verbe.** *La substance verbale* (→ Musicalité, cit.). *La forme verbale ou la forme figurée de l'expression* (→ Extérioriser, cit. 1). *Sonorités verbales* (→ Calembour, cit. 2).

2 Son théâtre *(d'Hugo)* a quelques vertus : c'est d'abord du très bon théâtre, animé, pittoresque et rebondissant; d'une splendeur verbale et poétique indéniable (...)
Émile HENRIOT, les Romantiques, p. 15.

★ **II.** (1350; de *verbe*). Gramm. Du verbe (I.), relatif au verbe, qui concerne le verbe. *Système verbal d'une langue* (→ Auxiliaire, cit. 9). *Catégorie verbale* (→ Imperfectif, cit.). *Forme verbale* (→ Impératif, cit. 2), *désinence* (cit. 1) *verbale. Locution* (cit. 5) *verbale. Substantif* verbal. Adjectif verbal,* participe présent du verbe adjectivé (ex. : *brûlant, ante,* de *brûler*). *Syntagme* verbal. Phrase verbale,* formée d'un syntagme verbal, sans syntagme nominal sujet (ex. : *Partez vite !*).

CONTR. Écrit.
DÉR. Verbalement, verbaliser, verbalisme.
COMP. Procès-verbal.

VERBALEMENT [vɛʀbalmɑ̃] adv. — 1337; de *verbal.*

♦ **1.** De vive voix et non par écrit. ⇒ **Oralement.** *Traiter verbalement ou par écrit* (→ Capitulation, cit. 2).

(...) je priai la portière de me permettre au moins d'écrire dans sa loge les réponses que j'avais espéré faire verbalement à son maître.
BEAUMARCHAIS, Mémoires sur l'affaire Goëzman, p. 16.

♦ **2.** (1952). Par des mots. *S'exprimer verbalement* (→ Exact, cit. 16).

VERBALISABLE [vɛʀbalizabl] adj. — 1901, *in* D.D.L.; de *verbaliser.*

♦ **1.** Qui peut donner lieu à un procès-verbal.

♦ **2.** (Mil. xxᵉ). Qui peut être exprimé par la parole.

VERBALISATEUR, TRICE [vɛʀbalizatœʀ, tʀis] adj. et n. — 1875; dér. de *verbaliser.*

♦ Personne qui verbalise, dresse procès-verbal. *Un agent verbalisateur.*

Si un agent, ou un de ces laiderons lie-de-vin sélectionnés par la Préfecture pour leurs genoux cagneux et leurs traits simiesques, bref si un verbalisateur, s'approchait, je baissais la glace et lançais sèchement : Le docteur est en visite.
René FALLET, Y a-t-il un docteur dans la salle?, p. 222.

VERBALISATION [vɛʀbalizasjɔ̃] n. f. — 1842; de *verbaliser.*

♦ **1.** Action de verbaliser.

♦ **2.** Psychol. Processus verbal d'expression.

1 Les préjugés psychologiques de l'époque s'opposaient à ce qu'on reconnût dans la verbalisation comme telle une autre réalité que son *flatus vocis.* Il reste que dans l'état hypnotique elle est dissociée de la prise de conscience et que ceci suffirait à faire réviser cette conception de ses effets.
J. LACAN, Écrits, p. 254.

2 La verbalisation est une défense du moi contre les tendances ou les affects qu'il craint (les mots sont d'une façon générale le meilleur moyen de communication dont nous disposons, ils peuvent aussi servir dans un but opposé, c'est-à-dire à cacher quelque chose en tournant autour, en parlant trop, en *noyant le poisson*).
Guy PALMADE, la Psychothérapie, p. 74.

VERBALISER [vɛʀbalize] v. intr. — 1587; du rad. de *verbal.*

♦ **1.** Vx. Bavarder, palabrer.

♦ **2.** (1668). Mod. Dresser un procès-verbal. *Agent de police* (→ Encombrement, cit. 2, obtempérer, cit. 2), *commissaire* (→ Procès-verbal, cit. 1), *huissier qui verbalise* (→ Exploit, cit. 8).

♦ **3.** (xxᵉ). Psychol. S'exprimer.

1 « Ils ne sont pas au niveau de verbaliser », dit l'assistante sociale.
Jacques MERLINO, les Jargonautes, 1978, p. 207.

Trans. Exprimer, extérioriser (qqch.) au moyen du langage (⇒ **Verbalisation**).

2 Il a seulement raconté l'événement. Nous dirons, quant à nous, qu'il l'a verbalisé, ou pour développer ce terme selon les résonances en français évoquent une autre figure de Pandore que celle de la boîte où il faudrait peut-être la renfermer, il l'a fait passer dans le verbe ou, plus précisément, dans l'*épos* où il rapporte à l'heure présente les origines de sa personne.
J. LACAN, Écrits, p. 255.
REM. Le passage contient une allusion au sens 2.

3 Le psychanalyste peut ajouter (...) : « toute pensée, quelle qu'elle soit, doit être

communiquée immédiatement, verbalisée si l'on veut, dès qu'elle apparaît dans le champ de votre conscience.
R. HELD, le Processus de guérison, *in* la Nef, n° 31, p. 19.
DÉR. Verbalisable, verbalisateur, verbalisation.

VERBALISME [vɛʀbalism] n. m. — 1876; de *verbal.*

♦ **1.** Rare. « Méthode d'enseignement qui s'attache à apprendre les mots plutôt qu'à faire naître les idées » (*in* P. Larousse).

♦ **2.** (Av. 1922). Péj. Caractère verbal (I., 2.); utilisation des mots pour eux-mêmes au détriment de l'idée (→ Emprise, cit. 3). ⇒ **Logomachie** (2.).

(...) le lourd verbalisme intellectuel des philosophes de profession!
R. ROLLAND, le Voyage intérieur, Les trois éclairs.

VERBA VOLANT, SCRIPTA MANENT [vɛʀbavɔlɑ̃t skʀiptamanɛnt]. Adage latin (« les paroles* s'envolent, les écrits restent »), qu'on emploie lorsqu'on juge prudent de requérir une promesse écrite, ou de ne pas écrire une chose compromettante.

VERBE [vɛʀb] n. m. — 1050, «parole»; lat. *verbum* «parole». → Verve.

★ **I.** (1170; déjà en lat.). Mot qui exprime un dynamisme (action, état, devenir) et qui présente dans de nombreuses langues — notamment en français — un système complexe de formes (→ Conjugaison). *Formes du verbe.* ⇒ **Mode, temps, voix; personne, nombre; aspect** (cit. 34). *Verbe transitif, intransitif* (cit.) ou *neutre* (cit. 8). *Verbe subjectif, objectif* (1. Objectif, cit. 4). *Verbe pronominal* (cit. 1), *réfléchi, réciproque* ou *passif. Verbe personnel, impersonnel* (cit. 1). *Verbe actif, passif. Verbe d'action, d'état, de mouvement; de perception, de sentiment. Verbe déclaratif* (→ Incise, cit. 1), *fréquentatif, inchoatif, intensif, perfectif, imperfectif. Verbe performatif. Verbe métalinguistique (dire, parler, écrire...). Verbe modalisateur,* qui modalise le message dans le discours rapporté. *Verbe auxiliaire.* ⇒ **Auxiliaire** (cit. 9). — *Verbe substantif* (vx). — *Conjuguer un verbe* (→ Sermonner, cit. 3). *Classement traditionnel des verbes français en trois groupes. Verbe en er, en ir* (→ Faillir, cit. 1). *Verbe régulier, irrégulier, défectif. Radical, désinence du verbe. Forme nominale du verbe.* ⇒ **Infinitif.** *Un verbe à l'indicatif, au gérondif...* — *Le verbe, mot essentiel* (cit. 11) *de la phrase. Phrase sans verbe* (→ Ellipse, cit. 1). *Sujet du verbe.* ⇒ **Sujet** (3. Sujet, cit. 14). *Verbe à la forme affirmative, négative. Complément du verbe* (→ Style, cit. 13). *Verbe qui gouverne* (cit. 27), *régit un complément; un cas. Verbe modifié par un adverbe. Style tout en verbes* (→ Cambrure, cit. 3). — *Verbe issu d'une forme verbale* (déverbatif), *nominale* (ou dénominatif). *Suffixes de verbes.*

1 Le verbe est l'âme d'une langue. C'est, comme on l'a fort bien dit, le mot par excellence.
G. DUHAMEL, Discours aux nuages, I.

2 Le propre du verbe est d'être sous-tendu de temps.
G. GUILLAUME, Temps et Verbe, p. 7.

REM. En français. *Accord du verbe avec le sujet :* le verbe s'accorde en personne et en nombre avec son sujet; il se met au pluriel s'il y a plusieurs sujets; si ces sujets ne sont pas de la même personne, la première l'emporte sur les deux autres (ex. : *Lui et moi avons, toi et moi pensons*) et la deuxième sur la troisième (ex. : *Lui et toi avez*); un pronom personnel et une chose sont sujets du même verbe, la règle reste valable dans le cas où la chose est assimilée à une personne (ex. : *Le journal et moi ne faisons qu'un*), le verbe se met à la troisième personne si la personne est assimilée à une chose (ex. : *La maison et moi lui coûtent cher*).

1. Un verbe à plusieurs sujets reste au singulier quand ils désignent une seule et même chose; lorsqu'ils forment une gradation; lorsqu'ils sont résumés par un mot (rien, tout...); il s'accorde avec le premier sujet : lorsqu'ils sont joints par *ainsi que, aussi bien que, autant que, comme, de même que, non moins que, non plus que, pas plus que...,* et que c'est le premier sujet qui exprime l'idée dominante; lorsqu'ils sont joints, par *moins que, plus que, et non pas, plutôt que...* Accord du verbe lorsque les sujets sont joints par *et, ou, ni* (→ Et, ou, ni); avec *l'un et l'autre, l'un ou l'autre* (→ Autre).

2. Le verbe qui a pour sujet unique un nom collectif* suivi de son complément s'accorde avec «celui des deux mots qui selon le sens ou l'intention frappe le plus l'esprit» (Grevisse). → Foule, majorité, minorité, multitude, nombre, partie, troupe...; la plupart, le reste, la moitié...; une douzaine, une centaine de... — Le verbe dont le sujet est un adverbe de quantité s'accorde avec le complément pluriel de cet adverbe, prend le pluriel si ce complément n'est pas exprimé (→ Assez, beaucoup, combien, peu, tant, trop,...). Accord du verbe avec plus d'un..., un des...

★ **II.** ♦ **1.** Théol. chrét. **ⓐ** (1190, *la verbe Deu*). Parole (de Dieu) adressée aux hommes (le plus souvent avec la majuscule). *Le Verbe de Dieu; saint Jean, évangéliste du Verbe.* ⇒ **Logos** (cit.). *Le Verbe ou la parole* (cit. 33) *divine. Le Verbe éternel* (→ 1. Angélique, cit. 1).

ⓑ (1600). *Le Verbe :* Dieu lui-même, en la seconde personne de la Trinité (le Fils). ⇒ **Christ**. *Le Verbe, image du Père* (→ Laisser, cit. 39). *Le Verbe s'est fait chair, s'est incarné. Union hypostatique du Verbe à l'homme* (→ Devenir, cit. 2).

2.1 *Hilarion : Pourquoi reçut-il le Saint-Esprit, bien qu'étant le Fils? Qu'avait-il besoin du baptême s'il était le Verbe? Comment le Diable pouvait-il le tenter, lui, Dieu?*
Est-ce que ces pensées-là ne se sont jamais venues?
FLAUBERT, la Tentation de saint Antoine, 1874, p. 93.

♦ **2.** (1050, Alexis, *en ipse verbe*). Vx. Parole ou suite de paroles. ⇒ **Parole; discours, propos.**

3 (...) s'il me tue, nous serons vos esclaves, mais si je le tue, vous serez nos esclaves (...) Saül et tous les Israélites, entendant le verbe de ce Philistin, étaient stupéfaits, et tremblaient de peur.
VOLTAIRE, Philosophie, Bible expliquée..., Rois, I.

4 (...) inventer des expressions nouvelles ou (...) rechercher, au fond de vieux livres inconnus, toutes celles dont nous avons perdu l'usage et la signification, et qui sont pour nous comme des verbes morts.
MAUPASSANT, Pierre et Jean, « Le roman. »

♦ **3.** (1740). Mod. Ton de voix (dans quelques expressions). *Avoir le verbe haut :* parler, décider avec hauteur*, présomption, et (1835) parler très fort. *Il a le verbe haut* (→ 1. Geste, cit. 12). *Un histrion* (cit. 4) *au verbe sonore.*

4.1 Elles avaient le verbe rauque (...)   COLETTE, la Maison de Claudine, « La petite ».

4.2 Cinquante-cinq ans, carré, massif, l'œil bleu, le teint coloré, les mains puissantes, le verbe sonore, Darteau est un personnage. Il aime qu'on le craigne. Il sait qu'on le craint.   René FLORIOT, La vérité tient à un fil, 1970, p. 8.

♦ **4.** (1802). Littér. Expression verbale de la pensée (oralement ou par écrit). ⇒ **Langage, langue.** *« Je me flattais d'inventer un verbe poétique »* (Rimbaud, *Alchimie du verbe;* → Consonne, cit. 3). *Il y a dans le verbe quelque chose de sacré* (Baudelaire; → Évocatoire, cit.). *La magie du verbe méridional* (→ Extérioriser, cit. 2). *Un verbe encore hésitant* (cit. 10). *Mallarmé plaçait le verbe à la fin dernière de toute chose* (→ Exprimer, cit. 29). *« Les choses tendent d'elles-mêmes vers le verbe »* (→ Expression, cit. 1, Sartre).

5 Car le mot, c'est le Verbe, et le Verbe c'est Dieu.
HUGO, les Contemplations, I, VIII.

6 (...) il lui arrivait (...) sans rien apporter de neuf, simplement en prêtant aux idées des autres la magie de son verbe truculent, d'emporter en quelques périodes l'adhésion générale (...)   MARTIN DU GARD, les Thibault, t. V, p. 57.

COMP. Adverbal, adverbe, préverbe.

VERBÉNACÉES [vɛʀbenase] n. f. pl. — 1806, Jussieu, in D.D.L.; du rad. du lat. pop. **verbena* « verveine », ou moy. franç. *verbene* « vervène », 1542, et *-acées.*

♦ Bot. Famille de plantes phanérogames angiospermes *(Dicotylédones gamopétales)* comprenant des herbes, des arbrisseaux et des arbres, dont les types principaux sont la verveine, le lantanier, l'agnus-castus, le tectona (teck). — Au sing. *Une verbénacée.*

VERBEUSEMENT [vɛʀbøzmã] adv. — Fin XVIIIᵉ; de *verbeux.*

♦ Littér. D'une manière verbeuse. *S'exprimer verbeusement.*

CONTR. Brièvement, laconiquement.

VERBEUX, EUSE [vɛʀbø, øz] adj. — 1530; *verbos*, attestation isolée, 1200; lat. *verbosus*, rac. *verbum* « parole ».

♦ Qui dit les choses en trop de paroles, trop de mots. *Un orateur verbeux.* ⇒ **Bavard, prolixe.** — Par ext. (Choses). *Commentaire verbeux, diffus*. ⇒ **Paraphrase** (→ Enrober, cit.). *Pages verbeuses de Balzac* (→ Mignardise, cit. 3). *Style verbeux.*

Après les crises de gaieté verbeuse, ils tombaient dans des silences profonds.
FLAUBERT, l'Éducation sentimentale, I, II.

CONTR. Bref, compendieux, concis, laconique, lapidaire, ramassé.
DÉR. Verbeusement.

VERBIAGE [vɛʀbjaʒ] n. m. — 1671; de l'anc. franç. *verbier* ou *verboier* « gazouiller »; picard *verbloier* « chanter en modulant », de *werbler;* du francique **werbilan, werbillon* « tourbillonner ».
REM. Le mot est senti comme rattaché à *verbe*, de nos jours.

♦ Abondance de paroles, de mots vides de sens ou qui disent peu de chose. ⇒ **Bavardage, délayage, phraséologie** (2.); fam. **blablabla.** *Un verbiage creux, spécieux* (→ Imposant, cit. 3). *Le verbiage humanitaire* (cit. 6). *Propension au verbiage.* ⇒ **Garrulité** (rare), **verbomanie, verbosité.**

1 Tous les préceptes de la rhétorique ne semblent qu'un pur verbiage à quiconque n'en sent pas l'usage pour son profit.   ROUSSEAU, Émile, IV.

Et il se lança dans un verbiage très embrouillé, pour lui faire entendre qu'il était retenu par des considérations majeures (...)   2
FLAUBERT, l'Éducation sentimentale, III, II.

DÉR. **Verbiager.**

VERBIAGER [vɛʀbjaʒe] v. tr. — Conjug. *bouger.* — 1718; de *verbiage.*

♦ Vx. Faire du verbiage. ⇒ **Bavarder.**

DÉR. **Verbiageur.**

VERBIAGEUR, EUSE [vɛʀbjaʒœʀ, øz] adj. et n. — 1766, *in* D.D.L.; de *verbiager.*

♦ Vx. (Personnes). Qui bavarde, produit du verbiage. ⇒ **Bavard.** — (Choses). *« Un océan d'éloquence verbiageuse »* (Mᵐᵉ du Deffand, *Correspondance*, 22 mai 1768, *in* D.D.L., qui rattache la forme à un adj. *verbiageux*, virtuel).

VERBIGÉRATION [vɛʀbiʒeʀasjɔ̃] n. f. — 1923; dér. du lat. *verbigerare* « se quereller ».

♦ Psychiatrie. Discours incohérents avec répétition, altérations de mots et néologismes nombreux, que tiennent certains malades atteints de manie ou de démence.

VERBO- Premier élément d'adjectifs, signifiant « de la parole et de... ». ⇒ **Verbo-iconique, verbomoteur** (et *verbo-auditif, verbo-conceptuel, in* P. Gilbert).

VERBO-ICONIQUE [vɛʀboikɔnik] adj. — Mil. XXᵉ; du rad. du lat. *verbum* « parole », et *iconique.*

♦ Didact. Se dit des rapports entre la parole et l'image (→ Icone), dans les techniques audiovisuelles.

VERBOMANIE [vɛʀbomani] n. f. — 1912, *in* D.D.L.; du rad. du lat. *verbum* « verbe », et *-manie.*

♦ Psychol. (Rare). Tendance à parler avec une abondance excessive. ⇒ **Logorrhée.** — REM. On trouve aussi l'adj. et n. *verbomane.*

VERBOMOTEUR, TRICE [vɛʀbomɔtœʀ, tʀis] adj. et n. — 1972, *in* P. Gilbert; de *verbo-*, et *moteur.*

♦ Didact. De la parole et de la motricité. *Équipement verbomoteur* (de la phonation). *Activités verbomotrices.*

VERBOQUET [vɛʀbɔkɛ] n. m. — 1676; 1694, autre sens en mar., aussi *virebouquet;* de virer « tourner », et *bouquet* « faisceau ».

♦ Mar. Vx. Cordage qui sert à guider et stabiliser un fardeau que l'on hisse.

VERBOSITÉ [vɛʀbozite] n. f. — 1501; bas lat. *verbositas* « verbiage », de *verbosus.* → Verbeux.

♦ Défaut d'une personne dont la parole est verbeuse; caractère verbeux (du discours). *Verbosité d'une explication.*

Alors les délégués des soldats et ceux du Grand-Conseil se réconcilièrent, en jurant par le Génie de Carthage et par les Dieux des Barbares. Avec les démonstrations et la verbosité orientales ils se firent des excuses et des caresses.   1
FLAUBERT, Salammbô, p. 794.

Mᵐᵉ Krag avait une propension à la verbosité qui l'amenait à aborder plusieurs sujets à la fois, les développant par alinéas alternés (...)   2
Maurice BEDEL, Jérôme 60º latitude Nord, IV.

CONTR. Brièveté.

VERCHOK [vɛʀʃɔk] n. m. — 1829; mot russe.

♦ Didact., vx. Mesure de longueur en usage autrefois en Russie, valant de deux à quatre centimètres, et correspondant à un douzième de pied. — REM. On a écrit aussi *verchock.*

La taille de Pierre *(le Grand)* parvenu adulte était de 2 archines 14 verchok, c'est-à-dire 1,98 m.   MÉRIMÉE, *in* Journal des savants, juin 1867 (*in* D.D.L. II, 16).

VER-COQUIN [vɛʀkɔkɛ̃] n. m. — 1538; de *ver*, et *coquin.*

♦ **1.** Agric. Larve parasite de la vigne.

♦ **2.** (1690). Cénure* du mouton, qui donne le tournis. — Par ext., vx. Tournis. — Fig., vx. Caprice.
REM. Boris Vian reprend le mot (comme un nom propre) dans son roman *Vercoquin et le plancton.*

VERD [vɛʀ] Ancienne forme de *vert**, (xɪɪɪe-xvɪe) du lat. *viridis*, qui a donné de nombreux dérivés. → Verdage, verdagon, verdâtre, verdelet, verdet, verdeur, 1. et 2. verdier, verdir, verdoré, verdoyer, verdure.

VERDAGE [vɛʀdaʒ] n. m. — 1842; «fourrage vert», 1732; «légume», 1370; de *verd*, *vert*.

♦ Agric. Engrais* vert.

VERDAGON [vɛʀdagɔ̃] n. m. — 1731; de *verd*, *vert*.

♦ Vx. Vin très vert. ⇒ **Piquette.**

Tout au long de la soirée, je souffris le martyre.
On commença par offrir au vieux Pankeydrop un vin d'honneur bien mauvais, une sorte de verdagon qui me râpait la gorge (...)
Jean RAY, les Derniers Contes de Canterbury, 1944, p. 62.

VERDASSE [vɛʀdas] adj. — 1649, *in* D. D. L.; de *verd (vert)*, et suff. péj. *-asse*.

♦ Péj. D'un vert désagréable. ⇒ **Verdâtre.**

VERDÂTRE [vɛʀdɑtʀ] adj. — 1350; de *verd (vert)*, et *-âtre*.

♦ **1.** Qui tire sur le vert, est d'un vert un peu sale et trouble. *Teinte verdâtre* (→ Raviver, cit. 1). *Gris sale et verdâtre* (→ 1. Poudrer, cit. 3; pouillot, cit.). *Bleu* verdâtre. Lumière verdâtre* (→ Mais, cit. 22; phosphorescence, cit.). *Mer verdâtre.* ⇒ **Glauque** (cit. 2). *Traînées verdâtres* (→ Humidité, cit. 4). *Champignons* (cit. 1) *verdâtres. Vêtement verdâtre* (→ Imperméable, cit. 2; levantine, cit. 2; spencer, cit. 1).

La fuite est verdâtre et rose
Des collines et des rampes,
Dans un demi-jour de lampes
Qui vient brouiller toute chose.
VERLAINE, Romances sans paroles, «Bruxelles», ɪ.

♦ **2.** (1843, Gautier). Qui est d'une couleur plombée tirant sur le jaune (en parlant de la peau, dans la race blanche). *Un teint verdâtre* (→ Enlaidir, cit. 5; étouffer, cit. 43). ⇒ **Blafard, blême, olivâtre, plombé.**

VERDELET, ETTE [vɛʀdəlɛ, ɛt] adj. — 1319; dimin. de *verd (vert)*.

♦ **1.** Vx ou régional. D'un vert tendre. «*Jardin verdelet*» (Marot).

♦ **2.** (V. 1560). *Vin verdelet,* un peu vert, légèrement acide.

♦ **3.** (1567; vieilli). Fig. Encore assez vert malgré l'âge. *Vieillard verdelet.*

VERDERET [vɛʀdəʀɛ] n. m. — 1558; de *vert*, *verd*.

Vx ou régional.

♦ **1.** Verdier (oiseau).

♦ **2.** (1877). Lézard vert (syn. : *verdereau*).

VERDERIE [vɛʀdəʀi] n. f. — 1317; de 1. *verdier*.

♦ Ancienn. Étendue de territoire boisé, dépendant de la juridiction d'un verdier*.

1. VERDET, ETTE [vɛʀdɛ, ɛt] adj. — V. 1240; de *verd*, *vert*.

♦ Vx ou régional. Un peu vert.

(...) dans une grosse raie qui avait fendu les pierres et d'où on avait jour sur la terre noire, une herbe verdette avait monté qui portait sa grosse tête de graine.
J. GIONO, Regain, Pl., t. I, p. 421.

N. Royaliste arborant la cocarde verte, couleur du comte d'Artois. *Les verdets responsables de la Terreur blanche de 1815.*

HOM. 2. Verdet.

2. VERDET [vɛʀdɛ] n. m. — V. 1363; de *verd*, *vert*.

♦ Techn. Vert-de-gris du commerce, acétate basique de cuivre, utilisé en teinture.

HOM. 1. Verdet.

VERDEUR [vɛʀdœʀ] n. f. — xɪɪe; var. *verdor, verdur* «couleur verte», xɪɪe; de *verd**. → Vert.

♦ **1.** Littér., rare. Teinte verte.

0.1 Et l'ombre et les rayons faisant la chaîne sur l'eau, et la verdeur donnée à l'eau par mille lentisques jusqu'au fond, et les sons liquides d'un oiseau caché donnant par la sonorité de l'instrument la vraie place où il doit être caché et qu'on n'avait pas perçue dans le vague espace d'arbres inexplorés, tout achève de donner à ce

lieu où on laisse dériver la barque sans plus lever les rames la figure naïve d'une statue qui attend.
PROUST, Jean Santeuil, Pl., 1952, p. 326.

♦ **2.** (V. 1265). Vx. État d'un bois vert*.

♦ **3.** (1580). Fig. Vigueur de la jeunesse (surtout chez qqn qui n'est plus jeune) → Maturité, cit. 2; 1. prime, cit. 2; rosir, cit. *Dans la verdeur de son âge* (Académie).

Son corps avait la verdeur que nous admirons dans les feuilles nouvellement dépliées (...)   BALZAC, le Lys dans la vallée, Pl., t. VIII, p. 798. 1

Tant il avait, outre ses quatre épouses, de concubines que, malgré sa grande force et sa verdeur persistante, il eût difficilement pu les visiter toutes une fois l'an.   ARAGON, le Fou d'Elsa, ɪɪ. 2

♦ **4.** (V. 1398). Acidité (d'un fruit vert; d'un vin trop vert).

♦ **5.** Fig., vieilli. Âpreté, rudesse de langage.

♦ **6.** (Déb. xve, Charles d'Orléans). Liberté, spontanéité savoureuse dans le langage (cf. la loc. *la langue verte*), pouvant aller jusqu'à la crudité (→ Dissoner, cit. 2; go, cit. 2).

(...) tout l'art qu'on y met ne parvient qu'à diluer l'émotion première, dont l'expression la plus naïve restera toujours la meilleure. Je transcris donc ces notes telles quelles sans en adoucir la verdeur.   GIDE, Journal, avr. 1914. 3

CONTR. **Débilité, faiblesse, vieillesse.**

VERDI, IE [vɛʀdi] adj. ⇒ **Verdir.**

VERDIAU [vɛʀdjo] n. m. — 1872, Littré; de *verd*, *vert*.

♦ Régional. Saule pourpre.

VERDICT [vɛʀdikt] n. m. — 1796, à propos de la France; 1790, à propos de l'Angleterre; 1669, cité comme mot angl.; angl. *verdict* (anglo-normand *verdit*), xɪɪɪe; anc. franç. *veirdit, voirdit,* de *ver, veir* «vrai», et *dit;* lat. médiéval *veredictum* «proprement dit».

♦ **1.** Dr. Déclaration par laquelle le jury répond, après délibération, aux questions posées par la cour (→ Estimer, cit. 9). *Verdict de culpabilité* (ou *positif*), *d'acquittement* (ou *négatif*).

Moins d'une heure après, le verdict du jury déchargeait de toute accusation le nommé Champmathieu (...)   HUGO, les Misérables, I, VII, XI. 1

♦ **2.** (1867). Jugement rendu par une autorité. ⇒ **Décision, sentence** (→ Arbitrer, cit. 3). *Le verdict des électeurs* (→ Dissoudre, cit. 5), *de l'opinion publique.*

Il éparpilla les coupures et se mit à les parcourir. Paule disait : «Un triomphe»... les lettres chaleureuses envoyées par des amis et par des inconnus confirmaient le verdict de la presse.   S. DE BEAUVOIR, les Mandarins, p. 102. 1.1

(1935). Jugement, et, spécialt, jugement sévère porté par une personne (→ Parasite, cit. 12; rester, cit. 29). *Un verdict sans appel.*

La foi, pour peu qu'elle soit vive (et la foi se doit d'être vive), exige, pour manifester son ardeur, des jugements pareils à des verdicts; non point sommaires peut-être, mais absolus (...)   GIDE, Journal, 11 août 1929. 2

1. VERDIER [vɛʀdje] n. m. — Fin xɪve; *verder*, v. 1200; de *verd*, *vert*.

♦ Ancienn. Officier des eaux et forêts (dont l'office et la juridiction portaient le nom de *verderie**).

DÉR. Verderie.
HOM. 2. Verdier.

2. VERDIER [vɛʀdje] n. m. — xɪve; *verder*, v. 1280; de *verd*, *vert*.

♦ Oiseau passeriforme (*passereaux,* famille des *Fringillidés*), de la taille du moineau, à plumage verdâtre sur le dos et sur le ventre, commun dans toute l'Europe (→ Mangeur, cit. 7; pâture, cit. 2).

Là, l'ombre fait l'amour; l'idylle naturelle
Rit, le bouvreuil avec le verdier s'y querelle (...)   HUGO, les Contemplations, V, XXIII.

HOM. 1. Verdier.

VERDILLON [vɛʀdijɔ̃] n. m. — 1723; dimin. dial., certainement plus ancien, de *verge;* var. *verguillon, vergillon,* etc.

♦ **1.** Vx. Petite tringle retenant la chaîne d'un métier de haute lice.

♦ **2.** (1802). Techn. Levier servant à détacher les blocs d'ardoise.

VERDIN [vɛʀdɛ̃] n. m. — 1791; de *verd*, *vert*.

♦ Rare. Passereau du Sud-Est asiatique, au plumage brillant en partie vert, à bec long et courbé.

VERDINE [vɛʀdin] n. f. — 1974, *Courrier de l'Unesco;* orig. incertaine.

♦ Didact. Roulotte traditionnelle des Tsiganes.

VERDIR [vɛʀdiʀ] v. — 1180 ; de *verd, vert.*

★ **I.** V. intr. ♦ **1.** Devenir vert.

♦ **2.** (Des végétaux). Pousser, se couvrir de feuilles (→ Fureur, cit. 27 ; ordure, cit. 3 ; râteler, cit. 1).

1 Elle passe, sous les ramures assombries,
Dans l'allée où verdit la mousse des vieux bancs (...)
           VERLAINE, *Fêtes galantes*, « L'allée ».

♦ **3.** (1694). Choses. Se couvrir de vert-de-gris (cuivre).

♦ **4.** (Personnes). Devenir vert de peur. ⇒ **Blêmir.**

2 (...) je vous le certifie, je vous le jure, vous verdiriez, à la pensée de seulement entr'ouvrir la bouche !
           COURTELINE, *Boubouroche*, IV.

★ **II.** V. tr. (XVIIᵉ). Rendre vert, donner une couleur verte à (qqch.). *Troncs verdis de lichens* (→ Rai, cit. 3). *« Nul fiel* (cit. 5) *intérieur ne verdit son visage**. »

3 Il y avait là un va-et-vient continu, le bleu des blouses se fonçait à l'ombre des tilleuls, des taches mouvantes de feuilles verdissaient les visages colorés.
           ZOLA, *la Terre*, II, VI.

▶ **VERDI, IE** p. p. adj.
Devenu vert ; qui s'est coloré de vert. *Jaunes* (cit. 8) *argentés, rougis, verdis.* — *Bronzes verdis* (par oxydation : → Oxyde, cit. 2). ⇒ **Vert-de-grisé.** — *Murs verdis. Sa face verdie* (→ Plaquer, cit. 6).

4 (...) tout Monseigneur qu'il est (...) ne se promène-t-il pas, la soutane verdie et rapiécée (...)
           M. JOUHANDEAU, *Chaminadour*, II, V.

CONTR. Dessécher (se).
DÉR. Verdissage, verdissant, verdissement.

VERDISSAGE [vɛʀdisaʒ] n. m. — 1877 ; de *verdir.*
Rare ou technique.

♦ **1.** Action de rendre vert. *Verdissage artificiel des bronzes neufs.*

♦ **2.** Pigmentation des huîtres par certaines diatomées.

VERDISSANT, ANTE [vɛʀdisã, ãt] adj. — XVIᵉ, Ronsard ; de *verdir.*

♦ **1.** (Choses). Qui verdit, est en train de verdir. *Laurier* (cit. 3), *champs* (cit. 2) *verdissants.*

♦ **2.** (Personnes). Fig. Plein de jeunesse, de vivacité. *Toujours riante* (cit. 1), *verdissante.*

VERDISSEMENT [vɛʀdismã] n. m. — 1859 ; de *verdir.*
Littéraire.

♦ **1.** Fait de verdir (1.). → Végéter, cit. 2.

♦ **2.** Techn. Coloration verte (de l'huître), due à l'infiltration dans ses tissus d'une diatomée, la navicule bleue (phénomène normal, non pathologique). *Claire où le verdissement ne se fait pas.* ⇒ **Bouder,** I., 2.

VERDOIEMENT [vɛʀdwamã] n. m. — XVIᵉ ; repris XIXᵉ (1879, Huysmans) ; de *verdoyer.*

♦ Fait de verdoyer. *Le verdoiement de la campagne au printemps.*

VERDORÉ, ÉE [vɛʀdɔʀe] adj. — 1927 ; de *verd (vert),* et *doré,* d'après *mordoré.*

♦ Littér., rare (emploi d'auteur). D'un vert à reflets dorés.

Toutes les feuilles sont luisantes et fermes (...) ; pas d'équivalent de celles du coudrier, par exemple, dont la consistance molle et feutrée, comme spongieuse à la lumière, donne au rayon qui les traverse une coloration verdorée (...)
           GIDE, *Voyage au Congo*, p. 763.

VERDOYANT, ANTE [vɛʀdwajã, ãt] adj. — XIIᵉ, *verdoiant*; de *verdoyer.*

♦ Qui verdoie, où la végétation est vivace (→ Émailler, cit. 7 ; moindre, cit. 9 ; pousser, cit. 53). *Une campagne verdoyante. Des prés verdoyants.*

CONTR. Désertique, desséché.

VERDOYER [vɛʀdwaje] v. intr. — Conjug. *noyer.* — XIIᵉ ; de *verd.*

♦ **1.** Se dit des végétaux (→ Herbe, cit. 12 ; poudroyer, cit. 1), des prés, de la campagne qui donnent à l'œil une sensation dominante de vert.

1 (...) s'étendaient de vastes masses boisées, relevées de grandes plaques vertes dues à la présence d'arbres à feuillage persistant. Puis, de la lisière de cette forêt jusqu'à la côte même, verdoyait un large plateau semé de bouquets d'arbres capricieusement distribués.
           J. VERNE, *l'Île mystérieuse*, t. I, p. 47.

2 Les feuilles verdoyaient aux branches des arbres (...)
           Paul BOURGET, *Un divorce*, III.

♦ **2.** Commencer à devenir vert ; devenir plus vert (par le développement de la végétation).

♦ **3.** Fig. Être dans son épanouissement.

DÉR. Verdoiement, verdoyant.

VERDUNISATION [vɛʀdynizasjɔ̃] n. f. — 1916, Bunau-Varilla ; de *Verdun,* le procédé ayant d'abord été utilisé à l'armée de Verdun.

♦ Techn. Mode de purification de l'eau, par incorporation de très faibles doses de chlore au cours d'un brassage énergique. ⇒ **Désinfection, javellisation.**

VERDUNISER [vɛʀdynize] v. tr. — 1928 ; de *Verdun,* procédé mis au point en 1916. → Verdunisation.

♦ Techn. Purifier par le procédé de la verdunisation*. ⇒ **Désinfecter.**

VERDURE [vɛʀdyʀ] n. f. — V. 1200 ; de *verd.*

A. ♦ **1.** Couleur verte (de la végétation). *La verdure des mûriers et des pins* (→ Flot, cit. 8). *« Les voilà ces sapins à la sombre verdure »* (→ Gorge, cit. 32). *La verdure éternelle du gui* (1. Gui, cit. 3).

♦ **2.** Par ext. Arbres, plantes, herbes, feuilles. ⇒ **Végétation.** *«Salut ! bois* (cit. 9) *couronnés d'un reste de verdure».* ⇒ **Feuillage** (→ Couvert, cit. 5 ; houle, cit. 4). *Rideau, draperies* (1. Draperie, cit. 3), *courtines, éventails* (cit. 5), *murs,... rempart de verdure* (→ Azurer, cit. 1 ; borner, cit. 20 ; liane, cit. 1 ; tache, cit. 4). *Tapis de verdure,* de gazon. *La verdure commence à poindre* (cit. 7). *Une maison dissimulée* (→ Jouer, cit. 47), *noyée* (1. Noyé, cit. 13) *dans la verdure. Cet éden* (cit. 3) *de verdure.* — Loc. *Théâtre de verdure.* — (1690). *Cabinet* de verdure.*

1 La multitude de haies vives qui entourent et divisent de nombreux héritages, tous plantés d'arbres, donnent à ce tapis de verdure une physionomie rare parmi les paysages de la France (...)
           BALZAC, *les Chouans*, Pl., t. VII, p. 772.

2 (...) on apercevait les allées, où tranchait, sur la verdure, le gilet rouge d'un domestique (...)
           FLAUBERT, *Bouvard et Pécuchet*, IX.

♦ **3.** (1464). *Tapisserie* (cit. 4) *de verdure* (ou *à verdures*), ornée d'un décor de verdure, d'un paysage où dominent les tons verts (par oppos aux *tapisseries à personnages*). — (1574 ; dans le même sens). Ellipt. *Une verdure.*

2.1 Une de ces tapisseries de Flandre appelées «verdures» garnissait les murailles. (...) Celle-ci était usée, élimée, passée de ton ; les lés décousus faisaient cent hiatus et ne tenaient plus que par quelques fils et la force de l'habitude. Les arbres décolorés étaient jaunes d'un côté et bleus de l'autre.
           Th. GAUTIER, *le Capitaine Fracasse*, I.

B. (V. 1398). Plante potagère que l'on mange crue, en salade. Cf. Le cri des marchands des quatre saisons (cit. 5) : *à la verduresse.*

3 (...) il apporta encore plusieurs verdures sur de petites assiettes, et notamment des koulkas découpés dans du vinaigre (...)
           NERVAL, *Voyage en Orient, Femmes du Caire*, III, III.

DÉR. Verdurier.

VERDURIER, IÈRE [vɛʀdyʀje, jɛʀ] n. — 1553, n. m. ; n. f., 1596 ; de *verdure.*

♦ **1.** Ancienn. Fournisseur des maisons royales en légumes verts, salades et beurre.

1 *(Louis-Philippe)* devait à un menuisier 700 000 francs, il devait à son verdurier 70 000 francs de *beurre.*
           HUGO, *Choses vues*, II, XI, III.

♦ **2.** Vx ou régional. (Nord de la France, Belgique). Marchand, marchande de salades (→ Halle, cit. 5), de légumes. ⇒ **Légumier** (II., régional).

2 Le petit carreau des halles commençait à s'animer. Les charrettes des maraîchers, des mareyeurs, des beurriers, des verduriers, se croisaient sans interruption.
           NERVAL, *les Nuits d'Octobre*, XI.

VÉRÉCONDIE [veʀekɔ̃di] n. f. — 1580 ; lat. *verecundia.* → Vergogne.

♦ Vx ou archaïsme littér. Retenue, discrétion. — Var. : *vérécundie* n. f. (1902, L. Tailhade). — REM. On trouve aussi (L. Tailhade, A. France) le dér. *vérée ondieux, vérécundieux, euse* adj.

VÉRÉTILLE [veʀetij] n. f. ou m. — 1808 ; lat. *veretillum,* dimin. de *veretrum* «parties sexuelles», par anal. de forme ; on l'appelle vulgairement *verge de mer.*

♦ Zool. Animal cœlentéré coralliaire *(Octocoralliaires),* vivant dans la vase côtière en colonies, dont le polypier est un axe cylindrique nu dans sa partie inférieure, et couvert, dans sa partie supérieure, de polypes rétractiles.

VÉREUX, EUSE [veʀø, øz] adj. — 1372 ; de *ver,* et suff. *-eux.*

♦ **1.** Qui contient un ver, est gâté par des vers. *Fruits véreux.*

1 (...) il voulut absolument lui servir du pain et des poires, des poires de son jardin à lui, et qui, celles-là, n'étaient pas véreuses. ZOLA, la Bête humaine, VII.

♦ **2.** (1559). Fig. (Personnes). Moralement douteux, malhonnête. *Un agent, un financier véreux. « Un bookmaker véreux »* (Zola, *Nana*, XI). *Avocat véreux.* ⇒ **Marron.**

2 Diard devint homme d'affaires, et s'engagea dans ces affaires nommées *véreuses* en argot de palais (...) il pratiqua le vol décent auquel se sont adonnés tant d'hommes habilement masqués (...) BALZAC, les Marana, Pl., t. IX, p. 837.

(Choses). Qui n'est pas sain. ⇒ **Douteux,** 1. **louche** (cit. 11), **suspect.** *Affaire véreuse* (→ Faiseur, cit. 20).

CONTR. Sain. — Honnête.

VERGE [vɛʀʒ] n. f. — V. 1080, *Chanson de Roland ;* du lat. *virga* « baguette ». → Vergue.

★ **I.** ♦ **1.** Vx. Baguette* (→ Fil, cit. 23). *La verge d'un arc. Verges servant de jalons.* — *Baguette servant à frapper, à corriger* (cit. 17.1). *La verge du maître d'école* (→ Écolier, cit. 5 ; nonchalance, cit. 2). *Poignée de verges* (→ Marital, cit.). *Battre* (cit. 4) *qqn de verges, avec des verges.* ⇒ **Flageller, fustiger.** Anciennt. *Faire passer un soldat par les verges,* par les baguettes*. Fig., vx. *Faire baiser les verges à qqn,* l'obliger à reconnaître qu'on a raison de le punir (ci-dessous cit. 2). *Donner des verges pour se faire fouetter*.* — (V. 1290). *La verge, insigne de l'autorité. Verge garnie d'ivoire et d'argent que portaient les huissiers. Huissier* à verge. Verge du bedeau.* → **Porte-verge.**

1 Les théurgites, les anciens sages, avaient tous une verge avec laquelle ils opéraient. Mercure passe pour le premier dont la verge ait fait des prodiges (...) La verge de l'antique Bacchus était son thyrse (...) La verge d'Hercule était son bâton, sa massue (...) La verge fut en tout temps l'instrument des sages et le signe de leur supériorité. VOLTAIRE, Dict. philosophique, Verge.

1.1 (...) me voyant enfin là, bien à sa portée, il ordonne à *Armande* de lui apporter des verges, elle lui en présente une poignée mince et longue ; *Clément* les saisit, et me recommandant de ne pas bouger, il débute par une vingtaine de coups sur mes épaules et sur le haut de mes reins (...) SADE, Justine..., t. I, p. 181.

2 — Ha! pensa maître Mathias, ils vont lui faire baiser les verges avant de lui donner le fouet. BALZAC, le Contrat de mariage, Pl., t. III, p. 128.

3 Qu'y a-t-il de plus poétique que Xerxès, fils de Darius, faisant fouetter de verges la mer qui avait englouti ses vaisseaux? PROUST, À la recherche du temps perdu, t. XI, p. 57.

4 Dans les livres d'images qui ont amusé mes premières années, on voyait passer le père Fouettard, avec son paquet de verges sous le bras ; mais ce n'était à mes yeux qu'une métaphore (...) Jamais je ne déliai en pensée ce paquet de verges ; jamais je n'en tirai quelque baguette d'osier assouplie par l'eau, propre à couper du premier coup la peau délicate d'un enfant ; encore bien moins aurais-je imaginé les cinquante coups qui pouvaient suivre. ALAIN, Propos, 28 oct. 1921, « Fausses perspectives du progrès ».

Fig. (vx). *Être sous la verge de qqn,* sous son autorité. *Gouverner avec une verge de fer,* avec un sceptre de fer*. — Allus. bibl. *La verge de Moïse, d'Aaron,* leur bâton de commandement, auquel Dieu donna un pouvoir miraculeux. — Vx. *Verge magique :* baguette magique (→ Balai, cit. 2).

♦ **2.** Techn. **a** (1340). Baguette de métal maintenant un panneau de vitrail.

b (Déb. xve). Partie d'une ancre* à jas, tige qui réunit l'organeau au point de réunion des pattes. *La verge de l'ancre est traversée par les jas.*

c (1694). Tige sur laquelle pivote une girouette. — Pivot (d'un balancier).

d (1680). Vx. Baguette de bois passée entre les fils de chaîne par le tisserand, pour former une croisure.

e (1828). Manche de fléau.

f (xxe). Baguette vibrante, utilisée en acoustique.

♦ **3.** (Mesure). **a** (V. 1240). Ancienne mesure agraire, valant le quart d'un arpent.

b (Après 1760). Au Canada, Unité de longueur valant trois pieds* ou trente-six pouces* (0,914 m). ⇒ **Yard.** *Acheter du tissu à la verge.*

♦ **4.** Loc. *Verge de Jacob :* asphodèle jaune. — (1596). *Verge d'or :* composacée à fleurs jaune vif. — *Verge de mer :* vérétille.

♦ **5.** Par métaphore, vx. Autorité sévère, qui châtie.

★ **II.** (1549 ; *verge pelée,* xiiie, *Renart*). Organe de la copulation (chez l'homme et les mammifères) → Fourreau, cit. 6. ⇒ **Membre** (viril), **pénis, phallus, priape, vit ;** fam. **biroute, bitte, braquemart, manche, quéquette, queue.** *Parties de la verge.* ⇒ **Caverneux** (corps), **filet, gland, prépuce.** — *Les Onze Mille Verges,* récit (publié d'abord anonymement) de G. Apollinaire.

DÉR. Vergeoise, vergerette, vergeté, verger, vergette, vergeure. **COMP. Enverger. — Porte-verge, sous-verge.**

VERGÉ, ÉE [vɛʀʒe] adj. — 1550 ; régional, *vergiet* « orné de bandes », déb. xiie ; *vergié,* v. 1175 ; lat. *virgatus* « tressé avec des baguettes ; rayé ».

♦ **1.** Vx. S'est dit d'une étoffe à fils saillants.

♦ **2.** (1845). Se dit du papier marqué de vergeures (→ Crème, cit. 3). N. m. (1884). *Du vergé* (→ Papier, cit. 4).

HOM. Verger.

VERGENCE [vɛʀʒɑ̃s] n. f. — 1953 ; tiré de *convergence, divergence.*

♦ Phys. Inverse de la distance focale d'un système optique centré. *« Une lentille d'approche est couramment étalonnée en dioptries exprimant sa puissance (ou vergence) »* (G. Betton, *la Photomacrographie,* p. 20).

VERGEOISE [vɛʀʒwaz] n. f. — 1762 ; de *verge.* Technique.

♦ **1.** Vx. Forme, garnie de cerceaux de coudrier, qui servait à la fabrication des pains de sucre.

♦ **2.** Mod. Sucre fabriqué avec des déchets de raffinerie.

VERGER [vɛʀʒe] n. m. — 1080, *vergier ;* du lat. *viridarium,* même sens, de *viridis* « vert ».

♦ Terrain planté d'arbres fruitiers. ⇒ **Jardin, ouche** (→ Cerise, cit. 1 ; étendre, cit. 36 ; honneur, cit. 57 ; nouer, cit. 10). *Vergers d'oliviers* (cit. 2). ⇒ **Champ, plantation.** *Mannequins* (1. Mannequin, cit. 7) *qu'on suspend dans les vergers.*

1 Enfin il avait, derrière sa grange, un beau verger, que nous appelons chez nous une ouche, où le fruit abondait tant en prunes qu'en guignes, en poires et en cormes. G. SAND, la Petite Fadette, I.

2 Les bons vergers à l'herbe bleue, Aux pommiers tors! Comme on les sent toute une lieue Leurs parfums forts! RIMBAUD, Poésies, « Les réparties de Nina ».

3 Le verger n'était pas vaste (...) L'enclos serrait une végétation violente, touffue. Du verger abandonné il restait deux ou trois cognassiers, des pêchers, un abricotier sauvage. Çà et là un bout de rigoles, des tuiles, une petite haie de buis. Contre le mur du fond, envahi par le lierre et le chèvrefeuille, s'étalait, encore noir, noueux, vivace, un poirier qui donnait quelques fruits acides. H. BOSCO, Hyacinthe, p. 59.

4 Par une fente du talus on apercevait un verger dont les pommiers espacés, dénudés de leurs feuilles et gardant seulement comme une toiture pourpre de pommes rouges, dessinaient des ombres grêles sur la prairie pâle de soleil. PROUST, Jean Santeuil, Pl., p. 363.

Par métaphore. → Ensemencer, cit. 2 ; 1. fruit, cit. 22.

HOM. Vergé.

VERGERETTE [vɛʀʒəʀɛt] n. f. — 1872 ; *vergerolle,* même sens, 1812 ; dimin. de *verge.*

♦ Érigéron* (plante).

VERGETÉ, ÉE [vɛʀʒəte] adj. — 1678 ; de *verge.*

♦ **1.** Marqué de petites raies (comme les traces de coups de verges). ⇒ **Rayé.** *Peau marquetée* (cit. 1) *et vergetée.*

(...) son beau cul *(d'une truie)* d'éléphant rose, couvert de soie, vergeté de rides fines, ponctué d'une queue nerveuse, en tire-bouchon. Catherine PAYSAN, l'Empire du taureau, p. 110.

♦ **2.** (1762 ; *vergetté,* 1680). Blason. Se dit de l'écu palé dont le rabattement est plus nombreux.

DÉR. Vergeture.

VERGETER [vɛʀʒəte] v. tr. — Conjug. *jeter.* — 1693 ; *vergetter,* 1660 ; *vergecter,* 1555 ; de *verge,* ou de *vergette.* Vieux.

♦ **1.** Épousseter avec une vergette.

♦ **2.** (1693). Passer par les verges, fouetter.

VERGETIER, IÈRE [vɛʀʒətje, jɛʀ] n. — 1659 ; de *vergette.*

♦ **1.** Vx. Personne fabriquant et vendant des vergettes et différentes espèces de brosses. ⇒ **Brossier.**

♦ **2.** Mod., techn. Ouvrier, ouvrière préparant des tiges de fer sur le banc à étirer.

VERGETTE [vɛʀʒɛt] n. f. — V. 1398 ; *vergete,* v. 1165 ; dimin. de *verge.*

♦ **1.** Rare. Petite verge. — Petite brosse.

♦ **2.** (1690). Blason. Pal étroit (rebattu cinq fois et plus).

DÉR. Vergeter, vergetier.

VERGETURE [vɛʀʒətyʀ] n. f. — 1767 ; de *verget(é).* Didactique ou littéraire.

♦ **1.** Fine marque rougeâtre laissée sur la peau par des coups (de verges, de fouet).

♦ **2.** (1872). Au plur. Petites raies, semblables à des cicatrices molles, qui se forment sur la peau soumise à une distension exagérée, par atrophie de son réseau élastique. *Vergetures sur le ventre d'une femme enceinte.*

VERGEURE [vɛʀʒyʀ] n. f. — 1680; de *verge*.

♦ Techn. En papeterie, Fil de cuivre de la forme (⇒ **Forme**, V., A., 3.). Marque que laissent ces fils, filets blancs horizontaux qui se trouvent dans le filigrane du papier *vergé*. *Vergeures et pontuseaux.*

VERGLAÇANT, ANTE [vɛʀɡlasɑ̃, ɑ̃t] adj. — 1606, *verglassant*; de *verglacer*.

♦ Qui provoque le verglas. *Pluie verglaçante.*

VERGLACÉ, ÉE [vɛʀɡlase] adj. — 1613; de *verglacer*.

♦ Couvert de verglas. *Route verglacée, dangereuse. Plaque verglacée.*

HOM. Verglacer.

VERGLACER [vɛʀɡlase] v. impers. — Conjug. *placer*. — xvie; *verglacier*, xive; *verreglacier* «tomber par l'effet du verglas», v. intr., v. 1193; de *verglas*.

♦ Faire du verglas. *Le gel est général, il verglace sur toutes les routes. Ça verglace, méfiez-vous.* — REM. Le verbe est moins usuel que l'adjectif *verglacé**.

DÉR. Verglaçant, verglacé.
HOM. Verglacé.

VERGLAS [vɛʀɡlɑ] n. m. — xve; *verreglaz*, fin xiie; de *verre*, et *glas*, autre forme de *glace*, proprt «glace comme du verre».

♦ Mince couche de glace, qui se forme quand tombe une pluie surfondue qui vient en contact avec des corps solides au-dessous du point de congélation. ⇒ **Frimas, givre** (→ Geler, cit. 1; neiger, cit.). *On ne pouvait marcher à cause du verglas* (→ Raconter, cit. 10). *Accident de voiture dû au verglas. Couvert de verglas.* ⇒ **Verglacé.** *Il fait du verglas.* ⇒ **Verglacer.**

Chaque feuille d'arbre est revêtue d'une autre feuille de glace; si bien que lorsque vous voulez relever un arbuste, écrasé sous le poids de ce cristal, il sonne comme un lustre, et à vos pieds toute cette flore de verglas fait un bruit de verre cassé.
Ed. et J. DE GONCOURT, Journal, 12 déc. 1870, t. IV, p. 125.

DÉR. Verglacer.

VERGNE [vɛʀɲ] n. m. — xvie; *verne*, xiie; gaulois *verne*, entrant dans la composition de nombreux noms de lieux et de personnes.

♦ Régional (Centre). Aulne (→ Déraciner, cit. 3). ⇒ **Verne.**

VERGOBRET [vɛʀɡɔbʀɛ] n. m. — 1573; lat. *vergobretus* (César), même sens, mot gaulois.

♦ Hist. Chef et juge suprême chez les Eduens et quelques autres peuples gaulois.

VERGOGNE [vɛʀɡɔɲ] n. f. — 1080; lat. *verecundia* «pudeur; honte». → Vérécondie (vx).

♦ **1.** Vx, littér. ou régional. Sentiment de honte. → Irréussite, cit.; plaisanter, cit. 6; tenir, cit. 58.

1   Je me serais volontiers caché de vergogne parmi les ours, nos voisins.
CHATEAUBRIAND, Mémoires d'outre-tombe, t. V, III, XIII, p. 159.

2   Décidément, je crois qu'il entrait de la vergogne dans le sentiment qui m'avait fait effacer mon nom de l'ardoise. La fréquentation de Wilde était devenue compromettante (...)
GIDE, Si le grain ne meurt, II, II.

2.1   On sortait ensemble. Ça s'était fait comme ça. Il ne me déplaisait pas. Tu comprends, j'arrivais de là-haut et toutes ses singeries m'engourdissaient. C'est difficile à dire : avec lui, je n'étais pas à mon aise; j'avais vergogne. Mais, s'il me disait de payer un litre au *Piémont*, j'y allais volontiers.
J. GIONO, Un de Baumugnes, Pl., t. I, p. 223 (1929).

♦ **2.** (1588, Montaigne). Loc. mod. SANS VERGOGNE : sans honte, sans pudeur, sans scrupule, effronté (→ Aborder, cit. 8; escompter, cit. 2; génital, cit.; 1. goûter, cit. 15). «*Bretteurs* (cit. 1) *et menteurs sans vergogne...* ».

3   «Noblesse, dignité, grandeur»..... ces termes, j'ai crainte et presque honte à m'en servir, tant on abusa d'eux sans vergogne.   GIDE, Ainsi soit-il..., p. 156.

4   Pendant des après-midi entiers il ne nous disait pas un mot, nous ignorait, se ravisant seulement à l'instant de notre départ et nous découvrant tout à coup, pour

nous réclamer sans vergogne un paquet de tabac fin, un couteau neuf ou un pourboire.   M. GENEVOIX, Forêt voisine, VII.

DÉR. Vergogneux.
COMP. V. Dévergondé.

VERGOGNEUX, EUSE [vɛʀɡɔɲø, øz] adj. — V. 1360; *vergoignos*, v. 1160; de *vergogne*.
Vieux ou littéraire.

♦ **1.** Qui est naturellement porté à avoir honte; timide.

Dans le brouillard s'en vont un paysan cagneux
Et son bœuf lentement dans le brouillard d'automne
Qui cache les hameaux pauvres et vergogneux (...)
APOLLINAIRE, Alcools, « Automne ».

♦ **2.** (1598). Vx. Qui suscite la honte. *Les parties vergogneuses.* ⇒ **Honteux.**

VERGUE [vɛʀɡ] n. f. — 1240; *verge*, v. 1155; forme normande ou picarde de *verge*.

♦ Mar. (cour.). Espar (cit. 2) généralement cylindrique, effilé à l'extrémité, disposé en croix sur l'avant des mâts (cit. 5), et servant à porter la voile qui y est enverguée*. ⇒ **Agrès, antenne, envergure**; et aussi **balancine, bout-dehors, estrope, étrier, marchepied** (→ Dessiner, cit. 6; haler, cit. 1; larguer, cit. 2). — (1680, *grande vergue*). Grand-vergue, portant la grand'voile. — *Vergue de misaine*, portant la misaine. *Fortune* *gréée sur la vergue de misaine.* — *Vergue de hune*, portant les huniers. — *Vergues des voiles auriques.* ⇒ **Corne, gui** (2.). *Vergue sèche* ou *barrée*, qui ne porte pas de voile. *Orienter une vergue.* ⇒ **Brasser.** *Bras de vergue. Apiquer, appuyer, capeler les vergues. Mettre les vergues en pantenne*. *Mauges* servant à garnir une vergue.*

COMP. Enverguer.

VERHAERÉNIEN, IENNE [vɛʀaʀenjɛ̃, jɛn] adj. et n. — D. i. (déb. xxe); de *Verhaeren*.

♦ Relatif à Émile Verhaeren, à son œuvre. *Le lyrisme verhaerénien.*
N. Spécialiste de l'œuvre de Verhaeren.
On trouve chez Aragon l'adjectif péj. *verhaeréniaque* :

Les gens ne comprennent pas pourquoi je peins de belles machines neuves... Ils veulent bien des machines... mais en action... avec des flammes... de la fumée... le genre titan verhaeréniaque.   ARAGON, Aurélien, I, p. 217.

VÉRIDICITÉ [veʀidisite] n. f. — 1741, d'une personne; du rad. de *véridique*.

♦ Littér., rare. Caractère véridique (d'une personne, d'une faculté, d'une assertion ou d'un témoignage). ⇒ **Véracité**; et aussi **exactitude, vérité.** *La véridicité de la mémoire* (Renouvier, *in* Lalande). *La véridicité d'un document.* ⇒ **Authenticité.**

Il y a, au fond de cette peinture, un remarquable souci *d'humanisation* et de véridicité de la matière.
A. ARTAUD, le Dernier Aspect du Salon, *in* Œ. compl., t. II, p. 198 (1921).

CONTR. Fausseté, mensonge.

VÉRIDICTION [veʀidiksjɔ̃] n. f. — Mil. xxe; du lat. *verus* «vrai», et *dictio*, de *dicere* «dire».

♦ Didact. Le fait d'être sincère (⇒ **Sincérité**), de dire ce que l'on pense être le vrai. *La véridiction peut produire un énoncé faux* (erreur de bonne foi).

CONTR. Mensonge.

VÉRIDIQUE [veʀidik] adj. — 1456; lat. *veridicus* «qui dit la vérité», de *verus* «vrai», et *dicere* «dire».

♦ **1.** Littér. Qui dit la vérité, qui rapporte qqch. avec exactitude (⇒ **Véracité**). *C'est une même chose qui vous fait menteurs ou véridiques* (→ 1. Faux, cit. 47). ⇒ **Sincère.** *S'efforcer d'être véridique* (→ Inquiéter, cit. 9). — Qui dit habituellement la vérité. *Un homme véridique.*

1   — (...) Oui, nous autres nobles, c'est à nous d'être véridiques, simplement parce qu'il est au-dessous de nous de prendre la peine d'inventer les mensonges.
MONTHERLANT, le Maître de Santiago, II, 1.

Qui a pour souci d'être franc, sincère. *Témoin véridique* (⇒ **Croyable**).

(Av. 1869). Par ext. Qui conserve, reproduit fidèlement. *Mémoire véridique.*

♦ **2.** (Déb. xvie). Cour. Conforme (ou qui est jugé conforme) à la vérité, à ce qui a été éprouvé, fait, constaté. ⇒ **Authentique, exact.** *Témoignage véridique. Véridique histoire* (→ Inexorable, cit. 4; méfait, cit.). *Description, récit véridique.*

2   Il n'est pas de plus beau et de plus véridique tableau (je dis véridique, car cela se sent comme la vie même) que celui du début de la Régence *(par Retz)* [...]
SAINTE-BEUVE, Causeries du lundi, 20 oct. 1851.

♦ **3.** Qui présente un caractère de vérité, de conformité avec le réel ; qui ne trompe pas. *Un véridique et frappant caractère de bestialité* (cit. 2 ; → aussi Onirique, cit. 2). ⇒ **Véritable, vrai.**

CONTR. Faux, inexact, mensonger, trompeur.
DÉR. Véridicité, véridiquement.

VÉRIDIQUEMENT [veʀidikmɑ̃] adv. — 1845 ; de *véridique.*

♦ Littér. D'une manière véridique, exacte.

CONTR. Mensongèrement.

VÉRIF [veʀif] n. ⇒ **Vérifieur.**

VÉRIFIABILITÉ [veʀifjabilite] n. f. — Mil. xxᵉ ; *vérificabilité*, 1912, t. employé par les logiciens de l'école de Vienne ; du rad. de *vérifiable.*

♦ Didact. (log., sc.). Caractère de ce qui est vérifiable. *Vérifiabilité et falsifiabilité*.

VÉRIFIABLE [veʀifjabl] adj. — 1845 ; xivᵉ, (sceau) *verefiable* « qui sert à authentifier » ; de *vérifier.*

♦ Qui peut être vérifié. *Que rien ne soit admis* (cit. 11) *qui ne soit vérifiable. Hypothèse** (cit. 3 et 4) *vérifiable. Sa version est facilement, difficilement vérifiable.*

CONTR. Invérifiable.
DÉR. V. Vérifiabilité.

VÉRIFICATEUR, TRICE [veʀifikatœʀ, tʀis] n. — 1608 ; de *vérifier*, d'après *vérification.*

♦ **1.** Personne chargée de vérifier. ⇒ **Vérifieur.** — Spécialt. Personne qui vérifie des comptes, des déclarations. ⇒ **Contrôleur.** *Vérificateur aux comptes* (→ Jeu, cit. 58). *Vérificateur des douanes, de l'enregistrement. Comptable vérificateur. Vérificateur des poids** *et mesures. Vérificateur métreur**. — Équivalent français de l'anglicisme *auditor (auditeur).*

♦ **2.** 1873 ; → 2. Vérifier. *Vérificateur de pièces mécaniques. Réceptionnaire vérificateur. Vérificateur d'appareils de précision, en horlogerie... Vérificatrice de films.*

DÉR. Vérificatrice.

VÉRIFICATIF, IVE [veʀifikatif, iv] adj. — 1608 ; du rad. de *vérification.*

♦ Didact. Qui sert de vérification. *Une recherche vérificative.*

VÉRIFICATION [veʀifikasjɔ̃] n. f. — 1587, au sens 1 ; 1388, *verificacion* « enregistrement (d'un acte) par une cour, un parlement » ; de *vérifier.*

Action de vérifier ; son résultat.

♦ **1.** Le fait de vérifier ; opération par laquelle on vérifie. ⇒ **Contrôle, épreuve ; contre-épreuve, essai, examen, expertise.** (1872). *Vérification des poids et mesures*, au sortir des ateliers de fabrication. *Vérifications périodiques.* — (1936). Le service public chargé de faire respecter l'uniformité des poids, mesures et appareils de mesure en France. Étude critique de systèmes et de documents comptables. — Étude critique des états financiers d'un organisme par un expert indépendant en vue d'exprimer une opinion sur leur fidélité. ⇒ **Audit** (anglic.). *Vérification d'un compte, d'une comptabilité.* ⇒ **Apurement.** *Vérification de marchandises.* ⇒ **Recensement.** *Vérification et pointage sur inventaire.* ⇒ **Pointage, pointer, récolement.** (1690). *Vérification d'écritures* : procédure par laquelle on vérifie si un acte sous seing privé émane bien de la personne à qui on l'attribue ⇒ **Reconnaissance** ; → Légalisation, cit. 2. *Vérification par titres, par expert.* — (1936). Dr. *Vérification des créances* : contrôle de leur existence, de leur validité et de leur montant par le syndic, dans la procédure de la faillite. (1789). *Vérification des pouvoirs* : contrôle de l'existence et de la validité des pouvoirs donnés par les actionnaires absents, avant la délibération d'une assemblée générale. — Opération par laquelle une assemblée* vérifie si les personnes qui y siègent ont qualité pour le faire. *Vérification de l'éligibilité, de l'élection régulière des membres. Vérification publique* (cit. 2). → aussi **Parlement.**

♦ **2.** Confirmation, par l'expérience ou l'observation (d'une loi énoncée). *Soumettre une hypothèse, une supposition au contrôle* (cit. 2) *de vérifications méthodiques. Vérification faite...* Contrôle de la véracité (de qqch.). *Vérification d'un témoignage par les recoupements**, *des confrontations. Procéder à des vérifications domiciliaires* (cit. 1). — Psychol. *Manie, obsession de la vérification.*

1 La vérification diffère (...) de la véritable démonstration, parce qu'elle est pure-

ment analytique et parce qu'elle est stérile. Elle est stérile parce que la conclusion n'est que la traduction des prémisses dans un autre langage. La démonstration véritable est féconde au contraire parce que la conclusion y est en un sens plus générale que les prémisses.
Henri POINCARÉ, la Science et l'Hypothèse, p. 13.

♦ **3.** Résultat favorable d'une telle opération ; constatation qu'une chose est vraie. *La vérification porte sur « un cas particulier, tandis que la démonstration présente un caractère général »* (H. Poincaré, *in* Lalande).

♦ **4.** (1921). Le fait d'être vérifié, de se vérifier, de s'avérer exact. ⇒ **Confirmation.** *Vérification d'une rêverie* (→ Catégorie, cit. 5). *Vérification par les faits, la pratique...*

Un amour vécu ne serait que la vérification anxieuse de l'amour dont j'ai l'expérience intérieure. J. ROMAINS, Lucienne, XII. 2

DÉR. Vérificatif.

VÉRIFICATRICE [veʀifikatʀis] n. f. — 1964 ; fém. de *vérificateur.*

♦ Techn. Machine à cartes perforées utilisée pour contrôler le travail des perforatrices.

HOM. Fém. de vérificateur.

VÉRIFIER [veʀifje] v. tr. — 1402 ; « enregistrer, homologuer », v. 1296. → Vérificateur, vérification, étym. ; cf. encore *vérifier un édit, in* Voltaire ; du bas lat. *verificare*, de *verus* « vrai », et *facere.*

♦ **1.** (1549). Examiner la valeur de (qqch.) par une confrontation avec les faits ou par un contrôle de la cohérence interne. ⇒ **Examiner ; contrôler.** *Vérifier une assertion, une déclaration, une nouvelle, un bruit, une rumeur... Vérifier un axiome, une proposition, la conclusion d'un raisonnement. Récit vérifié par les savants* (→ Créance, cit. 6). — *Vérifier un témoignage en récolant** *les témoins. Vérifier un extrait, une citation, un texte sur les autographes en collationnant**. (→ Éclairer, cit. 12, et, absolt, correction, cit. 4). — *Vérifier un calcul, une opération* (→ aussi Juste, cit. 22), *un compte, un inventaire* (⇒ **Apurer**). *Les agents du fisc vérifient les déclarations. Vérifier un mémoire d'entrepreneur, une facture. Vérifier la comptabilité, la gestion d'une entreprise.* ⇒ **Auditer.**

Je remplis un devoir pénible, je rapporte un témoignage. C'est tout. Il vous incombe de le vérifier. F. MAURIAC, la Pharisienne, IX. 1

Par ext. Examiner l'existence de (un caractère de vérité, d'exactitude, etc., dans une chose). *Vérifier l'exactitude, l'authenticité d'une assertion.* ⇒ **Reconnaître.** *Vérifier la ressemblance d'une photo sur un passeport* (→ Examiner, cit. 10). ⇒ **Voir.** *Vérifier la présence de...* (→ Exploration, cit. 5).

(...) ce qu'il s'agit de retrouver, ce n'est pas la circonstance matérielle, impossible 2 à vérifier, c'est l'âme même de l'histoire ; ce qu'il faut rechercher, ce n'est pas la petite certitude des minuties, c'est la justesse du sentiment général, la vérité de la couleur. RENAN, Vie de Jésus, Introd., Œ. compl., t. IV, p. 81.

Vérifier si... : examiner de manière à constater que... (→ Initiale, cit. 4 ; 1. queue, cit. 25). ⇒ **Assurer** (s'), **éprouver.** — *Vérifier quand, comment...*

♦ **2.** Examiner (une chose) de manière à pouvoir établir si elle est conforme à ce qu'elle doit être, si elle fonctionne correctement (⇒ **Épreuve ; contre-épreuve**). *Vérifier l'aloi* (cit. 3), *le titre d'un alliage ; un poids, une mesure* (⇒ **Étalonner**), *l'aplomb d'un mur* (⇒ **Plomber**). *Vérifier l'ordre des cahiers d'un livre* (⇒ **Collationner**). *Vérifier le calibre, le grain...* (→ Examen, cit. 8). *Vérifier le niveau d'eau* (⇒ Radiateur, cit. 22), *la pression* (⇒ Timbrer, cit. 4). — Contrôler (un mécanisme). Ellipt. *Vérifier l'eau, l'huile, la batterie.*

En parlant, ils avaient des gestes d'ouvriers, doux et précis, avec les mains et les 2.1 pouces comme pour vérifier un travail. M. AYMÉ, Maison basse, p. 42.

Vérifier un moteur (⇒ **Essayer**), *une mitrailleuse* (→ Poil, cit. 24). — *Vérifier les piles* (1. Pile, cit. 2) *de linge.*

♦ **3.** (1402). Sens étym. du lat. **[a]** (Sujet n. de personne). Reconnaître ou faire reconnaître une chose pour vraie* par l'examen, l'expérience* ou en vérifiant (1.). ⇒ **Constater, expérimenter, prouver.** *C'est une chose plus facile à affirmer qu'à vérifier* (→ Faillite, cit. 6). *Vérifier une hypothèse, une idée probable* (→ Expérience, cit. 43). *Vérifier que...* (→ Crapuleux, cit. 1).

Si l'expérience réussit, croira-t-on avoir vérifié toutes ces hypothèses à la fois ? 3
Henri POINCARÉ, la Science et l'Hypothèse, IX.

[b] (1580, Montaigne). Sujet n. de chose. Constituer le signe non récusable de la vérité de (qqch.). *Les événements, les faits ont vérifié ce qu'il dit, ses assertions, nos soupçons...* ⇒ **Confirmer, justifier** ; expérience. *Rien ne vient vérifier cette prédiction.* — Sc. *La synthèse* (cit. 1) *vérifie l'analyse.*

[c] Pron. *Se vérifier* : s'avérer* exact, juste (→ Présage, cit. 3 ; pressentiment, cit. 1).

CONTR. (Du sens 3) Infirmer ; contredire.
DÉR. Vérifiable, vérificateur, vérification, vérifieur.
COMP. Revérifier.

VÉRIFIEUR, EUSE [veʀifjœʀ, ɸz] n. — 1964 ; «personne qui enregistre», 1487 ; de *vérifier*.
Technique.

♦ **1.** Spécialiste chargé d'une vérification.

♦ **2.** Personne chargée de faire fonctionner une vérificatrice. Abrév. fam. : *vérif* (dans *perfo-vérif* : *perforateur vérifieur, perforatrice vérifieuse*).

VÉRIN [veʀɛ̃] n. m. — xvie ; *verrin*, 1463 ; «sorte de vis en bois», 1389 ; lat. *veruina* (n. f.) «dard», de *veru* «broche, pique» (→ Verrou) ; cf. ital. *verrina*.

♦ Techn. Appareil de levage formé de deux vis ou d'une vis double mue par un écrou. *Vérin à chariot*, dont le bâti peut se déplacer horizontalement. *Vérin télescopique*. Par anal. *Vérins hydrauliques, pneumatiques, électriques, pyrotechniques. — Comme les crics*, les vérins sont des élévateurs*. (Archit.) *Vérin utilisé pour enlever les cintres.*

L'empereur expliquait tout, donnait des détails sur les divisions principales de l'engin, s'arrêtait aux vérins hydrauliques qui, au moyen d'aussières en acier, ouvraient et fermaient la porte de chargement (...)
G. LEROUX, Rouletabille chez Krupp, p. 185.

DÉR. Vérine ou verrine.

VÉRINE ou **VERRINE** [veʀin] n. f. — 1904 ; *verrine* «vis en bois», 1803 ; de *vérin*.

♦ Mar. Bout de filin muni d'un croc ou d'une griffe, qui sert à manier les chaînes d'ancre.

HOM. 2. Verrine.

VÉRISME [veʀism] n. m. — 1890, in P. Larousse, *Deuxième Suppl.*, art. *Italie* ; ital. *verismo*, de *vero* «vrai».

♦ **1.** Mouvement littéraire italien de la fin du xixe siècle, inspiré par le naturalisme* et dirigé contre les romantiques. — Par anal. *Le vérisme dans l'opéra* (Puccini, Leoncavallo).

♦ **2.** Dans les spectacles, Recherche d'une vérité naturaliste.

Il s'agit d'un de ces incroyables sous-produits de l'*Actors' Studio* où, sous prétexte de former des acteurs, on triture les psychismes des jeunes aspirants par un mélange de psychodrame et de psychanalyse, avec un pseudosouci de vérisme et de réalisme, dont les résultats peuvent être observés chez de très nombreux sujets que cette «méthode» a amenés à rompre à la fois avec l'art et avec la réalité.
R. GARY, Chien blanc, p. 105, 1970.

DÉR. Vériste.

VÉRISTE [veʀist] adj. et n. — 1890 ; de *vérisme*.

♦ **1.** Adj. (Choses). Du vérisme. *Les romans véristes et régionalistes de Giovanni Verga.*

♦ **2.** Adj. et n. (Personnes). Adepte du vérisme. *Les romanciers, les cinéastes véristes. N. Les véristes.*

VÉRITABLE [veʀitabl] adj. — 1188, au sens 2 ; de *vérité*.

♦ **1.** (1190, *veritaule*). Vx ou littér. (Personnes ; en attribut, ou après le nom). Qui dit la vérité (⇒ **Véridique**) ; qui ne cherche pas à tromper (⇒ **Sincère**). *D'un cœur véritable* (Molière, *le Misanthrope*, v. 253). — Par ext. *Un aveu* (cit. 8) *véritable.*

1 — Pour vous montrer que je suis véritable, je veux faire un impromptu là-dessus.
MOLIÈRE, les Précieuses ridicules, 11.

Qui ne trompe pas, est à la fois sincère, conforme à son apparence et à son nom. «*Qu'un ami* (cit. 3) *véritable est une douce chose*» (La Fontaine). ⇒ **Sincère, sûr.**

♦ **2.** Vieilli. Qui mérite l'assentiment ; qui présente un caractère de vérité* (conformité avec le réel, etc.). ⇒ **Vrai ; exact.** *Assertion, énonciation, proposition véritable.* ⇒ **Authentique, avéré.** *Une fable « Dont le récit est menteur Et le sens* (cit. 23) *est véritable ». Tenir une chose véritable* (→ Établir, cit. 45), *pour véritable. Il serait à souhaiter que ces idées* (cit. 43) *fussent véritables. Prophéties prouvées véritables par l'événement.* ⇒ **Vérifier** (→ Dieu, cit. 34). *Jauger à sa véritable valeur.* ⇒ **Juste.** — *Une religion* (cit. 1) *véritable* (→ aussi Centre, cit. 18 ; enseigner, cit. 15). — Vx. *Il est véritable que...* (Molière, *le Misanthrope*, v. 683).

2 — Et mon père y consent ? (...) Ah ! que je suis heureuse, si cela est véritable !
MOLIÈRE, l'Amour médecin, III, 6.

Qui est conforme à un modèle, à un type ; qui s'accorde au sentiment du réel (opposé à *conventionnel, faux...*). ⇒ **Naturel, vrai, vraisemblable.** *De véritables imitations* (cit. 13). *Voilà son portrait* (cit. 11) *véritable.*

3 Ah ! sachez-le : ce drame n'est ni une fiction, ni un roman. *All is true*, il est si véritable, que chacun peut en reconnaître les éléments chez soi, dans son cœur peut-être.
BALZAC, le Père Goriot, Pl., t. II, p. 848.

♦ **3.** (Déb. xve). Mod. (Avant ou après le nom, en épithète). Qui a lieu ; qui existe réellement, en dépit de l'apparence. ⇒ **Réel, vrai** (opposé

à *inventé, imaginé, faux, apparent*). *Une tête de mort véritable* (et non pas une imitation). → Architecture, cit. 8. *La véritable Elvire...* (→ Alambiqué, cit. 6). *Le chemin parcouru du véritable Achille à l'Iliade* (→ Mythe, cit. 4). ⇒ **Historique.** — *Fondement véritable d'une histoire* (→ Romancer, cit.). — *Véritable nom* (→ Où, cit. 4). *Son identité véritable* (→ Papier, cit. 26)... *Qualités* (cit. 1) *véritables, fausses ou seulement apparentes* (Descartes). *Sa physionomie trompait sur son véritable caractère* (→ Mignardise, cit. 1). *Connaître qqn sous son véritable jour* (cit. 19). *Le motif véritable de son action.*

4 Je feignais de la mépriser. Mais elle était bien trop jolie pour que ce mépris fût véritable.   FRANCE, la Rôtisserie de la reine Pédauque, *in* Œ., t. VIII, p. 29.

4.1 (...) si vous étiez un véritable inspecteur, vous sauriez qu'on ne mène pas une enquête comme ça.   R. QUENEAU, Zazie dans le métro, Folio, 1959, p. 157.

♦ **4.** (Fin xviie ; 1694, Boileau). Choses concrètes. Qui est conforme à l'apparence ; qui n'est pas imité. *Or, bijoux* (cit. 4), *mosaïque véritable* (→ Fur, cit. 5). *Véritable bruyère du Cap ; véritable écume de Crimée* (→ Pipe, cit. 1).

(Choses morales ou personnes). Généralement avant le nom. Qui est conforme à l'idée qu'on s'en fait ; qui mérite son nom et sa réputation. *Un attachement* (cit. 11) *véritable* (et non pas feint). *La véritable vertu* (→ Candeur, cit. 1). *Le véritable, le solide bonheur des mariages* (→ Époux, cit. 11). *De véritables défauts, des qualités solides* (→ Frivole, cit. 7). *Une véritable amitié* (cit. 7). *Le véritable amour* (cit. 22).

5 L'art véritable n'a que faire de tant de proclamations et s'accomplit dans le silence.   PROUST, À la recherche du temps perdu, t. XV, p. 26.

6 Sur certaines femmes les plus belles perles deviennent fausses. Par contre sur d'autres, les perles fausses paraissent véritables.
COCTEAU, Thomas l'imposteur, p. 68.

♦ **5.** (Déb. xve). Avant le nom. Qui est exactement nommé ; qui mérite son nom. ⇒ **Bon, vrai.** *Ce sont plutôt des trèves passagères que de véritables paix* (cit. 22). *Le véritable joueur* (cit. 6). *Un véritable observateur* (cit. 11). *Une véritable canaille.* ⇒ **Franc.** *Ma facilité* (cit. 15), *véritable paresse. La mécanique* (cit. 6) *est une véritable science. Une véritable épidémie* (cit. 3). — *Ce qu'on appelle la fausse honte* (cit. 40), *qui en est une très véritable.*

Par ext. (Pour introduire et renforcer une désignation, un terme métaphorique ou figuré, qui n'est justement pas «véritable» mais dont on veut souligner l'exactitude). Syn. : *vrai*. « *Des bœufs* (cit. 5), *véritables patriarches de la prairie* » (Sand). *Un véritable pavé* (cit. 8) *de viande. La chambre aux machines* (cit. 16), *véritable étuve. C'est une véritable folie* (→ Ruine, cit. 7 ; et aussi fièvre, cit. 8 ; humide, cit. 6 ; lacune, cit. 5 ; procession, cit. 7). — *Mon grand-père* (cit.) *qui dans le fait fut mon véritable père.*

CONTR. Faux ; erroné, fautif, inexact ; apparent, imaginaire, inventé. — Artificiel, imaginaire.
DÉR. Véritablement.

VÉRITABLEMENT [veʀitabləmɑ̃] adv. — xive ; *veritaulement*, v. 1190 ; de *véritable*.

♦ **1.** Vx. D'une manière sincère, véridique. *Parlez-moi véritablement* (Académie).

♦ **2.** (Fin xiie). Mod. Dans la réalité, réellement. *Qu'est-ce donc qui est véritablement ?* (→ Éternel, cit. 1). *Ce qui existe véritablement* (→ Identité, cit. 17). *La substance* (cit. 7), *seul être véritablement être.*

♦ **3.** D'une manière réelle, effective. ⇒ **Réellement.** — *Est-il encore là* (cit. 11), *devant moi, véritablement ? n'est-ce pas une illusion ? Tableau religieux qui représente* (cit. 2) *véritablement une fête flamande*, dont le modèle véritable est une fête flamande. — (En tête de phrase). *À la vérité*... ⇒ **Assurément ; effet** (en) ; **fait** (dans, par le fait).

♦ **4.** (Déb. xviie). Conformément à l'apparence, au mot qui désigne. ⇒ **Fait** (en), **proprement, réellement, vraiment** (→ À la lettre*). — *On ne l'avait jamais véritablement vu* (→ Dessiner, cit. 4). *Les gens véritablement élégants* (→ Habiller, cit. 8). *Occasion* (cit. 8) *véritablement exceptionnelle. Des femmes plus véritablement belles* (→ Beauté, cit. 20). — Pour introduire et renforcer une comparaison, une image. « *C'est véritablement la Tour de Babylone* » (→ Aune, cit. 1).

CONTR. Faussement.

VÉRITÉ [veʀite] n. f. — xiie ; a remplacé la forme «populaire» (évoluée) *verté, vertiet*, xe ; par réemprunt au lat. *veritas* «le vrai, la réalité», de *verus* «vrai».

♦ **1.** [a] Ce à quoi l'esprit peut et doit donner son assentiment (par suite d'un rapport de conformité avec l'objet de pensée, d'une cohérence interne de la pensée) ; connaissance à laquelle on attribue la plus grande valeur. ⇒ **Vrai** (opposé à *erreur*, cit. 20 à 24, *illusion*). *Chercher* (cit. 16), *souhaiter* (→ Bonheur, cit. 11) *posséder la vérité* (→ Discussion, cit. 6). *La recherche* (cit. 1, 3 et 4) *de la vérité* (→ Doute, cit. 11, Descartes). *Le critérium de* *la vérité.* — *Vérité pragmatique** (cit. 2) *et vérité révélée*. Pour le pragmatisme** (cit. 1, Bergson), *la vérité est une invention.* — *« Trop de vérité nous étonne »* (→ Apercevoir, cit. 11, Pascal). *Connaître la vérité par le cœur* (cit. 162). *« La vérité générale et abstraite (...) est l'œil de la raison »* (Rousseau, *les Rêveries du promeneur solitaire,* 4). *« La vérité morale n'est pas ce qui est, mais ce qui est bien »* (Rousseau, *Émile,* p. 487). *La vérité* (morale) *distinguée de l'authenticité* (cit. 8) *historique. Vérité absolue* (cit. 15 à 17), *essentielle* (→ Déshonorer, cit. 9, Pascal), *suprême...* — *Vérité universelle; nationale; personnelle. La vérité de qqn* (→ Illumination, cit. 4). *À chacun sa vérité* (titre français d'une pièce de Pirandello).

Pendant que tous les philosophes se séparent en différentes sectes, il se trouve en un coin du monde des gens qui sont les plus anciens du monde, déclarant que tout le monde est dans l'erreur, que Dieu leur a révélé la vérité, qu'elle sera toujours sur la terre. PASCAL, Pensées, IX, 618.

Nous jugeons des choses (...) par ce qu'elles sont à notre égard : et la vérité et l'utilité ne sont pour nous qu'une même chose.
Logique de Port-Royal, III, XIX, I.

On définit la vérité l'accord de la pensée avec la chose : mais un accord ne peut constituer par lui-même aucune vérité; on suppose, quand on dit cela, que la chose est vraie par elle-même et, par conséquent, d'une vérité autre que celle qu'on définit (...) Il faut donc bien en venir à l'idée d'une vérité intrinsèque, qui porte en elle-même sa raison d'être vraie (...)
LACHELIER, *in* LALANDE, art. *Objectif,* Rem.

1 (...) On sent (...) que la vérité est quelque chose qui existe réellement en soi, en dehors de toute opinion, que la vérité à laquelle le savant s'attache est déterminée par une série de conditions qui ne se trouvent nullement dans les convenances humaines même les plus hautes mais dans la nature des choses.
PROUST, Jean Santeuil, Pl., p. 650.

Pour les philosophes anciens, il y avait, au-dessus du temps et de l'espace, un monde où siégeaient, de toute éternité, toutes les vérités possibles; les affirmations humaines étaient, pour eux, d'autant plus vraies qu'elles copiaient fidèlement ces vérités éternelles. Les modernes ont fait descendre la vérité du ciel sur la terre; mais ils y voient encore quelque chose qui préexisterait à nos affirmations. La vérité serait déposée dans les choses et dans les faits : notre science irait l'y chercher (...) H. BERGSON, la Pensée et le Mouvant, p. 245.

Théol. Dieu, fondement du vrai. ⇒ **Lumière, verbe.** *« Je suis la voie, la vérité, la vie »* (paroles du Christ).

b Cour. Connaissance conforme au réel; son expression; les faits qui lui correspondent en tant qu'ils sont exprimés, connus ou à connaître (opposé à *erreur, ignorance* ou à *invention, mensonge,* cit. 7). *Amour* (→ Imprudent, cit. 6), *besoin* (cit. 18), *souci de (la) vérité* (→ 2. Mémoire, cit. 7). ⇒ **Lucidité, sincérité** (cit. 3). *La vérité est toute à tous* (→ 2. Devoir, cit. 11). *Chercher, trouver* la vérité sur qqch. Rester fidèle à la vérité.* ⇒ **Fidélité.** — *C'est l'entière, la pure* vérité* (→ Arranger, cit. 13); *la vérité vraie* (fam.).
Dire la vérité (→ Langage, cit. 26; tête, cit. 14), *toute la vérité* (→ Humble, cit. 29), opposé à *mentir* (cit. 3 et 15). — Vx. *Dire vérité.* → Auteur, cit. 15. — Fam. *Sérum* de vérité.* — Loc. prov. *La vérité n'est pas toujours bonne* (cit. 93) *à dire.* — *Annoncer la vérité à qqn avec ménagement. Enseigner* (cit. 10), *raconter la vérité* (→ Répondre, cit. 2). *Cacher, obscurcir*, taire la vérité* (→ Mettre sous le boisseau*). *Reconnaître, admettre la vérité.* ⇒ **Avouer, confesser, convenir.** *Altérer, déguiser* (→ Couvrir, cit. 26), *farder* (1. Farder, cit. 1), *maquiller* (cit. 4), *orner, parer* (1. Parer, cit. 4) *la vérité* (N.B. Ces verbes s'appliquent à l'image allégorique de la vérité : → ci-dessous, 7.); *blesser* (cit. 21), *heurter* (cit. 16), *trahir la vérité.* ⇒ **Fausser, inventer, mentir, tromper.** *Outrer la vérité.* ⇒ **Caricaturer, exagérer** (→ Mesure, cit. 25). *Entorses* (cit. 4), *contorsions* données à la vérité. Un peu de vérité et beaucoup de mensonge* (→ Esprit, cit. 43). — *Démêler, découvrir la vérité* (→ 1. Avocat, cit. 8).

La vérité ne fait pas tant de bien dans le monde que ses apparences y font du mal.
LA ROCHEFOUCAULD, Maximes, 64.

(...) dire la vérité est utile à celui à qui on la dit, mais désavantageux à ceux qui la disent, parce qu'ils se font haïr. PASCAL, Pensées, II, 100.

N'avoir jamais menti, n'avoir jamais dit, pour un intérêt quelconque, même indifféremment, une chose qui ne fût la vérité, la sainte vérité, c'était le trait distinctif de la sœur Simplice (...) HUGO, les Misérables, I, VII, I.

Même la vérité, ils la déforment. À la vérité éternelle, ils substituent chacun leur vérité nationale. Autant de peuples, autant de vérités, qui ne s'admettent pas l'une l'autre et faussent et tordent la vérité. H. BARBUSSE, le Feu, XXIV.

Loc. prov. *La vérité sort de la bouche des enfants :* les enfants disent avec franchise et ingénuité ce que les adultes cachent, souvent pour obéir aux normes sociales.
Être à côté, en dehors de la vérité, s'approcher de la vérité. Récit fidèle, qui ne s'écarte pas de la vérité. — *Être dans la vérité.* ⇒ **Vrai** (n. m.).

Spécialt. Ce qui a été effectivement perçu ou fait par celui ou ceux qui le rapportent (⇒ **Témoin**). *Témoignage conforme, contraire à la vérité. Déguiser la vérité* (→ ci-dessus). *Assurer, confirmer la vérité.* ⇒ **Certifier; certificat.** *« Jurez de dire la vérité, toute la vérité, rien que la vérité ».* — *La vérité historique* (⇒ **Histoire**).

c Loc. → ci-dessous, 9.

♦ **2.** *(Vérité logique).* Caractère d'un fait intellectuel (jugement, pensée) conforme à son objet, au réel; valeur d'une connaissance. ⇒ **Exactitude, justesse, valeur.** *La vérité d'un jugement* (→ Expérience, cit. 31), *d'un principe* (cit. 1), *d'une proposition* (→ Intuitif, cit. 1). — *Vérité matérielle :* conformité avec une donnée de fait (matérielle ou psychique). *Vérité formelle :* absence de contradiction (→ Postulat, cit. 2). *« Ni la contradiction* (cit. 0.1) *n'est marque de fausseté, ni l'incontradiction n'est marque de vérité »* (Pascal). *Reconnaître la vérité des découvertes de Newton* (→ Euclidien, cit. 1). ⇒ **Valeur.** *La vérité d'une religion* (→ Passionner, cit. 13). — *Vérité d'un argument. Raisonnement d'une vérité et d'une clarté frappante.* ⇒ **Lumineux; évidence.** — *Sentir, éprouver* (cit. 4) *la vérité de...*

Avant que d'entrer dans les preuves de la religion chrétienne, je trouve nécessaire de représenter l'injustice des hommes qui vivent dans l'indifférence de chercher la vérité d'une chose qui leur est si importante et qui les touche de si près. 9
PASCAL, Pensées, III, 195.

Log. *Valeur de vérité :* propriété d'une variable logique d'être vraie ou fausse. *Table* de vérité.*

♦ **3.** Philos. *(Vérité ontologique).* Conformité de l'être *(ontos),* de l'objet avec un type, un idéal (pensée divine, idée* platonicienne) ou avec l'idée que nous nous faisons de cet objet.

Didact., cour. Caractère essentiel (d'un objet) qui le fait connaître dans sa réalité profonde; ce qui en constitue la valeur, en justifie l'existence. *« Je vais montrer (...) un homme dans toute la vérité de sa nature, et cet homme, ce sera moi »* (→ Moi, cit. 22, Rousseau). *La vérité de chacun est ce qui le grandit* (cit. 13). *Ma vérité personnelle* (→ Dépasser, cit. 16). *« Ma vérité de femme »* (*in* Montherlant).

♦ **4.** Caractère de ce qui s'accorde avec le sentiment de la réalité (⇒ **Vraisemblance**), de ce qui concerne un type, spécialt, dans l'expression artistique. *Vérité d'un portrait, d'une reproduction.* ⇒ **Ressemblance.** *La vérité d'un caractère, d'un personnage.* ⇒ **Justesse, naturel.** *Exécution troublante de vérité* (→ Surmouler, cit.). *La vérité du mouvement dans le dessin* (cit. 7). — REM. Dans ce sens, la conformité au réel découle aussi de la sincérité, de la spontanéité (→ ci-dessous, 8.).

On peut faire se succéder indéfiniment dans une description les objets qui figuraient dans le lieu décrit. La vérité ne commencera qu'au moment où l'écrivain prendra deux objets différents, posera leur rapport analogue dans le monde de l'art à celui qu'est le rapport unique de la loi causale dans le monde de la science, et les enfermera dans les anneaux nécessaires d'un beau style (...) 10
PROUST, À la recherche du temps perdu, t. XV, p. 36.

Spécialt (écon.). *Vérité des prix :* théorie et pratique économiques qui cherchent à faire correspondre le prix des services publics à leur coût réel.

♦ **5.** (1655). *Une, des vérités.* Idée ou proposition vraie, qui mérite un assentiment entier (sens objectif) ou qui l'emporte (sens subjectif). ⇒ **Certitude, conviction, croyance; évidence** (→ Cœur, cit. 167). *Vérités absolues* (cit. 14), *éternelles* (cit. 8 et 10), *immuables* (→ Grand, cit. 60). *Vérités révélées** (cit. 6), *surnaturelles,* considérées en philosophie ancienne comme des lois*, des normes* absolues, reflet de la pensée divine (Descartes, Bossuet, Leibniz). *Vérité d'évangile.* ⇒ **Dogme.** — Fig. *C'est une vérité d'évangile pour lui. Vérités de foi et de morale* (→ Hérésie, cit. 1). *Vérités abstraites et vérités pratiques* (1. Pratique, cit. 2). *Vérités générales et exceptions* (→ Nombreux, cit. 3). *Vérités capitales* (cit. 8), *essentielles, fécondes* (→ Hypothèse, cit. 4), *stériles* (→ Semence, cit. 4), *utiles* (→ Apologue, cit. 4). — *Vérités premières*, primitives* (cit. 2), évidentes mais indémontrables. Par ext., iron. Proposition tenue pour évidente, mais que l'on refuse de discuter. Loc. *Il pleut des vérités premières :* les banalités s'accumulent. — *Vérités positives* (cit. 1), *d'expérience*. Vérité claire, éclatante** (cit. 8), *évidente, d'évidence, qui tombe sous le sens*.* ⇒ **Évidence.** *Vérités problématiques* (→ Obscurcir, cit. 12). *Vérité indémontrable, a priori.* ⇒ **Axiome, principe.** *Vérité issue de l'expérience, de l'observation* (→ Observer, cit. 15). — *Vérités complémentaires; contradictoires* (cit. 4). — *Vérités cachées, ésotériques* (⇒ **Arcane**), *dissimulées sous une allégorie, un symbole. Vérité banale* (→ Idée, cit. 64), *qui court les rues* (→ Profond, cit. 11). — *Les vérités et les erreurs* (cit. 26 et 27), *les mensonges, les fables* (cit. 7). *« Vérité au deçà des Pyrénées, erreur au delà »* (→ Climat, cit. 3, Pascal) : ce qui est une vérité pour un peuple, une personne, peut être une erreur pour d'autres. *Demi-vérité* (→ Doute, cit. 6). *Vérités subjectives* (cit. 5).

Quand un homme serait persuadé que les proportions des nombres sont des vérités immatérielles, éternelles, et dépendantes d'une première vérité en qui elles subsistent, et qu'on appelle Dieu, je ne le trouverais pas beaucoup avancé pour son salut. 11
PASCAL, Pensées, VIII, 556.

(...) Depuis qu'on a remarqué qu'avec le temps vieilles folies deviennent sagesse, et qu'anciens petits mensonges assez mal plantés ont produit de grosses, grosses vérités, on en a de mille espèces. Et celles qu'on sait, sans oser les divulguer; car toute vérité n'est pas bonne à dire : et celles qu'on vante, sans y ajouter foi; car toute vérité n'est pas bonne à croire (...) Il n'y a que mon amour pour Suzon qui soit une vérité de bon aloi. BEAUMARCHAIS, le Mariage de Figaro, IV, 1. 12

Toute vérité est une route tracée à travers la réalité (...) 13
H. BERGSON, la Pensée et le Mouvant, p. 249.

Ce que l'on découvre ou redécouvre soi-même ce sont des vérités vivantes; la tradition nous invite à n'accepter que des cadavres de vérités. 14
GIDE, Journal, 8 févr. 1932.

Formule qui exprime une telle certitude (→ Maxime cit. 8, etc.). *Dire, énoncer* (cit. 2) *des vérités. Vérité banale.* ⇒ **Truisme.** *Dire aux autres les vérités qu'ils méritent* (→ Pierre, cit. 6). — Loc. *Dire ses quatre vérités à qqn :* lui dire sur son compte des choses désobligeantes avec une franchise brutale.

15 Cette conversation la vexait, elle brûlait de dire ses quatre vérités à cette femme honnête. ZOLA, Nana, VIII.

15.1 (...) ce qui donne envie de courir, de le saisir par les épaules et de lui crier ses vérités, la vérité pas bonne à dire, très mauvaise à dire pour lui si on osait (...) c'est d'avoir eu l'audace de la mettre dans le même bain (...) N. SARRAUTE, le Planétarium, p. 46.

♦ **6.** (Fin xvᵉ). [a] Le réel (d'une manière générale). ⇒ **Réalité.** — REM. Ce sens, désuet en philosophie et «source de confusion» (Lalande), est vivant dans l'usage courant. — *Rendre la vérité plus palpable* (cit. 6). *« La vérité passe* (cit. 112) *la renommée »* (A. France). *La vérité est, c'est que...* (→ Diapason, cit. 6 ; frousse, cit. 2). *L'apparence* (cit. 14) *et la vérité* (→ Géométrie, cit. 8). *Ne tâchez pas d'imaginer cela, vous resteriez trop loin de la vérité* (→ Enchanteur, cit. 5). — (En art). La réalité, motif de création (opposée à *l'imagination, l'invention*). ⇒ **Nature** (→ Naturaliste, cit. 7). *La vérité et les fictions* (cit. 5). *Les horreurs* (cit. 53) *que les romanciers inventent sont au-dessous de la vérité. Expression, reflet fidèle de la vérité* (→ Naturel, cit. 21).

16 Le beau dans l'art, c'est la vérité baignée dans l'impression que nous avons reçue à l'aspect de la nature. Camille COROT, raconté par lui-même..., p. 89.

[b] *Une vérité :* un fait réel. *« Ce n'est point une illusion, ni des choses qu'on dit en l'air, c'est une vérité »* (→ 1. Barbe, cit. 5). *Elle discernait* (cit. 10) *toute vérité que nous voulions lui cacher.*

♦ **7.** *La vérité,* considérée comme un principe, personnifiée ou non (⇒ **Sagesse, science**). *« La vérité est en marche »* (→ 2. Marche, cit. 32, Zola). *La vérité « erre inconnue parmi les hommes »* (Pascal). *Le règne, le triomphe de la vérité* (sur l'erreur, le mensonge...). *La justice et la vérité* (→ Autorité, cit. 8). *Le flambeau* de la vérité.* ⇒ **Lumière.** — *Vérité, Beauté, Justice* (→ Fronton, cit. 5) *et Charité* (→ 1. Rayonner, cit. 4). *La Vérité,* personnage allégorique (femme nue tenant un miroir* et sortant d'un puits* [cit. 5 et 6] qui symbolise la vérité).

17 La Vérité courait le monde,
Avec son miroir dans les mains.
Chacun s'y regardait, et le miroir sincère
Retraçait à chacun son plus secret désir
Sans jamais le faire rougir. FLORIAN, Fables, IV, 18.

18 Enfin la vérité s'est manifestée et, pour la première fois, on va voir son règne sur la terre. Son droit est suprême, puisqu'elle est la vérité. Elle doit commander à tous, car, par nature, elle est universelle. TAINE, les Origines de la France contemporaine, II, t. II, p. 2.

♦ **8.** L'expression sincère, sans réserves de ce qu'on sait, de ce dont on a été témoin. *La vérité s'exprime, parle par ses lèvres* (→ Excuse, cit. 6). ⇒ **Franchise, sincérité** (→ Loyauté, cit. 1). *Un accent*, un air* de vérité qui ne trompe pas.* ⇒ **Authenticité.** *La vérité qui blâme* (cit. 6) *et celle qui loue. Faire parler* (1. Parler, cit. 65) *la vérité.* (En art). Sincérité, spontanéité. *Vérité d'accent* (→ Culbuter, cit. 5). *Vérité et chaleur* (→ Expression, cit. 32 ; et aussi ci-dessus, 5.). — Par ext. (en parlant d'une personne). *C'est la vérité même :* c'est un être sincère, véridique.

♦ **9.** [a] Loc. adv. (au sens 1 de *vérité*). — (V. 1175). Vx (en incise). DE VÉRITÉ : il est vrai. — (Mil. XVIIᵉ). *Dans la vérité :* vraiment. — (1273). EN VÉRITÉ. Sert à renforcer une affirmation, une assertion. ⇒ **Assurément, certainement, vraiment** (→ Blâmable, cit. 3 ; sublime, cit. 1). *Peu de chose, en vérité* (→ Lovelace, cit.). *« En vérité je vous le dis... »,* formule évangélique (→ Grain, cit. 11).

(1538). À LA VÉRITÉ. S'emploie surtout pour introduire une restriction, une mise au point, une précision... (→ Déroger, cit. 4 ; dévoiler, cit. 3 ; génération, cit. 22 ; revue, cit. 11). *Cependant (mais), à la vérité...*

[b] Loc. adj. DE VÉRITÉ (après mention d'une notion de temps ou d'une mesure de durée). *L'heure (la minute, le mois...) de vérité :* le moment décisif où il faut affronter une réalité, prendre une décision. — Sport. Moment déterminant, au cours d'une épreuve. *« Cette étape de vérité (contre la montre) »* (l'Équipe, 19 juil. 1952).

Calque de l'espagnol :

19 Le terrain de vérité (terreno de verdad) est l'expression qu'emploient les aficionados pour désigner le sable de l'arène, parce que là-dessus on ne peut plus raconter d'histoires. MONTHERLANT, les Onze devant la Porte Dorée, 1924, in PETIOT.

[c] -vérité : élément de noms composés désignant des œuvres, des arts visant à une transcription réaliste, aussi peu altérée que possible, de la réalité. *Roman-vérité. Document-vérité. Littérature-vérité. Télévision-vérité* (ex. in P. Gilbert). — *Cinéma*-vérité.*

CONTR. Erreur, fausseté, faux (n.), illusion ; ignorance ; imposture, infidélité, invention, mensonge. — Absurdité, artifice. — Blague, bobard, conte ; hérésie. — Apparence, fiction.
CONTR. et COMP. Contre-vérité ou contrevérité.

VERJUS [VɛRʒy] n. m. — XIIIᵉ ; de *vert,* et *jus.*

♦ **1.** Suc acide extrait de certaines espèces de raisin, ou d'un raisin cueilli vert. *Le verjus entre comme assaisonnement dans la préparation de la moutarde de Dijon, ou de certaines sauces.* — Par

compar. *Un vin aigre comme verjus.* Fig. *Aigre* comme verjus.* Loc. prov. *C'est jus* vert ou verjus.*

♦ **2.** (1351). Raisin (cit. 4) cueilli encore vert, à demi mûr.

(1876). Fruit acide de certaines variétés de vigne.

DÉR. Verjuter.

VERJUTER [VɛRʒyte] v. tr. — 1872 ; verjuté, p. p., 1694 ; de *verjus.*

♦ Techn. Préparer au verjus. *Verjuter une sauce.*

▶ **VERJUTÉ, ÉE** p. p. adj. (1694). Préparé au verjus. — Acide comme du verjus. *Vin verjuté.*

VERLAINIEN, IENNE [VɛRlɛnjɛ̃, jɛn] adj. — 1894 ; de *Verlaine,* poète français (1844-1896).

♦ De Verlaine poète, dans la manière de Verlaine.

Il y a des parties de l'œuvre qui sont de galantes élégies quasi verlainiennes (...) A. JARRY, Critique littéraire, F. A. Cazals, Le jardin des ronces, in Œ. compl., t. VII, p. 230 (1894).

VERLAN [VɛRlɑ̃] n. m. — V. 1970 ; inversion de (à) l'envers.

♦ Procédé argotique consistant à inverser les syllabes de certains mots, de certaines locutions. — Ex. : *Laisse béton* pour *« laisse tomber » ; brelica* pour *« calibre,* arme à feu », *féca* «café», *meuf* «femme», etc. *Parler en verlan,* en utilisant un certain nombre de ces formes inversées.

REM. La maîtrise du verlan ne réside pas dans celle du code, élémentaire, mais dans le fait que seuls certains mots, dans un milieu donné, sont traités, sans que le locuteur extérieur au milieu puisse le savoir ; il s'agit ainsi d'un véritable argot d'exclusion et de reconnaissance.

VERMÉE [VɛRme] n. f. — 1258 ; de l'anc. franç. *verm.* → Ver.

♦ Pêche. Appât fait de vers enfilés sur une ficelle. *Pêcher l'anguille à la vermée.*

(...) une ficelle brune vibre sur mon taquet. Je me précipite et tire. Mais je paie de malchance : une anguille apparaît qui, au dernier moment, fouette si fort qu'elle se décroche. Les autres lignes sont lâches et leur vermée intacte. Hervé BAZIN, Qui j'ose aimer, XXVIII, p. 251.

VERMEIL, EILLE [VɛRmɛj] adj. et n. m. — 1080 ; lat. *vermiculus* «vermisseau», et, en bas lat., «cochenille, teinture écarlate», dimin. de *vermis* «ver».

★ **I.** Adj. ♦ **1.** D'un rouge vif et léger. *Sang vermeil* (→ Opime, cit.). *Bouche* (cit. 2) *vermeille, lèvres vermeilles* (→ Cerise, cit. 2 ; fleurir, cit. 23 ; 1. frais, cit. 28). *Teint vermeil.* ⇒ **Fleuri, rubicond.** → Fonds, cit. 12 ; pâle, cit. 1. *« Ses chanoines* (cit. 2) *vermeils et brillants de santé ».* — *Roses, fleurs vermeilles* (→ Fleurir, cit. 2 ; préserver, cit. 1). *Raisins* (cit. 1) *vermeils. Lumière vermeille* (→ Pourpré, cit. 2).

(...) quand tu es venu, tu avais l'air d'un déterré ; et te voilà vermeil et frais comme l'enfant qui vient de téter. DIDEROT, Jacques le fataliste, Pl., p. 673.

Des trois premiers (hommes) un avait une cotte de velours incarnat, et les deux autres des cottes vermeilles aussi, mais de satin. HUGO, l'Homme qui rit, II, VIII, I.

♦ **2.** (En France). *Carte vermeil,* réservée aux personnes âgées, donnant droit à un tarif réduit sur le réseau des chemins de fer de la SNCF («par référence à la médaille en vermeil du travail, accordée pour de longues années de travail» [Hanse]).

★ **II.** N. m. (1677 ; *vermeil doré,* 1656). Argent doré recouvert d'une dorure d'un ton chaud tirant sur le rouge. *Plats, vases... de vermeil, en vermeil* (→ Dressoir, cit. ; huilier, cit. ; lingot, cit.). *Crucifix, ciboire de vermeil* (→ Effort, cit. 2 ; 3. nieller, cit. 1). *Le cristal* (cit. 4) *des flacons à bouchons de vermeil. Médaille de vermeil, en vermeil. Du vermeil dédoré* (→ 1. Lunaire, cit. 4). — Cette dorure, appliquée sur l'argent.

CONTR. (Du I.) Blafard, pâle.

VERMET [VɛRmɛ] n. m. — 1768 ; v. 1170, «petit ver» ; repris par le lat. zool. *vermetus* ; de *verm,* var. de *ver.*

♦ Zool. Mollusque gastéropode (*Prosobranches*) des mers chaudes ou tempérées, qui vit fixé sur les rochers.

VERMI- Radical ou premier élément de nombreux dérivés et composés, du lat. *vermis* «ver» ; cf. anc. franç. *verm.* var. de *ver.*

VERMICELIER [vɛʀmisəlje] adj. et n. ⇒ **Vermicellier.**

VERMICELLE [vɛʀmisɛl] n. m. — 1553, au plur.; ital. *vermicelli*, proprt «vermisseaux»; lat. pop. **vermicellus*, lat. *vermiculus*, dimin. de *vermis*.

◆ **1.** Pâtes* à potage en forme de fils très minces enroulés ou en écheveaux (→ Huileux, cit. 4). — On dit aussi, au plur., *des vermicelles.* — *Vermicelle chinois :* pâtes très fines et translucides.

(...) elle donnait de petits écheveaux de pâte sèche, de petits ronds de vermicelle, aux poissons rouges de son aquarium.
      Ed. et J. DE GONCOURT, Journal, 10 août 1875, t. V, p. 169.

(1835). Par ext. Potage (cit. 2) au vermicelle. *Une assiette de vermicelle.*

◆ **2.** (1884). Par anal. (au plur.). Dessin, décor vermiculé (→ Congestionner, cit. 2; lavallière, cit. 1).

◆ **3.** (Av. 1850, Balzac). Réseau vermiculé sur la peau.

DÉR. Vermicellé, vermicellerie, vermicellier.

VERMICELLÉ, ÉE [vɛʀmisele] adj. — 1789, «en forme de vermicelle»; de *vermicelle*.

◆ Dont le dessin, les lignes évoquent le vermicelle. ⇒ **Vermiculé.**

(...) les échoppes de potiers où s'alignent les vases des chilam, oblongs et vernissés; les jarres d'argile micacée et celles peintes en brun, blanc et rouge sur un fond de terre fauve avec des ornements vermicellés; les fourneaux de chilam enfilés en grappes, comme des chapelets (...)
      Claude LÉVI-STRAUSS, Tristes Tropiques, p. 124.

VERMICELLERIE [vɛʀmisɛlʀi] n. f. — 1863; de *vermicelle*.

◆ Techn. Industrie du vermicellier; fabrique de vermicelle.

VERMICELLIER [vɛʀmisəlje] adj. et n. — 1767, *in* D.D.L.; de *vermicelle*.

◆ Personne qui fabrique des vermicelles et autres pâtes. — Ouvrier, ouvrière travaillant à cette fabrication. Apposition :

Jean-Joachim Goriot, était, avant la révolution, un simple ouvrier vermicellier, habile, économe, et assez entreprenant pour avoir acheté le fonds de son maître (...)   BALZAC, le Père Goriot, Pl., t. II, p. 919 (1834). → Grain, cit. 3.

On écrit parfois *vermicelier* [vɛʀmisəlje].

VERMICIDE [vɛʀmisid] adj. — 1872; de *vermi-*, et *-cide*.

◆ Méd. Vx. Vermifuge.

VERMICULAGE [vɛʀmikylaʒ] n. m. — 1835; de *vermiculé*.

◆ Techn. Ouvrage vermiculé; vermiculure (→ Rustique, cit. 3).

VERMICULAIRE [vɛʀmikylɛʀ] adj. — V. 1560, Paré, *muscle vermiculaire*; du rad. du lat. *vermiculus*, dimin. de *vermis*.

◆ **1.** Anat. Qui a la forme, l'aspect d'un petit ver. — (1751). *Appendice vermiculaire* (ou *appendice vermiforme* ou, cour., *appendice**) : appendice cylindrique implanté sur la partie inférieure du cæcum dont il est le prolongement. ⇒ **Cæcal, vermiforme.** *Éminence vermiculaire.* ⇒ **Vermis.**

◆ **2.** (1734, *mouvement vermiculaire*). Méd. *Contraction vermiculaire* : «contraction musculaire fibre par fibre, donnant sous la peau une impression de reptation analogue à celle des vers» (Garnier). Vx. *Mouvements vermiculaires de l'intestin*, péristaltiques. — (1765). Vx. *Pouls vermiculaire :* pouls inégal et filant.

◆ **3.** (1743). Dans un sens général. Qui a la forme d'un petit ver (→ Sangsue, cit. 1).

VERMICULÉ, ÉE [vɛʀmikyle] adj. — 1380, en archit.; lat. *vermiculatus* «en forme de ver», de *vermiculus*. → Vermiculaire.

◆ **1.** Arts. Orné d'un semis de petites stries sinueuses qui imitent des traces de vers. Archit. *Bossages* (cit. 1), *ornements vermiculés* (→ 1. Pignon, cit. 1). *Émaux vermiculés*, dont le fond est recouvert de rinceaux gravés.

Les trous inégaux et nombreux que les intempéries du climat y avaient bizarrement pratiqués donnaient au cintre et aux jambages de la baie l'apparence des pierres vermiculées de l'architecture française et quelque ressemblance avec le porche d'une geôle.   BALZAC, Eugénie Grandet, Pl., t. III, p. 491.

◆ **2.** Par ext. «*Ondes brisées et comme vermiculées de blanc et de roussâtre*» (Buffon, *in* Littré). *Pommettes vermiculées de couperose* (→ Boursouflure, cit. 1).

◆ **3.** (1600). Qui présente de petites stries sinueuses. — (De la peau). «*Visage tout vermiculé de rides noirâtres*» (Romains, *les Hommes*

de bonne volonté, t. IV, III, p. 19). ⇒ **Vermicellé.** — *Calcaires vermiculés.*

DÉR. Vermiculage, vermiculer, vermiculure.
COMP. Vermiculite.
HOM. Vermiculer.

VERMICULER [vɛʀmikyle] v. tr. — 1838, Gautier; de *vermiculé*.

◆ Littér. Creuser, strier en donnant un aspect vermiculé.

Des murailles grises que la pluie a vermiculées.
      Th. GAUTIER, Fortunio, VII.

HOM. Vermiculé.

VERMICULITE [vɛʀmikylit] n. f — 1876; de *vermiculé*, et *-lite*, pour *-lithe*.

◆ Didact. Minéral provenant de l'altération des micas; silicate d'aluminium, magnésium et d'autres métaux en faibles quantités (fer, nickel, titane et calcium) renfermant aussi de l'eau.

VERMICULURE [vɛʀmikylyʀ] n. f. — 1835; de *vermiculé*.

◆ Arts. Motif ornemental d'un ouvrage vermiculé.

(...) un chapelet dont chaque grain de bois noir était vermiculé. Ces vermiculures[1] en relief donnaient à l'objet l'apparence d'un jouet, du moins sérieux des jouets.
      Jean GENET, Pompes funèbres, p. 73.

Par métaphore :

Ce radiateur existe depuis si longtemps qu'on dirait qu'il a vécu. Les couches[2] superposées de peinture blanche, comme une croissance, ont élargi ses vermiculures, arrondi les angles de ses côtes, incorporé les vis, changé en grosses verrues les gros écrous.   Réjean DUCHARME, l'Hiver de force, p. 33 (1973).

VERMIDIENS [vɛʀmidjɛ̃] n. m. pl. — V. 1930, Delage; du rad. du lat. *vermis*.

◆ Zool. (vx). Dans certaines classifications, Embranchement comprenant divers invertébrés, proches des vers*, qui présentent des affinités avec les cnidaires ou les mollusques. — REM. Ce groupe peu cohérent a été abandonné avec les progrès de la taxinomie. — Au sing. *Un vermidien.*

VERMIFICATION [vɛʀmifikasjɔ̃] n. f. — 1810; de *vermi-*, et *-fication*. → *-fier*.

◆ Vx. Apparition de vers dans les denrées, en particulier dans les fromages.

VERMIFORME [vɛʀmifɔʀm] adj. — 1532, Rabelais; de *vermi-*, et *-forme*.

◆ Didact. En forme de ver. ⇒ **Vermiculaire;** → Cavernicole, cit. «*Les granites, au lieu d'être allongés, vermiformes...*» (*Rev. gén. des sc.*, 30 sept. 1904, p. 862).

VERMIFUGE [vɛʀmifyʒ] adj. — 1738; de *vermi-*, et *-fuge*.

◆ Cour. Propre à provoquer l'expulsion des vers intestinaux. ⇒ **Anthelminthique.** *Remède, poudre vermifuge.* — N. m. *L'absinthe, les graines de potiron, l'extrait de fougère, la santonine, le semencontra, la tanaisie... sont des vermifuges.*

Tous les enfants avaient des vers et on les bourrait de vermifuges, affreuses médecines noires qui leur causaient des nausées et leur ôtaient l'appétit.
      G. SAND, Histoire de ma vie, II, XV.

VERMILINGUE [vɛʀmilɛ̃g] adj. — 1876; de *vermi-*, et *-lingue*, du lat. *lingua*.

◆ Zool. Dont la langue est longue et étroite.
N. m. pl. Vx. *Les vermilingues :* sous-ordre d'édentés comprenant les fourmiliers (*Myrmécophagidés*. → Myrmécophage).

VERMILLE [vɛʀmij] n. f. — 1842; de *vermiller*.

◆ Pêche. Ligne de fond (avec hameçons et vers), pour la pêche aux anguilles.

VERMILLER [vɛʀmije] v. intr. — XVᵉ; *vermeiller*, v. 1534; *vermillier*, v. 1387; du lat. pop. **vermicellus*, lat. *vermiculus* «petit ver».

◆ Se dit du sanglier, et, par ext., du porc, qui fouillent la terre avec leur groin pour y trouver des vers, des racines.

DÉR. Vermille, 1. vermillonner.

VERMILLON [vɛʀmijɔ̃] n. m. et adj. invar. — 1530; *vermeillon*, v. 1130; de *vermeil*.

♦ **1.** Poudre fine de cinabre, substance colorante d'un rouge vif tirant sur le jaune ; couleur extraite de cette substance. ⇒ **Carmin** (→ Chair, cit. 23 ; hésiter, cit. 9 ; teinte, cit. 2).

Malgré l'air assez vif, elles étalaient des bras robustes nus jusqu'à l'épaule, hâlés, rougis et fouettés de ce vermillon qui étonne souvent chez Rubens et s'explique par les morsures de la bise jointe à l'action de l'eau sur ces chairs blondes (...)
                                    Th. GAUTIER, Voyage en Russie, II.

♦ **2.** (1625). Couleur rouge vif. *Le vermillon des baies* (3. Baie, cit. 1) *d'églantier. Le vermillon de son visage* (→ Fagotage, cit. 2 ; pigmentaire, cit. 1).

♦ **3.** (1898). Adj. invar. *Robes vermillon* (→ Maîtrise, cit. 6).

DÉR. 2. Vermillonner.

1. VERMILLONNER [vɛʀmijɔne] v. intr. — 1690 ; de *vermiller*.

♦ Vén. Se dit du blaireau qui fouille la terre.

HOM. 2. Vermillonner.

2. VERMILLONNER [vɛʀmijɔne] v. tr. — 1611 ; *vermeillonner*, av. 1577 ; *vermeillonné*, p. p., v. 1380 ; de *vermillon*.

♦ Teindre de vermillon. → Poisson, cit. 4.

La figure, un peu rouge, vermillonnée par le grand air, semblait trop joufflue (...)
                                    MAUPASSANT, Notre cœur, III, I.

REM. Queneau emploie le verbe intransitivement, au sens de « rougir » : *« le curé vermillonna de la joue »* (*le Chiendent*, p. 339).

HOM. 1. Vermillonner.

VERMINE [vɛʀmin] n. f. — XIIᵉ ; lat. *vermina*, plur. de *vermen* « ver », doublet inusité de *vermis* (*vermina* signifiait « les vers », « maladie causée par les vers », et *verminari* « avoir des vers, des démangeaisons » ; *vermine* a désigné aussi, en anc. franç., divers animaux nuisibles, rats, serpents, etc.).

♦ **1.** Ensemble des insectes (puces, poux, punaises) parasites de l'homme et des animaux. *Être couvert, grouillant de vermine, rongé par la vermine, de vermine.* ⇒ **Pouilleux** (→ Écume, cit. 9 ; haillon, cit. 5 ; hâve, cit. 3 ; prisonnier, cit. 2 ; promiscuité, cit. 3). *« Comme les mendiants nourrissent* (cit. 14) *leur vermine ». Secoue* (cit. 3) *la vermine de tes haillons.*

1   Mais dès le premier regard il se sent découragé. Son linge fourmille de vermine, on voit grouiller une file noire dans chaque pli.
                                    R. DORGELÈS, les Croix de bois, IV.

♦ **2.** Par métaphore (littér.). *Une vermine d'écus* (→ Avare, cit. 5), *de petits défauts* (→ Épurer, cit. 4). *« La gueuserie* (cit. 2) *est une vermine qui s'attache à l'opulence ». « Scrupules, vermine de la volonté »* (Renard, *Journal*, 23 janv. 1908). — Au pluriel :

2   Des vermines, le vice,
    Le crime, s'approchaient, et, fourmillement noir,
    Fuyaient (...)   HUGO, la Légende des siècles, LX.

♦ **3.** **ⓐ** (Fin XIVᵉ). *La vermine.* Ensemble de nombreux individus méprisables, nuisibles à la société. ⇒ **Canaille, racaille.** *Un des plus décriés représentants de cette vermine* (→ Croiser, cit. 3).

3   L'ignorance profonde où le grand instituteur du peuple, le Clergé, l'avait retenu, le livrait, aveugle et sans défense, à l'épouvantable vermine des griffonneurs de papier.   MICHELET, Hist. de la Révolution franç., III, X.

ⓑ *(Une, des vermines).* Personne méprisable. ⇒ **Gale** (→ Griffe, cit. 8).

Spécialt, argot, vx. Avocat.

4   Un avocat est un blanchisseur, un parrain, un enjuponné, ou encore une vermine (...)   GORON, l'Amour à Paris, t. III, p. 1765 (1900).

DÉR. 1. Vermineux.

1. VERMINEUX, EUSE [vɛʀminø, øz] adj. — 1374 ; *verminous* « où il y a des vers », 1211 ; de *vermine*.

♦ Rare. Couvert de vermine. ⇒ **Pouilleux** (→ Haillonneux, cit. ; pouillerie, cit.).

HOM. 2. Vermineux.

2. VERMINEUX, EUSE [vɛʀminø, øz] adj. — 1549 ; « véreux », XIIIᵉ ; lat. *verminosus* « véreux (fruit) ; plein de vers (plaie) », de *vermina*. → Vermine.

♦ Méd., vieilli. Relatif aux vers intestinaux. *Maladies vermineuses. Toux* vermineuse.*

HOM. 1. Vermineux.

VERMIS [vɛʀmis] n. m. — 1858 ; lat. *vermis* « ver ».

♦ Anat. Partie médiane du cervelet, faisant une saillie allongée d'avant en arrière sur ses faces supérieure et inférieure, entre les deux hémisphères cérébelleux.

Méd. *Syndrome du vermis :* ensemble de symptômes provoqués par les tumeurs du cervelet siégeant au niveau du vermis.

VERMISSEAU [vɛʀmiso] n. m. — XIIIᵉ ; *vermissel*, v. 1190 ; du lat. pop. *vermicellus (→ Vermicelle), du lat. *vermiculus*, dimin. de *vermis*.

♦ Petit ver, petite larve (→ Morceau, cit. 1 ; motteux, cit. ; picorer, cit. 4 ; 2. rétracter, cit. 2).

Je m'avance à l'attaque, et je grimpe aux assauts,
Comme après un cadavre un chœur de vermisseaux (...)
                                    BAUDELAIRE, les Fleurs du mal, « Spleen et idéal », XXIV.

Par métaphore (par allus. à la faiblesse de l'homme). *« Un si chétif vermisseau »* (Pascal).

VERMIVORE [vɛʀmivɔʀ] adj. — XVIIIᵉ, Buffon ; de *vermi-*, et *-vore*.

♦ Zool. Qui se nourrit de vers, de larves. *Oiseaux, reptiles vermivores.*

VERMOULER (SE) [vɛʀmule] v. pron. — 1531 ; var. *vermoulir*, XVIᵉ ; de *vermoulu*.

Rare.

♦ **1.** Devenir vermoulu.

♦ **2.** (1925). Fig. Se dégrader (→ Hybride, cit. 8).

VERMOULU, UE [vɛʀmuly] adj. — XIIIᵉ ; de *ver*, et *moulu*, p. p. de *moudre*, proprt « moulu par les vers ».

♦ **1.** Se dit du bois, d'un objet de bois rongé, mangé par les vers. ⇒ **Piqué** (→ Effondrer, cit. 12 ; généalogie, cit. 4 ; juchoir, cit. 1 ; meubler, cit. 6 ; 1. mine, cit. 7 ; tiroir-caisse, cit. 1).

♦ **2.** (1572). Par métaphore. *Maison vermoulue d'hypothèques* (cit. 4). *Exhumer* (cit. 4) *une œuvre moisie et vermoulue.*

DÉR. Vermouler (se), vermoulure.

VERMOULURE [vɛʀmulyʀ] n. f. — 1587 ; *vermouleure*, v. 1283 ; de *vermoulu*.

♦ **1.** Fait de devenir vermoulu.

♦ **2.** *(Une, des vermoulures).* Piqûre, trace de vers dans le bois. — (1718). Poussière de bois produite par les larves qui le percent.

VERMOUTH [vɛʀmut] n. m. — 1798, écrit *vermout* ; *vermouth*, 1876 ; all. *Wermut* « absinthe ».

♦ Apéritif à base de vin aromatisé de plantes amères et toniques (absinthe, gentiane, écorce d'oranges, quinquina, cannelle, genièvre, etc.). *Vermouth de Turin. Vermouth blanc, rouge. Une bouteille, un verre de vermouth.* — (1902). *Vermouth-cassis :* vermouth mêlé de sirop de cassis. — *Recettes de cuisine au vermouth.*

On avait fait apporter du vermouth et de l'absinthe pour se mettre en appétit, et on s'était mis d'abord en belle humeur.   MAUPASSANT, Pierre et Jean, III.

Avez-vous du raki ? demanda Bergère au garçon.
— Non, ils n'en ont pas, dit Berliac avec empressement ; c'est une petite boîte charmante mais il n'y a rien à boire que du vermouth.
— Qu'est-ce que c'est que cette chose jaune que vous avez là-bas dans une carafe ? demanda Bergère (...)
— C'est du Crucifix blanc, répondit le garçon.
                                    SARTRE, l'Enfance d'un chef, p. 169.

Verre de vermouth.

Au café (...) il retrouva Yvonne et Léonie qui buvaient des vermouths cassis (...)
                                    R. QUENEAU, Pierrot mon ami, VIII.

REM. 1. On a écrit *vermout*.

Comme Gavard emmenait Florent, et qu'ils entraient prendre un vermout chez monsieur Lebigre, il lui montra trois femmes, sous la rue couverte, entre le pavillon de la marée et le pavillon de la volaille.
                                    ZOLA, le Ventre de Paris, t. I, p. 116 (1875).

2. Ce mot est moins courant dans l'usage que les noms de grandes marques de vermouth *(Martini, Cinzano, Carpano, Campari...).*

VERNACULAIRE [vɛʀnakylɛʀ] adj. — 1842 ; « endémique », *Encyclopédie*, 1765 ; du rad. du lat. *vernaculus* « indigène, domestique », de *verna* « esclave né dans la maison ».

♦ Didact. Du pays, propre au pays.

Spécialt. **ⓐ** *Langue vernaculaire :* langue parlée seulement à l'intérieur d'une communauté (souvent restreinte, ⇒ **Dialecte**). — Souvent opposé à *véhiculaire*.*

ⓑ Sc. nat. *Nom vernaculaire :* nom d'un animal ou d'une plante dans la langue courante (le nom scientifique étant donné en latin).

VERNAL, ALE, AUX [vɛʀnal, o] adj. — xvɪᵉ; attestation isolée, v. 1119; lat. *vernalis* «relatif au printemps», de *vernus* «printanier», de *ver, veris* «le printemps».

♦ Didact. De printemps. — (1751). Astron. *Point vernal* : celle des deux intersections de l'équateur et de l'écliptique qui correspond au passage du Soleil de l'hémisphère austral à l'hémisphère boréal (équinoxe de printemps).

Je ne sais plus le temps qu'il fait. Mais du temps de ma vie il était d'une douceur éternelle. Comme si la terre s'était endormie au point vernal. Je parle de notre hémisphère à nous.   S. BECKETT, Têtes-mortes, p. 44-45 (1967).

DÉR. Vernalisation.

VERNALISATION [vɛʀnalizasjɔ̃] n. f. — V. 1930; de *vernal*.

♦ Agric. Technique due aux agronomes soviétiques (Lyssenko), permettant de transformer un blé d'automne en un blé de printemps à rendement élevé qui accomplit en peu de temps toute son évolution. ⇒ **Printanisation.** *La vernalisation est également applicable à d'autres semences.*

VERNATION [vɛʀnasjɔ̃] n. f. — 1842; lat. *vernatio* «mue (des serpents) au printemps; mue», de *vernus* «printanier». → Vernal.

♦ Bot. Préfoliation.

VERNAY [vɛʀnɛ] n. m. — Déb. xxᵉ; mot régional du Dauphiné, p.-ê. de *vernei* «aulnaie», de *verne*.

♦ Vitic. Cépage noir de la région du Dauphiné.

VERNE [vɛʀn] n. m. — V. 1119; anc. dauphinois *vern*, du gaul. **werno-*.

♦ Régional. Aulne. ⇒ **Vergne.**

(il) se leva et reprit sa route, flânant sans but précis par des sentes à peine marquées; puis, ayant pris une décision, il longea les fourrés de vernes (...) traversa le grand cône de déjection du torrent du Grépon (...)   R. FRISON-ROCHE, Premier de cordée, p. 183.

VERNI, IE [vɛʀni] adj. — 1600; *vreni*, 1170. → Vernir.

★ **I.** ♦ **1.** Enduit de vernis. *Bois, meuble vernis* (→ Méchant, cit. 4; teck, cit.). *Bottes, chaussures vernies* (→ Accoutrement, cit. 2; jambe, cit. 26). *Sandales* (cit. 1) *de cuir verni. Tôle vernie* (→ Fleur, cit. 5). *Toile vernie. Voitures vernies* (→ Nurse, cit.; oblong, cit. 2). *Souliers vernis,* et, n. m. pl. (1875), *des vernis.* Vernissé* (→ Fiole, cit. 1; gras, cit. 37; jatte, cit. 1).

♦ **2.** Luisant, qui a le brillant d'un vernis (→ Ficaire, cit.; loriot, cit.).

Par métaphore :

Enfin, d'entre le brinquebalement métallique qui s'apaisa, s'éleva, légère et lente, la valse (...) la démone levant ses bras vers les épaules de Duvauchelle s'offrit, vernie de joie. Il eut contre lui, dans lui, ce doux nuage souple de chair émue (...)   J. GIONO, l'Esclave, Pl., t. I, p. 794 (1933).

★ **II.** (1906). Fig., fam. Qui a de la chance. ⇒ **Chanceux, veinard.** *Vous êtes verni ! «Ben ça alors, un* Oveni *(ovni), on est vernis, dis donc»* (*Actuel,* févr. 1980, p. 57).

Ah! les vaches! l's sont vernis, ceux-là, d'pouvoir s'glisser ça le long du cou!   H. BARBUSSE, le Feu, t. II, p. 5 (1916).

— Souffrir!... Si tu crois que j'aime souffrir, moi!... Tu vas voir comment on va être heureux... J'ai pas été tellement heureux, t'sais... mais j'étais tout seul... *(Il fait un geste de résignation insouciante.)* J'étais pas très verni... Tous les ennuis, les gros et les petits...   J. PRÉVERT, Le jour se lève, in l'Avant-Scène, nᵒ 53, p. 32 (1939).

N. *C'est un verni. Une petite vernie.*

REM. Sans être vieilli, cet emploi ne semble plus à la mode (on dit plutôt : *il a du pot, du bol,* etc.).

HOM. Vernis.

VERNIER [vɛʀnje] n. m. — 1795, *Journal des arts et manufactures,* nᵒ 5, thermidor an III, p. 61; du nom de l'inventeur Jacques *Vernier* (1580-1637).

♦ Instrument (⇒ **Calibre**) formé de deux règles graduées (la plus grande fixe, l'autre mobile le long de la première), servant à la mesure précise des subdivisions d'une échelle. *Vernier circulaire,* pour la mesure des arcs.

VERNIR [vɛʀniʀ] v. tr. — Conjug. *finir.* — 1294; p. p., 1170 (→ Verni); de *vernis*.

♦ **1.** Enduire de vernis. ⇒ **Laquer, peindre** (→ Négrier, cit. 3; propolis, cit.). *Vernir ses ongles. Se vernir les ongles de pieds.*

— Moi-z-aussi j'irai chez Boponot, dit Pierrette en regardant ses ongles qu'elle n'osait encore vernir et qu'elle ne rongeait déjà plus.   R. QUENEAU, Loin de Rueil, p. 121.

Spécialt. *Vernir un tableau,* pour le protéger. ⇒ **Vernissage.**

♦ **2.** (1862). Rendre brillant. ⇒ **Lustrer** (→ Épingle, cit. 5).

♦ **3.** Littér. Revêtir d'un vernis (2.). → Imperturbable, cit. 5.

♦ **4.** Rare. Inaugurer (une exposition). — Absolt. «*On "vernit" à onze heures du soir* » (C. Mauclair, 1933, in D. D. L.).

▶ **VERNI, IE** p. p. adj. ⇒ **Verni.**

DÉR. Verni, vernissage, vernisseur, vernissure.
COMP. Dévernir, revernir.

VERNIS [vɛʀni] n. m. — V. 1265; adaptation (par l'ital. *vernice*) du lat. médiéval *veronice* «résine odoriférante, sandaraque»; grec tardif *beronikê* — prononcé en néo-grec *veronikê* —, var. de *berenikê,* vraisemblablement de *Berenikê,* ville de Cyrénaïque où l'on produisait cette résine.

♦ **1.** Solution dans un solvant approprié (alcool, essence, hydrocarbure, huile siccative, solvant cellulosique) d'une matière résineuse (gomme, résine, gomme-résine, térébenthines), qui laisse sur le corps où on l'applique, après évaporation ou solidification, une pellicule unie, souvent transparente, servant le décorer ou à le protéger. ⇒ **Enduit, laque, mordant.** *Vernis à l'alcool* (ébénisterie), *à l'essence* (tableaux, intérieurs), *gras* (ébénisterie, façades), *bitumineux* (surfaces métalliques), *cellulosiques* (ébénisterie, cuirs, vernis à ongles), *synthétiques* (cuirs, façades). *Vernis fixateur, hydrofuge... Vernis d'un tableau* (→ Enluminure, cit. 3; icône, cit. 2). *Craquelures, écaillage du vernis. Vernis dur, mou,* utilisés par les graveurs, pour protéger la planche de cuivre contre l'eau-forte. *Vernis d'un violon* (→ Technique, cit. 8). *Appliquer un vernis.* ⇒ **Glacer, vernir.** *Montants* (cit. 2) *de fer passés au vernis noir.*

(...) au XIXᵉ siècle, l'accumulation du vernis protecteur allait créer un style de musée, unir jusqu'à l'absurde Titien et le Tintoret — en attendant que le nettoyage les délivrât d'une abusive fraternité.   MALRAUX, les Voix du silence, p. 66.   1

Vernis à ongles, et, absolt, *vernis. La manucure* (cit.), *avec ses limes et ses vernis.*

Spécialt. *Vernis de potier :* enduit vitreux à base de plomb (⇒ **Litharge**), pour poteries et faïences. ⇒ **Émail.**

Loc. *Vernis émail,* produisant une couche dure et lisse. — *Vernis émulsion,* constitué par une émulsion, et non une solution.

♦ **2.** Éclat, lustre du vernis (→ Facticité, cit. 1; gris, cit. 26; incomparable, cit. 4). — Par métaphore. «*La netteté* (cit. 4) *est le vernis des maîtres* ».

♦ **3.** (1697; abstrait). Aspect séduisant et superficiel. ⇒ **Apparence, brillant, dehors** (→ Assimilable, cit. 4; éducation, cit. 18; esprit, cit. 172). *Un vernis de facilité* (cit. 17), *de passion* (→ Flegmatique, cit. 1), *de culture.* ⇒ **Badigeon, teinture.** *Dès qu'on gratte* (cit. 14) *un peu le vernis...* ⇒ **Croûte, écorce.**

En certains lieux, ils *(les spectacles)* seront utiles (...) pour maintenir et perfectionner le goût quand l'honnêteté est perdue, pour couvrir d'un vernis de procédés la laideur du vice (...)   ROUSSEAU, Lettre à d'Alembert.   2

Tout le vernis craquait, la bête se montrait, exigeante dans ses goûts monstrueux, raffinant sa perversion.   ZOLA, Nana, VIII.   3

♦ **4.** (1872). *Vernis du Japon.* ⇒ **Ailante.**

DÉR. Vernir, vernisser.
HOM. Verni.

VERNISSAGE [vɛʀnisaʒ] n. m. — 1837; de *vernir*.

♦ **1.** Opération qui consiste à cou·rir de vernis. *Le vernissage d'un meuble, d'une copie d'ancien, a'un piano. Vernissage au tampon, au pinceau, au pistolet.* — Spécialt. Arts. Action de vernir (un tableau, une planche de gravure, etc.), de vernisser (une poterie).

On eût dit que toutes les voitures de Paris faisaient, ce jour-là, un pèlerinage au Palais de l'Industrie. Dès neuf heures du matin, elles arrivaient par toutes les rues, par les avenues et les ponts, vers cette halle aux beaux-arts où le Tout-Paris artiste invitait le Tout-Paris mondain à assister au vernissage simulé de trois mille quatre cents tableaux.   1
    MAUPASSANT, Fort comme la mort, I, IV, éd. 1889, p. 136.

♦ **2.** (1886). Jour d'ouverture d'une exposition de peinture (les artistes étaient autorisés d'y vernir leurs tableaux). — Inauguration privée d'une exposition de peinture. *Être invité à un vernissage* (→ Exposant, cit.).

Peu à peu, Paris avait décrété à la mode le jour du vernissage, cette journée accordée aux seuls peintres autrefois, pour venir faire la toilette suprême de leurs tableaux.   2
    ZOLA, l'Œuvre, X.

VERNISSER [vɛʀnise] v. tr. — xɪɪᵉ; de *vernis*.

♦ Enduire de vernis (une poterie, une faïence, etc.). — Par ext. Faire briller avec éclat.

Une pluie légère (...) avait vaporisé les sauges, vernissé les troènes, les feuilles immobiles du magnolia (...) COLETTE, le Blé en herbe, XV.

▶ **VERNISSÉ, ÉE** p. p. adj. (V. 1560 ; *vernissié*, fin XIIᵉ).

♦ **1.** Enduit de vernis (poterie, faïence). ⇒ **Verni.** *Tuiles vernissées.*

(...) dans un angle auprès de la porte, un poêle de faïence vernissé noir (...) CHATEAUBRIAND, Mémoires d'outre-tombe, t. II, éd. Levaillant, p. 201.

♦ **2.** Brillant, luisant comme du vernis. *Feuilles vernissées* (→ Dégoutter, cit. 4 ; orange, cit. 1). *Ailes vernissées du corbeau* (→ 2. Lustre, cit. 1).

VERNISSEUR, EUSE [vɛʀnisœʀ, øz] n. — 1669 ; « objet servant à vernir », 1402 ; de *vernir*.

♦ Techn. Ouvrier, ouvrière spécialiste des travaux de vernissage (→ Propre, cit. 26). *Vernisseur sur cuir, sur métaux, en lutherie...* — Appos. *Ébéniste-vernisseur.* — Spécialt. Spécialiste qui vernit les tableaux (⇒ **Vernissage**).

(...) et parfois une poussée avait lieu dans cette masse épaisse entr'ouverte un moment pour laisser passer la haute échelle double des vernisseurs qui criaient : « Attention, messieurs ; attention, mesdames. » MAUPASSANT, Fort comme la mort, éd. 1889, p. 143.

VERNISSURE [vɛʀnisyʀ] n. f. — XIIᵉ ; de *vernir*.

♦ Vx. Vernissage.

VERNONIE [vɛʀnɔni] n. f. — 1839 ; du nom de W. *Vernon*, qui expédia cette plante du Maryland au botaniste anglais Petiver.

♦ Bot. Plante des régions chaudes *(Composacées)*, à fleurs tubulaires, dont quelques espèces sont cultivées comme plantes ornementales (la racine de certaines espèces était employée comme fébrifuge).

VÉROLE [veʀɔl] n. f. — 1532 ; *varoles*, mil. XVᵉ ; *verolle* « petite vérole », fin XIIᵉ ; bas lat. médical *vayrola*, var. de *variola*. → Variole.

♦ **1.** Vx (jusqu'à fin XVᵉ). Maladie éruptive laissant des traces en creux sur la peau. — Spécialt, mod. **PETITE VÉROLE** : variole (→ Brouiller, cit. 26 ; cicatrice, cit. 4 ; défaut, cit. 19 ; grenu, cit. 1 ; inoculation, cit. 1 ; inoculer, cit. 1 et 3 ; marquer, cit. 49 ; 1. masque, cit. 24 ; rougir, cit. 6). — REM. Au XVIIᵉ s., on emploie encore parfois *vérole* pour *petite vérole* (cf. Mᵐᵉ de Sévigné, *in* Littré). — Vx. *Petite vérole volante* : varicelle. Par plais. « *La sœur aînée de la petite vérole* » (Stendhal, *Vie de H. Brulard*, 28) : la vérole (2.).

1 (...) celui qui aime quelqu'un à cause de sa beauté, l'aime-t-il ? non, car la petite vérole qui tuera la beauté sans tuer la personne fera qu'il ne l'aimera plus. PASCAL, Pensées, V, 323.

♦ **2.** (1532, Rabelais ; *vérole de Naples*, 1501 ; *grosse vérole*, 1525).

[a] Vx. Maladie vénérienne grave.

2 On nous apprend à vivre quand la vie est passée. Cent écoliers ont pris la vérole avant que d'être arrivés à leur leçon d'Aristote, de la tempérance. MONTAIGNE, Essais, I, XXVI.

3 Deux choses prouvent, à mon avis, que nous devons la vérole à l'Amérique : la première est la foule des auteurs, des médecins, et des chirurgiens du seizième siècle qui attestent cette vérité (...) VOLTAIRE, Dict. philosophique, Lèpre et vérole.

[b] Mod., fam. Syphilis* (→ Coureur, cit. 9 ; écrivain, cit. 8 ; flanc, cit. 4).

♦ **3.** Fam. Chose, personne très désagréable, odieuse. ⇒ **Gale, teigne.** *Quelle vérole, ce mec !* ⇒ **Vérolé.**

Loc. fig., pop. *Flanquer, foutre la vérole* (quelque part) : causer des dégâts, mettre en désordre.

4 Moi, je veux bien. Mais le singe va dire que tu fous la vérole dans le chantier (...) C'était son style que d'appeler son père « le singe », comme s'il n'avait été lui-même qu'un employé de la « boîte », ce qu'il prétendait. « Foutre la vérole dans le chantier » est une expression idiomatique des gens du bâtiment (...) Roger VAILLAND, 325 000 francs, p. 88.

DÉR. Vérolé.

VÉROLÉ, ÉE [veʀɔle] adj. et n. — 1508, *in* D. D. L. ; de *vérole*.

Familier.

♦ **1.** Qui a la syphilis. ⇒ **Syphilitique.** → fam. Plombé (→ Plomber, cit. 5), poivré.

N. (1916). T. d'injure. → Pourri. ⇒ **Vérole, 3.**

1 (...) on peut grommeler tout le temps des injures contre ceux qui vous dépassent, ou ceux qui traversent la route (...) Il traverse ou il traverse pas ? Enfoiré, va ! Espèce de vérolé ! J.-M. G. LE CLÉZIO, le Déluge, 1966, p. 236.

♦ **2.** (Choses ; t. de mépris). ⇒ **Infect, pourri.**

Et l'idiote avait accepté tout, comme un auteur signe son premier contrat vérolé chez son premier éditeur : sans le lire. Geneviève DORMANN, le Bateau du courrier, p. 144.

HOM. Véroler.

VÉROLER [veʀɔle] v. tr. — D. i. (→ Vérolé) ; de *vérole* ou de *vérolé*.

♦ Fam. Transmettre la vérole, la syphilis à (qqn). ⇒ **Plomber, II., 2.**

HOM. Vérolé.

VÉRONAL [veʀɔnal] n. m. — 1903, marque déposée ; de la ville de *Vérone*, où le chimiste allemand qui inventa le produit proposa ce nom. → Gardénal.

♦ Méd. Barbiturique (acide diéthylbarbiturique), qui se présente sous forme de petits cristaux solubles, et est employé comme somnifère (⇒ **Barbital**). *Cachet de véronal. Empoisonnement, suicide au véronal.*

1. VÉRONIQUE [veʀɔnik] n. f. — 1545 ; p.-ê. de *véronique* (XIIᵉ) « voile de sainte Véronique ». → 2. Véronique.

♦ Plante dicotylédone *(Scrofulariacées)*, herbacée, indigène, à fleurs le plus souvent bleues, aux nombreuses variétés (→ Précoce, cit. 2). *Véronique officinale* (ou *mâle*), appelée *thé d'Europe*, dont on fait des infusions. *Véronique petit chêne* (ou *femelle*). *Véronique becabunga*, appelée *cresson de cheval. Véronique anagallis*, dite *mouron d'eau.*

HOM. 2. Véronique.

2. VÉRONIQUE [veʀɔnik] n. f. — 1911 ; esp. *veronica*, du nom de sainte *Véronique*, par analogie avec le geste de la sainte pour essuyer la face du Christ.

♦ Taurom. Passe de cape par laquelle le torero, placé de profil par rapport au taureau, le fait passer le long de son corps en l'enveloppant dans les plis de la cape et en le menant aussi loin que possible. *Demi-véronique :* véronique interrompue, qui arrête le taureau dans son élan.

(...) ses jambes (...) finirent par se joindre l'une à l'autre et elles ne bougèrent plus tandis qu'il consommait enfin, parfaitement, la passe dite véronique. MONTHERLANT, les Bestiaires, II.

Comme les treize mille spectateurs de l'arène, je garde dans les yeux l'image orgueilleuse des véroniques, les quatre passes de cape liées dont il nous fit la grâce. Dans ce mouvement, la magnificence de son masque brûlé, du vêtement vert jade et blanc, l'arrogance de ses jambes longuement fendues, de ses reins de danseur, l'élan de son buste sanglé furent une chose à ne plus oublier. Joseph PEYRÉ, Sang et Lumières, 1964, p. 408.

HOM. 1. Véronique.

VÉROT [veʀo] n. m. — Mil. XXᵉ ; « petit ver », XVᵉ ; dimin. de *ver*.

♦ Techn. Sillon ou boursouflure allongé à la surface d'une pièce de métal coulé.

VÉROTER [veʀote] v. intr. — 1812 ; de l'anc. franç. *vérot* « petit ver ». → Vérot.

Technique ou didactique.

♦ **1.** Techn. (pêche). Chercher des vers pour la pêche.

♦ **2.** Didact. (zool., éthol.). Chercher des vers (en parlant d'un oiseau).

VERRAGE [vɛʀaʒ] n. m. — 1949, *in* Larousse ; de *verre*. → Verré.

♦ Techn. Dépôt de verre solubilisé en fine couche (sur une surface).

VERRANNE [vɛʀan] n. f. — Mil. XXᵉ ; de *verre*, et *(fibr)anne*.

♦ Techn. Fibre de verre discontinue, à brins de longueurs variables.

Deux principaux procédés sont utilisés *(pour le fibrage du verre)* : l'étirage mécanique, qui donne des filaments continus appelés « silionne », et l'étirage par fluide, qui donne des fibres discontinues appelées *verranne.* J.-C. DESJEUX et J. DUFLOS, les Plastiques renforcés, p. 28.

VERRAT [vɛʀa] n. m. — 1334 ; de l'anc. franç. *ver* « verrat, sanglier » (1080) ; du lat. *verres.*

♦ Techn. (agric., vétér.). Les mots courants sont : *cochon, porc.* Porc mâle employé comme reproducteur. *Un verrat et des truies.*

VERRE [vɛʀ] n. m. — V. 1175, réfection de l'anc. franç. *voirre* ; du lat. *vitrum*, même sens.

★ I. ♦ **1.** *(Le verre, du verre).* Substance fabriquée, dure, cassante et transparente, de structure vitreuse, essentiellement formée de silicates alcalins.

Vers cette époque aussi, Cyrus Smith essaya de fabriquer du verre, et il dut d'abord approprier l'ancien four à poteries à cette nouvelle destination (...) Quant aux substances qui entrent dans la composition du verre, ce sont uniquement du sable, de la craie et de la soude (carbonate ou sulfate). Or, le rivage fournissait le sable, la chaux fournissait la craie, les plantes marines fournissaient la soude, les pyrites fournissaient l'acide sulfurique, et le sol fournissait la houille pour chauffer le four à la température voulue. Cyrus Smith se trouvait donc dans les conditions nécessaires pour opérer. J. VERNE, l'Île mystérieuse, t. I, p. 418 (1874).

Fabrication du verre par fusion d'un mélange de silice (sable) *et de carbonates* (fritte), *auquel on ajoute parfois des débris de verre* (⇒ **Groisil**), *dans un fourneau, un creuset. Façonnage de la pâte de verre* (⇒ **Canne, fêle, pontil; soufflage, souffler**). *Refroidissement, trempe du verre. Verre coulé, étiré, filé* (cit. 6), *moulé. Coulage, étirage, moulage du verre. Recuit* du verre. Fabrication du verre à vitre par les procédés du plateau* (⇒ **Boudine**), *du manchon* (anciennt), et, de nos jours, *par étirage du verre coulé, laminage, polissage**. (1752). *Verre de Bohême :* verre transparent, fait de quartz, carbonate de potassium et chaux. *Verre blanc; verre à vitre, verre ordinaire* (⇒ **Glace**); *verre à silicates alcalins : potassium ou sodium.* ⇒ **Crown-glass.** *Verres à silicates de potassium et de plomb* (⇒ **Cristal, flint-glass, strass**). *Verre à bouteilles. — Verres colorés* (bleus ⇒ **Azur, smalt;** rouges, etc.), *irisés, veinés, diamantés, teintés. Verre craquelé* (⇒ **Craquelé,** n. m.). *Verre antique :* verre en feuille soufflé à la bouche selon les procédés anciens, utilisé dans les vitraux. — *Verre bullé. Verre dépoli, opaque; verre « cathédrale* ». Verre épais; verre fin, mousseline*. — Verres spéciaux. Verre de plomb* (vx), *au plomb :* cristal. *Verre de fougère** (anciennt). *Verre Pyrex* (marque déposée), aux borosilicates d'aluminium et de sodium, très résistant aux variations brusques de température. ⇒ **Pyrex.** *Verre Sécurit.* ⇒ **Sécurit.** *Verre armé,* dans la masse duquel est incorporé un réseau de fils métalliques. *Verre Triplex* (marque déposée) : feuille d'acétate de cellulose entre deux lames de verre ordinaire. *Verre incassable,* soumis à une trempe spéciale. *Verre allégé,* mince. *Verre sandwich* (incorporant une feuille plastique).

2 Le choc lui-même s'est comme décomposé, transformé en un long écrasement de tôles sur tout le flanc droit, tandis que se déchaîne une pluie battante de verre Sécurit (...) Hervé BAZIN, Cri de la chouette, 1972, p. 92.

3 C'est une des propriétés fondamentales et des plus précieuses du verre que celle de posséder une viscosité également propre au façonnage entre des températures assez distantes l'une de l'autre, car le verre se refroidit nécessairement pendant le façonnage quelle que soit la technique employée (...) suivant la composition du verre cet intervalle de façonnage est situé à des températures relativement hautes (verre *dur*) ou basses (verre *mou*). Si cet intervalle est petit le verre est *sec*, son façonnage est malaisé, car il devient rapidement trop visqueux par suite de son refroidissement naturel. F. MEYER et P. GRIVET, le Verre, p. 26.

Loc. techn. *Verre dur, mou, sec. — Verre électrique :* borosilicate sans alcali.

4 Deux types de verre sont utilisés pour le fibrage. L'un, le verre « E » ou verre électrique, est un borosilicate pratiquement exempt d'alcali; l'autre, le verre « A » (parfois dénommé « G ») ou verre avec alcali, c'est-à-dire contenant de la soude et de la potasse. J.-C. DESJEUX et J. DUFLOS, les Plastiques renforcés, p. 25.

Couper le verre avec une pointe de diamant. ⇒ **Diamant** (dans ce sens on l'appelle aussi *contourneur*). — *Défauts du verre* (*verre casilleux**, etc.). *Dévitrification du verre,* par laquelle il prend une structure cristalline, devient opaque et cassant. — *Industries du verre* (⇒ **Verrerie**) : fabrication des vitres, glaces et miroirs; des récipients (⇒ **Ampoule, ballon, bocal, bombonne, bouteille, carafe, cloche, cornue, éprouvette, fiole, godet, pot, tube, vase, verre,** *infra,* II.); fabrication des appareils d'optique (⇒ **Optique**), des appareils électriques et électroniques (⇒ **Ampoule, lampe, tube**), des fibres textiles, des matériaux et panneaux isolants.

(1929). Loc. *Soie de verre :* fibre de verre très fine. *Ouate de verre, laine de verre* (plus cour.), même sens, *coton de verre. Rayonne de verre :* fibre textile. — *Papier de verre,* où des débris de verre sont fixés au papier, à la toile (abrasif). → Râper, cit. 1.

Travail du verre. Gravure sur verre à la molette, au sable, à l'acide fluorhydrique. Effets de transparence sur verre opaque. ⇒ **Lithophanie.** *Peinture sur verre.* ⇒ **Vitrail** (→ Iconographie, cit. 3).

*Objets de verre; bille** (→ Grossièreté, cit. 2), *bouchon, boule* (→ Papeterie, cit. 2; piédestal, cit. 2), *globe** (cit. 12 et 13) *de verre. Bijoux, colliers, perles** (→ Café, cit. 7) *de verre.* ⇒ **Verroterie;** et aussi **aventurine, strass.** *Œil* de verre* (→ Opter, cit. 2; ours, cit. 2). — *Lamelle* (cit.) *de verre d'un microscope. Plaque, châssis de verre.* ⇒ **Carreau, glace, vitrage, vitre; contre-châssis, verrière.** *Miroirs* (cit. 4) *de verre. — Immeuble de verre et d'acier, de verre et de ciment* (→ Parallélépipède, cit. 1).

Par métaphore. *« Ces yeux de verre »* (→ *infra,* cit. 3.1, Le Clézio). Absolt. Verre blanc ordinaire (opposé au *cristal,* au *crown-glass,* aux *verres spéciaux...*).

(...) bonne et violente nature qui sait souffrir, mais qui ne peut mentir, dans laquelle on lit tout à nu, non pas fragile et vide comme le verre, mais pleine et transparente comme le cristal de roche. A. DE MUSSET, Nouvelles, « Croisilles », III.

Par anal., techn. Matières plastiques, transparentes (à base de cellulose, phénol, vinyle) utilisées pour leur souplesse, leur résistance à la rupture. *Verre organique.* ⇒ **Plexiglas.**

Loc. *Se briser*, se casser* comme* (du) *verre,* très facilement, avec une cassure nette. *« Et comme elle a l'éclat** (cit. 20) *du verre, elle en a la fragilité »* (cit. 2). *Morceaux de verre* (→ Équité, cit. 2). — *Clair, transparent comme le verre.* ⇒ **Hyalin, hyaloïde; clarté, transparence.**

Elle *(notre terre)* eût été brisée en morceaux comme verre. 2
MOLIÈRE, les Femmes savantes, IV, 3.

Archit. *Pan, mur de verre :* mur rideau formé surtout de surfaces vitrées. — *Maison* de verre* (au fig., 1872) : lieu où tout est révélé, rendu public.

♦ **2.** (Déb. XIVe). Minéralogie. Substance vitreuse (naturelle ou non). *Verre de volcan :* obsidienne. — (1690). *Verre d'antimoine :* sulfure d'antimoine grillé et fondu. — *Verre d'arsenic :* oxyde d'arsenic. — *Verre de cuivre :* oxyde cuivreux. — *Verre de plomb :* carbonate de plomb.

♦ **3.** (V. 1540). *(Un, des verres).* Plaque, lame, morceau de verre.

a (Plaques). *Le verre qui protège une image.* → Médaille (cit. 4), médaillon (cit. 2). Loc. *Mettre un dessin sous verre. Fixé sous verre.* ⇒ **Sous-verre.** — (1835, Henri Monnier, *Scènes populaires*). Fig., iron. *Il est à mettre sous verre* (→ À encadrer*). — *Verre dormant* d'un châssis* (→ Jour, cit. 20). — *Le verre d'un vitrage, d'une vitrine.*

Après quelque hésitation entre toutes les rues obscures qui descendent vers la mer comme des égouts et dont sortent des odeurs lourdes, une sorte d'haleine de bouges, Célestin se décida pour une espèce de couloir tortueux où brillaient, au-dessus des portes, des lanternes en saillie portant des numéros énormes sur leurs verres dépolis et colorés. MAUPASSANT, le Port, 1889, Pl., t. II, p. 1126. 2.1

b (1690). Lentilles. **VERRE DE MONTRE :** pièce de verre bombé, taillé en biseau* qui sert à protéger le cadran des montres, des pendules... (⇒ **Horlogerie**). *Éclaircissage* des verres de montre.* Fig., fam. *Le verre de montre :* le derrière. *Se casser le verre de montre :* tomber sur le derrière.

(1876). **VERRE DE LAMPE** (cit. 4 et 6) : tube, manchon de verre qui entoure la mèche. Fig., fam. *Souple comme un verre de lampe :* très raide.

Verres optiques, d'optique (cit. 2), auxquels on a donné une forme déterminée, choisie pour ses propriétés optiques *(verres concaves, convexes, biconcaves, biconvexes, plan-convexes).* ⇒ **Lentille, ménisque** (→ Image, cit. 9; renverser, cit. 1). *Châsse* d'un verre* (de lunettes*, lorgnon...). *Biseautage d'un verre; verre biseauté. Verres déformants* (→ Interposer, cit. 4), *grossissants* (→ Opticien, cit.), *périscopiques. Verre achromatique. Verre oculaire* (cit. 1), *objectif* (1. Objectif, cit. 3). *Verres correcteurs de la vue. Verre d'essai :* lentille de puissance normalisée.

(1690). Spécialt. *Porter des verres* (des verres optiques que l'on porte pour mieux voir; ⇒ **Lorgnon, lunettes**), *des verres fumés* (1. Fumée, cit. 21).

Ma mère porte lunettes, à cause de l'âge. Elle a des yeux d'un bleu chaud, miroitant. Quand elle veut voir bien en face, elle relève la tête pour mieux utiliser ses verres. G. DUHAMEL, Salavin, I, III. 3

(V. 1950). **VERRES DE CONTACT :** cupules de verre (ou plus souvent de « verre organique ») qui, appliquées directement sur l'œil, corrigent les défauts de la vision. *Verres de cornée, cornéens, précornéens.* ⇒ **Lentille** (lentilles cornéennes). *Verres de contact demi-souples, souples.*

Les masques tomberont seuls, il n'y aura besoin de personne pour cela (...) Il n'y aura plus ces yeux de verre qui vous regardent avec indifférence, et leur regard est filtré par dix mille verres de contact, et leur regard vous change en chenille, ou en méduse. J.-M. G. LE CLÉZIO, les Géants, p. 93-94 (1973). 3.1

Français d'Afrique. *Verres :* lunettes correctives (*lunettes* désignant surtout les *lunettes de soleil*).

★ **II.** (Fin XIIIe). ♦ **1.** Récipient à boire, en verre, en cristal, en matière plastique, etc. *Verre à pied*.* — Vx. *Verre à patte* (Balzac, *les Paysans,* Œ., t. VIII, p. 260). *Verre plat,* sans pied. ⇒ **Gobelet.** *Verre sans assise,* qu'on ne peut poser sans l'avoir vidé. ⇒ **Boit-tout** (vx). *Verre en, de cristal* (→ Flacon, cit. 4; jauger, cit. 4). *Verre à vin* (à bordeaux, à madère...), *à bière* (⇒ **Chope**), *à liqueur. Grand verre.* ⇒ **Hanap** (cit. 1); → Cidre, cit. 2. *Très petit verre.* ⇒ **Dé** (à coudre). *Verre ballon, à dégustation. Verre tulipe. Verre à champagne.* ⇒ **Flûte** (1. Flûte, cit. 6). *Verre à boire. Verre à eau. Verre de cuisine,* rond, sans pied. *Cul* (cit. 18) *de verre. — Service* de verres. Assiettes, verres et couverts* (cit. 14 et 15).

REM. *Verre* peut désigner génériquement des récipients à boisson de diverses formes; cependant lorsque cette forme est très caractéristique, on hésitera à employer *verre* au lieu du terme spécifique : *ballon, flûte, coupe,* etc. — *Lever son verre.* ⇒ **Brinder** (cit.); **toast** (cit. 1). *Choquer* (cit. 3) *les verres.* ⇒ **Trinquer.** *Emplir son verre* (→ Gaieté, cit. 7; grimace, cit. 4). *Remplir* (cit. 2) *des verres* (→ Pastis, cit. 1). *Verser* du vin, le punch* (1. Punch, cit. 2) *dans les verres. Vider son verre :* boire (→ Rafraîchissement, cit. 2; et aussi faire rubis* sur l'ongle, faire cul* sec). — Loc. littér. *Laisser sa raison dans son verre :* avoir trop bu (→ Malavisé, cit. 5). *Trouver l'oubli au fond* (cit. 3) *du verre. « Mon verre n'est pas grand, mais je bois dans mon verre »* (→ Imiter, cit. 19, Musset). *« Nous l'avons eu, votre Rhin allemand, Il a tenu dans notre verre »* (Musset, *le Rhin allemand*). — *Laver, essuyer, rincer* (cit. 2) *les verres* (→ Réédifier, cit. 1; torchon, cit. 2). *Casser le pied d'un verre.* ⇒ **Épater.** — Loc. prov. *Qui casse* les verres les paie.*

(...) on vide son verre d'un seul coup, et quels verres! des verres qui tiennent trois 4 de nos bouteilles, et qui sont à nos petits gobelets ce que leurs *in-folio* sont à nos *in-octavo*.   Th. GAUTIER, les Grotesques, III, p. 89.

5   (...) plus loin, les verres de Bohême aux mille couleurs éclatantes, montés, festonnés, gravés, incrustés d'or, s'étalaient sur des rayons de planches de cèdre, — comme les fleurs coupées d'un paradis inconnu.
                                                                     NERVAL, les Filles du feu, « Angélique », I.

5.1 Puis, l'armée des verres, rangée par bandes, occupait les deux côtés : les petits verres pour l'eau-de-vie, les gobelets épais pour les canons, les coupes pour les fruits, les verres à absinthe, les chopes, les grands verres à pied, tous renversés, le cul en l'air, reflétant dans leur pâleur les luisants du comptoir.
                                                                     ZOLA, le Ventre de Paris, 1875, t. I, p. 161.

6   (...) il leva son verre de champagne, qui n'était pas la coupe bête et païenne par laquelle on l'a remplacé, mais le verre élancé et svelte de nos ancêtres, qui est le vrai verre de champagne (...)
                                                                     BARBEY D'AUREVILLY, les Diaboliques, « Le plus bel amour... », III.

6.1 La vue du verre à pied me le rappela. La dernière fois que je l'avais vu dans cette même pièce, il débarrassait la table de quatre verres à pied d'une forme que l'on appelle ballon.   Jean GENET, Pompes funèbres, 1944, p. 85.

Verre à café. ⇒ **Mazagran.**

VERRE À DENTS (loc. formée d'après *brosse à dents*) : verre servant à se rincer la bouche, quand on se lave les dents. — Au plur. *Des verres à dents* [vɛʀadɑ̃].

VERRE À MOUTARDE : récipient de verre (⇒ **Pot**) pour la moutarde qui peut — une fois vide — servir de verre de cuisine. Par ext. Verre ordinaire, à bon marché. — Au plur. *Des verres à moutarde* [vɛʀamutaʀd].

Comm. *Les verres* : les récipients en verre. *Consigner les verres.*

Loc. métonymique. **VERRE D'EAU** : service de chevet comportant une carafe, un flacon, un sucrier, un ou deux verres à eau sur un plateau. — Au plur. *Des verres d'eau.*

♦ **2.** (1636). Contenu d'un verre. ⇒ **Verrée** (vx). *Un verre de... Boire un verre d'eau* (→ Insipide, cit. 2 ; soif, cit. 1 ; torride, cit.). *Absorber* (cit. 1), *boire* (→ Griser, cit. 2), *lamper* (cit. 1) *un verre de vin, d'eau-de-vie* (cit. 1).

Absolt. *Un verre* : une boisson, généralement alcoolisée, dans un verre, que l'on prend en dehors des repas, dans un café... ; vin, apéritif, liqueur... ⇒ **Canon, chopine, drink, glass** (vx), **godet, pot** (fam.) ; et aussi **boire.** *Payer, offrir un verre à un ami* (⇒ **Tournée**). *Boire* (1. Boire, cit. 21), *prendre un verre* (→ 1. Sortir, cit. 8). *Un verre de bière.* ⇒ **Baron, bock, demi, formidable ; chope.** — (1780, *in* D.D.L.). *Un petit verre* : un verre d'alcool*, de liqueur. ⇒ **Goutte** (1. Goutte ; → Consommation, cit. 9 ; garçon, cit. 21). *Se jeter un petit verre sous le menton* (→ Paf, cit. 3), *derrière la cravate.* — *Avoir un verre dans le nez*.

7   Il y a un proverbe russe sur les petits verres d'eau-de-vie : Le premier entre comme un pieu, le deuxième passe comme un faucon, les autres voltigent comme de petits oiseaux.   Th. GAUTIER, Voyage en Russie, p. 406.

8   Or, tout à l'heure, quand ils quitteraient le *parkway*, il y aurait des bars au bord de la route.
    Leur était-il arrivé d'aller conduire ou rechercher les enfants sans qu'il s'arrête à plusieurs reprises pour boire un verre ?   G. SIMENON, Feux rouges, 1953, p. 15.

Avoir pris, bu un verre de trop : être en état de légère ébriété.

9   — Mais il n'a jamais été question de ça ! Qu'est-ce que vous allez chercher ? J'ai pris un verre de trop. J'avais envie d'en prendre un autre. Nous avons échangé quelques phrases plus ou moins amères. Ma femme m'a prévenu que, si je descendais encore de l'auto pour entrer dans un bar, elle continuerait la route sans moi (...)   G. SIMENON, Feux rouges, 1953, p. 128.

Loc. fig. *Se noyer* dans un verre d'eau. Une tempête dans un verre d'eau* : une agitation sans objet sérieux.

DÉR. Verrage, verré, verrée, verrerie, verrier, verrière, 1. verrine, 2. verrine, verroterie.
COMP. Verglas. — Sous-verre.
HOM. Vair, ver, 1. vers, 2. vers, vert.

VERRÉ, ÉE [vɛʀe ; vɛʀe] adj. — 1871 ; « vitré », v. 1180 ; de *verre*.

♦ Techn. Saupoudré de verre en poudre. *Papier verré* (ou *de verre*), *toile verrée.*

HOM. Verrée.

VERRÉE [vɛʀe ; vɛʀe] n. f. — 1554, Ronsard ; de *verre*.

♦ Vx ou régional. Contenu d'un verre à boire. « *De grandes verrées de vin vieux* » (A. Theuriet, *in* G. L. L. F.). ⇒ **Verre,** II., 2.

Ceux de la fabrique allaient arriver d'un instant à l'autre pour leur habituelle verrée de fin de journée.   Jean FOLLONIER, la Sommelière, p. 36-37.

HOM. Verré.

VERRERIE [vɛʀʀi] n. f. — 1533 ; *voirrerie*, v. 1265 et jusqu'aux XVᵉ-XVIᵉ ; de *verre*.

A. ♦ **1.** (1376, *voirrerie*). Fabrique, usine où l'on fait et où l'on travaille le verre (→ Opiniâtrement, cit.).

♦ **2.** (1690). Fabrication du verre et des objets en verre. ⇒ **Cristallerie, gobeleterie, miroiterie, optique, vitrerie ; cristal, glace, verre.** *Procédés anciens, traditionnels de la verrerie* (soufflage* ; ⇒ **Verre**) ; *procédés modernes* (coulage, moulage, etc.). — REM. Les opérations de verrerie, outre celles qui sont mentionnées à *cristalle-*

*rie**, comprennent la fabrication de la matière première. ⇒ **Fonte, enfournage ; cratère, creuset, four.**

Spécialt. Industrie du verre (à l'exclusion des techniques spéciales et des applications).

♦ **3.** Commerce du verre, des objets en verre. *Rayon de verrerie d'un grand magasin.*

B. (1662 ; *voirerie*, XIVᵉ). Objets, ouvrages de verre (→ Étinceler, cit. 10). *Les verreries d'un lustre* (→ Cristal, cit. 16). *Verrerie allant au four. Acheter de la verrerie.*

VERRIER [vɛʀje] n. m. et adj. — 1265 ; de *verre*.

★ **I.** ♦ **1.** Celui qui fabrique le verre ou des objets en verre. — Appos. *Maître verrier. Artisans, ouvriers verriers* : le « cueilleur » qui prélève le verre, le « gamin » qui prépare la pâte, le souffleur* (appelé aussi *verrier*). *Banc, canne, ciseaux, palette, pince... de verrier.* — Ouvrier de la verrerie, depuis la fusion jusqu'à la décoration des objets. *Casse*, four... de verrier.*

♦ **2.** Artiste qui fait des vitraux ; peintre sur verre. — (1845). Appos. *Peintre verrier.*

♦ **3.** Vx. Vitrier.

REM. Le fém., virtuel au sens I, est rendu difficile du fait de l'homonymie avec *verrière*.

★ **II.** (1540, *veyrier*). Rare. Panier à verres. — Syn. : *verrière*, II.

★ **III.** (Mil. XXᵉ). Défaut d'une pierre de taille ressemblant à un morceau de verre.

★ **IV.** Adj. Techn. De verre, du verre. *Une gamme « de matériaux verriers »* (*la Recherche*, 2 juin 1970, p. 169). — REM. Le fém. *verrière* n'est pas attesté.

HOM. Forme du v. **voir.**

VERRIÈRE [vɛʀjɛʀ] n. f. — V. 1130 ; de *verre*.

★ **I.** ♦ **1.** Anciennt. Fenêtre garnie de verres, d'une vitre.

♦ **2.** Mod. Grande ouverture ornée de vitraux ; vitrail* de grande dimension (→ Église, cit. 13 ; grisaille, cit. 4 ; rosace, cit. 1).

♦ **3.** Cour. Grand vitrage ; toit vitré ; paroi vitrée (d'une véranda, etc.). *La verrière d'une gare* (→ Lampe, cit. 20).

♦ **4.** (Mil. XXᵉ). Aéron. Dôme transparent recouvrant l'habitacle du pilote.

★ **II.** (1779). Panier à verres. — Syn. : *verrier*, II.

1. VERRINE [vɛʀin] n. f. — V. 1155 ; *verine* « vitrail », v. 1125 ; fém. subst. de l'anc. adj. *verrin* « qui est en verre » (XIIᵉ) ; du lat. pop. *vitrinus*, même sens, du lat. *vitrum* « verre ».

♦ **1.** Vx. Panneau de verre protégeant qqch. — Cloche de jardinier.

Or, après avoir longuement et merveilleusement travaillé, Zacharius remettait avec lenteur ses outils en place, recouvrait de légères verrines les fines pièces qu'il venait d'ajuster (...)   J. VERNE, Maître Zacharius, p. 114.

♦ **2.** (1721). Tube de verre pour fabriquer un baromètre.

♦ **3.** (1893 ; *vérine*, 1835). Lampe de verre qui éclaire le timonier. — Verre (d'une lampe tempête).

À ce moment, les chandelles arrivant à fond de course et leur lumière se faisant sautillante et trop incertaine, le gros homme, qui semblait avoir la garde du bouge des ombres, les remplaça par une verrine pansue à flamme paisible et jaune.
                                   Jean RAY, les Derniers Contes de Canterbury, p. 209 (1944).

HOM. Vérine, 2. verrine.

2. VERRINE [vɛʀin] n. f. ⇒ **Vérine.**

HOM. 1. Verrine.

VERROTERIE [vɛʀɔtʀi] n. f. — 1679 ; *verrotterie*, 1657 ; de *verre*, sur le modèle de *bimbeloterie*.

♦ **1.** (Collectif). Ensemble de petits ouvrages de verre coloré, et travaillé, dont on fait des bijoux (colliers, bracelets) et des ornements. ⇒ **Clinquant, pacotille** (→ Gland, cit. 4 ; reluisant, cit. 1). *La verroterie servait au troc avec les peuples primitifs. Bijoux en verroterie.* — Spécialt. *Verroterie cloisonnée* : mosaïque de pâte de verre diversement colorée enchâssée dans des plaques de métal.

♦ **2.** (*Une, des verroteries*). Objet, ouvrage de verre, etc., faisant partie de la verroterie. *Verroteries noires* (cit. 5) *d'Allemagne.*

(...) elle portait des colliers de perles fausses, des bracelets en similor, des peignes agrémentés de verroteries variées jouant les pierres fines.
                                   MAUPASSANT, Clair de lune, « Les bijoux ».

VERROU [vɛʀu ; vɛʀu] n. m. — 1636 ; *veruil, veroil, verouil,* etc. du XIIᵉ au XVᵉ ; les *rr* sont dus à l'attraction de *ferrum,* la finale est issue du plur. (→ **Genou**) ; du lat. *vericulum, veruculum* « petite broche ; petite pique », dimin. de *veru* « broche ». → **Vérin.**

♦ **1.** Système de fermeture constitué par une pièce de métal allongée qui coulisse (le plus souvent horizontalement) de manière à s'engager dans un crampon (⇒ **Verterelle**) ou dans une gâchette (comme le pêne* d'une serrure). ⇒ **Targette.** *Verrou à barre, à tige coulissante, à pêne. Verrou à ressort* (à pêne à ressort). *Verrou à bouton. Verrou de sûreté* (cit. 8), muni d'une clé* qui permet de l'ouvrir du dehors. *Verrou électrique, muni d'une alarme. — Pousser, tirer* (cit. 4) *les verrous :* fermer (lorsqu'il s'agit d'un verrou à tige. → **Possession,** cit. 15) ; ouvrir. « *Tire le verrou, Christine, ouvre vite* » (Leconte de Lisle, *Poèmes barbares*). *Faire jouer* (cit. 8) *les verrous. — Mettre* (cit. 50) *le verrou* (pour fermer), *fermer* (cit. 5) *au verrou. Le verrou grince* (→ **Gâchette,** cit. 1). — Loc. *S'enfermer au verrou* (→ **À clé**). *Mettre, tenir qqn sous les verrous,* enfermé, emprisonné. *Être sous les verrous,* en prison*.

1 (...) il paraît qu'il a été dénoncé, qu'on l'accuse d'avoir écrit un tract antimilitariste, et qu'il est sous les verrous, pour attendre le premier conseil de réforme, qui l'enverra en première ligne (...)
MARTIN DU GARD, les Thibault, t. VIII, p. 32.

2 On entendait le bruit du verrou de l'étable à cochons pousser longuement son cri tout pareil à celui des bêtes qu'il tient enfermées (...)
C.-F. RAMUZ, la Grande Peur..., III.

Par métaphore et fig. Ce qui ferme, emprisonne... (→ **Captiver,** cit. 1). « *Les verrous et les grilles...* » (→ **Soin,** cit. 3, Molière).

2.1 Le verrou du passé fermé sur l'avenir !
HUGO, l'Année terrible, juil., XI, I.

♦ **2.** (1842, « dispositif d'un laminoir à plomb »). ⓐ Techn. Dispositif assujettissant des éléments mobiles. *Verrou tournant,* fixant un conteneur à un châssis de transport.

ⓑ Ch. de fer. Dispositif de calage des aiguillages.

ⓒ (1904). Dispositif d'ouverture d'une culasse d'arme à feu. ⇒ **Verrouillage.**

3 Il descendit, décrocha son fusil, un bon calibre huit, et l'ouvrit (...) poussa les cartouches (...) rabattit allègrement l'arme alourdie et poussa le verrou d'un geste sec du pouce (...)
J.-R. BLOCH, les Chasses de Renaut.

♦ **3.** (1919). Géol. Barre rocheuse fermant une vallée glaciaire. *Verrou glaciaire.*

♦ **4.** Milit. Ce qui constitue un verrouillage (hommes, matériel).

4 Symboliquement, au cours de ma vie, à deux reprises, tous les documents que je conservais ont disparu : une première fois, en mai 1940, par le feu, dans un bombardement, alors que sautait le verrou d'Abbeville (...)
Raymond ABELLIO, Ma dernière mémoire, 1971, t. I, p. 25.

Système défensif ou obstacle qui gêne ou empêche (qqch.). « *L'adoption d'une motion de censure entraînerait la dissolution de l'Assemblée. C'est ce* verrou *qui commande la discipline de tous les élus de la majorité* » (le Nouvel Obs., 6 mars 1968, in P. Gilbert).

(1943, in Petiot). Sport (trad. ital. *catenaccio*). Au football, Tactique défensive d'une équipe qui se groupe en formation serrée devant ses propres buts.

♦ **5.** Alpin. « Technique d'escalade par coincement des membres dans les fissures rocheuses » (Petiot). ⇒ **Verrouillage,** 4.

5 Le verrou de l'avant-bras est un mode de coincement dans l'escalade des cheminées étroites.   Manuel d'alpinisme, 1934, in PETIOT.

DÉR. **Verrouiller. V. verrouil.**
COMP. **Déverrouiller.**

VERROUIL [vɛʀuj ; vɛʀuj] n. m. — Attesté XIXᵉ, Gautier ; forme de *verrou.*

♦ Archaïsme littér. *Épée en verrouil,* portée horizontalement.

VERROUILLABLE [vɛʀujabl ; vɛʀujabl] adj. — XXᵉ ; de *verrouiller.*

♦ Qui peut être verrouillé. *Portes verrouillables.*

VERROUILLAGE [vɛʀujaʒ ; vɛʀujaʒ] n. m. — XXᵉ ; « dispositif d'enclenchement qui, dans les commandes de vitesses, est destiné à éviter les fausses manœuvres », 1924 ; de *verrouiller,* I.

♦ **1.** Fait de verrouiller ; manière dont une ouverture est verrouillée. *Procéder au verrouillage de... — Verrouillage de la culasse d'une arme à feu. — Un verrouillage impeccable, complet.*

♦ **2.** (Mil. XXᵉ). Dispositif bloquant un fonctionnement dans certaines conditions. *Verrouillage mécanique, électrique, électronique.*

(1972). Inform. Dispositif de sécurité d'un ordinateur, empêchant ou restreignant l'accès à certaines informations. — Fait de protéger le contenu d'une mémoire en la rendant inéffaçable.

♦ **3.** Fig., milit. Opération défensive qui consiste à interdire le passage sur un point du front. *Le verrouillage d'une brèche.*

♦ **4.** (1943, in Petiot). Alpin. Action d'effectuer un verrou*.
CONTR. (Du 1.) **Déverrouillage.**

VERROUILLER [vɛʀuje ; vɛʀuje] v. tr. — XVᵉ ; *verroillier,* v. 1190 ; de *verrou,* sous la forme anc. *ver(r)oil.*

★ **I.** (Compl. n. de chose). ♦ **1.** Fermer à l'aide d'un verrou. *Verrouiller une porte, une fenêtre.* — Au passif :

1 Fermant le quatrième côté, la porte charretière était close, verrouillée d'une barre de fer.   ZOLA, la Terre, II, I.

♦ **2.** (XXᵉ). Techn. Fermer par un dispositif spécial. ⓐ *Verrouiller la culasse d'un fusil.*

ⓑ Ch. de fer. Bloquer (un signal, une aiguille) dans une position donnée.

ⓒ Bloquer (un fonctionnement) par un dispositif de verrouillage.

♦ **3.** Sports. En lutte libre. *Verrouiller un ciseau* de jambes. — Au rugby. *Verrouiller la touche* (⇒ **Verrouilleur**). — En cyclisme. *Verrouiller la course :* empêcher les échappées.

★ **II.** (Compl. n. de personne). ♦ **1.** (V. 1780). Enfermer, mettre sous les verrous. ⇒ **Cadenasser.** — V. pron. *Se verrouiller :* s'enfermer* (cit. 17).

2 Nous, ses oncles, avons sur lui droit de tutelle ;
Nous l'allons verrouiller dans un couvent (...)
HUGO, la Légende des siècles, XV, II, VI.

♦ **2.** Par métonymie de 2., c. *Chaque firme « tend à constituer son propre réseau de stockage, traitement et transmission des données d'une manière qui empêchera sa communication avec les réseaux concurrents. Cela s'appelle "verrouiller la clientèle" : celle-ci est captive d'un seul réseau, sans accès possible aux autres »* (le Nouvel Obs., 22 mai 1978, p. 45).

▶ **VERROUILLÉ, ÉE** p. p. adj. *Porte verrouillée. — Culasse verrouillée. Mémoire d'ordinateur verrouillée.*
CONTR. **Déverrouiller.**
DÉR. **Verrouillable, verrouillage, verrouilleur.**

VERROUILLEUR, EUSE [vɛʀujœʀ, øz] n. — 1965, in Petiot ; de *verrouiller.*
Sports.

♦ **1.** Au football. Joueur placé derrière les arrières, pour couvrir les défenseurs.

♦ **2.** Au rugby. Joueur avant de l'équipe bénéficiant de la remise en jeu, lors d'une touche, et dont le rôle est de délimiter par sa position celle des deux colonnes de joueurs (de « fermer la touche »).

VERRUCAIRE [vɛʀykɛʀ] n. f. — 1828 ; « chicorée qui passe pour guérir les verrues », 1600 ; du lat. *(herba) verrucaria* « herbe qui guérit les verrues ».

♦ Bot. Lichen dont les fructifications forment des excroissances rugueuses sur le thalle.

VERRUCOSITÉ [vɛʀykozite] n. f. — 1908 ; du rad. du lat. *verrucosus* « qui a une verrue ». → **Verruqueux.**

♦ Pathol. Végétation* (de la peau ou d'une muqueuse) dont la surface mamelonnée, grisâtre, est couverte d'une couche cornée dure.

VERRUE [vɛʀy] n. f. — XIIIᵉ ; *berrue,* 1220 ; du lat. *verruca* « éminence, excroissance ». → **Nævus.**

♦ **1.** Petite excroissance de la peau (papillome), de consistance molle (⇒ **Nævus**) ou recouverte d'une couche cornée épaisse plus ou moins pigmentée (syn. fam. et vieilli : *poireau*). *Verrue vulgaire,* due à un virus, siégeant surtout aux mains et aux pieds, souvent multiple. *Verrue sénile* (ou *séborrhéique*) : petite saillie circonscrite recouverte d'un enduit corné gras (visage, dos, cou) survenant après la quarantaine. *Verrue plantaire* (du pied). → **Difforme,** cit. 3 ; 1. **friper,** cit. 3 ; **omettre,** cit. 3. *Verrues planes :* petites papules saillantes. *Verrues molles. — Verrues des bovins, des chevaux.* ⇒ **Fic.**

1 Les murs (...) n'avaient pour tout ornement que ce quatrain (...)
Elle étonne à dix pas, elle épouvante à deux,
Une verrue habite en son nez hasardeux ;
On tremble à chaque instant qu'elle ne vous la mouche,
Et qu'un beau jour son nez ne tombe dans sa bouche.
HUGO, les Misérables, IV, XII, I.

Herbes, plantes employées pour guérir les verrues (appelées *herbes-aux-verrues*). ⇒ **Chélidoine** (cit.), **héliotrope, verrucaire.**

Par anal. Protubérance rugueuse, nodosité (cit.). → **Pierre,** cit. 4.

♦ **2.** Littér. Ce qui défigure, enlaidit (⇒ **Laideur ;** → Argot, cit. 3). *La Cour* (cit. 5) *des Miracles, hideuse verrue à la face de Paris. Les honteuses verrues dont notre cœur est couvert* (→ Étudier, cit. 17). *Extirper, arracher* (cit. 15) *les verrues.*

2   Je l'aime tendrement *(Paris),* jusques à ses verrues et à ses taches. Je ne suis Français que par cette grande cité (...)   MONTAIGNE, Essais, III, IX, (1588).

VERRUGA [veʀyga] n. f. — 1904 ; esp. *verruga,* du lat. *verruca.* → Verrue.

♦ Méd. Maladie parasitaire originaire du Pérou, due à un sporozoaire inoculé par la piqûre de phlébotomes. *Verruga du Pérou.*

VERRUQUEUX, EUSE [veʀykφ, φz] adj. — 1494 ; lat. *verrucosus* « qui a une verrue », de *verruca.* → Verrue.

♦ **1.** En forme de verrue. *Excroissance verruqueuse.*

♦ **2.** Qui a des verrues, est couvert de verrues. *Main, peau verruqueuse. « Une chair épaisse et verruqueuse »* (Goncourt, *la Faustin,* XVII).

Par anal. Couvert d'excroissances. *Le dos verruqueux d'un crapaud*. Tige verruqueuse.*

  Et je ne pouvais détacher mes yeux du *bouleau verruqueux,* avec ses taches blanchâtres sur ses rugosités vineuses (...)   Ed. et J. DE GONCOURT, Journal, 11 oct. 1889, t. VIII, p. 79.

♦ **3.** (1903, *Rev. gén. des sc.,* n° 20, p. 939 : *tuberculose verruqueuse*). Méd. Qui s'accompagne de verrues. *Syphilide verruqueuse.*

1. VERS [veʀ] prép. — 980 ; lat. *versus,* var. *versum,* p. p. passif de *vertere* « tourner », employé en lat. class. comme particule adverbiale postposée à un substantif introduit par une préposition, pour préciser la direction.

♦ **1.** En direction de. ⇒ **Pour** (II., 1.). *Marcher vers l'église* (→ Aumusse, cit. 1). *Se diriger vers la piscine* (cit. 3). *S'acheminer vers Paris* (→ Gîte, cit. 6). *Remonter vers les boulevards* (→ Mouvement, cit. 22). *Se hâter vers les portes* (→ Fourmi, cit. 9). *Des camions* (cit. 1) *roulaient vers les docks. Il la mena vers la place* (→ Régler, cit. 3). *Il vint vers moi* (→ Cahier, cit. 3). *Le chien revenait vers son maître* (→ Gambade, cit. 2). *S'avancer, marcher vers l'ennemi.* ⇒ **À, sur** (→ Ordre, cit. 11). *Se précipiter vers le sauveteur* (cit. 2). *Ils allaient l'un vers l'autre.* ⇒ **Encontre** (à l'), **rencontre** (à la).

1   Guidé par ton odeur vers de charmants climats,
Je vois un port rempli de voiles et de mâts (...)
  BAUDELAIRE, les Fleurs du mal, «Spleen et idéal», XXII.

Vieilli. *« C'est moi qu'Amphitryon députe* (cit. 1) *vers Alcmène ».* ⇒ **Auprès.**

Spécial (suivi d'un adverbe). Vx (et aujourd'hui considéré comme incorrect). *Vers là, vers ailleurs* [veʀajœʀ] (Descartes, *in* Littré). — (V. 1500). *Vers où* (cit. 30, Gide), *vers où?* [veʀu]. — REM. Ce tour, condamné par Vaugelas, a cependant été admis par l'Académie (sauf dans sa huitième édition).

2   (...) je pouvais parler du Havre et de Fongueusemare, vers où revolait sans cesse ma pensée.   GIDE, la Porte étroite, II.

(Marquant la direction d'un geste, d'un regard). *Tourner, dresser* (cit. 3) *la tête vers qqn* (→ Interrogant, cit. 2). *Levant vers moi sa main* (→ Minaudier, cit. 3). *Le doigt tendu* (1. Tendu, cit. 16) *vers moi. Se tourner, se retourner, se pencher, se courber... vers* (→ Affaiblir, cit. 13 ; 1. droit, cit. 4 ; galant, cit. 19 ; mot, cit. 33 ; plisser, cit. 4). *Tourner, lever les yeux, le regard vers...* (→ Espérance, cit. 9 ; obliquité, cit. 5 ; observer, cit. 13 ; soupeser, cit. 2). *Regarder* (cit. 17) *vers...*

3   Vers le Ciel, où son œil voit un trône splendide,
Le Poète serein lève ses bras pieux (...)
  BAUDELAIRE, les Fleurs du mal, «Spleen et idéal», I.

♦ **2.** (V. 1265). Abstrait ; pour marquer le terme d'une évolution ou d'une tendance. *Ascension* (cit. 8 et 11), *cheminement* (cit.), *premier pas vers...* (→ Scepticisme, cit. 2). *« ... le pouvoir d'Agrippine Vers sa chute, à grands pas, chaque jour s'achemine »* (cit. 5). *Aller, marcher* (cit. 20), *s'acheminer vers une époque, vers des temps meilleurs.* — REM. S'emploie souvent, avec ellipse du verbe, par ex. dans un titre d'article : *vers un règlement du conflit.* — *« Quel charme, malgré vous, vers elle vous attire? »* (cit. 17). *Être entraîné, poussé, porté vers...* (→ Gêner, cit. 20 ; griser, cit. 12 ; livrer, cit. 33 ; poser, cit. 36). *Aspiration* (cit. 3), *attirance* (cit. 3) *vers... Incliner* (cit. 38), *pencher* (cit. 1 et 2), *tendre* (1. Tendre, cit. 12) *vers...*

4   Donc, la matière tend à l'idéal, et tire
L'esprit vers l'animal, l'ange vers le satyre,
Le sommet vers le bas, l'amour vers l'appétit (...)
  HUGO, les Contemplations, VI, XXVI.

♦ **3.** (XIIᵉ). Du côté de (sans mouvement). *Vers le Nord* (→ Moutonner, cit. 3). ⇒ **Côté** (du côté de), **face** (face à). *Vers la droite, des rossignols se mirent à chanter* (→ Phrase, cit. 19). *Vers le fond* (→ 2. Plan, cit. 3), *le centre* (→ Rôti, cit. 1), *le milieu* (→ Néga-

tif, cit. 15). — Aux environs* de. *Vers la Seine, le Rhin* (→ Hostilité, cit. 1 ; infâme, cit. 5 ; 1. palatin, cit. 1).

Vers Livourne nous rencontrâmes
Les vingt voiles de Spinola.   HUGO, la Légende des siècles, XXVIII.

Par ext. *Il naviguait vers sept cents mètres,* à environ sept cents mètres (→ Marge, cit. 4, Saint-Exupéry).

♦ **4.** (XVIᵉ). Temporel. À peu près (à telle époque). ⇒ **Environ, sur.** *Vers le soir, le petit jour* (→ Piquer, cit. 23 ; pot, cit. 9 ; précaution, cit. 4). *Vers sept heures* (→ Attention, cit. 19), *vers les cinq heures* (→ Mascaret, cit. 1). ⇒ **Le** (I., 6.). *Vers midi, vers les midi* (cit. 5). *Jusque vers onze heures et* (cit. 31) *demie. Vers cette époque, vers la même époque* (→ Père, cit. 24 ; 1. rayon, cit. 7). *Vers l'an, l'année 1800* (→ Patriarcat, cit. ; 1. rayon, cit. 6). *Vers 1840* (→ Maître, cit. 99). *Vers le milieu, la fin du siècle, de sa vie...* (→ Opérette, cit. 2 ; rengaine, cit. 1 ; rythmer, cit. 4).

Tous ceux qui l'ont connu vers ce temps, c'est-à-dire environ l'année 1905 (...)   G. DUHAMEL, Chronique des Pasquier, IV, II.

(Âge approximatif). *Vers l'âge de vingt-deux ans* (→ Preuve, cit. 10). *Vers trente-deux ans* (→ 1. Marasme, cit. 2) ; *vers ses soixante-dix ans* (→ Manie, cit. 6).

♦ **5.** (V. 1160 ; encore employé en ce sens au XVIIᵉ mais condamné par Vaugelas qui recommande et fait triompher *envers*). Vx. Marquant une attitude morale, un rapport. ⇒ **Envers, égard** (à l'égard de). *« La libéralité vers le pays natal »* (→ 1. Capital, cit. 2, Corneille). *« Du crime dont vers moi son style vous accuse? »* (→ 1. Pouvoir, cit. 2, Molière).

Tu n'as manqué à aucun devoir vers les hommes (...)
  FÉNELON, Télémaque, XIV.

COMP. Devers. — V. aussi **envers.**
HOM. Vair, ver, verre, 2. vers, vert.

2. VERS [veʀ] n. m. — V. 1138 ; plus souvent au sens de « laisse, strophe, couplet », en anc. franç. ; lat. *versus* « sillon, ligne, vers ».

♦ **1.** *(Un vers).* Fragment d'énoncé dont l'unité (marquée à la lecture par une légère pause finale, dans l'écriture par une disposition unilinéaire) est d'ordre essentiellement rythmique, associant étroitement des mots selon des règles qui retiennent ou la quantité *(vers mesurés* ou *métriques),* ou l'accentuation *(vers accentués),* ou le nombre *(vers syllabiques)* de leurs syllabes. ⇒ **Cadence, mesure, métrique, nombre, poésie** (cit. 6), **prosodie, rythme, versification.** *Vers grecs, latins,* composés d'un certain nombre de mètres* ou de pieds* (→ Fond, cit. 58). ⇒ **Hexamètre, pentamètre, tétramètre, trimètre ; dimètre, monomètre ; septénaire, sénaire ;** et aussi **adonique, alcaïque, asclépiade, anapestique, choliambe, choriambique, dactylique, iambique, saphique, scazon, spondaïque, trochaïque.** *Scander* des vers de Virgile* (→ Composition, cit. 4). *Vers catalectique, acatalectique. Essais de vers mesurés en France au XVIᵉ siècle* (Baïf, Passerat, etc.). *Vers accentués* (parfois mesurés [→ Pied, cit. 54] ou rimés) *de la poésie allemande, anglaise. Vers syllabiques,* assonancés puis rimés, *de la poésie française.* ⇒ **Assonance, rime** (cit. 2, 4, 5, 7 et 8). *Vers masculins, féminins* (cit. 8). *Vers en écho*, vers léonins. Vers de six, sept, huit, neuf, dix, onze, douze syllabes*.* ⇒ **Alexandrin ; dissyllabe, monosyllabe, pentasyllabe, tétrasyllabe, trisyllabe.** *Vers faux, vers boiteux*. Vers blanc*. Nombre* d'un vers. Coupe* (2. Coupe, cit. 5) *du vers.* ⇒ **Césure, enjambement, rejet** (cit. 3) ; et aussi **chute.** *Vers réguliers,* conformes aux règles de la versification traditionnelle (surtout depuis Malherbe ; → Cadence, cit. 1). — (Mil. XVIIᵉ). VERS LIBRES (dans la poésie classique) : suite de vers réguliers mais de longueur inégale et dont les rimes sont combinées de façon variée (ex. : La Fontaine, Molière dans *Amphitryon*). *Vers libre* (cit. 34) : depuis les symbolistes, Vers non rimés et irréguliers, jouant sur des rapports de voyelles et de consonnes et sur l'expressivité du rythme (→ Écueil, cit. 8). ⇒ **Vers-librisme.** *Crise de vers,* texte de Mallarmé.

(...) nous voudrions un vers libre, franc, loyal, osant tout dire sans pruderie, tout exprimer sans recherche (...) sachant briser à propos et déplacer la césure pour déguiser sa monotonie d'alexandrin ; plus ami de l'enjambement qui l'allonge que de l'inversion qui l'embrouille ; fidèle à la rime, cette esclave reine, cette reine suprême grâce à notre poésie, ce générateur de notre mètre ; inépuisable dans la vérité de ses tours, insaisissable dans ses secrets d'élégance et de facture (...)
  HUGO, Cromwell, Préface.

(...) si on en est arrivé au vers actuel, c'est surtout qu'on est las du vers officiel (...) N'est-ce pas quelque chose de très anormal qu'en ouvrant n'importe quel livre de poésie on soit sûr de trouver d'un bout à l'autre, des rythmes uniformes et convenus là où l'on prétend, au contraire, nous intéresser à l'essentielle variété des sentiments humains ! Où est l'inspiration, où est l'imprévu, et quelle fatigue (...)
  MALLARMÉ, Réponses aux enquêtes, « Sur l'évolution littéraire ».

Ce vers de Dante, de Corneille, de Racine (→ Fermer, cit. 13 ; forcer, cit. 27). *« Un vers d'André Chénier chanta dans ma mémoire »* (→ Cou, cit. 5). *Combinaison des vers en laisses, en strophes* (cit. 3), *dans les poèmes à forme fixe* (→ Emblématique, cit. 1 ; envoi, cit. 2 et 3). *Épigramme* (cit. 2) *de huit ou dix vers, d'un seul vers* (⇒ **Monostique**), *de deux vers* (⇒ **Distique**). *Pièce de vers :* poème. — *Beaux, bons, mauvais vers* (→ Diable, cit. 18 ; emphase, cit. ; impubliable, cit. ; inférieur, cit. 4 ; marquer, cit. 44). *« Un beau vers est comme un archet... »* (cit. 3). *Vers aisés* (cit. 5), *faciles, ailés, déliés, musicaux* (→ Indéfini, cit. 12). *Vers* *hérissés* (cit. 39), *pitoyables* (cit. 5), *décousus* (→ Attente, cit. 16), *pompeux* (cit. 4)... *Des vers de mirliton** (cit. 2). « *Mais les vers souverains Demeurent...* » (cit. 19).

3   (...) combien je me fais l'effet d'un barbare (...) quand je pousse dans l'œuvre de Racine une analyse aussi grossière. Des centaines, des milliers de vers m'assaillent de toutes parts, si purs, si beaux, si harmonieux (...)
Ch. PÉGUY, Victor-Marie, comte Hugo, p. 170.

♦ **2.** (xviiᵉ). *Les vers, le vers :* l'écriture en vers (1.). ⇒ **Poème, poésie.** — (Au plur.). « *J'aime surtout les vers, cette langue immortelle* » (→ 1. Parler, cit. 81). *L'art des vers :* la poésie versifiée (→ Atteindre, cit. 22). « *Le mensonge et les vers de tout temps sont amis* » (cit. 29). *Faire* (cit. 24), *composer* (cit. 8), *écrire, tourner des vers,* de la poésie (→ 1. Dire, cit. 108 ; facile, cit. 12 ; juge, cit. 9 ; mot, cit. 22).

Péj. La versification. *Faiseur* (cit. 10) *de vers.* ⇒ **Métromane, rimailleur, 1. rimeur** (cit.), **versificateur.** « *L'art ne fait que des vers, le cœur* (cit. 154) *seul est poète.* »

4   L'antique opposition entre la prose et les vers se double bientôt d'une opposition entre la poésie et la versification. L'idée se fait jour (...) qu'il existe des vers qui ne sont pas de la poésie et qu'il est au contraire de la poésie en dehors des vers.
Roger CAILLOIS, Art poétique, p. 133.

Des vers : de la poésie. *Recueil de vers.* → Friand, cit. 7. « *Mes premiers vers sont d'un enfant...* » (→ Homme, cit. 149). *Dire, lire* (1. Lire, cit. 11), *réciter* (cit. 2), *déclamer* (cit. 2) *des vers. Diction des vers* (→ Technique, cit. 8). — EN VERS. *Œuvre en vers ; écrire en vers* (→ Dialogue, cit. 6 ; épique, cit. 2 ; harmonie, cit. 29 ; larmoyant, cit. 4). *Mettre en vers.* ⇒ **Rimer, versifier** (→ Mère-grand, cit.). « *Lorsque j'habille* (cit. 7) *en vers une maligne prose* ». — *Vers et prose* (cit. 6 ; → aussi Prosateur, cit. 1). **Spécialt.** *Vers de circonstance :* poèmes inspirés par l'actualité, les menus faits de la vie d'un personnage (ex. : les *Vers de circonstance,* de Mallarmé). *Petits vers :* poésie légère (→ 1. Louer, cit. 4).

(Au sing. collectif). **Littér.** *Le vers.* ⇒ **Poésie.** « *Le vers se sent toujours des bassesses* (cit. 12) *du cœur* ». *Le vers et la prose* (cit. 2 et 10). « *Le vers est la musique de l'âme* ». *Le vers de Racine* (→ Coulant, cit. 3). « *Je les tiens dans mon vers comme dans un étau* » (→ aussi Abonder, cit. 2 ; mésallier, cit.). « *Que ton vers soit la bonne aventure...* » (→ Littérature, cit. 21, Verlaine).

5   La prose est née d'hier ; voilà ce qu'il faut se dire. Le vers est la forme par excellence des littératures anciennes. Toutes les combinaisons prosodiques ont été faites ; mais celles de la prose, tant s'en faut.
FLAUBERT, Correspondance, 318, 24 avr. 1852.

Vers latins : exercice scolaire de poésie latine, autrefois en honneur dans l'enseignement secondaire (→ Farouche, cit. 5 ; mettre, cit. 53 ; noblesse, cit. 8).

CONTR. Prose.
DÉR. Verset. — V. Versiculet, versifier.
COMP. Vers-librisme.
HOM. V. 1. Vers.

VERSABLE [vɛʀsabl] adj. — 1842 ; « versatile, changeant », xivᵉ ; de *verser.*

♦ **1.** (1842). **Vx.** Qui peut verser, se renverser, en parlant d'une voiture.

♦ **2.** (Mil. xxᵉ). Qui peut se verser, en parlant d'un liquide. *Corps pâteux difficilement versable.*

VERSAGE [vɛʀsaʒ] n. m. — xiiᵉ ; de *verser.*

♦ **1.** **Rare.** Action, fait de verser, de culbuter.

♦ **2.** (1607). **Techn.** Opération par laquelle on bascule des berlines, des wagons, pour les vider. — Lieu où se fait cette opération.

♦ **3.** (1842). **Agric.** Premier labour, par lequel on verse la terre sur un côté.

VERSAILLAIS, AISE [vɛʀsajɛ, ɛz] adj. et n. — 1871, cit. *infra,* au sens 2 ; de la ville de *Versailles.*

♦ **1.** De Versailles (→ Panneau, cit. 9).

♦ **2.** (1871). **Hist.** Fidèle à l'Assemblée nationale qui siégeait à Versailles et combattit la Commune (→ Loyalisme, cit. 2). *Armée versaillaise.* — N. *Les Versaillais* (opposé à *communards*).

À la barrière de l'Étoile, une foule énorme regarde trois batteries versaillaises établies au-dessus du pont de Neuilly, et tirant contre la barricade du pont et le rempart.
Ed. et J. DE GONCOURT, Journal, 6 avr. 1871, t. IV, p. 195.

VERSANT [vɛʀsɑ̃] n. m. — 1800 ; p. prés. substantivé de *verser,* v. 1360 : *troupe au versant* « prête à être battue ».

♦ **1.** Chacune des deux pentes d'une montagne (→ Cisalpin, cit. 1 ; guetteur, cit. 3 ; 2. loch, cit. ; retour, cit. 7 ; sauvage, cit. 8) ou d'une vallée (→ Ruissellement, cit. 5). ⇒ **Pente,** et aussi **raillère.** *Le versant nord* (⇒ **Ubac**), *sud* (⇒ **Adret**).

---

1   (...) il *(le plateau)* était d'un abord âpre et abrupt. Le versant là était si incliné que les canons anglais ne voyaient pas au-dessous d'eux la ferme située au fond du vallon, centre du combat.
HUGO, les Misérables, II, I, VII.

2   Les bruits, recueillis et portés à vous par le double versant de la vallée comme quand on met les mains autour de la bouche (...)
C.-F. RAMUZ, la Grande Peur..., XIII.

♦ **2.** Pente (d'un toit). ⇒ **Pan.**

♦ **3.** (Av. 1885). Par métaphore. *Les deux versants de l'art magique* (cit. 4), les deux aspects antithétiques. ⇒ **Face.**

VERSATILE [vɛʀsatil] adj. — 1588, Montaigne ; *versatille* « qu'on peut tourner », 1530, en parlant d'une épée à deux tranchants ; du lat. *versatilis,* de *versare.* → Verser.

♦ **1.** (Personnes). Qui change facilement d'opinion ; exposé à des revirements soudains. ⇒ **Changeant, inconstant, lunatique.** *Un homme politique versatile.* ⇒ **Girouette, pantin.** *Esprit versatile.*

1   Mais cette foule est prodigieusement versatile, tracassière et frondeuse, inquiète du pouvoir qu'elle confie, divisée en partis toujours prêts à se trahir (...)
Jérôme et Jean THARAUD, Marrakech..., II.

(Abstractions, sentiments). *Des attitudes versatiles.*

♦ **2.** (Mil. xviiiᵉ). **Didact., vx.** Qui change au cours du temps.

2   (...) le sentiment aveugle et déchaîné, versatile ou buté (...)
J. CHARDONNE, l'Amour du prochain, p. 42.

CONTR. Entêté, obstiné, opiniâtre, persévérant.
DÉR. Versatilité.

VERSATILITÉ [vɛʀsatilite] n. f. — 1738 ; du rad. de *versatile.*

♦ **1.** Caractère versatile. ⇒ **Incertitude, inconstance, mobilité.**

1   Ce n'est pas à l'homme froid à juger les différences des sensations humaines : puisqu'il n'en connaît pas l'étendue, il n'en connaît pas la versatilité. Pourquoi diverses manières de voir seraient-elles plus étonnantes dans les divers âges d'un même homme, et quelquefois au même moment, que dans des hommes différents ?
É. DE SENANCOUR, Oberman, « Observations ».

2   Ce petit (...) a l'esprit d'une consternante versatilité (Je cherche en vain un mot mieux approprié à cette inattention et à ce défaut de logique).
GIDE, Journal, 8 juil. 1914.

♦ **2.** (V. 1940, Valéry ; anglic.). **Didact.** Adaptabilité.
CONTR. Entêtement, obstination, opiniâtreté, persévérance.

1. VERSE [vɛʀs] n. f. — 1680 ; *à la verse,* 1640 ; subst. verbal de *verser.*

♦ **1.** À VERSE (loc. adv.) : se dit de la pluie qui tombe en abondance. *Il pleuvait à verse* (→ Effeuiller, cit. 1 ; fauberder, cit.). ⇒ **Averse.**

1   La pluie tombait à verse (...) mais, bravant le mauvais temps, un peuple immense s'acheminait.
M. BARRÈS, la Colline inspirée, XVII.

♦ **2.** (Mil. xixᵉ). **Agric.** État des céréales, des légumineuses inclinées ou versées sur le sol, du fait des pluies, de la maladie (piétin*), etc. *La verse des blés.*

2   Le phénomène de la verse des blés qui, en 1846 et 1853, produisit en grande partie ce déficit sur les grains qui occasionna tant de misère à la France, proviendrait surtout, selon M. Gueymard, d'une cause chimique : la trop faible proportion de silice contenue dans le sol. La verse des blés était beaucoup plus rare autrefois que de nos jours.
L. FIGUIER, l'Année scientifique et industrielle 1860, p. 437 (1859).

♦ **3.** **Vieilli.** *La verse !,* loc. exclamative criée par les garçons pour commander un café express.

3   (...) nous commandâmes nos consommations. « La verse pour deux ! » cria le garçon, et j'allumai ma pipe avec un vif plaisir (...) Le garçon apporta deux filtres qui nous firent enrager, car ils étaient trop serrés et le café ne passait pas.
J. DUTOURD, les Horreurs de l'amour, p. 40.

4   Dites, garçon, pourquoi tout à l'heure, quand vous avez commandé nos filtres, vous avez crié : « La verse pour deux ? » Cela me tracasse. Je croyais qu'on ne disait *la verse* que pour le café tiré au percolateur.
J. DUTOURD, les Horreurs de l'amour, p. 68.

♦ **4.** **Techn.** Lieu où l'on vide les wagonnets, les berlines, dans une mine. ⇒ **Versage.**

COMP. Sous-verse, surverse.
HOM. 2. Verse. — Formes du v. verser.

2. VERSE [vɛʀs] adj. m. — 1735 ; lat. *versus* « tourné ».

♦ **Vx.** *Sinus* verse.*
HOM. 1. Verse. — Formes du v. verser.

1. VERSÉ, ÉE [vɛʀse] adj. — 1607 ; *versé à,* 1559 ; lat. *versatus,* p. p. employé comme adj., de *versari* « vivre habituellement dans, être mêlé à, s'occuper de ».

♦ **Littér.** *Versé dans... :* qui a une longue pratique, une longue expérience de... ; qui est expérimenté et savant (en une matière). *Être versé dans les lettres et les arts* (→ Corps, cit. 16), *dans la littérature ancienne* (→ Familier, cit. 5), *dans l'art de l'escrime* (cit. 2). *Versé dans les simples* (→ Aromate, cit. 3). *Peu versé dans l'art de* recevoir (→ Réception, cit. 4)). « *L'homme le plus versé de France dans l'exégèse biblique* » (cit. 1, Renan).

HOM. 2. Versé, versée, verser.

2. VERSÉ, ÉE [vɛʀse] adj. — 1671 ; p. p. de *verser*.

♦ Blason. Qui a les pointes tournées vers le bas ; renversé par rapport à sa position normale. *Croissant versé*.

HOM. 1. Versé, versée, verser.

1. VERSEAU [vɛʀso] n. m. — 1545 ; de *verse-eau*, calque du grec *hudrokhoos* « qui verse de l'eau », c'est-à-dire « pluvieux ».

♦ Astron. Constellation zodiacale de l'hémisphère austral. — Astrol. Onzième signe du zodiaque* (20 janvier-18 février). — Ellipt. *Elle est verseau :* elle est née sous le signe du Verseau.

HOM. 2. Verseau, verso.

2. VERSEAU [vɛʀso] n. m. — 1872 ; de *verser* « pencher ». → Versant.

♦ Archit. Pente du dessus d'un entablement non couvert.

HOM. 1. Verseau, verso.

VERSÉE [vɛʀse] n. f. — Mil. xixᵉ ; « chute, culbute », xiiiᵉ ; « décroissance de la lune », déb. xiiᵉ ; de *verser*.

♦ Littér. Quantité de ce qui est versé en une fois. *Une versée d'eau, de vin.*

HOM. 1. Versé, 2. versé, verser.

VERSEMENT [vɛʀsəmɑ̃] n. m. — 1695 ; « action de verser (un liquide) », 1273 ; « fait d'être renversé », v. 1220 ; de *verser*.

♦ 1. Action de verser* de l'argent. ⇒ Paiement. *Faire un versement* (→ Croire, cit. 25 ; 1. mineur, cit. 8). *S'acquitter en plusieurs versements. Un versement partiel. Versements accumulés en un pécule* (cit. 2).

♦ 2. (xxᵉ). Montant de cette somme. *Le versement du mois prochain dépasse ses possibilités.*

♦ 3. Techn. Quantité d'une substance à verser. — Spécialt. Quantité de malt nécessaire pour une cuve de brassage.

VERSER [vɛʀse] v. — xiiiᵉ ; « renverser » et « verser » intr., 1080 ; lat. *versare*, fréquentatif de *vertere* « tourner, retourner, remuer ».

★ I. V. tr. ♦ 1. (Déb. xiiiᵉ). Rare. Faire basculer, faire tomber sur le côté en inclinant. ⇒ Renverser (plus cour.). *Ce cocher a versé sa voiture* (Académie).

Au p. p. *Il trouva son malade à demi versé hors* (cit. 27) *du lit.*

(V. 1265). Spécialt. *L'orage, la pluie a versé les blés.* ⇒ Coucher ; verse. → Nécessaire, cit. 9 ; poil, cit. 3. — Au p. p. *Les blés sont versés* (→ ci-dessous, II.).

♦ 2. (xiiᵉ). Cour. Faire tomber, faire couler (un liquide) d'un récipient qu'on incline. ⇒ Épancher. *Verser de l'eau, du vin... dans un verre, une tasse.* (→ Flacon, cit. 4 ; gazeux, cit. 2 ; infuser, cit. 1 ; pastis, cit. 1 ; 1. punch, cit. 2 ; soucoupe, cit. 1). *Verser de l'alcool dans une boisson chaude* (⇒ Arroser, fam.). *Verser d'une bouteille dans une autre.* ⇒ Transvaser. *Verser du vin dans un tonneau.* (⇒ Entonner) *à l'aide d'un entonnoir. Verser un remède goutte à goutte.* ⇒ Instiller.

1 Hâtons-nous, mes amis, voici l'heure du bain.
Esclaves, versez l'eau dans le vase d'airain !
LAMARTINE, la Mort de Socrate.

Servir (une boisson, une consommation). *Verser le thé, le café* (→ Réunion, cit. 3 ; 1. roupie, cit. 2). ⇒ Servir. *Verser à qqn un verre, deux doigts de...* (→ 1. Boire, cit. 21 ; liqueur, cit. 4). — *Se verser du champagne* (→ Finir, cit. 34), *plusieurs rasades.*

Verser qqch. à boire à qqn. — (Sans compl. direct). *Verser à boire à qqn.* (→ Fève, cit. 2.

Absolt. (→ Bouteille, cit. 5). — Vieilli. *Verser plein* (cit. 50). ⇒ Remplir.

2 Elle manquait d'habitude dans le métier. Elle versait trop lentement en surveillant sans cesse le niveau du liquide dans le verre, appliquée à n'en pas perdre une goutte. Lorsque le troisième fut plein jusqu'au bord, elle redressa la bouteille (...)
A. ROBBE-GRILLET, le Voyeur, p. 57.

Verser un liquide (cit. 8) *sur...* (→ Bouillon, cit. 8 ; gaze, cit. 5 ; lustral, cit. 2). ⇒ Arroser. *Verser de l'huile** (cit. 30) *sur les plaies, un baume* sur une blessure.* ⇒ Mettre.

(1668, *verser des larmes* ; fin xviᵉ - déb. xviiᵉ, *verser le sang*). Par ext. Répandre. *Verser des larmes* (cit. 12), *des pleurs.* ⇒ Pleurer (→ Arriver, cit. 26 ; cher, cit. 22 ; effort, cit. 3). — Littér. ou par plais. *Verser des pleurs, un pleur* (cit. 6). — Littér. *Verser le sang, le faire couler, en blessant, en tuant* (→ Habilement, cit. 4 ; noyade, cit. 1). *Verser le sang de qqn* (→ Corps, cit. 30). « *Le premier sang*

versé rend sa fureur plus forte » (→ Acharner, cit. 1). *Verser son sang :* être blessé, ou mourir pour une cause (→ Après, cit. 27 ; dévouer, cit. 13 ; intrépide, cit. 4 ; quitte, cit. 4). *Le sang versé par les martyrs* (→ Semence, cit. 2). « *J'ai versé telles gouttes* (1. Goutte, cit. 15) *de sang pour toi* ».

3 De mon heureux rival j'accompagnai les armes ;
J'espérai de verser mon sang après mes larmes.
RACINE, Bérénice, I, 4.

(1580). Répandre (une substance solide, en général pulvérulente). ⇒ Déverser, épandre, répandre. *On a versé du sable dans la cour* (→ Passer, cit. 121). *Verser des sacs de jeunes poissons* (cit. 8) *dans les viviers.* — Fig., littér. *Les voyageurs moroses que l'Angleterre verse sur le continent* (→ Sigisbée, cit. 1).

(Le compl. désigne des entités comparées à des liquides : lumière, ombre, etc.). *Sur les gazons, la lune versait une molle clarté* (→ Frémissant, cit. 1 ; et aussi blafard, cit. 2 ; 2. cru, cit. 11 ; mélancolie, cit. 16 ; phare, cit. 3 ; pourpre, cit. 2). « *Le temps, qui sur une ombre en verse une plus noire...* » (→ Oubli, cit. 10). « *Pluviôse* (cit. 2)... *De son urne à grands flots verse un froid ténébreux* ». *Cette rumeur* (cit. 6) *que ne cesse de me verser le fleuve...* — *Astre qui verse sur l'homme ses influences* (cit. 1).

4 Et l'Esprit regarda la bête ; sa prunelle,
Formidable, versait la lueur éternelle.
HUGO, la Légende des siècles, II, « Puissance égale bonté ».

(Abstrait). Donner en répandant. « *La fête qui vous verse une pluie* (cit. 13) *de faveurs* ». *Verser l'or à pleines mains.* ⇒ Dépenser, prodiguer. — Faire passer dans..., communiquer à... *Les sophismes qu'on a versés dans la conscience* (→ Arrière-goût, cit. 2). *Le cœur verse la vie dans ce qu'il aime* (→ Semence, cit. 4). ⇒ Infuser.

5 Oh ! ne vous lassez point, penseurs ; versez la paix,
Versez la foi, versez l'idée et la prière,
Et sur ces flots de nuit des torrents de lumière !
HUGO, Quatre-vents esprit, IV, III.

6 Toutes les religions, depuis toujours, ont eu ainsi pour première mission de verser à leurs fidèles l'apaisement, l'oubli (...) Elles n'ont pourtant pas toutes possédé la vérité !
VAN DER MEERSCH, l'Élu, p. 203.

♦ 3. (1788). Apporter (de l'argent) à une caisse ou une personne, à titre de paiement, de dépôt, de mise de fonds. ⇒ Payer. *Les sommes à verser au fisc* (→ Impôt, cit. 11 et 14 ; taxe, cit. 2). *Verser une pension à qqn. Les trois mois d'appointements qu'on lui versait à titre d'indemnité* (→ Plaidoirie, cit. 2). *Verser une somme entre les mains* (cit. 62) *de qqn* (→ 1. Patron, cit. 10). *Verser des intérêts* (→ Productivité, cit. 2), *une soulte* (→ Attributaire, cit.), *une prime* (→ Proscription, cit. 1), *des allocations* (→ Soutien, cit. 7).

7 Je vous propose les vues suivantes (...) 2° Que l'impôt foncier soit payé en nature, et versé dans les greniers publics ; qu'on prenne des moyens pour faire payer l'arriéré (...)
SAINT-JUST, Disc. sur les subsistances, 29 nov. 1792.

Déposer, annexer (des documents). *Verser un document, une pièce au dossier. Déclaration, témoignage à verser aux débats.*

8 À la distance où nous sommes de ces semaines passionnées, je n'aurais pas eu l'audace de verser aux débats des souvenirs aussi vifs.
J. ROMAINS, le Dieu des corps, VI.

♦ 4. (Fin xixᵉ). (Compl. n. de personne). Affecter (qqn) à une arme, à un corps. *Ils sont versés, d'après leurs aptitudes, dans des armes différentes* (→ Gladiateur, cit. 2). *Il fut versé à la première compagnie.* ⇒ Incorporer (cit. 10).

9 (...) je désirerais savoir comment on peut se faire verser dans l'Intendance ?
A. MAUROIS, les Discours du Dʳ O'Grady, X.

★ II. V. intr. ♦ 1. (1080, « tomber, être renversé »). Basculer et tomber sur le côté. ⇒ Culbuter. *La voiture versa* (→ 1. Détremper, cit. 1). *Verser dans le fossé* (→ Doter, cit., par métaphore). *Empêcher le traîneau de verser* (→ Incommode, cit. 3).

10 Règle générale, lorsque deux voitures traînées par des mules se rencontrent, l'une des deux doit verser.
Th. GAUTIER, Voyage en Espagne, p. 39.

(1600). Des céréales, des plantes à haute tige flexible. Être définitivement couché au sol par la pluie, le vent, les maladies cryptogamiques. → 1. Verse (2). *Les blés ont versé* (à distinguer du p. p. du v. tr. : *les blés sont versés*).

11 Arsène pensait avec ennui aux champs de blé et de seigle qui risquaient de verser sous ces trombes d'eau.
M. AYMÉ, la Vouivre, p. 63.

♦ 2. (Abstrait). VERSER DANS... : tomber dans ; se laisser aller à. *Auteur qui verse dans la facilité. Verser dans le genre « roman »* (→ Nouvelle, cit. 21). *Son drame verse dans le mélo.*

CONTR. (Du 3.) Percevoir.

DÉR. Versable, versage, versant, versatile, verse, versée, versement, verseur, versoir.

COMP. Bouleverser, déverser, inversable, reverser, verseau. — V. Renverser.

HOM. 1. Versé, 2. versé, versée.

VERSET [vɛʀsɛ] n. m. — xiiiᵉ ; de 2. vers.

♦ 1. Chacun des petits paragraphes de quelques lignes, présentant généralement un sens complet, traditionnellement constitués pour diviser un texte sacré. *Versets de la Bible* (cit. 5 ; et → Interprétation, cit. 2 ; phylactère, cit. 2). *versets du Coran* (→ 1. Hermétique, cit. 7). *Les versets du Coran sont groupés en Surates*. Versets d'un psaume* (→ 1. Mue, cit. 4 ; papas, cit.). ⇒ aussi Antienne.

(...) toutes les mosquées illuminées ; les minarets étincelants jusqu'à leur extrême pointe ; des versets du Koran en lettres lumineuses suspendus dans l'air (...)
LOTI, Aziyadé, II, XVI.

♦ **2.** Liturgie. Brève formule ou maxime, généralement tirée de l'Écriture, récitée ou chantée à l'office par un ou deux solistes, suivie du répons du chœur (→ Leçon, cit. 1 ; nocturne, cit. 3). ⇒ **Graduel.**

♦ **3.** (XXᵉ). Poésie. Phrase ou suite de phrases rythmées d'une seule respiration, découpées dans un texte poétique à la façon des versets des psaumes. *Les versets de Claudel.*

Le verset claudélien est une forme très personnelle à son auteur inventée délibérément par lui, à sa mesure (...) Et pourtant, en soi, cet instrument, susceptible d'être heureusement varié selon les tempéraments, paraît de bon usage (...) son fleuve réaliserait aujourd'hui un bon équilibre entre la très large laisse rythmée de Saint-John Perse, en estuaire, et ce ruissellement poétique de filets où la génération de 1914 paraît avoir trouvé son instrument moyen.
A. THIBAUDET, Hist. de la littérature franç., V, IV.

♦ **4.** (1872). Mus. Courte pièce d'orgue d'écriture contrapunctique. *Les versets s'intercalaient entre deux «périodes» chantées* (XVIᵉ-XVIIᵉ siècles).

VERSEUR, EUSE [vɛʀsœʀ, øz] n. et adj. — 1547 ; de *verser.*

♦ **1.** Techn. Ouvrier chargé de verser (des liquides, des solides) dans des récipients. *Verseur qui aide le chargeur de haut fourneau. Verseur de poudrerie,* qui surveille l'inclinaison des poches de coulée. — REM. Le fém. est rare.

♦ **2.** (1842). N. m. Appareil servant à verser. — En composition. *Verseur-échangeur, verseur-tracteur,* etc.

La Seine a tué ses poissons et s'américanise entre une rangée double de verseurs-tracteurs-pousseurs qui lui forment au ras des rives un terrible râtelier de pourritures et de ferrailles.   CÉLINE, Voyage au bout de la nuit, p. 380.

♦ **3.** Adj. Qui sert à verser. *Bec verseur, bouchon verseur.*

DÉR. **Verseuse.**

VERSEUSE [vɛʀsøz] n. f. — 1877 ; de *verseur, euse.*

♦ Cafetière en métal, à poignée droite.

HOM. Fém. de **verseur.**

VERSICOLORE [vɛʀsikɔlɔʀ] adj. — 1846 ; *versicolor,* n. m., 1812 ; lat. *versicolor,* même sens, de *versus,* p. p. de *vertere* «tourner» et «changer», et *color* «couleur».

♦ Didact. De couleur changeante. *Fleur versicolore,* qui change de couleur selon les phases de son développement. — Aux couleurs variées. ⇒ **Multicolore.** *Faisan versicolore* (→ Infécond, cit. 3).

Je ne sais pas pourquoi notre régiment — et plus particulièrement notre 6ᵉ Cie — fut spécialement choisi pour servir d'expérience en ces fantaisies vestimentaires. Mais comme les effets nouveaux n'arrivaient que par petits paquets, nous ne fûmes jamais plus de deux poilus à être habillés de façon identique, si bien que nous faisions taches et que sur la route le régiment-caméléon défilait maintenant comme une mascarade versicolore (...)
B. CENDRARS, la Main coupée, in Œ. compl. t. X, p. 100 (1946).

VERSICULET [vɛʀsikylɛ] n. m. — 1732, Voltaire ; de *versicule* «petite pièce de vers», v. 1327 ; du lat. *versiculus,* dimin. de *versus* «vers».

♦ Vx (souvent au plur.). Petit vers (de poésie légère). → Fuir, cit. 9.

À propos de comédienne, si vous n'avez point vu mes petits versiculets pour La demoiselle Gossin je vous les enverray.
VOLTAIRE, Correspondance, 15 déc. 1732, in D.D.L. II, 12.

VERSIFIANT, ANTE [vɛʀsifjɑ̃, ɑ̃t] adj. et n. — XXᵉ ; p. prés. de *versifier.*

♦ Qui versifie. — N. m. (1927, Valéry). Personne qui versifie. ⇒ **Poète, versificateur,** 1.

VERSIFICATEUR, TRICE [vɛʀsifikatœʀ, tʀis] — 1488 ; *versefieur,* déb. XIIIᵉ ; lat. *versificatum,* supin de *versificare.* → Versifier.

♦ **1.** Écrivain qui pratique l'art des vers (→ Caustique, cit. 1 ; juge, cit. 9). *Bon, mauvais versificateur* (→ Horreur, cit. 1 ; impeccable, cit. 4).

♦ **2.** (Mil. XVIᵉ). Péj. (opposé à *poète*). Faiseur de vers dépourvu d'inspiration.

Ces versificateurs se contentent de faire des vers sans ornement, sans grâce et sans art, et *(il)* leur semble avoir beaucoup fait pour la République, quand ils ont composé une rime rimée.
RONSARD, Œuvres en prose, «La Franciade», Au lecteur apprentif.

Aujourd'hui, il y a encore des versificateurs, mais plus de poètes, car toute l'invention, toute la création, toute l'imagination du temps présent est dans la prose.
Ed. et J. DE GONCOURT, Journal, 21 avr. 1888, t. VII, p. 191.

REM. Le fém. semble inusité.

VERSIFICATION [vɛʀsifikɑsjɔ̃] n. f. — 1548, Sebillet, *Art poétique ;* «œuvre en vers», v. 1500 ; lat. *versificatio* «art de faire les vers», de *versificatum,* supin de *versificare.* → Versifier.

♦ **1.** Technique du vers régulier. ⇒ **Poésie** (→ Dénouer, cit. 7 ; finesse, cit. 8 ; hiatus, cit. 1 ; novateur, cit. 5 ; renverser, cit. 3 ; syllabe, cit. 1 ; vers, cit. 4, Caillois).

On avait fait, ce jour-là, les pronostics les plus flatteurs sur mon avenir. Maman avait, en toute bonne foi, déjà oublié que j'avais seulement fourni les rimes à l'aide d'un dictionnaire de versification qu'on m'avait acheté à cet effet. Cette journée de gloire usurpée, ces applaudissements que je ne méritais pas, me laissèrent un pénible souvenir d'indignité.
Benoîte et Flora GROULT, Journal à quatre mains, p. 132 (1962).

♦ **2.** (1654). Technique du vers, propre à un poète (→ Assemblage, cit. 23 ; 2. critique, cit. 28), à une école. *La versification de Verlaine. La versification parnassienne.*

VERSIFIER [vɛʀsifje] v. — XIIIᵉ ; lat. *versificare,* de *versus* «vers», et *facere* «faire».

♦ **1.** V. intr. Rare. Faire des vers (bien ou mal). ⇒ **Poétiser, rimer.**

♦ **2.** V. tr. (1690). Mettre en vers (→ Larmoyant, cit. 3).

▶ VERSIFIÉ, ÉE p. p. adj. *Récit versifié. Théâtre versifié.*

VERSION [vɛʀsjɔ̃] n. f. — 1596 ; «retournement», v. 1300 ; lat. *versio* (attesté seulement en composition, *aversio, conversio,* etc.) ; de *vertere* «tourner».

★ I. ♦ 1. **a** Traduction (d'un texte ancien). *Les versions de la Bible* (*version des Septante,* en grec ; Vulgate, en latin ; → Hébreu, cit. 8). *Les textes grecs furent d'abord connus du public dans leur version latine.*

b Cour. Exercice scolaire de traduction dans la langue de l'élève, opposé à *thème** (cit. 3). *Version latine, grecque, allemande :* traduction du latin, du grec, de l'allemand.

En deux jours nous avons fait la version latine, qui était cette lettre où Pline-le-Jeune décrit la ville de Côme (...) nous travaillions avec soin, l'esprit alerte et clair, abordant avec aisance, sans hâte, les difficultés du texte, trouvant parfois une heureuse interprétation qui donnait à notre version une allure bien française et une désinvolture presque moderne.   Valery LARBAUD, Enfantines, p. 198.

♦ **2.** (1872). Chacun des états d'un texte qui a subi des modifications (du fait des copistes ou de l'écrivain). ⇒ **Leçon, variante).** *On possède sept versions de la* Chanson de Roland (→ Refaçon, cit.). — *Les versions successives de la* Tentation de saint Antoine *de Flaubert. Les variantes** d'une version. Texte* (cit. 2) *original et version scénique des comédies de Musset.*

Film en version originale (abrév. : *V.O.* [veo]), avec la bande sonore originale. *Film en version française, en version doublée** ... (→ Sous-titre, cit.).

♦ **3.** (XVIIᵉ). Manière de rapporter, de présenter, d'interpréter un fait, une série de faits. ⇒ **Interprétation.** *Il y a deux versions sur ce qui suivit* (→ Tâtonner, cit. 1 ; et aussi profiter, cit. 12). *Selon la version du témoin.*

On raconta donc de diverses manières l'aventure du curé, et plusieurs versions coururent encore à cet égard.   G. SAND, Histoire de ma vie, III, III.

— Colomba, est-ce que vous confirmez cette version des événements ? Y a-t-il eu tentative de violence sur vous, de la part de Volpone ?
J. ROMAINS, Volpone, IV, 2.

Un journaliste professionnel est un homme qui déforme les faits, consciemment ou non. La «version maison» sort de lui comme d'un moule.
F. MAURIAC, Bloc-notes 1952-1957, p. 330.

★ II. (Repris en 1824, du sens de «retournement» de l'anc. franç.). Méd. Changement de position que l'on imprime au fœtus pour faciliter l'accouchement. *Version par manœuvres externes, internes.*

VERS-LIBRISME [vɛʀlibʀism] n. m. — Fin XIXᵉ ; de *vers libre.*

♦ Hist. littér. École, mouvement des poètes symbolistes partisans du vers libre (Cf. Kahn, Vielé-Griffin, H. de Régnier, etc.).

Lorsque Icare reviendra, je l'orienterai vers la poésie décadente pour qu'il soit digne de son temps et je lui donnerai un professeur de prosodie impaire et de vers-librisme (...)   R. QUENEAU, le Vol d'Icare, 1968, p. 124.

DÉR. **Vers-libriste.**

VERS-LIBRISTE [vɛʀlibʀist] n. — 1891, Verlaine, in D.D.L. ; de *vers-librisme.*

♦ Hist. littér. Partisan du vers-librisme.

VERSO [vɛrso] n. m. — 1663 ; mot lat. ablatif de *versus* «tourné», pour *folio verso*. → Recto.

◆ Envers d'un feuillet (opposé à *recto* ; → Signature, cit. 2). *Au verso.* ⇒ **Dos** (→ Pliure, cit.). *Les rectos et les versos.* — Par métaphore. *Une page* (1. Page, cit. 8) *sans verso.*

Je lisais chaque page aussitôt, plus désolée quand je m'apercevais que j'avais lu le verso avant le recto que si l'on m'avait raconté d'avance autrefois le dénouement d'un roman (...)   J. GIRAUDOUX, Suzanne et le Pacifique, IX.

CONTR. **Endroit, recto.**
HOM. 1. Verseau, 2. verseau.

VERSOIR [vɛrswar] n. m. — 1751 ; de *verser*.

◆ **1.** Pièce de la charrue fixée au cep, servant à rabattre sur le côté la terre que détache le soc. ⇒ **Oreille.** *Charrue à deux versoirs.* ⇒ **Brabant.**

On entendait la motte épaisse grincer contre le versoir qui la retournait, enfouissant au fond le fumier, dont une couche étalée couvrait le champ.   ZOLA, la Terre, V, III.

◆ **2.** Par anal. *Les versoirs d'un chasse-neige.*

VERSTE [vɛrst] n. f. — 1812 ; n. m., 1763 ; *virst*, 1607 ; russe *versta*, même sens.

◆ Ancienne mesure itinéraire utilisée en Russie, valant 1 067 mètres.

1   L'empire de Russie est le plus vaste de notre hémisphère (...) Sa largeur est de trois mille six cents verstes du sud au nord, ce qui fait huit cent cinquante de nos lieues communes (Note : *l'Encyclopédie* fait le (*sic*) verste de 547 toises et en compte 104 pour un degré de latitude).   VOLTAIRE, Hist. de l'Empire de Russie, I, I.

2   Lui, Michel Strogoff, n'aurait ni canons, ni cavaliers, ni fantassins, ni bêtes de somme. Il irait en voiture ou à cheval, quand il le pourrait ; à pied, s'il fallait aller à pied.
Les quatorze cents premières verstes (1 493 kilomètres), mesurant la distance comprise entre Moscou et la frontière russe, ne devaient offrir aucune difficulté. Chemin de fer, voitures de poste, bateaux à vapeur, chevaux des divers relais, étaient à la disposition de tous (...)   J. VERNE, Michel Strogoff, 1876, p. 44.

VERSUS [vɛrsys] prép. — Mot lat., «contre».

◆ Didact. Opposé à (abrév. : *vs*).

VERT, VERTE [vɛr, vɛrt] adj. et n. m. — 1080, *Chanson de Roland* ; *verd*, jusqu'au XVIIᵉ ; lat. *viridis* «vert ; verdoyant», dont les symbolistes ont tiré *viride*, poétique.

★ **I. Adj.** ◆ **1.** (Couleur). Intermédiaire entre le bleu et le jaune (radiations lumineuses dont la longueur d'onde avoisine 0,52 μ). → les mots en Chloro-. *Couleur verte.*
Par ext. Tirant sur le vert. *Bleu* vert, gris* vert. Un peu vert.* ⇒ **Verdâtre.** *Lumière verte. Le rayon vert*, qui apparaît très brièvement (moins d'une seconde) lorsque le dernier segment lumineux du soleil disparaît à l'horizon (titre d'un roman de Jules Verne).
Qui est de la couleur verte des plantes à chlorophylle* en pleine végétation. *Arbres* (cit. 14) *verts, toujours verts* (→ Arbre, cit. 15), à feuilles persistantes. *Pousses vertes, nouvelles. Les arbres deviennent verts au printemps.* ⇒ **Verdoyer ; reverdir.** *Feuillage vert, herbe verte.* ⇒ **Verdure.** *Blés* (cit. 6) *verts. Bois verts* (→ Moisson, cit. 3).
Par ext. *Vallée verte* (→ Heureux, cit. 21). *Qu'elle était verte ma vallée* (titre français d'un roman du Gallois Richard Llewellyn).

0.1   Par places, c'étaient des cascades d'un pied, souvent invisibles, qui faisaient, sous les feuilles, sous les lianes, sous un toit de verdure, un gros bruit colère et doux ; puis plus loin, les berges s'élargissant, on rencontrait un petit lac paisible où nageaient des truites parmi toute cette chevelure verte qui ondoie au fond des ruisseaux calmes.   MAUPASSANT, la Petite Roque, 1885, Pl., t. II, p. 618.

Vert-galant (anciennt *galant à la feuillée*). ⇒ **Galant** (→ Lignée, cit. 2).

(Dans des syntagmes spécifiques, servant à distinguer certains végétaux de cette couleur). *Choux* verts et choux rouges. Salade verte.* — *Algues* vertes.* — (Que l'on consomme avant qu'ils ne soient secs). *Pois* verts. Haricots** (2. Haricot, cit. 1) *verts. Légumes* verts.* — (Que l'on consomme avant maturité). *Olives* vertes. Poivrons* verts* (→ Rutilant, cit.).
À feuilles persistantes. *Chêne vert. Plantes* vertes.*
De couleur verte. *Onde verte* (→ Argenter, cit. 1). *Un ciel vert* (→ Provençal, cit. 1). *Le pivert* (cit.) *est vert tout entier. Les crocodiles verts* (→ Boa, cit. 1).
(Servant à distinguer des animaux). *Lézard vert. Grenouille* verte. Sauterelle* (cit. 1) *verte.*
Pierres vertes. ⇒ **Chrysoprase, émeraude, jade** (cit. 1), **olivine, péridot, serpentine, smaragdite.** *Marbre* (1. Marbre, cit. 1) *vert.*
Géogr. *Roche verte* : roche métamorphique de couleur verte, issue d'éruptions sous-marines.
Sauce verte, au jus d'épinards, au verjus ; plus souvent, de nos jours, aux fines herbes pilées. *Menthe verte.*
L'habit* vert, d'Académicien. « *L'homme aux rubans* verts* » : Alceste (Molière, *le Misanthrope*). — *Tapis* vert.* — *Feu, fanal*

(cit. 3), *signaux verts* (→ Naître, cit. 17), indiquant que la voie est libre. — Fig. *Donner le feu vert à...* : permettre d'entrer en action, d'agir. ⇒ **Feu.**

0.2   Un jour où, conduisant ma voiture, je tardais une seconde à démarrer au feu vert, pendant que nos patients concitoyens déchaînaient sans délai leurs avertissements dans mon dos (...)   CAMUS, la Chute, 1956, p. 61.

Par exagér. Verdâtre, plombé (peau, teint). *Le teint vert d'un malade, d'un cadavre* (→ Macchabée, cit. 1). *Visages verts de froid* (→ Livide, cit. 2). *La peur le rendait vert* (⇒ **Verdir** [1., 4.]) ; *vert de peur.* ⇒ **Blême, bleu.** *Il en était vert* (de peur).
Par ext. Se dit d'un parfum évoquant l'odeur des végétaux fraîchement coupés, des fruits verts (ci-dessous). *Une note verte et boisée.*

◆ **2.** Qui n'est pas mûr (des céréales, des fruits*). *Blé vert. Les fruits verts sont durs, acerbes, acides, aigres... Une pêche un peu verte* (→ Gras, cit. 12). *Melon vert ou passé* (cit. 158). *Raisins verts* (→ Agacer, cit. 1 ; mûrir, cit. 1). « *Ils sont trop verts, dit-il, et bons* (cit. 87) *pour les goujats* » (La Fontaine). Fig. *Ils sont trop verts,* se dit d'une chose qu'on affecte de dédaigner* parce qu'on ne peut l'obtenir (→ 1. Gens, cit. 29).
Par anal. Qui n'est pas fait, pas propre à être utilisé. *Du vin vert* (→ Prédire, cit. 4). *Ce vin est encore vert, il faut le laisser vieillir*.* ⇒ **Jeune.** *Cidre* (cit. 3) *un peu vert.* — *Cuir* vert,* non corroyé.
Loc. fig. (1430, *en bailler de belles, des vertes et des mûres*). *En voir, en dire des vertes et des pas mûres, de vertes et de pas mûres :* dire, voir des choses étonnantes, choquantes (→ De toutes les couleurs*).
Par ext. *En dire de vertes :* raconter des histoires lestes, licencieuses (→ aussi 5.).

1   La baronne sait parler leur langue à nos hommes, et elle leur raconte des histoires un peu vertes, mais d'une saveur (...) Ils l'adorent !   COLETTE, la Fin de Chéri, p. 19.

1.1   (...) une suite d'actes, de scènes, de chassés-croisés, de quiproquos ; sans oublier même l'épisode bouffon, salace, vert, et même scabreux, plus élisabethain à vrai dire que castillan (...)   Claude SIMON, le Vent, 1957, p. 113.

Vin vert.

◆ **3.** (1268). Se dit des végétaux qui ont encore de la sève (opposé à *sec*). *Odeur du foin* (1. Foin, cit. 4) *vert. Fourrage** (1. Fourrage, cit.) *vert* (→ Moyette, cit.). *Bois* vert. Donner à (qqn) une volée de bois* vert.*

◆ **4.** **a** (1580). *La verte jeunesse* (cit. 1), qui a de la vie, de la vigueur. *Verte vieillesse.* « *Jamais vieillesse plus verte* » (→ Robustement, cit. 1).

b (1688, La Fontaine). Personnes. Qui a de la vigueur, de la verdeur*. *Un enfant vert et vigoureux* (→ Endurcir, cit. 2). — (Plus cour. en parlant des gens âgés). *Être encore vert.* ⇒ **Gaillard, jeune, vaillant, verdelet** (→ Art, cit. 30 ; égrillard, cit. 4 ; frondeur, cit. 10).

2   Il a eu peur, dit-il, d'un père demeuré vert, âpre à son commerce et orgueilleux.   COLETTE, la Naissance du jour, p. 66.

◆ **5.** (1502). Fig., vieilli. Fort, rude (génêralt avant le nom). *Une verte semonce* (→ Attendre, cit. 99), *réprimande* (→ Esquiver, cit. 8). ⇒ **Vertement.**

3   (...) mettez-vous là à cette table, prenez une plume, et faites-moi une réponse verte et dure et digne d'un roi de France.   HUGO, Choses vues, I, 1843.

(1866, Delvau). Mod. **LANGUE VERTE.** ⇒ **Argot** (1. Argot, cit. 2). *Dictionnaire de la langue verte de Delvau* (1866). → aussi 2.

◆ **6.** (V. 1970). Dans quelques expressions. **a** De la nature, de la campagne ; relatif à l'agriculture. *L'Europe verte* : la Communauté européenne agricole. « *Marché commun et Europe verte* (c.-à-d. agricole) » (*l'Aurore*, 5 sept. 1974). *Le plan vert. Le franc vert* : le franc dans le système monétaire européen, en matière agricole. — *Dollar vert.*
Révolution verte : changement radical, révolutionnaire dans les méthodes de culture (dans certains pays du tiers monde). « *Pour le tiers monde, la décennie 1960-1970 a été celle de la "révolution verte". La mise au point de nouvelles variétés de blé, de riz, de maïs, a permis dans certains pays de multiplier les rendements de certaines terres par 2 ou par 3* » (*Réalités*, févr. 1972, in P. Gilbert).

b Relatif à des activités pratiquées à la campagne (à l'exception des activités rurales traditionnelles). *Tourisme vert.* — *Moto verte,* pratiquée à la campagne, hors des grandes routes. — *Vacances vertes. Stations vertes.* — (1971, in Gilbert). *Classe verte* : séjours collectifs à la campagne, au cours desquels les journées sont partagées entre des activités scolaires et des activités de plein air.
Relatif à l'aménagement d'espaces verts (parcs, jardins) dans les villes. — Par ext. Relatif à l'aménagement d'un site. « *Il faut sauver à tout prix l'espace central, le "cœur vert" qui doit offrir aux citadins des possibilités récréatives suffisamment proches du centre de chaque ville* » (*Réalités*, mars 1971, in Gilbert). *Architecture verte. Plan vert* (dans une ville).
Qui défend l'environnement, qui s'intéresse à l'écologie. ⇒ **Écolo, écologiste.** « *L'écologisme est né en Alsace puisque le premier candidat "vert" présenté à une élection le fut à Mulhouse en*

1973» (*le Monde*, 6 juin 1978). *Les suffrages verts.* — Adv. *Voter vert.*

N. m. (1979, *in* Gilbert). Écologiste. « *Le candidat des "verts" à l'Élysée* » (*le Point*, 23 mars 1981, p. 39).

[c] Loc. *Avoir les doigts verts :* être habile à cultiver les plantes.

★ **II.** N. ♦ **1.** N. m. (V. 1200). Couleur verte. *Le vert est complémentaire du rouge* (→ Couleur, cit. 6). *Le vert, couleur de l'espérance.* « *Vous allez dire : "Du vert". Point du tout c'est du rouge* » (→ Printemps, cit. 1). *S'habiller de vert. Table* (cit. 11) *peinte en vert.*

3.1 (...) *ce rideau de velours, un velours très épais, du velours de laine de première qualité, d'un vert profond, sobre et discret... et d'un ton chaud, en même temps, lumineux* (...) N. SARRAUTE, le Planétarium, 1959, p. 7.
Un vert sombre (→ Sapin, cit. 2), *foncé* (→ Gazon, cit. 6), *vif, cru* (2. Cru, cit. 5), *vert acide, brillant* (→ Émeraude, cit. 2), *tendre* (→ 1. Faucheuse, cit. 3).
(1621). *Vert doré.* — (1690). *Vert obscur.* — (1740). *Vert jaunâtre.* — (1786). *Vert d'eau* (→ Pourpoint, cit. 3). — (1811, Chateaubriand). *Vert pomme :* nuance de vert vif, un peu acide. — (1847). *Vert jaune.* — (1897). *Vert amande.* — *Vert bleu.* — *Vert bleuâtre.* — *Vert artichaut.* — *Vert épinard.* — *Vert olive, vert olivâtre.* — *Vert mousse.* — *Vert asperge.* — *Vert pistache* (→ Casimir, cit.). — *Vert tilleul.* — *Vert de mer.* — *Vert céladon.* — *Vert absinthe.* — *Vert bouteille* (→ Suer, cit. 9). — *Vert bronze.* — *Vert émeraude* (⇒ Smaragdin; → Guêpier, cit. 2). — *Vert jade.* — *Vert aigue-marine.* — *Vert malachite.* — *Vert de gris* (⇒ Vert-de-gris). ⇒ aussi **Émeraude, glauque, jade, olive, sinople, tilleul.**
Colorant vert (peinture). *Vert aquatique, de chrome*, de cobalt*, végétal, vert Véronèse, vert de vessie... Vert anglais :* mélange de bleu de Prusse et de jaune de chrome. *Vert émeraude :* colorant résistant à la lumière et constitué d'anhydride chromique hydraté. *Vert malachite, de montagne, vert Brunswich :* matière colorante dérivée du triphénylméthane. — Techn. *Vert molequin*.*
Modes. (1849). *Vert d'Isly, vert Isly.* — (1883, Zola). *Le, du vert Nil :* couleur verte assez claire, mais intense, évoquant celle des eaux du Nil. — *Vert prairie, vert chasseur.*

4 *Oui, Corot ne se servait jamais de vert, il obtenait ses verts au moyen du mélange des jaunes avec du bleu de Prusse, du bleu minéral* (...) Ed. et J. DE GONCOURT, Journal, 7 mai 1892, t. IX, p. 31.
4.1 (...) *les soies légères aux transparences de cristal, vert Nil, ciel indien, rose de mai, bleu Danube.* ZOLA, Au bonheur des Dames, 1883, IV, in D. D. L., II, 16.
5 *D'abord, dans les grands carrés de terre brune* (de la Beauce au printemps), *au ras du sol, il n'y eut qu'une ombre verdâtre, à peine sensible. Puis, ce vert tendre s'accentua, des pans de velours vert, d'un ton presque uniforme. Puis, les brins montèrent et s'épaissirent, chaque plante prit sa nuance, il distingua de loin le vert jaune du blé, le vert bleu de l'avoine, le vert gris du seigle* (...) ZOLA, la Terre, III, I.
5.1 (...) *les routes asphaltées de ce qui fut l'Empire britannique, bordées de maisons sud-américaines colorées par les Indes : vert saumon, cendre bleue.* MALRAUX, Antimémoires, 1972, p. 101.
(1606). Dans des locutions. Minéral de couleur verte. — (Marbres). *Vert antique, vert d'Égypte :* marbre noir et vert. *Vert de Florence* (marbre). — (1816, appos., *marbre vert campan*). *Vert campan* (marbre des Pyrénées). *Vert de Suse* (marbre du Piémont). — (1868). *Vert de Corse :* granit utilisé en construction, pour son poli.
(Mil. xxᵉ). Spécialt. Étoffe verte, vêtement vert. *Être habillé de vert. Aimer le vert.*

♦ **2.** N. m. (1377). Végétaux verts. ⇒ **Verdure** (dans des expressions). *Vert d'oignon :* feuilles de l'oignon.
Pré. *Étendre du linge sur le vert.* Fig., vx. *Laisser sur le vert :* abandonner. — Fourrage frais. *Vache qui a mangé trop de vert* (→ Enflure, cit. 5). *Mettre un cheval au vert,* le nourrir* au fourrage frais, le mettre au pré* (→ Rigueur, cit. 5). — Par métaphore. « *Je mets Pégase au vert* » (Hugo, *Chansons des rues et des bois*, « Le cheval »).
Loc. fig. (1808). *Se mettre au vert :* prendre du repos* à la campagne, pour recouvrer ses forces, sa santé, pour récupérer.
6 *Puis, dès que j'étais grosse* (...) *On m'envoyait à la campagne, dans le château de la famille, au vert, au pré, faire mon petit.* MAUPASSANT, l'Inutile Beauté, I.
7 *Je consens qu'il soit bon parfois que l'art se remette au vert, et s'il pâlit d'épuisement, qu'il quête dans les champs, dans la vie, quelque regain de vigueur.* GIDE, Nouveaux Prétextes, p. 15.
Loc. Vx ou littér. *Prendre qqn sans vert :* le prendre au dépourvu* (par allus. à un ancien jeu dans lequel il fallait porter une feuille verte sur soi pendant tout le mois de mai).
8 *À cette question, si imprévue, de la jeune fille timide, notre peintre fut sur le point d'être pris sans vert* (...) STENDHAL, Romans et nouvelles, « Féder », II.
Couper les blés en vert, avant maturité (→ Pillard, cit. 1). ⇒ **Herbe.**
Fig. *Manger son blé en vert :* dépenser* un capital avant qu'il n'ait produit (→ Fantaisie, cit. 17). — *Employer le vert et le sec*.* — *Au diable* aux vert* (pour vauvert).

♦ **3.** Loc. adv. (1872). **EN VERT.** *Sardines en vert,* conservées non séchées, un peu salées.

♦ **4.** N. f. (1866, Delvau). Vx. *De la verte :* de l'absinthe. *Une verte :* un verre d'absinthe. ⇒ **Bleu** (bleue, n. f.).

Il n'a pas dîné pour être souple, et il a bu deux vertes, pour se donner de l'agitation. MAUPASSANT, l'Inutile Beauté, « Le masque ». 9

♦ **5.** N. f. *La grande verte :* la mer (→ La grande bleue*, plus courant).
(...) *des décorateurs magnifiques, traduisant avec éclat la vie qui circule dans cette «grande verte» soumise à Minos, et aussi leur vie à eux* (...) G. CONTENAU et V. CHAPOT, l'Art antique, p. 154. 10

♦ **6.** *Les verts :* les écologistes (→ *supra*, I., 6., b).
CONTR. Blet, mûr, passé. — Desséché, sec.
DÉR. (De la forme *verd**) Verdage, verdasse, 1. verdet, 2. verdet, verdiau, verdin, verdoré.
COMP. Vert-de-gris.
HOM. Vair, ver, verre, 1. vers, 2. vers.

VERT-DE-GRIS [vɛʀdəgʀi] n. m. et adj. invar. — V. 1390 ; *verdegris*, 1337 ; *vert de grice*, 1314 ; altér. de *vert de Grèce* «verdet», v. 1268.

♦ **1.** Dépôt verdâtre (carbonate basique hydraté) qui se forme à l'air humide sur le cuivre ou certains de ses alliages (bronze, par ex.). ⇒ **Patine.**
La bonne, aidée par celle du propriétaire, astiquait l'argenterie dans le jardin, ôtait le vert-de-gris des suspensions de cuivre. R. RADIGUET, le Diable au corps, p. 108. 1

♦ **2.** Acétate de cuivre parfois utilisé comme pigment.

♦ **3.** (1835). Couleur verte analogue à celle du vert-de-gris.
Adj. invar. Qui est de cette couleur. *Uniforme vert-de-gris des soldats allemands, pendant la Seconde Guerre mondiale. Une capote vert-de-gris.*
N. m. Péj., vieilli (le mot a été usuel pendant l'occupation allemande). Militaire allemand, pendant la Seconde Guerre mondiale. — Plur. *Les verts-de-gris* (quelques auteurs le font invar. : *les vert-de-gris*, → Boche, cit. 2).
Il n'y avait qu'un seul type, le gars au sandwich, habitué depuis quatre ans à obéir *schnell* aux verts-de-gris. G. CESBRON, Voici le temps des imposteurs, p. 39. 2

♦ **4.** Par anal. Verdet.
DÉR. Vert-de-grisé, vert-de-griser (se).

VERT-DE-GRISÉ, ÉE [vɛʀdəgʀize] adj. — 1829, cit. Hugo ; de *vert-de-gris*.

♦ Couvert de vert-de-gris. — Var. graphique : *verdegrisé, ée* (Hugo, cit. ; Goncourt, *Journal*, 15 juin 1857).
Vous entendez? du crime d'un infortuné, de son châtiment, de ses tortures, de son agonie, on fait une denrée, un papier qu'on vend un sou. Concevez-vous rien de plus hideux que ce sou verdegrisé dans le sang? Qui est-ce donc qui le ramasse? HUGO, le Dernier Jour d'un condamné, p. XI-XII. 1
Fig. Qui a l'aspect, la couleur du cuivre vert-de-grisé (→ Lentille, cit. 1 ; pommeler, cit. 1 ; tordre, cit. 12).
Vous avez planté du blé ; il pousse de l'asphodèle, de la jusquiame, de l'ivraie et de pâles ciguës aux rameaux vert-de-grisés. Th. GAUTIER, Mˡˡᵉ de Maupin, XI. 2

VERT-DE-GRISER (SE) [vɛʀdəgʀize] v. pron. — 1840, Hugo ; de *vert-de-gris*.

♦ Rare. Se couvrir de vert-de-gris. — Var. graphique :
(...) *des serrures de pacotille autour desquelles vacillent, accrochés à trois clous, d'horribles ornements de cuivre gaufré qui se vertdegrise* (...) HUGO, Choses vues, II, III, I.

VERTÉBRAL, ALE, AUX [vɛʀtebʀal, o] adj. — 1674 ; de *vertèbre.*

♦ Qui appartient aux vertèbres, qui a rapport aux vertèbres. *Colonne vertébrale.* ⇒ **Colonne** (II., 1.), **rachis.** *Canal vertébral.* ⇒ **Rachidien, spinal.** *Trou vertébral :* large trou situé en arrière du corps d'une vertèbre et limité par son arc postérieur. *Arc vertébral, corps vertébral* (⇒ **Vertèbre**). *Ligaments vertébraux. Disques vertébraux :* cartilages entre les vertèbres. ⇒ **Intervertébral.** *Artère, veine vertébrale.*
COMP. Intervertébral, sacro-vertébral.

VERTÈBRE [vɛʀtɛbʀ] n. f. — V. 1363 ; lat. *vertebra* «articulation, vertèbre».

♦ Chacun des os qui forment la colonne* vertébrale ou rachis, support du tronc chez les vertébrés*, et, spécialt, chez l'homme. ⇒ **Spondyle** (vx). *Une vertèbre est formée du corps vertébral, massif, d'un trou en arrière du corps* (trou ou canal vertébral, où passe la moelle* épinière) *bordé de deux apophyses transverses* (d'où naissent les côtes), *quatre apophyses articulaires et une apophyse épineuse* (→ Épine [cit. 17] dorsale). *Sept vertèbres cervicales* (⇒ **Atlas, axis**), *douze vertèbres dorsales ou thoraciques, cinq vertèbres lombaires, neuf ou dix vertèbres sacrées ou coccygiennes* (⇒ **Coccyx, sacrum**) *forment la colonne vertébrale dans l'espèce* *humaine. Rupture des vertèbres* (→ Squelette, cit. 3). *Se déplacer une vertèbre.*

Soudain après, tira son dit braquemart et en férut l'archer (...) et, retirant le coup, lui entrouvit la moelle spinale entre la seconde et tierce vertèbre (...)
RABELAIS, Gargantua, XLIV.

(Animaux). *La souris et la girafe comptent le même nombre de vertèbres cervicales. Collier en vertèbres de requin.*

DÉR. **Vertébral, vertébré.**
COMP. **Vertébro-iliaque, vertébrothérapie.**

VERTÉBRÉ, ÉE [vɛʀtebʀe] adj. et n. — 1800; de *vertèbre.*

♦ **1.** Adj. Zool. Qui a des vertèbres, un squelette. *Animaux vertébrés et invertébrés.*

♦ **2.** N. m. pl. (1806, Lamarck). **LES VERTÉBRÉS :** embranchement du règne animal comprenant tous les organismes possédant une colonne vertébrale constituée de vertèbres osseuses ou cartilagineuses (Cordés). *Les cinq classes des vertébrés.* ⇒ **Poisson; batracien; reptile; oiseau; mammifère.** *Vertébrés à membres.* ⇒ **Tétrapodes.** *Vertébrés inférieurs* (→ Genou, cit. 1), *supérieurs. L'amphioxus, le plus primitif des vertébrés.*

1 C'est vers le milieu de l'ère primaire, au Silurien et au Dévonien, qu'apparaissent les premiers vertébrés, les poissons Ostracodermes, encore dépourvus de mâchoires, qui livrent sous sa forme la plus ancienne et la plus schématique le plan d'organisation des vertébrés.
A. LEROI-GOURHAN, le Geste et la Parole, 1964, t. I, p. 44.

♦ **3.** Adj. Fig., littér. Charpenté. *Un roman bien vertébré.*

2 Une foule articulée et vertébrée par le travail.
J. ROMAINS, les Hommes de bonne volonté, t. V, XXIV, p. 233.

CONTR. **Invertébré.**

VERTÉBRO-ILIAQUE [vɛʀtebʀɔiljak] adj. — 1846; du rad. de *vertèbre,* et *iliaque.*

♦ Anat. Qui a rapport aux vertèbres et à l'os iliaque. *Articulation vertébro-iliaque.*

VERTÉBROTHÉRAPEUTE [vɛʀtebʀɔteʀapøt] n. — 1968; de *vertébrothérapie,* d'après *thérapeute.*

♦ Méd. Spécialiste de la vertébrothérapie. *« Ces nombreux chiropractors ou vertébrothérapeutes dont l'habileté n'est pas en cause mais qui, sans examen médical préalable, prétendent effectuer une remise en place de vertèbres prétendument déplacées »* (le Nouvel Obs., 14 févr. 1968, *in* Gilbert).

VERTÉBROTHÉRAPIE [vɛʀtebʀɔteʀapi] n. f. — Mil. XXᵉ; du rad. de *vertèbre,* et *thérapie.*

♦ Méd. Traitement des algies (cervicales, dorsales, lombaires) ayant pour cause la détérioration ou l'altération des vertèbres et des disques intervertébraux. *La vertébrothérapie consiste en des manipulations (tractions, élongations, torsions) de la colonne vertébrale.* ⇒ **Chiropraxie.**

DÉR. **Vertébrothérapeute.**

VERTEMENT [vɛʀtəmɑ̃] adv. — 1611; *verdement,* 1504; de *vert,* I., 5. (vieilli).

★ **I.** Avec vivacité, rudesse. *Reprendre* (cit. 25), *tancer* (cit. 1) *vertement qqn. Répliquer vertement. Il s'est fait vertement critiquer.*

1 Passepartout fut sur le point de relever vertement le qualificatif, dont il ne pouvait d'ailleurs comprendre la vraie signification (...)
J. VERNE, le Tour du monde en 80 jours, 1873, p. 300.

2 Elle aimait à le piquer, et il répliquait vertement. Ils se disaient des choses désagréables, dont madame de Kerich ne faisait que rire.
R. ROLLAND, Jean-Christophe, « Le matin », III.

Avec des verbes ne désignant pas un acte de langage.

3 Je l'ai mis à la porte assez vertement.
E. LABICHE, les Petits Oiseaux, I, 2.

★ **II.** (Au sens concret de *vert*). Littéraire.

4 Verdoyez, verdures drues
À la dent, au cœur, à l'œil
Et vertement, cours les rues,
Pullule, vert écureuil.
G. NORGE, la Langue verte, p. 29.

VERTERELLE [vɛʀtəʀɛl] ou VERTEVELLE [vɛʀtəvɛl] n. f. — XIVᵉ, *verterelle; vertevelle,* XVᵉ; *vertevele,* XIIIᵉ; lat. pop. **vertabella* « objet qui tourne », de *vertere* « tourner ».

♦ Techn. Anneau* ou crampon fixé à une porte et dans lequel glisse un verrou*.

VERTEX [vɛʀtɛks] n. m. — V. 1560, A. Paré; *vertiz,* v. 1120; mot lat. même sens. → Verticille.

Didactique.

♦ **1.** Anat. et anthrop. Point le plus élevé sur la ligne médiane de la voûte du crâne.

♦ **2.** (XXᵉ). Point de latitude maximale atteint par une ligne géodésique d'une surface de révolution.

VERTICAL, ALE, AUX [vɛʀtikal, o] adj. et n. — 1587; *point vertical,* 1545; bas lat. *verticalis,* même sens, de *vertex, verticis* « sommet ».

★ **I.** Adj. ♦ **1.** Qui suit la direction de la pesanteur, du fil à plomb en un lieu ; perpendiculaire à un plan horizontal. *Ligne verticale, plan vertical. Deux montants verticaux* (→ Catapulte, cit.). *Paroi verticale. Position verticale.* ⇒ **Aplomb; droit.** *Station verticale de l'homme.* ⇒ **Debout** (→ 1. Piquet, cit. 6). *Mettre en position verticale.* ⇒ **Dresser, ériger, lever.** *Déplacement vertical d'un hélicoptère* (cit. 1), *d'une fusée. Progression verticale de l'alpiniste* (→ 1. Rocher, cit. 9). *Faire une chute verticale* (emploi critiqué).

1 Il découvrit une petite grotte au milieu de la pente presque verticale d'un des rochers.
STENDHAL, le Rouge et le Noir, I, XII.

1.1 (...) quelle image peut-on se forger qui rassemble des critères communs à la totalité des hommes et de leurs ancêtres? Le premier et le plus important de tous, c'est la station verticale (...)
A. LEROI-GOURHAN, le Geste et la Parole, 1964, t. I, p. 32 et 34.

Distance verticale (→ 2. Faille, cit.) *mesurée au cathétomètre, à l'altimètre.* ⇒ aussi **Altitude, hauteur.** *Inscription* (cit. 1) *verticale, columnaire.* — Dans l'écriture, Qui est perpendiculaire à une ligne horizontale. *Colonnes verticales d'un registre réglé* (cit. 9). *Ligne verticale de symétrie* (cit. 3). *Écriture verticale* (de haut en bas) *du chinois, du japonais classique.*

Mus. *Lecture, audition verticale* (→ Harmonie, cit. 18).

♦ **2.** Fig. Écon. *Concentration industrielle verticale,* ascendante et descendante (tous les stades d'une fabrication, de la matière première au produit fini).

Dont la structure repose sur une hiérarchie. *« Syndicats verticaux »* (le Monde, 10 janv. 1968). *« Mensualisation verticale »* (l'Express, 29 juil. 1970).

♦ **3.** Fig. et rare. Immense (⇒ **Vertigineux**).

1.2 Je viens de comprendre, grâce à lui, que cette histoire est d'une stupidité verticale. La vérité, c'est que votre Lamennais était un cagot (...)
M. PAGNOL, la Gloire de mon père, t. I, p. 167.

★ **II.** N. (1872). ♦ **1.** N. f. Position verticale. *Pendule écarté de la verticale* (→ Pression, cit. 9). — Loc. adv. (XXᵉ). **À LA VERTICALE :** dans la position verticale. *Falaise* (cit. 2) *à la verticale, près de la verticale. Mettre qqch. à la verticale :* mettre droit, dresser ou redresser.

2 Il observe à la verticale, Dutertre. Il voit des tas de choses. Des camions, des chalands, des tanks, des soldats, des canons (...) moi j'observe trop en oblique. Je vois des nuages, la mer, des fleuves, des montagnes, le soleil.
SAINT-EXUPÉRY, Pilote de guerre, XXI.

♦ **2.** N. f. (1942). Ligne verticale. — Spécialt, archit. *Emploi des verticales* (ou *verticalisme*) *dans le gothique anglais* (→ Perpendiculaire, cit. 2).

3 La concierge lui montra les trois verticales sur lesquelles étaient distribuées les cuisines des locataires, les verticales des « deux pièces sur cour », les verticales des cabinets, les verticales des vide-ordures. M. AYMÉ, Maison basse, p. 60.

♦ **3.** N. f. Sport (1934; ski). *« Au slalom, arrangement de fanions qui, étant séparés par une assez longue distance (verticale) donnent l'occasion de faire des virages successifs à long rayon, ou des descentes directes coupées de virages courts et brusques* (angl. *straight flush*) » (S. Gredig, Voc. du skieur français, 1939, *in* Petiot).

Alpin. Escalade très difficile; ensemble des pentes abruptes. *Faire une verticale.*

♦ **4.** N. m. (1638). Astron. Grand cercle de la sphère céleste contenant la verticale du lieu. *Tous les verticaux passent par le zénith.*

CONTR. **Horizontal, oblique.**
DÉR. **Verticalement, verticalité.**

VERTICALEMENT [vɛʀtikalmɑ̃] adv. — 1546; de *vertical.*

♦ En suivant une ligne verticale. ⇒ **Plomb** (à). → Perpendiculairement (vx). *La pluie tombe verticalement. Obélisque planté verticalement* (→ Méga-, cit. 1). *Élever verticalement ou sur un plan incliné* (cit. 9).

CONTR. **Horizontalement, obliquement.**

VERTICALITÉ [vɛʀtikalite] n. f. — 1752; du rad. de *vertical.*

♦ Didact. Caractère, position de ce qui est vertical. *Vérifier la verticalité d'un mur.* ⇒ **Aplomb.**

(...) la démarche de certains de votre caste, qui marchent en inclinant un peu la perpendicularité de leur ligne médiane, ou mieux leur verticalité, un peu en arrière, pour signifier que d'incontestables ailes les empêcheraient de choir sur le dos.   G. NOUVEAU, Lettre à L. de Larmandie, 23 oct. 1889, Pl., p. 877.

CONTR. Horizontalité, obliquité.

VERTICILLE [vɛʀtisij] n. m. — 1615, archit.; bot., 1694; du lat. *verticillus*, dimin. de *vertex* «sommet».

Botanique.

◆ **1.** Groupe de plus de deux feuilles qui naissent au même niveau sur la tige, en anneau.

◆ **2.** (Emploi abusif). Organes disposés circulairement autour de la partie centrale d'une fleur (pétales, sépales, étamines).

DÉR. Verticillé.

VERTICILLÉ, ÉE [vɛʀtisije; vɛʀtisile] adj. — 1694; de *verticille*.

◆ Bot. Disposé en verticille, en anneau. *Feuilles verticillées.*

VERTICILLIOSE [vɛʀtisiljoz] n. f. — xxᵉ; de *verticillium*, de *verticillus*. → Verticille.

◆ Agric. Maladie de la pomme de terre causée par le verticillium.

VERTICILLIUM [vɛʀtisiljɔm] n. m. — 1933; *verticillie*, 1876; lat. bot. *verticillium*, de *verticillus*. → Verticille.

◆ Didact. Champignon parasite du plant de pomme de terre, provoquant le jaunissement et la mort des feuilles.

VERTIGE [vɛʀtiʒ] n. m. — 1611; *vertigine*, v. 1370; lat. *vertigo, ginis* «mouvement tournant», de *vertere* «tourner».

◆ **1.** Impression par laquelle une personne croit que les objets environnants et elle-même sont animés d'un mouvement circulaire ou d'oscillations et qui peut s'accompagner de troubles de l'équilibre. ⇒ **Éblouissement, entêtement** (vx), **étourdissement, tournis** (fam.). *Avoir, éprouver un vertige, des vertiges* (→ Pléthore, cit. 2; et aussi *Avoir la tête qui tourne*, voir tout tourner). *Être pris de vertige* (→ Presque, cit. 10). *Avoir le vertige à la vue d'un précipice* (⇒ **Acrophobie**; → Parapet, cit. 1), *d'un espace vide...* (⇒ **Agoraphobie**). *Le vertige faisait tourner, danser* (cit. 11) *devant ses yeux maisons et passants. Vertige accompagné de sueurs, suivi d'évanouissement*. *Vertige à cause physiologique, nerveuse, toxique, digestive.*

0.1 Louis Cornbutte ne voulut cependant pas revenir sans rapporter quelque viande fraîche, et il continua sa route; mais il éprouvait alors un sentiment singulier, qui lui tournait la tête. C'était ce qu'on appelle le vertige blanc.
En effet, la réflexion des monticules de glaces et de la plaine le saisissait de la tête aux pieds, et il lui semblait que cette couleur le pénétrait et lui causait un affadissement irrésistible. Son œil en était imprégné, son regard dévié. Il crut qu'il allait devenir fou de blancheur.   J. VERNE, Un hivernage dans les glaces, p. 310.

1 Le vertige qui nous prend sur les hauteurs est une maladie véritable, qui vient de ce que nous mimons la chute et les mouvements désespérés d'un homme qui tombe. Ce mal est tout d'imagination.
ALAIN, Propos, 5 mars 1922, «La fin des oracles».

Par métaphore (→ 1. Dire, cit. 115). — Poét., littér. *L'obscurité nocturne est pleine d'un vertige* (→ Submerger, cit. 3, Hugo). *Silence plein de vertiges* (→ Formidablement, cit. 1). — Fig. *A donner le vertige* : très haut, très impressionnant. Par plais. (→ Pantalon, cit. 6).

◆ **2.** (1688). Fig. Égarement d'une personne placée dans une situation qu'elle ne maîtrise pas. ⇒ **Égarement, folie, trouble** (→ Équilibrer, cit. 8). *Un vertige de terreur, de joie. L'empire qu'il a sur les choses remplit l'homme d'un singulier vertige* (→ Découverte, cit. 11). *Vertige qui prend un jeune répétiteur* (cit. 1) *à ses débuts.* ⇒ **Frisson, peur.** *Le vertige de la gloire*, que donne la gloire. ⇒ **Fumée, ivresse.** — *Le vertige de... :* la tentation* de... *Le vertige de l'irrationnel* (→ Illuminer, cit. 26). *Être pris du vertige de la rapidité* (→ Méticulosité, cit. 1).

2 Ce vertige de la députation en avait gagné d'autres.
FLAUBERT, Bouvard et Pécuchet, VI.

3 (...) je crois qu'il est impossible de ne pas éprouver une espèce de vertige, à ces premiers contacts avec la Science, lorsqu'on commence à distinguer (...) quelques-unes de ces grandes lois qui ordonnent la complexité universelle!
MARTIN DU GARD, Jean Barois, I, Compromis symboliste, I.

4 Deux vertiges attirent l'homme, quand l'aisance et la sécurité ne le satisfont plus, quand lui pèse la sûre et prudente soumission à la règle.
Roger CAILLOIS, l'Homme et le Sacré, p. 70.

VERTIGINEUSEMENT [vɛʀtiʒinøzmɑ̃] adv. — 1875; «avec des vertiges», 1845; de *vertigineux*.

◆ **1.** D'une manière vertigineuse. *Une tour vertigineusement haute.*
(...) il sentait, comme en un brouillard fluide, le parfum vertigineusement doux de sa bien-aimée auprès de lui (...)
VILLIERS DE L'ISLE-ADAM, Contes cruels, «Vera».

◆ **2.** (xxᵉ). Fam. Considérablement. *Les prix ont augmenté vertigineusement.*

VERTIGINEUX, EUSE [vɛʀtiʒinø, øz] adj. — 1478; lat. *vertiginosus* «sujet aux vertiges», de *vertigo, ginis*. → Vertige.

◆ **1.** Vx. Qui a des vertiges. *Malade vertigineux.* — Qui s'accompagne de vertiges*. *Ivresse vertigineuse* (→ Indescriptible, cit. 2).

◆ **2.** (1859, Hugo, la *Légende des siècles*, Éviradnus). Cour. Qui donne le vertige (1.) ou est de nature à le donner. *Des hauteurs vertigineuses* (→ Locher, cit.). *Vertigineux abîmes* (→ Désir, cit. 19). *Un saut vertigineux, une chute vertigineuse. Vitesse, rapidité* (cit. 5) *vertigineuses* (→ Toboggan, cit. 1; tombeau, cit. 5) : très grande vitesse, rapidité extrême.

1 (...) j'ai franchi les marches ascendantes d'une tour élevée. Je suis parvenu, les jambes lasses, sur la plate-forme vertigineuse.
LAUTRÉAMONT, les Chants de Maldoror, II.

◆ **3.** Fig. Très grand. *Augmentation, montée, hausse vertigineuse* (→ Taxi, cit. 1).

2 Remarquez que les prix sont encore très bas. Mais, dans les semaines qui vont venir, il se produira une hausse vertigineuse.   J. ROMAINS, Donogoo, II, X, II.

(Sentiments). Extrême; fou. *Un espoir vertigineux* (→ Caresser, cit. 14).

DÉR. Vertigineusement.

VERTIGO [vɛʀtigo] n. m. — 1664; «vertige», 1478; repris au lat. *vertigo*. → Vertige.

◆ **1.** Maladie du cheval, méningo-encéphalite qui provoque des mouvements désordonnés, des tournoiements.

◆ **2.** Par ext., fam. Tournis, vertige.
Alors, je suis sortie pour ne pas le déranger, d'autant plus que j'ai le vertigo, ce matin.   WILLY (COLETTE), Claudine s'en va, 1903, p. 194, *in* D. D. L., II, 16.

◆ **3.** Fig., vx. Caprice, fantaisie. «*Voyez un peu quel "vertigo" lui prend*» (Molière, *Monsieur de Pourceaugnac*, II, 6).

VERTIPORT [vɛʀtipɔʀ] n. m. — V. 1965; amér., de *verti(cal)*, et *port*, dans *aéroport*.

◆ Terrain destiné à l'atterrissage et au décollage des hélicoptères et des avions à décollage court (ADAC). ⇒ **Héliport.** «*La généralisation des avions à décollage court et des hélicoptères* (nécessitera) *la mise en service de nombreux vertiports*» (*l'Express*, 12 août 1968, *in* P. Gilbert).

VERTU [vɛʀty] n. f. — 1080, «courage, vaillance», et aussi «force physique; jugement, sagesse»; les autres sens dès les xiiᵉ-xiiiᵉ; du lat. *virtus, -tutis* (accusatif *virtutem*) «mérite de l'homme (*vir*); courage, énergie, vertu, perfection».

1 Oserons-nous, Messieurs, sous peu de jours, quand *vertu*, substantif féminin, viendra par-devant nous, se proposer à son rang dans la suite du Dictionnaire, dire la vérité? (...) Dirons-nous que ce nom est moins que rare dans l'usage; — rarissime —, presque inusité? Je m'assure que nous ne l'oserons pas, c'est-à-dire que nous sentirions quelque honte à reconnaître ce qui est. Cependant le fait est là; il est incontestable.   VALÉRY, Variété IV, p. 164.

★ **I.** (Vx ou didact.) **A. LA VERTU. ◆ 1.** Vx. Énergie morale; force* d'âme. ⇒ **Cœur, courage.** → Accorder, cit. 11. «*C'est la seule vertu qui fait leur différence*» (cit. 7). «*Sais-tu que ce vieillard fut la même* (cit. 13) *vertu*». *Flotter* (cit. 15) *entre la mollesse et la vertu.* — *Considération due à la vertu.* ⇒ **Gloire** (cit. 12, 15 et 16), **honneur** (III.); → 1. Ombre, cit. 36 et 43. — *La naissance* (cit. 8 et 10) *et la vertu* (→ Noblesse, cit. 9). ⇒ **Valeur.** «*L'animal sans vertu...*» (l'âne vêtu de la peau du lion). → Oreille, cit. 38, La Fontaine.

2 Lorsqu'on est assez heureux pour avoir de la vertu (toujours vertu dans le sens antique et non dans l'acception de la morale étroite), c'est, à mon sens, une ambition très noble que d'élever cette même vertu au sein de la corruption, de la faire réussir, de la mettre au-dessus de tout (...)
VAUVENARGUES, Réflexions et maximes, Introduction.

2.1 L'expérience en cours pose pour moi le seul problème politique : ce que peut un homme, ce que peut, au sens fort du mot, la vertu d'un homme pour sauver l'État, sans user de violence.   F. MAURIAC, Bloc-notes 1952-1957, p. 117.

Spécialt. Courage militaire (→ Désordre, cit. 7). «*Si la vertu militaire* (cit. 2) *enseigne quelques vertus elle en affaiblit plusieurs*». Par ext. *La vertu de mon bras...* (→ Haleine, cit. 24). — *Vertu romaine*, *antique* (se dit pour distinguer ce sens du 2).

◆ **2.** Vieilli. Force avec laquelle l'homme tend au bien*; force morale appliquée à suivre la règle, la loi morale définie par la religion et la société. ⇒ **Morale; devoir** (pratique du devoir). *La vertu est toute dans l'effort* (cit. 14). «*J'honore* (cit. 20) *du nom de vertu l'habitude de faire des actions pénibles et utiles aux autres*» (Stendhal). *Nous nous soutenons dans la vertu par le contrepoids* (cit. 3) *de deux vices opposés. La vertu n'irait pas loin si la vanité ne lui tenait compagnie* (cit. 1). — *Les apparences de la vertu* (→ Embarras, cit. 17). *Ostentation de vertu.* ⇒ **Pharisaïsme.** *Fan-*

faron (cit. 6) *de vertu. L'hypocrisie*, hommage* (cit. 26) *que le vice rend à la vertu. « Le vice et la vertu sont des produits... »* (cit. 3). *Récompenser la vertu. Les malheurs de la vertu.*

2.2 (...) l'on a mis l'immutabilité au rang des perfections de l'Éternel; mais la vertu est absolument privée de ce caractère : il n'est pas deux peuples sur la surface du globe qui soient vertueux de la même manière; donc la vertu n'a rien de réel, rien de bon intrinsèquement, et ne mérite en rien notre culte; il faut s'en servir comme d'étai, adopter politiquement celle du pays où l'on vit, afin que ceux qui la pratiquent par goût, ou qui doivent la révérer par état, vous laissent en repos (...) SADE, *Justine...*, 1791, t. I, p. 117.

La vertu de qqn; une vertu austère, âpre (→ Galant, cit. 12), *rigide, sévère, héroïque* (cit. 13), *parfaite, angélique. « Il faut parmi le monde une vertu traitable »* (→ Blâmable, cit. 2). — *Exhortation à la vertu.* ⇒ **Parénèse, sermon**; **édifier**; **édification**. *Prix* (cit. 26) *de vertu,* décerné à une personne pleine de vertu. *Croître*, grandir en vertu,* en étant de plus en plus vertueux. *Vertu naissante* (cit. 2 et 4), de l'enfant qui acquiert le sens moral avec l'âge de raison. — *Allus littér. Vertu, tu n'es qu'un nom* (cit. 42). → Nominalisme, cit. *« Où la vertu va-t-elle se nicher? »* (cit. 4). *« Toi, vertu, pleure si je meurs »* (Chénier, *Iambes,* XII). — *Loc. fam. Il a de la vertu :* il a du mérite (à faire cela). → Il est bien bon*. *C'est de la vertu.* ⇒ **Héroïsme** (par plais.).

3 (...) la vertu ne consiste qu'en la résolution et la vigueur avec laquelle on se porte à faire les choses qu'on croit être bonnes (...) DESCARTES, Lettres, À Christine de Suède, 20 nov. 1647.

4 (...) ne savez-vous pas que la vertu est un état de guerre, et que, pour y vivre, on a toujours quelque combat à rendre contre soi? ROUSSEAU, Julie ou la Nouvelle Héloïse, VI, VII.

5 Qu'est-ce que la vertu? C'est sous quelque face qu'on la considère, un sacrifice de soi-même. DIDEROT, Éloge de Richardson.

6 Provisoirement je penserai que la vertu, c'est ce que l'individu peut obtenir de soi de meilleur. GIDE, Journal, Nov. 1947, Feuillets d'automne.

7 M'est avis, donc, que le bonheur intime et propre n'est point contraire à la vertu, mais plutôt est par lui-même vertu, comme ce beau mot de vertu nous en avertit, qui veut dire puissance. ALAIN, Propos, 6 nov. 1922, «Bonheur est vertu».

♦ **3.** Littér. Conduite, vie vertueuse. *« Un prince (...) qui chérit la vertu, qui sait punir le crime »* (Corneille). *La vertu et le crime* (→ Magnanime, cit. 1; mélodrame, cit. 3). *La vertu récompensée* (cit. 5).

Les personnes vertueuses (→ Poursuivre, cit. 4). *Justine ou Les malheurs de la vertu.*

8 Parcouru hier les *Malheurs de Justine,* de de Sade. L'originalité de l'abominable livre, elle n'est pas pour moi dans l'ordure, la cochonnerie féroce, je la trouve dans la punition céleste de la vertu, c'est-à-dire dans le contrepied diabolique des dénoûments de tous les romans et de toutes les pièces de théâtre. Ed. et J. DE GONCOURT, Journal, 14 sept. 1884, t. VI, p. 236.

Spécialt, vieilli. *La vertu politique* (Montesquieu, *l'Esprit des Lois,* IV, 5; → aussi Éducation, cit. 4), *publique* (→ 1. Parler, cit. 24), *sociale. Terreur* (cit. 5) *et vertu* (sous la Révolution).

♦ **4.** (1677). Vieilli ou par plais. Chasteté (d'une femme). ⇒ **Honnêteté, pudeur, pudicité, pureté, sagesse, tempérance** (→ Fidélité, cit. 4; honnête, cit. 14; légèreté, cit. 9; soin, cit. 3). *Irréprochable* (cit. 4) *vertu; vertu farouche, inexpugnable. Prix de vertu,* se dit, par ext., d'une femme qui le mériterait (⇒ **Rosière**). *Ce n'est pas un prix de vertu. Femme de petite vertu,* de mœurs légères. — *Vertu chancelante, fragile, qui succombe*.* — Péj. *Dragon* (cit. 3 et 5) *de vertu.* — Par plais. (en parlant d'un homme). → Rosière, cit. 3.

9 Qu'une femme est à plaindre, quand elle a tout ensemble de l'amour et de la vertu! LA ROCHEFOUCAULD, Maximes, 548.

9.1 Comment une fille peut-elle être assez simple pour croire que la vertu puisse dépendre d'un peu plus, ou d'un peu moins de largeur dans une des parties de son corps. Eh! qu'importe aux hommes ou à Dieu que cette partie soit intacte ou flétrie? SADE, Justine..., 1791, t. I, p. 44.

10 — Je ne crois pas à la vertu, dit l'autre.
— Vous avez raison, dit encore mon maître. De la façon qu'est fait l'animal humain, il ne saurait être vertueux sans quelque déformation. Voyez, par exemple, cette jolie fille qui soupe avec nous (...) En quel endroit de sa personne pourrait-elle loger un grain de vertu? Il n'y a point la place, tant tout cela est ferme, plein de suc, solide et rebondi. La vertu, comme le corbeau, niche dans les ruines. Elle habite les creux et les rides des corps. FRANCE, la Rôtisserie de la reine Pédauque, Œ., t. VIII, p. 157.

Par métonymie. *Une vertu :* une femme vertueuse (→ Apprivoiser, cit. 8; cruel, cit. 9).

10.1 Oh! les femmes!... tenez, les voilà, les femmes! toutes menteuses!... toutes perfides, jusqu'à celle-là, qui voulait se faire passer pour une vertu... et qui se tenait à la tête d'un mioche!... E. LABICHE, Frisette, 10 (1879).

♦ **5.** (Sens objectif). La règle morale; le principe qui pousse à la vertu (2.; → Assujettir, cit. 22; conséquent, cit. 1). *Suivre la vertu* (→ Générosité, cit. 3). *Le chemin, le sentier de la vertu* (→ Marcher, cit. 15).

11 Ô vertu, science sublime des âmes simples, faut-il donc tant de peines et d'appareil pour te connaître? Tes principes ne sont-ils pas gravés dans tous les cœurs? et ne suffit-il pas pour apprendre tes lois de rentrer en soi-même, et d'écouter la voix de sa conscience dans le silence des passions? ROUSSEAU, Disc. sur les sciences et les arts, II.

B. *Une, les vertus.* ♦ **1.** Disposition constante à accomplir une sorte d'actes moraux, par un effort de volonté; qualité portée à un degré supérieur. *À la différence des qualités*, éléments de la nature humaine, les vertus sont des dispositions acquises ou du moins actives.* → Franchise, cit. 7; gloire, cit. 13; qualité, cit. 11 et 13. *Vertu suprême* (→ Renoncement, cit. 5). *La vertu des vertus*

(→ Éminence, cit. 3). *Une grande et rare vertu* (→ 1. Patience, cit. 11). *Belles vertus* (→ Loyal, cit. 4). *Un mélange de vertus et de vices* (→ Ambigu, cit. 6). *Nos vertus (...) vices déguisés* (cit. 8, La Rochefoucauld). *« Les vices entrent dans la composition* (cit. 1) *des vertus... »* (La Rochefoucauld). → Insinuer, cit. 2, Pascal. *« Les vertus devraient être sœurs Ainsi que les vices sont frères »* (→ Emparer, cit. 9, La Fontaine). *Vertus* (→ 6), *cachées, profondes, solides... « Les vertus se perdent dans l'intérêt... »* (→ Fleuve, cit. 4, La Rochefoucauld). — Relig. *Les quatre vertus cardinales* (cit. 1; ⇒ **Courage, justice, prudence, tempérance**); *les trois vertus théologales** (⇒ **Charité, espérance** [cit. 27], **foi**). *Vertus religieuses* (→ Augmenter, cit. 15); *vertus terrestres* (→ Saint, cit. 13). — *La vertu de clémence, de générosité, d'humilité* (cit. 10 et 14), *de patience, de miséricorde; d'honnêteté, de probité... Vertus privées* (→ Témoignage, cit. 8). *Vertus civiles* (cit. 3), *civiques* (→ Intégrité, cit. 7), *publiques* (→ Dessécher, cit. 5). *Les vertus bourgeoises* (→ Épargne, cit. 5). *«Aux vertus qu'on exige des domestiques... »* (cit. 8, Beaumarchais). — *Parer* (1. Parer, cit. 5) *qqn de toutes les vertus. « Faire entrer* (à un enfant) *les vertus par le cul »* (→ Fesser, cit. 3, France).

12 Seigneur, de vos bontés il faut que je l'obtienne;
Elle a trop de vertus pour n'être pas chrétienne. CORNEILLE, Polyeucte, IV, 3.

13 J'aime mieux un vice commode
Qu'une fatigante vertu. MOLIÈRE, Amphitryon, I, 4.

14 Toutes les vertus d'humilité, de pardon, de charité, d'abnégation, de dureté pour soi-même, vertus qu'on a nommées à bon droit chrétiennes, si l'on veut dire par là qu'elles ont été vraiment prêchées par le Christ, étaient en germe dans ce premier enseignement. RENAN, Vie de Jésus, V, Œ. compl., t. IV, p. 137.

15 (...) la vertu de l'adolescent, c'est la pudeur; et la vertu de l'homme mûr, c'est la justice; et la vertu du vieillard, c'est la sagesse; et je veux que la vertu de chacun ressemble au vice qui lui est propre (...) ALAIN, Propos, 18 nov. 1922, «Les âges et les passions».

Loc. *Faire de nécessité** (cit. 13 et 14) *vertu.*

♦ **2.** Plur. Anges du second chœur du second ordre. *Dominations* (cit. 7), *Vertus et Puissances* (second ordre).

♦ **3.** Représentation symbolique d'une vertu (chrétienne). *Les vertus et les vices dans l'art roman.*

(1789). Pendant la Révolution, Figure du jeu de cartes remplaçant les dames*.

★ **II.** (XIIe). *La vertu de...; une vertu.* ♦ **1.** Principe qui, dans une chose, est considéré comme la cause des effets* qu'elle produit. ⇒ **Efficacité, énergie, faculté, force, pouvoir, propriété.** → 1. Dépendre, cit. 7. *Vertu magique* (cit. 1), *occulte* (cit. 1 et 2). *La vertu des amulettes* (cit. 1), *des pierres* (cit. 27). *Vertu aurifique** de la pierre philosophale.

Vx, en sciences. Principe, pouvoir actif. *Une vertu attractive* (cit. 5)... *La vertu dormitive* (cit. 2). — *Vertu médicale, curative, thérapeutique* (→ Médicinal, cit.). *La vertu des drogues* (→ Guérir, cit. 10), *des herbes* (→ Drogue, cit. 2). *Les vertus du cautère* (cit. 1).

♦ **2.** (Abstrait). ⇒ **Pouvoir.** *« Puissante vertu de la famille »* (cit. 24). *La vertu réparatrice du temps* (cit. 39). *Vertu significative* (cit. 2) *de chaque partie de l'homme physique.*

16 Dans tout ce que je fais j'ai la triple vertu
D'être à la fois trop court, trop long et décousu. A. DE MUSSET, Poésies nouvelles, «Chant troisième», II.

♦ **3.** Loc. EN VERTU DE... : par le pouvoir de... — Vx (en parlant d'une cause physique). *En vertu de l'élasticité* (cit. 3) *du bois...,* à cause de... — Dr. *En vertu de la loi* (→ Obéir, cit. 7), *des pouvoirs...* (→ aussi Forme, cit. 67; gabelle, cit. 2). — Cour. Au nom de. *En vertu des principes* (cit. 15)..., *d'une habitude* (→ Quitter, cit. 23). *En vertu de quoi.* ⇒ **Pourquoi.**

CONTR. Lâcheté, défaut, vice. — Immoralité, imperfection. — Débauche, désordre, libertinage.

DÉR. et COMP. Évertuer (s'). — Vertubleu!, vertudieu!, vertuchou! — Vertueux.

VERTUBLEU [vɛʀtyblø], **VERTUCHOU, VERTUCHOUX** [vɛʀtyʃu] ou **VERTUDIEU** [vɛʀtydjø] interj. — 1665, *vertubleu; vertuchou(x),* 1616; *vertudieu,* av. 1848; *vertubieu,* XVe; altér. de *vertu Dieu.* → Tudieu.

♦ Vx ou par plais. Jurons en usage aux XVIIe et XVIIIe siècles (Molière, *Dom Juan,* IV, 7). *Par la vertuchoux* (Hugo, *les Misérables,* V, 6).

1 Ah! c'est odieux!
Otez ces objets de mes yeux!
Pipe, gilet et pantalon...
Vertubleu! pour qui nous prend-on? E. LABICHE, la Perle de la Canebière, 13.

2 — Vertuchou, s'écrie le duc. Comment trouvez-vous ma barbe? J'ai fait venir un barbier de la ville pour me l'accommoder. R. QUENEAU, les Fleurs bleues, 1965, p. 119.

VERTUEUSEMENT [vɛʀtɥøzmã] adv. — XIIIe; *verteusement,* 1080; de *vertueux.*

Littéraire.

♦ **1.** D'une manière vertueuse (courageuse [vx] ou morale). *Ver-tueusement, patriarcalement* (cit.) *et bourgeoisement.*

♦ **2.** Vieilli ou par plais. Chastement, purement. *Elle avait aimé ver-tueusement, platoniquement* (cit. 2).

VERTUEUX, EUSE [vɛʀtɥø, øz] adj. — xive; *vertuos*, v. 1160; *vertuus*, 1080; de *vertu.*

A. (Personnes). ♦ **1.** Vx. Courageux, vaillant, noble. — REM. Ce sens a vieilli avant le sens correspondant de *vertu.*

♦ **2.** Vx ou relig. Qui fait habituellement le bien par volonté; qui a des vertus, des qualités morales. ⇒ **Honnête, méritant, moral, sage** (→ Étonner, cit. 32; fier, cit. 4; morale, cit. 6; perfection, cit. 7; sentencieux, cit. 1). *Vertueux et chrétien* (→ Donner, cit. 79). *« Ô ministres intègres, Conseillers vertueux... »* (→ Appétit, cit. 15, Hugo). *Classe à demi* (cit. 19) *vertueuse et à demi vicieuse.*

1   Qu'est-ce donc que l'homme vertueux? C'est celui qui sait vaincre ses affections; car alors il suit sa raison, sa conscience; il fait son devoir; il se tient dans l'ordre, et rien ne peut l'en écarter.   ROUSSEAU, Émile, v.

2   J'ai été en relation avec des hommes qui ont été vertueux. Ils mouraient à soixante ans, et chacun ne manquait pas de s'écrire : « Ils ont fait le bien sur cette terre, c'est-à-dire qu'ils ont pratiqué la charité : voilà tout, ce n'est pas malin, chacun peut en faire autant ».   LAUTRÉAMONT, les Chants de Maldoror, I.

N. *(Un vertueux, une vertueuse). Les vertueux de profession* (→ Avancement, cit. 44).

Par ext. *Des journaux utiles, vertueux et progressifs* (→ Indigeste, cit. 2).

♦ **3.** (Mil. xviie). Vieilli ou par plais. (D'une femme). Qui est chaste* ou fidèle. ⇒ **Honnête, pur.** *Femme* (cit. 108) *vertueuse* (→ Assassiner, cit. 21; bégueulerie, cit.; 1. défier, cit. 9; désert, cit. 12; héros, cit. 14; inaccessible, cit. 17). ⇒ **Vertu,** A., 4.

B. (Choses). ♦ **1.** Vx ou littér. Qui a le caractère de la vertu. *Action, conduite vertueuse.* ⇒ **Beau, bon, édifiant, méritoire, moral** (→ Perfection, cit. 16). *Humilité vertueuse* (→ Généreux, cit. 5). *Cœur vertueux.* ⇒ **Angélique.** — Vx. *Politique vertueuse* (→ Base, cit. 13).

♦ **2.** Qui porte à la vertu. *Caractère vertueux et ferme* (→ Piquer, cit. 31). *Penchants droits* (1. Droit, cit. 21) *et vertueux.*

♦ **3.** Qui vient de l'intention de faire le bien, de la vertu morale ou de son affectation (péj.). *Morgue vertueuse* (→ 2. Devoir, cit. 7). *Une vertueuse répulsion* (→ Tabou, cit. 3).

CONTR. Corrompu, criminel, débauché, dépravé, désordonné (vie désordonnée), **dissolu, immoral, lâche** (acte), **libertin, mauvais, vicieux.**

DÉR. Vertueusement.

VERTUGADIN [vɛʀtygadɛ̃] n. m. — 1604, d'après *vertu*; de *ver-tugade* (1544); de l'esp. *verdugado,* de *verdugo* «baguette», de *verde* «vert».

♦ **1.** Ancienn. Bourrelet, cercle qui faisait bouffer la jupe autour des hanches; robe munie de ce bourrelet (→ Lombe, cit.). ⇒ **Panier.**

1   (...) une gravure l'arrêta, elle représentait la bergère Astrée avec des talons hauts, un corset et un immense *vertugadin* (...)   A. DE VIGNY, Cinq-Mars, XV.

REM. On relève la var. étymologique *verdugadin.*

2   Qui ne se prendroit dans le piege,
Lors qu'un verdugadin pipeur
Et que des patins hauts de liege
Cachent la taille et la maigreur?   SIGOGNE, Œuvres satyriques, 1607, 9, *in* D. D. L., II, 12.

♦ **2.** (1694). Techn. Glacis de gazon en amphithéâtre, dans un jardin à la française.

VERVE [vɛʀv] n. f. — Av. 1613; «proverbe, idée», v. 1175; «inspiration», xiiie; lat. pop. *verva,* de *verba,* plur. de *verbum,* pris pour un fém. sing. → Verbe.

♦ **1.** (xve). Vx. Caprice, fantaisie.

♦ **2.** Littér., vx. Inspiration vive, chaleureuse; fantaisie créatrice. ⇒ **Inspiration, veine.** *Verve poétique, du poète. « Maudit soit le premier dont la verve insensée... »* (→ Enchaîner, cit. 8, Boileau). *Écrire* (cit. 53) *selon le caprice de la verve. L'emportement de la verve* (→ Maître, cit. 40). — *Écrire de verve.* → Par humeur* (vx). *Cinq ou six pages de verve* (→ Rompre, cit. 6).

0.1   (...) l'incroyable plaisir que donne à l'écrivain le morceau écrit de verve et d'une seule coulée et qui, à peine échappé de ses mains, vibre dans la cible (...)   F. MAURIAC, Bloc-notes 1952-1957, p. 12.

(En peinture). *La chaleur de l'artiste, la verve pure...* (→ Esquisse, cit. 1). — *Dessins faits de verve, de chic* (→ Gagner, cit. 19).

Vieilli. Qualité, chaleur (du style, de l'auteur). *Abondance, liberté, verve du style* (→ Gymnastique, cit. 16).

1   Seulement il faut observer que la verve a plus de rapports avec la vigueur de l'expression, et l'enthousiasme avec les élans et les hauteurs de la pensée; et quoi-que la verve soit plus commune que l'enthousiasme, cependant le génie de l'expression marche de pair avec le génie des idées (...)   RIVAROL, Littérature, « Le génie et le talent ».

2   M. Joubert adore l'enthousiasme, mais il le distingue de l'explosion, et même de la verve, qui n'est que de seconde qualité dans l'inspiration, et qui *remue,* tandis que l'autre *émeut :* Boileau, Horace, Aristophane eurent de la verve; La Fontaine, Ménandre et Virgile, le plus doux et le plus exquis enthousiasme qui fut jamais.   SAINTE-BEUVE, Causeries du lundi, 10 déc. 1849.

Loc. *En verve. Entrer en verve.* → Inégal, cit. 16.

♦ **3.** Vieilli. Fougue, vivacité. *Une verve endiablée* (→ Dépêcher, cit. 5). *Un redoublement de verve* (→ Bride, cit. 13).

3   Favourite, l'amie de Blachevelle, celle de vingt-trois ans, la vieille, courait en avant sous les grandes branches vertes, sautait les fossés, enjambait éperdument les buis-sons, et présidait cette gaieté avec une verve de jeune faunesse.   HUGO, les Misérables, I, III, III.

♦ **4.** Mod. Qualité brillante; imagination et fantaisie dans la parole. *Verve, éloquence, brio* (→ Soliloque, cit. 4; et aussi intelligence, cit. 5; permettre, cit. 3). *La verve d'un orateur, d'un causeur. Étourdissant* (cit. 5), *éblouissant de verve. La verve d'un chanson-nier.* ⇒ **Esprit, faconde.** *Exercer sa verve contre qqn. « Joindre à l'humour anglais la verve italienne »* (→ Polichinelle, cit. 2). — *La verve intarissable de ses saillies* (→ Apporter, cit. 25). *Épigram-mes* (cit. 8) *lancées avec une verve intarissable.*

Loc. *Être en verve :* manifester son esprit; être plus brillant qu'à l'ordinaire.

4   (...) il causait avec cette verve incisive et pittoresque qui le caractérisait (...)   Th. GAUTIER, Portraits contemporains, « Th. Chassériau ».

5   (...) un cercle où l'on soupait en grand nombre, et où toute mélancolie cédait devant la verve intarissable de quelques esprits éclatants, vifs, orageux (...)   NERVAL, les Filles du feu, « Sylvie », I.

6   (...) elles furent d'un étincellement d'esprit, d'un mouvement, d'une verve et d'un *brio* incomparables.   BARBEY D'AUREVILLY, les Diaboliques, « Le plus bel amour... », II, p. 94.

7   (...) je me les sers moi-même, avec assez de verve,
Mais je ne permets pas qu'un autre me les serve.   Edmond ROSTAND, Cyrano de Bergerac, I, 4.

CONTR. Platitude; froideur.

DÉR. Verveux.

VERVEINE [vɛʀvɛn] n. f. — xiiie; lat. pop. *vervena,* altér. de *ver-benæ* «rameaux de laurier, d'olivier, de myrte».

♦ **1.** Plante dicotylédone *(Verbénacées),* dont une espèce *(verveine officinale)* courante dans les climats tempérés, présente des vertus calmantes. *Propriétés stomachiques de la verveine* (appelée *herbe à tous les maux, aux sorcières). Verveines exotiques cultivées comme ornementales* (→ Gras, cit. 37). *« Le vase où meurt cette ver-veine... »* (→ Briser, cit. 31). — *Verveine odorante :* verbénacée ori-ginaire d'Amérique du Sud, poussant aussi dans le sud de la France, et cultivée pour son parfum (⇒ **Citronnelle**).

1   Je sommeillais seulement à demi,
À côté d'un brin de verveine
Dont le parfum vivait à peine,
Et qu'en rêvant j'avais cueilli.   A. DE MUSSET, Poésies nouvelles, « Silvia ».

Fausse verveine. ⇒ **Sauge.**

♦ **2.** Infusion de verveine officinale. *Boire une tasse de verveine.*

♦ **3.** (1909). Parfum extrait de la verveine odorante (→ Acidulé, cit. 1; poule, cit. 6).

2   Elle (...) flaire son mouchoir où Maman a versé deux gouttes de verveine citron-nelle (...)   COLETTE, l'Ingénue libertine, p. 22.

♦ **4.** (1904). Liqueur de verveine. *Prendre un petit verre de verveine.*

VERVELLE [vɛʀvɛl] n. f. — 1315; *verviele* «charnière», xiie; du lat. pop. *vertibellum* «objet qui tourne», de *vertere* «tourner».

♦ Fauconn. Anneau portant le nom, les armes du propriétaire, fixé à la patte de l'oiseau et tenant à une courroie (⇒ **Faucon**).

VERVEUSEMENT [vɛʀvøzmɑ̃] adv. — 1871, Goncourt; de 2. *verveux.*

♦ Rare. Avec verve (4.).

On s'élève assez verveusement contre cette blague consacrée par le théâtre : le déshonneur de la fille du peuple par les riches bourgeois (...)   Ed. et J. DE GONCOURT, Journal, 21 nov. 1871, t. IV, p. 281.

1. VERVEUX [vɛʀvø] n. m. — 1428; *vrevieus,* 1315; finale *-eus* du plur. de **verveil*; du lat. pop. **vertibellum.* → Vervelle.

♦ **1.** Pêche. Filet de pêche monté sur des cercles et fermé au fond, en forme d'entonnoir. ⇒ **Nasse.** *Verveux de mer,* comportant inté-rieurement deux entonnoirs de filet (⇒ **Goulet**). *Verveux à deux entrées* (⇒ **Louve**), *à ailes latérales.*

♦ **2.** (1766). Vx. Panier conique en osier, qu'on attachait au bât des bêtes de somme.

HOM. 2. Verveux.

2. VERVEUX, EUSE [vɛʀvø, øz] adj. — 1801; «capricieux», 1548; de 1. *verve*.

Littéraire.

♦ **1.** Qui a de la verve (4.), du brio, de la vivacité. Qui est en verve (3. ou 4.).

1 (...) un beau salon un peu sombre, intime, recueilli. Je m'y sentis à l'aise, comme chez moi. Que de fois j'ai remarqué l'influence des appartements sur le caractère et sur l'esprit! Il y a des pièces où on se sent toujours bête; d'autres, au contraire, où on se sent toujours verveux.   MAUPASSANT, Un portrait, Pl., t. II, p. 1053.

2 Hier Mardrus vient me relancer à Auteuil. Jovialement supérieur, verveux comme toujours, agaçant un peu tout le monde excepté moi.
          GIDE, Journal, 25 déc. 1905.

♦ **2.** Qui a de la verve, en parlant d'un écrit, d'une conversation, d'un discours... «*Discussions verveuses et paradoxales*» (Gide, *Journal*, 25 juin 1891).

DÉR. Verveusement.
HOM. 1. Verveux.

VÉSANIE [vezani] n. f. — 1480, attestation isolée; repris 1795; lat. *vesania*, même sens; de *vesanus* «insensé».

♦ Méd. (vx). Aliénation, maladie mentale. ⇒ **Folie, psychose.** — Spécialt. (→ Vésanique, cit.).

Littér. Aliénation, folie (au sens large). «*La guerre (...) cette monstrueuse vésanie*» (Duhamel, *la Pesée des âmes*, V).

(...) il n'y a pas de raison pour que Gilles soit plutôt insane que la Pucelle dont les admirables excès n'ont aucun rapport avec les vésanies et les délires!
          HUYSMANS, Là-bas, VIII.

DÉR. Vésanique.

VÉSANIQUE [vezanik] adj. — XVIIIᵉ; de *vésanie*.

♦ Méd. (vx). Qui est chronique et complet, en parlant d'un désordre mental. *Délire, démence vésanique.*

Vésanie. Expression tombée en désuétude qui servait à désigner les psychoses de longue durée (...) que l'on supposait dues à un désordre purement mental (...) On opposait les *démences vésaniques* aux démences organiques.
          A. POROT, Manuel alphabétique de psychiatrie, art. *Vésanie*.

VESCE [vɛs] n. f. — V. 1283; *vecce*, 1180; du lat. *vicia*, même sens.

♦ **1.** Bot. Nom donné parfois aux Viciées (*Légumineuses papilionacées*), comprenant les fèves, les lentilles et les vesces (2.).

♦ **2.** Cour. Plante herbacée très commune, à feuilles pennées, à vrilles fleuries rappelant celles du pois de senteur. *Vesce des haies, vesce sauvage* (faux pois, dit aussi *vesceron*). *Vesce cultivée* (comme fourrage vert, ou pour ses graines). — Par ext. Fourrage vert, ou graines (généralement de *vesce cultivée*). *Mélange fourrager comprenant des vesces, de la vesce.* ⇒ **Bisaille,** 2. **dragée** (ou dravière), **hivernage.**

HOM. Vesse.

VÉSICAL, ALE, AUX [vezikal, o] adj. — 1821; «en forme de bouton, d'ampoule», 1478; bas lat. *vesicalis*, de *vesica* «vessie».

♦ Anat., méd. Qui appartient à la vessie, qui a rapport à la vessie. *Artères vésicales. Calculs vésicaux.*

VÉSICANT, ANTE [vezikã, ãt] adj. et n. m. — Av. 1478, repris 1812; lat. *vesicans*, de *vesicare* «gonfler».

♦ **1.** Méd. Qui détermine des ampoules* sur la peau. ⇒ **Épispastique.** *Cataplasme, emplâtre vésicant. Plantes à propriétés vésicantes* (ex.: l'ortie, le garou). *Insecte vésicant.* — N. m. *Un vésicant* (⇒ **Vésicatoire**).

♦ **2.** Qui provoque des lésions (et en particulier des vésicules, des gonflements) des voies respiratoires, de la peau. *L'ypérite est un gaz vésicant.*

VÉSICATEUR [vezikatœʀ] n. m. — xxᵉ; du rad. de *vésication*.

♦ Méd. ⇒ **Vésicatoire.**

VÉSICATION [vezikasjɔ̃] n. f. — V. 1363; du rad. du bas lat. *vesicare* «former des ampoules».

♦ Méd. Formation d'ampoules sur la peau par l'action d'un vésicatoire*.

DÉR. Vésicateur.

VÉSICATOIRE [vezikatwaʀ] adj. et n. m. — V. 1363; du rad. du bas lat. *vesicare*. → Vésication.

♦ **1.** Se dit d'un médicament topique qui provoque la formation d'ampoules cutanées et qui est utilisé comme révulsif. *Emplâtre vésicatoire.*

N. m. (1611). *Appliquer un vésicatoire. Le vésicatoire «est presque toujours fait avec de la poudre de cantharide* ou de la cantharidine*» (Garnier).

(...) la jambe de son pantalon retroussée jusqu'à la hanche et montrant le vésicatoire qu'il porte fixé par une feuille sur le plat de la fesse (...)
          CLAUDEL, Connaissance de l'Est, «Vers la montagne».

♦ **2.** (Moins cour.). Vésicule provoquée par le vésicatoire (⇒ **Ampoule, exutoire, phlyctène**); plaie qui lui succède. — Par métaphore. «*La littérature est un vésicatoire qui me démange*» (Flaubert, *Correspondance*, 427, 21-22 sept. 1853).

VÉSICO- Premier élément, tiré de *vesica* «vessie»: *vésico-rectal, ale, aux,* adj. (1904); *vésico-utérin, ine,* adj. (1872); *vésico-vaginal, ale, aux,* adj. (1872).

VÉSICULAIRE [vezikylɛʀ] adj. — 1743; de *vésicule*.

Didactique.

♦ **1.** En forme de vésicule.

Dès le début de cette journée du 24 mars, il y eut quelques symptômes d'apaisement. À l'aube, les nuages, plus vésiculaires, étaient remontés dans les hauteurs du ciel.   J. VERNE, l'Île mystérieuse, t. I, p. 21.

Qui constitue une vésicule, qui présente des vésicules. — Bot. *Cavité vésiculaire.*

♦ **2.** Qui a trait aux vésicules pulmonaires. *Murmure vésiculaire.* — (1861). *Râle vésiculaire :* bruit que fait entendre la respiration dans la pneumonie du premier degré.

VÉSICULE [vezikyl] n. f. — 1541; lat. *vesicula* «vessie, gousse», dimin. de *vesica* «vessie».

♦ **1.** Organe en forme de petit sac. *Une, la vésicule.* Cour. *Vésicule biliaire,* ou, absolt, *la vésicule :* réservoir musculo-membraneux situé à la face inférieure du foie et qui emmagasine la bile. — Didact. *Vésicules séminales :* réservoirs musculo-membraneux dans lesquels s'accumule le sperme, situés en arrière de la vessie, au-dessus de la prostate. — *Vésicules cérébrales :* les trois dilatations du tube neural de l'embryon qui constitueront le cerveau antérieur, postérieur et moyen.

(...) il s'agirait de décider à subir l'opération de l'extraction des calculs qui se sont formés dans la vésicule; on les sent au toucher (...)
          BALZAC, le Cousin Pons, Pl., t. VI, p. 753.

Bot. Cavité close. Renflement rempli d'air qui, chez les plantes aquatiques, joue le rôle d'un flotteur. ⇒ **Aérocyste.** *Les vésicules de l'ascophylle, des fucus.* — Zool. Vx. Vessie natatoire (poissons). *Vésicule aérienne des Siphonophores.*

♦ **2.** (1872). Méd. Lésion de la peau, boursouflure de l'épiderme contenant une sérosité. ⇒ **Ampoule,** 1. **Bulle** (II., 2.), **cloque; bouton, pustule.** *Vésicules de l'herpès*, des maladies de la peau* (⇒ **Psora**). *Éruption* de vésicules. Vésicules rapprochées, confluentes. Vésicules produites par un vésicatoire*.*

DÉR. Vésiculaire, vésiculeux.

VÉSICULEUX, EUSE [vezikylø, øz] adj. — 1752, Trévoux; de *vésicule*.

Didactique.

♦ **1.** En forme de vésicule. ⇒ **Vésiculaire.**

Quand Suter se met à marcher, il écrase un grand nombre de mollusques vésiculeux couleur de rose et qui éclatent avec bruit.   B. CENDRARS, l'Or, p. 74.

♦ **2.** (xxᵉ). Bot. Qui porte des vésicules. *Fucus vésiculeux.*

VESOU [vəzu] n. m. — 1719; *vezou,* 1667; mot créole des Antilles, d'orig. inconnue.

♦ Techn. Jus de la canne à sucre écrasée (cf. A. Brillat-Savarin, *Physiologie du goût,* t. I, p. 128).

VESPA [vɛspa] n. f. — V. 1950; marque déposée; mot ital., «guêpe».

♦ Scooter (de la marque italienne Vespa). — Au plur. *Des Vespas.*

1 (...) elle me montra une créature éblouissante. Une fée d'acier et de chrome : une Vespa (...)
J'ai quatre vitesses (...) Je peux pousser jusqu'à quatre-vingt-cinq (...)
J'ai deux selles grand confort !   P. GUTH, le Mariage du naïf, XVII, p. 184.

2 La nouvelle Faculté de médecine que l'on y a construit attire une nuée de vélos, vespas, mobylettes, vieilles petites autos qui sont les moyens de locomotion ordinaires des étudiants.   J. DUTOURD, les Horreurs de l'amour, p. 104.

On trouve le dérivé *vespiste* [vɛspist] n. :

3 Les vespistes (...) ont repris la ronde infernale de leurs pétarades.
Roger BORNICHE, le Ricain, p. 117.

VESPASIENNE [vɛspazjɛn] n. f. — 1834-1835 ; nom donné aux édicules créés par le préfet Rambuteau, d'après *Vespasien,* empereur romain à qui l'on avait attribué l'établissement d'urinoirs publics à Rome alors qu'en réalité, il avait institué un impôt sur la collecte d'urine, utilisée par les foulons comme source d'ammoniac (→ ci-dessous, cit.).

♦ Urinoir public pour hommes. ⇒ **Pissotière** (fam.), **tasse** (argot). → Barricade, cit. 3.

Raillé par l'opposition, il *(Rambuteau)* s'est servi de la complaisance de la presse, pour faire lancer l'expression «colonnes vespasiennes», afin de supplanter «colonnes Rambuteau» (...) Le mot «vespasienne» était créé peu auparavant par un entrepreneur, qui avait puisé dans ses vagues souvenirs de collège et qui a pensé faire fortune en faisant stationner sur la voie publique des voitures à «commodités». Le *Journal des Femmes* du 4/1/1834 les mentionne pour la première fois.
J. PILISI, *in* le Franç. moderne, avr. 1952, p. 111.

Adj. (vx). *Colonne vespasienne.*

VESPÉRAL, ALE, AUX [vɛsperal, o] n. m. et adj. — 1812 ; bas lat. *vesperalis* «occidental», de *vespera.* → Vêpres.

♦ **1.** N. m. Liturgie cathol. Livre ou partie d'un livre liturgique (ordinaire du bréviaire), contenant les prières et offices du soir. *Le diurnal et le vespéral.*

♦ **2.** Adj. (1836). Didact. ou littér. Du soir*, du couchant. *Des lueurs vespérales.*

1 L'angoisse, ce minuit, soutient, lampadophore,
Maint rêve vespéral brûlé par le Phénix.   MALLARMÉ, Sonnets, IV.

Par plais. (*vespéral* connotant les *vêpres*) :

2 (...) aller à l'église n'était plus que l'un des éléments du complexe dominical, avec les croissants le matin, le quadruple apéritif de midi, et le cinéma vespéral.
R. QUENEAU, le Dimanche de la vie, p. 291.

VESPERTILION [vɛspertiljɔ̃] n. m. — 1544 ; *vespertille,* v. 1350 ; lat. *vespertilio* «oiseau du soir», de *vesper* «soir».

♦ Zool. Mammifère chiroptère, chauve-souris* à oreilles pointues, à museau conique, à ailes courtes et larges, type d'une famille *(Vespertilionidés).*

VESPÉTRO [vɛspetro] n. m. — 1767 ; de *ves(ser), pét(er)* et *ro(ter).*

♦ Vx. Liqueur carminative* faite d'eau-de-vie sucrée, où étaient macérés divers ingrédients (angélique, anis, fenouil).

VESPIDÉS [vɛspide] n. m. pl. — 1904 ; *vespiens,* 1857 ; du lat. *vespa* «guêpe», et *-idés.*

♦ Zool. Famille d'insectes *(Hyménoptères)* à ailes antérieures repliées (⇒ **Diploptères**), à antennes souvent coudées, comprenant des espèces sociales et des espèces solitaires (⇒ **Guêpe**). — Au sing. *Un vespidé.*

VESPISTE [vɛspist] n. ⇒ **Vespa.**

VESPRÉE [vɛpre] n. f. ⇒ **Vêprée.**

VESSE [vɛs] n. f. — XVᵉ ; de l'anc. v. *vessir* «vesser», du lat. *vissire.*

♦ **1.** Vieilli. Gaz intestinal qui s'échappe sans bruit et répand une mauvaise odeur. ⇒ **Pet, vent.** *Faire des vesses.* ⇒ **Vesser.**
Par anal. Gaz fétide.

On attend, avant de traverser la route, que l'autobus nous ait dépassés en lâchant ses vesses de sépia qui donnent mal à la tête.
Réjean DUCHARME, l'Hiver de force, 1973, p. 230.

♦ **2.** Vx. Grande peur. ⇒ **Trouille.**
COMP. Vesse-de-loup.
HOM. Vesce.

VESSE-DE-LOUP [vɛsdəlu] n. f. — 1530 ; de *vesse, de,* et *loup.*

♦ Champignon renfermant des spores grisâtres. — Spécialt. Le lycoperdon. — Au plur. *Des vesses-de-loup.*

VESSER [vese] v. intr. — V. 1460 ; repris 1606 ; altér. de l'anc. v. *vessir,* du lat. pop. *vissire,* même sens.

♦ Vieilli. Lâcher une vesse. ⇒ **Péter.**
COMP. Vespétro.

VESSIE [vesi] n. f. — Fin XIIᵉ ; du lat. pop. *vessica,* altér. de *vesica* «vessie». → Vésical.

♦ **1.** Réservoir musculo-membraneux, situé dans l'excavation pelvienne, en arrière du pubis, dans lequel s'accumule l'urine* élaborée par les reins et amenée par les uretères* avant d'être expulsée par le canal de l'urètre. *La vessie se distend* (capacité physiologique) *à mesure que l'urine s'y accumule. L'urine sort de la vessie par un sphincter double* (partie lisse, sensible à la pression ; partie striée, volontaire). ⇒ **Miction.** *Col de la vessie :* partie qui aboutit à l'urètre. *De la vessie.* ⇒ **Cysto-** ; *cystique, vésical, vésico-.* — *Vice de conformation* (→ Rétention, cit. 2), *exstrophie de la vessie. Rétrécissement qui barre la vessie* (→ Sonder, cit. 2). *Tension, douleur au col de la vessie.* ⇒ **Ténesme.** *Inflammation de la vessie.* ⇒ **Cystite.** *Calculs, pierres dans la vessie* (⇒ Gravelle). *Traitement chirurgical des calculs urinaires de la vessie* (⇒ **Lithotome, -tomie, lithotriteur, -tritie ; taille, tenette**). *Placer une sonde dans la vessie* (→ Boutonnière, cit. 2).

1 Pline dit qu'il n'y a que trois sortes de maladie pour lesquelles éviter on aye droit de se tuer : la plus âpre de toutes c'est la pierre à la vessie quand l'urine en est retenue (...)   MONTAIGNE, Essais, II, III.

♦ **2.** *Vessie desséchée d'un animal,* formant sac. *Gonfler une vessie d'air. Vessie de porc.* — Par ext. *Vessie d'un ballon* : membrane gonflée d'air (quelle qu'en soit la matière) placée à l'intérieur de l'enveloppe d'un ballon.
Vessie gonflable (utilisée pour des réparations de pneumatiques). — Loc. fig. *Prendre des vessies pour des lanternes*.* ⇒ **Lanterne.**
Par métaphore. Chose sans valeur, insignifiante, comme si elle était uniquement remplie d'air (→ Ballon, cit. 2).

♦ **3.** (Fin XVIIIᵉ). VESSIE NATATOIRE : chez certains poissons, Sac membraneux relié à l'œsophage, qui, en se remplissant plus ou moins de gaz, règle l'équilibre de l'animal dans l'eau (on disait aussi *vésicule aérienne*). *Colle** de poisson, fabriquée avec les vessies natatoires de certains poissons* (esturgeon, etc.). ⇒ **Ichtyocolle.** — (Absolt). *Vessie.*

2 Plus tard, il alla rôder autour de sa tante Claire, pour avoir les vessies des carpes et des brochets qu'elle vidait ; il les posait par terre, les faisait péter ; cela l'enthousiasmait.   ZOLA, le Ventre de Paris, 1875, t. I, p. 189.

3 En réalité, les zoologistes dénombrent de nombreux poissons, dans les groupes les plus variés, qui par quelque artifice parviennent à assimiler directement l'oxygène atmosphérique. D'assez nombreux zoologistes considèrent même la vessie natatoire comme un poumon régressé et il est certain qu'en tout cas des rapports de fonction existent entre les deux organes.
A. LEROI-GOURHAN, le Geste et la Parole, 1964, t. I, p. 61.

VESSIGON [vesigɔ̃] n. m. — 1598 ; ital. *vessigone* «grosse vessie» *(vessiga).*

♦ Vétér. Tumeur molle du jarret (hydropisie synoviale), chez le cheval. *Vessigon articulaire ; tendineux.*

VESTALE [vɛstal] n. f. — XIVᵉ, adj. ; lat. *vestalis,* de *Vesta,* nom d'une déesse.

♦ **1.** Antiq. rom. Prêtresse de Vesta, vouée à la chasteté et chargée d'entretenir le feu sacré (→ Long, cit. 1 ; oblation, cit. 2). *Les vestales infidèles* (cit. 13) *à leurs vœux étaient enterrées vivantes.* — *Rôle de vestale, à l'Opéra* (→ Doubler, cit. 10).

♦ **2.** (1680). Fig., littér. (souvent par plais.). Femme d'une parfaite chasteté.

1 Elles ne passaient pas pour des vestales de la dernière sévérité.
A.-R. LESAGE, Don Guzman..., VI, 4.

2 Thérèse, reprend-il au bout d'un instant, c'est assez mal-à-propos que tu fais la vestale avec moi, j'avais ce me semble quelque droit à des complaisances de ta part, n'importe, garde ton argent, mais ne me quitte point. Je suis bien aise d'avoir une fille sage dans ma maison, celles qui m'entourent le sont si peu (...) Puisque tu te montres si vertueuse, dans ce cas-ci, tu le seras j'espère également dans tous.
SADE, Justine..., 1791, t. I, p. 114-115.

DÉR. Vestalies.

VESTALIES [vɛstali] n. f. pl. — 1803 ; de *vestale* (*fêtes vestales,* XVIᵉ).

♦ Antiq. rom. Fêtes de la déesse Vesta.

VESTE [vɛst] n. f. — 1578 ; ital. *veste* «habit» ; lat. *vestis* «vêtement».

♦ **1.** Anciennt. Vêtement couvrant le torse, ouvert devant, long ou court, avec ou sans manches, porté par-dessus ou sous les habits (→ Gilet, cit. 2). *Veste à pans*.* — Loc. fig. *Retenir qqn par le pan* (1. Pan, cit. 1) *de la veste.* — *Habit* (cit. 22) *-veste. Vestes militaires anciennes.* ⇒ **Dolman, hoqueton, soubreveste.** *La tenue du sans-*

culotte se composait d'un pantalon (cit. 3) *et d'une courte veste, la carmagnole*. Veste de tricot* (→ Ébouriffé, cit. 2), *de drap* (→ Limousine, cit. 1), *de coutil* (→ Prisonnier, cit. 5), *en ratine* (cit.) ...

Il endosse la grande veste de chasse, qui lui tombait sur les talons, il coiffe la casquette à soufflet (...) G. SAND, Histoire de ma vie, III, III.

♦ **2.** (V. 1830). Mod. **ⓐ** Vêtement court (à la taille ou aux hanches), à manches longues, ouvert devant et qui se porte sur la chemise, le gilet, etc. *Veste de costume, d'habit, de complet*. Veste droite, croisée.* ⇒ **Veston.** (1849). *Veste de tailleur* (femmes). ⇒ **Jaquette.** *Veste blanche de barman* (→ Gobelet, cit. 1). *Vestes de sport, de chasse; veste en jersey, tweed, velours, cuir, daim, lainage; veste imperméable.* ⇒ **Anorak, blazer, blouson, caban, canadienne, saharienne.** *Porter, mettre une veste. Être, sortir en veste* (→ fam. : en taille*). *Enlever sa veste* (→ Dimanche, cit. 4). — Fam. *Tomber* la veste* (→ Revenir, cit. 47; et aussi série, cit. 4). *Boutonner, déboutonner sa veste* (→ Fouiller, cit. 28).

ⓑ *Chemise-veste* (pour l'été, qui se porte à même la peau). *Veste de pyjama* : partie du pyjama couvrant le torse. *Veste d'intérieur* ou *d'appartement,* utilisée comme la robe de chambre. *Veste de laine tricotée.* ⇒ **Cardigan.**

ⓒ (1867). Loc. fam. *Remporter, ramasser, prendre une veste* : subir un échec (p.-ê. par un jeu de mots d'après *capote,* terme de jeu de cartes). — (1888). Fam. *Retourner sa veste* : changer brusquement d'opinion, de parti.

DÉR. Veston.
COMP. Soubreveste.

VESTIAIRE [vɛstjɛʀ] n. m. — V. 1380; *vestuaire* « lieu où l'on range les habits sacerdotaux », v. 1200; du lat. *vestiarium* « armoire à vêtements », de *vestis* « vêtement ».

♦ **1.** Rare. Lieu où sont déposés les vêtements des personnes appartenant à une communauté. *Le vestiaire d'un tribunal, de la Chambre des députés, d'un couvent.*

♦ **2.** (1876). Cour. Lieu où l'on dépose momentanément vêtements d'extérieur (manteaux...) et objets (parapluies, cannes) dans certains établissements publics (→ Bain, cit. 8). *Le vestiaire d'un théâtre, d'un restaurant, d'un musée... Il remettait chapeau, canne et gants à la préposée* (cit. 4) *au vestiaire. La dame du vestiaire.* — Lieu où l'on quitte ses vêtements de ville pour la tenue correspondant à une activité particulière. *Le vestiaire des ouvriers d'une usine. Vestiaires de joueurs* (→ Infirmerie, cit. 2). *Le vestiaire des acteurs d'un théâtre.*

1   Mais l'usine était plus moderne, les murs semblaient fraîchement repeints, on entrevoyait des lavabos ripolinés, des vestiaires aux patères nickelées. A. MAUROIS, Bernard Quesnay, XV.

2   Après les hourras de courtoisie, ils rentrent au vestiaire, appuyant sur les talons et pliant le dos. Jean PRÉVOST, Plaisirs des sports, p. 138.

Fam. *Au vestiaire! :* cri hostile à l'égard de sportifs, d'acteurs, etc. — Fig. *Il peut retourner au vestiaire* (→ Il peut aller se rhabiller*).

2.1   Avec le pèze qu'il a, les drôles qui veulent l'arnaquer peuvent retourner au vestiaire. R. DORGELÈS, Tout est à vendre, p. 422.

Meuble ou endroit d'un logement aménagé pour déposer les vêtements. ⇒ **Dressing-room** (anglic.). — Adj. Vx. *Meuble vestiaire.*

♦ **3.** (1863). Ensemble de vêtements d'une garde-robe; équipement vestimentaire d'une personne. *Il remua tout son vestiaire de mascarade orientale* (→ Tarbouch, cit. 1). *Il, elle a un très beau vestiaire.*

3   Lucile passa pratiquement trois semaines sur son lit, en robe de chambre. Son vestiaire d'été était composé de maillots de bain et de pantalons de toile, destinés aux beaux jours de Monte-Carlo. F. SAGAN, la Chamade, p. 184.

Les vêtements et objets déposés au vestiaire (2.). *Chercher le vestiaire de quelqu'un* (Aragon, *les Beaux Quartiers,* I, p. 397). *Réclamer son vestiaire, le vestiaire* (Mauriac, *Génitrix,* VII).

4   — Apportez les vestiaires, Charles, y compris celui de monsieur Bitos. Charles est sorti précipitamment chercher les vestiaires. Il revient au bout d'un temps, comiquement surchargé de manteaux. J. ANOUILH, Pauvre Bitos, p. 58.

VESTIBULAIRE [vɛstibylɛʀ] adj. — 1824, Nysten; de *vestibule.*

♦ Anat. Qui a rapport à un vestibule (II.). Spécialement :

ⓐ Relatif au vestibule de l'oreille interne. *Appareil vestibulaire* : partie de l'oreille interne constituée par les canaux semi-circulaires, l'utricule et le saccule, organe de l'équilibre.

ⓑ Du vestibule de la cavité buccale. « *La face vestibulaire* (de l'incisive) *est plane, légèrement bombée aux deux tiers* » (P.-L. Rousseau, *les Dents,* p. 12). « *Le mouvement en "baratte" accompli par le bol alimentaire comprimé entre les joues et les surfaces vestibulaires des couronnes dentaires* » (*la Recherche,* nov. 1978, n° 94).

VESTIBULE [vɛstibyl] n. m. — 1509; *vestible,* XIIIe; ital. *vestibulo* ou *vestibolo;* du lat. *vestibulum* « vestibule, entrée ».

★ **I.** Pièce d'entrée (d'un édifice, d'une maison, d'un appartement). ⇒ **Antichambre, entrée, hall.** *Vestibule petit* (→ Escalier, cit. 3), *majestueux* (→ Hôtel, cit. 12), *obscur* (→ Enfoncer, cit. 32). *Portemanteaux* (cit. 3 et 4) *installés dans le vestibule. Introduire qqn dans le vestibule* (→ Bras, cit. 13). *Attendre dans un vestibule* (→ Marmot, cit. 5).

1   En bas, desservant chaque façade, une porte haute et étroite, sans boiserie, taillée dans le nu du plâtre, creusait un vestibule lézardé, au fond duquel tournaient les marches boueuses d'un escalier à rampe de fer (...) ZOLA, l'Assommoir, II, t. I, p. 54.

2   Un soir, une courte panne d'électricité l'ayant surpris dans le vestibule de son petit appartement de célibataire, il tâtonna un moment dans les ténèbres et, le courant revenu, se trouva sur le palier du troisième étage. M. AYMÉ, le Passe-muraille, p. 7.

Le vestibule d'une église (⇒ **Narthex**). *Vestibule d'un temple* (⇒ **Prostyle**). *Les propylées* (cit.), *vestibule de l'Acropole.*

Fig. *Le vestibule de l'enfer* (→ Antre, cit. 5), *de la mort.*

En franç. d'Afrique. Case servant d'antichambre; pièce de réception (*in* I. F. A.).

★ **II.** ♦ **1.** (1690). Anat. *Vestibule (de l'oreille interne)* : partie moyenne du labyrinthe de l'oreille interne. *Vestibule osseux,* compris entre le limaçon et les canaux semi-circulaires. *Vestibule membraneux,* contenu dans le vestibule osseux et constitué de deux vestibules, l'utricule (2.) et le saccule. *Le vestibule communique avec la caisse du tympan par la fenêtre ovale.*

♦ **2.** *Vestibule de la cavité buccale* : partie comprise entre les joues, les lèvres et les arcades gingivo-dentaires.

♦ **3.** (1835). *Vestibule génital* : « région triangulaire, délimitée par les petites lèvres, le clitoris, le méat urinaire et l'orifice inférieur du vagin » (Testut).

DÉR. Vestibulaire.

VESTIGE [vɛstiʒ] n. m. — 1377, fig.; lat. *vestigium,* proprt « trace du pied ».

REM. S'emploie surtout au pluriel.

♦ **1.** (1488). Vx. Trace, empreinte de pas sur un terrain.

♦ **2.** (1491). Concret. Ce qui demeure (d'une chose détruite, disparue). ⇒ **Reste, trace.** *Le temps détruit* (cit. 8) *jusqu'au moindre vestige. Un renard, un loup empaillé* (cit. 1), *vestiges des chasses de sa jeunesse. Les vestiges d'un mur* (→ Passer, cit. 121). ⇒ **Débris.** *Les vestiges des enceintes* (1. Enceinte, cit. 1) *de Salomon.* ⇒ **Ruine.**

1   Aujourd'hui encore de certains vestiges reconnaissables, tels que de vieux troncs d'arbres brûlés, marquent la place de ces pauvres bivouacs tremblants au fond des halliers. HUGO, les Misérables, II, I, II.

2   Le vestige le plus entier et le plus intéressant qui reste de toute cette splendeur disparue est une mosaïque de grande dimension (...) Th. GAUTIER, Voyage en Espagne, p. 249.

3   (...) pareille à une vision de rêve, à une ville pétrifiée par quelque enchantement, vestige d'une civilisation disparue, une ville morte longtemps ensevelie sous les sables. MARTIN DU GARD, les Thibault, t. IX, p. 134.

Ce qui reste (d'un groupe d'hommes, d'une société). *Les vestiges de notre division qui n'étaient que vingt pour cent des hommes* (→ Replier, cit. 7). *Le francique* (cit. 2) *a laissé des vestiges importants.* — *Les vestiges du passé* (→ Histoire, cit. 22).

♦ **3.** (1377). Ce qui reste (d'une chose abstraite : idée, sentiment..., d'un caractère). *Des vestiges de grandeur* (→ Attractif, cit. 5), *de magnificence* (→ Haillon, cit. 1). ⇒ **Apparence, marque, reste, trace.**

4   (...) Il ne reste que moi
Où l'on découvre encor les vestiges d'un roi. RACINE, Alexandre, II, 2.

5   (...) sa figure, tannée, sillonnée de rides, creusée, mais musculeuse, conservait encore quelques vestiges de martialité. BALZAC, le Médecin de campagne, Pl., t. VIII, p. 390.

6   Le sourire aux lèvres, l'ex-étoile commença une série de rapides évolutions, encore marquées par certains vestiges de son talent passé; sous les plis raides de la jupe de tulle, ses jambes monstrueuses, moulées par l'étreinte du maillot rose, accomplissaient leur savant travail avec une agilité suffisante et un restant de grâce dont on avait lieu d'être surpris. Raymond ROUSSEL, Impressions d'Afrique, p. 113.

♦ **4.** Fam. et par plais. *De beaux vestiges* : des restes de beauté. ⇒ **Reste, souvenir.**

7   — Quel mystère!... (*Saluant.*) Monsieur...
— Madame!... (*À part.*) Elle a encore de très beaux vestiges. E. LABICHE, les Suites d'un premier lit, 6 (1852).

VESTIMENTAIRE [vɛstimɑ̃tɛʀ] adj. — Fin XIXe; lat. *vestimentarius,* de *vestimentum* « vêtement ».

♦ Qui a rapport aux vêtements. *Dépense vestimentaire.* — *Le comportement alimentaire et vestimentaire d'une population. Élégance vestimentaire.* « *Le décor vestimentaire* » (→ Parure, cit. 2.1).

Les modèles vestimentaires se réfugient dans la fiction et la presse, la télévision, le cinéma pallient la déficience individuelle en habillant momentanément le spectateur en héros. Comme dans tous les domaines de l'imagination, le nombre des modèles est restreint et monotone; un court inventaire épuise le répertoire du

Sioux, du cow-boy, du mousquetaire, du guerrier antique indéterminé, du guerrier de la guerre juste précédente, de l'astronaute pour les symboles d'agressivité.
A. LEROI-GOURHAN, le Geste et la Parole, t. II, p. 192.
Un détail vestimentaire, du vêtement, de l'habillement. Des particularités vestimentaires.

VESTON [vɛstɔ̃] n. m. — 1769 ; de *veste*.

♦ **1.** Anciennt. Veste d'homme. *Domestique en veston et tablier blanc.* — Vx. *Veston de chambre* (analogue à la robe de chambre).

1 Aussitôt son projet conçu, il en commença l'exécution. Il décrocha dans son armoire son veston de rue, ôta le vieux, et, prenant toutes les pièces enregistrées qui concernaient le service de son collègue, il se rend au bureau (...)
MAUPASSANT, l'Héritage, Pl., t. II, p. 9.

2 Un soir, elle était entrée chez lui en sortant d'un bal, et ils avaient été faire un tour au bois de Boulogne : elle décolletée, lui en veston de chambre. C'était au printemps : il faisait doux.
MAUPASSANT, Fini, Pl., t. II, p. 515.

♦ **2.** (1887, Zola). Mod. Veste (2.) d'un complet d'homme, d'un smoking (→ Bouton, cit. 8.1). *Des complets-veston. Être en veston.*

3 Le marquis avait un veston noir, avec un gilet très peu ouvert qui découvrait le haut d'une cravate-plastron bariolée (...)
J. ROMAINS, les Hommes de bonne volonté, t. III, XI, p. 147.

4 En outre, façonnés par ses conseils et par le même désir de lui plaire, ils en venaient à se ressembler par le maintien, la démarche, le port du veston et la couleur de la cravate, et même par des expressions de physionomie.
M. AYMÉ, le Passe-muraille, 1943, p. 53.

DÉR. Vestonné.

VESTONNÉ, ÉE [vɛstɔne] adj. — 1943 ; de *veston*.

♦ Rare et par plais. Qui porte un veston. *« Un bourgeois très correct (...) vestonné, colleté, cravaté »* (Denyse Vautrin, *le Reste de l'âge*, p. 160).

Marchant au bras de son fiancé cravaté et vestonné de frais, la fille de Voiturier semblait naître à un monde nouveau (...)
M. AYMÉ, la Vouivre, p. 114.

VÉSUVIEN, IENNE [vezyvjɛ̃, jɛn] adj. — 1876, *in* P. Larousse ; de *Vésuve*, ital. *Vesuvio*.

♦ Didact. Du Vésuve, volcan dominant Naples. *Les éruptions vésuviennes.*

VÊTEMENT [vɛtmɑ̃] n. m. — 1080 ; *vestiment*, v. 980 ; de *vêtir*, d'après lat. *vestimentum* «vêtement».

★ **I. A.** ♦ **1.** Didact. Objets fabriqués pour couvrir le corps humain, le cacher, le protéger, le parer (coiffure, chaussures, linge, habits et accessoires). ⇒ **Garde-robe.**

1 Ce paquet contenait une petite robe de laine, un tablier, une brassière de futaine, un jupon, un fichu, des bas de laine, des souliers, un vêtement complet pour une fille de huit ans.
HUGO, les Misérables, II, III, IX.

♦ **2.** Cour. LES VÊTEMENTS : ensemble des objets servant à couvrir le corps humain ; habillement (comprenant le linge mais non les chaussures) ; spécialt, habillement de dessus (opposé à *sous-vêtements*). ⇒ **Ajustement, costume, habillement, habits, mise, tenue, toilette** ; et fam. **fringues, frusques, nippe ; fripe.** *Les vêtements de qqn.* ⇒ **Affaires, effets, garde-robe.**

1.1 Bien qu'il soit difficile d'apercevoir le costume que portent les dormeurs, il semble qu'aucun d'eux ne se soit déshabillé pour la nuit, car on ne voit nulle part de vêtements pendus, ou pliés, ou jetés au hasard.
A. ROBBE-GRILLET, Dans le labyrinthe, p. 127.

Des vêtements ridicules (⇒ **Accoutrement, affublement**), *misérables, sordides* (⇒ **Cache-misère, décrochez-moi-ça, défroque**). — *Vêtements d'homme ; de femme. Être vêtu de ses plus beaux vêtements.* ⇒ **Atours, parure.** *Vêtements anciens ; modernes.* — *Vêtements civils, militaires* (⇒ **Uniforme**). *Vêtements de théâtre, de mascarade* (⇒ **Déguisement**).

Vêtements professionnels. Vêtements de valet de chambre (⇒ **Livrée**), *de boucher, de cuisinier. Vêtements de travail** (⇒ **Bleu, combinaison, salopette**). *Vêtements de sports* (⇒ **Survêtement**), *de marche, de ski.* — *Vêtement de vol. Vêtement d'altitude, vêtement anti-g* : combinaison de vol en haute altitude, atténuant les effets des accélérations brutales. — *Fabrication, industrie, commerce du vêtement.* ⇒ **Bonneterie, confection, couture, couturier, couturière, mode, tailleur ; fripier, friperie.** *Vêtements de confection ; sur mesure. Matières premières des vêtements.* ⇒ **Étoffe, textile, tissu, tricot ; cuir, fourrure, peau.** *Marchand* (cit. 8) *de vêtements. Faire ; assembler, bâtir* (⇒ **Bâti**), *monter, coudre, finir* (⇒ **Finition**) *un vêtement. Patron, modèle d'un vêtement. Réparer un vêtement* (⇒ **Raccommoder, ravauder, recoudre, repriser, stopper**). *Border* (⇒ **Bord, frange, ourlet**), *doubler ; rallonger, raccourcir ; retoucher un vêtement* (⇒ **Retouche**). *Laver, repasser ; détacher, nettoyer... des vêtements.* ⇒ **Agrafe, bouton, boutonnière, coulisse, épingle** (cit. 8), **fermeture** (fermeture Éclair), **lacet, œillet, pression.** *Forme d'un vêtement. Vêtement ajusté, ample, cintré, croisé, décolleté, drapé,*

droit, fermé, montant, plissé*, strict, vague. Parties d'un vêtement. ⇒ **Basque, capuchon, ceinture, col, collet, cordelière, corps** (II., 4.), **devant, dos, encolure, manche, pan, poche, rabat** (II.), **retroussis, revers.** — *Accessoires, ornements des vêtements.* ⇒ **Affiquet, brandebourg, colifichet, dentelle, dépassant, falbala, fanfreluche, frange, galon, garniture, parement, passepoil, volant** ; et aussi **crevé, taillade.**

Port des vêtements. Vêtements qui collent, serrent, qui flottent (cit. 83). *Vêtements collants. Être serré dans un vêtement trop petit.* ⇒ **Boudiné, saucissonné.** *Empêtrés* (cit. 9) *dans des vêtements raides. Vêtements neufs. Vêtements déjà portés, usés, qui montrent la corde, déchirés, élimés*, en loques** (→ **Guenille, haillon** ; **déguenillé, dépenaillé** ; → Frisson, cit. 9 ; 2. mineur, cit. 1). *Vêtements fripés* (→ Négligé, cit. 4), *en désordre. Vêtements mettables, portables, de bonne, de mauvaise qualité* (cit. 4). *Faste* (1. Faste, cit. 5), *luxe* (cit. 14) *des vêtements. Déchirer, lacérer* (→ Gémir, cit. 3), *user ses vêtements.* — *Vêtements courts ; longs, qui couvrent tout entier le corps. Porter des vêtements blancs, clairs* (→ Du blanc, du clair), *foncés* (cit. 9). *Vêtements de deuil, de demi-deuil. Vêtements de tous les jours. Vêtements du dimanche* (⇒ **Endimanché**). *Vêtements d'apparat* (→ Ménager, cit. 4 ; représentation, cit. 8), *de cérémonie. Vêtements habillés, de ville ; de sport, de bain, de ski...* — *Vêtements légers* (→ Importun, cit. 14), *chauds. Vêtements d'été, d'hiver* (→ Malpropreté, cit. 3), *de demi-saison.* — *Vêtements à la mode, démodés.* — *Vêtements de jour, de nuit* (→ Poitrine, cit. 12), *de dessus, de dessous* (⇒ 2. **Dessous, 3.** ; **sous-vêtement**). — *Mettre* (cit. 30) *ses vêtements, des vêtements.* ⇒ **Couvrir** (se), **équiper** (s'), **habiller** (s'), **harnacher** (se), **vêtir** (se) ; (fam.) **fagoter, fringuer** (se), **nipper** (se). *Être enveloppé de vêtements chauds.* ⇒ **Emmitouflé.** *Agrafer, boutonner, enlever, ôter* (cit. 4), *quitter* (cit. 19) *ses vêtements.* ⇒ **Déshabiller** (se), **dévêtir** (se). *Déboutonner, dégrafer, délacer... un vêtement. Changer de vêtements.* ⇒ **Changer** (se). *Vêtements de rechange. Porter des vêtements* (→ Cacher, cit. 23). *Vivre sans vêtements* (→ Nudité, cit. 4). *Pendre, ranger* (⇒ **Cintre, penderie, porte-manteau, valet**) ; *plier* (→ Maladresse, cit. 1) *des vêtements* (→ aussi 1. Loi, cit. 46).

Noms de vêtements. ⇒ **Costume.** *Vêtements assortis.* ⇒ **Complet, ensemble, habit, tailleur.** *Vêtement de bébé.* ⇒ **Layette.** — *Vêtements exotiques, arabes, orientaux, japonais...* ⇒ **Burnous, gandoura, haïk** (cit. 1), **séroual ; kimono, obi ; pagne, paréo, poncho.** *Vêtements sacerdotaux.* ⇒ **Aube, chasuble, soutane, surplis.** — *Caractère symbolique des vêtements.* «*Dans la quête éperdue de son identité sexuelle, sociale et affective structurée, tout enfant tient comme à la prunelle de ses yeux aux prérogatives, aux attitudes, aux vêtements-symboles de son sexe*» (*F. Magazine*, nº 38, mai 1981, p. 115).

♦ **3.** (Vieilli). *Le vêtement de qqn*, sa manière habituelle de se vêtir. ⇒ **Habillement.**

2 Le vêtement de M. Gillenormand n'était pas l'habit Louis XV, ni même l'habit Louis XVI ; c'était le costume des incroyables du Directoire.
HUGO, les Misérables, III, II, II.

♦ **4.** Mod. LE VÊTEMENT (sing. collectif) : les vêtements. *Fabrication, industrie, commerce du vêtement* (⇒ **Bonneterie, confection, couture, mode**). *Il travaille dans le vêtement.* — *L'anthropologie du vêtement.* ⇒ **Costume, mode.**

♦ **5.** *Un vêtement* : une pièce de l'habillement de dessus (spécialt manteau, pardessus, veste). *Je vais chercher un vêtement et je sors avec vous.*

B. Fig. Ce qui couvre, cache, pare, protège. ⇒ **Enveloppe, manteau, parure** (cit. 5 ; → Physionomie, cit. 4 ; tisser, cit. 2). *Le vêtement d'une pensée* (→ Forme, cit. 59). *La grâce* (cit. 66) *est le vêtement naturel de la beauté.*

★ **II.** (V. 1900 ; correspond à *vêtu*, 3.). Blason. Pièce honorable formée par quatre triangles aux coins de l'écu.

COMP. Sous-vêtement, survêtement.

VÉTÉRAN [veterɑ̃] n. m. — 1554 ; adj., 1540 ; lat. *veteranus* «vieux, ancien», de *vetus, veteris* «vieux».

♦ **1.** Antiq. rom. Soldat de métier ayant de nombreuses années de service. *Les vétérans étaient groupés en centuries spéciales* (réserve d'élite de la légion).

♦ **2.** (1791). Hist. Soldat qui a de longs états de service. «*Fier vétéran âgé de quarante ans de guerre*» (→ Chevron, cit.). *Les vétérans de la Révolution* (→ Saigner, cit. 2). *Un hôpital de vétérans* (→ Rééduquer, cit.).

Mod. Ancien combattant. *Les vétérans de la guerre de 1914.*

♦ **3.** (1747). Cour. Personne pleine d'expérience (dans un domaine). *Un vétéran de l'enseignement.* ⇒ **Ancien** (→ Un vieux routier*).

(1680) ; vieilli. Élève qui redouble sa classe. ⇒ **Ancien, redoublant** (→ Amadouer, cit. 5).

♦ **4.** (1885). Sportif ayant dépassé 35 ans, et n'étant plus dans la catégorie des *seniors**.

REM. Le fém. *vétérane* (1869, au sens 3) semble inusité. On dira plutôt : *Mme X, vétéran de la lutte politique.* On trouve même, par confusion morphologique, le barbarisme *vétérante* (*Sciences et Avenir*, n° 35, n. s., p. 34).
CONTR. **Bleu, commençant, nouveau.**
DÉR. **Vétérance.**

VÉTÉRANCE [veteRɑ̃s] n. f. — 1705 ; de *vétéran.*

♦ Vx. Situation de vétéran (1. et 2.). — REM. Au sens 2 de *vétéran*, on trouve la var. *vétéranisme* (1719).

VÉTÉRINAIRE [veteRinɛR] adj. et n. — 1563 ; lat. *veterinarius* « relatif aux bêtes de somme », de *veterina*, plur. neutre, « bêtes de somme ».

♦ **1.** Adj. Qui a rapport au soin des bêtes (animaux domestiques, bétail). *Médecine vétérinaire*, dont l'objet est la connaissance de l'anatomie, de la physiologie et de la pathologie animales (s'agissant d'animaux considérés comme utiles à l'homme ou appréciés par l'homme). *Art vétérinaire. Écoles vétérinaires. Le service vétérinaire de l'armée* (cit. 14).

♦ **2.** N. (1563). Cour. *Un, une vétérinaire* : spécialiste de la médecine des animaux utiles à l'homme ou en relation avec l'homme, notamment des animaux d'élevage, des animaux domestiques, des animaux apprivoisés ou dressés. *Appeler le, la vétérinaire. Conduire un chien chez le, chez son vétérinaire. Le vétérinaire d'un zoo* (→ Gitan, cit. 1 ; réputé, cit. 6). *Instruments du vétérinaire.* ⇒ 2. **Flamme, pilulaire** ; et aussi **chirurgie.** *Il, elle fait des études pour être vétérinaire* (argot des écoles : *il, elle fait véto*).

Ah ! rien n'allait. Le blé avait encore baissé, les avoines étaient chétives. Jusqu'à son cheval, dont le ventre enflait, si bien qu'il avait dû faire venir deux fois le vétérinaire.　　　　　　　　ZOLA, la Terre, III, II.

Adj. ou appos. *Médecin vétérinaire. Étudiant vétérinaire.*

VÉTILLARD, ARDE [vetijaR, aRd] n. et adj. — 1640 ; de *vétille.*

♦ Vx. Personne qui vétille ; chicanier. ⇒ aussi **Vétilleur.** — Adjectif :

C'était peut-être à cause de ces souvenirs-là qu'il avait tant l'air vétillard et grognon, comme un vieux chien qu'on aurait dérangé dans ses habitudes et qui essaye de retrouver son panier à coussin partout où on veut bien lui ouvrir la porte.　　　　CÉLINE, Voyage au bout de la nuit, p. 30.

VÉTILLE [vetij] n. f. — 1528 ; de *vétiller.*
Littéraire.

♦ **1.** Chose insignifiante. ⇒ **Bagatelle, détail, minutie, misère, pointille** (vx)**, rien.** → Discrimination, cit. 2. *Ergoter* sur des vétilles.* ⇒ **Aiguille** (disputer sur une pointe d'aiguille). *S'amuser à des vétilles.*

1 Des querelles avaient éclaté entre elle et sa sœur, pour une tasse qu'elle venait de casser.　　　　　　　ZOLA, la Terre, III, I.
2 (...) le tribunal honteux et les magistrats au grand complet se demandent comment on a osé les convoquer pour de pareilles vétilles, et un jugement négatif est rendu au milieu de l'hilarité et des quolibets de l'assistance.
　　　　　　　Henri MICHAUX, La nuit remue, p. 16.

♦ **2.** (1611). Vx. Jeu de patience, casse-tête consistant en anneaux entrelacés très difficiles à séparer.
DÉR. **Vétillard, vétilleux.**

VÉTILLER [vetije] v. intr. — Déb. xvie ; de l'anc. franç. (1449) *vette* « lien, ruban » ; proprt « s'occuper de rubans » ; du lat. *vitta* « bandelette ».
Vieux.

♦ **1.** S'occuper à des choses insignifiantes. *Perdre son temps à vétiller.*

♦ **2.** (1845). Chicaner*, chercher querelle sur des riens.
DÉR. **Vétille, vétilleur.**

VÉTILLEUR, EUSE [vetijœR, øz] adj. — 1642, Oudin ; de *vétiller.*

♦ Syn. de *vétilleux.* ⇒ aussi **Vétillard.**
Romancier catholique, toute son œuvre reflétait un dieu vétilleur et un peu éteint.　　　　　　　M. AYMÉ, Travelingue, p. 10.

VÉTILLEUX, EUSE [vetijø, øz] adj. — 1658 ; de *vétille.*
Littéraire.

♦ **1.** Qui s'attache à des détails, à des vétilles (⇒ aussi **Vétillard, vétilleur**). *Esprit vétilleux. Personne vétilleuse.* ⇒ **Chicaneur, formaliste, maniaque, minutieux, pointilleux, tatillon.**

1 D'année en année, le vieil Hochon était devenu plus vétilleux, plus soigneux, et il avait en ce moment quatre-vingt-cinq ans !
　　　　　　　BALZAC, la Rabouilleuse, Pl., t. III, p. 996.

Le génie français se montre vétilleux sur la répétition des termes.
　　　　　　　G. DUHAMEL, Discours aux nuages, I.　　2

♦ **2.** (1732). Qui est réglé minutieusement.
Littéraire, puisque telle était son occupation majeure et que c'est là qu'il faisait jouer la casuistique la plus vétilleuse (...)　　Michel LEIRIS, Frêle bruit, p. 381.　　3

VÊTIR [vetiR] v. tr. — *Je vêts, tu vêts, il vêt* (var. *il vêtit*)*, nous vêtons, vous vêtez, ils vêtent* (var. *ils vêtissent*)*; je vêtais* (var. *il vêtissait*)*; je vêtis ; je vêtirai ; je vêtirais ; vêts, vêtons, vêtez ; que je vête ; que je vêtisse* (inus.)*; vêtant* (var. *vêtissant*)*; vêtu.* — 980, *vestir* ; du lat. *vestire* « vêtir, revêtir ».

A. V. tr. Littér. ♦ **1.** Couvrir (qqn) de vêtements ; mettre un, des vêtements à (qqn). *Vêtir, parer* une poupée* (cit. 1)*, un enfant.* ⇒ **Habiller,** et aussi **accoutrer, affubler.** *Vêtir ceux qui sont nus,* titre français d'une pièce de Pirandello.

♦ **2.** (xiie). Mettre sur soi (un vêtement). ⇒ **Revêtir.** *Chaque femme était obligée de vêtir une lévite* (→ Soutien, cit. 1).

Mais Dostoïevski ne peut vêtir l'habit de tout le monde sans paraître porter une défroque, et s'être glissé dans le vêtement d'autrui.　　1
　　　　　　　André SUARÈS, Trois hommes, « Dostoïevski », I.

B. V. pron. Plus cour. (mais *s'habiller* est le v. non marqué). SE VÊTIR (*se vestir qqch.*, 1579) : s'habiller. ⇒ **Couvrir** (se) ; pop. ou fam. **capitonner** (se)**, fringuer** (se) ; → Corder, cit. 1. *La façon de se vêtir* (→ Entendement, cit. 8). *Nécessité de se vêtir.* — Fig., littér. « *Le temps a laissé son manteau De vent, de froidure* (cit. 2) *et de pluie Et s'est vêtu de broderie...* » (Ch. d'Orléans).

Dans la splendeur adorable du soir, de quels rayons se vêtait ma joie !　　2
　　　　　　　GIDE, Si le grain ne meurt, II, I.

REM. On rencontre dans la langue littéraire un imparfait, un p. prés. et un présent pluriel en *vêtis-* (*vêtissait, vêtissant ; ils vêtissent,* → 1. Mue, cit. 1, Buffon), cf. Montesquieu, Voltaire, Delille *in* Littré qui considère ces formes comme « une faute contre la conjugaison de *vêtir* ».
CONTR. (Trans. et pron.) **Dépouiller, déshabiller, dévêtir.**
DÉR. **Vêtement, vêtu, vêture.**
COMP. **Dévêtir, revêtir.**

VÉTIVER [vetiveR] n. m. — 1876 ; *vétyver*, 1827 ; tamoul *vettiveru* « sorte d'herbe ».

♦ **1.** Variété d'andropogon*, plante tropicale d'origine indienne (*Graminées*) dont l'odeur éloigne les insectes et dont la racine est utilisée en parfumerie.
L'école des filles était séparée de celle des garçons par une ligne de vétivers.　　0.1
　　　　　　　Bernard DADIÉ, Climbié, *in* I. F. A.

Racine de cette plante. *Le vétiver avait au début du XIXe siècle un usage analogue à ce que fut celui de la naphtaline plus tard.*
Il est très bien entortillé *(un schall)* dans du vétiver de peur des vers.　　1
　　　　　　　Lettres de Laure SURVILLE de BALZAC, nov. 1834, p. 167.
Le faste russe des fourrures　　2
Que parfume le vétiver.
　　　　　　　Th. GAUTIER, Émaux et Camées, « Fantaisies d'hiver », IV.

♦ **2.** Parfum de la racine de cette plante.
(...) un cavalier moderne vêtu de tweed et de linge fin (petit foulard de soie, parfum délicieux fait d'un mélange subtil de vétiver, de cuir et de crottin).　　3
　　　　　　　Marie CARDINAL, les Mots pour le dire, p. 206.

REM. La graphie *vétyver* se rencontre dans des contextes littéraires.
J'ai tant vécu dans ton charme énervant, comme nourri de gâteaux de gingembre, comme enivré de vétyver et d'ambre !　　4
　　　　　　　Ch. CROS, le Coffret de santal, Pl., p. 114.

VETO [veto] n. m. — 1718 ; mot lat., « je m'oppose ».

♦ **1.** Hist. rom. Formule par laquelle les tribuns du peuple pouvaient s'opposer aux décrets du Sénat, des Consuls, aux actes des magistrats.

♦ **2.** (1753). Hist. En Pologne, Formule par laquelle les nonces pouvaient, dans la Diète, arrêter les délibérations (le droit même s'appelait *liberum veto*).

♦ **3.** (1789). Mod. « Institution par laquelle une autorité (chef d'État, seconde chambre, peuple) peut s'opposer à l'entrée en vigueur d'une loi votée par l'organe compétent » (Capitant). *Veto absolu, veto suspensif. Veto suspensif du roi, dans la constitution de 1791* (→ Ancre, cit. 7). *Monsieur, Madame Veto*, sobriquet de Louis XVI et Marie-Antoinette sous la Révolution.

Madame Veto avait promis　　0.1
De faire égorger tout Paris (...)
Monsieur Veto avait promis
D'être fidèle à sa patrie (...)　　*La Carmagnole*, chant révolutionnaire.
Pour le *veto*, l'avis de Necker qu'il adressa à l'Assemblée, celui auquel du reste elle s'arrêtait d'elle-même, fut d'accorder le *veto* au Roi, le *veto suspensif*, le droit d'ajourner jusqu'à la seconde législature qui suivrait celle qui proposait la loi.　　1
　　　　　　　MICHELET, Hist. de la Révolution franç., II, VI.

Veto populaire, par lequel des citoyens font soumettre une loi au référendum (cit. 1). *Veto du Conseil de l'O. N. U. Droit de veto. Mettre, opposer son veto à* (qqch.).

♦ **4.** (V. 1793). Fam. Opposition*, refus. *Mettre son veto à une décision*, la refuser, la repousser (→ Jeter l'exclusive* sur...; prononcer l'interdit* sur...).

2 Il y a des familles où il est tacitement convenu que ce qui déplaît à l'un est interdit à tous les autres (...) Tous se reconnaissent les uns aux autres un droit de « veto »; tous exercent ce droit avec majesté.
ALAIN, Propos, 12 juil. 1907, En famille.

3 Il voulut entraîner la demoiselle en dépit du veto du souteneur.
R. QUENEAU, Pierrot mon ami, éd. L. de Poche, p. 14.

CONTR. Assentiment.

VÊTU, UE [vety] adj. — XVIIe; « qui a revêtu l'habit religieux », 1258; *vestu(t)*, 1080; de *vêtir*.

♦ **1.** Qui porte un vêtement; qui a mis ou à qui l'on a mis un vêtement. *Être* (1. Être, cit. 100) *bien vêtu* (⇒ **Habillé** [plus cour.], **mis, paré**; → Monsieur, cit. 4), *mal vêtu, à demi-vêtu* (→ Homme, cit. 136; peser, cit. 25). *Somptueusement* (→ Mandarin, cit. 1; 1. paré, cit. 15), *indécemment vêtu* (→ Méprendre, cit. 2). *Pauvrement* (cit. 1) *mais décemment vêtu. Chaudement, grossièrement vêtu* (→ Cahoté, cit. 2). *« Légère et court vêtue, elle allait à grand pas »* (→ Agile, cit. 1, La Fontaine). *Vêtu de neuf* (→ Fringant, cit. 2). *Vêtu de loques, de haillons* (→ Emporter, cit. 2), *de guenilles* (cit. 5). *Vêtu d'une façon extravagante.* ⇒ **Carême-prenant, chie-en-lit.** *« Lorsque* (cit. 3) *avec ses enfants vêtus de peaux de bêtes... »* (Hugo). *Vêtu de blanc* (cit. 1), *de kaki* (→ Ration, cit. 1). *Tout de bleu vêtu. Orphelin* (cit. 2) *vêtu en, de noir. Vêtu en paysan* (→ Ais, cit. 3); *à l'ancienne mode* (→ Engoncé, cit. 1), *à l'anglaise* (→ Poisson, cit. 12). *Jeunes filles vêtues comme des Parisiennes* (→ Embrasure, cit. 5).

1 Madame Goujet, toujours vêtue de noir, le front encadré d'une coiffe monacale, avait une face blanche et reposée de matrone.
ZOLA, l'Assommoir, IV, p. 134.

2 Une dame d'un certain âge entre, sourit, salue. Elle est vêtue d'une robe de soie noire, assez décolletée, avec des manches mi-longues, des dentelles, des pierreries, des diamants.
J. ROMAINS, les Hommes de bonne volonté, t. V, p. 65.

3 C'était une femme assez grande, encore jeune, vêtue avec une certaine recherche.
J. ROMAINS, les Hommes de bonne volonté, t. V, XVI, p. 116.

4 (...) un grand vieillard solennel, tous les jours vêtu d'une redingote noire à revers de soie (...)
M. JOUHANDEAU, Chaminadour, Contes brefs, « M. Sincère ».

Fig. *« Vêtu de probité candide* (cit. 1) *et de lin blanc »* (Hugo).

♦ **2.** Littér. (en parlant des animaux, des objets, de la nature). ⇒ **Couvert, recouvert.** *Poussins* (cit.) *vêtus de duvet jaune. Livres* (1. Livre, cit. 6 et 9) *vêtus de veau, de maroquin. Mur vêtu de lierre* (→ Moineau, cit. 3). *Les arbres vêtus de givre* (cit. 4). *La vallée toute vêtue de feuilles* (→ Harmonie, cit. 50). *Le paysage vêtu de blanc* (→ Neigeux, cit. 2).

♦ **3.** N. m. (1690). Blason. Partition de l'écu en losange dont les quatre angles touchent les bords de l'écu.

CONTR. Nu.

VÊTURE [vetyʀ] n. f. — V. 1155, *vesteüre* « action de vêtir » et « vêtement »; *vesture* « vêtement », XIIe; « habit monacal », XVe; de *vêtir*.

★ **I.** ♦ **1.** Vx. Action de vêtir.

♦ **2.** (1680). Relig. Cérémonie par laquelle les postulants d'un ordre religieux reçoivent l'habit avec lequel ils feront leur noviciat. ⇒ **Prise** (d'habit, de voile). *Assister à la vêture d'un religieux*.

1 (...) sept de ces postulantes (...) que la communauté avait admises à la vêture.
RACINE, Port-Royal, II.

★ **II.** Vx ou littér. Habit, vêtement, ensemble des vêtements (de qqn).

2 Edmond les suivit des yeux, s'acharnant à penser à ce qu'il y avait de misérable dans leur vêture (...)
ARAGON, les Beaux Quartiers, II, XII.

3 (...) une troupe de jolies gambilleuses, les unes à peau blanche, les autres de couleur, et certaines à peu près sans vêture (...)
Michel LEIRIS, Frêle bruit, p. 137.

4 Toute fantaisie les enrage, question de la vêture spécialement (...)
CÉLINE, Guignol's band, p. 33.

COMP. Sous-vêture.

VÉTUSTE [vetyst] adj. — 1842; « antique », v. 1500; lat. *vetustus* « qui a une longue durée; archaïque », de *vetus* « vieux ».

♦ **1.** Qui est vieux*, n'est plus en bon état. ⇒ **Délabré, détérioré** (→ Antique, par ext.). *Escalier affaissé, odorant et vétuste* (→ 1. Fer, cit. 2). *Bâtiment vétuste* (→ Moderne, cit. 4). ⇒ **Branlant, croulant.** *Caractère vétuste.* → **Vétusté.**

♦ **2.** Qui n'est plus utilisable à cause de son âge (objet, mécanisme). *Un équipement, un outillage vétuste.* ⇒ **Caduc, obsolète, périmé.**

CONTR. Moderne, neuf, récent.

VÉTUSTÉ [vetyste] n. f. — 1403, repris 1740; lat. *vetustas, atis* « vieillesse; antiquité »; de *vetus.* → **Vétuste.**

♦ Littér. État de ce qui est vétuste, abîmé par le temps. ⇒ **Ancienneté, antiquité, délabrement, détérioration.** *La vétusté d'une construction* (→ Rehausser, cit. 3). *Porte, croix rongée* (cit. 4) *de vétusté. Signes de vétusté d'une toile* (→ Gerçure, cit. 3). *Vétusté des installations, des équipements.*

Il faut que le fronton s'effeuille comme un arbre (...)
Et que la vétusté, par qui tout art s'efface,
Prenne chaque sculpture et la ronge à la face,
Comme un avide oiseau qui dévore un fruit mûr.
HUGO, les Voix intérieures, IV, I.

Vx. EN VÉTUSTÉ. *Maison en vétusté*, qui menace ruine (→ Déserter, cit. 16).

CONTR. Modernité.

VÉTYVER [vetiver] n. m. ⇒ **Vétiver.**

VEUF, VEUVE [vœf, vœv] adj. et n. — 1596; de *veuve*, adj. m. (1226) pris comme fém.; *vedve*, n. f., v. 1050; du lat. *vidua* « veuve », de l'adj. *viduus* « vide, privé de ». → **Viduité.**

★ **I.** Adj. ♦ **1.** Dont le conjoint est mort. *Un homme veuf, une femme veuve. Elle s'est imaginé être promptement veuve* (→ Grièvement, cit.). *Être veuf de qqn. Deux fois veuf.*

1 — (...) Je ne veux pas que madame de Larçay me doive le bonheur d'être veuve.
— Vous aimeriez mieux, je parie, que son mari fût veuf!
STENDHAL, Romans et nouvelles, « Mina de Vanghel ».

♦ **2.** Fam. Temporairement séparé de son conjoint. *Ce soir, je suis veuf, ma femme est sortie.*

♦ **3.** Fig. ou par métaphore. *Veuf de... :* privé de, dépourvu de... *« Veuf de chanson »* (Sainte-Beuve, *Joseph Delorme*, p. 280).

Littéraire (Choses) :

1.1 Intercalées dans l'an c'étaient les journées veuves
Les vendredis sanglants et lents d'enterrement
De blancs et de tout noirs (...)
APOLLINAIRE, Alcools, p. 101.

★ **II.** N. ♦ **1.** Personne veuve. — *Un veuf. État de veuf.* ⇒ **Viduité.** *Épouser un veuf. « Je suis le ténébreux, le veuf, l'inconsolé* »* (cit. 2, Nerval). — N. f. *Une veuve. La veuve d'Hector*, Andromaque. *Célimène, jeune veuve coquette* (→ Goujat, cit. 6). *La Veuve joyeuse*, opérette de Franz Lehar. *Veuve qui porte un voile, un crêpe noir* (→ Ensevelissement, cit. 3). *Veuve sâti*, aux Indes. Pension* (cit. 2), *douaire de veuve* (⇒ **Douairière**). *Veuve qui se remarie* (cit. 3). *Veuve de guerre*, qui a perdu son mari à la guerre.

2 Seules, durant ces nuits où l'orage est vainqueur,
Vos veuves aux fronts blancs, lasses de vous attendre,
Parlent encor de vous en remuant la cendre
De leur foyer et de leur cœur!
HUGO, les Rayons et les Ombres, XLII.

3 Avez-vous quelquefois aperçu des veuves sur ces bancs solitaires, des veuves pauvres? Qu'elles soient en deuil ou non, il est facile de les reconnaître.
BAUDELAIRE, le Spleen de Paris, XIII.

Loc. *Défendre la veuve et l'orphelin** (→ Fouler, cit. 11).
Défenseur de la veuve et de l'orphelin, des personnes sans appui (se dit des avocats).

3.1 — Comment, s'écria-t-il, vous renoncez au barreau, une si belle carrière! Est-ce possible? vous renoncez à devenir une de nos grandes avocates... vous abandonnez la défense de la veuve et de l'orphelin!
— Non, je renonce à défendre ceux qui font des veuves et des orphelins.
A. ROBIDA, le Vingtième Siècle, p. 148.

« Les veuves abusives » (Monzie) : les veuves d'hommes illustres qui exploitent la célébrité de leur mari.

Dr. ou vx. *Madame veuve Lorrain* (→ 1. Mineur, cit. 7).

Le denier de la veuve.*

Personne veuve et remariée. *Le premier mari d'une veuve* (→ Défaire, cit. 20). *À peine veuf de cette veuve* (→ Fille, cit. 25).

♦ **2.** N. f. Fig. VEUVE. Argot anc. (*épouser la veuve* « être pendu », 1628; « être guillotiné », 1829). *La Veuve :* la guillotine.

4 Dis-moi, menin de monseigneur le bourreau, gouverneur de la Veuve (nom plein de terrible poésie que les forçats donnent à la guillotine), ajouta-t-il en se tournant vers le chef de la police de sûreté (...)
BALZAC, le Père Goriot, Pl., t. II, p. 1016.

Fam. *La Veuve poignet :* la masturbation* (pour un homme).

♦ **3.** N. f. VEUVE (nom d'animaux). ⓐ (1768). Passereau exotique (*Viduidés*) qui vit en Afrique et doit son nom à son plumage noir et blanc. *Veuve à collier d'or :* stegaruna (oiseau).

ⓑ *Veuve :* genre de lépidoptère, le gnophria. — *Veuve noire :* grosse araignée.

♦ **4.** *Fleur de veuve*, ou *veuve.* ⇒ **Scabieuse** (cit. 1).

DÉR. et COMP. Aveuvé. — Veuvage.

VEUGLAIRE [vøglɛʀ] n. m. — 1411, *weug(he)laire*; orig. incert., p.-ê. du moyen néerl. *vogelaer*, proprt « canon à tirer les oiseaux », de *vogel* « oiseau ».

♦ Archéol. Canon du XIVe siècle, plus long que la bombarde, qui se chargeait par la culasse.

VEULE [vøl] adj. — 1660; «affaibli par le jeûne ou la maladie», 1611; «volage, frivole», xɪɪᵉ; probablt du lat. pop. *volus «volant; léger; frivole», de volare «voler».

Littéraire ou style soutenu.

♦ **1.** Qui n'a aucune énergie, aucune volonté. ⇒ **Avachi, faible, indolent, lâche, mou.** Être veule. Il est trop veule pour réagir, pour protester. Un garçon veule. Faible et veule, lâche devant mes passions (→ Pourrir, cit. 13).

Une période heureuse succéda au drame. Hélas! un sentiment de provisoire subsistait. Il tenait à mon âge et à ma nature veule. Je n'avais de volonté pour rien (...)
R. RADIGUET, le Diable au corps, p. 104.

Par ext. Qui témoigne de cette faiblesse. Un air veule. Bouche veule (→ Gouine, cit.).

♦ **2.** (1701, branche veule). Didact. (Choses). Sans vigueur. Tige veule. — (1570). Trop léger, en parlant du sol.

CONTR. Énergique, ferme.
DÉR. Veulerie.
COMP. Aveulir.

VEULERIE [vølʀi] n. f. — 1862, cit.; de veule.

♦ Littér. Caractère, état d'une personne veule. ⇒ **Apathie, avachissement, faiblesse, lâcheté** (→ Paisible, cit. 2). La fatalité n'existe que par la veulerie des êtres (→ 1. Parler, cit. 50).

Mais notre ami Bouilhet (...) est d'une lourdeur, d'une négligence, d'une maladresse, d'une veulerie insigne dans toutes les choses de ce monde. Il a besoin, dans son intérêt, qu'on le surveille et qu'on le pousse.
FLAUBERT, Correspondance, 727, 14 juil. 1862.

CONTR. Énergie, fermeté, volonté.

VEUVAGE [vœvaʒ] n. m. — 1374, d'abord des femmes; de veuve, veuf.

♦ **1.** Situation, état d'une personne veuve et non remariée (⇒ **Viduité**). Se remarier après une année de veuvage. Durant, pendant, après, depuis son veuvage (→ Folâtrer, cit. 4).

1   (...) Daudet disait aujourd'hui : il y aurait quelque chose de curieux à écrire sur le veuvage de la femme, après l'écoulement de la douleur. C'est en général, une ère de délivrance, de mise en liberté, de prise de possession de la maîtrise.
Ed. et J. DE GONCOURT, Journal, 17 août 1893, t. IX, p. 119.

2   L'état de veuve ne lui paraissait pas moins curieux que celui de l'épouse. Elle y découvrait une espèce de raison sociale qui lui avait un peu manqué du vivant de M. Lasquin, et portait son veuvage comme un garçon ses premières culottes, avec autant de fierté que d'étonnement.
M. AYMÉ, Travelingue, p. 25.

♦ **2.** Par ext. (fam.). État d'une personne provisoirement séparée de son conjoint (→ Président, cit. 5).

VEUVE [vœv] adj. et n. f. ⇒ **Veuf.**

VEXANT, ANTE [vɛksɑ̃, ɑ̃t] adj. — 1842, pop.; de vexer.

♦ **1.** Qui contrarie, qui peine. ⇒ **Contrariant, irritant.** Nous avons raté le train, c'est vexant! ⇒ **Rageant** (→ aussi Marotte, cit. 5).

♦ **2.** (xxᵉ). Plus cour. Qui blesse l'amour-propre, qui vexe (2.). Une remarque, un refus vexants. ⇒ **Blessant, cinglant, froissant, humiliant, mortifiant.** Une attitude vexante pour qqn. — (Personnes). Il a été assez vexant à notre égard.

VEXATEUR, TRICE [vɛksatœʀ, tʀis] n. — 1549, n. m.; lat. vexator «persécuteur», de vexare «tourmenter». → Vexer.

♦ Littér. Personne qui cause des vexations (1.).
Adj. (1776). Un pouvoir vexateur.

VEXATION [vɛksasjɔ̃] n. f. — 1643; «tourment, peine», 1261; lat. vexatio «tourment; persécution», de vexare «tourmenter». → Vexer.

♦ **1.** Vx. Action de vexer (1.); son résultat. ⇒ **Abus** (de pouvoir), **avanie** (cit. 3), **brimade, exaction, oppression, persécution.** Les vexations qu'éprouve le malheureux peuple (→ Oppresseur, cit. 1). Je fus en butte (cit. 4) à des vexations sans nombre.

À Milan, la vexation pour les passeports est aussi stupide que brutale.
CHATEAUBRIAND, Mémoires d'outre-tombe, t. VI, p. 160.

♦ **2.** (xxᵉ; deuxième moitié xɪxᵉ, Mérimée, en parlant d'une blessure d'amour-propre). Mod. Action de vexer (2.); résultat de cette action, blessure, froissement d'amour-propre. ⇒ **Gifle** (fig.), **humiliation, insulte, molestation, mortification, rebuffade** (→ Sentir, cit. 10). Essuyer des vexations. Une vexation qui donne de la rancœur, du dépit. Elle est susceptible, elle ne supporte pas les vexations.

CONTR. Attention, consolation, flatterie.

VEXATOIRE [vɛksatwaʀ] adj. — 1783; du rad. de vexer, vexation.

♦ Didact. ou littér. Qui a le caractère d'une vexation (1.). Mesure

vexatoire (⇒ aussi **Inquisitorial**). Procédés vexatoires envers une minorité.

Abusivt. Vexant (2.).

VEXER [vɛkse] v. tr. — 1669; «taquiner», 1788; «tourmenter», 1380; lat. vexare «tourmenter».

♦ **1.** Vx. Maltraiter* par abus de pouvoir. ⇒ **Tourmenter.**

Les seigneurs qui vexaient les Églises eurent le roi pour ennemi.   1
MICHELET, Hist. de France, IV, v.

♦ **2.** (1869, Flaubert, p. p.). Mod. Blesser (qqn) dans son amour-propre. ⇒ **Blesser, dépiter, froisser, heurter, humilier, mortifier, moucher** (fam.), **offenser, piquer** (→ Dinde, cit. 3). Vexer qqn par une réflexion, une allusion désobligeante. Je ne voulais pas vous vexer (→ Vous faire de la peine*). — Impers. (rare). Il (cit. 42) me vexait que...

— (...) c'est parce que tu as l'air d'être dégoûtée de moi, que ça me vexe (...)   2
ZOLA, la Terre, III, ɪv.

▶ **SE VEXER** v. pron. (1845).
Être vexé; se piquer. Il se vexe d'un rien. ⇒ **Fâcher** (se), **formaliser** (se), **froisser** (se).

— (...) je ne suis pas libre d'offrir un verre à un ami? (...) Enferme-le, ton vin!   3
je boirai de l'eau. Du coup, ce fut elle qui se vexa horriblement d'être ainsi accusée d'avarice.
ZOLA, la Terre, IV, ɪ.

▶ **VEXÉ, ÉE** p. p. adj.
Blessé, piqué au vif par qqn ou contrarié, humilié de qqch. (→ Chatouilleux, cit. 5). Vexée, elle répondit du tac (cit. 2) au tac. Vexée de la question (→ Quoi, cit. 35). Facilement vexé. ⇒ **Susceptible, susceptibilité.** Horriblement vexée de s'appeler Queue-de-vache (→ Renfermer, cit. 7). Vexé d'avoir été ridicule.

— Celui-là t'enfonce tout de même, dit Deslauriers. Rien n'est humiliant comme   4
de voir les sots réussir dans les entreprises où l'on échoue. Frédéric, vexé, répondit qu'il s'en moquait.
FLAUBERT, l'Éducation sentimentale, I, v.

CONTR. Complaire (à), **flatter.**
DÉR. Vexant, vexateur, vexatoire.

VEXILLAIRE [vɛksilɛʀ] n. m. et adj. — 1803; «porte-étendard», xvɪᵉ; lat. vexillarius «porte-enseigne».

Didactique.

★ **I.** N. m. Hist. Porte-étendard romain. — Chacun des soldats vétérans ou émérites formant un corps à part, et servant sous un étendard spécial.

Sois de ton Dieu l'éternel vexillaire,
Lorsque Jésus reconnaîtra les siens.
Laurent TAILHADE, Vers élégiaques, «Ballade mystique».

★ **II.** Adj. ♦ **1.** (1589). Relatif aux étendards. Mar. Signaux vexillaires : signaux d'enseignes, de pavillons.

♦ **2.** (1842). Bot. Préfloraison vexillaire, où un pétale se replie de manière à couvrir tous les autres.

VEXILLE [vɛksil] n. m. — 1557; vexil «étendard», 1527; lat. vexillum, même sens.

Didactique.

♦ **1.** Hist. Étendard des armées romaines. Porteur du vexille. ⇒ **Vexillaire.**

Les cohortes avaient pour enseigne (vexillum) une pique soutenant par le haut une traverse à laquelle était attachée une pièce d'étoffe (...) les vexilles des cohortes étaient ornées de broderies d'or.
A. DE CAUMONT, Cours d'antiquité..., t. II, p. 296 (1831).

♦ **2.** (xxᵉ). Zool. Une des deux rangées de barbes que porte le rachis des plumes d'oiseau.

COMP. Vexillologie, vexillologue.

VEXILLOLOGIE [vɛksilɔlɔʒi] n. f. — xxᵉ; du rad. de vexille, et -logie.

♦ Didact. Étude des drapeaux, des pavillons nationaux ou provinciaux.

VEXILLOLOGUE [vɛksilɔlɔg] n. — xxᵉ; du rad. de vexille et -logue.

♦ Didact. Spécialiste de vexillologie.

VIA [vja] prép. — 1861, in D.D.L.; ablatif («par la voie de») du lat. via «chemin, route».

♦ Par la voie de, en passant par. ⇒ **Par.** Aller de Paris à Alger via Marseille. Information (cit. 3) du Maroc via Berlin.

VIABILISER [vjabilize] v. tr. — V. 1950; de 1. *viabil(ité),* et *-iser.*

♦ Rendre (un terrain) habitable, ou apte à la construction, en exécutant l'ensemble des travaux d'aménagement nécessaires (adductions, etc.). ⇒ 1. **Viabilité.** *Viabiliser un lotissement.* « *L'E. D. F. propose de viabiliser un emplacement susceptible d'accueillir des foyers condamnés* » (*l'Express,* 2 déc. 1968).

▶ **VIABILISÉ, ÉE** p. p. adj. *Terrain entièrement viabilisé.* « *Parcelles viabilisées en bordure de mer. Accès facile par bonnes routes. Eau et électricité assurée* » (*le Monde,* 16 juin 1966).

1. VIABILITÉ [vjabilite] n. f. — 1845; du rad. du bas lat. *viabilis* « où l'on peut passer », de *via* « chemin, voie ».

♦ **1.** État d'un chemin, d'une route où l'on peut circuler, d'une voie carrossable*. ⇒ **Praticabilité.**
Le banquet offert par la Colonie Française à l'Automobile-Club, pour la clôture du premier circuit automobile, présentait ce grand intérêt qu'il apportait la consécration manifeste de la viabilité de notre jeune réseau de routes.
L.-H. LYAUTEY, Paroles d'action, p. 336.

♦ **2.** Urbanisme. Ensemble des travaux d'aménagement (voirie, égouts, adductions) à exécuter avant toute construction sur un terrain *(terrain viabilisé).*
DÉR. Viabiliser.
HOM. 2. Viabilité.

2. VIABILITÉ [vjabilite] n. f. — 1808; du rad. de *viable.*

♦ **1.** État d'un fœtus viable (dont le développement dans l'utérus est suffisant pour le rendre apte à vivre).

♦ **2.** (1939). Caractère de ce qui est viable, peut vivre, se développer. *La viabilité d'une entreprise, d'un projet.*
HOM. 1. Viabilité.

VIABLE [vjabl] adj. — 1537; de *vie.*

♦ **1.** Apte à vivre (⇒ 2. **Viabilité**); qui présente les conditions anatomiques et physiologiques indispensables à une certaine durée de vie*. *Après le 180e jour de la grossesse, l'enfant est légalement reconnu viable* (→ Avortement, cit. 1). *Enfant né viable,* né vivant et apte à la vie*. *Des enfants hideux, à peine viables* (→ Têtard, cit.). *Hybrides viables, mais inféconds* (cit. 3).

♦ **2.** (→ Assigner, cit. 11, Chateaubriand). Qui présente les conditions nécessaires pour durer, se développer. ⇒ **Durable, sain.** *Entreprise, œuvre* (→ Éloge, cit. 9) *viable.*
— La douleur, répondit-il, n'est viable que dans les âmes préparées par la religion.
BALZAC, la Femme de trente ans, Pl., t. II, p. 753.
DÉR. 2. Viabilité.

VIADUC [vjadyk] n. m. — 1828; francisation de l'angl. *viaduct* (du lat. *via,* et *ductus),* d'après *aqueduc.*

♦ Pont de grande longueur servant au passage d'une voie ferrée (⇒ **Chemin de fer**), d'une route. *Viaduc de pierre, à arcades. Viaduc métallique.*
Une courbe du viaduc énorme
Longe les quais mornes et uniformes;
Un train s'ébranle immense et las.
VERHAEREN, les Villes tentaculaires, « L'âme de la ville ».

VIAGER, ÈRE [vjaʒe, ɛʀ] adj. et n. m. — 1332; *wiager,* dial., 1291; de l'anc. franç. *viage* « durée de vie » et, en dr., « usufruit »; de *vie.*

♦ **1.** (1417). Dr. Qui doit durer pendant la vie d'une personne et pas au delà. *Rente* viagère* (→ Enrager, cit. 8; obérer, cit.). *Revenu, intérêts viagers* (→ 1. Tontine, cit. 1). *À titre viager* (→ Empereur, cit. 3).
N. m. (1762). *Le viager :* la rente viagère. — **EN VIAGER.** *Mettre son bien en viager.* ⇒ **Bail** (à rente). — *Aliénation à fonds* perdus;* et aussi 1. placer, cit. 12; taux, cit. 1. « *Achat à viager* » (Zola, la Terre, V, II).

1 Ma seconde femme, en mourant, depuis peu d'années, a emporté plus des trois quarts de sa fortune, consistant en usufruits et viager (...)
BEAUMARCHAIS, Mémoires... dans l'affaire Goëzman, p. 119.

♦ **2.** Qui bénéficie, sa vie durant, de ressources.

2 Monsieur de Beauséant était un de ces gens ironiques et entêtés qui, semblables à des rentiers viagers, trouvent un plaisir de plus que n'en ont les autres à se lever bien portants chaque matin.   BALZAC, la Femme abandonnée, Pl., t. II, p. 235.

CONTR. (Du sens 1) Foncier.

VIANDE [vjɑ̃d] n. f. — 1050; lat. pop. **vivenda, vivanda* « ce qui sert à la vie », de *vivere* « vivre ».

★ **I.** Vx. Aliment dont se nourrit l'homme. ⇒ **Nourriture.** *Viandes et breuvages* (→ Heure, cit. 24). *Accommoder les viandes. La diges-*

tion des viandes (→ Organe, cit. 7). *Viande délicate* (→ Recette, cit. 5). « *Le saumon n'est pas une viande de malade* » (Littré).

1 (...) un ragoût, une salade de concombre, des cerneaux, et autres sortes de viandes.
Mᵐᵉ DE SÉVIGNÉ, 1204, 9 août 1689.

Mod. fig. **VIANDE CREUSE :** aliment insuffisant qui ne nourrit pas, n'apaise pas la faim. Chose de peu de réalité, qui ne peut satisfaire. — Loc. *Se repaître de viande creuse,* d'imaginations* chimériques (→ aussi Creux, cit. 6; médullaire, cit.).

★ **II.** ♦ **1.** Chair* des mammifères et des oiseaux que l'homme emploie pour sa nourriture. *La viande, produit agricole* d'élevage ou produit de la chasse*. Principales viandes et leurs morceaux.* ⇒ **Bœuf, mouton** (et **agneau**), **porc** (et **charcuterie, cochonnaille**), **veau; gibier, volaille.** *Viande de cheval* (⇒ **Hippophagique**). *Vendre de la viande.* ⇒ **Boucher, boucherie.** *Viande de boucherie. Quartiers, pièces de viande fraîche* (→ Nectar, cit. 1). *Viande en charnier* (vx). *Viande en glacière, en frigo*. Viande foraine,* provenant d'un abattoir situé hors de l'agglomération ou de la région considérée. ⇒ **Crochet, pendoir à viande.** *Viande rouge,* le bœuf, le mouton. *Viande blanche,* la volaille, le veau, le porc, le lapin. *Viande noire,* le sanglier, le chevreuil, le lièvre, la bécasse (→ Insipide, cit. 1). *Manger de la viande.* ⇒ **Gras** (faire gras; jours gras).

Viande maigre, grasse, entrelardée, persillée; avec des os, sans les os. Viande crue séchée (⇒ **Pemmican**), *salée* (⇒ **Salaison**), *fumée* (→ Faim, cit. 3), *boucanée* (⇒ **Boucan**). ⇒ aussi **Corned-beef.** *Viande* (séchée) *des Grisons. Viande en conserve* (→ Roi, cit. 18). *Boîtes de viande.* ⇒ **Singe** (fam.). *Viande* (de porc, d'oie, etc.) *en confit*.

Viande frigorifiée, congelée. — *Désosser, découper, hacher; barder, larder de la viande. Couperet, hachoir à viande; presse* (cit. 3), *attendrisseur à viande. Viande mortifiée* (cit. 8), *marinée* (⇒ **Marinade,** cit.). *Viande bouillie* (→ Frugal, cit. 2); *à l'étuvée* (cit.), *braisée* (⇒ Sucrer, cit. 1), *grillée* (→ Friture, cit. 5), *rôtie* (→ Escrimer, cit. 3), *à la broche. Plat de viande mijoté.* — *Viande* (de boucherie) *à griller, à braiser. Viande hachée.* ⇒ **Hachis.** *Farce de viande.* — *Viande en sauce. Viande panée* (⇒ **Panure**). *Le fumet* des viandes* (→ Mélange, cit. 9). *Jus* de viande. Bouillon* (cit. 7) *de viande.* ⇒ **Viandox.** *Plat de viande* (→ Intime, cit. 14; maigre, cit. 10) : *mets* servi au milieu du repas, après l'entrée (souvent appelé plat de résistance). *Principaux plats de viande.* ⇒ (outre les noms des animaux de boucherie et de chasse) **Bouilli, brussoles, carbonnade, charbonnade, daube, émincé, fricassée, godiveau, griblette, grillade, paupiette, ragoût, rôti, sauté.** *Plat de viande garni* (de légumes). *Viande froide* (1. Froid, cit. 10; et → Cabas, cit. 2; diminuer, cit. 10). *Assiette de viandes froides,* dite assiette anglaise. *Être grand mangeur* (cit. 4) *de viande.* — *Viande faisandée* (→ Attirer, cit. 14), *avariée, corrompue, pourrie* (→ Gueule, cit. 4). *Viande tendre. Viande mauvaise, dure, filandreuse.* ⇒ Fam. **Barbaque, bidoche, 2. carne.** *Viande trop cuite* (→ Du charbon*, de la semelle*). *Cuisson des viandes rouges grillées ou rôties,* à point, saignant*, très saignant ou bleu*.

1.1 La viande de cet animal (le renne) est très bonne, et à assez du goût de celle du cerf, mais plus relevée.   J.-F. REGNARD, Voyage en Laponie, p. 152.

2 — La santé corrige jusqu'à un certain point les viandes trop fraîches, fit Mᵐᵉ Bavoil; seulement, il convient, en ce cas, de dire adieu aux côtelettes grillées et aux biftecks saignants; il est, en effet, nécessaire de mettre à mijoter, pendant des heures, dans une casserole ce que... comment appeliez-vous le gigot qui vous déplaisait à Chartres? — De la carne ou de la bidoche, madame Bavoil; ce sont les inélégants synonymes d'une irréductible viande.   HUYSMANS, l'Oblat, II.

3 En principe, elle n'aimait pas la viande. Ce qui parvenait à l'intéresser dans des mets comme le lapin chasseur, ou le rognon sauce madère, c'était le piquant de la préparation.   J. ROMAINS, les Hommes de bonne volonté, t. IV, XXI, p. 230.

4 Quant à la viande, un tremblement à sa vue, une espèce d'horreur ou de sympathie m'oblige à la plus grande discrétion. Fraîchement coupée, d'ailleurs, un voile de vapeur ou de fumée *sui generis* la dérobe aux yeux même qui voudraient faire preuve à proprement parler de cynisme : j'aurai dit tout ce que je peux dire lorsque j'aurai attiré l'attention, une minute, sur son aspect pantelant.
Francis PONGE, le Parti pris des choses, p. 78.

Spécialt. Viande de boucherie, à l'exclusion de la volaille et des abats, ainsi que des préparations de conserve (charcuterie, confits*, etc.).

Par anal. Chair d'animal dont un autre animal se nourrit. ⇒ **Carnage** (vx). *Animal qui se nourrit de viande.* ⇒ **Carnassier, carnivore.** *Oiseaux mangeurs* (cit. 7) *de viande et mangeurs de graines.*

En franç. d'Afrique (calque des langues africaines). Gibier. *La panthère « s'en va tuer sa viande »* (in I.F.A.).

♦ **2.** [a] (1690, *cacher sa viande*; 1872, Littré, *montrer sa viande*). Fam. Chair de l'homme, corps. ⇒ **Bidoche.** *Amène ta viande :* viens. *Montrer sa viande :* se dénuder. *Étaler sa viande au soleil sur les plages.* — *Sac à viande :* sac de couchage en toile à draps, utilisé le plus souvent pour protéger du duvet (II., 1.).

5 Jimmy était un colosse mou et myope, deux cents livres de viande calme imbibée de whisky, surmontée de hublots.   Claude ROY, Nous, p. 88.

De la viande soûle : des gens ivres et sans tenue. *C'était la nuit du réveillon, et il y en avait, dans les rues, de la viande soûle !*
De la viande froide : un, des morts. *Il va y avoir de la viande froide,* un, des morts (souvent, de mort violente); un carnage, une tuerie.

ⓑ En franç. d'Afrique (calque des langues africaines). Chair (des humains). *« L'épine est entrée dans la viande de son bras »* (I. F. A. : Togo).

DÉR. Viander, viandeux, viandox.

COMP. Hache-viande.

VIANDER [vjɑ̃de] v. — 1360 ; de *viande*.

♦ V. intr. Vén. Pâturer, en parlant du cerf, du daim, du chevreuil.

1 Toute la harde était là, dans le blé (...) Toutes les bêtes s'emplissaient la panse, viandaient dans la nuit de printemps.
M. GENEVOIX, la Dernière Harde, I, v.

▶ **SE VIANDER** v. pron.

Fam. Avoir un accident (de voiture, etc.) entraînant un dommage corporel grave. *Il s'est viandé en moto. Se viander dans un virage* (→ Se planter). *Le skieur s'est viandé dans les mélèzes, juste après le mur.*

2 À la hauteur du pont qui mène à Notre-Dame, attroupement. Un motard de la police venait de se viander salement. Des jeunes étaient là, des chevelus, qui regardaient avec une joie pure.
Claude COURCHAY, La vie finira bien par commencer, p. 93.

DÉR. Viandis.

VIANDEUX, EUSE [vjɑ̃dø, øz] adj. — D. i. (xxᵉ) ; de *viande*.

♦ Régional (Belgique). Bien fourni en chair (en parlant d'une bête de boucherie).

VIANDIS [vjɑ̃di] n. m. — xviᵉ ; 1390, *viandeis* ; de *viander*.

♦ Vén. Pâture du cerf, des bêtes fauves.

VIANDOX [vjɑ̃dɔks] n. m. — xxᵉ ; marque déposée ; de *viande*.

♦ **1.** Consommé à la viande (de cette marque). *Prendre un viandox bien chaud.*

1 (...) ils m'ont appelée La Goulue. Je n'arrêtais pas de boulotter (...) Dis, tu paies encore un *Viandox ?* C'est bon.
B. CENDRARS, Bourlinguer, p. 202.

2 Le riz n'est même plus au gras maintenant et les viandox sont bien tièdes (...)
R. QUENEAU, Loin de Rueil, p. 160.

♦ **2.** (Formation argotique plaisante sur le rad. de *se viander*). Fig., argot. *Faire viandox :* avoir un accident, se « viander ».

3 Mais attention, toujours tenir le côté gauche pour voir arriver les voitures et les bécanes. Autrement, sur l'autre côté, elles t'arrivent dans le train et tu fais viandox.
M. AYMÉ, le Vin de Paris, « La traversée de Paris », p. 44.

VIATIQUE [vjatik] n. m. — 1636 ; « voie », xivᵉ ; lat. *viaticum* « provisions, argent pour le voyage ».

♦ **1.** Argent, provisions données à un religieux pour voyager. — Par ext. Provisions, argent pour un voyageur.

1 D'après les assurances favorables de l'abbé Pirard, le marquis prit un billet de mille francs : — Envoyez ce viatique à Julien Sorel ; faites-le moi venir.
STENDHAL, le Rouge et le Noir, I, xxx.

♦ **2.** (1664). Secours pour passer dans l'autre vie (→ Sacramentalité, cit.). — Spécialt. Communion portée à un mourant. *Recevoir le viatique* (→ Anéantissement, cit. 3). ⇒ **Eucharistie.** *Viatique et extrême-onction** (cit. 1).

♦ **3.** (1843). Littér. Soutien, secours. *Savoir est un viatique* (→ Nourriture, cit. 7). *Ce chant fut un viatique* (→ Soutien, cit. 3).

2 Le besoin que j'ai de toi fait que je compte trop sur cette lettre de chaque matin, et, quand ce viatique me fait défaut au réveil, ma journée de travail est sans courage.
MARTIN DU GARD, les Thibault, t. IV, p. 232.

VIBICE [vibis] n. f. — 1833, Nysten ; du plur. lat. *vibices*, plur. de *vibex, icis* « meurtrissure ».

Médecine.

♦ **1.** Vergeture (rare au singulier).

♦ **2.** Au plur. Hémorragie cutanée, formant des sillons, des stries sur la peau. ⇒ **Purpura.**

VIBORD [vibɔr] n. m. — 1643 ; d'un scandinave *wigi-bord* (cf. angl. *waist-board*).

♦ Mar. Partie de la muraille* d'un navire qui renferme les gaillards*.

VIBRAGE [vibraʒ] n. m. — 1949 ; de *vibrer*.

♦ Techn. Transmission d'une série d'impulsions, de chocs, capables de faire entrer un milieu en vibration. — Spécialt. *Vibrage du béton*, destiné à augmenter sa cohésion, sa solidité *(béton vibré* ou *pervibré).*

VIBRAM [vibram] n. m. — 1940, marque déposée ; du rad. de *vibrer*.

♦ Caoutchouc moulé (de cette marque) utilisé pour la confection des semelles de chaussures d'alpinistes. *La semelle de vibram permet une meilleure adhérence sur le rocher.*

HOM. Forme du v. vibrer.

VIBRANT, ANTE [vibrã, ãt] adj. — 1747, d'Alembert ; de *vibrer*.

♦ **1.** Didact. Qui vibre, est en vibration. *Les cordes, lames, membranes vibrantes sont étudiées en acoustique.*

Rare (langue courante) :

1 Et il cachait, avec des frissons éperdus, ses mains vibrantes sous les revers de sa jaquette. Et moi-même je me sentis soudain tout tremblant d'une crainte confuse, puissante, horrible.
MAUPASSANT, Un fou ?, Pl., t. II, p. 309.

Par métaphore :

2 Son âme excédée, vibrante comme un cuivre, se détendit et s'amollit — délicieusement, — à la flamme pleine de parfums de cette charité (...)
Léon BLOY, le Désespéré, p. 70.

(1904, Larousse). Phonét. *Consonne vibrante,* et, n. f., *une vibrante :* consonne « caractérisée par la vibration qui résulte de la succession rapide de mouvements d'ouverture et de fermeture du canal vocal au passage de l'air expiré » (Marouzeau) ; elles peuvent être gutturales (vibration du gosier), vélaires, linguales, roulées... (ex. le *r*). — Spécialt. Méd. *Pouls vibrant,* dur et rapide (→ 1. Mou, cit. 15).

♦ **2.** (1869, Hugo). Qui porte loin, est perçu avec force (du fait de ses fortes vibrations). *Bruit vibrant* (→ Amortir, cit. 10). *Son** (2. Son, cit. 3) *vibrant. — Voix vibrante,* forte et pleine d'émotion (→ Autoritaire, cit. 3). *Une plainte* (cit. 6) *vibrante.*

♦ **3.** (Personnes, réalités psychiques...). Qui vibre (3.), exprime ou trahit une forte émotion*, un sentiment violent. ⇒ **Ardent.** *Je me sentais surexcité, vibrant...* (→ Capiteux, cit. 2). *Émotions* (cit. 14) *vibrantes. Nerfs vibrants* (métaphore du sens 1 ; → Dépêcher, cit. 5). *Auditoire vibrant d'émotion. Il était encore tout vibrant de colère. Discours vibrant, pathétique.* — Spécialt. Émotif, sensible. *Une nature, une sensibilité vibrante.* ⇒ **Frémissant.**

3 *(Séverine)* était toute vibrante du bonheur d'avoir couru les trottoirs, elle gardait une fièvre de ses achats au Bon Marché.
ZOLA, la Bête humaine, I.

4 Je ne comptais nullement faire de discours, mais aucun de vous ne comprendrait que je ne réponde pas aux paroles si chaudes et si vibrantes du général Poeymirau.
L.-H. LYAUTEY, Paroles d'action, p. 289.

VIBRAPHONE [vibrafɔn] n. m. — 1935 ; du rad. de *vibrer*, et *-phone*.

♦ Instrument à percussion analogue au xylophone, mais dont les éléments vibrants sont des lames métalliques pourvues de tubes résonateurs. *Mailloches de vibraphone.*

DÉR. Vibraphoniste.

VIBRAPHONISTE [vibrafɔnist] n. — Mil. xxᵉ ; de *vibraphone*.

♦ Musicien, musicienne qui joue du vibraphone. *Un, une vibraphoniste. Lionel Hampton, Milton Jackson, célèbres vibraphonistes de jazz.*

VIBRATEUR [vibratœr] n. m. — 1877 ; du rad. de *vibration*.

Technique.

♦ **1.** Appareil qui produit, qui transmet des vibrations (sonores, etc.).

♦ **2.** Appareil à air comprimé ou électrique, utilisé pour le vibrage du béton.

VIBRATILE [vibratil] adj. — 1776 ; du rad. de *vibration*.

♦ Qui est animé d'un mouvement alternatif rapide de flexion et d'extension. *Cils, organes vibratiles des protozoaires.* ⇒ **Cilié.** *Cellule vibratile,* munie de cils vibratiles.

REM. Le dér. *vibratilité* [vibratilite] n. f. est attesté (1770, *in* D.D.L.).

VIBRATION [vibrasjɔ̃] n. f. — 1632, Mersenne, phys. ; « lancement d'une arme de jet », 1510 ; lat. *vibratio* ; de *vibrare*. → Vibrer.

♦ **1.** (Fin xviiᵉ). ⓐ Cour. Mouvement, état de ce qui vibre* ; effet qui en résulte (son et ébranlement). ⇒ **Battement** (cit. 13), **ébranlement, tremblement** (→ Onde, cit. 11 ; ondulation, cit. 1 ; tympan, cit. 2). *Vibration de moteur, de machines* (→ Motocyclette, cit. 1 ; navire, cit. 8). ⇒ **Trépidation.** *Il se fit une légère vibration dans les cristaux* (cit. 16) *du lustre.* ⇒ **Frémissement, tremblement.** *Vibration d'une corde de violon.* — *Cette voiture a des vibrations. Vibration du volant* (shimmy). *Vibrations de l'embrayage* ⇒ **Broutement.** — *Les vibrations du sol, d'un plancher..., d'un avion*.* Méd. *Vibrations abdominales, thoraciques.*

Depuis que j'avais posé ma tête contre la terre, je percevais une faible vibration. Elle montait puis s'atténuait pour reprendre (...) Ce bourdonnement sourd venait d'en bas. H. BOSCO, Hyacinthe, p. 71.

b (1632, Mersenne, en acoustique). Phys. Mouvement de va-et-vient d'un point matériel déplacé de sa position d'équilibre et qui y est ramené par l'effet de forces complexes, analysées au moyen d'une fonction harmonique. — REM. Le mot *vibration* peut désigner soit une période complète du phénomène (syn. : *oscillation**; → Hauteur, cit. 20), soit le mouvement oscillatoire envisagé globalement *(système qui entre en vibration).* De nos jours, on parle plutôt d'oscillations pendulaires, d'oscillations électriques et de *vibrations lumineuses, sonores, électromagnétiques,* etc. ⇒ aussi **Onde** (II.). — *Amplitude de la vibration,* le déplacement maximum. *Toute vibration ou tout train de vibrations peut être décomposé en composantes harmoniques simples. Vibrations fondamentales :* composantes de fréquence la plus basse (en général de la plus grande amplitude, pour les vibrations élastiques). *Vibrations harmoniques*. Vibrations de combinaison. Vitesse de propagation d'un train d'ondes variant avec la fréquence de la vibration. Composition, couplage, interférence, battements de deux ou plusieurs vibrations... Caractérisation d'une vibration par un vecteur. Vibrations amorties et non amorties, vibrations stationnaires (nœuds et ventres), vibrations en phase ou en opposition de phase. Vibration de pulsation n.* — *Ondes à vibrations longitudinales, transversales* (relativement à la direction de propagation). — *Vibrations sonores.* ⇒ **Son.** — *Vibrations électromagnétiques,* perpendiculaires à la direction de propagation *(vibrations lumineuses, infrarouges, hertziennes,* etc.). ⇒ **Lumière** (cit. 1), **rayon** (cit. 6). *Vibrations moléculaires,* dans lesquelles les atomes ou groupes d'atomes représentent les masses vibrantes. *Vibrations intermoléculaires. Vibrations-rotations. Spectres de vibrations. Symétrie des vibrations* (par rapport à une droite, un plan, un point), reliée aux symétries des molécules, des cristaux. *L'étude des spectres de vibration permet de déduire les éléments de symétrie, les distances interatomiques, les forces de liaison,* etc. *Utilisation des vibrations moléculaires dans l'étude de la structure de la matière. Vibrations actives,* qui se traduisent par des bandes ou des raies spectrales. *Vibrations inactives. Vibrations planes, gauches; doubles, triples* (de même fréquence). *Vitesse de propagation d'une vibration.* ⇒ **Célérité.**

Par ext. (Abstrait). Phénomène périodique, caractérisé à chaque instant par un vecteur. *Vibration rectiligne; circulaire; elliptique.*

♦ **2.** (1807, Mᵐᵉ de Staël). Caractère de ce qui vibre, change rapidement et périodiquement d'intensité, tremble... ⇒ **Tremblement.** *La vibration d'une voix.* — *Vibration de l'air, de la lumière* (→ Menu, cit. 4) : impression de tremblotement que donne l'air chaud.

Méd. Forme de massage manuel par des vibrations imprimées au moyen de pressions répétées et rapides des doigts.

♦ **3.** (1876, Gobineau). Fig., littér. État, effet de ce qui vibre* (3.). ⇒ **Frémissement, frisson.** *Vibration des nerfs* (→ Intense, cit. 2), *des émotions* (→ Retenir, cit. 3), *« des passions publiques »* (G. Duhamel, *Chronique des Pasquier,* t. I, p. 262).

DÉR. Vibrationnel. — V. Vibrateur, vibratile, vibratoire.

VIBRATIONNEL, ELLE [vibʀɑsjɔnɛl] adj. — 1979, *la Recherche; de vibration.*

♦ Didact. Des vibrations. ⇒ **Vibratoire.** *États vibrationnels. Énergie, excitation vibrationnelle. « Il existe un autre procédé de "pompage vibrationnel"; le transfert d'énergie vibrationnelle dans les collisions moléculaires »* (*la Recherche,* oct. 1979, p. 966).

VIBRATO [vibʀato] n. m. — 1876; mot italien, p. p. de *vibrare* « vibrer ».

♦ Mus. Tremblement rapide d'un son (⇒ **Trémolo**), utilisé dans la musique vocale ou instrumentale (notamment dans la musique de jazz). *Des vibratos expressifs. Cette chanteuse a un beau vibrato.*

VIBRATOIRE [vibʀatwaʀ] adj. — 1825 (1750, selon Bloch-Wartburg); du rad. de *vibration.*
Didactique.

♦ **1.** Qui forme une série de vibrations. *Mouvement* (→ 2. Son, cit. 7), *phénomène, champ vibratoire* (→ 1. Rayon, cit. 5). *Nature vibratoire de la lumière. L'énergie vibratoire d'un oscillateur est proportionnelle au carré de l'amplitude des oscillations.* — REM. En physique, on emploie souvent *mouvement vibratoire* comme synonyme exact de *vibration.*

♦ **2.** Qui s'effectue en vibrant, en faisant vibrer. *Massage vibratoire,* effectué à l'aide d'un vibromasseur*. ⇒ **Vibromassage.** *Stimulation vibratoire.*

♦ **3.** Qui concerne les vibrations. *Sensibilité vibratoire. Sens vibratoire :* perception des vibrations de faible fréquence (infrasons) par certains animaux (mammifères, oiseaux). ⇒ aussi **Écholocation.**

VIBREMENT [vibʀəmã] n. m. — 1830, *in* Matoré; de *vibrer.*

♦ Rare, littér. Le fait de vibrer; état de ce qui vibre. ⇒ **Frémissement, tremblement.**

U, cycles, vibrements divins des mers virides.
RIMBAUD, Poésies, XLII, « Voyelles ».

VIBRER [vibʀe] v. — 1752, Trévoux, répandu XIXᵉ; « lancer », v. 1510; lat. *vibrare* « brandir », puis « vibrer ».

A. V. intr. ♦ **1.** Se mouvoir périodiquement autour de sa position d'équilibre; produire des vibrations ou être en vibration. *Corde, plaque, membrane qui vibre.* ⇒ **Vibrant.** *Faire vibrer un diapason, une cloche* (⇒ **Ébranler**), *un instrument à cordes* (⇒ **Pincer**; 1. **toucher**; → Guimbarde, cit. 1). *Une petite sonnerie* (cit. 1) *vibra.* — Par métaphore. *« Le beau luth éploré* (cit. 5) *qui vibre sous vos doigts ».* — *Fil de fer* (→ Enrouler, cit. 2), *vitre qui vibre* (→ Gaieté, cit. 10). ⇒ **Trembler.** *Un gros bourdon qui vous frôlait* (cit. 2) *en vibrant.* ⇒ **Vrombir.** *Plancher, bateau* (→ Manœuvrer, cit. 7) *qui vibre.* ⇒ **Trépider.** *Faire vibrer qqch.* ⇒ **Agiter, secouer.**

Il lui parut que la matière aussi se révoltait. Le moteur, à chaque plongée, vibrait si fort que toute la masse de l'avion était prise d'un tremblement comme de colère. SAINT-EXUPÉRY, Vol de nuit, XV. 1

Spécialt. Donner l'impression de trembler (en parlant de ce qu'on voit). *Image qui vibre dans l'air chaud.*

Les contreforts de la Hamada rocheuse vibraient au loin, et on voyait sans cesse des mirages au-dessus de la vallée de la Saguiet.
J.-M. G. LE CLÉZIO, Désert, p. 41. 1.1

♦ **2.** (Déb. XIXᵉ, en parlant d'un son). Être perçu, ressenti avec force. *Son, écho... qui vibre aux oreilles* (→ Gong, cit. 1). ⇒ **Retentir.** — Spécialt. (Voix humaine). Avoir une sonorité tremblée, chevroter (vx) ou exprimer une émotion intense par le tremblement des sons (→ Ténor, cit. 1, Balzac). *Sa voix vibrait de plaisir et de défi* (→ Élever, cit. 12). — (Dans le chant). Avoir un vibrato.

Nous avions rencontré la note qui vibre à l'unisson dans l'âme de tous les hommes, de tous les âges et de toutes les conditions, la note sensible, la note universelle (...) la nature, l'amour et Dieu. LAMARTINE, Graziella, II, XII. 2

(D'une émotion). Se manifester par le tremblement de la voix.

Il souffla très fort, comme pour chasser cette vieille rancune d'amour qui vibrait encore dans sa voix, puis il reprit, plus calme (...) 3
Alphonse DAUDET, Sapho, III.

♦ **3.** (XIXᵉ). Fig. (Personnes). Réagir à une émotion par une sorte de tremblement affectif (⇒ **Frémir, trembler**); être vivement ému (→ Écho, cit. 15, Hugo; effusion, cit. 7, Gautier). *Faire vibrer l'âme, le cœur de qqn. Elle se sentait vibrer de tout son être* (→ Archet, cit. 2). — *Ce qui vibre en l'homme.* ⇒ **Corde** (II., fig., cit. 18), **fibre, passion, sensibilité, sentiment.** *« Je sens vibrer en moi toutes les passions »* (→ Gouffre, cit. 5).

Il faut rire et pleurer, aimer, travailler, jouir et souffrir, enfin vibrer autant que possible dans toute son étendue. Voilà, je crois, le vrai humain. 4
FLAUBERT, Correspondance, 878, 27 nov. 1866.

Rare (par plais.). Dire d'une voix vibrante.

Nécessaire ferme les yeux et ses oreilles tintent. Sensitif se penche : 5
— Qui ça? vibre-t-il. R. QUENEAU, le Chiendent, p. 230.

B. V. tr. Modifier dans ses propriétés physiques par une suite de vibrations.

▶ **VIBRÉ, ÉE** p. p. adj.

♦ **1.** *Béton vibré,* qui a subi le vibrage. Syn. : *pervibré.*

♦ **2.** Qui vibre (A., 2.). *Des sons vibrés.*

(...) soudain découvrant ses dents courtes, (il) lâchait un rire vibré, strident, effréné (...) Jacques PERRET, Bande à part, p. 149. 6

DÉR. Vibrage, vibram, vibrant, vibration, vibrement, vibreur.
COMP. Vibraphone; vibro-.

VIBREUR [vibʀœʀ] n. m. — 1903, *Rev. gén. des sc.,* n° 18, p. 941; de *vibrer.*

♦ **1.** Trembleur produisant une vibration, un son tremblé et assourdi. ⇒ **Buzzer** (anglic.).

♦ **2.** Élément qui produit, transmet une vibration. *Le vibreur d'un haut-parleur électromagnétique.*

Comme il s'incline pour prendre congé d'elle, le vibreur du téléphone répand sa tendre plainte. J.-R. BLOCH, Sybilla, p. 225.

Spécialt. Bande de béton strié qui borde un circuit automobile ou motocycliste dans certains passages délicats (virages, notamment) et qui produit une vibration transmise au pilote par les roues, la direction, etc.

VIBRION [vibʀijɔ̃] n. m. — 1795, Cuvier; du lat. *vibrio,* de *vibrare* « vibrer ».

♦ **1.** Bactérie incurvée, ciliée et mobile. *Vibrion cholérique; vibrion virgule. Vibrion septique* (Pasteur, 1875). → Microbe, cit. 2; prolifération, cit. 1.

♦ **2.** (XXᵉ). Fig., fam. Personne agitée. ⇒ **Vibrionner.**

DÉR. Vibrionien, vibrionique, vibrionner, vibriose.

VIBRIONIEN, IENNE [vibʀijɔnjɛ̃, jɛn] adj. — 1846 ; de *vibrion*.

♦ Didact. Propre aux vibrions. *Cils vibrioniens.* ⇒ **Vibrionique.**

VIBRIONIQUE [vibʀijɔnik] adj. — xxᵉ ; de *vibrion*.

♦ Par plais., rare (création d'auteur). Relatif aux vibrions.

Son regard allait de la tombe à la tente et de la tente à la tombe, puis se posait, nostalgique et lassé, sur la vibrionique et poussiéreuse agitation dont il se glorifiait d'être responsable.   R. QUENEAU, Pierrot mon ami, éd. L. de Poche, p. 94.

VIBRIONNER [vibʀijɔne] v. intr. — 1934, Dict. Harrap's ; *vibrionné* « où l'on trouve des vibrions (1.) », 1876 ; de *vibrion*.

♦ Fam. S'agiter sans cesse. *Pourquoi est-ce qu'il vibrionne autour de nous ? Arrête de vibrionner, tu m'agaces !*

VIBRIOSE [vibʀijoz] n. f. — Mil. xxᵉ ; de *vibrion*, et *-ose*.

♦ Vétér. Maladie des bovins et des ovins, qui rend les femelles stériles.

VIBRISSE [vibʀis] n. f. — 1845, Bescherelle ; lat. *vibrissae*, même sens.

♦ **1.** Sc. Poil implanté à l'intérieur des narines. — Poil tactile de certains mammifères (« moustaches » du chat).

♦ **2.** Zool. Plume filiforme, à barbes rares.

VIBRO- Premier élément de mots, tiré du rad. de *vibrer*.

VIBRODAMEUR [vibʀodamœʀ] n. m. — 1968, Larousse ; de *vibro-*, *damer*, et suff. *-eur*.

♦ Techn. Appareil servant à damer le sol par vibrations.

VIBROGRAPHE [vibʀogʀaf] n. m. — 1949, Larousse ; de *vibro-*, et *-graphe*.

♦ Techn. Appareil utilisé pour l'enregistrement graphique des courbes de vibrations d'un corps.

VIBROMASSAGE [vibʀomasaʒ] n. m. — Mil. xxᵉ ; de *vibro-* et *massage*.

♦ Massage vibratoire.

VIBROMASSEUR [vibʀomasœʀ] n. m. — 1912, *l'Écho de Paris*, in D. D. L. ; de *vibro-*, et *masseur*.

♦ Appareil électrique qui produit des massages par vibration.

VIBROMÈTRE [vibʀomɛtʀ] n. m. — V. 1960 ; de *vibro-*, et *-mètre*.

♦ Techn. Appareil servant à mesurer les mouvements vibratoires d'un corps (déplacement, vitesse, accélération).

VIBURE [vibyʀ] n. f. — 1920, Esnault ; de *vi(tesse)*, et second élément obscur.

♦ Argot. Vitesse. Loc. *(En) vibure, à toute vibure :* vite. — REM. L'emploi isolé du mot est rare :

1   Ta petite sœur. Quel âge que vous avez, vous autres ? (...) — Vos âges, nom de Dieu ! hurla le bélier. Et situation de famille, tout le totem *(toutim)* ! Déballez vibur *(sic)* !   M. AYMÉ, le Vin de Paris, « La traversée de Paris », p. 56.

2   Il y a des mots à chapeaux à plumes, des mots à falbalas (...) des mots pleins de rocailles et de trucs piquants, des mots à parapluie (...) quand on me parle, mais surtout quand je parle, je les vois passer un à un à toute vibure.   CAVANNA, les Ritals, p. 144.

VICAIRE [vikɛʀ] n. m. — xivᵉ ; *viqueire* « gouverneur », fin xiiᵉ ; lat. *vicarius*. → Vigier, voyer.

♦ **1.** Celui qui remplace un supérieur. ⇒ **Suppléant.** — Spécialt. *Le vicaire de Dieu, de saint Pierre :* le pape. *Les rois, vicaires de Jésus-Christ* (→ Ampoule, cit. 1 ; et aussi front, cit. 23 ; onction, cit. 2).

1   Et, en bonne catholique, ce Dieu, évidemment, était le sien, le seul qui eût son vicaire ici-bas, appelé pape.   G. LEROUX, le Parfum de la dame en noir, p. 127.

♦ **2.** [a] Relig. cathol. Celui qui exerce en second les fonctions attachées à un office ecclésiastique. *Vicaire apostolique, du Saint-Siège* (→ Diplôme, cit. 1) : prélat chargé de l'administration de territoires au pouvoir des infidèles ou des hérétiques. *Cardinal-vicaire,* chargé de l'administration ecclésiastique de la ville de Rome. *Vicaire capitulaire,* élu par le chapitre pour administrer le diocèse

pendant la vacance du siège. — *Vicaire d'un légat.* ⇒ **Ablégat.** *Grand vicaire, vicaire général :* auxiliaire de l'évêque. ⇒ **Archidiacre** (2. ; → Évêque, cit. 3 et 4 ; exempt, cit. 1).

[b] (1414). Cour. *Vicaire de paroisse, vicaire :* prêtre qui aide et remplace éventuellement le curé* (cit. 3). — Allus. littéraire :

Cet honnête ecclésiastique était un pauvre vicaire savoyard, qu'une aventure de jeunesse avait mis mal avec son évêque, et qui avait passé les monts pour chercher les ressources qui lui manquaient dans son pays.   ROUSSEAU, Émile, IV (cf. la Profession de foi du vicaire savoyard).   2

[c] Suppléant du Supérieur, dans certaines communautés religieuses. *Le Père vicaire.*

DÉR. Vicarial, vicariat.

VICARIAL, ALE, AUX [vikaʀjal, o] adj. — 1570 ; de *vicaire*, d'après lat. *vicarius*.

♦ Relig. Relatif à la fonction de vicaire. *Fonctions vicariales.*

VICARIANCE [vikaʀjɑ̃s] n. f. — Déb. xxᵉ ; de *vicariant*.

♦ Didact. ou méd. (rare). Caractère vicariant (de qqch., d'un organe...).

VICARIANT, ANTE [vikaʀjɑ̃, ɑ̃t] adj. — 1877 ; du lat. *vicarius* « suppléant ».
Didactique.

♦ **1.** Qui remplace, qui se substitue (à autre chose).
Ordre vicariant : ordre d'un ensemble d'éléments, tel qu'il demeure le même si on permute deux de ses unités.
Biol. *Hôte vicariant :* hôte occasionnel d'un parasite, remplaçant l'hôte habituel.

♦ **2.** Méd. (vieilli). *Rôle vicariant d'un organe ; organe vicariant,* capable de suppléer à l'insuffisance fonctionnelle d'un autre organe. *Formes vicariantes d'une maladie.*

Parfaitement, le rhumatisme et la neurasthénie sont deux formes vicariantes du neuro-arthritisme *(dit le Professeur Cottard).*   PROUST, Sodome et Gomorrhe, Pl., t. II, p. 891.

DÉR. **Vicariance.**

VICARIAT [vikaʀja] n. m. — V. 1430, A. Chartier ; de *vicaire*, d'après lat. *vicarius*.
Religion.

♦ **1.** Fonction, dignité de vicaire (spécialt, du vicaire de paroisse). — (1680). Durée de cette fonction.

Il fut ensuite vicaire à Vermanton, l'une des plus fortes paroisses du diocèse (...) Il s'y fit chérir, quoique sa vie fût si retirée, qu'il ne paraissait jamais au dehors, que pour remplir les fonctions du saint ministère. Après ce vicariat, il fut nommé à la cure de Courgis (...)   RESTIF DE LA BRETONNE, la Vie de mon père, IV.
Vicariat général.

♦ **2.** (1690, Furetière). Territoire sur lequel s'étend la compétence d'un vicaire. — Résidence d'un vicaire.

VICE [vis] n. m. — 1138 ; lat. *vitium* « défaut, vice ».

★ **I. ♦ 1.** Vieilli. LE VICE. [a] Disposition habituelle au mal ; fait de s'adonner à des passions mauvaises, à des plaisirs défendus. ⇒ **Immoralité, mal, péché.** *Le chemin du vice est la lâcheté* (cit. 2). *L'hypocrisie* (cit. 2) *est « l'hommage que le vice rend à la vertu ».* *Le vice et la corruption. Inspirer l'horreur du vice* (→ Dramatique, cit. 5). *La contagion, la lèpre du vice. Le charme du vice* (→ Enveloppe, cit. 8).

(...) je hais tous les hommes :   1
Les uns, parce qu'ils sont méchants et malfaisants,
Et les autres, pour être aux méchants complaisants,
Et n'avoir pas pour eux ces haines vigoureuses
Que doit donner le vice aux âmes vertueuses.   MOLIÈRE, le Misanthrope, I, 1.

[b] (1694). Dérèglement dans la conduite (notamment : jeu, drogue, vie sexuelle déviante par rapport à la morale sociale convenue). *Vivre, se vautrer, croupir dans le vice.* ⇒ **Débauche, dévergondage, inconduite, libertinage, luxure.** *La fatuité du vice, c'est la Régence* (cit. 2).

Cette merdeuse de dix ans marchait comme une dame devant lui, se balançait, le regardait de côté, les yeux déjà pleins de vice.   ZOLA, l'Assommoir, VIII, t. II, p. 20.   2

[c] Fam. Altération du goût. ⇒ **Dépravation, perversité.** *Il n'aime que les laiderons : c'est du vice !*

♦ **2.** UN, DES VICES. Mauvais penchant, défaut grave que réprouve la morale, la religion. ⇒ **Défaut, tare** (→ Borne, cit. 9 ; déguiser, cit. 8 ; dépravation, cit. 1 ; enfance, cit. 1 ; gouffre, cit. 14 ; homme, cit. 81 ; mépriser, cit. 9 ; quitter, cit. 9). *Les vices de l'âme* (→ Incivilité, cit. 2), *du cœur. Avoir un vice, des vices ; il a tous les vices ! Être pourri de vices.*

Littér., vieilli. *Un cloaque, une sentine de vices.* « *La ménagerie infâme de nos vices* » (→ Ennui, cit. 27). — *Principaux vices.* ⇒ **Avarice**, ~~égoïsme~~, **envie** (cit. 1), ~~gourmandise~~ (cit. 2), ~~hypocri-~~ ~~sie~~ (cit. 10), **impudicité, intempérance, jalousie** (cit. 2), **luxure, oisi-** **veté, orgueil, paresse, vanité**... *Les vices et les vertus. La symboli-* *que médiévale des vices et des péchés. Vices naturels aux enfants* (→ Appliquer, cit. 36 ; enlaidir, cit. 4). *Il n'avait pas de vices, mais de petits défauts* (→ Épurer, cit. 4). « *Les vices entrent dans la composition* (cit. 1) *des vertus...* ». *Nous nous soutenons dans la vertu par le contrepoids* (cit. 3) *de deux vices opposés. Vices acquis* (→ Naturel, cit. 10) ; *vices d'habitude. Vice occulte* (→ Fanfaron, cit. 7). *Vice honteux, odieux* (→ Intérieur, cit. 14). *Satisfaire ses vices* (→ Déluré, cit. 1). — Prov. *L'oisiveté (la paresse) est mère de tous les vices* (→ 1. Mère, cit. 23). *Pauvreté* (cit. 8) *n'est pas vice.*

> Je prêtais quelquefois à la vérité des charmes étrangers ; mais jamais je n'ai mis le mensonge à la place pour pallier mes vices, ou pour m'arroger des vertus.
> ROUSSEAU, Rêveries..., IVᵉ promenade.

(Talleyrand) devient grand dignitaire de l'Empire avec le titre de Vice-Grand Électeur, « *le seul vice qui lui manquait* », *dit Fouché.*
> SAINT-AULAIRE, Talleyrand, VII.

> Quelle âme, cependant était enveloppée sous ces appas féminins ! On y rencontrait tous les vices qui caractérisent celle des scélérats : on ne porta jamais plus loin la méchanceté, la vengeance, la cruauté, l'athéisme, la débauche, le mépris de tous les devoirs et principalement de ceux dont la Nature paraît nous faire des délices.
> SADE, Justine..., t. I, p. 73.

> Mais quelque vice, et le plus grand de tous, le manque de volonté qui empêche de résister à aucun, les réunissait là, dans des chambres isolées il est vrai, mais chaque soir me dit-on, de sorte que si leur nom était connu des femmes du monde, celles-ci avaient peu à peu perdu de vue leur visage, et n'avaient plus jamais l'occasion de recevoir leur visite.
> PROUST, le Temps retrouvé, Pl., t. III, p. 836.

Spécialt (vieilli). *Pratiques, goûts sexuels réprouvés par la société ; perversion* sexuelle* (⇒ **Vicieux**). *Ce vice de ma première enfance* (→ Échappement, cit. 2). — *Plaisir, vice solitaire* : la masturba-tion. *Vices contre nature.* ⇒ **Bestialité, homosexualité, masochisme, sadisme...**

♦ **3.** Vx ou littér. **ⓐ** Défaut habituel, mauvaise habitude qu'on ne peut réprimer. *Le vice du poète* (→ 1. Dire, cit. 82), *des beaux* (cit. 46) *parleurs.* ⇒ **Faible, faiblesse, travers.** *Un vice national* (→ Sentir, cit. 11). *Le vice critique* (→ Opposition, cit. 8). ⇒ **Manie ; maladie.**

ⓑ Habitude morbide qui donne du plaisir. ⇒ **Manie.** *Vice du toxicomane.* ⇒ **Toxicomanie.** *La tristesse est un vice* (→ 2. Chagrin, cit. 10). *Avoir des vices, être gâté* (cit. 33) *par tou-tes sortes de vices.* — Fig. « *Ce vice impuni, la lecture* » (Valery Lar-baud).

♦ **4.** (1667). Par métonymie. *Le vice* (collectif) : les personnes qui ont des vices (2.).

★ **II.** (1260). ♦ **1.** Imperfection grave qui rend une personne, une chose, plus ou moins impropre à sa destination. ⇒ **Défaut, défectuo-sité.** *Vice de conformation d'un individu* (⇒ **Difformité, malforma-tion**), *d'un organe* (→ Rétention, cit. 2).
Vx. *Les vices du corps* (→ 1. Hypocondriaque, cit. 1). — *Vice de...* *Vice de prononciation* (→ Articuler, cit. 7). — *Vice de construc-tion d'un bâtiment. Vice de fabrication d'un objet, d'un appareil. Le vice des choses humaines est leur caducité* (cit. 3). *Le vice de la démocratie* (cit. 2), *du régime* (→ Œil, cit. 25). — *Vices qui appellent des réformes* (cit. 4).

♦ **2.** (1830, Balzac). VICE DE FORME : « défaut d'un acte juridique ou instrumentaire qui manque d'une des formalités extérieures exigées par la loi pour sa validité ou sa confection » (Capitant). → Invali-dation, cit. *Le vice de forme, cause de nullité.* ⇒ aussi **Cassation.** *Vice du consentement :* altération du consentement entraînant l'annulation de l'acte juridique (par l'erreur*, la violence, le dol, la lésion).

♦ **3.** *Vice rédhibitoire** (dans divers domaines : droit, commerce, etc.).

CONTR. Vertu ; candeur, innocence, pureté.
HOM. Vis. — Formes des v. visser, voir.

VICE- Du lat. *vice*, ablatif de *vix, vicis* « à la place de, pour ». → Vicomte, vidame.

♦ (En composition, avec le nom d'une fonction, avec un titre). En second (⇒ **Adjoint**) ; (qui est tel) en remplacement, à la place de (ce qu'indique l'autre élément de composition). ⇒ **Remplaçant.** Voir à l'ordre alphabétique.

VICE-AMIRAL, AUX [visamiʀal, o] n. m. — 1339 ; de *vice-*, et *amiral.*

♦ **1.** Vx. Officier de marine servant de second à l'amiral.

♦ **2.** Mod. Officier de grade immédiatement inférieur à celui d'ami-ral (correspondant à celui de général de division). *Vice-amiral d'escadre :* grade correspondant à celui de général de corps d'armée. — Au plur. *Des vice-amiraux.*

VICE-CHANCELIER [visʃãsəlje] n. m. — 1259 ; de *vice-*, et *chancelier.*

♦ Celui qui supplée, seconde le chancelier. — Au plur. *Des vice-chanceliers.*

VICE-CONSUL [viskõsyl] n. m. — 1591, *in* D.D.L. ; de *vice-*, et *consul.*

♦ **1.** Vx. Celui qui seconde le consul.

♦ **2.** Mod. Celui qui remplit les fonctions de consul dans une rési-dence où il n'y a pas de consul. — Au plur. *Des vice-consuls. Le Vice-consul,* œuvre de Marguerite Duras.
DÉR. Vice-consulat.

VICE-CONSULAT [viskõsyla] n. m. — 1718 ; de *vice-consul.*

♦ **1.** Fonction de vice-consul. *Exercer le vice-consulat.*

♦ **2.** Résidence du vice-consul.

VICELARD, ARDE [vislaʀ, aʀd] adj. et n. — 1928, Esnault, « malin » ; de *vice* ; cf. argot *vicelot* « petit vice », 1837.
Argot familier.

★ **I.** Adj. ♦ **1.** Malin, rusé, retors.

> Toutes les singeries vicelardes qu'il avait pu faire au cours de sa vie, les méchan-cetés et les gentillesses, semblaient plus vraisemblables.
> A. SIMONIN, Touchez pas au grisbi, p. 168.

♦ **2.** Un peu vicieux (I., 2. et 3.). *Un air, un sourire vicelard.*

★ **II.** N. *Un, une vicelarde :* une personne retorse, ou vicieuse. *C'est une vraie vicelarde.*

> Il est interdit de fumer, proteste le gendarme. Putain, il a l'air bien règlement, tout à coup, le petit vicelard !
> A. SARRAZIN, la Cavale, p. 91.

VICE-LÉGAT [vislega] n. m. — 1568 ; de *vice-*, et *légat.*

♦ Relig. Prêtre désigné par le pape pour suppléer le légat. *Le vice-légat d'Avignon.* — Au plur. *Des vice-légats.*
DÉR. Vice-légation.

VICE-LÉGATION [vislegasjõ] n. f. — 1636, Richelieu ; de *vice-légat,* d'après *légation.*

♦ Fonction du vice-légat.

VICENNAL, ALE, AUX [visenal, o] adj. — 1721, Trévoux ; lat. *vicennalis,* de *vicies* « vingt fois », et *annus* « année ».
Didactique.

♦ **1.** Qui couvre une période de vingt ans. *Plan économique vicen-nal.*

♦ **2.** Qui a lieu tous les vingt ans. *Prix vicennal.*

VICE-PRÉSIDENCE [vispʀezidãs] n. f. — 1771, Trévoux ; de *vice-président.*

♦ Fonction de vice-président, de vice-présidente. *La vice-présidence de la République, du Conseil des ministres ; d'une société.* — Au plur. *Des vice-présidences.*

VICE-PRÉSIDENT, ENTE [vispʀezidã, ãt] n. — 1479 ; déb. xxᵉ, au fém. ; de *vice-*, et *président.*

♦ Personne qui seconde, supplée le président, la présidente. *Vice-présidente d'une société. Le vice-président du Conseil* (→ 2. Garde, cit. 1). *Les quatre vice-présidents de la Chambre. Vice-président des États-Unis.*
DÉR. Vice-présidence.

VICE-RECTEUR [visʀɛktœʀ] n. m. — 1868, *in* D.D.L. ; de *vice-*, et *recteur.*

♦ **1.** Celui qui supplée le recteur. *Le vice-recteur d'une faculté catholique.* — Au plur. *Des vice-recteurs.*

♦ **2.** Titre de celui qui était à la tête de l'Académie de Paris, le recteur étant le ministre (av. 1922).

VICE-REINE [visʀɛn] n. f. — 1718 ; de *vice-*, et *reine.*

♦ **1.** Épouse du vice-roi.

♦ **2.** Femme qui a l'autorité d'un vice-roi. — Au plur. *Des vice-rei-nes.*

VICE-ROI [visʀwa] n. m. — 1463 ; de *vice-*, et *roi*.

♦ Celui à qui un roi, un empereur a délégué son autorité pour gouverner un royaume, ou une province ayant eu titre de royaume. — Ancienni. *Le vice-roi des Indes, d'Égypte* (⇒ **Khédive**), *de Hongrie* (⇒ **Palatin**). — Au plur. *Des vice-rois*.

DÉR. Vice-royal, vice-royauté.

VICE-ROYAL, ALE, AUX [visʀwajal, o] adj. — xxᵉ ; de *vice-roi*, et *royal*.

♦ Rare. D'un vice-roi.
(...) au-delà, s'étend un jardin banal et insolite, avec ses gazons pour parties vice-royales.   MALRAUX, Antimémoires, Folio, p. 270.

VICE-ROYAUME [visʀwajom] n. m. — xxᵉ ; de *vice-*, et *royaume*.

♦ Rare. ⇒ **Vice-royauté**.
Depuis sa découverte, la Californie avait toujours été rattachée à la couronne d'Espagne. Elle formait une des provinces du vice-royaume espagnol de Mexico.   B. CENDRARS, l'Or, p. 75.

VICE-ROYAUTÉ [visʀwajote] n. f. — 1680 ; de *vice-roi*.

♦ Rare. Dignité, fonction de vice-roi. — Pays gouverné par un vice-roi.

VICE-SÉNÉCHAL [visseneʃal] n. m. — 1581 ; de *vice-*, et *sénéchal*.

♦ Didact. (hist.). Officier qui secondait le sénéchal. Officier de robe courte qui faisait fonction de prévôt des maréchaux et jugeait les cas prévôtaux. — Au plur. *Des vice-sénéchaux*.

VICÉSIMAL, ALE, AUX [visezimal, o] adj. — 1872, Littré ; lat. *vicesimus* « vingtième », de *viginti* « vingt ».

♦ Math. Qui a pour base le nombre vingt. *Numération vicésimale. Quatre-vingts* (80), *trace de la numération vicésimale dans la numération décimale*.
Var. : *vigésimal, ale, aux* [viʒezimal, o].

VICE VERSA parfois **VICE-VERSA** [viseveʀsa ; visveʀsa] loc. adv. — 1418, *in* D.D.L. ; loc. lat. signifiant « réciproquement », proprt « à tour (vice) renversé (versa) ».

♦ Réciproquement, inversement (→ Amant, cit. 7 ; redoute, cit. 2). *Passer du blanc au tricolore, et vice-versa* (→ Changer, cit. 44).
1 Le corps peut avoir peur et trembler pendant que l'esprit reste calme et courageux, et *vice versa*.   BALZAC, la Rabouilleuse, Pl., t. III, p. 971.
N. m. :
2 Tout le monde tue tout le monde. Et vice versa. C'est le vice versa qui importe, c'est le vice versa qu'on oublie, pourtant notre égalité ne réside que là.
                                    Michèle PERREIN, Entre chienne et louve, p. 180.

VICHY [viʃi] n. m. — Déb. xxᵉ (*in* Larousse 1904) ; n. pr., ville d'Auvergne.

♦ 1. Toile de coton (teinte en fil) à carreaux, rayée, dont on fait des tabliers, des corsages, des robes d'été... *Tablier de vichy bleu et blanc. « Blouse en vichy »* (Colette, *la Maison de Claudine,* La noce).

♦ 2. Verre d'eau minérale de Vichy. *Boire un vichy. Vichy fraise,* au sirop de fraise.
— On prend un verre ensemble ? proposa Pierrot.
— Merci. J'ai mal au foie et le vichy-fraise me débecte.
                                    R. QUENEAU, Pierrot mon ami, éd. L. de Poche, p. 176.

VICHYSME [viʃism] n. m. — V. 1940 ; de *Vichy*, → Vichy ci-dessus.

♦ Polit. Système, esprit vichyssois (2.). ⇒ **Pétainisme**.
Mauriac a constamment été du bon côté ; presque sans bavure et en expliquant pourquoi. Espagne, Éthiopie, hitlérisme, fascisme, vichysme, dans tous ces cas il a su être un « maître à réagir », plus même qu'un maître à penser.
                                    J.-F. REVEL, Mauriac et l'Intelligence, *in* l'Express, 19-25 juin 1967.

VICHYSSOIS, OISE [viʃiswa, waz] adj. et n. — Déb. xxᵉ ; *vichynois*, 1875 ; de *Vichy*, → Vichy ci-dessus.

♦ 1. De Vichy. *Le thermalisme vichyssois. La population vichyssoise*. — N. *Les Vichyssois*.

♦ 2. (V. 1940). Du gouvernement de Vichy (où le maréchal Pétain était chef de l'État). — Par ext. Qui concerne Pétain, son régime, ses idées ; qui est partisan de ce régime, de ces idées. ⇒ **Pétainiste, vichyste**.
1 En revanche, une part non petite de la jeunesse étudiante est de droite et

même d'extrême-droite ; la tradition maurrassienne, et donc vichyssoise, y demeure vivante.   F. MAURIAC, le Nouveau Bloc-notes 1958-1960, p. 363.
2 Passons sur les maurrassiens : sous le couvert d'idées faussement claires, ils n'expriment qu'un positivisme débile qui s'effondra dans l'archaïsme vichyssois avant de se perdre en fumée dans la vanité et l'irréalisme gaulliens.
                                    Raymond ABELLIO, les Militants, p. 11.
N. Partisan du régime de Vichy, collaborateur*. *C'était un vichyssois convaincu*.
3 Ça va leur faire les pieds à nos légionnaires, à nos vichyssois, à nos attentistes.
                                    G.-E. CLANCIER, l'Éternité plus un jour, p. 321.

VICHYSTE [viʃist] adj. et n. — V. 1940 ; de *vichysme*.

♦ Du gouvernement de Vichy. ⇒ **Vichyssois, pétainiste**. *Opinions vichystes*. — N. Partisan du régime de Vichy.

VICIABLE [visjabl] adj. — V. 1406 ; de *vicier*.

♦ Didact. Qui peut être vicié.

VICIATEUR, TRICE [visjatœʀ, tʀis] adj. — 1872 ; de *vicier*.

♦ Didact., rare. Qui vicie. *« Les agents viciateurs de l'air »* (Littré).

VICIATION [visjasjɔ̃] n. f. — 1789, *Journal de Paris, in* D.D.L. ; « corruption de quelqu'un », 1756 ; de *vicier*.

♦ Didact. Action de vicier (le sang, l'air) ; de se vicier. ⇒ **Pollution**.
1 (...) cette maladie était causée par une viciation du sang que corrompait un principe morbifique inconnu.   BALZAC, la Cousine Bette, Pl., t. VI, p. 504.
2 (...) les spontanistes (...) récusaient toutes les expériences faites en vase clos parce que, d'après eux, la viciation de l'air, résultant du confinement, s'opposait à la naissance de la vie.
                                    Jean ROSTAND, Esquisse d'une histoire de la biologie, p. 163.

VICIÉ, ÉE [visje] p. p. adj. ⇒ **Vicier**.

VICIÉES [visje] n. f. pl. ⇒ **Vesce** (1.).

VICIER [visje] v. tr. — 1265, au p. p. ; lat. *vitiare*, de *vitium* « vice », II.

♦ **1.** (1396). Dr. Rendre défectueux, affecter d'un vice (II.). *Incompatibilité* (cit. 7) *qui ne vicie pas l'élection. Lésion* (cit. 3) *qui vicie les conventions*. ⇒ **Annuler**. — Loc. jurid. *Ce qui abonde ne vicie pas*.
1 (...) l'original est de la main de le-Jay ; la copie est de celle de son commis. Ce qui abonde ne vicie pas.
                                    BEAUMARCHAIS, Mémoires... dans l'affaire Goëzman, p. 93.

♦ **2.** (1564). Cour. Corrompre, gâter. ⇒ **Altérer, gâter**. *Des fumées d'usine qui vicient l'air*. ⇒ **Empester**.

♦ **3.** (Abstrait). *Le faux goût qui a vicié tant de beaux génies* (→ Extirpation, cit.).
2 (...) la Société (...) destitue la jeunesse de ses grâces et vicie la plupart de ses sentiments généreux en y mêlant des calculs.
                                    BALZAC, Illusions perdues, Pl., t. IV, p. 515.
3 (...) il suffirait de dissiper une ombre, de dénouer un fil, de souffler sur une poussière pour que notre bonheur fût délicieux. C'est un rien, qui vicie tout et que je ne puis définir.   J. CHARDONNE, Éva, p. 108.

▶ **SE VICIER** v. pron.
S'altérer, devenir impur. *L'air d'une salle de spectacles se vicie rapidement si elle n'est pas aérée*.

▶ **VICIÉ, ÉE** p. p. adj. (V. 1265).

♦ **1.** Dr. Qui comporte un vice de forme (II.). *Acte vicié*, entaché* de nullité. ⇒ **Annulation**.

♦ **2.** Impur, corrompu. — Vx. *Viscère vicié* (→ Fourreau, cit. 5). *Sang vicié*, impur. — *Air vicié*, devenu peu propre à la respiration par défaut d'oxygène et présence de gaz carbonique. ⇒ **Pollué**. *Air* (1. Air, cit. 10) *vicié d'un lieu habité et clos. L'air vicié des grandes villes. Purifier l'air vicié*.

♦ **3.** (1768, Condillac). Défectueux (intellectuellement). *Raisonnement vicié*. — *Tentative viciée par le favoritisme* (cit. 1).

♦ **4.** (Mil. xxᵉ). Rare. Corrompu moralement par le vice.
CONTR. Améliorer, amender, purifier. — Pur, sain.
DÉR. Viciable, viciateur, viciation.

VICIEUSEMENT [visjøzmɑ̃] adj. — 1226 ; de *vicieux*.

♦ D'une manière vicieuse (I. ou II.). *Il la regardait vicieusement*.

VICIEUX, EUSE [visjø, øz] adj. et n. — 1190, « qui tient du vice » ; lat. *vitiosus*, de *vitium* « vice ».

★ **I.** ◆ **1.** (V. 1280). Vx. Qui a un vice, des vices* (I., 2.), de mauvais penchants. ⇒ **Corrompu, immoral, pervers ; mauvais, taré.** *Néron était vicieux* (→ Honnête, cit. 2). — N. *Le vicieux et l'homme de bien* (→ Indulgence, cit. 3).

Vieilli. Dont les mauvais penchants ne peuvent se corriger. *Enfants vicieux envoyés dans une colonie pénitentiaire* (cit.).

(1559). Par ext. (Animaux). Ombrageux* et rétif*. *Cheval vicieux.*

1 (...) une bête têtue et vicieuse, décidée à ne rien savoir, qui, les deux éperons dans le ventre, se cabrait, donnait de la croupe de droite et de gauche, tournait obstinément sur place.   COURTELINE, le Train de 8 h 47, I, I.

Par anal. (Sports). Qui n'est pas envoyé, exécuté franchement (pour tromper l'adversaire). *Balle vicieuse ; coup vicieux.*

◆ **2.** (Fin XIIIᵉ). Vieilli. Qui traduit, dénote une disposition au vice, au mal.

1.1 Ses yeux gris indiquaient la méchanceté, une méchanceté froide, réfléchie et vicieuse. À la façon tranquille et cruelle dont elle vous regardait, vous fouillait l'âme et la chair, elle vous faisait presque rougir.
O. MIRBEAU, le Journal d'une femme de chambre, p. 15.

◆ **3.** (1660, Oudin). Qui a des mœurs déréglées, des habitudes sexuelles que réprouve le sentiment moral collectif. ⇒ **Cochon** (adj.), **pervers ;** (fam.) **vicelard.** *Il est un peu vicieux. Enfant vicieux.* Par ext. (Choses). *Désir vicieux, obsession vicieuse.* ⇒ **Coupable, libidineux** (cit. 2). *Air, geste vicieux.*

2 (...) Nana apparut à la porte vitrée (...) Elle avait de grands yeux d'enfant vicieuse, allumés d'une curiosité sensuelle.   ZOLA, l'Assommoir, VIII, t. II, p. 52.

N. *Un vieux vicieux.* ⇒ **Cochon, débauché, libertin, roué** (vx), **satyre** (cit. 3). → Chasteté, cit. 6. *Le besoin de cette vicieuse* (→ Exciter, cit. 34). *Petit vicieux ! Sale vicieuse !*

◆ **4.** (XXᵉ). Fam. Qui a des goûts dépravés, bizarres. *Il faut vraiment être vicieux pour aimer ça !*

3 (...) dupés jusqu'au sang par une horde de fous vicieux devenus incapables soudain d'autre chose, autant qu'ils étaient, que de tuer et d'être étripés sans savoir pourquoi.   CÉLINE, Voyage au bout de la nuit, p. 38.

★ **II.** ◆ **1.** (XIVᵉ ; *vicious*, v. 1265). Vx. (Choses). Qui est défectueux, mauvais, entaché de vices (II.). *Vicieuses imitations* (→ Matière, cit. 12). *Dénouements* (cit. 2) *froids et vicieux.*

◆ **2.** Mod. et littér. ou style soutenu. Qui va à l'encontre des règles, des normes. ⇒ **Fautif.** *Locution*, expression vicieuse* (→ Écrivain, cit. 4 ; manière, cit. 31). *Tour vicieux.* ⇒ **Impropre** (cit. 1 ; → aussi Espèce, cit. 19). *Prononciation vicieuse.* — Méd. *Position vicieuse du corps.*

Par anal. (fig.) :

4 (...) s'il vient à me parler de son gamin qui est toujours premier en classe, c'est lui qui prend le dessus quand même. Je me trouve par le fait dans une position vicieuse. Je n'ai pas la chance, moi, d'avoir un fils comme Béruchard.
M. AYMÉ, le Passe-muraille, p. 133.

Log. CERCLE VICIEUX : raisonnement fautif dans lequel ce qu'il s'agit précisément de démontrer ou de définir est employé comme élément de la démonstration ou de la définition. ⇒ **Cercle** (→ Enfermer, cit. 6 ; lexicographie, cit.) ; et aussi **pétition** (de principe).

Cour. Situation dans laquelle deux conditions exigent chacune que l'autre soit réalisée. *Être dans un cercle vicieux* (→ Infus, cit.). *C'est un vrai cercle vicieux, car l'employeur ne veut pas signer le contrat de travail tant qu'il n'a pas de titre de séjour, et l'administration ne délivre le titre de séjour que sur présentation d'un contrat de travail.*

CONTR. Candide, chaste, pur. — Bon, correct.
DÉR. Vicieusement.

VICINAL, ALE, AUX [visinal, o] adj. et n. m. — XVIᵉ ; *voisinal*, 1373 ; *chemin vicinal*, 1775, Turgot ; lat. *vicinalis*, de *vicus* «bourg».

◆ **1.** Adj. Admin. *Chemin vicinal* (→ aussi Journalier, cit. 3 ; pont, cit. 7) : voie étroite qui met en communication des villages. *Routes départementales et chemins vicinaux.* — *Taxe vicinale,* perçue pour l'entretien des voies publiques.

◆ **2.** N. m. Régional (Belgique). Tramway mettant plusieurs localités rurales en communication.
DÉR. (Du sens 1) Vicinalité.

VICINALITÉ [visinalite] n. f. — 1838 ; de *vicinal*.
Administration, droit.

◆ **1.** État d'un chemin vicinal. — Anc. *Chemin de grande vicinalité,* qui forme une liaison importante (par ex., avec une route nationale).

(...) on a établi vers cette époque *(1835)* un chemin de grande *vicinalité* qui relie la route d'Abbeville à celle d'Amiens, et sert quelquefois aux rouliers allant de Rouen dans les Flandres.   FLAUBERT, Mᵐᵉ Bovary, II, I.

◆ **2.** Ensemble des chemins vicinaux.

VICINITÉ [visinite] n. f. — Mil. XXᵉ ; 1507, au sens concret ; lat. *vicinitas,* de *vicinus* «voisin».

◆ Didact. (ling.). Voisinage, proximité sémantique (de notions, de concepts).

VICISSITUDE [visisityd] n. f. — 1356 ; lat. *vicissitudo,* de **vicis* «succession, alternative».

◆ **1.** Vx. Changement par succession de choses différentes. ⇒ **Alternative, changement** (cit. 1), **instabilité.** *La vicissitude de la vie. Ils croyaient leurs cœurs affranchis de vicissitude* (→ Passer, cit. 67).

1 Votre vie n'a plus été qu'une triste vicissitude de lumières et de ténèbres.
MASSILLON, Carême, Inconstance, in LITTRÉ.

◆ **2.** (1681, Bossuet). Littér. Au plur. ⓐ Variations dues au changement. *La langue suit les vicissitudes des mœurs* (→ Conserver, cit. 5). *Les vicissitudes des âges* (→ Recueil, cit. 1).

ⓑ **Spécialt.** Succession de choses bonnes et mauvaises, des événements heureux et malheureux qui se succèdent dans une vie. *Les vicissitudes de la vie, de mon existence* (→ Plume, cit. 15). ⇒ **Aléa, hasard, tribulation.** *La roue de la fortune, emblème des vicissitudes.*

2 Dans le cours d'une vie inégale et mémorable par ses vicissitudes, souvent sans asile et sans pain, j'ai toujours vu du même œil l'opulence et la misère.
ROUSSEAU, les Confessions, III.

Événements malheureux. Leurs maximes ont fortifié (cit. 9) *mon âme dans les vicissitudes de la vie. Assister* (cit. 1) *aux vicissitudes des hommes.*

3 La vie de cette créature était un tissu d'aventures romanesques et de vicissitudes étranges.   BALZAC, les Marana, Pl., t. IX, p. 801.

VICOMTAL, ALE, AUX [vikɔ̃tal, o] adj. — XIIIᵉ ; de *vicomte*.

◆ Didact. Qui appartient au vicomte ; du vicomte. *Armes vicomtales. Titre vicomtal.*

VICOMTE, VICOMTESSE [vikɔ̃t, vikɔ̃tɛs] n. — XVᵉ ; *vezcuntes,* 1080, Chanson de Roland ; fém., XIIIᵉ ; lat. médiéval *vicecomes* (→ Vice-).

◆ **1.** N. m. Vx. Titre du lieutenant du comte.

◆ **2.** Personne dont le titre est au-dessous de celui de comte*, de comtesse*, dans la hiérarchie nobiliaire. ⓐ N. m. (→ Chambre, cit. 10). *« Vicomte, que dis-tu de ces yeux ? »* (→ Mais, cit. 13, Molière). *Le Vicomte de Bragelonne,* œuvre d'A. Dumas.

ⓑ N. f. *Elle est vicomtesse. La vicomtesse de X.* — (1690). Femme d'un vicomte (ne possédant pas de titre personnel).
DÉR. Vicomtal, vicomté.

VICOMTÉ [vikɔ̃te] n. f. — 1207 ; de *vicomte*.
Didactique.

◆ **1.** Titre attaché à une seigneurie appartenant à un vicomte, une vicomtesse. *Une vicomté.*

◆ **2.** La terre de cette seigneurie.

VICOMTESSE [vikɔ̃tɛs] n. f. ⇒ **Vicomte.**

VICTIMAIRE [viktimɛʀ] n. m. — 1556 ; lat. *victimarius,* adj. substantivé, de *victima.* → Victime.

◆ Didact. Antiq. Prêtre qui frappait les victimes. ⇒ **Sacrificateur.** — Adj., fig. *« Exécrateur victimaire du propos banal »* (Léon Bloy, *le Désespéré,* p. 32).

VICTIME [viktim] n. f. — 1496 ; lat. *victima*.

◆ **1.** Créature vivante offerte en sacrifice* aux dieux. ⇒ **Hostie** (vx). *Victime piaculaire*, propitiatoire*. Immoler, égorger une victime sur l'autel d'un dieu. Sacrificateur qui frappe la victime.* ⇒ **Sacrifier.** *Taureaux blancs qui servent de victimes* (→ Eubage, cit. 1). *Examen des entrailles des victimes* (→ Aruspice, cit. 1). *Victimes humaines* (→ Barbare, cit. 22 ; holocauste, cit. 3). *Iphigénie demandée comme victime par les dieux* (→ Offrande, cit. 1).

0.1 (...) ils conduisent la victime, qui est un renne mâle, à l'endroit où est l'autel du dieu à qui ils veulent sacrifier, et ne permettent à aucune femme ou fille d'approcher de ce lieu (...)   J.-F. REGNARD, Voyage en Laponie, p. 130.

(1642, Corneille). En parlant de Jésus. *Jésus, victime volontaire* (→ Bois, cit. 42).

◆ **2.** (1617, *victime de...* ; 1782, Laclos, absolt). Personne qui subit la haine, les tourments, les injustices de qqn. *Chacun a sa victime et chacun son bourreau* (cit. 4). *Livrer* (cit. 1) *à qqn sa victime. Ces milliers de victimes bannies dans tous les coins de l'Europe* (→ Infélicité, cit. 2). ⇒ **Persécuter.** *La victime d'un tyran, d'un dénonciateur* (→ Hériter, cit. 10), *d'un usurier* (→ Papa, cit. 3).

⇒ **Proie**. *Homme de lettres* (cit. 37) *victime de la cabale. Victime innocente et forcée* (→ Narrer, cit. 3). — *Avec la douceur de la victime résignée* (→ Parapher, cit. 1). — (Dans la société). *La révolte ne vient jamais des victimes* (→ Inattaquable, cit. 2). *Se prendre pour une victime* (→ Génie, cit. 44). — *Se poser en victime*. — Par ext. *Les victimes de l'arbitraire, d'un régime politique*.

1 (...) et pour être cruel et méchant sans danger, il a choisi les femmes pour victimes.
LACLOS, les Liaisons dangereuses, IX.

1.1 Elle était ravie de porter ce coup à la Berma. Peut-être eût-elle reculé si elle eût su que ce serait un coup mortel. On aime à faire des victimes, mais sans se mettre précisément dans son tort, en les laissant vivre. D'ailleurs où était son tort?
PROUST, le Temps retrouvé, Pl., t. III, p. 1015.

♦ **3**. (1617). VICTIME DE... (souvent en fonction d'attribut ou en apposition sans article). Personne qui souffre, pâtit des agissements d'autrui, ou de choses, d'événements néfastes. *La patiente victime de ma furie* (→ Éruption, cit. 3). *Victime de la calomnie* (→ Imputation, cit. 3), *d'une machination. Les manœuvres dont j'étais la victime* (→ Exécration, cit. 2). *L'ironie fait toujours une victime* (→ Humour, cit. 8). *Victimes des caprices d'autrui* (→ Méchant, cit. 20), *d'une éducation* (→ Répugnant, cit. 3). — *Victime de circonstances imprévues* (→ Génie, cit. 4), *des préjugés* (→ Sensible, cit. 5). *Les maux dont nous pouvons être victimes* (→ Pitié, cit. 7). *Il fut victime d'une apoplexie* (→ Hémiplégie, cit.). *Être victime d'une hallucination* (→ Exister, cit. 4). ⇒ **Jouet** (le jouet de...). — (Victime de soi-même; 1687, Bossuet). *Une fureur dont ils sont les victimes* (→ Pastille, cit. 2). *Les femmes sont victimes de leur sensibilité* (→ Dupe, cit. 8). *Victime de son dévouement. Il fut (la) victime de sa curiosité.* — *Mourir victime du devoir. Les victimes du devoir* (dans l'exercice de fonctions périlleuses). *Victimes du devoir*, pièce de Ionesco (1953).

2 Jusqu'à seize ans je fus victime du grec et du latin, que je commence seulement à ne plus exécrer. STENDHAL, Mémoires d'un touriste, t. I, p. 76.

3 (...) je serai victime de ma profession de foi politique et religieuse, et martyr de mes opinions (...) SAINTE-BEUVE, Proudhon, p. 33.

4 Et cela ne donnait-il pas la mesure de l'inconsistante duperie dont ils risquaient d'être victimes? MARTIN DU GARD, les Thibault, t. IV, p. 258.

♦ **4**. (1735, Lesage). Personne tuée ou blessée.

a Personne injustement condamnée à mort. *Les tristes victimes que le Saint-Office voulait immoler* (→ Autodafé, cit. 1). *Les victimes de la Terreur, du nazisme.*

b Personne torturée, violentée, assassinée. *Frapper sa victime. Les victimes de Landru* (→ Meurtrier, cit. 3). *Les restes de ses victimes* (→ Incinérer, cit. 1). *La police a trouvé de l'argent sur la victime* (→ Mobile, cit. 8). *Le corps de la victime portait d'horribles meurtrissures.*

c Personne qui meurt d'un cataclysme, d'une épidémie, d'un accident. *Le tremblement de terre a fait de nombreuses victimes.* ⇒ 3. **Mort**. *Les victimes de la peste* (→ Nombre, cit. 17). *Les victimes d'un accident* (→ Loterie, cit. 3), *d'un incendie, d'un naufrage. On déplore plusieurs victimes.*

d Personne tuée dans une émeute, une guerre. *Les victimes de la fusillade du Champ-de-Mars, de la Commune. Les victimes de la guerre* (cit. 10), *des bombardements.*

5 (...) le meurtrier a évidemment pensé à se servir de la bande roulée autour des reins (...) Il (...) a ainsi traîné sa victime jusqu'au bord de la rivière (...)
BAUDELAIRE, Trad. E. POE, Histoires grotesques et sérieuses, « Mystère Marie-Roget ».

6 Et le déblaiement commençait à peine, on ramassait une nouvelle victime sous chaque décombre (...) ZOLA, la Bête humaine, X.

7 Il n'y a pas de révolution sans victimes. Même quand il s'agit de révolution personnelle. G. DUHAMEL, Salavin, V, XIV.

CONTR. Bourreau. — Meurtrier. — Rescapé.
DÉR. Victimer.
COMP. Victimologie.

VICTIMER [viktime] v. tr. — 1600; de *victime*.

♦ Vx. Rendre victime, maltraiter (qqn).

Mais je m'adresserais aux chambres si les tribunaux nous victimaient.
BALZAC, le Père Goriot, Pl., t. II, p. 1037.

VICTIMISER [viktimize] v. tr. — XXᵉ; angl. *to victimize*, de *victim* «victime».

♦ Anglic. Transformer en victime. *Victimiser un enfant, une personne séquestrée*. — REM. On trouve aussi le dér. victimisation, n. f. (angl. *victimization*): «les développements des recherches de victimisation occulte... (peuvent) renforcer cette fausse conscience qui réduit la criminalité aux atteintes portées à la personne (...) d'un individu particulier» (Sciences et Avenir, nº 16, p. 82, 1975).

VICTIMOLOGIE [viktimɔlɔʒi] n. f. — Mil. XXᵉ; de *victime*, et *-logie*.

♦ Didact. Branche de la criminologie qui étudie le statut psycho-social des victimes de crimes et délits.

VICTOIRE [viktwaʀ] n. f. — V. 1155; *victorie*, 1080, *Chanson de Roland*; lat. *victoria*, de *victor*, de *victum*, supin de *vincere* «vaincre».

♦ **1**. Issue favorable d'un combat, d'une bataille, d'une guerre. ⇒ **Succès**. *Les victoires de Napoléon. La victoire de la Marne. La victoire de qqn. Remporter une victoire* (→ Humain, cit. 22). ⇒ **Vaincre**. *Sonner la victoire* (→ Embuscade, cit. 1). *Trophée* d'une victoire. Victoire en balance* (1. Balance, cit. 25), *indécise, prompte* (→ Balancer, cit. 22), *éclatante, âprement* (→ 3) *disputée. Foi en la victoire finale* (→ Ébranler, cit. 32). *Se flatter* (cit. 49) *d'une victoire assurée. Ce qui décide de la victoire* (→ Ralliement, cit. 1). *La victoire s'acheva par l'assassinat des vaincus* (→ Prisonnier, cit. 3). *Voler de victoire en victoire* (→ Conquérant, cit. 2). ⇒ **Conquête**. *Entasser victoire sur victoire* (→ Dessus, cit. 1). *Les lauriers, la palme de la victoire.* — *Victoire navale, aérienne. Communiqué* (cit.) *qui annonce des victoires. Tirer les avantages d'une victoire* (→ Appartenir, cit. 29). *Perdre le bénéfice de la victoire. Victoire suivie d'un traité de paix. Fêter une victoire* (→ Espérance, cit. 32). *La fête nationale de la victoire* (de 1918): *le 11 novembre. La victoire des Alliés en 1945* (symbolisée par V).

1 N'as-tu jamais entendu parler, par exemple, de la gloire immense qu'apportent les victoires? Et, cependant, les victoires ne se font pas seules. Il faut verser du sang, beaucoup de sang, pour les engendrer et les déposer aux pieds des conquérants.
LAUTRÉAMONT, les Chants de Maldoror, II.

2 La paix m'importait plus que la victoire (...) (Maman) me disait que la guerre allait peut-être bientôt s'achever: «Oui!» dis-je avec élan «qu'elle finisse! n'importe comment: mais qu'elle finisse!» Maman s'arrêta net et me regarda d'un air effrayé: «Ne dis pas une chose pareille! La France doit être victorieuse!»
S. DE BEAUVOIR, Mémoires d'une jeune fille rangée, p. 66.

Loc. VICTOIRE À LA PYRRHUS: victoire trop chèrement obtenue (Pyrrhus aurait dit, après Asculum: «*Encore une victoire comme celle-là et nous sommes perdus!*»).

2.1 Mais enfin depuis qu'à tort ou à raison les Alliés se croient sûrs de vaincre (pour ma part je serais naturellement enchanté de cette solution, mais je vois surtout beaucoup de victoires sur le papier, de victoires à la Pyrrhus avec un coût qui ne nous est pas dit) et que les Boches ne se croient plus sûrs de vaincre (...)
PROUST, le Temps retrouvé, Pl., t. III, p. 796.

(1636). *La Victoire*: divinité allégorique représentée par une femme ailée. *Les ailes de la Victoire.* — (Sans majuscule). *Intrépide, et partout suivi de la victoire* (→ Manquer, cit. 12, Racine). *Masséna, l'enfant chéri* (cit. 16) *de la victoire.* — Loc. *Voler au secours de la victoire*: se rallier tardivement à la cause ou au parti qui est sur le point de l'emporter, de triompher (par intérêt, opportunisme, etc.).

3 La victoire, en chantant, nous ouvre la barrière (...)
Sachons vaincre ou sachons périr (...) M.-J. CHÉNIER, le Chant du départ.

Statue de cette divinité (→ Force, cit. 76). *La Victoire de Samothrace.*

♦ **2**. (V. 1225). Heureuse issue (d'une lutte, d'une opposition, d'une compétition, pour qui a l'avantage). ⇒ **Triomphe**. *Victoire diplomatique. Pardonner* (cit. 9 et 11) *après la victoire. En amour notre vanité dédaigne* (cit. 6) *une victoire trop facile* (→ aussi Exaspérer, cit. 7).

Loc. *Crier victoire.* — (1680). *Chanter victoire*: se glorifier d'une victoire, d'une réussite (→ Catalogue, cit. 2).

Victoire!: cri, souhait de victoire.

Situation (de la personne, du groupe qui gagne, qui l'emporte contre qqn). Sports, jeux. *La victoire d'une équipe sportive. Victoire aux points* (→ Point, cit.); *victoire par K.-O.*, en boxe. — (XVIIᵉ). *Victoire (morale) sur soi-même, sur la tentation*, se dit de la volonté qui triomphe des instincts, des passions (→ Liberté, cit. 38). *«Conservez* (cit. 8) *à jamais ma dernière victoire!». Petites victoires* (→ Beaucoup, cit. 42). *Joyeuses victoires* (→ Effort, cit. 17).

4 Quelle conquête vaut celle-ci (la vie de Beethoven), quelle bataille de Bonaparte, quel soleil d'Austerlitz atteignent à la gloire de cet effort surhumain, de cette victoire, la plus éclatante qu'ait jamais remportée l'Esprit: un malheureux, pauvre, infirme, solitaire, la douleur faite homme, à qui le monde refuse la joie, crée la Joie lui-même pour la donner au monde! Il la forge avec sa misère (...)
R. ROLLAND, la Vie de Beethoven, p. 79.

(Choses). «*Mort* (1. Mort, cit. 19) *où est ta victoire?». Victoire du catholicisme sur l'hérésie* (cit. 6; → aussi Naturalisme, cit. 2). ⇒ **Consécration, réussite**.

CONTR. Déconfiture, défaite, déroute. — Échec.

VICTORIA [viktɔʀja] n. f. — 1846, Bescherelle; du nom de la reine d'Angleterre *Victoria*, qui régna de 1837 à 1901.

★ **I**. Bot. *Victoria* ou *Victoria regia*: plante dicotylédone (*Nymphéacées*) herbacée, aquatique, à fleurs rouges et blanches et dont les immenses feuilles à petite bordure verticale flottent sur l'eau. *La Victoria fut dédiée à la reine par Lindley. On trouve notamment les Victoria regia au Brésil.*

1 La surface de l'eau est émaillée par les splendides nénuphars (les Victoria regia) pour lesquels Demerara a une juste célébrité.
G. VERSCHUUR, Voyage aux trois Guyanes, in la Tour du monde, 1893, t. II, p. 52.

★ **II.** (1867 ; 1844, en angl.). Ancienne voiture hippomobile découverte, à quatre roues, qui servait aux déplacements en ville.

2 La victoria fort élégante, attelée de deux superbes chevaux noirs, attendait devant
le perron de l'hôtel.　　　　　MAUPASSANT, l'Inutile Beauté, I.

VICTORIEN, IENNE [viktɔRjɛ̃, jɛn] adj. — 1913, *Mercure de France*, in D. D. L. ; de *Victoria*, reine d'Angleterre.

♦ Relatif à la reine Victoria, à son règne (1837-1901). *La réserve, le
puritanisme de l'époque victorienne.* ⇒ **Cant.** *Style victorien. Poésie victorienne.*

Par ext. Qui a les caractères (puritanisme, etc.) de la société victorienne.

1 (...) les Grandes Dames qui empruntent le corridor en sens inverse. Elles
s'ennuaient un peu, savez-vous, dans leurs seigneuriales demeures et s'offrent une
fugue, pas assez longue, toutefois, pour troubler la bonne harmonie d'un couple
victorien on ne peut plus gratiné (...) Déguisées en putains. Racolant dans Soho,
se donnant à des misérables pour apprendre un peu, un tout petit peu l'accent du
désespoir (...)　　　　André HARDELLET, Lourdes, lentes..., p 127.

N. m. pl. (1924). *Les victoriens :* les écrivains, les artistes anglais de
l'époque victorienne.

On trouve le dérivé *victorianisme,* n. m. :

2 Le puritanisme communiste n'a fait qu'exacerber le victorianisme russe.
　　　　　Vladimir VOLKOFF, le Retournement, p. 152.

VICTORIEUSEMENT [viktɔRjøzmɑ̃] adv. — 1356 ; de *victorieux.*

♦ D'une manière victorieuse, en remportant la victoire. *Notre marche, victorieusement progressive* (→ Catastrophe, cit. 4). — *Résister victorieusement* (→ Équilibrer, cit. 8). *Réfuter victorieusement
des objections* (cit. 4).

VICTORIEUX, EUSE [viktɔRjø, øz] adj. — 1265 ; bas lat. *victo-
riosus,* de *victoria* «victoire».

♦ **1.** Qui a remporté une victoire (1.). ⇒ **Vainqueur** (adj.). *Saint
Michel, l'ange victorieux* (→ Porte-glaive, cit.). *Général victorieux*
(→ Indispensable, cit. 12). *Sortir victorieux d'un combat. Armée*
(→ Héroïsme, cit. 2), *troupes victorieuses* (→ Parcimonie, cit. 1)͏.

1 Après les glorieuses fatigues et les exploits victorieux de notre auguste monarque (...)　　　　MOLIÈRE, le Malade imaginaire, Premier prologue.

Vx. *Arc* (cit. 13) *victorieux :* arc triomphal.

N. m. (Vx). *Le victorieux* (→ Grâce, cit. 7). ⇒ **Vainqueur.**

♦ **2.** (xve). Qui a remporté une victoire (2.) ; qui l'a emporté* sur
qqn. *Sortir victorieux d'une dispute* (→ Épingle, cit. 6). *Parti victorieux aux élections.* — (Sports). *L'équipe victorieuse.* — *Victorieux de moi-même* (→ Oui, cit. 18).

♦ **3.** (1640, Corneille). Qui exprime un succès. *Un air victorieux,* de
triomphe. *Un argument victorieux,* décisif, sans réplique. *Réponse
victorieuse aux ricanements* (cit. 2).

2 Ce qui l'a flattée, un jour qu'elle s'achetait un petit manteau pour une noce, c'est
que Tapin, le marchand de nouveautés, ait dit, en lui mettant sur le dos la pre-
mière jaquette venue :
«Vous êtes bien plaisante à habiller !»
Comme Tapin faisait miroiter un caraco de satinette :
«Oh ! non ! non ! dit-elle, c'est trop victorieux pour moi !»
　　　　J. RENARD, Nos frères farouches, Ragotte, Pl., t. II, p. 327.

CONTR. Battu, défait, perdant, vaincu.
DÉR. Victorieusement.

VICTUAILLE [viktɥaj] n. f. — 1502 ; *vitaille,* 1138 (→ Avitailler,
ravitailler), *victaille,* 1300, refaits sur le lat. ; du bas lat. *victualia,* plur.
neutre de *victualis* «relatif aux vivres».

♦ **1.** Vx (au sing.). Aliment, nourriture dont on fait provision
(→ Apercevoir, cit. 2 ; et aussi homard, cit. 1).

♦ **2.** N. f. pl. (1542). Mod. **VICTUAILLES :** provisions de bouche.
⇒ **Vivres.** *Boutiques de victuailles* (→ Flot, cit. 13). *De bonnes victuailles* (→ Munitionnaire, cit. 1).

1 (...) quelques-uns lui donnaient des restes de victuailles qu'ils tiraient de leur bis-
sac ou les habits trop usés dont ils ne voulaient plus.
　　　　FLAUBERT, Trois contes, «Légende de saint Julien l'Hospitalier», III.

2 Il portait sur l'épaule un grand sac de victuailles, car il venait s'installer pour huit
jours dans la bicoque de Louise.　　　M. AYMÉ, le Passe-muraille, p. 68.

VIDAGE [vidaʒ] n. m. — XIIIe, *vuidage* «vidange» ; de *vider.*

★ **I.** ♦ **1.** Rare. Action de vider (qqch.). *Vidage de fonds de baril*
(→ Hareng, cit. 2).

♦ **2.** (1920, Bauche). Fam. Action de vider [II., 2.] (qqn), d'expulser
(qqn) d'un lieu.

★ **II.** (1872). Techn. Par métonymie, «terres vidées». Remblai,
exhaussement formé par la terre extraite, de chaque côté d'un canal.

VIDAME [vidam] n. m. — XIIe, *visdame ;* adapt. du lat. ecclés. *vice
dominus* (→ Vice-).
Didactique.

♦ **1.** (Hist. de la féodalité). Officier qui remplaçait les seigneurs
ecclésiastiques (évêques, abbés) dans certaines fonctions temporelles (juridiques ou militaires).

♦ **2.** (1690). Titre de noblesse attaché aux terres tenues par un
vidame (→ Bastille, cit. 1 ; gazette, cit. 4 ; prétention, cit. 8). *Monsieur le vidame* (→ Gloire, cit. 28).

DÉR. Vidamé ou vidamie.
HOM. Forme du v. vider.

VIDAMÉ [vidame] n. m. ou **VIDAMIE** [vidami] n. f. — XIIe,
vidamné ; vidamie, XIVe ; de *vidame.*
Didactique.

♦ **1.** Dignité, titre de vidame.

♦ **2.** (Déb. XVIIIe, Saint-Simon). Terre à laquelle est attaché ce titre.

VIDANGE [vidɑ̃ʒ] n. f. — 1362, *widange ; widenghe* «conduit,
égout», 1286 ; mot du Nord (Flandres) et de l'Est ; de *vider.*

A. ♦ **1.** (XVIe). Action de vider (en parlant d'opérations techniques,
grossières ou sales). *La vidange d'un fossé, d'un ballast, d'un
réservoir.* ⇒ **Écoulement.** *Vidange du réservoir d'huile d'une auto.*
— Absolt. *Vidange et graissage ; vidange-graissage. Bouchon de
vidange.*

EN VIDANGE. *Voiture en vidange* (aussi au sens B, 2).

♦ **2.** (XIVe, en picard). Opération par laquelle on vide une fosse
d'aisances ; évacuation des eaux usées, des matières fécales, etc.
Système de vidange, par pompage, par déversement et collecte
(⇒ **Tout-à-l'égout**). *Entrepreneur de vidange* (⇒ **Vidangeur**). *Eaux
de vidange.* ⇒ **Égout** (→ Submersion, cit.).

♦ **3.** (1340). Eaux et forêts. Fait d'enlever le bois abattu dans
une coupe ; les terres fouillées. *Vidange d'une coupe. Chemin
de vidange.*

B. Par métonymie. → Vidange. ♦ **1.** (*Vuidange,* 1409). Ce qui est
enlevé, vidé ; spécialt. les matières vidées d'une fosse d'aisances ;
l'engrais animal. ⇒ **Fécal** (matières fécales), **gadoue ; eaux-vannes.**
La vidange de Paris pourrait fertiliser (cit. 2) *cent mille hectares.
Traitements chimiques des vidanges* (⇒ **Dépotoir**).
(1803). Techn. Déchets d'une carrière d'ardoises.

♦ **2.** (1690). État d'un récipient qu'on est en train de vider ; état du
liquide dans un récipient à demi vide. **EN VIDANGE.** *Bouteilles
en vidange.*

— Dans cette bouteille un reste qui s'éventerait. J'ai en horreur les bouteilles en
vidange (...)　　　　DIDEROT, Jacques le fataliste, Pl., p. 637.

♦ **3.** (1636 ; «égout», 1286). Ce qui sert à vider, à évacuer l'eau. *La
vidange d'un lavabo* (bonde à soupape).

♦ **4.** (Belgique). Verre consigné (emploi critiqué). — Au plur. Bouteilles vides (consignées ou non).

DÉR. Vidanger, vidangeur.

VIDANGER [vidɑ̃ʒe] v. tr. — Conjug. *bouger.* — 1855 ; de *vidange.*

♦ **1.** Vider (une fosse, un ballast, un réservoir...). *Vidanger une
cuve, un radiateur d'automobile.* — Spécialt. Faire la vidange de
(une fosse d'aisances).

♦ **2.** (1872). Évacuer par une vidange. *Vidanger l'huile d'un moteur,
les eaux résiduelles.*

VIDANGEUR, EUSE [vidɑ̃ʒœR, øz] n. — 1676 ; de *vidange.*

♦ **1.** N. m. Celui qui fait la vidange des fosses d'aisances, tinettes,
etc. (→ par plais. Maître des basses œuvres*).

1 (...) ton fils sera vidangeur. Heureusement pour lui (...) ce sont des machines qui
vident les fosses.　　　　APOLLINAIRE, l'Hérésiarque..., p. 189.

♦ **2.** N. f. Véhicule équipé (citerne, pompe, tuyauterie, etc.) pour la
vidange des fosses d'aisances (→ fam. Pompe à merde*).

2 (...) sur les Champs-Élysées, à Paris, on laisse pas se balader les vidangeuses.
　　　　René FALLET, le Triporteur, p. 68.

VIDE [vid] adj. et n. m. — XIVe ; graphie officielle en 1762, Académie ;
vuide, XIIIe ; du fém. de l'anc. franç. *vuit, voide* «friche (terre)», 1080,
Chanson de Roland ; du lat. pop. **vocitus,* de *vocuus,* var. archaïque
du lat. class. *vacuus* (→ Vacive).

★ **I.** Adj. ♦ **1.** Qui ne contient rien de sensible, de perceptible ;
dans lequel il n'y a ni solide, ni liquide. *Espace vide entre deux choses.* ⇒ **Lacune, trou, vide** (II.). *Une boîte, une valise, une armoire
vide. Malle à moitié vide* (→ Disparate, cit. 2). *Salle vide.*

1 Parce que (...) vous avez cru dès l'enfance qu'un coffre était vide lorsque vous n'y voyez rien, vous avez cru le vide possible (...)   PASCAL, Pensées, II, 82.

(XIIᵉ). Sc., philos. Où il n'y a pas de matière. « *Il ne peut y avoir aucun espace entièrement vide* » (→ Matière, cit. 1, Descartes). — *Où règne un vide* (II., 1.) *très poussé. Solution optiquement vide,* dans laquelle l'ultramicroscope ne permet de discerner aucune suspension colloïdale. — *Emballage sous vide* (l'espace entre le produit emballé et l'emballage étant vidé d'air).

(XXᵉ). Math. *Ensemble vide,* qui n'a aucun élément. ⇒ **Zéro.**

Inform. Qui ne contient pas d'information, qui est dénué de sens. ⇒ **Nul.**

(XVIIᵉ). Qui est dépourvu de son contenu normal. ⇒ **Vidé** (vider). *Verre, bock; bouteille... vide* (→ 1. Patron, cit. 9; presser, cit. 17; rincer, cit. 2), *à moitié vide* (→ Quoi, cit. 2). *Réservoir, rivière vide.* ⇒ **Sec** (à). *La cruche* (cit. 1) *au large ventre est vide en un instant.* ⇒ **Vider.** — *Bourse** (→ Péage, cit. 3), *gousset* (cit. 2), *poche vide* (→ Râpé, cit. 2). ⇒ **Plat** (spécialt). *Avoir la bourse vide.* ⇒ **Pauvre; dégarni, démuni.** — *Louer un appartement vide,* sans meubles (opposé à *meublé*).

2 Mais le lendemain il se présenta chez elle avec une facture (...) Emma fut très embarrassée : tous les tiroirs du secrétaire étaient vides (...)   FLAUBERT, Mᵐᵉ Bovary, II, XII.

Loc. (V. 1360). *Avoir l'estomac*, le ventre vide* (→ Nourriture, cit. 2). ⇒ **Creux.** — *Arriver, rentrer les mains vides.* ⇒ **Main** (cit. 73 et *supra*).

♦ **2.** (XIIIᵉ; en parlant d'un lieu, un espace). Qui n'est pas occupé; où il n'y a personne. ⇒ **Dépeuplé, inoccupé, vague.** *Pièce, chambre vide* (→ Attrister, cit. 8; farine, cit. 2). *Maison plus vide qu'une tombe.* ⇒ **Abandonné** (→ Lugubre, cit. 4). *Salle vide, après une réunion, une séance.* ⇒ **Évacué.** *Lit* (→ Hôpital, cit. 6), *fauteuil vide. Le trône restait vide* (→ Régicide, cit. 3). ⇒ **Vacant.** *Scène de théâtre vide,* avant l'entrée en scène des acteurs. *La scène reste vide pendant un instant.* — *Place vide.* ⇒ **Libre.** → Banquet, cit. 1; bâtir, cit. 33; nez, cit. 45. *Compartiment* (→ 1. Gare, cit. 6), *wagon vide* (→ Place, cit. 17; 4. rame, cit. 4). — *Allée, rue vide* (→ Recueillement, cit. 5).

3 (...) l'allure d'une carriole de paysan qui rentrait devant lui, l'étonna. Elle semblait vide, personne n'était plus sur le banc, et le cheval, abandonné, retournait à son écurie d'une allure flâneuse (...)   ZOLA, la Terre, II, II.

4 Tout était creux et vide; le Louvre sans tableaux, la Chambre sans députés, le Sénat, sans sénateurs, le lycée Montaigne sans lycéens.   SARTRE, Situations III, p. 27.

Par exagér. Qui est loin d'être plein (I., 1., b); où il y a peu de monde. *Les cafés, les théâtres sont vides* (→ Il n'y a pas un chat*). *Les rues sont vides, à cette heure-là. Paris est vide au mois d'août.* ⇒ **Désert.** *Le train était vide.*

♦ **3.** (Mil. XVᵉ). Fig. [a] (Le temps étant assimilé à un contenant). Qui n'est pas employé, occupé comme il pourrait l'être; sans occupation*. *Journées vides* (→ Observer, cit. 12). *Dimanche vide et interminable. Avoir des moments* vides, dans la journée.* ⇒ **Vacant; loisir** (de). « *Siècles vides* » (Bossuet), où il ne s'est rien passé d'important.

[b] (XIIIᵉ, en parlant du cœur, de la tête,... lieu des émotions, des idées). *Son crâne, sa tête lui semblait vide* (→ Faim, cit. 5). *Avoir la tête vide :* ne plus avoir momentanément sa présence d'esprit, ses connaissances, ses souvenirs (fatigue, choc, émotion); éprouver un malaise, un vertige. *Esprit vide,* sans idées, sans projets, sans souvenirs, etc. (selon les contextes). *Cœur vide,* sans sentiments (→ Désenchanter, cit. 5). « *Nous ne travaillons qu'à remplir la mémoire, et laissons l'entendement et la conscience vides...* » (→ Pédant, cit. 1, Montaigne). — *Être vide et ennuyé* (cit. 26), sans occupation, désir ni sentiment. — *Avoir une case* vide.*

♦ **4.** Creux. [a] Dont la matière (solide) n'occupe pas tout le volume; qui présente des évidements, des lacunes. ⇒ **Creux.** *Os vide* (→ Oiseau, cit. 2). — Adv. *Cela sonne vide,* creux.

[b] (V. 1265). Fig. Qui manque d'intérêt*, de substance. ⇒ **Creux** (fig.). *Style vide et prétentieux.* ⇒ **Bouffi, boursouflé.** *Sonorités vides et retentissantes* (cit. 1). *Discussion, propos vides.* ⇒ **Futile** (cit. 4), **insignifiant, inutile.** — *Une vie, une existence vide.* ⇒ **Insipide, morne** (1). — « *Nous sommes tous creux et vides* » (→ Substance, cit. 12, Montaigne; et aussi attacher, cit. 60; 2. politique, cit. 5).

5 Soudain toute l'excitation tombe. Plus rien ne vaut la peine d'être continué. Le péché n'est pas horrible : le vide. Tout est vide.   J. ROMAINS, les Hommes de bonne volonté, t. V, XXVI, p. 265.

♦ **5.** (XIXᵉ, en parlant d'une surface). Qui n'est pas couvert, recouvert. ⇒ **Dénudé, nu.** *Mur vide* (→ Hôpital, cit. 5). « *Sur le vide papier* (cit. 15) *que la blancheur défend* » (Mallarmé). *Places* (→ Déracinement, cit. 1), *raies vides* (→ Gélatine, cit.). *Le grand espace* (cit. 17) *vide des steppes et des pampas. Terrains vides* (de culture, de constructions). ⇒ **2. Vague, vain** (vx).

♦ **6.** (XIIᵉ). **VIDE DE...** : qui ne contient, ne renferme, ne possède pas (ce qu'il devrait normalement contenir). ⇒ **Sans.** *Poches vides d'argent. Rues vides de voitures.* — (Abstrait). *Yeux vides de regard* (→ Replier, cit. 2). *Regard vide d'expression. Gens vides de sens*

commun. ⇒ **Dépourvu** (→ Inhabile, cit. 1). *Une table rase* (cit. 3), *vide de tout caractère.* — *Mots* vides de sens*.* « *Des noms pompeux, vides de sens et de choses* » (Bossuet, *Oraison funèbre de la Duchesse d'Orléans, in* Littré).

6 (...) l'esprit et le cœur sont encore vides de passions, de soins (...)   LA BRUYÈRE, les Caractères, XIV, 71.

7 Vient alors une de ces périodes étranges, qui me semblent telles parce qu'elles sont vides, somme toute, de faits extérieurs et qu'elles sont presque données à la rêverie.   G. DUHAMEL, la Pesée des âmes, VII.

(Sujet n. de personne). Dépourvu de pensées, de sentiments, etc. « *Il me semble que je serais vide de tout* » (Mᵐᵉ de Sévigné, 153, 8 avril 1671).

★ **II.** N. m. (1549, *le vuide*; v. 1370, *vieu*; XIIIᵉ, *voit* « ouverture » [d'une armure]).

♦ **1.** (XIVᵉ). [a] Espace qui n'est pas occupé par de la matière (concept hypothétique de la philosophie et de l'ancienne science). ⇒ **Vacuité, vacuum** (→ Fluide, cit. 9; subtil, cit. 5). *Le vide et le plein* (→ Dense, cit. 3). *Les atomes* (cit. 7) *et le vide* (dans la philosophie antique). — *L'horreur du vide. La nature* (cit. 47) *a horreur du vide, abhorre le vide* (→ Équilibre, cit. 1) : aphorisme de ceux qui soutenaient l'impossibilité du vide (jusqu'aux expériences de Torricelli, Pascal, de Guericke, Boyle). *Pascal montra que les effets de « l'horreur du vide » étaient dus à la pesanteur de l'air.* — Fig. *La sensibilité* (cit. 6) *a horreur du vide.* — Par plais. *La nature a horreur du vide,* se dit à propos d'un ivrogne, d'un glouton, etc. — *Le vide absolu* (absence de molécules, d'atomes ou de particules « élémentaires ») *ne semble pas se rencontrer dans la nature.*

8 (...) il aurait fallu reconnaître l'existence de fluides intangibles, invisibles, impondérables, trois négations dans lesquelles la science d'alors voulait voir une définition du vide.   BALZAC, Ursule Mirouët, Pl., t. III, p. 317.

[b] (1651, Pascal). Sc. Abaissement très important de la pression d'un gaz (l'air, en général), dans une enceinte; état de la matière dans cet espace. *Vide pneumatique :* raréfaction de l'air au moyen de la machine pneumatique (cit. 1 et 2). *Vide barométrique, de Torricelli* (rempli en fait de vapeur de mercure). — *Production du vide par machines pneumatiques, trompes, pompes à palettes, à vapeur de mercure, pompes moléculaires, etc. Mesure du degré de vide* (par la pression du gaz résiduel). *Vide absolu et vide relatif. Vide imparfait. Tubes à vide. Vide plus ou moins poussé.* — *Nettoyage* par le vide. Faire le vide en aspirant l'air.* ⇒ **Pomper.**

9 J'entends toujours par le mot de vide un espace vide de tous les corps qui tombent sous les sens.   PASCAL, Conclusion des traités..., in Œ., t. III, p. 255.

Vide optique (A. Kastler), obtenu par un « pompage optique » qui modifie la répartition des niveaux énergétiques des atomes ou des molécules (ce procédé a des applications très importantes et récentes).

Vide moléculaire : vide assez complet pour que les molécules subsistantes aient un libre parcours plus grand que l'enceinte.

♦ **2.** [a] (1675, Bossuet). Espace vide; milieu où il n'y a pas d'objets sensibles (choses ou personnes). ⇒ **Abandon.** « *Tout est-il vide et absence dans la région des sépulcres ?* ». ⇒ **Néant** (cit. 7), **rien.**

10 Outre la distraction qu'elle éprouvait à ranger, elle éprouvait cette espèce de volupté qu'il y a, quand on détruit en rangeant, à voir le vide prendre la place des objets (...)   MONTHERLANT, les Lépreuses, I, I.

Poétique :

11 Je jette en vain un nom au hasard à ce vide :
Le désert seul, hélas ! m'entoure et me répond.   LAMARTINE, Jocelyn, III, 3 juil. 1793.

Loc. **FAIRE LE VIDE AUTOUR DE** (qqn) : l'isoler, écarter tout le monde de lui. *Faire le vide autour de soi :* s'isoler. *Faire le vide dans son esprit :* ne plus penser à rien.

[b] (XXᵉ). Spécialt. Espace où il n'y a aucun corps solide (susceptible de servir d'appui). *Soutenir au-dessus du vide* (→ Ballon, cit. 4). *Regarder dans le vide* (→ Échelle, cit. 6). — *Espace*,* considéré indépendamment de ce qui s'y trouve. *Fixer le vide* (→ Inexpressif, cit. 2), *regarder dans le vide.*

Loc. (1872). **DANS LE VIDE.** *Parler dans le vide,* sans auditeurs, ou, par ext., en n'étant écouté de personne, en pure perte.

12 Jusqu'ici, il avait eu constamment l'impression de parler dans le vide — un vide des plus hostiles, qui dévorait à mesure ses paroles.   A. ROBBE-GRILLET, le Voyeur, p. 65.

Promettre dans le vide, sans aucune intention ou possibilité de tenir sa promesse.

♦ **3.** (Fin XIIᵉ). *Un, des vides.* [a] Espace vide ou solution de continuité. ⇒ **Cavité** (cit. 1), **espace, fente, ouverture, trou.** *Remplir les vides d'une matière.* ⇒ **Combler.** *Les pleins* (cit. 72) *et les vides. Vide qui sépare deux choses* (→ Contigu, cit. 2). ⇒ **Distance, espace.** — Spécialt (dans une construction, une paroi). ⇒ **2. Baie, fissure, trou.** *Cloison qui laisse des vides* (claire-voie). *Boucher un vide* (→ Plâtras, cit. 2). — *Vide intérieur d'un récipient.* ⇒ **Capacité.**

13 Sous le grand vide réservé sur la hauteur des voûtes au vol des prières moutonnait le troupeau bigarré des êtres humains.   FRANCE, Histoire comique, X.

Techn. *Vide d'air, de construction :* espace ménagé dans les parois d'un bâtiment. — *Vide sanitaire :* espace réglementaire devant être ménagé sous le sol du rez-de-chaussée des maisons sans cave.

b (1713). Espace où manque quelque chose; espace vide (I., 4.). ⇒ **Blanc, interruption, lacune, manque.** *Vides dans un tableau* (→ Coloriste, cit. 3). — Par métaphore. *Combler les vides de son souvenir.* ⇒ **Lacune** (cit. 1), **trou** (→ Interpolation, cit. 2). *Ne pas laisser de vide* (→ Plein, cit. 10).

14 L'intervalle qui restait entre la tablette de ce bureau et la *Tempête* de Vernet, qui est au-dessus, faisait un vide désagréable à l'œil. Ce vide fut rempli par une pendule (...) DIDEROT, Regrets sur ma vieille robe de chambre, Pl., p. 975.

14.1 (...) la paresse, le manque d'imagination, ou l'extrême lassitude du moment, le même événement pourra, les vides une fois remplis, se présenter aussi bien sous le rassurant aspect d'une terne banalité, du déjà vu (...) Claude SIMON, le Vent, p. 146.

c Fig. Ce qui interrompt (une réalité morale : occupation, intérêt, sentiment) ; ce qui est ressenti comme un manque. ⇒ **Manque** (→ Entretenir, cit. 14 ; idolâtrer, cit. 3 ; tabac, cit. 1). *Ne laisser dans l'âme aucun vide* (→ Heureux, cit. 36). *Combler* (cit. 9.1) *un vide de deux années.*

15 Pendant les premières heures, il avait un vide dans le cerveau, il ne pensait rien, rien. C'était comme un mur noir, contre lequel il venait se briser. R. ROLLAND, Jean-Christophe, Antoinette, p. 892.

Spécialt. Le sentiment pénible provoqué par l'absence, la mort*. ⇒ **Perte** (cit. 2), **privation.** *Son départ fait un grand vide.*

d VIDE JURIDIQUE : absence de législation dans un domaine, sur un point particulier.

♦ **4.** Caractère de ce qui manque de réalité, d'intérêt. ⇒ **Futilité, inanité, néant, vacuité, vanité.** *Le vide des idées, des phrases mortes* (→ 1. Livre, cit. 9). *Le vide de l'homme* (→ Insuffisance, cit. 2), *de l'âme.* ⇒ **Désert** (fig.). — *Éprouver une sensation* (→ Écroulement, cit. 5). *Un vide nauséeux* (cit. 2). ⇒ **Ennui.** — *Le vide des heures, du temps* (→ Oisiveté, cit. 1), *de l'existence.*

16 Le vide mortel de ces heures sans projets aggravait à tel point sa détresse, qu'il fut incapable de lutter davantage (...) MARTIN DU GARD, les Thibault, t. III, p. 103.

Chose vaine, futile (→ Fiction, cit. 3). *Toutes ses promesses sont du vide, du vent*.*

♦ **5.** (1690, Furetière). Manque, absence de (qqch.). *Un vide d'idées, d'intérêts.* ⇒ **Défaut.**

Loc. adv. (1538, Estienne). À VIDE : sans rien contenir. *Voiture qui part, passe à vide* (→ Heure, cit. 16). — Par ext. Sans avoir l'effet normalement attendu (au sens propre, en n'agissant pas sur la matière solide). *Frapper* (cit. 4) *à vide. Rouage qui tourne à vide,* n'enclenche pas. *Le moteur tourne à vide.* — Fig. *La raison* (cit. 41) *n'opère pas à vide.*

17 Or voici que le temps a cessé de couler à vide. Je suis installé enfin dans ma fonction. SAINT-EXUPÉRY, Pilote de guerre, V.

18 Tel qui n'a plus rien à raconter depuis des années chaque matin s'assied devant sa table et écrit à vide, à la lettre : ce sont des maîtres du néant. F. MAURIAC, le Nouveau Bloc-notes 1958-1960, p. 79.

Techn. *Corde à vide,* que l'on fait résonner sur toute sa longueur. *Jouer à vide d'un instrument à corde.*

Loc. *Passage à vide* : moment où un moteur, un mécanisme tourne à vide. — Fig. Moment où une activité s'exerce sans effet utile. — Spécialt. Baisse de l'activité ou de l'efficacité d'une personne, due à la fatigue, la maladie, etc. *Elle a eu un passage à vide à la fin de l'hiver, mais maintenant elle est en pleine forme.*

CONTR. Plein, rempli ; bondé, bourré, 2. comble, complet, farci, fourni, grouillant, surpeuplé ; occupé, pris (place). — (Du n. m.) Occupation, plein (n. m.), plénitude, remplissage.

VIDÉ, ÉE [vide] adj. ⇒ **Vider.**

VIDÉASTE [videast] n. — 1982, cit. ; de *vidéo,* et suff. *-aste,* d'après *cinéaste.* → Vidéo.

♦ Personne qui exerce une activité créatrice et technique ayant rapport à la vidéo. « *Quotidienne et encore mystérieuse, inépuisable, en tout cas inépuisée, la vidéo fascine consommateurs et artistes. Plasticiens, hommes de théâtre et bien entendu hommes de cinéma, musiciens, chorégraphes s'en servent pour multiplier l'espace, le fragmenter, annuler les distances, fabriquer des mirages (...) Soucieux de définir la singularité de leurs recherches, ils ne veulent être confondus avec personne, et se donnent un nom : les vidéastes* » (Colette Godard, *Gros plan sur le vidéothéâtre, in Contact,* n° 219, nov. 1982, p. 22).

VIDE-BOUTEILLE [vidbutɛj] n. m. — 1553 ; de *vide(r),* et *bouteille.*

♦ **1.** (1752). Vx. Petite maison de plaisance servant de pied-à-terre, près d'une ville (→ Maison de bouteille*).

Depuis le printemps, on s'en va en bande, presque tous les dimanches, dîner dans un petit vide-bouteille, loué par Villedeuil à Neuilly. Ed. et J. DE GONCOURT, Journal, 1853, t. I, p. 41.

♦ **2.** (XIXe). Mod. Instrument permettant de vider une bouteille sans

la déboucher (en enfonçant un siphon dans le bouchon). *Des vide-bouteilles.*

VIDE-CAVE [vidkav] n. m. — Mil. XXe ; de *vide(r),* et *cave.*

♦ Techn. Pompe hydraulique pour évacuer l'eau d'un local inondé. *Des vide-caves.*

VIDE-GOUSSET [vidgusɛ] n. m. — D. i. ; mot d'apparence médiévale, non attesté dans l'anc. langue et qui semble avoir été créé au XIXe (1853) ; de *vide(r),* et *gousset.*

♦ Vx. Filou, voleur. *Des vide-goussets.*

Oui, le vide-gousset flétrit le tire-laine. HUGO, les Châtiments, VI, V.

VIDELLE [vidɛl] n. f. — 1659 ; du rad. de *vider.* Technique.

♦ **1.** Instrument de pâtissier pour couper la pâte en bandes minces.

♦ **2.** (1803). Instrument de confiseur pour vider certains fruits à confire.

♦ **3.** (1876). Mar. Couture à point de surjet utilisée pour réparer les petits accrocs dans les voiles.

VIDÉO [video] adj. invar. et n. f. — V. 1960 ; angl. *video,* du lat. *video* « je vois », de *videre* « voir ».

★ **I.** Adj. invar. Qui concerne l'enregistrement et la retransmission des images et des sons sur un écran de visualisation. *Signal vidéo,* contenant les éléments qui servent à la transmission d'une image. « *Le film est balayé par un très fin pinceau d'électrons modulé par le signal vidéo. C'est dire que la pellicule n'est plus impressionnée optiquement mais électroniquement* » (*Sciences et Avenir,* juin 1980, p. 23). — *Système vidéo,* permettant la transmission à distance du son et de l'image. — *Équipement, matériel vidéo. Caméra vidéo, films, bandes vidéo. Disque vidéo.* ⇒ **Vidéodisque.** *Cassette vidéo.* ⇒ **Vidéocassette.** *Jeu vidéo* : jeu qui utilise un écran de visualisation et dans lequel les mouvements sont commandés électroniquement. — « *Quant à la bande vidéo, ses immenses possibilités sont encore à peine connues. Elle a d'ores et déjà permis l'essor de l'enseignement télévisé en circuit fermé* » (l'Express, 16 juil. 1973).

★ **II.** N. f. ♦ **1.** (Abrév. de *vidéofréquence**). Fréquence de modulation contenant une information ; ensemble de ces fréquences. — Signal, message qu'elles contiennent. *Exploitation de la vidéo d'un radar, de la télévision.*

♦ **2.** (Abrév. de *vidéophonie**). Technique qui permet d'enregistrer l'image et le son sur un support magnétique (magnétoscope) au moyen d'une caméra de télévision, et de les retransmettre, en réel ou en différé, sur un écran de visualisation. « *Des revues spécialisées se créent, vouées à la célébration de deux culte du nouveau culte de la vidéo* » (le Point, 18 déc. 1978, in P. Gilbert).

1 Ayant appris qu'aux U.S.A. les hommes politiques avaient leur professeur de vidéo, il s'était choisi Raoul pour lui donner des leçons de télévision. Les élections approchaient. Ils s'enfermaient donc en compagnie de deux cameramen pour répéter discrètement. Jacqueline MONSIGNY, le Miroir aux pingouins, p. 280.

Équipement vidéo. *Vidéo légère, mobile fixe.*

2 Sur les deux écrans leurs corps apparurent. — J'ai une vidéo, dit Marielle. C'est Jean-Claude qui me l'a offerte. Cécil SAINT-LAURENT, la Bourgeoise, p. 184.

DÉR. Vidéaste.

VIDÉO- Premier élément, de l'angl. *video,* du lat. *video* « je vois », entrant dans la formation de mots scientifiques et techniques appartenant au vocabulaire de l'audio.isuel (emploi des vidéofréquences). ⇒ **Vidéocassette, vidéoclip, vidéodisque, vidéofréquence, vidéogramme, vidéographie, vidéophone, vidéophonie, vidéothèque.**

REM. 1. On trouve d'autres composés, comme *vidéo-animation,* n. f. (in *l'École des lettres,* n° 10, 1982-83) ; *vidéocommunication,* n. f. (1974, in *la Clé des mots*) ; *vidéoconférence,* n. f. (l'Express, 24 mars 1979) ; *vidéomagazine,* n. f. (in P. Gilbert) ; *vidéosphère,* n. f.

Une mondialisation de la télévision, une vidéosphère va se constituer. J.-F. REVEL, in l'Express, 4 déc. 1972, p. 79.

2. Ces composés tendent tous à s'écrire sans trait d'union, mais la graphie avec trait d'union s'emploie encore, lorsque le second élément est un mot (*vidéo-cassette, vidéo-disque*).

VIDÉOCASSETTE [videokasɛt] n. f. — 1971 ; de *vidéo-,* et *cassette,* d'après l'anglais.

♦ Cassette contenant une bande magnétique qui permet d'enregistrer et de reproduire à volonté un programme de télévision ou un film vidéo. « *Antenne 2 (chaîne de la télévision française) souhaite commercialiser par vidéocassettes les opéras montés par Rolf Liebermann (...)* » (le Point, 23 mars 1981).

Demain peut-être, la vidéo-cassette ou le film miniaturisé à piste multiple surclasseront le théâtre, le concert et même le film et la TV.

Roger GARAUDY, Parole d'homme, p. 174 (1975).

VIDÉOCLIP [videoklip] n. m. ⇒ 2. Clip.

VIDÉODISQUE [videodisk] n. m. — Après 1970 (janv. 1973, *in Science et Vie*); de *vidéo-*, et *disque*, d'après l'anglais.

♦ Disque qui permet de reproduire sur un écran de télévision un enregistrement (images et son). «*Or, pour l'enregistrement des émissions de télévision, le chemin qui mène du magnétoscope au disque est déjà franchi; le résultat s'appelle le vidéo-disque, "l'Arlésienne" des techniques modernes puisqu'on annonce depuis près de six ans sa commercialisation imminente et qu'aucun modèle n'a encore été vendu pour des raisons commerciales, dit-on*» (*Science et Vie*, mars 1978, p. 76). «*La prochaine révolution du loisir électronique, c'est le vidéodisque : on projette des images à partir d'un simple disque, inusable, puisque "lu" par laser*» (*l'Express*, 5 avr. 1980, p. 88).

VIDÉOFRÉQUENCE [videofrekãs] n. f. — 1964; de *vidéo-*, et *fréquence*.

♦ ⇒ Vidéo (II., 1.).

VIDÉOGRAMME [videogram] n. m. — 1974, in *les Nouveaux Mots dans le vent*; de *vidéo-*, et *-gramme*.

♦ Techn. Support (bande magnétique, disque...) permettant l'enregistrement, la conservation et la reproduction d'un document audiovisuel. «*(...) le producteur de vidéogrammes est-il titulaire d'un droit d'auteur? Quelle est la part respective qui doit revenir au réalisateur, à l'artiste-interprète, à l'organisme de radio-télévision "reproducteur"?*» (*le Monde*, 3 févr. 1977, p. 14).

VIDÉOGRAPHIE [videografi] n. f. — V. 1975; de *vidéo-*, et *-graphie*.

♦ Techn. Transmission des messages graphiques (caractères, chiffres, schémas...) par télécommunication. ⇒ Télétexte. *Vidéographie interactive*. ⇒ Vidéotex. «*Un système original de vidéographie (qui permet de faire varier en temps réel les couleurs et les formes des maquettes)*» (*le Point*, 11 janv. 1982, p. 71). *Vidéographie diffusée* (vidéotexte). *Les trucages de la vidéographie* (→ 2. Clip, cit.).

VIDÉOPHONE [videofon] n. m. — 1955; de *vidéo-*, et *-phone*.

♦ Techn. Téléphone combiné à un téléviseur, permettant aux correspondants de se voir. — Terme critiqué; on a proposé *visiophone*, n. m.

VIDÉOPHONIE [videofoni] n. f. — V. 1970; de *vidéo-*, et *phonie*.

♦ Transmission de signaux vidéo par câbles téléphoniques. ⇒ Vidéo (II., 2.)

VIDE-ORDURES [vidordyr] n. m. invar. — 1935; de *vider*, et *ordure*.

♦ Conduit vertical (cit. 3) dans lequel on peut jeter les ordures par une trappe ménagée à chaque étage, dans un immeuble. *Il est interdit de jeter des bouteilles dans le vide-ordures.*

1 Un cri (...) se répercutant indéfiniment à travers les couloirs, heurtant les cloisons, fusant de haut en bas le long des vide-ordures et des cages d'ascenseur (...)

J.-M. G. LE CLÉZIO, la Fièvre, p. 133.

Par ext. Ouverture de ce conduit. *Il y a un vide-ordures dans la cuisine, sur le palier.*

Par métaphore :

2 Nous ne sommes pas des jeunes filles, vous savez, malgré nos robes (...) Nous sommes le vide-ordures de l'humanité et nous en savons finalement plus long que les pires fêtards (...)

J. ANOUILH, Ornifle, p. 179.

VIDÉOTEX [videotɛks] n. m. invar. et adj. — V. 1979; n. déposé; angl. *videotex*.

♦ Techn. Système permettant de matérialiser des textes et des graphismes sur un écran de télévision à partir d'un signal de télévision ou d'une ligne téléphonique. ⇒ Vidéographie. «*La D. G. T.* (Direction générale des télécommunications) *installera l'an prochain à Vélizy, dans la banlieue parisienne, un service expérimental de vidéotex : 3 000 habitants pourront visionner chez eux des informations municipales, les horaires des trains, le bulletin météo, la liste des spectacles ou des fiches "Art de vivre"*» (*l'Express*, 24 mars 1979, p. 120).

Adj. *Appareil vidéotex. Terminaux vidéotex.*

REM. On trouve plus rarement *vidéotext* [videotɛkst]. «*La technique de base, celle du vidéotext, est aujourd'hui parfaitement au point (...)*» (*Sciences et Avenir*, mars 1981, p. 25); la graphie francisée *vidéotexte* serait préférable (cf. *l'Express*, 20 nov. 1981, p. 117). La commission du vocabulaire des télécommunications recommande de distinguer le *videotex* (vidéographie interactive) du *télétexte* (vidéographie diffusée).

VIDÉOTHÈQUE [videotɛk] n. f. — 1970, cit.; de *vidéo-*, et *-thèque*, d'après *bibliothèque*.

♦ Collection de documents vidéo. — Lieu où ils sont entreposés. «*Sur le plan du "cinéma" en général, la vidéothèque et la cabine audiovisuelle devraient permettre d'accéder à l'ensemble de la production cinématographique et provoquer ainsi une expansion rapide des diverses recherches liées à ce mode d'expression*» (*la Recherche*, sept. 1970, p. 334).

VIDE-POCHES [vidpɔʃ] n. m. invar. — 1749; de *vider*, et *poche*.

♦ 1. Petit meuble, et, par ext., coupe, corbeille où l'on peut déposer de petits objets (contenu des poches, boutons de manchettes, bagues, etc.).

(...) un salon en noyer façon Louis XV et aux murs des vide-poches, forme pantoufle, en coquillages.

Paul MORAND, l'Europe galante, «La glace à trois faces».

♦ 2. (V. 1960). Compartiment aménagé sous le tableau de bord ou dans les portes d'une automobile, où l'on peut déposer de menus objets. → Boîte* (*supra* cit. 4.1) à gants.

VIDE-POMME [vidpɔm] n. m. — 1828; de *vider*, et *pomme*.

♦ Instrument ménager servant à ôter le cœur, les pépins d'une pomme, sans la couper. *Des vide-pommes.*

VIDER [vide] v. tr. — XIVᵉ (graphie adoptée par le dict. de l'Académie seulement en 1762); *vuidier* «retirer d'un lieu», XIIᵉ; du lat. pop. *vocitare*, de *vocitus* «vide».

★ I. Rendre vide. ♦ 1. [a] Rendre vide (un contenant) en ôtant ce qui était dedans. *Vider ses poches, un tiroir, un meuble, un sac. Vider un bassin, un réservoir, une cuve, une fosse d'aisances.* ⇒ Vidanger. *Vider un étang.* ⇒ Assécher (cf. Mettre à sec). *Vider qqch. par une saignée, une ouverture. Vider en pompant. Vider un conduit bouché.* ⇒ Désobstruer. — *Vider sa pipe. Vider un wagon, une benne.* — *Vider une pièce, un débarras, un placard, une armoire, une valise.*

Pour vider une cuve dans une autre par un tuyau de caoutchouc, une simple amorce suffit. COCTEAU, les Enfants terribles, p. 164. 1

Fig. *Vider son sac** (1. Sac, cit. 14 à 16). *Vider l'abcès**, vider son carquois** (vx). *Vider son cœur :* s'épancher.

Et lui, continuant à leur tenir tête, éprouvait un soulagement, dans cette franchise qui vidait son cœur d'autoritaire. ZOLA, Germinal, V, III. 1.1

La vieille femme aussitôt ôta ses mains de son visage et elle répondit avec un flux de mots larmoyants, vidant sa douleur dans l'abondance de sa parole. MAUPASSANT, la Petite Roque, Pl., t. II, p. 627. 1.2

[b] (XVIIᵉ; *in* Furetière, 1690). [En buvant]. *Vider une bouteille. Vider son verre. Vider un verre d'un trait* (→ 1. Coupe, cit. 1), *jusqu'au fond, en entier.* ⇒ Finir (→ Faire cul* sec).

Paule vida d'un trait son verre et l'emplit de nouveau. F. MAURIAC, le Sagouin, I. 2

Fig. *Vider les bouteilles :* boire beaucoup.

[c] (En emportant, volant ou dépensant). *Vider un coffre-fort* (→ 1. Dire, cit. 30), *le frigidaire. Les cambrioleurs ont vidé tous les tiroirs.*

Vider (qqch.) dans, sur : répandre le contenu de qqch. quelque part. *Vider un sac de haricots* (2. Haricot, cit. 2) *dans un tiroir, un récipient dans un autre* (→ Introduire, cit. 13; lessive, cit. 1). *Vider une bouteille de vin dans une carafe.* ⇒ Transvaser, transvider. *Vider une boîte, son porte-monnaie sur la table.*

♦ 2. (1560). Techn., vx. Rendre creux un objet (en enlevant de la matière). *Vider une clef, un canon de fusil* (Académie).

♦ 3. (1611). Ôter les entrailles de (un poisson, un animal) pour le faire cuire. ⇒ Étriper. *Vider et flamber un poulet.*

Maintenant le boucher vidait l'agneau. Les viscères luisants et tièdes de la bête, il les faisait passer par-dessus son avant-bras (...) 2.1

Pierre GASCAR, les Bêtes, p. 45.

Par anal. *Vider un abcès* (cit. 1).

♦ 4. *Vider... de... :* débarrasser de..., en faisant sortir. ⇒ Dégarnir. *Vider une maison, un appartement, une pièce de ses meubles* (⇒ Démeubler), *de ses occupants* (⇒ Dépeupler). *Vider un bassin de ses poissons.*

♦ 5. (XIIᵉ). Rendre vide (un lieu) en s'en allant. ⇒ Évacuer. *Vider les arçons, les étriers,* les perdre, être désarçonné.

3 Regnault dégaina son épée, et ce fut, — signez-vous d'horreur ! — pour bailler plusieurs coups au travers du corps de son cousin, qui vida les étriers.
Aloysius BERTRAND, Gaspard de la nuit, « La chasse ».

(XVIIᵉ). Vx. *Vider un pays.* — Loc. mod. *Vider les lieux :* quitter la place. ⇒ **Abandonner.** — Littér. *Il faut vider la place,* s'en aller.

4 En octobre, le nouveau propriétaire leur donna huit jours pour vider la maison et préparer leur grand départ.   LOTI, Matelot, XV.

(Sujet n. de chose). *La crise avait vidé les restaurants chers.*

(V. 1160). Vx (langue class.). Intrans. « *Un ordre de vider d'ici, vous et les vôtres* » (→ Céans, cit. 1, Molière).

♦ **6.** (1876). Fam. Épuiser (qqn), faire perdre à (qqn) ses forces physiques ou morales. ⇒ **Lessiver, pomper.** *La fatigue l'a vidé* (→ ci-dessous *vidé,* 3.).

4.1 Il n'y a pas à dire, le travail du corps, surtout en usine, cela vous vide.
F. MAURIAC, Bloc-notes 1952-1957, p. 64.

♦ **7.** (1313, Godefroy, *vuider un dit* « prononcer un jugement »). Fig. Faire en sorte que (une question) soit épuisée, réglée. ⇒ **Régler, résoudre, terminer.** *Vider une affaire* (→ Estocade, cit. 1), *un débat* (→ Recourir, cit. 1), *un différend, un procès*, une querelle* (cit. 7). *Vider une question.*

Vx. *Vider un partage* (cit. 4).

★ **II.** Enlever (qqch., qqn) d'un lieu. ♦ **1.** (1436). Ôter (le contenu d'un contenant), faire sortir d'un contenant. ⇒ **Évacuer, ôter, retirer.** *Vider le contenu d'une boîte, d'un verre. Videz ce reste de vin. Allez vider les ordures.*

Spécialt. *Vider l'eau d'une barque.* ⇒ **Écoper.**

5 Nous fûmes obligés d'aller à pied presque tout le reste de la journée, à cause des torrents qui tombaient des montagnes et d'un vent impétueux qui faisait entrer l'eau dans le bateau avec une telle abondance, que, si l'on n'eût été extrêmement prompt à la vider, il eût été bientôt rempli.
J.-F. REGNARD, Voyage en Laponie, p. 84.

♦ **2.** (1879). Fam. Faire sortir brutalement (qqn) d'un lieu, et, par ext., d'un emploi, d'une situation. ⇒ **Chasser, congédier, déloger, expulser, renvoyer ;** (fam.) **balancer, déboulonner, dégommer, lourder, virer.** *Se faire vider. Ils l'ont vidé comme un malpropre. Vider un ivrogne d'un dancing, d'une boîte.* ⇒ **Videur.** *Si tu continues, tu vas te faire vider.*

6 Ce matin, un individu est venu me proposer des tickets... Je l'ai vidé sans y mettre de formes et il ne doit qu'à sa forte carrure de n'avoir pas eu mon pied dans les fesses.   M. AYMÉ, le Passe-muraille, « La carte ».

6.1 Et je vide sans pitié les visiteurs quand, avec les trompes de leurs voitures, ils empêchent les bêtes de se sentir chez elles.   J. KESSEL, le Lion, p. 48.

6.2 — Je veux le virer... *(Fébrile.)* Il faut que je lui parle.
— (...) C'est difficile, vous savez... On a essayé... On s'est fait vider (...)
J. PRÉVERT, le Jour se lève, 1939, in l'Avant-Scène, nº 53, p. 34.

Spécialt. *Cheval qui vide son cavalier,* qui le désarçonne.

▶ **SE VIDER** v. pron.

♦ **1.** [a] (1559 ; en parlant d'un lieu). Se dégarnir de son contenu ; devenir vide ou moins plein. *Bouteille* (→ Glouglou, cit. 4), *panier qui se vide. Tonneau percé, qui se vide de partout.* ⇒ **Couler.** *Étang qui se vide.* ⇒ **Débonder** (se). *Réservoir qui se vide dans un bassin.* ⇒ **Dégorger, déverser** (→ ci-dessus, I., 3.). *Les hameaux s'étaient vidés de leurs mendiants* (→ 1. Gent, cit. 4). — Absolt. Devenir désert. *Paris se vide en été.*

7 À trois heures, la maison se vida pour les vêpres.
MARTIN DU GARD, les Thibault, t. II, p. 188.

[b] (V. 1190). Spécialt. *Se vider comme une outre* (en vomissant). → Goinfre, cit. 3. *Se vider comme un lapin :* avoir la colique. — *Se vider* (de son sang). → Hémorragie, cit. 2.

Par métaphore :

8 Notre vocabulaire semblait presque intact, mais nos mots, qui s'étaient vidés de substance réelle, nous conduisaient, si nous prétendions en user, vers des contradictions sans issue.   SAINT-EXUPÉRY, Pilote de guerre, XXVII.

♦ **2.** (1638). Se régler. *Le débat, le procès s'est vidé.*

♦ **3.** (XXᵉ). S'écouler*. *Les eaux se vident par un tuyau, dans un égout...*

▶ **VIDÉ, ÉE** p. p. adj. (V. 1360 ; *vuidié,* v. 1240).

♦ **1.** (En parlant d'un contenant). Rendu vide de son contenu. *Le seau pas vidé* (→ Ménager, cit. 5). *Verre vidé* (→ 1. Goutte, cit. 6 ; rubis, cit. 5).

(Animaux). Dont on a enlevé les entrailles. *Poisson vidé. Volaille mal vidée.*

♦ **2.** (Choses). Qu'on a rendu creux. *Citrouille vidée* (→ Spectre, cit. 4). *Tronc d'olivier* (cit. 6) *quasi vidé.*

Spécialt. *Jarrets bien vidés* (d'un cheval), creusés, sans graisse.

Blason. Se dit des pièces évidées, qui laissent paraître le champ de l'écu en leur centre.

♦ **3.** (Personnes). [a] Épuisé de fatigue. ⇒ **Fatigué, fourbu** (cit. 3).

9 (...) il se sentit (...) exténué mais mieux : en quelque sorte vidé au sens propre du terme, comme s'il ne restait plus de lui qu'une simple enveloppe sans plus rien à l'intérieur (...)   Claude SIMON, le Vent, XV.

[b] Qui n'a plus de ressources (intellectuelles, morales). *Des êtres vidés, déchus* (→ Frigo, cit. 2). ⇒ **Ruiné.** *Cet écrivain est fini, vidé.*

10 Ce d'Athis, quand on pense tout ce qu'elle a fait pour lui (...) Ruiné, vidé, une loque, lorsqu'ils se sont connus.   Alphonse DAUDET, l'Immortel, II.

N. (1875, *in* D.D.L.). Journal amusant. — Vx. *Petit vidé :* jeune élégant qui se donnait des airs maladifs (opposé à *petit soufflé*). — Syn. : *petit crevé.*

♦ **4.** N. m. Régional (Belgique). *Le vidé* (d'une bouchée à la reine) : la croûte.

CONTR. Emplir, remplir. — Approvisionner, bourrer, combler, farcir, garnir, gonfler, gorger. — Bonder, peupler.
DÉR. Vidage, videlle, videur, vidoir, vidure.
COMP. Dévider, évider. — Vide-bouteille, vide-cave, vide-gousset, vide-ordures, vide-poches, vide-pomme, vide-tourie, vide-vite.

VIDE-TOURIE [vidtuʀi] n. m. invar. — 1890 ; de *vider,* et *tourie.*

♦ Techn. Petit chariot supportant une tourie* et pouvant basculer pour la vider. *Des vide-touries.*

VIDEUR, EUSE [vidœʀ, øz] n. — XIIIᵉ, *vuideur ; vuideur de fosses* « vidangeur », 1660 ; de *vuider* (→ Vider).

♦ **1.** Personne qui vide, est chargée de vider.

♦ **2.** (V. 1960). Spécialt. Celui qui est chargé de « vider » les ivrognes, les indésirables (d'un cabaret, d'un bal).

♦ **3.** Fam. *Videur, videuse de pots, de bouteilles :* grand buveur, grande buveuse.

VIDE-VITE [vidvit] n. m. invar. — 1933 ; de *vider,* et *vite.*

♦ Techn. Dispositif de vidange rapide utilisé en cas de danger. *Vide-vite d'un réservoir de matière inflammable. Des vide-vite.*

VIDICON [vidikɔ̃] n. m. et adj. — V. 1960 ; de *vid(éo),* et *icon(oscope).*

♦ Télév. Tube analyseur d'images de télévision fonctionnant grâce à des techniques photoconductrices.

Adj. *Tube, plaque vidicon.* « *Les caméras sont (...) électroniques : dans leur plan focal se trouve une plaque vidicon qui est balayée selon les techniques habituelles* » (*Sciences et Avenir,* juil. 1979, p. 74).

VIDIEN, IENNE [vidjɛ̃, jɛn] adj. — 1876, *in* P. Larousse ; de *Vidius,* nom latin de *Guido Guidi,* médecin florentin.

♦ Anat. *Canal vidien :* canal qui va de l'une à l'autre base de l'apophyse ptérygoïde du sphénoïde. *Artère vidienne :* branche de l'artère maxillaire interne (passant par ce canal).

VIDIMER [vidime] v. tr. — 1464 ; de *vidimus.*

♦ Admin. Certifier conforme à l'original, après avoir collationné. *Vidimer la copie d'un acte.*

VIDIMUS [vidimys] n. m. — 1315, *vydimus, in* D.D.L. ; mot lat., « nous avons vu », du v. *videre.*

♦ Admin. Attestation par laquelle on certifie qu'un acte a été vidimé. — Acte certifié conforme.
DÉR. Vidimer.

VIDOIR [vidwaʀ] n. m. — 1911 ; de *vider.*

♦ Techn. Cuvette dans laquelle on déverse les eaux de vidange. *Vidoir d'hôpital dans lequel on vide les bassins.*

VIDRECOME [vidʀəkɔm] n. m. — Av. 1752, Trévoux ; *vidercum,* 1685 ; empr. à l'all. *Wiederkomm* « retour », de *wiederkommen* « revenir ».

♦ Archéol. Grand gobelet, verre à boire qui se passait de convive en convive, en Allemagne. *Vidrecome décoré de peintures émaillées.*

(...) certains tableaux burlesques de l'école flamande où, pendant que l'hôtelier dort, quelque joyeux compagnon boit le vin de son vidrecome (...)
Th. GAUTIER, les Grotesques, VII.

VIDUITÉ [viduite] n. f. — 1265 ; du lat. *viduitas,* de *vidua* « veuve ».

♦ **1.** État de veuve, de veuf. ⇒ **Veuvage.** *Délai de viduité,* imposé à la femme veuve ou divorcée avant de pouvoir se remarier.

(1576). État de celui qui est privé de qqch. — Fig. Abandon, solitude.

Le pauvre vieux Jean Valjean n'aimait, certes, pas Cosette autrement que comme un père ; mais (...) dans cette paternité la viduité même de sa vie avait introduit tous les amours (...)   HUGO, les Misérables, IV, XV, I.

♦ **2.** (1853, Flaubert; par attraction de *vide* et confusion avec *vacuité*). Abusif. État de ce qui est vide (au fig.; → Sonorité, cit. 1, Flaubert).

VIDURE [vidyʀ] n. f. — 1752, Trévoux; *vuydure* « espace creux, vide », xvᵉ; de *vider.*

♦ Ce qu'on enlève en vidant une volaille, un poisson. — Au plur. Ordures (enlevées en nettoyant, en vidant qqch.). *Vidures de poubelle.*

Il sentait, autour de lui, une révolte sourde qui attendait un mot pour éclater. Il se contint, tira lui-même, de dessous le banc, le seau aux vidures, y fit tomber la raie. ZOLA, le Ventre de Paris, t. I, p. 179.

1. VIE [vi] n. f. — 1080, *Chanson de Roland; vithe,* 1050, Alexis; *vida,* v. 980; du lat. *vita.*

★ **I.** ♦ **1.** Fait de vivre, propriété essentielle des êtres organisés (cit. 6), qui évoluent de la naissance à la mort en remplissant des fonctions qui leur sont communes. ⇒ **Existence.** *La vie des végétaux, des bêtes. La vie humaine.* ⇒ **Âme** (cit. 2), **esprit, souffle** (→ Activité, cit. 1; animer, cit. 37; limon, cit. 3). *Être doué de vie.* ⇒ **Animé.** *« La vie est chère à l'homme, entre les dons du ciel »* (→ Banquet, cit. 6). *L'arbre* de vie.* — Alchim. *Principe de vie.* ⇒ **Archée** (2.).

Loc. adj. (xııᵉ). *En vie* (opposé à *mort*). *Être en vie.* ⇒ **Vivant.** *Être encore en vie.* ⇒ **Survivre** (→ Assassin, cit. 10).

(xvııᵉ). *Être sans vie,* mort. ⇒ **Inanimé** (cit. 3; et → 1. Partir, cit. 25). *Sans sentiment* (cit. 1) *et presque sans vie.* — Par exagér. *Sans vie :* évanoui (cit. 24). — *Revenir à la vie.* ⇒ **Ressusciter, revivre** (→ par exagér. Évanouissement, cit. 4). — (1273, *donner vie*). *Donner la vie à qqn,* l'engendrer (en parlant de la mère). ⇒ **Naissance** (→ Attiser, cit. 5). — (1553). Vx. *Donner la vie à qqn,* ne pas le tuer, lui accorder la vie sauve. *Rendre, redonner la vie à qqn. Ranimer, réconforter. « Il voit ce corps gisant* (cit. 10), *le croit privé de vie ».* — Loc. *Signe* de vie. Être entre la vie et la mort*. Sa vie ne tient plus qu'à un fil*. Avoir la vie dure*, la vie chevillée au corps. Passer de vie à trépas*. Perdre la vie.* ⇒ **Mourir.** *Ôter la vie à qqn.* ⇒ **Tuer.** — Par métaphore. *Couper le fil* (cit. 12), *la trame de la vie. — Attenter à sa vie.* ⇒ **Suicide.** — Prov. *« Petit poisson deviendra* (cit. 1) *grand Pourvu que Dieu lui prête vie ». « Tant qu'il y a de la vie, il y a de l'espoir » :* on peut encore espérer sauver même un moribond; malgré les difficultés, on peut toujours espérer. *Recevoir la vie. « L'un tient de moi la vie, à l'autre je la dois »* (cit. 7). *Je coûtai* (cit. 17) *la vie à ma mère.* — (1669). *Devoir la vie à qqn,* avoir été sauvé par lui. *Défendre, sauver la vie de... Laisser la vie sauve à... Sauver sa vie.* ⇒ **Peau.** *Donner* (cit. 18 à 21), *sacrifier* (cit. 5, 7 et 14), *exposer* (cit. 21), *risquer* (cit. 2, 3 et 4) *sa vie pour...* ⇒ **Sang.** *Au péril de ma vie. Mépris* (cit. 6) *de la vie. Tenir à la vie. Lutte* pour la vie. Quitter la vie, renoncer à la vie* (→ Habituer, cit. 8). *Il y va de la vie :* c'est une question vitale, la vie est en jeu. *La bourse* ou la vie. La vie vaut-elle plus que l'honneur?* (cit. 12). *Question** (cit. 13) *de vie ou de mort.* ⇒ **Capital, vital.** *Droit* de vie et de mort* (→ Esclave, cit. 5). — *Sur ma vie :* je le jure sur ma vie. ⇒ **Tête** (→ Dès, cit. 4). *Je l'aime plus que ma vie.* — (T. d'affection). *Elle m'appelait son âme, sa vie* (→ Greluchon, cit. 2). — Dr. *Certificat* de vie. Assurance* sur la vie.*

1 Les cierges, tour à tour éteints, laissaient échapper de leur lumière étouffée une légère fumée blanche, image assez naturelle de la vie que l'Écriture compare à *une petite vapeur.* CHATEAUBRIAND, Mémoires d'outre-tombe, t. V, p. 123.

1.1 Il voulut le garder dans son lit celui-là, jusqu'au lendemain, saisi par une tendresse de mère pour cet être si petiot qu'il avait donné à la vie; mais la vieille l'emporta comme les autres sans écouter les supplications de son homme.
MAUPASSANT, Toine, Pl., t. II, p. 435.

1.2 — Soit, dit froidement Phileas Fogg. J'irai seul!
— Vous, monsieur! s'écria Fix, qui s'était approché, aller seul à la poursuite des Indiens?
— Voulez-vous donc que je laisse périr ce malheureux, à qui tout ce qui est vivant ici doit la vie? J'irai. J. VERNE, le Tour du monde en 80 jours, p. 270.

Spécialt. Fait de vivre intensément. ⇒ **Énergie, force, santé, vigueur, vitalité** (→ Langage, cit. 29; surabondant, cit. 1). *Être plein, débordant de vie.* ⇒ **Exubérant** (cit. 5), **vif** (→ Grève, cit. 8). *Plénitude, trop-plein, surabondance de vie* (→ Avant-goût, cit. 2; aveugle, cit. 25). — *Figure pleine de vie.* ⇒ **Expression** (→ Impérial, cit. 4).

2 Tout regorge de sève et de vie et de bruit,
De rameaux verts, d'azur frissonnant, d'eau qui luit.
HUGO, les Contemplations, I, IV.

2.1 Il semblait que ce ne fût pas de la maladie, que ce ne fût pas de la mort qu'il mourait, mais de l'excès de vie, de la fièvre de vie qui était en lui et qui rongeait ses organes, desséchait sa chair (...)
O. MIRBEAU, le Journal d'une femme de chambre, p. 141.

3 (...) cette petite fille, si pleine de vie, si turbulente, lui semblait presque une offense à ses espoirs brisés. R. RADIGUET, le Bal du comte d'Orgel, p. 20.

(1701, Furetière). Fig. Animation que l'artiste donne à sa matière, grâce à sa personnalité, à l'expression. ⇒ **Chaleur** (→ Insuffler, cit. 1; lyrisme, cit. 2). *Intensité de vie* (→ Réalisme, cit. 3). *Tableau où il y a de la vie* (→ Fond, cit. 38; et aussi forme, cit. 34; peindre, cit. 12). *Modeler* (cit. 5) *une statue et lui donner la vie.* ⇒ **Animer, créer, vivifier.** *La vie d'un personnage, d'une créature imaginaire* (cit. 4). *Personnage plein de vie, qui manque de vie* (→ Cerner, cit. 3; passant, cit. 3). *Les héroïnes raciniennes prennent corps* (cit. 35), *prennent vie. Vie d'un dialogue* (cit. 5), *d'un récit, d'un discours.* ⇒ **Mouvement, naturel, vivacité** (→ Grandiloquent, cit. 1; 1. peuple, cit. 31). *Une œuvre pleine de vie. Syntaxe* (cit. 6), *langue banale et sans vie.*

Tous, amis, ennemis, dirent « que c'était vivant ». Mais quels sont les vrais signes bien certains de la vie? Par certaine dextérité, on obtient de l'animation, une sorte de chaleur (...) La vraie vie a un signe tout différent, sa continuité. 4
MICHELET, Hist. de France, Préface de 1869.

La vie est le don propre de l'artiste. Il peut y avoir des poètes tant qu'on voudra, de belles idées, de nobles formes : la vie seule est la marque de l'art. Où il y a un homme vivant, il y a une œuvre d'art. 5
André SUARÈS, Trois hommes, « Ibsen », III.

♦ **2.** Biol. Ensemble des phénomènes (croissance, métabolisme, reproduction) que présentent tous les organismes*, animaux ou végétaux, unicellulaires ou pluricellulaires, de la naissance à la mort. ⇒ **Naissance** (cit. 5), 1. **mort** (cit. 22), **bio-** (→ Analogie, cit. 4; 1. dégradation, cit. 6; globe, cit. 10; pathologique, cit.). *Les sciences de la vie.* ⇒ **Biologie, physiologie.** *« La vie est l'ensemble des fonctions* (cit. 9) *qui résistent à la mort »* (Bichat). *Organes de la vie* (→ Fonction, cit. 10). *Vie de la cellule*, des tissus.* ⇒ aussi **Reviviscence.** *Vie organique** (→ Dissymétrique, cit.; et aussi espèce, cit. 27). *Vie animale, végétale* (→ Fragile, cit. 14; et aussi géographie, cit. 2; mouvement, cit. 13). *Transmission de la vie.* ⇒ **Fécondation** (cit. 1), **reproduction** (→ Féconder, cit. 1). *La fermentation* (cit. 1) *est un phénomène de vie. Vie végétative. Vie des parasites.* ⇒ **Parasitisme;** et aussi **symbiose.** *Vie intra-utérine précédant la naissance* (cit. 4) *de l'enfant.*

Et la vie? (...) La vie, une suite d'actions et de réactions. Vivant, j'agis et je réagis en masse... mort, j'agis et je réagis en molécules... Je ne meurs donc point?... Non, sans doute, je ne meurs point en ce sens, ni moi, ni quoi que ce soit... Naître, vivre et passer, c'est changer de formes (...) 6
DIDEROT, le Rêve de d'Alembert.

Nous ne savons ni sous quelle forme ni à la faveur de quelles circonstances la matière vivante est apparue à la surface du globe. La vie, phénomène hautement improbable, a une origine qui demeure inconnue (...) 7
Les êtres vivants actuels, à l'exception des virus vrais dont la nature en tant qu'organismes autonomes est des plus discutables, témoignent tous, y compris les Bactéries, d'une grande complexité structurale. Leur organisation s'oppose à l'idée simpliste d'une vie se manifestant au sein d'une matière homogène. Nous avons l'assurance que l'architecture rigoureuse et constante des parties constitutives de l'être vivant à toutes les échelles de grandeur (...) est une caractéristique fondamentale de la vie et détermine plusieurs des propriétés de celle-ci.
Pierre-P. GRASSÉ, les Protozoaires, *in* Encycl. Pl., Zoologie, t. I, p. 320-321.

(...) la création de la vie nous apparaît un peu moins chimérique depuis que Stanley nous a révélé les énormes molécules à propriétés de virus qui établissent, à certains égards, une transition entre le monde de la vie et le monde de l'inerte. 7.1
JEAN ROSTAND, Esquisse d'une histoire de la biologie, p. 240.

Problèmes de la nature, de l'origine de la vie, de l'apparition de la vie. ⇒ **Création, génération** (→ Germe, cit. 4 et 6). *La physico-chimie* (cit. 2) *peut-elle rendre compte de la vie?* (→ Physiologique, cit.). ⇒ **Mécanisme** (II.). *Finalité perceptible dans les phénomènes de la vie.* ⇒ **Finalisme** (cit.); et aussi **vital** (élan).

(...) Il est vraisemblable que la vie anime toutes les planètes suspendues à toutes les étoiles. Elle y prend sans doute, en raison de la diversité des conditions qui lui sont faites, les formes les plus variées et les plus éloignées de ce que nous imaginons; mais elle a partout la même essence, qui est d'accumuler graduellement de l'énergie potentielle pour la dépenser brusquement en actions libres. 8
H. BERGSON, les Deux Sources de la morale et de la religion, p. 271.

La Vie nous apparaît sous des aspects opposés : tantôt, elle semble se réduire à un ensemble de processus physico-chimiques, tantôt elle paraît s'affirmer comme caractérisée par un dynamisme évolutif qui transcende la physico-chimie. 9
L. DE BROGLIE, Physique et Microphysique, p. 160.

(...) la vie a une direction, elle a un but. Elle n'a pu apparaître à un moment donné à la surface de la matière éternelle. Cette première cellule vivante qui portait en germe tout amour et toute pensée, et toute musique, et ce corps humain, si beau quand il est beau, et tout ce qu'il a inspiré, suffirait à me mettre à genoux. 9.1
F. MAURIAC, le Nouveau Bloc-notes 1958-1960, p. 44.

♦ **3.** (1080). Espace de temps qui s'écoule entre l'apparition et la mort d'un être individuel.

a (En général). *La vie d'une plante, d'un animal inférieur, d'un virus. La vie très brève des éphémères*.*

b (Animaux supérieurs et êtres humains). Durée qui s'écoule entre la naissance et la mort. *La vie de l'éléphant, de la tortue est longue. La vie humaine* ⇒ **Carrière** (poét.). *Les divers âges** (cit. 20) *de la vie de l'homme. Chaque instant* (2. Instant, cit. 1) *de la vie est un pas vers la mort. La vie est un songe*. Au commencement, à la fin de la vie. Achever* (cit. 16) *sa vie. Le cours, le chemin de sa vie. Vie éphémère. « La vie est courte, mais l'ennui l'allonge »* (J. Renard). *Une longue vie* (→ Désabuser, cit. 3). ⇒ **Longévité.** *Trente-trois années, la vie du Christ* (→ Génération, cit. 19). *Quinze ans de ma vie* (→ Abandonner, cit. 4). *Le sommeil* (cit. 2) *occupe le tiers de notre vie. Durée moyenne* (1. Moyen, cit. 9) *de la vie des hommes* (cit. 15). — Démographie. *Durée de vie moyenne* (ou *durée moyenne de vie*) : durée moyenne calculée statistiquement pour un groupe d'individus.

Car la vie est passée avant qu'on ait pu vivre. 10
HUGO, la Légende des siècles, LV, VI.

Ces erreurs qui scindent une vie et, en en isolant le présent, font de l'homme dont on parle un autre homme, un homme différent, une création de la veille, un homme qui n'est que la condensation de ses habitudes actuelles (alors que lui porte en lui-même la continuité de sa vie qui le relie au passé), ces erreurs dépen- 10.1

dent bien aussi du Temps, mais elles sont non un phénomène social, mais un phénomène de mémoire. PROUST, le Temps retrouvé, Pl., t. III, p. 965.

Littér. *De la vie, de ma vie* (en phrase négative) : jamais (→ Protester, cit. 1 ; sauvage, cit. 7). — Cour. *Jamais de la vie* (de *la vie* renforçant *jamais**). *« Vous acceptez ? — Jamais de la vie ! ».* → Pour rien au monde (1. Monde, II., 6.).

De longue vie : qui assure une longue vie. *Un élixir de longue vie.*

[c] (Au sens de « vie humaine » opposé à « vie éternelle »). Cette vie, la vie terrestre, présente, mortelle.

[d] Durée de temps qui reste à vivre à une personne. *« Chagrin d'amour* (cit. 27) *dure toute la vie »* (Florian). *Puisse ce sentiment durer autant* (cit. 20) *que ma vie. La (ma, sa) vie durant :* pour le reste de la (ma, sa) vie. *Assurer* (cit. 14) *une pension à qqn sa vie durant.* ⇒ **Viager.** — *Pour la vie* (→ Annuel, cit. ; amovibilité, cit. ; aréopage, cit. 3). *Amis pour la vie,* pour toujours*. — (1806, *in* D.D.L. ; avec *à*). *À la vie à la mort** (cit. 38 et 39). — (V. 1283). *À vie :* pour tout le temps qui reste à vivre. *Pairs* (1. Pair, cit. 8) *nommés à vie. Sénat à vie* (→ Oligarchique, cit.). *Bannissement* (cit. 1) *à temps ou à vie* (→ aussi 2. Infanticide, cit. 1). *Forçat* (cit. 2) *à vie.*

[e] *De ... vie* (*vie* étant précédé d'un possessif) : qui a la plus grande importance possible pour (une personne). *C'est la femme de sa vie,* celle qui compte, doit compter le plus dans sa vie. — *Faire la rencontre de sa vie. Pour cet athlète, c'est la course, la compétition de sa vie.*

♦ **4.** (V. 1050, *celeste vithe*). Survie (des êtres humains), dans les croyances religieuses. *La vie céleste* (opposée à *la vie terrestre*), *l'autre vie. Dans cette vie et dans l'autre. La vie future* (cit. 5), *éternelle* (cit. 16), *immortelle* (cit. 8). → Âme, cit. 5 ; besoin, cit. 69 ; exil, cit. 14 ; pari, cit. 7. — (1553). Absolt. *La vie :* la vie éternelle, l'esprit (I.), la spiritualité. *En lui était la Vie* (→ Logos, cit.). *« Je suis la Résurrection et la Vie »* (Évangile selon saint Jean, XI, 25). *La parole de vie,* de Dieu (→ Ardeur, cit. 7). *Le pain de vie.* ⇒ **Eucharistie** (cit. 3).

REM. Dans l'emploi absolu, en cas d'ambiguïté, on écrit parfois *Vie* avec un *V* majuscule pour désigner la vie éternelle.

10.2 (...) il ne nous reste plus rien à connaître — hors le passage ténébreux de la vie à la Vie où nous sommes déjà engagés si avant.
F. MAURIAC, Bloc-notes 1952-1957, p. 183.

♦ **5.** (1080). Ensemble des activités et des événements qui remplissent pour chaque être cet espace de temps. ⇒ **Destin, destinée.** *« Il lira seulement l'histoire* (cit. 43) *de ma vie ». Les actions* (cit. 13) *les plus décisives de ma vie. Le plus beau jour* (cit. 55 et 57) *de ma vie. Il m'a raconté toute sa vie* (→ Banquier, cit. 4). *Les souvenirs de ma vie* (→ Abondant, cit. 2). *« Un registre des essais* (cit. 21) *de ma vie ». « Qu'une vie est heureuse quand elle commence par l'amour et finit par l'ambition »* (cit. 6). *Vie extraordinaire.* ⇒ **Odyssée.** *La conscience de sa vie manquée* (cit. 79). *« Par délicatesse j'ai perdu* (cit. 33) *ma vie ». Aimer, prier* (cit. 2), *chanter, voilà toute ma vie. Une vie,* roman de Maupassant.

11 Comme je songeais à cette existence si heureuse dans son progrès, à cette carrière parcourue si sûrement, d'une démarche tranquille et comme divertie par toutes choses sur la route, je me pris à comparer involontairement une vie si bien réussie à quelques-unes de ces vies fortunées qui se trouvaient possibles il y a fort longtemps, quand presque tous les hommes de pensée et même les hommes d'esprit étaient hommes d'Église, et que l'on voyait de prodigieuses élévations à partir des origines les plus simples par la seule vertu d'une prudente et savante intelligence.
VALÉRY, Variété IV, p. 24.

(V. 1138). Par métonymie. Biographie (→ Orphelin, cit. 4 ; prétendre, cit. 33). *La Vie de Jésus,* de Renan. *Écrire une vie de Beethoven.*

(Le plus souvent qualifié par un adj. ou un compl. de n.). Manière de vivre, aspect particulier que prennent ces activités et ces événements selon l'individu. ⇒ **Mœurs.** *Genre de vie* (→ Industrie, cit. 10 ; initier, cit. 8). *Mode* (cit. 3), *train*, style de vie. Changer de vie. Commencer une vie nouvelle. Mener une double* vie. Vie simple, rangée* (cit. 18), *casanière, réglée, obscure, au ralenti* (cit. 8)... *Ils continuaient leur petite vie* (→ Emprisonnement, cit. 2). *Vie terre à terre* (cit. 3). *« La vie humble aux travaux ennuyeux et faciles »* (cit. 3). *Vie agitée* (cit. 26), *mouvementée, tumultueuse, errante* (2. Errant, cit. 4), *cosmopolite, de bohème* (cit. 2). *Vie solitaire, mondaine.* — Loc. *Il nous fait* (cit. 136), *nous mène la vie dure*. Il nous fait une vie terrible.* — Fam. *Il nous fait la vie :* il nous querelle, se plaint sans cesse. — *Une vie de chien*. Ce n'est pas une vie ! :* c'est insupportable. *C'est la belle, la bonne vie* (→ Gonzesse, cit. 2). *Mener joyeuse* (cit. 12) *vie.* ⇒ **Amuser** (s'), **fête** (faire la). *« Je laisse à penser* (1. Penser, cit. 34) *la vie Que firent ces deux amis ». Couler, mener une vie heureuse. Mener la vie à grandes guides*. Vivre sa vie,* la vie pour laquelle on s'estime fait, en la menant à sa guise. *Refaire sa vie :* se remarier. *Vie austère* (cit. 5), *de séminariste, de moine, d'ascète...* (→ Calmer, cit. 12). *Vie de château*, de cocagne, de chanoine. La vie d'artiste*. Avoir la vie douce. Vie de débauche, de patachon, de bâton* de chaise... Vie exemplaire* (1. Exemplaire, cit. 2), *d'ordre* (→ Arrière-neveu, cit. 4), *de repentir* (→ Expier, cit. 5), *de sacrifice. Certificat, attestation de bonne vie et mœurs. Femme de mauvaise vie* (→ Sermon, cit. 4), de mœurs libres, et, spécialt, prostituée. — Fam. *Faire la vie :* mener une vie de plaisirs (→ ci-dessous, cit. 13).

Il apercevait une vie de cocagne et une suite merveilleuse de *plats couverts !* de surprises gastronomiques, de vins exquis ! 12
BALZAC, le Cousin Pons, Pl., t. VI, p. 591.

(...) Suzanne (...) s'était envolée à Chartres, pour faire la vie... Faire la vie, c'étaient des orgies de sirop de groseille et d'eau de Seltz, au milieu d'une débandade d'hommes, des douzaines vous passant à la file sur le corps, dans des arrière-boutiques de marchands de vin. 13
ZOLA, la Terre, II, IV.

Mais si vous croyez que c'est une vie pour moi... Épicier (...) 14
P. NIZAN, le Cheval de Troie, III.

Manière de vivre commune à une collectivité, une société (humaine ou animale). *La vie des marins, des mineurs... La vie animale. La Vie des abeilles, la Vie des termites,* ouvrages de Maeterlinck. *La Vie des insectes,* de Fabre. *La vie des Romains sous l'Empire. La vie moderne* (→ Excitant, cit. 9 ; fabrication, cit. 2 ; haut, cit. 23). *La vie citadine.*

♦ **6.** (Suivi d'un épithète, d'un compl.). Part de l'activité humaine, type d'activité qui s'exerce dans certaines conditions, certains domaines. ⇒ **Activité, état, occupation** (→ Scène, cit. 7, Balzac). *Vie privée, personnelle, publique. Vie civile* (cit. 10), *militaire* (cit. 3). *Vie conjugale, en commun, vie à deux* (→ Perpétuité, cit. 2 ; perquisition, cit. 7). *Vie domestique* (cit. 2 ; et → Sable, cit. 1), *familiale* (→ Fête, cit. 16), *de famille* (→ Place, cit. 36). *Vie de garçon* (cit. 17). *Vie sauvage. Vie sociale, en société* (→ Conflit, cit. 5). *Vie professionnelle. Vie matérielle* (cit. 8), *pratique* (2. Pratique, cit. 3), *quotidienne. La vie de tous les jours, la vie courante...* (→ 1. Exemplaire, cit. 3 ; honnêtement, cit. 2). *La vie politique* (1. Politique, cit. 3), *municipale* (→ Incapable, cit. 12), *économique* (→ Fête, cit. 1 ; fourmillant, cit. 2), *industrielle* (→ Lourd, cit. 14), *commerciale* (→ 2. Réclame, cit. 4). *Vie active, contemplative* (→ Asile, cit. 23 ; oublier, cit. 15). *Vie monastique, cénobitique, religieuse, dévote, chrétienne* (cit. 3). *Vie cléricale, séculière, régulière* (→ Monastère, cit. 1). *Vie sédentaire, nomade* (cit. 1). *Vie scolaire, d'étudiant, artisanale* (cit.), *ouvrière. La vie des champs* (→ Lambris, cit. 5), *à la campagne, pastorale, bucolique... La vie parisienne,* de Paris, élégante... *La vie littéraire* (→ Mutuel, cit. 4), *théâtrale, sportive...*

Notre cuisine est un admirable corollaire à un pays étonnamment varié et fertile, à une vie locale spirituelle et affinée, à une vie nationale audacieuse et facile. 15
GIRAUDOUX, De pleins pouvoirs à sans pouvoirs, IV, p. 99.

Par ext. Monde, univers où s'exerce une activité psychique. *La vie intérieure, morale, spirituelle. La vie affective* (→ Atrophier, cit. 7 ; poète, cit. 6 ; tendresse, cit. 6), *sentimentale. Vie mentale* (→ Secondarité, cit.), *psychique. Vie cérébrale* (cit. 1), *intellectuelle, de l'esprit* (→ Exercice, cit. 19), *de l'intelligence...*

(...) cet Écrit ne s'adresse qu'à ceux qui aiment à se réfugier du dehors au dedans, qui cherchent dans la vie intérieure des consolations, des moyens de force, des motifs d'espérer, des raisons de croire, et la clef de bien des énigmes (...) 16
MAINE DE BIRAN, Du physique et du moral de l'homme, p. 167.

♦ **7.** (1538, Estienne). Moyens matériels (nourriture, argent...) d'assurer la subsistance (d'un être vivant). *Les sables où les poissons* (cit. 7) *cherchent leur vie. Gagner* sa vie.* ⇒ (fam.) **Bifteck, bœuf, croûte, matérielle.** *Prix, coût* (cit. 3) *de la vie. La vie est chère* (→ Revenu, cit. 4). *Lutte contre la vie chère. Cherté* (cit. 4), *surenchérissement* (cit.) *de la vie. Un bien qui suffisait à ma vie* (→ Dissiper, cit. 11). *Vie précaire.* ⇒ **Vivoter** (→ Entraide, cit.). *Vie large* (cit. 15). *Mener grande vie.* ⇒ **Dépenser.** — *Niveau** (cit. 12 et 13) *de vie.* (→ Standard* de vie).

Loc. fig. (Régional). *Vous trouverez peut-être votre vie là-dedans :* vous trouverez là ce dont vous avez besoin, ce que vous cherchez.

(V. 1534). Vx (langue class.). Nourriture. *Chercher sa vie.*

♦ **8.** (1080). Absolt. LA VIE : le monde humain, le cours des choses humaines, la participation au monde réel avec tout ce qu'elle comporte d'expériences diverses. *Les choses, les affaires de la vie* (→ Ambition, cit. 11 ; attaquer, cit. 36 ; passer, cit. 32). *Les Choses de la vie,* roman de Paul Guimard. *Expérience, usage de la vie* (→ Maturité, cit. 4). *Connaissance de la vie* (→ Appeler, cit. 38 ; approfondir, cit. 13). *Connaître la vie. Tout ignorer de la vie. Prendre la vie comme elle vient. Avoir une vision optimiste, pessimiste de la vie. Idées sur les hommes et sur la vie* (→ Afficher, cit. 4). *La vie nous apprend* (cit. 43) *que... La vie, ce livre des livres* (cit. 41). *Difficultés que la vie dénoue* (cit. 11). *Regarder la vie en face* (→ Idéaliser, cit. 9 ; lâche, cit. 14). *La vie rejette* (cit. 12) *ceux qui ne s'adaptent pas. Dans la vie, rien ne se résout, tout continue* (cit. 12). *Dans la vie, rien ne va jamais comme on l'espère* (→ Annoncer, cit. 10). *La vie est faite de contrastes, échappe à la logique* (→ Anaphylaxie, cit. 2 ; artificiel, cit. 9). *Haut et bas* (1. Bas, cit. 50) *dans la vie. Voilà la vie telle qu'elle est* (→ Fricoter, cit. 2 ; prétention, cit. 6). *C'est la vie ! :* les choses sont ainsi, c'est comme ça (en parlant d'une chose à laquelle on doit se résigner). *On connaît la vie* (→ Dormir, cit. 14 ; et aussi monde, cit. 2). — *Plaisirs, misères de la vie* (→ Détourner, cit. 20 ; heureux, cit. 36). *Aimer la vie, jouir de la vie* (→ Épuiser, cit. 18). *Haine* (cit. 31), *horreur* (cit. 23), *peur, dégoût de la vie* (→ Glacer, cit. 14). *Cette chienne* (cit. 26) *de vie. Quand la vie nous a blessé* (→ On, cit. 39). *Se réconcilier* (cit. 5) *avec la vie. Banalité* (cit. 1), *insipidité* (cit. 2) *de la vie. « Ah ! que la vie est quotidienne ! »* (→ On, cit. 29). — *L'art et la vie* (→ Préciosité, cit. 4 ; 1. roman, cit. 10 ; style, cit. 15). *La vie m'a fourni le sujet* (→ Fantaisie, cit. 15). *Ça ne se passe* *pas comme ça dans la vie* (→ Obscène, cit. 1). *Vision déformée de la vie* (→ Naturaliste, cit. 7). *Films qui montrent la vie en rose* (→ Finir, cit. 19). *La comédie est un jeu* (cit. 6) *qui imite la vie. La photographie* (cit. 4) *banale de la vie. «Bête comme la vie»* (→ Griffe, cit. 14, Flaubert). *«Et nous n'avons qu'elle à jamais, la vie, Ce déboire obscur que nos cœurs ruminent»* (Robert Vivier, *Au bord du temps*).

16.1   Rien dans la vie ne me frappe plus que ce simple fait : elle finit.
                      F. MAURIAC, le Nouveau Bloc-notes 1958-1960, p. 344.

★ **II.** Par anal. Existence dont le caractère temporel et dynamique évoque la vie. ⇒ **Évolution.** ◆ **1.** (1679 ; en parlant d'une collectivité). **ⓐ** (Dans le monde humain). Manière d'être dans le temps (d'une collectivité). *La vie des groupes, des sociétés* (→ Développer, cit. 7 ; religion, cit. 19), *des peuples* (→ Démocratie, cit. 5 ; envahir, cit. 3 ; occulte, cit. 6). *La vie du genre humain* (→ Progrès, cit. 10). *La vie du pays, de la nation, de l'État* (→ 1. Part, cit. 30 ; plaque, cit. 5 ; 1. politique, cit. 10). *La vie des siècles* (→ Poète, cit. 10). *«Résurrection* (cit. 6) *de la vie intégrale.»*

ⓑ (Le compl. désigne une chose). *Cette généralité* (cit. 3) *nécessaire à la vie des livres. La Vie des mots,* ouvrage de Darmesteter (1885). *Mots en pleine vie* (→ Rivière, cit. 5 ; et aussi suffixation, cit.). *Rendre une vie artificielle à des problèmes morts* (2. Mort, cit. 23). *La vie d'une idée, d'une doctrine. La Vie des formes,* ouvrage de Focillon.

17   Ainsi va la vie historique, ainsi va chaque peuple se faisant, s'engendrant, broyant, amalgamant des éléments, qui y restent sans doute à l'état obscur et confus (...)
                      MICHELET, Hist. de France, Préface de 1869.

◆ **2.** (xxᵉ ; dans le monde matériel, inorganique). *La vie des étoiles. Vie d'un volcan. Vie et Transmutation des atomes,* ouvrage de J. Thibaud.

18   D'autres atomes ont une vie extrêmement brève, allant de quelques jours pour l'émanation du radium, à une fraction quasi infinitésimale de seconde pour le thorium C' (...) Cependant, ce qu'on appelle, par extension, durée de vie dans le monde minéral, qu'il s'agisse d'atomes ou de groupements d'atomes, se différencie par quelques caractères essentiels de la durée de vie des êtres organisés (...) Une telle loi ne s'appliquerait pas à des êtres vivants (...) Plus heureux que les êtres vivants, les atomes (...) meurent sans connaître le vieillissement.
                      A. BOUTARIC, la Physique de la vie, p. 12.

Poét. *La vie des choses, la vie universelle,* dans une vision animiste* du monde (cf. Hugo, *les Contemplations,* «Ce que dit la bouche d'ombre»).

19   Aucun artiste n'est plus universel que lui, plus apte à se mettre en contact avec les forces de la vie universelle (...) Le vers de Victor Hugo sait traduire (...) les sensations les plus fugitives (...) qui nous sont transmises par l'être visible, par la nature inanimée ou dite inanimée (...)
                      BAUDELAIRE, l'Art romantique, XXII, I, II.

◆ **3.** Durée d'activité. — Sc. *Vie moyenne d'un radio-élément.* — Cour. *La vie moyenne de ce modèle de voiture est de six ans.* — *La vie d'un produit.*

CONTR. **Mort.** — (Du I., 1., spécial) **Atonie.**
DÉR. **Viable, viager.**
COMP. **Survie.**
HOM. 2. Vie, vit ; formes des v. **vivre, voir.**

2. VIE [vi] n. f. — V. 1210, «chemin» ; var. de *veie*. → Voie.

◆ Régional (Ouest). Chemin entre les différents bassins d'un marais* salant.

HOM. 1. Vie, vit ; formes des v. **vivre, voir.**

VIÉDAZE [vjedɑz] n. m. — V. 1534, *viet d'aze,* t. d'injure ; mot occitan, de *viet* (→ Vit), et *aze* «âne».

Vieux.

◆ **1.** Vit, verge de l'âne (ou du mulet).

◆ **2.** (1611). Imbécile, niais.

1   Ah çà ! est-ce que je vais rester là planté comme une idole, se dit à lui-même le bretteur impatienté de ses propres tergiversations ; je dois avoir l'air d'un franc viédaze regardant voler des coquecigrues, avec ma mine ahurie et quidditative.
                      GAUTIER, le Capitaine Fracasse, XII.

2   Y en a un autre, gros et court ; un viédaze, et un qui siffle de la musique qu'on dirait un orgue à bouche.
                      J. GIONO, Colline, Pl., t. I, p. 139.

◆ **3.** (1872, *in* Littré, *viédase* ; très antérieur régionalement). Régional. Aubergine.

VIEIL [vjɛj] adj. ⇒ **Vieux.**

VIÈLE [vjɛl] n. f. ⇒ **Vielle.**

VIEILLARD [vjɛjaʀ] n. m. — 1155, *vieillart* ; *vieillarde,* 1788 ; de *vieil* (→ Vieux), et suff. *-ard.*

◆ **1.** Homme d'un grand âge. — REM. Le mot est relatif, selon la perception de l'âge par chaque culture ; au XVIIᵉ s., un homme de soixante ans était un vieillard ; *vieillard* implique un âge avancé très apparent,

ou suggère une idée de respect (par rapport à *vieux,* n. m.). ⇒ **Âgé, sénile, vieux.** *L'homme mûr et le vieillard* (→ Composer, cit. 4). *Vieillard de quatre-vingts, quatre-vingt-dix ans.* ⇒ **Octogénaire, nonagénaire.** — *Vieillard majestueux* (cit. 2), *respectable* (→ Affabilité, cit. 3), *vénérable* (→ Armer, cit. 26) ; *sage vieillard* (→ Par, cit. 26). ⇒ **Nestor** (vx), **patriarche** (cit. 4). *Digne, noble vieillard* (→ Redingote, cit. 2). *Un grand vieillard et un petit vieux. Société dirigée par des vieillards.* ⇒ **Gérontocratie** (cit. 2). *Conseil des vieillards,* dans les sociétés primitives, antiques... ⇒ aussi **Sénat.** — *Vieillard cacochyme, caduc* (⇒ **Caducité**), *cassé, chenu* (cit. 1), *croulant, décrépit, édenté, gâteux, impotent* (cit. 2 et 5), *invalide, tombé en enfance, qui radote.* ⇒ **Débris, ruine** (cit. 16). *Vieillard catarrheux, à la voix cassée, chevrotante, frêle* (cit. 12) ; *qui larmoie* (cit. 3). *Vieillard ridé, aux mains tremblotantes* (cit. 3). — *Vieillard gaillard* (→ Longévité, cit. 1), *bien conservé, solide, encore vert. Un vieillard sec, osseux* (→ Grandir, cit. 8 ; spencer, cit. 1). *Un vieillard qui a toute sa tête. Vieillard qui fait le jeune homme.* ⇒ **Beau** (vieux beau), **coquard** (vx), **roquentin.** *«À combien l'amour revient aux vieillards»* (Balzac, *Splendeurs et Misères des courtisanes*). *Vieillard crédule, ridicule, borné* (type de théâtre). ⇒ **Géronte, grime.** — *Riche vieillard, vieillard à héritage. La misère des vieillards n'intéresse* (cit. 12) *personne.* — Allus. littér. *«Ton impudence* (cit. 1), *téméraire vieillard (...)» «Vieillard stupide ! il l'aime (...)»* (Hugo, *Hernani*). — Par plais. *«Un beau, gros, court, jeune vieillard»* (→ Fureter, cit. 2, Beaumarchais).

0.▌   Un Vieillard, nommé le Père Brasdargent, âgé de cent cinq ans. Cet Homme était encore assez vigoureux pour conduire la charrette dans la campagne.
                    RESTIF DE LA BRETONNE, la Vie de mon père, p. 61.

▌   C'était, on s'en souvient, un de ces vieillards antiques qui attendent la mort tout droits, que l'âge charge sans les faire plier, et que le chagrin même ne courbe pas.
                    HUGO, les Misérables, IV, VIII, VII.

2   — Quel âge me donnes-tu ? (...) — Vous êtes encore jeune (...) — Je pense bien !... Tu me prends déjà pour un vieillard ? pour un gâteux ? pour une baderne ? pour une guenille, un débris, un déchu, un amoindri, une ganache, un décrépit, un sénile, un caduc un suranné une ruine un archaïque un périmé un défectif un vioc (...)
                    R. QUENEAU, Loin de Rueil, IV.

3   Au restaurant de la Tour Eiffel, nous étions nombreux hier soir à fêter les quatre-vingts printemps d'André Siegfried. Quel jeune vieillard ! Tous ses cheveux encore blonds, mais surtout toutes ses idées nettes (...)
                  F. MAURIAC, Bloc-notes 1952-1957, p. 180.

Allus. bibl. *Suzanne et les (deux) vieillards. Les vingt-quatre vieillards de l'Apocalypse* (sujet fréquent de l'iconographie médiévale).

◆ **2.** Personne qui a la mentalité d'un vieillard. — Fig. *«Nous* (cit. 15), *vieillards nés d'hier»* (→ aussi Naïf, cit. 4). ⇒ **Vieux** (I., 2.).

REM. Le féminin normal de *vieillard* est *vieille* (→ Vieux). *«En une génération on trouve plus de vieilles que de vieillards»* (Voltaire, *Dict. philosophique,* art. *Femme*), mais on trouve aussi *vieillarde,* dans un contexte plus littéraire. ⇒ **Vieillarde.**

◆ **3.** (XVIIᵉ). Au plur. ou sing. indéterminé. Personne (homme ou femme) d'un grand âge. ⇒ **Vieux** (→ Personnel, cit. 7 ; potentialité, cit.). *L'empire de l'habitude* (cit. 23) *est très grand sur les vieillards. «Les vieillards aiment à donner de bons préceptes (...)»* (→ Exemple, cit. 8).

4   Toutes les menues infirmités du grand âge, et qui font d'un vieillard une créature si misérable.
                    GIDE, Journal, 19 mars 1943.

Dr. Personne sans ressources, âgée de plus de soixante-cinq ans. *Assistance aux vieillards, infirmes et incurables. Asile*, hospice* (cit. 1) de vieillards.*

CONTR. **Jeune, homme** (jeune homme), **enfant.**
DÉR. **Vieillarde.**

VIEILLARDE [vjɛjaʀd] n. f. — 1788 ; de *vieillard.*

◆ **1.** Péj. Vieille femme (le terme non marqué est *vieille,* n. f.). *Une ribotante vieillarde* (→ Libidineux, cit. 1).

◆ **2.** Vieille femme (avec une intention stylistique par rapport à *vieille,* n. f., ou à *vieille femme*).

1   C'est au sein de pareils villages qu'il fallait chercher des vieillards durables, plutôt des vieillardes car — selon le mot désabusé d'une de celles-ci, — «ce n'est guère solide, un homme».
                  COLETTE, Belles saisons, p. 240.

2   Une jeune anglaise me tamponnait le front d'un mouchoir trempé dans un seau à glace, cependant que certaine vieillarde desserrait ma ceinture et m'éventait de son réticule.
                  Robert PINGET, Graal Flibuste, p. 138.

Fig. et plais. (Choses) :

3   Des chignoles pourries, y'en a plein Tenerife. Des vieillardes ferrailleuses, asthmatiques, terminées, aux pneus lisses, aux bougies éteintes, aux chemises déchirées, mais qui tacotent encore, vaille que vaille sur les routes poudreuses bordées de bananiers.
                  SAN-ANTONIO, T'es beau, tu sais !, p. 85.

1. VIEILLE [vjɛj] adj. et n. f. ⇒ **Vieux.**

2. VIEILLE [vjɛj] n. f. — 1529 ; de *vieux, vieille,* lat. *vetulus.*

◆ Régional. Labre* (poisson), de la famille des *Labridés.* — Syn. (franç. d'Afrique) : *perroquet vrai.*

HOM. I. Vieille, vieil.

VIEILLERIE [vjɛjʀi] n. f. — 1680, Richelet ; de *vieil.* → Vieux.

◆ **1.** Objet vieux, démodé, usé. ⇒ **Antiquaille, friperie, hardes** (→ Dévastation, cit. 3). *On peut jeter toutes ces vieilleries* (ou, collectif), *toute cette vieillerie.*

(...) c'est un fouillis de vieilles vieilleries,
De linges odorants et jaunes, de chiffons
De femmes ou d'enfants, de dentelles flétries.
     RIMBAUD, Poésies, XXII.

.1 Un tas de vieilleries bien luisantes, qui semblaient le mobilier retrouvé d'une auberge de l'ancienne France.   Ed. et J. DE GONCOURT, Journal, oct. 1879.

.2 Ah! ils avaient bien choisi leur endroit, ces sordides trafiquants de vieilleries, dans cette fantastique ruelle, au-dessus de ce cours d'eau sinistre, sous ces toits pointus de tuiles et d'ardoises où grinçaient encore les girouettes du passé!
     MAUPASSANT, Qui sait ?, Pl., t. II, p. 1232.

Spécialt. Vêtement usagé ou démodé. *N'être vêtu que de vieilleries. Ressortir des vieilleries de ses fonds de tiroirs.*

◆ **2.** (1718). Abstrait. Idée, conception rebattue, usée. *Ce que l'on nous donne pour des découvertes sont des vieilleries qui traînent depuis quinze cents ans...* (→ Fouriériste, cit. Chateaubriand). *Vieilleries et sornettes* (cit. 1). *Œuvre démodée.*

? La mode aujourd'hui d'accueillir la liberté d'un rire sardonique, de la regarder comme vieillerie tombée en désuétude avec l'honneur.
     CHATEAUBRIAND, Mémoires d'outre-tombe, t. IV, p. 65.

Collectivement :

2.1 La vieillerie poétique avait une bonne part dans mon alchimie du verbe
     RIMBAUD, Une saison en enfer, « Délires », II.

◆ **3.** (1837). Rare. Caractère de vieillesse démodée.

? Le voisinage de plusieurs jolies Parisiennes si élégamment, si fraîchement mises, lui fit remarquer la vieillerie de la toilette de madame de Bargeton, quoiqu'elle fût passablement ambitieuse : ni les étoffes, ni les façons, ni les couleurs n'étaient de mode.   BALZAC, Illusions perdues, Pl., t. IV, p. 603.

◆ **4.** (xxᵉ ; *in* Larousse, 1933). Fam. et plais. (ou régional). Vieillesse (d'une personne). *Je suis perclus de rhumatismes : c'est la vieillerie!*

CONTR. Nouveauté. — Jeunesse.

VIEILLESSE [vjɛjɛs] n. f. — V. 1400 ; *vieillece,* v. 1120 ; de *vieil.* → Vieux.

◆ **1.** Dernière période de la vie humaine normale, qui succède à la maturité, caractérisée par un affaiblissement global des fonctions physiologiques et des facultés mentales et par des modifications atrophiques des tissus et des organes. ⇒ **Âge** (troisième, quatrième âge), **sénescence** ; (fam.) **vieillerie** (4.) ; **géronto-.** *La vieillesse, dernier âge, dernière saison, crépuscule, soir, hiver de la vie.* ⇒ **Déclin** (→ Développement, cit. 9). *Atteindre* (cit. 41) *la vieillesse.* ⇒ **Longévité.** *La vieillesse de qqn. Dans sa, dans leur vieillesse* (→ Attention, cit. 38). *Mourir dans l'extrême vieillesse* (→ Détresse, cit. 2). *Attendre la vieillesse et la mort. Affronter* (cit. 3) *la vieillesse avec courage. Temps qui précède la vieillesse* (→ Automne* de la vie). *Avoir une vieillesse heureuse, sereine. Traîner une vieillesse douloureuse* (cit. 4), *insipide* (→ Oisiveté, cit. 2). — *Bâton* de vieillesse : ce qui soutient, aide qqn dans la vieillesse. —Allocations de vieillesse, allouées aux personnes âgées. — Appos. Assurance vieillesse.*

1 Je trouve que la vieillesse rend l'amitié bien nécessaire ; elle est la consolation de nos misères et l'appui de notre faiblesse (...)
     VOLTAIRE, Correspondance, 2748, 20 nov. 1765.

1.1 Ne connaissant point de médecins, il ne faut pas s'étonner s'ils ignorent leurs maladies, et s'ils vont jusqu'à une vieillesse si avancée qu'ils *(les Lapons)* passent ordinairement cent ans, et quelques-uns cent cinquante.
     J.-F. REGNARD, Voyage en Laponie, p. 92.

2 Passé une quarantaine d'années, l'organisme humain, dans son ensemble, commence à subir des transformations régressives (...) La vitalité fléchit lentement. Toute la structure, peu à peu, se dégrade. On convient ordinairement de faire partir la vieillesse de cette détérioration apparente ; mais quelques biologistes estiment qu'elle débute bien plus tôt, et dès les premiers stades embryonnaires, où déjà se manifeste une diminution du pouvoir de croissance.
     Jean ROSTAND, l'Homme, p. 36.

Par anal. Existence qui dure depuis longtemps. ⇒ **Ancienneté.** « *Cent ans, c'est la vieillesse d'une maison* » (→ Jeunesse, cit. 12). *La vieillesse du monde* (→ Entassement, cit. 1).

◆ **2.** (Fin xiiᵉ ; *verte vieillesse,* 1532, Rabelais). Fait d'être vieux (pour un être humain). ⇒ **Âge.** « *Ce magistrat, dont la vieillesse vénérable (...)* » (→ Imposer, cit. 14). *Vieillesse alerte, vigoureuse, belle vieillesse. Porter sa verte vieillesse d'un air guilleret* (cit. 1). *Respecter la vieillesse de qqn* (→ Ses cheveux* blancs). — *Mourir de vieillesse,* par le seul effet du vieillissement de l'organisme.

3 On a tort de croire que la vieillesse est une pente de décroissance ; c'est le contraire. On monte et avec des enjambées surprenantes. Le travail intellectuel se fait aussi rapide que le travail physique chez l'enfant. On ne s'en rapproche pas moins du terme de la vie, mais comme d'un but et non d'un écueil (...)
     G. SAND, Journal intime, sept. 1868, *in* MAUROIS, Lélia, p. 504.

4 Mais, chose curieuse, lui qui jadis était presque ridicule quand il prenait l'allure d'un roi de théâtre, avait pris un aspect véritablement grand, un peu comme son frère, à qui la vieillesse, en le désencombrant de tout l'accessoire, le faisait ressembler (....) Car il n'avait pas subi la déchéance de son frère, réduit à saluer avec une politesse de malade oublieux ceux qu'il eût jadis dédaignés. Mais il était très vieux, et quand il voulut passer la porte et descendre l'escalier pour sortir, la vieillesse, qui est tout de même l'état le plus misérable pour les hommes et qui les précipite de leur faîte le plus semblablement aux rois des tragédies grecques (...)   PROUST, le Temps retrouvé, Pl., t. III, p. 1018.

5 Il est vrai que la vieillesse est un état qui ne permet guère qu'on l'oublie.
     F. MAURIAC, le Nouveau Bloc-notes 1958-1960, p. 370.

Par anal. [a] Grand âge (d'un animal ; d'un végétal). *La vieillesse d'un chien, d'un arbre.*

[b] (Mil. xvıᵉ ; en parlant de choses sans vie). Grande ancienneté. ⇒ **Ancienneté.** « *Cette sombre couleur des siècles qui fait de la vieillesse des monuments l'âge de leur beauté* » (→ Rendre, cit. 10). — Géol. *Stade de vieillesse d'un relief.*

Spécialt. Altération, dégradation physique ou morale qui accompagne cette période de la vie. ⇒ **Décrépitude, sénescence, sénilité.** *Les infirmités, les maladies de la vieillesse. Les rides, les cheveux blancs, marques de la vieillesse.* « *La vieillesse est le sentiment qu'il est trop tard* » (→ Indifférent, cit. 4).

◆ **3.** Rare. Vieillissement. *Les objets vieillissent avec nous d'une vieillesse insensible* (→ Rapidité, cit. 1).

◆ **4.** (1636, Corneille). *La vieillesse,* considérée comme une puissance active parfois personnifiée. *Le fardeau* (cit. 11), *le poids de la vieillesse.* « *La vieillesse est un tyran* » (cit. 6).

6 Ô rage! ô désespoir! ô vieillesse ennemie!
     CORNEILLE, le Cid, I, 4.

7 (...) la vieillesse nous rend d'abord incapables d'entreprendre, mais non de désirer. Ce n'est que dans une troisième période que ceux qui vivent très vieux ont renoncé au désir, comme ils ont dû abandonner l'action.
     PROUST, la Fugitive, Pl., t. III, p. 635.

◆ **5.** (Mil. xvıᵉ, Ronsard). Collectif. Les personnes âgées, les vieillards (2.). → Amasser, cit. 3 ; changer, cit. 17 ; défaillant, cit. 3 ; naïveté, cit. 7 (→ Troisième, quatrième âge*, infra cit. 40). *La vieillesse et l'enfance* (cit. 8). — *Commission d'étude des problèmes de la vieillesse. Politique, sociologie de la vieillesse. Aide à la vieillesse.*

8 Si la jeunesse est bonne, aussi est la vieillesse.
La jeunesse est gaillarde et discourt librement,
Vieillesse a la raison, esprit et jugement (...)
     RONSARD, Élégie au roi Charles IX.

Prov. *Si jeunesse savait, si vieillesse pouvait* (cit. 27). ⇒ **Jeunesse.**

CONTR. Enfance, jeunesse.

VIEILLIR [vjɛjiʀ] v. — 1155, « s'user » ; de *vieil.* → Vieux.

★ **I.** V. intr. ◆ **1.** Prendre de l'âge, s'approcher de la vieillesse ; continuer à vivre, vivre alors qu'on est déjà vieux. ⇒ **Avancer** (en âge), **retour** (fam., être sur le retour). → Assagir, cit. 1 ; 1. flétrir, cit. 16. *Plus on vieillit, plus il faut s'occuper* (→ Oisiveté, cit. 2). « *L'on espère* (cit. 18) *de vieillir, et l'on craint la vieillesse* ». *Vieillir dans sa famille, dans son pays,* y passer sa vieillesse. — Loc. *Savoir vieillir :* savoir s'adapter aux conditions de son âge, supporter son âge (→ Jeune, cit. 11 et 12). *Bien, mal vieillir* (→ Main, cit. 45).

1 Quel fruit de ce labeur pouvez-vous recueillir?
Autant qu'un patriarche il vous faudrait vieillir.
     LA FONTAINE, Fables, XI, 8.

2 Elle eut cet art si rare de vieillir, non seulement sans chagrin, mais avec gaieté.
     Th. GAUTIER, Portraits contemporains, « Sophie Gay ».

◆ **2.** (Mil. xvıᵉ, Du Bellay). Demeurer longuement (dans un état, une situation...). *Vieillir sur les livres* (→ Étude, cit. 1), *dans un métier* (→ Blanchir sous le harnais*). *Vieillir dans l'habitude* (cit. 10) *de...*

3 Dans une longue enfance ils auraient fait vieillir.
     RACINE, Britannicus, I, 2.

Vx. Tarder, traîner. « *Ne vieillissez point en chemin* » (Guez de Balzac, IV, 12).

◆ **3.** (Fin xvᵉ, Commynes). Acquérir les caractères de la vieillesse ; changer par l'effet de vieillissement. ⇒ **Décatir** (se), **décliner** (*supra* cit. 9). *Elle vieillit beaucoup en ce moment* (→ Immuable, cit. 10). *Il ne vieillissait pas* (→ Roux, cit. 6). *Il a bien vieilli,* → (fam.) Il a pris un coup de vieux*. — Par exagér. *J'ai vieilli, j'ai l'impression d'avoir vieilli de dix ans.*

4 L'homme sage mûrit et ne vieillit pas.
     HUGO, Post-Scriptum de ma vie, « Tas de pierres », V.

4.1 Son mari ajouta :
— Oh! il fait comme nous, il vieillit. Il vieillit même ferme en ce moment. Je crois d'ailleurs que les célibataires tombent tout d'un coup. Ils ont des chutes plus brusques que les autres. Il a, en effet, beaucoup changé.
     MAUPASSANT, Fort comme la mort, éd. 1889, p. 329.

4.2 Mᵐᵉ Santeuil dit : « Mais aussi, tu sais, c'est que nous avons beaucoup marché », car elle ne veut pas lui laisser deviner sa pensée : qu'il n'est plus capable des efforts d'autrefois, qu'il vieillit. Alors tandis qu'il souffle, le regardant pendant qu'il ne la voit pas, elle voit devant elle ce corps qui chaque jour se courbe davantage, les cheveux qui sont devenus plus blancs, elle l'embrasse d'un regard infini de tendresse et de désespoir.
     PROUST, Jean Santeuil, Pl., p. 876.

(Sujet n. de chose). Changer d'aspect par le fait de l'âge. *Visage qui*

vieillit, change (→ Meurtrir, cit. 7 ; et aussi métamorphose, cit. 11).
— Fig. « *Le cœur seul ne vieillit pas (...)* » (Flaubert, *Correspondance*, t. IV, p. 332).

Biol. Subir les modifications organiques du vieillissement. ⇒ **Vieillissement.** — Par anal. (En parlant des animaux, des végétaux). → Ortie, cit. ; rajeunissement, cit.

♦ **4.** (XVIᵉ). Par anal. ou par métaphore. (Sujet n. de chose). Perdre de sa force, de son intérêt ; devenir plus faible avec le temps, l'âge ; ou simplement (du sens 1.), évoluer avec le temps (→ Aristocratie, cit. 5). *Les religions s'apaisent* (cit. 23) *en vieillissant.* — Livre, philosophie, doctrine *qui vieillit, ne vieillit pas* (→ Matérialisme, cit. 2 ; temps, cit. 15). *Ce film a beaucoup vieilli.* — *Les impressions* (cit. 25), *les sentiments vieillissent* (→ 1. Mode, cit. 4).

5   Vous dont j'ai pu laisser vieillir l'ambition
    Dans les honneurs obscurs de quelque légion   RACINE, Britannicus, I, 2.

6   (...) chez les peuples vieillis il n'y a plus rien à décrire que la nature, qui ne vieillit jamais.   Ch. NODIER, Contes, « Trilby », Préface.

(1647, Vaugelas). Sortir de l'usage, être en voie de disparition (→ Couronne, cit. 1). *Mot* (cit. 8), *expression, locution qui vieillit.*

♦ **5.** (1835, Académie). Acquérir certaines qualités, par le temps. *Laisser, faire vieillir un fromage* (⇒ **Affiner, mûrir**), *du vin, des alcools. Ce vin vieillit mal, il faut le boire jeune.*

★ **II.** V. tr. (XIIIᵉ). ♦ **1.** (Sujet n. de chose : *qqch. vieillit qqn*). Rendre plus vieux ; faire paraître plus vieux ; donner les caractères (physiques, moraux) de la vieillesse. *Le stigmate* (cit. 2) *qui la vieillit avant l'âge. Les soucis, la fatigue l'avaient vieilli prématurément.* — Par ext. *Vieillir le caractère* (→ Rajeunir, cit. 3). *Le mariage et la province vieillissent étonnamment* (cit.) *un homme.* — Fig. *La rapidité des modes, qui vieillit tout d'une année à l'autre* (→ Propreté, cit. 1).

7   (...) il avait sur la figure une de ces lassitudes qui vieillissent d'un an, en un jour, le visage d'un homme.   Ed. et J. DE GONCOURT, Sœur Philomène, XLV.

Faire paraître plus âgé. *Cette robe, cette coiffure la vieillit.* « *Elle ne voulait plus en entendre parler (...) de la guerre (...) Ça la vieillissait* » (→ 1. Tac, cit. 2). — Pron. *On dirait qu'elle se vieillit à plaisir.*

7.1   Elle n'était pas vieille, cette fille, elle se vieillissait.
                    MAUPASSANT, Mᵐᵉ Perle, Pl., t. II, II, p. 673.

♦ **2.** (1872, *in* Littré ; sujet n. de personne). Attribuer à (qqn) un âge supérieur à son âge réel. *Je n'ai que quarante-neuf ans, vous me vieillissez d'un an !*

8   Un certain nombre de verbes (...) prennent la valeur objective pour signifier qu'on donne à l'objet la qualité exprimée par le radical, ainsi : *vieillir une dame,* c'est lui attribuer, lui faire avoir un âge qu'elle n'a pas réellement.
                F. BRUNOT, la Pensée et la Langue, p. 312.

▶ **VIEILLI, IE** p. p. adj. — REM. Avec le p. p. adj. on emploie le v. *être (cette tournure est vieillie),* alors que le verbe prend l'auxiliaire *avoir (cette tournure a vieilli).*

♦ **1.** (Fin XVIIᵉ, La Bruyère). Qui est entré dans la vieillesse (1.). → Fidèle, cit. 14.

♦ **2.** (Fin XVIIᵉ, Cardinal de Retz). Qui est demeuré longtemps dans un état. *Vieilli dans le sérail* (cit. 2). *Vieilli dans un métier :* expérimenté.

♦ **3.** (1756, Voltaire). Qui est marqué par l'âge. *Vieilli plutôt que vieux* (→ Dévaster, cit. 5 ; refuser, cit. 2). *Un peu vieilli, racorni* (cit. 2), *rabougri* (cit. 4). *Elle n'était plus qu'une femme vieillie, usée. Visage vieilli, prématurément vieilli.* ⇒ **Défraîchi, flétri.**

♦ **4.** (Choses). Qui a perdu de sa force, de son intérêt, est sorti d'usage. ⇒ **Dépassé, suranné, usé.** *Formules vieillies* (→ Replâtrage, cit. 2). *Coutumes vieillies, préjugés vieillis.* — *Mots, termes vieillis,* qui tombent en désuétude (cit. 4), sans être absolument écartés de l'usage normal (on dit alors : *vieux*). — *Un vin mal vieilli.*

CONTR. Conserver (se), rajeunir.
DÉR. Vieillissant, vieillissement.

VIEILLISSANT, ANTE [vjɛjisɑ̃, ɑ̃t] adj. — 1626 ; de *vieillir.*

♦ **1.** Qui vieillit, est en train de vieillir. *Des hommes vieillissants, une femme vieillissante.* → (fam.) Sur le retour*. — *Corps, visage vieillissant.*

♦ **2.** (1841, Chateaubriand). Fig. Qui n'est plus tout à fait d'actualité, passé de mode. « *Les chefs-d'œuvre dramatiques* (cit. 6) *vieillissants* ».

VIEILLISSEMENT [vjɛjismɑ̃] n. m. — 1596, au sens 2. ; de *vieillir.*

♦ **1.** Fait de devenir vieux ou de s'affaiblir par l'effet de l'âge.

1   Dites-moi pourquoi, chez certains êtres comme ceux qui nous occupent, le vieillissement est un drame vécu jour après jour ?
                F. MAURIAC, Bloc-notes 1952-1957, p. 358.

Processus physiologiquement normal que subit tout organisme vivant au cours de la dernière période de sa vie. ⇒ **Sénescence.**

2   On peut avoir (...) les tissus plus vieux que son âge : on ne peut les avoir plus jeunes. C'est dire qu'il existe un vieillissement essentiel, fondamental, à peu près identique pour tous. On pourrait qualifier de « vieillissement pur » ce processus nécessaire, fatal (...)   J. ROSTAND, la Vie et ses Problèmes, p. 121.

Sociol. *Vieillissement d'une population :* augmentation de la proportion de vieillards.

Par ext. *Le vieillissement de l'esprit, du cœur.*

♦ **2.** Fig. Fait de vieillir, de se démoder. *Le vieillissement d'une doctrine, d'une loi, d'une société ; d'un mot...* ⇒ **Obsolescence.**

♦ **3.** (1872). Processus naturel ou provoqué, par lequel les vins se modifient, acquièrent leur bouquet. *Vieillissement forcé, artificiel.* — *Vieillissement d'une copie d'ancien. Vieillissement du bois.*

3   (...) les rangées d'antiques barriques où le cognac mûrit au contact du bois ; il semble que ce lent vieillissement commande ici l'obscurité et le silence.
           J. CHARDONNE, les Destinées sentimentales, p. 12.

CONTR. Rajeunissement. — (Du sens 2.) **Actualité.**

VIEILLOT, OTTE [vjɛjo, ɔt] adj. et n. — XIIIᵉ, *vieillotte* « petite vieille » ; *vieillot* « petit vieux », XVIᵉ ; de *vieil* (→ Vieux), et suff. *-ot.*
Familier.

♦ **1.** Vx. Un peu vieux, qui paraît vieux. « *Un fort petit homme, vieillot* » (Saint-Simon).

(XIXᵉ). Qui a l'air vieux avant l'âge. *Un enfant vieillot, au visage vieillot.* ⇒ **Flétri.** — *Air vieillot.*

♦ **2.** (Mil. XIXᵉ). Cour. (Choses). Qui a un caractère vieilli et un peu ridicule. ⇒ **Ancien, démodé** (cit. 2), **désuet, suranné** (→ Rococo, cit. 5). *Préjugés vieillots* (→ Farcir, cit. 9). *Poésie vide et vieillotte* (→ Mollasse, cit. 2, Taine).

1   (...) il fut surpris par l'aspect vieillot de ce quartier (...) Depuis la jeunesse de Jean, maint fléau a frappé les habitants de ces avenues, mais les boutiques subsistent et leurs enseignes indélébiles (...) conservent encore des voiles pâles derrière un balcon de fer noirci.   J. CHARDONNE, les Destinées sentimentales, p. 491.

N. m. *Le vieillot.*

2   Une conversation (...) avec du suranné, du vieillot dans les idées.
             Ed. et J. DE GONCOURT, Journal, 2 sept. 1872.

VIELLE [vjɛl] n. f. — 1549, Estienne ; *viele* « viole », XIIᵉ ; déverbal de *vieller,* ou d'un gallo-roman *vivella,* de *viveola,* de *vivus* « vif » (Guiraud).

♦ **1.** Anciennt. Viole* (écrit aussi *viele*).

♦ **2.** *Vielle à roue* ou *vielle :* instrument de musique populaire dans lequel les cordes sont mises en vibration par une roue enduite de colophane que l'on fait tourner avec la main droite au moyen d'une manivelle, et raccourcies (pour obtenir les différentes notes de la gamme) par l'intermédiaire de touches actionnées par la main gauche. *Mouler la vielle* (→ Ménétrier, cit. 2). *Jouer de la vielle.* ⇒ **Vieller.** *Les vielles des petits Savoyards* (cit. 1 ; et → Marmotte, cit. 1 et 2). *Joueur de vielle.* ⇒ **Vielleur.**

VIELLER [vjɛle ; vjɛle] v. intr. — V. 1150 ; du rad. onomatopéique *vi-,* comme l'anc. provençal *violar ;* ou de *vielle* (dans l'hypothèse de P. Guiraud).

♦ Jouer de la vielle.

DÉR. Vielle, vielleur.

VIELLEUR, EUSE [vjɛlœʀ, øz] ou VIELLEUX, EUSE [vjɛlø, øz] n. — V. 1165, *vielleur ; vielleux, vielleuse,* XVIᵉ ; de *vieller.*

♦ Musicien, joueur de vielle. — La forme *vielleux* est régionale.

VIENDRE [vjɛ̃dʀ] v. intr. (infin. seul) — XXᵉ ; réfection de *venir* par les formes du futur et du conditionnel (en *viendr-*).

♦ Fam. (barbarisme plaisant). Venir. « *Ça commence à viendre, l'inspiration (...)* » (F. Marceau, *Bergère,* p. 129).

VIENNOIS, OISE [vjɛnwa, ˙waz] adj. et n. — XIIIᵉ ; *vianeis,* 1050, Chanson de Roland ; de *Vienne.*

♦ De Vienne, en Autriche. *Pain* (cit. 1) *viennois. Café, chocolat viennois,* avec de la crème Chantilly. *Valse, opérette viennoise* (→ Reprendre, cit. 21). *Pâtisseries viennoises* (cf. Daudet, *le Nabab,* t. I, p. 251). *Escalope viennoise,* panée. — N. Personne qui habite Vienne ou qui en est originaire. *Un Viennois, une Viennoise. Les Viennois.*

N. m. *Un viennois :* un pain viennois.

DÉR. **Viennoiserie.**

VIENNOISERIE [vjɛnwazʀi] n. f. — 1977 ; de *viennois.*

♦ Pâtisserie, boulangerie viennoise.

VIERGE [vjɛʀʒ] n. f. et adj. — XIIIᵉ ; *virge,* 980, en anc. franç. ; du lat. *virgo, virginis.*

★ **I.** N. f. ♦ **1.** [a] Vx, dans des contextes spéciaux, ou stylistique. Fille qui n'a jamais eu de relations sexuelles complètes, qui possède encore l'hymen. ⇒ **Pucelle** ; et aussi **demi-vierge.** *Courtiser* (cit. 3), *épouser une vierge. Une pureté de vierge. Dépuceler une vierge.* — *Jeune vierge* (→ Enchanteur, cit. 5), *vierge craintive* (→ Harmonie, cit. 28). *Ceinture* de vierge. Vierge qui reçoit un prix de vertu.* ⇒ **Rosière.** — *Le chœur des vierges,* se dit (par plais.) de voix naïves, effarouchées. *Vierge consacrée à Dieu, aux dieux, à un culte.* ⇒ **Vestale** (et → ci-dessous, b). *Les onze mille vierges,* massacrées selon la légende par les barbares, à Cologne. — (1640, Oudin). Fig. *Être amoureux des onze mille, des cent mille vierges,* de toutes les femmes. — Allus. évang. *Les vierges sages et les vierges folles* (→ Gonflement, cit. 1) : dans la parabole, Jeunes filles qui vont à la rencontre de l'époux, les unes ayant pris de l'huile dans leurs lampes, les autres non (symbole des élus et des réprouvés). — Fig. et fam. *Vierge folle :* fille de mœurs légères.

[b] (XIIᵉ). Relig. Femme célibataire dont la chasteté est reconnue par l'Église et qui a été canonisée. ⇒ **Sainte.** *Une vierge. Une vierge et martyre*.*

(XVIIIᵉ). Chrétienne consacrée au service de Dieu et vouée à la chasteté (sans entrer dans un ordre).

♦ **2.** [a] (1155, *la Virge ; la Virgine,* v. 1050 ; *la Sainte Vierge,* XVIIᵉ). *La Vierge* (→ Front, cit. 6), *la Sainte Vierge, la Vierge Mère* (→ Intégrité, cit. 5) : Marie, mère de Jésus. ⇒ **Madone ; dame** (Notre Dame). *Fêtes de la Vierge,* commémorant les grands événements de sa vie. ⇒ **Conception** (immaculée), **nativité** (de la Vierge), **présentation, annonciation, visitation, nativité** (du Christ), **purification, dormition, assomption.** *Culte de la Vierge.* ⇒ **Hyperdulie, marial, marianisme.** *Prières à la Vierge.* ⇒ **Ave Maria** (salutation angélique), **litanie, salve** (Salve Regina). Interj. *Sainte Vierge !* ⇒ **Dieu** (mon Dieu, Grand Dieu...). Loc. *Fil de la vierge :* toile d'araignée (cit. 4). → Nitescence, cit. 2. *Cheveux de la vierge.*

1 Aux premières lueurs de l'aurore frileuse
On voit flotter ces fils dont la vierge fileuse
D'arbre en arbre au verger a tissé le réseau (...)
LAMARTINE, Poésies, « La vigne et la maison ».

[b] (1643, Poussin, *in* D.D.L.). *Vierge :* représentation, image de la Sainte Vierge (tableau, statue). ⇒ aussi **Madone, pietà.** *Une Vierge romane, gothique. La Vierge et l'Enfant* (→ Nativité, cit. 2). *Une vierge de Del Sarto* (→ Philistin, cit. 1). *Vierge noire* (statues romanes de teinte foncée).

2 La Vierge au chardonneret, la Vierge du grand-duc, la Vierge à la chaise, d'autres encore, celle des Primitifs, aux traits innocents, aux cheveux pâles, idéales et mystiques, et celles des matériels, pleines de santé.
MAUPASSANT, la Vie errante, « La côte italienne ».

3 La grotte de Lourdes fut longtemps ce qu'Armand imagina de plus beau sur la terre, avec sa Vierge au manteau bleu.
ARAGON, les Beaux Quartiers, I, IX.

♦ **3.** Astron. Constellation zodiacale de l'hémisphère boréal dont une étoile est appelée l'*Épi de la Vierge.* — (1512, Lemaire de Belges, *in* D.D.L.). Astrol. Sixième signe du zodiaque (23 août-22 septembre). — Ellipt. *Il est vierge,* né sous le signe de la Vierge.

★ **II.** Adj. (V. 1119, *virgine ; vierge,* XIIIᵉ). ♦ **1.** [a] (Personnes). Qui n'a jamais eu de relations sexuelles complètes. ⇒ **Chaste, innocent.** *Fille vierge* (→ Laver, cit. 10). *Garçon vierge* (→ Cœur, cit. 72, Musset). ⇒ **Puceau.** *Vieilles filles vierges* (→ Surir, cit. 5). *Être, rester vierge toute sa vie. Mourir vierge* (→ Pureté, cit. 5). — *Vierge et martyr(e)*.*

4 — (...) en un mot... franchement, mon cher, êtes-vous vierge ?
— Vierge du cœur à l'âme, et de la tête aux pieds.
MUSSET, Premières poésies, « À quoi rêvent les jeunes filles », II, 1.

5 — Ce que vous dansez bien, dit-elle. Joli comme vous êtes, vous en avez eu, des femmes. — Je suis vierge, dit Philippe.
SARTRE, le Sursis, p. 231.

(Choses) :

6 Il se sentait attiré, ému par cette sensation de la femme si proche, par cette soif de la chair mûre et vierge, et par cette séduction délicate de la jeune fille.
MAUPASSANT, l'Héritage, Pl., t. II, p. 18.

[b] Biol. *Ovule vierge,* non fécondé. *La reine des abeilles, vierge mais non stérile* (→ Parthénogénèse, cit. 1 et 2).

[c] *Vigne* vierge,* qui ne donne pas de raisin.

♦ **2.** (V. 1530, Marot). Choses. [a] Qui n'a jamais été touché, sali, souillé, terni ou simplement utilisé. ⇒ **Blanc, intact, net, pur.** — *Cahier* (→ 1. Livre, cit. 7), *feuille... vierge,* sur quoi on n'a pas écrit*, vide. *Casier judiciaire vierge.* — *Pellicule, film vierge,* non encore impressionné. — Techn. *Cire, huile* vierge. Pure laine vierge.* — (1611). *Couleur, teinte vierge,* employée pure. *Cuivre* vierge.* ⇒ **Brut.**

[b] (1770). Spécialt. Inculte, inexploité. *Sol, terre* vierge* (→ Fécond, cit. 9). — (XIXᵉ). **FORÊT VIERGE** (→ Épanouir, cit. 7), se dit aussi d'une forêt impénétrable (dans les régions tropicales).

[c] (Mil. XIXᵉ). *Vierge de :* qui n'est pas sali de. *L'hermine* (cit. 2) *vierge de souillure.* — (Abstrait). *Réputation vierge de tout soupçon.* — Par ext. Qui n'a pas de, dépourvu de. — Par plais. *Sa boutonnière vierge de palmes* (→ Œillade, cit. 2).

♦ **3.** (1683, Bossuet). Littér. Qui est pur, sans marque, sans tache. *Matin vierge* (→ Engourdir, cit. 3). *Espace vierge* (→ Bout, cit. 46). *« Le vierge, le vivace et le bel aujourd'hui (...) »* (Mallarmé, Sonnets, II).

CONTR. **Impur, souillé.**
COMP. **Demi-vierge.**

VIETNAMIEN, IENNE [vjɛtnamjɛ̃, jɛn] adj. et n. — 1945 ; de *Viet-Nam,* région de l'Indochine orientale.

♦ Du Viet-Nam. ⇒ **Nord-vietnamien, sud-vietnamien.** *La population vietnamienne.* — N. *Les Vietnamiens.*

N. *Le vietnamien,* langue à six tons parlée au Viet-Nam, écrite aujourd'hui en caractère latins (quôc-ngu).

Abrév. fam. : *viet* [vjɛt]. *Les Viets :* les soldats vietnamiens du Viet-Minh.

(...) les Américains robotisés, aliénés, rongés de ressentiment et prêts à tuer tous ceux qui ne leur ressemblent pas : les Viets, les nègres, les hippies.
S. DE BEAUVOIR, Tout compte fait, p. 206.

VIETNAMISATION [vjɛtnamizasjɔ̃] n. f. — 1969 ; de *Viet-Nam* ou de *vietnamiser.*
Politique.

♦ **1.** Processus de désengagement militaire des États-Unis au Viet-Nam, confiant l'initiative des opérations aux forces sud-vietnamiennes (à partir de 1969 jusqu'à la fin de la présence américaine au Viet-Nam, en 1975). *« Ayant tout misé sur la vietnamisation, le président Nixon et le Dʳ Kissinger voient maintenant la vietnamisation se retourner contre eux »* (*l'Express,* 30 oct. 1972, p. 55).

♦ **2.** Par ext. Évolution (d'un conflit, d'une région) sur le modèle vietnamien. *« "Vietnamisation" des provinces orientales du Cambogde »* (*l'Express,* 18 août 1979, p. 57).

VIETNAMISER [vjɛtnamize] v. tr. — 1967 ; de *Viet-Nam.*
Politique.

♦ **1.** Procéder à la vietnamisation, confier les opérations militaires aux Vietnamiens du Sud, pendant le conflit vietnamien (et en parlant des États-Unis, de leur état-major, etc.). *« Vietnamiser consistait à créer une force militaire Sud-vietnamienne capable de remplacer l'armée américaine »* (*l'Express,* 30 oct. 1972, p. 55).

♦ **2.** Faire évoluer (un conflit, une région) sur le modèle de celui du Viet-Nam.

DÉR. **V. Vietnamisation.**

VIEUX [vjø] ou **VIEIL** [vjɛj], **VIEILLE** [vjɛj], **VIEUX** [vjø] adj. et n. — 1080, *vieil, Chanson de Roland ; vielz, vieux,* anc. cas régime du plur., XIᵉ ; du lat. *vetulus,* dimin. de *vetus,* dont le dér. *viez* s'est employé jusqu'au XIVᵉ.

REM. 1. Depuis le XVIᵉ s., les formes *vieil* et *vieux* sont en concurrence au singulier (→ Homme, cit. 148, Montaigne). On trouve encore *vieil,* devant consonne, au XVIIᵉ s. (→ Malpropre, cit. 1, Scarron) : *vieil meuble* (La Bruyère, II, 60), *vieil testament* (Pascal, *Pensées,* X, 680). Dès le XVIIᵉ s., *vieux* l'emporte, sauf devant un nom commençant par une voyelle ou un h « muet » (*un vieux bonhomme, un vieil homme, un vieil arbre*). On trouve cependant *vieux* dans ce cas dans des textes classiques (*« le vieux usurier Polichinelle »,* Molière, *le Malade imaginaire,* I, 8) et dans des textes modernes, à des fins stylistiques : *vieux homme* (→ Jaser, cit. 2, Hugo ; incurable, cit. 11, Suarès), *vieux homme à femmes* (→ Nostalgie, cit. 4, Balzac ; et cf. aussi Sand, Maupassant, R. Rolland, Gide, *in* Grevisse). Devant les conjonctions *et, ou...,* on emploie plutôt *vieux* (cependant : *« un vieil et vaste appartement »* ; → Tapisserie, cit. 5, Hugo).

0.1 Elles sont inquiètes depuis le matin, parce qu'un homme rôde autour de la maison : un vieux homme qui a l'air d'un pauvre.
MAUPASSANT, le Retour, Pl., t. II, p. 207.

1 J'avais dédicacé plusieurs exemplaires de mes *Nouvelles Nourritures :* « son vieux

ami » — qui me paraissait presque une faute ; mais suis amusé de trouver dans Bernardin de Saint-Pierre : « Un vieux arbre (...) » GIDE, Journal, avr. 1936. Cf. aussi « Un gros vieux homme... » (Gide, Si le grain ne meurt, I, 6, p. 457).

1.1 Ni les vieux hommes, ni les vieux peuples ne rient plus devant cette outre gonflée de crimes, devant cette grosse bête de notre apocalypse, tellement plus anodine que celle qui règne sur nous aujourd'hui !
F. MAURIAC, le Nouveau Bloc-notes 1958-1960, p. 37.

2. L'adj. employé seul se place avant le nom, en épithète ; la postposition est alors rarement possible et toujours stylistique (un homme vieux).

★ I. Adj. A. (Personnes, êtres vivants ; opposé à jeune). ◆ 1. Qui a vécu longtemps ; qui est dans la vieillesse ou qui paraît l'être. ⇒ Âgé, et (fam.) croulant, vioc (→ Avancé en âge* [II., 1.] ; d'un âge* [supra cit. 39] avancé ; chargé* [Charger, p. p., 6.] d'ans, d'années) ; et aussi patriarche, vieillard. Un vieil homme (→ 1. Patelin, cit. 4), une très vieille femme (→ Béquille, cit. 2) ; vieilles gens. ⇒ Vieillard (→ Ahurir, cit. 1 ; manie, cit. 5 ; retirer, cit. 14). Un homme assez, plutôt vieux, vieux et malade. Une femme vieille et désagréable (→ Tableau, cit. 13). Une pauvresse (cit. 1) vieille et ridée. Vieux moine. Un vieux mendigot (cit.), un vieux clochard. La retraite des vieux travailleurs (seul le contexte permet de distinguer cet emploi du sens 4.). Vieux mari (→ Mourir, cit. 39 et 41), beaucoup plus vieux que sa femme. — Loc. Vieux beau*, vieux marcheur* (cit. 1), vieux roquentin (cit.). — Vieil avare, vieux grigou*. — Une vieille dame (→ Four, cit. 5). Une vieille bonne femme (→ Mignon, cit. 6), une vieille nourrice (cit. 7), vieille nounou. Vieille grand-mère. Le vieux père Untel. Le cher vieux, le pauvre vieux X... (→ Avantager, cit. 4). — Spécialt (avec des termes péj.). Vieille baderne, vieux barbon (cit. 1), vieux birbe, vieux bonze. Vieille ganache. Vieux schnock. Vieux gâteux, gaga, radoteur (cit. 1). Vieille croûte* (III., 2.). Vieille perruque (cit. 6). — Vieille bique, mémère, rombière, sorcière, taupe, toupie ; vieux tableau. — Fam. Vieille peau (cit. 19). Vieille bête, vieil idiot. — Être, devenir vieux (→ Mettre, cit. 39 ; plonger, cit. 19), vieille (→ Frayeur, cit. 1). « Marianne est très vieille et va sur ses cent ans ». ⇒ Centenaire, sempiternelle (vx). → 1. Gaillard, cit. 14. « Quand vous serez bien vieille... » (→ Dévider, cit. 1, Ronsard). « Peu de gens savent être vieux » (La Rochefoucauld, Maximes, 425). Vivre vieux, très vieux (→ Départir, cit. 5). Se faire vieux : vieillir. Ceux qui me paraissaient si vieux quand j'étais jeune (cit. 4). — Loc. fam. Il est vieux comme Adam, comme Hérode, comme Mathusalem, comme les chemins, comme les rues..., très vieux (→ Il a un pied dans la fosse*, dans la tombe*). — Prov. Quand le diable* devient vieux, il se fait ermite.

2 Écoute, on n'est pas maître
De soi-même, amoureux comme je suis de toi,
Et vieux. On est jaloux, on est méchant, pourquoi ?
Parce que l'on est vieux (...) HUGO, Hernani, III, 1.

3 Je parle souvent de ma tête grise : calcul de mon amour-propre, afin qu'on s'écrie en me voyant : « Ah ! il n'est pas si vieux ! »
CHATEAUBRIAND, Mémoires d'outre-tombe, t. VI, p. 130.

3.1 — Le cœur n'a plus d'extase, mais des exigences égoïstes. Et puis, je sens très bien que je n'ai pas de temps à perdre pour jouir de mon reste.
— Oh ! vieux ! dit-elle en lui prenant la main.
Il répétait :
— Mais oui, mais oui. Je suis vieux. Tout le montre, mes cheveux, mon caractère qui change, la tristesse qui vient. Sacristi, voilà une chose que je n'ai pas connue jusqu'ici : la tristesse ! Si on m'eût dit, quand j'avais trente ans, qu'un jour je deviendrais triste sans raison, inquiet, mécontent de tout, je ne l'aurais pas cru. Cela prouve que mon cœur aussi a vieilli.
MAUPASSANT, Fort comme la mort, éd. 1889, p. 190.

4 Les gens ne vivent pas plus vieux qu'autrefois, mais plus de gens deviennent vieux.
Alexis CARREL, l'Homme, cet inconnu, I, III.

(Pour renforcer un t. d'injure, de mépris). Vieille crapule (→ Peu, cit. 48). Vieille noix (cit. 8), vieux crétin, vieux con. Vieille vache. Ce vieux salaud nous a encore eus !

(Animaux). Les levrauts (cit.) et les vieux lièvres. Vieux cheval (→ Manège, cit. 3), vieux chat (→ 2. Poêle, cit. 5), vieux renard (→ Lieue, cit. 5). Notre bon chien se fait* vieux (→ Broche, cit. 4). — Par métaphore. Un vieux singe* (cit. 3) comme moi. — Loc. prov. On n'apprend pas à un vieux singe* à faire la grimace. Un vieux renard, une vieille chouette. — (Végétaux). Vieil arbre (cit. 20 et 43 ; et → Branche, cit. 2). « À l'ombre du vieux chêne » (→ Promener, cit. 7).

(Choses). Par métaphore. Industries vieilles et industries jeunes (→ ci-dessous, B.).

◆ 2. (Mil. XVIIe ; personnes). Qui a les caractères physiques ou moraux d'une personne âgée, d'un vieillard. ⇒ Caduc (vx), décrépit, sénile (adjectifs beaucoup plus forts). → Noueux, cit. 3 ; sirène, cit. 3. Se sentir très vieux (→ Breloque, cit.). Très vieux pour ses trente ans (→ 1. Queue, cit. 4). Être né (cit. 8) vieux. Il est vieux de caractère, de goûts... Vieux avant l'âge.

5 (...) son mari lui parut vieux de caractère (...) elle eût désiré des laisser-aller (sic), des enfantillages (...) André avait adopté le ton paternel et bienveillant.
HUYSMANS, En ménage, IV.

◆ 3. [a] Relatif aux personnes avancées en âge. Vieux ans (cit. 13). — (1672, Molière). Les vieux jours de qqn ⇒ Vieillesse (→ Assurer, cit. 13 ; hospice, cit. 1 ; jeune, cit. 18 ; soin, cit. 9). Sur ses vieux jours : dans sa vieillesse.

[b] Qui appartient à une personne âgée ou présente les caractères de la vieillesse*. Ses vieilles mains (cit. 26) déformées, noueuses (→ Ourler, cit. 1). Mes vieux os glacés (→ Quand, cit. 9). — Loc. Faire, ne pas faire de vieux os* (cit. 6 et 7) quelque part. ⇒ Partir. — Vieille barbe, vieille moustache (→ Rat, cit. 1 ; rébarbatif, cit. 2), se dit, par métonymie, de la personne elle-même (ci-dessus, 1.). — Spécialt. Cette coiffure est trop vieille pour une jeune fille. — Adv. S'habiller vieux. Ça fait vieux.

◆ 4. (1538, R. Estienne). [a] Qui est relativement âgé dans un état, un métier ; qui est depuis longtemps dans son état, sa situation (que la personne soit vieille ou non). ⇒ Ancien, confirmé, vétéran (→ Savant, cit. 3). Être vieux dans le métier (→ Retouche, cit. 3). Vieux lutteur (cit. 4). Vieux routier (1. Routier, cit. 2), vieux soldat (→ 1. Sac, cit. 10), vieux marin (→ Batifoler, cit. 4). Vieux loup de mer. Vieil étudiant (→ Raison, cit. 18). — Par ext. La vieille garde* (au fig.). ⇒ 1. Garde (infra cit. 76). → Parade, cit. 8.

[b] (Mil. XVIe). Qui est depuis longtemps dans l'état indiqué. Vieux célibataire* (cit. 1). ⇒ Endurci. De vieux mariés (cit. 10), de vieux époux. C'est un vieil ami (→ aussi Négligé, cit. 5), un vieux copain. C'est mon plus vieil ami. — Fam. Ma vieille branche*. — Nos vieux ennemis (→ Reste, cit. 10). Son vieux collaborateur (→ Fabricant, cit. 3). — De vieux civilisés comme nous (→ Langue, cit. 36). Les vieux habitués d'un café.

5.1 « Vous mon plus vieil ami », me dit-elle. Et dans mon amour-propre de jeune homme de Combray qui ne m'étais jamais compté à aucun moment comme pouvant être un de ses amis, participant vraiment à la vraie vie mystérieuse qu'on menait chez les Guermantes à la même titre que M. de Bréauté, que M. de Forestelle, que Swann, que tous ceux qui étaient morts, j'aurais pu en être flatté, j'en étais surtout malheureux. « Son plus vieil ami ! me dis-je, elle exagère ; peut-être un des plus vieux, mais suis-je donc... » À ce moment un neveu du prince s'approcha de moi : « Vous qui êtes un vieux Parisien », me dit-il.
PROUST, le Temps retrouvé, Pl., t. III, p. 927.

5.2 (...) le peintre Chagall et mon vieil ami, mon vieux jeune ami Francis Poulenc, reçoivent eux aussi leur diplôme.
F. MAURIAC, le Nouveau Bloc-notes 1958-1960, p. 159.

Loc. Vieille fille. ⇒ Fille. — Vieux garçon. ⇒ Garçon.

◆ 5. (Construit avec assez, trop, plus, moins). Âgé. Ce petit garçon est à peine plus vieux que sa sœur. ⇒ Aîné. — Je voudrais être plus (cit. 17) vieux d'un an, avoir un an de plus.

6 Je pleure, parce que je suis trop vieille pour toi ! Le mot d'amour était sublime d'enfantillage (...) voir une fille de dix-neuf ans pleurer parce qu'elle se trouve trop vieille. R. RADIGUET, le Diable au corps, p. 63.

B. (Choses). Opposé à neuf, nouveau, récent. ◆ 1. Qui existe depuis longtemps, remonte à une date éloignée. ⇒ Ancien, antique (1.). Cf. D'autrefois, de jadis...

(En parlant d'objets faits, fabriqués il y a longtemps, avec une valeur plus affective qu'ancien). [a] (1690, Furetière ; en insistant sur l'ancienneté, la valeur, le charme...). Une vieille diligence (cit. 9) d'autrefois. Vieille demeure (cit. 12), vieux manoir (cit. 1 et 2). ⇒ Ancestral, historique. Vieux meubles (→ Remarquer, cit. 2), vieux bibelot (cit. 2) d'art, vieilles faïences (cit. 2). De vieux films muets (→ Passer, cit. 125). — Spécialt. Le vieux Sèvres (→ Introuvable, cit. 5). Le vieux Paris, le vieux Rouen, le vieux Saxe (→ Porcelaine, cit. 3). — Vieille ville (→ Ravin, cit. 3), vieux quartier (→ Romantique, cit. 11 ; tortueux, cit. 2). « Alors, dans Besançon, vieille ville espagnole » (→ Naître, cit. 3). Le vieux Nice : le quartier ancien de Nice (→ Parfum, cit. 6). — Vieux papiers, vieux documents (→ 2. Bouquiner, cit. 2).

7 J'ai remarqué que dans tous les endroits où il y a de vieux monuments d'histoire, il se rencontre plus de vieilles gens qu'ailleurs : les centenaires s'abritent aux vieilles pierres. Ed. et J. DE GONCOURT, Journal, 8 oct. 1865, t. II, p. 244.

8 (...) la ville vieille où le soleil trouve difficilement à se glisser entre les toits jusqu'au sol bosselé des rues. ARAGON, les Beaux Quartiers, I, I.

[b] (En insistant sur l'usure). ⇒ Fatigué, usagé, usé, vétuste. Un vieux mur (→ Antique, cit. 2), une vieille façade (→ Badigeon, cit. 2). Vieille bicoque. Un vieil étui de carton crevé (→ Pied, cit. 53). « Mettre le vin nouveau dans les vieilles outres » (1. Outre, cit. 1). Rafistoler les vieux sièges (→ Rempailleur, cit.). Une douzaine de vieilles chaises (→ 2. Veiller, cit. 6). — Deux habillements (cit. 6), l'un vieux, l'autre neuf. Mettre de vieux vêtements, pour faire des travaux salissants. Ma vieille robe (cit. 15, Diderot) de chambre. — Vieille voiture, vieille bagnole, guimbarde ; vieux clou*.

9 (...) ce mobilier est vieux, crevassé, pourri, tremblant, rongé, manchot, borgne, invalide, expirant (...) BALZAC, le Père Goriot, Pl., t. II, p. 851.

10 Dans toutes les pièces, du vieil acajou, de vieilles étoffes mangées aux vers, de vieilles carpettes usées, décolorées et des fauteuils (...) vermoulus et boiteux (...) O. MIRBEAU, le Journal d'une femme de chambre, p. 25.

10.1 Quand les hommes mûrs me parlaient de la pluie ou du beau temps, cela agissait sur moi comme s'ils me parlaient d'une vieille pluie, d'un vieux beau temps. Quand les jeunes me parlaient de la tempête, j'avais l'impression de bébés typhons, d'enfants cyclones. GIRAUDOUX, Siegfried et le Limousin, p. 61.

[c] Péj. Hors d'usage, bon à jeter. Jeter qqch. au vieux linge (→ Recoudre, cit. 2). Vieux rogatons (cit. 1). Un vieux bout de cigarette (→ Mégot, cit.). — Par ext. Mauvais (parce que trop ancien). De la vieille vinasse (→ Mélanger, cit. 2), du vieux café éventé.

[d] (Fin XIXe). Spécialt. Se dit de certaines couleurs adoucies, passées,

rendues moins vives. *Vieil or* (→ Cage, cit. 4; moire, cit. 3). *Vieux rose* (→ Moiré, cit.). — Se dit de certaines matières patinées par le temps. *Vieil ivoire.* — Se dit de boissons améliorées par le temps. *Vin vieux* (→ Fagot, cit. 2). *Un vieux champagne* (→ Humer, cit. 7), *un vieux marc.*

e (En parlant des personnes : auteurs anciens, personnages historiques).

10.2 *Laisse du vieux Platon se froncer l'œil austère.*
BAUDELAIRE, les Épaves, II, « Lesbos ».

♦ **2.** (Mil. XIᵉ). Dont l'origine, la création, le début... est ancien. *Le monde est vieux, dit-on* (→ Amuser, cit. 7). *Ces forêts* (cit. 3) *aussi vieilles que le monde* (→ aussi Orage, cit. 1). — *Société nouvelle et vieille société* (→ Monde, cit. 23). *Vieux pays, pays de vieille civilisation. La vieille Angleterre* (→ Paysan, cit. 8). *Le vieux continent* (→ Prépondérant, cit. 2); *le vieux monde :* l'Europe (par oppos. au *Nouveau Monde,* l'Amérique). *Je suis venu trop tard dans un monde* (cit. 31) *trop vieux.* — *Loc. De vieille race** (cit. 2), *de vieille roche** (cit. 2 et 3), *de vieille souche*.* — *Une vieille famille de pionniers* (cit.).

11 *L'Assemblée était bien vieille pour montrer cette verdeur; vieille d'années, d'événements, finie dans l'opinion.*
MICHELET, Hist. de la Révolution franç., V, VII.

Spécialt. Auquel on est attaché depuis longtemps. *Ce cher, ce bon vieux pays. Ma vieille maison.*

12 *Je resterai dans cette bonne vieille ville de Paris environ 15 jours.*
FLAUBERT, Correspondance, 58, 10 avr. 1842.

♦ **3.** (1611, Cotgrave). Qui se dit, se fait, se pratique... depuis longtemps* (par oppos. à *nouveau, récent*). → Perfectionner, cit. 2. *C'est vieux comme le monde,* très ancien (→ Suspendre, cit. 2). *Une loi* (1. Loi, cit. 36) *« vieille comme le monde et la fatalité ». Vieille tradition* (→ Fève, cit. 2). *Vieilles croyances; vieilles histoires* (→ Indestructible, cit. 3; sourcier, cit. 2). *Vieux airs* (→ Rond, cit. 5), *vieilles mélodies* (→ Mezzo, cit. 3). *« Les erreurs* (cit. 26), *pour être vieilles, n'en sont pas meilleures ». Vieil adage* (cit. 3), *vieux proverbe.* — *Vieille habitude.* ⇒ **Invétéré, long** (I., B., 2.). → Mouvoir, cit. 5. *Vieille amitié* (→ 2. Mort, cit. 22). — *C'est toujours la vieille question, le vieux problème,* la question qui revient toujours*. ⇒ **Même.** *Une vieille histoire cent fois resservie.* ⇒ **Réchauffer** (du réchauffé).

13 *(...) un dévouement qui, pour être vieux n'a pas vieilli.*
FLAUBERT, Correspondance, 283, 9 avr. 1851.

(Après le nom, en épithète). *Vieux de...* (suivi d'un numéral) : qui date de (tant de jours, d'années, etc...). ⇒ **Remonter** (à). *Une histoire vieille de vingt ans, de plus de vingt ans. La terre était vieille de plusieurs millions de siècles* (→ Canton, cit. 2). *Habitude vieille de tant d'années* (→ Ajournement, cit.).

Péj. Qui a perdu son intérêt, ses qualités, avec la nouveauté. ⇒ **Antiquaille, vieillerie** (→ Promesse, cit. 11; suranné, cit. 2). *De vieilles sornettes* (→ Révolu, cit. 3). *Les utopies les plus vieilles.* ⇒ **Démodé, dépassé, suranné, vieillot** (→ Duperie, cit. 2). — *Vieux jeu** (cit. 73).

Spécialt. Qui est sorti de l'usage, n'est plus employé. *Mot vieux* (→ Champi, cit.). — Abrév. : *vx.*

♦ **4.** (1690, Furetière). Qui a existé autrefois, il y a longtemps. ⇒ **Éloigné, révolu.** *Le vieux temps,* et (loc.) *le bon vieux temps* (→ Ballade, cit. 5; 1. or, cit. 11). *À la vieille mode* (→ Berceau, cit. 16). *Pédagogue* (cit. 1) *de la vieille école. La vieille France* (→ Patricien, cit. 3). — Par appos. *Une politesse très vieille France.* — (1791). *Le vieux régime* (cit. 2) : l'ancien régime. — *Les vieux chefs-d'œuvre,* ceux du passé* (→ Message, cit. 4). *Nos vieux romanciers* (→ Débrouiller, cit. 1, Boileau). *« La poussière de ces vieux morts... »* (→ Sarcophage, cit.). — *Payer ses vieilles dettes* (→ 2. Outre, cit. 15). *Un vieux chagrin d'amour* (→ 2. Pas, cit. 39). *Vieux péché*. Vieille connaissance* (cit. 27). *Repris* (cit. 13) *par mon vieil enthousiasme.*

14 — *Comment l'aviez-vous connu, ce Maréchal? Le père Roland leva la tête et chercha dans ses souvenirs : — Attends, je ne me rappelle plus trop. C'est si vieux.*
MAUPASSANT, Pierre et Jean, IV.

(En parlant de la langue). *Vieux langage* (→ Librairie, cit. 2). *Le vieil accent* (cit. 13) *parisien. Le respect de la vieille prononciation* (cit. 1). — *Le vieil anglais. Le vieux français* (on dit plutôt : *l'ancien français*). *Vieux slave :* slavon.

Loc. *Dépouiller le vieil homme** (cit. 70, 71, et *supra*), l'homme d'avant la Rédemption. — *Vieilles lunes** (*infra* cit. 17).

♦ **5.** (1690, Furetière). Opposé à *neuf, nouveau.* Qui est d'avant, plus ancien. *Quitter son vieux logement* (→ Mur, cit. 10). *Ma nouvelle voiture ne vaut pas la vieille.*

★ **II. N. A.** (Personnes). ♦ **1.** *Un vieux :* un vieil homme; *une vieille :* une vieille femme (avec une valeur plus fam. que *vieillard* et souvent de nos jours un peu méprisant ou condescendant). ⇒ **Vieillard;** et aussi (fam.) **ancêtre, croulant, vioc** (→ 3. Berge, cit. 1; sang, cit. 10). *Un vieux cassé, courbé, édenté, tremblant. Le Vieux de la montagne. Une vieille* (→ Bracelet, cit.; linéament, cit. 2; momifier, cit. 2). *« Vous serez au foyer une vieille accroupie »*

(→ Dédain, cit. 1). *Être pieux comme une vieille* (→ Fourrer, cit. 25). *Un petit vieux* (→ Alerte, cit. 7; avaler, cit. 9). — Fam. *Un petit vieux bien propre. Petite vieille* (→ Fragile, cit. 6). *Les Petites Vieilles,* poème de Baudelaire. *La Belle Vieille,* poème de Maynard.

15 — *Bonsoir, grand'mère, marmonne-t-il en finissant de bâiller. — Bonsoir, mes enfants, chevrote la vieille. De près, on la voit en détail. Elle est ratatinée, pliée et repliée dans ses vieux os, et elle a la figure toute blanche d'un cadran d'horloge.*
H. BARBUSSE, le Feu, XVI.

Loc. (XIXᵉ). *Un vieux de la vieille* (sous-entendu : *garde*) : un vieux soldat (sous le Iᵉʳ Empire), et, fig., un vieux routier, un vieux (I., 4.) travailleur.

16 *(...) on le nomme le capitaine d'Herbigny, un vieux de la vieille qui n'a pour toute fortune que sa croix d'honneur et sa pension (...)*
FLAUBERT, l'Éducation sentimentale, II, I.

16.1 *Vous voilà plus couturé de blessures qu'un vieux de la vieille.*
R. ROLLAND, Deux hommes se rencontrent, p. 319.

♦ **2.** Opposé à *jeune* (II.). Les gens âgés ou plus âgés (→ Entreprendre, cit. 1; fortune, cit. 1). *Les vieux se répètent* (cit. 13) *et les jeunes n'ont rien à dire. La retraite des vieux. Hospice de vieux.* — Par plais. *Un vieux de trente-trois ans* (→ Poulette, cit. 2).

♦ **3.** Fam. (Le plus souvent avec un possessif). Père *(vieux),* mère *(vieille);* parents (→ Baillon, cit. 4; 2. patelin, cit.).

17 *Si tu savais, quand on ne les a plus, ses vieux, comme on regrette de ne pas leur avoir donné plus de temps (...)*
Alphonse DAUDET, Sapho, VI.

17.1 *Admettons qu'il (Villon) éprouve le désir de revoir sa mère. Cela n'ajoute rien. Les bandits les plus répugnants ont, eux aussi, le culte de la « vieille ».*
Francis CARCO, Nostalgie de Paris, p. 88.

♦ **4.** (1829, Esnault). Fam. (Avec un possessif). Terme d'amitié, d'affection, qui s'emploie même entre personnes jeunes, entre enfants. *Mon vieux* (→ Loin, cit. 11 et 19; râleur, cit.; seconde, cit. 3), *ma vieille* (→ Kil, cit. 1), *mon pauvre vieux, ma petite vieille.* — REM. Le fém. s'emploie aussi entre hommes. *Salut, ma vieille!*

(Sans possessif). *Dis donc, vieux, voudrais-tu...?*

18 *(...) ce temps d'effusions banales, où les grandes célébrités vous reçoivent, à la première entrevue, avec un : « Tiens, c'est toi, ma vieille!»*
Ed. et J. DE GONCOURT, Journal, 7 nov. 1870, t. IV, p. 94.

18.1 *Comme te voilà cérémonieux... Appelle-moi vieux pour que je me sente jeune.*
Henri FAUCONNIER, Malaisie, p. 16.

18.2 — *Ma petite vieille, j'ai besoin que vous sortiez rapidement.*
J. ANOUILH, le Bal des voleurs, 1938, p. 182.

19 — *Ça ne va pas, vieux?* demanda Pinette. Le soldat ne répondit pas. — Hé! Ça *ne va pas?*
SARTRE, la Mort dans l'âme, p. 101.

♦ **5.** Franç. d'Afrique. Personne adulte; spécialt, père (mère), oncle (tante), personne importante, chef. — REM. Tous les emplois de *vieux, vieille* sont mélioratifs, jamais péjoratifs ou ironiques comme en français central; en outre *vieux* correspond à « adulte » et non exclusivement à « âgé », alors même que l'âge implique le respect.

B. N. m. (neutre). *Le vieux :* ce qui est vieux. *Faire du neuf avec du vieux.*

Un coup (cit. 34) *de vieux :* un brusque changement, comme une rapide vieillesse.

20 *J'ai vu Claudine, aujourd'hui; elle a reçu un sacré coup de vieux, cet été!*
COLETTE, la Retraite sentimentale, p. 22.

21 *Mais tu as une mine superbe, dis-moi, tu sais que tu es un phénomène... tu ne changes pas, tu vivras jusqu'à cent ans, tu seras comme grand-maman Bouniouls... — Grand-maman Bouniouls... non, ma petite Berthe, je ne crois pas, je crois plutôt que j'ai pris un bon coup de vieux ces derniers temps...*
N. SARRAUTE, le Planétarium, p. 171.

Avoir un goût de vieux : se dit d'un vin qui a mal vieilli, qui a un goût amer.

CONTR. Adolescent, blanc-bec, enfant, enfantin, éphèbe, jeune, juvénile. — Frais, moderne, neuf, nouveau, récent. — (De *les vieux*) Jeunesse.
DÉR. 2. Vieille. — (De la forme *vieil*) V. Vieillard, vieillerie, vieillesse, vieillir, vieillot. — Vioque.
COMP. Vieux-lille.

VIEUX-LILLE [vjølil] n. m. invar. — Attesté mil. XXᵉ; de *vieux,* et *Lille,* ville du Nord de la France.

♦ Fromage de Maroilles très longuement affiné et d'un goût très fort. *Des vieux-lille.*

VIF, VIVE [vif, viv] adj. et n. — 980, in *Passion du Christ;* du lat. *vivus.*

REM. *Vif,* en épithète, s'emploie presque toujours après le nom.

★ **I.** ♦ **1.** (En attribut, sauf dans quelques syntagmes, seult dans des emplois figés). Vivant, en vie. *Les prendre morts* (2. Mort, cit. 3) *ou vifs* (→ aussi Faucher, cit. 6). *Plus mort* que vif* (→ Plat, cit. 6). *Écorché* (cit. 1, 2, 9 et 10), *grillé* (1. Griller, cit. 4), *brûlé vif* (→ Condamner, cit. 5). *Cris d'orfraie* (cit. 1) *plumée vive.* — *Chair vive.* — Par métaphore. *Tailler dans la chair vive* (→ Amputer, cit. 5), dans la chair sensible. *Tout vif et tout palpitant sur ma table de dissection* (cit. 2). *M'enterrer* (cit. 19) *toute vive.* — Par plais. *Imprimé tout vif* (→ Esprit, cit. 121 ; et aussi personnage, cit. 10). — Fig. (→ ci-dessous, cit. 1).

1   Je n'ai jamais vu une personne absente être si vive dans tous les cœurs (...)
                                                    Mme DE SÉVIGNÉ, 148, 11 mars 1671.

2   *(Hercule) prit tout vif le sanglier d'Érymanthe. Il s'empara, vivante aussi, d'une biche aux cornes d'or et aux pieds d'airain, consacrée à Diane (...)*
                                                    Émile HENRIOT, *Mythologie légère*, p. 107.

2.1 La vestale impure est enterrée vive : son sang versé contaminerait la cité. On la fait alors disparaître avec sa souillure dans les entrailles de la terre.
                                                    Roger CAILLOIS, l'Homme et le Sacré, p. 57.

*Bois vif. Haie vive** (→ Lopin, cit. 2).

Par ext. (En parlant d'un être vivant). *Poids** vif, cheptel** vif. De vive voix**.

◆ **2. N.** (V. 1155). **a** Dr. LE VIF : la personne vivante. *Le mort saisit** (cit. 21) *le vif. Donation* (cit. 1) *entre vifs.* — Peint. (Vx.). *Modèle vivant. Peindre au vif.* — Loc. mod. SUR LE VIF. *Peindre sur le vif,* d'après le modèle vivant. — Fig. (Mod.). D'après nature. ⇒ 1. **Croquer.** *Prendre, surprendre sur le vif,* dans l'état naturel, tel que la vie le présente (→ Paye, cit. 3).

3   On voit des madames Marneffe à tous les étages de l'État social, et même au milieu des cours ; car Valérie est une triste réalité, moulée sur le vif dans ses plus légers détails.   BALZAC, la Cousine Bette, Pl., t. VI, p. 266.

b *Le vif :* la chair vive (→ Entamer, cit. 1). — Par métaphore. *Tailler, trancher, couper** dans le vif. Atteint* (cit. 14), *touché, blessé* (cit. 16), *piqué** (cit. 17) *au vif* (→ aussi Offense, cit. 2).

3.1 Nous sommes tous excédés des formes purement digestives du théâtre actuel qui n'est qu'un jeu sans efficacité. Nous éprouvons tous le besoin d'un théâtre qui agisse, et tranche dans le vif.
                    A. ARTAUD, Dossier du théâtre et son double, XXX, *in* Œ. compl., t. IV, p. 318.

Par métaphore. *Entrer dans le vif du sujet, du débat,* dans l'essentiel ; aborder le point le plus important. ⇒ **Cœur, fond** (→ Préambule, cit. 6).

c Pêche. AU VIF : avec un appât vivant. *Pêcher au vif.*

d À VIF : avec la chair vive à nu, non couverte de peau (contr. : *cicatrisé*). ⇒ **Avivement.** *Plaie, moignon à vif* (→ Douloureux, cit. 3 ; et aussi ongle, cit. 7). — Par métaphore. *Plaie à vif* (→ Inguérissable, cit. 3). *Avoir les nerfs**, la sensibilité à vif.*

4   Il n'a point de complaisance pour la maladie ; tous ses nerfs sont à vif ; la révolte lui fouette le sang et la bile.   André SUARÈS, Trois hommes, « Ibsen », VII.

4.1 (...) qu'à vif ou en effigie — soit qu'en de rares instants de chance (partagés ou m'appelant à les faire poétiquement partager) je m'arrache à ma grisaille quotidienne en une sorte de mort sans blessure.
                                                    Michel LEIRIS, Frêle bruit, p. 378.

◆ **3.** (XVIIe). Techn. Mis à nu (comme la chair vive). *Pierres vives,* non recouvertes de terre, de bousin. *On a fouillé jusqu'au roc vif* (Académie). — N. m. *Le vif d'une pierre :* la partie dure que l'on atteint sous le bousin. — *Joints vifs,* sans mortier. *Pierre coupée à vive arête**.* ⇒ **Aviver.**

Cour. *Arêtes* (cit. 2) *vives* (→ Niveler, cit. 1). *Angles* (1. Angle, cit. 2) *vifs,* nettement accusés, saillants (→ par métaphore, Angle, cit. 5 ; réunir, cit. 7 ; sécheresse, cit. 4).

◆ **4.** (Mil. XVIe). Où la vie semble résider. *Eau** vive* (→ Moussu, cit. ; polir, cit. 9 ; puits, cit. 3 ; ruissellement, cit. 3). — Par métaphore. *Source vive* (→ Désaltérer, cit. 6 ; humanité, cit. 8). — N. m. (Mar.). *Le vif de l'eau :* marée de *vive eau,* grande marée. — *Air* (1. Air, cit. 7) *vif,* frais et pur, qui ranime, vivifie (→ Enivrer, cit. 28 ; goulée, cit. 2 ; griser, cit. 4). — *Chaux** vive* (→ Orpiment, cit. 1). *Combustion vive.* — Mar. *Les œuvres** vives d'un navire.* — Mécan. *Force** vive* (ainsi désignée par Leibniz par oppos. à la *« force morte »* qui est une simple « tendance au mouvement »).

★ **II. Par ext.** Qui a de la vie. ◆ **1.** Dont la vitalité se manifeste par la rapidité, la vivacité des mouvements et des réactions. ⇒ **Agile, alerte, déluré, fringant,** 1. **gaillard, guilleret, léger, leste** (cit. 2), **pétulant, sémillant** (→ 1. Avenant, cit. 3 ; fantasque, cit. 2 ; fauvette, cit. ; mordre, cit. 20 ; œil, cit. 46 ; sédentaire, cit. 1). *Enfant vif.* ⇒ **Diable, espiègle, éveillé, frétillant, remuant** (→ Éduquer, cit. 7 ; titi, cit.). *Il est vif et espiègle, c'est un vrai lutin**, un petit diable. Vif, passionné, endiablé* (cit. 4). *Vif comme un papillon.* ⇒ **Causeur,** cit. 1), *un émerillon, un lézard* (→ Flexible, cit. 6). *Un vieillard ingambe et vif.* ⇒ **Vert.** — *Tempérament, caractère* (cit. 46) *vif.* ⇒ **Ardent,** 1. **feu** (de feu), **primesautier** (→ Glisser, cit. 33 ; navet, cit. 2). *Humeur vive* (→ Fréquentation, cit. 5). — *Œil, regard vif,* brillant et toujours en éveil, prompt à suivre, à saisir (→ 1. Barbe, cit. 16 ; 1. fouine, cit. 1 ; rabouillère, cit. ; spirituel, cit. 6). — Par ext. *Mouvements, gestes vifs* (→ 2. Goujon, cit. ; griffe, cit. 4). *Marche, démarche vive.* ⇒ **Allègre, dégagé** (→ Envie, cit. 13 ; serrer, cit. 12). *Parades* (cit. 11) *vives.*

5   Je n'entends plus que ce pas vif, régulier, et le léger tintement, sur les chaussures, des lacets aux pointes de fer.   G. DUHAMEL, les Plaisirs et les Jeux, III, II.

Par anal. (Mus.). *Rythmes, mouvements, airs, morceaux... vifs* (par oppos. à *lent*). ⇒ **Rapide** (→ 1. Émouvoir, cit. 15 ; lyrique, cit. 4 ; orgue, cit. 4 ; stabat, cit.). — aussi **Allegro, allegretto.**

◆ **2.** (XVIIe). Qui est d'une ardeur excessive, au point de s'emporter facilement (→ Couper, cit. 15 ; piquer, cit. 31). ⇒ **Brusque, emporté, violent.** *Il est vif, trop vif :* il a la tête chaude**, près

du bonnet** (cit. 6). *Je regrette d'avoir été aussi vif* (→ Fâcher, cit. 19). — Par ext. *Échanger des propos très vifs, des paroles très vives,* qui ont quelque chose de blessant, qui ne ménagent pas l'adversaire. ⇒ **Dur.** *Langage, termes un peu vifs. Boutade vive.* ⇒ **Mordant.**

◆ **3.** (XVIe). Prompt dans ses opérations. *Esprit vif.* ⇒ 1. **Brillant, éveillé, ouvert** (→ Analyser, cit. 1 ; juste, cit. 29 ; pénétrant, cit. 9). *Intelligence* (cit. 13) *vive* (→ Audacieux, cit. 6). *Vive imagination.* ⇒ **Ardent** (cit. 33 ; et → Amant, cit. 3 ; enflammer, cit. 18). — *Style vif.* ⇒ **Énergique.** *Traits vifs.* ⇒ **Spirituel.**

6   L'esprit vif et impatient de Voltaire faisait qu'il ne se donnait pas le temps de résumer ses idées.   A. DE VIGNY, Journal d'un poète, 1838.

◆ **4.** (1690, Furetière ; choses). Peut s'employer avant le nom en épithète (stylistique). Très intense. *Lumière vive* (→ Lueur, cit. 1). *« Adieu, vive clarté de nos étés trop courts »* (→ Ténèbre, cit. 1). *Vif éclat.* ⇒ **Haut** (→ Hellénisme, cit. 3). — (En parlant des couleurs ; après le nom). *Couleurs* (cit. 27), *teintes vives.* ⇒ **Criard, cru, éclatant, franc** (2. Franc, cit. 13), **gai, voyant** (→ Bâtiment, cit. 9 ; 1. parer, cit. 7). *Coloris, tons vifs* (→ Coquet, cit. 10 ; distributeur, cit. 3). *Teint vif.* ⇒ **Coloré** (et contr. : **blafard, pâle**). *Vive rougeur* (cit. 4). *Rouge, rose, jaune... vif* (→ Badigeon, cit. 1 ; denture, cit. 1 ; égayer, cit. 5). — *Feu vif.* ⇒ **Grand** (→ Rendre, cit. 30 ; sauter, cit. 22). *Soleil vif.* ⇒ **Ardent, brûlant** (→ 2. Pointer, cit. 1). *Un froid vif.* ⇒ **Aigre, âpre, mordant, perçant, piquant** (→ Fraîcheur, cit. 3).

6.1 Le drapeau de cette nation était rouge vif, jaune vif, or vif, en un mot arc-en-ciel vif, sur teint de safran, de pourpre et de mort.
                                        GIRAUDOUX, Siegfried et le Limousin, p. 242.

Sensibilité, sensations, impressions (cit. 19), *passions, émotions vives* (→ Amortir, cit. 6 ; sympathie, cit. 2). *Sentiment vif* (→ Figer, cit. 6). *Une vive douleur.* ⇒ **Aigu, exaspéré** (→ Détention, cit. 5). *Un vif plaisir* (→ Amorce, cit. 8 ; exister, cit. 16). *Vif regret.* ⇒ **Cuisant** (→ Liaison, cit. 9). *Vive satisfaction* (→ Musée, cit. 2). *Haine* (cit. 12 et 25) *vive. Le vif amour du bien* (→ Affection, cit. 1). *Vive reconnaissance. Goût* (cit. 42) *vif pour... Vif désir* (→ Animer, cit. 24), *vif besoin* (→ Appétit, cit. 29). *Vive ardeur* (→ Expulser, cit. 6), *curiosité* (cit. 10), *impatience.* ⇒ **Éperdu, fébrile,** 1. **fou.** *Un souvenir très vif de...* ⇒ **Durable, jeune.** *Foi* (cit. 29) *vive et agissante* (cit. 3). — *Vive attaque* (cit. 6 ; et → Raison, cit. 3). *Vive fusillade. Vifs applaudissements.* ⇒ **Chaleureux** (→ Exciter, cit. 12). *Vifs succès. Vive controverse, discussion, altercation.* ⇒ **Animé** (→ Matamore, cit. 3). *Vifs reproches. Pression* (cit. 5) *plus ou moins vive.* ⇒ **Fort.** *De vive force**.*

7   De ces baisers puissants comme un dictame,
     Des ces transports plus vifs que des rayons,
     Que reste-t-il ? (...)
                    BAUDELAIRE, les Fleurs du mal, « Spleen et idéal », XXXVIII, IV.

CONTR. Défunt, mort. — Abruti, alangui, amorphe, apathique, atone, calme, croupissant, effacé, endormi, engourdi, fade, froid, gelé, indolent, languissant, mièvre, mou, nonchalant, paresseux, pesant. — Faible, obscur, plat, sombre.
DÉR. et **COMP.** Vivement. — Aviver, revif ; vif-argent, vive-arête, vive-eau.

VIF-ARGENT [vifaʀʒɑ̃] n. m. sing. — XIIIe ; de *vif* « vivant », et *argent.*

◆ **1.** Anciennt. Chim. Mercure (→ Cinabre, cit.). *Miroiter* (cit. 2) *comme du vif-argent* (→ Imbriquer, cit. 2).

◆ **2.** Loc. fam. *Il a du vif-argent dans les veines, c'est du vif-argent,* se dit d'une personne très vive (→ Bourrique, cit. 2).

Vous n'imaginez pas combien cette grande bringue est mollasse, docteur ! Pour moi qui ai toujours eu du vif-argent dans les veines, c'est horripilant !
                                        MARTIN DU GARD, les Thibault, t. III, p. 150.

VIGÉSIMAL, ALE, AUX [viʒezimal, o] adj. ⇒ Vicésimal.

VIGESIMO [viʒezimo] adv. — 1842 ; mot lat. mod., ablatif de *vigesimus* « vingtième », var. de *vicesimus.*

◆ Didact. Vingtièmement.

1. VIGIE [viʒi] n. f. — 1686 ; du port. *vigia,* de *vigiar* ; lat. *vigilare* « veiller » ; repris fin XVIIIe par l'espagnol.

◆ **1.** Vx. Guetteur chargé, sur une côte, de surveiller le large.

◆ **2.** (Déb. XVIIIe). Surveillance exercée par un matelot de veille sur un endroit élevé du navire ; son poste d'observation. *Être en vigie.* ⇒ **Sentinelle.** *L'homme de vigie* (→ Signaler, cit. 3).

◆ **3.** (1714). Par métonymie. Matelot de surveillance, en vigie (→ Grand, cit. 6) ; sentinelle placée en observation sur une côte, dans un phare (→ Événement, cit. 14). *La vigie du baleinier cria : « Elle souffle ! »*

♦ **4.** (1872). Techn. (ch. de fer). Poste d'observation des conducteurs (cit. 6) de train. *Vigie vitrée.*

HOM. 2. Vigie.

2. VIGIE [viʒi] n. f. — 1687 ; du port. *vigia*, de *vigiar* «veiller», lat. *vigilare*.

Vieux.

♦ **1.** Petit îlot découvrant à peine à basse mer.

♦ **2.** (1722). Balise signalant un tel îlot.

HOM. 1. Vigie.

VIGILAMBULE [viʒilãbyl] n. — 1896 ; de *vigile*, d'après *somnambule*.

♦ Didact. Personne qui est dans un état d'automatisme ambulatoire, à l'état de veille, avec dédoublement de la personnalité (notamment dans l'hystérie). — Le dérivé *vigilambulisme* [viʒilãbylism] n. m. (1892, *in* D.D.L.), «trouble du vigilambule», est attesté antérieurement.

VIGILAMMENT [viʒilamã] adv. — 1508 ; de *vigilant*.

♦ Rare. Avec vigilance.

VIGILANCE [viʒilãs] n. f. — 1530 ; «insomnie», 1380 ; lat. *vigilantia*, de *vigilare* «veiller».

A. *La vigilance (de...).* ♦ **1.** Littér., style soutenu. Surveillance attentive, sans défaillance. ⇒ **Attention** (cit. 6 ; et → Dissipation, cit. 1 ; espion, cit. 6 ; évasion, cit. 2 ; partager, cit. 11 ; régner, cit. 9 ; témoigner, cit. 13). *Relâcher* (cit. 3) *de sa vigilance. Endormir, tromper la vigilance de qqn* (→ Baguette, cit. 5 ; évader, cit. 3). *Redoubler de vigilance.* — Polit. *Comité de vigilance,* surveillant certaines activités politiques.

♦ **2.** (V. 1960). Physiol. État de réactivité de l'organisme conditionnant la capacité adaptative. *Il y a plusieurs degrés de vigilance compris entre le sommeil et la veille attentive.*

Spécialt. État de réactivité maximale ; état de veille.

♦ **3.** Techn. *Bouton, levier de vigilance,* mettant en alerte un système de contrôle, de sécurité.

B. Rare. *(Une, des vigilances).* Comportement, action d'une personne vigilante. *« Les inflexibles vigilances de l'amour maternel »* (Dussane, *in* G. L. L. F.).

CONTR. Étourderie. — Sommeil.

VIGILANT, ANTE [viʒilã, ãt] adj. — 1488 ; du lat. *vigilans*, de *vigilare* «veiller».

♦ **1.** Littér., style soutenu. Qui fait preuve de vigilance. ⇒ **Attentif ; expert** (cit. 1) ; **régenter** (cit. 2) ; **superstition** (cit. 3). *Des surveillants, des gardes vigilants.* ⇒ **Aguets** (aux), 1. **garde** (en). *Soyez vigilant : ouvrez l'œil**. *Il faut rester vigilants. Duègne sévère et vigilante.* ⇒ **Dragon** (→ Éternel, cit. 40). — Par ext. *Attention vigilante* (→ Paupière, cit. 6). *Soins vigilants* (→ Exempt, cit. 18). *Main vigilante* (→ Dimension, cit. 4 ; semer, cit. 4). *Vigilant despotisme* (cit. 9). — Poét. *« Son pied sonore et vigilant »* (→ Émail, cit. 3).

♦ **2.** N. m. Vx. Vigile (1. et 2. Vigile), garde de nuit.

CONTR. Endormi, étourdi.

DÉR. Vigilamment.

1. VIGILE [viʒil] n. f. — XIIᵉ, *vigilie* ; lat. ecclés., du lat. class. *vigilia* «veille, faction de nuit, veillée».

♦ Liturg. cathol. Veille d'une fête importante. *Les vigiles de Noël, de l'Assomption, de la Pentecôte, de la Toussaint et de Pâques sont jeûnées* (cit. 3). ⇒ **Abstinence, jeûne** (jours de). → Manquer, cit. 50. — Office célébré ce jour-là, de Matines à None. *Vigiles privilégiées, communes.* — *Vigiles des morts :* matines et laudes de l'office des morts.

HOM. 2. Vigile, 3. vigile, formes du v. vigiler.

2. VIGILE [viʒil] n. m. — 1836 ; lat. *vigil* «éveillé».

♦ **1.** Antiq. rom. Chacun des gardes de nuit institués par l'empereur Auguste pour la police nocturne de Rome, sous le commandement du préfet des vigiles.

♦ **2.** (1948). Rare. Veilleur de nuit. ⇒ **Vigilant.**

♦ **3.** (Mil. xxᵉ). Cour. Personne exerçant une fonction de surveillance au sein d'une police privée, d'un organisme de défense, de surveillance. *Des vigiles urbains. Des vigiles surveillent ce groupe*

d'immeubles, ce centre commercial. « Face aux attaques de bandes de jeunes, quelques magasins utilisent des entreprises extérieures de vigiles musclés » (*le Monde,* 8 avr. 1978, *in* P. Gilbert). *« Sur les pas des forces de l'ordre s'engouffrèrent dans l'usine avec deux molosses (...) des vigiles de l'Agence lyonnaise de sécurité »* (*le Monde,* 24 déc. 1978, *in* P. Gilbert). — Abusivt. Membre d'une milice (patronale). — *Vigiles universitaires camouflés* (→ Appariteurs* musclés).

HOM. 1. Vigile, 3. vigile, formes du v. vigiler.

3. VIGILE [viʒil] adj. — 1955, Lagache ; lat. *vigil* «éveillé».

♦ Physiol. De la veille, caractérisé par un état de veille. *État vigile,* de veille. ⇒ **Vigilance.** *La pensée vigile* (→ Rêve, cit. 10). — *Coma vigile :* coma où le sujet peut réagir à des stimulations extérieures.

La remémoration hypnotique est sans doute reproduction du passé, mais surtout représentation parlée et comme telle impliquant toutes sortes de présences. Elle est à la remémoration vigile de ce qu'on appelle curieusement dans l'analyse «le matériel» (...)
        J. LACAN, Écrits, p. 255.

HOM. 1. Vigile, 2. vigile, formes du v. vigiler.

VIGILER [viʒile] v. tr. — Mil. xxᵉ ; en moy. franç. *vigiller* «veiller, ne pas dormir», 1530 ; de *vigil* «éveillé, vigilant».

♦ Techn. *Vigiler un signal :* mettre en alerte un dispositif (dit *de vigilance*) à l'observation d'un signal.

1. VIGNE [viɲ] n. f. — 1120, sens 1. et 2. ; du lat. *vinea*, de *vinum* «vin».

♦ **1.** Plante dicotylédone (*Ampélidacées* ou *Vitacées*), scientifiquement appelée *Vitis vinifera,* arbrisseau sarmenteux, grimpant, muni de vrilles*, à fruits en grappe (⇒ **Raisin**), peut-être originaire d'Asie, cultivée notamment et d'abord au Proche-Orient et autour du bassin méditerranéen, pour son fruit et la production du vin. *De la vigne.* ⇒ **Viti-** (et les dér. du grec *ampelos*). *Pied de vigne.* ⇒ **Cep** (cit.), **souche.** *Branche de vigne feuillée* (⇒ **Pampre**), *aoûtée* (⇒ **Sarment**). *Bourgeons, vrilles de la vigne* (→ Ligoter, cit. 1). *Les Vrilles de la vigne,* roman de Colette. *Feuille** *de vigne.* — *Vigne qui débourre* (cit. 2), *fleurit, donne du raisin. Une vigne le long d'un mur, en berceau, en tonnelle.* ⇒ **Treille** (→ Arceau, cit. 2 ; feuillu, cit.). *La Vigne et la maison,* poème de Lamartine. *Étude de la vigne.* ⇒ **Ampélographie.** — REM. On dit *une vigne, des vignes,* quand on désigne un, des pieds ; *la vigne* collectivement, quand on désigne la plante.

Le bois des plus vieux sarments éclatait ; la vigne montrait ses premiers bourgeons.   E. FROMENTIN, Dominique, III.   1

Une vigne grimpait contre le mur, s'étalait, couronnait le linteau et des grappes énormes pendaient (...)   H. BOSCO, Hyacinthe, p. 57.   2

(...) il était pour ces viornes et ces ronces, et ces vignes folles qui étouffaient tout sous leurs longues mains nerveuses aux cent doigts.   J. GIONO, le Grand Troupeau, Pl., t. I, p. 626.   2.1

Vigne sauvage. ⇒ **Lambruche** (→ Entrelacer, cit. 2).

Absolt. *La vigne* (collectif) ; *les vignes. Culture de la vigne.* ⇒ **Viticulture.** *Planter une terre en vignes* (→ Friche, cit. 2) ou *en vigne. Vignes plantées en hautins** (cit.), *sur échalas**, *en cordons**, *en gobelets**, *en oullière...* ; *dans un champ. Pays de vignes* (→ Bienêtre, cit. 5). *Vignes françaises, allemandes, italiennes, américaines.* ⇒ **Cépage.** *Bouture* (⇒ **Crossette**), *marcotte de vigne.* ⇒ **Provin** (cit. 2). *Mettre la vigne sur son support.* ⇒ **Échalassage ; palissage, palisser ; accolure.** *Branche à fruit sur un pied de vigne.* ⇒ **Aste.** *Bourgeon de vigne qui ne donne pas de fruit.* ⇒ **Agassin.** *Arçon** *de vigne. Soins donnés à la vigne.* ⇒ **Arcure, cisellement, ébourgeonnage, effeuillage, épamprage, greffe, marcottage, pincement, provignage, recépage, taille.** *Protection de la vigne par la bouillie bordelaise, le soufre.* ⇒ **Soufrage, sulfatage** (cit. 1), **sulfurage ; pulvérisateur, soufreuse, sulfateuse.** *Accidents qui surviennent à la vigne.* ⇒ **Coulure, millerandage, pleur...** *Vigne qui chènevotte**. *Vignes qui gèlent* (cit. 9), *souffrent de la grêle* (→ Ravage, cit. 4). *Insectes ampélophages**, *qui nuisent à la vigne.* ⇒ **Agrile, anomala, cochylis, eudémis, eumolpe, phylloxéra, pyrale, tordeuse, vercoquin...** *Champignons parasites de la vigne. Maladies de la vigne.* ⇒ **Anthracnose, black-rot, brunissure, chlorose, excoriose, folletage, mélanose, mildiou, oïdium, phylloxéra** (cit.)... *Vigne folletée, phylloxérée.*

Comme il descendait le coteau, il aperçut ceux-ci dans leurs vignes, où ils dégageaient les grappes, en arrachant les feuilles : des pluies avaient trempé la fin de l'autre lune, le raisin mûrissait mal, il s'agissait de profiter des derniers beaux soleils.   ZOLA, la Terre, IV, I.   3

Loc. (1718). Fig. *Être dans les vignes, dans les vignes du Seigneur* (par confusion avec 2.) : être ivre*.

♦ **2.** Plantation de vignes. ⇒ **Vignoble ; complant** (vx). → Établir, cit. 37 ; 2. ferme, cit. 1 ; lotisseur, cit. — *(Une, des vignes ; la vigne). Raisin de vigne* (par oppos. à *raisin de treille*). *Quarante hectares de vigne* (→ Net, cit. 16). *Les vignes de Bourgogne. Labour, façon des vignes.* ⇒ **Parage, rechaussage, reterçage, retroussage ; tercer ;** et aussi **cavaillon, chaintre.** *La vigne, les vignes d'un viticulteur. Labourant ou façonnant* (cit. 9) *ma vigne. Faire la vendange** *dans* *sa vigne* (→ Gaver, cit. 2). *Le cru* d'une vigne* (→ Désaltérant, cit. 8; lacryma-christi, cit.). — Fig. *Travailler à la vigne du Seigneur :* convertir les âmes. *Ouvrier de la vigne du Seigneur.*

4   Julien sera un ouvrier remarquable dans la vigne du Seigneur. La mémoire, l'intelligence ne manquent point, il y a de la réflexion.
                                    STENDHAL, le Rouge et le Noir, I, XXV.

(1835). **PÊCHE DE VIGNE,** provenant de pêchers cultivés en plein vent et qui produisent à l'époque où la vigne donne du raisin (→ Doré, cit. 3).

♦ **3.** (Qualifié, désigne certaines plantes grimpantes). *Vigne blanche.* ⇒ **Clématite.**

(1690, Furetière). **VIGNE VIERGE :** ampélopsis* *(Ampélidacées),* dont certaines variétés s'accrochent par des vrilles, d'autres par des crampons, et sont cultivées pour orner les murs, les tonnelles. *Façade couverte de vigne vierge.*

5   (...) les arbres se mettent nus et la vigne vierge rougit.
                                    Paul MORAND, l'Europe galante, Les plaisirs rhénans.

DÉR. 1. **Vigneau,** 2. **vigneau, vigneron, vignette.**
HOM. 2. **Vigne.**

2. VIGNE [viɲ] n. f. — Av. 1660, Scarron; ital. *vigna* «vigne», et sens emprunté, lat. *vinea.*

♦ Vx. Maison de campagne entourée de jardins, de vignes, près d'une ville, en Italie. *La vigne Borghèse.* ⇒ **Villa** (1.).
HOM. 1. **Vigne.**

1. VIGNEAU ou VIGNOT [viɲo] n. m. — 1771, *vigneau; vignot,* 1611; *vignol,* 1553; de *vigne,* par anal. d'aspect de la coquille et des vrilles.

♦ Coquillage comestible (n. sc. : *littorina littorea;* → Littorine), commun sur les côtes rocheuses. ⇒ **Bigorneau.** *Manger des vignots, des vigneaux.*
HOM. 2. **Vigneau.**

2. VIGNEAU [viɲo] n. m. — 1838; *vignot* «petit vignoble», 1581; de *vigne.*

♦ Régional (Normandie). Tertre surmonté d'une treille, dans un jardin.

D'un côté une tonnelle aboutissait à un vigneau; de l'autre un mur soutenait les espaliers (...)   FLAUBERT, Bouvard et Pécuchet, II.

HOM. 1. **Vigneau** ou **vignot.**

VIGNERON, ONNE [viɲ(ə)Rɔ̃, ɔn] n. — Fin XIIᵉ; au fém., XVIᵉ; de *vigne.*

♦ **1.** Celui, celle qui cultive la vigne (propriétaire ou ouvrier, ouvrière agricole), fait le vin. *L'image du vigneron de jadis* (→ Sulfatage, cit. 3). *Vigneron qui vendange.* ⇒ **Vendangeur.** *Les vignerons du Bordelais.* ⇒ **Viticulteur** (→ Pourriture, cit. 4).

Et joyeux vigneron qu'un pampre vert couronne,
Nous vendangeons encore d'un pas mal assuré.
                                    A. DE MUSSET, Poésies complémentaires, Loi sur la presse, IX.

♦ **2.** Adj. (1877). Du vigneron. *«Cette allure vigneronne... »* (Huysmans). — (En parlant d'un instrument). Destiné à la culture de la vigne. *Charrue vigneronne.*
Hélice vigneronne : escargot de Bourgogne (que l'on trouve dans les vignes).

VIGNETAGE [viɲ(ə)taʒ] n. m. — 1832; de *vignette.*
Technique.

♦ **1.** Opération par laquelle on garnit de vignettes (des boîtes, etc.).

♦ **2.** (1904). Opération par laquelle on décore de vignettes une couverture de livre.

VIGNETÉ, ÉE [viɲ(ə)te] ou VIGNETTÉ, ÉE [viɲete] adj. — 1334; de *vignette.*
Didactique.

♦ **1.** Décoré de vignettes (1. ou 3.).

♦ **2.** Arts. Orné de vignettes (2.), de vignetures. *Dessin vigneté.*

♦ **3.** (V. 1970). Pharm. *Produit vignetté,* qui porte la vignette attestant le prix du produit.

VIGNETTAGE [viɲetaʒ] n. m. — Mil. XXᵉ; de *vignette.*

♦ Techn. Caractère d'un objectif photographique dont la répartition lumineuse est inégale, du centre aux bords.

VIGNETTE [viɲɛt] n. f. — 1280; dimin. de *vigne,* d'abord «ornement en branche de vigne».

♦ **1.** Motif ornemental d'un livre*, à la première page (⇒ **Frontispice**) ou à la fin des chapitres. ⇒ **Cul-de-lampe** (→ Cul, cit. 22). *Vignette historiée. Vignette au nom, aux armes... du possesseur.* ⇒ **Ex-libris.** — (1835, *Académie*). Par ext. Ornement de papier à lettres (guirlandes, dessins, initiales).

♦ **2.** Dessin d'encadrement des miniatures médiévales (⇒ **Vigneture**), de certaines gravures.

(1730, Fontenelle). Gravure, estampe entourée d'un cartouche.

♦ **3.** Vx. Chacune des illustrations d'un livre, d'un journal. ⇒ **Dessin, figure, gravure, illustration** (cit. 7), **image.** *Les vignettes d'un catalogue* (cit. 2) *de nouveautés; d'un roman illustré* (→ Illustration, cit. 9).

Sur des tapis de prière, deux ou trois vieillards se tiennent là, qui font vignette du temps passé.   LOTI, Vers Ispahan, p. 105.   1

Vx. Dessin d'une affiche. — Par ext. Affiche qui porte un dessin.

(...) sur tous les murs de Guernesey, une vaste vignette, représentant un homme de six pieds de haut une cloche à la main, sonne le tocsin de l'annonce.   2
                                    HUGO, l'Archipel de la Manche, XIII.

Chaque dessin d'une bande dessinée. *La page d'un album de bandes dessinées est divisée en vignettes régulières.* ⇒ **Case.**

♦ **4.** (1844, *le Moniteur de la mode,* 25 oct., in D.D.L.). Dessin ornant un mouchoir.

♦ **5.** (1854). Petit dessin, motif d'une marque (1. Marque, cit. 5) de fabrique.

♦ **6.** (Début XXᵉ). Petit carré de papier portant un dessin, une inscription, collé ou joint à un produit, un objet, et ayant valeur légale. *Vignette d'une boîte de cigares, d'une bouteille de liqueur,* étiquette* qui porte la marque de fabrique. — *Vignette attestant le paiement d'un droit.* ⇒ **Timbre, timbre-poste.** — *Vignette de l'impôt sur les automobiles* (dite en France *vignette auto*). — *Vignette portant le prix d'un médicament,* destinée aux services de la Sécurité sociale en vue d'un remboursement.

Comm. Titre de mouvement, pour les boissons transportées en faibles quantités.

DÉR. Vignetage, vignettage, vignettiste, vignetté ou **vigneté, vigneture.**

VIGNETTISTE [viɲetist] n. — 1853; de *vignette.*

♦ Arts. Dessinateur, graveur faisant des vignettes (3.).

Je lui contais alors, qu'Eisen avait développé le talent de son fils, le merveilleux vignettiste du XVIIIᵉ siècle, en lui faisant faire chez lui, des copies de mémoire, des tableaux de musées, devant lesquels il allait passer des heures, deux ou trois jours de suite.
                                    Ed. et J. DE GONCOURT, Journal, 17 févr. 1895, t. IX, p. 234.

VIGNETURE [viɲ(ə)tyR] n. f. — 1367; de *vignette.*

♦ Arts. Ornement de feuilles de vigne (ou autre) qui encadrait les miniatures médiévales (dites *vignetées*). ⇒ **Vigneté.**

VIGNOBLE [viɲɔbl] n. m. et adj. — V. 1180; de l'anc. provençal *vinhobre,* avec substitution de suffixe, d'un lat. régional **vineoporus,* de *vinum,* transformation du grec *ampelophoros.*

♦ **1.** N. m. ⓐ (Rare au sing.). Plantation de vignes. ⇒ **2. Vigne.** *Un vignoble réputé. Pays de vignobles. Désignation de vignobles.* ⇒ **Clos, coteau,** 1. **cru.** *Petits* (→ Entretien, cit. 2) *et grands vignobles. Vin* produit par un vignoble dont il porte le nom. Le phylloxéra* (cit.) *détruisit ses vignobles. Vendanger un vignoble* (→ Concevoir, cit. 5).

La nuit tombait Les vignobles aux ceps tordus   1
Devenaient dans l'obscurité des ossuaires (...)
                                    APOLLINAIRE, Alcools, Rhénanes, «Les femmes».

ⓑ Collectivt. Ensemble des vignes d'une région, d'un pays. *Le vignoble bordelais; français, italien.*

(...) le vignoble métropolitain dans son ensemble a été fortement éprouvé par un hiver rigoureux.   2
                                    J. TAILLEMAGRE, Peine des hommes, *in* le Monde, 20 nov. 1956.

♦ **2.** Adj. (1835; *vinoble,* 1386). Vieilli. Où l'on cultive la vigne. *Région vignoble.* ⇒ **Viticole.**

(...) des gens aussi liés avec le père de David Séchard que peuvent l'être des voisins dans un petit bourg vignoble.   3
                                    BALZAC, Illusions perdues, Pl., t. IV, p. 884.

VIGNOT [viɲo] n. m. ⇒ 1. **Vigneau.**

VIGOGNE [vigɔɲ] n. f. et n. — 1672; *vicugne,* 1598; esp. *vicuna,* mot quichua (Pérou).

♦ **1.** N. f. Animal ruminant du genre lama* *(Camélidés),* à pelage fin et laineux de couleur roussâtre. *Poil* (→ Poncho, cit.), *toison de vigogne* (→ Fourrer, cit. 35).

♦ **2.** N. f. Poil de cet animal, utilisé comme fibre textile ; laine de vigogne. ⇒ **Carmeline.** *Un manteau, une couverture de vigogne.*

♦ **3.** N. m. Anciennt. *Un vigogne* : un chapeau en laine de vigogne.

N. f. Mod. Étoffe de laine de vigogne. *« Un pardessus d'une vigogne souple mais chaude qui ne sert guère que pour faire des couvertures de voyage »* (Proust, *in* G. L. L. F.).

VIGOUREUSEMENT [viguRøzmã] adv. — XIVᵉ ; *viguerousement,* 1190, sens 3. ; de *vigoureux.*

♦ **1.** (Mil. XVIIIᵉ). Avec vigueur (en parlant des personnes, des animaux). En manifestant de la vitalité (plantes). *Arbres qui poussent vigoureusement* (→ 2. Plante, cit. 7, par métaphore).

1 Ne fais-je pas vigoureusement mes quatre repas par jour (...)
MOLIÈRE, le Mariage forcé, 1.

♦ **2.** (V. 1207, *viguereusement*). Avec une grande force physique, une grande énergie. ⇒ **Fortement, énergiquement.** *Frotter* (cit. 15), *lancer qqch., frapper vigoureusement.*

2 (...) il le fit tomber sur la fougère, où il le terrassa, quoique le fermier se fût remis sur ses pieds et se défendît vigoureusement. G. SAND, la Mare au diable, XIV.

♦ **3.** (1190, premier sens attesté). Avec ardeur, impétuosité (sur le plan psychologique). *Protester* (→ Reste, cit. 17), *réagir, riposter vigoureusement.* ⇒ **Énergiquement.**

♦ **4.** (Mil. XIXᵉ). Avec netteté, précision. *Les profils* (cit. 5) *des dômes découpaient vigoureusement leurs dentelures.*

♦ **5.** (1872, *in* Littré). Avec de la vigueur, de la force dans l'expression. *Écrire, peindre vigoureusement. Sujet vigoureusement traité. Sa pensée est vigoureusement exprimée.*

CONTR. **Doucement, faiblement, mollement.**

VIGOUREUX, EUSE [viguRø, øz] adj. — 1361 ; *vigorous,* 1120 ; de *vigueur*.

♦ **1.** [a] (Êtres animés). Dont la force, la santé est épanouie ; qui se développe, agit avec facilité et puissance. ⇒ 1. **Fort ; solide ; athlétique, costaud** (fam.), **nerveux, robuste** (→ Bourreau, cit. 7 ; dondon, cit. ; 2. mal, cit. 4 ; marquer, cit. 6 ; résistant, cit. 2). *C'est un vieillard encore vigoureux pour son âge.* ⇒ **Fringant,** 1. **gaillard, vaillant, vert.** *Enfant vigoureux et vif. Être vigoureux comme un bœuf**, *comme un éléphant. — Cinq vigoureux chevaux.* ⇒ 1. **Fort, puissant** (→ Fardier, cit. 2). — Par ext. *Corps vigoureux. Bras vigoureux* (→ Hache, cit. 3), *mains vigoureuses.* ⇒ 1. **Ferme** (2.). *Muscles vigoureux* (→ Muscles d'acier*), *d'une personne vigoureuse.* ⇒ **Beau,** 1. **fort, solide.** *Complexion* (cit. 4), *constitution**, *nature* (→ Excès, cit. 8), *santé vigoureuse.* ⇒ **Fer** (de). *Tempérament, sang vigoureux* (→ Héros, cit. 16).

1 (...) il n'avait d'autre peine à se donner qu'à crier plus fort que les autres, ce qui ne lui était pas difficile avec des poumons aussi vigoureux que les siens.
MÉRIMÉE, la Double Méprise, I.

[b] (1559 ; végétaux). Qui pousse bien, est en pleine santé. *Arbres* (cit. 45) *vigoureux* (→ Tailler, cit. 5) ; *plante, végétation vigoureuse.* — Par anal. *Cheveux* (cit. 5) *vigoureux.*

[c] (Gestes). Surtout avant le nom, en épithète. Qui manifeste de la force physique, de l'énergie. *Une vigoureuse poignée de main. Recevoir un vigoureux coup de poing.* ⇒ **Énergique.**

♦ **2.** (1283). Qui pense, s'exprime, agit sans contrainte, avec spontanéité, efficacité. *Esprit vigoureux* (→ Catacombe, cit. 4). *Talent vigoureux* (→ Produire, cit. 3). — Par ext. *Sentiments vigoureux. Haine* (→ Complaisant, cit. 1 ; professer, cit. 1), *passion vigoureuse. Résistance, lutte vigoureuse. Mesures* (cit. 29) *vigoureuses.*

♦ **3.** [a] (XVIIIᵉ). Qui a de la force, de la fermeté ; qui a été tracé, fait avec vigueur. ⇒ **Énergique,** 1. **ferme** (3.). *Dessin, tracé, coloris vigoureux ; touche vigoureuse.*

2 Ah ! monsieur Casanove, qu'est devenu votre talent ? Votre touche n'est plus fière comme elle était, votre coloris est moins vigoureux, votre dessin est devenu tout à fait incorrect. DIDEROT, Salon de 1763, *in* Œ. esthétiques, p. 588.

[b] (XVIIᵉ). *Vigoureux discours* (→ Auditoire, cit. 7). *Œuvre, prose* (→ Déplacer, cit. 10) *vigoureuse.* ⇒ 1. **Fort, mâle** (II., 2.), **robuste.** *Style vigoureux et nerveux.*

♦ **4.** (1680). Énergique, efficace. *Les effets vigoureux d'une substance* (→ Susceptibilité, cit. 2). *Vin, alcool vigoureux.*

CONTR. **Chétif, débile, faible.** — **Cacochyme, caduc, délicat, frêle.** — **Mièvre, mou, mollasse.**

DÉR. **Vigoureusement.**

VIGUERIE [vigRi] n. f. — 1340 ; de *viguier.*

Didactique.

♦ **1.** Fonction de viguier ; territoire de sa juridiction.

♦ **2.** Hist. Vicomté.

VIGUEUR [vigœR] n. f. — 1370 ; *vigur,* 1080, *Chanson de Roland* ; du lat. *vigor,* de *vigere* « être plein de force ».

♦ **1.** Force, énergie d'un être vigoureux, en pleine santé et dans la plénitude de son développement. ⇒ **Ardeur, énergie, force, nerf, puissance, robustesse, verdeur** (→ Athlète, cit. 6 ; difformité, cit. 1 ; étouffer, cit. 3 ; tête, cit. 2). *Montrer sa vigueur par l'action.* ⇒ **Activité** (II.) ; → 1. Rame, cit. 2. *Se débattre, gigoter* (cit. 2) *avec vigueur. Appuyer, serrer qqch. avec vigueur.* ⇒ 1. **Ferme** (II.), 1. **fort ; vigoureusement.** *La vigueur de qqn, sa vigueur. Déployer une vigueur prodigieuse* (→ Gymnastique, cit. 1). *Perdre sa vigueur, devenir faible.* ⇒ **Faiblir.** *Manque de vigueur ; sans vigueur.* ⇒ **Mollesse, mou** (→ Énerver, cit. 8). *Rendre la vigueur.* ⇒ **Ragaillardir** (cit. 1) ; **ranimer, remonter, revigorer.** — *Vigueur du corps* (cit. 18), *de la constitution** (→ Continence, cit. 1), *du tempérament. — Être dans toute la vigueur de la jeunesse* (→ Muscle, cit. 4), *de l'âge mûr. — Vigueur du bras* (→ Éprouver, cit. 17), *des muscles** (→ Force, cit. 35). — *La vigueur d'un animal, d'une bête de somme, de trait.*

1 Il faut entretenir la vigueur du corps pour conserver celle de l'esprit.
VAUVENARGUES, Réflexions et maximes, 79.

Spécialt. *Vigueur virile* (sexuelle). ⇒ **Puissance, virilité** (→ Lascif, cit. 1).

Par ext. *Vigueur d'une plante, de la végétation.* — Fig. *« La nouvelle école italienne, pleine de sève et de vigueur... »* (Berlioz, *Beethoven,* p. 14).

♦ **2.** (1530). Activité libre et efficace, dans le domaine de la vie morale, intellectuelle et affective. *Vigueur de l'âme* (→ Impatience, cit. 1), *de l'esprit**, *de la pensée**. ⇒ **Force** (d'âme) (→ Concentration, cit. 4. *Défendre ses idées avec la plus grande vigueur.* ⇒ **Fermeté.** *Vigueur de caractère**. *Vigueur intellectuelle* (→ Cartésien, cit. ; différer, cit. 13). — *La vigueur d'une passion. Une vigueur nouvelle.* ⇒ **Ardeur** (cit. 24), **chaleur** (II.), **véhémence.** — (Dans une action). *Exprimer avec vigueur.* ⇒ **Éloquence** (→ Sourciller, cit. 4). *Vigueur d'une impulsion* (cit. 14), *d'une résistance, d'une réaction. La vigueur des coups qu'ils portèrent contre la royauté* (→ Fond, cit. 35).

2 Que mes sens reprenant leur première vigueur,
L'amour achèverait de sortir de mon cœur. RACINE, Andromaque, I, 1.

3 Si la vigueur fonde les républiques, je sais que la sagesse et la conciliation leur donnent une solidité inaltérable (...) DANTON, Disc. du 24 janv. 1794.

♦ **3.** (XVIIIᵉ). [a] Fermeté, qualité de ce qui est dessiné, peint avec une netteté pleine de force et d'expression. ⇒ **Fermeté, force.** (→ Lointain, cit. 10). *Vigueur du coloris**, *de la touche.* — Par ext. (Peint.). *Touche bien marquée, en opposition franche* (brun sur clair, etc.). → Nuisible, cit. 3.

[b] (1538, dans l'expression de la pensée). *Vigueur du style, de l'expression.* ⇒ **Couleur, force.** *Donner plus de vigueur à son style.* ⇒ **Étoffer, nourrir.** *Vigueur et verdeur** *du langage* (→ Dissoner, cit. 2 ; parfaire, cit. 5). *« La douceur* (cit. 23) *et la vigueur des vers »*.

♦ **4.** (XVIIᵉ). Efficacité, effet*, application. — Vx. *« Maintenir une loi dans sa vigueur »* (Bossuet). *Rendre toute sa vigueur à une loi* (Voltaire, *Histoire du parlement de Paris,* XII). ⇒ **Autorité.**

(1679). Mod. EN VIGUEUR : en application actuellement. *Loi, décret, règlement... en vigueur, qui est toujours en vigueur.* ⇒ **Appliquer.** *Maintenir** *en vigueur* (→ Désuétude, cit. 1). *Entrer en vigueur* (→ Ratification, cit. 2). *Laisser, maintenir* (⇒ **Conserver**), *mettre, remettre en vigueur* (⇒ **Établir, rétablir**). *Mise en vigueur.* ⇒ **Établissement.** — Par ext. *Usage, coutume encore en vigueur. Les anciennes formules de politesse qui sont encore en vigueur* (→ Titre, cit. 2).

CONTR. **Adynamie, alanguissement, atonie, caducité, consomption, débilité, dépérissement, effondrement, étiolement, faiblesse, mollesse...** — **Délicatesse, douceur, mièvrerie...** — (Du sens 4.) **Abandon, désuétude.**

DÉR. **Vigoureux.**

VIGUIER [vigje] n. m. — Mil. XIIIᵉ, « vicaire », de l'anc. provençal ; du lat. *vicarius.* → Vicaire, voyer.

Didactique.

♦ 1. Hist. Magistrat qui avait des fonctions analogues à celles du prévôt*, dans certaines provinces du Midi de la France.

♦ 2. (xxᵉ). Magistrat, en Andorre.

DÉR. Viguerie.

VIHĀRA [viaʀa] n. m. — 1873, cit.; mot sanscrit.

♦ Monastère affecté à une communauté bouddhique. — Plur. *Des vihāras* ou *des vihāri.*

La vapeur se contournait en spirales autour des groupes de palmiers, entre lesquels apparaissaient de pittoresques bungalows, quelques viharis *(sic)*, sortes de monastères abandonnés, et des temples merveilleux qu'enrichissait l'inépuisable ornementation de l'architecture indienne.
J. VERNE, le Tour du monde en 80 jours, p. 74 (1873).

VIKING [vikiŋ] n. m. et adj. — 1876; mot scandinave, p.-ê. du vieux nordique *vik* «baie».

♦ Hist. *Les Vikings :* Scandinaves guerriers, navigateurs, qui prirent part à l'expansion maritime de la Scandinavie du vIIIᵉ au xIᵉ siècle (nommés aussi *Varègues*). *L'art des Vikings.* ⇒ **Normand.** *Embarcation des Vikings.* ⇒ **Drakkar** — Adj. Qui concerne les Vikings, leur civilisation. *L'art viking.*

VIL, VILE [vil] adj. — 1080, *Chanson de Roland;* du lat. *vilis* «à bas prix».

REM. En général placé avant le nom, ou épithète, le mot est du style soutenu, sauf en locution.

♦ 1. Qui inspire le mépris; spécialt, qui est sans dignité, sans honneur, sans courage ou sans loyauté. ⇒ **Abject** (cit. 1), **affreux,** 1. **bas** (cit. 36 et 39), **corrompu, dépravé, ignoble, impur, indigne, infâme, innommable, lâche** (*infra* cit. 11), **méprisable, misérable, servile** (→ Avide, cit. 9). *Homme vil.* ⇒ **Coquin, crapule, gredin.** « *En proie aux geôliers* (cit. 4) *vils comme un vil criminel* ». *Vil courtisan, flatteur, intrigant; vil séducteur* (→ Plier, cit. 9). *Vile canaille, multitude* (cit. 14), *racaille, populace.* ⇒ **Écume, fange,** 1. **lie, ramas,** 1. **tourbe.** *L'homme est vil* (→ Ordonner, cit. 8, Pascal). *Rendre vil.* ⇒ **Abaisser, avilir, corrompre, ravilir, souiller.** — (Choses; plutôt après le nom). *Âme vile, caractère vil.* ⇒ **Bassesse, boue, vilenie.** *Action vile.* ⇒ **Indignité, infamie, honte; honteux.** *Les intérêts* (cit. 20) *les plus vils* (→ Pécuniaire, cit. 1). *Un vil amour du gain* (cit. 6). *L'opportunisme* (cit. 2) *est vil. Le monde n'a jamais été si vil.* ⇒ **Petit** (II., 3.), **mesquin, plat, vulgaire** (→ Mazette, cit. 4). — N. m. « *Mon horreur pour le vil...* » (Stendhal, *Souvenirs d'égotisme,* p. 32).

1 (...) tel qui se croit vicieux n'est que vil (...)
CHATEAUBRIAND, Mémoires d'outre-tombe, t. I, p. 225.

2 Je n'en conclus pas moins (...) que sa nature devait être vile, qu'il ne reculait quand il le fallait devant aucune platitude, ignorait la reconnaissance.
PROUST, À la recherche du temps perdu, t. X, p. 63.

♦ 2. (V. 1238). Vx, littér. Qui est de la plus basse condition (opposé à *noble,* cit. 5; → Étude, cit. 51; gladiateur, cit. 1). ⇒ 1. **Bas, rien** (de rien). *Vil personnage* (cf. Faquin, manant, gueux). *De vils baladins* (cit. 4). « *Ces naissances viles et vulgaires* » (Bossuet). — *Vil esclave* (→ Attacher, cit. 96). *Vile populace* (→ Boue, cit. 4; pièce, cit. 21). — REM. Dans ces expressions, *vil* implique plus ou moins la réprobation morale (→ ci-dessus, 1.). — Par ext. *Vil état* (→ Honorable, cit. 4), *vil métier, vil emploi* (→ Éreinter, cit. 5).

Sans qualité, sans noblesse. *Une vile et mécanique industrie* (→ Compromettre, cit. 5). *Les objets les plus vils* (→ Réalisme, cit. 1).

3 Non, s'il vous plaît! moi, gâter pour un vil salaire le bon service que j'ai fait! Ma récompense est de mourir chez vous. BEAUMARCHAIS, la Mère coupable, v, 8.

4 Si quelque vil débris barre la voie humaine,
Écartons de la main l'obstacle qui la gêne (...)
LAMARTINE, Recueillements poétiques, « Utopie ».

♦ 3. (V. 1190). Vx (placé après le nom). Qui est sans valeur. *Métaux* (cit. 3) *vils.* « *Comment en un plomb vil l'or pur s'est-il changé?* » (cit. 70).

(1538). Mod. À VIL PRIX : à très bas* prix. (→ Pour une bouchée* de pain). *Acheter, vendre qqch. à vil prix.*

5 — À vil prix, dit Paul.
— Pas vil, bas. R. QUENEAU, le Dimanche de la vie, p. 130.

CONTR. **Estimable, généreux, noble, pur, sublime.** — **Illustre.** — **Cher, précieux.**
DÉR. Vilement.
COMP. Avilir, ravilir.
HOM. Ville.

VILAIN, AINE [vilɛ̃, ɛn] n. et adj. — V. 1138, adj., «poltron»; du bas lat. *villanus* «habitant de la campagne», de *villa* «campagne».

★ I. N. m. (V. 1265). **♦ 1.** Vx ou hist. Paysan libre, au moyen âge. ⇒ **Manant, roturier** (→ Couard, cit. 1; orfroi, cit. 1; 2. pékin, cit. 2). *Noble et vilain* (→ Ethnique, cit. 1). *Les vilains, hommes libres* (par oppos. aux *serfs,* attachés à la terre). — Loc. *Savon-*

nette* (cit. 2) *à vilain.* — Loc. prov. *Oignez vilain, il vous poindra.* ⇒ **Oindre** (cit. 4). — *Jeu* de main, jeu de vilain* (compris au sens II., 1. de nos jours). — *Le Vilain mire* («le paysan médecin»), fabliau qui fournit à Molière l'argument du *Médecin malgré lui.*

1 Riche vilain vaut mieux que pauvre gentilhomme.
Mathurin RÉGNIER, Satires, XIII.

2 Dans les premiers temps de la monarchie, les grands coupables, car les villains (il faut tenir à cette orthographe qui laisse au mot sa signification de paysan) et les bourgeois appartenant à des juridictions (...)
BALZAC, Splendeurs et Misères des courtisanes, Pl., t. V, p. 928.
N. B. Cette orthographe étymologique n'a jamais été courante, elle figure dans les dict. du XVIIᵉ s., qui rattachaient *vilain* (II.) à *vil.*

3 *Vilain,* héritage du bas latin, est (...) le premier terme général de langue vulgaire pour désigner les paysans libres. Mais ce choix n'était guère heureux puisqu'il invitait au rapprochement avec un autre mot assez compromettant, le mot *vil* (...) d'autant que le paysan était déjà « par définition laid, répugnant et grotesque » (...) Dès le xIVᵉ siècle, *vilain* disparaît quasi complètement des documents et des textes juridiques. Le terme n'est repris que par les historiens du droit, du XVIIIᵉ siècle.
K. BALDINGER, *in* Revue linguist. romane, 1962, p. 312.

♦ 2. (V. 1150). Vx. ⇒ **Avare** (cit. 14).

4 (...) il a un père qui, quoique riche, est un avaricieux fieffé, le plus vilain homme du monde (...) Oui, Géronte, justement; voilà mon vilain (...) c'est ce ladre-là que je dis (...) Voilà mon ladre, mon vilain dans de furieuses angoisses (...)
MOLIÈRE, les Fourberies de Scapin, III, 3.

★ II. Adj. et n. (Rattaché à *vil*). Généralement avant le nom, en épithète. **♦ 1.** (V. 1155). Vieilli. Méprisable, déshonorant. ⇒ **Vil** (→ Jurement, cit. 1). *Les vilains mortels* (→ Chaîne, cit. 21). *L'envie* (cit. 1), *vilain vice. Vilaines actions* (→ Excuser, cit. 4; nier, cit. 3). — Loc. *C'est un vilain monsieur,* un homme peu recommandable. — Fig. *Un vilain moineau, un vilain oiseau* :* une personne méprisable. *Vilaine bête.* ⇒ **Méchant, sale.**

5 (...) tous ces vilains spectacles qu'on a eu raison de nommer des spectacles de turpitude. MOLIÈRE, Tartuffe, Préface.

N. *Un vilain* (→ Orgueil, cit. 14).

6 Fi! poua! la vilaine, qui est cruelle. MOLIÈRE, George Dandin, II, I.

Spécialt. (Vieilli, plaisant ou dans un discours naïf, enfantin). Qui blesse la pudeur. ⇒ **Déshonnête.** *Vilaines pensées* (cit. 34). *Vilains mots* (→ Rabelaisien, cit.). *Vilaines choses.* ⇒ **Gros, grossier** (4.), **malhonnête.** — *Vilaines maladies :* maladies honteuses* (→ Coureur, cit. 6).

7 C'était une tendresse raisonnable, ne songeant pas aux vilaines choses (...)
ZOLA, l'Assommoir, v, t. I, p. 195.

♦ 2. (Fin xIIᵉ; en franç. mod., surtout en parlant aux enfants). Qui ne se conduit pas bien, qui n'est pas «gentil». ⇒ **Méchant.** *Les vilains frères de Gribouille* (→ Garer, cit. 6). *Hou, qu'il est vilain! C'est très vilain de mentir.*

8 Quand le Babou renverse sur la nappe sa timbale toute pleine, il court spontanément l'annoncer à sa fidèle Anna; mais il le fait en ces termes subtils : « Anna! je ne suis pas vilain! » Que voulez-vous? Il est encore bien petit.
G. DUHAMEL, les Plaisirs et les Jeux, IV, XI.

(En appellatif). *Oh, la vilaine petite fille!* — N. *Vilain, vilaine! Vous êtes un vilain* (→ Peloter, cit. 2).

♦ 3. (V. 1200). Qui est désagréable à voir. ⇒ **Laid; hideux** (→ Homme, cit. 13). — *Elle n'est pas vilaine :* elle est assez jolie (→ Déplaisant, cit. 2; fraîcheur, cit. 13). *Vilaines dents* (→ Baguette, cit. 4). *Avoir une vilaine peau, de vilaines jambes. De vilains habits* (cit. 12). *Un vilain papier* (→ Faute, cit. 9). *Le plus vilain lieu du monde* (→ Héroïque, cit. 20).

9 Qui hait trop la laideur de son vilain visage,
Il ne devrait jamais en regarder l'image (...)
THÉOPHILE DE VIAU, Seconde satire, *in* Œ. poétiques, p. 88.

9.1 Les gens qui passent sont vilains, vilains, et je n'ai pas aperçu un seul beau garçon (...) O. MIRBEAU, le Journal d'une femme de chambre, p. 63.

Vx (langue class.). Laid et grossier; «d'une extrême malpropreté» (cf. La Bruyère, les *Caractères de Théophraste,* « vilain homme »). ⇒ **Pouacre** (1.).

♦ 4. (xIVᵉ). Qui est déplaisant, désagréable ou incommode (par sa laideur ou par tout autre caractère). *Une vilaine rue. Vilain quartier, vilain hôtel* (cit. 4). *Un vilain temps.* ⇒ **Détestable** (→ Mémoire, cit. 38). *Les vilains jours d'hiver* (→ Par, cit. 21). — Fam. *Il fait vilain.* ⇒ **Mauvais, laid.**

♦ 5. (xIVᵉ). D'apparence inquiétante (→ Armer, cit. 19). *Une vilaine blessure, une vilaine toux persistante.* ⇒ **Mauvais, traître.** (Au moral, avec infl. du sens II., 1.). Déplaisant ou dangereux. *Vilaine affaire*.* ⇒ **Sale.** *Jouer un vilain tour à qqn.* ⇒ **Méchant.** *De vilaines petites histoires* (cit. 51), déplaisantes et moralement blâmables. — Loc. métaphorique. *Être dans de vilains draps.* → (plus cour.) Dans de mauvais, de sales draps*.

10 (...) ce diable de Turc (...) partit comme une flèche et fut sur nous (...) il avait à la main une espèce de vilain coutelas (...) MÉRIMÉE, la Double Méprise, IX.

N. m. *Il va y avoir du vilain,* une dispute. ⇒ **Mauvais.** *Tourner au vilain* (→ 2. Politique, cit. 19).

11 (...) là-bas, il y a tout le temps la guerre (...) Tu crois que ça peut nous amener du vilain?
ARAGON, les Beaux Quartiers, III, VII.

CONTR. (Du I.) **Bourgeois, gentilhomme, noble.** — (Du II.) 2. **Gent,** 2. **gentil, noble** (fig.). — 1. **Beau, joli.**
DÉR. Vilainage, vilainement, vilené, vilenie.

VILAINAGE [vilɛnaʒ] n. m. — XIIIᵉ, *villenage; vilenage*, v. 1238; repris XIXᵉ en hist.; de *vilain* (I.).
Histoire.

♦ **1.** Condition de vilain, de paysan roturier.

♦ **2.** Habitation, terre roturière. — On écrit aussi *vilenage* et *villenage* [vilɛnaʒ].

VILAINEMENT [vilɛnmã] adv. — XIIᵉ, «malproprement, grossièrement»; de *vilain.*

♦ **1.** D'une manière vilaine, moralement répréhensible. *Se conduire très vilainement.*
(...) la propre mère de cette malheureuse fille a vilainement quitté son mari, ses enfants et son pays (...)   G. SAND, la Petite Fadette, XXVIII.

♦ **2.** (Mil. XIXᵉ). D'une manière laide, inesthétique. *Des maisons vilainement badigeonnées. Elle est vilainement fagotée. Teint vilainement brouillé* (→ Fraîcheur, cit. 3).

♦ **3.** D'une manière dangereuse, pénible. ⇒ **Salement.** *Il a été vilainement amoché.*

VILAYET [vilajɛ] n. m. — 1869; turc *vilâyet*, arabe *wilāyăh* «province, région administrative». → Willaya.

♦ Province, vaste circonscription de l'empire ottoman (⇒ **Turc**), gouvernée par un *vali.*
Maintenant, c'était sous mes fenêtres un défilé ininterrompu. Tout ce qui pouvait marcher montait de San Francisco et des autres vilayets de la côte.
                    B. CENDRARS, l'Or, *in* Œ. compl., t. II, p. 189.

VILEBREQUIN [vilbʀəkɛ̃] n. m. — 1450; altér. de *wimbelkin,* XIVᵉ; néerl. *wimmelkijn,* de *wimmel* «tarière»; *vuibrequin* (1427, Tournai), d'après le flamand *boorkin* «tarière»; d'après *virer, vibrer.*

♦ **1.** Outil de menuisier, manivelle coudée à laquelle on ajuste une mèche et qui sert à forer, à percer des trous. ⇒ **Foret,** 4. **fraise, fraisoir.** *Porte-mèche* (mandrin), *poignée, tête d'un vilebrequin.*

♦ **2.** (1872, *in* Littré). Techn. Arbre coudé. — (Déb. XXᵉ). Dans un moteur* à explosion, Arbre à plusieurs coudes articulé avec les bielles et permettant de transformer le mouvement rectiligne des pistons en mouvement de rotation. *Le vilebrequin comporte plusieurs tourillons et des manetons articulés sur les têtes de bielles.*
Mais surtout le tournage d'un vilebrequin de moteur quatre-cylindres est un travail qui comporte relativement beaucoup de phases (...)
                    J. ROMAINS, les Hommes de bonne volonté, t. IX, III, p. 33.

VILEMENT [vilmã] adv. — V. 1150; de *vil.*

♦ Vieilli ou littér. D'une manière vile (1.). ⇒ **Bassement, lâchement, servilement.** *Ramper vilement* (→ Élever, cit. 65).

VILENAGE [vil(ə)naʒ] n. m. ⇒ **Vilainage.**

VILENÉ [vil(ə)ne] adj. m. — 1690; de *vilain* (II.).

♦ Blason. *Animal vilené,* dont la verge est d'un autre émail que le corps.

VILENIE [vil(ə)ni] n. f. — V. 1200; *vilanie,* 1119, sens 2; de *vilain,* avec attraction de *vil.*
Vx ou littéraire.

♦ **1.** (Mil. XIIᵉ). Littér. *(Une, des vilenies).* Action vile et basse. ⇒ **Infamie** (cit. 8), **saleté** (→ Reprocher, cit. 12). *C'est une vilenie.*
Vx. Parole injurieuse, grossière. *Lâcher des insolences et des vilenies.* ⇒ **Injure** (→ Hésiter, cit. 18).

♦ **2.** *La vilenie.* Caractère vil, bas. ⇒ **Abjection, bassesse.** *La vilenie de sa conduite.*
(...) cette honte, qui me fait trembler, de ma vilenie, de mon indignité, de ma sottise, de mon aveuglement (...)   Michel BUTOR, l'Emploi du temps, p. 265.

♦ **3.** (1538). Vx. Avarice sordide.
CONTR. Générosité, noblesse.

VILETÉ [vilte] n. f. — 1080, *viltet* «humiliation; abjection», in *Chanson de Roland; vileté, vilité,* XVᵉ; du lat. *vilitas,* de *vilis.* → Vil.
Vieux.

♦ **1.** Abjection, bassesse. *La vileté d'une action.* ⇒ **Vilenie.** — *(Une, des viletés).* Acte(s) vil(s).

Monsieur, de son côté, était tombé au plus bas de l'inconscience et de la vileté. Il appelait cela de la politique de salon (...)
                    O. MIRBEAU, le Journal d'une femme de chambre, X.

♦ **2.** (D'abord en provençal, *viltat,* 1549). Bas prix, faible valeur. ⇒ **Vil** (3.); **insignifiance.** « *La vileté du prix des denrées* » (Colbert, *in* Littré, *Supplément*).

VILIPENDER [vilipãde] v. tr. — 1375; considéré comme vieux et populaire au XVIIᵉ; repris XIXᵉ; bas lat. *vilipendere,* de *vilis* (→ Vil), et *pendere* «estimer».

♦ Littér. Traiter avec mépris; déclarer vil, méprisable. ⇒ **Attaquer, bafouer** (cit. 5), **décrier, honnir** (→ fig. Traîner sur la claie* [vx], dans la boue*, mettre au pilori*; et aussi excommunier, cit. 5; gazetier, cit.).
J'ai soixante-sept ans, je suis tout près d'être septuagénaire. À cet âge, en littérature généralement les injures s'arrêtent, et il en est fini de la critique insultante. Moi, je suis vilipendé, honni, injurié comme un débutant (...)
                    Ed. et J. DE GONCOURT, Journal, 2 févr. 1889, t. VIII, p. 14.
DÉR. Vilipendeur.

VILIPENDEUR, EUSE [vilipãdœʀ, øz] n. et adj. — Fin XIXᵉ; de *vilipender.*

♦ Rare. Celui, celle qui vilipende (quelque chose, quelqu'un).
Adjectif :
(...) tous les virtuoses braillards et vilipendeurs du groupe social où se déversent perpétuellement, comme dans un puisard mitoyen, les relavures intellectuelles du bourgeois et les suffocantes immondices de l'ouvrier.
                    Léon BLOY, la Femme pauvre, p. 9.

VILLA [villa] n. f. — 1743; ital. *villa* «ferme, maison de campagne»; mot lat. → Ville.

♦ **1.** Riche maison de plaisance (ou édifice qui le fut jadis), en Italie. *La villa Borghèse.* ⇒ 2. **Vigne.**

♦ **2.** (1827). Maison moderne de plaisance ou d'habitation, avec un jardin. *Se faire construire une villa. Il possède une magnifique villa agrémentée d'une piscine. Petite villa de banlieue.* ⇒ **Pavillon.** *Une villa au bord de la mer.*
Madame de Beauséant et monsieur de Nueil demeurèrent pendant trois années dans la villa située sur le lac de Genève que la vicomtesse avait louée.   1
                    BALZAC, la Femme abandonnée, Pl., t. II, p. 234.
(...) une fois dépassée la file des petites villas si neuves qu'en criant tout haut le   2
prénom inscrit dans leur plaque de marbre, Mado, Nadine ou Colette, on appelle à la fenêtre la femme qui l'habite (...)   GIRAUDOUX, Suzanne et le Pacifique, II.
REM. Dans cet emploi, la répartition entre *villa* et *pavillon* est sociolinguistique (*villa* étant bourgeois) autant que sémantique; cependant *villa* suppose en général plus de luxe.
En franç. d'Afrique. (Souvent opposé à *case*). Maison individuelle construite en dur (même modeste) [I. F. A.].

♦ **3.** (1914). Par ext. Voie, impasse bordée de maisons individuelles (à l'origine). « *J'ai gagné par le bois* (de Boulogne) *la villa* (Montmorency) » (Gide).

♦ **4.** (1872; lat. *villa* «ferme»). Hist. Domaine rural dans l'Italie antique et en Gaule mérovingienne, carolingienne.

VILLAFRANCHIEN, IENNE [vi(l)lafʀãʃjɛ̃, jɛn] adj. et n. m. — XXᵉ; de *Villafranca (d'Asti),* Piémont.

♦ Didact. (géol.). Se dit de l'étage le plus ancien du quaternaire, contemporain du Calabrien. — N. m. *Le Villafranchien est caractérisé par la coexistence des derniers mastodontes et des premiers éléphants, et par le début du phénomène glaciaire.*

VILLAGE [vilaʒ] n. m. — V. 1360, Froissart; *villagium,* 1235; de *villa* «domaine rural».

♦ **1.** Agglomération rurale; groupe d'habitations assez important pour former une unité administrative (⇒ **Commune,** 2.), religieuse (⇒ **Paroisse**), ou tout au moins pour avoir une vie propre (à la différence des hameaux, écarts...). ⇒ (anciennt) **Ménil** (→ Îlot, cit. 2; maison, cit. 7). *Village isolé* (⇒ Pur, cit. 5), *perdu.* ⇒ **Bled** (fam.), 2. **patelin, trou.** *Gros village.* ⇒ **Bourg, bourgade.** *Petit village* (→ Bâtir, cit. 45). *Les maisons, les fermes, l'église, la mairie du (d'un) village. Village absorbé dans une zone urbaine, une banlieue.* — *Gens des villages.* ⇒ **Paysan** (cit. 3 et 7), **villageois** (→ Enraciner, cit. 11). *Le maire d'un village. Assemblées* (cit. 6) *de villages. Représentants* (cit. 4) *d'un village.* — (Opposé à *ville*). *Le village :* la campagne. *Le Curé de village,* roman de Balzac. *Barbier de village,* de la campagne (→ Manier, cit. 6). — Loc. *Coq* de village. L'idiot* (infra cit. 12), l'innocent du village. Le Devin du village,* opéra de J.-J. Rousseau. — *Le village de qqn, son village natal,* celui où il vit, a vécu. *Quitter* (→ Ingrat, cit. 8), *revoir son village.* « *Quand reverrai-je, hélas, de mon petit village Fumer la cheminée...?* » (→ Maison, cit. 2, Du Bellay). *Revenir* (→ Migrateur, cit.), *retourner* (cit. 18) *au village*, dans son village. — Prov. *Il vaut mieux être le premier* (cit. 12) *au village que le second à Rome*. — (Dans d'autres civilisations). *Villages arabes fortifiés* (→ Ksar, cit.). *Les mechtas d'un village. Villages lacustres.* ⇒ **Cité** (4.).

1 Comme la plupart des villages du monde, Montégnac n'avait qu'une seule rue, par où passait la route. BALZAC, le Curé de village, Pl., t. VIII, p. 606.

2 — Heureux laboureur, ne quitte pas le village pour la ville, où il te faudrait tout acheter, le lait, la viande et les légumes, où tu dépenserais toujours au-delà du nécessaire, à cause des occasions. N'as-tu pas au village de l'air et du soleil, un travail sain, des plaisirs honnêtes ? ZOLA, la Terre, I, v.

REM. En français d'Afrique, le mot a une forte valeur symbolique ; il désigne « l'origine, le lieu privilégié et le garant des valeurs traditionnelles africaines les plus authentiques (...) la patrie spirituelle » (I. F. A.). *Aller au village* : aller dans son village natal (opposé à *aller en brousse*).

♦ **2.** Par anal. *Village de toile* : agglomération de tentes, munie de services communs organisés (campeurs, explorateurs, secouristes...). *Village de vacances. Village-club.*

♦ **3.** (1694). Par métonymie. Les habitants d'un village (→ Carnassier, cit. 1 ; garder, cit. 77). *Être la risée du village* (→ Pousser, cit. 41).

3 Tout s'est passé dans la règle jusqu'à l'église et à l'église de même (...) Il ne faut pas oublier de dire que le village tout entier y assistait, hommes et femmes (...) C.-F. RAMUZ, la Grande Peur..., XVI.

CONTR. Cité, ville.
DÉR. Villageois.

VILLAGEOIS, OISE [vilaʒwa, waz] adj. et n. — V. 1500 ; de *village*.

♦ **1.** Adj. Vieilli ou littér. D'un village, de ses habitants. ⇒ **Campagnard, paysan, rural.** *Des habitudes villageoises, un air villageois. Coutumes, danses, fêtes villageoises. Maison villageoise.*

♦ **2.** N. (V. 1520). Vieilli ou littér. (notamment dans les évocations du passé). Habitant d'un village, de la campagne. ⇒ **Paysan** (→ Aloi, cit. 2 ; califourchon, cit. 1 ; laisser, cit. 12 ; sel, cit. 3). « *Ce vil état de pauvre villageoise* » (→ Honorable, cit. 4, Molière).

De nos jours *paysan* (...) sonne mal, en général, à l'oreille des intéressés : il faut appeler *cultivateurs* les paysans d'Auvergne (ailleurs : *agriculteurs*) sous peine de les froisser. Si l'on songe que *laboureur* est devenu exclusivement littéraire et que *villageois* est singulièrement vieillot, on voit combien devient délicat le maniement de certains termes. A. DAUZAT, Études de linguistique franç., p. 10.

Mod. Habitant d'un village (dont on parle). *Les villageois ont élu leur maire.*

CONTR. Citadin, urbain.

VILLANELLE [vilanɛl] n. f. — 1586 ; ital. *villanella* « chanson, danse villageoise », de *villano*. → Vilain.

Didactique.

♦ **1.** Chanson, poésie pastorale ; danse qu'elle accompagnait, à l'origine.

♦ **2.** (XXᵉ). Poème à forme fixe (établie à la fin du XVIᵉ siècle) à couplets de trois vers et à refrains, terminé par un quatrain.

Il sourd toutefois de cet imaginaire, une pénétrante chanson d'aveugle dans la pluie du temps, villanelle qui doit plus aux sortilèges qu'aux prouesses. MALRAUX, l'Homme précaire et la Littérature, p. 27.

VILLARSIE [vilaʀsi] n. f. — 1829, in Boiste ; de *Villars,* nom propre.

♦ Bot. Plante herbacée *(Gentianées)* à feuilles arrondies, à fleurs jaunes, qui croît dans les eaux douces. *Villarsie ornementale des bassins.*

VILLE [vil] n. f. — 980, *vile* « agglomération formée autour d'une ancienne cité, sur le terrain d'anciens domaines ruraux » *(villæ)* ; aussi « ferme » (XIIIᵉ-XIVᵉ), « village » (XIIIᵉ-XVIᵉ) ; du lat. *villa* « ferme, maison de campagne ». → Villa.

♦ **1.** Milieu géographique et social formé par une réunion organique et relativement considérable de constructions (notamment d'habitations), et dont les habitants travaillent pour la plupart à l'intérieur de l'agglomération, au commerce, à l'industrie, à l'administration. ⇒ **Agglomération, cité, concentration** (urbaine) ; **urbain ; -pole.** — REM. Dans la langue classique et encore dans les dictionnaires du XIXᵉ s., *ville* est généralement défini comme « agglomération limitée et protégée par une enceinte » ; ce caractère, qui n'est pas essentiel dans la formation du concept, a cessé d'être pertinent (→ ci-dessous, hist.). — *Ce polypier* (cit.) *humain qu'on appelle une ville.* — *Les villes et les villages, et les campagnes* (→ Agreste, cit. 2 ; machinisme, cit. 1). « *Les villes sont le gouffre de l'espèce humaine* » (→ Renouveler, cit. 3, Rousseau). *Gros village, bourg qui s'agrandit, s'organise, devient une ville. Les cités ouvrières* (cit. 14) *ne deviendront jamais des villes.* — *Bâtir* (cit. 5), *fonder* (cit. 4 et 5) *une ville. Fondation* (cit. 3) *d'une ville. Ville qui s'agrandit, change* (→ Survivre, cit. 8), *se développe, prospère* (cit. 4), *s'étend, dévore*

la campagne. Les villes tentaculaires* (cit. 2). — (1911). *Ville champignon** (cit. 2, et *supra*). *Villes réunies.* ⇒ **Conurbation.** *Ville satellite* (cit. 4). — *Petites villes* (→ Occupation, cit. 5 ; républi-que, cit. 4), *villes moyennes, grandes villes* (→ Hameau, cit. 3 ; microbe, cit. 3). — *Ville de province** (→ Bazar, cit. 1 et 3 ; désert, cit. 18). « *Cette ville de province qu'on appelle Paris* » (→ Intimité, cit. 7). — Vx. *Ville de banlieue.* ⇒ **Banlieue** (→ Racontar, cit. 3). — *Ville capitale* ⇒ **Capitale** (cit. 3), **métropole** (→ 1. Peuple, cit. 35). *Villes satellites,* autour d'une très grande ville et dépendant d'elle. *Les villes nouvelles de la région parisienne.* — *La ville de...* (suivi du nom). *La ville de New York, de Québec, de Lyon.* — (Dans des noms géographiques). Spécialt. (Vieilli). *La grand' ville* (→ Grand, cit. 74), *la Ville* (→ Logement, cit. 2) : Paris. *La ville lumière :* Paris. — *Vieille ville* (→ Écraser, cit. 13), *ville ancienne, gothique* (cit. 12). — (1920). *Ville-musée* (cit. 7). *Ville moderne, rebâtie* (cit. 1), *neuve. La Ville éternelle :* Rome. *Villes saintes* (Jérusalem, Rome, La Mecque, Varanasi). — *Ville qui s'étale* (cit. 37). *Une grande ville plate, éparpillée* (cit. 19). — *Importance démographique d'une ville. Ville qui compte cent mille habitants, ville de cent mille âmes. Dénombrer, recenser la population** (cit. 1 et 8) *d'une ville.* ⇒ **Habitant.** *Densité de population d'une ville. Ville trop peuplée.* ⇒ **Fourmilière.** *Parties d'une ville ; le centre**, *le cœur, les faubourgs, d'une ville.* ⇒ **Faubourg, quartier.** *Construction, édifices ; voies* (⇒ **Avenue, boulevard, rue**), *espaces* (cit. 16) *libres, verts* (⇒ **Place, square ; jardin**) *d'une ville. La banlieue, la périphérie, la ceinture d'une grande ville.* ⇒ **Banlieue ; suburbain.** — *Agglomération de baraques, à la périphérie d'une grande ville.* ⇒ **Bidonville,** et aussi **favela** (Brésil), **zone.** *Limites d'une ville* (souvent sur l'emplacement d'anciennes murailles). ⇒ **Boulevard, tour** (de ville). *Les portes, les barrières d'octroi d'une ville* (ancient). ⇒ **Boulevard.** *Dans la ville* (⇒ **Intra-muros**) *; hors* (cit. 4 et 7) *la ville, hors* (cit. 22 et 24) *de la ville* (⇒ **Extra-muros**). *Errer, se promener par* (cit. 7 et 9) *la ville.* — *Aller de ville en ville* (→ Baladin, cit. 4). *Communication entre deux villes.* ⇒ **Interurbain.**
Ville administrative. ⇒ **Centre, chef-lieu, capitale.** *Ville commerçante, marchande, ville de marché.* ⇒ **Marché ; place** (I., 4.). *Ville industrielle. Ville résidentielle. Ville-dortoir.* ⇒ **Dortoir.** *Ville de garnison.* ⇒ **Garnison** (*infra* cit. 4). *Ville universitaire.* — *Villes maritimes.* ⇒ 1. **Port** (I., 3.). *Ville saisonnière.* — *Ville d'eau** : ville où se trouve une station thermale*, où l'on prend les eaux. *Casino, établissement thermal, hôtels d'une ville d'eau.* — Vx. *Ville de bains* (même sens). — *Administration d'une ville.* ⇒ **Municipalité ; maire ; bourgmestre, échevin.** — Ancient. *Le corps de ville* (→ Personnage, cit. 2) : les magistrats municipaux. ⇒ **Édile.** *Hôtel* (cit. 17) *de ville* : mairie* d'une grande ville (vx : *maison de ville*). ⇒ **Mairie.** *Les services de la ville* : voirie, hygiène, eau, gaz et électricité, égouts, transports en commun, etc. (→ ci-dessous, par ext., le sens « administration urbaine »). — *L'eau de la ville. Gaz de ville.* — Loc. *Sergent** (cit. 2) *de ville.* — *Ville forte, fortifiée, protégée par une forteresse* (⇒ **Citadelle,** cit. 1), *entourée de murs, de murailles.* ⇒ **Bastide, oppidum** (antiq.). « *Cette ville si superbe en remparts...* » (→ Destin, cit. 19, Racine). *L'enceinte d'une ville.*

1 Ce n'était pas la campagne, il y avait des maisons et des rues ; ce n'était pas une ville, les rues avaient des ornières comme les grandes routes et l'herbe y poussait ; ce n'était pas un village, les maisons étaient trop hautes. Qu'était-ce donc ? HUGO, les Misérables, II, IV, II.

1.1 — La vie n'est pas trop monotone dans cette petite ville ? — Non, mon cher, quand on sait s'occuper. Une petite ville, en somme, c'est comme une grande. Les événements et les plaisirs y sont moins variés, mais on leur prête plus d'importance ; les relations y sont moins nombreuses, mais on se rencontre plus souvent. MAUPASSANT, le Rosier de Mᵐᵉ Husson, Pl., t. II, p. 952.

2 (...) une ville américaine était, à l'origine, un campement dans le désert. Des gens qui venaient de loin, attirés par une mine, un gisement de pétrole, un terrain fertile, arrivaient un beau jour et s'installaient au plus vite, dans une clairière, au bord d'un fleuve. On construisait les organes essentiels, banque, mairie, église et puis, par centaines, des maisons de bois à un étage. La route, s'il y en avait une, servait d'épine dorsale et puis, perpendiculairement à la route, on traçait des rues, comme des vertèbres. SARTRE, Situations III, p. 94.

2.1 On peut concevoir une transposition qui insère le naturel dans le construit, comme une cité-jardin, mais on ne peut pas considérer comme autre chose que l'effet d'un déséquilibre pathologique la ville sans forme, incohérente dans sa ceinture d'usines et son réseau de voies utilitaires, sous un ciel de crasse toxique. Instrument efficace du rendement de l'organisme social, la ville du XIXᵉ siècle, encore vivante un peu partout, marque un écart inquiétant par rapport à des lois d'accord biologique sur lesquelles semble bien reposer la qualité humaine. A. LEROI-GOURHAN, le Geste et la Parole, t. II, p. 182.

2.2 En intervenant dans la question du logement, l'État a modifié la pratique mais non le code. Il a réalisé des « villes nouvelles » dont les caractères principaux ont été aussitôt manifestes : cités dortoirs, lieux de récupération — à hauts points de vue — pour les travailleurs et employés éjectés des centres urbains. Henri LEFEBVRE, la Vie quotidienne dans le monde moderne, p. 282.

2.3 Ce sont peut-être les visages de tous ces hommes qui vivent dans les villes, dans les villes si grandes qu'on ne peut jamais les quitter, là où il y a tant d'autos, tant d'hommes, et où on ne peut jamais voir deux fois le même visage. J.-M. G. LE CLÉZIO, Désert, p. 76-77.

(1567, *en ville* « qui est sorti de chez lui »). **EN VILLE, À LA VILLE :** dans la ville (spécialt : dans le centre). « *Perrette prétendait arriver sans encombre à la ville* » (→ Coussinet, cit. 1). *Vous trouverez cet article à la ville, en ville.* — *Aller en ville. Porter une lettre en ville* (sans la mettre à la poste ; abrév. : *E. V.*). *Je vais faire un tour en ville.* — Spécialt. *En ville :* hors de chez soi, en étant invité

⇒ **Sortir ; sortie.** *Dîner* (cit. 3) *en ville* (→ Gueule, cit. 13). *Faire des visites* en ville.*

Hist. *Villes de l'antiquité ; villes grecques* (cit. 1). ⇒ **Cité** (cit. 2 et 3) ; **acropole** (→ Association, cit. 9 ; autonomie, cit. 1). *Villes latines* (cit. 1). ⇒ **Municipe.** — *Villes du moyen âge* (cit. 2). *Ville de commune, ville affranchie.* ⇒ **Commune** (1.) ; **bourgeois.** — (XIIᵉ, *ville franche*). *Franchises* (cit. 3) *des villes ; ville franche. Ville consulaire. Armoiries, blason d'une ville.* — *Villes hanséatiques* (cit.). *Association de cinq villes.* ⇒ **Pentapole.** — (V. 1283). **BONNE VILLE :** qualification honorable accordée par les rois à certaines grandes villes. — Loc. fam. *Dans la bonne ville de...*

Milit. *Assiéger* (cit. 1) *une ville.* ⇒ **Siège** (cit. 4). *Ville investie* (cit. 7), *envahie, occupée, saccagée* (→ Invasion, cit. 2). — Prov. *Ville qui parlemente* est à demi rendue.* — Loc. fig. (XVᵉ). **AVOIR VILLE GAGNÉE :** l'emporter, gagner la partie (cf. Balzac, *le Cabinet des Antiques*, t. IV, p. 359). — **VILLE OUVERTE,** que ne protège aucune fortification permanente et qui, en droit international, devrait être épargnée par les bombardements (sauf si elle sert de base à une armée de défense). *Rome, ville ouverte,* film de Rossellini. — *Ville bombardée, détruite, rasée. Ville martyre. Les villes-héros de l'U. R. S. S.* (calque du russe).

Dr. internat. *Ville libre,* jouissant d'une certaine autonomie, à l'intérieur d'un État.

(Fin XVIᵉ). Par ext. Administration urbaine ; personne morale que constitue la municipalité. *Emprunt de la ville. Travaux entrepris par la ville, financés par la ville. La ville et l'État.*

(Qualifié). Partie importante d'une ville. *Ville haute* (cit. 23), *basse :* quartiers hauts, bas, d'une même ville, qui possèdent une individualité. *Ville basse, moyenne, haute à New York* (cf. P. Morand, *New York,* p. 52 et 121). *Ville arabe* (→ Casbah, cit.) *et ville européenne. La « ville blanche » et la ville indigène* (cit. 1). — *La vieille ville.*

3 Au quinzième siècle, Paris était encore divisé en trois villes tout à fait distinctes et séparées, ayant chacune leur physionomie, leur spécialité, leurs mœurs, leurs coutumes, leurs privilèges, leur histoire : la Cité, l'Université, la Ville (...) chacune de ces trois grandes divisions de Paris était une ville, mais une ville trop spéciale pour être complète, une ville qui ne pouvait se passer des deux autres.
HUGO, Notre-Dame de Paris, III, II.

3.1 C'est de là qu'est partie notre conception initiale. Toucher le moins possible aux villes indigènes. Aménager à leurs abords, sur les vastes espaces encore libres, la ville européenne, suivant un plan réalisant les conditions les plus modernes, larges boulevards, adductions d'eau et d'électricité, squares et jardins, autobus et tramways, et prévoyant aussi les possibilités d'extension future.
L.-H. LYAUTEY, Paroles d'action, p. 452.

◆ **2.** (Mil. XVIIᵉ). Absolt. **LA VILLE :** la vie, les habitudes sociales dans une grande ville (opposé à *la campagne*, la terre*, supra* cit. 9). → Tentation, cit. 7. *Les amusements* (→ Déniaiser, cit. 4), *les lumières et le bruit de la ville* (→ Angle, cit. 4). *Les Lumières de la ville,* titre français d'un film de Chaplin *(City lights). Préférer la ville à la campagne.* — *Paysans et gens de la ville* (→ Dictionnaire, cit. 14). *Ceux de la ville.* ⇒ **Citadin** (→ Ivresse, cit. 7). — *Le rat de ville* (→ Civil, cit. 13).

Spécialt (au XVIIᵉ s.). *Ville,* par oppos. à *cour* (III., 2.) : Paris et la vie mondaine, intellectuelle (par oppos. à *Versailles*). → Blesser, cit. 4 ; relever, cit. 8. — Par ext. *« Deux sonnets partagent* (cit. 15) *la ville (...) »*

4 Un homme de la ville est pour une femme de province ce qu'est pour une femme en ville un homme de la cour.
LA BRUYÈRE, les Caractères, III, 30.

DE VILLE : pour la vie en ville. *Habits, vêtements de ville,* que l'on porte dans la journée (par oppos. à *de soirée*) et qui sont « habillés » (par oppos. à *de sport*). *Tenue, toilette, robe* (cit. 17) *de ville. Chaussures de ville.* — Appos. ou adj. *Un costume qui fait ville. Complet ville.*

Imprim. *Ouvrage, travaux de ville* (destinés aux « usages bourgeois », Littré) : petits travaux à faible tirage, destinés aux particuliers (et non aux éditeurs, à la presse, etc.). ⇒ **Bibelot, bilboquet** (opposé à *labeur**).

À LA VILLE : dans la vie quotidienne, pour un comédien (opposé à *à la scène*).

4.1 (...) ayant reçu une loge des enfants de la Berma et ayant pour cela lâché tous ses malades, il l'avait trouvée aussi extraordinaire de vie sur la scène qu'elle semblait moribonde à la ville.
PROUST, le Temps retrouvé, Pl., t. III, p. 996.

◆ **3.** (1636). Les habitants de la ville. *Tuer la moitié de la ville* (→ Extension, cit. 5). *Toute la ville en parle ; les dires de la ville* (→ Lazzi, cit. 3 ; et aussi informer, cit. 4).

5 — Est-ce que tu crois qu'une ville tout entière peut se tromper ? Une ville tout entière, avec ses pasteurs et ses curés, avec ses médecins, ses avocats et ses artistes, avec son maire et ses adjoints et ses associations de bienfaisance.
SARTRE, la P... respectueuse, I, 4.

CONTR. Campagne, village. — Cambrousse, champ.
DÉR. Villette, villotier.
COMP. Bidonville.
HOM. Vil.

VILLÉGIATEUR [vi(l)leʒjatœʀ] n. m. — 1876, mais antérieur ; de *villégiature.*

◆ Vieilli. Celui qui est en villégiature. ⇒ **Estivant, vacancier, villégiaturant, villégiaturiste.**

VILLÉGIATURANT, ANTE [vi(l)leʒjatyʀɑ̃, ɑ̃t] n. — XXᵉ ; de *villégiature.*

◆ Rare. Personne en villégiature. ⇒ **Villégiateur, villégiaturiste.**
(...) Odette ; c'est une villégiaturante élégante et antipathique qui dîne à la table voisine de la nôtre et qui, paraît-il, travaille pour la Gestapo (...)
S. DE BEAUVOIR, la Force de l'âge, p. 580.

VILLÉGIATURE [vi(l)leʒjatyʀ] n. f. — 1775, repris mil. XIXᵉ ; ital. *villeggiatura,* de *villeggiare* « aller à la campagne *(villa)* ».

◆ **1.** Séjour de repos, à la campagne ou dans un lieu de plaisance (ville d'eaux, plage...). ⇒ **Vacances.** *La villégiature de qqn dans une région, à la campagne, au bord de la mer.* — **EN VILLÉGIATURE.** *Être en villégiature. Maison de campagne où l'on va en villégiature.*

1 L'été venait, saison de l'annuelle villégiature des Foucher. Il fut décidé qu'ils loueraient une maison à Gentilly (...)
A. MAUROIS, Olympio..., II, V.

2 Nous avons, par la suite, abandonné Septeuil, même lieu de villégiature — et je n'écris pas sans un sourire ce mot mondain.
G. DUHAMEL, Inventaire de l'abîme, VI.

◆ **2.** Lieu de ce séjour. *Une villégiature agréable.*

◆ **3.** Durée de ce séjour. *Une longue villégiature.*

DÉR. Villégiateur, villégiaturant, villégiaturer, villégiaturiste.

VILLÉGIATURER [vi(l)leʒjatyʀe] v. intr. — 1860, Mérimée ; de *villégiature.*

◆ Vieilli. Être en villégiature. *Ils villégiaturaient à Biarritz.*
C'était la première fois de ma vie que je villégiaturais, et d'abord je m'en amusai. J'étais descendue dans le meilleur hôtel (...)
S. DE BEAUVOIR, la Force de l'âge, p. 303.

VILLÉGIATURISTE [vi(l)leʒjatyʀist] n. m. — XXᵉ ; de *villégiature.*

◆ Rare. Personne en villégiature. ⇒ **Villégiaturant, villégiateur.**
(...) campagnards et paysans, villégiaturistes et estivants, tous, tous, tous respiraient le parfum de la quiétude avec les poumons du bonheur.
R. QUENEAU, le Chiendent, p. 205.

VILLENAGE [vil(ə)naʒ] n. m. ⇒ **Vilainage.**

VILLETTE [vilɛt] n. f. — V. 1190, « petite ville » ; « petite villa », v. 1100 ; dans des noms géographiques, cf. *la Villette,* quartier du Nord de Paris ; repris 1973 ; de *ville.*

◆ Rare. (Urbanisme). Commune suburbaine possédant de 10 à 20 000 habitants vivant en majorité en maisons individuelles (opposé à *grand ensemble*).

VILLEUX, EUSE [vilø, øz] adj. — XIVᵉ ; rare av. 1742 ; lat. *villosus,* de *villus* « poil ».
Sciences.

◆ **1.** (En parlant des animaux inférieurs, des plantes). Qui porte des poils, et, spécialt, de petites saillies filiformes analogues à des poils. ⇒ **Velu.** *Insecte villeux. Plante villeuse.* ⇒ **Tomenteux.**

◆ **2.** Méd. Qui présente des villosités (2.). *Tumeur villeuse. Arthrite villeuse.*

VILLOSITÉ [vi(l)lozite] n. f. — 1781 ; du rad. lat. de *villeux.*

◆ **1.** Sc. État d'une surface villeuse.

◆ **2.** (1836). Anat. Saillie filiforme qui donne un aspect velu (⇒ **Villeux**) à certaines surfaces. *Villosités intestinales.*

DÉR. Microvillosité.

VILLOTIER, IÈRE [vilɔtje, jɛʀ] n. — 1167, *vilotier ;* de *ville,* la ville étant considérée comme un lieu de débauche.

◆ Vx. Débauché, débauchée.

VIMAIRE [vimɛʀ] n. f. — 1170, « dommage » ; spécialisé au XIVᵉ ; du lat. *vis* « force », et *major* « majeure ».

◆ **1.** Techn. (sylviculture). Vx. Dommage causé à une forêt par les intempéries (grêle, ouragan...).

◆ **2.** Régional, vx. Intempéries.
Froment de semence craint la vimaire du temps ; mais folle graine ne périt point.
G. SAND, François le Champi, I.

VIN [vɛ̃] n. m. — xᵉ (980, *Passion du Christ*); du lat. *vinum*.

♦ **1.** Boisson alcoolisée provenant de la fermentation de raisin ou de jus de raisin (⇒ **Moût**) frais. ⇒ fam. **Picolo, picrate, pinard, pive;** préf. **oeno-, vini-** (cf. vx ou plais. Jus de la treille, jus de la vigne, liqueur bachique, de Bacchus, purée septembrale — Rabelais). *Fabrication, production du vin* (⇒ **Vinaire, vinicole**) : récolte du raisin (⇒ **Vendange, vendanger**), foulage, égrappage, pressurage (⇒ **Presse, presser**), traitements des moûts — plâtrage (⇒ **Plâtrer**). sucrage (⇒ **Chaptalisation**), mutage, soufrage, tanisage (⇒ **Muter, soufrer, taniser**), pasteurisation... — fermentation (⇒ **Cuvage**, cit.; **cuve, cuvée**), décuvage.

Loc. *Vin de copeaux*.* — Vx. *Clarification des vins* (⇒ **Éclaircir**) *par dépôt dans les fûts, par collage* (⇒ **Coller**, cit. 1), *filtration, chauffage. Clarification au soutirage.* ⇒ **Élier, soutirer.** *Fermentation du vin en cellier* (cuverie). — *Récipients dans lesquels se font la clarification, le vieillissement, le transport du vin.* ⇒ **Fût, futaille** (cit. 1 et 2), **tonne** (cit. 2), **tonneau; bordelaise,** 1. **feuillette** (cit. 1), **muid** (cit.), **quartaut.** *Pièce* (II., C., 2.) *de vin.* *Mettre le vin en fûts* (⇒ **Enfûter**), 1. **entonner**), *en cave* (⇒ **Encaver**), *en chais. Vin en cercles. Transport du vin en foudres, en wagons-citernes. Congé pour le transport du vin. Avalage des pièces de vin.* — *Soutirer, tirer le vin.* — *Prov. Quand le vin est tiré, il faut le boire** (1. Boire, cit. 43). *Vin en perce* ⇒ aussi **Baquetures, seillon.** *Reste de vin au fond d'un fût.* ⇒ **Baissière.** *Mise en bouteilles du vin. Vin cacheté.* — *Élevage du vin :* prévention et traitement des maladies, surveillance du vieillissement, etc.
Éleveur, propriétaire-éleveur de vins. Vin qui se fait, se bonifie, se rabonnit, travaille. Vin qui dépose (⇒ **Dépôt**), *se clarifie, se dépouille* (cit. 26). *Laisser reposer le vin.* — *Vin poissé* (→ Nectar, cit. 1), *résiné* (→ Résine, cit.). — *Vin qui ne se conserve pas, qui tourne.* — *Maladies du vin :* acescence (due à des bactéries), amertume, casse, graisse. ⇒ **Graisser** (II.), 1. **pousse** (B., 2.), **tourne.** *Vin aigre, besaigre* (vx), *amer, mannité, piqué, tourné.* ⇒ **Fleur** (II.). *Goûter le vin.*

Composition chimique du vin : eau (80-90 %), alcool éthylique (8-18 %), acides tartrique, malique, lactique...; protides, potassium, phosphates, calcium, magnésium; anthocyanes et tanins (vins rouges), etc. (plus de 150 substances). *Transformation du jus ou moût en vin par fermentation, sous l'action de levures.* — *Pays, région de vin, du vin, de vigne, de viticulture. Les civilisations du vin. Aimer le vin.*

1   De Reims à la Moselle commence la vraie vigne et le vin; tout esprit en Champagne, bon et chaud en Bourgogne, il se charge, s'alourdit en Languedoc pour se réveiller à Bordeaux.   MICHELET, Hist. de France, III.

2   Un soir, l'âme du vin chantait dans les bouteilles (...)
                                        BAUDELAIRE, les Fleurs du mal, « Le vin », CIV.

(Qualifié ou précédé d'un démonstratif). *Un vin* (et adj. ou compl. de n.), *des vins.*

3   — Et ce vin, goûtez-moi ce vin! Léger mais vif! Une année merveilleuse! Et vingt ans de bouteille! Et pas cassé! Intact! Ça c'est du vin! (...)
                                        H. BOSCO, Un rameau de la nuit, p. 129.

4   Félicien aurait été le plus heureux des vignerons s'il n'avait eu pour le vin une aversion qui paraissait insurmontable (...) Vainement avait-il tâté de tous les crus (...) Ayant fait le tour des bourgognes, des bordeaux, des vins de Loire et du Rhône, des champagnes, des vins d'Alsace, des vins de paille, des rouges, des blancs, des rosés, des clairets, des algériens et des piquettes, il n'avait pas négligé ni les vins du Rhin, ni les tokays, ni les vins d'Espagne, d'Italie, de Chypre et du Portugal.
                                        M. AYMÉ, le Vin de Paris, p. 101.

(Qualifié selon l'origine, la qualité). **a** Cour. *Vin ordinaire, courant* (de nos jours, vin de coupage* ou, dans les régions vinicoles, vin sans qualification spéciale). *Vins de table,* de consommation courante. *Bon vin. Vins fins. Grand vin,* provenant d'un cru célèbre. *Un vin excellent. Ce vin est meilleur, moins bon que celui que nous avons bu hier.* — (1798). *Vin de pays, vin du cru,* provenant d'un terroir non délimité. *Vin qui sent son terroir, ne dément* (cit. 8) *son terroir. Vin de propriétaire. Vin de palus, de sable.* — *Gros vin :* vin courant assez fort et médiocre (→ Gros bleu*, gros rouge* qui tache). *Mauvais vin.* ⇒ **Picrate, vinasse.** *Vin remonté, coloré, recoupé.* — *Petit vin :* vin du terroir, naturel. *Un petit vin aigrelet.* ⇒ **Criquet, ginguet, piquette, reginglard.** — *Vins de cru,* définis par un terroir* (2.) et ses cépages déterminés. ⇒ 1. **Cru.**

b Dr., comm. (en France). Loc. *Vins d'appellation d'origine contrôlée (A. O. C.),* supposant une aire délimitée de production, un encépagement précisé, des teneurs minimales en sucre (moût) et en alcool (vin), un rendement maximal à l'hectare, des méthodes de taille de vigne, de culture et de vinification conformes aux «usages locaux, loyaux et constants» (il en existe plus de 250 en France, comprenant tous les grands crus). — *Vins d'appellation d'origine simple (A. O. S.),* supprimés en 1973. *Vins délimités de qualité supérieure (V. D. Q. S.),* produits par des terroirs bien définis et répondant à des règles précises de culture et de vinification. — *Vins de qualité produits dans des régions déterminées (V. Q. P. R. D.) :* vins produits dans les pays du Marché commun et répondant à des critères analogues. — *Vins de pays* (définis en 1968, puis en 1973) : vins de table personnalisés, sans coupages, répondant à des critères qualitatifs d'encépagement (cépages recommandés), d'aire de production, de degré alcoolique (modulé selon les régions), de rendement (moins de 100 hl à l'hectare), de vinification (il en existe plus

de 80 en France). — *Vins de table,* soit «admis au bénéfice d'une indication géographique» (vins de pays, pour la France), soit non admis (pouvant être issus de coupages : le coupage des vins de table entre eux est admis pour la Communauté européenne).

c (Selon l'origine géographique). — REM. 1. APPELLATION DES VINS. Les vins de qualité sont désignés par une appellation d'origine; celle-ci, en France, peut correspondre à une région (Bordeaux, Bourgogne, Champagne...), à une commune (Gevrey-Chambertin, Saint-Estèphe...), à un «climat» (en Bourgogne; → ci-dessous REM. 3.), à un château (dans le Bordelais). Une autre appellation est celle des cépages (Sylvaner, Pinot noir...). Enfin les appellatifs commerciaux (marques, noms de personnes) ne sont pas mentionnés ici. Linguistiquement, un nom de vin correspond à une fréquence d'usage : on a dit *vin de Bourgogne, vin de Champagne,* avant de dire : *un Bourgogne, un Champagne.* — Les noms des vins cités ci-dessous constituent des appellations plus ou moins lexicalisées, notamment les vins français, italiens, et les vins de liqueur espagnols et portugais; quelques vins allemands, suisses et du Maghreb sont aussi connus par leurs noms, en français.

2. Le syntagme *vin français,* normal et courant en français hors de France — par ex. au Québec —, n'est pas employé en France, sauf en matière de commerce international.

Vins de Bourgogne. ⇒ **Bourgogne.** — Côtes-de-Nuits. Communes : Chambolle-Musigny, Fixin, Gevrey-Chambertin, Morey-Saint-Denis, Nuits-Saint-Georges, Vosne-Romanée, Flogey-Échezeaux, Vougeot.

3. Chaque commune est divisée en climats (ex., à Vosne-Romanée : les célèbres Romanée-Conti, Richebourg, la Tache, Grands-Échezeaux...; à Morey-Saint-Denis : Bonnes-Mares, Clos de la Roche); il en va de même pour les autres côtes.

Côtes-de-Beaune. Communes : Aloxe-Corton, Auxey-Duresse, Beaune, Chassagne-Montrachet, Meursault, Monthélie, Pernand-Vergelesses, Pommard, Puligny-Montrachet, Saint-Aubin, Santenay, Savigny-lès-Beaune, Volnay.

Vins de la côte Chalonnaise. Communes : Givry, Mercurey, Montagney, Rully. — Chablis.

Vins du Beaujolais. ⇒ **Beaujolais.** Communes : Juliénas, Chénas, Fleurie, Chiroubles, Saint-Amour (noms de vins assez usuels). — Côte-de-Brouilly (dit *Brouilly*). — REM. Trente-quatre autres communes du Rhône et de la Saône-et-Loire ont droit à l'appellation *Beaujolais-village.*

Vins du Bordelais. ⇒ **Bordeaux.** — Médoc* (premiers crus : Lafite-Rothschild, Latour, Margaux, Mouton-Rothschild; deuxièmes crus : Léoville-Las Cases, Gruaud-Larose, Pichon-Longueville, Ducru-Beaucaillou, etc.; jusqu'aux cinquièmes crus). Principales communes : Cantenac, Pauillac, Saint-Estèphe, Saint-Julien.
Sauternes* et Barsac (grand premier cru : château-Yquem; premiers crus : la Tour-Blanche, Climens, Rabaud-Sigalas...) Principales communes : Bommes, Barsac, Sauternes.
Saint-Émilion* (premiers grands crus : Ausone, Beauséjour, Belair, Canon, Cheval-blanc...; grands crus classés : Larcis-Ducasse, Laroze...).
Graves* (premier cru classé : Haut-Brion; crus classés — 1959 — : Carbonnieux, Malartic-Lagravière, La Mission Haut-Brion, Bouscaut...). Principales communes : Léognan, Pessac, Talence.
Pomerol* (premier grand cru : Pétrus; autres crus : La Conseillante, Nénin...).

REM. Outre ces crus, d'autres vins du Bordelais ont droit à des appellations d'origine contrôlée (ex. : Barsac, Blaye, Bourg, Côtes-de-Bourg, Côtes-de-Blaye, Listrac, Loupiac...), parfois correspondant au nom de l'une des régions principales; d'autres peuvent seulement se dénommer *Bordeaux;* certaines communes ont droit à l'appellation *premières côtes de Bordeaux.*

Vins du Mâconnais. ⇒ **Mâcon** (certains vins ajoutent à l'appellation celle de la commune; Ex. : Chaintres, Fuissé [Pouilly-Fuissé], Romanèche-Thorins, Solutré-Pouilly, Saint-Véran...)

Vins des côtes du Rhône. ⇒ **Côtes-du-Rhône.** — Ex. : Châteauneuf-du-Pape, Condrieu, Côte-Rôtie, Crozes-Hermitage, Gigondas, Lirac, Tavel... ⇒ aussi **Clairette** (de Die).

Vins d'Alsace*, généralement désignés par les cépages : gewurtzraminer, riesling, tokay — appellation contestée par les producteurs hongrois du véritable tokay — ou pinot gris, muscat, pinot ou klevner, sylvaner, chasselas ou gutedel (vins blancs); pinot noir (vin rouge clair).

Vins du Jura. — Ex. : Arbois (et *vin de paille* d'Arbois), côte-du-Jura, l'Étoile.

Vins de Savoie (Crépy). *Vins blancs de Seyssel.* — *Vins du Bugey* (et roussette du Bugey).

Vins du Sud-Ouest : Béarn, Bergerac (et côtes de Bergerac), côtes de Buzey, Cahors, côtes de Duras, Gaillac, Irouléguy, Jurançon, Limoux (et blanquette de Limoux), Madiran, Monbazillac (blanc doux), Pécharmant.

Vins de Provence : Bandol, Bellet, Cassis, côtes de Provence...

Vins du Languedoc-Roussillon : Collioure, Fitou, côtes du Roussillon; V. D. Q. S. : Corbières, Costières du Gard, Minervois, etc.

Vins de Loire. — (Nivernais, Berry). Pouilly, Quincy, Sancerre. — (Touraine). Bourgueil, Chinon, Montlouis, Saint-Nicolas-de-Bourgueil, Vouvray. — (Anjou). Anjou, Bonnezeaux, côteaux du Layon, Quarts-de-Chaume, Saumur (et côteaux de Saumur), Savennières. — (Pays nantais). Muscadet ; Gros-plant nantais (vins blancs).

Vins de champagne. ⇒ **Champagne**. *Vins de la montagne de Reims* (Mailly, Verzenay, Verzy, Trépail, Ambonnoy, Bouzy...), *vins du val de Marne* (Cramant, Avize, Oger, Le Mesnil, Vertus...). *Vin de champagne nature* (blanc de blancs) ou *vins natures de la Champagne. Vins des côteaux champenois. Vins rouges de champagne* (Cumières, Ambonnay, Bouzy).

Vins de Corse : vin de Patrimonio, d'Ajaccio, de Sartène, de Calvi, du cap Corse, de Porto-Vecchio.

Vins suisses. Vins blancs du Valais : Fendant* (cépage : chasselas), Johannisberg (sylvaner), pinot gris ou malvoisie, Hermitage, Arvine, Amigne, Humagne, Payen, Rèze. *Vin rouge de Valais* (Dôle, n. f. ; Goron). *Vins du canton de Vaud* (blancs : Dorin ; rouges : Sylvaguin) : régions de Lavaux (Dézaley, Rivaz, Epesses, Villette, Saint-Saphorin), de la Côte (Vinzel, le Mont, Féchy, Tartegnin, Morges, Luins), du Chablais (Yvorne, Aigle, Bex, Ollon, Villeneuve). *Vins du canton de Genève* : Perlan (chasselas), dont le « Bouquet Royal » ; « Clefs d'or » (gamay) ; « Camérier » (pinot noir), « Goût du prieur » (riesling), etc. *Vins du canton de Neuchâtel* : rouges (pinot noir) et blancs, vins dénommés Neuchâtel, parfois suivi du nom de la localité (Saint-Blaise, Cortaillod) ou du nom d'un cru. — *Vins des cantons alémaniques* : de Zurich, de Schaffhouse, des Grisons, de Saint-Gall, de Thurgovie et d'Argovie.

Vins italiens. Rouges. (Piémont). Barolo, Gattinara, Barbaresco, Barbera, Freisa, Grignolino. (Lombardie). Valtellina. (Vérone). Bardolino, Valpolicella. (Trentin). Santa Maddalena, Lago di Caldaro, Santa-Giustina. (Bologne). Lambrusco. (Toscane). Chianti. (Rome). Castelli Romani (Frascati). (Naples). Gragnano. — Blancs. Cortese, Lugana, Soave (Vérone), Terlano, Orvieto, Est-est-est ! Castelli Romani, Capri, Lacryma-christi ; Etna (Sicile). — Mousseux : Asti.

Vins espagnols : Rioja ; *vins de Galice* (Valderreas, Valle de Monterey), *vins de Catalogne* (Panadès, Tarragone), Valdepeñas, *vins d'Alicante, de Yecla* (rosés). *Vins de liqueur* : Xérès, Manzanilla, Amontillado.

Vins portugais. Vins verts ; vins rosés du Douro (comme le « Mateus » et le « Faisca » ou « Lancers »), *vins du Dao, de Bairradas, de Buçaco, de Sangalhos, du Ribatejo, etc.* ⇒ aussi **Porto**.

Vins grecs. Rouges (Naoussa de Macédoine), *surtout blancs* (Péloponnèse, Crète), *souvent résinés*. *Vins de dessert* (Muscat de Samos).

Vins bulgares. Rouges (Gymza, vins de Plovdiv...), *blancs* (Dimiat) ; *vins de dessert.*

Vins roumains (Dobroudja, Maldaire, Olténie, Transylvanie).

Vins allemands (80 % de vins blancs) : *vins du Rhin* (Johannisberg), *de Hesse rhénane* (Liebfraumilch), *du Palatinat rhénan ; vins de Moselle ; vins de Franconie* (Franken : vallée du Main, ex. : Steinmein), *vins du Wurtemberg*.

Vins d'Autriche (du Weinvertel, du Burgenland) ; *Vin nouveau* (Heurige) *de la région viennoise. — Vins hongrois :* de Gyöngyös, d'Eger (Bikaver ou « sang de taureau »), *de Tokay* (⇒ **Tokay**), *de Kecsemet, de Badacsony, etc.*

Vins soviétiques, de Géorgie, d'Arménie, d'Ukraine, de Russie (Crimée), *d'Azerbaïdjan, d'Ouzbékistan, etc.*

Vins d'Afrique du Nord. — Algérie : Mostaganem (haut Dahra), Mascara, côteaux de Tlemcen, Ain-el-Hadjar, etc. — Tunisie : Bizerte, Mateur, Carthage, le cap Bon... ; muscats de Tunisie. — Maroc : Berkane, Taza, Fès, Meknês, Sidi Slimane (Dar Bel Hanri), *vins gris de Boulaouane*, de El-Jadida.

Vins d'Afrique du Sud : vins du Cap (type « bourgogne » ou -somerset-west ; type « bordeaux »).

Vins d'Australie : Hunter Valley, province de Victoria, Barossa valley, Swan valley, Murray valley, etc.

Vins américains. Vins du Canada (Ontario supérieur) *et de l'État de New York. — Vins de Californie* (dont les meilleurs — *varietal wines* — sont désignés par une variété de cépage ; ex. : cabernet-sauvignon, pinot noir) : *vins de Mendocino, Sonoma, Napa, Alameda, Santa Clara, San Benito ; Sacramento et San Joaquin, Madera, Fresno, Tulare. Vins mousseux* (« champagnes ») *californiens. Vins de l'Ohio, de l'État de Washington. — Vins mexicains ; vins de l'Uruguay, du Pérou. — Vins argentins de Mendoza, de San Juan* (surtout rouges). *Vins chiliens* : du Nord (muscat), du Centre (vallée de l'Aconcagua, du Maïpo), du Sud. *Les vins chiliens de qualité peuvent vieillir* (Gran vino, plus de six ans) ; *ils sont souvent désignés par les cépages.*

d (Qualifié selon la fabrication, l'état, l'âge). *Vin de goutte, de mère goutte*, provenant du liquide obtenu par égouttage, après foulage. *Vin de presse* (→ Pressoir, cit. 2). *Vins de première cuvée*, *de seconde cuvée.* — *Vin nouveau*, consommé dès la fin de la fermentation. *Vin primeur. Vin jeune, trop jeune.* — Vx. *Vin en boite* (de *boire*), en état d'être bu.

(1560, Paré ; *vin vieil*). VIN VIEUX (→ Cordial, cit. 1). *Du vin de derrière les fagots** (cit. 2). *Vins fins* (→ Table, cit. 6). — VIN ROUGE, dont la couleur vient de la pellicule des raisins noirs. ⇒ **Rouge** (n. m.); argot *rouquin.* — VIN BLANC (cit. 9), de raisins blancs (blanc* de blanc) ; de raisins noirs sans leurs pellicules. ⇒ **Blanc** (n. m.). — *Vins tachés* : vins blancs faits avec des raisins noirs (*vins gris* [cit. 16] ou *rosés*, parfois décolorés en vins blancs). *Vins rosés.* ⇒ **Rosé**. *Vins jaunes, vins de paille*, paillés* (⇒ 1. **Paillet**), *pelure d'oignon*. Vin vert* (port. *vinho verde*) : vin du Portugal obtenu à partir du raisin de treille. — REM. L'expression ayant d'autres sens en français, on emploie souvent la forme portugaise *vinho verde* [vinoverde]. — *Goût du vin ; vin bouqueté* (⇒ **Bouquet, fumet**), *vin fruité**, qui a de l'arôme, du corps*, de la force. ⇒ **Montant, sève**. *Vin verdelet, vert*, par excès de jeunesse. ⇒ **Verdeur**. *Vin capiteux, fort, fumeux* (vieilli), *généreux, velouté* (vieilli) ; *vin clairet** (cit.), *coulant, léger, moelleux* (souplesse). *Vin sec*, vin qui a un goût de pierre à fusil* (très sec). *Vin doux, vin sucré* (→ Mets, cit. 1). — *Vin clair, transparent, couleur d'ambre* (cit. 4 et 5), *pourpré* (cit. 1) ; *vin louche, trouble, qui dépose.* ⇒ **Tartre**. — *Vins falsifiés* (cit. 1), *frelatés* (cit. 2), *mélangés.* ⇒ **Ripopée** (vx). *Vin baptisé, brouillé, coupé*, trempé.* — *Lie de vin.* ⇒ **Lie**.

Vin de café : vin rouge léger obtenu par vinification courte (moins de 24 heures ; syn. : *vin d'une nuit*), notamment pour les Côtes-du-Rhône et les vins du Languedoc.

Vin de cerneaux. ⇒ **Cerneau** (2.).

Défauts du vin. Vin âpre, râpeux. Vin plat, grossier (cit. 2). — *Vin éventé.* ⇒ **Évent** (→ Humeur, cit. 12). *Vin qui sent le bouchon.* ⇒ **Bouchonné**. *Vin qui sent le fût.*

REM. 1. *Vin* se dit parfois du jus de raisin non fermenté (moût) ou au début de sa fermentation, lorsqu'on le boit dans cet état. *Vin vert, vin nouveau, vin doux* (vx). → Tocane (vx). *Vin bourru*.

2. Dans le langage courant on n'emploie guère *vin* absolument pour désigner les vins mousseux (→ Mousseux ; champagne), ni les vins de liqueur (désignés par leur nom, appelés *apéritifs*, etc.).

Vin mousseux, naturel (mis en bouteille avant la fin de la fermentation) ou préparé par champagnisation. *L'Asti, le champagne, la clairette sont des vins mousseux.* — *Vin pétillant*, qui a subi une légère fermentation secondaire.

Vins doux naturels et vins de liqueur : vins très chargés en sucre (muscat, grenache, malvoisie, maccabeu), auxquels on ajoute de l'alcool de raisin en cours de fermentation (ex. : alicante, amontillado, banyuls, frontignan, grenache, malaga, malvoisie, muscat, picardant, porto, rancio, tokay, xérès).

Vin de liqueur, vin liquoreux, se dit de vins très alcoolisés (jusqu'à 23°), parfois chauffés — *vin cuit* (cit. 16) — ou concentrés. ⇒ **Mistelle** (ex. : Pineau des Charentes).

Vins aromatisés (édulcorés, parfumés, colorés, etc.), utilisés comme apéritifs*. ⇒ **Vermouth**; **bichof, hypocras**. *Vin au quinquina. Vin de coca, de gentiane* (vins médicinaux). *Vin d'orange* : vin rouge dans lequel on fait macérer des oranges. ⇒ **Sangria**. *Eaux-de-vie de vin* : cognac, armagnac, marcs. ⇒ aussi **Brandevin, esprit-de-vin**.

Commerce du vin. Négociant en vins. ⇒ **Pinardier** (fam.). — *Marchand* (cit. 6) *de vins faisant débit de boissons.* ⇒ fam. **Bistrot, mastroquet, troquet**. *Halle* aux vins. Entrepôt de vin.* — Prov. *À bon vin point de bouchon* (2.), *à bon vin point d'enseigne*.

Bouteille ; fiasque* (cit.), quille* (1. Quille, cit. 2), topette* (cit. 1) *de vin. Carafe, pichet, pot de vin.* — Fig. ⇒ **Pot-de-vin**. — *Quart de vin ; litre de vin.* ⇒ 2. **Litre** (cit. 3) ; **litron**. *Canon, fillette de vin.* ⇒ 3. **Canon**, 2. **fillette**. — *La loi de Mahomet défend de boire du vin* (→ Arabe, cit. 1). *Boire du vin en mangeant.* ⇒ **Arroser**. *Déguster, lamper, siroter* (cit. 1) *son vin. Vider un verre de vin* (→ Faire rubis* sur l'ongle). *Boire du vin pur. Mettre du vin dans de l'eau.* ⇒ **Rougir** (cit. 5). *Offrir un verre de vin à un ami* (→ Vexer, cit. 3). — Loc. (Déb. XVIIe, au fig.). *Mettre de l'eau dans son vin* : au fig. se radoucir. *Un doigt, une goutte de vin.* — *Le vin réchauffe le cœur.* — Loc. prov. *Le bon vin réjouit le cœur de l'homme* (lat. Bonum vinum lætificat cor hominis). — *Assortir les vins aux mets. Vin qui va avec tel plat. Vin de dessert, d'entremets. Mettre du vin à rafraîchir* (cit. 1). *Chambrer* le vin rouge. Frapper* (cit. 12), *sabler* (cit. 3) *le vin blanc.* — *Personne chargée du service des vins.* ⇒ **Échanson, sommelier**.

AU VIN. *Ragoût au vin.* ⇒ **Civet**. *Coq au vin. Sauce au vin. Maquereau au vin blanc.*

Le vin des noces : le vin qui était offert au prêtre qui avait célébré un mariage.

Spécialt. *Le vin*, symbole de l'ivresse, de l'ivrognerie. *Aimer le vin.* ⇒ 2. **Boire, biberonner, pinter**. *Ivre* (cit. 4) *de vin.* ⇒ **Aviné** (cit. 1), *soûl ; gris* (I., 3.). — Loc. *Porter* (vx), *tenir bien le vin. Être pris de vin* (→ ci-dessous, 3.). — Vx. *Être gorgé* (cit. 2 et 4) *de vin. — Vin traître* qui monte à la tête, tourne la tête. ⇒ **Enivrer, soûler** (→ Taper sur la cocarde ; embrouiller [cit. 3] la cervelle). *Fumées* (cit. 10), *vapeurs* de vin. — *Le vin délie la langue*, incite aux confidences. — Loc. *Sac à vin* : ivrogne. — *Être en vin* : être ivre.

L'excès du vin dégrade l'homme, aliène au moins sa raison pour un temps, et

5

l'abrutit à la longue. Mais enfin le goût du vin n'est pas un crime ; il en fait rarement commettre ; il rend l'homme stupide et non pas méchant.
ROUSSEAU, Lettre à d'Alembert.

6 Profondes joies du vin, qui ne vous a connues ? Quiconque a eu un remords à apaiser, un souvenir à évoquer, une douleur à noyer, un château en Espagne à bâtir, tous enfin vous ont invoqué, dieu mystérieux caché dans les fibres de la vigne. Qu'ils sont grands les spectacles du vin, illuminés par le soleil intérieur ! (...) Mais combien sont redoutables aussi ses voluptés foudroyantes et ses enchantements énervants. BAUDELAIRE, Du vin et du haschisch, II.

♦ **2.** Quantité de vin bue en certaine occasion. *Le vin de l'étrier.* ⇒ **Coup.** — *Un vin d'honneur,* offert en l'honneur de quelqu'un (dans une réception, etc.).

6.1 Le lendemain même de mon arrivée à Fianarantsoa, ils se réunirent pour m'offrir un « Vin d'Honneur », me donnant l'occasion de prendre avec eux le premier contact (...) L.-H. LYAUTEY, Paroles d'action, p. 11.

(Mil. XVIIe, Scarron). *Être entre deux vins,* un peu gris.

♦ **3.** Loc. (Mil. XVe). Ivresse ; habitude de boire. *Être pris* (cit. 124 et 125) *de vin.* — (Vx). *Pointe* de vin :* légère ivresse. — Loc. *Avoir le vin gai, triste,* l'ivresse gaie, triste. — (1690, *avoir un mauvais vin*). *Avoir le vin mauvais :* devenir méchant sous l'effet de l'ivresse.

7 (...) Bécu, qui avait le vin mauvais, se fâcha. S'il tolérait la chose à jeun elle le blessait quand il était ivre. ZOLA, la Terre, IV, III.

♦ **4.** Par métaphore. *Le vin des sens* (→ Enivrer, cit. 4). *Le vin de la santé et de la joie...* (→ Impétueusement, cit.).

8 Superbe, elle humait voluptueusement
Le vin de son triomphe (...)
BAUDELAIRE, les Épaves, « Pièces condamnées », III.

9 Vous direz que les mots éperdument me grisent
Et que j'y crois goûter le vin de l'infini.
ARAGON, les Yeux et la Mémoire, Sacre de l'avenir.

♦ **5.** Spécialt. (Liturg. cathol.). L'une des deux espèces (cit. 3) sous lesquelles se fait la consécration. ⇒ **Calice, consécration, eucharistie** (cit. 2, 3, et *supra*). *Consacrer le pain et le vin.* — (XIXe). *Vin de messe* :* vin naturel utilisé dans la liturgie romaine.

10 (...) le vin est une substance sacramentelle. Il est exalté dans mainte page de la Bible et Notre-Seigneur n'a pas trouvé de plus auguste matière pour le transformer en son sang. Il est donc digne et juste, équitable et salutaire de l'aimer !
HUYSMANS, l'Oblat, XI.

♦ **6.** ⓐ Vin (au sens 1.) additionné de diverses substances. — (1770). *Vin médicinal.*

ⓑ (1317). Liqueur alcoolisée, obtenue par fermentation d'un produit végétal. *Vin de palme* ; vin de canne. Vin de riz. Vin de noix. Vin de myrtilles.* — (Au Zaïre). *Vin de bananes* (syn. : *bière de bananes*).

Vin de sucre, fait d'eau, de sucre, d'acide tartrique, additionné de tanin et de colorants (vendu frauduleusement au déb. du XXe siècle comme du vin).

♦ **7.** ... DE VIN : couleur du vin rouge. *Lie de vin.* ⇒ **Lie-de-vin.** *Tache de vin.* ⇒ **Envie, nævus.**

DÉR. Aviné, 1. vinage, vinasse, vinée, viner, vinique.
COMP. Vinaigre. — Lie-de-vin, pot-de-vin.
HOM. Vain, vingt ; formes des v. venir, vaincre.

VÎNÂ [vina] n. f. — 1876, *in* P. Larousse ; hindi ou sanskrit *vînâ.*

♦ Mus. Instrument à sept cordes pincées, à frettes fixes, en usage en Inde. *Vînâ du Nord* (ou *rudravina* [Rudravina] « vînâ de Rudra ») : cithare formée d'un bambou creux avec, à chaque extrémité, une calebasse formant résonateur sphérique. *Vînâ du Sud* (ou *sârasvativînâ* [sarasvativina] « vînâ de Sârasvatî ») : instrument ressemblant au luth, avec une caisse en bois et un très long manche à l'extrémité duquel est fixée une calebasse.

1. VINAGE [vinaʒ] n. m. — 1231 ; de *vin.*

♦ Hist. Droit perçu sur la vendange ; sur la production et le transport de vin.
HOM. 2. Vinage.

2. VINAGE [vinaʒ] n. m. — 1867 ; de *viner.*

♦ Opération par laquelle on augmente le degré alcoolique d'un vin par addition d'alcool (pour obtenir des vins doux, des vins de liqueur). *Vinage légal, frauduleux.*
HOM. 1. Vinage.

VINAIGRE [vinɛgʀ] n. m. — V. 1200 ; de *vin,* et *aigre* ; la dénasalisation de *vin* fait que le mot est relativement démotivé.

♦ **1.** Liquide provenant du vin ou d'une solution alcoolisée modifiés par fermentation acétique, utilisé comme assaisonnement*, comme condiment. ⇒ **Acétique ; acét-.** *Vinaigre de vin, d'alcool, de cidre, de champagne, de framboise.* — *Vinaigre de bois :* acide pyroligneux. *Transformer du vin en vinaigre.* ⇒ **Acétifier.** — Loc. *Mère du vinaigre :* mycoderme de la fermentation acétique. — *Vinaigre rouge, blanc, rosat* (→ Nager, cit. 7). *Vinaigre à l'ail, à l'échalotte,*

à *l'estragon* (dans lequel on a fait macérer, de l'ail, etc.). *Vinaigre des quatre voleurs,* très fort et aromatisé. *Câpres, cornichons, petits oignons confits au vinaigre, macérés* (cit. 4) *dans le vinaigre.* ⇒ **Achards, piccalillies, pickles.** *Condiments au vinaigre. Vinaigre salé, épicé,* pour faire mariner les viandes. ⇒ **Marinade.** — Anciennt. *Boissons au vinaigre.* ⇒ **Oxycrat, oxymel.** — *Sauce à l'huile et au vinaigre.* ⇒ **Vinaigrette.** *Un filet de vinaigre. Récipients où l'on met le vinaigre.* ⇒ **Burette, huilier, vinaigrier.** *Goût de vinaigre.* ⇒ **Acéteux.** — Par exagér. *Vin aigri. Vin qui tourne en vinaigre, au vinaigre* (→ Dénaturer, cit. 2), *se tourne en vinaigre* (→ Humeur, cit. 12).

Ancienn. *Vinaigre de toilette.* — *Vinaigre pharmaceutique, aromatique* (→ Laboratoire, cit. 6), utilisé pour ranimer, stimuler... (→ Étendre, cit. 52 ; évanouir, cit. 17). *Faire respirer* (cit. 11) *du vinaigre, des sels à qqn* (→ Rentrer, cit. 14). — Allus. évang. *Les soldats romains donnèrent à Jésus mourant une éponge humectée de vinaigre* (→ 1. Éponge, cit. 1 ; esprit, cit. 8).

Loc. fig. *Tourner au vinaigre* (→ 1. Mort, cit. 30) : mal tourner, empirer (comme le vin qui s'aigrit). — Prov. *On ne prend pas les mouches avec du vinaigre :* on ne réussit pas par la dureté, on n'attire pas les gens en les traitant* ainsi (cf. Plus fait douceur que violence). — Loc. (Vx). *Tremper ses flèches dans le vinaigre* (→ Batterie, cit. 4).

♦ **2.** (1808). Fam. Mouvement rapide donné à la corde à sauter. *Sauter à l'huile* (lentement) *et au vinaigre.* — (Déb. XXe). Par anal. *Faire vinaigre :* se dépêcher.

— C'est par ici !... Par ici !... Eh ! les gars, faites vinaigre ! 1
H. BARBUSSE, le Feu, XVIII.

(...) je connais un fabricant de vinaigre qui a fait imprimer sur ses étiquettes : 2
« Maison fondée en 1789 ». Croyez-vous qu'il y ait là un rapport allégorique avec la Révolution ? Et, partant, avec l'expression « faire vinaigre » ?
Robert PINGET, Graal Flibuste, p. 82.

♦ **3.** (Fin XIXe, A. Daudet). Mar. (Vx). *Temps de vinaigre ; vinaigre.*

DÉR. Vinaigrer, vinaigrette, vinaigrier.
COMP. Pisse-vinaigre.

VINAIGRER [vinɛgʀe] v. tr. — 1690, Furetière, au sens 2. ; 1680, au p. p. adj. ; de *vinaigre.*

♦ **1.** Vieilli. Appliquer du vinaigre sur (une partie du corps).

Les deux filles, affairées à vinaigrer les tempes de leur père, conseillèrent fermement au quatuor de s'éclipser (...) 1
René FALLET, le Triporteur, p. 271.

♦ **2.** Cour. Assaisonner avec du vinaigre. *Saler, poivrer et vinaigrer la salade.* — Au p. p. :

— J'ai beau le répéter à Désirée (...) sa mayonnaise est encore trop vinaigrée. 2
GIDE, Si le grain ne meurt, I, VI.

♦ **3.** (Mil. XIXe, au p. p.). Fig. et vieilli. Rendre piquant, cuisant. — (Surtout au p. p.). *Paroles vinaigrées,* acerbes. *Voix vinaigrée,* acide.

VINAIGRERIE [vinɛgʀəʀi] n. f. — 1723 ; de *vinaigrier.*

♦ **1.** Fabrique de vinaigre.

♦ **2.** (1876). Industrie du vinaigre.

VINAIGRETTE [vinɛgʀɛt] n. f. — 1393 ; de *vinaigre.*

★ **I.** Sauce faite d'huile et de vinaigre, salée et poivrée et le plus souvent aromatisée, qui sert à assaisonner la salade, les crudités. *Faire une vinaigrette pour la salade. Vinaigrette trop relevée. Bœuf froid à la vinaigrette, en vinaigrette.* — Ellipt. *Poireaux vinaigrette.*

★ **II.** (1680, Richelet ; à cause de la ressemblance avec les petites voitures ou « brouettes » des vinaigriers). Ancienne voiture à deux roues, analogue à la chaise à porteur.

(...) c'est un de ces hommes qui tirent les chaises à deux roues, qu'on appelle des vinaigrettes, la sienne est là, à côté de lui, posant sur ses brancards.
ARAGON, la Semaine sainte, XIV.

VINAIGRIER [vinɛgʀije] n. m. — 1514 ; de *vinaigre.*

★ **I.** ♦ **1.** Celui qui fait, qui vend du vinaigre. *Vinaigriers en gros. Voiturette, brouette des anciens vinaigriers ambulants.* ⇒ **Vinaigrette (II.).**

♦ **2.** (1572). Flacon pour mettre le vinaigre. *Huilier-vinaigrier* (appelé le plus souvent *huilier*).

★ **II.** ♦ **1.** (1762). Sumac (plante).

♦ **2.** (1842). Carabe doré (parce qu'il rejette un liquide acide).

DÉR. **Vinaigrerie.**

VINAIRE [vinɛʀ] adj. — 1756, *fermentation vinaire*; 1743, n. m., «marchand de vin, dans l'Antiquité»; lat. *vinarius*, de *vinum*.

♦ (1845). Rare. Qui concerne le vin. *Industrie vinaire.* ⇒ **Vinicole.**

VINASSE [vinas] n. f. — xvᵉ; «vin à demi-aigri», 1765; provençal *vinassa* «marc»; de *vin*.

♦ **1.** (1808). Techn. Résidu liquide, exempt d'alcool, qui reste après la distillation des liquides alcooliques de fermentation tels que le vin. *Utilisation des vinasses* (engrais, produits industriels).

♦ **2.** (1836). Cour. Mauvais vin. ⇒ **Picrate; rouge** (gros rouge). *De la vieille vinasse. Ça sent la vinasse. Marchand de vinasse* (→ Chambrer, cit. 3).

(...) chez son bistro (...) où le gros rouge imprimait difficilement ses traces sur le marbre trop gras des tables. De cette vinasse, Anatole versait un bon verre dans un bol de bouillon (...)   Francis JOURDAIN, Sans remords ni rancune, p. 104.

DÉR. **Vinassier.**

VINASSIER, IÈRE [vinasje, jɛʀ] adj. et n. — xxᵉ; probablt antérieur; de *vinasse*.

★ **I.** Adj. Rare et régional. Du vin; qui concerne le vin.

1   Il y a (...) là le sujet d'un roman vinassier, naturaliste en diable (...) mais je me fatigue d'y penser (...) Je n'ai pas le cœur à parler de coteaux jolis, ni de vins gais.
                                                        M. AYMÉ, le Vin de Paris, p. 105.

★ **II.** N. Ⓐ Marchand de vins. ⇒ **Pinardier.**

Ⓑ Grand buveur de vin.

2   — Allons donc! dit mon père en riant (...) Je ne présiderai pas un «bon déjeuner de chasseurs» dans un pays de grands vinassiers — car je suis bien sûr que l'explosion de Monsieur Bénazette a dû libérer d'abord un geyser de vin rouge!
                                                        M. PAGNOL, la Gloire de mon père, p. 193 (1957).

REM. Comme nom, seul le masculin semble attesté.

VINCENNITE [vɛ̃senit] n. f. — Déb. xxᵉ; de *Vincennes*, ville du Val-de-Marne, et suff. *-ite.*

♦ Techn. Gaz de combat à base d'acide cyanhydrique liquéfié, fabriqué à la cartoucherie de Vincennes pendant la Première Guerre mondiale.

(...) le cadre était admirablement choisi : dans la solitude du bois de Vincennes, la cartoucherie où se fabriquait jadis un gaz mortel, la vincennite.
                                                        S. DE BEAUVOIR, Tout compte fait, p. 218.

VINDAS [vɛ̃da] n. m. — xiiᵉ; var. de *guindas*. → Guindeau, guinder.

♦ **1.** Techn. Petit treuil ou cabestan volant.

♦ **2.** (1850, Laisné, *in* Petiot). Gymnastique. Pas-de-géant*.

VINDICATIF, IVE [vɛ̃dikatif, iv] adj. — V. 1400; dér. sav. du lat. *vindicare* «venger».

♦ **1.** (Personnes). Porté à se venger. ⇒ **Rancunier** (cit. 1; et → Adversaire, cit. 8; aise, cit. 6; guetter, cit. 4). *Il est haineux et vindicatif. Elle est vindicative mais pas méchante.*

1   Je vous ai dit que cette femme avait de la fierté; mais elle était bien autrement vindicative (...) Elle songea à se venger (...) d'une manière cruelle, d'une manière à effrayer tous ceux qui seraient tentés à l'avenir de séduire et de tromper une honnête femme.   DIDEROT, Jacques le fataliste, Pl., p. 604 (cf. Venger, cit. 6).

2   (...) on m'a beaucoup parlé du caractère vindicatif de nos compatriotes et de leur manière de se venger (...)   MÉRIMÉE, Colomba, IV.

♦ **2.** (Choses). Qui marque un esprit de vengeance (→ Égarer, cit. 10). *Ton vindicatif.* — Vx. *Justice vindicative.* ⇒ **Punitif.**

3   Il avait eu tort peut-être de faire destituer le vieux curé Chélan; car cette démarche vindicative l'avait fait regarder, par plusieurs dévotes de bonne naissance, comme un homme profondément méchant.
                                                        STENDHAL, le Rouge et le Noir, I, XXII.

DÉR. **Vindicativement.**

VINDICATIVEMENT [vɛ̃dikativmɑ̃] adv. — 1530; de *vindicatif.*

♦ Littér. D'une manière vindicative.

Enfuie avec pour tout bagage un sac à main mais en emportant vindicativement dans ses flancs, à l'intérieur de cette sorte de tabernacle clos, d'obscurité rouge, de châsse, celui que la ville ne devait revoir que trente-cinq ans plus tard.
                                                        Claude SIMON, le Vent, p. 18.

VINDICTE [vɛ̃dikt] n. f. — 1555; lat. *vindicta* «punition», en lat. impérial.

★ **I.** Dr. Poursuite et punition des crimes par l'autorité (→ Guillotine, cit. 2; irréparable, cit. 5). *Vindicte publique*, exercée au nom de la société. ⇒ **Justice.** *Vindicte sociale* (→ Mur, cit. 3).
Littér. *Désigner qqn à la vindicte du peuple, du public, à la vindicte publique...*, le signaler au public comme coupable de qqch. et méritant un châtiment. *Échapper à la vindicte publique.*

(...) il me déclarait perdu par l'influence d'Ibsen (...) et, me traitant comme un corrompu dangereusement corrupteur, appelait sur moi la vindicte publique (...)
                                                        Georges LECOMTE, Ma traversée, p. 242.

★ **II.** (1876, *in* P. Larousse). Didact. Dans l'ancien droit romain, Petite baguette symbolisant la force (qu'on était décidé à employer éventuellement pour défendre un droit).

VINDOBONIEN [vɛ̃dɔbɔnjɛ̃] n. m. — 1893, mot créé par Ch. Depéret; de *Vindobona*, nom latin de l'ancienne *Vienne.*

♦ Didact. (géol.). Étage du Néogène moyen (Miocène) groupant le Tortonien et l'Helvétien.

VINÉE [vine] n. f. — 1506; *vingnée*, xiiiᵉ; de *vin.*
Viticulture.

♦ **1.** Vieilli. Récolte de vin. — Endroit où la vendange fermente.

♦ **2.** (1877). Agric. Branche à fruits, dans la taille longue de la vigne.

HOM. **Viner.**

VINER [vine] v. tr. — 1864; «vendre du vin», 1325; de *vin.*

♦ Additionner d'alcool (les moûts ou les vins).
Au p. p. *Vin viné.* Ⓐ Anciennt. Vin de liqueur, vin doux naturel.

Ⓑ Mod. Produit ayant de 18° à 24° d'alcool, obtenu par addition d'alcool de vin non rectifié à un vin. *Les vins vinés sont destinés à la distillerie et à la vinaigrerie.*

DÉR. 2. **Vinage.**
HOM. **Vinée.**

VINETTIER [vinetje] n. m. — 1514; de *(épine) vinette*, et suff. *-ier.*

♦ Régional. Épine-vinette.

VINEUX, EUSE [vinø, øz] adj. — V. 1200; lat. *vinosus*, de *vinum* «vin».

♦ **1.** (V. 1350). Cour. Ⓐ Qui a la couleur du vin rouge. *D'un rouge vineux* (→ Lie*-de-vin). «*Visage blafard ou vineux*» (Baudelaire). *Gris clair vineux, rouan vineux*, rougeâtre (robe d'un cheval).

Ⓑ Qui a l'odeur du vin. *Haleine vineuse* (→ Chancelant, cit. 1). *Pêche vineuse, melon vineux*, qui a l'odeur, le goût du vin.

Ⓒ (Déb. xixᵉ). De vin. *Saveur vineuse. Odeur, couleur vineuse* (→ ci-dessus, a et b). «*Vapeurs vineuses*» (Toulet).

C'était un long boyau poussiéreux aux murs badigeonnés de brun avec la laideur sévère et l'odeur vineuse d'un entrepôt.   SARTRE, l'Âge de raison, IX.

♦ **2.** (xviᵉ). Vx. Riche, fertile en vin. «*Les côteaux vineux de la Bourgogne*» (Michelet). *Année vineuse*, où la récolte de vin est abondante.

♦ **3.** (1575). Techn. Riche en alcool (en parlant d'un vin); qui a une saveur chaude, puissante *(vinosité).*

♦ **4.** (Après 1850). Rare. Taché de vin. *Des serviettes vineuses.*

VINGT [vɛ̃] adj. numéral — 1080, *vint*, *in Chanson de Roland*; du lat. pop. *vinti*, contraction de *viginti*; le *g* est étymologique et surajouté à la forme normale «populaire» *vint.*
REM. Phonét. [vɛ̃] devant consonne (ex. : *vingt jours* [vɛ̃ʒuʀ] sauf dans les nombres de 22 [vɛ̃tdφ] à 29 [vɛ̃tnœf] et en liaison (ex. : *vingt ans* [vɛ̃tɑ̃], *vingt et un* [vɛ̃teœ̃].

♦ **1.** Numéral cardinal. Deux fois dix (20). ⇒ **Icos**(i)-. *Vingt sous.* ⇒ **Franc,** 2. **livre** (cit. 4). *Vingt francs. Le louis* (cit. 1) *valait vingt francs. Vingt minutes après* (→ Ponctuellement, cit. 1). *Vingt ans après*, roman d'A. Dumas. *Cinq heures moins vingt* (minutes). → 2. Pays, cit. 1. *Vingt poupées* (cit. 8) *sur vingt-deux.* «*Ce sont vingt mille francs* (3. Franc, cit. 1) *qu'il m'en pourra coûter*». *La majorité était fixée à vingt et un ans accomplis. Vingt et une secondes. Vingt-quatre heures*. — Fam. *Vingt-quatre heures sur vingt-quatre* : sans discontinuer, tout le temps. — Loc. *Dans les vingt-quatre heures* : avant la fin de la journée. — *Période* (cit. 8) *de vingt-huit jours. Cent vingt exécutants* (→ Soliste, cit.). — Loc. *Carabine vingt-deux long rifle.* ⇒ **Rifle.**

On ne peut quand même pas s'indigner vingt-quatre heures sur vingt-quatre.   0.1
                                                        Claude COURCHAY, La vie finira bien par commencer, p. 98.

(Dans le système vicésimal*). Vx. *Six-vingt* : cent vingt. *Six-vingts louis* (→ Article, cit. 6). ⇒ **Quinze-vingts**.

Mod. ⇒ **Quatre-vingts** ; **quatre-vingt-dix**.

(Emplois stylistiques). *Vingt ans* : âge représentatif de la jeunesse (effectivement de vingt ans ou supérieur de quelques années). *Une fille de vingt ans* (→ Flatteur, cit. 10). *Avoir vingt ans* (→ Mot, cit. 19 ; profiter, cit. 5). — Loc. *« Dans un grenier* qu'on est bien à vingt ans »*. *Il avait des jambes* (cit. 20) *de vingt ans*. *Il n'a plus vingt ans* : il n'est plus jeune.

Vingt (au sens de «un grand nombre de...»). ⇒ **Beaucoup**. *Vingt fois*. ⇒ **Souvent** (→ Cesse, cit. 5 ; miracle, cit. 15). *Par vingt endroits* (→ Assaillir, cit. 9). *Je vous l'ai dit vingt fois ! Toiles déteintes par vingt lavages* (→ Pâle, cit. 10). *Vingt peuples* (→ Position, cit. 4).

1   (...) ils avaient vaincu toute la terre
    Chassé vingt rois, passé les Alpes et le Rhin.   HUGO, les Châtiments, V, XIII, II.

Vingt dieux !, juron familier (employé surtout à la campagne ; parfois [vx] altéré en *vains dieux*). — REM. Il a pu y avoir croisement avec un homonyme (euphémisme pour *vin Dieu, sang Dieu*), mais cette forme n'est pas attestée.

1.1 Le capitaine alluma sa lampe électrique. La recherche fut longue, puis :
     — Vingt dieux ! souffla La Hure, je la tiens !
                                                   Jacques LAURENT, les Bêtises, p. 51.

♦ **2.** Numéral ordinal. Vingtième. *Page, chapitre vingt. Le vingt janvier. L'an vingt avant Jésus-Christ. En vingt..., vingt-neuf*, se dit en supprimant le quantième du siècle. *Les années vingt*.

2   Montrer ce monde et ses visages
    Dans la couleur des années vingt   ARAGON, le Roman inachevé, p. 84.

REM. S'emploie aussi dans les ordinaux composés : *vingt et unième* (vx : *vingt-unième*), *vingt-deuxième*, etc.

3   C'est l'emploi de la dîme du vin dont je n'ai pas parlé ; cette dîme est mal nommée, car elle n'est qu'un vingt-unième, ainsi que celle des gerbes ; sur vingt-une, le Curé prend la dernière : dîme plus raisonnable dans sa taxation et dans son application, que la nôtre (...)
                                   RESTIF DE LA BRETONNE, la Vie de mon père, p. 277.

♦ **3.** (Fin XIIIᵉ). Nominal masc. Le nombre vingt. *Vingt et dix font trente. Il y a vingt à parier* (cit. 10) *contre un. Vingt pour cent.* — Le numéro vingt. *Miser sur le vingt.* — Le vingtième jour du mois dont on parle. *Le vingt de chaque mois.* — L'immeuble portant le numéro vingt. *Habiter au vingt de la rue.*

(Dans la notation d'exercices scolaires, d'examens, de concours). *Sur vingt. Noter un devoir sur dix* ou sur vingt. Une note de huit sur vingt. Avoir vingt sur vingt.* — Ellipt. *Maman, j'ai eu vingt !* — Par plais. (hors de tout contexte scolaire). *Bravo, tu auras vingt !*
Fig. *« (...) un vingt sur vingt dans le regard »* (*Christine de Rivoyre, les Sultans*, p. 36).

Le vingt-et-un, ancien jeu de cartes, où le joueur essaie d'avoir vingt et un points dans sa main. *Le quatre-cent-vingt-et-un* (ou, ellipt., *le quatre-vingt-et-un*), jeu de dés. ⇒ **Quatre**.

DÉR. **Vingtain, vingtaine, vingtième, vingtuple.**
COMP. **Quatre-vingts, quinze-vingts, vingt-deux.**
HOM. **Vain, vin** ; formes des v. **venir, vaincre.**

VINGTAIN [vɛ̃tɛ̃] n. m. — XIVᵉ ; de *vingt*.
Vieux.

♦ **1.** Dr. féodal. Redevance du vingtième du fruit de la terre.

♦ **2.** (1723 ; anc. provençal *vinten*, XIVᵉ). Drap dont la chaîne était faite de vingt fois cent fils.

VINGTAINE [vɛ̃tɛn] n. f. — 1530 ; *vintaine*, XIIIᵉ ; de *vingt*.

★ **I.** Nombre approximatif de vingt. *Une vingtaine de personnes* (→ Financier, cit. 3 ; guignol, cit. 1 ; secoureur, cit. 3). *Une vingtaine de mille francs* (→ Obligation, cit. 3). *Une fille d'une vingtaine d'années* (→ Approchant, cit. 10). *Il y en a une vingtaine* (→ Mentir, cit. 11). *Une vingtaine d'entre eux* (→ 2. Lai, cit.).

★ **II.** (1676). Techn. Vx. Petite corde dont les maçons se servaient pour tenir écartés les fardeaux élevés le long d'un mur.

VINGT-DEUX [vɛ̃tdø] n. m. et interj. — XIXᵉ, aux sens spéciaux traités ci-dessous ; de *vingt*, et *deux*.
Spécialement.

♦ **1.** (1874). Fam. *Vingt-deux que...* : je parie que... ⇒ **Chiche**. — *Vingt-deux !* : attention ! *« Vingt-deux, v'là les flics ! »* (Dominique Rolin, *les Enfants perdus*, p. 45).

♦ **2.** Sports (rugby). *La ligne des vingt-deux mètres* : chacune des deux lignes tracées à 22 mètres de chaque ligne de but, et qui délimitent la zone défensive de chaque camp.
(1900, *in* Petiot). *Les vingt-deux mètres* : la zone défensive délimitée par cette ligne. *Mêlée ouverte dans les vingt-deux mètres français.*

— Loc. *Renvoi aux vingt-deux* : coup de pied de remise en jeu du ballon, donné de derrière la ligne des vingt-deux mètres.

VINGT-ET-UN [vɛ̃teœ̃] adj. et n. ⇒ **Vingt**.

VINGTIÈME [vɛ̃tjɛm] adj. numéral — XIIᵉ ; de *vingt*.

♦ **1.** (Ordinal de *vingt*). Dont le numéro, le rang est vingt. *La vingtième année de son règne* (→ Perplexe, cit. 3). *Le vingtième siècle* (→ 1. Quête, cit. 1). *Le vingtième parallèle* (cit. 5). *Le vingtième arrondissement de Paris.* — Ellipt. *Habiter dans le vingtième. Se classer vingtième sur cinquante. Il n'est que le vingtième.*

♦ **2.** (Fractionnel). Qui est contenu vingt fois dans le tout. *La vingtième partie* (→ 2. Livre, cit. 4) ou *le vingtième.*
Anciennt. *Vingtième* : impôt sur les biens-fonds, du vingtième du revenu.

DÉR. **Vingtièmement.**

VINGTIÈMEMENT [vɛ̃tjɛmmɑ̃] adv. — 1636 ; de *vingtième*.

♦ En vingtième lieu.

VINGT-QUATRE [vɛ̃tkatR] adj. ⇒ **Vingt**.

VINGTUPLE [vɛ̃typl] adj. et n. m. — 1550 ; de *vingt*, d'après *centuple, décuple*, etc.

♦ Vingt fois plus grand, plus élevé. — N. m. *Payer le vingtuple du prix d'avant-guerre.*

DÉR. **Vingtupler.**

VINGTUPLER [vɛ̃typle] v. — XIXᵉ (v. 1860, Proudhon) ; de *vingtuple*.

♦ **1.** V. tr. Multiplier par vingt.

♦ **2.** V. intr. Être vingt fois plus grand, plus élevé ; être multiplié par vingt.

VINI- Élément, du lat. *vinum* «vin». ⇒ **Viti-**.

VINICOLE [vinikɔl] adj. — 1831 ; de *vini-*, et *-cole*.

♦ Relatif à la production du vin (culture de la vigne* et fabrication du vin). *Industrie vinicole.* — (1876). Où la vigne est cultivée. *Région vinicole.* ⇒ **Viticole**. *« Les aspects variés de la France vinicole (...) un tableau de l'activité vinicole de la France »* (G. Ray, *les Vins de France*, p. 17-19).

VINICULTURE [vinikyltyR] n. f. — 1834 ; de *vini-*, et *culture*.

♦ Vx. Culture de la vigne pour le vin ; fabrication du vin. ⇒ **Viticulture**.

VINIFÈRE [vinifɛR] adj. — 1812 ; de *vini-*, et *-fère*.

♦ Didact. (agric.). Qui produit de la vigne. *Sol, terrain vinifère.*

VINIFICATEUR [vinifikatœR] n. m. — 1845 ; du rad. de *vinification*.

♦ **1.** Vieilli. Appareil, dispositif employé dans la vinification (pour isoler le vin de l'air, évacuer le gaz carbonique).

♦ **2.** (Mil. XXᵉ). Agric. Personne chargée de la vinification.

VINIFICATION [vinifikasjõ] n. f. — 1799 ; de *vini-*, sur le modèle de mots tels que *panification*.

♦ **1.** Tout procédé par lequel le jus de raisin (moût) est transformé en vin. *Vinification du moût et des parties solides.* ⇒ **Cuvage** (vins rouges). *Vinification en blanc*, après pressurage. *Sous-produits de vinification* : marcs, lies, tartres.

♦ **2.** (1872, *in* Littré). Fermentation alcoolique, transformation des glucides (sucres) en alcool par des levures.

DÉR. **Vinificateur, vinifier.**

VINIFIER [vinifje] v. tr. — Attestation isolée, 1845 ; repris XXᵉ ; du rad. de *vinification*.

♦ Techn. Traiter (les moûts) pour en faire du vin.

(...) des coopératives fermèrent leurs portes durant deux ou trois jours, incapables qu'elles étaient de vinifier à temps la masse de raisins apporté (...)
                              TALLEMAGRE, la Peine des hommes, *in* le Monde, 20 nov. 1956.

VINIQUE [vinik] adj. — 1836, Académie ; de *vin*.

◆ Techn., sc. Du vin. *Alcool vinique.* « *Puis on arrête la fermentation du moût par un apport d'alcool vinique (...) sans rompre la teneur en sucre* » (*Paris-Match*, 3 nov. 1973, p. 102).

VINOSITÉ [vinozite] n. f. — V. 1390, repris v. 1800 ; du lat. *vinosus*. → Vineux.

◆ Techn. Qualité d'un vin vineux, qui a de la force, une forte teneur en alcool.

La vinosité est la saveur chaude que donne un titre élevé d'alcool.
Jules CARLES, la Chimie du vin, p. 24.

VINOTHÈQUE [vinotɛk] n. f. — 1973, in *la Clé des mots* ; comp. hybride de *vin*, *-o-*, et *-thèque*. → Bibliothèque, discothèque.

◆ Comm. Centre d'exposition, de vente (parfois de dégustation) de vins. « *Vinothèque... Bien que ce néologisme ne figure pas (encore) dans le petit "Robert", il est assez évocateur pour que chacun (...) imagine des rangées de bouteilles de bon vin et de liqueurs...* » (*le Progrès de Lyon*, 20 oct. 1977).

VINTAGE [vɛ̃taʒ] n. m. — xxᵉ ; mot angl., « vin millésimé ». Anglicisme.

◆ **1.** Porto millésimé (opposé à *blends*, mélanges de plusieurs récoltes). — Champagne millésimé.

◆ **2.** Se dit des modèles d'automobiles construits avant 1918 et entre 1919 et 1930 (terme anglais adopté par la Fédération internationale des voitures anciennes ; on parle aussi de *vintage-car*).

VINYLE [vinil] n. m. — 1876 ; de *vin(i)-*, d'après *éthyle*.

◆ Chim. Radical monovalent non-saturé $CH_2 = CH-$. *Chlorure de vinyle* (désigne souvent du *chlorure de polyvinyle*). *Polyfluorure de vinyle* (résine).

DÉR. Vinylique, vinylite, vinyon.
COMP. Polyvinyle, vinylon.

VINYLIQUE [vinilik] adj. — 1876 ; de *vinyle*.

◆ Chim., techn. Se dit d'une substance renfermant le groupement vinyle. *Éther vinylique. Certains composés vinyliques donnent des résines qui sont à la base de matières plastiques et de textiles artificiels.*

VINYLITE [vinilit] n. f. — V. 1964 ; de *vinyle* ; nom déposé.

◆ Techn. Copolymère de chlorure et d'acétate de vinyle utilisé pour la fabrication des disques « *(...) le prix de la matière première — bande et cassette — n'est pas négligeable devant celui des quelques grammes de vinylite d'un disque* » (*Science et Vie*, Hi-Fi 1974, nᵒ 105, p. 22).

VINYLON [vinilɔ̃] n. m. — V. 1970 ; nom déposé, de *viny(le)*, et *(ny)lon*.

◆ Techn. Textile synthétique à base d'alcool polyvinylique.

VINYON [vinjɔ̃] n. m. — V. 1970 ; du rad. de *vinyle* ; marque déposée.

◆ Techn. Fibre synthétique fabriquée d'abord aux États-Unis, constituée de différents copolymères à base de chlorure de vinyle, différenciés par des lettres suivant le mot *vinyon*. — Ex. : *vinyon HH, vinyon N*.

VIOC [vjɔk] n. et adj. m. ⇒ Vioque.

VIOCARD, ARDE [vjɔkaʀ, aʀd] adj. et n. — 1879, *vioquard*, Esnault ; de *vioque*, et suff. *-ard*.

◆ Argot, vx. ⇒ Vioque. — N. *Un viocard, une viocarde.*

Les petites camarades, les femmes de chambre, chacune y allait de son bon mot. Dès qu'un client grisonnant ou viocard se pointait pour tirer un coup, toutes chuchotaient. « Attention m'ame Borniol, un colis pour le 30 ».
Martin ROLLAND, la Rouquine, p. 142.

VIOCQUE [vjɔk] n. et adj. ⇒ Vioque.

VIOL [vjɔl] n. m. — 1647 ; déverbal de 1. *violer*.

◆ **1.** Acte de violence par lequel une personne a des relations sexuelles avec autrui (comportant pénétration) contre sa volonté. ⇒ **Forcement** (vx) ; **outrage** (derniers outrages). — REM. Le compl. du

nom peut désigner un homme, dans les cas de sodomie. *Viol commis sur une mineure. Viol collectif. Il a été condamné à cinq ans de prison pour viol.*

Au fait, je n'avais été vraiment souillée que par un viol fait depuis cinq ans, dont les traces étaient refermées (...) un viol consommé dans un instant où mes sens engourdis ne m'avoient (sic) pas même laissé la faculté de le sentir.
SADE, Justine..., t. I, p. 133-134 (1791). [1]

Mais voilà qu'on crie d'une fenêtre : au viol ! au viol ! Ça nous a paru drôle, parce qu'on n'a jamais entendu dire qu'avec une femme, à Venise, il ait fallu en arriver à la violence (...)
J. ROMAINS, Volpone, IV, 2. [2]

Loc. *Ras le viol !* (contraction de *ras** *le bol* et de *viol*), slogan de protestation féministe contre le viol.

(Abstrait). *Viol psychique :* fait d'influencer l'opinion de qqn, d'inculquer à qqn à son insu les principes d'une idéologie.

Le « viol psychique » est l'une des atteintes les plus graves à la dignité humaine, car il aboutit à une véritable destruction de l'autonomie des consciences. Cette infraction devrait être qualifiée de crime et sanctionnée très sévèrement.
J. GRAVRAND, in le Monde, 24 nov. 1978, p. 16. [3]

◆ **2.** (xxᵉ). Fait de violer (1. Violer). *Le viol d'un sanctuaire. Viol des consciences.*

HOM. **Viole** ; formes des v. 1. **violer**, 2. **violer**.

VIOLABLE [vjɔlabl] adj. — V. 1380 ; de 1. *violer*.

◆ Qui peut être violé (1. Violer), subir une violation. *Une règle difficilement violable.* ⇒ **Transgressable.**

VIOLACÉ, ÉE [vjɔlase] adj. et n. f. — 1777 ; lat. *violaceus* « couleur de violette », de *viola* « violette ».

◆ **1.** Adj. Qui tire sur le violet. *Nuages violacés* (→ Bigarrer, cit. 2). *Marbre gris violacé* (→ Ossature, cit. 3). *Rouge violacé ; nez, teint violacés,* par le froid, la boisson. *Faces violacées* (→ Cireux, cit.).

Sur son visage qui devenait violacé, un peu plus sombre que son vêtement, s'est dessiné un sourire (...)
Michel BUTOR, l'Emploi du temps, p. 75.

◆ **2.** N. f. pl. (1810). Bot. LES VIOLACÉES, plantes dicotylédones, comprenant de nombreuses espèces d'herbes ou de sous-arbrisseaux des régions tempérées. ⇒ 2. **Pensée, violette.** — On trouve aussi *violariées* [vjɔlaʀje].

DÉR. Violacer.
HOM. V. **violacer.**

VIOLACER [vjɔlase] v. — Conjug. *placer*. — 1845 ; de *violacé*.

◆ **1.** V. intr. Devenir violet ou violacé. « *(...) la mer violaça et ce dernier éclat s'éteignit* » (Michel Déon, les Poneys sauvages, p. 343).

◆ **2.** V. tr. Rendre violet ou violacé. *Le froid lui violaçait les joues.*

▶ SE VIOLACER v. pron. (1883).
Prendre une teinte violette. « *Les coquelicots se fanent en se violaçant* » (Apollinaire).
HOM. **Violacé.**

VIOLARIÉES [vjɔlaʀje] n. f. pl. ⇒ **Violacé** (2.).

VIOLAT [vjɔla] adj. m. — 1210, n. ; adj., 1256 ; bas lat. *violatus* « où il entre des violettes *(viola)* ».

◆ Pharm. Qui contient de l'extrait de violettes. *Sirop, miel violat.*
HOM. Formes des v. 1. **violer**, 2. **violer.**

VIOLATEUR, TRICE [vjɔlatœʀ, tʀis] n. — 1360 ; lat. *violator*, du supin de *violare*. → 1. Violer.

◆ **1.** Celui, celle qui viole (1. Violer, 1.), enfreint, profane ce qui doit être respecté. ⇒ **Profanateur.** *Violateur des lois. Violateur de tombeau, de sanctuaire. Violateur de domicile.*

◆ **2.** (xvᵉ). Vx. Personne qui a commis un viol. ⇒ **Violeur.**

(...) La Mallonia déshonorée par Tibère et se présentant devant le Sénat romain pour accuser son violateur, avant de se poignarder en son désespoir (...)
VILLIERS DE L'ISLE-ADAM, Contes cruels, « Les demoiselles de Bienfilâtre ».

VIOLATION [vjɔlasjɔ̃] n. f. — 1586 ; *violacion*, xiiᵉ ; lat. *violatio* « profanation » ; de *violatum*, supin de *violare*. → 1. Violer.

◆ **1.** Action de violer (un engagement, un droit). *Violation de la loi** (→ Arguer, cit. 1), *de la Constitution, d'un traité.* ⇒ **Infraction.** *Violation d'un droit.* ⇒ **Atteinte, dérogation** (→ Prescription, cit. 1). *Violation du secret professionnel. Violation d'un serment. Violation de lois morales* (→ Œuvre, cit. 13). *L'adultère, violation de la foi conjugale.* ⇒ **Outrage** (à).

Le roi de France (...) défendait à Henri comme suzerain de rien entreprendre contre une ville qu'il protégeait. Ce scrupule n'arrêtait pas Becket ; il conseillait [1]

de brusquer l'attaque. Mais Henri craignait d'être abandonné de ses vassaux, s'il risquait une violation si éclatante de la loi féodale.
MICHELET, Hist. de France, IV, v.

♦ **2.** (V. 1355, *violacion*). Action de violer (une chose, un lieu) sacré ou protégé par la loi. *La violation des églises, des sanctuaires.* ⇒ **Profanation.** *La violation des hosties consacrées est un sacrilège*. — Une violation de domicile, de sépulture. La violation d'une frontière.*

2 Je l'accuse devant le Sénat d'imputation calomnieuse, de violation de domicile, et de tentative de meurtre. J. ROMAINS, Volpone, IV, 2.

VIOLÂTRE [vjɔlɑtʀ] adj. — 1468; repris XVIIIe, Diderot; du rad. de *violet.*

♦ Rare. Violacé. *Reflets violâtres* (→ Moire, cit. 3). *Avoir des cernes* (cit. 4) *violâtres autour des yeux.*

1 (...) il avait une large face rouge, toute fleurie de bourgeons violâtres (...)
ZOLA, la Terre, I, III.
2 Une nuit violâtre, qui se fermait sur Paris, lui fit sentir la fin proche de l'été (...)
COLETTE, Julie de Carneilhan, p. 160.

REM. Le dérivé *violâtrement* [vjɔlɑtʀəmɑ̃] est attesté chez A. Allais (1892, *in* D. D. L.).

VIOLE [vjɔl] n. f. — Déb. XIIe; anc. provençal *viola*, p.-ê. d'un dérivé du lat. *vivus* «vif», comme *vielle** (Guiraud).

♦ Instrument de musique à cordes et à archet, et dont la touche portait les frettes, utilisé en Europe à partir du XVe siècle. ⇒ **Violon.** *Viole soprano, alto, ténor et basse.* — (1703). *Viole d'amour* (→ Instrument, cit. 6), à six ou sept cordes. ⇒ aussi **Baryton.** — (V. 1600). *Viole de gambe*, destinée au jeu polyphonique, à onze, à seize cordes et deux bourdons, et qui se jouait entre les genoux. ⇒ **Violoncelle.** — *Jouer de la viole* (→ Prodige, cit. 4; et aussi harmonieux, cit. 1). *Joueur de viole.* ⇒ **Violiste.**

1 Le maître de chapelle eut à peine interrogé de l'archet la viole bourdonnante, qu'elle lui répondit par un gargouillement burlesque de lazzi et de roulades (...)
Aloysius BERTRAND, Gaspard de la nuit, Viole de gamba.
2 (...) Vincent Galilée chantait lui-même sa musique en s'accompagnant d'une viole de gambe (...)
HUGO, l'Homme qui rit, II, II, VIII.
Basse* de viole; dessus, «par-dessus» de viole (violes soprano).

DÉR. 2. Violer, violiste.
HOM. Viol; formes des v. 1. violer, 2. violer.

VIOLEMENT [vjɔlmɑ̃] n. m. — Déb. XIVe; de 1. *violer.*
Vx (langue classique).

♦ **1.** Viol. «*Le violement de Lucrèce*».

♦ **2.** (Déb. XVIIe, d'Aubigné). Violation.

VIOLEMMENT [vjɔlamɑ̃] adv. — 1538; *violentment*, déb. XIVe; de *violent.*

♦ **1.** Avec une force brutale. ⇒ **Brutalement.** *Il le frappa violemment au visage. Remuer* (→ Foudroyer, cit. 9), *se débattre violemment* (→ Frotter, cit. 13). *On frappa violemment à la porte.*

(Le grand-père) m'accompagnait à distance, vers la porte, dont il relança le battant sur moi, violemment, d'un grand coup de pied.
CÉLINE, Voyage au bout de la nuit, p. 250.

♦ **2.** (Domaine psychique). Âprement, vivement. *Réagir* (→ Effraction, cit. 4), *s'insurger violemment contre qqch.* (→ Intercesseur, cit. 2). *Manifester violemment son opinion, son désaccord.*

♦ **3.** (1690; avec un verbe de sentiment). Ardemment, fort. *Aimer, détester violemment qqn, qqch.*

CONTR. Doucement, légèrement. — Peu.

VIOLENCE [vjɔlɑ̃s] n. f. — 1215, «abus de la force»; lat. *violentia*, de *violentus.* → Violent.

♦ **1.** [a] (1538). FAIRE VIOLENCE À... : agir sur (qqn) ou faire agir (qqn) contre sa volonté, en employant la force ou l'intimidation. ⇒ **Forcer, obliger.** *Se faire violence* (→ Avancer, cit. 73), se dominer, se maîtriser. ⇒ **Contenir** (se), **contraindre** (se), **réprimer** (ses désirs), **vaincre** (se). *L'extrême violence que chacun se fait* (→ Contraindre, cit. 2). *J'ai dû me faire violence pour me taire.* — Par ext. *Faire violence à qqch., à un texte.* ⇒ **Dénaturer, forcer.** *Violence faite au droit d'autrui.* ⇒ **Agression, attentat.**
Vx. *Faire violence à une femme.* ⇒ 1. **Violer.**

[b] *La violence.* Force* brutale pour soumettre qqn. ⇒ **Brutalité.** *Acte, mouvement de violence. La violence est la loi de la brute* (→ Non-violence, cit.). *La domination de la violence* (→ Fascisme, cit. 2). *La guerre* (cit. 1) *est un acte de violence. Réprouver la violence.* ⇒ **Non-violent.** *Exercer la violence contre qqn* (→ Liberté, cit. 19). *Conquérir par la violence* (→ Par le fer* [1. Fer, II., 3.] et le feu). *Extorquer*, prendre par la violence.*

⇒ **Arracher, usurper.** *User de violence. Se résoudre à employer la violence.* ⇒ **Torture** (→ En venir aux extrémités*). *Recourir à la violence. Par violence, avec violence.* ⇒ **Force** (de vive force). *Répondre à la violence par la violence. Groupe qui agit dans la violence.* ⇒ **Agitation, révolte, révolution** (II., 2.). *Prendre le pouvoir par la violence. Emploi de la violence. L'escalade* de la violence. La violence et le crime. Scène de violence dans un film.* «*La violence a envahi les rues, il est même apparu une violence ludique pratiquée par les jeunes*» (*Sciences et Avenir*, n° 16, p. 6). — *Rôle de la violence dans l'histoire, dans la société. Réflexions sur la violence*, de Georges Sorel.

1 Plus fait douceur que violence. LA FONTAINE, Fables, VI, 3.
2 Entre rois, entre peuples, entre particuliers, le plus fort se donne des droits sur le plus faible, et la même règle est suivie par les animaux et les êtres inanimés : de sorte que tout s'exécute dans l'univers par la violence (...)
VAUVENARGUES, Réflexions et maximes, 187.
3 Je reconnais que la violence, sous quelque forme qu'elle se manifeste, est un échec. Mais c'est un échec inévitable parce que nous sommes dans un univers de violence; et s'il est vrai que le recours à la violence contre la violence risque de la perpétuer, il est vrai que c'est l'unique moyen de la faire cesser.
SARTRE, Situations II, p. 309.
3.1 Elle évita désormais de se mesurer à des adversaires mâles; mais en dépit de mes semonces, elle recourait à la violence quand elle était certaine d'avoir le dessus.
S. DE BEAUVOIR, la Force de l'âge, p. 491.
3.2 Je nomme violence une audace au repos amoureuse des périls. On la distingue dans un regard, une démarche, un sourire, et c'est en vous qu'elle produit les remous. Elle vous déconcerte. Cette violence en est calme qui vous agite. On dit quelquefois : «Un gars qui a de la gueule». Les traits délicats de Pilorge étaient d'une violence extrême. Leur délicatesse surtout était violente. Violence du dessin de la main unique de Stilitano, immobile, simplement posée sur la table, et qui rendait inquiétant et dangereux le repos. Jean GENET, Journal du voleur, p. 14.

Dr. *La violence, cause de nullité d'une convention* (Code civil, art. 110 et suivants). «*Il y a violence, lorsqu'elle est de nature à faire impression sur une personne raisonnable, et qu'elle peut lui inspirer la crainte d'exposer sa personne ou sa fortune à un mal considérable et présent*» (Code civil, art. 1112). *Attentat à la pudeur avec violence.*

♦ **2.** (V. 1320). *Une, des violences.* Acte par lequel s'exerce la violence (au sens 1.). *Violences physiques, sexuelles, morales. Violences graves.* «*Violences rétrogrades, de représailles*» (J. Romains). ⇒ **Sévice.** *Rêver de violences* (→ Gendarme, cit. 6). *Les violences de l'oppression, de la tyrannie, du terrorisme. Violences révolutionnaires. Une violence inutile.* — *Violences verbales* : excès de langage; insultes.

4 (...) vous ignorez la douce violence qu'un tendre amour fait sur nos cœurs (...)
MOLIÈRE, l'Avare, I, 2.
5 Les violences qu'on se fait pour s'empêcher d'aimer sont souvent plus cruelles que les rigueurs de ce qu'on aime. LA ROCHEFOUCAULD, Maximes, 369.

(1668, *faire une douce violence sur qqn*). Loc. iron. *Se faire une douce violence :* accepter une chose avec plaisir après une feinte résistance. ⇒ **Céder, consentir.**

♦ **3.** Disposition naturelle à l'expression brutale des sentiments; cette expression. *Il devint injurieux, puis honteux de sa violence.* ⇒ **Agressivité, colère, fureur, irascibilité** (→ Répliquer, cit. 2). *Parler avec violence.* ⇒ **Déchaîner** (se), **emporter** (s'). *Violence verbale* ⇒ **Invective**, cit. 4). *Allier la souplesse et la violence* (→ Grossièreté, cit. 5). *Préconiser une façon de voir avec la dernière violence. Réagir avec une incroyable violence* (→ Autorité, cit. 21). ⇒ 1. **Fougue, passion, véhémence, virulence.**

6 Pour vous donner une idée de sa violence, je vais vous dire en deux mots ce que je lui ai vu faire dans un paroxysme de colère.
BALZAC, Autre étude de femme, Pl., t. III, p. 239.
6.1 Puis, comme il avait la colère courte des débonnaires, et la violence poussive des faibles, il demeura debout entre les deux, haletant, ne sachant plus ce qu'il devait faire. MAUPASSANT, Monsieur Parent, Pl., t. II, p. 599.

Caractère brutal (d'une action). *La violence d'un procédé* (→ Humble, cit. 5). *Assister à une scène d'une extraordinaire violence* (→ Exaspérer, cit. 13).

♦ **4.** (1600). Force irrésistible, néfaste ou dangereuse (d'une chose). *La violence de l'ouragan* (→ Grêlon, cit. 1); *de la tempête, du mistral* (→ Par, cit. 39), *du vent qui emporte tout sur son passage.* ⇒ **Fureur, furie, intensité** (→ Déclarer, cit. 8). *Porte qui claque avec violence. Mélange qui explose* (cit. 2) *avec une violence extrême. Chose qui se rompt avec violence.* ⇒ **Éclater.** *Commotion d'une violence inouïe.* — *Qui produit des effets brutaux. La violence du venin* (→ Gorgée, cit. 2). *La violence des maux de tête.* — (Dans l'ordre psychologique). *La violence d'un sentiment, d'une passion* (→ Endormir, cit. 36). ⇒ **Déchaînement, intensité, virulence, vivacité.** *La violence du désir, du désespoir.* ⇒ **Ardeur, frénésie, impétuosité.**

7 Hé bien! de leur amour tu vois la violence,
Narcisse : elle a paru jusque dans son silence. RACINE, Britannicus, II, 8.
8 (...) et son amour pour Albert devint alors une passion dont la violence s'accrut de toute la force de sa jeunesse, des ennuis de sa solitude et de l'énergie secrète de son caractère. BALZAC, Albert Savarus, Pl., t. I, p. 815.

CONTR. Calme, douceur, mesure, paix.
COMP. et CONTR. Non-violence.

VIOLENT, ENTE [vjɔlɑ̃, ɑ̃t] adj. — 1213, sens 1. et 2.; lat. *violentus*, de *vis* «force, violence».

♦ **1.** (Personnes). Qui agit ou s'exprime sans retenue. ⇒ **Brusque, coléreux, impétueux** (→ Extrême, cit. 11). *Les hommes ont été de tout temps égoïstes, violents* (→ Aujourd'hui, cit. 28). *Une femme violente* (→ 1. Étranger, cit. 6). *Enfant violent.* ⇒ **Coléreux.** *Il s'est montré grossier* (cit. 12), *violent.* ⇒ **Brutal.** — *Être d'un caractère, d'un naturel violent. Nature violente.* ⇒ **Irascible, vif.** *Tempérament violent et atrabilaire** (cit. 4).

(...) je suis violent, et je me serais emporté.
                   MOLIÈRE, les Précieuses ridicules, 14.

N. *Un violent, une violente.*

(...) les violents, tous ceux qui s'abandonnent à leurs passions, tous ceux qui jugent ingénument d'après leurs désirs, et qui sans cesse forcent les autres, sans s'en douter, et même en criant de bonne foi que personne n'a d'égards pour eux.
                   ALAIN, Propos, 15 oct. 1911, Les méchants.

(Choses). *S'abandonner à des mouvements* (cit. 11) *violents.* ⇒ **Emportement.** *Colère violente* (→ Disposition, cit. 16). *Transports* (cit. 10) *violents. Des paroles violentes* (→ Fluctuation, cit. 2). *Une violente critique.* ⇒ **Virulent.** — *Employer des moyens violents.* ⇒ **Violence** (2.); **cruel; oppressif** (→ Doux, cit. 25; pressurer, cit. 1). — *Révolution violente* (opposée à *pacifique*). *Agitation* (cit. 12) *violente.* ⇒ **Fiévreux.** *L'action violente d'un drame* (→ Dérouler, cit. 4).

♦ **2.** (1213). Qui a un intense pouvoir d'action ou d'expression. — (En parlant des sentiments). *Les passions les plus violentes.* ⇒ **Ardent, éperdu, extrême,** 1. **fort, frénétique** (→ Agiter, cit. 6). *Le combat violent de deux passions.* ⇒ **Farouche** (→ Lutte, cit. 12). *Un amour violent* (→ Extravagance, cit. 7). *Une fureur renfermée* (cit. 11) *qui n'en était que plus violente. De violents chagrins* (→ Imaginatif, cit. 2). *Désir* (cit. 1 et 14) *violent. Un besoin aussi violent que la faim.* ⇒ **Aigu, impérieux, intense** (→ Altruisme, cit. 3). *Une violente peur. Rendre un sentiment plus violent.* ⇒ **Exacerber.**

(...) plus les passions sont violentes, plus les lois sont nécessaires pour les contenir (...)   ROUSSEAU, De l'inégalité parmi les hommes, I.

Le récit *(de Mauriac)* est rapide. On le sent écrit d'un trait, fusant de l'esprit sous la pression de passions intérieures violentes, dans l'impatience, dans la frénésie.
            A. MAUROIS, Études littéraires II, Mauriac, v.

(En parlant des forces matérielles, naturelles). ⇒ 1. **Fort, grand.** *Des vents violents* (→ Accablant, cit. 2). *Une violente averse* (cit. 7). *Un violent tremblement de terre* (→ Bondissement, cit.). *Un violent orage qui éclate* (→ Peine, cit. 38). *Heurt* (→ Obscur, cit. 11), *coup* (→ Lance, cit. 1), *choc violent.* ⇒ 1. **Fort, terrible.** *Remèdes violents* (→ 1. Feu, cit. 37), très actifs et dangereux par leurs effets secondaires (→ Remède de cheval*). *Poison violent.* — *Un accès* (cit. 9) *de fièvre violent* (→ Une grosse fièvre*). — *Une violente migraine.*

(Mil. XVIIIᵉ). Par ext. Qui est intense, a un effet intense sur les sens. *Impression violente.* ⇒ **Fulgurant** (→ Saisissant, cit. 2). *Bruit violent.* ⇒ **Épouvantable, terrible** (→ Un bruit d'enfer*, II., 2.). *Parfums violents* (→ Marchand, cit. 12); *violente odeur* (→ Paquetage, cit. 2; et aussi ferrer, cit. 1). *Ton* (→ Fouillis, cit. 2), *éclat violent* (→ Rhododendron, cit. 2). *Couleur violente.* ⇒ **Criard.** *Maquillage trop violent.* ⇒ **Outré.** *Œuvres d'art violentes* (→ Paire, cit. 40).

De loin, elle voyait à l'envers l'étude que le peintre avait ébauchée d'après elle, si violente dans ces tons violents, des grands traits de pastel sabrant les ombres, qu'elle n'osait demander à le regarder de près.   ZOLA, l'Œuvre, I.

Une violente odeur de tannerie régnait alentour. Jerphanion la reniflait avec surprise.   J. ROMAINS, les Hommes de bonne volonté, t. II, xv, p. 177.

(En parlant de choses abstraites). *Contraste violent* (→ Estival, cit. 1). *Une violente opposition* (→ Prosélyte, cit. 3).

♦ **3.** (XVIIᵉ). Qui exige de la force, de l'énergie. *Exercices violents* (→ Tirer, cit. 29). *Sports violents. Faire de violents efforts* pour...* ⇒ **Énergique.**

♦ **4.** (XVIᵉ). *Mort violente* (opposé à *mort naturelle*) : mort brusque et dont la cause est humaine (meurtre; exécution; fait de guerre; plus rarement, accident). ⇒ **Accidentel, funeste** (vx). *Il mourut* de mort violente* (→ Guillotine, cit. 3). *Faire mourir de mort violente.* ⇒ **Tuer.**

♦ **5.** (1671). Fam. Excessif. *C'est un peu violent !* (→ C'est un peu fort* !).

Holà ! laquais (...) En vérité, voilà qui est violent, de ne pouvoir pas avoir un laquais, pour donner des sièges.   MOLIÈRE, la Comtesse d'Escarbagnas, 2.

CONTR. **Anodin, apaisant, bénin, calmant, calme, doux, léger, pacifique, patient.**
DÉR. et COMP. **Violemment, violenter. — Non-violent.**

VIOLENTER [vjɔlɑ̃te] v. tr. — 1375; de *violent.*

♦ **1.** Vx. Contraindre (qqn) par la force. ⇒ **Forcer, obliger.** — (XXᵉ). Mod., littér. *Violenter une femme,* la violer.

♦ **2.** (1633). Littér. Aller à l'encontre de (qqch.), faire violence à. *Violenter une loi. Violenter une inclination, un sentiment.* ⇒ **Forcer.**

Par ext. Dénaturer, altérer (qqch.). *Violenter un texte.* ⇒ **Torturer.**

Le prestige personnel du souverain aidait au triomphe de ses armes. La vie délicieuse qu'il menait donnait une plus haute idée de sa puissance. Pour en réaliser le rêve, il recréait la nature, il la corrigeait et la violentait, jusqu'à ce qu'elle eût traduit l'inspiration de ses artistes et sa pensée à lui *(Louis XIV).*
           Louis BERTRAND, Louis XIV, III, I.

Au p. p. *Notre goût émoussé, violenté* (→ Breuvage, cit. 2).

(1660). Vieilli. Transgresser (une règle). *Violenter la grammaire, la syntaxe.*

DÉR. **Violenteur.**

VIOLENTEUR [vjɔlɑ̃tœʀ] n. m. — XXᵉ; de *violenter.*

♦ Rare, littér. Celui qui violente, viole (qqn). ⇒ **Violeur.**

À le voir défiler derrière les rideaux ou par une porte entrebâillée, mon groupe était composé d'un chauffard, d'un violenteur de pucelles, d'un coupeur d'oreilles, d'un écorcheur et d'un incendiaire de couvent (...)
          Jacques PERRET, Bande à part, p. 23.

1. VIOLER [vjɔle] v. tr. — 1080, in *Chanson de Roland,* sens 1. et 2.; lat. *violare.*

♦ **1.** Agir contre, porter atteinte à (ce qu'on doit respecter), faire violence à... *Violer les lois, la constitution.* ⇒ **Contrevenir, déroger** (à), **désobéir, enfreindre, fausser** (vx), **transgresser; violateur, violation** (→ Immédiat, cit. 4 ; légal, cit. 3). *Violer les droits* les plus sacrés.* ⇒ **Profaner** (→ Franchir, cit. 14). *Violer des règles*, des principes.* ⇒ **Blesser, braver, manquer** (à), **passer** (par-dessus...). — Vieilli. *Violer sa foi.* ⇒ **Abandonner** (→ Infidélité, cit. 9). *Violer ses promesses* (cit. 1 ; et → Inconséquent, cit. 3). ⇒ **Parjurer** (se). — *Violer un secret* (⇒ **Trahir**), *un serment. Violer le secret professionnel. Violer les règles du savoir-vivre, les convenances* (cf. Franchir les bornes). — *Violer un traité,* ne pas en respecter les clauses.

Ne fait-il des serments que pour les violer ?   RACINE, Iphigénie, V, 2.

Une discussion très grave eut lieu pour savoir si l'on violerait le secret des lettres, si l'on ouvrirait cette correspondance suspecte, adressée à un prince qui, par sa fuite précipitée, se déclarait ennemi.
        MICHELET, Hist. de la Révolution franç., II, IV.

L'histoire de George Sand est celle d'une femme qui (...) ayant violé toutes les conventions, tant dans sa vie privée que dans sa vie publique, s'imposa pourtant au respect de tous par le génie, le travail et le courage.
        A. MAUROIS, Lélia..., I, A. Dupin.

♦ **2.** (1080). Agir de force sur (qqch. ou qqn) de manière à enfreindre le respect qui lui est dû. *Violer une sépulture.* ⇒ **Profaner.** *Violer le lieu d'un culte, un sanctuaire.* ⇒ **Souiller.** — *Violer les domiciles* (→ Suspect, cit. 5). — Littér. *Violer la porte de qqn,* pénétrer* de force chez lui.

Mais les reliques n'arrêtaient pas les barbares. Ils semblaient au contraire acharnés à violer les sanctuaires les plus révérés. Ils forcèrent Saint-Martin de Tours, Saint-Germain-des-Prés à Paris, une foule d'autres monastères.
        MICHELET, Hist. de France, II, III.

(...) en vertu de quel droit violez-vous ainsi mon domicile, ma liberté personnelle et toutes les vertus domestiques ?
        BALZAC, Une ténébreuse affaire, Pl., t. VII, p. 528.

♦ **3.** (V. 1170). Avoir des relations sexuelles (comportant pénétration) avec (qqn) par la force, sans son consentement. *Violer une femme, une fillette,* la posséder contre sa volonté. *Elle s'est fait violer dans un parking.* ⇒ **Forcer** (I., 2.), **outrager, violenter** (→ Guerre, cit. 2).

Mais dès que tu n'es pas vierge, dit *Rombeau,* qu'importe, tu ne seras coupable de rien, nous allons te violer comme tu l'as déjà été, et dès lors pas le plus petit péché sur ta conscience ; ce sera la force qui t'aura tout ravi (...)
        SADE, Justine..., t. I, p. 32 (1791).

Routier de l'époque insigne
Violant des villanelles,
Comme aussi, blancheurs de cygne !
Violant des péronnelles.   VERLAINE, Dédicaces, VI.

▶ **VIOLÉ, ÉE** p. p. adj. *Femmes violées.* — N. f. *« Le viol commence par la drague, les violées c'est pas toutes des salopes et les violeurs c'est n'importe qui »* (Charlie-Hebdo, 12 janv. 1978, p. 15).

CONTR. **Consacrer, garder, obéir, observer, respecter.** — (Du p. p.) **Inviolé.**
DÉR. **Viol, violable, violement, violeur.**
COMP. **Inviolable.**
HOM. 2. **Violer.**

2. VIOLER [vjɔle] v. tr. — 1890, Verlaine; de *viole.*

♦ Création d'auteur, par jeu de mots avec 1. *violer* (→ 1. Violer, cit. 6). Jouer à la viole. *« Routier (...) violant des villanelles »* (Verlaine).
HOM. 1. **Violer.**

VIOLET, ETTE [vjɔlɛ, ɛt] adj. et n. — 1200; dér. régressif de *violette.*

♦ **1.** Adj. Qui est de la couleur obtenue par le mélange du bleu et du rouge. *Iris violet. Pierre violette.* ⇒ **Améthyste.** *Marbres* (1.

Marbre, cit. 1) *violets. Vapeurs violettes de l'iode. Encre violette* (→ Signature, cit. 2). *Velours cramoisi* (cit. 1), *violet. Camail violet* (→ Épiscopal, cit. 2) *d'un évêque. Un ruban violet d'officier d'Académie* (→ 1. Palme, cit. 7).

0.1   Et j'aurais cru qu'il dormait, si son visage n'eût été violet, violet affreusement, de ce violet sinistre qu'ont les aubergines.
           O. MIRBEAU, le Journal d'une femme de chambre, p. 19.

Par ext. (En parlant de la couleur que donne à la peau un afflux de sang provoqué par la peur, le froid, les coups). ⇒ **Violacé.** *Visages livides* (cit. 2), *lèvres violettes. Zébrures violettes* (→ Noir, cit. 9). *Ecchymoses violettes. Être violet de froid. Devenir violet de colère, de honte.*

1   — Ma pauvre petite, vous feriez bien mieux de ne pas rester là, vous prendrez du mal (...) Vous êtes violette.
           ZOLA, l'Assommoir, I, t. I, p. 7.

♦ **2. N. m.** (1530 ; « colorant violet », 1359). Couleur violette, correspondant à l'extrémité du spectre visible de la lumière blanche, opposée au rouge. *L'orange colore* (cit. 3), *le violet ombre* (→ aussi Consonance, cit. 7). *Violet pâle.* ⇒ **Lilas, mauve, parme.** *Rouge tirant sur le violet.* ⇒ **Pourpre** (II., 1.), **violine, zinzolin.** — (1680). Vx. *Violet rouge.* ⇒ **Incarnat.** *Violet foncé.* ⇒ **Aubergine, lie-de-vin, pensée, prune.** *Montagnes d'un violet noir* (→ Distinguer, cit. 33). — (1740). *Violet agathe.*

2   (...) une nuée semble naître de la terre ; elle s'élève verticalement et envahit le ciel ; sa couleur est de ce bleu noir où s'amassent les violets déchirants de la foudre.
           J.-R. BLOCH, la Nuit kurde, Prélude.

(1680). Spécialt. Vêtements violets. *Porter du violet. Les évêques sont habillés en violet.*

♦ **3. N. m.** (1803). Bois des Indes utilisé en ébénisterie. — Syn. : *bois violet.*

♦ **4. N. m.** (1904). Régional. Coquillage (cit. 2) de la Méditerranée. ⇒ **Janthine.**

3   Parfois, elle l'envoyait chez les pêcheurs pour acheter des moules fraîches ou des violets pareils à des tomates pourries, mais qui ont l'odeur de l'amour.
           J. GIONO, Naissance de l'Odyssée, Pl., t. I, p. 6.

DÉR. Violeter. — V. Violâtre, violine.
COMP. Ultra-violet.
HOM. Formes des v. 1. violer, 2. violer.

VIOLETER [vjɔl(ə)te] v. tr. — Conjug. *acheter.* — 1861 ; de *violet.*

♦ Rare. Colorer en violet.

VIOLETTE [vjɔlɛt] n. f. — 1140 ; de l'anc. franç. *viole,* du lat. *viola.*

♦ **1.** Petite plante herbacée *(Violacées),* annuelle ou vivace, à fleurs violettes ou blanches, solitaires, à cinq pétales. *Violette odorante, russe, des chiens, tricolore, cornue. Violette de Parme* (inodore). *Les bois étaient pleins de violettes* (→ Fringale, cit. 2).

Fleur de cette plante. *Les violettes exhalent* (cit. 1) *leur doux parfum. Mauve comme la violette de Parme* (→ 1. Glacier, cit. 4 ; nappe, cit. 1). *Bouquets de violettes* (→ Immortelle, cit. 1). *L'humble violette, symbole de la modestie. La violette odorante, fleur pectorale* utilisée dans la composition de sirops adoucissants.* — *Essence de violette utilisée en parfumerie* (⇒ **Ionone**), *en teinturerie.*

1   Violettes à courte tige, violettes blanches et violettes bleues, et violettes d'un blanc-bleu veiné de nacre mauve, — violettes de coucou anémiques et larges, qui haussent sur de longues tiges leurs pâles corolles inodores (...) Violettes de février, fleuries sous la neige, déchiquetées, roussies de gel, laideronnes, pauvresses parfumées (...) Ô violettes de mon enfance !
           COLETTE, les Vrilles de la vigne, p. 55.

(1845). Par ext. Parfum à la violette. *Désodorisant ménager à la violette.*

Violette de... (autres fleurs). *Violette de Marie :* campanule violette. *Violette de la Chandeleur :* perce-neige. *Violette du Cap :* saintpaulia. *Violette d'automne :* colchique.

Représentation d'une violette. *Violettes en sucre pour décorer les gâteaux.*

♦ **2.** (1694, *bois de violette*). En valeur d'adjectif. *De violette :* qui a la couleur de la violette. ⇒ **Violet** (1.). *Bois de violette,* nom donné au palissandre. — Poét. *Des yeux de violette* (→ Arc, cit. 13 ; frisson, cit. 23).

2   (...) des portraits sobres, mais colorés par sa voix dorée et rauque, sous le doux fleurissement de ses yeux de violette.
           PROUST, À la recherche du temps perdu, t. XIII, p. 211.

♦ **3.** Iron. (Du sens 1.). Personne humble. *C'est une violette, une humble violette.*

3   Il n'aurait que ce qu'il mérite ; c'est un maître fat. — Lui ? une violette.
           Émile AUGIER, le Mariage d'Olympe, III, 1.

VIOLEUR, EUSE [vjɔlœR, øz] n. et adj. — XIVe ; *violere,* fin XIIe ; de 1. *violer.*

♦ Personne qui commet un viol. *Les violeurs et les violées.*

1   Or, même si je n'avais jamais rencontré dans ma vie un seul homme qui ne soit

salaud, violeur ou misogyne, je ferais crédit à l'humanité d'en avoir créé quelques-uns parce qu'il est impossible qu'il en soit autrement.
           Michèle PERREIN, Entre chienne et louve, p. 121.

Adjectif :

2   (...) le fils, inconscient de l'effet produit, reprenait ses histoires de Russes violeurs et voleurs, violeurs de toutes les femmes allemandes entre douze et soixante dix ans, voleurs de toutes les montres des prisonniers français.
           Roger IKOR, les Fils d'Avrom, Les eaux mêlées, p. 679.

VIOLIER [vjɔlje] n. m. — 1361 ; de l'anc. franç. *viole,* lat. *viola.* → Violette.

♦ Giroflée rouge (appelée aussi *vélar*). ⇒ **Matthiole.**

1   (...) le parfum sauvage et pénétrant du violier qui mouchète de ses bouquets d'or la robe de lierre de la féodale et caduque cité de Louis XI (...)
           Aloysius BERTRAND, Gaspard de la nuit, Introd., I.

2   La garrigue remuait doucement, comme une énorme bête qui s'ébranle. Ses violiers, sur le seuil, mouraient.
           J. GIONO, Solitude de la pitié, Pl., t. I, p. 465.

VIOLINE [vjɔlin] n. f. — Av. 1831, Boulay ; du rad. de *violette, violet.*

♦ **1.** Chim. Alcali extrait des fleurs de la violette odorante. — (1872). Colorant violet d'aniline.

♦ **2.** Adj. (1872 ; du lat. *viola*). De couleur violet pourpre. *Robe en ottoman* (cit. 4) *violine.*

VIOLISTE [vjɔlist] n. — XVIIe ; *violeur,* XVIe ; de *viole.*

♦ Mus. Joueur de viole.

VIOLON [vjɔlɔ̃] n. m. — 1500, *vyolon* ; ital. *violone* « grosse viole, contrebasse », de *viola* « viole », et suff. augmentatif *-one,* le mot pour « violon » étant *violino,* diminutif.

★ **I.** ♦ **1.** Instrument de musique à quatre cordes accordées en quintes, que l'on frotte avec un archet. *Parties du violon.* ⇒ **Âme** (cit. 83), **bouton, chevalet, corde** (et **bourdon, chanterelle), corps, crosse, éclisse, fond, manche, mentonnière, ouïe, queue, sillet, table** (et aussi **chanteau), touche.** *Tout est beau, dans le violon* (→ Évidemment, cit. 1). *Facteur de violons.* ⇒ **Luthier.** *Violon signé Stradivarius* (⇒ **Stradivarius**), *Amati* (⇒ **Amati**), *Guarnerius. Violons de Crémone. Bon violon, mauvais violon* (⇒ **Crin-crin**). *Accorder un violon, mettre une sourdine* à un violon. Violon de poche.* ⇒ **Pochette.** *Le violon se tient entre l'épaule et le menton. Jouer du violon* (→ Concert, cit. 14) ; *gratter, racler* (cit. 6) *du violon. Accompagner un air, un musicien au violon. Musicien qui joue du violon en concert.* ⇒ **Violoniste.** *Joueur de violon de village.* ⇒ **Ménétrier, violoneux** (→ 2. Marche, cit. 28). *Racleur* (cit. 2) *de violon. Jeu du violon.* ⇒ **Archet, corde** (double corde), **pizzicato, staccato, trémolo** (→ Phrase, cit. 18), **vibrato.** *Au son des violons* (→ Grill-room, cit.). *« Les sanglots longs Des violons »* (→ Langueur, cit. 8, Verlaine). *« Le violon frémit* (cit. 3) *comme un cœur qu'on afflige ».* — *Sonate pour piano et violon* (→ Graduer, cit. 7). *Les deux violons, le violoncelle et l'alto du quatuor* à cordes* (→ Attaquer, cit. 8). *La partie du second violon* (→ Batterie, cit. 7). — Par ext. *Famille des violons : le violon* (qui a le registre le plus aigu), *l'alto, le violoncelle, la contrebasse* (cit.). *Le rebec*, violon à long manche* (→ Rebab, cit.).

Loc. fig. *Accorder ses violons :* se mettre d'accord (dans ce qu'on dit).

0.1   Que nos violons, à *l'Express,* ne soient plus toujours accordés, les gens s'en irritent, ou se scandalisent, ou font semblant.
           F. MAURIAC, le Nouveau Bloc-notes 1958-1960, p. 65.

Fam. *C'est comme si on pissait dans un violon ! :* tout est inutile, il n'y a rien à faire.

(XXe). **VIOLON D'INGRES :** fait, pour un artiste, de pratiquer un art qui n'est pas le sien (le peintre Ingres aurait excellé au violon) ; par ext., activité artistique exercée en dehors d'une profession. *Avoir un violon d'Ingres. L'aquarelle est son violon d'Ingres.*

♦ **2.** (1553). Musicien, musicienne qui joue du violon. ⇒ **Violoniste** (→ Celliste, cit. ; scander, cit. 1). *Être violon dans un orchestre* (cit. 2 ; et → Jouer, cit. 56). *Premier violon d'un orchestre :* violoniste qui dirige les violons (→ Chef de pupitre*). *Premier, second violon dans un quatuor :* violoniste qui joue la première, la seconde partie de violon.

1   Je me souviens d'un premier violon, qui avait joué son solo à peu près comme on prend un purgatif, et qui se levait aux applaudissements, de l'air d'un homme qui va manquer son train de minuit quinze.
           ALAIN, Propos, 17 août 1921, L'homme au tambour.

Loc. (1854, Henri Monnier, *les Bourgeois de Paris,* 6). *Aller plus vite que les violons :* aller trop vite, précipiter les choses. — Vx. *Payer les violons :* offrir un bal à une belle. — Fig., mod. Payer les frais* sans en avoir le profit.

2   — Mais à ta place un être avec du sens,
     Payant les violons, voudrait mener la danse (...)
           VERLAINE, Sagesse, I, III.

♦ **3.** Art, jeu du violon. *Apprendre le violon.* — Musique de violon. *Aimer le violon, le violon en jazz. On entendait un violon. Violon faux* (cit. 36), *aigre* (→ Jouer, cit. 55).

★ **II.** (1790, Esnault ; peut-être par anal. des cordes et des barreaux). Prison de police, contiguë à un poste ou un corps de garde, où l'on enferme ceux qui sont arrêtés le soir en attendant de les interroger le lendemain (→ Flagrance, cit.). *Passer la nuit au violon* (→ Prison, cit. 6).

Il fallut créer une police nouvelle pour contenir les perturbateurs de l'ordre public. Un violon fut installé dans la maison commune, et il se peupla jour et nuit de récalcitrants. J. VERNE, le Docteur Ox, p. 76.

★ **III.** ♦ **1.** Techn. ⓐ (1810). Petit tour à main, actionné à l'aide d'un archet. — Foret de sculpteur.

ⓑ (1838). Planche garnie de fils métalliques (comparés à des cordes de violon), utilisée dans l'impression des tissus.

♦ **2.** (Déb. xxᵉ). Mar. (Par anal. de forme). ⓐ Cadre de bois amovible qu'on pose autour d'une table afin d'empêcher les objets de tomber en cas de roulis.

ⓑ *Violon de ris* : dans certains gréements, Poulie fixée sur la bôme et dans laquelle court une bosse de ris.

Les violons de ris reçoivent le même entretien : suif, suif, complément du marin, moyen simple de limiter l'usure et de maintenir toutes les manœuvres courantes en bon état. Bernard MOITESSIER, Cap Horn à la voile, p. 203.

(1872). *Poulie à violon* : poulie munie de deux réas* de diamètre différent.

♦ **3.** *Dossier de siège en violon.* ⇒ **Violoné**. — (xxᵉ). Brosse à habit dont la monture rappelle la forme d'un violon.

DÉR. **Violoné, violoner, violoneux, violoniste.**

VIOLONCELLE [vjɔlɔ̃sɛl] n. m. — 1743, Rousseau ; *violoncello*, 1709 ; ital. *violoncello* «petit *violone*». → Violon (étym.).

♦ **1.** Instrument de musique à quatre cordes et à archet, semblable au violon mais plus gros, dont on joue assis en le tenant entre les jambes. ⇒ (vx) **Basse** (de viole). *Le violoncelle est une quinte au-dessous de l'alto. Des ronflements de violoncelle* (→ Style, cit. 12). *Partie de violoncelle d'un quatuor à cordes* (→ aussi Attaquer, cit. 48). *Sonate pour violon et violoncelle. Concerto pour violoncelle et orchestre.* — Par métaphore. *Voix de violoncelle,* chaude et bien timbrée (on a appliqué l'expression à A. Briand).

♦ **2.** (1803, *in* Boiste). Violoncelliste. *Il est violoncelle dans un orchestre de chambre. Le violoncelle d'un quatuor à cordes.*

DÉR. **Violoncelliste.**

VIOLONCELLISTE [vjɔlɔ̃selist] n. — 1821, Castil-Blaze ; de *violoncelle.*

♦ Musicien, musicienne qui joue du violoncelle. *Une brillante carrière de violoncelliste. Une violoncelliste de concert, d'orchestre.* ⇒ **Violoncelle** (2.).

VIOLONÉ, ÉE [vjɔlɔne] adj. — xxᵉ ; de *violon.*

♦ Arts décoratifs. En forme de violon (caractéristique du style Louis XV). *Fauteuil à dossier violoné ; spatule violonée d'une fourchette.*

VIOLONER [vjɔlɔne] v. — 1656, *in* D.D.L., *«les violons violonèrent»* ; de *violon.*

♦ Rare, fam. Intrans. Jouer du violon. — Trans. *Violoner un air.* — Au p. p. :

Le gros tzigane est encore venu nous verser dans l'oreille ses confidences violonées, sa musique en forme de vrille. Émile HENRIOT, la Rose de Bratislava, XI.

VIOLONEUX [vjɔlɔnø] n. m. — 1750, *in* D.D.L. ; *violonneur*, 1821 ; de *violon.*

♦ **1.** Violoniste de village. ⇒ **Ménétrier**. *Le violoneux menait la noce.*

♦ **2.** Fam. Violoniste médiocre.

VIOLONISTE [vjɔlɔnist] n. — 1821, Castil-Blaze ; de *violon.*

♦ Musicien, musicienne qui joue du violon*. *Violoniste qui couche la joue sur son violon* (→ Creuser, cit. 5). *Une grande violoniste. Violoniste de concert, d'orchestre. Un violoniste de jazz.*

VIOMYCINE [vjɔmisin] n. f. — Mil. xxᵉ ; de *vio(let)*, et *-mycine.*

♦ Pharm. Antibiotique extrait des cultures de *Streptomyces puniceus* (pourpré) ou *floridæ*, actif contre les bacilles tuberculeux résistants à la streptomycine.

La viomycine fut utilisée à partir de 1951 sous forme de sulfate (viocine). Cet antibiotique moins actif que la streptomycine n'a pas d'autre indication importante hors la tuberculose. A. GALLI et R. LELUC, les Thérapeutiques modernes, p. 111.

VIOQUE [vjɔk] adj. et n. — 1815, Esnault ; de *vieux*, et suff. argotique, ou p.-ê. des formes franco-provençales *veilloca, velhaco.*

♦ Argot. Vieux, vieille. *Elle fait un peu vioque.* — REM. On trouve aussi *vioc*, n. et adj. m., et *viocque*, n. et adj. aux deux genres.

N. *C'est des vioques !* ⇒ **Croulant.**

— Tiens, dit-il, voilà la viocque ! Comme on se retrouve...
La viocque, expression poldève qui signifie littéralement la vieille, comporte une intention péjorative des plus irrespectueuses. M. AYMÉ, le Passe-muraille, p. 161. | 1

Tu me prends déjà pour un vieillard ? pour un gâteux ? pour une baderne ? pour une guenille, un débris, un déchu, un amoindri, une ganache, un décrépit, un sénile, un caduc, un suranné, une ruine, un archaïque, un périmé, un défectif, un vioc et pour tout dire un con ? R. QUENEAU, Loin de Rueil, p. 80. | 2

Pour la silhouette, Poupée s'en foutait royalement. Elle avait accepté son rôle, être sapée comme une viocque ne la gênait nullement. | 3
Martin ROLLAND, la Rouquine, p. 129.

Spécialt (avec un possessif ou l'article défini). Parents. ⇒ **Vieux.** *Ils sont sympas, tes viocs !*

DÉR. **Viocard.**

VIORNE [vjɔrn] n. f. — 1538, Estienne ; *vione*, 1230 ; du lat. *viburnum*, plur. *viburna*, pris pour un fém. singulier.

♦ **1.** Bot. Arbrisseau vivace *(Caprifoliacées)* des régions tempérées (n. sc. : *viburnum*). *Viorne obier* (ou *viorne opulus*). ⇒ **Obier**. *Viorne tinus,* dite *laurier*-tin* : arbre au feuillage persistant, à fleurs blanches odorantes et ornementales.

♦ **2.** Cour. Clématite* *(Renonculacées). Les vrilles de la viorne* (→ Écriture, cit. 9). *Viorne des haies.*

(...) une muraille ruineuse que les vignes folles et les viornes devaient à la belle saison, couvrir d'une fourrure bourdonnante. | 1
G. DUHAMEL, Chronique des Pasquier, V, I.

Le grand bénéfice de la terre, il était pour ces viornes et ces ronces, et ces vignes folles qui étouffaient tout sous leurs longues mains nerveuses aux cent doigts. | 2
J. GIONO, le Grand Troupeau, Pl., t. I, p. 626.

V.I.P. [veipe ; vjajpi] n. m. invar. — Av. 1959 ; sigle de l'angl. *Very Important Person* «personne très importante».

♦ Fam. Personnalité de marque. — REM. La traduction française n'est pas usitée. «*Un taxi venait alors chercher à domicile les V. i. p. de la suite*» (*l'Express,* 26 mars 1973, p. 115).

V. I. P. : Vaniteux Immensément Puéril qui trace son portrait à peine déguisé, sous le masque d'un échantillon de catégorie humaine en vérité inexistante, car impossible à caractériser ; Vomissable Invalide Pleurard qui — rubrique pompes funèbres — se préoccupe de ce qu'on fera de ses restes, oubliant que le sort normal de l'authentique V. I. P. devrait être de mourir dans une catastrophe d'avion. Michel LEIRIS, Frêle bruit, p. 302.

VIPÈRE [vipɛʀ] n. f. — 1314 ; lat. *vipera.* → Guivre, vouivre.

♦ **1.** Serpent (reptile ophidien solénoglyphe) à tête triangulaire large et aplatie en arrière, à pupille linéaire, à deux dents ou crochets à venin, ovovivipare, qui vit dans les terrains broussailleux et ensoleillés (famille des *Vipéridés). Vipère pelias* (⇒ **Péliade**), *ammodyte* (⇒ **Ammodyte**), *aspis* (⇒ **Aspic**), *vipère cornue d'Égypte* (⇒ **Céraste**).

La vipère, animal venimeux ; la morsure (et, abusivt, *la piqûre*) *de vipère est très dangereuse. Vipère dressée sur sa queue* (→ Guivre, cit.). *Sifflement* (cit. 1) *de vipère.*

(...) la léfaa, dite vipère céraste ou vipère à cornes, dont la piqûre est mortelle et presque foudroyante. MAUPASSANT, Au soleil, « Le Zar'ez ». | 1

Parfois une vipère glissait entre les pierres de ces routes poudreuses, que je regardais aller, grise sur la pouzzolane rouge, avec sa tête plate et la souplesse de son corps tacheté. Paul BOURGET, le Disciple, IV, II. | 2

Par métaphore. *Un nœud de vipères.* ⇒ **Nœud**. *Le Nœud de vipères,* roman de Mauriac. *Vipère au poing,* roman d'Hervé Bazin.

♦ **2.** (xviᵉ). Fig. Personne, force méchante, malfaisante, dangereuse. *Nid* (cit. 10) *de vipères* (→ Haine, cit. 16). *Irriter la vipère* (→ Exalter, cit. 11). *Langue** (*supra* cit. 18) *de vipère.* — Personne méchante et médisante. *C'est une vipère ! Petite vipère !*

Race de vipères, comment pourriez-vous dire de bonnes choses étant méchants vous-mêmes ? BIBLE (SACY), Évangile selon saint Matthieu, XII, 34. | 3

— Cette fois, taisez-vous, sales petites vipères ! GIRAUDOUX, Électre, I, I. | 4

(V. 1947 ; trad. du russe). *Vipère lubrique,* injure politique, sous le stalinisme.

DÉR. **Vipereau, vipéridés.**

VIPEREAU [vipʀo] n. m. — 1526, Marot ; de *vipère.*

♦ Petit d'une vipère. — On trouve parfois *vipéreau* [vipeʀo].

Le vipereau restera froid jusqu'à la mort nombreuse, car, n'étant d'aucune paroisse, il est meurtrier devant toutes. René CHAR, les Matinaux, p. 129.

VIPÉRIDÉS [viperide] n. m. pl. — 1842, *vipérides* ; de *vipère*, et suff. *-idés.*

♦ Zool. Famille de reptiles ophidiens solénoglyphes ayant pour type la vipère. — Au sing. *Un vipéridé.* ⇒ **Vipère.**

VIPÉRIN, INE [viperɛ̃, in] adj. et n. f. — 1553, «venimeux»; lat. *viperinus*, de *vipera*. → Vipère.

♦ **1.** (1563). Vieilli ou littér. De vipère (fig.). *Langue vipérine* : langue venimeuse, médisante (→ Sibilant, cit. 2).

1 (...) un tournoi franc et libre, où, le front haut, on lutte, glaive au poing, sans fureur vipérine. HUGO, les Quatre Vents de l'esprit, III, VIII.

2 (...) ces aliénations tumultueuses et passagères, dans le serpentement des serpents qu'il faisait siffler au-dessus de sa tête, quand sa beauté pâle devenait soudain vipérine, et l'envol de ses mots venimeux pareil à la fourche dardée par un très beau reptile. Claude ROY, Nous, p. 452.

(Personnes) :

2.1 Qu'on se représente une noiraude bilieuse, desséchée et vipérine, ayant mauvais teint, mauvais œil, mauvaise langue, mauvais circuit intestinal, et tout cela recouvert d'agressive piété et de douceur suffisante. G. CHEVALLIER, Clochemerle, p. 122.

Par ext. Hypocrite et méchant.

2.2 À cette naïve confidence, je l'enveloppai, naturellement, d'un regard oblique et presque vipérin (...) VILLIERS DE L'ISLE-ADAM, Tribulat Bonhomet, p. 79 (1887).

♦ **2.** (1611). Zool. Relatif à la vipère. *Couleuvre vipérine* : couleuvre aquatique qui présente une grande ressemblance avec la vipère et qui mord (sans être venimeuse). — N. f. (1841). *Une vipérine* : une couleuvre vipérine.

3 Le régisseur mit en joue une vipérine à trente pas de lui et la coupa net. BALZAC, Une ténébreuse affaire, Pl., t. VII, p. 464.

HOM. (Du fém.) **Vipérine.**

VIPÉRINE [viperin] n. f. — xvᵉ; lat. impérial *viperina*, subst. fém. de *viperinus*. → Vipérin.

♦ Plante dicotylédone *(Borraginées)*, scientifiquement appelée *echium*, herbacée, bisannuelle, poussant dans les lieux incultes (sables, rivages), et dont la tige présente des taches livides rappelant la peau de la vipère.

(...) des vipérines hérissées de cils blancs et dont les fleurs violettes s'effilaient en de longs épis, dans des abris de feuilles rudes (...) la vipérine contient du nitrate de potasse et on peut la consommer en infusion sudorifique comme la bourrache (...) HUYSMANS, l'Oblat, IV.

HOM. **Vipérine** (fém. de *vipérin*).

VIR-, -VIR Éléments, du lat. *vir* «homme» (mâle), qui entrent dans des composés latins tels que *virago, viril, décemvir, triumvir...*

VIRAGE [viraʒ] n. m. — 1773; de *virer*.

♦ **1.** Mar. Rare. Action de faire tourner, de virer. *Virage d'un cabestan, d'un guindeau.* — Vx. Action de virer de bord. — Par ext. Espace pour virer de bord.

♦ **2.** (1900, Hatzfeld, à propos du vélocipède). **a** Mouvement d'un véhicule qui tourne, change de direction. *Virage à droite, à gauche. Amorcer un virage. Prendre un virage trop vite, sur les chapeaux de roues*. *Virage à la corde*. — *Virages d'un avion* (→ Piqué, cit. 39), *virage sur l'aile* (→ Fuselage, cit.). — *Virage à skis.* ⇒ **Stem.**

1 La camionnette, dont le moteur ne s'était pas arrêté, démarra aussitôt pour exécuter un virage rapide, sans hésitation, autour du petit pavillon de la compagnie. A. ROBBE-GRILLET, le Voyeur, p. 33.

b (1898). Courbure ou tracé plus ou moins accentué (d'une route, d'une piste). ⇒ **Coude, tournant.** *Virage dangereux. Virage en épingle* à cheveux. *Virage relevé*. *Route* (cit. 6) *en ligne droite, sans virages. Suite de virages.* ⇒ **Lacet.** *Véhicule qui aborde, amorce, prend un virage. Négocier* un virage. *Prendre les virages à cent à l'heure. Freiner à l'entrée d'un virage.*

2 Dans la côte assez dure du Golgotha, il y a quatorze virages. A. JARRY, Spéculations, «La passion considérée comme course de côte», *in* Œ. compl., t. VI, p. 375.

c (1858, *in* Petiot). Changement de direction (dans les sports nautiques). *Virages en course, en yachting. Virages signalés par des marques, des bouées. Points de virage.* — (Natation). Changement de direction du nageur en bout de ligne droite, dans un bassin. *Virage demi-fond* (avec appui de main). *Virage-culbute.*

♦ **3.** (Mil. xxᵉ). Abstrait. Changement radical (d'orientation, d'attitude, de politique). *Parti, personnalité politique qui amorce un virage à droite, à gauche. Virage politique, technologique, industriel.* — *Prendre le virage* : s'adapter aux circonstances nouvelles. *Il n'a pas su prendre le virage.*

♦ **4.** (1856, *Année sc. et industr.* 1857, p. 225). Photogr. Transformation chimique que subit l'image photographique dans certains procédés. *Virage à l'or, au cuivre. Virage sépia.* ⇒ **Virage-fixage.** — Chim. En analyse volumétrique, Changement de couleur d'un indicateur, marquant la fin d'une réaction. *Virage du bleu au rouge du papier de tournesol.*

♦ **5.** (xxᵉ). Fait de virer, pour une cuti-réaction.

COMP. **Virage-fixage.**

VIRAGE-FIXAGE [viraʒfiksaʒ] n. m. — xxᵉ (1933, *in* Larousse); de *virage*, et *fixage*.

♦ Photogr. Procédé de fixage évitant l'atténuation de l'image sur un papier à noircissement direct.

VIRAGO [virago] n. f. — 1452; *virage*, fin xivᵉ; mot lat., «femme qui a le courage d'un homme».

♦ Péj. Femme d'allure masculine, qui a des manières grossières et autoritaires. ⇒ **Dragon, gendarme.**

1 Cette virago à moustaches, large d'un mètre, d'un poids de cent vingt kilogrammes, et néanmoins agile, avait établi sa domination sur Vermichel (...) BALZAC, les Paysans, Pl., t. VIII, p. 62.

2 (...) virago sèche comme une merluche qui dès le matin soufflette sa servante dont elle est jalouse, et caresse la bouteille dont elle est amoureuse. Aloysius BERTRAND, Gaspard de la nuit, «Les cinq doigts de la main».

3 (...) un tel homme à qui il fallait bien plutôt une virago cocardière, une de ces créatures sans sexe, qui tiennent du zouave et de la jument, telles qu'on en voit dans les ligues patriotiques et les défilés de Jeanne d'Arc. M. AYMÉ, Travelingue, p. 203.

VIRAL, ALE, AUX [viral, o] adj. — 1950, *in* le Monde; du rad. de *virus*.

Médecine.

♦ **1.** Qui se rapporte à un virus. *Particule virale* : particule formée par un axe d'acide nucléique (A. D. N. ou A. R. N.) caractéristique et une «coque» de protéines (syn. : *virion*).

♦ **2.** Provoqué par un virus. *Affection d'origine virale. Infections virales. Hépatite virale. Maladie virale* (ou à *virus*).

COMP. **Antiviral.**

1. VIRE [vir] n. f. — 1877, «action de tourner»; de *virer*.

♦ Géogr., régional. Dans les Alpes, Palier très étroit qui rompt une pente raide et forme parfois un chemin autour de la montagne. ⇒ **Sangle** (3.).

La roche était à nu à cause de sa raideur, et elle devenait de plus en plus raide par des assises entre lesquelles d'étroits paliers qu'on appelle des vires peuvent encore servir et servent, en effet, aux chasseurs (...) C.-F. RAMUZ, la Grande Peur..., XIII.

HOM. 2. Vire, vires; formes des v. virer, voir.

2. VIRE [vir] n. f. — 1872; de *virer*.

♦ Vieilli. Panaris faisant le tour du doigt.

HOM. 1. Vire, vires; formes des v. virer, voir.

1. VIRÉE [vire] n. f. — 1907; «allée et venue», 1594; de *virer*.

♦ Fam. Promenade, voyage rapide. *Faire une virée en voiture.* ⇒ **Tour.** — Tournée des cafés, des bals, etc. (→ Tirer une bordée*).

(...) les virées au bistrot, pour écouter les goualantes des copains qui avaient une belle voix, les parties de la manille ou de la belote (...) Brice PARAIN, De fil en aiguille, III.

HOM. 2. Virée, virer.

2. VIRÉE [vire] n. f. — 1858; de *virer*, parce que les experts ou baliveurs la parcourent. → 1. Virée.

♦ Techn. (Eaux et forêts). Bande de forêt parallèle à la plus grande dimension d'une coupe.

HOM. 1. Virée, virer.

VIRELAI [virlɛ] n. m. — 1280, «air de danse»; var. *vireli* «poésie», 1360; probablt d'un refrain de danse, de *virer* «tourner», avec infl. de *lai*.

♦ Didact. Poème du moyen âge, petite pièce sur deux rimes avec refrain.

VIREMENT [virmɑ̃] n. m. — 1546, «action de tourner en rond»; de *virer*.

A. ♦ **1.** Mar. Action de virer (de bord). *Virement de bord. Virement vent devant, lof pour lof.* ⇒ **Revirement** (1.).

♦ **2.** Rare. Fait de virer, de tourner. — Par métaphore :

(...) un théâtre est à la mode pendant deux ou trois saisons, et tout à coup, sans autre motif qu'un virement de girouette, la mode l'abandonne.
                                    A. ROBIDA, le Vingtième Siècle (1883), p. 229.

B. (1667). Transfert de fonds effectué du compte d'une personne au compte d'une autre personne. *Virement de compte à compte. Virement permanent,* effectué à date fixe. *Virement de fonds. Virement bancaire. Paiement par virement.* ⇒ **Monnaie** (scripturale). *Faire, effectuer un virement. Chèque postal de virement.*

(1936, Capitant). *Virement budgétaire :* virement de fonds d'un chapitre du budget sur un autre. *Le principe de la spécialité* budgétaire s'oppose aux virements.*

VIRÉMIE [viʀemi] n. f. — Mil. xxᵉ ; de *virus,* et *-émie.*

♦ Méd. Infection virale généralisée.

VIRER [viʀe] v. — xiiᵉ, trans. ; du lat. pop. **virare,* de *vibrare* «faire tournoyer» ; le *i* bref est devenu long sous l'infl. de *librare,* même sens ; le rattachement au lat. *viriæ* «bracelet» (→ Vires), *viriola* (→ Virole), même sens, écarté par les romanistes, est défendu par Guiraud.

★ **I.** V. tr. ♦ **1.** Mar. ⓐ Faire tourner (un cordage, une chaîne) sur la poupée d'un cabestan, d'un guindeau, d'un treuil, pour exercer une traction, pour haler. *Virer le mouillage au guindeau.* — Absolt. *«Hardi les gars, vire au guindeau»* (vieille chanson maritime). *Virer au cabestan* (→ Mouiller, cit. 8).
Virer une bouée : en régate, Tourner autour d'une bouée marquant le parcours. *Virer la marque* (se dit d'un yacht, dans une course).

ⓑ Pron. Vx ou régional. *Se virer :* se tourner sur soi-même. *Se virer de droite et de gauche sur son oreiller* (→ Éveiller, cit. 29 ; flanc, cit. 1).

♦ **2.** (1636). Transporter (une somme) d'un compte à un autre ; effectuer le virement* de. *Virez la somme sur mon compte.*
Par métonymie. Fam. *Virer qqn,* le payer sur un compte. *J'ai été, je n'ai pas été viré.*

♦ **3.** (1856, *épreuves virées,* in *Année sc. et industr.* 1857, p. 225). Faire virer (II., 3.) une épreuve photographique. — Par métaphore :

1   L'image, pourtant, allait s'effacer, Edmond en était bien sûr, et il n'y avait pas de réactif pour virer dans sa mémoire l'instantané déjà ancien.
                                    ARAGON, les Beaux Quartiers, II, XVIII.

Fam. *Virer sa cuti :* avoir pour la première fois une cuti-réaction positive. ⇒ **Cuti** (pour les sens figurés).

♦ **4.** (1913, in Chautard ; probablt métaphore maritime — comme *mettre les voiles, lever l'ancre* — cf. *virer le mouillage* et aussi [intrans.] *vire de bord* «va-t'en», mar., in *Nouveau Larousse illustré*). Fam. *Virer qqn,* le renvoyer (d'un lieu, d'une place). *À la porte, virez-le !* ⇒ **Vider.** *Il s'est fait virer de son boulot.* ⇒ **Licencier ;** (fam.) **balancer, déboulonner.**

1.1 Ils nous vireront, et ils feront venir des spécialistes de chez eux.
                                    Georges ARNAUD, le Salaire de la peur, p. 152.

★ **II.** V. intr. ♦ **1.** (1480). Tourner sur soi, tourner en rond. ⇒ **Tourner.** *Les ailes du moulin qui viraient au mistral* (→ 2. Droit, cit. 5). *L'eau qui vire* (→ Susurrer, cit. 2).

2   (...) j'ai le cœur transi et la tête me vire ; bien sûr, je vas *(vais)* mourir ou devenir fou.   G. SAND, François le Champi, X.
3   Comme il met le pied sur le perron du Nº 3, la porte vire sur ses gonds.
                                    MARTIN DU GARD, les Thibault, t. VIII, p. 127.
4   Elle changeait d'homme à toutes les danses (...) Elle n'essayait pas de retrouver son aplomb en tournant la tête de temps en temps à l'inverse de la danse comme font les filles, non, elle virait comme une toupie (...)   J. GIONO, Jean le Bleu, VI.

Fig. *Faire tourner et virer qqn,* le soumettre à ses caprices. *Virer à tout vent :* changer (→ Girouette).

♦ **2.** (1694). Mar. Changer de direction. *Paré à virer ! Virer vent devant* (→ Dieu, cit. 53), *vent debout. Virer vent arrière, lof pour lof* (cit.). *Virer de bord* (→ Gras, cit. 12 ; 2. quille, cit. 2) : changer d'amures*.

5   *(Le bateau)* vira de bord, et vent arrière fit route vers la jetée, suivi par la brume rapide qui le gagnait.   MAUPASSANT, Pierre et Jean, IV.

Fig. Changer d'attitude, d'opinion.

♦ **3.** (1858, en parlant d'un bateau ; 1892, cyclisme ; 1899, autom., in Petiot). Aller en tournant, prendre un virage*. ⇒ **Tourner** (II., 5.). *Braquer pour virer. L'avion vire, monte encore* (→ Hauteur, cit. 3). *Des enfants montés sur luges* (cit.) *viraient. Cyclistes, skieurs qui virent.*

6   L'auto du colonel vira dans la cour en fin de course et vint s'arrêter mollement (...)
                                    P. MAC ORLAN, la Bandera, VIII.

(En parlant d'un nageur). Effectuer un virage.

♦ **4.** (xiiiᵉ, attestation isolée ; *se virer,* xviᵉ). Changer d'aspect, voir ses caractéristiques s'altérer (en parlant de substances, de coloris). ⇒ **Tourner.** *Maquillage qui vire,* qui change de couleur et de consistance. *Parfum trop vieux qui a viré,* a changé d'odeur et de couleur (sous l'effet de l'air, de la lumière, du vieillissement). — Chim. *Changer de couleur par virage*. Papier de tournesol qui vire.*

— (1856, in *Année sc. et industr.* 1857). *Épreuves photographiques qui virent bien.* — Par ext. *Les bleus de cette reproduction ont complètement viré.* — Au p. p. (Abusif). *«La couleur de l'image virée»* (*Rev. gén. des sc.,* 15 mars 1906, nº 5, p. 237).

6.1 — Voulez-vous que je fasse virer du papier de tournesol pour charmer vos yeux ?
                                    R. QUENEAU, Loin de Rueil, p. 96.

Méd. *Cuti-réaction qui vire,* qui devient positive (→ ci-dessus I., 3., trans., *virer sa cuti*).

(1818). **VIRER À** (et n.). Devenir (qqch.). *Virer à l'aigre, au rance. Tournesol qui vire au rouge. Virer du noir au blanc* (→ Fracassant, cit. 2), *au gris* (→ Squameux, cit. 2).

7   Le lobule des oreilles, depuis quelques années, virait au violet, et il en était ainsi des joues et du front, quand Joseph succombait à la colère (...)
                                    G. DUHAMEL, Chronique des Pasquier, X, I.
8   (...) la démangeaison (...) se transformait en une petite douleur cuisante (...) Mais au bout d'une minute, la petite cuisson calme virait en fausse douceur ; puis cette douceur se hérissait de mille petites pointes d'une finesse affolante.
                                    J. ROMAINS, les Hommes de bonne volonté, t. IX, XXVII, p. 241.

DÉR. Virage, 1. vire, 2. vire, 1. virée, 2. virée, virement, vireton, virette, vireur, virure. — V. Vires.
COMP. Revirer, sous-virer, survirer. — Virelai.
HOM. 1. Virée, 2. virée.

VIRES [viʀ] n. f. pl. — 1671 ; lat. *viriæ* (→ Virer), ou à rattacher à *virer.* → 1. Vire, 2. vire.

♦ Blason. Anneaux concentriques.

HOM. 1. Vire, 2. vire ; formes du v. virer, voir.

VIRESCENCE [viʀesɑ̃s] n. f. — V. 1900 ; dér. sav. du lat. *virescere* «devenir vert».

♦ Bot. Transformation des pièces florales en éléments verts. *«La cause de cette virescence est un puceron...»* (*Rev. gén. des sc.,* 30 avr. 1906, nº 8, p. 392).

DÉR. Virescent.

VIRESCENT, ENTE [viʀesɑ̃, ɑ̃t] adj. — Déb. xxᵉ ; de *virescence.*

♦ Bot. Se dit d'une plante atteinte de virescence. *«L'existence de fleurs virescentes»* (*Rev. gén. des sc.,* 30 avr. 1906, nº 8, p. 382).

VIRETON [viʀtɔ̃] n. m. — 1341 ; de *virer.*

♦ Archéol. Trait d'arbalète empenné en hélice et tournant sur lui-même quand on le lance.

VIRETTE [viʀɛt] n. f. — Attesté déb. xxᵉ, E. Pérochon ; de *virer.*

♦ Régional. Sentier, chemin qui tourne. — Petite vire. ⇒ 1. **Vire.**

VIREUR, EUSE [viʀœʀ, øz] n. — 1906 ; «tourne-broche», 1364 ; de *virer.*

♦ **1.** N. m. Techn. Plateau circulaire monté sur l'arbre d'une machine et percé de trous dans lesquels on engage un levier (qui fait tourner ce plateau).

♦ **2.** N. m. ou f. (Après 1955). Sports. Qui vire bien, prend bien les virages. *Cette auto est une excellente vireuse. Ce coureur est un bon vireur.*

COMP. Sous-vireuse, survireuse.
HOM. (Du fém.) **Vireuse** (fém. de *vireux*).

VIREUX, EUSE [viʀø, øz] adj. — 1753 ; «venimeux», 1611 ; lat. *virosus,* de *virus* «poison».

♦ Didact. Vénéneux. *Plante vireuse. «Sang vireux»* (Huysmans). — Par ext. *Odeur, saveur vireuse :* odeur, saveur de plante vénéneuse (opium, ciguë).

Sur des ruisseaux sanglants, épais, vireux, couleur d'angoisse et d'opium, qui rejaillissent des cadavres, d'étranges personnages vêtus de cire (...)
                                    A. ARTAUD, le Théâtre et son double, Œ. compl., t. IV, p. 29.

HOM. (Du fém.) **Vireuse** (fém. de *vireur*).

VIREVOLTANT, ANTE [viʀvɔltɑ̃, ɑ̃t] adj. — Fin xviᵉ ; repris fin xixᵉ ; de *virevolter.*

♦ Qui virevolte, tourne sur soi. *Cheval virevoltant.* — *Danseuse virevoltante.* — Par ext. *Une grande jupe virevoltante.*

(Abstrait) :

Ces mille pensées virevoltantes paralysent l'action, car elles en montrent les conséquences avant même qu'elle soit amorcée.
                                    J. DUTOURD, les Horreurs de l'amour, p. 87.

VIREVOLTE [viʀvɔlt] n. f. — 1549; altér., d'après *volte*, de *vire-voust*, altér. de *vire vou(s)te* (de *virer*, et *vouter* «tourner», lat. pop. **volvitare*), sous l'infl. de l'ital. *giravolta* «tour en rond».

♦ **1.** Vx. (Manège). Demi-tour rapide, en décrivant un cercle, que fait le cheval (on dit plutôt *demi-volte*).

♦ **2.** Cour. Mouvement de ce qui fait un demi-tour. *Les virevoltes d'une danseuse. Virevoltes de lanières* (d'un fouet). → Bête, cit. 12.

1 Il les interrompt, de temps en temps, nous faisant face par une virevolte du tabouret du piano (...)
Ed. et J. DE GONCOURT, Journal, 4 févr. 1894, t. IX, p. 146.

♦ **3.** (XXᵉ). Fig. Changement complet. ⇒ **Volte-face**. *Caprices* (cit. 14) *et virevoltes de la mode.* — Changement d'avis, d'opinion. ⇒ **Revirement**.

2 Ma virevolte fut subite; certainement il y entrait du dépit; mais le dépit fut de courte durée (...)
GIDE, Si le grain ne meurt, I, IX.

VIREVOLTER- [viʀvɔlte] v. intr. — 1552; altér. de *virevouster* (1532), de *vouster* (XVᵉ), lat. pop. **volvitare*.

♦ **1.** Faire une virevolte, des virevoltes; tourner rapidement sur soi. ⇒ **Pirouetter**.

1 Il fit deux pas pour s'éloigner, mais virevolta brusquement (...)
MARTIN DU GARD, les Thibault, t. VII, p. 146.

2 L'un deux *(les papillons-singes)* nous apercevant nous rejoint à tire-d'aile, et se met à virevolter, à gambader autour de nous.
Robert PINGET, Graal Flibuste, p. 16.

♦ **2.** Fam. Aller en tous sens sans nécessité.
DÉR. **Virevoltant.**

VIREVOUSSE [viʀvus] n. f. — 1762, Académie; var. de *virevouste*.
→ Virevolte.

♦ Vx ou rare. Virevolte, pirouette.

(...) ça ne les amusait pas tellement que ça, ces pirouettes et ces virevousses. Le ridicule des balourds les intéressait moins que le déshabillé des femelles, et voici qu'il en apparaissait une à l'entrée du tonneau, et qui reculait devant l'entreprise, crainte de chuter.
R. QUENEAU, Pierrot mon ami, éd. L. de Poche, p. 12.

VIREVOUSSER [viʀvuse] v. intr. — D.i.; var. de *virevouster* (1532), forme anc. modifiée en *virevolter**.

♦ Vx ou régional. Virevolter.
Les hirondelles matinales virevoussaient comme autrefois.
Maurice ZERMATTEN, le Pain noir, p. 123.

VIRGA [viʀga] n. f. — Mil. XXᵉ; mot lat., «branche, baguette».
→ Verge.
Didactique.

★ **I.** Hist. de la mus. VIRGA ou VIRGULA : neume* simple, représentant un son plus haut que le précédent, dans une notation sans portée.

★ **II.** Météor. Traîne ascendante, sombre, qui prolonge la base d'un nimbostratus ou d'un altostratus.

VIRGATION [viʀgasjɔ̃] n. f. — 1906, cit.; du lat. *virga* «baguette».

♦ Didact. (géol.). Faisceau de plis en éventail. «*Les virgations, c'est-à-dire la disposition en gerbe des divers rameaux...*» (*Rev. gén. des sc.*, 30 juil. 1906, nº 14, p. 647).

VIRGILIEN, ENNE [viʀʒiljɛ̃, ɛn] adj. — 1546, Rabelais, au sens 1.; lat. *virgilianus*, de *Virgilius*, «Virgile».
Didactique.

♦ **1.** *Sorts virgiliens.* ⇒ **Sort.**

♦ **2.** (1804, Chateaubriand; → Grandiose, cit. 4). Propre à Virgile, qui évoque Virgile et sa poésie. *Poésie virgilienne. Œuvre virgilienne. Poète d'une inspiration toute virgilienne.*
Par ext., littér. D'un agrément, d'un charme digne des œuvres de Virgile (en parlant de la nature, de la campagne).

1. VIRGINAL, ALE, AUX [viʀʒinal, o] adj. — 1226; *virginel*, XIᵉ, Alexis; lat. *virginalis*, de *virgo*, *virginis* «vierge».
Littér. ou style soutenu.

♦ **1.** D'une vierge, propre à une vierge. *Pudeur, pureté, fraîcheur virginale* (→ Empêcher, cit. 22; grâce, cit. 68; sein, cit. 5; et aussi immatériel, cit. 5). — Par plais. (Vx.) Pudique.

1 Souvent tout n'est pas virginal
Parmi ces vierges.
Clément MAROT, Colloques d'Érasme, II.

♦ **2.** De la Vierge Marie (→ Fils, cit. 10). ⇒ **Marial.**

♦ **3.** (1570, «qui n'a jamais été utilisé, souillé, sali»; repris mil. XIXᵉ). Sans tache, d'une blancheur immaculée. ⇒ **Candide**. *Lys virginal, symbole de la pureté.* — *Blancheur virginale.*

2 *(Jocelyn)* délicat chef-d'œuvre plein d'émotion et de larmes, d'une blancheur alpestre, virginal comme la neige des hauts sommets (...)
Th. GAUTIER, Portraits contemporains, « Lamartine ».

DÉR. 2. **Virginal, virginalement.**
HOM. 2. **Virginal.**

2. VIRGINAL [viʀʒinal] n. m. — 1533; en angl., 1530; du franç. *virginal*, p.-ê. «instrument pour les jeunes filles».

♦ Hist. de la mus. Épinette* utilisée en Angleterre, à l'époque élisabéthaine.
HOM. 1. **Virginal.**

VIRGINALEMENT [viʀʒinalmɑ̃] adv. — 1393; de 1. *virginal.*

♦ Rare. D'une manière virginale, chaste, pudique.

VIRGINIE [viʀʒini] n. m. — 1845, Bescherelle; ellipse de *tabac de Virginie*, région des États-Unis.

♦ Tabac de Virginie. *Un paquet de virginie. Ne fumer que du virginie.*

VIRGINIEN, IENNE [viʀʒinjɛ̃, jɛn] adj. et n. — 1876, *in* P. Larousse; de *Virginie.*

♦ De Virginie, État des États-Unis. — N. *Les Virginiens.*

VIRGINITÉ [viʀʒinite] n. f. — Xᵉ, *Vie de sainte Eulalie*; lat. *virginitas*, de *virgo*, *virginis* «vierge».

♦ **1.** État d'une personne vierge. ⇒ **Intégrité** (vx); fam. **berlingue, pucelage**. «*Suis-je donc gardien* (cit. 3)... *de la virginité des filles de la ville?* » *Faire vœu de virginité. Garder sa virginité. Filles qui consacrent* (cit. 3) *à Dieu leur virginité* (→ Oblation, cit. 2). *Fille qui perd sa virginité.* ⇒ **Fleur, rose** (→ fam. Petit capital*).

1 (...) le système de saint Jean Chrysostome, qui a écrit que «*l'état de virginité était autant au-dessus de l'état de mariage que l'Ange était au-dessus de l'Homme*».
BALZAC, la Vieille Fille, Pl., t. IV, p. 259.

2 Gambetta a décidément du plomb dans l'aile, et les popularités ne se refont pas plus que les virginités.
Ed. et J. DE GONCOURT, Journal, 30 août 1881, t. VI, p. 114.

3 La niaiserie, l'ignorance ou la peur, fût-elle même celle de l'enfer, ne forment pas les vierges. Ou du moins cette sorte de virginité me paraît aussi bête que l'espèce de chasteté obtenue par la castration.
BERNANOS, les Grands Cimetières sous la lune, p. 287.

3.1 (...) cette virginité, cet hymen, cette fragile membrane, ce mur qui les sépare *(les jeunes filles)* de ce futur qui les attire et les indigne à la fois, de sorte que tout effort en vue d'échapper ou de dominer leur condition tourne irrémédiablement à une tentative d'auto-destruction.
Claude SIMON, le Vent, p. 218.

♦ **2.** État moral, âme, sentiments d'une personne vierge. — (1830, Hugo). *Rendre, refaire une virginité (à qqn, à qqch.)* : rendre la pureté, l'innocence, et, fig., la réputation (à qqn, qqch.).

4 Mon Didier! Près de toi rien de moi n'est resté,
Et ton amour m'a fait une virginité!
HUGO, Marion Delorme, V, 2.

Se refaire une virginité : retrouver une innocence perdue.

4.1 J'ai une demande d'un architecte chargé de la décoration d'un hôtel particulier : un magnat du marché noir qui vient de se faire une virginité dans la politique.
M. AYMÉ, le Vin de Paris, «La bonne peinture», p. 175.

♦ **3.** (1803, Chateaubriand; au sens moral, déb. XVIIᵉ, d'Aubigné). Caractère de ce qui est intact, pur (→ Exotisme, cit. 2).

5 En général les Alpes (...) ne m'ont pas paru avoir ce caractère original, cette virginité de site que l'on remarque dans les Apalaches (...)
CHATEAUBRIAND, Voyage en Italie, 1ʳᵉ lettre à M. Joubert.

6 Il ouvrit sa fenêtre sur le vide encore pâle, sur la virginité de l'aube désolée.
LOTI, Ramuntcho, II, XII.

VIRGULA [viʀgyla] n. f. ⇒ **Virga** (I.).

VIRGULAGE [viʀgylaʒ] n. m. — V. 1970; de *virguler.*

♦ Math. Système servant à marquer les virgules. «*De nombreuses calculatrices signalent les résultats négatifs. Toutes possèdent un virgulage, soit pour un nombre fixe de décimales, soit flottant avec possibilité de déplacer la virgule entre 2 et 4 décimales ou sur toute la ligne des chiffres*» (*Science et Vie*, févr. 1974, p. 118).

VIRGULAIRE [viʀgylɛʀ] adj. — 1845; de *virgule.*

♦ Rare. Qui ressemble à une virgule.
Voici les pommettes rondes, la moustache virgulaire, les lèvres épaisses.
Louis BERTRAND, Louis XIV, I, I.

VIRGULE [viʀgyl] n. f. — 1534; lat. *virgula* «petit trait, accent», dimin. de *virga*. → Verge.

♦ **1.** Cour. Signe de ponctuation (,) marquant une pause de peu de durée, qui s'emploie à l'intérieur de la phrase pour isoler des propositions ou des éléments de proposition (→ Méticuleux, cit. 1; 1. original, cit. 1; 1. point, cit. 77). *Point et virgule* (vieilli); *point-virgule.* ⇒ 1. **Point** (→ Phrase, cit. 14). *Texte écrit sans points ni virgules. Ce texte a été mal dactylographié, il manque des virgules.* — Loc. *Sans y changer une virgule :* sans faire au texte qu'on reproduit le moindre changement (→ Compte, cit. 22).

— (...) Il est des plus experts
Il vous corrigera seulement quelques vers...
— Impossible, Monsieur, mon sang se coagule
En pensant qu'on y peut changer une virgule.
                                        E. ROSTAND, Cyrano de Bergerac, II, VII.

(...) l'article sur Lamennais écrit il y a un siècle et qui aurait pu paraître cette année, pour le centenaire, sans qu'il y ait à y changer une virgule (...)
                                        F. MAURIAC, Bloc-notes 1952-1957, p. 128.

♦ **2.** Math. Signe qui précède la décimale dans un nombre décimal (qui précède les centaines dans la notation anglo-saxonne). (V. 1970). Inform. *Virgule fixe :* système de notation des nombres dans lequel la virgule occupe une position fixe, dans un emplacement déterminé de la zone d'enregistrement. — *Virgule flottante :* système de notation numérique en deux parties appelées *mantisse** et *caractéristique**, et dans lequel la valeur du nombre est égale au produit de la mantisse par une puissance de la base de numérotation dépendant de la caractéristique. — *Virgule flottante normalisée :* virgule flottante où les zéros inutiles de la mantisse sont supprimés par un réajustement approprié de la caractéristique.

♦ **3.** Par anal. de forme. (Du 1.). [a] (Av. 1850, Chateaubriand). *Des moustaches* (cit. 1) *comme des virgules* (→ Circonflexe, cit. 3; royal, cit. 3). *« L'épervier* (cit. 2)... *Notre virgule du ciel clair ».*

Taille courte, cuisses longues, figure avalée, moustaches tristes, yeux faisant la virgule à l'angle extérieur (...)
                                        CHATEAUBRIAND, Mémoires d'outre-tombe, t. II, p. 50.

[b] (1884, in *Année sc. et industr.* 1885, p. 384). Biol. *Bacille** *virgule :* bacille du choléra (ainsi appelé en raison de sa légère incurvation).

M. Koch a reconnu dans les liquides cholériques l'existence d'un organisme qu'il nomme *bacille,* et qui a reçu le nom spécifique de *bacille virgule,* en raison de la forme recourbée qu'il affecte.
                                        L. FIGUIER, l'Année scientifique et industrielle 1885, p. 384 (1884).

DÉR. **Virgulaire, virguler.**

VIRGULER [viʀgyle] v. tr. — 1725; de *virgule.*
Rare.

♦ **1.** Ponctuer en marquant les virgules.

♦ **2.** (Mil. XIXᵉ). Fig. Marquer de petits traits en forme de virgules.

♦ **3.** Fam. Faire un geste de la main (en forme de virgule). *Il lui a virgulé une baffe :* il l'a giflé.

Une silhouette blanche, menue, fragile, s'extirpe de la tire et virgule quelques solides bénédictions alentour.   SAN-ANTONIO, J'ai essayé : on peut !, p. 168.

DÉR. **Virgulage.**

VIRIDANT, ANTE [viʀidã, ãt] adj. — 1540; du rad. de *viride.*

♦ Didact., rare. Verdoyant.

VIRIDE [viʀid] adj. — 1871, Rimbaud (→ Vibrement, cit.); lat. *viridis* «vert».

♦ Rare, littér. Vert. *« La viride émeraude et le clair diamant »* (J. Moréas, *Cantilènes, in* M. Rheims).

Le jus confondu de nos chairs putréfiées passerait dans la même sève,
Produirait le même bois des mêmes arbustes,
S'étalerait, viride, en les mêmes feuilles,
S'épanouirait, radieux, vers les mêmes fleurs.
                                        A. ALLAIS, Poème morne, *in* Œ. posthumes (*in* D. D. L., II, 18).

DÉR. V. **Viridant.**

VIRIDITÉ [viʀidite] n. f. — Déb. XVIᵉ; repris fin XIXᵉ; lat. *viriditas,* de *viridis.* → Viride.

♦ Rare. État, qualité de ce qui est vert.

Parmi l'herbe neuve dont les massifs de géranium exaltent la viridité.
                                        Félix FÉNÉON, Œuvres, « Divers »,
                                        in Maurice RHEIMS, Dict. des mots sauvages, art. *Viridité.*

VIRIEL [viʀjɛl] n. m. — 1890, *in* P. Larousse, *Deuxième Suppl.;* du lat. *vis, viris* «force».

♦ Didact., vx. Potentiel. — *Théorème du viriel,* d'après lequel l'énergie totale de translation des molécules d'un gaz est égale et contraire au potentiel *(viriel)* des forces qui agissent sur ce gaz.

VIRIL, ILE [viʀil] adj. — 1496, au sens moral (3.); 1503, au sens 1.; lat. *virilis,* de *vir* «homme».

♦ **1.** (Choses). Propre à l'homme (II.). ⇒ **Mâle, masculin.** [a] Vx (physiologique). *Sexe viril* (→ Fuir, cit. 9). *Membre viril. Instinct viril* (→ Homme, cit. 124). *Puissance, énergie virile* (→ Conforme, cit. 6; hermaphrodite, cit. 4).

[b] Propre à l'homme. *Grandes femmes aux formes viriles.* ⇒ **Virago** (→ Cercler, cit.). — Propre à l'homme adulte. *Âge* (cit. 35) *viril* (→ Grâce, cit. 64). *Force virile* (→ Effondrer, cit. 7). — Hist. *Robe ou toge virile,* que prenaient les jeunes Romains dans leur 18ᵉ année, en quittant la toge prétexte* (→ Football, cit. 1).

♦ **2.** (En parlant d'un homme). Qui a l'appétit sexuel d'un homme normal, qui a l'air mâle. *Il n'est pas, ne fait pas très viril. On lui trouvait un air efféminé* (cit. 5) *mais on savait combien il était viril.*

♦ **3.** Qui a les caractères moraux qu'on attribue généralement à un homme (actif, énergique, courageux, etc.). *Nous appelons virils les lucides* (cit. 5). *Elle était virile, vaillante en face* (cit. 63) *de l'avenir.*

(...) L'homme est viril et fort qui se décide
A changer sa fin triste en un fier suicide (...)   HUGO, l'Année terrible, juil., VIII.   1

Aussi intelligente que lui, et mieux trempée moralement, plus virile, — (comme le sont tant de femmes de France, si supérieure aux hommes).   2
                                        R. ROLLAND, Jean-Christophe, Les amies, p. 1109.

(Choses). Propre à un être viril. ⇒ **Courageux, énergique,** 1. **ferme.** *Résolution virile* (→ Lisière, cit. 5). *Le pardon est plus viril que le châtiment* (→ Non-violence, cit.).

La circoncision achève leur phallus. L'ensemble de la cérémonie leur confère les diverses vertus viriles, en particulier la bravoure, l'invincibilité, et d'autre part, le droit et le pouvoir de procréer.   Roger CAILLOIS, l'Homme et le Sacré, p. 141.   3

Fig. *Le charme viril de cette nature* (→ Pousse, cit. 1).
Noble pudeur virile (→ Étaler, cit. 24). *Des larmes si peu viriles* (→ Humilier, cit. 36). *Une simplicité si virile* (→ Médaille, cit. 3).

Le génie viril des Dauphinoises a souvent exercé sur les hommes une irrésistible puissance (...)   MICHELET, Hist. de France, III.   4

♦ **4.** (XVIᵉ). Dr. *Portion* (vx), *part** *virile.*

CONTR. **Efféminé, féminin.**
DÉR. **Virilement, viriliser, virilisme, viriloïde.**

VIRILEMENT [viʀilmã] adv. — XVᵉ; de *viril.*

♦ D'une manière virile, énergique. *Agir, réagir virilement.*

VIRILISANT, ANTE [viʀilizã, ãt] adj. — XXᵉ; de *viriliser.*
Médecine.

♦ **1.** Qui virilise, est propre à viriliser. *Traitement virilisant. Médicaments virilisants.*

Les chimistes ont pallié son action virilisante *(de l'Énovid)* en lui ajoutant 0,15 mg d'Éthynyl Œstradiol.   1
                                        R. GÉRAUD, la Pilule antiféfondante, *in* Dʳ WILLY, la Sexualité, t. II, p. 108.

♦ **2.** (Sur le plan moral). Qui est censé donner des qualités viriles. *Une éducation virilisante.*

Il n'en reste pas moins qu'une littérature peut être plus ou moins virile et virilisante, et que la nôtre, dans son ensemble, ne l'était point.   2
                                        GIDE, Journal, 2 sept. 1940.

VIRILISATION [viʀilizasjõ] n. f. — XXᵉ (1945, Garnier-Delamare); une première fois v. 1796, L. C. de Saint-Martin, *in* D. D. L. (sens général); de *viriliser.*

♦ Méd. Apparition, chez la femme pubère, de caractères sexuels secondaires masculins, en particulier d'une pilosité de type masculin. ⇒ **Hirsutisme, masculinisation.**

COMP. **Dévirilisation, survirilisation.**

VIRILISER [viʀilize] v. tr. — 1801; «transformer en homme», v. 1796, L. C. de Saint-Martin, *in* D. D. L.; de *viril.*

♦ **1.** Revêtir d'un aspect, d'un caractère viril.

La moustache en frange, soyeuse et couleur d'argent dédoré, virilise à peine un sourire de gosse.   MARTIN DU GARD, J. Barois, II, Le semeur, II.   1
Au p. p. :

(...) ne pas suspendre aux escaliers les d'Harcourt classiques *(photographies d'un atelier parisien connu),* bichonnés, alanguis, angélisés ou virilisés (selon le sexe), c'est une audace dont bien peu de théâtres se payent le luxe.   2
                                        R. BARTHES, Mythologies, p. 27 (1957).

♦ **2.** (XXᵉ). Biol. Masculiniser.

CONTR. **Efféminer, féminiser.** — **Déviriliser.**
DÉR. **Virilisant, virilisation.**
COMP. **Déviriliser.**

VIRILISME [viʀilism] n. m. — xxᵉ (1950, Garnier-Delamare); autre ⸱ sens, 1845; de *viril*.

♦ Méd. État d'une femme qui présente des caractères sexuels secondaires de type masculin (pilosité, voix de timbre bas, manque de développement des seins, etc.) et dont la fonction génitale est perturbée (absence de règles). *Virilisme provoqué par de fortes doses de cortisone ou de testostérone. Virilisme pilaire.*

Le chirurgien, le pédiatre, l'endocrinologue ne s'intéressent vraiment « de près » à la morphologie sexuelle externe féminine que dans les très rares états intersexuels; ainsi les vulves infantiles, malades ou déformées par l'affreux virilisme, sont-elles plus minutieusement scrutées que l'organe normal : c'est un paradoxe.
Gérard ZWANG, le Sexe de la femme, p. 35-36.

VIRILITÉ [viʀilite] n. f. — 1482; lat. *virilitas*, de *virilis*. → Viril.

♦ **1.** Ensemble des attributs physiques et sexuels de l'homme, du mâle humain. *Un physique d'une grande virilité. Il avait un visage très fin qui manquait un peu de virilité.* — Spécialt (sexuel). *Homme privé de sa virilité.* ⇒ **Eunuque.** *Symboles de la virilité.* — Symbolique qui s'y rattache (opposé à *féminité*). *Être, se sentir menacé dans sa virilité.* — (En parlant d'une femme). Apparence masculine. *La virilité de son aspect, de sa voix était souvent source de méprise.*

♦ **2.** (1560, Paré). Âge adulte (en parlant d'un garçon). *Parvenu à la virilité.*

♦ **3** (Déb. xviiᵉ). Puissance sexuelle de l'homme. *Manquer de virilité.* ⇒ **Vigueur** (sexuelle). *Donner des preuves de sa virilité.*

♦ **4.** Fermeté, énergie, attributs traditionnels de l'homme. *Virilité de caractère. « Un homme qui sue la virilité par tous les pores »* (→ Androgynat, cit. 1, Bernanos).

Il existe une passivité mâle (au point que la virilité se pourrait caractériser par la négligence, par l'indifférence aux hommages, par l'attente détachée du corps, qu'on lui offre le plaisir ou qu'on l'obtienne de lui)...
Jean GENET, Querelle de Brest, p. 247.

VIRILOCAL, ALE, AUX [viʀilɔkal, o] adj. — Mil. xxᵉ; du lat. *vir, viri* « homme, mari », et *local*.

♦ Ethnol. Qui se trouve, se fait dans le village des parents du mari. *Résidence virilocale des jeunes époux* (opposé à *matrilocal*).

VIRILOÏDE [viʀilɔid] adj. — Mil. xxᵉ; de *viril*, et *-oïde*.
Didactique.

♦ **1.** Qui a les caractères psycho-physiologiques propres à la constitution de l'homme. ⇒ **Androïde.** *« Certaines femmes sont même d'emblée, constitutionnellement viriloïdes (...) comme certains hommes sont constitutionnellement féminoïdes... »* (P. Vannier, *l'Homéopathie*, p. 98).

♦ **2.** Qui présente une image psychologique, morale propre à l'homme. *« La profession de chef d'orchestre est souvent entourée d'une mythologie viriloïde : autorité, toute-puissance, résistance physique et domination absolue »* (*F Magazine*, juin 1981, p. 78).
CONTR. Féminoïde.

VIRION [viʀjɔ̃] n. m. — 1972; de *virus*.

♦ Biol. Particule infectieuse d'un virus, constituée d'un acide nucléique et de protéines.

VIROCIDE [viʀɔsid] adj. et n. m. — xxᵉ; du rad. de *virus*, et suff. *-cide*.

♦ Didact. Qui détruit le pouvoir infectieux d'un virus. — N. m. *Un virocide.* — REM. On trouve aussi *virucide*.

VIROCYTE [viʀɔsit] n. m. — Mil. xxᵉ; de *virus*, et *-cyte*.

♦ Biol. Leucocyte* pathologique d'un sang atteint de virose.

VIROLAGE [viʀɔlaʒ] n. m. — 1872; de *viroler*.
Technique.

♦ **1.** Opération qui consiste à munir d'une virole.

♦ **2.** (1876). Action d'introduire (les flancs d'une monnaie) dans la virole (2.).

VIROLE [viʀɔl] n. f. — xiiiᵉ; *virol*, n. m., xiiᵉ; du lat. *viriola*, dimin. de *viria* « sorte de bracelet » (→ Virer, vires); mot d'orig. gauloise.

♦ **1.** Petit cercle ou anneau de métal dont on garnit l'extrémité d'une canne, et, spécialt, le bout d'un manche pour assujettir ce qui y est fixé et empêcher le bois de se fendre. ⇒ **Frette** (1.). *Virole d'un couteau* (cit. 11 et 13), *d'un parapluie* (→ Fil, cit. 6).

Pioche! enjoignait la virole.
Saigne! répétait le couteau.
Et l'on m'arrachait la mémoire,
On martyrisait mon chaos.
René CHAR, les Matinaux, p. 46.

Tous les cordages sont tranchés en quelques coups de mon Opinel à virole qui coupe comme un rasoir et auquel personne n'a le droit de toucher, pas même Françoise.
Bernard MOITESSIER, Cap Horn à la voile, p. 191.

♦ **2.** (1765, *Encyclopédie*). Moule d'acier circulaire pour la frappe des monnaies et des médailles.

♦ **3.** Techn. **a** (xxᵉ). Petit cylindre fendu auquel est fixé le centre du spiral d'une montre.

b (1875). Anneau placé sur le canon et le fût d'une arme à feu, pour maintenir la baguette.

c (xxᵉ). Tube composé d'une partie mâle et d'une partie femelle (dites *virole mâle, virole femelle*) retenant ensemble les brins d'une canne à pêche.

♦ **4.** (1671). Blason. Cercle d'un émail particulier, placé près de l'embouchure d'un cor, d'une trompe.
DÉR. Viroler, virolier.

VIROLER [viʀɔle] v. tr. — V. 1200; de *virole*.
Technique.

♦ **1.** Munir d'une, de plusieurs viroles. *Viroler le manche d'un outil, les bambous d'une canne à pêche.*

♦ **2.** (1876). Introduire (les flans destinés à produire une monnaie) dans la virole (2.).
DÉR. Virolage, viroleur.

VIROLEUR [viʀɔlœʀ] n. m. — 1872; de *viroler*.

♦ Techn. Ouvrier spécialisé dans l'ajustage des viroles. *Viroleur de cannes à pêche.* — REM. Le fém. *viroleuse* [viʀɔløz] est virtuel.

VIROLIER [viʀɔlje] n. m. — xxᵉ; de *virole*.

♦ Techn. Ouvrier fabriquant les viroles (découpage de la tôle mince et rivetage).

VIROLOGIE [viʀɔlɔʒi] n. f. — 1945; du rad. de *virus*, et *-logie*.

♦ Biol. Étude des virus et des ultra-virus (virus filtrants). *Application de la culture de tissus à la bactériologie et à la virologie.*

Dans le domaine de la virologie, les applications de la culture sont encore plus importantes. Les virus, responsables de tant de maladies, aussi bien chez les animaux et les plantes que chez l'homme (...) sont des micro-organismes de dimensions si petites qu'ils traversent des filtres très fins et ne sont visibles qu'au microscope électronique.
Jean VERNE et Simone HÉBERT, la Culture de tissus, p. 99.
DÉR. Virologique, virologiste.

VIROLOGIQUE [viʀɔlɔʒik] adj. — 1955; de *virologie*.

♦ Biol. Relatif aux virus, ou à la virologie.

VIROLOGISTE [viʀɔlɔʒist] n. — xxᵉ; de *virologie*.

♦ Biol. Spécialiste de la virologie. *Un, une virologiste.* — On trouve parfois *virologue* [viʀɔlɔg].

VIROPLASME [viʀɔplasm] n. m. — 1972; du rad. de *virus*, et *-plasme*, d'après l'angl. *viroplasm* (1956).

♦ Biol. Couche protidique limitée par la capside qui entoure le nucléoïde d'un virus (nucléocapside*).

VIROSE [viʀoz] n. f. — Mil. xxᵉ; du rad. de *virus*, et *-ose*.

♦ Méd. Maladie causée par un ou plusieurs virus. *Virose pulmonaire.*

On connaît surtout les Virus par leurs propriétés : ils provoquent des maladies — dites viroses — et ils préparent des antigènes (...)
Fernand MOREAU, in Encycl. Pl., Botanique, p. 103.
(...) la grippe, dont peuvent encore être rapprochées d'autres viroses, représente encore à ce jour un danger pour l'humanité.
V. VIC-DUPONT, la Maladie infectieuse, p. 34.

VIROSTATIQUE [viʀɔstatik] adj. et n. m. — xxᵉ; du rad. de *virus*, et *statique*.

♦ Didact. Qui arrête le développement d'un virus, des virus. *Agent virostatique.* — N. m. *Un virostatique.*

VIRTUALISER [viʀtɥalize] v. tr. — 1893, *in* D.D.L.; du rad. de *virtuel*.

♦ Didact. Rendre virtuel.

VIRTUALITÉ [viʀtɥalite] n. f. — 1674; du rad. lat. de *virtuel*.

♦ Philos., littér. Caractère de ce qui est virtuel; pouvoir, qualité à l'état virtuel. ⇒ **Potentialité**. *La virtualité de qqch.* ⇒ **Possibilité**. Au plur. Possibilités. *Être riche de nombreuses virtualités.*

Certainement pour nous ou pour notre esprit, tel qu'il est fait, il n'y a rien avant le *moi* autre que des virtualités, des tendances, des formes de l'âme humaine, conçues dans l'absolu, non comme des notions actuelles mais comme des instruments ou des conditions.
MAINE DE BIRAN, Du physique et du moral de l'homme, p. 346.
(...) je ne souhaitais point d'échapper à ce qui mettait en vigueur toutes les virtualités de mon être (...) GIDE, Journal, 1923, Feuillets, II.

CONTR. Actualité.

VIRTUEL, ELLE [viʀtɥɛl] adj. et n. m. — 1503, rare jusqu'en 1700; lat. scolast. *virtualis*, du lat. *virtus* «vertu».

A. Philos. et cour. ♦ **1.** Adj. Qui n'est qu'en puissance (opposé à *actuel* [I.] et à *formel* [II., 3.]); qui est à l'état de simple possibilité dans un être réel, ou (plus cour.) qui a en soi toutes les conditions essentielles à sa réalisation (→ Plèvre, cit.; qualificatif, cit.). ⇒ **Possible, potentiel.** *Caractère virtuel.* ⇒ **Virtualité.** *Réussite virtuelle. Dons virtuels. À l'état virtuel.* ⇒ **Latent.**

Être homme, c'est se sentir comme un réservoir de possibilités, comme une multiplicité d'être virtuel, et être artiste, c'est amener ce possible et ce virtuel à l'existence.
A. THIBAUDET, Gustave Flaubert, p. 89.
Le peintre (...) rêve, il imagine, il crée. Et soudain, voici que l'objet virtuel naît de l'objet réel, qu'il devient réel à son tour (...)
Paul ÉLUARD, Poésies, «Donner à voir».
Mais chaque fois qu'elle se manifeste *(la force)*, c'est dans un seul sens, comme source de bénédictions ou comme foyer de malédictions. Virtuelle, elle est ambiguë; en passant à l'acte, elle devient univoque. Aucune hésitation n'est désormais permise. Roger CAILLOIS, l'Homme et le Sacré, p. 39.

♦ **2.** N. m. *Le possible* (cit. 13), *le probable* (cit. 4) *et le virtuel.*

B. Sc. ♦ **1.** (Fin XVIIIᵉ). Mécan. *Travail virtuel :* somme des travaux élémentaires accomplis par les forces appliquées à un système de solides soumis à des déplacements fictifs (ou *virtuels*).

♦ **2.** (1858, in *Année sc. et industr.* 1859, p. 99). Opt. *Image virtuelle,* dont les points se trouvent dans le prolongement des rayons lumineux. *Foyer*, point virtuels.*

♦ **3.** Phys. atom. Possible, probable. *État, niveau virtuel d'un noyau. Quantum virtuel. Processus virtuel de l'émission d'une particule.*

♦ **4.** Inform. *Mémoire virtuelle :* mémoire non matérialisée, non limitée en dimensions, constituant l'ensemble des éléments adressables* pour un programme.

CONTR. Actuel, effectif, formel, réel.
DÉR. Virtuellement. — V. **Virtualiser, virtualité.**

VIRTUELLEMENT [viʀtɥɛlmɑ̃] adv. — 1503; *virtuellement*, 1469; de *virtuel*.

♦ **1.** En puissance. ⇒ **Potentiellement.**

(...) l'œuvre d'art dramatique ne vivant que virtuellement dans le livre, ne vivant complètement que sur la scène (...) GIDE, Nouveaux prétextes, p. 13.

♦ **2.** (xxᵉ). Cour. Selon toute probabilité, en principe; presque. *Ce club, à deux journées de la fin, est virtuellement vainqueur du championnat. Vous êtes virtuellement admis.* ⇒ **Pratiquement.**

VIRTUOSE [viʀtɥoz] n. et adj. — 1640; ital. *virtuoso*, de *virtu*, du lat. *virtus.* → Vertu.

♦ **1.** Vx. Personne extrêmement douée, «amateur des sciences et des beaux-arts, qui en favorise le progrès» (*Encyclopédie*). → Figuline, cit.

(L'abbé dit) que Madame la Dauphine est tout à fait aimable, que son esprit la pare, qu'elle est *virtuose* (elle sait trois ou quatre langues)...
Mᵐᵉ DE SÉVIGNÉ, 785, 28 févr. 1680.

♦ **2.** (1668, Molière; répandu au xvIIIᵉ). Exécutant doué d'une technique brillante (→ Absorption, cit. 2; difficulté, cit. 14; exhibition, cit. 2; spécieux, cit. 2). *Virtuose du piano* (→ Intellect, cit. 2), *du violon. Une rare virtuose* (→ Prodige, cit. 4). *La technique étourdissante d'un grand virtuose.* — Adj. *Il est plus virtuose qu'inspiré.* ⇒ **Technicien.**

Signor, je suis un virtuose (...) je me mêle un peu de musique et de danse.
MOLIÈRE, le Sicilien, VII.
Plein d'une mélancolie ironique, Swann les regardait écouter l'intermède de piano («Saint-François parlant aux oiseaux», de Liszt) qui avait succédé à l'air de flûte, et suivre le jeu vertigineux du virtuose (...)
PROUST, À la recherche du temps perdu, t. II, p. 150.
(...) désapprobation des virtuoses qui jouent de manière à se faire valoir eux-mêmes aux dépens du maître qu'ils interprètent. GIDE, Journal, 17 févr. 1943.

♦ **3.** (Mil. xviiiᵉ). Par anal. (Dans d'autres activités, artistiques ou non). Personne extrêmement habile, dont le métier*, la technique* sont supérieurs. *Virtuose du pinceau. Rivarol était un virtuose de la parole* (→ Improvisation, cit. 2). ⇒ aussi **As** (fam.).

Il y a des virtuoses de la diplomatie qui, comme Bismarck, «jonglent avec six boules», mais le chancelier de fer, génial équilibriste, avait surtout le sens de la mesure et de la réalité. André SIEGFRIED, La Fontaine..., p. 11.

DÉR. Virtuosité.

VIRTUOSITÉ [viʀtɥozite] n. f. — 1857; de *virtuose*.

♦ **1.** Talent, technique de virtuose (2.). ⇒ **Brio, vélocité** (→ 1. Chant, cit. 6; graduer, cit. 2). *Virtuosité d'un pianiste, d'un violoniste. Morceaux, exercices de virtuosité. Ce mouvement nécessite une grande virtuosité.* ⇒ **Agilité, habileté.**

— Il était fils de virtuose. Il sentait le danger, cet attrait de la virtuosité : — plaisir physique, plaisir d'adresse, d'agilité, d'activité musculaire, plaisir de vaincre, d'éblouir, de subjuguer par sa personne le public aux mille têtes; plaisir bien excusable, presque innocent chez un jeune homme, mais néanmoins mortel pour l'art et pour l'âme. R. ROLLAND, Jean-Christophe, La révolte, I, p. 396.

♦ **2.** (1859). Par anal. Technique brillante (d'un artiste, d'un écrivain, d'un artisan, etc.). ⇒ **Maîtrise** (→ Enlumineur, cit.). *La virtuosité d'un peintre, d'un graveur.* — Péj. Talent sans profondeur, sans portée. *C'est de la virtuosité pure.*

VIRUCIDE [viʀysid] adj. ⇒ **Virocide.**

VIRULENCE [viʀylɑ̃s] n. f. — 1478, Chauliac; rare jusqu'au xviiiᵉ; d'un lat. tardif *virulentia* «infection», du lat. class. *virulentus.* → Virulent.

♦ **1.** Méd. Vx. Caractère virulent. «*La virulence de ses humeurs*» (Voltaire, *in* Littré). — Fig. Mod. Âpreté, violence. *La virulence d'une critique. Protester, se défendre avec virulence.* ⇒ **Fougue** (→ Thèse, cit. 1), **véhémence.**

♦ **2.** (1890). Biol. Aptitude d'un germe pathogène à se multiplier dans l'organisme vivant et à y entraîner des manifestations morbides (→ Exalter, cit. 22; 2. microcoque, cit. 2; tolérer, cit. 6). *Degré de virulence d'un germe, d'un virus.*

♦ **3.** Littér. Caractère nocif, dangereux. *La virulence d'un poison, d'une poussée fébrile* (→ Insidieux, cit. 2).

VIRULENT, ENTE [viʀylɑ̃, ɑ̃t] adj. — Av. 1478, «qui contient du pus»; lat. *virulentus* «venimeux», de *virus.* → Virus.

♦ **1.** Vx. Infectieux, contagieux. *Maladie virulente.* — Vieilli. Contenant un virus (2.). *Bave virulente* (→ Pipette, cit. 2), *humeur virulente.* — (1889). Mod. Qui a un certain degré de virulence (→ Immunité, cit. 5). *Microbe très virulent. Propriétés virulentes d'un germe pathogène.*

♦ **2.** (1767, Voltaire). Fig. Plein d'âpreté, de violence. ⇒ **Corrosif, cuisant, venimeux.** *Satire, critique virulente. D'une encre* (cit. 7) *virulente. Haine virulente* (→ Replier, cit. 1). *Attaque, critique virulente.* — (Personnes). *Il s'est montré très virulent envers le gouvernement.*

VIRURE [viʀyʀ] n. f. — 1690, Furetière; de *virer*.

♦ Mar. File de bordages, de tôles s'étendant sur toute la longueur d'un bordé de carène, d'un pont. *Virures d'accastillage* (des gaillards), *de préceintes*, de renfort* (virures principales), *de diminution* (virures de l'avant).

Tout le long de la coque, jusqu'aux façons d'arrière, les virures, déchiquetées, ne tenaient plus. J. VERNE, l'Île mystérieuse, t. II, p. 649 (1874).

VIRUS [viʀys] n. m. — 1478, Chauliac, au sens 1.; mot lat., «suc, venin, poison».

♦ **1.** Vx. Substance organique (pus, etc.) susceptible de transmettre la maladie.

♦ **2.** (1850-1860; à la suite des découvertes de Davaine sur le virus du charbon, puis de Pasteur sur le virus de la rage). [a] Vieilli. Germe pathogène ⇒ Enrager, cit. 10; inoculation, cit. 3; nocif, cit. 1). *Virus rabique* (cit.). — (1880, *Année sc. et industr.* 1881, p. 410). *Virus vaccin :* vaccin constitué de germes vivants de virulence atténuée, dont l'injection préserve d'une maladie plus grave. ⇒ **Vaccin, vaccine.** — (1918). *Virus filtrants* (qui franchissent les filtres) ou *ultravirus :* les virus (au sens b).

(...) la médecine aurait bien de la peine à établir une différence de fond entre le virus dont mourut Périclès devant Syracuse, si tant est d'ailleurs que le mot de virus soit autre chose qu'une simple facilité verbale, et celui qui manifeste sa présence dans la peste décrite par Hippocrate, que des traités médicaux récents nous donnent comme une sorte de fausse peste.
ARTAUD, le Théâtre et son double, *in* Œ. compl., t. III, p. 22.

Les virus sont-ils vivants? (...) Il s'agit là d'un problème qui s'est posé dès l'origine (...) Lorsque Pasteur renonçait, après de nombreux essais, à voir le microbe de la rage, il pensait simplement qu'il avait affaire à un germe plus petit que les germes visibles au microscope. Au contraire, lorsque Beijerinck faisait franchir une paroi de porcelaine au jus infectieux de la mosaïque du tabac, il en concluait qu'il s'agissait d'un contage fluide d'une nature différente des agents infectieux jusque-là reconnus.   Pierre LÉPINE, les Virus, p. 65.

b (xxᵉ). Mod. Micro-organisme infectieux, parasite absolu des cellules vivantes, possédant un seul type d'acide nucléique et synthétisant sa propre substance à partir de son seul stock génétique (sans échange métabolique). ⇒ **Capside, nucléocapside, viroplasme.** *Bactéries, microbes et virus* (→ Antitoxine, cit. 1 ; capsomère, cit. ; mécanisme, cit. 5 ; 1. mémoire, cit. 19). *Virus des bactéries.* ⇒ **Bactériophage ; -phage.** *Le virus de l'encéphalite* (cit.), *de la poliomyélite, de la rage, de la fièvre jaune (virus amaril). Maladies à virus.* ⇒ **Viral.** *Allergie due à un virus.*

♦ **3.** Fig. Principe moral de contagion (→ Infuser, cit. 3, Hugo ; morbifique, cit. Balzac).

3 (...) ce philosophe *(Alain)*, si bénin et si gracieux d'habitude, quand il touche à la religion, était très loin d'avoir éliminé le virus de l'anticléricalisme radical.
                                 F. MAURIAC, Bloc-notes 1952-1957, p. 6.

Le virus de... : un goût très vif, très fort, excessif pour... *« J'ai attrapé le virus du cinéma et c'est devenu une véritable obsession »* (le Figaro, 3 déc. 1966, *in* P. Gilbert). *Le virus de la voiture, des sports d'hiver.*

DÉR. **Virion.** — V. Viral, virulent.
COMP. **Antivirus, virémie, virocide, virocyte, virologie, viroplasme, virose.**

VIS [vis] n. f. — 1049, *viz* «escalier tournant» ; du lat. *vitis* «vigne» et, par ext., «vrille de vigne», ou de l'adj. *viteus* «de vigne».

♦ **1.** Escalier tournant en spirale autour d'un axe, dit *noyau*, qui soutient toutes les marches.

Ils sortirent sous le porche et montèrent une vis en pierre, dont la cage ronde se trouvait à côté de la salle dans une haute tourelle.
                                 BALZAC, Maître Cornélius, Pl., t. IX, p. 922.

(1600). Plus cour. *Escalier à vis* (**même sens**).

♦ **2.** (Fin XIᵉ). Tige cylindrique ou tronconique de bois, de métal, présentant une partie saillante en hélice (⇒ **Filet**) et que l'on fait pénétrer dans une pièce également filetée ou dans du bois, du métal, en la faisant tourner sur elle-même. *Noyau, filet d'une vis. Tête d'une vis. Vis à filet triangulaire, carré. Pas de vis.* ⇒ **Pas.** *Les spires d'une vis. Vis à bois, à métaux.* — *Vis à tête fendue d'une rainure, de deux rainures. Vis à tête carrée, hexagonale, destinée à recevoir un écrou*. ⇒ **Boulon.** *Vis à tête ronde ; à tête plate* (ou tête fraisée), *dont le sommet de la tête est plat, le dessous conique. Vis à papillon* (→ Raquette, cit. 3), *à ailettes. Vis terminée par un crochet, un anneau.* ⇒ **Piton.** *Longue vis.* ⇒ **Tire-fond.** *Serrer, desserrer une vis avec un tournevis, une clé. Donner un tour* de vis. *Vis qui foire*. *La vis, le clou, le boulon sont des pièces d'assemblage. Fabrication des vis.* ⇒ **Filetage, filière.** — (1803). *Vis de pointage, vis de rappel.*

Loc. fig. *Serrer* la vis à qqn.

♦ **3.** Machine simple permettant de transformer un mouvement circulaire en mouvement rectiligne. *Tire-bouchon à vis. Vis de pressoir* (→ Pucher, cit.).

VIS D'ARCHIMÈDE : machine élévatoire, cylindre creux, mobile autour d'un axe incliné, à l'intérieur duquel est fixée une hélice, pour élever l'eau, le sable, etc. ⇒ **1. Limace, limaçon.**

VIS SANS FIN, dont le filet engrène avec une roue dentée située dans le même plan, lui imprimant un mouvement de rotation perpendiculaire au sien. — Autom. *Direction à vis sans fin.*

Vis micrométrique : vis à pas très fin et à large tête portant des divisions équidistantes, qui permet de lire la mesure d'une rotation très faible, donc d'un avancement infime de la vis.

♦ **4.** Loc. (1900, Baudry de Saulnier). *Vis platinée* : pastille de contact en acier spécial (acier au tungstène, en général) d'une tête d'allumage de moteur à explosion (autrefois : vis réglable dont la tête était plaquée de platine). ⇒ **Platiné.**

VISA [viza] n. m. — 1554 ; lat. *visa* «choses vues», plur. neutre de *visus*, p. p. de *videre* «voir».

♦ **1.** Formule ou sceau accompagné d'une signature, qu'on appose sur un acte pour le rendre régulier ou valable ; spécialt, formule exigée en sus du passeport, pour entrer dans certains pays, ou sous certaines conditions dans un pays. *Mettre, apposer un visa sur un passeport* (→ Griffe, cit. 13). *Des visas. Visa du consulat. Demander un visa, obtenir, se voir refuser un visa, le visa pour un pays. Le visa soviétique, américain. Visa de tourisme. Visa du contrôleur des dépenses engagées.* — *Visa pour timbre* : attestation du paiement d'un droit. *Visa de censure d'un film*, attestant qu'il est autorisé par la censure.

1 — Votre passeport (...) n'est pas visé à l'Ambassade d'Autriche à Paris. — Vous vous trompez, il l'est. — Il n'a pas le timbre sec. — Oubli de l'Ambassade ; vous voyez d'ailleurs les *visa (sic)* des autres légations étrangères.
                                 CHATEAUBRIAND, Mémoires d'outre-tombe, IV, III, 9 (éd. Levaillant).

♦ **2.** Fig. Approbation (cit. 1 ; et → Haut, cit. 37). *Donner, refu-*

ser son visa (→ 1. Souvenir, cit. 9) : autoriser, refuser son autorisation.

— Et pourquoi pas? Si ce passeport est régulier, répondit le consul, je n'ai pas le droit de refuser mon visa.   J. VERNE, le Tour du Monde en 80 jours, p. 44.

♦ **3.** Dr. Ensemble de textes législatifs et réglementaires énumérés en tête d'une décision (par ex., du Conseil d'État). *Les visas correspondent aux attendus.*

DÉR. **2. Viser.**

VISAGE [vizaʒ] n. m. — 1080, *Chanson de Roland* ; de l'anc. franç. *vis* «visage», et suff. *-age* (comme *feuillage*, de *feuille*) ; du lat. *visus* «aspect, apparence», d'abord «vue».

♦ **1.** Partie antérieure de la tête (d'un être humain). ⇒ **Face** (cit. 6), **figure.** — REM. *Visage* appartient plus à la langue littéraire qu'à la langue parlée, qui généralement lui préfère *figure* ou *tête.* ⇒ aussi fam. **Binette, bobine, bouille, gueule, museau** (cit. 2), **poire, trogne, trombine, tronche...** ; et aussi **tête** (I.). — *Parties du visage.* ⇒ **Face** (anat.). *Le haut, le bas du visage* (→ Rictus, cit. 4). *Visage de face* (infra cit. 69), *de profil*, *de trois-quarts. Forme du visage.* ⇒ **Architecture** (cit. 7), **coupe** (2. Coupe, cit. 4). *Visage rond, pleine lune* (cit. 10). *Visage allongé* (→ Pincer, cit. 7), *ovale* (cit. 1), *anguleux, en lame* (cit. 6) *de couteau, taillé à la serpe* (cit. 2). *Lignes du visage.* ⇒ **Linéament** (cit. 3), **trait** (cit. 12) ; **facies, masque.** *Visage asymétrique* (→ Face, cit. 51), *irrégulier ; régulier* (→ Glabre, cit. 3), *fin* (→ Arête, cit. 3). *Harmonie* (→ Équilibre, cit. 25), *régularité* (cit. 1) *du visage. Le nez* (cit. 8), *clé de voûte du visage. Visage plein* (→ Sanguin, cit. 2), *joufflu, mafflu, poupin* (cit.), *gras* (→ Cruel, cit. 8), *bouffi* (cit. 1), *adipeux* (cit.). *Visage maigre, émacié* (→ Cuire, cit. 19), *chafouin* (cit. 2). *Couleur naturelle du visage.* ⇒ **Teint.** *Plis du visage* (→ Larme, cit. 10). ⇒ **Pli, ride.** *Un beau visage* (→ Doux, cit. 5). *Un doux visage.* «*La beauté* (cit. 24) *du visage est un frêle ornement... » Visage mignon, agréable. Visage d'enfant.* ⇒ **Frimousse, minois.** *Visage hideux* (cit. 6). *Laideur d'un visage* (→ Goguenard, cit. 4).

La beauté du visage ancien était la beauté de ses lignes ; la beauté du visage moderne est la physionomie de sa passion. Nous avons de beaux monstres comme Lekain, Mirabeau.   Ed. et J. DE GONCOURT, Journal, 5 mars 1866, t. III, p. 26.

Dans le visage encore enfantin, parfois presque charmant de Victor, on distingue déjà quels traits vont se vulgariser, se durcir ou s'épaissir.
                                 GIDE, Journal, 5 janv. 1943.

Analyse du caractère *d'après la forme du visage.* ⇒ **Physiognomonie.** *Représentation graphique* (⇒ **Portrait**), *plastique d'un visage.* ⇒ **Masque** (II., 1.). — Myth. *Janus aux deux visages* (lat. Janus bifrons). ⇒ **Bifront.** *Visage rose* (→ Détacher, cit. 22), *visage rouge, empourpré, couperosé* (→ Épiler, cit. 3), *en feu* (1. Feu, cit. 68), *vultueux. Avoir le feu, le sang au visage* (→ Battre, cit. 63). *Visage pâle, blafard, blême, livide* (cit. 2), *hâve* (cit. 4) ; *cendreux* (cit.), *cireux* (cit.), *plombé* (→ Figer, cit. 7), *terreux... Visage taché de son* (→ Taillader, cit. 3), *tavelé de taches de rousseur. Visage brun, basané, bronzé, parcheminé* (cit. 2), *tanné* (cit. 6)... *Visage ridé, plissé, fané* (→ Douceur, cit. 33), *flétri, ratatiné* (cit. 5), *ravagé* (cit. 6). *Visage lisse et frais* (1. Frais, cit. 29). *Visage détendu* (cit. 15), *reposé* (→ Bonasse, cit. 3), *fatigué, chiffonné, crispé, fripé* (1. Friper, cit. 3), *tiré* (→ Grelotter, cit. 5), *creusé* (cit. 24 et 25), *défait* (cit. 26), *décomposé* (→ Aggravation, cit.). *Visage brouillé* (cit. 26), *criblé, grêlé de petite vérole* (→ Comme une écumoire*). *Visage mutilé* (→ Gueules* cassées). — Loc. *Avoir bon visage* : avoir bonne mine* (→ Âge, cit. 9 ; mauvais, cit. 6). *Je vous trouve meilleur visage.* — *Visage barbouillé* (→ Polisson, cit.), *trempé de sueur, de larmes* (→ Essuyer, cit. 4). *Se laver* (cit. 14) *le visage.* ⇒ **Débarbouiller.** *Visage rasé* (→ Milieu, cit.), *poncé. Soins du visage* : soins de beauté. ⇒ **Massage** (cit.) ; **masque...** *Esthétique* (cit. 6) *du visage. Se farder le visage.* ⇒ **Maquiller** (se) ; → Éclat, cit. 28. *Visage tatoué, teint. Figure grimée* (cit. 4) *et vrai visage.* — *Voile qui cache le visage des musulmans* (→ Haïk, cit. 3). *Voilette sur le visage* (→ 1. Maille, cit. 3). *Visage caché par un masque* (cit. 1, 7 et 9), *protégé par un masque. Découvrir son visage.* — Loc. *A visage découvert* (cit. 46 et 47). → A front* découvert.

Tourner son visage vers qqch., qqn. Son visage tourné vers le mien (→ Imbiber, cit. 8). *Visage tendu vers qqn* (→ Avidement, cit. 8). *Coller son visage contre terre* (→ Pantomime, cit. 4). *Montrer son visage.* ⇒ **Nez** (I., 3.). — *Frapper qqn au visage* (→ Fouet, cit. 3). ⇒ **Gifler, souffleter.** *Cracher au visage de qqn, lui cracher au visage* (→ Bafouer, cit. 2 ; outrage, cit. 4). *Jeter un objet au visage* (→ Défi, cit. 1). *Recevoir un objet en plein visage* (→ Lapider, cit. 3).

Expression (cit. 36, 37 et 38) *du visage.* ⇒ **Air, mine, physionomie** (cit. 1), **tête.** *Visage mobile* (cit. 2), *grimaçant* (cit. 3), *immobile* (cit. 3), *impassible* (→ Emmêler, cit. 3). *Visage fermé* (→ 2. Errant, cit. 10), *hermétique* (1. Hermétique, cit. 11), *impénétrable* (cit. 22), *ouvert* (cit. 49). *Visage tranquille* (→ Humeur, cit. 39), *serein* (→ Effarement, cit. 1), *souriant, rayonnant, réjoui, hilare* (cit. 4) ; *visage sévère* (→ Ardent, cit. 26), *sérieux, attentif* (cit. 6). *Un visage maussade, mélancolique* (→ Écouter, cit. 3), *contrit, renfrogné* (→ Enjoué, cit. 1) ; *tourmenté* (→ Jeune, cit. 15), *bouleversé, torturé* (→ Paisible, cit. 4)... *Visage volontaire*

(→ Bonté, cit. 7), *énergique* (→ Retrouver, cit. 18). *Émotion, sentiment qui se peint* (cit. 30) *sur un visage. Sa joie éclatait sur son visage* (→ Couvrir, cit. 24). *Ennui écrit* (cit. 18) *sur son visage. Lire un sentiment sur un visage* (→ Attendrissement, cit. 6).

3   Le visage exprime des choses plus profondes encore que les activités de la conscience. On peut y lire, non seulement les vices, les vertus, l'intelligence, la stupidité, les sentiments, les habitudes les plus cachées d'un individu, mais aussi la constitution de son corps, et ses tendances aux maladies organiques et mentales.
                         Alexis CARREL, l'Homme, cet inconnu, III, II.

3.1   Un visage, nous disait-il, c'est un tout indivisible, un sens, une expression (...)
                         S. DE BEAUVOIR, la Force de l'âge, p. 501.

♦ **2.** Expression du visage, involontaire ou volontaire. *Changer* (cit. 52 et 53) *de visage* : changer d'expression, rougir, pâlir d'émotion. *Composer son visage* (→ Change, cit. 5), *se composer* (cit. 15) *un visage. Le vrai visage et la grimace** (cit. 12), *et le masque** (1. Masque, cit. 13). — *Faire bon visage* : prendre un air content quand il n'y a pas lieu de l'être (→ Arrêter, cit. 60). *Faire bon visage à qqn,* être aimable avec lui, spécialt, lorsqu'on lui est hostile (→ Expulser, cit. 4 ; et aussi fortune, cit. 15).

LOC. VISAGE DE BOIS. — Vieilli. *Faire visage de bois à qqn,* lui fermer la porte au nez. — *Trouver visage de bois* : trouver porte close en allant voir qqn (→ Tête, cit. 38).

♦ **3.** (XVIIᵉ). Par métonymie. La personne considérée dans son visage. ⇒ **Personne.** *Un visage inconnu* (→ Musique, cit. 26) ; *connu, de connaissance. Mettre, placer un nom* (cit. 2) *sur un visage. La mémoire* (1. Mémoire, cit. 23) *des visages* (→ Impératrice, cit. 2). *Rencontrer un visage humain* (→ Demander, cit. 51). *Voir de nouveaux visages* (→ Auberge, cit. 2). *Visage ami* (→ Farouche, cit. 4 ; 1. las, cit. 2).
SANS VISAGE, dont le véritable caractère est inconnu. *Les dieux sans visage* (→ Lutte, cit. 8). — Abstrait. *La Compagnie* (cit. 12), *puissance obscure et sans visage,* avec laquelle on ne peut avoir de rapports d'individu à individu.

4   Un homme qui est la résultante de l'État sans visage. Mais laissons les récriminations. La responsabilité ici s'émiette. Nous cherchons un homme et nous trouvons des bureaux. Nous cherchons une décision et nous trouvons une circulaire recommandée.   ALAIN, Propos, 27 juil. 1922, Guerre sans visage.

VISAGE PÂLE. ⇒ **Pâle.**

♦ **4.** (XIVᵉ). Fig. **a** Aspect que présente une chose. ⇒ **Caractère, forme, image.** *Les deux visages de la justice* (→ Facile, cit. 28). « *Je suis dégoûté de la nouveauté* (cit. 9) *quelque visage qu'elle porte* » (Montaigne). *La vérité n'a qu'un visage* (→ Mensonge, cit. 7). *Des œuvres qui ont le visage de la bêtise* (→ Cœur, cit. 169). *Le visage terrible de la réalité* (→ Envelopper, cit. 16).

5   Je ne pouvais comprendre alors tout ce que le visage de la fortune peut présenter d'offensant pour un pauvre (...)   GIDE, Si le grain ne meurt, I, VI.

Le vrai visage d'un pays. Le nouveau visage de l'industrie. Changer de visage. Le progrès technique a profondément modifié le visage du monde. — (V. 1968, d'abord à propos de l'évolution libérale du régime socialiste en Tchécoslovaquie, dite « printemps de Prague »). À VISAGE HUMAIN : qui tient compte de l'individu. *Socialisme à visage humain.* — (1971, in P. Gilbert). Par ext. *Économie, urbanisme à visage humain.*

b Ensemble des aspects propres au caractère de qqn ; personnalité. *Un homme à deux visages,* double, fourbe. *Les œuvres qui sont les visages successifs d'un créateur* (→ Création, cit. 18).

DÉR. Visagisme, visagiste.
COMP. Dévisager, envisager.

VISAGISME [vizaʒism] n. m. — 1936, F. Aubry ; nom déposé par son créateur ; de *visage.*

♦ Didact. Ensemble de règles concernant l'harmonie des lignes et des couleurs du visage, établies et appliquées pour mettre en valeur la beauté, le caractère d'un visage, par la coiffure, le maquillage, les soins de beauté.

VISAGISTE [vizaʒist] n. — 1936, F. Aubry ; nom déposé ; de *visage.*

♦ Esthéticien, esthéticienne, spécialiste du visagisme*. *Il, elle est visagiste dans un institut de beauté.*

(...) on ne remarquait qu'au second coup d'œil la mesquinerie de la bouche, la malveillance inquiète du regard : il n'existe pas encore de visagiste pour rectifier le regard (...)   S. DE BEAUVOIR, les Mandarins, p. 342.

VIS A TERGO [visatɛʀgo] n. f. — 1872, Littré, art. *Vis* 2. ; expr. lat. « force *(vis)* par derrière *(a tergo)* ».
Didactique.

♦ **1.** Physiol. Pression exercée par le sang artériel sur le sang veineux, qu'il repousse.

♦ **2.** (XXᵉ). Force de rétroaction.

VIS-À-VIS [vizavi] adv., loc. prép. et n. m. — 1213, adv. ; de l'anc. franç. *vis.* → Visage.

★ **i.** Adv. Vieilli. Face à face. *Nous nous sommes trouvés vis-à-vis.* ⇒ **Tête à tête.** — Juste en face. *Il demeure vis-à-vis* (Littré). → À l'opposite*.

★ **II.** Loc. prép. VIS-À-VIS DE... ♦ **1.** (1485). En face de... *Vis-à-vis l'un de l'autre, l'un vis-à-vis de l'autre. J'étais placé vis-à-vis d'eux* (→ Évidence, cit. 10). *Il venait... « tout vis-à-vis de moi se mettre à deux genoux* » (cit. 17). *Des boulingrins* (cit. 1) *vis-à-vis des ailes* (→ À l'opposé* de...). *Votre épée vis-à-vis de votre épaule* (→ Ligne, cit. 19).

1   (...) vous verrez des hommes et des femmes exécuter gravement, l'un vis-à-vis de l'autre, les pas d'un menuet dont ils se sont imposé l'amusement (...)
                         Mᵐᵉ DE STAËL, De l'Allemagne, I, VII.

(Sans prép. et suivi d'un nom). *Chez un peintre vis-à-vis la Fontaine du Diorama* (→ Peindre, cit. 5).

2   Clou était venu s'asseoir à sa place habituelle qui était de l'autre côté du foyer, vis-à-vis celle du maître (...)   C.-F. RAMUZ, la Grande Peur..., VII.

♦ **2.** (XVIIᵉ). Fig. En face de, en présence de..., devant (de manière à confronter). *Se poser* (cit. 39) *en homme fort vis-à-vis de soi-même. J'en rougis vis-à-vis de moi-même* (→ Dessécher, cit. 6). — En regard*, en comparaison de.... *Ma fortune est modeste vis-à-vis de la sienne.*

3   (...) chacun d'eux étudie l'autre, s'observe vis-à-vis de lui (...)
                         LACLOS, les Liaisons dangereuses, CIV.

♦ **3.** (1751). Exprimant une relation. (Emploi critiqué). Envers (qqn). ⇒ **Égard** (à l'égard de), **envers.** *Un étroit* (cit. 22) *devoir l'obligeait vis-à-vis d'eux. Comportement* (cit. 3), *attitude vis-à-vis de qqn* (→ Raciste, cit. 4). ⇒ **Avec.** *Ils éprouvent l'un vis-à-vis de l'autre une honte de leur insurmontable* (cit. 4) *timidité.* « *Il s'était engagé vis-à-vis d'elle* » (Maupassant, *Pierre et Jean,* VIII).

4   Votre colère m'a tout à fait réjoui. Vous ne sentirez pas plus vivement les torts de Danceny, quand il les aurait eus vis-à-vis de vous.
                         LACLOS, les Liaisons dangereuses, LVII.

À l'égard de (qqch.). — REM. Les puristes ont condamné cet emploi parce que le *visage* implique la personne, mais *vis-à-vis* s'est dit des choses dès le XVIIᵉ s. (aux sens 1 et 2) et est très usuel. — *Tu es vis-à-vis de la guerre comme sont les chrétiens devant la mort* (1. Mort, cit. 37). *Le style* (cit. 15), *attitude que prend l'usager vis-à-vis du matériel de la langue.*

5   Léa eut l'élégance de continuer (...) à n'avoir vis-à-vis de l'argent qu'une âpreté simplement aryenne.   MONTHERLANT, les Célibataires, VIII.

REM. En français du Canada, *vis-à-vis* se construit (comme en angl. où ce gallicisme est usuel) sans préposition, même aux sens 2 et 3 *(vis-à-vis qqn, qqch.).* Cet emploi est considéré comme fautif en France.

★ **III.** N. m. (1570, « degré de parenté », vx).

♦ **1.** (XVIIᵉ-XVIIIᵉ). Position de deux personnes qui se font face. *Assis en vis-à-vis sur deux petites chaises* (→ Embrasure, cit. 4). *Un pénible vis-à-vis.* ⇒ **Tête-à-tête.** — (Choses) :

6   Longue et profonde, elle unissait les ailes de l'appartement et avait des fenêtres en vis-à-vis sur la cour et dans le fond des jardins.
                         ARAGON, la Semaine sainte, I.

♦ **2.** (1802). Personne placée en face d'une autre (à table, en voiture ; à la danse, vx ; → Figure, cit. 9). *Un charmant vis-à-vis.*
Chose visible en face d'une personne, d'une propriété. *Nous avons, au salon, un beau vis-à-vis ; le bois pour vis-à-vis.*

7   Il notera l'emplacement du terrain (...) les maisons ou bâtisses auxquelles il est attenant ; son vis-à-vis.
                       J. ROMAINS, les Hommes de bonne volonté, t. IV, II, p. 13.

♦ **3.** (XVIIIᵉ). Anciennt. Voiture à deux sièges se faisant face.

♦ **4.** (Fin XIXᵉ). Petit canapé en S où deux personnes peuvent converser face à face.

VISBREAKING [visbʀekiŋ] n. m. — V. 1960 ; mot angl., « réduction de viscosité », de *vis(cosity)* « viscosité », et *breaking* « rupture ».

♦ Anglic. Techn. ⇒ **Viscoréduction.**

VISCACHE [viskaʃ] n. f. — 1765, *Encyclopédie, viscachos ;* mot esp., d'orig. quichua.

♦ Zool. Mammifère rongeur *(Chinchillidés),* scientifiquement appelé *lagostomus* et communément *lièvre des pampas,* animal dont la fourrure est estimée.

VISCARIA [viskaʀja] n. f. — Mil. XXᵉ ; *viscarie,* 1874, P. Larousse ; lat. bot. *viscaria,* du lat. class. *viscum* « gui ».

♦ Bot. Plante herbacée vivace *(Caryophyllacées)* à fleurs rouges, qui pousse dans les herbages en terrain sec. *Des viscarias.*

VISCÉRAL, ALE, AUX [viseʀal, o] adj. — 1460; lat. *visceralis* « profond », de *viscus, visceris*. → Viscère.

♦ **1.** Profond, intime, inconscient (opposé à *réfléchi, raisonné*). *Avoir une peur viscérale de qqch. Éprouver une répulsion, une haine viscérale pour qqch. Les profondeurs viscérales de l'être humain* (→ Inconscient, cit. 12).

(...) l'anticommunisme viscéral est en voie de régression.
F. MAURIAC, Bloc-notes 1952-1957, p. 271.

♦ **2.** (1765, *Encyclopédie*). Relatif aux viscères, qui appartient à un viscère. *Le sac viscéral, les cavités viscérales. Feuillet viscéral du péritoine. Muscle viscéral* : muscle lisse d'un viscère. ⇒ **Splanchnique.** — *Troubles viscéraux* (→ Nerveux, cit. 8). *Douleur, spasme viscéral* (→ Acuité, cit. 2; circulation, cit. 1).

Zool. *Squelette viscéral :* pièces cartilagineuses ou osseuses soutenant les branchies et la bouche des poissons.

DÉR. Viscéralement.

VISCÉRALEMENT [viseʀalmɑ̃] adj. — XVIᵉ, repris mil. XXᵉ; de *viscéral*, 1.

♦ Cour. Profondément, intimement, du fond de son être. *Être viscéralement dégoûté par qqch. Elle était viscéralement jalouse.*

Mon besoin de protester contre l'injustice, contre le maintien en état d'infériorité, contre la censure, contre le mépris tranquille dans lequel nous sommes entretenues, sont-ils viscéralement féminins ou produits d'école masculine digérés et mis en pratique ?   Michèle PERREIN, Entre chienne et louve, p. 163.

VISCÉRALGIE [viseʀalʒi] n. f. — 1876; de *viscère*, et suff. *-algie*.

♦ Méd. Douleur ressentie au niveau d'un viscère, des viscères.

VISCÈRE [visɛʀ] n. m. — 1478; lat. *viscus, visceris* « chair », par ext. « viscère ».

Anatomie.

♦ **1.** (Surtout au plur.). Organe contenu dans les cavités crânienne, thoracique et abdominale : cerveau, cœur, estomac, foie, intestin, poumon, rate, rein, utérus... *Relatif aux viscères.* ⇒ **Splanchnique, viscéral** (2.). *Opération* (cit. 7) *des viscères.*

♦ **2.** Plus cour. Viscères abdominaux (→ Chair, cit. 1). ⇒ **Boyau**(x), **entrailles.** *Viscères comestibles d'animaux* (cœur, foie, rein). ⇒ **Abats; triperie, tripes.** *Enlever les viscères.* ⇒ **Éviscérer.**

(...) de monstrueux galets ronds, les uns écarlates, les autres noirs ou violets, avaient des ressemblances de viscères (...)
HUGO, les Travailleurs de la mer, II, I, IV.

DÉR. Viscéralgie.
COMP. Viscérologie. V. Viscéro-.

VISCÉRO- Élément de mots composés, tiré de *viscère* ou du lat. *visceris*. ⇒ **Viscérocrâne, viscéro-inhibiteur, viscéromoteur, viscérotonique, viscérotrope.**

VISCÉROCRÂNE [viseʀokʀɑn] n. m. — XXᵉ; de *viscéro-*, et *crâne*.

♦ Embryol., anat. ⇒ **Splanchnocrâne.**

VISCÉRO-INHIBITEUR, TRICE [viseʀoinibitœʀ, tʀis] adj. — Mil. XXᵉ; de *viscéro-*, et *inhibiteur*.

♦ Physiol., méd. Qui ralentit ou abolit la fonction ou la motilité d'un viscère.

VISCÉROMOTEUR, TRICE [viseʀomɔtœʀ, tʀis] adj. — Mil. XXᵉ; de *viscéro-*, et *moteur*.

♦ Physiol. Qui assure le fonctionnement ou la motilité d'un viscère. *Influx nerveux viscéromoteur. Réflexe viscéromoteur.*

VISCÉROTONIQUE [viseʀotɔnik] adj. et n. — Mil. XXᵉ; de *viscéro-*, et *tonique*.

♦ Didact. (Personnes). Qui, par disposition psychophysiologique, recherche les plaisirs, le bien-être, la détente. — N. *Les viscérotoniques aiment le confort, la bonne cuisine, la détente, le sommeil, la vie détendue en société.*

REM. On trouve aussi le n. f. *viscérotonie* [viseʀotɔni].

VISCÉROTROPE [viseʀotʀɔp] adj. — Mil. XXᵉ; de *viscéro-*, et *-trope*.

♦ Méd. Qui montre une affinité pour les viscères. *Virus viscérotrope.*

VISCO- Premier élément de mots composés, tiré de *viscosité*.

VISCOÉLASTICITÉ ou **VISCO-ÉLASTICITÉ** [viskoelastisite] n. f. — V. 1970; de *visco-élastique*, d'après *élasticité*.

♦ Phys. Propriété d'un corps visco-élastique.

VISCOÉLASTIQUE ou **VISCO-ÉLASTIQUE** [viskoelastik] adj. — V. 1970; de *visco-*, et *élastique*.

♦ Phys. Se dit d'un corps, d'un matériau doué à la fois de viscosité et de propriétés élastiques. *Propriétés visco-élastiques d'un corps.* « *Les chercheurs sont d'accord pour ranger la neige dans la catégorie des corps visco-élastiques* » (*la Recherche*, mai 1981, p. 547).
DÉR. Viscoélasticité.

VISCOPLASTICITÉ [viskoplastisite] n. f. — V. 1970; de *viscoplastique*.

♦ Phys. Caractère d'une substance aux propriétés à la fois visqueuses et plastiques.

VISCOPLASTIQUE [viskoplastik] adj. — V. 1970; de *visco-*, et *plastique*.

♦ Phys. Se dit d'une substance à la fois visqueuse et plastique. *Le beurre, la pâte à modeler sont viscoplastiques.*
DÉR. Viscoplasticité.

VISCORÉDUCTEUR [viskoʀedyktœʀ] n. m. — V. 1970; de *viscoréduction*.

♦ Techn. Installation pour la viscoréduction.

VISCORÉDUCTION [viskoʀedyksjɔ̃] n. f. — V. 1970; de *visco-*, et *réduction*.

♦ Techn. Craquage modéré pratiqué sur certains résidus pétroliers (paraffines, fuels lourds) pour diminuer leur viscosité. (Recomm. off. pour remplacer l'anglicisme *visbreaking*; *Journ. off.*, 18 janv. 1973).
DÉR. Viscoréducteur.

VISCOSE [viskoz] n. f. — 1899; du rad. de *visqueux*, et suff. *-ose*.

♦ Techn. Solution colloïdale de cellulose et de soude, qui donne des fibres de rayonne, de la fibranne et de la pellicule cellulosique.

VISCOSIMÈTRE [viskozimɛtʀ] n. m. — 1831; du rad. de *viscosité*, et *-mètre*.

♦ Sc., techn. Appareil servant à déterminer la viscosité des fluides (surtout la viscosité relative).
DÉR. Viscosimétrie.

VISCOSIMÉTRIE [viskozimetʀi] n. f. — 1933; de *viscosimètre*.

♦ Didact. Partie de la physique traitant de la mesure de la viscosité des fluides.
DÉR. Viscosimétrique.

VISCOSIMÉTRIQUE [viskozimetʀik] adj. — Mil. XXᵉ; de *viscosimétrie*.

♦ Didact. Relatif à la viscosimétrie. *Études, mesures viscosimétriques.*

VISCOSITÉ [viskozite] n. f. — 1256; lat. médiéval *viscositas*, du bas lat. *viscosus*. → Visqueux.

♦ **1.** État de ce qui est visqueux. — Phys. *Viscosité d'un fluide* ou *viscosité dynamique :* état d'un fluide dont les molécules sont freinées dans leur déplacement par des interactions ou des associations moléculaires plus ou moins intenses. *Coefficient de viscosité. Mesure de la viscosité d'un fluide.* ⇒ **Viscosimétrie.** *Viscosité cinématique :* quotient de la viscosité dynamique par la densité du fluide à la température considérée. *Unités de viscosité dynamique* (poise, poiseuille, pascal-seconde), *cinématique* (stokes, mètre carré par seconde). *Viscosité d'une huile* (cit. 14), *d'un produit pétrolier.* État d'un corps dont la surface est visqueuse, gluante. *Froideur et viscosité répulsive* (cit. 1) *d'un cadavre. La viscosité d'un poisson.*

La moiteur des pierres et la viscosité du radier en faisaient de mauvais points d'appui, soit pour la main, soit pour le pied.   HUGO, les Misérables, V, III, IV.

♦ **2.** Fig. [a] (V. 1960). Écon. *Viscosité de la main-d'œuvre :* résistance des populations professionnelles au changement, à la mobilité.

b Psychol. sociale. Propriété mesurable (d'un groupe) de fonctionner plus ou moins comme un tout.

c Psychol., psychiatrie. *Viscosité mentale :* bradypsychie donnant l'impression d'un engluement de la pensée, qui s'observe dans la confusion mentale, dans l'épilepsie. ⇒ aussi **Adhésivité, agglutination.**

CONTR. **Fluidité.**

COMP. **Viscoélastique, viscoplastique, viscoréduction, viscosimètre, viscostatique.**

VISCOSTATIQUE [viskostatik] adj. — V. 1970 ; de *visco-*, et *-statique*.

♦ Phys. Dont la viscosité reste constante. *Huiles viscostatiques utilisées comme lubrifiants.*

VISÉ [vize] n. m. — 1907 ; p. p. subst. de 1. *viser*.

♦ Le fait de viser avec une arme à feu (dans la loc. : *au visé*). *Tirer, tir au visé* (opposé à *au juger*).

HOM. **Visée ;** 1., 2. viser.

VISÉE [vize] n. f. — 1219, « regard ; vue » ; de 1. *viser*.

♦ **1.** (V. 1530). Action de diriger la vue, le regard (et, par ext., une arme, un instrument d'optique...) vers un but, un objectif. *Ligne, plan de visée. Tête de visée :* équipement de tir d'un avion de combat, placé devant les yeux du pilote. *Déterminer les différences de niveau* par une visée.*

Alidades des triangles de visée pointez-vous sur les lueurs
APOLLINAIRE, Calligrammes, « Chant de l'horizon en Champagne ».

♦ **2.** (1580, Montaigne). Fig. (surtout au plur.). Direction de l'esprit vers un but, un objectif qu'il se propose, auquel il aspire. ⇒ **Ambition, désir, dessein, intention, prétention.** *Avoir des visées ambitieuses, belliqueuses* (→ Sabotage, cit. 3), *tyranniques* (→ Dissoudre, cit. 5). *Avoir des visées sur qqn.* ⇒ **Vue.** *Un homme à grandes visées* (→ Gendre, cit. 2).

HOM. **Visé ;** 1., 2. viser.

1. VISER [vize] v. — 1155, au sens II, 1 ; du lat. pop. **visare*, lat. class. *visere*, intensif de *videre* « voir », supin *visum*.

★ **I.** V. tr. ♦ **1.** (1610). Regarder attentivement (un but, une cible), afin d'atteindre par un coup, par un projectile. *Viser une cible. Viser qqn avec un fusil* (→ 1. Lever, cit. 8). ⇒ **Coucher** (en joue). *Viser l'objectif en ajustant, en dirigeant son arme.* ⇒ **Mirer, pointer** (→ 3. Pan, cit. 1). *Viser le centre d'une cible, viser un point.* — *Viser qqn au cœur, aux jambes :* viser le cœur, les jambes (de qqn). « *L'homme (...) vise au front mon père en criant "Caramba"* » (→ Étreindre, cit. 2). — *Viser le cochonnet avec la boule.* ⇒ **Pointer** (*infra* cit. 5).

♦ **2.** (1876). Fig. Avoir en vue, s'efforcer d'atteindre (un résultat). ⇒ **Ambitionner, chercher, désirer, guigner** (fam.), **poursuivre, rechercher.** *Il a su, par sa persévérance* (cit. 3), *atteindre le but qu'il a laborieusement visé. Viser une place, un poste* (→ Avoir des vues* sur). *Il visait la députation* (→ Législature, cit.), *le portefeuille* (cit. 3) *des Affaires étrangères.* ⇒ *Viser la fortune, les honneurs.* — (Abstrait). *Viser l'effet. Michel-Ange ne vise pas la mise en scène* (→ Sublimer, cit. 2). *Son style vise la clarté plus que la profondeur* (→ Atticisme, cit. 4).

(...) l'art vise toujours l'*individuel.* H. BERGSON, le Rire, III, I.
Cette opération eût pu viser un but auquel, à la vérité, il paraissait singulièrement audacieux de prétendre.
Louis MADELIN, Hist. du Consulat et de l'Empire, Talleyrand, XXVIII.

♦ **3.** (Sujet n. de chose). Regarder, s'appliquer à. *Cette remarque vise tout le monde.* ⇒ **Concerner, intéresser.** *L'insémination* (cit.) *artificielle ne vise que certaines femmes. Le titre de patron* (1. Patron, cit. 11) *vise plus spécialement les rapports avec les salariés.* — Par ext. Se référer à. *Taxe de luxe* (cit. 15) *visant certains articles.*

♦ **4.** (xxᵉ). Fam. Regarder. ⇒ **Mater** (vieilli). *Vise la gueule du cuistot* (→ Marrer, cit.), *la belle paire de pompes* (cit. 5 ; → Richelieu, cit. 1). *Vise un peu cette bagnole !*

★ **II.** V. tr. ind. (1398). VISER À. ♦ **1.** Diriger un objet, une arme sur (qqch.). *Il a visé au cœur, à l'épaule.*

♦ **2.** (xIVᵉ). Avoir en vue (une fin, un résultat), tendre à. « *C'est le but auquel elle* (la nature) *vise* » (Bossuet, *in* Littré). *Il faudrait viser à l'égalité* (cit. 12) *des chances. Scène qui vise et touche à l'émotion* (→ Fatuité, cit. 3). *Viser à l'effet*, au naturel* (→ Hors-d'œuvre, cit. 2).

Bonaparte aimait la puissance et visait à la toute-puissance (...)
A. DE VIGNY, Journal d'un poète, 1833.

(Suivi d'un inf.). *Le soin de nos pères ne vise que ce qu'à nous meubler* (cit. 2) *la tête de science.* ⇒ **Chercher, tendre** (à). → Entremetteur,

cit. 1. *Son ambition visait à être l'Égérie* (cit. 2). *L'humour* (cit. 7) *vise d'abord à provoquer le rire.*

(...) il vise moins à les rendre savants qu'à les rendre sages (...) 4
LA BRUYÈRE, Discours sur Théophraste.

S'il *(Guizot)* écrit, il ne se soucie pas d'une perfection chimérique ; il vise à bien 5
dire ce qu'il veut, comme il le veut (...)
SAINTE-BEUVE, Causeries du lundi, 4 févr. 1850.

(...) il aura, en fait, visé exclusivement au résultat qu'il aura finalement obtenu. 6
Louis MADELIN, Talleyrand, XXX.

★ **III.** V. intr. ♦ **1.** (xIIᵉ). Diriger attentivement son regard (et, par ext., un objet, une arme) vers le but, la cible à atteindre. *Vise bien avant de tirer* (→ Pomme, cit. 5). ⇒ **Ajuster.** *Il visait, tirait, manquait* (→ Secousse, cit. 3). *Viser d'un œil en fermant l'autre.* ⇒ **Bornoyer.** *Viser droit. Viser juste, trop haut, trop bas.*

Pour viser, il suffit d'une imperceptible rectification de l'arme, un redressement du 7
canon dont la gueule noire sournoise (...) devient tout à coup forte, assurée d'exprimer une vérité éternelle, évidente ; il suffit de quelques millimètres dans l'inclinaison nouvelle. Jean GENET, Pompes funèbres, p. 69.

♦ **2.** (Mil. xIXᵉ). *Viser haut (bas) :* avoir des ambitions très grandes (modestes). *Visez moins haut, visez plus bas et vous réussirez. En cela nous visons plus loin que le but qu'il nous est donné d'atteindre* (→ Pourquoi, cit. 27). *Bien visé !* — Prov. (Vx). *Ce n'est pas mal visé pour un borgne :* le résultat est meilleur qu'on ne s'y attendait.

Elle recommande constamment à son fils de viser haut en toute chose, et en même 8
temps de s'attacher à la réalité et non à l'apparence (...)
SAINTE-BEUVE, Causeries du lundi, 9 juin 1851.

▶ **VISÉ, ÉE** p. p. et adj.

♦ **1.** Se dit de l'objectif que l'on se propose d'atteindre avec une arme. *Atteindre le point visé* (→ par ext., 1. Geste, cit. 6).

♦ **2.** (Personnes). Fig. Concerné. *Se croire visé :* se croire l'objet d'une critique, d'une attaque. *Rousseau se crut visé* (→ Persécution, cit. 6). *Dès qu'on dit quelque chose, elle se sent toujours visée.*

(Choses). Dr. *Les articles du Code visés dans un arrêt, un jugement,* ceux auxquels on se réfère.

DÉR. **Visée, viseur.**

COMP. **Aviser.**

HOM. **Visée,** 2. viser.

2. VISER [vize] v. tr. — 1668 ; de *visa*.

♦ Voir, examiner un acte et le revêtir d'un visa ou d'une mention qui le rend valable. *Faire viser son passeport* (cit. 3) ; ⇒ **Visa** (cit. 1). *Faire viser sa carte de séjour. Viser et parapher des livres de commerce.*

COMP. V. **Superviser.**

HOM. **Visée,** 1. viser.

VISEUR [vizœR] n. m. — xVIᵉ ; *viseor* « éclaireur », 1222 ; de 1. *viser*.

♦ **1.** Rare. Celui qui vise. *Un bon viseur.* — REM. Dans ce sens, un fém. *viseuse* est virtuel.

♦ **2.** (1842). Instrument, dispositif optique servant à effectuer une visée. *Viseur d'une arme à feu. Viseur de tir aérien, de bombardement. Regarder dans le viseur.* — Astron. Petite lunette servant à repérer. — (Déb. xxᵉ). Dispositif permettant de délimiter le champ (en photo, cinéma). *Le viseur de la caméra.*

COMP. **Rétroviseur.**

VISHNUISME [viʃnuism] n. m. — 1876, P. Larousse, *vichnouisme* ; de *Vishnu*, d'abord écrit *Vichnou*.

♦ Didact. Ensemble des croyances et des pratiques religieuses relatives au dieu Vishnu, dans la religion hindouiste.

VISIBILITÉ [vizibilite] n. f. — 1487 ; *visibleté*, 1380 ; bas lat. *visibilitas*, du lat. class. *visibilis*. → Visible.

♦ **1.** Caractère de ce qui est perceptible par la vue, sensible à l'œil* humain. *Visibilité d'un phénomène, d'un corps* (fonction de la dimension, de l'éloignement, des conditions d'éclairage, etc.). → 1. Lunaire, cit. 1.

(...) la *visibilité* pour quelqu'un peut être sa facilité d'être vu, ou bien la facilité que les objets lui offrent ; *et* exactement comme *la crainte des ennemis*, c'est celle qu'ils éprouvent ou bien celle qu'ils inspirent.
A. THÉRIVE, Clinique du langage, p. 44.

Sc. Caractère des radiations électromagnétiques qui impressionnent l'œil humain. *La visibilité part de zéro aux extrémités du spectre visible et passe par un maximum* (dans le jaune-vert). *Limites de visibilité* (variables selon les individus). *Coefficient de visibilité :* rapport du flux générateur d'impressions lumineuses au flux total (il ne dépend que de la composition spectrale du rayonnement). *Facteur de visibilité. Visibilité de franges d'interférences :* rapport de la différence d'intensité du maximum et du minimum du système à leur somme.

♦ **2.** (1935). Qualité de l'atmosphère permettant de voir à une plus ou moins grande distance. *Rayon de visibilité : distance à laquelle les objets sont visibles, selon l'état de l'atmosphère. Bonne, mauvaise visibilité. Visibilité nulle. Prévisions de visibilité* (pour la navigation, la navigation aérienne). — *Pilotage* sans visibilité* (P. S. V.).

♦ **3.** Possibilité, en un point donné, de voir plus ou moins bien les abords. *Virage sans visibilité. Cette voiture a un grand pare-brise qui lui donne une excellente visibilité.*

♦ **4.** (1590). Fig., vieilli. Qualité qui rend une chose manifeste. ⇒ **Visible** (2. et 3.). *La perpétuelle visibilité de l'Église* (→ Indéfectibilité, cit. 2).

CONTR. Invisibilité.

VISIBLE [vizibl] adj. — V. 1190 ; lat. *visibilis*, d'abord « qui peut voir » (Pline), puis « qu'on peut voir » ; de *videre* « voir ».

♦ **1.** Qui peut être vu, qui est effectivement perceptible* par le sens de la vue. *Objets visibles* (→ Rêverie, cit. 8). *Une peinture encore parfaitement visible et distincte* (→ Portail, cit. 3). *La ligne d'horizon* (cit. 4) *n'est plus visible.* ⇒ **Apercevable**. *La face visible de la lune. Devenir visible.* ⇒ **Apparaître**. *Sommets* (cit. 1) *visibles de terres* (immergées). *Étoiles visibles. L'heure, le lieu où une éclipse est visible* (→ Prévoir, cit. 6). ⇒ **Observable**. *Le monde visible.* ⇒ **Macroscopique**. — *Radiation* (2. Radiation, cit.) *électromagnétique, rayonnement visible, qui impressionne l'œil humain. Spectre* (cit. 7) *visible* (→ 1. Rayon, cit. 6). *Les radiations des extrémités du spectre visible fournissent une faible contribution à la sensation lumineuse, à cause de leur très faible facteur de luminosité* (⇒ **Visibilité**). — *Visible à l'œil nu, à la loupe, au microscope...*

1 (...) ce rôle privilégié est indépendant du fait que l'un de nos sens est adapté à la perception de la lumière visible, puisqu'une foule d'autres radiations auxquelles notre œil est insensible partagent avec la lumière visible la particularité de tenir dans la nature une place primordiale.
L. DE BROGLIE, Physique et Microphysique, p. 65.

Spécialt. Qu'on voit facilement ; appréciable à la vue. *Des reprises* (cit. 7) *assez visibles.* ⇒ **Distinct**.

2 Elle prenait, depuis son arrivée au Havre, un embonpoint assez visible, qui alourdissait sa taille autrefois très souple et très mince.
MAUPASSANT, Pierre et Jean, I.

N. m. *Le visible. Au delà du visible.* ⇒ **Infrarouge, ultraviolet.**

♦ **2.** Sensible ou rendu sensible aux sens (et, spécialt, au sens de la vue), en parlant d'une réalité abstraite, mentale ou globale (opposé à *caché, invisible*). ⇒ **Apparent, manifeste**. *Le bien voilé, le mal visible* (→ Incompréhensible, cit. 7). *Forme visible d'un symbole* (cit. 3). ⇒ Symbolisme, cit. 5). *Enveloppe* (cit. 12) *visible d'une idée. Apparence* (cit. 4), *espèce* (cit. 1) *visible. La beauté, c'est la Divinité visible* (→ Forme, cit. 30). — *Le monde, la nature visible* (→ Atome, cit. 9, Pascal ; paradis, cit. 7). *Jésus, pour fonder l'Église* (cit. 1), *« est sorti du sein invisible de son père, et s'est rendu visible aux hommes »* (Bossuet). — *« L'auteur doit être présent partout et visible nulle part »* (→ Graphique, cit. 4).

3 (...) voulant paraître à découvert à ceux qui le cherchent de tout leur cœur, et caché à ceux qui le fuient de tout leur cœur, il tempère sa connaissance, en sorte qu'il a donné des marques de soi visibles à ceux qui le cherchent, et non à ceux qui ne le cherchent pas.
PASCAL, Pensées, VII, 430.

4 Toute ma valeur (...) est que *je suis un homme pour qui le monde visible existe.*
Th. GAUTIER, cité par Ed. et J. DE GONCOURT, Journal, 1er mai 1857, t. I, p. 141.

5 (...) le but de la Mystique, c'est de rendre visible, sensible, presque palpable, ce Dieu qui reste muet et caché pour tous ? HUYSMANS, En route, I, VI.

N. m. *Le visible et le tangible* (cit. 2), *et le créé* (→ Incréé, cit. 3). *Le visible et l'invisible* (cit. 8).

♦ **3.** (1611). Qui se manifeste, s'extériorise, peut être constaté par les sens. ⇒ **Clair, évident, flagrant, manifeste, ostensible** (→ Cela tombe sous le sens*). *Anxiété* (cit. 3), *effort* (cit. 23), *embarras* (→ Plaisanterie, cit. 7), *plaisir visible* (→ Réciter, cit. 1). *Mon antipathie était si visible...* (→ Froideur, cit. 10), *trop visible.* ⇒ **Voyant**. *Douleur visible sur les traits, le visage.* ⇒ Écrit (*supra* cit. 16), *tracé* sur...*

6 Sa détresse alors était si visible que Sammécaud ne pouvait s'y méprendre.
J. ROMAINS, les Hommes de bonne volonté, t. V, XXVI, p. 265.

Impers. *Il est visible que...,* clair, évident (→ Disposition, cit. 6 ; énumérer, cit. 1 ; jaloux, cit. 4).

♦ **4.** (1673, Mme de Sévigné, *in* D. D. L.). En état de recevoir une visite. *Ma mère n'est jamais visible de deux heures à quatre heures* (→ Remplir, cit. 13).

Fam. En état d'être vu (c'est-à-dire habillé, apprêté). *Attends une seconde, je ne suis pas visible !* ⇒ **Présentable**.

CONTR. Caché, intime, invisible, obscur, secret ; douteux, faux.
DÉR. Visiblement.

VISIBLEMENT [vizibləmã] adv. — XIIe ; de *visible*.

♦ **1.** De manière à être vu ; en se manifestant à la vue (→ Presser, cit. 6). *« Ses lèvres bougent visiblement. On perçoit un murmure... »* (→ Réciter, cit. 2). — Spécialt. ⇒ **Visible** (2.). *Les espèces du Pain, qui couvrent visiblement l'Humanité* (cit. 2) *glorieuse de Jésus.*

Elle n'osait porter visiblement la croix qui y avait été suspendue ; cela n'était pas encore permis ; mais elle la conservait sans doute entre sa chair et le cilice de laine ou de crin dont elle se couvrait par pénitence (...)
Charles NODIER, Contes, « Lidivine ».

♦ **2.** (1312). D'une manière évidente, claire. ⇒ **Visible** (3.). → Attaquer, cit. 37 ; espérance, cit. 36 ; exact, cit. 16 ; ménager, cit. 16 ; métropole, cit. 3. *L'homme est visiblement fait pour penser* (I. Penser, cit. 9). ⇒ **Manifestement**. *Il était visiblement préoccupé* (→ 1. Porte, cit. 9).

Contemple-la, cette terre, telle que Dieu l'a donnée à ceux qui l'habitent. N'est-elle pas visiblement et uniquement disposée, plantée et boisée pour des animaux ? Qu'y a-t-il pour nous ? Rien. Et pour eux, tout : les cavernes, les arbres, les feuillages, les sources, le gîte, la nourriture et la boisson.
MAUPASSANT, l'Inutile Beauté, III.

(En tête de phrase). *Il est* (était...) *visible que... ; de toute évidence. Visiblement, il était très heureux. Visiblement la cour se croyait trop forte* (→ Narguer, cit. 2 ; et aussi 1. police, cit. 13 ; razzia, cit. 1).

CONTR. Invisiblement.

VISIÈRE [vizjɛʀ] n. f. — 1250 ; de l'anc. franç. *vis* (→ Visage), et suff. *-ière*.

♦ **1.** Pièce mobile du casque, de l'armure de tête qui couvrait le visage (⇒ **Mentonnière, mézail**). *Visière d'armet* (cit. 2). *Baisser la visière, pour combattre* (→ Dame, cit. 5). *La lame haute* (cit. 13) *et la visière basse.*

Nous sommes gens gantés d'acier, bottés d'airain,
À visière féroce, à visage serein. HUGO, la Légende des siècles, XX, I.

Loc. *Rompre en visière.* ⇒ **Rompre** (*infra* cit. 2, sens propre ; et II., 4., fig.). — Vx. *Choquer, blesser la visière de qqn,* le heurter.

♦ **2.** (XVIIe). Fig., vx. Ce à travers quoi on regarde ; vue plus ou moins nette (→ Lunettes). *« Le plaisir rend la visière plus nette »* (Voltaire, *Lettre,* 21 sept. 1762). *Avoir la visière courte.*

♦ **3.** (1835). Pièce d'une coiffure qui abrite les yeux (comparée à une visière levée). *Visière d'une casquette*, d'un képi* (cit. 1). — Par anal. *Mettre sa main en visière. Ramener le rebord d'un béret* (cit. 1) *en visière.*

Il en lâcha son képi, que, par déférence, il tenait à la main. Hurluret, l'ayant relevé, l'en recoiffa à la bonne franquette, la visière tournée sur la nuque.
COURTELINE, le Train de 8 h 47, III, II.

La main en visière pour protéger ses prunelles, Vanheede regarda prudemment vers les tables voisines. MARTIN DU GARD, les Thibault, t. VI, p. 244.

Pièce rigide qui protège les yeux et qui s'attache autour de la tête. ⇒ **Garde-vue**. *Visière en celluloïd, en plastique.*

Le metteur en scène était en bras de chemise avec une visière sur les yeux. La visière, c'est un détail, tu me diras, mais on n'imagine pas comme ça faisait coquet.
M. AYMÉ, Travelingue, XI.

♦ **4.** (1680). Techn., vx. Dispositif de visée d'une arbalète, et, par ext., d'une arme à feu. ⇒ **Hausse**.

♦ **5.** Techn. Avancée du pavillon d'une locomotive (électrique).

VISIGOTH, OTHE [vizigo, ɔt] adj. et n. ⇒ **Wisigoth**.

VISION [vizjõ] n. f. — 1120, « perception d'une réalité surnaturelle » ; « action de voir, vue », XIIIe ; lat. *visio* « action de voir », de *visum,* supin de *videre* « voir ».

★ **I.** ♦ **1.** Perception du monde extérieur par les organes de la vue ; mécanisme physiologique (photoréception) par lequel les stimuli lumineux donnent naissance à des sensations. *Appareil, organes de vision.* ⇒ **Œil** (cit. 4), **optique** (nerf). → Regard, cit. 3. *La rhodopsine, pigment de la vision. Les lois de la vision.* ⇒ **Optique** (cit. 1), **optométrie**. *Champ de la vision :* champ visuel. *Vision fovéale* (⇒ **Fovéa**), *périphérique. Vision binoculaire*. Vision dédoublée.* ⇒ **Diplopie**. *Vision stéréoscopique, vision chromatique. Vision diurne* (ou *photoscopique*), *vision nocturne* (ou *scotopique*). ⇒ **Nyctalopie**. *Vision vespérale* (ou *mésopique*). *Vision nette* (→ Forme, cit. 11) ; *indistincte,* cit. 1). ⇒ Demeurer, cit. 23. *Vision lointaine, rapprochée. Examen de la vision.* ⇒ **Optométrie**. *Vision normale.* ⇒ **Emmétropie**. *Troubles, anomalies de la vision.* ⇒ **Amétropie** (et **hypermétropie, myopie**), **astigmatisme, dyschromatopsie, presbytie** ; **amaurose, cécité**.

Assurément nous ne percevons d'aucune manière ni les rayons lumineux en eux-mêmes ; ni leur réflexion au dehors, ni leur réfraction dans l'intérieur de l'œil. Nous n'avons pas même le sentiment immédiat de quelque impression faite sur la rétine, mais uniquement par l'intuition objective, résultante de toute cette série des mouvements. Les opticiens seuls connaissent ou croient connaître les moyens efficaces par lesquels la vision s'effectue.
MAINE DE BIRAN, Du physique et du moral de l'homme, p. 280.

♦ **2.** (Sens développé au XIXᵉ). Fig. [a] Action de voir, de se représenter en esprit. ⇒ **Représentation**. *Vision de l'avenir.* ⇒ **Pressentiment** (→ Double vue*). *La vision ou la démonstration* (cit. 6) *d'une
vérité.* ⇒ **Intuition.**

[b] *(Une, des visions).* (Qualifié). Façon de voir, de concevoir un
ensemble de choses complexes. *Vision exacte.* ⇒ **Clairvoyance.**
Vision d'ensemble de la science sociale (→ Physiocrate, cit.), *de
la philosophie* (cit. 8). *Vision des historiens* (→ Passion, cit. 29).
⇒ **Conception.** *La vision einsteinienne du monde* (→ 1. Objectif,
cit. 11), *réaliste* (→ Échiquier, cit. 5), *épique* (→ Épopée, cit. 4), *poétique* (→ Naturaliste, cit. 7).

1.1 La puissance de vision qui fait le poète, et la puissance de déduction qui fait
le savant (...)   BALZAC, la Recherche de l'Absolu, Pl., t. IX, p. 540.

1.2 (...) car le style pour l'écrivain, aussi bien que la couleur pour le peintre, est une
question non de technique mais de vision.
                                             PROUST, le Temps retrouvé, Pl., t. III, p. 895.

♦ **3.** Philos. *Vision en Dieu,* théorie de Malebranche, suivant
laquelle la perception du monde extérieur se fait par l'intelligence
divine, l'esprit de l'homme étant intimement uni à l'esprit de Dieu
(*De la recherche de la vérité,* III, II, 6.). — Théol. cathol. *Vision
béatifique** (cit. 1) ou *intuitive :* contemplation directe de Dieu, privilège des élus. — *Vision et adoration séraphiques* (cit. 2).

★ **II.** (V. 1170). *Une, des visions.* Chose vue, perçue.

♦ **1.** Ce que l'on voit, ce qui se présente à la vue. ⇒ **Spectacle, vue.**
Présenter, offrir une vision désolante, merveilleuse. — Image. *Un
monde de visions et d'odeurs.* → Subtil, cit. 5.1. *Visions informes,
fragmentées* (cit.), *imprécises* (⇒ **Forme**). → Perspective, cit. 1 ; et
aussi papillotement, cit. 4. *Le spectacle de la fantasia* (cit. 1) *arabe,
luxe de visions.*

♦ **2.** (Fin XIIᵉ). Représentation conçue comme d'origine surnaturelle ;
chose surnaturelle* qui apparaît aux yeux ou à l'esprit. ⇒ **Apparition, révélation.** *Les visions des prophètes* (→ Buisson, cit. 4 ; gloire,
cit. 48), *des grands mystiques* (→ Charisme, cit. 1), *des saints, des
voyants* (→ Équivaloir, cit. 2). — *Vision prophétique* (cit. 3).

2 Toutefois il est incontestable qu'averses, visions, ravissements sont des états anor-
maux, et qu'il est difficile de distinguer entre l'anormal et le morbide. Telle a
d'ailleurs été l'opinion des grands mystiques eux-mêmes.
                                             H. BERGSON, les Deux Sources de la morale et de la religion, p. 242.

♦ **3.** (XVIIᵉ). Représentation imaginaire. *Des visions fantastiques que
les yeux semblent apercevoir.* ⇒ **Hallucination** (cit. 8 et 10) ; **chimère, fantasme, fantôme, illusion, mirage, rêve.** *Visions hallucinatoires* (→ Suggestion, cit. 4 ; et aussi appréhension, cit. 6), *nocturnes* (→ 1. Muse, cit. 10). *Incohérentes visions du rêve, du délire*
(→ Assembler, cit. 10 ; délire, cit. 3). — Absolt. *Avoir des visions.*

3 (...) lorsqu'il lui arrive d'avoir pendant son sommeil quelque vision, il va trouver
les interprètes des songes (...)
                                             LA BRUYÈRE, les Caractères de Théophraste, « De la superstition ».

4 Je fus longtemps sans parvenir à dormir ; puis le sommeil vint, un sommeil hanté
de visions insupportables.   MAUPASSANT, les Contes de la Bécasse, « Un fils ».

5 Il passait des réflexions aux rêveries sans trop s'en apercevoir. Et pourtant ses
rêveries prenaient de grandes libertés avec le réel. Elles étaient en somme de la
famille des visions.   J. ROMAINS, les Hommes de bonne volonté, t. V, XI, p. 83.

♦ **4.** [a] (V. 1650). Vx. Idée folle, extravagante. ⇒ **Folie.** *S'égarer* (cit. 18) *dans des visions.* « *Les sottes visions de cette extravagante* » (cit. 2 ; → aussi Immoler, cit. 10). « *Sont-ce des visions que
je me mets en tête ?* » (→ Tailler, cit. 10). *Visions cornues*.*

6 (...) les visions de noblesse et de galanterie qu'il est allé se mettre en tête (...)
                                             MOLIÈRE, le Bourgeois gentilhomme, I, 1.

[b] (XXᵉ). Mod. (Fam.). *Avoir des visions :* déraisonner. *Tu as des
visions !*

7 Non, mon cher. Vous avez des visions, vous entendez parler les balayeuses ! C'est
bien joli, mais ce n'est pas rassurant.   M. PAGNOL, Topaze, III, 2.

♦ **5.** (XIXᵉ). Image mentale. ⇒ **Idée, image.** *Ce parfum m'évoque la
vision d'une cheminée à hotte* (cit. 2). ⇒ **Évocation.** *Vision intérieure* (→ Improvisation, cit. 7). *Vision obsédante.* ⇒ **Hantise,
obsession** (→ Épave, cit. 3). *Des visions de luttes* (cit. 3) *sanglantes. La vision de la mort* (→ Effaré, cit. 9). *Visions romanesques*
(→ Guérir, cit. 15). ⇒ **Chimère, illusion, mirage, rêve, rêverie.**

8 C'est une vision, n'est-il pas vrai, Marie ?
C'est un rêve insensé qui m'a frappé les yeux.
                                             MUSSET, Poésies nouvelles, « Rolla », III.

9 J'eus un rêve : le mur des siècles m'apparut (...)
(...) De cette vision du mouvant genre humain,
Ce livre, où près d'hier on entrevoit demain,
Est sorti (...)
                                             HUGO, la Légende des siècles, La vision d'où est sorti ce livre (1857).

10 Elle se serait arrêtée peut-être, si, à ce moment, la vue de Jenny étendue n'avait
brusquement fait ressurgir devant ses yeux la vision du couple enlacé sur le divan
de Daniel.   MARTIN DU GARD, les Thibault, t. VIII, p. 59.

CONTR. Aveuglement ; réalité.
DÉR. Visionnaire, visionner.
COMP. Télévision.

VISIONNAIRE [vizjɔnɛʀ] adj. et n. — 1637 ; de *vision.*

♦ **1.** Personne qui a ou croit avoir des visions, des révélations surna-

turelles, ou qui a des idées folles, extravagantes. ⇒ **Halluciné, illuminé, songe-creux.** *Prédictions de visionnaire. Traiter qqn de visionnaire.* — Adj. *Des illuminés* (cit. 22) *visionnaires.* — (Choses).
Un savoir incompréhensible et visionnaire (→ Empirique, cit. 3).
⇒ **Chimérique, extravagant.**

1 Ses yeux pourtant sont plutôt doux. Leur brillant, leur transparence, l'étrange
façon dont ils errent, regardant sans regarder, feraient croire qu'il y a là un
visionnaire, à la fois charlatan et dupe, s'attribuant la seconde vue, un prophète
de carrefour (...)   MICHELET, Hist. de la Révolution franç., IV, VI.

♦ **2.** (1872 ; des personnes, XXᵉ). Littér. Capable d'anticiper, qui a
une intuition juste de l'avenir. *Poète visionnaire.* — N. *Un, une
visionnaire. Artiste qui fait œuvre de visionnaire. Hugo, Jules
Verne, Wells, George Orwell ont été des visionnaires.*

2 Haverkamp est donc un grand visionnaire qui sait remettre ses visions à leur
place. Au rebours de la plupart des hommes, petits visionnaires constamment
empêtrés dans leurs visions.
                                             J. ROMAINS, les Hommes de bonne volonté, t. IV, IV, p. 25.

VISIONNER [vizjɔne] v. tr. — 1921 ; de *vision.*

♦ **1.** Examiner (un film) d'un point de vue technique. *Visionner une
séquence, un montage provisoire des rushes.*

1 Ce que j'avais à en dire *(du film)* était trop important pour tenir en une seule
page. Car après l'avoir « visionné » comme on dit en jargon de cinéma, il m'a paru
(...) qu'on ne pouvait se contenter d'un simple compte rendu.
                                             A. ARTAUD, Lettres, À Jean Paulhan, 22 janv. 1932, Œ. compl., t. III, p. 261.
Visionner des diapositives, les regarder dans la visionneuse.

♦ **2.** (V. 1980). Faire apparaître (une image, un texte...) sur un écran
de visualisation.

♦ **3.** V. intr. Fam., rare. Avoir des visions.

2 Elles visionnent, avec leur étang. Que d'la boue, d'la gadoue comme j'vous ai dit
tout de suite. Et alors ! je ne rêve pas.   Francis CARCO, Ombres vivantes, p. 199.

DÉR. Visionneuse.

VISIONNEUSE [vizjɔnøz] n. f. — 1947, in D.D.L. ; de *visionner.*

♦ Cin. Appareil formé d'un dispositif optique grossissant derrière
lequel le film défile, et qui permet de l'examiner. *Visionneuses
d'une salle de montage.* — (1949). Appareil semblable pour regarder les diapositives.

VISIOPHONE [vizjɔfɔn] n. m. — V. 1970 ; du rad. de *vision,*
et *-phone.*

♦ Techn. Téléphone équipé d'un écran de télévision, permettant
aux correspondants de se voir. — REM. Ce terme a été proposé pour
remplacer *vidéophone* (*Journ. off.,* 24 juin 1982), comme *visiophonie*
[vizjɔfɔni] par *vidéophonie.*

VISITAGE [vizitaʒ] n. m. — XXᵉ ; de *visiter.*

♦ Techn. Contrôle final (en horlogerie).

VISITANDINE [vizitɑ̃din] n. f.— 1721, Trévoux ; de *visit(ation).*

♦ Religieuse de l'ordre de la Visitation. *Couvent de visitandines.*

VISITATEUR [vizitatœʀ] n. m. — Fin XVᵉ ; bas lat. *visitator,* de *visitare.* → Visiter.

♦ Vx ou relig. Homme qui inspecte, surveille. ⇒ **Visitatrice.**

VISITATION [vizitasjɔ̃] n. f. — 1611 ; « visite », fin XIIᵉ ; lat. ecclés.
visitatio, de *visitare.* → Visiter.

♦ **1.** Relig. Visite que rendit la Sainte Vierge à sainte Élisabeth,
alors enceinte de saint Jean-Baptiste ; fête instituée en commémoration de cet événement (célébrée le 2 juillet). — (1680). Par ext.
Tableau représentant cette scène. — *Ordre de la Visitation :* ordre
de religieuses fondé par saint François de Sales et sainte Jeanne
de Chantal, en 1610. *Sœurs de la Visitation* (→ Religieusement,
cit. 2). ⇒ **Visitandine.**

♦ **2.** Vieilli. Visite des monastères (→ Renonciation, cit. 2). ⇒ **Visitatrice.**

DÉR. V. Visitandine.

VISITATRICE [vizitatʀis] n. f. — 1596 ; lat. ecclés. *visitatrix,* fém.
de *visitator.* → Visitateur.

♦ Relig. Religieuse chargée par la maison mère de visiter les
monastères d'un ordre.

VISITE [vizit] n. f. — 1556, «perquisition»; de *visiter*.

★ **I.** (Le compl., s'il est exprimé, désigne une personne, en général l'auteur de la visite; correspond à *visiter* I.).

♦ **1.** (1607). ⓐ Le fait d'aller voir qqn et de rester avec lui un certain temps (par devoir social, politesse, amitié, etc.). ⇒ **Entrevue, rencontre.** *La visite de qqn, sa visite :* le fait, pour qqn, de se rendre chez une autre personne. *La visite de qqn à qqn. Une visite à qqn, chez qqn.* — Rare. *La visite de qqn par qqn,* faite à qqn par qqn. — REM. Avec un seul compl. en *de (la visite de qqn)* ou sans compl. *(une visite)* le mot peut être ambigu. — *L'objet* (cit. 20), *le but d'une visite* (⇒ Surseoir, cit. 2; exposer, cit. 9), *les motifs de sa visite. Une visite assez singulière, inattendue* (cit. 3). *Une petite, une longue visite* (→ Élément, cit. 8). *Visites continuelles.* ⇒ **Assiduité.** — *Faire une visite à qqn* (→ Irruption, cit. 3; passif, cit. 5). Vieilli. *Faire visite à qqn* (→ 2. Gentil, cit. 9; 1. pair, cit. 9). *Rendre* une visite à qqn, lui rendre sa visite (→ Malappris, cit. 1). — Par ext. **RENDRE VISITE À (qqn),** faire* une visite (→ Ennuyer, cit. 12). ⇒ **Saluer, voir** (aller voir). *Je vous rendrai visite vers 5 heures.* ⇒ **Passer** (A., III., 3.). — *Recevoir* (cit. 18) *des visites, la visite d'un ami, d'un parent* (→ Montrer, cit. 2). — *Visite de cérémonie, de demande en mariage* (→ Beurre, cit. 5), *de sollicitation* (⇒ **Démarche** ; → Recommandation, cit. 3). *Visite de remerciements.* (1808; vieilli). *Visite de digestion,* pour remercier d'une invitation à un repas. *Les visites du Jour de l'An. Visite faite pour se présenter. Visite sur rendez-vous*.* — Spécialt. *Visites académiques,* que font les candidats à une élection académique aux académiciens. → Aspirant, cit. 2.

1   Des petites filles maigrelettes (...) se rendent des visites en plein air, répétant ainsi la comédie donnée à domicile par leurs parents.
                   BAUDELAIRE, *Curiosités esthétiques,* XVI, XII.

2   Elle avait choisi dans la liste des visites celles qui l'ennuyaient le moins, pour les faire d'abord; les autres étaient indéfiniment remises.
                   R. ROLLAND, *Jean-Christophe, La révolte,* II, p. 518.

3   La femme de ménage passait chez eux trois heures par semaine pour laver, c'était la seule visite qu'ils eussent reçue au cours de bien des années.
                   CÉLINE, *Voyage au bout de la nuit,* p. 232.

Rencontre mondaine de personnes qui se font des visites. *J'aime le jeu, les visites...* (→ Plaisir, cit. 37). ⇒ **Réception.** — *Être en visite chez qqn.*

ⓑ Le fait de se rendre auprès de qqn (→ Hune, cit.) ou de recevoir qqn dans des conditions déterminées, notamment dans certaines collectivités (hôpitaux, pensions, prisons...). *Visite à un malade dans un hôpital, à un pensionnaire, un prisonnier. Horaire des visites. Les visites ont lieu au parloir. Après vingt heures, les visites sont terminées. L'heure de la visite est passée.*

Loc. **CARTE DE VISITE.** ⇒ **Carte,** I., 3.

ⓒ (1845; vieilli). Petit manteau de femme (que les dames revêtaient pour faire des visites). *«Elle jetait sur les épaules sa "visite" en cachemire noir brodée de jais»* (Colette, *in* G. L. L. F.).

3.1   (...) pour la première fois, elle allait au théâtre à Paris. Elle s'en jugeait digne, encore qu'il y eût une faiblesse du côté de son manteau qui était tout bonnement une visite de drap marron soutachée alors qu'il eût fallu de la diamantine et des guipures.
                   Denyse VAUTRIN, *les Noces de Corrèze,* p. 162.

♦ **2.** (1740). Par métonymie. La personne qui se rend chez une autre. ⇒ **Visiteur.** *Quelques visites arrivèrent, des voisines mordues* (cit. 24) *de curiosité...* (→ aussi Disparaître, cit. 10; matin, cit. 17).

Collectif, fam. *De la visite :* des visiteurs. *Voilà de la visite. Nous avons de la visite, on dirait.*

♦ **3.** Emplois spéciaux. ⓐ (1690). Pour un médecin, Le fait de se rendre auprès d'un malade (→ Intéresser, cit. 24). *Les visites d'un médecin* (aux malades, auprès des malades). *Visites à domicile* (cit. 5). *Les visites et les consultations. Faire sa tournée de visites.* Le fait d'aller voir qqn chez lui pour le secourir, par charité. *La visite* (par qqn) *des pauvres, des indigents.*

Dr. *Droit de visite aux enfants,* pour l'époux divorcé ou séparé qui ne garde pas l'enfant.

Action de visiter (un client). *Les visites d'un représentant, d'un voyageur de commerce.* ⇒ **Tournée** (1.).

ⓑ (Visites officielles). *La visite d'un chef d'État, d'un souverain dans un pays étranger.*

ⓒ (Visites faites par qqn pour inspecter). *Les visites d'un évêque dans sa tournée pastorale. Les visites d'un inspecteur.* ⇒ **Inspecteur.** *Visite d'expert.* ⇒ **Expertise.** — *La visite de la douane. Visite de douane,* faite par la douane (→ ci-dessous). *Visite d'un lieu,* dans le même type de contextes.

♦ **4.** (XIXᵉ). Le fait, pour une personne, de se rendre auprès d'un médecin. *La visite d'un malade.* — (Plus souvent sans compl.). *Passer la visite. L'heure de la visite. Visite médicale annuelle obligatoire* (que passent les salariés d'une entreprise). *Visite des prostituées en carte* (absolt, *la visite,* 1897, *in* D. D. L.). *Aller à la visite.* ⇒ **Consultation** (2.).

(...) tu passeras la visite, on saura que tu tires au flanc et on te renverra au quartier avec quatre jours de prison.
          COURTELINE, *les Gaietés de l'escadron, Nouveau malade,* II. 3.2

♦ **5.** (1656). Théol. Manifestation de Dieu auprès des hommes, soit par l'épreuve, le châtiment, soit par la grâce* (Massillon, Bossuet, *in* Littré).

★ **II.** (Le compl. exprimé désigne un lieu; correspond à *visiter* II.).

♦ **1.** Fait de se rendre dans (un lieu) pour voir, pour parcourir, visiter (II.). *La visite d'un endroit, d'un lieu, d'un pays...* (par qqn). *Visite touristique.* ⇒ **Tour, tourisme.** *Visite d'une ville en autocar. Visite des chantiers, des magasins, d'un port* (1. Port, cit. 3). *Visite d'un musée. Visite organisée, de groupe.*

À cette cause, le commerce des hommes y est merveilleusement propre, et la visite des pays étrangers (...) pour en rapporter principalement les humeurs de ces nations et leurs façons, et pour frotter et limer notre cervelle contre celle d'autrui. 4
          MONTAIGNE, *Essais,* I, XXVI.

(...) ainsi les promenades, même rien que pour aller faire des visites ou des courses, étaient triples et uniques dans cette Venise où les simples allées et venues mondaines prennent en même temps la forme et le charme d'une visite à un musée et d'une bordée en mer. 5
          PROUST, À *la recherche du temps perdu,* t. XIII, p. 261.

Visite-conférence. «*Rares sont les petites cités qui ne comptent pas aujourd'hui leur poignée d'amateurs de ce genre, réunis sous la bannière pompeuse d'une association locale, dont les visites-conférences sont généralement d'un ennui mortel*» (*l'Express,* 12 juin 1981, p. 78).

♦ **2.** Le fait de se rendre dans (un lieu) pour procéder à un examen, à une inspection, à des constatations (→ Liquidateur, cit. 2). *Procéder à la visite, à une visite soigneuse, détaillée d'un entrepôt, d'un navire. Visite de surveillance* (d'un lieu). ⇒ **Ronde, tournée; expertise.** — Dr. *Visite domiciliaire*.* ⇒ **Perquisition** (cit. 5). *Visite des lieux par le tribunal* (⇒ aussi **Descente, transport**).

(1636). Inspection (par un supérieur religieux). *Visite du diocèse* (→ Prière, cit. 1). *Visite des monastères* (→ Envoyer, cit. 32).

(1678). Inspection* d'un navire. ⇒ **Arraisonnement.** *Droit de visite,* reconnu par un accord international aux vaisseaux de guerre, de visiter les navires marchands (pour empêcher un trafic illicite, etc.).

COMP. Contre-visite.

VISITER [vizite] v. tr. — Xᵉ, relig.; lat. *visitare,* fréquentatif de *visere* «voir».

★ **I.** (Compl. n. de personne). Aller voir (qqn). ♦ **1.** (1131). Vieilli ou littér. Se rendre auprès de qqn, en lui faisant une visite (→ Album, cit. 1; crainte, cit. 11; incognito, cit. 1; promesse, cit. 5). *Visiter une pensionnaire* (→ Parloir, cit. 4). *Visiter fréquemment ses voisins.* ⇒ **Fréquenter, hanter** (vieilli). *Aller visiter un ami.* ⇒ **Saluer.** — Par ext. *Visiter la maison d'un ami.*

Le sybarite ministériel s'habillait, dînait et visitait douze ou quinze salons de huit heures à trois heures du matin. 1
          BALZAC, *les Employés,* Pl., t. VI, p. 889.

Par anal. (Vieilli). *Visiter Dieu :* aller prier dans la «maison de Dieu» (→ Dimanche, cit. 3).

Cour. en franç. d'Afrique. Rendre visite à (qqn). *Aller visiter ses parents.*

♦ **2.** (XIIIᵉ, attestation isolée). Se rendre auprès de qqn pour l'assister, le réconforter, le soigner, etc. *Visiter les indigents, les personnes âgées, les prisonniers, les malades d'un hôpital.* — Se rendre auprès d'un malade, pour l'examiner, le soigner à domicile (→ Confrère, cit. 1; fin, cit. 24).

Je l'irai visiter dans deux ou trois jours; mais s'il mourait avant ce temps-là, ne manquez pas de m'en donner avis, car il n'est pas de la civilité qu'un médecin visite un mort. 2
          MOLIÈRE, *Monsieur de Pourceaugnac,* I, 6.

Aller voir (un client). *Représentant qui visite ses clients.*

♦ **3.** (En parlant de Dieu). Se manifester auprès de l'homme. «*Le Seigneur se hâte de visiter ses élus*» (Massillon, *Petit Carême,* Mauvais riche). — *Être visité par la grâce.*

♦ **4.** (Sujet n. de chose). Littér. «*Ces saintes apparitions qui visitent l'homme de bien dans sa demeure*» (→ Évanouir, cit. 2). «*Une paix miraculeuse visita l'esprit de Patrice Périot*» (Duhamel, *le Voyage de P. Périot,* p. 85). ⇒ **Pénétrer** (dans).

(Passif et p. p.) :

Moi, je travaille dans l'esprit, dans l'essence et dans la quintessence de l'émanation. Je suis visité, moi. 2.1
          M. AYMÉ, *le Vin de Paris,* «La bonne peinture», p. 206.

★ **II.** (Compl. n. de chose, de lieu). Aller voir (qqch.), se rendre dans (un lieu) pour voir. ♦ **1.** (1240). Aller, se rendre dans un lieu et le parcourir* en examinant. ⇒ **Examiner, voir.** *Visiter un pays* (→ Jalonner, cit. 5), *une ville* (→ Casbah, cit. 1), *un monument, une chapelle* (→ Gésir, cit. 13), *des églises* (→ Répéter, cit. 14). *Visiter un pays inconnu.* ⇒ **Explorer.** *Voyage fait pour visiter une région* (⇒ **Tourisme**). *Visiter la Grèce, l'Italie. Des guides* (cit. 1) *pour visiter les environs.*

3 (...) il visite aussi les églises, avec beaucoup de soin et de sagacité, mais dans un but historique, critique, plutôt qu'esthétique ; il constate les dates, les caractères des différents temps et rattache cela à l'histoire politique et religieuse (...)
SAINTE-BEUVE, *Correspondance*, 91, 2 nov. 1829.

Vx. *Visiter une église* (pour prier). — *Visiter les boutiques* (→ Tapissier, cit. 1), *les cafés*.

♦ **2.** (XIVᵉ). Examiner (qqch.) ou parcourir (un lieu) de manière à contrôler, vérifier, à rechercher qqch. ⇒ **Inspecter**. *Visiter ses blés* (cit. 13), *ses propriétés*. *Visiter les retranchements des ennemis* (→ Flanc, cit. 12). *Visiter une maison, une pièce* (pour chercher qqch.). → Sonder, cit. 5. — Absolt (→ Entrer, cit. 2).

4 — *Cherchons !* cria Osman aux siens. Ils se répandirent dans les chambres, levèrent les tentures, ouvrirent les coffres, visitèrent les recoins (...)
J.-A. DE GOBINEAU, *Nouvelles asiatiques*, p. 241.

♦ **3.** Examiner minutieusement, dans le détail. *Visiter une pièce de fond en comble. Elle venait visiter mes livres et fourrager* (cit. 6) *mes papiers. Visiter des pièges, des lignes* (cit. 26) *de fond.* — Spécialt. Procéder à une visite (II., 2.), à un examen. *La douane* (cit. 2) *visite les ballots, les bagages, les valises,...* ⇒ **Fouiller**. *Visiter un navire* (→ Lazaret, cit. 1).

5 Ce pirate envoya une partie de ses soldats visiter le bâtiment espagnol, c'est-à-dire piller tout ce qu'il y avait dedans. A.-R. LESAGE, *le Diable boiteux*, XV.
Pénétrer par effraction dans un lieu pour voler. *Les voleurs ont visité son coffre-fort, sa maison de campagne en son absence.*

♦ **4.** (1690). Vx. Examiner (un organisme, un organe, une blessure... pour soigner. *Visiter un corps* (→ Incision, cit. 4), *les plaies* (→ Noble, cit. 14).

DÉR. Visitage, visite, visiteur.

VISITEUR, EUSE [vizitœʀ, øz] n. — 1350, *in* Godefroy ; de *visiter*.

★ **I.** (Seul sens jusqu'au XVIIIᵉ). ♦ **1.** Celui, celle qui visite, inspecte, examine. ⇒ **Visiter** (II., 2.).

a Anciennt. Gardien, surveillant, inspecteur (→ Juridiction, cit. 1).

b Religieux chargé de visiter, d'inspecter les maisons de l'ordre (⇒ **Visitateur, visitatrice**). — Par appos. *Le père visiteur.* — (1752, Trévoux). *Visiteur apostolique, ecclésiastique,* envoyé du pape, chargé d'une enquête.

c *Visiteur, visiteuse des douanes*, chargé(e) de la visite des bagages, des fouilles. — Appos. *Commis visiteur.* — *Visiteur de... :* réceptionnaire, vérificateur, contrôleur... *Visiteur de gare, de machines* (ch. de fer). *Visiteur de tissus, visiteur en bonneterie, etc.*

♦ **2.** (1872, Littré). Celui, celle qui visite (II., 1.) un lieu. *Les visiteurs d'un monument* (→ Mastaba, cit. 1). *Les visiteurs étrangers. Ville, pays qui accueille bien les visiteurs* (→ Qualité, cit. 5). *Le musée est ouvert aux visiteurs à partir de dix heures.* ⇒ **Touriste, voyageur**.

★ **II.** (1766, Rousseau). ♦ **1.** Celui, celle qui va voir qqn chez lui, lui fait une visite (⇒ **Visiter**, I.). *Visiteurs inattendus ou déplaisants* (→ Intrus, cit. 4). *Accompagner, reconduire* un visiteur, son visiteur (→ Palier, cit. 1). *Visiteur qui sollicite l'entrée* (cit. 9), *qui a une requête à faire* (→ Ministère, cit. 11). *Trier les visiteurs* (→ Expédier, cit. 9). *Faire attendre les visiteurs* (→ Salon, salle d'attente*).

Il est rentré peu après avec un visiteur qu'il a introduit dans la salle à manger, sans que je le voie, et sans repasser par notre salon.
Paul MORAND, *l'Europe galante*, « Plaisirs rhénans ».

Spécialt. Celui, celle qui visite (un pensionnaire, un malade, un prisonnier ; → Espace, cit. 12). *Visiteur des prisons. Les visiteurs sont admis au parloir.* — (1945). *Visiteur médical :* représentant d'un laboratoire pharmaceutique qui présente aux médecins les spécialités. Syn. : *délégué médical.*

♦ **2.** Par anal. ou par métaphore. ⇒ **Hôte**. *La mort* (1. Mort, cit. 21), *visiteuse surnaturelle.*

♦ **3.** (Mil. XXᵉ). Celui, celle qui visite (I., 2.) des indigents, des malades... Personne qui se rend à domicile dans un but professionnel *(visiteurs médicaux, pharmaceutiques)* ou social *(visiteuse scolaire, sociale :* assistante sociale). *Infirmière visiteuse,* qui donne des soins à domicile.

♦ **4.** (1909, *in* Petiot). Sports. Membre d'une équipe qui se déplace et joue sur le terrain de l'adversaire. *Les visiteurs ont gagné par trois buts à deux, malgré le soutien du public à leurs adversaires.* — Adj. *L'équipe visiteuse.*

VISNAGE [visnaʒ] ou VISNAGUE [visnag] n. m. — 1765, *Encyclopédie ;* étym. obscure.

♦ Régional. Fenouil* annuel. Syn. : *ammi**.

VISON [vizɔ̃] n. m. — 1761, Buffon ; « belette », 1420, en Saintonge ; du lat. *vissio* « puanteur », de *vissire* « vesser ».

♦ **1.** Animal du genre putois *(Mustellidés),* qui ressemble à la loutre par sa taille et ses habitudes (on l'appelle parfois *putois d'eau),* et dont la variété d'Amérique du Nord est chassée ou élevée pour sa fourrure.

♦ **2.** (1849, *in* D.D.L.). Fourrure de cet animal. *Étole, manteau de vison.* — Fam. Manteau de vison. *Elle s'est fait offrir un vison.*

DÉR. Visonnette, visonnière.

VISONNETTE [vizɔnɛt] n. f. — 1925, *in* D.D.L. ; dimin. de *vison*.

♦ Comm. Fourrure de lapin travaillée comme du vison.

VISONNIÈRE [vizɔnjɛʀ] n. f. — Déb. XXᵉ ; de *vison*.

♦ Didact. Établissement d'élevage des visons. *Les visonnières américaines, canadiennes.*

VISON-VISU [vizɔ̃vizy] adv. — 1675, Mᵐᵉ de Sévigné ; graphie conforme à la prononciation ancienne de *visum* [visɔ̃] *visu,* 1546, Rabelais ; lat. *visus* « visage ». → Vis-à-vis.

♦ Fam., vx (ou archaïsme plais.). L'un en face de l'autre (personnes), face à face.
Les deux hommes s'assirent vison-visu.
R. QUENEAU, *Pierrot mon ami*, éd. L. de Poche, p. 162.

VISQUEUX, EUSE [viskø, øz] adj. — 1256 ; bas lat. *viscosus,* du lat. class. *viscum* « glu ».

♦ **1.** Qui est épais et s'écoule avec difficulté *(liquide visqueux) ;* qui est mou et adhère en formant une couche gluante. ⇒ **Collant, poisseux ; glutineux, gras, huileux, sirupeux**. *Rendre visqueux.* ⇒ **Conglutiner, épaissir**. *Goudron* (cit. 2), *pétroles* (cit. 2) *visqueux. Pâte* (cit. 12) *visqueuse. Le protoplasme* (cit. 1), *gelée visqueuse.* — Par ext. *Consistance visqueuse, pâteuse d'un magma*.* ⇒ **Viscosité**. — N. m. *Le visqueux.* — REM. Le mot a presque toujours une valeur péjorative.

1 (...) cet horrible pain des prisons de France, qu'on m'a montré à la Conciergerie, et qui est terreux, fétide, souvent plein de vers et de moisissure.
HUGO, *Choses vues*, I, 1855.

Péj. Dont la surface est couverte d'un liquide visqueux, d'une couche gluante. *Lézard visqueux* (→ Tarente, cit.). *Peau visqueuse du crapaud, des poissons. Les murs humides et visqueux d'une cave.*

♦ **2.** (1872). Phys. Se dit d'un fluide, d'une viscosité (1.) élevée.

♦ **3.** (Au XVIᵉ, « opiniâtre, tenace »). Fig., péj. Qui est répugnant (par un caractère de bassesse, de traîtrise). *L'adhérence* (cit. 1) *visqueuse du bienfait. Des êtres visqueux, douteux* (cit. 9). — *Rat visqueux* (probablt calque du russe) : injure politique, pendant la période stalinienne, en Russie. *Traiter les socio-démocrates de rats visqueux et de vipères* lubriques.*

2 Une poignée de main est visqueuse, un sourire est visqueux, une pensée, un sentiment entre eux est visqueux (...) D'un autre côté, la viscosité proprement dite et considérée à l'état isolé, pourra nous paraître pratiquement nuisible (parce que les substances visqueuses collent aux mains [...] parce qu'elles tachent), mais non pas *répugnante*. Nous ne saurions (...) expliquer le dégoût qu'elle inspire, que par la contamination de cette qualité physique avec certaines qualités morales.
SARTRE, *l'Être et le Néant*, p. 695-696.

CONTR. Fluide.
DÉR. Viscosité.

VISSAGE [visaʒ] n. m. — 1842 ; de *visser*.

♦ **1.** Action de visser (1.). *Le vissage d'un boulon, d'un écrou.* — Manière dont qqch. est vissé. *Un vissage serré, insuffisant.* — Méd. Immobilisation des fragments d'un os fracturé par des vis.

♦ **2.** (1840). Techn. Sillon en spirale sur une poterie façonnée au tour (défaut de fabrication).

♦ **3.** (1909, Petiot). Sports. Rotation de la partie supérieure du corps, en gymnastique (on emploie aussi le v. *visser : visser les épaules),* en ski.

VISSER [vise] v. tr. — 1762 ; de *vis*.

♦ **1.** Attacher, fixer, faire tenir (qqch.) avec une vis, des vis (→ Sertisseur, cit.). ⇒ **Assujettir, immobiliser**. *Visser une applique, un interrupteur.* — (Compl. au plur.). *Visser deux pièces de bois,* les assembler* à l'aide de vis.

Par anal. Serrer en tournant (sur un pas de vis). *Visser un couvercle, un bouchon.* — Pron. passif. *Ce bocal se visse.* ◄ *Visser un écrou, un contre-écrou, un boulon.* — Au p. p. *Être vissé, vissé à bloc. Pièces vissées ou boulonnées.*

♦ **2.** Fig. Faire tenir comme par un pas de vis, solidement (→ Plus, cit. 29).

1 La gorge sèche, le champion *(de billard)* prépare son vingt-quatrième carambolage ; il visse les boules au tapis d'un regard assuré (...)
R. QUENEAU, *le Chiendent*, p. 249.

Au p. p. (Fig.). *Être, rester vissé sur sa chaise,* s'y tenir droit, raide et n'en pas bouger.

2 Ensuite, ils auront pris le contact des personnes qui ne leur apparaîtront plus, j'espère, sous l'aspect de ronds de cuir grincheux, vissés à leurs bureaux derrière des guichets (...)   L.-H. LYAUTEY, Paroles d'action, p. 160.

♦ **3.** (xxᵉ). Fig., fam. Traiter sévèrement qqn (→ Serrer* la vis).

3 Vingt-deuxième en histoire. Vingt-deuxième. Ma parole, il se fout du monde. Attends un peu, garnement. Je me charge de te visser, moi.
                                                      M. AYMÉ, le Chemin des écoliers, VIII.

CONTR. et **COMP. Dévisser.**
DÉR. Vissage, visserie, visseuse.
COMP. Revisser.

VISSERIE [visRi] n. f. — 1871; de *visser.*

♦ Comm., techn. Ensemble des pièces de quincaillerie à pas de vis (⇒ **Boulon, écrou, vis**). *De la visserie de précision.* — Établissement où l'on fabrique ces pièces. *Une grande visserie.*

VISSEUR, EUSE [visœR, øz] n. — xxᵉ; de *visser.*

♦ Rare. Personne qui visse (qqch.).

VISSEUSE [visøz] n. f. — V. 1973; de *visser.*

♦ Techn. Appareil ou machine servant à visser.

VISTADÔME [vistadom] n. m. — Mil. xxᵉ (1964, *in* Larousse); mot angl. des États-Unis, de *vista* «vue», ital. *vista,* et *dôme.*

♦ Techn. Voiture de chemin de fer équipée de baies vitrées, notamment d'un toit ou d'un pavillon surélevé, à des fins touristiques.

VISU (DE) [devizy] ⇒ **De visu.**

VISUALISATION [vizyalizɑsjɔ̃] n. f. — 1887; angl. *visualization* (1883); de *to visualize.* → Visualiser.

♦ **1.** Psychol., vx. Faculté de représentation visuelle.

♦ **2.** (1923). «Pouvoir de donner à l'image cinématographique une qualité visuelle frappante et originale» *(les Nouvelles littéraires).*

1 LE CINÉMA : À la visualisation grossière de ce qui est, le théâtre par la poésie oppose les images de ce qui n'est pas.
                    A. ARTAUD, le Théâtre de la cruauté (Premier manifeste, 1932), Œ. compl., t. IV, p. 118.

♦ **3.** (1932). Mod. Action de rendre visible (qqch., un phénomène, une idée...).

2 Le détournement de l'énergie créatrice d'œuvres vers la mise en spectacle, vers la visualisation spectaculaire du monde (cinéma, télévision) a des implications.
                    Henri LEFEBVRE, la Vie quotidienne dans le monde moderne, p. 122.

(1972). Inform. Présentation d'informations sur un écran (de télévision, d'oscilloscope). *Écran, console de visualisation.* ⇒ **Visuel,** II. *Visualisation de données.*

VISUALISER [vizyalize] v. tr. — 1887; angl. *to visualize,* même sens, de *visual* «visuel», de même orig. que le mot français (lat. médiéval *visualis*).

♦ **1.** Psychol., vx. *Visualiser une couleur :* voir sur une surface blanche la couleur complémentaire d'une couleur qu'on s'est imaginée auparavant, les yeux fermés.

♦ **2.** (1919 *in* Giraud). Cin., télév. Mettre (une idée, un sujet) en images. *Visualiser un récit, un roman.* — REM. Cet emploi est parfois critiqué.

♦ **3.** (1949). Rendre visible (un phénomène qui ne l'est pas). *Visualiser l'écoulement de l'air dans une soufflerie* (par des fils, par la méthode des ombres, etc.). *Visualiser par un graphique des chiffres de production, une courbe de natalité.*

(V. 1970). Inform. Faire apparaître sur un écran, sur un visuel* sous forme graphique ou alphanumérique (les résultats d'un traitement d'information). ⇒ **Afficher.** *Visualiser des résultats sur une console.* — Au p. p. *Informations visualisées.*

VISUEL, ELLE [vizyɛl] adj. et n. — 1552; lat. médiéval *visualis,* rac. *videre* «voir».

★ **I.** Adj. ♦ **1.** Qui a rapport au sens de la vue. *Organes visuels, centre visuel.* ⇒ **Œil, rétine** (cit. 1). *Champ visuel* (⇒ 1. **Champ,** cit. 10). *Espace* (cit. 5) *visuel. Angle visuel,* que forment entre eux les rayons extrêmes reçus par l'œil. *Axe visuel :* ligne passant par le centre de la cornée et le fond de l'œil (ligne de visée). *Image* (cit. 10), *impressions* (cit. 47), *sensations* (cit. 4), *représentations visuelles* (→ Auditif, cit. 2; rêve, cit. 10; rivière, cit. 5). *Mémoire*

visuelle, des sensations visuelles. *Avoir une bonne, une mauvaise mémoire visuelle.*

1 (...) les aveugles-nés auxquels on rend la vue nous font témoins de ces recherches, où les explorations de la main donnent un sens aux apparences visuelles.
                    ALAIN, Propos, 22 août 1912, Un jeu de société.

Par ext. Où dominent les sensations visuelles. *Imagination visuelle.* (Personnes). Chez qui les sensations visuelles prédominent. *Cet écrivain est plutôt visuel* (ou *est du type visuel*). N. (1898, *in* D.D.L.).

2 Étant peintre, le plus développé, le plus expérimenté de mes cinq sens est la vue. Je suis un «visuel». Or, ce que j'écris est étrangement dépourvu de description et de couleur (...) Décrire avec des mots, peindre avec des mots ne m'intéresse pas. J'ai mon pinceau pour cela. Les «visuels» voient, parfois reproduisent; ils ne racontent pas ce qu'ils voient.   J. DUTOURD, Pluche, XIII, p. 231.

♦ **2.** Qui fait appel au sens de la vue. *Langage* (cit. 9) *visuel. Méthodes visuelles,* dans l'enseignement (→ Audiovisuel).

3 C'est ici qu'intervient, en dehors du langage auditif des sons, le langage visuel des objets, des mouvements, des attitudes, des gestes, mais à condition qu'on prolonge leur sens, leur physionomie, leurs assemblages jusqu'aux signes, en faisant de ces signes une manière d'alphabet.
                    A. ARTAUD, le Théâtre et son double, le Théâtre et la cruauté, Idées/Gall., p. 136.

★ **II.** N. m. ♦ **1.** (1906). Centre du carton-cible, au tir. *Aligner le guidon, le cran de mire et le visuel.*

♦ **2.** (1974). Inform. Dispositif d'affichage, d'inscription sur un écran ou une console à tube cathodique. — Par ext. L'écran, la console (trad. offic. de l'angl. *display*).

DÉR. Visuellement.
COMP. Audiovisuel.

VISUELLEMENT [vizyɛlmɑ̃] adv. — 1846, Bescherelle; de *visuel.*

♦ Par le sens de la vue. *Constater visuellement.* ⇒ **De visu.**

(...) et sans doute à cause de l'ivresse, impossible d'avoir visuellement conscience d'autre chose que cela cette glace et ce qui reflétait à quoi mon regard se cramponnait (...)   Claude SIMON, la Route des Flandres, p. 176.

VIT [vi] n. m. — Déb. XIIIᵉ; du lat. *vectis* «levier, barre».

♦ Vx. Membre viril. ⇒ **Verge; bitte, queue.** — REM. À peu près inusité dans le langage spontané (il existe de nombreux synonymes), le mot est surtout employé dans les jeux de langage (contrepèteries, etc.).

Il faut que tu saches, mon cher monsieur, que j'ai gobé à Beyrouth (je m'en suis aperçu à Rhodes, patrie du dragon) VII chancres, lesquels ont fini par se réunir en deux, puis en un. — J'ai fait avec ça la route de Marmorisse à Smyrne à cheval. Chaque soir et matin je pansais mon malheureux vi *(sic).* Enfin cela s'est guerry *(sic).* Dans deux ou trois jours la cicatrice sera fermée.
                    FLAUBERT, Correspondance, 14 nov. 1850.

DÉR. Vitelot, vitelotte.
COMP. Vit-de-mulet; viédaze.
HOM. Vie; formes des v. **voir, vivre.**

VITACÉES [vitase] n. f. pl. — 1849, d'Orbigny; du lat. sc. *vitaceæ,* Lindley, de *vitis* «vigne», et *-acé.*

♦ Bot. Syn. de *ampélidacées.* — Au sing. *Une vitacée.*

Les vignes et les plantes qui leur sont apparentées composent la famille des Vitacées. Cette famille renferme une dizaine de genres (...)
                    Louis LEVADOUX, la Vigne et sa culture, p. 19.

VITAL, ALE, AUX [vital, o] adj. — Fin 1380, R. Lulle; lat. *vitalis,* de *vita* «vie».

♦ **1.** Qui concerne, constitue la vie. ⇒ **Vie.** Vx. *Esprits** (cit. 20) *vitaux.* — *Activité vitale* (→ Ivresse, cit. 6; orgasme, cit.). *Phénomènes vitaux* (→ Physiologique, cit.). *Manifestations vitales* (→ Eau, cit. 9; parallélisme, cit. 2). *Cycle vital* (→ Photosynthèse, cit.). *Propriétés, fonctions vitales* (→ Impropre, cit. 5; physico-, cit. 2) *des organes. Les organes vitaux du corps. Les besoins vitaux de l'individu.* — Vx. *Souffle vital :* la respiration. ⇒ (V. 1762). Philos. *Principe vital, force vitale :* réalité énergétique distincte de la matière, d'où émanent, selon le vitalisme*, tous les phénomènes de la vie.

(1907, Bergson). *Élan vital :* force originellement homogène qui s'est divisée en se communiquant, mais qui, dans ses manifestations divergentes (vie végétative, instinct, intelligence) conserve quelque chose de sa réalité originelle (→ Homme, cit. 10). — REM. Le terme de Bergson est parfois employé dans le sens général de «dynamisme» (→ Dérive, cit. 2).

1 (...) la vie tout entière, animale et végétale, dans ce qu'elle a d'essentiel, apparaît comme un effort pour accumuler de l'énergie et pour la lâcher ensuite dans des canaux flexibles, déformables, à l'extrémité desquels elle accomplira des travaux infiniment variés. Voilà ce que l'*élan vital,* traversant la matière, voudrait obtenir tout d'un coup (...) Mais l'élan est fini, et il a été donné une fois pour toutes.
                    H. BERGSON, l'Évolution créatrice, III, p. 254.

Vx. *Ton vital.* ⇒ **Tonus.**

2 Toujours le froid l'avait stupéfiée ; son caractère changeait, l'hiver ; mais, son ton vital ayant baissé, combien davantage maintenant !
MONTHERLANT, les Lépreuses, I, I.

N. m. *Le vital.* → Physiologie, cit. 2 ; postulat, cit. 3.

♦ **2.** Essentiel à la vie, qui est la condition nécessaire de la vie d'un individu, d'une collectivité. ⇒ **Indispensable.** *Espace* vital. Minimum** (cit. 3 à 5) *vital. Le centre vital d'un pays, d'une région. Les opérations vitales pour Paris* (→ Satellite, cit. 4).

♦ **3.** (1845). Qui touche à l'essentiel de la vie ; qui est très important, essentiel. *La question des subsistances* (cit. 3) *est vitale* (→ aussi Fort, cit. 30). *Problème vital,* d'une importance* extrême. ⇒ **Fondamental.** *Il est vital de prendre une décision rapide. C'est vital pour lui de réussir.*

DÉR. Vitalement, vitaliser, vitalisme.
COMP. Dévitaliser.

VITALEMENT [vitalmɑ̃] adv. — 1842, Académie ; de *vital.*

♦ Didact. D'une façon qui concerne la vie. *Organes, fonctions vitalement nécessaires.*

VITALISER [vitalize] v. tr. — 1842 ; *vitalisé,* v. 1800, au p. p. ; de *vital.*

♦ Rare. Donner les caractères de la vie à (qqch. de non vivant, et, fig., à une réalité abstraite, en art).

VITALISME [vitalism] n. m. — 1775 ; de *vital.*

♦ Biol., philos. Doctrine de l'école de Montpellier (Bordeu, Barthez, après 1750), d'après laquelle il existe en tout individu un « principe vital » distinct de l'âme pensante comme de la matière. — (Sens large). Doctrine suivant laquelle les phénomènes vitaux sont irréductibles aux phénomènes physico-chimiques et manifestent l'existence d'une « force vitale » qui fait de la matière une matière vivante et organisée (s'oppose à *mécanisme**). ⇒ **Animisme, finalisme, organicisme.**

DÉR. Vitaliste.
COMP. Néovitalisme.

VITALISTE [vitalist] n. — 1826, Broussais ; du rad. de *vitalisme,* et suff. *-iste.*

♦ Philos. Partisan du vitalisme (s'oppose à *mécaniste*). *Les vitalistes de l'école de Montpellier.*

1 Il est incontestable que, dans son ensemble, le développement de la biologie s'est fait dans un sens antivitaliste. On tend, de plus en plus, dans l'interprétation des phénomènes vitaux, à exclure l'intervention de facteurs mystérieux et distincts de la matière (...) Mais cela ne signifie nullement que les vitalistes aient toujours été dans l'erreur (...)
Jean ROSTAND, Esquisse d'une histoire de la biologie, p. 239-240.

Adj. *École vitaliste. Théories vitalistes.*

2 C'est cet aspect si différent dans les manifestations des corps vivants comparées aux manifestations des corps bruts qui a porté les physiologistes dits vitalistes à admettre dans les premiers une force vitale qui serait en lutte incessante avec les forces physico-chimiques, et qui neutraliserait leur action destructrice sur l'organisme vivant. Cl. BERNARD, Introd. à l'étude de la médecine expérimentale, II, I.

VITALITÉ [vitalite] n. f. — 1587, attestation isolée ; repris en 1765 ; lat. *vitalitas,* de *vitalis.* → Vital.

♦ **1.** Biol. Vie, propriétés vitales (→ Tardigrade, cit. 2). *La vitalité s'exprime par la vitesse de croissance, la résistance aux agents extérieurs, une grande capacité énergétique (mobilité, fertilité...).*

♦ **2.** (Mil. XIXᵉ, Balzac ; 1846, Bescherelle). Cour. Caractère de ce qui manifeste une vie puissante et féconde, de ce qui est éminemment vivant. ⇒ **Dynamisme, énergie, vigueur.** *Vitalité d'une personne* (→ Inquiétant, cit. 3 ; 1. ressort, cit. 14), *d'une plante* (→ Géhenne, cit. 4), *d'un pays* (→ Décrue, cit. ; européen, cit. 2 ; exposition, cit. 5 ; saignée, cit. 1). *Faire preuve d'une étonnante vitalité. Être plein de vitalité.* ⇒ **Vie.**

1 Le sol, saturé de poussière de roche, est puissant ; l'engrais, qui est de tangue et de goémon, ajoute le sel au granit ; d'où une vitalité extraordinaire ; la sève fait merveilles (...) HUGO, l'Archipel de la Manche, III.

2 Il y avait en lui trop de vitalité, une vigueur trop débordante, un besoin d'action trop impétueux pour qu'il reculât devant cette entreprise.
Henri LICHTENBERGER, Richard Wagner, p. 27.

3 Les affirmations de vitalité excessive, ivresse, violence, extases, festins et orgies, prodigalité et jeux de hasard, sévèrement réprimées en période statique (...) deviennent à l'inverse en période de crise un moyen de communion exaltante qui donne le sentiment d'un rajeunissement, d'une refonte de la société (...)
Roger CAILLOIS, l'Homme et le Sacré, p. 169.

(1876, *in* P. Larousse). Par anal. (sujet n. abstrait). Aptitude à se déve-

lopper, se perpétuer. *La vitalité du suffixe « super- ».* ⇒ **Productivité.** *Vitalité d'une théorie.*

CONTR. Adynamie, apathie, atonie, langueur, léthargie.

VITAMINE [vitamin] n. f. — 1913 ; angl. *vitamin,* d'abord *vitamine,* 1912, C. Tunck, du lat. *vita* « vie », et de l'angl. *amine,* formé sur le rad. de *ammoniac.* → Amine.

♦ « Substance organique, sans valeur énergétique ou plastique, entrant dans notre alimentation en très faible quantité, indispensable à notre organisme qui ne peut en faire la synthèse (...) » (Fabre et Rougier). *Vitamines liposolubles,* solubles dans les corps gras (vitamines A, D, E, K) ; *hydrosolubles,* solubles dans l'eau (vitamines B, C, H, P,...). *Carence de vitamines pouvant entraîner des troubles graves et même la mort.* ⇒ **Avitaminose** (cit. 1 ; et → Rationnement, cit. 2). *Les vitamines des fruits. Composition chimique, synthèse des vitamines. Vitamine A :* d'origine végétale, vitamine de développement des jeunes animaux : *Vitamine B. Vitamine C,* antiscorbutique, acide ascorbique gauche. *Vitamine D,* antirachitique. *Vitamine E :* vitamine de reproduction, etc.

(...) les animaux nourris avec des régimes synthétiques contenant, convenablement dosés, eau, substances minérales, glucides, lipides, protides de synthèse, ne tardaient pas à dépérir à mourir (...) tandis qu'ils recouvraient la santé s'ils recevaient les mêmes doses d'aliments naturels. Il y avait donc, dans ceux-ci, un ou des principes indispensables à la vie, que l'on ne retrouvait pas dans les aliments synthétiques. On rapprocha les troubles présentés par les animaux d'expérience de ceux dont se plaignaient les malades atteints de scorbut, béribéri, pellagre, rachitisme, xérophtalmie. Ces constatations furent le point de départ d'innombrables et patients travaux qui devaient peu à peu aboutir à l'isolement des vitamines.
R. FABRE et P.. ROUGIER, Physiologie médicale, p. 210.

DÉR. Vitaminer, vitaminique, vitaminisation, vitaminologie, vitaminothérapie.
COMP. Antivitamine, avitaminose.

VITAMINER [vitamine] v. tr. — 1935 ; de *vitamine.*

♦ Rare. Donner des vitamines à (qqn). — Figuré :

1 Je baigne dans l'amour de la terre et de mon armée. Cent bivouacs me traversent, irradient en moi... Je m'y purifie. La brousse me vitamine, ma grande Babouine !
P. GRAINVILLE, les Flamboyants, p. 164.

▶ **VITAMINÉ, ÉE** p. p. adj. (1933, cit.).
(Plus cour.). Où l'on incorpore des vitamines. *Bonbons, biscuits vitaminés.*

2 La notion de vitamine s'est peu à peu répandue dans le public, les médecins se sont mis à prescrire jus d'orange et jus de citron, et tous les laboratoires ont mis au point tour à tour des médicaments à base de vitamines : « Opoferrine *vitaminée,* régénérateur du sang ». (*Siècle méd.,* 15-1-33). « *Vitaminez* vos enfants par *Ultravitamine* 4 » (Brochure de publicité médicale, 1935)... les écoliers du temps de l'occupation se souviennent encore des *bonbons vitaminés, biscuits vitaminés,* qui leur étaient distribués par les soins de la Croix-Rouge.
M. GALLIOT, Essai sur la langue de la réclame, p. 144.

VITAMINIQUE [vitaminik] adj. — 1933, *in* D. D. L. ; de *vitamine.*

♦ Sc. Relatif aux vitamines, de la nature des vitamines. *Facteurs vitaminiques. Carences vitaminiques.* « *Un traitement sédatif vitaminique* » (*Guérir,* oct. 1967).

VITAMINISATION [vitaminizɑsjɔ̃] n. f. — 1949 ; de *vitamine,* et *-isation.*

♦ Chim. Introduction de vitamines artificielles dans une substance (aliment, médicament). *La vitaminisation est due au souci de pallier les carences alimentaires.*

VITAMINOLOGIE [vitaminɔlɔʒi] n. f. — Mil. XXᵉ ; de *vitamine,* et *-logie.*

♦ Méd. Science et étude des vitamines, de leur utilisation.

VITAMINOTHÉRAPIE [vitaminoteʀapi] n. f. — Mil. XXᵉ ; de *vitamine,* et *-thérapie.*

♦ Méd. Emploi des vitamines à doses élevées, à des fins thérapeutiques.

Cette posologie ne correspond plus aux doses de la vitaminothérapie classique du scorbut. A. GALLI et R. LELUC, les Thérapeutiques modernes, p. 98.

VITCHOURA [vitʃuʀa] n. m. — Fin XVIIIᵉ, Diderot ; var. *witchoura,* 1817, du polonais *wilczura,* de l'all. *Wildschur* « toison sauvage ».

♦ Vx. Pardessus garni de fourrure. *Des vitchouras.*

VIT-DE-MULET [vidmylɛ] n. m. — Attesté XXᵉ ; « arquebuse à croc », XVIᵉ, Brantôme ; de *vit, de,* et *mulet,* par anal. d'aspect.

♦ Mar. Ferrure articulée reliant la bôme au mât et permettant à la bôme de s'orienter horizontalement et verticalement.

VITE [vit] adj. et adv. — V. 1160, *viste*; «prompt, hâtif, précipité»; orig. incert.; le lat. vulg. *visitus* est écarté par Wartburg, qui propose une origine onomatopéique; P. Guiraud suppose une évolution du sens de *visitus*, de «qui voit bien», à «habile, décidé».

★ **I.** Adj. ♦ **1.** [a] Vieilli. Qui parcourt un grand espace en peu de temps. ⇒ **Rapide.**

1 Il était derrière le char avec une pique; et quand son chariot, qui était le plus vite du monde, avait atteint l'autre, il perçait de sa lance l'amant de sa fille.
RACINE, Remarques sur les Olympiques de Pindare, Ode I.

REM. Cet emploi, normal et courant dans la langue classique, est rare au XVIIIᵉ s. (→ Menuet, cit. 2, Rousseau); il a été repris au début du XIXᵉ s. comme trad. de l'angl. *fast*, adj. (1805, *in* G. Petiot) en hippisme, puis dans la langue littér. au XXᵉ s.

2 (*Valéry*) est de plus en plus incapable d'écouter autrui (...) Son parler est de plus en plus vite et indistinct. GIDE, Journal, 2 janv. 1923.

3 (...) c'est une figure qui est droite ou courbe, et non pas l'espace; et c'est un mouvement qui est vite ou lent, et non pas le temps.
ALAIN, Propos, 31 oct. 1921, Thalès...

N. m. Ancienn., mus. ⇒ **Prestissimo, presto** (→ Mouvement, cit. 29, Rousseau).

[b] (1891, *in* Petiot). Mod., sports. (Personnes). Rapide. *Le coureur le plus vite.*

[c] (1907; trad. angl. *fast*). En parlant d'un engin, d'un parcours, d'une piste. Qui permet une grande vitesse. *Le vélodrome le plus vite du monde. Une piste très vite.*

♦ **2.** (Fin XVᵉ). Vx. Qui se fait en peu de temps. «*Ce vite départ*» (Malherbe, *in* Littré).

★ **II.** Adv. (1538). ♦ **1.** En parcourant un grand espace en peu de temps. ⇒ **Vitesse.** *Aller vite.* ⇒ **Filer** (II.), **foncer** (II.), **voler** (fig.); → Grand erre*. *Marcher, courir vite, très vite.* ⇒ **Courir** (→ À pas* de géants, à grands pas). *Vous marchez plus vite que moi. Elle grimpa* (cit. 15) *aussi vite que ses jambes le lui permettaient* (→ Hâter, cit. 11). *Le lièvre, le guépard courent très vite. Aller vite à cheval.* ⇒ **Galoper** (→ À bride* abattue, à étripe*-cheval (vx), à franc étrier*, ventre* à terre, à fond* de train). *Rouler vite.* → À toute allure*, à toute vapeur*, à pleins gaz*, à tombeau (4.) ouvert; et (fam.) à toute barde (→ 4. Barde), à tout berzingue*, à toute biture*, à toute blinde (→ 2. Blinde), à toute bringue (→ 1. Bringue), à toute pompe (→ 2. Pompe). *Auto qui roule très vite.* ⇒ (vieilli) 3. **Gazer.** *Voguer vite* (→ À pleines voiles*). *Passer vite, très vite* (→ Fendre l'air*, passer comme un éclair*, une flèche*, un trait*). *Aller plus vite* (⇒ **Accélérer**), *moins vite* (⇒ **Ralentir**). *Nuages* (cit. 3) *qui courent très vite.*

4 — Le télégraphe va plus vite que les meilleurs chevaux, dit Michu (...)
BALZAC, Une ténébreuse affaire, Pl., t. VII, p. 512.

À un rythme rapide. *Je sentis mon cœur battre plus vite* (→ Palpiter, cit. 4). — Mus. ⇒ **Presto.** *Jouer vite.*

♦ **2.** (XVIIᵉ; 1687, Bossuet). En mettant peu de temps à faire une action. ⇒ **Promptement, hâte** (*infra* cit. 6 : en hâte; et *infra* cit. 9 : à la hâte); → (fam.). Dare*-dare, au galop*, au trot*, à toute vapeur*, en cinq sec*, tambour* battant. *S'habiller* (cit. 13) *vite. Elle se pencha vite, très vite.* ⇒ **Brusquement** (→ Baiser, cit. 29). *Aller vite* (dans une activité, un travail). ⇒ **Aller** (IV., 6.). Loc. *Aller vite en besogne. Faire vite.* ⇒ **Dépêcher** (se), **hâter** (se), **presser** (se); **galoper** (fig.); → (argot) Faire fissa*. *Vite et bien* : d'une manière expéditive. ⇒ **Rondement** (→ En un tour de main* [*supra* cit. 10]; en deux temps, trois mouvements, tambour* battant). *Trop vite* : avec précipitation. ⇒ **Hâtivement, précipitamment.** *Le pédant apprend vite, et par résumés* (cit. 3). — *Lire vite et mal* (→ Enfoncer, cit. 10). *Parler très vite, trop vite* (→ aussi Râpeux, cit. 2). *Vous agissez trop vite.* — Loc. fam. *Aller plus vite que la musique*, que les violons*. Plus vite que le vent*.* — *Il y va un peu vite* : il agit inconsidérément*, à la légère.

5 Ils vont trop vite; ils se casseront le col. Paris n'a pas été fait en un jour : il faut plus d'un jour pour le défaire.
ROBESPIERRE, cité par MICHELET, Hist. de la Révolution franç., IV, v.

À la va-vite (→ À la six*-quatre-deux).

6 — Et encore, triomphait l'aîné, tu as dû lire ça à la va-vite (...)
COLETTE, Sido, Les sauvages.

Allus. littér. *Les morts vont vite.* ⇒ **Mort** (3. Mort, *infra* cit. 10).

♦ **3.** (Mil. XVIIᵉ, Molière). En peu de temps (quel que soit le phénomène considéré). ⇒ **Rapidement.** *Il avait vite mûri* (cit. 13). *Fille poussée* (cit. 59) *trop vite* (→ aussi Comprendre, cit. 12; gras, cit. 7). — Iron. *Il comprend vite mais il faut lui expliquer longtemps.* — *Les plus belles roses se fanent le plus* (cit. 77) *vite. Le travail a été vite expédié. La marée* (cit. 4) *montera vite. Les choses vont, changent, évoluent vite. Le temps passe* (*supra* cit. 63) *vite.*

(Avec un impér.). Sans plus attendre, sans délai, et, par ext., immédiatement, subitement. *Allons, vite, dépêchons...* (→ 1. Aller, cit. 80; apophtegme, cit. 2). *Levez-vous vite, orages désirés* (→ Démon, cit. 11). *Sauve* (cit. 17)*-toi vite.* — (V. 1650). Ellipt. (souvent redoublé. → 1. Mousse, cit. 6). *Allons, ho!* (cit. 1) *vite...* (→ aussi Geler, cit. 11; 2. lieu, cit. 14). *À moi!* (cit. 34) *vite.* — (1829, Balzac, *les*

Chouans). «*Et plus vite que ça!*» (1888, Courteline). *Hé* (cit. 1), *pas si vite* : doucement.

6.1 Allons, Maurice, qu'est-ce que tu fais là? tu sais bien qu'on t'attend, monte au 14 bis. Et plus vite que ça. PROUST, le Temps retrouvé, Pl., t. III, p. 815.

♦ **4.** Au bout d'une durée relativement petite. ⇒ **Bientôt, tôt**; (fam.) **Presto, subito**; et → (fam.) Fissa*, rapidos. *On est plus vite arrivé, rendu* (cit. 27). → aussi Figure, cit. 16. *La vieillesse sera vite là* (→ Quarantaine, cit. 5). *On retrouverait très vite joie et santé* (→ Ordonnance, cit. 14). — *Une poterne est bien vite ouverte* : il n'y faut pas longtemps (→ Insinuer, cit. 5). — Loc. *Avoir vite fait de...,* suivi de l'inf. (→ Outrecuidance, cit. 2; recouvrer, cit. 4), employé au passé ou au futur, signifie qu'une action a été, sera ou doit être accomplie en peu de temps. → Avoir tôt* fait de. *L'incendie eut vite fait de se propager.* Fam. *Ç'a été vite torché* (→ En moins de deux). — *Au plus vite* : dans le plus court délai (→ Curé, cit. 1; rejoindre, cit. 6; sleeping-car, cit. 2).

7 Elle n'avait qu'un seul but : être le plus vite possible hors d'atteinte; se fondre dans la foule, gagner le métro, s'y terrer.
MARTIN DU GARD, les Thibault, t. VI, p. 146.

8 Les pêcheurs avaient eu vite épuisé toute la surprise de l'aventure.
Roger VERCEL, la Clandestine, p. 43.

9 Ah! l'idiote avait eu vite fait de se couler! Il n'avait pas fallu deux mois (...)
F. MAURIAC, Genitrix, II.

Loc. adv., fam. *Vite fait* : rapidement. *Il s'est tiré vite fait, avant qu'on l'attrape.* — *Vite fait, bien fait* (prononcé sans pause : [vitfɛbjɛ̃fɛ]).

10 Ils en discutèrent, autour d'un plat de raviolis sibériens, arrosés de vodka. Vite fait : ils ne savaient rien.
Claude COURCHAY, La vie finira bien par commencer, p. 224.

DÉR. **Vitement, vitesse.**

VITELLIN, INE [vitelɛ̃, in; vitɛllɛ̃, in] adj. — 1836; «semblable au jaune d'œuf», 1256; du lat. *vitellus.*

♦ Biol. Relatif au vitellus. *Membrane vitelline* (ou, n. f., *la vitelline**), qui entoure le jaune d'œuf. — Anat. humaine. (Membrane) qui entoure l'ovule fécondé. — *Sac vitellin* : cavité inférieure de la morula.

DÉR. **Vitelline.**

VITELLINE [vitelin; vitɛllin] n. f. — 1853, Nysten; de *vitellin.*
Biologie.

♦ **1.** Substance protidique phosphatée du jaune d'œuf.

♦ **2.** Membrane vitelline.

VITELLOGÈNE [vitelɔʒɛn; vitɛllɔʒɛn] n. m. — 1897, *in l'Année biol.*; du rad. de *vitell(us)*, et *-gène.*

♦ Biol. Se dit d'une glande qui, chez les animaux possédant des œufs composés, sécrète le vitellus.

VITELLOGENÈSE [vitelɔʒɛnɛz; vitɛllɔʒɛnɛz] n. f. — V. 1960; du rad. de *vitellus*, et *-genèse.*

♦ Biol. Formation du vitellus. «*Le sang ingéré apporte aux femelles divers métabolites (protéines, lipides, acides aminés, etc.) qui participent à l'accumulation de réserves ou vitellus permettant aux ovocytes de l'ovaire de s'accroître et d'achever leur développement avant la ponte (vitellogenèse)*» (*la Recherche*, nº 106, déc. 1979, p. 1273).

VITELLUS [vitelys; vitɛllys] n. m. — 1800, Cuvier; «cotylédon unique», 1799, Ventenat; mot lat. «jaune d'œuf».
Biologie, embryologie.

♦ **1.** Ancienn. Ensemble des substances formant l'ovocyte* ou l'œuf, distinguées du noyau et de la membrane. *On distinguait le vitellus formatif* (cytoplasme) *et le vitellus nutritif* (vitellus, 2.).

♦ **2.** Mod. Ensemble de substances de réserve (glucides, protéines, lipides) contenues dans les vacuoles de la partie nutritive d'un œuf, dont l'abondance varie selon l'espèce animale. ⇒ **Lécithe** (cit.). *L'œuf humain est pratiquement dépourvu de vitellus. Les œufs des reptiles et des oiseaux sont riches en vitellus. Classification des espèces selon les caractéristiques du vitellus* (⇒ **Lécithe**).

DÉR. **Vitellin.** — (Du même rad.) **Vitellogène, vitellogenèse.** V. aussi **Bivitellin, univitellin.**

VITELOT [vitlo] n. m. — 1680, Richelet; de *vit*, par anal. de forme.

♦ Vx. Petit cylindre de pâte de la grosseur d'un doigt, cuit à l'eau et au beurre. *Vitelot assaisonné au vinaigre.* — Nouille plate. *Des vitelots.*

VITELOTTE [vitlɔt] n. f. — 1812, Boiste ; de *vit*, par anal. de forme.

♦ Variété de pomme de terre à tubercules allongés et cylindriques.

Le potager, maintenant bien entretenu, bien arrosé, bien défendu contre les oiseaux, était divisé en petits carrés, où poussaient laitues, vitelottes, oseille (...)
J. VERNE, l'Île mystérieuse, t. I, p. 410.

VITEMENT [vitmɑ̃] adv. — XIIᵉ ; de *vite*.

♦ Vx ou littér. Rapidement. ⇒ **Vite.** — REM. Cet adverbe a disparu quand *vite* a cessé d'être surtout adj. (→ Assoupissement, cit. 1, Regnard ; flatter, cit. 1, Mᵐᵉ de Sévigné ; gentement, cit., Marot).

Tu pleureras l'heure où tu pleures
Qui passera trop vitement
Comme passent toutes les heures
APOLLINAIRE, Alcools, À la Santé, v.

VITESSE [vitɛs] n. f. — 1536 ; *vistece* « habileté », 1170 ; de *vite*.

♦ **1.** (Non qualifié). Le fait de parcourir ou d'être capable de parcourir un grand espace en peu de temps. ⇒ **Célérité, rapidité, vélocité.** *La vitesse de sa marche, de sa course. La vitesse de qqn, d'un animal,* de son allure, de son déplacement. Vx. *Un cerf plein de vitesse.* → Courir, cit. 6. *Marcher* (cit. 7) *avec tant de vitesse... ; lutter de vitesse* (→ Oreillard, cit. 1). — *Course de vitesse,* sur de faibles distances (opposé à *de fond*). *Coureur de vitesse.* ⇒ **Sprinter.** — (Ski). *Positions de recherche* de vitesse.* — *Véhicule, avion qui acquiert, prend de la vitesse.*

Loc. *Faire de la vitesse* (en voiture) : aller très vite.

1   Je ne sais pas ce qui tourmente cet homme-là, mais il fait des affaires comme d'autres font de la vitesse (...) A. MAUROIS, le Cercle de famille, III, XII.

La griserie (cit. 2), *le mythe* (cit. 9) *de la vitesse. Excès de vitesse.*

1.1   (...) mais par-dessus tout le culte, l'idolâtrie de la technique, de toutes les techniques inventées par l'homme et auxquelles l'homme s'asservit, la folie de la vitesse, ce tournis qui affecte tous les moutons de l'Occident, une trépidation à laquelle aucun de nous n'échappe (...)
F. MAURIAC, le Nouveau Bloc-notes 1958-1960, p. 238.

Loc. **PERTE DE VITESSE.** *Avion en perte de vitesse,* dont la vitesse devient inférieure à la vitesse de sustentation. — Loc. fig. *En perte de vitesse* : qui ne se développe plus, perd son dynamisme, dont le succès décroît. *Parti politique en perte de vitesse.*
De vitesse (vx) : très vite. — Mod. *Courir de toute sa vitesse, de toute la vitesse de ses jambes* (→ Intention, cit. 13 ; et aussi détaler, cit. 3). ⇒ **Filer, voler** (fig.). — (1787). *Gagner* (cit. 51) *qqn de vitesse.* ⇒ **Gagner** (*infra* cit. 48).
Par métaphore (en parlant des heures, du temps, de la vie, etc.). → Envoler, cit. 7 ; rapidité, cit. 1.

♦ **2.** (Mil. XVIIᵉ). Le fait d'accomplir une action en peu de temps. ⇒ **Vite** (II., 2.) ; **célérité, diligence, promptitude.** « *Quoi ! vous voulez aller avec cette vitesse (...)* » (Molière, *Tartuffe,* IV, 5). « *Travaillez à loisir* (cit. 6)... *Et ne vous piquez point d'une folle vitesse* » (Boileau). *La vitesse d'une réaction, d'un réflexe.* — Loc. *Prendre qqn de vitesse* : aller plus vite que lui, et (fig.), le devancer.

Loc. fam. *En vitesse* : vite (II., 2. ou 3.), sans délai (→ Hasarder, cit. 12), au plus vite. ⇒ **Rondement.**

1.2   À midi, il faut aller déjeuner, pas trop loin à cause du boulot, car il faut revenir en vitesse ; pas trop cher non plus, naturellement.
R. QUENEAU, le Chiendent, p. 13.

1.3   (...) un de ces tissus riches et laids choisis en vitesse avec pour seule référence leur cherté et leur anonymat. Claude SIMON, le Vent, p. 12.

Loc. prov. *Il ne faut pas confondre vitesse et précipitation.*

♦ **3.** (Peut être qualifié par un adj., un compl. de nom). Le fait d'aller plus ou moins vite, de parcourir une distance plus ou moins grande par unité de temps. ⇒ **Allure, train.** *Se déplacer avec une faible, une grande vitesse. Vitesse affolante, vertigineuse.* → Tombeau, cit. 5. *Vitesse de la marche, des pas. Vitesse* (plus ou moins grande) *d'un navire,* exprimée en nœuds* ; *vitesse estimée, vitesse de route... Vitesses d'un avion :* de décollage, de vol, de croisière, de décision, *vitesse ascensionnelle. Vitesse de sustentation, de décrochage ;* vitesse minimale nécessaire au vol. *Vitesse de cabrage* (d'un avion à réaction). *Dépasser la vitesse du son** (⇒ **Supersonique**). *Vitesse subsonique, supersonique. Vitesse d'une automobile*,* appréciée en kilomètre-heure (⇒ **Horokilométrique**). *Compteur*, indicateur de vitesse. Variations, sauts* (→ 2. Marche, cit. 23) *de vitesse.* ⇒ **Accélération, ralentissement.** *Garder* (→ Pression, cit. 1), *maintenir, accroître, réduire sa vitesse* (⇒ **Accélérer, ralentir**). *Vitesse moyenne ; maximale. Pleine* (cit. 20) *vitesse. Vitesse acquise*. Vitesse de libération** (5.). *Vitesse composée :* résultante de plusieurs vitesses. *À pleine* (→ Surplus, cit. 5), *à grande vitesse* (→ Classe, cit. 12 ; oiseau, cit. 14). *À toute vitesse* (→ Battement, cit. 5 ; frein, cit. 12), [fam.] *à la vitesse grand V* : le plus vite possible, et, par ext., très vite. ⇒ **Vite** (II., 1.). → *À bride** abattue, à fond de train*. *Aller, se sauver à toute vitesse. Aller, rouler à petite vitesse, à vitesse réduite.*
Réglementation de la vitesse sur route. Vitesse limitée, contrôlée par radar. Excès de vitesse.
(D'un phénomène physique). *Vitesse du vent,* sa force, évaluée par

la vitesse avec laquelle se déplace le fluide atmosphérique en un point. — *Vitesse d'un courant liquide.*

Ch. de fer. Ancienn. *Petite et grande vitesse,* dans l'expédition des colis (→ Expéditeur, cit. 3), expr. remplacées par « *régime ordinaire* », « *accéléré* ». *Expédier un colis par la grande vitesse.* Spécialt. *La petite vitesse* (*P. V.*) : service d'expédition de marchandises. Par ext. Lieu où se tenait ce service, dans une gare (*cour* des marchandises*).

Mod. *Train* à grande vitesse,* dit *T. G. V.*

Techn. *Vitesse de coupe,* estimée en mètres de métal travaillé, coupé, par minute. — *Vitesse de rotation :* nombre de tours que fait un organe moteur (axe, arbre...) par unité de temps. ⇒ **Régime** (1. Régime, II., 5.). *Mesure de la vitesse de rotation d'un moteur* (⇒ **Compte-tours, tachymètre**). — *Vitesse de défilement* (d'une bande magnétique).

♦ **4.** (Dans quelques expr.). Rapport entre la vitesse de rotation de l'arbre moteur et la vitesse de rotation des roues, assuré par le système de transmission. — (1896, *in* D.D.L.). *Changement de vitesse :* dispositif permettant de changer ce rapport. *Changement de vitesse automatique. Première vitesse ; seconde, troisième, quatrième vitesse* (ellipt. : *passer* en seconde,* etc.). Loc. fam. *En quatrième vitesse :* très vite. — *Boîte de vitesses :* carter du changement de vitesse. *Boîte* à quatre, cinq vitesses. Vitesse surmultipliée. Changer de vitesse* (→ Embrayer, cit. 1). *Levier* (cit. 4) *de vitesses.* — Loc. fig. *Changer de vitesse, changement de vitesse :* modifier (modificateur de) son rythme. — Par ext. *Manœuvrer les vitesses* (→ Grogner, cit. 4), les combinaisons d'engrenage du changement de vitesse. — *Changement de vitesse d'une bicyclette.* ⇒ **Dérailleur.** *Vélo à six, à huit vitesses.*

2   Pour parcourir les jours, les natures un peu nerveuses, comme était la mienne, disposent, comme les voitures automobiles, de « vitesses » différentes.
PROUST, Du côté de chez Swann, Pl., t. I, p. 390.

3   Les démarrages s'accompagnaient d'un rugissement de bon aloi, et au bout d'une dizaine de secondes, on entendait un bruit d'écrasement, celui que ferait une locomotive en broyant une rangée de barriques ; c'était le passage de première en deuxième vitesse que le chauffeur venait de réussir d'un seul coup.
J. ROMAINS, les Hommes de bonne volonté, t. I, XXII, p. 260.

♦ **5.** Sc. **a** (Mécan., phys.). Quantité exprimée par le rapport d'une distance au temps mis à la parcourir (→ Espace, cit. 10). *La vitesse, quantité vectorielle définie par une grandeur scalaire* (unités de longueur divisées par le temps) *et une orientation par rapport à un système de référence. Vitesse instantanée :* quotient d'une distance infiniment petite par le temps infiniment petit mis à la parcourir. *Vitesse moyenne d'un mouvement. Vecteur vitesse :* vecteur dont l'origine est le mobile, l'axe la tangente à la trajectoire, et la mesure la vitesse instantanée. *Maximum de vitesse, pendant un cycle donné :* valeur absolue maximale de la vitesse instantanée. *Vitesse relative,* par rapport à un système de référence donné. — *Vitesse constante, croissante* (→ Rythme, cit. 5), *décroissante* (→ Retarder, cit. 6). *Direction et vitesse d'un mouvement** (→ Force, cit. 63 ; malentendu, cit. 4). *Vitesse initiale* (cit. 1), *d'un projectile,* au début de sa trajectoire. *Loi du carré des vitesses* (dans la chute des corps). ⇒ **Force** (IV., 2. : force vive). → Pesanteur, cit. 1 ; poids, cit. 1. — *Vitesse angulaire* (d'un mouvement, d'un point autour d'un axe : rotation, par ex.) : rapport du déplacement angulaire à un temps correspondant (*vitesse angulaire moyenne*). *Vitesse angulaire instantanée* : rapport d'un changement infiniment petit de l'angle de rotation au temps infiniment petit correspondant, représenté par un vecteur. *Vitesse aréolaire*.* Astron. *Vitesse radiale :* vitesse qui caractérise le mouvement d'un astre suivant la direction (le rayon qui le joint à l'observateur). — *Vitesse de propagation d'une onde.* ⇒ **Célérité.**

b (D'après les sens 4 ou 6). *Vitesse d'un mouvement périodique* (ondes électromagnétiques : lumière* [→ Rapide, cit. 3], son), dont l'étude exige la considération de quatre vitesses différentes. — *Vitesse de phase,* avec laquelle se modifie la phase de la vibration (quand elle dépend de la fréquence de l'onde électromagnétique, on dit que le milieu est dispersif). — *Vitesse de groupe :* vitesse de propagation de la crête d'un groupe d'ondes interférant ensemble (en milieu dispersif, elle diffère de la vitesse de phase, laquelle peut dépasser la valeur limite de 300 000 km/s). — *Vitesse de signal,* égale à la vitesse de groupe, s'il n'y a pas atténuation du signal au cours de la propagation. — *Vitesse de transport de l'énergie,* égale aux deux précédentes, s'il n'y a pas de déformation du groupe d'ondes. — *Vitesse du son,* celle avec laquelle la phase du son se propage. *Vitesse d'une particule* (*instantanée, effective, maximale...*), définie comme la vitesse d'une très petite partie du milieu, rapportée au milieu considéré comme un tout, et due à l'onde sonore. — *Vitesse de modulation,* se dit, spécialt, des modulations d'électrons.

c Math., phys. *Vitesses relatives,* dans les théories de la relativité restreinte et générale. ⇒ **Relativité** (II.).

♦ **6.** Par ext. Le fait de s'accomplir en un temps donné, pour un phénomène quelconque. *Vitesse de réaction, de précipitation, de sédimentation* (du sang). *Vitesse de phase* (→ ci-dessus).

VITEX [vitɛks] n. m. — D. i. (xxᵉ); lat. moderne.

♦ Bot. Arbre d'Afrique, dont les jeunes feuilles servent de légume et dont le fruit violet sert à préparer une boisson.

VITI- Premier élément de mots composés, tiré du lat. *vitis* « vigne ».

VITICOLE [vitikɔl] adj. — 1836; n. m., « vigneron », 1808; de *viti-*, et suff. *-cole*.

♦ 1. Relatif à la culture de la vigne et à la production du vin. ⇒ **Vinicole**. *Industrie, culture viticole.*

♦ 2. Qui produit de la vigne. *Région viticole.*

VITICULTEUR, TRICE [vitikyltœʀ, tʀis] n. — 1872, *in* Littré au masc.; de *viti-*, et *-culteur*.

♦ Personne qui cultive de la vigne pour la production du vin. ⇒ **Vigneron**. *Les viticulteurs de l'Hérault.*

VITICULTURE [vitikyltyʀ] n. f. — 1845, Bescherelle; de *viti*, et *-culture*.

♦ 1. Culture de la vigne.

♦ 2. (xxᵉ). Par ext. Ensemble des viticulteurs (→ Rouge, cit. 7). *La viticulture française.*

VITILIGO [vitiligo] n. m. — 1803; « herpès », 1538; mot lat. « tache blanche ».

♦ Méd. Trouble de la pigmentation de la peau caractérisé par la présence de taches décolorées, de forme et de localisation variables, entourées par un bord foncé, sans modification de l'épiderme. ⇒ **Albinisme**.

VITRAGE [vitʀaʒ] n. m. — 1611, Cotgrave; de *vitre*, et suff. *-age*.

♦ 1. Ensemble des vitres (d'un édifice). *Des boutiques sans le moindre vitrage* (→ Métier, cit. 12). *Le vitrage d'une église.* ⇒ **Vitrail**.

(1872). Ensemble des vitres (d'une baie, d'une fenêtre, d'une marquise [cit. 2], d'une serre). → Chaperon, cit. 2. *Vitrage antisolaire, double vitrage,* pour l'isolation thermique.

♦ 2. (1694). Ensemble de vitres muni d'un châssis, et servant de cloison, de toit, de paroi... ⇒ **Marquise** (→ Greffe, cit. 2). *Vitrages enfumés* (→ Halle, cit. 3). *Pièce éclairée sur la rue par un vitrage* (→ Imprimerie, cit. 5). *Vitrage d'une véranda.* ⇒ **Verrière**. *Rideau de vitrage,* et, ellipt., *vitrage* : rideau transparent ou translucide, store intérieur appliqué sur des vitres. — Paroi de verre. *Le vitrage d'un aquarium* (→ Eau, cit. 3).

1 (...) il y aura des momies qui seront bien étonnées un jour de se réveiller sous un vitrage de musée ou dans le cabinet de curiosités d'un Anglais.
NERVAL, *Voyage en Orient, Femmes du Caire*, III, VI.

2 Ces petits hôtels, surmontés de vitrages à rideaux de photographe, doivent appartenir à des peintres. COCTEAU, *les Enfants terribles*, p. 3.

Vx. Vitrine, glace d'une devanture (Nerval, *Lorely*, III).

♦ 3. (1846; de *vitrer*). Techn. Le fait de poser des vitres, de garnir des vitres. *Le vitrage de la serre demandera quelques jours.*

VITRAIL, AUX [vitʀaj, o] n. m. — 1626; *vitral*, 1493, surtout au plur.; mot techn. répandu au déb. du XIXᵉ (Mᵐᵉ de Staël, Chateaubriand; → Enténébrer, cit. 1); on employait surtout *verrière*; de *vitre*.

♦ 1. Panneau, constitué de morceaux de verre découpés, généralement colorés, assemblés au moyen de plomb pour former une décoration. → Chatoyer, cit. 2. *Le soleil jouait* (cit. 5) *à travers les vitraux. Vitrail d'église, d'une cathédrale.* ⇒ **Rosace, rose** (B., 1.), **verrière**. *Panneaux de verre de couleur, armature* (⇒ **Châssis, résille; nille**, 4.), *sertissage, pose d'un vitrail. Vitraux gothiques, Renaissance, classiques, modernes. Les artisans, les artistes qui font des vitraux sont dits* verriers*, maîtres verriers. Les vitraux de Chagall.* — Par ext. *Vitrail en verre collé. Vitrail à joint vif, vitrail en dalles de verre. Vitrail d'une fenêtre, d'une porte-fenêtre.*

1 Les vitraux sont mieux que le gothique *(sic)* : d'après les nouveaux procédés et les découvertes de la chimie, on parvient à obtenir de grands sujets sur un seul verre, au lieu d'employer de petits vitraux plombés (...)
NERVAL, *Voyage en Orient, Introd.*, V.

2 Vitraux de Chartres — Lapis, émaux, Orient. Comme des boissons complexes, les nombreux petits éléments de couleur *vivante* (...) mosaïque de tons intenses, très divisés (...) donnent une impression de doux éblouissement, plus gustatif que visuel, — à cause de la petitesse des dessins (...) VALÉRY, *Mélange*, p. 19.

3 Et je me mis à regarder un immense vitrail qui versait dans le temple endormi un jour épais et violet. Il représentait aussi un peuple, le peuple d'un saint siècle célébrant une fête autrefois, celui d'un saint assurément. Les petits hommes de verre, étrangement vêtus, montaient en procession le long de la grande fenêtre

antique. Ils portaient des bannières, une châsse, des croix, des cierges, et leurs bouches ouvertes annonçaient des chants.
MAUPASSANT, *Jour de fête*, Pl., t. II, p. 1278.

4 L'ensemble donnait l'étrange impression d'un vitrail admirablement uni et fondu grâce à l'absence de toute soudure et de tout reflet brutal. L'image diaphane évoquait un site d'Orient. Raymond ROUSSEL, *Impressions d'Afrique*, p. 174.

♦ 2. (xxᵉ). *Le vitrail* : l'art, la technique de la fabrication des vitraux (→ Technique, cit. 8). — Par ext. Art de la couleur, comprenant l'élaboration des cartons (par un peintre, etc.) et l'exécution matérielle; ensemble des œuvres de cet art. *La mosaïque* (1. Mosaïque, cit. 3), *mère du vitrail. Le vitrail et la tapisserie* (cit. 7).

DÉR. Vitraillé.

VITRAILLÉ, ÉE [vitʀaje] adj. — Mil. xxᵉ; de *vitrail*.

♦ Rare (d'une fenêtre). Garni d'un vitrail, de vitraux.

(...) un silence recueilli dans lequel on pouvait entendre le gros bourdon noir dire ses oraisons dans le tabernacle des églantines d'où on n'apercevait plus que son dos noir, les rayons du soleil entraient, comme dans une chapelle dont la fenêtre n'est pas vitraillée. PROUST, *Jean Santeuil*, Pl., p. 335.

VITRAUPHANIE [vitʀofani] n. f. — V. 1960 (*in* G. L. E., 1964); probablᵗ de *vitraux*, plur. de *vitrail*, et *-phanie*, du grec *phainein* « paraître »; marque déposée.

♦ Techn. Procédé permettant d'obtenir des impressions avec des encres transparentes sur papier rendu translucide ou sur support pour une décalcomanie. — Par métonymie. Impression obtenue par ce procédé.

Deux portes vitrées donnaient sur un couloir aux murs ornés de marbre, l'une à panneaux de verre épais, l'autre couverte de vitrauphanie et portant l'indication *service* sur une plaque d'émail.
Robert SABATIER, *Trois sucettes à la menthe*, p. 19.

Var. graphique : *vitrophanie* (Robert Sabatier, *les Allumettes suédoises*, p. 40).

VITRE [vitʀ] n. f. — 1549; « verre », 1275 sans doute antérieur, le dér. *vitreux* est attesté antérieurement; « vitrail », 1454; du lat. *vitrum* « verre ».

♦ 1. Panneau de verre garnissant une baie ou un vitrage. ⇒ **Carreau** (I., 3.). *Les vitres d'une fenêtre* (cit. 6), *d'une porte, d'une devanture* (⇒ **Vitrine**; → Gravure, cit. 4; quincaillerie, cit. 1). *Vitres qui brillent au soleil* (→ Pétillement, cit. 3; scintillement, cit. 1). *Vitre couverte de buée, d'arborisations. Vitres sales. Nettoyer, laver, faire les vitres. Cogner* (cit. 4) *sur la vitre, à la vitre. Vitres qui tremblent, vibrent* (→ Note, cit. 9; péniblement, cit. 3). *Vitre qui se casse, vole en éclats* (→ aussi Couper, cit. 9). *Tailler, poser, mastiquer une vitre. — Regarder par la vitre. — Verre* à vitre.

Qu'y a-t-il de plus inepte en effet que ces hommes derrière une vitre? il semble qu'elle laisse tout passer, elle n'arrête qu'une chose, le sens de leurs gestes.
SARTRE, *Situations*, I, p. 115.

Loc. fig. (Fin xviiiᵉ). *Casser* les vitres* : s'emporter, faire du scandale. Par ext. *Ça ne casse pas les vitres* : ça ne casse (*infra* cit. 10) rien, n'a rien de remarquable.

♦ 2. (1660, Oudin). Panneau de verre permettant de voir à l'extérieur lorsqu'on est dans un véhicule. ⇒ **Glace**. *Les vitres des portières. Vitres d'un train* (→ Cliqueter, cit.), *d'une voiture* (→ Gaieté, cit. 10). — *Vitre frontale d'une locomotive électrique.* « *Les vitres frontales sont équipées d'essuie-vitre, lave-vitre* (...) » (*la Vie du rail*, 15 oct. 1978, p. 6). *Ouvrir, baisser la vitre* (de la portière d'une voiture). → Jeter, cit. 16. *Jeter un coup d'œil par la vitre* (→ Déplacer, cit. 8). *Vitre avant* (⇒ **Pare-brise**), *arrière* (⇒ **Lunette**) *d'une voiture.* — Plus souvent. *Vitres avant, arrière* : les vitres latérales correspondant aux places avant, arrière. « *Papa est le plus souvent avant-gauche, Maman avant-droit, Popaul vitre-gauche-arrière* (...) » (*F Magazine*, févr. 1981, p. 81). Panneau de verre de protection. *Les vitres des cadres* (→ Linge, cit. 7).

Vous battez contre moi comme un oiseau contre la vitre d'un phare. Vous ne brisez pas cette vitre. Vous vous briserez contre elle, et vous tomberez au pied du phare. MONTHERLANT, *les Jeunes Filles*, p. 190.

♦ 3. (Mil. xvᵉ). Vieilli. Le châssis et le vitrage. *Ouvrir* (→ Bruyamment, cit.), *fermer la vitre. Vitre à tabatière* (→ Mansarde, cit. 2).

♦ 4. (xviiiᵉ, Buffon). Par anal. Panneau transparent. *Vitre de papier huilé.*

DÉR. Vitrage, vitrail, vitrellé, vitré, vitrer, vitrerie, vitreux, vitrier, vitrière.

VITRÉ, ÉE [vitʀe] adj. — 1363; du lat. *vitreus* « de verre ».

♦ 1. Transparent comme une vitre. ⇒ **Vitreux**. — (1680). *Humeur vitrée de l'œil* : substance gélatineuse qui remplit le corps vitré. *Corps vitré* (et, n. m., *le vitré*) : masse transparente (humeur vitrée, membrane hyaloïde et canal hyaloïdien) qui remplit l'espace compris entre la rétine (cit. 1) et la face postérieure du cristallin (cit. 4) et qui est l'un des plus importants des milieux réfringents de l'œil.

(1812). Techn. *Parchemin vitré, peau vitrée,* trop translucide (défaut).

♦ **2.** (1835, Académie). Vx. *Électricité vitrée :* électricité positive (III., 3.), mise en évidence par le frottement d'un corps par une plaque de verre (opposé à *électricité résineuse*).

HOM. Vitré (de *vitrer*).

VITRELLÉ, ÉE [vitRele] adj. — 1867 ; de *vitre.*

♦ Techn. En forme de vitrage. *« Un châssis d'arabesques ajourées et vitrellées »* (L. Michel, 1867, *in* Littré *Suppl.*).

VITRER [vitRe] v. tr. — 1477 ; de *vitre.*

♦ Garnir de vitres. *Vitrer une porte, un panneau, une serre. La véranda avait été entièrement vitrée* (→ Jardin, cit. 8).

▶ **VITRÉ, ÉE** p. p. adj. (1495).
(Plus cour. que l'actif). Garni de vitres. *Baie vitrée* (→ Café, cit. 7 ; grille, cit. 7 ; plan, cit. 4). *Façade* (cit. 4), *toiture vitrée* (→ Encorbellement, cit. 1), *châssis, panneau vitré* (→ Marchepied, cit. 1). *Salle* (→ Calmer, cit. 17), *niche* (2. Niche, cit. 3) *vitrée. Rond-point* (cit. 2) *vitré.*

DÉR. Vitrage (3.).
HOM. Vitré (adj.).

VITRERIE [vitRəRi] n. f. — 1338 ; de *vitre.*

♦ **1.** Industrie qui comprend la fabrication des vitres (⇒ **Verrerie**), leur pose et quelques travaux accessoires (masticage, dépolissage, nettoyage, etc.).

♦ **2.** (1508). Ensemble des vitres (1.) d'un édifice, et, spécialt, des vitraux, des verrières d'une église. *La vitrerie d'une cathédrale.*

♦ **3.** (1835). Verre à vitres, en tant que matériau. *Stock de bois d'œuvre et de vitrerie d'une entreprise de bâtiment.*

VITRESCIBLE [vitResibl] adj. — 1762, Académie ; dér. sav. du lat. *vitrum,* d'après les mots de type *putrescible,* élément final du lat. *-ibilis.*

♦ Qui peut prendre une structure vitreuse. *Pierres, roches vitrescibles* (→ Calcaire, cit. 2). ⇒ **Vitrifiable.**

VITREUX, EUSE [vitRø, øz] adj. — 1256 ; de *vitre* «verre».

♦ **1.** Qui ressemble au verre fondu, à la pâte de verre. *Humeur vitreuse.* ⇒ **Vitré.** — *Porcelaine vitreuse,* tendre et à demi translucide.
Vx. Qui provient du verre. *Électricité vitreuse.* ⇒ **Vitré.**

♦ **2.** (1611). Qui ressemble au verre, est de la nature du verre. Vx. *Essence vitreuse* (→ Basalte, cit.), *suc vitreux* (→ Impur, cit. 1) *des roches.* — *Particules calcaires, vitreuses ou métalliques* (→ Incrustation, cit. 2).
Sc. *État vitreux :* état de la matière caractérisée par une structure particulière, différente de celle de l'état cristallisé et que peuvent prendre les corps susceptibles de passer de cet état à l'état liquide sans aucune discontinuité (silice, silicates et verres industriels, anhydride borique, anhydride phosphorique et certains phosphates, verres* organiques, etc.). *Structure vitreuse. Corps vitreux :* les « verres» (au sens large). — (1787, Buffon). Minér. *Cassure vitreuse,* semblable à celle du verre (dans une roche). — *Roches vitreuses* ou *amorphes et roches cristallines.*

♦ **3.** (1835). Dont l'éclat est terni. *Un œil vitreux* (→ Pleurer, cit. 31). *Un regard vitreux. Prunelles vitreuses* (→ Paupière, cit. 4).

1 Je reviens à mon polichinelle qui reposait sur le poêle, étendu sur le dos et regardant le plafond avec ses yeux vitreux et son méchant rire.
G. SAND, Histoire de ma vie, II, XI.

2 Le chien fidèle a été trouvé étendu au milieu de la cour, l'œil vitreux, un filet de sang coulant de sa gueule entrouverte... N. SARRAUTE, le Planétarium, p. 216.

♦ **4.** Rare (effet stylistique). Qui est garni de vitres. ⇒ **Vitré.**

3 La lumière de l'été mettait en valeur les arêtes vives et austères de ces vastes hangars vitreux. M. AYMÉ, Travelingue, p. 102.

VITRIER [vitRije] n. m. — 1370 ; de *vitre.*

♦ Celui qui fait commerce de vitres, de pièces de verre et qui est capable de les poser (artisan vitrier). *Vitrier qui coupe et pose toutes pièces de verre* (vitres, vitrages, etc.). → Bâtir, cit. 25. *Crochet, châssis de bois sur lequel le vitrier porte ses verres* (⇒ **Fléau**). *Outils, matériel de vitrier.* ⇒ **Besaiguë, couteau, diamant, grésoir, lustroir, mastic, tournette.** — *« Encor'un carreau d'cassé/ v'là l'vitrier qui passe »* (chanson).

1 La première personne que j'aperçus dans la rue, ce fut un vitrier dont le cri perçant, discordant, monta jusqu'à moi à travers la lourde et sale atmosphère parisienne. BAUDELAIRE, le Spleen de Paris, IX.

Loc. fam. *Ton père n'est (n'était) pas vitrier ! :* « tu n'es pas transparent » (donc : « pousse-toi, tu m'empêches de voir »).

2 Comme le père de cet individu n'était pas vitrier, Pierre ne pouvait apercevoir les modifications de consistance de l'employé du Comptoir des Comptes, celui qu'il avait repéré entre des milliers d'autres. R. QUENEAU, le Chiendent, p. 44.

REM. Le fém. *vitrière* est virtuel.

VITRIÈRE [vitRijɛR] n. f. — 1757, Encyclopédie ; de *vitre.*

♦ Techn. Tige de métal assez mince, semblable à celle qu'on emploie pour les vitraux.

VITRIFIABLE [vitRifjabl] adj. — 1734 ; de *vitrifier.*

♦ Didact. Qui peut être vitrifié, prendre la structure vitreuse. ⇒ **Vitrescible.** *Sable vitrifiable. Enduit vitrifiable de la porcelaine.*

VITRIFICATEUR, TRICE [vitRifikatœR, tRis] adj. et n. — 1842 ; dér. de *vitrifier.*

♦ Didact. Qui peut produire une vitrification. — N. m. Produit utilisé pour vitrifier les parquets.

VITRIFICATION [vitRifikasjɔ̃] n. f. — XVIᵉ, B. Palissy ; dér. sav. de *vitrifier.*
Didactique.

♦ **1.** Transformation en verre ; acquisition de la structure vitreuse (→ Atomique, cit. 3). *Vitrification du sable. Vitrification de l'émail par fusion.*

♦ **2.** (Mil. XXᵉ). Action de vitrifier (un parquet).

CONTR. Dévitrification.

VITRIFIER [vitRifje] v. tr. — 1540 ; du lat. *vitrum* «verre», et *-fier.*

♦ **1.** Transformer en verre par fusion ou donner la consistance du verre à... — Sc. Donner la structure vitreuse à (une matière). — Pron. *Se vitrifier sous l'effet de la chaleur.*

♦ **2.** (Mil. XXᵉ). Recouvrir (un parquet) d'une matière plastique transparente pour le protéger.

▶ **VITRIFIÉ, ÉE** p. p. adj. *Matières vitrifiées.* — Par métaphore. *« La route vitrifiée de verglas »* (Colette).

Sur le sol vitrifié, les pieds nus des hommes et des femmes frappent de plus en plus vite, de plus en plus fort, tandis que le rythme de la musique électrique s'accélère. J.-M. G. LE CLÉZIO, Désert, p. 325.

CONTR. Dévitrifier.
DÉR. Vitrifiable, vitrificateur, vitrification.

1. VITRINE [vitRin] n. f. — 1836, Académie ; modification de *verrine* (XIIᵉ), du lat. pop. **vitrinus,* d'après *vitre.*

♦ **1.** Devanture vitrée d'un local commercial ; espace ménagé derrière cette vitre, et où l'on expose des objets à vendre. ⇒ **Étalage, montre** (→ Chatoiement, cit. ; file, cit. 5 ; jouet, cit. 3). *Vitrine de libraire* (cit. 6), *de pâtissier* (→ Pâtisserie, cit. 3), *de confiseur* (→ Simulacre, cit. 4). *Vitrine publicitaire* (→ 2. Réclame, cit. 7). *Regarder les vitrines, s'arrêter aux vitrines* (→ Indécis, cit. 12), *devant les vitrines.* — Fam. *Lécher* les vitrines* (⇒ **Lèche-vitrines, magasinage**). — *Lorgner qqch. dans une vitrine.* — *Objets en vitrine,* en montre. *Mettre un produit en vitrine.*

1 Éclairés par de nombreux becs de gaz, les coffrets d'acajou et les montres en or répandant à travers les vitrines des gerbes de lumière éblouissante.
LAUTRÉAMONT, les Chants de Maldoror, VI.

2 (...) je sortais quotidiennement, de préférence à l'entrée de la nuit. Alors les vitrines s'allument et étincellent. Leur éclat dresse de grands carrés d'or le long des murailles de pluie, ce qui égaye les rues ruisselantes d'eau, où quelques parapluies se hâtent. H. BOSCO, Un rameau de la nuit, p. 115.

3 Mais en retrouvant Marseille dans une poussière bleue semblable à celle qui, ce soir, montait du Rhin, il avait découvert que l'Europe, c'était des vitrines de magasins...
Certaines lui étaient demeurées familières : pharmacies, «bronzes d'art», boucheries, épiceries, marchands de fruits et de légumes (mais que la viande était rouge, les pêches petites et pâles!). D'autres le surprenaient quelques minutes : de pédicure, d'horloger, d'orthopédiste, de fleurs, de corsets, une de coiffeur avec l'inscription jamais vue : «chignons de chichis». — une de couronnes mortuaires (...)
MALRAUX, Antimémoires, p. 51.

4 Et je vais, rasant les vitrines que je ne regarde même pas — qu'y lécher ; si ce n'est des vitrines pour bétail, des motoculteurs, la mode de 1970 — Et je vais, errant dans ces rues rectilignes (...) Yanny HUREAUX, la Prof., p. 110.

Vitrine frigorifique : meuble réfrigéré ouvert où sont présentées, dans un magasin d'alimentation à libre service, les denrées qui supportent mal la chaleur.

♦ **2.** Par métonymie. Ce que contient une vitrine. *Étalagiste qui fait, qui décore une vitrine.*

♦ **3.** (1872). Petit meuble, armoire* où l'on expose des objets de collections. *Vitrine verticale, à rayons ; vitrine plate. Un bibelot de vitrine* (→ 2. Carrière, cit. 3). *Les vitrines d'un musée* (→ Pulvériser, cit. 1).

♦ **4.** Fam. (idée d'exposition). Sexe (de la femme). ⇒ **Bazar, boutique.**

5   Elle nous regardait, assise dans l'herbe (...) son vieux *sinh (vêtement asiatique)* troué remonté et pas de culotte, la vitrine à l'air.
          Jean HOUGRON, la Gueule pleine de dents, p. 241.

HOM. 2. Vitrine.

2. VITRINE [vitʀin] ou **VITRINA** [vitʀina] n. f. — 1812 ; à cause de l'aspect vitreux, translucide de la coquille. → 1. Vitrine.

♦ Zool. Escargot à coquille amincie *(Vitrinidés)*, translucide qui vit sous les pierres, dans les climats chauds et tempérés.

HOM. 1. Vitrine.

VITRINIDÉS [vitʀinide] n. m. pl. — Mil. xxᵉ ; de 2. *vitrine,* et *-idés.*

♦ Zool. Famille de gastropodes pulmonés, dont le type est la *vitrina.* ⇒ 2. **Vitrine.** — Au sing. *Un vitrinidé.*

VITRIOL [vitʀijɔl] n. m. — xiiiᵉ ; *vedriol,* v. 1100 ; du lat. *vitreolus* «vitreux». — REM. L'étym. des alchimistes (anagramme évoquant la pierre philosophale) a été inventée après coup.

♦ **1.** Anc. chim. Nom donné aux sulfates (⇒ **Sel).** *Vitriol blanc* (sulfate de zinc), *bleu* (de cuivre), *vert* (sulfate ferreux). → Liqueur, cit. 2. *Qui contient du vitriol.* ⇒ **Vitriolé** (vx).

♦ **2.** (1560). *Huile de vitriol,* et, ellipt., (mil. xixᵉ) *vitriol :* l'acide sulfurique (cit. 2) concentré, très corrosif. → Produit, cit. 3, Taine. Par compar. *Un regard corrosif* (cit. 2) *comme une goutte de vitriol.*

  Il semble avoir été tracé par une furie à froid, qui sait écrire, et qui grave chaque trait en trempant sa plume dans le fiel ou dans le vitriol. Le mot impitoyable, à chaque ligne, est trouvé.   SAINTE-BEUVE, Causeries du lundi, 8 juil. 1850.

♦ **3.** Fig. (du sens 2). *Humour, portrait au vitriol,* très corrosif, caustique, mordant.

♦ **4.** (1876, Daudet). Par anal., vieilli. Mauvais alcool très fort. ⇒ **Tord-boyaux** (→ Prospérer, cit. 2).

DÉR. Vitrioler, vitriolique ; (du sens 1) vitriolé, vitriolisation.

VITRIOLAGE [vitʀijɔlaʒ] n. m. — 1873, *in* D. D. L. ; de *vitrioler.*

♦ **1.** Techn. Action de faire passer des toiles dans un bain d'acide sulfurique étendu.

♦ **2.** (1876). Techn. Sulfatage des grains.

♦ **3.** (1904). Action de lancer du vitriol (sur qqn, pour le défigurer).

VITRIOLÉ, ÉE [vitʀijɔle] adj. — 1608 ; de *vitriol,* 1.

♦ Vx. Qui contient des sulfates. → Vitriol, 1. *Une source vitriolée.*

HOM. Vitrioler.

VITRIOLER [vitʀijɔle] v. tr. — 1876 ; *vitriolé* «qui contient du vitriol», 1615.

♦ **1.** Techn. Additionner d'acide sulfurique. *Vitrioler de l'eau.*

♦ **2.** Techn. Faire passer (des toiles) dans un bain d'acide sulfurique étendu. *Vitrioler du lin.*

♦ **3.** (1888, Villatte). Lancer du vitriol sur (qqn) pour le défigurer. *Se faire vitrioler.*

▶ **VITRIOLÉ, ÉE** p. p. adj. *Visage vitriolé.* — Fig. et rare. Fortement alcoolisé.

DÉR. Vitriolage, vitrioleur.
HOM. Vitriolé.

VITRIOLEUR, EUSE [vitʀijɔlœʀ, øz] n. — 1871, au fém. ; au masc., 1888 ; de *vitrioler.*

♦ Personne qui défigure qqn en le vitriolant.

VITRIOLIQUE [vitʀijɔlik] adj. — Fin xviᵉ, Palissy ; de *vitriol.*

♦ **1.** Vx. Qui est de la nature du sulfate.

♦ **2.** (1835, Académie). Vieilli. Qui est de la nature de l'acide sulfurique.

VITRIOLISATION [vitʀijɔlizasjɔ̃] n. f. — 1768 ; de *vitriol* ; le v. *vitrioliser* semble postérieur (1876, P. Larousse).

♦ **1.** Vx, chim. Opération par laquelle on transformait une substance en vitriol (1.), en sulfate.

♦ **2.** (1872). Minéralogie. Efflorescence de sulfate de fer des pyrites en décomposition.

VITRO (IN) [invitʀo] ⇒ **In vitro.**

VITROCÉRAMIQUE [vitʀoseʀamik] n. f. — V. 1975 ; de *vitro-,* élément tiré du lat. *vitrum* «verre», et *céramique.*

♦ Techn. Matière obtenue à partir d'un mélange de minerai de fer et de sable fondu ayant à la fois les propriétés de la pierre naturelle et celles du verre. *Table de cuisson en vitrocéramique.*

VITROSITÉ [vitʀozite] n. f. — 1863 ; de *vitreux.*

♦ Didact., rare. Caractère de ce qui est vitreux.

VITULAIRE [vitylɛʀ] adj. — 1872, *in* Littré ; dér. du lat. *vitulus* «veau».

♦ Vétér. *Fièvre vitulaire :* fièvre puerpérale des vaches.

VITULIN, INE [vitylɛ̃, in] adj. — 1844, Balzac ; *vituline* «génisse», 1374 ; lat. *vitulinus* ou dér. du lat. *vitulus* «veau».

♦ Littér. et rare. Qui évoque un veau, une tête de veau.

VITUPÉRANT, ANTE [vitypeʀɑ̃, ɑ̃t] adj. et n. — 1903, Huysmans ; *mot vitupérant* «qui blâme», déb. xviᵉ ; de *vitupérer.*

♦ Rare. Qui vitupère (personnes). *Un ivrogne hargneux et vitupérant.* — N. Rare. *Un vitupérant.* ⇒ **Vitupérateur.**

  Toutes criaient au scandale affreux, et si fort que le curé Ponosse, accusé de prêter publiquement la main aux concupiscences, dut bon gré mal gré accorder son patronage à ces vitupérantes.   G. CHEVALLIER, Clochemerle, p. 77.

VITUPÉRATEUR, TRICE [vitypeʀatœʀ, tʀis] n. — 1636 ; du lat. *vituperator,* de *vituperare.* → Vitupérer.

♦ Littér. Personne qui vitupère, ritique.

VITUPÉRATION [vitypeʀasjɔ̃] n. f. — 1512 ; *vituperaciun,* xiiᵉ ; du lat. *vituperatio,* du supin de *vituperare.*

♦ Littér. Action de vitupérer (qqch., qqn). *La vitupération de (qqn, qqch.) par (qqn).*

  La vitupération du bourgeois par l'artiste d'alors semble parfois singulière et souvent puérile, parce que l'artiste se méprenait sur ce qu'il reprochait au bourgeois.
          MALRAUX, les Voix du silence, p. 482.   1

(Une, des vitupérations). Blâme ou reproche violent (→ Incorrection, cit. 3).

  Les communiqués allemands, les déclarations de Vichy, les vitupérations angoissées des collaborateurs, tout contribuait à notre jubilation.
          S. DE BEAUVOIR, la Force de l'âge, p. 539.   2

CONTR. Approbation.

VITUPÈRE [vitypɛʀ] n. m. — xivᵉ ; *vitupire* «blâme», xiiiᵉ, Rutebeuf ; bas lat. *vituperium.*

♦ Vx. Action honteuse ; honte, blâme.

  (...) faute de prendre ce soin, nous risquerions d'adopter de mauvaises leçons, à notre honte éternelle et juste vitupère.
          FRANCE, la Rôtisserie de la reine Pédauque, Œ., t. VIII, p. 144.

VITUPÉRER [vitypeʀe] v. — 1337 ; «mutiler», fin xᵉ, considéré comme archaïque («burlesque») dans l'usage classique («vieilli» pour Littré) ; repris fin xixᵉ ; lat. *vituperare.*

♦ **1.** V. tr. Littér. Blâmer vivement. *Vitupérer qqn* (→ Anathématiser, cit. 2). *Vitupérer le zèle maladroit des domestiques* (→ Imperméable, cit. 2). *J'étais injurié* (cit. 3) *et vitupéré.* — Au p. p. *Des dirigeants vitupérés.*

  Ce malheureux prince (...) vitupéra Quatrefeuilles et Saint-Sylvain de leur négligence, de leur incapacité et bas de leur mauvaise chance, comptant peut-être que de ces trois reproches un du moins serait juste.
          FRANCE, les Sept Femmes de la Barbe-Bleue, p. 197.   1

♦ **2.** V. intr. (xxᵉ). Sous l'infl. de verbes comme *déblatérer, invectiver, pester... Vitupérer contre* (qqn, qqch.). *Vitupérer contre le gouvernement, contre la cherté de la vie.* ⇒ **Déblatérer, indigner** (s'), **pester, protester.**

2 (...) Thibaudeau (...) vitupère contre le rétablissement des Missions étrangères, « foyers d'intrigues contre l'Empereur » (...)
MADELIN, Hist. du Consulat et de l'Empire, Vers l'Empire d'Occident, II.

REM. Cet emploi a été critiqué par les puristes.

CONTR. **Approuver, louer.**
DÉR. **Vitupérant.**

VIVABLE [vivabl] adj. — 1842, *in* D.D.L. au sens 1 ; « viable », v. 1190 ; de *vivre.*

♦ **1.** (De *vivre*, II.). Que l'on peut vivre, supporter dans la vie. *C'est très vivable, à peine vivable.* — (Surtout négatif). *Cette situation n'est pas vivable. Ce n'est plus vivable.* ⇒ **Supportable.**

1 (...) on ne jettera pas trop la pierre à celui qui rêve de se servir du catholicisme (...) pour rendre vivable la vie d'un lépreux.
MONTHERLANT, les Lépreuses (1939), XX.

N. m. Ce qui est vivable.

1.1 Au sortir du malheur, elle a rapidement organisé le vivable, réglé son équilibre, sur quoi s'est ajusté le mien.   Hervé BAZIN, Cri de la chouette, p. 97.

♦ **2.** (1909, *in* D.D.L.). (De *vivre*, I.). Où l'on peut vivre commodément. *Aménagée, cette pièce serait parfaitement vivable. Cet appartement minuscule n'est pas vivable.*

Figuré :

2 (...) j'aurais peur qu'on essayât de construire pour de bon un monde vivable, parce que je n'aurais plus qu'à dire oui et à faire comme les autres.
SARTRE, l'Âge de raison, p. 131.

(Mil. xxᵉ). Personnes. Facile, agréable à vivre (s'emploie surtout négativement). *Il n'est pas vivable, ce type !*

CONTR. **Invivable.**

1. VIVACE [vivas] adj. — 1469 ; lat. *vivax, vivacis*, de *vivere* « vivre ».

♦ **1.** Constitué de façon à résister longtemps à ce qui peut compromettre la santé ou la vie. ⇒ **Dur, résistant, robuste.** — (Vx, en parlant des personnes). *Homme robuste, vivace* (→ Hercule, cit. 1).

Malgré vos souffrances, lui écrivait Mirabeau *(à Chamfort)*, vous êtes *un des êtres les plus vivaces qui existent* ; la ténuité de votre charpente, la délicatesse de vos traits et la douceur résignée et même un peu triste de votre physionomie (...) alarmeront et induiront toujours en erreur vos amis sur votre force.
P.-J. STAHL, Hist. de Chamfort, V.

♦ **2.** Cour., en parlant des plantes et des animaux inférieurs.

a *Chênes vivaces, incorruptibles* (cit. 2). Par métaphore. *Rameaux, racines* (cit. 8 et 11), *rejetons* (cit. 3) *vivaces.* ⇒ **Généreux** (→ Ébrancher, cit. 3).

b (1718). Bot. *Plante vivace*, qui vit plus de deux années, produisant plusieurs séries de fleurs (→ Hybride, cit. 3). *Espèces vivaces* (→ Herbe, cit. 9 ; herbeux, cit. 3). *Le muguet vivace* (→ Anthologie, cit.).

♦ **3.** (1792). Abstractions : sentiments, etc. Qui se maintient sans défaillance ; qu'il est difficile de détruire. ⇒ **Durable, persistant** (→ Certain, cit. 5 ; 2. souvenir, cit. 3). *Haine* (cit. 16) *vivace. Foi vivace* (→ Homme, cit. 45). ⇒ **Enraciné** (→ aussi Motif, cit. 7). *Sentiment profond* (cit. 18), *resté vivace. Espérances vivaces* (→ Repousser, cit. 11). *Préjugé vivace.*

Poét. « *Le vierge, le vivace et le bel aujourd'hui* » (Mallarmé).

CONTR. **Annuel** (bot.), **caduc.**
DÉR. **Vivacement.**

2. VIVACE [vivatʃe] adj. et n. m. invar. — 1788 ; mot italien, même sens.

♦ Mus. D'un mouvement vif, rapide. *Allegro vivace.* — N. m. *Un, des vivace* [œ, devivatʃe].

Les *vivace*, au théâtre de Quiquendone, flânaient comme de véritables *adagio.* Les *allegro* se traînaient longuement, longuement.
J. VERNE, le Docteur Ox, p. 47.

VIVACEMENT [vivasmã] adv. — 1834, Balzac ; de *vivace.*

♦ Littér., rare. Avec une grande vitalité.

VIVACITÉ [vivasite] n. f. — 1491, « éclat du regard » ; du lat. *vivacitas*, de *vivax*, → 1. Vivace.

♦ **1.** Caractère de ce qui a de la vie, qui est vif. *La vivacité d'un enfant, d'un jeune animal.* ⇒ **Activité, alacrité, animation** (cit. 4), **ardeur, entrain, pétulance.** *La vivacité des Méridionaux* (→ 1. Feu, cit. 76). *Vivacité française* (→ Germanique, cit.). *Unir la nonchalance et la vivacité* (→ Forme, cit. 26). *L'excès de leur vivacité* (→ Réveiller, cit. 5). *Une vivacité de lézard* (→ Lenteur, cit. 3). *Vivacité de geste et de parole. Vivacité des mouvements.* ⇒ **Agilité, prestesse, promptitude, rapidité** (→ Jaguar, cit. 2). *Vivacité d'une danse* (→ Menuet, cit. 4). — *Vivacité des yeux, du regard.* ⇒ **Sémillance** (→ 1. Expédient, cit. 1 ; guitare, cit. 2). — Au plur. « *Des vivacités de regard* » (→ Sensuel, cit. 4, Romains).

---

1 À Maubec, elles défilaient en bon ordre, le drapeau en tête, tenant, maniant l'épée nue, avec cette vivacité gracieuse qui n'est qu'aux femmes de France.
MICHELET, Hist. de la Révolution franç., III, XI.

(1512). Fig. *Vivacité* (d'une personne) ; *vivacité d'esprit.* ⇒ **Pénétration** (→ Athénien, cit. 4). *Vivacité d'une intelligence. Un esprit brillant* (cit. 15) *a de la vivacité* (→ Pénétrant, cit. 9). ⇒ **Brio** (→ 1. Émousser, cit. 3 ; intelligence, cit. 5). *Le don de la vivacité* (→ Tenir, cit. 40).

2 La vivacité consiste dans la promptitude des opérations de l'esprit. Elle n'est pas toujours unie à la fécondité. Il y a des esprits lents, fertiles ; il y en a de vifs, stériles.   VAUVENARGUES, De l'esprit humain, I, IV.

3 Il est l'homme d'esprit par excellence, le plus délié des humains, le plus prompt, le plus éveillé. Tous les autres semblent dormir ou rêvasser auprès de lui (...) Il prononce sur toutes choses, parfois à l'étourdie, toujours avec cette vivacité qui, chez lui, semble croître avec l'âge.
VALÉRY, Variété, Étude littér., Voltaire, Œ., t. I, Pl., p. 521.

(En parlant d'une production de l'esprit). *La vivacité, la vie d'un dialogue* (cit. 5), *d'une comédie. Les vivacités de la conversation* (→ Écrire, cit. 51 ; retroussement, cit. 2).

4 La grande valeur, la grande originalité de Diderot (...) c'est d'avoir introduit dans le grave (...) prose du livre, la vivacité, le brio, le sautillement, le désordre un peu fou, le tintamarre, la vie fiévreuse de la conversation (...)
Ed. et J. DE GONCOURT, Journal, 24 févr. 1886, t. VII, p. 81.

♦ **2.** (Fin XVIIᵉ). Caractère de ce qui a de l'intensité, dont l'éclat est vif. *Vivacité du coloris, du teint.* ⇒ **Éclat** (→ Enfiévrer, cit. 5). — (En parlant d'un sentiment). *Ce qu'il avait peint avec le plus de force et de vivacité* (→ Passion, cit. 16). — *Quand l'amour perd de sa vivacité* (→ 1. Émousser, cit. 4 ; et aussi gagner, cit. 18 ; hardiesse, cit. 5). *Conserver un sentiment dans la vivacité première* (→ Indignation, cit. 6). *Sentir avec vivacité* (→ Saturation, cit. ; et aussi ragoût, cit. 1).

♦ **3.** (En parlant de l'air). Caractère vif (II., 4.). ⇒ **Fraîcheur.** *L'air devenait d'une vivacité et d'une pureté qui m'enivraient* (cit. 9).

♦ **4.** (Déb. XVIIᵉ). a Caractère vif, emporté. ⇒ **Emportement.** (Vieilli). *Un homme de vivacité* (→ Assiette, cit. 5). *Répliquer avec vivacité. Attaquer* (cit. 34) *qqn avec vivacité* (→ Satire, cit. 2). — (En parlant d'une action, d'un comportement). *Vivacité des propos, du langage.* ⇒ **Mordant, véhémence, violence.**

b *(Une, des vivacités).* Vieilli. Mouvement d'humeur ou parole un peu vive, qui blesse.

5 Admettons que j'aie eu quelques vivacités en l'instruisant, que mon ironie d'homme ait blessé son légitime orgueil de jeune fille (...)
BALZAC, Honorine, Pl., t. II, p. 279.

CONTR. **Apathie, calme, engourdissement, étouffement, indolence, langueur, lenteur, lourdeur, mollesse, nonchalance, pesanteur.**

VIVANDIER, IÈRE [vivãdje, jɛʀ] n. — 1472, *vivandier* ; *vivandière*, 1559 ; anc. franç. *vivandier*, adj., « hospitalier », XIIᵉ ; réfection de *viandier** d'après le lat. médiéval *vivenda* « vivres ».

♦ Vx au masc. ; encore usité au fém. : *vivandière.* Ancienn. Personne autorisée à suivre les troupes pour leur vendre des vivres et des boissons, en dehors de l'ordinaire. → Cantinier (cantinière, cit. 1).

(...) quelques-unes des libertés que l'« empire » apportait sans y prendre garde, dans les fontes de ses lanciers, dans les cantines de ses vivandières.
Ch. PÉGUY, la République..., p. 338.

1. VIVANT [vivã] n. m. — 1050 ; p. prés. de *vivre.*

♦ Vie (I., 3.), temps de la vie (usité seulement dans certaines locutions) :

a (V. 1155). Vx. EN SON VIVANT (→ Couronne, cit. 5) : pendant sa vie, quand il, elle vivait.

b (1530). Mod. (même sens). DE SON VIVANT (→ Famille, cit. 31 ; héritier, cit. 21 ; nom, cit. 5). *De votre vivant* (→ 1. Boire, cit. 16). *Du vivant des époux* (→ Divorce, cit. 2 ; et aussi médecin, cit. 7 ; polygamie, cit. 2).

Dès le vivant de Clotaire, l'Ostrasie a repris les provinces qui lui avaient été enlevées (...)   MICHELET, Hist. de France, II, I.

HOM. **2. Vivant.**

2. VIVANT, ANTE [vivã, ãt] adj. et n. — 1150 ; de *vivre.*

♦ **1.** Qui vit, est en vie (opposé à *mort*). *Un homme vivant, une femme vivante ; être, rester vivant.* → Feuille, cit. 1 ; furet, cit. 1 ; grimper, cit. 6 ; inanition, cit. 3 ; malheureux, cit. 14 ; militaire, cit. 5 ; ravageur, cit. 2. « *S'il les déteste morts, les adore* (cit. 9) *vivants.* » *Encore vivant* (→ 1. Dire, cit. 23). « *Elle est à demi vivante et moi mort à demi* » (→ Mêler, cit. 36). « *Il n'est âme* (cit. 81) *vivante qui ne pèche en ceci* ». *Vestales infidèles* (cit. 13) *enterrées vivantes.* — *Revenir vivant de la guerre. S'ensevelir**, *s'enterrer vivant.* ⇒ **Vif.** *Expériences sur les animaux vivants.* ⇒ **Vivisection.**

0.1 — Vous, monsieur ! s'écria Fix, qui s'était approché, aller seul à la poursuite des Indiens !
— Voulez-vous donc que je laisse périr ce malheureux, à qui tout ce qui est vivant ici doit la vie ? J'irai.   J. VERNE, le Tour du monde en 80 jours, p. 270.

0.2
Fifres au clair, tambour battant,
Le roi marchait tout de travers.
Tambour battant, fifres au clair,
Il n'avait pas gagné la guerre,
Mais il en revenait vivant.
Maurice CARÊME, la Grange bleue, « Le retour du roi ».

0.3 — Je dis que c'est vivant. Je bouffe pas des bêtes vivantes *(des huîtres),* moi.
R. QUENEAU, le Dimanche de la vie, p. 134.

Par exagér. *Cadavre vivant :* personne cadavérique, qui a l'aspect d'un mort. *Ce cadavre, ce squelette vivant* (→ Hetman, cit. ; reclus, cit. 4).

N. *Un vivant, une vivante, les vivants.* — (Plus cour. au masc. plur.). *Les vivants et les morts* (3. Mort, cit. 5, 9 et 14 ; et → Abrupt, cit. 2 ; échauffer, cit. 1 ; hommage, cit. 28). *Enlisement* (cit. 1) *d'un vivant. Rayer qqn du nombre* (cit. 19) *des vivants.*

1
Dieu donne aux morts les biens réels, les vrais royaumes.
Vivants ! vous êtes des fantômes.
C'est nous qui sommes les vivants !   HUGO, les Contemplations, III, v.

2 Par une donation au dernier vivant, ils s'étaient tout légué (...)
ZOLA, la Bête humaine, IX.

2.1 Elle *(Mme Simone)* n'est pas une survivante, mais une vivante, comme le fut Colette.   F. MAURIAC, le Nouveau Bloc-notes 1958-1960, p. 342.

N. m. Dr. *Le dernier vivant :* celui des deux conjoints qui survit à l'autre, dans un couple. ⇒ **Survivant.**

2.2 Une chose est sûre, c'est que, d'après le testament de ton oncle Prosper...
— Mais, Raymond, ils avaient tout fait au dernier vivant. Et je suis sûre que Mme Delahaie a modifié les dispositions de son mari.
G. DUHAMEL, Chronique des Pasquier, t. I, I, p. 34-35.

N. m. pl. *Les vivants :* les bienheureux qui jouissent de la vie éternelle (→ Arriver, cit. 8). — *Le pain vivant :* l'Eucharistie.

♦ **2.** (Fin XVIIe). Plein de vie, de vitalité. ⇒ **Fort, vif** (II., 1.). *Un enfant vivant, bien vivant* (→ Magnifique, cit. 4 ; membré, cit. 1). *Elle n'est pas très vivante. Œil, regard vivant.* ⇒ **Expressif** (→ Laid, cit. 9).

2.3 Des pieds à la tête elle était vivante ; regard, sourires, gestes, tout bougeait en elle sans qu'elle parût jamais agitée.   S. DE BEAUVOIR, la Force de l'âge, p. 40.

Fig. (Des œuvres). Qui a l'expression, les qualités de ce qui vit (→ Vie, cit. 6). *Ce portrait de l'Arioste est vivant* (→ Galerie, cit. 6 ; fond, cit. 38). ⇒ **Parlant.** *Les personnages de Molière sont vivants* (→ Humain, cit. 20). *Récits, drames, dialogues vivants.* ⇒ **Coloré** (→ Graver, cit. 14 ; irréel, cit. 1). *Représentation* (cit. 1) *vivante.*

3 (...) comme ces figures sont disposées, vraies, agissantes, naturelles, vivantes ; comme elles intéressent ; la force dont elles sont peintes (...)
DIDEROT, Regrets sur ma vieille robe de chambre, Pl, p. 978.

4 C'est à tort que l'on dit d'un spectacle ou d'un livre qu'il est *vivant* quand il est assez désordonné, qu'il présente de l'imprévu, de la spontanéité, des éclats, des effets qui émeuvent (...) Ce ne sont là que des caractères superficiels, des fluctuations de la sensibilité (...)   VALÉRY, Variété III, p. 211.

Art vivant : art actuel, contemporain, dans la mesure où il présente de la vitalité.

Relig. *Le Dieu vivant.* → Asseoir, cit. 37.

♦ **3.** (Fin XVIIe). **Biol.** Doué de vie (opposé à *brut, inanimé, inorganique*) ; qui possède les propriétés physiques et chimiques qui permettent la vie et qui la constituent en tant que distincte de l'inerte, du minéral. ⇒ **Animé** (cit. 37), **organisé.** *Matière vivante* (→ Capricieux, cit. 5 ; différenciation, cit. 1 ; instinct, cit. 15). *La nature vivante* (→ Gigantesque, cit. 1). *Molécule* (cit. 1) *vivante. Cellule vivante. Corps, organisme, protoplasme, germe* (cit. 6) *vivant* (→ Assimilation, cit. 3 ; excrétion, cit. 2 ; fonction, cit. 8 ; harmonie, cit. 31 ; individu, cit. 6). *Les espèces* (cit. 27) *vivantes. L'être vivant, les êtres vivants* (→ Déterminer, cit. 25 ; essentiel, cit. 19 ; génération, cit. 9 ; hérédité, cit. 10 ; individualité, cit. 1 ; milieu, cit. 27 ; physiologie, cit. 1 ; plante, cit. 1).

N. (XIIIe). *Rare au fém. Les vivants* (→ Aptitude, cit. 9 ; génération, cit. 3 ; obstacle, cit. 5). *Les fonctions* (cit. 10) *du vivant. Un vivant* (→ Gamète, cit. 1 ; héréditaire, cit. 5 ; récepteur, cit. 3).

5 Je considère le vivant : ce que je vois et qui occupe d'abord ma vue, c'est cette masse d'un seul tenant, qui se meut, se ploie, court, bondit, vole ou nage ; qui hurle, parle, chante, et qui multiplie ses actes et ses apparences, ses ravages, ses travaux et soi-même dans un milieu qui l'admet et dont on ne peut le distraire.
VALÉRY, Variété V, p. 65.

N. m. *Le vivant :* la vie. *L'ordre du vivant. La Logique du vivant,* œuvre de F. Jacob.

♦ **4.** Qui vit d'une certaine façon. — Vx. *Bien vivant, mal vivant :* qui se conduit bien, mal (→ Chaudière, cit. 1). — Vx. *Malvivant :* homme malhonnête, immoral (→ Folliculaire, cit. 1). — Vx. *Un vivant,* et, mod., *bon vivant.* ⇒ **Bon vivant.** — Moins cour. *Un joyeux vivant.* → Viveur, cit. 2.

♦ **5.** (Mil. XIXe). Par ext. Constitué par un ou plusieurs êtres vivants. *Forteresse vivante* (→ Brèche, cit. 2 ; et aussi enjamber, cit. 2 ; graviter, cit. 6). *Flots* (cit. 13) *vivants. Machines vivantes* (→ Horloge, cit. 3). *Statue vivante* (→ Maillot, cit. 3 ; somnambulisme, cit. 3). — Loc. *Tableaux** (cit. 6) *vivants.* — *C'est le vivant portrait, la vivante réplique de son frère.* ⇒ **Ressemblant,** (fam.) **craché** (tout) (→ Épannelage, cit.). *Vivante image* (cit. 30 ; et → Expression, cit. 47). *Vous êtes la preuve* (cit. 7) *vivante, un vivant témoignage de...* (→ Fourmi, cit. 4). « *Les exemples* (cit. 2) *vivants sont d'un*

autre pouvoir ». — **Fam.** *Cet homme est une bibliothèque, une encyclopédie vivante, un répertoire* (cit. 2) *vivant.*

6
En approchant des fermes, ils apercevaient une ou deux personnes les attendant pour se joindre à eux ; et la procession s'allongeait sans cesse, serpentait, suivant les contours invisibles du chemin, avait l'air d'un chapelet vivant, aux grains noirs, ondulant par la campagne blanche.
MAUPASSANT, le Père Amable, Pl., t. II, p. 741.

7
(...) à la fin sans doute se lassèrent-ils en eurent-ils assez de le trouver là comme un vivant reproche, une vivante supplication, impossible à ignorer, à chasser, revenant jour après jour, car ils lui donnèrent l'autorisation de le voir.
Claude SIMON, le Vent, p. 231.

♦ **6.** (D'un lieu). Que les humains animent de leur vie, de leur activité. ⇒ **Animé.** *Ville moins agitée mais aussi vivante que Naples* (→ Mouvement, cit. 25). *Un quartier très vivant,* aux rues commerçantes. *Rues vivantes.*

♦ **7. Fig.** (Choses). Animé d'une sorte de vie (II.) ; actif, actuel. *Langues** vivantes,* effectivement et spontanément parlées et transmises (opposé à *langues mortes, langues artificielles*). (→ Désuétude, cit. 4 ; populaire, cit. 4). — *La particule* entre (2. Entre, cit. 5) *est toujours vivante et féconde. Une littérature vivante* (→ Idiome, cit. 3). *Société, religion vivante* (→ Église, cit. 11 ; profane, cit. 2). — *Croyances qui restent vivantes* (→ Ancien, cit. 6). *Souvenir toujours vivant.* ⇒ **Durable** (→ Marteler, cit. 7), 1. **vivace.** « *Tout ce qui est mort* (2. Mort, cit. 21) *comme fait, est vivant comme enseignement ».* ⇒ **Agissant.** — (Dans une vision poétique des choses). « *La nature est un temple où de vivants piliers (...) ».* → Forêt, cit. 7. *Tout est vivant, tout nous parle* (cit. 74) *de nous.*

CONTR. (Du 1.) 2. Feu, mort. — (Du 2.) Effacé, endormi, fade, figé. — (Du 3.) Inanimé, inorganique. — (Du 6.) Désert, mort, triste.
HOM. 1. Vivant.

VIVARIUM [vivaʀjɔm] n. m. — 1894, *in* D.D.L. ; mot lat. « vivier », de *vivus* « vivant ».

♦ **Didact.** Cage vitrée où l'on garde de petits animaux vivants (insectes, reptiles, etc.) en reconstituant leur milieu et leur habitat naturel ; établissement groupant plusieurs de ces cages.

VIVAT [viva] interj. et n. m. — 1546 ; mot lat., subj. de *vivere* « vive ! ».

♦ **1. Interj.** (Vx). Bravo ! « *Vivat ! Monsieur Lysidas* » (Molière).

♦ **2. N. m.** (1649). Acclamation en l'honneur de qqn. ⇒ **Bravo** (→ Applaudissement, cit. 8 ; cérémonie, cit. 5). *Le cortège fut salué par des vivats enthousiastes.*
CONTR. Huée.

1. VIVE [viv] n. f. — 1393 ; altér. de *wivre, vivre,* XIIIe (→ Vouivre) ; du lat. *vipera* « vipère », à cause des épines venimeuses des nageoires de ce poisson ; Guiraud rapproche le mot de *vielle* (poisson analogue) et postule comme étymon un dérivé de *vivus (viva, vivella),* par l'idée d'« arête vive, pointue ».

♦ Poisson acanthoptérygien *(Trachinidés),* de taille moyenne, aux nageoires épineuses, vivant surtout dans le sable des côtes. *Les premiers rayons de la nageoire dorsale antérieure de la vive sont venimeux.*
HOM. Vive (fém. de vif).

2. VIVE ou **VIVENT** [viv] ⇒ 1. **Vivre** (I., 1.).

VIVE-ARÊTE [vivaʀɛt] n. f. — 1636, Monet ; de *vif,* et *arête.*

♦ **Techn.** Arête d'une pièce de bois, d'une pierre qui n'est ni coupée ni arrondie.

VIVE-EAU [vivo] n. f. — 1678 ; de *vif,* et *eau.*

♦ **Didact., techn.** ou **régional.** Forte marée de pleine lune ou de nouvelle lune. — Époque de cette marée. *Pendant les vives-eaux.*
CONTR. Morte-eau.

VIVE-LA-JOIE [vivlaʒwa] n. m. invar. — 1798 ; de *vivre, la,* et *joie.*

♦ **Vx.** Homme toujours gai. *C'étaient de vrais vive-la-joie.*

VIVEMENT [vivmɑ̃] adv. — XIIe ; de *vive,* fém. de *vif.*

♦ **1.** (Avec des verbes d'action concrets). D'une manière vive* (→ Vif, II., 2.), avec vivacité, avec ardeur. ⇒ **Prestement, promptement, rapidement.** *Se tourner, pivoter* (cit. 4), *se reculer, se lever vivement* (→ Étonner, cit. 37 ; haie, cit. 6 ; happer, cit. 2 ; monter, cit. 21). *Retirer vivement sa main d'un objet brûlant. Un fumeron* (cit. 2) *qu'elle pose vivement sur la table* (→ Éventail, cit. 1 ; moucher, cit. 8). *Se démener* (cit. 2), *passer vivement* (→ Important, cit. 16). *Mener vivement une affaire* (→ Tambour* battant, grand train*). *Parler vivement et avec feu* (1. Feu, cit. 76).

Exclam. (1847). Dans un ordre, un souhait. Rapidement ! vite ! ⇒ **Trot** (au). *Au fait ! et vivement !* (→ Oiseux, cit., Balzac). — Fam. *Vivement demain matin !* — Avec que (suivi du subj.). *Vivement ce soir* (cit. 3), *qu'on se couche ! Vivement que ça finisse !*

♦ **2.** D'un ton vif, qui marque un léger emportement (→ Malheur, cit. 19 ; mauvais, cit. 15 ; quoique, cit. 10). *Répliquer un peu vivement. Admonester vivement qqn.*

♦ **3.** (V. 1501 ; → Entéléchie, cit. 1, Ronsard). D'une manière vive (→ Vif, II., 2.), intense, qui frappe la vue. *Vivement coloré* (→ Futuriste, cit.). *Ton qui tranche vivement* (→ Mouler, cit. 7). *Pièce vivement éclairée.* ⇒ **Violemment.**

Par métaphore :

Quand ce feu caché paraissait, c'était par flammes violentes et brèves qui me réchauffaient le cœur d'autant plus vivement que je les sentais involontaires.
A. MAUROIS, Climats, I, IV.

♦ **4.** D'une manière intense, profonde.

[a] Avec des adjectifs et des verbes exprimant l'affectivité. *Être vivement affecté, touché, frappé, impressionné par...* ⇒ **Sensiblement** (→ Observer, cit. 14 ; rare, cit. 2 ; 2. tendre, cit. 2). *Sentir, ressentir vivement.* ⇒ **Fortement, intensément, profondément** (→ Battre, cit. 92 ; dépersonnalisation, cit. 1 ; entrer, cit. 48 ; outrage, cit. 1). *Goûter* (1. Goûter, cit. 13), *apprécier vivement. Désirer vivement* (→ Difficile, cit. 19 ; modéré, cit. 6).

[b] Dans des formules (écrites) de politesse. *Nous vous remercions vivement. Nous regrettons vivement* (→ Gouverner, cit. 46) *de ne pouvoir vous donner satisfaction.* ⇒ **Beaucoup.**

[c] Avec des verbes d'action abstraits. *Il insista vivement* (→ Rémunération, cit. 2) *pour l'aider. Défendre, attaquer vivement qqn* (→ Humiliation, cit. 2 ; tampon, cit. 4).

CONTR. Doucement, languissamment, lentement. — Faiblement.

VIVERRIDÉS [viveʀide] n. m. pl. — 1876, P. Larousse ; *viverrius*, 1839 ; du lat. zool. *viverra* « civette » ; « furet, belette », en lat. classique.

♦ Zool. Famille de mammifères carnivores de petite taille, au corps allongé, aux membres courts, au museau pointu, comprenant principalement la civette, la genette, la mangouste, le suricate. — Au sing. *Un viverridé.*

VIVEUR [vivœʀ] n. m. — 1830 ; de *vivre*.

♦ Vieilli. Homme qui mène une vie de plaisirs (III., 2.). ⇒ **Cascadeur, débauché, fêtard, jouisseur, noceur** (→ Grossièreté, cit. 4 ; parvenir, cit. 16). — REM. Le fém. *viveuse* semble inusité.

1   À cette époque florissait une société de jeunes gens riches ou pauvres, tous désœuvrés, appelés *viveurs*, et qui vivaient en effet avec une incroyable insouciance, intrépides mangeurs, buveurs plus intrépides encor.
BALZAC, Illusions perdues, Pl., t. IV, p. 820.

2   (...) il avait l'étoffe d'un joyeux vivant et même d'un viveur, aimant la nourriture, le rire, et les femmes.
M. AYMÉ, Maison basse, X.

3   (...) je faisais connaissance de ce monde des viveurs qui, considéré du dehors, paraît vide de sens mais révèle, à être approfondi, une plénitude incomparable.
Robert PINGET, Graal Flibuste, p. 114.

CONTR. Abstinent, ascète.

VIVI- Premier élément du lat. *vivus, vivi* « vivant ».

VIVIDE [vivid] adj. — 1610 ; du lat. *vividus*, de *vivere*.

♦ Rare. Qui a un éclat très vif. *Couleur vivide.*

VIVIDITÉ [vividite] n. f. — Mil. XXᵉ ; du lat. *vividus* « vif ».

♦ Philos., psychol. Force avec laquelle les images s'imposent à la conscience.

VIVIER [vivje] n. m. — XIIᵉ ; du lat. *vivarium*, de *vivus* « vivant ». → Vivarium.

♦ **1.** Étang, bassin d'eau constamment renouvelée, aménagé pour la conservation, l'engraissement et l'élevage du poisson ou des crustacés destinés à la consommation. ⇒ **Alevinier, anguillère...** ; → Indolemment, cit. 2 ; poisson, cit. 8. *Vivier à brochets. Truites, homards en vivier. Poissons, truites de vivier, élevés en vivier.*

1   Là, du côté du pavillon aux fruits, et le dernier vers la rue Rambuteau, le banc de la criée est entouré de deux viviers circulaires, séparés en cases distinctes par des grilles de fonte. Des robinets de cuivre, à col de cygne, jettent de minces filets d'eau. Dans chaque case, il y a des grouillements confus d'écrevisses, des nappes mouvantes de dos noirâtres de carpes, des nœuds vagues d'anguilles, ainsi sans cesse dénoués et renoués.
ZOLA, le Ventre de Paris, t. I, p. 151.

2   Il y a le vivier, où toute l'eau de la montagne court en moussant, et si froide qu'elle brûle les doigts. Quelques poissons s'y jouent. On a fait un petit grillage pour empêcher qu'ils ne passent.
J. VALLÈS, l'Enfant, p. 157.

(1872, Littré). Régional (Normandie). Pièce d'eau poissonneuse, alimentée par des sources de fond.

♦ **2.** Réservoir où l'on conserve les produits de la pêche.

[a] (XIVᵉ). Réservoir alimenté en eau de mer, aménagé dans la cale d'un bateau de pêche, où l'on conserve vivants les poissons (destinés à la pêche à l'appât vivant) et les crustacés pêchés. *Le vivier d'un langoustier. L'eau du vivier est constamment renouvelée par les mouvements du navire, au moyen d'ouvertures étroites ménagées dans la coque.*

[b] (1769). Récipient à claire-voie, que l'on immerge pour y conserver vivants les poissons ou crustacés.

♦ **3.** [a] Par métaphore. *« Dans le vivier du songe »* (→ Créer, cit. 8, Rolland).

[b] Fig. Milieu favorable au développement (d'idées, d'idéologies ; de personnes, → Pépinière). *« Le "vivier" de l'autonomie, c'est d'abord l'ensemble des militants dégoûtés des organisations gauchistes »* (l'Express, 5 mai 1979, p. 91).

VIVIFIANT, ANTE [vivifjɑ̃, ɑ̃t] adj. — XIIᵉ ; de *vivifier*.

♦ **1.** Qui vivifie (2.), accroît la vitalité (de qqn). ⇒ **Stimulant ; tonique.** *Brise* (cit. 4) *vivifiante. Air, climat très vivifiant. Courant vivifiant* (→ Magnétique, cit. 5).

♦ **2.** (Mil. XVIᵉ). Fig. Qui stimule la vitalité de l'esprit. *Joie vivifiante* (→ Radouber, cit.). *Atmosphère vivifiante.*

Baiser vivifiant, nourricier de mon âme (...)   RONSARD, Élégies, XIV.   1

(...) un jour, Marchenoir ayant commencé de broncher dans la vivifiante estime des journaux (...)   Léon BLOY, le Désespéré, p. 19.   1.1

Énergies vivifiantes et forces de mort se rassemblent pour former les pôles attractif et répulsif du monde religieux.   2
Roger CAILLOIS, l'Homme et le Sacré, III, II.

(1553). Théol. Qui est la source, le principe de la vie spirituelle. *Grâce vivifiante.*

CONTR. Énervant, étouffant, mortel.

VIVIFICATEUR, TRICE [vivifikatœʀ, tʀis] adj. — Fin XVIᵉ ; « celui qui vivifie », 1500 ; bas lat. *vivificator*, de *vivificare* « vivifier ».

♦ Rare. Vivifiant. *Principe vivificateur. Action vivificatrice.* ⇒ **Stimulant, tonifiant, vivifiant.**

N. *« Maeterlinck (...) vivificateur d'apparences »* (A. Artaud). ⇒ **Animateur.**

VIVIFICATION [vivifikasjɔ̃] n. f. — 1380 ; lat. ecclés. *vivificatio*, de *vivificare*. → Vivifier.

♦ Rare. Action de vivifier, son résultat.

VIVIFIER [vivifje] v. tr. — 1120 ; du lat. ecclés. *vivificare*, de *vivus* « vivant, vif », et *facere* « faire ».

♦ **1.** Littér. Être le principe de la vie* (I., 1.) de... ⇒ **Animer.** — Absolt. *L'hypothèse d'une force qui vivifie* (→ Régénération, cit. 1). — (XIIᵉ). Théol. Être le principe de la vie éternelle, spirituelle. *C'est l'esprit qui vivifie* (→ Chair, cit. 37). *La lettre tue, mais l'esprit* (cit. 185 et 186) *vivifie.*

♦ **2.** (Fin XIIᵉ). Donner de la vitalité à... *Ce climat me vivifie.* ⇒ **Stimuler, tonifier.**

Une brise molle, pleine de l'odeur des verdures et des sèves, caressait la peau, pénétrait au fond de la poitrine, semblait rajeunir le cœur, alléger l'esprit, vivifier le sang.   1
MAUPASSANT, Monsieur Parent, II.

Par anal. Donner du mouvement, de l'activité à (qqch.). → Route, cit. 1.

♦ **3.** Fig. [a] Redonner vie à (ce qui n'est plus). *L'historien* (cit. 5) *vivifie ce qui n'est plus.* ⇒ **Ranimer, reconstituer** (→ Temps, cit. 35).

[b] Redonner force, vie à (qqch.). *L'attente, le risque exaltent et vivifient mon âme* (→ Étonner, cit. 14 ; et aussi solitude, cit. 3). *La possession* (cit. 14) *vivifiait notre amour.*

J'étais jeune encore, mais ce doux sentiment de jouissance et d'espérance qui vivifie ma jeunesse me quitta pour jamais.   2
ROUSSEAU, les Confessions, VI.

L'intelligence doit vivifier l'action ; sans elle, l'action est vaine.   3
MARTIN DU GARD, Jean Barois, I, IV.

DÉR. Débiliter, déprimer.
DÉR. et COMP. Revivifier. — Vivifiant.

VIVIPARE [vivipaʀ] adj. — 1679 ; lat. *viviparus*, de *vivus*, et *parere* (→ -pare).

♦ Didact., cour. Se dit d'un animal dont l'œuf se développe complètement à l'intérieur de l'utérus maternel, de sorte qu'à la naissance le nouveau-né peut mener une vie autonome. *Les mammifères sont vivipares. Les pucerons* (cit.) *sont vivipares.* — N. *Les ovipares, les ovovivipares et les vivipares.*

DÉR. Viviparité.
COMP. Ovovivipare.

VIVIPARITÉ [viviparite] n. f. — 1842 ; de *vivipare.*

♦ Didact. Mode de reproduction des vivipares.

VIVISECTER [visisɛkte] v. tr. — 1884, Huysmans ; de *vivisect(ion).*

♦ Didact. Pratiquer une vivisection sur (un animal). — Au p. p. *Chiens et chats vivisectés.*

VIVISECTEUR, TRICE [vivisɛktœr, tris] n. — 1839, au masc., *in* D. D. L. ; du rad. de *vivisection.*

♦ Didact. Personne qui pratique des vivisections.

1   Il est probable que si l'on consultait les grenouilles et les chiens, ces animaux feraient quelques objections aux pratiques des vivisecteurs (...)
J. VERNE, le Docteur Ox, p. 27.

VIVISECTION [vivisɛksjõ] n. f. — 1765, in *Encyclopédie* ; de *vivi-,* et *section,* d'après *dissection.*

♦ Opération pratiquée à titre d'expérience sur les animaux vivants. ⇒ **Dissection.** *Campagne contre la vivisection.*

1   Il faut donc nécessairement, après avoir disséqué sur le mort, disséquer sur le vif, pour mettre à découvert et voir fonctionner les parties intérieures ou cachées de l'organisme ; c'est à ces sortes d'opérations qu'on donne le nom de *vivisections* (...)
Cl. BERNARD, Introd. à l'étude de la médecine expérimentale, II, II.

2   (...) Pasteur, qui a dû sacrifier tant d'animaux dans le cours de ses bienfaisantes études, éprouvait une véritable répugnance pour la vivisection.
Henri MONDOR, Pasteur, X.

VIVOIR [vivwar] n. m. — 1913, *in* D. D. L. ; de 1. *vivre.*

♦ Vieilli (au Québec) ou rare. Salle de séjour (mot proposé pour traduire l'anglic. *living-room*).

1   Le jeudi, comme le dimanche, Bruno ne s'éloignait guère du vivoir (...)
Hervé BAZIN, Au nom du fils, X.

2   Catherine peinture la cuisine, Nicole la chambre à coucher et moi, comme un homme, la pièce la plus grande : le salon, aussi appelé vivoir et living.
Réjean DUCHARME, l'Hiver de force, p. 244.

VIVOTER [vivɔte] v. intr.— 1430 ; de *vivre,* et suff. *-oter.*

♦ **1.** Vivre au ralenti, faute de santé ou de moyens. ⇒ **Subsister, végéter** (→ Apathie, cit. 4 ; journal, cit. 8 ; leçon, cit. 7).

1   J'ai mis quelque temps à m'habituer à cette existence de mollusque (...) Mais ma santé ne me permet plus autre chose. Je vivote, en prenant des précautions, l'hiver au coin du feu, l'été au soleil (...)
MARTIN DU GARD, Jean Barois, III, Le crépuscule, I.

Spécialt. Vivre avec de faibles moyens financiers.

1.1   Ah ! très-joli ! Tu fais des phrases maintenant... comme tous les gens retirés des affaires !... Eh bien, moi, j'ai continué à m'engraisser tout seul... et, au lieu de vivoter comme toi avec vingt-cinq pauvres petites mille livres de rente...
E. LABICHE, les Petits Oiseaux, I, 13.

♦ **2.** (1530). Sujet n. de chose. Avoir une activité réduite, médiocre. ⇒ **Végéter.**

2   Les concurrents s'étaient peut-être donné le mot pour attendre que cet intrus se résignât à lâcher l'usine pour un prix dérisoire, ou à la fermer. Car elle continuait à vivoter sous les ordres d'un ancien contremaître promu au rôle de directeur.
J. ROMAINS, les Hommes de bonne volonté, t. XI, XIII, p. 120.

1. VIVRE [vivr] v. — *Je vis, nous vivons ; je vivais, nous vivions ; je vécus, nous vécûmes ; je vivrai, nous vivrons ; je vivrais, nous vivrions ; vis, vivons ; que je vive ; que je vécusse ; vivant ; vécu.* — Fin Xᵉ ; du lat. *vivere.*

★ I. V. intr. ♦ **1.** Être en vie ; exister. ⇒ **Monde** (être au). *Naître, vivre, mourir* (→ Durer, cit. 18 ; jour, cit. 42 ; 1. mère, cit. 10 ; 1. mort, cit. 7 et 21). *Achever* (cit. 15), *cesser de vivre.* ⇒ **Mourir** (→ Parque, cit. 4 ; ring, cit. 2). *Il est si doux* (cit. 12) *de vivre. Vouloir vivre* (→ Contraste, cit. 6), *désirer* (cit. 13) *vivre ; désir* (cit. 13) *de vivre. Dégoûté* (cit. 17), *las de vivre. La joie de vivre. L'homme* (cit. 142) *cherche des raisons de vivre. Rien ne me maintient encore en vie sinon l'habitude de vivre* (→ Inappétence, cit. 2). *« Il faut manger* (1. Manger, cit. 16) *pour vivre et non pas vivre pour manger »* (Molière).

Ne vivre que pour (suivi d'un subst. ou d'un inf.) : n'avoir dans la vie d'autre but que de... (→ Forme, cit. 57 ; haut, cit. 28 ; incomparable, cit. 6). ⇒ **Consacrer** (se). *Les remèdes capables* (cit. 9) *de vous faire vivre* (→ aussi Application, cit. 8 ; équivoque, cit. 20 ; haine, cit. 4). *« C'est la Mort qui console, hélas ! et qui fait vivre »* (→ Élixir, cit. 4). *Se sentir, se regarder vivre* (→ Accablant, cit. 5 ; battement, cit. 12). *Se laisser* (cit. 16) *vivre :* vivre sans faire

d'effort, sans prendre d'initiative (→ Lâcheté, cit. 5). — *Tant que je vivrai.*

Au passé. (Latinisme). Littér. *Il a vécu :* il est mort (→ Tarentin, cit., Chénier). Par exagér. *Ne plus vivre :* être dans une inquiétude mortelle. *En attendant son télégramme, nous ne vivions plus.* — Prov. *Qui vivra verra*.*

1   Il n'y a personne qui vive toujours, ni qui ait même cette espérance ; un chien vivant vaut mieux qu'un lion mort.   BIBLE (SACY), l'Ecclésiaste, IX, 4.

2   *Gnathon* ne vit que pour soi, et pour tous les hommes ensemble sont à son égard comme s'ils n'étaient point.   LA BRUYÈRE, les Caractères, XI, 121.

3   Nous vivons sans être obligés de savoir que cela exige un cœur, des viscères, tout un labyrinthe de tubes et de fils, tout un matériel vivant de cornues et de filtres, grâce auquel il se fait en nous un échange perpétuel entre tous les ordres de grandeur de la matière et toutes les formes de l'énergie, depuis l'atome jusqu'à la cellule, et depuis la cellule jusqu'aux masses visibles et tangibles de notre corps.
VALÉRY, Variété V, p. 52.

4   (...) car tu ne t'étonnes peut-être pas assez de vivre ; tu n'admires pas comme il faudrait ce miracle étourdissant qu'est la vie.   GIDE, Nouvelles nourritures, III, I.

5   Quelqu'un *(Sieyès)* à qui on demandait ce qu'il avait fait sous la Terreur répondit : « J'ai vécu... ». C'est une réponse que nous pourrions tous faire aujourd'hui. Pendant quatre ans nous avons vécu et les Allemands vivaient aussi, au milieu de nous (...)   SARTRE, Situations III, p. 18.

5.1   Vous autres, vous vivez, mais moi qui n'ai ni commencement ni fin, je suis, simplement.   M. AYMÉ, la Vouivre, p. 205.

Poét. *Vivez, qu'il vive :* je vous laisse, je lui laisse la vie, je fais grâce (→ Immuable, cit. 4 ; succès, cit. 6).

Loc. (Précédé d'un verbe négatif). ... *âme** (cit. 82) *qui vive.*

Exclam. VIVE !, VIVENT !, formules d'acclamation en l'honneur de qqn, à qui on souhaite longue vie et prospérité. *« Le roi est mort ?* (2. Mort, cit. 6), *Vive le roi ! ». Vive la Reine !* (→ Raccommodement, cit. 2). *Vive l'empereur !* (→ Sauve-qui-peut, cit.). *Vive la mariée ! « Je suis souris : vivent les rats ! »* (→ Aile, cit. 1). Par anal. *Vive la France, la République, la liberté !* — Par ext. S'emploie comme terme d'approbation, pour saluer toute chose pleinement satisfaisante. *« Vive le mélodrame* (cit. 1) *où Margot a pleuré »* (→ aussi Accompagner, cit. 9). *Vive l'amour, le vin, la joie*...!* — Vx. *Vive Dieu !,* « serment ordinaire en l'ancienne Loi » (Furetière).

6   Vivent, Seigneur, nos terres fortunées,
A qui tu as tes Fleurs-de-lis données ;
Vive ce Roi, et vivent ses guerriers (...)
RONSARD, Disc. des misères de ce temps, Prière à Dieu.

7   Au milieu de ce silence le vieillard agita le drapeau rouge et cria :
— Vive la Révolution ! vive la République ! fraternité ! égalité ! et la mort !
HUGO, les Misérables, IV, XIV, II.

7.1   Si je criais, ce serait toujours : « Vive de Gaulle ! » de tout mon cœur et de toute ma raison. Ah ! oui, cela surtout : qu'il vive. Car après lui (...)
F. MAURIAC, le Nouveau Bloc-notes 1958-1960, p. 77.

Interj. (invar. même avec un nom au plur.). *Vive !* (opposé à *à bas*). Vive les vacances !* — REM. Dans ce cas, l'accord en nombre est archaïque ou littéraire.

8   On écrira donc selon les cas : « Vive les gens d'esprit ! » si l'on veut seulement les approuver, et « Vivent les gens d'esprit ! » si l'on souhaite réellement jouir longtemps de leur présence... et de leur esprit.
R. LE BIDOIS, in le Monde, 10 juil. 1957.

REM. Le rapprochement de *vive !* et *qu'il vive* est stylistique, le verbe *vivre* n'étant plus guère senti dans l'exclamation *vive !*

♦ **2.** (Avec un compl. désignant une durée). Avoir une vie* d'une certaine durée. ⇒ **Durer** (vieilli). *« Et rose elle a vécu ce qui vivent les roses, L'espace d'un matin »* (→ Destin, cit. 13). *Vivre longtemps,* vieux, jusqu'à un âge avancé. ⇒ **Longévité** (cit. 2 et 3). *« Vous êtes d'une pâte* (cit. 4) *à vivre jusqu'à cent ans. » « Qui a vécu un seul jour a vécu un siècle »* (→ Aujourd'hui, cit. 8 ; et aussi mourir, cit. 8). *« N'ai-je donc tant vécu que pour cette infamie ? »* (cit. 2). *J'ai bien assez vécu déjà pour dire...* (→ Caractère, cit. 62 ; œil, cit. 5). *« Hâte* (cit. 22)*-toi, mon ami : tu n'as pas tant à vivre ». J'ai trop peu de temps à vivre pour perdre ce peu* (→ Carpe diem, cit.). *Le peu de jours qui nous reste à vivre* (→ Irrémissiblement, cit. ; et aussi développement, cit. 6).

REM. Dans cet emploi, *vivre* est un intransitif accompagné d'un complément de durée, le participe passé ne s'accorde pas : *« les années qu'il a vécu »* (Littré). → au contraire, ci-dessous, II.

9   Ah ! si l'on peut vivre mille ans en un quart d'heure, à quoi bon compter tristement les jours qu'on aura vécu ?   ROUSSEAU, Julie ou la Nouvelle Héloïse, III, X.

Par métaphore. (Dans la mémoire des hommes). *« Qui meurt pour le pays* (1. Pays, cit. 9) *vit éternellement. » Il vit dans la mémoire, le souvenir de ses proches.*

(Avec indication de l'époque où se situe cette vie). *Vivre du temps de..., dans un temps...* (→ Discipline, cit. 1 ; excentrique, cit. 4), *dans le siècle des lumières* (cit. 34). *Nous vivons à une triste époque* (→ Temps, cit. 22). *Ceux qui ont vécu avant nous* (→ **Ancêtre** (cit. 10), **prédécesseur.** *Ceux qui vivent de notre temps, à notre époque.* ⇒ **Contemporain.** *Ceux qui vivront après nous.* ⇒ **Postérité, successeur.** *« Frères* (cit. 17) *humains qui après nous vivez (...).* — Spécialt. *Vivre dans le passé* (1. Passé, cit. 16), *dans le présent* (→ 1. Passé, cit. 15), *dans la minute* (cit. 5) *présente, dans l'instant* (2. Instant, cit. 4) *même.*

(Avec indication du lieu). Passer sa vie, une partie de sa vie en résidant habituellement. ⇒ **Habiter** (cit. 11 ; et → Enraciner, cit. 12). *Des lieux où l'on aimerait* (cit. 53) *à vivre* (→ aussi Connaître, cit. 9 ; manoir, cit. 2). *Vivre à Paris, en province, à la campagne,* *à l'étranger...* (→ Assurer, cit. 35. cas; cit. 7)). *« Naître, vivre et mourir dans la même maison »* (cit. 10; et → Retour, cit. 10). *Heureux* (cit. 45) *qui vit chez soi. Elle vivait chez ses beaux-parents* (→ Incorporer, cit.8).

10 Je ne sais pas quelle définition donne le Littré de la maison, mais ce n'est pas, comme elle l'est chez nous pour soixante-dix cent des ouvriers, un repaire où vivent entassés, dans une promiscuité terrifiante, les membres de la famille.
GIRAUDOUX, De pleins pouvoirs à sans pouvoirs, IV, p. 104.

10.1 La solitude, ce n'est pas de vivre seule, c'est de vivre chez les autres, chez des gens qui ne s'intéressent pas à vous, pour qui vous comptez moins qu'un chien.
O. MIRBEAU, le Journal d'une femme de chambre, p. 109.

Le milieu dans lequel vous vivez (→ Cadrer, cit. 5). *Vivre dans une certaine société.* ⇒ **Fréquenter** (→ Grands-parents, cit.; gratin, cit. 2). *Vivre sous un gouvernement, un régime.* — Par métaphore. *Nous vivons trop dans les livres* (1. Livre, cit. 34) *et pas assez dans la nature. Un passionné d'horticulture* (cit.) *qui vit dans le monde des fleurs. Vivre dans le giron* (cit. 4) *de l'Église. Vivre dans le monde* (→ Dissiper, cit. 13). *Vivre dans le faux* (1. Faux, cit. 52), *dans le monde des à-peu-près* (→ 1. Faux, cit. 50). *Vivre dans le fantasme.*

◆ **3.** Mener une certaine vie (dans des conditions matérielles, affectives, morales, intellectuelles déterminées).

[a] Selon les conditions matérielles. *Pour vivre tranquille, il faut vivre seul* (→ Calfeutrer, cit. 1). *Vivre en ermite, isolé, dans la solitude. Elle vit seule, mais elle sort beaucoup.*

11 Il vivait seul, au milieu de ses collections, avec une vieille gouvernante, une paysanne de Vologda, qu'on disait sa maîtresse.
Paul MORAND, l'Europe galante, Musée Rogatkine.

Vivre à deux (cit. 3), *en couple. Vivre avec qqn* (dans le mariage ou maritalement). *Vivre avec sa femme et ses enfants. Couple qui vit en concubinage.* ⇒ **Cohabiter** (→ Analyse, cit. 1; doux, cit. 13; maîtresse, cit. 64; 1. savoir, cit. 67). *« Songe à la douceur d'aller là-bas vivre ensemble »* (→ Enfant, cit. 32, Baudelaire). *Vivre ensemble* (→ Aimer, cit. 69; désirer, cit. 18). *Vivre avec un ami, une amie.* ⇒ **Habiter** (avec). *Vivre en communauté* (→ Couvent, cit. 1). *Vivre en groupe* (cit. 9). *Les enfants vivent avec leur père sous le même toit* (→ 1. Feu, cit. 26).

Loc. (Adj. suivi de *à vivre*). ... *à vivre. Personne facile, difficile* (cit. 24) *à vivre* (→ Mouton, cit. 13), *avec laquelle la vie commune est facile ou non. Personne fatigante* (cit. 6) *à vivre, impossible à vivre.*

[b] Selon les conditions affectives. *Vivre sans affection, sans amour. « À qui vit sans amour la vie est sans appâts »* (cit. 10). *« J'aurai vécu sans soins et mourrai sans remords ». Vivre dans l'anxiété* (cit. 1), *dans la terreur* (cit. 1), *dans une exaltation insoutenable* (→ Retourner, cit. 13). — **Loc.** *Vivre (avec qqn, ensemble...), comme chien* et chat.*

[c] Selon les conditions morales. *Manière de vivre* (→ Agréable, cit. 9; assister, cit. 1). *Art de vivre.* ⇒ **Sagesse.** Vieilli. *Bien vivre, mal vivre.* ⇒ **Conduire** (se).

12 Apprenez enfin qu'un gentilhomme qui vit mal est un monstre dans la nature (...)
MOLIÈRE, Dom Juan, IV, 4.

Vx. *« Vivre à propos »* (→ Appendicule, cit., Montaigne). *« Il est vrai qu'elle vit en austère* (cit. 3) *personne ».* — *« Qui vit content* (cit. 7) *de rien possède toute chose ». Vivre dangereusement* (→ Orbite, cit. 5; risque, cit. 7). *« Mais qui peut vivre infâme est indigne* (cit. 1) *du jour »* (→ aussi Honneur, cit. 25). *Vivre dans la honte, l'abjection, l'opprobre* (cit. 6). *« Pour exécuter* (cit. 5) *de grandes choses, il faut vivre comme si on ne devait jamais mourir ». Vivre sans but* (cit. 13), *à sa fantaisie, à sa guise. Vivre libre, Vivre de la vie intérieure* (→ Domaine, cit. 2), *contemplative* (→ Oublier, cit. 15), *d'une vie plus humaine* (cit. 22), *de la vie prosaïque et mercenaire* (cit. 5).

[d] Selon les conditions intellectuelles. *Vivre dans le doute, dans l'ignorance* (→ Aïeul, cit. 6). ⇒ **Croupir.**

◆ **4.** Disposer des moyens matériels qui permettent de subsister. ⇒ **Vie** (I., 6.). *La souris sort de son trou pour chercher à vivre* (→ 1. Alerte, cit. 2). *Semer, labourer, travailler pour vivre* (→ Mériter, cit. 10; paresseux, cit. 1). *Le peuple* (1. Peuple, cit. 20) *n'a que ses bras pour vivre. Son salaire lui suffisait à peine pour vivre.* **Prov.** *Vivre d'abord, ensuite philosopher* (cit. 4; et → Psychologie, cit. 2).

12.1 Moi je n'y connais rien dans le commerce, mais ça te suffit pour vivre de vendre rien que des cadres!
R. QUENEAU, le Dimanche de la vie, p. 184.

En attendant ces rentrées, il fallait vivre (→ 2. Expédient, cit. 12). *Il faut bien vivre*, se dit pour justifier une activité dont on n'est pas fier mais qui fournit de quoi vivre.

13 On lui demandait (...) à un homme qui avait fait je ne sais quelle mauvaise brochure contre son ami et son bienfaiteur, pourquoi il s'était emporté à cet excès d'ingratitude. Il répondit froidement : *Il faut que je vive*[1].
VOLTAIRE, Alzire, Disc. préliminaire.

1. Ce fut l'abbé Guyot Desfontaines qui fit cette réponse à M. le comte d'Argenson (...) à quoi le comte (...) répliqua : « Je n'en vois pas la nécessité ».

Vivre au jour le jour* (cit. 46), *vivre chichement* (cit. 1 et 4), *pauvrement, petitement* (⇒ **Végéter, vivoter**), *économiquement* (→ Ménage, cit. 8). *Vivre à l'aise* (⇒ **Aisé**), *largement* (⇒ **Dépen-**

---

ser), *fastueusement, dans le luxe*, sur un grand pied* (→ Mener grand train*). *Vivre bien, mal* (→ Chère, cit. 4; endurcir, cit. 12; gobichonner, cit.).

Faire vivre qqn. ⇒ **Entretenir** (→ Friponner, cit.). (Choses). *Les métiers qui les font vivre* (→ Horlogerie, cit. 2). *Cet encens ne fait pas vivre.* ⇒ **Nourrir** (→ Applaudissement, cit. 10). — *L'héritage* (cit. 1) *qui aurait pu vous faire vivre à votre aise.*

(Avec un compl. de moyen). *« L'homme ne vit pas seulement de pain* »* (cit. 11 et 12). *« Je vis de bonne soupe et non de beau langage »* (cit. 13). *Vivre de lait, de fruits...* ⇒ **Nourrir** (se). → Manie, cit. 6; mystique, cit. 2. — *Vivre honnêtement* (cit. 1) *de son travail* (→ Filtrer, cit. 9). *Vivre des autres. Vivre de la chasse, de la pêche* (2. Pêche, cit. 9; et → Déprédation, cit. 4). *Vivre de braconnage* (→ Régulier, cit. 3). *Vivre de sa plume* (cit. 19). *Ils vivent de l'Église et de l'épée* (→ Amphibie, cit. 2). *Vivre d'aumônes* (cit. 6), *d'expédients, d'emprunt* (cit. 2), *de subsides* (→ Faveur, cit. 3), *de rapines* (→ Rafler, cit. 1). *Il vit des femmes. Vivre de ses rentes* (→ Police, cit. 11). *« Des sottises d'autrui nous vivons au palais »* (1. Palais, cit. 5). *Ces bourgeois qui vivaient de la misère du pauvre monde* (→ Seigneur, cit. 1). *Avoir, se procurer* (cit. 4) *de quoi vivre.* ⇒ **Fortune, ressource.** *Avoir tout juste de quoi vivre. Vivre de peu, vivre de rien.* — **Loc.** *Vivre de l'air du temps* (⇒ 1. **Air,** II., 3.). **Loc. prov.** *Vivre d'amour et d'eau fraîche,* sans souci des contingences matérielles (et ayant une vie affective). — *Vivre aux dépens* (cit. 2 et 3) *de qqn. Les écorcheurs* (cit. 1) *vivaient sur le paysan. Vivre sur* (1. Sur, cit. 10) *la fortune, le bien de qqn* (→ Apaiser, cit. 3). *Pays qui vit sur lui-même* (→ Exportation, cit. 2). ⇒ **Autarcie; suffire** (se). *Vivre sur ses réserves, sur son capital.*

14 (...) une vieille femme qui lui allumait sa chandelle quand elle rentrait le soir, lui enseigna l'art de vivre dans la misère. Derrière vivre de peu, il y a vivre de rien.
HUGO, les Misérables, I, v, IX.

15 (...) des travaux d'aiguille sur lesquels vivait la maison (...).
Ed. et J. DE GONCOURT, Sœur Philomène, II.

Fig. Trouver dans (qqch.) un aliment à la vie morale, intellectuelle. *Les hommes vivront longtemps de ces quelques paroles* (→ Discours, cit. 20). *À qui vit de fiction* (cit. 4) *la vérité est infecte. Vivre d'espérance. « Tout parti* (cit. 32) *vit de la mystique et meurt de sa politique ». Vivre sur sa réputation*. L'humanité vit encore sur ce message* (→ Littérature, cit. 11). — (Choses). *« (...) la poésie épique* (cit. 1) *se soutient par la fable et vit de fiction ». Un art vit de ce qu'il apporte* (→ Régression, cit. 2). *L'amour vit de mensonges* (→ Égoïsme, cit. 4).

◆ **5.** (Avec *savoir, apprendre*). Se comporter dans la vie sociale comme le veut l'usage, la bonne éducation. *Un maître* (cit. 15) *de maison qui sait vivre* (→ aussi Grâce, cit. 96). ⇒ **Savoir-vivre.** — **Loc.** *Apprendre* à vivre à qqn.* ⇒ **Apprendre** (cit. 48, 49).

16 (...) ils sont trop politiques pour cela, et savent trop bien vivre pour découvrir le fond de leur âme.
MOLIÈRE, Tartuffe, Préface.

17 Les légitimistes disaient : « Il est mort en bon gentilhomme ». Une dame de la vieille cour eut le meilleur mot : « Enfin il est mort en homme qui sait vivre ».
SAINTE-BEUVE, Nouveaux lundis, 9 mars 1869.

◆ **6.** Réaliser toutes les possibilités de la vie (→ Gloire, cit. 31; larve, cit. 6; oui, cit. 16); jouir de la vie. *« Et vivre sans aimer* (cit. 33) *n'est pas proprement vivre ». Vivre par l'action* (cit. 10). *« Vivez, si m'en croyez, n'attendez* (cit. 34) *à demain ». « On meurt sans avoir vécu »* (→ Futilité, cit. 3). *« Ceux qui collés sur un livre* (1. Livre, cit. 25) *N'ont jamais souci de vivre* (cit. 6) ». — **Agir.** — *Un homme qui a vécu, beaucoup vécu,* qui a eu une vie pleine, riche d'enseignements, qui a connu bien des choses (→ Gobeur, cit. 2).

18 Bien qu'il meure en jeunesse, il a beaucoup vécu.
Si sa Royauté fut de peu d'âge suivie,
L'âge ne sert de rien, les gestes font la vie.
RONSARD, Épitaphes, Tombeau de Charles IX.

19 Ne m'as-tu pas dit de vivre? je veux vivre. Je veux monter à cheval aussi, moi! je veux tout connaître, Paris, les fêtes, les plaisirs... — Oui, vivre!... vivre de réalités et non de mensonges... Est-il possible que je meure, moi qui n'ai pas vécu?...
BALZAC, le Lys dans la vallée, Pl., t. VIII, p. 1005.

20 Ceux-là vivent, Seigneur! les autres je les plains.
Car de son vague ennui le néant les enivre,
Car le plus lourd fardeau, c'est d'exister sans vivre.
HUGO, les Châtiments, IV, IX.

21 Ce qui importe, c'est d'avoir beaucoup pensé et beaucoup aimé, c'est d'avoir levé un œil ferme sur toute chose, c'est de pouvoir dire à sa dernière heure : « J'ai beaucoup vécu ».
RENAN, Questions contemporaines, Réflexions sur l'état des esprits, Œ. compl., t. I, p. 214.

21.1 Vivre, d'abord; quoi qu'on fasse, on vit, bien sûr; mais il y a plus d'une façon d'unifier les moments que l'on traverse : en les subordonnant à une action, par exemple, ou en les projetant dans une œuvre. Moi, mon entreprise, ce fut ma vie même, que je croyais tenir entre mes propres mains.
S. DE BEAUVOIR, la Force de l'âge, p. 368.

21.2 J'étais étonné d'entendre ma mère dire de quelqu'un qui passait pour avoir été un mauvais sujet : *« Il a beaucoup vécu ».*
F. MAURIAC, le Nouveau Bloc-notes 1958-1960, p. 235.

◆ **7.** (Choses). Exister parmi les hommes. *Conditions dans lesquelles vit une société, une nation* (→ Autonomie, cit. 3; 1. dépendre, cit. 6), *un régime politique* (→ Assigner, cit. 11). *Il n'y a à Paris que deux Revues qui vivent* (→ Journal, cit. 8; souligner, cit. 1).

Toute langue (cit. 38) *vit. Mots qui veulent vivre, continuent de vivre* (→ Fortuné, cit. 6 ; neutre, cit. 7). — (Le sujet désigne un objet matériel fabriqué). *Le pilote* (cit. 1) *sentait l'avion vivre* (→ Moteur, cit. 5). — (Dans l'art). *Voulez-vous que vos personnages* (cit. 11) *vivent ?* ⇒ 2. **Vivant** (2., fig.).

(Choses abstraites). *Le monde où vivent nos croyances* (cit. 4). *Faire vivre une idée* (→ Retour, cit. 1). *L'amour vit et renaît de lui-même* (→ Épancher, cit. 17). *Mémoire, souvenir qui vit sans cesse en lui.* ⇒ **Demeurer** (→ Méditer, cit. 5).

22   Quoi ? tu crois, cher Osmin, que ma gloire passée
     Flatte encor leur valeur et vit dans leur pensée ?   RACINE, Bajazet, I, 1.

23   La petite, sans répondre, leva sur lui un œil malin, où vivait une intelligence jeune, alerte, tenue en laisse et prête à partir.   MAUPASSANT, Fort comme la mort, I, II.

24   — Oui, je sais : les idées n'existent que par les hommes ; mais, c'est bien là le pathétique : elles vivent aux dépens d'eux.   GIDE, les Faux-monnayeurs, II, III.

(Dans une perspective panthéiste). Avoir une vie propre.

25   Dieu n'a pas fait un bruit sans y mêler le verbe.
     Tout, comme toi, gémit, ou chante comme moi :
     Tout parle. Et maintenant, homme, sais-tu pourquoi
     Tout parle ? Écoute bien. C'est que vents, onde, flammes,
     Arbres, roseaux, rochers, tout vit ! Tout est plein d'âmes (...)
                                              HUGO, les Contemplations, VI, XXVI.

◆ **8.** Continuer à être, à exister. *Associations d'étoiles qui vivent des milliards d'années.*

★ **II.** V. tr. ◆ **1.** (Mil. XVIᵉ, d'abord avec *vie* pour compl.). Avoir, mener (telle ou telle vie). *Rêver* (cit. 28 et 31) *sa vie au lieu de la vivre* (→ aussi Enfance, cit. 7). *Vivre honnêtement* (cit. 2) *la vie de tous les jours. Ils vivaient une vie fraternelle* (→ Frère, cit. 24). *Se nourrir de romans pour vivre la vie d'un autre être* (→ Maladif, cit. 6). — Loc. *Vivre sa vie*. —Autrement* (cit. 11) *la vie ne vaudrait pas la peine d'être vécue.* Par anal. *L'âme* (cit. 43) *vit en nous une existence distincte.*

26   (...) elle vécut intérieurement une existence brûlante et emportée.
                                              ZOLA, Thérèse Raquin, II.

Passer, traverser (un espace de temps). *Les instants, les moments qu'on a vécus* (→ Inconscience, cit. 3 ; 1. pan, cit. 7). *Vivre des jours heureux.* ⇒ **Couler.** *Certaines heures* (cit. 66) *semblent impossibles à vivre.* Philos. *La durée* (cit. 7, Bergson) *vécue par notre conscience :* la durée concrète (opposé au *temps abstrait,* chez Bergson).

27   Il avait vécu les grandes années révolutionnaires, et avait eu le tressaillement de tous ces souffles (...)   HUGO, Quatre-vingt-treize, II, I, II.

28   Cent fois, elle avait imaginé la seconde où il lui réapparaîtrait, l'instant où, après des années d'attente, elle se laisserait tomber sur sa poitrine. Et, cette seconde, elle la vivait en ce moment. Il était là (...)
                                              MARTIN DU GARD, les Thibault, Pl., t. I, p. 1287.

29   Il vécut dans notre baraque une douce captivité (...)
                                              SAINT-EXUPÉRY, Terre des hommes, VI, VI.

REM. Quand *vivre* est transitif, le p. p. s'accorde en genre et en nombre, alors qu'il reste invariable au sens I, 2 (→ ci-dessus I., 2. REM.). *Les jours qu'il a vécu* (= la durée de sa vie), mais *les jours pénibles qu'il a vécus, les heures d'angoisse qu'il a vécues.*

◆ **2.** (XXᵉ). Éprouver intimement, réellement par l'expérience même de la vie. *Mes amours, je les ai vécus, je les ai sentis* (→ Secouer, cit. 7, Proust). *Se mettre à l'intérieur* (cit. 15) *de ces réalités et les vivre. Un sentiment* (cit. 14) *est une manière définie de vivre notre rapport au monde qui nous entoure.*

30   (...) tout d'un coup voici quelque réalité dégagée de ma vie, vue passer jadis comme des tableaux, gardée dans la mémoire comme des tableaux, et, au lieu de la tristesse de quelqu'un qui n'a que des collections, je me sens vivre, avoir vécu, ou plutôt avoir vécu quelque chose qui vit encore et qu'on pourra vivre demain.
                                              PROUST, Jean Santeuil, Pl., p. 400.

31   Il faut écrire ce qu'on a vu, ce qu'on a entendu, ce qu'on a ressenti, ce qu'on a vécu.   Paul LÉAUTAUD, Passe-temps, p. 193.

Traduire en actes réels. *Vivre sa foi, son art, son engagement politique.*

31.1 — Pourquoi, dis-je, vous qui vivez votre sagesse, n'écrivez-vous pas vos mémoires ? (...)   GIDE, l'Immoraliste, II, II.

▶ **SE VIVRE** v. pron. (réfl.) suivi d'un adj. ou d'une proposition complément.
Avoir une expérience de soi-même. → Vécu. *Se vivre comme..., en tant que..., se vivre bien, mal, sur le plan des relations sociales. « Il y a une sorte d'archétype de l'apparence physique (...) Je crois qu'il devient extrêmement difficile de se vivre comme un être différent de ces modèles-là »* (F Magazine, mars 1981, p. 32).

▶ **VÉCU, UE** p. p. adj.
Réel, qui appartient à l'expérience de la vie (et non à la fiction ou à la pensée abstraite). *Histoires, scènes vécues.* ⇒ **Vrai.** *Expérience vécue.* — Philos. *Durée vécue, temps vécu. « L'espace vécu »* (Merleau-Ponty).
N. m. *Le vécu :* l'expérience vécue (cour. ; philos. : phénoménologie).

32   Il en résultait des déchirements, des suavités, des scènes voluptueuses, où la

volupté donnait la même impression de « vécu » que les flambeaux d'argent et les plats de vermeil.   J. ROMAINS, les Hommes de bonne volonté, t. III, XVIII.

CONTR. Mourir.
DÉR. **Vivable vivant, viveur, vivoir, vivoter, 2. vivre.**
COMP. **Qui-vive. — Revivre. — Savoir-vivre. — Survivre.**
HOM. **2. Vivre, vivres.**

2. VIVRE [vivʀ] n. m. — V. 1130 ; inf. substantivé du précédent.

◆ **1.** Vx. Fait de vivre, vie (→ Dégoût, cit. 9 ; indifférent, cit. 4 ; mourir, cit. 51). *Le vivre et le mourir.*

◆ **2.** Vx. Nourriture. ⇒ **Subsistance,** et aussi **vivres.** — (Loc.). Mod. *Le vivre et le couvert** (cit. 1) : la nourriture et le logement.
DÉR. **1. Vivrier, 2. vivrier.**
HOM. **1. Vivre, vivres.**

VIVRÉ, ÉE [vivʀe] adj. — 1611 ; de *vivre,* anc. forme de *guivre*.* → Vouivre.

◆ Blason. Ondulé (comme un serpent). *D'argent à la bande vivrée.*

VIVRES [vivʀ] n. m. pl. — V. 1155 ; repris XIVᵉ ; de 2. *vivre* (2.).

◆ **1.** Ce qui sert à l'alimentation de l'homme. ⇒ **Aliment, nourriture, provision, victuaille** (→ Bois, cit. 20 ; exigence, cit. 2 ; factorerie, cit. ; pemmican, cit. 1). *Fournir des vivres.* ⇒ **Ravitailler.** *Disette* (cit. 2) *des vivres* (→ aussi Boucaner, cit. 1). — Loc. *Couper** (cit. 20 et 21) *les vivres.*

◆ **2.** (XVIᵉ). Milit. *Les vivres* (opposé à *munitions,* à *fourrage*) (→ Approvisionnement, cit. ; croiser, cit. 6 ; étape, cit. 2 ; munir, cit. 5 ; pillage, cit. 4). *Magasins de vivres. Ration de vivres. Vivres de réserve,* que chaque soldat doit avoir dans son sac, et ne consommer que si le ravitaillement* normal vient à faire défaut (→ État, cit. 61 ; revue, cit. 4). — Anciennt. *Entrepreneur des vivres, fournisseur* (cit. 1) *aux vivres :* personne qui était chargée du ravitaillement des troupes. — Mar. *Cambuse** *où sont conservés les vivres.*

Peu de subsistance, et chère. L'Hôtel de Ville assurait que Paris avait des vivres pour quinze jours, et il n'en avait pas pour trois. Il fallut ordonner un impôt pour la subsistance des pauvres. Les farines étaient arrêtées par les troupes à Sèvres et à Saint-Denis.   MICHELET, Hist. de la Révolution franç., II, I.

◆ **3.** Loc. fig. *Couper les vivres à qqn,* lui refuser une aide pécuniaire, le priver de moyens qui lui étaient alloués sans obligation.
DÉR. **1. Vivrier, 2. vivrier.**
HOM. **1. Vivre, 2. vivre.**

1. VIVRIER [vivʀije] n. — 1768 ; de 2. *vivre,* 2., ou de *vivres.*

◆ Anciennt (milit.). Fournisseur aux vivres. *Vivriers et vivandiers.*
HOM. **2. Vivrier.**

2. VIVRIER, IÈRE [vivʀije, ijɛʀ] adj. et n. — 1846 ; de 2. *vivre,* 2., ou de *vivres.*

◆ **1.** Adj. Didact. Dont les produits sont destinés à l'alimentation. *Cultures vivrières.*

◆ **2.** N. m. pl. Franç. d'Afrique. *Vivriers :* produits des cultures vivrières. ⇒ **Légumes.**
HOM. **1. Vivrier.**

VIZIR [vizir] n. m. — 1433 ; mot turc, du persan, d'où vient aussi l'arabe *wāzīr.* → Alguazil.

◆ Hist. Membre du conseil des califes ; ministre (cit. 5) siégeant au Divan, sous l'Empire ottoman (→ Ombrage, cit. 9). *Grand vizir :* Premier ministre.

La place du sultant est quelquefois la plus oisive de la terre, et celle du grand-vizir *(sic),* la plus laborieuse : il est à la fois connétable, chancelier, et premier président. Le prix de tant de peines a été souvent l'exil ou le cordeau.
                                              VOLTAIRE, Essai sur les mœurs, XCIII.

DÉR. **Vizirat.**

VIZIRAT [vizira] n. m. — 1664 ; de *vizir.*

◆ Didact. (hist.). Dignité, fonction de vizir ; durée de cette fonction.

V'LA [vla] ⇒ Voilà.

VLAN ou **V'LAN** [vlɑ̃] interj. — 1803, in D.D.L.

◆ **1.** Onomatopée imitant un bruit fort et sec (→ Froc, cit. 10) ; spécialt, le bruit d'un coup.

Ces pauvres jeunes gens... ils arrivent tout pimpants, ils se croient sûrs de leur affaire... et au bout de quelques jours... v'lan! M. de Vancouver les fiche à la porte comme si c'étaient des orgues de Barbarie!...

E. LABICHE, Mon Isménie, 1.

2 — «Gouverneur général». Vlan! Et qu'il nous fasse marcher tout ce monde-là à la trique!»

J. ROMAINS, Donogoo, III, II, 2.

Var. : *vlang!* [vlɑ̃g] croisement avec *bang.*

3 (...) alors en chœur contre cette porte!... on tire, on pousse!... elle gode... elle gode... elle va céder... et vlang! moi qui prends! tout!... un... deux... trois pains de sucre! et toute l'étagère!... deux!... qui me coiffent!... et toute la camelote!

CÉLINE, Rigodon, p. 234.

♦ **2.** N. m. *Un vlan :* un bruit fort et sec.

♦ **3.** N. et adj. (1867). Vx. Élégance affichée; société élégante et tapageuse. — REM. Le mot semble avoir vécu jusqu'aux «années folles». — Adjectif invariable :

4 (...) l'Alcazar cherchait à égaler le Jardin de Paris qui, sur les Champs-Élysées, attirait les milieux vlan de la capitale. Les curistes, les commerçants cossus, les ministres en villégiature, de sémillantes étrangères et des silhouettes «bien parisiennes» venaient en masse prendre leur part de gaieté à l'Alcazar de Vichy.

Edmonde CHARLES-ROUX, l'Irrégulière, p. 138.

VLOUF [vluf] interj. — Mil. XXᵉ; var. de *plouf.*

♦ Interj. évoquant le bruit d'un choc liquide, d'un jaillissement brusque, etc. «... puis *vlouf!* il fit un sort au champagne» (Christine de Rivoyre, *la Mandarine,* p. 251).

VOADOUROU [vɔaduʀu] n. m. — 1876, P. Larousse; mot malgache.

♦ Fruit du ravenala*, arbre de Madagascar.

VOAMBOANA [vɔɑ̃bɔan] n. m. — 1933; mot malgache.

♦ Bois de Madagascar, de couleur rouge sombre, employé en ébénisterie. «*En voamboana, un bois rouge sombre de Madagascar, en ébène (...) de superbes poignées de porte, boutons de placard et poussoirs réalisés par une jeune femme*» (*l'Express,* 19 janv. 1980, p. 28).

VOBULATEUR [vɔbylatœʀ] n. m. — V. 1960; de *vobuler.*

♦ Électron. Générateur de courant dont la fréquence (acoustique ou radio-électrique) varie régulièrement entre deux limites fixes. — REM. On trouve parfois *wobbulateur.*

VOBULATION [vɔbylasjɔ̃] n. f. — V. 1960; de *vobuler.*

♦ Électron. Modulation dont la fréquence fondamentale est très basse par rapport à la fréquence porteuse. — REM. On trouve parfois les formes *wobbulation* [vɔbylasjɔ̃] et l'adaptation *ululation* [ylylasjɔ̃].

VOBULER [vɔbyle] v. tr. — V. 1960; adapt. de l'angl. *to wobble* «osciller, vaciller».

♦ Électron. Changer périodiquement la fréquence d'une tension alternative, et, spécialt, celle d'un phénomène périodique.

DÉR. Vobulateur, vobulation.
COMP. Vobuloscope.

VOBULOSCOPE [vɔbylɔskɔp] n. m. — 1968; du rad. de *vobuler,* et d'*(oscillo)scope.*

♦ Électron. Appareil associant un vobulateur et un oscilloscope, permettant de visualiser la courbe de résonance des circuits accordés de radio et de télévision.

VOCABLE [vɔkabl] n. m. — 1380; rare du XVIIᵉ au XIXᵉ; du lat. *vocabulum.*

♦ **1.** Élément du langage (⇒ **Mot**), surtout considéré quant à la signification et à l'expression. ⇒ **Diction** (vx), **langue** (cit. 32, Ronsard); **nom** (II., 1.). → Exprimer, cit. 10; idée, cit. 16. *La phrase* (cit. 8), *unité formelle faite d'un arrangement de vocables. Vocables primaires, secondaires, d'emprunt. Vocable introduit de toutes pièces* (→ Néologisme, cit. 2).

1 Car tant s'en faut que je refuse les vocables Picards, Angevins, Tourangeaux, Mansseaux¹ lors qu'ils expriment un mot qui défaut en nostre François (...)

RONSARD, Œuvres en prose, Suravertissement au lecteur.

1. (Manceaux).

2 Dès ce temps, elle mettait en moi l'amour des vocables choisis, techniques, imagés, des vocables lumineux, pareils, selon la belle expression de Joubert, «à des miroirs où sont visibles nos pensées», — amour qui, plus tard, devenait l'amour de la chose bien écrite.

Ed. et J. DE GONCOURT, Journal, 30 août 1892, t. IX, p. 58.

3 Le vers qui de plusieurs vocables refait un mot total, neuf, étranger à la langue et comme incantatoire (...)

MALLARMÉ, Préfaces Avant-dire au Traité du Verbe, Pl., p. 858.

(En statistique). Chaque unité lexicale différente dans un corpus (indépendamment du nombre de ses réalisations). *Les vocables sont les mots différents* (opposé à *mot,* à *occurrence*).

♦ **2.** (1788). Appellation d'une église, d'une chapelle sous un patronage (de saint). *Cette église est sous le vocable de saint Jean.*

VOCABULAIRE [vɔkabylɛʀ] n. m. et adj. — 1487; du bas lat. *vocabularium,* du lat. class. *vocabulum.* → Vocable.

A. N. m. ♦ **1.** Dictionnaire succinct qui ne donne que les mots essentiels d'une langue. *Vocabulaire latin. Vocabulaire français-anglais.*

Par ext. Dictionnaire spécialisé dans une science, un art (⇒ **Lexique**), un état de langue (⇒ **Glossaire**). *Les vocabulaires des Arts et des Métiers* (→ Dictionnaire, cit. 1), *des dialectes, de la langue d'un siècle... Vocabulaire de l'informatique, de la gastronomie.*

Livre d'enseignement consacré à l'étude des mots. *Vocabulaire pour débutants, à l'usage des classes primaires. Ouvrez votre vocabulaire à la page 10.*

♦ **2.** (1762). **ⓐ** Ensemble de mots dont dispose une personne. → Lexique, cit. 6. *Avoir un vocabulaire pauvre* (→ Accent, cit. 5), *réduit* (cit. 18), *restreint* (cit. 2); *un vocabulaire riche, étendu. Enrichir, étendre son vocabulaire* (→ 1. Dérivation, cit. 3). *Vocabulaire actif,* effectivement employé. *Vocabulaire passif* (ou *disponible*), compris, mais qui n'est pas utilisé spontanément.

1 Resserrez donc le plus qu'il est possible le vocabulaire de l'enfant. C'est un très grand inconvénient qu'il ait plus de mots que d'idées, et qu'il sache dire plus de choses qu'il n'en peut penser.

ROUSSEAU, Émile, II.

1.1 Ma conversation avec l'élégante amie de Bloch fut charmante, car cette jeune femme était intelligente, mais cette différence entre nos deux vocabulaires la rendait malaisée et en même temps instructive.

PROUST, le Temps retrouvé, Pl., t. III, p. 963.

ⓑ Mots employés effectivement par une personne, un groupe. *Le vocabulaire andalou* (→ Grommeler, cit. 2). *Le vocabulaire des maçons* (→ Déprédation, cit. 1), *des jeunes, des étudiants. Vocabulaire à la mode.*

Emploi de mots, de termes par un locuteur. *Un vocabulaire exact* (→ Syntaxe, cit. 5). *Faiblesse de vocabulaire* (→ Gaucherie, cit. 5). *Exercices de vocabulaire dans les classes.* Péj. *Quel vocabulaire! :* quelle manière (étrange, grossière...) de s'exprimer.

1.2 (...) ces exercices de vocabulaire pour classes enfantines consistant à remplacer dans une phrase les pointillés par le mot approprié (...)

Claude SIMON, le Vent, p. 146.

Ling. Liste des occurrences d'un corpus (en discours; opposé à *lexique,* qui correspond à l'ensemble lexical virtuel, en langue).

♦ **3.** (1803). Ensemble de mots spécialisés (d'une science, d'un art, ou qui caractérisent une forme d'esprit). *Vocabulaire juridique* (→ Instance, cit. 8), *ethnologique et sociologique* (→ Primitif, cit. 4), *technique* (cit. 2). *L'humour* (cit. 7) *comporte un style, un vocabulaire. Les vocabulaires et les terminologies.*

2 Dans le *Cerf,* on remarquera avec quel art il a employé à dessein tout le vocabulaire de l'ancienne vénerie : si ce vocabulaire était perdu, c'est qu'il faudrait le retrouver, ménagé de la façon la plus ingénieuse et la plus large.

SAINTE-BEUVE, Causeries du lundi, 21 juil. 1851.

Inform. Ensemble des symboles à partir desquels est bâti un langage.

♦ **4.** Ling. Mots d'une langue considérés dans leur histoire, leur formation, leur sens (→ Latin, cit. 11). ⇒ **Mot, nomenclature.** *La lexicologie est fondée sur l'analyse des faits de vocabulaire* (→ Lexicologue, cit). *Le vocabulaire et la grammaire*.* *Du vocabulaire.* ⇒ **Lexical.**

B. Adj. Du vocabulaire; des mots. ⇒ **Lexical** — REM. Cet usage se rencontre notamment chez Duhamel : «*des indications vocabulaires*» (*Combat contre les ombres,* p. 60).

3 L'orage se déroulait toujours selon le même rite et avec le même déploiement de luxe vocabulaire.

G. DUHAMEL, Chronique des Pasquier, La passion de Joseph Pasquier, p. 74.

DÉR. Vocabuliste.

VOCABULISTE [vɔkabylist] n. — 1634, Saumaise, in D.D.L.; de *vocabulaire,* et *-iste.*

♦ Didact. et rare. Spécialiste du vocabulaire. ⇒ **Lexicologue.**

1. VOCAL, ALE, AUX [vɔkal, o] adj. — 1455; lat. *vocalis* «qui donne la voix, inspire la parole, la poésie», de *vox, vocis* «voix».

♦ **1.** Qui produit la voix. *Organes vocaux* (→ Balbutiement, cit. 1). *Appareil vocal* (→ Timbre, cit. 4). *Cordes* vocales.*

♦ **2.** De la voix. *Émission vocale* (→ Haute-contre, cit. 2). *Technique vocale* (→ Jazz, cit. 2). *Harmonies* (cit. 4) *vocales.* — Par ext. Écrit pour le chant, chanté. — (1613). *Musique* (cit. 14 et 15) *vocale* (→ Séminaire, cit. 3), opposée à *musique instrumentale. Pièce polyphonique vocale* (→ Antécédent, cit. 4; ariette, cit. 2).

Le chant se fond, emporte les paroles, un concert de cris s'élève (...) toute la foule s'ébranle et quitte la scène qui rentre peu à peu dans une nuit vocale, lumineuse et instrumentale.
  A. ARTAUD, Un argument pour la scène, Œ. compl., t. II, p. 104.
DÉR. Vocalement.
HOM. 2. Vocal.

2. VOCAL, ALE, AUX [vɔkal, o] n. et adj. — 1680; lat. médiéval *vocalis* (XIᵉ).
Religion.

♦ **1.** N. Religieux, religieuse ayant le droit de vote dans une communauté.

♦ **2.** Adj. *Mères vocales* (→ Prieur, cit. 2).

HOM. 1. Vocal.

VOCALEMENT [vɔkalmã] adv. — 1531; de 1. *vocal*.

♦ Didact. En utilisant la voix, la parole. ⇒ **Oralement.**

VOCALIQUE [vɔkalik] adj. — 1872; du lat. *vocalis*. → 1. Vocal.

♦ Ling. Qui a rapport aux voyelles. *Altération, dissimilation vocaliques. Harmonisation* vocalique. Alternance* vocalique.* — *Système vocalique d'une langue,* ensemble de ses voyelles. — *Phonèmes vocaliques,* caractérisés par un écoulement libre de l'air à travers l'appareil vocal et dont les ondes sonores proviennent uniquement des vibrations des cordes vocales.

VOCALISATEUR, TRICE [vɔkalizatœʀ, tʀis] n. — 1836; de *vocaliser*.

♦ Mus., vx. Personne qui vocalise. ⇒ **Vocaliste.**

VOCALISATION [vɔkalizasjɔ̃] n. f. — Déb. XIXᵉ, Nodier; de *vocaliser*.
Didactique.

★ **I.** ♦ **1.** Émission de voyelles.

♦ **2.** Mus. Émission de la voix chantée. *Légèreté de la vocalisation* (→ Musique, cit. 20).

♦ **3.** Phonét. Changement d'une consonne en voyelle. *La vocalisation du l vélaire* (ex. : *alba,* en lat., devenu *aube,* en français).

★ **II.** (1821). Mus. Fait de vocaliser, de faire des vocalises.

VOCALISE [vɔkaliz] n. f. — 1833; de *vocaliser*.

♦ Exercice de vocalisation, en chant. *Vocalise chromatique* (→ Bâiller, cit. 3). *Vocalises grégoriennes* (cit. 2). *Faire des vocalises.*

Ce Dieu d'ici, il domine toutes les rêveries et tous les silences. Jour et nuit, on entend passer, au-dessus de Stamboul, son nom chanté, paraphrasé, prolongé en vocalises éperdues et tremblantes par des centaines de voix claires.
  LOTI, Suprêmes visions d'Orient, XI.

VOCALISER [vɔkalize] v. — 1611, au p. p.; du lat. *vocalis*.

★ **I.** V. tr. Changer en voyelle. *Vocaliser une consonne.* — Au p. p. (plus cour.). *Consonnes vocalisées.* — Pron. passif. *Le l s'est vocalisé.*

★ **II.** V. intr. (1821). ♦ **1.** Mus. Chanter, en parcourant une échelle de sons et sur une seule voyelle ou syllabe.

1 Le train-train de la pension se poursuivait : des dames roumaines prenaient des leçons de solfège, et vocalisaient encore le matin, tandis que Miss Baxton comptait les petites cuillers.
  ARAGON, les Cloches de Bâle, II, XV.

♦ **2.** Fig., fam. Parler (avec emphase).

2 L'autre, au bout du fil, vocalisait si fort que l'on put saisir au vol une bribe de conversation (...)
  B. VIAN, Vercoquin et le Plancton, p. 89.

DÉR. Vocalisateur, vocalisation, vocalise.

VOCALISME [vɔkalism] n. m. — 1864; du lat. *vocalis,* et suff. *-isme*.
Phonétique.

♦ **1.** Vieilli. Théorie relative aux lois qui régissent la formation et la transformation des voyelles (1.) dans un mot. *Vocalisme et consonantisme.*

♦ **2.** Vieilli. Ensemble des voyelles d'un mot. — Mod. Système des voyelles d'une langue.

VOCALISTE [vɔkalist] n. — 1842, Académie; du lat. *vocalis*.
Musique.

♦ **1.** Personne qui vocalise. ⇒ **Vocalisateur.**

♦ **2.** (Repris de l'angl. *vocalist* «chanteur»). Anglic. Chanteur, chanteuse de jazz. « *Il y a deux sortes de chanteuses de jazz : celles qui se servent juste de la mélodie pour y appuyer des chansons, et les vocalistes qui jouent de leur voix et de la musique plus que des mots (...)* » (*F Magazine,* mai 1981, p. 95).

VOCATIF [vɔkatif] n. m. — XIVᵉ, attestation isolée; 1552; lat. *vocativus,* de *vocare* «appeler».
Linguistique, grammaire.

♦ **1.** Cas employé pour s'adresser directement à quelqu'un, à quelque chose, dans les langues à déclinaisons. *Vocatif latin, grec...*

♦ **2.** Construction, phrase exclamative par laquelle on s'adresse directement à quelqu'un, quelque chose, dans les langues sans déclinaisons. ⇒ **Toi** (cit. 5; et *supra*), **vous.** Par ext. *Le ô* vocatif.*

J'ai dans mes boîtes peut-être deux milles pages de copie, des dialogues, des paysages où vous êtes mon interlocuteur (...) où je m'adresse à vous (...) où c'est vous qui êtes au vocatif. Où c'est à vous que je m'adresse.
  Ch. PÉGUY, Victor-Marie, comte Hugo, p. 55

VOCATION [vɔkasjɔ̃] n. f. — 1190; du lat. *vocatio* «action d'appeler», de *vocatum,* supin de *vocare* «appeler».

♦ **1.** Relig. (Bible). Appel de Dieu touchant une personne, un peuple, afin qu'il vienne à lui. *La vocation d'Abraham* (→ Époque, cit. 3). Cour. Mouvement intérieur par lequel on se sent appelé par Dieu. ⇒ **Attrait** (de Dieu). *La vocation religieuse. Toute vocation est un appel* (cit. 17). *On n'explique pas une vocation, on la constate* (cit. 2). *Une vocation extraordinaire* (→ Égarement, cit. 2), *irrésistible* (→ Prise, cit. 21). *Vocations forcées* (→ Monachisme, cit.), *contrariées.* — *Avoir, ne pas avoir la vocation.*

1 Richard aurait fait ses vœux après deux ans de noviciat, si ses parents ne s'y étaient opposés. Son père exigea qu'il rentrât dans la maison, et que là il lui serait permis d'éprouver sa vocation, en observant toutes les règles de la vie monastique pendant une année (...)
  DIDEROT, Jacques le fataliste, Pl., p. 653.

2 La relation de tout artiste avec l'art est du domaine de la vocation. Et une vocation religieuse authentique n'est pas ressentie comme la conséquence d'un choix, mais une réponse à l'appel de Dieu.
  MALRAUX, les Voix du silence, p. 315.

♦ **2.** Inclination, penchant pour une profession, un état (⇒ **Disposition, goût**). *S'opposer à une vocation* (→ Forfaire, cit. 2). *Manquer* (cit. 77), *suivre, contrarier sa vocation. Vocation impérieuse* (→ Indice, cit. 3). ⇒ **Prédestination.** *Sa vocation était d'enseigner* (cit. 7). *Vocation artistique* (→ Indifférencié, cit. 2), *de poète* (→ 1. Muse, cit. 12). *Vocation militaire* (→ Soldat, cit. 1). *Se sentir une vocation de gouverner* (→ Destiner, cit. 9).

3 «— Je ne permets point à la femme d'enseigner, disait saint Paul à Timothée. Mᵐᵉ de Genlis n'était point libre d'obéir à ce précepte quand elle l'aurait voulu, tant sa vocation de bonne heure fut puissante et irrésistible. Elle manifesta dès l'enfance l'instinct et l'enthousiasme de la *pédagogie,* à prendre ce mot dans le meilleur sens.
  SAINTE-BEUVE, Causeries du lundi, 14 oct. 1850.

3.1 Le portrait d'une femme que l'on aime pousse au dessin — et le modèle, au baiser; la vocation artistique ne naît pas de l'émotion éprouvée devant un spectacle, mais devant un pouvoir.
  MALRAUX, l'Homme précaire et la Littérature, p. 151.

Figuré :

4 (...) sa véritable ambition eût été d'être joli garçon, mais j'ai rarement rencontré dans ma vie une vocation plus manquée que celle-là.
  Ed. et J. DE GONCOURT, Journal, 28 mars 1863, t. II, p. 82.

♦ **3.** (1465). Destination (⇒ **Destinée**) d'une personne, d'un peuple, d'un pays. *La vocation de l'homme est d'être utile.* ⇒ **Rôle.** *La vocation industrielle, artistique, touristique d'un pays.* ⇒ **Mission.** — Par ext. *La vocation agricole d'une terre,* pour telle ou telle culture.

5 Le but de la femme, ici-bas, sa vocation évidente, c'est l'amour.
  MICHELET, la Femme, III, VI.

Loc. **AVOIR VOCATION À, POUR** (suivi d'un subst. ou d'un inf.) : être qualifié pour... (en parlant d'une administration, d'une entreprise, etc.). *Nos services n'ont pas vocation à prendre cette décision.*

VOCÉRATRICE ou VOCÉRATRICE [vɔseʀatʀis] n. f. — 1840; de *vocero*.

♦ Pleureuse, femme qui improvise un vocero (en Corse).

Dans un village corse, aux funérailles, la «vocératrice» improvise et déclame des chants de vengeance devant le corps d'un homme assassiné, ou des chants de plainte sur le cercueil d'une jeune fille morte avant l'âge.
  TAINE, Philosophie de l'art, t. II, p. 170.

VOCERO [vɔtʃeʀo] ou VOCÉRO [vɔseʀo] n. m. — 1840, Mérimée; mot corse.

♦ Chant funèbre exécuté par une pleureuse pour un défunt, en Corse. — Au plur. *Des voceri* [vɔtʃeʀi] ou *des vocéros.*

— Que chantais-tu là, Paolo Francè? dit Orso; est-ce une *ballata? un vocero?* Mademoiselle te comprend et voudrait entendre la fin.   MÉRIMÉE, Colomba, II.

DÉR. ~~Voceratrice.~~

VOCIFER [vɔsifɛʀ] n. m. — 1796; mot lat. mod. «qui pousse des cris», du lat. class. *vox, vocis* «voix», et *ferre* «porter».

♦ Zool. Aigle pêcheur, variété de pygargue vivant en Afrique sahélienne.

VOCIFÉRANT, ANTE [vɔsifeʀɑ̃, ɑ̃t] adj. — 1770, Buffon; de *vociférer*.

Littéraire.

♦ **1.** Qui vocifère, pousse des hurlements. *Enfants vociférants. — Voix vociférantes. — Bouche vociférante.*

♦ **2.** D'où proviennent des cris (d'un lieu).

VOCIFÉRATEUR, TRICE [vɔsifeʀatœʀ, tʀis] n. — 1834; du lat. *vociferator*, de *vociferare*. → Vociférer.

♦ Personne qui vocifère. — Adj. *Voix vociératrices.* ⇒ **Vociférant.**

Du fond d'un patio voisin, montent des hurlements de femme, avec de traîtres repos qui ne sont là que pour laisser aux vociératrices le temps de reprendre haleine. Quelqu'un est mort, donc les pleureuses hululent, attristent les ténèbres mouillées de cette chose plus sinistre qu'un cri de bête : un cri humain.
   Jérôme et Jean THARAUD, Rabat..., VIII.

VOCIFÉRATION [vɔsifeʀasjɔ̃] n. f. — 1120; repris 1792; du lat. *vociferatio*, de *vociferare*. → Vociférer.

♦ Parole bruyante, prononcée dans la colère. *Vociférations d'émeute* (→ Horde, cit. 4). *Pousser des vociférations* (→ 1. Lie, cit. 7). ⇒ **Cri** (2.), **hurlement.**

Le 23, l'archevêque de Paris, le «garde des sceaux sont hués, honnis, conspués, bafoués, à périr de honte et de rage», et la tempête des vociférations qui les accueille est si formidable (...)
   TAINE, les Origines de la France contemporaine, III, t. I, p. 54.

(...) la foule s'empressait dans un désordre indicible, avec des vociférations, des hurlements (...)   GIDE, Journal, avr. 1914.

VOCIFÉRER [vɔsifeʀe] v. — Conjug. *céder.* — V. 1380; lat. *vociferare* ou *vociferari*, de *vox, vocis* «voix», et *ferre* «porter».

♦ **1.** V. intr. Parler en criant et avec colère. ⇒ **Hurler.** *Vociférer contre qqn.* — (Sujet collectif). *La foule se mit à vociférer.* → Guignol, cit. 2.

Des ouvriers passèrent sur la route, en chantant *la Marseillaise.* Gorju au milieu d'eux, brandissait une canne; Petit les escortait, l'œil animé. — Je n'aime pas cela! dit Marescot, on vocifère; on s'exalte!
   FLAUBERT, Bouvard et Pécuchet, VI.

♦ **2.** V. tr. (Av. 1525). Dire en vociférant. ⇒ **Crier, hurler.** *Vociférer des blasphèmes* (cit. 3), *des injures.*

▶ **VOCIFÉRÉ, ÉE** p. p. adj. *Insinuations vociférées.* → Direct, cit. 2.

DÉR. **Vociférant.** — V. aussi **vociférateur, vocifération.**

VOCODEUR [vɔkɔdœʀ] n. m. — V. 1970; adapt. angl. *vocoder* (1939, Dudley), même sens, contraction de *vo(ice) coder* «appareil qui code la voix *(voice)*».

♦ Électron. Appareil qui analyse la voix et permet la synthèse des réponses vocales dans un système informatique. « (...) un synthétiseur sans vocodeur, donc sans analyse de la voix et sans enregistrement humain. C'est l'ordinateur lui-même qui crée la représentation codée de la voix à partir d'une représentation phonétique des mots » *(l'Express,* janv. 1974, p. 84). — REM. On trouve aussi la graphie anglaise *vocoder* [vɔkɔdœʀ] *(la Recherche,* mars 1975, p. 229).

VOCOÏDE [vɔkɔid] n. f. — Mil. XXᵉ *(in* Larousse, 1968); angl. *vocoid,* de *vox, vocis,* et *-oid* (→ -oïde).

♦ Phonét. Son caractérisé par un libre passage de l'air et la vibration des cordes vocales (absence de bruit*). *Vocoïde syllabique.* ⇒ **Voyelle.**

VODKA [vɔdka] n. f. — 1829; var. *wodka,* 1859, Dumas, *Impressions de voyage en Russie;* d'abord n. m. *le vodka;* fém. en 1865, Dumas, *in* D.D.L.; mot russe, dimin. de *voda* «eau», proprt «petite eau».

♦ Eau-de-vie de grain (seigle, orge). *Vodka russe, polonaise. Bouteille, verre de vodka. Des vodkas. Manger de la vodka* en ne buvant que de la vodka. *Vodka polonaise parfumée à l'«herbe de bison*».* ⇒ **Zoubrovka.**

Un jeune homme, terrassé par de trop fréquentes libations de vodka (eau-de-vie de grain), avait roulé du trottoir sur la berge (...)
   Th. GAUTIER, Voyage en Russie, II, p. 406 (1866).

VODOU [vodu] n. m. ⇒ **Vaudou.**

VŒU [vø] n. m. — 1549; *vot,* 1120; du lat. *votum.* → Vote.

♦ **1.** Promesse (de faire qqch.) donnée à une divinité, à Dieu, en remerciement d'une demande exaucée. *Échappé à un grand danger, il fit vœu de quitter* (cit. 7) *le monde et se retira à la Trappe. Offrande en accomplissement d'un vœu.* ⇒ **Ex-voto; votif.**

Ô combien le péril enrichirait les dieux
Si nous nous souvenions des vœux qu'il nous fait faire!
   LA FONTAINE, Fables, IX, 13.

Pour sauver mes jours, ma mère fit un vœu; elle promit à la Reine des Anges que je lui consacrerais ma virginité, si j'échappais à la mort (...) Vœu fatal, qui me précipite au tombeau!   CHATEAUBRIAND, Atala, «Le drame».

Par métonymie, vx. L'ex-voto lui-même. *Les vœux d'un temple.*

♦ **2.** Promesse librement faite à une divinité, à Dieu; engagement religieux. *Faire vœu d'être à Dieu* (→ Gros, cit. 2). ⇒ **Consacrer, dévouer, vouer.** *Vœu de chasteté, de virginité, de célibat* (cit. 8). — (1538). *Vœux de religion* ou (1792) *vœux religieux :* les trois vœux de pauvreté, de chasteté et d'obéissance, prononcés par un homme, une femme à leur entrée en religion (⇒ **Religieux**), par celui qui reçoit le sous-diaconat (⇒ **Prêtre**). *Vœux monastiques. Religieux, religieuse qui prononce des vœux simples; des vœux solennels ou définitifs* (→ Novice, cit. 1). ⇒ **Profès, profession.** *Les vœux perpétuels ne sont pas reconnus par la loi civile. — Les vœux du baptême,* par lesquels on renonce «à Satan, à ses pompes et à ses œuvres». — *Renouveler* (cit. 12) *ses vœux* (de religion). *Une prêtresse parjure a enfreint* (cit. 3) *ses vœux. Relever* (cit. 21) *quelqu'un de ses vœux.*

Ce que nous appelons promesse entre les hommes est nommé vœu au regard de Dieu (...)   CALVIN, Institution..., 1007.

Obéissance, pauvreté, chasteté, stabilité sous clôture; voilà leurs vœux, fort aggravés par la règle.   HUGO, les Misérables, II, VI, II.

Les actes extérieurs de religion — et le vœu en est un — sont un hommage significatif de notre dépendance envers Dieu. Par le vœu, c'est notre liberté même que nous déclarons dépendante, en la liant envers lui. Nous offrons non seulement ce que nous promettons, mais dans l'acte même de promettre nous donnons quelque chose de notre liberté.
   A.-I. MENNESSIER, *in* Initiation théologique, t. III, p. 880.

Ce vœu de pauvreté des individus dont l'addition aura créé le vœu de richesse de certains grands ordres : voilà l'ambiguïté qui, spirituellement, aura coûté le plus cher à l'Église.   F. MAURIAC, le Nouveau Bloc-notes 1958-1960, p. 97.

Engagement pris par une personne envers elle-même. ⇒ **Résolution.** *Faire le vœu de ne plus revoir qqn. Faire vœu de* (suivi de l'inf.) : se promettre solennellement de (faire qqch.). *Ses vœux trahis* (→ Écouler, cit. 13).

Et que dans mon désert, où j'ai fait vœu de vivre (...)
   MOLIÈRE, le Misanthrope, V, 4.

♦ **3.** (1538, Estienne). Souhait que l'on adresse à une divinité, à Dieu. *Par des vœux importuns* (cit. 9) *nous fatiguons les dieux. Dieu a exaucé** (cit. 8) *mes vœux. Nos vœux ont été exaucés* (cit. 1).

Je passais la nuit entière à veiller près d'elle, et à prier le Ciel de lui accorder un sommeil doux et paisible. Ô Dieu! que mes vœux étaient vifs et sincères! et par quel rigoureux jugement aviez-vous résolu de ne les pas exaucer?
   Abbé PRÉVOST, Manon Lescaut, II, p. 225.

♦ **4.** Souhait d'une chose, désir de voir s'accomplir qqch. *Faire un vœu. Vœux irréalisables* (→ Place, cit. 21), *insensés* (cit. 9). *« Borné dans sa nature, infini* (cit. 5) *dans ses vœux (...) ». Un mari qui soit selon mes vœux* (→ Fille, cit. 4). ⇒ **Désir.** *Appeler qqch. de ses vœux* (⇒ Insoucieux, cit. 4). *Former* (cit. 12) *des vœux. Faire des vœux pour acquérir la gloire* (→ Arrondir, cit. 3), *pour la santé de qqn; pour la réussite d'une entreprise* (→ Souhaitable, cit.). *Faire le vœu que...* (suivi du subj.). *Je fais le vœu qu'il revienne. Faire des vœux en buvant.* ⇒ **Boire** (à); cf. Porter un toast. *Il est de coutume de faire un vœu à la vue d'une étoile* (cit. 20) *filante. Satisfaire* (→ Métier, cit. 26), *déférer* (cit. 11) *aux vœux de qqn. Couronner, combler les vœux de qqn. Vœux comblés* (→ Maltraiter, cit. 3). *Accomplir les derniers vœux d'un mourant. Cette décision répondait à ses vœux secrets. — Emploi du subjonctif optatif dans l'expression des vœux* (cf. Puissé-je, fasse le ciel, pourvu* que..., ainsi soit-il, etc.).

— Lorsque Camille est tombé à l'eau, il m'a crié : «Sauve ma femme, je te la confie». Je crois accomplir ses derniers vœux en épousant Thérèse.
   ZOLA, Thérèse Raquin, XIX.

(...) je faisais des vœux, en attendant sa réponse, pour que ce prix ne dépassât pas mon épargne, déjà fort diminuée par un voyage coûteux.
   FRANCE, le Crime de S. Bonnard, Œ., t. II, p. 328.

(1647). Au plur. Vx. Souhaits d'être aimé de qqn. *L'objet de ses vœux* (→ Céder, cit. 1) : la femme qu'il aime.

Souhaits adressés à qqn. *Des vœux de bonheur* (⇒ **Bénédiction**), *de malheur* (⇒ **Malédiction**). *Faire des vœux pour qqn* (→ Achever, cit. 16), *contre qqn* (Molière, Dom Juan, IV, 6). — *Vœux de bonheur adressés, envoyés à des jeunes mariés.* Absolt. *Tous mes* *vœux! Vœux de bonne année, de bonne santé* (→ Souhaiter* la bonne année). Absolt. *Meilleurs vœux pour l'année 1985. Expédier des cartes de vœux pour Noël. — Vœux de rétablissement, de réussite...*

♦ **5.** (1791). Volonté, intention exprimée par une autorité légitime. *Le vœu de la loi :* ce qu'exige la loi. *Le vœu de la nature* (→ Attacher, cit. 20). — (Fin XIXᵉ). Demande, requête... faite par qui n'a pas autorité, ou pouvoir pour la faire. *Ce n'est pas un ordre, c'est un vœu. Les cahiers* (cit. 6) *qui résumaient les vœux de la nation,* en 1789. *Les assemblées consultatives, les Conseils n'émettent que des vœux.* ⇒ **Résolution.** *Le Directoire n'envoyait plus que des vœux à Bonaparte* (→ Suggestion, cit. 3).

HOM. Formes du v. **vouloir.**

VOGELIA [vɔʒelja] n. m. — XXᵉ ; *vogélie,* n. m., 1876 ; du nom du botaniste allemand Theodor *Vogel,* 1810-1841.

♦ Bot. Plante herbacée, annuelle, d'un vert grisâtre, à fleurs jaunes, qui pousse dans les terrains calcaires *(Crucifèracées).*

VOGOUL, VOGOULE [vogul] n. m. et adj. — XXᵉ ; nom donné par les Russes au *kanti,* nom autochtone de cette langue.

♦ Ling. Langue ougrienne parlée dans l'Oural. *L'ostiak et le vogoul.*

VOGUE [vɔg] n. f. — 1466 ; «action de voguer» ; XVᵉ, Amyot ; déverbal de *voguer.*

♦ **1.** État de ce qui est apprécié, recherché par le public pendant un temps plus ou moins long ; état de ce qui est à la mode. *Ce chanteur a la vogue, une grande vogue.* ⇒ **Faveur** (publique). *Portraitiste* (cit.) *qui obtient la vogue.* ⇒ **Popularité.** *Sa vogue augmente, baisse. La vogue des cheveux longs, des jupes courtes.* ⇒ **Mode.** *La vogue d'un livre* (→ Apologiste, cit. 4), *d'un écrivain. L'opinion* (cit. 25) *fait la vogue. Le scooter a connu une vogue extraordinaire.* ⇒ **Succès.**

1 (...) par ce seul fait que la comédie de Molière existait, avait la vogue, de l'aveu des contemporains, elle inclinait le goût du public du côté de la réalité et de l'observation (...)   Émile FAGUET, *Études littéraires,* XVIIᵉ s., Molière, III.

(1480). **EN VOGUE :** à la mode. *Auteur, chanteuse en vogue* (→ Être la coqueluche*, faire florès*, faire fureur*). *Littérateurs en vogue.* ⇒ **Crédit, renom** (→ État, cit. 59). *Objet, gadget en vogue.* ⇒ **Cri** (dernier cri), **demandé** (→ fam. In*, dans le vent*). *Remède en vogue* (→ Guérir, cit. 6 ; spécifique, cit. 1). *Artisanat en vogue.* ⇒ **Florissant** (→ Lampisterie, cit.).

2 (...) un jeune homme alors fort en vogue dans le monde élégant. Monsieur de Trailles, la fleur du *dandysme* de ce temps-là, jouissait d'une immense réputation (...)   BALZAC, Gobseck, Pl., t. II, p. 642.

♦ **2.** (XVIIIᵉ ; l'étym. de *voguer*, — *vocare* «convoquer» — expliquant le sens). Régional. Fête, foire* annuelle d'un village (région du Sud-Est, Lyonnais).

3 Par bonheur je m'étais trouvé à la *vogue* de Mont-Fleury avec une de ces dames et son mari (...)   STENDHAL, Mémoires d'un touriste, t. II, p. 161.

CONTR. Impopularité ; désuétude. — (De *en vogue*) Discrédité ; démodé, désuet.

VOGUER [vɔge] v. — V. 1210 ; orig. incert. selon Wartburg, de l'anc. bas all. *wagon,* devenu *wogon,* ou, selon Guiraud, d'orig. romane, du provençal *vogar* «avancer à la force des rames», p.-ê. du lat. *vocare* «exhorter (les rameurs) à se mettre en mouvement» ; en emploi trans. jusqu'au XVIᵉ, au sens de «faire avancer à force de rames».

Vieux ou littéraire.

★ **I.** V. intr. ♦ **1.** Avancer à force de rames (⇒ **Ramer**). *Galère qui vogue.* — Loc. fig. *Vogue la galère! :* arrive ce qui pourra ! (→ Advienne* que pourra, le sort* en est jeté).

1 Il sortit, courut, traversa les jardins et le talisman au fond d'un puits : «Vogue la galère, dit-il. Au diable toutes ces sottises!»   BALZAC, la Peau de chagrin, Pl., t. IX, p. 188.

♦ **2.** Avancer sur l'eau. ⇒ **Naviguer.** *«Nous voguions en silence»* (→ Cadence, cit. 6). *Vaisseau en état* (cit. 43) *de voguer* (→ Tenir la mer*). *Les bateaux qui sur le Rhin voguent* (→ Sapin, cit. 1).

♦ **3.** (Déb. XVIIᵉ). Par métaphore, fig. Naviguer. *La pensée vogue.* → Style, cit. 12. — *Voguer vers un rivage :* se diriger vers un but.

2 Elle voguait déjà vers d'autres rivages ; et, le cœur battant fort, semblable au navire qui appareille, elle sentait frémir en elle les pulsations d'une nouvelle vie.   MARTIN DU GARD, les Thibault, t. VIII, p. 48.

★ **II.** V. tr. (1337, *voguer les avirons*). Techn. (1765). Vx. *Voguer l'argile,* la manier, la pétrir avant tournage.

DÉR. Vogueur.

VOGUEUR [vɔgœʀ] n. m. — 1536 ; *vogueor,* XIIIᵉ ; de *voguer.*

♦ Vx ou littér. Rameur. — Par métaphore : *«Vogueurs d'infini»* (Patrick Grainville, les Flamboyants, p. 139).

VOICI [vwasi] prép. — 1485 ; *vois ci,* fin XIIᵉ ; a supplanté la forme *veci* (*vez ci,* XIIᵉ) ; de *vois,* impératif de *voir* (ou «thème verbal» issu de l'indicatif), et *ci.* — REM. Hors les cas d'opposition, *voilà* est plus courant que *voici.*

♦ **1.** Désigne, annonce une chose ou une personne relativement proche. *Voici mon fils* (→ Présomptif, cit.). *Voici l'homme* (cit. 118). ⇒ **Ecce homo.** — *Le voici, les voici* (→ Approche, cit. 1 ; 1. dire, cit. 10 ; parti, cit. 18). *Me voici. Nous voici.* — Allus. hist. *La Fayette, nous voici ! — Voici une porte* (1. Porte, cit. 21), *voici mon* (cit. 3) *bol... «Voici des fruits, des fleurs (...)»* (cit. 6). *En voici. Voici de quoi* (cit. 17 ; et *supra*) *écrire, manger.* — *«Enfants, voici des bœufs qui passent»* (→ Rouge, cit. 1). *Le voici qui arrive, qui vient.* — REM. *Le voici qu'il vient,* tour condamné par Vaugelas, est franchement archaïque. «*Le voici qu'il ne peut plus se contenir (...) dans l'étendue»* (Valéry, *Eupalinos*).

(Avec l'inf.). *Voici venir :* voici (qqn) qui vient. *Voici venir une jeune reine* (→ Sylphide, cit. 2). — REM. Le tour était vieilli au XVIIIᵉ s. ; Voltaire le critique ; il est redevenu vivant au XIXᵉ s. — Avec *à...,* il marque que l'action est en train de se faire. *«Me voici à trembler comme une pensionnaire»* (Bourget, *Mensonges,* p. 239, *in* Sandfeld).

1 Et les voici vibrer aux cuivres du couchant.   VERLAINE, Sagesse, I, VII.

2 Voici venir, sur un long plat ovale, un monticule brun et doré.   J. ROMAINS, les Hommes de bonne volonté, t. IV, VI, p. 44.

♦ **2.** (Avec une valeur temporelle). Désigne ce qui arrive, approche, commence à se produire. «*Tu réclamais le soir ; il descend ; le voici»* (→ Envelopper, cit. 8). *Voici la pluie* (cit. 10), *le soleil.* — *Voici la Noël* (cit. 5) *qui arrive. Voici venir Noël. «Voici venir les temps...»* (→ Encensoir, cit. 2, Baudelaire).

♦ **3.** Désigne les choses dont il va être question dans le discours (opposé à *voilà*). → Fourrer, cit. 30. *Voici ce qu'il répondit...* (→ Lardon, cit. 2 ; spleen, cit. 1). *Voici, mon cher ami, ce que je vous dédie* (→ Main, cit. 112). *Voici le fait, voici ce que j'ai à vous dire... Voici où il voulait en venir. Cette question, la voici* (→ Poser, cit. 18). *Voulez-vous des contes : en voici* (→ Muraille, cit. 5). — Ellipt. *Voici...* (→ Thèse, cit. 3). *«Voici. Je m'appelle Jean Valjean»* (Hugo, les Misérables, I, II, III).

♦ **4.** Présentant un nom, un pronom caractérisé par un adj. ou un compl. avec la même valeur que *voilà* (3.). *Vous voici tranquille :* vous êtes tranquille, maintenant. *Me voici arrivé* (cit. 42). *Les voici disposés à croire...* (→ Nuance, cit. 8). *Nous voici bien.* → Jeun (à), cit. 2. — *Nous voici dans la salle* (→ 1. Masque, cit. 27). *Les voici dans les bras l'un de l'autre* (→ Réconcilier, cit. 7). — Fig. *Nous y voici.* ⇒ **Voilà.** *Le voici qui rature* (cit. 1) *des pages imaginaires. «(...) Hélas, me voici tout en larmes»* (Verlaine, Sagesse, II, IV, VIII).

3 — (...) Le voici donc enfin abattu, l'édifice de votre amour-propre? La voici terrassée, cette Sygne que Dieu n'a pas faite ! Le voici arraché jusqu'aux racines, Ce tenace amour de vous-même !   CLAUDEL, l'Otage, II, 2.

♦ **5.** (Suivi d'une complétive, souvent avec inversion du sujet). *Voici que...* ⇒ 1. **Que,** cit. 6. *Voici qu'il commence à comprendre que...* (→ 1. Pas, cit. 1). — *Voici comme* (→ Bouche, cit. 14), *comment* (→ Pain, cit. 15) *il faut faire.*

4 Et voici que le monde est un objet utile
Objet voluptueux indestructible et roi.   ÉLUARD, Poésies, «Tout est sauvé».

(Avec inversion du sujet). *Voici que tombe la nuit.*

♦ **6.** (XVIIᵉ). Introduit par *que* (2. Que, I., 1.), s'emploie pour désigner qqch., qqn. *Les frusques* (cit. 3) *que voici. Monsieur que voici* (cf. Ici présent).

5 (...) et de ce couteau que voici je me tuerai sur la place.   MOLIÈRE, George Dandin, III, 6.

♦ **7.** (1629). Littér. Il y a (un certain temps). ⇒ **Voilà.** *Voici tantôt mille ans* (cit. 2) *que... Voici cinq ans* (⇒ Desservant, cit. 2 ; et aussi repentir, cit. 5). *Voici des siècles que...* (⇒ Destinée, cit. 15) *je ne t'ai vu. Voici bien un an que je n'ai quitté Paris* (⇒ Ne).

6 Voici plus de mille ans que la triste Ophélie
Passe, fantôme blanc, sur le long fleuve noir.   RIMBAUD, Poésies, «Ophélie», I.

COMP. Revoici.

VOIE [vwɑ ; vwa] n. f. — XIᵉ, *veie, voie* ; du lat. *via.* → Via.

★ **I.** (Concret). A. ♦ **1.** Espace à parcourir (qu'il soit aménagé ou non) pour aller quelque part. ⇒ **Chemin, passage.** *Direction, détours* d'une voie. Se frayer une voie dans les broussailles. Trouver, suivre, perdre, quitter une voie, la bonne voie. Être détourné de sa voie.* ⇒ **Dévier.** *Boucher, obstruer la voie ; dégager la voie.* — Loc. *Être par voies et par chemins,* toujours en chemin (→ Par monts* et par vaux).

1 Il était toujours par voies et par chemins, passant ses jours et ses nuits dans les cabarets (...)   RENAN, Souvenirs d'enfance..., II, III, Œ. compl., t. II, p. 770.

1.1 Eh bien, ce cousin, m'a-t-on dit, gagne des millions. Ça ne vit pas, ça se brûle le sang, c'est toujours par voies et par chemins, au milieu de trafics d'enfer.   ZOLA, le Ventre de Paris, t. I, p. 89.

Spécialt. Alpinisme. Itinéraire d'ascension. *Ouvrir une voie. Voie directe, «directissime». Par la voie nord.*

♦ **2.** (1690). Cet espace, lorsqu'il est tracé et aménagé. ⇒ **Artère** (2.), **autoroute, avenue, axe** (de circulation), **boulevard, chemin** (B., 2.), ~~route~~, **rue**. *Tracé d'une voie. Voie qui se divise.* ⇒ **Branche.** *Croisement* (cit. 3) *de plusieurs voies. L'état de la voie.* ⇒ **Chaussée** (→ Roulement, cit. 1). *Les grandes voies de communication d'un pays :* routes et voies ferrées (→ ci-dessous, 4.) établies et entretenues pour permettre les communications, les transports*. ⇒ **Réseau, voirie, voyer.** — *Voie publique,* faisant partie du domaine public. *Voie privée,* ordinaire ou ouverte à la circulation publique. *Voie urbaine,* à l'intérieur d'une agglomération (rue, avenue, boulevard...). *Voie express,* à circulation rapide, dans les villes. *Les voies sur berge,* à Paris, le long des quais de la Seine (⇒ **Autoberge**). *Voie classée,* incorporée au réseau officiel des voies de communications. — (Collectif). *La voie publique :* tout espace du domaine public destiné à la circulation (*voies proprt dites et places, squares, etc., dans les villes*). → Attroupement, cit. 3; pavé, cit. 3. *Terrains absorbés par le tracé de la voie publique et terrains hors-ligne*.* — (Dans le code de la route). Route ou rue. *Voie étroite, prioritaire, à sens unique, interdite aux véhicules. Voie sans issue.* — Partie d'une route de la largeur d'un véhicule. *Route à trois, quatre voies. Passage à voie unique,* signalé par des feux. *Voie auxiliaire. Voie d'accélération, de décélération,* sur les autoroutes. *Voie de circulation* (angl. *traffic lane*) : voie.

2 Un vif courant de voitures se portait dans la direction de l'Ouest, et un grouillement continu de piétons gorgeait toutes les voies qui vont de la Concorde à la Bastille.   J. ROMAINS, les Hommes de bonne volonté, t. I, XVIII, p. 187.

♦ **3.** (1636). Grande route de l'Antiquité. *Les voies romaines* (lat. *via*). → Symbole, cit. 1. *La voie Appienne.* — Par anal. *Voie sacrée,* commémorant un itinéraire (religieux, militaire).

3 Cette ville s'appelle en latin *Trivortium,* comme qui dirait trois voies, parce qu'une voie romaine se partageait en trois branches à cet endroit.   Th. GAUTIER, Souvenirs de théâtre..., Statist. départ. Ain.

♦ **4.** (1838). VOIE FERRÉE, et, ellipt., VOIE : l'ensemble des rails mis bout à bout et à écartement fixe qui forment une voie, un chemin pour les convois. ⇒ **Chemin de fer** (cit. 6 et 8; → 1. Gare, cit. 3; tamponnement, cit. 1 et 2). *Parties de la voie.* ⇒ **Accotement, ballast, rail, traverse; infrastructure, superstructure** (et aussi **assiette**). *Les voies d'une ligne. Voie montante, descendante. Convoi qui marche à contre-voie,* dans le sens inverse de la marche normale (⇒ **Contre-voie**). *Ligne à voie unique. Banalisation* d'une voie. Bifurcation, branchement de voies.* ⇒ **Aiguillage, aiguille**(s), **embranchement, épi, raccordement.** *Voie principale, latérale* (cit. 2), *d'évitement. Voie de garage** (cit. 1), *de remisage* (cit.). *Sections de voies,* dans le système de sécurité (⇒ **Block-system**). *Signal qui ferme la voie. Ouvrir, donner la voie* (→ Dépôt, cit. 12). *Profil de la voie. Surveillance de la voie.* ⇒ **Garde-barrière, garde-voie.** *Voies et quais d'une gare. La voie 7* (→ Sûr, cit. 15). *Traverser la voie* (→ Portillon, cit. 1) *par un passage souterrain. Descendre à contre-voie.* ⇒ **Contre-voie.** — *Wagon, voiture... qui quitte la voie, sort de la voie.* ⇒ **Dérailler.**

4 (...) les voies d'un chemin de fer brillaient comme des ornières pleines de pluie. Un train passa dont le sifflement maritime arriva de loin lorsque le dernier wagon eut disparu.   P. NIZAN, le Cheval de Troie, I.

Spécialt. Espace entre les deux files de rails. ⇒ **Écartement.** *Voie étroite, normale.*

Ch. de fer. *Service de la voie,* et, ellipt., n. f., *la voie :* l'un des grands services d'une région ferroviaire (avec le matériel* et l'exploitation*).

4.1 Le chef de section jurait entre ses dents : l'accident semblait dû au mauvais état des voies, mais le chef de dépôt se sentait tranquille. Il pensait :
— Ça n'est toujours pas moi qui trinquerai ... Pas trop tôt que le service de la voie soit emmerdé à son tour ...   P. NIZAN, Antoine Bloyé, p. 131.

♦ **5.** Par anal. *Voies navigables :* fleuves, rivières et canaux. ⇒ **Cours** (cit. 4). *Voies d'eau.*

♦ **6.** (1632). VOIE LACTÉE* (cit. 2) ou *chemin de saint Jacques.* ⇒ **Galaxie** (cit. 1), **nébuleuse.**

♦ **7.** Milieu emprunté pour se déplacer, pour transporter des marchandises. *La voie aérienne, maritime. Par voie de mer*, de terre.*

B. (XIIIᵉ). Chasse. Lieux par lesquels est passée la bête; chemin qu'elle a suivi. ⇒ **Piste, trace; foulée** (1.); → Meute, cit. 3. *Discerner* (cit. 1) *les voies. Couper la voie* (→ Hourvari, cit. 1). *Revenir sur ses voies* (→ Forlonger, cit. 1). *Détourner de la voie.* ⇒ **Fourvoyer.** *Perdre la voie.* — (XVIIᵉ). Vieilli. *N'avoir ni vent ni voie de...* (en parlant d'un chien) : avoir perdu l'odeur et les traces de (l'animal); (fig. en parlant de qqn) : ne plus avoir de nouvelles de (qqn). → Avoir ni vent* ni nouvelles (vx).

5 (...) Cependant, quand au bois
Le bruit des cors, celui des voix,
N'a donné nul relâche à la fuyante proie,
Qu'en vain elle a mis ses efforts
À confondre et brouiller la voie (...)
    LA FONTAINE, Fables, IX, Disc. Mᵐᵉ de La Sablière.

Par métaphore. *Perdre* (cit. 26) *la voie.* — Cour. *Mettre qqn sur la voie* (→ Intriguer, cit. 4), ou (vieilli) *sur les voies* (→ Deviner, cit. 10) : donner des indications* (qqn), aider (qqn) à deviner, à trouver.

C. Techn. ♦ **1.** [a] (Mil. XVIIᵉ). Traces parallèles laissées par les roues d'une voiture.

[b] Écartement des roues, largeur de l'essieu* d'une roue à l'autre. *La voie* (largeur) *et l'empattement d'une automobile. Vallon si resserré qu'il garde à peine la voie d'une voiture,* la largeur (→ Faufiler, cit. 2).

Loc. *Avoir la voie* (1798) ou *être à la voie* (pour un véhicule) : avoir un écartement de roues correspondant au tracé des ornières creusées par les véhicules empruntant habituellement un chemin; (fig.) se conformer à un modèle, à une tradition.

5.1 Je ne suis pas « à la voie », comme on disait chez nous des carrioles dont les roues épousaient exactement les ornières creusées par les charrois (...)
    F. MAURIAC, le Nouveau Bloc-notes 1958-1960, p. 225.

♦ **2.** (1690). Largeur d'un trait de scie; écartement latéral des dents d'une scie. *Donner de la voie à une scie,* en écarter les dents.

D. (Passage). ♦ **1.** (1678). VOIE D'EAU : ouverture au-dessous de la ligne de flottaison, par laquelle l'eau entre dans un navire. *Aveugler, boucher* (cit. 2), *calfater* (cit. 2) *une voie d'eau.*

6 Où était cette voie d'eau? on ne la voyait pas. Elle était noyée. Le volume d'eau qui emplissait la cale cachait cette fissure. Le navire avait un trou au ventre, quelque part, sous la flottaison, fort avant sous la carène. Impossible de l'apercevoir. Impossible de le boucher.   HUGO, l'Homme qui rit, II, XVII.

♦ **2.** Méd. [a] (1314). Anat. Passage, conduit anatomique. ⇒ **Canal** (1.), **conduit.** *Les voies digestives, respiratoires* (ou *aériennes*), *urinaires, biliaires, génitales, lymphatiques. Voies circulatoires.* ⇒ **Vaisseau; branche, rameau.**

[b] (Qualifié, dans des syntagmes indiquant le mode d'administration d'une substance active). *Médicament qui s'administre par voie buccale, intramusculaire, intrarachidienne, intraveineuse* (⇒ **Injection, perfusion**), *rectale.*

7 Vous voyez cette voie réclame pour les débuts d'une station? Hein? Il y a encore le mode d'emploi : Par la voie digestive? Sous forme de douches? de bain? d'inhalations? de fumigations, etc.?
    J. ROMAINS, les Hommes de bonne volonté, t. V, XIV, p. 106.

[c] (Qualifié). Ensemble de structures nerveuses correspondant à la fonction motrice ou à l'une des fonctions sensorielles. *Voies nerveuses. Voie nerveuse principale, accessoire. Voies sensitives : voie acoustique* (ou *auditive*), *gustative, olfactive, optique* (ou *visuelle*), *cénesthésique. Voie de sensibilité cutanée, viscérale. Voies motrices* (→ Réaction, cit. 4). *Voie pyramidale, extra-pyramidale. Voie réflexe.* ⇒ **Faisceau, fibre, système** (nerveux), **tractus.**

[d] Chir. *Voie d'abord, d'accès,* que suit le chirurgien pour atteindre l'organe à opérer.

[e] Anat. *Conduction* (du son) *par voie aérienne, par voie osseuse,* par l'intermédiaire de l'oreille interne, ou des os du crâne.

★ **II.** (XIIᵉ). ♦ **1.** Conduite, suite d'actes orientés vers une fin et considérée comme un chemin que l'on peut suivre. ⇒ **Carrière, chemin, ligne, route, sentier.** *Aller, avancer, entrer* (→ Héroïsme, cit. 9), *marcher dans une voie, dans la bonne voie... Suivre des voies pénibles* (→ Indépendance, cit. 12). *Voie sans issue* (→ Dénouer, cit. 10). *La voie à suivre pour...* ⇒ **Marche** (2. Marche, II., 1.). *Montrer* la voie à qqn. Préparer la voie :* faciliter les choses à faire en écartant, en supprimant les obstacles. *Aplanir* (cit. 6), *frayer* (cit. 8) *la voie, les voies,* en donnant l'exemple. *Ouvrir la voie.* ⇒ **Passage** (→ Grelot, cit. 4). *Précéder* (cit. 6), *suivre dans telle voie. Prendre la voie de réussir* (cit. 6)... — Ellipt. *La bonne, la mauvaise voie* (pour arriver à qqch., obtenir qqch.). ⇒ **Direction.** *Être dans la bonne voie, être en bonne voie,* en passe de réussir (→ Examen, cit. 10; germe, cit. 7).

7.1 Je vais très probablement affirmer à mon compte la rubrique immobilière d'un grand quotidien du matin. Les pourparlers sont en bonne voie.
    J. ROMAINS, les Hommes de bonne volonté, t. V, XXII, p. 188.

Par métaphore du sens I. *Une voie de garage, une voie sans issue.*

La voie de qqn, la situation qui lui convient, où il s'épanouit. Vieilli. *Être dans sa voie.* Mod. *Trouver sa voie* (→ Aptitude, cit. 10).

(1120). Relig. *La voie, les voies du salut* (→ Avertissement, cit. 2), *de la perdition* (cit. 1). *La voie étroite* (cit. 6) *de l'Évangile* (cit. 3); *la voie purgative* (→ Purgatif, cit.), *la voie du rachat* (cit. 2). *La droite voie.* — *Les desseins, les commandements de Dieu. Les voies de Dieu* (→ Attrait, cit. 2; dessein, cit. 8; 1. droit, cit. 9), *de la Providence...* ⇒ **Conduite, dessein.** — *La voie, les voies de l'homme,* sa conduite morale. « *Je te jugerai selon tes voies* » (Bossuet, *Deuxième sermon, Impénitence*). *La voie droite.* — Allus. évang. « *Je suis la voie, la vérité, la vie.* »

8 Que la porte de la vie est petite! que la voie qui y mène est étroite, et qu'il y en a peu qui la trouvent!   BIBLE, l'Évangile selon saint Matthieu, VII, 14.

♦ **2.** [a] Conduite suivie ou à suivre; façon de procéder. ⇒ **Moyen;** → Impur, cit. 6. *La vraie voie par laquelle une chose a été inventée* (→ Analyse, cit. 5). *Les voies de la connaissance* (cit. 24). *Chercher les voies moyennes* (→ Équilibrer, cit. 7), *extrêmes.* — *Faire, obtenir qqch. par voie d'accommodement, de conciliation, de négociations* (→ Litige, cit. 3), *par voie la plus simple, par une voie détournée* (⇒ **Façon**).

9 (...) tout en se constituant un capital par des voies plus ou moins licites, il est peu d'hommes qui ne se permettent quelques bonnes actions.
         BALZAC, *Un début dans la vie*, Pl., t. I, p. 627.

10 Un critique intelligent devrait, au contraire, rechercher tout ce qui ressemble le moins aux romans déjà faits, et pousser autant que possible les jeunes gens à tenter des voies nouvelles.
         MAUPASSANT, *Pierre et Jean, Le roman*.

   b Dr. *Voie de droit* : moyen légal d'assurer la sanction d'un droit (actions en justice, recours, voies d'exécution*). ⇒ **Contrainte** (5.). → Exécutoire, cit. 3. *Voies de recours** (ordinaires et extraordinaires).

   (XIVᵉ). **VOIE DE FAIT** : violence ou acte matériel insultant (→ Bannir, cit. 3 ; noircir, cit. 11). — Fig. Atteinte physique (→ Œuvre, cit. 17).

11 La dernière voie de fait décisive de l'Océan sur notre côte a pourtant date certaine. En 709, soixante ans avant l'avènement de Charlemagne, un coup de mer a détaché Jersey de la France. HUGO, *l'Archipel de la Manche*, I.

   Admin., fin. *Voies et moyens** (*infra* cit. 17).

12 Jean XXII avait besoin d'argent, il inventa la *daterie*, sorte de budget des *voies et moyens*, qui se composait des droits nommés *annates, réservations, provisions, exemptions, expectatives*, tous payés par les royaumes chrétiens.
         STENDHAL, *Mémoires d'un touriste*, t. I, p. 212.

   c (1690, Furetière). Chim. **VOIE HUMIDE** : manière d'opérer, processus impliquant l'utilisation d'un liquide (en général comme solvant) par oppos. à la *voie sèche*, dans laquelle la réaction se produit en l'absence de liquide, le plus souvent sous l'effet de la chaleur. *Composé obtenu, préparé par voie sèche*.

♦ **3.** (Littér., sauf dans : *la voie hiérarchique*). Intermédiaire (cit. 4) ou suite d'intermédiaires qui permet d'obtenir ou de faire qqch. *Je le sais par les voies les plus sûres* (→ Nez, cit. 42). *Agir, intervenir par la voie diplomatique*. *Réclamer par la voie hiérarchique**. ⇒ **Entremise.** *Envoyer, recevoir par une voie secrète, sûre*.

   Loc. *Par voie de conséquence* : en conséquence (avec une idée d'enchaînement progressif).

13 Démocratie, paix, honneur (...) c'est par là, écrivains de France, que vous pouvez confirmer votre honneur d'écrivain, — et, par voie de conséquence, votre fondamentale liberté. J.-R. BLOCH, *Responsabilité du talent* (Disc. 1946).

♦ **4.** (XIᵉ, au sens propre, *en voie* «loin, parti, sorti»). Loc. (1283). **EN VOIE DE...**, se dit de ce qui se modifie dans un sens* déterminé. ⇒ **Commencer** (à), **devenir, train** (être en train de...). *En voie de formation, d'organisation, de disposition... Plaie en voie de cicatrisation* (→ Pulmonaire, cit. 2). *Pays en voie de développement**. *En voie de se rétablir* (cit. 10).

★ **III.** (V. 1300). Vx. S'est dit de diverses quantités (mesures, charges) qui peuvent être portées en un seul voyage*, en une fois. *Voie de charbon, de bois...* (charretée, environ deux stères). *Voie d'eau* : deux seaux pleins.

14 Elle donne tous les ans vingt-quatre voies de bois que je distribue aux malheureux, pour la demi-voie que je lui ai jadis envoyée.
         BALZAC, *Mᵐᵉ de la Chanterie*, Pl., t. VII, p. 291.

   Par métonymie. Dispositif servant à mesurer une voie de bois.

15 Une petite dame (...) qui croit qu'il n'y a rien de plus simple (...) que de se faire mesurer les trois ou quatre voies de bois qu'elle vient d'acheter (...)
La mesure de la voie est placée, le cordeur s'avance (...) Notre homme (...) prend les bûches, les place dans la voie avec une telle vivacité, que la pratique n'y voit que du feu. Ch. PAUL DE KOCK, *la Grande Ville*, t. I, p. 42.

   DÉR. Dévoyer, fourvoyer. — V. **Envoyer, voyage, voyou.**
   COMP. Claire-voie, contre-voie, entrevoie.
   HOM. Voix ; formes du v. **voir.**

VOILÀ [vwala] prép. — 1538 ; *ves la*, 1283 ; de *vez, voi*, impér. ou thème verbal de *voir*, et *là*. — REM. La forme *vez là* a survécu dans la prononciation *vela*, courante au XVIᵉ s. et au XVIIᵉ s. et qui a donné la forme pop. *v'là* (→ Plaisir, cit. 41 ; rien, cit. 97 ; tondeur, cit. 2).

Désigne une personne ou une chose, et, plus particulièrement, ce qui est relativement éloigné, ce qui vient d'être exprimé. ⇒ **Voici.** — REM. *Voici* et *voilà*, habituellement appelés prépositions, ont en réalité gardé, de leur origine verbale, une valeur syntaxique particulière (certains les appellent «présentatifs»).

♦ **1.** Désignant une chose ou une personne. ⇒ **Là** (c'est, ce sont là...). — REM. L'opposition classique entre *voici* et *voilà* (proche et éloigné) n'est plus respectée : «*Mon sillon? Le* (2. Le, cit. 5) *voilà. Ma gerbe? La voici*». La langue courante emploie *voilà* dans tous les cas.

   Où sont les vingt francs? Les voilà (→ Fouiller, cit. 33). *Voilà le maquereau, mesdames!* (→ 1. Frais, cit. 25). — *Voilà un fameux gaillard* (cit. 17), *un brave homme...* (→ aussi Assommer, cit. 15). — *Voilà pour vous. — Voilà de l'argent, en voilà.* ⇒ **Tenir** (tiens! *supra* cit. 4). «*Tiens! Voilà du boudin (...)*» (chanson de marche de la Légion).

1 Voici notre roi, peuple, et voilà votre reine. CORNEILLE, *Rodogune*, V, 3.

2 Pierre vous apporte-t-il autre chose qu'une cruche et du pain? Une cruche, la voilà ; du pain, en voilà (...) Ch. NODIER, *Contes, Lidivine*.

3 — Et le Recousu retira d'autour de ses reins une ceinture de marchand de bœufs. — «Tiens, voilà tes deux mille deux cents!»
         Ed. DE GONCOURT, *les Frères Zemganno*, XXII.

   (Avec un pron. pers., placé avant *voilà*). *Le voilà, c'est* lui. «*Ah, vous voilà, bandit!*» — *Oui, cousin, me voilà*» (Hugo, *les Burgraves*, I,

---

2, *in* Le Bidois). *Oui, te voilà, c'est toi, ma blonde...* (→ 1. Muse, cit. 8). *Coucou, le voilà!*

4 Le dervis, à ces mots, court, traverse la place,
Arrive, et reconnaît le pacha son ami.
Bon! te voilà! dit celui-ci (...) FLORIAN, *Fables*, VI, 7.

5 — Te v'là toi donc, Claudius. — Oui, me voilà bien! — Alors, te v'là comme ça, Claudius! — Comme ça, me v'là!... Pour bien dire, c'est moi, comme vous voilà vous, l'Adèle. — Alors, te v'là! G. CHEVALLIER, *Clochemerle*, VIII.

Voilà notre ami qui vient, qui arrive (avec le sens de *voici*). *Voilà un bonnet qui est perlé* (cit. 4). *Le voilà qui...* Pop. «*Me voilà d'entrer avec lui dans la grange*» (M. Aymé, *la Vouivre*, p. 103).

   Vx (construit avec *de* partitif). *Voilà de vos beaux faits* (cit. 9).

6 C'est là de bon style officiel. Voilà de bonne publication.
         Ch. PÉGUY, *la République...*, p. 16.

   EN VOILÀ : voilà de ceci. *Vous en voulez? En voilà. En voilà pour dix francs.* — (1750). Loc. adv. **EN VEUX-TU, EN VOILÀ** : beaucoup, tant qu'on en veut (→ 1. Vouloir, cit. 16.2, 16.3). «*Ali m'a donné (...) des fusils et des sabres! (...) en veux-tu, en voilà*» (Balzac, *Un début dans la vie*, Pl., t. I, p. 649). «*Un libertin (...) des maîtresses en veux-tu en voilà.*» (Aragon, *les Beaux Quartiers*, p. 87).

   (Exclamatif, pour mettre en relief). *En voilà, un imbécile! En voilà une blague, la politique* (2. Politique, cit. 19). *En voilà une affaire! En voilà des manières! En voilà des raseurs* (→ Rappel, cit. 4). *En voilà trois qui ont un fameux poil* (cit. 15) *dans la main!* — Pop. *En voilà une de femme!* (Balzac, *Splendeurs et Misères des courtisanes*, II).

7 — Eh bien! dit Polo Griffo, en voilà d'une bonne? Aimez donc les gens pour qu'ils vous traitent comme cela! MÉRIMÉE, *Colomba*, XVI.

   Ellipt. *Voilà!*, interjection qui répond à un appel, à une demande... *Garçon, un demi! Voilà, voilà... j'arrive!* : attendez un instant.

8 — Monsieur a sonné? — Vite! une plume, du papier, que je refasse ma carte. — Voilà! voilà! E. LABICHE, *Marquises de la fourchette*, 8, *in* DAMOURETTE et PICHON.

   QUE VOILÀ. «*Toi que voilà*» (Verlaine). *La belle que voilà* (chanson). *L'homme que voilà*, celui-là.

8.1 — Vous êtes allé chercher la croix que voilà, lui dit le marquis.
         STENDHAL, *le Rouge et le Noir*, II, VII.

   Exclam. (⇒ 1. **Que**, II., 2.). «*Que voilà donc du sens commun!*» (→ Limpide, cit. 7). «*Ah! que voilà un air qui est passionné!*» (→ Mourir, cit. 42). «*Que voilà qui est scélérat*» (Molière, *le Bourgeois gentilhomme*, III, 10).

♦ **2.** Désignant les choses dont il vient d'être question dans le discours (par oppos. à *voici*). «*Valeur, bonté (...) voilà pour le cœur ; vivacité, pénétration (...) voilà pour l'esprit*» (→ Héros, cit. 22 ; et aussi austérité, cit. 15 ; liberté, cit. 28). *Peindre des caractères* (cit. 67), *voilà donc l'objet de la haute comédie.* «*Après m'avoir sauvé, il s'est sacrifié. Voilà l'homme*» : il est ainsi*, tel* est son caractère (→ Ingrat, cit. 7).

9 Aimer, prier, chanter, voilà toute ma vie.
         LAMARTINE, *Nouvelles méditations*, «Le poète mourant».

Voilà ce qui fait que votre fille est muette (cit. 1). «*Voilà ce que c'est que d'aller au bois où sont les fées*» (France, *Vie littéraire*, IV, p. 82), telles en sont les conséquences*. ⇒ **Être** (1. Être, IV., 2.). *Je vous dis que vous avez causé!*

9.1 — Hein!... est-il exigeant, cet animal-là! voilà ce que c'est que de les gâter.
         E. LABICHE, *Célimare le bien-aimé*, II, 8.

   Plus cour. *Voilà ce que c'est de désobéir. Voilà le hic* (cit. 2), *le plus beau, le pire...* — *Voilà tout, et voilà tout.* ⇒ **Tout** (*supra* cit. 76). — *En voilà assez* : cela suffit. — *En voilà pour* (suivi d'une indication temporelle) : ce qui vient d'être désigné durera, continuera... *En voilà pour jusqu'à midi* (→ Fricot, cit. 2). — Employé seul, *voilà, et voilà*, sert à clore une déclaration. Cf. J'ai dit, j'ai fini, c'est tout.

   Avec une valeur exclamative. C'est (ce sont) bien..., c'est vraiment. *Voilà bien les hommes* (cit. 128). *Vous êtes un joli neurasthénique* (cit. 1), *voilà ce que vous êtes!* — Absolt. *Ah! voilà!* : c'était donc ça (cf. Vous m'en direz tant).

   Pour marquer l'approbation. *Voilà* (Cf. C'est cela).

9.2 «VOILÀ!» Approbation que vous délivrez vous-même au brillant parleur comme s'il avait réussi un fameux tour de cartes.
         P. DANINOS, *Un certain Monsieur Blot*, p. 235.

   Construit avec *qui*, en valeur neutre. ⇒ **Qui** (*infra* cit. 59). *Voilà qui est louche* (1. Louche, cit. 9), *voilà (une chose...) qui... Voilà qui est bien.* Spécialt. *Voilà qui va bien* : cela suffit, c'est assez (cf. Ça va bien comme ça).

10 Hélas, pensez-vous, voilà qui doit être délicieux, mais qui ne nous arrivera jamais!
         G. DUHAMEL, *les Plaisirs et les Jeux*, I, IV.

   Vx (construit avec l'inf.). *Voilà trop causer* (→ Missive, cit. 3 ; et aussi expédier, cit. 10) : voilà (qui est...). *Voilà aimer* (Hugo, *Lucrèce Borgia*, II, 1).

   REM. 1. *Voilà* s'oppose à *voici* dans l'exemple partout cité de *Britannicus* : «*Voilà tous mes forfaits, en voici le salaire*» (cit. 7) ; mais dans la langue moderne *voilà* tend à remplacer *voici* pour présenter ce qu'on va dire : *j'ajoute mon souhait, voilà lequel...* (→ Là, cit. 10). *Voilà, camarades...* (→ Jaune, cit. 13). Cf. aussi France, in Le Bidois, *Syntaxe du franç. moderne*, § 216 ; Vigny, Mauriac, etc. in Grevisse, *le Bon Usage*, § 948, REM 4.

11 (...) aujourd'hui *voilà* annonce très souvent des choses qui vont suivre au lieu de se rapporter à ce qui précède, quoique tous les grammairiens, y compris Littré, maintiennent la distinction : *Voilà* ce qui va arriver, *le taux de l'intérêt baissera.*

F. BRUNOT, la Pensée et la Langue, p. 8.

2. Comme les autres tours «présentatifs» *(c'est... que...), voilà... que...* sert à mettre en vedette l'objet, avant le verbe.

12 *Voilà, voilà les cris que je craignais d'entendre* (...) RACINE, Iphigénie, IV, 5.

♦ **3.** S'emploie pour présenter un substantif, un pronom caractérisé (par un adjectif, un participe, une proposition), en relation avec des circonstances déjà exprimées (ou sous-entendues). *Vous voilà content :* vous êtes content, à présent, maintenant (que telle ou telle chose a eu lieu). *Voilà,* par suite, peut exprimer le soulagement, la surprise, l'émotion. *Me voilà rendu* (cit. 26). *La voilà partie* (→ Alarmer, cit. 6), *bien triste* (→ Bouder, cit. 1). *Le voilà se costumant* (→ Tarbouch, cit. 1).

12.1 Les mains dans les poches, Narcense rentrait chez lui.
— Alors, vous voilà revenu ! dit Saturnin.
— Vous voyez, j'ai pris des vacances. R. QUENEAU, le Chiendent, p. 321.

Nous voilà bien*, nous voilà frais... «Comme te voilà grande, famille !» (Musset, *On ne badine pas avec l'amour,* I, 2).

12.2 Me voilà bien ! Il ne nous trouvera pas chez les Blanchard, ça va faire une histoire !
E. LABICHE, la Poudre aux yeux, II, 10.

Le voilà qui se fâche, qui prend le mors (cit. 3) *aux dents.* ⇒ **Qui** *(supra* cit. 13). — *«Voilà Madame à crier, à pleurer(...)»* (Mme de Sévigné, 854, 18 sept. 1680).

13 (...) voilà M. de Turenne tué ; voilà une consternation générale ; voilà Monsieur le Prince qui court en Allemagne : voilà la France désolée.

Mme DE SÉVIGNÉ, 421, 31 juil. 1675.

14 La voilà donc ouverte, à la fin, cette porte ; et c'est au moment indiqué par Le-Jay (...) BEAUMARCHAIS, Mémoires sur l'affaire Goëzman, p. 11.

15 Voilà le maître dans une colère terrible et tombant à grands coups de fouet sur son valet (...) DIDEROT, Jacques le fataliste, Pl., p. 506.

(En corrélation avec un adv. ou une circonstance de temps). *Comme, tandis que..., voilà... «À peine suis-je dans la rue, voilà un violent orage qui éclate»* (Daudet, *Lettres de mon moulin,* «À Milianah»). ⇒ **Soudain.**

(Avec un compl. de lieu). *Nous voilà dans la place ; nous y voilà.* — Fig. *Nous* (cit. 11) *y voilà :* nous abordons enfin le problème, la question... (cf. Nous y arrivons, nous y sommes). *Vous y voilà, vous avez trouvé. — «Nenni* (cit.). — *M'y voici donc? — Point du tout. — M'y voilà?»*

16 — (...) je n'ai pu me défendre de t'aimer. — (...) Nous y voilà ; adieu.
MARIVAUX, le Jeu de l'amour..., II, 12.

♦ **4.** (Suivi d'une complétive). S'emploie pour présenter une circonstance nouvelle. ⇒ **Que** (1. Que, cit. 7 ; et *supra). Soudain, voilà que... Voilà qu'en poétisant, je rencontrai une jeune femme* (→ Occitanien, cit. 2). *Mais voilà que la route n'est plus qu'une ornière* (cit. 3) *affreuse. «Et voilà que je suis tué, dans une embûche (...)»* (→ Par, cit. 53). *Voilà qu'on m'appelle* (→ Tantôt, cit. 2).

17 Voilà donc que tu dors sous cette pierre grise !
Voilà que tu n'es plus, ayant à peine été ! HUGO, les Contemplations, VI, VIII.

18 — Un accident ? (...)
— Non... j'étais monté dedans pour venir ici... et que voilà que je me trouve à côté d'une petite... de l'œil ! du nez ! de la dent ! E. LABICHE, Un gros mot, 6.

REM. L'inversion du sujet est fréquente après *voilà que...*

19 La nuit ! la nuit ! la nuit ! Et voilà que commence
Le noir de profundis de l'océan immense.
HUGO, la Légende des siècles, XXXIV, II.

Voilà comme (→ Finir, cit. 17), *comment, pourquoi* (cit. 22)... *Voilà où cela s'est passé* (lieu). Fig. *Voilà où je veux en venir.* ⇒ aussi **Là** (là où...).

♦ **5.** Vx. *Ne voilà pas, voilà pas,* s'employait pour exprimer la surprise, pour «voilà donc, bien qu'on ne s'y attendît pas...». «Hé bien ! *Ne voilà pas encore de son style?»* (→ Négatif, cit. 3, Molière). *Ne voilà pas de mes mouchards* (cit. 2). — Vieilli. *Ne voilà-t-il pas que... (cf.* Balzac, Gauthier, Verlaine, Courteline, etc., *in* Damourette et Pichon). Ellipt. *Ne voilà-t-il pas !* (Marivaux, *le Jeu de l'amour et du hasard,* II, 6). Cf. Eh bien ! tiens !..., marquant l'étonnement. — Mod. (fam., régional). *Voilà-t-il pas,* et, pop. rural et vieilli, *voilà-ti-pas, vlà-ti-pas que...*

20 «À Moscou ! — Va pour Moscou !» dit l'armée. Nous prenons Moscou. Voilà-t-il pas que les Russes brûlent leur ville !
BALZAC, le Médecin de campagne, Pl., t. VIII, p. 464.

21 (...) Voilà-t-il pas, pauvre homme,
Que j'ai peur de le voir rentrer, moi, maintenant !
HUGO, la Légende des siècles, LII, IX.

♦ **6.** (Explétif). Employé pour présenter ou souligner un argument, une objection. *C'était simple, seulement voilà, il suffisait d'y penser* (→ Œuf, cit. 9).

♦ **7.** Il y a (suivi d'un nom désignant une durée). ⇒ 1. **Faire** (II., E., 3. : ça fait...). *Elle a décampé, voilà quinze jours* (→ Frusque, cit. 4). *Voilà... que... Voilà trois mois que je lis de la métaphysique* (→ Abstraction, cit. 6), j'en lis depuis trois mois (→ aussi 2. Neuf, cit. 4). *Voilà longtemps* (cit. 6) *que... —* Avec la négation. *Voilà huit jours qu'il n'est pas venu* (→ Ne, I., 2. c). *«Voilà dix*

ans que je n'ai vu le soleil» (Flaubert, *Salammbô,* VII, *in* G. et R. Le Bidois, *Syntaxe du franç. moderne,* § 1445).

Le tour avec *voilà...* fait voir le temps écoulé, du point de vue actuel, c'est-à-dire dans son rapport avec le moment où l'on parle : «*Voilà trois ans que je ne l'ai vu.»* Le tour *il y a...* sert seulement à constater soit une période de temps entièrement écoulée (...) soit une période qui dure encore présentement (...) 22

G. et R. LE BIDOIS, Syntaxe du franç. moderne, § 317.

Le garde était mort voilà trois semaines (...) 23
MONTHERLANT, les Célibataires, VIII.

(Avec le passé défini, quand le verbe est accompagné d'une précision temporelle). *«Voilà trente ans que je la vis pour la première fois»* (France, *in* Le Bidois).

COMP. Revoilà.

1. VOILAGE [vwalaʒ] n. m. — 1905, in *Rev. gén. des sc.,* n° 1, p. 38 ; de 1. *voile* ; un homonyme, en anc. franç. (*voilage,* 1293, «péage sur les bateaux») est dér. de 2. *voile.*

★ **I.** (De 1. *voile,* II., 2., b, ou de *voilé,* 3. → 1. Voiler). Action de voiler ; fait de se voiler (d'une photo). ⇒ **Surexposition.**

★ **II.** ♦ **1.** (1933). Garniture d'étoffe transparente, de voile sur un vêtement. *Voilage d'un chapeau.*

♦ **2.** (V. 1950). Grand rideau de voile. *Voilages pour baies. Faire nettoyer des voilages chez le teinturier.*

2. VOILAGE [vwalaʒ] n. m. — Mil. xxe ; de 2. *voiler,* II.

♦ Techn. Le fait de se voiler (pour une roue). ⇒ **Voilement.**

1. VOILE [vwal] n. m. — 1170, «rideau» ; du lat. *velum.* → Velum.

★ **I.** Morceau d'étoffe destiné à dérober aux regards une chose, une personne.

♦ **1.** Étoffe qui cache une ouverture, une porte, une fenêtre. ⇒ **Rideau.** *Le voile du Temple de Jérusalem.* — Étoffe dont on couvrait les statues des dieux ; dont on couvre un monument, une plaque... avant l'inauguration.

(...) Vercingétorix serait apporté place Sainte-Ursule, par les soins mêmes de l'artiste (...) Un voile recouvrirait l'ensemble de la statue jusqu'à l'heure des discours. J. ROMAINS, les Copains, VII. 1

(1622). Liturgie. *Voile du calice :* étoffe de soie destinée à couvrir le calice.

♦ **2.** Morceau d'étoffe plus ou moins transparente destiné à cacher le visage. *Voile d'une vierge* (→ Harmonie, cit. 28). *Vénus baissa* (cit. 1) *son voile.* — (Déb. xixe). Dans certains groupes sociaux — notamment islamiques —, *Voile* qui cache le bas du visage et ne laisse apparaître que les yeux, porté par les hommes (⇒ **Litham**), ou plus souvent par les femmes (⇒ **Tchador**). → Cagoule, cit. 3 ; dévoiler, cit. 6 ; harem, cit. 5. — *Porter le voile* (⇒ 1. **Voiler** [voilé]). *Relever son voile par bravade* (cit. 2). *Sans voile :* à visage* découvert. — *Voile d'un Targui** (cit. 2). — *Voile noir de deuil,* que portent les femmes en deuil. ⇒ **Crêpe** (→ Lugubre, cit. 1 ; spectre, cit. 5). *Veuve qui porte le voile* (→ aussi Renifleur, cit. 1).

Il marchait longtemps sur la mousse humide et molle, tandis qu'une légion de corbeaux, accourus de tous les voisinages pour coucher dans les grandes cimes, se déroulait à travers l'espace, à la façon d'un immense voile de deuil flottant au vent, en poussant des clameurs violentes et sinistres. 1.1

MAUPASSANT, la Petite Roque, Pl., t. II, p. 633.

♦ **3.** Coiffure féminine de tissu fin, flottante, qui cache la tête. *Voile de religieuse*.* ⇒ **Velet** (→ Notre, cit. 5). — Spécialt. Cette coiffure, symbole de la profession, de l'entrée en religion des femmes. — Loc. (Fin xviiie). *Prendre le voile :* se faire religieuse (→ Monastère, cit. 3). *Prise* (cit. 21) *de voile :* entrée en religion (→ Froc, cit. 4).

Voile de mariée (cit. 12), *de communiante :* voile de gaze, de dentelle, de tulle blanc qui fait partie de la parure traditionnelle, et souvent maintenu par une couronne. *Demander un morceau de son voile à la mariée, comme porte-bonheur.*

Son voile de Malines — ce manteau impérial de toutes les mariées, fragile, hélas ! comme leur empire, — descendait jusqu'à ses pieds (...) 2

BARBEY D'AUREVILLY, Une vieille maîtresse, I, XI.

Morceau de tissu fin qui orne un chapeau, une coiffure. ⇒ **Voilette.** *Le voile d'un hennin.*

(...) à travers son voile, qui de son chapeau d'homme descendait obliquement sur ses hanches, on distinguait son visage dans une transparence bleuâtre, comme si elle eût nagé sous des flots d'azur. FLAUBERT, Mme Bovary, II, IX. 3

(Déb. xxe). Coiffure flottante de tissu fin qui enferme les cheveux par mesure d'hygiène. *Voile d'infirmière* (→ Inlassable, cit. 3). *Voile blanc à croix rouge* (→ Fanchon, cit.). *Voile bleu des nurses* (cit.).

♦ **4.** (Déb. xixe). Littér. (Du vêtement antique). Vêtement léger et transparent qui couvre le corps féminin (→ Pudique, cit. 1). *Satyre* (cit. 2) *qui soulève les voiles d'une nymphe endormie. La transparence des voiles* (→ Indécent, cit. 6). *La danse des sept voiles de Salomé.*

4 La femme nue, c'est le ciel bleu. Nuages et vêtements font obstacle à la contemplation. La beauté et l'infini veulent être regardés sans voiles.
HUGO, *Post-scriptum de ma vie*, VI.

♦ **5.** (1723 ; du *voile* des religieuses, fait de ce tissu). Tissu léger et fin, d'armure toile. *Voile de coton, de soie, de laine. — Voile pour faire des rideaux.* ⇒ **Voilage.**

5 Dans ta robe de voile mauve et de strass, tu as pourtant l'air tout nue (...)
COLETTE, *Prisons et Paradis*, p. 219.

★ **II.** (Fin XIIᵉ, *voil*). Abstrait. ♦ **1.** Ce qui cache quelque chose. ⇒ **Enveloppe, masque, manteau** (fig.). Littér. *Mettre un voile devant ses sentiments* (→ Clair, cit. 27). ⇒ **Cacher, gazer** (vx), **dissimuler, masquer.** *Couvrir* (cit. 23) *ses passions d'un voile. — Loc.* (Littér.). *Étendre, jeter, tirer un voile sur qqch.,* cacher, et, par ext., condamner à l'oubli*.* ⇒ **Oublier.** *— Mystérieux bonheur enveloppé de voiles* (→ Distribuer, cit. 8). *La nature sans voiles* (→ Intermédiaire, cit. 6). *— Avoir un voile devant les yeux :* ne pas voir la vérité, avoir des préjugés*.* ⇒ **Aveugle** (fig.). *— Lever le voile de... :* montrer, révéler* qqch. (→ Hiérophante, cit. 3). ⇒ **Dévoiler.** *Le mystère dont j'avais levé* (1. Lever, cit. 12) *quelques voiles. — Soulever un coin du voile :* commencer à montrer, faire entrevoir (→ Habitude, cit. 26). *— Arracher, déchirer le voile :* révéler brutalement. — Vieilli. *Un voile de...* ⇒ **Apparence, couvert, masque, prétexte.** *Un voile de pudeur* (→ Envelopper, cit. 14), *d'équité* (cit. 5). *Sous le voile d'une dévotion apparente* (cit. 5).

6 D'un voile d'amitié j'ai couvert mon amour.
RACINE, *Bérénice*, I, 2.

7 Il paraissait frappé de l'importance de sa mission et s'enveloppait dans ses discours du voile du mystère.
G. SAND, *Histoire de ma vie*, II, VII.

8 Et ne crains jamais d'être *trop* compris ! Parle sans ombres et sans voiles, clair et ferme, au besoin, lourd !
R. ROLLAND, *Jean-Christophe*, Introd., p. XVII.

♦ **2.** (1690). Se dit de ce qui rend moins net, ou obscurcit (par anal. d'aspect avec les voiles clairs ou noirs). *Vapeurs qui jettent un voile sur l'horizon* (→ Imprégner, cit. 5). *Voile de brume*. Les voiles de l'aube, du couchant* (→ Étoile, cit. 11), *de la nuit* (→ 1. Avoir, cit. 67 ; cortège, cit. 3 ; substance, cit. 11), *des ténèbres. Un voile de feuillages* (→ Forêt, cit. 3), *de longs cils noirs* (→ Doux, cit. 34).

9 L'immense plaine toute blonde et toute rose, s'étendait à perte de vue jusqu'aux sierras neigeuses qu'estompait un léger voile de brume (...)
Louis BERTRAND, *le Livre de la Méditerranée, Espagne*, V.

Emplois spéciaux. **ⓐ** (1876). Photogr. Partie anormalement obscure d'une épreuve (partie blanche sur la photo) due à un excès de lumière. ⇒ 1. **Voiler.** *Voile de développement, de vieillissement.*

ⓑ (1728). Physiol. (Vieilli). Obscurcissement du champ visuel. *Le voile de la mort.* ⇒ **Ténèbres.** *Avoir un voile devant les yeux* (fig.) : être aveuglé.

ⓒ Aviat. *Voile noir, gris, rouge :* trouble de la circulation sanguine provoqué par une grande accélération, et se traduisant par l'impression d'un voile obscurcissant le champ visuel.

ⓓ (XXᵉ). Méd. Diminution homogène de la transparence d'une partie du poumon, visible à la radioscopie (symptôme d'une atteinte légère de tuberculose pulmonaire). *Avoir un voile au poumon.*

ⓔ Trouble qui se produit dans un liquide.

★ **III.** ♦ **1.** (1788). Anat. *Voile du palais :* cloison musculo-membraneuse, à bord inférieur libre et flottant, qui sépare l'arrière-bouche (oropharynx) et l'arrière-nez (rhinopharynx), appelée aussi *palais mou.* ⇒ **Palais** (2. Palais, cit. 1). *Appendice charnu du voile du palais.* ⇒ **Luette.** *Rôle du voile du palais dans l'émission des sons.* ⇒ **Vélaire** (→ Nasalisation, cit. 2).

♦ **2.** Bot. *Voile des champignons. Voile général,* qui enveloppe le carpophore entier, et dont le reste est la volve*. — Voile partiel :* membrane qui unit le pied au chapeau avant la maturité, puis se déchire, en formant l'anneau*.*

DÉR. **Velet, 2. voile, 1. voiler, voilette.**
COMP. **Dévoiler.**
HOM. **2. Voile, 3. voile.**

2. VOILE [vwal] n. f. — V. 1160 ; *veil*, 1120 ; de 1. *voile.*

♦ **1.** Morceau de tissu résistant (naguère, toile de coton ou de chanvre ; aujourd'hui, textile synthétique) envergué à un mât*, une vergue*, une draille*, et destiné à recevoir l'action du vent pour faire avancer le navire (→ 2. Quille, cit. 2). — À VOILES. *Bateau, barque, canot à voiles.* ⇒ **Voilier.** → Gréer, cit. 1 ; navigation, cit. 3. *Navire mixte, à voiles et à vapeur. Marine à voiles. — Les voiles font partie des agrès*, du gréement*.* ⇒ **Toile.** *Ensemble des voiles d'un mât* (⇒ **Phare**), *d'un bateau* (⇒ **Voilure ; vélique**), *des voiles déployées d'un navire* (⇒ **Toile**). *Voiles d'évolution,* de l'extrême arrière et de l'extrême avant ; *de propulsion,* celles des mâts. *Voiles basses,* les dernières, près de la quille. *Lofs* de basses voiles. *Voiles majeures* (cit. 1), les plus employées. *Parties d'une voile.* ⇒ **Ralingue, ris.** *Voile qui tamise. — Voiles carrées,* en trapèze isocèle, dont le bord supérieur (⇒ **Têtière ; envergure**) est fixé à une vergue. → aussi **Bourcet.** *Empointure d'une voile carrée. Voiles auriques,* en quadrilatère irrégulier, fixées à un étai et à une draille

ou à une corne (⇒ **Goélette**). *Voiles latines*,* triangulaires, fixées à une antenne (⇒ aussi **Houari**). *Voiles marconi*.* → Patache, cit. 1. *Voiles sur lattes des jonques. Voiles blanches* (cit. 1), *rouges* (→ 2. Orque, cit.). — *Voiles du beaupré.* ⇒ **Civadière, clinfoc, foc** (petit et grand foc), **trinquette.** *Voiles de misaine.* ⇒ **Cacatois** (petit), **hunier** (petit), **misaine, perroquet** (petit). *Voiles du grand mât.* ⇒ **Cacatois** (grand), **hunier** (grand), **perroquet** (grand). *La grand*-voile* (ou *cape,* vx), principale voile du grand mât (→ Hisser, cit. 1). *Voile d'artimon.* ⇒ **Brigantine, cacatois** (de perruche), **perroquet** (de fougue), **perruche** (et aussi **tape-cul**). *Voiles d'étai* envergées sur des drailles (⇒ **Diablotin**). *Voiles supplémentaires* envergées sur des bout-dehors. ⇒ **Bonnette, dériveur, fortune.** — *Manœuvre* (1. Manœuvre, cit. 1) *des voiles.* ⇒ **Amener** (cit. 14 et 15), **amurer, arriser, bouliner, brasser, caler, carguer, déferler** (cit. 1), **déployer, enverguer** (→ Gabier, cit. 1), **étarquer, éventer, ferler, gambeyer, hisser, lacer, larguer, mailler, orienter, prendre** (le vent), **rabaner, ralinguer, serrer, tendre** (→ Navire, cit. 14) ; **amure, bouline, cargue, drisse, étrangloir, fanon, mouton, raban...** *Voiles pendantes, en bannière* (→ Frôlement, cit. 3). *Orientement* (cit.) *des voiles. Mettre les voiles en ciseaux*. Vent qui souffle dans les voiles* (→ Envelopper, cit. 24), *enfle* (cit. 1), *bombe* (cit. 1) *les voiles. Le sein* de la voile. Grand bruit de vent dans les voiles* (→ Coup, cit. 33). *Voile frappée de côté* (⇒ **Faséyer,** cit.), *de front* (⇒ **Masquer**), *qui s'incline* (cit. 30). *Voiles qui claquent* (→ Frissonner, cit. 11), *palpitent* (→ Loin, cit. 4). *Voile qui ralingue* (cit.) *contre le mât ; qui en masque* une autre. — (Collectif). *Naviguer à la voile. Bateau, bon voilier, qui marche bien à la voile.*

1 Leurs voiles *(des barques)* descendaient aux deux tiers des mâts ; et, la misaine gonflée comme un ballon, elles avançaient (...)
FLAUBERT, *Trois contes*, « Un cœur simple », II.

À voile (opposé à *à moteur*).

1.1 La principale caractéristique d'un bateau à voile, de nos jours, est son inutilité flagrante. Il a perdu tous ses emplois traditionnels. Les passagers qu'il accueille n'ont aucune raison sérieuse d'entreprendre un voyage. Les marchandises qu'il transporte sont dévorées en cours de route. Lorsqu'on part vers l'Ouest, on sait où l'on va. Les pirates sont devenus rares.
Reste l'envie de naviguer. Les bateaux à voile d'aujourd'hui sont faits (faut-il le rappeler ?) pour les hommes, et des femmes, qui éprouvent le besoin de courir les mers pour leur plaisir.
Nouveau cours de navigation des Glénans, p. 49.

Loc. *Mettre à la voile* (→ 1. Frais, cit. 34), *mettre les voiles,* pour faire avancer le bateau. *Mettre toutes voiles dehors. — Donner pleines voiles* (→ Escale, cit. 2). *Faire force* (cit. 14) *de voiles.* ⇒ **Forcer.** — *Faire voile dans une direction* (→ Puissance, cit. 18). ⇒ **Cingler.**

2 Je m'assis sur un roc, près de la mer. Un navire venait de mettre toutes voiles dehors pour s'éloigner de ce parage (...)
LAUTRÉAMONT, *les Chants de Maldoror*, II.

Loc. fig. *Avoir le vent dans ses voiles, dans les voiles,* se dit d'une personne dont les affaires vont bien, qui est en train de réussir. ⇒ **Chance, succès.** — Fam. *Avoir du vent dans les voiles, il y a du vent dans les voiles,* se dit d'une personne ivre, qui ne marche pas droit. *À pleines voiles :* très vite. *Caler*.* (1. Caler) *la voile.*

(Fin XVIIIᵉ). *Mettre toutes voiles dehors :* déployer tous les moyens (pour réussir, séduire quelqu'un).

3 — Vraiment elle met toutes voiles dehors pour plaire. Vois, vois ce sourire gracieux au moment où elle figure seule dans cette contredanse.
STENDHAL, *le Rouge et le Noir*, II, VIII.

(V. 1900). Fam. *Mettre les voiles :* s'en aller, partir* (→ Poivrer, cit. 2).

Fam. *À voile et à vapeur,* se dit d'une personne bisexuelle (→ Bique* et bouc). *Il est, il marche à voile et à vapeur.*

♦ **2.** (1559, Amyot). Littér., par métonymie. Voilier (→ Loin, cit. 16). *Trente voiles* (→ Clarté, cit. 1). *Au loin court* (cit. 28) *quelque voile.*

♦ **3.** Navigation à voile. *Un jour de voile* (→ Passer, cit. 18, Chateaubriand).

(1896, *Cercle de la voile* ; *régatiers à la voile,* 1885, *in* Petiot). Sport nautique sur voilier. *Faire de la voile. Aimer la voile et le tennis. École de voile. Club de voile* (⇒ **Nautique**). *Fédération française de voile.* ⇒ **Yachting.**

4 J'ai quelques petits bateaux, car il faut bien s'amuser un peu dans ce trou perdu (...) Tu fais de la voile ?
Quelle ironie dans sa voix en demandant au gros Maigret s'il faisait de la voile dans un de ces frêles esquifs qu'on voyait entre des bouées !
G. SIMENON, *Maigret se fâche*, II.

♦ **4.** À VOILE. Fig. **ⓐ** *Vol à voile.* Vol des oiseaux dits *voiliers.* ⇒ 1. **Vol.**

(1864). Navigation aérienne en planeur, manœuvre des planeurs. ⇒ **Vélivole, 1. vol** (3.). *Pratiquer le vol à moteur et le vol à voile.*

ⓑ (1898). *Char à voile :* véhicule à voile, utilisé pour un jeu sportif (d'abord sur les plages belges).

ⓒ *Planche à voile.* ⇒ **Planche ; véliplanchiste.**

DÉR. **2. Voiler, voilerie, voilier, 1. voilure.**
HOM. **1. Voile, 3. voile.**

3. VOILE [vwal] n. m. — XXᵉ (*in* Larousse, 1933); de 2. *voiler*.

♦ Techn. Déformation d'une roue voilée (2. Voiler, cit. 2, par métaphore). ⇒ **Voilement.**

HOM. 1. Voile, 2. **voile.**

VOILEMENT [vwalmɑ̃] n. m. — Mil. XXᵉ; de 2. *voiler*.

♦ Techn. État d'une pièce voilée. ⇒ 2. **Voilure.** *Voilement d'une roue de bicyclette.* ⇒ 3. **Voile.** — Syn. : 2. *voilage.*

1. VOILER [vwale] v. tr. — 1380; *veler* «faire prendre le voile», XIIᵉ; de 1. *voile.* — REM. *Voiler* fait surtout penser de nos jours à un *voile transparent.*

♦ **1.** Couvrir, cacher d'un voile; étendre un voile sur... *Voiler une statue. La mantille dont elle avait voilé ses cheveux* (→ Crisper, cit. 4). *Voiler sa nudité.* — *Voiler les tambours,* en signe de deuil. — *Se voiler le visage :* porter le voile (1. Voile, I., 2.) (→ Haïk, cit. 3).

1   (...) la sainte Vierge, assise et noblement drapée, voile avec une écharpe transparente la divine nudité du petit Jésus, debout à côté d'elle.
    Th. GAUTIER, Voyage en Espagne, p. 30.

Loc. fig. (D'une tradition biblique). *Se voiler la face :* se cacher du regard d'autrui par honte*; ou s'empêcher de voir ce qui indigne, fait horreur, incite au péché (→ Désolation, cit. 4).

2   Quoi donc! boire, manger, jouir, voilons nos faces,
    C'est tout? (...)   HUGO, la Légende des siècles, LV, V.

Par métaphore (en parlant d'un voile). *Tissu qui voile les contours* (cit. 4) *du corps. Fenêtre voilée d'un store* (→ Parcourir, cit. 7).

♦ **2.** (Déb. XVIIᵉ). Fig. Dissimuler* plus ou moins (par qqch.). *Voiler la vérité* (→ Forme, cit. 43). ⇒ **Envelopper, estomper, gazer** (vx), **masquer** (→ Rendre, garder secret*). — Par ext. Cacher* ou rendre moins visible (en parlant de la chose qui cache). *La gloire* (cit. 11) *voile la misère de l'homme. La pudeur des sentiments voilant à l'esprit les signes habituels des passions* (→ Dissimuler, cit. 8). ⇒ **Masquer.** *L'humour* (cit. 6) *voile les émotions.*

♦ **3.** Rendre moins visible, moins net. ⇒ **Obscurcir, ternir.** *Brouillards* (cit. 2) *qui voilent les cieux. Montagnes que voilait le brouillard* (cit. 3) *de l'automne.* ⇒ **Dérober, estomper.** *Des vapeurs, des nuées voilant le soleil* (→ Déployer, cit. 9). ⇒ **Éclipser.** *Voiler la vue.* ⇒ **Aveugler.**

▶ **SE VOILER** v. pron.

♦ **1.** Porter le voile. *Beaucoup de musulmanes ne se voilent plus.*

♦ **2.** Perdre son éclat, se ternir. *Le Soleil, la Lune se voile,* disparaît* plus ou moins derrière les nuages, la brume (→ Reparaître, cit. 1). *Le ciel se voile,* se couvre de nuées diffuses, de brume. ⇒ **Obscurcir.** — Perdre de son acuité, se troubler. *Regard qui se voile.*

3   Le ciel bleu de la France n'est point implacable ni sublime comme le regard d'un dieu : il a plutôt la fine complaisance d'un œil humain; et quand il se voile, il invite à la réflexion ou à l'ennui plutôt qu'à la colère.
    André SUARÈS, Trois hommes, « Pascal », I.

4   Mon regard se voile et s'éteint. Tout s'efface et se décolore.
    ARAGON, le Fou d'Elsa, p. 316.

♦ **3.** Perdre sa netteté, sa sonorité (en parlant de la voix). *Sa voix se voile.*

▶ **VOILÉ, ÉE** p. p. adj. (V. 1380; *velé,* v. 1155).

♦ **1.** Recouvert d'un voile. *Statue voilée. Forme voilée* (→ Noir, cit. 11). *Nudité voilée.* — Qui porte le voile. *Les femmes voilées* (→ Forme, cit. 14; prendre, cit. 59; sorte, cit. 8). *Religieuse voilée. Musulmane voilée.*

Par métaphore :

4.1 Il en avait conçu une haine effroyable contre les anarchistes, qu'il croyait embusqués partout, cachés partout, et une peur mystérieuse d'un inconnu voilé et redoutable.   MAUPASSANT, l'Héritage, Pl., t. II, p. 7.

♦ **2.** (1580). Fig. Rendu obscur, incompréhensible. *Sens voilé.* ⇒ **Obscur.** — Rendu moins visible, moins vif, moins net. ⇒ **Atténué.** *Une hardiesse* (cit. 20) *voilée. Ironie* (cit. 8) *voilée. S'exprimer en termes voilés,* par périphrases, métaphores, allusions, etc. (→ Ligne, cit. 29). → *Parler à mots couverts*;* faire un mystère* de quelque chose.

♦ **3.** (1644). Qui est rendu moins net, moins éclatant; ou qui a peu d'éclat, de netteté. *Lumières voilées* (→ 1. Cabaret, cit. 2). *Ciel voilé. Éclat voilé du plomb* (→ Caractère, cit. 6). *Contours voilés.* ⇒ **Estompé.** *Regard voilé,* terne, trouble.

5   Il avait le regard si voilé qu'elle garda, de cette heure-là, le souvenir d'un colloque avec un homme aux yeux pâles (...)   COLETTE, Chéri, p. 95.

6   Le soleil du matin, légèrement voilé comme à l'ordinaire, marquait à peine les ombres (...)   A. ROBBE-GRILLET, le Voyeur, p. 14.

Photogr. *Photo,* (1878, *in* D. D. L.) *épreuve voilée,* qui présente un voile*.

♦ **4.** (1798). Se dit d'une voix qui n'émet pas des sons clairs

---

(⇒ **Cassé; enroué**). *Voix voilée* (→ Étranglement, cit. 3; mezzo, cit. 3). *Timbre voilé d'une voix* (→ Distinguer, cit. 23). Par ext. *Plainte voilée.* ⇒ **Sourd** (→ Sanglotement, cit. 1).

6.1 Cela dit, le bourgmestre pressa du bout du petit doigt un timbre au son voilé, qui fit entendre moins un son qu'un soupir. Presque aussitôt, quelques pas légers glissèrent doucement sur les carreaux du palier.   J. VERNE, le Docteur Ox, p. 6.

7   Il chantait d'une voix faible, voilée, comme intérieure; on n'aurait pu l'entendre à vingt pas.   R. ROLLAND, Jean-Christophe, L'aube, III, p. 90.

CONTR. Dévoiler; étaler, montrer. — (De *voilé*) Cru, franc; éclatant, net, pur. Clair, sonore.

HOM. 2. Voiler.

DÉR. V. 1. Voilage, I.

2. VOILER [vwale] v. tr. et intr. — V. 1160, *veilier* «mettre (un navire) à la voile»; de 2. *voile.*

★ **I.** Rare. Munir d'une voile, de voiles (une embarcation). *Il avait voilé une caisse au moyen d'un drap volé à sa mère et d'un manche à balai.* — REM. À l'actif, le mot n'appartient pas à la langue maritime : on dit *gréer.*

★ **II.** (1765). ♦ **1.** V. intr. Vx. Prendre une forme convexe (comme celle d'une voile de bateau).

♦ **2.** V. tr. (Sujet n. de personne). *Il a voilé la roue avant de son vélo en tombant.*

▶ **SE VOILER** v. pron. (1771).

Se dit d'une pièce de bois, de métal qui n'est plus plane, qui s'est déformée. ⇒ **Gauchir.** *Étagère qui se voile sous le poids des livres.* — Spécialt. Se dit d'une roue qui s'est légèrement tordue, dont la jante n'est plus dans un plan. *Roue qui se voile.*

▶ **VOILÉ, ÉE** p. p. adj. (1611; *veilé,* v. 1160).

♦ **1.** Garni de voiles. *Canots voilés.* → 2. Risée, cit. 1. *Bateau très, trop voilé.*

1   Pendant l'hiver, sur la plaine glacée, lorsque les trains sont arrêtés par les neiges, ces véhicules font des traversées extrêmement rapides d'une station à l'autre. Ils sont, d'ailleurs, prodigieusement voilés — plus voilés même que ne peut l'être un cotre de course, exposé à chavirer — et, vent arrière, ils glissent à la surface des prairies avec une rapidité égale, sinon supérieure, à celle des express.
    J. VERNE, le Tour du monde en 80 jours, p. 281 (1873).

♦ **2.** (1872). Techn. Légèrement gauchi. *Planche voilée.* — *Roue voilée,* légèrement tordue.

2   La dissimulation est pour elle une première nature (...) une protection spontanée, un voile au sens où on dit qu'une roue est voilée.   Ph. SOLLERS, Femmes, p. 15.

DÉR. 3. Voile, voilement, 2. voilure.

HOM. 1. Voiler.

VOILERIE [vwalʀi] n. f. — 1691; de 2. *voile.*

♦ Techn. Atelier pour la confection et la réparation des voiles de bateau.

VOILETTE [vwalɛt] n. f. — 1842; de 1. *voile.*

♦ **1.** Petit voile transparent, parure que les femmes portent à leur chapeau, et qu'elles baissent devant leurs yeux ou tout leur visage. *Voilette noire, bleue..., à broderie, à pois... Les mailles* (1. Maille, cit. 3) *fines de sa voilette. Voilette légère* (→ Habilement, cit. 5). *Attacher* (→ Glace, cit. 28), *rabattre, relever sa voilette.*

Une femme est belle à seize ans, mais veut plaire à trente. La voilette est un moyen simple. Tout décor, tout dessin considéré derrière un grillage ou un filet prend du style... La voilette produit le même effet. Pourquoi ? Parce que l'œil s'arrête au beau dessin ferme et cru de la voilette, surtout à pois, et le visage est comme estompé, lointain, adouci.   ALAIN, Propos, 2 sept 1913, L'anneau dans le nez.

♦ **2.** Petite coiffure légère à mailles très larges, garnie d'un ornement (ruban, fleur, etc.).

DÉR. Voiletté.

VOILETTÉ, ÉE [vwalete] adj. — Déb. XXᵉ; de *voilette.*

♦ Rare. Qui porte une voilette. « *Deux jeunes femmes chapeautées, voilettées, gantées* » (M. Prévost, *in* G. L. L. F.).

Chaque année, et après sa halte à Vienne, le train d'Ostende ou de Paris s'y arrêtait spécialement pour elle, le temps qu'on sortît du fourgon à bagages ses deux grosses malles puis qu'elle-même, chapeautée et voiletée de bleu, descendît sur le quai de la petite gare.   Pierre-Jean RÉMY, Orient-Express, p. 339.

VOILIER [vwalje] adj. et n. m. — 1510, adj.; de 2. *voile.*

★ **I.** ♦ **1.** Adj. Vx. Muni de voiles*. *Navire voilier.* — N. m. (1660). Mod. *Ce navire est bon voilier, fin voilier, mauvais voilier,* marche bien, mal à la voile (→ Gagner, cit. 50).

1   L'orgueil qu'un homme libre a de se sentir vivre
    Dans un brick fin voilier et bien doublé de cuivre (...)
    HUGO, les Chants du crépuscule, VIII.

♦ **2.** (1784). Par anal. *Oiseau voilier*, dont le vol est très étendu. → ci-dessous, III.

♦ **3. N. m.** (1872, Littré). Navire* à voiles. *Les grands voiliers d'autrefois* (→ Sillonner, cit. 2). *Le clipper, voilier du XIXᵉ siècle.* — Barque, bateau à voiles.

2 Il y avait sous mes fenêtres un grand voilier de Norvège aux mâts blancs, à la coque de chêne peinte en bleu, qui débarquait paisiblement des bois du Nord.
H. BOSCO, Un rameau de la nuit, p. 30.

Le *voilier*, bateau de sport, de plaisance (⇒ **Yacht**). *Voilier monotype. Voilier d'initiation, de compétition, de croisière. Coque, gréement, voilure, spinnaker, gouvernail, safran... d'un voilier. Voilier muni d'une quille* (⇒ **Quillard**), *d'une dérive* (⇒ **Dériveur**). *Voilier mixte*, conçu pour naviguer à la voile et au moteur. ⇒ **Fifty.** *Acheter, posséder, louer un voilier de dix mètres* (ellipt., *un dix-mètres*). *Faire du voilier.* ⇒ **Voile, yachting.** *Course de voiliers.* ⇒ **Régate.**

3 — Je crois que je l'aperçois sur le ponton.
Un jeune homme en short venait en effet de débarquer d'un léger voilier qu'il amarrait (...)
G. SIMENON, Maigret se fâche, II.

★ **II. N.m.** (1567). Ouvrier, marin qui fait ou raccommode les voiles. *Paumelle, marprime de voilier. Il avait été mousse, voilier, gabier* (→ 1. Patron, cit. 5). *Maître-voilier.*

3.1 Pendant cette semaine, Pencroff, aidé par Harbert, qui maniait habilement l'aiguille du voilier, travailla avec tant d'ardeur, que les voiles de l'embarcation furent terminées.
J. VERNE, l'Île mystérieuse, t. II, p. 466 (1874).

4 (...) un honorable maître-voilier qui servait sur la *Flore*, une des frégates du roi (...)
P. MAC ORLAN, l'Ancre de miséricorde, IX.

★ **III. N. m.** ♦ **1.** (1801). Poisson des mers chaudes, de la famille des *Élopidés*, à grande nageoire dorsale qui émerge comme une voile. *Le voilier se laisse pousser par le vent à la surface de l'eau.*

5 Les Voiliers sont de grands poissons possédant une dorsale énorme; nageant en surface, ils la laissent émerger et vont ainsi paresseusement à la dérive.
R. et M.-L. BAUCHOT, les Poissons, p. 116.

♦ **2.** (1829). Didact. Oiseau à ailes longues, capable d'utiliser les courants aériens (vol à voile*). *Un grand voilier. Les voiliers marins. L'albatros est un voilier, est le voilier par excellence.*

Littér. (Abusif en sc.). Oiseau qui vole bien, ou loin (oiseau migrateur, par exemple).

Hubert, quand il fut bien caché, commença d'appeler le canard. Il employait à cet effet deux pipeaux : l'un d'appel, l'autre de réponse. Le voilier lointain entendait; il entendait cette réponse : le canard est si bête qu'il la croyait de lui; de sorte qu'il arrivait vite.
GIDE, Paludes, in Romans, Pl., p. 135.

1. VOILURE [vwalyR] n. f. — 1678, «manière de placer les voiles»; sens mod., de 2. *voile.*

♦ **1.** (1691). Ensemble des voiles d'un bâtiment. *La voilure des galions* (cit. 2). *Surface de voilure. Une voilure de trois mille mètres carrés de surface* (→ Navire, cit. 2). *Centre de voilure.* ⇒ **Vélique** (point vélique). — Par ext. Surface de ces voiles déployées. *Régler la voilure selon les vents* (→ Remise, cit. 1).

Gaud regardait toujours, cherchant à bien fixer dans sa mémoire la physionomie de ce navire, sa silhouette de voilure et de carène, afin de le reconnaître de loin, quand elle reviendrait, à cette même place, l'attendre.
LOTI, Pêcheur d'Islande, V, II.

♦ **2.** Ensemble des toiles des ailes et de l'empennage des premiers avions, des planeurs (→ Hauban, cit. 2); ensemble des surfaces portantes d'un avion. — *Voilure tournante*, d'un giravion, d'un hélicoptère. — Toile d'un parachute.

HOM. 2. Voilure.

2. VOILURE [vwalyR] n. f. — 1846, Bescherelle ; de 2. *voiler.*

♦ Techn. État d'une pièce (de bois, de métal, etc.) normalement plane, d'une roue qui se voile. *La voilure d'une roue de voiture, de bicyclette.* ⇒ **Gauchissement, 3. voile, 2. voilage, voilement.**

HOM. 1. Voilure.

VOIR [vwaR] v. — *Je vois, tu vois, il voit, nous voyons, vous voyez, ils voient; je voyais, nous voyions, vous voyiez; je vis, nous vîmes, vous vîtes, ils virent; je verrai, nous verrons; je verrais, nous verrions; que je voie, que nous voyions, que vous voyiez; que je visse, qu'il vît, que nous vissions, vois, voyons, voyez; voyant; vu.* — XIIᵉ, *veeir, veoir; vedeir,* 980 ; du lat. *videre,* même sens.

★ **I.** (1080, *vedeir*). **A.** Absolt (ou intrans.). ♦ **1.** Percevoir les images des objets par le sens de la vue. *L'enfant commence à voir entre le dixième et le quinzième jour qui suit sa naissance. L'aveugle guéri commença de voir* (→ Démon, cit. 12). *Ne plus voir :* perdre la vue, devenir aveugle. *Ne voir que d'un œil :* être borgne (→ Monocle, cit. 2). *Avoir des yeux pour voir et des oreilles pour entendre* (cit. 55). ⇒ **Œil** (cit. 1 à 3). *Un homme qui a les yeux ouverts voit* (→ Apercevoir, cit. 1). *Regarder sans voir* (→ Fouiller, cit. 22; perdre, cit. 83). *Voir trouble, confusément, mal, à peine. On ne voit pas à dix pas. Tu as bu, tu vois double* (cit. 16). *Voir clairement, distinctement. On commence à y voir clair.* ⇒ **Clair** (au fig., cit. 27

à 31). *N'y voir goutte.* ⇒ **Goutte** (1. Goutte, cit. 48 à 50). Fam. *Ne (n'y) voir que couic*. Ne voir bien que de près* (⇒ **Myope**), *que de loin* (⇒ **Presbyte**). *Voir bien la nuit :* être nyctalope. *Il n'y voit pas très bien :* il souffre d'un trouble, d'une affection de la vue (⇒ **Œil**). *«Tandis qu'à peine à tes pieds tu peux voir»* (→ Astrologue, cit. 1). *Mettez vos lunettes* pour mieux voir. Vous verrez mieux avec la lorgnette, avec des jumelles. Voir loin devant soi* (⇒ **Loin**), *derrière soi* (⇒ **Rétroviseur**). *Voir au loin, très loin* (→ Avoir des yeux de lynx*, une vue perçante*). *Le soleil, le faux jour nous empêche de voir.* ⇒ **Aveugler.** *On peut voir à travers ce rideau* (⇒ **Transparent**). *Voir sans être vu.*

Hélas! dit le perclus, vous ignorez, mon frère,
Que je ne puis faire un seul pas,
Vous-même vous n'y voyez pas
À quoi nous servirait d'unir notre misère?
FLORIAN, Fables, I, 20.
1

On y voyait encore un peu ici, à cause des étoiles (...)
C.-F. RAMUZ, la Grande Peur..., II.
2

Cependant je le regardais et pensais que, si elle pouvait y voir, Gertrude *(une jeune aveugle)* ne laisserait pas d'admirer ce grand corps svelte (...)
GIDE, la Symphonie pastorale, p. 75.
3

(...) je vous ai trouvé un autre miroir plus grand (...) Je crois que vous y verrez mieux pour vous raser.
J. ROMAINS, les Hommes de bonne volonté, t. VIII, XX, p. 218.
4

Voir rouge. ⇒ **Rouge** (cit. 14 ; et *supra*).

Loc. *Voir loin :* prévoir. *Ne pas voir plus loin* (cit. 1) *que son nez, que le bout* de son nez* (cit. 26). — Var. (Sujet n. de chose) :

Non, nous ne vous en voulons pas d'être ambitieux, mais plutôt de ne l'être pas assez. Ce que nous vous reprochons, c'est cette gloutonnerie qui ne voit pas plus loin que son museau.
F. MAURIAC, Bloc-notes 1952-1957, p. 53.
4.1

Ne voir que par les yeux de qqn. ⇒ **Œil** (I., 4.).

Voir avec les yeux de la foi : considérer, connaître les choses à la lumière de la foi.

Par anal. (avec le sens tactile). *La main* (cit. 15) *sent, agit; on dirait presque qu'elle voit.* — Figuré :

Les aveugles nous apprennent à voir.
J. RENARD, Journal, 24 oct. 1904.
5

♦ **2.** Fig. (Sujet n. de chose). *«Cette maison voit sur un jardin, sur une rue»* (Académie). ⇒ **Donner** (sur); **exposer** (être exposé); **vue** (avoir vue sur).

B. V. tr. dir. (980). ♦ **1.** [a] Percevoir par les yeux. *Voir qqn, qqch. Voir qqn, qqch. de ses yeux, de ses propres yeux* (⇒ **Œil**; → Affirmer, cit. 3; appeler, cit. 40), *de sa propre* (cit. 5) *vue*. ⇒ **Visu** (de visu). *«Je le vis, je rougis, je pâlis* (cit. 1) *à sa vue»* (Racine). *«J'oublie, en le voyant, que je viens lui dire»* (1. Dire, cit. 10, Racine). *«Non seulement il le voit, mais il le regarde»* (→ 1. Penser, cit. 71). ⇒ **Regarder.** *J'ai passé à côté d'elle sans la voir* (→ Confondre, cit. 11). *Peut-on lever le masque* (1. Masque, cit. 7) *et voir votre visage? Les arbres nous empêchent de voir le paysage* (⇒ **Cacher, dérober, masquer**). *«Les spectateurs (...) ne pouvaient rien voir (...) Moi, disait un dindon, je vois bien quelque chose (...)»* → Lanterne, cit. 11. ⇒ **Distinguer** (cit. 20 et 21); **discerner.** *Il déclara qu'il voyait la terre du côté de bâbord* (⇒ **Gagner,** cit. 57). *Je le vois très bien. Je l'ai à peine vu, je ne l'ai vu qu'à demi.* ⇒ **Apercevoir, entrevoir.** *«(...) lorsqu'on voit le pied* (cit. 3), *la jambe se devine».* *Voir tout cela d'un clin d'œil* (→ Ranimer, cit. 6), *du premier coup* (→ Américain, cit. 1). ⇒ **Embrasser, saisir** (I., 4. : du regard). *Ce qu'on a vu. Il faut écrire ce qu'on a vu, ce qu'on a entendu.* → Vivre, cit. 30. *Est-ce que vous voyez bien la cible?* ⇒ **Viser.** *Ne pas voir ce qui saute aux yeux.* ⇒ **Apparent, visible.** *Il n'a rien vu. Je faisais semblant de ne pas les voir* (→ Agacerie, cit. 3). *Le microscope* permet de voir des détails imperceptibles à l'œil nu.* ⇒ **-scope.** *Du haut de la côte, on peut voir au loin le Mont-Saint-Michel.* ⇒ **Découvrir, repérer.** *De ce sommet, on voit la ville de très haut.* ⇒ **Dominer, surplomber.** — Fig. *Voir les choses de haut*.* — *Dans la haute montagne* (cit. 11), *il avait vu de près des glaciers.* Fig. *Voir la mort* de près.* — *Voir qqn face à face, de face, de profil.* — Allus. bibl. *Parce que tu m'as vu, tu as cru* (cit. 61). — Allus. littér. *«Couvrez* (cit. 17) *ce sein que je ne saurais voir»* (Molière). — *«(...) chaque jour je la vois, Et crois toujours la voir pour la première fois»* (cit. 17, Racine). — *«(...) je vous vois, c'est assez»* (→ Espérance, cit. 21, Musset). — *«Que tout ce qu'on entend, l'on voit ou l'on respire»* (→ Embaumer, cit. 4, Lamartine). — *«Aimer* (cit. 37), *c'est avoir du plaisir à voir, toucher, sentir (...) un objet aimable et qui nous aime»* (Stendhal). ⇒ **Contempler.** *Que vois-je?* (exprime l'étonnement).

Que vois-je? est-ce Hermione? Et que viens-je d'entendre?
RACINE, Andromaque, V, 4.
6

Hélas! dans l'ombre immense,
Il ne voit que la nuit, n'entend que le silence.
J. DELILLE, l'Imagination, IV, in GUERLAC.
7

De la hauteur où nous étions, on voyait des bois à perte de vue (...)
LOTI, Mon frère Yves, LXVIII.
8

Oh, si on n'y pense pas, on ne voit pas grand-chose, mais maintenant que vous me le dites, je vois bien les endroits rebouchés... Mais si petits... il faut le savoir...
N. SARRAUTE, le Planétarium, p. 31.
8.1

... À VOIR (précédé d'un subst. avec son attribut, d'une proposition démonstrative...). *Elle est jolie, agréable à voir* (→ Motocycliste, cit. 1 ; mufle, cit. 5 ; et aussi nuée, cit. 1). *Hideux à voir* (→ Obésité, cit.). *Spectacle intéressant* à voir. C'est à voir* : cela mérite d'être vu. *Cela fait plaisir à voir* (→ Pastèque, cit.).

(Passif). *Être vu par qqn. Voir sans être vu.*

[b] (Sujet n. de chose). Vieilli, littér. « *Cette hauteur voit la place, voit le rempart de la place* » (Académie), de là on découvre la place, le rempart de la place.

9   Elle alla vers les fenêtres pour voir où elles donnaient ; elle trouva qu'elles voyaient tout son jardin et la face de son appartement.
                              Mme DE LA FAYETTE, la Princesse de Clèves, t. IV.

[c] (Sujet n. de chose). Loc. *Voir le jour** : sortir de l'imprimerie, être publié, en parlant d'un ouvrage. *Ce livre, cet ouvrage n'a pas encore vu le jour. — Voir la lumière** (*supra*, cit. 13).

(Sujet n. de personne). *Voir, en voir trente-six chandelles.* ⇒ **Chandelle. —** *N'y voir que du brouillard, que du bleu, que du feu.* ⇒ **Brouillard ; bleu** (II., 12.), 1. **feu.** *Comme je vous vois,* se dit pour affirmer qu'on a réellement vu et bien vu la personne ou l'objet dont on parle. *Je l'ai vu comme je vous vois. — Tel que vous me voyez.* ⇒ **Tel** (cit. 10).

FAIRE VOIR : montrer. *Faites-moi voir le chemin, le fonctionnement de cet appareil, l'endroit.* Absolt. *Fais voir, vite. — Faire voir à qqn comment s'y prendre, comment il faut faire.* ⇒ **Apprendre.** « *Cette obscure clarté* (cit. 1)... *nous fit voir trente voiles* ». *Je veux lui faire voir là-dedans un abîme nouveau* (→ Petitesse, cit. 2). — Fig. *La passion du jeu* (cit. 37) *fait voir le besoin d'aventure.* ⇒ **Apparaître** (faire). *J'en suis capable, je le lui ferai bien voir.* ⇒ **Démontrer, prouver.** *Vos scrupules font voir trop de délicatesse* (cit. 16). *Faire voir sa force, sa puissance.* ⇒ **Étaler.**

10   Fais-lui voir mon pouvoir, fais-lui voir mon ardeur :
     Son dédain est peut-être un effet de sa peur (...)
                                          CORNEILLE, Théodore, I, 1.

11   Ah ! je leur ferai voir si, pour donner la loi,
     Il est dans ma maison d'autre maître que moi.
                                          MOLIÈRE, les Femmes savantes, IV, 5.

Pron. *Se faire voir :* se montrer (personnes). *Il faut essayer de ne pas se faire voir, de se cacher. Il y a des endroits où il faut se faire voir* (→ Refuser, cit. 10). *Se faire voir avec qqn. Se faire voir sous son meilleur aspect, sous le jour le plus favorable.*

12   La sottise dans l'un se fait voir toute pure.
                                          MOLIÈRE, les Femmes savantes, IV, 3.

Fam. (euphémisme sexuel pour *foutre**). *Si vous n'êtes pas content, allez vous faire voir !,* « allez au diable ». *Va te faire voir chez (par) les Grecs, (les Turcs, etc.).*

12.1 Vous êtes pas content avec ça ! Eh bien, allez vous faire voir par les Marocains.
                                          R. QUENEAU, Zazie dans le métro, p. 109 (1959).

LAISSER (cit. 4) **VOIR** : permettre qu'on voie, ne pas cacher. *Robe qui laisse voir les épaules. Ces ouvertures ne laissaient voir qu'un arrière*-plan* (cit. 1) *de rochers.* ⇒ **Découvrir, dévoiler, montrer. —** *Laisser voir son trouble. Nous gagnerions plus à nous laisser voir tels que nous sommes.* ⇒ **Paraître** (cit. 42). *Il lui laissa voir qu'il n'était pas hostile à ce projet.* ⇒ **Entrevoir.**

[d] (Dans le langage religieux). *Aucun doute* (cit. 28) *qu'après la mort nous verrons Dieu.* « — *Mais, dit l'athée, je vois le soleil et je ne vois pas Dieu* (cit. 8). — *C'est que vous ouvrez l'œil de chair et que vous n'ouvrez pas l'œil d'esprit* » (Hugo). → aussi Candeur, cit. 5. — « *Bienheureux ceux qui ont le cœur pur* (cit. 7), *parce qu'ils verront Dieu.* « *Je vois, je sais, je crois* (cit. 62), *je suis désabusée* ». — (Le sujet est Dieu). « *Dieu voit le fond des cœurs, voit toutes choses* » (Académie). « *L'Éternel* (cit. 11) *qui voit d'un œil profond (...)* ». « *Dieu, qui voyez mon trouble et mon affliction* » (cit. 3, Racine).

[e] Faire surgir, évoquer une image (en pensée, en imagination, par les « yeux de l'esprit »). ⇒ **Vision ; imaginer, représenter** (se), **revoir.** Vx. *Voir un songe.* → Veiller, cit. 0.1, La Fontaine. — Mod. *Voir qqch. en songe, en rêve.* → Rêver, cit. 16 ; échelle, cit. 7 ; frapper, cit. 17. — *Don de voir l'avenir* (→ 1. Mémoire, cit. 2) ⇒ **Voyance ; prescience.**

13   Je ne vois que des tours que la cendre a couvertes,
     Un fleuve teint de sang, des campagnes désertes,
     Un enfant dans les fers (...)
                                          RACINE, Andromaque, I, 2.

Spécialt. Discerner, avoir la connaissance de ce qui est caché, secret.

14   Je vous pardonne *(dit le vieillard),* parce que je suis celui qui voit le fond des cœurs, et que j'ai lu au fond du vôtre que vous étiez de bonne foi (...)
                                          DIDEROT, Entretien d'un philosophe..., Pl., p. 1214.

Loc. Fam. **VOIR** (qqch.) **D'ICI,** l'imaginer. *Je vois d'ici la page de mon dossier* (cit. 3). → Boisson, cit. 3 ; 1. mosaïque, cit. 4 ; swing, cit. 3.

(1772, *in D.D.L.*). Dans un contexte ironique. *Je vois ça d'ici ! Tu vois ça d'ici !* : tu imagines ce que ça donne. → Ocre, cit. 2. — *Je le vois très bien* (suivi d'une proposition) → ci-dessous, g). *Je ne vois pas ma sœur épousant ce type,* ça me paraît impossible.

15   « Je le vois d'ici... » Ce que Paule voyait, quand elle pensait à son fils, c'étaient des genoux cagneux, des cuisses étiques, des chaussettes rabattues sur les souliers.
                                          F. MAURIAC, le Sagouin, I.

16   S'il a cru qu'une de ses bougies ne donnait pas, je le vois très bien en ce moment arrêté sur le bord de la route ; démontant tout, dévissant, limant (...)
                                          J. ROMAINS, les Hommes de bonne volonté, t. V, XXVII, p. 281.

(Dans le même sens). *Voir le moment où...* : s'imaginer, se représen-

ter le moment où (une chose va se produire). *Nous vîmes l'instant fatal où l'eau nous allait manquer* (→ Nécessité, cit. 15). *J'ai vu le moment où il allait nous taper dessus.*

17   J'ai vu le moment où... où vous alliez me traiter d'« homme de génie » ! Ne niez pas : je vous voyais venir.
                                          VILLIERS DE L'ISLE-ADAM, Contes cruels, « Deux augures ».

[f] Par anal., vx. Percevoir par l'ouïe. ⇒ **Entendre.** *A-t-on jamais rien* (cit. 13) *vu de plus impertinent ? L'on voit les amants vanter toujours leur choix* (cit. 2).

Mod. *Voir en lisant*. Je lis avec grand plaisir un morceau de Montaigne, que je n'avais pas vu depuis deux ans* (→ Supérieurement, cit. 1 ; et aussi mondanité, cit. 2 ; ordonner, cit. 1 ; sottisier, cit. 1). *J'ai vu cela dans le journal.*

18   Je vous donne la liberté de le lire tout haut *(le billet),* je ne l'ai point encore vu.
                                          MOLIÈRE, la Comtesse d'Escarbagnas, 4.

[g] (Avec un attribut d'objet ou un compl. suivi de l'inf.). *Voir qqn faire qqch., en train de faire qqch. Elle se mettait à la fenêtre pour le voir partir* (→ Accouder, cit. 2). *On voit sortir et entrer une multitude de voyageurs* (→ Migration, cit. 2 ; et aussi procession, cit. 3). *Il croyait voir qqn venir à lui* (→ Personne, cit. 29). « *(...) d'aussi* (cit. 27) *loin qu'il nous a vu paraître* ». *Je le voyais de loin arriver* (→ Recors, cit. 1 ; et aussi 2. souvenir, cit. 8). *J'ai vu mourir des centaines de blessés* (cit. 12). *C'est triste de voir les gens qu'on aime changer* (cit. 65). *Je vis ses traits s'altérer* (⇒ **Aspect,** cit. 6). — *Je l'ai vu, je lui* ai vu faire cela.* « *Et chaque jour encore on lui voit tout tenter* » (Racine, *Andromaque,* I, 1). *Il prenait des notes* (cit. 24), *je le voyais écrire. Il lui vit mener la conduite la plus vertueuse* (→ Maritalement, cit. 2). *Je suis surpris de vous voir prétendre à cette succession* (cit. 1). *Je vis tout tourner* (→ Appuyer, cit. 33). — « *Ô dieux hospitaliers, que vois-je ici* (cit. 1) *paraître ?* » (⇒ aussi **apparaître,** cit. 6). *On voit peu à peu surgir cette mystérieuse architecture* (→ Style, cit. 17). — (Avec un inf. ayant un sens passif). *Ils furent outrés de me voir refuser* (cit. 1) *la porte.*

19   (...) cette misérable figure qu'il avait vu passer tout à l'heure (...)
                                          R. ROLLAND, Jean-Christophe, Buisson ardent, II, p. 1404.

REM. L'accord de *vu* se fait quand le complément du verbe *voir* est le sujet de l'infinitif. *Les voitures que j'ai vues rouler ; les voitures que j'ai vu conduire. Je l'ai vu peindre ; je l'ai vue peindre.* → Laisser (I., REM. ; et cit. 11).

20   (...) ceux qui l'avaient vue naître, grandir, prier et qui savaient si elle était de Dieu ou du Diable.   M. BARRÈS, le Mystère..., p. 183.

21   Vous l'avez vue descendre ce matin ?
                                          J. ROMAINS, les Hommes de bonne volonté, t. I, XII, p. 131.

Loc. (Mil. XVIIIe). *Je vous (te) vois venir !* : je devine vos (tes) intentions. — Absolt. *Voir venir* (les événements) : attendre.

VOIR... (suivi d'un attribut). ⇒ **Trouver.** *Ceux qu'on voit défaillants de faiblesse* (→ Agonie, cit. 3). « *J'ai vu les plus honnêtes gens près d'en être accablés* » (→ Calomnie, cit. 5). *On le voit toujours attentif* (cit. 13). *Elle me voyait entraîné par un goût irrésistible* (cit. 1) : *elle constatait que j'étais entraîné... Gandhi eut la joie de voir l'Inde émue par cet appel* (→ Paria, cit. 1). — « *Voir le dernier Romain à son dernier soupir* » (→ Plaisir, cit. 15). — *Je riais de le voir avec sa mine étique* (→ Antique, cit. 5). *J'ai pitié de vous voir dans cet état. Je ne peux pas l'abandonner* (cit. 9) *dans l'état de maladie où je le vois aujourd'hui. Vous m'en voyez navré* (→ 2. Pas, cit. 24), *ravi...* : *j'en suis navré, ravi (vous pouvez le constater).* — « *Je ne puis refuser mon cœur à tout ce que je vois d'aimable* » (cit. 2).

22   Voyant la nuit si pure et vous voyant si belle,
     J'ai dit aux astres d'or : Versez le ciel sur elle !
                                          HUGO, les Contemplations, II, V.

Fig. *Voir qqn* (suivi d'un attribut). ⇒ **Connaître.** *Je ne vous avais jamais vu jaloux* (cit. 20). — *Que j'ai de joie de vous voir converti* (→ Attendre, cit. 64). ⇒ **Savoir.** *Je voudrais bien la voir mariée avec le marquis* (→ Assemblage, cit. 6).

23   On peut juger si elle avait hâte de voir ce portrait terminé. Au bout de six semaines, il le fut enfin.   A. DE MUSSET, Nouvelles, « Fils de Titien », VII.

Fam. *Je voudrais (bien) vous y voir !* : (dans cet état, cette situation) vous n'agiriez pas autrement à ma place.

(Avec un compl. d'attribution). *Voir à qqn* (une partie de lui-même + attribut). *Je lui vois les yeux pleins de larmes* (→ Lacrymal, cit.). — *Se voir qqch.* (à soi-même) : constater, trouver qu'on a. *Elle se voit mauvaise mine.* « *Je me vois un amant, qui (...)* » (Molière, *Don Garcie,* IV, 8).

Voir... (suivi d'une participiale). « *Un jour l'évêque le vit faisant la charité* » (Hugo).

[h] (Sujet n. de chose). — Poét. Être le témoin de... *Cette plaine a vu un combat fameux, une bataille.* ⇒ **Théâtre** (être le). — (Le compl. est un inf.). *Loin du champ qui l'a vu naître.* → Arroser, cit. 11 ; et aussi pain, cit. 8.

(Répandu mil. XXe, attesté 1961). Cour. « *Les autos voient leur marche ralentie* » (*le Monde,* 7 nov. 1962, *in* Gilbert), se ralentir. *Ces pays ont vu leur production diminuer, leur déficit croître. Ce journal a vu son tirage augmenter...* (nombreux ex. *in* P. Gilbert, datés de 1961 à 1979).

♦ **2.** **ⓐ** Être spectateur, témoin (de qqch.). ⇒ **Assister** (à). *Avez-vous jamais vu les courses d'Angleterre?* (→ 1. Clocher, cit. 4). *Voir une pièce de théâtre, un match de tennis. Vous pouvez lui laisser voir ce film. — Je ne puis vous dire tout ce que j'ai vu* (→ Horreur, cit. 53). *J'ai vu toute la scène, le drame. J'y suis allé seulement pour voir, en simple spectateur. —* Fig. *Avoir vu le feu.* ⇒ 1. Feu (II., 4.). — *Voir un pays, une ville,* y aller. ⇒ **Visiter.** *Ce matin j'ai vu l'Alhambra de Grenade* (→ Imaginer, cit. 2). *Assouvi* (cit. 14) *de Rome, je voulus voir Naples. Voir Naples et mourir. Il me convie à venir voir le Musée* (→ Folkloriste, cit. 2). *Il restait tant de choses à voir* (→ Munificence, cit. 2). *J'ai envie d'aller voir cette usine* (→ Tantôt, cit. 3). *C'est vraiment une chose à voir, qui mérite d'être vue.*

IL FAUT VOIR. *Il faut voir, il faut avoir vu ce film :* il mérite d'être vu. — Par ext. ⇒ **Falloir** (cit. 22 ; et *supra*). *Il fallait voir la façon dont il portait cette plume* (cit. 4). — Fam. *Faut voir ça! :* si vous aviez vu ça.

24 Ils accéléraient le trafic, se cramponnaient aux marchepieds (...) Faut voir ça.
CÉLINE, Voyage au bout de la nuit, p. 219.

Curieux (cit. 5) *de tout voir.* — Allus. littér. *«Tout ce que je vois jette les semences d'une révolution qui arrivera* (cit. 58) *immanquablement »* (Voltaire). — *Verrons-nous l'an deux mille?*

25 Il y a dans la Révolution française un caractère satanique qui la distingue de tout ce qu'on a vu et peut-être de tout ce qu'on verra.
J. DE MAISTRE, Considérations sur la France, v.

26 (...) j'ai vu cette scène, je l'ai vue de mes propres yeux vue, et dans le temps je la dénonçai à l'autorité (...)
BALZAC, Souvenirs d'un paria, s, Œ. diverses, t. I, p. 320.

27 Menez-moi voir les ruines, menez-moi à Sainte-Sophie, conduisez-moi aux montagnes, à la mer d'azur ; je veux voir les lieux où soupirait Héro!
MÉRIMÉE, la Double Méprise, XI.

28 Qui n'a pas vu Avignon du temps des Papes, n'a rien vu.
Alphonse DAUDET, Lettres de mon moulin, «La mule du Pape».

29 (...) il fallait autre chose que des soupçons — même précis — pour autoriser une telle assurance. Julien avait « vu ». Le nier ne servait plus à rien. Seules les images enregistrées par ces yeux, pour toujours, leur conféraient désormais cette fixité insupportable.
A. ROBBE-GRILLET, le Voyeur, p. 214.

Loc. *Voir beaucoup de pays, du pays** (*supra* cit. 19). ⇒ **Voyager.** *Voir le pays,* le parcourir, le visiter. — Fig. et vx. *Faire voir du pays à qqn,* lui en faire voir de toutes les couleurs*.

30 Une tortue était, à la tête légère,
Qui, lasse de son trou, voulut voir le pays.
LA FONTAINE, Fables, x, 2.

31 Vous vous imaginez bien qu'il en fallut alors découdre. Ils me chargèrent tous deux en même temps ; mais je leur fis voir du pays.
A.-R. LESAGE, Gil Blas, V, I.

Par ext. *Avoir beaucoup vu :* avoir acquis de l'expérience (par ses voyages, par la fréquentation de ses semblables). *«Quiconque a beaucoup* (cit. 24) *vu Peut avoir beaucoup retenu ». «(...) quinconque ne voit guère N'a guère à dire* (1. Dire, cit. 64) *aussi... ». Il n'a encore rien vu :* il est jeune, inexpérimenté (⇒ **Ignorance**). *«Un souriceau tout jeune* (cit. 8) *et qui n'avait rien vu ». «J'ai trop vu, trop senti, trop aimé dans ma vie ».*

Fig. *En avoir vu bien d'autres** (*supra*, cit. 142) : n'être plus étonné* de rien. *En avoir vu plus d'une* (épreuve, mésaventure, catastrophe...). — (Dans un sens analogue). *En voir, en faire voir de belles* (⇒ **Beau**, cit. 76), *de bleues** (II., 2.), *de toutes les couleurs** (I., 8.), *de (des) vertes** et *de (des) pas mûres.* — (Ellipt.). *Il en a vu :* il en a subi (des épreuves, des avanies, etc.). *Il lui en a fait voir! — On n'a rien vu de pareil, de semblable :* c'est une chose extraordinaire. *Vous n'avez encore rien vu :* vous allez voir mieux encore. *Cela dépasse tout ce qu'on a vu jusqu'ici. On aura tout vu! :* c'est le comble. *Voyez ça! Voyez-vous ça? Voyez un peu** (cit. 62). *Voyez un peu le grand malheur...!* (cit. 17). *A-t-on jamais vu cela? Ah! si vous aviez vu cela! Je voudrais bien voir ça!* — REM. Selon le ton employé, ces expressions peuvent marquer de l'étonnement, de l'admiration, de l'indignation, de l'ironie.

32 Voyez un peu la belle espèce!
LA FONTAINE, Fables, VII, 5.

33 (...) Il est étrange que la marquise souffre de telles folies (...) Le mari de cette grande fille en verra de belles!
STENDHAL, le Rouge et le Noir, II, X.

34 *Voyez-vous ça!* Ça sort avec sa cousine, comme c'est pur!
PROUST, in R. LE BIDOIS, l'Inversion du sujet, p. 71.

35 Les voyageurs nous regardent avec le regard indifférent des gens qui en ont vu d'autres (...)
PRÉVERT, la Pluie et le Beau Temps, p. 43.

36 Oui, bien crois-moi, Dubardier, Basset, Perlis et compagnie, ils ont eu le pot d'avoir affaire à des fils de paysans en 1968, sinon ils en auraient vu de toutes les couleurs.
Yanny HUREAUX, la Prof, p. 246.

37 Ah! vous venez de trouver ça, vous...» Oui, voilà ce que c'était ; vous avez votre misérable cervelle de bonne femme, non, vraiment, c'est trop drôle... vraiment on aura tout vu...
N. SARRAUTE, Le planétarium, p. 45.

À voir ce que je vois (Molière, *Tartuffe*, IV, 1) ; *à ce que je vois :* d'après ce que je puis observer de mes yeux et conclure de mes observations. *À te voir, on te prendrait pour un ange* (→ Plat, cit. 18). — *«À voir ce que l'on fut sur terre et ce qu'on laisse (...) »* (→ Faiblesse, cit. 32, Vigny). ⇒ **Constater, observer.**

38 (...) Votre religion, à ce que je vois, est donc l'arithmétique.
MOLIÈRE, Dom Juan, III, 1.

39 (...) à voir quelle douleur minait à la longue un homme toujours séparé de la terre maternelle, je me sentis une grande hâte de connaître et d'adorer la mienne (...)
A. DE VIGNY, Servitude et Grandeur militaires, III, VI.

Comme on le voit. Comme on peut le voir... ⇒ **Constater** (→ Artério-sclérose, cit. 1).

Loc. *Il ferait beau voir...* ⇒ **Beau** ; → Faire, cit. 209.

ⓑ Être, se trouver en présence de qqn. ⇒ **Rencontrer.** *Voir qqn en tête à tête* (→ Sagesse, cit. 14). *Comment jugerais-je un homme que je n'ai vu qu'une après-midi* (cit. 3). *Je l'ai vu la semaine dernière. «J'ai vu dans ma vie des Français, des Italiens, des Russes (...) »* (→ Homme, cit. 90). *Le besoin de voir celle que j'aimais, de jouir* (cit. 3) *de sa présence...* (→ aussi Surmonter, cit. 5). *«(...) c'est toujours une nouveauté de voir la personne aimée (...) Quelle joie de la retrouver! »* (→ Absence, cit. 7). ⇒ **Revoir.** *« Voici l'homme qui meurt du désir* (cit. 11) *de vous voir ».* ⇒ **Présenter** (se). *Le jour où je t'ai vu* (→ Sacrifier, cit. 7). *La première fois que je t'ai vu...* (→ 1. Lire, cit. 15). *Elle l'avait déjà vu quelque part* (1. Part, cit. 22 ; → aussi Remettre, cit. 2). *Je ne pense pas l'avoir jamais vu. Je ne l'ai jamais vu. Il est ravi de vous voir chez lui* (→ Honorer, cit. 16). — *Aller voir qqn,* aller le trouver, lui rendre visite*. *Il allait la voir chez elle* (→ Maladroit, cit. 6; apprendre, cit. 55). — *Le médecin allait voir un malade. Représentant qui va voir ses clients.* ⇒ **Visiter** (→ Confrère, cit. 1 ; manquer, cit. 69). — *J'aimerais voir le directeur. J'ai vu le ministre en audience** *particulière. — Je viendrai vous voir de temps en temps* (→ Obliger, cit. 8). *«(...) à la porte Deux hommes demandaient* (cit. 18) *à le voir promptement ». Venez me voir chez* (cit. 1) *moi. J'ai été en prison et vous êtes venu me voir* (→ 1. Nu, cit. 9). — *Ne pas rencontrer la personne qu'on venait voir.* ⇒ **Visage** (trouver visage de bois). — *Je ne désire voir personne : je ne veux recevoir aucun visiteur. C'est un vrai loup*, un ours*, un sauvage, il vit dans la retraite, ne veut voir personne.* ⇒ **Fréquenter.** *Je ne le vois plus :* j'ai rompu* avec lui. *Voir du monde, de la compagnie* (→ Important, cit. 15). ⇒ **Relation** (avoir des relations). *Son père tient à lui faire voir le «grand monde »* (→ Fils, cit. 7). *Il ne sort guère et ne voit pas grand monde.*

40 Elle vous voit, vous parle à toute heure du jour (...)
MOLIÈRE, le Dépit amoureux, I, 1.

41 En vous parlant, ils (les Français) sont pleins de vous ; ne vous voient-ils plus, ils vous oublient.
ROUSSEAU, les Confessions, IV.

42 — Mais que devenez-vous donc? Il y a une éternité qu'on ne vous a vu.
DIDEROT, Jacques le fataliste, Pl., p. 690.

43 — Bonjour, cher ami, s'écria la duchesse avec vivacité. Que devenez-vous, on ne vous voit plus? Voulez-vous venir dîner demain, après-demain?
PROUST, Jean Santeuil, Pl., p. 684-685.

44 (...) il dit à François d'une voix alerte :«Peux-tu dîner avec moi? Je voudrais te parler. J'aimerais te voir.
R. RADIGUET, le Bal du comte d'Orgel, p. 68.

Ce n'est pas qqn à voir, à fréquenter. — Fam. *Je vous ai assez vu,* se dit à quelqu'un qu'on veut chasser, congédier. — *Je ne peux pas le voir, pas le voir en peinture** (cit. 3) : je ne puis le souffrir*, le sentir*, je l'ai en aversion. ⇒ **Haïr.**

45 (...) un jacobin, un buveur de sang, un de ces hommes qu'on ne peut pas voir.
FRANCE, le Crime de S. Bonnard, Œ., t. II, p. 386.

(Compl. n. de chose) :

46 Décidément, je ne puis voir l'Amérique en peinture : je fuis son cinéma.
F. MAURIAC, Bloc-notes 1952-1957, p. 348.

ⓒ Spécialt, vx. *Voir une femme :* avoir avec elle des relations charnelles (cf. Duclos, in Littré).

47 (...) puisque ce malhonnête homme possédant des proportions gigantesques n'était pas même en possibilité de voir une femme au lieu le plus permis, et que conduit par sa méchanceté naturelle, il n'avait assurément point d'autre but que de m'estropier (...)
SADE, Justine..., t. I, p. 48.

ⓓ Par ext. Trouver, rencontrer (qqch.). *Une petite lampe* (cit. 10) *comme on en voit dans les cuisines de campagne.* ⇒ **Avoir** (comme il y en a). *Vous n'avez, dans* (cit. 22) *votre vie, jamais rien vu de si beau.* → 1. Être (I., 2. : il n'est rien d'aussi beau), **exister** (il n'existe...).

ⓔ Regarder attentivement, avec intérêt. ⇒ **Apercevoir, considérer, examiner, observer, regarder, remarquer.** *Voir le courrier. J'ai vu des fautes dans ce texte. Allez voir ce qui se passe en bas. Voir tout par ses yeux.* ⇒ **Attention** (faire attention à tout), **compte** (tenir, se rendre), **garde** (prendre); **inspecter.** *«Sitôt qu'elles les eurent épiés* (2. Épier, cit. 3) *et vus (...) ». «Je suis oiseau, voyez mes ailes »* (cit. 1). *Voir un objet tel qu'il est* (→ Exagérer, cit. 15). *Les amants ne voient pas les défauts* (cit. 28 et 29) *de leurs maîtresses.* — *«Deux yeux distraits* (cit. 21) *Qui, me voyant toujours, ne me voyaient jamais »* (Racine). → aussi Force, cit. 84. *«Laide, plate, insignifiante* (cit. 7), *une de ces filles qu'on ne voit pas, à qui on ne parle pas (...) »* — Allus. évang. *Voir une paille* (cit. 11) *dans l'œil du prochain et ne pas voir une poutre dans le sien. — Refuser voir une personne : se refuser à voir, ne pas vouloir voir qqch.* (cf. Fermer les yeux à qqch., sur qqch.). ⇒ **Œil** (*supra*, cit. 25; → aussi Innocence, cit. 3). *Il avait pu voir bien des choses, il en soupçonnait beaucoup d'autres* (→ Cacher, cit. 24). *Il faut voir cela de plus près,* considérer. *Il faut voir les choses en face ; voir la vérité* (→ Authenticité, cit. 8). *Il ne faut pas toujours juger sur ce qu'on voit.* ⇒ **Apparence** (cit. 13).

48 (...) on ne voit rien quand on se contente de regarder.
ROUSSEAU, Julie ou la Nouvelle Héloïse, IV, XII.

49   Goncourt disait de Renan qu'il ne voyait pas les choses et qu'il n'aurait pas été fichu de dire de quelle couleur était le papier de sa chambre (...)
          L.-P. FARGUE, la Lanterne magique, p. 251.

Absolt. Observer. *Il ne sait pas voir* : il est mauvais observateur. *L'art de voir. Savoir voir. Voir et deviner*.* — Allus. hist. *Je suis venu, j'ai vu, j'ai vaincu*.*

50   C'est pourquoi je leur parle en paraboles, parce que voyant ils ne voient pas, et entendant ils n'entendent ni ne comprennent.
          BIBLE, l'Évangile selon saint Matthieu, XIII, 13.

51   Il n'est pour voir que l'œil du maître.   LA FONTAINE, Fables, IV, 21.

52   Pour réussir dans le monde (...) retenez bien ces trois maximes : Voir, c'est savoir ; vouloir, c'est pouvoir ; oser, c'est avoir.
          A. DE MUSSET, Comédies et proverbes, Barberine, I, 4.

53   (...) et contempler les choses,
C'est finir par ne plus les voir.   HUGO, les Contemplations, III, XXX, III.

54   Ce qui l'arrête court, c'est qu'il ne sait pas voir ; il ne verrait jamais, dût-il voyager aussi longtemps qu'Isaac Laquedem, les beautés, les singularités, les traits curieux de ce qui s'étale sous ses regards.
          J.-A. DE GOBINEAU, Nouvelles asiatiques, p. 275.

55   Apprendre à voir est le plus long apprentissage de tous les arts.
          Ed. et J. DE GONCOURT, Journal, 1ᵉʳ févr. 1866, t. III, p. 15.

56   Quand on se promène, une certaine lenteur est la condition du plaisir. Des dames, qui se font conduire au Bois en grande toilette, veulent avoir le temps de voir et d'être vues.   J. ROMAINS, les Hommes de bonne volonté, t. III, XII, p. 165.

VOIR QUE... ⇒ **Apercevoir** (s'), **remarquer**. *Il vit de loin que le navire* (cit. 9) *appareillait. Lorsqu'elle vit que l'escalier était obscur...* (→ Mouvement, cit. 35).

VOIR COMME... *Voyez comme il est grand, comme cet enfant est sage.* ⇒ **Considérer, juger, observer, regarder.** *Voyez comme tout est calculé au Parthénon* (→ Dorique, cit. 1). *Voyez comme tous les prix s'avilissent* (→ Protection, cit. 6). *« Las ! voyez comme en peu d'espace, Mignonne, elle a dessus la place, Las, las ! ses beautés laissé choir ! »* (→ Durer, cit. 6, Ronsard).

(ALLER, VENIR) VOIR SI... : aller regarder, se rendre compte si... *Voyez, allez voir s'il est arrivé.* ⇒ **Enquérir** (s'), **informer** (s'). *Allez voir si tous les poêles ronflent bien.* ⇒ **Assurer** (s'), **vérifier.** *Il accourut voir si elle ne s'était fait aucun* (cit. 1) *mal. Elle vient voir jusqu'à quel point j'endurerai son audace* (→ 1. Patience, cit. 4). *« Mignonne* (cit. 7), *allons voir si la rose ».* *(Si vous êtes incrédule) allez-y voir :* allez constater par vous-même. — Par ext. *Il se pesa* (cit. 1) *pour voir s'il n'avait pas engraissé* (→ Prophétie, cit. 1).

57   Demandez *pour voir* ce que vous êtes à tout le monde, et vous verrez si tout le monde ne dit pas que vous n'avez rien d'homme que la ressemblance d'un magot.
          CYRANO DE BERGERAC, Lettres satiriques, « Contre Soucidas ».

58   — Que cherchez-vous ? — Je vois
Si quelqu'un n'est point là qui pourrait nous entendre (...)
          MOLIÈRE, Tartuffe, II, 1.

Fam. *Allez voir là-bas si j'y suis,* se dit, par plais., pour se débarrasser d'un importun.

♦ **3.** (Abstrait). **a** Souvent à l'impératif. Se faire une opinion sur (qqch.). *Voyons un peu notre affaire* (cit. 8). ⇒ **Étudier, examiner.** — *Voyons le suivant.* ⇒ **Passer** (à). *Voyons ça, je n'ai pas le temps de m'en occuper. Voyons ce que le sort m'apprête* (cit. 6). *Nous verrons ce qui en arrivera* (cit. 77). *Je vous verrai à l'œuvre* (cit. 2). *Nous verrons qui tiendra mieux* (cit. 5) *parole des deux, qui rira le dernier.* (→ aussi Incompétent, cit. 3 ; 3. sujet, cit. 9). — Prov. *Qui vivra verra* : celui qui vivra pourra s'en rendre compte, en juger. *Il faut voir ce qu'on peut faire.*

59   — J'ai pas encore d'idée, faut que je réfléchisse (...) Ici forcément ça va pas être coton.
— Voyez ça, mais encore une fois plus de conneries.
          Pierre GOMBERT, le Prix d'un taxi, p. 62-63.

Absolt. *Nous allons voir :* nous allons considérer la chose, observer son déroulement, réfléchir avant de nous prononcer. *Nous allons voir,* réfléchir (avant d'agir). *Il faut voir, nous verrons, on verra, c'est à voir. On verra bien !* : attendons la suite des événements. — Loc. *Il faut attendre et voir* (cf. l'angl. *Wait and see*).

60   On ne lutte pas contre des passions pareilles. Aussi, connaissant les hommes, ne songeait-il plus qu'à tirer le meilleur parti possible de la situation. Il fallait voir. Et il attendait.   ZOLA, Nana, IX.

Je voudrais bien voir ce qu'il ferait à ma place (supra cit. 26). ⇒ **Savoir.** — Iron. *« Je voudrais bien le voir vraiment que vous fussiez amoureux de moi ».* → Prier, cit. 16.

61   Quelqu'un qui me tente le passage, je lui passe mon épée au travers du corps (...) Je voudrais bien voir qu'on me résistât.   HUGO, l'Homme qui rit, II, VII, I.

(Par menace). *Vous verrez de quel bois* (cit. 40) *nous nous chauffons.* ⇒ **Apprendre.** — *Ah ! non, par exemple, on allait voir !* (→ Rouler, cit. 14). *On va voir ça..., ça ne traînera guère* (→ Torchon, cit. 3).

62   L'aîné le veut, l'autre le veut aussi.
— Tirons au doigt mouillé. — Parbleu non. — Parbleu si.
— Cède, ou bien tu verras. — Mais tu verras toi-même.
          FLORIAN, Fables, III, 12.

POUR VOIR (ce qui en adviendra, ce qui en résultera) :

63   (...) demandez-leur pour voir,
Lesquels en mariage elles veulent avoir (...)
          RONSARD, Second livre des hymnes, Pollux et Castor.

Touchons un peu pour voir : en effet, c'est bien lui.   64
          MOLIÈRE, l'Étourdi, II, 4.

VOIR QUE, COMME, COMBIEN... ⇒ **Constater.** *On voit bien que tu es jeune* (→ Sentir, cit. 3). *Je vois que vous n'avez rien oublié. Quant à la religion* (cit. 6) *je vois que c'est une chose de l'âme.* ⇒ **Apercevoir** (s'). *On voit que le calvinisme* (cit. 1) *commençait à gagner.* — *Je vois que votre cœur m'applaudit* (cit. 13) *en secret. J'aime* (cit. 52) *à voir que du moins vous vous rendiez justice.*

65   Je ne vois pas, pour moi, que le cas soit pendable (...)
          MOLIÈRE, le Misanthrope, I, 1.

66   Hélas ! on voit que de tout temps
Les petits ont pâti des sottises des grands.   LA FONTAINE, Fables, II, 4.

Voir combien, comment, quel, où... J'ai vu combien l'usage du monde donne d'aisance (→ Paraître, cit. 17). *Il ne voyait plus guère comment amener l'entretien* (→ 2. Mal, cit. 3). *Je ne voyais pas quelle carrière* (2. Carrière, cit. 16) *pouvait s'ouvrir pour moi.*

67   Voyez combien monsieur Émile Blondet est plus sage que vous ? il est dans un journal qui soutient le pouvoir (...)   BALZAC, Illusions perdues, Pl., t. IV, p. 813.

VOIR SI... : éprouver, savoir. *Voyez si le vin est bon. Voyons s'il osera. Voyez si elle accepte. C'est à vous de voir si la chose est faisable.* ⇒ **Considérer, examiner.** *Il téléphonait pour voir si elle était chez elle.*

68   — (...) voudriez-vous que je commisse un tel péché ? — Tu n'as qu'à voir si tu veux gagner un louis d'or ou non (...)   MOLIÈRE, Dom Juan, III, 2 (var.).

69   Voyez si mes regards sont d'un juge sévère (...)
          RACINE, Andromaque, III, 7.

(En incise). VOIS-TU, VOYEZ-VOUS (pour appuyer une affirmation, une dénégation ou inviter à la réflexion). *Vois-tu, ce qui est beau, c'est d'être simple* (→ M'amie, cit. 2). *Voyez-vous, il faut se faire une raison* (cit. 65 ; → aussi Caboche, cit. 2 ; cache-cache, cit.).

70   (...) les femmes, voyez-vous, ça ne dit jamais la vérité.
          MAUPASSANT, l'Inutile Beauté, « Champ d'oliviers », III.

VOYONS !, s'emploie en manière de reproche ou de prière, pour rappeler à la raison, à la réflexion, à l'ordre, amener sa réprobation, rabrouer... ⇒ **Aller** (allons). *Calmez-vous, voyons !* (→ Exciter, cit. 33). *Voyons, qu'est-ce qui vous prend ?* (cit. 40). *Voyons, mon petit* (→ Mécène, cit.).

71   — (...) Voyons, sois raisonnable. Essaye de rester seulement huit jours.
          MAUPASSANT, Pierre et Jean, VII.

72   Voyons... c'est aujourd'hui le 1ᵉʳ... le 15, je marie ma fille !... le 16...
          E. LABICHE, Un monsieur qui prend la mouche, 2.

73   Mˡˡᵉ Vinteuil répondit par des paroles de doux reproche : « Voyons, voyons », qui prouvaient la bonté de sa nature (...)
          PROUST, À la recherche du temps perdu, t. I, p. 219.

74   Voyons, voyons, voyons, cher Etienne Borne, êtes-vous un homonyme, ou êtes-vous Borne, directeur de *Terre Humaine* (...)
          F. MAURIAC, Bloc-notes 1952-1957, p. 97.

VOIR (après un verbe sans compl.). Pour voir. Fam. *Voyons voir ! Dites voir, écoute voir. Essaie voir !*

75   Le préfet des études était devant lui et lui disait : — « Monsieur Servien, *voyez voir* à punir l'élève Laboriette qui verse son abondance dans la poche de son voisin.-
          FRANCE, les Désirs de J. Servien, XXII.

76   Demande voir aux gars ce qu'on a sonné aux Boches à Escardes (...)
          R. DORGELÈS, les Croix de bois, I.

77   Attendez un peu voir, me dit Françoise indignée de mon ignorance, si les lapins ne crient pas autant comme les poulets.
          PROUST, À la recherche du temps perdu, t. III, p. 72.

78   — Une femme blonde, continua Lulu Doumer. Trente-cinq ans. Profession ? Voyons voir. Couturière ? Non.   R. QUENEAU, Loin de Rueil, p. 13.

79   (...) c'est pas parce que c'est mon fils, mais écoute voir, c'est un dur.
          Robert MERLE, Week-end à Zuydcoote, p. 20.

b Se représenter par la pensée. ⇒ **Apercevoir, apprécier, comprendre, concevoir, connaître, considérer, constater, découvrir, discerner, distinguer, envisager, figurer** (se), **imaginer, juger, observer, regarder, représenter** (se), **trouver.** *Nous ne voyons jamais qu'un seul côté* (cit. 15) *des choses. Je ne vois pas de quoi il s'agit. Je ne vois plus d'autre définition valable de la poésie* (cit. 7). *Je ne vois rien à répondre* (→ Démonstration, cit. 4). *Il ne voyait pas le moyen de s'en tirer* (→ Soluble, cit.). *Voir la réalité telle qu'elle est, le monde tel qu'il est* (→ Détourner, cit. 20), *ce qu'on aime exactement tel qu'il est* (→ Image, cit. 61). *« Quand on voit le style naturel (...) »* (→ Attendre, cit. 104).

80   (...) il s'agit (...) d'examiner les causes de la maladie, et de voir les remèdes qu'on y doit apporter.   MOLIÈRE, l'Amour médecin, II, 5.

81   Si l'on voyait ce qu'on aime exactement tel qu'il est, il n'y aurait plus d'amour sur la terre.   ROUSSEAU, Émile, IV.

82   Je ne vois que Jean Giraudoux pour avoir, dans *Amphitryon* et *La Guerre de Troie n'aura pas lieu,* touché à ces mythes en les renouvelant.
          Émile HENRIOT, Mythologie légère, p. 8.

Absolt. *L'histoire peut nous aider à mieux voir* (→ Associer, cit. 28). *Tu vas voir, c'est très curieux* (→ Rédacteur, cit. 12). *Ne pas voir très au delà du résultat immédiat* (cit. 6). ⇒ **Prévoir** (→ aussi Conséquence, cit. 4 ; faible, cit. 20). *Bien définir, c'est voir exactement sans confusion* (→ Peindre, cit. 20).

Façon, manière de voir, de juger, de penser. ⇒ **Perspective** (3.). *Jamais elle ne cherchait à imposer aux autres ses façons de voir* (→ Catéchiser, cit. 1 ; et aussi autorité, cit. 21). *L'enfance* (cit. 9) *a des manières de voir, de penser qui lui sont propres. Elle lui plaisait par ses manières de voir* (→ Goût, cit. 32).

Je ne vois pas très bien de quoi il s'agit. Vous voyez ce que je veux dire. ⇒ **Comprendre.**

83 — Il me semble que cette maison dont nous parlions a été faite un peu arbitrairement, vous voyez ce que je veux dire (...)
M. DURAS, *Moderato cantabile*, p. 60.

Ah! je vois! : je comprends fort bien (souvent iron.). Je ne vois plus rien à dire, à ajouter. J'ai vu le moment où il allait se mettre en colère. Je vois un inconvénient à cela. Je n'y vois pas d'inconvénient (→ Peuh, cit. 2). *Je n'y vois rien à redire.*

84 Elle se défendit néanmoins d'y voir l'aveu d'un détachement.
MARTIN DU GARD, *les Thibault*, t. II, p. 235.

Avec un compl. ou un adv. de manière. Voir les choses avec insouciance (→ Gamin, cit. 6). *Voir avec les yeux de la foi** (→ ci-dessus, I., 1.). — *Voir juste*. Voir grand* (cit. 82). — *Voir qqch. d'un bon, d'un mauvais œil* (cit. 36 et 38). — *Voir en bien, en mal* (3. Mal, cit. 32). *Voir tout en blanc* (cit. 19), *en noir* (cit. 23 et 46), *en rose* (→ 2. Rose, cit. 7).

85 Les fous et les sottes gens ne voient que par leur humeur.
LA ROCHEFOUCAULD, *Maximes*, 414.

VOIR (qqch.) À (qqn) : découvrir, remarquer (telle ou telle chose) en qqn. *Il lui voit tous les vices* (→ Mâcher, cit. 6). *Cette folle audace qu'on lui voit dans la pensée* (→ Matamore, cit. 1). *Il faut que le monde nous voie un cœur fraternel* (→ Fraternité, cit. 6).

VOIR EN..., DANS..., le considérer comme... *Il vit en elle une bienfaitrice* (→ Maternellement, cit. ; et aussi interprète, cit. 6 ; 1. penser, cit. 17). *Vous voyez en moi un paysan qui s'est révolté* (cit. 3). — *Pourquoi ne voir dans la pyramide qu'un amas* (cit. 2) *de pierres? Je vois dans le système du monde un ordre qui ne se dément point* (→ 3. Mal, cit. 43). *L'animosité* (cit. 7) *que je vois dans leurs cœurs* (→ aussi Cordial, cit. 4). — *Je ne vois rien là qui blesse* (cit. 10) *la pensée.*

VOIR (qqch.) À, (littér.) D'APRÈS, PAR : constater, déduire de... *À quoi voyez-vous cela? À ses vêtements.* — Impers. *Ça se voit à ses vêtements.*

86 C'est assez qu'on ait vu par là qu'il ne faut point
Agir chacun de même sorte.
LA FONTAINE, *Fables*, II, 10.

87 — (...) est-ce que vous ne trouvez pas le pain bon?
— Au contraire, madame, répondit-il, il est fait avec de la farine d'Étampes, première qualité.
— À quoi voyez-vous cela? lui dit Eugène.
— À la blancheur, au goût. BALZAC, *le Père Goriot*, Pl., t. II, p. 889.

Fam. (emploi voisin de : *je voudrais bien voir que...* → ci-dessus cit. 61 et *supra*, mais syntactiquement différent). *Je voudrais bien vous y voir* (à ma place) : vous ne feriez pas mieux que moi.

♦ **4. AVOIR À VOIR DANS, AVEC...** : avoir affaire, avoir à faire dans, avec... *Qu'avez-vous à voir dans ma maison?* ⇒ **Faire.** — Fig. (seult avec *pas, rien, peu* ; sujet n. de chose). *N'avoir rien, pas grand-chose à voir* : n'avoir rien de commun* avec, être tout à fait différent. *La patience n'a rien à voir avec la simple attente* (→ Obstination, cit. 5), *ni la pruderie* (cit. 4) *avec la pudeur. Ça n'a rien à voir avec le courage* (→ Peur, cit. 22 ; et aussi relativité, cit. 1).

88 Chez vous, les hommes, la sensualité n'a pas grand'chose à voir avec les sentiments. Chez nous, tout se tient. A. MAUROIS, *la Terre promise*, XXVI.

Absolt, fam. *Ça n'a rien à voir!* : c'est tout différent.

★ **II.** V. tr. ind. **VOIR À** (suivi de l'inf.) : songer à (faire telle chose), viser à (tel résultat), s'efforcer de (parvenir à), avoir soin de. ⇒ **Veiller** (à). *« Voyez à nous faire souper, à nous loger »* (Académie).

89 (...) quand il aura sa part, Buteau verra, j'espère, à épouser sa cousine.
ZOLA, *la Terre*, I, IV.

90 (...) nous verrons à entraîner votre oncle, par la même occasion (...)
HUYSMANS, *l'Oblat*, IV.

REM. *Voir que* (suivi du subj.) est vieilli. *Voyez qu'il ne lui manque rien. Je vous conjure de voir que cet argent soit employé selon sa destination. Voir de* est complètement sorti de l'usage. *Voyez de cacheter plus soigneusement vos lettres.*

Fam. **IL FAUDRAIT VOIR À** (suivi de l'inf.) : il faudrait songer à, veiller à (faire telle chose). *Il faudrait voir à te dépêcher!* (1795, *j'verrons à voir*, Gouffé, *in* D.D.L.). Pop. (même sens). *Il faudrait voir à voir* (suivi de l'inf.). Absolt. *Je vais voir à voir* : j'y veillerai.

91 — Faudrait voir à voir à être poli avec la dame, dit Trouscaillon.
R. QUENEAU, *Zazie dans le métro*, Folio, p. 173.

Fam. *Tâcher de voir à* (suivi de l'inf.) : songer à, veiller à (faire qqch.). *Tâche de voir à te grouiller.* Pop. *Tâcher de voir pour que...* (suivi du subjonctif).

92 Bref, je suis un peu réconforté par ta bonne réponse, il ne me reste plus qu'à te dire de tâcher de voir, si ça ne t'ennuie pas trop, pour qu'on m'envoie directement ladite lettre d'avis dont tu me parles.
G. NOUVEAU, *Lettre à E. Delahaye*, 20 sept. 1909, Pl., p. 963.

▶ **SE VOIR** v. pron.

♦ **1.** (XVIIe, au sens fort ; XIIIe, comme semi-auxiliaire). Réfl. Voir sa propre image. *Se voir dans une glace*, un miroir*. Se voir en photo. On ne se voit pas comme nous voient les autres.* — (Avec l'attribut d'objet, un compl.). *Quand je me suis vu dans cette mauvaise posture. Se voir mourir* : se voir soi-même en train de mourir.

Quelles personnes auraient commencé de s'aimer, si elles s'étaient vues d'abord comme on se voit dans la suite des années? 93
LA ROCHEFOUCAULD, *Réflexions diverses*, De l'inconstance.

C'est le propre d'un efféminé (...) de se voir au miroir (...) 94
LA BRUYÈRE, *les Caractères*, I, 52.

Se voir par l'imagination. Ils se voyaient déjà morts. Je ne me vois pas habitant là, habiter là. Je me vois mal le suppliant, cela n'est guère possible, ne me plaît guère.

Fig. *« On se voit d'un autre* (cit. 131) *œil* qu'on ne voit son prochain »* (La Fontaine). ⇒ **Considérer** (se), **juger** (se).

(...) nous nous voyons de trop près *(pour connaître nos défauts)*, l'œil se confond avec l'objet, et nous ne sommes pas assez détachés de nous-mêmes pour nous considérer d'un regard distinct, et nous voir d'une pleine vue (...) 95
BOSSUET, *Sermons*, M.-A. de Beauvais, II.

(XIIIe). Employé comme semi-auxiliaire. Être, se trouver en tel état, en telle situation. *Surpris de se voir chancelier* (→ Anguille, cit. 4). *Elle souhaiterait de se voir sa femme* (→ Jusque, cit. 7). *« Mais comme il s'est vu seul contre trois adversaires (...) »* (cit. 2). *« Je me suis vu vanté, fêté, recherché (...) puis insulté, menacé, détesté (...) »* (cit. 15). *Elle s'était vue libre de dépenser ce qu'elle voulait* (→ Maniement, cit. 5). *Se voir contraint* (→ Auditoire, cit. 3), *forcé* (→ Abus, cit. 6) *de* (faire telle chose). *Elle s'était vue forcée de vendre ses quatre* (cit. 5) *meubles.* — *« J'aimerais mieux me voir morte que de me voir déshonorée »* (cit. 21, Molière). — (Suivi de l'inf.). *Il s'est vu refuser l'entrée du club* (→ aussi ci-dessous, cit. 100, Duhamel). — REM. On trouve chez Littré un exemple de Vaugelas où *se voir* est ainsi suivi d'un infinitif : *« Ce qui désespérait le plus de si braves hommes, c'était de se voir assommer comme des bêtes prises dans un piège, sans pouvoir venger leur mort ».* Sans le contexte qui éclaire le sens, une telle phrase serait amphibologique : *se voir* assommé ou bien *se voir* en train d'assommer. Par contre, les deux vers suivants de Racine ne présentent aucune ambiguïté :

Je me suis vu, Madame, enseigner ce chemin 96
Et par plus d'un héros et par plus d'un Romain (...) RACINE, *Bérénice*, V, 6.

Après cinq ans de tentatives et de travaux pénibles, il s'était vu possesseur d'une 97 fortune considérable. BALZAC, *la Femme de trente ans*, Pl., t. II, p. 813.

(...) je me vis en un mot tout différent de celui qu'elle avait quitté. 98
E. FROMENTIN, *Dominique*, VI.

Comme il atteignait l'Olympia, il se vit dépassé par une femme assez épaisse (...) 99
Paul MORAND, *l'Europe galante*, Mme Fredda.

À sa grande stupeur, le romancier s'est vu citer en justice. 100
G. DUHAMEL, *Défense des lettres*, II, V.

(Sujet n. de chose). Pays, collectivités. *Les Provinces-Unies se voyaient à la veille d'une guerre civile.* → Arminien, cit. — (Choses concrètes, non humaines). Emploi critiquable. *Certains véhicules se voient interdit l'accès de l'autoroute* (nombreux ex. *in* Gilbert).

♦ **2.** (XIIIe). Récipr. Se voir l'un l'autre. Se trouver ensemble. *Elles se sont vues sans se reconnaître. Passer l'un près de l'autre sans se voir. Amoureux qui se voient en cachette.* ⇒ **Rencontrer** (se). — Par ext. ⇒ **Fréquenter** (se). *Ils se voient beaucoup* (→ Maintenant, cit. 3). *Se voir par habitude* (cit. 27).

Hé bien, nous nous verrons seul à seul chez Barbin. 101
MOLIÈRE, *les Femmes savantes*, III, 3.

Comment se sont-ils vus? Depuis quand? Dans quels lieux? 102
RACINE, *Phèdre*, IV, 6.

Ils se regardèrent quelques secondes, sans bien se voir. Chacun d'eux suivait les 103 rebondissements de sa pensée. MARTIN DU GARD, *les Thibault*, t. I, p. 25.

Fig. *Ils ne peuvent pas se voir* : ils se détestent (souvent renforcé par hyperbole : *ils ne peuvent pas se voir en peinture*). ⇒ **Sentir** (se).

♦ **3.** (1559). Passif. Être vu, remarqué, visible. *Une reprise qui ne se voit pas. La lune se voyait entre les nuages.* ⇒ **Montrer** (se), **paraître.** — Loc. *Cela se voit comme le nez au milieu de la figure, du visage.* ⇒ **Évident, visible ; sauter** (aux yeux). *Elle était respectée et cela se voyait* (→ Bonsoir, cit. 2). *Je pensais que ça devait se voir* (→ Lettre, cit. 8). — Se rencontrer, se trouver. *Cet appareil se voit encore dans les campagnes. Les derniers écrivains qui se voient dans Paris* (→ Fleurir, cit. 14). ⇒ **Trouver** (se). — *Cela se voit tous les jours* : c'est une chose fréquente. *Cela ne s'est jamais vu.* ⇒ **Arriver, survenir ; présenter** (se), **produire** (se). — Fam. Mériter d'être vu. *Ce film se voit avec plaisir.* — Impers. *Il ne se voit rien où le goût antique* (cit. 4) *se fasse mieux remarquer.*

Un coq, sans force et sans talent, 104
Jouissait, on ne sait comment,
D'une certaine renommée.
Cela se voit, dit-on, chez la gent emplumée (...) FLORIAN, *Fables*, IV, 22.

Rien ne se voyait plus, pas même des débris ; 105
L'univers écrasé ne jetait plus ses cris.
A. DE VIGNY, *Livre mystique*, « Le déluge », III.

Jamais il ne se sera vu un réveillon pareil. 106
Alphonse DAUDET, *Lettres de mon moulin*, « Trois messes basses », I.

▶ **VU, VUE**

A. P. p. et adj. (XIIe, *veü* ; *vu*, XIVe). ♦ **1.** Perçu par l'œil, le regard. *Surprendre* qqch. sans être vu.* (⇒ **Visible**). *Sans être vue de personne* (→ Pénétrer, cit. 2). *Il ne peut être vu* (⇒ **Invisible**). *Dans le mot aspect* (cit. 10), *ce qui domine c'est l'idée de l'objet qui est vu.* — *Choses vues*, œuvre de Victor Hugo (publiée en 1887). — *Tous les points sont vus dans le champ de l'instrument.* — Mille *gens font la foule au lever* (2. Lever, cit. 3) *pour être vus du prince. Des garçons si maigres* (1. Maigre, cit. 2) *que, même vus de face, ils avaient l'air d'être de profil. Ces bourgs, vus à vol d'oiseau* (cit. 23)... *Vu d'en haut, ce chemin...* (→ Plier, cit. 1). — Loc. (V. 1830, Béranger). *Ni vu ni connu :* sans que personne n'en sache rien. *Ni vu ni connu je t'embrouille*.*

N. m. *Au vu de tout le monde, au vu et au su** (*supra*, cit. 67) *de tout le monde :* au grand jour. ⇒ **Ostensiblement, ouvertement** (→ Légitimation, cit. 3).

107 (...) elle va se promener aux Tuileries au vu et au su de tout le monde ; elle est toujours rentrée à quatre heures, pour l'heure de votre arrivée (...)
BALZAC, la Cousine Bette, Pl., t. VI, p. 299.

C'est du déjà vu : ce n'est pas une nouveauté. — *Sur le vu de :* en voyant. — Psychiatrie. *Impression de déjà vu, de jamais vu,* paramnésies* survenant dans certains états confusionnels, *syndrome de Korsakov* par exemple.

♦ **2.** (XIIᵉ). Compris. *Une vérité vue, bien vue, à peine vue... C'est bien vu ?* — (XXᵉ). Ellipt. *Vu ?* — (1760-1763, *in* D.D.L.). Fam. *C'est tout vu :* c'est bien décidé, il n'y a plus à y revenir.

♦ **3.** (1655). *Bien vu, mal vu :* bien, mal considéré. ⇒ **Apprécié** (→ Ricochet, cit. 3). *Il est bien vu par son patron. Ne faites pas cela, ce serait très mal vu.* ⇒ **Ressentir.**

B. ♦ **1.** Prép. (Fin XIVᵉ). Eu égard à, en considérant. *Vu son âge. Vu les circonstances* (→ Préposition, cit. 1). *Vu le nombre* (→ Fortification, cit. 5 ; prairie, cit. 1).

108 *Moi, je ne puis aller à Nohant, parce que mon temps,* **vu l'étroitesse de ma bourse,** *est calculé.*   FLAUBERT, Lettre à G. Sand, CCXVI, 304, *in* BRUNOT.

109 (...) vu la quantité, ce n'est pas trop cher.   FLAUBERT, Mᵐᵉ Bovary, III, V.

(1690). Dr. Après avoir examiné. *Vu par la Cour les pièces mentionnées. Vu la loi du...* — Subst. (N. m.). *Au vu, sur le vu des pièces.*

♦ **2.** Loc. conj. (1421). Vx ou régional. *Vu que :* étant donné que. ⇒ **Attendu** (que).

110 (...) J'aime fort les bonnes ménagères, vu que j'ai la prétention d'en être une moi-même.   A. DE MUSSET, Comédies et proverbes, Barberine, III, 5.

111 Je pensais bien qu'il ne dirait rien, par peur du scandale, vu qu'il est sénateur.   MAUPASSANT, l'Inutile Beauté, Champ d'oliviers, II.

CONTR. V. Aveugle, aveugler.
DÉR. Visible, visibilité, vision, visuel, voyant, voyeur, vue.
COMP. Entrevoir, revoir ; clairvoyant, m'as-tu-vu, revoyure. — Voici, voilà. — V. aussi prévoir, pourvoir, revue.
HOM. Voire. — Formes des v. virer *(ils virent),* visser *(que je visse...)* et vivre. — (De certains temps ou modes) Vairon. — Vie. — Voie, voix.

VOIRE [vwaʀ] adv. — XIIᵉ, aux sens 1 et 3, var. *veire ;* du lat. *vera,* plur. neutre pris adv. de *verus* « vrai ».

♦ **1.** Vx (langue class.). Sans aucun doute, certainement.

♦ **2.** (1636). Vx ou par plais. Exclamation qui marque le doute, l'ironie. ⇒ **Vraiment.** *Voire, voire ! justement ! c'est tout à fait ça !* (→ Antiphrase, cit. 2 ; 1. frais, cit. 3).

1 Est-ce une salle de spectacle ? Point... Un gigantesque salon de décrottage et de cirage ? Voire ! C'est un restaurant.   G. DUHAMEL, Scènes de la vie future, XIV.

2 Voire ! J'étais bien jeune, madame, à l'époque, j'avais le trémolo moins honteux. Et puis j'avais de grandes manches. Et le texte était de mon cru.   J. ANOUILH, la Répétition, p. 45.

♦ **3.** (V. 1155, *veire*). Mod. (Employé pour renforcer une assertion, une idée). Et même* (III.). « *Chapitres de moines, voire chapitres de chanoines* » (cit. 1, La Fontaine). *De longs mois, voire des années* (→ Argile, cit. 8). *Considérations négligeables* (cit. 2), *voire mesquines. On me trouvait poseur* (cit. 1), *voire insolent.* — (Renforcé par *même*). « *Ce remède est inutile, voire même pernicieux* » (Académie). → aussi Transaction, cit. 1.

Par archaïsme littéraire :
3 Mais on voit le bélier qui les cornes présente
Se couvrir en jouant de pourpre moult plaisante,
Avecque l'arc-en-ciel tout le troupeau lutter,
Et voire les agneaux aux fleurs le disputer !
   G. NOUVEAU, le Calepin du mendiant, « Ça, ma Muse, chantons », 1949, Pl., p. 695.

REM. Ce tour est critiqué comme pléonasme.
HOM. Voir.

VOIRIE [vwaʀi] n. f. — 1260 ; « basse juridiction d'un seigneur », 1170 ; dér. de *voyer** « officier de justice », avec infl. de *voie.*

♦ **1.** Ensemble des voies aménagées et entretenues par l'administration publique. ⇒ **Voie** (publique). → 2. Neuf, cit. 21.

1 (...) les espacements exigus d'une voirie tortue et maladroite (...)
HUGO, l'Homme qui rit, I, III, IV.

♦ **2.** (1283). Admin. Entretien des voies, des chemins. — (1590). Par ext. Partie de l'administration publique qui s'occupe de l'ensemble des voies de communication, de leur établissement, de leur entretien... (→ Route, cit. 1). *Grande voirie* (routes nationales et départementales). *Petite voirie* (chemins vicinaux...). *Voirie urbaine, voirie rurale. Permission de voirie :* autorisation de mettre en place

une installation (kiosque, étalage...) sur la voie publique. *Contravention de voirie.* — *Service de voirie :* entretien, nettoyage des rues, des places publiques. Enlèvement quotidien des ordures, balayures..., dans les villes.

2 (...) il n'y avait plus de place, sinon dans le camp d'isolement que la préfecture était en train d'organiser, sur le stade municipal, à l'aide de tentes prêtées par le service de voirie.   CAMUS, la Peste, p. 232.

♦ **3.** (XIVᵉ). Vx. **[a]** Lieu où sont déposées ordures et immondices. ⇒ **Dépotoir.** *Jeter des objets de rebut à la voirie.*

[b] Immondices.

[c] Personne méprisable (*in* La Fontaine). ⇒ **Ordure.**

VOIROLLE [vwaʀɔl] n. f. — 1907 ; étym. obscure.

♦ Régional. Barque de pêche non pontée de la côte normande.

VOISÉ, ÉE [vwaze] adj. — XXᵉ (1933, Marouzeau) ; de *voix.*

♦ Phonét. Qui est caractérisé acoustiquement par une excitation périodique de basse fréquence, et par la vibration périodique des cordes vocales. *B* [b] *possède le trait voisé ; P* [p] *le trait non voisé.* ⇒ **Sonore.** *Consonne voisée ou non voisée.*

CONTR. Dévoisé.
DÉR. Voisement.

VOISEMENT [vwazmã] n. m. — Mil. XXᵉ ; de *voisé.*

♦ Phonét. Présence, apparition d'un trait voisé* dans un phonème. « *Par exemple, le voisement, produit par la vibration des cordes vocales, permet de distinguer les sons* /b/ *et* /p/. *Ces traits sont aussi susceptibles d'être échangés et de fournir la base de lapsus. Si l'on prononce "bleu glair" au lieu de "bleu clair", on attribue, à tort, le voisement du* /b/ *de bleu au* /k/ *de clair* » (la Recherche, nᵒ 112, juin 1980, p. 688-689).

VOISIN, INE [vwazɛ̃, in] adj. et n. — 1180 ; *veisin,* 1138 ; du lat. pop. **vecinus,* de *vicinus,* de *vicus* « quartier, bourg ».

♦ **1.** Qui est à une distance relativement petite. ⇒ **Proche, rapproché** (→ Obligation, cit. 1). *Propriétaires voisins. États voisins* (→ Neutralité, cit. 5). *La forêt voisine* (→ 1. Flanquer, cit. 7). *Forêt voisine,* roman de Maurice Genevoix. *Les villages les plus voisins* (→ Rang, cit. 2). *Cités* (→ Renommer, cit. 3), *villes voisines* (→ Digue, cit. 1). ⇒ **Circonvoisin, prochain.** *Maisons voisines* (→ 1. Berge, cit. 1). ⇒ **Avoisinant.** « *Dans le temple voisin chacun cherche un asile* » (cit. 1). — Spécialt. Qui touche, est à côté. *La pièce voisine* (→ Baptiser, cit. 7). ⇒ **Adjacent, attenant, contigu.**

1 J'enfilai prudemment une ruelle voisine (...)
FRANCE, le Crime de S. Bonnard, t. II, p. 306.

2 Nous possédions les mêmes habitudes, des maisons voisines (...)
Paul MORAND, l'Europe galante, Écho, répondez !

Voisin de... Les îles (cit. 4) *voisines du continent. Les régions voisines de l'équateur* (→ Inclinaison, cit. 1). ⇒ **Confins ; confiner** (à). *Un immeuble voisin de la cathédrale* (→ Jucher, cit. 4). ⇒ **Côté** (à côté de). — Proche dans le temps. *Les années voisines de 1789* (→ Plaisir, cit. 24).

♦ **2.** (1580, Montaigne). Qui présente un trait de ressemblance (⇒ **Ressemblant**), un caractère d'analogie (dans l'ordre concret ou abstrait). *Espèces* (cit. 30) *voisines* (→ Famille, cit. 37). ⇒ **Germain** (vieilli). *Trois tons voisins* (→ Phrase, cit. 19). *Les systèmes voisins* (→ Réfuter, cit. 1). ⇒ **Rapproché.** *Des idées voisines* (→ Synonyme, cit. 3 ; temps, cit. 39). ⇒ **Approximatif, contigu** (2.). *Esprits voisins* (→ Accroissement, cit. 3). — *Voisin de... :* qui se rapproche de... *Un véhicule voisin de la bicyclette* (→ 1. Berge, cit. 1). ⇒ **Ressemblant, semblable** (à). *Un état voisin du somnambulisme* (→ Kola, cit.). ⇒ **Approchant.** *Considération* (cit. 7) *voisine du respect.*

♦ **3.** N. (V. 1138). Souvent avec un adj. possessif. Personne qui vit, qui habite le plus près (de qqn). « *Elle alla crier* (cit. 34) *famine, chez la fourmi sa voisine* » (La Fontaine). *Notre aimable voisin* (→ Détraquer, cit. 2). *Être voisins de palier.* — (→ Habiter porte* à porte). *Nous sommes voisins. Entre voisins* (→ Froissement, cit. 1). *De tranquilles voisins* (→ Lotisseur, cit.). *Gêner ses voisins* (→ Maladif, cit. 5). *Fréquenter ses voisins.* ⇒ **Voisiner.** *Chaque voisin...* — (XVIIᵉ). Spécialt. Celui, celle qui est voisin, dans une circonstance particulière, qui occupe la place la plus proche (→ Tourner, cit. 9). *Le voisin de dortoir* (→ Grincer, cit. 12 ; tenir, cit. 93). *Voisin de table* (→ Outrecuidance, cit. 2). *Mon voisin de droite, ma voisine de gauche. Mon voisin d'hôpital* (→ Popularité, cit. 5).

3 Le meilleur de ces deux, pour voisin, à vrai dire,
·Ne me plairait aucunement.   LA FONTAINE, Fables, IX, 5.

4 Hélas ! est-ce une loi sur notre pauvre terre
Que toujours deux voisins entre eux auront la guerre... ?
   François ANDRIEUX, le Meunier de Sans Souci, Contes en vers.

5 Il habitait, à trois quarts d'heure de la ville, loin de tout hameau, loin de tout chemin, on ne sait quel repli perdu d'un vallon très sauvage. Il avait là, disait-

on, une espèce de champ, un trou, un repaire. Pas de voisins ; pas même de passants.

HUGO, les Misérables, I, I, X.

6 À Trouville, il fréquentait des voisins de plage ; il recevait des relations de casino.

J. ROMAINS, les Hommes de bonne volonté, t. III, XIII, p. 181.

Habitants d'un pays contigu ; pays frontalier ou peu éloigné. *Se battre contre ses voisins* (→ Argument, cit. 5). *Empiéter* (cit. 2) *sur ses voisins. — Une mauvaise frontière qui expose* (cit. 20) *aux invasions d'un dangereux voisin.*

Absolt. Le prochain. *S'approprier ce que possède le voisin* (→ Conserver, cit. 15). *Jalouser le sort du voisin* (→ Geindre, cit. 8 ; et aussi individu, cit. 5).

CONTR. Distant, éloigné, lointain. — Différent, opposé.

DÉR. Voisinage, voisiner.

VOISINAGE [vwazinaʒ] n. m. — 1240 ; de *voisin*.

♦ **1.** Ensemble des voisins. ⇒ **Entourage** (→ Fatiguer, cit. 5 ; hygiène, cit. 10). *Se faire haïr de tout le voisinage* (→ Paquet, cit. 16). *Jouir dans son voisinage de la meilleure réputation* (→ Rendez-vous, cit. 1). *Tout le voisinage en a été ameuté.*

1 (...) des vacarmes de violons et de chanteurs, dont tout le voisinage se trouve incommodé. MOLIÈRE, le Bourgeois gentilhomme, III, 3.

2 (...) des cris effroyables s'élevaient derrière les portes closes, des hurlements (...) Le voisinage en fut révolutionné (...) ZOLA, la Terre, IV, VI.

♦ **2.** (1283). État de proximité (d'un lieu, d'une personne, d'une chose) par rapport à (une chose ou une personne). ⇒ **Mitoyenneté.** *Le voisinage de la rivière* (→ 1. Couvert, cit. 6), *des eaux* (→ Sauver, cit. 14). *Le voisinage d'un tir* (→ Temps, cit. 40). *Les relations de voisinage* (→ Fréquent, cit. 2).

3 (...) je vais regretter le voisinage de la mer. Toi qui n'aimes pas mes voyages nautiques, tu t'en réjouis, bonne méchante mère.

G. SAND, Histoire de ma vie, II, VII, V.

4 La Compagnie Pordurière (...) perdait par dizaines chaque saison de ces sous-hommes, dans ses factoreries forestières, au voisinage des marais.

CÉLINE, Voyage au bout de la nuit, p. 138.

♦ **3.** (1575). Relations entre des voisins (rare, sauf dans : *bon voisinage*). *Être, vivre en bon voisinage avec qqn. Entretenir des rapports de bon voisinage avec qqn.*

♦ **4.** Littér. Proximité d'une chose dans le temps. ⇒ **Approche.** *Le voisinage de l'hiver.*

♦ **5.** (1690). Fig., rare. Analogie, ressemblance. ⇒ **Voisin.** *Le voisinage de deux espèces animales.*

♦ **6.** (1596). Espace qui se trouve à proximité, à faible distance (de qqch.). ⇒ **Alentour, auprès** (I. et II.), **autour.** *Le voisinage d'une agglomération, d'une maison, son voisinage. Les maisons du voisinage* (→ Arrivant, cit. 1). *Se trouver dans le voisinage de...* ⇒ **Environ** (dans les environs), 2. **parage** (dans les parages), **près.** *Habitant du voisinage.* ⇒ **Quartier.** *Deux tribus du voisinage* (→ Fusiller, cit. 6). *« Trois jouvenceaux* (cit. 1), *enfants du voisinage »* (La Fontaine).

Math. *Voisinage d'un point :* ensemble ouvert contenant ce point.

CONTR. Éloignement.

VOISINER [vwazine] v. intr. — XVIᵉ ; « fréquenter », 1180 ; de *voisin*.

♦ **1.** Vieilli, régional ou littér. (Personnes). Visiter, fréquenter ses voisins. *Aimer à voisiner.*

1 La première de la maison, Lisbeth allait chercher son lait, son pain, sa braise, sans parler à personne, et se couchait avec le soleil ; elle ne recevait jamais de lettres, ni de visites, elle ne voisinait point.

BALZAC, la Cousine Bette, Pl., t. VI, p. 184.

2 (...) le personnage est lourd et indigeste. C'est un vrai hobereau, dans la force du terme, créé et mis au monde pour l'état de voisin. Voisiner est son lot ; c'est même presque sa science, car il voisine comme personne ne le fait. Jamais je n'ai vu un homme mieux établi que lui hors de chez soi.

A. DE MUSSET, Contes, « Secret de Javotte », I.

♦ **2.** *Voisiner avec :* être placé* à une proche distance de (qqn, qqch.). *Je voisinais à table avec quatre agents* (→ Hépatique, cit. 3). *Les photographies voisinaient avec celles d'une chanteuse* (→ Chiffrer, cit. 2). *L'onyx et l'améthyste voisinaient avec le saphir et le diamant* (→ Pectoral, cit. 3). *Faire voisiner.* ⇒ **Rapprocher** (3.).

3 (...) une grande table où des verres, des citrons, un seau de glace, voisinaient avec des papiers et des graphiques dépliés.

MARTIN DU GARD, les Thibault, t. V, p. 166.

♦ **3.** (1564 ; rare en franç. mod.). Trans. Être près de... (Proust, *in* G. L. L. F.).

COMP. Envoisiner.

VOITURAGE [vwatyraʒ] n. m. — 1358 ; de *voiture*.

♦ Vx. Transport. Spécialt. Transport par voiture attelée.

VOITURE [vwatyʀ] n. f. — V. 1200, *veiture* « moyen de transport » ; du lat. *vectura* « action de transporter », de *vehere*. → Véhicule.

★ **I.** Vx. ♦ **1.** Mode de transport. *« Les voitures d'Orient se font par des bœufs, ou des chameaux ; celles des montagnes par des mulets »* (1690, Furetière). *Voiture de mer.* — Dr. *Entrepreneurs* (cit. 5) *de voitures publiques.*

♦ **2.** Fig., vx (Mᵐᵉ de Sévigné). Envoi, expédition...

♦ **3.** (Fin XIIᵉ). Par ext. Ce qui est transporté, chargement (cf. La Fontaine, *Fables,* VI, 16). Dr. *Lettre* (III., 2.) *de voiture.* — (1538). Mod. *Une pleine voiture de...* ⇒ **Voiturée.**

★ **II.** (XIIIᵉ ; « a remplacé partiellement *char* depuis le XVIIᵉ siècle environ », Bloch). Dispositif servant au transport.

♦ **1.** Dispositif formé d'une caisse ou d'une plate-forme montée sur roues (ou sur patins : ⇒ **Traîneau**) et qui est tiré ou poussé par un animal (et, spécialt, le cheval) ou un homme. ⇒ **Tirage, trait.** *Voiture à deux, quatre roues. Parties d'une voiture.* ⇒ **Essieu, roue, train** (et aussi **armon, avant-train...**) ; **caisse, plate-forme, ridelle, soupente, suspension.** *Voiture suspendue. Voiture attelée.* ⇒ **Attelage, brancard, cheville, limon, palonnier, timon, volée ; harnais** (cit. 14), **trait.** *Dételer une voiture* (→ Entasser, cit. 1). — *Voitures utilisées pour les travaux agricoles, les transports.* ⇒ **Roulage** (cit. 1). **binard, camion, carriole, char, chariot, charrette, chasse-marée, éfourceau, fardier** (cit. 2), **haquet** (cit. 1), **limonière, tombereau, triqueballe** (→ aussi Manant, cit. 4). *Voiture de foin* (→ Grange, cit. 1). — *Voiture de poste* (⇒ Malle, II.). *Voiture de déménagement, de livraison.* — Ancienᵗ. *Voitures pour voyageurs.* ⇒ **Berline, berlingot, break, briska, bogᵉᵢ, brougham, cab, cabriolet, calèche, carrosse, chaise, coche** (4.), **coucou, coupé, derby, diligence** (cit. 7), **dog-cart, dormeuse, drag, fiacre, landau, landaulet, locatis, mail-coach, maringote, milord, omnibus, patache, phaéton, tandem, tapecul, tapissière, téléga, tilbury, tonneau, victoria, vinaigrette, vis-à-vis, voiturin, wiski.** — *Voiture de maître*. Voiture particulière.* ⇒ **Équipage,** II., 2. *Voiture de louage*, de remise* (cit. 5). — (1835, Académie). Vx. *Voiture de place :* voiture de location (qui stationnait sur les places). — REM. L'expression s'emploie encore aujourd'hui à propos de certaines voitures (automobiles) de louage. → Ci-dessous 3. ⇒ **Taxi.**

— Il est tout à fait désagréable, pour une jeune femme, de piétiner dans la boue... surtout avec les robes qu'on fait aujourd'hui.
— Oh ! c'est impossible !... Il y a bien les voitures de place.
— Les fiacres ! Oh ! ne me parlez pas de ces vilaines boîtes !

E. LABICHE, la Poudre aux yeux, II, 5. 0.1

Capote, soufflet ; sièges, marchepied, garde-crotte, garde-boue, coffre... d'une voiture. L'impériale (cit. 5) *d'une voiture publique.* — *Voiture cellulaire.* ⇒ **Panier** (à salade). *Voiture de saltimbanques.* ⇒ **Roulotte.** — *Voitures militaires.* ⇒ **Ambulance, caisson** (1.), **fourgon** (2. Fourgon, cit. 3), **fourragère** (2.), **jeep, prolonge.** *Convoi* de voitures.* — *Monter* dans une voiture, en voiture* (→ Embarras, cit. 2 ; malice, cit. 9). *Aller, rouler en voiture* (→ Infirmité, cit. 8). *La voiture est repartie à vide.* Loc. vieillie. *Rouler voiture :* avoir une voiture particulière. *Voiture qui roule* (⇒ **Roulement** ; → Mouvement, cit. 6), *cahote* (⇒ Cahot, cahoter), *cartaye. Ralentir une voiture* (⇒ **Frein**). *Voiture qui s'arrête, stationne* (cit. 1), *remise. Encombrement* (→ Obtempérer, cit. 2), *file* (cit. 2) *de voitures. Voiture qui capote, s'enlise, se renverse, verse* (→ 1. Détremper, cit. 1). *Trace des roues des voitures.* ⇒ **Ornière, voie.** *Conducteur d'une voiture.* ⇒ **Cocher, roulier.** *Charron* qui répare une voiture.*

Des voitures, continuellement, arrivaient par la porte de la Cascade, en une file compacte, interminable. C'étaient de grands omnibus, la Pauline partie du boulevard des Italiens, chargée de ses cinquante voyageurs, et qui allait se ranger à droite des tribunes ; puis, des dogcart, des victorias, des landaus d'une correction superbe, mêlés à des fiacres lamentables que des rosses secouaient (...) 1

ZOLA, Nana, XI.

De la porte de Point-du-Jour jusqu'à mi-chemin de Saint-Cloud, se disputant l'entrée de Paris, trois ou quatre rangées de voitures de toutes sortes, de toutes espèces, de toutes dimensions, voitures citadines et rustiques, au milieu desquelles s'élèvent, comme des maisons, les grandes voitures de foin, traînées par des bœufs roux. Et fiacres et charrettes (...) 2

Ed. et J. DE GONCOURT, Journal, 8 sept. 1870, t. IV, p. 26.

REM. Le développement du sens 3 a fait veillir ce sens dans lequel on n'emploie plus *voitures* absolt ; on dit *voiture à cheval** (→ 1. Taxi, cit. 1), *à chevaux* (→ Compteur, cit. 2). — *Voiture à âne, à chèvre* (pour les enfants) sont des expressions encore vivantes.

On avait fourbi la veille son harnais et les calèches, les berlines, les jardinières, les cabriolets, les voitures à âne, même la voiture à chiens d'Évariste, le marchand d'allumettes de contrebande, défilaient sur la belle route de Charsat. 3

M. JOUHANDEAU, Chaminadour, Contes brefs, « Les courses ».

(Sans compl. ; se dit encore en sport hippique). *Voiture légère pour les courses de trot.* ⇒ **Araignée, sulky.**

Loc. fam. (fig.). *À pied, à cheval, en voiture* (→ Promener, cit. 3) : par tous les moyens, de toutes les façons.

— (...) Mais, je l'enquiquine, la police, à pied, à cheval et en voiture. 4

G. DUHAMEL, Salavin, V, XIX.

Fig. *Se garer, se ranger des voitures :* se ranger, se retirer (souvent, après avoir mené une vie d'expédients, en marge des lois, ou encore une vie agitée, de plaisirs). *Un vieux cheval de retour qui s'est rangé des voitures.*

Dispositif sur roues, poussé ou tiré à force de bras. *Voiture à bras.* ⇒ **Brouette, pousse-pousse.** *Voiture de marchand* (cit. 10) *des quatre saisons* (cit. 4). ⇒ **Baladeuse, jardinière** (4.), **voiturette.** — (Dans l'hôtellerie). *Voiture à hors-d'œuvre, voiture à viande :* table* roulante (→ Voiturer, cit. 2).

(1893; jouet d'enfant, 1872). Spécialt. **VOITURE D'ENFANT,** dans laquelle on promène les bébés. ⇒ **Landau, poussette** (2.; → Nurse, cit.). *Défense de ranger les voitures d'enfant dans le hall de l'immeuble.* — Absolt. *Voiture. Promener un bébé dans sa voiture.* — *Voiture d'infirme* (propulsée avec les mains ou par un moteur). (Dans le même sens). Fam. **PETITE VOITURE.** *Finir sa vie dans une petite voiture. Quand je serai dans une petite voiture...,* vieux et infirme.

♦ **2.** (V. 1830). Grand véhicule roulant sur des rails, et destiné aux voyageurs*. ⇒ **Chemin de fer.** *Voitures et wagons attelés à une loco-motive.* ⇒ **Train** (II.); 4. **rame** (cit. 3). *Voiture de tête, de queue, de première, de seconde* (→ Réserver, cit. 1). *Compartiments, cou-loir, portières* (1. Portière, cit. 5) *d'une voiture. Voiture pullmann*. Voiture-bar, voiture-restaurant, voiture-salon, voiture-lit.* ⇒ **Wagon-lit.** *Voiture coach,* ou *voiture à couloir central,* non compartimen-tée. *Voiture corail** (S.N.C.F.). — *Voitures du métro* (cit. 9), *d'un tramway*.* — REM. Le langage courant emploie aussi *wagon*,* dans ce sens, *voiture* étant le terme administratif et technique.

4.1 Toute une famille arrivait pour se livrer aux douceurs d'un voyage en chemin de fer. Arrivée à l'embarcadère, cette famille si unie commençait par se perdre. Après avoir pris des billets, l'un courait par un chemin, l'autre prenait une galerie (...) il était fort rare que deux personnes se trouvassent dans la même voiture. L'un s'élançait dans un wagon, l'autre dans la diligence, celui-ci à la tête, celui-là à la queue du convoi. Ch. PAUL DE KOCK, la Grande Ville, t. I, p. 189 (1842).

Loc. *En voiture!* : montez dans le train, le train va partir.

4.2 Déjà on fermait les portières; on en entendait le claquement brutal... et puis se furent les brèves invitations des employés... «En voiture! Messieurs!... en voi-ture!...» quelques galopades dernières,... le coup de sifflet aigu qui commandait le départ,... puis la clameur enrouée de la locomotive, et le convoi se mit en mar-che... G. LEROUX, le Parfum de la dame en noir, p. 24.

♦ **3.** (1893, *in* D.D.L.; aussi *voiture automobile,* cit. 1). Véhicule auto-mobile. — REM. *Voiture,* qui ne désigne que les automobiles non utili-taires, tend à supplanter *automobile* et *auto* (surtout en France); *auto* semble mieux résister au Québec). ⇒ **Automobile;** (fam. et péj.) **bagnole, chiotte, guimbarde, tacot; chignole, tire.** (→ Embrayer, cit. 1; garagiste, cit. 2; gratter, cit. 16; oblong, cit. 2; roder, cit.). — *La voiture de qqn, sa voiture. Comment est ta nouvelle voiture? Le moteur, le châssis d'une voiture. Voiture puissante* (→ Corde, cit. 7). — *Voiture décapotable, à toit ouvrant, à hayon. Voi-ture fermée* (conduite* intérieure). *Voiture grande routière*. Voi-ture familiale*. Carrosseries de voitures.* ⇒ **Berline, break, buggy, cabriolet, coupé, limousine, roadster; automobile.** — *Voitures fran-çaises, étrangères* (en France). *Voiture importée. Voiture anglaise, américaine* (on dit aussi : *une américaine*); *italienne, japonaise, soviétique. Voiture à deux, quatre portes* (ellipt. *une deux, une quatre portes*) et aussi : *trois et cinq portes. Voiture tout terrain. Voiture à deux, quatre roues motrices.* — (1903). *Voiture électri-que. Voiture de place* (→ supra, II., 1.), *de remise.* ⇒ **Taxi.** *Voi-ture bonne routière.* — (1906, *in* D.D.L.). *Voiture de tourisme. Voi-ture de grand tourisme. Voiture de course* (⇒ **Bolide**), *de formule un, deux, trois. Voiture de sport. Voiture de pompiers. Voiture pour le transport des malades* (⇒ **Ambulance**), *des morts* (⇒ **Cor-billard**). *Voiture neuve, d'occasion. Voiture qui tient la route. Voi-ture rapide, nerveuse, lente, molle* (→ fam. Veau). — *Se dépla-cer* (cit. 8) *en voiture. Dépasser, croiser... une voiture. File de voi-tures. Un encombrement, un embouteillage de trois cents voitures* (→ Éviter, cit. 5). — *Arrêter, garer sa voiture. Voitures en garage* (cit. 2), *en stationnement.* ⇒ **Parc** (I., 2.), **parcage, parking.** *Entre-tien, réparation des voitures.* ⇒ **Garage, station** (station-service). *Remorquer une voiture en panne.* ⇒ **Remorque.** *Accident de voiture. Voiture accidentée, à la casse.* → Épave. *Route où peuvent circu-ler les voitures.* ⇒ **Carrossable.** *Apprendre à conduire une voiture. Voiture-école.* — Milit. *Voiture blindée* (cit. 1).

5 Camions, camionnettes, autos de maître, taxis avec des drapeaux noirs, cabriolets. Chaque fois qu'une voiture les dépassait, Sarah perdait un peu de courage et Gien s'éloignait un peu plus. SARTRE, la Mort dans l'âme, p. 17.

Loc. *Voiture-balai.* ⇒ **Balai,** 6. — *Courses de voitures. Voitures de X cm³ de cylindrée.* — REM. Malgré sa très haute fréquence, le mot *voiture* est concurrencé par les noms de marque et de modèles (ex. : *traction* avant, deux-chevaux*) et les nombreuses désignations appar-tenant à une marque, qui se renouvellent rapidement.

DÉR. **Voiturage, voiturée, voiturer, voiturette, voiturier.**

VOITURÉE [vwatyʀe] n. f. — V. 1850; de *voiture.*

♦ Contenu d'une voiture. *Trois voiturées de bois.* — Les personnes qui sont ensemble dans une voiture (→ Psalmodier, cit. 2).

VOITURER [vwatyʀe] v. tr. — 1611 au sens 1; 1270, v. intr., «aller en Terre Sainte»; de *voiture.*

♦ **1.** Vx. Transporter. → 1. Air, cit. 19, La Fontaine. — Apporter. «*Voiturez-nous ici les commodités* (cit. 5) *de la conversation* (les fauteuils)» (Molière).

♦ **2.** Mod. Transporter dans une voiture. ⇒ **Carrosser** (1.), **charrier, véhiculer.** — Spécialt. Transporter (des personnes). — Fam. Trans-porter dans une voiture (automobile).

Mais le pacha lui-même est obligé de tenir ses remises près des portes, et ne peut se faire voiturer qu'à ses diverses maisons de campagne (...) NERVAL, Voyage en Orient, Femmes du Caire, III, VI (1851). [1]

Franç. d'Afrique (Tchad). *Être voituré :* avoir un véhicule à sa dispo-sition. ⇒ **Véhiculer.**

Pron. *Le meilleur carrosse pour se voiturer dans la vie.* → 1. Muse, cit. 9.

Par ext. Transporter (qqch.) dans une petite voiture, sur une table roulante, etc. ⇒ **Rouler.**

(...) leur table se couvrait de raviers bariolés et l'on voiturait un jambon dans sa conque de métal. J. CHARDONNE, les Destinées sentimentales, p. 487. [2]

VOITURETTE [vwatyʀɛt] n. f. — 1895, *in* Petiot, «petite voiture de course»; de *voiture.*

♦ **1.** Petite voiture (II.). *Une marchande de quatre saisons* (cit. 5) *poussant sa voiturette. Voiturette à pédales.* ⇒ **Cycle-car.**

La voiturette de la marchande de glaces et de sucettes était toujours à la même place, contre le mur de l'ancienne caserne. Claude SIMON, le Vent, p. 233.

♦ **2.** Sports. Véhicule automobile léger pour deux personnes, ou véhicule à une seule vitesse. *En 1906, le règlement des courses de l'Automobile Club définissait les voiturettes comme pesant moins de 400 kg, et les voitures légères comme pesant de 400 à 650 kg* (*in* Petiot).

VOITURE-VENTOUSE [vwatyʀvɑ̃tuz] n. f. — 1961, *le Monde;* de *voiture,* et *ventouse.*

♦ Voiture, automobile que son propriétaire laisse stationnée pen-dant de très longues périodes au même endroit de la voie publique. *Des voitures-ventouses.*

VOITURIER, IÈRE [vwatyʀje, jɛʀ] n. et adj. — 1213; de *voiture.*

♦ **1.** N. m. **a** Vx ou dr. Personne qui transporte (→ Expéditeur, cit. 1 et 2). *Voiturier par eau.* — Comm. Conducteur d'une voiture (⇒ **Charretier, cocher, roulier**), qui se charge du transport. *Voitu-rier qui transporte la marée* (chasse-marée), *les décombres* (grava-tier), *des voyageurs.*

b Mod. Employé chargé de garer les voitures des clients, dans un hôtel, un casino. *Voituriers et bagagistes.*

(...) moi, je devais m'extirper tout seul *(de la voiture),* et en vitesse, si je ne vou-lais pas que le voiturier aille me garer en même temps que la Maserati. Voldemar LESTIENNE, l'Amant de poche, p. 80.

REM. Le fém. ne semble pas en usage.

♦ **2.** Adj. (1283). Vx. Relatif au transport par voiture. «*Les opéra-tions industrielles, agricoles, extractives, voiturières*» (Proudhon, *in* P. Larousse). — Mod. Qui a rapport aux voitures. «*Un centre voiturier*» (le Figaro, 2 déc. 1973).

VOITURIN [vwatyʀɛ̃] n. m. — 1640, *veturin; ital. vetturino,* modifié d'après *voiture.*

♦ **1.** Vx. Voiturier qui loue et conduit une voiture attelée pour voya-geurs (→ Enfoncer, cit. 22). ⇒ **Cocher.**

♦ **2.** Vx (ou par archaïsme). Voiture attelée pour voyageurs.

— C'est le garçon qui (...) m'a fait glisser un voiturin dans les jambes et je me suis affalé là-dedans les quatre fers en l'air. R. QUENEAU, Pierrot mon ami, éd. L. de Poche, p. 43.

Petite voiture (allus. littér.) :

PÈRE UBU : Je viens donc te dire, t'ordonner et te signifier que tu aies à produire et exhiber promptement ta finance, sinon tu seras massacré. Allons, messeigneurs les salopins de finance, voiturez ici le voiturin à phynances. A. JARRY, Ubu roi, III, 4.

VOÏVODAT [vɔjvɔda] n. m. — 1839, *vayvodat;* de *voïvode.*

♦ Hist. Titre, dignité de voïvode. — REM. On trouve aussi *voïevo-dat* [vɔjevɔda].

VOÏVODE [vɔjvɔd] n. m. — 1559; *vayevode,* v. 1470, J. de Wavrin, *in* D.D.L.; *vayvod,* 1546; *vayvaulde,* 1532; mot slave «chef d'armée».

♦ **1.** Gouverneur militaire; gouverneur, dans certains pays d'Europe orientale.

♦ 2. Hist. Officier territorial, en Pologne, sous les Jagellon (XVᵉ-XVIᵉ siècles). — REM. On trouve aussi *voïevode* [vɔjevɔd].

♦ 3. Hist. Titre du prince héréditaire de Roumanie, de Bulgarie.

♦ 4. Mod. Chef de voïvodie (Pologne, Yougoslavie).
DÉR. Voïvodat, voïvodie.

VOÏVODIE [vɔjvɔdi] n. f. — 1846 ; de *voïvode*.

♦ 1. Hist. Gouvernement d'un voïvode ; province (en Pologne). — REM. On trouve aussi *voïevodie* [vɔjevɔdi].

♦ 2. Mod. District administratif, en Pologne, en Yougoslavie. «*Les communications téléphoniques n'ont été rétablies que dans dix voïvodies (préfectures) sur quarante-neuf*» (*le Point*, 11 janv. 1982, p. 43).

VOIX [vwɑ ; vwa] n. f. — V. 980, *voiz* ; lat. *vocem*, accusatif de *vox, vocis*.

★ **I. A.** (Chez l'homme). **♦ 1.** Ensemble de sons produits par le larynx, quand les cordes vocales entrent en vibration sous l'effet d'une excitation nerveuse rythmique ; effets produit par ces sons. *Émission de la voix.* ⇒ **Articulation, phonation** (cit.) ; **vocal** ; préf. **phon(o)-**. *Les organes de la voix : bouche, cordes* (cit. 21) *vocales, glotte, gorge* (cit. 26), *larynx* (cit. 1). → *Diphtongue*, cit. ; *outrage*, cit. 5. *Altération, modification de la voix.* ⇒ **Empâtement, enrouement** (cit. 1), **enrouer** (cit. 1), **extinction, fêlure** (cit. 5) ; **muance**, 1. **mue** (cit. 4), **muer** (cit. 6). *Perte de la voix.* ⇒ **Aphonie, mussitation, mutité** (→ 1. *Basse*, cit. 7). — (Dans des expressions négatives). *Aptitude à parler, à produire les sons de la voix. Être sans voix* : être aphone, ou encore, rester interdit* sous l'effet de l'émotion. ⇒ **Muet.** *Je restai sans voix et sans mouvement* (cit. 17). *La voix lui manqua* (→ *Expirant*, cit. 1). — *Caractères généraux de la voix.* ⇒ **Accent** (cit. 9 et 13), **ampleur, coloris** (cit. 6), **couleur, diapason, échelle** (cit. 15), **étendue, hauteur, inflexion** (cit. 5 et 6), **intensité, intonation** (cit. 4 et 6), **modulation** (cit. 2), **registre** (II., A., 2.), **résonance, sonorité** (*supra* cit. 2), **tessiture, timbre** (cit. 2), **ton, tonalité, volume.** *Tremblement* (cit. 7), *trémolo* (cit. 2), *vibrations de la voix. Un filet* (cit. 3) *de voix. Bruit de voix. Éclats* (cit. 7) *de voix qui retentissent* (cit. 5). *Brouhaha de voix* (→ *Murmure*, cit. 1). → **Cacophonie.** *L'écho répond à la voix.* ⇒ *Résonner* (cit. 2). *La voix porte** (→ 1. *Porter*, cit. 20) *bien.* — *À portée* (cit. 3) *de voix, de la voix.*

La voix de qqn, sa voix ; une, des voix. On entendait des voix de promeneurs. → *Grésillement*, cit. 3. *Voix d'enfant.* ⇒ **Babil, cri** (*infra* cit. 11), **gazouillement** (→ *Muer*, cit. 5). *Une voix, des voix d'homme* (→ *Castagnette*, cit. 3 ; 1. *fausset*, cit. 4) ; *voix mâle, virile. Voix de femme* (cit. 13 et 16), *voix féminine.* — (Qualifié par un adj. ou un compl.). *Une voix forte* (→ *Appeler*, cit. 3), *ample, claironnante, éclatante, étoffée* (cit. 5), *métallique* (cit. 2), *pleine, puissante* (→ *Avancer*, cit. 65), *résonnante, retentissante, ronflante, sonore* (cit. 2), *bien timbrée* (cit. 3), *tonitruante* (cit. 2), *tonnante* (→ *Chantre*, cit. 5), *vibrante. Grosse* voix. Voix de stentor* (cit.), *voix de tonnerre*. Voix faible. Petite voix. Voix brisée, cassée* (→ *Berceuse*, cit. 2), *chancelante, chevrotante, étouffée, éteinte, fatiguée, fêlée, fluette, frêle* (cit. 12), *grêle* (→ *Tailleur*, cit. 3), *lasse, menue* (→ *Fade*, cit. 14), *sénile* (cit. 1), *sourde, trébuchante, tremblotante, usée.* — «*Les restes d'une voix qui tombe et d'une ardeur* (cit. 7) *qui s'éteint* » (Bossuet). — *Voix aiguë* (cit. 4), *aigre* (cit. 3 et 4), *aigrelette* (→ *Pépiement*, cit.), *clairette, criarde, élevée, flûtée, glapissante, haute, nasale, nasillarde, perçante* (→ *Bravade*, cit. 1), *pointue* (cit. 1), *stridente, suraiguë* (cit. 2). *Voix de clairon, de crécelle* (→ *Impératif*, cit. 11), *de fausset* (1. *Fausset*, cit. 5), *voix du nez** (→ *Annonce*, cit. 5). *Il prenait une voix tour à tour grave et flûtée* (→ *Rôle*, cit. 6). — *Voix de ventriloque** (cit.). *Voix qui semble émise par un phonographe* (cit. 2). — *Voix grave*, basse, caverneuse* (cit. 2), *cuivrée, guttural, métallique, profonde* (cit. 9), *sépulcrale* (→ *Avoir du creux*). — Par métaphore. *Avoir une voix d'orgue, de violoncelle**. — *Voix chaude* (→ *Râpeux*, cit. 2), *riche, bien timbrée. Voix blanche** (cit. 13). *Voix de cristal. Voix claire* (cit. 8), *cristalline* (cit. 2), *fraîche, limpide, nette, pure. Voix grasse, empâtée, grasseyante, pâteuse, sourde* (→ *Peau*, cit. 16), *voilée. Voix enrhumée, enrouée, éraillée* (cit. 6), *rauque, rude, saccadée* (→ *Célébrer*, cit. 6). *Voix de rogomme** (cit. 2). *Belle voix* (→ *Montrer*, cit. 22). *Voix argentine, chantante, harmonieuse* (cit. 11), *mélodieuse, musicale ; juste, posée, bien placée ; agile, flexible, moelleuse, souple, légère.* — Par métaphore. *Voix de rossignol, de sirène. Voix fausse, discordante. Voix monotone* (→ 1. *Élève*, cit. 3).

1 L'homme a trois sortes de voix, savoir, la voix parlante ou articulée, la voix chantante ou mélodieuse, et la voix pathétique ou accentuée, qui sert de langage aux passions (...) ROUSSEAU, *Émile*, II.

2 Mon père avait une voix sonore, douce, grave, vibrante comme les palpitations d'une corde de harpe (...) Cette voix, qu'il avait beaucoup exercée dans sa jeunesse en jouant la tragédie et la comédie dans les loisirs de ses garnisons, n'était point déclamatoire, mais pathétique.
LAMARTINE, *Premières méditations*, Préface.

2.1 Je me demandais, avec intérêt, où était cachée sa séduction. Dans l'esprit?... On ne

m'avait jamais cité ses mots ni même célébré son intelligence... Dans le regard?... Peut-être... Ou dans la voix?... La voix de certains êtres a des grâces sensuelles, irrésistibles, la saveur des choses exquises à manger. On a faim de les entendre, et le son de leurs paroles pénètre en nous comme une friandise.
MAUPASSANT, *Un portrait*, Pl., t. II, p. 1051.

3 Sa voix, toujours caressante et timbrée pour l'expression des mots tendres, avait acquis je ne sais quelle plénitude nouvelle qui lui donnait des accents plus mûrs.
E. FROMENTIN, *Dominique*, VI.

4 (*A. Briand*) a un grand charme, des yeux bleu marine, des cheveux de poète et la fameuse voix de violoncelle.
A. MAUROIS, *la Terre promise*, XXV.

5 (...) ce qui de moi s'est le plus vieilli, c'est ma voix ; cette voix que j'avais, il y a quelque dix ans encore, forte, souple, diverse, c'est-à-dire capable de passer du grave à l'aigu à ma guise ; une voix dont j'étais parfaitement maître et dont je pouvais jouer comme un acteur (...) GIDE, *Journal*, 12 juil. 1942.

6 (...) je suis extrêmement sensible (...) au timbre, à l'étoffe, à l'étendue, à la souplesse d'une voix riche et bien conduite.
G. DUHAMEL, *le Temps de la recherche*, XIII.

6.1 (...) la voix continuait seule, prenait soudain cet accent, cette sonorité particulière, creuse, comme si elle se séparait d'elle (...) comme si voix et personne faisaient deux, chacune se mettant à vivre d'une vie indépendante, autonome, la première courant pour ainsi dire sur sa lancée. Claude SIMON, *le Vent*, p. 151.

Espèces de voix, dans le chant (d'après le registre). ⇒ **Baryton, basse** (cit. 3 à 5), **basse-taille** (cit. 2), **contralto, dessus, haute-contre** (cit. 1), **mezzo-soprano, soprano, taille** (vx), **ténor** (cit. 1), **ténorino.** *Voix d'homme, de femme, d'enfant, de castrat. La voix d'un chanteur, d'une chanteuse. Sa voix descend jusqu'au* fa, *monte jusqu'à* l'ut *dièse.* ⇒ **Descendre, monter.** *Forcer sa voix. Se fausser, se casser la voix. Une voix juste, harmonieuse. Une belle voix.* ⇒ **Organe.** — **EN VOIX.** *Être en voix* : se sentir dans de bonnes dispositions pour chanter ; inversement : *n'être pas en voix.* — *Travailler sa voix,* l'entretenir par des exercices. ⇒ **Vocaliser.** *Chanter à pleine voix* (en déployant, en «donnant» toute sa voix). ⇒ *Chanson*, cit. 7 ; *psalmodie*, cit.), *d'une voix très forte* (⇒ **Tue-tête**). *Chanter d'une voix douce.* ⇒ **Mi-voix** (à) ; **mezza-voce.** *Soutenir* (⇒ **Tenue**), *laisser tomber la voix. Voix bien posée, bien conduite. Appui** (cit. 6) *de la voix. Port* de voix. Sa voix avait gagné en force et en étendue* (→ *Fioriture*, cit. 2). *Agilité, souplesse d'une voix.* — *Voix de poitrine* : voix naturelle qui s'appuie sur le diaphragme avec résonance de poitrine, par oppos. à *voix de tête* ou *voix de fausset* (1. *Fausset*, cit. 3 ; *aigu*, cit. 6 ; *gamme*, cit. 4 ; *haute-contre*, cit. 2. *Voix de gorge* (I., 2.). *Voix dans le masque* : voix travaillée qui utilise les résonateurs de la poitrine (appui sur le diaphragme) et les résonateurs de la face (appui en tête). *Concert de voix.* ⇒ **Chœur*, partie** (cit. 18). *Pièces vocales à deux voix* (→ *Nocturne*, cit. 4). «*Leurs voix montaient, éclatèrent* (cit. 6)..., *puis se turent.* »

7 Je n'ai pas une voix à chanter ; mais ici il suffit que je me fasse entendre (...)
MOLIÈRE, *le Malade imaginaire*, II, 5.

Loc. fig. et fam. (vx) :

8 N'avez-vous jamais ouï dire : «Il a une belle voix pour écrire?»
Mᵐᵉ DE SÉVIGNÉ, 813, 25 mai 1680.

Absolt, loc. *Avoir de la voix*, une voix appropriée au chant. — *Donner de la voix* : chanter (ou parler fort).

9 (...) le chant d'un marchand de vin de l'extrémité de la rue, chantant, *donnant de la voix*, ainsi qu'on dit chez nous (...)
Ed. et J. DE GONCOURT, *Journal*, 26 déc. 1880, t. VI, p. 93.

9.1 Sa miraculeuse voix de tête, copiant à s'y méprendre les vibrations d'un gosier féminin, se développait à souhait dans la grande sonorité du plein air, sans paraître gênée par la difficile prononciation des vocables incompréhensibles dont les stances étaient faites. Raymond ROUSSEL, *Impressions d'Afrique*, p. 91.

(1680). Mus. *Voix humaine*, un des jeux de l'orgue. ⇒ 2. **Régale** ; → ci-dessous I., C. — *Voix angélique*, une octave au-dessus de la voix humaine. *Voix céleste* (autre registre).

(1080). *La voix*, support physique du discours oral de la parole, du langage. *Une voix, des voix* : des paroles prononcées par qqn.

Entendre une voix qui déclame, parle, récite. Entendre des voix inconnues derrière une porte, des inconnus qui parlent. — Spécialt. *Entendre des voix* : entendre des paroles prononcées (par des absents, des morts...), avoir des hallucinations auditives. *Mais ça va pas, tu entends des voix ! — Les voix de Jeanne d'Arc ; Jeanne d'Arc et ses voix* (les paroles de saints et de saintes qu'elle avait entendues et qui la guidaient).

(Dans des loc. construites avec à ou de, et un adj. antéposé ou postposé à voix). *À voix haute ; à haute voix. Parler à voix haute, à voix assez haute pour se faire entendre. Appeler d'une voix forte.* — **DE VIVE VOIX** (XVIIᵉ ; *par vive voix*, XIIIᵉ). *Dire, énoncer qqch. de vive voix*, en parlant, en faisant entendre sa voix. ⇒ **Articuler, dire.**

Avec à (*à haute voix*, XVIIᵉ). *Parler, demander, prononcer, expliquer, lire... à voix basse* (1. *Bas*, cit. 15 et 16), *à mi-voix* (→ *Réquisition*, cit. 6) ; *à voix haute, à haute voix* (→ *Attroupement*, cit. 2 ; *cadran*, cit. 4 ; *caisse*, cit. 2). *Parler à haute et intelligible voix.* — (Syntagmes verbaux). *Élever** (cit. 11) *la voix* (⇒ *Crescendo*, cit. 5 ; et, au fig., élever, cit. 13). *Affermir* (cit. 1), *enfler* (→ *Amplifier*, cit. 5), *forcer* (→ *Bout*, cit. 31), *grossir, hausser la voix* (→ *Haro*, cit. 3). ⇒ **Ton** (→ *Figure*, cit. 18). *Couvrir la voix de qqn*, en parlant plus fort que lui (→ *Mutuellement*, cit. 2). *Les clameurs étouffaient la voix de l'orateur. Baisser la voix* (→ *Haut*, cit. 106). *Manière* (cit. 7) *de traîner la voix sur certains mots. Tousser** pour éclaircir sa voix. Essayer sa voix* (→ *Larynx*, cit. 2). *Contrefaire* (cit. 1), *imiter la voix de qqn* (→ Singer, cit. 1 ; et aussi perroquet, cit. 2). *Faire enregistrer* (cit. 9) *sa voix.*

10 (...) les prophètes faisaient retentir de tous côtés, et de vive voix et par écrit, les menaces de Dieu (...)   BOSSUET, Hist., II, 4, *in* LITTRÉ.

11 — Et moi, je vous parlerai jusqu'au bout, jusqu'à ce que j'aie fini tout ce que j'ai à vous dire, et si vous essayez de m'en empêcher, j'élèverai la voix de façon à être entendue par les deux domestiques (...)   MAUPASSANT, l'Inutile Beauté, I.

Cin. *Voix dans le champ, hors champ* (III., 1.). — REM. On dit aussi *voix in*, off** (anglicismes).

Par ext. *Les énormes voix des haut-parleurs* (cit. 2).

La voix, signe sensible des attitudes psychiques, des émotions. *Expression d'une voix.* ⇒ 2. **Ton** (cit. 2 et *supra*). *Sa voix vibrait* de plaisir* (→ 2. Ton, cit. 6), *prenait un accent pénétré* (→ Reprendre, cit. 33). *Il dit d'une voix gaie* (cit. 6), *gouailleuse... Elle nous adressait la parole d'une voix glacée* (cit. 27). *Sa mère le gronda* (cit. 24) *en prenant une grosse voix, une voix sévère, menaçante. Gémir d'une voix plaintive. Dire, balbutier* (cit. 8) *d'une voix altérée* (cit. 12), *bouleversée* (cit. 12), *brisée par l'émotion, déchirante, déchirée, émue* (⇒ 1. **Tendre,** cit. 16), *entrecoupée par les sanglots, éplorée, étranglée* (cit. 15), *lugubre, mourante, pathétique* (cit. 2), *prenante, sombre, suppliante, timide, touchante, tremblante, triste...*

Loc. *Avoir des larmes dans la voix.* ⇒ **Larme** (cit. 16). — *Une voix cajoleuse* (cit. 2), *caressante, douce, doucereuse, enchanteresse, flatteuse, insinuante, onctueuse... Une voix s'éleva, autoritaire* (cit. 3), *âpre, brusque, cassante, coupante, ferme, impérieuse, ironique* (cit. 4), *mordante, railleuse, sèche, tranchante... Le charme de la voix, d'une voix* (→ Persuasion, cit. 4 ; résonance, cit. 1). *La douceur de sa jolie voix.* —*Accents* (cit. 10) *d'une voix bien aimée* (→ aussi Harmonie, cit. 12 et 13). *L'inflexion « des voix chères qui se sont tues »* (cit. 10).

12 Cette gaieté se trahit par les notes de sa voix, par des accents que je saisis, que j'explique.   BALZAC, Modeste Mignon, Pl., t. I, p. 383.

13 Mon oreille avide d'entendre
Les notes d'or de sa voix tendre (...)   VERLAINE, la Bonne Chanson, XI.

14 — (...) Ta voix ! ta voix... Elle est plus fraîche et plus franche que l'eau !... On dirait de l'eau pure sur mes lèvres !... On dirait de l'eau pure sur mes mains...
                    MAETERLINCK, Pelléas et Mélisande, IV, 3.

♦ **2.** Parole. *Encourager, animer qqn de la voix* (→ Éperonner, cit. 3). — Loc. *De la voix et du geste.* — *Obéir à la voix d'un chef* (→ Étourneau, cit. 1).

15 La Bourgogne est le pays des orateurs, celui de la pompeuse et solennelle éloquence. C'est la partie élevée de la province, de celle qui verse la Seine, de Dijon et de Montbard, que sont parties les voix les plus retentissantes de la France, celles de saint Bernard, de Bossuet et de Buffon.
                    MICHELET, Hist. de France, III.

Allus. bibl. *On a entendu la voix de celui qui crie* (cit. 16) *dans le désert.*

♦ **3.** Vieilli et littér. (En loc.). Bouche. *« Avant que tous les Grecs vous parlent par ma voix »* (Racine, *Andromaque*, I, 2). — Myth. *Les cent voix de la Renommée* (cit. 2).

♦ **4.** (Fin XVIᵉ). Par métonymie. (Avec des verbes comme *dire, crier, faire,* etc.). La personne qui parle. *Je vous la souhaite bonne, dit une voix* (→ 1. Barbe, cit. 13). *Oui, crièrent deux voix* (→ Confondre, cit. 2). *Il entendit une voix gémir et pleurer* (→ Courlis, cit. 1). *Feu !* (1. Feu, cit. 51), *dit la voix* (→ aussi Quelqu'un, cit. 6).

B. (XIIIᵉ). En parlant d'animaux. ⇒ **Cri.** *La voix des chiens.* ⇒ **Aboiement.** → Cerbère, cit. 1 ; clabauder, cit. 1 ; laryngite, cit. 1. *Chiens qui donnent* de la voix,* qui aboient. *La chèvre* (cit. 2) *a quelque chose de tremblant dans la voix. La voix de l'hyène* (cit. 4), *de l'ours.* ⇒ **Grondement, hurlement** (→ Hurleur, cit. 3). *La voix des oiseaux, du rossignol* (cit. 3). ⇒ **Chant.** *La voix plaintive* (cit. 1) *de la tourterelle. La voix du cygne* (→ Écho, cit. 16). *La voix claironnante du coq, perçante du paon* (cit. 2). *Voix du perroquet.* — *La voix cuivrée* (cit. 3) *des crapauds.*

16 Un jour que j'accompagnais mon père à la chasse, la voix des chiens égarés nous conduisit sur le revers d'une montagne boisée (...)
                    LAMARTINE, Premières méditations, Préface.

Par métaphore :

16.1 Et ils entrèrent dans le salon de jeu. Autour de chaque table un cercle d'hommes debout regardait. On parlait peu, et parfois un petit bruit d'or jeté sur le tapis ou ramassé brusquement mêlait un léger murmure métallique au murmure des joueurs, comme si la voix de l'argent eût dit son mot au milieu des voix humaines.
                    MAUPASSANT, Yvette, Pl., t. II, p. 248.

C. (1080, *Chanson de Roland*). Littér. (En parlant d'instruments de musique, de phénomènes de la nature, de certains objets). ⇒ **Bruit, son.** *La voix des orgues* (→ Culte, cit. 3), *du cor* (cit. 3), *des cornemuses* (→ Aigre, cit. 5). *Les voix chantantes de violon* (→ Musicien, cit. 7). *La voix chaude et vibrante du violoncelle.*

La voix du tonnerre, du vent et des vagues (→ Sirène, cit. 4), *du mistral* (cit. 1), *d'une source* (→ Immobile, cit. 13). — *La voix argentine des cloches* (→ Appeler, cit. 1). *Voix grêle et fêlée* (cit. 5) *d'une horloge. La grosse voix du canon* (→ Hourvari, cit. 3).

17 (...) voici la voix grave de la trompette turque, qui nous arrive du fort, un peu étouffée par l'épaisseur des feuillages (...)   LOTI, Suprêmes visions d'Orient, III.

★ **II.** Abstrait. ♦ **1.** (1636). Au sens de *discours oral, parole.* Ce que l'être humain ressent en lui-même, lui parlant, l'avertissant, l'inspirant. ⇒ **Appel, avertissement, impulsion, inspiration.** *La voix du cœur, de la conscience* (cit. 14), *de la nature* (→ Dénaturé, cit. 9 ; dénier, cit. 4). *La voix du sang* (*supra* cit. 20). *La voix de la raison* (*supra* cit. 16), *de l'honneur, de la sagesse.* ⇒ **Avis, conseil, suggestion** (→ Consentement, cit. 1 ; résister, cit. 17). *La voix de Dieu, du ciel, d'en haut* (→ Fils, cit. 11 ; œuvre, cit. 5 ; recueillement, cit. 1). *Une voix intérieure m'avertit* (→ Gouffre, cit. 19). — *Les Voix intérieures* (cit. 3), œuvre de Victor Hugo (1837).

La voix de la raison jamais ne se consulte (...)   CORNEILLE, Cinna, II, I.   18

C'est le consentement de vous à vous-même, et la voix constante de votre raison, et non des autres, qui vous doit faire croire.   PASCAL, Pensées, VI, 260.   19

L'enfant doit aimer sa mère avant de savoir qu'il le doit. Si la voix du sang n'est fortifiée par l'habitude et les soins, elle s'éteint dans les premières années, et le cœur meurt pour ainsi dire avant que de naître.   ROUSSEAU, Émile, I.   20

C'est cette voix du cœur qui seule au cœur arrive (...)   21
                    A. DE MUSSET, Poésies nouvelles, À la Malibran, XVIII.

Mais la justice lui parlait, et une voix qui plus fortement encore parle au cœur, la voix de l'humanité et de la miséricorde ; cette voix douce qui semble faible et qui renverse les tours, déjà, depuis dix ans, elle faisait chanceler la Bastille.   22
                    MICHELET, Hist. de la Révolution franç., I, VII.

Perplexité inouïe. Depuis une heure il y avait deux voix dans sa conscience, l'une lui disait de respecter le testament de son père, l'autre lui criait de secourir le prisonnier.   HUGO, les Misérables, III, VIII, XX.   23

Quelque chose de plus fort qu'une chaîne de fer l'attachait à Paris, une voix intérieure lui criait de rester.   FLAUBERT, l'Éducation sentimentale, I, V.   24

♦ **2.** (XIIIᵉ). Vx. Expression de l'opinion. ⇒ **Avis, jugement, opinion.** *« Rome le louait d'une commune* (cit. 9) *voix »* (⇒ **Accord, approbation, assentiment**). — (Dans des expressions). *La voix publique* (→ Inconstance, cit. 7). — (Lat. *vox populi*). *La voix du peuple* (→ Décharger, cit. 10), *de la foule.* — Prov. *Voix du peuple, voix de Dieu* (cf. lat. *vox populi, vox dei*).

En quel sens est donc véritable   25
Ce que j'ai lu dans certain lieu,
Que sa voix *(du peuple)* est la voix de Dieu ?   LA FONTAINE, Fables, VIII, 26.

De la Reine et de moi que dit la voix publique ?   RACINE, Bérénice, II, 2.   26

En effet, il n'y avait qu'une voix sur mon compte, à commencer par celle de l'ambassadeur, qui se louait hautement de mon service (...)   27
                    ROUSSEAU, les Confessions, VII.

♦ **3.** (1611 ; *avoir vois de...* « droit », fin XIIᵉ). Droit d'opiner dans une assemblée, dans un vote, une élection ; expression de l'opinion. ⇒ **Suffrage, vote.** *Avoir une voix dans un débat, une assemblée.* — Loc. *Avoir voix consultative, délibérative dans une assemblée. Avoir voix au chapitre* (cit. 8 et *supra*). — *La voix de qqn, sa voix,* son vote. *Donner sa voix à un candidat.* ⇒ **Voter** (→ Éligible, cit. ; retirer, cit. 18). *Mendier des voix. Compter les voix. Majorité* (cit. 2 et *supra*), *pluralité* (cit. 2), *unanimité des voix. Report des voix sur un candidat mieux placé. Obtenir dix-sept mille voix* (→ Enregistrer, cit. 7). *Gagner des voix* (→ Postiche, cit. 2), *perdre des voix. La constitution fut approuvée par trois millions de voix* (→ Remanier, cit. 1). *Partage des voix. Le président a voix prépondérante.*

★ **III.** (1753, du Marsais, in *Encyclopédie*, art. *Conjugaison*). Gramm. « Aspect de l'action verbale dans ses rapports avec le sujet, suivant que l'action est considérée comme accomplie par lui, subie par lui, ou faite dans son intérêt, sa participation » (Vendryes, *le Langage*, p. 121). *Voix active*, passive*, moyenne** (en grec). → Infinitif, cit. 4. — *Voix* (ou, mieux, *forme*) *pronominale*.*

COMP. Abat-voix, porte-voix.
HOM. Voie. — Formes du v. **voir.**

1. VOL [vɔl] n. m. — V. 1175 ; de 1. *voler.*

A. ♦ **1.** Ensemble des mouvements coordonnés que font les animaux capables de se maintenir en l'air pour s'y mouvoir à l'aide d'organes appropriés (ailes*). *Le vol des oiseaux, des insectes, de certains mammifères* (chauve-souris). — Spécialt. Locomotion aérienne des oiseaux. — Loc. *Prendre son vol, son essor** : s'envoler (→ Palpiter, cit. 8 ; prudent, cit. 7). *Baisser son vol* (→ Raser, cit. 10). *Suivre, regarder le vol des mouettes* (cit. 3). *Divination par le vol des oiseaux* (⇒ **Présage ;** → Astrologie, cit. 2 ; prédiction, cit. 1). — (Loc. avec *en, à, de*). *Oiseau en vol. Oiseau foudroyé* (cit. 5) *en plein vol.* — *Tirer* un oiseau au vol,* alors qu'il vole (→ Casquette, cit. 5). *Tir au vol.* — *Oiseaux de vol* (cit. 16) *vol.* — Manière particulière de voler. *Vol ramé*,* à battements rapides. *Vol plané* (→ ci-dessous, 3.). *Vol faible* (→ Guillemot, cit. 1), *puissant ; lent, preste* (→ Filet, cit. 22), *rapide. « Le grand vol anguleux des éperviers* (cit. 3) *rapaces. »*

Quand j'étais tout petit, et que je tourmentais des hannetons, il y avait chez ces pauvres insectes un mouvement qui me donnait presque la fièvre. C'est quand je les voyais faisant ces efforts réitérés pour prendre leur vol, sans néanmoins s'envoler, quoiqu'ils eussent réussi à soulever leurs ailes.   1
                    BALZAC, Albert Savarus, Pl., t. I, p. 811.

Sa parole, semblable à ces oiseaux de haut vol qui ne sont à l'aise que dans l'espace et l'étendue, avait trouvé sa région.   2
                    SAINTE-BEUVE, Causeries du lundi, 31 déc. 1849.

3 Ami, entends-tu
Le vol noir des corbeaux sur nos plaines?
Ami, entends-tu
Ces cris sourds du pays qu'on enchaîne?
M. DRUON et J. KESSEL, Chant de la Libération
(Chant des Partisans, 1940-1944).

Loc. *Vol à voile* : type de vol particulier aux oiseaux dits voiliers* (→ ci-dessous le sens courant).

♦ **2.** (V. 1175). Par métaphore. Essor de ce qui s'élance, se propage. « *La calomnie* (cit. 5) *s'élance, étend son vol, tourbillonne* ». *« Alors tu déploieras ton vol vers ces régions inconnues »* (→ Migration, cit. 3). — Loc. *Prendre son vol* (ou *son essor*) : améliorer sa position, sa situation (cf. *Se lancer*). — Spécialt. *Le vol du temps* : l'écoulement rapide de la durée, la fuite* du temps. ⇒ **Temps.** *« Ô temps, suspends ton vol!... »* (→ Délice, cit. 9).

Loc. **EN VOL, EN PLEIN VOL** : en plein essor. — **AU VOL,** se dit de ce qui est lancé en l'air, et, par ext., de ce qui passe très vite, doit être saisi au passage (au propre ou au figuré). *Attraper* (cit. 15) *au vol un morceau de sucre.* ⇒ **Happer.** *Rattraper* (cit. 2) *au vol qqn qui tombe* (→ Homme, cit. 156). *Cueillir une impression au vol* (→ Notation, cit. 3). *Saisir qqch. au vol* (→ Frénésie, cit. 4) ; *c'est une occasion à saisir au vol.*

4 L'esprit allemand (...) a besoin d'approfondir pour comprendre; il ne saisit rien au vol (...)
Mme DE STAËL, De l'Allemagne, I, IX.

À vol d'oiseau (cit. 23 et *supra*). — Loc. fig. : **DE HAUT VOL** : de grande envergure. *Un filou, un escroc de haut vol.*

♦ **3.** (1863). **a** *Le vol, le vol de...,* déplacement, orienté dans l'atmosphère, d'un engin capable de se soutenir en l'air. *Ailes* (⇒ **Voilure**), *dispositif de propulsion* (⇒ **Hélice, réacteur**) *permettant le vol. — Vol des avions, des hélicoptères, des engins spatiaux, des ballons, des dirigeables. — Altitude, vitesse de vol. Autonomie de vol. Vitesse minimale de vol,* permettant la sustentation. *Domaine de vol,* défini par un rapport entre la vitesse et l'altitude. — *Vol horizontal, vol en palier ; en montée, en descente. Vol acrobatique.* ⇒ **Acrobatie.** *Vol plané* (moteurs arrêtés). *Vol à haute altitude ; en rase-mottes ; vol au-dessus d'un lieu* (⇒ **Survol**). *Début* (⇒ **Décollage**), *fin du vol* (⇒ **Atterrissage**). — *Conditions, performances ; incidents de vol. Qualités de vol* : maniabilité d'un avion. — **EN VOL, EN PLEIN VOL,** se dit de l'engin (avion, planeur) et des personnes qui l'occupent (⇒ **Passager, pilote** ; → Moteur, cit. 5; patrouille, cit. 6). *Tenue de vol* (→ Serre-tête, cit. 3). — *Heures de vol,* accomplies par un professionnel de l'aviation. *Le pilote a plus de deux mille heures de vol.*

Loc. **VOL À MOTEUR** : technique des appareils volants à moteur ; spécialt, voltige. *Fédération française de vol à moteur.* — Vx (1907, in Petiot). *Vol mécanique* : vol à moteur.

(1864). **VOL À VOILE** : manœuvre des engins plus lourds que l'air et sans moteur, qui planent en utilisant leur vitesse initiale et les mouvements aériens, notamment les courants verticaux (⇒ **Planeur**). *Faire du vol à voile.* — Vx. *Vol sans moteur.*

(1978). **VOL LIBRE** : vol à voile à l'aide d'appareils très légers. ⇒ **Delta** (aile), **deltaplane.** *Faire du vol libre.*

Absolt (en parlant des planeurs). *Vol remorqué, lancé, au sandow. Vol de pente, de nuage.*

b (*Un, des vols*). Déplacement en vol. *Faire plusieurs vols en une journée. Vol de nuit*. — (1943, in D.D.L.). *Vol d'essai* : essai en vol d'un prototype. — *Vol de reconnaissance, d'observation, de bombardement. Les vols qui partent d'un aérodrome. Les vols de la matinée, du soir. La durée du vol est de quatre heures.* ⇒ **Envolée** (régional : Canada). *Le vol no 5 pour New York est retardé. Vol sans escale.* ⇒ **Non-stop.** — *Le tarif des vols. « Vols loisirs », « vols vacances »,* etc.

5 Le chef de piste jette un dernier coup d'œil (...) Cet avion a sa place exacte dans ce hangar, comme dans cinq minutes dans le ciel. Ce vol aussi bien calculé que le lancement d'un navire.
SAINT-EXUPÉRY, Courrier Sud, I, II.

♦ **4.** (XVIe). Distance parcourue en volant par un oiseau, un insecte ; le fait de voler d'un lieu à un autre. *Grand vol migrateur. Vol nuptial des abeilles* (cit. 4).

6 (...) et déjà les colombes et les hirondelles ouvraient leurs grands vols du soir.
M. BARRÈS, Un jardin sur l'Oronte, I.

♦ **5.** Par anal. *Vol à skis* : sorte de saut à ski, dépassant 90 mètres, distance extrême autorisée dans les épreuves de saut proprement dit. — Compétition où l'on pratique ce genre de saut.

6.1 Des concours ont lieu qui prennent le nom de *vol à skis* (et non pas de saut). Le record actuel sur ces tremplins est de 141 m. Des vols de 120 m sont courants.
Jean FRANCO, le Ski, p. 79.

♦ **6.** Phase du saut* entre l'appel ou le lâcher de prise et la réception au sol, en gymnastique.

Loc. fig. *Faire un vol plané*, une chute.

(XVIe). Loc. (Ancienn). *Vol du chapon* : étendue d'un arpent qui revenait à l'aîné.

B. (1774). Par métonymie. Quantité d'oiseaux, d'insectes, etc., qui se déplacent ensemble dans l'air. ⇒ **Volée** (1., 2.). *Vol nombreux, compact.* ⇒ **Agglomération, masse.** *Vol de grues* (cit. 1), *d'oiseaux*

migrateurs (→ Direction, cit. 7). *Vol d'insectes* (cit. 5), *de moucherons* (2. Moucheron, cit. 2), *de sauterelles* (⇒ **Nuage**). *« Comme un vol de gerfauts* (cit. 2) *hors du charnier natal ».*

Par anal. *Un vol de pluie, de grêle* : des gouttes, des grêlons qui semblent voler ensemble (poussés par un coup de vent). → 2. Cingler, cit. 5. — Vx. *Un vol de flèches.* ⇒ **Volée.** *Un vol de linges* (cit. 6). ⇒ **Envol.**

Par métaphore :
Que ce granit du moins montre à jamais sa borne
Aux noirs vols du Blasphème épars dans le futur.   7
MALLARMÉ, Hommages et Tombeaux, « Le tombeau d'Edgar Poe », p. 70.

C. (1375). Ancienn. **a** Chasse avec des oiseaux de proie. ⇒ **Fauconnerie, volerie** (1.). *Vol à la renverse* (lâcher de l'oiseau à la rencontre de la proie), *vol à la source* (lâcher au moment du départ de la proie), etc.

b (1530). Équipage des oiseaux de proie utilisés pour la chasse.

On ne saurait imaginer un équipage plus varié ni plus complet : meute pour le sanglier, meute pour le loup, meute pour le chevreuil, vol pour corneille, vol pour pie, vol pour émerillon, vol pour le lièvre, vol pour les champs.   8
TAINE, les Origines de la France contemporaine, I, t. I, p. 145.

D. Techn. ♦ **1.** (XIIIe). Envergure* (d'un oiseau).

♦ **2.** (1611). Blason. Figure de deux ailes d'oiseau. *Demi-vol* : une seule aile.

HOM. 2. **Vol, vole,** formes des v. 1. et 2. **voler.**

2. VOL [vɔl] n. m. — 1610 ; de 2. *voler.*

♦ **1.** Le fait de s'emparer du bien d'autrui, par la force ou à son insu ; action qui consiste à soustraire frauduleusement une bien d'autrui. ⇒ **Appropriation, arnaque** (fam.), **détournement, soustraction ; brigandage, cambriolage, chapardage, escroquerie, grivèlerie, larcin, maraudage, maraude, pillage** (cit. 5), **rapine** (→ Filoutage, cit. 2 ; imputation, cit. 3). *Commettre un vol.* ⇒ 2. **Voler.** *Le vol simple,* délit correctionnel transformé en crime par diverses circonstances aggravantes *(vol qualifié). Vol avec effraction, vol à main armée* (⇒ **Attaque, hold-up**). *Vol à l'escalade*, vol à l'esbroufe*, vol à la tire* (2. Tire, 1.). *Vol à l'américaine*. Vol de marchandises, d'argent, de pièces officielles* (⇒ **Enlèvement, soustraction**). *Vol à l'étalage.* — Dr. *Vol domestique,* commis par une personne à gages envers son employeur (ou les invités de son employeur) ; par ext., vol commis par une personne travaillant habituellement dans les lieux du vol. — *Vol de grand chemin à main armée* (→ Identité, cit. 13). *Flagrant délit de vol* (→ Nier, cit. 2). *Condamnation pour vol* (→ Relégation, cit.). *Le crime n'a pas eu le vol pour mobile* (cit. 8). — *Assurances contre le vol. Dispositif de sécurité contre le vol* (des véhicules, des domiciles). ⇒ **Antivol.** — Allus. hist. *Le vol, institution spartiate* (→ Hiératique, cit. 1). — *« La propriété, c'est le vol »* (Proudhon). ⇒ **Appropriation** (cit. 3 et 4).

Après m'avoir fait un grand discours sur l'indifférence du vol, sur l'utilité même   0.1
dont il était dans le monde, puisqu'il y rétablissait une sorte d'équilibre, que dérangeait totalement l'inégalité des richesses ; sur la rareté des punitions, puisque de vingt voleurs il était prouvé qu'il n'en périssait pas deux ; après m'avoir démontré avec une érudition dont je n'aurais pas cru M. du Harpin capable, que le vol était en honneur dans toute la Grèce, que plusieurs peuples encore l'admettaient, le favorisaient, le récompensaient comme une action hardie prouvant à la fois le courage et l'adresse (deux vertus essentielles à toute Nation guerrière)...
SADE, Justine..., t. I, p. 31 (1791).

Le bourgeois devient et reste l'ennemi du pauvre, qui le met hors la loi, le trompe   1
et le vole. Pour le pauvre, le vol n'est plus ni un délit, ni un crime, mais une vengeance.
BALZAC, le Médecin de campagne, Pl., t. VIII, p. 392.

— Monsieur Pontmercy, dit Jean Valjean, j'ai été dix-neuf ans aux galères. Pour   2
vol. Puis j'ai été condamné à perpétuité. Pour vol. Pour récidive.
HUGO, les Misérables, V, VII, I.

(...) les collectivistes répudient le vol, le repoussent comme une manifestation bour-   3
geoise du sentiment de la propriété. Au fond le vol produit une propriété personnelle est contraire à la doctrine.
Ed. et J. DE GONCOURT, Journal, 13 mars 1887, t. VII, p. 136.

Ces vols n'avaient que le vol pour mobile. Il ne s'y mêlait ni lucre ni goût du fruit   4
défendu. Il suffisait de mourir de peur. Les enfants voleurs des magasins où ils entraient avec l'oncle, les poches pleines d'objets sans valeur (...)
COCTEAU, les Enfants terribles, p. 87.

(...) depuis le vol à l'étalage, à la roulotte, au flan, à l'esbroufe, au poivre, au ren-   5
dez-moi, jusqu'aux entreprises plus périlleuses qui exigent des professionnels qu'ils « marchent à la bonne aventure » ou « à la dure », selon qu'ils sont plus ou moins résolus. Pour ces sortes de vols et surtout d'agressions, le métier veut que l'on soit trois, et Villon, flanqué du beau parleur Regnier de Montigny et de Colin de Cayeux, le crocheteur, confirme la tradition. — Ce sont les principaux atouts du poète. Ils forment avec lui le trio classique de malfaiteurs qui, lorsqu'ils ne « cassent » pas, attirent les « pigeons » au jeu et les plument à l'aide de faux dés.
Francis CARCO, Nostalgie de Paris, p. 73-74.

En effet le vol — et ce qui s'y rattache : les peines de prison avec la honte du   6
métier du voleur — était devenu une entreprise désintéressée, sorte d'œuvre d'art active et pensée ne pouvant s'accomplir qu'à l'aide du langage, du mien, confronté avec les lois issues de ce même langage.
Jean GENET, Journal du voleur, p. 121.

♦ **2.** Le fait de prendre à autrui plus qu'il ne doit, ou de ne pas donner ce que l'on doit (⇒ **Grivèlerie, resquille...**). *Un jeu subtil d'amendes, de retenues, de petits vols* (→ Paye, cit. 4). *Les vols de l'agio* (→ Sucer, cit. 2).

Le fait de prendre des bénéfices excessifs. *Deux cents francs, ce livre ; c'est du vol, c'est un vol manifeste !* — Fam. (Au jeu). Le fait de voler un point (→ Raccroc).

♦ **3.** (1668). Ce qui a été volé, le produit d'un vol. ⇒ **Butin.** *Sans le receleur* (cit. 2), *le vol ne pourrait être caché* (⇒ **Recel, receler**).
CONTR. Cadeau, don.
COMP. Antivol.
HOM. 1. Vol, vole, formes des v. 1. et 2. voler.

VOLABLE [vɔlabl] adj. — 1668, Molière ; de 2. *voler.*
Rare.

♦ **1.** (Choses). Que l'on peut voler. *Objets facilement volables.*

♦ **2.** (Personnes). A qui l'on peut dérober son bien. → Pante, cit. Hugo *(pantre).*

VOLAGE [vɔlaʒ] adj. — Fin XIIᵉ ; «qui vole», 1080, *Chanson de Roland ;* du lat. *volaticus* «qui vole, a des ailes», et fig. «fugitif», de *volare.* → 1. Voler.

♦ **1.** Qui change aisément de sentiments ; qui se détache facilement. ⇒ **Changeant, léger.** *Peuple, nation volage* (→ **Entraîner,** cit. 15). *Étourdi* (cit. 3), *pétulant, volage...* — Spécialt (dans les affections amoureuses). ⇒ **Frivole, inconstant** (cit. 6 et 7), **infidèle, léger** (cit. 25). *Une femme volage* (→ Aimer, cit. 43). *Trop volage mari* (→ Infidélité, cit. 13). *« Volage adorateur de mille objets divers »* (→ Mais, cit. 20). ⇒ **Coureur.**

1   J'irais plus haut peut-être au temple de Mémoire
Si dans un genre seul j'avais usé mes jours ;
Mais quoi ! je suis volage en vers comme en amours.
                            LA FONTAINE, Disc. à Mᵐᵉ de La Sablière.

2   J'ai été légère et volage (...) Mais vous ne sauriez croire combien je suis changée... Je ne cesse point de me reprocher mes inconstances...
                 Abbé PRÉVOST, Manon Lescaut, II, p. 213.

N. (V. 1260). Vieilli. *Un, une volage.*
Par ext. (Choses). *« Une humeur un peu volage, un désir d'aller et venir »* (Rousseau, *les Confessions,* V, t. I, p. 288). ⇒ **Papillon** (fig.). *Cœur* volage* (→ fam. Cœur d'artichaut*).

3   Comme il y a des âmes volages que toutes les passions dominent tour à tour, on voit des esprits vifs et sans assiette que toutes les opinions entraînent successivement (...)
               VAUVENARGUES, Réflexions et maximes, 505.

♦ **2.** (1247). Vx. Qui passe ou change vite. *Art léger, volage...* (→ Démoniaque, cit. 1, Montaigne). *Volages douceurs* (cit. 16).

♦ **3.** Mar. *Navire volage,* instable.

♦ **4.** (XVᵉ). Vx. *Feu volage,* éruption au visage, herpès labial. — Fig. (langue class.). Engouement rapide, passager.
CONTR. Constant, fidèle.

VOLAILLE [vɔlaj] n. f. — XIIIᵉ ; attestation isolée, «ensemble des oiseaux», XVIᵉ ; *voleille* «oiseau», déb. XIIIᵉ ; du lat. *volatilis.* → 1. Volatile.

♦ **1.** *(La volaille).* Ensemble des oiseaux qu'on élève pour leurs œufs ou leur chair. ⇒ **Poulaille** (vx). *Élevage de la volaille.* ⇒ **Aviculture** (→ Gorger, cit. 5 ; incident, cit. 9). *Marché* (cit. 22) *à la volaille. La volaille d'une basse-cour, d'un poulailler.*

1   Lise et Françoise (...) poussèrent de la sorte jusqu'au marché à la volaille, qui était rue Beaudonnière. Là, des fermes avaient envoyé de vastes paniers à claire-voie, où chantaient des coqs et d'où sortaient des cous effarés de canards. Des poulets morts et plumés s'alignaient dans des caisses, par lits profonds.
                     ZOLA, la Terre, II, VI.

Viande de volaille. Manger de la volaille. — Cuis. *Chaud-froid, consommé, coquille, émincé, galantine, quenelle, suprême...* de *volaille.*

♦ **2.** (1317). *Une volaille :* un oiseau de basse-cour (cit. 1). ⇒ 2. **Volatile ; chapon, coq, poule, poulet ; canard, dinde, dindon, oie, pigeon ;** → aussi Flair, cit. 2. *Élever, engraisser, nourrir des volailles. Volailles à l'engrais. Appâter, empâter, gaver, gorger des volailles.* Cage (⇒ **Épinette**), *perchoir, mangeoire* (⇒ **Trémie**) *à volailles.* — Cuis. *Brider, brocheter, embrocher, farcir, ficeler, flamber, plumer, trousser, vider une volaille. Vendre une volaille plumée et vidée. Volaille rôtie* (→ Fumet, cit. 2), *bouillie.* Découper *une volaille. Parties comestibles d'une volaille.* ⇒ **Abattis, aile, blanc, cou, croupion** (→ fam. As* de pique, sot-l'y-laisse) ; **carcasse, cuisse, pilon.** *Un quart, un quartier* (cit. 2) *de volaille. Volaille farcie* (⇒ **Grenadin,** vx).

2   Elle affectait de s'occuper de ses volailles, les six cents bêtes, poules, canards, pigeons, qui voletaient, cancanaient, grattaient la fosse à fumier, au milieu d'un continuel vacarme.
                     ZOLA, la Terre, II, I.

3   (...) un vieux bonhomme, muni d'un long cou pelé, raboteux et rose qui fait penser au cou d'une volaille déplumée par la maladie. Il a également un profil de poule : pas de menton et un long nez (...)
               H. BARBUSSE, le Feu, I, V.

♦ **3.** Fig. et fam. (Péj.). Groupe de femmes, de jeunes filles.

4   (...) la petite Fadette (...) vint bientôt le relancer, amenant une bande de drôles-

---

ses plus jeunes qu'elle, (...) Quand Landry la vit avec toute cette volaille, qu'elle comptait prendre à témoin, en cas de refus, il se soumit (...)
               G. SAND, la Petite Fadette, XV (1848).

(1808). Pop. Fille de mauvaise vie. ⇒ **Poule.** — Argot. Femme, fille.
DÉR. Volailler, volailleur.

VOLAILLER, ÈRE [vɔlaje, ɛʀ] n. — 1690 ; au fém., déb. XXᵉ ; de *volaille.*

♦ **1.** N. m. ou f. Marchand, marchande de volailles. — Syn. : *volailleux.* ⇒ **Volailleur** (b).

♦ **2.** N. m. (1831, *Mémoires de l'Académie des sciences,* in G. L. L. F.). Lieu où l'on élève la volaille. ⇒ **Poulailler.**

VOLAILLEUR, EUSE [vɔlajœʀ, øz] n. — 1821 ; de *volaille.*

♦ Techn. ⓐ Éleveur de volailles ; aviculteur spécialisé dans la production de volailles.

ⓑ Volailler. — Var. pop., dans ce sens : *volailleux* [vɔlajø].

VOLAIN [vɔlɛ̃] n. m. — Mil. XVᵉ ; *volin,* 1397 ; de 3. *volant.*

♦ Techn. (Vx ou régional). Serpe. — Spécialt. Serpe courbée dont se servent les cercliers.

1. VOLANT, ANTE [vɔlɑ̃, ɑ̃t] adj. — XIIᵉ ; p. prés. de 1. *voler.*

♦ **1.** Capable de s'élever, de se déplacer dans les airs, ou simplement de planer (quand il s'agit d'un être ou d'un objet qui n'en est pas capable, en règle générale). ⇒ **Aérien.** *Poisson** (cit. 5) *volant* (⇒ **Exocet**). *Reptiles* (cit. 7) *volants* (fossiles). *Dragon volant. Écureuil volant.*

1   — (...) un ange ! tu es fou, Gwynplaine. Il n'y a de mammifère volant que la chauve-souris.   HUGO, l'Homme qui rit, II, VI, II.

Fusée* volante. Les tapis (cit. 5) *volants des légendes orientales. Soucoupe* volante. Objet volant non identifié.* ⇒ **Ovni.**

♦ **2.** (Dans l'aviation). *Le matériel volant. Machines volantes, appareils volants :* spécialt, engins des premières tentatives de vol mécanique ou engins aériens de type exceptionnel. — *Forteresse* volante.* — *Personnel volant* (par oppos. à *rampant*). ⇒ **Navigant.** — N. m. pl. *Les volants.*

♦ **3.** (XVᵉ). Littér. Qui semble voler. *Draperie volante* (peint.), agitée par le vent.

2   Les ombres volantes, immenses, des balançoires, accueillirent les premières le jeune homme.   ARAGON, les Beaux Quartiers, I, XXV.

♦ **4.** Vx. Rapide, insaisissable. *Artillerie volante,* à cheval. — Allus. hist. *L'escadron* (cit. 6) *volant.* — Littér. *Le Médecin volant,* farce attribuée à Molière. — *Bois* (II., 1.) *volant.*
Mod. Très mobile (en parlant d'unités d'intervention). *Brigades volantes ; compagnies volantes.* ⇒ **Volante,** n. f. *Brigades volantes du Service de répression des fraudes.*

♦ **5.** (Mil. XVIIᵉ). Fig. et vx. Qui se transmet facilement (maladie, épidémie). *Petite vérole* volante* (la varicelle).

♦ **6.** (1414). Qui peut être déplacé* facilement, rapidement. *Camp* (cit. 8) *volant* (et, au fig., *en camp volant*). *Escalier, pont* volant.* ⇒ **Mobile.** *Table* volante.* — Mar. *Manœuvres volantes* ou *courantes* (opposé à *dormant, fixe*).

♦ **7.** Qui n'est pas attaché. *Feuille volante.* ⇒ **Feuille** (II., 1.). → Papillon, cit. 9.
CONTR. Dormant, fixe.
DÉR. Volante.
COMP. Cerf-volant. — V. Passe-volant.
HOM. 2, 3. Volant.

2. VOLANT [vɔlɑ̃] n. m. — 1366 ; de 1. *voler.*

♦ **1.** Vx. Aile de moulin à vent. *Les quatre volants forment la voilure.*

♦ **2.** (1611). Petit morceau de liège, de bois léger, muni de plumes en couronne, et destiné à être lancé et renvoyé à l'aide d'une raquette* (cit. 2). → aussi Pointe (cit. 21). *Volant de badminton.* — Par ext. Jeu qui se joue avec des raquettes et un volant. *Jouer* (cit. 16) *au volant.*

1   (...) je n'étais pas fait pour être Parisien, c'est-à-dire pour ricocher à jamais, comme un volant entre deux raquettes, du groupe des flâneurs au groupe des tapageurs !   HUGO, les Misérables, IV, XII, II.

♦ **3.** (XVIIᵉ, «manteau» ; argot, fin XVIᵉ, repris déb. XIXᵉ [1826] au sens mod.). Bande de tissu libre à un bord et formant une garniture rapportée. ⇒ **Falbala.** *Volant froncé* (⇒ **Fronce**), *plissé, plat. Jupe* (cit. 2), *jupon, robe* (→ Crier, cit. 3) *à volants, à double, à triple volant.* ⇒ **Balayeuse** (vx). *Volant de jupe, de manche. Volant* *de rideau. Volants de dentelle* (→ 1. Manche, cit. 4), *de guipure* (→ Emprisonner, cit. 5).

2 VOLANT, on a donné ce nom dans le dernier siècle à des bandes de taffetas qu'on attachait aux jupes des dames (...) C'était autant de cerceaux *volants*, parce qu'ils n'étaient cousus que par le haut, et que le vent faisait voler le bas à discrétion.
DE JAUCOURT, *in* Encycl. (DIDEROT), art. *Volant* (1765).

♦ **4.** (1461). **a** Techn. Pièce formée de palettes montées sur un axe et qui, en tournant, régularise le mouvement de sonnerie d'une pendule. — (1835, Académie). Roue* de grand diamètre dont la masse en rotation sert à régulariser l'allure d'un moteur. ⇒ **Régulateur.** *Le volant d'une machine à vapeur, d'un moteur à explosion* (disposé avec l'embrayage dans un carter, entre le moteur et le changement de vitesse, sur une automobile). *Volant magnétique :* série d'aimants induits montés sur le volant du moteur et destinée à produire un courant induit dans le circuit des bobines. — Fig. *Volant de sécurité.* Ce qui sert à régulariser ou à entretenir un processus. ⇒ **Marge, réserve.** — Absolt. « *Il n'y a pas de quoi s'extasier. Un "volant" de vingt-sept noms, c'est peu* » (*le Nouvel Obs.*, 16 oct. 1978, p. 38).

b (1860, *le Monde illustré*, *in* D.D.L.). Cour. Dispositif en forme de roue qui, par l'intermédiaire d'engrenages et d'une timonerie (⇒ **Direction**), sert à orienter les roues directrices d'une automobile. ⇒ **Commande** (de direction). *Manœuvrer, tenir le volant :* conduire (→ Conducteur; susceptible, cit. 5). *Être, se mettre au volant. Au volant de son auto* (→ 1. Flèche, cit. 16). *Un brusque coup de volant. Se relayer au volant.*

3 *(Le bac)* portait une charrette, des bicyclettes, trois automobiles et leurs propriétaires assis au volant comme des jouets luxueux garnis de personnages bien imités.
J. CHARDONNE, les Destinées sentimentales, p. 380.

(1903, *chevalier du volant*). Conduite, manœuvre des automobiles. ⇒ **Automobilisme.** *Les as du volant.*

♦ **5.** (1743). Chasse. Perche sur laquelle les oiseleurs disposent les gluaux*. *Chasse aux volants.*

♦ **6.** (1873). Partie détachable d'un carnet à souches. *Le volant et le talon.*

♦ **7.** Bot. *Volant d'eau.* ⇒ **Myriophylle.**

DÉR. Volanter.
HOM. 1., 3. Volant.

3. VOLANT [vɔlã] n. m. — 1441; mot dial. d'orig. gauloise, **volammo* « faucille », d'après 1. *volant.*

♦ **1.** Régional. Serpe.

♦ **2.** (Mil. xıxᵉ). Techn. Grosse serpe à très long manche, pour tailler les arbres.

DÉR. Volain.

VOLANTE [vɔlãt] n. f. — 1847; déjà 1596 « ange »; de 1. *volant.*

★ **I.** Choses ♦ **1.** Vx (argot anc.). Plume à écrire.

♦ **2.** (1873). Vx. Voiture légère, en usage à La Havane.

♦ **3.** (1901, Bruant). Vx (argot). Blouse (d'homme).

♦ **4.** (Mil. xxᵉ). *Pêche à la volante :* pêche de surface, avec des leurres que l'on déplace sur l'eau.

★ **II.** (Déb. xxᵉ). Personnes. Brigade volante (de police); équipe d'un service administratif chargée d'effectuer des contrôles ponctuels.

... Et puis, le vol... c'est pas mon boulot!... Je suis de la Criminelle... *(Très fier.)* C'est ce qu'il y a de mieux (...)
À la volante ou à la voie publique... votre indic vous rencarde un tricard ou un cassement...
H.-G. CLOUZOT et J. FERRY, Quai des Orfèvres (dialogues du film), *in* l'Avant-Scène, nº 29, p. 28.

VOLANTER [vɔlãte] v. tr. — xxᵉ; de 2. *volant.*

♦ Couture. Mettre, poser un volant à, sur. *Volanter une robe.*

Absolument.

1 Il lui plaisait que deux sœurs Chanel sur trois fussent enfin réunies, et comme au temps de Varennes occupées à volanter, doubler, recouvrir, cranter, perler, découper.
Edmonde CHARLES-ROUX, l'Irrégulière, p. 191.

▶ **VOLANTÉ, ÉE** p. p. adj. *Une jupe volantée.*

2 — Et la jupe? Volantée?
— Droite. Plate sur le devant. Avec des fronces (...)
Claude MAURIAC, le Dîner en ville, 1959, p. 128.

VOLAPÜK [vɔlapyk] n. m. — 1879; mot créé par J.-N. Schleyer, de *vol* (angl. *world* « monde »), *puk* (angl. *speak* « parler »), et une voyelle de liaison.

♦ **1.** Langue artificielle forgée pour servir d'idiome universel et dont la base est l'anglais courant simplifié (⇒ **Espéranto**).

♦ **2.** (1892). Rare. Langue naturelle largement diffusée servant de

lien entre des communautés linguistiques différentes. — Syn. cour. : *langue véhiculaire.*

1 (...) la langue latine (...) cette langue universelle, qui était le *volapuck* d'autrefois entre les savants et les littérateurs de tous les pays.
Ed. et J. DE GONCOURT, Journal, 17 avr. 1892, t. IX, p. 26.

♦ **3.** (Mil. xxᵉ). Fig. et péj. Mélange de langues. ⇒ **Charabia, jargon.**

2 Faire œuvre de méthodologie, au sens de la tradition, c'est parler ce *volapük* qui fait référence arbitrairement à quatre champs linguistiques à la fois, au minimum. Le concordat épistémologique était rédigé en espéranto.
Michel SERRES, Hermès I, la Communication, p. 63.

REM. 1. On écrit aussi *volapuck* (→ ci-dessus, cit. 1), *volapück.*

2. Le mot, rare et technique, a été d'un usage relativement courant pendant les années 60 à la suite d'un discours du général de Gaulle.

DÉR. Volapükiste.

VOLAPÜKISTE [vɔlapykist] n. — 1888, *in Année sc. et industr.* 1889, p. 588; de *volapük.*

♦ Vieilli. Personne qui parle le volapük, qui l'apprend.

VOLATEUR [vɔlatœʀ] n. — 1874; de 1. *voler.*

Rare.

♦ **1.** Être vivant qui vole. — (En parlant d'un oiseau). ⇒ **Voilier.**

1 Parfois, quelque grand oiseau, albatros ou frégate, passait à portée de fusil, et Gédéon Spilett se demandait si ce n'était pas à l'un de ces puissants volateurs qu'il avait confié sa dernière chronique adressée au New-York Herald.
J. VERNE, l'Île mystérieuse, t. II, p. 488.

♦ **2.** (En parlant d'un être humain). Homme-oiseau, homme volant.

2 Malgré ce fardeau le robuste volateur monta rapidement, toujours stimulé par les cris de l'enfant, dont les éclats de rire indiquaient une folle jubilation.
Raymond ROUSSEL, Impressions d'Afrique, p. 51.

♦ **3.** Vx. Appareil volant, machine volante. « *Construire des volateurs en étudiant la théorie du vol des oiseaux* » (*Rev. gén. des sc.*, 15 nov. 1905, nº 21, p. 939).

VOLATIL, ILE [vɔlatil] adj. — xıvᵉ, attestation isolée; rare av. le xvııᵉ; lat. *volatilis* « qui vole », de *volare*. → 1. Voler.

♦ **1.** Qui passe spontanément ou facilement à l'état de vapeur*, qui possède une tension de vapeur élevée (à une température donnée). *Les parties les plus volatiles des matières combustibles...* (→ Expansif, cit. 1). *Matières volatiles inflammables* (cit. 1). *Les essences ou huiles essentielles, l'éther, sont des liquides volatils.* — (1750). *Alcali volatil :* ammoniaque. — *Composants volatils des pétroles* (cit. 2).

1 Caché dans la coulisse, Darriand répéterait lui-même, comme un écho, le nom des fleurs appelées, débouchant quelques secondes à l'avance tel flacon rempli d'un composé extrêmement volatil, dont les émanations iraient soudain frapper de tous côtés l'odorat des spectateurs.
Raymond ROUSSEL, Impressions d'Afrique, p. 345-346.

♦ **2.** Fig. et littér. Qui s'évapore, disparaît facilement. « *La spécifique et volatile essence* » (du bonheur perdu). → Revoir, cit. 12, Proust.

2 Mais plus la matière devenait légère, plus les signes volatils et insaisissables, et plus ils étaient pénétrants.
SAINTE-BEUVE, Volupté, XIII.

♦ **3.** Bourse. Qui paraît surévalué. *Valeurs volatiles.*

CONTR. Fixe.
DÉR. Volatiliser, 1. volatilité.
HOM. 1., 2. Volatile.

1. VOLATILE [vɔlatil] adj. — V. 1380; lat. *volatilis* « qui vole ».

Vx ou didactique.

♦ **1.** Vx. Qui peut voler, qui a des ailes. *La gent volatile* (→ Souille, cit. 1) : les oiseaux. ⇒ 2. **Volatile.**

♦ **2.** Formé d'oiseaux. *Des tribus volatiles de toutes les espèces* (→ Pluvier, cit.).

DÉR. 2. Volatilité.
HOM. Volatil, 2. volatile.

2. VOLATILE [vɔlatil] n. m. — V. 1560; au fém., xvııᵉ, La Fontaine; → Demi-, cit. 15; de l'anc. franç. *volatilie, volatille* (v. 1120) « ensemble des oiseaux » puis « oiseaux comestibles », du bas lat. *volatilia* « animaux qui peuvent voler ».

♦ Vieilli. Oiseau. — Spécialt. Oiseau domestique, de basse-cour. ⇒ **Volaille** (2.).

(...) jusqu'à ce que (...) un magnifique coq sortît en sautillant (...) Un petit homme (...) avança en écartant le coq d'un vigoureux coup de pied et demanda, au milieu des gloussements du volatile, ce qu'il fallait servir à ces messieurs.
CAMUS, la Peste, p. 159.

HOM. Volatil, 1. volatile.

VOLATILISABLE [vɔlatilizabl] adj. — 1823, *in* G. L. L. F. ; de *volatiliser.*

♦ Qui peut se volatiliser. *Substances volatilisables.*

VOLATILISATION [vɔlatilizasjɔ̃] n. f. — 1641 ; de *volatiliser.*

♦ Le fait de volatiliser (une substance). — Le fait (pour une substance, un corps) de se volatiliser. ⇒ **Sublimation, vaporisation.** *La volatilisation du soufre, du camphre.*

VOLATILISER [vɔlatilize] v. tr. — 1611 ; de *volatil.*

♦ **1.** Faire se transformer en vapeur (une substance). ⇒ **Vaporiser ; sublimer.**

♦ **2.** Fig. Faire disparaître.

[1] Pronostic du philosophe qui voit la pensée humaine, volatilisée par la presse, s'évaporer du récipient théocratique. HUGO, Notre-Dame de Paris, I, V, II.

[2] (...) une joie (...) une frénésie qui (...) vitrifiait ou volatilisait tout ce qui s'approchait de mon cœur. GIDE, Si le grain ne meurt, II, II.

▶ SE VOLATILISER v. pron.

♦ **1.** (1823, *in* D. D. L.). Passer à l'état de vapeur. ⇒ **Dissiper** (se), **vaporiser** (se). — (Déb. XIXᵉ, Nodier). Fig. Devenir subtil.

♦ **2.** Par métaphore (1898, Rostand ; → Alchimie, cit. 2) et fig. Se dissiper, disparaître. ⇒ **Évaporer** (s'). → Salaire, cit. 3. *Où est ce crayon? Il ne s'est pourtant pas volatilisé!* — (Personnes). Disparaître, s'éclipser.

[3] Les Lachassaigne disaient de leur cousine pauvre «qu'elle avait du tact, qu'elle savait disparaître». C'était vrai qu'au dessert, il semblait qu'elle se volatilisât. F. MAURIAC, Genitrix, III.

▶ VOLATILISÉ, ÉE p. p. adj. (Av. 1825, P.-L. Courier).

♦ **1.** Vaporisé.

♦ **2.** *Soufre volatilisé.* — Par métaphore. Évaporé, disparu.

[4] (...) un peuple où il se trouvera toujours quelques «esprits libres» pour ne pas se résigner à ce qu'Alleg a subi, et pour s'interroger sur le sort des cinq mille citoyens français (puisque les Algériens sont des citoyens français!) disparus, volatilisés, sans que leurs proches eux-mêmes aient cru bon de chercher à savoir ce qu'ils étaient devenus. F. MAURIAC, le Nouveau Bloc-notes 1958-1960, p. 72.

DÉR. Volatilisable, volatilisation.

1. VOLATILITÉ [vɔlatilite] n. f. — 1641 ; de *volatil.*

Didactique.

♦ **1.** Chim. Propriété de ce qui est volatil ; aptitude à se vaporiser. — Bourse. *La volatilité d'une valeur,* ses variations.

♦ **2.** (1876, Larousse). Rare et fig. Légèreté.

Je commence par flotter au-dessus du matelas, le corps si léger, si plein d'une délicate volatilité, que je cesse de vivre comme un corps. J.-M. G. LE CLÉZIO, la Fièvre, p. 198.

CONTR. Fixité.
HOM. 2. Volatilité.

2. VOLATILITÉ [vɔlatilite] n. f. — Fin XVIIIᵉ, Bernardin de Saint-Pierre ; de 1. *volatile.*

♦ Vx. Aptitude à voler, à s'envoler. — Par métaphore. Aptitude à flotter en l'air. *La volatilité de graines.*

HOM. 1. Volatilité.

VOL-AU-VENT [vɔlovɑ̃] n. m. invar. — 1800, *in* D. D. L., *vol au vent ;* de 1. *vol,* à cause de la pâte légère (feuilletée), *au,* et *vent.*

♦ Entrée formée d'un moule de pâte feuilletée garni d'une préparation de viande ou de poisson en sauce, avec des champignons, des quenelles, etc. ⇒ **Timbale.** *La croûte, la garniture d'un vol-au-vent. Des vol-au-vent. Vol-au-vent (à la) financière*, *marinière*. *Vol-au-vent aux filets de sole, à la volaille. Petit vol-au-vent.* ⇒ **Bouchée** (à la reine).

VOLCAN [vɔlkɑ̃] n. m. — 1375, *vulcan,* Mondeville, du lat. *vulcanus ; vulcan* (1575, Thevet), puis *volcan* (1598), d'après l'esp. *vólcan,* appliqué aux «montagnes de feu» de l'Amérique (1524), lui-même de *Vulcanus* «Vulcain», dieu du feu, dénomination d'un volcan des îles Lipari (ital. *Vulcano*), puis de l'Etna.

♦ **1.** Cour. Montagne qui émet ou a émis des matières en fusion. *Le feu* (1. Feu, cit. 9), *la flamme des volcans. Volcan en ébullition*

(cit. 3), *qui vomit du feu* (⇒ **Ignivome**). *Volcan éteint. La bouche d'un volcan :* le cratère.

[1] (...) la présence d'un volcan, même éteint, imprime toujours au paysage quelque chose d'étonnant et de tragique qui empêche l'attention de se lasser. STENDHAL, Mémoires d'un touriste, I, p. 223.

[2] (...) les cônes (du volcan) laissent couler de la boue chaude, pareille à une affreuse suppuration du sol ; et ils lancent parfois des pierres à une grande hauteur, et ils ronflent étrangement en soufflant des gaz. Ils semblent grogner, sales, honteux, petits volcans bâtards et lépreux, abcès crevés. MAUPASSANT, la Vie errante, La Sicile.

[2.1] Quant au volcan lui-même, on ne pouvait douter qu'il ne fût complètement éteint. Pas une fumée ne s'échappait de ses flancs. Pas une flamme ne se décelait dans ses cavités profondes. Pas un grondement, pas un murmure, pas un tressaillement ne sortait de ce puits obscur, qui se creusait peut-être jusqu'aux entrailles du globe. J. VERNE, l'Île mystérieuse, t. I, p. 129.

Par compar. *Les passions sont comme les volcans.* → *infra,* 2. (→ Gronder, cit. 7).

Géogr., géol. Ouverture dans l'écorce terrestre qui met en communication les régions internes (magma) et la surface, et donne généralement naissance à un édifice naturel (cône, montagne) ; cette montagne. *Socle, cheminée, cratères* (principal, adventifs), *cône* (de lave, de débris : scories, cendres...) *d'un volcan.* ⇒ **Cratère.** *Volcans sans cratère,* en coupole, en dôme (cumulo-volcan), en aiguille (aiguille volcanique). *Volcan sans édifice extérieur* (cratère d'explosion ou d'effondrement). — *Activité des volcans : montée du magma, séismes, grondements, détonations, fissuration du sol* (phénomènes prévolcaniques) ; *éruptions* (cit. 1) ; *phénomènes post-volcaniques* (⇒ **Fumerolle, mofette, solfatare**). *Matières projetées par les volcans* (⇒ **Déjection, éjection, projection**) : *gaz, fumerolles* (⇒ **Salse, soufflard**), *solides* (blocs, bombes, débris ; ⇒ **Cendres, lapilli, roche**), *liquides* (⇒ **Lave,** cit. 2), *produits profonds* (⇒ **Magma**). — *Types de volcans : volcans hawaïens* (laves très fluides), *péléens* (laves solidifiées en aiguille rocheuse), *stromboliens* (laves fluides et bombes), *vulcaniens* (lave visqueuse). — *Volcan actif et en activité ; volcan éteint. Réveil d'un volcan. Volcan en éruption. Répartition des volcans sur le globe* (en relation avec les séismes, la tectonique). *Groupes de volcans.* — *Volcan sous-marin.*

[3] Les *phénomènes volcaniques* sont des manifestations de l'activité interne du Globe, localisées en des points déterminés de la surface terrestre que l'on appelle des *volcans.* On peut définir un volcan la bouche de sortie par où, d'une manière permanente ou temporaire, des matières à haute température, originaires de l'intérieur de la Terre, sont amenées au jour. Émile HAUG, Traité de géologie, t. I, p. 251.

♦ **2.** Fig. [a] (1772). Violence impétueuse, dangereuse, qui se manifeste ou reste cachée (→ Agitation, cit. 18 ; ardent, cit. 23). «*Mon imagination est un volcan*» (Cazotte, *le Diable amoureux,* 12). *Les esprits sont en fermentation, le volcan peut se réveiller d'un moment à l'autre.* — Allus. hist. Danger* imminent. «*Nous dansons sur un volcan*» (Salvandy, à la veille de la révolution de 1830). «*Le char* (cit. 3) *de l'État navigue sur un volcan*», phrase du Joseph Prudhomme de Henri Monnier, souvent rappelée comme type de métaphore incohérente, ridicule.

[b] (1833, Gautier). Personne impétueuse, au caractère violent, emporté. *C'est un véritable volcan!*

DÉR. Volcanien, volcanique, volcaniser, volcanisme, volcanologie.

VOLCANICITÉ [vɔlkanisite] n. f. — 1813, *Mémoires de l'Académie des sciences, in* G. L. L. F. ; du rad. de *volcanique.*

Didactique.

♦ **1.** Caractère des roches volcaniques. *La volcanicité de l'obsidienne, du basalte.*

♦ **2.** (1909, *Année sc. et industr.,* 1910, p. 9). Syn. de *volcanisme.*

VOLCANIEN, IENNE [vɔlkanjɛ̃, jɛn] adj. — Fin XVIIIᵉ, Bernardin de Saint-Pierre ; de *volcan.*

♦ Vx. D'un volcan ; relatif à un volcan. ⇒ **Volcanique.**

VOLCANIQUE [vɔlkanik] adj. — 1778, Saint-Fond ; de *volcan.*

♦ **1.** Relatif aux volcans et à leur activité (⇒ **Volcanisme**) ; qui fait partie, qui provient d'un volcan. *Bouche, cheminée, cône volcanique. Déjections* (cit. 2), *projections volcaniques, de matières volcaniques* (→ Basalte, cit. ; dénaturer, cit. 1). *Blocs, bombes, cendres, poussières, sables volcaniques. Roches volcaniques et roches plutoniques* (basalte, lave, obsidienne...). ⇒ **Éruptif.** *Terre, sol volcanique, d'origine volcanique* (⇒ **Pouzzolane**). *Rocher* (→ Fond, cit. 4), *aiguille, dôme... volcanique.* ⇒ **Chaussée** (des géants), **orgue ; neck ; cratère ; cône.** *Tuf volcanique.* — *Activité, éruption volcanique. Tremblement de terre volcanique.* — *Régions volcaniques.*

[1] La recherche de leur cause, après la poétique explication par les forges de Vulcain, a conduit à l'hypothèse aujourd'hui abandonnée du «feu central» (...) enfin à la notion de «magma» ou phase «pâteuse» des roches dites éruptives, qui, si elle est discutée actuellement pour les roches «plutoniennes» holocristallines, demeure incontestée pour les roches semi-cristallines vraiment volcaniques. Bernard GÈZE, les Roches volcaniques et la Volcanologie, *in* Encycl. Pl., la Terre, p. 866.

♦ **2.** (Déb. XIXᵉ). Ardent, impétueux. ⇒ **Explosif.** *Caractère, tempérament volcanique.* « *J'imaginais l'amour comme quelque chose de volcanique* » (→ Dévastateur, cit. 2).

2 (...) un véritable délire amoureux et toutes les extravagances d'une passion « volcanique », ainsi qu'il s'exprimera (...)
Louis MADELIN, Hist. du Consulat et de l'Empire, Ascension de Bonaparte, IV.

DÉR. Volcaniquement. — V. aussi **volcanicité.**

VOLCANIQUEMENT [vɔlkanikmɑ̃] adv. — 1876, *in* P. Larousse ; de *volcanique.*

Didact. ou littéraire.

♦ **1.** Par les volcans.

♦ **2.** D'une manière volcanique (2.), impétueuse. *Il s'est emporté volcaniquement.*

VOLCANISATION [vɔlkanizasjõ] n. f. — 1869, Sainte-Beuve ; de *volcaniser.*

♦ Didact. Production de roches volcaniques. *La volcanisation d'un terrain.*

VOLCANISER [vɔlkanize] v. tr. — 1777 ; de *volcan.*

♦ **1.** Didact. Amener à l'état volcanique.

♦ **2.** (1792, *in* D. D. L.) Littér. et vieilli. Exalter fortement. — (1829). Au p. p. « *Têtes volcanisées* » (*in* D. D. L.).

DÉR. Volcanisation.

VOLCANISME [vɔlkanism] n. m. — 1842, var. vieillie *vulcanisme ;* on a dit aussi *volcanicité,* n. f. (1813, au sens d'« origine volcanique »).

♦ Didact. (géol.) Ensemble des manifestations géologiques et géographiques par lesquelles les couches profondes (magma) entrent en contact avec la surface. *Manifestations* (→ Éruption, cit. 1), *produits de volcanisme* (roches* volcaniques). *Origine du volcanisme terrestre.*

VOLCANO- Premier élément de mots composés signifiant « volcanique et... » — Ex. : *volcano-sédimentaire,* adj. « *Trois couches (...) comportant des niveaux volcano-sédimentaires assez grossiers* » (*la Recherche,* janv. 1981, p. 734) ; *volcano-tectonique,* adj. « *Les dépressions (grabens) d'origine volcano-tectonique* » (*la Recherche,* janv. 1981, p. 759).

VOLCANOLOGIE [vɔlkanɔlɔʒi] n. f. — 1890, *in Année sc. et industr.* 1891, p. 629 ; var. vieillie *vulcano-* (janv. 1910) ; Cf. en angl. *vulcanology* (1858), puis *volcano-* (1886) ; de *volcan* ou du lat. *Vulcanus,* et *-logie.*

♦ Didact. Science qui étudie les phénomènes volcaniques, leurs causes, leur mécanisme (notamment afin de prévoir et de prévenir les dangers résultant du volcanisme).

Une science nouvelle, la volcanologie, est née et, comme la séismologie, c'est une science complexe. L'examen minéralogique et pétrographique des laves, la reconnaissance des anciennes coulées et des vieux terrains éruptifs, la description géographique des constructions y rejoint l'étude physique des magmas en fusion sous de fortes pressions, et la chimie des mélanges gazeux.
Jean ROTHÉ, Séismes et Volcans, p. 102.

REM. On trouve aussi *vulcanologie* [vylkanɔlɔʒi].

DÉR. Volcanologique.

VOLCANOLOGIQUE [vɔlkanɔlɔʒik] adj. — 1924, *Bulletin volcanologique ; vulcano-,* 1910 ; de *volcanologie.*

♦ Didact. Relatif à la volcanologie. *Études volcanologiques.*

REM. On trouve aussi la forme *vulcanologique* [vylkanɔlɔʒik].

VOLCANOLOGUE [vɔlkanɔlɔg] n. — 1910, *vulcano-* ; de *vulcanologie.* → Volcanologie.

♦ Didact. Spécialiste de la volcanologie.

REM. Les formes *volcanologiste* [vɔlkanɔlɔʒist] et *vulcanologiste* [vylkanɔlɔʒist] sont vieillies (ou rares), mais *vulcanologue* [vylkanɔlɔg] est bien attesté (ex. *Science et Vie,* mai 1974, p. 42).

VOLCELEST [vɔlsəlɛ] n. m. — 1845, Bescherelle ; *volcelet,* 1810 ; altér. de *vois-le, ce l'est* (c'est lui).

Vénerie.

♦ **1.** Sonnerie de trompe pour signaler qu'on revoit la bête.

♦ **2.** Trace du pied du cerf (par laquelle on s'assure de l'identité de la bête de chasse).

Elle sentit toute l'inutilité, tout le ridicule qu'il y avait, au premier tiers du XXᵉ siècle, à poursuivre pendant des heures le volcelest d'un cerf, la petite empreinte fourchue enfoncée dans les glèbes labourées et les prairies humides.
M. DRUON, la Chute des corps, II, XI, p. 184.

Var. graphique (1810) : *volcelet* (cf. M. Druon, *le Lis et le lion,* p. 219).

VOLE [vɔl] n. f. — 1534 ; de 1. *voler.*

♦ Coup où l'un des joueurs fait toutes les levées, aux cartes (→ Schlemm, au bridge). *Manquer la vole.* ⇒ **Dévole.**

HOM. 1., 2. **Vol.** — Formes des v. 1., 2. **Voler.**

VOLÉE [vɔle] n. f. — 1191 ; de 1. *voler.*

★ **I.** ♦ **1.** Le fait de voler (1. Voler, I., 1.). — Par ext. Distance parcourue par un oiseau en un seul vol. — Spécialt. Envol, essor. *Oiseaux éparpillés* (cit. 18) *dans la volée.*

Loc. *Prendre sa volée, la volée.* ⇒ **Envoler** (s') ; → 1. Air, cit. 18 ; rauque, cit. 4. — Fig. S'affranchir, s'émanciper (cf. Voler de ses propres ailes).

Donner la volée à un oiseau, le lâcher, le laisser aller (au fig., → Assembler, cit. 9).

Loc. (XIIIᵉ). Vx. **À LA VOLÉE** : d'un seul coup, sans hésiter (⇒ **Promptement**), et, spécialt, à la légère (⇒ **Inconsidérément**). *Ne rien faire à la volée* (→ Circonspection, cit. 1).

♦ **2.** (1611, Cotgrave). Groupe d'oiseaux (cit. 12) qui volent ou s'envolent ensemble (→ Abattre, cit. 21 ; tonnelle, cit. 1). ⇒ **Vol, volier.** *Une volée de pigeons, de moineaux.*

Des corneilles criaient en l'air ; leurs épaisses volées tournoyaient au-dessus des arbres dont elles se préparaient à couronner la cime.   1
CHATEAUBRIAND, Mémoires d'outre-tombe, t. VI, p. 242.

Par compar. *Les enfants se dispersent comme une volée de moineaux.*

Par anal. ou par métaphore. Groupe, troupe de personnes. ⇒ **Essaim** (fig.). *Une volée de fâcheux* (→ Assiéger, cit. 4), *d'enfants* (→ Moineau, cit. 2). — *Une volée de souvenirs* (→ Montée, cit. 2). ⇒ **Quantité.**

♦ **3.** Loc. (XVIIᵉ). **DE... VOLÉE.** Vx. *Gens de la première, de la haute volée.* — Mod. *De haute volée* : de haut rang, de haute condition (→ Ressembler, cit. 2) ; (choses) de grande envergure (→ De haut vol*).

— Fi, monsieur ! ce que vous avez donné n'est rien pour une personne de cette   2
volée ; et, dès que vous vous connaîtrez mieux, elle vous répondra par quelque portrait entouré de perles qui vaudra le double.
NERVAL, les Filles du feu, « Corilla ».

★ **II.** ♦ **1.** Mouvement rapide ou violent (de ce qui est lancé, jeté ou balancé). **[a]** (1600). Mouvement, effet des projectiles lancés par un canon.

Mademoiselle fit tirer ce jour-là quelques volées de canon de la Bastille qui achevèrent de manifester l'attitude de Paris, et de montrer aux troupes du roi que l'heure n'était pas venue encore d'y entrer.   3
SAINTE-BEUVE, Causeries du lundi, 24 mars 1851.

Spécialt (du sens I., 2.). Ensemble des projectiles lancés en une fois. *Une volée de boulets, d'obus.* ⇒ **Décharge, salve.** *Une volée de flèches* (→ Harceler, cit. 5).

[b] (1680). Mouvement des ailes d'un moulin à vent (tour complet).

[c] (1690). Mouvement des cloches. ⇒ **Branle.** « *Du pieux carillon les légères volées* » (Lamartine, *Jocelyn,* I).

(...) Jean épiait chaque tintement avec une crainte croissante, au fur et à mesure   3.1
des volées ralenties, que la dernière écoutée ne fût plus suivie d'aucune autre, mais en sentait bientôt palpiter une autre, si près de lui et si loin qu'il lui semblait sentir son cœur lointain d'autrefois battre mélodieusement dans sa poitrine.
PROUST, Jean Santeuil, Pl., p. 248.

[d] (XVIIIᵉ, Buffon). Techn. Mouvement d'un marteau soulevé, qui retombe sur la pièce à travailler. *À chaque volée du marteau...* (→ 2. Masse, cit. 1).

Loc. adv. ou adj. (XIXᵉ). **À LA VOLÉE, À TOUTE VOLÉE** : en faisant un mouvement ample, avec force. *Lancer qqch. à toute volée. Gifler* (cit. 2) *qqn à toute volée* (→ aussi Maître, cit. 45). *Refermer une porte à la volée* (→ Tonnerre, cit. 7). *Semer* à la volée. — Rare. *À pleine volée* (→ Encensoir, cit. 1). — *Sonner* les cloches à la volée, à toute volée* (→ 1. Battant, cit. 1 ; procession, cit. 3).

Dans la sonnerie à toute volée, chaque cloche se balance suivant sa grandeur, et   4
le battant de même ; de là des entrelacements de rythmes que le fondeur n'a pas prévus et que le sonneur ne peut changer.
ALAIN, Propos, 12 sept. 1913, L'esprit des cloches.

Vx. *Bombardement à toute volée* (→ Terrer, cit. 1).

♦ **2.** **[a]** (Dans des loc.). Mouvement de ce qui a été lancé et n'a pas encore touché le sol (opposé à *bond, rebond*). *Balle en volée, de volée* (vieilli). — (Football) *Reprendre la balle de volée. Tir de volée. Coup de pied de volée. Arrêt de volée.* Au *volley-ball**, on doit *reprendre la balle de volée.*

Fig., vx. *De bond* (cit. 8) *ou de volée* : de quelque manière que ce soit.

(Fin XVIe). **À LA VOLÉE** : au vol. *Saisir la balle à la volée* (fig., saisir l'occasion*).

5 (...) il feuilletait Cicéron pour y prendre à la volée une phrase ou des passages dont le sens pouvait s'appliquer aux événements du jour (...)
BALZAC, Illusions perdues, Pl., t. IV, p. 533.

6 Quand il avait fini sa cigarette, il crachait son mégot devant lui et tentait, à la volée, de le rattraper du pied. CAMUS, la Peste, p. 260.

b *Une volée*, coup par lequel on renvoie une balle, avant qu'elle ait touché le sol. — Spécialt, au tennis (opposé à *coup droit*, à *drive*). *De belles volées. Volée de revers. Volée haute. Demi-volée*, quand la balle est reprise immédiatement après avoir touché le sol.

c *Grande volée* : grand tour, à la barre fixe. ⇒ **Soleil**.

d Fait de soulever à la volée, en poids et haltères. *Volée d'un bras.*

♦ **3.** (XVIIe, Scarron). Suite de coups rapprochés. *Volée de coups de bâton, de trique.* ⇒ **Coup* ; bastonnade, correction.** — Loc. *Volée de bois* vert* (→ Brusque, cit. 6 ; 1. échine, cit. 5).

7 J'avais quitté Grenoble avec une envie démesurée de pouvoir un jour, à mon aise, lui donner une énorme volée de calottes. STENDHAL, Vie de Henry Brulard, 26.

Fam. et absolt. *Donner, flanquer à qqn, recevoir une volée, une bonne volée.* ⇒ **Dégelée, dérouillée, frottée, giboulée** (fig.), **pile, raclée, tournée, trempe, tripotée.**

8 Ce jour-là, pour la première fois, chez les Coupeau, on se flanqua une volée en règle, on se tapa même si dur, qu'un vieux parapluie et le balai furent cassés.
ZOLA, l'Assommoir, t. II, X, p. 143.

♦ **4.** (1321, «appareil de suspension pour les cloches»). Techn. Pièce ou partie (d'un appareil, d'un dispositif) qui permet un mouvement (→ 2. Volant, 4.). **a** Support de la poulie d'une grue.

b (1461, du Cange). Partie d'un tube de canon entre la bouche et les tourillons (canons anciens).

c (1428, Godefroy). Pièce transversale, à l'avant du train d'une voiture ou au bout du timon*, à laquelle sont fixés les traits (pour atteler*). — (1669). *Chevaux de volée*, ceux de devant (dans un attelage à quatre) ou ceux qui sont attelés à la volée (et non entre des brancards). → Palonnier, cit. 1.

♦ **5.** (1872, Littré). Techn. Partie (d'un escalier) qui s'élève d'un palier à l'autre. ⇒ **1. Rampe** (vx).

9 Dans le prolongement du couloir commence un escalier assez exigu, qui s'élève, en courtes volées, séparées par de petits paliers carrés, faisant des coudes à angle droit. A. ROBBE-GRILLET, Dans le labyrinthe, p. 117.

VOLÉMIE [vɔlemi] n. f. — XXe ; du rad. de *volume*, et *-émie*.

♦ Physiol. Volume total du sang de l'organisme (4 % environ du poids du corps).

1. VOLER [vɔle] v. — 880 ; du lat. *volare*.

★ **I.** V. intr. ♦ **1.** (Animaux). Se soutenir et se déplacer dans l'air au moyen d'ailes (ou d'organes analogues). → Étourneau, cit. 1 ; guêpe, cit. 3 ; hanneton, cit. 2 ; pinson, cit. 2. *Animaux capables de voler : oiseaux** (cit. 3, 5 et 14), *insectes, quelques mammifères* (→ Chauve-souris, cit. 2). *Oiseau qui vole, commence à voler.* ⇒ **Envoler** (s'). *Façons de voler.* ⇒ **Planer** (cit. 3), **voleter, voltiger.** *Voler haut* (⇒ **Élever** [s'], **monter**), *à tire-d'aile*, en rond* (⇒ **Tournoyer**). *Voler bas* (rare au sens propre), en rasant le sol. *Les hirondelles volent bas, il va y avoir de l'orage.* — Fig. (plus cour.). *Ça vole bas* (→ Bas, cit. 62.1). *Les anges y volaient sans doute obscurément* (→ Moment, cit. 23).

Loc. *On entendrait les mouches* (cit. 10) *voler.*
Jouer à pigeon-vole. ⇒ **Pigeon** (cit. 5).
Loc. fig. (Fin XVIIe). Personnes. *Vouloir voler avant d'avoir des ailes* : vouloir entreprendre qqch. avant d'en avoir les moyens (par compar. avec les oisillons).
Voler de ses propres ailes : avoir une certaine indépendance* d'action. ⇒ **Émanciper** (s'). — Vx. *Voler des mêmes ailes* : se comporter de la même façon.

1 On ne vole point des mêmes ailes pour sa fortune que l'on fait pour des choses frivoles et de fantaisie. LA BRUYÈRE, les Caractères, IV, 59.

Loc. fam. *Se voler dans les plumes* (comme des oiseaux qui se battent). *Voler dans les plumes à qqn. Il lui a volé dans les plumes.*

2 (...) une quantité inhabituelle de colombes venues en congrès pour se voler dans les plumes (...) Jacques PERRET, Bâtons dans les roues, IV.

Par métaphore et fig. (Choses abstraites). *La pensée vole et les mots* (cit. 24) *vont à pied* (→ aussi Prosateur, cit. 2). *Les paroles volent* (lat. *verba volent*), *les écrits restent.* — Fig. et vieilli. (Personnes). S'élever (par la pensée, le langage poétique, le style). ⇒ **Essor.**

3 Qui ne vole au sommet tombe au plus bas degré (...) BOILEAU, Satires, IX.

♦ **2.** (Fin XIXe). **a** Se soutenir et se déplacer au-dessus du sol (ballons, ou, plus souvent, engins plus lourds que l'air : avions*, hélicoptères, etc.). → Hauteur, cit. 9 ; rafale, cit. 6. *Voler haut, à haute altitude, bas, en rase-mottes, au-dessus d'une ville, de l'océan* (⇒ **Survoler**).

b Se trouver dans un appareil en vol, spécialt, quand on le dirige ou qu'on fait partie de l'équipage (⇒ 1. **Volant**, 2.). — Effectuer des vols. *Pilote qui a cessé de voler. Elle s'est inscrite à l'aéroclub, elle vole tous les dimanches.*

c Se soutenir quelques instants dans l'air, en planant. *Poisson, écureuil qui vole* (grâce à ses nageoires, à une membrane). ⇒ 1. **Volant.** — Par anal. (Choses). *Semences* (cit. 3) *pourvues d'ailes, qui volent.*

♦ **3.** (1080, *Chanson de Roland*). Être projeté dans l'air. *Flèche, pierre, balle qui vole* (→ Rebondir, cit. 1). *Faire voler qqch.* (en l'air). ⇒ **Jeter, lancer** (→ Délicatesse, cit. 22). *Faire voler l'épée de son adversaire*, la lui faire sauter des mains. — Spécialt. *Faire voler les têtes.* ⇒ **Abattre, couper ; décapiter** (→ Prodigieux, cit.).

4 Qui précipita le feu ? Qui poussa la garde soldée ? Qui la détourna des glacis d'où volaient les pierres, pour la faire tirer sur l'autel inoffensif, sur la pétition *anti-royaliste* ? MICHELET, Hist. de la Révolution franç., V, IX.

Par métaphore. *Les menaces volaient et se croisaient* (→ Intempérance, cit. 2).

Loc. (1643). **VOLER EN ÉCLATS** (cit. 1 et 3) : éclater (I., 1.) de manière que les éclats volent au loin. ⇒ **Fracasser** (se), **sauter.** *La vitre vola en éclats.*

♦ **4.** (Choses). S'élever en l'air ou tomber lentement (de manière à rester pendant un temps en suspension). ⇒ **Flotter.** *Flocons de neige* (→ Légèreté, cit. 1), *poussière* (cit. 9), *sable* (1. Sable, cit. 2) *qui vole. Les brins d'herbe* (cit. 15) *volaient. Le vent fait voler les flocons, la poussière* (⇒ **Soulever**). — *Voler en l'air, voler au vent*, se dit d'étoffes, de vêtements, de voiles légers (→ Fanfreluche, cit. 1). *Mousseline, rideaux qui volent au vent.*

♦ **5.** (XIIe). Vieilli. Aller très vite (à une vitesse* telle qu'on semble «ne pas toucher terre»). ⇒ **Courir, presser** (se). *Son petit cheval volait* (→ 1. Frayer, cit. 2). *Il ne courait pas, il volait véritablement.* — Spécialt. S'élancer (cit. 4 ; → Étage, cit. 4 ; pirouetter, cit. 1). *Voler d'un bout du salon à l'autre* (→ Merci, cit. 13). *Voler vers qqn* (⇒ **Convoler**, étym. ; → Néréide, cit.), *à ses pieds* (cit. 33), *dans ses bras.* — Fig. *« Mon cœur pour le chercher volait loin devant moi »* (→ Parcourir, cit. 6). *« Va, cours, vole et nous venge »* (→ Ranger, cit. 10). *Voler au secours de qqn* (→ Pot, cit. 13).

5 Coûtât-il tout le sang qu'Hélène a fait répandre ;
Dussé-je après dix ans voir mon palais en cendre,
Je ne balance point, je vole à son secours (...) RACINE, Andromaque, I, 4.

5.1 Il était loin, l'ingrat, de démêler la cause des pleurs que je versais journellement ; mais il lui était impossible pourtant de ne pas se douter du désir que j'avais de voler au devant de tout ce qui pouvait lui plaire, il ne se pouvait pas qu'il n'entrevît mes prévenances (...) SADE, Justine..., t. I, p. 75.

6 (...) je vais, je viens (...) je vole, en dansant de gaieté improvisée et de jeunesse inachevée, d'une chambre à l'autre. VALÉRY, Monsieur Teste, p. 47.

Loc., mod. *Voler au secours de la victoire.* ⇒ **Victoire.**

♦ **6.** (1226). Se propager rapidement, se répandre, être divulgué (dans quelques expressions). *Nouvelle qui vole de bouche en bouche* (⇒ Mousqueterie, cit. 1), *de bouche à oreille.*

♦ **7.** (Dans l'ordre moral). Vx. Être changeant et léger. *« Je suis chose légère, et vole à tout sujet »* (→ Fleur, cit. 11). ⇒ **Volage, voltiger.**

♦ **8.** (XIVe). En parlant du temps. Passer rapidement, s'écouler. *Le temps vole.* ⇒ **Fuir.** *Les heures volaient.*

★ **II.** V. tr. (XIIe, «chasser en volant»). Poursuivre ou chasser (une proie) en volant. *Le faucon* (cit. 1) *vole les perdrix, les pies, les geais.* ⇒ 2. **Voler** (étym.).

DÉR. 1. Vol, 1., 2. volant, volateur, vole, volée, 2. voler, 1. volerie, volet, voleter, volette, volier, volière, volige, volis.
COMP. Envoler (s'), revoler, survoler. — V. aussi Vol-au-vent.
HOM. Volée, 2. voler.

2. VOLER [vɔle] v. tr. — 1540, Estienne ; on disait *rober* (→ Dérober) ; *embler*, du lat. *involare* (→ Emblée) ; de 1. *voler* (II.), à partir de loc. comme *voler la perdrix* «l'attraper au vol», dont l'origine n'est plus comprise ; l'évolution de sens s'est p.-ê. faite par une métaphore argotique. → Voleur.

★ **I.** *Voler qqch.* ♦ **1.** Prendre ce qui appartient à autrui, contre son gré ou à son insu. ⇒ **Approprier** (s'), **butiner** (vx), **dérober, disparaître** (faire), **emparer** (s'), **escamoter, filouter, friponner** (vx), **marauder, piller, prendre, ravir, soustraire, subtiliser ;** fam. **barboter, calotter, carotter, chaparder, chauffer** (vx), 2. **chiper, choper, chouraver** (argot), **faire** (*supra* cit. 20), **faucher** (I., B.), **grappiller, gratter, piquer** (I., A., 3.), **rafler, ratiboiser, refaire, repasser** (II., B., 2.) ; **main** (faire main basse sur...). → Larcin, cit. 1 ; méfait, cit. *Pickpocket qui vole une montre, un portefeuille à un passant.* ⇒ **Soulager** (de...), **subtiliser.** *Se faire voler ses vêtements, sa voiture. Ils ont volé dix millions sous la menace.* ⇒ Hold-up. *Voler de l'argent, une somme de..., cent mille francs* (→ Esclandre, cit. 2). *Voler les deniers de l'État. Voler des valeurs, des fonds* (⇒ **Détourner**, III.), *la caisse* (→ Manger la grenouille*). *Voler un manuscrit* (→ Restituer, cit. 2). *Maraudeur qui vole une poule.* ⇒ **Emme-**

ner, emporter. — Prov. *Qui vole un œuf vole un bœuf**. — Par ext. *Voler un enfant.* ⇒ **Enlever, kidnapper.**

1   Philippe était en prison de la veille au soir, on l'accusait d'avoir volé douze mille francs à la caisse de son régiment. Depuis trois mois, il détournait de petites sommes, espérant les remettre, dissimulant le déficit par de fausses pièces (...)
ZOLA, *Nana*, XIII.

2   (...) je devais tenir cette terreur de ma mère qui m'avait contaminé avec sa tradition : « On vole un œuf... Et puis un bœuf, et puis on finit par assassiner sa mère ».
CÉLINE, *Voyage au bout de la nuit*, p. 162.

3   Ne me volez pas mon sac, il n'y a rien dedans. D'ailleurs, je vous le donne.
J. ANOUILH, *le Bal des voleurs*, 3ᵉ tableau.

Absolt. Commettre un vol. ⇒ **Brigander** (vx), **cambrioler, griveler, marauder** (→ Guerre, cit. 8). *Voler à main armée, sur les grands chemins* (cit. 14), *avec effraction. Voler dans les grands magasins. Impulsion morbide à voler.* ⇒ **Cleptomanie.**

4   Du faible au fort, ce serait voler ; du fort au faible, c'est seulement s'approprier le bien d'autrui.
ROUSSEAU, *les Confessions*, VIII.

♦ **2.** (1647, Corneille). S'approprier (ce à quoi on n'a pas droit). *Et par un imposteur* (cit. 5) *me voir voler mon nom. Voler un titre, une réputation.* ⇒ **Usurper.** — Fam. (au jeu). *Voler un point,* l'obtenir par hasard, sans l'avoir mérité. — *Voler un baiser.* ⇒ **Dérober.** *Tu m'as volé ma phrase* (→ Hilarité, cit. 3). — Se réserver (un moment). *« Je volais un moment à mes douleurs... »* (Voltaire, *in* Littré).

5   (...) il volait à un autre son existence, sa vie, sa paix, sa place au soleil !
HUGO, *les Misérables*, I, VII, III.

6   (...) une stricte justice devrait *(le)* contraindre à pensionner les gens de talent dont il vole le salaire (...)
Léon BLOY, *le Désespéré*, p. 13.

Loc. fam. (1835). *Il ne l'a pas volé :* il l'a bien mérité*, c'est bien fait* pour lui.

♦ **3.** Fig. Donner comme sien (ce qui est emprunté). ⇒ **Attribuer** (s'), **copier, plagier.** *Voler une idée, un sujet, une phrase à qqn* (→ Braconner* sur les terres d'autrui).

7   (...) prendre une figure, un mot, une phrase *(d'un maître)*, une page, est voler comme si on volait un mouchoir dans une poche (...)
Th. GAUTIER, *les Grotesques*, Cyrano de Bergerac.

♦ **4.** (1902, *in* Petiot). Sports. Prendre (le départ) avant le signal (dans une course) ; prendre (du temps) sur ses concurrents de manière illicite.

7.1   Toujours trois sur cinq essaient de voler le départ : un dixième de seconde volé ici, cela gagne presque un mètre à l'arrivée — et il suffit d'une poitrine de moins (...)
Jean PRÉVOST, *Plaisirs des sports*, p. 106.

★ **II.** *Voler qqn.* ♦ **1.** Dépouiller (qqn) de son bien, de sa propriété, par force ou par ruse. ⇒ **Arnaquer** (fam.), **cambrioler, carotter, délester, dépouiller, détrousser, dévaliser, empaumer** (vieilli), **escroquer, estamper, flibuster, flouer, gruger, piller, rouler ;** → Fréquenter, cit. 8 ; prendre, cit. 27. *On me vole, on me pille* (cit. 6). *Elle se prétendait* (cit. 28) *volée. Un trésorier qui ne me vole point* (→ Net, cit. 5). *Se faire voler par des cambrioleurs.* — Pron. récipr. *« Les voleurs finissent toujours par se voler entre eux »* (R. Rolland, *Vie de Tolstoï*, p. 216).

8   — (...) On dit que si un voleur vole l'autre, le diable s'en rit.
DIDEROT, *le Neveu de Rameau.*

9   Il passait son temps à vérifier si on le volait. Il laissait pour cela aux endroits les plus divers, en vue, ou comme cachés négligemment sous des feuilles de papier, sous un gant, un journal, un franc, dix sous, enfin quelque monnaie. Son rêve était de surprendre Gertrude, sa femme de charge, en flagrant délit de larcin.
ARAGON, *les Beaux Quartiers*, I, v.

(Compl. n. de chose). *Les cambrioleurs ont volé la banque.*
REM. À la différence du sens I., cet emploi de *voler* concerne moins souvent le vol par violence, le vol qualifié, que le détournement d'argent ou le vol domestique.

♦ **2.** Par anal. Ne pas donner ce que l'on doit ou prendre plus qu'il n'est dû (à qqn). *Voler le client.* ⇒ **Exploiter, tromper** (sur la qualité, le poids) ; et, fam., **arranger, écorcher, empiler, entôler, étriller, tondre.** — Loc. *Il nous a volés comme dans un bois*.* — Absolt. *Voler sur le poids* (cit. 8) — Spécialt et fam. Ne pas tenir ses promesses. *On n'est pas volé, on en a pour son argent :* on n'est pas déçu*. — *Se croyant volés de la moitié de la cérémonie* (→ Mariage, cit. 5). ⇒ **Frustrer.**

10   (...) le voleur vole et ne trompe pas ; le marchand vole et trompe.
NERVAL, *Contes et facéties*, « la main enchantée », III.

▶ **VOLÉ, ÉE** p. p. adj.

♦ **1.** Qui a été pris, dérobé à autrui, acquis par le vol. *Argent volé. Objets volés. Voiture volée. La Lettre volée,* récit d'E. Poe. — Par métaphore ▸

11   Et, comme refrain, c'était toujours l'éloge discret, secret, de l'amour brusque et caché, de la sensation volée comme un fruit, en passant, et oubliée aussitôt qu'éprouvée.
MAUPASSANT, *Un échec*, Pl., t. II, p. 501.

♦ **2.** (Personnes). Qui a été dépouillé par un vol. — N. *Le voleur et le volé* (→ Justice, cit. 20 ; ordonnance, cit. 11).

12   Une tête de volé c'est hideux. Des têtes de volés qui l'encadrent donnent au voleur une arrogante solitude.
Jean GENET, *Journal du voleur*, p. 49.

CONTR. Donner, laisser.
DÉR. 2. Vol, volable, volereau, 2. **volerie, voleur.**
HOM. Volée, 1. **voler.**

VOLEREAU [vɔlʀo] n. m. — 1651 ; de 2. *voler.*

♦ Vx. Petit voleur.

1. VOLERIE [vɔlʀi] n. f. — XIIᵉ, Gace Brulé ; de 1. *voler.*

♦ Ancienn. Chasse avec des oiseaux de proie (faucons*). ⇒ **Fauconnerie.** *Haute et basse volerie.*
HOM. 2. **Volerie.**

2. VOLERIE [vɔlʀi] n. f. — 1541 ; de 2. *voler.*

♦ Vx, littér. ou régional. Vol ou suite de vols, de larcins. ⇒ **Malversation, pillage, pillerie** (vx), **vol.** *Les voleries publiques* (→ Conquête, cit. 1).

De tels tralalas peuvent plaire dans un crime passionnel, mais étonnent dans une histoire de volerie.
M. BARRÈS, *Leurs figures*, XIII.
HOM. 1. **Volerie.**

VOLET [vɔlɛ] n. m. — XIIIᵉ, « voile, ruban... » (→ Bavolet) ; « flèche légère », XVᵉ-XVIIᵉ ; « assiette de bois », XVᵉ ; de 1. *voler.*

A. (1542, Rabelais). Vx. Petite tablette, planchette servant à trier des graines, de petits objets. ⇒ **Volette.**
Loc., mod. **TRIER SUR LE VOLET :** choisir avec le plus grand soin. *Des personnes triées sur le volet,* d'élite.

1   — Vous oubliez donc que je vous ai répondu de vos têtes à vous-mêmes ! Ah çà, vous ai-je triés comme des graines sur un volet, dans trois résidences différentes, pour vous laisser tourner autour du gibet comme des mouches autour d'une chandelle ?
BALZAC, *Vautrin*, III, 3.

B. Panneau vertical. ♦ **1.** (1611, Cotgrave). Cour. Panneau de menuiserie ou de métal qui, placé à l'intérieur, sert à protéger le châssis d'une fenêtre, à intercepter la lumière (→ Persienne, cit. 2). *Fermer* (cit. 5) *au volet.*
Panneau ou battant (rigide ou articulé, plein ou ajouré) qui protège une baie (à l'extérieur ou à l'intérieur). ⇒ **Contrevent, jalousie, persienne** (→ Black-out, cit. 1 ; café, cit. 7). — Loc. techn. *Volet de parement* (panneau rigide), *volet de brisure* ou *brisé* (articulé). *Volet roulant.* — (Souvent au plur.). Cour. Chaque battant. *Volets de bois, de fer. Ouvrir, fermer* (cit. 4) *les volets ; volets mi-clos* (→ Clos, cit. 6 ; rais, cit. 2). *Volets attachés au crochet, à l'espagnolette. Volets qui battent. Le volet droit, gauche.* — Peinture sur le battant d'un volet. ⇒ **Paumelle.** *Volets percés de trèfles* (cit. 3) *et de cœurs.*
Spécialt. Panneau plein, fait de planches jointives (par oppos. à la *persienne,* à claire-voie).

2   (...) moi l'étrange humain qui, en attendant que la mort le délivre, vis les volets clos, ne sais rien du monde, reste immobile comme un hibou et, comme celui-ci, ne vois un peu clair que dans les ténèbres.
PROUST, *À la recherche du temps perdu*, t. X, p. 152.

3   (...) à sept ou six *(heures),* la bonne, Angélique, lançait un seau sur le trottoir, décrochait les volets, il y avait douze volets, étroits et hauts, d'un bleu qui avait dû être vert, et les posait dans l'arrière-boutique (...)
ARAGON, *les Beaux Quartiers*, I, II.

Mar. *Volet d'un hublot, d'un sabord.* ⇒ **Mantelet** (2.). — *Volets protégeant une devanture, une vitrine.* — Vieilli. *Volet de fer.* ⇒ **Rideau.**

♦ **2.** Élément amovible servant à cacher (et à découvrir) quelque chose.

4   Des acteurs miment les faits et gestes du héros. Ils portent des masques qui les identifient à cet ancêtre mi-homme, mi-animal. Souvent ces accessoires comportent des volets qui, au moment voulu, découvrent brusquement un second visage et permettent ainsi au porteur de reproduire les transformations instantanées qui avaient lieu dans le premier âge.
Roger CAILLOIS, *l'Homme et le Sacré*, p. 138.

♦ **3.** (1571). Vx ou hist. Par métonymie. Petit pigeonnier à une seule ouverture fermée par un volet (sens B., 1.). *« Il n'est permis qu'aux Seigneurs d'avoir des colombiers à pied ; mais on souffre qu'un bourgeois ait un volet »* (Furetière).

♦ **4.** Par anal. Vantail, aile (d'un retable). *Panneau central et volets d'un triptyque.*
Volet de montre d'un orgue.

♦ **5.** Élément détachable ou dépliable. *Les volets d'un permis de conduire. Facture en plusieurs volets.* — Fig. Partie (d'un ensemble abstrait, d'un tout). *Politique, plan en plusieurs volets. Le second volet de cet ensemble de mesures.*

C. Techn. ♦ **1.** [a] (1676). Ailette (d'une roue à aube).
[b] Panneau articulé. *Volets d'un tourniquet*, des anciens capots de voiture à ouverture latérale. « Elle abaissa le volet du capot »* (M. Bedel, *Jérôme, 60° latitude Nord*, p. 105).
[c] (1914). *Volet de carburateur,* réglant l'arrivée de l'air.

♦ **2.** (XXᵉ). Aviat. Partie d'une aile ou d'une gouverne orientable sur un axe parallèle à l'envergure et destinée à modifier les conditions de vol. *Volets d'hypersustentation,* destinés à accroître la portance ▸

d'une aile. *Volets de courbure, d'intrados* (partie inférieure du bord de fuite). *Volets de freinage. Ouvrir, sortir les volets* (d'intrados). Par anal. *Volets de courbure d'un parachute* (cit. 2).

CONTR. Ouverture.
HOM. Formes des v. 1., 2. **voler, volley** (V. **volley-ball**).

VOLETANT, ANTE [vɔltɑ̃, ɑ̃t] adj. — 1889, Goncourt; de *voleter.*

♦ **1.** Qui vole çà et là. *Le sautillement voletant des oiseaux* (→ Tendue, cit. 1).

♦ **2.** Fig. Fugitif, sans ordre logique (en parlant d'activités intellectuelles).

(...) pensées voletantes qui effleuraient une seconde ton cul tel endroit de son corps ou de ses vêtements; jugements élémentaires qui tournoyaient après lui comme des moucherons.
     J. ROMAINS, les Hommes de bonne volonté, t. IV, VII, p. 50 (1934).

VOLETER [vɔlte] v. intr. — Conjug. *jeter.* — V. 1120; de 1. *voler.*

♦ **1.** Voler à petits coups d'aile, en se posant souvent, en changeant fréquemment de direction. ⇒ **Voltiger.** *Insectes* (→ Minuscule, cit. 1), *papillons* (cit. 4), *oiseaux, perdrix* (→ Chaume, cit. 2) *qui volettent* (→ Traîne-buisson, cit.).

1   Des papillons de nuit voletaient autour des lampions, et criblaient de coups la toile du parasol.   MARTIN DU GARD, les Thibault, t. VI, p. 26.
1.1   Les chauve-souris voletant dans la chapelle en ruines.
     A. MAUROIS, la Vie de Byron, p. 56.

♦ **2.** (XIIIe). Fig., littér. Flotter au vent. *Rubans voletant au bout des tresses* (→ Natter, cit. 1). — (1690, Furetière). S'agiter d'un mouvement semblable à celui des ailes des oiseaux, des papillons.

1.2   La cheminée où voletaient encore les dernières flammes.
     G. DUHAMEL, Chronique des Pasquier, VII, XXIII.
2   Cécile écoutait et cependant ses mains voletaient sur les touches pour en tirer tantôt quelques accords funèbres, tantôt quelque bondissante mélodie.
     G. DUHAMEL, Chronique des Pasquier, VII, XV.

♦ **3.** Fig., littér. Changer d'opinion à chaque instant. ⇒ **Voltiger.**

DÉR. Voletant, volettement.
HOM. Volter.

VOLETTE [vɔlɛt] n. f. — 1803, Boiste; «chasse-mouches pour les chevaux», 1680; de 1. *voler.*

Techn. ou régional.

♦ **1.** Anciennt. Petite claie où l'on épluchait la laine. ⇒ **Trieuse.**

♦ **2.** (1876). Claie, éclisse servant à égoutter les fromages.

VOLETTEMENT [vɔlɛtmɑ̃] n. m. — 1596, *voletement*; de *voleter.*

♦ Rare. Vol hésitant, à petits coups d'ailes.

VOLEUR, EUSE [vɔlœʀ, øz] n. et adj. — 1549, Estienne; 1516, en jargon, «plusieurs maulvais garçons appelés *voleurs*» (cité par Guiraud); de 2. *voler; volleur* «chasseur au vol» (1516, Godefroy) semble avoir été pris par métaphore pour désigner des mauvais garçons, d'abord dans le jargon des malfaiteurs.

★ **I.** N. ♦ **1.** Personne qui s'approprie ou s'est approprié par ruse ou par force le bien d'autrui. — Spécialt. Personne qui tire ses ressources de délits de vol*. ⇒ **Larron** (vx), **malfaiteur, ravisseur** (vx). → Pioncer, cit.; récompenser, cit. 6. *Petit* (⇒ **Volereau,** vx), *grand voleur* (→ Bannir, cit. 3). — Loc. *Voleurs de grand chemin,* qui opéraient sur les grandes routes et s'y déplaçaient sans cesse pour surprendre les voyageurs et échapper aux recherches (→ Chemin, 1.). ⇒ **Brigand, clephte** (hist.), **détrousseur, malandrin.** → Coupeur de bourse* (1. Bourse, cit. 3). *Bande de voleurs.* ⇒ **Bandit, gangster.** — Vx. *Capitaine, chef de voleurs. Bois plein de voleurs* (→ Brigandage, cit. 1). *Caverne* (cit. 4) *de voleurs. — La Cour* (cit. 5) *des miracles, cité de voleurs.* ⇒ **Tire-laine** (cit. 2), **truand** (1.), **videgousset.** — *Mendiants devenus voleurs* (⇒ **Pillard,** cit. 1). *Un voleur de fruits, un maraudeur** (→ Identité, cit. 13). *Voleur de poules. Voleur par effraction, dans les maisons.* ⇒ **Cambrioleur, monte-en-l'air, rat** (d'hôtel). *Pince, clé, pince-monseigneur, «plume», rossignol utilisés par les voleurs. Voleur à l'étalage. Voleur à la tire.* ⇒ **Escamoteur, pickpocket.** *Voleur domestique* (→ Authentique, cit. 7). *Le voleur et le receleur* (cit. 2). — *Le milieu des voleurs.* ⇒ **Milieu, pègre.** *L'argot* (cit. 4) *des voleurs. — Crier au voleur* (→ Dévaliseur, cit. 1). *Au voleur!* (→ Poursuivre; arrêter (5.), attraper, capturer, cueillir un voleur, une voleuse.* ⇒ **Capture** (→ Fripier, cit. 4). *On a surpris le voleur en flagrant délit.* — Allus. hist. «(...) *comme les voleurs craignent les réverbères*» (*supra* cit. 1).

1   *(Mon père)* fut attaqué à l'entrée d'un bois, aux environs de Chichée par quatre voleurs: l'un prit la bride de son cheval; l'autre présenta le pistolet, tandis que les deux autres fouillaient dans les poches et dans les sacoches, en ordonnant au cavalier de descendre.   RESTIF DE LA BRETONNE, la Vie de mon père, II, p.150.
2   Un voleur est un homme rare; la nature l'a conçu en enfant gâté; elle a rassem-

blé sur lui toutes sortes de perfections: un sang-froid imperturbable, une audace à toute épreuve, l'art de saisir l'occasion, si rapide et si lente, la prestesse, le courage, une bonne constitution, des yeux perçants, des mains agiles, une physionomie heureuse et mobile.
     BALZAC, Code des gens honnêtes, *in* Œ. diverses, t. I, p. 67.

— J'suis recherché, me dit-il.   2.1
L'activité du voleur est une succession de gestes étriqués, mais brûlants. Venant d'un intérieur calciné, chaque geste est douloureux, pitoyable. Ce n'est qu'après le vol, et grâce à la littérature, que le voleur chante son geste.
     Jean GENET, Journal du voleur, p. 232.

Jouer au gendarme et au voleur, jouer au voleur (jeu de poursuite).

Quand elle disait «pouce», le jeu s'arrêtait aussitôt, car ses amies savaient que ses   3
raisons étaient toujours sérieuses. Charles était trop petit pour jouer au voleur et n'en avait pas envie.   M. AYMÉ, Maison basse, VII.
Il y avait (...) des enfants en train de jouer aux gendarmes et aux voleurs.   3.1
     J.-M. G. LE CLÉZIO, le Déluge, p. 234.

Loc. (1829, Boiste). Vx. *Être fait, mis comme un voleur* : avoir une apparence patibulaire, des habits en désordre, etc. — *Prendre des précautions* (cit. 2) *de voleur.* — Mod. *Rôder, fureter, s'échapper comme un voleur* (→ Promener, cit. 11), furtivement. — *Être fait* (pris) *comme un voleur.* — Fam. *Râler*, rouspéter comme un voleur.* — Allus. évang. *Je suis venu comme un voleur* (paroles du Christ). — Par métaphore. *La mort vient en voleuse* (→ Rôder, cit. 2).

— (...) Est-ce ainsi qu'on décampe de la maison comme un voleur sans saluer hon-   4
nêtement les dames?   CLAUDEL, l'Annonce faite à Marie, Prologue.

♦ **2.** (Fin XVIe). Celui, celle qui dérobe ou détourne à son profit le bien, l'argent d'autrui (sans prendre d'objet matériel). ⇒ 1. **Aigrefin, coquin** (A., 1.), **escroc, filou, fripon; griveleur** (vx), **resquilleur.** Fig. Celui, celle qui prend plus qu'il ne lui est dû, qui ne donne pas ce qu'il doit. *Ce commerçant, cet usurier est un voleur* (cf. Il a les mains crochues). ⇒ **Pirate, rapace, requin...**

Au fond, les financiers ne sont que des voleurs, mais des voleurs qui ont acheté   5
près du gouvernement le droit de voler.
     Ed et J. DE GONCOURT, Journal, 24 mars 1890, t. VIII, p. 115.

♦ **3.** (Déb. XVIIe). Fig. Celui, celle qui vole les idées, les phrases d'autrui. ⇒ **Plagiaire.**

Imite qui voudra les merveilles d'autrui.   6
Malherbe a très bien fait, mais il a fait pour lui;
Mille petits voleurs l'écorchent tout en vie.
Quant à moi, ces larcins ne me font point d'envie (...)
     Théophile DE VIAU, Élégie, *in* Œ. poétiques, p. 74.

♦ **4.** [a] Épi à barbes aiguës d'une graminée sauvage très commune en plaine sur les bords des chemins, appelé aussi *voyageur, ramona.*

(...) deux enfants, qui jouaient à s'enfoncer dans le cou de ces épis d'herbes, qu'on   7
nomme à la campagne des «voleurs» ou des «ramonas».
     R. ROLLAND, Jean-Christophe, La révolte, III, p. 583.

[b] Régional (Sud). Fruit de la bardane, du pissenlit. — Graine à aigrette.

★ **II.** Adj. (V. 1600). Qui a l'habitude de voler, a tendance à voler. *Il est voleur* (→ Incommunicable, cit. 9; paysan, cit. 4) *comme une pie* (1. Pie, cit. 3).

— Est-ce qu'ils sont très voleurs? — *Carotteurs* tout au plus, me dit le vieux sol-   8
dat, par un ressouvenir du langage militaire (...)
     NERVAL, Voyage en Orient, Femmes du Caire, II, II.
La domesticité est si voleuse ici, que tout est enfermé, scellé, et que la maîtresse   9
de maison délivre, de sa propre main, la pincée de sel.
     Ed et J. DE GONCOURT, Journal, 7 sept. 1872, t. V, p. 58.

CONTR. Honnête.

VOLIER [vɔlje] n. m. — 1478, «volière»; mot régional (Ouest); de 1. *voler.*

♦ Rare ou littér. Groupe d'oiseaux (rare: d'insectes, papillons, etc.) volant ensemble. ⇒ **Volée** (I., 2.); → Tapis, cit. 5.

Soloa emmenait toujours avec lui ce volier vivant des plus rares papillons du monde. Leurs ailes s'épanouissaient, leurs antennes vibraient, leurs yeux faisaient de petites cloques vertes. Il y avait peut-être vingt, trente papillons sur les épaules, sur les bras de Soloa et tout son ciel était sillonné d'autre papillons chatoyants.
     P. GRAINVILLE, les Flamboyants, p. 131-132.

HOM. Formes des v. 1. **voler,** 2. **voler.**

VOLIÈRE [vɔljɛʀ] n. f. — XIVe; de 1. *voler.*

♦ **1.** Grande cage assez vaste pour que les oiseaux enfermés puissent y voler. *Volière à pigeons, à faisans* (→ Ébrouement, cit. 3). — Spécialt. Cage où l'on enferme des oiseaux d'agrément ou d'intérêt scientifique. ⇒ **Oisellerie.** *Les volières d'un zoo. Volière en forme de pavillon.* ⇒ **Gloriette.**

(...) le mot de volière le ramenait toujours à son enfance, au palais de Bellevue, chez les tantes du Roi Louis XVI, Mmes Victoire, Adélaïde et Sophie, cette idylle multicolore peuplée de perruches et d'aras, cette serre qui ressemblait à un roman de M. de Saint-Pierre, pleine de palmes et de fleurs inconnues, et toute voletante d'oiseaux de couleur.   ARAGON, la Semaine sainte, II.

♦ **2.** Fig. [a] Lieu restreint où se tiennent des personnes qui parlent et s'agitent (notamment des femmes). → Basse-cour, fig.

b Argot. Maison de tolérance.

♦ **3.** Loc. (1938). Cuis. *Présentation en volière :* présentation (« dressage ») du gibier à plumes avec la tête, la queue, les ailes déployées. *Faisan servi en volière, faisan en volière.*

VOLIGE [vɔliʒ] n. f. — 1694, Ménage ; altér. de *voliche, volisse,* formes régionales de l'adj. *volis, volisse,* dans l'expr. *latte volisse* (1435) ou *volice ;* de 1. *voler.*
Technique.

♦ **1.** Latte* sur laquelle sont fixées les ardoises, les tuiles d'un toit. *Voliges de sapin clouées sur les poutres de toiture. Le couvreur fixe les ardoises sur les voliges.*

♦ **2.** Planche (cit. 3) mince.
DÉR. Voliger.

VOLIGEAGE [vɔliʒaʒ] n. m. — 1845 ; de *voliger.*

♦ Techn. Opération par laquelle on pose les voliges d'une toiture ; ensemble des voliges d'une toiture.

VOLIGER [vɔliʒe] v. tr. — Conjug. *bouger.* — 1845 ; de *volige.*

♦ Techn. Garnir (une toiture) de voliges.
DÉR. Voligeage.

VOLIS [vɔli] n. m. — 1845, Bescherelle ; 1673, *bois volis ; volaiz,* adj., « abattu par le vent », 1320 ; → Volige ; de 1. *voler.*

♦ Arbor. Cime d'un arbre rompue, arrachée par le vent.

VOLITIF, IVE [vɔlitif, iv] adj. — 1878 ; de *volition.*

♦ Psychol. Relatif à la volonté, à la volition. *Actes volitifs.*

VOLITION [vɔlisjɔ̃] n. f. — 1526 ; dér. sav. du lat. *voluntas* « volonté ».
Didact. (psychologie).

♦ **1.** Acte de volonté (→ Psychologie, cit. 3 ; réceptif, cit.). *Des volitions. Volition à l'état d'ébauche.* ⇒ **Velléité.**

♦ **2.** *La volition :* la volonté, en tant que faculté.
DÉR. Volitif.

VOLKAMERIA [vɔlkameʀja] n. m. — 1803, *in* D. D. L. ; de *Volkamer,* nom d'un botaniste allemand.

♦ Bot. Plante de la famille des verbéracées, croissant dans les régions chaudes (Amérique, Antilles...).

VOLLEY-BALL [vɔlɛbol] n. m. — V. 1925 (premières démonstrations en France : 1918) ; mot anglo-amér. (1896, Morgan) ; angl. *volley* « volée » (et *to volley* « jouer à la volée »), et *ball* « ballon ».

♦ Sports. Jeu sportif de salle ou de plein air opposant deux équipes de six joueurs séparées par un filet, au-dessus duquel chaque camp doit renvoyer le ballon à la main et de vollée. *Filet de volley-ball.* — (1941). Abrév. cour. *Volley* [vɔlɛ]. *Jouer au volley sur la plage. Terrain, match de volley.*

Eux et les anciens contestataires se retrouvèrent face à face, de part et d'autre d'un filet de volley-ball.
Claude COURCHAY, La vie finira bien par commencer, p. 195.
DÉR. Volleyeur.
HOM. Volet. — Formes des v. 1., 2. voler.

VOLLEYER [vɔleje] v. intr. — 1925, *in* Petiot ; dér. de l'angl. *to volley.* → Volley-ball.

♦ Sports. Pratiquer le jeu de volée, au tennis. *« S'il suffisait de bien servir et volleyer,* (X) *aurait gagné Wimbledon... »* (*l'Express,* 23 juin 1979, p. 101).

VOLLEYEUR, EUSE [vɔlejœʀ, øz] n. — 1925, *in* Petiot ; de *volley* (-ball).

♦ **1.** Joueur, joueuse de volley-ball.

♦ **2.** (De *volley* « volée »). Joueur de tennis spécialiste de la volée.

On travaillera son smash en même temps que sa volée haute, de façon à ménager un effet de surprise au volleyeur : ce dernier sera donc ainsi obligé de demeurer sans cesse très attentif à la balle, prêt à exécuter soit une volée haute, soit un smash.
Henri COCHET, le Tennis, p. 65.

VOLNAY [vɔlnɛ] n. m. — 1800 ; nom d'une commune de Bourgogne.

♦ Vin rouge de Volnay (communes de Volnay et Meursault, en Bourgogne), très estimé. *Une bouteille de volnay.*

VOLONTAIRE [vɔlɔ̃tɛʀ] adj. et n. — 1538, Estienne ; *voluntaire,* 1565-70, *in* D. D. L. ; lat. *voluntarius,* de *voluntas.* → Volonté.

★ **I.** Adj. **A.** (Choses). ♦ **1.** Qui résulte d'un acte de volonté, et non de l'automatisme, des réflexes ou des impulsions. *Acte, activité volontaire.* ⇒ **Libre** (→ Langage, cit. 4 ; sentiment, cit. 14). *Mouvements conscients* (cit. 3) *et volontaires. Mémoire* (1. Mémoire, cit. 3) *volontaire. L'attention* (cit. 7) *est une application volontaire de notre esprit. Détermination* (cit. 6) *volontaire. Mort volontaire.* ⇒ **Suicide** (cit. 3). *Mutilation* (cit. 3) *volontaire. Exclusion, renoncement, omission* (cit.)... *volontaire.* ⇒ **Délibéré, intentionnel, voulu** (→ Hautain, cit. 11 ; rétrécissement, cit. 1). *Erreur* volontaire. Limitation, restriction volontaire* (→ Malthusianisme, cit. 1 et 2).

(...) en quoi consiste le progrès du système nerveux lui-même ? En un développement simultané de l'activité automatique et de l'activité volontaire, la première fournissant à la seconde un instrument approprié.   1
H. BERGSON, l'Évolution créatrice, III.

N. M. *Le volontaire et l'involontaire* (→ 1. Bien, cit. 1).

(1872). Spécialt (physiol.). *Muscles* (cit. 1) *volontaires,* qui se contractent sous l'influence de la volonté. ⇒ **Strié** (→ aussi Nerveux, cit. 4).

♦ **2.** Qui n'est pas l'effet d'une contrainte, qui n'est pas forcé. *Impôt* (cit. 4), *contribution volontaire* (→ Antisocial, cit. 1). *Enrôlement* (→ Maison, cit. 15) ; réquisition, cit. 4), *séquestration* (cit. 1), *exil* (cit. 1 et 11), *départ volontaire.*

B. (Personnes). ♦ **1.** Qui a de la volonté, une volonté ferme. *Un homme, une femme volontaire.* ⇒ **Décidé, fort, obstiné, opiniâtre** (→ Âpre, cit. 17 ; fleur, cit. 15). *Un enfant volontaire et même entêté.* — Par ext. Qui annonce un caractère volontaire. *Visage* (→ Bonté, cit. 7 ; humeur, cit. 39), *menton, mâchoire volontaire* (→ Bouche, cit. 6 ; hardi, cit. 7).

♦ **2.** Qui agit librement, n'est pas contraint dans ses actes, dans son état. *Esclave volontaire* (→ Assujettir, cit. 3 ; indolence, cit. 3). *« Victime pure et volontaire »* (→ Bois, cit. 42).

Loc. (1864, Littré). *Engagé* (cit. 50) *volontaire :* soldat qui s'engage dans une armée sans y être obligé par la loi.

★ **II.** N. (1606, « personne de qualité qui fait la guerre à l'occasion, qui est sans emploi fixe dans l'armée »). ♦ **1.** (D'abord seult n. m.). Engagé volontaire (→ Enrôler, cit. 2). *Les volontaires de la Révolution* (→ Bleu, cit. 13 ; électrique, cit. 4). — Spécialt. Militaire, combattant qui se propose pour une action dangereuse (coup de main, reconnaissance, etc.). *Le commandant félicita les volontaires* (→ Équipement, cit. 2). *Une volontaire.*

(...) sous Louis XVI, des gentilshommes venaient en volontaires s'offrir au roi, et   2
beaucoup d'entre eux, au 10 Août, se firent tuer pour lui.
TAINE, Philosophie de l'art, t. I, p. 88.

♦ **2.** N. m. ou f. Personne bénévole qui offre ses services par simple dévouement (→ Gagner, cit. 52). *Les pompiers d'une petite ville sont des volontaires* (→ 1. Pompier, cit. 2). *On demande un, une volontaire pour faire ce travail.* — Par plais. *Personne ne se propose ? Bon, je vais désigner un volontaire.*

CONTR. Automatique, instinctif, involontaire, réflexe, spontané ; forcé, obligatoire. — Obéissant.
DÉR. Volontairement, volontariat, volontarisme.

VOLONTAIREMENT [vɔlɔ̃tɛʀmɑ̃] adv. — XIVᵉ ; de *volontaire.*

♦ **1.** Par un acte volontaire, délibéré. ⇒ **Délibérément, exprès, intentionnellement** (→ Aliéner, cit. 3 ; distancer, cit. 1 ; éviter, cit. 26 ; fragment, cit. 10 ; meurtre, cit. 1 ; péril, cit. 9). *Volontairement ou involontairement* (→ Impolitesse, cit. ; inconsciemment, cit. ; nuire, cit. 4). *Volontairement ou à son insu* (→ Imiter, cit. 2 et 18), *ou par ignorance* (→ Incroyant, cit. 3). *Il l'a volontairement poussé.*

♦ **2.** Sans y être forcé, de sa propre volonté. ⇒ **Bénévolement, gré** (de son) ; → Avertissement, cit. 13 ; gestion, cit. 7.

CONTR. Automatiquement, inconsciemment, involontairement ; contrecœur (à).

VOLONTARIAT [vɔlɔ̃taʀja] n. m. — 1866 ; de *volontaire.*

♦ **1.** Engagement volontaire dans l'armée.

♦ **2.** Service accompli par un engagé volontaire.

Il entra au régiment, par devancement d'appel, en 1889, afin de profiter encore du « volontariat », régime dont c'était la dernière année et qui permettait à ceux qui en bénéficiaient de ne faire qu'un an de service militaire.
A. MAUROIS, À la recherche de Marcel Proust, II, III.

VOLONTARISME [vɔlɔ̃taʀism] n. m. — 1909, *Revue philosophique ;* de *volontaire,* et *-isme.*

A. Didact. ♦ **1.** Philos. ⓐ (En métaphysique). Doctrine d'après laquelle le fond des choses est volonté et non représentation. *La philosophie de Schopenhauer est un exemple typique de volontarisme en métaphysique.*

ⓑ (En logique et en morale). Théorie d'après laquelle les normes du vrai et du bien dépendent d'une libre détermination de la volonté divine. *Le volontarisme de Duns Scot.*

♦ **2.** Psychol. Doctrine tendant à attribuer à la volonté des fonctions habituellement reconnues à l'intelligence (comme la fonction de juger chez Descartes).

B. Cour. Attitude d'une personne qui croit pouvoir soumettre le réel à sa volonté. *Le volontarisme en politique. Naïveté et volontarisme.*

CONTR. (De A., 1.) **Intellectualisme**. — (De B.) **Réalisme**.

VOLONTARISTE [vɔlɔ̃taʀist] adj. — Déb. xxᵉ; de *volontarisme*.

A. Didact. Partisan du volontarisme. *Philosophe volontariste*. — (Choses). Empreint de volontarisme, relatif au volontarisme. *Doctrine, thèses volontaristes.*

Le pansexualisme de Freud nous semblait tenir du délire (...) le freudisme, tel que nous le concevions, écrasait la liberté humaine (...) Nous restâmes figés dans notre attitude rationaliste et volontariste (...)
S. DE BEAUVOIR, la Force de l'âge, I, p. 25.

N. *Un, une volontariste.*

B. Cour. (Personnes). Qui croit soumettre le réel à sa volonté; qui ne tient pas suffisamment compte du réel. *Des utopistes romantiques et volontaristes.* — (Comportements, convictions). *Attitude volontariste.*

CONTR. (De A) **Intellectualiste**. — (De B) **Réaliste**.

VOLONTÉ [vɔlɔ̃te] n. f. — 1606, Nicot; attestation isolée, 1360, Froissart; *volenté*, xIᵉ-xvIᵉ; *voluntez*, 980; lat. *voluntas*, de *volo, velle* « vouloir ».

★ **I.** Disposition mentale ou acte d'une personne qui veut. ⇒ **Vouloir**. ♦ **1.** Ce que veut qqn et qui tend à se traduire par une décision effective conforme à une intention (→ Aboulie, cit. 1; empêcher, cit. 13; faible, cit. 1). ⇒ **Désir, dessein, détermination, intention, résolution, volition**. *La volonté de qqn, sa volonté, une, des volontés. Les volontés,* opposées aux *caprices* (cit. 7 et 10) ou aux *fantaisies* (cit. 18). *Aller* (cit. 68) *contre la volonté de qqn. Contrarier la volonté de qqn* (→ Impossible, cit. 6). *Suivre, respecter la volonté, les volontés de qqn* (→ Aîné, cit. 2; 1. bien, cit. 59; embarquer, cit. 12). *Imposer sa volonté à autrui. Suivant, contre sa volonté* (→ Dormir, cit. 23). *Obéir, se soumettre, acquiescer aux volontés de qqn.* ⇒ **Exigence** (→ 1. Dépendre, cit. 11; égide, cit. 3; esclave, cit. 9; 1. marque, cit. 13; obéissance, cit. 6; passif, cit. 5). *Accomplir, exécuter* (cit. 3), *faire la volonté, les volontés de qqn* (→ Ange, cit. 1; élan, cit. 9; guerre, cit. 1). *« Des volontés d'Auguste ordinaire interprète »* (cit. 4). *Les hommes qui me signifiaient leur volonté* (→ Immoler, cit. 19). *Volonté arrêtée* (→ Apparent, cit. 8). *Volontés changeantes* (cit. 3). *Volontés qui s'accordent* (cit. 25; et → Assortir, cit. 2).

1 Le seul qui fait sa volonté est celui qui n'a pas besoin, pour la faire, de mettre les bras d'un autre au bout des siens (...) ROUSSEAU, Émile, II.

2 Ce sont les désirs, plus forts que les volontés, qui, après avoir créé le monde, le soutiennent. FRANCE, le Mannequin d'osier, XVI, Œ., t. XI, p. 425.

Loc. fam. (Déb. xxᵉ). *Faire les quatre (cents), les trente-six volontés de qqn,* obéir à tous ses caprices.

3 On n'est pas sur la terre pour s'amuser et pour faire ses quatre cents volontés. FRANCE, le Crime de S. Bonnard, Œ., t. II, p. 429.

3.1 (...) ce sont des gosses... des gosses sans expérience, excessivement gâtés, pourris, des gosses de riches qui n'ont jamais fait que leurs quatre volontés (...) N. SARRAUTE, le Planétarium, p. 49.

Acceptation (cit. 1) *des volontés de Dieu.* ⇒ **Décret** (→ aussi Austérité, cit. 13). *Que sa volonté soit faite* (→ Retirement, cit. 2). *La grâce* (cit. 23) *par laquelle Dieu nous fait connaître sa volonté.*

4 Quant aux volontés souveraines
De Celui qui fait tout, et rien qu'avec dessein,
Qui les sait que lui seul (...) LA FONTAINE, Fables, II, 13.

La, les volontés de Dieu, du Tout-Puissant, du destin.

Disposez (cit. 23) *de moi selon vos volontés. Le roi pouvait nommer les pairs à vie ou les rendre héréditaires, selon sa volonté* (→ 1. Pair, cit. 8). ⇒ **Choix, gré, plaisir** (bon plaisir).

Loc. vieillie. *À la volonté de qqn* (→ Intendant, cit. 2; mandat, cit. 5) : au gré, à la guise de qqn.

(Fin xIVᵉ, *a veluntey*). Mod. À VOLONTÉ : de la manière qu'on veut et autant qu'on veut. ⇒ **Beaucoup, discrétion** (à), **loisir** (à); → Cerveau, cit. 5; école, cit. 11; état, cit. 18; intercepter, cit. 1; miracle, cit. 6; nuit, cit. 20; philosophie, cit. 9. *Pain, vin à volonté* (dans un menu). — Milit. *Feu à volonté!* — Suivant qu'on veut ceci ou cela (→ Fleur, cit. 15; incompatible, cit. 5; intonation, cit. 2; stupéfiant, cit. 3). — Fam. *Il ne fait jamais qu'à sa volonté.* ⇒ **Guise, mode, tête.**

Dr. *Distinction entre intention* (cit. 6) *et volonté. Volonté déclarée,* expressément manifestée dans un acte juridique (cit.). *Manifester sa volonté* (→ Habiliter, cit. 1; institution, cit. 5). *Manifestations de volonté* (→ Pollicitation, cit.). *Volonté unilatérale,* qui produit par elle-même un effet juridique (ex. : le testament). → Divorce, cit. 1; expression, cit. 41. — *Acte de dernière volonté :* testament (→ Irrévocable, cit. 1).

Cour. *Les dernières volontés de qqn,* celles qu'il manifeste avant de mourir pour qu'on les exécute après sa mort.

Tu découvriras après ma mort, dans mes papiers, mes dernières volontés. 5
F. MAURIAC, le Nœud de vipères, XI.

(xvIᵉ). Ce que veut l'ensemble ou la majorité (des membres d'une collectivité, d'un groupe social, d'un peuple). *L'autorité des empereurs* (cit. 2, Montaigne) *dépendait, au moins en apparence, de la volonté du peuple romain. La notion de volonté générale au xvIIIᵉ siècle* (Rousseau : → Énoncé, cit. 1; 1. loi, cit. 11; pacte, cit. 1; 1. peuple, cit. 11; république, cit. 1; souverain, cit. 5; souveraineté, cit. 1). *« La loi* (1. Loi, cit. 16) *est l'expression de la volonté générale ». La volonté nationale* (→ Républicain, cit. 1), *la volonté du pays* (→ Dissolution, cit. 5). *Selon la volonté populaire. Par la volonté du peuple, du roi. Théorie sociologique d'une volonté collective.*

La force publique est en contradiction avec la volonté générale dans deux cas : 6
ou lorsque la loi n'est pas la volonté générale; ou lorsque le magistrat l'emploie pour violer la loi. ROBESPIERRE, Sur le gouvernement représentatif, 10 mai 1793.

(Avec un compl. désignant ce qui est voulu). *La volonté de... (et inf.).* → Attention, cit. 7; but, cit. 15; connaître, cit. 49; contrition, cit. 1; nation, cit. 1. *Sa volonté d'épouser...* (→ Rentrer, cit. 11), *de paraître...* (→ Système, cit. 7). *Volonté de vivre.* — (Suivi d'un nom). *Volonté de puissance*. Volonté de perfectionnement* (cit. 3), *de paix* (→ Guerre, cit. 26); *de conquête du pouvoir* (→ 2. Politique, cit. 9). *Volonté d'expression et volonté de style* (→ Expressionniste, cit. 2).

(...) mais il y a chez elles une telle volonté de calme et de paix que, dans ce coin 7
de la ville, on dirait que des abîmes de silence séparent tous les objets, même les plus proches les uns des autres.
Valery LARBAUD, Amants, heureux amants..., p. 11.

La volonté de puissance, en politique comme en amour, il *(Racine)* ne la conçoit 7.1
que chez la créature femelle : Agrippine et Athalie, c'est Hermione, Roxane et Phèdre qui ont survécu à leur fureur amoureuse et mis l'État dans leur vie, à la place du petit mâle débile (...) F. MAURIAC, Bloc-notes 1952-1957, p. 173.

♦ **2.** (xIᵉ). Disposition (bonne ou mauvaise) à vouloir et à agir dans un cas déterminé ou à l'égard de qqn. ⇒ **Grâce** (bonne, mauvaise); et aussi **bienveillance, malveillance**.

BONNE VOLONTÉ : disposition à bien faire, à faire volontiers (→ Diplôme, cit. 2; fait, cit. 40; métairie, cit. 1; patronal, cit. 2; stoïcisme, cit. 2; timoré, cit. 1). *Il a fait preuve de bonne volonté, de beaucoup de bonne volonté. Avec la meilleure volonté du monde* (→ Idiot, cit. 12). *« Paix sur la terre aux hommes de bonne volonté »* (→ Gloire, cit. 49). — *Les Hommes de bonne volonté,* série de romans (27 vol.; 1932-1946) de Jules Romains. — Par métonymie (au plur.). *Les bonnes volontés :* les gens de bonne volonté (→ Rassembleur, cit. 2).

La génération qui allait faire la Révolution était enthousiaste, animée d'une con- 8
fiance naïve dans l'avenir qui lui faisait croire que la bonne volonté suffit pour transformer une société. Ch. SEIGNOBOS, Hist. sincère de la nation franç., XVI.

Il est exact que, d'instinct, cet enfant dit : non. Mais ce n'est pas mauvaise 9
volonté : c'est un besoin de s'opposer.
MARTIN DU GARD, les Thibault, t. IX, p. 46.

Les Hommes de Bonne Volonté! Une antique bénédiction va les chercher dans la 10
foule et les recouvre. Puissent-ils être encore une fois, un jour ou l'autre, rassemblés par une « bonne nouvelle », et trouver quelque sûr moyen de se reconnaître, afin que ce monde, dont ils sont le mérite et le sel, ne périsse pas.
J. ROMAINS, les Hommes de bonne volonté, Préface.

MAUVAISE VOLONTÉ : disposition à prendre une attitude de résistance passive en présence de devoirs à remplir ou d'ordres à exécuter (→ 1. Maille, cit. 7). *Vous y mettez de la mauvaise volonté.* — Par métaphore. *La mauvaise volonté des événements* (→ Fatalité, cit. 14). — Vx. *La volonté de faire le mal* (→ Partir, cit. 29).

★ **II.** (xIVᵉ, Oresme). *La volonté, la volonté de qqn.* Faculté de vouloir. ♦ **1.** Faculté (cit. 3) de vouloir, de se déterminer librement à l'action (cit. 12), en pleine connaissance de cause et après réflexion (→ Apercevoir, cit. 10; exécutif, cit. 1; 2. franc, cit. 3; instinct, cit. 10; prédominer, cit. 1; principe, cit. 2; représenter, cit. 6). ⇒ **Arbitre** (libre), **liberté** (cit. 32). *Notre volonté est une force* (cit. 64) *qui commande aux autres forces. Volonté prédéterminée*. Tendre sa volonté* (→ Gerbe, cit. 10; honte, cit. 25). *Le ressort* (1. Ressort, cit. 12) *de la volonté* (→ Agir, cit. 14). *Effort de volonté* (→ Mysticisme, cit. 4; et aussi bander, cit. 11; 1. lever, cit. 12). *Par la puissance de la volonté* (→ Illuminer, cit. 22; mandarin, cit. 2). *La foi* (cit. 38) *est un acte de volonté. Impuissance, désarroi* (cit. 4) *de la volonté* (→ Bonté, cit. 2; effectif, cit. 5). *L'éducation* (cit. 8) *doit diriger la volonté. Déterminer, influencer* (cit. 8) *la volonté de qqn. Obéir* (cit. 8) *et remettre sa volonté en d'autres mains* (→ Ombrageux, cit. 3; 1. ombre, cit. 53). — *Les volontés :* les personnes en tant qu'êtres volontaires (→ Enchanteur, cit. 7). *« (...) Force jusqu'aux esprits et jusqu'aux volontés »* (→ Beauté, cit. 46).

Loc. fam. *Les volontés sont libres :* chacun est libre (→ Contraindre, cit. 5). — « *Le péché* (cit. 10) *est un mouvement de la volonté de l'homme contre les ordres suprêmes de la sainte volonté de Dieu* » (→ aussi Jansénisme, cit. 1). *Le monde* (cit. 10) *est gouverné par une volonté puissante et sage* (→ aussi Animer, cit. 4; causalité, cit. 2). — *Dr.* Principe de l'autonomie* (cit. 4) *de la volonté. La conscience et la volonté, attributs de la personnalité* (→ Nation, cit. 4).

11 Balzac pensait sans doute qu'il n'est pas pour l'homme de plus grande honte ni de plus vive souffrance que l'abdication de sa volonté (...) il est difficile de se figurer le théoricien de la *volonté*, ce jumeau spirituel de Louis Lambert, consentant à perdre une parcelle de cette précieuse *substance*.
BAUDELAIRE, les Paradis artificiels, Poème du haschisch, v.

(Qualifié). *La volonté, une volonté.* Cette faculté, considérée comme une qualité morale individuelle, de fermeté dans la décision et de constance dans l'exécution, comme une somme d'énergie (cit. 1) plus ou moins grande donnée à chacun. ⇒ **Âme** (force d'), **caractère, courage, cran, énergie, fermeté, initiative, opiniâtreté, résolution** (cit. 10), **ressort, ténacité** (→ Attester, cit. 4; excès, cit. 8; faisceau, cit. 2; génie, cit. 32; orgueil, cit. 17; parti, cit. 12). *Volonté puissante, tenace* (→ Ardeur, cit. 38; attacher, cit. 83; suppléer, cit. 5). *Une volonté de fer*.* — Absolt. *Force* (cit. 24), *faiblesse* (cit. 20) *de volonté. Avoir beaucoup de volonté. Manquer de volonté. Plein de volonté* (→ Rester, cit. 34). *Sans volonté.* ⇒ **Faible** (→ Excuse, cit. 19). *À bout de volonté* (→ Tension, cit. 1). *Il faut de la volonté pour...* (→ Tension, cit. 3).

12 (...) j'ai cette volonté bretonne qui ne recule jamais, que l'événement peut contrarier, mais qu'il ne peut jamais soumettre. Croyez-moi; avec une volonté inflexible, on est presque toujours plus fort que l'événement.
CHATEAUBRIAND, in A. MAUROIS, Chateaubriand, VIII, IV.

12.1 Cette force dont l'absence est un terrible écueil, dit Mᵐᵉ Santeuil, c'est la volonté. — Pas de volonté, mauvaise affaire, répondit M. Santeuil, en éloignant vivement du feu ses chaussettes qui commençaient à brûler.
PROUST, Jean Santeuil, Pl., p. 232-233.

12.2 Indépendamment de son origine et de son point d'application, dans toutes ses variétés imaginables, qu'il s'exerce sur les choses ou sur les hommes, le pouvoir apparaît comme la réalisation d'une volonté. Il manifeste la toute-puissance de la parole, qu'elle soit commandement ou incantation.
Roger CAILLOIS, l'Homme et le Sacré, p. 111.

Par métonymie (au plur.). *Les grandes volontés* : les hommes qui ont une grande volonté (→ Contrefaire, cit. 3).

♦ **2.** Psychol. Forme de l'activité personnelle (physiologiquement liée au système nerveux de la vie de relation et au jeu des muscles [cit. 1] striés), caractérisée (par opposition aux réflexes, automatismes, impulsions, réactions affectives, etc.) par une élaboration mentale anticipatrice, préalable au but à atteindre. *Mouvements, actes où la volonté intervient* (⇒ **Volontaire**), *n'intervient pas* (⇒ **Involontaire, spontané**; et → 2. Bol, cit.; habitude, cit. 41). *Maladies, troubles de la volonté.* ⇒ **Aboulie, obsession.**

13 Ce qu'on appelle volonté, c'est la capacité de faire exécuter des *actes de raison* à une nature que l'orientation héréditaire des espèces ne pousse qu'à des actes affectifs.
M. PRADINES, Traité de psychologie, I, 258, in FOULQUIÉ.

♦ **3.** (Mil. XVIIᵉ). Sens large. (Rare). Ensemble des forces psychiques portant à l'action; activité* en général (→ Choisir, cit. 12, Pascal; émotion, cit. 9, Lachelier; opposition, cit. 3, Benda).

14 Personne n'ignore qu'il y a deux entrées par où les opinions sont reçues dans l'âme, qui sont ses deux principales puissances, l'entendement et la volonté (...) Ces puissances ont chacune leurs principes et les premiers moteurs de leurs actions (...) Ceux de la volonté sont de certains désirs naturels et communs à tous les hommes, comme le désir d'être heureux (...) outre plusieurs objets particuliers que chacun suit pour y arriver, et qui, ayant la force de nous plaire, sont aussi forts, quoique pernicieux en effet, pour faire agir la volonté, que s'ils faisaient son véritable bonheur.
PASCAL, Opuscules, De l'esprit géométrique.

CONTR. (Du II., 1.) **Faiblesse.**

VOLONTIERS [vɔlɔ̃tje] adv. — Déb. XIIIᵉ; *voluntiers*, fin Xᵉ; du lat. impérial *voluntarie*, de *voluntarius* « volontaire », de *voluntas* « volonté ».

♦ **1.** Par inclination, avec plaisir, ou sans répugnance. ⇒ **Cœur** (de bon cœur, de gaieté de cœur), **grâce** (de bonne), **gré** (de bon). → Sans se faire prier*. « *L'attaquer* (cit. 13), *le mettre en quartiers, Sire loup l'eût fait volontiers* ». *Il répondit qu'il m'aiderait* (cit. 10) *volontiers de ses conseils. Je partagerais volontiers aux nécessiteux* (cit. 2) *le peu que je possède.* ⇒ **Bien.** « *Ne donner jamais l'éperon* (cit. 1), *À cheval qui volontiers trotte* ». *Très volontiers* (→ Aristocrate, cit. 4; entier, cit. 13; hôtelier, cit. 3). *Plus volontiers* (→ Épreuve, cit. 30; mépris, cit. 6). *Le plus volontiers* (→ Mot, cit. 21).

1 (...) j'enrage de tout mon cœur, et je me donnerais volontiers des soufflets.
MOLIÈRE, George Dandin, I, 3.

2 (...) si elle ne pensait guère à voir en lui un amoureux, elle lui obéissait volontiers d'habitude, beaucoup par amitié et un peu par crainte, le trouvant très sérieux.
ZOLA, la Terre, III, I.

Ellipt. (dans une réponse). *Voulez-vous encore un peu de viande? — Volontiers* (→ Ami, cit. 11; provin, cit. 2). ⇒ **Oui.** *Bien volontiers, très volontiers.*

♦ **2.** (XIIIᵉ). Par une tendance naturelle ou ordinaire. *On parle volontiers de..., on dit volontiers* (→ Bout, cit. 39; infériorité, cit. 2; maternel, cit. 7; œil, cit. 54). ⇒ **Tendance** (avoir tendance à...). *Je définirais volontiers le prosateur comme...* (→ Prose, cit. 4). *On recourait volontiers à elle dans les cas difficiles* (→ Réputer,

cit. 6). *On dédaigne volontiers un but* (cit. 14) *qu'on n'a pas réussi à atteindre. Plus volontiers* (→ Céder, cit. 13; gaulois, cit. 8; harmonie, cit. 33), *d'autant plus volontiers* (que...). — Avec un verbe d'état. ⇒ **Habituellement, naturellement, ordinairement.** *Lui qui était volontiers taciturne* (→ Abonder, cit. 7; et aussi excessivement, cit. 2; 1. garde, cit. 53). ⇒ **Penchant** (avoir penchant à). *Il ferait volontiers de l'hypocondrie* (cit. 4). ⇒ **Aisément, facilement.** *Lui si volontiers péremptoire* (→ Indécis, cit. 11).

3 L'homme aime plus volontiers ce qu'il peut plaindre que ce qu'il doit envier.
A. MAUROIS, Ariel..., XV.

♦ **3.** (Fin XVᵉ, Commynes). Avec un n. de chose. Dans de nombreux cas. ⇒ **Souvent.** *Les épîtres* (cit. 3, Du Bellay) *sont volontiers de choses familières* (→ aussi Héritage, cit. 9, Ronsard). *Les rêves s'allient volontiers au souvenir de...* (→ Affinité, cit. 6). *La langue emploie volontiers...* (→ Qui, cit. 47; tellement, cit. 6). *Visage volontiers passif* (→ Lutte, cit. 13; et aussi ahurissement, cit. 1).

CONTR. **Contrecœur** (à).

VOLORÉCEPTEUR [vɔlɔRɛseptœR] n. m. — Av. 1970; de *vol(ume)*, et *récepteur.*

♦ Physiol. Récepteur* sensible aux variations de volume qui interviennent dans la circulation sanguine.

1. VOLT [vɔlt] n. m. — Déb. XIVᵉ; « image », v. 1155; *vult* « visage », v. 1120; lat. *vultus* « visage, mine ». → Envoûter.

♦ Rare. Figure de cire destinée aux envoûtements, en occultisme.
HOM. 2. Volt, volte.

2. VOLT [vɔlt] n. m. — 1881; du nom du physicien *Volta* (1745-1827).

♦ Unité pratique de force électromotrice et de différence de potentiel (symb. : *V*). → Ampère, cit. Le *volt absolu* (qui a remplacé depuis 1950 l'ancien *volt international*) représente une différence de potentiel constante dans un conducteur parcouru par un courant constant d'un ampère absolu, avec une production d'énergie thermique d'un watt. *Millième de volt.* ⇒ **Millivolt.** *Millionième de volt.* ⇒ **Microvolt.** *Courant de 110, de 220 volts. Appareil qui ne fonctionne qu'en 220 volts* (ellipt. *en 220*). ⇒ **Voltage.**
DÉR. **Voltage.**
COMP. Électron-volt, voltampère, voltmètre. — V. Voltamètre.
HOM. 1. Volt, volte.

VOLTA [vɔlta] — 1842, Mozin, mot ital. « tour; fois ».

♦ Mus. Indication portée sur une partition (usitée seulement dans les loc. *prima volta* « première fois », *seconda volta* « seconde fois »).

VOLTAGE [vɔltaʒ] n. m. — 1890; de 2. *volt.*

♦ **1.** Force électromotrice ou différence de potentiel mesurée en volts. ⇒ **Tension.**

♦ **2.** (Mil. XXᵉ). Tension sous laquelle un appareil électrique fonctionne normalement. *Le voltage d'une lampe, d'un appareil électroménager. Appareil bitension*, prévu pour deux voltages : 110 et 220* (volts).

COMP. Sous-voltage, survoltage.

1. VOLTAÏQUE [vɔltaik] adj. — 1815; de *Volta.* → Volt.

♦ Se dit de la pile de Volta (et, vx, du courant provenant de cette source). *Arc voltaïque* : arc électrique. — Fig. :

Toute émotion a des bases organiques. C'est en cultivant son émotion dans son corps que l'acteur en recharge la densité voltaïque.
A. ARTAUD, le Théâtre et son double, Œ. compl., t. IV, p. 163.

HOM. 2. Voltaïque.

2. VOLTAÏQUE [vɔltaik] adj. — XXᵉ; de *(Haute-)Volta*, nom d'un pays d'Afrique.

♦ Relatif à la Haute-Volta. *Le dogon, le moré sont des langues voltaïques.* — N. *Les Voltaïques* : les habitants de la Haute-Volta, les personnes qui en sont originaires.
DÉR. **Voltaïser.**
HOM. 1. Voltaïque.

VOLTAIRE [vɔltɛR] n. m. — 1876, in P. Larousse; ellipse de *fauteuil (à la) Voltaire*, mil. XIXᵉ; du nom de *Voltaire.*

♦ Fauteuil à siège bas, à dossier élevé et légèrement renversé en arrière, qui date de la Restauration. *Un voltaire.* — Aussi en appos. *Fauteuil Voltaire* ou *fauteuil voltaire.*

L'hiver, elle se tenait là, dans son voltaire d'acajou à bandes de tapisserie, lisait des gazettes, travaillait à des broderies (...)
J. CHARDONNE, les Destinées sentimentales, p. 43.
DÉR. Voltairien.

VOLTAIRIANISME [vɔltɛʀjanism] n. m. — 1833, Gautier, *in* D. D. L.; de *voltairien*.

♦ Didact. Esprit voltairien, sceptique et railleur.

Mais c'est de 1815 à 1830 (...) que le voltairianisme triomphe. Il mène la lutte contre la réaction légitimiste et catholique (...) le libéralisme tend à se confondre avec le voltairianisme. Et dans le voltairianisme une partie émerge, et finit par le constituer à elle seule, c'est la haine de l'Église et le mépris de la religion.
G. LANSON, Voltaire, XI.

VOLTAIRIEN, IENNE [vɔltɛʀjɛ̃, jɛn] adj. — V. 1755, Clément; comme nom, 1749, Piron, *in* D. D. L.; de *Voltaire*.

♦ **1.** Qui adopte ou exprime l'incrédulité, l'anticléricalisme et le scepticisme railleur de Voltaire. *Bourgeoisie voltairienne et bourgeoisie catholique* (→ Rater, cit. 3). *Il était ultra-royaliste et ultra-voltairien* (→ 2. Moyen, cit. 3). *Diffusion des idées voltairiennes, de l'esprit voltairien sous la Restauration.* — N. *Un voltairien, une voltairienne. Les voltairiens* (→ Grincer, cit. 15; soulier, cit. 4).
Spécialt. Spécialiste de Voltaire, de son œuvre.

♦ **2.** (Dans un sens plus large). De Voltaire, propre à Voltaire. *Morale voltairienne. La légende, l'influence voltairienne. « La réforme voltairienne de la France »* (Lanson, *Voltaire*, p. 176).
DÉR. Voltairianisme.

VOLTAÏSATION [vɔltaizasjɔ̃] n. f. — 1890; de *Volta*. → Volt.

♦ Méd. (Vieilli). Galvanisation thérapeutique.⇒ **Électrothérapie.**

VOLTAÏSER [vɔltaize] v. tr. — D. i. (v. 1970?); de 2. *voltaïque*.

♦ En franç. d'Afrique (Haute-Volta). Africaniser* en conférant un caractère national voltaïque (en Haute-Volta).

VOLTAMÈTRE [vɔltamɛtʀ] n. m. — 1843; de 2. *volt, et mètre*.

♦ Techn. Cuve à électrolyse servant à déterminer la quantité de courant utilisée ou les constantes de l'électrolyte.

VOLTAMPÈRE [vɔltɑ̃pɛʀ] n. m. — 1890, P. Larousse, *Deuxième Suppl.*; de 2. *volt, et ampère*.

♦ Sc. Unité de puissance apparente (symb. *VA*) d'un courant alternatif (représentant la puissance développée par un ampère sous une tension d'un volt).
COMP. Voltampèremètre.

VOLTAMPÈREMÈTRE [vɔltɑ̃pɛʀmɛtʀ] n. m. — 1890, P. Larousse, *Deuxième Suppl.*; de *voltampère, et -mètre*.

♦ Sc. Appareil qui sert à mesurer une puissance apparente en volt-ampères.

VOLTE [vɔlt] n. f. — Fin XIIᵉ; ital. *volta* « tour », du lat. pop. *volvita*, de *volvere* « tourner ».

♦ **1.** (1435). Tour complet qu'on fait exécuter au cheval, sur un cercle tangent à la piste (→ Caracole, cit. 1). *Serrer, élargir la volte, en rétrécissant ou élargissant le cercle. Volte et demi-volte.* — Par ext. Demi-tour. ⇒ **Pirouette** (→ Exécuter, cit. 17).

♦ **2.** (1578, Ronsard). Ancienne danse (Italie, Provence), ancêtre de la valse.

♦ **3.** (1747, Voltaire). Escr. (Vx). *Estocade de volte :* « botte qu'on porte à l'ennemi en tournant sur le pied gauche » *(Encyclopédie).*
HOM. 1. Volt, 2. volt.

VOLTE-FACE [vɔltəfas] n. f. invar. — 1654; ital. *volta faccia* « tourne face »; de l'impér. de *voltare* « tourner », et *faccia* « face ».

♦ **1.** Action de se retourner pour faire face. *Une brusque volte-face.* — *Faire volte-face.* — Milit. (en parlant de troupes attaquées par derrière). → Déployer, cit. 10; rescousse, cit. 2.

Il fit volte-face sur lui-même, tournant le dos, à présent, à l'itinéraire indiqué, le bras tendu dans la direction contraire.
COURTELINE, le Train de 8 h 47, II, IV.

♦ **2.** (1742, *in* D. D. L.). Fig. Changement brusque et total d'opinion, d'attitude. ⇒ **Palinodie, revirement.** *Les volte-face d'un politicien. De subites volte-face.* → Déconcertant, cit. 10; bond, cit. 7; transition, cit. 5.

Le monstre d'égoïsme peut-il s'humilier, aimer, pardonner? Tout le sublime paradoxe chrétien est d'affirmer que cette volte-face est possible.
A. MAUROIS, Études littéraires, Mauriac, IV.

VOLTER [vɔlte] v. intr. — 1546; ital. *voltare*.

♦ **1.** Équit. Tourner en exécutant une volte. *Faire volter un cheval* (→ Lasso, cit. 2). — Syn. : *voltiger* (1.).

♦ **2.** (Êtres animés). Se retourner, faire demi-tour. ⇒ **Pirouetter, virevolter.**

Costals écumant volta et sortit, entraînant Solange.
MONTHERLANT, les Lépreuses, V.

Escr. (Vx). Faire une estocade de volte.
HOM. Voleter.

VOLTI [vɔlti] interj. — 1842; mot ital. « tournez », impér. de *voltare*.

♦ Mus. Indication invitant l'exécutant à tourner la page de sa partition, quand le morceau continue.

VOLTIGE [vɔltiʒ] n. f. — 1544; de *voltiger*.

♦ **1.** Vx. Incursion, harcèlement de voltigeurs.

♦ **2.** Mod. **a** Gymnastique. Exercice d'acrobatie effectué sur une corde ou au trapèze volant. ⇒ **Saut.** *Haute voltige.* — (1736, Lesage). La corde servant à cet exercice.

b (Déb. xxᵉ). Par anal. *Voltige aérienne* ou *voltige* : art des acrobaties aériennes (→ Vol* à moteur). *Le looping est une des figures de la voltige. Escadrille de voltige.*

c (1835). Équit. Ensemble des exercices gymnastiques et acrobatiques effectués à cheval, en particulier dans les cirques (→ 2. Original, cit. 14).

♦ **3.** (Mil. xixᵉ, Proudhon). Fig. (d'après le sens 2, a). *De la voltige, de la haute voltige :* manière spécieuse de conduire sa pensée, raisonnement habile mais artificiel; «acrobatie intellectuelle». *C'est de la haute voltige, cette démonstration!*

VOLTIGEANT, ANTE [vɔltiʒɑ̃, ɑ̃t] adj. — 1541, au fig.; de *voltiger*.

♦ **1.** (1595). Qui voltige, est aérien, léger (→ Trapéziste, cit.). *Insectes voltigeants.* — *Des particules voltigeantes.*

♦ **2.** (1541, Calvin). Fig., rare. Changeant.

VOLTIGEMENT [vɔltiʒmɑ̃] n. m. — 1542, Rabelais; de *voltiger*.

♦ Littér. Action de voltiger; mouvement de ce qui voltige.

Maintenant quand Gianni jonglait, il prenait Nello sur ses épaules, et cette superposition de deux jongleurs n'en faisant qu'un, amenait dans le voltigement des boules, des jeux bizarres et inattendus, des jeux doubles, des jeux alternés, des jeux contrariés.
Ed. DE GONCOURT, les Frères Zemganno, XX.

VOLTIGER [vɔltiʒe] v. intr. — Conjug. *bouger.* — 1532; ital. *volteggiare*, de *voltare*. → Volte, volter.

♦ **1.** Équit. (Vx). Volter (1.) — REM. S'est employé transitivement (→ Hippodrome, cit. 1, Rabelais). — Faire de la voltige (en parlant d'un cavalier, d'une écuyère [cit. 3] de cirque). — Par ext. (gymnastique et acrobatie). Faire des exercices de voltige.

Jacqueau, c'était son nom, sur la corde élastique
Dansait et voltigeait au mieux,
Puis faisait le saut périlleux (...)
FLORIAN, Fables, II, 7.

♦ **2.** (1559, Amyot). Vx. Se porter rapidement, tourner autour de l'ennemi pour le harceler (→ Éparpiller, cit. 10; frondeur, cit. 1). ⇒ **Voltigeur.**

♦ **3.** (1572; par attr. de *voler, voleter*). Cour. Voleter (en parlant d'insectes, de petits oiseaux). *Abeilles, papillons qui voltigent.* → Essaim, cit. 4; habitant, cit. 2; nuée, cit. 7; panache, cit. 6; papillon, cit. 2.

Par métaphore. *Voltigeant de propos en autre comme des abeilles* (cit. 12 et 14). ⇒ **Aller** (→ aussi Librement, cit. 3). — Fig. ⇒ **Papillonner** (→ Badiner, cit. 7).

Promenades. Le corps marche, et l'esprit voltige à l'entour comme un oiseau.
J. RENARD, Journal, 23 déc. 1907.

Par anal. Voler, flotter çà et là (le sujet désigne des choses légères). *Papiers traînant et voltigeant partout* (→ Foule, cit. 7). *Les draperies voltigeaient autour...* (→ Grandiose, cit. 5). *L'espada* (cit.) *fit voltiger l'étoffe écarlate. La bise faisait voltiger ses cheveux* (→ Engouffrer, cit. 4). *Vapeurs qui voltigent sur les prairies* (→ Nuée, cit. 5).

Mais des chansons spirituelles
Voltigent parmi les groseilles (...)
RIMBAUD, Poésies, « Bannières de mai ».

4   (...) tout ce duvet arraché de l'eau, cet épiderme d'écume voltigeait, s'envolait, s'éparpillait sous l'attaque invisible et sifflante de la bourrasque.
MAUPASSANT, la Vie errante, Côte italienne.

Par métaphore, en parlant d'une main légère (⇒ **Courir ;** → Ivoire, cit. 1), d'un sourire (2. Sourire, cit. 3 ; et → Hideux, cit. 4), d'une image (→ Martyrologe, cit. 2).

DÉR. Voltige, voltigeant, voltigement, voltigeur.

VOLTIGEUR [vɔltiʒœʀ] n. m. — 1534, Rabelais ; de *voltiger*.

♦ **1.** Acrobate qui fait de la voltige (à cheval, au trapèze volant, sur une corde, etc.). — REM. Dans ce sens, le fém. est virtuel.

1   (...) il témoigna plusieurs fois la crainte que je ne voulusse me moquer de lui, à cause de son métier d'écuyer voltigeur dans une troupe de sauteurs napolitains (...)
STENDHAL, Romans et nouvelles, « Le philtre ».

♦ **2.** (V. 1800). Anciennt. Fantassins appartenant à des compagnies d'élite extrêmement mobiles (→ Fût, cit. 4). *Les voltigeurs de l'Empire.*

(1822-1850). Hist. *Voltigeurs corses :* soldats chargés de réprimer le banditisme en Corse.

Mod. *Fusilier-voltigeur :* fantassin armé du fusil, un des éléments mobiles du groupe de combat. — (Depuis 1951). *Grenadier-voltigeur :* chacun des membres de l'« équipe » du groupe de combat (les *fusiliers* constituant la « pièce »).

♦ **3.** (xxᵉ). Cigare de la Régie française, de type courant baptisé ainsi en souvenir des *voltigeurs* de l'Empire.

2   Thérèse, en veine de générosité, m'offrit un voltigeur.
— Ça vous rappellera le bon temps, dit Albert qui, profitant de la circonstance, débouchait une seconde bouteille.   Francis CARCO, Nostalgie de Paris, p. 215.

3   J'allumai un voltigeur, pour pousser mon insubordination jusqu'à la limite — il était interdit de fumer dans l'autobus — et nous restâmes là un moment, ma mère et moi, en fumant et en nous congratulant silencieusement.
R. GARY, la Promesse de l'aube, p. 288.

♦ **4.** Petit mammifère d'Australie. ⇒ **Acrobate** (2).

VOLTMÈTRE [vɔltmɛtʀ] n. m. — 1883, Jacquez, *Dictionnaire d'électricité, in* D.D.L. ; de 2. *volt,* et *-mètre.*

♦ Sc., techn. Appareil à résistance élevée, servant à mesurer des différences de potentiel. *Voltmètres électrostatiques, électroniques, à multiplicateur.*

VOLUBILE [vɔlybil] adj. — 1812, « changeant » ; « inconstant », déb. xviᵉ ; lat. *volubilis* « qui tourne aisément », de *volvere* « tourner ».

♦ **1.** Bot. *Tige volubile,* grêle et qui ne peut s'élever qu'en s'enroulant autour d'un support. — Par ext. *Plante volubile,* à tige volubile. *Le liseron, le houblon sont des plantes volubiles.*

♦ **2.** (1897, Bloy ; *voluble,* 1824 ; d'après *volubilité*). Personnes. Qui parle avec abondance, rapidité, facilité. ⇒ **Bavard, éloquent, loquace.**

1   À cet endroit de son discours, que soulignait la plus méridionale gesticulation, les yeux de Pélopidas tombèrent sur Clotilde exactement pétrifiée et paraissant regarder avec stupeur la flottante crinière de ce personnage volubile qui lui avait dit de se déshabiller.   Léon BLOY, la Femme pauvre, I, VIII.

2   Éloquente, grandiloquente, volubile, Mᵐᵉ de Noailles ne livrait pourtant que peu d'elle-même, mais en agitant autour d'elle des paroles nombreuses, comme autant de voiles qu'exigeait sa pudeur.   COLETTE, Belles saisons, p. 223.

(1777, repris xxᵉ). Choses. *Une explication volubile* (cit. 4). *Un ton volubile.* — REM. L'antéposition est stylistique.

CONTR. Bègue, silencieux, taciturne.
DÉR. Volubilement.

VOLUBILEMENT [vɔlybilmã] adv. — xxᵉ ; de *volubile.*

♦ Rare. Avec volubilité.

1   (...) il aperçut Josette, debout en face de Paule qui lui parlait volubilement (...)
S. DE BEAUVOIR, les Mandarins, p. 367 (1954).

2   Besson écouta la musique jusqu'au bout ; après, il y eut une voix de femme qui parlait volubilement, mais à cause de l'éloignement du poste, Besson ne pouvait comprendre ce qu'elle disait.   J.-M. G. LE CLÉZIO, le Déluge, p. 161.

VOLUBILIS [vɔlybilis] n. m. — V. 1500 ; *voluble,* 1390 ; mot du lat. bot., de l'adj. *volubilis* « qui tourne ». → Volubile.

♦ Variété d'ipomée* ornementale *(Convolvulacées),* à grosses fleurs pourpres ou blanches en entonnoir, qu'on fait grimper sur les clôtures, en berceaux (→ Fleur, cit. 5). *Le volubilis est parfois appelé* (abusivement) *liseron*.

1   Le volubilis s'enroule en une seule nuit autour d'une canne oubliée ; mais ce n'est point qu'il se jette sur ce tuteur en vue de s'élever vers la lumière ; seulement la partie de la tige qui vient à toucher un corps dur se développant moins vite que la partie libre, la tige est courbée selon la forme du bâton.
ALAIN, Propos, 20 mai 1922, Plantes.

2   (...) la charmante discipline des volubilis qui se recroquevillent, se mettent en boule, changent de couleur et s'endorment, dès que la nuit tombe.
COCTEAU, Journal d'un inconnu, p. 167.

VOLUBILITÉ [vɔlybilite] n. f. — 1380 ; lat. *volubilitas* « mouvement giratoire », de *volubilis,* de *volvere* « tourner ».

♦ **1.** Concret. Vx. Facilité à tourner, à se mouvoir rapidement. *Sa sveltesse, sa grâce et sa volubilité* (→ Gracile, cit. 2).

♦ **2.** a (1547). Vx. *Volubilité de langue :* facilité à mouvoir sa langue, à parler.

1   Lorsque Laure était en train de parler, et elle y était presque toujours, les paroles ne lui coûtaient rien. Quelle volubilité de langue !
A.-R. LESAGE, Gil Blas, III, x.

b (1680, Richelet). Mod. Abondance, rapidité et facilité de parole. *Parler avec volubilité* (→ Encombrer, cit. 10 ; incohérent, cit. 3). ⇒ **Faconde, loquacité.** *La volubilité de qqn* (→ Indifférent, cit. 26).

2   L'autre voisine (...) parlait sans s'arrêter, depuis le commencement du repas, avec une telle volubilité qu'elle n'avait pas le temps de respirer : elle perdait haleine au milieu d'une phrase ; mais elle reprenait aussitôt.
R. ROLLAND, Jean-Christophe, L'adolescent, I, p. 233.

3   M. Kalentian, toujours en volubilité, admirait le goût du silence dont témoignait M. Randier :
— Il n'arrête pas de se taire et le reste du temps il ne dit rien.
Pierre HAMP, la Peine des hommes (Moteurs), p. 19.

♦ **3.** (Fin xvᵉ). Abstrait. Vx (langue class.). Tendance à changer rapidement d'attitude, d'idée.

CONTR. Bégaiement, mutisme.

VOLUCELLE [vɔlysɛl] n. m. — 1808, Boiste ; lat. zool. *volucella,* dimin. de *volucer* « ailé ».

♦ Zool. Insecte diptère *(Syrphidés),* mouche ressemblant beaucoup au bourdon, et utilisant ce mimétisme pour parasiter les ruches.

VOLUCOMPTEUR [vɔlykɔ̃tœʀ] n. m. — Mil. xxᵉ ; de *volu(me),* et *compteur ;* marque déposée.

♦ Techn. Compteur d'un distributeur d'essence, indiquant la quantité débitée.

VOLUCRAIRE [vɔlykʀɛʀ] n. m. — xviᵉ ; de *volucre,* 1485, ou du lat. *volucris* « oiseau », de *volucer, -cris* « qui vole », de *volare* (→ 1. Voler), d'après *bestiaire.*

♦ Didact. (hist. littér.). Bestiaire, traité sur les oiseaux. *Un volucraire en vers du xviᵉ siècle.*

VOLUME [vɔlym] n. m. — xiiiᵉ, aux sens I., 1. et 2. ; lat. *volumen, -inis* « rouleau d'un manuscrit » et, par ext., « courbure », de *volvere* « tourner, rouler ».

★ **I.** ♦ **1.** Antiq. Réunion de feuilles manuscrites enroulées autour d'un bâtonnet. — REM. Dans ce sens, on emploie surtout, dans l'usage didactique, le latinisme *volumen* [vɔlymɛn].

♦ **2.** (1270). Réunion d'un certain nombre de cahiers (manuscrits, imprimés, dactylographiés), brochés ou reliés ensemble. ⇒ **Livre.** *Un volume broché, relié. Un gros* (→ Érudition, cit. 5), *un lourd volume* (→ Feuille, cit. 8). *Format d'un volume ; un volume de grand, de petit format. Un volume in-folio* (cit. 1), *in-quarto, in-octavo. Ouvrir, fermer un volume* (→ Reliure, cit. 1). *La bibliothèque* (cit. 9) *royale s'enrichit de plus de trente mille volumes. Textes rassemblés dans un volume* (→ Fourre-tout, cit. 2).

Texte, quantité d'écrit nécessaire pour remplir un volume. *Je dois recueillir un volume de prose* (→ Galerie, cit. 7). *Un demi-volume* (→ Eunuque, cit. 6). — Loc. (Mil. xviiᵉ). Par exagér. *Écrire des volumes à qqn,* de très longues lettres*.

1   Cette double raison me fait vous demander un moment d'entretien. Inutilement voudrions-nous suppléer par Lettres : on écrit des volumes, et l'on explique mal ce qu'un quart d'heure de conversation suffit pour faire bien entendre.
LACLOS, les Liaisons dangereuses, XLII.

♦ **3.** (1487). Partie d'un livre (œuvre) qui forme un volume (2.). ⇒ **Tome.** *Quand il eut lu le second volume...* (→ Bâtir, cit. 34). *Les quatre volumes parus* (→ Sténographie, cit. 2). *Dictionnaire en deux, en dix volumes.*

★ **II.** ♦ **1.** (1279). Partie de l'espace à trois dimensions qu'occupe un corps ; quantité qui la mesure. *Le volume d'un corps. Le volume est une étendue* (cit. 6). *Volume et masse* ; volume et poids*. Volume calculé d'après les dimensions (corps réguliers) : géométriquement, analytiquement ; par immersion dans l'eau (corps irréguliers). Unité de volume. Volume exprimé en mesures cubiques* (mètre cube*, etc.). ⇒ **Cubage.** *Rapport de la masse et du volume d'un corps.* ⇒ **Densité, poids** (spécifique). *Volume plus ou moins grand.* ⇒ **Grosseur, petitesse.** *Diminution, augmentation de volume due à des phénomènes physiques, chimiques* (condensation, contraction, réduction, retrait ; dilatation, enflure, gonflement, expansion, grossissement, turgescence). *Variations de volume dues à l'élasticité. Diminuer, augmenter de volume. Le gel* (cit. 5) *entraîne une augmentation de volume de l'eau. Qui contient beaucoup sous un* *petit volume* : condensé, concentré, dense. — *Le volume d'un contenant, d'un récipient* : la mesure de ce qu'il peut contenir. ⇒ **Capacité, contenance.** *La cage thoracique diminue de volume* (→ Expiration, cit. 1). — (Fin XVIIIe). *Volume d'eau d'une rivière, d'un fleuve.* ⇒ **Débit.**

Chim. *Volume moléculaire,* d'une molécule-gramme d'un corps ; *volume atomique,* d'un atome-gramme d'un corps.

Cour. *Eau oxygénée à vingt volumes,* susceptible de dégager vingt fois son propre volume d'oxygène.

(XVIIe). Géom. Mesure tridimensionnelle (d'un solide). *La longueur, la surface et le volume des corps. Volume d'un solide*.* Volume du cube, du cône, de la sphère. Calculer un volume.*

Arts. Caractère de ce qui a trois dimensions. ⇒ aussi **Relief.** *L'expression du volume des objets en peinture* (→ Dimension, cit. 3). *C'est du volume que Giotto tire son accent* (→ Profondeur, cit. 7).

♦ **2.** (Mil. XVIIIe). Encombrement (d'un corps). *Ce colis a beaucoup, a trop de volume. On a espacé ces objets, on a mis de nombreux emballages pour faire du volume.* — Loc. fig. *Faire du volume,* se dit de qqn qui cherche à prendre beaucoup de place, qui fait l'important.
Quantité de matière. ⇒ **Masse.** *La place que nous occupons dans le monde ne dépend pas de notre volume* (→ Corps, cit. 15). *Objet réduit au moindre volume* (→ À sa plus simple expression*). — (Abstrait). *Le volume de la production, des investissements, de l'emprunt.* « *La nouvelle société se voyait "garantir" un volume de commandes de la part des administrateurs...* » (*le Monde*, 18 févr. 1977, p. 1).

2 Il faut, par conséquent, que les dépenses engagées pour la mise en valeur de la source ne représentent, dans le volume total de l'affaire, que la part normale qui revient à la publicité.
J. ROMAINS, les Hommes de bonne volonté, t. V, XXII, p. 187.

2.1 Le Rédacteur en chef (...) va alors arbitrer et décider de la pagination, c'est-à-dire d'abord du nombre de pages que comportera l'édition, ensuite de la répartition de ces pages entre les rubriques, d'après le volume relatif d'informations dans chaque secteur. Philippe GAILLARD, Technique du journalisme, p. 105.

♦ **3.** (XXe). Géom. Figure* à trois dimensions, limitée par des surfaces. ⇒ **Solide.** *Les lignes, les surfaces et les volumes. Le cône est un volume. Développement d'un volume sur un plan.* ⇒ **Projection.** *Contours d'un volume.* ⇒ **Forme.**

3 Les polyèdres que l'on rencontre le plus souvent dans la pratique sont les *pyramides,* les *prismes* et les *volumes en forme d'auges.*
André DELACHET et Jean MOREAU, la Géométrie descriptive..., p. 49.

Arts. Élément à trois dimensions, corps considéré dans ses trois dimensions. *Rapport des lignes et des volumes* (→ Grammaire, cit. 12). *Harmonieux équilibre des volumes. Représentation picturale des volumes. La lumière jouant sur les volumes* (→ Huile, cit. 18).

4 *(Le Caravage)* a commencé par des natures mortes où la pomme voulait être plus ronde que la sphère (...) Latour, au contraire, retrouvera jusqu'au *Tricheur* une surface qui n'exclut pas le volume, mais qui souvent la suggère au lieu de le représenter ; qui apporte un volume *qui ne tourne pas.*
MALRAUX, les Voix du silence, p. 383.

5 Leur beauté *(des Sénégalaises)* est de gestes. Pour autant qu'elle dure, elle commence au-dessous de la nuque. La beauté des mâles est dans les volumes.
J.-R. BLOCH, Cacaouettes et Bananes, p. 86.

♦ **4.** (1761). Intensité (de la voix), conditionnée par la puissance du souffle et la bonne utilisation des cavités de résonance. ⇒ **Ampleur.** « *Très souvent la voix montre une tendance à gagner du volume dans une seule partie de l'échelle vocale* » (Th. Salignac, in Encycl. de Monzie). — *Volume sonore* : intensité des sons d'un instrument ; de plusieurs instruments jouant ensemble. *Augmenter le volume sonore des violons. Répartition des volumes sonores d'une œuvre orchestrale.* — Intensité du son d'un appareil sonore. *Régler le volume d'une chaîne stéréo, d'un magnétophone.*

6 La patronne augmenta un peu le volume de la radio pour ceux des derniers clients qui venaient d'entrer. M. DURAS, Moderato cantabile, II.

DÉR. **Volumique.**
COMP. V. **Volémie, volorécepteur, volucompteur, volumètre, volumétrie, volumétrique.**

VOLUMÈTRE [vɔlymɛtʀ] n. m. — 1872 ; de *volume,* et *-mètre.*

♦ Techn. Aréomètre qui permet de mesurer la densité exacte des liquides au moyen des volumes déplacés.

VOLUMÉTRIE [vɔlymetʀi] n. f. — 1904, *volumétrie gazeuse,* in *Rev. gén. des sc.,* no 7, p. 351 ; de *volume,* et suff. *-métrie.*

♦ Didact., techn. Mesure des volumes. — Spécialt (chim.). Méthode d'analyse quantitative consistant à verser, dans un volume déterminé d'une solution à doser, un réactif de concentration connue

jusqu'au terme de la réaction chimique (syn. : *titrimétrie*). *Burette graduée, vase à réaction, indicateur coloré, utilisés en volumétrie.*
DÉR. V. **Volumétrique.**

VOLUMÉTRIQUE [vɔlymetʀik] adj. — 1868, in D.D.L. ; de *volume,* et suff. *-métrique.*

Didactique.

♦ **1.** Phys. Qui a rapport à la détermination des volumes. *Analyse volumétrique. Dosages, mesures volumétriques.*

♦ **2.** (Mil. XXe). Techn. Se dit d'appareils dans lesquels la quantité de fluide a un volume déterminé par le mécanisme. *Compteur, compresseur, pompe volumétrique.*
DÉR. **Volumétriquement.**

VOLUMÉTRIQUEMENT [vɔlymetʀikmɑ̃] adv. — 1872, Littré ; de *volumétrique.*

♦ Didact. Par des procédés volumétriques. « *Quant à l'iode, il est dosé volumétriquement* » (*Année sc. et industr.* 1899, p. 103).

VOLUMINEUX, EUSE [vɔlyminø, øz] adj. — 1739 ; du bas lat. *voluminosus* « sinueux », du lat. class. *volumen, -inis* (→ Volume).

REM. L'adj. est souvent antéposé, en épithète.

♦ **1.** a Vx. Qui a un grand nombre de volumes (I., 2.). *Une volumineuse collection.*

b Mod. Très gros, très épais (en parlant d'un livre, d'un écrit). *Ouvrage volumineux. Un volumineux recueil de poésies. Volumineuse description* (→ Identité, cit. 14). *Un volumineux dossier. Ces classeurs sont trop volumineux.*

♦ **2.** (1762). Qui a un grand volume, occupe une grande place. *Une volumineuse lanterne* (cit. 3). *Un volumineux chignon. Des seins volumineux* (→ Minceur, cit.). ⇒ **Gros.** *Paquet, colis volumineux, très, trop volumineux.* ⇒ **Embarrassant, encombrant.** — (Personnes). *Sa volumineuse personne.* « *Une volumineuse nourrice* » (Gide, in G. L. L. F.). *Devenir volumineux* : grossir, enfler.

♦ **3.** (Av. 1850). Vieilli. Abondant (en parlant d'un repas).
CONTR. **Menu, petit.**

VOLUMIQUE [vɔlymik] adj. — 1956 ; de *volume.*

♦ Sc. Relatif à l'unité de volume. *Masse volumique,* spécifique.

VOLUPTÉ [vɔlypte] n. f. — V. 1400, Christine de Pisan ; lat. *voluptas* « plaisir ».

♦ **1.** Vif plaisir des sens, que l'on goûte pleinement. *La douleur* (cit. 1 et 10) *et la volupté* (→ Indolence, cit. 1). *S'abandonner à la volupté. Ivre* (cit. 8) *de volupté. Manger avec science et volupté* (→ Mangerie, cit. 2).

1 Le vin, qui brillait dans son verre ainsi que de l'ambre liquide, fut une joie pour ses yeux et elle en mouilla sa langue avec volupté.
FRANCE, Histoire comique, XI.

1.1 Là, tout n'est qu'ordre et beauté
Luxe, calme et volupté.
BAUDELAIRE, les Fleurs du mal, « L'invitation au voyage ».

Au plur. Littér. *Que voulez-vous de moi, flatteuses voluptés ?* (→ Attachement, cit. 1). *Les voluptés du dormeur* (→ Sieste, cit. 1). *Tempérance* (cit. 1) *qui commande aux voluptés.*

♦ **2.** Plaisir sexuel. ⇒ **Plaisir** (II., 2.). → Enivrement*, ivresse* (cit. 13) *des sens. Le désir* (cit. 19) *et la volupté. Vendeuses* (cit. 1) *de volupté* (prostituées). *L'amour désigne* (cit. 10) *tour à tour la volupté et la passion. La volupté singe la mort* (→ Agonie, cit. 9). *Chercher la volupté dans la débauche* (→ Libertin, cit. 15). — Spécialt. *Arriver à la volupté* (→ Masochisme, cit. 1). ⇒ **Jouir** (*infra* cit. 11) ; *orgasme.* — *Expression de la volupté* (→ Face, cit. 6).

1.2 (...) ainsi notre volupté, ce chatouillement inexprimable qui nous égare, qui nous transporte au plus haut point de bonheur où puisse arriver l'homme, ne s'allumera jamais que par deux causes, ou qu'en apercevant réellement ou fictivement dans l'objet qui nous sert, l'espèce de beauté qui nous flatte le plus, ou qu'en voyant éprouver à cet objet la plus forte sensation possible (...)
SADE, Justine..., t. I, p. 196.

2 Et la volupté n'est, peut-être, je le crois
Que l'essai de mourir ensemble (...)
Csse DE NOAILLES, Forces éternelles, « La douleur est pressée... »

(XVIe). *Une, des voluptés. Je m'enivrai des plus douces voluptés* (→ Gorger, cit. 11). ⇒ **Caresse, délice, jouissance.** *Un puits de voluptés* (→ Gras, cit. 14). *Épicer* (cit. 2) *les voluptés. Lesbos,* « *mère des jeux latins et des voluptés grecques* » (→ Baiser, cit. 20).

3 Il contemplait cette maîtresse ardente — et si pâle ! — qui venait de lui prodiguer les délices et les abandons des plus merveilleuses voluptés.
VILLIERS DE L'ISLE-ADAM, Contes cruels, « Reine Ysabeau ».

♦ **3.** (1610, d'Urfé). Plaisir moral très vif. ⇒ **Délectation.** *J'éprouvais* *plus de volupté dans le châtiment que dans la faute* (→ Châtier, cit. 6). *J'écoute avec volupté ces notes perlées* (→ Onde, cit. 10). *La volupté des élancements* (cit. 4) *mystiques. Amère volupté* (→ Néant, cit. 16). — *Une, des voluptés. Les voluptés du mépris* (→ Imposture, cit. 6). *Effusions oratoires qui procurent des voluptés* (→ Harangue, cit. 4).

4 J'éprouve à voir quelque calamité tomber sur le monde le même sentiment de volupté âcre et amère que l'on éprouve quand on se venge enfin d'une vieille insulte.
Th. GAUTIER, Mlle de Maupin, VIII.

♦ **4.** (1756, Voltaire). Vieilli. Goût, recherche des plaisirs des sens (⇒ **Mollesse, sensualité, sybaritisme**). *« On entend communément par volupté tout amour du plaisir qui n'est point dirigé par la raison » (Encyclopédie). La volupté de l'épicurien* (cit. 4). *Vice de la volupté* (→ Inintelligence, cit. 12). *Langueur et volupté andalouses* (→ Flamenco, cit. 2). *Volupté,* roman de Sainte-Beuve.

5 J'appris que, si la volupté et les excès qu'elle entraîne produisent d'ordinaire l'humiliation, son absence appelle aisément l'orgueil. Rapport inverse en effet, singulier équilibre de ces deux vices capitaux en nous (...)
SAINTE-BEUVE, Volupté, XI.

♦ **5.** (Mil. XIXe). Caractère sensuel, érotique (de qqch.). *La volupté d'une danse.*

6 (...) c'était un chant d'une volupté triste, d'une langueur exténuée, exprimant la fatigue du corps et le découragement de la passion (...)
Th. GAUTIER, le Roman de la momie, I.

CONTR. Ascétisme, austérité, chasteté, continence, douleur. — Froideur.

VOLUPTUAIRE [vɔlyptɥɛR] adj. — 1357 ; du bas lat. *voluptuarius,* de *voluptas* « plaisir ». → Volupté.

♦ **1.** Dr. Se dit des dépenses faites pour le plaisir, consacrées aux choses de luxe ou de fantaisie. ⇒ **Somptuaire**. *Impenses* (cit.) *voluptuaires faites dans un immeuble.*

♦ **2.** (1547, G. Budé ; par infl. de *volupté*). Littér. Qui concerne les plaisirs des sens. ⇒ **Voluptueux**.

VOLUPTUEUSEMENT [vɔlyptɥøzmɑ̃] adv. — XIVe, Godefroy ; de *voluptueux*.

Littér., style soutenu. D'une manière voluptueuse.

♦ **1.** Avec volupté (1.), en prenant du plaisir. *S'étirer* (cit. 3), *respirer voluptueusement. Se baigner voluptueusement. Savourer voluptueusement un vin.*

1 Vraiment, moi qui aime tant les tentures claires, les vastes divans élastiques où l'on s'allonge voluptueusement sur des piles de coussins (...)
O. MIRBEAU, le Journal d'une femme de chambre, I.

♦ **2.** (1588, Montaigne). Avec volupté (2.), de manière à procurer un plaisir sensuel. *Caresser voluptueusement quelqu'un.*

2 (...) l'assemblée laissa échapper un murmure d'admiration quand elle se roula dans les bras de son amant pour valser, et que, l'œil sous le sien, tous deux voluptueusement entrelacés, les yeux mourants, la tête lourde, ils tournoyèrent en se serrant l'un à l'autre avec une sorte de frénésie, et révélant ainsi tous les plaisirs qu'ils espéraient d'une plus intime union.
BALZAC, les Chouans, Pl., t. VII, p. 1001.

CONTR. Chastement.

VOLUPTUEUX, EUSE [vɔlyptɥø, øz] adj. — 1370 ; lat. *voluptuosus,* de *voluptas*. → Volupté.

♦ **1.** (Personnes). Qui aime, recherche la volupté (1.), les plaisirs raffinés. ⇒ **Sensuel**. *Peuples voluptueux* (→ Incroyant, cit. 1). *Les Orientaux sont voluptueux* (→ Meubler, cit. 9). *Chat voluptueux* (→ Géant, cit. 5). — N. (1660). *Un voluptueux* (→ Grisâtre, cit. 2), *une voluptueuse.* ⇒ **Épicurien, sybarite**. *Jeunes voluptueux* (→ Favoriser, cit. 8).

1 *(Louis XIV)* est né voluptueux. Il aime le faste, le luxe, les bâtiments, toutes les belles choses.
Louis BERTRAND, Louis XIV, II, IV.

2 (...) cette personnalité *(de Debussy)* voluptueuse, ondoyante et précise, dont les rêves sont toujours nets et le naturel raffiné, comme l'art d'un poète de la Pléiade du XVIe siècle, ou d'un peintre japonais — a, entre tous ses dons, une qualité (...) le génie du goût.
R. ROLLAND, Musiciens d'aujourd'hui, p. 205.

Spécialt. Qui recherche la volupté (2.), est porté aux plaisirs de l'amour et à leurs raffinements. ⇒ **Amoureux, lascif, sensuel**. *Voluptueux sultan* (→ Odalisque, cit. 1). *Plus voluptueuse que tendre* (→ Dépraver, cit. 5).

2.1 (...) le voluptueux égoïste qui est persuadé que ses plaisirs ne seront vils qu'autant qu'ils seront entiers, imposera donc, quand il en sera le maître, la plus forte dose possible de douleur à l'objet qui lui sert, bien certain que ce qu'il retirera de volupté ne sera qu'en raison de la plus vive impression qu'il aura produite.
SADE, Justine..., t. I, p. 196-197.

♦ **2.** (Choses). L'antéposition de l'épithète est fréquente et stylistique. Qui fait éprouver du plaisir. *Mœurs voluptueuses. Vie voluptueuse :* vie de plaisir. *Sensation voluptueuse* (→ Jouissance, cit. 1). ⇒ **Agréable, doux**. *Engourdissement voluptueux* (→ Somnolence, cit. 2), *abrutissement voluptueux* (→ Oriental, cit. 2). *Joie voluptueuse* (→ Ravissement, cit. 4). *Une amertume voluptueuse* (→ 1. Passé, cit. 8).

3 Ma souffrance était telle que je ressentais une sorte de plaisir voluptueux.
Paul MORAND, l'Europe galante, Plaisirs rhénans.

(XIVe). Spécialt. Qui concerne ou procure le plaisir sexuel. *Des désirs voluptueux.* ⇒ **Érotique**. *Sensation voluptueuse* (→ Libido, cit. 1). *Frisson* (cit. 18) *voluptueux. Une voluptueuse étreinte.* ⇒ **Caressant. Voluptueuse langueur** (→ Savourer, cit. 2). *Dons voluptueux* (→ Sensuel, cit. 4). *Voluptueuses rêveries* (→ Marquer, cit. 9).

4 Tout en lui appuyant sur le cou un baiser qu'il n'ose pas rendre aussi voluptueux qu'il voudrait (...) J. ROMAINS, les Hommes de bonne volonté, t. IV, XII, p. 135.

♦ **3.** (Mil. XIXe). Qui exprime ou inspire la volupté (1.). *Meuble voluptueux* (→ Lamé, cit. 2). *Sa façon voluptueuse de traîner* (cit. 9) *la fin des phrases.*

Spécialt. Qui exprime ou inspire la volupté (2.), les plaisirs amoureux. *Corps voluptueux. Attitude, danse voluptueuse.* ⇒ **Excitant**. *Chant, motif* (cit. 13) *voluptueux* (→ Équation, cit. 3).

5 Elle réfléchit au corps féminin. Bien que femme elle-même, elle conçoit sans difficulté que les hommes le trouvent voluptueux, excitant, dans presque toutes ses parties. J. ROMAINS, les Hommes de bonne volonté, t. I, XI, p. 119.

CONTR. Ascétique, austère ; chaste, continent, frigide, froid. — Douloureux, pénible.

DÉR. Voluptueusement.

VOLUTE [vɔlyt] n. f. — 1545 ; ital. *voluta,* archit., mot lat., de *volutus,* p. p. de *volvere* « rouler, tourner ».

♦ **1.** [a] Ornement d'architecture, enroulement sculpté en spirale. *Centre* (ou *œil*) *d'une volute. Les deux volutes caractéristiques de la colonne ionique. Petites volutes d'un chapiteau.* ⇒ **Hélice**. — *Volutes de l'architecture baroque. Volutes d'une corniche* (→ Démanteler, cit. 2), *d'une fenêtre* (→ Encadrer, cit. 2). *Consoles, lucarnes à volutes* (→ Fenêtrer, cit.). *Frise à volutes.* — Ce même ornement en bois, en fer forgé, etc. *Volutes au pied et à la tête d'un lit* (cit. 7). *Volutes d'un balcon, d'une grille* (→ Tortiller, cit. 5).

En volute : en forme de volute. *Bâton recourbé en volute.* ⇒ **Crosse**.

[b] Partie ronde du bas d'un limon d'escalier sur laquelle repose le pilastre de la rampe.

♦ **2.** (1761, Marmontel). Forme enroulée en spirale, et, par ext., en hélice. ⇒ **Arabesque, enroulement**. *Les volutes des vagues* (→ Avant, cit. 46 ; lame, cit. 9). *Volutes floconneuses à la surface de l'eau* (→ Remous, cit. 1). *Les volutes noires des nuages* (→ Amonceler, cit. 1). *Volutes de fumée* (cit. 4). *Les volutes d'un coquillage* (→ Autrefois, cit. 9).

1 L'horizon restait sombre encore, mais, avec les premières lueurs du jour, une opaque brume se leva de la mer, de telle sorte que le rayon visuel ne pouvait s'étendre à plus d'une vingtaine de pas. Le brouillard se déroulait en grosses volutes qui se déplaçaient lourdement. J. VERNE, l'Île mystérieuse, t. I, p. 31.

2 Tandis que les volutes bleuâtres qui montent
D'un cigare écrivent le plus tendre des noms (...)
APOLLINAIRE, Calligrammes, « Inscription anglaise ».

♦ **3.** (1752, Trévoux). Zool. Mollusque gastéropode *(Prosobranches monotocardes),* à coquille ovoïde largement ouverte et terminée en hélice, qui vit dans les mers tropicales, type de la famille des *volutidés (volutides,* 1876).

DÉR. Voluter.

VOLUTER [vɔlyte] v. — 1743 ; de *volute*.

Technique ou littéraire. Rare.

★ **I.** V. tr. ♦ **1.** Enrouler en volutes (qqch.). — Au p. p. *Voluté.* → Spiralé.

♦ **2.** (1876). Techn. (Vx). Dévider (le fil de soie d'une fusée).

★ **II.** V. intr. (1872). Littér. Former une volute, des volutes.

VOLVACÉ, ÉE [vɔlvase] adj. — 1845, Bescherelle ; du lat. *volva* « enveloppe », et suff. *-acé*.

♦ Bot. En forme de bourse.

VOLVAIRE [vɔlvɛr] n. f. — 1827, *Académie* ; « mollusque », 1803 ; lat. bot. *volvaria,* de *volva* « enveloppe ». → Volve.

♦ Bot. Champignon basidiomycète hyménomycète *(Agaricinées)* qui possède une volve*. *Volvaire gluante* (vénéneuse). *Volvaire soyeuse* (comestible).

VOLVATION [vɔlvasjɔ̃] n. f. — Mil. XXe ; dér. sav. du lat. *volvere* « rouler ».

♦ Didact. Action, pour certains animaux, de se rouler en boule, pour se défendre. *La volvation du hérisson, du tatou.*

VOLVE [vɔlv] n. f. — 1806, in *le Français moderne* ; lat. *volva* « enveloppe ». → Volvaire.

♦ Bot. Membrane épaisse qui enveloppe le pied et le chapeau de certains champignons jeunes, et se rompt au cours de la croissance, formant une sorte de bourse d'où sort le pied. ⇒ **Voile** (général). *La plupart des champignons vénéneux ont une volve. L'oronge* (cit.) *crève sa volve.*

DÉR. Volvé.

VOLVÉ, ÉE [vɔlve] adj. — 1803 ; de *volve.*

♦ Bot. Se dit d'un champignon muni d'une volve. *L'amanite est volvée.*

VOLVOCACÉES [vɔlvɔkase] n. f. pl. — 1907 ; de *volvox,* et suff. *-acées.*

♦ Bot. Famille d'algues vertes à thalle mobile vivant en colonies, dont le type est le *volvoce* ou *volvox.* — Au sing. *Une volvocacée.*

VOLVOCALES [vɔlvɔkal] n. f. pl. — Mil. xxᵉ ; de *volvox,* et suff. *-ales.*

♦ Bot. Ordre d'algues renfermant les volvocacées.

VOLVOCE [vɔlvɔs] ou **VOLVOX** [vɔlvɔks] n. m. — 1768 ; lat. *volvox* « chenille ».

♦ Bot. Algue verte *(Chlorophycées, Volvocacées)* qui croît en eau douce. *Le volvoce est parfois classé dans les protozoaires flagellés (Phytoflagellés).*

VOLVULÉ, ÉE [vɔlvyle] adj. — Mil. xxᵉ ; dér. sav. de *volvulus.*

♦ Méd. Atteint de volvulus.

VOLVULUS [vɔlvylys] n. m. — 1685 ; mot du lat. sc., de *volvere* « rouler ».

♦ Méd. Torsion d'un organe creux, entraînant son obstruction. *Volvulus gastrique, intestinal. Volvulus de la vésicule biliaire.*

DÉR. V. Volvulé.

VOMBAT [vɔ̃ba] n. m. ⇒ **Wombat.**

VOMER [vɔmɛʀ] n. m. — 1732, Trévoux ; lat. *vomer,* « soc de charrue », aussi *vomer* en anc. franç., v. 1280, à cause de la forme.

♦ Anat. Os du nez, qui forme la partie supérieure de la cloison des fosses nasales.

Le visage n'était pas gras, mais j'eus beau le regarder, il restait vêtu de ses chairs, au lieu de devenir tout crayeux et comme travaillé à la gouge. Le vomer lui-même conservait son bourrelet.   S. BECKETT, Nouvelles, p. 62.

DÉR. Vomérien.

VOMÉRIEN, IENNE [vɔmeʀjɛ̃, jɛn] adj. — 1844 ; de *vomer.*

♦ Anat. Relatif au vomer ; du vomer. *Cartilage vomérien.*

VOMI [vɔmi] n. m. — 1894, Huysmans, *vomis ; vomite,* xIIIᵉ ; *vomit,* déb. xIVᵉ ; du p. p. de *vomir.*

♦ Fam. Vomissure, matières vomies. *Ça sent le vomi. Des traces de vomi.*

On fait un effort pour être autre chose que soi-même, puis on renonce : c'est encore être soi-même qui est le moins difficile. Le chien retourne à son vomi.
MONTHERLANT, les Lépreuses, I, IV.

1. VOMIQUE [vɔmik] adj. — 1561, *noix vomique ; noiz vomice,* xIIIᵉ ; du lat. médiéval *nux vomica,* lat. class. *nux* « noix », et *vomicus* « qui fait vomir ».

♦ 1. *Noix vomique* : fruit du vomiquier*, qui a des propriétés vomitives et contient de la strychnine*.

♦ 2. Rare. Qui fait vomir ; qui évoque la vomissure.

(...) on sentait déjà son odeur forte emplir l'atmosphère, son odeur puissante d'homme aux pieds sales, aux poches pleines de vieux mégots refroidis, le parfum vomique de la lie de vin et de la sueur.   J.-M. G. LE CLÉZIO, le Déluge, p. 225.

DÉR. Vomiquier.
HOM. 2. Vomique.

2. VOMIQUE [vɔmik] n. f. — 1611 ; adj., « purulent », 1511 ; lat. *vomica,* de *vomere.* → Vomir.

♦ Méd. Expectoration subite de sérosité, de pus* ou de sang prove-

nant d'une collection purulente du poumon ou du médiastin (abcès, kyste hydatique) ouverte dans une bronche.

HOM. 1. Vomique.

VOMIQUIER [vɔmikje] n. m. — 1808 ; de 1. *vomique.*

♦ Bot. Arbrisseau de l'Inde (n. sc. : *strychnos nux vomica.* ⇒ **Strychnées**) dont l'écorce (fausse angusture*) et le fruit (noix vomique*) renferment des alcaloïdes toxiques (brucine, strychnine).

VOMIR [vɔmiʀ] v. tr. — Fin xIIᵉ ; du lat. pop *vomire,* lat. class. *vomere.*

♦ **1.** [a] Rejeter spasmodiquement par la bouche (des matières contenues dans l'estomac). ⇒ **Dégorger, regorger** (vx), **régurgiter, rendre** (III., 1.). *Vomir de la bile ; des glaires* (cit. 3), *de la nourriture ; vomir tout ce qu'on a mangé, son dîner.* → Goût, cit. 3. *Vomir un poison.* ⇒ **Chasser, expulser.** — Loc. fam. (Mil. xvIIᵉ). *Vomir tripes et boyaux,* tout le contenu de l'estomac.

[b] Absolt. *Avoir envie* (cit. 35) *de vomir.* ⇒ fam. **Dégobiller, dégueuler, gerber** (II., 3.), **renarder.** *Le mal* de mer fait vomir. Vomir par-dessus bord* (cf. Donner à manger aux poissons). *Médicament pour faire vomir.* ⇒ **Émétique, 1. vomique** (2.), **vomitif.** — Méd. *Vomir en fusée*.* — Loc. *Donner envie de vomir, être à faire vomir, à vomir :* soulever, faire lever le cœur*, physiquement ou moralement. *Ces couleurs sont à (faire) vomir.*

Pendant que nous mangeons, une marmite où bout la soupe des chiens exhale une vapeur fétide qui vous prend à la gorge et vous fait tousser (...) c'est à vomir !   1
                     O. MIRBEAU, le Journal d'une femme de chambre, I.

[c] Par ext. Rejeter (qqch.) par la bouche. ⇒ **Cracher, éructer.** *Vomir du sang, un caillot, du pus.*

[d] Par métaphore. Rejeter hors de soi, avec peine et dégoût. *Vomir un caillot d'angoisse* (cit. 3), *vomir son épouvante* (→ Atrocité, cit. 4). *Vomir l'objet de son engouement* (→ Renier, cit. 2). — *« Je voudrais vomir mon cœur »* (S. de Beauvoir, *Mémoires d'une jeune fille rangée,* p. 211).

(...) ce serait commode si on pouvait tout vomir ainsi, et soi-même avec, se débarrasser de soi, s'expulser, comme une nourriture mal digérée (...)   1.1
                                      Claude SIMON, le Vent, p. 204.

♦ **2.** (1553, *vomir les tièdes,* en lang. biblique ; répandu fin xIXᵉ). Compl. n. de personne. Fig. Rejeter avec violence et répugnance. ⇒ **Exécrer, honnir.** *« Je vomis mes contemporains »* (Goncourt, *Journal,* 17 mars 1867). *« (...) je préfère être vomi que vomir »* (Gide, *Journal,* 6 déc. 1931).

Michelet et Hugo sont vomis par Claudel.   GIDE, Attendu que..., p. 34.   2
(Mon père) plaidait ses causes avec une flamme qui dégelait les indifférents les plus obstinés. Partisan, il vomissait les tièdes.   3
                            Francis JOURDAIN, De mon temps, p. 66.
Ils ne furent pas seulement haïs, mais vomis.   4
                                 Jean GENET, Pompes funèbres, p. 51.

♦ **3.** (1508). Sujet n. de chose. Vieilli ou littér. (sauf dans des métaphores du sens propre). Laisser sortir, lancer, projeter au dehors. *Le canon vomit le fer et le feu. Vapeurs, laves vomies par un volcan* (⇒ **Ignivome**). → aussi Cyclope, cit. 1. *« L'onde vomit un monstre »* (cit. 5). *Gouttières* (cit. 3) *qui vomissent de l'eau. L'égout vomit sa fange* (→ Chemise, cit. 6). *Machine qui vomit de la vapeur.* ⇒ **Souffler.**

Émilio ne put s'empêcher de penser aux jours où le palais Memmi vomissait la lumière par toutes ses croisées et retentissait de musiques portées au loin sur l'onde adriatique (...)   BALZAC, Massimilla Doni, Pl., t. IX, p. 320.   5

(En parlant d'un lieu). Laisser sortir (qqn). *Le métro vomit des flots de gens pressés* (⇒ **Vomitoire**).

♦ **4.** (1280). Proférer avec violence (des paroles odieuses, ignobles...). *Vomir des blasphèmes*, des injures*.* ⇒ **Lancer.** — Loc. métaphorique (1690, Furetière). *Vomir son venin :* calomnier* avec fureur. — *Vomir sur, contre qqn,* dire de lui tout le mal qu'on peut (→ Insulte, cit. 7).

Loc. (1707, Lesage). *Vomir* (jeter) *feu et flamme contre qqn,* s'emporter contre lui.

(...) une femme, les deux poings sur les côtés, leur vomissait un torrent d'injures (...)   DIDEROT, Jacques le fataliste, Pl., p. 575.   6

▶ **VOMI, IE** p. p. adj. *Matières vomies.* ⇒ **Vomi, vomissure.**

CONTR. Absorber, boire, manger.
DÉR. Vomissement, vomissure.
COMP. Revomir.

VOMISSEMENT [vɔmismɑ̃] n. m. — Déb. xIIIᵉ ; de *vomir.*

♦ **1.** Acte par lequel le contenu de l'estomac est rejeté par la bouche. ⇒ **Évacuation.** — Méd. *Vomissements acétonémiques, périodiques, cycliques* (des enfants arthritiques). *Vomissements fécaloïdes. Vomissements incoercibles de la grossesse. Nausées et vomissements. La pituite, liquide rejeté par vomissement. Vomissements de bile, de glaires, de sang.* ⇒ **Hématémèse.**

Par l'insignifiance de son tumulte, la scène rappelle un vomissement à la romaine : je me chatouille la luette (je m'excite à la contestation), je vomis (un flot d'arguments blessants) et puis, tranquillement, je me remets à manger.
R. BARTHES, *Fragments d'un discours amoureux*, p. 246.

♦ **2.** Matières vomies. ⇒ **Vomi, vomissure.** — Loc. bibl. *Le chien retourne à son vomissement.* — Fig. (lang. biblique). *Retourner à son vomissement,* au péché, à ses erreurs.

♦ **3.** Fig. *Des vomissements de fumée* (→ Cheminée, cit. 5). *La radio déverse une sorte de vomissement musical.* → 1. Radio, cit. 3.

2 (...) les batteries flamboyèrent, la colline trembla, de toutes ces bouches d'airain sortit un dernier vomissement de mitraille, épouvantable (...)
HUGO, *les Misérables*, II, I, XV.

Par métaphore (abstrait) :

3 Et le vomissement impur de la Bêtise
Me force à me boucher le nez devant l'azur.
MALLARMÉ, *Poésies*, « Les fenêtres ».

VOMISSURE [vomisyʀ] n. f. — XIIIᵉ ; de *vomir*.

♦ **1.** Matière vomie. (→ Pestiféré, cit. 2). ⇒ **Vomi, vomissement** ; fam. **dégueulis.**

♦ **2.** Par métaphore et fig. :

(...) l'alcool ingurgité agissant sans doute en l'occurence à la façon d'un émétique, non sur l'estomac mais sur l'esprit, le cœur, faisant remonter toute cette vomissure sous la forme du discours incohérent qu'il débitait, mêlant pêle-mêle les bribes de son aventure, menaces, injures à la fois agressif, geignard, emphatique et inquiétant.
Claude SIMON, *le Vent*, p. 172.

VOMITIF, IVE [vomitif, iv] adj. — XIVᵉ ; du lat. *vomitum,* supin de *vomere* « vomir ».

♦ **1.** Méd. Qui provoque le vomissement. ⇒ **Émétique.** *Médicament, remède vomitif. Racines à propriétés vomitives.* ⇒ **Ipéca.** — N. m. (XVIᵉ). *Un vomitif. La noix vomique est un vomitif puissant.* — Fig. « *Baroche, dont le nom n'est plus qu'un vomitif* » (Hugo, *les Châtiments,* Splendeurs, II).

♦ **2.** Fig. Qui est à faire vomir ; ignoble, répugnant. « *Ce vomitif gredin* » (Bloy, *le Désespéré,* p. 244, 1886). *Une laideur vomitive. Des couleurs vomitives.*

VOMITOIRE [vomitwaʀ] n. m. — 1636 ; du lat. *vomitorium.* Cf. l'adj. *vomitoire* « vomitif, (1.) vomique », 1549, lat. *vomitorius,* du supin de **vomire.* → Vomir.

♦ Large issue servant à évacuer la foule (d'un amphithéâtre*, d'un théâtre*). ⇒ **Sortie.** — Issue, passage par où s'écoule la foule.

Les vomitoires des tribunes se dégorgeaient dans un labyrinthe de corridors pleins parfois d'un bruit farouche.   HUGO, *Quatre-vingt-treize*, II, III, I, III.

VOMITO NEGRO [vomitonegʀo] n. m. — 1804, in D.D.L. ; mots espagnols « vomissement noir ».

♦ Méd. (Vx). Fièvre jaune.

VOPO [vopo] n. m. — 1953, in D.D.L. ; mot allemand, abrév. de *Volkspolitzei* « police populaire », de *Volk* « peuple », et *Politzei* « police ».

♦ Policier de la République démocratique allemande (Allemagne de l'Est). « *Par une nuit bien sombre, ils s'enfoncent dans les bois et tombent sur une patrouille de vopos* » (*Actuel,* févr. 1980, p. 13).

VORACE [voʀas] adj. — 1603 ; *vorage,* déb. XVIᵉ ; lat. *vorax, -acis.*

♦ **1.** Qui dévore, mange avec avidité. → Goéland, cit. 1 ; harceler, cit. 3 ; loutre, cit. 1. [a] *Animaux voraces.* « *Et le tigre vorace et le chameau frugal* » (→ Capitane, cit. 2). — Par ext. *Moustiques voraces,* avides (→ Palétuvier, cit.).

[b] (1690). Personnes. ⇒ **Avide, glouton** (1.), **goulu** (1.). → Empiffrer, cit. 2. *Il était affamé et vorace. Des convives voraces.* —N. (1846). *Se jeter sur un plat comme un vorace.* ⇒ **Affamé, goinfre.** — Par plais. *Les voraces et les coriaces* (d'après *les Horaces et les Curiaces*).

1 Je suis un vorace, un grossier : toi, tu te prives pour nous, ce n'est pas juste, j'en ai honte.   G. SAND, *la Mare au diable*, IX.

[c] Choses. Qui montre, dénote la gloutonnerie. *Manger d'une manière vorace, comme un cochon*. Appétit, faim vorace.* ⇒ **Inassouvi.**

2 Il enviait le cochon, il serait retourné avec lui, s'il ne l'avait pas entendu, derrière son dos, manger la porte, avec des reniflements voraces.   ZOLA, *la Terre*, V, II.

Fig. Qui détruit avec une sorte d'avidité. « *Les haches et les marteaux voraces* » (→ Pourrissant, cit. 2). *Le maelstrom* (cit. 1) *vorace. Des cadavres, surnageant sur la terre vorace* (→ Guerre, cit. 23).

Agric. *Plantes voraces,* qui épuisent le sol.

♦ **2.** (1834, Balzac ; → Générateur, cit. 3). Fig. Avide, insatiable. *Un appétit* (cit. 23) *de bonheur vorace.*

3 Il tendit sa main, prit la sienne, la couvrit d'un baiser vorace, puis la garda sur son genou (...)   FLAUBERT, *Mᵐᵉ Bovary*, III, VII.

4 Elle voulait tout savoir sur toutes ces gens, interrogeait avec une curiosité vorace, semblait emplir de renseignements sa mémoire de femme.
MAUPASSANT, *Fort comme la mort*, I, III.

CONTR. Frugal.
DÉR. Voracement, voracer.

VORACEMENT [voʀasmɑ̃] adv. — 1842, *Académie* ; de *vorace.*

♦ Littér., style soutenu. Avec voracité. ⇒ **Avidement, gloutonnement.** *Se jeter voracement sur la nourriture.*

1 Et il attendit que sa pâtée fût prête.
Ils la mangèrent voracement, avec des bouches fendues jusqu'aux oreilles pour en avaler davantage, des yeux ronds s'ouvrant en même temps que les mâchoires, et des bruits de gorge pareils à des glouglous de gouttières.
MAUPASSANT, *les Prisonniers*, Pl., t. II, p. 412.

2 Il se tut de nouveau, acheta des cacahuètes qu'il se mit à manger voracement, comme s'il avait faim (...)   F. MAURIAC, *le Nœud de vipères*, XIV.

VORACER [voʀase] v. tr. — 1830, argot de Saint-Cyr, in Esnault ; de *vorace.*

♦ **1.** Argot (vieilli). Manger avidement (Barbusse, *le Feu,* II, 2, chap. 15).

♦ **2.** (1850, puis 1903, argot de Saint-Cyr, in Esnault). Fig., fam. Dévorer, prendre, s'emparer de. « *Cet État qui "vorace" les professions libérales* » (*l'Aurore,* 23 déc. 1977).

1 Mange mon nez, mange mes pieds, vorace-moi toute.
Réjean DUCHARME, *l'Hiver de force*, p. 154.

Absolument :

2 Les plus belles découvertes, les plus captivantes rencontres se font ainsi, quand on ne cherche pas à saisir, à voracer.
Fernand FOURNIER-AUBRY, *Don Fernando*, p. 363.

VORACITÉ [voʀasite] n. f. — Fin XIVᵉ ; lat. *voracitas,* de *vorax, -acis.* → Vorace.

Littér., style soutenu.

♦ **1.** Avidité à manger, à dévorer. ⇒ **Appétit, avidité.** *La voracité d'un fauve, d'un oiseau de proie. Manger avec voracité.* ⇒ **Gloutonnerie, goinfrerie.**

Une voracité le faisait se jeter sur sa soupe, jamais contenté, volant jusqu'aux tartines de Jules, si le petit ne les défendait pas.   ZOLA, *la Terre*, V, II.

♦ **2.** (Mil. XVIIIᵉ). Fig. Avidité à satisfaire un besoin, un désir. *Lire avec voracité.* — Spécialt. Âpreté au gain (→ Paon, cit. 4). ⇒ **Cupidité.**

CONTR. Frugalité.

-VORE Second élément de composés savants, tiré du suff. lat. *-vorus,* de *vorare* « manger, avaler », et servant à former des adjectifs qualifiant des animaux* selon leur régime alimentaire (⇒ **-phage ; carnivore, frugivore, granivore, herbivore, insectivore, omnivore, piscivore, pupivore, vermivore**), quelques mots techniques (⇒ **Fumivore, ignivore**) ou plaisants (⇒ **Budgétivore**).

VORGE [voʀʒ] n. f. — 1842, *Académie* ; *vorz,* mot dial., v. 1150 ; probablt du gaul. **worrike,* « saule ».

♦ Régional. Ivraie (plante).
DÉR. Vorgine.

VORGINE [voʀʒin] n. f. — 1907, Larousse ; de *vorge.*

♦ Régional (Rhône, Saône). Petit saule buissonnant, osier.

Je me souviendrai toujours de l'île Borel, entre Loriol et Saulce (...) Là, dans un immense domaine composé pour partie de saulaies, de vorgines et de peupliers, parmi un enchevêtrement de chemins ombreux et de canaux qui n'en finissaient pas, parmi une végétation luxuriante (...)   Au bord de l'eau, n° 366, p. 80.

VORTEX [voʀtɛks] n. m. invar. — 1845, Bescherelle ; *vortice,* 1630 ; lat. *vortex,* var. de *vertex* « tourbillon ».

♦ **1.** Sc. nat. Disposition en cercles concentriques ou en hélice (de certaines coquilles, d'organes...).

♦ **2.** (1855, Baudelaire ; → Giratoire, cit. 1). Tourbillon. « *L'hélice, ce vortex au pas variable* » (→ 1. Pale, cit.).

1 Mais quand ils parlaient ce n'était plus pareil. Il y avait des sortes de puits qui se creusaient dans l'air, des remous, des vortex, et on était attiré.
J.-M. G. LE CLÉZIO, *les Géants*, p. 156.

Par métaphore :

2 Nous descendons spiralement, depuis quinze années, dans un vortex d'infamie, et notre descente s'accélère jusqu'à perdre la respiration.
Léon BLOY, *le Désespéré*, p. 137.

♦ **3.** (Mil. XIXe). Didact. Tourbillon creux qui se produit dans un fluide en écoulement. — **Météor.** Ensemble de nuages formant une spirale, spécifique d'une dépression.

DÉR. Vorticiste.

VORTICELLE [vɔʀtisɛl] n. f. — 1808, Boiste ; lat. zool. *vorticella*, du lat. *vortex* « tourbillon ».

♦ **Zool.** Protozoaire *(Ciliés péritriches)* à cils vibratiles puissants insérés suivant une hélice sur le péristome.

VORTICISME [vɔʀtisism] n. m. — 1933, P. Morand, *Londres* ; angl. *vorticism*, de *vorticist*. → Vorticiste.

♦ **Didact. (arts).** Mouvement artistique fondé en 1912 par Wyndham Lewis, regroupant des plasticiens de plusieurs disciplines (peintres : C.R. Nevinson, W. Roberts, E. Wadsworth ; sculpteurs : Epstein, H. Gautier-Brzeska) ainsi que les écrivains R. Adlington et E. Pound, et prônant la suggestion systématique du mouvement.

VORTICISTE [vɔʀtisist] adj. et n. — 1934, *in* D.D.L. ; angl. *vorticist* (1913, Ezra Pound) ; de *vortex*, lat. *vortex* « tourbillon ».

♦ **Didact. (arts).** Du vorticisme. — Adj. et n. Tenant du vorticisme.

VORTICITÉ [vɔʀtisite] n. f. — Mil. XXe ; dér. sav. de *vortex, -icis*.

♦ **Didact.** Caractère d'un écoulement tourbillonnaire.

VOS [vo] adj. poss. plur. ⇒ **Votre**.

VOSGIEN, IENNE [vɔʒjɛ̃, jɛn] adj. — 1876 ; de *Vosges*.

♦ Relatif aux Vosges. *Le massif vosgien. Les forêts vosgiennes.* — *Grès vosgien :* sorte de grès bigarré. — N. *Les Vosgiens, une Vosgienne.*

VOTANT, ANTE [vɔtɑ̃, ɑ̃t] adj. et n. — 1727 ; de *voter*.

♦ Personne qui a le droit de voter, qui participe à un vote. *Les électeurs votants.* — N. *Les abstentionnistes et les votants.*

VOTATION [vɔtasjɔ̃] n. f. — 1752, Trévoux, au sens relig. ; de *voter*.

♦ **1. Relig.** Le fait de voter, dans une communauté religieuse.

♦ **2.** [a] (1789, Mirabeau). Vx. Action de donner sa voix dans une délibération. — Système d'après lequel on vote. « *La votation par tête* » (Mirabeau).

[b] Mod. et régional (Suisse). Vote. *Votation populaire. Votation communale, cantonale, fédérale.*

1. VOTE [vɔt] n. m. — 1702, répandu fin XVIIIe ; mot angl. ; lat. *votum*. → Vœu ; cf. moy. franç. *vote* « vœu, prière ».

♦ **1.** Opinion exprimée, dans une assemblée délibérante, un corps politique. ⇒ **Suffrage, voix** (→ Opinion, cit. 13). *Unanimité, partage des votes. Compter les votes favorables, défavorables à un projet* (⇒ **Contre-épreuve**). *Donner, refuser son vote à...* — Suffrage, dans une élection. *Briguer les votes des paysans.* « *Je lui enlèverai les votes royalistes* » (→ Question, cit. 22).

1. Chaque membre du Conseil de sécurité dispose d'une voix. — 2. Les décisions du Conseil de sécurité sur des questions de procédure sont prises par un vote affirmatif de sept membres.   Charte des Nations Unies, art. 27.

Le fait d'exprimer ou de pouvoir exprimer une telle opinion. *Droit de vote,* de suffrage (→ Oligarchie, cit. ; révoquer, cit. 1 ; suffragette, cit.). *Militer pour le vote des femmes. Explications de vote.*

♦ **2.** (Mil. XIXe). Opération par laquelle les membres d'un corps politique donnent leur avis sur une décision à prendre. ⇒ **Consultation, élection, scrutin, votation** (en Suisse). *S'exprimer dans un vote* (⇒ **Voter**). *S'abstenir dans un vote. Majorité et minorité dans un vote. Pointage après un vote. Élire, rejeter un candidat par un vote.* ⇒ **Élection.** *Vote direct du corps électoral par oui ou par non.* ⇒ **Plébiscite, référendum** (cit. 1). — (Dans une assemblée). *Le vote des projets de loi. Vote en première, en seconde lecture* (cit. 14). *Vote d'une motion* (cit. 3) *de censure. Vote de clôture. Vote indicatif. Vote conforme à un sondage d'opinion.* « *Vote-sanction* », qui sanctionne une politique. — (Au cours d'une élection). *Bulletin de vote. Bureau* (→ Maire, cit. 2), *urne de vote. Le vote national* (→ Enregistrer, cit. 7).

2   Le plus probable, c'est qu'ils s'abstiendront de prendre part au vote (...)
          MARTIN DU GARD, les Thibault, t. VII, p. 291.

Décision positive par un tel vote. *Vote d'une loi.* ⇒ **Adoption** (II.). *Vote à l'unanimité. Le vote est acquis.*

♦ **3.** Manière par laquelle les membres d'une assemblée ou d'un corps sont appelés à exprimer leur choix. ⇒ **Scrutin.** — *Vote à main levée, par assis et levé* (⇒ **Épreuve**). *Vote électronique. Vote secret. Vote bloqué** (d'un projet de loi). — Spécialt. Système électoral. *Vote direct, indirect. Vote uninominal, préférentiel* (⇒ **Liste**). *Vote personnel, par correspondance, par procuration ; cumulatif, familial, plural. Vote multiple* (dans plusieurs circonscriptions). *Vote obligatoire.*

(...) la vertu du vote secret, contre quoi les tyrans d'opinion ne peuvent rien.   ALAIN, Propos, 23 mai 1921, Esprit de guerre.   3

CONTR. Abstention.
HOM. 2. Vote.

2. VOTE [vɔt] n. f. — 1869, Daudet ; provençal *voto*, du lat. *votum* « vœu ».

♦ Régional (Provence). Fête du saint patron (d'un lieu), fête votive.

HOM. 1. Vote.

VOTER [vɔte] v. intr. et tr. — 1680, Richelet ; lat. ecclés. *votare* « donner sa voix à ». → 1. Vote.

★ **I.** V. intr. ♦ **1. Relig.** (Vx). Exprimer son suffrage dans un chapitre, une communauté religieuse.

♦ **2.** (1704, dans un contexte anglais ; angl. *to vote*). Mod. et cour. Exprimer son opinion par son vote, son suffrage. *Voter dans une délibération, aux élections* (→ Aller aux urnes*). *Pouvoir voter* (→ Citoyen, cit. 1 ; résidence, cit. 2). *Être en âge de voter. Refuser de voter, d'accomplir son devoir de citoyen.* — Fam. « *A voté* », phrase prononcée par le préposé du bureau de vote après chaque vote.

(...) dans le XVe siècle, le roi Henri VI (...) ordonna le premier que personne ne   1 pourrait voter pour la nomination des députés de la province, que les ycomans ou les possesseurs de francs fiefs au moins de 40 schelins de revenu annuel, et qui habitaient dans la même province (...)
       Encycl. (DIDEROT), Communes (Chambre des), 1753.

Il y a chez moi une aversion telle de la politique qu'aujourd'hui, où c'est vraiment   2 un devoir de voter, je m'abstiens (...) J'aurai passé toute ma vie, sans voter une seule fois !   Ed. et J. DE GONCOURT, Journal, 11 oct. 1877, t. V, p. 255.

Ils votèrent d'abord pour savoir si on allait voter, en levant la main ; puis ils votè-   3 rent par oui et non. — Ceux qui votent oui lèvent la main, dit le Président. Il y eut 58 mains qui se levèrent, et 33 seulement qui ne se sont pas levées.
       C.-F. RAMUZ, la Grande Peur..., I.

Voter pour, contre qqn, qqch. → Municipal, cit. 1 ; roue, cit. 3. *Voter pour un candidat, pour des candidats appartenant à plusieurs listes* (panachage), *pour un parti. Voter pour un candidat de la majorité, de l'opposition.*

« Je vote pour le plus bête », la boutade fameuse de Clemenceau n'est cruelle qu'en   3.1 apparence.   F. MAURIAC, Bloc-notes 1952-1957, p. 50.

Voter bien, voter mal, d'une manière qui est approuvée ou désapprouvée par le locuteur ou par une opinion de référence (→ Secouer, cit. 8). *Voter à droite, à gauche.* — Ellipt. *Voter communiste, voter rouge* (cit. 9), *voter radical, indépendant.* — Avec le sigle d'un parti : *Voter R. P. R., P. S., P. C. ;* avec le nom d'un candidat : *Votez Dupont !*

Le boucher votait Barbentane, il raconta le discours du docteur, avec une admi-   4 ration qu'Armand ne partagea pas.   ARAGON, les Beaux Quartiers, I, XXVII.

★ **II.** V. tr. (1756, Voltaire). Contribuer à adopter, à décider, par son vote ; décider par un vote majoritaire. *Voter une loi, une motion* (cit. 2), *une proposition* (→ Faire passer* ; aussi Arbitrage, cit. 3 ; 3. droit, cit. 29). ⇒ **Adopter** (II.). *L'Assemblée nationale seule vote la loi* (→ Législatif, cit. 3). *Voter la mort du roi* (→ 1. Quasi, cit. 5). *Voter par plébiscite.* ⇒ **Plébisciter.** *Voter que...* (→ Gardien, cit. 4). — Spécial. *Voter les crédits, les fonds* (cit. 8), *une pension* (cit. 3). → Milliard, cit. 2 ; question, cit. 20. *Le conseil général lui vota une somme de...* (→ 2. Frais, cit. 2). *Voter le budget de l'année.*

L'emprunt essayé, manqué, repris, fut voté enfin. Il était difficile de le faire voter,   5 plus difficile de le faire remplir.   MICHELET, Hist. de la Révolution franç., II, V.

Dans la journée, le Corps législatif venait de voter la guerre (...)   6
       ZOLA, Nana, XIV.

Par ext. *Voter un tronçon de route :* voter les crédits nécessaires à la construction d'un tronçon de route (→ Raccordement, cit. 1).

CONTR. Abstenir (s').
DÉR. Votant, votation, voteur.

VOTEUR, EUSE [vɔtœʀ, øz] adj. — 1784 ; de *voter*.

♦ Rare. Qui vote, qui a le droit de vote (⇒ **Électeur,** cour.).

Et ce fut le premier départ des premiers bataillons d'émancipés frénétiques ! Des premiers couillons voteurs et drapeautiques qu'emmena le Dumouriez se faire trouer dans les Flandres.   CÉLINE, Voyage au bout de la nuit, p. 68 (1932).

VOTIAK ou **VOTYAK** [vɔtjak] adj. et n. — 1876, *in* P. Larousse ; nom autochtone d'un peuple finnois de Russie septentrionale.

♦ Qui appartient au peuple finnois établi entre la Viatka et la Kama.

N. m. Langue finno-ougrienne du groupe pernien (comprenant aussi le zyriève). — Adj. *« Les parlers votiaks sont très homogènes... »* (Meillet et Cohen, *les Langues du monde*, p. 284).

VOTIF, IVE [vɔtif, iv] adj. — XIVᵉ, Godefroy, aux sens 1 et 2 ; lat. *votivus*, de *votum* « vœu ».

♦ **1.** Vx. Qui est engagé par un vœu (1. ou 2.).

♦ **2.** Qui commémore l'accomplissement d'un vœu (1.) ou qui est offert comme gage d'un vœu. *Inscription* (→ Épigramme, cit. 2), *offrande* (cit. 2) *votive. Boucliers votifs* (antiq.). *Tableau votif* (portrait de donateurs, etc.). ⇒ aussi **Ex-voto.**

(...) on y avait trouvé (...) près du lac de Loselée, touchant la source, un autel votif au dieu Pan, aux Nymphes et aux oiseaux.
H. BOSCO, *Un rameau de la nuit*, p. 113.

♦ **3.** (1718). Qui exprime un vœu (3.). — Liturg. cathol. *Messe votive*, qui n'est pas conforme à l'office du jour et qui est choisie pour répondre à une dévotion particulière (du célébrant, des fidèles). *Messe votive privée* (de mariage, etc.), *solennelle* (vœu public). *Médaille votive.*

VOTRE [vɔtʀ], plur. **VOS** [vo] adj. poss. — 980, *vostre* ; *vos*, 1080 ; du lat. pop. *voster*, réfection de *vester*, d'après *noster*.
Adjectif possessif de la deuxième personne du pluriel et des deux genres, correspondant au pronom personnel *vous**.
REM. 1. (Fonction et sens). *Votre (vos)* se rapporte à plusieurs personnes (→ Notre, leur), sauf dans le vouvoiement, très fréquent en français ; comme les autres possessifs, il exprime toutes sortes de rapports. → Mon (REM. 3).
2. (Place). → Mon (REM. 4).
3. (Répétition). Devant deux ou plusieurs substantifs coordonnés, *votre (vos)* est généralement répété. → Mon (REM. 6), notre (REM. 4) ; → Flanelle, cit. 2.
4. *Votre (vos),* comme *notre,* forme avec un adj. au comparatif, un superlatif. *Votre plus grand plaisir, vos meilleurs amis.*
5. (Renforcement). *Votre livre à vous, mon cher maître* (→ Mathématique, cit. 1).
6. (Accord). On peut appliquer le possessif pluriel unique *(vos)* à deux noms au singulier. *Vos nom et adresse* (style administratif).

★ **I.** Qui est à vous, vous appartient. ♦ **1.** (Représentant plusieurs personnes, un groupe dont le locuteur est exclu). [a] (Appartenance, possession). *Vous êtes tous dans votre maison.* ⇒ **Vôtre** (la vôtre). — *Votre salut* (→ Attendre, cit. 54). *« Petits princes, videz vos débats entre vous »* (→ Recourir, cit. 1). — *« Beau parc et beaux jardins qui, dans votre clôture... »* (→ Ombrage, cit. 2).
[b] (Rapports de parenté, de vie sociale, etc.). *Pauvres pères, vos enfants...* (→ Littéraire, cit. 1).
[c] (Rapport d'action). *« Que pouviez-vous faire, vous autres, les assassins ? Donner la mort à vos victimes... »* (→ Mortel, cit. 2).
REM. 1. Choix entre *votre* et *vos* (→ Notre, I., 3., REM. 1). *Vous donnerez tous votre (ou vos) démission(s) ; rentrez tous dans votre (ou vos) chambre(s).*
2. Choix entre *votre* et *notre* après *on.* ⇒ **Notre** (*infra* cit. 9).

♦ **2.** (Représentant une seule personne à laquelle on s'adresse au pluriel de politesse). ⇒ 1. **Ton.** *Votre mobilier* (→ Mur, cit. 10). *Votre robe est ravissante* (cit. 7). *Votre chien* (→ Aucun, cit. 20). — *Votre cocher, votre cuisinier* (→ Autre, cit. 106). *Votre père, votre fils. Madame* (cit. 9) *votre mère. « Voilà ce qui fait que votre fille est muette »* (cit. 1). — *Votre beauté* (→ Puis, cit. 4), *votre puissance* (cit. 3), *votre douceur...* (→ Soi, cit. 6). *« Soyez plutôt maçon* (cit. 3), *si c'est votre talent ».* — *« Votre corps droit, vos pieds sur une même ligne »* (cit. 19). *L'ouvrage de vos mains* (cit. 85). *Vos yeux, vos regards* (→ Attacher, cit. 104). — *Vos actes. C'était votre faute* (cit. 40). *Donnez-moi vos coordonnées.* — *Vous manquerez* (cit. 70) *votre coup. À votre avis* (→ Secourable, cit. 1). *À votre place, j'irais. Finir vos jours* (→ Rebelle, cit. 1). *Votre vie, vos goûts, votre âge* (→ Place, cit. 42). — *Faites votre devoir* (2. Devoir, cit. 8).

1 Approchez-vous, Néron, et prenez votre place. RACINE, *Britannicus*, IV, 2.

Spécialt (dans les appellations respectueuses). → Majesté, cit. 10. *Votre Excellence* (→ 2. Auspice, cit. 8), *Votre Grandeur* (→ Lettre, cit. 36), *Votre Majesté* (cit. 13 à 15).

Marquant « l'intérêt personnel » (→ Mon, I., 3.) ou des rapports d'appropriation très larges (emplois stylistiques). *Celui, celle dont vous parlez, que vous vantez. Votre Brama* (→ Plaisant, cit. 7). *Votre comtesse* (→ Soulier, cit. 3). — *Laissez-moi tranquille avec votre hideuse réalité* (cit. 13). — Loc. *Ne faites pas votre malin.* ⇒ **Faire** (cit. 164). — (Terme d'ironie, de mépris). *Votre Untel est une fripouille.*

2 Voilà de vos chrétiens les ridicules songes (...) CORNEILLE, *Polyeucte*, IV, 3.

Il avait une belle manière d'élever ses enfants, votre Saint-Simon (...) 3
PROUST, À la recherche du temps perdu, t. I, p. 42.

Votre monsieur Lainé est un méchant homme. FRANCE, le Lys rouge, III. 4

Cependant, de Gaulle a parlé : « Votre de Gaulle », m'écrivent des correspondants 4.1
irrités ou agacés. F. MAURIAC, le Nouveau Bloc-notes 1958-1960, p. 346.

Indéfini :

Je trouve charmant un pays où on veut être sûr que votre crémier vous vende des 5
œufs bien pourris (...)
PROUST, À la recherche du temps perdu, t. VIII, p. 149.

★ **II.** (Sens objectif). De vous, de votre personne. *Pour votre gouverne* (cit. 2), *pour votre bien. Vos pareils* (→ Sergent, cit. 1). — Vx. *« Ce roi votre rebelle »* (Garnier, *les Juives,* cité par Le Bidois, § 340), qui s'est rebellé contre vous. *« Le rang de votre maître où je suis destiné »* (Corneille, *Nicomède,* cité par Le Bidois), le rang de « maître de vous ». — REM. Cet emploi est rare. → 1. Ton (II.).

J'étais inondé d'une joie céleste que votre vue m'a fait perdre. 6
FRANCE, le Lys rouge, XIX.

HOM. (De *vos*) Formes du v. **valoir, vau, veau.**

VÔTRE, VÔTRES [votʀ] adj., pron. poss. et n. — 1636 ; *vostre,* XVᵉ ; antérieur au sens III. (déb. XIIᵉ) ; emploi pron. du précédent.
Qui est à vous, vous appartient, se rapporte à vous ; de vous (⇒ **Mien,** REM.).

★ **I.** Adj. poss. ♦ **1.** Vx. (En fonction d'épithète). ⇒ **Vous** (à, de vous). *Cette idée vôtre.*

♦ **2.** Vieilli ou littér. (En fonction d'attribut). À vous (→ Façon, cit. 25). *« M. de La Harpe pourra vous dire (...) combien je suis vôtre à la vie et à la mort »* (d'Alembert, *À Voltaire,* 18 janv. 1768). — *Amicalement vôtre* (formule de politesse).

Prenez mon cœur, je vous l'offre, ma Dame : 1
Il est tout vôtre, et ne peut d'autre femme.
Tant vôtre il est, devenir serviteur.
RONSARD, Second Livre des amours, I, VI, « Madrigal ».

— (...) Que ne puis-je vous consoler en vous donnant mon cœur ! Mais vous savez 2
bien qu'il est *vôtre* depuis longtemps (...) STENDHAL, Lucien Leuwen, LX.

★ **II.** Pron. (XVᵉ). (Avec l'article). LE VÔTRE, LA VÔTRE, LES VÔTRES (désignant ce qui est en rapport avec un groupe de personnes auquel le locuteur n'appartient pas ; ou avec une personne à laquelle on s'adresse au pluriel de politesse ; → Vous). — (Sujet). *Quelle idée est la vôtre* (→ Autre, cit. 142). *La vôtre* (piqûre) *fait du mal, la mienne est salutaire* (cit. 1). — (Attribut). *« — (...) C'est mon valet. — C'est maintenant le nôtre. — (...) et comment donc le vôtre ? »* (→ Comment, cit. 20). — (Compl. d'objet). *« Voulez-vous avoir de bonnes lois* (1. Loi, cit. 9), *brûlez les vôtres et faites-en de nouvelles »*. — (Compl. de préposition). *Mes exemples un jour, ayant fait place aux vôtres* (→ Apprendre, cit. 36). *Je ne suis pas de la vôtre* (famille ; cit. 22). — *La vie de nos soldats et des vôtres* (→ Préférer, cit. 8). *« À ta santé* (cit. 6)... — À *la vôtre... »* — (1756, in D.D.L.). Ellipt. *À la vôtre !*

C'est le Dieu des chrétiens, c'est le mien, c'est le vôtre (...) 3
CORNEILLE, Polyeucte, IV, 3.

Rome a ses droits, Seigneur : n'avez-vous pas les vôtres ? 4
RACINE, Bérénice, IV, 5.

— (...) Bien votre serviteur. — Monsieur le comte, dit Cérizet, c'est moi qui 5
suis le vôtre (...) BALZAC, Un homme d'affaires, Pl., t. VI, p. 812.

Subst. (Fam.). *À la bonne vôtre.*

— À la bonne vôtre, dit Charlier. — À la bonne vôtre. Ils trinquèrent (...) 6
SARTRE, le Sursis, p. 263.

★ **III.** N. ♦ **1.** (Déb. XIIᵉ). Vx. Ce qui vous appartient.

♦ **2.** (XIXᵉ). DU VÔTRE (en emploi partitif). Ce qui vient de vous. *Vous y mettrez chacun du vôtre.* ⇒ **Tien.** — Ce qui vous appartient. — Vx. *Vous en serez du vôtre.*

(...) il vous a fait cette proposition en pensant que vous y mettriez du vôtre (...) 7
Henry BECQUE, les Corbeaux, III, 8.

DES VÔTRES. *Vous avez bien fait des vôtres,* des fredaines* (cf. Faire des siennes).

♦ **3.** (XIIIᵉ). LES VÔTRES : vos parents, vos amis, vos partisans. *Vous et les vôtres* (→ Céans, cit. 1). *Je suis des vôtres* (→ Mien, cit. 26). *Je ne pourrai être des vôtres,* répondre à votre invitation*, être parmi vous.

— Oui ou non, es-tu des nôtres ? — Je suis des vôtres, si vous êtes des miens (...) 8
A. DE MUSSET, Comédies et proverbes, Fantasio, I, 2.

HOM. **Vautre** (du v. *vautrer*).

VOTYAK [vɔtjak] adj. et n. ⇒ **Votiak.**

VOUCHER [vuʃœʀ ; vuʃɛʀ] n. m. — V. 1970 ; mot angl. « reçu, récépissé », de *to vouch,* du lat. *vocare* « appeler ».

♦ Anglic. Tourisme. Bon émis par une agence de voyage et délivré à ses clients pour le règlement de leurs frais d'hébergement, et,

par ext., de transport, d'excursions, de location de voiture, etc...
— Terme à proscrire (*Journ. off.*, 3 avr. 1982); équivalents français :
bon, bon d'échange, coupon.

VOUER [vwe] v. tr. — Mil. XIIIe ; *vuer, voer*, déb. XIIe ; des formes anciennes de *vœu.*

♦ **1.** Vx. Promettre (qqch.) à Dieu, à une divinité, par un vœu (1.).
Vouer un sacrifice. ⇒ **Offrir.**

1 Un passager, pendant l'orage,
Avait voué cent bœufs au vainqueur des Titans.　　LA FONTAINE, Fables, IX, 13.

Relig. Vx. « *La pauvreté qu'il a vouée* » (Bourdaloue).
(XIIe). Mod. VOUER... À : consacrer à (Dieu, et, par ext., à un saint) en faisant un vœu. *Vouer un enfant à la Sainte Vierge, à un saint.* ⇒ **Consacrer, dévouer.** — Par ext. *Vouer un enfant au blanc, au bleu*, promettre, par un vœu, qu'il sera habillé de blanc, de bleu (couleurs de la Vierge).

♦ **2.** (Déb. XVIIe). Fig. Promettre d'une manière solennelle, irrévocable (qqch. à qqn). *Vouer à qqn une amitié, un attachement* (cit. 22), *une idolâtrie* (cit. 6). ⇒ **Attacher** (II., 2.). → Gênant, cit. 3. — *Vouer une aversion, une haine* (→ Nommer, cit. 1) *implacable à qqn*, les lui porter d'une manière durable, définitive.

♦ **3.** Employer avec un zèle soutenu. ⇒ **Consacrer.** *Vouer son existence* (cit. 23), *son temps à un travail, à une cause.* ⇒ **Dédier, donner.** *Vouer ses efforts, son talent à...* ⇒ **Employer.**

2 Ce n'est donc point à de doucereuses galanteries, à de mesquines intrigues, à de sales aventures, que Walter Scott voue son talent.
　　HUGO, Littérature et Philosophie mêlées, Sir Walter Scott.

♦ **4.** (1580, Montaigne). Consacrer (qqn), faire que (qqn) soit consacré, destiné, promis à un état, une situation, une activité. *Vouer qqn au crime* (→ Hypnose, cit. 1). *Vouer qqn d'avance à...* ⇒ **Prédestiner** (2.). *Vouer qqn à une besogne ingrate.* ⇒ **Condamner.**

3 Le célibat, la médiocrité de son traitement à cette époque et l'austérité de ses convictions politiques le vouaient à la cuisine des traiteurs.
　　G. DUHAMEL, Chronique des Pasquier, IV, VII.

(Choses). Surtout passif et p. p. *Vieux quartier voué à la démolition.*
Par ext. Promettre un sort pénible à..., désigner à... *Vouer qqn à l'opprobre, au mépris, à la vindicte publique, à l'exécution.* ⇒ **Flétrir, honnir ; appeler** (sur). *Vouer l'humanité à la ruine* (→ Péril, cit. 7).

4 Sois voué, misérable, à l'angoisse, à la haine,
À la luxure, à la soif de l'or et du sang,
À la peur, avant-goût de l'ardente Géhenne !
　　LECONTE DE LISLE, Poèmes tragiques, « Lévrier de Magnus », III.

▶ **SE VOUER** v. pron. réfl. (V. 1155).

(Sens 1.). Se consacrer à... *Se vouer à Dieu, à une religion* (→ Initier, cit. 1), *à une vocation.* — Loc. *Ne savoir à quel saint* (cit. 10) *se vouer*, à qui recourir. — (Sens 3.). S'employer avec un zèle constant, se consacrer à... *Se vouer à l'étude* (⇒ **Appliquer** [s'], **donner** [se]), *à une recherche difficile.* ⇒ **Attaquer** (s').

5 (...) montrer (*les vices*) à découvert, telle est la noble tâche de l'homme qui se voue au théâtre.　　BEAUMARCHAIS, le Mariage de Figaro, Préface.

▶ **VOUÉ, ÉE** p. p. adj. (V. 1570; cf. au XVe *voué* « avoué », de l'anc. franç. *voet*, XIIe, du verbe *vouer* « appeler », du lat. *vocare*).

(Sens 1). Consacré par un vœu religieux. *Femmes vouées à l'adoration perpétuelle* (→ Face, cit. 44). « *Une toute petite fille (...) vouée au blanc* », tout de blanc vêtue (Hugo, *Choses vues*, I.). — (Sens 2). (1723). *Hommes voués à l'expression de l'art* (→ Artiste, cit. 3). *Voué aux travaux désintéressés* (cit. 4). *Voué sans réserve à une idée* (→ Subordonner, cit. 1). — (Sens 3). Qui est destiné d'une manière impérative (comme par une force extérieure). *Champs voués à la culture* (→ Parcellaire, cit. 5). *Bicoque* (cit. 3) *vouée à la démolition.* — *Voué sans appel* (cit. 23) *à la médiocrité.*

6 Il est des êtres voués au jeu, comme il est des êtres voués à l'amour.
　　FRANCE, le Jardin d'Épicure, p. 18.

7 La nuit était vouée au vent et à la lune. Un immense bruissement de pins entourait le presbytère (...)　　F. MAURIAC, la Pharisienne, VII.

VOUERIE [vuRi] n. f. — 1611, Cotgrave, « dépotoir »; forme régionale pour *voierie, voirie*, du lat. *vicarius.*

♦ Régional. Personne méprisable. ⇒ **Voirie** (vx); **ordure.**

Une saleté qui fraye avec tous les hommes du pays, je l'ai vue, moi! Je l'ai vue cent fois. une sœur, quoi! une vouerie!　　M. AYMÉ, la Vouivre, p. 69.

VOUGE [vuʒ] n. m. — XIVe, Godefroy; *vooge*, XIIe ; du bas lat. **vidubium*, mot d'orig. gauloise.

♦ **1.** Archéol. Serpe à long manche, employée au moyen âge comme arme de guerre. ⇒ **Hallebarde.**

♦ **2.** (XVIe). Épieu utilisé en vénerie.

♦ **3.** Régional. Serpe à manche servant à la taille* des arbres. ⇒ **Émondoir.**

VOUIVRE [vwivR] n. f. — XIIe, *wivre*; var. de *guivre*; du lat. *vipera* (→ Vipère).

♦ Régional (Jura, Suisse, Lorraine). Serpent, et, spécialt, serpent fabuleux des légendes. — Par ext. :
Vouivre, en patois de Franche-Comté, est l'équivalent du vieux mot français « guivre » qui signifie serpent et qui est resté dans la langue du blason. La Vouivre des campagnes jurassiennes, c'est à proprement parler la fille aux serpents.
　　M. AYMÉ, la Vouivre, I.

1. VOULOIR [vulwaR] v. tr. — *Je veux, tu veux, il veut, nous voulons, vous voulez, ils veulent; je voulais; je voulus; je voudrai; je voudrais; que je veuille, que nous voulions, que vous vouliez* (ancienn, *veuill(i)ons, veuill(i)ez*), *qu'ils veuillent; que je voulusse; voulant; voulu; deux impératifs : au sens fort, veux, voulons, voulez* (→ cit. 12); au sens affaibli — impér. de politesse —, *veuille, veuillons, veuillez* (→ cit. 5). — XIIe ; *voleir*, 980 ; d'un lat. pop. *volere*, formé sur le rad. *vol-* de certaines formes du lat. class. *velle.*

★ **I.** Avoir la volonté* ; l'intention*, le désir* de... **A.** (Suivi de l'inf., d'une complétive ou d'un pronom. ♦ **1.** (Suivi de l'inf.). *Je veux remuer, je ne peux pas* (→ 1. Pouvoir, cit. 7). ⇒ **Essayer.** « *Je veux être Chateaubriand ou rien* » (cit. 50). « *Seigneur, vous serez roi dès* (cit. 10) *que vous voudrez l'être* ». « *Je le suis, je veux l'être* » (→ Maître, cit. 37). « *Las* (cit. 8) *de se faire aimer, il veut se faire craindre* ». *Vouloir absolument faire, dire...* (→ Mouvement, cit. 24). ⇒ **Tenir** (tenir à). — Loc. *Vouloir dire.* → 1. **Dire** (cit. 25). — (Au conditionnel, pour marquer un désir plutôt qu'une volonté). *Qu'il est dur de haïr ceux qu'on voudrait aimer* (cit. 17). *Je voudrais croire, espérer...* (→ Oser). *J'aurais voulu savoir, mais j'avais peur d'apprendre* (cit. 32). *J'aurais voulu vivre et mourir libre* (cit. 18). *Vouloir entendre, vouloir voir* (cit. 26 et 29)... — Loc. *Je voudrais vous y voir*. *Je voudrais bien voir* (cit. 60) *qu'on me résistât.* — (Renforcé par *bien*). ⇒ **Aimer** (cf. Il me plairait de). *Je voudrais bien trouver* (→ Déverser, cit. 1), *savoir* (→ Plaire, cit. 22), *connaître...* (→ Attache, cit. 16).

1 (...) Arnaud Baculard, qui ne dit jamais ce qu'il veut dire, et ne fait jamais ce qu'il veut faire (...)
　　BEAUMARCHAIS, Mémoires... dans l'affaire Goëzman, p. 114.

2 Ils veulent être libres et ne savent pas être justes.
　　Abbé SIEYÈS, Disc. à la Constituante, 10 août 1789, *in* GUERLAC.

3 (...) il devra répondre comme faisait Rousseau à ceux qui lui demandaient, s'il avait voulu se peindre dans Saint-Preux : « Non, disait-il, Saint-Preux n'est pas ce que j'ai été, mais ce que j'aurais voulu être ».
　　SAINTE-BEUVE, Causeries du lundi, 29 oct. 1849.

4 Je voudrais être beau pour que tu m'aimes (...)
　　APOLLINAIRE, Ombre de mon amour, XXXVIII.

Spécialt (atténuation polie de *je veux*). *Je voudrais vous parler en particulier* (cit. 8).

(Au subjonctif optatif et à l'impératif de politesse). *Dieu veuille bénir ta maison* (→ Foison, cit. 2). « *Veuille le juste Ciel me garder en ce jour... !* » (→ Preuve, cit. 1). — *Veuillez être discret* (cit. 8). *Veuillez à votre tour reconnaître* (→ Nature, cit. 45; et aussi poème, cit. 2). *Veuillez entrer* (cf. Donnez-vous la peine de..., je vous prie de...). ⇒ **Politesse** (formules de).

5 — Monsieur, veuillez poursuivre maintenant, dit l'avoué. — *Veuillez*, s'écria le malheureux vieillard en prenant la main du jeune homme, voilà le premier mot de politesse que j'entends depuis (...)
　　BALZAC, le Colonel Chabert, Pl., t. II, p. 1103.

6 Lorsqu'un jour sonnera l'heure immense où tu meurs (...)
(...) Veuille encore penser à moi !
　　C^sse DE NOAILLES, Forces éternelles, « Lorsqu'un jour sonnera... »

6.1 Ne veuille plus rien; la fatigue vient de volonté. Tu y es, tu y es, n'y pense plus.
　　Jean PRÉVOST, Plaisirs des sports, p. 113.

(En phrase négative, la négation portant vraiment sur *vouloir*). *Il n'a pas voulu vous insulter*, sa volonté n'était pas de... (→ Manant, cit. 5). *Je ne veux pas me donner pour plus fort que je ne suis* (→ Atrocement, cit.). *Je ne veux pas dire que la poésie n'ennoblisse pas les mœurs* (→ Moral, cit. 4). — (Avec anticipation de la négation, qui porte alors non sur *vouloir* mais sur l'inf. suivant). *Ils ne veulent pas servir un maître*, leur volonté est de ne pas servir... (→ Dénombrer, cit. 3). ⇒ **Refuser** (refuser de). *Je ne veux pas orner* (cit. 10) *la vérité.* « *Je ne veux plus aimer que ma mère Marie* » (→ 1. Mère, cit. 2). — Loc. *Il ne veut rien savoir*.

(Sujet n. de chose). Fam. (En parlant d'une chose à laquelle on prête vie et volonté). *Le café s'entêtait à ne pas vouloir passer* (cit. 22). *Ce bois ne veut pas brûler* (Académie). *La voiture n'a pas voulu démarrer.*

6.2 Ce maudit rhume qui ne veut pas me quitter.　　ZOLA, Rome, X.

♦ **2.** VOULOIR QUE... (suivi d'une complétive au subj., dont le sujet ne peut être celui de *vouloir*). ⇒ **Entendre** (I., 2.), **envie** (avoir). « *Si tu veux qu'on t'épargne, épargne aussi les autres* » (cit. 47; → aussi Épargner, cit. 23). « *De nos crimes communs je veux qu'on soit instruit* » (→ Assassinat, cit. 1). *Veux-tu que je te laisse?* (→ Signe, cit. 14). « *Que vouliez-vous qu'il fît contre trois?* » (→ Désespoir, cit. 12). *Je voudrais bien que...* (→ Broderie, cit. 2).

(En phrase interrogative, *vouloir* prenant un sens affaibli, voisin de *demander, suggérer* ou *prétendre* → ci-dessous, III.). « *Sur qui dans son malheur voulez-vous qu'il s'appuie?* » (cit. 37). *Que vouliez-vous que je fisse d'elle?* (→ Parfait, cit. 3). *Qu'est-ce que vous voulez que j'y fasse?* (→ Parce que, cit. 7), *que ça me fasse? Comment voulez-vous que je m'en sorte?* (1. Sortir, cit. 26). — *Voudriez-vous que...?* (→ Voir, cit. 67). *Pourquoi veux-tu que...?* (→ Meurtrissure, cit. 2). — Fam. *Que voulez-vous que vous dise? je n'y peux rien, c'est comme ça.*

7 — (...) *Qu'avez-vous fait? — Que voulez-vous, mon père, que j'aie fait? — Ce n'est pas moi qui veux que vous ayez fait, mais qui demande ce que c'est que vous avez fait.* MOLIÈRE, les Fourberies de Scapin, II, 2.

8 — *Vous ne répondez point? — Que veux-tu que je dise?* RACINE, Bérénice, I, 3.

9 *Cette énormité n'attire plus vos regards? Elle retient les nôtres, que voulez-vous que je vous dise.* BERNANOS, les Grands Cimetières sous la lune, p. 256.

(En tour interrogatif, dans le même sens, avec ellipse de la complétive).*Que veux-tu? Que voulez-vous?,* marquant l'embarras, ou la résignation. ⇒ **Ainsi** (c'est). → Cachet, cit. 7; négligence, cit. 7; noircir, cit. 12; 2. plaid, cit. 4; provende, cit. 2; radoter, cit. 2. *Qu'est-ce que vous voulez?* (→ Prix, cit. 29). *Qu'est-ce que tu veux? Qu'est-ce qu'on peut y faire?*

10 — *Que veux-tu, mon pauvre nourricier? il faut bien obéir à notre maître* (...) MOLIÈRE, le Médecin malgré lui, I, 4.

(En phrase négative, la négation portant sur *vouloir*). *Je ne veux pas que..., mais je veux que...* (→ Art, cit. 53).

11 *Vous n'avez pas voulu qu'il eût la certitude*
Ni la joie ici-bas! HUGO, les Contemplations, IV, XV.

(La négation portant sur la complétive). *Je ne veux pas que tu viennes* (→ Diable, cit. 22), *qu'on les lise* (→ 3. Droit, cit. 11). ⇒ **Défendre, interdire.**

♦ **3.** (Avec un pronom complément neutre, représentant un inf., une complétive). *Dieu l'avait voulu* (→ Arriver, cit. 60). *Revenez, je le veux.* ⇒ **Commander, ordonner** (→ Bouder, cit. 4; demander, cit. 3). « *Vous l'avez voulu, George Dandin* » (cit.), mots passés en proverbe, pour signifier à qqn que ce qui arrive est de sa faute, qu'il l'a bien mérité. ⇒ **Conséquence** (accepter, subir les). *Vous l'avez voulu, bien voulu, c'est de votre faute. Si je l'avais voulu* (→ Dépouiller, cit. 31). *Que tu le veuilles ou non* (→ Trembler, cit. 5). ⇒ **Nolens volens. Sans le vouloir** (→ Mien, cit. 24). ⇒ **Involontairement, mégarde** (par). — (Le compl. est un démonstratif). « *Fais* (cit. 55) *ce que voudras* ». *Tu fais ce que tu veux, mais moi à ta place... Ce que femme veut, Dieu* (cit. 56) *le veut.* « *Et vous ferez* (cit. 143) *de lui tout ce que vous voudrez* ». ⇒ **Influence** (avoir de l'). *Si vous m'aimez, vous devez vouloir tout ce que je veux* (→ Exclusivement, cit. 5). « *(...) tu peux ce que tu veux* » (→ Haut, cit. 117). *L'homme vraiment libre* (cit. 26 et 28) *ne veut que ce qu'il peut. Vous qui ne savez rien et qui ne voulez rien* (→ Routine, cit. 3). *Il ne sait pas ce qu'il veut. Il vise* (1. Viser, cit. 5) *à bien dire ce qu'il veut, comme il le veut.*

12 (...) *n'espérez plus au néant; non, non, n'y espérez plus; voulez-le, ne le voulez pas, votre éternité vous est assurée.* BOSSUET, Second sermon, Pour la fête de tous les saints, III.

13 *Une seule personne qui sait ce qu'elle veut, où elle va, brise le désordre de cinq cents énergumènes.* M. BARRÈS, Leurs figures, VII.

14 *Les esprits valent selon ce qu'ils exigent, Je veux ce que je veux.* VALÉRY, Mauvaises pensées, Œ., t. II, Pl., p. 165.

(Avec ellipse du complément). *Comme, quand, où* (cit. 35)... *je veux* (→ 1. Aller, cit. 5; bon, cit. 64; intrigant, cit. 4). *Je fais ce que je veux avec lui. Je fais ce que je veux quand je veux.* — Fam. *Ça va-t-il comme vous voulez?* (→ Maître, cit. 96). *Cela n'allait pas exactement comme elle voulait. Tant que vous voulez. Le fasse, le lise... qui* (cit. 34 et 35) *voudra. Assommez-moi si vous voulez* (→ Assommer, cit. 13). « *Doutez* (cit. 25), *si vous voulez, de l'être qui vous aime...* »

15 (...) *il frappera le taureau où il voudra, quand il voudra, comme il voudra.* Th. GAUTIER, Voyage en Espagne, p. 212.

Si tu veux, si vous voulez, si on veut, s'emploie pour marquer une concession (par rapport à l'interlocuteur ou au lecteur) ou l'approximation (→ Ardent, cit. 7; désespérance, cit. 1; laid, cit. 2; navrer, cit. 4; rappeler, cit. 4). « *Guenille, si l'on veut, ma guenille* (cit. 6) *m'est chère.* »

B. (Avec un nom complément). ♦ **1.** a (Compl. n. de chose). Prétendre obtenir (qqch.) ou souhaiter que se produise (qqch.). ⇒ **Demander, désirer** (cit. 6). *Je veux mes cent francs* (→ Prendre, cit. 28). *Vouloir d'abord la fortune* (→ Risquer, cit. 15), *vouloir avant tout son divertissement* (cit. 3), *vouloir sa tranquillité à tout prix* (→ Majorité, cit. 3). « *Je ne veux que l'honneur de l'attacher* (cit. 2) *moi-même* ». *Je ne veux pas la mort** (1. Mort, cit. 34) *du pécheur. Ils ont voulu la guerre* (cit. 14 et 26). — Prov. *Si tu veux la paix, prépare la guerre**. — *Le peuple veut son relèvement* (cit. 1). *Je voulais cette explication, je l'ai provoquée* (cit. 5). ⇒ **Souhaiter** (→ aussi Nuance, cit. 9; poète, cit. 4).

16 *J'ai voulu des jardins pleins de roses fleuries,*
J'ai rêvé de l'Éden aux vivantes féeries,
De lacs bleus, d'horizons aux tons de pierreries;
Mais je ne veux plus rien; il suffit que tu ries. Ch. CROS, Sonnet madrigal.

Vouloir qqch. de qqch. Je veux cent francs de ce livre, j'en veux tel prix.
Spécialt (pour exprimer la demande d'un client). *Monsieur veut-il une friction?* (→ Shampooing, cit.). *Il voulait une paire de pistolets*

(1. Pistolet, cit. 1). « *Qu'est-ce que vous voulez? — Trois pastis* » (cit. 1; → aussi 2. Râble, cit. 1). — (Au conditionnel de politesse). *Nous voudrions une chambre* (cit. 7). *Je voudrais deux salades.*

(Avec de partitif). « *Je veux de la poudre et des balles* » (→ Grec, cit. 6). *Voulez-vous du café? Je ne veux pas de ça.* « *Où je ne vois point de profit* (cit. 1), *je veux au moins du plaisir* ». *J'en veux, je n'en veux plus.* « *Mange, finis ta soupe! — J'en veux plus!* » *J'en veux encore, de la glace! Je n'en veux plus de cette robe, je te la donne.*

Maria veut encore boire. Il commande les manzanillas sans faire de remarques. 16.1
Lui aussi en prendra.
— *C'est mon mari qui a voulu de l'Espagne pour les vacances. Moi j'aurais préféré ailleurs.* M. DURAS, Dix heures et demie du soir en été, p. 12.

Loc. *En veux-tu, en voilà**.

Et des placards, et des armoires, et des tiroirs et des resserres, et des fouillis de toute sorte, en veux-tu, en voilà... Jamais je ne me retrouverai dans tout cela (...) 16.2
O. MIRBEAU, le Journal d'une femme de chambre, p. 23.

Je ne manque pas d'ouvrage à Genève. J'en ai, de toutes sortes, en veux-tu, en voi- 16.3
là. R. ROLLAND, Deux hommes se rencontrent, p. 282.

En vouloir pour son argent*.

Absolt. **EN VOULOIR.** — Fam. *Une jument qui en veut,* qui est en chaleur. — Fig. *Il en veut!* : il se dépense beaucoup, il est plein d'ardeur. *Un type qui en veut,* ambitieux, arriviste.

b (Compl. n. de personne). « *Mais Rome veut un maître* (cit. 17) *et non une maîtresse* » (→ aussi 1. Peuple, cit. 1). *Les hommes veulent des messies* (cit. 5). « *Je voulais votre fille, et ne pars qu'à ce prix* » (→ cit. 18).

Spécialt. Vouloir posséder charnellement; désirer (→ Graveleusement, cit. 3; sien, cit. 3).

— (...) *Je te veux; me veux-tu de même? — Avec plaisir.* 17
MOLIÈRE, le Dépit amoureux, I, 2.

(...) *ce n'était pas Lise qu'il voulait, c'était cette gamine! Jamais l'idée de la peau* 18
de Lise contre la sienne ne lui avait seulement fait battre le cœur; tandis que tout son sang l'étouffait, à la seule pensée d'embrasser Françoise.
ZOLA, la Terre, II, IV.

c *Vouloir qqch. de qqn,* vouloir obtenir de lui. ⇒ **Attendre** (→ Non, cit. 60). « *Et Ruth ne savait point ce que Dieu voulait d'elle* » (→ Nuptial, cit. 3). « *Que voulez-vous de moi, flatteuses voluptés?* » (→ Attachement, cit. 1).

Que vais-je devenir, et que veut-on de moi? 19
A. DE MUSSET, Poésies nouvelles, « L'espoir en Dieu ».

(Dans le même sens, par attraction de *demander,* cit. 32 et 33). *Qu'est-ce que vous me voulez?*

— *Gabrielle! — Que me voulez-vous? — Ne trouvez-vous pas que ça a assez* 20
duré? MAUPASSANT, l'Inutile Beauté, IV.

d **VOULOIR** (qqch.) **À** (qqn) : souhaiter que (qqch.) échoie, arrive à (qqn). *Vouloir du bien à autrui.* ⇒ **Altruiste** (cit. 1; et → Roussir, cit. 2). — (Le compl. est un pronom). *Il me veut quelque bien* (→ Mouvement, cit. 38). *Le bien qu'ils m'ont voulu* (→ Attacher, cit. 59). *Vouloir mal* (vx; → 1. Dire, cit. 46), *du mal* (3. Mal, cit. 5) *à qqn. Je ne veux pas de mal* (3. Mal, cit. 9) *à personne* (→ Bougre, cit. 2). *Un ami qui vous veut du bien* (formule de lettres anonymes). — Vx. « *Je me veux mal de mort d'être de votre race* », je m'en veux d'être... (→ Sang, cit. 20).

— *Vous voulez un grand mal à la nature humaine!* 21
— *Oui, j'ai conçu pour elle une effroyable haine.*
MOLIÈRE, le Misanthrope, I, 1.

Ô mes enfants! il en est donc qui se sont rendus des traîtres dans l'Église de Dieu? 21.1
Il fallait refuser ce pain, dès que vous vouliez mal à quelqu'un de ceux à qui il jurait amitié en votre nom (...)
RESTIF DE LA BRETONNE, la Vie de mon père, p. 42.

(...) *Thérèse parla d'objets que l'on perd, de parents éloignés qui vous veulent du* 21.2
bien, de voyages avantageux et de maladies dont il ne faut pas s'inquiéter.
R. QUENEAU, Loin de Rueil, p. 14.

♦ **2.** Vx. *Se faire bien vouloir, mal vouloir* (de qqn), s'attirer la sympathie, l'antipathie.

Souhaiter que (qqch., qqn) ait (qqch.).

Oui, quand Hélène me parle, je lui voudrais une autre voix quand elle me regarde, 22
je lui voudrais d'autres yeux. BALZAC, la Femme de trente ans, Pl., t. II, p. 750.

♦ **3.** (1549). **EN VOULOIR À** (qqn, qqch.). a (Vieilli). S'en prendre à... (→ Piédestal, cit. 3). *En vouloir à la vie de qqn.*

b (XVIIe). Avoir des prétentions, des visées sur, s'intéresser à (qqch.). *On n'en veut qu'à sa signature* (cit. 6), *qu'à son argent.*

— (...) *Elle en veut à mon cœur, et non pas à l'empire.* 23
— *D'autres avaient déjà pris soin de me le dire,*
Seigneur; et que votre reine a le goût délicat
De n'en vouloir qu'au cœur, et non pas à l'éclat.
CORNEILLE, Tite et Bérénice, V, 2.

c (XVIIe, avec valeur affective). Cour. Avoir de l'hostilité envers (qqn à qui l'on a qqch. à reprocher), garder du ressentiment, de la rancune contre... ⇒ **Avoir** (en), **irrité** (être), **plaindre** (se), **rigueur** (cit. 3 : tenir rigueur). → Brutal, cit. 7; humeur, cit. 47. *Il ne faut pas lui en vouloir* (→ Indulgent, cit. 8). *Je ne vous en veux plus* (→ Fatalité, cit. 5). — (Avec un compl. de cause). *En vouloir à qqn de, pour qqch., à cause de qqch. Elle lui en voulait de ce calme* (→ Asseoir, cit. 46). *Il ne lui en voulait pas de déprécier* (cit. 6)

les choses qu'il estimait (→ aussi Faim, cit. 18 ; monopole, cit. 5 ;
réduire, cit. 18). *J'en veux à l'humanité de ce que je fais partie*
(cit. 10) *d'elle.*

24   En vouloir à une créature, c'est lui vouloir du mal. Pourquoi pas du bien ? Serait-
ce que le principal versant de notre volonté serait du côté du mal ?
                                HUGO, l'Homme qui rit, II, I, IX.

25   — (...) Tiens, je n'ai jamais pu t'avoir de véritable gratitude, et c'est pour cela,
surtout pour cela, que je t'en veux : tu as fait de moi un ingrat.
                              G. DUHAMEL, Salavin, III, XXVI.

S'en vouloir de... : se reprocher de. ⇒ **Repentir** (se). *Je m'en veux
d'avoir accepté. Je m'en voudrais !* (cf. fam. Ça me ferait mal !).

26   — (...) allons aux championnats d'athlétisme féminin.
  — Moi, aller voir des femmes ? Ah ! je m'en voudrais ! La cucuterie !
                MONTHERLANT, les Olympiques, II s'en voudrait !, p. 32.

REM. À l'impératif, on rencontre les formes *Ne m'en veuille, ne m'en
veuillez pas* (cf. Hugo, Valéry, Giraudoux, *in* Grevisse), et, plus cour.,
Ne m'en veux pas, ne m'en voulez pas (Flaubert, R. Rolland, Barrès).

♦ **4.** (Avec un attribut du complément). Souhaiter avoir (une chose
présentant certain caractère, une chose dans certaines conditions).
« *Comment voulez-vous votre steak ? — Bleu* ». *Il cultivait l'amitié* (cit. 22) *mais la voulait modérée. Si elle veut une révolution,
elle la veut en faveur de la vie* (→ Romantisme, cit. 7). *Il veut le
blé à bon marché* (→ Oiseau, cit. 22). — *Il les voulait telles qu'elles étaient* (→ Panier, cit. 8). — « *Je n'en veux pour témoin qu'Hercule et ses travaux.*» (→ Fleur, cit. 10). → ci-dessous Se vouloir
(3.). *Je n'en veux pour preuve que...*

26.1   Pressons-nous, mes enfants, dit-il d'une voix qu'il voulait cordiale et qui grinçait.
Pensez qu'il commence à se faire tard.
              M. AYMÉ, le Vin de Paris, « Traversée de Paris », p. 29.

♦ **5.** (XIIIᵉ ; avec un compl. d'objet indirect). **VOULOIR DE** (**qqch.** ou
qqn), être disposé à s'intéresser à..., à se satisfaire de... — REM. À la
différence des tours où *de* a sa valeur partitive *(je veux du pain)*, cette
construction, employée surtout en phrase négative, « donne une force
remarquable à l'expression du refus » (G. et R. Le Bidois, *Syntaxe du
français moderne*, § 1846). *Un misérable banquier a daigné vouloir
d'elle* (→ Tigré, cit. 1). *Se souciant peu qu'on veuille ou non d'eux*
(→ Faiblesse, cit. 34). — *Une pouliche dont pas un parieur* (cit.)
ne voulait. ⇒ **Abandonner.** « *Dieu ne veut point d'un cœur où le
monde domine* » (cit. 4). *Si vous ne vouliez pas de mon amour...*
(→ Aussi, cit. 38). « *Une femme* (cit. 56) *pardonne tout, excepté
qu'on ne veuille pas d'elle* » (Musset). *Personne n'en veut. Je n'en
voudrais pour rien au monde.* — (Avec attribut du complément).
De petits jeunes gens dont je n'aurais pas voulu pour soldats
(→ 1. Pistolet, cit. 4).

27   Veux-tu de nous ? La paix. N'en veux-tu pas ? La guerre.
                    HUGO, la Légende des siècles, VI, VII.

♦ **6. Absolt.** Faire preuve de volonté. *La faculté de vouloir*
(→ Désir, cit. 1). *L'art de sentir et de vouloir* (→ Humanisme,
cit. 7). *Pouvoir et vouloir* (→ 1. Pouvoir, cit. 28 et 29). *Dieu*
(cit. 7), *cet être qui veut et qui peut. Vouloir et savoir* (→ 1. Savoir,
cit. 22). « *Voulons fortement* (cit. 2) *et nous serons plus formidables que jamais* ». *Sachez vouloir, vouloir fortement* (→ Flottant,
cit. 5). *À force de m'habituer à ne pas vouloir* (→ Lâche, cit. 6).
— Prov. *Vouloir, c'est pouvoir* (→ Voir, cit. 52).

28   — Mais si vous êtes et si vous avez toujours été le maître de vouloir, que ne voulez-vous à présent aimer une guenon ; et que n'avez-vous cessé d'aimer Agathe toutes les fois que vous l'avez voulu ? Mon maître, on passe les trois quarts de sa vie
à vouloir, sans faire. — Il est vrai. — Et à faire sans vouloir.
              DIDEROT, Jacques le fataliste, Pl., p. 723.

29   (...) M. Casimir Perier avait la qualité dauphinoise, il savait *vouloir*. Le souffle
de Paris affaiblissant, corrodant la faculté de *vouloir*, n'avait pas encore pénétré
dans nos montagnes en 1800.   STENDHAL, Vie de Henry Brulard, 42.

★ **II. Par anal.** (Sujet n. de chose, à laquelle on prête une sorte de
volonté). ⇒ **Demander, exiger, réclamer** (cit. 5).

♦ **1.** (Avec l'infinitif). ⇒ **Besoin** (avoir besoin de). *L'attention* (cit. 7)
veut être relâchée de temps en temps (→ aussi Archaïque, cit. 1).
L'orme (cit. 2) *veut être toujours mouillé.*

30   Avec lumière et choix cette union veut naître (...)
                    MOLIÈRE, le Misanthrope, I, 2.

Spécialt. *Vouloir dire* : signifier*. ⇒ 1. **Dire** (cit. 97 et 98).

♦ **2.** (Avec une complétive). « *La parfaite raison fuit toute extrémité* (cit. 14) *Et veut que l'on soit sage avec sobriété* » (Molière).
La nature, l'honneur, la prudence, l'usage veut que... ⇒ **Prescrire**
(→ Assurer, cit. 53 ; manière, cit. 22 ; 1. sacré, cit. 8). *La loi, la
mode, la convenance voulait que...* (→ Libelle, cit. 1 ; outré, cit. 1 ;
silence, cit. 6). *Le hasard voulut qu'il fît beau ce jour-là. Un
malheureux* (cit. 24) *hasard voulut qu'ils ne fussent point réunis*
(→ aussi Pied, cit. 25). *Son malheur voulut que...* (→ Gagner,
cit. 8). — REM. Dans ces deux derniers cas, si l'on veut marquer qu'il
n'y a rien d'intentionnel dans ce « hasard » ou ce « malheur », la complétive, exprimant alors la simple constatation d'un fait fortuit (cf. *Le
hasard fit que...*), pourra être à l'indicatif (ou au conditionnel). « *Le malheur veut que qui veut faire l'ange* (cit. 14) *fait la bête* ».

31   Le bien que nous avons reçu de quelqu'un veut que nous respections le mal qu'il
nous fait.   LA ROCHEFOUCAULD, Maximes, 229.

32   J'avais conservé le manuscrit raturé avec un soin religieux ; le malheur a voulu

que tout dernièrement (...) on a brûlé une foule de papiers parmi lesquels le discours a péri.   CHATEAUBRIAND, Mémoires d'outre-tombe, II, VII, IV.

33   (...) si le malheur veut que je vous ai perdue pour toujours, je ne chercherai pas
à vous remplacer (...)   Henry BECQUE, la Parisienne, III, 6.

34   (...) le malheur a voulu qu'on ait à rouvrir la caisse (...)
        J. ROMAINS, les Hommes de bonne volonté, t. VI, X, p. 79.

Vieilli. (Avec un compl. d'objet). Nécessiter, avoir besoin pour exister,
se faire, pour réussir. ⇒ **Demander, exiger, requérir.** *Ce travail, ce
poème veut du temps, des soins* (→ Apprentissage, cit. 7). « *Cet
art veut sur tout autre* (cit. 33) *un suprême mérite* ». « *Cette vérité
veut quelque adoucissement* » (cit. 4). *Le sublime* (cit. 4) *veut des
pensées élevées. La vérité ne veut aucun ornement* (→ 1. Parer,
cit. 4). — Gramm. « *Afin que* » *veut le subjonctif.* ⇒ **Régir.** — *Ce
plat veut une longue cuisson.*

35   (...) tu y regarderas à deux fois avant d'acheter ou de faire construire une papeterie (...) Il te faudra d'ailleurs prendre un brevet d'invention (...) Tout cela voudra du temps et de l'argent.
           BALZAC, Illusions perdues, Pl., t. IV, p. 928.

Loc. fam. Vx. *Être à bouche que veux-tu, traiter qqn à bouche que
veux-tu.* ⇒ **Bouche** (*supra* cit. 7).

Mod. *S'embrasser à bouche que veux-tu,* longuement, à pleine bouche. — Par plais. *À gueule que veux-tu* (→ Museler, cit. 1).

★ **III.** (Volonté « logique »). **VOULOIR QUE...,** affirmer (par un acte
du jugement volontaire plus que par référence à la réalité). ⇒ **Prétendre.** *Descartes a voulu, contre toute apparence* (cit. 46), *que les
animaux fussent des machines* (→ aussi Mécanique, cit. 5). *Elle
veut à toute force que la seule approche d'un homme déshonore*
(cit. 7) *une fille. Ceux qui veulent que les hommes soient tout
bons ou tout méchants* (→ Mélanger, cit. 6). — (Sujet n. de chose).
La thèse, l'opinion, la maxime qui veut que... (→ Instinct, cit. 11 ;
raison, cit. 35 ; relation, cit. 9). *La légende veut que... Un mythe*
(cit. 2) *grec veut que...* — REM. Par analogie avec *prétendre,* la complétive est parfois à l'indicatif.

36   La légende veut qu'à Bagdad il rencontra l'illustre El Ghazali, et qu'en le voyant
celui-ci (...) aurait dit (...)
      Jérôme et Jean THARAUD, le Rayon vert, p. 3, *in* GREVISSE.

(Dans le même sens, suivi d'un inf.). *Il veut à tout prix l'avoir rencontré.*

37   (...) une petite fille, en sa vie si morne, veut absolument avoir été violée dans un
bois (...)   Henri MICHAUX, La nuit remue, p. 204.

Pop. JE VEUX !, s'emploie comme formule d'approbation ou d'affirmation énergique (cf. Je pense bien !). — « *Il connaît son affaire.
— Je veux ! dit le typo* » (→ Main, cit. 82). *Je veux, mon neveu !*
(même sens).

38   — Tu ne trouves pas qu'il y a de l'abus ? demanda Louis-César.
  — Je veux ! répondit Osmond, en faisant une moue écœurée.
          Michel DE SAINT-PIERRE, les Aristocrates, XV.

38.1   — Ça durera que quelques jours, que vous m'avez dit.
  — En effet. Voilà. D'abord : vous avez votre permis ?
  — Naturellement, dit Pierrot.
  — Je m'en doutais. Vous sauriez conduire une camionnette ?
  — Je veux, dit Pierrot.   R. QUENEAU, Pierrot mon ami, Folio, p. 159.

38.2   — Tu la connais ?
  — Je veux. Oh là là.   R. QUENEAU, le Dimanche de la vie, p. 46.

Avec une complétive :

38.3   Des paumés comme toi, des mal habillés, je veux qu'on les voie venir de loin.
        M. AYMÉ, le Vin de Paris, « Traversée de Paris », p. 49.

★ **IV.** (Simple acquiescement de la volonté). ♦ **1.** (Sous la forme simple). Accepter de..., consentir à... (Suivi de l'inf.). *Demande-lui s'il
veut venir souper avec moi.* ⇒ Demander (cit. 47). ⇒ **Accepter.** *Je
vais te donner un louis d'or pourvu que tu veuilles jurer* (cit. 9).
Je ne voudrais à aucun prix le perdre (→ Tenir, cit. 42). « *Qui
voudra s'abaisser à me servir d'appui ?* » (cit. 39). ⇒ **Daigner.** *Si
vous voulez me suivre par ici, Monsieur* (→ Ordonnance, cit. 6).
— (Avec ellipse de l'inf. compl.). *Je vous dirai* (1. Dire, cit. 81),
si vous voulez, le conte de Peau d'Âne. *Si tu voulais* (→ Leçon,
cit. 6).

Spécialt. (En tour interrogatif, pour exprimer une prière polie). ⇒ **Politesse** (formules de). *Voulez-vous avoir l'obligeance, la bonté de...?*
(→ Formulaire, cit. 3 ; joindre, cit. 19). *Voulez-vous repasser lundi
prochain ?* (→ Passe-droit, cit. 2). — (Ellipt.). *Laissez-moi souffler
un peu, voulez-vous ?* — (Pour marquer un ordre qui reste poli). *Veux-
tu te taire* (cit. 9), *animal ? Voulez-vous ne pas baisser le nez ?*
(→ Privauté, cit. 1).

39   *Vouloir,* employé interrogativement, est souvent (...) une formule de demande ;
mais il exprime fréquemment aussi un ordre catégorique, pressant même ; ce n'est
que par une sorte d'ironie que l'on sollicite le consentement de la personne à qui
on commande, ou pour lui poser un dilemme : **Veux-tu te taire,** *polisson !* (MUS-
SET, *Lorenzaccio,* V, 5). *Qu'est-ce que cette coiffure ?* **Veux-tu arranger** *tes cheveux ?* (A. Cap., *Châtelaine,* I, 2).
        F. BRUNOT, la Pensée et la Langue, p. 563.

40   (...) voulez-vous vous en aller là dehors, petit fripon ?
        MOLIÈRE, la Comtesse d'Escarbagnac, 2.

Vieilli. *Vouloir que...* (pour marquer une simple concession de l'esprit).
⇒ **Accorder, admettre, concéder.** « *Je veux qu'il y ait dans l'Écriture des obscurités* (...) *mais il y a des clartés admirables* »
(→ 1. Manifeste, cit. 1).

41   Je veux qu'elle ait en soi quelque chose d'aimable ;
Mais enfin à Mélite est-elle comparable ?
        CORNEILLE, Mélite, II, 6.

41.1 (...) par habitude de professeur, il se servait constamment d'expressions comme «j'accorde que», et même, pour dire «je veux bien que», «je veux que» : «je veux que l'énorme développement des fronts nécessite, etc.»
PROUST, le Temps retrouvé, Pl., t. III, p. 792.

♦ **2. VOULOIR BIEN** : admettre, permettre, tolérer. — (Suivi de l'inf.). *Je veux bien avouer que...* (→ Dramatique, cit. 1 ; et aussi 1. marron, cit. 5 ; synthèse, cit. 3). *Je veux bien m'en tenir à cette punition légère* (cit. 17). *Le bel article que vous avez bien voulu me faire* (→ Moitié, cit. 17). *Il voulait bien mentir mais non pas se parjurer* (cit. 2). *Si elle voulait bien me recommander* (cit. 1). *Je viens vous prier de vouloir bien...* (→ Orchestre, cit. 9). *Vous voudriez bien m'avertir si...*

Ellipt. *Nous jouerons* (cit. 22) *à trois, si vous voulez bien.* — Fam. *Nous, on* (cit. 36) *veut bien. Moi, je veux bien* (→ Studio, cit. 1). *Je veux bien croire, admettre* (mais sans conviction, par pure complaisance). ⇒ **Accord** (être d').

41.2 Carlotta me regardait de ses beaux yeux bruns ; et elle murmura en se mettant à sourire : «S'il veut, je veux bien, moi.»
Comment aurais-je pu refuser ? Je déclarai : «Mais certainement que je veux bien.»
MAUPASSANT, les Sœurs Rondoli, Pl., t. II, p. 160.

Vouloir bien que... (suivi du subjonctif). → Récuser, cit. 1. *Je veux bien que vous preniez...* ⇒ **Permettre** (→ Olé, cit. 1). — (Pour marquer une simple concession de l'esprit). *Je veux bien que l'insuffisance d'instruction leur rende* (cit. 35) *plus difficiles... Ils ont donc été superstitieux* (cit. 1) ; *je le veux bien, mais...* (→ aussi 2. Que, cit. 7). — REM. Comme *accorder* ou *admettre, vouloir bien* peut, dans ce sens, être suivi de l'indicatif.

42 Je veux bien que je n'avais pas tout à fait raison de l'agacer... avec mes philosophies contraires à ses convictions religieuses, mais il faut dire que (...)
CÉLINE, Voyage au bout de la nuit, p. 344.

BIEN VOULOIR (à l'inf.). *Je vous demande de bien vouloir recevoir M. X.*

★ **V.** (En fonction d'auxiliaire d'aspect). Régional. Suivi de l'infinitif, *vouloir* s'emploie parfois au lieu d'*aller* pour exprimer un futur à la fois proche et probable. *Il veut pleuvoir* (xvᵉ, Dijon, cf. Grevisse, § 655, 15°, note). *On dirait qu'il veut faire beau.*

43 Ils sont plus tourmentés sans comparaison de leurs douleurs quand il veut pleuvoir, que lorsqu'il fait beau temps (...)
A. PARÉ, IX, 5, *in* LITTRÉ, art. *Vouloir.*

44 La baraque (...) semblait vouloir s'affaisser dans la boue (...)
G. DUHAMEL, Récits des temps de guerre, V, Le dernier.

▶ **SE VOULOIR** v. pron. (Déb. xvⁱⁱᵉ, d'Aubigné : *se vouloir mal de qqch.*).

♦ **1.** (1713). Récipr. Se souhaiter mutuellement. *Se vouloir du bien, du mal.* — *S'en vouloir* : avoir réciproquement de la rancune.

♦ **2.** (1799). Réfl. **S'EN VOULOIR** (de qqch.) : se reprocher. *Elle s'en veut de ne pas avoir répondu à ta lettre.* — Vx. *Se vouloir du mal de... :* s'en vouloir.

(1924, Montherlant). Fam. *Je m'en voudrais !* : je ne le ferais à aucun prix.

♦ **3.** (Mil. xxᵉ). **SE VOULOIR...** (et attribut). **a** (Personnes). Faire effort pour être ; se considérer comme... en faisant effort. *Il se veut équitable. Il se veut le témoin de son époque.*

b (Choses). Se donner pour... *Son livre se veut objectif.* ⇒ **Prétendre** (se).

♦ **4.** Didact. Réfl. Vouloir sa propre existence.

45 Le désir n'est pas. Les philosophes le savent depuis longtemps. Il «veut». Que veut-il ? Dans la mesure où ça désigne de l'«être» a un sens, le désir se veut.
Henri LEFEBVRE, la Vie quotidienne dans le monde moderne, p. 222.

▶ **VOULU, UE** p. p. adj.

♦ **1.** Qui a été voulu, recherché avec intention. ⇒ **Délibéré, intentionnel, volontaire.** *Frivolité consciente et voulue* (→ Amateur, cit. 7 ; et aussi pittoresque, cit. 5). *L'obscurité voulue de sa retraite* (→ Projection, cit. 3). *Dédain voulu* (→ Peuh, cit. 2). *Simplicité, nudité voulue* (→ 1. Magot, cit. 4). *C'est voulu :* ce n'est pas le fait du hasard.

♦ **2.** Commandé, requis par les circonstances. *Dans les formes juridiques voulues.* ⇒ **Prescrit** (→ Procès-verbal, cit. 2). *La quantité de drap voulue* (→ Soumissionner, cit. 1). *Faire pointer* (1. Pointer, cit. 2) *une carte à la case voulue.*

♦ **3.** Vx. *Bien, mal voulu* (de, par qqn) : envers qui on est bien, mal disposé ; bien, mal vu.

CONTR. **Refuser** — (De *voulu*) **Involontaire.**
COMP. **Revouloir.**
HOM. 2. **Vouloir.**

2. VOULOIR [vulwaʀ] n. m. — xⁱⁱᵉ ; infinitif substantivé de 1. *vouloir.*

♦ **1.** Littér. Faculté de vouloir. ⇒ **Volonté** (→ Distinction, cit. 5). *Mon vouloir* (→ Causalité, cit. 1). *Le vouloir divin* (→ Téméraire, cit. 2). *L'habitude* (cit. 41) *psychologique qui est une forme de vouloir.*

Si le talent a son germe dans une prédisposition cultivée, le vouloir est une conquête faite à tout moment sur les instincts, sur les goûts domptés, refoulés, sur les fantaisies et les entraves vaincues, sur les difficultés de tout genre héroïquement surmontées.
BALZAC, la Muse du département, Pl., t. IV, p. 177.

♦ **2.** (Déb. xvᵉ, *bon vouloir*). Vieilli. *Bon, mauvais vouloir :* bonnes, mauvaises intentions. ⇒ **Bienveillance, malveillance.** — (1670). Mod. Bonne, mauvaise volonté* (→ Expression, cit. 37 ; nature, cit. 30 ; précautionner, cit. 1). *Y mettre un mauvais vouloir évident.*

— C'est bon, conclut Voiturier, puisque vous y mettez du mauvais vouloir, la procession, y en aura pas.
M. AYMÉ, la Vouivre, VIII.

Vx. *Malin* (cit. 4) *vouloir :* mauvais vouloir.

HOM. 1. **Vouloir.**

VOULOIR- Premier élément de substantifs composés, d'infinitifs substantivés, formés librement sur le modèle de *vouloir-vivre* (Schopenhauer). — Ex. : *vouloir-apprendre, vouloir-paraître, vouloir-saisir,* etc.

C'est la panique qui meut les hommes, c'est la panique qui arme les bras, le vouloir-vivre qui incite à tuer, c'est malgré la panique qu'il faut durer.
Michèle PERREIN, Entre chienne et louve, p. 247.

Cependant, au milieu de cette étreinte enfantine, le génital vient immanquablement à surgir ; il coupe la sensualité diffuse de l'étreinte incestueuse ; la logique du désir se met en marche, le vouloir-saisir revient, l'adulte se surimprime à l'enfant.
R. BARTHES, Fragments d'un discours amoureux, p. 122.

VOUS [vu] (le *s* final se prononce *z* devant voyelle *vous êtes sûr* [vuzɛtsyʀ] ; ou *h* muet) pron. pers. — xᵉ ; du lat. *vos.*

Pron. pers. de la deuxième personne du pluriel, réel ou de politesse développé sur le modèle de *nous* de majesté (selon Bloch-Wartburg).
REM. 1. (Fonction). *Vous* peut être sujet (comme *tu**), apposition ou attribut (comme *toi**), compl. direct ou indirect (comme *te, toi*).
2. (Sens et valeur). *Vous* peut représenter un groupe de personnes (précis ou vague) dont le locuteur est exclu, ou une seule personne (→ Tu, toi).

♦ **1.** (Plur.). Sujet. «*Jeunes amours... vous êtes l'aube* (1. Aube, cit. 9) *et le matin du cœur*». *Vous n'irez pas.* — Attribut. *C'est vous.* — Compl. direct. *On vous tond, vous dites merci* (→ Mouton, cit. 15). *Vous voici*, vous voilà**.
REM. Quand *vous* est juxtaposé à un pronom de la troisième pers., l'accord se fait avec *vous. Vous et elle, vous resterez les derniers.*

Compl. indirect (sans prép. : «à vous»). *En vérité je vous le dis* (→ Livrer, cit. 7). — (Avec prép.). *Malheur à vous* (→ Malédiction, cit. 1). *Insensés* (cit. 5)... *tous vos maux viennent de vous. Soldats, je suis content* (cit. 13) *de vous. Quant à vous, les hommes* (→ Séance, cit. 5). *Parmi vous* (→ Finir, cit. 4). *Entre vous. De vous.* «*En vous voyant* (cit. 40), *ils sont pleins de vous* (...) » *Pour vous tous.*

Vous êtes papa et maman ! Vous êtes bien vous ! Alors pourquoi faites-vous comme si vous n'étiez pas vous ?
G. DUHAMEL, les Plaisirs et les Jeux, IV, VII.

♦ **2.** (Sing., remplaçant *tu, toi*). Sujet. *Vous dites, vous pensez...* (→ Authenticité, cit. 8). *Vous seul, Seigneur, vous seul, vous m'avez arrachée...* (→ Attacher, cit. 95). *Vous êtes...* (→ Reclore, cit. 2 ; sergent, cit. 1). *Vous devriez vous marier* (cit. 8). *Vous me comblez* (→ Maison, cit. 33). *Vous aussi...* (cit. 49). — *Ni vous, ni moi, nous...* (→ Misère, cit. 6). — En interrog. *Savez-vous ?...* (→ 1. Savoir, cit. 30 et 31). — Attribut. *Si j'étais vous, de vous... C'est vous, malhonnête* (cit. 4) *que vous êtes !* — Compl. direct. *Vous attendre* (cit. 23) *sous l'orme. Pour vous servir* (→ Quinola, cit. ; et aussi atteinte, cit. 1 ; excepter, cit. 2 ; force, cit. 73 ; manant, cit. 5 ; souhaiter, cit. 1). — REM. Place de *vous*, complément, avant le verbe, sauf avec un impératif positif. → Nous (I., 3., REM.) ; te, II. *Sauvez-vous* (→ Prévenir, cit. 20). *Armez-vous d'une loupe* (2. Loupe, cit. 4), *vous découvrirez...* — N.B. Dans la langue classique, avec deux impératifs, dont le second est réfléchi, on pouvait mettre *vous* avant le verbe.

(...) Puis-je espérer encore
Que vous accepterez un cœur qui vous adore ?
En combattant pour vous, me sera-t-il permis
De ne vous point compter parmi mes ennemis ?
RACINE, Andromaque, I, 4.

Compl. indirect. — À vous. *Tout vous sourit* (1. Sourire, cit. 9). *S'il vous plaît. Tout ce qu'il vous plaira* (→ Auprès, cit. 17). — Avec le verbe *être. Pour vous. Ce qu'ils vous sont.* — Avec prép. *Je viens à vous, Seigneur* (→ Morceau, cit. 7). *Il ne tient* (cit. 69, 74 et 75) *qu'à vous. Le service qu'on attend* (cit. 77) *de vous. Être aimé de vous* (→ 2. Mal, cit. 22)... — Loc. *De vous à moi* (→ Moi)... — *Je voudrais bien lire qqch. de vous. En vous* (→ Persuasif, cit. 1) ; *envers* (cit. 5) *vous. Pour vous* (→ Autre, cit. 65 ; regarder, cit. 8). *Auprès de vous* (→ Soin, cit. 11). *Avec vous* (→ Prémunir, cit. 1). *Après vous, Monsieur* (→ Priorité, cit.). *Chez vous :* dans votre maison, votre famille.

Je ne sais s'ils me blâment de vous aimer ; mais sûrement ils ne me blâmeront pas d'être dévouée à vous.
Mᵐᵉ DE STAËL, Corinne, VIII, I.

— Thérèse, je souffre, dans mon bonheur, de tout ce qui vous est qui m'échappe.
FRANCE, le Lys rouge, XIX.

♦ **3.** Pron. (réfl., récipr.). «*Vous vous trouveriez parjure en renonçant à Cinq-Mars ?* (...) *vous vous êtes plus qu'acquittée envers* *lui* » (→ Lier, cit. 32). *Je veux que vous vous réjouissiez* (→ Auparavant, cit. 3). *Pour un mot quelquefois vous vous étranglez tous* (→ Loup, cit. 6). *Vous vous êtes attiré des haines implacables* (→ 1. Garde, cit. 37).

♦ **4.** Répété ou renforcé. *Vous êtes seul, vous, vous pouvez vous serrer* (cit. 7) *le ventre...* — (Placé en vedette, en tête ou en fin de phrase). *Vous, je vous retrouverai ! Vous, toute cette paperasse* (cit. 3) *vous gêne. Je vous ai surpris allant à la messe, vous !* (→ Raison, cit. 64). *Dites donc, vous !*

Vous-même(s). — Plur. *Messieurs, tirez* (cit. 22) *vous-mêmes* (→ aussi Complaisance, cit. 14). — Sing. *Soyez-vous à vous-même un sévère critique* (2. Critique, cit. 25). *Vous les jetterez* (cit. 20) *à la poste vous-même.* « *Vous-même de vos soins craignez la récompense* » (cit. 4).

4.1 — Pierre, dit-elle à son Mari, excusez si je suis si émue : c'est mon fils, c'est un second vous-même.   RESTIF DE LA BRETONNE, la Vie de mon père, p. 115.

Vous autres (→ Autre, cit. 32.6 et *supra*). Marque une distinction. *Vous autres, vous êtes différents...* — En appos. *Vous autres les vieux ; vous autres bourgeois, vous...* — REM. *Vous autres* [vuzotʀ] ou, pop., *vous aut'* [vuzot] est plus fréquent dans certains usages régionaux qu'en français central.

Vous (précisé par un numéral cardinal). *En vous deux* (→ Préparer, cit. 6). *Entre vous deux* (→ Sauce, cit. 5). *À vous trois, vous y arriverez.*

♦ **5.** Indéfini, (remplace *on*, en fonction de complément). ⇒ On (cit. 24 et *supra*).

5 (...) les gens qui vous refusent les choses qu'on désire vous en donnent d'autres.   PROUST, À la recherche du temps perdu, t. V, p. 117.

6 Le canal passé, on entrait dans le bois et la fraîcheur vous tombait sur les épaules comme un manteau humide.   R. DORGELÈS, les Croix de bois, VIII.

7 (...) on lâche tout. On va se promener du côté du Luxembourg ; ou bien la visite d'un camarade vous délivre.   J. ROMAINS, les Hommes de bonne volonté, t. XIII, XXVIII, p. 268.

7.1 « Avec lui, j'ai toujours envie de lever la tête tant il a l'air (...) de vous considérer avec condescendance... » Elle fronce les sourcils :
— Vous ? — Enfin « vous »... je veux dire tout le monde, tous les gens comme moi (...)   N. SARRAUTE, le Planétarium, p. 305.

(En s'adressant à un lecteur, à un auditeur éventuel ou un groupe). *Vous, lecteur* (→ Questionner, cit. 1). *Une sonnerie* (cit. 2), *c'est une vrille qui vous transperce...* « *Vous, moi, quiconque passe* » (→ Pante, cit.).

8 Voulez-vous qu'on croie du bien de vous ? n'en dites pas.   PASCAL, Pensées, I, 44.

Explétif. ⇒ Te (A., 2., c). « *Le fidèle émoucheur vous empoigne un pavé* » (→ Aussitôt, cit. 12). *Elle savait vous tenir* (cit. 19) *un homme, celle-là. Avez-vous vu comme je te* (cit. 2) *vous lui ai craché à la figure ?*

9 Alors Napoléon vous enveloppe ces généraux allemands qui ne savaient où se fourrer pour être à leur aise, les pelote très bien, leur chipe quelquefois des dix mille hommes d'un seul coup en vous les entourant de quinze cents Français qu'il faisait foisonner à sa manière.   BALZAC, le Médecin de campagne, Pl., t. VIII, p. 454.

10 — C'est drôle comme une barbe et un bonnet pointu vous changent un homme !   MÉRIMÉE, Colomba, XI.

11 (...) sur mon âme,
Cela vous a la peau plus blanche qu'une femme !   HUGO, la Légende des siècles, XV, II, VI.

11.1 Père Pontcharrat, il y a des femmes brunes qui n'ont jamais quarante ans... et celle-ci vous a des yeux !   E. LABICHE, le Club champenois, 3.

12 Wisner avait l'air assez fâché. Ce Lenoir, avec ses stupides bavardages vous compromettait n'importe qui.   ARAGON, les Beaux Quartiers, II, VI.

♦ **6.** Nominal. *Dire vous à qqn* (⇒ Vouvoyer). *Tu me dis « vous » tout d'un coup* (→ Sensible, cit. 12).

13 — (...) observe-toi, je t'en prie, observe-toi. Je te dis encore *toi* parce que nous sommes seuls, mais tout à l'heure, devant le monde, ce sera : *vous*, tout le temps : *vous !*   Éd. PAILLERON, le Monde où l'on s'ennuie, I, 2.

14 — Taisez-vous, gonzesse, je vais vous corriger. D'un coup, le cercle attentif se resserra : gare ! il lui avait dit « vous », les choses allaient se gâter (...)   R. DORGELÈS, les Croix de bois, X.

15 La femme marche près de lui à petits pas, le flatte de petites phrases, lui dit vous et tu, tour à tour.   J. ROMAINS, les Hommes de bonne volonté, t. IV, XV, p. 158.

N. *Un vous* (→ ci-dessous, cit. 16, Maupassant) : un être qui

16 J'aime en vous quelqu'un que seule j'ai découvert, un vous qui n'est pas celui du monde (...) un vous qui est le mien, qui ne peut plus changer (...)   MAUPASSANT, Fort comme la mort, II, II.

Par ext. Vouvoiement. *Employer le vous à parler à ses parents.* « *Ils se tutoyaient, puis ils reprenaient le "vous"* » (M. Barrès, *Leurs figures*, p. 73).

DÉR. Vouvoyer.
COMP. Garde-à-vous.
HOM. Formes du v. **vouer.**

VOUSSÉ, ÉE [vuse] adj. — 1877 ; du rad. de *voûte* ; de l'anc. franç. *vous* « voûté », cf. *vousé* « voûté », mil. XIIe.

♦ Rare et littér. Qui présente une voussure. *Plafond voussé.* — Fig. Qui présente une courbure analogue à celle d'une voûte, d'un arc.

(...) un rectangle aux côtés non pas rigides, droits, mais légèrement ondulés ou plutôt voussés, comme si chacun cédait, se courbait légèrement sous l'effet d'une poussée venue du centre, la figure évoquant l'idée d'une voile gonflée par le vent, distendue.   Claude SIMON, le Palace, p. 49.

VOUSSEAU [vuso] n. m. — 1690 ; var. de *voussoir*, par changement de suffixe.

♦ Vieilli. Voussoir. *Des vousseaux.*

VOUSSOIEMENT [vuswamɑ̃] n. m. ⇒ **Vouvoiement.**

VOUSSOIR [vuswaʀ] n. m. — XVe ; *vosoir*, 1213 ; du rad. de *voûté* ; cf. anc. franç. *vous* « voûté », XIIe ; lat. pop. *volsus*, du lat. class. *volutus*, p. p. de *volvere* « tourner ».

♦ Archit. Pierre taillée qui entre dans la construction d'une voûte ou d'un arc. ⇒ **Claveau ; contre-clef, écuelle, trompillon.** *Les voussoirs d'une arcade, d'une fenêtre en plein cintre. Parement de voussoir.* ⇒ **Douelle.**

DÉR. V. Vousseau.

VOUSSOYER [vuswaje] v. tr. ⇒ **Vouvoyer.**

VOUSSURE [vusyʀ] n. f. — 1150 ; du rad. de *voûte* (→ Vousseau, voussé) ; de l'anc. franç. *vous* « courbé ».

♦ **1.** Archit. Courbure (d'une voûte, d'un arc).
Pathol. Exagération de la convexité (du thorax) dans une région limitée (Garnier).

♦ **2.** (1846, Bescherelle). Partie courbe qui surmonte (une porte, une fenêtre). *Voussure d'une porte en plein cintre. Arrière-voussure :* partie supérieure d'une baie qui couronne une embrasure de forme différente.

Sous la poterne basse à voussure de brique,
Un clerc tonsuré sort de l'ombre brusquement (...)
     LECONTE DE LISLE, Poèmes tragiques, « Romance Don Fadrique ».

♦ **3.** (XIXe). Arts. Chacun des arcs concentriques formant l'archivolte* (d'une arcade, d'un portail). ⇒ **Ébrasement.** *Les voussures sculptées des portails de cathédrales. Les saints, les anges des voussures.*

Mais suivez bien les ogives des voussures, ces quatre cordons d'images qui les dessinent. D'abord là, sur le premier, une haie de dix anges céroféraires ; puis sur le deuxième, la parabole des Vierges sages et des Vierges folles (...)   HUYSMANS, la Cathédrale, XI (1898).

VOUTAIN ou **VOUTIN** [vutɛ̃] n. m. — XXe ; de *voûte*.

♦ Archit. Chacun des quatre quartiers d'une voûte d'ogive.

VOÛTE [vut] n. f. — XIIIe ; *volte*, mil. XIIe ; du lat. pop. *volvita*, lat. class. *voluta*, p. p. fém. de *volvere* « tourner ».

♦ **1.** Ouvrage de maçonnerie cintré, fait de pierres spécialement taillées (⇒ **Claveau, voussoir**) et servant en général à couvrir un espace en s'appuyant sur des murs (dits pieds droits), ou des piliers, des colonnes (→ Colonnette, cit. 1). *Voûtes et plafonds. Voûte de pierres, de briques, de bois. Sommet d'une voûte.* ⇒ **Clef** (de voûte). *Bas d'une voûte.* ⇒ **Retombée** (cit. 1) ; **rein, sommier.** *Surface extérieure* (⇒ **Extrados**), *intérieure* (⇒ **Intrados**) *d'une voûte* (⇒ **Douelle**). *Poussée d'une voûte contre-butée par un contrefort.* ⇒ **Arc-boutant.** *Arc, arceau, cintre, courbures d'une voûte. Cintres pour construire une voûte. Voûte en plein cintre, en berceau* (en demi-cercle). *Voûte surhaussée, surbaissée. Voûte fermée, voûte sphérique* (hémisphérique, ou en calotte*). ⇒ **Coupole, dôme.** *Portion de voûte en quart de sphère* (⇒ **Cul-de-four**) *pour rattraper un angle.* ⇒ **Pendentif, trompe.** *Arc en saillie à l'intrados d'une voûte.* ⇒ **Arc-doubleau** (cit.). *Doubleau d'une voûte* (⇒ **Travée**, cit. 1). *Rencontre de deux voûtes en berceau* (⇒ **Lunette**). *Voûte d'arête :* intersection de deux voûtes cylindriques perpendiculaires (⇒ **Enfourchement**) *dont les arêtes sont nues ou recouvertes.* ⇒ **Ogive** (croisée d'ogives). → Côte, cit. 6. *L'ogive* (cit. 1), *couvre-joint de la voûte d'arête. Nervures* (cit. 2) *d'une voûte.* ⇒ **Formeret, lierne, tierceron** (→ Tomber, cit. 13.1). *Chape de voûte. Voûtes à caissons dorés* (→ Polyédrique, cit.), *peintes à fresque. Les voûtes d'une église* (→ Cantique, cit. 3). *Voûte centrale et voûtes des bas-côtés* (cit. 1). *Les travées d'une voûte. La voûte d'une galerie de cloître ; d'une porte cochère* (→ Salle, cit. 1). *La voûte d'un souterrain* (→ Torche, cit. 2), *d'une cave, d'une poterne, d'un égout* (cit. 2). *Voûte d'un pont.* ⇒ **Arche.** — Se dit aussi d'ouvrages semblables en poterie*, en ciment, en béton. *Voûte autoportante en béton.*

Après s'être secoué, Claude enfila le porche de la maison, une voûte profonde, béante sur une cour qui avait le jour verdâtre, l'odeur fade et moisie d'un fond de citerne.   ZOLA, l'Œuvre, III.

En voûte : en forme de voûte. *Taille en voûte d'un arbre.*

◆ **2.** [a] Paroi supérieure (d'une cavité naturelle) qui présente la courbure d'une voûte (1.). *La voûte d'une caverne, d'une grotte* (cit. 3). → Aspérité, cit. 2 ; stalactite, cit. 2.

[b] Feuillage en forme de voûte (1.). ⇒ **Voûture.** *Voûte d'arbres* (→ Cahin-caha, cit. 2), *voûte de plantes grimpantes d'un jardin.* ⇒ **Berceau, dais, dôme** (→ Entrelacer, cit. 2). *Jets d'eau formant une voûte.* ⇒ **Berceau** (d'eau).

[c] Poét. Se dit du ciel, qui semble affecter cette forme. ⇒ **Calotte.** *La voûte du firmament* (→ Explorer, cit. 5), *du ciel* (cit. 19) ; *céleste* (→ Changer, cit. 2 ; harpiste, cit.), *éthérée, azurée* (→ Clarté, cit. 8), *nocturne* (→ Balayer, cit. 8), *étoilée* (cit. 6).

2   Il commençait à me sembler que l'univers, avec sa voûte étoilée de globes impassibles et agaçants, n'était peut-être pas ce que j'avais rêvé de plus grandiose.
     LAUTRÉAMONT, les Chants de Maldoror, II.

Techn. Partie supérieure arrondie. *Voûte d'un fourneau* (⇒ **Couronne**), *d'un four* (⇒ **Chapelle**).

[d] Anat. *Voûte crânienne. Voûte du palais* ou *palais dur* (⇒ 2. **Palais,** cit. 1), *voûte palatine*. Voûte plantaire :* courbure du squelette de la partie inférieure du pied. ⇒ **Cambrure.**

◆ **3.** Techn. (mar.). *Voûte d'arcasse*, voûte :* partie arrière de la coque d'un navire. *Petite voûte :* saillie au-dessus de la voûte d'arcasse.

◆ **4.** (Impropre). Arc. — Par métaphore. → Voûté, 2 (à Voûter).

3   (...) des sourcils en arcade qui faisaient sur ses yeux deux voûtes de poils.
     MAUPASSANT, Une soirée, Pl., t. II, p. 895.

◆ **5.** Techn. Partie antérieure (du fer à cheval), opposée à la *pince.*

DÉR. **Voûtain, voûter, voûture.**

VOÛTER [vute] v. tr. — XIIIᵉ ; de *voûte.*

◆ **1.** Fermer (le haut d'une construction) par une voûte. *Voûter une cave, une galerie.* — (Passif et p. p.). *Temple voûté de pierres plates* (→ Miniature, cit. 6).

1   L'horreur de cette nef, voûtée de pesants berceaux, disparaissait avec la nuit (...)
     HUYSMANS, En route, I, I.

◆ **2.** Donner la forme d'une voûte à (qqch.). ⇒ **Cintrer, courber.** *« Les tables du violon sont voûtées selon un calcul exquis »* (→ Évidemment, cit. 1). — (1680). Techn. *Voûter un fer à cheval,* lui donner sa courbe, rapprocher les deux branches.

◆ **3.** (Mil. XVIᵉ). Rendre voûté (qqn). *L'âge, le travail de la terre l'a voûté.*

2   Il avait en face de lui, juste, deux employés enfermés dans la même pièce, l'un dont on apercevait le profil joufflu, l'autre qui voûtait un dos dont l'échine saillait.
     HUYSMANS, En ménage, V.

▶ **SE VOÛTER** v. pron. (1564).

◆ **1.** Se dit d'une personne dont le dos devient courbe, et perd ainsi de sa taille. ⇒ **Casser** (se). *Il s'est voûté avec l'âge.* — Par ext. *Ma taille* (cit. 9) *se voûtait.*

3   (...) la taille assez belle, s'il ne se fût point voûté (...)
     G. DUHAMEL, Refuges de la lecture, IV.

◆ **2.** Être en forme de voûte. *Feuillages qui se voûtent en berceau.*

▶ **VOÛTÉ, ÉE** p. p. adj. (V. 1213, *vosté*).

◆ **1.** Couvert d'une voûte. *Galerie, salle voûtée* (→ Colonnade, cit. ; soupirail, cit.). *Caveau, couloir voûté* (→ Pièce, cit. 28).

4   Des rues en forme de défilés, obscures et fréquemment voûtées (...)
     E. FROMENTIN, Une année dans le Sahel, p. 27.

◆ **2.** (1437). Littér. En forme de voûte. ⇒ **Arqué, courbé.**

5   Au-dessous des sourcils voûtés, les yeux violets, adoucis par des pleurs qui ne coulaient jamais (...)
     Paul MORAND, l'Europe galante, Écho, répondez!

◆ **3.** (1768, Voltaire). Personnes. Dont le dos est courbé et ne peut plus se redresser (→ Casser, cit. 20). *Une petite vieille très voûtée* (→ Crochu, cit. 1). *Marcher un peu voûté* (→ Équipier, cit. 1). — Par ext. *Dos* (cit. 1) *voûté.*

6   (...) les sports et la gymnastique l'avaient rendu en tout différent de cet homme blême et voûté, penché sur les additions, qui était son père.
     ARAGON, les Beaux Quartiers, I, VII.

VOUTIN [vutɛ̃] n. m. ⇒ **Voutain.**

VOÛTURE [vutyʀ] n. f. — 1576, « courbure » (du front) ; de *voûte.*

◆ **1.** (1853, G. Sand). Régional. Voûte formée par la végétation.

◆ **2.** (XXᵉ). Arcade.

VOUVOIEMENT [vuvwamã] n. m. — 894, Sachs-Villate, in D.D.L. ; de *vouvoyer.*

◆ Fait de dire vous à qqn. *Passer du vouvoiement au tutoiement.*

REM. Les formes *vousoiement* [vuzwamã] (1907) *voussoiement* [vuswamã] sont vieillies.

— C'est ce que j'ai appris en rentrant, dit Olivier, que le voussoiement d'Édouard consternait.
     GIDE, les Faux-monnayeurs, III, VIII.

VOUVOYER [vuvwaje] v. tr. — 1872, Littré (qui le critique et recommande *voussoyer*) ; de *vous,* d'après *tutoyer.*

◆ S'adresser à qqn en employant la deuxième personne du pluriel. ⇒ **Vous, votre.** *On vouvoie normalement les inconnus, ses supérieurs et toutes les personnes avec qui on n'est pas uni par des liens étroits* (⇒ **Tutoyer**).

     0.1
— Je n'ose plus vous tutoyer, dit Dominique.
— Je comprends ça. Mais on peut très bien se vouvoyer. À moins de parler à la troisième personne, je ne vois pas d'autre solution.
     R. QUENEAU, Loin de Rueil, p. 145.

REM. Les formes *vousoyer* [vuzwaje] (XVᵉ) et *voussoyer* [vuswaje] (1845) sont vieillies.

1   J'ai constaté qu'il vousoie Gertrude à présent (...)
     GIDE, la Symphonie pastorale, II, 10 mai.

2   D'elle-même, quand les garçons avaient atteint l'âge de raison, elle s'était mise à les vousoyer.
     Philippe HÉRIAT, la Famille Boussardel, X.

DÉR. **Vouvoiement.**

VOUVRAY [vuvʀɛ] n. m. — 1904, in Larousse ; du nom de la ville d'Indre-et-Loire.

◆ Vin blanc (pineau de la Loire) récolté sur les coteaux du Vouvray. *Du vouvray mousseux.*

(...) il y avait des bouteilles de champagne vides sur les tables, et surtout des bouteilles de vouvray.
     Cécil SAINT-LAURENT, la Mutante, p. 288.

VOX POPULI [vɔkspɔpyli] n. f. invar. — 1830 ; mots lat. « voix du peuple ». Cf. l'adage *vox populi, vox dei* « voix du peuple, voix de Dieu ».

◆ L'opinion du plus grand nombre, des masses.

1   En effet, le public, gent moutonnière, prend l'habitude de suivre les arrêts de cette conscience stupide décorée du nom de *vox populi.*
     BALZAC, Des artistes, III, in Œ. diverses, t. I, p. 358.

2   « Les Américains sont à l'Hôtel de Ville », (...) nouvelle que venaient de nous signifier le son du bourdon de Notre-Dame bientôt suivi par les cloches d'autres églises puis, vox populi, une Marseillaise rugueuse et, deux ou trois fois presque sans intervalle, le cri « Libération ! » jaillissant de l'intérieur du Palais de Justice, en une sorte de chœur parlé.
     Michel LEIRIS, Frêle bruit, p. 367.

VOYAGE [vwajaʒ] n. m. — 1480 ; *veiage* « chemin à parcourir », 1080, la Chanson de Roland ; *veage, voiage* « pèlerinage, croisade », XIIᵉ ; du lat. *viaticum,* d'abord « ce qui sert à faire la route, viatique » puis « voyage ».

◆ **1.** Déplacement d'une personne qui se rend dans un lieu assez éloigné (pour y rester, s'y déplacer, en revenir). *Faire un voyage. « Heureux qui, comme Ulysse, a fait un beau voyage »* (→ Âge, cit. 2). *Le charme des grands voyages* (→ Inconnu, cit. 35). *Un petit voyage hors de France* (→ Historiographie, cit.). ⇒ **Balade, excursion.** *Un long voyage* (→ Accabler, cit. 8). *Voyage autour du monde* (→ Pâtisserie, cit. 2). ⇒ **Tour** (du monde). *Voyage sans but.* ⇒ **Errance.** *Voyage circulaire pour visiter un pays.* ⇒ **Circuit, tour.** *La destination, le terme d'un voyage. Voyage en Espagne* (→ Périlleux, cit. 2). *J'ai fait trois voyages en Angleterre* (→ Titre, cit. 3). *Mon voyage d'Italie* (→ Ingambe, cit. 1). *Faire le voyage de Lyon* (→ Métier, cit. 27), *de Paris, de New York :* aller à Lyon, à Paris, à New York. — *Chose, curiosité qui vaut le voyage,* dont l'intérêt mérite qu'on se déplace spécialement pour la trouver ou la voir (→ Sterlet, cit.). — Ellipt. *Vaut le voyage* (dans un guide touristique). — *Moyens de transport, de locomotion pour faire un voyage. Voyage à pied* (⇒ **Promenade, randonnée**), *en voiture, en chemin de fer* (→ Accompagnement, cit. 4 ; fatiguer, cit. 3), *en bateau, en avion... Voyage en mer, sur mer.* ⇒ **Croisière.** *Voyage lent* (→ Essieu, cit. 2), *rapide* (→ Désordre, cit. 2). *Arrêts dans un voyage.* ⇒ **Étape, halte.** *Voyage par terre ; par mer, par eau.* ⇒ **Passage, périple** (cit. 2), **traversée.** *Voyage près des côtes* (⇒ **Circumnavigation**), *au long cours* (→ Nocer, cit. 3 ; place, cit. 19). *Voyage dans l'espace, voyage spatial, interplanétaire.* — *Voyage religieux.* ⇒ **Pèlerinage.** — *Voyage de noces* (⇒ **Noce**). *Voyages constants.* ⇒ **Pérégrination.** *Faire de nombreux voyages* (cf. Être toujours sur les chemins, les routes ; par voies et par chemins ; par monts et par vaux). — *Entreprendre un voyage* (→ Envoyer, cit. 1). *Préparatifs de voyage* (→ Faire sa valise*, ses malles*). ⇒ **Départ** (supra cit. 13). *Brusquer, retarder un voyage. Pendant, durant le voyage* (→ Déplacement, cit. 2 ; 1. parler, cit. 31). ⇒ **Route, trajet.** *Faire bon voyage. La fatigue* (→ Endormir, cit. 18 ; pâlir, cit. 11), *l'imprévu du voyage* (→ Partie, cit. 29). *Arriver, rentrer de voyage. Aimer les voyages, rêver* (cit. 22) *de voyages. Passion du voyage, des voyages* (→ Éteindre, cit. 38).

Je réponds ordinairement à ceux qui me demandent raison de mes voyages : que je sais bien ce que je fuis, mais non pas ce que je cherche.
     MONTAIGNE, Essais, III, IX.

2 Après les voyages à dos de mulet, à cheval, en charrette, en galère, le bateau à vapeur nous parut quelque chose de miraculeux (...)
Th. GAUTIER, *Voyage en Espagne*, p. 260.

3 Amer savoir, celui qu'on tire du voyage !
Le monde, monotone et petit, aujourd'hui,
Hier, demain, toujours, nous fait voir notre image (...)
BAUDELAIRE, les Fleurs du mal, « La mort », CXXVI, VII.

3.1 Toi qui pâlis au nom de Vancouver
Tu n'as fait pourtant qu'un banal voyage ;
Tu n'as pas vu le grand perroquet vert,
La Croix du Sud ni le soleil sauvage.
Tu t'embarquas à bord de maint steamer (...)   Maurice THIRY, *Poésies* (1924).

Voyage en Russie, de Gautier ; *Voyage en Orient*, de Nerval ; *Voyage au centre de la Terre*, de Jules Verne ; *Voyage autour de ma chambre*, de X. de Maistre. — Prov. *Les voyages forment la jeunesse.*

Spécialt. *Voyage d'agrément, de tourisme* (cit. 1). *Voyage d'affaires.* — *Voyage individuel, en groupe. Voyage organisé* (par une agence de voyages). — *Voyage d'études* (cit. 33), *d'exploration*. Voyage d'information.* — *Voyage de stimulation* (anglic. : *voyage incentive*), organisé par une entreprise pour stimuler des employés.

3.2 Le voyage à Alger, un voyage d'information ? Quelle innocence ! Un voyage d'exécution, voilà ce qui s'imposait.   F. MAURIAC, Bloc-notes 1952-1957, p. 211.

Par métonymie. Personnes qui voyagent ensemble.

3.3 (...) ils étaient tombés, à Grenade, sur Jocelyne, toute honteuse d'être ainsi rencontrée, car elle faisait partie d'un voyage organisé.
F. MALLET-JORIS, le Jeu du souterrain, 1973, p. 263.

EN VOYAGE. *Partir* (supra cit. 13) *en voyage. Emporter qqch. en voyage. Être en voyage. M. X est en voyage,* est absent pour un voyage.

DE VOYAGE : qui concerne un voyage. *Compagnon de voyage* (→ Portraiturer, cit. 1). *Notes, carnets* (→ Interpoler, cit. 3), *photographies* (cit. 4), *souvenirs de voyage.* — Qui est conçu pour voyager. *Vêtement* (→ Pincer, cit. 15), *costume* (→ Plus, cit. 47), *tenue de voyage. Couverture, couteau* (→ Jus, cit. 4), *sac* (1. Sac, cit. 11 et 12), *trousse de voyage. Chèques de voyage.* ⇒ **Traveller's check.** *Récit, livre de voyage.* ⇒ **Relation.**

LOC. BON VOYAGE. *Faire bon voyage* : voyager sans ennuis, sans difficultés. *Souhaiter bon voyage, un bon voyage à qqn.* — (1518). Ellipt. *Bon voyage !,* formule de souhait ; formule ironique par laquelle on se réjouit du départ de qqn. *Salut, bon voyage !* (syn. : *bon vent !*).

Dans des composés libres. *Voyage-éclair, voyage-surprise, voyage-séjour,* etc.

3.4 Puis c'est l'annonce du voyage-éclair de Debré (*M. Michel Debré*).
F. MAURIAC, le Nouveau Bloc-notes 1958-1960, p. 294.

3.5 Nous sommes envahis par les cars d'étrangers, les voyages-surprises, les congés payés (...)   Robert PINGET, Graal Flibuste, p. 76.

(1867). Vie itinérante des forains. — Loc. *Un enfant du voyage.* → Enfant de la balle*. *Les gens du voyage* : les gens du cirque, les forains, les nomades.

(V. 1460). Par métaphore ou fig. *La vie est un voyage* (→ 2. Plaid, cit. 4 ; meubler, cit. 9). *Le sommeil, ce voyage aventureux. Le grand voyage* : la mort (→ Éternité, cit. 9). — Loc. *Faire le grand voyage* : mourir*.— *Voyage au bout de la nuit,* roman de Céline.

Loc. fig. (langue des jeunes). *Ne pas être déçu du voyage* : ne pas être déçu (d'un acte quelconque). — Fam. (vieilli) *Emmener qqn en voyage.* → En bateau*.

♦ 2. (1525, Pigafetta). Vx. Récit de voyage. *« Écrire un voyage »* (Gautier).

♦ 3. (1508). Course que fait un chauffeur, un porteur pour transporter qqn, qqch. *Camionneur, livreur qui fait des voyages entre Paris et la province. Un seul voyage suffira pour transporter ces meubles.*

♦ 4. (1876). Rare. Épreuves d'initiation, dans la franc-maçonnerie.

♦ 5. (1966 ; trad. de l'angl. *trip*). Fig. État provoqué par l'absorption d'hallucinogènes. ⇒ **Défonce** (fam.), **trip** (anglic.). *Un voyage à l'acide.*

DÉR. 1. Voyager, 2. voyager, voyageur, voyagiste.

1. VOYAGER [vwajaʒe] v. intr. — Conjug. *bouger.* — Déb. XVᵉ, Alain Chartier ; de *voyage.*

♦ 1. Sujet n. de personne. **[a]** Se déplacer assez loin, faire un voyage. ⇒ **Aller, transporter** (se). *Voyager à pied, en voiture* (→ Rongeant, cit. 1), *en poste* (vx) ; *sur un navire.* ⇒ **Naviguer.** *Voyager en première classe. Voyager de jour, de nuit. Voyager sans suite* (cit. 16) *et sans bagages. Voyager pour affaires. Voyager en France* (→ Démission, cit. 1). *Voyager incognito* (→ Prince, cit. 5). *Cet enfant voyage avec sa mère, voyage seul. Voyager longtemps.* → Voir, cit. 54. — Prov. *Qui veut voyager loin* ménage sa monture* (→ 1. Feu, cit. 15).

[b] (Déb. XVᵉ). Faire des voyages ; aller en différents lieux pour voir du pays*. *Voyager pour son plaisir* (→ Gauche, cit. 10). ⇒ **Promener** (se). *Voyager pour voyager* (→ Errer, cit. 9). *Savoir voyager* (→ Observer, cit. 13). *Quand on veut voyager, il faut aller*

à *pied* (→ Arriver, cit. 16). *Il a beaucoup voyagé* (→ Gouverne, cit. 1). ⇒ **Bourlinguer, courir** (le monde), **naviguer, rouler** (sa bosse), **vagabonder.** *Voyager longtemps.* → Voir, cit. 53. — Allus. littér. *Amants, heureux amants, voulez-vous voyager ?* (→ Prochain, cit. 1, La Fontaine).

0.1 Les voyages ont leurs travaux comme leurs plaisirs ; mais les fatigues qui se trouvent dans cet exercice, loin de nous rebuter, accroissent ordinairement l'envie de voyager.   J.-F. REGNARD, Voyage en Laponie, p. 77.

1 Je ne conçois qu'une manière de voyager plus agréable que d'aller à cheval ; c'est d'aller à pied. On part à son moment, on s'arrête à sa volonté, on fait tant et si peu d'exercice qu'on en veut. On observe tout le pays ; on se détourne à droite, à gauche ; on examine tout ce qui nous flatte ; on s'arrête à tous les points de vue.
ROUSSEAU, Émile, V.

2 On s'instruit en voyageant, dit le Huron, et assurément cette diversité des peuples, des coutumes, et des dieux est utile à considérer. Mais, d'un autre côté, l'on n'apprend jamais que ce que l'on sait déjà.
ALAIN, Propos, 17 juin 1922, la Fête-Dieu.

3 « À quoi bon voyager ? on ne se quitte jamais », m'a dit quelqu'un. Je me quittais ; je ne devenais pas une autre, mais je disparaissais.
S. DE BEAUVOIR, la Force de l'âge, p. 92.

[c] (En parlant de représentants, de voyageurs* de commerce). Faire des tournées. *Il voyageait pour une maison de prêt-à-porter, pour une maison d'édition.*

[d] Franç. d'Afrique. Partir en voyage, quitter le lieu où l'on se trouve pour un voyage. — (Au passé). Être en voyage.

4 Non, citoyen Baluku, il n'est malheureusement pas là, lui répondit-elle enfin. Il a voyagé ce matin même.   Muamba KANYINDA, la Pourriture, p. 131 (in I. F. A.).

♦ 2. (Fin XVIIIᵉ). Sujet n. de chose. **[a]** Être transporté. *Marchandise qui voyage aux risques et périls du propriétaire* (→ Expéditeur, cit. 1). *Denrées alimentaires qui risquent de s'abîmer en voyageant.*

[b] Changer de place, se déplacer*. *Le parc à moutons voyageait* (→ 1. Fou, cit. 51). *Cellules* (cit. 7) *qui voyagent dans le corps. Caillot, corps étranger qui voyage dans un conduit.*

♦ 3. (V. 1966). Sujet n. de personne. Subir les effets d'hallucinogènes.

HOM. 2. Voyager.

2. VOYAGER, ÈRE [vwajaʒe, ɛʀ] adj. — 1458 ; *voyagier,* n. m., « voyageur », fin XIVᵉ ; de *voyage.*

♦ 1. Vx (langue class.). Qui voyage.

♦ 2. (Fin XIXᵉ, Huysmans). Fig., littér. Rare. Qui ne se fixe pas. *Des « pensées voyagères »* (Huysmans, *in* G. L. L. F.).

HOM. 1. Voyager.

VOYAGEUR, EUSE [vwajaʒœʀ, øz] n. et adj. — XVᵉ ; a remplacé *voyagier,* fin XIVᵉ (→ 2. Voyager) ; de *voyage* (3.) ; fém., 1675, Mᵐᵉ de Sévigné.

★ I. N. **♦ 1.** **[a]** Personne qui est en voyage ; personne qui se déplace à pied pour se rendre assez loin. ⇒ **Pérégrin** (vx). *Bâton de voyageur. Voyageur attardé* (cit. 6), *égaré* (cit. 22). *Voyageur qui s'est muni contre le mauvais temps* (→ Bonheur, cit. 8). *Voyageurs en troupe dans le désert.* ⇒ **Caravane.** *Voyageur attaqué par un brigand, un loup* (cit. 2).

[b] Personne qui use d'un véhicule de transport public (N.B. On dit *passager* pour les navires et les avions). *Les voyageurs d'une diligence, d'un train, d'un autobus, du métro* (→ Bouche, cit. 26). — Ch. de fer (le mot, au pluriel, est souvent opposé à *marchandises*). *Train de voyageurs. Wagon de voyageurs* (impropre, mais usuel). ⇒ **Voiture.** *Gare de voyageurs. Voyageurs dans une salle d'attente. Voyageurs qui s'entassent dans les compartiments* (cit. 2). *Voyageurs assis, debout. Les voyageurs pour Paris, en voiture ! Messieurs les voyageurs...* (style administratif).

1 — Vous savez, à cause des fêtes du Havre, la foule était énorme (...) Nous avons été obligés de défendre notre compartiment contre des voyageurs de deuxième et même de troisième classe (...)   ZOLA, la Bête humaine, III.

2 (Le tramway) mettait une bonne heure pour accomplir son trajet. Ses voyageurs se soumettaient sans impatience à un rite compliqué de paiement par une sorte de moulin à café à monnaie placé tout à l'entrée du wagon.
CÉLINE, Voyage au bout de la nuit, p. 188.

2.1 Il y a aussi quelque chose que Lalla aime bien faire : elle va s'asseoir sur les marches des grands escaliers, devant la gare, et elle regarde les voyageurs qui montent et qui descendent. Il y a ceux qui arrivent tout essoufflés, avec des yeux fatigués, des cheveux décoiffés, et qui descendent les escaliers en titubant dans la lumière. Il y a ceux qui s'en vont, qui se hâtent, parce qu'ils ont peur de rater leur train ; ils montent les marches deux par deux, avec leurs valises et leurs sacs qui cognent leurs jambes, et leurs yeux sont fixes, ils regardent droit vers l'entrée de la gare.
J.-M. G. LE CLÉZIO, le Désert, p. 254.

[c] Par métaphore. (Relig., poét., etc.). Se dit de l'homme, dont la vie est comparée à un voyage. *L'homme est un voyageur qui finit avec sa route* (→ Provision, cit. 4). *Étrangers* (1. Étranger, cit. 32) *et voyageurs sur la terre.*

♦ 2. (XVIᵉ). Personne qui voyage pour voir de nouveaux pays (dans un but de découverte, d'étude). ⇒ **Explorateur.** *Les voyageurs anciens* (→ Créance, cit. 6), *modernes* (→ 2. Once, cit.). *Le voyageur Marco Polo* (→ Monnaie, cit. 7 ; et aussi misérable, cit. 11). *Les récits des grands voyageurs.*

3 L'étude des mathématiques, qui suppose une vie sédentaire, a rempli le temps de ses jeunes années *(de Bougainville);* et voilà qu'il passe subitement d'une condition méditative et retirée au métier actif, pénible, errant et dissipé de voyageur.
DIDEROT, Suppl. au voyage de Bougainville.

Touriste. *La Sicile attire les voyageurs* (→ 1. Point, cit. 26). *Voyageur qui parcourt le monde.* ⇒ **Aventurier, bourlingueur, globe-trotter, vagabond** (II., 1.). — Personne qui voyage beaucoup (→ Voir, cit. 34, Prévert).

♦ **3.** (1830, Balzac). *Voyageur de commerce,* et, absolt, *voyageur* (→ Prise, cit. 5) : représentant de commerce qui voyage pour visiter la clientèle. ⇒ **Commis-voyageur, représentant.** *Voyageur en tournée. Voyageur qui fait un pays, une région. Marmotte* de voyageur. Voyageur représentant placier* (abrév. : *V. R. P.*).

4 CODE DU COMMIS-VOYAGEUR. Cet ouvrage pèche d'abord par le titre, car il nous semble que c'est *Code des Voyageurs du commerce* qu'il aurait fallu appeler le livre pour complaire à messieurs les commis (...)
BALZAC, Feuilleton, XL, *in* Œ. diverses, t. I, L, p. 651.

5 « Vous êtes voyageur ? demanda l'homme. — Bracelets-montres », acquiesça Mathias, en donnant une tape légère à sa mallette. « Ha ! Ha ! Vous placez des montres, répéta l'autre. » A. ROBBE-GRILLET, le Voyeur, p. 48.

♦ **4.** (V. 1966). Personne qui fait un voyage (5.) sous l'effet d'hallucinogènes. *« Ancienne petite trafiquante et grande "voyageuse" au L. S. D. »* (*l'Express,* 17 juil. 1974, p. 67).

★ **II. Adj.** (1764). ♦ **1.** Qui voyage. *Oiseaux voyageurs* (vx). ⇒ **Migrateur.** *Pigeon* voyageur* (1846 ; on disait auparavant *pigeon messager*), qu'on dresse à porter des messages d'un lieu à un autre.

5.1 La plupart *(des papillons)* sont sédentaires. Mais il existe de grandes espèces migratrices (nous ferions mieux de dire voyageuses, puisqu'elles ne reviennent pas à leur point de départ) qui couvrent tout à coup les bateaux, ou se posent sur l'Océan. MALRAUX, Antimémoires, p. 473.

♦ **2.** (Personnes). Qui voyage sans cesse. *Il est très voyageur.* — Vx. *Commis** (cit. 4) *voyageur* (→ Marchand, cit. 3).

♦ **3.** Qui change de place, se déplace (⇒ aussi **Baladeur**). *Un banc voyageur* (de poissons). → 2. Pêcher, cit. 4.

6 (...) ses yeux verts à demi fermés, ses regards voyageurs comme des rayons et qui venaient poser sur elle un peu de chaude lumière vivante.
PROUST, les Plaisirs et les Jours, p. 50.

♦ **4.** (1873). Qui a rapport aux voyages. *Vie voyageuse* (rare). ⇒ **Nomade.** *Humeur voyageuse :* disposition à voyager.

7 La vie voyageuse des bergers est un des caractères pittoresques du Midi. Vous les rencontrez montant des plaines du Languedoc aux Cévennes, aux Pyrénées, et de la Crau provençale aux montagnes de Gap et de Barcelonnette.
MICHELET, Hist. de France, III.

COMP. Commis-voyageur. — Voyageur-kilomètre.

VOYAGEUR-KILOMÈTRE [vwajaʒœʀkilɔmɛtʀ] n. m. — 1964 ; de *voyageur,* et *kilomètre.*

♦ Admin. Unité de trafic ferroviaire et aérien correspondant au déplacement d'un voyageur sur un kilomètre. *Le transport de deux voyageurs sur 300 kilomètres représente 600 voyageurs-kilomètres.*

VOYAGISTE [vwajaʒist] n. — 1980 ; de *voyage.*

♦ Personne qui commercialise des voyages à forfait, soit directement, soit par l'intermédiaire d'une agence de voyage. — Équivalent franç. de l'angl. *tour operator* et de son adaptation *tour opérateur* (« à proscrire », *Journ. off.,* 3 avr. 1982).

VOYANCE [vwajɑ̃s] n. f. — 1829 ; cf. *veance* « vue », XIIIe ; de *voyant.*

♦ Didact. Don de double vue ; état de voyant.
La voyance était, en quelque sorte, devenue professionnelle et il existait de véritables collèges de devins. DANIEL-ROPS, Histoire sainte, III, II.

VOYANT, ANTE [vwajɑ̃, ɑ̃t] n. et adj. — 1552, n. ; *veant,* n. m., v. 1120 ; *voiant,* adj., XIIIe ; p. prés. de *voir.*

★ **I. N. A.** (Qui voit). ♦ **1.** Vx (Bible). Personne qui voit, prédit l'avenir. ⇒ **Prophète.** — (1812). Mod. Personne douée de seconde vue. ⇒ **Illuminé, spirite, visionnaire.** *La vision des voyants* (→ Extatique, cit. 2 ; privilégié, cit. 3). *Des yeux* (cit. 18) *de voyant. Fluide de la voyante* (→ Médium, cit. 3).

0.1 Ce Voyant était un contemporain de la Révolution dont il contemplait, en prophète, la grandiose horreur, et il lui parlait face à face.
Léon BLOY, le Désespéré, p. 137.

♦ **2.** (1873). Personne douée de seconde vue ⇒ **Devin, pythonisse).** — VOYANTE (n. f.) : femme qui fait métier de lire le passé et prédire l'avenir par divers moyens : boule de cristal, lignes de la main, astrologie, cartes... (⇒ **Cartomancienne**). *Voyante extra-lucide. Les officines des voyantes* (→ Occultiste, cit.). *Consulter une voyante.*

1 Mais les manèges ne tournaient toujours pas, le dancing était désert, et les voyantes ne voyaient rien venir. R. QUENEAU, Pierrot mon ami, I.

1.1 Il arrive à toutes les voyantes de tomber juste : c'est cela qui surnage de leurs oracles, le reste est oublié.
F. MAURIAC, le Nouveau Bloc-notes 1958-1960, p. 347.

(Fin XIXe). Penseur, poète qui voit et sent ce qui est inconnu des autres. *Rimbaud le voyant.*

2 Le Poète se fait *voyant* par un long, immense et raisonné *dérèglement* de *tous les sens.* Toutes les formes d'amour, de souffrance, de folie ; il cherche lui-même, il épuise en lui tous les poisons, pour n'en garder que les quintessences (...) Il arrive à l'inconnu, et quand, affolé, il finirait par perdre l'intelligence de ses visions, il les a vues ! RIMBAUD, Correspondance, XII, 15 mai 1871.

2.1 Désormais il y a du « voyant » chez Verlaine. Le « long dérèglement de tous les sens » dont son compagnon de vagabondage *(Rimbaud)* lui a révélé la pratique, l'a définitivement affranchi d'un certain « flou » qui risquait à la longue de devenir un procédé. Francis CARCO, Nostalgie de Paris, p. 113.

♦ **3.** (1553). Personne qui voit. *Un aveugle et un voyant* (→ Rayonnement, cit. 1). *Les voyants et les non-voyants, et les mal-voyants.* — Adj. *Les gens voyants.*

3 Comment la cécité peut naître du voyant (...)
(...) Un jour, dans le tombeau, sinistre vestiaire,
Tu le sauras (...) HUGO, les Contemplations, VI, XXVI.

4 Il y avait pour Gwynplaine voyant une possibilité poignante qui n'existait pas pour Dea aveugle, se comparer aux autres hommes. HUGO, l'Homme qui rit, II, II, II.

B. (Qui est vu). Techn. **a** (1845, en géodésie). Plaque de tôle ou de bois, moitié noire, moitié blanche selon une ligne horizontale, utilisée dans les opérations de nivellement* pour déterminer la cote de chaque point.

b Mar. Dispositif de forme caractéristique (cône, cylindre, sphère, croix, té) placé sur une marque, une bouée, pour l'identifier.

c (XXe). Signal lumineux (adapté sur des appareils de contrôle, des tableaux de sonnerie, de bord, etc.) destiné à attirer l'attention de l'utilisateur. *Voyant d'essence, d'huile,* avertissant l'automobiliste quand l'essence, l'huile sont presque épuisées.

4.1 Il restait à Busard près de vingt secondes à attendre, avant que s'allume le voyant rouge qui indique que la matière injectée est refroidie.
Roger VAILLAND, 325 000 francs, p. 98.

C. Dispositif qui permet de voir. ♦ **1.** Partie transparente (d'un casque protecteur : moto, ski, etc.).

4.2 (...) un couple regarde la moto et ses deux chevaliers, le grand et le petit, aux yeux dissimulés sous des casques blancs, bombés, aux regards embusqués sous les voyants de mica vert.
Geneviève DORMANN, Je t'apporterai des orages, p. 215.

♦ **2.** Partie transparente, vitrée (d'un dispositif), qui permet de voir l'intérieur.

4.3 Adossé au mur du fond, se tenait un énorme crabe d'aluminium *(un ordinateur)* avec des boutons, des voyants de verre découvrant des bobines comme celles des magnétophones. Michèle PERREIN, le Buveur de Garonne, p. 390-391.

★ **II. Adj.** (1660 ; *voiant* « visible », XIIIe ; même valeur sémantique que I., B.). **A.** (1607). Sens actif. Rare. Qui voit, est doué du sens de la vue. — (XIXe). Doué de voyance.

B. Sens passif. ♦ **1.** Qui attire la vue, qui se voit de loin (en parlant d'une couleur). ⇒ **Criard, éclatant.** *Des couleurs voyantes.* — Par ext. *Robe, toilette voyante* (→ Flâneur, cit. 2 ; réserver, cit. 5). ⇒ **Tapageur.**

4.4 Tous portaient le veston bien plus court qu'Armand ne se fût permis, des étoffes chinées, des cravates voyantes et compliquées.
ARAGON, les Beaux Quartiers, II, XXVI.

♦ **2.** Fig. Qui attire l'attention, est trop visible. *Des dépenses voyantes. Une duplicité trop voyante.*

5 Il y eut certainement (...) des mots animés et piquants contre le bonheur *trop voyant* de mademoiselle de Polastron. En effet, il avait, ce soir-là, une expression si sublime qu'on dut le trouver indécent.
BARBEY D'AUREVILLY, Une vieille maîtresse, I, VI (1850).

Personnes :
6 Il commençait de penser que ce beau-frère un peu voyant, un peu bruyant, était, au bout du compte, un assez brave lourdaud.
G. DUHAMEL, Cécile parmi nous, p. 246.

CONTR. Aveugle. — Discret, foncé, neutre.
DÉR. Voyance.
COMP. V. Clairvoyant.

VOYELLATION [vwajɛlasjɔ̃] ou **VOYELLISATION** [vwajelizasjɔ̃] n. f. ⇒ **Voyeller.**

VOYELLE [vwajɛl] n. f. — 1530, Palsgrave ; *voyel,* XVe, attestation isolée ; *voieul,* 1265 ; subst. de l'adj. *voieul* « vocal », XIIIe ; lat. *vocalis.*

♦ **1.** Son émis par la voix sans bruit d'air, phonème* caractérisé par une résonance de la cavité buccale plus ou moins ouverte *(voyelle orale),* parfois en communication avec la cavité nasale *(voyelle nasale).* → Vocoïde. — *Le timbre** (cit. 4) *d'une voyelle* (⇒ aussi **Inflexion**). *Voyelle fermée, ouverte. Mode d'articulation d'une voyelle : voyelles palatales*, vélaires*, labiales*,* ou, plus cour., *voyelles antérieures, postérieures, arrondies, écartées. Les voyelles françaises sont nombreuses et très nuancées* (→ Timbre, cit. 3). ⇒ **Vocalique** (système). *Voyelles accentuées ; appuyer* (cit. 22) *sur certaines voyelles. Quantité, durée des voyelles en prosodie grecque et latine, voyelle longue*, brève*.* — *Syllabe* faite d'une voyelle ; d'une consonne sonnant avec une voyelle dite d'appui*

(→ Articulation, cit. 5) ; *de trois voyelles* (⇒ **Triphtongue**) ; *d'une voyelle et d'une semi-voyelle* (⇒ **Diphtongue**). *Voyelle libre*, entravée*. Contraction, diérèse de deux voyelles. Voyelle qui en heurte* (cit. 10) *une autre.* ⇒ **Hiatus**. *Élision d'une voyelle.* — *i voyelle* [i] *et i consonne* [j] (ex. : *pie* [pi], *pied* [pje]) ; *u voyelle* [y] *et u consonne* [ɥ] (ex. : *lu* [ly], *lui* [lɥi]) ; *ou voyelle* [u] *et ou consonne* [w] (ex. : *loup* [lu], *louer* [lwe]) ; → *ces lettres. Lettre qui est voyelle ou consonne.* ⇒ **Semi-consonne, semi-voyelle**.

1 (...) chaque mot, pris en lui-même, est comme un petit orchestre dans lequel la voyelle est la voix, *vox*, et la consonne l'instrument, l'accompagnement, *sonat cum*.
                                           HUGO, Post-scriptum de ma vie, « Tas de pierres », III.

2 Elle parlait d'une voix jeune et sonore, enrichie par l'accent jurassien aux voyelles largement ouvertes, claires comme un pain blanc où les consonnes mordent avec décision.   M. AYMÉ, la Vouivre, II.

♦ **2.** Lettre (cit. 9) qui sert à noter ce son, employée seule *(a ; e ; i ; o ; u ; y)*, munie d'un signe (ex. : *é, ô*), en combinaison avec d'autres (ex. : *eau, ou, ei*) ou avec une consonne (ex. : *an, ain, on*). *Voyelles et consonnes. Langue à écriture sans voyelles* (→ Consonne, cit. 5). — *Hist. littér. Le sonnet des voyelles*, de Rimbaud. *« J'inventai la couleur des voyelles »* (→ Consonne, cit. 3).

DÉR. Voyeller ou **voyelliser**.
COMP. Semi-voyelle.

VOYELLER [vwajele] ou **VOYELLISER** [vwajelize] v. tr. — Mil. xxᵉ ; de *voyelle*.

♦ Didact. Pourvoir de voyelles explicites (un texte arabe, où les voyelles ne sont pas précisément déterminées). — Au p. p. *« La détermination des racines des mots d'un texte arabe non voyellisé »* (*la Recherche*, mai 1980, p. 576). — *Arabe standard voyellé*.

REM. Les dér. *voyellation* [vwajelasjɔ̃], *voyellisation*, [vwajelizasjɔ̃], n. f., sont employés.

VOYER [vwaje] n. m. — 1270 ; *veier* «officier de justice», 1080, *Chanson de Roland* ; du lat. *vicarius* «remplaçant», avec changement de sens sous l'infl. de *voie*.

♦ **1.** Vx. Officier chargé des voies publiques.

♦ **2.** (1836). Mod. *Agent voyer :* «agent des Ponts-et-Chaussées chargé de surveiller l'état des voies de communication, de la voirie* des villes» (Capitant).

HOM. Formes du v. voir.

VOYETTE [vwajɛt] n. f. — V. 1260 ; dimin. de *voie*.

♦ Régional. Sentier, petit chemin. — (1904). Spécialt. Sentier destiné aux chasseurs.

VOYEUR, EUSE [vwajœR, øz] n. m. — xviiiᵉ, Saint-Simon ; anc. franç. *veor* «guetteur», xiiᵉ ; de *voir*.

★ **I.** ♦ **1.** Vx. Celui, celle qui regarde en curieux. ⇒ **Curieux, spectateur.** — Spécialt (mod.). Personne qui regarde avec une curiosité malsaine.

1 Les accusés tenaient leurs figures flétries constamment tournées vers leurs collègues venus en voyeurs.   M. BARRÈS, Leurs figures, XIII.

2 Et incapable avec cela de garder le secret des choses, de fermer la porte, de ne pas se faire surprendre (...) Il a vécu au milieu de voyeurs ironiques. Ce qu'il tient pour son trésor secret a été tout le temps exposé aux yeux de tous.
                                           ARAGON, la Semaine sainte, XIII.

♦ **2.** (1883, Richepin). Spécialt. Personne qui assiste, pour sa satisfaction et sans être vue, à des scènes érotiques ; (pathol.) personne qui n'atteint le plaisir sexuel que par la vue d'un spectacle érotique. *Un voyeur qui aime à tenir la chandelle*.* ⇒ **Mateur** (fam.). *Voyeurs et exhibitionnistes*.

3 On voit des demoiselles dévoyées
On voit des voyous On voit des voyeurs (...)
                                           ARAGON, les Yeux d'Elsa, « Fêtes galantes ».

★ **II.** (1885). Fam., vx. Ouverture par laquelle on peut observer (un spectacle érotique).

DÉR. Voyeurisme. — V. **Voyeuse**.

VOYEURISME [vwajœRism] n. m. — 1957, Piéron ; de *voyeur*.

♦ **1.** Comportement du voyeur ; perversion sexuelle du voyeur (pathol.).

♦ **2.** Par ext. Attitude de celui qui observe (qqch., qqn) avec complaisance et sans être vu.

Le petit écran fournit aux garçons et aux filles l'occasion d'apprendre plus de choses qu'ils ne le pourraient autrement et qu'ils ne le devraient peut-être sur ce qui échappe au domaine de l'enfance. Des psychologues ont, à ce propos, parlé du « voyeurisme » qui caractérisait l'attitude des jeunes à l'égard de la télévision.
                                           Jean CAZENEUVE, Sociologie de la radiotélévision, p. 116.

VOYEUSE [vwajøz] n. f. — 1771, *Encyclopédie* (Diderot), planches ; fém. de *voyeur*.

♦ Techn. Chaise à dossier bas, sur laquelle on s'asseyait à califourchon.

VOYOU [vwaju] n. m. — 1832, au sens 2. ; répandu v. 1870-71 → Rixe, cit. 1 ; 1844, au sens 1. ; de *voie*, et suff. pop., p.-ê. d'après *filou*.

♦ **1.** Gamin des rues, déluré et mal élevé. ⇒ **Chenapan, galapiat, galopin, garnement, vaurien.** *Accent des voyous parisiens* (→ Quoi, cit. 36). *Bande de voyous qui tirent les sonnettes.*

1 Un être lugubre, c'était Montparnasse. Montparnasse était un enfant ; moins de vingt ans, un joli visage (...) C'était le gamin tourné en voyou, et le voyou devenu escarpe.   HUGO, les Misérables, III, VII, III.

En appellatif. *Petit voyou !*

♦ **2.** Homme (souvent, jeune homme), d'une classe sociale en général moyenne ou basse, de mœurs et de moralité condamnables. ⇒ **Apache** (anciennt), **arsouille, crapule, fripouille.** *Jeune voyou.* ⇒ **Gouape ; frappe.** *De la graine de voyou. Fréquenter des voyous* (→ Peau, cit. 20). T. d'injure. *Espèce de voyou ! Avoir des procédés de voyou.*

1.1 (...) il nous présentait un jeune voyou en nous murmurant à l'oreille d'une voix extatique : « C'est un dur de dur », « c'est un cambrioleur ! » et même une fois : « C'est un assassin ! »   S. DE BEAUVOIR, la Force de l'âge, p. 519.

1.2 Ce voyou sans cœur et sans honneur, ce bandit, ce débauché cynique adonné aux vices les plus honteux, la gloire du Paradis lui était offerte sans discussion.
                                           M. AYMÉ, le Passe-muraille, p. 160.

Au fém. (vieilli). *Voyoute* (1876, P. Larousse) : femme de mœurs et de moralité douteuses.

2 (...) une vue de coulisses avec des danseuses en gaze rose, au repos, devant des portants barbouillés de verdures, des petites voyoutes exquises lutinant de grands dadais empesés dans leur tenue de bal (...)   HUYSMANS, En ménage, V.

♦ **3.** Adj. (1880, Zola, parfois *voyoute* au fém.). *Il, elle est un peu voyou.* — Par ext. Qui est digne d'un voyou (→ Canaille).

3 Oh ! une rouleuse de boulevard, rien du tout. Mais elle était si voyou, qu'on s'amusait à la faire causer.   ZOLA, Nana, I.

4 Quant à Coppée, il s'est montré tout à fait extraordinaire, comme verve *voyoute :* ça a été un feu d'artifice pendant toute la soirée de drôleries, à la fois canailles, à la fois distinguées.   Ed. et J. DE GONCOURT, Journal, 7 janv. 1892, t. IX, p. 8.

5 (...) une fille (...) qui poussait une bicyclette avec un dandinement de hanches si dégingandé, en employant des termes d'argot si voyous et criés si fort (...)
                                           PROUST, À la recherche du temps perdu, t. V, p. 37.

DÉR. Voyouterie.
COMP. Voyoucratie.

VOYOUCRATIE [vwajukRasi] n. f. — 1865, Flaubert ; de *voyou*, et suff. *-cratie*.

♦ Gouvernement, suprématie des voyous. ⇒ **Canaillocratie.** — (1870, Goncourt). Ensemble, bande de voyous.

Franç. d'Afrique. «État d'oisiveté et d'amoralité prédisposant à la délinquance» (I. F. A.). *Faire la voyoucratie.*

VOYOUTERIE [vwajutRi] n. f. — 1884, Goncourt ; de *voyoute*, fém. rare de *voyou*.

♦ Rare. Acte, paroles, mœurs de voyou.

Tu as un tas d'actes de voyouterie qui sont faits par la police. On te dit hold-up, vol, effraction, prise d'otages, qui c'est qui peut vérifier ? Qui te prouve que ledit voyou ne joue pas un rôle ?   Charlie Hebdo, 12 janv. 1978, p. 7.

VOZIGUE [vozig] pron. pers. — 1847, Esnault ; de *vos* (vous) et *-zigue*. → Mézigue.

♦ Argot, vieilli. Vous. (⇒ **Mézigue, tézigue**).

V. P. C. [vepese] n. f. — 1970 ; abrév. de *vente par correspondance*.

♦ Comm. Vente par correspondance. *« Le nᵒ 1 européen de la V.p.c. »* (*l'Express*, 21 mai 1973, p. 120). — On écrit *V. P. C., VPC, V.p.c., v.p.c., vpc*.

VRAC (EN) [ɑ̃vRak] loc. adj. ou adv. et n. m. — 1730 ; 1606, Nicot, *hareng vrac* «empaqueté» ; du moy. néerl. *wrac* «gâté, corrompu, mal salé», cf. en moy. franç. *hareng waracq* (1435).

★ **I.** Loc. adj. ou adv. ♦ **1.** Pêle-mêle, sans être arrimé ou contenu dans des sacs, des caisses, etc., sans emballage. *Marchandises* en vrac. Lester, charger en vrac, à même la cale. Fruits en vrac dans un camion. Matériaux empilés en vrac.* ⇒ **Amas** (→ Éboulis, cit.). *Déchet dans le poids d'une marchandise transportée en vrac.* ⇒ **Discale.** *Expédition en vrac.*

♦ **2.** (1893). *Poser ses affaires en vrac sur un coin de table. Prendre quelques notes en vrac sur un bout de papier.* — (Abstrait). *Quelques idées en vrac.*

Il avait conscience d'avoir sottement jeté, en vrac, sans hiérarchie, des arguments d'ordre très divers, politiques, pacifistes, révolutionnaires — qui n'étaient, pour la plupart, que de confuses réminiscences des palabres de la *Parlote*.
MARTIN DU GARD, les Thibault, t. V, p. 197.

♦ **3.** Au poids (opposé à *en paquet*). *Lentilles, thé en vrac.*

★ **II.** N. m. (Mil. xxᵉ). Marchandise (charbon, minerai, etc.) ne demandant pas d'arrimage ni d'emballage particulier. *Transporter du vrac. Le vrac s'oppose au conditionné. Transporteur de vrac.* ⇒ **Vraquier.**

DÉR. Vraquier.

VRAI, VRAIE [vʀɛ] adj. et n. m. — V. 1160 ; *verai,* 1080, *Chanson de Roland* ; du lat. pop. **veracus,* du lat. class. *verax, -acis,* de *verus.*

★ **I.** Adj. ♦ **1.** **a** Qui présente un caractère de vérité* (conformité au réel, cohérence interne ou valeur pragmatique) ; à quoi on peut et doit donner son assentiment (opposé à *faux, erroné, illusoire* ou *mensonger*). ⇒ **Authentique, certain, exact, incontestable, juste, sûr, véridique** (abusivt), **véritable.** *La vérité essentielle est toute pure et toute vraie* (→ Déshonorer, cit. 9). *Chose rigoureusement vraies* (→ Nier, cit. 4). *Assertion, énonciation, proposition ; déclaration vraie :* une, des vérités. *Idées* (→ Retour, cit. 1), *opinion vraies* (→ 1. Faux, cit. 2). *« ... ne recevoir aucune chose pour vraie, que je ne la connusse évidemment* (cit. 1) *être telle »* (Descartes). ⇒ **Admettre** (III.). *Contrôler qu'une chose est vraie.* ⇒ **Vérifier.** *Établi comme vrai.* ⇒ **Avéré.** *Faire reconnaître comme vrai* (⇒ **Convaincre, persuader**). *Proposition vraie ou fausse* (→ Raisonnement, cit. 4). *Phrase toujours vraie.* ⇒ **Tautologique.** *Principes vrais* (→ Conclusion, cit. 4), *règle vraie* (→ Inverse, cit. 2). *Arguments vrais.* ⇒ **Logique** (par ext.). *Des raisons toutes vraies et toutes droites* (→ 1. Droit, cit. 22). *— Adage vrai* (→ Loin, cit. 28). *Remarque vraie.* ⇒ **Juste.** *Ce mot si vrai* (→ Humeur, cit. 6). *— « Tout est à facettes* (cit. 5), *tout est vrai ». « Rien n'est vrai, rien n'est faux ; tout est songe* (cit. 4) *et mensonge ». Chose vraie par tel ou tel aspect, côté, telle ou telle face...* (→ Envisager, cit. 8 ; face, cit. 39). *Rien n'est vrai pour tous* (→ Applicable, cit. 2 ; et aussi théorie, cit. 2).

0.1 Tout est vrai de l'homme : et ses crimes et sa douceur.
F. MAURIAC, le Nouveau Bloc-notes 1958-1960, p. 32.

Spécialt. *Récit, témoignage vrai. Histoires* (cit. 41) *vraies.* ⇒ **Authentique, fidèle.** *Vraie révélation* (cit. 3). *Faits donnés pour vrais* (→ Histoire, cit. 27). *Mensonges tenus pour vrais* (→ Propos, cit. 13). *« Ce qui n'est pas vrai n'est pas éloquent »* (cit. 3). — Fam. *La vérité vraie, la vraie vérité.* ⇒ **Pur, strict.**

1 (...) votre brillante caricature est ressemblante, certes, par plus d'un trait. Elle ne correspond pas à la vérité vraie.
F. MAURIAC, Bloc-notes 1952-1957, p. 124.

(Avec un pronom neutre). *Il est vrai que...* (→ Sensible, cit. 7), *c'est vrai. Il est bien vrai que...* (→ Inventer, cit. 2). *Cela est si vrai...* (pour introduire une preuve, un argument). → Naturaliste, cit. 5. *Il n'en est pas moins vrai que :* malgré cela. ⇒ **Néanmoins** (→ Influencer, cit. 2 ; intuition, cit. 1). *« Il est vrai : ma raison* (cit. 20) *me le dit chaque jour ». Il, ce n'est que trop vrai :* cette chose déplorable, regrettable est malheureusement exacte. *C'est pourtant vrai. — Est-ce vrai ? N'est-il pas vrai que...?* (→ Attrait, cit. 18). *C'est bien ennuyeux, n'est-il pas vrai ?* (→ Momie, cit. 3), *n'est-ce pas ? — Ce n'est pas vrai. — Fam. C'est pas vrai.*

(1749). Ellipt, fam. *Pas vrai,* employé en interrogation directe ou en incise (→ Jacasser, cit. 1). — Fam. *C'est pas vrai ? :* sans blague ? *C'est vrai ? :* non. — Pop. (*pas vrai* est considéré comme un adj.). *« C'est bien pas vrai »* (M. Aymé, *la Vouivre,* p. 79) : c'est faux. *— Alors, c'est vrai, vous partez ?* ⇒ **Sérieux** (c'est). *— Il n'y a pas un mot de vrai dans tout cela.*

2 La loi, pas vrai ? quel mot ! (...)
A. DE MUSSET, Poésies complémentaires, « Loi sur la presse », XI.

3 Puis, reculant afin de le contempler : — Vrai qu'il est bien, pour son âge ?
MAUPASSANT, l'Inutile Beauté, « Le masque ».

3.1 Tant qu'à penser à l'amour, mieux vaut y penser sérieusement, pas vrai ? on n'est tout de même plus d'âge à être amoureuses d'un fantôme (...)
M. AYMÉ, Maison basse, p. 243.

Spécialt. *Il est vrai que... :* sans doute* (s'emploie pour introduire une atténuation, une restriction ou une correction à ce qu'on vient de dire). → Abattre, cit. 1 ; austère, cit. 3 ; œuf, cit. 7. — *Il est vrai* (placé avant ou après le membre de phrase dont il s'agit) : je dois l'admettre, le reconnaître (→ Âme, cit. 58 ; attendre, cit. 86 ; jour, cit. 7 ; jugement, cit. 16 ; peine, cit. 10). *« Je suis âne, il est vrai, j'en conviens, je l'avoue »* (→ Blâmer, cit. 3). — Dans le même sens : *Il est gredin, c'est vrai, mais il a tant de talent* (cit. 11). *— Sans doute est-il vrai que...* (→ Style, cit. 14).

REM. *Vrai que...* introduisant une complétive (avec le subj.). *« S'il est vrai que la mer ait été... »* (Proust, *À l'ombre des jeunes filles en fleur,* III). *« Était-il vrai qu'il partît ? »* (France, *Jocaste,* p. 8). — (Avec l'ind.). *« Ce n'est pas vrai qu'un navire passa... ; ce n'est pas vrai que je n'avais encore rien de prêt... »* (Giraudoux, *Suzanne et le Pacifique,* p. 101).

b Qui est considéré, donné comme vrai dans un groupe ; à quoi l'on croit. *La vraie religion, la vraie foi.* ⇒ **Orthodoxie.** *Le vrai Dieu* (cit. 37).

c Log. Qui est pensable, qui n'implique pas de contradiction formelle (→ Formel, cit. 9). *Proposition formellement* (cit. 2) *vraie.*

3.2 (...) *tout ce que nous concevons clairement est ou existe ;* (cet axiome)... n'est nullement de moi, mais seulement que *tout ce que nous apercevons clairement est vrai* (...)
DESCARTES, Lettres, À Mersenne, mars 1642.

♦ **2.** Qui existe indépendamment de l'esprit qui le pense (opposé à *imaginaire*). ⇒ **Réel ; effectif, objectif, véritable** (3.). *Les vrais musées* (cit. 8) *et le musée imaginaire* (cit. 5). *Des hallucinations* (cit. 6 et 7) *vraies* (les perceptions). *Bonaparte n'est plus le vrai Bonaparte, c'est une figure légendaire* (cit.). ⇒ **Historique, vivant.**

4 Il y aura toujours deux mondes soumis aux spéculations des philosophes : celui de leur imagination, où tout est vraisemblable et rien n'est vrai, et celui de la nature, où tout est vrai sans que rien paraisse vraisemblable.
RIVAROL, Maximes et pensées, « Métaphysique ».

5 Ce n'était plus un effort de sa mémoire, un mirage de sa pensée, c'étaient de vrais gendarmes et de vrais juges, une vraie foule et de vrais hommes en chair et en os.
HUGO, les Misérables, I, VII, IX.

Sc. Réel, exact (et non pas observé, calculé ou déduit). *Le pôle* (cit. 2) *moyen et le pôle vrai. Jour vrai* (solaire) *et jour moyen. Temps* solaire vrai. Hauteur vraie d'un astre* (opposé à *apparent*). Mar. *Point vrai. Cap vrai et cap compas.*

♦ **3.** (Placé le plus souvent avant le nom). Qui correspond bien à l'idée, au concept ou au signe qui lui est relatif. ⇒ **Réel, véritable.**

6 (...) un système vrai, c'est un système qui est, qui représente, qui renferme la vérité ; un vrai système, c'est un système qui est vraiment, qui est bien un système. C'est-à-dire qu'antéposé, l'adjectif ne fait qu'affirmer le sens du substantif, il l'identifie avec lui-même.
A. BLINKENBERG, l'Ordre des mots en franç. moderne, II, p. 50.

a (1680). Conforme à son apparence ou à sa désignation (opposé à *faux,* I., A., 2.). *De vraies perles* (et non des imitations). *Un vrai Renoir. Une vraie et une fausse noce* (cit. 5). *Ce n'est pas sa vraie mère, mais sa mère adoptive. — Un vrai médecin.* ⇒ **Authentique** (→ Plaque, cit. 9). *Vrai nom et pseudonyme* (cit. ; → Franciser, cit. 3). *Il n'est pas de livre dont le titre soit plus vrai* (→ Mélange, cit. 15) : dont le titre corresponde mieux au contenu du livre.

7 Jadis, un directeur de théâtre dépensait des centaines de mille francs pour consteller de vraies émeraudes le trône où la diva jouait un rôle d'impératrice.
PROUST, À la recherche du temps perdu, t. XI, p. 11.

8 Ce ne sont pas les vrais, pensa-t-il, ce sont les sosies. Où sont les vrais ? N'importe où, mais pas ici. Personne n'est ici pour de vrai ; pas plus moi que les autres.
SARTRE, la Mort dans l'âme, p. 31.

8.1 Tous les objets qu'il disait en riant attendre de mes futurs millions me sautent encore aux yeux, du fond de chaque vitrine : ses lunettes en doublé, sa robe de chambre en faux poil de chameau, sa valise en fausse truie, car il n'imaginait même pas que l'or, le vrai poil de chameau et le vrai porc pussent un jour entrer dans sa vie (...)
J. GIRAUDOUX, Siegfried et le Limousin, 1922, p. 182.

8.2 Seul le père a été mis au courant, lorsqu'il a téléphoné à l'hôpital ; or, du moment qu'il n'est pas le vrai père — ou pas légalement le père, ou d'une façon quelconque pas le père tout à fait — il n'est pas obligé d'être en rapport avec la jeune fille, ni même de connaître son existence ; il n'y a donc pas de raison qu'il lui écrive, sitôt la poste rétablie.
A. ROBBE-GRILLET, Dans le labyrinthe, p. 216.

b Qui appartient naturellement à qqn (opposé à *faux* I., A., 5. ; *postiche*). *Ce sont ses vraies dents. Une poupée avec de vrais cheveux.* ⇒ **Naturel, véritable.**

c (Choses d'ordre moral ; personnes). Conforme à son nom, à sa désignation ; nommé à bon escient, à juste titre. *Le vrai courage, le vrai sentiment religieux* (→ Caricature, cit. 3), *la vraie morale* (cit. 9, Pascal), *la vraie générosité* (cit. 3), *la vraie politesse* (cit. 3). *Vraie et fausse éloquence. Les vrais besoins* (cit. 13). *De la gaieté* (cit. 5), *de la vraie. Un métier* (cit. 4), *un vrai métier. La vraie gloire* (→ Durable, cit. 5). *— Le vrai misanthrope* (cit. 2) *est un monstre. Les vrais nobles* (cit. 17), *les vrais snobs* (cit. 3). *Un vrai père* (cit. 5). *Vrai dessinateur* (→ Dessiner, cit. 2), *poète* (→ Initier, cit. 9), *sculpteur* (cit. 1). *— Un vrai chrétien. Un vrai patriote* ⇒ **Bon** (2.), **digne** (de ce nom). *Une vraie jeune fille.* — (Concret). *Un vrai jardin* (cit. 1), *presque un parc.*

(Emphatique). *C'est un vrai imbécile, un vrai salaud.* ⇒ **Franc.**

d (Fin xiiᵉ). En parlant d'affects, de croyance. Qui n'est pas affecté, feint. ⇒ **Sincère.** *La vraie dévotion* (cit. 3). *Sentiment* (cit. 11) *vrai* (→ Empreindre, cit. 12).

e Pour introduire une désignation métaphorique ou figurée. ⇒ **Véritable.** *De vrais caméléons* (cit. 3), *un vrai dragon* (cit. 4 et 6), *un vrai mulet* (1. Mulet, cit. 2), *un vrai cheval.* — (Personnes). *Le vrai roi moderne, le scribe* (cit. 1). *Un vrai Sardanapale* ⇒ **Remontrance, cit. 2).** — (Choses). *Un vrai fleuve* (cit. 11), *une vraie marqueterie* (cit. 3). *Avoir de vraies mains* (cit. 6) *de demoiselle* (s'agissant d'un homme). — Spécialt (par jeu de mots avec le sens précédent, et entre les sens propre et métaphorique du substantif). *Le cerf courait comme un vrai cerf* (cit. 5) *qu'il était. Comme une vraie marâtre* (cit. 2) *qu'elle était.*

f Qui est bien ce qu'il veut paraître (en parlant d'une attitude ou d'actions conscientes, voulues). *L'hypocrite et le vrai dévot* (cit. 5). *Vrais et faux* (1. Faux, cit. 23) *miracles.*

Loc. fam. **VRAI DE VRAI :** absolument vrai, authentique, véritable (→ Pour de bon*, pour de vrai). — Subst. *C'est un aventurier, un vrai de vrai.* — N. *Un vrai de vrai :* un homme du milieu. *Les vrais de vrai,* ouvrage de Francis Carco (1928).

9 — Blague dans le coin, dit-elle, je parie que vous êtes de Houilles ou de Bezons (...) — Non, chère madame, répondit l'autre, je suis un Arabe pour de bon, un vrai de vrai.
R. QUENEAU, Pierrot mon ami, II.

♦ **4.** (XIIIᵉ ; avec un nom de personne). **Vieilli** ou **littér.** Qui dit la vérité (⇒ **Véridique**) et qui se comporte selon ses intentions, sans dissimuler ni tromper. ⇒ **Franc, loyal, sincère.** — REM. Dans ce sens fort, *vrai* est placé après le substantif ou employé en attribut. — *Tout est vrai en lui.* ⇒ **Naturel** (II., 6.), **sincère.**

10 S'il faut être juste pour autrui, il faut être vrai pour soi ; c'est un hommage que l'honnête homme doit rendre à sa propre dignité.
ROUSSEAU, Rêveries..., IVᵉ promenade.

10.1 Le jeune Comte m'ordonna de raconter à la Marquise les choses dont je lui avais fait part, et dès que j'eus fini ; — votre candeur et votre naïveté, me dit Madame de Bressac, ne me permettent pas de douter que vous ne soyiez vraie.
SADE, Justine..., t. I, p. 71.

11 — J'aimais un homme vrai, sans mensonge au front, probe comme vous l'êtes, incapable de se déguiser comme un acteur, de se mettre à la joue le fard de la gloire d'un autre (...)
BALZAC, Modeste Mignon, Pl., t. I, p. 493.

12 Soyons donc vrais, au nom de Dieu, vrais comme Thalès quand, de sa propre initiative et par besoin intime, il se mit à spéculer sur la nature ; vrais comme Socrate, vrais comme Jésus, vrais comme saint Paul, vrais comme tous ces grands hommes que l'idéal a possédés et entraînés après lui !
RENAN, l'Avenir de la science, Œ. compl., t. III, VII, p. 826.

♦ **5.** (1636). **Arts.** Qui s'accorde avec notre sentiment de la réalité (⇒ **Vraisemblable**), qui est conforme à son type (⇒ **Vérité,** 4.), en général parce qu'il est exprimé avec perspicacité, sincérité et naturel. ⇒ **Naturel** (cit. 21), **senti.** *Description, peinture vraie, plus vraie que nature. Personnages vrais, vivants* (→ Humain, cit. 20). *« L'Assommoir » de Zola est tristement vrai* (→ Caboulot, cit. 1). *Style vrai, direct... — Geste vrai, juste* (cit. 20). *Jeu* (cit. 72) *trop fin, trop vrai. —* (En parlant de l'artiste, de l'écrivain). *Ces maîtres si vrais, si naturels* (→ Précieux, cit. 6). *« Tu n'es vrai que dans les milieux, tes contours sont faux »* (1. Faux, cit. 39).

13 Ceci est nouveau pour moi ; parler à des gens dont on ignore absolument la tournure d'esprit, le genre d'éducation, les préjugés, la religion ! Quel encouragement à être vrai, et simplement vrai, il n'y a que cela qui tienne. Benvenuto a été vrai et on le suit avec plaisir, comme s'il était écrit d'hier (...)
STENDHAL, Vie de Henry Brulard, 1.

♦ **6.** Qui vaut ou agit dans un cas précis, est adapté à une fin. ⇒ **Convenable.** *Le vrai moyen* (⇒ **Bon**). *La grille* (cit. 20) *qui isole les mots vrais* (dans un message chiffré). — *Mettre une chose à son vrai prix* (→ Libelle, cit. 3).

14 Rien n'est bon que d'aimer, n'est vrai que de souffrir.
A. DE MUSSET, Poésies nouvelles, « À la Malibran », XXVI.

(1681). Qui compte, qui est plus important. ⇒ **Essentiel, principal, unique.** *Le vrai motif, la vraie raison de sa décision, de son départ.*

★ **II. N. m.** (1350). ♦ **1.** Ce qui est vrai (au sens I., 1.). ⇒ **Vérité** (1.). *Discerner, distinguer le vrai d'avec le faux* (→ Clair, cit. 30). — **Philos.** *Aspects du vrai : vrai formel, mathématique, psychologique, moral, métaphysique... — Chercher, voir, posséder le vrai* (→ Partiel, cit. 1). *Atteindre* (cit. 46) *au vrai. « L'homme, dépositaire du vrai, cloaque d'erreur... »* (→ Chaos, cit. 4). *Discerner, exposer le vrai* (→ Nommer, cit. 13), *découvrir le vrai à qqn.* — Loc. *Plaider le faux* pour savoir le vrai. Le vrai est mêlé* (cit. 43) *de faux. —* Vx. *Le vrai d'une chose, le vrai de l'aventure* (Mᵐᵉ de Sévigné, 25 sept 1676), la vérité concernant cette chose. — *Le bien* (2. Bien, cit. 68) *et le vrai. Dieu, prototype* (cit. 2) *du vrai, du beau absolu.*

5 (...) les deux valeurs de la logique classique ne sont pas le *vrai* et le *faux* (contraires), mais le *vrai* et le *pas vrai* (contradict.) ; or dans le *pas vrai* sont comprises les valeurs intermédiaires entre le vrai et le faux (indécidable, douteux, probable) ; le vrai, d'autre part comprend l'effectif, le nécessaire (...)
FOULQUIÉ et SAINT-JEAN, Dict. de la langue philosophique, art. *Vérité.*

Loc. *Être dans le vrai* (→ Force, cit. 70) : avoir raison.

Spécialt. Ce qui correspond à notre sentiment du réel (→ ci-dessus, I., 5.). ⇒ **Vérité** (4.). → Réalisme, cit. 1. *Le vrai en littérature, en art. « Rien n'est beau* (cit. 2 et 97) *que le vrai... »*

6 (...) mais Callot est net, clair, fin, précis, fidèle au vrai, malgré le maniéré de ses tournures et l'extravagance fanfaronne de ses ajustements ; ses diableries les plus singulières sont rigoureusement possibles (...)
Th. GAUTIER, Voyage en Espagne, p. 84.

♦ **2.** (Mil. XVIIᵉ). Le réel, ce qui est. ⇒ **Réalité, réel, vérité** (6.). *Rien n'a l'air plus faux* (1. Faux, cit. 46) *que le vrai. Le sentiment du vrai* (→ Fiction, cit. 8).

7 Jamais l'imagination n'approchera des invraisemblances et des antithèses du vrai.
Ed et J. DE GONCOURT, Journal, 21 févr. 1862, t. II, p. 10.

♦ **3.** Loc. *Dire le vrai* (vx), *dire vrai* (→ Menterie, cit. 1). — **Vieilli.** *À dire le vrai* (→ Orateur, cit. 1). **Mod. À DIRE VRAI** (→ Déportement, cit. 3 ; dorer, cit. 1), **À VRAI DIRE** (→ Inanité, cit. 4 ; rouler, cit. 2), s'emploient pour introduire une restriction. ⇒ **Franchement ; doute** (sans doute) ; → Sans mentir*.

8 Tu dis vrai. Le bonheur, amie, est chose grave.
HUGO, Hernani, V, 3.

Dans le vrai (vx) : véritablement, à la vérité (→ Gaucherie, cit. 3).

Loc. adv. (1538). **AU VRAI** : conformément à la vérité (vx). *Contez-nous la chose au vrai* (Académie). — **Mod., littér.** En fait, pour être tout à fait exact...* (→ Diversité, cit. 4 ; orient, cit. 4 ; petit, cit. 8).

(1340). **DE VRAI** (vx ou archaïque). → Insensé, cit. 1 ; promoteur, cit. 3, Montaigne. — *Pour vrai* (vx) → Immuable, cit. 1, Marot.

19 De vrai est-il tout différent de s'adresser à quelqu'un pour le distraire ou le renseigner — et de lui commander (...)
J. PAULHAN, les Fleurs de Tarbes, p. 90 (note).

Loc. fam. *Pour* (cit. 7 et 8) *de vrai.*

20 J'ai connu Eugénie longtemps après son veuvage, car elle a été mariée pour de vrai, tu sais (...)
HUYSMANS, En ménage, X.

★ **III. Adv.** (*Dire vrai,* fin XIVᵉ — peut-être nominal ; v. 1773).
♦ **1.** Avec exactitude, sincérité ; conformément à la vérité. *Parler vrai* (→ Nez, cit. 23). — **Arts.** En accord avec notre sentiment de la réalité. *Écrire, faire vrai* (→ Réaliste, cit. 3). *Jouer vrai.* ⇒ **Juste.**

♦ **2.** (1846, G. Sand). Employé en incise. **Fam.** Certainement, vraiment (→ Dispenser, cit. 10 ; navrant, cit. 2). *Je n'ai plus faim, non, vrai, là...* (→ Mangeur, cit. 2). *Eh ben vrai, alors... !* (→ Propre, cit. 35) : sans blague ! — En tête de phrase (→ Sûr, cit. 12). — Exclamatif :

21 Ceux-ci épargnés, ceux-là saccagés, et à quelques kilomètres de distance ! vrai ! quelle déveine de se trouver du mauvais côté !
ZOLA, la Terre, II, II.

22 Vrai, nous n'avions pas pensé que ça tournerait si mal.
MAUPASSANT, l'Inutile Beauté, « Champ d'oliviers », III.

— Soyez tranquille ! je lui parlerai !
— Vrai ! tu oseras ?
— Tiens !
E. LABICHE, les Deux Timides, 3.

23

CONTR. Apparent, vraisemblable... ; captieux, contestable, controuvé, erroné, fabuleux, faux, inexact, infidèle, inventé, mensonger. — Artificiel, factice, fautif, faux, imité, postiche, simulé ; feint. — **Imaginaire :** chimérique, illusoire. — (Personnes). Comédien, hypocrite, imposteur. — (Beaux-arts). **Emprunté, fardé, faux, forcé,** imité ; académique. — (Du n.) Erreur, invention.
DÉR. Vraiment, vraisemblable, vraisemblance.

VRAIMENT [vʀɛmɑ̃] adv. — XIIIᵉ, *vraiement* ; *veraiement,* déb. XIIᵉ ; de *vrai.*

♦ **1.** Conformément à la vérité extérieure, de façon indiscutable. ⇒ **Certainement, effectivement, effet** (en), **réellement, véritablement, vérité** (en), **vrai** (à dire vrai, au vrai). *Parler vraiment de qqch.* (→ Authentique, cit. 15). *Changer vraiment et totalement* (→ Moi, cit. 53). *S'aimaient-ils vraiment ?* (→ Baiser, cit. 28 ; interroger, cit. 3). *Ça vous intéresse vraiment ?* (→ Marcher, cit. 36). ⇒ **Sérieusement.** *L'avez-vous vraiment vu, ce qui s'appelle vu ?* (→ Répliquer, cit. 3). *Je ne vous gêne pas ? Vraiment pas ? Il ne m'a pas quittée* (cit. 8), *vraiment quittée. Il avait vraiment de la chance* (→ Mordre, cit. 14). — **Bien.** — *Vraiment beau* (cit. 5), *libre* (cit. 26). *Une santé vraiment insolente* (cit. 10). ⇒ **Bonnement** (tout). *Révolution vraiment populaire* (cit. 2), populaire dans son essence, par excellence. *Un roi vraiment roi* (→ 1. Calme, cit. 8). *« Ô vraiment marâtre nature... »* (→ Durer, cit. 6). *Il n'est pas vraiment malade, il est seulement fatigué.*

♦ **2.** (XIVᵉ). Employé pour souligner une affirmation. ⇒ **Assurément, franchement, mentir** (sans) ; → Joli, cit. 15 ; nuance, cit. 1 ; sacristi, cit. 1. *Ha !* (cit. 2), *vraiment..., vraiment oui* (cit. 2). ⇒ **Voire.** *Vraiment, j'ai des raisons de croire...* (→ Fatuité, cit. 6). *Je regrette* (cit. 15), *vraiment* (cf. Je vous assure). — *Il est vraiment, trop froussard* (cit.), *trop bête. Vraiment, il exagère.* — Iron. *Ah ! vraiment, c'est malin ! Je ne sais vraiment pas* (→ Joie, cit. 18 ; refroidir, cit. 2). — Interrog. *Vraiment ? : est-ce vrai ?, croyez-vous ?* — Par ext. Je vous en prie... *« Vous êtes une perle* (cit. 16) *d'économie, mais vraiment gâtez-nous un peu plus. »*

PAS VRAIMENT : pas du tout (euphémisme), pas complètement. *Il n'est pas vraiment intelligent. Tu as aimé le film ? Pas vraiment :* pas beaucoup (ou même : pas du tout, euphémisme).

CONTR. Erronément, faussement, inexactement, mensongèrement. — Artificiellement, facticement ; illusoirement.

VRAISEMBLABLE [vʀɛsɑ̃blabl] adj. et n. — 1266 ; de *vrai,* et *semblable,* d'après le lat. *verisimilis.*

♦ **1.** **Adj.** Qui est à bon droit considéré comme vrai (I., 1.) ; qui semble vrai. ⇒ **Crédible, croyable, plausible.** *Ce qui est, paraît vrai* (cit. 5) *et ce qui est vraisemblable. Nouvelle, supposition* (cit. 5) *hypothèse vraisemblable. Je ne crois ni certain ni vraisemblable...* (→ Mignon, cit. 11). *Rendre une nouvelle vraisemblable.* ⇒ **Accréditer** (II.). *« Je réputais presque pour faux ce qui n'était que vraisemblable »* (→ 1 Faux, cit. 2, Descartes). *Chose fausse, mensongère mais vraisemblable. Chose vraie mais peu vraisemblable, incroyable. — Il est* (→ Beauté, cit. 1 ; inspirer, cit. 8), *il paraît* (→ Dévorer, cit. 6) *vraisemblable que... Il n'est pas vraisemblable que...* (suivi du subjonctif). — (En parlant d'un événement futur). ⇒ **Possible, probable.**

1 L'examen, la comparaison la plus sérieuse des actes et des témoignages, le contrôle des uns et des autres, peuvent, à nos seuls critiker les faits, écarter les mensonges hardis de tel ou tel contemporain et nous amener aux résultats plus vraisemblables, j'ose dire à peu près certains, que nous venons d'indiquer.
MICHELET, Hist. de la Révolution franç., V, IX.

(1660). Spécialt. Dans l'art, Qui correspond apparemment à l'idée qu'on se fait du réel. ⇒ **Vrai** (I. 5.). *Portrait* (cit. 13) *vraisemblable.*

2 Le vrai peut quelquefois n'être pas vraisemblable.   BOILEAU, l'Art poétique, III.

♦ **2. N. m.** (Mil. XVIe, Amyot). *Le vraisemblable* (→ **Nécessaire,** cit. 22; prolixe, cit. 2; tragédie, cit. 4). *L'ordre du vraisemblable.*

3 Sa vie est un roman : non, il lui manque le vraisemblable.
    LA BRUYÈRE, les Caractères, VIII, 96.

CONTR. et COMP. Invraisemblable.
DÉR. Vraisemblablement.

VRAISEMBLABLEMENT [vʀɛsɑ̃blabləmɑ̃] adv. — 1385; de *vraisemblable.*

♦ **1. Didact.** Avec l'apparence de la vérité, de manière à rendre croyable. *« Parler vraisemblablement de toutes choses »* (Descartes, *Discours de la Méthode,* I, 7). *On dirait vraisemblablement...* (→ **Fange,** cit. 4).

♦ **2.** (1637). **Cour.** Selon la vraisemblance, les probabilités. ⇒ **Apparemment, probablement** (→ **Midi,** cit. 7). *Il arrivera vraisemblablement demain. Une trêve* (cit. 8) *est vraisemblablement assez proche* (→ aussi Hublot, cit. 3; inflammatoire, cit.). *Ellipt* (en réponse). *Elle comprendra? — Vraisemblablement.*

CONTR. Invraisemblablement.

VRAISEMBLANCE [vʀɛsɑ̃blɑ̃s] n. f. — 1358; de *vrai,* et *semblance,* d'après le lat. *verisimilitudo,* de *verisimilis* (→ vraisemblable).

♦ **1.** *(La vraisemblance).* Caractère de ce qui peut à bon droit sembler réel ; apparence de vérité. ⇒ **Crédibilité** (→ Éloquence, cit. 7). *La vraisemblance d'une déclaration, d'un propos* (→ Discuter, cit. 4), *d'une hypothèse* (→ Improbable, cit. 3), *d'un événement futur* (⇒ **Probabilité**). *Assertion* (cit. 1) *dénuée de vraisemblance. Opinion* (cit. 7) *qui prend de la vraisemblance. Soutenir avec vraisemblance une proposition absurde, choquante.* (→ Sophiste, cit. 2). *Heurter, choquer la vraisemblance. Contre toute vraisemblance* (→ Notoriété, cit. 1). *Au delà de toute vraisemblance :* d'une manière incroyable (→ Nombreux, cit. 4). *Signes de vraisemblance qui fondent une opinion.* ⇒ **Présomption** (1.).

(1572, Ronsard). **Spécialt.** *La vraisemblance en art, au théâtre, dans un roman.* ⇒ **Vraisemblable** (n.).

1 Il a pour maxime très nécessaire en son art de ne suivre jamais pas à pas la vérité, mais la vraisemblance et le possible ; et sur le possible et sur ce qui se peut faire, il bâtit son ouvrage (...)   RONSARD, la Franciade, Au lecteur apprentif.

2 Leur intention étant de dégager la philosophie de certains faits constants et courants, ils devront souvent corriger les événements au profit de la vraisemblance et au détriment de la vérité, car *Le vrai peut quelquefois n'être pas vraisemblable.*
    MAUPASSANT, Pierre et Jean, « Le roman ».

♦ **2.** (1671). **Littér.** *(Une, des vraisemblances).* Chose apparemment vraie ; ce qui rend vraisemblable (une assertion, une opinion). *« Donner des vraisemblances pour des vérités »* (Beaumarchais, *Mémoires sur l'affaire Goëzman,* p. 43).

3 Depuis trois heures, cette foule regardait plier peu à peu sous le poids d'une vraisemblance terrible un homme, un inconnu, une espèce d'être misérable, profondément stupide ou profondément habile.   HUGO, les Misérables, I, VII, IX.

CONTR. Certitude ; invraisemblance.

VRAQUIER [vʀakje] n. m. — 1973; de *vrac.*

♦ **Mar.** Navire transportant des produits en vrac. *Vraquier-pétrolier.*

VRENELI [vʀeneli] n. m. — Fin XIXe ; forme hypocoristique de *Verena,* n. pr., effigie des pièces d'or suisses.
Régional (Suisse).

♦ **1.** Pièce d'or suisse de vingt francs.

♦ **2.** Surnom des jeunes filles suisses alémaniques.

VRILLAGE [vʀijaʒ] n. m. — 1873, in D. D. L.; de *vriller.*
Technique.

♦ **1.** Défaut des fils textiles, des fils pour la pêche qui vrillent.

♦ **2.** Torsion donnée aux pales d'une hélice, aux ailes d'un avion.

VRILLANT, ANTE [vʀijɑ̃, ɑ̃t] adj. — XXe ; de *vriller.*

♦ Qui vrille, transperce, taraude. ⇒ **Térébrant.**

(...) un bruit vrillant de perforeuse, que les passants ne semblaient point entendre, mais qui résonnait à l'intérieur comme à l'extérieur de ma tête (...)
    Michel BUTOR, l'Emploi du temps, V, I.

VRILLE [vʀij] n. f. — 1375, au sens II.; *vedille, veïlle, ville,* XIIIe, au sens 1.; du lat. *viticula,* de *vitis,* « vigne »; l'*r* mal expliqué provient peut-être de la famille de *virer.*

♦ **1.** (1551). Organe de fixation de certaines plantes grimpantes (cit. 2), production foliaire allongée qui se fixe et s'enroule en hélice. ⇒ **Attache, cirre, filament.** *Les vrilles de la vigne,* ouvrage de Colette (→ Ligoter, cit. 1). *Vrilles des pois.*

1 Cosette du reste traversait ce moment dangereux (...) où le cœur d'une jeune fille isolée ressemble à ces vrilles de la vigne qui s'accrochent, selon le hasard, au chapiteau d'une colonne de marbre ou au poteau d'un cabaret.
    HUGO, les Misérables, IV, V, I.

(1876). *Plante à vrilles* (liseron des champs).

♦ **2.** Outil formé d'une tige (⇒ **Mèche**) que termine une vis. ⇒ **Foret, percerette, tarière** (1.). *Percer avec une vrille.* ⇒ **Vriller.** — Par compar. *Ce qui perce. Le soleil vous transperce* (cit. 3) *le crâne, comme avec des vrilles ardentes* (→ aussi Plomb, cit. 2). — *Yeux percés comme avec une vrille,* petits et ronds. *Regard perçant comme une vrille* (→ Marchand, cit. 13). — Par métaphore. *Regard en vrille, en (trou de) vrille.* — Figuré :

2 Son regard était une vrille. Cela était froid et cela perçait.
    HUGO, les Misérables, I, V, V.

3 (...) ils ont des yeux perçants comme une vrille,
Luisants comme ceux trous où l'eau dort dans la nuit (...)
    BAUDELAIRE, les Fleurs du mal, « Tableaux parisiens », XCI, I.

♦ **3.** (XXe). Par anal. de forme. Hélice, spirale.

Spécialt. [a] (1920, in D. D. L.). Mouvement d'un avion en perte de vitesse, qui tombe en tournant sur lui-même. *Avion qui descend en vrille. Vrille volontaire,* figure de voltige.

4 Par un escalier en vrille ouvert dans le fond de la salle, on descendait au sous-sol.
    G. DUHAMEL, Chronique des Pasquier, IV, VII.

5 (...) l'avion qui descend en vrille secoue comme une grenaille (...) ses sept hommes (...)   MALRAUX, l'Espoir, II, I, I, II.

6 Alors, je levais la tête et suivais longuement des yeux ce gracieux, ce fragile engin qui virevoltait, décrivait des courbes, des spirales, tombait en vrille, en feuille morte, sur l'aile, sur l'autre aile, se relevait, bouclait la boucle au-dessus de la ville, disparaissait dans une gloire de lumière.
    B. CENDRARS, Moravagine, in Œ. compl., t. IV, p. 235.

[b] **Sports.** En gymnastique, Mouvement effectué par le corps tournant autour de son axe de longueur. *Vrille avant, arrière. Vrille complète.*

(1924, in Petiot). En natation, Plongeon de tremplin comportant un saut de carpe et une torsion en tire-bouchon.

DÉR. Vrillé, vrillée, vriller, vrillerie, vrillette, vrillier, vrillon.

VRILLÉ, ÉE [vʀije] adj —1778, Lamarck; de *vrille.*
Didactique ou technique.

★ **I.** ♦ **1. Bot.** Muni de vrilles. *Tige vrillée. Pampres vrillés* (→ Grappillon, cit.).

♦ **2. Techn.** Tordu plusieurs fois sur soi-même. *Un fil de pêche tout vrillé.*

★ **II.** (1872; p. p. de *vriller*). Percé avec une vrille.
HOM. Vrillée, vriller, vrillier.

VRILLÉE [vʀije] n. f. — 1750, Ménage; dial. *veille, villée, veillée...;* de *vrille.*

♦ Espèce de liseron.
HOM. Vrillé, vriller, vrillier.

VRILLEMENT [vʀijmɑ̃] n. m. — Mil. XXe (in Larousse, 1949); de *vriller.*

♦ Action de vriller; bruit de ce qui vrille.

VRILLER [vʀije] v. — 1752; de *vrille.*

♦ **1. V. intr.** Monter, descendre en tournant sur soi-même. *Fusée, avion qui vrille.* — Se tordre, s'enrouler sur soi-même. *Cordon qui vrille. Ligne dont le crin vrille.*

♦ **2. V. tr.** (1843). [a] Percer avec une vrille, comme avec une vrille. ⇒ **Tarauder.** *Vriller une planche.*

[b] Fig. Percer, pénétrer. ⇒ **Tarauder.** (→ Térébration, cit.). *Un son suraigu qui vrille le tympan.*

(...) une névralgie furieuse lui vrillait les tempes (...)   HUYSMANS, En route, I, X.

▶ **SE VRILLER** v. pron. S'enrouler sur soi-même.

DÉR. Vrillage, vrillant, vrillé (II.), vrillement.
HOM. Vrillé, vrillée, vrillier.

VRILLERIE [vʀijʀi] n. f. — 1765; de *vrille.*

★ **I. Vx.** Petits outils métalliques : limes, forets, ciseaux, poinçons...

★ **II.** (1803). **Techn.** Fabrication des vrilles et forets. — Atelier , usine où on fabrique ces instruments.

VRILLETTE [vʀijɛt] n. f. — 1764 ; de *vrille*.

♦ Petit insecte coléoptère dont la larve ronge les bois ouvragés. ⇒ **Anobie**.

VRILLIER [vʀije] n. m. — 1723 ; de *vrille*.

♦ Techn. (vieilli). Ouvrier qui fabrique des vrilles, forets, poinçons... (→ Vrillerie).

HOM. Vrillé, vrillée, vriller.

VRILLON [vʀijɔ̃] n. m. — 1791 ; de *vrille*.
Technique.

♦ **1.** Petite tarière en forme de vrille.

♦ **2.** Copeau en hélice.

REM. Un verbe *vrillonner* « se contourner, se tortiller en vrillon », est attesté (1876).

VROMBIR [vʀɔ̃biʀ] v. intr. — 1894, Sachs-Villatte, *in* D. D. L., onomatopée.

♦ Produire un son vibré, par un mouvement périodique rapide. ⇒ **Bourdonner, brondir**. *Le frelon, le taon vrombit. — Avion, moteur qui vrombit.*

1　(...) l'orchestre (...) où le cymbalum fracasse et vrombit (...)
　　　　　　　Émile HENRIOT, la Rose de Bratislava, XI.
2　La trêve sur le radeau de rocailles permit aux hommes d'allumer un feu vague et filandreux autour duquel luisait et vrombissait une chevelure de bestioles volantes.
　　　　　　　P. GRAINVILLE, les Flamboyants, p. 255-256.

DÉR. Vrombissant, vrombissement.

VROMBISSANT, ANTE [vʀɔ̃bisɑ̃, ɑ̃t] adj. — 1894, Sachs-Villatte, *in* D. D. L. ; de *vrombir*.

♦ Qui vrombit. *Des motos vrombissantes. Insectes vrombissants.* ⇒ **Bourdonnant**.

(...) la machine balayeuse municipale passait tout juste, vrombissante (...)
　　　　　　　CÉLINE, Voyage au bout de la nuit, p. 223.

VROMBISSEMENT [vʀɔ̃bismɑ̃] n. m. — 1894, Sachs-Villatte, *in* D. D. L. ; de *vrombir*.

♦ Bruit de ce qui vrombit. *Le vrombissement des mouches* (⇒ **Bourdonnement**). *Le vrombissement d'un moteur* (⇒ **Ronflement**).

1　(...) des mouches tournoyaient sur la mare avec un petit vrombissement qui se mariait aux vibrations continues des couches d'air surchauffées se balançant au-dessus de l'eau.　　Louis PERGAUD, De Goupil à Margot, p. 137.
2　*(Les)* garçons des salons de coiffure qui la tenaient des clientes se la hurlant confidentiellement d'une cabine à l'autre dans le tiède vrombissement des séchoirs (...)
　　　　　　　Claude SIMON, le Vent, p. 114.

VROUM ou **VROOM** [vʀum] interj. — xxᵉ.

♦ Onomatopée imitant un bruit de moteur (→ Broum). « *Vroum ! vroum ! Débrayage. Première. Embrayage. Vroar ! c'est parti !* » (*Libération*, 13 janv. 1982, p. 33). — N. m. : « *Bien calé dans un siège baquet, le citadin en villégiature retrouve clefs, contact, volant, la bagnole quoi ! La joie du vroom et de l'accélération (...)* » (le Nouvel Obs. 9 juil. 1973, p. 44).

V. R. P. [veɛʀpe] n. m. invar. — Abréviation (sigle).

♦ Voyageur représentant placier. *Il est V. R. P. pour une maison de prêt-à-porter.*

Par compar. : « *Les enquêteurs, les V. R. P. du marketing ou de la sociologie* » (le Nouvel Obs., 10 juil. 1972, p. 31).

Vs [veʀsys] Abrév. de *versus**.

V. S. N. [veɛsɛn] n. m. — Sigle.

♦ Franç. d'Afrique. Volontaire du Service national, jeune Français effectuant son service militaire en « coopération ». ⇒ **Coopérant**.

VTOL [vtɔl] n. m. — 1964 ; sigle anglais de *Vertical Take-Off and Landing*.

♦ Techn. Avion susceptible de décoller et d'atterrir verticalement. Équivalent français recommandé : *A. D. A. V.* (avion à décollage et atterrissage verticaux). Appos. *Les avions vtol peuvent décoller sans roulement.*

VU, VUE [vy] adj. et n. m. ⇒ **Voir**. — *Vu que...* ⇒ **Voir**.

VUE [vy] n. f. — xiiiᵉ ; *veüe*, 1080, *Chanson de Roland* ; p. p. de *voir*, substantivé.

★ **I. A.** Action de voir. ♦ **1.** Sens par lequel les stimulations lumineuses donnent naissance à des sensations spécifiques, variables selon l'intensité du flux photonique et les longueurs d'ondes des radiations (lumière ; couleur), et organisées en une représentation différenciée de l'espace (chez les animaux supérieurs et l'homme, par la superposition de deux images : vision binoculaire). *Organes de la vue.* ⇒ **Œil** ; **optique** (nerfs, couches), **chiasma, rétine.** *Perception par la vue.* ⇒ **Vision** ; **visuel.** *Sensible à la vue.* ⇒ **Visible.** *Saisir, percevoir par la vue.* ⇒ **Apercevoir, embrasser, regarder, voir.** — *La vue et les autres sens* (→ Fautif, cit. 1 ; guet, cit. 2 ; illusoire, cit. 2 ; odorat, cit. 1). *Ne diriger ses mouvements que par le contrôle de la vue* (→ Ataxique, cit. 1). *Perdre* la vue : devenir aveugle. Loc. fig. *En perdre la vue* : être choqué. *Tu n'en perdras pas la vue !* : tu n'as pas à être choqué. *Rendre la vue* (par une opération).

Toute la conduite de notre vie dépend de nos sens, entre lesquels celui de la vue étant le plus universel et le plus noble (...)　　DESCARTES, la Dioptrique, I.　　1

Autant le toucher concentre ses opérations autour de l'homme, autant la vue étend les siennes au delà de lui ; c'est là ce qui rend celles-ci trompeuses : d'un coup d'œil un homme embrasse la moitié de son horizon (...) Comme la vue est de tous les sens celui dont on peut le moins séparer les jugements de l'esprit, il faut beaucoup de temps pour apprendre à voir ; il faut avoir longtemps comparé la vue au toucher pour accoutumer le premier de ces deux sens à nous faire un rapport fidèle des figures et des distances (...)　　ROUSSEAU, Émile, II.　　2

Le sens de la vue prédominant dans l'organisation humaine se trouve le plus rapproché du centre cérébral, et a pour caractère éminemment distinctif une sorte de propriété vibratoire qui lui est commune avec ce centre organique, considéré comme le véritable siège de l'imagination, ou de la faculté reproductive de ces images dont le sens de la vue fournit le fonds et les premiers matériaux.　　3
　　　　　　　MAINE DE BIRAN, Du physique et du moral de l'homme, p. 102.

♦ **2.** Manière de percevoir les sensations visuelles. ⇒ **Vision.** *Netteté de la vue* (→ Discernement, cit. 2). *Diminution, troubles de la vue* : amblyopie, astigmatisme, daltonisme, diplopie, héméralopie, myopie, nyctalopie, presbytie, strabisme ; berlue, éblouissement, hallucination, vision. *Permettre, gêner, faciliter la vue. Les instruments d'optique* améliorent la vue. Orienter la vue. Trop de proximité empêche la vue* (→ Apercevoir, cit. 11). *Obscurcir, offusquer* (cit. 3), *troubler la vue (de qqn).* « *Un nuage confus se répand sur ma vue* » (→ Frisson, cit. 15).

(Qualifié). *Avoir une bonne, une mauvaise vue. Vue basse ; courte, faible ; vue tendre* (vx), *trouble.* — Loc. fig. *Avec son air con et sa vue basse.* — *Sa vue baisse* (cit. 28), *s'affaiblit* (→ Lunette, cit. 1). *Ma vue se trouble* (→ Aviser, cit. 6). *Vue perçante* (cit. 1), *longue.*

Elle avait ce coup d'œil de matelot, cette vue longue des gens de plaine, exercée aux détails, capable de reconnaître un homme ou une bête, dans la petite tache remuante de leur silhouette.　　ZOLA, la Terre, I, I.　　4

Il avait une vue perçante et distinguait à cent pas un scarabée sur une passerose.　　5
　　　　　　　G. DUHAMEL, Chronique des Pasquier, IX, XVII.

La vision humaine dans ses caractères normaux (portée, acuité...). *Tant que la vue peut s'étendre, porter. Aussi* (cit. 31) *loin que la vue allait.* Loc. *A perte de vue. Horizon* à perte de vue. — *Se trouver à portée de la vue* (→ Intitulé, cit. 1), *hors de la portée de la vue, hors* de vue (⇒ **Loin**), *dérobé à la vue* (⇒ **Cacher, dérober**, cit. 7).

Par anal. *Lunette de longue vue* (qui « allonge la vue »). ⇒ **Longue-vue**.

POINT DE VUE (au sens propre) : endroit, place* d'où l'on voit. ⇒ **1. Point** (I., B., 1.).

♦ **3.** **a** Le fait de regarder. ⇒ **Regard.** *Promener* (cit. 6) *sa vue. Attacher, détourner la vue, sa vue...* (→ Fasciner, cit. 3). *Jeter, porter, tourner la vue sur qqch* : diriger ses yeux, ses regards vers... *Fixer, attacher sa vue* : observer avec attention.

REM. *Vue* et l'adjectif possessif, est soit subjectif (son regard), soit objectif (son aspect ; → ci-dessous, B., 3.).

Sur cet enfant chéri j'ai donc jeté la vue.　　LA FONTAINE, Fables, XI, 2.　　6

L'Américain Morris, familier intime des Tuileries, monta sur les hauteurs de Chaillot. Et c'est de là aussi que nous allons observer la scène ; la vue plonge admirablement, rien ne nous échappera ; le Champ-de-Mars sera sous nos pieds.　　7
　　　　　　　MICHELET, Hist. de la Révolution franç., V, VIII.

Alors sa vue se tournant vers le palais, il aperçut tout en haut la porte rouge à croix noire qui se refermait.　　FLAUBERT, Salammbô, I.　　8

Loc. *Perdre* de vue : au fig., cesser ses relations*, négliger, oublier.

À LA VUE : aux regards (→ Étique, cit. 2). *Se présenter, s'offrir, s'exposer à la vue de qqn* (→ Énivrer, cit. 18). ⇒ **Paraître** (1.). — N. B. Pour le sens objectif (« quand on voit ») → ci-dessous, B., 4. — *À la vue de tous, de tout le monde* : en public. ⇒ **Devant, présence** (en) ; → Reprocher, cit. 7.

Que tardez-vous ? allez vous montrer à sa vue.　　RACINE, Bérénice, IV, 7.　　9

b Mod. **À PREMIÈRE VUE** : au premier regard (*infra* cit. 8), au premier coup d'œil. Loc. *Tout d'une vue, d'une seule vue* (vx) : d'un seul coup d'œil ; au premier regard, en voyant pour la première fois. ⇒ **Abord.** *Ces portraits séduisent à première vue* (→ Outrer, cit. 2). Vieilli. *À la première vue* (→ Prescrire, cit. 5).

10 Hélas ! ajouta-t-elle, une personne que nous ne connaissons point nous enchante souvent dès la première vue.
A.-R. LESAGE, Gil Blas, IV, x.

11 La *jeune Indienne*, comme on la nommait à cause de son voyage d'Amérique, fut très remarquée à première vue, et elle ne perdait pas à l'examen.
SAINTE-BEUVE, Causeries du lundi, 28 juil. 1851.

12 L'œuvre de la nature, en ce genre s'appelle : aimer à première vue. En amour, la première vue est tout bonnement la seconde vue.
BALZAC, la Cousine Bette, Pl., t. VI, p. 215.

c Manière dont le regard saisit l'objet regardé ; direction du regard. *Vue plongeante, rasante*. — (Vieilli). *À vue d'oiseau :* comme le verrait un oiseau (mod., *à vol d'oiseau*).

(1538). DE VUE : par la vue. *Connaître qqn de vue :* le reconnaître pour l'avoir déjà vu, connaître son aspect extérieur, sans avoir d'autres relations avec lui (→ Immatériel, cit. 6). *Ce sont des gens que je connais de vue.*

(XVIIᵉ). À VUE : en observant, en regardant, sans quitter des yeux. *Garder* (cit. 9 et 10), *tenir qqn à vue. Garde* à vue. Tirer à vue,* sur un objectif visible. — Théâtre. *Changement à vue :* changement de décor qui se fait devant le spectateur, sans baisser le rideau. — Fig. *Changement soudain et total.* — (Mil. XVIIᵉ). Fin. *Payer un effet à vue :* à la première présentation. ⇒ **Présentation** (à). *Rembourser les billets de banque au porteur et à vue* (→ Cours, cit. 20). *Lettre de change tirée à vue* (→ Échéance, cit. 2), *effet payable* (cit. 1) *à vue.*

12.1 On examina son portefeuille, on compta son argent, la prise ne pouvait être meilleure. Saint-Florent avait près d'un demi-million payable à vue sur la Capitale, quelques bijoux et environ cent louis (...)
SADE, Justine..., t. I, p. 58.

Chasse. Chasse à la vue, chasse à vue : en voyant l'animal poursuivi. — Mar. *Tenir un navire à vue* (ou *en vue*) : rester à portée de vue. — Aviat. *Vol à vue* (opposé à *sans visibilité*). — (En appréciant par la vue seule, sans mesure, sans instrument). *Dessin à vue.*

(XVᵉ, Commynes). À VUE D'ŒIL : d'une manière constatable par le sens de la vue. *Évaluer à vue d'œil. Les pages noircissaient à vue d'œil* (→ Galop, cit. 9) : assez rapidement pour qu'on puisse voir les pages changer d'aspect. — Par exagér. Très vite. *Augmenter, changer, diminuer* (cit. 10), *grandir, se transformer à vue d'œil* (→ Arrondir, cit. 9 ; calomnie, cit. 5).

Fam. (par une assimilation de la vue et de l'odorat, du flair...). *À vue de nez** (cit. 27).

♦ **4.** (1658). Les yeux*, les organes qui permettent de voir. — Vx. *Voici ce que j'ai vu de ma propre vue* (→ Entendre, cit. 48). *Se tuer* (→ Manuscrit, cit. 3), *s'abîmer* (fam.), *s'user la vue. Papillotage, lumière trop forte* (⇒ **Éblouir**), *trop faible... qui fatigue la vue. Littér. Spectacle, chose qui blesse, choque, offense la vue de qqn* (→ Spectre, cit. 2). *Cela réjouit la vue.*

13 Des pluies continuelles nous tiennent renfermés ; Mᵐᵉ d'Holbach s'use la vue à broder (...)
DIDEROT, Lettre à Mˡˡᵉ Volland, 15 oct. 1760.

(XVIIᵉ). Loc. vieillie. DONNER DANS LA VUE : frapper par un aspect agréable, un éclat flatteur, éblouir. — Spécialt et fig. Charmer*, exciter l'envie, le désir (et en particulier, les sentiments amoureux). → 1. Drille, cit. 1 ; qualité, cit. 19.

(XXᵉ). Mod. et fam. **En mettre PLEIN LA VUE**. ⇒ **Éblouir, épater** (→ Épate, cit. 2).

(1919 *in* D.D.L. ; d'abord argot des sports). *En mettre à qqn dans la vue* (ou : *dans l'œil*), l'emporter sur lui. *Avoir, en avoir dans la vue :* être surclassé, battu. — (Avec un compl.). *Il leur a mis dix kilomètres dans la vue.*

B. (XIIᵉ). Ce qui est vu. ♦ **1.** Étendue de ce qu'on peut voir d'un lieu, d'un point de vue. ⇒ **Panorama** (→ Coup d'œil*). *Vue étendue, immense, panoramique*, qui porte loin, s'étend jusqu'à l'horizon. Vue qui donne sur...* (→ Cour, cit. 2). *Vue agréable* (→ Prospectus, cit. 2). *Un mur pour vue. — Une échappée* (cit. 3) *de vue superbe. Boucher, cacher, murer la vue* (→ Talus, cit. 1). *La vue n'est bornée que par les coteaux* (→ Horizon, cit. 6). *Vue imprenable*. Construction d'où la vue s'étend au loin* (⇒ **Belvédère, observatoire, tour**). — *Admirer, regarder la vue.* ⇒ **Paysage** (→ Inspecter, cit. 4). — Dr. *Servitude de vue* (→ ci-dessous, C., 1.). — Absolt. *Il y a de la vue,* une vue étendue, une belle vue. *Maison mal située, qui n'a aucune vue.*

14 (...) les maisons qui regardent la Seine ont nécessairement un immense avantage sur celles de l'autre côté du chemin auxquelles elles masquent cette vue, mais qui se dressent, comme des spectateurs, sur la pointe des pieds, afin de voir par-dessus les toits.
BALZAC, Modeste Mignon, Pl., t. I, p. 362.

15 Ces lieux de repos portaient, à la Raspelière, pour les maîtres de maison, le nom de « vues ». Et en effet ils réunissaient autour du château les plus belles « vues » des pays avoisinants, des plages ou des forêts, aperçus fort diminués par l'éloignement (...) Le nom qui suivait le mot « vue » n'était pas forcément celui d'un lieu de la côte, mais souvent de la rive opposée de la baie et qu'on découvrait, gardant un certain relief malgré l'étendue du panorama (...) on allait prendre des liqueurs à la « vue de Rivebelle » (...)
PROUST, À la recherche du temps perdu, t. X, p. 174.

♦ **2.** Spécialt. Aspect sous lequel se présente un objet. *Vue de face, de côté.* ⇒ **Apparence.**

Loc. adv. (1552). EN VUE : dans une situation telle que la vue le perçoit ; aisément visible*. *Être* (→ Loge, cit. 9), *se trouver en vue. La côte est en vue,* on l'aperçoit. — *Le règlement du conflit est en vue,* imminent, sur le point d'aboutir. *Tableaux placés bien en vue* (→ Cimaise, cit. 1). *Livres bien en vue dans la vitrine d'une librai-*

rie. ⇒ **Évidence** (en), **valeur** (en). — Fig. Marquant. *Un personnage* en vue ; avoir une position, une situation très en vue. Toute femme un peu en vue traîne un troupeau de soupireurs* (cit.). — *Mettre en vue* (vieilli) : rendre visible, sensible.

16 Du petit village de Rognes, bâti sur la pente, quelques toitures seules étaient en vue, au pied de l'église (...)
ZOLA, la Terre, I, I.

17 Vasilissa était une des jeunes femmes les plus en vue de Moscou, — où l'on s'arrange généralement pour n'être pas en vue.
Paul MORAND, l'Europe galante, Je brûle Moscou, I.

♦ **3.** (XVᵉ). *La vue de...* **a** La perception de (qqch.), par le sens de la vue (⇒ **Image**) ; l'aspect visible que présente... (⇒ **Aspect, spectacle**). *Une salamandre* (cit. 3) *dont la vue seule donne la mort. Roses* (1. Rose, cit. 3) *dont la vue fait plaisir. La vue du sang l'arrête, le terrifie* (→ Militaire, cit. 2). *La vue des larmes* (→ Sensible, cit. 8). *À la vue de certaines misères...* (→ Heureux, cit. 32). *La vue de qqn, sa vue :* le fait de le voir ; et, par ext., sa présence. *Ma vue est pour elle un supplice* (→ Affranchir, cit. 8). *Priver qqn de sa vue.* ⇒ **Présence** (→ Éloigner, cit. 9). « *Je le vis, je rougis, je pâlis* (cit. 1) *à sa vue* », en le voyant. ⇒ **Approche.** — Par métaphore (→ ci-dessous, II.). *La dévotion ôte la vue des petites choses terrestres...* (→ Ophtalmie, cit. 1). *La vue de ses misères* (→ Divertir, cit. 5). ⇒ **Considération.**

18 (...) vous jouirez à votre aise du plaisir de sa vue, et vos yeux auront tout le temps de se satisfaire.
MOLIÈRE, le Bourgeois gentilhomme, III, 6.

19 La vue de l'or, la possession de l'or était devenue sa monomanie.
BALZAC, Eugénie Grandet, Pl., t. III, p. 618.

20 J'étais inondé d'une joie céleste que votre vue m'a fait perdre.
FRANCE, le Lys rouge, XIX.

21 Swann aimait beaucoup la princesse des Laumes, puis sa vue lui rappelait Guermantes (...)
PROUST, À la recherche du temps perdu, t. II, p. 165.

22 Les pâtisseries étaient prises d'assaut. Jacques, arrêté sur le trottoir, s'immobilisait devant les cinq étages de gâteaux luisant de sucre, bavant de crème, cette vue semblait l'étouffer.
MARTIN DU GARD, les Thibault, t. I, p. 193.

(1680). Vx. À VUE DE... « *Nous étions à vue du cap de Bonne-Espérance* » (Littré). — (1845). EN VUE DE... : à une distance d'où l'on voit (→ Mastaba, cit. 1). *Nous sommes en vue de la côte.*

23 Thérèse rentra chez elle à pied. En vue de la colline du Trocadéro, qui lançait des feux comme une parure de diamants, elle se rappela la bouquetière du Petit-Pont.
FRANCE, le Lys rouge, II.

Loc. (1655). À VUE DE PAYS : sur le seul aspect du pays, des lieux (sans avoir d'autre renseignement sur la route à suivre que l'orientation par la vue).

Fig. (Vieilli). *Juger, apprécier qqch. à vue de pays :* en gros*, au jugé. (→ Grosso modo ; et aussi mépriser, cit. 21).

24 « Il est écrit là-haut que je ne me déferai jamais de cet original-là, et que tant que je vivrai il sera mon maître et que je serai son serviteur » (...) L'hôtesse ajouta : « Et qu'à vue de pays, vous ne vous en trouverez pas plus mal tous deux ».
DIDEROT, Jacques le fataliste, Pl., p.645.

25 Bompard s'avança d'un pas. Sans apercevoir tous les recoins de mes deux cabines, il pouvait à vue de pays se rendre compte que j'étais seul.
J. ROMAINS, Quand le navire..., IX.

b Relig. *Vue de Dieu :* vision de Dieu, et, par ext., état mystique de contemplation de Dieu.

26 Cette vue *(de Dieu)* sera suivie d'un amour immense, d'une joie inexplicable et d'un triomphe sans fin.
BOSSUET, Hist., II, VI, *in* LITTRÉ.

♦ **4.** (1680). Ce qui représente (un lieu, une étendue de pays). ⇒ **Dessin, peinture, tableau.** *Les vues d'un album* (cit. 2). — Peint. Paysage, tableau représentant un paysage, une ville, etc. *La résurrection* (cit. 7) *de Vermeer s'est faite autour de la vue de Delft.* — Vx. *Acheter une vue de la tour Eiffel.* ⇒ **Carte** (postale), et aussi (régional), **carte-vue.**

27 Je vous envoie pour réponse une vue de Fribourg. Quoiqu'elle ne soit pas exacte, et que l'artiste ait jugé à propos de composer au lieu de copier fidèlement, vous y verrez du moins que je suis au milieu des rocs (...)
É. DE SENANCOUR, Oberman, LIV.

Vue cavalière, représentée selon une perspective cavalière.

28 (...) une mosaïque qui représente une vue *à la cavalière* d'une ville ou d'un camp fortifié avec des tours carrées.
STENDHAL, Mémoires d'un touriste, t. I, p. 207.

29 (...) tous deux penchés sur des bleus, des épures, des vues cavalières, où se découvrait, entre des frondaisons fougueuses, une suite d'édifices plus ou moins incertains.
J. ROMAINS, les Hommes de bonne volonté, t. V, XXVII, p. 282.

Loc. *Prise de vues.* ⇒ **Prise,** III., A., 4.

(Abstrait). VUE D'ENSEMBLE. ⇒ **Tableau.** *Cela vous donnera une vue d'ensemble de la question.*

C. (V. 1440, « petite fenêtre »). Ce qui permet de voir. ♦ **1.** Sens concret (vx ou spécial). Ouverture. ⇒ **Jour.** *Faire boucher, condamner des vues.* — Dr. « *Les vues sont droites ou obliques. Elles ne peuvent être établies dans le mur qu'à une certaine distance de la ligne séparative de deux héritages...* » (Dict. de Droit Dalloz). *Vue de servitude.*

(XVIᵉ). Archéol. Fente de la visière d'un casque. *Chanfrein à vue de l'armure* (cit. 4) *de tête d'un cheval.*

♦ **2.** (1707). Choses. AVOIR VUE SUR... : être dirigé vers, permettre de voir (⇒ **Direction, orientation**). *Un cabinet ayant vue sur le jardin* (→ Garçon, cit. 16). ⇒ **Donner** (sur). *Fenêtre, ouverture qui a vue sur la rue.*

♦ **3.** (1707). Choses. AVOIR VUE SUR : être dirigé vers, permettre de voir (⇒ **Direction, orientation**).

★ **II.** (1580, Montaigne). Abstrait. ♦ **1.** Faculté de former des images mentales, de se représenter ; exercice de cette faculté. ⇒ **Esprit, pensée** (cf. Les yeux de l'esprit, de l'âme). *La vue de l'âme, de l'esprit. L'intuition est une vue du cœur* (cit. 168) *dans les ténèbres...* — *Avoir bonne vue* (→ Esprit, cit. 125). ⇒ **Clairvoyance.** *« Nous voir* (cit. 95) *d'une pleine vue »* (Bossuet). *Les utopistes ont eu la vue trop basse* (1. Bas, cit. 13). *Un homme à la vue bornée* (cit. 19), *courte,* qui manque de perspicacité, de pénétration. *Poètes à courte vue* (→ Optique, cit. 4). *Une politique à courte vue.* — Par ext., vx. Esprit, intelligence. *« Les vues courtes, les esprits bornés »* (cit. 23).

30 Les raisons qui, étant vues de loin, paraissent borner notre vue, mais quand on y est arrivé, on commence à voir encore au delà.   PASCAL, Pensées, IV, 263.

Largeur, hauteur de vue : ampleur de vision. *Profondeur de vue :* pénétration.

Seconde vue, double vue : faculté de voir, de connaître (par l'esprit) des objets réels, des faits qui sont hors de portée de la vue (I.), des yeux. *Avoir un don de double vue* (→ Héros, cit. 13). ⇒ **Voyant.**

31 Camille donna de bonne heure des signes de cette bizarre faculté que les Écossais appellent la double vue, que les partisans du magnétisme veulent faire admettre, et que les médecins rangent, la plupart du temps, au nombre des maladies. La petite sourde et muette sentait venir ceux qu'elle aimait, et allait souvent au-devant d'eux, sans que rien eût pu l'avertir de leur arrivée.
            A. DE MUSSET, Contes, « Pierre et Camille », III.

31.1 Quelquefois, mais en peu de mots, brefs et clairs, il redressait les faux propos qui circulaient dans le club au sujet des voyageurs perdus ou égarés ; il indiquait les vraies probabilités, et ses paroles s'étaient trouvées souvent comme inspirées par une seconde vue, tant l'événement finissait toujours par les justifier.
            J. VERNE, le Tour du monde en 80 jours, p. 4.

32 Ce fut une intuition soudaine, irraisonnée, invincible, à me faire croire que les théories sur la double vue, si discutées par la science, sont absolument vraies.
            Paul BOURGET, le Disciple, IV, 6.

33 — Vous faites de la double vue ?
    — Non. Vous savez aussi bien que moi que la double vue, c'est du chiqué.
            R. QUENEAU, Pierrot mon ami, II.

POINT DE VUE (manière de considérer*, d'envisager*). ⇒ 1. **Point** (I., B.).

♦ **2.** Image, représentation mentale (⇒ **Conception, idée**) ; façon de se représenter qqch. et de présenter (par l'art). *Des vues, mais pas de système* (→ Abondant, cit. 6). *L'esprit* (cit. 126) *géométrique « a des vues lentes, dures et infaillibles ».* *De grandes vues originales* (→ Créateur, cit. 11), *personnelles* (→ Enivrement, cit. 1) ; *élevées, larges* (→ Grand, cit. 82), *pénétrantes. La profondeur de vos vues* (→ Humilier, cit. 3). *Vues bornées, confuses ; fausses vues* (→ Illusion, cit. 13). *Vues hardies* (→ Improvisation, cit. 4), *nouvelles... ; chimériques, folles, dangereuses. Les vues du sociologue et du moraliste* (→ Idée, cit. 61). *Les vues qui dirigent son action.* ⇒ **Principe.** *Le dictateur* (cit. 4) *réduit aux siennes toutes les vues.* — *Vue pessimiste* (cit. 3) *du monde. « Vue de Descartes »,* essai de Valéry. — *Développer, exposer, présenter ses vues, des vues nouvelles.*

34 Il fut un prêtre à vues étroites, mais bon, une sorte de guide religieux à tempérament de soldat (...)
            MAUPASSANT, l'Inutile Beauté, « Champ d'oliviers », I.

35 La haine du devoir, voilà la fin sans doute ; mais ce n'est qu'une vue de la raison, dans sa fureur d'être désabusée, d'être vaincue et déprise.
            André SUARÈS, Trois hommes, « Ibsen », IV.

36 Michels s'était laissé entraîner. Il s'interrompit pour dire qu'il s'agissait là de vues très aventureuses, que les hasards de la discussion avaient fait naître, et que les événements pouvaient sans cesse modifier.
            J. ROMAINS, les Hommes de bonne volonté, t. IV, XVI, p. 182.

Loc. ÉCHANGE DE VUES (loc. introduite par la diplomatie) : conférence, préliminaires, entretien où l'on expose les conceptions des parties en présence (→ Huit-reflets, cit. 1). — Fig. *Il s'établit entre la science et la technique* (cit. 10) *un fructueux échange de vues.*

Loc. *C'est une vue de l'esprit** (infra cit. 50), une vue théorique, sans rapport suffisant avec le réel.

♦ **3.** Le fait de considérer un but, une fin. ⇒ **But, dessein, intention.** — Vx. *Dans la vue, la seule vue de...* (→ Prédire, cit. 3 ; supposer, cit. 5). — EN VUE. *Avoir en vue :* se proposer* de..., viser* à... ⇒ **Visée.** *Qu'avez-vous en vue de faire ?* ⇒ **Penser** (III., 2.). *Il n'a en vue que ses intérêts.* ⇒ **Envisager, regarder** (2.). Spécialt. *Avoir qqn en vue,* pour un emploi, une tâche à accomplir ; comme compagnon, etc. (→ Former, cit. 16).

Loc. prép. (Mil. XVIIᵉ). EN VUE DE... (suivi d'un subst.) : de manière à permettre, à préparer (une fin,* un but). ⇒ **Pour** ; et aussi **considération** (en). *En vue d'une paix générale* (→ Laborieux, cit. 3). *La préparation d'un organe en vue de son examen* (→ Rétine, cit. 1). *En vue d'un but* (→ Réunir, cit. 2), *de ses intérêts.*

37 (...) que l'éducation des pauvres doit être faite avec beaucoup de circonspection et en vue de l'état de dépendance qu'ils doivent avoir dans la société.
            FRANCE, le Crime de S. Bonnard, Œ., t. II, p. 429.

En vue de... (suivi d'un inf....). ⇒ **Afin** (de), **effet** (à l'effet de), **intention** (dans l'intention de), **pour** (II., 4.) ; → Ascèse, cit. 2 ; initier, cit. 7 ; prière, cit. 5. *On observe en vue de savoir ce qui se passe*

(→ Observation, cit. 11). *La science* (cit. 13) *mesure et calcule en vue de prévoir et d'agir.*

ⓐ Vx (au sing). *La vue de qqn quant à, sur... Être dans la vue de...*

ⓑ (1676). Mod. (au plur.). → ci-dessous, 4.

♦ **4.** Dessein, intention, projet. *Tous ceux qui concourent à ses vues sont ses amis* (→ Réussir, cit. 7). *Selon ses vues* (→ Coquet, cit. 2). *Si cela reste dans vos vues* (→ Repasser, cit. 10). *Borner* ses vues, ses espérances.*

(1740). *Avoir des vues sur (qqn) :* penser à (qqn pour qqch.). ⇒ **Songer** (à). *J'ai des vues sur lui pour la direction de l'affaire.* Spécialt (pour le mariage, la séduction). *Mon fils a des vues sur cette petite.*

38 (...) je croyais qu'il avait des vues amoureuses sur Lucrèce (...)
            A.-R. LESAGE, Gil Blas, XII, III.

39 (...) je viens d'avoir d'une jeune femme, qui avait ses vues, des agaceries bien dangereuses et avec des yeux bien inquiétants : mais si elle a fait semblant d'oublier mes douze lustres, pour moi, je m'en suis souvenu.
            ROUSSEAU, les Confessions, X.

Avoir des vues sur (qqch.). Il a des vues sur son héritage, sur sa fortune. ⇒ **Guigner.**

COMP. **Bévue, carte-vue, longue-vue.**

1. VULCAIN [vylkɛ̃] n. m. — 1660 ; var. *vulcan,* déb. XVIIᵉ « feu » ; 1618 « mari trompé » (comme le fut Vulcain par Vénus) ; nom du dieu romain, lat. *Vulcanus*).

Vx (langue classique).

★ **I.** Forgeron.

★ **II.** Alchim. *Vulcain des philosophes* (alchimistes) : le soufre.

HOM. 2. Vulcain.

2. VULCAIN [vylkɛ̃] n. m. — 1780 ; lat. *Vulcanus* « dieu du feu ».

♦ Vanesse* d'une variété de couleur rouge et noire (→ Papillon, cit. 4).

Voici le *vulcain* rapide,
Qui vole comme un oiseau :
Son aile noire et splendide
Porte un grand ruban ponceau.   NERVAL, Poésies, Odelettes, « Les papillons ».

HOM. 1. Vulcain.

VULCANAL, ALE, AUX [vylkanal, o] adj. — 1876, *in* P. Larousse ; lat. *vulcanalis,* de *Vulcanus* « Vulcain ».

♦ Didact. (antiq. rom.). Relatif à Vulcain ; de Vulcain.

VULCANALES [vylkanal] n. f. pl. — 1765, *Encyclopédie* ; lat. *Vulcanalia,* de *Vulcanus* « Vulcain ».

♦ Antiq. rom. Fêtes en l'honneur de Vulcain.

HOM. Vulcanal (adj.).

1. VULCANIEN, IENNE [vylkanjɛ̃, jɛn] adj. — 1812, n. m. « partisan du vulcanisme » ; du lat. *Vulcanus* « Vulcain ».

♦ **1.** Vx. Qui attribue au « feu central » la formation de l'écorce terrestre. *Théories vulcanienne, plutonienne.*

♦ **2.** (1889 ; *îles vulcaniennes,* 1845, anc. nom des îles Éoliennes ; lat. *vulcaniæ insulæ* « îles de Vulcain », parmi lesquelles l'île volcanique de *Vulcano*). Géol. Se dit d'un type de volcan ou d'éruption volcanique caractérisé par une lave très visqueuse qui, le plus souvent, se fige dans la cheminée, déterminant des explosions.

En résumé, les phénomènes que présente l'éruption actuelle de Vulcano caractérisent une phase spéciale déjà observée à l'Etna, et à laquelle M. Silvestri propose de donner le nom de phase vulcanienne.
            L. FIGUIER, l'Année scientifique et industrielle, 1890, p. 247 (1889).

HOM. 2. Vulcanien.

2. VULCANIEN, IENNE [vylkanjɛ̃, jɛn] adj. — 1876, *in* P. Larousse ; dér. sav. du lat. *Vulcanus* « Vulcain ».

♦ Didact. De Vulcain. ⇒ **Vulcanal.**

HOM. 1. Vulcanien.

VULCANISANT, ANTE [vylkanizɑ̃, ɑ̃t] adj. et n. m. — XXᵉ ; de *vulcaniser.*

♦ Techn. ⓐ Adj. Qu'on peut utiliser pour la vulcanisation.

ⓑ N. m. Substance capable de produire la vulcanisation. *Le soufre, le sulfure de carbone, le chlorure de soufre sont des vulcanisants.*

VULCANISATION [vylkanizɑsjɔ̃] n. f. — 1847 ; angl. *vulcaniza-tion*, de *to vulcanize.* → Vulcaniser.

♦ Techn. Opération consistant à incorporer du soufre au caoutchouc (naturel ou synthétique), afin d'améliorer sa résistance en lui conservant son élasticité. *Vulcanisation à chaud, à froid. Ébonite obtenue par vulcanisation. Vulcanisation accélérée par un activateur*.*

Une odeur de vulcanisation flottait dans l'air, mêlée aux nuages de gaz (...)
J.-M. G. LE CLÉZIO, la Fièvre, p. 226.

VULCANISER [vylkanize] v. tr. — 1847 ; angl. *to vulcanize*, de *Vulcan*, «Vulcain» dieu du feu.

♦ Traiter (le caoutchouc, un élastomère) par vulcanisation. — Au p. p. (1878). *Caoutchouc vulcanisé.*

Saisissant le tuyau *(d'un téléphone)* qui continuait à parler, elle essaya de le couper. «Impossible ! trop dur ! c'est du caoutchouc vulcanisé !» gémit Hélène en jetant ses ciseaux ébréchés. A. ROBIDA, le Vingtième Siècle, p. 31.

DÉR. Vulcanisant. V. 1. Vulcanite.

VULCANISME [vylkanism] n. m. — 1842 ; réfection savante de *volcanisme,* d'après le lat. *vulcanus.*

♦ Géol. Ancienne théorie géologique, dérivée du plutonisme* et attribuant au volcanisme un rôle primordial dans l'élaboration de l'écorce terrestre.

1. VULCANITE [vylkanit] n. f. — 1872, Littré ; du rad. de *vulcan(iser).*

♦ Vieilli. Ébonite.

HOM. 2. Vulcanite.

2. VULCANITE [vylkanit] n. f. — Mil. xxᵉ ; dér. sav. du lat. *Vulcanus.*

♦ Géol. Roche endogène consolidée près de la surface du sol (roche volcanique).

HOM. 1. Vulcanite.

VULCANOLOGIE [vylkanɔlɔʒi] n. f. ⇒ **Volcanologie.**

VULCANOLOGUE [vylkanɔlɔg] n. ⇒ **Volcanologue.**

VULGAIRE [vylgɛʀ] adj. et n. — 1452 ; cf. anc. provençal *vulgar* (1350), anc. franç. *vulgal* (1270) ; du lat. *vulgaris* «habituel, répandu dans le peuple».

★ **I.** Adj. ♦ **1.** [a] Vieilli. Qui est répandu ; admis, éprouvé, mis en usage par le commun des hommes (sans aucune valeur péj.). ⇒ **Banal, commun, courant, rebattu, trivial.** « *C'était un mal vulgaire et bien connu des hommes* » (→ Douleur, cit. 15). *Satisfactions vulgaires* (→ Sensible, cit. 2). *Observation* (→ Génération, cit. 16), *expression* (→ Pluie, cit. 8), *proverbe vulgaire* (→ Nouveau, cit. 4). *La moralité vulgaire, obligée, courante* (→ Bon, cit. 54). *Idées* (→ Poncif, cit. 3), *opinions vulgaires. Selon un préjugé vulgaire.* — Spécialt. *L'ère* (cit. 4) *vulgaire.*

1 S'il est un sentiment vulgaire, usé, à la portée de toutes les femmes, certes, c'est la pudeur. BAUDELAIRE, l'Art romantique, XX, IV.
1.1 Les avait-on surpris ? L'éveil était-il donné ? La plus vulgaire prudence leur commandait de s'éloigner, — ce qu'ils firent en même temps que Phileas Fogg et Sir Francis Cromarty. J. VERNE, le Tour du monde en 80 jours, p. 100.

Spécialt, sc. nat. Qui présente les caractères de l'espèce, sans autre trait particulier.

[b] (1312). Se dit de la forme de langue connue de tous, dans un groupe social (opposé à *littéraire*). ⇒ **Vernaculaire.** *Latin* (cit. 11) *vulgaire :* le latin parlé dans les pays romans (→ Bas* latin). *Arabe vulgaire,* parlé, dialectal (opposé à *littéral**). *Français vulgaire,* courant, parlé (→ Mandarin, cit. 6). — Spécialt. *Langues vulgaires,* se dit des principales langues romanes (⇒ 1. **Roman,** *supra* cit. 1 et 4), par oppos. à *latin, langue savante.*

1.2 C'est de ce temps que les écrivains osent utiliser les deux langues du Nord et du Midi, les langues vulgaires, la provençale et la française, au lieu du latin : à ce point enfin détachées du latin, ces «vulgaires» dictent selon leur génie propre des œuvres qui n'ont plus rien, même à les imiter, des œuvres qui firent Rome si grande. ARAGON, les Yeux d'Elsa, «Leçon de Ribérac».

N. f. Langue «vulgaire», effectivement parlée dans l'usage quotidien.
1.3 Faut-il faire prédominer la vulgaire javanaise (..) la langue de Madœra, ou le Sœndanais (...) ou adopter le malais comme parler d'union ? ARAGON, Blanche..., II, IV, p. 242.
1.4 L'impérialisme administratif de Paris se double d'une centralisation économique qui annihile et stérilise le dynamisme culturel et linguistique de la France entière. Ne survit plus dans la province qu'un patois abâtardi qui continue à alimenter les vulgaires des centres urbains par leur intermédiaire l'argot et la langue populaire commune. Pierre GUIRAUD, Patois et Dialectes français, p. 28.

[c] (Opposé à *scientifique, technique*). *S'exprimer en termes vulgaires. Appellation, nom vulgaire d'une plante, d'un animal,* courant, usuel ; non scientifique.

REM. Ces emplois, comme ceux du sens 2, sont devenus rares à cause de la fréquence du sens 3, péjoratif.

♦ **2.** (1664). Didact., littér. Qui ne se distingue en rien ; ordinaire. « *Lecteur vulgaire, pardonnez-moi mes paradoxes* » (cit. 1, Rousseau). *Les hommes vulgaires* (→ Mesure, cit. 5), *les vulgaires humains* (→ 3. Droit, cit. 14). « *Qu'écrivain du commun et poète vulgaire* » (→ Maçon, cit. 3).

2 C'étaient des employés, des souteneurs, des filles, des filles de tous draps, depuis le coton vulgaire jusqu'à la plus fine batiste (...) MAUPASSANT, l'Inutile Beauté, «Le masque».

Dr. *Substitution** (cit. 1) *vulgaire.* — Sc. nat. Commun. *La belladone vulgaire* (→ Anthologie, cit., Chateaubriand). *La poule vulgaire et la poule sultane* (cit. 2).

(En épithète, avant le nom). Quelconque ; qui n'est que cela (avec une valeur péj.). *Un passant, un vulgaire passant* (→ Ressembler, cit. 1). — *Un vulgaire esbroufeur* (cit. 2), *mystificateur* (cit. 1). — *De vulgaires études d'atelier* (→ Réhabilitation, cit. 2).

3 (...) tout cela n'a-t-il été que la vulgaire et idiote aventure d'un vulgaire idiot, comme ils le dirent tous, capable tout juste d'écrire (...) Claude SIMON, le Vent, VII.

♦ **3.** (1552). Péj. [a] Qui est ordinaire, sans intérêt particulier, sans élévation morale. ⇒ **Bas, commun, grossier, ordinaire** (péj.), **prosaïque, trivial.** *Les réalités vulgaires,* terre à terre (→ Céleste, cit. 13). *Intérêts* (cit. 20) *vulgaires. Part* (1. Part, cit. 9) *vulgaire et part idéale de la vie.* ⇒ **Matériel.** — *Pensée épaisse, vulgaire* (→ Amenuisement, cit. 2). *Expression* (cit. 11) *vulgaire et triviale. Des goûts vulgaires.* ⇒ **Béotien, philistin.** *Plaisanterie vulgaire :* grosse plaisanterie. *Des personnes, des êtres vulgaires* (→ Amusement, cit. 8 ; liberté, cit. 38), de condition médiocre et basse (⇒ **Vil**) et de goûts, de pensers ordinaires, par oppos. à *d'élite* (cit. 6). ⇒ **Bourgeois** (II.), **commun.** *Esprit vulgaire.*

4 Ah oui, si tu crois que ça fait comme il faut de rappeler à tout bout de champ que tu as une mère ! (...) À t'entendre, on croirait extraordinaire d'avoir une mère. C'est tout à fait commun. C'est très répandu. C'est même vulgaire. ARAGON, les Cloches de Bâle, I, I.
5 (...) *vulgaire,* ce mot si juste et si affreux, il pourrait le redire en l'appliquant du haut en bas de la société. Doré ou non, l'homme, autant que la femme, est vulgaire. Par l'héroïsme seul, l'humain, le trop humain, échappe à la vulgarité, au troupeau. GIDE, Attendu que..., p. 178.

[b] Qui, par son manque de distinction, est considéré comme de peu de valeur ou comme choquant ; propre aux couches de la société que l'idéologie dominante prétend exclure de son système des valeurs (cette acception est variable selon la position sociale et culturelle du locuteur). *Manières, propos vulgaires.* ⇒ **Grossier, populacier.** *Vulgaire, populacière jovialité* (cit. 2).

REM. *Vulgaire* prétend s'appliquer à des goûts, à des attitudes, et non aux situations sociales ; de fait *vulgaire* est souvent associé à l'idée de richesse, rarement s'appliquer à des «peuple» ; les prolétaires ne sont guère dits «vulgaires». *Des gens riches et vulgaires, un peu vulgaires* (→ Nouveaux* riches). — *Réaction vulgaire.* — *Quelque chose de lourd, de vulgaire et de cossu* (→ Édifice, cit. 7). *Luxe vulgaire et prétentieux* (⇒ **Tapageur**). *C'est d'un toc* (cit. 31) *vulgaire...*

[c] (Dans le domaine de l'expression, du langage). Qui choque le «bon goût», les bienséances. ⇒ **Grossier, trivial ;** → Ordurier, cit. *Mot, emploi vulgaire. Une langue vulgaire,* pleine de gros mots, d'obscénités.

Qui témoigne d'inculture, est considéré comme incorrect, s'oppose à la forme prescriptive. ⇒ **Vulgarisme.**

★ **II.** N. m. ♦ **1.** Vx ou littér. Le commun des hommes, ceux qui ne se distinguent pas. ⇒ **Foule, multitude** (→ Offenser, cit. 7 ; profondeur, cit. 10). *Un homme au-dessus du vulgaire* (→ Douter, cit. 3). « *Que j'ai toujours haï* (cit. 22) *les pensers du vulgaire !* »

Péj. Populace. — Vieilli. La partie la plus commune. « *Le vulgaire des hommes...* » (Gautier, *la Chaîne d'or,* p. 199), *des philosophes* » (Brunschvicg, *Descartes,* p. 5).

6 Le vulgaire est un vieux Narcisse qui s'adore lui-même et qui applaudit le vulgaire. HUGO, les Misérables, I, I, XII.
7 (...) ce fut la fin de la première séance. Le vulgaire débarrassa le plancher, mais les fanatiques demeurèrent. R. QUENEAU, Pierrot mon ami, I.

♦ **2.** Plus cour. Ce qui est vulgaire (au sens I, 1 ou 3). *Le vulgaire et le sublime de la nature* (→ Majestueux, cit. 6). *Le vulgaire et le trivial* (→ Optique, cit. 4).

CONTR. Curieux, extraordinaire, original, remarquable ; auguste, majestueux, sublime... — Littéraire, littéral, savant, scientifique. — Aristocratique, courtois, délicat, distingué, éduqué, élégant, fin, relevé. — Aristocratie, élite.
DÉR. Vulgairement.

VULGAIREMENT [vylgɛʀmɑ̃] adv. — xvᵉ ; *vulgarement,* fin xiiiᵉ ; de *vulgaire.*

♦ **1.** Vieilli ou littér. D'une manière commune, courante (⇒ **Vulgaire** I., 1.). → ci-dessous, cit. Balzac.

(...) une figure vulgairement belle et qui exprimait une tristesse plus chagrine que mélancolique, une rêverie plus indéterminée que pensive (...)
BALZAC, la Recherche de l'Absolu, Pl., t. IX, p. 520.

Spécialt. Dans la langue commune, vulgaire (avec des verbes comme *dire, appeler, nommer*). *Ce que notre temps appelle vulgairement maquillage* (cit. 1, Baudelaire) ⇒ **Populairement**. *Le praticien* (cit. 2), *vulgairement appelé recors*. — (Opposé à *scientifiquement*). Par l'usage courant, non scientifique. *L'alopécie* (cit.), *dite vulgairement la pelade* (→ aussi Oreille, cit. 23). — Ellipt. *C'est un Uranonis rubra (...), vulgairement : un Paradisier* (cit.) *rouge*. ⇒ **Vulgo**.

♦ **2.** (Mil. XVIIe). Péj. D'une manière vulgaire (I., 3), avec vulgarité. *Des goûts assez vulgairement terre à terre.* ⇒ **Bourgeoisement, platement.** *Parler, s'habiller vulgairement.*

VULGARISATEUR, TRICE [vylgaʀizatœʀ, tʀis] n. et adj. — 1836, Académie ; de *vulgariser*.

★ **I.** N. ♦ **1.** Vieilli ou littér. Personne qui répand des connaissances, des habitudes, etc., dans la société. ⇒ **Diffuseur, propagateur.**

♦ **2.** Plus cour. Spécialiste de la vulgarisation scientifique.

1   Oui, le journaliste républicain met sur le même pied les vulgarisateurs et les créateurs, et préfère les écrivains utiles à ceux qui ne sont que des écrivains.
Ed. et J. DE GONCOURT, Journal, 25 avr. 1879, t. VI, p. 51.

2   (...) Voltaire a été (...) un très remarquable vulgarisateur, non seulement des faits, mais des problèmes et de la critique.   G. LANSON, Voltaire, IX.

★ **II.** Adj. (1872, Littré). Qui est propre, apte à vulgariser (des connaissances, des habitudes). *Esprit vulgarisateur. Un réel talent vulgarisateur.*

3   Foinard, autre oisif de seconde classe, et curé dans le civil, lui fournit bénévolement une documentation abondante et vulgarisatrice sur la question.
R. QUENEAU, le Dimanche de la vie, p. 290.

VULGARISATION [vylgaʀizasjɔ̃] n. f. — 1852, Gautier ; de *vulgariser*.

♦ **1.** Fait de répandre dans le public (des connaissances*, des idées, etc.). ⇒ **Propagation**. *La naturalisation* (cit. 2), *la vulgarisation des idées allemandes sur l'esthétique, en France. L'extension, la vulgarisation du sens d'un mot* (→ Mythe, cit. 10). *Vulgarisation de l'art par les reproductions.* ⇒ **Diffusion**. *Opposition à la vulgarisation des connaissances.* ⇒ **Obscurantisme.**

1   (...) l'image de ces dieux devenus d'ailleurs innombrables, du fait d'une continuelle promotion, s'est beaucoup dégradée dans la croyance générale, et la vulgarisation leur a nui.   Émile HENRIOT, Mythologie légère, p. 22.

Cour. (1867, Zola). *Vulgarisation scientifique :* fait d'adapter un ensemble de connaissances scientifiques, techniques, de manière à les rendre accessibles à un lecteur non spécialiste ; reformulation d'un discours portant sur un objet de science, destinée à être comprise d'un plus grand nombre de lecteurs. *Livres, revues de vulgarisation* (→ Spectaculaire, cit. 3). — REM. Même en ce sens, le mot acquiert souvent une connotation péjorative.

2   Ou tu n'en prends que ce qu'en connaissent les bonnes gens — et alors c'est du mélo, de la vulgarisation, et tu te mets à dos toute une corporation de poètes cathares et d'historiens occultistes (...)
F. MALLET-JORIS, le Jeu du souterrain, p. 36.

♦ **2.** (XXe). Péj. Fait de rendre vulgaire, banal (qqch.) ; fait de devenir vulgaire (péj.). *La vulgarisation d'un milieu, d'une personne, d'un genre de spectacle.*

VULGARISER [vylgaʀize] v. tr. — 1829, Boiste ; «publier», 1512 ; dér. du lat. *vulgaris* (→ Vulgaire).

♦ **1.** Répandre (des connaissances) en mettant à la portée du grand public. ⇒ **Propager.**

1   On s'était imaginé que l'on pouvait impunément vulgariser, pour ainsi dire, le socialisme, le faciliter (...)   Ch. PÉGUY, la République..., p. 25.

Répandre (un mot, un fait de langue, une mode...). *Expression introduite et vulgarisée par...* (→ 3. Droit, cit. 62). *Ceux qui ont créé et vulgarisé l'adjectif ogival* (cit. 2). *Vulgariser un procédé, une mode.* ⇒ **Répandre** (II., 3.).

♦ **2.** (1846). Péj. Rendre ou faire paraître vulgaire. ⇒ **Trivialiser.** *« Tu me vulgarises ou me poétises trop »* (Flaubert, *Correspondance,* 18 sept. 1846).

2   La figure d'Alfreda n'était pas moins changée : une expression ardente, résolue, insolemment sensuelle, déformait et vulgarisait ses traits : on eût dit le visage d'une fille, le visage d'une fille saoule.
MARTIN DU GARD, les Thibault, t. VII, p. 64.

▶ **SE VULGARISER** v. pron.

♦ **1.** (1845). Se répandre, devenir accessible à tous.

♦ **2.** (1876). Péj. Devenir vulgaire, trivial, banal et grossier.

▶ **VULGARISÉ, ÉE** p. p. adj.

— Vous regardez ma bague... un cadeau d'Annick, la bague de Mélusine... Ce n'était pas vulgarisé, alors.   F. MALLET-JORIS, le Jeu du souterrain, p. 82.   3

DÉR. ~~Vulgarisateur, vulgarisation.~~

VULGARISME [vylgaʀism] n. m. — 1801 ; angl. *vulgarism* ; dér. sav. du lat. *vulgaris*.

♦ Didact. Expression, tour propre aux personnes peu instruites. *« Donne-moi-z-en », pour « donne-m'en », « j'y ai dit » pour « je lui ai dit » sont des vulgarismes. Des vulgarismes petit-bourgeois.*

VULGARITÉ [vylgaʀite] n. f. — 1800, Mme de Staël ; «multitude», 1496 ; lat. *vulgaritas* «le vulgaire».

♦ **1.** Littér. Caractère commun ou terre à terre. ⇒ **Prosaïsme** (2.) ; → **Modernité**, cit., Chateaubriand. *La vulgarité de l'existence moderne* (→ Matérialité, cit. 2). *Poétiser* (cit. 3) *la vulgarité (de qqn).*

0.1   J'ai employé la première un mot nouveau, la vulgarité, trouvant qu'il n'existait pas encore assez de termes pour proscrire à jamais toutes les formes qui supposent peu d'élégance dans les images et peu de délicatesse dans l'expression.
Mme DE STAËL, De la littérature, Préface 2e éd.

1   Il y a une popularité misérable qui n'est dévolue qu'au banal, au trivial, au commun (...) Cette popularité n'est que de la vulgarité.
HUGO, Littérature et Philosophie mêlées, But de cette publication.

♦ **2.** (Mil. XIXe). Péj., cour. Caractère de ce qui est vulgaire, absence totale de distinction et de délicatesse. ⇒ **Bassesse, trivialité** (→ Endimancher, cit. 2 ; honteux, cit. 5 ; infranchissable, cit. 2 ; stade, cit. 2). *Une grande vulgarité morale. Vulgarité des manières d'un milieu, d'un lieu de plaisir.*

2   (...) « Étoiles andalouses », sorte de café dansant qui n'avait rien d'arabe, ni même d'espagnol, et dont la vulgarité tout aussitôt m'écœura. Puis, comme Pierre Louis commençait de déclarer que ce qui lui plaisait surtout, c'était cette vulgarité même, mon dégoût l'engloba pour le vomir avec le reste.
GIDE, Si le grain ne meurt, II, II.

(Une, des vulgarités). Manière vulgaire d'agir, de parler. *Vulgarités de langage d'une personne peu instruite.* ⇒ **Vulgarisme**. *Il s'était permis une ou deux vulgarités incongrues.*

CONTR. Aristocratie, délicatesse, dignité, distinction, élégance, goût, majesté, noblesse, raffinement ; chic (n.) ; politesse.

VULGATE [vylgat] n. f. — V. 1600, *version vulgate*, d'Aubigné ; lat. *vulgata (versio)*, «version répandue, vulgarisée», de *vulgare*, «répandre».

♦ Relig. Version latine de la Bible, traduite de l'hébreu (cit. 8, Bossuet), due à saint Jérôme et adoptée par le Concile de Trente (→ Authenticité, cit. 7).

VULGIVAGUE [vylʒivag] adj. — Mil. XVIIIe, P. de Caylus ; lat. *vulgivagus*, de *vulgus* «foule, masse», et *vagari* «vaguer», de *vagus* «vagabond».

♦ Littér., par plais. (Vx). Qui se prostitue. *« Femmes vulgivagues »* (Caylus *in* Pougens, Littré). — De la prostitution. *« L'impudicité vulgivague »* (Voltaire, *in* Littré).

VULGO [vylgo] adv. — 1866, Goncourt ; adv. lat.

♦ Didact. Vulgairement (1. ou 2.) ; dans la langue commune (opposé à *scientifiquement*) ou grossière. *Le souteneur* (cit. 2), *vulgo « maquereau ».*

(...) les lèvres épaisses, et la bouche comprimée et entr'ouverte comme un gros bouton de fleur, *vulgo en cul de poule.*
Ed. et J. DE GONCOURT, Journal, 23 août 1866, t. III, p. 48.

VULGUM PECUS [vylgɔmpekys] n. m. sing. — 1890, loc. pseudo-latine, de *vulgus* «foule», et *pecus* «troupeau».

♦ Fam. Le commun des mortels, les ignorants. *C'est trop savant, trop difficile pour le vulgum pecus.*

VULNÉRABILITÉ [vylneʀabilite] n. f. — 1836, Balzac ; du rad. lat. de *vulnérable*.

♦ Littér. Caractère vulnérable. ⇒ **Fragilité**. *La vulnérabilité de l'organisme. La vulnérabilité d'un argument, d'une théorie.*

(...) ma vulnérabilité toute populaire aux bons sentiments, mon besoin de fraternité, mon excessive capacité d'imagination (...)
Raymond ABELLIO, Ma dernière mémoire, t. II, p. 32-33.

VULNÉRABLE [vylneʀabl] adj. — 1676 ; lat. *vulnerabilis*, de *vulnerare* «blesser».

♦ **1.** Qui peut être blessé, atteint, frappé (par des coups, par un mal physique). → Immuniser, cit. 3 ; irritabilité, cit. 2. *Jambe* (cit. 29) *vulnérable. Organisme vulnérable.* ⇒ **Fragile, sensible.**

0.1 Rhéjed revint sur ses pas avec l'arrière-pensée de tuer le volatile, qui attaquait déjà le cadavre à coups de bec.
Voulant viser avec justesse la tête particulièrement vulnérable, il s'approcha doucement de face pendant que l'oiseau baissait le cou.
Raymond ROUSSEL, Impressions d'Afrique, p. 390.

♦ **2.** (Mil. xixᵉ). Abstrait. Qui peut être facilement atteint, attaqué. *Je suis toujours vulnérable* (→ 1. Flèche, cit. 12). *Point vulnérable* (→ 1. Partir, cit. 24). → Défaut de la cuirasse*; talon* (cit. 2) d'Achille. *Découvrir une partie de soi vulnérable* (→ 1. Masque, cit. 17). *Vulnérable à qqch.*

1 Ils la frappaient savamment là où elle était vulnérable, au défaut de la cuirasse, à son manque de logique; ils attaquaient cette révolution dans sa royauté.
HUGO, les Misérables, IV, I, IV.

2 Brusquement transplantée dans un cercle très différent de son entourage provincial, elle ne s'y adapta pas sans effort. Sa jeunesse, son inexpérience, son amour pour mon père la rendaient vulnérable (...)
S. DE BEAUVOIR, Mémoires d'une jeune fille rangée, p. 40.

Vieilli. *Réputation vulnérable,* qui prête le flanc, donne prise à la critique. — Qu'on peut attaquer. ⇒ **Attaquable.** *Un raisonnement, une thèse vulnérable.*

3 Le testament est olographe, il est par conséquent très vulnérable.
BALZAC, le Cousin Pons, Pl., t. VI, p. 740.

♦ **3.** Au bridge, Se dit de l'équipe qui a gagné une première manche et qui risque de ce fait des pénalisations doubles.
CONTR. **Blindé, cuirassé, dur, immunisé, insensible, invulnérable.**
DÉR. (Du même rad.) V. **Vulnérabilité.**

VULNÉRAIRE [vylneRɛR] adj. et n. — 1539; lat. *vulnerarius,* de *vulnus* «blessure».

♦ **1.** Adj. Vx. Qui guérit les blessures, les plaies. *Médicaments vulnéraires :* l'anthyllis, la germandrée, le millepertuis, la renouée, la sanicle (la plupart sont des astringents). *Eau vulnéraire :* préparation obtenue en faisant infuser des plantes vulnéraires dans de l'alcool. → Eau d'arquebuse*.

1 Son maître passa la nuit à son chevet, lui tâtant le pouls et humectant sans cesse sa compresse avec de l'eau vulnéraire.   DIDEROT, Jacques le fataliste, Pl., p. 561.

♦ **2.** N. m. (1694). Vx. Médicament, remède que l'on appliquait sur les plaies (→ Macérer, cit. 3). — Par ext. Médicament stimulant (boisson cordiale, tonique), administré aux personnes ayant subi un traumatisme.

2 (...) pourquoi dépenser l'argent d'une visite? et si c'était la fin, est-ce que le médecin y ferait quelque chose? — Ce qui est bon, c'est le vulnéraire, dit la Frimat. — Moi, murmura Fanny, j'ai de l'eau-de-vie camphrée. — C'est bon aussi, déclara la Bécu.   ZOLA, la Terre, II, II.
N.B. Il s'agit d'un cas d'apoplexie.

Fam. et vieilli. Alcool, cordial, vin.

3 (...) de simples poivrots à l'affût du bienfaisant étranger qui leur distribuera du tabac, et leur paiera un verre de vin, de vulnéraire comme ils disent.
HUYSMANS, la Bièvre, p. 96, in CRESSOT.

♦ **3.** N. f. (1752). Anthyllis* (plante qui était employée comme vulnéraire).

VULNÉRANT, ANTE [vylneRɑ̃, ɑ̃t] adj. — 1560, A. Paré; du lat. *vulnerare.*

♦ **1.** Vx ou littér. Qui blesse. *« La puissance vulnérante des obus »* (Gide).

Exécuteurs de hautes œuvres, toutes les armes leur sont bonnes *(aux critiques),* les plus vulnérantes les meilleures (...)   GIDE, Journal, 11 août 1929.

♦ **2.** Sc. nat. *Animaux vulnérants :* animaux nuisibles qui, sans être des parasites, causent des lésions à d'autres organismes.

VULNÉRATION [vylneRasjɔ̃] n. f. — 1872; «blessure», v. 1370; lat. *vulneratio,* de *vulneratum,* supin de *vulnerare* «blesser».

♦ **1.** Didact., vx. Blessure provoquée par l'instrument du chirurgien (fausse manœuvre).

♦ **2.** Littér. Blessure morale. → Vulnérer.

VULNÉRER [vylneRe] v. tr. — Conjug. *céder.* — xivᵉ; lat. *vulnerare.*

♦ Rare, littér. Blesser moralement, atteindre douloureusement. *Action de vulnérer.* ⇒ **Vulnération,** 2.

Rien qui morde, vulnère, incise, tracasse, obsède, sans concierge, et vienne ajouter certainement à la haine universelle, l'allume de ses mille détails indéniables.
CÉLINE, Voyage au bout de la nuit, p. 195 (1932).

VULPIN, INE [vylpɛ̃, in] adj. et n. — xivᵉ; lat. *vulpinus,* de *vulpes* «renard».

♦ **1.** Adj. Didact. (zool.). Du renard. *La « rage vulpine »* (la Recherche, juil. 1980, p. 846).

♦ **2.** N. m. (1778, Lamarck). Bot. Plante monocotylédone *(Graminées),* herbacée, annuelle ou vivace. *Vulpin des prés,* cultivé comme

fourrage sur les sols argileux. *Vulpins des champs. Les épillets du vulpin sont groupés en une panicule cylindrique ou queue de renard.*

(...) le souci pluvial, la fléole, le vulpin dont l'épi semble une petite massue (...)
HUGO, l'Archipel de la Manche, IV.

VULTUEUX, EUSE [vyltyφ, φz] adj. — 1814, Nysten; lat. *vultuosus* «grimaçant», de *vultus* «visage».

♦ Didact. Se dit du visage quand il est congestionné et gonflé*. ⇒ **Bouffi.** *Face vultueuse. L'aspect vultueux de son visage.* — Syn. (rare) : *vultué, ée* (1895, A. Daudet). — Par ext. *Une orange vultueuse* (→ Tunisienne, cit., Colette).
DÉR. **Vultuosité.**

VULTUOSITÉ [vyltyozite] n. f. — 1834, in D.D.L.; de *vultueux.*

♦ Didact. État, aspect d'un visage vultueux.

Ces véhémentes figures contrastent, à faire frémir, avec les vieilles figures bénédictines (...) dans cette fureur de paroles, dans la vultuosité du visage bouleversé, celles-ci (...) ont quelque chose (...) de l'enfer et de l'hérésie.
MICHELET, Hist. de France, t. IX, Introd., § II.

VULTURIDÉS [vyltyRide] n. m. pl. — 1839, Boiste; du lat. *vultur* «vautour», et suff. *-idés.*

♦ Zool. Famille de Rapaces du genre vautour*. — Au sing. *Un vulturidé.*

VULTURIN, INE [vyltyRɛ̃, in] adj. — 1867; lat. *vulturinus,* de *vultur* «vautour».

♦ **1.** Littér., rare. Digne d'un vautour; qui ressemble à un vautour. *« Des profils vulturins »* (Goncourt).

♦ **2.** (xxᵉ). Zool. *Pintade vulturine :* pintade royale de Madagascar.

1. VULVAIRE [vylvɛR] n. f. — 1673; lat. bot. *vulvaria,* de *vulva* «vulve», parce qu'on employait cette plante en gynécologie.

♦ Chénopode* des décombres, d'une odeur très désagréable.
HOM. 2. **Vulvaire.**

2. VULVAIRE [vylvɛR] adj. — 1822; de *vulve.*

♦ Anat. Relatif à la vulve, qui appartient à la vulve. *L'orifice vulvaire. Fente vulvaire* (→ Lèvre, cit. 31). *Prurit vulvaire.*
HOM. 1. **Vulvaire.**

VULVE [vylv] n. f. — 1304; lat. *vulva.*

♦ Anat. Ensemble des organes génitaux externes de la femme (et des femelles de mammifères). *Chez la femme, la vulve comprend le mont de Vénus* (ou *pénil*), *les grandes lèvres, les petites lèvres* (ou *nymphes*), *l'espace interlabial* (vestibule* du vagin, méat* urinaire), *les organes érectiles* (clitoris* [cit.]; corps caverneux, bulbes vestibulaires) *et les glandes de Bartholin; enfin, l'hymen, chez la vierge.* — Spécialt. Orifice extérieur du vagin. ⇒ Sexe (I., 6.); (fam.) **chatte, con,** 2. **moule** (3.).

Singes d'hommes tombés de la vulve des mères (...)
RIMBAUD, Poésies, V, III, Pl., p. 49.   1

(...) non pas une femme mais l'idée même, le symbole de toute femme, c'est-à-dire (...) cette bouche herbue cette chose au nom de bête, de terme d'histoire naturelle — moule poulpe pulpe vulve — faisant penser à ces organismes marins et carnivores aveugles mais pourvus de lèvres, de cils : l'orifice de cette matrice le creuset originel qu'il lui semblait voir dans les entrailles du monde (...)
Claude SIMON, la Route des Flandres, p. 41-42.   2

(...) les premiers rapports sexuels métamorphosent la vulve adolescente, aigrelette et maigrichonne, un peu sèche et pinçant les lèvres, en l'organe adulte rebondi, facilement épanoui, généreusement fluant et fragrant; capuchon et nymphes, clitoris et vagin atteignent ainsi leur développement définitif (comme le col utérin, du reste).   Gérard ZWANG, le Sexe de la femme, p. 130-131.   3

DÉR. 2. **Vulvaire, vulvite.** V. aussi **Vulvo-.**

VULVITE [vylvit] n. f. — 1849, in D.D.L.; de *vulve.*

♦ Méd. Inflammation de la vulve.

VULVO- Élément signifiant «vulve» et qui entre dans la formation de quelques termes médicaux. ⇒ ci-dessous **Vulvo-vaginal, vulvovaginite.**

VULVO-VAGINAL, ALE, AUX [vylvovaʒinal, o] adj. — 1876; de *vulvo-,* et *vaginal.*

♦ Méd. Qui concerne à la fois la vulve et le vagin (syn. : *vaginovulvaire*). *Orifice vulvo-vaginal. Glandes vulvo-vaginales.*

VULVO-VAGINITE [vylvovaʒinit] n. f. — xxᵉ ; de *vulvo-* et *vaginite.*
♦ Méd. Inflammation de la vulve et du vagin. *Vulvo-vaginite mycosique.*

VUMÈTRE [vymɛtʀ] n. m. — Mil. xxᵉ ; calque de l'angl. *vumeter,* de *VU,* abrév. de *volume unit* « unité de volume », et *-mètre.*

♦ Techn. Appareil de mesure électrique du volume sonore. *Vumètre d'un magnétophone, d'une console de prise de son.* — ʀᴇᴍ. On écrit parfois *vu-mètre.* « *Les différentes fonctions sont commandées par touches et le contrôle de modulation est fait par un petit vu-mètre* » (*Revue du Son,* nº 160-161, p. 364).

W

W [dubləve] n. m.

♦ Vingt-troisième lettre et dix-huitième consonne de l'alphabet français (empruntée à l'alphabet des langues germaniques au moyen âge — maintenue dans les parlers du Nord et de l'Est : picard, wallon, lorrain ; transformée en *gw,* puis en *g,* puis empruntée dans les autres parlers —, à l'allemand, à l'anglais, aux langues slaves), servant à noter à l'initiale la labio-dentale sonore [v] (ex. : *wagon*) ou la semi-consonne labiale postérieure [w] (ex. : *watt*).

Abrév. Mar. Ouest (angl. *west*). — Chim. Symbole du *tungstène* (wolfram). — Phys. Symbole du *watt.*

WADING [wɛdiŋ] n. m. — 1952, *in* Höfler ; mot angl., de *to wade* «patauger».

♦ Anglic. Pêche en rivière, le pêcheur étant dans l'eau (notamment pêche à la truite, au brochet). *« Les prises ne sont pas très nombreuses, mais les rives sont accidentées. Il faut pêcher en wading ; des cuissardes sont indispensables »* («Au bord de l'eau», N° 366, p. 50).

WAGAGE [waɡaʒ] n. m. — 1877 ; mot dial. du nord-ouest, du néerl. *wak* «humide».

♦ Régional. Limon* de rivière utilisé comme engrais.

WAGER-BOAT [waɡɛrbot ; wɛɡœrbot] n. m. — xxᵉ ; mot angl., comp. de *wager* «pari», et *boat* «bateau».

♦ Anglic. Sports. (Vx). Petite embarcation de régate.

WAGNÉRIEN, IENNE [vaɡnerjɛ̃, jɛn] adj. et n. — 1861, Champfleury ; de *Wagner,* musicien allemand (1813-1883).

♦ Qui concerne la musique de Wagner. *La revue wagnérienne* (1885). *Opéra wagnérien. Les héroïnes wagnériennes. Les leitmotive wagnériens. Chanteur wagnérien ; cantatrice wagnérienne,* spécialiste des opéras de Wagner. — N. Admirateur, admiratrice de Wagner. *Les wagnériens du festival de Bayreuth. Wagnériens et antiwagnériens.*

1 (...) savez-vous quelle partition le roi Louis *(de Bavière),* ce wagnérien enragé, a toujours ouverte sur son piano (...) — *Les Maîtres chanteurs?*
Alphonse DAUDET, Contes du lundi,
« La pendule de Bougival », Conclusion (1873).

REM. On a formé sur le nom de *Wagner* de nombreux dérivés (*wagnériade* n. f., 1890) et composés plaisants (*wagnéromane,* 1889 ; *wagnérolâtre,* 1891, *in* D. D. L.).

2 Lecoq, d'après certains, Nuitter entre autres, serait encore responsable d'une plaquette imprimée en 1893 chez Paul Dupont et qui s'intitulait : *Des maladies wagnériennes ; de leur traitement et de leur guérison,* par le docteur Amiculus. L'auteur divise ces affections en quatre espèces : *la wagnériole, la wagnéromanie, la wagnéralgie* et *la wagnérite.* Comme moyen curatif, il préconise le "baume de Mozart", les bains de sons consonnants, le sirop d'accords parfaits (...) Somme toute, cette plaquette est assez spirituelle et tout-à-fait dépourvue de méchanceté (...) Xavier DE COURVILLE, *in* la Revue musicale, oct. 1923.

WAGNÉRISME [vaɡnerism] n. m. — 1869 ; de *Wagner.*

♦ Didact. Ensemble des conceptions artistiques de Wagner (notamment en ce qui concerne l'harmonie, l'orchestration et la structure [⇒ **Leit-motiv**] des œuvres lyriques) ; tendance de ceux (musiciens ou mélomanes) qui adhèrent à ces conceptions, qui s'en réclament.

WAGON [vaɡɔ̃] n. m. — 1829 ; *vagon,* 1826 ; «chariot pour le transport de la houille», 1780, attestation isolée ; mot anglais.

♦ **1.** Véhicule sur rails, tiré par une locomotive. *Rames* (cit. 3) *de wagons. Crochets d'attelage, boggies, tampons* (cit. 3), *roues... d'un wagon. La charge d'un wagon* (→ Expédition, cit. 9). *Wagon auxiliaire.* ⇒ **Tender.** *Le wagon de tête, de queue. Wagons qui se heurtent.* ⇒ **Tamponner** (se), **télescoper** (se). *Atteler les wagons.*

Spécialt. [ⓐ] Voiture d'un train aménagé pour le transport des marchandises, des bestiaux... *Wagon de marchandises* (→ Longer, cit. 17 ; tamponnement, cit. 2). *Wagon à bestiaux. Wagon plombé. Wagons plats. Wagons couverts. Sortes de wagons.* ⇒ **Fourgon, plate-forme, plateau, truck, wagon-citerne, wagon-tombereau, wagon-trémie, wagon-vanne.** *Wagon frigorifique.* « *Ce train est composé de wagons isothermes* » (*Rev. gén. des sc.,* 30 mai 1906, n° 10, p. 455). *Wagon postal.* ⇒ **Wagon-poste.** *Charger, décharger un wagon. Pousser les wagons de minerai* (⇒ **Hercher**).

[ⓑ] Cour. (abusif en techn.). Voiture* destinée aux voyageurs. *Wagon de première, de seconde classe. Wagon pullman.* ⇒ **Pullman.** *Wagon de soldats* (→ Pare-boue, cit. 2). *Parties d'un wagon.* ⇒ **Impériale** (vx); **compartiment, soufflet.** *Train composé de vieux wagons démodés et sans couloirs* (→ Cliqueter, cit.). *Portière* (→ 2. Marche, cit. 30), *marchepied* (cit. 2), *banquette* (→ Froisser, cit. 19), *lampe* (→ 2. Cru, cit. 11), *porte-bagages, filet du wagon. Passage à soufflets entre deux wagons* (→ Plaque, cit. 2). — *Monter en wagon* (→ Prendre, cit. 130). *Assis dans le wagon* (→ Silencieux, cit. 2). « *Emporte* (cit. 20) *-moi, wagon!* »

1 Je fais causer le Rhin, le Gange et l'Orégon
Comme trois voyageurs dans le même wagon.
HUGO, la Légende des siècles, LXI.

2 Le matériel roulant peut n'être plus le même
Les vêtements venir d'un autre costumier
Le peuple c'est toujours le wagon de troisièmes
Qui s'en va cahotant tel que l'a vu Daumier.
ARAGON, les Yeux et la Mémoire, « Le peuple ».

3 Sur toute la longueur du train, les voitures communiquaient entre elles par des passerelles, et les voyageurs pouvaient circuler d'une extrémité à l'autre du convoi, qui mettait à leur disposition des wagons-salons, des wagons-terrasses, des wagons-restaurants et des wagons à cafés. Il n'y manquait que des wagons-théâtres. Mais il y en aura un jour.
J. VERNE, le Tour du monde en 80 jours, p. 225 (1873).

REM. 1. Le mot *wagon,* très usuel au xixᵉ s. et jusque vers 1960-70, semble reculer dans cet emploi non technique devant le terme techniquement correct, *voiture.* On dira pour les réalités modernes : *une voiture corail* (et non *un wagon corail*).

2. La variante graphique *vagon* est archaïque.

4 La lampe du vagon vacillait tristement dans son hublot et lui versait à cru sa morne clarté. Léon BLOY, le Désespéré, p. 118.

♦ **2.** Fig., fam. Automobile de très grandes dimensions.

♦ **3.** Contenu d'un wagon. ⇒ **Wagonnée.** *Un plein wagon de légumes.* — Fam. Grande quantité. *Il y en a un wagon, un plein wagon!*

♦ **4.** Appos. *Vert wagon,* assez vif et soutenu (semblable à la peinture des anciennes voitures de voyageurs). *Voiture, manteau vert wagon.*

♦ **5.** (1933). Loc. fig. *Accrocher le (son) wagon* : rejoindre le peloton de tête (cyclistes, coureurs automobiles). — Fam. *Accrochez les wagons!,* expression comique qui salue une éructation sonore.

DÉR. Wagonnage, wagonnée, wagonnet, wagonnier.

COMP. Wagon-bar, wagon-citerne, wagon-foudre, wagon-lit, wagon-poste, wagon-réservoir, wagon-restaurant, wagon-salon, wagon-tombereau, wagon-trémie, wagon-vanne.

REM. On trouve d'autres comp., soit occasionnels ou archaïques, comme : *wagon-couloir* (1902, *in* D. D. L.) ; *wagon-dortoir* (1846, *in* D. D. L.), *wagon-écurie* (1844, *in* Mackenzie) ; *wagon-fourgon* (1902, *in* D. D. L.) ; *wagon-plate-forme* (1894, *in* Année sc. et industr. 1895, p. 144) ; *wagon-poche* («wagon de transport pour la fonte en fusion», 1974, *in* la Clé des mots) ; *wagon-signal* (1884, *in* Année sc. et industr. 1885, p. 445) ; *wagon-squelette* («wagon plat sans plancher, pour conteneurs», 1977, *Banque des Mots,* 14) ; *wagon-vigie* (1888, *Année sc. et industr.* 1889, p. 79) ; soit récents mais encore occasionnels, comme *wagon-cinéma* (*Figaro Magazine,* 5 juil. 1980, p. 85), *wagon-discothèque* (*Figaro Magazine,* 5 juil. 1980, p. 87).

WAGON-BAR [vagɔ̃baʀ] n. m. — 1897, in Höfler ; de *wagon*, et *bar*.

♦ Voiture d'un train aménagée en bar. — Au plur. *Des wagons-bars.*
— REM. La dénomination officielle, qui tend d'ailleurs à l'emporter, est *voiture-bar* (→ Voiture, II., 2.).

WAGON-CITERNE [vagɔ̃sitɛʀn] n. m. — 1864, in *Année sc. et industr.* 1865 ; de *wagon*, et *citerne*.

♦ Wagon dont le châssis porte un réservoir, pour le transport des liquides (vin, pétrole). ⇒ **Wagon-réservoir.** — Au plur. *Des wagons-citernes.*

WAGON-FOUDRE [vagɔ̃fudʀ] n. m. — 1925, in Höfler ; de *wagon*, et 2. *foudre*.

♦ Wagon à un ou plusieurs foudres, servant au transport des boissons. — Au plur. *Des wagons-foudres.*

(...) donc eux avec leurs hectares de vignes, leurs bureaux, leurs entrepôts, leurs caves, leurs wagons-foudres ou frigorifiques, leurs villas au bord de la mer (...)
Claude SIMON, le Vent, p. 109.

WAGON-LIT [vagɔ̃li] n. m. — 1861, in D.D.L. ; de *wagon*, et *lit*.

♦ Dans un train, Voiture formée de compartiments fermés, munis de couchettes et d'eau courante, pour permettre aux voyageurs d'y passer la nuit. ⇒ **Sleeping.** *Voyager en wagon-lit. La Compagnie internationale des wagons-lits. Contrôleur des wagons-lits.*

Ce que je souhaite de ne plus désormais subir l'indigent confort, le gala de camelote du wagon-lit !
HUYSMANS, Debout..., p. 188, in GRESSOT.

Place dans un wagon-lit. *Je n'ai plus de wagon-lit, voulez-vous une couchette?* — REM. Le terme officiel est *voiture-lit* (→ Voiture, II., 2.).

WAGONNAGE [vagɔnaʒ] n. m. — 1933 ; de *wagon*.

♦ Techn. Transport par wagons. *Indice de wagonnage :* symbole (deux chiffres, une lettre) indiquant la direction à donner à un wagon.

WAGONNÉE [vagɔne] n. f. — 1887, in D.D.L. ; de *wagon*.

♦ Techn. Contenu d'un wagon.

WAGONNET [vagɔnɛ] n. m. — 1872 ; de *wagon*.

♦ **1.** Petit chariot sur rails destiné au transport de matériaux, au roulage* dans les mines. ⇒ **Benne.** *Des diables* (cit. 44), *des wagonnets, des chariots. Wagonnet plat.* ⇒ **Lorry.** *Wagonnet à benne mobile, pouvant basculer sur un culbuteur.*

1 Un ouvrier (...) fait basculer le chariot ; terre et pierres s'écoulent en avalanche sur les pentes du terri... Pendant ce temps, le wagonnet, attaché à un second câble, redescend la pente sur une seule voie, et croise dans sa course les autres wagonnets montants.
J.-R. BLOCH, Au pays des mines.

2 La dernière fois, j'ai vu une voie de Decauville, et deux wagonnets. J'ai eu l'impression qu'on travaillait dans une des galeries.
J. ROMAINS, les Hommes de bonne volonté, t. II, XVIII, p. 207.

Loc. fig. Fam. *Recharger les wagonnets :* remplir de nouveau les verres, verser une nouvelle tournée (surtout au café).

♦ **2.** Petit «wagon» découvert transportant des personnes. *Les wagonnets des montagnes russes,* dans les foires. *Wagonnet suspendu d'un téléphérique.* ⇒ **Télébenne.**

3 (...) la masse babylonienne de l'Alpinic-Railway où parfois passait un train de wagonnets dévalant en emportant avec lui des hystéries de femmes.
R. QUENEAU, Pierrot mon ami, éd. L. de Poche, p. 20.

WAGONNIER [vagɔnje] n. m. — 1846, *wagonier,* in Höfler ; de *wagon*.

♦ Techn. Homme d'équipe employé à la manœuvre des wagons.

WAGON-POSTE [vagɔ̃pɔst] n. m. — 1846, in D.D.L. ; de *wagon*, et *poste*.

♦ Wagon réservé au transport de la poste. — Au plur. *Des wagons-poste.*

Un appareil, d'origine américaine, est employé depuis plusieurs années pour faire recueillir par le wagon-poste d'un train en marche le sac de dépêches à transmettre par un bureau de station.
L. FIGUIER, l'Année scientifique et industrielle 1866, p. 137 (1865).

WAGON-RÉSERVOIR [vagɔ̃ʀezɛʀvwaʀ] n. m. — 1894, Sachs-Villatte ; de *wagon*, et *réservoir*.

♦ Techn. Wagon-citerne. — Au plur. *Des wagons-réservoirs.*

WAGON-RESTAURANT [vagɔ̃ʀɛstɔʀɑ̃] n. m. — 1846, in D.D.L. ; de *wagon*, et *restaurant*.

♦ Voiture d'un train aménagée en restaurant. *Déjeuner au wagon-restaurant.* — Au plur. *Des wagons-restaurants.*

Il est dix heures : c'est là que nous faisons halte pour déjeuner, car les wagons-restaurants s'arrêtent au seuil des montagnes.
E. COTTEAU, le Transcanadien et l'Alaska, in le Tour du monde, 1890, t. II, p. 13.

REM. La dénomination officielle est *voiture-restaurant* (→ Voiture, II., 2.).

WAGON-SALON [vagɔ̃salɔ̃] n. m. — 1846, in D.D.L. ; de *wagon*, et *salon*.

♦ Vieilli. Voiture de train de luxe aménagée en salon (⇒ **Pullman**). — Au plur. *Des wagons-salons* (→ Wagon, cit. 3, J. Verne).

Sur les chemins de fer américains, moyennant un faible supplément d'un dollar (cinq francs de notre monnaie), on a une couchette pour dormir. On peut aussi, sans trop de frais, prendre place dans un wagon-salon.
C. SIMONIN, De Washington à San Francisco, in le Tour du monde, 1868, t. I, p. 161.

REM. La dénomination officielle est *voiture-salon* (→ Voiture, II., 2.).

WAGON-TOMBEREAU [vagɔ̃tɔ̃bʀo] n. m. — 1893, in Höfler ; de *wagon*, et *tombereau*.

♦ Techn. Wagon à bords élevés, dont le chargement se fait par le haut et le déchargement par des portes latérales. — Au plur. *Des wagons-tombereaux.*

WAGON-TRÉMIE [vagɔ̃tʀemi] n. m. — 1921, in Höfler ; de *wagon*, et *trémie*.

♦ Techn. Wagon à une ou plusieurs trémies servant au transport des matériaux pulvérulents ou des granulats en vrac. — Au plur. *Des wagons-trémies.*

WAGON-VANNE [vagɔ̃van] n. m. — 1872, in Höfler ; de *wagon*, et *vanne*.

♦ Techn. Vanne mobile montée sur un wagon circulant sur une voie ferrée, dans les galeries de certains égouts. — Au plur. *Des wagons-vannes.* «Des bassins à sable (...) faciliteraient les manœuvres des bateaux et wagons-vannes» (*Année sc. et industr.* 1884, p. 298 [1883]).

WAHHABISME [waabism] n. m. — 1872, Littré, *wahabitisme ;* de *wahabite,* membre d'une communauté islamique fondée par Muhamad ibn 'Abd el-*Wahhāb*.

♦ Didact. Doctrine puritaine islamique des wahhabites, qui condamne toute innovation au nom de la fidélité à la lettre du Coran. ⇒ **Intégrisme** (musulman).

WAHHABITE [waabit] adj. et n. — 1872 ; *wahabis,* n., 1804. → Wahhabisme.

♦ Didact. Du wahhabisme. — *Le royaume wahhabite :* l'Arabie séoudite.

WAIT AND SEE [wɛtɛ̃ndsi] n. m. — XXᵉ ; expression angl., «attendre *(wait)* et voir *(see)*».

♦ Anglic. Polit. Politique qui consiste à attendre les développements d'une situation, les actes d'une entité internationale, avant de réagir, de prendre des décisions (lorsqu'il s'agit d'un pays anglo-saxon, notamment de la Grande-Bretagne). *Respectueux «des traditions attentistes du Quai d'Orsay, M. Jobert répond en traduisant à sa manière le "wait and see" britannique (...)»* (l'Express, 7 mai 1973, p. 84). «Le département d'État (américain) qui préconisait le wait and see» (le Nouvel Obs., 22 mai 1982, p. 41).

WALÉ [wale] n. m. — D.i. ; mot d'une langue africaine, var. *wali, waré,* etc.

♦ En franç. d'Afrique. Jeu africain, qui se joue avec des pions (graines, cauris, etc.) que l'on fait passer d'un trou à l'autre, selon des règles précises, dans une table évidée de douze trous. Cette table. — Syn. : *awalé, adji.*

WALHALLA [walala] n. m. — D.i. ; mot d'anc. all., correspondant à l'anc. nordique *valhöll* «paradis des guerriers».

♦ Hist. Séjour des guerriers morts, décrit comme un palais splendide régi par le dieu Odin, dans la mythologie scandinave.

Fig., rare. Ciel, paradis. *Des étudiants «déchus du walhalla des sciences»* (*le Nouvel Obs.*, 21 juin 1981, p. 50).

WALI [wali] n. m. — Mil. xxᵉ; mot arabe.

◆ En Algérie, Haut fonctionnaire responsable d'une wilaya (homologue du préfet* en France). *«Les walis d'Oran, d'Alger et de Constantine ont présenté leurs exposés le matin sur la situation dans leurs wilayate respectives en ce qui concerne l'application de la Révolution agraire»* (*El Moudjahid*, 24 janv. 1973, p. 3).

WALKIE-TALKIE [wɔ(l)kitɔ(l)ki] n. m. — V. 1948, *in* Höfler; empr. de l'amér., de *walk* «promenade», et *talk* «discours».

◆ Anglic. Syn. de *talkie-walkie*.

(...) on a utilisé avec succès, pour la communication entre le haut et le bas d'un grand gouffre (Hennemorte) des appareils portatifs de radio type Walkie-Talkie.
                                    Félix TROMBE, la Spéléologie, p. 58.
REM. On trouve la variante graphique *walky-talky* (1964, *le Nouveau Candide, in* Blochwitz-Runkevitz, p. 293).

WALKMAN [wɔkman] n. m. — 1980; nom déposé par la firme japonaise Sony, en 1979, mot mal formé en angl.; de l'angl. *to walk* «marcher», et suff. d'agent *-man*, de *man* «homme».

◆ Dispositif (de la marque déposée *Walkman*) formé d'un casque d'écoute très léger, relié à un lecteur de cassettes portatif ou à un récepteur de radio permettant d'écouter de la musique en se promenant, en marchant. — Recomm. off. : *baladeur* (1983).

Abrév. fam. **WALK**. *«Pour l'embrasser, il remet la musique. Pour skier, il emporte son walk (...) Pour nager, il n'emporte pas son walk, ce n'est pas au point, mais il attend les Japonais»* (*le Nouvel Obs.*, 2 mars 1981, p. 50).

WALK-OVER [walkɔvœʀ] n. m. — 1855, *in* Petiot; angl. *to walk over*, proprt «marcher au-dessus».
Anglicisme.

◆ **1.** Turf. Course à laquelle prend part un seul cheval, par suite du forfait des autres engagés. — Match enlevé par un concurrent dont l'adversaire ne se présente pas. *Gagner par walk-over* (abrév. : *W. O.*).

◆ **2.** Fam. (Sports). Course, épreuve où un des concurrents l'emporte sans rencontrer d'opposition.

WALKYRIE [valkiʀi] n. f. — 1756, Mallet, trad. de l'*Edda des Islandais*; de l'anc. nordique *valkyrja*; cf. all. *Walküre*, du haut all. *wal* «champ de bataille», et *kyrja* «celle qui choisit».

◆ **1.** Dans les mythologies germaniques, scandinaves, l'une des trois déesses guerrières qui décident du sort des combats et désignent ceux qui doivent mourir. *La Walkyrie*, deuxième journée de la tétralogie de Richard Wagner.

Vers deux heures, on me mit au bain, et je me crus servi par les Walkyries, filles d'Odin, qui voulaient m'élever à l'immortalité en dépouillant peu à peu mon corps de ce qu'il avait d'impur.   NERVAL, Aurélia, II, VI.
REM. On a écrit aussi *valkyrie*.

◆ **2.** Fam., iron. Femme robuste de forte stature et d'un tempérament énergique, autoritaire.

WALLABY [walabi] n. m. — 1848, Arveiller; var. *walloubi*, 1861; mot australien.

◆ **1.** Kangourou de petite taille, appartenant à l'une des espèces zoologiques suivantes : lagostrophus, lagorchestes, peradorcas, setonyx, onychogatea, thylogales ou pétrogales. — Au plur. *Des wallabies.*

1   Les kangourous y sont plus rares; ils s'éloignent des centres, et dans nos courses à cheval, à travers la forêt, nous ne rencontrâmes qu'un wallaby, petit kangourou, moitié grandeur de l'autre, qui néanmoins courait comme un beau diable. Il faisait des bonds de dix pieds, en équilibre sur ses deux pattes de derrière, avec sa longue queue comme balancier, et franchissait fossés et barrières, que nous sautions après lui, non sans quelque appréhension de ma part.
              D. CHARNAY, Six mois en Australie, *in* le Tour du monde, 1880, t. I, p. 68.
2   Les *Kangourous* que tout le monde connaît, et parmi eux surtout le genre *Wallaby*, sont caractérisés par leurs immenses jambes postérieures, contrastant avec la petitesse des membres antérieurs, et qui leur servent, en s'aidant du puissant ressort de leur robuste queue, à faire les bonds prodigieux que l'on sait.
                                    René THÉVENIN, les Fourrures, p. 67.

◆ **2.** Comm. (abusif en sc.) Fourrure du rat musqué, ou *ondatra*.

WALLACE [walas] n. f. — 1904, Larousse; de *fontaine Wallace* (1876); du nom de sir Richard *Wallace* qui offrit cinquante fontaines d'eau potable à la ville de Paris en 1872.

◆ Vx. Fontaine d'eau potable ornée de sculptures en fonte, du type

offert par R. Wallace à la ville de Paris. *Une wallace.* — En appos., mod. *Une fontaine Wallace.*

(...) une espèce de pompe qui sifflait, soufflait, râlait comme un poitrinaire pour lâcher un filet d'eau pareil à l'écoulement d'une fontaine Wallace.
                            MAUPASSANT, le Père Mongilet, Pl., t. II, p. 469.

WALLINGANT, ANTE [walɛ̃gɑ̃, ɑ̃t] n. et adj. — 1912; de *wallon*, d'après *(flam)ingant*.

◆ Régional (Belgique). Wallon partisan de l'autonomie de la Wallonie (dans le langage des adversaires de cette position politique). *Les wallingants et les flamingants.*

WALLON, ONNE [walɔ̃, ɔn] n. et adj. — xvɪᵉ; *wallin*, 1385; lat. médiéval *wallo, -onis*; du francique **walha* «les Romains, les peuples romanisés».

◆ Belge de la Belgique du sud, de langue et de civilisation romanes. *Les Wallons et les Flamands.*
Adj. *Le pays wallon. L'économie wallonne.*
N. m. (xvɪᵉ). Ensemble des parlers gallo-romans de Wallonie. *Le normand, le picard, le wallon...* (→ Français, cit. 14). *Parler wallon, le wallon. Mots empruntés par le français au wallon* (ex. : estaminet, grisou, houille...). — Adj. *Les dialectes wallons reculent en Wallonie devant le français. Bilinguisme wallon-français. Anthologie wallonne, de textes wallons. La Société de langue et de littérature wallonnes.*

DÉR. **Wallonisme, walloniste.**

WALLONISME [walɔnism] n. m. — 1806, *in* D.D.L.; de *wallon*.

◆ Ling. Fait de langue propre au wallon et emprunté par le français régional de Belgique (⇒ **Belgicisme**).

WALLONISTE [walɔnist] n. — Mil. xxᵉ; de *wallon*.

◆ Didact. Linguiste spécialiste des dialectes wallons.

WAPITI [wapiti] n. m. — 1860, *in* le Tour du monde, t. I, Hachette; mot algonquin *wapitik* «daim blanc».

◆ Cerf* d'Amérique du Nord, de plus grande taille que le cerf commun. *«Une petite marmite qui lui servait à faire cuire (...) un quartier de wapiti»* (trad. de Ch. Gay, *in* le Tour du monde, t. I, 1., p. 275, 1860). — Appos. *Cerf wapiti.*

Dans ces forêts se rencontre également cette espèce particulière de cerf remarquable par sa taille et sa force que l'on désigne par le nom de cerf *wapiti*.
          Trad. de HAYDEN, DOANE et LANGFORD, le Parc national des États-Unis, *in* le Tour du monde, 1874, t. II, p. 343.

WARGAME [waʀgɛm] n. m. — 1977; mot angl., de *war* «guerre», et *game* «jeu».

◆ Anglic. Jeu de simulation d'un conflit armé (analogue au *kriegspiel* allemand). *«Les wargames apparaissent sur le marché anglais des jeux de société au début de notre siècle...»* (*Sciences et Avenir*, nᵒ H. S. 35, p. 41). *«Conquistador a pour thème l'exploration et la conquête du Nouveau Monde, de 1492 à 1600. Ce wargame historique qui réunit jusqu'à 4 joueurs (mais prévoit également un scénario en solitaire) se déroule autour d'un plateau de jeu à cases hexagonales numérotées représentant les Amériques. Les joueurs sont invités par la règle à accumuler richesse, territoire et prestige, à l'image des conquérants (...) Conquistador se présente à la fois comme un wargame, un jeu d'alliance et un jeu économique (...)»* (*Jeux et Stratégie*, nᵒ 22, p. 9, août-sept. 1983).

WARRANT [waʀɑ̃; vaʀɑ̃] n. m. — 1836; 1671, «mandat d'amener»; angl. *warrant*, lui-même empr. à l'anc. franç. *warant*, autre forme de *garant**.

◆ Dr. Effet de commerce, titre double établi à ordre et délivré aux commerçants lors d'un dépôt de marchandises. ⇒ **Avance, gage, garantie** (contrat de), **récépissé.** *Warrant agricole, hôtelier, pétrolier, industriel.* — Figuré :

(...) s'il en est ainsi, ces arriérés de tortures, ces débats de détresses, ces warrants de peines évitées doivent produire de terribles intérêts, là-haut (...)
                                    HUYSMANS, En route, I, VI.

DÉR. **Warranter.**
HOM. **Varan.**

WARRANTAGE [waʀɑ̃taʒ; vaʀɑ̃taʒ] n. m. — 1894, Sachs-Villatte; de *warranter*.

◆ Dr. comm. Action de warranter (une marchandise en dépôt).

WARRANTER [waʀɑ̃te; vaʀɑ̃te] v. tr. — 1874; de *warrant*.

♦ Dr. comm. Garantir (une marchandise déposée) par un warrant. — Au p. p. *Marchandises warrantées*.

DÉR. Warrantage.

WARRAT [vaʀa] n. m. — V. 1200, *warat;* francique *wraith «faisceau, botte».

♦ Régional (agric.). Mélange de plantes fourragères et légumineuses donné aux animaux.

DÉR. Waterie.

WASH AND WEAR [waʃɛ̃ndwɛʀ] loc. adj. — Mil. xxᵉ; loc. angl., de *to wash* «laver», et *to wear* «porter».

♦ Anglic. Se dit d'un tissu, d'un costume que l'on peut laver sans avoir à le repasser. *Costume wash and wear*.

WASHINGTONIA [waʃiŋtɔnja] n. m. — 1874, au sens 2, in *le Tour du Monde*, Hachette; du nom de l'État de *Washington*.

♦ **1.** Palmier de Californie et du Mexique, grand arbre aux feuilles très amples en éventail.

♦ **2.** Grand arbre *(Conifères)* de la famille des Séquoias. ⇒ **Wellingtonia** (cit. 1).

(Les séquoias) que les Anglais appellent des wellingtonias et les Américains des washingtonias, par esprit de clocher.
Beaucoup de ces arbres ont quinze à vingt mètres de tour et cent mètres de haut.
L. SIMONIN, De Washington à San Francisco,
in le Tour du monde, 1874, t. I, p. 232.

WASSINGUE [vasɛ̃g] n. f. — 1908; mot flamand, d'orig. germanique; cf. all. *waschen*, angl. *to wash* «laver».

♦ Régional (Nord de la France). Toile à laver. ⇒ **Serpillière.**

(...) je suis resté dans mon lit très tard, en contemplant les haillons du ciel qui s'effilochaient comme de vieilles wassingues (...)
Michel BUTOR, l'Emploi du temps, I, v.

WASTRINGUE [wastʀɛ̃g] n. m. — Mil. xxᵉ; orig. incert., p.-ê. var. de *bastringue* (1829, au sens de «scie à métaux»).

♦ Techn. Outil de menuisier, rabot à deux poignées qui se manie à la façon d'une plane*, mais dont le fer, engagé dans une lumière*, peut être réglé en fonction de l'épaisseur des copeaux à débiter.

WATCHMAN [watʃman] n. m. — 1743, trad. de Fielding, *in* Mackenzie; mot angl., de *to watch* «surveiller», et *man*.

♦ Anglic. Vx. Garde, veilleur de nuit, en Angleterre et, par ext., dans d'autres pays.

WATER [watɛʀ] n. m. pl. ⇒ **Waters.**

WATER-BALLAST [watɛʀbalast] n. m. — 1879, «lest d'eau»; mot angl., de *water* «eau», et *ballast*. → Ballast.
Marine.

♦ **1.** (1883, in *Année sc. et industr.* 1884, p. 123). Compartiment d'un navire servant au transport de l'eau, du mazout..., et qui peut servir de lest.

♦ **2.** (1887, *in* Höfler). Réservoir de plongée d'un sous-marin que l'on peut remplir ou vider à volonté. — Au plur. *Des water-ballasts*.

WATERBUCK [watɛʀbœk] n. m. — D. i.; mot angl. «daim *(buck)* d'eau».

♦ Franç. d'Afrique. Antilope *(Kobus defassa unctuosus)* de la famille des Hippotraginés. Syn. : *Kob onctueux; antilope cheval*.

WATER-CHUTE [watɛʀʃyt] n. — Attesté xxᵉ; de l'angl. *water* «eau», et *chute*.

♦ Vieilli. Sorte de toboggan sur lequel coule de l'eau (→ Scenic railway, cit., Romains). — Au plur. *Des water-chutes*. — REM. Le genre est incertain.

Du parc aux attractions, on entendait les cris aigus des femmes enfermées dans le water-chute et le scenic railway.
M. DRUON, Rendez-vous aux enfers, III, VI, p. 186.

WATER-CLOSET(S) [watɛʀklɔzɛ(t)] ou [watɛʀklɔze] n. m. — 1816; mot angl., proprt «cabinet à eau», de *water* «eau», et *closet* «cabinet, petit clos», de l'anc. franç. *clos*.

♦ Vx. Lieux d'aisances (le plus souvent au pluriel : *les water-closets*). ⇒ **Cabinet(s), waters, W.-C.,** vécés; pop. vatères. — Différentes variantes graphiques : *water closet watercloset*, etc. — REM. Au xixᵉ s., le mot s'est employé en parlant des chemins de fer américains.

(...) enfin dans un dernier recoin, faut-il le dire? est le *water closet* de rigueur, 0.1
dont nos chemins de fer européens devraient bien adopter l'emploi.
L. SIMONIN, Voyage en Californie, in le Tour du monde, 1862, t. I, p. 35.

(...) chaque wagon a son poêle, son watercloset et un robinet d'eau glacée. 0.2
Ernest MICHEL, le Tour du monde en deux cent quarante jours, p. 39 (1881).

Il me fallut l'accompagner dans un petit pavillon treillissé de vert, assez semblable 1
aux bureaux d'octroi désaffectés du vieux Paris, et dans lequel étaient depuis peu installés ce qu'on appelle en Angleterre un lavabo, et en France, par une anglomanie mal informée, des water-closets.
PROUST, À la recherche du temps perdu, t. III, p. 82.

WATERGANG [watɛʀgɑ̃g] n. m. — 1280, *watergane*, Godefroy; mot néerl. de *water* «eau», et *gang* «voie».

♦ Régional (Belgique, Nord de la France). Canal ou fossé en bordure d'un chemin, d'un polder.

WATERIE [watʀi] n. f. — 1869; de *wareterie* «chaume pour les toits», xivᵉ; de *warrat**, et suff. -erie.

♦ Régional (Artois). Fourrage mêlé. ⇒ **Hivernage,** 3.

WATERINGUE [watʀɛ̃g] n. m. ou f. — 1298, Godefroy; flamand *wateringen*, de *water* «eau».

♦ Régional (Belgique, Nord de la France) ou géogr. Ensemble des travaux de dessèchement et de drainage. ⇒ **Moere.**

WATER-JACKET [watɛʀdʒakɛt] n. m. — 1903; mot angl., de *water* «eau», et *jacket* «protection».

♦ Anglic. Techn. Four à cuve pourvu d'une enveloppe à circulation d'eau pour rafraîchir les parois, et utilisé dans la métallurgie du cuivre et du nickel. — Au plur. *Des water-jackets*.

1. WATERMAN [watɛʀman] n. m. — 1846, Bescherelle; mot angl. désignant plusieurs métiers, de *water* «eau», et *man* «homme», au sens de «manœuvre, ouvrier»; cf. l'anc. loc. *l'homme fort* pour désigner le cric.

♦ Techn. (Vx.) Machine destinée à creuser le sol au fond de l'eau.

HOM. 2. Waterman, 3. waterman.

2. WATERMAN [watɛʀman] n. m. — 1856, *in* D.D.L.; mot angl. → 1. Waterman.

♦ Vx. Bateau à vapeur pour le transport des passagers (en Angleterre).

HOM. 1. Waterman, 3. waterman.

3. WATERMAN [watɛʀman] n. m. — 1929; nom de marque, nom propre de personne.

♦ Stylo de la marque Waterman.

HOM. 1. Waterman, 2. waterman.

WATERPOLISTE [watɛʀpɔlist] n. — 1934, *in* D.D.L.; de *water-polo*.

♦ Sports, rare. Joueur de water-polo.

WATER-POLO [watɛʀpɔlo] n. m. — 1891, *in* Höfler; mot angl., de *water* «eau», et *polo*.

♦ Sport de ballon analogue au hand-ball, qui se joue dans l'eau, entre deux équipes de sept nageurs.

DÉR. Waterpoliste.

WATERPROOF [watɛʀpʀuf] adj. invar. et n. m. — 1775; mot angl. «à l'épreuve *(proof)* de l'eau *(water)*».
Anglicisme.

♦ **1.** (Langue commerciale). Qualifie des objets, des produits imperméables, à l'épreuve de l'eau. *Montre waterproof*. ⇒ **Étanche.**

♦ **2.** N. m. Vx. Imperméable (vêtement). ⇒ **Mackintosh.**

(...) je voyais une longue femme, très pâle, empaquetée dans un *water-proof* interminable (...)
Ed. et J. DE GONCOURT, Journal, 28 déc. 1877, t. V, p. 258.

WATERS [watɛʀ]; pop. [vatɛʀ] → Vatères n. m. pl. — 1913, Colette; abrév. de *water-closet**.

♦ Lieux d'aisances. ⇒ **Cabinet(s), toilette(s), water-closets, W.-C.**; fam. **chiottes, gogues, goguenot(s), tartisses.** *Aller aux waters* (→ Au petit coin*, quelque part*). *Les waters sont dans la cour.*

Il enfile le couloir en feignant de chercher ce que Cottard appelait les «waters».
PROUST, *Sodome et Gomorrhe*, Pl., p. 875.

REM. On écrit aussi : *les water* (Colette, *l'Envers du music-hall*, p. 108). → Constiper, cit. Beckett.

Le sing., *un water*, est attesté, mais rare (Duhamel, *in* G. L. L.F.).

La graphie «populiste» *ouatère* correspond à la prononciation la plus courante. *«Minivier (...) va droit aux ouatères»* (San Antonio, *le Secret de Polichinelle*, p. 180).

On trouve aussi la forme *wawas* [wawa] n. m. pl. (par duplication de la première syllabe, sur le modèle des mots enfantins).

WATERZOOÏ [watɛʀzɔj] n. m. — D. i. (attesté xxᵉ); mot flamand.

♦ Régional (Belgique). Spécialité culinaire belge, ragoût de viande blanche ou de poisson et de légumes (céleri, notamment), souvent lié avec de la crème (en particulier lorsque la viande est du poulet). REM. On écrit aussi *waterzoei.*

WATT [wat] n. m. — 1881; du nom du physicien écossais J. *Watt.*

♦ Unité de puissance (symb. *W*) correspondant à la consommation d'un joule par seconde. *Un cheval-vapeur* correspond à 736 watts. Mesure des puissances électriques* en watts* (puissance effective), *en volt-ampères** (puissance apparente).

COMP. **Hectowatt, kilowatt, watt-heure, wattman, wattmètre.**
HOM. Ouate.

WATT-HEURE [watœʀ] n. m. — 1887, *in Année sc. et industr.* 1888, p. 84; de *watt,* et *heure.*

♦ Électr. Unité de travail et d'énergie (symb. *Wh*), représentant l'énergie fournie en 1 heure par une puissance de 1 watt. — Au plur. *Des watts-heures.* — On écrit aussi *wattheure.*

WATTMAN [watman] n. m. — 1895; faux anglicisme, de *watt,* et suff. d'agent *-man* «homme».

♦ **1.** Vx. Conducteur d'un véhicule automobile (→ Distraction, cit. 4, Proust). *Des wattmen* (plur. angl.) ou *des wattmans* (francisé).

(...) je restais, quite à faire rire la foule innombrable des wattmen, à tituber comme j'avais fait tout à l'heure, un pied sur le pavé plus élevé, l'autre pied sur le pavé plus bas.
PROUST, *le Temps retrouvé*, Pl., t. III, p. 867.

♦ **2.** (1897). Vieilli. Conducteur de tramway. ⇒ **Traminot.**

WATTMÈTRE [watmɛtʀ] n. m. — 1883, *Dict. d'électricité* de Jacquez (*in* D. D. L.); de *watt,* et *-mètre.*

♦ Électr. Appareil de mesure des puissances électriques, donnant directement le produit du voltage par le courant. *Wattmètre astatique, compensé, composé, polyphasé.*

WAVELLITE [wavelit] n. f. — 1824, *in* D. D. L.; de *Wavell,* physicien anglais.

♦ Minéralogie. Phosphate hydraté d'aluminium, de formule $Al_3(PO_4)_2(OH)_3$ $5H_2O$. — «(Des) *cristallisations — ainsi les "cocardes" rayonnantes de wavellite»* (*Sciences et Avenir,* mars 1979, p. 69).

WAWAS [wawa] n. m. pl. ⇒ **Waters.**
HOM. Oua-oua.

WAX [waks] n. m. invar. — D. i.; angl. *wax* «cire».

Anglicisme. Français d'Afrique.

♦ **1.** Tissu de coton imprimé selon un procédé à la cire, sur lequel apparaissent des craquelures. — Appos. *Tissu wax, imprimé wax.*

♦ **2.** Pagne imprimé de fabrication industrielle. — Syn. : *Java hollandais.* — Appos. *Pagne wax, imprimé wax.* — Syn. : *wax-print* (d'après I. F. A.).

WAYANG [wajɑ̃g] n. m. — 1820, *in* D. D. L.; mot javanais «drame».

♦ Didact. Théâtre traditionnel de marionnettes, en Indonésie, dont les sujets sont empruntés aux épisodes du Rāmāyana et du Mahābhārata. *Les marionnettes du wayang, plates et découpées, sont manipulées à l'aide de baguettes.*

WAY OF LIFE [wɛɔflajf] n. m. — Mil. xxᵉ; expression anglaise, de *way* «façon», *of* «de», et *life* «vie».

♦ Mode de vie (notamment en parlant des États-Unis, sous la forme *american way of life*). *«Un nombre de plus en plus grand d'Américains adoptent à l'égard de leur "way of life" une attitude de cynisme (...)»* (*l'Express,* 18 sept. 1972, p. 113).

WAZA [waza] n. m. — 1950, *Judo international, in* Petiot; mot japonais, «art, technique».

♦ Sports (arts martiaux japonais). Technique spécifique du combat (en général employé en second élément de locutions). — Loc. *Waza ari :* avantage technique qui, redoublé, peut décider du combat.

Wb [vebe] Électr. Symbole du *weber*.*

W.-C. [dublevese]; fam. [vese] n. m. pl. — 1887, *in* D. D. L.; abrév. de *water-closet*.*

♦ Cabinets d'aisances. ⇒ **Cabinets, toilettes, vécés, waters**; (fam.) **chiottes**; → Constiper, cit. Beckett. *Où sont les w.-c.?*

Dames qui revenez des W.-C. (avec toilette,
Comme il convient d'un restaurant qui se respecte;)
Que j'aime votre sérénité satisfaite.
FRANC-NOHAIN, *Flûtes,* p. 165, *in* D. D. L., II, 12.

REM. Le sing. *un w. c.* est attesté, mais rare en franç. de France (alors qu'il est courant en Belgique).*«Où est-il donc passé ? — Sans doute au W.-C., supposa, pudique, la dame assez forte...»* (A. Allais, *le Charivari,* 21 juil. 1892, p. 2).

HOM. Vesser.

WEBER [vebɛʀ] n. m. — 1881, *in Année sc. et industr.* 1882, p. 446; du nom du physicien W. *Weber.*

Électricité.

♦ **1.** Anciennt. Unité d'intensité électrique.

♦ **2.** Mod. Unité M. K. S. A. de flux magnétique (symb. *Wb*), représentant le flux qui, à travers une seule spire, produit une force électromotrice d'un volt dans celle-ci, quand il décroît uniformément à zéro en une seconde. *Flux de un weber par mètre carré.* ⇒ **Tesla.**

WEDGE [wɛdʒ] n. m. — Mil. xxᵉ; mot anglais.

♦ Anglic. Golf. Club à tête métallique pour les coups d'approche (20 à 40 m).

WEEK-END [wikɛnd; wikɛ̃d] n. m. — 1906, à propos de l'Angleterre; répandu v. 1920-25; mot angl., «fin de semaine», de *week* «semaine», et *end* «fin».

Anglicisme.

♦ **1.** Fin de semaine, comprenant la journée ou l'après-midi du samedi (chômé) et le dimanche.

Un journal du soir (c'est *la Liberté*) a naguère protesté contre l'habitude qui s'introduit de dire *un week-end.* C'est en effet absurde. Ni *fin* ni *semaine,* ni *end* ni *week* (ni *Ende* ni *Woche*), ne sont masculins; et si le féminin apparaît mal en anglais, est-ce une raison pour le supprimer dans les mots qui le réclament une fois francisés ou usités en français? Disons donc *une rocking-chair* et une *week-end,* à moins que vous ne préfériez une *chaise à bascule* et la *semaine anglaise,* ce dont je vous féliciterais. [1]
A. THÉRIVE, *Querelles de langage,* t. I, p. 165 (1929),
in REY-DEBOVE et GAGNON.

♦ **2.** Congé de fin de semaine. *Que faites-vous pour le week-end? Passer son week-end à la campagne. Partir en week-end. Bon week-end!*

Femme créée pour les voluptés du week-end, à la veille de ce jour des morts, week-end suprême, elle rayonnait (...) GIRAUDOUX, *Bella,* VIII. [2]

C'est toujours le samedi que les tuiles me dégringolent sur la tête (...) un des enfants se réveille avec la bronchite, et les médecins sont partis en week-end (...) [3]
J. DUTOURD, *les Horreurs de l'amour,* p. 717.

REM. 1. Le remplacement proposé de *week-end* par *fin de semaine* (utilisé notamment au Québec) est possible au sens 1, mais les connotations particulières du sens 2 (loisir, repos, séjour hors des grandes villes...) donne à l'anglicisme une vigueur particulière. Dans certains emplois (*partir en week-end, week-end prolongé*), le remplacement par *fin de semaine* est exclu.

2. On trouve des adaptations graphiques *ouiquende, ouiquinde* (Étiemble), *vouiquenne* (Boudard, *la Cerise,* p. 46), et Queneau créant un dérivé écrit *«le flot véquandial* (des autos)» (*le Chiendent,* p. 91).

WEIMARIEN, IENNE [vɛmaʀjɛ̃, jɛn] adj. et n. — 1927, *in* D. D. L.; de *Weimar,* ville allemande.

♦ De Weimar; de la République allemande dite *de Weimar* (1919-1933). *Le régime weimarien.*

WELCHE [wɛlʃ] adj. et n. ⇒ **Velche.**

WELFARE [wɛlfɛʀ] n. m. — 1972, in *l'Express*; mot anglais.

♦ Aux États-Unis, Politique d'action sociale; administration qui en est chargée. *« Le fonctionnement des grandes bureaucraties fédérales, notamment le* welfare *» (le Nouvel Obs.,* 1ᵉʳ janv. 1978, p. 21).

WELL-DECK [wɛldɛk] n. m. — Mil. xxᵉ; mot angl., de *well* « puits », et *deck* « pont (de navire) ».

♦ Anglic. Techn. Navire de commerce comportant une superstructure reliant le château et la dunette.

WELLINGTONIA [wɛliŋtɔnja] n. m. — 1867, comme nom bot. : *wellingtonia gigantea,* in *Année sc. et industr.* 1868, p. 338; du nom de *Wellington.*

♦ Bot. Séquoia* (nom scientifique). ⇒ **Washingtonia** (cit.).

1 On les trouve à partir de quatre mille huit cents pieds jusqu'à huit mille pieds. Ils appartiennent à l'espèce des sapins du Nord, et ont reçu en botanique le nom de *Sequoia gigantea.* Le nom de *Wellingtonia* leur avait été donné d'abord par les Anglais, mais l'orgueil américain a repoussé cette désignation et un Indien Cherokee a été préféré au vainqueur de Waterloo.
Th. KIRCHHOF, les Merveilles de la vallée de Yosemiti, *in* le Tour du monde, 1876, t. II, p. 178.

2 Certains des plus précieux, je veux dire de ceux qui étaient déjà là du temps de mon enfance, demeuraient : le tulipier, les cèdres, le wellingtonia (récemment foudroyé, il meurt lentement par le faîte)...
Claude MAURIAC, le Dîner en ville, p. 150.

WELTANSCHAUUNG [vɛltanʃawn] n. f. — 1930, Jean Grenier; mot all., de *Welt* « monde », et *Anschauung* « intuition ».

♦ Philos. Vue métaphysique du monde, sous-jacente à une conception de la vie.

WELTER [vɛltɛʀ; wɛltɛʀ] n. m. — 1909, in Petiot; de l'angl. *welter weight.*

♦ Anglic. Boxe. Poids* mi-moyen (entre les légers et les moyens). « (Il) *est* (un boxeur) *visiblement en bonne condition et déjà au poids des welters : 66 kg 800 sur la bascule de la pesée » (l'Équipe,* 11 sept. 1972, p. 17).

COMP. Superwelter.

WENGÉ [wãge] n. m. — xxᵉ (1964, *Elle,* in D.D.L.); mot d'une langue du Cameroun.

♦ Techn. Bois africain (Cameroun, Congo), brun veiné de noir, utilisé en ébénisterie, placage.

WERGELD [vɛʀgɛld] n. m. — 1842, *wehrgeld; (weregild,* 1765, *Encyclopédie);* d'après lat. médiéval *weregeldum, weregildum;* saxon *wergeld,* de *wer* « homme », et *geld* « argent ».

♦ Hist. Dans le droit germanique (et en France, à l'époque franque), Indemnité que l'auteur d'un dommage payait à la victime ou à ses ayants droit. ⇒ **Composition** (*supra* cit. 11). Spécialt. Somme que devait verser au meurtrier à la famille de la victime, en réparation (cf. Le prix du sang).

WERTHÉRIEN, IENNE [vɛʀteʀjɛ̃, jɛn] adj. — 1840, Sainte-Beuve, *in* D.D.L.; de *Werther,* personnage et titre de Goethe.

♦ Littér. De Werther; digne de Werther, d'un romantisme délicat et exalté (notamment en amour).

WESLEYEN, ENNE [wɛslɛjɛ̃, ɛn] adj. — 1872, Littré, de *Wesley,* théologien anglais.

♦ Didact. Partisan de la réforme religieuse de Wesley (xviiiᵉ siècle). ⇒ 1. **Méthodiste.**

Les ministres wesleyens comptent pourtant trois fois plus de néophytes aux Fidji que n'en ont les missionnaires maristes; le succès des premiers provient évidemment de la liberté de discussion de la Bible, source d'interminables causeries, à la veillée, pour ces Océaniens, les plus grands bavards de la terre.
A. MARIN, Promenades en Océanie, *in* le Tour du monde, 1887, t. I, p. 413.

WESSELTON [wɛsɛltɔn] n. m. — 1975, in *Banque des mots,* 9, p. 86; nom d'une mine de diamants d'Afrique du Sud.

♦ Techn. Couleur du diamant correspondant au « blanc commercial ».

WESTERN [wɛstɛʀn] n. m. — 1919; mot angl., « de l'Ouest »; de *West* « ouest ».

♦ Film d'aventures ayant pour thème la conquête de l'Ouest des États-Unis par les colons, au xixᵉ siècle, et les mœurs de ces régions à l'époque; genre cinématographique que constituent ces films. *Le shériff, les cowboys, les Indiens, personnages de westerns. Chevauchées, bagarres de westerns.*

1 On s'efforcerait en vain de réduire l'essence du western à l'un quelconque de ses composants manifestes (...) Des chevauchées, des bagarres, des hommes forts et courageux dans un paysage d'une sauvage austérité ne sauraient suffire à définir (...) les charmes du genre. Ces attributs formels (...) ne sont que les signes ou les symboles d'une réalité profonde qui est le *mythe.* Le western est né de la rencontre d'une mythologie avec un moyen d'expression.
A. BAZIN, *in* J.-L. RIEUPEYROUT, le Western, Préface, p. 7.

2 La télé continue le cinéma parce qu'elle le diffuse, et à des spectateurs isolés; mais la filière des westerns rejoint, au petit écran, celle des actualités.
MALRAUX, l'Homme précaire et la Littérature, p. 217.

Par plais. (Dans des composés). *Western-spaghetti* (ou *western-macaroni*) : western produit par l'Italie. *Western-soja* : film d'aventures à thème extrême-oriental, analogue au western. « *Bruce Lee, le champion de karaté promu super-vedette dans le premier western-soja sino-américain* » (*le Nouvel Obs.,* 27 mai 1974, p. 58). — Adj. *Style western. Bottes western.* — REM. L'emploi adj., par ex. dans *western music,* francisé en *musique western,* correspond à un réemprunt. « (Ils) *dansent au son de la western and country music* » (*l'Express,* 13 sept. 1980, p. 37).

REM. On rencontre la graphie plaisante (et non usuelle) *ouesterne* (Queneau, *les Fleurs bleues,* p. 183).

DÉR. Westernien.

WESTERNER [wɛstɛʀnœʀ] n. — 1979, *l'Express;* mot anglo-amér., de *western* « de l'Ouest ».

♦ Anglic. Habitant de l'Ouest des États-Unis ou du Canada.

WESTERNIEN, IENNE [wɛstɛʀnjɛ̃, jɛn] adj. — 1972; de *western.*

♦ Du western. « *La mythologie westernienne* » (*le Nouvel Obs.,* 3 juil. 1972, p. 40). « *Un optimisme westernien et béat* » (*le Nouvel Obs.,* 6 avr. 1981, p. 42).

WESTPHALIEN, IENNE [wɛstfaljɛ̃, jɛn] adj. et n. — Mil. xixᵉ; de *Westphalie.*

♦ De Westphalie, région de l'ouest de l'Allemagne.

Wh Électr. Symbole du *watt*-heure.*

WHARF [waʀf] n. m. — 1833, *wharves* (plur.); mot angl., « quai ».

♦ Appontement qui s'avance dans la mer, pour permettre aux navires d'accoster. *Les wharfs d'un port. Un wharf sur pilotis.*

1 Devant eux, de l'autre côté de la rue, entre le wharf d'un marchand de charbon et le magasin d'un négociant en pétrole, se développait un large bureau en plein vent, vers lequel les divers courants de la foule semblaient converger.
J. VERNE, le Tour du monde en 80 jours, p. 218 (1873).

2 San Francisco! San Francisco!
The Golden Gate.
L'île aux Chèvres.
Les wharfs en bois. Les rues boueuses de la ville naissante que l'on pave avec des sacs pleins de farine. B. CENDRARS, l'Or, *in* Œ. compl., t. II, p. 183.

3 Rufisque avance dans la mer quatre wharfs courts et trapus. Celui que nous accostons est grouillant d'activité. Les cotres, les gabares (...) pullulent alentour.
J.-R. BLOCH, Cacaouettes et Bananes, p. 30.

WHIG [wig] n. et adj. — 1690, in Höfler; mot angl., probablt abrégé de *whiggamore* (de *to whig* « conduire »), mot écossais appliqué à des insurgés en 1648.

♦ **1.** Hist. angl. Nom donné aux partisans du bill d'exclusion voté contre le catholique duc d'York (opposé à *Tory**).

♦ **2.** Membre du parti libéral* opposé aux Tories, aux xviiiᵉ et xixᵉ siècles. — Adj. *Gouvernement whig.*

Les *tories* au pouvoir — sans avoir jamais lié leur pays à la Sainte-Alliance — étaient de sentiments trop conservateurs pour voir d'un œil même indifférent se produire et triompher une révolution dont leurs adversaires *whigs* et, d'autre part, les réformistes démocrates triomphaient (...)
Louis MADELIN, Talleyrand, XXXVII.

WHIGGISME [wigism] n. m. — 1717, in Bonnafé; angl. *whiggism,* de *whig.* → Whig.

♦ Hist. Opinion, doctrine, tendance des whigs.

WHIP [wip] n. m. — 1874; « conducteur d'un attelage », 1861; angl. *whip* « fouet; cocher; animateur »; de *to whip* « fouetter ».

♦ Dans le Parlement britannique, Secrétaire d'un parti chargé d'organiser les votes du groupe, de rassembler les membres, etc.

WHIPCORD [wipkɔʀd] n. m. — 1893; mot angl., de *whip* «fouet», et *cord* «corde».

♦ Anglic. Tissu serré, à côtes parallèles (utilisé pour confectionner les culottes de cheval, etc.). *Veste, jupe en whipcord.*

Pendant qu'une veste en gabardine beige, une culotte en whipcord marron s'étiraient au dossier d'une chaise, Julie de Carneilhan, assise sous l'ampoule nue de la cuisine, astiquait ses bottes de cheval.
COLETTE, Julie de Carneilhan, p. 203.

WHISKER [wiskœʀ] n. m. — V. 1970; mot angl., «moustache»; de *whisk* «touffe, balai».

♦ Anglic. Sc. Fibre minérale monocristalline très fine, faisant partie d'assemblages homogènes.

WHISKY [wiski] plur. **WHISKIES** [wiskiz] n. m. — 1770; var. *whiskey* (Gautier, *la Toison d'or*, I), *wiskey* (Nodier, *Contes*, p. 89) — forme écossaise du mot —; mot angl., abrév. de *whiskyboe*, mot gaélique *(uisce beatha)*, littéralt «eau *(uisce)* de vie *(beatha)*».

♦ Eau-de-vie de grains (mélange de seigle, d'orge, de maïs, etc.), fabriquée principalement dans les îles britanniques et en Amérique du Nord. *Whisky écossais* (⇒ **Scotch**), *canadien* (⇒ **Rye**), *américain* (⇒ **Bourbon**). *Absorber* (cit. 1) *de grands verres de whisky. Whisky frelaté* (cit. 3). *Whisky pur. Whisky pur malt (un «pur malt»). Whisky fait de céréales mêlées* (dit «blended»). *Distillerie de whisky.*

1 Et des gens soûls, debout,
Dont les larges langues lappent, sans phrases,
Les ales d'or et le whisky, couleur topaze.
VERHAEREN, les Villes tentaculaires, «Les usines».

1.1 — Le whisky est la chose la plus inoffensive du monde.— Charles, apportez-nous une autre bouteille!
— Savez-vous, mon cher, que c'est un alcool de céréales? Et quoi de plus sain que les céréales? Quoi de plus social? L'orge, le seigle.
J. ANOUILH, Pauvre Bitos, p. 127.

Spécialt. Whisky écossais, scotch (opposé aux autres eaux-de-vie analogues).

(1897, *in* Höfler). Verre de cette eau-de-vie. *Boire un whisky. Garçon, un whisky! Un whisky-soda,* allongé d'eau gazeuse. *Whisky-baby* (abrév. : *baby*) : petit verre de whisky.

1.2 Pour moi, ce sera un whisky-soda, soupirait-il. Long et bien tassé.
Henri FAUCONNIER, Malaisie, p. 42.

2 Le lendemain matin fut pénible, sans doute à cause des whiskies de la veille. Je me réveillai (...) la bouche lourde (...)   F. SAGAN, Bonjour tristesse, I, VI.

HOM. Wiski.

WHIST [wist] n. m. — 1687, Miège; var. *whisk, wisk,* XVIIIᵉ (1731, Arveiller; cf. Voltaire, *l'Homme aux 40 écus*; Laclos, *les Liaisons dangereuses*, IV); mot angl., altér. de *whisk*, p.-ê. de *to whisk* «balayer», par infl. de l'anc. interj. *whist!* «chut!».

♦ Anciennt. Jeu de cartes répandu en France au XIXᵉ siècle et qui a été supplanté par le bridge, dont il est l'ancêtre. *Termes de whist.* ⇒ **Chelem**, 3. **mort**, 2. **rob, singleton, trick** (→ **Règle**, cit. 3). *Joueur de whist. Jouer au whist, faire un whist.*

1 Une heure se passa dans un calme effrayant, interrompu par les phrases hiéroglyphiques des joueurs de whist. — Pique! — Atout! — Coupe! — Avons-nous les honneurs? — Deux de *tri (sic)!* — À huit! — À qui à donner? Phrases qui constituent aujourd'hui les grandes émotions de l'aristocratie européenne.
BALZAC, Modeste Mignon, Pl., t. I, p. 386.

2 Leur parenté avec les Anglais (...) la dignité de ce jeu, silencieux et contenu comme la grande diplomatie, leur avaient fait adopter le whist. C'était le whist qu'ils avaient jeté, pour le combler, dans l'abîme sans fond de leurs jours vides. Ils le jouaient après leur dîner, tous les soirs (...)
BARBEY D'AUREVILLY, les Diaboliques, «Le dessous de cartes...», II.

3 Son seul passe-temps était de lire les journaux et de jouer au whist. À ce jeu du silence, si bien approprié à sa nature, il gagnait souvent, mais ses gains n'entraient jamais dans sa bourse et figuraient pour une somme importante à son budget de charité.   J. VERNE, le Tour du monde en 80 jours, p. 4.

WHITE-SPIRIT [wajtspiʀit] n. m. — 1931, *in* Höfler; mot angl., «essence (*spirit* "esprit") blanche».

♦ Anglic. Produit pétrolier intermédiaire entre l'essence et le lampant, utilisé comme solvant de dégraissage et comme diluant en peinture. — Au plur. *Des white-spirits.*

WICKET [wikɛt] n. m. — 1864, *in* Petiot; 1796, comme mot anglais cité; mot angl., «guichet».

♦ Sports. Au jeu de cricket, Ensemble des (2 ou 3) piquets réunis par une traverse horizontale et servant de but.

WIDIA [vidja] n. m. — Mil. XXᵉ; mot all., de *wie* «comme», et *dia*, abrév. de *diamant*, du francique.

♦ Techn. Aggloméré de carbures de métaux rares (tungstène, titane, etc.) liés au cobalt ou au nickel et traités par frittage.

WIGWAM [wigwam] n. m. — 1688, repris et diffusé mil. XIXᵉ; mot anglo-amér.; de l'algonquin *wikiwam* «leur maison», p.-ê. par une forme ojibwa (région du lac Supérieur) *wigwaum*.

♦ Hutte ou tente des Indiens d'Amérique du Nord; village indien.

1 Mon ami qui, dans ses nombreuses excursions, avait souvent couché au milieu des tentes des Indiens, et qui connaissait tous les *wigwams* du pays, me dépeignit les diverses coutumes, les danses, en un mot tous les détails intimes de la vie de ces sauvages.   L. SIMONIN, Voyage en Californie, 1862, t. I, p. 19.

2 À la prodigieuse astuce naturelle à sa race, elle joignait une énergie farouche, qui ne connaissait ni le pardon ni la pitié. C'était une sauvage digne de partager le wigwam d'un Apache ou la hutte d'un Andamien.
J. VERNE, Michel Strogoff, p. 280 (1876).

3 (...) nous nous rompions la poitrine à pousser les hurlements les plus aigus et les plus sauvages pour leur indiquer la direction de notre wigwam, au cas qu'ils n'en pussent apercevoir la flamme.   Th. GAUTIER, Voyage en Espagne, p. 191.

WILAYA [vilaja] n. f. — Attesté XXᵉ; mot arabe.

♦ Division administrative de l'Algérie (et, pendant la période d'administration française et la guerre, unité territoriale combattante). «*Si le nationalisme arabe qui a imprégné le combat des wilayas ne pouvait que conduire à l'Algérie d'aujourd'hui?*» (M. Gallo, in *l'Express*, 4 déc. 1972).

Se tenaient là : Si Salah, commandant la *wilaya* IV, et ses adjoints : Si Lakdar, un ancien lycéen d'Alger, Halim et Abdellatif, tout l'état-major de la *wilaya* réputée la plus dure, la plus agressive.
Michel DÉON, les Poneys sauvages, p. 185-186.

REM. Le plur. arabe correct *wilajat* [vilaʤat] est utilisé en franç. du Maghreb : *«le village (...) comporte plusieurs innovations par rapport à ceux des autres willayate»* (*El Moudjahid*, 23 janv. 1973, p. 6).

WILDCAT [wajldkat] n. m. — Mil. XXᵉ; mot angl., «chat sauvage».

♦ Anglic. Techn. Puits d'exploration foré dans une zone pétrolière non encore exploitée.

WILDIEN, IENNE [wajldjɛ̃, jɛn] adj. — D.i.; de Oscar *Wilde*, poète et dramaturge anglais.

♦ Didact. De Wilde; caractéristique du style, de l'esprit de Wilde.

(...) il n'est qu'une silhouette sans épaisseur, à laquelle c'est à peine si je puis donner un semblant d'existence en évoquant à son propos les errances du héros wildien.   Michel LEIRIS, Frêle bruit, p. 227.

WILLIAMS [wiljams] n. f. — 1874, *in* Höfler; de *Williams*, nom de celui qui lança cette variété de poire.

♦ Variété de poire très juteuse. *Des williams.* Collectivt. *De la williams.* — Appos. *Des poires williams. Eau-de-vie de poires williams.*

WINCH [wintʃ] n. m. — 1953, *in* Höfler; mot anglais, même sens.

♦ Anglic. Mar. Petit treuil à main (⇒ **Cabestan**), utilisé sur les yachts pour raidir les écoutes et les drisses. *Poupée*, manivelle d'un winch.* — Au plur. *Des winches* [wintʃ]. *Winch à deux vitesses de démultiplication.*

La barre d'écoute porte aussi, sur la face avant et dans l'axe, un winch à levier auquel les écoutes de foc aboutissent après passage sur des poulies de renvoi (...)
Bateaux, nᵒ 100, p. 60.

WINCHESTER [wintʃɛstɛʀ] n. f. — 1885, *in* Höfler; du nom de l'inventeur, l'Américain *Winchester*.

♦ Carabine à répétition par levier de sous-garde, utilisée pendant la guerre de Sécession et celle de 1870 (calibre 10,7 mm). «*Leur "winchester" à répétition*» (*Année sc. et industr.* 1888, p. 329 [1887]).

WINDSURF [windsœʀf] n. m. — V. 1970; nom déposé, de l'angl. *wind* «vent», et *surf.* → Surf.

♦ Anglic. Planche* à voile. «*Deux passions d'aujourd'hui, skateboard et windsurf*» (*l'Express*, 19 déc. 1977, p. 111). «*Le ski à voile, cousin germain et hivernal du windsurf*» (*l'Express*, 30 déc. 1978, p. 75).

Des «windsurf», ces coques de plastique très légères auxquelles une voile donne une grande vitesse.
J.-Y. COUSTEAU, l'Homme et la Mer, *in* Encycl. Alpha, La mer, p. 12.

DÉR. Windsurfiste.

WINDSURFISTE [windsœʀfist] n. — Av. 1980; de *windsurf*.

♦ Anglic. Sportif qui pratique la planche à voile. ⇒ **Véliplanchiste.** *«Les windsurfistes n'admettent pas cet athlète (...) qui ne sort pas de leur milieu»* (*l'Express*, 20 sept. 1980, p. 145).

WINGLET [winglɛt] n. m. — 1978, *Sciences et Avenir;* mot angl., dimin. de *wing* « aile ».

♦ Anglic. Techn. Petit élément ajouté aux extrémités de la voilure d'un avion, destiné à améliorer l'aérodynamisme. « *Un nouveau type* (de cloisons planes), *caractérisé par une forme complexe et l'utilisation de profils engendrant des forces latérales : ce sont les "winglets"* » (*Sciences et Avenir*, sept. 1978, n° 379, p. 63).
REM. L'équivalent français serait *aileron.*

WINTERGREEN [wintɛRgRin] n. m. — 1843, *in* Höfler; mot angl. « gaulthérie », de *winter* « hiver », et *green* « vert ».

♦ Anglic. *Essence de wintergreen :* huile essentielle, incolore, d'odeur agréable, extraite des feuilles de gaulthérie ou de l'écorce de bouleau, et renfermant 98 % de salicylate de méthyle (employée en parfumerie).

WISHBONE [wiʃbon] n. m. — 1858, *in* Höfler; mot angl., proprt « os du souhait » (fourchette, os bifide des poulets, des volailles, articulé sur le bréchet).

♦ Anglic. Mar. Espar formé d'un arceau très allongé qui entoure la voile, dans certains gréements. *Goélette à wishbone. Le wishbone d'une planche à voile.* (La voile) « *se lève, entraînant dans le mouvement l'homme accroché au wishbone* » (*l'Express*, 23 avr. 1982, p. 215).

WISIGOTH, OTHE [vizigo, ɔt] adj. et n. ou **WISIGOTHIQUE** [vizigɔtik] adj. — 1876, *wisigoth; visigoth*, 1667, Boileau; *wisigothique*, mil. XIXᵉ; bas lat. *visigothus*, du germanique *westgote* « Goth de l'Ouest ».

♦ **1.** Hist. Originaire de la partie ouest des territoires occupés par les Goths. *Art wisigoth* (ou *wisigothique*) *d'Espagne. Écriture wisigothique.*

♦ **2.** (XVIIᵉ). Vx, fig. Barbare, sauvage. ⇒ **Ostrogoth** (2.).
REM. On écrit aussi *visigoth, visigothique.*

WISKI [wiski] n. m. — 1782, *whiskey;* angl. de *to wisk* « filer ».

♦ Anglic. Anciennt. Cabriolet léger, à deux roues, attelé d'un cheval.
HOM. **Whisky.**

WITHÉRITE [witeRit] n. f. — 1839, Boiste; d'après le nom de W. *Withering*, qui décrivit ce minéral en 1784, et suff. *-ite.*

♦ Chim. Carbonate naturel de baryum.

WITLOOF [witlɔf] n. f. — 1890; mot flamand, du néerl. *wit* « blanc », et *loof* « feuille ».

♦ Chicorée sauvage à grosse racine (barbe de capucin) qui, traitée par étiolement, donne l'endive. ⇒ **Chicon** (régional : Belgique), **endive.**

WOBBULATEUR [vɔbylatœR] n. m. ⇒ **Vobulateur.**

WOBBULATION [vɔbylɑsjɔ̃] n. f. ⇒ **Vobulation.**

WOLFRAM [vɔlfRam] n. m. — 1759, *in* D.D.L.; mot all. (XVIᵉ), probablt de *Wolf* « loup », et de *Rahm* « crème », altér. de *wolfschaum*, adapt. du lat. *lupi spuma*, d'après le prénom *Wolfram.*

♦ Vx en sc. Wolframite, minerai de tungstène. — Tungstène.
DÉR. **Wolframite.**

WOLFRAMITE [vɔlfRamit] n. f. — 1904; de *wolfram.*

♦ Chim. Principal minerai du tungstène, tungstate naturel de fer et de manganèse.

WOLOF ou **OUOLOF** [wɔlɔf] n. m. et adj. invar. — 1839, *yolof*, Boiste, *Suppl.; ghiolof* et *woloff*, 1876, P. Larousse; mot de cette langue.

♦ Langue africaine du groupe « ouest-atlantique » (Greenberg) ou « sénégalo-guinéen » (M. Delafosse), branche nord de la famille nigéro-congolaise (avec le peul, le sérère), principale langue du Sénégal, parlée aussi en Gambie. *Le wolof est une langue véhiculaire, utilisée au Sénégal dans l'administration et le commerce et, progressivement, dans l'enseignement.*
Adj. *La grammaire wolof.*

N. Personne parlant le wolof comme langue maternelle (le terme *wolophone* s'emploie pour tous les locuteurs). « *Sur une population* (du Sénégal) *dont l'ensemble est estimé à 3 100 000 âmes, il aurait été dénombré 1 150 000 Wolof...* » (S. Sauvageot, *le Wolof, in Les langues dans le monde...*, p. 33).
REM. Sous la forme *ouolof*, considérée comme non scientifique, il arrive que le mot soit variable au plur. *(des mots ouolofs)*, sinon au féminin.

WOMBAT [wɔ̃bat] n. m. — 1803, Boiste; mot angl. (1798), d'une langue indigène d'Australie.

♦ Phascolome* (marsupial).
Le sol était en beaucoup d'endroits perforé de trous de wolloubis¹ (une petite espèce de kanguroo), et de trous de wombats, un des plus curieux animaux d'Australie, très-difficile à prendre à cause de la rapidité avec laquelle il se fraye un chemin à terre.
    H. DE CASTELLA, Souvenirs d'un squatter français en Australie, *in* le Tour du monde, 1861, t. I, p. 111.
1. Wallaby.

WON [wɔn] n. m. invar. — 1964, Larousse; mot coréen.

♦ Unité monétaire de la Corée du Nord.

WOOFER [wufœR] n. m. — 1955, *in* Höfler; mot angl., de *woof* « bruit imitant un aboiement ».

♦ Anglic. Techn. Haut-parleur reproduisant les sons graves. « *Enceinte close cloisonnée. 1 woofer de 14 cm* » (*Science et Vie*, n° 105, p. 120).

WORABÉE [wɔRabe] n. m. — 1876, *worabé;* mot éthiopien.

♦ Tisserin africain commercialisé comme oiseau de cage. *Des worabées.*

WORMIEN [wɔRmjɛ̃] adj. m. — 1771, *in* D.D.L.; du nom du médecin danois *Worm* (XVIᵉ).

♦ Anat. *Os wormiens :* « petits os surnuméraires que l'on rencontre accidentellement entre les divers os du crâne » (Testut, *Anatomie*, t. I, p. 199). *Faux os wormien*, résultant d'une anomalie de développement d'un os normal. — *Os wormiens suturaux, fontanellaires* (au niveau de la fontanelle).

WORSTED [wɔRstɛd] n. m. — 1656; *wastarde*, 1420; *ostade*, 1395; mot angl., du nom de lieu *Worsted*, commune du Norfolk.
Technique.

♦ **1.** Étoffe de laine tissée avec des fils compacts, formée de fibres longues disposées parallèlement au peignage.

♦ **2.** (XXᵉ). Fils de laine de ce type.

WOUAH [wa], **WOUAOU(H)** [wau] interj. — V. 1970; graphies anglaises diffusées par la bande dessinée.

♦ Anglic. Interjections exprimant un sentiment vif, l'enthousiasme.

WÜRM [vyRm] n. m. — Attesté XXᵉ; nom d'un lac et d'une rivière d'Allemagne.

♦ Géol. La dernière des quatre grandes glaciations du quaternaire dans les Alpes. Syn. : *glaciation de Würm.* « *Le würm prit fin il y a 60 000 ans avec les périodes plus douces que l'on vient de mentionner pendant lesquelles les forêts tempérées avaient réapparu dans les régions méridionales. Mais au würm II, le froid revint, plus rigoureux que jamais* » (la Recherche, juil.-août 1974, p. 634).
DÉR. **Würmien.**

WÜRMIEN ou **WURMIEN, IENNE** [vyRmjɛ̃, jɛn] adj. — Mil. XXᵉ; de *würm.*

♦ Géol. Relatif au würm. *La régression wurmienne. Dépôts wurmiens.* « *Certaines tribus du paléolithique supérieur (...) réussirent à vaincre le froid würmien et à exploiter la riche faune de cette période* » (la Recherche, juil.-août 1974, p. 635).

WYANDOTTE [vjãdɔt] n. et adj. — 1886, *in* Höfler; mot angl., du nom d'une tribu indienne d'Amérique du Nord et d'un comté du Michigan.

♦ Poule d'une race américaine, excellente pondeuse. *Des wyandottes blanches.* — Adj. (1906). *Poules wyandottes.*

X

X [iks] n. m.

♦ **1.** Vingt-quatrième lettre et dix-neuvième consonne de l'alphabet français, servant à noter les groupes de sons consonantiques [ks] (dans *extrême, lynx...*) ou [gz], en particulier dans les mots commençant par *ex* suivi d'une voyelle *(exemple, exercice...)*, ou bien le son [z] (dans *deuxième, dixième...*), ou enfin le son [s] (dans *Bruxelles, soixante...*). — *Pluriels en x* (hiboux, choux, genoux, etc.).

♦ **2.** (1770, *en formant un X*). Par compar. (Forme de X majuscule). *Faire un X :* avoir une forme de croix. *Routes qui font un X.* — (1800). Loc. *En X. Table en X. Jambes en X,* dont les genoux sont tournés vers l'intérieur.

1 Mes deux pieds écartés et mes deux bras levés (...)
Sembleront au passant vers ces rochers venu
Le grand X de la nuit debout dans l'inconnu.
                    HUGO, la Légende des siècles, XII, VI.

(Mil. XIXᵉ). Spécialt. Petit tabouret à pieds croisés. — *Crochets X* (marque déposée), qu'on peut fixer solidement par des clous.

♦ **3.** (XVIIᵉ). En algèbre, Symbole littéral désignant une inconnue. *Les x et les y.* — Par métaphore :

2 Ni la critique des destructeurs américains, ni celle des nouveaux optimistes, ni celle de nos écrivains d'Europe, ne place l'X du problème où il sied.
                    DANIEL-ROPS, le Monde sans âme, IV.

En géométrie, La première des coordonées cartésiennes. *L'axe des x :* celui des abscisses.

♦ **4.** (Fin XIXᵉ). Cour. Chose, personne inconnue. *Monsieur X :* personne dont on ne veut pas dévoiler l'identité. *Information, plainte contre X.*

3 Et c'est pour un X encor plus affreux
Qu'il nous faut quitter le monde où nous sommes.
                    Germain NOUVEAU, Album zutique, «Sonnet», Pl., p. 785 (1970).

4 À chaque bulletin blanc marqué d'une croix, il annonce : «X!» d'un air étonné; il croit peut-être qu'il s'agit d'un candidat anonyme.
                    F. MAURIAC, Bloc-notes 1952-1957, p. 86.

Rayons X (ainsi nommés parce qu'on ne pouvait les identifier). — Loc. *Pendant x temps, x années :* pendant un temps, un nombre d'années indéterminés.

5 (...) deux réalités devenues absolument différentes, et destinées à exister côte à côte pendant encore x temps (...)
                    R. QUENEAU, Bâtons, chiffres et lettres, p. 20.

♦ **5.** (1840 ; du sens 3). Vx. *Les x :* les mathématiques.

6 Mon oncle était le plus honnête homme et le meilleur des êtres, mais avait emporté de l'École polytechnique, en même temps que le républicanisme, l'illogisme du raisonnement particulier à tous les forts en x sortis de cette école.
                    Ed. et J. DE GONCOURT, Journal, 17 mars 1885, t. VII, p. 22.

(1850). Mod. L'École Polytechnique. ⇒ **Pipo** (1.). *Intégrer l'X. Sortir major de l'X.*

7 Telle que je la connus — bâtiments vétustes, statut militaire et internat rigoureux, uniforme d'apparat, coutumes codifiées — l'X appartenait encore tout entière au XIXᵉ siècle, monnayant seulement en talents industriels plus rentables le génie désintéressé des grands ancêtres dont les noms s'inscrivaient, en caractères démodés, aux murs des amphithéâtres.
                    Raymond ABELLIO, Ma dernière mémoire, t. II, p. 14-15.

N. m. (1852). *Un X, une X :* un polytechnicien, une polytechnicienne. *Les X et les Normaliens.*

8 Un matin de décembre, Lemordant s'approcha de Lucien ; il tenait un papier. «Veux-tu signer?» demanda-t-il. «Qu'est-ce que c'est? C'est à cause des youtres de Normale Sup ; ils ont envoyé à l'Œuvre un torchon contre la préparation militaire obligatoire avec deux cents signatures. Alors nous protestons ; il nous faut au moins mille noms : on va faire donner les cyrards, les flottards, les agro, les X, tout le gratin.» Lucien se sentit flatté ; il demanda : «Ça va paraître? — Dans l'Action sûrement. Peut-être aussi dans l'Écho de Paris.»
                    SARTRE, le Mur, «L'enfance d'un chef».

♦ **6.** *X :* dix en chiffres romains.

XANCUS [gzãkys] n. m. — Mil. XXᵉ ; mot du lat. sc. ; orig. inconnue.

♦ Zool. Turbinelle, mollusque gastéropode des mers chaudes (nom scientifique).

XANTH-, XANTHO- Élément, du grec *xanthos* «jaune», entrant dans la formation de mots scientifiques (chimie, médecine...).

XANTHATE [gzãtat] n. m. — 1846 ; de *xanth-*, et *-ate*.

♦ Chim. Sel de l'acide xanthique.

XANTHÉLASMA [gzãtelasma] n. m. — 1890 ; de *xanth-*, et du grec *elasma* «lame métallique».

♦ Méd. Xanthome* plan ayant l'aspect d'une petite tache jaune, observé surtout aux paupières.

XANTHÈNE [gzãtɛn] n. m. — 1906 ; «pierre précieuse», 1846 ; de *xanth-*, et *-ène*.

♦ Chim. Composé hétérocyclique $C_{13}H_{10}O$, obtenu par désamination de la guanine.

Les sensibilisateurs chromatiques sont des substances colorantes, soit des dérivés du *xanthène* (...)   Jean BECK, le Goudron de houille, p. 113.

XANTHIE [gzãti] n. f. — 1842 ; lat. zool. *xanthia*, du grec *xanthos* «jaune».

♦ Zool. Papillon de nuit, jaune et roux. ⇒ **Noctuelle.**

XANTHINE [gzãtin] n. f. — 1842, Académie ; de *xanth-*, et *-ine*.

♦ Chim. Base organique dérivée de la purine et qui donne sa couleur jaune à l'urine. *La xanthine est présente dans le sang, dans la bile ; c'est l'un des constituants de la théine, de la caféine, de la théobromine.*

Figuré :
Qu'est-ce qui s'est passé au juste, au juste, ah vieux rire à la xanthine, quand même non, bon débarras, ça ne fut jamais drôle.
                    S. BECKETT, Textes pour rien, p. 126-127.

DÉR. Xanthinique.

XANTHINIQUE [gzãtinik] adj. — 1897, in *l'Année biol.*, 1899, p. 272 ; de *xanthine*.

♦ Chim. De la xanthine. *Bases xanthiniques.*

XANTHIQUE [gzãtik] adj. — 1846 ; de *xanth-*, et *-ique*.

♦ Chim. *Acides xanthiques :* acides instables, de formule générale $S = C - (OR)SH$, où R est un radical carboné, et dont les sels se forment par l'action d'un alcali sur le sulfure de carbone (⇒ **Xanthogénate**). — REM. On dit aussi *xantogénique* [gzãtoʒenik].

HOM. Xantiques.

XANTIQUES [gzãtik] n. f. pl. — 1876, in P. Larousse ; grec de Macédoine *xanthikos* «avril», de *xanthos* «jaune».

♦ Didact. Fêtes macédoniennes célébrées dans l'antiquité, au mois d'avril.

HOM. Xantique.

XANTHO- ⇒ **Xanth-.**

XANTHOCHROMIE [gzãtokʀɔmi] n. f. — 1923 ; de *xantho-*, et *-chromie*.

♦ Méd. Coloration jaune ocre de la peau. *Xanthochromie des diabè-*

tes sévères. Xanthochromie due à la présence dans le sang de caro-tène. — REM. On dit aussi *xanthodermie* [gzãtodɛʀmi] n. f.

XANTHOGÉNATE [gzãtoʒenat] n. m. — Mil. xxᵉ; de *xantho-gén(ique)*, et *-ate*.

♦ Chim. Sel de l'acide xanthogénique. *Xanthogénate de cellulose,* servant à la fabrication de fibres textiles artificielles.

La viscose est de la rayonne formée avec la « viscoïde ». (...) la fabrication de ces soies « viscose » est basée sur la réaction des alcalicellu-loses sur le sulfure de carbone (...) Le produit de cette réaction est le xanthogé-nate de cellulose.   Raymond THIÉBAUT, la Filature, p. 107.

XANTHOGÉNIQUE [gzãtoʒenik] adj. — 1876; de *xanthogène* (vx) «sulfure de carbone», de *xantho-*, et *-gène*.

♦ Chim. Syn. de *xanthique**.

DÉR. V. **Xanthogénate**.

XANTHOMATOSE [gzãtomatoz] n. f. — 1904; de *xanthome*, et *-atose*, de 2. *-ose*.

♦ Pathol. Affection due à un trouble du métabolisme des lipi-des entraînant des dépôts de cholestérol dans la peau et divers orga-nes.

XANTHOME [gzãtom; gzãtom] n. m. — 1878; de *xantho-*, et *-ome*.

♦ Pathol. Petit nodule ou petite tache jaunâtre de la peau, consti-tués de cellules chargées de cholestérol. *Xanthome des paupières.* ⇒ **Xanthélasma**.

COMP. **Xanthomatose**.

XANTHOPHYLLE [gzãtofil] n. f. — 1812; de *xantho-*, d'après *chlorophylle*.

♦ Bot. Pigment jaune (caroténoïde), fixé sur les plastes, qui colore les feuilles, les pétales, les fruits.

XANTHOPSIE [gzãtopsi] n. f. — 1878, *in* D.D.L.; de *xantho-*, et *-opsie*.

♦ Pathol. Trouble visuel faisant paraître jaunes les objets clairs, et que l'on observe dans certaines intoxications et dans la jaunisse.

XATARDIE [gzataʀdi] n. f. — 1876, *in* P. Larousse; du nom du botaniste français *Xatard*.

♦ Bot. Plante herbacée, ombellifère à grosse tige, à racine épaisse, portant des fleurs d'un jaune verdâtre.

Xe [iksə] Symbole chimique du *xénon**.

XÉN, XÉNO- Premier élément de comp. sav. tiré du grec *xenos,* qui s'emploie aux deux sens du grec : «étranger», «hôte» (en bio-logie), et «étrange». ⇒ **-xène**.

XÉNARTHRES [gzenaʀtʀ] n. m. pl. — 1906, *xénarthrés;* de *xén-* «étrange», et grec *arthron* «articulation».

♦ Zool. Sous-ordre de mammifères édentés (fourmiliers, tatous). — Sing. *Un xénarthre*.

-XÈNE Élément de composition sav., du grec *xenos* «étranger», employé aux sens de «étranger» (ex. : *pyroxène, trogloxène*), et «hôte» (en biologie; ex. : *axène, monoxène*). ⇒ **Xén-**.

XÉNÉLASIE [gzenelazi] n. f. — 1759, Richelet, t. d'antiq. grecque; grec *xenêlasia*, de *xenêlutein* «bannir des étrangers», *xenos* «étran-ger», et *elaunein* «chasser».

♦ Dr. internat. publ. Droit pour un État belligérant d'expulser les nationaux de l'ennemi.

1. XÉNIE [gzeni] n. f. — 1740, «étrenne, présent»; grec *xenia* «qualité d'étranger; hospitalité», fém. de l'adj. *xenos* «étranger; hôte». Didactique.

♦ **1.** Contrat d'hospitalité, dans la Grèce antique.

♦ **2.** Présent (d'abord, présent fait à un hôte).

2. XÉNIE [gzeni] n. f. — 1904, ex. ci-dessous; grec *xenia,* par métaphore.

♦ Bot. Phénomène de double fécondation par lequel l'albumen d'une graine présente des caractères génétiques paternels lorsque la pol-linisation s'est effectuée par un pollen étranger. *«Dans les xénies, l'albumen montre les caractères paternels»* (*Rev. gén. des sc.,* 30 sept. 1904, nᵒ 18, p. 863).

XÉNISME [gzenism] n. m. — 1956, cit.; de *xén-*, et *-isme*.

♦ Ling. Forme lexicale (mot, tournure) provenant d'une langue et utilisée dans une autre langue, sans y être assimilée (comme le sont les autres emprunts*). *Les xénismes (parfois appelés pérégrinismes) correspondent en général à des réalités propres à la culture d'ori-gine et considérées comme inexprimables dans la langue réceptrice.*

On peut distinguer deux catégories *(d'emprunts)* : les pérégrinismes ou xénis-mes, c'est-à-dire les mots sentis comme étrangers et en quelque sorte cités (les *Fremdwörter* des linguistes allemands) et les emprunts proprement dits ou mots tout à fait naturalisés (les *Lehnwörter*).
                Louis DEROY, l'Emprunt linguistique, 1956, p. 224.

XÉNO- ⇒ Xén-.

XÉNOBIOSE [gzenɔbjoz] n. f. — Attesté xxᵉ; de *xéno-*, et grec *biô-sis* «mode de vie».

♦ Biol. Association de deux espèces animales (surtout d'insectes) sans dépendance de l'une par rapport à l'autre.

DÉR. **Xénobiotique**.

XÉNOBIOTIQUE [gzenɔbjɔtik] adj. et n. m. — Attesté mil. xxᵉ; de *xénobiose*, d'après les comp. en *-biotique*.
Biologie.

♦ **1.** Adj. De la xénobiose. *Association, espèce xénobiotique.*

♦ **2.** Adj. Qui est étranger à l'organisme vivant. — N. m. *Un xéno-biotique.*

XÉNOGÉNIQUE [gzenɔʒenik] adj. — Mil. xxᵉ; de *xéno-*, et *-géni-que*.

♦ Biol. Qui concerne une autre espèce, un ou des individus d'une autre espèce. *Greffe xénogénique.* ⇒ **Xénogreffe**. *«Les antigènes portés par les greffes sont génétiquement caractéristiques de leurs donneurs (...). C'est pourquoi les immunologistes distinguent des greffes xénogéniques (où le donneur et l'hôte n'appartiennent pas au même genre zoologique ou à la même espèce)...»* (*la Recher-che,* sept. 1973, p. 826).

XÉNOGLOSSIE [gzenoglɔsi] n. f. — 1918, *in* D.D.L.; de *xéno-*, et *-glossie*, du grec *glôssa* «langue».

♦ Didact. En métapsychologie, Phénomène par lequel un médium s'exprime dans une langue qu'il ne connaît pas.

XÉNOGREFFE [gzenogʀɛf] n. f. — 1973, *in* la Clé des Mots; de *xéno-*, et *greffe*.

♦ Biol. Hétérogreffe où le donneur et le receveur n'appartiennent pas à la même espèce. ⇒ **Xénogénique** (greffe). *«Les xénogreffes commencent toujours par cicatriser sur le tissu hôte mais, quel-ques temps après, elles sont détruites à une rapidité qui est fonc-tion de la température»* (*la Recherche,* sept. 1979, p. 830).

XÉNON [gzenõ] n. m. — 1903; en angl., 1898; du grec *xenon* «chose étrangère, étrange».

♦ Chim. Corps simple (symb. *Xe*, poids at. 131,30; nᵒ at. 54), le plus lourd des gaz rares de l'air. *Tube d'éclairage au xénon. « La tem-pérature de couleur de la lumière au xénon est indépendante des variations de la tension d'alimentation»* (*Documentation techni-que,* 1973).

COMP. **Xéno-test**.

XÉNOPARASITISME [gzenopaʀazitism] n. m. — 1916, Garnier-Delamare; comp. hybride de *xéno-*, et *parasitisme*.

♦ Didact. Réaction pseudo-parasitaire produite par l'introduction d'un corps étranger inerte dans un organisme.

XÉNOPHILE [gzenɔfil] adj. et n. — 1907 ; de xéno-, et -phile.

♦ Rare. Qui a de la sympathie pour les étrangers, qui est ouvert à ce qui vient de l'étranger. *Esprit xénophile.* — N. *Les xénophiles.*

Xénophile Durand triste
Xylophoniste quand donc retrouveras-tu
Xanthippe ta compagne   E.L.T. MESENS, Poèmes, p. 86.

CONTR. Xénophobe (plus cour.).
DÉR. Xénophilie.

XÉNOPHILIE [gzenɔfili] n. f. — 1906 ; de xénophile.

♦ Rare. Sympathie pour les étrangers.

(...) la fréquentation de plusieurs machines ne suffit pas, pas plus que la fréquentation successive de plusieurs étrangers ; ces expériences ne conduisent qu'à la xénophobie ou à la xénophilie, qui sont des attitudes opposées mais également passionnées. Pour considérer un étranger à travers la culture, il faut avoir vu jouer hors de soi, objectivement, le rapport qui fait que deux êtres sont étrangers l'un par rapport à l'autre.
      Gilbert SIMONDON, Du mode d'existence des objets techniques, p. 147.

CONTR. Xénophobie.

XÉNOPHOBE [gzenɔfɔb] adj. et n. — 1903 ; de xéno-, et -phobe.

♦ Hostile aux étrangers, à tout ce qui vient de l'étranger. ⇒ **Chauvin.** *Attitude xénophobe. Sentiments xénophobes.* «... le développement du fanatisme et des sentiments xénophobes chez les Çomalis (sic)» (*Rev. gén. des sc.*, 15 juil. 1903, p. 730).

CONTR. Xénophilie.
DÉR. Xénophobie.

XÉNOPHOBIE [gzenɔfɔbi] n. f. — Fin XIXe (Bloch-Wartburg), 1904, *in* Larousse ; de xénophobe.

♦ Hostilité à ce qui est étranger. *Faire preuve de xénophobie.* ⇒ **Chauvinisme.**

Une vague de xénophobie souleva la France : il était inadmissible qu'on employât une main-d'œuvre italienne ou polonaise alors que les ouvriers de chez nous manquaient de travail.   S. DE BEAUVOIR, la Force de l'âge, IV.

CONTR. Xénophilie (cit.).

XÉNOPHONIE [gzenɔfɔni] n. f. — Mil. XXe ; de xéno-, et -phonie.

♦ Didact. (physiol.). Trouble de la phonation qui donne à la voix un accent étranger.

XÉNOPLASTIQUE [gzenɔplastik] adj. — Mil. XXe ; de xéno-, et -plastique.

♦ Biol. *Transplantation* ou *greffe xénoplastique :* greffe réalisée entre deux sujets (à la différence de l'autogreffe). Syn. : *hétéroplastique.*

XÉNOPUS [gzenɔpys] n. m. — 1933 ; lat. mod. *xenopus,* du grec *xénos* (→ Xén-), et *opus* (→ -ope).

♦ Zool. Grenouille entièrement aquatique d'Afrique du Sud (famille des Pipidés). ⇒ **Dactylèthre, onychophore.**

Le tact, qui est très développé chez les Apodes pourvus de tentacules et chez l'Anoure *Xenopus,* est important dans la découverte des proies.
      Jean GUIBÉ, les Batraciens, p. 43.

REM. On trouve aussi la forme francisée *xénope* [gzenɔp]. « Le xénope (crapaud africain) fait exception : J. B. Gurdon (...) a obtenu des adultes fertiles en greffant des noyaux prélevés dans les cellules intestinales différenciées du têtard » (la Recherche, avr. 1981, p. 482).

XÉNO-TEST [gzenotɛst] n. m. — Mil. XXe ; de xénon, et test.

♦ Sc. Exposition au rayonnement d'une lampe au xénon, destinée à provoquer le vieillissement accéléré des matériaux de synthèse.

XÉNOTROPE [gzenɔtRɔp] adj. — Mil. XXe ; de xéno-, et -trope.

♦ Didact. Se dit d'un virus, d'un parasite qui n'infecte que des cellules d'autres espèces que celles sur lesquelles il s'est développé. (S'oppose à *écotrope*). « *D'autres* (virus) *dits xénotropes ne peuvent pas réinfecter les cellules qui les produisent (...) mais peuvent par contre se multiplier (...) sur les cellules d'autres espèces* » (Revue du Palais de la Découverte, 5 juin 1977).

XÉNOTROPISME [gzenɔtRɔpism] n. m. — Mil. XXe ; de xéno-, et -tropisme.

♦ Didact. Phénomène par lequel un virus, un parasite, est attiré par un organisme (un organe, un tissu, une cellule...) autre que celui ou celle dont il provient.

XÉR-, XÉRO- Premier élément tiré du grec *xêros* «sec», et entrant dans la formation de mots didactiques.

XÉRANTHÈME [gzeRɑ̃tɛm ; kseRɑ̃tɛm] n. m. — 1765, *Encyclopédie* ; lat. bot. *xeranthemum,* 1700, Tournefort ; du grec *xêros* «sec», et *anthemon* «fleur».

♦ Bot. Plante herbacée *(Composacées),* communément appelée *immortelle annuelle.*

XÉRÈS [keRɛs] (Académie) ; (cour.) [kseRɛs] n. m. — Déb. XVIIIe ; var. *Jerez ;* nom d'une ville d'Andalousie.

♦ Vin blanc liquoreux de la région de Jerez. ⇒ **Sherry** (son nom anglais). *L'amontillado, le manzanilla, variétés de xérès. Xérès sec, très sec.* — REM. On trouve parfois la graphie espagnole *Jerez,* alors prononcée avec la jota [xeRɛs].

XÉRIQUE [kseRik ; gzeRik] adj. — Mil. XXe ; dér. sav. du grec *xêros* «sec».

♦ Didact., géogr. Caractérisé par la sécheresse. *Domaine glaciaire et domaine xérique, en géomorphologie.*

XÉRO- ⇒ Xér-.

XÉROCOPIE [kseRɔkɔpi ; gzeRɔkɔpi] n. f. — Mil. XXe ; de xéro-, et copie.

Technique.

♦ **1.** *(La xérocopie).* Procédé d'impression xérographique par petits tirages. — «*Nous avons entrepris de constituer, par xérocopie, deux nouveaux exemplaires des* Relevés phonétiques *de 1899.*» (Michel Burger, in *78e rapport annuel 1976 du G. P. S. R.,* p. 7).

♦ **2.** *(Une, des xérocopies).* Document obtenu par ce procédé ; copie électrostatique.

XÉRODERMIE [kseRɔdeRmi ; gzeRɔdeRmi] n. f. — 1890 ; de xéro-, et -dermie.

♦ Méd. Sécheresse anormale de la peau qui présente une desquamation pulvérulente (premier degré de l'ichtyose*).

XÉROGRAPHIE [kseRɔgRafi ; gzeRɔgRafi] n. f. — V. 1950 ; du grec *xêros* «sec», et -graphie.

♦ Techn. Procédé d'électrocopie permettant de reproduire des documents à sec, en nombre illimité.

DÉR. Xérographique.
COMP. Xéro-radiographie.

XÉROGRAPHIQUE [kseRɔgRafik ; gzeRɔgRafik] adj. — 1974, *in* Gilbert ; de xérographie.

♦ Techn. Relatif à la xérographie. *Procédé xérographique. Reproduction xérographique.* «*En mettant au point les imprimantes xérographiques, on a cherché à développer l'impression sans impact (...)*» (la Recherche, juin 1981, p. 705).

XÉROPHAGIE [kseRɔfaʒi ; gzeRɔfaʒi] n. f. — 1762, Académie ; du grec *xerophagia.*

♦ Anciennt. Dans l'Église primitive, Jeûne du carême, pendant lequel les *xérophages* ne mangeaient que des aliments «secs» (pain, fruits, légumes crus).

XÉROPHILE [kseRɔfil ; gzeRɔfil] adj. — 1874 ; de xéro-, et -phile.

♦ **1.** Bot. Qui vit, peut vivre dans des lieux secs. *Plantes xérophiles.* ⇒ **Xérophyte.**

♦ **2.** Didact. Se dit d'une période du quaternaire pendant laquelle l'Europe avait un climat sec et chaud (de 6 500 à 2 500 av. l'ère chrétienne).

CONTR. Hygrophile.

XÉROPHTALMIE [kseRɔftalmi ; gzeRɔftalmi] n. f. — 1694 ; grec *xêrophtalmia,* de *xêros* «sec» (→ Xéro-), et *ophtalmia* (→ Ophtalmie).

♦ Méd. Sécheresse et atrophie de la conjonctive, entraînant l'opacité de la cornée et la diminution ou la perte de la vision.

Comme le rachitisme, la xérophtalmie s'attaque surtout à l'enfance. Elle débute par un boursouflement progressif des paupières qui bientôt refusent de

s'ouvrir. Des lésions oculaires graves apparaissent ensuite, la cornée devient opaque, le globe oculaire s'emplit d'un liquide purulent qui détermine la cécité.
S. GALLOT, les Vitamines, p. 28.

DÉR. Xérophtalmique.

XÉROPHTALMIQUE [kseʀɔftalmik ; gzeʀɔftalmik] adj. — 1765, *Encyclopédie* ; de *xérophtalmie*.

♦ Atteint de xérophtalmie. — N. *Un xérophtalmique.*

(...) vers la fin de la Grande Guerre, beaucoup d'enfants danois furent atteints de xérophtalmie dans le même temps où, en raison des circonstances de guerre, ils se trouvèrent totalement privés de lait et de beurre. Le rapprochement de ces deux ordres de fait, fit ressortir la cause de la recrudescence et du développement de cette maladie.
À Ceylan, aux Indes Néerlandaises, elle est si fréquente que la majorité des aveugles sont des xérophtalmiques, qui, outre l'inflammation des paupières, présentent cette caractéristique particulière d'offrir au regard un épiderme terne, dont l'aspect répugnant évoque celui du crapaud.
S. GALLOT, les Vitamines, p. 28.

XÉROPHYTE [kseʀɔfit ; gzeʀɔfit] n. f. — 1819 ; de *xéro-*, et *-phyte*.

♦ Bot. Plante xérophile. *Des xérophytes.*

DÉR. Xérophytique.

XÉROPHYTIQUE [kseʀɔfitik ; gzeʀɔfitik] adj. — xxᵉ ; de *xéro-phyte*.

♦ Bot. Des plantes xérophiles. *Adaptation, végétation xérophytique.*

XÉRO-RADIOGRAPHIE [kseʀɔʀadjɔgʀafi ; gzeʀɔʀadjɔgʀafi] n. f. — Avr. 1972 ; de *xéro(graphie)*, et *radiographie*.

♦ Techn. Procédé de radiographie utilisant comme photoconducteur du sélénium chargé en particules électriques (au lieu du bromure d'argent). « *L'importance des fractures des parties molles indurées par la momification, déjà visibles à l'extérieur du corps, a été confirmée par les xéro-radiographies réalisées après le "débourrage" de l'abdomen d'où ont été enlevés les tissus de lin empêchant la cage thoracique de s'aplatir* » (*le Monde*, 23 févr. 1977, p. 20).

XÉROSE [kseʀoz ; gzeʀoz] n. f. — 1904 ; de *xér-*, et 2. *-ose*.

♦ Méd. Modification de la structure des organes se manifestant par une prolifération régulière et généralisée des tissus conjonctifs. *Les xéroses sont souvent dues à la vieillesse.* « *Les yeux (...) présentent des xéroses cornéennes et conjonctivales* » (*Science et Vie*, juin 1975, p. 39).

XÉROSIS [kseʀozis ; gzeʀozis] n. f. — 1904 ; grec *xêrôsis*, var. de *xêransis* « dessiccation », de *xêros* « sec ».

♦ Méd. État sec de la conjonctive de l'œil, premier stade de la xérophtalmie*.

XÉROSTOMIE [kseʀɔstɔmi ; gzeʀɔstɔmi] n. f. — 1916, Garnier-Delamare ; de *xéro-*, et grec *stoma* « bouche ».

♦ Didact. (méd.). Sécheresse de la bouche due à une diminution de sécrétion de salive. ⇒ **Asialie ; aptyalisme.** *La xérostomie, comme la xérophtalmie, peut être la conséquence d'une avitaminose A.* « *Chez les patients atteints de xérostomie (ralentissement ou interruption de la sécrétion salivaire), les caries se développent rapidement* » (*la Recherche*, nº 124, juil.-août, p. 803).

XÉRUS [kseʀys ; gzeʀys] n. m. — 1893 ; du lat. zool. *xerus*, grec *xêros* « sec », à cause de la rigidité des mamelles pectorales.

♦ Zool. Mammifère rongeur *(Scuridés)*, petit écureuil* d'Afrique et d'Asie, communément appelé *rat palmiste*. ⇒ **Palmiste.**

XI [ksi] n. m.

♦ Quatorzième lettre de l'alphabet grec (Ξ, ξ).

XIÈME [iksjɛm] adj. numéral — Attesté xxᵉ ; de *X* (algèbre).

♦ Rare. ⇒ **Ixième.**

XIMÉNIE [ksimeni ; gzimeni] n. f. — 1765, *Encyclopédie* ; du nom de *Ximénès*, missionnaire espagnol au Mexique.

♦ Bot. Petit arbre des régions tropicales *(Olacacées)*, à feuilles alternes, dont les fruits sont appelés *pommes* ou *citrons de mer*. — REM. On emploie aussi le mot lat. sc. *ximenia* [ksimenja ; gzimenja] n. f.

XIPHO [ksifo ; gzifo] n. m. ⇒ **Xiphophore.**

XIPHODYNIE [ksifodini ; gzifodini] n. f. — xxᵉ ; de *xiphoïde*, et grec *odunê* « douleur ».

♦ Méd. Douleur au niveau de l'appendice xiphoïde, ressentie surtout à la pression.

XIPHOÏDE [ksifɔid ; gzifɔid] adj. — xvɪᵉ ; grec *xiphoeidês* « en forme d'épée ».

♦ **1.** Anat. *Appendice xiphoïde :* partie terminale inférieure du sternum.

♦ **2.** (1802). Bot. En forme de glaive. *Iris xiphoïde.*

DÉR. Xiphoïdien, xiphoïdite.
COMP. Xiphodynie.

XIPHOÏDIEN, IENNE [ksifɔidjɛ̃, jɛn ; gzifɔidjɛ̃, jɛn] adj. — 1822 ; de *xiphoïde*.

♦ Anat. Relatif à l'appendice xiphoïde.

XIPHOÏDITE [ksifɔidit ; gzifɔidit] n. f. — xxᵉ ; de *xiphoïde*, et *-ite*.

♦ Méd. Inflammation de l'appendice xiphoïde.

XIPHOPHORE [ksifɔfɔʀ ; gzifɔfɔʀ] n. m. — xxᵉ ; lat. zool. *xiphophorus*, du grec *xiphophoros* « qui porte une épée ».

♦ Zool. Poisson osseux du golfe du Mexique, à prolongement caudal en forme de glaive. — REM. On dit aussi *xipho* [ksifo ; gzifo].

XIR [ksiʀ ; gziʀ] n. m. — 1721, Trévoux ; orig. inconnue.

♦ Didact. Couleur noire, en alchimie.

XOANIFORME [ksɔanifɔʀm ; gzɔanifɔʀm] adj. ⇒ **Xoanisant.**

XOANISANT, ANTE [ksɔanizɑ̃, ɑ̃t ; gzɔanizɑ̃, ɑ̃t] adj. — V. 1970 ; de *xoanon*.

♦ Archéol. Qui rappelle le xoanon. — Syn. (rare) : *xoaniforme*.

On a distingué plusieurs groupes *(de statues)* : les xoanisantes, mal dégagées de l'ancienne gaine de bois, les draperies collant avec raideur ; les ioniennes, dont la parure est la plus raffinée et l'expression rendue bien plus riante par les yeux inclinés comme le coin des lèvres ; les pseudo-ioniennes, faites par des Athéniens dans la manière ionienne, mais atténuée (...)
G. CONTENAU et V. CHAPOT, l'Art antique, p. 181.

XOANON [ksɔanɔ̃ ; gzɔanɔ̃] n. m. — 1906 ; mot grec, de *xein* « polir ».

♦ Archéol. Effigie en bois sculpté de la sculpture grecque archaïque. — Plur. : *xoana*.

On nommait *xoana* les statues primitives, qui furent pour la plupart en bois, matière plus facile à tailler que la pierre (...)
G. CONTENAU et V. CHAPOT, l'Art antique, p. 174.

X-OGRAPHIE [iksɔgʀafi] n. f. — 1965 ; de *X*, et *-graphie*, *-o-* de liaison.

♦ Techn. Procédé (marque déposée) de photographie en relief utilisant une trame gaufrée (en X) pour la sélection.

XYL-, XYLO- Élément, grec *xulo-*, de *xulon* « bois », entrant dans la formation de termes scientifiques (chimiques, notamment).

XYLANE [ksilan ; gzilan] n. m. — 1905, in *Rev. gén. des sc.*, nº 12, p. 582 ; de *xyl-*, et *-ane*.

♦ Bot. Matière cellulosique du tissu lignifié des angiospermes.

Les fibres libériennes (...) sont cimentées les unes aux autres par une sorte de mortier composé en majeure partie de lignine et de xylane pour le jute (...)
J.-C. DESJEUX et J. DUFLOS, les Plastiques renforcés, p. 35.

XYLÈME [ksilɛm ; gzilɛm] n. m. — 1876, P. Larousse ; du grec *xylon* « bois », et *-ème*.
Botanique.

♦ **1.** Vx. Champignon parasite de la feuille de certains arbres.

♦ **2.** (Mil. xxᵉ). Bois formé, matière ligneuse (d'un végétal), par oppos. à l'écorce, à l'aubier, aux feuilles, etc.

XYLÈNE [ksilɛn ; gzilɛn] n. m. — 1872 ; de *xyl-*, et *-ène*.

♦ Chim. Hydrocarbure liquide benzénique, de formule $C_6H_4(CH_3)_2$, extrait du benzol ou de certaines fractions de pétrole, utilisé comme solvant et comme matière première pour des synthèses (colorants, explosifs, etc.).

DÉR. Xylénol.

XYLÉNOL [ksilenɔl ; gzilenɔl] n. m. — 1874 ; de *xylène*, et *-ol*.

♦ Chim. Chacun des six phénols isomères qui dérivent des xylènes.

Les meilleurs solvants du Nylon sont : le métacrésol, les xylénols, l'acide formique, l'acide monochloracétique et l'acétophénone.
J. VÈNE, Caoutchoucs et Textiles synthétiques, p. 86.

XYLIDINE [ksilidin ; gzilidin] n. f. — 1877 ; de *xyl-*, et *-idine*.

♦ Chim. Amine dérivée du xylène, utilisée dans la préparation des colorants azoïques. *Ponceau de xylidine.* ⇒ 1. **Ponceau.**

XYLIN, INE [ksilɛ̃, in ; gzilɛ̃, in] adj. — Mil. xxᵉ ; dér. sav. du grec *xulon* « bois ».

♦ Didact. Rare. Relatif au bois.

XYLITE [ksilit ; gzilit] n. f. — 1874, Littré, « produit de distillation de l'esprit de bois » ; « insecte », 1846 ; de *xyl-*, et suff. *-ite*.

♦ Chim., techn. Explosif dérivé du xylène.

XYLO- ⇒ Xyl-.

XYLOBIE [ksilɔbi ; gzilɔbi] adj. et n. m. — xxᵉ ; de *xylo-*, et *-bie*.

♦ Biol. Se dit des organismes vivant dans le bois. — N. m. *Les xylobies.*

XYLOCHIMIE [ksilɔʃimi ; gzilɔʃimi] n. f. — Mil. xxᵉ (1972, in *Science et Vie*, nº 660, p. 66) ; comp. hybride de *xylo-*, et *chimie*.

♦ Didact. Chimie du bois.

XYLOCOPE [ksilɔkɔp ; gzilɔkɔp] adj. et n. m. — 1839, Boiste ; lat. zool. *xylocopa*, du grec *xylocopos* « coupeur de bois ». → Xylo-.

♦ Zool. Abeille solitaire, dite *charpentière* ou *perce-bois*, qui creuse des galeries de ponte dans le bois mort.

Les xylocopes, nous l'avons vu, sont de puissantes abeilles qui taraudent leur nid dans le bois sec.   MAETERLINCK, la Vie des abeilles, VII, XI.

XYLOFER [ksilɔfɛR ; gzilɔfɛR] n. m. — Déb. xxᵉ, *Nouveau Larousse illustré* ; de *xylo-*, et *fer*.

♦ Vx. Instrument de gymnastique, petite massue allongée (⇒ 3. **Mil**).

XYLOGRAPHE [ksilɔgraf ; gzilɔgraf] n. m. — 1836, Académie ; de *xylo-*, et *-graphe*.

♦ Techn. Graveur pratiquant la xylographie.

XYLOGRAPHIE [ksilɔgrafi ; gzilɔgrafi] n. f. — 1771, Trévoux ; de *xylo-*, et *-graphie*.
Technique (anciennement).

♦ **1.** Impression de textes et de figures avec des planches gravées en relief, en usage aux xvᵉ et xvιᵉ siècles.

Gravure. — Dans les sociétés faisant un usage abondant de l'écriture, le besoin de reproduire rapidement à beaucoup d'exemplaires des écrits courts ou longs a fait créer la technique de la gravure avec encrage.
La xylographie (du grec *xulon* : bois) a été employée en Chine dès le vιᵉ siècle apr. J.-C., chez les Arabes au xᵉ siècle.
Cette technique suppose naturellement l'écriture à la main d'un brouillon, des artisans spécialisés, et la fabrication développée d'une matière à écrire pratique.
Le papier en pâte de bambou date en Chine du iiiᵉ siècle.
  Marcel COHEN, l'Écriture et l'outillage industriel, p. 105-106.

♦ **2.** (1904). *(Une, des xylographies)*. Gravure ainsi obtenue.

DÉR. Xylographique.

XYLOGRAPHIQUE [ksilɔgrafik ; gzilɔgrafik] adj. — 1802 ; de *xylographie*.

♦ Techn. Qui utilise la xylographie. *Impression xylographique. Incunable, livre xylographique.*

XYLOL [ksilɔl ; gzilɔl] n. m. — 1890, P. Larousse, *Deuxième Suppl.* ; dér. sav. du grec *xulon* « bois », et *-ol*.

♦ Comm. Xylène brut. — REM. On trouve aussi l'adj. *xylolé, ée* (*extrait xylolé*, in *Rev. gén. des sc.*, 15 janv. 1906, nº 1, p. 52).

XYLOLÂTRIE [ksilɔlatRi ; gzilɔlatRi] n. f. — 1812, Boiste ; de *xylo-*, et *-lâtrie*.

♦ Didact. et rare. Culte rendu à des idoles de bois.

XYLOPHAGE [ksilɔfaʒ ; gzilɔfaʒ] adj. — 1808 ; grec *xulophagos* « mangeur de bois » ; → Xylo-, et *-phage*.

♦ Didact., zool. Qui ronge, perce le bois. *Insecte xylophage.*

Ce sera du moins une des interprétations envisagées par les enquêteurs quand ils découvriront l'instrument de musique (percé, précisons-le, de multiples piqûres ne ressemblant guère aux galeries creusées par des insectes xylophages) abandonné à quelques pas de ce cu au chairs tendres maintenant couché sans vie (...)
  A. ROBBE-GRILLET, Souvenirs du triangle d'or, p. 19.

N. m. *Un xylophage. Les xylophages :* insectes dont les larves vivent dans le bois.

DÉR. Xylophagie.

XYLOPHAGIE [ksilɔfaʒi ; gzilɔfaʒi] n. f. — 1836 ; de *xylophage*.

♦ Didact. Fait d'être xylophage.

XYLOPHÈNE [ksilɔfɛn ; gzilɔfɛn] n. m. — V. 1970 ; marque déposée, de *xylo-*, et *phène*.

♦ Techn. Produit de cette marque dont on imprègne le bois pour le conserver, le protéger des insectes, etc.

Je téléphonai à plusieurs antiquaires parisiens pour dénicher des poutres anciennes. En y mettant le prix, j'obtins satisfaction, mais quand on les livra, elles étaient rongées de vers, et je dus leur faire subir un traitement au xylophène.
  Gilbert TANUGI, Requiem pour Woona, p. 285.

XYLOPHONE [ksilɔfɔn ; gzilɔfɔn] n. m. — 1868, *in* D. D. L. ; de *xylo-*, et *-phone*.

♦ Instrument de musique à percussion, formé de lames de bois de longueurs inégales, sur lesquelles on frappe avec de petits maillets spéciaux, dits *mailloches*, en général au nombre de deux (quelquefois trois, ou quatre). ⇒ aussi **Balafon, vibraphone.**

Un énorme gaillard affublé de peaux de bêtes tape sur un gigantesque xylophone qu'il porte pendu à son cou (...)   1
  GIDE, Voyage au Congo, *in* Souvenirs, Pl., p. 741.

On trouve le dér. *xylophoner*, v. intr., « jouer du xylophone » ; au figuré :
Trois oiseaux matinaux xylophonaient au sommet d'un peuplier.   2
  René FALLET, le Triporteur, p. 55-56.

DÉR. Xylophoniste.

XYLOPHONISTE [ksilɔfɔnist ; gzilɔfɔnist] n. — Attesté xxᵉ ; de *xylophone*.

♦ Joueur de xylophone.

XYLOSE [ksilɔz ; gzilɔz] n. m. — 1904, in *Rev. gén. des sc.*, 15 juin, nº 11, p. 541 ; de *xyl-*, et 1. *-ose*.

♦ Chim. Sucre aldéhydique (pentose), ou *sucre de bois*.

XYSTE [ksist] n. m. — 1547, *in* D. D. L., trad. de Vitruve ; lat. d'orig. grecque *xystus*, grec *xustos* « surface aplanie », de *xuein* « racler, aplanir ».
Didactique.

♦ **1.** Dans l'antiquité grecque, Galerie couverte d'un gymnase, piste couverte.

♦ **2.** Association d'athlètes, dirigée par un *xystarque*, dans la Grèce antique.

♦ **3.** (Du sens 1). Dans l'antiquité romaine, Galerie couverte, dans un jardin.

Y

1. Y [igʀɛk] n. m.

◆ **1.** I grec (ainsi dit parce qu'il servait aux Latins à transcrire le upsilon grec), vingt-cinquième lettre et sixième voyelle de l'alphabet, servant à noter la voyelle [i] (ex. : *ypérite, cycle, hypothèse ; Ruy Blas*), la semi-consonne [j] (ex. : *yeux, moyen, myope*). ⇒ **Yod.**
— REM. L'*y* semi-consonne est traité comme une consonne, pour l'élision et la liaison, sauf trois exceptions : *yeuse* (*l'yeuse*), *yèble* (*l'yèble*) et *yeux*, plur. de *œil* (*les yeux* [lezjφ]). Le *y* entre voyelles a valeur de voyelle et de consonne dans la prononciation moderne : *essuyer* [esɥije], *bruyant* [bʀɥijā], *payer* [peje], *noyer* [nwaje], sauf dans quelques mots : *gruyère* [gʀɥjɛʀ], *bruyère* [bʀɥjɛʀ], *mayonnaise* [majɔnɛz]...

1 Et, bien qu'il n'ait totalement raclé la lettre grecque y, comme il devait, je me suis hasardé de l'effacer, ne la laissant servir sinon aux propres noms grecs, comme en Tethys, Thyeste, Hippolyte, Ulysse (...)
RONSARD, Œ. en prose, Avertissement au lecteur.

Par compar. Forme de Y majuscule. *Chemin en Y. L'Y d'un carrefour.*

2 Avez-vous remarqué combien l'Y est une lettre pittoresque qui a des significations sans nombre ? — L'arbre est un Y ; l'embranchement de deux routes est un Y (...)
HUGO, Alpes et Pyrénées, Alpes, IV.

3 Ici, la grande rue unique se sépare en fourche devant la mairie et forme deux autres rues : la localité est un vaste Y irrégulièrement ourlé de façades basses.
H. BARBUSSE, le Feu, I, v.

◆ **2.** En algèbre, Symbole littéral désignant une seconde inconnue (après *x*) ou une fonction de la variable *x*. — En géométrie, La seconde des coordonnées cartésiennes. *L'axe des y.*

◆ **3.** Chim. *Y* : symbole de l'*yttrium.*

2. Y [i] pron. et adv. — xᵉ ; lat. *hic* ; a éliminé *iv*, 842, Serments de Strasbourg ; lat. *ibi.*

★ **I.** Pronom adverbial représentatif d'une chose, d'un énoncé, quelquefois d'une personne.

◆ **1.** (Pour rappeler le lieu où l'on est, où l'on va). Dans ce lieu, dans cela (→ Maquis, cit. 1). *Il y va. Vas-y vite. J'y cours. On y entre et on en sort...* (→ Marionnette, cit. 4). *On le voyait sortir de chez lui et y rentrer* (→ Mouvoir, cit. 4). *Y retourner, y revenir* (→ 1. Mater, cit. 1). *Y être invité* (cit. 3). — **Chez.** — Vx. *S'y en aller* (Molière), *s'y en retourner* (Gui Patin). — *Y être.* ⇒ 1. **Être** (*supra* cit. 56). *Je n'y suis* (sous-entendu : chez moi) *pour personne.* — Fig. ⇒ 1. **Être** (cit. 60, 61, et *supra*) ; → Nenni, cit. *J'y suis, j'y reste*.* — *Nous y voilà*.* — *Sur le pont* (cit. 3) *d'Avignon, on y danse... S'y installer* (→ Ombreux, cit. 3). *Ils déposèrent Madame sur le couvre-pied et l'y étendirent* (→ Lit, cit. 24). *On y cherche, on y voit, on y trouve...* (dans un livre). → 1. Livre, cit. 6 ; repère, cit. 5. *Le détail y figure* (cit. 6). *Il s'y trouve quelques négligences* (cit. 9).

1 — Vous n'êtes pas d'ici (...) ? — Non, je n'y suis venu que pour voir la fête de demain.
MOLIÈRE, George Dandin, I, 2.

2 La convenance ne règne point dans les arts en Angleterre comme en France ; cependant l'opinion publique y a plus d'empire qu'en Allemagne (...)
Mᵐᵉ DE STAËL, De l'Allemagne, II, II.

3 Turpin, n'as-tu rien vu dans le fond du torrent ?
— J'y vois deux chevaliers : l'un mort, l'autre expirant.
A. DE VIGNY, Livre moderne, « Le cor », IV.

4 Elle avait fait semblant de cacher ce jouet dans son corsage, entre sa peau et sa chemise, et elle avait dit à Joanny : « Si M'sieur y veut, faut que M'sieur y cherche. » Et il « y » avait cherché, en feignant une grande colère (...)
Valery LARBAUD, Fermina Marquez, XVII.

REM. Le premier *y* représente *il* (→ ci-dessous, 3. Y).

4.1 Il ne demandait qu'une chose : une maison bien chauffée, où l'on y donne à manger, où l'on peut dormir ; et surtout ne pas travailler.
R. QUENEAU, le Chiendent, p. 385.

REM. Dans ses emplois locatifs (ou dérivés du sens locatif) la langue classique employait le pron. *y* dans d'autres cas. — Ex. : *Je m'y tiendrais* (en repos), Molière, *l'Étourdi*, IV, 6. *J'y ai d'abord été* (en colère), Molière, *les Fourberies de Scapin*, I, 4. *J'y demeurerai* (avec toi),

Molière, *la Princesse d'Élide* ; Intermède, III, I. Cf. des ex. plus récents (Vigny, F. Jammes, *in* Le Bidois, § 310).

Avec un nom de personne : en lui, en elle *(Un vieillard)... « est plein de faits (...) ; l'on y trouve l'histoire du siècle »* (La Bruyère, VI, 118).

Employé par pléonasme (reprenant *à...*, *dans...*, *où...*). *« Où tu vas, j'y serai toujours »* (Musset, *Nuit de décembre*). — Fam. (par anticipation ou par reprise). *Tu y vas, à cette soirée ?* Avec le compl. placé avant et sans préposition. *Ce cinéma, je n'y suis jamais allé.*

5 Les villes par où on passe, on ne se soucie pas d'y être estimé (...)
PASCAL, Pensées, II, 149.

★ **II.** Pronom personnel représentant un nom, un pronom, une proposition introduits par une préposition.

◆ **1.** (La préposition *à*). À cela, à cette chose, à ces choses. *Le pouvoir de penser à une chose ou de n'y pas penser* (→ Liberté, cit. 33). *Vous n'y croyez* (cit. 50) *pas. Rien n'y fit* (cit. 98 ; → aussi Forcer, cit. 32 ; marée, cit. 6). *Y faillir* (cit. 10), *y manquer* (cit. 39). *« Apprendre à mourir* (cit. 19) *? Je vois qu'on y réussit très bien... ». Y gagner* (cit. 16 et 18), *y perdre. Y ajouter, y mettre... Y toucher* (1. Toucher, cit. 19 et 20). *J'y renonce. J'y souscris* (→ Il, cit. 15). — *S'y mettre* (→ Fin, cit. 2). *Ceux qui s'y plaisent* (→ Figure, cit. 19). — *Je n'y peux rien.* ⇒ 1. **Pouvoir** (cit. 25). *Que voulez-vous que j'y fasse* ?* — Par anticipation. *Tu y penses, à ton rendez-vous ?*

6 Vous dépendez, dans une affaire (...) du consentement de deux personnes. L'un vous dit : « J'y donne les mains pourvu qu'un tel y condescende ; » et ce tel y condescend (...) Cependant rien n'avance (...) « Je m'y perds, dites-vous, et je n'y comprends rien ; il ne s'agit que de faire (...) qu'ils se parlent. » Je vous dis, moi, que j'y vois clair, et que j'y comprends tout : ils se sont parlé.
LA BRUYÈRE, les Caractères, VIII, 86.

7 Mais pensez-y... pensez à ceci : Quelle peut être, dans le monde, la place d'un pays sans poètes ?
G. DUHAMEL, le Prince Jaffar, V, II.

REM. 1. On emploie *lui, leur*, au lieu d'*y* avec certains verbes qui se construisent avec *à...* (par ex. : comparer, conférer, demander, devoir, donner, préférer, selon Hanse). — Dans certains cas, on peut remplacer *y* par *à lui, à elle.*

8 (...) pour amortir les secousses du volant (...) il s'était cramponné à lui, de toutes ses forces. Il s'y cramponnait toujours.
SAINT-EXUPÉRY, Vol de nuit, XV.

2. *Y* peut renvoyer au sens général de la phrase :

9 Accablez-moi de noms encor plus détestés :
Je n'y contredis point, je les ai mérités (...)
MOLIÈRE, Tartuffe, III, 6.

3. *Y*, se rapportant à un adjectif ou à un participe passé. *Y compris** (→ Force, cit. 28). *Y attenant. « L'état y relatif »* (à une dépense), Stendhal, *in* Grevisse.

10 (...) la fausse déclaration de le-Jay (...) restera dans toute sa force ; et les faits y contenus n'étant contrariés juridiquement par personne, la dénonciation faite au parlement en acquerra un nouveau prix (.)
BEAUMARCHAIS, Mémoires... dans l'affaire Goëzman, p. 197.

Y, employé au regard d'une personne : à lui*, à elle, à eux. — Vx. *« Il n'y a homme au monde qui soit à vous si véritablement que j'y suis »* (La Rochefoucauld, *Lettres*, III, 138).

11 — Ah ! que les princesses sont belles !
— Quels sont les cœurs qui ne s'y rendraient pas ?
MOLIÈRE, les Amants magnifiques, 1ᵉʳ intermède.

REM. On emploie encore *y* dans les cas suivants :

a Avec quelques verbes. *Il y songe, il s'y intéresse. Bien fol est qui s'y fie* (à la femme, cit. 41). *C'est un homme équivoque, ne vous y fiez pas* (Académie). Mais on dira : *je me fie à lui.*

12 Vouloir oublier quelqu'un, c'est y penser.
LA BRUYÈRE, les Caractères, IV, 38.

b Pour reprendre un pron. personnel (et éviter la répétition). *« Laisse les gens venir à toi, ils y viendront... »* (Lavedan, *Mon filleul*, 257, *in* Le Bidois). → aussi Lui, cit. 41.

13 Il était impossible (...) de vivre avec lui sans s'y attacher tout à fait.
ROUSSEAU, les Confessions, V.

14 Pourquoi t'intéresses-tu à lui ? Il y a des milliers d'enfants comme celui-là, tu n'y arrêtes même pas ta pensée.
F. MAURIAC, l'Agneau, p. 85.

c Pop. Lui. *J'y ai dit* : je lui ai dit. — *Mords-y l'œil !*

15   Je crois même qu'un jour j'y ai flanqué des gifles pour la faire jaser, mais ça n'a
servi de rien.   MAUPASSANT, l'Inutile Beauté, « Champ d'oliviers », III.

Redoublant le pron. personnel complément :

15.1   — Les salopards, il faut leur-z-y crever la panse !
            J. GENET, Pompes funèbres, p. 37.

     d   Avec un nom d'animal, on emploie *y* avec certains verbes (penser,
etc.), lorsque l'animal est considéré comme une chose (« *Je
trouve cette bécasse excellente... Goûtez-y donc !* », Lavedan, *Nocturne*, 14, *in* Sandfeld), ou comme le type d'une espèce. Par contre,
si l'on veut souligner son caractère individuel, on emploiera *à lui (à
elle, à eux)*.

16   Elle pensa au loup ; de tout le jour la folle n'y avait pas pensé (...)
         Alphonse DAUDET, Lettres de mon moulin, « La chèvre de M. Seguin ».

     e   En parlant de choses personnifiées, l'usage hésite entre *y* et *à lui*
(*supra* cit. 6), *à elle*.

♦ **2.** Vx. (Une préposition autre que *à*). En, par, pour cela... « *Vous
me haïssez donc ? J'y fais tout mon effort* » (Molière, *Amphitryon*,
vers 1400). « *Oui, mais j'y suis blessée* » (*les Femmes savantes*, vers
1061) : je suis blessée par votre attitude. — De nos jours. « *Croyez-
vous en Dieu ? — J'y crois* ». *N'y comptez pas.*

17   Tous les autres princes demandaient à être compris (...) dans le nouveau système
fédératif (...) Y être nommé c'était vivre ; y être omis, c'était périr.
         THIERS, Hist. de l'Empire, VI, I, p. 264.

(Relations entre personnes). « *Je puis beaucoup sur lui ; j'y pourrai davantage* » (Corneille, *Pertharite*, vers 791). « *On ne peut pas
être mieux ensemble que nous y sommes* » (M*me* de Sévigné, 640,
21 août 1677).

18   (...) elle était extrêmement jolie (...) Mais je n'y trouvai point ces yeux fins et languissants (...)   Abbé PRÉVOST, Manon Lescaut, II.

★ **III.** *Y*, adverbe ou pronom, dans des gallicismes. — **IL Y A**.
⇒ **Avoir ;** → aussi Fripon, cit. 6 ; frotter, cit. 20 ; nature, cit. 4 ; orée,
cit. 2. *Il y a... qui...* (→ Mouvement, cit. 11). — Fam. *Y en a marre.*
— *Tant* y a que*... — **IL Y VA DE**... ⇒ **Aller** (cit. 60) ; → Mariage,
cit. 9. *Y aller gaiement, de bon cœur...* (→ Aller, cit. 62, 65 et
66). Fam. *Vas-y mou* (1. Mou, cit. 23), *mollo* (cit. 2). — *S'y connaître** (cit. 19), *s'y reconnaître. S'y entendre* (*supra* cit. 75). *On
ne s'y retrouve plus.*

18.1   Avant la guerre, je laissais pas passer une semaine sans aller à l'Européen ou à
Bobino, ma parole d'honneur. J'ai la prétention que les chanteurs, je m'y reconnais aussi bien que dans la limonade.
        M. AYMÉ, le Vin de Paris, « L'indifférent », p. 9.

Il n'y paraît pas. — *S'y prendre bien, mal.* ⇒ **Prendre** (cit. 111
à 114, et *supra*). *Savoir y faire.* — *Y regarder à deux fois. S'y
reprendre à deux fois.* — *N'y plus tenir.* ⇒ **Tenir** (*supra* cit. 41).
— *Il y voit, il n'y voit plus.* — *N'y être pour rien* (*supra* cit. 21).
— ÇA Y EST : la chose est arrivée, s'est produite ; l'action, l'opération dont il est question est terminée.

19   Mon chéri, ça y est, je suis reçue.   A. MAUROIS, le Cercle de famille, I, XVIII.

REM. 1.   *Y* se place normalement avant le verbe (*il y va*), sauf à l'impér.,
auquel il est joint par un tiret (*allons-y*).

2. Il se place après les pron. pers. objets. *Je vous y conduirai. Menez-
les-y* (Littré). — Quand *y* suit un impér. ayant pour complément le pron.
pers. de la 1re ou de la 2me personne du singulier (*me, te*, réduit à *m',
t'*). *Mène-m'y ; réfugie-t'y* (Littré, art. *Y* et *Toi*). *Fais-m'y penser cet hiver*
(Romains, *Six octobre*, p. 287). *Accompagne-l'y* (P. Benoit, *les Compagnons d'Ulysse*, V, p. 141). Ces tours peu usités sont souvent remplacés par la construction avec forme tonique du pron. placé après
y. Mènes-y-moi.

3. Devant un inf. et avec *tout, rien*, et quelques adverbes (*beaucoup,
peu, assez, bien*, etc.), *y* se place avant ou après ces mots. *Je commence à n'y plus rien comprendre*, ou *à ne plus rien y comprendre.*

4. Lorsque *en* et *y* accompagnent à la fois un verbe, *y* se met avant *en.
Il n'y en a plus.* « *L'on me dit tant de mal de cet homme, et j'y en vois
si peu* » (La Bruyère, VIII, 39). « *Il y a beaucoup de merveilleux dans la
ruche, ce n'est pas une raison pour y en ajouter* » (Maeterlinck, *Vie des
abeilles*, p. 2).

5. *Y* se supprime, par euphonie, devant le futur et le conditionnel d'aller
(on ne dit pas *j'y irai*).

HOM. 3. **Y**.

3. Y [i] — Déb. XIXe ; notation de la prononciation populaire de *il*, surtout pour *ti*. → Il (I., 1., REM. 2.).

REM. Comme particule interrogative, cet *y* s'emploie avec n'importe
quelle personne. → Ti, et aussi T (cit. 3).

1   — Ah ! c'est-y pas malheureux ! s'écria François en poussant un soupir.
        BALZAC, Double famille, Pl., t. I, p. 952.

2   — (...) Voulez-vous-t'y que je vous embrasse ?
        Alphonse DAUDET, Jack, I, VIII.

3   — Alphonse de Beaudéduit... je ne connais pas.
— Y dit que c'est pressé.   E. LABICHE, Un monsieur qui prend la mouche, 4.

— Qu'est-ce qu'il fait ?
— Y chiale...   J. ANOUILH, le Voyageur sans bagage, p. 84.

HOM. 2. **Y**.

YA [ja] n. m. — D. i. ; orig. incert. ; on peut penser — sans aucune
preuve — à l'initiale de *yatagan*.

♦ Argot. Couteau.

(...) ce dernier a eu le temps de reprendre ses esprits et de prendre, par-dessus le
marché, son couteau. Un joli ya nacré, long et courbe.
        SAN-ANTONIO, Remets ton slip, gondolier !, p. 135.

YACHMAK [jɔtmak] n. m. — 1879, Loti ; mot turc.

♦ Didact. Voile des femmes turques, porté devant le bas du visage.
⇒ **Tchador.**

YACHT [jɔt] ou (vx ou techn.) [jak] n. m. — 1572 ; dans la langue
class. (M*me* de Sévigné, Voltaire) semble désigner un bâtiment transportant des passagers ; néerl. *jacht*, même racine que l'all. *jagen* « chasser » ; répandu mil. XVIIe, d'après l'anglais.

♦ Navire de plaisance à voiles ou à moteur, d'un déplacement relativement important (→ Cuivre, cit. 6). *Le yacht
peut aller « du petit bateau demi-ponté au yacht royal, paquebot
de luxe »* (Gruss). *Yacht de course, de croisière. Yacht à voiles et
à moteur. Course de yachts.* ⇒ **Régate.**

Au mois de mai les yachts commencent à arriver, la rade se peuple de navires de
plaisance ; la plupart gréés en goélette, quelques-uns à vapeur. Tel yacht coûte à
son propriétaire cent mille francs par mois.
        HUGO, l'Archipel de la Manche, VIII.   1

L'intérieur est en pin du nord verni, avec encadrement de teck, éclairé par les cuivres des serrures, des ferrures, des chandeliers, tous les cuivres jaunes et gais qui
sont le luxe des yachts.   MAUPASSANT, la Vie errante, « La nuit ».   2

Ce qu'il y a de joli dans nos yachts — et dans les yachts moyens surtout, je n'aime
pas les énormes, trop navires, c'est comme pour les chapeaux, il y a une mesure à
garder — c'est la chose unie, simple, claire, grise, qui par les temps voilés, bleuâtres, prend un flou crémeux.   3
        PROUST, À l'ombre des jeunes filles en fleurs, Folio, p. 567.

(1906). *Yacht à glace* : voilier à patins pour se déplacer sur la glace
(au Canada notamment).

REM. Queneau transcrit *yashte* une prononc. populaire [jaʃt] associée
à une métathèse (*Loin de Rueil*, p. 18).

DÉR. **Yachting.**

YACHT-CLUB [jɔtklœb] n. m. — 1858, *in* Petiot ; mot anglais, de
yacht, et *club*.

♦ Association groupant des pratiquants du yachting et des sports
nautiques.

YACHTING [jɔtiŋ] ; rare [jaktiŋ] n. m. — 1858, *in* Petiot ; mot angl.,
de *yacht*.

♦ Anglic., vieilli. Pratique de la navigation de plaisance, et, spécialt,
de la navigation de plaisance à la voile. ⇒ **Plaisance.** *Les adeptes
du yachting. Pratiquer le yachting.*

Le plus grand charme d'un yacht, de l'ameublement d'un yacht, des toilettes de
yachting, est leur simplicité de choses de la mer, et j'aime tant la mer !
        PROUST, À la recherche du temps perdu, t. V, p. 164.

YACHTMAN [jɔtman] ; rare [jakman] n. m. — 1859 ; mot angl., de
yacht, et *man*. → Tennisman, sportsman.

♦ Anglic., vieilli. Personne qui pratique le yachting. *Des yachtmen*
[jɔtmɛn]. — REM. *Plaisancier** a des emplois beaucoup plus larges.

(...) beaucoup de ces yachtmen, qui n'appellent jamais yacht un yacht, mais *cut-
ter, sloop, yawl* ou *schooner*, voyagent sous pavillon anglais.   1
        Pierre DANINOS, Un certain Monsieur Blot, p. 206.

Le fém. *yachtwoman* n'est plus en usage. *Des yachtwomen.* — On
écrit parfois *yachtsman*, selon l'orthographe anglaise la plus courante.

(...) ce qu'il (*Elstir*) avait montré de préférence, c'était quelques croquis d'après
de jolies yachtwomen ou bien une esquisse prise sur un hippodrome (...)   2
        PROUST, À l'ombre des jeunes filles en fleurs, Pl., t. I, p. 897.

YACK [jak] n. m. ⇒ **Yak.**

YAGÉ [jaʒe] n. m. — XXe (*in* Larousse, 1933) ; mot d'une langue
indienne de Colombie.

♦ Végétal (liane) servant à préparer une décoction à pouvoir hallucinatoire et insensibilisant.

YAK [jak] n. m. — 1791 ; angl. *yak*, du tibétain *gyak*.

♦ Mammifère ongulé (*Bovidés*), scientifiquement nommé *pœpha-
gus*, au corps massif, à longue toison soyeuse, à queue de cheval,

qui vit au Tibet où il est domestiqué. ⇒ aussi **Buffle**; **bœuf** (sauvage). *Le yak est un herbivore* (cit.) *ruminant; sa chair et son lait sont excellents.* — REM. Le dérivé *yakier* [jakje] «conducteur de yaks» est attesté (*in* Bonvalot, [...] à travers le Tibet inconnu, *le Tour du monde,* 1891, t. II, p. 371, 388). — On écrit aussi *yack.*

YAKA [jaka] loc. et n. m.

♦ Graphie plaisante de [jaka] pour *(il n')y a qu'à...,* désignant les arguments de ceux qui cherchent des solutions faciles à tout problème. — N. m. *«Il n'y a qu'à "contrôler la fusion" : un des plus beaux yakas auxquels se soient jamais attaqué les chercheurs»* (*le Nouvel Obs.,* 28 août 1972, p. 35).

YAMBA [jãba] n. m. — 1895, Sébire (au Sénégal); p.-ê. mot wolof.

♦ Franç. d'Afrique. Chanvre indien (syn. en Afrique : *chanvre, dope, gamin...;* en franç. central : ⇒ **Haschisch**). — Par ext. Stupéfiant.

YANG [jãg] n. m. — 1753, *iang, in Encyclopédie,* art. *Chinois* (→ Yin); mot chinois.

♦ Philos. L'un des deux principes fondamentaux de la philosophie taoïste chinoise (⇒ **Tao**), correspondant grossièrement à la notion d'«activité». ⇒ **Yin**. *Le yang correspond au principe mâle, à la chaleur, au feu.*

Pour échapper à tout parti-pris, il convient de passer en revue les emplois anciens des termes *yin* et *yang.* — ceci en évitant tout pédantisme chronologique et en songeant aux dangers de la preuve par l'absence. — C'est aux premiers astronomes que la tradition chinoise fait remonter la conception du Yin et du Yang : de fait, on trouve mention de ces symboles dans un calendrier dont l'histoire peut être suivie à partir du IIIᵉ siècle avant notre ère. Il est à la mode, de nos jours, d'attribuer aux théoriciens de la divination la première idée d'une conception métaphysique du Yin et du Yang (...). Les théoriciens de la musique n'ont jamais cessé de fonder leurs spéculations sur le thème d'une action concertante *(tiao)* prêtée au Yin et au Yang (...). Le mot *yang* éveille l'idée d'ensoleillement et de chaleur; il peut encore servir à peindre le mâle aspect d'un danseur en pleine action; il s'applique aux jours printaniers où la chaleur solaire commence à faire sentir sa force (...)
Marcel GRANET, la Pensée chinoise, p. 116-118.

Il n'est que de penser aussi à cette philosophie sexuelle chinoise où, par le suspens de la possession et de l'éjaculation, le masculin dérive sur lui la puissance du yang féminin. J. BAUDRILLARD, De la séduction, p. 138-139.

1. YANKEE [jãki] n. — 1776; orig. incert.; p.-ê. du holl. *Janke,* dimin. de *Jan* «Jean», sobriquet donné par les Hollandais aux Anglais de Nouvelle-Angleterre et de New York; ou altér. indienne de *English* «anglais», par l'interm. d'une forme amérindienne *Yeengeese, Yeengeeze.*

♦ **1.** Hist. (Souvent péj.). Habitant de la Nouvelle-Angleterre, puis, durant la Guerre de Sécession, nom donné aux Nordistes par les Sudistes.

♦ **2.** (Mil. XIXᵉ). Vieilli. Américain des États-Unis (par rapport aux habitants des autres pays d'Amérique). — Spécialt. Américain de souche anglo-saxonne.

Tel Américain possède un ou deux millions de revenu; aussi les Yankees de la grande société ne peuvent-ils déjà plus vivre comme Franklin : le vrai *gentleman,* dégoûté de son pays neuf, vient en Europe chercher du vieux (...)
CHATEAUBRIAND, Mémoires d'outre-tombe, I, VIII, XI.

Adj. (1864). Vieilli. Propre aux Américains des États-Unis. *Les capitaux yankees en Amérique du Sud. La société yankee.*

HOM. 2. Yankee.

2. YANKEE [jãki] n. m. — Attesté XXᵉ; de 1. *Yankee,* par métaphore.

♦ Mar. Grand foc de yacht à voiles, à point d'écoute relevé. *«C'est vite notre tour et, au vent de la flotte, sous yankee, trinquette et artimon, nous partons vers Copenhague»* (*Bateaux,* nº 100, p. 84).

HOM. 1. Yankee.

YAOULED [jauled] n. m. — D. i. (XXᵉ); de l'arabe dial. *là oulad* «viens, fils!».

♦ Jeune cireur de chaussures arabe. (S'est employé en français d'Afrique du Nord).

Tu as aussi, comme dans le Midi de la France, des terrasses de cafés, des joueurs de belote et des francs-maçons qui préparent interminablement les élections... mais aussi des yaouleds, vendeurs de cigarettes ou cireurs de chaussures.
Jean LARTÉGUY, les Centurions, p. 319.

Comme en arabe *uled,* ça veut dire «fils», aux p'tits cireurs : *là oulad* pour qu'viennent une p'tite boîte pleine de brosses, de chiffons et de cirage Lion Noir et c'est comme ça que le *yaouled* est né. Maintenant qu'on s'est emporté la patrie à la semelle des souliers, y brillent par leur absence, la vérité!
Roland BACRI, Trésors des racines pataouètes, p. 178.

YAOURT [jauʀt] ou **YOGOURT** [jɔguʀt] n. m. — 1906, *in Rev. gén. des sc.,* nº 7, p. 344 : «*du yoghourt (lait fermenté)...*»; *yaourth,* 1853, Gautier; turc *yōghurt; yogourt,* par le grec *giaourt,* 1932.

♦ Lait, de vache ou de brebis, caillé, non égoutté et fermenté, originaire d'Asie centrale, puis de Turquie et des Balkans. *Yaourt bulgare. Pot de yaourt. Yaourt aux fruits. Yaourt nature.*

Des étalages en plein vent de yaourth (lait caillé), de kaimak (...) dont les Turcs sont très friands. Th. GAUTIER, Constantinople, p. 24. [1]

Un matin, il rangeait des pots de yaourth, sorte de lait caillé d'une assez grande réputation, quoique sans orthographe bien sûre (...) M. AYMÉ, Maison basse, III. [2]

Après le yaourt, Roch se leva de table, prit le journal et alla s'allonger sur le lit, dans la chambre. J.-M. G. LE CLÉZIO, la Fièvre, p. 13. [3]

DÉR. Yaourtière.

YAOURTIÈRE [jauʀtjɛʀ] n. f. — Mil. XXᵉ; de *yaourt.*

♦ Appareil servant à confectionner les yaourts. *Yaourtière électrique.*

YAPOK [japɔk] n. m. — 1876, *in* P. Larousse; de *Oyapok,* nom d'une rivière qui sépare le Brésil de la Guyane française.

♦ Zool. Petit mammifère *(Marsupiaux),* scientifiquement appelé *chironectes minimus,* qui vit en Amérique centrale et méridionale.

YARD [jaʀd] n. m. — 1669, *in* Rey-Debove et Gagnon; mot angl., même sens.

★ **I.** Didact. Métrol. Mesure de longueur (0,914 mètre) employée en Angleterre, aux États-Unis (→ Marquer, cit. 15; 2. relais, cit. 3). *Yard carré* (angl. *square yard*) : unité de mesure de surface valant 0,836 m². — *Yard cube* (angl. *cubic yard*) : unité de mesure de volume valant 0,764 m³.

Franç. d'Afrique. Unité de mesure courante pour les tissus à pagnes dits *wax*.*

★ **II.** (De *Scotland Yard,* où *yard* «cour fermée» est un autre mot angl. — apparenté au lat. *hortus*). Absolt. *Le Yard :* Scotland Yard, la police criminelle anglaise.

C'est ça que le Yard pardonnait pas, les variations des habitudes!...
CÉLINE, Guignol's band, p. 131.

YASHIVA [jaʃiva] n. f. — Attesté mil. XXᵉ; mot hébreu.

♦ École rabbinique. «*"Halte à l'évacuation du Sinaï!"*. *Même slogan sur le toit de la yashiva du rabbin et sur le T-shirt de la jeune institutrice (...)*» (*l'Express,* 20 nov. 1981, p. 108). — Var. : *yeshiva* [jɛʃiva].

YASS [jas] n. m. — V. 1890; mot all. de Suisse.

♦ Régional (Suisse). Jeu de cartes d'origine hollandaise qui se joue avec trente-six cartes entre deux, trois, quatre joueurs ou plus.

Les parvenus du moment qui ont décidé de délaisser le yass pour le bridge, et le football pour la peinture et Mozart (...) Germain CLAVIEN, le Partage, p. 217.

REM. On écrit aussi *yasse, jass* ou *jasse.*

YASSA [jasa] n. m. — D. i.; du créole de Casamance *yassa* «frire» (I. F. A.).

♦ Franç. d'Afrique. Plat de poisson, de poulet ou de mouton préparé avec une sauce au jus de citron. — Cette sauce au citron. *Poulet au yassa.* — Appos. *Mouton, poulet yassa.*

YATAGAN [jatagã] n. m. — 1787; turc oriental *yataghan.*

♦ Sabre turc, à lame recourbée vers la pointe. ⇒ **Cimeterre.** *Aiguiser* (cit. 3) *son yatagan.*

Je n'oublierai jamais le spectacle qu'offrit cet Arabe farouche, tirant de sa ceinture son yatag(h)an destiné au meurtre d'un malheureux coq.
NERVAL, Voyage en Orient, Femmes du Caire, II, VII. [1]

Des figures anguleuses prenaient la place des objets, les arbres se retrouvaient yatagans, les maisons striées de rasoirs, les fleurs hérissements.
J.-M. G. LE CLÉZIO, le Déluge, p. 13. [2]

Var. archaïque : *ataghan* [atagã] (1829). — On trouve aussi la graphie *atagan* (Hugo, 1865).

YAWL [jol] n. m. — 1848, Jal, *in Dict. de marine;* mot anglais.

♦ Mar. Voilier à gréement aurique ou marconi, à deux mâts dont le plus petit est derrière la barre.

Jack *(pas Jacques)* vient nous chercher avec le yawl des Carqueira et nous allons retrouver Alec à Corfou. Pierre DANINOS, Un certain Monsieur Blot, p. 207.

YAYAMADOU [jajamadu] n. m. — xxᵉ ; de l'esp. *yaya*, mot d'orig. caraïbe.

♦ Bois de Guyane, d'un gris rosé.

Pour être complet il nous faut citer d'autres essences également employées, mais importées en quantités moindres, comme le (...) yayamadou (ou baboen) produit par la Guyane française.
J.-C. REGGIANI, Industries et Commerce du bois, p. 29.

Yb Symbole de l'*ytterbium*.

YDDISCH [jidiʃ] adj. ⇒ **Yiddisch.**

YEARLING [jœɐliŋ] n. m. — 1867, *in* Rey-Debove et Gagnon ; mot angl., «d'un an», de *year* «an».

♦ Cheval pur sang âgé d'un an.

1 L'existence du cheval de courses commence, pour beaucoup de pur-sang et les meilleurs des trotteurs, dans un haras plus ou moins réputé. Il y passe ses premiers mois sous l'appellation que lui ont donnée les Anglais : *foal*, c'est-à-dire poulain ou pouliche. Au 1ᵉʳ janvier suivant, il est qualifié de *yearling*, car tous les chevaux sont réputés prendre leur âge uniformément à ce moment précis. Vers la fin de cette année-là, il est présenté à la vente (...)
P. ARNOULT, les Courses de chevaux, p. 75.

2 Mais Étienne Balsan ne s'embarrassait pas de règles, et, ne jugeant les hommes qu'à leur poids de connaissances équestres, il n'est pas étonnant qu'il ait eu pour ami un Maurice Caillault aux modestes origines, moustachu sans élégance, mais si unique dans sa manière de juger des *yearlings*, qu'associé au comte de Pourtalès, il avait réussi à battre les plus illustres éleveurs sur leur propre terrain.
Edmonde CHARLES-ROUX, l'Irrégulière, p. 170.

YÈBLE [jɛbl] n. f. ⇒ **Hièble.**

YÉMÉNITE [jemenit] adj. et n. — 1877, Littré ; de *Yémen*.

♦ Du Yémen, État de la péninsule arabique. *La population yéménite. Les boutres et les sambouks* (cit.) *yéménites.* — N. *Un, une Yéménite.*

YEN [jɛn] n. m. — 1871 ; mot japonais.

♦ Unité monétaire du Japon (0,002468 g d'or fin). *Le cours du yen. Des yens.*

HOM. Hyène.

YEN-MIN-PIAO [jenminpjao] n. m. invar. — 1964, Larousse ; mot chinois.

♦ Unité monétaire de la République populaire de Chine (remplaçant le *yuan*). — Var. (graphie pinyin) : *jen min piao.*

YEOMAN [joman] n. m. — 1614 ; mot angl., probablt altér. de *young man* «jeune homme».

♦ **1.** Hist. Dans l'Angleterre médiévale, Propriétaire roturier jouissant de certains privilèges. — Par ext. Propriétaire terrien. — Au plur. *Des yeomen* [jomɛn].

♦ **2.** (1765, *Encyclopédie, yeman*). *Yeoman de la Garde :* vétéran de la Garde, en costume du xvᵉ siècle, qui paraît dans les cérémonies royales, en Angleterre.

DÉR. Yeomanry.

YEOMANRY [jomanɐi] n. f. — 1799, *in* Rey-Debove et Gagnon ; de *yeoman.*

Histoire.

♦ **1.** Classe sociale formée par les yeomen.

♦ **2.** (1872, Littré). Police montée créée à la fin du xviiiᵉ siècle et formée de yeomen.

YERKISH [jɛɐkiʃ] n. m. — V. 1970 ; du nom de R. *Yerkes*, zoologiste américain.

♦ Anglic. Didact. (zool.). Système de figures géométriques utilisé par les spécialistes du comportement animal pour communiquer avec les chimpanzés. «*La guenon Lana sait déjà s'exprimer en "yerkish", un langage comprenant neuf figures géométriques simples qui, combinées, forment des lexigrammes correspondant à des concepts différents*» (la Recherche, nov. 1975, p. 923).

YES-MAN [jesman] n. m. — 1930, P. Morand, *in* D.D.L. ; expression anglo-amér. ; de *yes* «oui», et *man* «homme».

♦ Anglic. Personnage qui approuve en toute circonstance la majorité ou ses supérieurs (en politique, dans les affaires). ⇒ **Béni-oui-oui.**

Je fais maintenant partie de ce qu'en haut lieu on nomme, à l'américaine, les yesmen ; c'est-à-dire que j'ai le droit d'approuver ce que dit le Président-Directeur général, au cours d'un comité (...)
Pierre DANINOS, Un certain Monsieur Blot, p. 170.

YETI [jeti] n. m. — V. 1960 ; mot tibétain.

♦ Humanoïde fabuleux, surnommé aussi «l'abominable homme des neiges», supposé vivre dans le massif himalayen. — Par ext. Grand singe anthropoïde. «*Tardivement, l'espèce humaine en prend conscience* (de la déforestation) *et maintenant qu'elle n'est plus directement menacée par ces king kong* (nom propre d'un gorille immense et mythique) *et yeti qui occupent encore tant de place dans les légendes et les films, décide de leur venir en aide*» (Sciences et Avenir, févr. 1980, p. 67).

Var. graphique : *yéti.*

YEUSE [jøz] n. f. — 1552, R. Estienne ; anc. provençal, *euse*, xivᵉ ; du lat. dial. **elex*, var. du lat. class. *ilex.*

♦ Bot. Chêne vert. — REM. La liaison et l'élision se font. *L'yeuse* (→ Végéter, cit. 2).

Vous, qui dormiez sous les yeuses,
Vous, que l'Église aux mains pieuses
Peint sur l'autel (...)
G. NOUVEAU, la Doctrine de l'Amour, «Humilité», Pl., p. 525.
La colline était couverte de grandes yeuses crépues, couleur de fer.
J. GIONO, le Chant du monde, III, I.

YEUX [jø] n. m. pl. ⇒ **Œil.**

YÉ-YÉ [jeje] n. et adj. invar. — 1962 ; d'un refrain de chanson, *yeah, yah*, altér. de *yes.*

♦ Vieilli. Nom donné, d'abord par moquerie, au début des années soixante, aux jeunes amateurs d'un style de musique, de chansons rythmées, venus des États-Unis, qui avaient pris l'habitude de se réunir entre «copains» pour danser et écouter leurs chanteurs favoris, et qui ont peu à peu constitué un public ayant ses journaux, ses «idoles», ses modes, etc. *Les yé-yé ont succédé aux zazous.*

Vous voulez faire danser Lucile de force ? Vous n'êtes pourtant pas un yé-yé, dit-elle, vous avez passé l'âge.
F. SAGAN, la Chamade, p. 138-139.

Adj. Se dit du genre de musique qu'aiment les yé-yé, et de tout ce qui les caractérise. *La chanson yé-yé. La mode yé-yé.*

Mais ce n'est pas ce genre de chanson que vous chantez, IDOLES. Vous hoquetez les chansons yé-yé. Vous les faites passer par l'intestin grêle, le côlon. Vous les ruminez, les salivez, les rotez, les vomissez (...)
P. GUTH, Lettre ouverte aux idoles, p. 10.

N. m. Le genre de musique aimé des yé-yé. «*La vague du yé-yé et du rock*» (l'Express, 15 juil. 1974, p. 40).

REM. On trouve aussi la var. graphique *yéyé.*

YIDDISH [jidiʃ] n. m. — 1907 ; *yudisch*, 1864 ; mot angl., de l'all. *Jüdisch* «Juif».

♦ Ensemble des parlers haut-allemands des communautés juives d'Europe orientale (et autrefois d'Allemagne). ⇒ **Judéo-allemand.** *Parler yiddish. Le yiddish s'écrit en caractères hébreux.* — REM. On écrit parfois *yddisch, yiddisch, yidich(e).*

— (...) Il regrettait Pologne et vrais Juifs de là-bas. Des fois, si je suis seule avec lui, il parlait yiddisch et il avait l'air plus doux, plus heureux.
M. AYMÉ, le Chemin des écoliers, IV.

Mais l'usage (d'écrire au moyen de l'hébreu diverses langues acquises) n'a subsisté que pour des groupements juifs déplacés et restés compacts et résistant à l'assimilation totale. Il s'agit d'une part du judéo-espagnol, surtout à Salonique, et du judéo-allemand ou yidich (surtout de Pologne et d'Ukraine), qui a une littérature développée.
Marcel COHEN, l'Écriture, La propagation des écritures, p. 74.

Adj. invar. Propre à cette langue ou à ses locuteurs. *La littérature yiddish, la culture yiddish.*

YIN [jin] n. m. — 1753, écrit *in* (Diderot, *Encyclopédie*, art. *Chinois*) ; mot chinois.

♦ Philos. L'un des deux principes fondamentaux de la philosophie taoïste chinoise (⇒ **Tao**), qui correspond approximativement à la notion de passivité. *Le yin correspond au principe femelle, au froid, à l'eau, à la terre.*

Le froid et le chaud sont étroitement unis ; c'est la femelle et le mâle. Ils ont engendré l'eau la première, et le feu après l'eau. L'eau appartient à l'*in*, le feu à l'*iang.*
DIDEROT, Encycl., art. *Chinois* (philosophie des Chinois).

Le Yin et le Yang ne peuvent être définis ni comme de pures entités logiques, ni comme de simples principes cosmogoniques. Ce ne sont ni des substances, ni des forces, ni des genres. Ils sont tout cela indistinctement pour la pensée commune, et aucun technicien ne les envisage jamais sous l'un de ces aspects à l'exclusion des autres. On ne les réalise pas plus qu'on ne les transcende ou qu'on ne cherche à en faire des abstractions. Dominée tout entière par l'idée d'efficacité, la pensée chinoise se meut dans un monde de symboles fait de *correspondances* et d'*oppositions* qu'il suffit, quand on veut agir ou comprendre, de faire jouer. On sait et on peut dès qu'on possède la double liste des emblèmes qui s'*attirent* ou se *contrarient.* La catégorie de sexe fait apparaître son efficace dans l'agencement des groupements humains. Elle s'impose donc comme principe d'une classification d'ensemble. Dès lors, la totalité des aspects contrastants qui constituent la société formée par les hommes et les choses, s'arrange en deux bandes affrontées d'appartenances masculines ou féminines. Symboles des *oppositions* et des *communions* sexuelles, le Yin et le Yang semblent conduire la joute concertante où ces aspects s'appellent et se répondent comme autant d'emblèmes et de signaux. Ils les suscitent par paires et forment eux-mêmes un Couple de Rubriques.

Marcel GRANET, la Pensée chinoise, p. 146.

YIPPY ou **YIPPIE** [jipi] (plur. **YIPPIES** [jipiz]) adj. et n. — 1972; mot anglo-amér. (v. 1968); de *hippie,* avec modification de l'initiale.

♦ Anglic. (rare, par rapport à *hippie*). Relatif à un mouvement protestataire et politisé (à la différence des mouvements hippies*), aux États-Unis. « *L'explosion de 1967-68 qui vit la naissance du mouvement yippy...* » (*le Nouvel Obs.,* 7 août 1972, p. 6). — N. « *Ceux qui, avec le "yippie" Jerry Rubin, soutiennent que "tout révolutionnaire doit posséder un appareil vidéo"* » (*l'Express,* 8 oct. 1973, p. 93).

YLANG-YLANG [ilãilã; ilãŋilãŋ] n. m. ⇒ **Ilang-ilang.**

-YLE, -YL- Élément, du grec *ulê* « matière », entrant dans la formation de nombreux termes chimiques (spécialt, de composés organiques) et indiquant la présence d'un radical (désigné par un autre élément de composition). Ex. : *acétyle, acrylique, alkyle, aryle, butyle, carboxyle, crésyl, éthyle, propyle, salicyle.*

YLEM [ilɛm] n. m. — Mil. xxᵉ; mot angl. d'orig. inconnue.

♦ Phys. Dans certaines théories cosmologiques, Mélange de particules (neutrons, protons, électrons) qui aurait précédé les atomes et les molécules.

YLIA [ilja] n. m. — 1846, Bescherelle; *ilin* ou *ilix,* 1839, Boiste; probablt du grec *ilus* « limon, sédiment ».

♦ Vx. Terre volcanique fertile, provenant de l'altération de certaines laves*.

YLURE [ilyʀ] n. m. — Mil. xxᵉ; du grec *ulê* « matière », et *-ure.*

♦ Chim. Composé organique dans lequel un atome de phosphore ou d'azote est uni à un radical bivalent par deux liaisons, dont l'une est semi-polaire.

YOD [jɔd] n. m. — 1842; *jod,* 1715, d'après Trévoux.

♦ **1.** Ling. Nom d'une consonne des alphabets phénicien et hébreu.

♦ **2.** (1906). Phonét. Semi-consonne fricative palatale [j], transcrite en français par *i (pied), y (ayant), ille (maille).*

DÉR. **Yodiser.**

YODISER [jɔdize] v. tr. — 1933; de *yod.*

♦ Phonét. (rare). Mouiller (un son) en le fondant avec un yod (on emploie aussi le dér. *yodisation,* n. f., 1933, Marouzeau).

YODLÉE [jɔdle] n. f., **YODLER** [jɔdle] v., **YODLEUR, EUSE** [jɔdlœʀ, øz] n. ⇒ **Jodlée, jodler, jodleur.**

YOGA [jɔga] n. m. — 1840, in D.D.L.; aussi *yogam,* 1875; sanscrit *yoga-,* d'abord « jonction ».

♦ Technique hindoue visant à obtenir, par des moyens ascétiques et psychiques, le contrôle des fonctions vitales, la parfaite maîtrise du corps et de l'esprit, et finalement l'unité avec l'essence même de la personne (⇒ **Yogi**). *Faire du yoga. Prendre des cours de yoga. Exercices de yoga. Postures de yoga.* ⇒ **Hatha-yoga.** *Yoga de la dévotion.* ⇒ **Bhakti-yoga**; et aussi **yogisme.**

Plusieurs amis et quelques livres m'apprirent que l'ascèse hindoue, la Yoga *(sic),* enseignait à diriger l'attention sur le corps. J'adaptai cette méthode à ma nature et à mes intentions particulières. Je dirigeai l'attention tour à tour sur le souffle, sur la circulation, sur les fonctions digestives, sur les données ou les souvenirs des muscles, des nerfs, des articulations.

Jean PRÉVOST, Plaisirs des sports, p. 10.

DÉR. **Yogique, yogisme.** — V. aussi **Yogi.**
COMP. V. **Bhakti-yoga, hatha-yoga.**

YOGHOURT [jɔgurt] n. m. ⇒ **Yaourt.**

YOGI [jɔgi] n. m. — 1575, *ioghi*; *jogue,* 1553; *cuigi,* 1298; rare jusqu'au xxᵉ; sanscrit *yogin-,* de *yuj-* « joindre » (→ Joug), proprt « qui est unifié ».

♦ Sage, ascète hindou qui pratique le yoga. *Des yogis* (→ Fakir, cit. 2).

Ne préjugeons pas que le yogi refrène avec fureur ses appétits vitaux, comme nos ascètes. Il n'aspire ni à la mort, ni au néant; il exacerbe frénétiquement l'énergie vitale en excluant la concupiscence (...) Qui donc en Occident vivrait sans nourriture pendant des semaines, accroissant sa vigueur au lieu de défaillir? Qui commanderait à son cœur comme à ses poumons, maîtrisant l'usage de ses muscles, qu'ils soient lisses ou striés? (...) Ces gens ne sont soutenus ou bernés par aucun dogme; leur savoir s'atteste par leur pouvoir.

P. MASSON-OURSEL, le Yoga, p. 10.

D'une façon générale celle-ci (*l'éducation*) consiste à maîtriser l'animalité et à exercer un contrôle sur les exigences du corps (...) ce que montrent par exemple les intéressantes recherches psycho-physiologiques faites récemment par des médecins qualifiés chez les Yogis de l'Inde. Elles ont montré en particulier à quelle maîtrise de la respiration pouvaient atteindre ces ascètes; les sujets entraînés atteignent des phases d'apnée extraordinairement longues qui coïncident avec l'état ultime de concentration mentale ou Samadhi. Ils parviennent à une maîtrise remarquable non seulement du système musculaire strié mais, ce qui semblait *a priori* inconcevable, à une maîtrise du système nerveux végétatif.

J. DELAY, la Psycho-physiologie humaine, p. 106.

Personnage contemplatif, mystique. *Le Yogi et le commissaire,* ouvrage de A. Koestler (1945).

REM. On trouve aussi la forme sanscrite (correcte) *yogin* [jɔgin], qui n'est utilisée que par les spécialistes. — On rencontre (rarement) le fém. *yogini* [jɔgini].

DÉR. **Yogique, yogisme.**

YOGIQUE [jɔgik] adj. — 1948, Mircea Éliade, in D.D.L.; de *yoga,* ou de l'angl. *yogic,* 1921, de *yoga.*

♦ Propre au yoga. *Exercices yogiques.*

YOGISME [jɔgism] n. m. — Mil. xxᵉ; de *yoga.*

♦ Pratique du yoga; ensemble des croyances et des attitudes qu'elle implique. ⇒ **Yoga.**

Les grandes écoles mystiques de l'Inde, de la Chine, de l'Islam ou de l'Occident ont toutes tendu vers la maîtrise physiologique, la soustraction au rythme par la contemplation et le contrôle de l'appareil viscéral. Le yogisme est la plus populaire de ces techniques de l'extraction, la recherche du contrôle rythmique y intéresse tous les organes, cœur compris, et l'ascète parfait s'insère dans un univers esthétique d'extase, tous organes apaisés, tous rythmes du temps et de l'espace extérieur abolis, antithèse qui, on le verra plus loin, n'est pas éloignée de celle qui conduit l'art figuratif vers le vide de figuration.

A. LEROI-GOURHAN, le Geste et la Parole, t. II, p. 101.

YOGOURT [jɔgurt] n. m. ⇒ **Yaourt.**

YOHIMBEHE [jɔimbee; jɔébee] n. m. — 1908, *in* D.D.L.; mot bantou.

♦ Bot. ou régional. Arbre du Cameroun (*Rubiacées-cinchonées*), de couleur violacée, dont le bois est employé dans les mines, en constructions navales. *La décoction de l'écorce de yohimbehe est utilisée comme tonique et aphrodisiaque dans la pharmacopée africaine traditionnelle.*

DÉR. **Yohimbine.**

YOHIMBINE [jɔébin] n. f. — 1904, in *Rev. gén. des sc.,* 30 sept., nº 18, p. 856; mot créé par Spiegel, de *yohimbehe.*

♦ Pharm. Alcaloïde extrait de l'écorce de yohimbehe. *Le chlorhydrate de yohimbine est utilisé comme anesthésique local en ophtalmologie.*

YOLE [jɔl] n. f. — 1702; néerl. *jol,* du mot danois-norvégien *jolle*; cf. angl. *yawl.*

Marine.

♦ **1.** Anciennt. Embarcation légère, non pontée.

♦ **2.** Vieilli. Canot de compétition, étroit et à clins, monté par 2, 4 ou 8 rameurs. *La yole fut utilisée en compétition de 1840 à la fin du XIXᵉ siècle.*

Sous le pont de Chatou il aperçut des yoles qui passaient enlevées à grands coups d'aviron par des canotiers aux bras nus (...) MAUPASSANT, M. Parent, II.
(...) c'était donc là qu'ils s'étaient donné un dernier rendez-vous. En effet, il revint, dans la yole de son navire; il revint pour trois heures lui faire ses adieux.

LOTI, Pêcheur d'Islande, V, II.

REM. On a dit et écrit *l'yole* (→ Mahonne, cit. Hugo).

YOM KIPPUR [jɔmkipur] n. m. — 1870, *Yom Kippourim,* P. Larousse, art. *Expiation*; mot hébreu « jour de l'expiation ».

♦ Relig. Fête juive de l'expiation, célébrée le 10 Tishri (octobre). *Le yom kippur est un jour de jeûne et de prière ininterrompue.*

(...) quand on veut, par exemple, une vraiment belle circoncision ou un beau yom kippur dans la famille, on va chercher un « Kéhen », un descendant d'Aaron, et on lui demande de bénir le peuple, ou lui offre un cadeau pour le premier né (...)

Roger IKOR, les Fils d'Avrom, Prologue, p. 23.

YORKSHIRE PUDDING [jɔʀkʃœʀpudiŋ] n. m. — 1933, P. Morand, *Londres*; mots anglais.

♦ Anglic. Préparation culinaire anglaise, pâte cuite dans du jus de rôti, qui se sert notamment avec le rôti de bœuf.

YORKSHIRE-TERRIER [jɔʀkʃœʀtɛʀje] n. m. — xxᵉ; mot anglais.

♦ Anglic. Petit chien d'agrément, le plus souvent toiletté de telle manière que ses très longs poils sont divisés par une raie et tombent de chaque côté du corps. — REM. On dit aussi *yorkshire*. « *Le yorkshire, si menu, si vif, si affectueux, commence à être, dans sa catégorie, trop joli pour la mode...* » (*Elle*, 2 janv. 1978, p. 16).

YORUBA [jɔʀuba] adj. et n. (invar. en genre). — D. i.; mot de cette langue.

♦ Ethnie africaine vivant au Nigéria, au Bénin et au Togo. « *Dans le Haut-Dahomey actuel, le royaume yoruba de Kétu fut détruit graduellement* » (Jean Ziegler, *Main basse sur l'Afrique*, p. 80).
N. m. Langue africaine du groupe kwa, parlée surtout au Nigéria. « *Le yoruba standard, véritable langue véhiculaire de tout le quart sud-ouest du pays* (Nigéria), *est plus particulièrement fondé sur les dialectes proches de la région d'Ibadan* » (G. Hérault, *les Langues kwa*, in *les Langues dans le monde...*, p. 142; C. N. R. S.).

YOUDE [jud] n. et adj. — V. 1940, *in* Cellard et Rey; all. *Jude* « Juif ». → Youtre.
Péjoratif.

♦ **1.** N. et adj. Juif (injure raciste). ⇒ **Youpin, youtre.** — REM. On trouve aussi la graphie *youd* (J. Joffo, *Un sac de billes*, p. 28).

♦ **2.** Adj. (péj. et diffamatoire). Avare, âpre au gain.

1 Tu vieillis, chou, tu deviens méfiant et un peu youde sur les bords; laisse-moi donc dépenser les sous du ménage comme ça me plaît.
A. SARRAZIN, la Cavale, p. 131.
REM. La forme *youdi* vient sans doute de l'arabe d'Afrique du Nord *yhūdi*, arabe classique *yăhūdīyy*.

2 (...) j'entends encore toutes tes paroles : « les salauds de youdis », « la racaille youpine ».
Joseph JOFFO, Un sac de billes, p. 262.
DÉR. V. Youpin.

YOUGOSLAVE [jugɔslav] n. et adj. — 1873; de *youg*, serbo-croate *jug* « sud », et de *slave*, s'est d'abord dit des Slaves du Sud.

♦ De Yougoslavie. *Républiques fédérales yougoslaves* (Slovénie, Croatie, Bosnie-Herzégovine, Monténégro, Macédoine). *Le dinar, monnaie yougoslave.* — N. *Un, une Yougoslave. Les Yougoslaves parlent le serbo-croate*.*

YOUP [jup] interj. — 1808, *in* D. D. L.; onomatopée.

♦ S'emploie pour accompagner un mouvement vif. *Allez, youp là, saute!*

Vas-y la poupée! qu'on t'aime!... Allez du balai!... Youp! là là!...
CÉLINE, Guignol's band, p. 110.

YOUPI [jupi] interj. — 1947, cit.; de *youp*, par infl. de l'amér. *whoopee*, de *whoop*, cri de joie.

♦ Cri d'enthousiasme, souvent accompagné d'un geste exubérant. *On a gagné, youpi!* « *Et puis pendant que vous y êtes, rajoutez les spectacles qui ne sont pas marqués, barrez ceux qui sont annulés, entourez ceux qui vous intéressent, chacun fait son petit calendrier, youpi!* » (*Actuel*, déc. 1974, p. 53).

— Maintenant, dilatez vos rates, numérotez vos boyaux (...) car voici (...) Julot et Picratt, les fameux cyclistes poivrots (...) et youpi! (...)
H.-G. CLOUZOT et J. FERRY, Quai des Orfèvres, 1947, (dialogues du film), *in* l'Avant-Scène, nᵒ 29, p. 11.

YOUPIN, INE [jupɛ̃, in] n. — 1890, Bruant; déformation argotique de *youdi*, arabe algérien *yahudi*.

♦ Péj. (Injure raciste, moins violente que *youtre**). Juif.

1 — Ne dis pas de mal des youpins, interrompit Simon qui sirotait son verre de fine. Ils te font vivre.   Francis CARCO, les Belles Manières, I, I.

2 — Ah, si j'étais à Paris, bon Dieu!... J'en tuerais... j'en brûlerais... j'en étriperais de ces maudits youpins!...
O. MIRBEAU, le Journal d'une femme de chambre, p. 129.

On trouve le dér. *youpinerie*, n. f. :

3 Au fond, ce qu'il faudrait, dit rêveusement Malinier, c'est que les Fridolins, ils épouillent d'abord la France, qu'ils suppriment les Juifs, les communistes, les maçons, les peintres cubistes, les financiers et certains, enfin quoi, toute la youpinerie et ses écuries.   M. AYMÉ, le Chemin des écoliers, p. 101.

YOURTE [juʀt] n. f. — 1818, *in* D. D. L.; *jurte*, 1765, *Encyclopédie*; *yourt*, X. Marmier, 1867; du russe *jorta*.

♦ Tente de peau des nomades de l'Asie centrale; hutte conique des Kirghizes, des Samoyèdes. — REM. On écrit aussi *iourte*.

Samdadchiemba, après une course longue et pénible, avait trouvé le chameau lié à côté d'une iourte.
É.-R. HUC, Souvenirs d'un voyage dans la Tartarie..., t. I, p. 321.

YOUTRE [jutʀ] n. et adj. — 1828, Vidocq; de l'all. dial. *Juder*, all. *Jude* « Juif » (→ Youde).

♦ Péj. (Injure raciste, encore plus violente aujourd'hui que *youpin*). Juif. ⇒ **Youde;** → aussi X, cit. 8.

1 (...) on le reçoit au salon chez les bons youtres, qu'il prend sincèrement pour la plus haute aristocratie, puisqu'ils ont l'argent.
Léon BLOY, le Désespéré, p. 199.

2 Si le mot « juif » était remplacé par le mot « youpin » la situation devenait plus délicate. En général, Simon laissait passer un peu de temps, puis glissait dans la conversation : « Moi qui suis d'origine juive... ». Remarque qui, immanquablement, attirait la réponse : « Oh mais je connais des Israélites trrrès bien! Tenez, justement... ». Quant au mot « youtre », il ne l'avait jamais entendu, mais l'eût certainement fort mal pris.
Roger IKOR, les Fils d'Avrom, « Les eaux mêlées », p. 478.

Var. graphiques (vieillies) : *ioutre*, cf. Daudet, *l'Immortel*, p. 232; *ïoutre*.

3 ... Et toute la maison (...) ïoutre! ïoutre! ïoutres, les domestiques! ïoutre, la femme! ïoutre, le moutard, ïoutre, mon ami! ïoutre!... tous, ïoutres!... pas moi, ïoutre...
Ed. et J. DE GONCOURT, Manette Salomon, p. 137.

1. YOUYOU [juju] n. m. — 1831; orig. incert., probablt d'un dialecte chinois.

♦ **1.** Vx. Embarcation chinoise.

♦ **2.** Mar., vieilli. Petit canot court et large utilisé pour le service du bord. — Var. graphique : *you-you.*

Quelques instants après, un de ces petits canots qu'on appelle you-yous et qui sont spécialement affectés au service des capitaines s'éloignait du navire.
HUGO, Quatre-vingt-treize, I, II, X.

HOM. 2. Youyou.

2. YOUYOU [juju] n. m. — D. i. (xxᵉ); transcrit *yiheyi*, 1885, É. Reclus, *in* D. D. L.; onomatopée.

♦ Exclamation de joie, cris aigus modulés et interrompus en plaçant et en enlevant la main devant la bouche (au Maghreb, dans le Sahel africain, au Sénégal...). « *Kedidja rejoint les femmes, qui saluent de youyous la fin de la conférence de presse* » (*l'Express*, 14 mai 1980, p. 131).

HOM. 1. Youyou.

YO-YO [jojo] n. m. — 1932, nom déposé; orig. incert., p.-ê. chinoise, le mot étant attesté aux Philippines.

♦ Jouet formé d'un disque épais de bois évidé par le milieu de la tranche, qu'on fait descendre et monter le long d'un fil enroulé autour de son axe. ⇒ **Émigrette** (vx). *Jouer au yo-yo.*

1 — Tu te rappelles l'époque du yo-yo?
— Parbleu!
— Tu revois ces grosses dames, ou même ces vieillards, qui au moment de traverser la rue, s'arrêtaient au bord du trottoir, et s'offraient quelques petits coups de leur yo-yo comme pour se donner des forces?... (...) Quand je repense à cette mode du yo-yo, c'était tout de même prodigieux, avoue! Comme accès de gâtisme collectif!
— Je crois que tu es injuste pour Bernard. Quant au yo-yo, était-ce du gâtisme, exactement? Peut-être pas... ou alors une simulation de gâtisme où il y avait souvent de la malice. Peut-être, qui sait, chez certains, une bouffonnerie de la désespérance. « Qu'avons-nous à faire de plus sérieux? » Moi je vois assez bien Hamlet jouant au yo-yo... avec justement, la même teinte d'exhibitionnisme...
J. ROMAINS, les Hommes de bonne volonté, t. XXVII, p. 89.

2 (...) Gide était fort habile au yo-yo : c'était le jeu à la mode et même il faisait fureur.   S. DE BEAUVOIR, la Force de l'âge, III.

Var. graphique : *yoyo.*

3 J'avance dans la rue l'air supérieur un yoyo d'ivoire pendu à la main droite j'en joue avec une habileté désinvolte je suis l'ultra-chic (...)
Tony DUVERT, Paysage de fantaisie, p. 170.

DÉR. Yoyoter.

YOYOTER [jojote; jɔjɔte] v. intr. — 1932, *in* D. D. L.; de *yo-yo*.

♦ **1.** Vieilli (le mot a été employé au moment de la vogue du yo-yo). Jouer au yo-yo.

♦ **2.** Fig., pop. (rare). Être fou. — Loc. *Yoyoter de la touffe* : être fou, dérangé. → Travailler* du chapeau. Var. *Yoyoter de la toiture.* — Var. graphique : *yoyotter.*

Tu es super chiatique, tonton, quand tu es amoureux. Tu ne touches plus une bille. Tu ne comprends plus rien. Tu yoyottes de la touffe. Tu ramènes tout à tes petites nénettes.   René FALLET, Y a-t-il un docteur dans la salle?, p. 119.

YPÉRITE [ipeʀit] n. f. — 1917 ; d'*Ypres*, ville belge, *Yper* en flamand, sur laquelle les Allemands envoyèrent pour la première fois ce gaz.

♦ Gaz asphyxiant, sulfure d'éthyle dichloré, utilisé comme gaz de combat, vésicant, qui détermine des accidents corrosifs de la peau et des muqueuses, et peut entraîner la mort (parfois appelé *gaz moutarde**).

— « L'ypérite ? » répéta M. Chasle, d'un air satisfait et connaisseur. « Parfaitement. Le gaz d'Ypres. Qu'on appelle aussi *moutarde...* »
MARTIN DU GARD, les Thibault, t. VIII, p. 216.

DÉR. **Ypérité.**

YPÉRITÉ, ÉE [ipeʀite] adj. — 1923 ; de *ypérite.*

♦ **1.** Soumis à l'action de l'ypérite. *Un gazé ypérité.* — N. *Les ypérités de la guerre de quatorze* (→ Antécédent, cit. 1).

♦ **2.** (Choses). Qui contient de l'ypérite.

Grâce aux diffuseurs d'huile ypéritée employés en Australie pour la destruction des rongeurs (...) BERNANOS, les Grands Cimetières sous la lune, p. 169.

YPONOMEUTE [iponɔmøt] n. m. ⇒ **Hyponomeute.**

YPRÉAU [ipʀeo] n. m. — 1611 ; *yppereau*, Godefroy, 1432 ; d'*Ypres*, ville belge où cet arbre est florissant.

♦ **1.** Orme à larges feuilles.

♦ **2.** Régional. Peuplier* blanc.

YSOPET [izɔpɛ] n. m. — xIIᵉ ; repris xIXᵉ ; du nom d'*Ésope*, le fabuliste.

♦ Hist. littér. Recueil de fables, au moyen âge. *Les ysopets de Marie de France.* — REM. On écrit aussi *isopet.*

YTTERBINE [itɛʀbin] n. f. — 1879, in *Année sc. et industr.* 1880, p. 148 ; de *ytterbium.*

♦ Chim. Oxyde d'ytterbium (Yb_2O_3). *Le scandium provient de l'ytterbine.*

YTTERBIUM [itɛʀbjɔm] n. m. — 1878 ; d'*Ytterby*, village de Suède où il fut découvert.

♦ Chim. Corps simple (symb. *Yb*) de la famille des terres* rares (poids at. 173,04 ; n° at. 70).

DÉR. **Ytterbine.**

YTTRIA [itʀija] n. m. — 1803 ; mot lat. sc. (1797), proprt « terre d'Ytterby ». → Ytterbium.

♦ Chim. Oxyde naturel d'yttrium.

DÉR. **Yttrialite, yttrium.**

YTTRIALITE [itʀijalit] n. f. — 1907 ; de *yttria.*

♦ Minér. Silicate naturel d'yttrium, de thorium.

YTTRIÉ, ÉE [itʀije] adj. — 1896 ; de *yttrium.*

♦ Sc., techn. Traité à l'yttrium ; qui contient de l'yttrium (ou un yttria). *« Lampes électriques incandescentes à fils "yttriés" (...) La présence dans leurs manchons (...) d'oxydes d'yttria* (sic, pour yttrium)*»*, in *l'Année sc. et industr.* 1897, p. 342 (1896).

YTTRIFÈRE [itʀifɛʀ] adj. — 1845 ; du rad. de *yttrium*, et *-fère.*

♦ Minér. Qui contient de l'yttrium.

YTTRIQUE [itʀik] adj. — 1831, in D.D.L. ; du rad. de *yttrium*, et *-ique.*

♦ Chim. Se dit des composés de l'yttrium.

YTTRIUM [itʀijɔm] n. m. — 1839, Boiste ; de *yttri(a)*, et suff. lat. *-um.*

♦ Chim. Corps simple (symb. *Y*), classé autrefois dans la famille des terres rares (poids at. 88,90 ; n° at. 39). *L'yttria, oxyde d'yttrium.*

DÉR. et COMP. **Yttrié, yttrifère, yttrique.**

YU [jy] n. m. — xxᵉ ; mot chinois.

♦ Didact. Ancienne mesure de capacité chinoise (env. 112 litres).

YUAN [jyãn] n. m. — D. i. ; mot chinois.

♦ Ancienne unité monétaire chinoise (remplacée en 1955 par le *yen-min-piao**). — REM. Le mot est encore employé pour désigner l'unité monétaire chinoise : *« la conversion de monnaie chinoise en francs n'a pas grande signification, dans la mesure où le yuan est sous-évalué »* (*l'Express*, 10 févr. 1979, p. 103) ; *« Un yuan = 100 "fens" ou 10 "maos" »* (*F Magazine*, févr. 1981, p. 14).

YUCCA [juka] n. m. — 1555 ; esp. *yuca*, mot d'Haïti.

♦ Plante monocotylédone *(Liliacées)*, à tige ligneuse, arborescente, dont la hampe florale porte une panicule de fleurs campanulées rosées ou blanches, originaire d'Amérique. *Le yucca est ornemental ; il peut fournir des fibres textiles.* — Plur. *Des yuccas.*

(...) les yuccas, dont le tronc grisâtre et guilloché, semblable à une colonne d'argent ciselé s'élève à vingt pieds, soutenant une touffe de longues feuilles à côtes qui se dessinent comme l'S gracieuse d'un vase antique, et dont les fruits, en forme de poires, sont rangés autour de la tige comme des cristaux de verre (...)
M. POUSSIELGUE, Quatre mois en Floride, in le Tour du monde, 1870, t. I, p. 365.

Z

Z [zɛd] n. m. — Lat. *z*, transcription du grec *z*, *zêta*, 6ᵉ lettre de l'alphabet.

★ **I. ♦ 1.** Vingtième consonne et vingt-sixième lettre de l'alphabet qui sert à noter la fricative dentale sonore [z], et, quelquefois, dans des noms d'emprunt, les sons [dz], [ts], [s]. *Z majuscule, z minuscule. Le z se prononce normalement* [z] *dans la plupart des mots français, en position initiale* (zinc, zone) *ou à l'intérieur du mot* (onzième, mazette). *En position finale, où il est quelquefois un fait d'orthographe moderne* (nez, riz), *mais le plus souvent une survivance de l'ancien français qui transcrivait par z* (prononcé en semi-occlusive) *le* [ts] *ou* [ds] *latin* (amatis : amez; pedes : piez), *il ne se prononce pas* (deuxième pers. du plur., assez, chez...), *sauf en liaison, ou dans la transcription de mots récents et d'origine étrangère* (gaz, fez...). *Le z se prononce en semi-occlusive* [dz, tz, ts] *dans certains emprunts* (zingaro). — REM. Le son [z] est très souvent noté en français par s* entre voyelles.

(...) la réduction de l'hiatus par le *z* ou le *t* (...) il faudra en (il faudra-t-en) passer par là : il n'y aura que lorsque cette réforme, cette révolution sera accomplie (sera-z-accomplie) (...) R. QUENEAU, *Bâtons, chiffres et lettres*, p. 19-20.

♦ 2. Loc. *De a à z, depuis a jusqu'à z :* d'un bout à l'autre, entièrement (→ Psychologie, cit. 5).

★ **II.** Sc. **♦ 1.** En algèbre, Symbole littéral désignant une troisième inconnue, ou une fonction des variables x et y. — En géométrie, La troisième coordonnée cartésienne. *L'axe des z.*

♦ 2. Symbole de l'ensemble des nombres entiers relatifs (entiers positifs et négatifs, et le nombre zéro).

♦ 3. Biol. « *Chromosome Z.* Chromosome sexuel qui existe en double exemplaire chez les mâles en cas d'hétérogamétie féminine. On a tendance à l'appeler aussi *chromosome X* » (Manuila et al., *Dict. de médecine et de biologie*).

♦ 4. Argot scol. *Le z d'une première supérieure.* ⇒ **Zèd.**
HOM. Zèd.

ZABRE [zɑbʀ] n. m. — 1842; lat. zool. *zabrus*, même sens; orig. incertaine.

♦ Zool. Insecte coléoptère *(Carabidés)*, parasite des céréales, qui s'attaque la nuit aux épis (la larve détruit le blé qui lève).

Z. A. C. [zak] n. f. — 1967; sigle.

♦ Zone* d'aménagement concerté. « *Le domaine de Montval (...) serait très prochainement transformé en ZAC. La ZAC (zone d'aménagement concerté) est une invention (...) qui permet à une municipalité de sous-traiter à un aménageur public ou privé la réalisation d'une opération d'ensemble* » (*l'Express*, août 1972, p. 28).

Z. A. D. [zad] n. f. — 1962; sigle.

♦ Zone* d'aménagement différé. « *Une municipalité peut placer un terrain à bâtir dans une zone d'aménagement différé (Zad), et la ville a pendant huit ans, un droit de préemption sur ce terrain au prix du jour où il a été "zadé"* » (*l'Express*, 12 févr. 1973, p. 35).
DÉR. Zader.

ZADER [zade] v. tr. — 1962; de *Z. A. D.*

♦ Soumettre un terrain (et son propriétaire) au régime des Z. A. D.*. « *On aurait pu "zader" cette zone pour contrôler les prix. On aurait pu faire acheter par la collectivité des terrains bien situés* » (*le Monde*, 28 avr. 1978, in P. Gilbert).
Au p. p. Transformé en Z. A. D. « *Cette partie de la ville nouvelle est zadée, les pouvoirs publics ont donc pris les moyens d'empêcher*

la spéculation foncière sur ces terrains » (*le Monde*, 9 déc. 1977, in P. Gilbert).

ZADRUGA [zadʀyga] n. f. — 1904, Larousse; mot serbe. Didactique.

♦ 1. Hist. Institution communautaire et patriarcale des Slaves du Sud, caractérisée par une propriété familiale indivise et par une exploitation collective des terres (correspond partiellement au *mir* russe).

♦ 2. Coopérative socialiste de production, en Yougoslavie.

ZAGAIE [zagɛ] n. f. ⇒ **Sagaie.**

ZAÏBATSU [zajbatsu] n. m. — Mil. xxᵉ; mot japonais.

♦ Écon. Grande entreprise (trust ou holding), au Japon.

ZAÏMPH [zaimf] n. m. — 1863, Flaubert, *Salammbô;* mot carthaginois.

♦ Didact. Voile sacré de la déesse Tanit, à Carthage.

ZAIN [zɛ̃] adj. m. — 1575; ital. et esp. *zaino*, mot arabe mal identifié.

♦ Didact. Se dit d'un cheval dont la robe, toute d'une couleur, n'a aucun poil blanc. — Par anal. *Chien zain.*

ZAÏRE [zaiʀ] n. m. — Après 1971; du nom du *Zaïre*.

♦ Unité monétaire du Zaïre, valant cent *makuta.*
Franç. d'Afrique (Côte-d'Ivoire, Mali, Niger). Fam. *Je n'ai plus un zaïre !,* plus un sou (I. F. A.).

ZAÏROIS, OISE [zaiʀwa, waz] adj. et n. — Après 1971; de *Zaïre*, nom pris par l'ancien Congo belge en déc. 1971.

♦ Du Zaïre. *L'économie zaïroise.* — N. *Les Zaïrois.* — N. f. *La Zaïroise :* hymne national du Zaïre.
REM. On trouve en français du Zaïre les dérivés *zaïrianiser*, v. tr., *zaïrianisation*, n. f. ⇒ **Africaniser.**

ZAKOUSKI [zakuski] n. m. pl. — 1887, N. Hardouin, *De Paris à Moscou;* mot russe.

♦ Hors-d'œuvre variés russes ou polonais (légumes, poissons, etc.).

Moravagine se signa longuement devant les icônes. Puis, il s'empara d'une assiettée de zakouskis et but une grande tasse d'alcool, retourna devant les icônes (...) B. CENDRARS, *Moravagine*, 1926, in Œ. compl., t. IV, p. 165. [1]

REM. On relève les variantes anciennes *zacusca* et *zakouska*, n. f. :

Il est d'usage dans le Nord de faire précéder le repas principal par un petit repas qui se sert dans le salon, un quart d'heure avant qu'on se mette à table; ce préliminaire, espèce de déjeuner qui touche au dîner, est destiné à aiguiser l'appétit, et s'appelle en russe, si mon oreille ne m'a pas trompé : zacusca. Des domestiques apportent sur des plateaux des petites assiettes couvertes de caviar frais et tel qu'on n'en mange qu'en ce pays, de poisson fumé, de fromage, de viande salée, de biscuits de mer et d'autres pâtisseries, sucrées et non sucrées; on sert aussi des liqueurs amères, du vermout, de l'eau de vie de France, du porter de Londres, du vin de Hongrie et de l'or portable (sic) de Dantzick, et l'on mange et l'on boit tout cela debout en se promenant. [2]
Marquis de CUSTINE, la Russie en 1839, lettre 31ᵉ, 1843, t. VII, p. 30-31, in D. D. L., II, 16.

ZAMBIEN, IENNE [zɑ̃bjɛ̃, jɛn] adj. et n. — Après 1964; de *Zambie*.

♦ De Zambie. « *La capitale zambienne* » (*L'Express*, 11 août 1980, p. 56). — N. *Une Zambienne, des Zambiens.*

ZAMENIS [zamenis] n. m. — 1877, Littré, *Suppl.; zamène*, 1876; lat. zool. *zamenis*, du grec *zamenês* «violent».

♦ Zool. Grande couleuvre non venimeuse, verte et jaune, à comportement agressif (d'où son nom), commune dans les rocailles et les broussailles.

ZAMIA [zamja] ou **ZAMIER** [zamje] n. m. — 1777, *Encyclopédie, zamia; zamier*, 1923; var. *zamie*, n. f., 1819; lat. bot., déformation du lat. *azaniae nuces* (Pline) «pommes de pin desséchées», du lat. *nux, nucis* «noix», et grec *azanein* «dessécher».

♦ Bot. Plante phanérogame gymnosperme *(Cycadées),* arbre des régions équatoriales, dont les feuilles ressemblent à celles des palmiers. *La moelle des zamiers fournit une farine alimentaire appelée sagou, comme celle des palmiers.*

ZAMORIN [zamɔrɛ̃] n. m. — 1842, Hugo; mot portugais.

♦ Hist. Souverain de Calicut, aux Indes.

ZANCLE [zɑ̃kl] n. m. — 1874; du grec *zagklon* «faucille», par anal. de forme.

♦ Zool. Poisson acanthoptérygien *(Squamipennes)* des mers océaniennes, au tronc extrêmement aplati, à la tête effilée, communément appelé *tranchoir.*

ZANNI [dzani; tsanni] n. m. — 1550; mot vénitien, même sens, de l'ital. *Giovanni* «Jean».

♦ Hist. du théâtre. Bouffon des comédies vénitiennes. — On écrit parfois *zani.*

ZANZI [zɑ̃zi] n. m. — xxᵉ; abrév. de *Zanzibar.*

♦ Zanzibar (jeu de dés).

(...) les collègues qui (...) faisaient chez le bistro maintes manilles et quantités de zanzis.　Francis JOURDAIN, Sans remords ni rancune, p. 103.

ZANZIBAR [zɑ̃zibaʀ] n. m. — 1884; nom d'un port et d'une île d'Afrique orientale; rapport inexpliqué.

♦ Vieilli (on dit plutôt *zanzi**). Variété de jeu de dés, qui se joue ordinairement à trois dés. *Une partie de zanzibar* (→ Proposer, cit. 3).

(...) un ignoble bouge, une petite salle avec des tables et des bancs de bois, un comptoir en zinc, un jeu de zanzibar (...)　HUYSMANS, Là-bas, XIX.

ZAOUIA [zauja] n. f. — 1860; arabe *zāwïyäh* «angle, coin; cellule d'un reclus; monastère».

♦ Établissement religieux sous l'autorité d'une confrérie musulmane, spécialement affecté à l'enseignement. — Plur. *Des zaouias.*

On nomme «zaouia» une petite mosquée unie à une koubba (tombeau d'un marabout), et comprenant aussi parfois une école et un cours de haut enseignement pour les musulmans lettrés.　MAUPASSANT, la Vie errante, «D'Alger à Tunis».

ZAPATÉADO [tsapateado; sapateado] n. m. — 1845, Gautier; mot esp., de *zapato* «soulier».

♦ Danse espagnole sur un rythme à trois temps, exécutée sans accompagnement musical et scandée par les talons du danseur.

ZAPATERO [tsapateʀo; sapateʀo] n. m. — 1876, *in* P. Larousse; mot esp. d'Amérique du Sud.

♦ Techn., comm. Bois très dur du Vénézuela, du Brésil, de teinte claire, utilisé en tabletterie, en placage.

1. ZARZUELA [tsaʀtswela; saʀswela] n. f. — 1870; mot esp., du nom de la résidence royale et du théâtre de la *Zarzuela*, où ce genre théâtral aurait pris naissance.

♦ Hispanisme. Petit drame lyrique espagnol, où la déclamation alterne avec le chant.

2. ZARZUELA [tsaʀtswela; saʀswela] n. f. — Mil. xxᵉ; mot espagnol.

♦ Hispanisme. Plat espagnol, composé de poissons, de crustacés (langoustines) et de calamars frits à l'huile, assaisonnés d'ail, de safran, de persil.

ZAZOU [zazu] n. — 1941; «joli garçon», 1937; onomat., p.-ê. d'après les onomat. en *a* et *ou* de certains chants en jazz.

♦ Nom donné, pendant la Seconde Guerre mondiale et dans les années qui suivirent, à des jeunes gens qui se signalaient par leur passion pour le jazz américain (⇒ **Swing**) et leur élégance tapageuse.

Une certaine jeunesse marquait son dégoût de «la Révolution nationale» d'une façon plus saugrenue, mais qui exaspérait les tenants de l'ordre moral; cheveux longs à la mode d'Oxford, toupets frisés, un parapluie au bras, les zazous donnaient des «parties» où ils se grisaient de musique «swing» (...)　S. DE BEAUVOIR, la Force de l'âge, p. 528.

Par ses soucis vestimentaires, qui d'ailleurs se sont en partie imposés, et par son goût pour le jazz, importé en France depuis vingt ans sans s'y être vraiment diffusé, le zazou réagissait avec vigueur contre l'écrasement qui le menaçait; réactions bizarres peut-être, pas très raisonnées, presque instinctives, mais efficaces. C'est par lui et grâce à lui que le reste de la jeunesse a pris conscience d'elle-même et pu se rendre compte de ses possibilités.　R. QUENEAU, Bâtons, chiffres et lettres, p. 152.

Fém. (rare et par plais.). **ZAZOUTE.** «*Les petits zazous et les petites zazoutes*» (B. Vian, *Vercoquin*, p. 163).

Adj. *La jeunesse zazou* (ou *zazoue*). *Tenue zazoue.* «*Une France swing dans une Europe zazoue*» (→ 2. Swing, cit. 3, Lanoux).

ZEB [zɛb] ou **ZÉBI** [zebi] n. m. — V. 1870; arabe maghrébin *zébbī* «membre viril, phallus», proprt «mon pénis». → Zob.

♦ 1. Pop. **ZÉBI** ou (plus souvent) **ZEB** : pénis. ⇒ **Zob.**

Exclam. (pour exprimer le doute, la dérision). *Zeb!. Mon zeb!* (→ Mon cul!).

Le chauffeur de taxi Jules Pasderas (...) résumait deux fois par jour la situation d'une manière peut-être grossière, mais toute la population d'Alger partageait à cette époque son point de vue : L'expédition d'Égypte?... mon zeb.　Jean LARTÉGUY, les Centurions, p. 347.

♦ 2. Loc. fam. *Peau* de zébi* : rien du tout.

ZÉBRÂNE [zebʀan] n. m. — 1975, *in Sciences et Avenir*; de *zèbre*, et *âne.*

♦ Didact. Hybride du zèbre et de l'âne. ⇒ **Zébrule.**

ZÈBRE [zɛbʀ] n. m. — 1610; esp. et port. *zebro, zebra* «âne sauvage» (xiiᵉ), d'orig. incert.; à l'origine, nom d'un équidé sauvage de la péninsule ibérique, appliqué ensuite à l'animal d'Afrique.

♦ 1. Équidé d'Afrique à la robe blanche rayée de bandes noires ou brunes, à la courte crinière en brosse, au galop très rapide.

On trouve (...) au royaume de Congo, un animal que ces peuples appellent *zèbre* (...) la disposition de son poil est merveilleuse, car, depuis l'épine du dos jusqu'au ventre, il y a des lignes de trois couleurs, savoir : blanches, noires et jaunes, le tout étant disposé avec une juste proportion, et chaque bande étant de la largeur de trois doigts (...) ils sont très sauvages et vites *(sic)* tout ce qui se peut (...)　Voyage de Fr. DRACK, 1641, cité par BUFFON, Hist. nat. des animaux, «Le zèbre».

Loc. *Courir, filer comme un zèbre*, très vite.

♦ 2. (1895). Fig., fam. Individu bizarre. *Un drôle de zèbre.* ⇒ **Coco.** *Qu'est-ce que c'est que ce zèbre?* ⇒ **Type** (→ Palotin, cit.).

Depuis cet incident et quelques autres moins reluisants, on surnommait cette équipe «les zèbres à Soubé». Et comme le commandant lui envoyait une bonne part des irréductibles que le régiment incorporait naturellement au premier bataillon, à cause de l'antipathie que le colonel Rozet portait à son subordonné, «les zèbres à Soubé» avaient fini par ressembler à une troupe de bandits!　A. LANOUX, le Commandant Watrin, p. 51.

DÉR. Zébré, zébrer, zébrule.
COMP. Zébrâne.

ZÉBRÉ, ÉE [zebʀe] adj. — 1807, *Journal des Gourmands*; de *zèbre.*

♦ Rare. Marqué de bandes rappelant celles du zèbre. *Une robe zébrée.*

ZÉBRER [zebʀe] v. tr. — 1831; *zébré, ée*, p. p., v. 1865; de *zèbre.*

♦ 1. Marquer de raies qui rappellent celles de la robe du zèbre.

(...) mon œil curieux a voulu embrasser l'avenue où le soleil ne pénètre qu'à son lever ou à son coucher, en la zébrant de ses rayons obliques (...)　BALZAC, les Paysans, Pl., t. VIII, p. 14.

♦ 2. (1844). Rayer, hachurer (→ Badigeon, cit. 2; dompteur, cit.).

Je me précipite sur elle. Je la renverse. Je l'étrangle. Elle se débat, me zèbre la face de coups de cravache.　B. CENDRARS, Moravagine, Œ. compl., t. IV, p. 89.

▶ **ZÉBRÉ, ÉE** p. p. adj.

Zébré de..., par... : découpé en bandes alternativement claires et sombres par...

La voiture emporte au grand trot, dans une allée zébrée d'ombre et de lumière, les beautés couchées comme dans une nacelle (...)　BAUDELAIRE, Curiosités esthétiques, XVI, XIII.

La demeure basse apparaissait bâtie au milieu des arbres, peinte en rose, zébrée, hachée, coupée en petits morceaux par les branches et les feuilles des oliviers dont était planté le champ sans clôture où elle semblait poussée comme un champignon de Provence.　MAUPASSANT, le Champ d'oliviers, 1890, Pl., t. II, p. 1185.

Adj. ⇒ **Zébré**.
DÉR. **Zébrure**.

ZÉBRULE [zebʀyl] n. m. — Mil. xxᵉ (in Larousse 1964); de *zèbre*.

♦ Zool. Hybride du zèbre et du cheval. ⇒ **Zébrâne**.

ZÉBRURE [zebʀyʀ] n. f. — 1845; de *zébrer*.

♦ **1.** Rayure sur le pelage (d'un animal).

♦ **2.** (1871). Marque allongée, raie sur une surface. ⇒ **Strie, traînée** (→ Noir, cit. 9; 2. raie, cit. 1).

1 Aussi, quel bon feu flambait incessamment dans les cheminées de Granite-house, dont les fumées tachaient de longues zébrures noires la muraille de granit!
J. VERNE, l'Île mystérieuse, 1874, t. II, p. 777.

2 Devant eux, à l'extrémité sud de la ville, l'horizon était obscurci de zébrures noires, de nuages ocres que versaient vers le ciel les fonderies.
M. DURAS, Moderato cantabile, p. 50.

ZÉBU [zeby] n. m. — 1752, Buffon, «On le montrait à la foire à Paris en 1752 sous le nom de *zébu* : nous avons adopté ce nom»; p.-ê. du tibétain *zeu, zeba* «bosse du zébu, du chameau».

♦ Grand bovidé domestique de l'Inde (répandu ensuite en Afrique et à Madagascar), caractérisé par une bosse graisseuse sur le garrot. ⇒ **Bœuf** (bœuf à bosse) (→ Gland, cit. 4; prestigieux, cit. 1). *Les zébus sont élevés dans plusieurs pays tropicaux pour fournir de la viande de boucherie.*

Quelques éléphants, des zébus à grosse bosse venaient se baigner dans les eaux du fleuve sacré, et aussi, malgré la saison avancée et la température déjà froide, des bandes d'Indous des deux sexes, qui accomplissaient pieusement leurs saintes ablutions.
J. VERNE, le Tour du monde en 80 jours, 1873, p. 113.

ZÈD [zɛd] n. m. — 1908, in Esnault; nom de la lettre *Z*, initiale de *zident*, apocope de *président*, selon Esnault.

♦ Argot des écoles. Élève (dans une classe supérieure de lycée : taupe ou khâgne) élu par ses camarades pour assurer les relations avec les professeurs, l'administration. — On écrit aussi *Z*.

HOM. Z.

ZÉDOAIRE [zedɔɛʀ] n. f. — 1611; *zedoar*, v. 1560; *ecidoiare*, 1256; lat. médiéval *zedoarium*, xiiiᵉ; de l'arabe *zidwār*, même sens, qui avait donné directement en anc. franç. *chitoual, citouar*, même sens.

♦ Bot., pharm. Rhizome du zérumbet* (*Zingibéracées*), originaire de l'Inde, de couleur grise, à odeur de gingembre et saveur de camphre, vendu en rondelles ou en morceaux. *La zédoaire officinale est stimulante et aromatique; elle entre dans la composition du baume de Fioravanti et de l'élixir de longue vie.*

DÉR. **Zédoarine**.

ZÉDOARINE [zedɔaʀin] n. f. — 1872; du rad. de *zédoaire*.

♦ Chim. Matière amère extraite de la zédoaire.

ZÉE [ze] n. m. — 1808; lat. *zæus* ou *zeus*, Pline.

♦ Zool. Poisson acanthoptérygien (*Scombridés*), scientifiquement appelé *zeus faber*, et communément *saint-pierre*.

ZÉEN [zeɛ̃] n. m. — 1872, Littré; de l'arabe *zān*.

♦ Bot. Chêne d'Afrique du Nord, voisin du rouvre*. — Bois de cet arbre.

ZÈF ou **ZÈPH** [zɛf] n. m. — 1878, in Esnault; de *zéphyr*.

♦ Argot. Vent. — On écrit aussi *zef, zeph*.

(...) je rêve, le soir, lorsque les sommets des platanes, courbés par le zeph, semblent à portée de barreau (...)
A. SARRAZIN, la Cavale, p. 62.

ZÉLANDAIS, AISE [zelɑ̃dɛ, ɛz] adj. et n. — 1705, *Zelandois*, adj.; n., 1663; de *Zélande*.

♦ De la Zélande, province des Pays-Bas.

ZELANTI [zelɑ̃ti] n. m. pl. — Av. 1679, Retz; mot ital., plur. de *zelante*, de *zelare* «agir avec zèle», du bas lat. *zelare*. → Zélateur.

♦ Hist. Cardinaux et prélats qui défendaient de manière intransigeante les prérogatives du Saint-Siège (xviiᵉ-xixᵉ siècles). — Adj. *«Les cardinaux zelanti»* (Stendhal, in G. L. L. F.).

ZÉLATEUR, TRICE [zelatœʀ, tʀis] n. — 1398; lat. ecclés. *zelator, -oris* «envieux», du bas lat. *zelus*. → Zèle.

♦ **1.** N. m. (1743). Vx. Dans certaines communautés religieuses, Maître des novices.

1 Ils riaient avec le père Émonot, leur sous-maître, le père zélateur, comme on le nomme.
HUYSMANS, l'Oblat, III.

♦ **2.** Littér. Partisan ou défenseur zélé (d'une cause, d'une personne). ⇒ **Adepte**.

2 Il participait parfois à des spectacles que son ami M. Jeannot — grand zélateur du théâtre chrétien — organisait dans les patronages de banlieue (...)
S. DE BEAUVOIR, Mémoires d'une jeune fille rangée, II, p. 109.

(1904). Spécialt. Dans des associations pieuses, Personne chargée de stimuler le zèle des adhérents.

3 Ce prêtre, fraîchement sorti du grand séminaire d'Ottawa, avait pour lui intelligence, dynamisme, foi et jeunesse. Son seul défaut : il était zélateur, et avec combien d'intensité (...) Illuminé par sa nouvelle charge ecclésiastique, sans doute aussi par une mission divine, il cherchait visiblement à sortir un enfant de l'ignorance et sauver une âme en péril.
Jean-Paul FILION, le Premier Côté du monde, 1976, p. 272.

ZÈLE [zɛl] n. m. — 1512; *zel*, attestation isolée, xiiiᵉ; bas lat. *zelus* «jalousie; ardeur»; grec *zêlos* «ardeur, émulation, jalousie».

♦ **1.** Littér. ou vieilli. Vive ardeur (cit. 44) à servir la cause de Dieu et de la religion. ⇒ **Dévotion, ferveur, foi** (→ Austère, cit. 3; éclat, cit. 33; pente, cit. 5; prude, cit. 1; prudent, cit. 3). *Faux zèle, zèle contrefait* (→ 1. Enceinte, cit. 3; hypocrite, cit. 9). *Excès de zèle.* ⇒ **Fanatisme** (→ Obligatoire, cit.). *Manque de zèle* (→ Direction, cit. 3). *Réchauffer* (cit. 8), *refroidir, éprouver* (cit. 5) *le zèle de qqn. Zèle de prosélyte* (cit. 2), *d'apôtre, de néophyte, de missionnaire* (→ Recruter, cit. 2). *Zèle charitable* (→ Feindre, cit. 2). *Le zèle de la religion* (→ Cabaler, cit. 2), *du salut des hommes* (→ Meurtrier, cit. 11).

1 Il est certain qu'en ces premiers temps que notre religion commença de gagner autorité avec les lois, le zèle en arma plusieurs contre toute sorte de livres païens, de quoi les gens de lettres souffrent une merveilleuse perte.
MONTAIGNE, Essais, II, XIX.

2 Le curé d'Azai (...) est un jeune homme, bouillant de zèle, à peine sorti du séminaire, conscrit de l'église militante, impatient de se distinguer. Dès son installation, il attaqua la danse (...)
P.-L. COURIER, Pamphlets politiques, «Pétition pour des villageois...».

♦ **2.** (xviᵉ). Cour. Vive ardeur à servir une personne ou une cause à laquelle on est sincèrement dévoué. ⇒ **Dévouement, empressement**. *Une application, une attention pleine de zèle. Zèle d'un serviteur* (→ aussi Attacher, cit. 102; 1. avoir, cit. 87; libéralité, cit. 4; supplanter, cit. 1). *Stimuler* (cit. 1) *le zèle. Zèle maladroit* (→ Imperméable, cit. 2), *intempestif* (cit. 3). *Chacun avance* (cit. 36) *selon son zèle. Zèle d'un employé, d'un fonctionnaire* (→ Exalter, cit. 5; ligne, cit. 32). *Rivaliser de zèle.* ⇒ **Émulation**. *Récompensés* (cit. 2) *de leur zèle* (→ aussi 1. Masser, cit. 3). *Travailler avec zèle.* ⇒ **Cœur, courage, enthousiasme, flamme**; → Honneur (se piquer d'), peine (ne pas plaindre sa). *Zèle pour...* (→ Équité, cit. 9; fusion, cit. 8). — Vieilli ou littér. *Zèle de (qqch. ou qqn)* : intérêt passionné manifesté pour (qqch. ou qqn). → Exagérer, cit. 11; humanisme, cit. 1; patrie, cit. 3; propagandiste, cit. 1.

3 Il faut que tout prince préfère
Le zèle de l'État à certain mouvement
Qu'on appelle communément
Amour-propre (...)
LA FONTAINE, Fables, XI, 5.

4 Je ne me contentais pas de bien faire ce qu'il me commandait, j'exécutais ses ordres avec des démonstrations de zèle qui le ravissaient.
A.-R. LESAGE, Gil Blas, XI, VIII.

5 (...) un soir j'entendis un diplomate spirituel, à qui l'on demandait s'il se rendait bientôt à son poste, répondre qu'il ne se pressait pas, qu'il attendait : «J'étais bien jeune encore, ajouta-t-il, quand M. de Talleyrand m'a dit, comme instruction essentielle de conduite : N'ayez pas de zèle !»
SAINTE-BEUVE, Portraits de femmes, Mᵐᵉ de Staël, II.

LOC. COUR. **FAIRE DU ZÈLE** : faire des excès de zèle, ou montrer un zèle inhabituel dans l'accomplissement d'une tâche (→ Qui-vive, cit. 4).

GRÈVE DU ZÈLE : application méticuleuse de toutes les consignes de travail, en vue de bloquer toute activité. *Faire la grève du zèle.*

♦ **3.** Vx (déjà archaïque à la fin du xviiᵉ). Empressement fervent de l'amoureux; amitié chaleureuse et dévouée. ⇒ **Chaleur** (→ Attacher, cit. 12; éloge, cit. 2).

6 S'il faut qu'une attente éternelle
Pousse à bout l'ardeur de mon zèle,
Le trépas sera mon recours.
MOLIÈRE, le Misanthrope, I, 2.

CONTR. **Froideur, indifférence, laisser-aller, négligence, nonchalance, tiédeur**.
DÉR. **Zélé**.

ZÉLÉ, ÉE [zele] adj. et n. — 1521; de *zèle*.

★ **I.** Adj. ♦ **1.** Littér. ou vieilli. Qui est plein de zèle (1.) pour la religion (→ Guèbre, cit. 1; instruction, cit. 3; ordre, cit. 43; rêver, cit. 35).

♦ **2.** Qui a du zèle (2.) pour une personne ou une cause. ⇒ **Agissant, assidu, attentif, chaleureux, chaud, courageux, dévoué, diligent** (→ Exact, cit. 3; plus, cit. 1).

★ **II.** N. (1665). Vx. *Un zélé, une zélée* (→ Cause, cit. 54; éternuer, cit. 2). — (1705). *Faux zélé :* hypocrite, faux dévôt.

CONTR. Nonchalant; indifférent, froid.

ZELLIGE [zeliʒ] n. m. — 1919, Tharaud; mot arabe.

♦ Art musulman (Maroc). Petit morceau de brique émaillée servant à la décoration (→ Plafond, cit. 2).

Entrelacs, rinceaux, nids d'abeilles (...) tableaux de plâtre ajouré, stalactites, sceaux de Salomon, araignées du Prophète, étoiles et soleils de zelliges, tous les motifs habituels de la décoration moresque se retrouvent ici (...)
Jérôme et Jean THARAUD, Marrakech..., VI.

ZÉLOTE [zelɔt] n. — 1606; grec *zêlotês,* proprt «zélateur», de *zêlos* «ardeur, zèle».
Didactique.

♦ **1.** Hist. Patriote juif, membre d'une faction qui défendait la loi juive et l'indépendance nationale en prônant, contrairement aux pharisiens, l'action violente (1er siècle après J.-C.). → Sicaire, cit.

♦ **2.** (1864). Par ext. Personne animée d'un zèle quasi fanatique.

Je reçois la visite d'un jeune communiste de 26 ans (...) il m'apporte un article (...) Il y a de l'intérêt du parti que cet article soit pris (...) Le jeune X jouait assez bien ce rôle de zélote, somme toute assez facile comme tous les rôles de personnages « entiers ». GIDE, Journal, 25 mai 1933.

DÉR. Zélotisme.

ZÉLOTISME [zelɔtism] n. m. — 1872; de *zélote.*

♦ Rare. Comportement des zélotes. — Par ext. Excès de zèle religieux.

ZEMSTVO [zɛmstvo] n. m. — 1890, P. Larousse, *Deuxième Suppl.;* mot russe, de *zemlia* «terre».

♦ Hist. Assemblée provinciale élue par trois collèges (nobles, citadins, paysans) en Russie, à partir d'Alexandre II et jusqu'à la Révolution de 1917.

ZEM-ZEM [zɛmzɛm] — D. i.; mot arabe, désignant initialement un puits de la Mecque, dont l'eau est considérée comme bénéfique.

♦ Franç. d'Afrique (pays islamisés). Eau sainte rapportée de la Mecque par les pèlerins (*in* I. F. A.).

ZEN [zɛn] n. m. et adj. — 1895, Encycl. Berthelot, art. *Japon;* du chinois *chan,* du sanskrit *dhyâna-* «méditation».

♦ Forme du bouddhisme au Japon (venue de Chine au XIIIe siècle), où la méditation prend la première place, et qui, recherchant la beauté, a beaucoup contribué au développement des arts japonais.

1   À la fin du XIIe siècle, l'introduction d'une nouvelle secte, celle du zen (chinois : tch'an; sanskrit : dhyâna) modifia la pensée japonaise et influença la culture.
Jeannine AUBOYER, les Arts d'Extrême-Orient, p. 97.

2   Le zen est une forme très dépouillée du bouddhisme qui tend à donner à l'homme une parfaite maîtrise de son esprit et de son corps par un détachement quiétiste.
S. DE BEAUVOIR, Tout compte fait, p. 300.

3   Le zen sonne pieusement une modeste note : seulement une fleur dans un vase. Le jardin est fait contre toute la ville, toute la campagne.
MALRAUX, Antimémoires, p. 570.

Adj. *Le bouddhisme zen. Les sectes zen.*

4   Cet ancien palais, devenu plus tard un temple zen comprend trois étages : les deux plus élevés sont recouverts d'or.
S. DE BEAUVOIR, Tout compte fait, p. 302.

Par ext. *Zen macrobiotique** (doctrine diététique végétaliste n'entretenant que de très lointains rapports avec le bouddhisme zen).

ZÉNANA [zenana] n. m. — 1876, *zénanah;* mot hindi, d'orig. persane.

♦ **1.** Appartement des femmes, chez les musulmans de l'Inde. — REM. On trouve la graphie *zenanah :*

Les règles du zenanah (harem) sont si strictes, les préjugés si enracinés, que les dames veuves elles-mêmes n'osent que rarement s'affranchir du purdah (rideau) : c'est, dans l'Inde, le mot usuel pour désigner la vie du harem.
Le Tour du monde 1870-71 (2), p. 235.

♦ **2.** (1909, *in* D. D. L.). Étoffe cloquée de soie ou de coton employée pour les vêtements d'intérieur. *Un peignoir en zénana. «Un dessus-de-lit en zénana carminé»* (Jeanne Cordelier, *la Passagère,* p. 321).

ZEND [zɛ̃d] n. m. — 1765, *Encyclopédie,* d'après Anquetil-Duperron; 1747, Voltaire, *Zadig,* XVIII, pour désigner le *Zend-avesta* «recueil des livres sacrés des Perses»; *zend zânti* «connaissance; commentaire; livre».

♦ Didact., vieilli. Langue de l'*Avesta* (livre du mazdéisme), probablt dialecte iranien de l'Est (le mot *zend* ne conviendrait qu'à la para-

phrase de ce texte religieux en pehlvi). ⇒ **Avestique.** — Adj. *Langue zende. Textes zends.*

ZÉNITH [zenit] n. m. — 1527; *cenith,* 1361; d'une mauvaise lecture de l'arabe *sâmt, semt* — lu par erreur *senit* par les scribes — proprt «chemin», dans l'expression *sâmt (ɔ)âr-râos* «chemin au-dessus de la tête». → Azimut.

♦ **1.** Point de la sphère céleste situé sur la verticale ascendante de l'observateur (opposé à *nadir*). ⇒ **Ciel, horizon** (→ Aveuglant, cit. 1; bleuir, cit. 3; étoile, cit. 3; heure, cit. 1).

1   Les corps célestes, qui font un tour complet tous les jours, avancent en même temps un peu d'un jour à l'autre. Véga, l'étoile bleue, apparaissait presque au zénith, à l'heure où l'on va se coucher; maintenant elle tombe déjà vers le couchant. ALAIN, Propos, 6 oct. 1909, « Les marmottes ».

2   La chaleur blanche de deux heures est verticale comme une hampe de drapeau. Le cri des grillons darde ses pointes vers le ciel et supporte l'aplomb immobile du zénith. Le firmament s'ouvre avec la tristesse blême d'une prunelle d'aveugle.
J.-R. BLOCH, ...Et Cie, II, III.

♦ **2.** (1608). Fig. Point culminant. ⇒ **Apogée** (cit. 1), **pinacle, sommet** (→ Nadir, cit. 1). *Le zénith de sa carrière. Être à son zénith* (→ Météore, cit. 3).

3   Mais quand M. Élie, ayant jeté sa cigarette, en alluma une autre, comme par bravade, le zénith du martyre fut atteint par M. Octave, et le nadir de la jouissance vache par M. Élie. MONTHERLANT, les Célibataires, VIII.

CONTR. Nadir.
DÉR. Zénithal.

ZÉNITHAL, ALE, AUX [zenital, o] adj. — 1842; *zénital,* 1612; de *zénith.*
Didactique ou littéraire.

♦ **1.** Relatif au zénith. *Distance zénithale d'un point de la sphère céleste :* angle formé par sa direction, du lieu d'observation, avec celle du zénith.

♦ **2.** (Fin XIXe). Qui est situé au zénith.

Cependant le ciel se dégageait peu à peu. Vers minuit, quelques étoiles brillèrent, et si l'ingénieur eût été là, près de ses compagnons, il aurait pu remarquer que ces étoiles n'étaient plus celles de l'hémisphère boréal. En effet, la polaire n'apparaissait pas sur ce nouvel horizon, les constellations zénithales n'étaient plus celles qu'il avait l'habitude d'observer dans la partie nord du nouveau continent, et la Croix du Sud resplendissait alors au pôle austral du monde.
J. VERNE, l'Île mystérieuse, t. I, p. 31.

ZÉOLITHE [zeɔlit] n. f. — 1904; *zéolite,* 1756, Cronstedt, in *Encyclopédie;* du grec *zeô, zein* «bouillonner», et *-lithe.*

♦ Minéralogie. Silicate naturel hydraté dont les gisements se rencontrent surtout dans les cavités des laves basiques. — *Zéolithes artificielles.* — REM. L'Académie fait ce terme masculin. — On trouve la graphie *zéolite.*

DÉR. Zéolitique, zéolitisation.

ZÉOLITIQUE [zeɔlitik] adj. — 1904; *zéolithique,* 1842; de *zéolit(h)e.*
Minéralogie.

♦ **1.** Qui a les propriétés des zéolithes. *Roches zéolitiques.*

♦ **2.** Qui renferme de la zéolithe.

ZÉOLITISATION [zeɔlitizasjɔ̃] n. f. — XXe (*in* Larousse, 1933); de *zéolit(h)e,* et *-isation.*

♦ Minéralogie. Transformation en zéolithe (d'une roche). *La zéolitisation des feldspaths.*

ZÉOPHAGE [zeɔfaʒ] adj. — 1872; du grec *zea* «épeautre», et *-phage.*

♦ Vx, didact. Qui se nourrit de maïs.

ZÉOTROPE [zeɔtʀɔp] adj. — Mil. XXe; de *azéotrope.*

♦ Phys. Se dit des mélanges pour lesquels, pendant leur ébullition (sous pression constante) la température et la composition varient constamment (opposé à *azéotrope*).

ZÈPH [zɛf] n. m. ⇒ Zèf.

ZÉPHYR [zefiʀ] n. m. — Mil. XVIe; *zéphire,* 1509; lat. *zephyrus,* grec *zephuros* «vent d'ouest, vent doux et tiède», souvent personnifié par la mythologie en dieu des vents.

♦ **1.** Poét. Vent doux et agréable, brise légère (→ Attendre, cit. 4; aurore, cit. 13; baiser, cit. 32; émanation, cit. 9; gorger, cit. 1;

haleine, cit. 29 ; livrer, cit. 6 ; rafraîchissant, cit. ; répéter, cit. 6).
« Tout vous est aquilon (cit. 1), *tout me semble zéphyr ».*

♦ **2.** (1842). Fig., vx (par allus. à la légèreté du vent). *Pas de zéphyr* : pas de danse exécuté en se tenant sur une jambe et en balançant l'autre.

♦ **3.** (1877 ; appell. d'orig. all.). **a** En appos. *Laine zéphyr* (ou *zéphyre*) : laine de deux fils à torsion peu serrée, utilisée notamment pour la layette et les vêtements légers.

b (1906 ; *zéphir*). Toile de coton jumel* peigné, fine et souple, utilisée pour les sous-vêtements, les vêtements d'enfant, etc.

DÉR. **Zéphyrien, zéphyrine.** — V. **Zèf** ou **zèph.**

ZÉPHYRIEN, IENNE [zefiʀjɛ̃, jɛn] adj. — 1842 ; de *zéphyr.*

♦ Rare. Doux, léger comme un zéphyr.

ZÉPHYRINE [zefiʀin] n. f. — 1876 ; de *zéphyr.*

♦ Vx. Étoffe de couleur fabriquée à Saint-Quentin.

ZEPPELIN [zɛplɛ̃] n. m. — 1907 ; du nom du constructeur all., le comte *von Zeppelin* (1838-1917).

♦ Grand dirigeable rigide à carcasse métallique, que les Allemands construisirent de 1900 à 1937.

1 M. de Charlus me dit son admiration pour ces aviateurs (...) « D'ailleurs j'ajoute que j'admire autant les Allemands qui montent dans des gothas. Et sur des zeppelins, pensez le courage qu'il faut... » (...) ces idées de bombes lancées, de mort possible n'ajoutèrent pour moi rien de tragique à l'image que je me faisais du passage des aéronefs allemands (...)
PROUST, À la recherche du temps perdu, t. XIV, p. 129.

2 Oui, mais alors, fermez d'abord les volets, vous savez bien que c'est défendu d'avoir de la lumière à cause des zeppelins. — Il n'en viendra plus de zeppelins. Les journaux ont même fait allusion sur ce qu'ils avaient été tous descendus.
PROUST, le Temps retrouvé, Pl., t. III, p. 813.

ZERBIA [zɛʀbja] n. f. — 1876, *in* P. Larousse ; mot arabe.

♦ Tapis algérien, analogue à la moquette.

ZERDA [zɛʀda] n. m. — 1876, *in* P. Larousse ; orig. incertaine.

♦ Zool. Fennec.

ZÉRO [zeʀo] n. m. — 1485 ; emprunté, pour remplacer l'anc. franç. *cifre* « zéro », puis « chiffre », à l'ital. *zero,* d'abord *zefiro,* transcription de l'arabe *ṣifr* « vide ; zéro ». → Chiffre.

♦ **1.** Symbole numéral (0) destiné à remplacer, dans la numérotation écrite, les ordres d'unités absentes. *Poser* (cit. 10) *un neuf et ajouter des zéros. Six et quatre dix, je pose zéro et je retiens un. Ajouter une queue à un zéro. Un chiffre avec plusieurs zéros. Se tromper d'un zéro. Une erreur de zéros.*

1 Je lui donne un mandat de quatre-vingts livres sur mes commettants ; la somme était écrite en chiffres ; que fait-il ? Il ajoute un zéro, et se fait payer huit cents livres.
DIDEROT, Jacques le fataliste, Pl., p. 558.

2 Il continua les jours suivants à jeter des chiffres sur le papier ; il y avait tant de zéros à la suite les uns des autres que la secrétaire (...) en avait des éblouissements.
A. ROBIDA, le Vingtième Siècle, p. 315.

3 (...) ce qui reste tout à fait caractéristique de la pensée mathématique indienne c'est, en même temps que l'établissement de la valeur de position des chiffres, l'usage du zéro, qui se présente d'ailleurs comme un utile, ou pour ainsi dire indispensable, complément de la règle précédente. Ce symbole zéro se trouve déjà dans un des documents anciens que nous possédons, et la valeur de position est explicitement employée dans plusieurs ouvrages indiens bien antérieurs au développement des mathématiques chez les Arabes.
Pierre BRUNET, *in* Encycl. Pl., Hist. de la science, L'Antiquité et le Moyen âge, p. 311.

Par compar. (d'une forme ronde, → Rond, cit. 2).

4 Si, boucle bouclée, nous devons retourner au néant d'où nous étions partis, n'est-ce pas un zéro — serpent se mordant la queue ou chemin de fer circulaire — qui résume toute la vie ?
Michel LEIRIS, Frêle bruit, p. 59.

Fig. *C'est un zéro en chiffre, un zéro,* un homme qui ne compte pas, sans valeur. ⇒ **Nul.**

5 Childéric ayant seulement le titre et le nom de roi, n'était estimé que pour ombrage, ou pour un zéro au nombre des chiffres.
J. LEMAIRE DE BELGES, les Illustrations de Gaulle..., II, 454, *in* GODEFROY.

6 J'oubliais presque M. le prince de Conti (...) Je ne crois pas vous le pouvoir mieux dépeindre, qu'en vous disant que ce chef de parti était un zéro, qui ne multipliait que parce qu'il était prince du sang.
RETZ, Mémoires, Pl., t. II, p. 154.

7 (...) il se plaignait d'être gouverné par elle dans les moindres détails de la vie, de ne pouvoir garder ni une volonté ni une pensée à lui, d'être un zéro dans sa maison.
BALZAC, le Lys dans la vallée, Pl., t. VIII, p. 852.

Double zéro (00), *triple zéro* (000), se dit du papier de verre le plus fin. — Loc. fig. *Avoir le crâne passé au double zéro,* rasé de très près (→ ci-dessous *Être tondu à zéro*).

♦ **2.** Nombre qui représente une collection inexistante, un ensemble vide ; grandeur, valeur nulle (→ Négatif, cit. 15). *Deux, plus deux, moins quatre, égale zéro* (2 + 2 − 4 = 0). *Tendre vers zéro.*

Ligne de zéro : axe pris pour représenter les valeurs nulles d'une variable.

8 Vers le début de notre ère, croit-on, un anonyme habitant de l'Inde inventa un merveilleux outil : outil immatériel mais représentable, outil dont le propre est de n'exister qu'au figuré et qui, dans l'histoire de notre civilisation, a peut-être joué un rôle plus grand que celui de la machine à vapeur ou du microscope (...) Il n'est pas de jour que nous n'utilisions cet instrument fait de néant, ce signe ne signifiant rien, ce petit cercle (l'écriture arabe le réduit à un point) que nous nommons le zéro.
René DAUMAL, Essais et notes, 1938 ; t. II, p. 44-45 (Gallimard, 1972).

9 *Zéro* est en soi synonyme de *rien ;* mais l'acte d'écrire ce *zéro* est un acte positif qui signifie que, dans tous les cas, toute relation d'égalité entre grandeurs satisfait à une opération qui les annule simultanément et qui est la même pour tous.
VALÉRY, Regards sur le monde actuel, p. 60.

10 (...) ces opérations algébriques compliquées, dont le résultat doit être zéro.
SARTRE, Situations I, p. 294.

Math. *Le zéro d'un polynôme :* sa racine.

Par anal. (*zéro* étant l'élément neutre pour l'addition). Dans un ensemble structuré, élément neutre d'une loi de composition interne notée additivement.

♦ **3.** Cour., fam. Néant (cit. 13), rien. *Réduire qqch., qqn à zéro,* réduire à rien, anéantir. *Être à zéro,* au plus bas. *Au dessous de zéro* (même sens).

11 Zéro de recette aujourd'hui ! Rien vendu dans la journée !
HUGO, l'Homme qui rit, I, III, V.

12 Un monde où l'individu, le travailleur, est réduit à zéro !
MARTIN DU GARD, les Thibault, t. V, p. 213.

À zéro : au minimum, au plus court. *Couper, tondre (les cheveux) à zéro,* à ras. *Avoir la boule à zéro. — Partir de zéro :* commencer qqch. sans acquis antérieur, avec ses propres moyens. → 1. Partir, cit. 21.

13 Mon affaire, je l'ai créée de toutes pièces. Je suis parti de zéro. C'est moi qui ai démarré avec 225 000 francs d'économies, ça ne vous dit rien ? (...)
Pierre DANINOS, Un certain Monsieur Blot, p. 136.

Repartir de zéro (→ Indépendance, cit. 17), *à zéro* (→ Effacer, cit. 12) : recommencer qqch. après avoir échoué une première fois ; reprendre à la base l'étude d'un problème.

Compter pour zéro (→ Huile, cit. 35). *Pour moi, c'est zéro,* ça ne compte pas. ⇒ **Inexistant.**

14 — De toute façon à l'heure qu'il est il y a des millions d'hommes pour qui la littérature c'est zéro ! dit Robert.
S. DE BEAUVOIR, les Mandarins, p. 41.

Avoir le moral à zéro ; être à zéro : avoir très mauvais moral.

15 Moi-même qui ai rien fait pour ainsi dire, que de te donner un peu la pogne, je suis à zéro !
Albert SIMONIN, Touchez pas au grisbi, p. 205.

16 On avait faim, on avait le moral à zéro, on se disait que chez vous, on trouverait peut-être le moyen de se débrouiller.
M. AYMÉ, le Vin de Paris, « La bonne peinture ».

Pop. *Les avoir à zéro :* avoir très peur. — REM. « Il s'agit, dans cette expression, des fesses contractées *à zéro* par la peur. L'idée du courage nul *(à zéro)* est secondaire » (Cellard-Rey). — Loc. *Avoir le trouillomètre* à zéro.

Formule de refus (→ Non, rien* à faire). *Faire ce boulot ? Zéro !* *Zéro pour la question.* — Formule de dépréciation, de mépris. *C'est zéro, ce film ; zéro !,* c'est mauvais.

(En fonction d'adj. numéral cardinal). ⇒ **Aucun.** *Il a fait zéro faute à sa dictée. Ça m'a coûté zéro sou zéro centime. Zéro franc cinquante* (centimes). — Ellipt. (Sport). *Gagner par trois buts à zéro. Mener quatre-zéro* (jeux) *au premier set* (→ Revanche, cit. 5).

♦ **4.** (XVIIIᵉ). Point de départ des graduations thermométriques, et, par anal., de diverses échelles de grandeurs. *Dans les systèmes centigrade et Réaumur, le zéro correspond à la température de la glace fondante. — Dix degrés au-dessus, au-dessous de zéro* (→ Glace, cit. 1 ; ranimer, cit. 3). *La température est tombée à zéro, à zéro degré. Zéro absolu* (0 °K [Kelvin]) : température* la plus basse qu'on puisse atteindre (− 273,15 °C) pour laquelle l'énergie cinétique des molécules est quasi nulle.

Loc. **POINT ZÉRO.** *Énergie au point zéro :* énergie cinétique résiduelle à la température absolue. *Entropie au point zéro.* ⇒ **Entropie.** — Spécialt. *Point zéro* (abrév. P₃) : projection verticale au sol du point d'éclatement d'un projectile nucléaire (⇒ **Point,** balistique).

Appareil de zéro, permettant d'effectuer des mesures par opposition de deux grandeurs égales, par lecture de la graduation zéro.

(XXᵉ). Point de départ du décompte des heures. *Heures comptées de zéro à vingt-quatre.* — Adj. numéral. (1690). *Le train part à zéro heure dix minutes.* ⇒ **Minuit** (cit. 4).

17 Je suis né dans la nuit du 24 au 25 décembre 1875, quelques minutes, paraît-il, après zéro heure, comme parlent les employés de chemin de fer. De mon temps, on disait minuit (...) À y bien réfléchir, la méthode a du bon. Que ne l'applique-t-on aux vingt-trois ans, on repartait à zéro, je serais moins âgé. Bonne affaire !
Francis JOURDAIN, De mon temps, p. 15.

Didact. *Temps zéro :* origine des temps. *État, degré zéro,* défini par l'absence des caractères d'un autre état pris comme référence. *Le degré zéro de l'écriture,* de R. Barthes. *Croissance* zéro.

♦ **5.** (XIXᵉ). Dans une notation de zéro à dix ou à vingt, la plus basse note correspondant à la non-valeur absolue. *Avoir zéro en telle matière. Attraper un zéro, collectionner les zéros. Zéro pointé*. *Zéro de conduite :* zéro comme note de conduite (→ Rapport, cit. 5). *Zéro de conduite,* film de Jean Vigo. — Fam. *Zéro pour moi :* ce que j'ai fait ne vaut rien.

DÉR. et COMP. Zérotage, zérovalent.

ZÉROTAGE [zeʀɔtaʒ] n. m. — 1872 ; de *zéro.*

♦ Sc. Ensemble des opérations que nécessite la détermination du zéro d'un thermomètre.

ZÉROVALENT, ENTE [zeʀɔvalɑ̃, ɑ̃t] adj. — Mil. xxᵉ ; comp. hybride de *zéro,* et du lat. *valens.*

♦ Phys. Nullivalent.

ZÉRUMBET [zeʀœ̃bɛ] n. m. — 1701 ; *zerumbeth,* 1694 ; *zurumbet,* 1542 ; arabe *zărŭnbād,* persan *zurunbād.*

♦ Bot. Plante exotique voisine du gingembre dont le rhizome a des emplois pharmaceutiques. ⇒ **Zédoaire.**

ZEST ou ZESTE [zɛst] interj. et n. m. — 1611, exprimant le bruit fait par un coup ; d'un rad. onomat. *zek.*

♦ **1.** (1640). Vx. Interjection marquant la négation ou le refus.

♦ **2.** (1692). Vx. Marque la promptitude d'une action.

1 La nuit, si madame est incommodée, elle sonnera de son côté ; zeste, en deux pas tu es chez elle.
BEAUMARCHAIS, le Mariage de Figaro, I, 1.

♦ **3.** N. m. (1718). Loc. fam. *Entre le zist et le zest,* se dit d'une personne indécise, d'une personne ou d'une chose difficile à définir ou à juger.

2 *(Il se mit)* à causer de choses indifférentes, des espaliers, de la récolte et de sa santé à lui, qui allait toujours *couci-couci, entre le zist et le zest.*
FLAUBERT, Mᵐᵉ Bovary, III, II.

3 — Il n'est pas franc, c'est un monsieur cauteleux, toujours entre le zist et le zest. Il veut toujours ménager la chèvre et le chou.
PROUST, À la recherche du temps perdu, t. II, p. 68.

En emploi adj. :

4 Feuilles d'automne : plutôt que regrets ou réminiscences, fatras de remords liés à de sales poussières, dérobades ou attitudes zist et zest, paroles non prononcées alors qu'il aurait fallu les prononcer, gestes que j'aurais dû accomplir mais dont je me suis abstenu (...)
Michel LEIRIS, Frêle bruit, 1976, p. 125.

HOM. Zeste.

ZESTE [zɛst] n. m. — 1611 ; altér., d'après l'interj. *zest,* de *sec* ou *zec* (1530), probablt onomat. comme *zest.*

♦ **1.** Bot. Cloison membraneuse partageant en quatre cavités l'intérieur de la noix. *Le zeste d'un cerneau.*

♦ **2.** (1660). Cour. Partie externe, colorée, sapide et odorante, du péricarpe des citrons et autres agrumes (⇒ **Écorce**). — Cour. Petit morceau qu'on y découpe (qui sert à parfumer des crèmes, gâteaux, liqueurs, etc.). *Mettre un zeste de citron dans un verre d'apéritif.*

♦ **3.** Fig., vx (après des verbes comme *valoir, donner, faire,* en phrase négative). *Pas un zeste :* pas la moindre chose, rien.

— Votre souhait n'y fera pas un zeste ; ce sera selon qu'il est écrit là-haut.
DIDEROT, Jacques le fataliste, Pl., p. 584.

♦ **4.** (Répandu mil. xxᵉ). Fig. Très petite quantité ; faible dose. « *Un zeste de rapport Paye, deux doigts de rapport le Tac, une pincée de mauvaise humeur U. d. r. et une bonne mesure d'initiatives personnelles, c'est le "cocktail O. r. t. f."* » *(l'Express,* 5 juin 1972, *in* Gilbert).

DÉR. Zester.
HOM. Zest.

ZESTER [zɛste] v. tr. — 1737 ; de *zeste.*

♦ Rare. Peler en séparant le zeste de la partie interne, blanche et amère, ou en découpant des zestes.

Je ne veux pas d'histoires, dit le barman qui zestait un citron.
R. QUENEAU, Loin de Rueil, p. 65.

DÉR. Zesteur, zesteuse.

ZESTEUR [zɛstœʀ] n. m. — 1938, Montagné ; de *zester.*

♦ Techn. Couteau à zester (les oranges, les citrons).

ZESTEUSE [zɛstøz] n. f. — 1923 ; de *zester.*
Technique.

♦ **1.** Ouvrière qui ôte le zeste des oranges pour la fabrication de certaines boissons.

♦ **2.** (Mil. xxᵉ). Machine à peler les oranges et les citrons.

ZÊTA [dzeta] n. m.

♦ Sixième lettre de l'alphabet grec* (Z, ζ).

ZÉTÈTE [zetɛt] n. m. — 1765 ; grec *zêtêtês,* même sens.

♦ Didact. (antiquité grecque). Magistrat athénien chargé du recouvrement des créances de l'État.

ZÉTÉTIQUE [zetetik] adj. — 1694 ; grec *zêtêtikos* «qui aime rechercher», de *zêtein* «chercher».

♦ **1.** Hist. philos. Qui cherche, qui examine (qualificatif donné aux philosophes sceptiques).

♦ **2.** (1872). Qui a pour objet une recherche.

Hist. des mathématiques. *Analyse zététique :* nom donné par Viète à ce que l'on appelle aujourd'hui *méthode analytique.*

ZÈTHE [zɛt] ou **ZÉTHUS** [zetys] n. m. — 1839, *zèthe ; zéthus,* xxᵉ ; appellation mythol., lat. *Zetus,* grec *Zêthos,* fils de Zeus et d'Antiope.

♦ Zool. Insecte hyménoptère *(Euménidés),* guêpe solitaire qui se creuse un nid en terre.

ZEUGITE [zøʒit] n. m. — 1876, P. Larousse ; grec *zeugitai,* n. m. pl., de l'adj. *zeugitês* «attelé», de *zeûgos* «attelage».

♦ Didact. Dans l'antiquité grecque, Citoyen athénien possesseur d'un attelage, qui avait accès aux magistratures ordinaires et pouvait servir dans les hoplites. *Les zeugites constituaient la troisième classe de citoyens.*

ZEUGMA [zøgma] ou **ZEUGME** [zøgm] n. m. — 1808, *zeugma ; zeugme,* 1765 ; *zeume,* v. 1380 ; lat. *zeugma,* mot grec, proprt «lien».

♦ Rhét. «Construction syntaxique qui consiste à ne pas énoncer de nouveau, dans un membre de phrase, un mot ou un groupe de mots qui sont exprimés sous une forme identique ou analogue, dans une proposition immédiatement voisine, ou qu'il est nécessaire de rétablir implicitement pour que ce membre de phrase soit intelligible » (R. Le Bidois). *Exemples de zeugmes :* « L'air était plein d'encens et les prés de verdure» (Hugo, *Tristesse d'Olympio*). — «Le sommeil ne vint pas, mais cette douce ivresse... » (Musset, *Namouna*).

ZEUNÉRITE [zøneʀit] n. f. — 1904, *Nouveau Larousse illustré ;* du nom de l'ingénieur allemand *Zeuner* (1828-1907).

♦ Minér. Minerai naturel (arséniate hydraté) d'uranium et de cuivre, de couleur verte nacrée.

ZEUZÈRE [zøzɛʀ] n. f. — 1839 ; lat. zool. *zeuzera ;* orig. inconnue.

♦ Zool. Papillon nocturne *(Cossidés)* dont les chenilles creusent des galeries dans les jeunes arbres.

ZÉZAIEMENT [zezɛmɑ̃] n. m. — 1838 ; de *zézayer.*

♦ **1.** Défaut de prononciation d'une personne qui zézaie. ⇒ **Blésement, blésité** (→ Balbutiement, cit. 5). *Le zézaiement des enfants.*

1 (...) l'homme parlait avec un fort accent polonais qui donnait à sa voix quelque chose d'enfantin, un zézaiement et des intonations de jeune fille qui commence à prononcer.
MAUPASSANT, Pierre et Jean, II.

♦ **2.** (1914, Gide). Fig., littér. Bruit rappelant le zézaiement d'une personne.

2 Ils sont les seuls clients. La salle de café est très grande, vide. Il faut appeler pour être servi. Une radio, dans une arrière-salle n'arrive pas à couvrir l'infatigable zézaiement des mouches sur les vitres.
M. DURAS, Dix heures et demie du soir en été, p. 178.

ZÉZAYANT, ANTE [zezɛjɑ̃, ɑ̃t] adj. — Fin xixᵉ ; part. prés. de *zézayer.*

♦ Qui zézaie. *L'accent zézayant des créoles* (cit. 1). *Une fillette zézayante.*

ZÉZAYER [zezeje] v. intr. — Conjug. *payer.* — 1818, *in* D.D.L. ; onomat., de *z* redoublé.

♦ Prononcer comme s'il y avait un *z* [z] à la place d'un *j* [ʒ] (*ze veux* pour *je veux*), ou un *s* [s] à la place d'un *ch* [ʃ]. ⇒ **Bléser, zozoter** (→ Charme, cit. 16 ; feindre, cit. 16).

DÉR. Zézaiement, zézayant.

ZIBELINE [ziblin] n. f. — 1534 ; *sibeline,* 1396 ; *gibeline,* 1298 ; ital. *zibellino,* d'orig. slave. → 2. Sable.

♦ 1. Petit mammifère de la Sibérie et du Japon, carnivore, digitigrade *(Mustélidés)*, du genre Martre. *La zibeline a la queue plus courte, le pelage plus fourni et plus brillant que la martre.* — Adj. *Martre* (cit.) *zibeline, dont la fourrure est précieuse.*

Ce que nous appelons zibeline, on l'appelle ailleurs zabel. Cet animal est de la grosseur de la fouine, et diffère de la martre en ce qu'il est beaucoup plus petit, et qu'il a les poils plus longs et plus fins.
                                        J.-F. REGNARD, Voyage en Laponie, p. 162.

♦ 2. Fourrure de l'animal. *Manteau, veste de zibeline.* — (1902). Fam. *Une zibeline :* un manteau de cette fourrure.

ZIBETH [zibɛt] n. f. — 1876 ; *zibet*, 1761, Buffon ; lat. zool. *zibethas ;* même orig. que *civette**, arabe *zăbād.*

♦ Zool. Mammifère carnivore *(Viverridés)*, voisin de la civette.
DÉR. Zibéthin.

ZIBÉTHIN [zibetɛ̃] n. m. — 1876 ; de *zibeth.*

♦ Zool. Ondatra, ou rat musqué.

ZICRAL [zikʀal] n. m. — V. 1970, selon P. Gilbert ; nom déposé, orig. incertaine.

♦ Techn. Alliage d'aluminium servant à la fabrication de skis légers.

ZICRONE [zikʀɔn ; zikʀon] n. f. — 1875 ; lat. sc. *zicronia ;* orig. incertaine.

♦ Zool. Insecte hémiptère* *(Pentatomidés)*, carnassier, qui vit sur la vigne, y détruisant les altises*.

ZIEUTER [zjøte] v. tr. — 1890 ; de *yeux* (plur. de *œil*), précédé du z de liaison.

♦ Fam. Jeter un coup d'œil pour observer (qqch., qqn) à l'insu de qqn. ⇒ fam. **Bigler, lorgner, reluquer, viser.** Par ext. Regarder. — On écrit aussi *zyeuter.*

1   — Mais le Corse ? — Probable qu'elle n'en veut plus. Pas besoin de l'écrire dans *La lanterne !...* Non, mais la môme en tient... Zieute-la. Tu t'rends compte.
                                        Francis CARCO, Jésus-la-Caille, I, IV.
2   — Pour les enfants sages, j'ai cette poupée qu'Ajalbert m'a apportée de Batavia : zyeutez ! Il désigne, sur une tablette, la plus sauvage divinité qu'ait créée un sculpteur de marionnettes javanaises (...)   COLETTE, l'Ingénue libertine, p. 198.

ZIG ou **ZIGUE** [zig] n. m. — 1837, «camarade, ami» ; probablt déformation de 1. *gigue* (→ Gigot), au sens de «fille enjouée» (xviiiᵉ) ; «la substitution de *zi* à *gi* ironise un défaut de prononciation» (Bloch-Wartburg).

♦ Fam. Individu, type. ⇒ **Zigomar, zigoto.** *Un bon zigue, un bon zig* (Maupassant, *Bel-Ami*, p. 79). *Un drôle de zigue.*

1   Ce que je pense de Mᵐᵉ de Réveillon, ami ? nous a dit la toute gracieuse divette. D'abord c'est qu'elle est avant tout, passez-moi l'expression, bon zig, et pas duchesse pour deux sous.   PROUST, Jean Santeuil, Pl., p. 504 (1952).
2   Il la trouva fort désirable. Elle le jugea fort séduisant. Quand il fut parti, Cachelin demanda : « Hein ! quel bon zig, et quel sacripant ça doit faire ! Il paraît qu'il enjôle toutes les femmes. »   MAUPASSANT, l'Héritage, 1884, Pl., t. II, p. 55.

Vx. *Nos zigues, leurs zigues.* ⇒ **Cézigue**, etc. (comp.).
DÉR. Zigoteau ou zigoto.
COMP. Cézigue (ou sézigue), mézigue, tézigue.

ZIGGOURAT [ziguʀat] n. f. — 1908 ; assyrien *zigguratu*, même sens.

♦ Archéol. Temple des anciens Babyloniens, en forme de pyramide à étages, qui portait un sanctuaire sur son sommet, et servait à l'observation des astres. *Ziggourats assyriennes* (Khorsabad, Tchoga- Zambil...). *La tour de Babel était une ziggourat.* — REM. On écrit aussi *ziggurat :*

La Jérusalem des cartographes du Moyen Âge enferme dans son enceinte le mont du Calvaire, comme les temples mésopotamiens enfermèrent la ziggurat et les cités précolombiennes la pyramide. C'est en effet un caractère constant du microcosme urbain que d'assurer, outre les liaisons cardinales, la liaison du centre avec le ciel.
                                        A. LEROI-GOURHAN, le Geste et la Parole, t. II, p. 174.

ZIGOMAR [zigomaʀ] n. m. — 1916, *Larousse mensuel* ; du nom de la *bande des Zigomar*, dans le roman d'aventures de Léon Sazie ; probablt formé sur le rad. de *zigouiller.*
Populaire.

♦ 1. Vx. Sabre de cavalerie.

♦ 2. Vieilli. ⇒ **Zig, zigoto.** *Qu'est-ce que c'est que ce zigomar ?*

ZIGOTO [zigoto] n. m. — 1900, *la Revue blanche* (in D.D.L.) ; var. *zigoteau*, 1901 ; de *zig.*

♦ Fam. Zigue. ⇒ **Zigomar.** *Faire le zigoto :* faire le malin, l'intéressant.

1   — (...) vous ne vous figurez pas comme j'étais fatigué... J'avais les nerfs en pelote... J'ai fait le zigoto... Toute ma sortie sur l'illégalité... Non, voyons... Ce sont des choses qu'on ne dit pas... qu'on n'est jamais obligé de dire...
                                        J. ROMAINS, les Hommes de bonne volonté, t. IX, VII, p. 66.
2   — Ah ! monsieur Voussois, dit Paul, vous êtes un drôle de zigoto
                                        R. QUENEAU, Pierrot mon ami, VIII.

ZIGOUILLAGE [zigujaʒ] n. m. — 1934, Léon Daudet, *in* D.D.L. ; de *zigouiller.*

♦ Fam. Action de zigouiller, de tuer (qqn).

ZIGOUILLER [ziguje] v. tr. — Fin xixᵉ ; dialecte du Poitou, «couper avec un mauvais couteau» ; *zigailler* «couper maladroitement, scier mal» ; orig. incert. ; p.-ê. du lat. *secare* «couper».
Familier.

♦ 1. Vieilli. Tuer, assassiner (qqn) avec un couteau. *On en ramasse* (cit. 16) *un dans un coin, zigouillé.*

♦ 2. (1923). Mod. Tuer.

1   À présent je puis faire des rêves affreux, me voir poursuivi par des monstres, zigouillé, coupé en morceaux (...) ça ne devient jamais du cauchemar.
                                        GIDE, Journal, 20 déc. 1924.
2   (...) d'un coup de carabine il zigouille le militaire et comme son épouse s'enfuit il lui tire dessus.   R. QUENEAU, Loin de Rueil, p. 36.

DÉR. Zigouillage.

ZIGUE [zig] n. m. ⇒ **Zig.**

ZIGZAG [zigzag] n. m. — 1718 ; *en zigzag*, 1694 ; «assemblage articulé de pièces en losange pouvant s'allonger et se replier à volonté», 1662 ; formation expressive évoquant un va-et-vient.

★ I. ♦ 1. Ligne brisée formant des angles alternativement saillants et rentrants. *Ornement à zigzags* (→ Cintre, cit. 3). *Tracer des zigzags.* — Par ext. Forme d'une chose rappelant un zigzag. *Les zigzags du chemin. Chemin qui fait des zigzags*, dont la direction varie souvent.

(1694). EN ZIGZAG : en ligne brisée. *Route* (→ 1. Frayer, cit. 6), *chemin, boyau, chicane en zigzag.* ⇒ **Détour, lacet.** *Cimes en zigzag* (→ Montagne, cit. 10).

1   Le sentier qu'il suivait, s'élevant peu à peu parmi de grands bois de hêtres, forme des zigzags infinis sur la pente de la haute montagne qui dessine au nord la vallée du Doubs.   STENDHAL, le Rouge et le Noir, I, XII.

Mouvement (d'un objet, d'une personne) qui se déplace en effectuant des zigzags. *Éclair qui fait des zigzags* (→ Garde-fou, cit. 3). — (1779). EN ZIGZAG : en changeant constamment d'itinéraire, de chemin. *Les Voyages en zigzag*, œuvre de Rodolphe Töpffer.

2   Ce qui avait appelé leur attention, c'est que ce bonhomme marchait en zigzag comme s'il était ivre.   HUGO, les Misérables, IV, XI, V.
3   (...) ces cinq cents pieds s'accrurent de plus de deux milles par les zigzags qu'il fallut décrire. Le sol, pour ainsi dire, manquait sous le pied.
                                        J. VERNE, l'Île mystérieuse, t. I, p. 125.

♦ 2. (V. 1772). Fig. Évolution d'une personne qui change radicalement suivant les circonstances. *Les zigzags de la carrière d'un politicien.* ⇒ **Volte-face ; revirement.**

♦ 3. (1834). Au plur. Motif d'ornementation en ligne brisée. Syn. : *bâtons brisés.*

♦ 4. Techn. Appareil formé de pièces en X articulées pouvant s'étendre ou se raccourcir.

★ II. (1768). Zool. Papillon *(bombyx disparate)* dont la chenille dévore les feuilles des saules et de divers arbres.
DÉR. Zigzaguer.

ZIGZAGANT, ANTE [zigzagɑ̃, ɑ̃t] adj. — xxᵉ ; *zigzaguant*, 1890, le *Journal amusant* ; de *zigzaguer.*

♦ Qui zigzague, forme des zigzags. *Démarche zigzagante. Les lumières* (cit. 17) *zigzagantes de New York.* — Var. graphique : *zigzaguant, ante* (comme le participe présent du verbe).

Ses mains (...) ourlent en dépit du bon sens ; le simple « point devant », par leurs soins, rappelle le pointillé zigzaguant d'une carte routière (...)
                                        COLETTE, la Maison de Claudine, La couseuse.

Fig. *Une carrière zigzagante.*

ZIGZAGUER [zigzage] v. — 1786 ; de *zigzag.*

★ I. V. intr. **♦ 1.** Faire des zigzags, aller de travers. *Navire qui zigzague.* ⇒ **Louvoyer.** *Marcher en zigzaguant. Des frissons se glissaient dans mon dos, en zigzaguant* (→ Fièvre, cit. 4).

0.1 (...) je ne voyais que des vaisseaux désagréés *(sic)*, louvoyant silencieusement du midi au nord, et du nord au midi, pour avancer dans la rade en zigzaguant.
L. P. BÉRENGER, les Soirées provençales, 1819, *in* D. D. L., II, 12.

1 Le fils Renard chantait à tue-tête, il faisait zigzaguer sa carriole d'un fossé à l'autre et il y en avait d'autres derrière lui, qui chantaient debout dans les charrettes, le fouet à la main.   SARTRE, le Sursis, p. 129.

♦ **2.** (Choses). Former des zigzags, des lignes brisées.

♦ **3.** Fig. Se manifester, évoluer dans plusieurs directions successives ; changer sans cesse de direction. — Spécialt (par allus. à l'éclair). *« Des incongruités zigzaguèrent un instant dans son cerveau »* (Barbey d'Aurevilly, *in* G. L. L. F.).

★ **II.** V. tr. (1840). Rare. Marquer (qqch.) d'une ligne brisée.

DÉR. Zigzagant

ZILCADE [zilkad] n. m. — 1721, Montesquieu ; cf. *zilffedeen*, 1559, Postel ; arabe *dŭ-l-q̄aedäh* «où il y a repos».

♦ Didact. Onzième mois de l'année lunaire, chez les Arabes.

ZIM BOUM BOUM [zimbumbum] onomat. — 1890, écrit *dzim boum boum*. → Boum.

♦ Onomatopée exprimant le bruit de grosse caisse succédant aux cuivres (orphéon, parade de cirque). — Par ext. Onomatopée évoquant un grand bruit. Var. (chez Céline) :

Je vais lui faire la honte !... Il barrera !... Zin la Boum !... C'est patriote les grenouilles !...   CÉLINE, Guignol's band, 1951, p. 71.

ZINC [zɛ̃g] n. m. — 1762 ; *zinch*, 1666 ; var. *zain, zin, zinck*, XVIIᵉ-XVIIIᵉ ; all. *Zink* «zinc», orig. incert. ; selon Bloch-Wartburg, de *Zinken* «fourchon», à cause de la forme du minerai à la sortie des fourneaux ; ce nom a été donné au métal par confusion avec *Zinn* «étain» ; on appelait le *zinc* «étain des Indes» (Von Lohneyss, 1690).

♦ **1.** Corps simple (symb. *Zn*; nᵒ at. 30 ; masse at. 65,37), métal dur d'un blanc bleuâtre, assez fragile à la température ordinaire, qui fond à 419 ᵒC, bout à 907 ᵒC, de densité 7,14 ; on le trouve dans la nature sous forme de blende (sulfure, ZnS), de calamine (silicate pouvant renfermer du carbonate), de smithsonite (carbonate), etc. *Minerai qui renferme du zinc* (⟹ **Zincifère**). *On extrait le zinc de la blende par grillage, puis réduction de l'oxyde formé par l'oxyde de carbone.* Composés du zinc : *sulfate de zinc* (alchimie : couperose blanche, vitriol blanc). *Les sels de zinc ont des propriétés antiseptiques ou désinfectantes* (chlorure par exemple) ; *ils peuvent provoquer des empoisonnements. Oxyde de zinc* (zincite naturelle) *utilisé sous le nom de blanc de zinc comme pigment en peinture. Alliages de zinc :* laitons* (cuivre-zinc), tombac* ; *alliages blancs :* maillechort*, argentan*, pacfung* ; *alliages légers (aluminium-zinc et aluminium-magnésium-zinc). Alliage de zinc et de cuivre ou d'étain.* ⟹ **Chrysocale.** *Opérations effectuées sur le zinc.* ⟹ **Galvanisation** (galvaniser), **moirage.** *Feuille de zinc* (→ Photolithographie, cit.), *employée en zincographie. Objets en zinc. Tuyaux* (→ Gouttière, cit. 4), *chéneau, toiture, marquise* (cit. 2), *baignoire en zinc. Candélabres de zinc* (→ Jouer, cit. 71). *Comptoir* (cit. 1) *de zinc.*

1 (...) tout là-haut, dans le ciel clair, l'ouvrier taillait tranquillement son zinc à coups de cisaille, penché sur l'établi, pareil à un tailleur coupant chez lui une paire de culottes.   ZOLA, l'Assommoir, t. I, IV, p. 141.

♦ **2.** Fam. Comptoir (d'un débit de boissons). *Boire sur le zinc, vider un verre sur le (au) zinc,* debout au comptoir, au bar*.

2 Tu es debout devant le zinc d'un bar crapuleux
Tu prends un café à deux sous parmi les malheureux
APOLLINAIRE, Alcools, «Zone».

2.1 Nous vidâmes un verre sur le zinc (...)
— Entre nous, y a longtemps que la *Bolée* n'a été aussi vide ! Personne ici... personne en bas.
J'ferais mieux d'aller me coucher.   Francis CARCO, Nostalgie de Paris, p. 177.

Par ext., fam. Café, bar. *Un caboulot ou un zinc* (→ Café, cit. 5). *Un petit zinc.* ⟹ **Bistrot, rade.**

3 Le zinc du canal ouvrait juste avant le petit jour à cause des bateliers. L'écluse commence à pivoter lentement sur la fin de la nuit.
CÉLINE, Voyage au bout de la nuit, p. 453.

♦ **3.** Fam. Avion (notamment, d'un modèle ancien, périmé). ⟹ **1. Taxi** (4.). *Un vieux zinc.*

3.1 — Si l'aviation volante manque d'appareils, l'aviation parlante ne manque point de phrases, ni l'aviation trafiquante de combines (...) Nous instruisons les recrues sur des zincs pour baptême de l'air. Il faudrait cent fois plus de moteurs et de carlingues.   Pierre HAMP, la Peine des hommes (Moteurs), p. 252.

4 — Près de Marignane, il y a un petit aérodrome privé, entre deux collines. Un zinc militaire a atterri là il y a quinze jours parce qu'il était mal en point.
SARTRE, la Mort dans l'âme, p. 179.

DÉR. et COMP. Zincage, zincifère, zincique, zincite, zincographie, zincogravure, zincose, zincosite, zinguer, zinguerie.

ZINCAGE [zɛ̃gag] n. m. ⟹ **Zingage.**

ZINCIFÈRE [zɛ̃sifɛʀ] adj. — 1842 ; du rad. de *zinc*, et *-fère*.

♦ Sc. Qui contient du zinc. *Minerai zincifère.*

ZINCIQUE [zɛ̃sik] adj. — 1903, *in Rev. gén. des sc.,* nᵒ 20, p. 1040 : *«les combinaisons zinciques»* ; de *zinc*.

♦ Chim. Qui contient du zinc. *« La diffraction des rayons X ayant traversé une lame de blende zincique »* (A. Boutaric, *la Vie des atomes*, pl. III, 1923).

ZINCITE [zɛ̃sit] n. f. — 1904 ; de *zinc*.

♦ Chim., minéralogie. Oxyde naturel de zinc (ZnO) de structure hexagonale.

ZINCOGRAPHIE [zɛ̃kɔgʀafi] n. f. — 1845 ; du rad. de *zinc*, et *-graphie*.

♦ Techn. Procédé d'impression par gravure au trait utilisant des clichés sur zinc.

ZINCOGRAVURE [zɛ̃kɔgʀavyʀ] n. f. — 1907 ; du rad. de *zinc*, et *gravure*.

♦ Techn. Zincographie*. → Cliché* (au trait).

ZINCOSE [zɛ̃koz] n. f. — Mil. xxᵉ ; de *zinc*, et *-ose*.

♦ Méd. Pneumoconiose causée par l'inhalation des poussières, des émanations de zinc.

ZINCOSITE [zɛ̃kozit] n. m. — 1904 ; de *zinc*, et *-osite*.

♦ Chim., minéralogie. Sulfate naturel de zinc, formant de petits cristaux jaunâtres.

ZINE [zin] n. m. — V. 1970 ; abrév. de *magazine*.

♦ Publication de bandes dessinées, qu'elle soit professionnelle *(prozine)* ou d'amateurs *(fanzine*)*.

ZINGAGE [zɛ̃gaʒ] n. m. — 1838 ; de *zinguer*.

♦ Techn. Opération consistant à recouvrir une pièce de fer ou d'acier d'une mince couche protectrice de zinc. ⟹ **Galvanisation.** *Le zingage se pratique pour empêcher le fer de s'oxyder.* — REM. On a écrit aussi *zincage* (1842).

ZINGARO [dzingaʀo], plur. **ZINGARI** [dzingaʀi] n. m. — 1740 ; mot ital., «bohémien». → Tzigane.

♦ Vx. Bohémien* (souvent dans un contexte ital.). ⟹ **Tzigane.** — REM. On trouve le plur. *zingaris.*

Puis, en regardant plus attentivement dans l'ombre qui commençait à s'épaissir, il aperçut près de la case un vaste chariot, demeure habituelle et ambulante de ces zingaris ou tsiganes qui fourmillent en Russie, partout où il y a quelques kopeks à gagner.   J. VERNE, Michel Strogoff, 1876, p. 69.

Forme francisée : *zingare* [zɛ̃gaʀ] (notamment pour désigner les Tziganes originaires de Yougoslavie).

ZINGEL [zingœl] n. m. — 1808 ; mot allemand.

♦ Zool. Poisson acanthoptérygien *(Percidés)*, petite perche qui vit dans les eaux douces, se nourrit de larves et d'insectes. ⟹ **Apron.**

ZINGIBÉRACÉES [zɛ̃ʒibeʀase] n. f. pl. — 1817 ; du rad. du lat. *zingiber*. → Gingembre.

♦ Bot. Famille de plantes monocotylédones, réunie à la famille des Scitaminées. ⟹ **Gingembre, kæmpférie.** *Les zingibéracées sont originaires de l'Asie tropicale, possèdent de très belles fleurs, ont des propriétés toniques et une saveur amère et piquante qui les font rechercher comme condiments.* — Au sing. *Une zingibéracée.*

ZINGUER [zɛ̃ge] v. tr. — 1838 ; de *zinc*.

♦ **1.** Revêtir de zinc. *Zinguer une toiture.*

— (...) plomber tout le boulevart *(sic)*...
— C'eût été trop couteux ! (...)

— Moi, dit un petit homme, j'aurais préféré le zinc (...) il fallait zinguer toute la voie publique (...) il n'y a rien au-dessus du zinc (...)
Ch. PAUL DE KOCK, la Grande Ville, t. I, p. 335.

♦ **2.** (1845). Traiter par zingage* (le fer, l'acier).

DÉR. Zingage ou **zincage, zingueur.**

ZINGUERIE [zɛ̃gʀi] n. f. — 1845; de zinc.
Technique.

♦ **1.** Métallurgie du zinc.

♦ **2.** Commerce du zinc et de ses dérivés.

♦ **3.** (1845). Atelier, usine où l'on élabore, où l'on traite le zinc.

♦ **4.** (1904). Ensemble de produits en zinc.

ZINGUEUR [zɛ̃gœʀ] n. m. — 1838; de zinguer.

♦ Techn. Ouvrier spécialisé dans les revêtements en zinc ou dans les opérations de zingage. *Zingueur de bâtiment,* chargé de la pose des revêtements en zinc. *Zingueur galvaniseur.* — Appos. (plus cour.). *Ouvrier zingueur* (Zola, *l'Assommoir,* I, p. 4). *Plombier zingueur.*

ZINJANTHROPE [zɛ̃ʒɑ̃tʀɔp] n. m. — 1959; de *Zinj* (nom de lieu), et -*anthrope.*

♦ Préhist. Australopithèque* du Tanganyika (Tanzanie).

1 (...) je crois qu'il faut considérer que la possibilité physique d'organiser les sons et les gestes existe dès le premier anthropien connu. À quel niveau intellectuel se situe le langage du Zinjanthrope? C'est là une question qui sera reprise plus loin, sur d'autres arguments, mais qui ne met pas en cause l'existence virtuelle du langage chez les plus vieux hominiens.
A. LEROI-GOURHAN, le Geste et la Parole, t. I, p. 127 (1964).

2 (...) il paraît établi que si le cerveau du Zinjanthrope ne pesait pas plus que celui du Gorille, il était capable de performances inconnues des Pongidés : le Zinjanthrope en effet avait une industrie (...) Ainsi le Zinjanthrope doit-il être considéré comme un *Homo faber* très primitif. Or il paraît très vraisemblable qu'entre le développement du langage et celui d'une industrie témoignant d'une activité projective et disciplinée, il dut y avoir une corrélation très étroite.
Jacques MONOD, le Hasard et la Nécessité, p. 169.

ZINNIA [zinja] n. m. — 1808; mot lat. bot., 1763; du nom du botaniste all. *Zinn.*

♦ Bot. (assez cour.). Plante dicotylédone *(Composées),* herbacée, d'origine exotique, annuelle, aux nombreuses variétés. *La fleur du zinnia est cultivée comme fleur d'ornement pour la beauté de ses coloris.*

1 (...) champs de zinnias pareils à de grosses pâquerettes courroucées (...)
ZOLA, la Faute de l'abbé Mouret, II, VII.

2 J'ai beau reléguer ces tétraèdres derrière un bouquet de zinnias tout feu et flammes, un rayon de soleil bleu comme la foudre coupe la pièce en deux, dénonce leur présence (...)
COLETTE, Belles saisons, p. 17.

1. ZINZIN [zɛ̃zɛ̃] n. m. et adj. — 1914-1918; onomatopée.
Familier.

♦ **1.** [a] Vieilli (argot milit., 1914-1918). Engin bruyant (obus, canon, char d'assaut, etc.).

[b] Bruit continu (en particulier : bourdonnement, sifflement), musique lancinante, etc.

1 Le boucher sommeillait au creux d'une escalope, bercé par le zinzin des mouches bleues.
René FALLET, le Triporteur, p. 10.

Objet, appareil produisant un tel bruit. *C'est exaspérant, ce zinzin qui grésille. Arrête ce zinzin !*

2 Dans un bistrot de la rue de Ponthieu, où des adolescents s'esclaffaient autour des billes électriques d'un zinzin.
Geneviève DORMANN, la Passion selon Saint Jules, p. 23.

[c] Par ext. Bastringue, bal populaire, orchestre bruyant. *« Les "zinzins" sont populaires ici, explique un étudiant, on vient pour draguer, boire, danser, oublier que la vie n'est pas marrante. Exactement comme des prolos dans un bal du samedi »* (le Monde, 21 juin 1978, in P. Gilbert).

♦ **2.** (1945). Chose dont le nom échappe; objet quelconque. ⇒ **Bidule, machin, truc.** *Ça sert à quoi, ce zinzin? Le ressort du zinzin qui ferme la porte est cassé.*

3 C'était un très beau phono, tout en chêne épais avec des moulures et des zinzins faits à la main.
CAVANNA, les Ritals, p. 78.

♦ **3.** Adj. invar. Un peu fou, bizarre. ⇒ **Cinglé, toqué.** *Elle est un peu zinzin.* — N. *C'est un vrai zinzin, une zinzin.*

4 — Marceau, il paraît que c'est grave, un voile au poumon. Tu devrais le dire...
— T'es zinzin, non? C'est rien.
R. SABATIER, Trois sucettes à la menthe, p. 200.

HOM. 2. Zinzin.

2. ZINZIN [zɛ̃zɛ̃] n. m. — V. 1960, P. Gilbert; abrév. phonétique de *les* (ou *des*) *investisseurs institutionnels,* avec les liaisons en z.

♦ Argot de la Bourse. Société ou organisme (banque, société d'assurances, Caisse des dépôts, etc.) amené par nature à investir des sommes importantes et jouant de ce fait un rôle considérable dans l'évolution des cours de Bourse.

REM. S'emploie la plupart du temps au pluriel : *les zinzins.*

HOM. 1. Zinzin.

ZINZINULER [zɛ̃zinyle] v. intr. — 1923; lat. *zinzinulare,* onomatopée.

♦ Didact. Se dit de la mésange, de la fauvette qui émet son chant.

ZINZOLIN [zɛ̃zɔlɛ̃] n. m. — 1611, in le Mercure français; *zigolin,* 1599; et aussi *gingeollin,* 1642; ital. *guiggiolino, zuzzulino,* même sens; arabe *djoudjolân* « semence de sésame ».

♦ Vx ou littér. Couleur d'un violet rougeâtre que l'on obtient du sésame*. — Adj. (Vieilli). *Des rubans zinzolins, une étoffe zinzoline.*

1 (...) deux tuniques superposées de taffetas zinzolin, frangées de jaune, et serrées par une ceinture de soie rouge.
Th. GAUTIER, l'Orient, Théâtre turc.

2 Pour la circonstance elle avait mis un chapeau, un chapeau rouge avec une couronne de roses grenat, zinzolin, lie de vin, posé de travers sur sa trogne congestionnée.
B. CENDRARS, la Main coupée, Œ. compl., t. X, p. 242.

ZIONISTE [zjɔnist] adj. — 1980; anglo-amér. *zionist,* de *Catholic Apostolic Church of Zion* « Église catholique apostolique de Zion », de *Zion City* (Illinois), « Sion ».

♦ De l'Église fondée en 1896 aux États-Unis, promettant au peuple noir une « nouvelle Jérusalem ». *« L'Église zioniste (...) incarne en Amérique une certaine tradition du panafricanisme, celle du départ, de la migration du peuple noir élu vers le royaume promis de Dieu »* (J. Ziegler, *Main basse sur l'Afrique,* 1980, p. 169).

ZIP [zip] n. m. — V. 1965; de *Zip,* nom déposé.

♦ Anglic. Fermeture à glissière*. *Vêtement fermé par un grand zip.* *« Tailleur de bure brune à galon jaune avec jupe-portefeuille et blouson à zip »* (le Figaro, 3 nov. 1966, in P. Gilbert).

Elle finit de s'habiller, stoppe, interdite, le curseur du zip de sa jupe à demi remonté.
Pierre ACCOCE, le Polonais, p. 164.

DÉR. Zipper.

ZIPPER [zipe] v. tr. — 1965; de *zip.*

♦ Munir d'une fermeture à glissière. *« Mme E. a zippé une de ses robes avec des nouvelles fermetures à glissières »* (l'Express, 26 oct. 1965, in P. Gilbert).

Au p. p. adj. (plus cour.). Muni d'une fermeture à glissière. *Un blouson zippé.* *«Anorak marine à capuchon, zippé de haut en bas »* (Femmes d'aujourd'hui, 30 oct. 1968, in P. Gilbert).

Intrans., plais. Coulisser, en parlant d'une fermeture à glissière.

Grognements et gémissements, élastiques qui claquent, zips qui zippent, eh, tu me fais mal, merde, fais gaffe avec tes ongles (...)
CAVANNA, les Ritals, p. 85.

ZIRCON [ziʀkɔ̃] n. m. — 1793; *zirkone,* 1789; altér. de 2. *jargon,* de l'arabe *zarkûn,* du lat. *hyacinthus.*

♦ Silicate de zirconium, le plus abondant des minerais de ce métal; il en existe de nombreuses variétés impures et altérées (malacon, alvite, anderbergite, cyrtolite, orvilite, etc.) présentant diverses couleurs. *Les échantillons de zircon les plus purs et transparents sont utilisés en joaillerie : incolore* (imitant le diamant); *rouge* ou *orangé; jaune, vert* ou *gris* (⇒ **Hyacinthe,** 2. **jargon**).

DÉR. Zircone, zirconite, zirconium, zirconyle.

ZIRCONATE [ziʀkɔnat] n. m. — 1876; de *zircone.*

♦ Chim. Sel dérivant de l'anhydride ZrO_2.

ZIRCONE [ziʀkɔn] n. f. — 1803; de *zircon.*

♦ Chim. Oxyde de zirconium (ZrO_2), solide blanc, utilisé comme réfractaire.

DÉR. Zirconate.

ZIRCONITE [ziʀkɔnit] n. f. — 1819; de *zircon.*

♦ Minér. Variété de zircon. *La zirconite est brune ou grise.*

ZIRCONIUM [ziʀkɔnjɔm] n. m. — 1819; du rad. de *zircon.*

♦ Chim. Corps simple (symb. *Zr ;* n° at. 40; masse at. 91,22; densité 6,5; temp. de fusion 1855 °C), métal blanc à éclat métallique, plus abondant dans la croûte terrestre que le cuivre, le plomb, le nickel et le zinc. *Les minerais du zirconium* (zircon ; baddeleyite, ZrO_2) *renferment toujours du hafnium. Le zirconium possède de bonnes propriétés mécaniques, est ductile et malléable ; il a des applications dans l'industrie atomique* (protection de l'uranium par gainage), *dans la constitution d'alliages dont il augmente la résistance à l'oxydation* (aciers, aluminium, etc.).

COMP. Zircothermie.

ZIRCONYLE [ziʀkɔnil] n. m. — xxᵉ (*in* Larousse, 1933) ; de *zircon*, et *-yle.*

♦ Chim. Radical bivalent ZrO.

ZIRCOTHERMIE [ziʀkɔtɛʀmi] n. f. — Mil. xxᵉ ; de *zirconium*, et *(alumino)thermie.*

♦ Techn. Procédé analogue à l'aluminothermie, utilisant le zirconium comme réducteur.

ZIST [zist] n. m. ⇒ **Zest.**

ZIZANIE [zizani] n. f. — 1290 ; *semer les zizanies*, 1530 ; sens fig., « discorde », 1474 ; lat. ecclés. *zizania*, grec *zizanion* « ivraie », mot sémitique.

★ **I.** ♦ **1.** Vx. Mauvaise herbe, ivraie.

♦ **2.** (1829). Bot. Plante monocotylédone *(Graminées),* herbacée, céréale exotique qui ressemble au riz et dont la graine est comestible. *La zizanie aquatique* (zizania aquatica) *est appelée riz du Canada.*

★ **II.** Mod., littér. Discorde et mésintelligence. ⇒ **Désaccord, désunion, mésentente.** *Semer la zizanie parmi des personnes :* faire naître la dispute* entre elles.

1 Le goût de la brouille est un héritage de famille (...) Nous n'avons jamais su les raisons de toutes ces zizanies, mais nous faisions confiance à la haine de nos ascendants (...) F. MAURIAC, le Nœud de vipères, I.

2 La vieille zizanie entre les frères renaissait. Armand sentit son infériorité : il n'avait pas les moyens de faire le fier. ARAGON, les Beaux Quartiers, II, XXXII.

CONTR. (Du II.) Accord, concorde.

1. ZIZI [zizi] n. m. — 1775, Buffon ; onomat., par allus. au cri de l'oiseau ; cf. ital. *zirvolo.*

♦ Bruant* d'une variété à gorge noire, au plumage gris bleu mêlé d'autres couleurs, commun en France.

HOM. 2. Zizi, 3. zizi.

2. ZIZI [zizi] n. m. — Déb. xxᵉ ; lang. enfantin, probablt déformation de *zoizeau*, de *oiseau.*

♦ **1.** Fam. Sexe (d'un jeune garçon, et, par ext., d'une petite fille). *Se promener le zizi à l'air.*

1 En salle de permanence, de 11 heures à 12 heures, ce vendredi 17 mars, ils ont vu leur camarade de classe Yvon Caladure, dessiner sur le revers du panonceau Nautamine un bon gros zizi. Yanny HUREAUX, la Prof, p. 326 (1972).

Par ext. Membre viril.

2 Je ne cesse d'ailleurs d'être étonné par cette obsession « dimensionnelle » aux États-Unis, surtout chez les écrivains. De Mailer à James Jones, de Faulkner à Hemingway et à Philip Roth, cette préoccupation de l'adulte américain intelligent pour son zizi se manifeste d'une manière qui finit par évoquer quelque gigantesque castration. R. GARY, Chien blanc, p. 63.

Plus rarement. Sexe de la femme.

♦ **2.** Loc. fam. *Zizi panpan.* [a] *Faire zizi panpan :* donner la fessée (*zizi* = derrière).

[b] « Acte sexuel, coït (dans des expressions) » (Cellard et Rey).

HOM. 1. Zizi, 3. zizi.

3. ZIZI [zizi] n. m. — Mil. xxᵉ ; onomat. → Zinzin.

♦ Fam. Petit objet que l'on ne nomme pas ; forme graphique (ratures, gribouillis).

HOM. 1. Zizi, 2. zizi.

ZIZIQUE [zizik] n. f. — xxᵉ ; redoublement de la deuxième syllabe de *musique.*

♦ Fam. Petite musique. « *Écoutez-moi, au lieu d'écouter la zizique* » (San-Antonio, *T'es beau, tu sais,* p. 179).

(Dans des loc.). ⇒ **Musique.** *En avant la zizique !*

Bon ; inutile de vous faire des recommandations. Vous connaissez la zizique. Vladimir VOLKOFF, le Retournement, p. 63.

ZLOTY [zlɔti] n. m. — 1924 ; *czerwonyzłoty,* 1663 ; mot polonais [zwɔti], du rad. de *złoto* « or ».

♦ Unité monétaire polonaise (abrév. : *zł*).

Nous n'avions pas assez d'argent pour aller nous installer à Nice et ma mère refusait de vendre sa précieuse argenterie sur laquelle tout mon avenir était fondé. Avec les quelques centaines de zlotys que nous avions pu sauver du désastre, nous décidâmes donc de nous rendre d'abord à Varsovie (...)
R. GARY, la Promesse de l'aube, p. 127.

Zn [zɛdɛn] Chim. Symbole du *zinc*.*

-ZOAIRE, -ZOAIRES Élément de mots de sciences naturelles, du grec *zôon* « être vivant, animal », et du suff. de sc. nat. *-aires.* ⇒ **Anthozoaires, artiozoaires, bryozoaires, entozoaires, polyzoaires, sporozoaires ; métazoaire, protozoaire.**

ZOANTHAIRES [zɔɑ̃tɛʀ] n. m. pl. — 1834, *in* Cottez ; *zoanthes*, 1808 ; de *zo(o)-*, et du grec *anthos* « fleur ».

♦ Zool., vx. Hexacoralliaires. — Au sing. *Un zoanthaire.*

ZOANTHROPIE [zɔɑ̃tʀɔpi] n. f. — 1808 ; de *zo(o)-*, et *-anthropie.*

♦ Psychiatrie. Trouble psychique dans lequel le sujet se croit possédé par un animal ou changé en animal. ⇒ **Lycanthropie, zoomorphie.** *Zoanthropie de certains primitifs, de débiles, de délirants.* ⇒ **Zoopathie.**

ZOARIUM [zɔaʀjɔm] n. m. — 1889, Encycl. Berthelot ; de *zo(o)-*, et *-arium*, suff. sav. de noms de contenants ou d'emplacements.

♦ Zool. Colonie de bryozoaires. *Éléments du zoarium.* ⇒ **Zoécie** (2.).

ZOB [zɔb] n. m. — 1894, d'abord argot ; arabe *zobb*, même sens. Familier et vulgaire.

♦ **1.** ZOBI ou (plus souvent) ZOB. Pénis. ⇒ **Zeb.** *De mon zob :* minable, qui ne vaut rien. — REM. Le dér. *zober* « posséder sexuellement » est attesté ; aussi dans les emplois fig. (métaphore de la possession sexuelle, évoquant la passivité). *Se faire zober :* se faire « possédé », se faire « avoir » ; être trompé, dupé.

♦ **2.** Interj. et adj. *Zob !* : pas question ! Impossible ! (Var. : *zobi, zobbi*). ⇒ **Zeb, zébi.** *Mon zob !* (même sens).

1 On veut nous arrêter, nous appréhender. Nous freiner la fuite tout au moins. Zob ! La fureur nous aide à calter. SAN-ANTONIO, Remets ton slip, gondolier !, p. 98.

2 L'hôpital, tant que je suis là, c'est zobbi, Madame Rosa. É. AJAR (R. GARY), la Vie devant soi, p. 213.

ZODIACAL, ALE, AUX [zɔdjakal, o] adj. — V. 1500, *zodyacal ;* de *zodiaque.*

♦ **1.** Du zodiaque. *Signes zodiacaux, constellations, étoiles zodiacales.* — Astrol. *Influences zodiacales.* ⇒ **Astral.**

♦ **2.** (1710). Astron. *Lumière zodiacale :* diffusion de la lumière solaire (probablt par des poussières solides ou des électrons libres), principalement dans la zone du zodiaque, qui forme une sorte de cône lumineux orienté suivant l'écliptique *(lumière zodiacale* au sens propre), et une bande très faiblement lumineuse le long de l'écliptique *(pont zodiacal).*

♦ **3.** (1845). Archéol. *Monnaies zodiacales :* monnaies orientales anciennes représentant un zodiaque.

ZODIAQUE [zɔdjak] n. m. — V. 1265 ; *dyodaque,* v. 1240 ; lat. *zodiacus*, grec *zôdiakos*, de *zôdion*, dimin. de *zôon* « être vivant, figure ».

♦ **1.** Zone de la sphère céleste limitée par deux petits cercles de cette sphère, parallèles à l'écliptique et situés à 8°5 de lui : cette zone est parcourue par le soleil, la lune et les planètes visibles à l'œil nu, dans leur mouvement apparent. — Spécialt. Cette zone, divisée en douze parties égales par des grands cercles perpendiculaires à l'écliptique, parties nommées d'après les constellations les plus proches. *Signes du zodiaque* (→ Évolution, cit. 6). ⇒ **Bélier** (21 mars), **Taureau** (21 avril), **Gémeaux** (21 mai), **Cancer** ou **Écrevisse** (22 juin), **Lion** (23 juillet), **Vierge** (23 août), **Balance** (23 septembre), **Scorpion** (23 octobre), **Sagittaire** (22 novembre), **Capricorne** (21 décembre), **Verseau** (20 janvier), **Poisson** (19 février). *Utilisation du Zodiaque dans l'établissement des horoscopes.* ⇒ **Astrologie ; astre, ciel, décan.** — (1690). Ensemble des signes du zodiaque (→ ci-dessus).

La reconnaissance et la classification des constellations relève de l'étude des tracés : les constellations ont reçu des noms comme si elles étaient des représentations schématiques d'objets. Les schématisations postérieures des dessins de ces objets ont donné la série des signes du zodiaque. Marcel COHEN, l'Écriture, Signes en dehors de l'écriture, p. 12.

♦ **2.** (1389). Représentation figurée du zodiaque et de ses constellations ou signes. *Les zodiaques des temples ptolémaïques d'Égypte.*
DÉR. Zodiacai.

ZOÉ [zɔe] n. f. — 1839, Boiste ; lat. zool. *zoea*, du grec *zoê* « vie ».
→ Zoo-.

♦ Zool. Forme larvaire des crustacés décapodes, qui succède au stade nauplius*.

ZOÉCIE [zɔesi] n. f. — 1845, Bescherelle ; aussi *zooecie*, 1889 ; de *zo(o)-*, et grec *oikia* « maison ».
Zoologie.

♦ **1.** Vieilli. Logette élémentaire, dans une colonie de bryozoaires. Syn. : *cystide.*

♦ **2.** Élément d'une colonie de bryozoaires. Syn. : *zoïde. Zoécies toutes semblables de colonies sans polymorphisme* (formées d'un *cystide* abritant un *polypide* et munies de tentacules [⇒ **Lophophore**] et d'un tube digestif). *Zoécies de certaines colonies, différenciées en* autozoécies, *qui nourrissent le zoarium, et en* hétérozoécies, *sans moyens d'ingestion :* cœnozoécies *(loges creuses formant des stolons),* gonozoécies *(incubant les embryons), etc.* ⇒ aussi **Ancestrula.** *Les zoécies sont hermaphrodites.*
La colonie, ou *zoarium*, se compose d'éléments, dits indifféremment *zoïdes* ou *zoécies* ; l'*oozoïde* (...) est l'unité fondatrice d'une colonie (...)
Geneviève BOBIN, *in* Encycl. Pl., Zoologie, t. I, « Bryozoaires... », p. 916.

ZOÏDE [zɔid] n. m. — 1897 ; simplification, par attr. de *-zoïde* dans *spermatozoïde, anthérozoïde...*, de la forme primitive *zooïde*, 1889, grec *zôoeidês* « semblable à un animal ». → Zo(o)-, et *-ide.*

♦ Zool. (Vieilli). Syn. de *zoécie** (2.)

ZOÏLE [zɔil] n. m. — 1537 ; lat. *Zoilus*, grec *Zôïlos*, nom d'un critique d'Alexandrie détracteur d'Homère.

♦ Littér., vieilli. Critique injuste et envieux. ⇒ **Détracteur.** — REM. Le mot prend souvent la majuscule.
D'où ma surprise devant l'affreux portrait que faisait de moi un Zoïle.
A. MAUROIS, Mémoires I, XVII.

-ZOÏQUE Élément de mots savants (notamment, de paléontologie), du grec *zôon* « être vivant, animal ou végétal ». ⇒ **Anthropozoïque, archéozoïque, azoïque, cénozoïque, néozoïque, paléozoïque.**

ZOÏSME [zɔism] n. m. — 1872, Littré ; de *zo(o)-*, et *-isme.*

♦ Didact., vx. Ensemble des caractères envisagés pour classer un être vivant dans le règne animal.

ZOÏTE [zɔit] n. m. — xxᵉ ; var. de *zoïde.*

♦ Zool. Syn. de *zoécie, zoïde.*

ZOLA [zɔla] n. m. — Probablt fin xixᵉ ; du nom de *Zola*, par allus. à la réputation du roman naturaliste de se « complaire dans l'ordure ».

♦ Fam., vx. Pot de chambre.
Pourtant, que le dégoût, que le mépris le cèdent à la joie chez les chrétiens — chez les plus vieux surtout qui furent dressés, enfants, à appeler leurs pots de chambre des « Zolas » et à crier : « Mort aux Juifs ! ».
F. MAURIAC, Bloc-notes 1952-1957, p. 311.

ZOLISTE [zɔlist] adj. et n. — 1891, « écrivain naturaliste dans la veine de Zola » ; aussi adj., *roman zoliste* (1891) ; de *Zola.*

♦ Didact. Spécialiste de Zola.

ZOMBI ou **ZOMBIE** [zɔ̃bi] n. m. — 1832, *in* D.D.L. ; mot créole haïtien, d'une langue africaine, cf. *nzambi* « dieu » en tchilouba, *zumbi* « fétiche ».

♦ **1.** (Dans les cultes vaudou*). [a] Dieu-serpent.
[b] Pouvoir surnaturel qui peut réanimer un mort.

♦ **2.** Fantôme d'un mort, revenant (dans les croyances populaires). *Des zombis.* Syn. : *mort-vivant.*
[1] Outre sa croyance aux maléfices, il (*le Noir des Antilles*) est convaincu que les eaux profondes, les anses solitaires et les grands arbres morts sont hantés par des esprits malfaisants, nommés *Zombis.*
ROSEVAL, *in* les Français peints par eux-mêmes, « Province » ; III, 326 , 1842 (*in* D.D.L.).
[2] D'ailleurs, révéla Sankolo, tous les « morts » des six derniers mois étaient, comme lui-même, *zombies* (sic) : morts-vivants, asservis et utilisés comme main-d'œuvre

gratuite par Blancs et Noirs, vendus enfin à l'Arabie comme esclaves aux moments déficitaires du commerce.
Yambo OUOLOGUEM, le Devoir de violence, p. 114.

♦ **2.** (Surtout écrit *zombie*). Personne qui paraît vidée de sa substance. « *Eh quoi ! le génocide arménien ne valait-il pas les massacres juifs ? Ce peuple de deux millions cent mille habitants ramené en quelques jours à une poignée de zombies, n'était-ce pas un pur joyau d'extermination préconçue ?* » (le Nouvel Obs., 2 févr. 1981, p. 79).

♦ **3.** (V. 1975). Personne sans volonté. ⇒ **Fantoche, pantin.** « *L'acide* (le L.S.D.) *décape la tête quand on a quinze ans. Le cerveau fonctionne furieusement (...). Jacno a le vertige : les adultes ont l'air de zombies, de marionnettes absurdes* » (Actuel, nᵒ 4, févr, 1980, p. 108).
[3] Il est perpétuellement en flag, ce mec-là, et personne ne lui demande ce qu'il fout !
S'il pointait chez Renault, croyez-moi, tout le monde le saurait, mais là, rien !
c'est vraiment le parfait zombie.   Martin ROLLAND, la Rouquine, p. 232.

ZONA [zona] n. m. — 1810 ; lat. *zona* « ceinture », sens méd. en bas latin.

♦ Mod. Affection d'origine virale, caractérisée par une éruption de vésicules disposées sur le trajet des nerfs sensitifs. *Du zona.* ⇒ **Zostérien.**
(...) un mal mystérieux où le docteur Milot, de Bellefont, avait cru reconnaître d'abord un zona, mais qui n'en était vraisemblablement pas, caractérisé qu'il était par des plaies répandues partout, dans le dos particulièrement ainsi que sur le visage et dans le cou.   A. BILLY, Sur les bords de la Veule, p. 212.

ZONAGE [zonaʒ] n. m. — 1953 ; francisation de l'angl. *zoning*, même sens.

♦ Techn. Réglementation organisant la répartition d'un territoire en zones et fixant pour chacune d'elles le genre et les conditions de l'utilisation du sol (agriculture, industrie, habitat, etc.). *Plan de zonage. Zonage touristique* (Journ. off., 3 avr. 1982).

ZONAL, ALE, AUX [zonal, o] adj. — 1842 ; de *zone.*
Didactique.

♦ **1.** Sc. nat. Qui présente des bandes transversales colorées.

♦ **2.** Géogr. Propre à une zone du globe. *Climat zonal.*
DÉR. Zonalité.

ZONALITÉ [zonalite] n. f. — Mil. xxᵉ ; de *zonal.*

♦ Didact. Répartition suivant les grandes zones climatiques du globe.

ZONARD, ARDE [zonaʀ, aʀd] n. et adj. — V. 1930 ; de *zone.*
Familier.

★ **I.** N. ♦ **1.** Habitant, habitante de la zone, d'une zone (II., 4.).
⇒ **Zone ; zonier.**

♦ **2.** (V. 1970). Personne qui « zone » ; marginal (homme ou femme) qui mène une existence précaire, sans travail ni domicile fixe, en vivant d'expédients (mendicité, menus trafics, vols, etc.). *C'est la bande de zonards qui squatte l'immeuble de la rue X.* — REM. *Zonard* ne connote généralement pas les idées de décrépitude physique et de perte du respect de soi impliquées par *clochard*. À la différence de *chemineau* et de *vagabond*, il emporte la plupart du temps l'idée de milieu urbain, à laquelle se superpose peu ou prou celle de dureté, de violence physique — de manière moins patente toutefois que pour *loubard*. « *Il se cherche une tendresse dans des bandes de "zonards" où on chaparde et où on se bagarre* » (le Nouvel Obs., 11 mars 1974, p. 57).

★ **II.** Adj. Caractéristique de la zone (II., 4.), d'une zone ; d'aspect misérable, sordide.
Vers Fontenay, ça devient zonard, les maisons sont rabougries, pas finies, les briques n'ont pas de crépi, la tôle ondulée remplace provisoirement les tuiles, un provisoire qui dure longtemps.   CAVANNA, les Ritals, p. 48.

ZONATION [zonasjɔ̃] n. f. — 1953, *in Annales de géographie* ; de *zone*, par l'anglais.

♦ Géol. *Zonation thermique* (sols péripolaires) : « sols caractérisés par des limites correspondant grossièrement aux parallèles et se succédant de la région des cercles polaires jusqu'à l'équateur » (la Terre, p. 1144). — *Zonation hydrique* (sols péridésertiques) : « sols caractérisés par des limites dessinant des auréoles autour des déserts et recoupant par conséquent d'une façon indifférente les zones thermiques » (la Terre, p. 1157).
La stratification est nette dans la zone d'accumulation des glaciers locaux peu étendus. Dans les langues, plus on descend vers l'aval, plus elle est oblitérée par la zonation.
La *zonation*, résultat de la pression, n'est pas toujours facile à distinguer de la

stratification. Les zones sont épaisses de 1 à 50 m (...) La zonation est très développée au pied d'abrupts, et nette surtout dans la zone d'ablation.
V. ROMANOVSKY et A. CAILLEUX, la Glace et les Glaciers, p. 78.

ZONE [zon] n. f. — 1119, en géogr., inusité jusqu'au XIVe — il est encore jugé « savant et pédant » au XVIIe (Vaumonière, *in* Brunot, *H. L. F.*, t. IV, p. 421); lat. *zona*; grec *zônê*, proprt « ceinture ». → Zona.

★ **I.** Espace en forme de ceinture, de bande.

♦ **1.** (1532, J. Parmentier). Géogr. Chacune des cinq parties de la sphère terrestre, divisée selon les cercles polaires et les tropiques, et caractérisée par un climat particulier. — Vieilli. *Zones froides et glaciales, zones tempérées, zone torride* (→ Attiédir, cit. 2; hiver, cit. 6), ou (vx) *zone brûlante* (→ Phaéton, cit. 4, Buffon). — Mod. *Zones polaires (arctique, antarctique), zones tempérées et zone tropicale.* — Par ext. *Zones climatiques. Zones de végétation**.

(1690, Furetière). Par anal. *Une zone chaude, torride, froide... :* une région où le climat est chaud, torride... (→ Montagne, cit. 7). *La zone où se trouve la neige* (→ Gravir, cit. 9).

1　Lorsque, partant d'un pays méridional, vous remontez vers le nord, vous vous apercevez qu'en entrant dans une certaine zone on voit commencer une espèce particulière de culture et une espèce particulière de plantes (...)
TAINE, Philosophie de l'art, t. I, p. 9.

♦ **2.** (V. 1370). Astron. Partie de la sphère céleste déterminée par deux cercles parallèles. *La zone du zodiaque.*

♦ **3.** (1812). Géom. Partie d'une surface sphérique comprise entre deux plans parallèles. *Zone limitée par un plan tangent à la sphère* (calotte sphérique).

♦ **4.** (XVIIIe). Cour. Partie allongée (d'une surface sphérique ou non). ⇒ **Bande, ceinture.** Bande (ou marque) circulaire (lorsqu'il y en a plusieurs). *Zones noires et blanches* (d'un plumage, Buffon). *Zones de l'onyx. — Une zone de dunes* (→ Aréneux, cit. 2, Chateaubriand). *Bande* ou *zone de forêt* (→ Futaie, cit. 2). *Les nues* (cit. 2) *se déroulaient en zones diaphanes* (→ aussi Phosphore, cit. 1). *Ciboires entourés de zones d'émaux* (→ Nieller, cit. 1). *Zones concentriques de la décoration d'une coupole. Zones circulaires autour du point central d'une cible.* — Admin. Bande de territoire (→ ci-dessous, II., 2.).

2　La large zone que la maison capétienne avait ajoutée à l'étroite lisière du traité de Verdun fut bien l'acquisition personnelle de cette maison.
RENAN, Discours et conférences, Qu'est-ce qu'une nation?,
Œ. compl., t. I, II, p. 894.

★ **II.** (1587, répandu XVIIIe). ♦ **1.** Surface; partie (d'une surface ou d'un volume). ⇒ **Espace, région, secteur.**

3　Derrière cette rude et héroïque zone de Dauphiné, Franche-Comté, Lorraine, Ardennes, s'en développe une autre tout autrement douce, et plus féconde des fruits de la pensée. Je parle des provinces du Lyonnais, de la Bourgogne et de la Champagne. Zone vineuse, de poésie inspirée, d'éloquence, d'élégante et ingénieuse littérature.
MICHELET, Hist. de France, III.

Les zones de l'atmosphère (→ Géographique, cit. 3). *Zones d'un séisme. Zone sismique,* sujette aux tremblements de terre. *Zone de fracture*. Zone littorale* (cit.), lacustre. Zones de faible pression* (→ Dépression, cit. 2). « *On pourrait diviser les vents par zones* » (Buffon). *Zone houillère, pétrolifère.*

Anat., biol. Région, partie (d'un organisme, d'un organe). *Zones de l'embryon* (→ Plaque, cit. 12). *Zones corticales* (du cerveau). *Zone radiculaire*. — Zone spasmogène* (ou *hystérogène*), *zone tussigène, zone réflexogène* (ou *de provocation*). *Zone érogène*. — Phys. *Zone de silence*.

Sc. Ensemble des faces (d'un cristal) qui sont parallèles à une direction *(bord de la zone).*

Inform. *Zone de mémoire.* ⇒ 1. **Mémoire.**

♦ **2.** (1842; milit., polit.). Région, portion de territoire. *Zone des frontières, zones militaires. La zone des armées*, des opérations. Zones d'action, de défense, zones de tir, zone de protection* (→ Mercanti, cit. 1), *zone démilitarisée. Zone libre, zone occupée* (en France, 1940-42). → Monter, cit. 11; occuper, cit. 13.

4　— Vous êtes Français! m'écriai-je.
— Ça vous dérange?
— Au contraire.
— Vous passez en douce?
— Oui, répondit Jeanne.
— La patrouille allemande est à cinq minutes; nous venons de nous croiser.
Jeanne se mit en colère :
— Mais où sommes-nous? En zone libre ou en zone occupée?
— Ni l'une, ni l'autre. No man's land comme on dit. Ils patrouillent, nous patrouillons.
Jacques LAURENT, les Bêtises, p. 79.

*Ligne de démarcation** entre des zones.

5　Les Allemands franchirent immédiatement la ligne de démarcation afin de « défendre » la côte méditerranéenne; mais peu nous importait que la fiction d'une zone « libre » fût balayée.
S. DE BEAUVOIR, la Force de l'âge, VII.

6　Dans le faux jour du crépuscule, la place, piquée de globes électriques, sillonnée de véhicules, s'étendait devant lui : la zone de démarcation entre deux univers.
MARTIN DU GARD, les Thibault, t. VI, p. 143.

Zone franche, soumise à un régime administratif spécial (franchise* douanière). — *Zone frontière,* dans laquelle certaines lois fiscales particulières sont appliquées. *Zone de libre échange. Zones posta-*

les (⇒ aussi **Secteur**). *Zones monétaires,* dans lesquelles les échanges se font en une monnaie. *La zone franc, la zone dollar, la zone sterling.* ⇒ aussi **Bloc** (monétaire). — Écon. *Zones industrielles, agricoles. Zones témoins.*

Urbanisme. *Zone à aménagement différé* (Z.A.D.* [zad]), dont l'aménagement est prévu pour une époque ultérieure. *Zone d'aménagement concerté* (Z.A.C.* [zak]). *Zone à urbaniser en priorité* (Z.U.P.* [zyp]). *Zone industrielle.*

(1890, *in* D.D.L.). *Zone d'influence** d'un État (en politique internationale).

7　Le 27 novembre 1912, quelques mois après l'établissement de notre Protectorat, avaient été conclus entre la France et l'Espagne les accords relatifs à la zone d'influence espagnole. Ce terme « zone d'influence » définit le caractère de l'établissement de l'Espagne dans cette zone. Il n'existe qu'un Protectorat, celui exercé par la France sur le Maroc.
L.-H. LYAUTEY, Paroles d'action, p. 152.

(1951). *Zone-tampon**.

(Sur un aérodrome). *Zone de fret. Zone de sécurité. Zone d'entretien du matériel volant.* — (Parachutisme). *Zone de saut, de largage* (angl. *drop zone*).

Sports. Secteur (d'un terrain de jeu). *Zone de hors-jeu* (au rugby). Loc. *Défense de zone,* qui protège un secteur menacé (basket, handball; opposé à *défense individuelle*).

(Dans une ville). En France (1957), *Zone bleue :* zone où le stationnement des véhicules est réglementé. → Disque* de stationnement.

♦ **3.** Fig. Domaine, région. — (1918, *zone d'action,* milit.). *Zone d'action, d'activité,* à l'intérieur de laquelle s'exerce l'action, l'activité (d'une personne ou d'un groupe). ⇒ Aire (C.). *Zone de recherche*. — Les zones vulnérables d'un peuple* (→ Centre, cit. 9). *Une zone de pureté et de rêve* (→ 2. Calme, cit. 3), *d'extase* (→ Hausser, cit. 13; et aussi isolement, cit. 5; nature, cit. 30). — Didact. *Zones « de la conscience »* (Merleau-Ponty), « *de la matière* » (Teilhard de Chardin), etc. *Le champ « désigne une zone où ont lieu des échanges énergétiques »* (Matoré, *l'Espace humain*).

8　(...) en vain mon regard fouillait l'horizon, cherchant à repérer la zone occulte qu'aucun écran ne masquait et qui demeurait cependant invisible.
S. DE BEAUVOIR, Mémoires d'une jeune fille rangée, I, p. 83.

Loc. *De première, de seconde zone* (→ Malheureux, cit. 29) : de premier, de second ordre.

♦ **4.** (Déb. XXe; par ellipse de *zone militaire fortifiée*). Absolt. *La zone :* les faubourgs misérables d'habitations précaires construites sur les glacis des dernières fortifications de Paris, avant leur démantèlement en 1919, puis sur l'emplacement de ces fortifications, après leur démolition. *Les terrains vagues, les baraques de la zone* (⇒ **Zonard, zonier**).

9　(...) et la nuit elles rentraient coucher dans leur cabane en boîtes à savon de la grande zone.
Paul MORAND, l'Europe galante, Glace à trois faces, II.

9.1　(...) sur la zone flottait un brouillard léger estompant le décor bancal et les allées de mâchefer.
M. AYMÉ, le Passe-muraille, p. 60.

10　(...) il n'est pas rare de découvrir, au pied des plus grands buildings, le long d'une avenue aristocratique, une « zone » de petits potagers misérables.
SARTRE, Situations III, p. 105.

11　Les petits zoniers obtiennent sur certains points les indemnités prévues par la loi et vont simplement s'installer sur un point de la zone moins visé par la voirie, où ils deviennent à nouveau propriétaires et indemnisables.
GIRAUDOUX, De pleins pouvoirs à sans pouvoirs, V, p. 125.

Par anal. *(Une, des zones).* Faubourg misérable. ⇒ **Bidonville** (→ Malcommode, cit.).

Par ext. Banlieue d'une grande agglomération urbaine (souvent banlieue industrielle, pauvre, mal aménagée...).

DÉR. et COMP. Sous-zone; zonal, zonard, zoné, zoner, zonier, zonite. — V. Zonage, zonation, zoning, zonule, zonure.

ZONÉ, ÉE [zone] adj. — 1817; de *zone,* I.

♦ Minéralogie. Qui présente des zones (I., 4.), des bandes de structure ou d'aspects différents. *Roche zonée.*

ZONER [zone] v. — V. 1950, *in* Cellard et Rey, « coucher n'importe où, comme les habitants de la zone »; de *zone,* II., 4.
Argot, puis familier.

★ **I.** V. pron. SE ZONER : se coucher.
(...) je l'appellerai en fin de journée. Pour ma part, je rentre chez moi me zoner. Si je ne ronfle pas, je sens que je vais rentrer en purée de navets.
SAN-ANTONIO, J'ai essayé : on peut!, p. 157.

★ **II.** V. intr. ♦ **1.** Coucher. *Où tu zones? Chez une copine, elle m'a passé son studio.*

♦ **2.** (En rapport avec *zonard*). [a] Mener une existence précaire, marginale, sans travail ni domicile fixe; vivre en zonard*.

[b] Par ext. Flâner, traîner sans but précis (par désœuvrement, etc.).

ZONIER, IÈRE [zonje, jɛʀ] n. et adj. — Fin XIXe; de *zone,* II.

★ **I.** N. ♦ **1.** Habitant, habitante de la zone; d'une zone. ⇒ **Zone** (II., 4.); **zonard.**

1 (...) ces masures bancales que les zoniers plantent parmi les amoncellements de ferraille et qui disparaissent à demi sous la montée des bidons déchirés, des cercles de barrique et des fourneaux crevés.   Roger VERCEL, Remorques, IV.

1.1 Louise Mégnin devait mettre longtemps à s'habituer à ce voisinage, de même qu'à la vermine, aux rats, aux odeurs, à la rumeur des bagarres, à la grossièreté des zoniers et à tous les inconvénients sordides qu'imposait l'existence dans ce dernier cercle de l'enfer terrestre.   M. AYMÉ, le Passe-muraille, p. 59.

♦ **2.** Habitant, habitante d'une zone territoriale particulière (zone franche, zone frontière). ⇒ **Frontalier.**

★ **II.** Adj. De la zone (II., 4.); d'une zone. *« Cette rue à demi zonière »* (R. Queneau, *Pierrot mon ami,* p. 49).

2 Les baraques et les jardins zoniers se multipliaient, et dans les terrains vagues des énergumènes découvraient les sports.
                              R. QUENEAU, Pierrot mon ami, éd. L. de Poche, p. 55.

ZONING [zoniŋ] n. m. — 1934; mot angl., de *zone* « zone ».

♦ Anglic. ⇒ **Zonage.** *« Le zoning souterrain se fait sur trois niveaux »* (le Monde, 15 sept. 1979).

ZONITE [zonit] n. m. — D. i.; de *zone* et *-ite.*

♦ Zool. Chacun des segments du corps d'un ver, d'un arthropode ou d'un vertébré inférieur.

ZONULE [zonyl] n. f. — Attesté mil. xxᵉ, mais antérieur; *zonulaire* est dans Littré-Robin, 1877 *(cataracte zonulaire);* lat. *zonula,* dimin. de *zona.* → Zone.

♦ Anat. Partie du cristallin située entre le noyau et la périphérie. *La zonule rattache le cristallin au corps ciliaire.*

ZONURE [zonyʀ] n. m. — 1842; lat. zool. *zonurus,* même sens, du grec *zônê* « ceinture, zone », et *oura* « queue ».

♦ Zool. Reptile saurien, lézard d'Afrique du Sud, dont la queue présente des anneaux.

ZONZON [zɔ̃zɔ̃] n. m. — 1640; onomatopée.

♦ Vx. Bruit d'un coup; son musical; bourdonnement. ⇒ **Zinzin.**

(...) c'était la chanson de la *Fanfarnette* à pas douter, la *Fanfarnette* qu'on bourdonne aux enfants pour les endormir.
C'était ça, et c'était chanté par une femme, ça je vous jure, et ça disait beaucoup, ce petit zonzon au fond de la nuit.
                              J. GIONO, Un de Baumugnes, Pl., t. I, x p. 291.
DÉR. Zonzonner.

ZONZONNANT, ANTE [zɔ̃zɔnɑ̃, ɑ̃t] adj. — xxᵉ; de *zonzonner.*

♦ Qui zonzonne. ⇒ **Bourdonnant.**

Je les ai regardées qui voletaient en zigzag, toutes zonzonnantes, furieuses d'être dérangées, de belles grosses mouches, bien rebondies.
                              Jean HOUGRON, la Gueule pleine de dents, p. 10.

ZONZONNER [zɔ̃zɔne] v. intr. — xxᵉ; de *zonzon.*

♦ Produire un zonzon. ⇒ **Bourdonner** (Cf. Audiberti, Vian, *in* G. L. L. F.).
DÉR. Zonzonnant.

ZO-, ZOO- Premier élément de mots de science, du grec *zôon* « être vivant ». ⇒ **-zoaire, zoanthaires, zoanthropie, zoé, zoécie, -zoïque, zoïsme** (et aussi **zodiaque**), etc.

ZOO [zoo; cour. zo; à l'anglaise (rare) zu] n. m. — 1895, repris 1931; abrév. de *(jardin) zoo(logique).*

♦ Jardin zoologique. *Le zoo de Vincennes. Des zoos.*

1 (...) les prendre vivants pour les vendre à quelque jardin zoologique (il disait : un zoo par abréviation)...   Paul BOURGET, Outre-Mer, 1895, t. II, p. 226.

2 (...) l'habitant des villes doit être, dans sa mission d'homme actif, flatté, réconforté par ces caresses et ces hommages du monde brut, que sont les Jardins des Plantes avec leurs cèdres du Liban et leurs fleurs gigantesques, ou les zoos avec leurs animaux sauvages.
                              GIRAUDOUX, De pleins pouvoirs à sans pouvoirs, III, p. 57.

ZOOBIOLOGIE [zoobjɔlɔʒi] n. f. — 1872; de *zoo-,* et *biologie.*

♦ Didact. Partie de la zoologie qui étudie la physiologie et la biologie des animaux.

ZOOCÉCIDIE [zoosesidi] n. f. — 1903, in *Rev. gén. des sc.,* nº 2 (30 janv.), p. 104; de *zoo-,* et grec *kekis, kekidos* « noix de gale », « tumeur ».

♦ Biol. Tumeur produite sur un végétal par un animal.

ZOOCÉNOSE [zoosenoz] n. f. — Mil. xxᵉ; de *zoo-,* et grec *koinos* « commun ».

♦ Biol. Ensemble des animaux qui vivent en bon équilibre d'interdépendance dans un espace circonscrit. ⇒ **Biocénose.** *« La "zoocénose", c'est-à-dire le complexe animal que peut abriter un nid »* (Sciences et Avenir, août 1979, p. 50).

ZOOCHIMIE [zooʃimi] n. f. — 1846, Bescherelle; de *zoo-,* et *chimie.*

♦ Vx. Chimie biologique appliquée aux animaux. Syn. mod. : *biochimie.*

ZOOCHLORELLES [zooklɔʀɛl] n. f. pl. — 1904; de *zoo-,* et *chlorelle,* du grec *khlôros* « vert clair », et suff. *-elle.*

♦ Biol. Algues vertes vivant souvent en symbiose avec des animaux. — Au sing. *Une zoochlorelle.*

ZOOCHORIE [zookɔʀi] n. f. — Mil. xxᵉ; de *zoo-,* grec *khôra* « emplacement », et suff. *-ie.*

♦ Bot. Dispersion des graines végétales par les animaux; caractère des espèces (dites *zoochores* [zookɔʀ]) dont les graines sont dispersées par les animaux.

ZOOFLAGELLÉS [zooflaʒele] n. m. pl. — Mil. xxᵉ; de *zoo-,* et *flagellés.*

♦ Biol. Protistes flagellés sans chlorophylle (assimilés à des animaux). — Au sing. *Un zooflagellé.*

ZOOGAMÈTE [zoogamɛt] n. m. — V. 1965; de *zoo-,* et *gamète.*

♦ Didact. Gamète mobile à flagelles des algues (reproduction sexuée), des champignons.

ZOOGÈNE [zooʒɛn] adj. — Déb. xxᵉ (Rev. gén. des sc., 15 août 1903, p. 823); n. m., 1872, Littré, « substance visqueuse des eaux thermales »; de *zoo-,* et *-gène.*

♦ Didact. Qui est d'origine animale. *Îlot zoogène* (ex. : atoll corallien).

ZOOGÉNIE [zooʒeni] n. f. — 1863, in *Année sc. et industr.* 1864, p. 529; de *zoo-,* et *-génie.*

♦ Didact. et vx. Partie de la physiologie animale qui étudie la « génération des animaux » (Littré) et leur croissance.

ZOOGÉOGRAPHE [zooʒeɔgʀaf] n. — Mil. xxᵉ; de *zoogéographie.*

♦ Didact. Spécialiste de zoogéographie. *« Ce livre est surtout destiné à des professionnels (paléontologistes [...]) mais aussi zoogéographes »* (la Recherche, avr. 1981, p. 516).

ZOOGÉOGRAPHIE [zooʒeɔgʀafi] n. f. — 1904, in *Rev. gén. des sc.,* 15 oct., nº 19, p. 896; de *zoo-,* et *géographie.*

♦ Didact. Géographie zoologique; partie de la biogéographie qui étudie la répartition de la vie animale sur le globe terrestre.
DÉR. Zoogéographe.

ZOOGLÉE [zoogle] n. f. — 1889; lat. sc. *zoogloea,* 1878; de *zoo-,* et grec *gloios* « glu ».

♦ Didact. (sc. nat.). Masse d'apparence gélatineuse constituée par des bactéries agglutinées.

ZOOGRAPHE [zoogʀaf] n. — 1788; grec *zôographos;* → Zoo-, et *-graphe.*

Didactique et vieux.

♦ **1.** Peintre d'animaux.

♦ **2.** Auteur d'une zoographie.

ZOOGRAPHIE [zoogʀafi] n. f. — 1740; de *zoo-,* et *-graphie.*

Didactique et vieux.

♦ **1.** Partie de la zoologie qui s'occupe de la description d'animaux (zoologie* descriptive).

♦ **2.** (1842). Peinture d'animaux.

DÉR. Zoographique.

ZOOGRAPHIQUE [zɔɔgʀafik] adj. — 1842 ; de *zoographie*.

Didactique.

♦ **1.** (Sens 1 de *zoographie*). *Description zoographique.*

♦ **2.** (Sens 2 de *zoographie*). *Lettres zoographiques,* formées de figures animales.

ZOOHORMONE [zɔɔɔʀmɔn] n. f. — Mil. xxᵉ ; de *zoo-,* et *hormone.*

♦ Biochim. Hormone d'origine animale (opposé à *phythormone*,* d'origine végétale).

ZOOÏDE [zɔɔid] adj. — 1846, Bescherelle ; grec *zôoeidês* « semblable à un animal ». → Zoo-, et -ide.

♦ Vx. Qui porte l'empreinte d'un animal ou d'une partie d'animal. *Minéral zooïde :* fossile animal.

REM. Employé comme n. m., le mot représente une forme ancienne de *zoïde*.*

ZOOLÂTRE [zɔɔlɑtʀ] adj. et n. — 1836 ; de *zoo-,* et *-lâtre.*

♦ Didact. (hist.). Adorateur, adoratrice d'animaux. *Les Égyptiens étaient zoolâtres.*

ZOOLÂTRIE [zɔɔlɑtʀi] n. f. — 1721 ; de *zoo-,* et *-lâtrie.*

♦ **1.** Hist. Adoration d'animaux divinisés.

♦ **2.** Par ext. Goût excessif pour les animaux. *« Une surprenante crise de zoolâtrie. Jamais tant d'animaux n'envahirent nos écrans »* (*l'Express,* 1ᵉʳ janv. 1973, p. 48).

ZOOLITE ou **ZOOLITHE** [zɔɔlit] n. m. — 1762, zoolite ; zoolithe, 1835 ; de *zoo-,* et *-lit(h)e.*

♦ Sc. (vx). Animal ou partie d'animal fossile* pétrifié.

ZOOLOGIE [zɔɔlɔʒi] n. f. — 1750 ; lat. sc. *zoologia,* xviiᵉ ; → Zoo-, et -logie.

♦ Branche des sciences naturelles qui a pour objet l'étude des animaux. *Zoologie descriptive.* ⇒ **Zoographie,** vx ; **morphologie** (animale). *Zoologie statique. Classification, taxinomie en zoologie.* ⇒ **Zootaxie ; systématique** (zoologique). *Parties de la zoologie :* anatomie et physiologie animales ; étude de l'évolution ; embryologie ; étude des milieux (⇒ **Écologie**) et des mœurs (⇒ **Éthologie**) des animaux, de leur distribution géographique (⇒ **Zoogéographie**). *Disciplines particulières en zoologie* (⇒ **Conchyliologie, entomologie, helminthologie, herpétologie, ichtyologie, malacologie, mammalogie, ornithologie**). *Aux yeux du naturaliste, zoologie et botanique sont inséparables.* → Règne, cit. 2 ; et aussi paléontologie (animale). ⇒ **Protistologie.** *Zoologie et systèmes signifiants, et communication.* ⇒ **Zoosémiotique.**

1   La zoologie, donnant la description et la classification des espèces, n'est qu'une science d'observation qui sert de vestibule à la vraie science des animaux.
        Cl. BERNARD, Introd. à l'étude de la médecine expérimentale, II, II.

2   Un jour viendra où la zoologie sera historique, c'est-à-dire, au lieu de se borner à décrire la faune existante, cherchera à découvrir comment cette faune est arrivée à l'état où nous la voyons.
        RENAN, Dialogues et Fragments philosophiques, Œ. compl., t. I, p. 638.

DÉR. Zoologiste.

ZOOLOGIQUE [zɔɔlɔʒik] adj. — 1754 ; lat. sc. *zoologicus,* xviiᵉ, de *zoologia ;* → Zoo-, et -logique.

♦ **1.** Qui concerne la zoologie, les animaux. *Anatomie, physiologie zoologique. La géographie zoologique. Les faits zoologiques* (→ Empreinte, cit. 4). *Classification zoologique.*

♦ **2.** *Jardin, parc zoologique :* emplacement où des animaux rares, exotiques, etc., sont présentés dans des conditions rappelant leur vie en liberté (espaces ouverts). ⇒ **Zoo** (→ Jardin d'acclimatation*).

Du Pithécanthrope au poste de télévision du xxᵉ siècle, les pieux débris de l'insertion dans le temps des générations passées auront leur place indispensable (*dans la capitale de la Terre future*). De même, les parcs zoologiques échangeront leurs nouveau-nés d'une population d'éléphants, de crocodiles et de vaches normandes

qui n'existera plus qu'entre les grilles qui la mettront à l'abri de la masse humaine uniformément étalée sur la surface terrestre.
        A. LEROI-GOURHAN, le Geste et la Parole, II, p. 183-185.

DÉR. Zoologiquement.

ZOOLOGIQUEMENT [zɔɔlɔʒikmã] adv. — 1852 ; de *zoologique.*

♦ Didact. Du point de vue de la zoologie.

ZOOLOGISTE [zɔɔlɔʒist] n. — 1753 ; var. vieillie *zoologue,* 1771 ; de *zoologie.*

♦ Spécialiste de la zoologie. ⇒ **Naturaliste.** *Zoologistes et botanistes* (→ Espèce, cit. 30). *Une zoologiste.* — REM. La var. *zoologue* est attestée (par ex. : *Sciences et Avenir,* juil. 1981, p. 8).

ZOOM [zum] n. m. — V. 1950 ; mot angl. des États-Unis.

Anglicisme.

♦ **1.** Effet d'éloignements et de rapprochements successifs obtenu par la variété des plans, avec une caméra dont la distance focale varie continûment. *Des zooms. « L'essentiel (gros plans et zooms ne cessent de le répéter) est dans les visages et dans ce qui se lit dans les regards »* (*le Nouvel Obs.,* 5 déc. 1977, p. 109). — En appos. *Effet zoom,* au cinéma. — Par métaphore :

Le corps *qui va être aimé* est, à l'avance, cerné, manié par l'objectif, soumis à une sorte d'effet zoom, qui le rapproche, le grossit et amène le sujet à y coller le nez (...)   R. BARTHES, Fragments d'un discours amoureux, p. 163.

♦ **2.** L'objectif de cette caméra. *« En réglant le "Zoom" en position "télé", l'opérateur remonte jusqu'au carrefour George-V et distingue même les véhicules sur la place de l'Étoile »* (*Science et Vie,* nº 595, p. 120).

Appos. *Un objectif zoom.*

DÉR. Zoomer.

ZOOMANCIE [zoomãsi] n. f. — 1904 ; de *zoo-,* et *-mancie.*

♦ Didact. Divination au moyen des animaux (observation de particularités du comportement : vol des oiseaux, par exemple).

ZOOMANIE [zoomani] n. f. — Mil. xxᵉ ; de *zoo-,* et *-manie.*

♦ Didact. Attachement morbide à des animaux. ⇒ **Zoophilie,** 2.

ZOOMER [zume] v. intr. — V. 1960-70 ; de *zoom.*

♦ Fam. Photographier, filmer en utilisant un objectif à focale variable (l'opération est appelée *zoomage* [zumaʒ], ou, anglic., *zooming* [zumin]).

ZOOMORPHE [zoomɔʀf] adj. — 1821, *in* D.D.L. ; grec *zôomorphos* « qui a la forme d'un animal » ; → Zoo-, et -morphe.

♦ Didact. Qui figure un animal, des animaux. *Signes, hiéroglyphes zoomorphes. Décoration zoomorphe.* — Spécialt. Se dit des signes du zodiaque qui figurent un animal (le Taureau, le Lion, etc.).

ZOOMORPHIE [zoomɔʀfi] n. f. — 1846, Bescherelle ; de *zoo-,* et *-morphie.*

♦ Vx. Morphologie animale ; zoologie descriptive (formes extérieures des animaux).

ZOOMORPHISME [zoomɔʀfism] n. m. — 1800, dans une traduction de l'all. (*in* D.D.L.) ; de *zoo-,* et *-morphisme,* probablt par l'allemand.

Didactique.

♦ **1.** Utilisation des formes animales dans la figuration humaine.

♦ **2.** (1855). Métamorphose (d'un être humain) en animal. *Croyance au zoomorphisme,* dans les contes populaires, les légendes, les mythes, la symbolique inconsciente. ⇒ **Zoanthropie.**

ZOONOMIE [zɔɔnɔmi] n. f. — 1839, Boiste ; lat. sc. *zoonomia,* 1794 ; de *zoo-,* et *-nomie.*

♦ **1.** Vieilli. Lois de la biologie animale.

♦ **2.** (V. 1970). Mod. Science qui s'occupe de la protection et du respect du « droit de l'animal ». *« Plus souple, la Ligue française pour les droits de l'animal (...) préfère se battre contre les abus de l'expérimentation. Son souhait : que les chercheurs soient spécialement formés, dans le cadre d'un certificat de zoonomie, qui pourrait bientôt être créé dans une des universités parisiennes »* (*l'Express,* nº 1523, 13 sept. 1980, p. 122).

ZOONOSE [zoonoz] n. f. — 1953 ; de *zoo-*, et grec *nosos* «maladie».

♦ Méd. Maladie infectieuse transmissible des animaux vertébrés à l'homme et réciproquement. *La psittacose et la rage sont des zoonoses. Protection contre les zoonoses.* ⇒ **Zooprophylaxie.**

ZOOPARASITE [zooparazit] n. m. — V. 1960 ; de *zoo-*, et *parasite*.

♦ Biol. Parasite faisant partie du règne animal (opposé à *phytoparasite*).

ZOOPATHIE [zoopati] n. f. — Mil. xxᵉ ; de *zoo-*, et *-pathie*.

♦ Didact. (psychiatrie). Délire de possession dans lequel le malade se croit habité par un animal.

ZOOPHAGE [zoofaʒ ; zɔɔfaʒ] adj. — 1808, Boiste ; grec *zôophagos* «carnivore».

♦ Rare. Qui se nourrit de la substance des animaux.

ZOOPHAGIE [zoofaʒi ; zɔɔfaʒi] n. f. — 1842 ; grec *zôophagia* «action de manger de la chair d'animaux».

♦ Rare. Instinct, mœurs des animaux zoophages.

ZOOPHILE [zoofil ; zɔɔfil] adj. — 1859, in *Année sc. et industr.* 1860, p. 442, au sens 1 ; de *zoo-*, et *-phile*.
Didactique.

♦ **1.** Qui manifeste (personnes) ou révèle (choses) de l'intérêt, de l'amour pour les animaux. «*Au cours d'une réception très parisienne, le gagnant* (d'un concours) *a assisté, entouré de personnalités zoophiles et de représentants de la presse, à la pesée de sa charmante bête* (un chat)» (*le Figaro*, 11 nov. 1966, *in* Gilbert).

♦ **2.** Pathol. Qui pratique la zoophilie (3.).

ZOOPHILIE [zoofili ; zɔɔfili] n. f. — 1894 ; de *zoo-*, et *-philie*.

♦ **1.** Amour des animaux.

♦ **2.** Sympathie exagérée, plus ou moins pathologique, pour des animaux (cf. Bardenat, in *Manuel de psychiatrie*). ⇒ **Zoomanie.**

♦ **3.** Qualifié (vx en emploi absolu). *Zoophilie érotique.* ⇒ **Bestialité.**

ZOOPHOBIE [zoofɔbi ; zɔɔfɔbi] n. f. — 1897 ; de *zoo-*, et *-phobie*.

♦ Didact. Peur morbide devant certains animaux (insectes, araignées, chauve-souris, batraciens, etc.).

ZOOPHORE [zoofɔr ; zɔɔfɔr] n. m. — 1546 ; grec *zôophoros* «orné de figures d'animaux».

♦ Archit. Frise de l'entablement, qui portait à l'origine une décoration zoomorphe. — Adj. «*Des saints pèlerins zoophores*» (Aragon, *le Crève-cœur*, «Poème interrompu»).
DÉR. Zoophorique.

ZOOPHORIQUE [zoofɔrik ; zɔɔfɔrik] adj. — 1774, Panckoucke ; de *zoophore*.

♦ Archit. Qui porte une, des figures animales. *Colonne zoophorique.*

ZOOPHYTE [zoofit ; zɔɔfit] n. m. — 1546, Rabelais ; grec *zôophuton* «zoophyte» ; → Zoo-, et -phyte.

♦ Hist. des sc. S'est dit de tous les êtres vivants classés parmi les animaux, mais dont l'aspect rappelle celui des plantes (coraux, éponges, méduses) ; ainsi que des êtres que l'on considérait comme intermédiaires entre le règne animal et le règne végétal (protozoaires, certains mollusques...). ⇒ **Phytozoaire.**

1 (...) d'anciennes classifications et notamment celle de Cuvier, reconnaissaient des Zoophytes ou Animaux-Plantes. Jusqu'en 1730, le Corail n'a-t-il pas été considéré comme un végétal ? (...) L'aspect extérieur d'un Bryozoaire *Flustra* permet de le confondre avec une Algue (...)
A. TÉTRY, *in* Encycl. Pl., Zoologie, t. I, «Le règne animal», p. 10.

2 Rien ne pouvait plus me tirer de ma quiétude et de mon calme. Les années s'écoulèrent. J'en étais arrivé à ne plus penser à rien. J'étais immobile. On m'apportait

à manger, à boire. On me sortait. On me faisait rentrer (...) Comme ces zoophytes qu'on touche, je rentrais la vie dans mes profondeurs.
B. CENDRARS, Moravagine, 1926, *in* Œ. compl., t. IV, p. 102.
DÉR. Zoophytique.

ZOOPHYTIQUE [zoofitik ; zɔɔfitik] adj. — 1842 ; de *zoophyte*.

♦ Hist. des sc. Des zoophytes.
Par métaphore :
(...) quelques sporades de la bande zoophytique des jeunes filles (...)
PROUST, À l'ombre des jeunes filles en fleurs, Folio, p. 515.

ZOOPLANCTON [zooplãktɔ̃] n. m. — Mil. xxᵉ (1953) ; de *zoo-*, et *plancton*.

♦ Sc. Plancton animal.
Une heure de traîne nous apporta environ deux cuillerées à soupe d'une bouillie assez agréable au goût et substantielle, mais peu ragoûtante à la vue. Il s'agissait en majorité de zooplancton, presque exclusivement de copépodes, d'où un goût de purée de crevette ou de langouste, un vrai régal (...)
A. BOMBARD, Naufragé volontaire, p. 64.

ZOOPROPHYLAXIE [zooprofilaksi] n. f. — Mil. xxᵉ (*in* Larousse, 1953) ; de *zoo-*, et *prophylaxie*.

♦ Méd. Protection de l'homme contre les maladies transmissibles par les animaux (⇒ **Zoonose**). *Zooprophylaxie et parasitologie.*

ZOOPSIE [zɔɔpsi] n. f. — 1894 ; de *zoo-*, et grec *opsis* «vue».

♦ Psychopath. Hallucination visuelle qui consiste en vision d'animaux «généralement féroces ou terrifiants» (*Manuel alphab. de psychiatrie*).

ZOOPSYCHIATRIE [zoopsikjatri] n. f. — V. 1970 ; de *zoo-*, et *psychiatrie*.

♦ Didact. Psychiatrie animale ; étude des névroses et des psychoses animales. — REM. *Zoopsychiatre*, n., est aussi attesté.

ZOOPSYCHOLOGIE [zoopsikɔlɔʒi] n. f. — Av. 1970 ; de *zoo-*, et *psychologie*.

♦ Didact. Psychologie animale (branche de l'éthologie*).
L'éthologie ou zoopsychologie est aujourd'hui l'œuvre de zoologistes de profession autant et plus que de psychologues et il est indéniable qu'elle enrichit la biologie (notamment dans la théorie de la sélection en montrant comment l'animal choisit et façonne son milieu autant qu'il est conditionné par lui), tout en fournissant à la psychologie un apport irremplaçable notamment dans l'analyse des fonctions cognitives (instinct, apprentissage et intelligence).
J. PIAGET, Épistémologie des sciences de l'homme, p. 371 (1970).
REM. Les dér. *zoopsychologique*, adj., et *zoopsychologue*, n., sont également attestés : «*le langage des zoopsychologues*» (Pierre Grapin, *l'Anthropologie criminelle*, p. 103).

ZOOSÉMIOTIQUE [zoosemjɔtik] n. f. et adj. — 1967 ; de l'amér. *zoosemiotics* (T. A. Sebeok), de *zoo-*, et *semiotics* «sémiotique».

♦ Didact. Partie de la science générale des signes (sémiotique) qui traite du comportement des animaux en tant qu'émetteurs et récepteurs de signaux. *La zoosémiotique est à l'intersection de l'éthologie animale et de la science des signes.*
Pour ne pas employer une expression peu maniable là où un seul terme suffit, on peut grouper sous le nom de «zoosémiotique» les diverses recherches convergeant vers l'étude de la communication chez les animaux (...) Le mot zoosémiotique a été forgé pour souligner la subordination nécessaire de ce nouveau domaine à une science qui embrasse, en gros, le codage de l'information dans les processus de commande cybernétique et les conséquences de la conception selon laquelle les animaux jouent le rôle de dispositifs de liaison entrées-sorties dans une version biologique du traditionnel circuit de la théorie de l'information (...)
T. A. SEBEOK, la Communication chez les animaux, Revue internationale des sciences sociales, XIX, nº 1 (1967).

ZOOSPORANGE [zoosporãʒ] n. m. — 1892, in *Année sc. et industr.* 1893, p. 435 ; de *zoo-*, et *sporange*.

♦ Bot. Sporange renfermant des zoospores.

ZOOSPORE [zoospɔr] n. f. — Av. 1847 ; de *zoo-*, et *spore*.

♦ Bot. Spore* mobile à flagelles des algues (reproduction asexuée). Spore interne à flagelles des champignons (syn. : *mastigospore*).

ZOOSTÉROL [zoosterɔl] n. m. — V. 1970 ; de *zoo-*, et *stérol*.

♦ Biochim. Stérol* d'origine animale. ⇒ **Agnostérol, cholestérol, coprostanol, lanostérol...**

ZOOTAXIE [zootaksi] n. f. — 1843, Landais ; de *zoo-*, et *-taxie*.

♦ Didact. Systématique, taxinomie zoologique.
REM. Le dér. *zootaxique* est attesté (*Rev. gén. des sc.*, 15 août 1905, p. 697).

ZOOTECHNICIEN, ENNE [zootɛknisjɛ̃, ɛn] n. — 1862, in *Année sc. et industr.* 1893, p. 341 ; de *zootechnie*, d'après *technicien*.

♦ Didact. Spécialiste de la zootechnie. ⇒ **Vétérinaire ; éleveur.**

ZOOTECHNIE [zootɛkni] n. f. — 1842 ; de *zoo-*, et *-technie*.

♦ Didact. Étude scientifique de l'élevage des animaux utiles à l'agriculture* (et, spécialt, des animaux de travail, de boucherie et des producteurs de lait), de leur reproduction et de leur adaptation à des besoins déterminés. ⇒ **Élevage.** *La zootechnie, appuyée sur la génétique, établit les méthodes de reproduction* (par consanguinité, sélection*, croisements, métissage, hybridation). *Livres généalogiques* (herd-book, stud-book) *utilisés en zootechnie.*
DÉR. Zootechnicien, zootechnique.

ZOOTECHNIQUE [zootɛknik] adj. — 1842 ; de *zootechnie*.

♦ Didact. Propre, relatif à la zootechnie. *Études zootechniques.*

ZOOTHÉRAPEUTIQUE [zooteʀapøtik] adj. — 1876 ; de *zoo-*, et *thérapeutique.*

♦ Vx. ⇒ **Vétérinaire** (adjectif).

ZOOTHÉRAPIE [zooteʀapi] n. f. — 1846 ; de *zoo-*, et *-thérapie*.

♦ Vx. Médecine vétérinaire.

ZOOTOMIE [zootɔmi ; zɔɔtɔmi] n. f. — 1743 ; lat. sc. *zootomia*, 1645 ; de *zoo-*, et *-tomie*.

♦ Vx. Dissection des animaux. — REM. Le dér. *zootomique*, adj., est attesté, in *Année sc. et industr.* 1866, p. 511 (1865).

ZOOTOXINE [zootɔksin] n. f. — D. i. (attesté Manuila) ; de *zoo-*, et *toxine*.

♦ Méd. Substance toxique d'origine animale (ex. : le venin des serpents, des scorpions). Syn. : *toxine animale.*

ZOOTROPE [zootʀɔp] n. m. — 1873, *in* Littré, *Suppl.* ; de *zoo-*, et *-trope*.

♦ Phénakistiscope* (⇒ aussi **Stroboscope**), dans lequel les mouvements décomposés d'un être vivant sont observés à travers les fentes d'un cylindre tournant, de manière à créer l'illusion du mouvement (c'est un des ancêtres du cinéma*). « *Le jouet bien connu sous le nom de zootrope, dû à Plateau, est basé sur la persistance des impressions rétiniennes* » (*Année sc. et industr.*, 1896, p. 47).

ZOOXANTHELLES [zoogzɑ̃tɛl] n. f. pl. — 1896, Carlet et Perrier, *in* D. D. L. ; lat. sc. *zooxanthella*, même sens ; de *zoo-*, et grec *xanthos* « jaune ».

♦ Bot. Algues à pigments brun-jaune, vivant en symbiose avec divers animaux marins (polypiers). — Au sing. *Une zooxanthelle.*

ZORILLE [zoʀij] n. f. — 1791 ; n. f., 1765, Buffon ; *zarrilla*, 1719 ; esp. *zorilla*, dimin. de *zorra* « renard ».

♦ Zool. Mammifère carnassier d'Afrique, voisin des mouffettes, dont la fourrure est estimée (sous le nom de *zorrino*).
Le zorille (a) la queue tout aussi belle et aussi fournie que le chinche (*chinchilla*)... elle est d'un fond noir sur lequel s'étendent longitudinalement des bandes blanches (...) BUFFON, Hist. nat. des animaux, « Les mouffettes ».

ZOROASTRIEN, IENNE [zɔʀoastʀijɛ̃, ijɛn] adj. et n. — 1842, Landais ; du nom de *Zoroastre*, Zarathoustra.

♦ Hist. des relig. De la religion de Zoroastre. ⇒ **Guèbre, parsi.** *Mages zoroastriens. Théologie dualiste zoroastrienne.* ⇒ **Manichéisme.**

ZOROASTRISME [zɔʀoastʀism] n. m. — 1872 ; de *Zoroastre*.

♦ Hist. des relig. Religion dualiste fondée par Zarathoustra et professée de nos jours par les parsis. ⇒ **Manichéisme, mazdéisme.**

ZORONGO [zoʀɔ̃go ; dzɔʀɔ̃go] n. m. — 1846, Bescherelle ; mot espagnol.

♦ Vx. « Danse espagnole dont les pas sont dirigés alternativement en avant et en arrière, sur un mouvement très vif » (Bescherelle).

ZORRINO [zɔʀino] n. m. — 1955 ; mot esp., de *zorrilla*. → Zorille.

♦ Rare. Fourrure de zorille. — On relève la var. *zorino(s)*, 1925, *in* D. D. L.

ZOSTÉRACÉES [zɔsteʀase] n. f. pl. — XIXᵉ ; du rad. de *zostère*, et *-acées*.

♦ Bot. Famille de plantes phanérogames angiospermes (*Monocotylédones ; Naïadacées**) comprenant des plantes littorales (souvent appelées improprement *algues*). ⇒ **Zostère.** — Au sing. *Une zostéracée.*

ZOSTÈRE [zɔstɛʀ] n. f. — 1812 ; *zoster*, 1615 ; lat. *zoster*, d'orig. grecque, proprt « ceinture », par allus. à ses longues feuilles étroites en forme de lanières.

♦ Bot. Plante monocotylédone (*Zostéracées*), herbacée, aquatique, vivace, noueuse et rampante, qui pousse dans le sable et la vase des littoraux. *Les zostères forment des prairies sous-marines ; on les emploie sous le nom de varech* comme litière.*
On fit donc des tables, des sièges, des armoires, qui meublèrent les principales chambres, des cadres de lit, dont toute la literie consista en matelas de zostère. [1]
J. VERNE, l'Île mystérieuse, t. I, p. 262.
Il (...) glissait comme un novice sur les chevelures gluantes des zostères. [2]
COLETTE, le Blé en herbe, XII.
DÉR. Zostéracées.

ZOSTÉRIEN, IENNE [zɔsteʀjɛ̃, jɛn] adj. — 1901 ; du lat. d'orig. grecque *zôstêr*, proprt « ceinture », puis « zona ».

♦ Méd. Propre au zona, causé par le zona. *Fièvre zostérienne.*

ZOSTÉROPS [zɔsteʀɔps] n. m. — 1876, P. Larousse ; du grec *zôstêr* « ceinture », et *ôps* « œil », à cause des cercles de plumes blanches autour des yeux.

♦ Zool. Oiseau passereau (*Trochilidés*) qui vit dans les régions tropicales.

ZOU [zu] interj. — Attesté 1792 ; onomatopée.

♦ Régional (Sud de la France). Allons ! vivement ! (→ Farandole, cit. 2).

ZOUAVE [zwav] n. m. — 1830 ; arabo-berbère *Zwāwā*, nom d'une tribu kabyle.

♦ **1.** Ancienn. **a** Soldat algérien du corps d'infanterie légère indigène formé en 1830, et utilisant à l'origine des Kabyles.

b Fantassin français d'un corps distinct des tirailleurs indigènes. ⇒ argot **Chacal.** *Chéchia de zouave. Le zouave du pont de l'Alma* (statue décorant ce pont).
Juste en face de Naïr, une pierre tombale (...) servait de support aux différentes pièces d'un uniforme de zouave. Un fusil et des cartouchières se joignaient à cette défroque militaire, destinée, selon toute apparence, à perpétuer pieusement la mémoire de l'enseveli. Raymond ROUSSEL, Impressions d'Afrique, p. 12.
Régiment de zouaves. *Le 8ᵉ zouaves.* — Par anal. *Zouave pontifical* (cit. 2 ; → Puisque, cit. 3) : membre de la garde du pape.

♦ **2.** (D'un sens pop., « homme courageux »). Fam. **a** (1888). *Faire le zouave* : faire le fanfaron, le malin. — Par ext. Se faire remarquer par des excentricités (cf. Faire l'idiot, l'imbécile, le pitre). Perdre son temps, être employé à des niaiseries (cf. Faire le guignol).
Vingt-dieux, on peut tout de même pas rester la journée là, à faire les zouaves (...) [2]
Moi, j'ai une mission particulière (...)
MARTIN DU GARD, les Thibault, t. VIII, p. 178.

b Personnage extravagant. *Qu'est-ce que c'est que ce zouave ?*

ZOUBROVKA [zubʀovka] n. f. — Mil. XXᵉ ; mot polonais *zubrówka*.

♦ Vodka* polonaise parfumée à l'herbe dite *herbe de bison** (Hierochloë odorata).

ZOZO [zozo] n. m. — 1893 ; p.-ê. de la 2ᵉ syllabe de *oiseau* redoublée.

♦ Fam. Naïf, niais.
(...) ne pouvant me juger que sur ma tête, il me dit que je suis bien gentil, en d'autres termes que je suis un zozo. MONTHERLANT, les Lépreuses, XVIII. [1]

Péj. Individu quelconque ; type. *Un drôle de zozo. Qu'est-ce que c'est que ce zozo ?*

REM. Un fém. *zozote* est attesté.

Adj. (1900) :

2   (...) les policiers ne sont pas aussi zozos qu'ils en ont l'air.
                                        Roger BORNICHE, Flic story, p. 311.

ZOZOTANT, ANTE [zɔzɔtɑ̃, ɑ̃t] adj. — xxᵉ ; de *zozoter*.

♦ (Personnes). Qui zozote. — (Sons). Déformé par le zozotement.

Toutes ses défenses, Agnès les enveloppait de suavités zozotantes.
                                    P. GUTH, le Mariage du naïf, xv, p. 161.

ZOZOTEMENT [zɔzɔtmɑ̃] n. m. — 1934 ; de *zozoter*.

♦ **Cour.** Défaut de prononciation de qqn qui zozote. ⇒ **Zézaiement.**

Il sort de cette tête inclinée et fleurie une voix qui étonne malgré tout : une voix allégée et sucrée, où de menus sifflements et zozotements, des tremblements de l'arrière-gorge, des enrouements dans les notes hautes, trahissent l'effort de tout un organisme vers la grâce (...)
                    J. ROMAINS, les Hommes de bonne volonté, t. V, xxi, p. 168 (1934).

Didact. Altération de la prononciation des consonnes [s] et [z].

ZOZOTER [zɔzɔte] v. intr. — 1883, *in* D. D. L. ; onomatopée.

♦ **Fam.** Zézayer.

Papa, maman, tante Marguerite la montraient du doigt : « Tu t'es poudrée, Madeleine ! — Mais non, ma tante, je vous assure », répondait-elle en zozotant un peu.
                    S. DE BEAUVOIR, Mémoires d'une jeune fille rangée, II, p. 162.

DÉR. Zozotant, zozotement, zozoteur.

ZOZOTEUR, EUSE [zɔzɔtœʀ, øz] adj. et n. — Mil. xxᵉ ; de *zozoter*.

♦ Qui zozote. *Une petite fille zozoteuse.* — N. *Un zozoteur.*

Juliette m'apparaissait auréolée d'un prestige que ne possédaient ni ma coiffeuse, ni mon professeur de dessin, ni ma zozoteuse.
                    P. GUTH, le Mariage du naïf, xvi, p. 176 (1957).

Zr [zɛdɛʀ] Symbole chimique du *zirconium**.

ZUCHETTE ou **ZUCCHETTE** [zyʃɛt] n. f. — 1845, *zuchette ;* *zucchette,* 1839, Boiste ; ital. *zucchetta* « petite courge ».

Vieux.

♦ **1.** Variété de concombre*.

♦ **2.** Courge d'Italie.

ZUMIQUE [zymik] ou **ZYMIQUE** [zimik] adj. — Av. 1842, Pelletier et Caventou ; dér. sav. du grec *zumê* « levain ». → Zymo-.

♦ **Chim.** *Acide zumique :* mélange d'acide lactique et d'acide butyrique, produit de la fermentation des matières amylacées.

Z. U. P. ou **ZUP** [zyp] n. f. — 1958 ; sigle.

♦ Zone* à urbaniser en priorité. Zone industrielle ou en voie d'industrialisation. « *Les Z. U. P., ou zones à urbaniser en priorité, sont des ensembles fonciers constitués par une ou plusieurs communes à la périphérie des agglomérations existantes, gérées par des promoteurs publics et privés. Elles se chargent d'équiper les terrains : les communes peuvent par ce système acheter les terrains au prix du marché grâce au droit de préemption dont elles bénéficient. Elles les revendent ensuite équipés, soit au prix coûtant, soit au plus offrant. La formule des Z. U. P. n'a pas donné les résultats escomptés car les promoteurs privés n'ont pas baissé les prix de vente des logements* » (Tendances, déc. 1970, in P. Gilbert). « *En décidant de construire, à côté d'une ville, une énorme Zup, on résolvait d'un coup, et pour plusieurs années, le problème de l'accroissement démographique de cette ville* » (l'Express, 2 avr. 1973, p. 72).

DÉR. Zupéen.

ZUPÉEN, ENNE [zypeɛ̃, ɛn] adj. — 1971, n. m., *in* P. Gilbert ; de *Zup*.

♦ **Admin.** D'une Zup. — N. Habitant d'une Zup.

ZUT [zyt] interj. — 1813 ; d'abord avec une valeur voisine de *vlan, ouste* (Balzac, *César Birotteau,* Œuvres, t. V, p. 525) ; p.-ê. du rad. onomat. *zek-,* de *zest,* et finale *-ut,* atténuation de *foutre* (d'où *outre, out*) ou empruntée à la finale de *flûte.*

♦ **Fam.** Exclamation exprimant le dépit, la colère (euphémisme pour *merde**). ⇒ **Flûte.** *Ah, zut alors !* (→ Capiston, cit.). *Zut ! Allez*

vous promener ! (→ Semer, cit. 11). « *Zut pour les aristos !* » (Zola, *l'Assommoir,* VII). — N. m. *Des zut.*

Elle me conta sa vie, mille choses tristes, sinistres, qu'elle coupait par un *zut* qui semblait boire des larmes (...)   1
                    Ed. et J. DE GONCOURT, Journal, fin août 1854, t. I, p. 58.

Zut alors, si le soleil quitte ces bords !   RIMBAUD, Poésies, LXVIII.   2

Ah ! et puis zut, à la fin du compte ! il est plus simple de ne point songer à tout   3
cela (...)   HUYSMANS, Là-bas, I.

Si j'essayais de me rendre compte de ce qui se passe en effet au moment où une   3.1
chose nous fait une certaine impression, soit comme ce jour où, en passant sur le
pont de la Vivonne, l'ombre d'un nuage sur l'eau m'avait fait crier « Zut alors ! »
en sautant de joie (...)   PROUST, le Temps retrouvé, Pl., p. 890.

Zut pour les scrupules. Sauvons nos peaux !   4
                    BERNANOS, les Grands Cimetières sous la lune, p. 104.

DÉR. Zutique, zutisme.

ZUTIQUE [zytik] adj. — 1875, Germain Nouveau, Charles Cros ; de *zut.*

♦ **Hist. littér.** Du groupe des zutistes. *L'Album « zutique »,* recueil de poèmes des zutistes*.

DÉR. Zutiste.

ZUTISME [zytism] n. m. — 1885 ; de *zut.*

♦ **Vx.** Opinion, doctrine des zutistes.

ZUTISTE [zytist] n. — 1883 ; de *zutique.*

♦ **Hist. littér.** Membre d'un cercle de poètes (qui disaient « zut ! » à tout), présidé par Ch. Cros. On applique le mot à un cercle antérieur (1871) auquel participaient Verlaine, Rimbaud, Richepin, Ponchon, etc. ⇒ **Zutique.**

(1885). **Polit. Vx.** Partisan d'une forme de rejet des opinions reçues (ainsi désigné par dérision).

ZWANZE [zwɑ̃z] ; dial. [zwɛz] n. f. ou m. — 1915 ; mot du dialecte bruxellois.

♦ **Régional.** Plaisanterie populaire, histoire humoristique, à Bruxelles. — Par ext. Forme de comique, d'humour, propre à ces histoires.

Slache passait le premier. Il acceptait les claques d'une manière très simple. Pas un mot. Son visage défraîchi prenait une expression de grand ennui.
— Chacun son tour, comme à confesse (...)
La bonne blague belge : la zwanze.   Henri CALET, la Belle Lurette (1935), p. 113.

REM. Le verbe *zwanzer* [zwɑ̃ze ; zwɛze] est également attesté.

ZWINGLIANISME [zvɛ̃glijanism] n. m. — 1771 ; du rad. de *zwinglien.*

♦ **Relig.** Doctrine religieuse de Zwingle, plus radicale que le luthéranisme, et selon laquelle la communion, notamment, est une simple commémoration du Sacrifice du Calvaire.

ZWINGLIEN, IENNE [zvɛ̃glijɛ̃, ijɛn] adj. et n. — V. 1560 ; de *Zwingle.*

♦ **1.** Adj. et n. Adepte de Zwingle.

♦ **2.** Adj. Relatif à Zwingle, à sa doctrine.

ZYEUTER [zjøte] v. tr. ⇒ **Zieuter.**

ZYGÈNE [ziʒɛn] n. f. — 1765 ; *zygaine,* 1605 ; lat. *zygæna,* d'orig. grecque « requin marteau ».

Zoologie.

♦ **1.** Requin marteau.

♦ **2.** (1803). Papillon dont les antennes sont renflées en massue.

ZYGNÉMA [zignema] n. m. — 1876, *zygnème ;* dér. sav. du grec *zugon* (→ Zygo-), et *nema* « fil ».

♦ **Bot.** Algue verte, formant des filaments flottant à la surface des eaux stagnantes.

DÉR. Zygnémales.

ZYGNÉMALES [zignemal] n. f. pl. — xxᵉ ; *zygnémées,* 1876, P. Larousse ; de *zygnème, zygnéma,* et *-ales.*

♦ **Bot.** Ordre d'algues (classe des *conjuguées*) qui se reproduisent par des formations cellulaires unissant les filaments mâles aux filaments femelles, sans spores. — Au sing. *Une zygnémale.*

ZYGO- Élément de comp. savants, du grec *zugon* «joug», et, fig., «couple».

ZYGOMA [zigɔma] n. m. — V. 1560; lat. sc. *zygoma*, même sens; grec *zugôma* «pièce servant à joindre».

♦ Anat. Apophyse zygomatique*.
DÉR. **Zygomatique.**

ZYGOMATIQUE [zigɔmatik] adj. — 1654; de *zygoma*.

♦ Anat. De la pommette. *Os zygomatique.* ⇒ **Malaire.** — (1767). *Arcade zygomatique :* arc formé par l'extrémité antérieure de l'apophyse zygomatique et l'apophyse temporale de l'os malaire. *Fosse zygomatique*, limitée par l'arcade zygomatique, l'apophyse ptérygoïde et la branche montante du maxillaire inférieur. — (1751). *Apophyse zygomatique. — Muscles zygomatiques.* — N. m. (1751, *in* D.D.L.). *Le grand, le petit zygomatique :* muscles rubanés qui s'étendent obliquement de la pommette à la commissure des lèvres, qu'ils relèvent en se contractant.

1 (...) le masque osseux de la figure devait être singulièrement resserré, amenuisé aux pommettes. Ce n'est pas la tête romaine, qu'enfle déjà la saillie des arcades zygomatiques, qui a tout son développement dans les têtes barbares.
Ed. et J. DE GONCOURT, Journal, 23 avr. 1867, t. III, p. 89.

2 Mais les muscles zygomatiques sont suffisamment tirés et les gosiers suffisamment sonores pour que l'on puisse affirmer que la sympathie et la cordialité règnent.
R. QUENEAU, le Chiendent, Folio, p. 261.

ZYGOMORPHE [zigɔmɔrf] adj. — 1907; de *zygo-*, et *-morphe*.

♦ Bot. Se dit des fleurs symétriques par rapport à un plan (c'est-à-dire irrégulières, par oppos. aux *fleurs à symétrie axiale, rayonnée*, ou *fleurs régulières*). *Les fleurs zygomorphes sont généralement propres à la pollinisation par les insectes* (fleurs entomophiles). *Fleurs zygomorphes des orchidées.*

ZYGOMYCÈTES [zigɔmisɛt] n. m. pl. — 1907; de *zygo-*, et *-mycètes*.

♦ Bot. Sous-groupe de champignons siphomycètes (comprenant notamment les mucoracées), caractérisés par la formation d'œufs nés de la fusion de gamètes. — Au sing. *Un zygomycète.*

ZYGOPÉTALE [zigopetal] n. m. — 1846, Bescherelle; lat. sc. *zygopetalum;* → Zygo-, et pétale.

♦ Bot. Orchidée* tropicale d'une variété à ample labelle.

ZYGOPHYLLACÉES [zigofilase] n. f. pl. — 1904; *zygophyllées*, 1845; de *zygo-, phyll-*, et *-acées*.

♦ Bot. Famille de plantes dicotylédones dialypétales *(Rutales)* comprenant de nombreuses espèces. — Au sing. *Une zygophyllacée.*

ZYGOPHYLLE [zigofil] ou **ZYGOPHYLLUM** [zigofilɔm] n. m. — 1846, Bescherelle; de *zygo-*, et *-phylle.*

♦ Bot. Fabago* (nom scientifique).

ZYGOSE [zigoz] n. f. — Mil. xxᵉ; du grec *zugon* «couple».

♦ Biol. Union des gamètes aboutissant à la formation de l'œuf (zygote).

ZYGOTE [zigɔt] n. m. — 1897, *l'Année biol.;* du grec *zugôtos* «attelé».

♦ Biol. Œuf fécondé, produit de l'union des gamètes. ⇒ **Œuf.**
DÉR. **Zygotène.**
COMP. **Homozygote; hétérozygote.**

ZYGOTÈNE [zigɔtɛn] adj. — Mil. xxᵉ; de *zygote*.

♦ Biol. Relatif au second stade de la prophase de la division réductionnelle (⇒ **Mitose** [réductionnelle]), caractérisé par l'appariement deux à deux des chromosomes homologues.

ZYKLON [ziklɔ̃] adj. et n. m. — D. i. (attesté 1979, ci-dessous); mot allemand.

♦ Gaz toxique utilisé par les nazis dans les camps d'extermination. *«Le travail forcé fut une matière première, un "minerai humain" dont il fallait extraire la force vitale. Cette force épuisée, on la traitait au gaz zyklon B (fabrication I.g. Farben) pour y recueillir des sous-produits...»* (*l'Express*, 29 sept. 1979, p. 91).

ZYM-, ZYMO- Élément de composés savants, du grec *zumê* «levain, ferment». ⇒ **Enzyme.**

ZYMASE [zimɑz] n. f. — V. 1860; de *zym-*, et suff. de *diastase*.

♦ Biochim. Enzyme qui détermine la fermentation alcoolique du glucose. — REM. Le dérivé *zymasique* [zimazik] est attesté : *«l'action zymasique devrait être électrogène»* (*Rev. gén. des sc.*, 15 nov. 1903, p. 1122).

ZYMOGÈNE [zimɔʒɛn] adj. et n. m. — 1888; de *zymo-*, et *-gène*.

♦ Biochim. Qui produit une enzyme, ou la fermentation.
N. m. (Mil. xxᵉ; autre sens 1903, *Rev. gén. des sc.*, 15 janv. nᵒ 1, p. 51). Précurseur d'une enzyme. ⇒ **Proenzyme.**

ZYMOLOGIE [zimɔlɔʒi] n. f. — 1765, *Encyclopédie;* de *zymo-*, et *-logie.*

♦ Didact., rare. Étude chimique des fermentations. — REM. Les dér. *zymologique*, adj. et *zymologiste*, n., sont attestés : *«les levures sont pour les zymologistes comme les bactéries pour les médecins...»* (*Rev. gén. des sc.*, 15 mars 1906, p. 227).

ZYMOSE [zimoz] n. f. — Mil. xxᵉ; du grec *zumê* «ferment», suff. *-ose*.

♦ Didact. Processus par lequel les enzymes (en particulier celles des levures) produisent la fermentation.

ZYMOSTÉROL [zimosterɔl] n. m. — Mil. xxᵉ; de *zymo-*, et *stérol.*

♦ Chim., biol. Stérol précurseur du cholestérol animal que l'on trouve aussi en grande quantité dans la levure.

ZYMOTECHNIE [zimotɛkni] n. f. — 1762; de *zymo-*, et *-technie.*

♦ Sc. Rare. Technique des fermentations (déclenchement, arrêt, accélération...).
DÉR. **Zymotechnique.**

ZYMOTECHNIQUE [zimotɛknik] adj. — 1872, Littré; de *zymotechnie.*

♦ Sc. Rare. De la zymotechnie. — N. f. *La zymotechnique* (*Rev. gén. des sc.*, 15 mars 1906, p. 216). ⇒ **Zymotechnie.**

ZYMOTHÉRAPIE [zimoterapi] n. f. — Mil. xxᵉ; de *zymo-*, et *-thérapie.*

♦ Méd. Traitement par des enzymes.

ZYMOTHERMIE [zimotɛrmi] n. f. — Mil. xxᵉ; de *zymo-*, et *-thermie.*

♦ Didact. Destruction des ordures ménagères d'origine végétale au moyen de la chaleur.

ZYMOTIQUE [zimotik] adj. — 1855, Littré-Robin; du grec *zumô-tikos* «propre à faire fermenter».

♦ Sc. Relatif à la fermentation. — Vx. *Maladies zymotiques*, s'est dit des maladies infectieuses inoculables (les actions des toxines microbiennes étant comparées à une fermentation).

ZYTHUM [zitɔm] ou **ZYTHON** [zitɔ̃] n. m. — 1710, *zythum; zython*, 1923; du grec *zuthos* «bière».

♦ Didact. Bière que les Égyptiens faisaient avec de l'orge germée.

ZZZ... [z] Onomatopée.

♦ Bruit, sifflement léger et continu. → Bzzz...

ANNEXES

ANNEXES

DÉRIVÉS DES NOMS DE PERSONNES
(réelles, mythologiques, imaginaires)

Abélien, ienne *(Abel)*.
Absalonien, ienne *(Absalon)*.
Adamique *(Adam)*.
Aldin, ine *(Alde)*.
Alphonsin, ine *(Alphonse* X de Castille)*.
Ambrosien, ienne *(Ambroise)*.
Anacréontique *(Anacréon)*.
Aphrodisiaque *(Aphrodite)*.
Apollinarien, ienne (Guillaume *Apollinaire)*.
Apollinien, ienne *(Apollon)*.
Aérien, ienne *(Arius)*.
Aristophanesque *(Aristophane)*.
Aristotélique, Aristotélicien, enne *(Aristote)*.
Arminien, ienne *(Arminius)*.
Augustéen, enne *(Auguste)*.
Augustinien, ienne *(Augustin)*.
Averroïste *(Averroès)*.

Babouviste *(Babeuf)*.
Bacchique *(Bacchus)*.
Baconien, ienne (Francis *Bacon)*.
Balzacien, ienne *(Balzac)*.
Barrésien, ienne *(Barrès)*.
Barriste (R. *Barre)*.
Barthésien, ienne (Roland *Barthes)*.
Barthézien, ienne *(Barthez)*.
Baudelairien, ienne *(Baudelaire)*.
Beethovénien, ienne *(Beethoven)*.
Bergmanien, ienne *(Bergman)*.
Bergsonien, ienne *(Bergson)*.
Bernanosien, ienne *(Bernanos)*.
Bismarckien, ienne *(Bismarck)*.
Blanquiste (L.-A. *Blanqui)*.
Bodléien, ienne (Thomas *Bodley)*.
Bollandiste (Jean *Bolland)*.
Bonapartiste *(Bonaparte)*.
Bouddhique *(Bouddha)*.
Boulangiste (Gal *Boulanger)*.
Bourbonien, ienne (les *Bourbons)*.
Bourguibiste *(Bourguiba)*.
Brechtien, ienne (Bertolt *Brecht)*.
Brownien, ienne *(Brown)*.
Byronien, ienne *(Byron)*.

Calviniste *(Calvin)*.
Capétien, ienne (Hugues *Capet)*.
Caravagesque, Caravagiste (Le *Caravage)*.
Cartésien, ienne *(Descartes)*.
Castriste (Fidel *Castro)*.
Célinien, ienne *(Céline)*.
Césarien, ienne (Jules *César)*.
Cézannien, ienne *(Cézanne)*.
Chaplinesque *(Chaplin)*.
Chaucérien, ienne *(Chaucer)*.
Churchillien, ienne (Winston *Churchill)*.
Churriguèresque *(Churriguera)*.
Cicéronien, ienne *(Cicéron)*.
Claudélien, ienne *(Claudel)*.
Clémentin, ine *(Clément* VII, VIII, etc., papes)*.
Colbertiste *(Colbert)*.
Combiste (Émile *Combes)*.
Comtien, ienne (A. *Comte)*.
Condillacien, ienne *(Condillac)*.
Confucéen, enne *(Confucius)*.
Constantinien, ienne *(Constantin* Ier le Grand)*.
Cornélien, ienne *(Corneille)*.
Courtelinesque *(Courteline)*.

Dantesque *(Dante)*.
Dantoniste *(Danton)*.
Darwinien, ienne *(Darwin)*.
Davidien, ienne (Louis *David,* peintre)*.
Debussyste *(Debussy)*.
Dioclétien, ienne *(Dioclétien)*.
Disraélien, ienne *(Disraeli)*.
Dominicain, aine (saint *Dominique)*.
Domitien, ienne *(Domitien)*.
Donatiste *(Donat)*.
Donjuanesque *(Don Juan)*.

Donquichottesque *(Don Quichotte)*.
Dostoïevskien, ienne *(Dostoïevski)*.
Dreyfusard, arde *(Dreyfus)*.

Einsteinien, ienne *(Einstein)*.
Élisabéthain, aine *(Élisabeth)*.
Ellingtonien, ienne (Duke *Ellington)*.
Épicurien, ienne *(Épicure)*.
Érasmien, ienne *(Érasme)*.
Eschylien, iene *(Eschyle)*.
Ésopique *(Ésope)*.
Euclidien, ienne *(Euclide)*.
Euripidien, ienne *(Euripide)*.

Faradique *(Faraday)*.
Farnésien, ienne *(Farnèse)*.
Faulknérien, ienne *(Faulkner)*.
Faustien, ienne *(Faust)*.
Fellinien, ienne *(Fellini)*.
Fénelonien, ienne *(Fénelon)*.
Flaubertien, ienne *(Flaubert)*.
Flavien, enne (Titus *Flavius* Vespasianus-Vespasien)*.
Fouriériste *(Fourier)*.
Francien, ienne (Anatole *France)*.
Franciscain, aine (saint *François)*.
Franckiste (César *Franck)*.
Franquiste *(Franco)*.
Freudien, ienne *(Freud)*.

Galiléen, enne *(Galilée)*.
Gandhiste *(Gandhi)*.
Gargantuesque *(Gargantua)*.
Garibaldien *(Garibaldi)*.
Gassendiste *(Gassendi)*.
Gaulliste (de *Gaulle)*.
Gidien, ienne *(Gide)*.
Giralducien, ienne *(Giraudoux)*.
Giscardien *(Giscard* d'Estaing)*.
Gladstonien, ienne *(Gladstone)*.
Gluckiste *(Gluck)*.
Gœthéen, enne *(Gœthe)*.
Goyesque *(Goya)*.
Grégorien, ienne (saint *Grégoire)*.
Guesdiste *(Guesde)*.

Habsbourgeois, oise (les *Habsbourg)*.
1. Hébertiste (Jacques *Hébert)*.
2. Hébertiste (Georges *Hébert)*.
Hégélien, ienne *(Hegel)*.
Héraclitéen, enne *(Héraclite)*.
Herculéen, enne *(Hercule)*.
Hermétique *(Hermès)*.
Hertzien, ienne *(Hertz)*.
Hésiodique *(Hésiode)*.
Hiéronymien, ienne (saint *Jérôme)*.
Hippocratique *(Hippocrate)*.
Hitchcockien, ienne *(Hitchcock)*.
Hitlérien, ienne *(Hitler)*.
Holbachique (d'*Holbach)*.
Homérique *(Homère)*.
Horacien, Horatien, ienne *(Horace)*.
Hugolien, ienne *(Hugo)*.
Hussite (Jean *Huss)*.

Ibsénien, ienne *(Ibsen)*.
Icarien, ienne *(Icare)*.
Ignacien, ienne (saint *Ignace* de Loyola)*.
Ingriste, Ingresque *(Ingres)*.
Isiaque *(Isis)*.
Ismaïlien, ienne *(Ismā'īl,* imâm)*.

1. Jacobite *(Jacques* II d'Angleterre)*.
2. Jacobite *(Jacques* Baraddaï)*.
Janséniste *(Jansen)*.
Jennérien, ienne *(Jenner)*.
Johannique (saint *Jean)*.

Joséphiste *(Joseph* II d'Autriche)*.
Julien, ienne *(Jules)*.
Jungien, ienne *(Jung)*.
Junonien, ienne *(Junon)*.
Jupitérien, ienne *(Jupiter)*.

Kafkaïen, ïenne (F. *Kafka)*.
Kantien, ienne *(Kant)*.
Keplérien, ienne *(Kepler)*.
Keynésien, ienne *(Keynes)*.
Khrouchtchévien, ienne *(Khrouchtchev)*.
Kierkegaardien, ienne *(Kierkegaard)*.

Lamarckien, ienne, Lamarckiste *(Lamarck)*.
Lamartinien, ienne *(Lamartine)*.
Leibnizien, ienne *(Leibniz)*.
Léniniste *(Lénine)*.
Linnéen, enne *(Linné)*.
Lockiste *(Locke)*.
Louis-philippard, arde *(Louis-Philippe)*.
Louis-quatorzien, ienne *(Louis quatorze)*.
Luthérien, ienne *(Luther)*.

Machiavélien, ienne, Machiavélique *(Machiavel)*.
Mallarméen, enne *(Mallarmé)*.
Malraucien, ienne *(Malraux)*.
Malthusien, ienne *(Malthus)*.
Manuélin, ine *(Manuel)*.
Maoïste *(Mao Tsê-tung)*.
Mariste, Marial *(Marie)*.
Marivaudesque *(Marivaux)*.
Marotique (C. *Marot)*.
Marxiste, Marxien, ienne (K. *Marx)*.
Masochiste (Sacher-*Masoch)*.
Maurrassien, ienne *(Maurras)*.
Mauriacien, ienne *(Mauriac)*.
Ménaisien, ienne *(Lamennais)*.
Mendélien, ienne *(Mendel)*.
Mendéssiste *(Mendès-France)*.
Mérovingien, ienne *(Mérovée)*.
Mesmérien, ienne *(Mesmer)*.
Michelangélesque *(Michel-Ange)*.
Mitchourinien, ienne *(Mitchourine)*.
Mitterrandiste *(Mitterrand)*.
Moliéresque *(Molière)*.
Molletiste (Guy *Mollet)*.
Mosaïque *(Moïse)*.
Mozartien, ienne *(Mozart)*.
Mussolinien, ienne *(Mussolini)*.

Napoléonien, ienne *(Napoléon)*.
Nassérien, ienne *(Nasser)*.
Neptunien, ienne *(Neptune)*.
Nervalien, ienne *(Nerval)*.
Newtonien, ienne *(Newton)*.
Nietzschéen, enne *(Nietzsche)*.

Octavien, ienne *(Octave)*.
Œdipien, ienne *(Œdipe)*.
Orléaniste (duc d'*Orléans)*.
Orphique *(Orphée)*.
Ossianique *(Ossian)*.
Ovidien, ienne *(Ovide)*.

Palladien, ienne *(Palladio)*.
Pantagruélique *(Pantagruel)*.
Pascalien, ienne *(Pascal)*.
Pastorien, ienne, Pasteurien, ienne *(Pasteur)*.
Paulinien, ienne (saint *Paul)*.
Pavésien, ienne *(Pavèse)*.
Pavlovien, ienne *(Pavlov)*.
Péroniste *(Péron)*.
Pétainiste *(Pétain)*.
Pétrarquiste *(Pétrarque)*.
Pétrinien, ienne (saint *Pierre)*.
Phidiesque *(Phidias)*.
Picassien, ienne *(Picasso)*.

Pickwickien, ienne *(Pickwick)*.
Pindarique *(Pindare)*.
Pirandellien, ienne *(Pirandello)*.
Platonicien, ienne, Platonique *(Platon)*.
Plinien, ienne *(Pline)*.
Plutonien, ienne, Plutonique *(Pluton)*.
Pompéien, ienne *(Pompée)*.
Poussiniste *(Poussin)*.
Praxitélien, ienne *(Praxitèle)*.
Prométhéen, enne *(Prométhée)*.
Proustien, ienne *(Proust)*.
Ptolémaïque *(Ptolémée)*.
Pythagoréen, enne, Pythagoricien, ienne *(Pythagore)*.

Rabelaisien, ienne *(Rabelais)*.
Racinien, ienne *(Racine)*.
Raphaélique, Raphaélesque *(Raphaël)*.
Ravélien, ienne *(Ravel)*.
Rembranesque *(Rembrandt)*.
Riemannien, ienne *(Riemann)*.
Rimbaldien, ienne *(Rimbaud)*.
Robespierriste *(Robespierre)*.
Rocambolesque *(Rocambole)*.

Rossellinien, ienne *(Rossellini)*.
Rousseauiste *(Rousseau)*.
Roussélien, ienne *(Roussel)*.

Sadique, Sadien, ienne *(Sade)*.
Saint-simonien, ienne *(Saint-Simon)*.
Saphique *(Sapho)*.
Sardanapalesque *(Sardanapale)*.
Sartrien, ienne *(Sartre)*.
Saturnien, ienne *(Saturne)*.
Saussurien, ienne *(Saussure)*.
Schönberguien, ienne *(Schönberg)*.
Schubertien, ienne *(Schubert)*.
Schumanien, ienne *(Schuman)*.
Shakespearien, ienne *(Shakespeare)*.
Socratique *(Socrate)*.
Spinoziste *(Spinoza)*.
Stalinien, ienne *(Staline)*.
Stendhalien, ienne *(Stendhal)*.
Swedenborgien, ienne *(Swedenborg)*.
Swiftien, ienne *(Swift)*.

Tainien, ienne *(Taine)*.
Tchékhovien, ienne *(Tchékhov)*.

Thomiste (saint *Thomas*).
Tibérien, ienne *(Tibère)*.
Titianesque *(Titien)*.
Titiste *(Tito)*.
Tolstoïen, ienne *(Tolstoï)*.
Trotskyste *(Trotsky)*.

Ubuesque *(Ubu)*.

Valérien, ienne *(Valéry)*.
Vénusien, ienne *(Vénus)*.
Verlainien, ienne *(Verlaine)*.
Victorien, ienne (reine *Victoria*).
Virgilien, ienne *(Virgile)*.
Voltairien, ienne *(Voltaire)*.

Wagnérien, ienne *(Wagner)*.
Wildien, ienne *(Wilde)*.

Zolien, ienne, Zoléen, enne (rare) *(Zola)*.
Zoroastrien, ienne *(Zoroastre)*.

LISTE À DOUBLE ENTRÉE DES NOMS PROPRES DE LIEUX ET DES NOMS COMMUNS OU ADJECTIFS CORRESPONDANTS

1. Noms de lieux → noms communs et adjectifs.

Abbeville, Somme *(Abbevillois, oise).*
Abidjan, Côte-d'Ivoire *(Abidjanais, aise).*
Ablon-sur-Seine, Val-de-Marne *(Ablonnais, aise).*
Abyssinie *(Abyssin, ine* ou *Abyssinien, ienne).* V. Éthiopie.
Acadie, Canada *(Acadien, ienne).*
Afghânistân, Asie *(Afghan, ane).*
Afrique *(Africain, aine).*
Afrique du Nord *(Nord-Africain, aine).*
Afrique du Sud *(Sud-Africain, aine).*
Agen, Lot-et-Garonne *(Agenais, aise* ou *Agenois, oise).*
Aigrefeuille-d'Aunis, Charente-Maritime *(Aigrefeuillais, aise).*
Aiguebelle, Savoie *(Aiguebellain, aine).*
Aigueperse, Puy-de-Dôme *(Aiguepersois, oise).*
Aigues-Mortes, Gard *(Aigues-Mortais, aise).*
Aiguilles-en-Queyras, Hautes-Alpes *(Aiguillon, onne).*
Aiguillon, Lot-et-Garonne *(Aiguillonnais, aise).*
Aigurande, Indre *(Aigurandais, aise).*
Aire-sur-l'Adour, Landes *(Aturin, ine).*
Aire-sur-la-Lys, Pas-de-Calais *(Airois, oise).*
Airvault, Deux-Sèvres *(Airvaudais, aise).*
Aix-en-Othe, Aube *(Aixois, oise).*
Aix-en-Provence, Bouches-du-Rhône *(Aixois, oise* ou *Aquisextain, aine).*
Aixe-sur-Vienne, Haute-Vienne *(Aixois, oise).*
Aix-les-Bains, Savoie *(Aixois, oise).*
Ajaccio, Corse *(Ajaccien, ienne* ou *Ajacéen, enne).*
Akkad, Mésopotamie *(Akkadien, ienne).*
Albanie, Europe *(Albanais, aise).*
Albert, Somme *(Albertin, ine).*
Albertville, Savoie *(Albertvillain, aine* ou *Albertvillois, oise).*
Albi, Tarn *(Albigeois, oise).*
Alençon, Orne *(Alençonnais, aise).*
Alep, Syrie *(Aleppin, ine).*
Alès, Gard *(Alésien, ienne).*
Alexandrie, Égypte *(Alexandrin, ine).*
Alfortville, Val-de-Marne *(Alfortvillais, aise).*
Alger, Algérie *(Algérois, oise).*
Algérie, Afrique *(Algérien, ienne).*
Allauch, Bouches-du-Rhône *(Allaudien, ienne).*
Allemagne, Europe *(Allemand, ande).*
Allos, Alpes-de-Haute-Provence *(Allosard, arde).*
Alpes *(Alpin, ine).*
Alsace, France *(Alsacien, ienne).*
Altaï *(Altaïque).*
Amazonie *(Amazonien, ienne).*
Ambérieu-en-Bugey, Ain *(Ambarrois, oise).*
Ambert, Puy-de-Dôme *(Ambertois, oise).*
Amboise, Indre-et-Loire *(Amboisien, ienne).*
Amélie-les-Bains-Palalda, Pyrénées-Orientales *(Amélien, ienne* ou *Palaldéen, enne).*
Amérique *(Américain, aine).*
Amérique du Nord *(Nord-Américain, aine).*
Amérique du Sud *(Sud-Américain, aine)* ou Amérique latine *(Latino-Américain, aine).*
Amiens, Somme *(Amiénois, oise).*
Amou, Landes *(Amollais, aise).*
Amsterdam, Pays-Bas *(Amstellodamien, ienne* ou *Amstellodamois, oise).*
Ancenis, Loire-Atlantique *(Ancenien, ienne).*
Ancône, Italie *(Anconitain, aine).*
Andalousie, Espagne *(Andalou, ouse).*
Andelys [Les], Eure *(Andelysien, ienne).*
Andes, Amérique du Sud *(Andin, ine).*
Andorre [principauté d'], Europe *(Andorran, ane).*
Angers, Maine-et-Loire *(Angevin, ine).*
Anglet, Pyrénées-Atlantiques *(Angloys, oise).*
Angleterre, Grande-Bretagne, Europe *(Anglais, aise).*
Angola, Afrique *(Angolais, aise).*
Angoulême, Charente *(Angoumois, oise* ou *Angoumoisin, ine).*
Aniane, Hérault *(Anianais, aise).*
Annam, Viêt-nam *(Annamite).*
Annecy, Haute-Savoie *(Annécien, ienne).*
Annemasse, Haute-Savoie *(Annemassien, ienne).*

Annonay, Ardèche *(Annonéen, enne).*
Annot, Alpes-de-Haute-Provence *(Annotain, aine).*
Antibes, Alpes-Maritimes *(Antibois, oise).*
Antilles, Amérique centrale *(Antillais, aise).*
Antony, Hauts-de-Seine *(Antonien, ienne).*
Antraigues-sur-Volane, Ardèche *(Antraiguin, ine).*
Antrain, Ille-et-Vilaine *(Antrainois, oise).*
Anvers, Belgique *(Anversois, oise).*
Anzin, Nord *(Anzinois, oise).*
Apt, Vaucluse *(Aptois, oise* ou *Aptésien, ienne).*
Aquitaine, France *(Aquitain, aine).*
Arabie, Asie *(Arabe).*
Aragon, Espagne *(Aragonais, aise).*
Aramon, Gard *(Aramonais, aise).*
Arbois, Jura *(Arboisien, ienne).*
Arcachon, Gironde *(Arcachonnais, aise).*
Arcadie, Grèce *(Arcadien, ienne).*
Arcis-sur-Aube, Aube *(Arcisien, ienne).*
Ardèche, France *(Ardéchois, oise).*
Ardenne, Belgique *(Ardennais, aise).*
Arezzo, Italie *(Arétin, ine).*
Argelès-Gazost, Hautes-Pyrénées *(Argelésien, ienne).*
Argelès-sur-Mer, Pyrénées-Orientales *(Argelésien, ienne).*
Argentan, Orne *(Argentanais, aise).*
Argentat, Corrèze *(Argentaçois, oise).*
Argenteuil, Val-d'Oise *(Argenteuillais, aise* ou *Argentolien, ienne).*
Argentière-la-Bessée [L'], Hautes-Alpes *(Argentiérois, oise).*
Argentine, Amérique du Sud *(Argentin, ine).*
Argenton-Château, Deux-Sèvres *(Argentonnais, aise).*
Argenton-sur-Creuse, Indre *(Argentonnais, aise).*
Argentré-du-Plessis, Ille-et-Vilaine *(Argentréen, enne).*
Argent-sur-Sauldre, Cher *(Argentais, aise).*
Ariège, Pyrénées *(Ariégeois, oise).*
Arles, Bouches-du-Rhône *(Arlésien, ienne).*
Arleux, Nord *(Arleusien, ienne).*
Arménie, Union soviétique *(Arménien, ienne).*
Armentières, Nord *(Armentiérois, oise).*
Armorique, France *(Armoricain, aine).*
Arnay-le-Duc, Côte-d'Or *(Arnétois, oise).*
Arras, Pas-de-Calais *(Arrageois, oise).*
Ars-en-Ré, Charente-Maritime *(Arsais, aise).*
Artois, France *(Artésien, ienne).*
Ascq, Nord *(Ascquois, oise).*
Asie *(Asiate* ou *Asiatique).*
Asnières, Hauts-de-Seine, *(Asniérois, oise).*
Assyrie, Asie *(Assyrien, ienne).*
Asturies, Espagne *(Asturien, ienne).*
Athènes, Grèce *(Athénien, ienne).*
Athis-de-l'Orne, Orne *(Athisien, ienne).*
Athis-Mons, Essonne *(Athésien, ienne* ou *Athémontien, ienne).*
Aubervilliers, Seine-Saint-Denis *(Albervilliarien, ienne).*
Aubeterre-sur-Dronne, Charente *(Aubeterrien, ienne).*
Aubigny-sur-Nère, Cher *(Albinien, ienne).*
Aubusson, Creuse *(Aubussonnais, aise).*
Auch, Gers *(Auscitain, aine* ou *Auchois, oise).*
Auchel, Pas-de-Calais *(Auchellois, oise).*
Audierne, Finistère *(Audiernais, aise).*
Audincourt, Doubs *(Audincourtois, oise).*
Audruicq, Pas-de-Calais *(Audruicquois, oise).*
Audun-le-Roman, Meurthe-et-Moselle *(Audunois, oise).*
Auge (pays d'), France *(Augeron, onne).*
Aulnay-sous-Bois, Seine-Saint-Denis *(Aulnaisien, ienne).*
Aulnoye-Aymeries, Nord *(Aulnoyen, enne* ou *Aulnésien, ienne).*
Ault, Somme *(Aultois, oise).*
Aumale, Seine-Maritime *(Aumalois, oise).*
Aunay-sur-Odon, Calvados *(Aunais, aise).*
Auneau, Eure-et-Loir *(Alnélois, oise* ou *Aunélien, ienne).*

Aunis, France *(Aunisien, ienne).*
Aups, Var *(Aupsois, oise).*
Auray, Morbihan *(Alréen, enne).*
Aurignac, Haute-Garonne *(Aurignacien, ienne).*
Aurillac, Cantal *(Aurillacois, oise).*
Australie *(Australien, ienne).*
Autriche, Europe *(Autrichien, ienne).*
Autun, Saône-et-Loire *(Autunois, oise).*
Auvergne, France *(Auvergnat, ate).*
Auxerre, Yonne *(Auxerrois, oise).*
Avallon, Yonne *(Avallonnais, aise).*
Avesnes-sur-Helpe, Nord *(Avesnois, oise).*
Aveyron, France *(Aveyronnais, aise).*
Avignon, Vaucluse *(Avignonnais, aise).*
Avranches, Manche *(Avranchais, aise).*
Azerbaïdjan, Union soviétique *(Azerbaïdjanais, aise).*

Babylone, Mésopotamie *(Babylonien, ienne).*
Baccarat, Meurthe-et-Moselle *(Bachânois, oise).*
Bade, Allemagne *(Badois, oise).*
Badonviller, Meurthe-et-Moselle *(Badonvillais, aise).*
Bagnères-de-Bigorre, Hautes-Pyrénées *(Bagnérais, aise).*
Baixas, Pyrénées-Orientales *(Bachanenchs* [invar.]*).*
Bâle, Suisse *(Bâlois, oise).*
Baléares, Espagne *(Baléare).*
Bali, Asie *(Balinais, aise).*
Balkans [les] *(Balkanique).*
Baltique *(Balte).*
Bamako, Mali *(Bamakois, oise).*
Banyuls-sur-Mer, Pyrénées-Orientales *(Banyulenc, ence* ou *Banyulais, aise).*
Bapaume, Pas-de-Calais *(Bapalmois, oise).*
Barcelone, Espagne *(Barcelonais, aise).*
Barcelonnette, Alpes-de-Haute-Provence *(Barcelonnettain, aine).*
Bar-le-Duc, Meuse *(Barrisien, ienne).*
Bar-sur-Aube, Aube *(Barrois, oise* ou *Barralbin, ine).*
Basque [Pays] *(Basque, Basquaise* ou *Euscarien, ienne).*
Bastia, Corse *(Bastiais, aise).*
Bavière, Allemagne *(Bavarois, oise).*
Bayeux, Calvados *(Bayeusain, aine* ou *Bajocasse).*
Bayonne, Pyrénées-Atlantiques *(Bayonnais, aise).*
Béarn, France *(Béarnais, aise).*
Beauce, France *(Beauceron, onne).*
Beaune, Côte-d'Or *(Beaunois, oise).*
Beauvais, Oise *(Beauvaisien, ienne* ou *Beauvaisin, ine).*
Belfort [Territoire de], France *(Belfortin, ine* ou *Belfortain, aine).*
Belgique, Europe *(Belge).*
Bellac, Haute-Vienne *(Bellacquais, aise* ou *Bellachon, onne).*
Belley, Ain *(Belleysan, ane).*
Bengale, Inde *(Bengali* ou *Bengalais, aise).*
Bénin, Afrique *(Béninois, oise).*
Béotie, Grèce *(Béotien, ienne).*
Bergerac, Dordogne *(Bergeracois, oise).*
Berlin, Allemagne *(Berlinois, oise).*
Bernay, Eure *(Bernayen, enne).*
Berne, Suisse *(Bernois, oise).*
Berry, France *(Berrichon, onne).*
Besançon, Doubs *(Bisontin, ine).*
Béthune, Pas-de-Calais *(Béthunois, oise).*
Béziers, Hérault *(Biterrois, oise).*
Biafra, Afrique *(Biafrais, aise).*
Biarritz, Pyrénées-Atlantiques *(Biarrot, ote).*
Bidart, Pyrénées-Atlantiques *(Bidartois, oise).*
Biélorussie, Union soviétique *(Biélorusse).*
Binche, Belgique *(Binchois, oise).*
Birmanie, Asie *(Birman, ane).*
Biscaye [La], Espagne *(Biscaïen, enne).*
Bizerte, Tunisie *(Bizertin, ine).*
Blanc [Le], Indre *(Blancois, oise).*

Blangy-sur-Bresle, Seine-Maritime *(Blangeois, oise)*.
Blaye, Gironde *(Blayais, aise)*.
Blois, Loir-et-Cher *(Blaisois, oise ou Blésois, oise)*.
Bohême, Tchécoslovaquie *(Bohémien, ienne)*.
Bolivie, Amérique du Sud *(Bolivien, ienne)*.
Bologne, Italie *(Bolonais, aise)*.
Bône, Algérie *(Bônois, oise)*.
Bonifacio, Corse *(Bonifacien, ienne)*.
Bonneville, Haute-Savoie *(Bonnevillois, oise)*.
Bordeaux, Gironde *(Bordelais, aise)*.
Borinage, Belgique *(Borain, aine)*.
Bosnie, Yougoslavie *(Bosniaque ou Bosnien, ienne)*.
Boston, États-Unis *(Bostonien, ienne)*.
Boucau [Le], Pyrénées-Atlantiques *(Boucalais, aise)*.
Bougival, Yvelines *(Bougivalais, aise)*.
Boulay-Moselle, Moselle *(Boulageois, oise)*.
Boulogne-sur-Mer, Pas-de-Calais *(Boulonnais, aise ou Boulenois, oise)*.
Bourbonnais, France *(Bourbonnais, aise)*.
Bourbourg, Nord *(Bourbourgeois, oise)*.
Bourg-de-Péage, Drôme *(Péageois, oise)*.
Bourg-en-Bresse, Ain *(Bressan, ane ou Burgien, ienne)*.
Bourges, Cher *(Berruyer, ère)*.
Bourg-la-Reine, Hauts-de-Seine *(Réginaborgien, ienne)*.
Bourgogne, France *(Bourguignon, onne)*.
Brabant, Belgique *(Brabançon, onne)*.
Brandebourg, Allemagne *(Brandebourgeois, oise)*.
Brésil, Amérique du Sud *(Brésilien, ienne)*.
Bresse, France *(Bressan, ane)*.
Bressuire, Deux-Sèvres *(Bressuirais, aise)*.
Brest, Finistère *(Brestois, oise)*.
Bretagne, France *(Breton, onne)*.
Briançon, Hautes-Alpes *(Briançonnais, aise)*.
Brie, France *(Briard, arde)*.
Brière [La], France *(Briéron, onne)*.
Briey, Meurthe-et-Moselle *(Briotin, ine)*.
Brioude, Haute-Loire *(Brivadois, oise)*.
Brive-la-Gaillarde, Corrèze *(Brivois, oise)*.
Brou, Eure-et-Loir *(Broutain, aine)*.
Bruay-en-Artois, Pas-de-Calais *(Bruaysien, ienne)*.
Bruges, Belgique *(Brugeois, oise)*.
Bruxelles, Belgique *(Bruxellois, oise)*.
Bulgarie, Europe *(Bulgare)*.
Byzance, Europe *(Byzantin, ine)*. V. Istanbul.

Cadix, Espagne *(Gaditan, ane)*.
Caen, Calvados *(Caennais, aise ou Caenais, aise)*.
Cahors, Lot *(Cadurcien, ienne ou Cahorsin, ine ou Cahorsain, aine)*.
Caire [Le], Égypte *(Cairote)*.
Calabre, Italie *(Calabrais, aise)*.
Calais, Pas-de-Calais *(Calaisien, ienne)*.
Californie, États-Unis *(Californien, ienne)*.
Calvi, Corse *(Calvais, aise)*.
Camargue, France *(Camarguais, aise, Camarguin, ine ou Camarguen, enne)*.
Cambodge, Asie *(Cambodgien, ienne)*.
Cambrai, Nord *(Cambrésien, ienne)*.
Cameroun, Afrique *(Camerounais, aise)*.
Canaan [pays de] *(Cananéen, enne)*.
Canada, Amérique du Nord *(Canadien, ienne)*.
Canaries [îles], Espagne *(Canarien, ienne)*.
Cannes, Alpes-Maritimes *(Cannois, oise ou Cannais, aise)*.
Cantal, France *(Cantalien, ienne)*.
Capoue, Italie *(Capouan, ane)*.
Caraïbes *(Caraïbe)*.
Carcassonne, Aude *(Carcassonnais, aise ou Carcassonnois, oise)*.
Carpentras, Vaucluse *(Carpentrassien, ienne)*.
Carquefou, Loire-Atlantique *(Carquefolien, ienne)*.
Carrières-sur-Seine, Yvelines *(Carriérois, oise)*.
Carthage, Tunisie *(Carthaginois, oise)*.
Casablanca, Maroc *(Casablancais, aise)*.
Cassis, Bouches-du-Rhône *(Cassiden, enne)*.
Castellane, Alpes-de-Haute-Provence *(Castellanais, aise)*.
Castelnaudary, Aude *(Chaurien, ienne)*.
Castelsarrasin, Tarn-et-Garonne *(Castelsarrasinois, oise)*.
Castille, Espagne *(Castillan, ane)*.
Castres, Tarn *(Castrais, aise)*.
Catalogne, Espagne *(Catalan, ane)*.
Caucase, Union soviétique *(Caucasien, ienne)*.

Cayenne, Guyane *(Cayennais, aise)*.
Centre-Afrique *(Centrafricain, aine)*.
Cerdagne, Espagne *(Cerdan, ane ou Cerdagnol, ole)*.
Céret, Pyrénées-Orientales *(Cérétan, ane)*.
Cévennes, France *(Cévenol, ole)*.
Ceylan, Asie *(Cingalais, aise ou Ceylanais, aise)*.
Chaldée *(Chaldéen, enne)*.
Châlons-sur-Marne, Marne *(Châlonnais, aise)*.
Chalon-sur-Saône, Saône-et-Loire *(Chalonnais, aise)*.
Chambéry, Savoie *(Chambérien, ienne)*.
Chamonix, Haute-Savoie *(Chamoniard, arde)*.
Champagne, France *(Champenois, oise)*.
Chantilly, Oise *(Cantilien, ienne)*.
Charente, France *(Charentais, aise)*.
Charleroi, Belgique *(Carolorégien, ienne)*.
Charolles, Saône-et-Loire *(Charollais, aise)*.
Chartres, Eure-et-Loir *(Chartrain, aine)*.
Châteaubriant, Loire-Atlantique *(Castelbriantais, aise)*.
Château-Chinon, Nièvre *(Château-Chinonais, aise)*.
Châteaudun, Eure-et-Loir *(Dunois, oise)*.
Château-Gontier, Mayenne *(Castro-Gontérien, ienne)*.
Châteaulin, Finistère *(Castellinois, oise ou Châteaulinois, oise)*.
Châteauroux, Indre *(Castelroussin, ine ou Châteauroussin, ine)*.
Château-Salins, Moselle *(Castelsalinois, oise)*.
Château-Thierry, Aisne *(Castrothéodoricien, ienne)*.
Châtellerault, Vienne *(Châtelleraudais, aise)*.
Châtre [La], Indre *(Castrais, aise)*.
Chaumont, Haute-Marne *(Chaumontais, aise ou Chaumontois, oise)*.
Cherbourg, Manche *(Cherbourgeois, oise)*.
Chicoutimi, Canada *(Chicoutimien, ienne)*.
Chili, Amérique du Sud *(Chilien, ienne)*.
Chine, Asie *(Chinois, oise)*.
Chinon, Indre-et-Loire *(Chinonais, aise)*.
Cholet, Maine-et-Loire *(Choletais, aise)*.
Chypre *(Cypriote ou Chypriote)*.
Ciotat [La], Bouches-du-Rhône *(Ciotaden, enne)*.
Cirey-sur-Vezouve, Meurthe-et-Moselle *(Ciréen, enne)*.
Cisjordanie *(Cisjordanien, ienne)*.
Civray, Vienne *(Civraisien, ienne)*.
Clamart, Hauts-de-Seine *(Clamariot, iote ou Clamartois, oise)*.
Clamecy, Nièvre *(Clamecyçois, oise)*.
Clermont, Oise *(Clermontois, oise)*.
Clermont-Ferrand, Puy-de-Dôme *(Clermontois, oise)*.
Cluses, Haute-Savoie *(Clusien, ienne)*.
Cochinchine, Asie *(Cochinchinois, oise)*.
Cognac, Charente *(Cognaçais, aise)*.
Colmar, Haut-Rhin *(Colmarien, ienne)*.
Colombie, Amérique du Sud *(Colombien, ienne)*.
Commercy, Meuse *(Commercien, ienne)*.
Comores *(Comorien, ienne)*.
Compiègne, Oise *(Compiégnois, oise)*.
Concarneau, Finistère *(Concarnois, oise)*.
Condom, Gers *(Condomois, oise)*.
Confolens, Charente *(Confolentais, aise ou Confolennais, aise)*.
Congo, Afrique *(Congolais, aise)*.
Constantine, Algérie *(Constantinois, oise)*.
Corbeil-Essonnes, Essonne *(Corbeillais, aise ou Corbeillois, oise)*.
Cordoue, Espagne *(Cordouan, ane)*.
Corée, Asie *(Coréen, enne)*.
Corée du Nord *(Nord-Coréen, enne)*.
Corée du Sud *(Sud-Coréen, enne)*.
Corfou, Grèce *(Corfiote)*.
Corse, France *(Corse)*.
Corte, Corse *(Cortenais, aise)*.
Cosne-sur-Loire, Nièvre *(Cosnois, oise)*.
Costa-Rica, Amérique centrale *(Costaricain, aine ou Costaricien, ienne)*.
Côte-d'Ivoire, Afrique *(Ivoirien, ienne)*.
Côte-Saint-André [La], Isère *(Côtois, oise)*.
Coulommiers, Seine-et-Marne *(Columérien, ienne)*.
Courtrai, Belgique *(Courtraisien, ienne)*.
Coutances, Manche *(Coutançais, aise)*.
Creil, Oise *(Creillois, oise)*.
Crète [île de], Grèce *(Crétois, oise ou Candiote)*.
Creuse, France *(Creusois, oise)*.

Croatie, Yougoslavie *(Croate)*.
Croisic [Le], Loire-Atlantique *(Croisicais, aise)*.
Cuba, Amérique centrale *(Cubain, aine)*.

Dahomey, Afrique *(Dahoméen, enne)*.
Dakar, Sénégal *(Dakarois, oise)*.
Dalmatie, Yougoslavie *(Dalmate)*.
Damas, Syrie *(Damascène)*.
Danemark, Europe *(Danois, oise)*.
Danube, Europe centrale *(Danubien, ienne)*.
Dauphiné, France *(Dauphinois, oise)*.
Dax, Landes *(Dacquois, oise)*.
Délos, Grèce *(Délien, ienne ou Déliaque)*.
Denain, Nord *(Denaisien, ienne)*.
Die, Drôme *(Diois, oise)*.
Dieppe, Seine-Maritime *(Dieppois, oise)*.
Digne, Alpes-de-Haute-Provence *(Dignois, oise ou Dinien, ienne)*.
Dijon, Côte-d'Or *(Dijonnais, aise)*.
Dinan, Côtes-du-Nord *(Dinannais, aise)*.
Dole, Jura *(Dolois, oise)*.
Dominicaine [République] *(Dominicain, aine)*.
Dominique [République de] *(Dominiquais, aise)*.
Douai, Nord *(Douaisien, ienne)*.
Douarnenez, Finistère *(Douarneniste ou Douarnézien, ienne)*.
Draguignan, Var *(Draguignanais, aise ou Dracenois, oise)*.
Dreux, Eure-et-Loir *(Durocasse ou Drouais, aise)*.
Dunkerque, Nord *(Dunkerquois, oise)*.

Écosse, Grande-Bretagne *(Écossais, aise)*.
Édimbourg, Écosse *(Édimbourgeois, oise)*.
Égypte, Proche-Orient *(Égyptien, ienne)*.
Elbe [île d'], Italie *(Elbois, oise)*.
Elbeuf, Seine-Maritime *(Elbovien, ienne ou Elbeuvien, ienne)*.
Épernay, Marne *(Sparnacien, ienne)*.
Épinal, Vosges *(Spinalien, ienne)*.
Équateur, Amérique du Sud *(Équatorien, ienne)*.
Espagne, Europe *(Espagnol, ole)*.
Estonie, Union soviétique *(Este ou Estonien, ienne)*.
Étampes, Essonne *(Étampois, oise)*.
États-Unis d'Amérique *(Américain, aine, États-Unien, ienne ou Yankee)*.
Éthiopie, Afrique *(Éthiopien, ienne)*.
Étolie, Grèce *(Étolien, ienne)*.
Étrurie, Italie *(Étrusque)*.
Eurasie *(Eurasien, ienne)*.
Europe *(Européen, enne)*.
Évaux-les-Bains, Creuse *(Évahonnien, ienne)*.
Évian-les-Bains, Haute-Savoie *(Évianais, aise)*.
Évreux, Eure *(Ébroïcien, ienne)*.
Évry, Essonne *(Évryen, enne)*.

Faouët [Le], Morbihan *(Faouétais, aise)*.
Fécamp, Seine-Maritime *(Fécampois, oise)*.
Fère-Champenoise, Marne *(Ferton, onne)*.
Ferrare, Italie *(Ferrarais, aise.)*.
Fez, Maroc *(Fassi, ie)*.
Figeac, Lot *(Figeacois, oise)*.
Finistère, France *(Finistérien, ienne)*.
Finlande, Europe *(Finnois, oise ou Finlandais, aise)*.
Flandre ou Flandres, Europe *(Flamand, ande)*.
Flèche [La], Sarthe *(Fléchois, oise)*.
Flers-de-l'Orne, Orne *(Flérien, ienne)*.
Fleurance, Gers *(Fleurantin, ine)*.
Florac, Lozère *(Floracois, oise)*.
Florence, Italie *(Florentin, ine)*.
Foix, Ariège *(Fuxéen, enne)*.
Fontainebleau, Seine-et-Marne *(Bellifontain, aine)*.
Fontenay-le-Comte, Vendée *(Fontenaisien, ienne)*.
Forbach, Moselle *(Forbachois, oise ou Forbachais, aise)*.
Forcalquier, Alpes-de-Haute-Provence *(Forcalquiérais, aise)*.
Forges-les-Eaux, Seine-Maritime *(Forgien, ienne)*.
Formose, Asie *(Formosan, ane)*.
Fort-de-France, Martinique *(Foyalais, aise)*.
Fouesnant, Finistère *(Fouesnantais, aise)*.
Fougères, Ille-et-Vilaine *(Fougerais, aise)*.
Fouras, Charente-Maritime *(Fourasin, ine)*.
Fourchambault, Nièvre *(Fourchambaltais, aise)*.
Fourmies, Nord *(Fourmésien, ienne ou Fourmisien, ienne)*.
France, Europe *(Français, aise)*.

Francfort-sur-le-Main, Allemagne *(Francfortais, aise).*
Franche-Comté, France *(Franc-Comtois, oise).*
Fréjus, Var *(Fréjussien, ienne).*
Fribourg, Suisse *(Fribourgeois, oise).*
Frise, Pays-Bas *(Frison, onne).*

Gabon, Afrique *(Gabonais, aise).*
Galice, Espagne *(Galicien, ienne).*
Galilée, Israël *(Galiléen, enne).*
Galles [pays de], Grande-Bretagne *(Gallois, oise).*
Gand, Belgique *(Gantois, oise).*
Gap, Hautes-Alpes *(Gapençais, aise).*
Gascogne, France *(Gascon, onne).*
Gaspé ou Gaspésie [péninsule de], Canada *(Gaspésien, ienne).*
Gaule *(Gaulois, oise).* V. France.
Gênes, Italie *(Génois, oise).*
Genève, Suisse *(Genevois, oise).*
Géorgie, Union soviétique *(Géorgien, ienne).*
Germanie *(Germain, aine).* V. Allemagne.
Gévaudan [Le], Lozère *(Gabalitain, aine).*
Gex, Ain *(Gessien, ienne).*
Ghâna, Afrique *(Ghanéen, enne).*
Gien, Loiret *(Giennois, oise).*
Gironde, France *(Girondin, ine).*
Gisors, Eure *(Gisorsien, ienne).*
Gourdon, Lot *(Gourdonnais, aise.)*
Granby, Canada *(Granbyen, enne).*
Grande-Bretagne, Europe *(Britannique).*
Grasse, Alpes-Maritimes *(Grassois, oise).*
Grèce, Europe *(Grec, Grecque).*
Grenade, Espagne *(Grenadin, ine).*
Grenoble, Isère *(Grenoblois, oise).*
Grisons [canton des], Suisse *(Grison, onne).*
Groenland, Amérique du Nord *(Groenlandais, aise).*
Guadeloupe, Antilles fr. *(Guadeloupéen, enne).*
Guatemala, Amérique centrale *(Guatémalien, ienne ou Guatémaltèque).*
Guebwiller, Haut-Rhin *(Guebwillérois, oise).*
Guérande, Loire-Atlantique *(Guérandais, aise).*
Guéret, Creuse *(Guérétois, oise).*
Guernesey [île de], Grande-Bretagne *(Guernesiais, aise).*
Guinée, Afrique *(Guinéen, enne).*
Guingamp, Côtes-du-Nord *(Guingampois, oise).*
Guyane, Amérique du Sud *(Guyanais, aise).*

Hagetmau, Landes *(Hagetmautien, ienne).*
Haguenau, Bas-Rhin *(Haguenovien, ienne).*
Hainaut, Belgique *(Hannuyer, ère ou Hainuyer, ère).*
Haïti, Amérique centrale *(Haïtien, ienne).*
Halifax, Canada *(Haligonien, ienne).*
Hallicourt, Pas-de-Calais *(Hallicourtois, oise).*
Ham, Somme *(Hamois, oise).*
Hambourg, Allemagne *(Hambourgeois, oise).*
Hanovre, Allemagne *(Hanovrien, ienne).*
Haute-Volta, Afrique *(Voltaïque).*
Havane [La], Cuba *(Havanais, aise).*
Havre [Le], Seine-Maritime *(Havrais, aise).*
Hawaï [îles], Polynésie *(Hawaïen, enne).*
Haye [La], Pays-Bas *(Haguenois, oise).*
Haye-du-Puits [La], Manche *(Haytillon, onne).*
Hédé, Ille-et-Vilaine *(Hédéen, enne).*
Hellade *(Hellène).* V. Grèce.
Hendaye, Pyrénées-Atlantiques *(Hendayais, aise).*
Hennebont, Morbihan *(Hennebontais, aise).*
Himalaya, Asie *(Himalayen, enne).*
Hirson, Aisne *(Hirsonnais, aise).*
Hollande, Europe *(Hollandais, aise ou Néerlandais, aise).* V. Pays-Bas.
Honduras, Amérique centrale *(Hondurien, ienne).*
Honfleur, Calvados *(Honfleurais, aise ou Honfleurois, oise).*
Hongrie, Europe *(Hongrois, oise ou Magyar, e).*
Hull, Canada *(Hullois, oise).*
Hyères, Var *(Hyérois, oise).*

Ibérie, Gaule-Espagne *(Ibère).*
Inde, Asie *(Indien, ienne).*
Indochine, Asie *(Indochinois, oise).*
Indonésie, Asie *(Indonésien, ienne).*
Ionie *(Ionien, ienne).*
Iran, Proche-Orient *(Iranien, ienne).*
Iraq ou Irak, Proche-Orient *(Irakien, ienne).*
Irlande *(Irlandais, aise).*

Isère, France *(Isérois, oise ou Iseran, ane).*
Isigny-sur-Mer, Calvados *(Isignais, aise).*
Islande, Europe *(Islandais, aise).*
Isle-Jourdain [L'], Gers *(Islois, oise).*
Israël, Proche-Orient *(Israélien, ienne).*
Issoire, Puy-de-Dôme *(Issorien, ienne ou Issoirien, ienne).*
Issoudun, Indre *(Issoldunois, oise ou Issoudunois, oise).*
Issy-les-Moulineaux, Hauts-de-Seine *(Issisois, oise).*
Istanbul, Turquie *(Istanbuliote).*
Italie, Europe *(Italien, ienne).*

Jamaïque, Antilles *(Jamaïquain, aine).*
Japon, Asie *(Japonais, aise).*
Jargeau, Loiret *(Gergolien, ienne).*
Java, Indonésie *(Javanais, aise).*
Jersey [île de] *(Jersiais, aise).*
Jérusalem, Israël *(Hiérosolymite ou Hiérosolymitain, aine).*
Joinville, Haute-Marne *(Joinvillois, oise).*
Jonzac, Charente-Maritime *(Jonzacais, aise).*
Jordanie, Proche-Orient *(Jordanien, ienne).*
Jura, France *(Jurassien, ienne).*

Kabylie, Algérie *(Kabyle).*
Kalmoukie, Union soviétique *(Kalmouk ou Kalmuk).*
Kazakhstan, Union soviétique *(Kazakh).*
Kenya, Afrique *(Kenyen, enne).*
Kinshasa, Zaïre *(Kinois, oise).*
Kirghizistan, Union soviétique *(Kirghiz, e).*
Koweit, Arabie *(Koweitien, ienne).*

Labrador [péninsule du], Canada *(Labradorien, ienne).*
Lacaune, Tarn *(Lacaunois, oise).*
Lachine, Canada *(Lachinois, oise).*
Lagnieu, Ain *(Lagneusin, ine).*
Landerneau, Finistère *(Landernéen, enne).*
Landes, France *(Landais, aise).*
Landivisiau, Finistère *(Landivisien, ienne).*
Landrecies, Nord *(Landrecien, ienne).*
Langogne, Lozère *(Langonais, aise).*
Langon, Gironde *(Langonnais, aise).*
Langres, Haute-Marne *(Langrois, oise).*
Languedoc, France *(Languedocien, ienne).*
Lanmeur, Finistère *(Lanmeurien, ienne).*
Lannion, Côtes-du-Nord *(Lannionais, aise).*
Laon, Aisne *(Laonnois, oise).*
Laos, Asie *(Laotien, ienne).*
Lapalisse, Allier *(Lapalissois, oise).*
Laponie, Europe *(Lapon, one).*
Lasalle, Canada *(Lasallien, ienne).*
Lausanne, Suisse *(Lausannois, oise).*
Laval, Canada *(Lavallois, oise).*
Laval, Mayenne *(Lavallois, oise).*
Leipzig, Allemagne *(Leipzigois, oise).*
Lens, Pas-de-Calais *(Lensois, oise).*
Léon [pays de], Bretagne *(Léonais, aise ou Léonard, arde).*
Lesbos, Grèce *(Lesbien, ienne).*
Lescar, Pyrénées-Atlantiques *(Lescarien, ienne).*
Lesparre-Médoc, Gironde *(Lesparrain, aine).*
Lettonie, Union soviétique *(Letton, onne, Lette ou Latvien, ienne).*
Levant *(Levantin, ine).*
Liban, Proche-Orient *(Libanais, aise).*
Libéria, Afrique *(Libérien, ienne).*
Libourne, Gironde *(Libournais, aise).*
Libreville, Gabon *(Librevillois, oise).*
Libye, Afrique *(Libyen, enne).*
Liège, Belgique *(Liégeois, oise).*
Ligurie, Italie *(Ligurien, ienne).*
Lille, Nord *(Lillois, oise).*
Lima, Pérou *(Liménien, ienne).*
Limousin, France *(Limousin, ine ou Limougeaud, eaude).*
Limoux, Aude *(Limouxin, ine).*
Lisbonne, Portugal *(Lisbonnin, ine).*
Lisieux, Calvados *(Lexovien, ienne).*
Lituanie, Union soviétique *(Lituanien, ienne ou Lithuanien, ienne).*
Livourne, Italie *(Livournais, aise).*
Loches, Indre-et-Loire *(Lochois, oise).*
Loctudy, Finistère *(Loctudyste).*

Lodève, Hérault *(Lodévois, oise).*
Lombardie, Italie *(Lombard, arde).*
Lomé, Togo *(Loméen, enne).*
Lomme, Nord *(Lommois, oise).*
Londres, Angleterre *(Londonien, ienne).*
Longjumeau, Essonne *(Longjumellois, oise).*
Longny-au-Perche, Orne *(Longnycien, ienne).*
Longwy, Meurthe-et-Moselle *(Longovicien, ienne).*
Lons-le-Saunier, Jura *(Lédonien, ienne).*
Loos, Nord *(Loossois, oise).*
Lorraine, France *(Lorrain, aine).*
Loudéac, Côtes-du-Nord *(Loudéacien, ienne).*
Loudun, Vienne *(Loudunois, oise).*
Louhans, Saône-et-Loire *(Louhannais, aise).*
Louisiane [État de], États-Unis *(Louisianais, aise).*
Lourdes, Hautes-Pyrénées *(Lourdois, oise ou Lourdais, aise).*
Louvain, Belgique *(Louvaniste).*
Louveciennes, Yvelines *(Luciennois, oise).*
Louviers, Eure *(Lovérien, ienne).*
Lucanie, Italie *(Lucanien, ienne).*
Lucques, Italie *(Lucquois, oise).*
Lunéville, Meurthe-et-Moselle *(Lunévillois, oise).*
Lurcy-Lévis, Allier *(Lurcyquais, aise).*
Lure, Haute-Saône *(Luron, onne).*
Lusitanie *(Lusitanien, ienne ou Lusitain, aine).*
Lussac, Gironde *(Lussacois, oise).*
Luxembourg, Europe *(Luxembourgeois, oise).*
Luzarches, Val-d'Oise *(Luzarchois, oise).*
Lydie *(Lydien, ienne).*
Lyon, Rhône *(Lyonnais, aise).*
Lyons-la-Forêt, Eure *(Lyonsais, aise).*

Macédoine, Grèce *(Macédonien, ienne).*
Machecoul, Loire-Atlantique *(Machecoulois, oise).*
Mâcon, Saône-et-Loire *(Mâconnais, aise).*
Madagascar, Afrique du Sud *(Malgache).*
Madeleine [îles de la], Canada *(Madelinot, Madelinienne).*
Madère, Portugal *(Madérien, ienne ou Madérois, oise).*
Madrid, Espagne *(Madrilène).*
Maghreb, Afrique *(Maghrébin, ine).*
Maintenon, Eure-et-Loir *(Maintenonnois, oise).*
Maine, France *(Manceau, elle).*
Majorque, Espagne *(Majorquin, ine).*
Malabâr, Inde *(Malabare).*
Malaisie et Malaysia, Asie *(Malais, aise et Malaysien, ienne).*
Mali, Afrique *(Malien, ienne).*
Malines, Belgique *(Malinois, oise).*
Malte, Europe *(Maltais, aise).*
Mamers, Sarthe *(Mamertin, ine).*
Man [île de], Grande-Bretagne *(Mannois, oise).*
Mandchourie *(Mandchou, e).*
Manitoba [province du], Canada *(Manitobain, aine).*
Manosque, Alpes-de-Haute-Provence *(Manosquin, ine).*
Mans [région du], France *(Manceau, elle).*
Mantes-la-Jolie, Yvelines *(Mantais, aise).*
Mantes-la-Ville, Yvelines *(Mantevillois, oise).*
Mantoue, Italie *(Mantouan, ane).*
Marans, Charente-Maritime *(Marandais, aise).*
Marcq-en-Barœul, Nord *(Marcquois, oise).*
Marennes, Charente-Maritime *(Marennais, aise).*
Marignane, Bouches-du-Rhône *(Marignanais, aise).*
Maringues, Puy-de-Dôme *(Maringois, oise).*
Marle, Aisne *(Marlois, oise).*
Marly-le-Roi, Yvelines *(Marlychois, oise).*
Marmande, Lot-et-Garonne *(Marmandais, aise).*
Maroc, Afrique *(Marocain, aine).*
Maromme, Seine-Maritime *(Marommais, aise).*
Mars, planète *(Martien, ienne).*
Marseille, Bouches-du-Rhône *(Marseillais, aise, Massaliote ou Phocéen, enne).*
Martigues, Bouches-du-Rhône *(Martégaux ou Martigaux [plur.]).*
Martinique, Antilles fr. *(Martiniquais, aise).*
Marvejols, Lozère *(Marvejolais, aise).*
Masevaux, Haut-Rhin *(Masopolitain, aine).*
Matha, Charente-Maritime *(Mathalien, ienne).*
Maubeuge, Nord *(Maubeugeois, oise).*
Maubourguet, Hautes-Pyrénées *(Maubourguetois, oise).*
Mauriac, Cantal *(Mauriacois, oise).*
Maurice [île], Océan Indien *(Mauricien, ienne).*
Mayence, Allemagne *(Mayençais, aise).*

Mayenne [dép. et ville de France] *(Mayennais, aise)*.
Mazamet, Tarn *(Mazamétain, aine)*.
Meaux, Seine-et-Marne *(Meldois, oise)*.
Mélanésie *(Mélanésien, ienne)*.
Melun, Seine-et-Marne *(Melunois, oise, Melunais, aise* ou *Melodunois, oise)*.
Mende, Lozère *(Mendois, oise)*.
Mennetou-sur-Cher, Loir-et-Cher *(Mennetousien, ienne)*.
Menton, Alpes-Maritimes *(Mentonnais, aise)*.
Merdrignac, Côtes-du-Nord *(Merdrignacien, ienne)*.
Mers-les-Bains, Somme *(Mersois, oise)*.
Merville, Nord *(Mervillois, oise)*.
Mesnil-le-Roi [Le], Yvelines *(Mesnilois, oise)*.
Mésopotamie *(Mésopotamien, ienne)*.
Metz, Moselle *(Messin, ine)*.
Meudon, Hauts-de-Seine *(Meudonnais, aise)*.
Meulan, Yvelines *(Meulanais, aise)*.
Meursault, Côte-d'Or *(Meurisaltien, ienne)*.
Mexique, Amérique centrale *(Mexicain, aine)*.
Meyrueis, Lozère *(Meyrueisien, ienne)*.
Mézières, Ardennes *(Macérien, ienne)*.
Milan, Italie *(Milanais, aise)*.
Millau, Aveyron *(Millavois, oise)*.
Milly-la-Forêt, Essonne *(Milliacois, oise)*.
Mimizan, Landes *(Mimizannais, aise)*.
Minho, Portugal *(Minhote)*.
Minorque, Espagne *(Minorquin, ine)*.
Miramas, Bouches-du-Rhône *(Miramassen, enne)*.
Mirande, Gers *(Mirandais, aise)*.
Mirebeau, Vienne *(Mirebalais, aise)*.
Mirepoix, Ariège *(Mirapicien, ienne)*.
Miribel, Ain *(Miribelan, ane)*.
Modane, Savoie *(Modanais, aise)*.
Modène, Italie *(Modénais, aise)*.
Mohon, Ardennes *(Mohonnais, aise)*.
Moirans-en-Montagne, Jura *(Moirantin, ine)*.
Moissac, Tarn-et-Garonne *(Moissagais, aise)*.
Moldavie, Roumanie *(Moldave)*.
Monaco [*principauté de*], Europe *(Monégasque)*.
Moncoutant, Deux-Sèvres *(Moncoutantais, aise)*.
Mongolie, Asie *(Mongol, ole)*.
Monistrol-sur-Loire, Haute-Loire *(Monistrolien, ienne)*.
Monpazier, Dordogne *(Monpaziérais, aise)*.
Mons, Nord *(Montois, oise)*.
Monségur, Gironde *(Monségurais, aise)*.
Montaigu, Vendée *(Montacutain, aine* ou *Montaigusien, ienne)*.
Montargis, Loiret *(Montargois, oise)*.
Montauban, Tarn-et-Garonne *(Montalbanais, aise)*.
Montbard, Côte-d'Or *(Montbardois, oise)*.
Montbéliard, Doubs *(Montbéliardais, aise)*.
Montbrison, Loire *(Montbrisonnais, aise)*.
Montbron, Charente *(Montbronnais, aise)*.
Montceau-les-Mines, Saône-et-Loire *(Montcellien, ienne)*.
Montcenis, Saône-et-Loire *(Montcinois, oise)*.
Montchanin, Saône-et-Loire *(Montchaninois, oise)*.
Montcuq, Lot *(Montcuquois, oise)*.
Mont-de-Marsan, Landes *(Montois, oise)*.
Montdidier, Somme *(Montdidérien, ienne)*.
Mont-Dore [Le], Puy-de-Dôme *(Montdorien, ienne)*.
Montélimar, Drôme *(Montilien, ienne)*.
Monténégro, Yougoslavie *(Monténégrin, ine)*.
Montluçon, Allier *(Montluçonnais, aise)*.
Montmartre, Paris *(Montmartrois, oise)*.
Montmorency, Val-d'Oise *(Montmorencien, ienne)*.
Montmorillon, Vienne *(Montmorillonnais, aise)*.
Montpellier, Hérault *(Montpelliérain, aine)*.
Montpon-Ménestérol, Dordogne *(Montponnais, aise)*.
Montréal, Canada *(Montréalais, aise)*.
Montréjeau, Haute-Garonne *(Montréjeaulais, aise)*.
Montreuil-sous-Bois, Seine-Saint-Denis *(Montreuillois, oise)*.
Montrichard, Loir-et-Cher *(Montrichardois, oise)*.
Montrouge, Hauts-de-Seine *(Montrougien, ienne)*.
Moravie, Tchécoslovaquie *(Morave)*.
Morcenx, Landes *(Morcenais, aise)*.
Moret-sur-Loing, Seine-et-Marne *(Morétain, aine)*.
Morlaas, Pyrénées-Atlantiques *(Morlan, ane)*.
Morlaix, Finistère *(Morlaisien, ienne)*.

Mortagne-au-Perche, Orne *(Mortagnais, aise)*.
Mortain, Manche *(Mortinais, aise)*.
Morteau, Doubs *(Mortuassien, ienne* ou *Mortuacien, ienne)*.
Morzine, Haute-Savoie *(Morzinois, oise)*.
Moscou, Union soviétique *(Moscovite)*.
Moulins, Allier *(Moulinois, oise)*.
Mouy, Oise *(Mouysard, arde)*.
Mouzon, Ardennes *(Mouzonnais, aise)*.
Mulhouse, Haut-Rhin *(Mulhousien, ienne)*.
Munich, Allemagne *(Munichois, oise)*.
Murat, Cantal *(Muratais, aise)*.
Mure [La], Isère *(Murois, oise)*.
Muret, Haute-Garonne *(Muretin, ine)*.
Murviel-lès-Béziers, Hérault *(Murviellois, oise)*.
Mycènes *(Mycénien, ienne)*.

Namur, Belgique *(Namurois, oise)*.
Nancy, Meurthe-et-Moselle *(Nancéien, ienne)*.
Nanterre, Hauts-de-Seine *(Nanterrois, oise)*.
Nantes, Loire-Atlantique *(Nantais, aise)*.
Nantua, Ain *(Nantuatien, ienne)*.
Naples, Italie *(Napolitain, aine)*.
Narbonne, Aude *(Narbonnais, aise)*.
Navarre, Espagne *(Navarrais, aise* ou vx *Navarrin, ine)*.
Nazareth, Galilée *(Nazaréen, enne)*.
Nemours, Seine-et-Marne *(Nemourien, ienne)*.
Népal, Asie *(Népalais, aise)*.
Nérac, Lot-et-Garonne *(Néracais, aise)*.
Neuchâtel, Suisse *(Neuchâtelois, oise)*.
Neuf-Brisach, Haut-Rhin *(Brisacien, ienne)*.
Neufchâteau, Vosges *(Néocastrien, ienne)*.
Neufchâtel-en-Bray, Seine-Maritime *(Neufchâtelois, oise)*.
Neuilly, Hauts-de-Seine *(Neuilléen, enne)*.
Neuilly-Plaisance, Seine-Saint-Denis *(Nocéen, enne)*.
Neustrie, Gaule *(Neustrien, ienne)*.
Neuves-Maisons, Meurthe-et-Moselle *(Néodanien, ienne)*.
Neuvic, Corrèze *(Neuvicois, oise)*.
Neuville-de-Poitou, Vienne *(Neuvillois, oise)*.
Nevers, Nièvre *(Nivernais, aise)*.
New York, États-Unis *(New-Yorkais, aise)*.
Nicaragua, Amérique centrale *(Nicaraguayen, enne)*.
Nice, Alpes-Maritimes *(Niçois, oise)*.
Niger, Afrique *(Nigérien, ienne)*.
Nîmes, Gard *(Nîmois, oise)*.
Niort, Deux-Sèvres *(Niortais, aise)*.
Nivelles, Belgique *(Nivellois, oise)*.
Nogaro, Gers *(Nogarolien, ienne)*.
Nogent-en-Bassigny, Haute-Marne *(Nogentais, aise)*.
Nogent-le-Roi, Eure-et-Loir *(Nogentais, aise)*.
Nogent-sur-Marne, Val-de-Marne *(Nogentais, aise)*.
Nogent-sur-Oise, Oise *(Nogentais, aise)*.
Noirmoutier-en-l'Ile, Vendée *(Noirmoutrin, ine)*.
Nolay, Côte-d'Or *(Nolaytois, oise)*.
Nonancourt, Eure *(Nonancourtois, oise)*.
Nontron, Dordogne *(Nontronnais, aise)*.
Normandie, France *(Normand, ande)*.
Norvège, Europe *(Norvégien, ienne)*.
Nouvelle-Calédonie, Océanie *(Néo-Calédonien, ienne)*.
Nouvelle-Écosse, Canada *(Néo-Écossais, aise)*.
Nouvelle-Zélande, Océanie *(Néo-Zélandais, aise)*.
Nouvion-en-Thiérache [Le], Aisne *(Nouvionnais, aise)*.
Nubie, Afrique *(Nubien, ienne)*.
Nuits-Saint-Georges, Côte-d'Or *(Nuiton, onne)*.
Numidie, Afrique *(Numide)*.
Nyons, Drôme *(Nyonsais, aise)*.

Océanie *(Océanien, ienne)*.
Oléron [*île d'*], Charente-Maritime *(Oléronais, aise)*.
Olliergues, Puy-de-Dôme *(Ollierguois, oise)*.
Oloron-Sainte-Marie, Pyrénées-Atlantiques *(Oloronais, aise)*.
Ombrie, Italie *(Ombrien, ienne)*.
Ontario [*province de l'*], Canada *(Ontarien, ienne)*.
Oran, auj. Ouahran, Algérie *(Oranais, aise)*.
Orange, Vaucluse *(Orangeois, oise)*.
Orléans, Loiret *(Orléanais, aise)*.
Orly, Val-de-Marne *(Orlysien, ienne)*.

Ormesson-sur-Marne, Val-de-Marne *(Ormessonnais, aise)*.
Ornans, Doubs *(Ornanais, aise)*.
Ostende, Belgique *(Ostendais, aise)*.
Ouagadougou, Burkina-Faso *(Ouagalais, aise)*.
Ouessant [*île d'*], Finistère *(Ouessantin, ine* ou *Ouessantais, aise)*.
Ouganda, Afrique *(Ougandais, aise)*.
Outremont, Canada *(Outremontois, oise)*.
Oxford, Angleterre *(Oxonien, ienne* ou *Oxfordien, ienne)*.
Oyonnax, Ain *(Oyonnaxien, ienne)*.

Pacy-sur-Eure, Eure *(Pacéen, enne)*.
Padoue, Italie *(Padouan, ane)*.
Paimbœuf, Loire-Atlantique *(Paimblotin, ine)*.
Paimpol, Côtes-du-Nord *(Paimpolais, aise)*.
Pakistan, Asie *(Pakistanais, aise)*.
Palaiseau, Essonne *(Palaisien, ienne)*.
Palerme, Italie *(Palermitain, aine* ou *Panormitain, aine)*.
Palestine, Proche-Orient *(Palestinien, ienne)*.
Pamiers, Ariège *(Appaméen, enne)*.
Panama, Amérique centrale *(Panaméen, enne* ou *Panamien, ienne)*.
Pantin, Seine-Saint-Denis *(Pantinois, oise)*.
Paraguay, Amérique du Sud *(Paraguayen, enne)*.
Paray-le-Monial, Saône-et-Loire *(Parodien, ienne)*.
Paris, Seine *(Parisien, ienne)*.
Parme, Italie *(Parmesan, ane)*.
Parthenay, Deux-Sèvres *(Parthenaisien, ienne)*.
Pau, Pyrénées-Atlantiques *(Palois, oise)*.
Pauillac, Gironde *(Pauillacais, aise)*.
Pavie, Italie *(Pavesan, ane)*.
Pays-Bas. V. Hollande.
Pékin, Chine *(Pékinois, oise)*.
Péloponnèse, Grèce *(Péloponnésien, ienne)*.
Pennsylvanie, États-Unis *(Pennsylvanien, ienne)*.
Perche [le], France *(Percheron, onne)*.
Percy, Manche *(Percyais, aise)*.
Périgord [le], France *(Périgourdin, ine)*.
Périgueux, Dordogne *(Périgourdin, ine* ou *Prétocorien, ienne)*.
Pernes-les-Fontaines, Vaucluse *(Pernois, oise)*.
Péronne, Somme *(Péronnais, aise)*.
Pérou, Amérique du Sud *(Péruvien, ienne)*.
Pérouges, Ain *(Pérougien, ienne)*.
Pérouse, Italie *(Pérugin, ine)*.
Perpignan, Pyrénées-Orientales *(Perpignanais, aise)*.
Persan, Val-d'Oise *(Persannais, aise)*.
Perse *(Persan, ane)*.
Pézenas, Hérault *(Piscénois, oise)*.
Phalsbourg, Moselle *(Phalsbourgeois, oise)*.
Phénicie, Asie *(Phénicien, ienne)*.
Philadelphie, États-Unis *(Philadelphien, ienne)*.
Philippines, Océanie *(Philippin, ine)*.
Phocide, Grèce *(Phocidien, ienne* ou *Phocéen, enne)*.
Picardie, France *(Picard, arde)*.
Piémont, Italie *(Piémontais, aise)*.
Pierrefitte-sur-Aire, Meuse *(Pierrefittois, oise)*.
Pierrefonds, Oise *(Pétrifontin, ine)*.
Pierrelatte, Drôme *(Pierrelattin, ine)*.
Pithiviers, Loiret *(Pithivérien, ienne)*.
Plaisance, Italie *(Placentin, ine)*.
Plouescat, Finistère *(Plouescatais, aise)*.
Plouha, Côtes-du-Nord *(Plouhatin, ine)*.
Pointe-à-Pitre, Guadeloupe *(Pointois, oise* ou *Pointe-Noirais, aise)*.
Poissy, Yvelines *(Pisciacais, aise)*.
Poitiers, Vienne *(Poitevin, ine)*.
Poitou, France *(Poitevin, ine)*.
Poix, Somme *(Poyais, aise)*.
Poligny, Jura *(Polinois, oise)*.
Pologne, Europe *(Polonais, aise)*.
Polynésie, Océanie *(Polynésien, ienne)*.
Pompéi, Italie *(Pompéien, ienne)*.
Poncin, Ain *(Poncinois, oise)*.
Pons, Charente-Maritime *(Pontois, oise)*.
Pont-à-Mousson, Meurthe-et-Moselle *(Mussipontain, aine)*.
Pontarlier, Doubs *(Pontissalien, ienne)*.
Pont-Audemer, Eure *(Pontaudemérien, ienne)*.
Pont-Aven, Finistère *(Pontaveniste)*.
Pont-de-Chéruy, Isère *(Pontinois, oise)*.
Pont-en-Royans, Isère *(Pontois, oise)*.
Pontivy, Morbihan *(Pontivien, ienne)*.
Pont-l'Abbé, Finistère *(Pont-l'Abbiste)*.
Pont-l'Évêque, Calvados *(Pontépiscopien, ienne)*.

Pontoise, Val-d'Oise *(Pontoisien, ienne).*
Pontorson, Manche *(Pontorsonnais, aise).*
Pontrieux, Côtes-du-Nord *(Pontrivien, ienne).*
Pont-Sainte-Maxence, Oise *(Maxipontain, aine* ou *Pontois, oise).*
Pont-sur-Yonne, Yonne *(Pontois, oise).*
Pornic, Loire-Atlantique *(Pornicais, aise).*
Pornichet, Loire-Atlantique *(Pornichétin, ine).*
Port-Sainte-Marie, Lot-et-Garonne *(Portais, aise).*
Portugal, Europe *(Portugais, aise).* V. Lusitanie.
Pouillon, Landes *(Pouillonnais, aise).*
Prades, Pyrénées-Orientales *(Pradéen, enne).*
Prémery, Nièvre *(Prémerycois, oise).*
Privas, Ardèche *(Privadois, oise).*
Provence, France *(Provençal, ale, aux).*
Provins, Seine-et-Marne *(Provinois, oise).*
Prusse *(Prussien, ienne).*
Puget-Théniers, Alpes-Maritimes *(Pugétin, ine).*
Puiseaux, Loiret *(Puisatin, ine).*
Puy [Le], Haute-Loire *(Ponot, ote, Podot, ote* ou *Anicien, ienne).*
Pyrénées, France *(Pyrénéen, enne).*

Québec, Canada *(Québécois, oise).*
Quercy [le], France *(Quercinois, oise).*
Quesnoy [Le], Nord *(Quercitain, aine).*
Quiberon, Morbihan *(Quiberonnais, aise).*
Quillan, Aude *(Quillanais, aise).*
Quillebeuf-sur-Seine, Eure *(Quillebois, oise).*
Quimper, Finistère *(Quimpérois, oise).*
Quimperlé, Finistère *(Quimperlois, oise).*

Rabastens, Tarn *(Rabastinois, oise).*
Raismes, Nord *(Raismois, oise).*
Rambervilliers, Vosges *(Rambuvetais, aise).*
Rambouillet, Yvelines *(Rambolitain, aine).*
Ravenne, Italie *(Ravennate).*
Ré [île de], Charente-Maritime *(Rhétais, aise).*
Redon, Ille-et-Vilaine *(Redonnais, aise).*
Reims, Marne *(Rémois, oise).*
Remiremont, Vosges *(Romarimontain, aine).*
Renazé, Mayenne *(Renazéen, enne).*
Rennes, Ille-et-Vilaine *(Rennais, aise).*
Réole [La], Gironde *(Réolais, aise).*
Rethel, Ardennes *(Rethélois, oise).*
Retiers, Ille-et-Vilaine *(Restérien, ienne).*
Réunion [île de la], Océan Indien *(Réunionnais, aise).*
Rhénanie *(Rhénan, ane).*
Rhin *(Rhénan, ane).*
Rhodes [île de], Grèce *(Rhodien, ienne).*
Ribeauvillé, Haut-Rhin *(Ribeauvilléen, enne).*
Riceys [Les], Aube *(Riceton, one).*
Riez, Alpes-de-Haute-Provence *(Réien, ienne).*
Rif, Maroc *(Rifain, aine).*
Riom, Puy-de-Dôme *(Riomois, oise).*
Rive-de-Gier, Loire *(Ripagérien, ienne).*
Rives, Isère *(Rivois, oise).*
Rivesaltes, Pyrénées-Orientales *(Rivesaltais, aise).*
Roanne, Loire *(Roannais, aise).*
Roche-sur-Yon [La], Vendée *(Yonnais, aise).*
Rodez, Aveyron *(Ruthénois, oise).*
Roubaix, Nord *(Roubaisien, ienne).*
Rouen, Seine-Maritime *(Rouennais, aise).*
Rouergue, France *(Rouergat, ate).*
Rougé, Loire-Atlantique *(Rougéen, enne).*
Roumanie, Europe *(Roumain, aine).*
Roussillon, Isère *(Roussillonnais, aise).*
Roybon, Isère *(Roybonnais, aise).*
Roye, Somme *(Royen, enne).*
Royère, Creuse *(Royéraud, aude).*
Rueil-Malmaison, Hauts-de-Seine *(Ruellois, oise).*
Ruffec, Charente *(Ruffécois, oise).*
Rumilly, Haute-Savoie *(Rumilien, ienne).*
Russie, Europe *(Russe).*

Saba *(Sabéen, enne).*
Sables-d'Olonne [Les], Vendée *(Sablais, aise).*
Sablé-sur-Sarthe, Sarthe *(Sabolien, ienne).*
Sabres, Landes *(Sabrin, ine* ou *Sabringot, ote).*
Saint-Affrique, Aveyron *(Saint-Affricain, aine).*
Saint-Agrève, Ardèche *(Saint-Agrévois, oise).*
Saint-Aignan, Loir-et-Cher *(Saint-Aignanais, aise).*
Saint-Alvère, Dordogne *(Saint-Alvérois, oise).*
Saint-Amand-en-Puisaye, Nièvre *(Amandinois, oise).*
Saint-Amand-les-Eaux, Nord *(Amandinois, oise).*

Saint-Amand-Mont-Rond, Cher *(Saint-Amandinois, oise).*
Saint-André-les-Alpes, Alpes-de-Haute-Provence *(Saint-Andréen, enne).*
Saint-Aubin-sur-Mer, Calvados *(Saint-Aubinais, aise).*
Saint-Béat, Haute-Garonne *(Saint-Béatais, aise).*
Saint-Benoît-du-Sault, Indre *(Bénédictin, ine).*
Saint-Brieuc, Côtes-du-Nord *(Briochin, ine).*
Saint-Calais, Sarthe *(Calaisien, enne).*
Saint-Céré, Lot *(Saint-Céréen, enne).*
Saint-Chamond, Loire *(Saint-Chamonais, aise).*
Saint-Chinian, Hérault *(Saint-Chinianais, aise).*
Saint-Claude, Jura *(Saint-Claudien, ienne).*
Saint-Cloud, Hauts-de-Seine *(Clodoaldien, ienne).*
Saint-Cyr-l'École, Yvelines *(Saint-Cyrien, ienne).*
Saint-Denis, Seine Saint-Denis *(Dionysien, ienne).*
Saint-Dié, Vosges *(Déodatien, ienne).*
Saint-Étienne, Loire *(Stéphanois, oise).*
Saint-Florentin, Yonne *(Florentinois, oise).*
Saint-Flour, Cantal *(Sanflorin, ine).*
Saint-Fons, Rhône *(Saint-Foniard, arde).*
Saint-Fulgent, Vendée *(Saint-Fulgentais, aise).*
Saint-Gall, Suisse *(Saint-Gallois, oise).*
Saint-Gaudens, Haute-Garonne *(Saint-Gaudinois, oise).*
Saint-Germain-en-Laye, Yvelines *(Saint-Germinois, oise).*
Saint-Gilles, Gard *(Saint-Gillois, oise).*
Saint-Girons, Ariège *(Saint-Gironnais, aise).*
Saint-Hyacinthe, Canada *(Maskoutain, aine).*
Saint-Jean-d'Angély, Charente-Maritime *(Angérien, ienne).*
Saint-Jean-de-Losne, Côte-d'Or *(Losnais, aise).*
Saint-Jean-de-Luz, Pyrénées-Atlantiques *(Luzien, ienne).*
Saint-Julien-Chapteuil, Haute-Loire *(Saint-Julien, ienne).*
Saint-Julien-en-Genevois, Haute-Savoie *(Juliénois, oise).*
Saint-Junien, Haute-Vienne *(Saint-Juniaud, aude).*
Saint-Just-en-Chaussée, Oise *(Saint-Justois, oise).*
Saint-Laurent, Canada *(Laurentien, ienne).*
Saint-Laurent-de-Neste, Hautes-Pyrénées *(Saint-Laurentin, ine).*
Saint-Laurent-du-Pont, Isère *(Saint-Laurentin, ine).*
Saint-Lô, Manche *(Saint-Lois, oise).*
Saint-Maixent-l'École, Deux-Sèvres *(Saint-Maixentais, aise).*
Saint-Malo, Ille-et-Vilaine *(Malouin, ine).*
Saint-Marcellin, Isère *(Saint-Marcellinois, oise).*
Saint-Martin-Vésubie, Alpes-Maritimes *(Saint-Martinois, oise).*
Saint-Mihiel, Meuse *(Sammiellois, oise).*
Saint-Nazaire, Loire-Atlantique *(Nazairien, ienne).*
Saint-Omer, Pas-de-Calais *(Audomarois, aise).*
Saint-Ouen, Seine-Saint-Denis *(Audonien, ienne).*
Saint-Paul-de-Fenouillet, Pyrénées-Orientales *(Saint-Paulais, aise).*
Saint-Péray, Ardèche *(Saint-Pérollais, aise).*
Saint-Pierre-et-Miquelon, océan Atlantique *(Saint-Pierrais, aise).*
Saint-Pierre-le-Moûtier, Nièvre *(Saint-Pierrois, oise).*
Saint-Pol-de-Léon, Finistère *(Léonais, aise, Léonard, arde* ou *Saint-Politain, aine).*
Saint-Pol-sur-Ternoise, Pas-de-Calais *(Saint-Polais, aise* ou *Paulopolitain, aine).*
Saint-Pons, Hérault *(Saint-Ponais, aise).*
Saint-Pourçain-sur-Sioule, Allier *(Saint-Pourcinois, oise* ou *Sanpourcinois, oise).*
Saint-Quentin, Aisne *(Saint-Quentinois, oise).*
Saint-Rambert-sur-Loire, Loire *(Ragnabertois, oise).*
Saint-Rémy-sur-Durolle, Puy-de-Dôme *(Saint-Rémois, oise).*
Saint-Servan-sur-Mer, Ille-et-Vilaine *(Saint-Servantin, ine* ou *Servannais, aise).*
Saint-Tropez, Var *(Tropézien, ienne).*
Saint-Valéry-en-Caux, Seine-Maritime *(Valériquais, aise).*
Saint-Valéry-sur-Somme, Somme *(Valéricain, aine).*
Saint-Vallier, Drôme *(Valloirien, ienne).*
Saint-Yrieix-la-Perche, Haute-Vienne *(Arédien, ienne).*
Sainte-Croix, Suisse *(Sainte-Crix).*
Sainte-Foy, Canada *(Saint-Fidéen, enne).*
Sainte-Foy-la-Grande, Gironde *(Foyen, enne).*

Sainte-Menehould, Marne *(Menehildien, ienne* ou *Menehouldien, ienne).*
Saintes, Charente-Maritime *(Saintais, aise* ou *Santon, one).*
Saintes-Maries-de-la-Mer, Bouches-du-Rhône *(Saintois, oise).*
Saintonge, France *(Saintongeais, aise).*
Salers, Cantal *(Salersois, oise).*
Salies-de-Béarn, Pyrénées-Atlantiques *(Salisien, ienne).*
Salins-les-Bains, Jura *(Salinois, oise).*
Sallanches, Haute-Savoie *(Sallanchois, oise* ou *Sallanchard, arde).*
Salonique, Grèce *(Salonicien, ienne).*
Samarie, Palestine *(Samaritain, aine).*
Samoëns, Haute-Savoie *(Samoënsien, ienne* ou *Samoentin, ine).*
Samos, Grèce *(Samien, ienne* ou *Samiote).*
Sancerre, Cher *(Sancervois, oise).*
Sardaigne, Italie *(Sarde).*
Sarlat, Dordogne *(Sarladais, aise).*
Sarre, Allemagne *(Sarrois, oise).*
Sarrebruck, Allemagne *(Sarrebruckois, oise).*
Sartène, Corse *(Sartenais, aise* ou *Sartinois, oise).*
Sarthe, France *(Sarthois, oise).*
Saskatchewan [province de la], Canada *(Saskatchewannais, aise).*
Saulieu, Côte-d'Or *(Sédélocien, ienne).*
Saulxures-sur-Moselotte, Vosges *(Saulxuron, onne).*
Saumur, Maine-et-Loire *(Saumurois, oise).*
Sauveterre-de-Rouergue, Aveyron *(Sauveterrat, ate).*
Savenay, Loire-Atlantique *(Savenaisien, ienne).*
Saverne, Bas-Rhin *(Savernois, oise).*
Savigny-sur-Orge, Essonne *(Savinien, ienne).*
Savoie, France *(Savoyard, arde* ou *Savoisien, ienne).*
Saxe, Allemagne *(Saxon, onne).*
Scandinavie, Europe *(Scandinave).*
Sceaux, Hauts-de-Seine *(Scéen, enne).*
Seclin, Nord *(Seclinois, oise).*
Sedan, Ardennes *(Sedanais, aise).*
Ségovie, Espagne *(Ségovien, ienne).*
Segré, Maine-et-Loire *(Segréen, enne).*
Sélestat, Bas-Rhin *(Sélestadien, ienne).*
Semur-en-Auxois, Côte-d'Or *(Semurois, oise).*
Sénégal, Afrique *(Sénégalais, aise).*
Sénégambie, Afrique *(Sénégambien, ienne).*
Senez, Alpes-de-Haute-Provence *(Senézien, ienne).*
Senlis, Oise *(Senlisien, ienne).*
Sens, Yonne *(Sénonais, aise).*
Serbie, Yougoslavie *(Serbe).*
Sète, Hérault *(Sétois, oise).*
Seurre, Côte-d'Or *(Seurrois, oise).*
Séverac-le-Château, Aveyron *(Séveraguais, aise* ou *Séverageais, aise).*
Sevran, Seine-Saint-Denis *(Sevranais, aise).*
Sèvres, Hauts-de-Seine *(Sévrien, ienne).*
Sherbrooke, Canada *(Sherbrookois, oise).*
Siam *(Siamois, oise).*
Sibérie, Union soviétique *(Sibérien, ienne).*
Sicile, Italie *(Sicilien, ienne).*
Sienne, Italie *(Siennois, oise).*
Sissonne, Aisne *(Sissonnais, aise).*
Sisteron, Alpes-de-Haute-Provence *(Sisteronais, aise).*
Slovaquie, Tchécoslovaquie *(Slovaque).*
Slovénie, Yougoslavie *(Slovène).*
Smyrne, Turquie *(Smyrniote).*
Sochaux, Doubs *(Sochalien, ienne).*
Soignies, Belgique *(Sonégien, ienne).*
Soissons, Aisne *(Soissonnais, aise).*
Soisy-sous-Montmorency, Val-d'Oise *(Soiséen, enne).*
Solesmes, Sarthe *(Solesmois, oise).*
Soleure, Suisse *(Soleurois, oise).*
Solliès-Pont, Var *(Sollièspontois, oise).*
Sologne, France *(Solognot, ote).*
Solre-le-Château, Nord *(Solrézien, ienne).*
Somalie, Afrique *(Somalien, ienne).*
Sommières, Gard *(Sommiérois, oise).*
Sore, Landes *(Sorien, ienne).*
Sospel, Alpes-Maritimes *(Sospellitain, aine).*
Soudan, Afrique *(Soudanais, aise* ou *Soudanien, ienne).*
Souillac, Lot *(Souillaguais, aise).*
Sourdeval, Manche *(Sourdevalais, aise).*
Sousse, Tunisie *(Soussien, ienne).*
Spa, Belgique *(Spadois, oise).*

Stains, Seine-Saint-Denis (*Stanois, oise*).
Strasbourg, Bas-Rhin (*Strasbourgeois, oise*).
Suède, Europe (*Suédois, oise*).
Suisse, Europe (*Suisse*).
Sully-sur-Loire, Loiret (*Sullylois, oise*).
Sumènes, Gard (*Suménois, oise*).
Syracuse, Sicile (*Syracusain, aine*).
Syrie, Proche-Orient (*Syrien, ienne*).

Talmont ou Talmond, Vendée (*Talmondais, aise*).
Tarare, Rhône (*Tararien, ienne*).
Tarascon, Bouches-du-Rhône (*Tarasconnais, aise*).
Tarbes, Hautes-Pyrénées (*Tarbais, aise* ou *Tarbéen, enne*).
Tarente, Italie (*Tarentin, ine*).
Tartas, Landes (*Tarusate*).
Tasmanie, Australie (*Tasmanien, ienne*).
Taulé, Finistère (*Taulésien, ienne*).
Tchad, Afrique (*Tchadien, ienne*).
Tchécoslovaquie, Europe (*Tchécoslovaque* ou *Tchèque*).
Tence, Haute-Loire (*Tençois, oise*).
Tende, Alpes-Maritimes (*Tendasque*).
Tergnier, Aisne (*Ternois, oise*).
Terrasson-la-Villedieu, Dordogne (*Terrassonnais, aise*).
Terre de Feu, Amérique du Sud (*Fuégien, ienne*).
Terre-Neuve, Canada (*Terre-Neuvien, ienne*).
Teste [La], Gironde (*Testerin, ine*).
Texas, États-Unis (*Texan, ane*).
Thaïlande, Asie (*Thaïlandais, aise*).
Thèbes, Grèce (*Thébain, aine*).
Théoule-sur-Mer, Alpes-Maritimes (*Théoulien, ienne*).
Thessalie, Grèce (*Thessalien, ienne*).
Theux, Belgique (*Theutois, oise*).
Thiais, Val-de-Marne (*Thiaisien, ienne*).
Thiers, Puy-de-Dôme (*Thiernois, oise*).
Thillot [Le], Vosges (*Thillotin, ine*).
Thionville, Moselle (*Thionvillois, oise*).
Thiron, Eure-et-Loir (*Thironais, aise*).
Thouars, Deux-Sèvres (*Thouarsais, aise*).
Thuir, Pyrénées-Orientales (*Thuirinois, oise*).
Tibet, Asie (*Tibétain, aine*).
Togo, Afrique (*Togolais, aise*).
Tonneins, Lot-et-Garonne (*Tonneinquais, aise*).
Tonnerre, Yonne (*Tonnerrois, oise*).
Toronto, Canada (*Torontois, oise*).
Toscane, Italie (*Toscan, ane*).
Toul, Meurthe-et-Moselle (*Toulois, oise*).
Toulon, Var (*Toulonnais, aise*).
Toulouse, Haute-Garonne (*Toulousain, aine*).
Touquet-Paris-Plage [Le], Pas-de-Calais (*Touquettois, oise*).
Touraine, France (*Tourangeau, elle*).
Tourcoing, Nord (*Tourquennois, oise*).
Tournai, Belgique (*Tournaisien, ienne*).
Tournon, Ardèche (*Tournonais, aise*).
Tournus, Saône-et-Loire (*Tournusien, ienne*).
Tourouvre, Orne (*Tourouvrain, aine*).
Tours, Indre-et-Loire (*Tourangeau, elle*).
Trait [Le], Seine-Maritime (*Traiton, onne*).
Transylvanie, Roumanie (*Transylvain, aine* ou *Transylvanien, ienne*).
Trappes, Yvelines (*Trappiste*).
Trégastel, Côtes-du-Nord (*Trégastellois, oise*).
Tréguier, Côtes-du-Nord (*Trégorrois, oise*).
Treignac, Corrèze (*Treignacois, oise*).

Trélon, Nord (*Trélonais, aise*).
Tremblade [La], Charente-Maritime (*Trembladais, aise*).
Trèves, Allemagne (*Trévire* ou *Trévère*).
Trévise, Italie (*Trévisan, ane*).
Trévoux, Ain (*Trévoltien, ienne*).
Trieste, Italie (*Triestin, ine*).
Troie, Asie Mineure (*Troyen, enne*).
Trois-Rivières, Canada (*Trifluvien, ienne*).
Troyes, Aube (*Troyen, enne*).
Trouville-sur-Mer, Calvados (*Trouvillais, aise*).
Tulle, Corrèze (*Tulliste* ou *Tullois, oise*).
Tunis, Tunisie (*Tunisois, oise*).
Tunisie, Afrique (*Tunisien, ienne*).
Turin, Italie (*Turinois, oise*).
Turquie, Proche-Orient (*Turc, Turque* ou vx *Ottoman, ane*).
Tyrol, Autriche (*Tyrolien, ienne*).

Ugine, Savoie (*Uginois, oise*).
Uruguay, Amérique du Sud (*Uruguayen, enne*).
Ussel, Corrèze (*Ussellois, oise*).
Utelle, Alpes-Maritimes (*Utellien, ienne*).
Uzel, Côtes-du-Nord (*Uzellois, oise*).
Uzerche, Corrèze (*Uzerchois, oise*).
Uzès, Gard (*Uzétien, ienne*).

Vailly-sur-Aisne, Aisne (*Vaillicien, ienne*).
Vaison-la-Romaine, Vaucluse (*Vaisonnais, aise*).
Valais, Suisse (*Valaisan, ane*).
Valençay, Indre (*Valencéen, enne*).
Valence, Drôme (*Valentinois, oise*).
Valenciennes, Nord (*Valenciennois, oise*).
Vallauris, Alpes-Maritimes (*Vallaurien, ienne*).
Valmont, Seine-Maritime (*Valmontais, aise*).
Valognes, Manche (*Valognais, aise*).
Valréas, Vaucluse (*Valréassien, ienne*).
Vannes, Morbihan (*Vannetais, aise*).
Varennes-sur-Allier, Allier (*Varennois, oise*).
Varsovie, Pologne (*Varsovien, ienne*).
Vaud [canton de], Suisse (*Vaudois, oise*).
Vauvert, Gard (*Vauverdois, oise*).
Vence, Alpes-Maritimes (*Vençois, oise* ou *Vincien, ienne*).
Vendée, France (*Vendéen, enne*).
Vendôme, Loir-et-Cher (*Vendômois, oise*).
Venezuela, Amérique du Sud (*Vénézuélien, ienne* ou *Vénézolan, ane*).
Venise, Italie (*Vénitien, ienne*).
Verdun, Meuse (*Verdunois, oise*).
Verdun-sur-le-Doubs, Saône-et-Loire (*Verdunois, oise*).
Vergt, Dordogne (*Vernois, oise*).
Vermand, Aisne (*Vermandois, oise*).
Verneuil-sur-Avre, Eure (*Vernolien, ienne*).
Vernon, Eure (*Vernonnais, aise*).
Vernoux-en-Vivarais, Ardèche (*Vernoussain, aine*).
Vérone, Italie (*Véronais, aise*).
Verrières-le-Buisson, Essonne (*Verriérois, oise*).
Versailles, Yvelines (*Versaillais, aise*).
Vertou, Loire-Atlantique (*Vertavien, ienne*).
Vervins, Aisne (*Vervinois, oise*).
Vésinet [Le], Yvelines (*Vésigondin, ine*).
Vesoul, Haute-Saône (*Vésulien, ienne*).
Vevey, Suisse (*Veveysan, ane*).
Vézelay, Yonne (*Vézelien, ienne*).
Vibraye, Sarthe (*Vibraysien, ienne*).
Vicence, Italie (*Vicentin, ine*).

Vichy, Allier (*Vichyssois, oise*).
Vic-Fezensac, Gers (*Vicois, oise*).
Vic-le-Comte, Puy-de-Dôme (*Vicomtois, oise*).
Vico, Corse (*Vicolais, aise*).
Vic-sur-Cère, Cantal (*Vicois, oise*).
Vienne, Autriche (*Viennois, oise*).
Vienne, Isère (*Viennois, oise*).
Vierzon, Cher (*Vierzonnais, aise*).
Viêt-nam, Asie (*Vietnamien, ienne*).
Vigan [Le], Gard (*Viganais, aise*).
Vigneux-sur-Seine, Essonne (*Vigneusien, ienne*).
Villandraut, Gironde (*Villandrautais, aise*).
Villard-de-Lans, Isère (*Villardien, ienne*).
Villefort, Lozère (*Villefortais, aise*).
Villefranche-de-Lauragais, Haute-Garonne (*Villefranchois, oise*).
Villefranche-de-Rouergue, Aveyron (*Villefranchois, oise*).
Villefranche-sur-Saône, Rhône (*Caladois, oise*).
Villejuif, Val-de-Marne (*Villejuifois, oise*).
Villemomble, Seine-Saint-Denis (*Villemonblois, oise*).
Villemur-sur-Tarn, Haute-Garonne (*Villemurien, ienne*).
Villeneuve-sur-Lot, Lot-et-Garonne (*Villeneuvois, oise*).
Villepinte, Seine-Saint-Denis (*Villepintois, oise*).
Villers-Cotterêts, Aisne (*Cotterézien, ienne*).
Villers-Saint-Paul, Oise (*Villersois, oise*).
Villerupt, Meurthe-et-Moselle (*Villeruptien, ienne*).
Vimoutiers, Orne (*Vimonastérien, ienne*).
Vimy, Pas-de-Calais (*Vimynois, oise*).
Vinça, Pyrénées-Orientales (*Vinçanench* [invar.]).
Vincennes, Val-de-Marne (*Vincennois, oise*).
Vire, Calvados (*Virais, aise* ou *Virois, oise*).
Viroflay, Yvelines (*Viroflaysien, ienne*).
Vitré, Ille-et-Vilaine (*Vitréen, enne*).
Vitry-le-François, Marne (*Vitryat, ate*).
Viviers, Ardèche (*Vivarois, oise*).
Vizille, Isère (*Vizillois, oise*).
Voiron, Isère (*Voironnais, aise*).
Volvic, Puy-de-Dôme (*Volvicois, oise*).
Vosges, France (*Vosgien, ienne*).
Vouillé, Vienne (*Vogladien, ienne*).
Vouvray, Indre-et-Loire (*Vouvrillon, onne*).
Vouziers, Ardennes (*Vouzinois, oise*).

Wallonie, Belgique (*Wallon, onne*).
Wasselonne, Bas-Rhin (*Wasselonnais, aise*).
Wassy-sur-Blaise, Haute-Marne (*Wasséen, enne*).
Wattignies, Nord (*Wattignien, ienne*).
Wattrelos, Nord (*Wattrelosien, ienne*).
Winnipeg, Canada (*Winnipeguien, ienne*).

Yémen, Arabie (*Yéménite*).
Yenne, Savoie (*Yennois, oise*).
Yerres, Essonne (*Yerrois, oise*).
Yougoslavie, Europe (*Yougoslave*).
Yssingeaux, Haute-Loire (*Yssingelais, aise*).
Yvetot, Seine-Maritime (*Yvetotais, aise*).
Yzeure, Allier (*Yzeurien, ienne*).

Zaïre, Afrique (*Zaïrois, oise*).
Zambie, Afrique (*Zambien, ienne*).
Zélande, Pays-Bas (*Zélandais, aise*).
Zurich, Suisse (*Zurichois, oise*).

2. Noms communs et adjectifs → noms de lieux.

Abbevillois, oise (*Abbeville*, Somme).
Abidjanais, aise (*Abidjan*, Côte-d'Ivoire).
Ablonnais, aise (*Ablon-sur-Seine*, Val-de-Marne).
Abyssinien, ienne ou Abyssin, ine.
Acadien, ienne.
Afghan, ane.
Africain, aine.
Agenais, aise ou Agenois, oise (*Agen*, Lot-et-Garonne).
Aigrefeuillais, aise (*Aigrefeuille-d'Aunis*, Charente-Maritime).
Aiguebellain, aine (*Aiguebelle*, Savoie).
Aigues-Mortais, aise (*Aigues-Mortes*, Gard).
Aiguepersois, oise (*Aigueperse*, Puy-de-Dôme).
Aiguillon, onne (*Aiguilles-en-Queyras*, Hautes-Alpes).
Aiguillonnais, aise (*Aiguillon*, Lot-et-Garonne).
Aigurandais, aise (*Aigurande*, Indre).
Airois, oise (*Aire-sur-la-Lys*, Pas-de-Calais).
Airvaudais, aise (*Airvault*, Deux-Sèvres).
Aixois, oise (*Aix-en-Othe*, Aube; *Aixe-sur-Vienne*, Haute-Vienne; *Aix-les-Bains*, Savoie).
Aixois, oise ou Aquisextain, aine (*Aix-en-Provence*, Bouches-du-Rhône).
Ajaccien, ienne ou Ajacéen, enne (*Ajaccio*, Corse).
Akkadien, ienne.
Albanais, aise.
Albertin, ine (*Albert*, Somme).
Albertvillain, aine ou Albertvillois, oise (*Albertville*, Savoie).
Albervilliarien, ienne (*Aubervilliers*, Seine-Saint-Denis).
Albigeois, oise.
Albinien, ienne (*Aubigny-sur-Nère*, Cher).
Alençonnais, aise (*Alençon*, Orne).
Aleppin, ine (*Alep*, Syrie).
Alésien, ienne (*Alès*, Gard).
Alexandrin, ine.
Alfortvillais, aise (*Alfortville*, Val-de-Marne).
Algérien, ienne.
Algérois, oise.
Allaudien, ienne (*Allauch*, Bouches-du-Rhône).
Allemand, ande.
Allosard, arde (*Allos*, Alpes-de-Haute-Provence).
Alnélois, oise ou Aunélien, ienne (*Auneau*, Eure-et-Loir).
Alpin, ine.
Alréen, enne (*Auray*, Morbihan).
Alsacien, ienne.
Altaïque (*Altaï*).
Amandinois, oise (*Saint-Amand-en-Puisaye*, Nièvre; *Saint-Amand-les-Eaux*, Nord).
Amazonien, ienne (*Amazonie*).
Ambarrois, oise (*Ambérieu-en-Bugey*, Ain).
Ambertois, oise (*Ambert*, Puy-de-Dôme).
Amboisien, ienne (*Amboise*, Indre-et-Loire).
Amélien, ienne ou Palaldéen, enne (*Amélie-les-Bains-Palalda*, Pyrénées-Orientales).
Américain, aine.
Amiénois, oise (*Amiens*, Somme).
Amollais, aise (*Amou*, Landes).
Amstellodamien, ienne ou Amstellodamois, oise (*Amsterdam*, Pays-Bas).
Ancenien, ienne (*Ancenis*, Loire-Atlantique).
Anconitain, aine (*Ancône*, Italie).
Andalou, ouse.
Andelysien, ienne (*Andelys* [Les], Eure).
Andernisien, ienne (*Andernos-les-Bains*, Gironde).
Andin, ine.
Andorran, ane (*Andorre* [principauté d'], Europe).
Angérien, ienne (*Saint-Jean-d'Angély*, Charente).
Angevin, ine.
Anglais, aise.
Angloys, oise (*Anglet*, Pyrénées-Atlantiques).
Angolais, aise (*Angola*, Afrique).
Angoumois, oise ou Angoumoisin, ine (*Angoulême*, Charente).
Anianais, aise (*Aniane*, Hérault).
Anicien, ienne (*Puy* [Le] [Anicium], Haute-Loire). V. Ponot.
Annamite.
Annécien, ienne (*Annecy*, Haute-Savoie).
Annemassien, ienne (*Annemasse*, Haute-Savoie).
Annonéen, enne (*Annonay*, Ardèche).
Annotain, aine (*Annot*, Alpes-de-Haute-Provence).
Antibois, oise (*Antibes*, Alpes-Maritimes).
Antillais, aise.

Antonien, ienne (*Antony*, Hauts-de-Seine).
Antraiguin, ine (*Antraigues-sur-Volane*, Ardèche).
Antrainois, oise (*Antrain*, Ille-et-Vilaine).
Anversois, oise (*Anvers*, Belgique).
Anzinois, oise (*Anzin*, Nord).
Appaméen, enne ou Appamien, ienne (*Pamiers*, Ariège).
Aptésien, ienne ou Aptois, oise (*Apt*, Vaucluse).
Aquisextain, aine. V. Aixois.
Aquitain, aine (*Aquitaine*, France).
Arabe.
Aragonais, aise (*Aragon*, Espagne).
Aramonais, aise (*Aramon*, Gard).
Arboisien, ienne (*Arbois*, Jura).
Arcachonnais, aise (*Arcachon*, Gironde).
Arcadien, ienne (*Arcadie*, Grèce).
Arcisien, ienne (*Arcis-sur-Aube*, Aube).
Ardéchois, oise (*Ardèche*, France).
Ardennais, aise (*Ardenne*, Belgique).
Arédien, ienne (*Saint-Yrieix-la-Perche*, Haute-Vienne).
Arétin, ine (*Arezzo*, Italie).
Argelésien, ienne (*Argelès-Gazost*, Hautes-Pyrénées; *Argelès-sur-Mer*, Pyrénées-Orientales).
Argentaçois, oise (*Argentat*, Corrèze).
Argentais, aise (*Argent-sur-Sauldre*, Cher).
Argentanais, aise (*Argentan*, Orne).
Argenteuillais, aise ou Argentolien, ienne (*Argenteuil*, Val-d'Oise).
Argentiérois, oise (*Argentière-la-Bessée* [L'], Hautes-Alpes).
Argentin, ine.
Argentolien, ienne. V. Argenteuillais.
Argentonnais, aise (*Argenton-Château*, Deux-Sèvres; *Argenton-sur-Creuse*, Indre).
Argentréen, enne (*Argentré-du-Plessis*, Ille-et-Vilaine).
Ariégeois, oise (*Ariège*, Pyrénées).
Arlésien, ienne (*Arles*, Bouches-du-Rhône).
Arleusien, ienne (*Arleux*, Nord).
Arménien, ienne.
Armentiérois, oise (*Armentières*, Nord).
Armoricain, aine (*Armorique*, France).
Arnétois, oise (*Arnay-le-Duc*, Côte-d'Or).
Arrageois, oise (*Arras*, Pas-de-Calais).
Arsais, aise (*Ars-en-Ré*, Charente-Maritime).
Artésien, ienne (*Artois*, France).
Ascquois, oise (*Ascq*, Nord).
Asiate ou Asiatique.
Asniérois, oise (*Asnières*, Hauts-de-Seine).
Assyrien, ienne.
Asturien, ienne (*Asturies*, Espagne).
Athémontien, ienne. V. Athésien.
Athénien, ienne.
Athésien, ienne ou Athémontien, ienne (*Athis-Mons*, Essonne).
Athisien, ienne (*Athis-de-l'Orne*, Orne).
Aturin, ine (*Aire-sur-l'Adour*, Landes).
Aubeterrien, ienne (*Aubeterre-sur-Dronne*, Charente).
Aubussonnais, aise (*Aubusson*, Creuse).
Auchellois, oise (*Auchel*, Pas-de-Calais).
Auchois, oise. V. Auscitain.
Audiernais, aise (*Audierne*, Finistère).
Audonien, ienne (*Saint-Ouen*, Seine-Saint-Denis).
Audincourtois, oise (*Audincourt*, Doubs).
Audomarois, oise (*Saint-Omer*, Pas-de-Calais).
Audruicquois, oise (*Audruicq*, Pas-de-Calais).
Audunois, oise (*Audun-le-Roman*, Meurthe-et-Moselle).
Augeron, onne (*Auge* [pays d'], France).
Aulnaisien, ienne (*Aulnay-sous-Bois*, Seine-Saint-Denis).
Aulnésien, ienne. V. Aulnoyen.
Aulnoyen, enne ou Aulnésien, ienne (*Aulnoye-Aymeries*, Nord).
Aultois, oise (*Ault*, Somme).
Aumalois, oise (*Aumale*, Seine-Maritime).
Aunais, aise (*Aunay-sur-Odon*, Calvados).
Aunélien, ienne. V. Alnélois.
Aunisien, ienne (*Aunis*, France).
Aupsois, oise (*Aups*, Var).
Aurignacien, ienne (*Aurignac*, Haute-Garonne).
Aurillacois, oise (*Aurillac*, Cantal).
Auscitain, aine ou Auchois, oise (*Auch*, Gers).
Australien, ienne (*Australie*).
Autrichien, ienne (*Autriche*, Europe).

Autunois, oise (*Autun*, Saône-et-Loire).
Auvergnat, ate.
Auxerrois, oise (*Auxerre*, Yonne).
Avallonnais, aise (*Avallon*, Yonne).
Avesnois, oise (*Avesnes-sur-Helpe*, Nord).
Aveyronnais, aise (*Aveyron*, France).
Avignonnais, aise (*Avignon*, Vaucluse).
Avranchais, aise (*Avranches*, Manche).
Azerbaïdjanais, aise (*Azerbaïdjan*, Union soviétique).
Babylonien, ienne (*Babylone*, Mésopotamie).
Bachanenchs [invar.] (*Baixas*, Pyrénées-Orientales).
Bachânois, oise (*Baccarat*, Meurthe-et-Moselle).
Badois, oise (*Bade*, Allemagne).
Badonvillais, aise (*Badonviller*, Meurthe-et-Moselle).
Bagnérais, aise (*Bagnères-de-Bigorre*, Hautes-Pyrénées).
Bajocasse. V. Bayeusain.
Baléare (*Baléares*, Espagne).
Balinais, aise (*Bali*).
Balkanique (*Balkans* [les]).
Bâlois, oise (*Bâle*, Suisse).
Balte (*Baltique*).
Bamakois, oise (*Bamako*, Mali).
Banyulenc, ence ou Banyulais, aise (*Banyuls-sur-Mer*, Pyrénées-Orientales).
Bapalmois, oise (*Bapaume*, Pas-de-Calais).
Barcelonais, aise (*Barcelone*, Espagne).
Barcelonnettain, aine (*Barcelonnette*, Basses-Alpes).
Barralbin, ine (*Bar-sur-Aube*, Aube).
Barrisien, ienne (*Bar-le-Duc*, Meuse).
Barrois, oise (*Bar-sur-Aube*, Aube).
Basque, Basquaise. V. Euscarien.
Bastiais, aise (*Bastia*, Corse).
Bavarois, oise (*Bavière*, Allemagne).
Bayeusain, aine (*Bayeux*, Calvados).
Bayonnais, aise (*Bayonne*, Pyrénées-Atlantiques).
Béarnais, aise.
Beauceron, onne (*Beauce*, France).
Beaunois, oise (*Beaune*, Côte-d'Or).
Beauvaisien, ienne ou Beauvaisin, ine (*Beauvais*, Oise).
Belfortin, ine ou Belfortain, aine (*Belfort* [Territoire de]).
Belge.
Bellacquais, aise ou Bellachon, onne (*Bellac*, Haute-Vienne).
Belleysan, ane (*Belley*, Ain).
Bellifontain, aine (*Fontainebleau*, Seine-et-Marne).
Bénédictin, ine (*Saint-Benoît-du-Sault*, Indre).
Bengali, ie ou Bengalais, aise (*Bengale*, Inde).
Béninois, oise (*Bénin*, Afrique).
Béotien, ienne.
Bergeracois, oise (*Bergerac*, Dordogne).
Berlinois, oise (*Berlin*, Allemagne).
Bernayen, enne (*Bernay*, Eure).
Bernois, oise (*Berne*, Suisse).
Berrichon, onne (*Berry*, France).
Berruyer, ère (*Bourges*, Cher).
Béthunois, oise (*Béthune*, Pas-de-Calais).
Biafrais, aise (*Biafra*, Afrique).
Biarrot, ote (*Biarritz*, Basses-Pyrénées).
Bidartois, oise (*Bidart*, Pyrénées-Atlantiques).
Biélorusse (*Biélorussie*, Union soviétique).
Binchois, oise (*Binche*, Belgique).
Birman, ane (*Birmanie*, Asie).
Biscaïen, enne (*Biscaye* [la], Espagne).
Bisontin, ine (*Besançon*, Doubs).
Biterrois, oise (*Béziers*, Hérault).
Bizertin, ine (*Bizerte*, Tunisie).
Blaisois, oise ou Blésois, oise (*Blois*, Loir-et-Cher).
Blancois, oise (*Blanc* [Le], Indre).
Blangeois, oise (*Blangy-sur-Bresle*, Seine-Maritime).
Blayais, aise (*Blaye*, Gironde).
Blésois, oise. V. Blaisois.
Bohémien, ienne.
Bolivien, ienne (*Bolivie*, Amérique du Sud).
Bolonais, aise (*Bologne*, Italie).
Bonifacien, ienne (*Bonifacio*, Corse).
Bonnevillois, oise (*Bonneville*, Haute-Savoie).
Bônois, oise (*Bône*, Algérie).
Borain, aine (*Borinage*, Belgique).

Bordelais, aise (*Bordeaux*, Gironde).
Bosniaque ou Bosnien, ienne *(Bosnie)*.
Bostonien, ienne (*Boston*, États-Unis).
Boucalais, aise (*Boucau* [*Le*], Pyrénées-Atlantiques).
Bougivalais, aise (*Bougival*, Yvelines).
Boulageois, oise (*Boulay-Moselle*, Moselle).
Boulonnais, aise ou Boulenois, oise (*Boulogne-sur-Mer*, Pas-de-Calais).
Bourbonnais, aise (*Bourbonnais*, France).
Bourbourgeois, oise (*Bourbourg*, Nord).
Bourguignon, onne (*Bourgogne*, France).
Brabançon, onne.
Brandebourgeois, oise (*Brandebourg*, Allemagne).
Brésilien, ienne.
Bressan, ane (*Bresse*, France ; *Bourg-en-Bresse*, Ain).
Bressuirais, aise (*Bressuire*, Deux-Sèvres).
Brestois, oise (*Brest*, Finistère).
Breton, onne.
Briançonnais, aise (*Briançon*, Hautes-Alpes).
Briard, arde.
Briéron, onne (*Brière* [la], France).
Briochin, ine (*Saint-Brieuc*, Côtes-du-Nord).
Briotin, ine (*Briey*, Meurthe-et-Moselle).
Brisacien, ienne (*Neuf-Brisach*, Haut-Rhin).
Britannique.
Brivadois, oise (*Brioude*, Haute-Loire).
Brivois, oise (*Brive-la-Gaillarde*, Corrèze).
Broutain, aine (*Brou*, Eure-et-Loir).
Bruaysien, ienne (*Bruay-en-Artois*, Pas-de-Calais).
Brugeois, oise (*Bruges*, Belgique).
Bruxellois, oise (*Bruxelles*, Belgique).
Bulgare.
Burgien, ienne (*Bourg-en-Bresse*, Ain).
Byzantin, ine.

Cadurcien, ienne, Cahorsin, ine ou Cahorsain, aine (*Cahors*, Lot).
Caennais, aise ou Caenais, aise (*Caen*, Calvados).
Cahorsain, aine ou Cahorsin, ine. V. Cadurcien.
Cairote (*Caire* [*Le*], Égypte).
Calabrais, aise.
Caladois, oise (*Villefranche-sur-Saône*, Rhône).
Calaisien, ienne (*Calais*, Pas-de-Calais ; *Saint-Calais*, Sarthe).
Californien, ienne (*Californie*, États-Unis).
Calvais, aise (*Calvi*, Corse).
Camarguais, aise, Camarguin, ine ou Camarguen, enne (*Camargue*, France).
Cambodgien, ienne (*Cambodge*, Asie).
Cambrésien, ienne (*Cambrai*, Nord).
Camerounais, aise (*Cameroun*, Afrique).
Canadien, ienne.
Cananéen, enne.
Canarien, ienne (*Canaries* [îles], Espagne).
Candiote. V. Crétois.
Cannois, oise ou Cannais, aise (*Cannes*, Alpes-Maritimes).
Cantalien, ienne (*Cantal*, France).
Cantilien, ienne (*Chantilly*, Oise).
Capouan, ane (*Capoue*, Italie).
Caraïbe *(Caraïbes)*.
Carcassonnais, aise ou Carcassonnois, oise (*Carcassonne*, Aude).
Carolorégien, ienne (*Charleroi*, Belgique).
Carpentrassien, ienne (*Carpentras*, Vaucluse).
Carquefolien, ienne (*Carquefou*, Loire-Atlantique).
Carriérois, oise (*Carrières-sur-Seine*, Yvelines).
Carthaginois, oise.
Casablancais, aise (*Casablanca*, Maroc).
Cassiden, enne (*Cassis*, Bouches-du-Rhône).
Castelbriantais, aise (*Châteaubriant*, Loire-Atlantique).
Castellanais, aise (*Castellane*, Alpes-de-Haute-Provence).
Castellinois, oise ou Châteaulinois, oise (*Châteaulin*, Finistère).
Castelroussin, ine ou Châteauroussin, ine (*Châteauroux*, Indre).
Castelsalinois, oise (*Château-Salins*, Moselle).
Castelsarrasinois, oise (*Castelsarrasin*, Tarn-et-Garonne).
Castillan, ane.
Castrais, aise (*Castres*, Tarn ; *Châtre* [*La*], Indre).
Castro-Gontérien, ienne (*Château-Gontier*, Mayenne).

Castrothéodoricien, ienne (*Château-Thierry*, Aisne).
Catalan, ane.
Caucasien, ienne.
Cayennais, aise (*Cayenne*, Guyane).
Centrafricain, aine *(Centre-Afrique)*.
Cerdan, ane ou Cerdagnol, ole (*Cerdagne*, Espagne).
Cérétan, ane (*Céret*, Pyrénées-Orientales).
Cévenol, ole (*Cévennes*, France).
Ceylanais, aise (*Ceylan* [île de], Asie). V. Cingalais.
Chaldéen, enne.
Chalonnais, aise (*Chalon-sur-Saône*, Saône-et-Loire).
Châlonnais, aise (*Châlons-sur-Marne*, Marne).
Chambérien, ienne (*Chambéry*, Savoie).
Chamoniard, iarde (*Chamonix*, Haute-Savoie).
Champenois, oise.
Charentais, aise (*Charente*, France).
Charollais, aise (*Charolles*, Saône-et-Loire).
Chartrain, aine (*Chartres*, Eure-et-Loir).
Château-Chinonais, aise (*Château-Chinon*, Nièvre).
Châteaulinois, oise. V. Castellinois.
Châteauroussin, ine. V. Castelroussin.
Châtelleraudais, aise (*Châtellerault*, Vienne).
Chaumontois, oise ou Chaumontais, aise (*Chaumont*, Haute-Marne).
Chaurien, ienne (*Castelnaudary*, Aude).
Cherbourgeois, oise (*Cherbourg*, Manche).
Chicoutimien, ienne (*Chicoutimi*, Canada).
Chilien, ienne.
Chinois, oise.
Chinonais, aise (*Chinon*, Indre-et-Loire).
Choletais, aise (*Cholet*, Maine-et-Loire).
Chypriote. V. Cypriote.
Cingalais, aise. V. Ceylanais.
Ciotaden, enne (*Ciotat* [*La*], Bouches-du-Rhône).
Ciréen, enne (*Cirey-sur-Vezouve*, Meurthe-et-Moselle).
Cisjordanien, ienne *(Cisjordanie)*.
Civraisien, ienne (*Civray*, Vienne).
Clamariot, iote ou Clamartois, oise (*Clamart*, Hauts-de-Seine).
Clamecyçois, oise (*Clamecy*, Nièvre).
Clermontois, oise (*Clermont-Ferrand*, Puy-de-Dôme ; *Clermont*, Oise).
Clodoaldien, ienne (*Saint-Cloud*, Hauts-de-Seine).
Clusien, ienne (*Cluses*, Haute-Savoie).
Cochinchinois, oise (*Cochinchine*, Asie).
Cognaçais, aise (*Cognac*, Charente).
Colmarien, ienne (*Colmar*, Haut-Rhin).
Colombien, ienne (*Colombie*, Amérique du Sud).
Columérien, ienne (*Coulommiers*, Seine-et-Marne).
Commercien, ienne (*Commercy*, Meuse).
Comorien, ienne *(Comores)*.
Compiégnois, oise (*Compiègne*, Oise).
Comtois, oise ou Franc-Comtois, oise (*Franche-Comté*, France).
Concarnois, oise (*Concarneau*, Finistère).
Condomois, oise (*Condom*, Gers).
Confolentais, aise ou Confolennais, aise (*Confolens*, Charente).
Congolais, aise.
Constantinois, oise (*Constantine*, Algérie).
Corbeillais, aise ou Corbeillois, oise (*Corbeil-Essonnes*, Essonne).
Cordouan, ane (*Cordoue*, Espagne).
Coréen, enne.
Corfiote (*Corfou*, Grèce).
Corse.
Cortenais, aise (*Corte*, Corse).
Cosnois, oise (*Cosnes-sur-Loire*, Nièvre).
Costaricain, aine ou Costaricien, ienne (*Costa-Rica*, Amérique centrale).
Côtois, oise (*Côte-Saint-André* [*La*], Isère).
Cotterézien, ienne (*Villers-Cotterêts*, Aisne).
Courtraisien, ienne (*Courtrai*, Belgique).
Coutançais, aise (*Coutances*, Manche).
Creillois, oise (*Creil*, Oise).
Crétois, oise ou Candiote (*Crète* [île de], Grèce).
Creusois, oise (*Creuse*, France).
Croate (*Croatie*, Yougoslavie).
Croisicais, aise (*Croisic* [*Le*], Loire-Atlantique).
Cubain, aine.
Cypriote ou Chypriote.

Dacquois, oise (*Dax*, Landes).

Dahoméen, enne.
Dakarois, oise (*Dakar*, Sénégal).
Dalmate (*Dalmatie*, Yougoslavie).
Damascène (*Damas*, Syrie).
Danois, oise.
Danubien, ienne (*Danube*, Europe centrale).
Dauphinois, oise.
Délien, ienne ou Déliaque (*Délos*, Grèce).
Denaisien, ienne (*Denain*, Nord).
Déodatien, ienne (*Saint-Dié*, Vosges).
Dieppois, oise (*Dieppe*, Seine-Maritime).
Dignois, oise ou Dinien, ienne (*Digne*, Alpes-de-Haute-Provence).
Dijonnais, aise (*Dijon*, Côte-d'Or).
Dinannais, aise (*Dinan*, Côtes-du-Nord).
Dinien, ienne. V. Dignois.
Diois, oise (*Die*, Drôme).
Dionysien, ienne (*Saint-Denis*, Seine-Saint-Denis).
Dolois, oise (*Dôle*, Jura).
Dominicain, aine (*Dominicaine* [République]).
Dominiquais, aise (*Dominique* [République de]).
Douaisien, ienne (*Douai*, Nord).
Douarneniste ou Douarnenézien, ienne (*Douarnenez*, Finistère).
Draguignanais, aise ou Dracenois, oise (*Draguignan*, Var).
Drouais, aise ou Durocasse (*Dreux*, Eure-et-Loir).
Dunkerquois, oise (*Dunkerque*, Nord).
Dunois, oise (*Châteaudun*, Eure-et-Loir).
Durocasse. V. Drouais.

Ébroïcien, ienne (*Évreux*, Eure).
Écossais, aise.
Édimbourgeois, oise (*Édimbourg*, Écosse).
Égyptien, ienne.
Elbeuvien, ienne. V. Elbovien.
Elbois, oise (*Elbe* [île d'], Italie).
Elbovien, ienne ou Elbeuvien, ienne (*Elbeuf*, Seine-Maritime).
Équatorien, ienne (*Équateur*, Amérique du Sud).
Esclavon, onne.
Espagnol, ole.
Estonien, ienne ou Este.
Étampois, oise (*Étampes*, Essonne).
États-Unien, ienne.
Éthiopien, ienne.
Étolien, ienne (*Étolie*, Grèce).
Étrusque.
Eurasien, ienne *(Eurasie)*.
Européen, enne.
Euscarien, ienne ou Euskarien, ienne. V. Basque.
Évahonnien, ienne (*Évaux-les-Bains*, Creuse).
Évianais, aise (*Évian-les-Bains*, Haute-Savoie).
Évryen, enne (*Évry*, Essonne).

Faouétais, aise (*Faouët* [*Le*], Morbihan).
Fassi, ie (*Fez*, Maroc).
Fécampois, oise (*Fécamp*, Seine-Maritime).
Ferrarais, aise (*Ferrare*, Italie).
Ferton, onne (*Fère-Champenoise*, Marne).
Figeacois, oise (*Figeac*, Lot).
Finistérien, ienne (*Finistère*, France).
Finlandais, aise ou Finnois, oise.
Flamand, ande.
Flandrien, ienne *(Flandres)*.
Fléchois, oise (*Flèche* [*La*], Sarthe).
Flérien, ienne (*Flers-de-l'Orne*, Orne).
Fleurantin, ine (*Fleurance*, Gers).
Floracois, oise (*Florac*, Lozère).
Florentin, ine (*Florence*, Italie).
Florentinois, oise (*Saint-Florentin*, Yonne).
Fontenaisien, ienne (*Fontenay-le-Comte*, Vendée).
Forbachois, oise (*Forbach*, Moselle).
Forcalquiérais, aise (*Forcalquier*, Alpes-de-Haute-Provence).
Forgien, ienne (*Forges-les-Eaux*, Seine-Maritime).
Formosan, ane (*Formose*, Asie).
Fouesnantais, aise (*Fouesnant*, Finistère).
Fougerais, aise (*Fougères*, Ille-et-Vilaine).
Fourasin, ine (*Fouras*, Charente-Maritime).
Fourchambaltais, aise (*Fourchambault*, Nièvre).
Fourmésien, ienne ou Fourmisien, ienne (*Fourmies*, Nord).
Foyalais, aise (*Fort-de-France*, Martinique).
Foyen, enne (*Sainte-Foy-la-Grande*, Gironde).
Français, aise.
Franc-Comtois, oise. V. Comtois.
Francfortais, aise (*Francfort-sur-le-Main*, Allemagne).

Fréjussien, ienne (*Fréjus*, Var).
Fribourgeois, oise (*Fribourg*, Suisse).
Frison, onne.
Fuégien, ienne.
Fuxéen, enne (*Foix*, Ariège).

Gabalitain, aine (*Gévaudan* [le], Lozère).
Gabonais, aise (*Gabon*, Afrique).
Gaditan, ane (*Cadix*, Espagne).
Galicien, ienne (*Galice*, Espagne).
Galiléen, enne.
Gallois, oise.
Gantois, oise (*Gand*, Belgique).
Gapençais, aise (*Gap*, Hautes-Alpes).
Gascon, onne.
Gaspésien, ienne (*Gaspé* ou *Gaspésie* [péninsule de], Canada).
Gaulois, oise.
Genevois, oise (*Genève*, Suisse).
Génois, oise.
Géorgien, ienne.
Gergolien, ienne (*Jargeau*, Loiret).
Germain, aine.
Gessien, ienne (*Gex*, Ain).
Ghanéen, enne (*Ghāna*, Afrique).
Giennois, oise (*Gien*, Loiret).
Girondin, ine.
Gisorsien, ienne (*Gisors*, Eure).
Gourdonnais, aise (*Gourdon*, Lot).
Granbyen, enne (*Granby*, Canada).
Grassois, oise (*Grasse*, Alpes-Maritimes).
Grec, Grecque.
Grenadin, ine (*Grenade*, Espagne).
Grenoblois, oise (*Grenoble*, Isère).
Grison, onne (*Grisons* [canton des], Suisse).
Groenlandais, aise (*Groenland*, Amérique du Nord).
Guadeloupéen, enne (*Guadeloupe*, Antilles fr.).
Guatémalien, ienne ou Guatémaltèque (*Guatemala*, Amérique centrale).
Guebvillérois, oise (*Guebwiller*, Haut-Rhin).
Guérandais, aise (*Guérande*, Loire-Atlantique).
Guéretois, oise (*Guéret*, Creuse).
Guernesiais, aise (*Guernesey* [île de], Grande-Bretagne).
Guinéen, enne (*Guinée*, Afrique).
Guingampois, oise (*Guimgamp*, Côtes-du-Nord).
Guyanais, aise (*Guyane*, Amérique du Sud).

Hagetmautien, ienne (*Hagetmau*, Landes).
Haguenois, oise (*Haye* [La], Hollande).
Haguenovien, ienne (*Haguenau*, Bas-Rhin).
Hainuyer, ère (*Hainaut*, Belgique). V Hannuyer.
Haïtien, ienne (*Haïti*, Amérique centrale).
Haligonien, ienne (*Halifax*, Canada).
Hallicourtois, oise (*Hallicourt*, Pas-de-Calais).
Hambourgeois, oise (*Hambourg*, Allemagne).
Hamois, oise (*Ham*, Somme).
Hannuyer, ère (*Hainaut*, Belgique). V. Hainuyer, Hennuyer.
Hanovrien, ienne (*Hanovre*, Allemagne).
Havanais, aise.
Havrais, aise (*Havre* [Le], Seine-Maritime).
Hawaïen, enne (*Hawaï* [îles], Polynésie).
Haytillon, onne (*Haye-du-Puits* [La], Manche).
Hédéen, enne (*Hédée*, Ille-et-Vilaine).
Hellène.
Hendayais, aise (*Hendaye*, Pyrénées-Atlantiques).
Hennebontais, aise (*Hennebont*, Morbihan).
Hennuyer, ère (*Hainaut*, Belgique). V. Hainuyer, Hannuyer.
Hiérosolymite ou Hiérosolymitain, aine (*Jérusalem*, Israël).
Himalayen, enne (*Himalaya*, Asie).
Hirsonnais, aise (*Hirson*, Aisne).
Hollandais, aise. V. Néerlandais.
Hondurien, ienne (*Honduras*, Amérique centrale).
Honfleurais, aise ou Honfleurois, oise (*Honfleur*, Calvados).
Hongrois, oise. V. Magyar.
Hullois, oise (*Hull*, Canada).
Hyérois, oise (*Hyères*, Var).

Ibère.
Indien, ienne.
Indochinois, oise.
Indonésien, ienne.

Ionien, ienne.
Irakien, ienne (*Iraq* ou *Irak*, Proche-Orient).
Iranien, ienne.
Irlandais, aise.
Isérois, oise ou Iseran, ane (*Isère*, France).
Isignais, aise (*Isigny-sur-Mer*, Calvados).
Islandais, aise.
Islois, oise (*Isle-Jourdain* [L'], Gers).
Israélien, ienne (*Israël*, Proche-Orient).
Issisois, oise (*Issy-les-Moulineaux*, Hauts-de-Seine).
Issoirien, ienne. V. Issorien.
Issoldunois, oise ou Issoudunois, oise (*Issoudun*, Indre).
Issorien, ienne ou Issoirien, ienne (*Issoire*, Puy-de-Dôme).
Istanbuliote (*Istanbul*, Turquie).
Italien, ienne.
Ivoirien, ienne (*Côte-d'Ivoire*, Afrique).

Jamaïquain, aine.
Japonais, aise.
Javanais, aise.
Jersiais, aise (*Jersey* [île de]).
Joinvillois, oise (*Joinville*, Haute-Marne).
Jonzacais, aise (*Jonzac*, Charente-Maritime).
Jordanien, ienne.
Juliénois, oise (*Saint-Julien-en-Genevois*, Haute-Savoie).
Jurassien, ienne.

Kabyle.
Kalmouk ou Kalmuk (*Kalmoukie*, Union soviétique).
Kazakh (*Kasakhstan*, Union soviétique).
Kényen, enne (*Kenya*, Afrique).
Kinois, oise (*Kinshasa*, Zaïre).
Kirghize (*Kirghizistan*, Union soviétique).
Koweitien, ienne (*Koweit*, Arabie).

Labradorien, ienne (*Labrador* [péninsule du], Canada).
Lacaunois, oise (*Lacaune*, Tarn).
Lachinois, oise (*Lachine*, Canada).
Lagneusin, ine (*Lagnieu*, Ain).
Landais, oise.
Landernéen, enne (*Landerneau*, Finistère).
Landivisien, ienne (*Landivisiau*, Finistère).
Landrecien, ienne (*Landrecies*, Nord).
Langonais, oise (*Langogne*, Lozère).
Langonnais, aise (*Langon*, Gironde).
Langrois, oise (*Langres*, Haute-Marne).
Languedocien, ienne (*Languedoc*, France).
Lanmeurien, ienne (*Lanmeur*, Finistère).
Lannionais, aise (*Lannion*, Côtes-du-Nord).
Laonnois, oise (*Laon*, Aisne).
Laotien, ienne.
Lapalissois, oise (*Lapalisse*, Allier).
Lapon, one.
Lasallien, ienne (*Lasalle*, Canada).
Latino-Américain (*Amérique latine*).
Laurentien, ienne (*Saint-Laurent*, Canada).
Lausannois, oise (*Lausanne*, Suisse).
Lavallois, oise (*Laval*, Canada ; *Laval*, Mayenne).
Lédonien, ienne (*Lons-le-Saulnier*, Jura).
Leipzigois, oise (*Leipzig*, Allemagne).
Lensois, oise (*Lens*, Pas-de-Calais).
Léonais, aise ou Léonard, arde (*Léon* [pays de], Bretagne).
Léonais, aise, Léonard, arde, ou Saint-Politain, aine (*Saint-Pol-de-Léon*, Finistère).
Lesbien, ienne.
Lescarien, ienne (*Lescar*, Pyrénées-Atlantiques).
Lesparrain, aine (*Lesparre-Médoc*, Gironde).
Letton, onne, Lette ou Latvien, ienne.
Levantin, ine.
Libanais, aise.
Libérien, ienne (*Libéria*, Afrique).
Libournais, aise (*Libourne*, Gironde).
Librevillois, oise (*Libreville*, Gabon).
Libyen, enne (*Libye*, Afrique).
Liégeois, oise.
Ligurien, ienne (*Ligurie*, Italie).
Lillois, oise (*Lille*, Nord).
Liménien, ienne (*Lima*, Pérou).
Limousin, ine ou Limougeaud, eaude.
Limouxin, ine (*Limoux*, Aude).

Lisbonnin, ine (*Lisbonne*, Portugal).
Lituanien, ienne ou Lithuanien, ienne.
Livournais, aise (*Livourne*, Italie).
Lochois, oise (*Loches*, Indre-et-Loire).
Loctudyste (*Loctudy*, Finistère).
Lodévois, oise (*Lodève*, Hérault).
Lombard, arde.
Loméen, enne (*Lomé*, Togo).
Lommois, oise (*Lomme*, Nord).
Londonien, ienne (*Londres*, Angleterre).
Longjumellois, oise (*Longjumeau*, Essonne).
Longnycien, ienne (*Longny-au-Perche*, Orne).
Longovicien, ienne (*Longwy*, Meurthe-et-Moselle).
Loossois, oise (*Loos*, Nord).
Lorrain, aine.
Losnais, aise (*Saint-Jean-de-Losne*, Côte-d'Or).
Loudéacien, ienne (*Loudéac*, Côtes-du-Nord).
Loudunois, oise (*Loudun*, Vienne).
Louhannais, aise (*Louhans*, Saône-et-Loire).
Louisianais, aise (*Louisiane* [État de la], États-Unis).
Lourdois, oise ou Lourdais, aise (*Lourdes*, Hautes-Pyrénées).
Louvaniste (*Louvain*, Belgique).
Lovérien, ienne (*Louviers*, Eure).
Lucanien, ienne (*Lucanie*, Italie).
Luciennois, oise (*Louveciennes*, Yvelines).
Lucquois, oise (*Lucques*, Italie).
Lunévillois, oise (*Lunéville*, Meurthe-et-Moselle).
Lurcyquais, aise (*Lurcy-Lévis*, Allier).
Luron, onne (*Lure*, Haute-Saône).
Lusitanien, ienne ou Lusitain, aine. V. Portugais.
Lussacois, oise (*Lussac*, Gironde).
Luxembourgeois, oise (*Luxembourg*, Europe).
Luzarchois, oise (*Luzarches*, Val-d'Oise).
Luzien, ienne (*Saint-Jean-de-Luz*, Pyrénées-Atlantiques).
Lydien, ienne.
Lyonnais, aise (*Lyon*, Rhône).
Lyonsais, aise (*Lyons-la-Forêt*, Eure).

Macédonien, ienne (*Macédoine*, Grèce).
Macérien, ienne (*Mézières*, Ardennes).
Machecoulois, oise (*Machecoul*, Loire-Atlantique).
Mâconnais, aise (*Mâcon*, Saône-et-Loire).
Madelinot, Madelinienne (*Madeleine* [îles de la], Canada).
Madérien, ienne ou Madérois, oise (*Madère*, Portugal).
Madrilène (*Madrid*, Espagne).
Maghrébin, ine (*Maghreb*, Afrique).
Magyar, e. V. Hongrois.
Maintenonnois, oise (*Maintenon*, Eure-et-Loir).
Majorquin, ine (*Majorque*, Espagne).
Malabare (*Malabār*, Inde).
Malais, aise et Malaysien, ienne (*Malaisie* et *Malaysia*).
Malgache.
Malien, ienne (*Mali*, Afrique).
Malinois, oise (*Malines*, Belgique)
Malouin, ine (*Saint-Malo*, Ille-et-Vilaine).
Maltais, aise (*Malte*, Europe).
Mamertin, ine (*Mamers*, Sarthe).
Manceau, elle (*Maine*, France ; *Mans* [région du], France).
Mandchou, e (*Mandchourie*).
Manitobain, aine (*Manitoba* [province du], Canada).
Mannois, oise (*Man* [île de], Grande-Bretagne).
Manosquin, ine (*Manosque*, Alpes-de-Haute-Provence).
Mantais, aise (*Mantes-la-Jolie*, Yvelines).
Mantevillois, oise (*Mantes-la-Ville*, Yvelines).
Mantouan, ane (*Mantoue*, Italie).
Marandais, aise (*Marans*, Charente-Maritime).
Marcquois, oise (*Marcq-en-Barœul*, Nord).
Marennais, aise (*Marennes*, Charente-Maritime).
Marignanais, aise (*Marignane*, Bouches-du-Rhône).
Maringois, oise (*Maringues*, Puy-de-Dôme).
Marlois, oise (*Marle*, Aisne).
Marlychois, oise (*Marly-le-Roi*, Yvelines).
Marmandais, aise (*Marmande*, Lot-et-Garonne).
Marocain, aine.
Marommais, aise (*Maromme*, Seine-Maritime).
Marseillais, aise. V. Massaliote, Phocéen.
Martégaux ou Martigaux [plur.] (*Martigues*, Bouches-du-Rhône).
Martien, ienne.
Martiniquais, aise (*Martinique*, Antilles fr.).

Marvejolais, aise (*Marvejols*, Lozère).
Maskoutain, aine (*Saint-Hyacinthe*, Canada).
Masopolitain, aine (*Masevaux*, Haut-Rhin).
Massaliote. V. Marseillais.
Mathalien, ienne (*Matha*, Charente-Maritime).
Maubeugeois, oise (*Maubeuge*, Nord).
Maubourguetois, oise (*Maubourguet*, Hautes-Pyrénées).
Maure ou More.
Mauriacois, oise (*Mauriac*, Cantal).
Mauricien, ienne (*Maurice* [île], Océan Indien).
Maxipontain, aine ou Pontois, oise (*Pont-Sainte-Maxence*, Oise).
Mayençais, aise (*Mayence*, Allemagne).
Mayennais, aise (*Mayenne*, dép. et ville de France).
Mazamétain, aine (*Mazamet*, Tarn).
Mélanésien, ienne.
Meldois, oise (*Meaux*, Seine-et-Marne).
Melunois, oise, Melunais, aise ou Melodunois, oise (*Melun*, Seine-et-Marne).
Mendois, oise (*Mende*, Lozère).
Menehildien, ienne ou Menehouldien, ienne (*Sainte-Menehould*, Marne).
Mennetousien, ienne (*Mennetou-sur-Cher*, Loir-et-Cher).
Mentonnais, aise (*Menton*, Alpes-Maritimes).
Merdrignacien, ienne (*Merdrignac*, Côtes-du-Nord).
Mersois, oise (*Mers-les-Bains*, Somme).
Mervillois, oise (*Merville*, Nord).
Mesnilois, oise (*Mesnil-le-Roi* [Le], Yvelines).
Mésopotamien, ienne.
Messin, ine (*Metz*, Moselle).
Meudonnais, aise (*Meudon*, Hauts-de-Seine).
Meulanais, aise (*Meulan*, Yvelines).
Meurisaltien, ienne (*Meursault*, Côte-d'Or).
Mexicain, aine.
Meyrueisien, ienne (*Meyrueis*, Lozère).
Milanais, aise (*Milan*, Italie).
Millavois, oise (*Millau*, Aveyron).
Milliacois, oise (*Milly-la-Forêt*, Essonne).
Mimizannais, aise (*Mimizan*, Landes).
Minhote (*Minho*, Portugal).
Minorquin, ine (*Minorque*, Espagne).
Miramassen, enne (*Miramas*, Bouches-du-Rhône).
Mirandais, aise (*Mirande*, Gers).
Mirapicien, ienne (*Mirepoix*, Ariège).
Mirebalais, aise (*Mirebeau*, Vienne).
Miribelan, ane (*Miribel*, Ain).
Modanais, aise (*Modane*, Savoie).
Modénais, aise (*Modène*, Italie).
Mohonnais, aise (*Mohon*, Ardennes).
Moirantin, ine (*Moirans-en-Montagne*, Jura).
Moissagais, aise (*Moissac*, Tarn-et-Garonne).
Moldave (*Moldavie*, Roumanie).
Moncoutantais, aise (*Moncoutant*, Deux-Sèvres).
Monégasque.
Mongol, ole.
Monistrolien, ienne (*Monistrol-sur-Loire*, Haute-Loire).
Monpaziérais, aise (*Monpazier*, Dordogne).
Monségurais, aise (*Monségur*, Gironde).
Montacutain, aine ou Montaigusien, ienne (*Montaigu*, Vendée).
Montalbanais, aise (*Montauban*, Tarn-et-Garonne).
Montargois, oise (*Montargis*, Loiret).
Montbardois, oise (*Montbard*, Côte-d'Or).
Montbéliardais, aise (*Montbéliard*, Doubs).
Montbrisonnais, aise (*Montbrison*, Loire).
Montbronnais, aise (*Montbron*, Charente).
Montcellien, ienne (*Montceau-les-Mines*, Saône-et-Loire).
Montchaninois, oise (*Montchanin*, Saône-et-Loire).
Montcinois, oise (*Montcenis*, Saône-et-Loire).
Montcuquois, oise (*Montcuq*, Lot).
Montdidérien, ienne (*Montdidier*, Somme).
Montdorien, ienne (*Mont-Dore*, Puy-de-Dôme).
Monténégrin, ine (*Monténégro*, Yougoslavie).
Montilien, ienne (*Montélimar*, Drôme).
Montluçonnais, aise (*Montluçon*, Allier).
Montmartrois, oise (*Montmartre*, Paris).
Montmorencien, ienne (*Montmorency*, Val-d'Oise).
Montmorillonnais, aise (*Montmorillon*, Vienne).
Montois, oise (*Mont-de-Marsan*, Landes).
Montois, oise (*Mons*, Nord).
Montpelliérain, aine (*Montpellier*, Hérault).

Montponnais, aise (*Montpon-Ménestérol*, Dordogne).
Montréalais, aise (*Montréal*, Canada).
Montréjeaulais, aise (*Montréjeau*, Haute-Garonne).
Montreuillois, oise (*Montreuil-sous-Bois*, Seine-Saint-Denis).
Montrichardois, oise (*Montrichard*, Loir-et-Cher).
Montrougien, ienne (*Montrouge*, Hauts-de-Seine).
Morave (*Moravie*, Tchécoslovaquie).
Morcenais, aise (*Morcenx*, Landes).
Morétain, aine (*Moret-sur-Loing*, Seine-et-Marne).
Morlaisien, ienne (*Morlaix*, Finistère).
Morlan, ane (*Morlaas*, Pyrénées-Atlantiques).
Mortagnais, aise (*Mortagne-au-Perche*, Orne).
Mortinais, aise (*Mortain*, Manche).
Mortuassien, ienne ou Mortuacien, ienne (*Morteau*, Doubs).
Morzinois, oise (*Morzine*, Haute-Savoie).
Moscovite (*Moscou*, Union soviétique).
Moulinois, oise (*Moulins*, Allier).
Mouysard, arde (*Mouy*, Oise).
Mouzonnais, aise (*Mouzon*, Ardennes).
Mulhousien, ienne (*Mulhouse*, Haut-Rhin).
Munichois, oise (*Munich*, Allemagne).
Muratais, aise (*Murat*, Cantal).
Muretin, ine (*Muret*, Haute-Garonne).
Murois, oise (*Mure* [La], Isère).
Murviellois, oise (*Murviel-lès-Béziers*, Hérault).
Mussipontain, aine (*Pont-à-Mousson*, Meurthe-et-Moselle).
Mycénien, ienne.

Namurois, oise (*Namur*, Belgique).
Nancéien, ienne (*Nancy*, Meurthe-et-Moselle).
Nantais, aise (*Nantes*, Loire-Atlantique).
Nanterrois, oise (*Nanterre*, Hauts-de-Seine).
Nantuatien, ienne (*Nantua*, Ain).
Napolitain, aine.
Narbonnais, aise (*Narbonne*, Aude).
Navarrais, aise (*Navarre*, Espagne).
Nazairien, ienne (*Saint-Nazaire*, Loire-Atlantique).
Nazaréen, enne.
Néerlandais, aise. V. Hollandais.
Nemourien, ienne (*Nemours*, Seine-et-Marne).
Néo-Calédonien, ienne (*Nouvelle-Calédonie*, Océanie).
Néocastrien, ienne (*Neufchâteau*, Vosges).
Néodanien, ienne (*Neuves-Maisons*, Meurthe-et-Moselle).
Néo-Écossais, aise (*Nouvelle-Écosse*, Canada).
Néo-Zélandais, aise.
Népalais, aise (*Népal*, Asie).
Néracais, aise (*Nérac*, Lot-et-Garonne).
Neuchâtelois, oise (*Neuchâtel*, Suisse).
Neufchâtelois, oise (*Neufchâtel-en-Bray*, Seine-Maritime).
Neuilléen, enne (*Neuilly*, Hauts-de-Seine).
Neustrien, ienne.
Neuvicois, oise (*Neuvic*, Corrèze).
Neuvillois, oise (*Neuville-de-Poitou*, Vienne).
New-Yorkais, aise (*New York*, États-Unis).
Nicaraguayen, enne (*Nicaragua*, Amérique centrale).
Niçois, oise (*Nice*, Alpes-Maritimes).
Nigérien, ienne (*Niger*, Afrique).
Nîmois, oise (*Nîmes*, Gard).
Niortais, aise (*Niort*, Deux-Sèvres).
Nivellois, oise (*Nivelles*, Belgique).
Nivernais, aise (*Nevers*, Nièvre).
Nocéen, enne (*Neuilly-Plaisance*, Seine-Saint-Denis).
Nogarolien, ienne (*Nogaro*, Gers).
Nogentais, aise (*Nogent-en-Bassigny*, Haute-Marne ; *Nogent-le-Roi*, Eure-et-Loir ; *Nogent-sur-Marne*, Val-de-Marne ; *Nogent-sur-Oise*, Oise).
Noirmoutrin, ine (*Noirmoutier-en-l'Ile*, Vendée).
Nolaytois, oise (*Nolay*, Côte-d'Or).
Nonancourtois, oise (*Nonancourt*, Eure).
Nontronnais, aise (*Nontron*, Dordogne).
Nord-Africain, aine.
Nord-Américain, aine.
Nord-Coréen, enne.
Normand, ande.
Norvégien, ienne.
Nubien, ienne (*Nubie*, Afrique).
Nuiton, onne (*Nuits-Saint-Georges*, Côte-d'Or).
Numide.
Nyonsais, aise (*Nyons*, Drôme).

Océanien, ienne.
Oléronais, aise (*Oléron* [île d'], Charente-Maritime).
Ollierguois, oise (*Olliergues*, Puy-de-Dôme).
Oloronais, aise (*Oloron-Sainte-Marie*, Pyrénées-Atlantiques).
Ombrien, ienne.
Ontarien, ienne (*Ontario* [province de l'], Canada).
Oranais, aise (*Oran*, auj. Ouahran, Algérie).
Orangeois, oise (*Orange*, Vaucluse).
Orléanais, aise (*Orléans*, Loiret).
Orlysien, ienne (*Orly*, Val-de-Marne).
Ormessonnais, aise (*Ormesson-sur-Marne*, Val-de-Marne).
Ornanais, aise (*Ornans*, Doubs).
Ostendais, aise (*Ostende*, Belgique).
Ottoman, ane.
Ouagalais, aise (*Ouagadougou*, Burkina-Faso).
Ouessantin, ine ou Ouessantais, aise (*Ouessant* [île d'], Finistère).
Ougandais, aise (*Ouganda*, Afrique).
Outremontais, aise (*Outremont*, Canada).
Oxonien, ienne ou Oxfordien, ienne (*Oxford*, Angleterre).
Oyonnaxien, ienne (*Oyonnax*, Ain).

Pacéen, enne (*Pacy-sur-Eure*, Eure).
Padouan, ane (*Padoue*, Italie).
Paimblotin, ine (*Paimbœuf*, Loire-Atlantique).
Paimpolais, aise (*Paimpol*, Côtes-du-Nord).
Pakistanais, aise.
Palaisien, ienne (*Palaiseau*, Essonne).
Palaldéen, enne. V. Amélien.
Palermitain, aine ou Panormitain, aine (*Palerme*, Italie).
Palestinien, ienne (*Palestine*, Proche-Orient).
Palois, oise (*Pau*, Pyrénées-Atlantiques).
Panaméen, enne ou Panamien, ienne (*Panama*, Amérique centrale).
Pantinois, oise (*Pantin*, Seine-Saint-Denis).
Paraguayen, enne (*Paraguay*, Amérique du Sud).
Parisien, ienne.
Parmesan, ane (*Parme*, Italie).
Parodien, ienne (*Paray-le-Monial*, Saône-et-Loire).
Parthenaisien, ienne (*Parthenay*, Deux-Sèvres).
Pauillacais, aise (*Pauillac*, Gironde).
Paulopolitain, aine. V. Saint-Polais.
Pavesan, ane (*Pavie*, Italie).
Péageois, oise (*Bourg-de-Péage*, Drôme).
Pékinois, oise.
Péloponnésien, ienne (*Péloponnèse*, Grèce).
Pennsylvanien, ienne (*Pennsylvanie*, États-Unis).
Percheron, onne.
Percyais, aise (*Percy*, Manche).
Périgourdin, ine (*Périgord*, France).
Périgourdin, ine ou Prétocorien, ienne (*Périgueux*, Dordogne).
Pernois, oise (*Pernes-les-Fontaines*, Vaucluse).
Péronnais, aise (*Péronne*, Somme).
Pérougien, ienne (*Pérouges*, Ain).
Perpignanais, aise (*Perpignan*, Pyrénées-Orientales).
Persan, ane.
Persannais, aise (*Persan*, Val-d'Oise).
Pérugin, ine (*Pérouse*, Italie).
Péruvien, ienne.
Pétrifontin, ine (*Pierrefonds*, Oise).
Phalsbourgeois, oise (*Phalsbourg*, Moselle).
Phénicien, ienne.
Philadelphien, ienne (*Philadelphie*, États-Unis).
Philippin, ine (*Philippines*, Océanie).
Phocéen, enne. V. Marseillais.
Phocidien, ienne (*Phocide*, Grèce).
Picard, arde.
Piémontais, aise.
Pierrefittois, oise (*Pierrefitte-sur-Aire*, Meuse).
Pierrelattin, ine (*Pierrelatte*, Drôme).
Piscénois, oise (*Pézenas*, Hérault).
Pisciacais, aise (*Poissy*, Yvelines).
Pithivérien, ienne (*Pithiviers*, Loiret).
Placentin, ine (*Plaisance*, Italie).
Plouescatais, aise (*Plouescat*, Finistère).
Plouhatin, ine (*Plouha*, Côtes-du-Nord).
Podot, ote. V. Ponot.
Pointois, oise ou Pointe-Noirais, aise (*Pointe-à-Pitre*, Guadeloupe).
Poitevin, ine.
Poitevin, ine (*Poitiers*, Vienne).
Polinois, oise (*Poligny*, Jura).

XV

Polonais, aise.
Polynésien, ienne (*Polynésie*, Océanie).
Pompéien, ienne.
Poncinois, oise (*Poncin*, Ain).
Ponot, ote ou Podot, ote (*Puy* [*Le*], Haute-Loire).
Pontaudemérien, ienne (*Pont-Audemer*, Eure).
Pontaveniste (*Pont-Aven*, Finistère).
Pontépiscopien, ienne (*Pont-l'Évêque*, Calvados).
Pontinois, oise (*Pont-de-Chéruy*, Isère).
Pontissalien, ienne (*Pontarlier*, Doubs).
Pontivien, ienne (*Pontivy*, Morbihan).
Pont-l'Abbiste (*Pont-l'Abbé*, Finistère).
Pontois, oise. V. Maxipontain.
Pontois, oise (*Pons*, Charente-Maritime; *Pont-en-Royans*, Isère; *Pont-sur-Yonne*, Yonne).
Pontoisien, ienne (*Pontoise*, Val-d'Oise).
Pontorsonnais, aise (*Pontorson*, Manche).
Pontrivien, ienne (*Pontrieux*, Côtes-du-Nord).
Pornicais, aise (*Pornic*, Loire-Atlantique).
Pornichétin, ine (*Pornichet*, Loire-Atlantique).
Portais, aise (*Port-Sainte-Marie*, Lot-et-Garonne).
Portugais, aise. V. Lusitanien.
Pouillonnais, aise (*Pouillon*, Landes).
Poyais, aise (*Poix*, Somme).
Pradéen, enne (*Prades*, Pyrénées-Orientales).
Prémerycois, oise (*Prémery*, Nièvre).
Prétocorien, ienne. V. Périgourdin.
Privadois, oise (*Privas*, Ardèche).
Provençal, ale, aux.
Provinois, oise (*Provins*, Seine-et-Marne).
Prussien, ienne.
Pugétin, ine (*Puget-Théniers*, Alpes-Maritimes).
Puisatin, ine (*Puiseaux*, Loiret).
Pyrénéen, enne.

Québécois, oise.
Quercinois, oise (*Quercy* [*Le*], France).
Quercitain, aine (*Quesnoy* [*Le*], Nord).
Quiberonnais, aise (*Quiberon*, Morbihan).
Quillanais, aise (*Quillan*, Aude).
Quillebois, oise (*Quillebeuf-sur-Seine*, Eure).
Quimperlois, oise (*Quimperlé*, Finistère).
Quimpérois, oise (*Quimper*, Finistère).

Rabastinois, oise (*Rabastens*, Tarn).
Ragnabertois, oise (*Saint-Rambert-sur-Loire*, Loire).
Raismois, oise (*Raismes*, Nord).
Rambolitain, aine (*Rambouillet*, Yvelines).
Rambuvetais, aise (*Rambervilliers*, Vosges).
Ravennate (*Ravenne*, Italie).
Redonnais, aise (*Redon*, Ille-et-Vilaine).
Réginaborgien, ienne (*Bourg-la-Reine*, Hauts-de-Seine).
Réien, ienne (*Riez*, Alpes-de-Haute-Provence).
Rémois, oise (*Reims*, Marne).
Renazéen, enne (*Renazé*, Mayenne).
Rennais, aise (*Rennes*, Ille-et-Vilaine).
Réolais, aise (*Réole* [*La*], Gironde).
Restérien, ienne (*Retiers*, Ille-et-Vilaine).
Rethélois, oise (*Rethel*, Ardennes).
Réunionnais, aise (*Réunion* [île de la], Océan Indien).
Rhénan, ane (*Rhénanie*).
Rhénan, ane (*Rhin*).
Rhétais, aise (*Ré* [île de], Charente-Maritime).
Rhodien, ienne (*Rhodes* [île de], Grèce).
Ribeauvilléen, enne (*Ribeauvillé*, Haut-Rhin).
Riceton, one (*Riceys* [*Les*], Aube).
Rifain, aine (*Rif*, Maroc).
Riomois, oise (*Riom*, Puy-de-Dôme).
Ripagérien, ienne (*Rive-de-Gier*, Loire).
Rivesaltais, aise (*Rivesaltes*, Pyrénées-Orientales).
Rivois, oise (*Rives*, Isère).
Roannais, aise (*Roanne*, Loire).
Romarimontain, aine (*Remiremont*, Vosges).
Rouennais, aise (*Rouen*, Seine-Maritime).
Roubaisien, ienne (*Roubaix*, Nord).
Rouergat, ate (*Rouergue*, France).
Rougéen, enne (*Rougé*, Loire-Atlantique).
Roumain, aine.
Roussillonnais, aise (*Roussillon*, Isère).
Roybonnais, aise (*Roybon*, Isère).
Royen, enne (*Roye*, Somme).
Royéraud, aude (*Royère*, Creuse).
Ruellois, oise (*Rueil-Malmaison*, Hauts-de-Seine).
Ruffécois, oise (*Ruffec*, Charente).
Rumulien, enne (*Rumilly*, Haute-Savoie).
Russe.
Ruthénois, oise (*Rodez*, Aveyron).

Sabéen, enne.
Sablais, aise (*Sables-d'Olonne* [*Les*], Vendée).
Sabolien, ienne (*Sablé-sur-Sarthe*, Sarthe).
Sabrin, ine ou Sabringot, ote (*Sabres*, Landes).
Saint-Affricain, aine (*Saint-Affrique*, Aveyron).
Saint-Agrévois, oise (*Saint-Agrève*, Ardèche).
Saint-Aignanais, aise (*Saint-Aignan*, Loir-et-Cher).
Saintais, aise ou Santon, one (*Saintes*, Charente-Maritime).
Saint-Alvérois, oise (*Saint-Alvère*, Dordogne).
Saint-Amandinois, oise (*Saint-Amand-Mont-Rond*, Cher).
Saint-Andréen, enne (*Saint-André-les-Alpes*, Alpes-de-Haute-Provence).
Saint-Aubinais, aise (*Saint-Aubin-sur-Mer*, Calvados).
Saint-Béatais, aise (*Saint-Béat*, Haute-Garonne).
Saint-Céréen, enne (*Saint-Céré*, Lot).
Saint-Chamonais, aise (*Saint-Chamond*, Loire).
Saint-Chinianais, aise (*Saint-Chinian*, Hérault).
Saint-Claudien, ienne (*Saint-Claude*, Jura).
Sainte-Crix (*Sainte-Croix*, Suisse).
Saint-Cyrien, ienne (*Saint-Cyr-l'École*, Yvelines).
Saint-Fidéen, enne (*Sainte-Foy*, Canada).
Saint-Foniard, arde (*Saint-Fons*, Rhône).
Saint-Fulgentais, aise (*Saint-Fulgent*, Vendée).
Saint-Gallois, oise (*Saint-Gall*, Suisse).
Saint-Gaudinois, oise (*Saint-Gaudens*, Haute-Garonne).
Saint-Germinois, oise (*Saint-Germain-en-Laye*, Yvelines).
Saint-Gillois, oise (*Saint-Gilles*, Gard).
Saint-Gironnais, aise (*Saint-Girons*, Ariège).
Saint-Julien, ienne (*Saint-Julien-Chapteuil*, Haute-Loire).
Saint-Juniaud, aude (*Saint-Junien*, Haute-Vienne).
Saint-Justois, oise (*Saint-Just-en-Chaussée*, Oise).
Saint-Laurentin, ine (*Saint-Laurent-du-Pont*, Isère; *Saint-Laurent-de-Neste*, Hautes-Pyrénées).
Saint-Lois, oise (*Saint-Lô*, Manche).
Saint-Maixentais, aise (*Saint-Maixent-l'École*, Deux-Sèvres).
Saint-Marcellinois, oise (*Saint-Marcellin*, Isère).
Saint-Martinois, oise (*Saint-Martin-Vésubie*, Alpes-Maritimes).
Saintois, oise (*Saintes-Maries-de-la-Mer*, Bouches-du-Rhône).
Saintongeais, aise (*Saintonge*, France).
Saint-Paulais, aise (*Saint-Paul-de-Fenouillet*, Pyrénées-Orientales).
Saint-Pérollais, aise (*Saint-Péray*, Ardèche).
Saint-Pierrais, aise (*Saint-Pierre-et-Miquelon*, Océan Atlantique).
Saint-Pierrois, oise (*Saint Pierre le Moûtier*, Nièvre).
Saint-Polais, aise ou Paulopolitain, aine (*Saint-Pol-sur-Ternoise*, Pas-de-Calais).
Saint-Politain, aine. V. Léonais.
Saint-Ponais, aise (*Saint-Pons*, Hérault).
Saint-Pourcinois, oise ou Sanpourcinois, oise (*Saint-Pourçain-sur-Sioule*, Allier).
Saint-Quentinois, oise (*Saint-Quentin*, Aisne).
Saint-Rémois, oise (*Saint-Rémy-sur-Durolle*, Puy-de-Dôme).
Saint-Servantin, ine ou Servannais, aise (*Saint-Servan-sur-Mer*, Ille-et-Vilaine).
Salersois, oise (*Salers*, Cantal).
Salinois, oise (*Salins-les-Bains*, Jura).
Salisien, ienne (*Salies-de-Béarn*, Pyrénées-Atlantiques).
Sallanchois, oise ou Sallanchard, arde (*Sallanches*, Haute-Savoie).
Salonicien, ienne (*Salonique*, Grèce).
Samaritain, aine.
Samien, ienne ou Samiote (*Samos*, Grèce).
Sammiellois, oise (*Saint-Mihiel*, Meuse).
Samoënsien, ienne ou Samoentin, ine (*Samoëns*, Haute-Savoie).
Sancerrois, oise (*Sancerre*, Cher).
Sanflorin, ine (*Saint-Flour*, Cantal).
Sanpourcinois, oise. V. Saint-Pourcinois.
Santon, one. V. Saintais.
Sarde.
Sarladais, aise (*Sarlat*, Dordogne).
Sarrebruckois, oise (*Sarrebruck*, Allemagne).
Sarrois, oise (*Sarre*, Allemagne).
Sartenais, aise ou Sartinois, oise (*Sartène*, Corse).
Sarthois, oise (*Sarthe*, France).
Sartinois, oise. V. Sartenais.

Saskatchewannais, aise (*Saskatchewan* [province de la], Canada).
Saulxuron, onne (*Saulxures-sur-Moselotte*, Vosges).
Saumurois, oise (*Saumur*, Maine-et-Loire).
Sauveterrat, ate (*Sauveterre-de-Rouergue*, Aveyron).
Savenaisien, ienne (*Savenay*, Loire-Atlantique).
Savernois, oise (*Saverne*, Bas-Rhin).
Savinien, ienne (*Savigny-sur-Orge*, Essonne).
Savoyard, arde ou Savoisien, ienne.
Saxon, onne.
Scandinave.
Scéen, enne (*Sceaux*, Hauts-de-Seine).
Sedanais, aise (*Sedan*, Ardennes).
Sédélocien, ienne (*Saulieu*, Côte-d'Or).
Seclinois, oise (*Seclin*, Nord).
Ségovien, ienne (*Ségovie*, Espagne).
Segréen, enne (*Segré*, Maine-et-Loire).
Sélestadien, ienne (*Sélestat*, Bas-Rhin).
Semurois, oise (*Semur-en-Auxois*, Côte-d'Or).
Sénégalais, aise.
Sénégambien, ienne (*Sénégambie*, Afrique).
Senézien, ienne (*Senez*, Alpes-de-Haute-Provence).
Senlisien, ienne (*Senlis*, Oise).
Sénonais, aise (*Sens*, Yonne).
Serbe.
Servannais, aise. V. Saint-Servantin.
Sétois, oise (*Sète*, Hérault).
Seurrois, oise (*Seurre*, Côte-d'Or).
Séveraguais, aise (*Séverac-le-Château*, Aveyron).
Sevranais, aise (*Sevran*, Seine-Saint-Denis).
Sévrien, ienne (*Sèvres*, Hauts-de-Seine).
Sherbrookois, oise (*Sherbrooke*, Canada).
Siamois, oise.
Sibérien, ienne.
Sicilien, ienne.
Siennois, oise (*Sienne*, Italie).
Sissonnais, aise (*Sissonne*, Aisne).
Sisteronais, aise (*Sisteron*, Alpes-de-Haute-Provence).
Slovaque.
Slovène.
Smyrniote (*Smyrne*, Turquie).
Sochalien, ienne (*Sochaux*, Doubs).
Soiséen, enne (*Soisy-sous-Montmorency*, Val-d'Oise).
Soissonnais, aise (*Soissons*, Aisne).
Solesmois, oise (*Solesmes*, Sarthe).
Soleurois, oise (*Soleure*, Suisse).
Solliespontois, oise (*Solliès-Pont*, Var).
Solognot, ote (*Sologne*, France).
Solrézien, ienne (*Solre-le-Château*, Nord).
Somalien, ienne (*Somalie*, Afrique).
Sommiérois, oise (*Sommières*, Gard).
Sonégien, ienne (*Soignies*, Belgique).
Sorien, ienne (*Sore*, Landes).
Sospellitain, aine (*Sospel*, Alpes-Maritimes).
Soudanais, aise ou Soudanien, ienne.
Souillaguais, aise (*Souillac*, Lot).
Sourdevalais, aise (*Sourdeval*, Manche).
Soussien, ienne (*Sousse*, Tunisie).
Spadois, oise (*Spa*, Belgique).
Sparnacien, ienne (*Épernay*, Marne).
Spinalien, ienne (*Épinal*, Vosges).
Stanois, oise (*Stains*, Seine-Saint-Denis).
Stéphanois, oise (*Saint-Étienne*, Loire).
Strasbourgeois, oise (*Strasbourg*, Bas-Rhin).
Sud-Africain, aine.
Sud-Américain, aine.
Sud-Coréen, enne.
Suédois, oise.
Suisse.
Sullylois, oise (*Sully-sur-Loire*, Loiret).
Suménois, oise (*Sumènes*, Gard).
Syracusain, aine (*Syracuse*, Sicile).
Syrien, ienne.

Talmondais, aise (*Talmont* ou *Talmond*, Vendée).
Tararien, ienne (*Tarare*, Rhône).
Tarasconnais, aise (*Tarascon*, Bouches-du-Rhône).
Tarbais, aise ou Tarbéen, enne (*Tarbes*, Hautes-Pyrénées).
Tarentin, ine (*Tarente*, Italie).
Tarusate (*Tartas*, Landes).
Tasmanien, ienne (*Tasmanie*, Australie).
Taulésien, ienne (*Taulé*, Finistère).
Tchadien, ienne (*Tchad*, Afrique).
Tchécoslovaque ou Tchèque.
Tençois, oise (*Tence*, Haute-Loire).

Tendasque (*Tende*, Alpes-Maritimes).
Ternois, oise (*Tergnier*, Aisne).
Terrassonnais, aise (*Terrasson-la-Villedieu*, Dordogne).
Terre-Neuvien, ienne (*Terre-Neuve*, Canada).
Testerin, ine (*Teste* [*La*], Gironde).
Texan, ane (*Texas* [État du], États-Unis).
Thaïlandais, aise (*Thaïlande*, Asie).
Thébain, aine (*Thèbes*, Grèce).
Théoulien, ienne (*Théoule-sur-Mer*, Alpes-Maritimes).
Thessalien, ienne (*Thessalie*, Grèce).
Theutois, oise (*Theux*, Belgique).
Thiaisien, ienne (*Thiais*, Val-de-Marne).
Thiernois, oise (*Thiers*, Puy-de-Dôme).
Thillotin, ine (*Thillot* [*Le*], Vosges).
Thionvillois, oise (*Thionville*, Moselle).
Thironais, aise (*Thiron*, Eure-et-Loir).
Thouarsais, aise (*Thouars*, Deux-Sèvres).
Thuirinois, oise (*Thuir*, Pyrénées-Orientales).
Tibétain, aine.
Togolais, aise.
Tonneinquais, aise (*Tonneins*, Lot-et-Garonne).
Tonnerrois, oise (*Tonnerre*, Yonne).
Torontois, oise (*Toronto*, Canada).
Toscan, ane.
Toulois, oise (*Toul*, Meurthe-et-Moselle).
Toulonnais, aise (*Toulon*, Var).
Toulousain, aine (*Toulouse*, Haute-Garonne).
Touquettois, oise (*Touquet-Paris-Plage* [*Le*], Pas-de-Calais).
Tourangeau, elle (*Touraine*, France; *Tours*, Indre-et-Loire).
Tournaisien, ienne (*Tournai*, Belgique).
Tournonais, aise (*Tournon*, Ardèche).
Tournusien, ienne (*Tournus*, Saône-et-Loire).
Tourouvrain, aine (*Tourouvre*, Orne).
Tourquennois, oise (*Tourcoing*, Nord).
Traiton, onne (*Trait* [*Le*], Seine-Maritime).
Transylvain, aine ou Transylvanien, ienne.
Trappiste (*Trappes*, Yvelines).
Trégastellois, oise (*Trégastel*, Côtes-du-Nord).
Trégorrois, oise (*Tréguier*, Côtes-du-Nord).
Treignacois, oise (*Treignac*, Corrèze).
Trélonais, aise (*Trélon*, Nord).
Trembladais, aise (*Tremblade* [*La*], Charente-Maritime).
Trévire ou Trévère (*Trèves*, Allemagne).
Trévisan, ane (*Trévise*, Italie).
Trévoltien, ienne (*Trévoux*, Ain).
Triestin, ine (*Trieste*, Italie).
Trifluvien, ienne (*Trois-Rivières*, Canada).
Tropézien, ienne (*Saint-Tropez*, Var).
Trouvillais, aise (*Trouville-sur-Mer*, Calvados).
Troyen, enne (*Troie*, Asie Mineure; *Troyes*, Aube).
Tulliste ou Tullois, oise (*Tulle*, Corrèze).
Tunisien, ienne.
Tunisois, oise (*Tunis*, Tunisie).
Turc, Turque. V. Ottoman.
Turinois, oise (*Turin*, Italie).
Tyrolien, ienne.

Uginois, oise (*Ugine*, Savoie).
Uruguayen, enne (*Uruguay*, Amérique du Sud).
Ussellois, oise (*Ussel*, Corrèze).
Utellien, ienne (*Utelle*, Alpes-Maritimes).
Uzellois, oise (*Uzel*, Côtes-du-Nord).
Uzerchois, oise (*Uzerche*, Corrèze).
Uzétien, ienne (*Uzès*, Gard).

Vaillicien, ienne (*Vailly-sur-Aisne*, Aisne).
Vaisonnais, aise (*Vaison-la-Romaine*, Vaucluse).
Valaisan, ane (*Valais*, Suisse).
Valencéen, enne (*Valençay*, Indre).
Valenciennois, oise (*Valenciennes*, Nord).
Valentinois, oise (*Valence*, Drôme).
Valéricain, aine (*Saint-Valéry-sur-Somme*, Somme).
Valériquais, aise (*Saint-Valéry-en-Caux*, Seine-Maritime).
Vallaurien, ienne (*Vallauris*, Alpes-Maritimes).
Valloirien, ienne (*Saint-Vallier*, Drôme).
Valmontais, aise (*Valmont*, Seine-Maritime).
Valognais, aise (*Valognes*, Manche).
Valréassien, ienne (*Valréas*, Vaucluse).
Vannetais, aise (*Vannes*, Morbihan).
Varennois, oise (*Varennes-sur-Allier*, Allier).
Varsovien, ienne (*Varsovie*, Pologne).
Vaudois, oise.
Vauverdois, oise (*Vauvert*, Gard).
Vençois, oise ou Vincien, ienne (*Vence*, Alpes-Maritimes).
Vendéen, enne.
Vendômois, oise (*Vendôme*, Loir-et-Cher).
Vénézuélien, ienne ou Vénézolan, ane (*Venezuela*, Amérique du Sud).
Vénitien, ienne.
Verdunois, oise (*Verdun*, Meuse).
Verdunois, oise (*Verdun-sur-le-Doubs*, Saône-et-Loire).
Vermandois, oise (*Vermand*, Aisne).
Vernois, oise (*Vergt*, Dordogne).
Vernolien, ienne (*Verneuil-sur-Avre*, Eure).
Vernonnais, aise (*Vernon*, Eure).
Vernoussain, aine (*Vernoux-en-Vivarais*, Ardèche).
Véronais, aise (*Vérone*, Italie).
Verriérois, oise (*Verrières-le-Buisson*, Essonne).
Versaillais, aise (*Versailles*, Yvelines).
Vertavien, ienne (*Vertou*, Loire-Atlantique).
Vervinois, oise (*Vervins*, Aisne).
Vésigondin, ine (*Vésinet* [*Le*], Yvelines).
Vésulien, ienne (*Vesoul*, Haute-Saône).
Veveysan, ane (*Vevey*, Suisse).
Vézelien, ienne (*Vézelay*, Yonne).
Vibraysien, ienne (*Vibraye*, Sarthe).
Vicentin, ine (*Vicence*, Italie).
Vichyssois, oise (*Vichy*, Allier).
Vicois, oise (*Vic-Fezensac*, Gers; *Vic-sur-Cère*, Cantal).
Vicolais, aise (*Vico*, Corse).
Vicomtois, oise (*Vic-le-Comte*, Puy-de-Dôme).
Viennois, oise (*Vienne*, Autriche; *Vienne*, Isère).

Vierzonnais, aise (*Vierzon*, Cher).
Vietnamien, ienne.
Viganais, aise (*Vigan* [*Le*], Gard).
Vigneusien, ienne (*Vigneux-sur-Seine*, Essonne).
Villandrautais, aise (*Villandraut*, Gironde).
Villardien, ienne (*Villard-de-Lans*, Isère).
Villefortais, aise (*Villefort*, Lozère).
Villefranchois, oise (*Villefranche-de-Lauragais*, Haute-Garonne; *Villefranche-de-Rouergue*, Aveyron).
Villejuifois, oise (*Villejuif*, Val-de-Marne).
Villemomblois, oise (*Villemomble*, Seine-Saint-Denis).
Villemurien, ienne (*Villemur-sur-Tarn*, Haute-Garonne).
Villeneuvois, oise (*Villeneuve-sur-Lot*, Lot-et-Garonne).
Villepintois, oise (*Villepinte*, Seine-Saint-Denis).
Villersois, oise (*Villers-Saint-Paul*, Oise).
Villeruptien, ienne (*Villerupt*, Meurthe-et-Moselle).
Vimonastérien, ienne (*Vimoutiers*, Orne).
Vimynois, oise (*Vimy*, Pas-de-Calais).
Vinçanench [invar.] (*Vinça*, Pyrénées-Orientales).
Vincennois, oise (*Vincennes*, Val-de-Marne).
Vincien, ienne. V. Vençois.
Virais, aise ou Virois, oise (*Vire*, Calvados).
Viroflaysien, ienne (*Viroflay*, Yvelines).
Vitréen, enne (*Vitré*, Ille-et-Vilaine).
Vitryat, ate (*Vitry-le-François*, Marne).
Vivarois, oise (*Viviers*, Ardèche).
Vizillois, oise (*Vizille*, Isère).
Vogladien, ienne (*Vouillé*, Vienne).
Voironnais, aise (*Voiron*, Isère).
Voltaïque (*Haute-Volta*).
Volvicois, oise (*Volvic*, Puy-de-Dôme).
Vosgien, ienne (*Vosges*, France).
Vouvrillon, onne (*Vouvray*, Indre-et-Loire).
Vouzinois, oise (*Vouziers*, Ardennes).

Wallon, onne (*Wallonie*, Belgique).
Wasséen, enne (*Wassy-sur-Blaise*, Haute-Marne).
Wasselonnais, aise (*Wasselonne*, Bas-Rhin).
Wattignien, ienne (*Wattignies*, Nord).
Wattrelosien, ienne (*Wattrelos*, Nord).
Winnipeguien, ienne (*Winnipeg*, Canada).

Yéménite (*Yémen*, Arabie).
Yennois, oise (*Yenne*, Savoie).
Yerrois, oise (*Yerres*, Essonne).
Yonnais, aise (*Roche-sur-Yon* [*La*], Vendée).
Yougoslave.
Yssingelais, aise (*Yssingeaux*, Haute-Loire).
Yvetotais, aise (*Yvetot*, Seine-Maritime).
Yzeurien, ienne (*Yzeure*, Allier).

Zaïrois, oise (*Zaïre*, Afrique).
Zambien, ienne (*Zambie*, Afrique).
Zélandais, aise (*Zélande*, Pays-Bas).
Zurichois, oise (*Zurich*, Suisse).

LISTE DES SUFFIXES FRANÇAIS

Établie par Danièle MORVAN

Cette liste ne rend pas compte des éléments terminaux possédant une valeur sémantique précise (un «sens plein»), notamment dans les terminologies scientifiques et techniques (ex. -ure dans sulfure, bromure); ces éléments, souvent empruntés au grec (ex. -phone, -logie, -lâtre) sont traités à la nomenclature, au même titre que les préfixes.

En outre, la perspective du dictionnaire étant historique, les suffixes considérés sont ou ont été productifs en français; les emprunts au latin ou aux langues romanes qui comportent de tels éléments (ex. restitution, bestiole, exemplaire) n'ont pas été retenus dans les exemples.

Les suffixes sont classés en quatre tableaux de cinq colonnes, de la manière suivante :
— première colonne : forme des suffixes, avec le cas échéant leur féminin et leur pluriel. Les variantes, qui ne sont pas traitées à leur ordre alphabétique, sont mentionnées dans cette colonne, avec un renvoi au suffixe sous lequel on les trouvera (ex. -ature ⇒ -ure; -ier ⇒ -er);
— deuxième colonne : variantes des suffixes. Des exemples de ces variantes sont donnés dans la cinquième colonne, précédés d'un tiret;
— troisième colonne : les renvois. La flèche → indique que le même suffixe sert à former des mots appartenant à une autre catégorie grammaticale, et renvoie à une autre partie de la liste. La flèche double ⇒ renvoie à d'autres suffixes;
— quatrième colonne : nature grammaticale de la base à laquelle s'ajoute le suffixe;
— cinquième colonne : les exemples. En regard de la base, on trouvera des exemples formés à partir de cette base. Les exemples des variantes sont séparés par un tiret. Chaque fois que cela a été possible, on a regroupé les exemples correspondant à un même sens du suffixe, ou à une même catégorie sémantique (personnes, choses, etc.). On trouvera également dans cette colonne des marques sémantiques (diminutif, fréquentatif...), des marques de niveau de langue (familier, populaire...), ainsi que des remarques à propos de la base (base tronquée, base en -ique, avec préfixe, etc.).

I. SUFFIXES DE NOMS.

			(base)	
-ade			nominale	Citronnade, colonnade, cotonnade, œillade.
			verbale	Baignade, glissade, rigolade.
-age			nominale	Branchage, courage, outillage. Esclavage. Laitage. Métrage. Ermitage.
	(-issage)		verbale	Dressage, pilotage. — Remplissage, vernissage.
-aie			nominale	Cerisaie, peupleraie, saulaie.
1. -ail ou -aille			verbale	Épouvantail, éventail, tenaille.
2. -ail ou aille			nominale	Bétail, muraille, vitrail. (Péj.) ferraille, pierraille.
			verbale	Fiançailles, semailles, sonnaille. (Péj.) mangeaille.
1. -ain, -aine		→ II	nom commun	Un mondain, une républicaine.
			nom propre	Une Africaine, un Marocain.
2. -ain ou -aine			nom de nombre	Centaine, dizain, dizaine, quinzaine.

			(base)	
3. -ain			verbale	*Couvain, levain.*
1. -aire	-iaire	⇒ -ataire	nominale	*Un actionnaire, une disquaire, un fonctionnaire, une milliardaire. Abécédaire, questionnaire. — Une stagiaire.*
2. -aire		→ II	nominale	*Moustiquaire.*
-ais, -aise		→ II ⇒ -ois, -oise	nom propre	*Un Japonais, une Lyonnaise.*
-aison		⇒ 1. -son	nominale verbale	*Lunaison, olivaison, siglaison, tomaison. Comparaison, cueillaison, déclinaison, livraison, salaison.*
-an, -ane		→ II	nom propre	*Un Castillan, une Persane.*
-ance		⇒ II, -ant, -ante ⇒ -ence	adjectif en -ant, -ante verbale	*Arrogance, constance, reconnaissance, vaillance. Alliance, croissance, espérance, jouissance.*
-ant, -ante		→ II ⇒ -ent, -ente	verbale	*Un assistant, une habitante, un militant, un poursuivant. Imprimante.*
-ard, -arde		→ II	nominale	*Un Briard, une montagnarde. Cuissard, cuissardes. Soiffard. (Péj.) un froussard. (Augmentatif) une veinarde.*
			adjectivale verbale	*(Augmentatif) un richard. (Péj.) une soûlarde. (Péj.) une braillarde, une traînarde, un vantard.*
-ariat ⇒ 1. -at				
-asse	-iasse	→ II	nominale verbale	*(Péj.) caillasse, paperasse, vinasse. — Pouffiasse. (Péj.) chiasse, lavasse, traînasse.*
1. -at	-ariat -orat		nominale	*Consulat, mandarinat. — Secrétariat, vedettariat, notariat. — Doctorat, professorat.*
			adjectivale	*Anonymat, bénévolat.*
2. -at			verbale	*Agglomérat, plagiat, résultat.*
3. -at, -ate		→ II	nom propre	*Un Auvergnat, une Rouergate.*
-ataire		⇒ 1. -aire	verbale	*Une protestataire, un retardataire.*
-ateur, -atrice		→ II	verbale	*Perforatrice, ventilateur. Un vérificateur.*
-(a)teux, -(a)teuse		⇒ 1. -eux, -euse	nominale	*Un eczémateux, un exanthémateux, une œdémateuse.*
-atif ou -ative		→ II ⇒ -if, -ive	verbale	*Purgatif, rectificatif.*
-ation		⇒ 1. -ion ⇒ -tion	verbale	*Agitation, constatation, datation, miniaturisation, modernisation, stabilisation.*
-atoire		→ II ⇒ -oir ou -oire	verbale	*Dépilatoire, interrogatoire. Observatoire.*
-âtre		→ II	nominale	*(Péj.) un bellâtre.*
-ature ⇒ -ure				
-aud, -aude	-icaud, -icaude	→ II	nominale adjectivale	*(Péj.) un pataud. — Un moricaud. (Péj.) un lourdaud, un salaud.*
-auté		⇒ -té	nominale adjectivale	*Papauté. Communauté. [D'après royauté] privauté.*
-ceau ou -celle			nominale	*(Dimin.) lionceau, souriceau. Rubicelle. [Refait sur finale en -cule] radicelle, lenticelle.*
-cule ⇒ -ule				
1. -é		→ II	nominale	*Fossé.*

			(base)	
2. -é			nominale	*Doyenné, prieuré, vicomté.*
-eau ou **-elle**	**-erau** ou **-erelle**	⇒ **-isseau**	nominale	*Éléphanteau, pigeonneau, renardeau. Citronnelle, pruneau.* (Dimin.) *jambonneau, poutrelle, prunelle, ruelle, tourelle. — Un poétereau.*
			verbale	*Traîneau. — Passerelle, sauterelle.*
1. -ée			verbale	*Criée, envolée, traversée, veillée.*
2. -ée			nominale	*Bouchée, coudée, cuillerée, matinée.*
			verbale	*Enjambée, pincée.*
3. -ée			nominale	*Onglée.*
-éen, -éenne	**-en, -enne**	→ II	nom commun	*Une lycéenne.*
			nom propre	*Un Européen. — Un Coréen, une Vendéenne.*
-éité ⇒ **-ité**				
-elet ou **-elette**		→ II ⇒ **-et** ou **-ette**	nominale	*Côtelette, osselet, roitelet, tartelette.*
-elle ⇒ **-eau**				
-ement		⇒ **-ment**	nominale	*Vallonnement.* [Avec préfixe] *Empiècement, entablement, remembrement.*
	(**-issement**)		verbale	*Consentement, craquement, groupement, paiement. — Agrandissement, vieillissement.*
-en, -enne ⇒ **-éen, -éenne** ⇒ **-ien, -ienne**				
-ence		→ II, **-ent, -ente** ⇒ **-ance**	nominale	[Avec **-esc-**] *fluorescence, opalescence.*
			adjectif en **-ent, -ente**	*Concurrence, fréquence, présence.*
			verbale	*Exigence, préférence.* [Avec **-esc-**] *dégénérescence.*
-ent, -ente		→ II ⇒ **-ant, -ante**	verbale	*Un adhérent, une présidente. Affluent.*
-er, -ère		⇒ **-ier, -ière**	nominale	*Un horloger, un volailler, une usagère. Étagère, oreiller. Oranger, pêcher.*
-ereau ou **-erelle** ⇒ **-eau** ou **-elle**				
-eresse ⇒ **2. -eur**				
-eret ou **-erette** ⇒ **-et** ou **-ette**				
-erie		⇒ **-ie**	nominale	*Ânerie, clownerie, pitrerie. Crêperie, laiterie, parfumerie, rhumerie. Conciergerie. Argenterie, paysannerie.*
			adjectivale	*Brusquerie, étourderie, mièvrerie, niaiserie.*
			verbale	*Boiterie, fâcherie, flânerie, moquerie, tracasserie, tricherie. Brasserie, rôtisserie.*
-erole et **-erolle** ⇒ **-ol, -ole**				
1. -eron, -eronne		→ II	nominale	*Un bûcheron, un vigneron.* [Nom propre] *un Beauceron, une Percheronne.*
			verbale	*Un forgeron.*
2. -eron		⇒ **-on**	nominale	(Dimin.) *moucheron, puceron.* (Péj.) *un tâcheron.*
			adjectivale	(Péj.) *un laideron.*
			verbale	*Fumeron.*
-escence ⇒ **-ence**				
1. -esse			nominale	*Une hôtesse, une maîtresse, une princesse. Ânesse, tigresse.*

			(base)	
2. -esse			adjectivale	*Étroitesse, gentillesse, hardiesse, mollesse, petitesse, robustesse, tendresse.*
-et ou -ette	-eret ou -erette	→ II ⇒ -elet ou -elette ⇒ -eton	nominale	(Dimin.) *amourette, coffret, jardinet, pincette. Une fillette, une suffragette.* — *Ableret, chardonneret, gorgerette.*
			adjectivale	*Basset, fauvette.*
			verbale	*Buvette, jouet, sifflet, sonnette, sucette.*
-etier, -etière ⇒ -ier, -ière				
-eton		⇒ -et ou -ette ⇒ -on	nominale	*Caneton.*
1. -eur			adjectivale	*Blancheur, douceur, grandeur, moiteur, pâleur.*
2. -eur, -euse	-eur, -eresse (-oresse)	→ II	nominale verbale	*Un camionneur, un mineur, une parfumeuse. Un chanteur, une coiffeuse, une fumeuse, un menteur. Un bâtisseur. Couveuse, démarreur, friteuse, planeur, suceuse.* — *Un chasseur, une enchanteresse.* [Féminin en **-oresse**] *doctoresse.*
1. -eux, -euse	-ieux, -ieuse	→ II ⇒ -(a)teux, -(a)teuse	nominale verbale	*Un coléreux, une morveuse, un paresseux, une peureuse.* — *Un silencieux.* *Une boiteuse.*
2. -eux, -euse			nominale verbale	*Une matheuse, un violoneux.* *Une partageuse, un rebouteux.*
-iaire ⇒ 1. -aire				
-iasse ⇒ -asse				
-iat ⇒ 1. -at				
-icaud, -icaude ⇒ -aud, -aude				
1. -iche			nominale	*Barbiche, potiche.*
2. -iche		→ II	nominale	(Péj.) *boniche.* [Changement de suffixe] *un Angliche.*
-ichon ⇒ -on, -onne		→ II		
-icule ⇒ -ule				
-ie		⇒ -erie	nominale	*Acrobatie, pairie, seigneurie. Agronomie. Boulangerie, boucherie, pelleterie. Bergerie, chancellerie, mairie. Aciérie. Bourgeoisie, chevalerie, confrérie.*
			adjectivale	*Courtoisie, économie, folie, jalousie, maladie.*
-ième		→ II	nom de nombre	*La cinquième, le nième. Un dix-millième.*
1. -ien, -ienne	-en, -enne		nominale	*Un grammairien, une historienne.* [Base en **-ique**] *une informaticienne, un mécanicien, un physicien.* — *Une chirurgienne, un comédien.*
2. -ien, -ienne	-en, -enne	→ II	nom commun nom propre	*Une collégienne, un milicien, un paroissien. Les Capétiens, un épicurien, un Parisien.* — *Une Australienne.*
-ier, -ière	-etier, -etière	→ II ⇒ -er, -ère	nominale	*Une banquière, une bouquetière, un cuisinier, un savetier. Abricotier, cacaotier, fruitier, pommier. Gaufrier, yaourtière. Une rentière. Échassier. Dentier, verrière. Cendrier, salière, saucière, sucrier. Cacaotière, rizière. Un écolier, une postière. Boîtier, clairière, litière, sentier.*

			(base)	Collier, jambière, plafonnier. — Un cafetier. Cafetière, coquetier.
			adjectivale	Verdier.
			verbale	Un héritier, un roulier. Balancier, glissière, levier.
-ieux, -ieuse ⇒ **-eux, -euse**				
-if, -ive	→ II ⇒ **-atif** ou **-ative**		nominale	Un sportif. Un explosif. L'exécutif. Une intuitive.
-il			nominale	Chenil, fournil.
-ille			nominale	(Dimin.) brindille, charmille, faucille.
-illon	⇒ **-on**		nominale	(Dimin.) bottillon, croisillon, oisillon, portillon. Un moinillon, un négrillon.
			adjectivale	Durillon, raidillon.
-in, -ine	→ II		nominale	(Dimin.) bottine, chaumine, tableautin. Basquine, serpentin, vitrine. (Péj.) un calotin.
			adjectivale	Un blondin, un plaisantin, une rouquine. Rondin.
			verbale	Tapin. Un trottin.
-ing			verbale	[D'après l'anglais] camping, doping, parking, pressing.
-iole ⇒ **-ol, -ole**				
1. -ion	⇒ **-ation** ⇒ **-tion**		verbale	[Finale t] adoption, désertion, édition. [Participe passé] admission, permission.
2. -ion, -ionne ⇒ **-on, -onne**				
-iot ou **-iotte** ⇒ **-ot** ou **-otte**				
-is ou **-isse**			nominale	Treillis.
			verbale	Bâtisse, fouillis, hachis, logis, ramassis, roulis, semis.
-isant, -isante	→ II		nominale	Une arabisante, un rhumatisant.
-ise			nominale	Expertise, maîtrise. Prêtrise.
			adjectivale	Bêtise, franchise, sottise, vantardise.
			verbale	Convoitise, hantise.
-isme	⇒ **-iste**		nominale	Défaitisme, impressionnisme, progressisme, racisme, snobisme. Organisme. Capitalisme. [Nom propre] bouddhisme, hitlérisme, marxisme.
			adjectivale	Parallélisme. [Base en **-ique**] illogisme, romantisme. Amoralisme, modernisme, socialisme. Américanisme, régionalisme. Urbanisme.
			verbale	Arrivisme, dirigisme, transformisme.
-issage ⇒ **-age**				
-isseau	⇒ **-eau** ou **-elle**		nominale	(Dimin.) arbrisseau.
-issement ⇒ **-ement**				
-issime	→ II		nominale	Le généralissime.
-issure ⇒ **-ure**				
-iste	→ II ⇒ **-isme**		nominale	Un bouquiniste, une chimiste, un dentiste, un latiniste, un pianiste. Une congressiste. Un défaitiste, un féministe, une progressiste. [Nom propre] un gaulliste, une maoïste.
			adjectivale	Un puriste, un spécialiste. Un socialiste.
			verbale	Un arriviste, un j'm'en foutiste, une transformiste.
-ite	→ II		nominale	Un annamite. Une israélite, un jésuite. Météorite. Appendicite, bronchite.

			(base)	
-ité	-éité	⇒ -té	adjectivale	*Continuité, mondanité, solidarité. Actualité, fiscalité, natalité. Ductilité, rétractilité.* [Base en **-able**; finale en **-abilité**] *impénétrabilité, maniabilité.* [Base en **-ible**; finale en **-ibilité**] *divisibilité, lisibilité, susceptibilité.* [Base en **-ique**; finale en **-icité**] *atomicité, authenticité, périodicité.* [Base en **-if, -ive**; finale en **-ivité**] *captivité, émotivité, nocivité, productivité, sportivité.* — *Étanchéité.*
-iteur, -itrice			verbale	*Une compositrice.*
-itude		⇒ -ude	nominale	*Négritude.*
			adjectivale	*Exactitude, platitude.*
-ment		⇒ -ement	verbale	[Parfois au p.p.] *agrément, assortiment, bâtiment, blanchiment, châtiment, sentiment.*
-o		→ II	nominale	[Base tronquée.] (Fam.) *dico, un mécano, un métallo, un prolo, une proprio.*
			adjectivale	[Fam.] *une dingo, un facho.*
-oche			nominale	*Épinoche, filoche, mailloche, pioche.* [Base tronquée.] (Fam. ou pop.) *cinoche, valoche.*
			verbale	(Fam. ou pop.) *pétoche, taloche.*
-oir ou -oire		→ II ⇒ -atoire	verbale	*Arrosoir, baignoire, bouilloire, laminoir. Mâchoire, nageoire. Boudoir, fumoir, patinoire.*
-ois, -oise		→ II ⇒ -ais, -aise	nom commun	*Un bourgeois. Minois.*
			nom propre	*Un Gaulois, une Suédoise.*
-ol, -ole	-iole -erole -erolle	→ I	nominale	*Campagnol.* [Nom propre] *un Cévenol, une Espagnole.* — (Dimin.) *artériole, bronchiole.* — *Casserole.* — *Moucherolle.* (Dimin.) *lignerolle.*
			adjectivale	*Rougeole.*
			verbale	*Bouterolle.*
-on, -onne	-ion, -ionne	→ II ⇒ 2. -eron ⇒ -eton ⇒ -illon ⇒ -ton	nominale	*Ballon, ceinturon, croûton, jupon, manchon, médaillon, poêlon.* (Dimin.) *aiglon, autruchon, chaton, glaçon, un marmiton.* (Partitif) *chaînon, échelon.* (Fam.) *un couillon.* [Avec **-ich-**] *un ratichon.* [Avec **-uch-**] *balluchon.* — *Croupion.*
			adjectivale	*Molleton.* [Dimin.] *une sauvageonne.*
			verbale	*Guidon, lorgnon, nichon, pilon, torchon. Hérisson. Brouillon, pinçon, plongeon.* (Péj.) *un avorton, une souillon.*
-orat ⇒ 1. -at				
-oresse ⇒ 2. -eur				
-ose			nominale	*Bacillose, tuberculose. Cellulose.*
			verbale	*Phagocytose.*
-ot ou -otte (ou -ote)	-iot ou -iotte	→ I	nominale	*Ballot, billot, cageot, cheminot, culot, culotte.* (Fam. ou dimin.) *bécot, Charlotte, cocotte, frérot, îlot, Pierrot.* — *Loupiot, pégriot.*
			adjectivale	*Un fiérot.*
			verbale	*Caillot. Bougeotte, jugeotte, tremblote. Bouillotte, chiottes, roulotte.*
			onomatopéique	*Fafiot.*
-ouse (ou -ouze)			nominale	(Fam. ou pop.) *bagouse, partouze, perlouze.*
1. -son		⇒ -aison	verbale	[P. p.] *garnison, guérison.* [1re pers. du prés.] *boisson, cuisson, nourrisson.*
2. -son			nominale	[Base tronquée.] (Fam. ou pop.) *pacson, tickson.*
-té		⇒ -auté ⇒ -ité	adjectivale	[Masculin] *beauté, chrétienté.* [Féminin] *ancienneté, grossièreté.* [Base en **-al, -ale**] *loyauté, royauté.*
-tion		⇒ -ation ⇒ 1. -ion	verbale	[P. p.] *parution.*

			(base)	
-ton ⇒ **-on**		⇒ **-on**	nominale	(Dimin. ou fam.) *un fiston, gueuleton, un mecton.*
-ture ⇒ **-ure**				
-u, -ue		→ II	nominale	*Un barbu, une têtue.*
-ude		⇒ **-itude**	adjectivale	*Décrépitude.*
-uchon ⇒ **-on, -onne**				
-ule	**-cule** **-icule**		nominale	(Dimin.) *lunule, plumule, ridule, veinule.* — (Dimin.) *animalcule.* — (Dimin.) *canalicule.*
-ure	**-ature** (**-issure**) (**-ture**)		nominale adjectivale verbale	*Carrure, chevelure, toiture, voilure.* — *Ossature.* *Droiture, froidure.* [Parfois p.p.] *allure, brûlure, dorure, gageure, rayure. Ouverture.* [Finale **-eture**] *fermeture.* — *Filature.* — *Fléchissure, moisissure.* — *Fourniture, garniture, pourriture.*

II. SUFFIXES D'ADJECTIFS.

-able		→ I, **-ité** (**-abilité**) ⇒ **-ible**	nominale verbale	*Charitable, effroyable, viable.* *Abordable, critiquable, habitable, périssable.* [Avec préfixe] *imbattable, imprenable, insoutenable, irréprochable.*
-acé, -acée			nominale	*Rosacé.*
-ain, -aine		→ I	nom commun nom propre	*Mondain, républicaine.* *Cubain, marocaine, tibétain.*
-aire		→ I, 2. **-aire**	nominale verbale	*Bancaire, planétaire, résiduaire, universitaire.* *Protestataire.*
-ais, -aise		→ I	nom propre	*Français, japonais, new-yorkaise.*
-al, -ale, -aux	**-ial, -iale, -iaux**		nominale	*Géniale, matinal, musicale, régional, théâtral.* — *Collégial, mondial, racial.* [Pluriel en **-als, -ales** : *causals, finals,* etc.].
-an, -ane		→ I	nom propre	*Bressan, mahométan, mosellane, persan.*
-ané, -anée			nominale	*Instantané.*
-ant, -ante		→ I, **-ance** ⇒ **-ent, -ente**	verbale	*Apaisante, brillant, charmant, irritante.*
-ard, -arde		→ I	nominale adjectivale verbale	*Campagnard, savoyarde.* (Péj.) *flemmarde, pantouflard, soixante-huitard.* *Bonard, faiblarde, vachard.* [Avec **-ouill-**] *rondouillard.* *Débrouillard.* (Péj.) *nasillard, vantard.*
-asse		→ I	adjectivale	(Péj.) *blondasse, bonasse, fadasse, mollasse.*
-at, -ate		⇒ I, 3. **-at, -ate**	nom propre	*Auvergnat, rouergate.*
-ateur, -atrice		→ I ⇒ **-eur, -euse**	verbale	*Congratulateur, éliminatrice, retardateur.*
-(a)teux, -(a)teuse		→ I	nominale	*Comateux, eczémateux, emphysémateuse.*
-atif, -ative		→ I ⇒ **-if, -ive**	nominale verbale	*Facultatif, qualitative.* *Décorative, imitatif, portatif.*
-atique		⇒ **-ique**	nominale	*Drolatique, prismatique.*
-atoire		→ I ⇒ **-oire**	verbale	*Dînatoire, préparatoire.*
-âtre		→ I	adjectivale	(Péj.) *douceâtre, folâtre, jaunâtre, rougeâtre.*

			(base)	
-aud, -aude		→ I	adjectivale	*Finaud.* (Péj.) *courtaud, lourdaude, rougeaud.*
-é, -ée		→ I, 1. -é	nominale	*Ailé, azurée, feuillé, zélée.*
-éen, -éenne	**-en, -enne**	→ I	nom commun	*Paludéenne. — Céruléen.*
			nom propre	*Européenne, herculéen, panaméen. — Vendéenne.*
-el, -elle	**-iel, -ielle**		nominale	*Accidentel, émotionnel, idéel, résiduelle, sensationnel. — Présidentielle, trimestriel.*
			adjectivale	*Continuel.*
-elé, -elée			nominale	*Côtelé, pommelée.*
-elet, -elette		→ I	adjectivale	*Aigrelet, maigrelet, rondelette.*
-en, -enne ⇒ **-éen, -éenne** ⇒ **-ien, -ienne**				
-ent, -ente		→ I, -ence ⇒ -ant, -ante	verbale	*Différent, excellente, précédent.* [Avec **-esc-**] *dégénérescent.*
			nominale	[Avec **-esc-**] *fluorescent, opalescente.*
-er, -ère ⇒ **-ier, -ière**				
-eron, -eronne		→ I, 1. -eron, -eronne	nom propre	*Beauceron, percheronne.*
-escent, -escente ⇒ **-ent, -ente**				
-escible ⇒ **-ible**				
-esque			nominale	*Charlatanesque, éléphantesque, jargonnesque.* [Nom propre] *moliéresque, rocambolesque.* (Péj.) *livresque.*
-et, -ette		→ I	adjectivale	(Dimin.) *clairet, gentillet, jeunette.* [Avec **-ouill-**] *grassouillet.*
-eté, -etée			nominale	*Moucheté, tachetée.*
-eur, -euse	**-eur, -eresse**	→ I, 2. -eur, -euse ⇒ -ateur, -atrice	verbale	*Crâneur, encreur, trompeuse. — Enchanteresse.*
-eux, -euse	**-ieux, -ieuse** **-ueux, -ueuse**	→ I, 1. -eux, -euse	nominale	*Aventureuse, paresseux, poissonneux. Ferreux. — Capricieuse. —* [D'après *somptueux*] *difficultueux, luxueux, majestueuse, talentueux.*
			verbale	*Boiteux, chatouilleuse. — Oublieux.*
-ial, -iale, -iaux ⇒ **-al, -ale, -aux**				
-ible		→ I, -ité (-ibilité) ⇒ -able	nominale	*Paisible, pénible.*
			verbale	*Convertible, lisible.* [Avec préfixe] *irrésistible.* [Avec **-esc-**] *fermentescible.*
-iche		→ I, 2. -iche	adjectivale	(Fam.) *fortiche.* [Changement de suffixe] *angliche.*
-ichon, -ichonne		→ I, -on (-ichon) ⇒ -on, -onne	adjectivale	*Folichon, maigrichonne.*
-iel, -ielle ⇒ **-el, -elle**				
-ième		→ I	nom de nombre	*Dixième, vingt-deuxième.*
-ien, -ienne	**-en, -enne**	→ I, 2. -ien, -ienne	nom commun	*Microbien.* [Base en **-ique**] *musicien.*
			nom propre	*Canadienne, cornélien, freudien, ivoirien, sartrien, wagnérien. — Italien, libyenne.*
-ier, -ière	**-er, -ère**	→ I	nominale	*Betteravier, dépensier, ordurier, policière, princier, rancunière. — Houiller, mensongère.*
			adjectivale	*Grossier. Droitière. — Étrangère. Gaucher.*
			verbale	*Tracassier.*

			(base)	
-ieux, -ieuse ⇒ -eux, -euse				
-if, -ive	-itif, -itive -tif, -tive	→ I ⇒ aussi I, -ité (-ivité) ⇒ -atif, -ative	nominale adjectivale verbale adverbiale	*Arbustif, fautive, sportif.* [Du radical] *allusive, dépressif, émotif, intuitif, volitif.* *Maladif.* *Combatif, inventif, pensif, poussif.* — *Prohibitif.* — *Dormitif, expéditif.* *Tardif.*
-in, -ine		→ I	nom commun nom propre	*Enfantin, ivoirin, porcin, sanguin, vipérine.* *Alpin, andine, girondin, levantine.*
-ingue			adjectivale	(Fam. et péj.) *lourdingue, sourdingue.*
-iot, -iotte ⇒ -ot, -otte				
-ique		→ aussi I, -ité (-icité) ⇒ -atique	nominale nom propre	*Alcoolique, anesthésique, atomique, lamaïque, volcanique. Ferrique, sulfurique.* *Bouddhique.*
-isant, -isante		→ I	nominale	*Arabisant, archaïsant, fascisante, rhumatisant.*
-issime		→ I	adjectivale	*Illustrissime, richissime.*
-iste		→ I	nom commun nom propre adjectivale verbale	*Alarmiste, fétichiste.* *Bouddhiste, darwiniste, maoïste.* *Fataliste, intimiste, royaliste.* *Arriviste, transformiste.*
-ite		→ I	nom propre	*Adamite, israélite, jésuite.*
-itif, -itive ⇒ -if, -ive				
-o		→ I	adjectivale	[Base tronquée.] (Fam.) *alcoolo, dingo, réglo.*
-oire		→ I ⇒ -atoire	nominale verbale	*Collusoire, excrétoire, sécrétoire.* *Exécutoire, méritoire.*
-ois, -oise		→ I	nom commun nom propre	*Bourgeoise, villageois.* *Chinois, niçoise, québécoise, suédois.*
-ol, -ole		→ I	nom propre	*Cévenol, espagnole.*
-on, -onne		→ I ⇒ -ichon, -ichonne	verbale	*Brouillonne, grognon.*
-ot, -otte	-iot, -iotte	→ I	adjectivale	*Chérot, pâlotte, petiot, vieillot.* — *Maigriot.*
-tif, -tive ⇒ -if, -ive				
-u, -ue		→ I	nominale	*Bossu, feuillu, moussue, poilue, ventru.*
-ueux, -ueuse ⇒ -eux, -euse				

III. SUFFIXES DE VERBES.

-ailler		⇒ -asser ⇒ -iller ⇒ -ouiller	verbale	(Dimin. ou péj.) *criailler, tirailler, traînailler.* (Fréquentatif) *discutailler.*
-asser		⇒ -ailler ⇒ -ouiller	verbale	(Péj. et fréquentatif) *rêvasser, traînasser.*
-ayer		⇒ -eyer ⇒ -oyer ⇒ aussi -er	nominale onomatopéique	*Bégayer.* *Zézayer.*
-cir		⇒ -ir	adjectivale	*Durcir, noircir.* [Avec préfixe] *éclaircir.*

			(base)	
-éiser ⇒ -iser				
-eler		⇒ aussi -er	nominale verbale	*Bosseler, pommeler.* *Craqueler.*
-er	-ier, avec base en -ce, -de, -ge -ayer, avec base en -ai, -aie -eler, avec base en -eau		nominale adjectivale	*Arbitrer. Clouer, goudronner, plumer. — Gracier, étudier, privilégier. — Balayer, pagayer. — Jumeler, niveler.* [Avec consonne de liaison] *abriter, coincer, faisander.* [Avec préfixe] *désherber, embarquer, embrasser, émerveiller.* *Bavarder, calmer, griser, innocenter.* [Avec préfixe] *affoler, déniaiser, ébouillanter, épurer.*
-eter			nominale verbale	(Dimin. et fréquentatif) *becqueter.* (Dimin. et fréquentatif) *voleter.*
-eyer		⇒ -ayer ⇒ -oyer	adjectivale	*Grasseyer.*
-fier	-ifier		nominale adjectivale	*Cocufier, momifier. — Codifier, personnifier, russifier.* *Raréfier. — Simplifier, solidifier.*
-ier ⇒ -er				
-iller		⇒ -ailler	nominale verbale	*Croustiller, gambiller, pétiller, pointiller.* (Dimin. et fréquentatif) *grappiller.* (Dimin. et fréquentatif) *fendiller, mordiller, pendiller, sautiller.*
-iner			nominale verbale	(Dimin. et fréquentatif) *tambouriner.* [Avec préfixe] *dégouliner.* (Dimin. et fréquentatif) *trottiner.*
-ir		⇒ -cir	nominale adjectivale	*Finir, fleurir.* [Avec préfixe] *anéantir, atterrir.* *Blanchir, bleuir, faiblir, grossir, verdir.* [Avec préfixe] *agrandir, élargir.*
-iser	-éiser		nominale adjectivale	*Alcooliser, alphabétiser, bémoliser, scandaliser.* [Avec préfixe] *démoraliser.* *Centraliser, égaliser, fertiliser, modaliser, moderniser, régionaliser, ridiculiser. — Homogénéiser.*
-ocher			verbale	(Fréquentatif et péj.) *bavocher, flânocher.*
-onner			verbale	(Fréquentatif et dimin.) *chantonner, griffonner, mâchonner.*
-oter	-otter		verbale onomatopéique	(Fréquentatif et dimin.) *clignoter, tapoter, trembloter, vivoter. — Frisotter, sifflotter.* *Chuchoter, papoter.*
-ouiller		⇒ -ailler ⇒ -asser	nominale verbale	(Fréquentatif) *patouiller.* (Fréquentatif) *gratouiller, mâchouiller.*
-oyer		⇒ -ayer ⇒ -eyer	nominale adjectivale	*Chatoyer, côtoyer, coudoyer, foudroyer.* *Rougeoyer, rudoyer, verdoyer.*

IV. SUFFIXES D'ADVERBES.

-ment			adjectif masculin	*Éperdument, goulûment, joliment, vraiment.*
			participe passé masculin	*Dûment, foutument, modérément, posément.*
			nominale ou interjective	*Bigrement, diablement, foutrement.*
			adverbiale	*Quasiment.*
	(-ement)		adjectif féminin	*Aucunement, doucement, follement, grandement, nettement, normalement, nouvellement.*
	(-ément)		adjectif féminin	*Commodément, communément, énormément, précisément.*

		(base)	
-amment		adjectif en -ant, -ante	*Galamment, indépendamment, puissamment.*
-emment		adjectif en -ent, -ente	*Ardemment, décemment, prudemment.* [Exceptions : *lentement, présentement, véhémentement.*]
-ons, avec la préposition à	-etons -on	verbale nominale	*À reculons, à tâtons.* *À croupetons. — À califourchon.*
-o	-os	adjectivale	[D'après *primo, secundo...*] (Fam.) *deuzio, directo, texto, rapido.* — [Finale en -os] (Fam.) *coolos, rapidos, tranquillos.*

CONJUGAISONS DES VERBES FRANÇAIS

avec leur prononciation

Élaborées par Françoise MOREL-TIPHINE
et, pour la phonétique, par Aliette LUCOT-BOUMENDIL
Mise en page assurée par Karol GOSKRZYNSKI

SOMMAIRE

DÉSINENCES DES TROIS GROUPES DE VERBES

		1er	2e	3e		1er	2e	3e	
		Indicatif présent				**Subjonctif présent**			
singulier	1re	e	is	s[1]	e	e	(isse)e	e	
	2e	es	is	s[1]	es	es	(iss)es	es	
	3e	e	it	t[3]	e	e	(iss)e	e	
pluriel	1re	ons[4]	(iss)ons	ons	ons[2]	ions	(iss)ions	ions	[8]
	2e	ez[5]	(iss)ez	ez	ez	iez	(iss)iez	iez	
	3e	ent	(iss)ent	ent[6]	ent	ent	(iss)ent	ent	
		Indicatif imparfait				**Subjonctif imparfait**			
singulier	1re	ais	(iss)ais	ais		asse	isse	isse[7]	usse[7]
	2e	ais	(iss)ais	ais		asses	isses	isses	usses
	3e	ait	(iss)ait	ait		ât	ît[9]	ît[9]	ût
pluriel	1re	ions	(iss)ions	ions		assions	issions	issions	ussions
	2e	iez	(iss)iez	iez		assiez	issiez	issiez	ussiez
	3e	aient	(iss)aient	aient		assent	issent	issent	ussent
		Indicatif passé simple				**Impératif présent**			
singulier	1re	ai	is	is[7]	us[7]				
	2e	as	is	is	us	e	is	s	e[10]
	3e	a	it	it	ut				
pluriel	1re	âmes	îmes	îmes	ûmes	ons	(iss)ons	ons	ons
	2e	âtes	îtes	îtes	ûtes	ez	(iss)ez	ez	ez
	3e	èrent	irent	irent	urent				
		Indicatif futur				**Conditionnel présent**			
singulier	1re	erai	irai	rai		erais	irais	rais	
	2e	eras	iras	ras		erais	irais	rais	
	3e	era	ira	ra		erait	irait	rait	
pluriel	1re	erons	irons	rons		erions	irions	rions	
	2e	erez	irez	rez		eriez	iriez	riez	
	3e	eront	iront	ront		eraient	iraient	raient	

		1er	2e	3e
Modes impersonnels	Infinitif présent	er[11]	ir	ir ; oir ; re
	Participe présent	ant	(iss)ant	ant
	Participe passé	é[12]	i	i(is, it) ; u[13] (us) ; t ; s

1. *Être* : voir Tableau.
   Mais *x*, variante orthographique, pour les verbes *Pouvoir*, *Valoir* et *Vouloir*.
2. Pour les verbes en -AILLIR, -FRIR et -VRIR, ainsi que pour *Cueillir*.
3. *d*, pour les verbes en -DRE (mais pas -INDRE ni -SOUDRE).
   Pas de désinence pour *Avoir*, *Aller*, *Vaincre*.
4. Mais *Être* fait : *nous sommes* [sɔm].
5. Mais *Être* fait : *vous êtes* [ɛt] ; *Dire* fait : *vous dites* [dit] ; et *Faire* donne : *vous faites* [fɛt].
6. Finale en -ont pour *Être*, *Avoir*, *Faire* et *Aller* : voir Tableaux.
7. Sauf pour *Venir* et *Tenir* : *je vins* [vɛ̃], *que je vinsse* [vɛ̃s], *je tins* [tɛ̃], *que je tinsse* [tɛ̃s].
8. *Avoir* et *Être* : voir Tableaux.
9. À cause du tréma, *Haïr* et *Ouïr* n'ont pas d'accent circonflexe.
10. Pour les verbes en -AILLIR, -FRIR et -VRIR, ainsi que pour *Cueillir* : *cueille* [kœj] ; pour *Avoir* : *aie* [ɛ] ; *Savoir* : *sache* [saʃ] ; *Vouloir* : *veuille* [vœj] ; *Être* : *sois* [swa]. Voir Tableaux.
11. Sauf *Fiche* (fam.) qui a supplanté *Ficher* (voir à l'article 1. Ficher).
12. Et pour *Naître* et *Aller*.
13. Avec accent circonflexe pour *dû* [dy], *redû* [ʀədy], *mû* [my], comme pour *crû* [kʀy] et *recrû* [ʀəkʀy], participes passés de *Croître* et *Recroître*.

VERBES DU PREMIER GROUPE

Indicatif en -E : *j'arrive.*
Infinitif en -ER : *arriver.*

ARRIVER verbe régulier (*un radical :* [aʀiv])

INDICATIF			
Présent		*Passé composé*	
j'arrive	[aʀiv]*	je suis arrivé	[sɥi(z)aʀive]**
tu arrives	[aʀiv]	tu es arrivé	[ɛ(z)aʀive]
il arrive	[aʀiv]	il est arrivé	[ɛ(t)aʀive]
nous arrivons	[aʀivɔ̃]	nous sommes arrivés	[sɔm(z)aʀive]
vous arrivez	[aʀive]	vous êtes arrivés	[ɛt(z)aʀive]
ils arrivent	[aʀiv]	ils sont arrivés	[sɔ̃(t)aʀive]
Imparfait		*Plus-que-parfait*	
j'arrivais	[aʀivɛ]	j'étais arrivé	[etɛ(z)aʀive]
tu arrivais	[aʀivɛ]	tu étais arrivé	[etɛ(z)aʀive]
il arrivait	[aʀivɛ]	il était arrivé	[etɛ(t)aʀive]
nous arrivions	[aʀivjɔ̃]	nous étions arrivés	[etjɔ̃(z)aʀive]
vous arriviez	[aʀivje]	vous étiez arrivés	[etje(z)aʀive]
ils arrivaient	[aʀivɛ]	ils étaient arrivés	[etɛ(t)aʀive]
Passé simple		*Passé antérieur*	
j'arrivai	[aʀive]	je fus arrivé	[fy(z)aʀive]
tu arrivas	[aʀiva]	tu fus arrivé	[fy(z)aʀive]
il arriva	[aʀiva]	il fut arrivé	[fy(t)aʀive]
nous arrivâmes	[aʀivam]	nous fûmes arrivés	[fym(z)aʀive]
vous arrivâtes	[aʀivat]	vous fûtes arrivés	[fyt(z)aʀive]
ils arrivèrent	[aʀivɛʀ]	ils furent arrivés	[fyʀ(t)aʀive]
Futur simple		*Futur antérieur*	
j'arriverai	[aʀivʀe]	je serai arrivé	[s(ə)ʀeaʀive]
tu arriveras	[aʀivʀa]	tu seras arrivé	[s(ə)ʀa(z)aʀive]
il arrivera	[aʀivʀa]	il sera arrivé	[s(ə)ʀaaʀive]
nous arriverons	[aʀivʀɔ̃]	nous serons arrivés	[s(ə)ʀɔ̃(z)aʀive]
vous arriverez	[aʀivʀe]	vous serez arrivés	[s(ə)ʀe(z)aʀive]
ils arriveront	[aʀivʀɔ̃]	ils seront arrivés	[s(ə)ʀɔ̃(t)aʀive]

INFINITIF			
Présent		*Passé*	
arriver	[aʀive]	être arrivé	[ɛtʀaʀive]

* Pour la prononciation des pronoms personnels, voir Remarque phonétique 5.
** Pour la liaison, voir Remarque phonétique 3.
*** Pour le *e* instable, voir Remarque phonétique 4.

REM. À l'impératif présent, la seconde personne du singulier n'a pas la désinence *s* : *tu arrives*, mais *arrive*. (Cette règle est suivie par un certain nombre de verbes du 3ᵉ groupe.) Toutefois, devant un des adverbes pronominaux *en* ou *y* (non suivis d'un infinitif), le *s* final réapparaît : *donnes-en*, mais *ose en dire du bien.*

Conjugaison vivante :

Ce groupe compte environ 4 000 verbes, c'est-à-dire les neuf dixièmes des verbes français.
C'est sur ce modèle que sont formés la plupart des verbes nouveaux.

CONDITIONNEL		SUBJONCTIF	
Présent		*Présent*	
j'arriverais	[aʀivʀɛ]	que j'arrive	[aʀiv]
tu arriverais	[aʀivʀɛ]	que tu arrives	[aʀiv]
il arriverait	[aʀivʀɛ]	qu'il arrive	[aʀiv]
nous arriverions	[aʀivəʀjɔ̃]***	que nous arrivions	[aʀivjɔ̃]
vous arriveriez	[aʀivəʀje]	que vous arriviez	[aʀivje]
ils arriveraient	[aʀivʀɛ]	qu'ils arrivent	[aʀiv]
Passé 1ʳᵉ forme		*Imparfait*	
je serais arrivé	[s(ə)ʀɛ(z)aʀive]***	que j'arrivasse	[aʀivas]
tu serais arrivé	[s(ə)ʀɛ(z)aʀive]	que tu arrivasses	[aʀivas]
il serait arrivé	[s(ə)ʀɛ(t)aʀive]	qu'il arrivât	[aʀiva]
nous serions arrivés	[səʀjɔ̃(z)aʀive]	que nous arrivassions	[aʀivasjɔ̃]
vous seriez arrivés	[səʀje(z)aʀive]	que vous arrivassiez	[aʀivasje]
ils seraient arrivés	[s(ə)ʀɛ(t)aʀive]	qu'ils arrivassent	[aʀivas]
Passé 2ᵉ forme		*Passé*	
je fusse arrivé	[fysaʀive]	que je sois arrivé	[swa(z)aʀive]
tu fusses arrivé	[fysaʀive]	que tu sois arrivé	[swa(z)aʀive]
il fût arrivé	[fy(t)aʀive]	qu'il soit arrivé	[swa(t)aʀive]
nous fussions arrivés	[fysjɔ̃(z)aʀive]	que nous soyons arrivés	[swajɔ̃(z)aʀive]
vous fussiez arrivés	[fysje(z)aʀive]	que vous soyez arrivés	[swaje(z)aʀive]
ils fussent arrivés	[fys(t)aʀive]	qu'ils soient arrivés	[swa(t)aʀive]
IMPÉRATIF		*Plus-que-parfait*	
Présent		que je fusse arrivé	[fysaʀive]
arrive	[aʀiv]	que tu fusses arrivé	[fysaʀive]
arrivons	[aʀivɔ̃]	qu'il fût arrivé	[fy(t)aʀive]
arrivez	[aʀive]	que nous fussions arrivés	[fysjɔ̃(z)aʀive]
Passé		que vous fussiez arrivés	[fysje(z)aʀive]
sois arrivé	[swa(z)aʀive]	qu'ils fussent arrivés	[fys(t)aʀive]
soyons arrivés	[swajɔ̃(z)aʀive]		
soyez arrivés	[swaje(z)aʀive]		
PARTICIPE			
Présent		*Passé*	
arrivant	[aʀivɑ̃]	⌈ arrivé	[aʀive]
		⌊ étant arrivé	[etɑ̃(t)aʀive]

XXXIV

SE MÉFIER verbe pronominal (*deux radicaux :* [mefi], [mefj])

INDICATIF			
Présent		*Passé composé*	
je me méfie	[mefi]*	je me suis méfié	[sɥimefje]
tu te méfies	[mefi]	tu t'es méfié	[ɛmefje]
il se méfie	[mefi]	il s'est méfié	[ɛmefje]
nous nous méfions	[mefjɔ̃]	nous nous sommes méfiés	[sɔmmefje]
vous vous méfiez	[mefje]	vous vous êtes méfiés	[ɛtmefje]
ils se méfient	[mefi]	ils se sont méfiés	[sɔ̃mefje]
Imparfait		*Plus-que-parfait*	
je me méfiais	[mefjɛ]	je m'étais méfié	[etɛmefje]
tu te méfiais	[mefjɛ]	tu t'étais méfié	[etɛmefje]
il se méfiait	[mefjɛ]	il s'était méfié	[etɛmefje]
nous nous méfiions	[mefijɔ̃]**	nous nous étions méfiés	[etjɔ̃mefje]
vous vous méfiiez	[mefije]	vous vous étiez méfiés	[etjemefje]
ils se méfiaient	[mefjɛ]	ils s'étaient méfiés	[etɛmefje]
Passé simple		*Passé antérieur*	
je me méfiai	[mefje]	je me fus méfié	[fymefje]
tu te méfias	[mefja]	tu te fus méfié	[fymefje]
il se méfia	[mefja]	il se fut méfié	[fymefje]
nous nous méfiâmes	[mefjam]	nous nous fûmes méfiés	[fymmefje]
vous vous méfiâtes	[mefjat]	vous vous fûtes méfiés	[fytmefje]
ils se méfièrent	[mefjɛʀ]	ils se furent méfiés	[fyʀmefje]
Futur simple		*Futur antérieur*	
je me méfierai	[mefiʀe]	je me serai méfié	[s(ə)ʀemefje]***
tu te méfieras	[mefiʀa]	tu te seras méfié	[s(ə)ʀamefje]
il se méfiera	[mefiʀa]	il se sera méfié	[s(ə)ʀamefje]
nous nous méfierons	[mefiʀɔ̃]	nous nous serons méfiés	[s(ə)ʀɔ̃mefje]
vous vous méfierez	[mefiʀe]	vous vous serez méfiés	[s(ə)ʀemefje]
ils se méfieront	[mefiʀɔ̃]	ils se seront méfiés	[s(ə)ʀɔ̃mefje]
INFINITIF			
Présent		*Passé*	
se méfier	[mefje]	s'être méfié	[ɛtʀəmefje]

*Pour la prononciation des pronoms personnels, voir Remarques phonétiques 4 et 5.
**Pour la semi-consonne [j], voir Remarque phonétique 6.
***Pour la prononciation du *e* instable, voir Remarque phonétique 4.

CONDITIONNEL		SUBJONCTIF	
Présent		*Présent*	
je me méfierais	[mefiʀɛ]	que je me méfie	[mefi]
tu te méfierais	[mefiʀɛ]	que tu te méfie	[mefi]
il se méfierait	[mefiʀɛ]	qu'il se méfie	[mefi]
nous nous méfierions	[mefiʀjɔ̃]	que nous nous méfiions**	[mefijɔ̃]
vous vous méfieriez	[mefiʀje]	que vous vous méfiiez	[mefije]
ils se méfieraient	[mefiʀɛ]	qu'ils se méfient	[mefi]
Passé 1re forme		*Imparfait*	
je me serais méfié	[s(ə)ʀɛmefje]***	que je me méfiasse	[mefjas]
tu te serais méfié	[s(ə)ʀɛmefje]	que tu te méfiasses	[mefjas]
il se serait méfié	[s(ə)ʀɛmefje]	qu'il se méfiât .	[mefja]
nous nous serions méfiés	[səʀjɔ̃mefje]***	que nous nous méfiassions	[mefjasjɔ̃]
vous vous seriez méfiés	[səʀjemefje]	que vous vous méfiassiez	[mefjasje]
ils se seraient méfiés	[s(ə)ʀɛmefje]	qu'ils se méfiassent	[mefjas]
Passé 2e forme		*Passé*	
je me fusse méfié	[fysmefje]	que je me sois méfié	[swamefje]
tu te fusses méfié	[fysmefje]	que tu te sois méfié	[swamefje]
il se fût méfié	[fymefje]	qu'il se soit méfié	[swamefje]
nous nous fussions méfiés	[fysjɔ̃mefje]	que nous nous soyons méfiés	[swajɔ̃mefje]
vous vous fussiez méfiés	[fysjemefje]	que vous vous soyez méfiés	[swajemefje]
ils se fussent méfiés	[fysmefje]	qu'ils se soient méfiés	[swamefje]
IMPÉRATIF		*Plus-que-parfait*	
Présent		que je me fusse méfié	[fysmefje]
méfie-toi	[mefitwa]	que tu te fusses méfié	[fysmefje]
méfions-nous	[mefjɔ̃nu]	qu'il se fût méfié	[fymefje]
méfiez-vous	[mefjevu]	que nous nous fussions méfiés	[fysjɔ̃mefje]
Passé		que vous vous fussiez méfiés	[fysjemefje]
(inusité)		qu'ils se fussent méfiés	[fysmefje]

PARTICIPE			
Présent		*Passé*	
se méfiant	[mefjɑ̃]	s'étant méfié	[etɑ̃mefje]

NEIGER verbe impersonnel (*un radical :* [nɛʒ]*)

		INDICATIF		
Présent			*Passé composé*	
il neige	[nɛʒ]		il a neigé	[aneʒe]
Imparfait			*Plus-que-parfait*	
il neigeait	[nɛʒɛ]		il avait neigé	[avɛneʒe]
Passé simple			*Passé antérieur*	
il neigea	[nɛʒa]		il eut neigé	[yneʒe]
Futur simple			*Futur antérieur*	
il neigera	[nɛʒʀa]		il aura neigé	[ɔʀaneʒe]
		INFINITIF		
Présent			*Passé*	
neiger	[neʒe]		avoir neigé	[avwaʀneʒe]

* Le [ɛ] se ferme souvent en [e] dans *neigé, neiger* [neʒe]. Voir Remarque phonétique 1. b.
** Les verbes impersonnels proprement dits n'ont ni impératif ni participe présent (ni gérondif), sauf quand ils sont employés au sens figuré. Leur participe passé est invariable.

VERBES EN -ER PRÉSENTANT DES IRRÉGULARITÉS D'ÉCRITURE OU DE PRONONCIATION DANS LE RADICAL

(Pour *Aller,* considéré comme verbe du 3ᵉ groupe, voir p. LXII.)

	Présent		*Imparfait*		*Futur**	
Verbes à un radical						
◆ **-CER** : *devant* a *et* o, *le* c *devient* ç *pour être prononcé comme à l'infinitif.*						
PLACER [plas]	je place nous plaçons	[plas] [plasɔ̃]	je plaçais nous placions	[plasɛ] [plasjɔ̃]	je placerai nous placerons	[plasʀe] [plasʀɔ̃]
◆ **-GER** : *devant* a *et* o, *le* g *est suivi d'un* e *pour être prononcé comme à l'infinitif.*						
BOUGER [buʒ]	je bouge nous bougeons	[buʒ] [buʒɔ̃]	je bougeais nous bougions	[buʒɛ] [buʒjɔ̃]	je bougerai nous bougerons	[buʒʀe] [buʒʀɔ̃]
Verbes à deux radicaux						
◆ **-ELER** *ou* **-ETER** : *devant syllabe muette, doublent* l *ou* t, *en règle générale (voir infra).*						
APPELER [apɛl], [ap(ə)l]	j'appelle nous appelons	[apɛl] [aplɔ̃]	j'appelais nous appelions	[aplɛ] [apəljɔ̃]	j'appellerai nous appellerons	[apɛlʀe] [apɛlʀɔ̃]
JETER [ʒɛt], [ʒ(ə)t]	je jette nous jetons	[ʒɛt] [ʒ(ə)tɔ̃]	je jetais nous jetions	[ʒ(ə)tɛ] [ʒ(ə)tjɔ̃]	je jetterai nous jetterons	[ʒɛtʀe] [ʒɛtʀɔ̃]
◆ **-E(-)ER*** *et quelques* **-ELER** *ou* **-ETER** : *devant syllabe muette, changent le* e *du radical en* è**.						
GELER [ʒɛl], [ʒ(ə)l]	je gèle nous gelons	[ʒɛl] [ʒ(ə)lɔ̃]	je gelais nous gelions	[ʒ(ə)lɛ] [ʒəljɔ̃]	je gèlerai nous gèlerons	[ʒɛlʀe] [ʒɛlʀɔ̃]
ACHETER [aʃɛt], [aʃ(ə)t]	j'achète nous achetons	[aʃɛt] [aʃtɔ̃]	j'achetais nous achetions	[aʃtɛ] [aʃ(ə)tjɔ̃]	j'achèterai nous achèterons	[aʃɛtʀe] [aʃɛtʀɔ̃]

CONDITIONNEL		SUBJONCTIF	
Présent		*Présent*	
il neigerait	[nɛʒʀɛ]	qu'il neige	[nɛʒ]
Passé 1ʳᵉ forme		*Imparfait*	
il aurait neigé	[ɔʀɛneʒe]	qu'il neigeât	[nɛʒa]
Passé 2ᵉ forme		*Passé*	
il eût neigé	[yneʒe]	qu'il ait neigé	[ɛneʒe]
IMPÉRATIF**		*Plus-que-parfait*	
(n'existe pas)		qu'il eût neigé	[yneʒe]
PARTICIPE			
*Présent***		*Passé*	
(n'existe pas)		neigé ayant neigé	[neʒe] [ɛjãneʒe]

Passé simple*		Participe passé		Subjonctif présent		
						*Pour la prononciation de la 1ʳᵉ personne du futur et du passé simple, voir Remarque 2.
je plaçai	[plase]	placé, ée	[plase]	que je place	[plas]	Voir Remarque 1. a. Pour les verbes en *-ecer, -écer,* voir aussi *Geler, Céder* pour l'accent.
nous plaçâmes	[plasam]	ayant placé		que nous placions	[plasjɔ̃]	
je bougeai	[buʒe]	bougé, ée	[buʒe]	que je bouge	[buʒ]	Voir Remarque 1. a. Pour les verbes en *-éger,* voir *Céder.* Les verbes en *-guer* n'ont pas de variation graphique (ex. : le participe présent *fatiguant* [fatigɑ̃]).
nous bougeâmes	[buʒam]	ayant bougé		que nous bougions	[buʒjɔ̃]	
j'appelai	[aple]	appelé, ée	[aple]	que j'appelle	[apɛl]	Pour le *e* instable, voir Remarque 4. c, f, g.
nous appelâmes	[aplam]	ayant appelé		que nous appelions	[apəljɔ̃]	
je jetai	[ʒ(ə)te]	jeté, ée	[ʒ(ə)te]	que je jette	[ʒɛt]	
nous jetâmes	[ʒ(ə)tam]	ayant jeté		que nous jetions	[ʒ(ə)tjɔ̃]	
je gelai	[ʒ(ə)le]	gelé, ée	[ʒ(ə)le]	que je gèle	[ʒɛl]	*Verbes en *-ecer, -emer, -ener, -eper, -erer, -eser, -ever, -evrer.* **Ex. : *je sème* [sɛm], *nous semons* [s(ə)mɔ̃]).
nous gelâmes	[ʒ(ə)lam]	ayant gelé		que nous gelions	[ʒəljɔ̃]	
j'achetai	[aʃte]	acheté, ée	[aʃte]	que j'achète	[aʃɛt]	
nous achetâmes	[aʃtam]	ayant acheté		que nous achetions	[aʃ(ə)tjɔ̃]	

	Présent		*Imparfait*		*Futur*	
◆ **-É(-)ER*** *ou* **-ÉGER**** : *devant syllabe muette finale (ce qui exclut futur et conditionnel), le é du radical devient è.*						
CÉDER	je cède	[sɛd]	je cédais	[sedɛ]	je céderai	[sedʀe]
[sɛd], [sed]	nous cédons	[sedɔ̃]	nous cédions	[sedjɔ̃]	nous céderons	[sedʀɔ̃]
◆ **-E(--)ER** : *devant syllabe muette, le e du radical s'entend* [ɛ].						
REGRETTER	je regrette	[ʀ(ə)gʀɛt]	je regrettais	[ʀ(ə)gʀɛtɛ]	je regretterai	[ʀ(ə)gʀɛtʀe]
[ʀ(ə)gʀɛt], [ʀ(ə)gʀet]	nous regrettons	[ʀ(ə)gʀe̬tɔ̃]	nous regrettions	[ʀ(ə)gʀɛtjɔ̃]	nous regretterons	[ʀ(ə)gʀɛtʀɔ̃]
◆ **-AI(-)ER** *ou* **-Ê(-)ER** : [ɛ] *devient* [e] *quand il y a un* [e] *dans la syllabe suivante*.*						
AIMER	j'aime	[ɛm]	j'aimais	[ɛmɛ]	j'aimerai	[ɛmʀe]
[ɛm], [em]	nous aimons	[ɛmɔ̃]	nous aimions	[ɛmjɔ̃]	nous aimerons	[ɛmʀɔ̃]
	vous aimez	[e̬me]				
RÊVER	je rêve	[ʀɛv]	je rêvais	[ʀɛvɛ]	je rêverai	[ʀɛvʀe]
[ʀɛv], [ʀev]	nous rêvons	[ʀɛvɔ̃]	nous rêvions	[ʀɛvjɔ̃]	nous rêverons	[ʀɛvʀɔ̃]
	vous rêvez	[ʀe̬ve]				
◆ **-UER*** *ou* **-OUER** : *devant voyelle prononcée (sauf -i- intervocallique), en général* u *se prononce* [ɥ] *et* ou [w].						
TUER	je tue	[ty]	je tuais	[tɥɛ]	je tuerai	[tyʀe]
[ty], [tɥ]	nous tuons	[tɥɔ̃]	nous tuions	[tyjɔ̃]	nous tuerons	[tyʀɔ̃]
JOUER	je joue	[ʒu]	je jouais	[ʒwɛ]	je jouerai	[ʒuʀe]
[ʒu], [ʒw]	nous jouons	[ʒwɔ̃]	nous jouions	[ʒujɔ̃]	nous jouerons	[ʒuʀɔ̃]
◆ **-IER** : *à la 1ʳᵉ et la 2ᵉ personne du pluriel de l'imparfait et du subjonctif présent, le* i *de la terminaison s'ajoute normalement au* i *du radical.*						
ÉPIER	j'épie	[epi]	j'épiais	[epjɛ]	j'épierai	[epiʀe]
[epi], [epj]	nous épions	[epjɔ̃]	nous épiions	[epijɔ̃]	nous épierons	[epiʀɔ̃]
PRIER	je prie	[pʀi]	je priais	[pʀijɛ]	je prierai	[pʀiʀe]
[pʀi], [pʀij]	nous prions	[pʀijɔ̃]	nous priions	[pʀijjɔ̃]	nous prierons	[pʀiʀɔ̃]
◆ **-OYER*** *et* **-UYER** : *devant* e *muet, le* y *du radical se change en* i.						
NOYER	je noie	[nwa]	je noyais	[nwajɛ]	je noierai	[nwaʀe]
[nwa], [nwaj]	nous noyons	[nwajɔ̃]	nous noyions	[nwajjɔ̃]	nous noierons	[nwaʀɔ̃]
◆ **-AYER** : *devant* e *muet, le* y *du radical subsiste ou se change en* i.						
PAYER	je ⌈ paye	[pɛj]	je payais	[pɛjɛ]	je ⌈ payerai	[pɛjʀe]
[pɛ], [pɛj]	⌊ paie	[pɛ]			⌊ paierai	[pɛʀe]
	nous payons	[pɛjɔ̃]	nous payions	[pɛjjɔ̃]	nous ⌈ payerons	[pɛjʀɔ̃]
					⌊ paierons	[pɛʀɔ̃]
	ils ⌈ payent	[pɛj]				
	⌊ paient	[pɛ]				
◆ **-EYER** : y *est conservé dans toute la conjugaison ; les terminaisons du verbe* Aimer *sont ajoutées au radical en* -ey-.						

Passé simple		Participe passé		Subjonctif présent		
je cédai	[sede]	⌈cédé, ée	[sede]	que je cède	[sɛd]	*Les verbes en *-éer* conservent *é* dans toute leur conjugaison : *je crée* [kʀe], *je créerai* [kʀeʀe].
nous cédâmes	[sedam]	⌊ayant cédé		que nous cédions	[sedjɔ̃]	**Devant *a* et *o*, le *g* est suivi d'un *e* pour conserver le son [ʒ] ; ex. : *nous assiégeons* [asjeʒɔ̃].
je regrettai	[ʀ(ə)gʀete]	⌈regretté, ée	[ʀ(ə)gʀete]	que je regrette	[ʀ(ə)gʀɛt]	Voir Remarques 4. c et 1. b.
nous regrettâmes	[ʀ(ə)gʀetam]	⌊ayant regretté		que nous regrettions	[ʀ(ə)gʀetjɔ̃]	
j'aimai	[eme]	⌈aimé, ée	[eme]	que j'aime	[ɛm]	
nous aimâmes	[ɛmam]	⌊ayant aimé		que nous aimions	[ɛmjɔ̃]	*Voir Remarque 1. b.
je rêvai	[ʀeve]	⌈rêvé, ée	[ʀeve]	que je rêve	[ʀɛv]	
nous rêvâmes	[ʀevam]	⌊ayant rêvé		que nous rêvions	[ʀɛvjɔ̃]	
je tuai	[tɥe]	⌈tué, ée	[tɥe]	que je tue	[ty]	*Pour *Arguer*, voir à l'article.
nous tuâmes	[tɥam]	⌊ayant tué		que nous tuions	[tyjɔ̃]	Voir Remarque 6. a, b, c, pour les semi-consonnes.
je jouai	[ʒwe]	⌈joué, ée	[ʒwe]	que je joue	[ʒu]	
nous jouâmes	[ʒwam]	⌊ayant joué		que nous jouions	[ʒujɔ̃]	Voir *Se méfier* (Tableau, p. xxxiv).
j'épiai	[epje]	⌈épié, ée	[epje]	que j'épie	[epi]	Voir Remarque 6. a, b, c, pour les semi-consonnes.
nous épiâmes	[epjam]	⌊ayant épié		que nous épiions	[epijɔ̃]	
je priai	[pʀije]	⌈prié, ée	[pʀije]	que je prie	[pʀi]	Voir Remarque 6. d et e.
nous priâmes	[pʀijam]	⌊ayant prié		que nous priions	[pʀijjɔ̃]	
je noyai	[nwaje]	⌈noyé, ée	[nwaje]	que je noie	[nwa]	*Envoyer* et *Renvoyer* sont irréguliers au futur et au conditionnel ; ex. : *j'enverrai* [ɑ̃vɛʀe], *nous enverrons* [ɑ̃vɛʀɔ̃].
nous noyâmes	[nwajam]	⌊ayant noyé		que nous noyions	[nwajjɔ̃]	Voir Remarque 6. e.
je payai	[pɛje]	⌈payé, ée	[pɛje]	que je ⌈paye	[pɛj]	Voir Remarque 6. e.
		⌊ayant payé		⌊paie	[pɛ]	On prononce souvent *paierai* [peʀe] et *payer, payé, payez* [peje]. Voir Remarque 1. b.
nous payâmes	[pɛjam]			que nous payions	[pɛjjɔ̃]	
				qu'ils ⌈payent	[pɛj]	
				⌊paient	[pɛ]	

VERBES DU DEUXIÈME GROUPE

Indicatif en -IS : *je finis.*
Infinitif en -IR : *finir.*
Participe présent en -ISSANT : *finissant.*

FINIR verbe régulier (*un radical :* [fini])

INDICATIF			
Présent		*Passé composé*	
je finis	[fini]	j'ai fini	[efini]
tu finis	[fini]	tu as fini	[afini]
il finit	[fini]	il a fini	[afini]
nous finissons	[finisɔ̃]	nous avons fini	[avɔ̃fini]
vous finissez	[finise]	vous avez fini	[avefini]
ils finissent	[finis]	ils ont fini	[ɔ̃fini]
Imparfait		*Plus-que-parfait*	
je finissais	[finisɛ]	j'avais fini	[avɛfini]
tu finissais	[finisɛ]	tu avais fini	[avɛfini]
il finissait	[finisɛ]	il avait fini	[avɛfini]
nous finissions	[finisjɔ̃]	nous avions fini	[avjɔ̃fini]
vous finissiez	[finisje]	vous aviez fini	[avjefini]
ils finissaient	[finisɛ]	ils avaient fini	[avɛfini]
Passé simple		*Passé antérieur*	
je finis	[fini]	j'eus fini	[yfini]
tu finis	[fini]	tu eus fini	[yfini]
il finit	[fini]	il eut fini	[yfini]
nous finîmes	[finim]	nous eûmes fini	[ymfini]
vous finîtes	[finit]	vous eûtes fini	[ytfini]
ils finirent	[finiʀ]	ils eurent fini	[yʀfini]
Futur simple		*Futur antérieur*	
je finirai	[finiʀe]	j'aurai fini	[ɔʀefini]
tu finiras	[finiʀa]	tu auras fini	[ɔʀafini]
il finira	[finiʀa]	il aura fini	[ɔʀafini]
nous finirons	[finiʀɔ̃]	nous aurons fini	[ɔʀɔ̃fini]
vous finirez	[finiʀe]	vous aurez fini	[ɔʀefini]
ils finiront	[finiʀɔ̃]	ils auront fini	[ɔʀɔ̃fini]

INFINITIF			
Présent		*Passé*	
finir	[finiʀ]	avoir fini	[avwaʀfini]

Conjugaison vivante :

Ce groupe, caractérisé par l'insertion de l'infixe *-iss-* à certains temps et modes, compte environ 300 verbes, nombre qui s'accroît de quelques formations récentes (ex. : *alunir*).

CONDITIONNEL		SUBJONCTIF	
Présent		*Présent*	
je finirais	[finiʀɛ]	que je finisse	[finis]
tu finirais	[finiʀɛ]	que tu finisses	[finis]
il finirait	[finiʀɛ]	qu'il finisse	[finis]
nous finirions	[finiʀjɔ̃]	que nous finissions	[finisjɔ̃]
vous finiriez	[finiʀje]	que vous finissiez	[finisje]
ils finiraient	[finiʀɛ]	qu'ils finissent	[finis]
Passé 1re forme		*Imparfait*	
j'aurais fini	[ɔʀɛfini]	que je finisse	[finis]
tu aurais fini	[ɔʀɛfini]	que tu finisses	[finis]
il aurait fini	[ɔʀɛfini]	qu'il finît	[fini]
nous aurions fini	[ɔʀjɔ̃fini]	que nous finissions	[finisjɔ̃]
vous auriez fini	[ɔʀjefini]	que vous finissiez	[finisje]
ils auraient fini	[ɔʀɛfini]	qu'ils finissent	[finis]
Passé 2e forme		*Passé*	
j'eusse fini	[ysfini]	que j'aie fini	[ɛfini]
tu eusses fini	[ysfini]	que tu aies fini	[ɛfini]
il eût fini	[yfini]	qu'il ait fini	[ɛfini]
nous eussions fini	[ysjɔ̃fini]	que nous ayons fini	[ɛjɔ̃fini]
vous eussiez fini	[ysjefini]	que vous ayez fini	[ejefini]
ils eussent fini	[ysfini]	qu'ils aient fini	[ɛfini]
IMPÉRATIF		*Plus-que-parfait*	
Présent			
finis	[fini]	que j'eusse fini	[ysfini]
finissons	[finisɔ̃]	que tu eusses fini	[ysfini]
finissez	[finise]	qu'il eût fini	[yfini]
		que nous eussions fini	[ysjɔ̃fini]
Passé		que vous eussiez fini	[ysjefini]
aie fini	[ɛfini]	qu'ils eussent fini	[ysfini]
ayons fini	[ɛjɔ̃fini]		
ayez fini	[ejefini]		
PARTICIPE			
Présent		*Passé*	
finissant	[finisɑ̃]	fini	[fini]
		ayant fini	[ɛjɑ̃fini]

VERBES EN -IR/-ISSANT PRÉSENTANT DES IRRÉGULARITÉS D'ÉCRITURE OU UNE ALTERNANCE DE RADICAL

	Présent		Imparfait		Futur	
HAÏR (deux radicaux : ['ɛ], ['ai])	je hais	['ɛ]	je haïssais	['aisɛ]	je haïrai	['aiRe]
	nous haïssons	['aisɔ̃]	nous haïssions	['aisjɔ̃]	nous haïrons	['aiRɔ̃]

FAILLIR : très défectif (voir à l'article), se conjugue sur **Finir** quand il signifie «faire faillite», mais au sens de «manquer», il appartient (comme **DÉFAILLIR**) au 3ᵉ groupe : voir 3. Assaillir.

BÉNIR et **FLEURIR** (fleur- ou flor-) : voir aux articles.

VERBES DU TROISIÈME GROUPE

1. Infinitif en -IR, participe en -ANT (voir infra).

2. Infinitif en -OIR (voir p. XLVI).

3. Infinitif en -RE (voir p. LII).

4. Verbe Aller (voir p. LXII).

- Passé simple en -is ou en -us (sauf Venir et Tenir).
- Participe passé en -i ou en -u, pour un grand nombre des verbes.
- Souvent alternance vocalique du radical opposant les premières et deuxièmes personnes du pluriel aux autres personnes, au présent de l'indicatif, de l'impératif, du subjonctif.
- Disparition de la désinence s, à l'impératif présent des verbes en -aillir, -vrir ou -frir, et du verbe Cueillir.

1. VERBES EN -IR/-ANT

(Cf. ci-contre le classement par syllabe finale des verbes présentés.)

	Présent		Imparfait		Futur	
Verbes à un radical						
1. COURIR* : prend deux r au futur, et au conditionnel présent.						
[kuR]	je cours	[kuR]	je courais	[kuRɛ]	je courrai	[kuRRe]
	il court	[kuR]				
	nous courons	[kuRɔ̃]	nous courions	[kuRjɔ̃]	nous courrons	[kuRRɔ̃]
	ils courent	[kuR]				
2. CUEILLIR : présente certaines terminaisons analogues à celles du 1ᵉʳ groupe, en particulier au futur et au conditionnel.						
[kœj]	je cueille	[kœj]	je cueillais	[kœjɛ]	je cueillerai	[kœjRe]
	il cueille	[kœj]				
	nous cueillons	[kœjɔ̃]	nous cueillions	[kœjjɔ̃]	nous cueillerons	[kœjRɔ̃]
	ils cueillent	[kœj]				
◆ **-AILLIR** : certaines terminaisons analogues à celles du 1ᵉʳ groupe, mais pas au futur ni au conditionnel.						
3. ASSAILLIR	j'assaille	[asaj]	j'assaillais	[asajɛ]	j'assaillirai	[asajiRe]
[asaj]	il assaille	[asaj]				
	nous assaillons	[asajɔ̃]	nous assaillions	[asajjɔ̃]	nous assaillirons	[asajiRɔ̃]
	ils assaillent	[asaj]				
Verbes à deux radicaux						
◆ **-MIR, -VIR, -TIR*** et **BOUILLIR** : perdent au singulier du présent de l'indicatif (et à la 2ᵉ personne du singulier de l'impératif) la consonne finale du radical, ou -ill- pour Bouillir.						
4. SERVIR*	je sers	[sɛR]	je servais	[sɛRvɛ]	je servirai	[sɛRviRe]
[sɛR], [sɛRv]	il sert	[sɛR]				
	nous servons	[sɛRvɔ̃]	nous servions	[sɛRvjɔ̃]	nous servirons	[sɛRviRɔ̃]
	ils servent	[sɛRv]				

Passé simple	Participe passé	Subjonctif présent	
je haïs ['ai] nous haïmes ['aim]	haï, ïe ['ai] ayant haï	que je haïsse ['ais] que nous haïssions ['aisjɔ̃]	*Haïr* est le seul verbe de ce groupe avec tréma sur la syllabe finale. Le tréma disparaît aux trois personnes du singulier de l'indicatif présent (et à la 2ᵉ personne du singulier de l'impératif); mais il supplante l'accent circonflexe à la 3ᵉ personne du singulier du passé simple et du subjonctif imparfait.

Conjugaison morte :

Ce groupe comprend environ 30 verbes en *-ir*, 30 verbes en *-oir* et une centaine de verbes en *-re*. Ne présentant pas un système régulier de formes et de désinences, mais se maintenant parce qu'elle regroupe des verbes dont l'usage dans la langue est fréquent, cette conjugaison ne s'enrichit plus et tendrait même à disparaître au profit de la première conjugaison.

-MIR	Dormir 4. REM.	-TIR ⎡ Partir 6. ⎣ Vêtir 7.	-ENIR Venir 14.	-(AI)LLIR ⎡ Assaillir 3. ⎢ Cueillir 2. ⎣ Bouillir 5.
-RIR	⎡ Courir 1. ⎢ Mourir 11. ⎣ Férir 10.	-UIR ⎡ Fuir 9. ⎣ Ouïr 12.	-ÉRIR Acquérir 13.	
-SIR	⎡ Gésir 12. ⎣ Issir 10.	-VIR Servir 4.	-VRIR ou -FRIR ⎡ Couvrir 8. ⎣ Offrir 8. REM.	

Passé simple	Participe passé	Subjonctif présent	
je courus [kuRy] nous courûmes [kuRym]	couru, ue [kuRy] ayant couru	que je coure [kuR] que nous courions [kuRjɔ̃]	*Courir et ses composés se conjuguent exclusivement avec *Avoir. Seul *Accourir* recourt soit à *Avoir*, soit à *Être*. Voir Remarque à 11. *Mourir*.
je cueillis [kœji] nous cueillîmes [kœjim]	cueilli, ie [kœji] ayant cueilli	que je cueille [kœj] que nous cueillions [kœjjɔ̃]	Pour *Cueillir*, voir Remarque 6. e. À l'impératif également, *Cueillir* suit le 1ᵉʳ groupe, et n'a pas à la 2ᵉ personne du singulier le *s* de désinence : *cueille* [kœj].
j'assaillis [asaji] nous assaillîmes [asajim]	assailli, ie [asaji] ayant assailli	que j'assaille [asaj] que nous assaillions [asajjɔ̃]	Pour *Assaillir*, voir Remarque 6. e. *Saillir* «faire saillie» a pour futur *saillera* [sajRa]; *Saillir* «jaillir» : voir *Finir*. Pour *Faillir*, voir p. XLII (verbes en -IR/-ISSANT). À l'impératif présent, la 2ᵉ personne du singulier est *assaille* [asaj].
			*Sauf 7. *Vêtir* (voir *infra*).
je servis [sɛRvi] nous servîmes [sɛRvim]	servi, ie [sɛRvi] ayant servi	que je serve [sɛRv] que nous servions [sɛRvjɔ̃]	Et *Dormir : je dors* [dɔR], *il dort* [dɔR]; *nous dormons* [dɔRmɔ̃], *ils dorment* [dɔRm]. *Asservir se conjugue sur *Finir.

	Présent		*Imparfait*		*Futur*	
5. BOUILLIR [bu], [buj]	je bous il bout nous bouillons ils bouillent	[bu] [bu] [bujɔ̃] [buj]	je bouillais nous bouillions	[bujɛ] [bujjɔ̃]	je bouillirai* nous bouillirons	[bujiʀe] [bujiʀɔ̃]
6. PARTIR [paʀ], [paʀt]	je pars il part nous partons ils partent	[paʀ] [paʀ] [paʀtɔ̃] [paʀt]	je partais nous partions	[paʀtɛ] [paʀtjɔ̃]	je partirai nous partirons	[paʀtiʀe] [paʀtiʀɔ̃]

7. VÊTIR : *garde aux deux premières personnes du singulier du présent de l'indicatif (et à la 2ᵉ personne du singulier de l'impératif) la consonne finale du radical (contrairement aux autres verbes en -tir : voir supra).*

| [vɛ], [vɛt]
(souvent [vet], dans *vêtez* [vete],
vêtir [vetiʀ], *vêtu* [vety] ; voir
Remarque 1. b.) | je vêts
il vêt
nous vêtons
ils vêtent | [vɛ]
[vɛ]
[vɛtɔ̃]
[vɛt] | je vêtais

nous vêtions | [vɛtɛ]

[vɛtjɔ̃] | je vêtirai

nous vêtirons | [vɛtiʀe]

[vɛtiʀɔ̃] |

◆ **-VRIR** *ou* **-FRIR** : *participe passé en -ert, te ; certaines terminaisons* analogues à celles du 1ᵉʳ groupe, mais pas au futur ni au conditionnel.*

| **8. COUVRIR**
[kuvʀ], [kuvɛʀ] | je couvre
il couvre
nous couvrons
ils couvrent | [kuvʀ]
[kuvʀ]
[kuvʀɔ̃]
[kuvʀ] | je couvrais

nous couvrions | [kuvʀɛ]

[kuvʀijɔ̃] | je couvrirai

nous couvrirons | [kuvʀiʀe]

[kuvʀiʀɔ̃] |

9. FUIR : *tient à la fois des verbes comme* Finir *et des verbes en* -uyer *(le i du radical se change en y devant une voyelle sonore).*

| [fɥi], [fɥij] | je fuis
il fuit
nous fuyons
ils fuient | [fɥi]
[fɥi]
[fɥijɔ̃]
[fɥi] | je fuyais

nous fuyions | [fɥijɛ]

[fɥijjɔ̃] | je fuirai

nous fuirons | [fɥiʀe]

[fɥiʀɔ̃] |

10. ISSIR *et* **FÉRIR** : *voir aux articles.*

> *Verbes à trois radicaux*

11. MOURIR : *redoublement du r au futur et au conditionnel présent ; alternance vocalique du radical suivant qu'il est accentué ou atone.*

| [mœʀ], [muʀ], [mɔʀ] | je meurs
il meurt
nous mourons
ils meurent | [mœʀ]
[mœʀ]
[muʀɔ̃]
[mœʀ] | je mourais

nous mourions | [muʀɛ]

[muʀjɔ̃] | je mourrai

nous mourrons | [muʀʀe]

[muʀʀɔ̃] |

12. OUÏR *et* **GÉSIR** : *voir aux articles.*

> *Verbes à quatre radicaux*

◆ **-ÉRIR** : *le radical varie suivant qu'il est accentué ou atone ; le é fermé de l'avant-dernière syllabe devient è ouvert devant une syllabe muette ; redoublement du r au futur (et au conditionnel).*

| **13. ACQUÉRIR**
[akjɛʀ], [akeʀ],
[akɛʀ], [ak] | j'acquiers
il acquiert
nous acquérons
ils acquièrent | [akjɛʀ]
[akjɛʀ]
[akeʀɔ̃]
[akjɛʀ] | j'acquérais

nous acquérions | [akeʀɛ]

[akeʀjɔ̃] | j'acquerrai

nous acquerrons | [akɛʀʀe]

[akɛʀʀɔ̃] |

> *Verbes à cinq radicaux*

◆ **-ENIR** : *alternance vocalique du radical.*

| **14. VENIR**
[vjɛ̃], [vjɛn],
[v(ə)n], [vjɛ̃d], [vɛ̃] | je viens
il vient
nous venons
ils viennent | [vjɛ̃]
[vjɛ̃]
[v(ə)nɔ̃]
[vjɛn] | je venais

nous venions | [v(ə)nɛ]

[v(ə)njɔ̃] | je viendrai

nous viendrons | [vjɛ̃dʀe]

[vjɛ̃dʀɔ̃] |

Passé simple		Participe passé		Subjonctif présent		
je bouillis	[buji]	⌈bouilli, ie ⌊ayant bouilli	[buji]	que je bouille	[buj]	***Au futur et au conditionnel présent,** *je bourai* [buʀe] et *je bourais* [buʀɛ] tendent à remplacer les formes du tableau.
nous bouillîmes	[bujim]			que nous bouillons	[bujjɔ̃]	
je partis	[paʀti]	⌈parti, ie ⌊étant* parti	[paʀti]	que je parte	[paʀt]	*Répartir* et *Impartir*, *Asservir*, *Ressortir* (langue juridique) et *Assortir* : voir *Finir*.
nous partîmes	[paʀtim]			que nous partions	[paʀtjɔ̃]	*Pour *Partir* et *Sortir*, voir Tableau des auxiliaires (p. LXIV).
						Et *Revêtir*, *Dévêtir*. Participe passé en -*u*.
je vêtis	[vɛti]	⌈vêtu, ue ⌊ayant vêtu	[vɛty]	que je vête	[vɛt]	REM. Concurrence, à l'indicatif présent, à l'imparfait et au participe présent, de formes conjuguées sur *Finir* : *il vêtit* [vɛti], *il vêtissait* [vɛtisɛ], *vêtissant* [vɛtisɑ̃]...
nous vêtîmes	[vɛtim]			que nous vêtions	[vɛtjɔ̃]	
						*Au présent de l'indicatif, de l'impératif (voir *infra*) et au subjonctif.
je couvris	[kuvʀi]	⌈couvert, erte ⌊ayant couvert	[kuvɛʀ, ɛʀt]	que je couvre	[kuvʀ]	Et *Ouvrir* (ainsi que leurs composés), *Offrir*, *Souffrir*.
nous couvrîmes	[kuvʀim]			que nous couvrions	[kuvʀijɔ̃]	Impératif présent : *couvre* [kuvʀ], *ouvre* [uvʀ], *offre* [ɔfʀ], *souffre* [sufʀ].
						Et *S'enfuir*.
je fuis	[fɥi]	⌈fui, ie ⌊ayant fui	[fɥi]	que je fuie	[fɥi]	Voir Remarque 6. e, pour les semi-consonnes.
que nous fuîmes	[fɥim]			que nous fuyions	[fɥijjɔ̃]	
						Emploi de l'auxiliaire *Être*.
je mourus	[muʀy]	⌈mort, morte ⌊étant mort	[mɔʀ, mɔʀt]	que je meure	[mœʀ]	Attention au futur : on prononce *nous mourrons* [muʀʀɔ̃], *nous courrons* [kuʀʀɔ̃], mais *nous pourrons* [puʀɔ̃].
nous mourûmes	[muʀym]			que nous mourions	[muʀjɔ̃]	
j'acquis	[aki]	⌈acquis, ise ⌊ayant acquis	[aki, iz]	que j'acquière	[akjɛʀ]	
nous acquîmes	[akim]			que nous acquérions	[akeʀjɔ̃]	*Quérir* n'est usité qu'à l'infinitif.
je vins	[vɛ̃]	⌈venu, ue ⌊étant venu	[v(ə)ny]	que je vienne	[vjɛn]	Ainsi que *Tenir* et ses composés. *Venir* et ses composés prennent l'auxiliaire *Être*, sauf *Circonvenir*, *Prévenir*, *Subvenir*.
nous vînmes	[vɛ̃m]			que nous venions	[v(ə)njɔ̃]	Pour *e* instable, voir Remarque 4.

2. VERBES EN -OIR

(Cf. ci-contre le classement par syllabe finale des verbes présentés.)

	Présent		Imparfait		Futur	

Verbes à trois radicaux

1. PLEUVOIR *(impersonnel)* : *perd le* v, *consonne finale du radical, au singulier de l'indicatif présent.*

| [plφ], [plœv], [pl] | il pleut | [plφ] | il pleuvait | [plœvɛ] | il pleuvra | [plœvʀa] |

◆ **COMPOSÉS DE VOIR** *(cf. infra) offrant des particularités au futur et au conditionnel présent, voire au passé simple (et au subjonctif imparfait).*

	je prévois	[pʀevwa]	je prévoyais	[pʀevwajɛ]	je prévoirai	[pʀevwaʀe]
2. PRÉVOIR	il prévoit	[pʀevwa]				
[pʀevwa], [pʀevwaj],	nous prévoyons	[pʀevwajɔ̃]	nous prévoyions	[pʀevwajjɔ̃]	nous prévoirons	[pʀevwaʀɔ̃]
[pʀev]	ils prévoient	[pʀevwa]				

	je pourvois	[puʀvwa]	je pourvoyais	[puʀvwajɛ]	je pourvoirai	[puʀvwaʀe]
3. POURVOIR	il pourvoit	[puʀvwa]				
[puʀvwa], [puʀvwaj],	nous pourvoyons	[puʀvwajɔ̃]	nous pourvoyions	[puʀvwajjɔ̃]	nous pourvoirons	[puʀvwaʀɔ̃]
[puʀv]	ils pourvoient	[puʀvwa]				

4. ASSEOIR : *offre à certains temps deux formes de conjugaison correctes ; les formes en* ie *et* ey *paraissent plus distinguées que celles en* oi.

[aswa], [aswaj],	j'assois	[aswa]	j'assoyais	[aswajɛ]	j'assoirai	[aswaʀe]
[as]	il assoit	[aswa]				
ou	nous assoyons	[aswajɔ̃]	nous assoyions	[aswajjɔ̃]	nous assoirons	[aswaʀɔ̃]
[asje], [asɛj], [as]	ils assoient	[aswa]				
	ou		*ou*		*ou*	
	j'assieds	[asje]	j'asseyais	[asɛjɛ]	j'assiérai	[asjeʀe]
	il assied	[asje]				
	nous asseyons	[asɛjɔ̃]	nous asseyions	[asɛjjɔ̃]	nous assiérons	[asjeʀɔ̃]
	ils asseyent	[asɛj]				
					ou	
					j'asseyerai	[asɛjʀe]
					nous asseyerons	[asɛjʀɔ̃]

Verbes à quatre radicaux

5. MOUVOIR : *alternance vocalique du radical ; chute du* v, *consonne finale du radical, au singulier de l'indicatif présent (et de l'impératif) ; accent circonflexe au participe passé masculin singulier.*

[mφ], [mœv],	je meus	[mφ]	je mouvais	[muvɛ]	je mouvrai	[muvʀe]
[muv], [m]	il meut	[mφ]				
	nous mouvons	[muvɔ̃]	nous mouvions	[muvjɔ̃]	nous mouvrons	[muvʀɔ̃]
	ils meuvent	[mœv]				

◆ **-(C)EVOIR** : *alternance vocalique du radical ; chute du* v, *consonne finale du radical, au singulier de l'indicatif présent (et de l'impératif) ; devant* a *et* u, *le* c *devient* ç.

	je reçois	[ʀ(ə)swa]	je recevais	[ʀ(ə)s(ə)vɛ]	je recevrai	[ʀ(ə)s(ə)vʀe]
6. RECEVOIR	il reçoit	[ʀ(ə)swa]				
[ʀ(ə)swa],	nous recevons	[ʀ(ə)s(ə)vɔ̃]	nous recevions	[ʀ(ə)s(ə)vjɔ̃]	nous recevrons	[ʀ(ə)s(ə)vʀɔ̃]
[ʀ(ə)swav],	ils reçoivent	[ʀ(ə)swav]				
[ʀ(ə)s(ə)v], [ʀ(ə)s]						

7. VALOIR : *le* l *final du radical se vocalise en* u *devant la désinence* s : je vals → je vaus ; us, *d'abord noté* x (je vax) *est rétabli en* ux (je vaux), *et le nouveau radical* vau- *est gardé à la 3ᵉ personne du singulier :* il vaut.

[vo], [val],	je vaux*	[vo]	je valais	[valɛ]	je vaudrai	[vodʀe]
[vod], [vaj]	il vaut	[vo]				
	nous valons	[valɔ̃]	nous valions	[valjɔ̃]	nous vaudrons	[vodʀɔ̃]
	ils valent	[val]				

| -VOIR | Voir 9.
Prévoir 2.
Pourvoir 3.
Avoir 13.
Savoir 11.
Pouvoir 12.
Mouvoir 5.
Pleuvoir 1. | -(C)EVOIR | Recevoir 6.
Devoir 6. REM. | -SEOIR | Asseoir 4.
Surseoir
Seoir 4. REM.
Messeoir |
| | | -LOIR | Falloir 8.
Valoir 7.
Vouloir 10. | et | Choir
Échoir 3. REM.
Déchoir |

Passé simple		*Participe passé*		*Subjonctif présent*		
il plut	[ply]	plu* (invariable) [ply] ayant plu		qu'il pleuve	[plœv]	Ce verbe peut s'employer au pluriel, mais au sens figuré. *Le participe passé des verbes impersonnels est invariable.
je prévis	[pʀevi]	prévu, ue [pʀevy] ayant prévu		que je prévoie	[pʀevwa]	Voir Remarque 6. e, pour les semi-consonnes.
nous prévîmes	[pʀevim]			que nous prévoyions	[pʀevwajjɔ̃]	
je pourvus	[puʀvy]	pourvu, ue [puʀvy] ayant pourvu		que je pourvoie	[puʀvwa]	Attention au passé simple. *Choir, Échoir,* et *Déchoir* suivent cette conjugaison, mais sont très défectifs (voir aux articles).
nous pourvûmes	[puʀvym]			que nous pourvoyions	[puʀvwajjɔ̃]	
j'assis	[asi]	assis, ise [asi, iz] ayant assis		que j'assoie	[aswa]	L'infinitif *Asseoir* est seul à s'orthographier avec un *e* étymologique (pas à l'indicatif présent ni au futur). *Surseoir* maintient le *e* au futur et au conditionnel présent, mais généralise les formes en -*oi*-. *Messeoir* : voir à l'article. *Seoir* : voir aux articles 1. Seoir et 2. Seoir.
nous assîmes	[asim]			que nous assoyions	[aswajjɔ̃]	
				ou		
				que j'asseye	[asɛj]	
				que nous asseyions	[asɛjjɔ̃]	
je mus	[my]	mû, ue [my] ayant mû		que je meuve	[mœv]	*Émouvoir* et *Promouvoir* (très défectif) n'ont pas d'accent circonflexe au participe passé masculin singulier : *ému* [emy], *promu* [pʀɔmy].
nous mûmes	[mym]			que nous mouvions	[muvjɔ̃]	
je reçus	[ʀ(ə)sy]	reçu, ue [ʀ(ə)sy] ayant reçu		que je reçoive	[ʀ(ə)swav]	*Devoir* suit cette conjugaison, mais son participe passé est *dû* [dy], *due* [dy]. Pour *e* instable, voir Remarque 4.
nous reçûmes	[ʀ(ə)sym]			que nous recevions	[ʀ(ə)s(ə)vjɔ̃]	
je valus	[valy]	valu, ue [valy] ayant valu		que je vaille	[vaj]	*Le *x* est une variante orthographique du *s*, désinence de 1ʳᵉ personne. *Prévaloir* a pour subjonctif présent : *que je prévale* [pʀeval], *que nous prévalions* [pʀevaljɔ̃]. *Équivaloir* a un participe passé invariable : *équivalu* [ekivaly].
nous valûmes	[valym]			que nous valions	[valjɔ̃]	

	Présent		Imparfait		Futur	
8. FALLOIR *(impersonnel).*						
[fo], [fal], [fod], [faj]	il faut	[fo]	il fallait	[falɛ]	il faudra	[fodʀa]

9. VOIR : *le* i *du radical se change en* y *devant une voyelle sonore; redoublement du* ʀ *au futur (et au conditionnel).*

[vwa], [vwaj], [vɛ], [v]	je vois	[vwa]	je voyais	[vwajɛ]	je verrai	[vɛʀe]
	tu vois	[vwa]				
	nous voyons	[vwajɔ̃]	nous voyions	[vwajjɔ̃]	nous verrons	[vɛʀɔ̃]
	ils voient	[vwa]				

Verbes à cinq radicaux

10. VOULOIR : *alternance vocalique du radical; pour l'impératif, voir* REM.

[vø], [vœl], [vul], [vud], [vœj]	je veux*	[vø]	je voulais	[vulɛ]	je voudrai	[vudʀe]
	il veut	[vø]				
	nous voulons	[vulɔ̃]	nous voulions	[vuljɔ̃]	nous voudrons	[vudʀɔ̃]
	ils veulent	[vœl]				

11. SAVOIR : *impératif modelé sur le subjonctif présent, mais sans* s *ni* i *(sache* [saʃ], *sachons* [saʃɔ̃], *sachez* [saʃe]).

[sɛ], [sav], [sɔ], [s], [saʃ]	je sais	[sɛ]	je savais	[savɛ]	je saurai	[sɔʀe]
	il sait	[sɛ]				
	nous savons	[savɔ̃]	nous savions	[savjɔ̃]	nous saurons	[sɔʀɔ̃]
	ils savent	[sav]				

Verbe à six radicaux

12. POUVOIR : *alternance vocalique du radical; chute du* v, *consonne finale du radical, au singulier de l'indicatif présent; pour le futur, voir* REM.

[pø], [pœv], [puv], [pu], [p], [pɥis]	je peux*	[pø]	je pouvais	[puvɛ]	je pourrai	[puʀe]
	il peut	[pø]				
	nous pouvons	[puvɔ̃]	nous pouvions	[puvjɔ̃]	nous pourrons	[puʀɔ̃]
	ils peuvent	[pœv]				

Verbe à neuf radicaux

13. AVOIR : *voir Tableau, p.* L.

Passé simple		*Participe passé*		*Subjonctif présent*		
						Chaloir : voir à l'article.
il fallut	[faly]	fallu (invariable) [faly]		qu'il faille	[faj]	
						Et *Revoir, Entrevoir.*
je vis	[vi]	⎡ vu, ue	[vy]	que je voie	[vwa]	Au futur, on ne prononce qu'un *r.*
nous vîmes	[vim]	⎣ ayant vu		que nous voyions	[vwajjɔ̃]	Pour *Prévoir* et *Pourvoir,* voir *supra.*
						*Pour le *x,* voir 7. *Valoir,* REM. L'impératif *veux* [vø], *voulons* [vulɔ̃], *voulez* [vule] exprime l'idée d'une volonté ferme. Les formes modelées sur le subjonctif *veuille* [vœj] sans *s,* *veuillons* [vœjɔ̃], *veuillez* [vœje] s'emploient dans les formules de civilité, et sont plus courantes.
je voulus	[vuly]	⎡ voulu, ue	[vuly]	que je veuille	[vœj]	
nous voulûmes	[vulym]	⎣ ayant voulu		que nous voulions	[vuljɔ̃]	
je sus	[sy]	⎡ su, ue	[sy]	que je sache	[saʃ]	
nous sûmes	[sym]	⎣ ayant su		que nous sachions	[saʃjɔ̃]	
						*Pour le *x,* voir 7. *Valoir,* REM. On dit aussi *je puis* [pɥi]. (À la forme interrogative directe, on dit soit *puis-je ?* [pɥiʒ], soit *est-ce que je peux ?* [ɛskəʒ(ə)pø].) Au futur (et au conditionnel), on ne prononce qu'un *r,* bien qu'il soit redoublé (voir 11. *Mourir,* REM.). Pas d'impératif.
je pus	[py]	⎡ pu (invariable) [py]		que je puisse	[pɥis]	
nous pûmes	[pym]	⎣ ayant pu		que nous puissions	[pɥisjɔ̃]	

L

AVOIR (*neuf radicaux* : [e], [ɛ], [a], [ɔ̃], [av], [ɔ], [y], [ɛj], [ej])

(Pour l'emploi comme auxiliaire, voir p. LXIV.)

INDICATIF			
Présent		*Passé composé*	
j'ai tu as il a nous avons vous avez ils ont	[e]* [a] [a] [avɔ̃] [ave] [ɔ̃]	j'ai eu tu as eu il a eu nous avons eu vous avez eu ils ont eu	[ey] [a(z)y]** [ay] [avɔ̃(z)y] [ave(z)y] [ɔ̃(t)y]
Imparfait		*Plus-que-parfait*	
j'avais tu avais il avait nous avions vous aviez ils avaient	[avɛ] [avɛ] [avɛ] [avjɔ̃] [avje] [avɛ]	j'avais eu tu avais eu il avait eu nous avions eu vous aviez eu ils avaient eu	[avɛ(z)y] [avɛ(z)y] [avɛ(t)y] [avjɔ̃(z)y] [avje(z)y] [avɛ(t)y]
Passé simple		*Passé antérieur*	
j'eus tu eus il eut nous eûmes vous eûtes ils eurent	[y] [y] [y] [ym] [yt] [yʀ]	j'eus eu tu eus eu il eut eu nous eûmes eu vous eûtes eu ils eurent eu	[y(z)y] [y(z)y] [y(t)y] [ym(z)y] [yt(z)y] [yʀ(t)y]
Futur simple		*Futur antérieur*	
j'aurai tu auras il aura nous aurons vous aurez ils auront	[ɔʀe] [ɔʀa] [ɔʀa] [ɔʀɔ̃] [ɔʀe] [ɔʀɔ̃]	j'aurai eu tu auras eu il aura eu nous aurons eu vous aurez eu ils auront eu	[ɔʀey] [ɔʀa(z)y] [ɔʀay] [ɔʀɔ̃(z)y] [ɔʀe(z)y] [ɔʀɔ̃(t)y]

INFINITIF			
Présent		*Passé*	
avoir	[avwaʀ]	avoir eu	[avwaʀy]

*Selon la norme, *j'ai* se prononce [ʒe], mais la prononciation [ʒɛ] tend à se répandre sous l'influence du grand nombre de mots en *-ai* prononcés [ɛ] (cf. Remarque phonétique 2).
**Pour la liaison, voir Remarque phonétique 3.

REM. *Avoir* emprunte au subjonctif présent les formes qui expriment l'idée impérative, mais n'a pas la désinence *s* au singulier : *aie* [ɛ], *ayons* [ɛjɔ̃], *ayez* [eje]. Pour l'emploi devant *en* ou *y*, cf. REM. Tableau, p. XXXII.

CONDITIONNEL			SUBJONCTIF		
Présent			*Présent*		
j'aurais	[ɔʀɛ]		que j'aie	[ɛ]	
tu aurais	[ɔʀɛ]		que tu aies	[ɛ]	
il aurait	[ɔʀɛ]		qu'il ait	[ɛ]	
nous aurions	[ɔʀjɔ̃]		que nous ayons	[ɛjɔ̃]	
vous auriez	[ɔʀje]		que vous ayez	[eje]	
ils auraient	[ɔʀɛ]		qu'ils aient	[ɛ]	
Passé 1ʳᵉ forme			*Imparfait*		
j'aurais eu	[ɔʀɛ(z)y]		que j'eusse	[ys]	
tu aurais eu	[ɔʀɛ(z)y]		que tu eusses	[ys]	
il aurait eu	[ɔʀɛ(t)y]		qu'il eût	[y]	
nous aurions eu	[ɔʀjɔ̃(z)y]		que nous eussions	[ysjɔ̃]	
vous auriez eu	[ɔʀje(z)y]		que vous eussiez	[ysje]	
ils auraient eu	[ɔʀɛ(t)y]		qu'ils eussent	[ys]	
Passé 2ᵉ forme			*Passé*		
j'eusse eu	[ysy]		que j'aie eu	[ɛy]	
tu eusses eu	[ysy]		que tu aies eu	[ɛ(z)y]	
il eût eu	[y(t)y]		qu'il ait eu	[ɛ(t)y]	
nous eussions eu	[ysjɔ̃(z)y]		que nous ayons eu	[ɛjɔ̃(z)y]	
vous eussiez eu	[ysje(z)y]		que vous ayez eu	[eje(z)y]	
ils eussent eu	[ys(t)y]		qu'ils aient eu	[ɛ(t)y]	
IMPÉRATIF			*Plus-que-parfait*		
Présent			que j'eusse eu	[ysy]	
aie	[ɛ]		que tu eusses eu	[ysy]	
ayons	[ɛjɔ̃]		qu'il eût eu	[y(t)y]	
ayez	[eje]		que nous eussions eu	[ysjɔ̃(z)y]	
Passé			que vous eussiez eu	[ysje(z)y]	
aie eu	[ɛy]		qu'ils eussent eu	[ys(t)y]	
ayons eu	[ɛjɔ̃(z)y]				
ayez eu	[eje(z)y]				
PARTICIPE					
Présent			*Passé*		
ayant	[ɛjɑ̃]		eu	[y]	
			ayant eu	[ɛjɑ̃(t)y]	

3. VERBES EN -RE

(Cf. ci-contre le classement par syllabe finale des verbes présentés.)

		Présent		Imparfait		Futur	
Verbes à un radical							
◆ **-CLURE** : *variantes orthographiques au participe passé* (*voir* REM.).							
1. CONCLURE		je conclus	[kɔ̃kly]	je concluais	[kɔ̃klyɛ]	je conclurai	[kɔ̃klyʀe]
	[kɔ̃kly]	il conclut	[kɔ̃kly]				
		nous concluons	[kɔ̃klyɔ̃]	nous concluions	[kɔ̃klyjɔ̃]	nous conclurons	[kɔ̃klyʀɔ̃]
		ils concluent	[kɔ̃kly]				
Verbes à deux radicaux							
2. RIRE : *garde en contact le* i *du radical et la voyelle de désinence.*							
	[ʀi], [ʀij]	je ris	[ʀi]	je riais	[ʀijɛ]	je rirai	[ʀiʀe]
		il rit	[ʀi]				
		nous rions	[ʀijɔ̃]	nous riions	[ʀijjɔ̃]	nous rirons	[ʀiʀɔ̃]
		ils rient	[ʀĩ]				
◆ **-DIRE** *et* **-FIRE** : *intercalent un* s *sonore entre le* i *du radical et la désinence aux formes plurielles de l'indicatif présent, à l'indicatif imparfait, au présent et à l'imparfait du subjonctif, au participe présent.*							
3. DIRE*		je dis	[di]	je disais	[dizɛ]	je dirai	[diʀe]
	[di], [diz]	il dit	[di]				
		nous disons	[dizɔ̃]	nous disions	[dizjɔ̃]	nous dirons	[diʀɔ̃]
		ils disent	[diz]				
4. SUFFIRE		je suffis	[syfi]	je suffisais	[syfizɛ]	je suffirai	[syfiʀe]
	[syfi], [syfiz]	il suffit	[syfi]				
		nous suffisons	[syfizɔ̃]	nous suffisions	[syfizjɔ̃]	nous suffirons	[syfiʀɔ̃]
		ils suffisent	[syfiz]				
◆ **-UIRE** : *ont le passé simple en* -uisis *et le participe passé (en général) en* -uit, ite : conduit, ite [kɔ̃dɥi, it] ; *ils intercalent aussi un* s *sonore entre le radical et la désinence à de nombreuses formes (voir supra* -DIRE *et* -FIRE) *et au passé simple.*							
5. NUIRE		je nuis	[nɥi]	je nuisais	[nɥizɛ]	je nuirai	[nɥiʀe]
	[nɥi], [nɥiz]	il nuit	[nɥi]				
		nous nuisons	[nɥiz]	nous nuisions	[nɥizjɔ̃]	nous nuirons	[nɥiʀɔ̃]
		ils nuisent	[nɥiz]				
6. ÉCRIRE : *ses composés et tous les composés en* -scrire *intercalent un* v *entre le radical et la désinence à de nombreuses formes (voir supra* -DIRE *et* -FIRE) *et au passé simple.*							
	[ekʀi], [ekʀiv]	j'écris	[ekʀi]	j'écrivais	[ekʀivɛ]	j'écrirai	[ekʀiʀe]
		il écrit	[ekʀi]				
		nous écrivons	[ekʀivɔ̃]	nous écrivions	[ekʀivjɔ̃]	nous écrirons	[ekʀiʀɔ̃]
		ils écrivent	[ekʀiv]				
7. SUIVRE		je suis	[sɥi]	je suivais	[sɥivɛ]	je suivrai	[sɥivʀe]
	[sɥi], [sɥiv]	il suit	[sɥi]				
		nous suivons	[sɥivɔ̃]	nous suivions	[sɥivjɔ̃]	nous suivrons	[sɥivʀɔ̃]
		ils suivent	[sɥiv]				
◆ **-DRE** (-ANDRE, -ENDRE, -ONDRE, -ERDRE, -ORDRE, *mais pas* -INDRE) : *gardent au singulier du présent de l'indicatif (et de l'impératif) la consonne finale du radical de l'infinitif.*							
8. RENDRE*		je rends	[ʀɑ̃]	je rendais	[ʀɑ̃dɛ]	je rendrai	[ʀɑ̃dʀe]
	[ʀɑ̃], [ʀɑ̃d]	il rend**	[ʀɑ̃]				
		nous rendons	[ʀɑ̃dɔ̃]	nous rendions	[ʀɑ̃djɔ̃]	nous rendrons	[ʀɑ̃dʀɔ̃]
		ils rendent	[ʀɑ̃d]				
9. ROMPRE : *se conjugue comme les verbes en* -DRE, *mais prend un* t *après le* p *à la* 3e *personne du singulier de l'indicatif présent.*							
	[ʀɔ̃], [ʀɔ̃p]	je romps	[ʀɔ̃]	je rompais	[ʀɔ̃pɛ]	je romprai	[ʀɔ̃pʀe]
		il rompt	[ʀɔ̃]				
		nous rompons	[ʀɔ̃pɔ̃]	nous rompions	[ʀɔ̃pjɔ̃]	nous romprons	[ʀɔ̃pʀɔ̃]
		ils rompent	[ʀɔ̃p]				

-AIRE	Traire 12. Faire 30. Plaire 13.	-ENDRE -ANDRE -ONDRE -ERDRE -ORDRE et	Rendre 8. Prendre 29. Rompre 9. Vaincre 10.	-OUDRE -ATTRE -ETTRE -IRE	Moudre 18. Coudre 19. Absoudre 23. Battre 11. Mettre 25. Rire 2. Dire 3. Suffire 4. Écrire 6. Lire 15.	-UIRE Nuire 5. -IVRE Suivre 7. Vivre 17. -ORE Clore 16. -URE Conclure 1. ÊTRE 31.
-OIRE	Croire 14. Boire 24.					
-AÎTRE	Connaître 27 Naître 28. Paître 27. REM.	-INDRE	Craindre 21. Peindre 22. Joindre 20.			
-OÎTRE	Croître 26.					

	Passé simple		*Participe passé*		*Subjonctif présent*		
	je conclus	[kɔ̃kly]	conclu, ue [kɔ̃kly] ayant conclu		que je conclue	[kɔ̃kly]	Et *Exclure*. Mais *Occlure*, ainsi que les verbes défectifs *Inclure* et *Reclure* ont un s au participe passé : *occlus, use* [ɔkly, yz], *inclus, use* [ɛ̃kly, yz] et *reclus, use* [ʀəkly, yz]. Voir Remarque 6. d sur les semi-consonnes.
	nous conclûmes	[kɔ̃klym]			que nous concluions	[kɔ̃klyjɔ̃]	
	je ris	[ʀi]	ri (invariable) [ʀi] ayant ri		que je rie	[ʀi]	Et *Sourire*. La remarque 6. d s'applique au verbe *Rire*, mais pas à *Sourire* (ex. : *nous sourions* [suʀjɔ̃], *nous souriions* [suʀijɔ̃]).
	nous rîmes	[ʀim]			que nous riions	[ʀijjɔ̃]	
	je dis	[di]	dit, dite [di, dit] ayant dit		que je dise	[diz]	*Maudire* se conjugue comme *Finir*, sauf au participe passé : *maudit, ite* [modi, it]. * *Dire* et *Redire* font *vous dites* [dit], *vous redites* [ʀ(ə)dit] à la 2ᵉ personne du pluriel de l'indicatif présent.
	nous dîmes	[dim]			que nous disions	[dizjɔ̃]	
	je suffis	[syfi]	suffi (invariable) [syfi] ayant suffi		que je suffise	[syfiz]	*Confire* fait au participe passé *confit, ite* [kɔ̃fi, it]. *Circoncire* suit ce modèle de conjugaison, mais fait au participe passé *circoncis, ise* [siʀkɔ̃si, iz]. Pour *Frire*, voir à l'article.
	nous suffîmes	[syfim]			que nous suffisions	[syfizjɔ̃]	
	je nuisis	[nɥizi]	nui (invariable) [nɥi] ayant nui		que je nuise	[nɥiz]	*Luire* et *Reluire* ont également un participe passé invariable, ce qui n'est pas le cas des autres verbes en -uire.
	nous nuisîmes	[nɥizim]			que nous nuisions	[nɥizjɔ̃]	
	J'écrivis	[ekʀivi]	écrit, ite [ekʀi, it] ayant écrit		que j'écrive	[ekʀiv]	
	nous écrivîmes	[ekʀivim]			que nous écrivions	[ekʀivjɔ̃]	
	je suivis	[sɥivi]	suivi, ie [sɥivi] ayant suivi		que je suive	[sɥiv]	
	nous suivîmes	[sɥivim]			que nous suivions	[sɥivjɔ̃]	
	je rendis	[ʀɑ̃di]	rendu, ue [ʀɑ̃dy] ayant rendu		que je rende	[ʀɑ̃d]	*Pour *Prendre*, voir *infra* n° 29. ** Le *t* étymologique est remplacé par un *d* analogique. Voir aussi *infra* les verbes en -OUDRE. *Sourdre* : voir à l'article.
	nous rendîmes	[ʀɑ̃dim]			que nous rendions	[ʀɑ̃djɔ̃]	
	je rompis	[ʀɔ̃pi]	rompu, ue [ʀɔ̃py] ayant rompu		que je rompe	[ʀɔ̃p]	*Foutre* et *Contrefoutre* suivent ce même modèle des verbes en -DRE, en remplaçant le *d* par un *t*. Exception pour *je me fous* [fu], *tu te fous* [fu].
	nous rompîmes	[ʀɔ̃pim]			que nous rompions	[ʀɔ̃pjɔ̃]	

	Présent		Imparfait		Futur	

10. VAINCRE : *même conjugaison que les verbes en* -DRE, *mais perd le* t *final à la 3ᵉ personne du singulier de l'indicatif présent.*

[vɛ̃], [vɛ̃k]	je vaincs	[vɛ̃]	je vainquais	[vɛ̃kɛ]	je vaincrai	[vɛ̃kʀe]
	il vainc	[vɛ̃]				
	nous vainquons*	[vɛ̃kɔ̃]	nous vainquions	[vɛ̃kjɔ̃]	nous vaincrons	[vɛ̃kʀɔ̃]
	ils vainquent	[vɛ̃k]				

11. BATTRE : *ne garde qu'un* t *au singulier de l'indicatif présent (et à l'impératif).*

[ba], [bat]	je bats	[ba]	je battais	[batɛ]	je battrai	[batʀe]
	il bat	[ba]				
	nous battons	[batɔ̃]	nous battions	[batjɔ̃]	nous battrons	[batʀɔ̃]
	ils battent	[bat]				

12. TRAIRE : *le* i *du radical se change en* y *devant une voyelle sonore.*

[tʀɛ], [tʀɛj]	je trais	[tʀɛ]	je trayais	[tʀɛjɛ]	je trairai	[tʀɛʀe]
(souvent prononcé [tʀe], dans *trairai* [tʀeʀe], et [tʀej] dans *trayez* [tʀeje]; voir Remarque 1. b)	il trait	[tʀɛ]				
	nous trayons	[tʀɛjɔ̃]	nous trayions	[tʀɛjjɔ̃]	nous trairons	[tʀɛʀɔ̃]
	ils traient	[tʀɛ]				

Verbes à trois radicaux

13. PLAIRE : *prend un accent circonflexe à la 3ᵉ personne du singulier de l'indicatif présent; il intercale un* s *sonore entre le* i *du radical et la désinence vocalique.*

[plɛ], [plɛz], [pl]	je plais	[plɛ]	je plaisais	[plɛzɛ]	je plairai	[plɛʀe]
(parfois [ple] dans *plairai* [pleʀe], et [plez] dans *plaisez* [pleze]; voir Remarque phonétique 1. b)	il plaît	[plɛ]				
	nous plaisons	[plɛzɔ̃]	nous plaisions	[plɛzjɔ̃]	nous plairons	[plɛʀɔ̃]
	ils plaisent	[plɛz]				

14. CROIRE : *le* i *du radical se change en* y *devant une voyelle sonore.*

[kʀwa], [kʀwaj], [kʀ]	je crois	[kʀwa]	je croyais	[kʀwajɛ]	je croirai	[kʀwaʀe]
	il croit	[kʀwa]				
	nous croyons	[kʀwajɔ̃]	nous croyions	[kʀwajjɔ̃]	nous croirons	[kʀwaʀɔ̃]
	ils croient	[kʀwa]				

15. LIRE : *intercale un* s *sonore entre le* i *du radical et la désinence vocalique.*

[li], [liz], [l]	je lis	[li]	je lisais	[lizɛ]	je lirai	[liʀe]
	il lit	[li]				
	nous lisons	[lizɔ̃]	nous lisions	[lizjɔ̃]	nous lirons	[liʀɔ̃]
	ils lisent	[liz]				

16. CLORE : *verbe défectif qui fait apparaître un accent circonflexe à la 3ᵉ personne du singulier de l'indicatif présent; il intercale un* s *sonore entre le* o *du radical et la désinence vocalique.*

[klo], [kloz], [klɔ]	je clos	[klo]	(formes contestées)		(formes rares)	
	il clôt	[klo]	je closais	[klozɛ]	je clorai	[klɔʀe]
	(n'existe pas)		nous closions	[klozjɔ̃]	nous clorons	[klɔʀɔ̃]
	ils closent	[kloz]				

17. VIVRE : *chute du* v, *consonne finale du radical, au singulier de l'indicatif présent (et de l'impératif).*

[vi], [viv], [vek]	je vis	[vi]	je vivais	[vivɛ]	je vivrai	[vivʀe]
	il vit	[vi]				
	nous vivons	[vivɔ̃]	nous vivions	[vivjɔ̃]	nous vivrons	[vivʀɔ̃]
	ils vivent	[viv]				

◆ **-OUDRE** (*mais pas* -SOUDRE) : *suivent la conjugaison des verbes en* -DRE; *mais le* d *disparaît à de nombreuses formes pour laisser réapparaître un* l — *ou un* s — *étymologique.*

18. MOUDRE	je mouds	[mu]	je moulais	[mulɛ]	je moudrai	[mudʀe]
[mu], [mul], [mud]	il moud*	[mu]				
	nous moulons	[mulɔ̃]	nous moulions	[muljɔ̃]	nous moudrons	[mudʀɔ̃]
	ils moulent	[mul]				
19. COUDRE	je couds	[ku]	je cousais	[kuzɛ]	je coudrai	[kudʀe]
[ku], [kuz], [kud]	il coud*	[ku]				
	nous cousons	[kuzɔ̃]	nous cousions	[kuzjɔ̃]	nous coudrons	[kudʀɔ̃]
	ils cousent	[kuz]				

Passé simple	*Participe passé*	*Subjonctif présent*	
je vainquis [vɛ̃ki] nous vain- quîmes [vɛ̃kim]	vaincu, ue [vɛ̃ky] ayant vaincu	que je vainque [vɛ̃k] que nous vainquions [vɛ̃kjɔ̃]	Et ses composés. *Devant une voyelle (sauf *u*), le *c* se change en *qu*.
je battis [bati] nous battîmes [batim]	battu, ue [baty] ayant battu	que je batte [bat] que nous battions [batjɔ̃]	Voir aussi 25. *Mettre* (infra).
(n'existe pas)	trait, traite [tʀɛ, tʀɛt] ayant trait	que je traie [tʀɛ] que nous trayions [tʀɛjjɔ̃]	Et ses composés, au sens de «tirer». Pas d'imparfait du subjonctif, également. *Braire*, très défectif (voir à l'article), suit ce modèle.
je plus [ply] nous plûmes [plym]	plu (invariable) [ply] ayant plu	que je plaise [plɛz] que nous plaisions [plɛzjɔ̃]	Et ses composés. *Taire* suit ce modèle, mais ne prend pas d'accent circonflexe à l'indicatif présent : *il tait* [tɛ] ; son participe est variable : *tu, tue* [ty].
je crus [kʀy] nous crûmes [kʀym]	cru, ue [kʀy] ayant cru	que je croie [kʀwa] que nous croyions [kʀwajjɔ̃]	*Accroire* n'est usité qu'à l'infinitif, précédé du verbe *Faire : Tu veux m'en faire accroire.*
je lus [ly] nous lûmes [lym]	lu, ue [ly] ayant lu	que je lise [liz] que nous lisions [lizjɔ̃]	Et ses composés.
(n'existe pas)	clos, close [klo, kloz] ayant clos	que je close [kloz] que nous closions [klozjɔ̃]	Et les verbes défectifs *Déclore, Éclore, Enclore...* ; mais l'Académie écrit : *il déclot* [deklo], *il éclot* [eklo], *il enclot* [ɑ̃klo], sans accent circonflexe. *Forclore* : voir à l'article.
je vécus [veky] nous vécûmes [vekym]	vécu, ue [veky] ayant vécu	que je vive [viv] que nous vivions [vivjɔ̃]	*Survivre* a un participe passé invariable *survécu* [syʀveky].
je moulus [muly] nous moulûmes [mulym]	moulu, ue [muly] ayant moulu	que je moule [mul] que nous moulions [muljɔ̃]	*Émoudre* : voir à l'article. *Voir REM. de 8. *Rendre*.
je cousis [kuzi] nous cousîmes [kuzim]	cousu, ue [kuzy] ayant cousu	que je couse [kuz] que nous cousions [kuzjɔ̃]	*Voir REM. de 8. *Rendre*.

	Présent	Imparfait	Futur

◆ **-INDRE** (-OINDRE, -AINDRE, -EINDRE) : *perdent le* d *au présent de l'indicatif (et à l'impératif); les consonnes* nd *du radical se changent en* gn *devant une désinence commençant par une voyelle.*

20. JOINDRE
[ʒwɛ̃], [ʒwaɲ], [ʒwɛ̃d]

| | je joins [ʒwɛ̃]
il joint [ʒwɛ̃]
nous joignons [ʒwaɲɔ̃]
ils joignent [ʒwaɲ] | je joignais [ʒwaɲɛ]

nous joignions [ʒwaɲjɔ̃] | je joindrai [ʒwɛ̃dʀe]

nous joindrons [ʒwɛ̃dʀɔ̃] |

21. CRAINDRE
[kʀɛ̃], [kʀɛɲ], [kʀɛ̃d]

| | je crains [kʀɛ̃]
il craint [kʀɛ̃]
nous craignons [kʀɛɲɔ̃]
ils craignent [kʀɛɲ] | je craignais [kʀɛɲɛ]

nous craignions [kʀɛɲjɔ̃] | je craindrai [kʀɛ̃dʀe]

nous craindrons [kʀɛ̃dʀɔ̃] |

22. PEINDRE
[pɛ̃], [pɛɲ], [pɛ̃d]

| | je peins [pɛ̃]
il peint [pɛ̃]
nous peignons [pɛɲɔ̃]
ils peignent [pɛɲ] | je peignais [pɛɲɛ]

nous peignions [pɛɲjɔ̃] | je peindrai [pɛ̃dʀe]

nous peindrons [pɛ̃dʀɔ̃] |

    Verbes à quatre radicaux

◆ **-SOUDRE** : *ne gardent le* d *qu'au futur et au conditionnel présent; le participe passé a le masculin en* s, *mais le féminin en* te.

23. ABSOUDRE
[apsu], [apsud], [apsɔlv], [apsɔl]

| | j'absous [apsu]
il absout [apsu]
nous absolvons [apsɔlvɔ̃]
ils absolvent [apsɔlv] | j'absolvais [apsɔlvɛ]

nous absolvions [apsɔlvjɔ̃] | j'absoudrai [apsudʀe]

nous absoudrons [apsudʀɔ̃] |

24. BOIRE
[bwa], [bwav], [byv], [b]

| | je bois [bwa]
il boit [bwa]
nous buvons [byvɔ̃]
ils boivent [bwav] | je buvais [byvɛ]

nous buvions [byvjɔ̃] | je boirai [bwaʀe]

nous boirons [bwaʀɔ̃] |

25. METTRE : *ne garde qu'un* t *au singulier de l'indicatif présent (et à l'impératif).*
[mɛ], [mɛt], [met], [m]

| | je mets [mɛ]
il met [mɛ]
nous mettons [metɔ̃]
ils mettent [mɛt] | je mettais [metɛ]

nous mettions [metjɔ̃] | je mettrai [metʀe]

nous mettrons [metʀɔ̃] |

◆ **-OÎTRE*** *et* **-AÎTRE*** : *ont un accent circonflexe sur le* i *du radical quand cette voyelle est suivie d'un* t; *ils remplacent le* t *du radical (de l'infinitif) par deux* s *à l'indicatif présent et imparfait, au participe présent et au subjonctif présent.*

26. CROÎTRE
[kʀwɑ], [kʀwas], [kʀwat], [kʀ]

| | je croîs [kʀwɑ]
il croît [kʀwɑ]
nous croissons [kʀwasɔ̃]
ils croissent [kʀwas] | je croissais [kʀwasɛ]

nous croissions [kʀwasjɔ̃] | je croîtrai [kʀwatʀe]

nous croîtrons [kʀwatʀɔ̃] |

27. CONNAÎTRE
[kɔnɛ], [kɔnɛs], [kɔnɛt], [kɔn]

| | je connais [kɔnɛ]
il connaît [kɔnɛ]
nous connaissons [kɔnɛsɔ̃]
ils connaissent [kɔnɛs] | je connaissais [kɔnɛsɛ]

nous connais-
sions [kɔnɛsjɔ̃] | je connaîtrai [kɔnɛtʀe]

nous connaîtrons [kɔnɛtʀɔ̃] |

    Verbes à cinq radicaux

28. NAÎTRE : *voir aussi les verbes en* -OÎTRE *et* -AÎTRE; *mais passé simple (et subjonctif imparfait) en* naqu-, *et désinence du participe passé en* -é.
[nɛ], [nɛs], [nɛt], [nak], [ne]

| | je nais [nɛ]
il naît [nɛ]
nous naissons [nɛsɔ̃]
ils naissent [nɛs] | je naissais [nɛsɛ]

nous naissions [nɛsjɔ̃] | je naîtrai [nɛtʀe]

nous naîtrons [nɛtʀɔ̃] |

29. PRENDRE : *voir aussi les verbes en* -DRE; *radical variable.*
[pʀɑ̃], [pʀɛn], [pʀən], [pʀɑ̃d], [pʀ]

| | je prends [pʀɑ̃]
il prend [pʀɑ̃]
nous prenons [pʀənɔ̃]
ils prennent [pʀɛn] | je prenais [pʀənɛ]

nous prenions [pʀənjɔ̃] | je prendrai [pʀɑ̃dʀe]

nous prendrons [pʀɑ̃dʀɔ̃] |

    Verbes à sept radicaux

30. FAIRE : *voir Tableau, p.* LVIII

    Verbe à dix radicaux

31. ÊTRE : *voir Tableau, p.* LX

Passé simple		Participe passé		Subjonctif présent		
je joignis	[ʒwaɲi]	⌈joint, jointe ⌊ayant joint	[ʒwɛ̃, ʒwɛ̃t]	que je joigne	[ʒwaɲ]	*Poindre* et *Oindre* : voir aux articles.
nous joignîmes	[ʒwaɲim]			que nous joignions	[ʒwaɲjɔ̃]	
je craignis	[kʀɛɲi]	⌈craint, crainte ⌊ayant craint	[kʀɛ̃, kʀɛ̃t]	que je craigne	[kʀɛɲ]	Et ses composés. Le radical [kʀɛɲ] devient souvent [kʀeɲ] dans *craignez* [kʀeɲe], *craignis* [kʀeɲi]. Voir Remarque 1. b.
nous craignîmes	[kʀɛɲim]			que nous craignions	[kʀɛɲjɔ̃]	
je peignis	[pɛɲi]	⌈peint, peinte ⌊ayant peint	[pɛ̃, pɛ̃t]	que je peigne	[pɛɲ]	Voir Remarque 1. b.
nous peignîmes	[pɛɲim]			que nous peignions	[pɛɲjɔ̃]	
j'absolus (rare)	[apsɔly]	⌈absous, oute ⌊ayant absous	[apsu, ut]	que j'absolve	[apsɔlv]	L'ancien participe passé *absolu* [apsɔly] est resté comme adjectif signifiant « sans restriction ». De même *dissolu* [disɔly] (adjectif, au sens de « débauché ») a été remplacé par *dissous* [disu], *dissoute* [disut]. Pour *Résoudre*, voir à l'article.
nous absolûmes	[apsɔlym]			que nous absolvions	[apsɔlvjɔ̃]	
je bus	[by]	⌈bu, bue ⌊ayant bu	[by]	que je boive	[bwav]	Et *S'emboire*, peu usité sauf à l'infinitif et aux temps composés.
nous bûmes	[bym]			que nous buvions	[byvjɔ̃]	
je mis	[mi]	⌈mis, mise ⌊ayant mis	[mi, miz]	que je mette	[mɛt]	Et ses composés. Voir aussi 11. *Battre (supra)*. Voir Remarque 1. b.
nous mîmes	[mim]			que nous mettions	[metjɔ̃]	
je crûs	[kʀy]	⌈crû, ue ⌊ayant crû	[kʀy]	que je croisse	[kʀwas]	*Le *t* de l'infinitif n'appartient pas au radical : c'est un *t* transitoire. *Croître* a l'accent circonflexe également à toutes les formes qui pourraient être confondues avec celles du verbe *Croire : je croîs* [kʀwa], *je crûs* [kʀy], *crû* [kʀy]... *Recroître* a un participe passé *recrû* [ʀəkʀy], mais *Accroître* et *Décroître* ont *accru* [akʀy] et *décru* [dekʀy].
nous crûmes	[kʀym]			que nous croissions	[kʀwasjɔ̃]	
je connus	[kɔny]	⌈connu, ue ⌊ayant connu	[kɔny]	que je connaisse	[kɔnɛs]	Et *Paraître*, ainsi que leurs composés. *Paître* (défectif) : voir à l'article. Pour *Naître*, voir *infra* n° 28. Voir Remarque 1. b.
nous connûmes	[kɔnym]			que nous connaissions	[kɔnɛsjɔ̃]	
je naquis	[naki]	⌈né, ée ⌊étant né	[ne]	que je naisse	[nɛs]	Auxiliaire *Être*. *Renaître* ne se conjugue pas aux temps composés. Voir Remarque 1. b.
nous naquîmes	[nakim]			que nous naissions	[nɛsjɔ̃]	
je pris	[pʀi]	⌈pris, prise ⌊ayant pris	[pʀi, pʀiz]	que je prenne	[pʀɛn]	Et ses composés.
nous prîmes	[pʀim]			que nous prenions	[pʀənjɔ̃]	

FAIRE (*sept radicaux :* [fɛ], [fɛt], [f(ə)z], [fɔ̃], [fi], [f(ə)], [fas])

INDICATIF			
Présent		*Passé composé*	
je fais	[fɛ]	j'ai fait	[efɛ]
tu fais	[fɛ]	tu as fait	[afɛ]
il fait	[fɛ]	il a fait	[afɛ]
nous faisons	[f(ə)zɔ̃]	nous avons fait	[avɔ̃fɛ]
vous faites	[fɛt]	vous avez fait	[avefɛ]
ils font	[fɔ̃]	ils ont fait	[ɔ̃fɛ]
Imparfait		*Plus-que-parfait*	
je faisais	[f(ə)zɛ]*	j'avais fait	[avɛfɛ]
tu faisais	[f(ə)zɛ]	tu avais fait	[avɛfɛ]
il faisait	[f(ə)zɛ]	il avait fait	[avɛfɛ]
nous faisions	[f(ə)zjɔ̃]	nous avions fait	[avjɔ̃fɛ]
vous faisiez	[f(ə)zje]	vous aviez fait	[avjefɛ]
ils faisaient	[f(ə)zɛ]	ils avaient fait	[avɛfɛ]
Passé simple		*Passé antérieur*	
je fis	[fi]	j'eus fait	[yfɛ]
tu fis	[fi]	tu eus fait	[yfɛ]
il fit	[fi]	il eut fait	[yfɛ]
nous fîmes	[fim]	nous eûmes fait	[ymfɛ]
vous fîtes	[fit]	vous eûtes fait	[ytfɛ]
ils firent	[fiʀ]	ils eurent fait	[yʀfɛ]
Futur simple		*Futur antérieur*	
je ferai	[f(ə)ʀe]	j'aurai fait	[ɔʀefɛ]
tu feras	[f(ə)ʀa]	tu auras fait	[ɔʀafɛ]
il fera	[f(ə)ʀa]	il aura fait	[ɔʀafɛ]
nous ferons	[f(ə)ʀɔ̃]	nous aurons fait	[ɔʀɔ̃fɛ]
vous ferez	[f(ə)ʀe]	vous aurez fait	[ɔʀefɛ]
ils feront	[f(ə)ʀɔ̃]	ils auront fait	[ɔʀɔ̃fɛ]

INFINITIF			
Présent		*Passé*	
faire	[fɛʀ]	avoir fait	[avwaʀfɛ]

*Pour *e* instable, voir Remarque phonétique 4.

REM. Tout en écrivant *fai-*, on prononce *nous faisons* [f(ə)zɔ̃], *je faisais* [f(ə)zɛ] à l'indicatif présent et imparfait, *faisons* [f(ə)zɔ̃] à l'impératif, *faisant* [f(ə)zɑ̃] au participe présent, comme si ces formes s'écrivaient *fe-*. Le futur, lui, a aligné son orthographe sur la prononciation.
Attention aux 2ᵉ personnes du pluriel de l'indicatif présent et de l'impératif.

CONDITIONNEL		SUBJONCTIF	
Présent		*Présent*	
je ferais	[f(ə)ʀɛ]	que je fasse	[fas]
tu ferais	[f(ə)ʀɛ]	que tu fasses	[fas]
il ferait	[f(ə)ʀɛ]	qu'il fasse	[fas]
nous ferions	[fəʀjɔ̃]*	que nous fassions	[fasjɔ̃]
vous feriez	[fəʀje]	que vous fassiez	[fasje]
ils feraient	[f(ə)ʀɛ]	qu'ils fassent	[fas]
Passé 1ʳᵉ forme		*Imparfait*	
j'aurais fait	[ɔʀɛfɛ]	que je fisse	[fis]
tu aurais fait	[ɔʀɛfɛ]	que tu fisses	[fis]
il aurait fait	[ɔʀɛfɛ]	qu'il fît	[fi]
nous aurions fait	[ɔʀjɔ̃fɛ]	que nous fissions	[fisjɔ̃]
vous auriez fait	[ɔʀjefɛ]	que vous fissiez	[fisje]
ils auraient fait	[ɔʀɛfɛ]	qu'ils fissent	[fis]
Passé 2ᵉ forme		*Passé*	
j'eusse fait	[ysfɛ]	que j'aie fait	[ɛfɛ]
tu eusses fait	[ysfɛ]	que tu aies fait	[ɛfɛ]
il eût fait	[yfɛ]	qu'il ait fait	[ɛfɛ]
nous eussions fait	[ysjɔ̃fɛ]	que nous ayons fait	[ejɔ̃fɛ]
vous eussiez fait	[ysjefɛ]	que vous ayez fait	[ejefɛ]
ils eussent fait	[ysfɛ]	qu'ils aient fait	[ɛfɛ]
IMPÉRATIF		*Plus-que-parfait*	
Présent			
fais	[fɛ]	que j'eusse fait	[ysfɛ]
faisons	[f(ə)zɔ̃]	que tu eusses fait	[ysfɛ]
faites	[fɛt]	qu'il eût fait	[yfɛ]
Passé		que nous eussions fait	[ysjɔ̃fɛ]
aie fait	[ɛfɛ]	que vous eussiez fait	[ysjefɛ]
ayons fait	[ejɔ̃fɛ]	qu'ils eussent fait	[ysfɛ]
ayez fait	[ejefɛ]		
PARTICIPE			
Présent		*Passé*	
faisant	[f(ə)zɑ̃]	⎡ fait ⎣ ayant fait	[fɛ] [ɛjɑ̃fɛ]

ÊTRE (*dix radicaux :* [sɥi], [ɛ], [sɔm], [ɛt], [sɔ̃], [et], [fy], [s(ə)], [swa], [swaj])

(Pour l'emploi comme auxiliaire, voir p. LXIV.)

INDICATIF			
Présent		*Passé composé*	
je suis	[sɥi]	j'ai été	[eete]
tu es	[ɛ]	tu as été	[a(z)ete]
il est	[ɛ]	il a été	[aete]
nous sommes	[sɔm]	nous avons été	[avɔ̃(z)ete]
vous êtes	[ɛt]	vous avez été	[ave(z)ete]
ils sont	[sɔ̃]	ils ont été	[ɔ̃(t)ete]
Imparfait		*Plus-que-parfait*	
j'étais	[etɛ]	j'avais été	[avɛ(z)ete]*
tu étais	[etɛ]	tu avais été	[avɛ(z)ete]
il était	[etɛ]	il avait été	[avɛ(t)ete]
nous étions	[etjɔ̃]	nous avions été	[avjɔ̃(z)ete]
vous étiez	[etje]	vous aviez été	[avje(z)ete]
ils étaient	[etɛ]	ils avaient été	[avɛ(t)ete]
Passé simple		*Passé antérieur*	
je fus	[fy]	j'eus été	[y(z)ete]
tu fus	[fy]	tu eus été	[y(z)ete]
il fut	[fy]	il eut été	[y(t)ete]
nous fûmes	[fym]	nous eûmes été	[ym(z)ete]
vous fûtes	[fyt]	vous eûtes été	[yt(z)ete]
ils furent	[fyʀ]	ils eurent été	[yʀ(t)ete]
Futur simple		*Futur antérieur*	
je serai	[s(ə)ʀe]**	j'aurai été	[ɔʀeete]
tu seras	[s(ə)ʀa]	tu auras été	[ɔʀa(z)ete]
il sera	[s(ə)ʀa]	il aura été	[ɔʀaete]
nous serons	[s(ə)ʀɔ̃]	nous aurons été	[ɔʀɔ̃(z)ete]
vous serez	[s(ə)ʀe]	vous aurez été	[ɔʀe(z)ete]
ils seront	[s(ə)ʀɔ̃]	ils auront été	[ɔʀɔ̃(t)ete]
INFINITIF			
Présent		*Passé*	
être	[ɛtʀ]	avoir été	[avwaʀete]

*Pour la liaison, voir Remarque phonétique 3.
**Pour *e* instable, voir Remarque phonétique 4.
REM. *Être* emprunte au subjonctif les formes qui expriment l'idée impérative.

CONDITIONNEL			SUBJONCTIF	
Présent			*Présent*	
je serais	[s(ə)ʀɛ]**		que je sois	[swa]
tu serais	[s(ə)ʀɛ]		que tu sois	[swa]
il serait	[s(ə)ʀɛ]		qu'il soit	[swa]
nous serions	[səʀjɔ̃]		que nous soyons	[swajɔ̃]
vous seriez	[səʀje]		que vous soyez	[swaje]
ils seraient	[s(ə)ʀɛ]		qu'ils soient	[swa]
Passé 1ʳᵉ forme			*Imparfait*	
j'aurais été	[ɔʀɛ(z)ete]		que je fusse	[fys]
tu aurais été	[ɔʀɛ(z)ete]		que tu fusses	[fys]
il aurait été	[ɔʀɛ(t)ete]		qu'il fût	[fy]
nous aurions été	[ɔʀjɔ̃(z)ete]		que nous fussions	[fysjɔ̃]
vous auriez été	[ɔʀje(z)ete]		que vous fussiez	[fysje]
ils auraient été	[ɔʀɛ(t)ete]		qu'ils fussent	[fys]
Passé 2ᵉ forme			*Passé*	
j'eusse été	[ysete]		que j'aie été	[ɛete]
tu eusses été	[ysete]		que tu aies été	[ɛ(z)ete]
il eût été	[y(t)ete]		qu'il ait été	[ɛ(t)ete]
nous eussions été	[ysjɔ̃(z)ete]		que nous ayons été	[ɛjɔ̃(z)ete]
vous eussiez été	[ysje(z)ete]		que vous ayez été	[eje(z)ete]
ils eussent été	[ys(t)ete]		qu'ils aient été	[ɛ(t)ete]
IMPÉRATIF			*Plus-que-parfait*	
Présent				
sois	[swa]		que j'eusse été	[ysete]
soyons	[swajɔ̃]		que tu eusses été	[ysete]
soyez	[swaje]		qu'il eût été	[y(t)ete]
Passé			que nous eussions été	[ysjɔ̃(z)ete]
aie été	[ɛete]		que vous eussiez été	[ysje(z)ete]
ayons été	[ɛjɔ̃(z)ete]		qu'ils eussent été	[ys(t)ete]
ayez été	[eje(z)ete]			
PARTICIPE				
Présent				
étant	[etɑ̃]		été ayant été	[ete] [ɛjɑ̃(t)ete]

4. ALLER (*six radicaux* : [vɛ], [va], [vɔ̃], [al], [i], [aj])

INDICATIF			
Présent		*Passé composé*	
je vais	[vɛ]	je suis allé	[sɥi(z)ale]*
tu vas	[va]	tu es allé	[ɛ(z)ale]
il va	[va]	il est allé	[ɛ(t)ale]
nous allons	[alɔ̃]	nous sommes allés	[sɔm(z)ale]
vous allez	[ale]	vous êtes allés	[ɛt(z)ale]
ils vont	[vɔ̃]	ils sont allés	[sɔ̃(t)ale]
Imparfait		*Plus-que-parfait*	
j'allais	[alɛ]	j'étais allé	[etɛ(z)ale]
tu allais	[alɛ]	tu étais allé	[etɛ(z)ale]
il allait	[alɛ]	il était allé	[etɛ(t)ale]
nous allions	[aljɔ̃]	nous étions allés	[etjɔ̃(z)ale]
vous alliez	[alje]	vous étiez allés	[etje(z)ale]
ils allaient	[alɛ]	ils étaient allés	[etɛ(t)ale]
Passé simple		*Passé antérieur*	
j'allai	[ale]	je fus allé	[fy(z)ale]
tu allas	[ala]	tu fus allé	[fy(z)ale]
il alla	[ala]	il fut allé	[fy(t)ale]
nous allâmes	[alam]	nous fûmes allés	[fym(z)ale]
vous allâtes	[alat]	vous fûtes allés	[fyt(z)ale]
ils allèrent	[alɛʀ]	ils furent allés	[fyʀ(t)ale]
Futur simple		*Futur antérieur*	
j'irai	[iʀe]	je serai allé	[s(ə)ʀeale]**
tu iras	[iʀa]	tu seras allé	[s(ə)ʀa(z)ale]
il ira	[iʀa]	il sera allé	[s(ə)ʀaale]
nous irons	[iʀɔ̃]	nous serons allés	[s(ə)ʀɔ̃(z)ale]
vous irez	[iʀe]	vous serez allés	[s(ə)ʀe(z)ale]
ils iront	[iʀɔ̃]	ils seront allés	[s(ə)ʀɔ̃(t)ale]
INFINITIF			
Présent		*Passé*	
aller	[ale]	être allé	[ɛtʀale]

*Pour la liaison, voir Remarque phonétique 3.
**Pour le *e* instable, voir Remarque phonétique 4.

REM. L'impératif de *s'en aller* [sɑ̃nale] est *va-t-en* [vatɑ̃], *allons-nous-en* [alɔ̃nuzɑ̃], *allez-vous-en* [alevuzɑ̃]. À l'impératif toujours, devant le pronom adverbial *y, va* prend un *s : vas-y* [vazi] ; mais si un infinitif suit, le *s* disparaît : *va y mettre bon ordre* [vaimɛtʀəbɔnɔʀdʀ] (cf. REM. du Tableau, p. xxxii).

CONDITIONNEL		SUBJONCTIF	
Présent		*Présent*	
j'irais	[iʀɛ]	que j'aille	[aj]
tu irais	[iʀɛ]	que tu ailles	[aj]
il irait	[iʀɛ]	qu'il aille	[aj]
nous irions	[iʀjɔ̃]	que nous allions	[aljɔ̃]
vous iriez	[iʀje]	que vous alliez	[alje]
ils iraient	[iʀɛ]	qu'ils aillent	[aj]
Passé 1ʳᵉ forme		*Imparfait*	
je serais allé	[s(ə)ʀɛ(z)ale]	que j'allasse	[alas]
tu serais allé	[s(ə)ʀɛ(z)ale]	que tu allasses	[alas]
il serait allé	[s(ə)ʀɛ(t)ale]	qu'il allât	[ala]
nous serions allés	[səʀjɔ̃(z)ale]	que nous allassions	[alasjɔ̃]
vous seriez allés	[səʀje(z)ale]	que vous allassiez	[alasje]
ils seraient allés	[s(ə)ʀɛ(t)ale]	qu'ils allassent	[alas]
Passé 2ᵉ forme		*Passé*	
je fusse allé	[fysale]	que je sois allé	[swa(z)ale]
tu fusses allé	[fysale]	que tu sois allé	[swa(z)ale]
il fût allé	[fy(t)ale]	qu'il soit allé	[swa(t)ale]
nous fussions allés	[fysjɔ̃(z)ale]	que nous soyons allés	[swajɔ̃(z)ale]
vous fussiez allés	[fysje(z)ale]	que vous soyez allés	[swaje(z)ale]
ils fussent allés	[fys(t)ale]	qu'ils soient allés	[swa(t)ale]
IMPÉRATIF		*Plus-que-parfait*	
Présent		que je fusse allé	[fysale]
va	[va]	que tu fusses allé	[fysale]
allons	[alɔ̃]	qu'il fût allé	[fy(t)ale]
allez	[ale]	que nous fussions allés	[fysjɔ̃(z)ale]
Passé		que vous fussiez allés	[fysje(z)ale]
sois allé	[swa(z)ale]	qu'ils fussent allés	[fys(t)ale]
soyons allés	[swajɔ̃(z)ale]		
soyez allés	[swaje(z)ale]		
PARTICIPE			
Présent		*Passé*	
allant	[alɑ̃]	allé, ée	[ale]
		étant allé	[etɑ̃(t)ale]

VERBES AUXILIAIRES ÊTRE ET AVOIR

(Pour les conjugaisons, voir Tableaux p. LX et L.)

ÊTRE sert d'auxiliaire à :	AVOIR sert d'auxiliaire à :
1. Tous les verbes passifs	1. *Avoir.*
2. Tous les verbes pronominaux	2. *Être* et les verbes d'état *Sembler, Paraître.*
3. Quelques verbes intransitifs exprimant le mouvement ou les changement d'état : *Naître, Décéder, Mourir ; Aller, Venir* (et ses composés), *Rester ; Arriver, Partir* (et ses composés) ; *Tomber, Retomber ; Devenir.* *Accourir ; Paraître, Apparaître* et *Reparaître ; Éclore ; Échoir* peuvent se conjuguer avec ÊTRE ou AVOIR.	3. Tous les verbes transitifs, directs ou indirects.
4. Certains verbes dans leur emploi intransitif seulement : *Passer, Monter, Descendre, Entrer, Sortir* (et leurs composés : *Repasser, Remonter, Redescendre* et *Ressortir*), *Retourner* (« vers un lieu »).	4. Beaucoup de verbes intransitifs (ex. : *j'ai couru*).
5. Quelques verbes accidentellement impersonnels qui reçoivent alors le même auxiliaire que celui avec lequel ils se conjuguent comme verbes personnels (ex. : *il est arrivé un malheur*). Le passif impersonnel se conjugue avec ÊTRE (ex. : *il s'est produit une fissure*).	5. Tous les verbes impersonnels proprement dits (ex. : *il a plu*).

REMARQUES PHONÉTIQUES SUR LES TABLEAUX DE CONJUGAISON

1. Les radicaux

Pour chaque verbe, nous avons tenté de faire apparaître le nombre de radicaux afin de classer les verbes de chaque type selon un principe de complexité croissante et afin d'aider le lecteur à comprendre l'organisation des formes verbales dans les tableaux des conjugaisons.

a) Un radical phonétique, deux radicaux graphiques

Pour compter le nombre de radicaux, nous avons choisi de partir d'une base phonétique, ce qui fait apparaître des variations de prononciation dans des verbes dont le radical graphique ne varie pas (voir *Épier, Aimer*), et ce qui explique que des verbes comme *Placer, Bouger,* malgré deux radicaux graphiques *(plac- et plaç- ; boug- et bouge-),* sont considérés comme n'ayant qu'un seul radical.

b) Alternance [e]/[ɛ] dans le radical

Un problème se pose pour les verbes comprenant [e] ou [ɛ] dans la syllabe finale du radical, finale ou non finale de mot.
En général, en syllabe fermée (terminée par une consonne), on prononce [ɛ] (ex. : *regrette* [ʀ(ə)gʀɛt]). En syllabe non finale de mot, les manuels de phonétique indiquent une répartition entre [ɛ] (graphie *-ai-, -ei-, -ê-* ; ex. : *aimons* [ɛmɔ̃], *peinons* [pɛnɔ̃], *rêvons* [ʀɛvɔ̃]), et [e] (graphie *-é-, -e-* + deux consonnes identiques ; ex. : *cédons* [sedɔ̃], *regrettons* [ʀ(ə)gʀetɔ̃]). De plus, selon le principe de l'harmonisation vocalique, lorsque [ɛ] est suivi par une syllabe contenant [e], [y] ou [i] — en ce qui concerne le système verbal, il s'agit de désinences —, ce [ɛ] devient [e] (ex. : *vêtait* [vete], mais *vêtir* [vetiʀ], *vêtu* [vety], *vêtez* [vete] ; *aimons* [emɔ̃], mais *aimez* [eme]).
L'usage actuel tend à neutraliser l'opposition entre [e] et [ɛ] en syllabe inaccentuée. Ainsi dans *pêcheur* [pɛʃœʀ] et *pécheur* [peʃœʀ], on entend une voyelle intermédiaire rendant difficile la distinction de ces deux mots.
Pour les verbes de la première conjugaison, nous avons cependant tenu compte de la norme, en considérant les verbes *Aimer* et *Rêver* comme des verbes à deux radicaux phonétiques, ainsi que le verbe *Regretter (je regrette* [ʀ(ə)gʀɛt], mais *nous regrettons* [ʀ(ə)gʀetɔ̃], bien qu'il soit possible d'entendre [ʀ(ə)gʀɛtɔ̃].
En revanche, pour ne pas multiplier les radicaux des verbes irréguliers de la 3ᵉ conjugaison et ne pas séparer les verbes qui suivent des conjugaisons similaires (cf. *Joindre* et *Craindre*), nous n'avons considéré qu'un seul radical en [ɛ].

2. Prononciation de la première personne du futur et du passé simple

Jusque dans les années cinquante, il était recommandé de distinguer dans la prononciation la première personne du passé simple en *-ai* [e] et celle de l'imparfait en *-ais* [ɛ], pour les verbes de la première conjugaison, ainsi que la première personne du futur en *-rai* [ʀe] et celle du conditionnel en *-rais* [ʀɛ], pour tous les verbes. Cependant, dans l'usage moderne, la prononciation du futur en [ʀɛ] semble se généraliser malgré la confusion possible avec le conditionnel. La prononciation du passé simple en [e] se maintient davantage à cause de l'emploi de ce temps dans un style littéraire, donc moins courant.

3. Liaison

La liaison entre deux mots dépend principalement de deux facteurs : l'union syntaxique entre les mots et le style.
La liaison est *obligatoire* entre les pronoms antéposés et le verbe, même dans la conversation familière (ex. : *ils arrivent* cour. [ilzaʀiv], fam. [izaʀiv]).
La liaison est *facultative* entre l'auxiliaire *Être* ou *Avoir* et le participe passé. Dans le style littéraire (lecture ou conférence), on aura plus tendance à faire la liaison que dans la conversation courante.

4. Le e instable

La prononciation du *e* instable dans les conjugaisons suit la règle générale de prononciation de cette voyelle dans les groupes de mots, dits groupes rythmiques.
a) Dans la première syllabe d'un groupe rythmique, le *e* instable a tendance à être prononcé. Il peut cependant tomber dans une conversation rapide ou familière (ex. : *je veux bien* [ʒəvøbjɛ̃] ou [ʒvøbjɛ̃]).
b) A l'intérieur d'un groupe rythmique, précédé d'*une seule consonne prononcée*, le *e* instable tombe en général (ex. : *mais je peux faire ça* [mɛʒpøfɛʀsa]). Précédé de *deux consonnes prononcées*, le *e* instable se conserve en général (ex. : *car je peux faire ça* [kaʀʒəpøfɛʀsa]). De même, *je serai* [ʒəsʀe], mais *il sera* [ilsəʀa] ou, fam. [isʀa].
c) On garde davantage de *e* instables dans un style soutenu. En général, dans le style littéraire, on garde le *e* instable dans la première syllabe des mots et dans les monosyllabes (ex. : *je venais* souvent littér. [ʒəvənesuvɑ̃], cour. [ʒəvnesuvɑ̃]).
d) Dans le cas d'une succession de *e* instables, en général le premier *e* se conserve, le deuxième (précédé d'une consonne prononcée) tombe, le troisième se conserve, etc. (ex. : *je le regarde* [ʒələʀgaʀd], *je ne le regarde pas* [ʒənləʀgaʀdəpa]).
e) Il existe cependant des *groupes figés* qui ont une prononciation habituelle, quel que soit l'entourage : *je ne* [ʒən], *je te* [ʒtə]

(ex. : *je ne sais pas* [ʒənsɛpɑ], *mais je te l'ai dit* [mɛʒtəledi], *car je te l'ai dit* [kaʀʒtəledi]).

Dans le cas des verbes pronominaux, la prononciation la plus fréquente est : *je me méfie* [ʒəmmefi], *tu te méfies* [tytmefi], *il se méfie* cour. [ilsəmefi], fam. [ismefi].

f) Pour les verbes de la première conjugaison, à la première et la deuxième personne du pluriel du conditionnel, on prononce le *e* instable, à cause de la difficulté de prononciation provoquée par la présence d'un yod [j] après un *r* [ʀ] ou un *l* [l]. On prononce *nous arriverions* [aʀivəʀjɔ̃], mais *nous arriverons* [aʀivʀɔ̃].

g) Pour des raisons identiques, dans les verbes du type *Appeler* et *Geler,* on prononce *nous appelions* [apəljɔ̃] et *nous gelions* [ʒəljɔ̃], mais *nous appelons* [aplɔ̃] et *nous gelons* [ʒ(ə)lɔ̃] (cf. ci-dessus. f et c).

5. Prononciation familière des verbes du type *Arriver* et *Bouger*

Dans la langue familière, on entend souvent une simplification des pronoms personnels, différente selon que le verbe commence par une voyelle ou une consonne :

Arriver		*Bouger*	
j'arrive	[ʒaʀiv]	je bouge	[ʒbuʒ]
tu arrives	[taʀiv]	tu bouges	[tybuʒ]
il arrive	[ilaʀiv]	il bouge	[ibuʒ]
nous arrivons	[nuzaʀivɔ̃]	nous bougeons	[nubuʒɔ̃]
vous arrivez	[vyzaʀive]	vous bougez	[vubuʒe]
ils arrivent	[izaʀiv]	ils bougent	[ibuʒ]

6. Les semi-consonnes

Les verbes dont le radical se termine par *-i, -u, -ou* présentent des variations de prononciation selon la désinence.

a) Quand le radical est suivi d'un *-e* non prononcé ou d'une consonne, on prononce les voyelles [i], [y], [u] (ex. : *j'épie* [epi], *nous épierons* [epiʀɔ̃], *nous épierions* [epiʀjɔ̃]; *je tue* [ty], *nous tuerons* [tyʀɔ̃]; *je joue* [ʒu], *nous jouerons* [ʒuʀɔ̃]).

b) Quand le radical est suivi par une voyelle prononcée, en général on prononce les semi-consonnes [j], [ɥ], [w] (ex. : *nous épions* [epjɔ̃], *nous tuons* [tɥɔ̃], *nous jouons* [ʒwɔ̃]). Cependant, certaines personnes font sentir la séparation entre le radical et la désinence en prononçant *nous tuons* [nutyɔ̃] et *nous jouons* [nuʒuɔ̃], mais uniquement pour les formes en *-u* et en *-ou.*

c) Dans le cas où la désinence commence par *-i-* (première et deuxième personnes du pluriel de l'imparfait et du subjonctif présent), ce *-i-* intervocalique se prononce [j], et les *-i-, -u-, -ou-* se prononcent comme les voyelles [i], [y], [u] (ex. : *nous épiions* [epijɔ̃], *nous tuions* [tyjɔ̃], *nous jouions* [ʒujɔ̃]).

d) Si les voyelles *i, u, ou* sont précédées du groupe consonantique *consonne + l* ou *consonne + r,* dans tous les cas on prononce les voyelles [i], [y], [u] (ex. : *nous concluons* [kɔ̃klyɔ̃]), mais un [j] euphonique s'intercale entre le *i* et une désinence commençant par une voyelle (ex. : *nous prions* [pʀijɔ̃]).

e) Dans les cas des verbes du type *Prier* et des types *Bouillir, Assaillir,* etc., quand le radical se terminant par [j] est suivi d'une désinence commençant par [j], nous avons noté la géminée [jj]. Ce son se réalise en général comme un [j] fortement articulé pour permettre la distinction du présent et de l'imparfait de l'indicatif aux deux premières personnes du pluriel (ex. : *nous prions* [pʀijɔ̃], *nous bouillons* [bujɔ̃], mais *nous priions* [pʀijjɔ̃] et *nous bouillions* [bujjɔ̃]).

BIBLIOGRAPHIE

Établie par Véronique Mullon, Annick Lanz-Dehais ;
Fernande Ballester (1ʳᵉ édition)

1) *Description des ouvrages*

La description bibliographique des ouvrages développe les références avec indication de page qui figurent au-dessous des citations dans le corps du dictionnaire. Elle décrit l'édition utilisée et permet d'y retrouver le passage cité.

Quant aux références qui précisent la partie de l'ouvrage (actes et scènes des pièces de théâtre, chapitres des textes en prose, titres de pièces poétiques, etc.), elles rendent possible la recherche du passage dans toute édition. La bibliographie, en décrivant l'édition donnée, peut cependant justifier de variantes du texte. Le cas s'est notamment présenté lorsqu'une nouvelle édition critique s'est trouvée disponible en cours de rédaction du dictionnaire et s'est ajoutée à celle initialement utilisée.

Dans la bibliographie, les éléments (lieu d'édition, nom d'éditeur, tomaison, date) placés entre crochets à la suite d'un titre d'ouvrage, et concernant la première édition — lorsque celle-ci n'est pas l'édition utilisée —, constituent une indication pertinente pour la datation du mot. Lorsque différentes éditions d'un même texte ont été utilisées, chacune d'elles est caractérisée et classée dans l'ordre chronologique.

2) *Répartition des ouvrages par contenu*

Les ouvrages ont été répartis en trois chapitres selon leur contenu :
I.   Langue française ;
II. Ouvrages de documentation ;
III. Textes d'auteurs (textes littéraires proprement dits, mémoires, correspondances, textes scientifiques, historiques, philosophiques...).

À l'intérieur des deux premiers chapitres, des sous-chapitres rassemblent les ouvrages selon leur forme : les dictionnaires et encyclopédies ont été séparés des monographies, études et essais. Un même auteur peut donc figurer dans différentes parties de la bibliographie selon la nature ou la forme de ses œuvres. C'est le cas, par exemple, d'Antoine Furetière, auteur du célèbre dictionnaire paru en 1690, mais aussi du *Roman bourgeois* — importante œuvre littéraire —, ou de l'abbé Prévost qui a rédigé également un intéressant dictionnaire au milieu du XVIIIᵉ siècle.

Le chapitre IV, enfin, regroupe dans l'ordre alphabétique des titres l'ensemble des revues et périodiques consultés.

3) *Classement des ouvrages*

À l'intérieur de chaque subdivision, les ouvrages sont classés par ordre alphabétique des auteurs. Les ouvrages collectifs ou anonymes sont rangés par ordre alphabétique des titres, soit entiers (par exemple : *Déclaration des droits de l'homme et du citoyen*), soit abrégés, puis développés (par exemple : *I.F.A. : Inventaire des particularités lexicales du Français en Afrique noire),* ou encore par ordre alphabétique des noms d'éditeurs (par exemple : LAROUSSE *commercial illustré* ou QUILLET-FLAMMARION : *Dictionnaire usuel*).

I. LANGUE FRANÇAISE

1. Dictionnaires français (généraux ou anciens)

ACADÉMIE FRANÇAISE *(Dictionnaire de l')*. — 2 tomes. — 1ʳᵉ éd. — Éd. J.-B. Coignard, 1694. — 4ᵉ éd. — Éd. B. Brunet, 1762. — réimpression de la 4ᵉ éd. — Nîmes : Éd. P. Beaume, 1778. — 5ᵉ éd. — Éd. J.-J. Smits, 1798. — 6ᵉ éd. — Éd. Firmin-Didot et Cⁱᵉ, 1878. — 8ᵉ éd. — Éd. Hachette, 1932-1935. — *Complément du Dictionnaire de l'*ACADÉMIE FRANÇAISE. — Éd. Firmin-Didot, 1842.

BEAUJAN (A.). — *Dictionnaire de la langue française* d'Émile LITTRÉ, abrégé par A. BEAUJAN. — nouvelle édition revue et mise à jour sous la direction de Gérard VENZAC. — Éditions Universitaires, 1958.

BESCHERELLE (Louis-Nicolas). — *Dictionnaire national ou Dictionnaire universel de la langue française.* — 2 tomes. — Éd. Simon et Garnier, 1845-1846. — 2ᵉ éd. — Éd. Simon et Garnier, 1850. — 3ᵉ éd. — Éd. Garnier frères, 1855-1856.

BLANC (abbé Élie). — *Dictionnaire universel de la pensée.* — 2 tomes. — Paris ; Lyon : Éd. Librairie catholique Emmanuel Vitte, 1899.

BOISTE (Pierre-Claude). — *Dictionnaire universel de la langue française avec le latin et les étymologies.* — [1800]. — 3ᵉ éd. — Éd. Chez l'auteur, 1808. — 9ᵉ éd. — Éd. Firmin-Didot, 1839.

BOUILLET (Marie-Nicolas). — *Dictionnaire universel des sciences, des lettres et des arts.* — [1854]. — 5ᵉ éd. — Éd. Hachette, 1861.

COURTIN (Eustache Marc Antoine). — *Encyclopédie moderne.* — [24 tomes et 2 tomes de planches. — Éd. Mongie, 1824-1832]. — 27 tomes, 3 tomes de planches et 12 tomes de complément. — Éd. Didot, 1844-1863.

Dictionnaire abrégé d'histoire naturelle. — 3 tomes. — Éd. Langlois, 1795.

Dictionnaire classique de la langue française. — Éd. Blond et Bonal, 1885.

Dictionnaire français et italien. — Genève : Éd. P. et J. Chouët, 1644.

Dictionnaire mytho-hermétique, par dom Antoine-Joseph PERNETY. — Éd. Delalain, 1787.

Dictionnaire portatif des beaux-arts, par M. L***, avocat. — Éd. Estienne et fils et Herissant, 1752.

DOCHEZ (Louis). — *Nouveau dictionnaire de la langue française.* — Éd. C. Fouraut, 1860.

DUEZ (Nathanaël). — *Dictionnaire italien et français.* — Leide : Éd. Jean Elsevier, 1660.

Encyclopaedia Universalis. — 20 tomes et 2 suppléments. — Éd. Encyclopædia Universalis France, 1968-1975 ; 1980 (suppléments).

Encyclopédie ou Dictionnaire raisonné des sciences, des arts et des métiers, par une Société de gens de lettres ; mis en ordre et publié par M. Denis DIDEROT... et quant à la partie mathématique par M. Jean LE ROND d'ALEMBERT... — 35 volumes : 17 tomes (I-XVII) ; 4 volumes (XVIII-XXI) ; 12 volumes planches (XXII-XXXIII) ; 2 volumes tables (XXXIV-XXXV). — Paris : Éd. Briasson ; David ; Le Breton ; Durand, 1751-1777 (I-VII ; XVIII-XXXII) ; Neuchâtel : Éd. S. Faulche, 1765 (VIII-XVII) ; Paris : Éd. Panckoucke ; Amsterdam : Éd. Rey, 1777-1780 (XXXIII-XXXV).

Encyclopédie universelle du xxᵉ siècle : Répertoire complet des connaissances humaines, publié sous la direction d'Alfred MÉZIÈRES. — 13 tomes. — Éd. Librairie nationale, 1908-1910.

ESTIENNE (Robert). — *Dictionnaire français-latin.* — Éd. Estienne, 1530.

FURETIÈRE (Antoine). — *Dictionnaire universel.* — 3 tomes. — La Haye ; Rotterdam : Éd. A. et R. Leers, 1690. — réédition préfacée, illustrée et indexée. — 3 tomes. — Le Robert, 1978.

G. L. L. F. : *Grand* LAROUSSE *de la langue française.* — 7 tomes. — Éd. Larousse, 1971-1979.

Grande Encyclopédie (La) : Inventaire raisonné des sciences, des lettres et des arts par une société de savants. — sous la direction de M. BERTHELOT, H. DERENBOURG, et al. — 31 tomes. — Éd. H. Lamirault, 1885-1902.

GUÉRIN (Paul), sous la direction de. — *Dictionnaire des dictionnaires.* — 6 tomes. — Éd. Librairies - Imprimeries réunies, 1884-1890.

HATZFELD (Adolphe), DARMESTETER (Arsène). — *Dictionnaire général de la langue française du commencement du xviiᵉ siècle jusqu'à nos jours.* — 2 tomes. — [1890-1900]. — Éd. Delagrave, 1926.

LABOULAYE (Charles). — *Dictionnaire des arts et manufactures.* — [2 tomes, 1845-1847]. — 6ᵉ éd. — 4 tomes. — Éd. Librairie du Dictionnaire des arts et manufactures, 1886.

LA CHÂTRE (Maurice). — *Le Dictionnaire universel : Panthéon littéraire et encyclopédie illustrée.* — 2 tomes. — Éd. Administration de librairie, 1853-1854. — *Nouveau dictionnaire universel.* — 2 tomes. — Éd. Docks de la librairie, 1865-1870.

LANDAIS (Napoléon). — *Dictionnaire général et grammatical des dictionnaires français.* — 2 tomes. — Éd. Bureau central, 1834. — 7ᵉ éd. — Éd. Didier, 1843.

LARIVE et FLEURY. — *Dictionnaire français illustré des mots et des choses.* — Éd. Houssiaux, 1911.

LAROUSSE (Pierre). — *Grand dictionnaire universel du xixᵉ siècle.* — 15 tomes et 2 suppl. — Paris : Éd. Administration du Grand Dictionnaire universel, 1866 (tome I), 1867 (tomes II et III), 1869 (tomes IV et V), 1870 (tomes VI et VII), 1872 (tome VIII), 1873 (tomes IX et X), 1874 (tomes XI et XII), 1875 (tomes XIII et XIV), 1876 (tome XV), 1877 (supplément), 1890 (2ᵉ supplément).

LAROUSSE *classique illustré (Nouveau).* — Éd. Larousse, 1958.

LAROUSSE *encyclopédique (Grand).* — 10 tomes et 1 suppl. — Éd. Larousse, 1960-1964 ; suppl., 1968.

LAROUSSE *illustré (Nouveau Petit).* — rééditions successives. — Éd. Larousse, 1924-1984.

LAROUSSE *(Grand) de la langue française.* — Voir G. L. L. F.

LAROUSSE *universel.* — 2 tomes. — Éd. Larousse, 1922.

LAROUSSE *universel (Nouveau).* — 2 tomes. — Éd. Larousse, 1948.

LAROUSSE *du xxᵉ siècle.* — 6 tomes et 1 suppl. — Éd. Larousse, 1928-1933 ; suppl., 1953.

LE PELLETIER (L.). — *Dictionnaire de la langue bretonne.* — À Paris, 1752.

LE ROUX (Philibert-Joseph). — *Dictionnaire comique.* — [1718]. — Lyon : Éd. Beringos, 1752.

LITTRÉ (Émile). — *Dictionnaire de la langue française.* — [30 fascicules.— Éd. Hachette, 1863 à 1872]. — 4 tomes et 1 suppl. — Éd. Hachette, 1881. — Dates de parution : A-Dernier (7 fasc.) 1863 ; Dernier-Étroit (3 fasc.) 1864 ; Étroit-Génie (2 fasc.) 1865 ; Génie-Hystriciens (1 fasc.) 1866 ; I-Mandat (3 fasc.) 1867 ; Mandat-Perdre (4 fasc.) 1868 ; Perdre-Redresser (3 fasc.) 1869 ; Redresser-Scieur (2 fasc.) 1870 ; Scieur-fin (5 fasc.) 1872.

MERCIER (Louis-Sébastien). — *Néologie ou Vocabulaire des mots nouveaux, à renouveler ou pris dans des acceptions nouvelles.* — 2 tomes. — Éd. Moussard et Moradon, an IX (1801).

NICOT (Jean). — *Thresor de la langue françoyse...* — Éd. Douceur, 1606.

NODIER (Charles). — *Examen critique des dictionnaires de la langue française.* — [1828]. — 2ᵉ éd. — Éd. Delangle, 1829.

PALSGRAVE (Jean). — *L'Éclaircissement de la langue française.* — [1530]. — Éd. Imprimerie Nationale, 1852.

PRÉVOST (Antoine-François PRÉVOST, dit l'abbé). — *Manuel lexique ou Dictionnaire portatif des mots français dont la signification n'est pas familière à tout le monde...* — 2 tomes. — Éd. Didot, 1750.

QUILLET : *Dictionnaire Quillet de la langue française : Dictionnaire pratique et méthodique,* rédigé sous la direction de Raoul MORTIER. — 3 tomes. — Éd. Librairie Aristide Quillet, 1946. — *Dictionnaire encyclopédique Quillet,* sous la direction de Raoul MORTIER. — [1934]. — Éd. Librairie Aristide Quillet, 1953.

QUILLET-FLAMMARION : *Dictionnaire usuel.* — Éd. Librairie Aristide Quillet, 1956.

RICHARD DE RADONVILLIERS (Jean-Baptiste). — *Dictionnaire des mots nouveaux.* — Éd. Léautey, 1845.

RICHELET (Pierre). — *Dictionnaire français contenant les mots et les choses.* — 2 tomes. — [1680]. — nouvelle édition revue et corrigée. — Genève : Éd. J.-J. Dentaud, 1690.

T. L. F. : *Trésor de la langue française : Dictionnaire de la langue du xixᵉ et xxᵉ siècle (1789-1960),* publié sous la direction de Paul IMBS, puis de Bernard QUEMADA. — 14 tomes prévus. — Éd. Centre National de la Recherche Scientifique, 1971 (tome I) à 1983 (tome X).

TRÉVOUX : *Dictionnaire universel français et latin,* vulgairement appelé *Dictionnaire de Trévoux.* — [3 tomes. — 1704]. — 3ᵉ éd. — 7 tomes. — Nancy : Éd. Imprimerie Pierre Antoine, 1740. — 6ᵉ éd. — 8 tomes. — Éd. Compagnie des libraires associés, 1771.

Vocabulaire (Nouveau) ou Dictionnaire portatif de la langue française. — Éd. Principaux Libraires, 1810.

2. Dictionnaires spéciaux (ancienne langue, étymologie, analogie, etc.)

BAILLY (Anatole). — *Dictionnaire grec-français.* — [1894]. — Éd. Hachette, 1950.

BAILLY (René). — *Dictionnaire des synonymes de la langue française.* — Éd. Larousse, 1946.

Banque (La) des mots, revue semestrielle de terminologie française publiée par le Conseil International de la Langue Française (C. I. L. F.). — Éd. C. I. L. F., 1971 à 1984.

BAR (Elvire D.). — *Dictionnaire des synonymes.* — [1939]. — Éd. Garnier, 1960.

BARBEAU (Alfred), RHODE (Émile). — *Dictionnaire phonétique de la langue française.* — Stockholm : Éd. Norstedt, 1930.

BARNHART (Clarence L.), STEINMETZ (Sol), BARNHART (Robert K.). — *A Dictionary of New English.* — London : Éd. Longman, 1973.

BÉNAC (Maurice). — *Dictionnaire des synonymes.* — Éd. Hachette, 1956.

BERTAUD DU CHAZAUD (Henri). — *Dictionnaire des synonymes.* — Éd. Le Robert, 1979 ; 1983. — (coll. «Les Usuels»).

BLOCH (Oscar), WARTBURG (Walther von). — *Dictionnaire étymologique de la langue française.* — [1932]. — Éd. P. U. F., 1960 (3e éd.) ; 1964 (4e éd.).

BOISSIÈRE (Prudence). — *Dictionnaire analogique de la langue française.* — [s. d.]. — réimpression de la première édition. — Éd. Larousse et Boyer, 1862.

BOUSSINOT (Roger). — *Dictionnaire des synonymes, analogies et antonymes.* — Éd. Bordas, 1973.

BUIES (Arthur). — *Anglicismes et Canadianismes.* — Éd. Darveau, 1888.

CARADEC (François). — *Dictionnaire du français argotique et populaire.* — Éd. Larousse, 1977.

CAYROU (Gaston). — *Le Français classique : Lexique de la langue du XVIIe siècle.* — [1948]. — Éd. Didier, 1955.

CELLARD (Jacques), REY (Alain). — *Dictionnaire du français non conventionnel.* — Éd. Masson ; Hachette, 1980.

Clé des mots (La) : Cahiers de terminologie, publié par le Conseil International de la Langue Française (C. I. L. F.). — Éd. C. I. L. F., octobre 1973 à avril 1976.

COLIN (Jean-Paul). — *Dictionnaire des difficultés du français.* — Éd. Le Robert, 1980. — (coll. «Les Usuels»).

COTTEZ (Henri). — *Dictionnaire des structures du vocabulaire savant.* — Ed. Le Robert, 1980. — (coll. «Les Usuels»).

DAUZAT (Albert). — *Dictionnaire étymologique de la langue française.* — Éd. Larousse, 1938 ; 1947 ;1949.

D. D. L. : *Matériaux pour l'histoire du vocabulaire français,* publiés par Bernard QUEMADA, *Datations et Documents lexicographiques.* — 1re série. — Éd. Les Belles Lettres, 1959-1965. — 2e série. — Éd. Didier (nos 1 à 8), puis Éd. Klincksieck, 1970-1984.

DELAS (Daniel), DELAS-DEMON (Danièle). — *Dictionnaire des idées par les mots.* — Éd. Le Robert, 1978. — (coll. «Les Usuels»).

DELVAU (Alfred). — *Dictionnaire de la langue verte.* — [1866]. — édition revue. — Éd. Flammarion, 1883.

DU CANGE (Charles du FRESNE, sieur de). — *Glossarium mediae et infimae latinitatis...* — 10 tomes. — [1678]. — Éd. Charles Osmont, 1733-1766.

DUBOIS (Jean), LAGANE (René). — *Dictionnaire de la langue française classique.* — Éd. E. Belin, 1960.

DUPRÉ (Paul). — *Encyclopédie des citations.* — Éd. de Trévise, 1959. — *Encyclopédie du bon français dans l'usage contemporain.* — 3 tomes. — [1959]. — Éd. de Trévise, 1972.

DURRIEU (L.). — *Parlons correctement : Dictionnaire raisonné de locutions vicieuses et de difficultés grammaticales.* — Toulouse : Éd. Bureaux de la presse catholique et Fournié frères, 1929.

ERNOUT (Alfred), MEILLET (Antoine). — *Dictionnaire étymologique de la langue latine : Histoire des mots.* — [1932]. — Éd. C. Klincksieck, 1951.

ESNAULT (Gaston). — *Dictionnaire historique des argots français.* — Éd. Larousse, 1965.

F. E. W. : *Französiches etymologisches Wörterbuch,* par Walther von WARTBURG. — 25 tomes, parus par fascicules. — Tübingen : Éd. J. C. B. Mohr ; puis Basel : Éd. Helbing und Lichtenhahn, 1922-1978.

FICK (Auguste). — *Panlexique : Dictionnaire des rimes spécialement composé à l'usage des mots-croisistes.* — Éd. Larousse, s. d.

GAFFIOT (Félix). — *Dictionnaire latin-français.* — Éd. Hachette, 1934.

GENEST (Émile). — *Dictionnaire des citations françaises.* — Éd. Fernand Nathan, 1954.

GILBERT (Pierre). — *Dictionnaire des mots nouveaux.* — Éd. Hachette ; Tchou, 1968. — *Dictionnaire des mots contemporains.* — Éd. Le Robert, 1980. — (coll. «Les Usuels»).

GIRARD (abbé Gabriel). — *Synonymes français, leurs différentes significations et le choix qu'il faut pour en parler avec justesse.* — Éd. Veuve d'Houry, 1706.

GODEFROY (Frédéric). — *Dictionnaire de l'ancienne langue française et de tous ses dialectes du IXe au XVe siècle.* — 10 tomes. — Paris : Éd. Vieweg et Bouillon, 1881-1902. — *Lexique de l'ancien français.* — Paris ; Leipzig : Éd. H. Welter, 1901.

GOUGENHEIM (Georges). — *Dictionnaire fondamental de la langue française.* — Éd. Didier, 1958.

GRANDSAIGNES D'HAUTERIVE (R.). — *Dictionnaire d'ancien français.* — Éd. Larousse, 1947. — *Dictionnaire des racines des langues européennes.* — Éd. Larousse, 1949.

GUERLAC (Othon). — *Les Citations françaises.* — 4e éd. — Éd. Armand Colin, 1953.

GUIRAUD (Pierre). — *Dictionnaire des étymologies obscures.* — Éd. Payot, 1982.

GUIZOT (François). — *Nouveau dictionnaire universel des synonymes de la langue française.* — Éd. Maradan, 1809.

HANSE (Joseph). — *Dictionnaire des difficultés grammaticales et lexicologiques.* — Amiens : Études scientifiques et littéraires ; Bruxelles : Éd. Baude, 1949. — *Nouveau dictionnaire des difficultés du français moderne.* — Paris ; Gembloux : Éd. Duculot, 1983.

Harrap's Standard : French and English Dictionary, by J. E. MANSION. — [1934]. — Londres : Éd. Harrap et Cie, 1956.

HÖFLER (Manfred). — *Dictionnaire des anglicismes.* — Éd. Larousse, 1982.

HUGUET (Edmond). — *Dictionnaire de la langue française du XVIe siècle.* — 7 tomes. — Éd. E. Champion, puis Didier, 1925-1967.

I. F. A. : *Inventaire des particularités lexicales du Français en Afrique noire,* par J. BLONDÉ, G. CANU, J.-P. CAPRILE, J. R. DELTEL, P. DUMONT, R. EFOUR-ZENGUE, S. FAIK, D. GONTIER, F. JOUANNET, S. LAFAGE, G. MENDOZE, G. N'DIAYE-CORRÉARD, A. QUEFFELEC, C. QUEFFELEC, D. RACELLE-LATIN, J.-L. RONDREUX, J. SCHMIDT, S. SHYIRAMBERE, J. TABI-MANGA, sous le patronage de l'Association des Universités Partiellement ou Entièrement de Langue Française (A. U. P. E. L. F.). — Montréal : Éd. A. U. P. E. L. F., 1983.

I. G. L. F. : *Inventaire Général de la Langue Française,* fichier établi sous la direction de Mario ROQUES, continué jusqu'en 1968 par M. F. LECOY, intégré à l'Institut National de la Langue Française (I. N. A. L. F.) du Centre National de la Recherche Scientifique (C. N. R. S.).

JUILLIAND (Alphonse). — *Dictionnaire inverse de la langue française.* — La Haye ; Paris : Éd. Mouton, 1965.

LACROIX (U.). — *Dictionnaire des mots et des idées.* — Éd. Fernand Nathan, 1950.

LAFAYE (Pierre-Benjamin). — *Dictionnaire des synonymes de la langue française.* — [1858]. — Éd. Hachette, 1861 (2e éd.) ; 1903 (8e éd.).

LARCHEY (Lorédan). — *Dictionnaire historique, étymologique et anecdotique de l'argot parisien.* — 6e édition des *Excentricités du langage* [1859], mise à la hauteur des révolutions du jour. — Éd. F. Polo, 1872. — *Dictionnaire historique d'argot.* — 7e édition des *Excentricités du langage.* — Éd. Dentu, 1878.

LA RUE (Jean). — *Dictionnaire d'argot et des principales locutions populaires.* — [1894]. — Éd. Flammarion, 1948.

LAVEAUX (Jean-Charles). — *Dictionnaire raisonné des difficultés grammaticales et littéraires de la langue française.* — [1818]. — 4e éd. — Éd. Hachette, 1873.

LE BRETON (Auguste). — *Langue verte et noirs desseins.* — Éd. Presses de la Cité, 1960.

LUGRIN (Ernest). — *Locutions vaudoises.* — Lausanne : Éd. E. Frankfurter, 1917.

MAQUET (Charles). — *Dictionnaire analogique.* — [1936]. — Éd. Larousse, 1941.

MARTEL (L.) — *Petit recueil des proverbes français.* — Éd. Garnier, 1883.

MEYER-LÜBKE (Wilhelm). — *Romanisches etymologisches Wörterbuch.* — 3e édition entièrement refondue. — Heidelberg : Éd. Carl Winter, 1935.

MICHEL (J. F.). — *Dictionnaire d'expressions vicieuses, usitées dans un grand nombre de départements et notamment dans la ci-devant province de Lorraine.* — Éd. Le Normant et Colas, 1807.

MONTREYNAUD (Florence), MATIGNON (Jeanne). — *Dictionnaire de citations du monde entier.* — Éd. Le Robert, 1983. — (coll. «Les Usuels»).

MONTREYNAUD (Florence), PIERRON (Agnès), SUZZONI (François). — *Dictionnaire de proverbes et dictons.* — Éd. Le Robert, 1980. — (coll. «Les Usuels»).

NOTER (Raphaël de), LÉCUYER (H.), VUILLERMOZ (P.). — *Dictionnaire des synonymes : Répertoire des mots français usuels ayant un sens semblable, analogue ou approché.* — Éd. P. U. F., 1947.

OSTER (Pierre). — *Dictionnaire de citations françaises.* — Éd. Le Robert, 1978. — (coll. «Les Usuels»).

Oxford English Dictionary (The). — 12 tomes, suppl. et bibliographie. — [1884-1928]. — Oxford : Éd. Clarendon Press, 1933.

PICOCHE (Jacqueline). — *Dictionnaire étymologique du français.* — Éd. Le Robert, 1980. — (coll. «Les Usuels»).

POUGENS (Marie Charles Joseph de). — *Dictionnaire grammatical.* — Éd. Imprimerie Royale, 1819.

QUEMADA (Bernard), sous la direction de. — *Datations et Documents Lexicographiques.* — Voir D. D. L.

RAMEAU (M.), YVON (H.). — *Dictionnaire des antonymes ou contraires.* — Éd. Delagrave, 1933. — (coll. «Bibliothèque des chercheurs et des curieux»).

RAT (Maurice). — *Dictionnaire des locutions françaises.* — Éd. Larousse, 1957. — *Petit dictionnaire des locutions françaises.* — Éd. Garnier, 1941. — (coll. «Français facile pour tous»).

REY (Alain), CHANTREAU (Sophie). — *Dictionnaire des expressions et locutions figurées.* — Éd. Le Robert, 1979. — (coll. «Les Usuels»).

REY-DEBOVE (Josette), GAGNON (Gilberte). — *Dictionnaire des anglicismes.* — Éd. Le Robert, 1980. — (coll. «Les Usuels»).

RHEIMS (Maurice). — *Dictionnaire des mots sauvages.* — Éd. Larousse, 1969.

ROUAIX (Paul). — *Dictionnaire manuel des idées suggérées par les mots.* — [1898]. — Éd. Armand Colin, 1917.

SAINÉAN (Lazare). — *L'Argot des tranchées, d'après les lettres des poilus et les journaux du front.* — Éd. E. de Boccard, 1915.

SANDRY (Géo), CARRÈRE (Marcel). — *Dictionnaire de l'argot moderne.* — [1953]. — Éd. du Dauphin, 1954.

SCHEFER (Pierre). — *Dictionnaire des qualificatifs classés par analogie.* — Éd. Delagrave, 1931.

STAPPERS (Henri). — *Dictionnaire synoptique d'étymologie française.* — 5ᵉ éd. — Éd. Larousse, s. d.

THOMAS (Adolphe V.). — *Dictionnaire des difficultés de la langue française.* — Éd. Larousse, 1956.

TOBLER (Adolf), LOMMATZCH (Erhard). — *Altfranzösisches Wörterbuch.* — 10 tomes. — Berlin : Éd. Weidmann (tomes I et II), puis Wiesbaden : Éd. F. Steiner (tomes III à X), 1925-1976.

VAN DAELE (Hilaire). — *Petit dictionnaire de l'ancien français.* — Éd. Garnier, 1940.

WARTBURG (Walther von). — *Französiches etymologisches Wörterbuch* (F.E.W.). — 25 tomes parus par fascicules. — Tübingen : Éd. J.C.B. Mohr; puis Basel : Éd. Helbing und Lichtenhahn, 1922-1978.

3. Ouvrages sur la langue

ADAM (Lucien). — *Du genre dans les diverses langues.* — Éd. Maisonneuve, 1883.

AGACINSKI (Sylviane), DERRIDA (Jacques), KOFMAN (Sarah). — *Mimesis des articulations.* — Éd. Aubier-Montaigne, 1975.

ALBALAT (Antoine). — *L'Art d'écrire enseigné en vingt leçons.* — 25ᵉ éd. — Éd. Armand Colin, 1924. — *Comment il faut lire les auteurs classiques français : de Villon à Victor Hugo.* — 5ᵉ éd. — Éd. Armand Colin, 1923. — *La Formation du style par l'assimilation des auteurs.* — 12ᵉ éd. — Éd. Armand Colin, 1921. — *Le Travail du style enseigné par les corrections manuscrites des grands écrivains.* — 10ᵉ éd. — Éd. Armand Colin, 1921.

ANTOINE (Gérald). — *La Coordination en français.* — 2 tomes. — Éd. d'Artrey, 1958, 1962.

ARNAULD (Antoine), LANCELOT (Claude). — *Grammaire générale et raisonnée contenant les fondements de l'art de parler expliqués d'une manière claire et naturelle, dite Grammaire de Port-Royal.* — Le Petit, 1660. — 4ᵉ édition, avec un supplément par l'abbé FROMANT. — Éd. Durand, 1780.

ARVEILLER (Raymond). — *Contribution à l'étude des termes de voyage en français : 1505-1722.* — Éd. d'Artrey, 1963.

AYER (Cyprien). — *Grammaire comparée de la langue française.* — [1851]. — 4ᵉ éd. — Bâle : Éd. Georg; Paris : Fischbacher, 1885.

BACRI (Roland). — *Trésors des racines pataouètes.* — Éd. Belin, 1983. — (coll. «Le Français retrouvé»).

BALLY (Charles). — *Linguistique générale et Linguistique française.* — [1932]. — 3ᵉ éd. — Berne : Éd. A. Francke, 1950. — *Traité de stylistique française.* — 2 volumes — [1909]. — 2ᵉ éd. — Éd. Carl Winter, 1919-1921.

BAR (Francis). — *Le Genre burlesque au XVIIᵉ siècle : Étude de style.* — Éd. d'Artrey, 1960.

BAUCHE (Henri). — *Le Langage populaire.* — [1920]. — Éd. Payot, 1929.

BEAUVAIS (Robert). — *Le Français kiskose.* — Éd. Fayard, 1975.

BÉNAC (Henri). — *Vocabulaire de la dissertation : Classes de première et de philosophie.* — Éd. Hachette, 1949.

BENVENISTE (Émile). — *Problèmes de linguistique générale.* — 2 tomes. — Éd. Gallimard, 1966-1974. — (coll. «Bibliothèque des Sciences Humaines»).

BESCHERELLE (Louis-Nicolas). — *Grammaire nationale.* — [1834]. — 4ᵉ éd. — Éd. Simon, 1847. — 15ᵉ éd. — Éd. Garnier frères, 1877. — Voir aussi I, 1.

BLANCHE-BENVENISTE (Claire), CHERVEL (André). — *L'Orthographe.* — Éd. Maspero, 1969. — (coll. «Textes à l'appui»).

BOER (G. de). — *Syntaxe du français moderne.* — Leiden (Pays-Bas), 1947.

BOILLOT (Félix). — *Répertoire des métaphores et mots français.* — Éd. P.U.F., 1929.

BONIFACE (A.). — *Manuel des amateurs de la langue française.* — Éd. Pillet, 1825.

BOTTEQUIN (Armand). — *Difficultés et Finesses de langage.* — Gand : Éd. Daphné, 1945. — *Le Français contemporain.* — Bruxelles : Éd. Office de publicité, 1937. — *Subtilités et Délicatesses de langage.* — Éditions scientifiques et littéraires, 1946. — (coll. «Le Français d'aujourd'hui»).

BOUHOURS (père Dominique). — *Remarques nouvelles sur la langue française.* — Éd. S. Mabre-Cramoisy, 1675.

BOURCIEZ (Édouard). — *Éléments de linguistique romane.* — Éd. Klincksieck, 1967. — *Précis de phonétique française.* — Éd. Klincksieck, 1955.

BRÉAL (Michel). — *Essai de sémantique : Science des significations.* — [1897]. — 7ᵉ éd. — Éd. Hachette, 1930. — (coll. «Bibliothèque des sciences»).

BRUN (Auguste). — *Parlers régionaux : France dialectale et Unité française.* — Paris; Toulouse : Éd. Didier, 1946. — (coll. «Connais ton pays»).

BRUNEAU (Charles). — *Petite histoire de la langue française.* — 2 tomes. — Tome I : *Des origines à la Révolution.* — Tome II : *De la Révolution à nos jours.* — Éd. Armand Colin, 1954.

BRUNOT et BONY. — *Méthode de langue française, 3ᵉ livre.* — 11ᵉ éd. — Éd. Armand Colin, 1923. — (coll. «Enseignement primaire élémentaire»).

BRUNOT (Ferdinand). — *Histoire de la langue française des origines à 1900.* — 13 tomes. — Éd. Armand Colin, 1905 à 1953. — *Observations sur la grammaire de l'Académie française.* — 2ᵉ éd. — Éd. Droz, 1932. — *La Pensée et la Langue.* — [1922]. — Éd. Masson, 1926.

BRUNOT (Ferdinand), BRUNEAU (Charles). — *Précis de grammaire historique de la langue française.* — [1887]. — 3ᵉ éd. — Éd. Masson, 1949.

BUYSSENS (Éric). — *Linguistique historique.* — Bruxelles, 1965.

CATHERINE (Robert). — *Le Style administratif.* — Éd. Albin Michel, 1954.

CAYROU (Gaston). — *Le Français classique.* — Éd. Henri Didier, 1923. — (coll. «La Littérature française illustrée»).

CELLARD (Jacques). — *La Vie du langage : Chroniques du «Monde», 1971-1975.* — Éd. Le Robert, 1979. — (coll. «L'Ordre des mots»).

CHAUTARD (Émile). — *La Vie étrange de l'argot.* — Éd. Denoël, 1931.

CLARAC (collection). — *La Classe de français,* par B. COGNET et M. JANET. — 2 tomes. — Éd. Belin, 1952 (tome I, 11ᵉ éd.); 1951 (tome II, 3ᵉ éd.).

Classe de français (La) : Revue pour l'enseignement du français (bimestriel). — Éd. Institut français de Mayence et Librairie des Méridiens, 1952 à 1959.

CLÉDAT (Léon). — *Précis d'orthographe française.* — Éd. A. Hatier, 1930.

COHEN (Marcel). — *L'Écriture.* — Éditions Sociales, 1953. — *Grammaire et Style.* — Éditions Sociales, 1954. — *Histoire d'une langue : le français.* — Éd. Les Éditeurs Réunis, 1950. — *Matériaux pour une sociologie du langage.* — 2 tomes. — Tome I : *Faits linguistiques et Faits sociaux.* — Tome II : *Puissances du langage.* — Éd. Maspero, 1971. — (coll. «Petite Collection Maspero», nᵒˢ 83 et 84).

CRESSOT (Marcel). — *La Phrase et le Vocabulaire de J.-K. Huysmans.* — Éd. Droz, 1938. — *Le Style et ses techniques : Précis d'analyse stylistique.* — Éd. P.U.F., 1947; 1959.

CURNONSKY, BIENSTOCK (J.-W.). — *Le Musée des erreurs ou le Français tel qu'on l'écrit.* — Éd. Albin Michel, 1925.

DAMOURETTE (Jacques), PICHON (Édouard). — *Des mots à la pensée : Essai de grammaire de la langue française.* — 7 tomes, glossaire et table analytique. — Éd. d'Artrey, 1911-1952. — («Collection des linguistes contemporains»).

DARBELNET (Jean-Louis). — *Regards sur le français actuel.* — Montréal : Éd. Beauchemin, 1963.

DARMESTETER (Arsène). — *Cours de grammaire historique,* 1ʳᵉ partie : *Phonétique.* — 14ᵉ éd. — Éd. Librairie Delagrave, 1930. — *La Vie des mots étudiée dans leurs significations.* — [1887]. — Éd. Librairie Delagrave, 1946. — (coll. «Bibliothèque des chercheurs et des curieux»).

DAUZAT (Albert). — *Les Argots : Caractères, Évolution, Influence.* — Éd. Librairie Delagrave, 1929. — *L'Argot de la guerre.* — Éd. Armand Colin, 1918. — *Les Étapes de la langue française.* — 2ᵉ éd. — Éd. P.U.F., 1948. — *Études de linguistique française.* — Éd. d'Artrey, 1945. — *L'Europe linguistique.* — Éd. Payot, 1940. — (coll. «Bibliothèque Scientifique»). — *Le Génie de la langue française.* — Éd. Payot, 1943. — (coll. «Bibliothèque Scientifique»). — *La Géographie linguistique.* — [1922]. — Éd. Flammarion, 1943. — (coll. «Bibliothèque de philosophie scientifique»). — *Grammaire raisonnée de la langue française.* — [1947]. — 4ᵉ éd. — Lyon : Éd. I.A.C., 1956. — (coll. «Les Langues du monde»). — *Le Guide du bon usage : les mots, les formes grammaticales, la syntaxe.* — Éd. Librairie Delagrave, 1954. — *Histoire de la langue française.* — Éd. Payot, 1930. — (coll. «Bibliothèque Scientifique»). — *Les Noms de familles en France.* — [1945]. — 2ᵉ éd. — Éd. Payot, 1949. — (coll. «Bibliothèque Scientifique»). — *Les Noms de lieux : Origine et Évolution.* — Éd. Librairie Delagrave, 1937. — (coll. «Bibliothèque des chercheurs et des curieux»). — *Les Noms de personnes : Origine et Évolution.* — Éd. Librairie Delagrave, 1939. — (coll. «Bibliothèque des chercheurs et des curieux»). — *Où en sont les études de français?* — Éd. d'Artrey, 1935; suppl., 1935-1948. — (coll. «Bibliothèque du français moderne»). — *La Philosophie du langage.* — [1912]. — Éd. Flammarion, 1948. — (coll. «Bibliothèque de philosophie scientifique»). — *Précis d'histoire de la langue et du vocabulaire français.* — Éd. Larousse, 1949. — *Tableau de la langue française.* — Éd. Payot, 1939. — (coll. «Bibliothèque Scientifique»). — *La Toponymie française.* — Éd. Payot, 1939. — (coll. «Bibliothèque Scientifique»).

DELL (François). — *Les Règles et les Sons : Introduction à la phonologie générative.* — Éd. Hermann, 1973. — (coll. «Savoir», n° 5768).

DEROY (Louis). — *L'Emprunt linguistique.* — Éd. Les Belles Lettres, 1956.

DERRIDA (Jacques). — *De la grammatologie.* — Éd. de Minuit, 1967. — (coll. «Critique»).

DOPPAGNE (Albert). — *Les Régionalismes du français.* — Éd. Duculot, 1978.

DUBOIS (Jean). — *Grammaire structurale du français : Nom et Pronom.* — [1965]. — Éd. Larousse, 1965. — (coll. «Langue et Langage»). — *Vocabulaire politique et social en France de 1869 à 1872.* — Éd. Larousse, 1962.

DUBOIS (Jean), DUBOIS (Claude). — *Le Dictionnaire : Introduction à la lexicographie.* — Éd. Larousse, 1971.

DUCROT (Oswald). — *Dire et ne pas dire : Principes de sémantique linguistique.* — Éd. Hermann, 1972; 1980. — (coll. «Savoir», n° 5908). — *Les Mots du discours.* — Éd. de Minuit, 1980. — (coll. «Le Sens commun»).

ESTIENNE (Henri). — *La Précellence du langage français* [1579], avec *Glossaire*, par Edmond HUGUET. — Éd. Colin, 1896.

ÉTIEMBLE (René). — *Parlez-vous franglais?* — Éd. Gallimard, 1964. — (coll. «Idées», n° 40).

FAUCONNIER (Gilles). — *La Coréférence : Syntaxe ou Sémantique.* — Éd. du Seuil, 1974. — (coll. «Travaux linguistiques»).

FISCHER (Maurice), HACQUARD (Georges). — *À la découverte de la grammaire française.* — Éd. Hachette, 1959.

FOUCHÉ (Pierre). — *Phonétique historique du français.* — 3 tomes. — Tome I : *Introduction.* — Tome II : *Les Voyelles.* — Tome III : *Les Consonnes.* — Éd. Librairie Klincksieck, 1966, 1958, 1966. — *Traité de prononciation française.* — Éd. Librairie Klincksieck, 1956.

FOULET (Lucien). — *Glossaire de Perceval de Chrétien de Troyes.* — Philadelphia : Éd. The American Philosophical Society, 1955. — *Petite syntaxe de l'ancien français.* — [1919]. — 3e éd. — Éd. H. Champion, 1958; 1963.

FREI (Henri). — *La Grammaire des fautes.* — [1921]. — Éd. Slatkine, 1971.

FROMANT (abbé). — *Réflexions sur les fondements de l'art de parler, pour servir d'éclaircissements et de supplément à la Grammaire générale et raisonnée...* [1660], dite de Port-Royal, par Antoine ARNAULD et Claude LANCELOT. — Éd. Durand, 1780.

GAIFFE (Félix). — *Préface* in *Grammaire LAROUSSE du xxe siècle.* — Éd. Larousse, 1936.

GALLIOT (Marcel). — *Essai sur la langue de la réclame contemporaine.* — Éd. Édouard Privat, 1954. — (coll. «Universitas»).

GEORGIN (René). — *Code du bon langage.* — Éditions Sociales françaises, 1960. — *Difficultés et Finesses de notre langue.* — Éd. André Bonne, 1952. — *L'Inflation du style.* — Éditions Sociales françaises, 1963. — *Jeux de mots : De l'orthographe au style.* — Éd. André Bonne, 1957. — *Pour un meilleur français.* — Éd. André Bonne, 1953. — *La Prose d'aujourd'hui.* — Éd. André Bonne, 1956.

GIRAUD (Jean), PAMART (Pierre), RIVERAIN (Jean). — *Les Nouveaux Mots dans le vent.* — Éd. Larousse, 1974.

GIRAULT-DUVIVIER (Ch. P.). — *Grammaire des grammaires.* — 2 tomes. — 11e éd. — Éd. A. Cotelle, 1844.

GOHIN (Ferdinand). — *Les Transformations de la langue française pendant la deuxième moitié du xviiie siècle (1740-1789).* — Éd. Belin, 1903.

GOUGENHEIM (Georges). — *Système grammatical de la langue française.* — Éd. d'Artrey, 1962. — (coll. «Bibliothèque de français moderne»).

Grammaire de l'ACADÉMIE FRANÇAISE. — Éd. Firmin-Didot, 1932.

GREIMAS (Algirdas Julien). — *Du sens : Essai sémiotique.* — Éd. du Seuil, 1970. — (coll. «Ordre philosophique»). — *Sémantique structurale.* — Éd. Larousse, 1966.

GREVISSE (Maurice). — *Le Bon Usage : Grammaire française avec des remarques sur la langue française d'aujourd'hui.* — [1936]. — 5e éd. — Éd. P. Geuthner, 1953. — 7e éd. — Gembloux (Belgique) : Éd. J. Duculot; Paris : P. Geuthner, 1959. — 10e éd. — Gembloux (Belgique) : Éd. J. Duculot, 1975. — *Problèmes de langage.* — Tomes I et II. — Éd. P.U.F., 1961, 1962. — Tomes III, IV et V. — Éd. J. Duculot, 1964, 1967, 1970.

GROSS (Maurice), LENTIN (A.) — *Notions sur les grammaires formelles.* — Éd. Gauthier-Villars, 1967.

GROSS (Maurice), LENTIN (A.) — *Notions sur les grammaires formelles.* — Éd. Gonthier-Villars, 1967.

GROUPE μ. — *Rhétorique générale,* par le Groupe μ : J. DUBOIS, F. EDELINE, J. M. KLINKENBERG, et al. — Éd. Centre d'études poétiques de l'université de Liège; Librairie Larousse, 1970.

GUILBERT (Louis). — *La Créativité lexicale.* — Éd. Larousse, 1976. — (coll. «Langue et Langage»). — *La Formation du vocabulaire de l'aviation.* — Éd. Larousse, 1965.

GUILLAUME (Gustave). — *Temps et Verbe.* — Éd. Champion, 1929.

GUIRAUD (Pierre). — *Les Caractères statistiques du vocabulaire.* — Éd. P.U.F., 1954. — *La Grammaire.* — Éd. P.U.F., 1958. — (coll. «Que sais-je?», n° 788). — *Les Gros Mots.* — Éd. P.U.F., 1976. — (coll. «Que sais-je?», n° 1597). — *Index du vocabulaire du symbolisme.* — 6 tomes. — Éd. Librairie Klincksieck, 1953 (tomes I à III); 1954 (tomes IV à VI). — *Le Jargon de Villon ou le Gai Savoir de la coquille.* — Éd. Gallimard, 1968. — (coll. «Bibliothèque des Idées»). — *Les Locutions françaises.* — Éd. P.U.F., 1962. — (coll. «Que sais-je?», n° 903). — *Patois et Dialectes français.* — [1968]. — Éd. P.U.F., 1971. — *La Sémantique.* — Éd. P.U.F., 1955. — (coll. «Que sais-je?», n° 655). — *La Sémiologie.* — Éd. P.U.F., 1971. — (coll. «Que sais-je?», n° 1421). — *Structures étymologiques du lexique français.* — Éd. Larousse, 1967. — *La Stylistique.* — Éd. P.U.F., 1954. — (coll. «Que sais-je?», n° 646). — *La Syntaxe du français.* — [1962]. — Éd. P.U.F., 1974. — (coll. «Que sais-je?», n° 984).

GUYOT (Lucien), GIBASSIER (Pierre). — *Les Noms des arbres.* — Éd. P.U.F., 1960. — (coll. «Que sais-je?», n° 861). — *Les Noms des fleurs.* — Éd. P.U.F., 1960. — (coll. «Que sais-je?», n° 866). — *Les Noms des plantes.* — Éd. P.U.F., 1960. — (coll. «Que sais-je?», n° 856).

HAGÈGE (Claude). — *La Grammaire générative : Réflexions critiques.* — Éd. P.U.F., 1976. — (coll. «Le Linguiste», n° 17).

HARRIS (G.), PERROT (G.). — Traduction de *La Science du langage* de Max MÜLLER. — Éd. A. Durand, 1864.

HJELMSLEV (Louis). — *Langue et Parole,* in *Travaux du Cercle linguistique de Copenhague,* 1943. — in *Proceedings of the 8th International congress of Linguistics,* 5-9 août 1957. — À Oslo, 1958.

HUGUET (Edmond). — *Le Langage figuré au xvie siècle.* — Éd. Hachette, 1933. — *Mots disparus ou vieillis depuis le xvie siècle.* — Genève : Éd. Droz, 1935. — (coll. «Études de philologie française»).

IMBS (Paul). — *L'Emploi des temps verbaux en français moderne.* — Éd. Klincksieck, 1960.

IZARN (Joseph). — *Explication du nouveau langage des chimistes.* — Éd. Baudouin, 1803.

JAKOBSON (Roman). — *Essai de linguistique générale,* tome I : *Les Fondations du langage,* traduit par Nicolas RUWET. — Éd. de Minuit, 1963. — (coll. «Arguments»).

JARDEL (J.-P.). — *Bilinguisme et Diglossie,* in MANESSY (Gabriel), WALD (Paul). — *Plurilinguisme : Normes, Situations, Stratégies.* — Éd. L'Harmattan, 1979.

JUNGO (dom Michel). — *Le Vocabulaire de Pascal étudié dans les fragments pour une Apologie.* — Éd. d'Artrey, 1950. — (coll. «Bibliothèque du français moderne»).

KRISTEVA (Julia). — *Pour une sémiologie des paragrammes,* in *Séméiotiké.* — Éd. au Seuil, 1969. — (coll. «Tel Quel»). — *La Révolution du langage poétique : L'Avant-garde à la fin du xixe siècle, Lautréamont et Mallarmé.* — Éd. du Seuil, 1974. — (coll. «Tel Quel»). — *Séméiotiké : Recherches pour une sémanalyse.* — [1969]. — Éd. du Seuil, 1978. — (coll. «Points», n° 96).

LACASSAGNE (Jean), DEVAUX (Pierre). — *L'Argot du «milieu».* — [1935]. — nouvelle édition revue et augmentée. — Éd. Albin Michel, 1948.

Langues (Les) dans le monde ancien et moderne, sous la direction de Jean PERROT. — 2 parties : *Les Langues de l'Afrique subsaharienne,* et *Pidgins et Créoles.* — Éd. Centre National de la Recherche Scientifique, 1981.

Langues (Les) du monde. — Voir MEILLET et COHEN.

LAROUSSE (Grammaire) du xxe siècle. — Éd. Larousse, 1936.

LAROUSSE (Pierre). — *Jardin des racines grecques : Livre du maître.* — 21e éd. — Éd. Larousse, 1933. — *Jardin des racines latines : Livre de l'élève.* — 30e éd. — Éd. Larousse, 1938.

LE BIDOIS (Georges), LE BIDOIS (Robert). — *Syntaxe du français moderne.* — 2 tomes. — Paris : Éd. A. Picard, 1935 (tome I); New York : Éd. G. E. Stechert et Cie, 1938 (tome II).

LE BIDOIS (Robert). — *L'Inversion du sujet dans la prose contemporaine, 1900-1950.* — Éd. d'Artrey, 1952. — *Les Mots trompeurs ou le Délire verbal.* — Éd. Hachette, 1970.

LE GAL (Étienne). — *Écrivez...? N'écrivez pas...?* — Éd. Librairie Delagrave, 1942. — (coll. «Bibliothèque des chercheurs et des curieux»).

LEGOARANT (Benjamin). — *Nouveau dictionnaire critique de la langue française.* — [1841]. — Paris; Strasbourg : Éd. Berger-Levrault, 1858. — *Nouvelle orthologie française ou Traité des difficultés de cette langue.* — 2 tomes. — [1832].

LÉON (Pierre), LÉON (Monique). — *Introduction à la phonétique corrective.* — Éd. Hachette; Larousse, 1965.

LITTRÉ (Émile). — *Études et glanures pour faire suite à l'histoire de la langue française.* — Éd. Didier, 1880. — *Comment j'ai fait mon dictionnaire.* — nouvelle édition avec un avant-propos de Michel BRÉAL. — Éd. Delagrave, 1897.

LOTE (Georges). — *L'Alexandrin d'après la phonétique expérimentale : Études sur le vers français.* — [1913]. — Éd. Slatkine, 1972.

MACKENZIE (Fraser). — *Les Relations de l'Angleterre et de la France d'après le vocabulaire.* — 2 tomes. — Tome I : *Les Infiltrations de la langue et de l'esprit anglais.* — Tome II : *Les Infiltrations de la langue et de l'esprit français en Angleterre.* — Genève : Éd. Droz, 1939.

MALMBERG (Bertil). — *La Phonétique.* — Éd. P.U.F., 1954. — (coll. «Que sais-je?», n° 637).

MAROUZEAU (Jules). — *Aspects du français.* — Éd. Masson, 1950. — *La Linguistique ou Science du langage.* — 3e éd. — Éd. Librairie orientaliste Paul Geuthner, 1950. — *Notre langue : Enquêtes et Récréations philologiques.* — Éd. Delagrave, 1955. — (coll. «Bibliothèque des chercheurs et des curieux»). — *Précis de stylistique française.* — [1941]. — 3e éd. — Éd. Masson, 1950.

MARTINET (André). — *Éléments de linguistique générale.* — [1960]. — Éd. Armand Colin, 1967. — (coll. «U Prisme», n° 28).

MARTINON (Philippe). — *Comment on prononce le français.* — [1913]. — Éd. Larousse, 1939.

MARTY-LAVEAUX (Charles). — *Lexique de la langue de P. Corneille.* — Éd. Hachette, 1868. — (coll. «Les Grands Écrivains de la France»).

MASSIN (Robert). — *Questions de style,* in *Cahiers Jussieu,* n° 3 : *L'Espace et la Lettre.* — Éd. U. G. E., 1977. — (coll. «10/18», n° 1180).

MATORÉ (Georges). — *L'Espace humain.* — Éd. La Colombe, 1962. — (coll. «Sciences et techniques humaines»). — *La Méthode en lexicologie.* — Éd. Didier, 1953. — *Le Vocabulaire et la Société sous Louis-Philippe.* — Genève : Éd. Droz; Lille : Éd. Giard, 1951. — (Société de publications romanes et françaises sous la direction de Mario ROQUES, 33).

MAYER (Gilbert). — *La Qualification affective dans les romans d'Honoré de Balzac.* — Genève : Éd. Droz, 1940.

MEILLET (Antoine), COHEN (Marcel). — *Les Langues du monde,* par un groupe de linguistes sous la direction d'Antoine MEILLET et Marcel COHEN. — [Champion, 1924]. — Éd. Centre National de la Recherche Scientifique, 1952.

MEILLET (Antoine), VENDRYES (Joseph). — *Traité de grammaire comparée des langues classiques.* — [1948]. — Éd. Champion, 1979.

MERLINO (Jacques). — *Les Jargonautes ou le Bruit des mots.* — Éd. Stock, 1978.

MILNER (Jean-Claude). — *De la syntaxe à l'interprétation : Quantités, Insultes, Exclamations.* — Éd. du Seuil, 1978. — (coll. «Travaux linguistiques»).

MIMIN (Pierre). — *Le Style des jugements : Vocabulaire, Construction, Dialectique, Formes juridiques.* — 2e éd. — Éditions Techniques, 1936.

MIORCEC DE KERDANET (D.-L.). — *Histoire de la langue des Gaulois.* — Rennes : Éd. Librairie Duchesne, 1821.

MITTERAND (Henri). — *Les Mots français.* — Éd. P. U. F., 1963. — (coll. «Que sais-je?», n° 270).

MOUFFLET (André). — *Contre le massacre de la langue française.* — Éd. Privat-Didier, 1930. — *Encore le massacre de la langue française.* — Éd. Privat-Didier, 1935.

MULLER (Charles). — *Initiation aux méthodes de la statistique linguistique.* — Éd. Larousse, 1968. — in *La Classe de français,* 1956. — Voir *Classe de français (La).*

MÜLLER (Max). — *La Science du langage,* traduit par G. HARRIS et G. PERROT. — Éd. A. Durand, 1864.

NUSSAC (Patrice de). — *Le Français des moins de vingt ans ou l'Aide-mémoire des adultes «débranchés»,* in *Signature,* n° 133, mai 1981.

NYROP (Kristoffer). — *Grammaire historique de la langue française.* — 6 tomes. — [1899]. — Éd. A. Picard, 1938 (tome I, 4e éd.); s. d. (tome II, 2e éd.); 1936 (tome III, 2e éd.); 1913 (tome IV); 1925 (tome V), 1930 (tome VI).

ORR (John). — *Essais d'étymologie et de philologie françaises.* — 2 tomes. — Éd. Klincksieck, 1963.

PALSGRAVE (Jean). — *L'Éclaircissement de la langue française.* — [1530]. — Éd. Imprimerie Nationale, 1852. — («Collection de documents inédits sur l'histoire de France».)

PERROT (Jean). — *La Linguistique.* — Éd. P. U. F., 1953. — (coll. «Que sais-je?», n° 570).

PESSONNEAUX (R.), GAUTIER (C.). — *Lexicologie française : Origine, Formation, Signification des mots.* — 17e éd. — Éd. Fernand Nathan, 1925.

PICHON (Édouard). — *Les Principes de la suffixation en français.* — Éd. d'Artrey, 1942.

PIÉCHAUD (Louis). — *Questions de langage.* — Éd. du Lys, 1952.

PIGNON (J.). — *Notes sur le lexique du rugby,* in *Le Français moderne,* tome X, n° 3, juillet 1942.

PINLOCHE (A.). — *Vocabulaire par l'image de la langue française.* — [1923]. — Éd. Larousse, 1926.

POTTIER (Bernard). — *Systématique des éléments de relation.* — Éd. Klincksieck, 1962.

PRIETO (Luis J.). — *Pertinence et Pratique : Essai de sémiologie.* — Éd. de Minuit, 1975. — (coll. «Le Sens commun»).

PROSCHWITZ (Gunnar von). — *Introduction à l'étude du vocabulaire de Beaumarchais.* — Stockholm : Éd. Almquist et Wiskek, 1956. — *Le Vocabulaire politique au XVIIIe siècle avant et après la Révolution,* in *Le Français moderne,* tome XXXIV, avril 1966.

RAT (Maurice). — *Le Verbe.* — Éd. Garnier, 1955. — (coll. «Le Français facile pour tous»).

REY (Alain). — *Antoine Furetière, imagier de la culture classique,* introduction au *Dictionnaire universel* d'Antoine FURETIÈRE. — Éd. Le Robert, 1978. (Voir I, 1.) — *Encyclopédies et Dictionnaires.* — Éd. P. U. F., 1982. — (coll. «Que sais-je?», n° 2000). — *Le Lexique : Images et Modèles.* — Éd. Armand Colin, 1977. — (coll. «Linguistique»). — *Littré : l'Humaniste et les Mots.* — Éd. Gallimard, 1970. — (coll. «Les Essais»). — *Norme et Dictionnaires,* in *La Norme linguistique,* textes colligés et présentés par Édith BÉDARD et Jacques MAURAIS. — Éd. Conseil de la langue française du Québec; Éd. Le Robert, 1983. — (coll. «L'Ordre des mots»). — *La Terminologie.* — Éd. P. U. F., 1979. — (coll. «Que sais-je?», n° 1780). — *Théories du signe et du sens.* — 2 tomes. — Éd. Klincksieck, 1973, 1976.

REY-DEBOVE (Josette). — *Étude linguistique et sémiotique des dictionnaires français contemporains.* — Paris; La Haye : Éd. Mouton, 1971. — *Le Métalangage.* — Éd. Le Robert, 1978. — (coll. «L'Ordre des mots»). — *Sémiotique.* — Éd. P. U. F., 1979. — (coll. «Lexique»). — *Le Sens de la tautologie,* in *Le Français moderne,* octobre 1978.

RUWET (Nicolas). — *À propos des prépositions de lieu en français* [1969]; *Les Phrases copulatives* [1975], in *Grammaire des insultes et autres études.* — Éd. du Seuil, 1982. — (coll. «Travaux linguistiques»). — *Introduction à la grammaire générative.* — Éd. Plon, 1967. — (coll. «Recherches en Sciences humaines»).

SANDFELD (Kristian). — *Syntaxe du français contemporain.* — 3 tomes. — Tome I : *Les Pronoms* [1928]. — Éd. Champion, 1965. — Tome II : *Les Prépositions subordonnées* [1936]. — Éd. Droz, 1965. — Tome III : *L'Infinitif* [1943]. — Éd. Droz, 1965.

SAUSSURE (Ferdinand de). — *Cours de linguistique générale.* — [1916]. — Éd. Payot, 1962.

SCHONE (Maurice). — *La Langue de Flaubert.* — Éd. d'Artrey, s. d. — (coll. «Bibliothèque du français moderne»).

SLAMA-CAZACU (Tatiana). — *La Psycholinguistique.* — Éd. Klincksieck, 1972.

SNEYDERS DE VOGEL (K.). — *Syntaxe historique du français.* — Groningue; La Haye : Éd. J.-B. Wolters, 1919.

TESNIÈRE (Lucien). — *Éléments de syntaxe structurale.* — Éd. Klincksieck, 1959.

THÉRIVE (André). — *Clinique du langage.* — 9e éd. — Éd. Grasset, 1956. — *Querelles de langage.* — 3 tomes. — Éd. Stock, 1929, 1933, 1940.

THÉVENOT (Jean). — *Hé! la France, ton français fout le camp!* — Gembloux (Belgique) : Éd. J. Duculot, 1976.

THOMASSON (lieutenant-colonel de). — *Les Curiosités de la langue française.* — Éd. Larousse, 1938. — *Naissance et Vicissitudes de 300 mots et locutions : Essai de sémantique.* — Éd. Librairie Delagrave, 1935. — (coll. «Bibliothèque des chercheurs et des curieux»).

TODOROV (Tzvetan). — *Introduction à la littérature fantastique.* — Éd. du Seuil, 1970. — (coll. «Poétique»). — *Poétique de la prose.* — Éd. du Seuil, 1971. — (coll. «Poétique»). — *Qu'est-ce que le structuralisme? Poétique.* — Éd. du Seuil, 1973. — (coll. «Points», n° 45).

TOURNIER (Maurice). — *Grèves, Cayennes et Gavots...,* in *Néologie et Lexicologie : Hommage à Louis Guilbert.* — Éd. Larousse, 1979. — (coll. «Langue et Langage»).

ULLMAN (Stephan). — *Précis de sémantique française.* — Paris : Éd. P. U. F.; Berne : Éd. Francke, 1952.

VAN DAELE (Hilaire). — *Syntaxe des temps et des modes en français.* — Éd. Hatier, 1933. — (coll. «Bibliothèque des humanités»).

VAUGELAS (Claude FAVRE de). — *Remarques sur la langue française.* — [1647]. — publiées par Jeanne STREICHER. — Genève : Éd. Librairie Droz, 1934. — in *Commentaires sur les Remarques de Vaugelas,* par LA MOTHE LE VOYER, Scipion DUPLEIX, MÉNAGE, et al. — Éd. Librairie Droz, 1936.

VENDRYES (Joseph). — *Le Langage : Introduction linguistique à l'histoire.* — [1921]. — Éd. Albin Michel, 1934. — (coll. «Bibliothèque de synthèse historique»).

WAGNER (Robert-Léon). — *Introduction à la linguistique française.* — Lille : Éd. Giard; Éd. Droz, 1947. — *Sorcier et Magicien : Contribution à l'histoire du vocabulaire de la magie.* — Éd. Droz, 1939.

WAGNER (Robert-Léon), PINCHON (Jacqueline). — *Grammaire du français classique et moderne.* — Éd. Hachette, 1962.

WARTBURG (Walther von). — *Évolution et Structure de la langue française.* — [1934]. — 5e éd. — Berne : Éd. A. Francke, 1958.

WEXLER (Peter J.). — *La Formation du vocabulaire des chemins de fer en France.* — Genève : Éd. Droz; Lille : Éd. Giard, 1955.

ZUMTHOR (Paul). — *Essai de poétique médiévale.* — Éd. du Seuil, 1972. — (coll. «Poétique»).

II. DOCUMENTATION

1. Dictionnaires spéciaux et encyclopédiques (modernes)

ADELINE (Jules). — *Lexique des termes d'art*. — [1884]. — nouvelle édition. — Éd. Maison Quantin, s. d. — (coll. «Bibliothèque de l'enseignement des beaux-arts»).

ARNAUD (Jean-François). — *Dictionnaire de l'électronique*. — Éd. Larousse, 1966.

AUBERT (Henri). — *Dictionnaire de mythologie classique*. — [1927]. — 3e éd. — Éd. Vuibert, 1947.

BACHELET (Théodore), DEZOBRY (Charles). — *Dictionnaire général des lettres, des beaux-arts et des sciences morales et politiques*. — 2 tomes. — 4e éd. — Éd. Delagrave, 1876.

BARDIN (général). — *Dictionnaire de l'armée de terre ou Recherches historiques sur l'art et les usages militaires des anciens et des modernes* [1841], in LAROUSSE (Pierre). — *Grand dictionnaire universel du XIXe siècle*, tome II. — Éd. Larousse, 1867.

BAULIG (Henri). — *Vocabulaire franco-anglo-allemand de géomorphologie*. — Éd. Les Belles Lettres, 1956.

BEAUMARCHAIS (Jean-Pierre), COUTY (Daniel), REY (Alain). — *Dictionnaire des littératures de langue française*. — 3 tomes. — Éd. Bordas, 1984.

BERNARD (Yves), COLLI (Jean-Claude), LEWANDOWSKI (Dominique). — *Dictionnaire économique et financier*. — Éd. du Seuil, 1975.

BEUGNOT (J.), sous la direction de. — *Dictionnaire usuel de chirurgie et de médecine vétérinaires*. — Éd. Bureau central, 1835-1836.

BONNEFOY (Yves), sous la direction de. — *Dictionnaire des mythologies et des religions des sociétés traditionnelles et du monde antique*. — 2 tomes. — Éd. Flammarion, 1981.

BOUDON (Raymond), BOURRICAUD (François). — *Dictionnaire critique de la sociologie*. — Éd. P. U. F., 1982.

BOUVIER (Alain), GEORGE (Michel). — *Dictionnaire des mathématiques*, sous la direction de François LE LIONNAIS. — Éd. P. U. F., 1979.

BROSSE (Jacques). — *Arbres d'Europe occidentale*. — Éd. Bordas, 1977. — (coll. «Bordas Nature»). — *Arbustes d'Europe occidentale*. — Éd. Bordas, 1979. — (coll. «Bordas Nature»).

BRUN (Jean). — *Dictionnaire de la radio*. — Éd. Albin Michel, 1948.

BUREAU (Jacques), NAMIAN (Paul). — *Dictionnaire de l'informatique*. — Éd. Larousse, 1972.

CAPITANT (Henri). — *Vocabulaire juridique*. — Éd. P. U. F., 1936.

C. I. L. F. (Conseil International de la Langue Française). — *Dictionnaire commercial*, rédigé par l'Académie des sciences commerciales. — Éd. Hachette; C. I. L. F., 1979. — *Dictionnaire d'agriculture*. — Éd. La Maison Rustique; C. I. L. F./A. C. C. T. (Agence de Coopération Culturelle et Technique), 1977. — *Vocabulaire d'écologie*. — Éd. Hachette; C. I. L. F./A. C. C. T., 1979. — *Vocabulaire de la publicité*. — Éd. Hachette; C. I. L. F./A. C. C. T., 1976. — *Vocabulaire de l'environnement*. — Éd. Hachette; C. I. L. F., 1976. — *Vocabulaire de l'océanologie*. — Éd. Hachette; C. I. L. F./A. C. C. T., 1976. — *Vocabulaire des sciences et techniques spatiales*. — Éd. La Maison du dictionnaire; C. I. L. F., 1978.

CONSO (Pierre), LAVAUD (Robert), COLASSE (Bernard). — *Dictionnaire de gestion financière*. — Éd. Dunod, 1979.

CUSSET (Francis). — *Vocabulaire technique anglais-français, français-anglais*. — 4e éd. — Éd. Berger-Levrault, 1954.

CUVILLIER (Armand). — *Nouveau vocabulaire philosophique*. — 2e éd. — Éd. Armand Colin, 1954. — *Petit vocabulaire de la langue philosophique*. — Éd. Armand Colin, 1946 (8e éd.); 1954 (14e éd.).

DALLOZ (Éditions Dalloz). — *Dictionnaire pratique de droit*. — 2 tomes et 1 suppl. — Tome I: 13e éd., s. d.; tome II: 12e éd., s. d.; suppl., 1922. — *Nouveau répertoire*. — 4 tomes. — 2e éd., 1962-1963; mise à jour, 1952-1953. — *Petit dictionnaire de droit*, 1951.

DEWEERT (Jacques). — *Vocabulaire fondamental de technologie*. — Éd. Gamma, 1974.

DEZOBRY (Charles), BACHELET (Théodore). — *Dictionnaire général de biographie et d'histoire*. — 2 tomes. — 9e éd. — Éd. Delagrave, 1883.

Dictionnaire biographique des auteurs de tous les temps et de tous les pays. — 2 tomes. — Éd. Laffont-Bompiani, 1957-1958.

Dictionnaire de l'Académie des Gastronomes. — 2 tomes. — Éd. Prisma, 1962.

Dictionnaire de la pêche à la ligne, par Ém. SAVOURÉ, réédité par Ad. ROBILLARD. — Éd. Édouard Vert, s. d.

Dictionnaire de linguistique, par Jean DUBOIS, Mathée GIACOMO, Louis GUESPIN, et al. — Éd. Larousse, 1973.

Dictionnaire démographique multilingue. — Genève: Publications des Nations unies, 1954.

Dictionnaire (Nouveau) de musique, par Paul ARMA et Yvonne TIENOT. — Éditions Ouvrières, 1947.

Dictionnaire des lettres françaises, sous la direction de Georges-François GRENTE. — 7 tomes. — Tome I: *Le Moyen Âge*. — Tome II: *Le Seizième Siècle*. — Tome III: *Le Dix-septième Siècle*. — Tome IV: *Le Dix-huitième Siècle* (A-K). — Tome V: *Le Dix-huitième Siècle* (L-Z). — Tome VI: *Le Dix-neuvième Siècle* (A-K). — Tome VII: *Le Dix-neuvième Siècle* (L-Z). — Éd. Fayard, 1951-1972.

Dictionnaire des métiers et appellations d'emplois, établi par la Commission interministérielle de la nomenclature des métiers. — Éd. P. U. F., 1955.

Dictionnaire des œuvres de tous les temps et de tous les pays. — 5 tomes. — Éd. Laffont-Bompiani, 1952 (tomes I et II), 1953 (tome III), 1954 (tome IV), 1968 (tome V). — 2e éd. — 6 volumes et index. — Éd. Laffont, 1980. — (coll. «Bouquins»).

Dictionnaire des religions, par E. ROYSTON-PIKE, adaptation française de Serge HUTIN. — Éd. P. U. F., 1954.

Dictionnaire des sciences, d'après E. B. UVAROV et D. R. CHAPMAN, traduit par J. d'HERMIES, adapté par M. E. COHEN et R. TATON. — Éd. P. U. F., 1956.

Dictionnaire des symboles, par Jean CHEVALIER, Alain GHEERBRANT. — Éd. Laffont, 1969.

Dictionnaire des termes nouveaux des sciences et techniques, sous la direction de Germaine QUEMADA. — Éd. C. I. L. F. (Conseil International de la Langue Française); A. C. C. T. (Agence de Coopération Culturelle et Technique), 1983.

Dictionnaire pratique de liturgie romaine, sous la direction de Robert LESAGE. — Éd. Bonne Presse, 1952.

Dictionnaire universel de la peinture, sous la direction de Robert MAILLARD. — 6 tomes. — Éd. Le Robert, 1975.

DREUX (Philippe). — *Précis d'écologie*. — 2e éd. — Éd. P. U. F., 1980. — (coll. «Le Biologiste», no 2).

DUCROT (Oswald), TODOROV (Tzvetan). — *Dictionnaire encyclopédique des sciences du langage*. — Éd. du Seuil, 1979. — (coll. «Points», no 110).

DUFOUR (Fr.). — *Nouveau dictionnaire technique*. — Éd. Guy Le Prat, 1948.

Encyclopédie de la musique, sous la direction de François MICHEL. — 3 tomes. — Éd. Fasquelle, 1958.

Encyclopédie domestique. — 2 tomes. — Éd. Salmon, 1830.

Encyclopédie pratique de l'agriculteur. — Éd. Didot, 1859.

Encyclopédie pratique du bâtiment et des travaux publics, sous la direction de Pierre ROBIN. — 3 tomes. — Éd. Quillet, 1953.

ESCARPIT (Robert). — *Dictionnaire international des termes littéraires*. — Paris; La Haye: Éd. Mouton, 1973.

FOULQUIÉ (Paul), SAINT-JEAN (Raymond). — *Dictionnaire de la langue philosophique*. — Éd. P. U. F., 1962.

GALTIER-BOISSIÈRE (Dr Émile). — *Larousse médical illustré*. — [1912]. — rééditions successives. — Éd. Larousse, 1921 à 1946. — édition entièrement refondue. — Éd. Larousse, 1970.

GARNIER (Marcel), DELAMARE (Valery). — *Dictionnaire des termes techniques de médecine*. — [1900]. — 17e édition revue et augmentée par Jean DELAMARE. — Éd. Maloine, 1959. — 19e édition revue et augmentée par Jean DELAMARE et Jacques DELAMARE. — Éd. Maloine, 1972.

GEORGE (Pierre), et al. — *Dictionnaire de la géographie*. — [1970]. — Éd. P. U. F., 1974.

GOBLOT (Edmond). — *Le Vocabulaire philosophique*. — Éd. Armand Colin, 1901.

GRIMAL (Pierre). — *Dictionnaire des biographies*. — 2 tomes. — Éd. P. U. F., 1958.

GRUSS (Robert). — *Petit dictionnaire de marine*. — [1945]. — 2e éd. — Éd. Société d'éditions géographiques, maritimes et coloniales, 1952.

GUERBER (Roger). — *Dictionnaire de l'automobile*. — Éd. Flammarion, 1952.

GUÉRIN-MÉNEVILLE (Félix Édouard), sous la direction de. — *Dictionnaire pittoresque d'histoire naturelle et des phénomènes de la nature*. — 9 tomes. — 1833-1839.

GUILBERT (Louis). — *Le Vocabulaire de l'astronautique: Enquête linguistique à travers la presse d'information à l'occasion de cinq exploits de cosmonautes*. — Éd. Publications de l'Université de Rouen, s. d. (1967).

HUSSON (Roger). — *Glossaire de biologie animale*. — Éd. Gauthier-Villars, 1964.

JAL (Augustin). — *Glossaire nautique*. — 2 tomes. — Éd. Didot, 1848.

LABICA (Georges), BENSUSSAN (G.). — *Dictionnaire critique du marxisme*. — Éd. P. U. F., 1982.

LALANDE (André). — *Vocabulaire technique et critique de la philosophie*. — [21 fascicules. — Armand Colin, 1902-1922]. — 4e éd. — 3 tomes. — Éd. F. Alcan, 1932. — 5e éd. — 1 tome. — Éd. P. U. F., 1947. — 6e éd. — P. U. F., 1951.

LAPLANCHE (Jean), PONTALIS (Jean-Bertrand). — *Vocabulaire de la psychanalyse*, sous la direction de Daniel LAGACHE. — Éd. P. U. F., 1967; 1973.

LAROUSSE *agricole (Nouveau)*. — Éd. Larousse, 1952.

LAROUSSE *commercial illustré*, sous la direction de E. CLÉMENTIEL. — Éd. Larousse, 1930.

LAROUSSE *de l'industrie et des arts et métiers*. — Éd. Larousse, 1935.

LAROUSSE, *Grand memento encyclopédique*. — 2 tomes. — [1936-1937]. — Éd. Larousse, 1946.

LAROUSSE *médical illustré (Nouveau)*. — édition entièrement refondue du

LAROUSSE *médical illustré* dirigé par Émile GALTIER-BOISSIÈRE. — Éd. Larousse, 1951.

LAROUSSE *ménager (Nouveau)*. — [1955]. — Éd. Larousse, 1957.

LECOMTE (Jules), LUCO (P.). — *Dictionnaire pittoresque de marine.* — Éd. Postel, 1836.

LENDER (Théodore), DELAVAULT (Robert), LE MOIGNE (Albert). — *Dictionnaire de biologie.* — Éd. P.U.F., 1979.

LEPOINTE (Gabriel). — *Petit vocabulaire d'histoire du droit français.* — nouvelle édition entièrement refondue et augmentée. — Éd. Domat-Montchrestien, 1948.

LITTRÉ (Émile). — *Dictionnaire de médecine, de chirurgie, de pharmacie, de l'art vétérinaire et des sciences qui s'y rapportent,* suivi de *Glossaire latin, grec, allemand, anglais, italien et espagnol,* avec la collaboration de Charles ROBIN. — [1855]. — 12e éd. — Éd. Baillière, 1865. — Voir aussi NYSTEN.

LOVASY (E.), VEILLON (E.). — *Dictionnaire des termes d'anatomie, d'embryologie, d'histologie.* — Éd. Maloine, 1954.

MANUILA (A.), MANUILA (L.), NICOLE (M.), LAMBERT (H.). — *Dictionnaire français de médecine et de biologie.* — 3 tomes et un tome d'annexes. — Éd. Masson, 1970-1975.

MARION (Marcel). — *Dictionnaire des institutions de la France aux XVIIe et XVIIIe siècles.* — Éd. Picard, 1976.

MAROUZEAU (Jules). — *Lexique de la terminologie linguistique.* — [1933]. — 2e éd. — Éd. Paul Geuthner, 1943. — 3e éd. — Éd. Paul Geuthner, 1951. — (coll. «Georges Ort-Geuthner»).

MARTIN (Marcel). — *Le Langage cinématographique.* — Éd. Temps actuel, 1977.

Military Dictionary : English-French, French-English. — Washington : War department, 1943.

MONIER (Raymond). — *Petit vocabulaire de droit romain.* — 2e éd. — Éd. Domat-Montchrestien, 1934.

MORIER (Henri). — *Dictionnaire de poétique et de rhétorique.* — Éd. P.U.F., 1961. — 2e édition augmentée et refondue. — Éd. P.U.F., 1975.

MULLER (Paul). — *Dictionnaire de l'astronautique.* — Éd. Larousse, 1964.

NYSTEN (Pierre-Hubert). — *Dictionnaire de médecine, de chirurgie, de pharmacie, des sciences accessoires et de l'art vétérinaire.* — [3e éd., 1823]. — 10e édition entièrement refondue par É. LITTRÉ et Ch. ROBIN. — Éd. J.-B. Baillière, 1855.

Omnium agricole : Dictionnaire pratique de l'agriculture moderne, sous la direction de Henry SAGNIER. — Éd. Hachette, 1920.

ORBIGNY (Charles d'), sous la direction de. — *Dictionnaire universel d'histoire naturelle,* par MM. ARAGO, AUDUIN, BAUDEMENT, BECQUEREL, et al. — 16 tomes. — Éd. Renart et Martinet, 1841-1849.

PANOFF (Michel), PERRIN (Michel). — *Dictionnaire de l'ethnologie.* — Éd. Payot, 1973. — (coll. «Petite Bibliothèque Payot», no 224).

PAVIS (Patrice). — *Dictionnaire du théâtre.* — Éditions Sociales, 1980.

PETIOT (Georges). — *Le Robert des sports : Dictionnaire de la langue des sports.* — Éd. Le Robert, 1982.

PICHENÉ (René). — *Vocabulaire d'armement,* fascicule X. — Éd. Charles Lavauzelle, 1951.

PIÉRON (Henri). — *Vocabulaire de la psychologie.* — Éd. P.U.F., 1951.

PIRAUX (Henry). — *Petit lexique de l'énergie atomique.* — Éd. Eyrolles, 1958.

POIRÉ (Paul). — *Nouveau dictionnaire des sciences et de leurs applications.* — 6 tomes et 1 suppl. — Éd. Delagrave, 1924-1925.

POROT (Dr Antoine). — *Manuel alphabétique de psychiatrie.* — Éd. P.U.F., 1952; 1975.

PRIVAT-DESCHANEL (Augustin), FOCILLON (Adolphe). — *Dictionnaire général des sciences théoriques et appliquées.* — 2 tomes. — [Garnier, 1864-1867]. — Éd. Delagrave et Garnier, 1883.

QUITARD (Pierre-Marie). — *Dictionnaire étymologique, historique et anecdotique des proverbes.* — [1842]. — Genève : Slatkine Reprints, 1968. — *Proverbes sur les femmes, l'amitié et l'amour.* — Éd. Garnier, s. d.

RAYMONDIS (Louis-Marie), LE GUERN (Michel). — *Le Langage de la justice pénale.* — Éd. Centre National de la Recherche Scientifique, 1977.

RÉAU (Louis). — *Dictionnaire illustré d'art et d'archéologie.* — Éd. Larousse, 1930.

ROMAGNESI (Henri). — *Champignons d'Europe.* — 2 tomes. — Éd. Bordas, 1977. — (coll. «Bordas Nature»).

ROMAGNESI (Henri), WEILL (Jean). — *Fleurs sauvages de France et des régions limitrophes.* — 2 tomes. — Éd. Bordas, 1977. — (coll. «Bordas Nature»).

ROMEUF (Jean). — *Dictionnaire des sciences économiques.* — 2 tomes. — Éd. P.U.F., 1956, 1958.

ROMEUF (Jean), GUINOT (Jean-Pierre). — *Manuel du chef d'entreprise.* — Éd. P.U.F., 1960.

VIERS (Georges). — *Éléments de climatologie.* — Éd. Nathan, 1968; 1975. — *Éléments de géomorphologie.* — Éd. Nathan, 1967; 1976.

VINCENT (A., monseigneur). — *Lexique biblique.* — Éd. Casterman, 1963.

VIOLLET-LE-DUC (Eugène). — *Dictionnaire raisonné de l'architecture française du XIe au XVIe siècle.* — 10 tomes. — Éd. B. Bance, 1854-1868.

WARUSFEL (André). — *Dictionnaire raisonné de mathématiques.* — Éd. du Seuil, 1966.

WURTZ (Adolphe). — *Dictionnaire de chimie pure et appliquée.* — 5 volumes. — Éd. Hachette, 1868-1878. — Supplément. — 2 volumes. — Éd. Hachette, 1880-1886. — Deuxième supplément. — 7 volumes. — Éd. Hachette, 1892-1908.

2. Ouvrages de documentation

ABRAHAM (Karl). — *Œuvres complètes,* tome II : *Développement de la libido.* — traduit de l'allemand par Ilse BARANDE avec la collaboration d'Élisabeth GRIN. — Éd. Payot, 1977.

ADAM (Antoine). — *Histoire de la littérature française au XVIIe siècle.* — 5 tomes. — Éd. Domat, 1956-1958.

ADRIEN (Joëlle), BESSON (Jean-Marie), BLANC (Marcel), et al. — *La Recherche en neurobiologie,* articles choisis et présentés par Marcel BLANC. — Éd. du Seuil, 1977. — (coll. «Points-Sciences», no S 8).

AJURIAGUERRA (Julien de). — *Manuel de psychiatrie de l'enfant.* — [1970]. — 2e édition entièrement refondue, 1974. — Éd. Masson, 1980.

ALBARRAN (Pierre). — *Alain Gerbault, mon ami.* — Éd. Arthème Fayard, 1952.

ALBÉRÈS (René-Marill). — *Gérard de Nerval.* — Éditions Universitaires, 1962.

ALBERT (Pierre), TERROU (Fernand). — *Histoire de la presse.* — Éd. P.U.F., 1970. — (coll. «Que sais-je?», no 368).

ALEXINSKY (G.). — *La Russie moderne.* — Éd. Flammarion, 1912.

ALLAINES (Claude d'). — *La Chirurgie du cœur.* — Éd. P.U.F., 1967. — (coll. «Que sais-je?», no 1258). — *Histoire de la chirurgie.* — Éd. P.U.F., 1961. — (coll. «Que sais-je?», no 935).

ALLEM (Maurice). — *Introduction,* in HUGO (Victor). — *Les Misérables.* — Éd. Gallimard, 1951. — (coll. «Bibliothèque de la Pléiade»).

ALLETON (Viviane). — *L'Écriture chinoise.* — Éd. P.U.F., 1970. — (coll. «Que sais-je?», no 1374).

ALLIX (André). — *Dictionnaire des sciences économiques.* — Éd. P.U.F., 1956-1958. — *Science des finances,* in ROMEUF (Jean).

AMADOU (Robert), KANTERS (Robert). — *Anthologie littéraire de l'occultisme.* — Éd. René Julliard, 1950.

AMIOT (Raymond). — *Le Cheval.* — Éd. P.U.F., 1949. — (coll. «Que sais-je?», no 360).

ANDRÉ (Émile). — *Les Corps gras.* — Éd. P.U.F., 1946. — (coll. «Que sais-je?», no 234).

ANDRILLAT (Henri). — *Observations des nébuleuses et de la matière interstellaire,* in *Encyclopédie de la Pléiade : Astronomie.* — Éd. Gallimard, 1962.

ANGELLOZ (Jean-François). — *La Littérature allemande.* — Éd. P.U.F., 1953. — (coll. «Que sais-je?», no 101).

APOLLONIO (V.). — *Matérialiser l'espace,* in *Braque.* — Éd. Hachette, 1978. — (coll. «Chefs-d'œuvre de l'art»).

APPLETON (Jean). — *Traité de la profession d'avocat.* — 2e éd. — Éd. Dalloz, 1928.

ARAMBOURG (Camille). — *La Genèse de l'humanité.* — Éd. P.U.F., 1952. — (coll. «Que sais-je?», no 106).

ARDANT (Henri). — *Technique de la banque.* — Éd. P.U.F., 1953. — (coll. «Que sais-je?», no 469).

ARNAUD (Paul). — *Cours de chimie organique.* — 12e éd. — Éd. Gauthier-Villars, 1982. — (coll. «Enseignement de la chimie»).

ARNOULT (Pierre). — *Les Courses de chevaux.* — Éd. P.U.F., 1962. — (coll. «Que sais-je?», no 981).

ARON (Max), GRASSÉ (Pierre-Paul). — *Précis de biologie animale.* — Éd. Masson, 1935.

ARRIGHI (Paul). — *La Littérature italienne.* — Éd. P.U.F., 1956. — (coll. «Que sais-je?», no 715).

ARVON (Henri). — *Le Bouddhisme.* — Éd. P.U.F., 1951. — (coll. «Que sais-je?», no 468).

ASSAILLY (André). — *Les Poussières.* — Éd. P.U.F., 1956. — (coll. «Que sais-je?», no 717).

AUBERT (Henri). — *Les Légendes mythologiques de la Grèce et de Rome.* — [1910]. — 9e éd. — Éd. Librairie Vuibert, 1947.

AUBERT (Jean-François). — *Traité de droit constitutionnel suisse,* tome I. — Neuchâtel : Éd. Ides et Calendes, 1967. — (coll. «Mémoires de l'Université de Neuchâtel», no 30).

AUBERT (Marcel). — *La Sculpture française au moyen âge.* — Éd. Flammarion, 1947.

AUBLET (Henri). — *L'Équitation.* — Éd. P.U.F., 1960; 1974. — (coll. «Que sais-je?», no 902).

AUBOYER (Jeannine). — *Les Arts de l'Extrême-Orient.* — Éd. P.U.F., 1949. — (coll. «Que sais-je?», no 77).

AUDOUZE (Jean), CAMERON (A.G.W.), CHIU (Hong-Yee), et al. — *La Recherche en astrophysique,* articles choisis et présentés par James LEQUEUX. — Éd. du Seuil, 1978. — (coll. «Points-Sciences», no S 7).

AUSSY (Charles). — *Mémento du droit d'auteur.* — Éd. SPID, 1948. — (coll. «Les Mémentos»).

LXXV

AYACHE (Albert). — *Le Maroc*. — Éditions Sociales, 1956.
BABELON (Jean). — *La Numismatique antique*. — Éd. P. U. F., 1949. — (coll. «Que sais-je?», nº 168).
BAILLY (Auguste). — *Beaumarchais*. — Éd. Arthème Fayard, 1945.
BAILLY DE MERLIEUX (M.-C.). — *Manuel de physique*. — 2ᵉ éd. — Éd. Roret, 1825. — *Météorologie*, in *Encyclopédie portative*. — Éd. Bachelier, 1830.
BALANDIER (Georges), sous la direction de. — *Le Tiers Monde*. — Éd. P. U. F., 1956. — (coll. «Travaux et Documents», nº 27).
BALBI (Adriano). — *Discours préliminaire*, in *Introduction à l'Atlas ethnographique du globe*. — Éd. Rey et Gravier, 1826.
BALLU (Tony). — *Le Machinisme agricole*. — Éd. P. U. F., 1951. — (coll. «Que sais-je?», nº 476).
BALTRUSAITIS (Jurgis). — *Le Moyen Âge fantastique : Antiquités et Exotisme dans l'art gothique*. — Éd. Flammarion, 1981.
BARBIER (Maurice). — *Les Procédés modernes de construction*. — [1946]. — 2ᵉ éd. — Éd. P. U. F., 1949. — (coll. «Que sais-je?», nº 204).
BARDÈCHE (Maurice), BRASILLACH (Robert). — *Histoire du cinéma*. — Éd. A. Martel, 1948.
BARDET (Gaston). — *L'Urbanisme*. — Éd. P. U. F., 1947. — (coll. «Que sais-je?». nº 187).
BARON (Étienne). — *Géographie générale : Classe de 2ᵉ*. — Éd. Magnard, 1948.
BARRAULT (Jean-Louis). — in *Le Figaro littéraire*, 12 décembre 1961.
BARRET (Pierre), GURGAND (Jean-Noël). — *Priez pour nous à Compostelle : La Vie des pèlerins sur les chemins de Saint-Jacques*. — Éd. Hachette, 1978.
BARUK (Henri). — *Psychoses et Névroses*. — Éd. P. U. F., 1951. — (coll. «Que sais-je?», nº 221). — *Les Thérapeutiques psychiatriques*. — Éd. P. U. F., 1955. — (coll. «Que sais-je?», nº 691).
BATY (Gaston). — *Les Marionnettes*, in *Encyclopédie française*, fondée par Anatole de MONZIE, tome XVII, 1936.
BAUCHARD (Philippe). — *Les Syndicats en quête d'une révolution*. — Éd. Buchet-Chastel, 1972.
BAUCHOT (R.), BAUCHOT (M.-L.). — *Les Poissons*. — Éd. P. U. F., 1954. — (coll. «Que sais-je?», nº 642).
BAUDRILLART (Jacques-Joseph). — *Dictionnaire des pêches*, in *Traité général des eaux et forêts, chasses et pêches*. — 11 tomes. — Éd. Hazard, 1821-1848.
BAUDRY DE SAUNIER (L.). — *L'Automobile théorique et pratique : Traité élémentaire de locomotion à moteur mécanique*. — Éd. Baudry de Saunier, 1899. — *Le Cyclisme théorique et pratique*. — Éd. Librairie illustrée, 1892.
BAUMÉ (Antoine). — *Chimie expérimentale et raisonnée*. — 3 tomes. — Éd. F. Dulot, 1773.
BAUMONT (Maurice). — *Le Blé*. — Éd. P. U. F., 1949. — (coll. «Que sais-je?», nº 103).
BAYET (Albert). — *La Science des faits moraux*. — Éd. Alcan, 1925.
BAYET (Jean). — *La Religion romaine : Histoire politique et psychologique*. — [1956]. — Éd. Payot, 1969.
BEAU (Maurice). — *Le Lait et l'Industrie laitière*. — Éd. P. U. F., 1949. — (coll. «Que sais-je?», nº 377).
BEAUBOIS (Henry). — *Les Hélicoptères*. — Éd. P. U. F., 1956. — (coll. «Que sais-je?», nº 721).
BEAUD (Michel), DANJOU (Pierre), DAVID (Jean). — *Péchiney-Ugine-Kuhlmann, une multinationale française*. — Éd. du Seuil, 1975. — (coll. «Économie et Société»).
BEAULIEU (Michèle). — *Le Costume moderne et contemporain*. — Éd. P. U. F., 1951. — (coll. «Que sais-je?», nº 505). — *Les Tissus d'art*. — Éd. P. U. F., 1953. — (coll. «Que sais-je?», nº 566).
BECK (Jean). — *Le Goudron de houille*. — Éd. P. U. F., 1950. — (coll. «Que sais-je?», nº 402).
BECQUEREL (Henri). — in *Mémoires de l'Académie des sciences*, tome 46, 1903.
BEIGBEDER (Olivier). — *La Symbolique*. — 5ᵉ éd. — Éd. P. U. F., 1981. — (coll. «Que sais-je?», nº 749).
BENOIST (Luc). — *Musées et Muséologie*. — Éd. P. U. F., 1960. — (coll. «Que sais-je?», nº 904).
BÉQUIGNON (Yves). — *La Grèce*, in *Encyclopédie de la Pléiade : Histoire universelle*, tome I. — Éd. Gallimard, 1956.
BERGER (Gaston). — *Caractère et Personnalité*. — Éd. P. U. F., 1954. — (coll. «Initiation philosophique»).
BERNARD (Alain). — *Le Golf*. — Éd. P. U. F., 1970. — (coll. «Que sais-je?», nº 1385).
BERNARD (Augustin). — *L'Algérie*. — Éd. F. Alcan, 1929. — (coll. «Bibliothèque d'histoire contemporaine»). — *Géographie universelle*, tome XI. — Éd. Armand Colin, 1937.
BERNIS (Jeanne). — *L'Imagination*. — Éd. P. U. F., 1954. — (coll. «Que sais-je?», nº 649).
BERSIHAND (Roger). — *La Littérature japonaise*. — Éd. P. U. F., 1956. — (coll. «Que sais-je?», nº 710).
BERTAUX (Pierre). — *La Mutation humaine*. — Éd. Payot, 1964.
BERTHOLLET (Claude-Louis), CHAPTAL (Jean-Antoine), BIOT (Jean-Baptiste). — in *Annales de chimie*, tome 85, 1813.
BESSIÈRE (Paul). — *L'Alpinisme*. — Éd. P. U. F., 1967. — (coll. «Que sais-je?», nº 1255).
BERTHOMIER (Jeanne). — *Les Routes*. — Éd. P. U. F., 1959. — (coll. «Que sais-je?», nº 828).

BESSY (Maurice). — *Les Truquages au cinéma*. — Éd. Prisma, 1951.
BETTON (Gérard). — *La Photomacrographie*. — Éd. P. U. F., 1976. — (coll. «Que sais-je?», nº 1662).
BIARDEAU (Madeleine). — *L'Hindouisme, anthropologie d'une civilisation*. — Éd. Flammarion, 1981. — (coll. «Champs», nº 96).
Bibliographie générale des sciences juridiques, politiques, économiques de 1800 à 1926, par A. GRANDIN. — 3 tomes et 16 suppl. — Éd. Recueil Sirey, 1926 (tomes I, II, III), 1927-1947 (suppl.).
BINET (Alfred), FÉRÉ (Charles). — *Le Magnétisme animal*. — Éd. Alcan, 1887. — (coll. «Bibliothèque scientifique internationale», nº 57).
BINET (André). — *L'Amour et l'Émotion chez la femme*. — 4ᵉ éd. — Éd. Vigot, 1948. — *Les Formes de la femme*. — 2ᵉ éd. — Éd. Vigot, 1947. — *Les Régions génitales de la femme*. — 4ᵉ éd. — Éd. Vigot, 1951. — *Souvenirs et Propos d'un gynécologue*. — 2ᵉ éd. — Éd. Vigot, 1948. — *Vie sexuelle de la femme*. — 3ᵉ éd. — Éd. L'Expansion scientifique française, 1947.
BINET (Léon). — *Gérontologie et Gériatrie*. — Éd. P. U. F., 1961. — (coll. «Que sais-je?», nº 919).
BLANC (Edmond). — *L'Aviation*. — Éd. Larousse, 1940.
BLANCHARD (Raoul). — *L'Amérique du Nord : États-Unis, Canada et Alaska*. — Éd. A. Fayard, 1933. — (coll. «Géographie pour tous»).
BLANCHÉ (Robert). — *Introduction à la logique contemporaine*. — Éd. Armand Colin, 1957. — *Les Attitudes idéalistes*. — Éd. P. U. F., 1950. — (coll. «Nouvelle Encyclopédie philosophique»).
BLANQUET (Paul), BLANC (Daniel). — *La Médecine nucléaire*. — Éd. P. U. F., 1976. — (coll. «Que sais-je?», nº 1667).
BLOCH (Jules). — *Les Tsiganes*. — Éd. P. U. F., 1953. — (coll. «Que sais-je?», nº 580).
BLOCH (Raymond). — *Rome et l'Italie*, in *Encyclopédie de la Pléiade : Histoire universelle*, tome I. — Éd. Gallimard, 1956.
BLUM (Paul). — *La Peau*. — Éd. P. U. F., 1953. — (coll. «Que sais-je?», nº 558).
BOISCHOT (André). — *La Radioastronomie*. — Éd. P. U. F., 1965. — (coll. «Que sais-je?», nº 1182).
BOLL (Marcel). — *Les Certitudes du hasard*. — Éd. P. U. F., 1951. — (coll. «Que sais-je?», nº 3). — *Les Deux Infinis*. — Éd. Larousse, 1938. — *Électricité-Magnétisme*. — Éd. P. U. F., 1947. — (coll. «Que sais-je?», nº 243). — *Les Étapes de la mécanique*. — Éd. P. U. F., 1948. — (coll. «Que sais-je?», nº 130). — *Les Étapes des mathématiques*. — Éd. P. U. F., 1953. — (coll. «Que sais-je?», nº 42). — *L'Occultisme devant la science*. — [1944]. — Éd. P. U. F., 1951. — (coll. «Que sais-je?», nº 161).
BONNIER (Gaston). — *Cours de botanique*. — Éd. Librairie générale de l'enseignement, 1983. — *Les Noms des fleurs*. — Éd. Librairie générale de l'enseignement, 1951.
BORDE (Raymond), PERRIN (Charles). — *Laurel et Hardy*. — Lyon : Société d'études, recherches et documentation cinématographiques, 1965.
BORDONOVE (Georges). — *La Guerre de six cents ans*. — Éd. Laffont, 1971.
BOREL (Émile). — *Les Nombres premiers*. — Éd. P. U. F., 1953. — *Probabilité et Certitude*. — Éd. P. U. F., 1950. — (coll. «Que sais-je?», nº 445).
BOUASSE (Henri). — *Introduction à l'étude des théories de la mécanique*. — Éd. Carré, 1895. — *Tuyaux et Résonateurs*. — Éd. Delagrave, 1929.
BOUCHOT (H.). — in MICHEL (André). — *Histoire de l'art*. — Éd. Armand Colin, 1905-1929.
BOUGIS (Paul). — *Le Plancton*. — Éd. P. U. F., 1967. — (coll. «Que sais-je?», nº 1241).
BOUGLÉ (C.), RAFFAULT (J.). — *Éléments de sociologie*. — 2ᵉ éd. — Éd. Félix Alcan, 1929.
BOULAY (Henri). — *Arboriculture et Production fruitière*. — Éd. P. U. F., 1961. — (coll. «Que sais-je?», nº 967).
BOULENGER (abbé A.). — *Manuel d'apologétique*. — 5ᵉ éd. — Éd. Librairie catholique E. Vitte, 1928.
BOUQUEREL (Fernand). — *Les Études de marchés*. — Éd. P. U. F., 1966. — (coll. «Que sais-je?», nº 1219).
BOURBAKI (Nicolas), pseudonyme collectif. — *Éléments d'histoire des mathématiques*. — Éd. Hermann, 1960. — *Éléments de mathématiques*. — Éd. Hermann, 1954.
BOURDIEU (Pierre), PASSERON (Jean-Claude). — *La Reproduction : Éléments d'une théorie du système d'enseignement*. — Éd. de Minuit, 1970. — (coll. «Le Sens commun»).
BOURGAT (Marcelle). — *Technique de la danse*. — Éd. P. U. F., 1948. — (coll. «Que sais-je?», nº 196).
BOURGEOIS (Charles). — *Chimie de la beauté*. — Éd. P. U. F., 1960. — (coll. «Que sais-je?», nº 901).
BOURGIN (Georges), RIMBERT (Pierre). — *Le Socialisme*. — Éd. P. U. F., 1952. — (coll. «Que sais-je?», nº 387).
BOURGUIN (Maurice). — *Les Systèmes socialistes et l'Évolution économique*. — 3ᵉ éd. — Éd. Armand Colin, 1925.
BOUSQUET (Georges-Henri). — *Les Mormons*. — Éd. P. U. F., 1949. — (coll. «Que sais-je?», nº 388).
BOUTARIC (Augustin). — *Les Colloïdes*. — Éd. P. U. F., 1948. — (coll. «Que sais-je?», nº 104). — *Physique de la vie*. — Éd. P. U. F., 1945. — (coll. «Que sais-je?», nº 184). — *Les Rayons X*. — Éd. P. U. F., 1948. — (coll. «Que sais-je?», nº 70). — *La Vie des atomes*. — Éd. Flammarion, 1923.
BOUTELOUP (Jacques). — *Vagues, Marées, Courants marins*. — Éd. P. U. F., 1950. — (coll. «Que sais-je?», nº 438).

Bouthoul (Gaston). — *La Guerre*. — Éd. P.U.F., 1953. — (coll. «Que sais-je?», n° 577). — *Les Mentalités*. — Éd. P.U.F., 1952. — (coll. «Que sais-je?», n° 545). — *Sociologie de la politique*. — Éd. P.U.F., 1965. — (coll. «Que sais-je?», n° 1189). — *Traité de sociologie*. — 2e éd. — Éd. Payot, 1949. — (coll. «Bibliothèque scientifique»).

Boutroux (Émile). — *Morale et Religion*. — Éd. Flammarion, 1925.

Bouyer (F.). — *Voyage dans la Guyane française*, in *Le Tour du Monde*, 1er semestre 1866.

Bovet (Marie-Anne de). — *Trois mois en Irlande*, in *Le Tour du Monde*, 1er semestre 1890.

Boyer (Albert). — *Les Pêches maritimes*. — Éd. P.U.F., 1967. — (coll. «Que sais-je?», n° 199).

Brau (Jean-Louis). — *Histoire de la drogue*. — Éd. Tchou, 1968.

Braunschvig (Marcel). — *La Littérature française contemporaine étudiée dans les textes, de 1850 à nos jours*. — 4e éd. — Éd. Armand Colin, 1931. — *Notre littérature étudiée dans les textes*. — 2 tomes. — Éd. Armand Colin, 1925 (tome I, 3e éd.), 1927 (tome II, 4e éd.).

Bréal (Michel). — *Mythologie et Linguistique*. — [1864]. — Éd. Hachette, 1877.

Bréhier (Louis). — *Le Style roman*. — Éd. Larousse, 1941.

Brémond (abbé Henri). — *Histoire littéraire du sentiment religieux en France*, tome IV. — Éd. Bloud et Gay, 1920.

Brocchi (P.). — in *Annuaire du Club alpin français*, 4e année, 1877.

Broglie (Louis de). — Voir ci-dessous III.

Broué (Pierre). — *Le Parti bolchevique*. — Éd. de Minuit, 1963. — (coll. «Arguments»).

Bruhat (Georges). — *Cours de physique générale*. — 4e éd. — Éd. Masson, 1954. — *Les Étoiles*. — Éd. Félix Alcan, 1939. — *Le Soleil*. — Éd. Félix Alcan, 1931.

Bruhat (Jean). — *Histoire de l'U.R.S.S.* — Éd. P.U.F., 1945. — (coll. «Que sais-je?», n° 183).

Brunhes (Jean). — *La Géographie humaine*. — 3 tomes. — 4e éd. — Éd. Félix Alcan, 1934.

Bureau (Robert). — *La T.S.F.* — Éd. P.U.F., 1951. — (coll. «Que sais-je?», n° 99).

Burloud (Albert). — *Précis de psychologie*. — Éd. Hachette, 1952. — *Psychologie*. — Éd. Hachette, 1948.

Burnouf (Émile). — *La Science des religions*. — 3e éd. — Éd. Maisonneuve, 1876.

Burton (R.). — *Voyage à la cité des saints*, in *Le Tour du Monde*, 1er semestre 1862.

Cailleux (André). — *La Géologie*. — Éd. P.U.F., 1952. — (coll. «Que sais-je?», n° 525). — *Les Roches*. — Éd. P.U.F., 1952. — (coll. «Que sais-je?», n° 519).

Cahen (Léon), Ronze (Raymond), Folinais (Émile). — *Histoire du monde de 1919 à 1937*. — Éd. Aubier, 1937.

Calan (Pierre de). — *Le Coton et l'Industrie cotonnière*. — Éd. P.U.F., 1961. — (coll. «Que sais-je?», n° 90).

Calmette (Joseph). — *La Société féodale*. — 3e éd. — Éd. Armand Colin, 1932.

Caloni (Pierre). — *Les Préventeurs*. — Société d'Éditions Françaises et Internationales (S.E.F.I.), 1960.

Cambon (Jules). — *Le Diplomate*. — Éd. Hachette, 1926. — (coll. «Les Caractères de ce temps»).

Camp (Jean). — *La Littérature espagnole*. — Éd. P.U.F., 1953. — (coll. «Que sais-je?», n° 114).

Campbell (Robert). — *La Trigonométrie*. — Éd. P.U.F., 1956. — (coll. «Que sais-je?», n° 692).

Campredon (Jean). — *Le Bois*. — Éd. P.U.F., 1949. — (coll. «Que sais-je?», n° 382).

Candolle (Augustin Pyramus de). — *Essai sur les propriétés médicales des plantes...* — [1804]. — Éd. Crochard, 1823.

Canguilhem (Georges). — *La Connaissance de la vie*. — 2e éd. — Éd. Vrin, 1975. — (coll. «Problèmes et Controverses»). — *Études d'histoire et de philosophie des sciences*. — Éd. Vrin, 1968. — (coll. «Problèmes et Controverses»). — *Le Normal et le Pathologique*. — 4e éd. — Éd. P.U.F., 1979. — (coll. «Galien»).

Capart (Jean), Contenau (Dr G.). — *Histoire de l'Orient ancien*. — Éd. Hachette, 1949. — (coll. «L'histoire racontée à tous»).

Carcopino (Jérôme). — *La Vie quotidienne à Rome à l'apogée de l'Empire*. — Éd. Hachette, 1939.

Carcopino (Jérôme), Bloch (Gustave). — *Histoire générale : Histoire romaine*. — 4 tomes. — Éd. P.U.F., 1929-1932.

Carles (Jules). — *La Chimie du vin*. — Éd. P.U.F., 1960. — (coll. «Que sais-je?», n° 908). — *L'Énergie chlorophyllienne*. — Éd. P.U.F., 1953. — (coll. «Que sais-je?», n° 583). — *La Fécondation*. — 6e éd. — Éd. P.U.F., 1973. — (coll. «Que sais-je?», n° 390). — *Les Origines de la vie*. — Éd. P.U.F., 1954. — (coll. «Que sais-je?», n° 446). — *Le Transformisme*. — Éd. P.U.F., 1952. — (coll. «Que sais-je?», n° 502).

Cary (Edmond). — *Les Grands Traducteurs français*. — Genève : Éd. Georg, 1963.

Casanova (Gaston). — *L'Algèbre de Boole*. — Éd. P.U.F., 1967. — (coll. «Que sais-je?», n° 1246).

Castella (H. de). — *Souvenirs d'un squatter français en Australie*, in *Le Tour du Monde*, 1er semestre 1861.

Castex (Pierre-Georges), Surer (Paul). — *Manuel d'études littéraires françaises : xxe siècle*. — Éd. Hachette, 1967.

Caullery (Maurice). — *L'Embryologie*. — Éd. P.U.F., 1949. — (coll. «Que sais-je?», n° 68). — *Les Étapes de la biologie*. — Éd. P.U.F., 1948. — (coll. «Que sais-je?», n° 1). — *Génétique et Hérédité*. — Éd. P.U.F., 1951. — (coll. «Que sais-je?», n° 113). — *Les Sciences biologiques*, in *Encyclopédie de la Pléiade : Histoire de la science*. — Éd. Gallimard, 1957.

Caumont (Arcisse de). — *Cours d'antiquités monumentales*. — À Paris, 1831.

Cavaillès (Jean). — *Sur la logique et la théorie de la science*. — Éd. Vrin, 1976. — (coll. «Problèmes et Controverses»).

Cazeneuve (Jean). — *Sociologie de la radio-télévision*. — Éd. P.U.F., 1962. — (coll. «Que sais-je?», n° 1026).

Cazeneuve (O.). — *Le Miroir des sociétés*, in *Sciences et Avenir : La Science des jeux*, numéro spécial, 1981.

Cazin (Michel). — *Les Mines*. — Éd. P.U.F., 1951. — (coll. «Que sais-je?», n° 465).

Célérier (Pierre). — *La Manœuvre des navires*. — Éd. P.U.F., 1955. — (coll. «Que sais-je?», n° 659). — *Technique de la navigation*. — Éd. P.U.F., 1951. — (coll. «Que sais-je?», n° 498).

Céré (Roger). — *La Seconde Guerre mondiale*. — Éd. P.U.F., 1953. — (coll. «Que sais-je?», n° 265).

Chailley (Jacques). — *La Musique médiévale*. — Éd. du Coudrier, 1951.

Chaliand (Gérard). — *La Résistance palestinienne*. — Éd. du Seuil, 1970.

Challaye (Félicien). — *Psychologie et Métaphysique*. — 6e éd. — Éd. Fernand Nathan, 1838.

Champetier (Georges). — *La Chimie générale*. — Éd. P.U.F., 1952. — (coll. «Que sais-je?», n° 207). — *La Grande Industrie chimique minérale*. — Éd. P.U.F., 1947. — (coll. «Que sais-je?», n° 284). — *La Grande Industrie chimique organique*. — Éd. P.U.F., 1950. — (coll. «Que sais-je?», n° 239).

Chancerel (Léon). — *Jeux dramatiques*. — Éd. du Cerf, 1936.

Chapouille (Pierre). — *La Fiabilité*. — Éd. P.U.F., 1972. — (coll. «Que sais-je?», n° 1480).

Charnay (Désiré). — *Six mois en Australie*, in *Le Tour du Monde*, 1er semestre 1880. — *Six semaines à Java*, in *Le Tour du Monde*, 1er semestre 1880.

Charny (François). — *Le Sucre*. — Éd. P.U.F., 1950. — (coll. «Que sais-je?», n° 417).

Charpentier (Dr Alphonse). — *Traité pratique des accouchements*. — Éd. Baillière, 1883.

Charte des Nations unies. — Genève : Éd. Publications des Nations unies, 1945.

Chasseloup de Châtillon (Michel), Le Maître (Louis). — *Les Centrales thermiques*. — Éd. P.U.F., 1961. — (coll. «Que sais-je?», n° 913).

Châtelet (François). — *Hegel*. — Éd. du Seuil, 1978. — (coll. «Microcosme Écrivains de Toujours», n° 80). — *Histoire de la philosophie : Idées, Doctrines*. — 8 tomes. — Éd. Hachette, 1972-1973.

Chauchard (Dr Paul). — *Le Cerveau humain*. — Éd. P.U.F., 1958. — (coll. «Que sais-je?», n° 768). — *La Fatigue*. — Éd. P.U.F., 1956. — (coll. «Que sais-je?», n° 733). — *Le Langage et la Pensée*. — Éd. P.U.F., 1956. — (coll. «Que sais-je?», n° 698). — *Les Messages de nos sens*. — Éd. P.U.F., 1948. — (coll. «Que sais-je?», n° 138). — *La Mort*. — Éd. P.U.F., 1947. — (coll. «Que sais-je?», n° 236). — *Le Moteur vivant*. — Éd. P.U.F., 1948. — (coll. «Que sais-je?», n° 181). — *Physiologie de la conscience*. — Éd. P.U.F., 1953. — (coll. «Que sais-je?», n° 333). — *Sociétés animales, Société humaine*. — Éd. P.U.F., 1956. — (coll. «Que sais-je?», n° 696). — *Le Système nerveux*. — Éd. P.U.F., 1951. — (coll. «Que sais-je?», n° 8).

Chaumely (Jean), Huisman (Denis). — *Les Relations publiques*. — Éd. P.U.F., 1962. — (coll. «Que sais-je?», n° 966).

Chaumier (Jacques). — *Les Techniques documentaires*. — Éd. P.U.F., 1979. — (coll. «Que sais-je?», n° 1419).

Chauvineau (général). — *Une invasion est-elle encore possible?* — Éd. Berger-Levrault, 1939.

Cheng (François). — *L'Écriture poétique chinoise*. — Éd. du Seuil, 1977.

Chêne (Marcel) et Drisch (Nicolas). — *La Cellulose*. — Éd. P.U.F., 1967. — (coll. «Que sais-je?», n° 1282).

Chénon (Émile). — *Histoire générale du droit français public et privé des origines à 1815*. — 2 tomes. — Éd. Recueil Sirey, 1926 (tome I), 1929 (tome II).

Chenot (Bernard). — *Les Entreprises nationalisées*. — Éd. P.U.F., 1956. — (coll. «Que sais-je?», n° 695).

Chevalier (Auguste). — *Le Café*. — Éd. P.U.F., 1949. — (coll. «Que sais-je?», n° 139).

Chevalier (Auguste), Le Bras (Jean). — *Le Caoutchouc*. — Éd. P.U.F., 1949. — (coll. «Que sais-je?», n° 136).

Chevalier (Auguste), Normand (Didier). — *Forêts vierges et Bois tropicaux*. — Éd. P.U.F., 1951. — (coll. «Que sais-je?», n° 143).

Chevalier (Auguste), Angladette (André). — *Le Riz*. — Éd. P.U.F., 1948. — (coll. «Que sais-je?», n° 305).

Chevalier (Auguste), Emmanuel (H.-F.). — *Le Tabac*. — Éd. P.U.F., 1948. — (coll. «Que sais-je?», n° 87).

Chevalier (Jacques). — *La Vie morale et l'Au-delà*. — Éd. Flammarion, 1938. — (coll. «Bibliothèque de philosophie scientifique»).

Chevalier (J.-J.), David (R.), Laubadère (A. de). — *Encyclopédie politique de la France et du monde : Politique intérieure et extérieure de la France et des grandes nations*. — 2 tomes. — Éd. de l'Encyclopédie de l'Empire français, 1946.

CHOCHOLLE (René). — *Le Bruit.* — Éd. P.U.F., 1960. — (coll. «Que sais-je?», nᵒ 855).

CHOMBART DE LAUWE (Paul-Henry). — *La Vie quotidienne des familles ouvrières.* — Éd. Centre National de la Recherche Scientifique, 1956.

CHOURAQUI (André). — *Histoire du judaïsme.* — Éd. P.U.F., 1957. — (coll. «Que sais-je?», nᵒ 750).

CLAIR (René), FAIN (Gaël). — *Pourquoi et comment on fait des films,* in *Encyclopédie française,* fondée par Anatole de MONZIE, tome XVII, 1936.

CLAPARÈDE (Édouard). — in LALANDE (André). — *Vocabulaire technique et critique de la philosophie.* — Éd. P.U.F., 1951.

CLASTRES (Pierre). — *Le Grand Parler : Mythes et Chants sacrés des Indiens Guaranis.* — Éd. du Seuil, 1974. — (coll. «Recherches anthropologiques»).

CLOUARD (Henri). — *Histoire de la littérature française, du symbolisme à nos jours.* — 2 tomes. — Tome I : *De 1885 à 1914.* — Tome II : *De 1915 à 1940.* — Éd. Albin Michel, 1947, 1949.

Circulaire ministérielle, nᵒ 78-390, 16 novembre 1978.

CLAVREUL (Jean). — *L'Ordre médical.* — Éd. du Seuil, 1978. — (coll. «Le Champ Freudien»).

CLOUTIER (François). — *La Santé mentale.* — Éd. P.U.F., 1966. — (coll. «Que sais-je?», nᵒ 1223).

CLOZIER (René). — *Histoire de la géographie.* — [1942]. — Éd. P.U.F., 1972. — (coll. «Que sais-je?», nᵒ 65).

COCHET (Henri). — *Le Tennis.* — Éd. P.U.F., 1964. — (coll. «Que sais-je?», nᵒ 1084).

Code administratif. — 2 tomes. — Éd. Dalloz, s.d. — («Petite collection Dalloz»).

Code civil. — 38ᵉ éd. — Éd. Dalloz, 1938. — («Petite collection Dalloz»).

Code d'audience. — 28ᵉ éd. — Éd. Dalloz, 1956.

Code de commerce. — 28ᵉ éd. — Éd. Dalloz, 1931. — («Petite collection Dalloz»).

Code de la route ROUSSEAU. — Les Sables-d'Olonne, s. d.

Code de procédure civile. — 27ᵉ éd. — Éd. Dalloz, 1929.

Code du travail. — 22ᵉ éd. — Éd. Dalloz, 1938. — («Petite collection Dalloz»).

Code forestier et Code rural. — 32ᵉ éd. — Éd. Dalloz, 1937.

Code illustré : «La Route», par R. M. VIETTE, 1963.

Code pénal. — 28ᵉ éd. — Éd. Dalloz, 1929. — («Petite collection Dalloz»).

Codes et Lois pour la France, l'Algérie et les colonies. — [Éd. Marchal et Billard]. — 20ᵉ édition entièrement refondue par Paul COLIN. — Éd. G. Godde, 1925.

CŒUROY (André). — *La Musique et ses formes.* — Éd. Denoël, 1951.

COHEN (Gaston). — *Le Cuivre et le Nickel.* — Éd. P.U.F., 1952. — (coll. «Que sais-je?», nᵒ 510).

COHEN-SÉAT (Gilbert). — *Essai sur les principes de la philosophie du cinéma.* — Éd. P.U.F., 1946.

COLIN (Ambroise), CAPITANT (Henri). — *Cours élémentaire de droit civil français.* — 3 tomes. — Éd. Dalloz, 1931 (tome I, 7ᵉ éd.), 1928 (tome II, 5ᵉ éd.), 1932 (tome III, 7ᵉ éd.).

COLIN (Jean), HOUDAS (Yvon). — *Physiologie du cosmonaute.* — 1965. — (coll. «Que sais-je?», nᵒ 1198).

COLOMBIER (Pierre du). — *Histoire de l'art.* — Éd. Arthème Fayard, 1942. — (coll. «Les Grandes Études Historiques»).

COLSON (Clément). — *Cours d'économie politique.* — 7 tomes. — Éd. Gauthier-Villars, 1924-1933.

COLTÉE DUCAREL (André). — *Anglo-norman antiquities considered in a tour through part of Normandy* [Londres : 1767], traduit par LÉCHAUDÉ D'ANISY : *Antiquités anglo-normandes.* — À Caen, 1823.

COMBES (Raoul). — *La Physiologie végétale.* — Éd. P.U.F., 1948. — (coll. «Que sais-je?», nᵒ 287).

Concordance des Saintes Écritures d'après les versions SEGOND et SYNODALE. — 5ᵉ éd. — Genève; Paris : Éd. de la Maison de la Bible, 1954.

Constitution de la République française, et Lois organiques, 27 octobre 1946. — Éd. Recueil Sirey, 1947.

Constitution de l'Organisation Mondiale de la Santé. — Genève : Publications de l'O.M.S., 1946.

Constitutions (Les) et les Principales Lois politiques de la France depuis 1789, par Léon DUGUIT et Henry MONNIER. — 4ᵉ éd. — Éd. Librairie générale de droit et de jurisprudence, 1925.

CONTENAU (Georges), CHAPOT (Victor). — *L'Art antique : Orient-Grèce-Rome.* — Éd. Armand Colin, 1930.

COOPER (Thomas). — *Renseignements sur l'Amérique.* — Hambourg : Éd. P.F. Fauche, 1795.

COPEAU (Jacques). — *La Mise en scène,* in *Encyclopédie française,* fondée par Anatole de MONZIE, tome XVII, 1936.

COPPET (Daniel de), ZEMP (Hugo). — *'Aré, 'aré : Un peuple mélanésien et sa musique.* — Éd. du Seuil, 1978. — (coll. «Les Jours de l'homme»).

CORBIN (Alain). — *Le Miasme et la Jonquille.* — Éd. Aubier-Montaigne, 1982. — («Collection historique»).

CORBIN (Solange). — in *Encyclopédie de la Pléiade : Histoire de la musique,* tome I. — Éd. Gallimard, 1960.

CORNOU (Jakez), GIOT (Pierre-Roland). — *Origine et Histoire des Bigoudens.* — Le Guilvinec (Finistère) : Éd. Le Signor, 1977.

COSTES (J.). — *Manuel du plâtrier.* — Éd. Eyrolles, 1961.

COTTEAU (M.E.). — *Le Transcanadien et l'Alaska,* in *Le Tour du Monde,* 2ᵉ semestre 1891.

COUBERTIN (Pierre de). — in GILLET (Bernard). — *Histoire du sport.* — Éd. P.U.F., 1949. — (coll. «Que sais-je?», nᵒ 337).

COUDERC (Paul). — *L'Architecture de l'univers.* — Éd. Gauthier-Villars, 1941. — *L'Astrologie.* — Éd. P.U.F., 1951. — (coll. «Que sais-je?», nᵒ 508). — *Dans le champ solaire.* — Éd. Gauthier-Villars, 1932. — *Les Étapes de l'astronomie.* — Éd. P.U.F., 1948. — (coll. «Que sais-je?», nᵒ 165). — *L'Univers.* — Éd. P.U.F., 1955. — (coll. «Que sais-je», nᵒ 687).

COURTHÉOUX (Jean-Paul). — *La Politique des revenus.* — Éd. P.U.F., 1966. — (coll. «Que sais-je?», nᵒ 1222).

COUSTEAU (Jacques-Yves), DUMAS (Frédéric). — *Le Monde du silence.* — Le Livre de Poche, nᵒˢ 404-405, 1959.

CRAIPEAU (Yvan). — *La Révolution qui vient.* — Éd. de Minuit, 1957.

CRESSON (A.). — *Les Systèmes philosophiques.* — Éd. Armand Colin, s. d. — (coll. «Classiques Armand Colin», nᵒ 119).

CUCHE (Paul). — *Précis de droit criminel.* — 3ᵉ éd. — Éd. Dalloz, 1929. — *Précis de procédure civile et commerciale.* — 5ᵉ éd. — Éd. Dalloz, 1931. — *Précis des voies d'exécution et des procédures de distribution.* — 2ᵉ éd. — Éd. Dalloz, 1930. — (coll. «Petits Précis Dalloz»).

CULLEN (William). — *Élémens de médecine pratique.* [Édimbourg, 1778-1784]. — traduit de l'anglais par Édouard BOSQUILLON. — 2 tomes. — Éd. T. Barrois jeune. 1785-1787.

CUVIER (Georges). — *Recherches sur les ossements fossiles des quadrupèdes.* — 4 tomes. — Éd. Deterville, 1812.

CUVILLIER (Armand). — *Manuel de philosophie,* tome I : *Introduction générale, Psychologie.* — 2ᵉ éd. — Éd. Armand Colin, 1933.

DACIER (Émile). — *Le Style Louis XVI.* — Éd. Larousse, 1939. — (coll. «Arts, styles et techniques»).

DALCQ (Albert). — *L'Œuf et son dynamisme organisateur.* — Éd. Albin Michel, 1941.

DALEMONT (Étienne). — *Le Pétrole.* — Éd. P.U.F., 1963. — (coll. «Que sais-je?», nᵒ 158).

DALLOZ (Éditions Dalloz). — *Droit maritime.* — (coll. «Petits Précis Dalloz»).

DALSACE (Jean). — *La Stérilité.* — Éd. P.U.F., 1962. — (coll. «Que sais-je?», nᵒ 961).

DANCHIN (Antoine). — *Ordre et Dynamisme du vivant : Chemins de la biologie moléculaire.* — Éd. du Seuil, 1978.

DANJON (André). — *Les Mouvements de la Terre et la Mesure du temps,* in *Encyclopédie de la Pléiade : La Terre.* — Éd. Gallimard, 1959.

DARDEL (Éric). — *Les Pêches maritimes.* — [1946]. — 2ᵉ éd. — Éd. P.U.F., 1948. — (coll. «Que sais-je?», nᵒ 199).

DAUBIER (Jean). — *Histoire de la révolution culturelle prolétarienne en Chine,* tome I. — [1970]. — Éd. Maspero, 1971. — (coll. «Petite Collection Maspero», nᵒ 170).

DAUMAS (Maurice), sous la direction de. — *Encyclopédie de la Pléiade : Histoire de la science.* — Éd. Gallimard, 1957.

DAUVEN (Jean). — *Technique du sport.* — Éd. P.U.F., 1948. — (coll. «Que sais-je?», nᵒ 63).

DAUX (Georges). — *Les Étapes de l'archéologie.* — [1942]. — Éd. P.U.F., 1948. — (coll. «Que sais-je?», nᵒ 54).

DAVAL (Roger). — *Histoire des idées en France.* — Éd. P.U.F., 1953. — (coll. «Que sais-je?», nᵒ 593).

DAVAL (Simone), GUILLEMAIN (Bernard). — *Cours de philosophie et Textes choisis.* — 6 tomes. — Éd. P.U.F., 1950-1951. — *Philosophie des sciences : Terminale B.* — 6ᵉ éd. — Éd. P.U.F., 1969.

DAVID (Marcel), GUILLY (Paul). — *La Neurochirurgie.* — Éd. P.U.F., 1970. — (coll. «Que sais-je?», nᵒ 1369).

DAVID (Pierre). — *Le Radar.* — Éd. P.U.F., 1953. — (coll. «Que sais-je?», nᵒ 381).

DEBIEN (G.). — *Les Débuts de la révolution à Saint-Domingue,* in revue *Études antillaises,* 1956.

DELACHET (André). — *Calcul différentiel et intégral.* — Éd. P.U.F., 1951. — (coll. «Que sais-je?» nᵒ 466). — *Calcul vectoriel et Calcul tensoriel.* — Éd. P.U.F., 1950. — (coll. «Que sais-je?» nᵒ 418). — *La Géométrie contemporaine.* — Éd. P.U.F., 1950. — (coll. «Que sais-je?», nᵒ 401).

DELACHET (André), MOREAU (Jean). — *La Géométrie descriptive et ses applications.* — Éd. P.U.F., 1952. — (coll. «Que sais-je?», nᵒ 521).

DELACHET (André), TAILLÉ (Jean). — *La Balistique.* — Éd. P.U.F., 1951. — (coll. «Que sais-je?», nᵒ 470).

DELACROIX (Henri). — *Les Grandes Formes de la vie mentale.* — nouvelle édition. — Éd. Alcan, 1937. — *Le Langage et la Pensée.* — [1924]. — Éd. Alcan, 1930.

DELAGE (Yves). — *L'Hérédité et les Grands Problèmes de la biologie générale.* — 2ᵉ édition revue. — Éd. Schleicher, 1903.

DELAMAIN (Jacques). — *Les Jours et les Nuits des oiseaux.* — Éd. Stock, 1948. — (coll. «Livres de Nature»).

DELARUE (Jacques). — *La Tuberculose.* — Éd. P.U.F., 1949. — (coll. «Que sais-je?», nᵒ 15).

DELAVENAY (Émile). — *La Machine à traduire.* — Éd. P.U.F., 1959. — (coll. «Que sais-je?», nᵒ 834).

DELAY (Jean). — *Les Dissolutions de la mémoire.* — Éd. P.U.F., 1950. — (coll. «Bibliothèque de philosophie contemporaine»). — *L'Électricité cérébrale.* — Éd. P.U.F., 1950. — (coll. «Que sais-je?», nᵒ 410). — *Introduction à la médecine psychosomatique.* — Éd. Masson, 1961. — *La Psycho-physiologie humaine.* — Éd. P.U.F., 1951. — (coll. «Que sais-je?», nᵒ 188).

DELBEZ (Louis). — *Manuel de droit international public : Droit général et Droit particulier des Nations unies.* — 2e éd. — Éd. Librairie générale de droit et de jurisprudence, 1951.

DELMELLE (Joseph). — *Belgique des champs de bataille.* — Bruxelles : Éd. Rossel, 1976. — (coll. «Nouveaux Guides Belgique», n° 11).

DEMANGEON (Albert). — *Géographie économique et humaine de la France,* tome I. — Éd. Armand Colin, 1946. — *Géographie générale : Classe de 2e,* par A. PERPILLOU. — Éd. Hachette, 1941. — (coll. «Cours Demangeon»). — *Géographie universelle,* tome VI, 2e partie. — Éd. Armand Colin, 1948.

DEMOLON (Albert), MARQUIS (Albert). — *Le Phosphore et la Vie.* — Éd. P.U.F., 1949. — (coll. «Que sais-je?», n° 373).

DEMONTÈS (Victor). — *L'Algérie économique.* — 6 tomes. — Alger : Éd. Imprimerie Algérienne, 1922-1930.

DEMOUGEOT (Émilienne). — *L'Apparition des Arabes en Occident,* in *Encyclopédie de la Pléiade : Histoire universelle,* tome II. — Éd. Gallimard, 1957.

DENIKER (Joseph). — in *La Grande Encyclopédie,* sous la direction de Marcelin BERTHELOT. — Éd. Société de la Grande Encyclopédie, 1885-1902.

DENIKER (Pierre). — *La Psychopharmacologie.* — Éd. P.U.F., 1966. — (coll. «Que sais-je?», n° 1216).

DENOYER (Pierre). — *La Presse dans le monde.* — Éd. P.U.F., 1950. — (coll. «Que sais-je?», n° 414).

DERMENGHEM (Émile). — *Mahomet et la Tradition islamique.* — Éd. du Seuil, 1956. — (coll. «Microcosme Maîtres spirituels», n° 1).

DESCHAMPS (Hubert). — *L'Afrique noire précoloniale.* — Éd. P.U.F., 1962; 1969. — (coll. «Que sais-je?», n° 241). — *Histoire générale de l'Afrique noire, de Madagascar et de ses archipels.* — 2 tomes. — Tome I : *Des origines à 1800.* — Tome II : *De 1800 à nos jours.* — Éd. P.U.F., 1970, 1971. — (coll. «Pays d'Outre-Mer»).

DESJARDINS (Armand). — *Pour une mort sans peur.* — Éd. La Table Ronde, 1983.

DESJEUX (Jean-Claude), DUFLOS (Jacques). — *Les Plastiques renforcés.* — Éd. P.U.F., 1964. — (coll. «Que sais-je?», n° 1120).

DESMAISONS (René). — *342 heures dans les Grandes Jorasses.* — Éd. Flammarion, 1973. — (coll. «Aventure vécue»).

DESOILLE (Henri). — *La Médecine du travail.* — Éd. P.U.F., 1958. — (coll. «Que sais-je?», n° 166).

DESTOUCHES (Jean-Louis). — *La Mécanique élémentaire.* — Éd. P.U.F., 1961. — (coll. «Que sais-je?», n° 906). — *La Mécanique ondulatoire.* — Éd. P.U.F., 1954. — (coll. «Que sais-je?», n° 311).

DESTRÉE (Jules). — *Wallons et Flamands.* — Éd. Plon-Nourrit, 1923.

DEVAMBEZ (Pierre). — *Le Style grec.* — Éd. Larousse, 1944. — (coll. «Arts et styles»).

DEVAUX (Pierre). — *Histoire de l'électricité.* — [1941]. — 5e éd. — Éd. P.U.F., 1948. — (coll. «Que sais-je?», n° 7).

DEVILLE (L.). — *Voyage dans l'Amérique septentrionale,* in *Le Tour du Monde,* 1er semestre 1861.

DEZOTEUX (Jacques), PETIT-JEAN (Roger). — *Les Transistors.* — Éd. P.U.F., 1964. — (coll. «Que sais-je?», n° 1121).

DIDE (M.), GUIRAUD (P.). — *Psychiatrie du médecin praticien.* — Éd. Masson, 1922.

DIETERLEN (Pierre). — in ROMEUF (Jean). — *Dictionnaire des sciences économiques.* — Éd. P.U.F., 1956-1958.

DISTER (Alain). — *Les Beatles.* — Éd. Albin Michel, 1978. — (coll. «Rock et Folk»).

DIXON (W.H.). — *La Conquête blanche,* in *Le Tour du Monde,* 2e semestre 1876.

DOLLFUS (Olivier). — *Le Pérou.* — Éd. P.U.F., 1967. — (coll. «Que sais-je?», n° 1284).

DOMENACH (Jean-Marie). — *La Propagande politique.* — Éd. P.U.F., 1950. — (coll. «Que sais-je?», n° 448).

DONNEDIEU DE VABRES (Jacques). — *L'État.* — Éd. P.U.F., 1954. — (coll. «Que sais-je?», n° 616).

DONNEDIEU DE VABRES (H.). — *Précis de droit criminel.* — Éd. Dalloz, 1953. — (coll. «Petits Précis Dalloz»).

DORIVAL (Bernard). — *La Peinture française.* — [2 tomes, 1941-1942]. — Éd. Larousse, 1948. — (coll. «Arts, styles et techniques»).

DOROLLE (M.). — in LALANDE (André). — *Vocabulaire technique et critique de la philosophie.* — Éd. P.U.F., 1951.

DOUMIC (René). — *Le Misanthrope de Molière.* — Éd. Mellottée, 1945. — (coll. «Les Chefs-d'œuvre de la littérature expliqués»).

DOURGNON (Jean), KOWALSKI (Paul). — *La Reproduction des couleurs.* — Éd. P.U.F., 1951. — (coll. «Que sais-je?», n° 472).

DUBY (Georges). — Voir ci-dessous III.

DUCHÉ (Jacques). — *La Biologie des sols.* — Éd. P.U.F., 1950. — (coll. «Que sais-je?», n° 399).

DUFOURCQ (Norbert). — *La Musique française.* — Éd. Larousse, 1949. — *L'Orgue.* — Éd. P.U.F., 1948. — (coll. «Que sais-je?», n° 276).

DUGUIT (Léon). — *Traité de droit constitutionnel.* — 5 tomes. — Éd. E. de Boccard, 1927 (tome I, 3e éd.), 1928 (tome II, 3e éd.), 1930 (tome III, 3e éd.), 1924 (tome IV, 2e éd.), 1925 (tome V, 2e éd.).

DUHAMEL (Jean-Marie). — *Des méthodes dans les sciences de raisonnement,* 2e, 3e et 4e parties. — Éd. Gauthier-Villars, 1866.

DUHEM (Pierre). — *La Théorie physique.* — 2e éd. — Éd. Marcel Rivière, 1906.

DULAURE (J.-A.). — *Histoire physique, civile et morale de Paris.* — Éd. Furne, 1837.

DULLIN (Charles). — *Souvenirs et Notes de travail d'un acteur,* in *Classe de français,* septembre-octobre 1954.

DUMAS (Dr Georges). — *La Tristesse et la Joie.* — Éd. F. Alcan, 1900.

DUMESNIL (René). — *L'Opéra et l'Opéra-comique.* — Éd. P.U.F., 1947. — (coll. «Que sais-je?», n° 278).

DUMONT (Louis). — *La Civilisation indienne et nous.* — [1964]. — Éd. Armand Colin, 1975. — (coll. «U Prisme», n° 46).

DUMONT (René), MOTTIN (Marie-France). — *L'Afrique étranglée : Zambie, Tanzanie, Sénégal, Côte-d'Ivoire, Guinée-Bissau, Cap-Vert.* — Éd. du Seuil, 1980. — (coll. «Histoire immédiate»).

DUMUR (Guy). — in *Les Lettres modernes,* n° 36, mars 1956.

DUPONT-SOMMER (André). — *La Littérature hébraïque,* in *Encyclopédie de la Pléiade : Histoire des littératures,* tome I. — Éd. Gallimard, 1955.

DURAND (Gilbert). — *Les Structures anthropologiques de l'imaginaire.* — Éd. Bordas, 1969. — (coll. «Études»).

DURAND (Michel), FAVARD (Pierre). — *La Cellule : Structure et Anatomie moléculaire.* — [1967]. — 2e édition revue, corrigée et augmentée. — Éd. Hermann, 1974. — (coll. «Méthodes-Introduction à la biologie», n° 1).

DUROSELLE (Jean-Baptiste). — *Histoire du catholicisme.* — Éd. P.U.F., 1949. — (coll. «Que sais-je?», n° 365).

DUVERGER (Maurice). — *Les Finances publiques.* — Éd. P.U.F., 1950. — (coll. «Que sais-je?», n° 415). — *Manuel de droit constitutionnel et de science politique.* — 5e éd. — Éd. P.U.F., 1948. — *Les Régimes politiques.* — Éd. P.U.F., 1948. — (coll. «Que sais-je?», n° 289).

ECK (André). — *Le Lait et l'Industrie laitière.* — Éd. P.U.F., 1962. — (coll. «Que sais-je?», n° 377).

Éducation des adultes et Promotion du statut égalitaire des femmes. — publié par le Conseil de la Coopération Culturelle. — À Strasbourg, 1980.

ELGOZY (Georges). — *L'Europe des Européens.* — Éd. Flammarion, 1961.

ELIADE (Mircea). — *Littérature orale,* in *Encyclopédie de la Pléiade : Histoire des littératures,* tome I. — Éd. Gallimard, 1955. — *Le Yoga : Immortalité et Liberté.* — [1953]. — Éd. Payot, 1983. — (coll. «Petite Bibliothèque Payot», n° 325).

ELISSEEF (Vadime), ELISSEEF (Danièle). — *La Civilisation japonaise.* — Éd. Arthaud, 1974. — (coll. «Grandes Civilisations»).

EMMANUEL (Maurice). — *Histoire de la langue musicale.* — 2 tomes. — Éd. H. Laurens, 1951. — in *L'Initiation à la musique.* — Éd. du Tambourinaire, 1949.

Encyclopédie de la Pléiade : Astronomie, sous la direction d'Evry SCHATZMAN. — Éd. Gallimard, 1962. — *Biologie,* sous la direction de Jean ROSTAND et d'Andrée TÉTRY. — Éd. Gallimard, 1965. — *Botanique,* sous la direction de Fernand MOREAU. — Éd. Gallimard, 1960. — *Ethnologie régionale,* tome I, sous la direction de Jean POIRIER. — Éd. Gallimard, 1972. — *Géographie générale,* sous la direction d'André JOURNAUX, Pierre DEFFONTAINES et Mariel JEANBRUNHES DELAMARRE. — Éd. Gallimard, 1966. — *L'Histoire et ses méthodes,* sous la direction de Charles SAMARAN. — Éd. Gallimard, 1961. — *Histoire de la musique,* sous la direction de ROLAND-MANUEL. — 2 tomes. — Éd. Gallimard, 1960-1963. — *Histoire de la philosophie.* — 3 tomes. — Tome I, sous la direction de Brice PARAIN. — Tomes II et III, sous la direction d'Yvon BELAVAL. — Éd. Gallimard, 1973-1974. — *Histoire de la science,* sous la direction de Maurice DAUMAS. — Éd. Gallimard, 1957. — *Histoire des littératures,* sous la direction de Raymond QUENEAU. — 3 tomes. — [1956, 1956, 1959]. — Éd. Gallimard, 1956, 1968, 1978. — *Histoire des spectacles,* sous la direction de Guy DUMUR. — Éd. Gallimard, 1965. — *Histoire des techniques,* sous la direction de Bertrand GILLE. — Éd. Gallimard, 1978. — *Histoire universelle,* sous la direction de René GROUSSET et d'Émile G. LÉONARD. — 3 tomes. — Éd. Gallimard, 1956, 1957, 1958. — *Jeux et Sports,* sous la direction de Roger CAILLOIS. — Éd. Gallimard, 1968. — *Logique et Connaissance scientifique,* sous la direction de Jean PIAGET. — Éd. Gallimard, 1967. — *Physiologie,* sous la direction de Maurice FONTAINE. — Éd. Gallimard, 1969. — *La Terre,* sous la direction de Jean GOGUEL. — Éd. Gallimard, 1959. — *Zoologie,* sous la direction de Pierre-Paul GRASSÉ et d'Andrée TÉTRY. — 4 tomes. — Éd. Gallimard, 1963-1974.

Encyclopédie française, fondée par Anatole de MONZIE, mise en œuvre par Lucien FÈBVRE et Gaston BERGER. — [21 tomes]. — Éd. Société nouvelle de l'Encyclopédie française, 1934-1955.

Encyclopédie portative ou Résumé universel des sciences, des lettres et des arts, en une collection de traités séparés, par une société de savants et de gens de lettres, sous la direction de M. Charles-François BAILLY de MERLIEUX. — 50 tomes. — Éd. Encyclopédie portative; Éd. Bachelier, 1825-1830.

Encyclopédie pratique de bâtiment et de travaux publics. — 3 tomes. — Éd. Librairie Quillet, 1953.

ENLART (Camille). — *Manuel d'archéologie française depuis les temps mérovingiens jusqu'à la Renaissance.* — 3 tomes. — Tome I : *Architecture religieuse.* — [1902]. — Éd. Auguste Picard, 1924. — Tome II : *Architecture civile et militaire.* — [1904]. — Éd. Auguste Picard, 1929.

ESCARPIT (Robert). — *L'Humour.* — Éd. P.U.F., 1960. — (coll. «Que sais-je?», n° 877). — *Sociologie de la littérature.* — Éd. P.U.F., 1958. — (coll. «Que sais-je?», n° 777). — *Théorie générale de l'information et de la communication.* — Éd. Hachette, 1976.

ESMEIN (Adhémar). — *Cours élémentaire d'histoire du droit français.* — 15ᵉ éd. — Éd. Recueil Sirey, 1925.

ESPINAS (Alfred). — *Des sociétés animales : Étude de psychologie comparée.* — [1877]. — 2ᵉ édition augmentée d'une *Étude sur l'histoire de la sociologie en général.* — Éd. G. Baillière, 1878.

EY (Dʳ Henri). — in POROT (Dʳ Antoine). — *Manuel alphabétique de psychiatrie.* — Éd. P. U. F., 1952.

FABRE (René). — *La Toxicologie.* — Éd. P. U. F., 1948. — (coll. «Que sais-je?», nᵒ 61).

FABRE-LUCE (Alfred). — *Pour une politique sexuelle.* — Éd. Bernard Grasset, 1929.

FABRY (Charles). — *Introduction générale à la photométrie.* — Éd. Revue d'Optique, 1927. — *Préface,* in LYMAN (Th.). — *L'Ultraviolet,* traduit par RIVIÈRE. — Éd. Alcan, 1924. — *Les Radiations.* — Éd. Armand Colin, 1946.

FARAL (Edmond). — *La Vie quotidienne au temps de saint Louis.* — Éd. Hachette, 1942.

FAU (Dʳ J.). — *Anatomie artistique élémentaire du corps humain.* — 6ᵉ éd. — Éd. J.-B. Baillière et fils, 1880.

FAUCONNET (Paul), MAUSS (Marcel). — Article *Sociologie,* in *La Grande Encyclopédie,* tome XXX. — Éd. Société anonyme de la Grande Encyclopédie, 1885-1902.

FAURE (A.). — *Recherches géologiques dans les parties de la Savoie, du Piémont et de la Suisse voisine du Mont-Blanc.* — À Paris, 1896.

FAURE (Albert), BELTRAMELLI (René). — *Le Feu.* — Éd. P. U. F., 1952. — (coll. «Que sais-je?», nᵒ 532).

FEBVRE (Lucien). — *Encyclopédie française,* fondée par Anatole de MONZIE, mise en œuvre par Lucien FEBVRE et Gaston BERGER. — 21 tomes. — Éd. Société nouvelle de l'Encyclopédie française, 1934-1955. — *La Terre et l'Évolution humaine.* — Éd. La Renaissance du livre, 1922. — (coll. «Bibliothèque de synthèse historique»).

FERRY (Jacques), CHATEL (René). — *L'Acier.* — Éd. P. U. F., 1953. — (coll. «Que sais-je?», nᵒ 561).

FESSARD (Alfred). — in PIÉRON (Henri). — *Vocabulaire de la psychologie.* — Éd. P. U. F., 1951.

FESTUGIÈRE (André-Jean). — in FOULQUIÉ (Paul), SAINT-JEAN (Raymond). — *Dictionnaire de la langue philosophique.* — Éd. P. U. F., 1962.

FEYTAUD (Jean). — *La Pomme de terre.* — Éd. P. U. F., 1949. — (coll. «Que sais-je?», nᵒ 372).

FIGUIER (Louis). — Voir IV : *L'Année scientifique et industrielle.*

FILLIOUX (Jean-Claude). — *L'Inconscient.* — Éd. P. U. F., 1952. — (coll. «Que sais-je?», nᵒ 285). — *La Mémoire.* — Éd. P. U. F., 1953. — (coll. «Que sais-je?», nᵒ 350). — *Psychologie des animaux.* — Éd. P. U. F., 1950. — (coll. «Que sais-je?», nᵒ 419).

FILLIOZAT (Jean). — *Les Philosophies de l'Inde.* — [1970]. — Éd. P. U. F., 1978. — (coll. «Que sais-je?», nᵒ 932).

FLOCON (Albert), TATON (René). — *La Perspective.* — Éd. P. U. F., 1963. — (coll. «Que sais-je?», nᵒ 1050).

FLOURNOY (Théodore). — *Esprits et Médiums : Mélanges de métapsychique et de psychologie.* — Genève : Éd. Kündig, 1911.

FOCILLON (Henri). — *Art d'Occident.* — 2ᵉ éd. — Éd. Armand Colin, 1947. — *La Vie des formes.* — [1939]. — Éd. P. U. F., 1981. — (coll. «Quadrige», nᵒ 6).

FOHLEN (Claude). — *Les Noirs aux États-Unis.* — Éd. P. U. F., 1965. — (coll. «Que sais-je?», nᵒ 1191). — *Le Travail au xixᵉ siècle.* — Éd. P. U. F., 1967. — (coll. «Que sais-je?», nᵒ 1289).

FONTAINE (André). — in *Le Monde,* 25 novembre 1954.

FORGUE (Guy Jean). — *Les Mots américains.* — Éd. P. U. F., 1976. — (coll. «Que sais-je?», nᵒ 1660).

FORGUE (Guy Jean), McDAVID (Raven). — *La Langue des Américains.* — Éd. Aubier-Montaigne, 1972.

FOUCAMBERT (Jean). — *La Manière d'être lecteur.* — Éd. O.C.D.L., 1976.

FOULON (Roger). — *Marcel Thiry, poète.* — Éd. Marcinelle, 1969.

FOUET (Robert), POMEROL (Charles). — *Minerais et Terres rares.* — Éd. P. U. F., 1954. — (coll. «Que sais-je?», nᵒ 640).

FOULQUIÉ (Paul). — *La Dialectique.* — Éd. P. U. F., 1953. — (coll. «Que sais-je?», nᵒ 363). — *L'Existentialisme.* — Éd. P. U. F., 1953. — (coll. «Que sais-je?», nᵒ 253). — *Dictionnaire de la langue philosophique,* avec la collaboration de Raymond SAINT-JEAN. — Éd. P. U. F., 1962.

FOURASTIÉ (Jean). — *La Civilisation de 1975.* — Éd. P. U. F., 1953. — (coll. «Que sais-je?», nᵒ 279). — *La Productivité.* — Éd. P. U. F., 1952. — (coll. «Que sais-je?», nᵒ 557).

FOURNEREAU (L.). — *Bangkok,* in *Le Tour du Monde,* 2ᵉ semestre 1894.

FOURNIÈRE (Eugène). — *Le Règne de Louis-Philippe,* in *Histoire socialiste, 1789-1900,* sous la direction de Jean JAURÈS. — Éd. Jules Rouff, s. d.

FRAISSE (Paul). — *Introduction,* in *Problèmes de psycho-linguistique.* — Éd. P. U. F., 1963. — (coll. «Psycholinguistique»). — *La Psychologie expérimentale.* — Éd. P. U. F., 1966. — (coll. «Que sais-je?», nᵒ 1207).

FRANC (André). — *Mollusques,* in *Encyclopédie de la Pléiade : Zoologie,* tome I. — Éd. Gallimard, 1963.

FRANCASTEL (Pierre). — *Art et Technique.* — Éd. de Minuit, 1956. — Éd. Gonthier, 1964. — (coll. «Bibliothèque Médiations», nᵒ 16).

FRANCIS (André). — *Jazz.* — [1958]. — Éd. du Seuil, 1973. — (coll. «Microcosme Solfèges», nᵒ 9).

FRANCK (Louis). — *Les Prix.* — Éd. P. U. F., 1957. — (coll. «Que sais-je?», nᵒ 762).

FRANCO (Jean). — *Le Ski.* — Éd. P. U. F., 1967. — (coll. «Que sais-je?», nᵒ 1232).

FRANÇOIS-PONCET (André). — *Discours de réception de Jérôme Carcopino à l'Académie française,* 16 novembre 1956.

FRÉJAVILLE (Gustave). — in *Encyclopédie française,* fondée par Anatole de MONZIE, tome XVI, 1935.

FURON (Raymond). — *Manuel de préhistoire générale.* — Éd. Payot, 1966.

GABAUDE (Jean-Marc). — *La Pédagogie contemporaine.* — Éd. Privat, 1972. — (coll. «Regard»).

GAFFIOT (Maurice). — *Les Théories d'Anatole France sur l'organisation sociale de son temps.* — Éd. Marcel Rivière, 1928.

GAIFFE (Félix). — *Préface,* in *Grammaire* LAROUSSE *du xxᵉ siècle.* — Éd. Larousse, 1950.

GAILLARD (Philippe). — *Technique du journalisme.* — Éd. P. U. F., 1971. — (coll. «Que sais-je?», nᵒ 1429).

GALLI (André), LELUC (Robert). — *Les Thérapeutiques modernes.* — Éd. P. U. F., 1961. — (coll. «Que sais-je?», nᵒ 922).

GALLIEN (Louis). — *Le Parasitisme.* — Éd. P. U. F., 1948. — (coll. «Que sais-je?», nᵒ 117). — *La Sélection animale.* — Éd. P. U. F., 1950. — (coll. «Que sais-je?», nᵒ 215). — *La Sexualité.* — Éd. P. U. F., 1951. — (coll. «Que sais-je?», nᵒ 50).

GALLOT (Suzanne). — *Les Vitamines.* — Éd. P. U. F., 1952. — (coll. «Que sais-je?», nᵒ 12).

GARÇON (Maurice). — *La Justice contemporaine, 1870-1932.* — 2ᵉ éd. — Éd. Grasset, 1933.

GAUTIER (E. F.). — *L'Afrique blanche.* — Éd. Arthème Fayard, 1939. — (coll. «Géographie pour tous»). — *Mœurs et Coutumes des musulmans.* — Éd. Payot, 1939. — *Les Siècles obscurs du Maghreb.* — Éd. Payot, 1927.

GAZAGNE (Paul). — *Marivaux par lui-même.* — Éd. du Seuil, 1958. — (coll. «Microcosme Écrivains de Toujours», nᵒ 26).

GAZIER (François). — *Les Sports de la montagne.* — Éd. P. U. F., 1949. — (coll. «Que sais-je?», nᵒ 325).

GEMAHLING (Paul). — *Les Grands Économistes.* — 2ᵉ éd. — Éd. Recueil Sirey, 1933.

GENDRY (Jacques). — *Le Cheval.* — Éd. P. U. F., 1973. — (coll. «Que sais-je?», nᵒ 360).

GEORGE (Pierre). — *Géographie agricole du monde.* — Éd. P. U. F., 1948. — (coll. «Que sais-je?», nᵒ 212). — *Géographie industrielle du monde.* — Éd. P. U. F., 1952. — (coll. «Que sais-je?», nᵒ 246). — *Géographie sociale du monde.* — Éd. P. U. F., 1952. — (coll. «Que sais-je?», nᵒ 197). — *Les Grands Marchés du monde.* — Éd. P. U. F., 1953. — (coll. «Que sais-je?», nᵒ 608). — *Précis de géographie économique.* — Éd. P. U. F., 1956.

GERBET (Pierre). — *Les Organisations internationales.* — Éd. P. U. F., 1958. — (coll. «Que sais-je?», nᵒ 792).

GERNET (Jacques). — *Le Monde chinois.* — Éd. Armand Colin, 1972. — (coll. «Destins du Monde»).

GETTING (André). — *La Sécurité sociale.* — Éd. P. U. F., 1952. — (coll. «Que sais-je?», nᵒ 294).

GHYKA (Matila-C.). — *La Proportion dans les arts plastiques,* in *Encyclopédie française,* fondée par Anatole de MONZIE, tome XVI, 1935.

GIDE (Charles). — *Cours d'économie politique.* — 9ᵉ éd. — Éd. Recueil Sirey, 1926.

GIDE (Ch.), RIST (Ch.). — *Histoire des doctrines économiques depuis les physiocrates jusqu'à nos jours.* — 5ᵉ éd. — Éd. Recueil Sirey, 1926.

GIEURE (Maurice). — *La Peinture moderne.* — Éd. P. U. F., 1958. — (coll. «Que sais-je?», nᵒ 28).

GIFFARD (André-Edmond). — *Précis de droit romain.* — 2 tomes. — 2ᵉ éd. — Éd. Dalloz, 1934. — (coll. «Petits Précis Dalloz»).

GILLE (Jean-Charles), DECAULNE (Paul), PELLEGRIN (Marc). — *Théorie et Calcul des asservissements linéaires.* — 5ᵉ éd. — Éd. Dunod, 1971.

GILLET (Bernard). — *Histoire du sport.* — [1948]. — Éd. P. U. F., 1949. — (coll. «Que sais-je?», nᵒ 337).

GILOTAUX (Pierre). — *L'Industrie du disque.* — Éd. P. U. F., 1962. — (coll. «Que sais-je?», nᵒ 971).

GILSON (Étienne). — *L'Esprit de la philosophie médiévale.* — 2 tomes. — Éd. Vrin, 1931-1932. — *La Philosophie au moyen âge.* — Éd. Payot, 1962.

GIORDAN (Jean). — *Le Yachting.* — Éd. P. U. F., 1959. — (coll. «Que sais-je?», nᵒ 820).

GIRARDIN (E. de). — *Voyage dans les mauvaises terres de Nebraska,* in *Le Tour du Monde,* 1ᵉʳ semestre 1864.

GIRAUD (Jeanne). — *Manuel de bibliographie littéraire pour les xviᵉ, xviiᵉ et xviiiᵉ siècles français.* — Éd. Librairie philosophique J. Vrin, 1939.

GODECHOT (Jacques). — *Le Siècle des Lumières ; Les Révolutions ; Les Empires,* in *Encyclopédie de la Pléiade : Histoire universelle,* tome III. — Éd. Gallimard, 1958.

GOGUEL (Jean). — *La Constitution interne du globe ; Temps et Chronologie en géologie,* in *Encyclopédie de la Pléiade : La Terre.* — Éd. Gallimard, 1959.

GOGUEL (Jean), SEGONS (Jean). — *Formes et Dimensions de la Terre,* in *Encyclopédie de la Pléiade : La Terre.* — Éd. Gallimard, 1959.

GONNARD (René). — *Histoire des doctrines économiques.* — Éd. Librairie Valois, 1930.

GONSETH (Ferdinand). — *Les Mathématiques et la Réalité : Essai sur la méthode axiomatique.* — Éd. Blanchard, 1974. — *Le Référentiel, univers obligé de médiatisation.* — Éd. L'Âge d'Homme, 1975. — (coll. «Dialectica»).

GOUDOT-PERROT (Andrée). — *Cybernétique et Biologie*. — Éd. P. U. F., 1967. — (coll. «Que sais-je?», n° 1257).

GOURDET (Georges). — *Les Instruments à vent*. — Éd. P. U. F., 1967. — (coll. «Que sais-je?», n° 267).

GRALL (Jacques). — *La Sélection avicole française*, in *Le Monde*, 3 juillet 1979.

GRANET (Marcel). — *La Pensée chinoise*. — [La Renaissance du Livre, 1934]. — Éd. Albin Michel, 1980. — (coll. «L'Évolution de l'Humanité Format Poche», n° 3).

GRANGEZ (Ernest). — *Précis historique et statistique des voies navigables de la France et d'une partie de la Belgique*. — Éd. N. Chaix, 1855.

GRANIER (Jean). — *La Mesure du temps*. — Éd. P. U. F., 1948. — (coll. «Que sais-je?», n° 97). — *Les Phénomènes vibratoires*. — Éd. P. U. F., 1949. — (coll. «Que sais-je?», n° 323).

GRAPIN (Pierre). — *L'Anthropologie criminelle*. — Éd. P. U. F., 1973. — (coll. «Que sais-je?», n° 438).

GREELY (Adolphus W.). — *L'Expédition de la base de Lady Franklin*, in *Le Tour du Monde*, 2° semestre 1886.

GRENTE (Georges-François, monseigneur). — *Les Sept Sacrements*. — Éd. Librairie Arthème Fayard, 1952. — (coll. «Le Livre chrétien»).

GRIMAL (Pierre). — *La Civilisation romaine*. — Éd. Arthaud, 1965. — *La Mythologie grecque*. — Éd. P. U. F., 1953. — (coll. «Que sais-je?», n° 582).

GRIVET (Pierre), HERRENG (Pierre). — *La Télévision*. — Éd. P. U. F., 1952. — (coll. «Que sais-je?», n° 30).

GROETHUYSEN (Bernard). — *Introduction*, in GOETHE. — *Romans*. — [1954]. — Éd. Gallimard, 1976. — (coll. «Bibliothèque de la Pléiade»).

GROUSSET (René). — *Bilan de l'histoire*. — [1946]. — Éd. Librairie Académique Perrin, 1974. — *L'Épopée des croisades*. — Éd. Marabout, 1981. — (coll. «Université», n° 320). — *Histoire de l'Asie*. — Éd. P. U. F., 1950. — (coll. «Que sais-je?», n° 25).

GROUT (Jack). — *C'était au temps des yachtmen : Histoire mondiale du yachting des origines à 1939*. — Éd. Gallimard, 1978. — (coll. «Voiles»).

GRUNER (Louis-Emmanuel). — in *Comptes rendus hebdomadaires des séances de l'Académie des sciences*, tome LXXXII.

GUÉNON (René). — *L'Ésotérisme de Dante*. — Éd. Gallimard, 1957.

GUERLIN (Henri). — *L'Art enseigné par les maîtres*. — 4 tomes : *La Couleur, l'Enseignement, l'Esthétique, la Technique*. — Éd. Laurens, 1918-1937.

GUGLIELMO (Raymond). — *Le Gaz naturel*. — Éd. P. U. F., 1960. — (coll. «Que sais-je?», n° 896). — *La Pétrochimie dans le monde*. — Éd. P. U. F., 1958. — (coll. «Que sais-je?», n° 587).

GUIBÉ (Jean), THIREAU (Michel). — *Les Batraciens*. — Éd. P. U. F., 1965. — (coll. «Que sais-je?», n° 1160).

Guide des Musées de France. — Éd. Bordas, 1984.

«Guides du naturaliste» (collection) : *Guide des poissons marins d'Europe; Guide des champignons; Guide des mammifères marins d'Europe*; etc. — Neuchâtel ; Paris : Éd. Delachaux et Niestlé, 1970 à 1983.

GUIGNEBERT (Charles). — *Le Christ*. — Éd. Albin Michel, 1948. — *Jésus*. — Éd. Albin Michel, 1947. — *Le Monde juif vers le temps de Jésus*. — Éd. Albin Michel, 1950. — (coll. «L'Évolution de l'Humanité»).

GUILBAUD (Georges Th.). — *La Cybernétique*. — Éd. P. U. F., 1954. — (coll. «Que sais-je?», n° 638).

GUILLAND (Rodolphe). — *L'Empire byzantin*, in *Encyclopédie de la Pléiade : Histoire universelle*, tome II. — Éd. Gallimard, 1957.

GUILLAUME (Paul). — *La Psychologie de la forme*. — Éd. Flammarion, 1937. — in PIÉRON (Henri). — *Vocabulaire de la psychologie*. — Éd. P. U. F., 1951.

GUILLERME (Jacques). — *La Vie en haute altitude*. — Éd. P. U. F., 1954. — (coll. «Que sais-je?», n° 629).

GUILLET (Léon). — *Les Étapes de la Métallurgie*. — Éd. P. U. F., 1948. — (coll. «Que sais-je?», n° 96). — *Les Techniques de la métallurgie*. — Éd. P. U. F., 1948. — (coll. «Que sais-je?», n° 134).

GUILLON (Pierre). — *Littérature de la Grèce antique; Littérature alexandrine*, in *Encyclopédie de la Pléiade : Histoire des littératures*, tome I. — Éd. Gallimard, 1955.

GUINTINI (Pierre). — *Les Planètes*. — Éd. P. U. F., 1949. — (coll. «Que sais-je?», n° 383).

GUY (Jean). — *Éléments de calculs des probabilités et de calcul statistique*. — Éd. C. D. U.-S. E. D. E. S., 1967.

GUYARD (Marius-François). — *La Littérature comparée*. — Éd. P. U. F., 1951. — (coll. «Que sais-je?», n° 499).

GUYÉNOT (Émile). — *L'Origine des espèces*. — Éd. P. U. F., 1951. — (coll. «Que sais-je?», n° 141).

GUYOT (André-Lucien). — *La Biologie végétale*. — Éd. P. U. F., 1951. — (coll. «Que sais-je?», n° 492).

HAHN (Reynaldo). — in *Initiation à la musique*. — Éd. du Tambourinaire, 1949.

HALPERN (D' Bernard). — *L'Allergie*. — Éd. P. U. F., 1965. — (coll. «Que sais-je?», n° 1201).

HAMBIS (Louis). — *La Haute Asie*. — Éd. P. U. F., 1953. — (coll. «Que sais-je?», n° 573).

HAMELIN (Octave). — *Essai sur les éléments principaux de le représentation*. — 3° éd. — Éd. P. U. F., 1952. — in LALANDE (André). — *Vocabulaire technique et critique de la philosophie*. — Éd. P. U. F., 1951.

HANS (Marie-Françoise), LAPOUGE (Gilles). — *Les Femmes, la Pornographie, l'Érotisme*. — Éd. du Seuil, 1978. — (coll. «Libre à elles»).

HARANT (D' Hervé). — *Médicaments et Médications*. — Éd. P. U. F., 1947. — (coll. «Que sais-je?», n° 245).

HAUCOURT (Geneviève d'), DURIVAULT (Georges). — *Le Blason*. — Éd. P. U. F., 1949. — (coll. «Que sais-je?», n° 336).

HAUG (Émile). — *Traité de géologie*. — 4 tomes. — Éd. Armand Colin, 1927.

HAURIOU (Maurice). — *Principes de droit public*. — [1910]. — 2° éd. — Éd. L. Terrin, 1916.

HAUSSONVILLE (comte d'). — *Lacordaire*. — 6° éd. — Éd. Hachette, 1924. — (coll. «Les Grands Écrivains français»).

HAYES (J. J.). — *Voyage à la mer du pôle Arctique*, in *Le Tour du Monde*, 1er semestre 1868.

HÉLÈNE (Maxime). — *Les Galeries souterraines*. — Éd. Hachette, 1879.

HENAFF (Marcel). — *Sade, l'invention du corps libertin*. — Éd. P. U. F., 1978. — (coll. «Croisées»).

HERBERT (Jean). — *La Mythologie hindoue*. — Éd. Albin Michel, 1980.

HERTZ (Herbert). — *La Graphologie*. — Éd. P. U. F., 1952. — (coll. «Que sais-je?», n° 256).

HERVIEZ (Marcel). — *L'Art poétique de Boileau*. — Éd. Mellottée, 1938. — (coll. «Les Chefs-d'œuvre de la littérature expliqués»). — *Les Écrivains français jugés par leurs contemporains*. — 2 tomes. — Éd. Mellottée, s. d. (tome I), 1942 (tome II).

HERZOG (Maurice). — *Préface*, in Chris BONINGTON. — *Anapurna face sud*, traduit de l'anglais. — Éd. Arthaud, 1972.

HESNARD (Angelo). — in POROT (D' Antoine). — *Manuel alphabétique de psychiatrie*. — Éd. P. U. F., 1952.

HIGOUNET (Charles). — *L'Écriture*. — Éd. P. U. F., 1955. — (coll. «Que sais-je?», n° 653).

HODEIR (André). — *Les Formes de la musique*. — Éd. P. U. F., 1951. — (coll. «Que sais-je?», n° 478). — *Hommes et Problèmes du jazz*. — Éd. Au Portulan-Flammarion, 1954.

HOMO (Léon). — *Auguste : 63 av. J.-C. - 14 apr. J.-C.* — Éd. Payot, 1935. — *La Civilisation romaine*. — Éd. Payot, 1930. — *L'Empire romain*. — Éd. Payot, 1930. — (coll. «Bibliothèque historique»).

HOUILLON (Charles). — *Embryologie*. — [1967]. — Éd. Hermann, 1969. — (coll. «Méthodes-Introduction à la biologie», n° 5).

HOURTICQ (Louis). — Article *France*, in *Encyclopédie des Beaux-Arts*, 1925.

HUBER (Michel), BUNLE (Henri), BOVERAT (Fernand). — *La Population de la France : son évolution et ses perspectives*. — 4° éd. — Éd. Hachette, 1965.

HUGGER (Paul). — *Le Jura vaudois : La Vie à l'alpage*. — Lausanne : Éd. 24 Heures, 1975.

HUISMAN (Denis), PATRIX (Georges). — *L'Esthétique industrielle*. — Éd. P. U. F., 1961. — (coll. «Que sais-je?», n° 957).

HUIZINGA (Johan). — *L'Automne du moyen âge*. — Éd. Payot, 1967. — (coll. «Petite Bibliothèque Payot», n° 373).

HUMBERT (A.). — *Le Japon*, in *Le Tour du Monde*, 2° semestre 1866.

HUTIN (Serge). — *L'Alchimie*. — Éd. P. U. F., 1951. — (coll. «Que sais-je?», n° 506). — *La Philosophie anglaise et américaine*. — Éd. P. U. F., 1958. — (coll. «Que sais-je?», n° 796). — *Les Sociétés secrètes*. — Éd. P. U. F., 1952. — (coll. «Que sais-je?», n° 515).

Initiation à la musique. — Éd. du Tambourinaire, 1949.

Initiation théologique. — 4 tomes. — Éd. du Cerf, 1957 (tomes I et II, 4° éd.), 1955 (tome III, 2° éd.), 1956 (tome IV, 4° éd.).

ISAAC (Jules). — *L'Époque révolutionnaire : 1789-1851*, par Jules ISAAC, André ALBA, Ch. POUTHAS. — Éd. Hachette, 1950. — (coll. «Cours d'histoire Malet-Isaac», classes de 1re). — *XVIIe-XVIIIe siècles*, par Jules ISAAC, Antoine BONIFACIO. — Éd. Hachette, 1952. — (coll. «Cours d'histoire Malet-Isaac», classes de 2e). — *Les Temps modernes*, par André ALBA. — Éd. Hachette, 1939. — (coll. «Cours d'histoire Jules Isaac», classes de 4e). — *Le Moyen Âge*, par André ALBA. — Éd. Hachette, 1955. — (coll. «Cours d'histoire Jules Isaac», classes de 5e). — *Histoire contemporaine : 1852-1939*, par Jules ISAAC, André ALBA, Antoine BONIFACIO. — Éd. Hachette, 1953. — (coll. «Cours d'histoire Malet-Isaac», classes terminales).

ITTEN (Albert), BASTIAN (Roger). — *En çà... en là : Recueil de vieilles et bonnes recettes du pays de Vaud accompagné de dictons et de proverbes*. — Neuchâtel : Éd. Bastian, 1975.

IZARD. — *Mémento de physique industrielle*. — [1921]. — Éd. Dunod, 1941.

JACCARD (Roland). — *La Folie*. — [1970]. — 2° éd. — Éd. P. U. F., 1980. — (coll. «Que sais-je?», n° 1761).

JANET (Paul). — *Histoire de la science politique dans ses rapports avec la morale*. — 5° éd. — Éd. Félix Alcan, 1924. — (coll. «Bibliothèque de philosophie contemporaine»).

JANNEAU (Guillaume). — *Le Mobilier français*. — Éd. P. U. F., 1949. — (coll. «Que sais-je?», n° 26).

JARLAN (Henri). — *L'Eau*. — Éd. P. U. F., 1947. — (coll. «Que sais-je?», n° 266).

JASINSKI (René). — *Histoire de la littérature française*. — 2 tomes. — Éd. Boivin, 1947.

Jeux (Académie universelle des). — 3 tomes. — [1718]. — Amsterdam : Éd. Changuion et Van Harrevelt, 1786.

Jeux : Tous les jeux de cartes, par Luc MEGRET. — Éd. Garnier, 1931.

Jeux : Tous les jeux et leurs règles complètes, plusieurs opuscules par P. EHRHART, B. RENAUDET et P. VOGEL. — Éd. Bornemann, rééditions successives. — (coll. «Jeux et règles»).

JOLIVET (Régis). — in FOULQUIÉ (Paul), SAINT-JEAN (Raymond). — *Dictionnaire de la langue philosophique*. — Éd. P. U. F., 1962.

JOUAUST (Raymond). — *L'Éclairage*. — Éd. P. U. F., 1949. — (coll. «Que sais-je?», n° 346).

JOUBERT (Georges). — *Pour apprendre soi-même à skier.* — [1970]. — Éd. Arthaud, 1975.

JOUVET (Louis). — in *Encyclopédie française,* fondée par Anatole de MONZIE, tome XVII, 1936. — *Réflexions de comédien.* — Éd. Amicale, 1952.

JULIEN (Charles-André). — *L'Afrique du Nord en marche.* — Éd. Julliard, 1952.

JULLIAN (Camille). — *Vercingétorix.* — Éd. Hachette, 1921. — (coll. «Bibliothèque d'histoire»).

JULLIOT DE LA MORANDIÈRE (Léon). — *Précis de droit civil.* — 3 tomes. — Éd. Dalloz, 1953 (tome I, 11e éd.), 1950 (tome II, 9e éd.), 1953 (tome III, 8e éd.). — (coll. «Petits Précis Dalloz»). — *Précis de droit commercial,* par Léon LACOUR. — 9e éd. — Éd. Dalloz, 1953. — (coll. «Petits Précis Dalloz»).

JUNG (Carl Gustav). — *Psychologie et Alchimie* [1944], traduit par PERNET et COHEN. — Éd. Buchet-Chastel, 1970.

KAHAN (Théo). — *Les Particules élémentaires : Physique des hautes énergies.* — Éd. P.U.F., 1969. — (coll. «Que sais-je?», n° 1293). — *Radioactivité et Transmutation des atomes.* — Éd. Armand Colin, 1940.

KALTENMARK (Max). — *La Philosophie chinoise.* — Éd. P.U.F., 1972. — (coll. «Que sais-je?», n° 707).

KAMMERER (Th.). — in POROT (Dr Antoine). — *Manuel alphabétique de psychiatrie.* — Éd. P.U.F., 1952.

KAUFMANN (Dr H.). — in *Revue de la mutuelle de l'Éducation nationale,* avril-mai 1956.

KEHL (Raymond). — *Les Glandes endocrines.* — Éd. P.U.F., 1952. — (coll. «Que sais-je?», n° 523).

KOECHLIN (Charles). — *Les Techniques du temps : le contrepoint, l'harmonie,* in *Encyclopédie française,* fondée par Anatole de MONZIE, tome XVI, 1935. — *Les Instruments à vent.* — Éd. P.U.F., 1948. — (coll. «Que sais-je?», n° 267).

KOWARSKI. — *Physique et Technique de l'énergie atomique,* in revue *Atomes,* juillet 1946.

LABAT (Jean-Baptiste, père). — *Nouvelle relation de l'Afrique occidentale.* — 5 tomes. — Éd. G. Cavelier, 1728.

LABORDE (Simone). — *Le Cancer.* — Éd. P.U.F., 1951. — (coll. «Que sais-je?», n° 11).

LACOUR (Léon). — *Précis de droit commercial.* — 4e éd. — Éd. Dalloz, 1931. — (coll. «Petits Précis Dalloz»).

LACROIX (Jean). — *La Sociologie d'Auguste Comte.* — Éd. P.U.F., 1956. — (coll. «Initiation philosophique»).

LACROIX (Pierre-François). — *Le Peul,* in *Les Langues dans le monde ancien et moderne,* sous la direction de Jean PERROT. — Éd. Centre National de la Recherche Scientifique, 1981.

LAFFAY (Jean). — *Les Télécommunications.* — Éd. P.U.F., 1949. — (coll. «Que sais-je?», n° 335).

LAFFITTE (Pierre). — *Les Roches plutoniques et métamorphiques,* in *Encyclopédie de la Pléiade : La Terre.* — Éd. Gallimard, 1959.

LAGACHE (Daniel). — *La Psychanalyse.* — Éd. P.U.F., 1955. — (coll. «Que sais-je?», n° 660). — in PIÉRON (Henri). — *Vocabulaire de la psychologie.* — Éd. P.U.F., 1951.

LAGARDE (André), MICHARD (Laurent). — *Textes et Littérature.* — 6 tomes. — Tome I : *Moyen Âge.* — Tome II : *XVIe siècle.* — Tome III : *XVIIe siècle.* — Tome IV : *XVIIIe siècle.* — Tome V : *XIXe siècle.* — Tome VI : *XXe siècle.* — Éd. Bordas, rééditions successives, 1952-1973. — (coll. «Collection littéraire Lagarde et Michard»).

LALIVE D'ÉPINAY (madame). — *Kiel, automne 1947,* in *Servir,* 9 octobre 1947.

LALO (Charles). — *Notions d'esthétique.* — [1925]. — 3e éd. — Éd. P.U.F., 1948.

LALOU (Étienne). — *Regards neufs sur la télévision.* — Éd. du Seuil, 1957.

LALOU (René). — *Histoire de la littérature française contemporaine,* tome II. — Éd. P.U.F., 1946. — *La Littérature anglaise.* — [1944]. — Éd. P.U.F., 1951. — (coll. «Que sais-je?», n° 159).

LAMBERT (Élie). — *L'Art en Espagne et au Portugal.* — Éd. Larousse, 1945.

LAMBERT (Louis). — *Les Coquillages comestibles.* — Éd. P.U.F., 1950. — (coll. «Que sais-je?», n° 416).

LAMÉ (Gabriel). — *Cours de physique de l'École polytechnique.* — 2 tomes. — Éd. Bachelier, 1836-1837.

LAMING (Lionel). — *L'Astronautique.* — Éd. P.U.F., 1950. — (coll. «Que sais-je?», n° 397).

LAMIRAND (J.), FAIVRE-DUPAIGRE (J.), BARRÉE (M.). — *Nouveau cours de physique élémentaire.* — 2 tomes. — Éd. Masson, 1937-1940.

LAMIRAND (J.), JOYAL (M.). — *Sciences physiques.* — Éd. Masson, 1954.

LANEL (Luc). — *L'Orfèvrerie.* — Éd. P.U.F., 1949. — (coll. «Que sais-je?», n° 131).

LANGE (Jakob E.), LANGE (Morten), DUPERREX (Aloys), HANSEN (Lise). — *Guide des champignons.* — Neuchâtel; Paris : Éd. Delachaux et Niestlé, 1977. — (coll. «Guides du naturaliste»).

LANSON (Gustave). — *L'Art de la prose.* — Éd. Nizet, 1968. — *Manuel bibliographique de la littérature française moderne : XVIe, XVIIe, XVIIIe et XIXe siècles.* — [1913]. — Éd. Hachette, 1925.

LANTIER (Raymond). — *La Vie préhistorique.* — Éd. P.U.F., 1952. — (coll. «Que sais-je?», n° 535).

LAPIERRE (Marcel). — *Anthologie du cinéma.* — La Nouvelle Édition, 1946.

LAPLANE (Denise), LAPLANE (Robert), LASFARGUES (Gérard). — *La Puberté.* — [1971]. — 2e éd. — Éd. P.U.F., 1978. — (coll. «Que sais-je?», n° 1447).

LAPORTE (Jean). — *La Conscience de la liberté.* — Éd. Flammarion, 1947. — *L'Idée de nécessité.* — Éd. P.U.F., 1941.

LARAN (Jean). — *Les Estampes.* — Éd. P.U.F., 1948. — (coll. «Que sais-je?», n° 135).

LAROCHE (Carlo). — *La Diplomatie française.* — Éd. P.U.F., 1946. — (coll. «Que sais-je?», n° 129).

LARRAS (Jean). — *L'Hydraulique.* — Éd. P.U.F., 1965. — (coll. «Que sais-je?», n° 1148).

LARRIVE (Hélène). — *Les Crèches : des enfants à la consigne?* — Éd. du Seuil, 1978. — (coll. «Libre à elles»).

LATIL (Pierre de). — *La Pensée artificielle : Introduction à la cybernétique.* — 4e éd. — Éd. Gallimard, 1953. — (coll. «L'Avenir de la Science»).

LAUBADÈRE (André de), collaborateur de *L'Encyclopédie politique de la France et du monde.* — Éd. de l'Encyclopédie de l'Empire français, 1946.

LAUFENBURGER (Henry). — *Histoire de l'impôt.* — Éd. P.U.F., 1954. — (coll. «Que sais-je?», n° 651).

LAUNAY (Clément), SOULÉ (Michel), VEIL (Simone). — *L'Adoption : Données médicales, psychologiques et sociales.* — Éd. E.S.F., 1975.

LAUNAY (Louis-Auguste de). — *Géologie pratique et petit dictionnaire technique des termes géologiques les plus usuels.* — Éd. A. Colin, 1901.

LAUWICK (Hervé). — *Jupons et Hauts-de-forme.* — Éd. Plon, 1964.

LAVEDAN (Pierre). — *L'Architecture française.* — Éd. Larousse, 1944.

LAVELEYE (Édouard de). — *Excursion aux nouvelles découvertes minières du Colorado,* in *Le Tour du Monde,* 2e semestre 1881.

LAVERGNE (Bernard). — *Les Coopératives de consommation en France.* — Éd. Armand Colin, 1929.

LAVIGNAC (Albert). — *L'Éducation musicale.* — Éd. Delagrave, 1902. — *La Musique et les Musiciens.* — Éd. Delagrave, 1950.

LAVISSE (Ernest), RAMBAUD (Alfred). — *Histoire générale du ive siècle à nos jours.* — 12 tomes. — Éd. Armand Colin, 1893 à 1901.

LE BON (Gustave). — *Lois psychologiques de l'évolution des peuples.* — 17e éd. — Éd. Félix Alcan, 1922. — (coll. «Bibliothèque de philosophie contemporaine»). — *Psychologie de l'éducation.* — nouvelle édition. — Éd. Flammarion, 1927. — (coll. «Bibliothèque de philosophie scientifique»). — *Psychologie des foules.* — 38e éd. — Éd. Félix Alcan, 1931. — (coll. «Bibliothèque de philosophie contemporaine»).

LEBOYER (Frédérick). — *Pour une naissance sans violence.* — Éd. du Seuil, 1974.

LE CLÉZIO (Jacques). — *L'Industrie du gaz.* — Éd. P.U.F., 1947. — (coll. «Que sais-je?», n° 239).

LECOMTE (Jean). — *Le Rayonnement infrarouge.* — 2 tomes. — Éd. Gauthier-Villars, 1948-1949. — *Le Spectre infrarouge.* — Éd. P.U.F., 1928.

LE CORBUSIER. — *Les Besoins collectifs et sociaux : Les Besoins collectifs et le Génie civil,* in *Encyclopédie française,* fondée par Anatole de MONZIE, tome XVI, 1935.

LE CORRE (François). — *Les Manipulations vertébrales.* — Éd. P.U.F., 1978. — (coll. «Que sais-je?», n° 1749).

LE DOEUFF (Michèle), LLASERA (Margaret). — Nouvelle traduction de *La Nouvelle Atlantide* [1627], de Sir Francis BACON, suivie de *Voyage dans la pensée baroque.* — Éd. Payot, 1983. — (coll. «Bibliothèque scientifique»).

LEDUC (Henri). — *Composition typographique.* — Éd. Baillière, 1948. — (coll. «Nouvelle Bibliothèque professionnelle»).

LEFÈBVRE (Henri). — *Le Marxisme.* — Éd. P.U.F., 1952. — (coll. «Que sais-je?», n° 300). — *La Vie quotidienne dans le monde moderne.* — Éd. Gallimard, 1968. — (coll. «Idées», n° 162).

LEFÈBVRE (René). — *Paris en Amérique.* — Éd. Charpentier, 1864.

LEFÈVRE (Georges). — *La Croisière jaune : Expédition Citroën.* — [1933]. — Nice : Éd. M. Lescane, 1981.

LEFÈVRE (P.), CERBELAUD (G.). — *Les Chemins de fer.* — Éd. Maison Quantin, 1888. — (coll. «Bibliothèque des sciences et de l'industrie»).

LEFORT (Pierre). — *Le Matériel volant.* — Éd. P.U.F., 1949. — (coll. «Que sais-je?», n° 362).

LE FUR (Louis). — *Précis de droit international public.* — Éd. Dalloz, 1931. — (coll. «Petits Précis Dalloz»).

LE GALL (André). — *Les Insuccès scolaires.* — Éd. P.U.F., 1954. — (coll. «Que sais-je?», n° 636).

LE GALL (André), BRUN (René). — *Les Malades et les Médicaments.* — Éd. P.U.F., 1968. — (coll. «Que sais-je?», n° 1299).

LE GOFF (Jacques). — Voir ci-dessous III.

LEHMANN (Henri). — *Les Civilisations précolombiennes.* — Éd. P.U.F., 1953. — (coll. «Que sais-je?», n° 567).

LEHR (Georges). — *Les Moteurs.* — Éd. P.U.F., 1949. — (coll. «Que sais-je?», n° 316). — *La Propulsion des avions.* — Éd. P.U.F., 1949. — (coll. «Que sais-je?», n° 364).

LEIBOWITZ (René). — *Schœnberg.* — Éd. du Seuil, 1969. — (coll. «Microcosme Solfèges», n° 30).

LEJEAN (Guillaume). — *Le Pandjab et le Cachemir,* in *Le Tour du Monde,* 2e semestre 1868.

LE MAGNEN (Jacques). — *Odeurs et Parfums.* — Éd. P.U.F., 1949. — (coll. «Que sais-je?», n° 344).

LEMAIRE (A.). — *L'Hibernation provoquée,* in *Le Monde,* 29 novembre 1951.

LEMONNIER (Camille). — *La Belgique.* — Éd. Hachette, 1888.

LENOBLE (Robert). — *Origines de la pensée scientifique moderne,* in *Encyclopédie de la Pléiade : Histoire de la science.* — Éd. Gallimard, 1957.

LÉONARD (Émile G.). — *Histoire du protestantisme.* — Éd. P.U.F., 1950. — (coll. «Que sais-je?», n° 427).

Lépine (Pierre). — *Les Virus.* — Éd. P. U. F., 1961. — (coll. «Que sais-je?», n° 945). — *Les Virus,* in *Encyclopédie de la Pléiade : Biologie.* — Éd. Gallimard, 1965.

Leprince-Ringuet (Louis). — *Les Rayons cosmiques : Les Mésons.* — Éd. Albin Michel, 1945. — (coll. «Science d'aujourd'hui»).

Lerebours-Pigeonnière (Paul). — *Précis de droit international privé.* — 5e éd. — Éd. Dalloz, 1948. — (coll. «Petits Précis Dalloz»).

Leriche (René). — in *Encyclopédie française,* fondée par Anatole de Monzie, tome VI, 1934-1936.

Leroi-Gourhan (André). — Voir ci-dessous III.

Léry (François). — *Le Cacao.* — Éd. P. U. F., 1954. — (coll. «Que sais-je?», n° 644). — *Technique de la cuisine.* — Éd. P. U. F., 1963. — (coll. «Que sais-je?», n° 1024).

Lesage (Robert) sous la direction de. — *Dictionnaire pratique de liturgie romaine.* — Éd. Bonne Presse, 1952.

Lester (Paul). — *L'Anthropologie; La Paléontologie humaine,* in *Encyclopédie de la Pléiade : Histoire de la science.* — Éd. Gallimard, 1957.

Levadoux (Louis). — *La Vigne et sa culture.* — Éd. P. U. F., 1961. — (coll. «Que sais-je?», n° 969).

Levaillant (Jean). — *Pages choisies d'Anatole France.* — Éd. Hachette, 1954.

Lévi (Sylvain). — *Le Théâtre indien.* — Éd. Honoré Champion, 1963.

Lhermitte (Jean). — *Les Rêves.* — Éd. P. U. F., 1941. — (coll. «Que sais-je?», n° 24).

Lhote (André). — *Les Techniques de l'espace : Composition du tableau,* in *Encyclopédie française,* fondée par Anatole de Monzie, tome XVI, 1935. — *Traité du paysage* [1939], et *Traité de la figure* [1950]. — édition revue. — Éd. Grasset, 1979.

Liard (Louis). — in Lalande (André). — *Vocabulaire technique et critique de la philosophie.* — Éd. P. U. F., 1951.

Liénard (Alain). — *Saint-Just : Théorie politique.* — Éd. du Seuil, 1976. — (coll. «Points-Politique», n° Po 83).

Lorel (Léopold). — *La Technique du cinéma,* in *Encyclopédie française,* fondée par Anatole de Monzie, tome XVI, 1935.

Locard (Paul). — *Le Piano.* — Éd. P. U. F., 1948. — (coll. «Que sais-je?», n° 263).

Lo Duca (J.-M.). — *Histoire du cinéma.* — Éd. P. U. F., 1942. — (coll. «Que sais-je?», n° 81). — *Technique du cinéma.* — [1943]. — 8e éd. — Éd. P. U. F., 1974. — (coll. «Que sais-je?», n° 118).

London (Géo). — *Les Grands Procès de l'année 1939.* — Éd. de France, 1940.

Longnon (Auguste). — *La Formation de l'unité française.* — Éd. Auguste Picard, 1922.

Louis-Jaray (Gabriel). — *L'Empire français d'Amérique : 1534-1803.* — Éd. Armand Colin, 1938. — (coll. «Choses d'Amérique»).

Lourd (Jacques). — *Le Lin et l'Industrie linière.* — Éd. P. U. F., 1964. — (coll. «Que sais-je?», n° 1108).

Lyotard (Jean-François). — *La Phénoménologie.* — Éd. P. U. F., 1954. — (coll. «Que sais-je?», n° 625).

Lwoff (André). — *L'Ordre biologique.* — Éd. Robert Laffont, 1969. — (coll. «Science nouvelle»).

Macé (Gustave). — *Mes lundis en prison.* — Éd. Charpentier, 1889. — *Mon musée criminel.* — Éd. Charpentier, 1890.

Machabey (Armand). — *La Notation musicale.* — Éd. P. U. F., 1952. — (coll. «Que sais-je?», n° 514).

Maillard-Dentzer (R.). — Article *Bonneterie,* in Larousse *de l'industrie et des arts et métiers.* — Éd. Larousse, 1935.

Maillet (J.). — *Histoire des institutions,* tome I. — Éd. Dalloz, 1956. — (coll. «Petits Précis Dalloz»).

Maisonneuve (Jean). — *Les Sentiments.* — Éd. P. U. F., 1952. — (coll. «Que sais-je?», n° 322).

Malclès (Louise-Noëlle). — *La Bibliographie.* — Éd. P. U. F., 1956. — (coll. «Que sais-je?», n° 708).

Mâle (Émile). — *L'Art religieux de la fin du moyen âge en France.* — [1908]. — 6e éd. — Éd. Armand Colin, 1968. — *L'Art religieux au XIIe siècle en France.* — [1923]. — *L'Art religieux du XIIIe siècle en France.* — [1899]. — 9e éd. — Éd. Armand Colin, 1958.

Malet (Albert). — in Lavisse (Ernest), Rambaud (Alfred). — *Histoire générale du IVe siècle à nos jours,* tome XI. — Éd. Armand Colin, 1899.

Malignac (Georges), Colin (Robert). — *L'Alcoolisme.* — Éd. P. U. F., 1954. — (coll. «Que sais-je?», n° 630).

Malson (Lucien). — *Les Maîtres du jazz.* — Éd. P. U. F., 1952. — (coll. «Que sais-je?», n° 548).

Mannoni (Édith). — *Les Sulfures et les Boules presse-papiers.* — Éd. Massin, 1974.

Manuel de l'infanterie : Manuel du sous-officier d'infanterie. — Éd. Charles Lavauzelle, 1955.

Marc-Bonnet (Henry). — *Histoire des ordres religieux.* — Éd. P. U. F., 1949. — (coll. «Que sais-je?», n° 338). — *La Papauté contemporaine : 1878-1946.* — Éd. P. U. F., 1946. — (coll. «Que sais-je?», n° 209).

Marchal (André). — in *Revue économique,* juillet 1950.

Marin (A.). — *Promenades en Océanie,* in *Le Tour du Monde,* 1er semestre 1887.

Marsal (Maurice). — in Lalande (André). — *Vocabulaire technique et critique de la philosophie.* — Éd. P. U. F., 1951.

Martel (Édouard-Alfred). — *Les Cévennes et la Région des Causses.* — réimpression de l'édition de 1890. — Éd. Laffitte Reprints, 1979.

Martin (Charles). — *La Laine.* — Éd. P. U. F., 1951. — (coll. «Que sais-je?», n° 464).

Martin (Charles-Noël). — *Les Satellites artificiels.* — Éd. P. U. F., 1958. — (coll. «Que sais-je?», n° 813).

Martin (Marcel). — *Le Langage cinématographique.* — Éd. du Cerf, 1955.

Martin-Dubost (Paul). — *Çankara et le Vedānta.* — Éd. du Seuil, 1973. — (coll. «Microcosme Maîtres spirituels», n° 39).

Martineau (Henri). — *Introduction à Lucien Leuwen; Introduction à Le Rouge et le Noir,* in Stendhal. — *Romans et Nouvelles,* tome I. — Éd. Gallimard, 1956. — (coll. «Bibliothèque de la Pléiade»). — *L'Œuvre de Stendhal.* — Éd. Albin Michel, 1951.

Martino (Pierre). — *Parnasse et Symbolisme.* — 2e éd. — Éd. Armand Colin, 1970. — (coll. «U2»).

Martonne (Emmanuel de). — *Géographie universelle,* tome VI. — 2e éd. — Éd. Armand Colin, 1947. — *Les Régions géographiques de la France.* — Éd. Flammarion, 1921. — *Traité de géographie physique.* — 3 tomes. — [1925]. — rééditions successives. — Éd. Armand Colin, 1932-1951.

Marty (Jacques). — Traduction de *Mahomet,* de Mohammed Essad Bey. — Éd. Payot, 1956.

Massain (Robert). — *Physique et Physiciens.* — Éd. Magnard, s. d.

Masson (Frédéric). — *La Journée de l'impératrice Joséphine.* — Éd. Flammarion, 1933.

Masson-Ourcel (Paul). — *Le Yoga.* — Éd. P. U. F., 1954. — (coll. «Que sais-je?», n° 643).

Mathelot (Pierre). — *L'Informatique.* — [1969]. — 3e éd. — Éd. P. U. F., 1975. — (coll. «Que sais-je?», n° 1371).

Mathiez (Albert). — *La Révolution française.* — 3 tomes. — Éd. Armand Colin, 1932.

Matras (Jean-Jacques). — *L'Acoustique appliquée.* — Éd. P. U. F., 1949. — (coll. «Que sais-je?», n° 385). — *Radiodiffusion et Télévision.* — Éd. P. U. F., 1958. — (coll. «Que sais-je?», n° 760). — *Le Son.* — Éd. P. U. F., 1948. — (coll. «Que sais-je?», n° 293).

Mauclair (Camille). — *Idées vivantes.* — Éd. Librairie de l'art ancien et moderne, 1904.

Maurain (Charles). — *L'Étude physique de la Terre.* — Éd. P. U. F., 1949. — (coll. «Que sais-je?», n° 67).

Maurette (F.). — *Les Grands Marchés des matières premières.* — 5e éd. — Éd. Armand Colin, 1930.

Mauss (Marcel), Hubert (Henri). — in *Année sociologique,* VII, 1902.

Maxe (Jean). — *De Zimmerwald au bolchevisme.* — Éd. Bossard, 1920.

Mayolle (Emmanuel). — *Les Industries du savon et des détergents.* — Éd. P. U. F., 1962. — (coll. «Que sais-je?», n° 980).

Mazaleyrat (Jean). — *Éléments de métrique française.* — Éd. Armand Colin, 1974.

Meile (Pierre). — *Histoire de l'Inde.* — Éd. P. U. F., 1951; 1965. — (coll. «Que sais-je?», n° 489). — *L'Inde,* in *Encyclopédie de la Pléiade : Histoire universelle,* tome III. — Éd. Gallimard, 1958. — *Littératures dravidiennes,* in *Encyclopédie de la Pléiade : Histoire des littératures,* tome I. — Éd. Gallimard, 1955.

Meillet (Antoine), Cohen (Marcel). — *Les Langues du monde.* — Éd. Champion, 1952.

Méliès (Georges). — *Les Vues cinématographiques,* in *Annuaire de la photographie,* 1907.

Mémento de l'officier de réserve d'infanterie. — Éd. Charles Lavauzelle, 1954.

Mendel (Dr Gérard). — *Psychanalystes, Médecins et Rationalité,* in *La Nef,* n° 31, juillet-août 1967.

Merger (Robert). — *La Naissance.* — Éd. P. U. F., 1955. — (coll. «Que sais-je?», n° 663).

Metman (Y.) — *La Sigillographie,* in *Encyclopédie de la Pléiade : L'Histoire et ses méthodes.* — Éd. Gallimard, 1961.

Metta (Nicolas), Metta (A.) — *Les Pierres précieuses.* — Éd. P. U. F., 1953. — (coll. «Que sais-je?», n° 592).

Metzger (Henri). — *La Céramique grecque.* — Éd. P. U. F., 1953. — (coll. «Que sais-je?», n° 588).

Meybeck (Jean). — *Les Colorants.* — Éd. P. U. F., 1948. — (coll. «Que sais-je?», n° 119).

Meyer (Fernand), Grivet (Pierre). — *Le Verre.* — Éd. P. U. F., 1947. — (coll. «Que sais-je?», n° 264).

Meyer (F.), Olmer (L. J.). — *Le Papier et les Dérivés de la cellulose.* — Éd. P. U. F., 1949. — (coll. «Que sais-je?», n° 84).

Meynaud (Jean). — *Les Groupes de pression.* — Éd. P. U. F., 1960. — (coll. «Que sais-je?», n° 895).

Michel (André). — *Histoire de l'art, depuis les premiers temps chrétiens jusqu'à nos jours,* publiée sous la direction de André Michel. — 18 tomes. — Éd. Armand Colin, 1905-1929.

Misès (Roger). — *L'Enfant déficient mental.* — Éd. P. U. F., 1975. — (coll. «Le Fil rouge»).

Mirambel (André). — *Littérature grecque chrétienne; Littérature byzantine,* in *Encyclopédie de la Pléiade : Histoire des littératures,* tome I. — Éd. Gallimard, 1955.

Moitessier (Bernard). — *Cap Horn à la voile.* — Éd. Arthaud, 1971.

Molitor (J.). — Traduction de Karl Marx, *Le Capital.* — Éd. A. Cortes, 1934. — (coll. «Œuvres complètes de Marx»).

Monbeig (Pierre). — *Le Brésil.* — [1954]. — Éd. P. U. F., 1954; 1968. — (coll. «Que sais-je?», n° 628).

Mondtannagi (A.). — *Contribution à l'étude des paysages végétaux du Bas Dahomey.* — Abidjan : Annales de l'Université, 1969, série G, tome I, fascicule 2.

Monier (E.). — *La Télégraphie sans fil.* — Éd. Dunod et Pinat, 1913.

Monod (Odette). — *Le Musée Guimet*, tome I. — Éd. des Musées Nationaux, 1966. — (coll. «Guides du visiteur»).

Moreau (Fernand). — *Encyclopédie de la Pléiade : Botanique*, sous la direction de Fernand Moreau. — Éd. Gallimard, 1960.

Mornet (Daniel). — *Histoire de la clarté française*. — Éd. Payot, 1929. — *Histoire générale de la littérature française*. — Éd. Larousse, 1925. — *La Littérature française enseignée par la dissertation*. — Éd. Larousse, 1936. — *Les Origines intellectuelles de la Révolution française : 1715-1787*. — Éd. Armand Colin, 1933.

Morveau (Louis-Bernard Guyton de). — *Méthode de nomenclature chimique*, proposée par M. de Morveau, Lavoisier, Berthollet et de Fourcroy. — Éd. Cuchet, 1787.

Mouy (Paul). — *Logique et Philosophie des sciences*. — Éd. Hachette, 1944.

Muraour (Henri). — *Poudres et Explosifs*. — Éd. P.U.F., 1947. — (coll. «Que sais-je?», n° 259).

Nadeau (Maurice). — *Histoire du surréalisme*. — 3e éd. — Éd. du Seuil, 1945.

Nansen (Fridtjof). — *La Première Traversée du Groenland*, in *Le Tour du Monde*, 1er semestre 1891.

Narcejac (Thomas). — *Le Roman policier*, in *Encyclopédie de la Pléiade : Histoire des littératures*, tome III. — Éd. Gallimard, 1978.

Nares (G. S.). — *Récit d'un voyage à la mer polaire*, in *Le Tour du Monde*, 2e semestre 1875.

Naudou (Jean). — *L'Inde; La Protohistoire*, in *Encyclopédie de la Pléiade : Histoire universelle*, tome I. — Éd. Gallimard, 1956.

Nicolardot (Louis). — *La Fontaine et la Comédie humaine*, suivi du *Langage des animaux*. — 2e éd. — Éd. E. Dentu, s. d.

Nogaro (Bertrand). — *La Vie économique*. — Éd. Delagrave, 1928.

Nora (Pierre). — *Les Français d'Algérie*. — Éd. Julliard, 1961.

Nora (Simon), Minc (Alain). — *L'Informatisation de la société : Rapport à Monsieur le Président de la République*. — Éd. de la Documentation française, 1978.

North (Marcel), Montandon (Jacques). — *Neuchâtel à table : Légende, Histoire et Vérité de la gourmandise en pays de Neuchâtel*. — Neuchâtel : Éd. Ides et Calendes, 1973.

Nouveau cours de navigation des Glénans, 1972. — Éd. du Seuil; Éd. du Compas, 1972.

Olievenstein (Dr Claude). — *Il n'y a pas de drogués heureux*. — Éd. Robert Laffont, 1977.

Olivet (Pierre Joseph Thoulier, abbé d'). — *Histoire de l'Académie française depuis 1652 jusqu'à 1700*. — Éd. J.-B. Coignard fils, 1729.

Olivier (Bernard). — in *Initiation théologique*. — Éd. du Cerf, 1955-1957.

Olivier-Martin (Félix). — *Précis d'histoire du droit français*. — Éd. Dalloz, 1933.

Olivier-Martin (François). — *Histoire du droit français des origines à la Révolution*. — [1948]. — 2e éd. — Éd. Domat-Montchrestien, 1951. — *L'Organisation corporative de la France d'Ancien Régime*. — Éd. Recueil Sirey, 1938.

Orfila (Dr Matthieu Jacques). — *Éléments de chimie*. — 3 tomes. — Éd. Crochard, 1835.

Pacaut (Marcel). — *Les Institutions religieuses*. — Éd. P.U.F., 1951. — (coll. «Que sais-je?», n° 454).

Pacon (Henri). — *La Pierre*, in *Encyclopédie française*, fondée par Anatole de Monzie, tome XVI, 1935.

Page (Louis). — in *Le Cinéma par ceux qui le font*. — Éd. Fayard.

Pais (Ettore). — *Histoire générale*, tome I : *Histoire romaine*, adapté par Bayet (Jean). — Éd. P.U.F., 1926.

Palanque (Jean-Rémy). — *L'Occident et la République romaine; L'Empire universel de Rome*, in *Encyclopédie de la Pléiade : Histoire universelle*, tome I. — Éd. Gallimard, 1956.

Palmade (Guy). — *La Caractérologie*. — Éd. P.U.F., 1953. — (coll. «Que sais-je?», n° 380). — *La Psychothérapie*. — Éd. P.U.F., 1951. — (coll. «Que sais-je?», n° 480).

Palou (Jean). — *La Sorcellerie*. — Éd. P.U.F., 1957. — (coll. «Que sais-je?», n° 756).

Panassié (Hugues). — in *Initiation à la musique*. — Éd. du Tambourinaire, 1949. — *La Véritable Musique de jazz*. — 12e éd. — Éd. Robert Laffont, 1946.

Pasqualaggi (Gilles). — in Romeuf (Jean). — *Dictionnaire des sciences économiques*. — Éd. P.U.F., 1956-1958.

Passy (P.). — in *Omnium agricole*. — Éd. Hachette, 1920.

Paulhan (Frédéric). — *Les Transformations sociales des sentiments*. — Éd. Flammarion, 1920.

Payenneville (Dr Joseph). — *Le Péril vénérien*. — nouvelle édition refondue par le Dr Henri Payenneville. — Éd. P.U.F., 1952. — (coll. «Que sais-je?», n° 58).

Péguy (Charles-Pierre). — *La Neige*. — Éd. P.U.F., 1952. — (coll. «Que sais-je?», n° 538).

Pellandini (Jean). — *Les Fusées*. — Éd. P.U.F., 1958. — (coll. «Que sais-je?», n° 765). — *Le Parachute*. — Éd. P.U.F., 1959. — (coll. «Que sais-je?», n° 817).

Pellat (Joseph). — *Thermodynamique*, citée in Lalande (André). — *Vocabulaire technique et critique de la philosophie*. — Éd. P.U.F., 1951.

Péju (Paulette). — *Les Harkis à Paris*. — Éd. Maspero, 1961. — (coll. «Cahiers libres», n° 23).

Pérard (Albert). — *Les Mesures physiques*. — Éd. P.U.F., 1947. — (coll. «Que sais-je?», n° 244).

Pérès (Jean-Marie). — *La Vie dans les mers*. — Éd. P.U.F., 1965. — (coll. «Que sais-je?», n° 72).

Pernoud (Régine). — in *Encyclopédie de la Pléiade : Histoire des littératures*, tome III. — Éd. Gallimard, 1978.

Perpillou (Aimé). — in Demangeon (Albert). — *Géographie générale : Classe de 2e*. — Éd. Hachette, 1941.

Perret (Auguste). — *Les Agglomérés; Les Besoins collectifs et l'Architecture*, in *Encyclopédie française*, fondée par Anatole de Monzie, tome XVI, 1935.

Perrier (Edmond). — *Le Corps de l'homme*. — Éd. Schleicher frères, s. d.

Perrier (Rémy). — in Poiré (Paul). — *Nouveau dictionnaire des sciences et de leurs applications*, nouvelle édition mise à jour et augmentée d'un supplément, publiée sous la direction de Rémy Perrier et Alexandre Joannis. — 6 tomes et 1 suppl. — Éd. Delagrave, 1924.

Perrin (Jean). — *Les Atomes*. — Éd. Gallimard, 1970. — (coll. «Idées», n° 222). — *La Science et l'Espérance*. — Éd. P.U.F., 1948.

Perroux (François). — *Le Capitalisme*. — Éd. P.U.F., 1951. — (coll. «Que sais-je?», n° 315). — *L'Économie du xxe siècle*. — [1961]. — édition revue. — Éd. P.U.F., 1964. — sous la direction de François Perroux. — *Économie appliquée : Archives de l'Institut de science économique appliquée*. — revue trimestrielle, janvier-mars 1948, et suivantes.

Perugia (Paul del). — *Le Grand Nord*. — Éd. P.U.F., 1951. — (coll. «Que sais-je?», n° 512).

Peschard (Marcel). — *Cours de chimie*. — Éd. Langlois, 1958.

Petit (François). — in *Initiation théologique*. — Éd. du Cerf, 1955-1957.

Petitmangin (Henri). — *Versions latines commentées*. — Éd. Gigord, s. d.

Pétra (Yvon). — *Le Tennis*. — Éd. Borneman, s. d. — («Collection sportive»).

Philippeau (Henry). — in *Dictionnaire pratique de liturgie romaine*, sous la direction de Robert Lesage. — Éd. Bonne Presse, 1952.

Piaget (Jean). — *Logique et Connaissance scientifique*. — Éd. Gallimard, 1967. — (coll. «Encyclopédie de la Pléiade»). — Voir aussi III.

Picard (Charles). — *La Vie dans la Grèce classique*. — Éd. P.U.F., 1946. — (coll. «Que sais-je?», n° 231).

Picard (François). — *Les Phénomènes sociaux chez les animaux*. — Éd. A. Colin, 1933.

Picon (Gaëtan). — in *Encyclopédie de la Pléiade : Histoire des littératures*, tomes II et III. — Éd. Gallimard, 1968, 1978. — *Panorama de la nouvelle littérature française*. — [1950]. — Éd. Gallimard, 1970. — (coll. «Le Point du Jour»). — *Panorama des idées contemporaines*. — Éd. Gallimard, 1957.

Piéron (Henri). — *Méthodologie psychotechnique*. — Éd. P.U.F., 1952. — *La Sensation*. — Éd. P.U.F., 1953. — (coll. «Que sais-je?», n° 555). — *La Sensation, guide de vie*. — Éd. Gallimard, 1945. — (coll. «Aux sources de la connaissance»). — Voir aussi II, 1.

Pierrefeu (J. de). — *Paterne ou l'Ennemi des sports*. — Éd. Ferenczi, 1927.

Pierre-Quint (Léon). — *Marcel Proust : sa vie, son œuvre*. — Éd. du Sagittaire, 1946.

Pietri (Stéphane), Quinlen (Alexis). — *Punk : Seventeen rock*. — Éd. S.E.C.L.E. Régine Desforges, 1977.

Piettre (André). — in Romeuf (Jean). — *Dictionnaire des sciences économiques*. — Éd. P.U.F., 1956-1958.

Pilet (Paul-Émile). — *Les Mouvements des végétaux*. — Éd. P.U.F., 1953. — (coll. «Que sais-je?», n° 569).

Pincherle (Marc). — *Les Instruments du quatuor*. — Éd. P.U.F., 1948. — (coll. «Que sais-je?», n° 272).

Pinset (Jacques), Deslandres (Yvonne). — *Histoire des soins de beauté*. — Éd. P.U.F., 1960. — (coll. «Que sais-je?», n° 873).

Pirou (Gaëtan). — *Les Doctrines économiques en France depuis 1870*. — Éd. Armand Colin, 1930. — in *La Vie et la Pensée de Gaëtan Pirou*. — Éd. Recueil Sirey, 1948.

Pirou (Gaëtan), Byé (Maurice). — *Introduction à l'étude de l'économie politique*. — Éd. Recueil Sirey, 1939. — *Traité d'économie politique : Les Cadres de la vie économique*. — 2 tomes. — Éd. Recueil Sirey, 1940-1941.

Pizon (Antoine), Obré (Albert). — *Biologie, Anatomie et Physiologie humaines*. — 8e éd. — Éd. Doin, 1937.

Planche (Gustave). — *Salon de 1831*. — Éd. Imprimerie de Pinard, 1831.

Planiol (Marcel), Ripert (Georges). — *Traité élémentaire de droit civil*. — Éd. Librairie générale de droit et de jurisprudence, 1932 (tome I, 12e éd.), 1931 (tome II, 11e éd.), 1927 (tome III, 10e éd.).

Plas (Bernard de), Verdier (Henri). — *La Publicité*. — [1947]. — 2e éd. — Éd. P.U.F., 1951. — (coll. «Que sais-je?», n° 274).

Pleynet (Marcelin). — *Système de la peinture*. — [1971]. — Éd. du Seuil, 1977. — (coll. «Points», n° 82).

Pochard (Marcel). — *L'Emploi et ses problèmes*. — [1976]. — Éd. P.U.F., 1976. — (coll. «Que sais-je?», n° 1640).

Pohl (Jacques). — *La Faune hypocoristique*, in *Vie et Langage*, janvier 1974.

Poirier (René). — *Le Nombre*. — Éd. F. Alcan; Imprimerie des P.U.F., 1938.

Poisson (Georges). — *Les Musées de France*. — Éd. P.U.F., 1950. — (coll. «Que sais-je?», n° 447).

Pomerol (Charles), Fouet (Robert). — *Les Roches métamorphiques*. — Éd. P.U.F., 1954. — (coll. «Que sais-je?», n° 647). — *Les Roches sédimentaires*. — Éd. P.U.F., 1953. — (coll. «Que sais-je?», n° 595).

Porche (François). — *Verlaine*. — Éd. Flammarion, 1936.

Porot (Dr Antoine). — *Manuel alphabétique de psychiatrie clinique, thérapeutique et médico-légale*. — Éd. P.U.F., 1952. — (coll. «Bibliothèque de psychiatrie»). — *Les Toxicomanies*. — Éd. P.U.F., 1953. — (coll. «Que sais-je?», n° 586).

POTTIER (dom Joseph). — *Les Mélodies grégoriennes*. — [1880]. — Éd. Stock, 1980.

POUQUET (Jean). — *L'Érosion*. — Éd. P. U. F., 1951. — (coll. «Que sais-je?», nº 491).

POUSSIELGUE (M.). — *Quatre mois en Floride*, in *Le Tour du Monde*, 1er semestre 1870.

PRADINES (Maurice). — *Traité de psychologie générale*. — 2 tomes. — Éd. P. U. F., 1943.

PRÉLOT (Marcel). — *Précis de droit constitutionnel*. — 3e éd. — Éd. Dalloz, 1953. — (coll. «Petits Précis Dalloz»). — *La Science politique*. — Éd. P. U. F., 1961. — (coll. «Que sais-je?», nº 909).

PRENANT (Marcel). — *Biologie et Marxisme*. — Éd. Hier et Aujourd'hui, 1948. — (coll. «La Science et l'Homme»).

PRESTAT (Dr Ch.). — *Les Règles de Hediger pour le logement d'animaux sauvages en parc zoologique*, in *Revue de médecine vétérinaire*, 1978.

PRINET (Jean). — *La Photographie et ses applications*. — Éd. P. U. F., 1948. — (coll. «Que sais-je?», nº 174).

PRINET (Jean), BLÉRY (Ginette). — *La Photographie et ses applications*. — [1948]. — 8e éd. — Éd. P. U. F., 1978. — (coll. «Que sais-je?», nº 174).

QUEYSANNE (Michel), DELACHET (André). — *L'Algèbre moderne*. — Éd. P. U. F., 1955. — (coll. «Que sais-je?», nº 661).

RABOT (C.). — in *Annuaire du Club alpin français*, 4e année, 1877.

RACIBORSKI (Adam). — *Précis pratique et raisonné du diagnostic*. — Éd. Germer Baillière, 1837.

RAGACHE (Claude-Catherine), RAGACHE (Gilles). — *Les Loups en France : Légendes et Réalité*. — Éd. Aubier-Montaigne, 1981.

RAHAN (T.). — *Radioactivité et Transmutation des atomes*. — Éd. Armand Colin, 1940.

RAMADE (François). — *Le Peuple des fourmis*. — Éd. P. U. F., 1965. — (coll. «Que sais-je?», nº 1153).

RAMBAUD (Alfred). — *Histoire de la civilisation contemporaine en France*. — 9e éd. — Éd. Armand Colin, 1922. — *Histoire de la civilisation française*. — 2 tomes. — Éd. Armand Colin, 1921 (tome I, 13e éd.; tome II, 11e éd.).

RAMÉE (F.). — in POROT (Dr Antoine). — *Manuel alphabétique de psychiatrie*. — Éd. P. U. F., 1952.

RAT (Maurice). — *Mythologies : Légendes des dieux et des héros grecs et latins*. — Éd. Plon, 1954.

RAY (Georges). — *Les Industries de l'alimentation*. — [1943]. — 2e éd. — Éd. P. U. F., 1948. — (coll. «Que sais-je?», nº 110). — *Les Vins en France*. — Éd. P. U. F., 1946. — (coll. «Que sais-je?», nº 208).

RAYMOND (André). — *La Tunisie*. — Éd. P. U. F., 1961. — (coll. «Que sais-je?», nº 318).

RAYMOND (François). — *Radionavigation et Radioguidage*. — Éd. P. U. F., 1949. — (coll. «Que sais-je?», nº 41).

RAYNAL (Guillaume Thomas François, abbé). — *Histoire philosophique et politique des établissements et du commerce des Européens dans les deux Indes*. — [1770]. — 10 tomes. — Genève : Éd. J.-L. Pellet, 1780.

RAYNAL (Maurice). — *Peinture moderne*. — Éd. Skira, 1953.

REBOUD (Paul). — *Précis d'économie politique*. — 4 tomes. — Éd. Dalloz, 1929-1934. — (coll. «Petits Précis Dalloz»).

REBOUD (Paul), GUITTON (Henri). — *Précis d'économie politique*, tome I. — 9e éd. — Éd. Dalloz, 1953. — (coll. «Petits Précis Dalloz»).

REGGIANI (Jean-Claude). — *Industrie et Commerce du bois*. — Éd. P. U. F., 1966. — (coll. «Que sais-je?», nº 404).

Règlement provisoire de manœuvre de l'infanterie, 1re partie. — Éd. Charles Lavauzelle, 1954.

RENOU (Louis). — *L'Inde fondamentale*. — [1966]. — Éd. Hermann, 1978. — *L'Hindouisme*. — Éd. P. U. F., 1951. — (coll. «Que sais-je?», nº 475). — *Les Littératures de l'Inde*. — Éd. P. U. F., 1951. — (coll. «Que sais-je?», nº 503).

Révolution (La) kantienne : Histoire de la philosophie, ouvrage collectif. — Éd. Gallimard, 1978. — (coll. «Idées», nº 391).

REY (Alain). — *Les Spectres de la bande : Essais sur la B. D.* — Éd. de Minuit, 1978. — (coll. «Critique»).

REY (Alain), COUTY (Daniel), sous la direction de. — *Le Théâtre*. — Éd. Bordas, 1980.

REY (Pierre). — *Les Hormones*. Éd. P. U. F., 1951. — (coll. «Que sais-je?», nº 39).

REY (Robert). — *La Peinture moderne*. — Éd. P. U. F., 1942. — (coll. «Que sais-je?», nº 28).

REYNAUD (Jean-Daniel). — *Les Syndicats en France*, tome I. — Éd. du Seuil, 1975. — (coll. «Points-Politique», nº Po 72).

REYNIER (Gustave). — *Le Cid de Corneille*. — Éd. Melottée, 1948. — (coll. «Les chefs-d'œuvre de la littérature expliqués»). — *Les Femmes savantes de Molière*. — Éd. Melottée, 1948. — (coll. «Les chefs-d'œuvre de la littérature expliqués»).

RIBOT (Théodule). — *La Logique des sentiments*. — 5e éd. — Éd. Félix Alcan, 1920. — *Les Maladies de la mémoire*. — 12e éd. — Éd. Félix Alcan, 1898. — *Les Maladies de la personnalité*. — Éd. F. Alcan, 1885. — *La Psychologie anglaise contemporaine*. — Éd. Ladrange, 1871. — *La Psychologie des sentiments*. — [1896]. — Éd. F. Alcan, 1925.

RICARD (Jacques). — *La Croissance des végétaux*. — Éd. P. U. F., 1960. — (coll. «Que sais-je?», nº 898).

RICHARD (André). — *La Critique d'art*. — Éd. P. U. F., 1958. — (coll. «Que sais-je?», nº 806).

RICHER (Paul). — *Nouvelle anatomie artistique du corps humain*. — 4 tomes. — Éd. Plon, 1920.

RICOUARD (Michèle), RICOUARD (M. J.). — *La Rémunération du travail*. — Éd. P. U. F., 1955. — (coll. «Que sais-je?», nº 654).

RIEUPEYROUT (Jean-Louis). — *Le Western*. — Éd. du Cerf, 1953.

RINGEL (Pierre). — *Molière en Afrique noire ou le Journal de 4 comédiens*. — Éd. Presses du Livre français, 1950.

RIVAUD (Albert). — *Les Grands Courants de la pensée antique*. — 6e éd. — Éd. Armand Colin, 1953.

RIVET (dom J.). — in *Dictionnaire pratique de liturgie romaine*, sous la direction de Robert LESAGE. — Éd. Bonne Presse, 1952.

ROBERT (Fernand). — *La Littérature grecque*. — Éd. P. U. F., 1949. — (coll. «Que sais-je?», nº 227).

ROBERT (Marthe). — *La Révolution psychanalytique*. — [1964]. — 2 tomes. — Éd. Payot, 1979. — (coll. «Petite Bibliothèque Payot», nºs 58 et 59).

ROBERT (Paul). — *Les Agrumes dans le monde et le développement de leur culture en Algérie*. — Éd. Société d'éditions techniques coloniales, 1947.

ROBIN (P.). — in *Encyclopédie pratique du bâtiment et des travaux publics*. — Éd. Quillet, 1953.

ROCHAS D'AIGLUN (Albert de). — *Les Sentiments, la Musique et le Geste*. — Grenoble : Éd. H. Falque et F. Perrin, 1900.

ROCHAS (Victor de). — *Journal d'un voyage au détroit de Magellan*, in *Le Tour du Monde*, 1er semestre 1861.

ROGER (Georges Eugène Henri). — in GARNIER (Marcel), DELAMARE (Valery). — *Dictionnaire des termes techniques de médecine*. — 17e édition revue et augmentée par Jean DELAMARE. — Éd. Librairie Maloine, 1959.

ROGERS (Carl). — *Le Développement de la personne* [1961], traduit de l'américain par E.-L. HERBERT [1966]. — nouvelle édition. — Éd. Dunod, 1977.

ROGUET (A.-M.). — in *Initiation théologique*, tome IV. — 2e éd. — Éd. du Cerf, 1956.

ROLLAND (Louis). — *Précis de droit administratif*. — Éd. Dalloz, 1928 (2e éd.); 1951 (10e éd.). — (coll. «Petits Précis Dalloz»).

ROLLAND DE RENÉVILLE (André). — *L'Expérience poétique*. — Éd. Gallimard, 1938. — (coll. «Blanche»). — *Les Problèmes actuels de la poétique*, in *Encyclopédie française*, fondée par Anatole de MONZIE, tome XVII, 1936.

ROLLIN (Charles). — *Histoire ancienne des Égyptiens, des Carthaginois, des Assyriens...* — 13 tomes. — Éd. Veuve Étienne, 1731-1738.

ROMANOVSKY (Vsevolod), CAILLEUX (André). — *La Glace et les Glaciers*. — Éd. P. U. F., 1953. — (coll. «Que sais-je?», nº 562).

ROMEUF (Jean). — *Le Charbon*. — Éd. P. U. F., 1949. — (coll. «Que sais-je?», nº 193). — *L'Économie planifiée*. — Éd. P. U. F., 1949. — (coll. «Que sais-je?», nº 329). — Voir aussi II, 1.

ROSTAND (Claude). — *La Musique française contemporaine*. — Éd. P. U. F., 1952. — (coll. «Que sais-je?», nº 517).

ROTHÉ (Jean). — *Séismes et Volcans*. — Éd. P. U. F., 1948. — (coll. «Que sais-je?», nº 217).

ROUART (Denis). — *Degas à la recherche de la technique*. — Éd. Floury, 1945.

ROUGEMENT (Ernest de). — *Une nouvelle science sociale : la graphologie*. — Éd. Marcel Rivière, 1938. — (coll. «Études de psychologie sociale»).

ROUGET (Gilbert). — *La Musique d'Afrique noire*, in *Encyclopédie de la Pléiade : Histoire de la musique*, tome I. — Éd. Gallimard, 1960.

ROUGIER. — in CUVILLIER (Armand). — *Petit vocabulaire de la langue philosophique*. — 8e éd. — Éd. Armand Colin, 1946.

ROULE (Dr Louis). — *Les Poissons et le Monde vivant des eaux*, tome IV : *Le Littoral et la Haute Mer*. — Éd. Delagrave, 1933.

ROUSSEAU (Pierre). — *De l'atome à l'étoile*. — Éd. P. U. F., 1948. — (coll. «Que sais-je?», nº 2).

ROUSSEAU (Paul-Louis). — *Les Dents*. — Éd. P. U. F., 1951. — (coll. «Que sais-je?», nº 488).

ROUSSEAUX (André). — *Littérature du xxe siècle*. — 7 tomes. — Éd. Albin Michel, 1938.

ROUSSELET (Louis). — *L'Inde des Rajahs*, in *Le Tour du Monde*, 1er semestre 1873.

ROUSTAN (Désiré). — *Leçons de philosophie : Psychologie*. — nouvelle édition refondue par Pierre BURGELIN. — Éd. Delagrave, 1947.

ROUVIÈRE (Henri), DELMAS (André). — *Atlas aide-mémoire d'anatomie*. — 4e éd. — Éd. Masson, 1979.

ROUX (dom Joannès). — in *Dictionnaire pratique de liturgie romaine*, sous la direction de Robert LESAGE. — Éd. Bonne Presse, 1952.

ROVAN (Joseph). — *L'Allemagne n'est pas ce que vous croyez*. — Éd. du Seuil, 1978. — (coll. «Intervention»).

RUDEL (Jean). — *Technique de la peinture*. — Éd. P. U. F., 1950. — (coll. «Que sais-je?», nº 435).

RUFFIÉ (Jacques). — *De la biologie à la culture*. — Éd. Flammarion, 1976.

RUHL (Philippe Jacques). — cité par Jean JAURÈS, in *Histoire socialiste*, tome III, sous la direction de Jean Jaurès. — Éd. Jules Rouff, s. d.

SADOUL (Georges). — *Histoire générale du cinéma*. — Tome II : *Les Pionniers du cinéma, 1897-1909*. — Tome III : *Le cinéma devient un art, 1909-1920*. — Éd. Denoël, [tome I, 1947], 1951, 1952.

SAINÉAN (Lazare). — *La Langue de Rabelais*. — 2 tomes. — Éd. de Boccard, 1922, 1923.

SAINT-ANDRIEU (André de). — *Les Stations de radiodiffusion*. — Éd. P. U. F., 1946. — (coll. «Que sais-je?», nº 214).

SAINT-AULAIRE (comte de). — *Talleyrand.* — Éd. Dunod, 1936. — (coll. «Les Constructeurs»).

SALIGNAC (Thomas). — *Le Chant,* in *Encyclopédie française,* fondée par Anatole de MONZIE, tome XVI, 1935.

SALERON (L.). — *L'Automation.* — Éd. P.U.F., 1957. — (coll. «Que sais-je?», n° 723).

SALLE (Bertrand de la). — *L'Équivoque de la Ruhr,* in *Gazette de Lausanne,* 29 juillet 1947.

SAULNIER (Verdun-Louis). — *La Littérature française de la Renaissance.* — [1942]. — 3ᵉ éd. — Éd. P.U.F., 1953. — (coll. «Que sais-je?», n° 85).

SAUVY (Alfred). — *La Bureaucratie.* — Éd. P.U.F., 1956. — (coll. «Que sais-je?», n° 712). — *Croissance zéro?* — Éd. Calmann-Lévy, 1973. — *La Démographie,* in *Encyclopédie de la Pléiade : Histoire de la science.* — Éd. Gallimard, 1957. — *L'Opinion publique.* — Éd. P.U.F., 1956. — (coll. «Que sais-je?», n° 701). — *La Population.* — Éd. P.U.F., 1953. — (coll. «Que sais-je?», n° 148). — *La Prévision économique.* — Éd. P.U.F., 1948. — (coll. «Que sais-je?», n° 112).

SAVARY (Jacques). — *Le Parfait négociant.* — [1675]. — 2 tomes. — Éd. Veuve Étienne, 1736. — cité par BRUNOT. — *Histoire de la langue française.*

SCHAEFFER (Pierre). — *À la recherche d'une musique concrète.* — Éd. P.U.F., 1952. — *La Musique concrète.* — Éd. P.U.F., 1967. — (coll. «Que sais-je?», n° 1287).

SCHATZMAN (Evry). — *Encyclopédie de la Pléiade : Astronomie,* sous la direction d'Evry SCHATZMAN. — Éd. Gallimard, 1962. — *La Terre et les Astres,* in *Encyclopédie de la Pléiade : La Terre.* — Éd. Gallimard. 1959.

SCHEFER (G.), FRANÇOIS (H.). — *Recettes de cuisine pratique.* — Éd. Delagrave, 1941.

SCHLOESING (Édouard). — in ROMEUF (Jean). — *Dictionnaire des sciences économiques.* — Éd. P.U.F., 1956, 1958.

SCHMIDT (Albert-Marie). — *La Littérature humaniste à l'époque de la Renaissance,* in *Encyclopédie de la Pléiade : Histoire des littératures,* tome III. — Éd. Gallimard, 1978. — *La Littérature symboliste.* — Éd. P.U.F., 1950. — (coll. «Que sais-je?», n° 82).

SCHNEIDER (René). — *Le Peintre et l'Automne.* — Éd. Falkenstein, 1947.

SCHOELLER (Henri). — *Hydrogéologie,* in *Encyclopédie de la Pléiade : La Terre.* — Éd. Gallimard, 1959.

SCHWARTZENBERG (Roger-Gérard). — *L'État spectacle : Essai sur et contre le star system en politique.* — [Flammarion, 1977]. — Le Livre de Poche, n° 5077, 1978.

SÉDÈS (Jean-Marie). — *Histoire des missions françaises.* — Éd. P.U.F., 1950. — (coll. «Que sais-je?», n° 405).

SÉE (Henri). — *La France économique et sociale au XVIIIᵉ siècle.* — Éd. Armand Colin, s. d. — (coll. «Classiques Armand Colin», n° 64). — Éd. Armand Colin, 1977. — (coll. «U2»).

SEGOND (J.). — *Traité d'esthétique.* — Éd. Aubier-Montaigne, 1947. — (coll. «Essais philosophiques»).

SEILLIÈRE (Ernest). — *Anatole France, critique de son temps.* — Éd. de la Nouvelle Revue Critique, 1934. — (coll. «Essais critiques»). — *La Jeunesse d'Anatole France.* — Éd. de la Nouvelle Revue Critique, 1934. — (coll. «Essais critiques»).

SERRIÈRE (Marie-Thérèse). — *Le T.N.P. et nous.* — Éd. José Corti, 1959.

SERULLAZ (Maurice). — *Le Cubisme.* — Éd. P.U.F., 1963. — (coll. «Que sais-je?», n° 1036).

SIEFFERT (René). — *La Littérature japonaise.* — Éd. Publications orientalistes de France, 1973.

SIEGFRIED (André), BÉGUIN (Pierre). — *La Suisse, démocratie témoin.* — 4ᵉ éd. — Boudry (Suisse) : Éd. de la Baconnière, 1969. — (coll. «L'Évolution du Monde et des Idées»).

SIGNAC (Paul). — *Les Besoins individuels et la Peinture,* in *Encyclopédie française,* fondée par Anatole de MONZIE, tome XVI, 1935.

SIGOT (Michel). — *La Culture d'organes.* — Éd. P.U.F., 1968. — (coll. «Que sais-je?», n° 1288).

SIMON (Michel). — in *Dictionnaire pratique de liturgie romaine,* sous la direction de Robert LESAGE. — Éd. Bonne Presse, 1952.

SIMON (Pierre-Henri). — in *Le Monde,* 20 septembre 1961.

SIMONDON (Gilbert). — *Du mode d'existence des objets techniques.* — Éd. Aubier-Montaigne, 1969.

SIMONET (René). — *La Chaleur.* — Éd. P.U.F., 1947. — (coll. «Que sais-je?», n° 261).

SIMONET (Roger). — *Le Froid.* — Éd. P.U.F., 1948. — (coll. «Que sais-je?», n° 122).

SIMONIN (L.). — *Le Creusot et les Mines de Saône-et-Loire,* in *Le Tour du Monde,* 1ᵉʳ semestre 1867. — *Un voyage aux mines de Cornouailles,* in *Le Tour du Monde,* 1ᵉʳ semestre 1865. — *Voyage en Californie,* in *Le Tour du Monde,* 2ᵉ semestre 1869.

SINOIR (Guy). — *L'Orientation professionnelle.* — Éd. P.U.F., 1950. — (coll. «Que sais-je?», n° 121).

SITBON (Guy). — in *Le Nouvel Observateur,* n° 406, 21 août 1972.

SNYDER (Solomon H.). — *La Marijuana,* traduit de l'américain. — Éd. du Seuil, 1973. — (coll. «Science Ouverte»).

SOREL (Albert). — *Madame de Staël.* — 6ᵉ éd. — Éd. Hachette, 1925. — (coll. «Les Grands Écrivains français»).

SOUCHON (Christian). — *Les Insectes et les Plantes.* — Éd. P.U.F., 1965. — (coll. «Que sais-je?», n° 1185).

SOUSTELLE (Jacques). — *L'Amérique précolombienne,* in *Encyclopédie de la Pléiade : Histoire universelle,* tome II. — Éd. Gallimard, 1957.

Sports : plusieurs opuscules par Robert COTTEAUX, Yvon PÉTRA, Jean VIVES, et al. — Éd. Bornemann, 1958 et suivantes. — («Collection sportive»). — Éd. J. Susse. — (coll. «Tous les sports»).

Statistique agricole de la France : résultats généraux de 1929. — Éd. Imprimerie Nationale, 1936.

Statistiques (Annuaires). — New York : Service des Publications des Nations unies, 1949 à 1971.

Statuts de l'Association Internationale des Travailleurs, adoptés par le Congrès de 1865, in LAROUSSE (Pierre). — *Grand dictionnaire universel,* tome XV (article *Travailleurs*), 1876.

STEIN (Samuel). — *L'Astronomie en raccourci.* — Éd. Payot, 1954. — (coll. «Petits atlas de poche Payot», n° 24).

STIENNON (Jacques). — *Paléographie du moyen âge.* — Éd. Armand Colin, 1973.

STOCKER (Jean). — *Le Sel.* — Éd. P.U.F., 1949. — (coll. «Que sais-je?», n° 339).

STOLKOWSKI (Joseph). — *Les Diastases.* — Éd. P.U.F., 1950. — (coll. «Que sais-je?», n° 434).

STROWSKI (Fortunat). — *Tableau de la littérature française au XIXᵉ siècle et au XXᵉ siècle.* — nouvelle édition. — Éd. Melottée, s.d.

STROWSKI (Fortunat), GEBELIN (François). — *Michel de Montaigne : Les Essais.* — Hidesheim (R.F.A.) : Éd. Olms, 1980.

SUCHET (Jacques-Paul). — *La Chimie physique des semi-conducteurs.* — Éd. Dunod, 1962.

SUTTER (Jean M.). — in POROT (Dʳ Antoine). — *Manuel alphabétique de psychiatrie.* — Éd. P.U.F., 1952.

Syndicat C.F.D.T. de l'Énergie atomique. — *L'Électronucléaire en France.* — Éd. du Seuil, 1975. — (coll. «Points-Sciences», n° S 4).

TABARY (Alfred). — in *Encyclopédie pratique de bâtiment et de travaux publics.* — Éd. Quillet, 1953.

Tableau de la littérature française : De Mᵐᵉ de Staël à Rimbaud. — Éd. Gallimard. — (coll. «Blanche»).

TAILLÉ (Jean). — *Courbes et Surfaces.* — Éd. P.U.F., 1953. — (coll. «Que sais-je?», n° 564).

TAILLEMAGRE (Jean). — in *Le Monde,* 20 novembre 1956.

TALVART (Hector), PLACE (Joseph). — *Bibliographie des auteurs modernes de langue française.* — Éd. de la Chronique des lettres françaises, 1928-1959.

TAPIÉ (Victor-Lucien). — *Le Baroque.* — Éd. P.U.F., 1961. — (coll. «Que sais-je?», n° 923).

TARDE (Alfred de). — *L'Idée du juste prix : Essai de psychologie économique.* — Éd. Félix Alcan, 1907.

TARDI (Pierre). — *Géodésie,* in *Encyclopédie de la Pléiade : Astronomie.* — Éd. Gallimard, 1962.

TATON (René). — *Le Calcul mental.* — Éd. P.U.F., 1953. — (coll. «Que sais-je?», n° 605). — *Histoire du calcul.* — Éd. P.U.F., 1948. — (coll. «Que sais-je?», n° 198).

TAZIEFF (Haroun). — *Histoires des volcans.* — Le Livre de Poche, n° 1187, 1964; 1967.

TCHEMERZINE (Avenir). — *Bibliographie d'éditions originales et rares d'auteurs français du XVᵉ au XVIIIᵉ siècles.* — 10 tomes. — Éd. M. Plée, 1927 à 1934.

TEBOUL (Jacques). — *Vermeer.* — Éd. du Seuil, 1977. — (coll. «Fiction et Compagnie»).

TELLIER (André). — *Grammaire de l'anglais.* — Éd. P.U.F., 1971. — (coll. «Que sais-je?», n° 1444).

TERMIER (Geneviève), TERMIER (Henri). — *Histoire de la surface terrestre,* in *Encyclopédie de la Pléiade : La Terre.* — Éd. Gallimard, 1959.

TERRAY (Lionel). — *Les Conquérants de l'inutile : Des Alpes à l'Annapurna.* — [1961]. — Éd. Gallimard, 1970.

TESSIER (Georges). — *La Diplomatique.* — Éd. P.U.F., 1952. — (coll. «Que sais-je?», n° 536).

TESTAS (Jean). — *La Tauromachie.* — Éd. P.U.F. — (coll. «Que sais-je?», n° 568).

TESTUT (Jean Léo). — *Traité d'anatomie humaine.* — 3 tomes. — [1889-1892]. — 5 tomes. — 8ᵉ éd. — Éd. Doin, 1928-1931.

THAMIN (R.), LAPIE (P.). — *Lectures morales extraites des auteurs anciens et modernes et précédées d'entretiens moraux.* — Éd. Hachette, 1903.

THELLIER (Émile). — *Le Champ magnétique terrestre,* in *Encyclopédie de la Pléiade : La Terre.* — Éd. Gallimard, 1959.

THÉRY (Jean-François). — *Les Carburants nouveaux.* — Éd. P.U.F., 1961. — (coll. «Que sais-je?», n° 933).

THÉVENIN (René). — *Les Fourrures.* — Éd. P.U.F., 1949. — (coll. «Que sais-je?», n° 384).

THIBAUD (Jean). — *Vie et Transmutation des atomes.* — 2ᵉ éd. — Éd. Albin Michel, 1942. — (coll. «Sciences d'aujourd'hui»).

THIÉBAUT (Raymond). — *La Filature.* — Éd. P.U.F., 1952. — (coll. «Que sais-je?», n° 537). — *Le Tissage.* — Éd. P.U.F., 1952. — (coll. «Que sais-je?», n° 546).

THOM (René). — *Modèles mathématiques de la morphogenèse.* — Éd. Bourgeois, 1981.

THOMAS (P. Félix). — *Résumé de philosophie et Analyse des auteurs.* — Éd. Félix Alcan, 1884.

THOMAZI (André). — *Les Flottes de l'or : Histoire des galions d'Espagne.* — édition revue. — Éd. Payot, 1978. — (coll. «Bibliothèque Historique»). — *Les Navires.* — Éd. P.U.F., 1950. — (coll. «Que sais-je?», n° 411).

Tiers Monde (Le) : *Sous-développement et Développement*, sous la direction de Georges BALANDIER. — Éd. P. U. F., 1956. — (coll. «Travaux et Documents», nᵒ 27).

TIFFON (Georges). — *Le Charbon.* — Éd. P. U. F., 1967. — (coll. «Que sais-je?», nᵒ 193).

TIMBAL (Pierre-Clément). — *Histoire des institutions : 2ᵉ année.* — Éd. Dalloz, 1957. — (coll. «Précis Dalloz»).

TISSANDIER (Albert). — *Voyage d'exploration dans l'Utah et l'Arizona*, in *Le Tour du Monde*, 1ᵉʳ semestre 1886.

TISSOT (Samuel Auguste André David). — *L'Onanisme, ou Dissertation sur les maladies produites par la masturbation.* — Lausanne : Éd. Marc Chapuis, 1764.

TORTEL (Jean). — *Le Lyrisme au xviiᵉ siècle; Le Roman populaire*, in *Encyclopédie de la Pléiade : Histoire des littératures*, tome III. — Éd. Gallimard, 1978.

TOULOUSE-LAUTREC (Mapie de). — *La Cuisine de Mapie.* — Le Livre de Poche, nᵒ 2711, 1967.

TROMBE (Félix). — *La Spéléologie.* — Éd. P. U. F., 1956. — (coll. «Que sais-je?», nᵒ 709).

TROTABAS (Louis). — *Précis de science et législation financières.* — 2ᵉ éd. — Éd. Dalloz, 1931. — (coll. «Petits Précis Dalloz»).

TRUCHY (Henri). — *Cours d'économie politique.* — 3ᵉ éd. — Éd. Recueil Sirey, 1929.

TUZET (Odette). — *Cœlentérés*, in *Encyclopédie de la Pléiade : Zoologie*, tome I. — Éd. Gallimard, 1963.

ULMOLTZ (Carol). — *Chez les cannibales*, in *Le Tour du Monde*, 2ᵉ semestre 1888.

URBAIN (Achille), RODE (Paul). — *Les Singes anthropoïdes.* — Éd. P. U. F., 1946. — (coll. «Que sais-je?», nᵒ 202).

VACHET (Dʳ Pierre). — *Connaissance de la vie sexuelle.* — 2ᵉ éd. — Éd. Vivre d'abord, 1949.

VACHON (Max). — *Arthropodes*, in *Encyclopédie de la Pléiade : Zoologie*, tome II. — Éd. Gallimard, 1974.

VALLERY-RADOT (Dʳ Pierre). — *Le Grand Mystère de la cellule à l'homme.* — Éd. Paul Dupont, 1947. — *Notre corps cette merveille.* — Éd. Bourrelier, 1945. — (coll. «La Joie de connaître»).

VALLERY-RADOT (René). — *La Vie de Pasteur.* — Éd. Flammarion, 1937.

VALLIER (Dora). — *L'Art abstrait.* — Le Livre de Poche, nᵒ 2100, 1967.

VALLOIS (Henri). — *Les Races humaines.* — Éd. P. U. F., 1951. — (coll. «Que sais-je?», nᵒ 146).

VALUET (Roger). — *Le Timbre-poste.* — Éd. P. U. F., 1971. — (coll. «Que sais-je?», nᵒ 72).

VAN CANEGHEM (Denise). — *Agressivité et Combativité.* — Éd. P. U. F., 1978. — (coll. «Le Psychologue», nᵒ 72).

VANDERICHET (Jean-Paul). — *Les Instruments de percussion.* — Éd. P. U. F., 1977. — (coll. «Que sais-je?», nᵒ 1691).

VAN EFFENTERRE (Henri). — *Histoire du scoutisme.* — Éd. P. U. F., 1947. — (coll. «Que sais-je?», nᵒ 254).

VANNIER (Pierre). — *L'Homéopathie.* — Éd. P. U. F., 1955. — (coll. «Que sais-je?», nᵒ 677).

VAN TIEGHEM (Paul). — *Le Romantisme dans la littérature européenne.* — [1948]. — Éd. Albin Michel, 1969. — (coll. «L'Évolution de l'Humanité Format Poche», nᵒ 19). — *Le Romantisme français.* — Éd. P. U. F., 1947. — (coll. «Que sais-je?», nᵒ 123).

VASSEUR (Léon-V.), BIMBENET (Jean-Jacques), HILLAIRET (Max). — *Les Industries de l'alimentation.* — Éd. P. U. F., 1966. — (coll. «Que sais-je?», nᵒ 110).

VAX (Louis). — *L'Empirisme logique : De Bertrand Russell à Nelson Goodman.* — Éd. P. U. F., 1970. — (coll. «Le Philosophe», nᵒ 93).

VÈNE (Jean). — *Caoutchoucs et Textiles synthétiques.* — Éd. P. U. F., 1961. — (coll. «Que sais-je?», nᵒ 973). — *Les Plastiques.* — Éd. P. U. F., 1948. — (coll. «Que sais-je?», nᵒ 312).

VÈNE (Jean), LE CORVAISIER (Hyacinthe). — *La Bière et la Brasserie.* — Éd. P. U. F., 1950. — (coll. «Que sais-je?», nᵒ 440).

VERDET (Émile). — *Théorie mécanique de la chaleur*, tomes VII et VIII des *Œuvres complètes* d'Émile VERDET, publiées par ses élèves. — 10 tomes. — Éd. Imprimerie Impériale, puis Nationale, 1868-1872.

VERLET (Pierre). — *Le Style Louis XV.* — Éd. Larousse, s. d. — (coll. «Arts et styles»).

VERMINNEN (P.). — *Finance d'entreprise : Logique et Politique.* — Éd. Dalloz, 1976.

VERMOT-GAUCHY (Michel). — *Le Vol à voile.* — Éd. P. U. F., 1953. — (coll. «Que sais-je?», nᵒ 547).

VERNE (Jean), HÉBERT (Simone). — *La Culture de tissus.* — Éd. P. U. F., 1967. — (coll. «Que sais-je?», nᵒ 1274).

VERSCHUUR (G.). — *Le Voyage aux trois Guyanes*, in *Le Tour du Monde*, 2ᵉ semestre 1893.

VETH (D. D.). — *À travers l'île de Sumatra*, in *Le Tour du Monde*, 2ᵉ semestre 1880.

VIALLARD (Rodolphe). — *Les Progrès de la science contemporaine*, in *Encyclopédie de la Pléiade : Histoire de la science.* — Éd. Gallimard, 1957.

VIANSSON-PONTÉ (Pierre). — *Histoire de la république gaullienne.* — 2 tomes. — Éd. Fayard, 1971.

VIAUD (Gaston). — *L'Intelligence.* — Éd. P. U. F., 1953. — (coll. «Que sais-je?», nᵒ 210). — *Les Tropismes.* — Éd. P. U. F., 1951. — (coll. «Que sais-je?», nᵒ 482).

VIAUT (André). — *La Météorologie.* — Éd. P. U. F., 1952. — (coll. «Que sais-je?», nᵒ 89).

VIC-DUPONT (Victor). — *La Maladie infectieuse.* — Éd. P. U. F., 1966. — (coll. «Que sais-je?», nᵒ 1220).

VIDAL DE LA BLACHE (Paul). — *Géographie universelle*, tome XI : *Afrique septentrionale et occidentale*, par Augustin BERNARD. — Éd. Armand Colin, 1937.

VIDRON (François). — *La Chasse à courre.* — Éd. P. U. F., 1953. — (coll. «Que sais-je?», nᵒ 610). — *La Chasse en montagne, au marais et en mer.* — Éd. P. U. F., 1949. — (coll. «Que sais-je?», nᵒ 321). — *La Chasse en plaine et au bois.* — Éd. P. U. F., 1949. — (coll. «Que sais-je?», nᵒ 192).

VILLEMAIN (Abel François). — *Cours de littérature française : Tableau du xviiiᵉ siècle.* — 4 tomes. — Éd. Pichon et Didier, 1828-1838.

Vin vaudois (Le) : textes d'Émiles GARDAZ, Claude MASSY, Gilbert HAMEL. — Lausanne : Éd. Vie-Art-Cité, 1977.

Vins du Valais : textes de Jean FOLLONIER, chanoine Gabriel PONT, Ernest SCHÜLE, et al. — Lausanne : Éd. Vie-Art-Cité, 1977.

VITALE (F.). — in LAROUSSE *de l'industrie et des arts et métiers.* — Éd. Larousse, 1935.

VITRAY-MEYEROVITCH (Éva de). — *Rûmî et le Soufisme.* — Éd. du Seuil, 1977. — (coll. «Microcosme Maîtres spirituels», nᵒ 41).

VITRY (Paul). — in MICHEL (André). — *Histoire de l'art*, tome IV. — 18 tomes. — Éd. Armand Colin, 1905-1929.

VIVIER (Paul). — *La Pisciculture.* — Éd. P. U. F., 1954. — (coll. «Que sais-je?», nᵒ 617).

VUILLEMIN (Jules). — *Essai sur la signification de la mort.* — Éd. P. U. F., 1949.

VUILLERMOZ (Émile). — in *Initiation à la musique.* — Éd. du Tambourinaire, 1949.

WACRET (Jean-Michel). — *Brevets d'invention et Propriété industrielle.* — Éd. P. U. F., 1964. — (coll. «Que sais-je?», nᵒ 1143).

WALLON (Henri). — *De l'acte à la pensée.* — Éd. Flammarion, 1942. — *L'Évolution psychologique de l'enfant.* — Éd. Armand Colin, 1968. — (coll. «U Prisme», nᵒ 3). — *Les Origines du caractère chez l'enfant.* — [1949]. — Éd. P. U. F., 1973. — (coll. «Le Psychologue», nᵒ 45).

WALTER (Gérard). — *La Révolution française vue par ses journaux.* — 1948.

WARUSFEL (André). — *Les Mathématiques modernes.* — Éd. du Seuil, 1969.

WIET (Gaston). — *L'Islam*, in *Encyclopédie de la Pléiade : Histoire universelle*, tome II. — Éd. Gallimard, 1957. — *Les Puissances musulmanes*, in *Encyclopédie de la Pléiade : Histoire universelle*, tome III. — Éd. Gallimard, 1958.

WILLY (Dʳ), JAMONT (Claude). — *La Sexualité.* — 2 tomes. — [1958]. — Éd. Marabout, 1964. — (coll. «Marabout Université», nᵒˢ 56 et 60).

WINTER (M.). — *La Physique indéterministe*, in *Revue de métaphysique et de morale*, avril 1929.

YÉFIME. — *Japon.* — Éd. du Seuil, 1959. — (coll. «Microcosme Petite Planète», nᵒ 21).

ZURCHER, MARGOLLE. — *Tempêtes et Naufrages*, in *Le Tour du Monde*, 2ᵉ semestre 1869.

ZWANG (Gérard). — *Le Sexe de la femme.* — Éd. La Jeune Parque, 1967.

III. TEXTES D'AUTEURS

(Littérature, philosophie, histoire, sciences, etc.)

ABELLIO (Raymond), 1907. — *Heureux les pacifiques.* — Éd. Flammarion, 1946. — *Ma dernière mémoire.* — 2 tomes. — Tome I : *Un faubourg de Toulouse : 1907-1927.* — Tome II : *Les Militants : 1927-1939.* — Éd. Gallimard, 1972-1975. — (coll. «Blanche»).

ABLANCOURT (Nicolas PERROT d'), 1606-1664. — Traductions de CICÉRON [1638], TACITE [J. Camusat, 1640], XÉNOPHON [1648], CÉSAR [1650], LUCIEN [1654], THUCYDIDE [1662], ARRIEN, etc. — Éd. T. Jolly, 1664.

ABOUT (Edmond), 1828-1885. — *L'Homme à l'oreille cassée.* — Éd. Hachette, 1862. — *Le Roi des montagnes.* — Éd. Hachette, 1857.

ACCOCE (Pierre). — *Le Polonais.* — [Plon, 1965]. — Lausanne : Éd. La Guilde du Livre, 1968.

ADAM (Paul), 1862-1920. — *La Ruse.* — Éd. Ollendorff, 1903. — *Vues d'Amérique.* — Éd. Ollendorff, 1906.

ADAMOV (Arthur), 1908-1970. — *Théâtre.* — 2 tomes. — Éd. Gallimard, 1953-1955. — (coll. «Blanche»).

AGOULT (Marie de FLAVIGNY, comtesse d'), 1805-1876, sous le pseudonyme de Daniel STERN. — *Histoire de la Révolution de 1848.* — [3 tomes, 1851-1853]. — *Mes souvenirs* [1877].

AGUESSEAU (Henri François d'), 1668-1751. — *Œuvres complètes du chancelier d'Aguesseau,* édition augmentée et préparée par M. PARDESSUS. — 16 tomes. — À Paris, 1818-1820.

AICARD (Jean), 1848-1921. — *L'Illustre Maurin.* — Éd. Flammarion, 1908. — *Maurin des Maures.* — Éd. Flammarion, 1908.

AJAR (Émile, pseudonyme de Romain GARY). — *L'Angoisse du roi Salomon.* — Éd. Mercure de France, 1979. — *La Vie devant soi.* — [Mercure de France, 1975]. — Éd. Rombaldi, 1977. — Voir aussi GARY.

ALA (Symphorien). — *Tip... Top... Anniviers.* — Neuchâtel : Éd. V. Attinger, 1974.

ALADJI (Victor). — *Akosiwa, mon amour.* — Yaoundé : Éd. CLE, 1971.

ALAIN (Émile-Auguste CHARTIER, dit), 1868-1951. — *Propos : 1906-1936.* — 2 tomes. — Éd. Gallimard, 1956-1970. — (coll. «Bibliothèque de la Pléiade»). — *Propos sur le bonheur.* — [1925]. — Éd. N.R.F., 1928. — (coll. «Blanche»). — *Les Arts et les Dieux.* — Éd. Gallimard, 1961. — (coll. «Bibliothèque de la Pléiade»). — *Les Passions et la Sagesse.* — Éd. Gallimard, 1960. — (coll. «Bibliothèque de la Pléiade»). — *Les Aventures du cœur.* — Éd. Hartmann, 1945.

ALAIN-FOURNIER (Henri Alban FOURNIER, dit), 1886-1914. — *Le Grand Meaulnes.* — Éd. Émile-Paul, 1913.

ALAIN-FOURNIER, 1886-1914, RIVIÈRE (Jacques), 1886-1925. — *Correspondance : 1905-1914.* — [1926-1928]. — 2 tomes. — Éd. Gallimard, 1948. — (coll. «Blanche»).

ALEMBERT (Jean LE ROND d'), 1717-1783. — *Œuvres complètes.* — 5 tomes. — Éd. A. Belin et Bossage, 1821 (tomes I à III), 1822 (tomes IV et V).

ALLAIS (Alphonse), 1855-1905. — *L'Affaire Blaireau.* — [1899]. — Éd. Calmann-Lévy, s. d. — («Nouvelle Collection illustrée»). — *Contes et Chroniques.* — Rouen : Éd. Henri Defontaine, 1948.

ALQUIÉ (Ferdinand), 1906. — *Deucalion.* — Éd. Fontaine, 1946.

ALTHUSSER (Louis), 1918. — *Le Vingt-deuxième Congrès du Parti communiste français.* — Éd. Maspero, 1977. — (coll. «Théorie»).

ALTHUSSER (Louis), 1918, BALIBAR (Étienne). — *Lire le «Capital»,* tome I. — Éd. Maspero, 1968. — («Petite Collection Maspero», n° 30).

AMBRIÈRE (Francis), 1907. — *Les Grandes Vacances : 1939-1945.* — Éd. Club des Éditeurs, 1958.

AMIEL (Henri-Frédéric), 1821-1881. — *Fragments d'un journal intime.* — [1884]. — 2 tomes. — 11e éd. — Genève : Éd. Georg, 1911.

AMON D'ABY (François-Joseph), 1913. — *La Mare aux crocodiles : Contes et Légendes populaires de Côte-d'Ivoire.* — Abidjan-Dakar : Éd. N.E.A., 1973.

AMYOT (Jacques), 1513-1593. — *Les Vies des hommes illustres, grecs et romains...,* par PLUTARQUE, translatées de grec en français par Jacques AMYOT. — [de Vascosan, 1559]. — *Œuvres morales et meslées,* de PLUTARQUE, translatées de grec en français par messire Jacques AMYOT. — [de Vascosan, 1572]. — rééditées sous le titre *Œuvres de Plutarque.* — 25 tomes. — Éd. de Brotier et Vauvilliers, 1783-1805.

ANDRIEUX (François), 1759-1833. — *Le Meunier sans souci* [1797], in *Œuvres.* — 4 tomes. — Paris : s.n., 1818-1823.

ANOUILH (Jean), 1910. — *Ardèle ou la Marguerite.* — [1948]. — Éd. La Table Ronde. 1978. — *Ardèle ou la Marguerite,* suivi de *La Valse des toréadors.* — [1952]. — Éd. Gallimard, 1978. — (coll. «Folio», n° 1057). — *L'Alouette.* — [1953]. — Éd. Gallimard, 1978. — (coll. «Folio», n° 336). — *Colombe.* — [1951]. — Éd. Gallimard, 1973. — (coll. «Folio», n° 398). — *Eurydice* [1942], in *Pièces noires* [1942]. — Éd. Calman-Lévy, 1955. — *Ornifle ou le Courant d'air.* — Éd. La Table Ronde, 1955. — Éd. Gallimard, 1974. — (coll. «Folio», n° 545). — *Pauvre Bitos ou le Dîner de têtes.* — [1956]. — Éd. La Table Ronde, 1958. — Éd. Gallimard, 1972. — (coll. «Folio», n° 301). — *Le Rendez-vous de Senlis.* — [1941]. — Éd. La Table Ronde, 1962. — *La Répétition ou l'Amour puni.* — [1947]. — Éd. La Table Ronde, 1951. — *La Sauvage* [1938], suivi de *L'Invitation au château* [1947]. — Éd. Gallimard, 1978. — (coll. «Folio», n° 874). — *Le Voyageur sans bagage* [1937], suivi de *Le Bal des voleurs* [1932]. — Éd. Gallimard, 1978. — (coll. «Folio», n° 759).

Anthologie de la poésie française, choix et commentaires par Marcel ARLAND. — Éd. Stock, 1945.

Anthologie des poètes français contemporains, par Georges WALSH. — [1906]. — nouvelle édition. — Éd. Delagrave, 1932.

APOLLINAIRE (Wilhelm Apollinaris de KOSTROWITZKY, dit Guillaume), 1880-1918. — *Œuvres poétiques complètes.* — Éd. Gallimard, 1965. — (coll. «Bibliothèque de la Pléiade»). — *Alcools : Poèmes, 1898-1913.* — [Mercure de France, 1913]. — Éd. Gallimard, 1954. — (coll. «Blanche»). — *Calligrammes.* — [Mercure de France, 1918]. — Éd. Gallimard, 1948. — (coll. «Blanche»). — *L'Hérésiarque et Cie.* — [Stock, 1910]. — Éd. Stock, Delamain et Boutelleau, s. d. — *Ombre de mon amour : Poèmes à Lou, 1914-1915.* — [1947]. — Vésenaz-Genève : Éd. Pierre Caillier, 1948.

AQUIN (Hubert), 1929. — *Prochain épisode.* — Montréal : Éd. Le Cercle du Livre de France, 1965.

ARAGO (Dominique François, dit François), 1786-1853. — *Astronomie populaire,* 4 tomes, in *Œuvres complètes, 1806-1853,* publiées par Jean-Augustin BARRAL. — 17 tomes. — Paris : Éd. Gide ; Leipzig : Éd. T. O. Weigel, 1854-1862.

ARAGON (Louis ANDRIEUX, dit Louis), 1897-1982. — *Anicet ou le Panorama.* — [1921]. — 11e éd. — Éd. Gallimard, 1951. — (coll. «Blanche»). — *Aurélien.* — Éd. N.R.F., 1944. — *Les Beaux Quartiers.* — [Denoël et Steele, 1936]. — Éd. Denoël, 1950. — *Blanche ou l'Oubli.* — Éd. Gallimard, 1967. — (coll. «Blanche»). — *Chanson du siège de La Rochelle* [1945], in *Aragon,* par Claude ROY. — Éd. Pierre Seghers, 1951. — (coll. «Poètes d'aujourd'hui», n° 2). — *Les Cloches de Bâle.* — [Denoël et Steele, 1934]. — 22e éd. — Éd. Denoël, s. d. — *Les Communistes.* — 6 tomes. — Éd. La Bibliothèque française, 1949-1951. — *Le Crève-cœur.* — [1941]. — Éd. Gallimard, 1946. — (coll. «Métamorphoses XI»). — *Le Fou d'Elsa.* — [1963]. — Éd. Gallimard, 1964. — (coll. «Blanche»). — *Je n'ai jamais appris à écrire ou les Incipit.* — Éd. Skira, 1969. — *Le Nouveau Crève-cœur.* — Éd. Gallimard, 1948. — (coll. «Blanche»). — *Le Paysan de Paris.* — [1926]. — 21e éd. — Éd. Gallimard, 1948. — (coll. «Blanche»). — *Le Roman inachevé : Poème.* — Éd. Gallimard, 1956. — (coll. «Blanche»). — *La Semaine sainte.* — [1958]. — Éd. Gallimard, 1959. — (coll. «Blanche»). — *Traité du style.* — [1928]. — Éd. Gallimard, 1948. — (coll. «Blanche»). — *Le Voyage de Hollande et autres poèmes.* — Éd. Seghers, 1964. — *Les Yeux d'Elsa.* — [1942]. — Éd. Seghers, 1950. — (coll. «Poésie 50»).

ARÈNE (Paul), 1843-1896. — *Veine d'argile : Contes inédits.* — Éd. Plon, 1928.

ARGENSON (René-Louis, marquis d'), 1694-1757. — *Journal et Mémoires du marquis d'Argenson,* publiés par E.J.B. RATHERY. — 9 tomes. — Éd. J. Renouard, 1859-1867.

ARLAND (Marcel), 1899. — *Monique.* — [1926]. — Éd. Gallimard, 1949. — (coll. «Blanche»). — *L'Ordre.* — Éd. Gallimard, 1929. — (coll. «Blanche»).

ARNAUD (Georges), 1917. — *Le Salaire de la peur.* — [1950]. — Éd. Julliard, 1953.

ARNAULD (Antoine), 1612-1694, NICOLE (Pierre), 1625-1695. — *La Logique ou l'Art de penser* [1662], dite *Logique de Port-Royal.* — Éd. Guillaume Desprez, 1714. — Éd. Delalain, 1879.

ARNOTHY (Christine), 1930. — *Toutes les chances plus une.* — Éd. Bernard Grasset et Fasquelle, 1980. — *Un type merveilleux.* — Éd. Flammarion, 1972.

ARNOUX (Alexandre), 1884-1973. — *Carnet de route du Juif errant.* — Éd. Grasset, 1931. — *Suite variée.* — Éd. Grasset, 1925. — (coll. «Les cahiers verts»). — *Royaume des ombres.* — Éd. Albin Michel, 1954.

ARON (Raymond), 1905-1983. — *Attitudes collectives et Relations humaines.* — Éd. P.U.F., 1953. — *Introduction à la philosophie de l'histoire : Essai sur les limites de l'objectivité historique.* — Éd. Gallimard, 1938. — *Les Guerres en chaîne.* — Éd. Gallimard, 1951. — (coll. «Blanche»).

ARRABAL (Fernando), 1932. — *L'Enterrement de la sardine.* — Éd. U.G.E., 1961. — (coll. «10/18», n° 734).

ARTAUD (Antonin), 1896-1948. — **Œuvres complètes.** — 15 tomes. — Éd. Gallimard, 1956-1978. — (coll. «Blanche»). — *Le Théâtre et son double.* — [1938]. — Éd. Gallimard, 1974. — (coll. «Idées», n° 114).

ARVERS (Alexis Félix), 1806-1850. — *Mes heures perdues.* — [Fournier, 1833]. — Éd. A. Cinqualbre, 1878.

AUBIGNÉ (Théodore Agrippa d'), 1552-1630. — *Les Aventures du baron de Faeneste.* — [1617-1630]. — Éd. Jannet, 1855. — (coll. «Bibliothèque elzévirienne»). — *Histoire universelle,* du sieur d'Aubigné. — 2 tomes in-folio. — À Maillé : s.n., 1616. — *Mémoires de la vie de T.A. d'Aubigné.* — [1731]. — Éd. Charpentier, 1854. — *Les Tragiques.* — [1616]. — Éd. Jannet, 1855. — (coll. «Bibliothèque elzévirienne»).

AUDEBRAND (Philibert), 1815-1906. — *Un café de journalistes sous Napoléon III.* — Éd. E. Dentu, 1888. — *Léon Gozlan, scènes de la vie littéraire.* — [1887]. — Éd. Slatkine, 1970. — (Fac-sim.). — *Mémoires d'un passant.* — Éd. Calmann-Lévy, 1893.

AUDIBERTI (Jacques), 1899-1965. — *Cent jours.* — Éd. Gallimard, 1950. — (coll. «Blanche»).

AUDRY (Colette), 1906. — *L'Autre Planète.* — Éd. Gallimard, 1972. — (coll. «Blanche»).

AUGIER (Émile), 1820-1889. — *Les Effrontés.* — [1861]. — Éd. Calmann-Lévy, 1864. — *Le Gendre de monsieur Poirier* [1854], par Émile AUGIER et Jules SANDEAU, et *autres comédies.* — Éd. Nelson et Calmann-Lévy, s.d. — *Théâtre complet.* — 7 tomes. — Éd. Calmann-Lévy, 1878-1880.

AULNOY (Marie Catherine LE JUMEL de BARNEVILLE, comtesse d'), 1650-1705. — *Contes nouveaux ou les Fées à la mode.* — 2 tomes. — Éd. Veuve T. Girard, 1698. — *Les Illustres Fées : Contes galants, dédiés aux dames.* — Éd. Brunet, 1698.

AVRIL (Nicole), 1939. — *Monsieur de Lyon.* — Éd. Albin Michel, 1979.

AYGUESPARSE (Albert), 1900. — *La Lumière noire,* nouvelle, in *Le Partage des jours.* — Éd. Librairie Saint-Germain-des-Prés, 1972.

AYMÉ (Marcel), 1902-1967. — *Le Chemin des écoliers.* — [1946]. — Éd. Gallimard, 1951. — (coll. «Blanche»). — *Le Confort intellectuel.* — Éd. Flammarion, 1949. — *Les Contes du Chat perché.* — [1934]. — éditions augmentées. — Éd. Gallimard, 1950 et 1958. — (coll. «Blanche»). — *La Jument verte.* — [1933]. — Éd. Gallimard, 1950. — (coll. «Blanche»). — *Maison basse.* — [1934]. — Éd. Gallimard, 1935. — (coll. «Blanche»). — *Le Passe-muraille : Nouvelles.* — Éd. Gallimard, 1943. — (coll. «Blanche»). — *La Tête des autres.* — Éd. Grasset, 1952. — *Travelingue.* — [1941]. — Éd. Gallimard, 1951. — (coll. «Blanche»). — *Uranus.* — [1948]. — Éd. Gallimard, 1951. — (coll. «Blanche»). — *Le Vin de Paris : Nouvelles.* — Éd. Gallimard, 1947. — (coll. «Blanche»). — *Vogue la galère.* — [1944]. — Éd. Grasset, s.d. — *La Vouivre.* — [1943]. — Éd. Gallimard, 1953. — (coll. «Blanche»).

BABEUF (François-Noël, dit Gracchus), 1760-1797. — *Textes choisis.* — Éditions Sociales, 1951. — (coll. «Les Classiques du Peuple»).

BACHAUMONT (Louis PETIT de), 1690-1771. — *Mémoires secrets pour servir à l'histoire de la République des lettres de France, depuis 1762 jusqu'à nos jours.* — 36 tomes. — Londres : s.n., 1777-1789.

BACHELARD (Gaston), 1884-1962. — *L'Eau et les Rêves.* — [1941]. — Éd. José Corti, 1960. — *La Formation de l'esprit scientifique : Contribution à une psychanalyse de la connaissance objective.* — [1938]. — 9e éd. — Éd. Vrin, 1975. — *Lautréamont.* — Éd. José Corti, 1939. — *Le Nouvel Esprit scientifique.* — Éd. Alcan, 1934. — *La Poétique de l'espace.* — [1957]. — Éd. P.U.F., 1961. — (coll. «Bibliothèque de philosophie contemporaine»).

BAÏF (Jean-Antoine de), 1532-1589. — *Œuvres en rimes...,* publiées dans les tomes VIII-XII (1881-1890) de *La Pléiade française,* avec des notices biographiques et des notes par Charles MARTY-LAVEAUX. — 20 tomes. — Éd. A. Lemerre, 1866-1898.

BAILLON (André), 1875-1932. — *Délires.* — [1927]. — Paris : Éd. Valois ; Bruxelles : Éd. Labor, 1931. — *Histoire d'une Marie.* — [1921]. — Éd. Jacques Antoine, 1977. — (coll. «Passé présent»). — *Le Neveu de Mademoiselle Autorité.* — [1930]. — Éd. Rieder, 1932.

BAILLY (Jean-Sylvain), 1736-1793. — *Histoire de l'astronomie ancienne, depuis son origine jusqu'à l'établissement de l'école d'Alexandrie.* — Paris : s.n., 1775.

BAILLY DE MERLIEUX (Charles-François), 1800-1862. — *Résumé complet de météorologie,* in *Encyclopédie portative,* 1825-1830.

BAINVILLE (Jacques), 1879-1936. — *L'Allemagne.* — 2 tomes. — Éd. Plon, 1940. — (coll. «Bainvillienne»). — *Bismarck.* — Éd. du Siècle, 1932. — (coll. «L'Histoire vivante»). — *Les Conséquences politiques de la paix.* — [1920]. — Éd. Arthème Fayard, 1935. — *Les Dictateurs.* — Éd. Denoël et Steele, 1935. — *Doit-on le dire?* — Éd. Arthème Fayard, 1939. — *La Fortune de la France.* — Éd. Plon, 1937. — (coll. «Bainvillienne»). — *La France.* — 2 tomes. — Éd. Self-Les Îles d'or, 1947. — *Histoire de France.* — [1924]. — Éd. Arthème Fayard, 1939. — *Histoire de deux peuples* [1915], *continuée jusqu'à Hitler.* — Éd. Arthème Fayard, 1933. — (coll. «Les Grandes Études Historiques»). — *Histoire de trois générations.* — [1918]. — Éd. Arthème Fayard, 1939. — (coll. «Les Grandes Études Historiques»). — *Lectures.* — Éd. Arthème Fayard, 1937. — *Napoléon.* — 2 tomes. — [1931]. — Éd. Plon, 1938. — (coll. «Les maîtres de l'histoire»). — *La Russie et la Barrière de l'Est.* — Éd. Plon, 1937. — (coll. «Bainvillienne»). — *La Troisième République.* — Éd. Arthème Fayard, 1935. — (coll. «Les Grandes Études Historiques»).

BALLU (Roger). — *Dessins du siècle.* — Éd. L. Baschet, s.d.

BALZAC (Honoré de), 1799-1850. — **La Comédie humaine,** texte établi par Marcel BOUTERON. — 10 tomes. — Éd. Gallimard, 1940 (tome I), 1941 (tome II), 1947 (tomes III et IV), 1948 (tome V), 1950 (tomes VI et VII), 1949 (tome VIII), 1950 (tomes IX et X). — (coll. «Bibliothèque de la Pléiade»). — *Correspondance, 1819-1850.* — 2 tomes. — Éd. Calmann-Lévy, 1876. — *Œuvres diverses.* — 3 tomes. — Éd. Louis Conard, 1935, 1938, 1940. — **Théâtre.** — 2 tomes. — Éd. Louis Conard, 1929.

  Autres éditions : *Les Célibataires* [Mame-Delaunay, 1832], in *Scènes de la vie de province,* tome II. — Éd. Mme Charles-Béchet, 1834. — *Contes drolatiques.* — [Gosselin, 1832]. — Éd. Michel Lévy, s.d. — *La Cousine Bette.* — [Imprimerie de Boniface, 1846]. — 4 tomes. — Bruxelles : Librairie Encyclopédique de Perichon, s.d. — *La Dernière Incarnation de Vautrin* [Chlendowski, 1848], in *Œuvres complètes.* — 24 tomes. — Éd. Michel Lévy, puis Calmann-Lévy, 1869-1876. — *L'Enfant maudit.* — [in *Études philosophiques,* tome XV. — de Werdet, 1836]. — Éd. Calmann-Lévy, 1876. — *Eugénie Grandet.* — [Mme Charles-Béchet, 1834]. — Éd. Au bureau du Figaro, 1838. — *Ferragus.* — [Mme Charles-Béchet, 1834]. — Éd. Castex, s.d. — *Le Lys dans la vallée.* — [de Werdet, 1836]. — Éd. Charpentier, 1839. — Éd. Garnier, 1966. — *Le Message,* in *Scènes de la vie de province,* tome II. — Éd. Mme Charles-Béchet, 1834. — *La Muse du département* [Hippolyte Souverain, 1843], in *Œuvres complètes.* — 40 tomes. — Éd. Louis Conard, 1912-1940. — *Le Papa Gobseck.* — [Mme Charles-Béchet, 1834]. — Éd. Charpentier, 1839. — *Le Père Goriot.* — Éd. de Werdet, 1835. — *Les Ressources de Quinola,* comédie en 5 actes. — Éd. Hippolyte Souverain, 1842. — *Théorie de la démarche.* — Éd. Eugène Didier, 1853. — *Un début dans la vie.* — [Dumont, 1844]. — Genève : Éd. Droz ; Lille : Éd. Giard, 1950. — (coll. «Textes Littéraires Français»). — *Un homme d'affaires* [1845], *Un prince de la Bohème* [1840], in *Œuvres complètes.* — 24 tomes. — Éd. Michel-Lévy, puis Calmann-Lévy, 1869-1876.

BALZAC (Jean-Louis GUEZ, seigneur de). — Voir GUEZ DE BALZAC.

BANVILLE (Théodore de), 1823-1891. — *Les Cariatides.* — [Pilout, 1842]. — Éd. Charpentier, 1891. — *Odes funambulesques.* — [1857]. — Éd. Alphonse Lemerre, 1943. — *Petit traité de poésie française.* — [1872]. — Éd. Fasquelle, 1922. — *Les Stalactites.* — Éd. Paulier, 1846.

BANIER (François-Marie). — *La Tête la première.* — Éd. Grasset, 1972.

BARANTE (Prosper BRUGIÈRE, baron de), 1782-1866. — *Histoire des ducs de Bourgogne de la maison de Valois, 1364-1477.* — 12 tomes. — [1824-1826]. — fac-similé de la 7e édition de 1854. — Éd. Kraus, 1971. — *Souvenirs.* — 8 tomes, 1899-1901.

BARBEY (Bernard). — *Chevaux abandonnés sur le champ de bataille.* — Éd. Julliard, 1951.

BARBEY D'AUREVILLY (Jules Amédée), 1808-1889. — *Le Chevalier des Touches.* — [Michel Lévy, 1864]. — Éd. Lemerre, 1942. — *Les Diaboliques.* — [Dentu, 1874]. — Éd. Lemerre, 1950. — Le Livre de Poche, n° 622-623, 1960. — *Œuvres romanesques complètes.* — 2 tomes. — Éd. Gallimard, 1964, 1966. — (coll. «Bibliothèque de la Pléiade»). — *(Premier) Mémorandum, 1836-1838.* — [S. Trébutien, 1856] — 3e éd. — Éd. Lemerre, 1900. — *Le Théâtre contemporain : Nouvelle série, 1870-1883.* — Éd. Tresse et Stock, 1892. — *Un prêtre marié.* — [Achille Faure, 1845]. — Éd. J.-J. Pauvert, 1960. — *Une histoire sans nom.* — Éd. Lemerre, 1882. — *Une vieille maîtresse.* — [A. Cadot, 1851]. — Éd. Lemerre, 1952. — in *L'Esprit de J. Barbey d'Aurevilly,* par Octave UZANNE. — Éd. Mercure de France, s.d.

BARBIER (Auguste), 1805-1882. — *Iambes et Poésies.* — [Urbain Canel et Ad. Guyot, 1832]. — 11e éd. — Éd. Dentu, 1860.

BARBIER (Jules), 1825-1901, CARRÉ (Michel), 1819-1872. — Livret de *Faust* [1859] de Charles GOUNOD. — Éd. Billaudot, s.d.

BARBUSSE (Henri), 1873-1935. — *Le Couteau entre les dents.* — Éd. Clarté, 1921. — *Le Feu : Journal d'une escouade.* — [1916]. — 2 tomes. — Éd. Flammarion, 1924.

BARÈRE DE VIEUZAC (Bertrand), 1755-1841. — *Discours du 13 janvier 1793 pour justifier la condamnation de Louis XVI.* — *Rapport à la Convention présenté le 26 mai 1794.* — *Rapport à la Convention, 28 messidor an II* (16 juillet 1794). — Paris : Éd. Imprimerie Nationale, s.d.

BARON (Michel BOYRON, dit), 1653-1729. — *L'Homme à bonnes fortunes* [1686], in *Chefs-d'œuvre des auteurs comiques,* tome I. — Éd. Firmin-Didot, s.d.

BARRÈS (Maurice), 1862-1923. — *Les Bastions de l'Est : Au service de l'Allemagne.* — [A. Fayard, 1905]. — Éd. Plon, 1923. — *Les Bastions de l'Est : Colette Baudoche, histoire d'une jeune fille de Metz.* — [F. Juven, 1909]. — Éd. Plon, 1947. — *La Colline inspirée.* — [Émile-Paul, 1913]. — Éd. Plon, 1947. — Éd. Berger-Levrault, 1962. — *Du sang, de la volupté et de la mort.* — [Charpentier et Fasquelle, 1894]. — Éd. Plon, 1848. — *L'Ennemi des lois.* — [Perrin, 1893]. — Éd. Plon, 1927. — *Le Jardin de Bérénice.* — [1891]. — Éd. Plon, 1921. — *Mes cahiers, 1896-1922.* — 13 tomes. — Éd. Plon, 1929-1950. — *Le Mystère en pleine lumière.* — Éd. Plon-Nourrit, 1926. — *Le Roman de l'énergie nationale : L'Appel au soldat,* tome I [E. Fasquelle, 1900], tome II [F. Juven, 1902]. — Éd. Plon, 1926. — *Le Roman de l'énergie nationale : Les Déracinés.* — É. Fasquelle, 1897. — *Le Roman de l'énergie nationale : Leurs figures.* — Éd. F. Juven, 1902. — *Scènes et Doctrines du nationalisme.* — [F. Juven, 1902]. — 2 tomes. — Éd. Plon, 1925. — *La Terre et les Morts : Sur quelles réalités fonder la conscience française.* — brochure in-32. — Éd. F. Juven, s.d. — *Un homme libre.* — [Perrin, 1889]. — Éd. Plon, 1905. — *Un jardin sur l'Oronte.* — [1922]. — Éd. Plon, 1929. — *Le Voyage de Sparte.* — Éd. F. Juven, 1906.

BARRIÈRE (Théodore), 1823-1877, CAPENDU (Ernest), 1826-1868. — *Les Faux Bonshommes.* — Éd. Michel Lévy, 1856.

BARRIÈRE (Théodore), 1823-1877, MURGER (Henri), 1822-1861. — *La Vie de bohème.* — Éd. Dondey-Dupré, 1849.

BARTAS (Guillaume de SALLUSTE, seigneur du). — Voir DU BARTAS.

BARTHE (Nicolas Thomas), 1734-1785. — *Les Fausses Infidélités.* — Éd. L. Prault, 1768.

BARTHÉLEMY (abbé Jean-Jacques), 1716-1795. — *Voyage du jeune Anacharsis en Grèce dans le milieu du quatrième siècle avant l'ère vulgaire.* — 4 tomes. — [de Bure, 1788]. — 3e éd. — 1790.

BARTHES (Roland), 1915-1980. — *L'Ancienne Rhétorique,* in *Communications.* — Éd. du Seuil, 1970. — *Barthes.* — Éd. du Seuil, 1975. — (coll. «Microcosme Écrivains de Toujours», no 96). — *Le Degré zéro de l'écriture.* — Éd. Seuil, 1953. — *Éléments de sémiologie.* — Éd. Gonthier, 1964. — *L'Empire des signes.* — Éd. Skira, 1970. — *Fragments d'un discours amoureux.* — Éd. du Seuil, 1977. — (coll. «Tel Quel»). — *Mythologies.* — Éd. du Seuil, 1957. — (coll. «Pierres Vives»). — *Le Plaisir du texte.* — Éd. du Seuil, 1973. — (coll. «Tel Quel»). — *Sur Racine.* — [1963]. — Éd. du Seuil, 1979. — (coll. «Points», no 97). — *Rhétorique de l'image,* in *Communications.* — Éd. du Seuil, 1964. — *Système de la mode.* — Éd. du Seuil, 1967. — *S/Z.* — Éd. du Seuil, 1970. — (coll. «Tel Quel»).

BARTHOU (Louis), 1862-1934. — *Danton.* — Éd. Albin Michel, 1932. — (coll. «Les grands révolutionnaires»). — *Mirabeau.* — Éd. Hachette, 1913. — (coll. «Figures du passé»).

BASSELIN ou BACHELIN (Olivier), chansonnier normand du xve siècle. — *Vaux-de-Vire,* publié par Jean LE HOUX. — [1576]. — nouvelle édition. — Éd. A. Delahays, 1858.

BASTIAT (Frédéric), 1801-1850. — *Œuvres complètes.* — 6 tomes. — Éd. Guillaumin, 1855.

BATAILLE (Georges), 1897-1962. — *L'Érotisme.* — Éd. de Minuit, 1957. — *L'Expérience intérieure.* — Éd. Gallimard, 1943. — (coll. «Blanche»). — *Lascaux ou la Naissance de l'art* [1955], in *Œuvres complètes,* tome IX. — Éd. Gallimard, 1979. — (coll. «Blanche»).

BATAILLE (Henry), 1872-1922. — *Maman Colibri* [1904], in *Théâtre.* — Éd. Fasquelle, 1904.

BATTEUX (abbé Charles), 1713-1780. — *De la construction oratoire.* — Éd. Desaint et Saillant, 1763. — *Les Quatre Poétiques d'Aristote, d'Horace, de Vida, de Despréaux.* — 2 tomes. — Éd. Saillant et Nyon, 1771.

BAUDELAIRE (Charles), 1821-1867. — **Œuvres,** texte établi et annoté par Y.-G. LE DANTEC. — Éd. Gallimard, 1951. — (coll. «Bibliothèque de la Pléiade»). — **Œuvres complètes,** tome I, texte établi, présenté et annoté par Claude PICHOIS. — Éd. Gallimard, 1975. — (coll. «Bibliothèque de la Pléiade»). — *Œuvres complètes,* tome I. — Éd. Club du Livre Français, 1966. — *Les Fleurs du mal.* — [1857]. — Éd. Gallimard. — (coll. «Poésie», no 85). — *Peintres et Aquafortistes,* in *Curiosités esthétiques* [Michel Lévy, 1868], in *Œuvres.* — Éd. Gallimard, 1951. — (coll. «Bibliothèque de la Pléiade»).

BAUDRILLARD (Jean), 1929. — *De la séduction.* — Éd. Galilée, 1979. — *Le Système des objets.* — Éd. Gonthier, 1968.

BAUER (Gérard), 1888. — *Les Billets de Guermantes : 1936-1939.* — Porrentruy (Suisse) : Éd. Aux Portes de France, 1947.

BAY (André). — *Trésor des comptines,* textes recueillis et présentés par André BAY. — Éd. Club des Libraires de France, 1961.

BAYLE (Pierre), 1647-1706. — *Dictionnaire historique et critique.* — 4 tomes et 1 suppl. — Rotterdam : Éd. Reiner Leers, 1695-1697. — supplément, nouvelle édition. — Genève : Éd. Fabri et Barrillot, 1722.

BAZELAIRE (William de). — *L'Or de la Bérézina.* — Éd. Flammarion, 1977. — (coll. «Grands feuilletons»).

BAZIN (Jean-Pierre HERVÉ-BAZIN, dit Hervé), 1911. — *Au nom du fils.* — [Seuil, 1960]. — Lausanne : Éd. La Guilde du Livre, 1969. — *Les Bienheureux de la désolation.* — [Seuil, 1970]. — Lausanne : Éd. La Guilde du Livre, 1971. — *Cri de la chouette.* — Éd. Grasset, 1972. — *La Fin des asiles.* — Éd. Grasset, 1959. — *Madame Ex.* — Éd. du Seuil, 1975. — *La Mort du petit cheval.* — Éd. Grasset, 1950. — *Qui j'ose aimer.* — Éd. Grasset, 1956. — *Un feu dévore un autre feu.* - Éd. du Seuil, 1978. — *Vipère au poing.* — [1948]. — Éd. Grasset, 1957.

BAZIN (René), 1853-1932. — *Le Blé qui lève.* — Éd. Calmann-Lévy, 1907. — *Les Oberlé.* — [1901]. — Éd. Calmann-Lévy, 1952.

BAZIRE (Claude), 1764-1794. — *Réponse de Bazire à Sébastien Mercier à la tribune de la Convention le 18 juin 1793,* in GUERLAC (Othon). — *Les Citations françaises.* — Éd. Armand Colin, 1953.

BEAUCARNE (Julos). — *Écrit pour vous.* — Éd. Duculot, 1975.

BEAUMARCHAIS (Pierre-Augustin CARON de), 1732-1799. — *Mémoires à consulter dans l'affaire Goezman.* — [1773-1774]. — Éd. Garnier, 1878. — *Addition au Supplément du Mémoire à consulter dans l'affaire Goezman.* — [1773]. — Éd. Furne, s.d. — *Théâtre de Beaumarchais,* introduction et notes par Maurice RAT. — Éd. Garnier, 1950. — *Théâtre de Beaumarchais,* précédé d'observations littéraires par M. SAINTE-BEUVE. — Éd. Garnier, s.d. — in *Correspondance littéraire secrète,* 25 août 1785, éditée à Neuwied (Allemagne), 1775-1793, citée in PROSCHWITZ (Gunnar von). — *Introduction à l'étude du vocabulaire de Beaumarchais.* — Stockholm, 1956.

BEAUMONT (Jeanne-Marie LEPRINCE de), 1711-1780. — *Lettre à Chênedollé,* 1803, citée in SAINTE-BEUVE (Charles Augustin). — *Chateaubriand et son groupe littéraire sous l'Empire.* — [1861]. — Éd. Garnier, 1948.

BEAUVOIR (Simone de), 1908. — *L'Amérique au jour le jour.* — [1948]. — Éd. Gallimard, 1959. — *Les Belles Images.* — Éd. Gallimard, 1966. — (coll. «Blanche»). — *Le Deuxième Sexe.* — 2 tomes. — Tome I : *Les Faits et les Mythes.* — Tome II : *L'Expérience vécue.* — Éd. Gallimard, 1949. — (coll. «Blanche»). — *L'Existentialisme et la Sagesse des nations.* — Éd. Nagel, 1948. — *La Force de l'âge.* — Éd. Gallimard, 1960. — (coll. «Blanche»). — *La Longue Marche : Essai sur la Chine.* — Éd. Gallimard, 1957. — *Les Mandarins.* — [1954]. — Éd. Gallimard, 1959. — (coll. «Blanche»). — *Mémoires d'une jeune fille rangée.* — [1958]. — Éd. Gallimard, 1959. — (coll. «Blanche»). — *Tout compte fait.* — Éd. Gallimard, 1972. — (coll. «Blanche»).

BECK (Béatrix), 1914. — *Léon Morin, prêtre.* — Éd. Gallimard, 1952. — (coll. «Blanche»).

BECKFORD (William), 1759-1844. — *Vathek, conte oriental.* — [1786]. — Éd. José Corti, 1965.

BECKETT (Samuel), 1906. — *En attendant Godot.* — [1952]. — Éd. de Minuit, 1976. — *Molloy.* — [1951]. — Éd. de Minuit, 1970. — Éd. de Minuit, 1982. — (coll. «Double», no 7). — *Nouvelles* [1945], et *Textes pour rien* [1950]. — Éd. de Minuit, 1974. — *Premier amour.* — [1945]. — Éd. de Minuit, 1970. — *Pour finir encore et autres foirades.* — Éd. de Minuit, 1976. — *Têtes-mortes.* — [1967]. — Éd. de Minuit, 1972.

BECQUE (Henry), 1837-1899. — *Les Corbeaux* [1882], *La Parisienne* [1885], in *Théâtre complet.* — [Charpentier, 1890]. — 3e éd. — Éd. de la Plume, 1902.

BEDEL (Maurice), 1883-1954. — *Jérôme 60° latitude nord.* — Éd. Gallimard, 1927. — (coll. «Blanche»). — *Molinoff Indre-et-Loire.* — Éd. Gallimard, 1928. — (coll. «Blanche»).

BÉDIER (Joseph), 1864-1938. — *La Chanson de Roland,* traduite par Joseph BÉDIER. — [H. Piazza, 1921]. — L'Édition d'Art, 1924. — *Le Roman de Tristan et Iseut,* traduit et restauré par Joseph BÉDIER. — [H. Piazza ; Sevin et Rey, 1900]. — L'Édition d'Art, 1948.

BÉGUIN (Albert), 1901-1957. — *L'Âme romantique et le Rêve : Essai sur le romantisme allemand et la poésie française.* — [1937]. — Éd. José Corti, 1946.

BEIGBEDER (Marc). — *Les Vendeurs du temple.* — Éd. de Minuit, 1950.

BELLAY (Joachim du). — Voir DU BELLAY.

BELLEAU (Rémy ou Rémi), 1528-1577. — *La Bergerie.* — [1565 ; édition augmentée en 1572]. — in *La Pléiade française,* éditée par Charles MARTY-LAVEAUX. — 20 tomes. — Éd. A. Lemerre, 1866-1898.

BENDA (Julien), 1867-1956. — *La France byzantine ou le Triomphe de la littérature pure.* — Éd. Gallimard, 1945. — (coll. «Blanche»). — *Lettres à Mélisande pour son éducation philosophique.* — Éd. Le Livre, 1925. — *Le Rapport d'Uriel.* — Éd. Flammarion, 1946. — *La Trahison des clercs.* — [1927]. — Éd. Grasset, 1946.

BENJAMIN (René), 1885-1948. — *Gaspard.* — Éd. A. Fayard, 1915.

BEN JELLOUN (Tahar), 1944. — *La Plus Haute des Solitudes.* — Éd. du Seuil, 1977. — (coll. «Combats»).

BENOIT (Pierre), 1886-1962. — *Alberte.* — Éd. Albin Michel, 1926. — *L'Atlantide.* — [1919]. — Éd. Albin Michel, 1950. — *Axelle.* — Éd. Albin Michel, 1928. — *Bethsabée.* — [1938]. — Éd. Albin Michel, 1942. — *Les Compagnons d'Ulysse.* — Éd. Albin Michel, 1937. — *Le Déjeuner de Sousceyrac.* — Éd. Albin Michel, 1931. — *Kœnigsmark.* — [Émile-Paul, 1918]. — Éd. Albin Michel, 1952. — *Mademoiselle de la Ferté.* — Éd. Albin Michel, 1923. — *Les Puits de Jacob.* — Éd. Albin Michel, 1925.

BÉRANGER (Pierre Jean de), 1780-1857. — *Œuvres complètes : 1814-1833.* — 5 tomes. — Éd. Perrotin, 1829-1834.

BÉRARD (Clément). — *Au cœur d'un vieux pays.* — [1926]. — 3e éd. — Sierre (Suisse) : Éd. Monographie, 1976.

BÉRARD (Victor), 1864-1931. — *L'Odyssée d'Homère : Étude et Analyse.* — Éd. Mellottée, 1945. — (coll. «Les Chefs-d'œuvre de la littérature expliqués»).

BERCHOUX (Joseph), 1765-1839. — *La Danse ou les Dieux de l'Opéra.* — Éd. Guiguet et Michaud, 1807. — *La Gastronomie ou l'Homme des champs à table.* — [Guiguet, 1801]. — nouvelle édition, 1818.

BERDIAEFF ou BERDIAEV (Nicolas), 1874-1948. — *De la destination de l'homme.* — [1935]. — Lausanne : Éd. L'Âge d'Homme, 1979. — (coll. «Slavica»).

BERGSON (Henri), 1859-1941. — *Les Deux Sources de la morale et de la religion*. — [1932]. — Éd. P.U.F., 1951. — *L'Énergie spirituelle : Essais et Conférences*. — [1919]. — Éd. P.U.F., 1949. — *Essai sur les données immédiates de la conscience*. — [1889]. — Éd. F. Alcan, 1932. — Éd. P.U.F., 1958. — *L'Évolution créatrice*. — [1907]. — Éd. P.U.F., 1947. — *Matière et Mémoire*. — [1896]. — Éd. P.U.F., 1953. — *La Pensée et le Mouvant : Essais et Conférences*. — [1934]. — Éd. P.U.F., 1941. — *Le Rire : Essai sur la signification du comique*. — [1900]. — Éd. P.U.F., 1958.

BERL (Emmanuel), 1892-1976. — *Le Virage*. — Éd. Gallimard, 1972. — (coll. «Blanche»).

BERLIOZ (Hector), 1803-1869. — *À travers chants*. — [1862]. — Éd. Grund, 1971. — *Beethoven*, — Éd. Corréa, 1941. — *Correspondance*, éditée par Julien TIERSOT. — [1907 et 1930]. — 3 tomes. — Éd. Flammarion, 1972, 1975, 1978. — in BOSCHOT (Adolphe). — *Hector Berlioz : La Jeunesse d'un romantique, 1803-1831*. — Éd. Plon-Nourrit, 1906.

BERNANOS (Georges), 1888-1948. — **Œuvres romanesques**, suivies de *Dialogues des carmélites*, texte et variantes établis par Albert BÉGUIN. — [1961]. — Éd. Gallimard, 1974. — (coll. «Bibliothèque de la Pléiade»). — *Essais et Écrits de combat*, tome I. — Éd. Gallimard, 1971. — (coll. «Bibliothèque de la Pléiade»). — *Les Grands Cimetières sous la lune*. — Éd. Plon, 1938. — *Journal d'un curé de campagne*. — [1936]. — Éd. Plon, 1951. — *Monsieur Ouine*. — [1943]. — Éd. Plon, 1946. — *Scandale de la vérité*, in *Essais et Écrits de combat*, tome I. — *Sous le soleil de Satan*. — [1926]. — Éd. Plon, 1951.

BERNARD (Charles de), 1804-1850. — *Les Ailes d'Icare*. — Éd. Gosselin, 1840. — *Le Gentilhomme campagnard*. — Éd. Pétion, 1846. — *Gerfaut*. — Éd. Gosselin, 1838.

BERNARD (Claude), 1813-1878. — *Introduction à l'étude de la médecine expérimentale*. — [1865]. — Éd. Flammarion, 1952. — *Notes, Mémoires et Leçons sur la glycogénèse animale*, textes rassemblés par M. D. GRMEK. — Éd. Cercle du Livre Précieux, 1965. — *Principes de médecine expérimentale*. — [1878]. — Éd. P.U.F., 1947.

BERNARDIN DE SAINT-PIERRE (Jacques Henri), 1737-1814. — *Études de la nature*. — [1784]. — Éd. Berche et Tralin, 1878. — *Paul et Virginie* [1787], suivi de *La Chaumière indienne* [1790]. — Lyon : Éd. J. Cuzin, 1945. — *Harmonies de la nature* [1814], *Voyage à l'Isle de France...* [1773], in *Œuvres complètes*. — 12 tomes. — Éd. Lequien, 1830-1831.

BERNERT (Philippe). — *S. D. E. C. E. Service 7*. — [Presses de la Cité, 1980]. — Éd. Club France Loisirs.

BERNOUILLI (Jean), 1667-1748. — cité in BOUASSE (Henri). — *Introduction à l'étude des théories de la mécanique*. — Éd. Carré, 1895.

BERNSTEIN (Henry), 1876-1953. — *Le Marché, La Griffe, Le Détour*, in *Théâtre*, tome I. — Éd. Fasquelle, 1912.

BÉROALDE DE VERVILLE (François BROUARD, dit), 1556-après 1623. — *Le Moyen de parvenir*. — 2 tomes. — [v. 1610]. — Éd. Ch. Royer, 1896.

BERTHELOT (Marcelin), 1827-1907. — *Leçons sur les méthodes générales de synthèse en chimie organique : Cours du Collège de France*. — À Paris, 1864.

BERTIN (Célia). — *Une femme heureuse*. — [Buchet-Chastel-Corréa, 1957]. — Éd. L'Ambassade du Livre, 1963.

BERTRAND (Louis), 1866-1941. — *Devant l'Islam*. — Éd. Plon, 1926. — *Histoire d'Espagne*. — Éd. Arthème Fayard, 1932. — (coll. «Les Grandes Études Historiques»). — *Le Livre de la Méditerranée*. — Éd. Grasset, 1911. — Éd. Plon, 1923. — *Louis XIV*. — Éd. Arthème Fayard, 1923. — (coll. «Les Grandes Études Historiques»).

BERTRAND (Louis Jacques, dit Aloysius), 1807-1841. — *Gaspard de la nuit*. — [1841]. — Montréal : Éd. Parizeau, 1945.

BESUS (Roger), 1915. — *La Vie au sérieux*. — [Albin Michel, 1961]. — Éd. L'Ambassade du Livre.

BETI (Mongo), 1932. — *Le Pauvre Christ de Bomba*. — Éd. Laffont, 1956.

BHELY-QUENUM (Olympe), 1928. — *Un piège sans fin*. — Éd. Stock, 1960.

Bible (La Sainte), traduite par Auguste CRAMPON. — Éd. Desclée et Cie, 1939.

Bible (La Sainte), traduite par l'École Biblique de Jérusalem. — Éd. du Cerf, 1955.

Bible (La Sainte), traduite par Isaac LEMAISTRE de SACY. — nouvelle édition revue par M. l'abbé JACQUET. — 2 tomes. — Éd. Garnier, s. d.

Bible (La Sainte), traduite par Louis SEGOND. — [1910]. — nouvelle édition, 1939.

BICHAT (Marie François Xavier), 1771-1802. — *Recherches physiologiques sur la vie et la mort*. — Éd. Brosson et Gabon, an VIII (1800).

BILLAUD-VARENNE (Jean-Nicolas), 1756-1819. — *Mémoires*. — s. n., 1820.

BILLE (Corinna). — *La Fraise noire*. — Lausanne : Éd. La Guilde du Livre et Clairefontaine, 1968. — *Juliette éternelle : Nouvelle*. — Lausanne : Éd. La Guilde du Livre, 1971. — *Le Sabot de Vénus*. — Lausanne : Éd. Rencontre, 1952. — *Le Sabot de Vénus et suite d'Anniviers*. — Lausanne : Éd. Le Livre du mois, 1970.

BILLY (André), 1882-1971. — *Apollinaire*. — Éd. Seghers, 1947. — (coll. «Poètes d'aujourd'hui», nº 8). — *Sainte-Beuve, sa vie et son temps*. — Éd. Flammarion, 1952. — (coll. «Grandes biographies»). — *Sur les bords de la Veule*. — Éd. Flammarion, 1965.

BLAIS (Marie-Claire), 1939. — *Une liaison parisienne*. — [Montréal : Éd. Quinze, 1975]. — Éd. Robert Laffont, 1976.

BLANC (Louis), 1811-1882. — *L'Organisation du travail*. — [1839]. — Éd. Cauville, 1845. — *Questions d'aujourd'hui et de demain*. — 5 tomes, 1873-1884.

BLANCHOT (Maurice), 1907. — *L'Arrêt de mort*. — Éd. Gallimard, 1977. — (coll. «Imaginaire», nº 15). — *L'Espace littéraire*. — [1955]. — Éd. Gallimard, 1968. — (coll. «Blanche»). — *Lautréamont et Sade*. — Éd. de Minuit, 1949.

BLOCH (Jean-Richard), 1884-1947. — *Sybilla : L'Aigle et Ganymède I*. — [1923]. — Éd. Gallimard, 1932. — (coll. «Blanche»). — *Cacaouettes [sic] et Bananes*. — Éd. N.R.F., 1929. — *Les Chasses de Renaut*. — Éd. N.R.F., 1927. — (coll. «Blanche»). — *Deux hommes se rencontrent : Correspondance entre Jean-Richard Bloch et Romain Rolland, 1910-1918*. — Éd. Albin Michel, 1964. — (coll. «Cahiers Romain Rolland», nº 15). — *... Et Cie*. — Éd. N.R.F., 1918. — (coll. «Blanche»). — *Moscou-Paris*. — Éd. Raisons d'être, 1947. — *La Nuit kurde*. — Éd. N.R.F., 1925. — (coll. «Blanche»). — *Sur un cargo*. — Éd. N.R.F., 1924.

BLONDEL (Maurice), 1861-1949. — *L'Action, essai d'une critique de la vie et d'une science de la pratique*. — [F. Alcan, 1893. — édition remaniée, 1936-1937]. — 3e éd. — Éd. P.U.F., 1973. — in LALANDE (André). — *Vocabulaire technique et critique de la philosophie*. — Éd. P.U.F., 1951.

BLONDIN (Antoine), 1922. — *Monsieur Jadis ou l'École du soir*. — [La Table Ronde, 1970]. — Éd. Gallimard, 1972. — (coll. «Folio», nº 29). — *Les Enfants du Bon Dieu*. — [La Table Ronde, 1952]. — Le Livre de Poche, nº 230, 1966. — *Un singe en hiver*. — [La Table Ronde, 1959]. — Le Livre de Poche, nº 813, 1967.

BLOY (Léon), 1846-1917. — *Belluaires et Porchers*. — [1905]. — Éd. Librairie Stock, 1923. — *Choix de textes*. — Éd. Cri de la France, s. d. — *Le Désespéré*. — [A. Soirat, 1886]. — Éd. Mercure de France, 1946. — *La Femme pauvre : Épisode contemporain*. — [1897]. — Éd. Mercure de France, 1951. — *Journal : 1892-1907*. — 2 tomes. — Éd. Mercure de France, 1956, 1963.

BLUM (Léon), 1872-1950. — *Le Mariage : Essai critique*. — [1907]. — Éd. Albin Michel, 1937.

BOCQUET (Léon). — *Courages français*. — Éd. Payot, 1921.

BODIN (Jean), 1530-1596. — *Les Six Livres de la République*. — Éd. J. Du Puys, 1576.

BOEGNER (Philippe). — *Les Punis*. — [Stock, 1978]. — Le Livre de Poche, nº 5363, 1980.

BOILEAU (Nicolas), 1636-1711. — **Œuvres complètes.** — 4 tomes. — Éd. Garnier, 1870-1873.

BOISROBERT (abbé François de), 1589-1662. — *Comédies*. — [1650-1656]. — *Épîtres*. — Éd. Cardin-Besogne, 1647.

BOISSY (Louis de), 1694-1758. — *Œuvres de théâtre*. — [1721-1753]. — nouvelle édition corrigée et augmentée. — 9 tomes. — Éd. Veuve Duchesne, 1766.

BOLOMBO (G.). — *Kawango*. — Namur : Éd. Grands Lacs, 1954.

BOMBARD (Alain), 1924. — *Naufragé volontaire*. — [Éd. de Paris, 1958]. — Le Livre de Poche, nº 368, 1967.

BONALD (Louis-Ambroise, vicomte de), 1754-1840. — *Du divorce considéré au XIXe siècle...* — Éd. Le Clère, 1801. — *Œuvres complètes*. — 12 tomes. — Éd. Le Clère, 1817-1829. — *Théorie du pouvoir politique et religieux dans la Société Civile démontrée par le raisonnement et par l'histoire*. — [1796]. — Éd. Le Clère, 1803.

BONAPARTE (Louis-Napoléon). — Voir LOUIS-NAPOLÉON BONAPARTE.

BONAPARTE (Napoléon). — Voir NAPOLÉON Ier.

BONIVARD ou BONNIVARD (François de), 1493-1570. — *L'Amartigénée, c'est-à-dire la source du péché* [1562; Genève : Éd. Fick, 1865], «Façon de vivre des sauvages», in *Littératures de langue française hors de France*.

BONNEFONS (Nicolas de), XVIe siècle. — *Les Délices de la campagne : Suite du «Jardinier français», où est enseigné à préparer pour l'usage de la vie tout ce qui croît sur terre et dans les eaux*. — 2e éd. — Amsterdam : Éd. R. Smith, 1655.

BONNEFOY (Yves), 1923. — *Poèmes : Du mouvement et de l'immobilité de Douve* [1953], *Hier régnant désert* [1958], *Pierre écrite* [1965], *Dans le leurre du seuil* [1975]. — Éd. Mercure de France, 1978.

BONNET (Charles), 1720-1793. — *Œuvres complètes*. — 18 tomes. — Berne : Éd. Société typographique, 1779-1788.

BORDEAUX (Henry), 1870-1963. — *Le Lac noir*. — Éd. A. Fontemoing, 1904.

BOREL (Pierre-Louis). — *La Vie d'Alfred Thélin*. — Éd. du Griffon, 1948.

BORGEAUD (Georges), 1914. — *Le Préau*. — [1952]. — Lausanne : Éd. Le Livre du mois, 1969. — *Le Voyage à l'étranger*. — Éd. Grasset, 1974.

BORNICHE (Roger), 1919. — *Flic story*. — [Fayard, 1973]. — Lausanne : Éd. Ex Libris, 1973. — *Le Gang*. — [Fayard, 1975]. — Lausanne : Éd. La Guilde du Livre, 1976. — *Le Gringo*. — [Grasset et Fasquelle, 1980]. — Éd. Club France Loisirs. — *Le Play-boy*. — Éd. Grasset et Fasquelle, 1976. — Le Livre de Poche, nº 5064, 1979. — *Le Ricain*. — Éd. Grasset et Fasquelle, 1979.

BORNIER (Henri de), 1825-1901. — *Poésies complètes*. — Éd. E. Dentu, 1881.

BORY (Jean-Louis), 1919-1979. — *Ma moitié d'orange*. — Éd. Julliard, 1972.

BOSCO (Henri), 1888-1976. — *L'Âne Culotte*. — Éd. Gallimard, 1937. — (coll. «Blanche»). — *Antonin*. — Éd. Gallimard, 1952. — (coll. «Blanche»). — *Hyacinthe*. — [1940]. — Éd. Gallimard, 1946. — (coll. «Blanche»). — *Le Jardin d'Hyacinthe*. — Éd. Gallimard, 1946. — (coll. «Blanche»). — *Malicroix*. — Éd. Gallimard, 1948. — (coll. «Blanche»). — *Le Mas Théotime*. — [1945]. — Éd. Gallimard, 1952. — (coll. «Blanche»). — *Le Sanglier*. — [1932]. — Éd. Gallimard, 1949. — (coll. «Blanche»). — *Sites et Mirages*. — Éd. Gallimard, 1951. — (coll. «Blanche»). — *Un rameau de la nuit*. — Éd. Flammarion, 1950.

BOSQUET (Alain), 1919. — *Les Bonnes Intentions*. — [Grasset et Fasquelle, 1975]. — Le Livre de poche, nᵒ 5130.

BOSSUET (Jacques Bénigne), 1627-1704. — **Œuvres complètes**. — 30 tomes. — Éd. L. Vivès, 1862-1879. — *Oraisons funèbres*. — Éd. Hachette, 1898. — *Sermons*. — 3 tomes. — Éd. Garnier, 1929.

BOUDARD (Alphonse), 1925. — *Cinoche*. — Éd. Gallimard, 1975. — (coll. «Folio», nᵒ 684). — *Les Combattants du petit bonheur*. — Éd. La Table Ronde, 1977. — *L'Hôpital*. — [La Table Ronde, 1972]. — Éd. Gallimard, 1974. — (coll. «Folio», nᵒ 572). — *Manouche se met à table*. — Éd. Flammarion, 1975.

BOUDJEDRA (Rachid), 1941. — *La Répudiation*. — Éd. Denoël, 1969. — (coll. «Les Lettres Nouvelles»).

BOUHOURS (père Dominique), 1628-1702. — *Entretiens d'Ariste et d'Eugène*. — [1671]. — Éd. Bossard, 1920.

BOUILHET (Louis), 1822-1869. — *Festons et Astragales*. — [Bourdillat, 1859]. — *Lettres à Louise Colet, à Flaubert*. — Voir FLAUBERT (Gustave). — *Correspondance*. — Éd. Conard, 1926-1951.

BOULENGER (Jacques). — Traduction des *Romans de la Table ronde*. — 4 tomes. — [1922-1923]. — Éd. Plon, 1941.

BOULLE (Pierre), 1912. — *La Planète des singes*. — [Julliard, 1963]. — Éd. Rombaldi.

BOURDALOUE (Louis), 1632-1704. — **Œuvres complètes**. — 16 tomes. — [1812]. — Besançon : Éd. Gauthier, 1823. — *Sermons choisis*. — Éd. Garnier, 1936.

BOURGEOIS (Léon), 1851-1925. — *La Solidarité*. — [1887]. — Éd. Armand Colin, 1902.

BOURGET (Paul), 1852-1935. — *André Cornélis*. — Éd. A. Lemerre, 1887. — *Au service de l'ordre*. — Éd. Plon-Nourrit, 1929. — *Cosmopolis*. — Éd. A. Lemerre, 1893. — *Cruelle énigme*. — Éd. A. Lemerre, 1891. — *Le Disciple*. — [A. Lemerre, 1889]. — Éd. Nelson, s. d. — *Essais de psychologie contemporaine*. — Éd. A. Lemerre, 1883. — *La Geôle*. — Éd. Plon-Nourrit, 1923. — *Mensonges*. — Éd. A. Lemerre, 1887. — *Nos actes nous suivent*. — 2 tomes. — Éd. Plon-Nourrit, 1927. — *Nouveaux essais de psychologie contemporaine*. — Éd. A. Lemerre, 1886. — *Outre-Mer : Notes sur l'Amérique*. — 2 tomes. — Éd. A. Lemerre, 1895. — *La Physiologie de l'amour moderne*. — [A. Lemerre, 1891]. — Éd. Plon-Nourrit, 1903. — *Le Sens de la mort*. — Éd. Plon-Nourrit, 1915. — *La Terre promise*. — [A. Lemerre 1892]. — Éd. Plon, 1930. — *Tragiques remous*. — [1925]. — Éd. A. Fayard, 1927. — *Le Tribun*. — [1911]. — Éd. Plon-Nourrit, 1912. — *Un divorce*. — Éd. Plon-Nourrit, 1904. — *Voyageuses*. — Éd. A. Lemerre, 1898.

BOURIN (Jeanne), 1922. — *La Chambre des dames*. — [La Table Ronde, 1979]. — Lausanne : Éd. Ex Libris.

BOURSAULT (Edme), 1638-1701. — *Le Mercure galant*. — [in *Théâtre*, 1694]. — in *Chefs-d'œuvre des auteurs comiques*, tome I. — Éd. Firmin-Didot, s. d. — *Les Mots à la mode*. — Éd. Guignard, 1694.

BOUSQUET (Joë), 1897-1950. — *Traduit du silence*. — Éd. Gallimard, 1941. — (coll. «Blanche»).

BOUTROUX (Émile), 1845-1921. — *Morale et Religion : Conférences de 1907 à 1918*. — Éd. Flammarion, 1925.

BOYER (François). — *Jeux interdits*. — [Minuit, 1947]. — Lausanne : Éd. La Petite Ourse, 1954.

BOYLESVE (René TARDIVEAU, dit René), 1867-1926. — *La Becquée*. — [1901]. — Éd. Calmann-Lévy, 1905. — *L'Enfant à la balustrade*. — [Calmann-Lévy, 1903]. — Éd. Colbert, 1947. — (coll. «Le Lys d'or»). — *Je vous ai désirée un soir*. — Éd. A. Fayard, 1924.

BRANTÔME (Pierre de BOURDEILLES, abbé et seigneur de), v. 1538-1614. — *Vies des dames galantes*. — [in *Œuvres complètes*, 1665-1667]. — Éd. Garnier, 1931. — (coll. «Classiques Garnier»).

BRAQUE (Georges), 1882-1963. — in *Braque*. — Éd. Hachette, 1978. — (coll. «Chefs-d'œuvre de l'art»).

BRASILLACH (Robert),1909-1945. — *Anthologie de la poésie grecque*. — [1950]. — Le Livre de Poche, nᵒ 1517-1518. — Éd. Stock, 1981.

BRASSENS (Georges), 1921-1981. — *Poèmes et Chansons*. — Éditions musicales, 1973. — in *Georges Brassens*, par Alphonse BONNAFÉ. — Éd. Seghers, 1963. — (coll. «Poésie et Chansons», nᵒ 99).

BRÉBEUF (Georges de), 1618-1661. — *La Pharsale de Lucain ou les Guerres civiles de César et de Pompée, en vers français*. — Éd. A. de Sommaville, 1654-1655.

BREL (Jacques), 1929-1978. — in *Jacques Brel*, par Jean CLOUZET. — Éd. Seghers, 1964. — (coll. «Poésie et Chansons», nᵒ 119).

BREMOND (abbé Henri), 1865-1933. — *De la poésie pure*, suivi d'un *Débat sur la poésie pure*, par Robert de SOUZA. — Éd. Grasset, 1926. — Voir aussi II, 2.

BRETON (André), 1896-1966. — *L'Amour fou*. — [1937]. — Éd. Gallimard, 1949. — (coll. «Métamorphoses III»). — Éd. Gallimard, 1976. — (coll. «Folio», nᵒ 723). — *Anthologie de l'humour noir*. — [1940]. — Éd. du Sagittaire, 1950. — *L'Art magique*. — s. n., 1957. — *Manifeste du surréalisme, Poisson soluble*. — Éd. du Sagittaire, 1924. — *Nadja*.— [1928]. — Éd. Gallimard, 1949. — (coll. «Blanche»). — Le Livre de Poche, nᵒ 1233, 1978. — in *La Révolution surréaliste*, nᵒ 8, 1926. — *Signe ascendant*. — Éd. Gallimard, 1975. — (coll. «Poésie», nᵒ 37).

BRIAND (Aristide), 1862-1932. — *Discours de Périgueux, 10 octobre 1909*, in GUERLAC (Othon). — *Les Citations françaises*. — Éd. A. Colin, 1953.

BRILLAT-SAVARIN (Anthelme), 1755-1826. — *Physiologie du goût*. — 2 tomes. — [A. Sautelet, 1826]. — Éd. A. Lemerre, 1923.

BRION (Marcel), 1895-1984. — *La Rose de cire*. Éd. Albin Michel, 1964.

BRIZEUX (Auguste), 1803-1858. — *Les Bretons*. — Éd. Paul Masgana, 1845. — *Œuvres complètes*. — 4 tomes. — Éd. A. Lemerre, 1879-1884.

BROGLIE (Louis, duc de), 1892. — *Continu et Discontinu en physique moderne*. — Éd. Albin Michel, 1941. — *Matière et Lumière*. — Éd. Albin Michel 1937. — *Nouvelles perspectives en microphysique*. — [1956]. — Éd. Albin Michel, 1958. — (coll. «Sciences d'aujourd'hui»). — *Physique et Microphysique*. — [1947]. — Éd. Albin Michel, 1956. — (coll. «Sciences d'aujourd'hui»).

BROSSES (Charles de), 1709-1777. — *Lettres familières écrites d'Italie à quelques amis*. — 2 tomes. — [A. Levasseur, 1836]. — Éd. du Raisin, 1928.

BROWN-SÉQUARD (Édouard), 1817-1894. — in LAROUSSE (Pierre). — 2ᵉ suppl. au *Grand dictionnaire universel du XIXᵉ siècle*. — Éd. Larousse, 1890.

BROYELLE (Claudie), BROYELLE (Jacques). — *Le Bonheur des pierres : Carnets rétrospectifs*. — Éd. du Seuil, 1978. — (coll. «Combats»).

BRUANT (Aristide), 1851-1925. — *Dans la rue : Chansons et Monologues*. — Éd. Aristide Bruant, auteur-éditeur, 1889.

BRUNETIÈRE (Ferdinand), 1849-1906. — *Études critiques sur l'histoire de la littérature française*. — 10 tomes. — [1880-1925]. — Éd. Hachette, 1925-1932. — *L'Évolution de la poésie lyrique en France au XIXᵉ siècle*. — 2 tomes. — [1894]. — Éd. Hachette, 1929. — (coll. «Bibliothèque de littérature»).

BRUNSCHVICG (Léon), 1869-1944. — *Les Âges de l'intelligence*. — 3ᵉ éd. — Éd. Hachette, 1947. — Introduction et notes aux *Pensées*, in *Œuvres de Pascal*. — 14 tomes. — Éd. Hachette, 1909-1914. — *René Descartes : Étude biographique et philosophique*. — Éd. Rieder, 1937.

BUCHEZ (Philippe Joseph), 1796-1865. — *Histoire parlementaire de la Révolution française : 1789-1815*. — [40 tomes. — Éd. Paulin, 1834-1838]. — 2ᵉ éd. — 6 tomes. — Éd. Hetzel, 1846.

BUDÉ (Guillaume), 1467-1540. — *Œuvres complètes*. — 3 tomes. — À Bâle, 1557. — in DELARUELLE (Louis). — *Répertoire analytique et chronologique de la correspondance de Guillaume Budé*. — [1907]. — Éd. Slatkine, 1969. — (Fac-sim.).

BUFFON (Georges Louis LECLERC, comte de), 1707-1788. — **Œuvres complètes**, revues et annotées par M. FLOURENS. — 12 tomes. — Éd. Garnier, 1853-1855. — Tome I : *Théorie de la terre; Histoire générale des animaux*. — Tome II : *Histoire naturelle de l'homme; Histoire naturelle des animaux : Les Quadrupèdes*. — Tome III : *Histoire naturelle des animaux : Les Quadrupèdes*. — Tome IV : *Histoire naturelle des animaux : les Singes; Additions aux Quadrupèdes*. — Tomes V, VI, VII et VIII : *Histoire naturelle des oiseaux*. — Tome IX : *Introduction à l'histoire des minéraux; Les Époques de la nature*. — Tomes X et XI : *Histoire naturelle des minéraux*. — Tome XII : *Histoire naturelle des végétaux; Arithmétique morale; Tables analytiques et raisonnées des matières contenues dans l'ouvrage entier*. — *Morceaux choisis*, choix et préface de A. M. PETITJEAN. — Éd. Gallimard, 1939. — (coll. «Les Grandes Pages de la Science»). — *Le Petit Buffon illustré*. — Éd. Garnier, 1878.

BURGUET (Frantz-André). — *Les Meurtrières*. — Éd. Grasset et Fasquelle, 1974. — Le Livre de Poche, nᵒ 5306.

BUSSY-RABUTIN (Roger de RABUTIN, comte de Bussy, dit), 1618-1693. — *Histoire amoureuse des Gaules* [Liège : Éd. à la Croix de Malte, 1655], suivie de *La France galante* [Cologne : P. Marteau, 1688]. — 2 tomes. — Éd. Garnier, 1930. — (coll. «Classiques Garnier»).

BUTOR (Michel), 1926. — *L'Emploi du temps*. — [1956]. — Éd. de Minuit, 1958. — *La Modification*. — [1957]. — Éd. de Minuit, 1978.

CABANIS (Pierre Jean Georges), 1757-1808. — *Rapports du physique et du moral de l'homme*. — 2 tomes. — Éd. Crapart, Caille et Ravier, 1802. — *Œuvres complètes*. — 5 tomes. — Éd. Bossange, 1823-1825.

CADOU (René-Guy), 1920-1951. — *Hélène ou le Règne végétal*. — [1952]. — Éd. Seghers, 1981. — (coll. «Poésie-Seghers»).

CAILLOIS (Roger), 1913-1978. — *Art poétique*. — Éd. Gallimard, 1959. — (coll. «Blanche»). — *Esthétique généralisée*. — Éd. Gallimard, 1962. — (coll. «Blanche»). — *L'Homme et le Sacré*. — [Leroux, 1939]. — Éd. Gallimard, 1963. — *Quatre essais de sociologie contemporaine*. — Éd. Perrin, 1951. — (coll. «Jeunes savants»). — *Le Rocher de Sisyphe*. — Éd. Gallimard, 1946. — (coll. «Blanche»).

CALAFERTE (Louis), 1925. — *No man's land*. — Éd. Julliard, 1963. — *Partage des vivants*. — Éd. Julliard, 1953.

CALET (Henri), 1903-1956. — *La Belle Lurette*. — [1935]. — Éd. Gallimard, 1979. — (coll. «Imaginaire», nᵒ 44).

CALVIN (Jean CAUVIN, dit), 1509-1564. — *Institution de la religion chrétienne*. — [Genève : Giard, 1541]. — Genève : Éd. Jean Crespin, 1560. — in LANSON (Gustave). — *Examen de l'authenticité de la traduction française de l'Institution chrétienne*, édition de 1560, in *Recherche historique*, 1894.

CAMPISTRON (Jean de), 1656-1723. — *Tragédies*. — 3 tomes. — [1707]. — Éd. Gourdon de Bacq et de Bonneval, 1750.

CAMUS (Albert), 1913-1960. — **Essais.** — Éd. Gallimard, 1972. — (coll. «Bibliothèque de la Pléiade»). — **Théâtre, Récits, Nouvelles.** — Éd. Gallimard, 1974. — (coll. «Bibliothèque de la Pléiade»). — *Actuelles : Chroniques 1944-1948; 1948-1953; Chroniques algériennes, 1939-1958*. — 3 tomes. — Éd. Gallimard, 1950, 1953, 1958. — (coll. «Blanche»). — *La Chute*. — [1956]. — Éd. Gallimard, 1960. — (coll. «Blanche»). — *L'Été*. — Éd. Gallimard, 1954. — (coll. «Les Essais»). — *L'Étranger*. — [1942]. — Éd. Gallimard, 1953. —

(coll. «Blanche»). — *L'Exil et le Royaume : Nouvelles.* — Éd. Gallimard, 1957. — (coll. «Blanche»). — *L'Homme révolté.* — [1951]. — Éd. Gallimard, 1952. — (coll. «Blanche»). — *Le Mythe de Sisyphe.* — [1942]. — Éd. Gallimard, 1950. — *La Peste.* — [1947]. — Éd. Gallimard, 1952. — (coll. «Blanche»).

CANDOLLE (Augustin Pyrame de), 1778-1841. — *Essai sur les propriétés médicales des plantes, comparées avec leurs formes extérieures et leur classification naturelle.* — [1804]. — 2e éd. — Éd. Crochard, 1816.

CARACCIOLI (Louis-Antoine), 1721-1803. — *Dictionnaire critique, pittoresque et sentencieux.* — 3 tomes. — Lyon : Éd. B. Duplain, 1768. — *L'Europe française.* — Turin ; Paris : Éd. Veuve Duchesne, 1776. — *La Religion de l'honnête homme.* — À Nyon (Suisse), 1766.

CARCO (François CARCOPINO-TUSOLI, dit Francis), 1886-1958. — *Les Belles Manières.* — Éd. J. Ferenczi, 1947. — *Brumes.* — [Albin Michel, 1935]. — Le Livre de Poche, nº 107, 1967. — *La Dernière Chance.* — Le Livre de Poche, nº 3956, 1974. — *L'Homme traqué.* — [Albin Michel, 1922]. — Le Livre de Poche, nº 67. — *Les Innocents.* — Éd. Renaissance du Livre, 1916. — Éd. J. Ferenczi, 1924. — (coll. «Le Livre moderne illustré»). — *Jésus la Caille.* — [1914]. — Éd. Marcel Garnier, 1945. — *Montmartre à vingt ans.* — Éd. Albin Michel, 1938. — *Nostalgie de Paris* [1941], suivie de *Ombres vivantes.* — Éd. Gallimard, 1952. — (coll. «Blanche»).

CARDINAL (Marie), 1929. — *Les Mots pour le dire.* — [Grasset, 1975]. — Le Livre de Poche, nº 4887, 1977.

CARÊME (Maurice), 1899-1978. — *Entre deux mondes.* — Éd. Nathan, 1970. — *La Grange bleue.* — Éd. Bourrelier et Colin, 1958. — *La Maison blanche.* — Éd. Bourrelier et Colin, 1949. — *Mère* [1935], suivie de *La Voix du silence* [1951]. — Éditions Ouvrières, 1977.

CARLOIX (Vincent), attribué à. — *Mémoires de la vie de François de Scepaux, sire de Vieilleville,* par Vincent CARLOIX, secrétaire du Maréchal. — [ouvrage composé vers 1570]. — 5 tomes. — imprimé en 1757. — (cité in LITTRÉ).

CARMONTELLE (Louis CARROGIS, dit), 1717-1806. — *Proverbes dramatiques.* — [1768]. — 4 tomes. — nouvelle édition par M. C. de MÉRY. — Éd. Delongchamps, 1822.

CARNOT (Lazare Nicolas Marguerite), 1753-1823. — *Principes fondamentaux de l'équilibre et du mouvement.* — Éd. Deterville, an XI (1803).

CARREL (Alexis), 1873-1944. — *L'Homme, cet inconnu.* — Éd. Plon, 1935.

CARREL (Armand), 1800-1836. — *Œuvres politiques et littéraires* [v. 1823-1836], mises en ordre et annotées par M. LITTRÉ et M. PAULIN. — 5 tomes. — Éd. Chamerot, 1857-1859.

CARRIÈRE (Jean-Claude). — *Humour 1900.* — [1963]. — Éd. J'ai lu, nº 1066, 1980.

CARTERET (Antoine). — *Deux amis : Mœurs genevoises.* — 2 tomes. — Genève : Éd. F. Richard ; Paris : Éd. Cherbuliez, 1872.

CASTEL (René Richard), 1758-1832. — *Les Plantes : Poème.* — Paris, an V (1797).

CASTILLO (Michel del), 1933. — *Tanguy.* — [Julliard, 1957]. — Éd. Rombaldi. — (coll. «Bibliothèque du temps présent»).

CASTORIADIS (Cornélius). — *Les Carrefours du labyrinthe.* — Éd. du Seuil, 1978. — (coll. «Esprit»). — *La Société bureaucratique.* — 2 tomes. — Tome I : *Les Rapports de production en Russie.* — Tome II : *La Révolution contre la bureaucratie.* — Éd. U.G.E., 1973. — (coll. «10/18», nᵒˢ 751 et 806).

CAU (Jean), 1925. — *Le Chevalier, la Mort et le Diable.* — Éd. La Table Ronde, 1977. — *La Pitié de Dieu.* — [1961]. — Éd. Gallimard, 1962. — (coll. «Blanche»).

CAVANNA (François), 1923. — *Cavanna.* — Éd. U.G.E., 1968. — (coll. «10/18», nº 612). — *Les Ritals.* — Éd. Belfond, 1978. — *Les Russkoffs.* — Éd. Belfond, 1979.

CAYATTE (André), 1909. — *Les Marchands d'ombre.* — [Albin Michel, 1938]. — Éd. Le Livre du mois, 1957.

CAYLUS (Marthe-Marguerite de VILLETTE, comtesse de), 1673-1729. — *Les Souvenirs* (v. 1720-1729) *de Madame de Caylus, sur les intrigues de la Cour,* avec les notes de M. VOLTAIRE. — 2e édition augmentée. — Au château de Ferney, 1770. — réimpression par Raunié, 1881.

CAYROL (Jean), 1911. — *Histoire de la mer.* — Éd. du Seuil, 1973. — *Histoire d'un désert.* — Éd. du Seuil, 1972. — *Histoire d'une prairie.* — Éd. du Seuil, 1970.

CAZOTTE (Jacques), 1719-1792. — *Le Diable amoureux : Nouvelle espagnole.* — [Le Jay, 1772]. — Éd. Librairie des Bibliophiles, 1877.

CÉLINE (Louis-Ferdinand DESTOUCHES, dit Louis-Ferdinand), 1894-1961. — *Bagatelles pour un massacre.* — Éd. Denoël, 1937. — *D'un château l'autre.* — [1957]. — Éd. Gallimard, 1976. — (coll. «Folio», nº 776). — *Entretien avec le professeur Y.* — [1955]. — Éd. Gallimard, 1976. — (coll. «Blanche»). — *Féerie pour une autre fois.* — [1952]. — Éd. Gallimard, 1977. — (coll. «Folio», nº 918). — *Guignol's band.* — [1944]. — Éd. Gallimard, 1976. — (coll. «Folio», nº 255). — *Mort à crédit.* — Éd. Denoël et Steele, 1936. — Éd. Gallimard, 1952. — Le Livre de Poche, nº 2541, 1966. — *Le Pont de Londres.* — [1964]. — Éd. Gallimard, 1972. — (coll. «Folio», nº 230). — *Rigodon.* — [1969]. — Éd. Gallimard, 1973. — (coll. «Folio», nº 481). — *Voyage au bout de la nuit.* — Éd. Denoël et Steele, 1932. — Bruxelles : Éd. Froissart, s. d.

CENDRARS (Frédéric SAUSER, dit Blaise), 1887-1961. — **Œuvres complètes.** — [8 tomes. — Denoël, 1960-1965]. — 15 tomes. — Éd. Club Français du Livre, 1968-1970. — *Bourlinguer.* — Éd. Denoël, 1948. — Éd. Gallimard, 1970. — (coll. «Folio», nº 602). — *L'Homme fou-*

droyé. — [1945]. — Éd. Gallimard, 1973. — (coll. «Folio», nº 467). — *Moravagine.* — Éd. Grasset, 1926. — Le Livre de Poche, nº 275, 1972. — *L'Or : La Merveilleuse Histoire du général Johann August Suter.* — [1925]. — Éd. Grasset, 1947. — *Poésies complètes, in Œuvres complètes,* tome I. — Éd. Denoël. — *Rhum.* — [Grasset, 1958]. — Le Livre de Poche, nº 1081, 1967. — *Trop, c'est trop.* — Éd. Denoël, 1957.

Cent Nouvelles nouvelles (Les), recueil de contes [v. 1460-1480]. — Édition revue et introduite par Antoine LEROUX de LINCY. — 2 tomes. — Éd. Paulin, 1841.

CÉRÉSOLE (Alfred). — *Contes et Croquis vaudois.* — Lausanne : Éd. Payot, 1942.

CÉSAIRE (Aimé), 1913. — *Discours sur le colonialisme.* — Éd. Présence Africaine, 1970. — (coll. «Poche»). — *Une saison au Congo.* — Éd. du Seuil, 1966.

CESBRON (Gilbert), 1913-1979. — *Don Juan en automne.* — [Robert Laffont, 1975]. — Lausanne : Éd. Ex Libris. — *Je suis mal dans ta peau.* — [Robert Laffont, 1969]. — Lausanne : Éd. La Guilde du Livre, 1970. — *Une abeille contre la vitre.* — [Robert Laffont, 1964]. — Lausanne : Éd. La Guilde du Livre, 1967. — *Voici le temps des imposteurs.* — Éd. Robert Laffont, 1972.

CÉZANNE (Paul), 1839-1906. — *Correspondance.* — Éd. Grasset, 1978. — in MALRAUX (André). — *Les Voix du silence.* — Éd. Gallimard, 1951.

CHAIX-RUY (Jules). — *Soljénitsyne ou la Descente aux enfers.* — Éd. Del Duca, 1970.

CHAMFORT (Sébastien Roch NICOLAS, dit Nicolas de), 1741-1794. — [*Œuvres.* — 4 tomes. — 1795]. — *Œuvres choisies.* — Éd. Michel Lévy, 1857. — (Collection Hetzel).

CHAMPFLEURY (Jules HUSSON, dit FLEURY, puis), 1821-1889. — *Le Réalisme.* — Éd. Michel Lévy, 1857.

CHAMPOLLION (Jean-François), 1790-1832. — *Grammaire égyptienne,* publiée par Jacques-Joseph CHAMPOLLION-FIGEAC, 1836.

CHAPELAIN (Jean), 1595-1674. — *Mélanges de littérature tirés des lettres manuscrites de M. Chapelain,* par Denis-François CAMUSAT. — [1726]. — *Odes.* — [1633-1660]. — *La Pucelle ou la France délivrée.* — [A. Courbé, 1656]. — *Les Sentiments de l'Académie française sur la tragi-comédie du Cid.* — [1638].

CHAPPAZ (Maurice). — *La Haute Route.* — Lausanne : Éd. B. Galland, 1974. — *Le Match Valais-Judée.* — Lausanne : Éd. Cahiers de la Renaissance vaudoise, 1968. — *Portrait des Valaisans en légende et en vérité.* — [1965]. — Lausanne : Éd. Le Livre du mois, 1969. — *Le Valais au gosier de givre.* — Lausanne : Éd. Payot, 1960. — («Petite Collection Poétique d'Écrivains Romands»).

CHAPPUIS (Albert-Louis). — *À petit feu.* — Vulliens (Suisse) : Éd. Mon Village, 1964. — *La Maison sans grain.* — [1956]. — 2e éd. — Éd. Mon Village, 1961. — *Le Troupeau errant.* — [1963]. — Éd. Mon Village, 1972.

CHAPTAL (Jean-Antoine, comte de CHANTELOUP), 1756-1832. — *Essai sur le perfectionnement des arts chimiques.* — Éd. Deterville, an III (1795). — in *Mémoires de l'Institut national des sciences et arts,* tome I, 1795. — *Rapport et projet de loi sur l'instruction politique en France.* — Éd. Deterville, an IX (1801).

CHAR (René), 1907. — *Feuillets d'Hypnos.* — Éd. Gallimard, 1946. — (coll. «Espoir»). — *Le Marteau sans maître* [1934], suivi de *Moulin premier* [1936]. — Éd. José Corti, 1975. — *Les Matinaux.* — [1950]. — Éd. Gallimard, 1978. — (coll. «Poésie», nº 38).

CHARCOT (Jean), 1867-1936. — *Autour du pôle Sud.* — [1912]. — Éd. Flammarion, 1946. — *Le «Pourquoi pas?» dans l'Antarctique.* — [1910]. — Éd. Flammarion, 1968.

CHARDONNE (Jacques BOUTELLEAU, dit Jacques), 1884-1968. — *L'Amour du prochain.* — Éd. Grasset, 1932. — *Claire.* — [1931]. — Éd. La Jeune Parque, 1947. — *Les Destinées sentimentales.* — [1934-1936]. — Éd. Grasset, 1947. — *L'Épithalame.* — [1921]. — Éd. Grasset, 1929. — *Éva ou le Journal interrompu.* — Éd. Grasset, 1930.

CHARLES-ROUX (Edmonde), 1920. — *Elle, Adrienne.* — Éd. Grasset, 1971. — (coll. «Diamant»). — *L'Irrégulière ou Mon itinéraire Chanel.* — [Grasset, 1974]. — Le Livre du Poche, nº 4825, 1976.

CHARRIÈRE (Henri), 1906-1973. — *Papillon.* — Éd. Robert Laffont, 1969. — (coll. «Vécu»).

CHARRIÈRE (madame de), 1740-1805. — *Lettres neuchâteloises* [1771-1784], suivies de *Trois femmes* [1796]. — Lausanne : Éd. Coopérative Rencontre, 1971. — (coll. «Bibliothèque romande»).

CHARRON (Pierre), 1541-1603. — *De la sagesse.* — Bordeaux : Éd. Millanges, 1601. — *Lettres à G. M. de la Rochemaillet.* — Éd. Auvray, 1894.

CHASLES (Philarète), 1798-1873. — *Études sur le XVIe siècle en France.* — Éd. Amyot, 1848.

CHATEAUBRIAND (François René, vicomte de), 1768-1848. — *Analyse raisonnée de l'histoire de France,* précédée de *Études ou Discours historiques sur la chute de l'Empire romain.* — Éd. Lefèvre, 1831. — *Atala* [1801], *René* [1802], *Le Dernier Abencérage* [1826]. — Éd. Flammarion, 1948. — (coll. «Classiques»). — *Atala, René, Le Dernier Abencérage, Les Natchez* [1826]. — Éd. Garnier, s.d. — *Études historiques* [1831], in *Œuvres complètes,* tome IX. — Éd. Garnier, s.d. — *Le Génie du christianisme.* — [1802]. — 2 tomes. — Éd. Flammarion, s.d. (tome I), 1935 (tome II). — (coll. «Meilleurs auteurs classiques français et étrangers»). — *Itinéraire de Paris à Jérusalem* [1811], in *Œuvres complètes,* tome V. — Éd. Garnier, 1939. — *Les Martyrs.* — [1809]. — 2 tomes.

— Éd. Flammarion, 1948. — (coll. «Classiques»). — *Mémoires d'outre-tombe.* — [1850]. — 6 tomes. — Éd. Garnier, 1946-1947. — (coll. «Classiques Garnier»). — *Mémoires d'outre-tombe.* — 2 tomes. — Éd. Flammarion, 1949-1950. — *Mémoires d'outre-tombe,* édition intégrale et critique par Maurice LEVAILLANT. — 4 tomes. — Éd. Club Français du Livre, 1965. — *De la Monarchie selon la Charte.* — Éd. Le Normant, 1816. — *Les Quatre Stuarts.* — Éd. Garnier, 1874. — *Vie de Rancé.* — [1844]. — Éd. Helleu et Sergent, 1920. — *Voyage en Amérique, en Italie* [1827] *et au Mont-Blanc* [1873], in *Œuvres complètes,* tome VI. — Éd. Garnier, 1929.

CHÂTEAUBRIANT (Alphonse de), 1877-1951. — *La Brière.* — [1923]. — Éd. Grasset, 1942. — *Monsieur des Lourdines.* — [1911]. — Éd. Grasset, 1912. — *La Réponse du Seigneur.* — Éd. Grasset, 1933. — (coll. «Les cahiers verts»).

CHAULIEU (Guillaume AMFRYE, abbé de), 1639-1720. — *Œuvres* [v. 1660-1720], d'après les manuscrits de l'auteur. — 2 tomes. — La Haye ; Paris : C. Blouet, 1774.

CHAUMENTIN (Émile). — in *Émile Chaumentin, roi des camelots : Propos recueillis entre 1950 et 1975,* présentés par Pierre BONTE. — Éd. Hachette, 1977. — cité in CELLARD (Jacques), REY (Alain), *Dictionnaire du français non conventionnel.* — Éd. Masson ; Hachette, 1980.

CHAVÉE (Achille), 1906-1970. — Choix d'aphorismes extraits de plusieurs ouvrages de l'auteur, cités in *Littératures de langue française hors de France.* — Montréal, 1976.

CHÊNEDOLLÉ (Charles LIOULT de), 1769-1833. — *Études poétiques.* — [1820]. — *Le Génie de l'homme.* — Éd. Nicolle, 1807. — in SAINTE-BEUVE (Charles-Augustin). — *Chateaubriand et son groupe littéraire sous l'Empire.* — Éd. Garnier, 1861.

CHÉNIER (André de), 1762-1794. — *Œuvres poétiques.* — 2 tomes. — Éd. Garnier, s. d. (tome I), 1924 (tome II). — Éd. Lemerre, 1925. — **Œuvres complètes.** — Éd. Gallimard, 1940. — (coll. «Bibliothèque de la Pléiade»).

CHÉNIER (Marie-Joseph de), 1764-1811. — *Poésies.* — [1818]. — Éd. Charpentier, 1844.

CHESSEX (Jacques), 1934. — *L'Ogre.* — Éd. Grasset, 1973. — Lausanne : Éd. Ex Libris, 1974. — *Portrait des Vaudois.* — Lausanne : Éd. B. Galland, 1969. — *Reste avec nous.* — Lausanne : Éd. Cahiers de la Renaissance vaudoise, 1967.

CHEVALLIER (Gabriel), 1895-1969. — *Clochemerle.* — [Rieder, 1934]. — Éd. J. Ferenczi, 1937.

CHEVALLIER (Samuel). — *Rêve à ciel ouvert.* — Lausanne : Éd. de la Nouvelle revue de Lausanne, 1955.

CHOISY (François Timoléon, abbé de), 1644-1724. — *Mémoires pour servir à l'histoire de Louis XIV,* publiés par D. Fr. CAMUSAT. — À Utrecht, 1727.

CHRAÏBI (Driss), 1926. — *La Civilisation, ma mère.* — Éd. Denoël, 1972.

Chronique de Bertrand du Guesclin, par CUVELIER, trouvère du XIVᵉ siècle. — 2 tomes. — publiée par Ernest CHARRIÈRE. — Éd. Firmin-Didot, 1839.

Chroniques de BOUCICAUT : Le Livre des faits du bon messire Jean le Maingre, dit Boucicaut maréchal de France et gouverneur de Gennes [fin XIVᵉ-déb. XVᵉ s.], publié par MM. MICHAUD et POUJOULAT. — À Paris : chez l'éditeur du Commentaire analytique du Codé civil, 1836. — («Nouvelle Collection des mémoires pour servir à l'histoire de France, depuis le XIIIᵉ siècle jusqu'à la fin du XVIIIᵉ», tome II).

CIORAN (Émile-Michel), 1911. — *Précis de décomposition.* — [1949]. — Éd. Gallimard, 1977. — (coll. «Tel», nº 18).

CIXOUS (Hélène), 1937. — *Souffles.* — Éd. des Femmes, 1975.

CLANCIER (Georges-Emmanuel), 1914. — *L'Éternité plus un jour.* — Éd. Robert Laffont, 1969.

CLARETIE (Jules), 1840-1913. — in *L'Opinion nationale,* 22 mars 1868.

CLAUDEL (Paul), 1868-1955. — *L'Annonce faite à Marie.* — [1912]. — Éd. Gallimard, 1940. — (coll. «Blanche»). — *L'Art poétique,* in *Œuvre poétique.* — Éd. Gallimard, 1957. — (coll. «Bibliothèque de la Pléiade»). — *Cent phrases pour éventails.* — Éd. Gallimard, 1942. — *Cinq grandes odes* [1904-1910], suivies de *Processionnal pour saluer le siècle nouveau* [1907]. — Éd. Gallimard, 1948. — (coll. «Blanche»). — *Connaissance de l'Est.* — [1900 ; 2ᵉ édition augmentée, 1907]. — Éd. Mercure de France, 1946. — *Connaissance de l'Est,* in *Paul Claudel,* par Louis PERCHE. — Éd. Seghers. — (coll. «Poètes d'aujourd'hui», nº 10). — *Feuilles de saints.* — [1915 ; 2ᵉ éd., 1925]. — Éd. Gallimard, 1946. — (coll. «Blanche»). — *Figures et Paraboles.* — Éd. Gallimard, 1936. — (coll. «Blanche»). — **Journal.** — 2 tomes. — Tome I : *1904-1932.* — Tome II : *1933-1955.* — Éd. Gallimard, 1968, 1969. — (coll. «Bibliothèque de la Pléiade»). — *Le Livre de Christophe Colomb.* — [1933]. — Éd. Gallimard, 1954. — (coll. «Blanche»). — **Œuvres en prose.** — Éd. Gallimard, 1965. — (coll. «Bibliothèque de la Pléiade»). — *L'Otage.* — [1911]. — Éd. Gallimard, 1956. — (coll. «Blanche»). — *Partage de midi.* — [1906]. — Éd. Gallimard, 1949 ; 1962. — (coll. «Blanche»). — *Positions et Propositions.* — 2 tomes. — [1928-1934]. — Éd. Gallimard, 1948. — (coll. «Blanche»). — *Le Soulier de satin.* — [1919]. — Éd. Gallimard, 1953. — Le Livre de Poche, nº 1295-1296. — *Théâtre,* tomes I et III. — Éd. Mercure de France, 1946, 1947. — **Théâtre.** — 2 tomes. — Éd. Gallimard, 1959, 1960. — (coll. «Bibliothèque de la Pléiade»).

CLAVEL (Maurice), 1920-1979. — *Le Tiers des étoiles.* — Éd. Grasset, 1972.

CLAVIEN (Germain). — *Les Moineaux de l'Arvêche.* — Pont-de-la-Morge (Suisse) : Éd. La Douraine, 1962. — *Le Partage.* — Éd. La Douraine, 1976. — *Un hiver en Arvêche.* — Lausanne : Éd. L'Âge d'Homme, 1970.

CLEMENCEAU (Georges Benjamin), 1841-1929. — *Discours du 8 mars 1918.* — in NYROP (Kristoffer). — *Grammaire historique de langue française.*

CLOOTS (Jean-Baptiste, baron de CLOOTS, dit Anacharsis), 1755-1794. — in JAURÈS (Jean). — *Histoire socialiste de la Révolution française,* tome VIII.

COCTEAU (Jean), 1889-1963. — *L'Aigle à deux têtes.* — Éd. Gallimard, 1946. — (coll. «Blanche»). — *La Belle et la Bête.* — [1945]. — Éd. Balland, 1975. — (coll. «Bibliothèque des classiques du cinéma»). — *La Belle et la Bête : Journal d'un film.* — Dijon : Éd. Janin, 1946. — *Le Cap de Bonne-Espérance* [1919], suivi de *Le Discours du Grand Sommeil* [1920]. — Éd. Gallimard, 1967. — (coll. «Poésie», nº 19). — *La Difficulté d'être.* — Éd. Paul Morihien, 1947. — *Les Enfants terribles.* — Éd. Grasset ; Éd. Fayard, 1929. — *Le Grand Écart.* — [1923]. — Éd. Delamain et Boutelleau, 1931. — *Journal d'un inconnu.* — Éd. Grasset, 1953. — *La Machine infernale.* — [1934]. — Le Livre de Poche, nº 854, 1962. — *Morceaux choisis : Poèmes.* — Éd. Gallimard, 1932. — (coll. «Blanche»). — *Orphée.* — [1926]. — Éd. Fayard, 1954. — *Pièce de circonstance,* in *Morceaux choisis.* — Éd. Gallimard, 1932. — (coll. «Blanche»). — *Thomas l'imposteur.* — [1923]. — Le Livre de Poche, nº 244, 1964. — Éd. Gallimard, 1980. — (coll. «Folio», nº 480).

COGNIARD (Charles-Théodore), COGNIARD (Jean-Hippolyte). — *Le Monde-Camelotte,* comédie-vaudeville en 3 actes par MM. COGNIARD frères et A. BOURDOIS. — [1855]. — Éd. Michel Lévy, s. d.

COHEN (Albert), 1895-1981. — *Le Livre de ma mère.* — Éd. Gallimard, 1954. — (coll. «Blanche»).

COHEN (Gustave), 1879-1958. — *La Grande Clarté du moyen âge.* — New York : Éd. de la Maison Française, 1943.

COLBERT (Jean-Baptiste), 1619-1683. — *Lettres, Instructions et Mémoires,* publiés par Pierre CLÉMENT. — 10 tomes. — Éd. Imprimerie Impériale, puis Imprimerie Nationale, 1861-1882.

COLETTE (Sidonie Gabrielle COLETTE, dite), 1873-1954. — *Belles saisons.* — [1954]. — Éd. Flammarion, 1955. — *Le Blé en herbe.* — [1923]. — Éd. Flammarion, 1955. — *La Chatte.* — [1933]. — Éd. B. Grasset, 1942. — *Chéri.* — Éd. Calmann-Lévy, 1920. — *Claudine à l'école,* par WILLY. — [Ollendorff, 1900]. — Éd. Albin Michel, 1929. — *Claudine s'en va,* par WILLY et Colette WILLY. — [Ollendorff, 1903]. — Le Livre de Poche, nº 238, 1979. — *De ma fenêtre.* — Éd. Aux armes de France, 1942. — *Duo.* — Éd. Ferenczi, 1934. — *L'Envers du music-hall.* — [1913]. — Éd. Flammarion, 1954. — *L'Étoile Vesper.* — Éd. Milieu du Monde, 1946. — *Le Fanal bleu.* — Éd. Ferenczi, 1949. — Le Livre de Poche, nº 4221, 1975. — *La Fin de Chéri.* — [1926]. — Éd. Calmann-Lévy, 1951. — *Gigi.* — [1944]. — Le Livre de Poche, nº 89, 1962. — *Histoires pour Bel-Gazou.* — Éd. Delamain et Boutelleau, 1930. — *L'Ingénue libertine.* — [1909]. — Le Livre de Poche, nº 11, 1979. — *Journal à rebours.* — Éd. Arthème Fayard, 1941. — *Julie de Carneilhan.* — Éd. Arthème Fayard, 1941. — *La Maison de Claudine.* — [1922]. — Éd. Ferenczi, 1949. — *Mitsou ou Comment l'esprit vient aux filles.* — Éd. Arthème Fayard, 1919. — *La Naissance du jour.* — Éd. Flammarion, 1928. — *La Paix chez les bêtes.* — Éd. Georges Crès, 1916. — (coll. «Les Proses»). — *Prisons et Paradis.* — Éd. Ferenczi, 1932. — *Le Pur et l'Impur.* — Éd. Aux armes de France, 1941. — *La Retraite sentimentale.* — [1907]. — Éd. Mercure de France, 1962. — *Sido* [1929], suivi de *Les Vrilles de la vigne* [1908]. — Le Livre de Poche, nº 373, 1961. — *La Vagabonde.* — Éd. Albin Michel, 1910. — *Les Vrilles de la vigne.* — [1908]. — Éd. Ferenczi, 1934.

COLINET (Paul). — *Éléments initiatiques aux promenades en forêt,* in *Phantomas,* nº 14, mai 1959.

COLLIN D'HARLEVILLE (Jean-François), 1755-1806. — *Œuvres.* — 4 tomes. — Éd. Janet et Cotelle, 1821.

COMMYNES ou COMINES (Philippe de), v. 1447-1511. — *Chronique et Histoire.* — [Galliot du Pré, 1519]. — *Mémoires.* — 4 tomes. — Éd. Lenglet de Fresnoy, 1747.

COMTE (Auguste), 1798-1857. — *Cours de philosophie positive, 1839-1842.* — [Bachelier, 1893]. — Éd. Hachette, 1927. — *Discours sur l'esprit positif.* — [1844]. — Éd. Vrin, 1974. — *Philosophie positive.* — 4 tomes. — Éd. Flammarion, 1930-1938. — (coll. «Les meilleurs auteurs classiques»).

CONCHON (Georges), 1925. — *L'Amour en face.* — Éd. Albin Michel, 1972.

CONDILLAC (Étienne BONNOT de), 1715-1780. — *Essai sur l'origine des connaissances humaines.* — [1746]. — Éd. Galilée, 1973. — *La Logique ou les Premiers Développements de l'art de penser.* — [L'Esprit et De Bure, 1780]. — *Traité des sensations.* — 2 tomes. — [De Bure, 1754]. — Éd. Hachette, 1886.

CONDORCET (Antoine Nicolas de CARITAT, marquis de), 1743-1794. — *Œuvres complètes,* publiées par Arthur CONDORCET O'CONOR et François ARAGO. — 12 tomes. — Éd. Didot, 1847-1849. — *Esquisse d'un tableau historique des progrès de l'esprit humain.* — [1794], texte revu et présenté par O. H. PRIOR, nouvelle édition présentée par Y. BELAVAL. — Éd. Vrin, 1970.

CONSTANT (Benjamin CONSTANT de REBECQUE, dit Benjamin), 1767-1830. — *Adolphe.* — [1816]. — Éd. Garnier, 1931. — (coll. «Classiques

Garnier»). — *Journal intime*, précédé du *Cahier rouge* [Calmann-Lévy, 1907], et de *Adolphe*. — Monaco : Éd. du Rocher, 1945. — (coll. «Grands et petits chefs-d'œuvre»).

CONSTANTIN-WEYER (Maurice), 1881. — *Source de joie*. — Éd. Ferenczi, 1935. — (coll. «Le Livre moderne illustré»).

CONTAT (Michel), RYBALKA (Michel). — *Les Écrits de Sartre*. — Éd. Gallimard, 1970. — (coll. «Blanche»).

COPPÉE (François), 1842-1908. — [*Poésies*. — 2 tomes. — 1883-1885]. — *Poésies complètes*. — 3 tomes. — Éd. A. Lemerre, 1923-1925.

CORBIÈRE (Édouard Joachim, dit Tristan), 1845-1875. — *Les Amours jaunes*. — [1873]. — Éd. Les maîtres du livre, 1919. — in CROS (Charles), CORBIÈRE (Tristan). — *Œuvres complètes*. — Éd. Gallimard, 1970. — (coll. «Bibliothèque de la Pléiade»).

CORDELIER (Jeanne). — *La Passagère*. — Éd. Hachette, 1981.

CORDELIER (Jeanne), LAROCHE (Maurice). — *La Dérobade*. — Éd. Hachette, 1976.

CORNEILLE (Pierre), 1606-1684. — **Œuvres complètes**, éditées par Charles MARTY-LAVEAUX. — 12 tomes. — Tomes XI et XII : *Lexique de la langue de Pierre Corneille*. — Éd. Hachette, 1862-1868. — (coll. «Les Grands Écrivains de la France»). — *Théâtre*. — 3 tomes. — Éd. Garnier, 1924. — *Théâtre complet*. — 2 tomes. — [1934]. — Éd. Gallimard, 1950. — (coll. «Bibliothèque de la Pléiade»).

CORNEILLE (Thomas), 1625-1709. — *Œuvres*. — [5 tomes, 1722]. — 9 tomes. — Éd. Slatkine, 1970.

COROT (Jean-Baptiste Camille), 1796-1875. — *Corot raconté par lui-même et par ses amis : Pensées et Écrits du peintre*. — Vézenaz-Genève : Éd. Pierre Cailler, 1946.

COSTE (Pierre), 1668-1747. — Traduction du *Traité d'optique sur les réflexions, réfractions, inflexions et couleurs de la lumière par M. le chevalier Newton*. — Amsterdam : Éd. P. Humbert, 1720.

COURCHAY (Claude). — *La vie finira bien par commencer*. — Éd. Gallimard, 1972. — (coll. «Blanche»).

COURIER (Paul-Louis), 1772-1825. — *Œuvres choisies*. — Éd. Delagrave, 1925. — *Œuvres complètes*. — Éd. Gallimard, 1951. — (coll. «Bibliothèque de la Pléiade»).

COURNOT (Antoine Augustin), 1801-1877. — *Essai sur les fondements de nos connaissances et sur les caractères de la critique philosophique*. — [2 tomes, 1851]. — Éd. Hachette, 1912.

COUROUBLE (Léopold), 1861-1937. — *La Famille Kaekebroeck, mœurs bruxelloises*. — [1902]. — Bruxelles : Éd. Libro-Sciences, 1978.

COURTEILLE (Bernard). — *Nés de la brousse*. — Éditions Ouvrières, 1974.

COURTELINE (Georges MOINAUX, dit Georges), 1858-1929. — *Boubouroche*. — [Charpentier et Fasquelle, 1893]. — Éd. F. Bernouard, 1926. — (coll. «Les œuvres d'aujourd'hui»). — *Les Femmes d'amis*. — [Marpon et Flammarion, 1888]. — Le Livre de Poche, nº 1273, 1972. — *Les Gaietés de l'escadron*. — [Marpon et Flammarion, 1886]. — Éd. Flammarion, 1925. — *Lidoire et la Biscotte*. — Éd. Flammarion, 1892. — *Messieurs les ronds-de-cuir*. — [1893]. — Éd. Flammarion, 1947. — *Théâtre*. — 2 tomes. — Éd. Flammarion, 1956. — *Le Train de 8 h 47*. — [Marpon et Flammarion, 1888]. — Éd. Flammarion, 1950.

COURTHION (Louis). — *Contes valaisans*. — Genève : Éd. A. Jullien, 1904.

COUSIN (Victor), 1792-1867. — *Du vrai, du beau, du bien*. — [Didier, 1853]. — Éd. Librairie Perrin, 1917.

COUTÉ (Gaston), 1880-1911. — *La Chanson d'un gâs qu'a mal tourné*. — Éd. Seghers, 1961.

COUTURAT (Louis), 1868-1914. — *Compte rendu du 2e Congrès de philosophie*. — in LALANDE (André). — *Vocabulaire technique et critique de la philosphie*. — Éd. P.U.F., 1951. — *Les Principes des mathématiques*. — Éd. A. Blanchard, 1980.

CRÉBILLON (Prosper JOLYOT, sieur de CRAIS-BILLON, dit), 1674-1762. — *Œuvres : Tragédies*. — 3 tomes. — Éd. Proult, 1749.

CRÉQUI (madame de), 1714-1803. — *Lettres inédites à Senac de Meilban, 1782-1789*, mises en ordre et annotées par Édouard FOURNIER. — Éd. Potier, 1856.

CRISINEL (Edmond Henri), 1897-1948. — *Alectone*. — Porrentruy (Suisse) : Éd. Aux Portes de France, 1947.

CROISSET (Frantz WIENER, dit Francis de), 1877-1937. — *La Féerie cinghalaise : Ceylan avec les Anglais*. — [1926]. — Éd. Grasset, 1947.

CROMMELYNCK (Fernand), 1885-1970. — *Théâtre*, tome II. — Éd. Gallimard, 1968. — (coll. «Blanche»).

CROS (Charles), 1842-1888. — in CROS (Charles), CORBIÈRE (Tristan). — **Œuvres complètes**. — Éd. Gallimard, 1970. — (coll. «Bibliothèque de la Pléiade»). — in *Charles Cros*, par Jacques BRENNER. — Éd. Seghers, 1955. — (coll. «Poètes d'aujourd'hui», nº 47).

CUISIN (P.), 1777-1845. — *Le Peintre des coulisses*. — Éd. François, 1822.

CUREL (François de), 1854-1928. — *Les Fossiles*. — Éd. Calmann-Lévy, 1892. — *L'Invitée*. — Éd. Calmann-Lévy, 1893. — *La Nouvelle Idole*. — [1899]. — Éd. Georges Crès, 1919.

CURIE (Marie), 1867-1934. — *Pierre Curie*. — [1923]. — Éd. Denoël, 1956.

CURIE (Pierre), 1859-1906. — *Discours pour le prix Nobel*, 1903.

CURIE (Pierre), 1859-1906, CURIE (Marie), 1867-1934, BÉMONT (Gustave), 1857-1932. — *Note*, in *Compte rendu de l'Académie des sciences*, 26 décembre 1898.

CURTIS (Jean-Louis), 1917. — *L'Horizon dérobé*. — 2 tomes. — Éd. Flammarion, 1978, 1980. — Lausanne : Éd. Ex Libris, 1979. — *Le Roseau pensant*. — [1969]. — Éd. Julliard, 1971.

CUSTINE (Astolphe, marquis de), 1790-1857. — *La Russie en 1839*. — 4 tomes. — Éd. Amyot, 1843.

CUVIER (Georges, baron), 1769-1832. — *Discours sur les révolutions de la surface du globe*. — Éd. Edmond d'Ocagne, 1830.

CYRANO DE BERGERAC (Savinien de), 1619-1655. — *Œuvres diverses*. — Éd. Garnier, 1933.

DABIT (Eugène), 1898-1936. — *Hôtel du Nord*. — Éd. Denoël, 1929.

Dada, réimpression intégrale et dossier critique de la revue publiée de 1916 à 1922 par Tristan TZARA. — Nice : Éd. Centre du 20e siècle, 1978.

DADIÉ (Bernard), 1916. — *Le Pagne noir*. — Éd. Présence Africaine, 1955.

DALI (Salvador), 1904. — *Visages cachés*. — Éd. Stock, 1973.

DALLENBÄCH (Lucien). — *Le Récit spéculaire : Essai sur la mise en abyme*. — Éd. du Seuil, 1977. — (coll. «Poétique»).

DANCOURT (Florent CARTON, sieur d'ANCOURT, dit), 1661-1725. — [*Œuvres*. — 8 tomes. — Les libraires associés, 1742]. — *Théâtre choisi*. — Éd. Garnier, s. d. — (coll. «Laplace»).

DANIEL-ROPS (Henri PETIOT, dit), 1901-1965. — *Ce qui meurt et ce qui naît*. — Éd. Plon, 1937. — *L'Église des Apôtres et des Martyrs*. — 2 tomes. — Tome I : *La Fin d'un empire*. — Tome II : *La Croix sur le monde*. — Éd. du Cerf, s. d. — (coll. «Foi Vivante», nᵒˢ 153 et 154). — *Jésus en son temps*. — [1945]. — Éd. Arthème Fayard, 1951. — (coll. «Les Grandes Études Historiques»). — *Le Monde sans âme*. — Éd. Plon, 1932. — *Mort, où est ta victoire?* — [1934]. — Éd. Plon, 1935. — *Le Peuple de la Bible*. — Éd. Arthème Fayard, 1943. — (coll. «Les Grandes Études Historiques»). — *La Vie quotidienne en Palestine au temps de Jésus*. — Éd. Hachette, 1968. — (coll. «Vies quotidiennes»).

DANINOS (Pierre), 1913. — *Le Jacassin*. — [Hachette, 1962]. — Le Livre de Poche, nº 1455, 1966. — *Snobissimo*. — Éd. Hachette, 1964. — *Tout Sonia*. — Éd. Hachette, 1958. — *Un certain Monsieur Blot*. — Éd. Hachette, 1960. — *Vacances à tout prix*. — Éd. Hachette, 1958.

DANTON (Georges Jacques), 1759-1794. — *Œuvres*, publiées par A. VERMOREL. — Éd. F. Cournol, 1866.

DAUBENTON (Louis d'AUBENTON, dit), 1716-1800. — in *Mémoires de l'Institut national des sciences et arts*, tome I, 1795.

DAUDET (Alphonse), 1840-1897. — *Contes du lundi*. — [1873]. — Éd. Alphonse Lemerre, 1947. — *L'Évangéliste*. — Éd. E. Dentu, 1883. — *Les Femmes d'artistes*. — Éd. Alphonse Lemerre, 1874. — *Fromont jeune et Risler aîné*. — [1874]. — Éd. Charpentier, 1877. — *L'Immortel : Mœurs parisiennes*. — Éd. Alphonse Lemerre, 1888. — *Jack*. — 2 tomes. — [1876]. — Éd. Flammarion, s.d. — (coll. «Guillaume»). — in *Journal Officiel*, 30 novembre 1874. — *Lettres de mon moulin*. — [1869]. — Éd. Alphonse Lemerre, 1946. — *Le Nabab : Mœurs parisiennes*. — 2 tomes. — [1887]. — Éd. Charpentier, 1917. — *Numa Roumestan*. — [1881]. — Éd. Nelson, s. d. — *Le Petit Chose*. — [1868]. — Éd. Alphonse Lemerre, 1946. — *La Petite Paroisse : Mœurs conjugales*. — Éd. Alphonse Lemerre, 1895. — *Port-Tarascon* [1890], suivi de *Rose et Ninette* [1892], et de *Entre les frises et la rampe* [1894]. — Éd. Librairie de France, 1930. — *Rose et Ninette*. — [1892]. — Éd. Flammarion, s. d. — (coll. «Guillaume»). — *Sapho : Mœurs parisiennes*. — [1884]. — Éd. Flammarion, 1941. — *Le Sous-préfet aux champs*. — Éd. La Librairie théâtrale, 1898. — *Soutien de famille*. — Éd. E. Fasquelle, 1898. — *Tartarin de Tarascon*. — [1872]. — Éd. Flammarion, 1937. — *Tartarin sur les Alpes*. — [1885]. — Éd. Flammarion, 1950. — *Trente ans de Paris*. — Éd. Marpon et Flammarion, 1888. — (coll. «Guillaume»).

DAUDET (Léon), 1867-1942. — *La Fausse Étoile*. — Éd. Fasquelle, 1913. — *La Femme et l'Amour*. — [1930]. — Éd. Flammarion, 1948. — *Panorama de la IIIe République : 1870-1936*. — Éd. Gallimard, 1936. — (coll. «Blanche»). — *Salons et Journaux* [1917], in *Souvenirs des milieux politiques, littéraires, artistiques et médicaux*. — Éd. Nouvelle Librairie nationale, 1920.

DAUDET (Lucien). — *Autour de soixantes lettres de Marcel Proust*. — Éd. N. R. F., 1929.

DAUDY (Alphonse). — *La Force du destin*. — Éd. Pierre Belfond, 1981.

DAUMAL (René), 1908-1944. — *Bharata : Écrits et Traductions sur l'origine du théâtre, la poésie et la musique en Inde, et divers autres textes*. — [1935]. — Éd. Gallimard, 1970. — (coll. «Blanche»). — *Les Pouvoirs de la parole*, 2 : *Essais et Notes, 1935-1943*. — Éd. Gallimard, 1972. — (coll. «Blanche»).

DAVID (Jacques Louis), 1748-1825. — cité in GUERLIN (Henri). — *L'Art d'enseigner par les maîtres*. — Éd. Laurens, 1918-1937.

DAVID D'ANGERS (Pierre-Jean DAVID, dit), 1788-1856. — *Correspondance*, publiée par Henry JOUIN. — Éd. Plon-Nourrit, 1890.

DEBRAY (Régis), 1941. — *L'Indésirable*. — [Seuil, 1975]. — Le Livre de Poche, nº 4919, 1977.

Déclaration des droits de l'homme et du citoyen, préambule de la Constitution de 1791, septembre 1791.

DE COSTER (Charles), 1827-1879. — *La Légende et les Aventures héroïques, joyeuses et glorieuses d'Ulenspiegel et de Lamme Goedzak au pays de Flandres et ailleurs*. — [1867]. — édition définitive, avec notes et variantes, établie et présentée par Joseph HANSE. — 2e éd. — Bruxelles : Éd. Renaissance du Livre, 1966.

DEFFAND (Marie, marquise du). — Voir DU DEFFAND.

DEGAS (Edgar de GAS, dit), 1834-1917. — *Lettres*. — Éd. Bernard Grasset, 1931.

DELACROIX (Eugène), 1798-1863. — *Écrits*. — 2 tomes. — Éd. Plon, 1942. — *Journal*. — 2 tomes. — Éd. Plon, 1893.

DELAMBRE (chevalier Jean-Baptiste), 1749-1822. — *Abrégé d'astronomie ou Leçons élémentaires d'astronomie théorique et pratique*. — Éd. Veuve Courcier, 1813.

DELATTRE (Louis). — *Histoire des petits enfants*, in *Contes à Saint-Christophe*. — [1912]. — Paris; Bruxelles; Édition populaire, s. d.

DELAVIGNE (Casimir), 1793-1843. — *Œuvres complètes*. — 4 tomes. — Éd. Didier, 1854.

DELBO (Charlotte). — *Auschwitz et après*, 1 : *Aucun de nous ne reviendra*. — Éd. Gonthier, 1965.

DELEUZE (Gilles), 1925. — *Logique du sens*. — [Minuit, 1969]. — Éd. U. G. E., 1973. — (coll. « 10/18 », n° 747).

DELEUZE (Gilles), 1925, GUATTARI (Félix). — *Capitalisme et Schizophrénie : L'Anti-Œdipe*. — Éd. de Minuit, 1972. — (coll. « Critique »).

DELILLE (abbé Jacques), 1738-1813. — *Œuvres complètes*. — [1803-1812]. — nouvelle édition. — 16 tomes. — Éd. Michaud, 1824. — *L'Homme des champs ou les Géorgiques françaises*. — Strasbourg : Éd. Levrault, 1802.

DENIS (Hector), 1842-1913. — in *La Philosophie positive*, 1er mai 1872.

DENIS (Maurice), 1870-1943. — *Les Besoins collectifs et la Peinture*, in *Encyclopédie française*, fondée par Anatole de MONZIE, tome XVI, 1935.

DENUZIÈRE (Maurice), 1926. — *Fausse-Rivière*. — Éd. Jean-Claude Lattès, 1979. — *Louisiane*. — Éd. Jean-Claude Lattès, 1977.

DÉON (Michel), 1919. — *La Corrida*. — [Plon, 1952]. — Lausanne : Éd. La Guilde du Livre, 1964. — *Les Gens de la nuit*. — [Plon, 1958]. — Éd. Gallimard, 1974. — (coll. « Folio », n° 557). — *Les Poneys sauvages*. — [1970]. — Éd. Gallimard, 1978. — (coll. « Folio », n° 71). — *Tout l'amour du monde*. — 2 tomes. — [La Table Ronde, 1955, 1960]. — Éd. Gallimard, 1978. — (coll. « Folio », n° 1016). — *Un taxi mauve*. — Éd. Gallimard, 1973. — (coll. « Blanche »). — *Les Vingt Ans du jeune homme vert*. — Éd. Gallimard, 1977. — (coll. « Blanche »).

DÉROULÈDE (Paul), 1846-1914. — *Les Chants du soldat*. — Éd. Michel Lévy, 1872.

DESANTI (Jean-Toussaint). — *Phénoménologie et Praxis*. — [Éditions Sociales, 1963]. — Éd. Gallimard. — (coll. « Idées »).

DES AUTELS (Guillaume), 1529-1581. — *Repos de plus grand travail*. — [Lyon : Éd. Jean de Tournes et Gazeau, 1550]. — *La Suite du Repos*. — [1551].

DES CARS (Guy). — *Le Château de la Juive*. — [Flammarion, 1958]. — Bruxelles : Éd. L'Ambassade du Livre. — *La Demoiselle d'Opéra*. — [1948]. — Bruxelles : Éd. L'Ambassade du Livre, 1961. — *L'Envoûteuse*. — [Flammarion, 1975]. — Lausanne : Éd. Ex Libris, 1976. — *Le Grand Monde*. — Éd. Flammarion, 1961. — *Sang d'Afrique*. — Éd. Flammarion, 1963. — *Une certaine dame*. — Éd. Flammarion, 1971.

DESCARTES (René), 1596-1650. — *Lettres*. — Éd. P.U.F., 1954. — (coll. « Les Grands Textes »). — *Œuvres choisies*. — 2 tomes. — Éd. Garnier, 1930. — *Œuvres et Lettres*. — Éd. Gallimard, 1958. — (coll. « Bibliothèque de la Pléiade »). — *Œuvres philosophiques et morales*. — Éd. Bibliothèque des Lettres, 1948. — *Pages immortelles de Descartes*, par Paul VALÉRY. — [1941]. — Éd. Corréa, 1946.

DESFONTAINES (Pierre-François GUYOT), 1685-1745. — *Le Nouvelliste du Parnasse ou Réflexions sur les ouvrages nouveaux*. — 4 tomes. — 1730-1732. — *Observations sur les écrits modernes*. — 34 tomes. — 1735-1743.

DESHOULIÈRES (Antoinette du LIGIER de LA GARDE, madame), 1637-1694. — *Œuvres*. — nouvelle édition augmentée. — 2 tomes. — Éd. David l'aîné, 1747.

DESMOULINS (Camille), 1760-1794. — *Correspondance inédite*, publiée par M. MATTON. — Éd. Ebrard, 1836. — *Œuvres*. — 2 tomes. — Éd. Ebrard, 1838.

DESNOYERS (Louis), 1802-1868. — *Les Aventures de Jean-Paul Choppart*. — [Allardin, 1834]. — Éd. Bureau Aubert, 1836.

DES PÉRIERS (Bonaventure), v. 1510-v. 1544. — *Nouvelles récréations et joyeux devis*. — Lyon : Éd. R. Granjon, 1558. — *Œuvres*, éditées par Louis LACOUR. — 2 tomes. — Éd. P. Jannet, 1856. — (coll. « Bibliothèque elzévirienne »).

DESPORTES (Philippe), 1546-1606. — *Œuvres*, publiées par A. MICHIELS. — 1858. — *Les Psaumes de David, mis en vers français*. — Éd. Patisson, 1592 (60 psaumes), 1603 (150 psaumes).

DESTOUCHES (Philippe NÉRICAULT, dit), 1680-1754. — *Œuvres dramatiques*. — [1711-1754]. — 6 tomes. — nouvelle édition. — Éd. Imprimerie Grapelet, 1822.

DESTUTT DE TRACY (Antoine Louis Claude, comte de), 1754-1836. — *Commentaire sur l'Esprit des lois de Montesquieu*. — [1807]. — Éd. Delaunay, 1819. — *Éléments d'idéologie*. — [4 tomes, 1817-1818]. — 2 tomes. — Éd. Vrin, 1970.

DETREZ (Conrad). — *L'Herbe à brûler*. — Éd. Calmann-Lévy, 1978.

DEVAL (Jacques), 1863-1938. — *Une tant belle fille*. — Éd. L'Illustration, 1928.

DEVOS (Raymond), 1922. — *Sens dessus dessous : Sketches*. — [Stock, 1976]. — Le Livre de Poche, n° 5102, 1983.

DIALLO (N.). — *De Tilème au Plateau*. — Dakar; Abidjan : Éd. N.E.A., 1975.

DIDEROT (Denis), 1713-1784. — **Œuvres**. — Éd. Gallimard, 1946. — (coll. « Bibliothèque de la Pléiade »). — *Œuvres choisies*. — 2 tomes. — Éd. Garnier, 1932, 1934. — *Œuvres esthétiques*. — Éd. Garnier,

1959. — *Œuvres philosophiques*. — Éd. Garnier, 1956. — *Œuvres romanesques*. — Éd. Garnier, 1951. — *Jacques le Fataliste et son maître*. — [1792]. — Le Livre de Poche, n° 403, 1967.

DIETRICH (Luc), 1912-1944. — *Le Bonheur des tristes*. — [1935]. — Éd. Club du Livre.

DIOP (Birago), 1906. — *Les Contes et Lavanes*. — Éd. Présence Africaine, 1963. — *Leurres et Lueurs*. — Éd. Présence Africaine, 1960. — in *Pages africaines*. — Éd. Hatier, 1963-1966.

DOMINIQUE (Antoine). — *Le Gorille sans cravate*. — Éd. Gallimard, 1955. — (coll. « Carré noir », n° 170).

DONNAY (Maurice), 1859-1945. — *Le Lycée Louis-le-Grand*. — Éd. Gallimard, 1939. — (coll. « Collèges et Lycées »).

DORGELÈS (Roland LÉCAVELÉ, dit Roland), 1886-1973. — *À bas l'argent*. — [Albin Michel, 1965]. — Bruxelles : Éd. L'Ambassade du Livre, 1965. — *Le Cabaret de la belle femme*. — [1919]. — Éd. Albin Michel, 1928. — *Les Croix de bois*. — [1919]. — Éd. Albin Michel, 1949. — *La Drôle de guerre : 1939-1940*. — Éd. Albin Michel, 1957. — *Partir*. — [Albin Michel, 1926]. — Le Livre de Poche, n° 1717. — *La Route des tropiques*. — Éd. Albin Michel, 1944. — *Saint-Magloire*. — Éd. Albin Michel, 1922. — *Tout est à vendre*. — Éd. Albin Michel, 1956.

DORMANN (Geneviève), 1933. — *Le Bateau du courrier*. — Éd. du Seuil, 1974. — *Le Chemin des dames*. — Éd. du Seuil, 1964. — *La Fanfaronne*. — Éd. du Seuil, 1959. — *Fleur de péché*. — [Seuil, 1980]. — Éd. Club France Loisirs, 1981. — *Je t'apporterai des orages*. — Éd. du Seuil, 1971. — *La Passion selon saint Jules*. — [Seuil, 1967]. — Le Livre de Poche, n° 5122, 1978. — *Le Roman de Sophie Trébuchet*. — Éd. Albin Michel, 1982.

DRIEU LA ROCHELLE (Pierre), 1893-1945. — *La Comédie de Charleroi*. — [Gallimard, 1934]. — Le Livre de Poche, n° 2737, 1970. — *Le Feu follet*. — [1931]. — Éd. Gallimard, 1982. — (coll. « Folio », n° 152). — *Gilles*. — Éd. Gallimard, 1939. — Le Livre de Poche, n° 831-832, 1962.

DRUON (Maurice), 1918. — *Les Grandes Familles*. — [Julliard, 1948]. — Le Livre de Poche, n° 75-76, 1965. — *La Chute des corps*. — [1950]. — Le Livre de Poche, n° 614-615, 1967. — *Le Lis et le Lion*. — [Éditions Mondiales, 1959]. — Lausanne : Éd. La Guilde du Livre, 1967 — *La Reine étranglée*. — [Éditions Mondiales, 1955]. — Lausanne : Éd. La Guilde du Livre, 1967. — *Rendez-vous aux enfers*. — [1951]. — Le Livre de Poche, n° 896-897, 1967. — *Le Roi de fer*. — [Éditions Mondiales, 1955]. — Lausanne : Éd. La Guilde du Livre, 1967.

DU BARTAS (Guillaume de SALLUSTE, seigneur), 1544-1590. — *Œuvres*. — [1611]. — 3 tomes. — Chapel Hill : University of North Carolina press, 1934-1940.

DU BELLAY (Joachim), 1522-1560. — *Défense et Illustration de la langue française*. — [1549]. — Éd. Marcel Didier, 1948. — (coll. « Société des textes français modernes »). — *Poésies françaises et latines*. — 2 tomes. — Éd. Garnier, 1931.

DUBOIS (Walther). — *En poussant nos clédars : Notes et Croquis du Jura neuchâtelois*, tome II. — Le Locle (Suisse) : Éd. Glauser-Oderbolz, 1959.

DU BOS (Charles), 1882-1939. — *Qu'est-ce que la littérature?* et *Dernier journal intime*, suivi de *Hommage à Charles du Bos*, par François MAURIAC. — Éd. Plon, 1945. — (coll. « Présences »).

DUBY (Georges), 1919. — *Guerriers et Paysans, VIIe-XIIe siècle : Premier essor de l'économie européenne*. — [1973]. — Éd. Gallimard, 1975. — (coll. « Bibliothèque des histoires »). — *Les Trois Ordres ou l'Imaginaire du féodalisme*. — Éd. Gallimard, 1978. — (coll. « Bibliothèque des histoires »).

DU CAMP (Maxime), 1822-1894. — in *La Revue des Deux-Mondes*, 1er novembre 1857. — *Souvenirs littéraires*. — 2 tomes. — Éd. Hachette, 1882, 1883.

DUCHARME (Réjean), 1942. — *L'Hiver de force*. — Éd. Gallimard, 1973. — (coll. « Blanche »).

DUCHÉ (Jean), 1915. — *Histoire du monde*. — 5 tomes. — Tome I : *L'Animal vertical*. — Éd. Flammarion, 1958. — Tome II : *Le Feu de Dieu*. — Éd. Flammarion, 1960. — Tome III : *L'Âge de raison*. — Éd. Flammarion, 1963. — Tome IV : *1. Le Grand Tournant (1815-1914); 2. Le Grand Tournant (1914 à nos jours)*. — Éd. Flammarion, 1966. — (coll. « L'Histoire »). — *Trois sans toit*. — Éd. de Flore, 1952.

DUCIS (Jean-François), 1733-1816. — *Hamlet* [1769], *Macbeth* [1784], *Othello* [1792], *Roméo et Juliette* [1772], in *Œuvres*. — 3 tomes. — Éd. Nepveu, 1826. — *Œuvres posthumes*, éditées par M. CAMPENON. — Éd. Nepveu, 1826.

DUCLOS (Charles PINOT), 1704-1772. — *Œuvres complètes*, éditées par L. S. AUGER. — 10 tomes. — Éd. Colnet, 1806.

DU DEFFAND (Marie, marquise), 1697-1780. — *Correspondance complète*, éditée par M. de LESCURE. — 2 tomes. — Éd. Plon, 1865.

DU FAIL (Noël), v. 1520-1591. — *Contes et Discours d'Eutrapel*. — [Rennes : 1603]. — réédition moderne dans *Les Baliverneries et les Contes d'Eutrapel*, avec glossaire et notice par Émile COURBET. — 2 tomes. — Éd. Lemerre, 1894.

DUFRESNY (Charles), 1684-1724. — *Œuvres dramatiques*. — 4 tomes. — Éd. Barrois, 1779.

DUHAMEL (Georges), 1884-1966. — **Chronique des Pasquier**. — 10 tomes. — Éd. Mercure de France, 1933-1945. — Tome I : *Le Notaire du Havre*, 1933. — Tome II : *Le Jardin des bêtes sauvages*, 1934. — Tome III : *Vue de la terre promise*, 1934. — Tome IV : *La Nuit* *de la Saint-Jean,* 1935. — Tome V : *Le Désert de Bièvres,* 1937. — Tome VI : *Les Maîtres,* 1937. — Tome VII : *Cécile parmi nous,* 1938. — Tome VIII : *Le Combat contre les ombres,* 1939. — Tome IX : *Suzanne et les jeunes hommes,* 1941. — Tome X : *La Passion de Joseph Pasquier,* 1945. *L'Archange de l'aventure.* — Éd. Mercure de France, 1955. — *Biographie de mes fantômes.* — [1944]. — Éd. Mercure de France, 1948. — *Chronique des saisons amères.* — Éd. Paul Hartmann, 1944. — *Les Compagnons de l'Apocalypse.* — Éd. Mercure de France, 1956. — *Consultation aux pays d'Islam.* — Éd. Mercure de France, 1947. — *Cri des profondeurs.* — Éd. Mercure de France, 1951. — *Défense des lettres.* — Éd. Mercure de France, 1937. — *Discours aux nuages.* — Éd. du Siècle, 1934. — *Entretiens dans le tumulte.* — Éd. Mercure de France, 1919. — *Les Espoirs et les Épreuves : 1914-1928.* — Éd. Mercure de France, 1953. — *Fables de mon jardin.* — [1936]. — Éd. Mercure de France, 1946. — *Les Hommes abandonnés.* — [1931]. — Éd. Mercure de France, 1932. — *Inventaire de l'abîme : 1884-1901.* — Éd. Paul Hartmann, 1944. — *Lieu d'asile.* — [1940]. — Éd. Mercure de France, 1945. — *Les Livres du bonheur.* — Éd. Mercure de France, 1950. — *Les Maîtres.* — [1937]. — Éd. L'Ambassade du Livre, 1962. — *Manuel du protestataire.* — Éd. Mercure de France, 1952. — *Mémorial de la guerre blanche.* — Éd. Mercure de France, 1939. — *Mon Europe.* — [1931]. — Éd. Flammarion, 1936. — *La Musique consolatrice.* — [1944]. — Monaco : Éd. du Rocher, 1946. — *La Nuit d'orage.* — Éd. Mercure de France, 1928. — *La Pesée des âmes : 1914-1919.* — Éd. Mercure de France, 1949. — *La Pierre d'Horeb.* — [1926]. — Éd. Mercure de France, 1947. — *Les Plaisirs et les Jeux.* — [1922]. — Éd. Ferenczi, 1947. — *Positions françaises : Chronique de l'année 1939.* — Éd. Mercure de France, 1943. — *La Possession du monde.* — [1919]. — Éd. Mercure de France, 1950. — *Le Prince Jaffar.* — [1924]. — Éd. Mercure de France, 1946. — *Problèmes de civilisation.* — Éd. Mercure de France, 1962. — *Problèmes de l'heure.* — Éd. Mercure de France, 1957. — *Querelles de famille.* — Éd. Mercure de France, 1932. — *Récits des temps de guerre.* — 2 tomes. — Éd. Mercure de France, 1949. — *Refuges de la lecture.* — Éd. Mercure de France, 1954. — *Scènes de la vie future.* — Éd. Mercure de France, 1930. — *Semailles au vent.* — Monaco : Éd. du Rocher, 1947. — *Sur la formation médicale,* in *Forme et couleurs,* n° 3, 1943. — *Tel qu'en lui-même.* — [1932]. — Éd. Ferenczi, 1936. — *Le Temps de la recherche : 1906-1914.* — Éd. Paul Hartmann, 1947. — *Travail, ô mon seul repos.* — Namur ; Paris : Éd. Wesmael-Charlier, 1959. — (coll. « Les auteurs juges de leurs œuvres »). — *Les Tribulations de l'espérance.* — Éd. Mercure de France, 1947. — *La Turquie nouvelle.* — Éd. Mercure de France, 1954. — *La Vie des Martyrs : 1914-1917.* — Éd. Mercure de France, 1918. — *Vie et Aventures de Salavin.* — [5 tomes, 1920-1932]. — Tomes I et II. — Éd. Mercure de France, 1948. — *Le Voyage de Patrice Périot.* — Éd. Mercure de France, 1930.

DU HAMEL DU MONCEAU (Henri Louis), 1700-1782, BUFFON (Georges, comte de), 1707-1788. — *Troisièmes et quatrièmes Mémoires* [1737], in *Histoire naturelle des végétaux,* tome XII des *Œuvres complètes* de BUFFON. — Éd. Garnier, 1855.

DUJARDIN (Édouard), 1861-1949. — *Les lauriers sont coupés.* — Éd. A. Messein, 1925.

DU MARSAIS (César CHESNEAU, sieur), 1676-1756. — *Des tropes ou des différents sens dans lesquels on peut prendre un même mot dans une même langue.* — [Brocas, 1730]. — 3e éd. — Éd. Prault, 1775.

DUMAS (Alexandre, dit DUMAS père), 1802-1870. — *Le Comte de Monte-Cristo.* — [1846]. — 4 tomes. — Éd. Calmann-Lévy, 1956-1957. — *Grand dictionnaire de cuisine.* — Éd. Alphonse Lemerre, 1873. — *Mes mémoires.* — [Alexandre Cadot, 1852-1854]. — 5 tomes. — Éd. Gallimard, 1954-1968. — (coll. « Mémoires du Passé pour servir au Temps présent »). — *Les Trois Mousquetaires.* — [1844]. — 2 tomes. — Éd. Calmann-Lévy, 1949. — *Le Vicomte de Bragelonne.* — [1848-1850]. — 6 tomes. — Éd. Calmann-Lévy, 1954. — *Vingt ans après.* — [1845]. — 3 tomes. — Éd. Calmann-Lévy, 1956.

DUMAS (Alexandre, dit DUMAS fils), 1824-1895. — *La Dame aux camélias.* — [1848]. — Éd. Nelson, s. d. — *Le Fils naturel.* — Éd. Charlieu, 1858. — *Théâtre.* — 7 tomes. — Éd. Calmann-Lévy, 1886-1893. — *La Tour de Nesle.* — [1832]. — Éd. Calmann-Lévy, 1890.

DUMAS (Jean-Baptiste), 1800-1884. — *Leçons de philosophie chimique professées au Collège de France,* citées in LALANDE (André). — *Vocabulaire technique et critique de la philosophie.* — Éd. P. U. F., 1951.

DUMONT D'URVILLE (Jules Sébastien César, contre-amiral), 1790-1841. — *Voyage au pôle Sud et en Océanie : Histoire du voyage.* — 4 tomes. — Éd. Gide, 1841-1846.

DUMOURIEZ (Charles François du PÉRIER, dit), 1779-1823. — cité in MICHELET (Jules). — *Histoire de la Révolution française.* — Éd. Gallimard, 1952. — (coll. « Bibliothèque de la Pléiade »).

DUPRÉ DE SAINT-MAUR (Émile), 1772-1824. — *Anthologie russe,* suivie de *Poésies originales.* — Éd. C. J. Trouvé, 1823.

DURAND (Loup), 1933. — *Le Caïd.* — [Denoël, 1976]. — Le Livre de Poche, n° 4974, 1977.

DURAS (Claire de KERSAINT, duchesse de), 1779-1828. — *Ourika.* — [1824]. — nouvelle édition féministe par Claudine HERRLANN. — Éd. des Femmes, 1979.

DURAS (Marguerite), 1914. — *Le Camion.* — Éd. de Minuit, 1977. — *Dix heures et demie du soir en été.* — [1960]. — Éd. Gallimard, 1978. — (coll. « Blanche »). — *Moderato cantabile.* — [1958]. — Éd. de

Minuit, 1961. — *Les Petits Chevaux de Tarquinia.* — [1953]. — Éd. Gallimard, 1973. — (coll. « Folio », n° 187). — *Un barrage contre le Pacifique.* — [1950]. — Éd. Gallimard, 1977. — (coll. « Folio », n° 882). — *Le Vice-consul.* — [1966]. — Éd. Gallimard, 1977. — (coll. « Imaginaire », n° 12).

DURKHEIM (Émile), 1858-1917. — *Année sociologique,* 1806 à 1897, citée in *Éléments de sociologie,* par C. BOUGLÉ et J. RAFFAULT. — Éd. Félix Alcan, 1929. — *De la division du travail social.* — [1893]. — 10e éd. — Éd. P. U. F., 1978. — (coll. « Bibliothèque de philosophie contemporaine »). — *Le Déterminisme du fait moral,* in *Sociologie et Philosophie.* — Éd. P. U. F., 1951. — *Les Formes élémentaires de la vie religieuse : Le système totémique en Australie.* — Éd. Félix Alcan, 1912. — cité in *Journal des économistes,* avril 1908. — *Les Règles de la méthode sociologique.* — [1895]. — Éd. Félix Alcan, 1919. — *Le Suicide : Étude de sociologie.* — [1897]. — Éd. Félix Alcan, 1930.

DUTOURD (Jean), 1920. — *Au bon beurre ou Dix ans de la vie d'un crémier.* — [1952]. — Éd. Gallimard, 1953. — (coll. « Blanche »). — *Le Fond et la Forme.* — Éd. Gallimard, 1958. — (coll. « Blanche »). — *Les Horreurs de l'amour.* — Éd. Gallimard, 1963. — (coll. « Blanche »). — *Mémoires de Mary Watson.* — Éd. Flammarion, 1980. — *Pluche ou l'Amour de l'art.* — Éd. Flammarion, 1967. — *Les Taxis de la Marne.* — Éd. Gallimard, 1956. — (coll. « Blanche »).

DUTTWEILER (Georges). — *Joyeusetés de Romandie et d'alentour.* — Lausanne : Éd. Marguerat, 1973.

DUVERT (Tony), 1945. — *Paysage de fantaisie.* — Éd. de Minuit, 1973.

ÉCOUCHARD-LEBRUN (Ponce-Denis), 1729-1807. — *Œuvres poétiques,* publiées par Pierre-Louis GUINGUENÉ. — 4 tomes. — Éd. G. Warée, 1811.

ELIET (Édouard). — *Panorama de la littérature négro-africaine.* — Éd. Présence Africaine, 1965.

ELLABERT (Maurice). — *La Curée.* — [Buchet-Chastel-Corréa, 1957]. — Bruxelles : Éd. Club du Livre du mois.

ELSKAMP (Max), 1862-1931. — *Enluminures.* — Éd. Paul Lacomblez, 1898. — *Œuvres complètes.* — Éd. Seghers, 1967.

ÉLUARD (Eugène GRINDEL, dit Paul), 1895-1952. — **Œuvres complètes.** — 2 tomes. — Éd. Gallimard, 1968, 1976. — (coll. « Bibliothèque de la Pléiade »). — *Choix de poèmes.* — Éd. Gallimard, 1941. — (coll. « Blanche »). — *Donner à voir* [1939], in *Œuvres complètes,* tome I. — in *Paul Éluard,* par Louis PARROT et Jean MARCENAC. — Éd. Seghers, 1963. — (coll. « Poètes d'aujourd'hui », n° 1). — *Première anthologie vivante de la poésie du passé.* — Éd. P. Seghers, 1951.

EMMANUEL (Noël MATHIEU, dit Pierre), 1916-1984. — *Jour de colère.* — Alger : Éd. Charlot, 1942.

ERASME (Didier, en latin Desiderius ERASMUS), 1496-1536. — *Éloge de la folie* [1511], traduit du latin par Thibault de LAVEAUX [Bâle, 1780], publié par Armand MOGG. — Éd. de Cluny, 1941.

ERCKMANN-CHATRIAN, nom de plume adopté par ERCKMANN (Émile), 1822-1899, et CHATRIAN (Alexandre), 1826-1890. — *Histoire d'un paysan.* — [1868-1870]. — in *Contes et Romans nationaux et populaires,* tomes I et II. — Éd. J.-J. Pauvert, 1962.

ESTAUNIÉ (Édouard), 1862-1942. — *L'Appel de la route.* — [1922]. — Éd. Librairie Académique Perrin, 1941. — *L'Ascension de M. Baslèvre.* — [1919]. — Éd. Librairie Académique Perrin, 1946. — *Les choses voient.* — [1913]. — Éd. Librairie Académique Perrin, 1928. — *Solitudes.* — [1917]. — Éd. Ferenczi, s. d. — *Tels qu'ils furent.* — [1927]. — Éd. Ferenczi, s. d.

ESTIENNE (Henri), 1531-1598. — *Deux dialogues du nouveau langage français italianisé et autrement déguisé.* — [À Genève, 1578]. — réimprimé sur l'édition originale et unique de l'auteur, par Alcide BONNEAU. — 2 tomes. — Éd. I. Liseux, 1883. — *Traité de la conformité du langage français avec le grec.* — [Genève : Estienne, 1565]. — réédité par L. J. FEUGÈRE. — Éd. Delalain, 1852.

ÉTIEMBLE (René), 1910. — *Poétique comparée : Cours à la Sorbonne, 1959-1960.* — in *Encyclopédie de la Pléiade : Histoire des littératures,* tome III. — Éd. Gallimard, 1978. — *Le Mythe de Rimbaud : Structure du mythe.* — 2e éd. — Éd. Gallimard, 1953.

ÉTIENNE (Charles-Guillaume), 1777-1845. — *Joconde ou les Coureurs d'aventures.* — Éd. Le Normant, 1814.

EXBRAYAT (Charles), 1906. — *Jules Matrat.* — Éd. Albin Michel, 1975.

FABRE (Jean-Henri), 1823-1915. — *Souvenirs entomologiques.* — [10 tomes, 1879-1907]. — réédition fac-similé. — Éd. Aujourd'hui, 1980. — (coll. « Introuvables »).

FABRE D'ÉGLANTINE (Philippe Nazaire François FABRE, dit), 1750-1794. — *Œuvres mêlées et posthumes.* — 2 tomes, 1801-1802.

FAGUET (Émile), 1847-1916. — *L'Art de lire.* — Éd. Hachette, 1912. — *Dix-septième siècle : Études et Portraits littéraires.* — [1911]. — Éd. Boivin, s. d. — *Études littéraires : XVIe siècle* [1894], *XVIIe siècle* [1890], *XVIIIe siècle* [1890], *XIXe siècle* [1887]. — Éd. Boivin, s. d. — (coll. « Nouvelle bibliothèque littéraire »). — *L'Histoire de la poésie française : De la Renaissance au Romantisme.* — 11 tomes. — Éd. Boivin, 1927-1936. — *La Fontaine.* — Éd. Société française d'imprimerie et de librairie, 1913. — *Les Préjugés nécessaires.* — Éd. Société française d'imprimerie et de librairie, 1911. — *Le Socialisme en 1907.* — Éd. Lecène et Oudin, 1907.

FAIL (Noël du). — Voir DU FAIL.

FALLET (René), 1927-1983. — *Le Triporteur.* — [Denoël, 1951]. — Éd. J'ai lu, n° 25-26, 1958. — Éd. Gallimard, 1972. — (coll. « Folio », n° 286). — *Y a-t-il un docteur dans la salle ?* — Éd. Denoël, 1977.

FANON (Frantz), 1925-1961. — *Pour la révolution africaine*. — [1964]. — Éd. Maspero, 1982. — (coll. «Petite Collection Maspero», n° 42).

Farce de Maître Pathelin (La) : *Maistre Pierre Pathelin, farce du xvᵉ siècle* [v. 1424], éditée par Richard Thayer HOLBROOK. — [1924]. — Éd. Champion, 1956.

FARGIER (Jean-Paul). — *Atteinte à la fiction de l'État*. — Éd. Gallimard, 1978. — (coll. «Blanche»).

FARGUE (Léon-Paul), 1876-1947. — *Lanterne magique : Essai sur le cinéma*. — Éd. Laffont, 1943. — *Le Piéton de Paris*. — Éd. Gallimard, 1939. — (coll. «Blanche»). — *Poèmes*, suivis de *Pour la musique*. — [1926]. — Éd. Gallimard, 1947. — (coll. «Blanche»). — *Refuges : Souvenirs*. — Éd. Émile-Paul frères, 1942.

FARRÈRE (Claude), 1876-1957. — *La Bataille*. — [Fayard, 1909]. — Éd. Flammarion, 1947. — *L'Homme qui assassina*. — [Ollendorff, 1907]. — Éd. Flammarion, 1928. — *Une jeune fille voyagea*. — [Flammarion, 1925]. — Éd. Flammarion, 1948. — *Mes voyages : La Promenade d'Extrême-Orient*. — Éd. Flammarion, 1924. — *Thomas l'Agnelet, gentilhomme de fortune*. — [Ollendorff, 1913]. — Le Livre de Poche, n° 5106, 1978.

FAUCONNIER (Henri). — *Malaisie*. — Éd. Delamain et Boutelleau, 1930.

FAURE (Élie), 1873-1937. — *L'Esprit des formes*. — [1927]. — Éd. Crès, 1933. — *Histoire de l'art*. — 5 tomes. — Tome I : *L'Art antique* [1909]. — Tome II : *L'Art médiéval* [1911]. — Tome III : *L'Art renaissant* [1914]. — Tomes IV et V : *L'Art moderne* [1921]. — Le Livre de Poche illustré, nᵒˢ 1928 à 1932, 1964-1967, 1976.

FAVART (Charles Simon), 1710-1792. — *Œuvres choisies*, notice par L.S. AUGER. — 3 tomes. — À Paris, 1813.

FAVRE (Jules), 1809-1880. — *Conférences et Discours littéraires*. — Éd. Garnier, 1873. — *Discours parlementaires*. — 4 tomes. — Éd. Plon, 1881.

FÉNELON (François de SALIGNAC de LA MOTHE), 1651-1715. — *Les Aventures de Télémaque*. — [1669]. — Éd. Hachette, 1947. — *Dialogues sur l'éloquence*. — [1718]. — Éd. Garnier, 1929. — *Lettre à l'Académie*. — [1716]. — Éd. Hachette, 1924. — *Œuvres*, tomes II à VIII. — Éd. Louis Vivès, 1854. — *Traité de l'éducation des filles*. — [1689]. — Éd. Hachette, 1925.

FERNANDEZ (Dominique), 1929. — *L'Étoile rose*. — Éd. Grasset, 1978.

FERNIOT (Jean), 1918. — *Pierrot et Aline*. — Éd. Grasset, 1973.

FERRÉ (Léo), 1916. — in *Léo Ferré*, par Ch. ESTIENNE. — Éd. Seghers, 1962. — (coll. «Poésies et Chansons», n° 93).

FERRY (Jules), 1832-1893. — *Discours et Opinions*, publiés par Paul ROBIQUET. — 7 tomes. — Éd. A. Colin, 1893-1898.

FETTWEIS (Christian). — *Apollinaire en Ardenne*. — Bruxelles : Éd. H. Henriquez, 1934.

FEUILLÉE (père Louis), 1660-1732. — *Journal des observations physiques, mathématiques et botaniques faites par l'ordre du Roy sur les côtes orientales de l'Amérique méridionale et dans les Indes occidentales depuis l'année 1707 jusqu'en 1712*. — [1714]. — Éd. J. Hariette, 1725.

FEUILLET (Octave), 1821-1890. — *Le Roman d'un jeune homme pauvre*. — [1858]. — Éd. Michel Lévy, 1859.

FEYDER (Vera). — *Caldeiras*. — Éd. Stock, 1982.

FILION (Jean-Pierre). — *Le Premier Côté du monde*. — Éd. Laffont, 1976.

FLAUBERT (Gustave), 1821-1880. — *Bouvard et Pécuchet* [1881], avec des extraits du *Sottisier, L'Album de la Marquise, Le Dictionnaire des idées reçues* et *Le Catalogue des idées chic*. — Éd. Gallimard, 1979. — (coll. «Folio», n° 1137). — *Correspondance*. — 4 tomes. — Éd. Charpentier et Fasquelle, 1887-1893. — *Correspondance*. — 9 tomes (tome IX : index analytique) et 4 tomes suppl. — Éd. Louis Conard, 1926-1951. — *Correspondance*. — 2 tomes. — Éd. Gallimard, 1973, 1980. — (coll. «Bibliothèque de la Pléiade»). — *L'Éducation sentimentale*. — [1845 et 1869]. — Genève : Éd. Milieu du monde, s.d. — *Madame Bovary*. — [1857]. — 2 tomes. — Éd. Les Belles Lettres, 1945. — *Madame Bovary*. — Éd. Gallimard, 1972. — (coll. «Folio», n° 51). — *Œuvres*. — 2 tomes. — [1936, 1948]. — Éd. Gallimard, 1958. — (coll. «Bibliothèque de la Pléiade»). — *Par les champs et par les grèves* [1848], in *Voyages*, tome I. — Éd. Les Belles Lettres, 1948. — *Salammbô*. — [1863]. — Éd. Fasquelle, 1925. — *La Tentation de saint Antoine*. — [1856 et 1874]. — Éd. Crès, s. d. — (coll. «Gallia»). — *Trois contes*. — [1877]. — Éd. Garnier, 1961. — (coll. «Classiques Garnier»).

FLÉCHIER (Esprit), 1632-1710. — *Oraisons funèbres*. — 2 tomes. — Éd. Antoine Dezallier, 1691.

FLORIAN (Jean-Pierre CLARIS de), 1755-1794. — *Fables*. — Éd. Laurens, 1932.

FLORIOT (René), 1902-1975. — *La vérité tient à un fil*. — [Flammarion, 1970]. — Éd. J'ai lu, n° 526.

FLOURENS (Pierre), 1794-1867. — in *Dictionnaire universel d'histoire naturelle*, sous la direction de Charles d'ORBIGNY. — 16 tomes. — Éd. Renard et Martinet, 1841-1849. — *Expériences sur les effets du froid sur les animaux*, in *Mémoires de l'Académie des sciences*, 15 juin 1829. — *Histoire des idées et des travaux de Buffon*. — [1844]. — Éd. Aujourd'hui, 1975. — (coll. «Introuvables»). — Voir aussi BUFFON.

FOLENGO (Girolamo, dit Teofilo), 1491-1544. — *Histoire macaronique de Merlin Coccaie*. — Éd. Pautonnier, 1606.

FOLLONIER (Jean). — *Les Greniers vides*. — Neuchâtel : Éd. Victor Attinger, 1970. — *La Sommelière*. — Neuchâtel : Éd. Victor Attinger, 1971. — *Valais d'autrefois*. — Neuchâtel : Éd. Victor Attinger, 1968.

FONSON (Frantz), WICHELER (Fernand). — *Le Mariage de mademoiselle Beulemans, comédie en 3 actes*. — in *L'Illustration théâtrale*, n° 155, 9 juillet 1910. — Bruxelles : Éd. Libro-Sciences, 1978.

FONTANES (Louis de), 1757-1821. — *Œuvres*. — 2 tomes. — Éd. Hachette, 1839.

FONTENELLE (Bernard LE BOVIER de), 1657-1757. — *Dialogues des morts* [1683], *Entretien sur la pluralité des mondes* [1686]. *Histoire des oracles* [1687], in *Œuvres complètes*, éditées par Jean-Baptiste CHAMPAGNAC. — 5 tomes. — Éd. Salmon, 1825.

FORT (Paul), 1872-1960. — in *Paul Fort*, par Pierre BÉARN. — Éd. Seghers, 1960. — (coll. «Poètes d'aujourd'hui», n° 76).

FORTON (Louis), 1878-1934. — *Les Aventures des Pieds-Nickelés*, in *L'Épatant*, 1908-1911.

FOUCAULT (Michel), 1926-1984. — *L'Archéologie du savoir*. — Éd. Gallimard, 1969. — (coll. «Bibliothèque des Sciences Humaines»). — *Histoire de la folie à l'âge classique*. — [Plon, 1961]. — Éd. U.G.E., 1964. — (coll. «10/18», n° 169). — *Histoire de la sexualité*, tome II : *L'Usage des plaisirs*. — Éd. Gallimard, 1984. — (coll. «Bibliothèque des Histoires»). — *Les Mots et les Choses*. — Éd. Gallimard, 1967. — (coll. «Bibliothèque des Sciences Humaines»). — *L'Ordre du discours : Leçon inaugurale au Collège de France prononcée le 2 décembre 1970*. — Éd. Gallimard, 1971. — (coll. «Blanche»).

FOUILLÉE (Alfred), 1838-1912. — *L'Avenir de la métaphysique fondé sur l'expérience* [1889], *La Liberté et le Déterminisme* [1873], *La Philosophie de Platon* [1869], in LALANDE (André). — *Vocabulaire technique et critique de la philosophie*. — Éd. P.U.F., 1961.

FOULON (Roger). — *Un été dans la Fagne*. — [1979]. — Bruxelles : Éd. Legrain, 1980.

FOURCROY (Antoine François, comte de), 1755-1809. — *Système des connaissances chimiques et de leurs applications aux phénomènes de la nature et de l'art*. — 11 volumes. — Éd. Baudoin, an IX-X (1801-1802).

FOURIER (Charles), 1772-1837. — [*Œuvres complètes*. — 6 tomes. — Éd. Aux bureaux de la Phalange, 1841-1845]. — *Textes choisis*. — Éditions Sociales, 1953. — (coll. «Les Classiques du Peuple»).

FOURNEL (Paul). — *Les Grosses Rêveuses : Nouvelles*. — Éd. du Seuil, 1982.

FOURNIER-AUBRY (Fernand). — *Don Fernando*. — [Laffont, 1972]. — Lausanne : Éd. Ex Libris, 1972.

FRANCE (Anatole François THIBAULT, dit Anatole), 1844-1924. — **Œuvres complètes.** — 26 tomes. — Éd. Calmann-Lévy, 1925-1937. — Tome I : *Alfred de Vigny* [1868]; *Poésies*. — Tome II : *Jocaste et le Chat maigre* [1879]; *Le Crime de Sylvestre Bonnard* [1881]. — Tome VI : *La Vie littéraire*, 1ʳᵉ et 2ᵉ série [1888-1890]. — Tome VIII : *La Rôtisserie de la Reine Pédauque* [1893]; *Les Opinions de M. Jérôme Coignard* [1893]. — Tome XI : *L'Orme du mail* [1897]; *Le Mannequin d'osier* [1897]. — Tome XII : *L'Anneau d'améthyste* [1899]; *Monsieur Bergeret à Paris* [1901]. Autres éditions : *Les Contes de Jacques Tournebroche* [1908]. — Éd. Calmann-Lévy, 1921. — *Crainquebille et Putois, Riquet et plusieurs autres récits profitables*. — Éd. Calmann-Lévy, 1904. — *Les Désirs de Jean Servien*. — [1882]. — Éd. Calmann-Lévy, 1918. — *Les dieux ont soif*. — [1912]. — Éd. Calmann-Lévy, 1950. — *L'Étui de nacre*. — [1892]. — Éd. Calmann-Lévy, 1924. — *Le Génie latin*. — [1909]. — Éd. Calmann-Lévy, 1922. — *Histoire comique*. — [1903]. — Éd. Calmann-Lévy, 1931. — *L'Île des pingouins*. — [1908]. — Éd. Calmann-Lévy, 1946. — *Le Jardin d'Épicure*. — Éd. Calmann-Lévy, 1895. — *Le Livre de mon ami*. — [1885]. — Éd. Calmann-Lévy, 1947. — *Le Lys rouge*. — [1894]. — Éd. Calmann-Lévy, 1947. — *Les Matinées de la villa Saïd*, propos recueillis par Paul GSELL. — Éd. Bernard Grasset, 1921. — *La Révolte des anges*. — Éd. Calmann-Lévy, 1914. — *Sur la pierre blanche*. — Éd. Calmann-Lévy, 1905.

FRANÇOIS Iᵉʳ, 1494-1547 (roi de France, 1515-1547). — *Ordonnance du 1ᵉʳ novembre 1527*, in *Recueil d'ordonnances*, tome III : *Ordonnances de François Iᵉʳ : 1514-1546*. — Éd. Estienne, s. d. [xviᵉ s.].

FRÉDÉRIC II le Grand, 1712-1786 (roi de Prusse, 1740-1786). — *Correspondance avec Maupertuis*, in LE SUEUR (abbé). — *Maupertuis et ses correspondants : Lettres inédites du Grand Frédéric, du prince Henri de Prusse...* — À Paris, 1897. — *Correspondance avec Voltaire*, in VOLTAIRE. — *Œuvres complètes*. — Éd. A. Lequien, 1820-1826. — *Discours sur l'utilité des sciences et des arts* [1772], in *Œuvres de Frédéric le Grand*. — 30 tomes. — Berlin : Éd. J. E. D. Preuss, 1846-1857.

FRANK (Christopher), 1942. — *La Nuit américaine*. — Éd. du Seuil, 1972.

FRAPIÉ (Léon), 1863-1949. — *La Maternelle*. — [1904]. — Éd. Albin Michel, 1908.

FRÉDÉRIQUE (André). — *Histoires blanches*. — Éd. Plasma, 1980.

FRISON-ROCHE (Roger), 1906. — *La Grande Crevasse*. — [1948]. — Éd. Arthaud, 1966. — *Nahanni*. — [Arthaud, 1969]. — Le Livre de Poche, n° 3999, 1979. — *Peuples chasseurs de l'Arctique*. — [Arthaud, 1966]. — Le Livre de Poche, n° 3888, 1977. — *La Piste oubliée*. — [Arthaud, 1950]. — Le Livre de Poche, n° 3296, 1958. — *Premier de cordée*. — [1941]. — Éd. Arthaud, 1963.

FROISSART (Jean), v. 1337-après 1400. — *Chroniques*. — [4 tomes, v. 1495]. — Lyon : Éd. Denis Sauvage, 1559-1561.

FROMENTIN (Eugène), 1820-1876. — *Dominique*. — [1863]. — Éd. Le Livre français-H. Piazza, 1928. — *Les Maîtres d'autrefois : Belgique, Hollande*. — [Plon, 1876]. — Éd. Garnier, 1939. — *Une année dans le Sahel*. — [1859]. — Éd. Plon, 1909. — *Un été dans le Sahara*. — [1857]. — Éd. Plon, 1922. — *Voyage en Égypte*. — [1869]. — Éd. Montaigne, 1935.

FURETIÈRE (Antoine), 1620-1688. — *Le Roman bourgeois* [1666], suivi de *Satires* [1665] et *Nouvelle allégorique* [1658]. — Éd. Club du meilleur livre, s. d. — Voir aussi I, 1.

FUSTEL DE COULANGES (Numa Denis), 1830-1889. — *La Cité antique.* — [Durand, 1864]. — Éd. Hachette, s.d. — *Histoire des institutions politiques de l'ancienne France : La Gaule romaine.* — [1891]. — Éd. Hachette, 1922. — *Histoire des institutions politiques de l'ancienne France : Les Origines du système féodal*, édité par Camille JULLIAN, 1890. — Éd. Hachette, 1926. — *Leçons à l'Impératrice sur les origines de la civilisation française*, édité par Pierre FABRE. — Éd. Hachette, 1930. — *Questions contemporaines.* — Éd. Hachette, 1916.

GABORIAU (Émile), 1832-1873. — *L'Affaire Lerouge.* — [Dentu, 1866]. — Le Livre de Poche, n° 711.

GAINSBOURG (Serge), 1928. — in *Serge Gainsbourg*, par Lucien RIOUX. — Éd. Seghers, 1969. — (coll. «Poésie et Chansons», n° 184).

GAILLY (Gustave), 1825-fin 1890. (député des Ardennes en 1877). — *Séance de l'Assemblée, 16 juin 1877*, in HANOTAUX (Gabriel). — *Histoire de la France contemporaine*, tome IV, chapitre I. — 4 tomes, 1903-1908.

GALLAND (Antoine), 1646-1715. — *Les Mille et une Nuits, contes arabes*, traduits en français par M. GALLAND. — [12 tomes, 1704-1717]. — 3 tomes. — Éd. Garnier, 1916-1923.

GALLIENI (Joseph Simon, maréchal), 1849-1916. — *Proclamation à l'armée de Paris, 3 septembre 1914.*

GALLO (Max), 1932. — *La Baie des Anges.* — [Laffont, 1976]. — Lausanne : Éd. Ex Libris.

GALTIER-BOISSIÈRE (Jean), 1891. — *Mon journal sous l'Occupation.* — Éd. La Jeune Parque, 1944.

GAMBETTA (Léon), 1838-1882. — *Discours et Plaidoyers politiques*, publiés par J. REINACH. — 11 tomes. — À Paris, 1881-1886.

GANDON (Yves). — *Le Démon du style.* — Éd. Plon, 1960.

GARAUDY (Roger), 1913. — *Herbert Marcuse, philosophe de la «répression»*, in *Le Monde*, 8 mars 1969. — *Parole d'homme.* — Éd. Laffont, 1975. — (coll. «La vie selon»).

GARNIER (Robert), 1544-1590. — *Les Juifves.* — [Mamert-Patisson, 1583]. — Éd. Garnier, 1950. — *Tragédies.* — Lyon : Éd. Paul Frellon et Abraham Cloquemin, 1592.

GARY (Romain), 1914-1980. — *Au-delà de cette limite votre ticket n'est plus valable.* — Éd. Gallimard, 1975. — (coll. «Blanche»). — *Chien blanc.* — [1970]. — Éd. Gallimard, 1978. — (coll. «Folio», n° 50). — *Clair de femme.* — [1977]. — Éd. Gallimard, 1982. — (coll. «Folio», n° 1367). — *Éducation européenne.* — [1956]. — Éd. Gallimard, 1977. — (coll. «Folio», n° 203). — *La nuit sera calme.* — Éd. Gallimard, 1976. — (coll. «Folio», n° 719). — *La Promesse de l'aube.* — [1960]. — Éd. Gallimard, 1973. — (coll. «Folio», n° 373). — Voir aussi AJAR.

GASCAR (Pierre), 1916. — *Les Bêtes*, suivies de *Le Temps des morts.* — Éd. Gallimard, 1953. — (coll. «Blanche»).

GASPARIN (Valérie BOISSIER, comtesse de), 1813-1894. — *À travers les Espagnes.* — Éd. Michel Lévy, 1868. — *Correspondance*, in BARBEY-BOISSIER. — *La Comtesse de Gasparin et sa famille*, correspondance et souvenirs. — 2 tomes, 1902.

GAUGUIN (Paul), 1848-1903. — *Oviri : Écrits d'un sauvage.* — Éd. Gallimard, 1973. — (coll. «Idées», n° 296). — in *Lettres de Paul Gauguin.* — Éd. Grasset, 1946.

GAULLE (général Charles de), 1890-1970. — *Mémoires de guerre.* — 3 tomes. — Tome I : *L'Appel, 1940-1942.* — Tome II : *L'Unité, 1942-1944.* — Tome III : *Le Salut, 1944-1946.* — Éd. Plon, 1954, 1956, 1959.

GAUTIER (Émile Félix), 1864-1940. — *Genséric, roi des Vandales.* — Éd. Payot, 1932. — (coll. «Bibliothèque Historique»). — *Mœurs et Coutumes des musulmans.* — Éd. Payot, 1931. — (coll. «Études, documents et témoignages pour servir à l'histoire de notre temps»).

GAUTIER (Jean-Jacques), 1908. — *C'est pas d'jeu!* — Éd. Julliard, 1962.

GAUTIER (Théophile), 1811-1872. — *Le Capitaine Fracasse.* — 2 tomes. — [Charpentier, 1863]. — Éd. Garnier, 1930. — *Caprices et Zigzags.* — Éd. Victor Lecou, 1852. — *Constantinople.* — [1853]. — Éd. Michel Lévy, 1873. — *Fortunio et autres nouvelles.* — [1833-1849]. — Éd. Garnier, 1930. — *Les Grotesques.* — [1844]. — Éd. Michel Lévy, 1856. — *Histoire de l'art dramatique en France depuis vingt-cinq ans.* — 6 tomes. — Éd. Hetzel, 1858-1859. — *Les Jeunes-France* [1833], suivis de *Contes humoristiques.* — Éd. Charpentier, 1907. — *Mademoiselle de Maupin.* — 2 tomes. — [1835-1836]. — Éd. Garnier, 1930. — *L'Orient.* — [1877]. — 2 tomes. — Éd. Charpentier, 1902. — *Poèmes.* — [1832-1872]. — Éd. Alphonse Lemerre, 1941. — *Portraits contemporains.* — [1874]. — Éd. Charpentier, 1881. — Préface aux *Fleurs du mal*, in BAUDELAIRE (Charles). — *Œuvres complètes*, tome I. — Éd. Michel Lévy, 1868. — Préface à *Mademoiselle de Maupin*, édition critique de Georges MATORÉ. — Éd. Droz, 1946. — (coll. «Textes Littéraires Français»). — *Le Roman de la momie.* — [A. Boschot, 1858]. — Éd. S.E.P.E., 1947. — (coll. «Lectures de Paris»). — *Souvenirs de théâtre, d'art et de critique.* — Éd. Charpentier, 1883. — *Voyage en Espagne : Tra los montes.* — [2 tomes, 1843]. — Éd. V. Magen, 1843]. — Éd. Pierre Faré, 1946. — *Voyage en Italie : Italia.* — [Lecou, 1852]. — Éd. Charpentier, 1877. — *Voyage en Russie.* — [1867]. — Éd. Charpentier, 1895.

GAXOTTE (Pierre), 1895-1982. — *Histoire des Français.* — 2 tomes. — Éd. Flammarion, 1951. — (coll. «L'Histoire»). — *Le Nouvel Ingénu.* — [A. Fayard, 1972]. — Lausanne : Éd. Ex Libris. 1972. — *La Révolution française.* — [1928]. — Éd. A. Fayard, 1932. — (coll. «Les Grandes Études Historiques»).

GEHRI (Francine-Charlotte). — *Un sou d'or : Nouvelles et Conte* [sic]. — Genève : Éd. Perret-Gentil, 1974.

GELLI (Giovan Battista), 1498-1563. — *Les Discours fantastiques de Justin Tonnelier composés en italien par J.G. Gelli.* — Lyon : La Salamandre, 1566.

GENET (Jean), 1910. — *Les Bonnes.* — [1947]. — Éd. J.-J. Pauvert, 1954. — *Journal du voleur.* — Éd. Gallimard, 1949. — (coll. «Blanche»). — *Miracle de la rose.* — [1947]. — Éd. Gallimard, 1977. — (coll. «Folio», n° 887). — *Notre-Dame des Fleurs.* — [1946]. — Éd. Gallimard, 1976. — (coll. «Folio», n° 860). — **Œuvres complètes.** — 5 tomes. — Éd. Gallimard, 1952-1979. — (coll. «Blanche»). — *Querelle de Brest* [1947], *Pompes funèbres* [1947], in *Œuvres complètes*, tome III. — Éd. Gallimard, 1953.

GENETTE (Gérard). — *Figures II.* — Éd. du Seuil, 1966. — (coll. «Tel Quel»).

GENEVOIX (Maurice), 1890-1980. — *La Dernière Harde.* — [1938]. — Éd. Flammarion, s.d. — Éd. J'ai lu, n° 76, 1967. — *Forêt voisine.* — Éd. Flammarion, 1952. — *Raboliot.* — [1925]. — Éd. Bernard Grasset, 1952. — Éd. Presses de la Cité, 1968. — *Rroû.* — [1930]. — Éd. Flammarion, 1940.

GÉNIAUX (Charles), 1873-1936. — *Les Faucons.* — Éd. Flammarion, 1925.

GENLIS (Stéphanie du CREST de SAINT-AUBIN, comtesse de), 1746-1830. — *Adèle et Théodore ou Lettres sur l'éducation.* — 3 tomes. — Éd. Lambert et Baudoin, 1782. — *Mademoiselle de Clermont.* — Éd. Maradan, an X (1802). — *Théâtre de société.* — 2 tomes, 1781. — *Les Veillées du château ou Cours de morale à l'usage des enfants.* — [4 tomes. Éd. Lambert et Baudoin, 1782]. — Éd. Garnier, s.d.

GENOUDE (abbé Eugène-Antoine de), 1792-1849. — *Avertissement de l'éditeur*, in LAMARTINE (Alphonse de). — *Méditations poétiques.* — édition originale. — Éd. Didot, 1820.

GENTIL-BERNARD (Pierre), 1708-1755. — *L'Art d'aimer*, in *Petits poèmes érotiques du XVIIIe siècle.* — Éd. Garnier, 1929.

GEOFFROY SAINT-HILAIRE (Isidore), 1805-1861. — *Histoire naturelle générale des règnes organiques.* — 3 tomes. — Éd. Masson, 1854-1862.

GÉRALDY (Paul LE FÈVRE, dit Paul), 1885-1983. — *La Guerre, Madame.* [1916]. — Éd. Crès, 1917. — *Les Noces d'argent*, in *Théâtre*, tome I. — Éd. Stock, Delamain et Boutelleau, 1928. — *Toi et Moi.* — [1913]. — Éd. Stock, 1952.

GÉRARDY (Paul). — *Le Chinois tel qu'on le parle.* — [L. Genonceaux, 1903]. — Liège : Éd. Marche Romane, 1980.

GHELDERODE (Michel de), 1898-1962. — *Escurial* [1927], in *Théâtre*, tome I. — 5 tomes. — Éd. Gallimard, 1950-1957. — (coll. «Blanche»).

GIBEAU (Yves), 1916. — *Allons z'enfants.* — [1952]. — Le Livre de Poche, n° 236-237, 1980.

GIDE (André), 1869-1951. — *Ainsi soit-il ou Les jeux sont faits.* — Éd. Gallimard, 1952. — (coll. «Blanche»). — *Attendu que... : Chroniques et Articles.* — Éd. Charlot, 1943. — *Les Cahiers d'André Walter.* — Éd. Didier-Perrin, 1891. — *Les Caves du Vatican.* — [1914]. — Éd. Gallimard, 1951. — (coll. «Blanche»). — *Correspondance avec Francis Jammes : 1893-1938.* — Éd. Gallimard, 1948. — (coll. «Blanche»). — *Corydon.* — [1924]. — Éd. Gallimard, 1952. — (coll. «Blanche»). — *Dostoïevski.* — Éd. Plon-Nourrit, 1923. — *Et nunc manet in te*, suivi de *Journal intime.* — [1947]. — Neuchâtel ; Paris : Éd. Ides et Calendes, 1951. — *Les Faux-monnayeurs.* — [1925]. — Éd. Gallimard, 1947. — (coll. «Blanche»). — *Geneviève ou la Confidence inachevée.* — Éd. Gallimard, 1936. — (coll. «Blanche»). — *L'Immoraliste.* — [1902]. — Éd. Mercure de France, 1948. — *Incidences.* — [1924]. — Éd. Gallimard, 1941. — (coll. «Blanche»). — *Isabelle.* — [1911]. — Éd. Gallimard, 1951. — (coll. «Blanche»). — **Journal.** — 2 tomes. — Tome I : *1939-1942.* — Tome II : *1942-1949.* — Éd. Gallimard, 1946, 1950. — (coll. «Blanche»). — **Journal.** — 2 tomes — Tome I : *1889-1939.* — Tome II : *1939-1949*, suivi de *Souvenirs.* — Éd. Gallimard, 1941, 1954. — (coll. «Bibliothèque de la Pléiade»). — *Journal des Faux-monnayeurs.* — Éd. Gallimard, 1927. — (coll. «Blanche»). — *Les Nourritures terrestres* [1897], suivi de *Les Nouvelles Nourritures* [1935]. — Éd. Gallimard, 1951. — (coll. «Blanche»). — *Nouveaux prétextes : Réflexions sur quelques points de littérature et de morale.* — [1911]. — Éd. Mercure de France, 1951. — *La Porte étroite.* — Éd. Mercure de France, 1909. — *Prétextes.* — [1903]. — Éd. Mercure de France, 1947. — *Retour de l'U.R.S.S.* — Éd. Gallimard, 1936. — (coll. «Blanche»). — *Retouches à mon «Retour de l'U.R.S.S.».* — Éd. Gallimard, 1937. — (coll. «Blanche»). — *Le Retour du Tchad : Carnets de route.* — Éd. Gallimard, 1928. — (coll. «Blanche»). — **Romans, Récits et Soties; Œuvres lyriques.** — Éd. Gallimard, 1959. — (coll. «Bibliothèque de la Pléiade»). — *Si le grain ne meurt.* — [1926]. — Éd. Gallimard, 1947. — (coll. «Blanche»). — *La Symphonie pastorale.* — [1919]. — Éd. Gallimard, 1959. — (coll. «Blanche»). — **Théâtre complet.** — 8 tomes. — Neuchâtel ; Paris : Éd. Ides et Calendes, 1947-1949. — Traduction de la *Tragédie de Hamlet*, de William SHAKESPEARE. — Éd. La Tortue, 1930. — Traduction de *Typhon*, de Joseph CONRAD. — [1918]. — Éd. Gallimard, 1948. — (coll. «Du Monde entier»). — *Voyage au Congo (1925-1926), Le Retour du Tchad (1926-1928), Carnets d'Égypte (1939), Feuillets d'automne* (1935), in *Journal : 1939-1949*, suivi de *Souvenirs.* — Éd. Gallimard, 1954. — (coll. «Bibliothèque de la Pléiade»).

GILLET (Louis), 1874-1943. — *Histoire des arts,* in HANOTAUX (Gabriel). — *Histoire de la nation française,* tome XI. — Éd. Plon-Nourrit, 1922.

GINISTY (Paul). — *Anthologie du journalisme du XVIIe siècle à nos jours.* — Éd. Delagrave, 1922.

GIONO (Jean), 1895-1970. — *Batailles dans la montagne.* — [1937]. — Éd. Gallimard, 1948. — (coll. «Blanche»). — *Le Chant du monde.* — [1934]. — Éd. Gallimard, 1948. — (coll. «Blanche»). — *Colline.* — [1929]. — Éd. Grasset, 1951. — (coll. «Pourpre»). — *Le Hussard sur le toit.* — [1951]. — Éd. Gallimard, 1953. — (coll. «Blanche»). — *Jean le Bleu.* — [1932]. — Éd. Grasset, 1942. — *Naissance de l'Odyssée.* — Éd. Grasset, 1938. — *Œuvres romanesques complètes,* tome I. — Éd. Gallimard, 1973. — (coll. «Bibliothèque de la Pléiade»). — *Regain.* — [1930]. — Éd. Grasset, 1947. — *Le Serpent d'étoiles.* — [1934]. — Le Livre de Poche, n° 909, 1962. — *Un de Baumugnes.* — Éd. Grasset, 1948. — *Un roi sans divertissement.* — [1947]. — Le Livre de Poche, n° 2009, 1966. — *Les Vraies Richesses.* — [1936]. — Éd. Grasset, 1937.

GIRARD (Pierre). — *Le Gouverneur de Gédéon,* suivi de *Charles dégoûté des beefsteaks.* — [Genève : Éd. Girard, 1971]. — Lausanne : Éd. Jean-Jacques Huber.

GIRARD (Pierre-Simon), 1764-1836. — *Œuvres complètes.* — 3 tomes, 1830-1832 (in LITTRÉ).

GIRARDIN (Émile de), 1806-1881. — cité in LAROUSSE (Pierre). — *Grand dictionnaire universel du XIXe siècle.*

GIRAUDOUX (Jean), 1882-1944. — *Amphitryon 38.* — [1929]. — Éd. Grasset, 1947. — *L'Apollon de Bellac.* — [1942]. — Éd. Grasset, 1947. — *Aventures de Jérôme Bardini.* — [1930]. — Éd. Grasset, 1942. — *Bella.* — Éd. Grasset, 1926. — *Combat avec l'ange.* — Éd. Grasset, 1934. — *De pleins pouvoirs à sans pouvoirs.* — Éd. Gallimard, 1950. — (coll. «Blanche»). — *Églantine.* — [1927]. — Éd. Grasset, 1945. — *Électre.* — [1937]. — Éd. Grasset, 1954. — *Elpénor.* — [1919]. — Éd. Grasset, 1950. — *La Folle de Chaillot.* — [1945]. — Éd. Grasset, 1952. — *La guerre de Troie n'aura pas lieu.* — [1935]. — Éd. Grasset, 1937. — *Intermezzo.* — [1933]. — Éd. Grasset, 1953. — *Juliette au pays des hommes.* — Éd. Émile-Paul, 1924. — *Littérature.* — Éd. Grasset, 1941. — *Ondine.* — [1939]. — Éd. Grasset, 1950. — *Provinciales.* — [1909]. — Éd. Ferenczi, 1929. — Éd. Grasset, 1946. — *Siegfried et le Limousin.* — [1922]. — Éd. Grasset, 1953. — *Simon le Pathétique.* — [1926]. — Éd. Grasset, 1950. — *Suzanne et le Pacifique.* — [1921]. — Éd. Grasset, 1951.

GIROUD (Françoise), 1916. — *Si je mens.* — Éd. Stock, 1972.

GLISSANT (Édouard), 1928. — *La Lézarde.* — Éd. du Seuil, 1958. — *Malemort.* — Éd. du Seuil, 1975.

GLOTZ (Gustave), 1862-1935. — *La Cité grecque.* — [1928]. — Éd. Albin-Michel, 1968. — (coll. «L'Évolution de l'Humanité Format Poche», n° 1). — *La Civilisation égéenne.* — Éd. Renaissance du Livre, 1923. — *Histoire générale,* publiée sous la direction de Gustave GLOTZ, 2e partie : *Histoire ancienne.* — 4 tomes. — Éd. P.U.F., 1925-1928.

GLUCKSMANN (André), 1937. — *La Cuisinière et le Mangeur d'hommes : Essai sur l'État, le marxisme et les camps de concentration.* — Éd. du Seuil, 1975. — (coll. «Combats»).

GOBINEAU (Joseph Arthur, comte de), 1816-1882. — *Nouvelles asiatiques.* — [1876]. — Éd. Gallimard, 1949. — (coll. «Blanche»). — *Les Pléiades.* — [1874]. — Monaco : Éd. du Rocher, 1946. — (coll. «Grands et petits chefs-d'œuvre»).

GOBLOT (Edmond), 1858-1935. — *Traité de logique.* — Éd. Armand Colin, 1918. — *Le Vocabulaire philosophique.* — Éd. Armand Colin, 1901. — *Essai sur la classification des sciences* [1898], *Justice et Liberté* [1902], *Le Système des sciences* [1921], cités in LALANDE (André). — *Vocabulaire technique et critique de la philosophie.* — Éd. P.U.F., 1951. — in FOULQUIÉ (Paul), SAINT-JEAN (Raymond). — *Dictionnaire de la langue philosophique.* — Éd. P.U.F., 1962.

GODBOUT (Jacques), 1933. — *D'amour P.Q.* — Montréal : Éd. H.M.H., 1972. — *Salut Galarneau!* — [1967]. — Éd. du Seuil, 1972.

GOMBERT (Pierre). — *Le Prix d'un taxi.* — Éd. La Table Ronde, 1976.

GODARD (Jean-Luc), 1930. — *Jean-Luc Godard par Jean-Luc Godard.* — Éd. Pierre Belfond, 1968. — (coll. «Cahiers du cinéma»).

GONCOURT (Edmond HUOT de), 1822-1896. — *Chérie.* — Éd. Charpentier, 1884. — *Les Frères Zemganno.* — Éd. Charpentier, 1879. — *La Faustin.* — [1882]. — Éd. Flammarion et Fasquelle, 1923.

GONCOURT (Edmond HUOT de), 1822-1896, GONCOURT (Jules HUOT de), 1830-1870. — *Charles Demailly.* — [1860]. — Éd. Charpentier, 1876. — *En 18...* — [1851]. — Éd. Flammarion et Fasquelle, 1929. — *La Femme au XVIIIe siècle.* — [1862]. — Éd. Charpentier, 1877. — 2 tomes. — Éd. Flammarion et Fasquelle, 1923. — *Idées et Sensations.* — [1866]. — Éd. Charpentier, 1877. — *Journal : 1851-1895.* — 9 tomes. — édition définitive. — Éd. Flammarion et Fasquelle, 1935-1936. — *Madame Gervaisais.* — [1869]. — Éd. Charpentier, 1885. — *Manette Salomon.* — [1867]. — Éd. Charpentier et Fasquelle, 1892. — *Renée Mauperin.* — [1864]. — Éd. Charpentier, 1876. — *Sœur Philomène.* — [1861]. — Éd. Lemerre, 1890. — (coll. «Guillaume»).

GORON (Marie-François), 1847-1933. — *L'Amour à Paris.* — 4 tomes. — Éd. Publications Jules Rouff, 1890.

GORSAS (Antoine), 1752-1793, fondateur et rédacteur du journal *Le Courrier de Versailles à Paris,* 101 numéros, 1789 à 1793.

GOSSET (Renée, madame Pierre GOSSET). — *Burokratts et Samouraïs.* — Éd. Julliard, 1962.

GOURMONT (Rémy de), 1858-1915. — *Le Livre des masques : Portraits symbolistes, Gloses et Documents sur les écrivains d'hier et d'aujourd'hui.* — 2 tomes. — Éd. Mercure de France. 1896-1898. — *Physique de l'amour : Essai sur l'instinct sexuel.* — [1903]. — Éd. Mercure de France, 1947.

GOZLAN (Léon), 1803-1866. — *Balzac en pantoufles.* — Éd. Michel Lévy et E. Blanchart, 1856.

GRACQ (Louis POIRIER, dit Julien), 1910. — *Le Rivage des Syrtes.* — Éd. José Corti, 1951. — *Un beau ténébreux.* — Éd. José Corti, 1945.

GRAINVILLE (Patrick), 1947. — *Les Flamboyants.* — Éd. du Seuil, 1976.

GRASSET (Bernard), 1881-1955. — cité in GEORGIN (René). — *La Prose d'aujourd'hui.* — Éd. André Bonne, 1956.

GREEN (Julien), 1900. — *Adrienne Mesurat.* — [1927]. — Éd. Plon, 1951. — **Journal : 1928-1976.** — 11 tomes. — Tomes I à VI. — Éd. Plon, 1938-1955. — Tome VII : *Le Bel Aujourd'hui : 1955-1958.* — Éd. Plon, 1958. — Tome VIII : *Vers l'invisible : 1958-1967.* — Éd. Plon, 1967. — Tome IX : *Ce qui reste de jour : 1966-1972.* — Éd. Plon, 1972. — Tome X : *La Bouteille à la mer : 1972-1976.* — Éd. Plon, 1976. — Tome XI : *La terre est si belle : 1976-1978.* — Éd. du Seuil, 1982. — *Léviathan.* — [1929]. — Éd. Plon, 1952. — *Mont-Cinère.* — [1926]. — Éd. Plon, 1976. — Le Livre de Poche, n° 272.

GRESSET (Jean-Baptiste Louis), 1709-1777. — *Le Méchant,* in *Œuvres.* — [2 tomes, 1777]. — 3 tomes. — Éd. A. Renouard, 1811.

GRIGNAN (Françoise Marguerite de SÉVIGNÉ, comtesse de), 1646-1705. — in SÉVIGNÉ (marquise de). — *Correspondance.* — 3 tomes. — [1953, 1955, 1957]. — Éd. Gallimard, 1953, 1960, 1963. — (coll. «Bibliothèque de la Pléiade»).

GROBETY (Anne-Lise). — *Zéro positif.* — Vevey (Suisse) : Éd. Galland, 1975.

GROSJEAN (Hubert-Joseph ÉVRARD, dit Henriette). — *À Liège, il y a quarante ans.* — 3 tomes. — À Liège, 1877.

GROULT (Benoîte), 1920. — *La Part des choses.* — Éd. Grasset, 1972.

GROULT (Benoîte), 1920, GROULT (Flora), 1924. — *Il était deux fois.* — [Denoël, 1968]. — Éd. Gallimard, 1978. — (coll. «Folio», n° 633). — *Journal à quatre mains.* — [Denoël, 1962]. — Éd. Gallimard, 1978. — (coll. «Folio», n° 518).

GUÉHENNO (Jean), 1890-1978. — *Les Aventures de l'esprit.* — Éd. Gallimard, 1954. — (coll. «Blanche»). — *Caliban parle.* — Éd. Bernard Grasset, 1928. — *Journal d'un homme de quarante ans.* — Éd. Bernard Grasset, 1934. — *Journal des années noires : 1940-1944.* — Éd. Gallimard, 1947. — (coll. «Blanche»). — Éd. Gallimard, 1973. — (coll. «Folio», n° 517).

GUÉNON (René), 1886-1951. — *Introduction générale à l'étude des doctrines hindoues.* — [1921]. — Éd. Vintiano, s.d. — *Le Règne de la quantité et les Signes des temps.* — [1945]. — Éd. Gallimard, 1970. — (coll. «Idées», n° 224).

GUÉRIN (Daniel). — *Au service des colonisés : 1930-1953.* — Éd. de Minuit, 1954.

GUÉRIN (Eugénie de), 1805-1848. — *Journal et Lettres,* publiés par G.S. TRÉBUTIEN. — Éd. Didier, 1862.

GUÉRIN (Maurice de), 1810-1839. — *Œuvres complètes,* éditées par Bernard D'HARCOURT. — 2 tomes. — Éd. Les Belles Lettres, 1947.

GUÉRIN (Maurice de), 1810-1839, GUÉRIN (Eugénie de), 1805-1848. — *Œuvres choisies,* par E. GAUBERT, 1909.

GUEYE (Y.). — *À l'orée du Sahel.* — Dakar-Abidjan : Éd. N.E.A., 1975.

GUEZ DE BALZAC (Jean Louis), 1597-1654. — *Œuvres.* — 2 volumes. — Éd. T. Jolly, 1665.

GUILLEBAUD (Jean-Claude). — *Les Années orphelines : 1968-1978.* — Éd. du Seuil, 1978. — (coll. «Intervention»).

GUILLEVIC (Eugène), 1907. — in *Guillevic,* par Pierre DAIX. — Éd. Pierre Seghers, 1954. — (coll. «Poètes d'aujourd'hui», n° 44).

GUILLO (Francis). — *Le P'tit Francis.* — Éd. Laffont, 1977. — (coll. «Violence et Société»).

GUITRY (Sacha), 1885-1957. — *Ils étaient neuf célibataires.* — [1949]. — Éd. de l'Élan, 1950. — *N'écoutez pas, Mesdames!* — [1942]. — Éd. Raoul Solar, 1950.

GUIZOT (François), 1787-1874. — *Cours d'histoire moderne.* — 6 tomes. — Éd. Pichon et Didier, 1828-1830. — *De la démocratie en France.* — Bruxelles : Éd. Wonters, 1949. — *Discours académiques, suivis de divers essais de philosophie littéraire et politique.* — 2e éd. — Éd. Didier, 1862. — *Essai sur l'histoire de France.* — Éd. S.L.J. Brière, 1824. — *Mémoires pour servir à l'histoire de mon temps.* — 9 tomes. — Éd. Michel Lévy, 1858-1868.

GUTH (Paul), 1910. — *Le Chat beauté.* — [Flammarion, 1975]. — Le Livre de Poche, n° 4981, 1977. — *Jeanne la Mince à Paris.* — [Flammarion, 1961]. — Éd. J'ai lu, n° 236. — *Lettre ouverte aux idoles.* — Éd. Albin Michel, 1968. — (coll. «Lettre Ouverte»). — *Le Mariage du naïf.* — Éd. Albin Michel, 1957. — *Mémoires d'un naïf.* — [Pierre Horay, 1953]. — Le Livre de Poche, n° 2195. — *Le Naïf aux 40 enfants.* — [Albin Michel, 1955]. — Le Livre de Poche, n° 503. — *Le Naïf locataire.* — [Albin Michel, 1956]. — Le Livre de Poche, n° 1662, 1966. — *Le Naïf sous les drapeaux.* — [Albin Michel, 1954]. — Le Livre de Poche, n° 1164, 1966.

GUYAU (Jean-Marie), 1854-1888. — *Esquisse d'une morale sans obligation ni sanction.* — Éd. Félix Alcan, 1884. — *L'Irréligion de l'avenir* [1886], *Les Problèmes de l'esthétique contemporaine* [1884], cités in LALANDE (André). — *Vocabulaire technique et critique de la philosophie.* — Éd. P.U.F., 1951.

C

GYP (comtesse de JANVILLE, dite), 1850-1932. — *Le Mariage de Chiffon.* — [Calmann-Lévy, 1894]. — Le Livre de Poche, n° 2650, 1972.

HALDIMANN (Jean-A.). — *Chronique de mon village.* — Boudry (Suisse) : Éd. de la Baconnière, 1971. — (coll. «Cahiers de l'Institut neuchâtelois»).

HAMILTON (Antoine), 1646-1720. — *Œuvres.* — Éd. A. Renouard, 1913.

HAMP (Henri BOURILLON, dit Pierre), 1876-1962. — *Marée fraîche.* — [1908]. — 3ᵉ éd. — Éd. Gallimard, 1936. — *La Peine des hommes : Les Chercheurs d'or.* — Éd. N.R.F., 1920. — *La Peine des hommes : Moteurs.* — Éd. Gallimard, 1942.

HARAUCOURT (Edmond), 1856-1941. — *Seul.* — Éd. Charpentier, 1891.

HARCOURT (Robert d'), 1881-1965. — in *Revue de Paris,* février 1950.

HARDELLET (André). — *Lourdes, lentes...* — [J.-J. Pauvert, 1974]. — Éd. U.G.E., 1977. — (coll. «10/18», n° 1164).

HARDY (Alexandre), v. 1570-1632. — *Théâtre,* publié par Edmond Max STENGEL. — 5 tomes. — Marburg : Éd. N.G. Elwert, 1883-1884.

HAUTEROCHE (Noël LE BRETON, sieur de), 1617-1707. — *Théâtre.* — 3 tomes. — Éd. Aux dépens de la Compagnie des libraires associés, 1772.

HAZARD (Paul), 1878-1944. — *La Crise de la conscience européenne : 1680-1715.* — [1935]. — Éd. Fayard, 1961; 1978. — (coll. «Les Grandes Études Contemporaines»). — *La Pensée européenne au XVIIIᵉ siècle.* — 3 tomes. — Éd. Boivin, 1946.

HAZARD (Paul), 1878-1944, BÉDIER (Joseph), 1864-1938. — *Histoire de la littérature française illustrée.* — 2 tomes. — Éd. Larousse, 1926, 1935.

HÉBERT (Anne), 1916. — *Les Enfants du sabbat.* — Éd. du Seuil, 1975. — *Kamouraska.* — Éd. du Seuil, 1970.

HÉBERT (Jacques), 1757-1794. — Rédacteur du journal *Je suis le véritable Père Duchesne, foutre,* 355 numéros. — Éd. Imprimerie Tremblay, novembre 1790-ventôse an II (février-mars 1794).

HÉLIAS (Pierre-Jakez). — *Le Cheval d'orgueil : Mémoires d'un Breton du pays bigouden.* — Éd. Plon, 1976. — (coll. «Terre humaine»).

HELVÉTIUS (Claude Adrien), 1715-1771. — in *Helvétius.* — Éd. Mercure de France, 1909. — («Collection des plus belles pages», dirigée par Rémy de GOURMONT).

HÉMON (Louis), 1880-1913. — *Battling Malone, pugiliste.* — [écrit en 1911]. — Éd. Bernard Grasset, 1925. — *Maria Chapdelaine : Récit du Canada français.* — [1916]. — Éd. Grasset, 1921. — (coll. «Les cahiers verts»).

HENRIOT (Émile), 1889-1961. — *Aricie Brun ou les Vertus bourgeoises.* — [1924]. — Éd. Plon, 1946. — *Chemin de fer et Littérature,* in *La Vie du rail,* 2 mai 1954. — *Le Diable à l'hôtel.* — [1919]. — Éd. de la Nouvelle France, 1944. — *Épistoliers et Mémorialistes.* — [1928]. — Éd. de la Nouvelle Revue Critique, 1931. — *Maîtres d'hier et Contemporains : Courrier littéraire XIXᵉ et XXᵉ siècles.* — Éd. Albin Michel, 1955. — *Mythologie légère.* — Éd. Arthème Fayard, 1957. — *On n'est pas perdu sur la terre.* — Éd. Plon, 1960. — *Le Pénitent de Psalmodi.* — Éd. Plon, 1933. — *Portraits de femmes : D'Héloïse à Katherine Mansfield.* — [1935-1937]. — Éd. Albin Michel, 1951. — *Les Romantiques : Courrier littéraire XIXᵉ siècle.* — Éd. Albin Michel, 1952. — *La Rose de Bratislava.* — Éd. Plon, 1948. — *Les Temps innocents.* — Éd. Émile-Paul, 1921.

HÉRAULT DE SÉCHELLES (Marie Jean), 1759-1794. — *Œuvres littéraires,* publiées avec une préface et des notes par Émile DARD. — Éd. Perrin, 1907.

HEREDIA (José-Maria de), 1842-1905. — *Les Trophées.* — [1893]. — Éd. Lemerre, 1952.

HÉRIAT (Philippe), 1898-1971. — *Les Boussardel.* — Tome I : *Famille Boussardel.* — Tome II : *Les Enfants gâtés.* — Éd. Gallimard, 1939 (tome II), 1946 (tome I). — (coll. «Blanche»).

HERMANT (Abel), 1862-1950. — *L'Aube ardente.* — [1919]. — Éd. Ferenczi, 1932. — (coll. «Le Livre moderne illustré»). — *Le Bourgeois.* — Éd. Hachette, 1924. — (coll. «Les caractères de ce temps»). — *Chroniques de Lancelot, du «Temps».* — 2 tomes. — Éd. Larousse, 1936-1938. — *Les Épaves.* — Éd. Ferenczi, 1927. — *Remarques de Monsieur Lancelot pour la défense de la langue française.* — Éd. Flammarion, 1929. — *Souvenirs du Vicomte de Courpière par un témoin.* — [Ollendorff, 1901]. — Éd. Hachette, 1931. — (coll. «Les Grands Écrivains de la France»). — *Xavier ou les Entretiens sur la grammaire française.* — Éd. Le Livre, 1923. — (coll. «Essais et curiosités littéraires»).

HERR (Lucien), 1864-1926. — Article *Hegel,* in *La Grande Encyclopédie* [1885-1902], sous la direction de Marcelin BERTHELOT.

HERRIOT (Édouard), 1872-1957. — *Madame Récamier et ses amis.* — [Plon-Nourrit, 1904]. — Éd. Payot, 1928. — *La Porte océane.* — Éd. Hachette, 1932. — in *Le Temps,* 19 août 1924. — *La Vie de Beethoven.* — Éd. N.R.F., 1929.

HERVIEU (Paul), 1857-1915. — *Les paroles restent,* comédie dramatique. — Éd. A. Lemerre, 1893. — *Peints par eux-mêmes.* — [A. Lemerre, 1893]. — Éd. Arthème Fayard, 1930. — (coll. «Le livre de demain»). — *Les Tenailles.* — Éd. A. Lemerre, 1896.

HEUZÉ (Gustave), 1816-1907. — *La France agricole.* — 3 tomes. — Éd. Hachette, 1868-1869.

HOLBACH (Paul Henri, baron d'), 1723-1789. — *Textes choisis,* tome I. — Éditions Sociales, 1957. — (coll. «Les Classiques du Peuple»).

HOUGRON (Jean), 1923. — *La Gueule pleine de dents.* — [Plon, 1970]. — Nyon (Suisse) : Éd. Les Éditeurs associés.

HOUSSAYE (Arsène), 1815-1896. — *Les Confessions : Souvenirs d'un demi-siècle, 1830-1891.* — 6 tomes. — Éd. E. Dentu, 1885-1891. — *Souvenirs de jeunesse.* — 2 tomes. — Éd. Flammarion, 1896.

HOUVILLE (Gérard d', pseudonyme de Marie-Louise Antoinette DE HEREDIA), 1875-1963. — *Enfantines et amoureuses.* — Éd. N.R.F., 1946. — *Le Temps d'aimer.* — Éd. Calmann-Lévy, 1908.

HUC (Évariste-Régis), 1813-1860. — *Souvenirs d'un voyage dans la Tartarie, le Thibet et la Chine.* — 2 tomes. — Éd. Librairie d'Adrien Le Clère, 1850.

HUGO (Victor), 1802-1885. — **Œuvres complètes.** — 19 tomes. — nouvelle édition illustrée. — Éd. Ollendorff, s.d. — Tome I : *Odes et Ballades* [1826-1828]; *Les Orientales* [1829]; *Les Feuilles d'automne* [1831]; *Les Chants du crépuscule* [1835]; *Les Voix intérieures* [1837]; *Les Rayons et les Ombres* [1840]; *Les Contemplations* [1856]; *Les Chansons des rues et des bois* [1865]. — Tome II : *La Légende des siècles* [1859-1863]; *Dieu* [1885]; *La Fin de Satan* [1885]; *Le Pape* [1878]; *La Pitié suprême* [1879]; *Religions et Religion* [1880]; *L'Âne* [1880]; *Les Quatres Vents de l'esprit* [1881]. — Tome III : *Les Châtiments* [1853]; *Les Années funestes* [1898]; *L'Année terrible* [1872]; *L'Art d'être grand-père* [1877]; *Toute la lyre* [1888]; *Dernière gerbe* [1902]. — Tome IV : *Hernani* [1830]; *Marion Delorme* [1831]; *Le Roi s'amuse* [1832]; *Lucrèce Borgia* [1833]; *Marie Tudor* [1833]; *Angélo, tyran de Padoue* [1835]; *La Esmeralda* [1836]; *Ruy Blas* [1838]; *Les Burgraves* [1843]. — Tome V : *Cromwell* [1827]; *Torquemada* [1882]; *Théâtre en liberté* [1886] : *La Grand-mère, L'Épée, Mangeront-ils?, Sur la lisière d'un bois, Les Gueux, La Forêt mouillée; Amy Robsart* [1889]; *Les Jumeaux* [1889]. — Tome VI : *Han d'Islande* [1823]; *Bug-Jargal* [1826]; *Le Dernier Jour d'un condamné* [1829]; *Claude Gueux* [1834]. — Tome VII : *Notre-Dame de Paris* [1831]. — Tomes VIII, IX et X : *Les Misérables* [1862]. Tome XI : *L'Archipel de la Manche* [1883]; *Les Travailleurs de la mer* [1866]. — Tome XII : *L'Homme qui rit* [1869]. — Tome XIII : *Quatre-vingt-treize* [1873]. — Tome XIV : *Choses vues* [1887-1899]. — Tome XV : *Le Rhin* [1842]; *Alpes et Pyrénées* [1890]; *France et Belgique* [1892]. — Tome XVI : *Napoléon le Petit* [1852]; *Histoire d'un crime* [1877-1878]. — Tome XVII : *Victor Hugo raconté par un témoin de sa vie* [1863]; *Littérature et Philosophie mêlées* [1834]; *William Shakespeare* [1864]; *Paris* [1867]; *Post-Scriptum de ma vie* [1901]. — Tome XVIII : *Lettres à ma fiancée, 1820-1822* [1901]; *Correspondance, 1815-1882.* — Tome XIX : *Actes et Paroles : Avant l'exil, 1841-1851* [1875]; *Pendant l'exil, 1852-1870* [1875]; *Depuis l'exil, 1870-1876* [1876].
Autres éditions. **Poèmes** : *Les Châtiments; L'Année terrible.* — Éd. Flammarion, 1923. — *Les Contemplations.* — Éd. Nelson, s.d. — *Les Feuilles d'automne; Les Chants du crépuscule; Les Voix intérieures; Les Rayons et les Ombres.* — Éd. Flammarion, 1923. — *La Légende des siècles; La Fin de Satan; Dieu.* — Éd. Gallimard, 1950. — (coll. «Bibliothèque de la Pléiade»). — *Odes et Ballades; Les Orientales.* — Éd. Flammarion, 1912. — **Romans** : *Les Misérables.* — 4 tomes. — Éd. Nelson, 1936-1937. — *Les Misérables.* — 4 tomes. — Éd. Flammarion, 1960. — *Les Misérables.* — Éd. Gallimard, 1951. — (coll. «Bibliothèque de la Pléiade»). — *Quatre-vingt-treize.* — Éd. Flammarion, 1924. — **Théâtre** : *Ruy-Blas; Les Burgraves; Marion Delorme.* — Éd. Flammarion, 1948. — *Pages d'amour de Victor Hugo,* par Paul SOUCHON. — Éd. Albin Michel, 1949.

HUGUET (Edmond), 1863-1948. — *Portraits et Récits : Extraits des prosateurs du XVIᵉ siècle.* — Éd. Hachette, 1914.

HUREAUX (Yanny). — *La Prof.* — [1972]. — Éd. Julliard, 1973.

HUYGHE (René), 1906. — *L'Art et l'Homme.* — 3 tomes. — Éd. Larousse, 1958-1961. — *Dialogue avec le visible.* — [1955]. — Éd. Flammarion, 1958.

HUYSMANS (Georges Charles, dit Joris-Karl), 1848-1907. — *À rebours.* — [1884]. — Éd. Fasquelle, 1947. — *L'Art moderne.* — Éd. Charpentier, 1883. — *De tout.* — Éd. Stock, 1902. — *En ménage.* — [1881]. — Éd. Charpentier, 1922. — *En route.* — [1895]. — Éd. Plon, s.d. — *Les Foules de Lourdes.* — [1906]. — Éd. Stock, 1907. — *Là-bas.* — [1891]. — Éd. Plon, 1908. — *Marthe : Histoire d'une fille.* — [1876]. — Éd. G. Crès, 1914. — *L'Oblat.* — [1903]. — Éd. Plon, 1911. — *Sac au dos.* — Bruxelles : Éd. Félix Callevaert, 1878. — *Les Sœurs Vatard.* — Éd. Charpentier, 1879.

IKOR (Roger), 1912. — *À travers nos déserts.* — [Albin Michel, 1950]. — Éd. L'Ambassade du Livre. — *Les Fils d'Avrom : Les Eaux mêlées,* précédées de *La Greffe du printemps.* — [Albin Michel, 1955]. — Le Livre de Poche, n° 1963, 1966.

Imitation de Jésus-Christ (L'), attribuée à Jean-Charlier de GERSON. — À Venise, 1483.

Imitation de Jésus-Christ (L'), attribuée à Thomas KEMPIS. — [2 tomes. — Éd. J. Collombat, 1698-1700].

IONESCO (Eugène), 1912. — *Journal en miettes.* — Éd. Mercure de France, 1967. — *Rhinocéros.* — [1959]. — Éd. Gallimard, 1978. — (coll. «Folio», n° 816). — **Théâtre.** — 4 tomes. — Éd. Gallimard, 1954, 1958, 1963, 1966. — (coll. «Blanche»).

ISNARD (Maximin), 1755-1825. — *Discours à l'Assemblée législative,* 5 janvier 1792.

ITTEN (Albert), BASTIAN (Roger). — *En ça... en là!* — Lutry (Suisse) : Éd. Bastian, 1975.

IVOI (Paul d'), 1856-1915. — *Le Docteur Mystère.* — [1900]. — Fayard, s.d.

JACOB (François), 1920. — *Le Jeu des possibles : Essai sur la diversité du vivant.* — Éd. Fayard, 1981. — *La Logique du vivant : Une histoire de l'hérédité.* — [1970]. — Éd. Gallimard, 1976. — (coll. «Tel», n° 2).

JACOB (Max), 1876-1944. — *Conseils à un jeune poète*, suivis de *Conseils à un étudiant*. — Éd. Gallimard, 1945. — (coll. «Blanche»). — *Le Cornet à dés*. — [1923]. — Éd. Gallimard, 1945. — (coll. «Blanche»).

JACQUEMONT (Victor), 1801-1832. — *Correspondance*. — 2 tomes. — Éd. Garnier et Fournier, 1841.

JALOUX (Edmond), 1878-1949. — *L'Alcyone*. — Éd. Plon-Nourrit, 1925. — *L'Ami des jeunes filles*. — Éd. Ferenczi, 1926. — *La Branche morte*. — [1928]. — Éd. Plon, 1942. — *La Chute d'Icare*. — Éd. Plon, 1936. — *Le Dernier Jour de la création*. — [1935]. — Éd. Plon, 1942. — *La Fête nocturne*. — Éd. Ferenczi, 1924. — *Fumées dans la campagne*. — [1918]. — Éd. Plon, 1942. — *Le Jeune Homme au masque*. — [1905]. — Éd. Plon, 1945. — in revue *Œuvres libres*, nº 130, août 1932. — *Le Pouvoir des choses*. — Genève : Éd. Milieu du Monde, 1941. — *Le reste est silence*. — Éd. Stock, 1909. — *Les Routes du bel univers*. — [1936]. — Éd. Plon, 1943. — *Sous les oliviers de Bohême*. — Éd. Ferenczi, 1936. — *Les Visiteurs*. — Éd. Plon, 1941.

JAMMES (Francis), 1868-1938. — *La Brebis égarée : Drame musical*. — Éd. Max Eschig, 1923. — *Clara d'Ellébeuse*. — Éd. Mercure de France, 1899. — *De l'angélus de l'aube à l'angélus du soir, 1888-1897*. — Éd. Mercure de France, 1898. — *Les Géorgiques chrétiennes : Chants I et II*. — Éd. Mercure de France, 1911. — *Lettres à Odilon Redon*. — Éd. José Corti, 1960. — *Choix de poèmes*. — Éd. Mercure de France, 1947. — *Le Poète et sa femme*, in *Clairières dans le ciel, 1902-1906*. — Éd. Mercure de France, 1906. — *Le Roman du lièvre*. — [1903]. — Éd. Mercure de France, 1946.

JAMYN (Amadis), v. 1540-v. 1585. — *Œuvres poétiques*. — [1575]. — Éd. Slatkine, 1967.

JANET (Pierre), 1859-1947. — *L'Automatisme psychologique*. — [1889]. — Éd. Payot, 1975. — *De l'angoisse à l'extase*. — 2 tomes. — [1927, 1928]. — Éd. Payot, 1976. — *Les Médications psychologiques*. — 3 tomes. — Éd. Alcan, 1909. — *Les Névroses*. — Éd. Flammarion, 1909. — Avec Georges DUMAS. — *Nouveau traité de psychologie*. — 8 tomes. — Éd. Alcan, 1928-1939 (tomes I à VI); Éd. P.U.F., 1942-1943 (tomes VII et VIII).

JANIN (Jules), 1804-1874. — *Œuvres diverses*, publiées sous la direction de M. Albert de la FIZELIÈRE. — Éd. Librairie des Bibliophiles, 1876-1883.

JANKÉLÉVITCH (Vladimir), 1903. — *De la musique au silence*, tome I : *Fauré et l'Inexprimable*. — Éd. Plon, 1974. — *Le Je-ne-sais-quoi et le Presque-rien*. — Éd. P.U.F., 1957.

JAPRISOT (Sébastien), 1940. — *La Dame dans l'auto*. — [Denoël, 1966]. — Éd. Club France Loisirs, 1982. — *L'Été meurtrier*. — Éd. Denoël, 1977.

JARDIN (Pascal), 1934-1980. — *La Guerre à neuf ans*. — Éd. Grasset, 1971. — *Le Nain jaune*. — Éd. Julliard, 1979.

JARRY (Alfred), 1873-1907. — *Œuvres complètes*. — 8 tomes. — Monte-Carlo : Éd. du Livre; Lausanne : Éd. H. Kaeser, 1949. — *Œuvres complètes*, tome I. — Éd. Gallimard, 1972. — (coll. «Bibliothèque de la Pléiade»). — *Ubu Roi*. — [1895]. — Éd. Fasquelle, 1921.

JAUCOURT (Louis de), 1704-1779. — Cité in *Encyclopédie*, publiée par Denis DIDEROT.

JAURÈS (Jean), 1859-1914, sous la direction de. — *Histoire socialiste, 1789-1900*. — 10 tomes. — Éd. Jules Rouff, 1901-1908. — *Contre la guerre et la politique coloniale*, in *Textes choisis*, tome I. — Éditions Sociales, 1959. — (coll. «Les Classiques du Peuple»).

JAVELET (Robert). — *Camarade curé*. — Éd. Aelsatia, 1962.

JEAN (Raymond), 1925. — *Les Deux Printemps*. — Éd. Seuil, 1971.

JEAN-CHARLES, 1922. — *Où est donc ma femme?* — Éd. Plon, 1967.

JODELLE (Étienne), 1532-1573. — *Les Œuvres et Meslanges poétiques* [1552-1573], publiés dans les tomes III et IV de *La Pléiade française*, avec des notices biographiques et des notes par Charles MARTY-LAVEAUX. — 20 tomes. — Éd. A. Lemerre, 1866-1898.

JOFFO (Joseph), 1931. — *Anna et son orchestre*. — [J.-C. Lattès, 1975]. — Lausanne : Éd. La Guilde du Livre, 1975. — *Baby-foot*. — Éd. J.-C. Lattès, 1977. — *Tendre été*. — Éd. J.-C. Lattès, 1981. — *Un sac de billes*. — Éd. J.-C. Lattès, 1973.

JOFFRE (Joseph Jacques Césaire, maréchal), 1852-1931. — *Message du 6 septembre 1914*.

JOHANNET (René). — *Éloge du bourgeois français*. — Éd. Grasset, 1924. — (coll. «Les cahiers verts», nº 39).

JOUBERT (Jean). — *L'Homme de sable*. — Éd. Grasset, 1975.

JOUBERT (Joseph), 1754-1824. — *Pensées, Essais et Maximes*. — [Le Normant, 1838; Lebrau et Gosselin, 1842]. — Éd. Perrin, 1928.

JOUHANDEAU (Marcel), 1888-1979. — *Chaminadour I*. — [1934]. — Éd. Gallimard, 1953. — (coll. «Blanche»). — *Chroniques maritales* [1935], et *Nouvelles chroniques maritales* [1938]. — Éd. Gallimard, 1944. — (coll. «Blanche»). — *La Jeunesse de Théophile : Histoire ironique et mystique*. — [1921]. — Éd. Gallimard, 1948. — (coll. «Blanche»). — *Tite-le-long*. — Éd. Gallimard, 1932. — (coll. «Blanche»).

JOURDAIN (Francis), 1876-1958. — *De mon temps*. — Éd. Maspero, 1958; 1962. — (coll. «Voix», nº 7). — *Né en 76*. — Éd. du Pavillon, 1951. — *Sans remords ni rancune*. — Éd. Corréa, 1953.

JOUVE (Pierre Jean), 1887-1976. — in *Pierre Jean Jouve*, par René MICHA. — Éd. Seghers, 1956. — (coll. «Poètes d'aujourd'hui», nº 48).

JOUVENEL (Robert de), 1881-1924. — *La République des camarades*. — [1913]. — Éd. Bernard Grasset, 1924.

JULLIEN (Jean), 1854-1919. — *Le Théâtre vivant : Essai théorique et pratique*. — 2 tomes. — Éd. Charpentier-Fasquelle, 1892-1896.

JUNOD (Roger-Louis). — *Une ombre éblouissante*. — Lausanne : Éd. L'Âge d'Homme, 1968.

JUNQUIÈRES (Jean-Baptiste de), 1713-1788. — *Caquet-Bonbec, la poule à ma tante : Poème badin*. — s.n., 1763.

KANTA (A.). — *Lélée*, nouvelle parue dans *Sahel Hebdo*, nº 27, Constantine (Algérie), 1976.

KARR (Alphonse), 1808-1890. — *Les Guêpes*, revue satirique, 447 livraisons. — imprimée à Paris, puis à Nice, 1839-1876. — *Sous les tilleuls*. — 2 tomes. — Éd. Gosselin, 1832.

KEITA (Aoua). — *Femme d'Afrique : La Vie d'Aoua Keita racontée par elle-même*. — Paris : Éd. Présence Africaine, 1975.

KEMP (Robert), 1879-1959. — *Chroniques de critique théâtrale*, in *Le Monde*, 1944 à 1959.

KESSEL (Joseph), 1898-1979. — *L'Équipage*. — [N.R.F., 1923]. — Le Livre de Poche, nº 83. — *Le Lion*. — Éd. Gallimard, 1958. — Le Livre de Poche, nº 995, 1963. — *Tous n'étaient pas des anges*. — [Plon, 1963]. — Nyon (Suisse) : Éd. Les Éditeurs associés, 1973. — *Vent de sable*. — Éditions de France, 1929.

KHATIBI (Abdelkebir), 1938. — *La Mémoire tatouée*. — Éd. Denoël, 1971.

KLOSSOWSKI (Pierre), 1905. — *La Révocation de l'Édit de Nantes*. — [Minuit, 1959]. — Éd. U.G.E., 1963. — (coll. «10/18», nº 674).

KOUROUMA (Ahmadou), 1927. — *Les Soleils des indépendances*. — [Montréal, 1968]. — Éd. du Seuil, 1969.

KRAINS (Hubert), 1862-1934. — *Le Pain noir*. — [1904]. — Bruxelles : Éd. Labor, 1944.

LABICHE (Eugène), 1815-1888. — **Théâtre complet**, avec une préface d'Émile AUGIER. — 10 tomes. — [1878-1879]. — Éd. Calmann-Lévy, 1925-1926. — Tome I : *Un chapeau de paille d'Italie*; *Le Misanthrope et l'Auvergnat*; *Edgar et sa bonne*; *La Fille bien gardée*; *Un jeune homme pressé*; *Deux papas très bien*; *L'Affaire de la rue de Lourcine*. — Tome II : *Le Voyage de M. Perrichon*; *La Grammaire*; *Les Petits Oiseaux*; *La Poudre aux yeux*; *Les Vivacités du capitaine Tic*. — Tome III : *Célimare le bien-aimé*; *Un monsieur qui prend la mouche*; *Frisette*; *Mon Isménie*; *J'invite le colonel*; *Le Baron de Fourchevif*; *Le Club champenois*. — Tome IV : *Moi*; *Les Deux Timides*; *Embrassons-nous, Folleville!*; *Un garçon de chez Véry*; *Maman Sabouleux*; *Les Suites d'un premier lit*; *Les Marquises de la Fourchette*. — Tome V : *La Cagnotte*; *La Perle de la Canebière*; *Le Premier Pas*; *Un gros mot*; *Le Choix d'un gendre*; *Les 37 sous de M. Montaudon*. — Tome VI : *Le Plus heureux des trois*; *La Commode de Victorine*; *L'Avare en gants jaunes*; *La Sensitive*; *Le Cachemire X.B.T.* — Tome VII : *Les Trente Millions de Gladiator*; *Le Petit Voyage*; *29 degrés à l'ombre*; *Le Major Cravachon*; *La Main leste*; *Un pied dans le crime*. — Tome VIII : *Les Petites Mains*; *Deux merles blancs*; *La Chasse aux corbeaux*; *Un monsieur qui a brûlé une dame*; *Le Clou aux maris*. — Tome IX : *Doit-on le dire?*; *Les Noces de Bouchencœur*; *La Station Champbaudet*; *Le Point de mire*. — Tome X : *Le Prix Martin*; *J'ai compromis ma femme*; *La Cigale chez les fourmis*; *Si jamais je te pince!*; *Un mari qui lance sa femme*.

LA BOÉTIE (Étienne de), 1530-1563. — *Œuvres complètes*, publiées par Léon FEUGÈRE. — Éd. J. Delalain, 1846.

LABORDE (Alexandre, comte de), 1774-1842. — *Voyage pittoresque et historique de l'Espagne*. — 4 parties en 2 tomes. — Éd. Didot, 1806-1820.

LA BOULLAYE LE GOUZ (François), v. 1610-1669. — *Voyages et observations du sieur La Boullaye le Gouz, gentilhomme angevin*. — Éd. G. Clousier, 1653.

LA BRUYÈRE (Jean de), 1645-1696. — *Les Caractères*. — [1688; puis 9 éditions augmentées, 1689 à 1696]. — Éd. Nelson, s.d. — Éd. Garnier, 1932. — *Œuvres complètes*, nouvelle édition par Gustave SERVOIS. — 2 tomes et un *Lexique de la langue de La Bruyère*, par Adolphe REGNIER. — Éd. Hachette, 1865-1878.

LACARRIÈRE (Jacques), 1925. — *Chemin faisant : Mille kilomètres à pied à travers la France*. — Éd. Fayard, 1974.

LACAN (Jacques), 1901-1981. — *Écrits*. — Éd. du Seuil, 1968. — (coll. «Le Champ Freudien»).

LA CHAUSSÉE (Pierre-Claude NIVELLE de), 1692-1754. — *Œuvres dramatiques*. — 5 tomes. — Éd. Sablier, 1762.

LACHELIER (Jules), 1832-1918. — *Du fondement de l'induction* [1871]; *Lettres à Janet*, citées in FOULQUIÉ (Paul), SAINT-JEAN (Raymond). *Dictionnaire de la langue philosophique*. — Éd. P.U.F., 1962. — *Lettre à G. Séailles*, 15 octobre 1913; *Notes sur le pari de Pascal*, citées in LALANDE (André). — *Vocabulaire technique et critique de la philosophie*. — Éd. P.U.F., 1951.

LACLOS (Pierre CHODERLOS de), 1741-1803. — *Les Liaisons dangereuses*. — [4 tomes. — Amsterdam-Paris : Durand, 1782]. — Monaco : Éd. du Rocher, 1948. — (coll. «Grands et petits chefs-d'œuvre»).

LACORDAIRE (père Jean-Baptiste Henri), 1802-1861. — *Œuvres complètes*. — 9 tomes. — Éd. Poussielgue; Tours : Éd. Imprimerie Mame, 1872-1873.

LACÔTE (René). — *Tristan Tzara*. — Éd. Seghers, 1952. — (coll. «Poètes d'aujourd'hui», nº 32).

LACRETELLE (Jacques de), 1888. — *La Bonifas*. — [1925]. — Éd. Gallimard, 1970. — (coll. «Blanche»). — *Le Demi-dieu ou le Voyage en Grèce*. — [1930]. — Éd. Bernard Grasset, 1931. — *Idées dans un chapeau*. — Monaco : Éd. du Rocher, 1946. — *Le Retour de Silbermann*.

— Éd. du Capitole, 1929. — *Silbermann.* — Éd. N. R. F., 1922. — (coll. «Blanche»).

LA FARE (Charles de), 1644-1712. — *Mémoires et Réflexions sur les principaux événements du règne de Louis XIV.* — À Rotterdam, 1716.

LA FAYETTE (Marie-Madeleine de), 1634-1693. — *Romans et Nouvelles.* — Éd. Garnier, 1948.

LA FONTAINE (Jean de), 1621-1695. — *Contes.* — [1665]. — Éd. Garnier, 1931. — *Fables* [1668 à 1694], *Contes et Nouvelles.* — Éd. Gallimard, 1948. — (coll. «Bibliothèque de la Pléiade»). — *Œuvres diverses.* — Éd. Gallimard, 1948. — (coll. «Bibliothèque de la Pléiade»). — *Poèmes et Poésies diverses.* — Éd. Garnier, 1924.

LAFORGUE (Jules), 1860-1887. — *Moralités légendaires.* — [1887]. — Éd. Mercure de France, 1954. — *Œuvres complètes,* tome I : *Poésies.* — Éd. Mercure de France, 1951.

LAGNEAU (Jules), 1851-1894. — *Célèbres Leçons et Fragments.* — [1924]. — Éd. P. U. F., 1964. — (coll. «Bibliothèque de philosophie contemporaine»).

LAGRANGE (Louis de), 1736-1813. — *Théorie des fonctions analytiques* [1797], in *Œuvres complètes,* éditées par M. SERRET. — 14 tomes. — Éd. Gauthier-Villars, 1867-1892. — in *Mémoires de l'Institut National des Sciences et Arts,* 1808.

LA HARPE ou LAHARPE (Jean François DELAHARPE, dit de), 1739-1803. — *Lycée ou Cours de littérature ancienne et moderne.* — 19 tomes. — Éd. Agane, 1799-1805. — *Abrégé du cours de littérature,* par J.-F. ROLLAND. — 3 tomes. — Lille : Éd. L. Lefort, 1830.

LALANDE (André), 1867-1963. — *Lectures sur la philosophie des sciences.* — Éd. Hachette, 1949.

LAMARCK (Jean-Baptiste de MONET, chevalier de), 1744-1829. — *Pages choisies.* — Éditions Sociales, 1957. — (coll. «Les Classiques du Peuple»).

LAMARTINE (Alphonse de), 1790-1869. — *Les Confidences.* — [Perrotin, 1849]. — Éd. Hachette, 1924. — *Cours familier de littérature* [Firmin-Didot, 1856-1869], extraits choisis par Jean des COGNETS. — 2 tomes. — Éd. Garnier, 1926. — *Graziella.* — [Librairie Nouvelle, 1852]. — Éd. Le Livre français-H. Piazza, 1926. — *Graziella,* et *Raphaël* [Perrotin, 1849]. — Éd. Garnier, 1927. — *Harmonies poétiques et religieuses.* — [Gosselin, 1830]. — Éd. Garnier, 1925. — (coll. «Selecta»). — *Histoire de la révolution de 1848.* — Éd. Perrotin, 1849. — *Histoire des Girondins.* — Éd. Furne et W. Coquebert, 1847. — *Jocelyn.* — [Furne et Gosselin, 1836]. — Éd. Gosselin, 1845. — *Lettres inédites : 1821-1851,* présentées par Henri GUILLEMIN. — Porrentruy (Suisse) : Éd. Aux Portes de France, 1944. — *Méditations poétiques* [Didot, 1820], et *Nouvelles méditations poétiques* [Urbain Canel, 1823]. — Éd. Hachette, 1924. — *Œuvres choisies,* par Francisque VIAL. — Delagrave, 1947. — *Recueillements poétiques.* — [Gosselin, 1839]. — Éd. Garnier, 1925. — *Voyage en Orient.* — 4 tomes. — Éd. Gosselin, 1835. — *Le Nouveau Voyage en Orient.* — 2 tomes. — Éd. Imprimerie Wittersheim, 1851-1853.

LAMENNAIS ou LA MENNAIS (Félicité Robert de), 1782-1854. — *Paroles d'un croyant.* — [Eugène Renduel, 1834]. — Éd. Garnier, 1858. — Éd. du Livre Français, 1946. — (coll. «Les classiques du XIXᵉ siècle»).

LA METTRIE (Julien OFFROY de), 1709-1751. — *Textes choisis.* — Éditions Sociales, 1954. — (coll. «Les Classiques du Peuple»).

LA MOTHE LE VAYER (François de), 1588-1672. — *Dialogues faits à l'imitation des anciens, par Oratius Tubero* [2 tomes. — À Francfort, 1716]; *Œuvres,* publiées par LA MOTHE LE VAYER fils [2 tomes. — À Paris, 1654], in *Œuvres.* — 14 tomes. — Dresde : Éd. M. Groell, 1756-1759.

LAMOTTE (Antoine HOUDAR de), 1672-1731. — *Fables nouvelles,* avec un discours sur la fable. — Éd. G. Dupuis, 1719.

LANDRY (Charles-François). — *Garcia.* — Rolle : Éd. P. Eynard, 1947. — Lausanne : Éd. Le Livre du mois, 1970. — *Petit bar Mistral.* — Lausanne : Éd. Le Livre du mois, 1969.

LANGEVIN (Paul), 1872-1946. — *La Relativité.* — Éd. Hermann, 1932.

LANGEVIN (Paul), 1872-1946, PERRIN (Francis), 1901. — *La Dynamique relativiste et l'Inertie de l'énergie.* — Éd. Hermann, 1932.

LANGLOIS (Charles-Victor), 1863-1929, SEIGNOBOS (Charles), 1854-1942. — in *Lectures sur la philosophie des sciences,* par André LALANDE. — Éd. Hachette, 1949.

LANOUX (Armand), 1913. — *La Canadienne assassinée* [Fayard, 1942]; *Le Pont de la folie* [Fayard, 1943]. — Anvers (Belgique) : Éd. Beckers, 1967. — *Le Commandant Watrin.* — [Julliard, 1956]. — Le Livre de Poche, nᵒ 479, 1965. — Lausanne : Éd. Rencontre.

LANSON (Gustave), 1857-1934. — *L'Art de la prose.* — Éd. Librairie des Annales politiques et littéraires, 1909. — *Histoire de la littérature française.* — [1894]. — Éd. Hachette, 1931. — *Voltaire.* — Éd. Hachette, s. d. — (coll. «Les grands écrivains français»).

LANZMANN (Jacques), 1927. — *Les Transsibériennes.* — Éd. Laffont, 1978.

LA PÉROUSE (Jean-François GALAUP, comte de), 1741-1788. — *Voyage de La Pérouse autour du monde,* publié par L. M. A. MILET-MUREAU. — 4 tomes. — Éd. Imprimerie de la République, an V (1797).

LAPIERRE (Dominique), COLLINS (Larry). — *Paris brûle-t-il? 25 août 1944.* — Éd. Laffont, 1964. — (coll. «Ce Jour-là»).

LARBAUD (Valery), 1881-1957. — *Amants, heureux amants...* — [N. R. F., 1923]. — Éd. Gallimard, 1946. — (coll. «Blanche»). — *A. O. Barnabooth : Ses œuvres complètes.* — [N. R. F., 1913]. — Éd. Gallimard, 1948. — (coll. «Blanche»). — *Beauté, mon beau souci...* — Éd. N. R. F., 1920. — *Enfantines.* — [N. R. F., 1918]. — Éd. Gal-

limard, 1948. — (coll. «Blanche»). — *Fermina Marquez.* — [Fasquelle, 1911]. — Éd. Gallimard, 1950. — *Sous l'invocation de saint Jérôme.* — [1945]. — Éd. Gallimard, 1946. — (coll. «Blanche»). — *Une Nonnain.* — Neuchâtel ; Paris : Éd. Ides et Calendes, 1946.

LA ROCHEFOUCAULD (François, duc de), 1613-1680. — *Maximes et Réflexions diverses.* — [À La Haye, 1664 ; puis 1666, 1671, 1675, 1678]. — Éd. Hatier, 1947. — (coll. «Les classiques pour tous»). — *Œuvres complètes,* texte établi et annoté par L. MARTIN-CHAUFFIER. — Éd. Gallimard, 1935. — (coll. «Bibliothèque de la Pléiade»). — *Réflexions ou Sentences et Maximes morales.* — Éd. Garnier, 1957.

LARTÉGUY (Jean), 1920. — *Les Centurions.* — [Presses de la Cité, 1960]. — Nyon (Suisse) : Éd. Les Éditeurs associés, 1974. — *Les Prétoriens.* — [Presses de la Cité, 1964]. — Nyon : Éd. Les Éditeurs associés, 1974.

LA SABLIÈRE (Marguerite de), 1636-1693. — Citée in RICHELET (Pierre). — *Dictionnaire français.* — [À Genève, 1680].

LAS CASES (Emmanuel de), 1766-1842. — *Mémorial de Sainte-Hélène...* — [8 tomes. — Édité par l'auteur, 1823]. — 4 tomes. — Éd. Garnier, 1931-1934.

LA TOUR DU PIN (Patrice de), 1911-1975. — *La Contemplation errante.* — Éd. Gallimard, 1948. — (coll. «Blanche»).

LAURENT (Auguste), 1807-1853. — in *Annales de Chimie,* 1837.

LAURENT (Jacques), 1919. — *Les Bêtises.* — Éd. Grasset, 1971. — *Les Sous-ensembles flous.* — Éd. Grasset et Fasquelle, 1981. — Voir aussi SAINT-LAURENT.

LAUTRÉAMONT (Isidore DUCASSE, dit comte de), 1846-1870. — *Les Chants de Maldoror* [*Chant I,* 1868 ; *Chants II à VI,* 1869], *Poésies* [1870]. — Lausanne : Éd. du Grand Chêne, 1946. — *Œuvres,* in LAUTRÉAMONT, NOUVEAU (Germain). — *Œuvres complètes,* textes établis, présentés et annotés par Pierre-Olivier WALZER. — Éd. Gallimard, 1970. — (coll. «Bibliothèque de la Pléiade»).

LA VARENDE (Jean MALLARD, vicomte de), 1887-1959. — *L'Homme aux gants de toile.* — Éd. Bernard Grasset, 1943. — *Nez-de-Cuir, gentilhomme d'amour.* — Rouen : Éd. Maugard, 1936. — *Le Troisième Jour.* — Éd. Grasset, 1947.

LAVELLE (Louis), 1883-1951. — *De l'âme humaine.* — Éd. Aubier-Montaigne, 1951. — *Le Moi et son destin; Traité des valeurs* [1951], cités in LE SENNE (René). — *Introduction à la philosophie.* — Éd. P. U. F., 1958.

LAVOISIER (Antoine Laurent de), 1743-1794. — *Traité élémentaire de chimie.* — [1789 ; 2ᵉ éd., 1793 ; 3ᵉ éd., 1803]. — in tome I des *Œuvres de Lavoisier,* publiées par les soins de Son Excellence le Ministre de l'Instruction publique et des Cultes. — 6 tomes. — Éd. Imprimerie Impériale, puis Nationale, 1862-1893.

LAYAZ (Alphonse). — *Malvallée.* — Vulliens (Suisse) : Éd. Mon Village, 1976.

LAYE (Camara). — *Le Regard du roi.* — Éd. Plon, 1954.

LÉAUTAUD (Paul), 1872-1956. — *Journal littéraire : 1893-1909.* — 2 tomes. — Éd. Mercure de France, 1954, 1955. — *Passe-temps.* — Éd. Mercure de France, 1929. — *Propos d'un jour.* — Éd. Mercure de France, 1947. — *Le Théâtre de Maurice Boissard : 1907-1923.* — [1943]. — Éd. Gallimard, 1945. — (coll. «Blanche»).

LEBLANC (Maurice), 1864-1941. — *L'Aiguille creuse.* — [1909]. — Le Livre de Poche, nᵒ 1352, 1964.

LE BRAS (Gabriel), 1891-1970. — Cité in GURVITCH (Georges). — *Traité de sociologie.* — Éd. P. U. F., 1963.

LE BRETON (Auguste), 1915. — *Langue verte et noirs desseins.* — Éd. Presses de la Cité, 1960. — *Les Pégriots.* — Éd. Laffont-Plon, 1973.

LECLERC (Annie). — *Parole de femme.* — [Grasset, 1974]. — Le Livre de Poche, nᵒ 5061, 1977.

LE CLÉZIO (Jean-Marie Gustave), 1940. — *Le Déluge.* — Éd. Gallimard, 1966. — (coll. «Blanche»). — *Désert.* — Éd. Gallimard, 1980. — (coll. «Le Chemin»). — *L'Extase matérielle.* — Éd. Gallimard, 1967. — (coll. «Le Chemin»). — *La Fièvre.* — Éd. Gallimard, 1965. — (coll. «Le Chemin»). — *Les Géants.* — Éd. Gallimard, 1973. — (coll. «Le Chemin»). — *Haï.* — Éd. Skira, 1971. — (coll. «Les sentiers de la création»).

LECOMTE (Georges), 1867-1958. — *Clemenceau.* — Éd. Charpentier, 1919. — *Ma traversée.* — Éd. Robert Laffont, 1949.

LECOMTE DU NOÜY (Pierre), 1883-1947. — *L'Avenir de l'esprit.* — Éd. Gallimard, 1941. — *L'Homme et sa destinée.* — [1948]. — Éd. La Colombe, 1956.

LECONTE DE LISLE (Charles Marie LECONTE, dit), 1818-1894. — *L'Iliade d'Homère, traduction nouvelle en prose.* — [1867]. — Éd. Alphonse Lemerre, s. d. — (coll. «Bibliothèque universelle Lemerre»). — *Poèmes antiques.* — [Ducloux, 1852]. — Éd. Alphonse Lemerre, 1939. — *Poèmes barbares.* — [Poulet-Malassis, 1862]. — Éd. Alphonse Lemerre, 1941. — *Poèmes tragiques.* — [1884]. — Éd. Alphonse Lemerre, 1937.

LEDUC (Violette), 1913-1972. — *La Bâtarde.* — [1964]. — Éd. Gallimard, 1972. — (coll. «Folio», nᵒ 41). — *La Chasse à l'amour.* — Éd. Gallimard, 1973. — (coll. «Blanche»). — *La Folie en tête.* — [1970]. — Éd. Gallimard, 1973. — (coll. «Folio», nᵒ 483).

LEFÈBVRE (Henri), 1901. — *La Somme et le Reste.* — Éd. La Nef de Paris, 1959. — Éd. Berg International, 1973.

LEFRANC DE POMPIGNAN (Jean-Jacques), 1709-1784. — *Œuvres de M. le marquis de Pompignan.* — 4 tomes. — [1784]. — Éd. Slatkine, 1971. — (Fac-sim.). — *Poésies sacrées sur divers sujets,* 1734.

LE GOFF (Jacques), 1924. — *La Civilisation de l'Occident médiéval.* — Éd. Arthaud, 1972. — *Le Moyen Âge.* — Éd. Bordas, 1962.

LÉGOUVÉ (Gabriel), 1764-1812. — *La Mort d'Abel.* — Éd. Mérigot, 1793.

LEIBNIZ (Gottfried Wilhelm), 1646-1716. — *Essais de théodicée sur la bonté de Dieu, la liberté de l'homme et l'origine du mal.* — Amsterdam : Éd. Troyel, 1710. — *Lettres à Bayle* [1702], *Lettre à Tschirnhaus,* citées in LALANDE (André). — *Vocabulaire technique et critique de la philosophie.* — Éd. P.U.F., 1951. — *Monadologie.* — [1714]. — Éd. Delagrave, 1967. — *Nouveaux essais sur l'entendement humain.* — [1704]. — Éd. Garnier-Flammarion, 1960.

LEIRIS (Michel), 1901. — *L'Âge d'homme.* — [Gallimard, 1939]. — Le Livre de Poche, nº 1559, 1966. — *Haut mal,* avec *Autres lancers.* — [1943]. — Éd. Gallimard, 1969. — (coll. «Poésie», nº 40). — *La Règle du jeu.* — 4 tomes. — Tome I : *Biffures.* — [1948]. — Éd. Gallimard, 1968. — (coll. «Blanche»). — Tome II : *Fourbis.* — [1955]. — Éd. Gallimard, 1968. — (coll. «Blanche»). — Tome III : *Fibrilles.* — Éd. Gallimard, 1966. — (coll. «Blanche»). — Tome IV : *Frêle bruit.* — Éd. Gallimard, 1976. — (coll. «Blanche»).

LEMAIRE DE BELGES (Jean), 1473-v. 1524. — *Œuvres,* publiées par A.-J. STECHER. — 4 tomes. — Louvain : Éd. J. Lefever, 1882-1891.

LEMAISTRE DE SACY (Louis Isaac). — Voir SACY.

LEMAÎTRE (Jules), 1853-1914. — *Les Contemporains : Études et Portraits littéraires.* — 8 tomes. — Éd. Lecène et Oudin, 1886-1918. — *Impressions de théâtre.* — 11 tomes. — Éd. Lecène et Oudin, 1888-1920.

LEMIERRE (Antoine), 1723-1793. — *Œuvres,* publiées par René PÉRIN. — Éd. Maugeret, 1810. — *La Peinture,* poème en 3 chants. — Éd. Le Jay, 1769.

LENÔTRE (Théodore GOSSELIN, dit Georges), 1857-1935. — *Drames d'histoire.* — Éd. Flammarion, 1935. — *Sous la Révolution.* — Éd. Flammarion, 1937.

LE PORRIER (Herbert), 1913-1977. — *Le Luthier de Crémone.* — [Seuil, 1977]. — Le Livre de Poche, nº 5411, 1980.

LEROI-GOURHAN (André), 1911. — *Le Geste et la Parole.* — 2 tomes. — Tome I : *Techniques et Langage.* — [1964]. — Éd. Albin Michel, 1978. — (coll. «Sciences d'aujourd'hui»). — Tome II : *La Mémoire et les Rythmes.* — [1965]. — Éd. Albin Michel, 1979. — (coll. «Sciences d'aujourd'hui»). — *La Préhistoire,* in *Encyclopédie de la Pléiade : Histoire universelle,* tome I. — Éd. Gallimard, 1956. — *Les Religions de la préhistoire.* — Éd. P.U.F., 1976. — (coll. «Mythes et religion», nº 51).

LEROUX (Gaston), 1868-1927. — *Le Parfum de la dame en noir.* — [1908]. — Le Livre de Poche, nº 587-588, 1960. — *Rouletabille chez Krupp.* — Le Livre de Poche, nº 3914, 1974.

LE ROY (Édouard), 1870-1954. — in *Annales philosophiques chrétiennes,* 1906. — *Essai d'une philosophie première : L'Exigence idéaliste et l'Exigence morale.* — 2 tomes. — Éd. P.U.F., 1956, 1958. — *La Logique de l'invention,* in *Revue de métaphysique et de morale,* mars 1905.

LE ROY-LADURIE (Emmanuel), 1929. — *L'Histoire immobile,* in *Le Monde,* 2 décembre 1973.

LESAGE (Alain René), 1668-1747. — *Crispin, rival de son maître.* — Éd. Ribou, 1707. — *Le Diable boiteux.* — [Veuve Barbin, 1707]. — Éd. Renaissance du Livre, s. d. — *Le Diable boiteux,* suivi de *Le Bachelier de Salamanque.* — [1736]. — Éd. Firmin-Didot, 1885. — *Histoire de Gil Blas de Santillane.* — 2 tomes. — [Ribou, 1715]. — Éd. Garnier, 1942. — *Turcaret.* — [Ribou, 1709]. — Éd. Larousse, 1947. — (coll. «Classiques Larousse»).

LE SENNE (René), 1882-1954. — *Introduction à la philosophie.* — Éd. Alcan, 1939. — *Traité de caractérologie : Précis d'idiologie.* — 4e éd. — Éd. P.U.F., 1952. — (coll. «Logos»). — *Traité de morale générale.* — [1942]. — Éd. P.U.F., 1949. — (coll. «Logos»).

LESPINASSE (Julie de), 1732-1776. — *Lettres de Mademoiselle de Lespinasse,* précédées d'une notice biographique et littéraire par Eugène ASSE. — À Paris, 1876. — *Lettres inédites à Condorcet, à d'Alembert,* publiées par Charles HENRY. — Éd. E. Dentu, 1887.

LESTIENNE (Voldémar), 1932. — *L'Amant de poche.* — [Grasset, 1975]. — Lausanne : Éd. Ex Libris.

Lettres choisies du XVIIe siècle. — Éd. Hachette, 1967.

LEUVEN (comte Adolphe de RIBBING, dit Adolphe de). — *Le Bijou perdu,* opéra comique en 3 actes par MM. Ad. de LEUVEN et de FORGES. — [1854]. — Éd. Michel Lévy, s. d.

LÉVIS (Pierre Marc Gaston, duc de), 1764-1830. — *Maximes et Réflexions sur différents sujets de morale et de politique, suivies de quelques essais.* — [1807]. — 2e édition augmentée. — Éd. Déterville, 1808. — *Souvenirs et Portraits, 1780-1789.* — [1813]. — Éd. Beaupré, 1815.

LÉVI-STRAUSS (Claude), 1908. — *Anthropologie structurale.* — Éd. Plon, 1958. — *Les Mythologiques,* tome I : *Le Cru et le Cuit.* — Éd. Plon, 1969. — *La Pensée sauvage.* — Éd. Plon, 1962. — *Tristes tropiques.* — Éd. Plon, 1955.

LÉVY (Bernard-Henri), 1948. — *La Barbarie à visage humain.* — Éd. Grasset, 1977.

LÉVY-BRUHL (Lucien), 1857-1939. — *L'Âme primitive.* — [1927]. — Éd. P.U.F., 1963. — (coll. «Bibliothèque de philosophie contemporaine»). — *La Morale et la Science des mœurs.* — Éd. Alcan, 1903. — *La Mentalité primitive.* — [1922]. — Éd. Retz, 1976.

L'HÉRITIER DE VILLANDON (Marie-Jeanne), 1664-1734. — citée in TRÉVOUX.

L'HOSPITAL (Michel de), 1505-1573. — *Œuvres complètes,* précédées d'un essai sur sa vie et ses ouvrages par Pierre-Joseph DUREY. — 5 tomes. — Éd. A. Boulland, 1824-1826. — Éd. Slatkine, 1968. — (Fac-sim.).

LICHTENBERGER (Henri), 1864-1941. — *Richard Wagner, poète et penseur.* — [1898]. — 8e éd. — Éd. P.U.F., 1925.

LILAR (Suzanne), 1901. — *Le Couple.* — Éd. Grasset, 1963.

LINHART (Robert). — *L'Établi.* — Éd. de Minuit, 1978.

LINTILHAC (Eugène), 1854-1920. — *Histoire générale du théâtre en France* [5 tomes, 1804-1811], tome IV : *La Comédie, dix-huitième siècle.* — Éd. Slatkine, 1973. — (Fac-sim.).

LINZE (Jacques-Gérard), 1925. — *La Fabulation.* — Éd. Gallimard, 1968. — (coll. «Blanche»).

Littératures de langue française hors de France. — Édité par la Fédération Internationale des Professeurs de Français (F.I.P.F.). — Montréal, 1976.

LITTRÉ (Émile), 1801-1881. — *Conservation, Révolution et Positivisme.* — [1852]. — Éd. Greg, 1971. — (Fac-sim.). — *Études sur les barbares.* — Éd. Didier, 1869. — Introduction et traduction des *Œuvres complètes* d'HIPPOCRATE. — 10 tomes. — Éd. Dubochet, 1839-1861. — Voir aussi I, 1, I, 3 et II, 1.

LOBA (A.). — *Kocoumbo, l'étudiant noir,* in Paul VÉZINET. — *Pages africaines,* tome III. — Éd. Hatier, 1966.

LOISEL (Antoine), 1536-1617. — *Les Institutes coutumières ou Manuel de plusieurs règles du droit coutumier et le plus ordinaire de la France.* — Éd. L'Angelier, 1607.

LOPES (Henri), 1937. — *Tribaliques.* — Yaoundé : Éd. CLE, 1971.

LORRAIN (Jean), 1855-1906. — *Le Crime des riches.* — Éd. P. Douville, 1905.

LOT (Ferdinand), 1866-1952. — *La Fin du monde antique et le Début du moyen âge.* — [1927]. — Éd. Albin Michel, 1968. — (coll. «L'Évolution de l'Humanité Format Poche», nº 5). — *Les Invasions barbares et le Peuplement de l'Europe* [1937], cité in *Le Figaro littéraire,* 20 octobre 1956.

LOTI (Julien VIAUD, dit Pierre), 1850-1923. — *Aziyadé.* — [1879]. — Éd. Calmann-Lévy, 1946. — (coll. «Zodiaque»). — *Les Désenchantées.* — [1906]. — Éd. Calmann-Lévy, 1947. — (coll. «Zodiaque»). — *Figures et Choses qui passaient.* — [Calmann-Lévy, 1898]. — Éd. Nelson, s. d. — *L'Inde sans les Anglais.* — [1903]. — Éd. Calmann-Lévy, 1920. — *Jérusalem.* — [Calmann-Lévy, 1895]. — Éd. Nelson, s.d. — *Le Livre de la pitié et de la mort.* — [1891]. — Éd. Calmann-Lévy, 1923. — *Madame Chrysanthème.* — [1888]. — Éd. Calmann-Lévy, 1947. — (coll. «Zodiaque»). — *Le Mariage de Loti.* — [1880]. — Éd. Calmann-Lévy, 1946. — (coll. «Zodiaque»). — *Matelot.* — [1893]. — Éd. Calmann-Lévy, 1946. — *Mon frère Yves.* — [1883]. — Éd. Calmann-Lévy, 1947. — (coll. «Zodiaque»). — *Pêcheur d'Islande.* — [1886]. — Éd. Calmann-Lévy, 1947. — (coll. «Zodiaque»). — *Ramuntcho.* — [1897]. — Éd. Calmann-Lévy, 1947. — *Le Roman d'un enfant.* — Éd. Calmann-Lévy, 1890. — *Le Roman d'un spahi.* — [1881]. — Éd. Calmann-Lévy, 1947. — *Suprêmes visions d'Orient : Fragments de journal intime,* par Pierre LOTI et son fils Samuel VIAUD. — Éd. Calmann-Lévy, 1921. — *Vers Ispahan.* — [1904]. — Éd. Calmann-Lévy, 1919. — (coll. «Bibliothèque contemporaine»).

LOUIS-NAPOLÉON BONAPARTE (prince), 1808-1873 (empereur des Français sous le nom de Napoléon III, 1852-1870). — *Lettre à la Commission Consultative,* 31 décembre 1851.

LOUIS-PHILIPPE Ier, 1773-1850 (roi des Français, 1830-1848). — *Discours,* in *Le Moniteur universel,* 31 janvier 1831.

LOUIS XIV le Grand, 1638-1715 (roi de France, 1643-1715). — *Lettres,* recueillies par M. ROSE. — 2 tomes. — À Paris, 1755. — *Mémoires,* publiées par Jean LONGNON. — Éd. Jules Tallandier, 1927. — («Collection des meilleurs écrivains politiques»). — *Œuvres de Louis XIV.* — [publiées par GROUVELLE]. — 6 tomes. — À Paris-Strasbourg, 1806]. — publiées par le général de GRIMOARD. — 6 tomes, s. d.

LOUIS XVI (Louis-Auguste), 1754-1793 (roi de France, 1774-1791). — Cité in LAROUSSE (Pierre). — *Grand dictionnaire universel du XIXe siècle.*

LOUVIER (Nicole). — *Les Marchands.* — [La Table Ronde, 1959]. — Bruxelles : Éd. Club International du Livre.

LOUŸS (Pierre LOUIS, dit Pierre), 1870-1925. — *Aphrodite.* — [Mercure de France, 1896]. — Éd. Calmann-Lévy, 1947. — *Les Aventures du roi Pausole.* — [Charpentier et Fasquelle, 1901]. — Éd. Albin Michel, 1932. — La Boétie, 1946. — *Byblis.* — [Borel, 1898]. — Éd. Librairie des Amateurs; A. Ferroud, 1901. — *Les Chansons de Bilitis.* — [Mercure de France, 1894]. — Éd. Albin Michel, 1949. — *La Femme et le Pantin.* — [Mercure de France, 1898]. — Éd. Albin Michel, 1942.

LYAUTEY (Louis Hubert, maréchal), 1854-1934. — *Lettres.* — Éd. Armand Colin, 1947. — *Paroles d'action : Madagascar, Sud-Oranais, Oran, Maroc, 1900-1926.* — [1927]. — 5e éd. — Éd. Armand Colin, 1948.

LYOTARD (Jean-François). — *Les Dispositifs pulsionnels.* — Éd. U.G.E., 1973. — (coll. «10/18», nº 812).

MABLY (Gabriel BONNOT, abbé de), 1709-1785. — *De la législation ou Principe des lois* [1770], *Le Droit public de l'Europe fondé sur les traités* [1746], *Entretiens de Phocion* [1763], *Observations sur les Grecs* [1749], *Observations sur l'histoire de France* [1765], *Observations sur les Romains* [1751], in *Œuvres complètes.* — 12 tomes. — À Londres, 1789.

MAC ORLAN (Pierre DUMARCHEY, dit), 1882-1970. — *L'Ancre de miséricorde.* — [Émile-Paul, 1941]. — Éd. J'ai lu, nº 28. — *La Bandera.* — [1931]. — Éd. Gallimard, 1950. — (coll. «Blanche»). — *Le Quai des brumes.* — [1927]. — Éd. Gallimard, 1950. — (coll. «Blanche»).

MADELIN (Louis), 1871-1956. — *Danton.* — [1914]. — Éd. Hachette, 1926. — (coll. «Figures du passé»). — *François Ier.* — Éd. Flammarion, 1936. — *La Fronde.* — [1931]. — Éd. Flammarion, 1936. — *Histoire du Consulat et de l'Empire.* — 16 tomes. — Éd. Hachette, 1937-1954. — *La Révolution.* — [1911]. — Éd. Tallandier, 1979. — *Talleyrand.* — [1944]. — Éd. Flammarion, 1948.

MAETERLINCK (Maurice), 1862-1949. — *Devant Dieu.* — Éd. Charpentier et Fasquelle, 1937. — *Pelléas et Mélisande.* — [Bruxelles : Paul Lacomblez, 1892]. — Éd. Fasquelle, 1953. — *La Princesse Maleine.* — [1889]. — Bruxelles : Éd. Paul Lacomblez, 1891. — *La Sagesse et la Destinée.* — [Charpentier et Fasquelle, 1898]. — Éd. Charpentier, 1949. — *Le Trésor des humbles.* — [1896]. — Éd. Mercure de France, 1949. — *La Vie des abeilles.* — [Fasquelle, 1901]. — Éd. Charpentier, 1935.

MAGNY (Olivier de), v. 1529-1561. — *Œuvres,* publiées par Ernest COURBET. — 6 tomes. — Éd. Lemerre, 1871-1881.

MAINE DE BIRAN (Marie François Pierre GONTIER de BIRAN, dit), 1766-1824. — *De l'influence de l'habitude sur la faculté de penser.* — [1803]. — Éd. P.U.F., 1954. — (coll. «Bibliothèque de philosophie contemporaine»). — *Journal intime : 1797-1817.* — Éd. Plon, 1927. — *Nouvelles considérations sur les rapports du physique et du moral de l'homme,* ouvrage posthume publié par M. COUSIN. — Éd. Ladrange, 1834.

MAIRAN (Jean-Jacques DORTOUS de), 1678-1771. — *Éloges des Académiciens de l'Académie royale des sciences morts dans les années 1741, 1742 et 1743.* — Éd. Durand, 1747.

MAIRET (Jean), 1604-1686. — *Le Grand et Dernier Solyman ou la Mort de Mustapha.* — [1629]. — Éd. A. Courbé, 1639. — *La Sophonisbe.* — [1629]. — Éd. P. Rocolet, 1635.

MAISTRE (Joseph, comte de), 1753-1821. — *Considérations sur la France.* — [Londres, 1796]. — 3e édition. — Éd. Potey, 1821. — *Les Soirées de Saint-Pétersbourg ou Entretiens sur le gouvernement temporel de la Providence.* — [1821]. — Éd. A. Roger et F. Chernoviz, s.d.

MAISTRE (Xavier, comte de), 1763-1852. — *Œuvres complètes.* — [Librairie du Magasin Illustré, 1868]. — nouvelle édition. — Éd. Garnier, s.d.

MALEBRANCHE (Nicolas de), 1638-1715. — *Considérations chrétiennes.* — [1677]. — Éd. Garnier, 1929. — *De la recherche de la vérité.* — 2 tomes. — [1674, 1675]. — Strasbourg : Éd. George André d'Olhopff, 1677.

MALET (Léo), 1909. — *120, rue de la Gare.* — Éd. Presses Pocket, 1977. — (coll. «Policier», n° 1535). — *La Nuit de Saint-Germain-des-Prés.* — [titre original : *Le sapin pousse dans les caves,* 1955]. — Éd. Fleuve Noir, 1982.

MALÉZIEU (Nicolas de), 1650-1727. — cité in VOLTAIRE. — *Le Siècle de Louis XIV.*

MALFILÂTRE (Jacques Charles Louis de CLINCHAMP de), 1732-1767. — *Le Génie de Virgile,* ouvrage posthume publié par P. A. MIGER. — 4 tomes. — À Paris, 1810. — *Œuvres complètes.* — [1805]. — Éd. Lemoine, 1829.

MALHERBE (François de), 1555-1628. — *Poésies.* — Éd. Garnier, 1937.

MALLARMÉ (Étienne, dit Stéphane), 1842-1898. — **Œuvres complètes,** texte établi et annoté par Henri MONDOR et G. JEAN-AUBRY. — Éd. Gallimard, 1961. — (coll. «Bibliothèque de la Pléiade»). — *Lettres à Odilon Redon.* — Éd. José Corti, 1960. — *Vers et Prose : Morceaux choisis.* — Éd. Nizet, 1955.

MALLET (abbé), 1713-1755. — in *Encyclopédie,* publiée par Denis DIDEROT, 1755.

MALLET-JORIS (Françoise), 1930. — *Jeanne Guyon.* — Éd. Flammarion, 1978. — (coll. «Grandes biographies»). — *Le Jeu du souterrain.* — [1972]. — Éd. Grasset, 1973. — *La Maison de papier.* — [1970]. — Lausanne : Éd. La Guilde du Livre, 1971.

MALONGA (Jean). — *Cœur d'Aryenne,* in Paul VÉZINET. — *Pages africaines,* tome I. — Éd. Hatier, 1963.

MALRAUX (André), 1901-1976. — *Antimémoires.* — Éd. Gallimard, 1967. — (coll. «Blanche»). — Éd. Gallimard, 1972. — (coll. «Folio», n° 23). — *Les Chênes qu'on abat.* — Éd. Gallimard, 1971. — (coll. «Blanche»). — *L'Homme précaire et la Littérature.* — [1976]. — Éd. Gallimard, 1977. — (coll. «Blanche»). — *La Métamorphose des dieux,* tome I. — Éd. Gallimard, 1957. — (coll. «La Galerie de la Pléiade»). — **Romans :** *Les Conquérants* [1928], *La Voie royale* [1930], *La Condition humaine* [1933], *L'Espoir* [1937]. — Éd. Gallimard, 1947, 1960. — (coll. «Bibliothèque de la Pléiade»). — *Les Voix du silence.* — [1951]. — Éd. Gallimard, 1952. — (coll. «La Galerie de la Pléiade»).

MALTHUS (Thomas Robert), 1766-1834. — Traduction des *Principes d'économie politique* [1820]. — (in LITTRÉ).

MALVA (Constantin). — *Un mineur vous parle.* — Lausanne : Éd. La Concorde, 1948.

MAN (Henri de), 1885-1953. — *Après-coup.* — Bruxelles : Éd. La Toison d'Or, 1941.

MANCERON (Claude), 1923. — *Les Hommes de la liberté.* — 4 tomes. — Éd. Laffont, 1972-1979.

MANCHETTE (Jean-Patrick). — *Fatale.* — [1977]. — Éd. Gallimard, 1983. — (coll. «Folio», n° 1502). — *Morgue pleine : Polar.* — [1973]. — Éd. Gallimard, 1984. — (coll. «Carré noir», n° 511). — *Folle à tuer.* — [1972]. — Éd. Gallimard, 1975. — (coll. «Carré noir», n° 209). — *Nada.* — Éd. Gallimard, 1972. — (coll. «Carré noir», n° 152). — *Trois hommes à abattre : Le Petit Bleu de la côte Ouest.* — Éd. Gallimard, 1980. — (coll. «Carré noir», n° 368).

MARAT (Janine). — *Le Beau Monstre.* — Éd. Julliard, 1953.

MARAT (Jean-Paul), 1743-1793. — rédacteur unique du journal *L'Ami du peuple ou le Publiciste parisien,* 685 numéros, 1789-1792. — *Textes choisis,* par Claude MOSSÉ. — Éditions Sociales.

MARCEAU (Louis CARETTE, dit Félicien), 1913. — *Bergère légère.* — [Gallimard, 1953]. — Lausanne : Éd. La Guilde du Livre, 1967.

MARCEL (Gabriel), 1889-1973. — *Être et Avoir.* — Éd. Aubier, 1935. — (coll. «Philosophie de l'esprit»).

MARGUERITE DE NAVARRE ou D'ANGOULÊME, 1492-1549. — *Œuvres,* publiées par Philippe FRANK. — 4 tomes. — Éd. Librairie des Bibliophiles, 1873.

MARGUERITTE (Victor), 1866-1942. — *Aristide Briand,* biographie. — Éd. Flammarion, 1932. — *La Garçonne.* — Éd. Flammarion, 1922.

MARIE DE FRANCE, seconde moitié du XIIe siècle. — *Les Lais de Marie de France* [v. 1165], publiés par Jean RYCHNER. — Éd. Champion, 1978.

MARITAIN (Jacques), 1882-1973. — *Court traité de l'existence et de l'existant.* — Éd. Hartmann, 1947. — *Pour une philosophie de l'histoire.* — Éd. du Seuil, 1959. — *Raison et Raisons.* — Éd. Egloff, 1948. — *Religion et Culture.* — Éd. Desclée de Brouwer, 1930.

MARIVAUX (Pierre CARLET de CHAMBLAIN de), 1688-1763. — *Romans, Récits, Contes et Nouvelles,* édition établie par Marcel ARLAND. — Éd. Gallimard, 1949. — (coll. «Bibliothèque de la Pléiade»). — *Le Paysan parvenu.* — [5 tomes, 1735-1736]. — Éd. Garnier, s.d. — *Théâtre.* — 2 tomes. — Éditions Nationales, 1946. — *Théâtre.* — Éd. Nelson, s.d. — Éd. Garnier, 1926. — *La Vie de Marianne.* — [1731-1741]. — Éd. Garnier, 1933.

MARMONTEL (Jean-François), 1723-1799. — *Œuvres complètes.* — 18 tomes. — Liège : Éd. Bassompierre, 1777 (tomes I à XI), 1805 (tomes XII et XIII), 1804 (tomes XIV à XVIII).

MARNIX (Philippe de), 1538-1598. — *Œuvres.* — 7 tomes. — Bruxelles : Éd. Fr. Van Meenen, 1857-1860.

MAROT (Clément), 1496-1544. — *Œuvres complètes.* — 2 tomes. — Éd. Garnier, 1951 (tome I), 1938 (tome II).

MARSAIS (César CHESNEAU, sieur du). — Voir DU MARSAIS.

MARTIN DU GARD (Roger), 1881-1958. — **Les Thibault.** — 9 tomes. — [1922-1940]. — Éd. Gallimard, 1943-1945. — (coll. «Blanche»). — Tome I : *Le Cahier gris* [1922] ; *Le Pénitencier* [1922], 1re partie. — Tome II : *Le Pénitencier,* 2e partie ; *La Belle Saison* [1923], 1re partie. — Tome III : *La Belle Saison,* 2e partie ; *La Consultation* [1928] ; *La Sorellina* [1928], 1re partie. — Tome IV : *La Sorellina,* 2e partie ; *La Mort du père* [1929]. — Tome V : *L'Été 14* [1930], 1re partie. — Tome VI : *L'Été 14,* 2e partie. — Tome VII : *L'Été 14,* 3e partie. — Tome VIII : *L'Été 14,* 4e partie ; *Épilogue* [1940], 1re partie. — Tome IX : *Épilogue,* 2e partie. — *Devenir !* — Éd. Gallimard, 1908. — (coll. «Blanche»). — *Jean Barois.* — [1913]. — Éd. Gallimard, 1948. — (coll. «Blanche»). — *Œuvres complètes.* — 2 tomes. — Éd. Gallimard, 1955. — (coll. «Bibliothèque de la Pléiade»). — *Vieille France.* — Éd. Gallimard, 1933. — (coll. «Blanche»).

MASCARON (Jules), 1634-1703. — *Oraisons funèbres.* — À Paris, 1704.

MASSILLON (Jean-Baptiste), 1663-1742. — *Petit Carême, Sermons, Morceaux choisis.* — Éd. Didot, 1866.

MASSIP (Renée), 1907. — *Les Déesses.* — [1958]. — Éd. Gallimard, 1977. — (coll. «Folio», n° 883).

MASSON (René). — *Drugstore.* — Éd. Presses de la Cité, 1971.

MAULNIER (Jacques Louis TALAGRAND, dit Thierry), 1909. — *Racine.* — [1935]. — Éd. Gallimard, 1954. — (coll. «Leurs Figures»).

MAUNICK (Édouard), 1931. — *Ensoleillé vif.* — Éd. Saint-Germain-des-Prés.-Le Cherche Midi, 1976. — *Fusillez-moi.* — Éd. Présence Africaine, s.d. — (coll. «Poésie»).

MAUPASSANT (Guy de), 1850-1893. — **Contes et Nouvelles.** — 2 tomes. — Éd. Gallimard, 1977, 1979. — (coll. «Bibliothèque de la Pléiade»). — *Au soleil.* — [1884]. — Éd. Albin Michel, 1946. — *Bel-Ami.* — Éd. Louis Conard, 1885. — Éd. Albin Michel, 1926. — *Boule-de-Suif.* — [1880]. — Éd. Albin Michel, 1942. — *Clair de lune.* — [1884]. — Éd. Albin Michel, 1926. — *Contes de la Bécasse.* — [1883]. — Éd. Albin Michel, 1946. — *Contes du jour et de la nuit.* — [1885]. — Éd. Albin Michel, 1941. — *Les Dimanches d'un bourgeois de Paris.* — Éd. Ollendorff, 1901. — *La Femme de Paul,* avec *Les Bijoux* et *Correspondance.* — Éd. Ollendorff, 1881. — *Fort comme la mort.* — Éd. Ollendorff, 1889. — Éd. Albin Michel, 1935. — *Le Horla.* — [1887]. — Éd. Flammarion, s.d. — *L'Inutile Beauté.* — [1890]. — Éd. Flammarion, s.d. — *Mademoiselle Fifi.* — [1882]. — Le Livre de Poche, n° 583, 1962. — *La Maison Tellier.* — [1899]. — Éd. Albin Michel, s.d. — *Miss Harriett.* — [1884]. — Éd. Albin Michel, 1930. — *Monsieur Parent.* — [1886]. — Éd. Albin Michel, 1925. — *Mont-Oriol.* — [1887]. — Éd. Albin Michel, s.d. — *Notre cœur.* — Éd. Ollendorff, 1890. — *La Petite Roque.* — [1886]. — Éd. Louis Conard, 1925. — *Pêcheuses et Guerrières.* — Éd. Louis Conard, 1909. — *Pierre et Jean.* — Éd. Ollendorff, 1888. — *Le Rosier de Madame Husson.* — [1888]. — Éd. Albin Michel, 1927. — *Les Sœurs Rondoli.* — [1884]. — Éd. Albin Michel, 1927. — *Toine.* — [1885]. — Éd. Albin Michel, 1926. — *Une vie.* — [1883]. — Éd. Albin Michel, 1930. — *La Vie errante.* — [1890]. — Éd. Louis Conard, 1909. — Éd. Albin Michel, s.d. — *Yvette.* — [1885]. — Éd. Ollendorff, 1909.

MAURIAC (Claude), 1914. — *Le Dîner en ville.* — Éd. Albin Michel, 1959. — *Le Temps immobile,* tome I. — Éd. Bernard Grasset, 1974.

MAURIAC (François), 1885-1970. — *L'Agneau.* — Éd. Flammarion, 1954. — *Les Anges noirs.* — [1936]. — Éd. Bernard Grasset, 1947. — *Le Baiser au lépreux.* — [1922]. — Éd. Bernard Grasset, 1947. — Le Livre de Poche, nº 1062. — *Bloc-notes : 1952-1957.* — [1958]. — Éd. Flammarion, 1961. — *Le Cahier noir.* — [1943]. — nouvelle édition augmentée d'inédits. — Éd. de Minuit, 1947. — *Le Désert de l'amour.* — [1925]. — Éd. Bernard Grasset, 1947. — *Destins.* — [1928]. — Éd. Bernard Grasset, 1949. — *Dieu et Hammon.* — Éd. du Capitole, 1929. — *L'Enfant chargé de chaînes.* — [1913]. — Éd. Bernard Grasset, 1936. — *La Fin de la nuit.* — [1935]. — Éd. Bernard Grasset, 1942. — *Le Fleuve de feu.* — Éd. Bernard Grasset, 1923. — *Galigaï.* — Éd. Flammarion, 1952. — *Genitrix.* — [1923]. — Éd. Bernard Grasset, 1950. — *Le Jeune Homme.* — [1926]. — Éd. Hachette, 1947. — *Journal*, tomes I, II et III. — Éd. Bernard Grasset, 1934, 1937, 1940. — *Journal*, tome IV. — Éd. Flammarion, 1950. — *Le Mal.* — [1924]. — Éd. Bernard Grasset, 1952. — *Mémoires intérieurs.* — Éd. Flammarion, 1959. — Le Livre de Poche, nº 1504. — *Le Mystère Frontenac.* — [1933]. — Brésil : Éd. Americ Édit, s. d. — *Le Nœud de vipères.* — Éd. Bernard Grasset, 1932. — Éd. Calmann-Lévy, 1947. — *Le Nouveau Bloc-notes : 1958-1960.* — Éd. Flammarion, 1961. — *La Pharisienne.* — [1941]. — Beyrouth : Éd. Les Lettres françaises, 1942. — *La Province.* — [1926]. — Éd. Hachette, 1947. — *La Robe prétexte.* — [1914]. — Éd. Bernard Grasset, 1939. — *Le Roman.* — Éd. Guérin, 1928. — *Le Romancier et ses personnages*, suivi de *Éducation des filles.* — [1933]. — Éd. Corréa, 1952. — *Le Sagouin.* — [1951]. — Éd. Presses Pocket, 1982. — *Souffrances et Bonheur du chrétien.* — [1931]. — Éd. Bernard Grasset, 1942. — *Thérèse Desqueyroux.* — [1927]. — Éd. Bernard Grasset, 1947. — *Un adolescent d'autrefois.* — Éd. Garnier-Flammarion, 1982. — *La Vie de Jean Racine.* — Éd. Plon, 1928. — (coll. «Le Roman des grandes existences»). — *La Vie de Jésus.* — Éd. Flammarion, 1936.

MAUROIS (André), 1885-1967. — *À la recherche de Marcel Proust.* — Éd. Hachette, 1949. — *Ariel ou la Vie de Shelley.* — [1923]. — Éd. Bernard Grasset, 1947. — *Aspects de la biographie.* — Éd. Bernard Grasset, 1930. — *Bernard Quesnay.* — Éd. Gallimard, 1926. — (coll. «Blanche»). — *Le Cercle de famille.* — Éd. Bernard Grasset, 1932. — *Chantiers américains.* — Éd. N. R. F., 1933. — *Chateaubriand.* — [1938]. — Éd. Bernard Grasset, 1949. — *Climats.* — Éd. Bernard Grasset, 1928. — *Le Côté de Chelsea.* — Éd. Gallimard, 1932. — *Le Dîner sous les marronniers.* — Éd. des Deux Rives, 1951. — *Les Discours du docteur O'Grady.* — Éd. Bernard Grasset, 1922. — *Don Juan ou la Vie de Byron.* — [1930]. — Éd. Bernard Grasset, 1952. — *Études littéraires.* — 2 tomes. — Éd. Sfelt, 1947. — (coll. «Les grands événements littéraires»). — *Histoire d'Angleterre.* — Éd. Arthème Fayard, 1937. — (coll. «Les Grandes Études Historiques»). — *Lélia ou la Vie de George Sand.* — Éd. Hachette, 1952. — *Lettres à l'inconnue.* — [1953]. — Éd. Arthème Fayard, 1956. — *Lyautey.* — [1931]. — Éd. Plon, 1951. — *Magiciens et Logiciens.* — Éd. Bernard Grasset, 1935. — *Mémoires*, tome I : *Années d'apprentissage et Années de travail.* — Éd. Flammarion, 1948. — *Mes songes que voici.* — Éd. Bernard Grasset, 1933. — *Les Mondes impossibles : Récits et Nouvelles fantastiques.* — Éd. Gallimard, 1948. — (coll. «Blanche»). — *Ni ange ni bête.* — [1919]. — Éd. Flammarion, 1947. — («Select-Collection»). — *Olympio ou la Vie de Victor Hugo.* — [1954]. — Éd. Hachette, 1955. — *Les Roses de septembre.* — Éd. Flammarion, 1956. — *Les Silences du colonel Bramble.* — [1918]. — Éd. Bernard Grasset, 1921. — *Terre promise.* — [1945]. — Éd. Flammarion, 1946. — *Les Trois Dumas.* — Éd. Hachette, 1957. — *Un art de vivre.* — Éd. Plon, 1939.

MAURRAS (Charles), 1868-1952. — *Anthinéa : D'Athènes à Florence.* — [1901]. — Éd. Flammarion, 1942. — *L'Avenir de l'intelligence.* — [1905]. — Éd. Flammarion, 1942. — *De la colère à la justice : Réflexions sur un désastre.* — Genève : Éd. du Milieu du Monde. — *La Dentelle du rempart.* — Éd. Bernard Grasset, 1937. — *Enquête sur la monarchie*, suivie de *Une campagne royaliste au Figaro*, et *Si le coup de force est possible.* — [1924]. — Versailles : Éd. Bibliothèque des œuvres politiques. — *Mes idées politiques.* — Éd. Arthème Fayard, 1937. — (coll. «Les grandes études politiques et sociales»).

MAYNARD ou MAINARD (François), 1582-1646. — *Œuvres.* — [A. Courbé, 1646]. — édition revue et annotée par Prosper BLANCHEMAIN. — Éd. J. Gay, 1864.

MAZELINE (Guy). — *Le Roman des Jobourg*, tome III : *Les Loups.* — Éd. Gallimard, 1932. — (coll. «Blanche»).

MÉCHAIN (Pierre), 1744-1804, DELAMBRE (Jean-Baptiste), 1749-1822. — Cités in MASSAIN (R.). — *Physique et Physiciens : Textes choisis.* — Éd. Magnard, s. d.

MEILHAC (Henri), 1831-1897, HALÉVY (Ludovic), 1834-1908. — Livrets de *La Belle Hélène* [1865], *Les Brigands* [1870], *Carmen* [1875]. — Éd. Billaudot, s. d.

MEMMI (Albert), 1920. — *Portrait d'un Juif.* — Éd. Gallimard, 1962. — (coll. «Blanche»). — *Le Scorpion.* — Éd. Gallimard, 1969. — (coll. «Blanche»).

MERCANTON (Jacques), 1910. — *L'Été des sept-dormants.* — Lausanne : Éd. Bertil Galland, 1974.

MERCIER (Louis-Sébastien), 1740-1814. — *Le Nouveau Paris.* — 6 tomes. — À Paris, 1798. — *Tableau de Paris.* — 2 tomes. — Hambourg, Virchaux et Neuchâtel : Éd. S. Fauche, 1781. — Voir aussi I, 1.

MÉRÉ (Antoine GOMBAUD, chevalier de), 1607-1684. — *De l'esprit* [1677], *Lettres* [1682], in *Œuvres complètes*, texte établi et présenté par Charles-H. BOUDHORS. — 3 tomes. — Éd. Les Belles Lettres, 1930.

MÉRIMÉE (Prosper), 1803-1870. — *Carmen* [1845], suivi de *Les Âmes du purgatoire* [1837]. — Éd. Gründ, 1942. — (coll. «Gründ illustrée»). — *Histoire du règne de Pierre le Grand*, traduction et adaptation de l'ouvrage en russe de Nicolas OUSTRIALOV [1864], suivi de *La Fausse Élisabeth II.* — Éd. A. Conard, 1947. — *Romans et Nouvelles.* — Éd. Gallimard, 1942. — (coll. «Bibliothèque de la Pléiade»).

MERLE (Robert), 1908. — *En nos vertes années.* — Éd. Plon, 1979. — *Week-end à Zuydcoote.* — [1949]. — Éd. Gallimard, 1950. — (coll. «Blanche»).

MERLEAU-PONTY (Maurice), 1908-1961. — *Humanisme et Terreur : Essai sur le problème communiste.* — [1947]. — Éd. Gallimard, 1972. — (coll. «Les Essais»). — *Phénoménologie de la perception.* — Éd. Gallimard, 1945. — (coll. «Bibliothèque des Idées»). — *Sens et Non-sens.* — [1948]. — Éd. Nagel, s. d. — (coll. «Pensées»).

MERTENS (Pierre), 1945. — *Les Bons Offices.* — Éd. du Seuil, 1974. — *La Fête des anciens.* — Éd. du Seuil, 1970. — *L'Inde ou l'Amérique.* — Éd. du Seuil, 1969.

MÉRY (Jacques). — *La Chasse au chastre.* — Éd. Michel Lévy, 1853.

MESENS (Édward Léon Théodore). — *Poèmes, 1923-1958.* — Éd. Le Terrain vague, 1959.

MESOU (Agbossa). — *Haleines sauvages.* — Yaoundé : Éd. CLE, 1972.

METRAL (Maurice), 1929. — *Ce haut-pays dont je suis l'enfance.* — Bienne (Suisse) : Éd. du Panorama, 1983.

MEYERSON (Émile), 1859-1933. — *De l'explication dans les sciences.* — 2 tomes. — Éd. Payot, 1921.

MICHAUX (Henri), 1899-1984. — *Ailleurs* [1948], suivi de *Voyage en Grande-Garabagne* [1936]; *Au pays de la magie* [1941]; *Ici Poddema* [1946]. — Éd. Gallimard, 1948. — (coll. «Blanche»). — *Ailleurs* [1948]. — Éd. Gallimard, 1967. — *Connaissance par les gouffres.* — [1961]. — Éd. Gallimard, 1972. — (coll. «Le Point du Jour»). — *La nuit remue.* — [1934]. — Éd. Gallimard, 1948. — (coll. «Blanche»). — *Plume* [1930], précédé de *Lointain intérieur* [1938]. — Éd. Gallimard, 1948. — (coll. «Blanche»). — *Poésies*, in *Henri Michaux*, par René BERTELÉ. — Éd. Seghers, 1946. — (coll. «Poètes d'aujourd'hui», nº 5). — *Un barbare en Asie.* — [1933]. — Éd. Seghers, 1946.

MICHEL (Ernest). — *Le Tour du monde en deux cent quarante jours.* — Limoges : Éd. Eugène Ardant, 1881.

MICHEL (Louise), 1830-1905. — *La Misère.* — [1881]. — 3 tomes. — Éd. Fayard frères, 1881.

MICHELET (Claude), 1938. — *Les Gens de Saint-Libéral.* — 2 tomes. — Tome I : *Des grives aux loups.* — [Laffont, 1979]. — Éd. Club France Loisirs, 1981.

MICHELET (Jules), 1798-1874. — *Extraits historiques.* — Éd. Colin, s. d. — *La Femme.* — [1859]. — Éd. Calmann-Lévy, 1889. — *Histoire de France.* — [1833-1867]. — 19 tomes. — Éd. Marpon et Flammarion (tomes I, II, VIII, XI à XIX); Éd. A. Le Vasseur (tomes III à VII, IX, X), s. d. — *Histoire de la Révolution française.* — [1847-1853]. — Éd. Marpon et Flammarion (tomes I à VII, IX); Éd. A. Le Vasseur (tome VIII). — *Histoire de la Révolution française.* — 2 tomes. — Éd. Gallimard, 1952. — (coll. «Bibliothèque de la Pléiade»). — *L'Insecte.* — [1857]. — Éd. Hachette, 1925. — *Journal : 1820-1823*, in *Écrits de jeunesse*, publiés par Paul VIALLANEIX. — Éd. Gallimard, 1959. — (coll. «Blanche»). — *Journal : 1828-1874.* — 4 tomes. — Éd. Gallimard, 1959-1976. — (coll. «Blanche»). — *La Mer.* — Éd. Hachette, 1861. — *La Montagne.* — [1868]. — Éd. Calmann-Lévy, 1930. — *L'Oiseau.* — Éd. Hachette, 1856. — *Le Peuple.* — Éd. Hachette-Paulin, 1846.

MIGNET (Auguste), 1796-1874. — *Histoire de la Révolution française depuis 1789 jusqu'en 1814.* — 2 tomes. — Éd. Didot, 1824. — *Notices et Mémoires historiques.* — 2 tomes. — Éd. Paulin, 1843. — *Rivalité de François Ier et de Charles Quint.* — 2 tomes. — Éd. Didier, 1875.

MILLERAND (Alexandre), 1859-1943. — *Le Socialisme réformiste français.* — Éd. G. Bellais, 1903.

MILLEVOYE (Charles Hubert), 1782-1816. — *Œuvres.* — [4 tomes, 1822]. — éditées par P. L. JACOB, avec des pièces nouvelles et des variantes. — 3 tomes. — Éd. Quentin, 1880.

MILOSZ (Oscar Vladislas de LUBICZ-), 1877-1939. — *L'Amoureuse Initiation.* — [1910]. — Éd. Silvaire, 1958.

MIOMANDRE (Francis de), 1880-1959. — *Danse.* — Éd. Flammarion, 1935.

MIRABEAU (Honoré Gabriel Riqueti, comte de), 1749-1791. — *Des lettres de cachet et des prisons d'État.* — À Hambourg, 1778. — *Discours.* — [1791]. — Éd. Gallimard, 1973. — (coll. «Folio», nº 369). — *Lettres d'amour.* — [1861]. — Éd. Garnier, 1926. — *Œuvres.* — 8 tomes. — Éd. Lecointe et Pougin, 1834-1835.

MIRBEAU (Octave), 1848-1917. — *L'Abbé Jules.* — [1888]. — Éd. U.G.E., 1978. — (coll. «10/18», nº 1132). — *Les affaires sont les affaires.* — [1903]. — Éd. Fayard, s. d. — *Le Jardin des supplices.* — [1899]. — Éd. Fasquelle, 1970. — Le Livre de Poche, nº 2826. — *Le Journal d'une femme de chambre.* — [1900]. — Éd. Fasquelle, 1945. — (coll. «Le rayon d'honneur»). — *Les Mauvais Bergers.* — [1897]. — Éd. Fayard, s. d. — *La 628-E8.* — [1905]. — Éd. Fasquelle, 1907. — Éd. U.G.E., 1977. — (coll. «10/18», nº 1136). — *Les Vingt et* un Jours d'un neurasthénique. — [1901]. — Éd. U. G. E., 1977. — (coll. «10/18», nº 1137).

MIRECOURT (Eugène de, pseudonyme de Jean-Baptiste JACQUOT), 1812-1880. — Fabrique de romans : Maison Alexandre Dumas et Cie. — Éd. Les Marchands de nouveautés, 1845. — Rothschild. — Éd. G. Havard, 1855.

MIRON (Gaston), 1928. — L'Homme rapaillé. — Éd. Presses de l'Université de Montréal, 1970.

MISRAHI (Robert). — Édition et traduction de l'œuvre exégétique de Spinoza, in SPINOZA (Baruch). — Œuvres complètes. — Éd. Gallimard, 1979. — (coll. «Bibliothèque de la Pléiade»).

MISTLER (Jean), 1897. — Les Liaisons dangereuses de CHODERLOS DE LACLOS, établissement du texte, introduction et notes par Jean MISTLER. — Monaco : Éd. du Rocher, 1948.

MISTRAL (Frédéric), 1830-1914. — Calendal. — [1866]. — Aix-en-Provence : Éd. Berenguié, s. d. — Les Îles d'or. — [1876]. — Aix-en-Provence : Éd. Berenguié, s. d. — Mes origines : Mémoires et Récits. — [1906]. — Éd. Plon, 1929. — (coll. «Bibliothèque reliée Plon»). — Miréio, poème provençal. — [1859]. — Éd. Fasquelle, 1930.

MITTERRAND (François), 1916. — Ici et Maintenant. — Éd. Fayard, 1980. — La Paille et le Grain. — Éd. Flammarion, 1976. — (coll. «La rose au poing»).

MODIANO (Patrick), 1945. — Les Boulevards de ceinture. — Éd. Gallimard, 1972. — (coll. «Folio», nº 1033). — Villa triste. — [1975]. — Éd. Gallimard, 1977. — (coll. «Folio», nº 953).

MOISSAN (Henri), 1852-1907. — Cité in LEBEAU (P.). — Bulletin de la Société de Chimie française, 1953.

MOLIÈRE (Jean-Baptiste POQUELIN, dit), 1622-1673. — Œuvres. — 11 tomes et 2 tomes de lexique. — Éd. Hachette, 1873-1900. — (coll. «Les Grands Écrivains de la France»). — Œuvres complètes. — 3 tomes. — Éd. Garnier, 1926-1934.

MOLLIEX (Renée). — Chantevin ou la Vieille Dame et moi. — Vulliens (Suisse) : Éd. Mon Village, 1972.

MONDOR (Henri), 1885-1962. — Pasteur. — Éd. Corréa, 1945.

MONFREID (Henry de), 1879-1974. — Le Lépreux. — Éd. Bernard Grasset, 1935.

MONGE (Gaspard), 1746-1818. — in TATON (René). — L'Œuvre scientifique de Monge. — Éd. P. U. F., 1951.

MONLUC ou MONTLUC (Blaise de LASSERAN MASSENCOME, seigneur de), v. 1500-1577. — Commentaires. — édition critique établie par Paul COURTEAULT. — 2 tomes. — [1911, 1914]. — Éd. Gallimard, 1964. — (coll. «Bibliothèque de la Pléiade»).

MONNIER (Henri), 1799-1877. — Grandeur et Décadence de M. Joseph Prudhomme. — Éd. Michel Lévy, 1853. — Mémoires de monsieur Joseph Prudhomme. — 2 tomes. — Éd. Librairie nouvelle, 1857. — Scènes populaires dessinées à la plume. — [1830]. — 4 tomes. — Éd. Librairie de Dumont, 1835-1839.

MONNIER (Philippe). — Mon village. — [1909]. — Genève : Éd. Georg; Paris : Éd. G. Crès, 1919. — (coll. «Helvétique»).

MONNIER (Thyde). — Les Desmichels, tome VII : Les Forces vives. — Éd. Julliard, 1948. — Filles du feu. — [Plon, 1965]. — Éd. Presses Pocket, nos 514 et 516. — Fleuve. — [Milieu du Monde, 1942]. — Le Livre de Poche, nº 143. — Nans le Berger. — Éd. J'ai lu, nº 218-219.

MONOD (Jacques), 1910-1976. — Le Hasard et la Nécessité : Essai sur la philosophie naturelle de la biologie moderne. — [1970]. — Éd. du Seuil, 1973. — (coll. «Points», nº 43).

MONSELET (Charles), 1825-1888. — Mes souvenirs littéraires. — Éd. La Librairie illustrée; Imprimerie Émile Colin, 1888. — Petits mémoires littéraires. — Éd. Charpentier, 1885.

MONSIGNY (Jacqueline). — Le Miroir aux pingouins. — Éd. Laffont, 1975.

MONTAIGNE (Michel EYQUEM de), 1533-1592. — Essais [1580-1592], texte établi et annoté par Albert THIBAUDET. — Éd. Gallimard, 1946. — (coll. «Bibliothèque de la Pléiade»). — Essais. — 3 tomes. — Éd. Garnier, 1948-1952. — Œuvres choisies, par René RADOUANT. — Éd. Hatier, 1946. — (coll. «Auteurs français»).

MONTALEMBERT (Charles René FORBES, comte de), 1810-1870. — Les Moines d'Occident depuis saint Benoît jusqu'à saint Bernard. — 7 tomes. — Éd. Lecoffre, 1860-1877. — Œuvres. — 9 tomes. — Éd. Lecoffre, 1860-1868.

MONTARON (J.-P.). — Les Jeunes en prison : On nous enfonce. — Éd. du Seuil, 1977.

MONTCHRESTIEN (Antoine de), v. 1575-1621. — Tragédies [1604], publiées par L. PETIT de JULLEVILLE. — Éd. Plon, 1891.

MONTESQUIEU (Charles de SECONDAT, baron de LA BRÈDE et de), 1689-1755. — Cahiers : 1716-1755. — Éd. Grasset, 1942. — L'Esprit des lois. — [1748]. — 2 tomes. — Éd. Garnier, 1927-1941. — Œuvres. — Éd. Firmin-Didot, 1866.

MONTESQUIOU-FEZENSAC (Anne-Pierre, marquis de), 1739-1798. — Rapport sur la dette publique fait à l'Assemblée nationale, au nom du Comité des finances, le 27 août 1790. — Éd. Imprimerie Nationale, 1790.

MONTESQUIOU-FEZENSAC (Robert, comte de), 1855-1921. — Le Pays des aromates. — cité in RHEIMS (Maurice). — Dictionnaire des mots sauvages. — Éd. Larousse, 1969.

MONTFLEURY (Antoine JACOB, dit), 1639-1685. — La Femme juge et partie [1669], suivie de La Fille capitaine [1672], in Chefs-d'œuvre des auteurs comiques, tome I. — Éd. Firmin-Didot.

MONTHERLANT (Henry MILLON de), 1896-1972. — Les Bestiaires. — [1926]. — Éd. Gallimard, 1954. — (coll. «Blanche»). — Le Livre de Poche, nº 268. — Les Célibataires. — Éd. Bernard Grasset, 1934. — Le Chaos et la Nuit. — Éd. Gallimard, 1963. — (coll. «Blanche»). — Les Jeunes Filles. — 4 tomes. — Tome I : Les Jeunes Filles [1936]. — Tome II : Pitié pour les femmes [1936]. — Tome III : Le Démon du bien [1937]. — Tome IV : Les Lépreuses [1939]. — Éd. Bernard Grasset, 1942-1943 (tomes I à III); Éd. Gallimard, 1954 (tome IV). — (coll. «Blanche»). — Les Jeunes Filles, in Romans, tome I. — Éd. Gallimard, 1960. — (coll. «Bibliothèque de la Pléiade»). — Le Maître de Santiago. — [1947]. — Éd. Gallimard, 1956. — (coll. «Blanche»). — Les Olympiques. — [1924]. — Éd. Gallimard, 1954. — (coll. «Blanche»). — Le Livre de Poche, nº 1555, 1965. — Port-Royal. — Éd. Gallimard, 1954. — (coll. «Blanche»). — La Reine morte. — [1942]. — Éd. Gallimard, 1958. — (coll. «Blanche»). — La Relève du matin. — [1920]. — Éd. Bernard Grasset, 1942. — Romans, tome I. — Éd. Gallimard, 1960; 1962. — (coll. «Bibliothèque de la Pléiade»). — Le Songe. — [1922]. — Éd. Bernard Grasset, 1947. — Théâtre. — Éd. Gallimard, 1972. — (coll. «Bibliothèque de la Pléiade»). — La Ville dont le prince est un enfant. — [1951]. — Éd. Gallimard, 1973. — (coll. «Folio», nº 293).

MONTREUX (Nicolas de), v. 1561-1608. — Le Premier Livre des Bergeries de Juliette. — Éd. Gilles Beys, 1585.

MORAND (Paul), 1888-1976. — Air indien. — Éd. Grasset, 1932. — Bouddha vivant. — Éd. Grasset, 1927. — Champions du monde. — Éd. Grasset, 1930. — L'Europe galante. — [1925]. — Éd. Ferenczi, 1927. — (coll. «Le Livre moderne illustré»). — Fermé la nuit. — Éd. N. R. F., 1923. — (coll. «Blanche»). — Lewis et Irène. — Éd. Grasset, 1924. — Londres. — Éd. Plon, 1933. — Magie noire. — Éd. Grasset, 1928. — New York. — Éd. Ernest Flammarion, 1930. — Ouvert la nuit. — [1922]. — Éd. N. R. F., 1923. — (coll. «Blanche»). — Paris-Tombouctou. — [1929]. — Éd. Flammarion, s. d. — Rien que la terre. — Éd. Grasset, 1926. — Venises. — Éd. Gallimard, 1971. — (coll. «Blanche»).

MORÉAS (Jean PAPADIAMANTOPOULOS, dit Jean), 1856-1910. — Les Stances. — [1899-1901]. — Éd. Mercure de France, 1945.

MOREAU DE BRASEY (Jacques), fin XVIIe-mil. XVIIIe s. — Suite du Virgile travesti (cité in LITTRÉ).

MORELLET (abbé André), 1727-1819 (collaborateur de l'Encyclopédie de DIDEROT). — Mémoires sur le XVIIIe siècle. — 2 tomes. — Éd. Ladvocat, 1821. — Observations critiques sur le roman intitulé «Atala» [1801], citées in SAINTE-BEUVE (Charles). — Chateaubriand et son groupe littéraire sous l'Empire. — Éd. Garnier, 1861.

MORELLY, XVIIIe siècle. — Code de la nature. — [1755]. — Éditions Sociales, 1953. — (coll. «Les Classiques du Peuple»).

MORIN (Edgar), 1921. — Le Cinéma ou l'Homme imaginaire : Essai d'anthropologie. — Éd. de Minuit, 1956. — Les Stars. — Éd. du Seuil, 1957. — (coll. «Microcosme Le Temps qui court»). — Éd. du Seuil, 1972. — (coll. «Points», nº 34).

MORTILLET (Gabriel de), 1821-1898. — in Compte rendu de la 7e session de l'Association Française pour l'Avancement des Sciences, 1878.

MOUNIER (Emmanuel), 1905-1950. — Introduction aux existentialismes. — Éd. Denoël, 1947. — Le Personnalisme. — Éd. P. U. F., 1953. — (coll. «Que sais-je?», nº 395). — Traité du caractère. — Éd. du Seuil, 1946.

MOUSTIERS (Pierre). — La Mort du pantin. — [1961]. — Éd. J'ai lu, nº 384, 1978.

MURGER (Henri), 1822-1861, BARRIÈRE (Théodore), 1823-1877. — La Vie de bohème. — Éd. Dondey-Dupré, 1849.

MUSSET (Alfred de), 1810-1857. — André del Sarto [1834], in Comédies et Proverbes. — 2 tomes. — Éd. Garnier, 1953. — La Confession d'un enfant du siècle [1836], in Œuvres complètes, tome VII. — Éd. Garnier, 1926. — Contes. — Éd. Garnier, 1948. — Nouvelles. — Éd. Garnier, 1948. — Œuvres en prose. — Éd. Gallimard, 1951. — (coll. «Bibliothèque de la Pléiade»). — Poésies. — Éd. Gallimard, 1951. — (coll. «Bibliothèque de la Pléiade»). — Poésies nouvelles. — Éd. Garnier, 1932. — Éd. Hypérion, 1936. — Premières poésies. — Éd. Hypérion, 1936.

MUSSET (Paul de), 1804-1880. — Lettres à Madame Joubert, citées in HENRIOT (Émile). — Les Romantiques. — Éd. Albin Michel, 1952.

NADAUD (Gustave), 1820-1893. — Pandore ou les Deux Gendarmes, in Chansons. — 3e édition augmentée. — Éd. Dentu, 1857.

NAPOLÉON Ier (Napoléon BONAPARTE), 1769-1821 (empereur des Français, 1804-1815, sous le nom de). — Bulletin du 3 décembre 1812, in Mémoires d'outre-tombe, de François René de CHATEAUBRIAND. — Collection générale des lettres, proclamations et discours, publiée par Ch. A. FISCHER. — 2 tomes. — À Paris, 1808-1813. — Lettre à Brune, 8 thermidor, an XII (1804), Lettre à Lemarrois, 9 juillet 1813, in Correspondance, 1793-1821. — 32 tomes. — Éd. Librairie Impériale, 1858-1869. — Mémorial de Sainte-Hélène, où se trouve consigné, jour par jour, ce qu'a dit et fait Napoléon pendant dix-huit mois, par le comte de LAS CASES. — 8 tomes. — Édité par l'auteur, 1823. — Œuvres littéraires, publiées par Tancrède MARTEL. — 4 tomes. — Éd. Savine, 1888.

NAUDÉ (Gabriel), 1600-1653. — Apologie pour tous les grands personnages qui ont été faussement soupçonnés de magie. — Éd. F. Targa, 1625.

NAVEL (Georges), 1904. — Travaux. — Éd. Stock, 1946.

NAVILLE (Pierre). — Cité in SARTRE (Jean-Paul). — L'existentialisme est un humanisme. — Éd. Nagel, 1946.

N'DAO (Sidi Ahmed Cheileh), 1933. — L'Exil d'Albouri, suivi de La Décision. — Paris ; Honfleur : Éd. P.-J. Oswald, 1967.

NDIAYE (S. H.). — *Le Retour de l'aïeul.* — Dakar : Éd. Impricap, 1972.

NECKER (Jacques), 1732-1804. — *De la Révolution française* [2 tomes, 1797], in *Œuvres complètes,* publiées par M. le baron de STAËL, son petit-fils. — 15 tomes. — Éd. Treuttel et Würtz, 1820-1821.

NERVAL (Gérard LABRUNIE, dit Gérard de), 1808-1855. — *La Bohème galante.* — Éd. Michel Lévy, 1855. — *Faust et le Second Faust,* traduit de GŒTHE. — [1840]. — Éd. Garnier, 1950. — *Les Filles du feu.* — [1854]. — Le Livre de Poche, n° 690, 1961. — *Œuvres,* texte établi, annoté et présenté par Albert BÉGUIN et Jean RICHER. — 2 tomes. — Éd. Gallimard, 1952, 1956. — (coll. «Bibliothèque de la Pléiade»).

NEUHUYS (Paul), 1897. — *L'Arbre de Noël.* — Belgique : Éd. Lumière, 1930. — *Le Secrétaire d'acajou.* — Anvers : Éd. Ça Ira, 1946.

NICOLE (Pierre), 1625-1695. — *Essais de morale, contenus en divers traités de morale sur plusieurs devoirs importants.* — 4 tomes. — Éd. C. Savreux (tome I); Éd. G. Desprez (tomes II à IV), 1687-1702.

NIEPCE DE SAINT-VICTOR (Abel), 1805-1870. — Cité par LITTRÉ.

NIMIER (Roger), 1925-1962. — *Le Hussard bleu.* — [1950]. — Éd. Gallimard, 1951. — (coll. «Blanche»).

NIZAN (Paul), 1905-1940. — *Antoine Bloyé.* — [Grasset, 1933]. — Le Livre de Poche, n° 3173, 1971. — *Le Cheval de Troie.* — Éd. Gallimard, 1935. — (coll. «Blanche»). — *La Conspiration.* — Éd. Gallimard, 1938. — (coll. «Blanche»).

NOAILLES (Anna princesse BRANCOVAN, comtesse MATHIEU de), 1876-1933. — *Choix de poésies.* — [1930]. — Éd. Fasquelle, 1948.

NODIER (Charles), 1780-1844. — *Contes.* — Éd. Charpentier, 1841. — *Souvenirs de jeunesse,* suivis de *Madame de Marsan,* et *La Neuvaine de la Chandeleur.* — Éd. Charpentier, 1855.

NOKAN (Charles), 1936. — *Violent était le vent.* — Éd. Présence Africaine, 1966.

NORD (Pierre), 1900. — *Miss Péril jaune : Les Espionnes au coin du feu.* — [Fayard, 1970]. — Lausanne : Éd. Rencontre.

NORDMANN (Ch.). — *Le Royaume des cieux.* — Éd. Hachette, 1923.

NORGE (Géo), 1898. — *Famines.* — La Haye : Éd. Stols, 1950.

NOURISSIER (François), 1927. — *Allemande.* — Éd. Grasset, 1973. — *La Crève.* — Éd. Grasset, 1970. — *Le Maître de maison.* — Éd. Grasset, 1968. — *Une histoire française.* — [1965]. — Lausanne : La Guilde du Livre, 1965.

NOUVEAU (Germain), 1851-1920. — *Œuvres et Correspondance,* in LAUTRÉAMONT, NOUVEAU (Germain). — *Œuvres complètes,* textes établis, présentés et annotés par Pierre-Olivier WALZER. — Éd. Gallimard, 1970. — (coll. «Bibliothèque de la Pléiade»).

OBALDIA (René de), 1918. — *Tamerlan des cœurs.* — [Plon, 1955]. — Éd. U. G. E., 1964. — (coll. «10/18», n° 178).

ODIER (Daniel). — *L'Année du lièvre.* — Éd. Robert Laffont, 1978.

OLDENBOURG (Zoé), 1916. — *La Joie-Souffrance.* — Éd. Gallimard, 1980. — (coll. «Blanche»).

OLIVET (Pierre Joseph THOULIER d'), 1682-1768. — *Histoire de l'Académie française.* — [1729]. — 2 tomes. — Éd. Coignard, 1743. — *Recueil d'opuscules littéraires.* — À Amsterdam, 1767. — *Remarques sur la langue française.* — Éd. Barbou, 1767.

OLIVIER (Juste), 1807-1876. — *Les Chansons lointaines,* 1855.

OLLÉ-LAPRUNE (Léon), 1839-1898. — *La Certitude morale* [1880], citée in LALANDE (André). — *Vocabulaire technique et critique de la philosophie.* — Éd. P. U. F., 1971.

OLLIVIER (Émile), 1825-1913. — *Lamartine.* — Éd. Garnier, 1874.

ORLÉANS (Charles d'), 1391-1465. — *Poésies.* — 2 tomes. — Éd. Champion, 1923, 1927.

ORMESSON (Jean LEFÈVRE d'), 1925. — *La Gloire de l'Empire.* — [1971]. — 2 tomes. — Éd. Gallimard, 1977. — (coll. «Folio», n°s 889 et 890).

OTTE (Jean-Pierre). — *Le Cœur dans sa gousse.* — Éd. Laffont, 1975.

OUOLOGUEM (Yambo), 1940. — *Le Devoir de violence.* — Éd. du Seuil, 1968.

OZANAM (Frédéric), 1813-1853. — *Œuvres complètes.* — 11 tomes. — Éd. Lecoffre, 1855-1865.

Pages africaines, par Paul VÉZINET. — 3 tomes. — Éd. Hatier, 1963-1966.

PAGNOL (Marcel), 1895-1974. — *Le Château de ma mère.* — Éd. de Provence, 1958. — *Fanny.* — [1932]. — Éd. Fasquelle, 1950. — *La Gloire de mon père.* — Éd. de Provence, 1957. — *Jean de Florette.* — [1963]. — Monte-Carlo : Éd. Pastorelly, 1969. — *Marius.* — [1931]. — Éd. Fasquelle, 1951. — *Le Temps des amours.* — Éd. Julliard, 1977. — *Le Temps des secrets.* — Éd. de Provence, 1960. — *Topaze.* — [1928]. — Éd. Fasquelle, 1951. — Le Livre de Poche, n° 294.

PAILLERON (Édouard), 1834-1899. — *Le Monde où l'on s'ennuie.* — Éd. Calmann-Lévy, 1881.

PALISSY (Bernard), v. 1510-v. 1590. — *Les Œuvres de maistre Bernard Palissy,* nouvelle édition, revue sur les textes originaux par Benjamin FILLON. — 2 tomes. — Niort : Éd. L. Clouzot, 1888.

Panorama de la littérature négro-africaine, par Édouard ELIET. — Éd. Présence Africaine, 1965.

PAPILLON (Marc de), 1555-1599. — *Les Amours de Théophile, L'Amour passionné de Noémie,* in *Poètes du XVIe siècle,* édition établie par Albert-Marie SCHMIDT. — Éd. Gallimard, 1953. — (coll. «Bibliothèque de la Pléiade»).

PARAIN (Brice), 1897-1970. — *De fil en aiguille.* — Éd. Gallimard, 1960. — (coll. «Blanche»).

PARÉ (Ambroise), 1517-1590. — *Œuvres complètes,* revues et collationnées par Joseph-François MALGAIGNE. — 3 tomes. — [J.-B. Baillière, 1840-1841]. — Éd. Slatkine, 1970. — (Fac-sim.).

PARIS (Gaston), 1839-1903. — *Mélanges linguistiques,* publiés par Mario ROQUES. — *Paris;* Mâcon : Éd. Protat, 1909. — *Mélanges de littérature française du moyen âge.* — [1899]. — Éd. Champion, 1960. — *La Poésie du moyen âge : Leçons et Lectures.* — Éd. Hachette, 1885.

PARIS (Gaston), 1839-1903, LANGLOIS. — *Chrestomathie du moyen âge.* — [1897]. — Éd. Hachette, 1952.

PASCAL (Blaise), 1623-1662. — *Discours sur les passions de l'amour* [1652-1653], publié par A. DUCAS. — Éd. Méditerranée vivante, 1953. — *Œuvres,* publiées par Léon BRUNSCHVICG et Pierre BOUTROUX. — 14 tomes. — Éd. Hachette, 1904-1908. — (coll. «Les Grands Écrivains de la France»). — *Pensées.* — [1669]. — 2 tomes. — Éd. Garnier, 1930. — *Pensées.* — 3 tomes. — Éd. Hachette, 1904. — *Pensées et Opuscules.* — Éd. Hachette, 1924. — *Les Provinciales.* — [1656-1657]. — Éd. Larousse, 1947. — *Les Provinciales : Lettres écrites à un provincial.* — 2 tomes. — Éd. Garnier, 1885, 1886.

PASQUIER (Étienne), 1529-1615. — *Œuvres,* contenant *Recherches de la France, Lettres, Œuvres mêlées.* — 2 tomes. — Amsterdam : Éd. Compagnie des Libraires associés, 1723.

PASSY (Frédéric), 1822-1912. — *Leçons d'économie politique* [1861], citées in ROMEUF (Jean). — *Dictionnaire des sciences économiques.* — Éd. P. U. F., 1956, 1958.

PASTEUR (Louis), 1822-1859. — *Discours de Réception à l'Académie,* 27 avril 1882.

PATRU (Olivier), 1604-1681. — *Œuvres diverses de M. Patru, avocat au parlement, contenant ses plaidoyers, harangues...* — [1670]. — 2 tomes. — Éd. Gosselin, 1723.

PAUL DE KOCK (Charles). — *La Grande Ville.* — 2 tomes. — Éd. Bureau central des publications nouvelles, 1842, 1843.

PAULHAN (Jean), 1884-1968. — *Entretien sur des faits divers.* — Éd. Gallimard, 1945. — (coll. «Blanche»). — *Les Fleurs de Tarbes ou la Terreur dans les lettres.* — [1941]. — Éd. Gallimard, 1950. — (coll. «Blanche»). — *Petite préface à toute critique.* — Éd. de Minuit, 1951. — *La Preuve par l'étymologie.* — Éd. de Minuit, 1953.

PAUWELS (Louis), 1920. — *L'Amour monstre.* — [Seuil, 1955]. — Le Livre de Poche, n° 1980.

PAYOT (Jules), 1859-1940. — *La Conquête du bonheur.* — Éd. Félix Alcan, 1921. — (coll. «Bibliothèque de philosophie contemporaine»). — *L'Éducation de la volonté.* — Éd. Félix Alcan, 1927. — (coll. «Bibliothèque de philosophie contemporaine»).

PAYSAN (Catherine), 1926. — *Le Clown de la rue Montorgueil.* — [Denoël, 1978]. — Lausanne : Éd. Ex Libris, 1979. — *L'Empire du taureau.* — [Denoël, 1974]. — Lausanne : Éd. La Guilde du Livre, 1974.

PÉGUY (Charles), 1873-1914. — *Clio : Dialogue de l'histoire et de l'âme païenne.* — [1917]. — Éd. Gallimard, 1932. — (coll. «Blanche»). — *Note conjointe sur M. Descartes et la philosophie cartésienne* [1914], et *Note sur M. Bergson et la philosophie bergsonienne.* — Éd. Gallimard, 1945. — (coll. «Blanche»). — *Notre jeunesse.* — [1910]. — Éd. Gallimard, 1948. — (coll. «Blanche»). — *Notre patrie.* — [1905]. — Éd. Gallimard, 1945. — (coll. «Blanche»). — *Œuvres poétiques complètes.* — [1939]. — Éd. Gallimard, 1951. — (coll. «Bibliothèque de la Pléiade»). — *Œuvres en prose.* — 2 tomes. — Tome I : *1898-1908.* — Tome II : *1909-1914.* — Éd. Gallimard, 1957 (tome II), 1959 (tome I). — (coll. «Bibliothèque de la Pléiade»). — *La République... notre royaume de France,* textes politiques choisis par Denise MAYER. — Éd. Gallimard, 1946. — (coll. «Blanche»). — *Victor-Marie, comte Hugo.* — [1910]. — Éd. Gallimard, 1947. — (coll. «Blanche»).

PEISSON (Édouard), 1896-1963. — *Pôles, l'étonnante aventure de Roald Amundsen.* — Éd. Grasset, 1952.

PÉLADAN (Joseph, dit Joséphin), 1859-1918. — *Les Drames de la conscience : Les Amours de Pise.* — Éd. Flammarion, 1913.

PÉREC (Georges), 1936-1982. — *Histoire du lipogramme,* in OULIPO. — *La Littérature potentielle.* — Éd. Gallimard, 1973. — (coll. «Idées», n° 289). — *La Vie mode d'emploi.* — Éd. Hachette, 1978.

PERGAUD (Louis), 1882-1915. — *De Goupil à Margot.* — [1910]. — Éd. Mercure de France, 1951. — *La Guerre des boutons.* — [1912]. — Éd. Gallimard, 1976. — (coll. «Folio», n° 758).

PÉRIER (Étienne), 1642-1680. — *Préface de Port-Royal aux Pensées de Pascal.* — 1re édition des *Pensées,* 1669.

PÉROCHON (Ernest), 1885-1942. — *Les Gardiennes.* — Éd. Plon-Nourrit, 1924.

PERRAULT (Charles), 1628-1703. — *Contes de ma mère l'Oye.* — [1697]. — Éd. Cluny, 1948. — (coll. «Bibliothèque de Cluny», vol. 53).

PERREIN (Michèle), 1929. — *Le Buveur de Garonne.* — [Flammarion, 1973]. — Lausanne : Éd. Ex Libris. — *Entre chienne et louve.* — Éd. Grasset, 1978.

PERRET (Jacques), 1903. — *Bande à part.* — [1951]. — Le Livre de Poche, n° 853, 1966. — *Bâtons dans les roues.* — Éd. Gallimard, 1953. — (coll. «Blanche»). — *Le Machin.* — Éd. Gallimard, 1955. — (coll. «Blanche»). — *Objets perdus.* — Éd. Gallimard, 1949. — (coll. «Blanche»).

PERRIER (Edmond), 1844-1921. — *Traité de zoologie,* publié avec le concours de Rémy PERRIER. — 10 fascicules en 4 tomes. — Éd. Masson, 1893-1932. — cité in *Le National,* 5 novembre 1872.

PERROS (Georges), 1923. — *Papiers collés,* tome III. — Éd. Gallimard, 1978. — (coll. «Le Chemin»).

PERROT D'ABLANCOURT (Nicolas). — Voir ABLANCOURT.

Pesquidoux (Joseph de), 1869-1946. — *Chez nous : Travaux et Jeux rustiques.* — Éd. Plon-Nourrit, 1921. — *Le Livre de raison.* — [1925]. — Éd. Plon, 1928. — *Sur la glèbe.* — Éd. Plon-Nourrit, 1922.

Pétion (Jérôme), 1756-1794. — Cité par Jaurès (Jean). — *Histoire socialiste de la Révolution française.*

Peyré (Joseph), 1892-1968. — *Sang et Lumières.* — [1935]. — Éd. Bernard Grasset, 1951. — Le Livre de Poche, nº 533-534, 1964.

Philippe (Charles-Louis), 1874-1909. — *Bubu de Montparnasse.* — [1901]. — Éd. Fasquelle, 1927. — *Le Père Perdrix.* — [1903]. — Éd. Fasquelle, 1948.

Pia (Pascal), 1902-1979. — *Apollinaire par lui-même.* — Éd. du Seuil, 1954. — (coll. «Microcosme Écrivains de Toujours», nº 20).

Piaf (Édith), 1915-1963. — in *Édith Piaf,* par Gilles Costaz. — Éd. Seghers, 1974. — (coll. «Poésie et Chansons», nº 25).

Piaget (Jean), 1896-1980. — *Épistémologie des sciences de l'homme.* — [1970]. — Éd. Gallimard, 1972. — (coll. «Idées», nº 260). — *La Formation du symbole chez l'enfant.* — Éd. Delachaux et Niestlé, 1945. — *Introduction à l'épistémologie génétique.* — 2 tomes. — Tome I : *La Pensée mathématique.* — Tome II : *La Pensée physique.* — 2e éd. — P.U.F., 1974. — (coll. «Bibliothèque de philosophie contemporaine»). — *Traité de logique : Essai de logistique opératoire.* — Éd. A. Colin, 1949. — Voir aussi II, 2.

Picard (Edmond), 1836-1924. — *L'Amiral.* — [Bruxelles : F. Larcier, 1883]. — Bruxelles : Éd. Académie royale de langue et de littérature françaises, 1939. — *Au pays des bilingues.* — Bruxelles : Éd. F. Larcier, 1923.

Picard (Louis-Benoît), 1769-1828. — *Œuvres.* — 10 tomes. — Éd. J.N. Barba, 1821. — *Théâtre choisi.* — Éd. Laplace et Sanchez, 1881.

Pierson-Piérard (Marianne). — *Premier été sans Fabienne.* — Bruxelles : Éd. Labor, 1975.

Pieyre de Mandiargues (André), 1909. — *La Marge.* — Éd. Gallimard, 1967. — (coll. «Blanche»). — *La Motocyclette.* — Éd. Gallimard, 1963. — (coll. «Blanche»).

Piles (Roger de), 1635-1709. — *Cours de peinture par principes.* — Éd. J. Estienne, 1708.

Pinget (Robert), 1919. — *Graal flibuste,* suivi de *Robert Pinget ou le Palimpseste,* par Olivier de Magny. — [Minuit, 1956]. — Éd. U.G.E., 1963. — (coll. «10/18», nº 107). — *Passacaille.* — Éd. de Minuit, 1969.

Piron (Alexis), 1689-1773. — *Œuvres choisies.* — Éd. Garnier, 1872.

Pisan (Christine de), v. 1363-v. 1431. — *Chemin de longue estude,* cité in Hatzfeld.

Plisnier (Charles), 1896-1952. — *Mères,* tome III : *Vertu du désordre.* — Éd. Corréa, 1949. — *Meurtres.* — 4 tomes. — Tome I : *Prologue et Mort d'Isabelle* [1939]. — Le Livre de Poche, nº 1991, 1966. — Tome II : *Retour du fils* [1939]. — Le Livre de Poche, nº 2118, 1967. — Tome III : *Martine* [1940]. — Le Livre de Poche, nº 2326, 1968. — Tome IV : *Feu dormant* [1940]. — Le Livre de Poche, nº 2651, 1969.

Pliya (Jean), 1931. — *L'Arbre fétiche.* — Yaoundé : Éd. CLE, 1972.

Poètes français : Panorama critique des nouveaux poètes français, par Jean Rousselot. — Éd. Pierre Seghers, 1952. — (coll. «Poètes d'aujourd'hui et de demain»).

Poètes du terroir du xve au xxe siècle. — 4 tomes. — Éd. Delagrave, 1919. — (coll. «Pallas»).

Poincaré (Henri), 1854-1912. — *La Mécanique nouvelle : Conférence, Mémoire et Note sur la théorie de la relativité.* — [1905]. — Éd. Gauthier-Villars, 1923. — *La Science et l'Hypothèse.* — [1902]. — Éd. Flammarion, 1906. — *La Valeur de la science.* — [1906]. — Éd. Flammarion, 1925. — (coll. «Bibliothèque de philosophie scientifique»).

Poincaré (Raymond), 1860-1934. — *Au service de la France.* — Éd. Plon, 1926.

Politzer (Georges), 1903-1942. — *Critique des fondements de la psychologie.* — Éd. Rieder, 1929.

Pompignan (Jean-Jacques Lefranc, marquis de). — Voir Lefranc de Pompignan.

Poncins (Gontran de). — *Kablouna.* — Éd. Stock, 1947.

Ponchon (Raoul), 1848-1937. — *La Muse au cabaret.* — Éd. Fasquelle, 1920.

Ponge (Francis), 1899. — *Le Parti pris des choses* [1942], précédé de *Douze petits écrits* [1926], et suivi de *Proêmes* [1948]. — Éd. Gallimard, 1979. — (coll. «Poésie», nº 16). — *Pièces.* — [1942]. — Éd. Gallimard, 1962.

Pons de Verdun (Robert), 1759-1844. — *Les Loisirs ou Contes et Poésies diverses.* — [À Londres, 1778]. — 3 tomes. — Éd. Guillot, 1781.

Ponsard (François), 1814-1867. — *Œuvres complètes.* — 3 tomes. — Éd. Michel Lévy, 1865-1876.

Ponson du Terrail (Pierre Alexis, vicomte), 1829-1871. — [*Rocambole : Les Drames de Paris,* publié en 1884]. — *Rocambole.* — Éd. Dumas, 1951. — *Rocambole joue et gagne.* — Éd. Dumas, 1949.

Pottier (Eugène), 1816-1887. — *L'Internationale* [1871], in *Chants révolutionnaires.* — Éd. E. Dentu, 1887.

Poulet (Georges), 1902. — *Études sur le temps humain,* tome IV : *Mesure de l'instant.* — Éd. Plon, 1964.

Pourrat (Henri), 1887-1959. — *Le Trésor des contes.* — 13 tomes. — Éd. Gallimard, 1948-1962. — (coll. «Blanche»). — *Vaillances, Farces et Gentillesses de Gaspard des montagnes.* — 4 tomes. — Tome IV : *La Tour du Levant.* — Éd. Albin Michel, 1922-1931. — *Vent de mars.* — Éd. Gallimard, 1941. — (coll. «Blanche»).

Pourtalès (Guy de). — *La Pêche miraculeuse.* — Éd. Gallimard, 1937. — (coll. «Blanche»).

Prêtre (Marcel-Georges). — *La Revanche des médiocres.* — Neuchâtel : Éd. Nouvelle Bibliothèque, 1956.

Prévert (Jacques), 1900-1977. — *Choses et autres.* — Éd. Gallimard, 1972. — (coll. «Le Point du Jour»). — *Le jour se lève,* scénario et dialogues écrits avec Marcel Carné. — [1939]. — Éd. L'Avant-Scène, s.d. — *Paroles.* — [1946]. — Éd. Gallimard, 1976. — (coll. «Folio», nº 762). — *La Pluie et le Beau Temps.* — [1955]. — Éd. Gallimard, 1972. — (coll. «Folio», nº 90).

Prévost (Jean), 1901-1944. — *Les Frères Bouquinquant.* — [Gallimard, 1930]. — Le Livre de Poche, nº 2193, 1967. — *Plaisir des sports : Essais sur le corps humain.* — Éd. Gallimard, 1925. — (coll. «Blanche»).

Prévost (Marcel), 1862-1941. — *Les Demi-vierges.* — Éd. Lemerre, 1894. — *Le Domino jaune.* — Éd. Flammarion, 1937. — («Select-Collection»). — *L'Homme vierge.* — Éd. Ferenczi, s.d. — *Lettres à Françoise mariée.* — Éd. Flammarion, s.d. — («Select-Collection»). — *Lettres de femmes.* — [1892]. — Éd. Flammarion. — («Select-Collection»). — *M. et Mme Moloch.* — Éd. Lemerre, 1906. — *La Mort des animaux.* — Éd. de France, 1937. — *Nouvelles lettres de femmes.* — Éd. Flammarion, 1927. — («Select Collection»).

Prévost d'Exiles (abbé Antoine François, dit l'abbé Prévost), 1697-1763. — *Histoire du Chevalier Des Grieux et de Manon Lescaut.* — [1731]. — Éd. Garnier, 1944. — Voir aussi I, 1.

Prévost-Paradol (Lucien Anatole), 1829-1870. — *Essais de politique et de littérature.* — 4 tomes. — Éd. Michel Lévy, 1859-1862.

Price-Mars (Jean), 1876-1969. — *Glorification des ancêtres,* conférence prononcée en 1922, publiée avec *Ainsi parla l'oncle.* — [Imprimerie de Compiègne, 1928]. — Montréal : Éd. Léméac, 1972.

Prou (Suzanne), 1920. — *Miroirs d'Edmée.* — [Calmann-Lévy, 1976]. — Le Livre de Poche, nº 5132, 1978. — *La Terrasse des Bernardini.* — [Calmann-Lévy, 1973]. — Le Livre de Poche, nº 4150, 1977.

Proudhon (Pierre Joseph), 1809-1865. — *Idée générale de la Révolution au xixe siècle,* in *Œuvres complètes,* tome X. — Éd. Flammarion, s.d. — *Œuvres complètes.* — 20 tomes. — Éd. Rivière, 1923-1959.

Proust (Marcel), 1871-1922. — *À la recherche du temps perdu.* — [écrit de 1913 à 1922]. — 15 tomes. — Éd. Gallimard, 1922-1927. — (coll. «Blanche»). — Tomes I et II : *Du côté de chez Swann* [1913]. — Tomes III, IV et V : *À l'ombre des jeunes filles en fleurs* [1918]. — Tomes VI, VII et VIII : *Le Côté de Guermantes* [1920]. — Tomes IX et X : *Sodome et Gomorrhe* [1922]. — Tomes XI et XII : *La Prisonnière* [1923]. — Tome XIII : *Albertine disparue* [1925]. — Tomes XIV et XV : *Le Temps retrouvé* [1927]. — *À la recherche du temps perdu.* — Éd. Gallimard, 1954-1959. — (coll. «Bibliothèque de la Pléiade»). — Tome I : *Du côté de chez Swann ; À l'ombre des jeunes filles en fleurs.* — Tome II : *Le Côté de Guermantes ; Sodome et Gomorrhe.* — Tome III : *La Prisonnière ; La Fugitive ; Le Temps retrouvé.* — *À la recherche du temps perdu.* — 8 tomes. — Éd. Gallimard, 1972-1976. — (coll. «Folio»). — Tome I : *Du côté de chez Swann,* 1974. — Tome II : *À l'ombre des jeunes filles en fleurs,* 1975. — Tomes III et IV : *Le Côté de Guermantes,* 1972, 1975. — Tome V : *Sodome et Gomorrhe,* 1975. — Tome VI : *La Prisonnière,* 1976. — Tome VII : *Albertine disparue,* 1972. — Tome VIII : *Le Temps retrouvé,* 1976. Autres éditions : *À l'ombre des jeunes filles en fleurs ; Albertine disparue ; La Prisonnière.* — Éd. Gallimard, 1933. — (coll. «La Gerbe»). — *Du côté de chez Swann.* — Le Livre de Poche, nº 1426-1427. — *Sodome et Gomorrhe.* — Le Livre de Poche, nº 1641-1642. **Œuvres complètes.** — Éd. Gallimard, 1933-1936. — Tome VIII : *Pastiches et Mélanges* [1905-1908], 1933. — Tome IX : *Les Plaisirs et les Jours* [1896], 1935. — Tome X : *Chroniques* [1927], 1936. — *Jean Santeuil* [écrit de 1895 à 1900 ; 1re édition en 1952]. — Éd. Gallimard, 1971. — (coll. «Bibliothèque de la Pléiade»).

Queffélec (Henri), 1910. — *Un recteur de l'Île de Sein.* — Éd. Stock, 1944.

Queneau (Raymond), 1903-1976. — *Bâtons, Chiffres et Lettres.* — [1950]. — Éd. Gallimard, 1965. — (coll. «Idées», nº 70). — *Bords.* — [1963]. — Éd. Hermann, 1978. — *Chêne et Chien* [Denoël, 1937], suivi de *Petite cosmogonie portative* [1950], et de *Le Chant du Styrène* [1969]. — Éd. Gallimard, 1969. — (coll. «Poésies», nº 47). — *Le Chiendent.* — [1933]. — Éd. Gallimard, 1974. — (coll. «Folio», nº 588). — *Contes et Propos.* — Éd. Gallimard, 1981. — (coll. «Blanche»). — *Les Derniers Jours.* — [1936]. — Éd. Gallimard, 1963. — (coll. «Blanche»). — *Le Dimanche de la vie.* — Éd. Gallimard, 1952. — (coll. «Blanche»). — *Exercices de style.* — Éd. Gallimard, 1947. — (coll. «Blanche»). — *Les Fleurs bleues.* — [1965]. — Éd. Gallimard, 1978. — (coll. «Folio», nº 1000). — *L'Instant fatal.* — [1948]. — Éd. Gallimard, 1952. — (coll. «Blanche»). — *Loin de Rueil.* — [1944]. — Éd. Gallimard, 1946. — (coll. «Blanche»). — Éd. Gallimard, 1976. — (coll. «Folio», nº 849). — *Pierrot mon ami.* — [1943]. — Le Livre de Poche, nº 120, 1961. — Éd. Gallimard, 1972. — (coll. «Folio», nº 226). — *Saint-Glinglin.* — [1948]. — Éd. Gallimard, 1981. — (coll. «L'Imaginaire», nº 78). — *Le Vol d'Icare.* — [1968]. — Éd. Gallimard, 1972. — (coll. «Blanche»). — *Zazie dans le métro.* — [1959]. — Éd. Gallimard, 1972. — (coll. «Folio», nº 103). — Le Livre de Poche, nº 934.

Quesnay (François), 1694-1774. — *Physiocratie ou Constitution naturelle du gouvernement le plus avantageux au genre humain* [1768], *Tableau* économique avec son explication et des maximes générales du gouvernement économique [1758], in *Œuvres économiques et philosophiques*. — New York : Éd. Lenor, 1967. — (fac-similé de l'édition de 1888).

RABELAIS (François), v. 1494-1553. — *Gargantua* [1534], *Pantagruel* [1532]. — 3 tomes. — Éd. Larousse, s. d. — *Œuvres complètes*. — [1934]. — Éd. Gallimard, 1942. — (coll. « Bibliothèque de la Pléiade »).

RACAN (Honorat de BUEIL, marquis de), 1589-1670. — *Les Bergeries* [1625] *et autres poésies lyriques*. — Éd. Garnier, 1929.

RACINE (Jean), 1639-1699. — *Œuvres*. — 7 tomes et lexique. — Éd. Hachette, 1865 (tomes I, II, III), 1929 (tome IV), 1925 (tome V), 1922 (tome VI), 1925 (tome VII), 1923 (lexique). — (coll. « Les Grands Écrivains de la France »).

RACINE (Louis), 1692-1763. — *La Religion, poème*. — Éd. J.-B. Coignard et J. Desaint, 1742.

RADIGUET (Raymond), 1903-1923. — *À plusieurs voix*, in revue *Dada*, IV-V. — *Le Bal du comte d'Orgel*. — [1924]. — Éd. Bernard Grasset, 1947. — *Le Diable au corps*. — [1923]. — Éd. Bernard Grasset, 1947.

RAMUZ (Charles Ferdinand), 1878-1947. — *La Grande Peur dans la montagne*. — [1925]. — Éd. Grasset, 1942. — *Œuvres complètes*. — 20 tomes. — Éd. Rencontre, 1967-1968. — Tome I : *Aline* [1905]; *Jean-Luc persécuté* [1909]. — Tome II : *Nouvelles et Morceaux* [1910]; *Le Village dans la montagne* [1908]. — Tome IV : *Aimé Pache, peintre vaudois* [1911]. — Tome V : *Vie de Samuel Belet* [1914]. — Tome VI : *La Guerre dans le Haut-Pays* [1915]. — Tome IX : *Présence de la mort* [1922]; *Terre du ciel* [1921]. — Tome X : *L'Amour du monde* [1925]; *Passage du poète* [1923]. — Tome XI : *La Séparation des races* [1923]. — Tome XIII : *Adam et Ève* [1932]. — Tome XIV : *Derborence* [1934]; *Farinet ou la Fausse Monnaie* [1932]. — Tome XVI : *La Guerre aux papiers* [1942]; *Si le soleil ne revenait pas* [1937]. — Tome XVII : *Vendanges* [1927]. — Tome XX : *Journal* [1945].

RASPAIL (François), 1794-1878. — *Cours élémentaire d'agriculture et d'économie rurale* [1831-1832], cité in LAROUSSE (Pierre). — *Dictionnaire universel du XIXᵉ siècle*.

RATISBONNE (Louis), 1827-1900. — *La Comédie enfantine*. — [Michel Lévy, 1861]. — Éd. Delagrave, 1922.

RAUH (Frédéric), 1861-1909. — *Essai sur le fondement métaphysique de la morale*. — Éd. Alcan, 1890. — *L'Expérience morale*. — Éd. Alcan, 1903.

RAVAISSON-MOLLIEN (Jean Gaspard Félix RAVAISSON, dit), 1813-1900. — *De l'habitude*. — Éd. Imprimerie H. Fournier, 1839. — *La Philosophie en France au XIXᵉ siècle : Recueil de rapports sur les progrès des lettres et des sciences en France*. — Éd. Imprimerie Nationale, 1868. — cité in BERGSON (Henri). — *La Pensée et le Mouvant*. — Éd. P.U.F., 1941.

RAY (Jean). — *Les Derniers Contes de Canterbury*. — [1944]. — Éd. Champs Élysées, 1979. — (coll. « Le Masque Fantastique »). — *Le Livre des fantômes*. — [1947]. — Éd. Champs Élysées, 1980. — (coll. « Le Masque Fantastique »).

RAYNOUARD (François), 1761-1836. — *Choix de poésies originales des troubadours*. — 6 tomes. — Éd. Firmin-Didot, 1816-1821. — *Les États de Blois*. — Éd. Mame, 1814. — *Les Templiers*. — Éd. Giguet et Michaud, 1805.

RÉAUMUR (René Antoine FERCHAULT de), 1683-1757. — *Morceaux choisis*. — Gallimard, 1939. — (coll. « Les Grandes Pages de la Science »).

RECLUS (Élisée), 1830-1905. — in *La Revue des Deux-Mondes*, 15 mars 1863. — in *Le Tour du Monde*, tome I, 1866.

REDON (Odilon), 1840-1916. — *Journal*, in *Mercure de France : Revue de la quinzaine*, 15 novembre 1922.

REDSLOB (Robert). — *Sous le regard de la cathédrale : Souvenirs du vieux Strasbourg*. — Woerth (Bas-Rhin) : Éd. Sutter, 1962.

REGNARD (Jean-François), 1655-1709. — *Théâtre*. — Éd. Boivin, 1904. — (coll. « Chefs-d'œuvre du théâtre français »). — *Voyage de Laponie*. — Éd. U. G. E., 1963. — (coll. « 10/18 », n° 130).

RÉGNIER (Henri de), 1864-1936. — *Choix de poèmes*. — Éd. Mercure de France, 1932.

RÉGNIER (Mathurin), 1573-1613. — *Œuvres complètes*. — Éd. Garnier, 1931.

REINACH (Salomon), 1858-1932. — *Apollo, histoire générale des arts plastiques*. — Éd. Hachette, 1904. — *Orpheus, histoire générale des religions*. — Éd. A. Picard, 1909.

RÉMY (Pierre-Jean), 1937. — *Orient-Express*. — Éd. Albin Michel, 1979.

RENAN (Ernest), 1823-1892. — *Études d'histoire religieuse*. — Éd. Michel Lévy, 1857. — *Œuvres complètes*. — 10 tomes. — Éd. Calmann-Lévy, 1947-1961. — *Souvenirs d'enfance et de jeunesse*. — Éd. Calmann-Lévy, 1883. — Éd. Nelson, s.d. — *Vie de Jésus*. — [Michel Lévy, 1863]. — Éd. Calmann-Lévy, 1925.

RENARD (Jules), 1864-1910. — *Histoires naturelles*. — [1896]. — Éd. Flammarion, 1945. — *Journal : 1887-1910*. — [1935]. — Éd. Gallimard, 1960. — (coll. « Blanche »). — Éd. Gallimard, 1960. — (coll. « Bibliothèque de la Pléiade »). — *Œuvres complètes*, tome II : *La Maîtresse* [1895-1896], *Histoires naturelles* [1896], *Bucoliques* [1896], *Nos frères farouches; Ragotte.* [1910], *L'Œil clair* [1913]; *Théâtre : La Demande* [1895], *Le Plaisir de rompre* [1897], *Le Pain de ménage* [1898], *Poil de Carotte* [1894], *Monsieur Vernet* [1903], *Huit jours à la campagne* [1906], *La Bigotte* [1910], *Le Cousin de Rose* [1909]. — Éd. Gallimard, 1971. — (coll. « Bibliothèque de la Pléiade »). — *Poil de Carotte*. — Éd. Flammarion, 1955.

RENOUVIER (Charles), 1815-1903. — *Les Dilemmes de la métaphysique pure*. — Éd. Alcan, 1901. — *La Science de la morale*. — 2 tomes. — Éd. Ladrange, 1869. — *Traité de logique générale et de logique formelle*. — 2 tomes. — Éd. Armand Colin, 1912.

RESTIF DE LA BRETONNE (Nicolas Edme RESTIF, dit), 1734-1806. — *L'Anti-Justine ou les Délices de l'amour*. — [1798]. — La Seyne-sur-Mer : Éd. Beauval, 1978. — *Monsieur Nicolas ou le Cœur humain dévoilé*. — [16 tomes, 1794-1798]. — 6 tomes. — Éd. Anagramme, 1978. — *Le Paysan perverti ou les Dangers de la ville*. — 4 tomes. — La Haye; Paris : Éd. Le Jay, 1775-1776. — *La Vie de mon père*. — [Neufchâtel-Paris : Éd. Veuve Duchesne, 1779]. — Éd. Bossard, 1924. — (coll. « Les chefs-d'œuvre méconnus »).

RETZ (Jean François Paul de GONDI, cardinal de), 1613-1679. — *Mémoires*. — [1717]. — Éd. Gallimard, 1950. — (coll. « Bibliothèque de la Pléiade »).

REVERDY (Pierre), 1889-1960. — in *Pierre Reverdy*, par Michel MANOLL et Jean ROUSSELOT. — Éd. Pierre Seghers, 1960. — (coll. « Poètes d'aujourd'hui », n° 25).

REY (Henri-François), 1919. — *Les Pianos mécaniques*. — [Laffont, 1962]. — Le Livre de Poche, n° 1648-1649-1650, 1966.

RIBAUX (Adolphe). — *Contes pour tous*. — Neuchâtel : Éd. Delachaux et Niestlé, 1893.

RIBEAUD (Paul). — *Le Paria*. — [Fayard, 1973]. — Lausanne : Éd. Ex Libris.

RICARD (Adolphe). — *L'Amour, les Femmes et le Mariage : Historiettes, Pensées et Réflexions*. — Éd. Garnier, 1922. — (coll. « Classiques Garnier »).

RICHELIEU (Armand Jean du PLESSIS, cardinal, duc de), 1585-1642. — *Lettres, Instructions diplomatiques et Papiers d'État*, publiés par Denis Louis d'AVENEL. — 2 tomes. — Éd. Imprimerie Impériale, puis Nationale, 1853-1877. — *Mémoires*, publiés d'après les manuscrits originaux. — 3 tomes, 1908-1912.

RICHEPIN (Jean), 1849-1926. — *La Chanson des gueux*. — Éd. Librairie illustrée, 1876. — *Par le glaive*, drame en vers. — Éd. Charpentier et Fasquelle, 1892.

RICŒUR (Paul), 1913. — *La Métaphore vive*. — [1975]. — Éd. du Seuil, 1979. — (coll. « Ordre philosophique »). — *Philosophie de la volonté : le Volontaire et l'Involontaire*. — Éd. Aubier, 1949.

RICTUS (Gabriel RANDON de SAINT-AMAND, dit Jehan), 1867-1933. — *Le Cœur populaire : Poèmes, Doléances, Ballades, Plaintes, Complaintes, Récits, Chants de misères et d'amour en langue populaire, 1900-1913*. — Éd. E. Rey, 1914.

RIGHINI (Mariella). — *La Passion, Ginette*. — Éd. Grasset, 1983.

RIMBAUD (Arthur), 1854-1891. — *Les Illuminations*. — [1886]. — Éd. Mercure de France, 1949. — *Œuvres complètes*. — Éd. Gallimard, 1946. — (coll. « Bibliothèque de la Pléiade »). — *Une saison en enfer*. — [1873]. — Éd. Mercure de France, 1946.

RIVAROL (Antoine, dit comte de), 1753-1801. — *De l'homme, de ses facultés intellectuelles et de ses idées premières et fondamentales*. — 2 tomes. — Éd. Pougens, 1800. — *Œuvres, Études sur sa vie et son esprit*, par Charles-Augustin SAINTE-BEUVE, Arsène HOUSSAYE, Armand MALITOURNE. — Éd. Eugène Didier, 1852. — *Œuvres*. — Éd. Mercure de France, 1923. — (coll. « Les plus belles pages »).

RIVAZ (Alice). — *Nuages dans la main*. — Lausanne : Éd. La Guilde du Livre, 1940.

RIVIÈRE (Jacques), 1886-1925. — *L'Allemand : Souvenirs et Réflexions d'un prisonnier de guerre de 1914-1915*. — Éd. de France, 1936. — *Correspondance*. — Voir ALAIN-FOURNIER.

RIVOYRE (Christine de), 1921. — *Fleur d'agonie*. — Éd. Grasset, 1970. — *La Mandarine*. — Éd. Plon, 1957. — *Le Petit Matin*. — [Grasset, 1968]. — Lausanne : La Guilde du Livre, 1970. — *Les Sultans*. — [Grasset, 1964]. — Lausanne : Éd. La Guilde du Livre, 1966. — *Le Voyage à l'envers*. — [Grasset, 1977]. — Lausanne : Éd. Ex Libris.

ROBBE-GRILLET (Alain), 1922. — *Dans le labyrinthe*. — [1959]. — Éd. de Minuit, 1975. — *Les Gommes*. — [Minuit, 1953]. — Éd. U. G. E. — (coll. « 10/18 », n° 47-48). — *La Maison de rendez-vous*. — Éd. de Minuit, 1965. — *Pour un nouveau roman*. — Éd. de Minuit, 1963. — (coll. « Critique »). — *Projet pour une révolution à New York*. — Éd. de Minuit, 1970. — *Souvenirs du triangle d'or*. — Éd. de Minuit, 1978. — *Le Voyeur*. — Éd. de Minuit, 1955.

ROBERT (Paul), 1910-1980. — *Divertissement sur l'amour : Dialogues des grands écrivains*. — Éd. Librairie du Panthéon, 1949.

ROBESPIERRE (Maximilien de), 1758-1794. — *Discours sur la pétition du peuple avignonnais*. — Éd. Imprimerie Nationale, 1790. — *Textes choisis*. — 3 tomes. — Éditions Sociales, 1956, 1957, 1958. — (coll. « Les Classiques du Peuple »).

ROBIDA (Albert), 1848-1926. — *Le Vingtième Siècle*. — Éd. Dentu, 1883.

ROCHEFORT (Christiane), 1917. — *Les Petits Enfants du siècle*. — [Grasset, 1961]. — Le Livre de Poche, n° 2637. — *Le Repos du guerrier*. — Éd. Grasset, 1958. — Le Livre de Poche, n° 559, 1966.

RODENBACH (Georges), 1855-1898. — *Bruges-la-Morte*. — Éd. Marpon et Flammarion, 1892. — *Le Règne du silence*. — Éd. Charpentier, 1891.

ROLAND (madame; Jeanne Marie PHLIPON, épouse de ROLAND de la PLATIÈRE), 1754-1793. — *Lettres*, publiées par Cl. PERROUD. — 2 tomes. — Éd. Imprimerie Nationale, 1901, 1902.

ROLAND DE LA PLATIÈRE (Jean-Marie), 1734-1793. — *Lettre écrite au Roi, par le ministre de l'Intérieur (Roland), 10 juin 1792*. — Éd. Imprimerie du Cercle social, 1792.

ROLIN (Dominique), 1913. — *Les Enfants perdus*. — Bâle : Éd. Vineta, 1951.

ROLLAND (Martin). — *Les Rouquins.* — Éd. Hachette, 1976.
ROLLAND (Romain), 1866-1944. — **L'Âme enchantée.** — 7 tomes. — Éd. Albin Michel, 1922-1933. — *Au-dessus de la mêlée.* — Éd. Ollendorff, 1915. — *Beethoven, les grandes époques créatrices : Le Chant de la résurrection.* — Éd. du Sablier, 1937. — *Colas Breugnon.* — [1918]. — Éd. Albin Michel, 1952. — *Compagnons de route.* — nouvelle édition. — Éd. Albin Michel, 1961. — *Correspondance entre Louis Gillet et Romain Rolland.* — Éd. Albin Michel, 1949. — (coll. «Cahiers Romain Rolland», n° 2). — *Deux hommes se rencontrent : Correspondance entre Jean-Richard Bloch et Romain Rolland, 1910-1918.* — Éd. Albin Michel, 1964. — (coll. «Cahiers Romain Rolland», n° 15). — **Jean-Christophe,** 10 parties : *L'Aube, Le Matin, L'Adolescent, La Révolte, Dialogue de l'auteur avec son ombre, La Foire sur la place, Antoinette, Les Amies, Le Buisson ardent, La Nouvelle Journée.* — [1904-1912]. — Éd. Albin Michel, 1949. — *Journal,* cahier XX, in *La Table Ronde,* décembre 1952. — *Journal des années de guerre, 1914-1919.* — Éd. Albin Michel, 1952. — *Liluli.* — [1918]. — Éd. Albin Michel, 1926. — *Mahatma Gandhi.* — [1923]. — Éd. Stock, 1952. — *Musiciens d'aujourd'hui.* — Éd. Hachette, 1932. — (coll. «Bibliothèque d'histoire»). — *Musiciens d'autrefois.* — Éd. Hachette, 1908. — *Vie de Michel-Ange.* — [1906]. — Éd. Hachette, 1947. — *La Vie de Ramakrishna.* — [1929]. — Éd. Laffont, 1979. — *Vie de Tolstoï.* — [1911]. — Éd. Albin Michel, 1978. — *Le Voyage intérieur.* — Éd. Albin Michel, 1942. — *Voyage musical au pays du passé.* — Éd. Hachette, 1920.
ROMAINS (Louis FARIGOULE, dit Jules), 1885-1972. — **Les Hommes de bonne volonté.** — 27 tomes. — Éd. Flammarion, 1932-1947. — Tome I : *Le 6 octobre,* 1932. — Tome II : *Le Crime de Quinette,* 1932. — Tome III : *Les Amours enfantines,* 1932. — Tome IV : *Éros de Paris,* 1932. — Tome V : *Les Superbes,* 1933. — Tome VI : *Les Humbles,* 1933. — Tome VII : *Recherches d'une église,* 1934. — Tome VIII : *Province,* 1934. — Tome IX : *La Montée des périls,* 1935. — Tome X : *Les Pouvoirs,* 1935. — Tome XI : *Recours à l'abîme,* 1936. — Tome XII : *Les Créateurs,* 1936. — Tome XIII : *Mission à Rome,* 1937. — Tome XIV : *Le Drapeau noir,* 1937. — Tome XV : *Prélude à Verdun,* 1937. — Tome XVI : *Verdun,* 1938. — Tome XVII : *Vorge contre Quinette,* 1941. — Tome XVIII : *La Douceur de la vie,* 1941. — Tome XIX : *Cette grande lueur à l'Est,* 1941. — Tome XX : *Le Monde et son aventure,* 1941. — Tome XXI : *Journées dans la montagne,* 1942. — Tome XXII : *Les Travaux et les Joies,* 1943. — Tome XXIII : *Naissance de la Bande,* 1944. — Tome XXIV : *Comparutions,* 1944. — Tome XXV : *Le Tapis magique,* 1946. — Tome XXVI : *Françoise,* 1946. — Tome XXVII : *Le 7 octobre,* 1947. — *Le Besoin de voir clair.* — Éd. Flammarion, 1958. — *Les Copains.* — [1913]. — Éd. Gallimard, 1951. — (coll. «Blanche»). — *Donogoo Tonka ou les Miracles de la science.* — [1920]. — Éd. Gallimard, 1930. — (coll. «Blanche»). — *Knock ou le Triomphe de la médecine.* — [1923]. — Éd. Gallimard, 1951. — (coll. «Blanche»). — *Mémoires de Madame Chauverel.* — 2 tomes. — Éd. Flammarion, 1959, 1960. — *Monsieur Le Trouhadec saisi par la débauche.* — [1923]. — Éd. Gallimard, 1975. — (coll. «Folio», n° 651). — *Passagers de cette planète, où allons-nous?* — Éd. Bernard Grasset, 1955. — *Psyché.* — 3 tomes. — Tome I : *Lucienne.* — Tome II : *Le Dieu des corps.* — Tome III : *Quand le navire.* — Éd. Gallimard, 1922, 1928, 1929. — (coll. «Blanche»). — *Volpone,* d'après BEN JONSON, en collaboration avec Stefan ZWEIG. — [1929]. — Éd. Gallimard, 1950. — (coll. «Blanche»). — *Une femme singulière.* — Éd. Flammarion, 1957.
RONSARD (Pierre de), 1524-1585. — *Œuvres complètes.* — 2 tomes. — Éd. Gallimard, 1950. — (coll. «Bibliothèque de la Pléiade»). — *Œuvres complètes.* — 2 tomes. — Éd. Garnier, 1929, 1930.
ROQUEPLAN (Nestor), 1804-1870. — *Nouvelles à la main,* 5 avril 1842, in MATORÉ. — cité par A. SCHOLL, in *Le Matin,* 22 octobre 1887.
ROSMEL (Georges). — *Histoires estudiantines.* — À Paris; Bruxelles, 1888.
ROSNY (Joseph Henri, dit ROSNY aîné), 1856-1940. — *La Guerre du feu.* — [1911]. — Éd. Marabout. 1978.
ROSTAND (Edmond), 1868-1918. — *L'Aiglon.* — Éd. Fasquelle, 1900. — *Chantecler.* — [1910]. — Éd. Fasquelle, 1927. — *Cyrano de Bergerac.* — Éd. Fasquelle, 1898. — *Les Musardises.* — [1911]. — Éd. Fasquelle, 1920.
ROSTAND (Jean), 1894-1977. — *L'Aventure humaine.* — [1953]. — Éd. Fasquelle, 1968. — *Carnets d'un biologiste.* — Éd. Stock, 1959. — *Esquisse d'une histoire de la biologie.* — Éd. Gallimard, 1945. — (coll. «Blanche»). — *L'Hérédité humaine.* — Éd. P.U.F., 1952. — (coll. «Que sais-je?», n° 550). — *L'Homme.* — [1926]. — Éd. Gallimard, 1941. — (coll. «L'Avenir de la Science»). — *Idées nouvelles de la génétique.* — Éd. P.U.F., 1941. — *Inquiétudes d'un biologiste.* — Éd. Stock, 1967. — Le Livre de Poche, n° 3634, 1973. — *Réponse au discours de réception à l'Académie française de M. Étienne Wolff,* 19 octobre 1972. — *La Vie et ses problèmes.* — Éd. Flammarion, 1939.
ROTROU (Jean de), 1609-1650. — *Théâtre choisi.* — Éd. Garnier, 1925.
ROUGEMONT (Denis de), 1906. — *L'Amour et l'Occident.* — Éd. Plon, 1939. — (coll. «Présences»). — *Lettre ouverte aux Européens.* — Éd. Albin Michel, 1970. — (coll. «Lettre Ouverte»).
ROUGET DE LISLE (Claude Joseph), 1760-1836. — *La Marseillaise* [1792].
ROUMAIN (Jacques). — *Gouverneurs de la rosée.* — 7ᵉ éd. — Éd. Les Éditeurs Français Réunis, 1965.

ROUQUETTE (Dominique), 1810-1890. — *Meschacébéennes.* — Éd. Sauvaignat, 1839.
ROUSSEAU (Jean-Baptiste), 1671-1741. — *Odes, Cantates, Épîtres et Poésies diverses.* — [2 tomes, 1723]. — nouvelle édition, imprimée par ordre du Roi pour l'éducation de Mgr le Dauphin. — Éd. Didot, 1790. — *Œuvres.* — 4 tomes. — Bruxelles; Paris : Éd. Didot, 1743.
ROUSSEAU (Jean-Jacques), 1712-1778. — *Les Confessions.* — [1782-1789]. — 3 tomes. — Éd. Garnier, 1946-1947. — 2 tomes. — Éd. Gallimard, 1973. — (coll. «Folio», n°ˢ 376 et 377). — *Du contrat social ou Principes du droit politique* [1762], précédé de *Discours, lettre à d'Alembert* [1759]. — Éd. Garnier, 1931. — *Émile ou De l'éducation.* — [1762]. — Éd. Garnier, 1939. — *Julie ou la Nouvelle Héloïse.* — [1761]. — Éd. Garnier, 1935. — *Œuvres complètes.* — 2 tomes. — Éd. Lefèvre, 1839. — *Œuvres complètes,* tome I : *Les Confessions et autres textes autobiographiques.* — Éd. Gallimard, 1959. — (coll. «Bibliothèque de la Pléiade»). — *Les Rêveries du promeneur solitaire.* — [composé de 1776 à 1778]. — Éditions Nationales, 1947. — (coll. «Les Classiques verts»).
ROUSSEL (Raymond), 1877-1933. — *Impressions d'Afrique.* — [1910]. — Éd. Lemerre, 1932. — Éd. J.-J. Pauvert, 1963.
ROUSSIN (André), 1911. — *La Boîte à couleurs.* — Éd. Albin Michel, 1974.
ROY (Claude), 1915. — *L'Homme en question : Descriptions critiques, V.* — Éd. Gallimard, 1960. — (coll. «Blanche»). — *Jules Supervielle.* — Éd. Seghers, 1970. — (coll. «Poètes d'aujourd'hui», n° 15). — *Moi je : Essai d'autobiographie.* — Éd. Gallimard, 1969. — (coll. «Blanche»). — *Nous.* — Éd. Gallimard, 1972. — (coll. «Blanche»).
ROY (Gabrielle), 1909. — *Bonheur d'occasion.* — [1945]. — Montréal : Éd. Beauchemin, 1970.
ROY (Jules), 1907. — *La Vallée heureuse.* — [1946]. — Éd. Cercle du Bibliophile, 1970.
ROY (Pierre-Charles), 1683-1764. — *Quatrain sur les patineurs.*
ROYER-COLLARD (Pierre Paul), 1763-1845. — *Fragments philosophiques : Cours d'histoire de la philosophie à la Sorbonne, 1811-1814,* réunis par André SCHIMBERT, et publiés pour la première fois à part. — Éd. Alcan, 1913. — cité par VIGNY (Alfred de), in *Journal d'un poète* [1867].
SABATIER (Robert), 1923. — *Alain et le Nègre.* — [Albin Michel, 1953]. — Éd. Rombaldi. — *Les Allumettes suédoises.* — [Albin Michel, 1969]. — Éd. Rombaldi, 1975. — *Les Enfants de l'été.* — Éd. Albin Michel, 1978. — *Les Fillettes chantantes.* — Éd. Albin Michel, 1980. — *Le Marchand de sable.* — [Albin Michel, 1954]. — Éd. Rombaldi. — *Les Noisettes sauvages.* — [Albin Michel, 1974]. — Éd. Rombaldi, 1975. — *Trois sucettes à la menthe.* — [Albin Michel, 1972]. — Éd. Rombaldi, 1975.
SACHS (Maurice), 1906-1965. — *Alias.* — Éd. Gallimard, 1935. — (coll. «Blanche»). — *Chronique joyeuse et scandaleuse.* — Éd. Corréa, 1948.
SACY ou SACI (Louis Isaac LEMAISTRE de), 1613-1684. — Traduction de La Sainte Bible. — [1672-1708]. — 2 tomes. — Éd. Garnier, s. d.
SADE (Donatien Alphonse François, marquis de), 1740-1814. — *Les 120 journées de Sodome ou l'École du libertinage.* — [1785]. — 3 tomes. — Éd. J.-J. Pauvert, 1953. — 2 tomes. — Éd. U.G.E., 1975. — (coll. «10/18», n°ˢ 913 et 914). — *Justine ou les Malheurs de la vertu.* — [1791-1797]. — Éd. Presses du livre français, 1950. — (coll. «Le Soleil noir»). — *La Philosophie dans le boudoir.* — [1795]. — Éd. J.-J. Pauvert, 1972.
SADJI (Abdoulaye), 1910-1961. — *Nini, mulâtresse du Sénégal.* — [1954]. — Éd. Présence Africaine, 1965.
SAGAN (Françoise QUOIREZ, dite Françoise), 1935. — *Aimez-vous Brahms?* — [Flammarion, 1959]. — Le Livre de Poche, n° 1096. — *Bonjour tristesse.* — Éd. Julliard, 1954. — *La Chamade.* — Éd. Julliard, 1965. — *Les Merveilleux Nuages.* — [Julliard, 1961]. — Le Livre de Poche, n° 1537, 1966.
SAINT-AMANT (Marc-Antoine GIRARD, sieur de), v. 1594-1661. — *Œuvres poétiques.* — Éd. Garnier, 1930.
SAINT-BRIS (Gonzague), 1948. — *Le Romantisme absolu.* — Éd. Stock, 1978.
SAINT-CYRAN (Jean DUVERGIER de HAURANNE, abbé de), 1581-1643. — *Lettres de messire Jean Duvergier de Hauranne, abbé de Saint-Cyran, à un ecclésiastique de ses amis, touchant les dispositions à la prêtrise.* — 1647. — *Œuvres chrétiennes et spirituelles.* — 4 tomes. — Lyon : Éd. L. Aubin, 1679.
SAINT-ÉVREMONT (Charles de MARGUETEL de SAINT-DENIS, seigneur de), 1613-1703. — *Œuvres choisies,* précédées d'une étude sur la vie et les ouvrages de l'auteur par A. Ch. GIDEL. — À Paris, 1867. — *Sir Politick would be.* — Éd. Droz, 1978. — (coll. «Textes Littéraires Français»).
SAINT-EXUPÉRY (Antoine de), 1900-1944. — *Courrier Sud.* — [1929]. — Éd. Gallimard, 1950. — (coll. «Blanche»). — *Œuvres.* — Éd. Gallimard, 1953. — (coll. «Bibliothèque de la Pléiade»). — *Le Petit Prince.* — [1943]. — Éd. Gallimard, 1952. — *Pilote de guerre.* — [1942]. — Éd. Gallimard, 1948. — (coll. «Blanche»). — *Terre des hommes.* — [1939]. — Éd. Gallimard, 1959. — (coll. «Blanche»). — *Vol de nuit.* — [1931]. — Éd. Gallimard, 1972. — (coll. «Folio», n° 4).
SAINTE-FOIX (Germain François POULLAIN de), 1698-1776. — *Œuvres complètes.* — 6 tomes. — À Paris, 1778.
SAINT-JOHN PERSE (Alexis LÉGER, dit), 1887-1975. — *Éloges* [1911], suivies de *La Gloire des rois* [1911], *Anabase* [1925], *Exil* [1942]. — Éd. Gallimard, 1967. — (coll. «Poésie», n° 14). — *Œuvre poétique.* — 2 tomes. — Éd. Gallimard, 1953, 1960. — (coll. «Soleil»). — in

Saint-John Perse, par Alain Bosquet. — Éd. Seghers. — (coll. «Poètes d'aujourd'hui», n° 35).

SAINT-JUST (Louis de), 1767-1794. — *Discours et Rapports*. — Éditions Sociales, 1957. — (coll. «Les Classiques du Peuple»).

SAINT-LAURENT (Cécil, pseudonyme de Jacques LAURENT), 1919. — *La Bourgeoise*. — Éd. Flammarion, 1974. — *Clarisse*. — [Grasset, 1980]. — Lausanne : Éd. Ex Libris, 1981. — *La Mutante*. — [Flammarion, 1978]. — Lausanne : Éd. Ex Libris. — *Les Passagers pour Alger*. — [Presses de la Cité, 1966]. — Nyon (Suisse) : Éd. Les Éditeurs associés.

SAINT-MARTIN (Louis Claude de), 1743-1803. — *L'Homme de désir*. — [1790]. — Monte-Carlo : Éd. du Rocher, 1979.

SAINT-PIERRE (Michel de), 1916. — *Les Aristocrates*. — [1954]. — Éd. La Table Ronde, 1957. — *Les Nouveaux Aristocrates*. — [Calmann-Lévy, 1960]. — Le Livre de Poche, n° 1992. — *La Passion de l'abbé Delance*. — [La Table Ronde, 1978]. — Lausanne : Éd. Ex Libris, 1979.

SAINT-SAËNS (Camille), 1835-1921. — Cité in *L'Écho de Paris*, 19 septembre 1914.

SAINT-SIMON (Claude Henri de ROUVROY, comte de), 1760-1825. — *Textes choisis*. — Éditions Sociales, 1951. — (coll. «Les Classiques du Peuple»).

SAINT-SIMON (Louis de ROUVROY, duc de), 1675-1755. — **Mémoires**. — 6 tomes. — Éd. Gallimard, 1947-1958. — (coll. «Bibliothèque de la Pléiade»). — *Mémoires complètes et authentiques*. — 40 tomes. — À Paris, 1842. — (cité in LITTRÉ).

SAINTE-BEUVE (Charles-Augustin), 1804-1869. **Causeries du lundi**. — [1851-1862]. — 15 tomes et 1 table. — Éd. Garnier, s. d. — *Chateaubriand et son groupe littéraire sous l'Empire*. — [1861]. — 2 tomes. — Éd. Garnier, 1948. — *Correspondance : 1822-1869*. — 2 tomes. — Éd. Calmann-Lévy, 1877, 1878. — (coll. «Bibliothèque contemporaine»). — *Correspondance générale*. — 7 tomes. — Éd. Stock, 1935-1949. — *Les Grands Écrivains français*, tome III : *XIXᵉ siècle : Philosophes et Essayistes*. — Éd. Garnier, s. d. — **Nouveaux lundis**. — [1863-1870]. — 13 tomes. — Éd. Lévy, 1865-1885. — *Œuvres*. — 2 tomes. — Éd. Gallimard, 1956 (tome I), 1951 (tome II). — (coll. «Bibliothèque de la Pléiade»). — *Portraits contemporains*. — [1846]. — 3 tomes. — Éd. Didier, 1852. — *Portraits de femmes*. — [1844]. — Éd. Garnier, 1884. — *Portraits littéraires*. — [1844]. — 3 tomes. — Éd. Garnier, s. d. (tomes I et III), 1884 (tome II). — *Port-Royal* [1840-1959], pages choisies. — 2 tomes. — Éd. Garnier, 1934. — *Tableau historique et critique de la poésie française et du théâtre français au XVIᵉ siècle*. — [1828]. — Éd. Charpentier, 1869. — *Volupté*. — [1834]. — Éd. S. E. P. E., 1947. — (coll. «Lectures de Paris»).

SALES (saint François de), 1567-1622. — *Introduction à la vie dévote* [1609], *Traité de l'amour de Dieu* [1616], in *Œuvres complètes*, publiées par les Religieuses de la Visitation d'Annecy. — 27 tomes. — Annecy : Monastère de la Visitation, 1892-1964.

SALIAT (Pierre), XVIᵉ s. — *Les Neuf Livres des Histoires de Hérodote, plus un recueil de George Gemiste...*, le tout traduit du grec en français par Pierre SALIAT. — Éd. E. Groulleau, 1556.

SALLE DE L'ÉTANG (Simon-Philibert de la), 2ᵉ moitié du XVIIIᵉ s. — *Manuel d'agriculture pour le laboureur, le propriétaire et le gouvernement*. — [1764]. — (édition de 1767 citée par BRUNOT).

SAMAIN (Albert), 1858-1900. — *Aux flancs du vase* [1898], suivi de *Polyphème*, et de *Poèmes inachevés*. — Éd. Mercure de France, 1947. — *Au jardin de l'infante* [1893], augmenté de plusieurs poèmes. — Éd. Mercure de France, 1939. — *Le Chariot d'or* [1901], et *Symphonie héroïque*. — Éd. Mercure de France, 1942.

SAN-ANTONIO (pseudonyme de Frédéric DARD), 1921. — *Au suivant de ces messieurs*. — Éd. Fleuve Noir, 1967. — *Des gueules d'enterrement*. — Éd. Fleuve Noir, 1956. — *Du plomb dans les tripes*. — Éd. Fleuve Noir, 1953. — *J'ai essayé : on peut!* — Éd. Fleuve Noir, 1973. — *Ne mangez pas la consigne*. — Éd. Fleuve Noir, 1967. — **Œuvres complètes**. — 2 tomes. — Éd. Fleuve Noir, 1968, 1969. — *Remets ton slip, gondolier!* — Éd. Fleuve Noir, 1977. — *Le Secret de Polichinelle*. — Éd. Fleuve Noir, 1958. — *T'es beau, tu sais!* — Éd. Fleuve Noir, 1972.

SAND (Aurore DUPIN, baronne DUDEVANT, dite George), 1804-1876. — *Les Beaux Messieurs de Bois-Doré*. — [1858]. — Éd. Calmann-Lévy, s. d. — *Correspondance avec Alfred de Musset*, suivie de *Journal intime*. — Monaco : Éd. du Rocher, s. d. — *Elle et Lui*. — [1859]. — Éd. Michel Lévy, 1861. — *François le Champi*. — [1848]. — Éd. Marcel Gasnier, 1945. — *Histoire de ma vie*. — [1854-1855]. — 4 tomes. — Éd. Calmann-Lévy, 1928-1932. — *Jean de la Roche*. — [1860]. — Éd. Calmann-Lévy, 1931. — *Journal intime*. — Éd. Calmann-Lévy, 1926. — *Légendes rustiques*. — [1858]. — Éd. Lafitte, 1976. — *Mademoiselle de la Quintinie*. — [1863]. — Éd. Calmann-Lévy, s. d. — *Les Maîtres sonneurs*. — [1853]. — Éd. Calmann-Lévy, s. d. — *La Mare au diable*. — [1846]. — Éd. Marcel Gasnier, 1946. — *Le Marquis de Villemer*. — [1861]. — Éd. Calmann-Lévy, 1929. — *Mauprat*. — [1837]. — Éd. Nelson, s. d. — Éd. Calmann-Lévy, 1930. — *Mont-Revêche*. — [1853]. — Éd. Calmann-Lévy, s. d. — *Nanon*. — [1872]. — Éd. Calmann-Lévy, 1924. — *La Petite Fadette*. — [1849]. — Éd. Calmann-Lévy, 1947. — *Un hiver à Majorque*. — [1842]. — Éd. Calmann-Lévy, 1936. — Palma de Mallorca : Éd. Éditorial Clumba, 1951. — *Valvèdre*. — [1861]. — Éd. Michel Lévy, 1863.

SANLECQUE (Louis de), 1652-1714. — *Poésies héroïques, morales et satyriques, par M. de Sanlec, avec quelques épigrammes, sonnets, madrigaux, etc. du même auteur*. — Amsterdam : Éd. Desbordes, 1700. — (édition de 1826 citée par LITTRÉ).

SARCEY (Francisque), 1827-1899. — *Quarante ans de théâtre*. — Éd. Bibliothèque des Annales, 1900.

SARRASIN (Jean-François), 1603-1654. — *Histoire du siège de Dunkerque* [1649], in *Œuvres complètes*, rassemblées par Paul FESTUGIÈRE. — 2 tomes. — Éd. E. Champion, 1926.

SARRAUTE (Nathalie), 1902. — *L'Ère du soupçon : Essai sur le roman*. — Éd. Gallimard, 1956. — (coll. «Les Essais»). — *Martereau*. — [Gallimard, 1953]. — Le Livre de Poche, n° 1345, 1967. — *Le Planétarium*. — Éd. Gallimard, 1959. — (coll. «Blanche»). — *Tropismes*. — [1939]. — Éd. de Minuit, 1960. — *Vous les entendez?* — Éd. Gallimard, 1972. — (coll. «Blanche»).

SARRAZIN (Albertine). — *La Cavale*. — [1962]. — Éd. J.-J. Pauvert, 1965. — *L'Astragale*. — [1964]. — Éd. J.-J. Pauvert, 1965. — *La Traversière*. — Éd. J.-J. Pauvert, 1966.

SARTRE (Jean-Paul), 1905-1980. — *Les Chemins de la liberté*. — 3 tomes. — Tome I : *L'Âge de raison*. — [1945]. — Éd. Gallimard, 1949. — (coll. «Blanche»). — Le Livre de Poche, n° 522-523. — Tome II : *Le Sursis*. — [1945]. — Éd. Gallimard, 1963. — (coll. «Blanche»). — Tome III : *La Mort dans l'âme*. — Éd. Gallimard, 1949. — (coll. «Blanche»). — *Critique de la raison dialectique*, précédée de *Questions de méthode*, tome I. — Éd. Gallimard, 1960. — (coll. «Bibliothèque des Idées»). — *L'Être et le Néant : Essai d'ontologie phénoménologique*. — [1943]. — Éd. Gallimard, 1946. — (coll. «Bibliothèque des Idées»). — *L'existentialisme est un humanisme*. — Éd. Nagel, 1946. — *L'Imagination*. — Éd. Félix Alcan, 1936. — *Les Mains sales*. — Éd. Gallimard, 1948. — (coll. «Blanche»). — *Les Mots*. — Éd. Gallimard, 1964. — (coll. «Blanche»). — *Le Mur*. — [1939]. — Éd. Gallimard, 1958. — (coll. «Blanche»). — *La Nausée*. — [1938]. — Éd. Gallimard, 1954. — (coll. «Blanche»). — *Préface*, in N. SARRAUTE, *Portrait d'un inconnu*. — [1948]. — Éd. Gallimard, 1957. — (coll. «Blanche»). — *Situations II*. — [1948]. — Éd. Gallimard, 1951. — (coll. «Blanche»). — *Situations III*. — Éd. Gallimard, 1949. — (coll. «Blanche»). — **Théâtre** : *Les Mouches* [1943], *Huis clos* [1944], *Morts sans sépulture* [1946], *La P... respectueuse* [1946]. — Éd. Gallimard, 1949.

Satire Ménippée de la Vertu du Catholicon..., pamphlet en forme de farce dirigée contre la Ligue. — [1594]. — édité par Charles Alexandre READ. — Éd. Jouaust, 1876.

SAURIN (Bernard-Joseph), 1706-1781. — *Spartacus* [1761]. — (cité in LITTRÉ).

SAUSSURE (Horace Bénédict de), 1857-1913. — *Voyages dans les Alpes*. — 4 tomes. — Neuchâtel : Éd. S. Fauche, 1779-1796.

SAVARD (Félix Antoine), 1896. — *Menaud, maître-draveur*. — [1937]. — Montréal : Éd. Fides, 1970. — (coll. «Bibliothèque canadienne-française»).

SAVARY (Jacques), 1657-1716. — *Dictionnaire universel de commerce, d'histoire naturelle, d'arts et de métiers*. — 2 tomes. — [1723]. — (édition de 1759 citée par LITTRÉ).

SAY (Jean-Baptiste), 1767-1832. — *Cours complet d'économie politique pratique* [1823-1830]; *Traité d'économie politique* [1803]. — Éd. Guillaumin, 1841-1852. — («Collection des principaux économistes», tomes IX, X, XI). — cité in GEMAHLING (Paul). — *Les Grands Économistes*. — Éd. Recueil Sirey, 1933.

SAY (Léon), 1826-1896. — cité in ROMEUF (Jean). — *Dictionnaire des sciences économiques*. — Éd. P. U. F., 1956, 1958.

SCARRON (Paul), 1610-1660. — *Jodelet ou le Maître valet* [1645], et *Dom Japhet d'Arménie* [1653], in *Chefs-d'œuvre des auteurs comiques*, tome I. — Éd. Firmin-Didot, s. d. — *Le Roman comique*. — [1651]. — Éd. Garnier, 1937.

SCHURÉ (Édouard), 1841-1929. — *Le Drame musical*. — 2 tomes. — Éd. Sandoz et Fischbacher, 1875. — *Les Grands Initiés : Esquisse d'une histoire secrète des religions*. — Éd. Perrin, 1889.

SCIPION (Marcel). — *L'Arbre au mensonge*. — [Seghers, 1980]. — Éd. Club France Loisirs, 1981. — *Le Clos du roi*. — [Seghers, 1978]. — Le Livre de Poche, n° 5236, 1979.

SCRIBE (Eugène), 1791-1861. — *Comédies et Drames, Comédies et Vaudevilles*, in *Œuvres complètes*. — 76 tomes. — Éd. E. Dentu, 1874-1875.

SÉDILLOT (Charles Emmanuel), 1804-1883. — *De l'influence des découvertes de M. Pasteur sur le progrès de la chirurgie*, dans les *Comptes rendus de l'Académie des sciences*, tome LXXXVI, janvier-juin 1878.

SEFRIOUI (Ahmed), 1915. — *La Boîte à merveilles*. — Éd. du Seuil, 1954. — (coll. «Méditerranée»).

SÉGUR (Philippe-Paul comte de), 1780-1873. — *Histoire de Napoléon et de la Grande Armée pendant l'année 1812*. — 2 tomes. — Éd. Baudoin, 1924.

SÉGUR (Sophie ROSTOPCHINE, comtesse de), 1799-1874. — *L'Auberge de l'Ange gardien*. — [1863]. — Éd. Hachette, 1979. — (coll. «Bibliothèque Rose»). — *Le Général Dourakine*. — [1866]. — Éd. Hachette, 1978. — (coll. «Bibliothèque Rose»). — *Les Vacances*. — [1859]. — Éd. Hachette, 1976. — (coll. «Bibliothèque Rose»).

SEIGNOBOS (Charles), 1854-1942. — *Essai d'une histoire comparée des peuples de l'Europe*. — Éd. Rieder, 1938. — *Histoire sincère de la nation française*. — Éd. Rieder, 1933.

SEMBÈNE (Ousmane). — *Vehi Ciosane*. — Éd. Présence Africaine, 1966.

SÉNAC DE MEILHAN (Gabriel), 1736-1803. — *Considérations sur l'esprit et les mœurs*. — Londres ; Paris : Éd. Prault, 1789. — *Des principes et des* causes de la Révolution. — Éd. Veuve Duchesne, 1790. — Œuvres philosophiques et littéraires. — 2 tomes. — Éd. B. G. Hoffmann, 1795.

SENANCOUR (Étienne PIVERT de), 1770-1846. — De l'Amour, selon les lois primordiales et selon les convenances des sociétés modernes. — [1828-1829]. — Éd. Mercure de France, 1925. — Oberman. — [1804]. — 2 tomes. — Éd. Arthaud, 1947. — Oberman, texte original de 1804, précédé du Journal intime d'Oberman, par André MONGLOND. — Éd. Arthaud, 1947.

SENEBIER (Jean), 1742-1809. — Essai sur l'art d'observer et de faire des expériences. — [2 tomes, 1775]. — 2e édition considérablement augmentée. — 3 tomes. — Genève : Éd. J. J. Paschoud, an X (1802).

SENGHOR (Léopold Sédar), 1906. — Chants d'ombre. — Éd. du Seuil, 1945. — Hosties noires. — Éd. du Seuil, 1948. — in Pages africaines. — Éd. Hatier, 1963-1966. — Poèmes. — Éd. du Seuil, 1964.

SERGENT (Alain). — Je suivis ce mauvais garçon. — Éd. La Jeune Parque, 1946.

SERGUINE (Jacques). — Éloge de la fessée. — [1973]. — Éd. Gallimard, 1976. — (coll. «Folio», no 837).

SERRES (Michel). — Hermès I : La Communication. — [1968]. — Éd. de Minuit, 1979. — (coll. «Critique»).

SÉVIGNÉ (Charles de), 1648-1713. — Lettres à Arnauld de Pomponne. — Éd. Annales S. Ac. de Nantes [1860]. — Lettres inédites, publiées par A. BOISLISLE [1866]. — cité in Mme de SÉVIGNÉ. — Correspondance.

SÉVIGNÉ (Marie de RABUTIN-CHANTAL, marquise de), 1629-1696. — Correspondance, texte établi et annoté par Émile GÉRARD-GAILLY. — 3 tomes. — [1953, 1955, 1957]. — Éd. Gallimard, 1953, 1960, 1963. — (coll. «Bibliothèque de la Pléiade»). — Lettres. — 18 tomes. — Éd. Hachette, 1862 (tomes I à XIII), 1866 (lexiques I et II), 1876 (tomes XV et XVI), 1868 (album).

SHAKESPEARE (William), 1564-1616. — The complete Works of William SHAKESPEARE. — London ; Glasgow : Éd. Collins Clear-type Press, s. d.

SIEGFRIED (André), 1875-1959. — L'Âme des peuples. — Éd. Hachette, 1950. — Le Canada, puissance internationale. — Éd. Armand Colin, 1937. — La Crise britannique au xxe siècle. — Éd. Armand Colin, 1932. — («Collection Armand Colin», no 142). — La Crise de l'Europe. — Éd. Calmann-Lévy, 1935. — (coll. «Questions d'Actualité»). — Les États-Unis d'aujourd'hui. — [1927]. — Éd. Armand Colin, 1948. — La Fontaine : Machiavel français. — Éd. Ventadour, 1955. — Vue générale de la Méditerranée. — Éd. Gallimard, 1943.

SIEYÈS (Emmanuel Joseph), 1748-1836. — Qu'est-ce que le Tiers-État? [1789], précédé de l'Essai sur les privilèges [1788], édition critique, avec une introduction par Edme CHAMPION. — Éd. Société de l'Histoire de la Révolution française, 1888.

SIGNAC (Paul), 1863-1935. — D'Eugène Delacroix au néo-impressionnisme. — [1899]. — Éd. Hermann, 1978. — (coll. «Savoir»).

SIGNORET (Simone), 1921. — La nostalgie n'est plus ce qu'elle était. — [1975]. — Éd. du Seuil, 1978. — (coll. «Points actuels», no A19).

SIMENON (Georges), 1903. — Œuvres complètes. — 72 tomes. — Éd. Rencontre, 1967-1973. — Antoine et Julie. — Éd. Presses de la Cité, 1960. — (coll. «Simenon», no 21). — Le Bourgmestre de Furnes. — [1939]. — Éd. Gallimard, 1977. — (coll. «Folio», no 931). — L'Écluse no 1. — [1933]. — Éd. Presses Pocket, no 1353, 1977. — Feux rouges. — [1953]. — Éd. Presses de la Cité, no 753, 1970. — Maigret chez le ministre. — Éd. Presses de la Cité, 1978. — (coll. «Maigret», no 24). — Maigret et la Vieille Dame. — Éd. Presses de la Cité, 1950. — (coll. «Maigret», no11). — Maigret et le Client du samedi. — Éd. Rencontre, 1962. — Maigret et le Clochard. — Éd. Rencontre, 1961. — Maigret et les Braves Gens. — Éd. Rencontre, 1961. — La Maison des sept jeunes filles. — [1941]. — Éd. Gallimard, 1969. — (coll. «Blanche»). — Les Mémoires de Maigret. — Éd. Presses Pocket, no 803, 1951. — Mémoires intimes. — Éd. Presses de la Cité, 1981. — Monsieur Gallet décédé. — Éd. Presses Pocket, no 1343. — Le Passager du «Polarlys». — Éd. Presses Pocket, no 1347, 1977. — Pedigree. — Éd. Presses de la Cité, 1948. — Pietr-le-Letton. — Éd. Rencontre, s. d. — Les Vacances de Maigret. — Éd. Presses de la Cité, 1948. — (coll. «Maigret», no 13).

SIMIAND (François), 1873-1935. — Le Salaire, l'Évolution sociale et la Monnaie. — 3 tomes. — Éd. Alcan, 1932.

SIMON (Claude), 1913. — Le Palace. — [Minuit, 1962]. — Éd. U. G. E., 1971. — (coll. «10/18», no 528). — La Route des Flandres. — [1960]. — Éd. de Minuit, 1963. — Le Vent : Tentative de restitution d'un retable baroque. — [1957]. — Éd. de Minuit, 1962.

SIMON (Jules), 1814-1896. — L'Ouvrière. — 5e éd. — Éd. Hachette, 1864.

SIMONIN (Albert), 1905-1980. — Confessions d'un enfant du siècle, tome I : Le Faubourg. — Éd. Gallimard, 1977. — (coll. «Blanche»). — Du mouron pour les petits oiseaux. — Éd. Gallimard, 1960. — (coll. «Blanche»). — Hotu soit qui mal y pense. — Éd. Gallimard, 1971. — Touchez pas au grisbi. — [1953]. — Le Livre de Poche, 1966. — Éd. Gallimard, 1972. — (coll. «Carré noir», no 94). — Le Petit Simonin illustré par l'exemple. — Éd. Gallimard, 1968.

SOLLERS (Philippe), 1936. — Femmes. — Éd. Gallimard, 1983. — (coll. «Blanche»). — Lois. — Éd. du Seuil, 1972. — (coll. «Tel Quel»). — Nombres. — Éd. du Seuil, 1968. — (coll. «Tel Quel»).

SOREL (Claude), 1602-1674. — Vraye histoire comique de Francion. — [1622]. — (cité in LITTRÉ).

SOREL (Georges), 1867-1922. — Réflexions sur la violence. — [1908]. — Éd. Rivière, 1910.

SOUBIRAN (André), 1910. — Les Hommes en blanc. — 3 tomes. — Éd. S. E. G. E. P., 1955.

SOUCY (Jean-Yves). — Un dieu chasseur. — Éd. Presses de l'Université de Montréal, 1976.

SOULARY (Joseph-Marie, dit Joséphin). — Sonnets humoristiques. — Lyon : Éd. L. Perrin, 1858.

SOURY (Jules), 1842-1915. — cité in BARRÈS (Maurice). — Mes cahiers. — Éd. Plon, 1929-1950.

SOUZA (Adélaïde, marquise de). — Œuvres complètes. — 6 tomes. — Éd. A. Eymery, 1821-1822.

SPULLER (Eugène), 1835-1896. — cité in Journal officiel, 4 mars 1894.

STAËL (Germaine NECKER, baronne de STAËL-HOLSTEIN, dite madame de), 1766-1817. — Corinne ou l'Italie. — [1807]. — Éd. Garnier, 1931. — De l'Allemagne. — 2 tomes. — Éd. Garnier, 1932. — De la littérature considérée dans ses rapports avec les institutions sociales. — [1800]. — Éd. Charpentier, 1842. — De l'influence des passions... [1796], in Correspondance, tome I. — Éd. J.-J. Pauvert, 1962. — Delphine. — [1802]. — Éd. Charpentier, 1839.

STAHL (P. J., pseudonyme de l'éditeur Pierre-Jules HETZEL), 1814-1886. — Édition des œuvres de Chamfort : Pensées, Maximes, Anecdotes, précédées de l'Histoire de Chamfort. — Éd. Hetzel, 1860.

STENDHAL (Henri BEYLE, dit), 1783-1842. — Correspondance. — 3 tomes. — Éd. Gallimard, 1963, 1967, 1968. — (coll. «Bibliothèque de la Pléiade»). — Œuvres intimes : Journal, Souvenirs d'égotisme. — [1955]. — Éd. Gallimard, 1956. — (coll. «Bibliothèque de la Pléiade»). — Romans et Nouvelles. — 2 tomes. — Tome I : Armance [1827] ; Le Rouge et le Noir [1830] ; Lucien Leuwen [1836]. — Tome II : La Chartreuse de Parme [1839] ; Chroniques italiennes [1855] ; Romans et Nouvelles [1842] ; Lamiel [1842]. — Éd. Gallimard, 1947, 1952. — (coll. «Bibliothèque de la Pléiade»). — Voyages en Italie : Rome, Naples et Florence en 1817 ; L'Italie en 1818 ; Rome, Naples et Florence (édition de 1826) ; Promenades dans Rome. — Éd. Gallimard, 1973. — (coll. «Bibliothèque de la Pléiade»). — Correspondance. — Éd. Charpentier, s. d. — De l'amour. — [1822]. — Éd. Cluny, 1947. — Lettres inédites. — Éd. Charpentier, 1893. — in L'Œuvre de Stendhal, par Henri MARTINEAU. — Éd. Albin Michel, 1951. — Promenades dans Rome. — [1829]. — 2 tomes. — Éd. Calmann-Lévy, 1924. — Racine et Shakespeare [1823], édité par P. MARTINO. — 2 tomes. — Éd. Champion, 1925. — Le Rouge et le Noir. — Éd. Garnier, 1939. — Éd. Armand Colin, s. d. — Souvenirs d'égotisme. — [1823]. — Éd. Charpentier, 1893. — Vie de Rossini. — [1824]. — Éd. Auguste Boulland, 1824.

STIERNET (Hubert), 1863-1939. — Le Roman du tonnelier. — [1922]. — Bruxelles : Éd. Labor, 1980.

STROWSKI (Fortunat). — Montaigne, sa vie publique et privée. — Éd. de la Nouvelle Revue Critique, 1938.

SUARÈS (Félix André-Yves SCANTREL, dit André), 1868-1948. — Trois hommes : Pascal, Ibsen, Dostoïevski. — [1913]. — Éd. Gallimard, 1950. — (coll. «Blanche»). — Valeurs. — Éd. Grasset, 1936. — Voyage du Condotierre. — 3 tomes. — Éd. Émile-Paul, 1910-1932. — Vues sur l'Europe. — Éd. Grasset, 1939. — Vues sur Napoléon. — Éd. Grasset, 1933.

SUE (Marie-Joseph, dit Eugène), 1804-1857. — Le Colonel de Surville; Godolphin Arabian. — Éd. Au bureau du Siècle, 1857. — Les Mystères de Paris. — 10 tomes. — Éd. Gosselin, 1842-1843.

SULLY (Maximilien de BÉTHUNE, duc de), 1560-1641. — Mémoires. — [1638-1662]. — Éd. Gallimard, 1942. — (coll. «Mémoires du Passé pour servir au Temps présent»).

SULLY PRUDHOMME (Armand PRUDHOMME, dit), 1839-1907. — Choix de poésies. — Éd. Alphonse Lemerre, 1928.

SUPERVIELLE (Jules), 1884-1960. — L'Enfant de la haute mer. — [1931]. — Éd. Gallimard, 1947. — (coll. «Blanche»). — La Fable du monde. — Éd. Gallimard, 1938. — (coll. «Blanche»). — Gravitations. — [1925]. — Éd. Gallimard, 1949. — (coll. «Blanche»).

SURVILLE DE BALZAC (Laure), 1800-1871. — Lettres : 1831-1837. — Éd. Plon, 1932.

SUYIN (Han). — Pourquoi je suis bourgeoise, catholique et maoïste, in Planète, no 4, février 1969.

Tableau de la littérature française : De Madame de Staël à Rimbaud. — Éd. Gallimard. — (coll. «Blanche»).

TABOUROT DES ACCORDS (Étienne), 1549-1590. — Les Bigarrures du seigneur Des Accords. — [1582]. — 3 tomes. — Bruxelles : Éd. Mertens, 1866.

TAILHADE (Laurent), 1854-1919. — Au pays du mufle. — Éd. Léon Vanier, 1891. — Le Jardin des rêves. — Éd. Alphonse Lemerre, 1880. — Quelques fantômes de jadis : Verlaine, Charles Cros... — Édition Française Illustrée, 1920. — Éd. Messein, 1943.

TAILLET, XVIIe s. — Cité par Achille DELBOULLE. — Matériaux pour servir à l'historique du français. — Éd. H. Champion, 1880.

TAINE (Hippolyte), 1828-1893. — De l'intelligence. — 2 tomes. — [1870]. — Éd. Hachette, 1927, 1938. — Derniers essais de critique et d'histoire. — [1893]. — Éd. Hachette, 1923. — Essais de critique et d'histoire. — [1858]. — Éd. Hachette, 1920. — Histoire de la littérature anglaise. — 4 tomes. — [1863-1864]. — Éd. Hachette, 1866. — in Hippolyte Taine : Études et Documents, par Victor GIRAUD. — Éd. Vrin, 1928. — Nouveaux essais de critique et d'histoire. — [1865]. — Éd. Hachette, s. d. — Les Origines de la France contemporaine. — [1875-1893]. — Éd. Hachette, 1947. — Philosophie de l'art. — [Baillière, 1865]. — 2 tomes. — Éd. Hachette, 1948.

TALLEMANT DES RÉAUX (Gédéon), 1619-1692. — *Historiettes*. — [1657]. — 6 tomes. — Éd. Monmesqué et Taschereau, 1833-1835.

TALLEYRAND (Charles Maurice de TALLEYRAND-PÉRIGORD), 1754-1838. — *Correspondance diplomatique*, publiée par G. PALLAIN. — 3 tomes. — Éd. Plon-Nourrit, 1887-1891. — *Mémoires du prince de Talleyrand*, publiés avec une préface et des notes par le duc de BROGLIE. — 5 tomes. — Éd. Michel Lévy, 1891-1892. — cité par JAURÈS (Jean). — *Histoire socialiste de la Révolution française*. — cité par LACOMBE (Guy de). — *Vie privée de Talleyrand*. — cité par MADELIN (Louis). — *Talleyrand*. — cité par SAINT-AULAIRE (comte de). — *Talleyrand*.

TANUSI (Gilbert). — *Requiem pour Woona*. — [Denoël, 1970]. — Lausanne : Éd. Ex Libris, 1980.

TARDE (Gabriel de), 1843-1904. — *Les Lois de l'imitation*. — Éd. Félix Alcan, 1890. — *L'Opinion et la Foule*. — [1901]. — Éd. Félix Alcan, 1922. — cité in BOUGLÉ (C.), RAFFAULT (J.). — *Éléments de sociologie*. — Éd. Félix Alcan, 1929.

TEILHARD DE CHARDIN (père Pierre), 1881-1955. — *L'Apparition de l'homme*, in *Œuvres*, tome II. — Éd. du Seuil, 1956. — *Œuvres*. — 13 tomes. — Éd. du Seuil, 1955-1976. — *Le Phénomène humain*. — Éd. Deckers, 1938. — in *Œuvres*, tome I. — Éd. du Seuil, 1955.

TEISSERENG (P.). — *Le Dieu des autres*. — Éd. U.G.E., 1975. — (coll. «10/18», n° 996).

TENCIN (Claudine Alexandrine GUÉRIN de), 1681-1749. — *Œuvres*. — 7 tomes. — À Amsterdam ; Paris : rue et hôtel Serpente, 1786.

TESTELIN (Henri), 1616-1695. — *Mémoires pour servir à l'histoire de l'Académie royale de peinture et de sculpture depuis 1648 jusqu'en 1664*, publiés par M. Anatole de MONTAIGLON. — 2 tomes. — Éd. P. Jannet, 1853. — (coll. «Bibliothèque elzévirienne»). — cité par JOUIN (Henry), 1841-1913, in *Conférences de l'Académie de peinture*.

THARAUD (Jérôme), 1874-1953, THARAUD (Jean), 1877-1952. — *Fez ou les Bourgeois de l'Islam*. — Éd. Plon, 1930. — *Marrakech ou les Seigneurs de l'Atlas*. — [1920]. — Éd. Plon, 1951. — *L'Ombre de la croix*. — Éd. Plon, 1920. — *Quand Israël est roi*. — Éd. Plon, 1921. — *Rabat ou les Heures marocaines*. — Éd. Plon, 1951.

THÉRIVE (Roger PUTHOSTE, dit André), 1891-1967. — *La Revanche*. — Éd. Bernard Grasset, 1925. — *Sans âme*. — Éd. Bernard Grasset, 1928. — *Les Voix du sang*. — Éd. Bernard Grasset, 1955.

THEURIET (André), 1833-1907. — *Poésies*. — [1879]. — Éd. Lemerre, 1881. — cité in *La Revue des Deux-Mondes*, 1er octobre 1874.

THEVET (André), 1503-1592. — *La Cosmographie universelle*. — 2 tomes. — Éd. G. Chaudière, 1575.

THIBAUDET (Albert), 1874-1936. — *Gustave Flaubert*. — Éd. Gallimard, 1935. — *Histoire de la littérature française de 1789 à nos jours*. — [1936]. — Éd. Stock, 1952. — *Réflexions sur la littérature*. — [1938]. — Éd. Gallimard, 1939. — (coll. «Blanche»).

THIERRY (Augustin), 1795-1856. — *Dix ans d'études historiques*. — Éd. J. Tessier, 1835. — *Lettres sur l'histoire de France pour servir d'introduction à l'étude de cette histoire*. — [Sautelet ; Ponthieu, 1827]. — Éd. Garnier, s.d. — *Récits des temps mérovingiens*. — 2 tomes. — Éd. Tessier, 1840.

THIERS (Adolphe), 1797-1877. — *Histoire du Consulat et de l'Empire*. — 21 tomes. — Éd. Paulin, 1845-1869. — *Histoire de la Révolution française*. — 10 tomes. — [1823-1827]. — 14e éd. — Éd. Furne, 1858.

THIRY (Marcel), 1897-1977. — *Nouvelles du grand possible*. — Liège : Éd. Lettres Belges, 1960. — *Œuvres complètes : 1924-1974*. — Éd. Seghers, 1975. — *Statue de la fatigue*. — Liège : Éd. Le Balancier, 1975.

TILLIER (Claude), 1801-1844. — *Mon oncle Benjamin*. — Éd. Nelson, 1843.

TOCQUEVILLE (Alexis CLÉREL de), 1805-1859. — *L'Ancien Régime et la Révolution*. — Éd. Michel Lévy frères, 1856. — Éd. Gallimard, 1964. — (coll. «Idées», n° 55). — *De la démocratie en Amérique*. — 4 tomes. — Éd. Gosselin, 1835 (tomes I et II), 1840 (tomes III et IV). — *Œuvres complètes*. — [Michel Lévy, 1860-1865]. — édition publiée sous la direction de J.-P. MAYER. — tomes I à IX. — Éd. Gallimard, 1951-1959.

TÖPFFER (Rodolphe), 1799-1846. — *Voyages en zigzag...* — [édition autographiée. — À Genève, 1839]. — Éd. Garnier, 1850. — Éd. Gautier, 1897. — (coll. «Bibliothèque de voyages, de chasses et d'aventures»).

TORY (Geoffroy), v. 1480-v. 1533. — *Champ Fleury...* — publié par G. TORY et G. GOURMONT en 1529. — Traduction de PLUTARQUE. — [1529]. — (cité in HUGUET).

TOULET (Paul-Jean), 1867-1920. — *Les Contrerimes*. — [1921]. — Éd. Émile-Paul, 1949. — *La Jeune Fille verte*. — [1919]. — Éd. Émile-Paul, 1945.

TOURNIER (Michel), 1924. — *Les Météores*. — Éd. Gallimard, 1975. — (coll. «Blanche»). — *Le Roi des Aulnes*. — Éd. Gallimard, 1970. — (coll. «Blanche»). — *Vendredi ou les Limbes du Pacifique*. — [1967]. — Éd. Gallimard, 1974. — (coll. «Folio», n° 959). — *Le Vent Paraclet*. — Éd. Gallimard, 1977. — (coll. «Blanche»).

TRAORÉ (I. B.). — *Contes et Récits du terroir*. — Bamako : Éditions Populaires du Mali, 1970.

TRAZ (Robert de). — *La Blessure secrète*. — Genève : Éd. du Milieu du Monde, 1944.

TREMBLAY (Michel), 1942. — *Contes pour buveurs attardés*. — Montréal : Éd. du Jour, 1966. — in *Littératures de langue française hors de France*.

TRIOLET (Elsa), 1896-1970. — *Les Amants d'Avignon*, sous le pseudonyme de L. DANIEL. — Éd. de Minuit, 1943. — *Bonsoir Thérèse*. — [1938]. — Éd. Gallimard, 1978. — *Le Cheval roux ou les Intentions humaines*. — Éd. Gallimard, 1953. — (coll. «Blanche»). — *Mille regrets*, sous le pseudonyme de L. DANIEL. — Éditions Sociales, 1941. — *Le premier accroc coûte deux cents francs*. — [1944]. — Éd. Denoël, 1945.

TRISTANI (Jean-Louis). — *Le Stade du respir*. — Éd. de Minuit, 1978. — (coll. «Critique»).

TROYAT (Lev TARASSOV, dit Henri), 1911. — *L'Araigne*. — Éd. Plon, 1938. — *Les Eygletière*. — 3 tomes. — Tome I : *Les Eygletière*. — Tome II : *La Faim des lionceaux*. — Tome III : *La Malandre*. — Éd. Flammarion, 1965, 1966, 1967. — *Faux jour*, in *Classe de français*, 1956. — *La Fosse commune : Nouvelles*. — Éd. Plon, 1939. — *Le Front dans les nuages*. — [Flammarion, 1977]. — Lausanne : Éd. Ex Libris, 1977. — *Les Héritiers de l'avenir*. — 3 tomes. — Tome II : *Cent un coups de canon*. — Éd. Flammarion, 1969. — *La Lumière des justes*. — 5 tomes. — Tome IV : *Les Dames de Sibérie*. — Éd. Flammarion, 1962. — *La Pierre, la Feuille et les Ciseaux*. — Éd. Flammarion, 1972. — *Le Prisonnier N° 1*. — Éd. Flammarion, 1978. — *La Rencontre*. — [Plon, 1958]. — Nyon (Suisse) : Éd. Les Éditeurs associés. — *Le Sac et la Cendre*. — [1948]. — 2 tomes. — Éd. Gallimard, 1972. — (coll. «Folio», nos 180 et 181). — *Les Semailles et les Moissons*. — 5 tomes. — Tome I : *Les Semailles et les Moissons*. — [Plon, 1953]. — Tome II : *Amélie*. — [Plon, 1953]. — Tome III : *La Grive*. — [Plon, 1956]. — Tome IV : *Tendre et violente Élisabeth*. — [Plon, 1957]. — Nyon (Suisse) : Éd. Les Éditeurs associés. — *La Tête sur les épaules*. — [1938]. — Éd. Plon, 1970. — *Une extrême amitié*. — Éd. La Table Ronde, 1963. — *Le Vivier*. — Éd. Ferenczi, 1941.

T'SERSTEVENS (Albert), 1886-1974. — *L'Itinéraire espagnol*. — [Plon, 1933]. — Éd. Arthaud, 1963. — *Itinéraires de la Grèce continentale*. — Éd. Arthaud, 1961. — *L'Or du «Cristobal»*. — [1919]. — Le Livre de Poche, n° 616, 1960.

TURGOT (Jacques, baron de L'AULNE), 1727-1781. — *Œuvres complètes*, publiées par DUPONT de NEMOURS. — 9 tomes. — Éd. Delance ; A. Belin, 1808-1811.

TZARA (Samy ROSENSTOCK, dit Tristan), 1896-1963. — *Commentaire sur les épreuves d'«Alcools»*. — Éd. Club du meilleur livre, s.d. — *Dada*. — réimpression intégrale et dossier critique de la revue publiée de 1916 à 1922 par Tristan TZARA. — Nice : Éd. Centre du 20e siècle, 1978. — *L'Homme approximatif*. — [1931]. — Éd. Gallimard, 1968. — (coll. «Poésie», n° 28). — *Picasso*. — Éd. Skira, s.d. — *Le Surréalisme et l'Après-guerre*. — [1947]. — Éd. Nagel, 1948.

VAILLAND (Roger), 1907-1965. — *Bon pied, bon œil*. — [Corréa, 1950]. — Le Livre de Poche, n° 1387, 1966. — *Drôle de jeu*. — [Corréa, 1945]. — Le Livre de Poche, n° 640, 1972. — *La Loi*. — Éd. Gallimard, 1957. — (coll. «Blanche»). — *325 000 francs*. — [1955]. — Le Livre de Poche, n° 986, 1966.

VAIR (Guillaume du), 1556-1621. — *Œuvres*. — [Paris, 1641]. — Éd. Slatkine, 1970. — (Fac-sim.).

VALENCIENNES (Achille), 1794-1865. — in *Dictionnaire universel d'histoire naturelle*, dirigé par Charles d'ORBIGNY. — 16 tomes. — Éd. Renart et Martinet. 1841-1849.

VALÉRY (Paul), 1871-1945. — **Cahiers**. — 2 tomes. — Éd. Gallimard, 1973, 1974. — (coll. «Bibliothèque de la Pléiade»). — *Œuvres*. — 2 tomes. — Éd. Gallimard, 1957, 1960. — (coll. «Bibliothèque de la Pléiade»). — *Analecta*. — [1926]. — Éd. Gallimard, 1935. — *Autres rhumbs*. — Éd. Gallimard, 1934. — *Cahiers*. — 29 volumes. — Éd. Centre National de la Recherche Scientifique, 1957-1961. — *Degas, Danse, Dessin*. — [1936]. — Éd. Gallimard, 1946. — *Eupalinos ou l'Architecte* [1923], suivi de *L'Âme et la Danse* [1921], et du *Dialogue de l'arbre* [1944]. — Éd. Gallimard, 1948. — (coll. «Blanche»). — *L'Idée fixe ou Deux hommes à la mer*. — Éd. Gallimard, 1933. — (coll. «Blanche»). — *Mauvaises pensées et autres*. — [1942]. — Éd. Gallimard, 1956. — (coll. «Blanche»). — *Mélange*. — [1941]. — Éd. Gallimard, 1950. — (coll. «Blanche»). — *Mon Faust : Ébauches*. — [1941]. — Éd. Gallimard, 1949. — (coll. «Blanche»). — *Monsieur Teste*. — [1896-1929]. — Éd. Gallimard, 1948. — *Poésies*. — Éd. Gallimard, 1945. — (coll. «Blanche»). — *Regards sur le monde actuel et autres essais*. — [1931]. — Éd. Gallimard, 1947. — (coll. «Blanche»). — *Rhumbs*. — Éd. Gallimard, 1933. — *Suite*. — Éd. Gallimard, 1934. — *Tel quel II*. — [1943]. — Éd. Gallimard, 1971. — (coll. «Idées», n° 241). — *Variété*. — [1924]. — Éd. Gallimard, 1948. — (coll. «Blanche»). — *Variété II*. — [1930]. — Éd. Gallimard, 1950. — (coll. «Blanche»). — *Variété III*. — [1936]. — Éd. Gallimard, 1949. — (coll. «Blanche»). — *Variétés IV*. — [1938]. — Éd. Gallimard, 1947. — (coll. «Blanche»). — *Variété V*. — [1944]. — Éd. Gallimard, 1948. — (coll. «Blanche»).

VALLÈS (Jules), 1832-1885. — *Jacques Vingtras*. — 3 tomes. — Tome I : *L'Enfant*. — [1879]. — Éd. Fasquelle, 1944. — Tome II : *Le Bachelier*. — [1881]. — Éd. Fasquelle, 1947. — Tome III : *L'Insurgé*. — [1885]. — Les Éditeurs Français Réunis, 1950. — Éd. La Fenêtre Ouverte, 1953. — (coll. «Le Bel Aujourd'hui»). — *Le Proscrit*, correspondance avec Arthur ARNOULD, avec une préface et des notes par Lucien SCHELER. — Éd. Les Éditeurs Français Réunis, 1950. — *La Rue à Londres*. — [Charpentier, 1884]. — Éd. Les Éditeurs Français Réunis, 1955.

VALLOTON (Benjamin), 1877-1962. — *Monsieur Potterat se marie.* — [1905]. — Lausanne : Éd. F. Rouge, 1917.

VALLOTTON (Félix), 1865-1925. — *Corbehaut.* — Lausanne : Éd. Le Livre du mois, 1970.

VAN DER MEERSCH (Maxence), 1907-1951. — *L'Élu.* — Éd. Albin Michel, 1937. — *Invasion 14.* — [Albin Michel, 1935]. — 2 tomes. — Éd. Club du Livre sélectionné. — *La Maison dans la dune.* — Éd. Albin Michel, 1938.

VAN LERBERGHE (Charles), 1861-1907. — *La Chanson d'Ève.* — [1904]. — Bruxelles : Éd. Renaissance du Livre, 1943. — *Entrevisions.* — [1898]. — Bruxelles : Nouvelle Société d'Éditions, 1936.

VAUBAN (Sébastien LE PRESTRE de), 1633-1707. — *Projet d'une dîme royale* [1707], in *Économistes financiers du XVIIIᵉ siècle,* par Eugène DAIRE. — Éd. Guillaumin, 1943. — («Collection des principaux économistes»).

VAUCHER-DESCHAMPS (Georges). — *Méandres sauvages.* — Neuchâtel : Éd. de la Baconnière, 1977.

VAUTEL (Clément), 1876-1954. — *Mon curé chez les pauvres.* — Éd. Albin Michel, 1925. — *Mon curé chez les riches.* — Éd. Albin Michel, 1923.

VAUTRIN (Denyse). — *Le Tourbillon des jours.* — 3 tomes. — Tome I : *Les Noces de Corrèze.* — Tome II : *L'Heure d'été.* — Tome III : *Le Reste de l'âge.* — Éd. Denoël, 1976-1977.

VAUVENARGUES (Luc de CLAPIERS, marquis de), 1715-1747. — *Maximes et Réflexions.* — [1746]. — Éd. Librairie Somogy, s. d. — *Réflexions ou Sentences et Maximes morales.* — Éd. Garnier, 1957. — (coll. «Classiques Garnier»).

VÉBER (Pierre), 1869-1942. — *Fardeau de la jeunesse,* cité in DAMOURETTE (Jacques), PICHON (Édouard). — *Essais de grammaire de la langue française.* — Éd. d'Artrey, 1911-1952.

VERCEL (Roger), 1894-1957. — *Capitaine Conan.* — [Albin Michel, 1934]. — Le Livre de Poche, nᵒ 9, 1965. — *La Clandestine.* — Éd. Albin Michel, 1941. — *L'Île des revenants.* — Éd. Albin Michel, 1954. — *Remorques.* — [1935]. — Éd. Albin Michel, 1951. — *Sous le pied de l'archange.* — Éd. Albin Michel, 1937.

VERCORS (Jean BRULLER, dit), 1902. — *Le Sable du temps.* — [1945]. — Éd. Émile-Paul, 1946. — *Le Silence de la mer.* — [1942]. — Éd. de Minuit, 1944.

VERGNIAUD (Pierre), 1753-1793. — *Œuvres de Vergniaud, Guadet, Gensonné,* recueillies et annotées par A. VERMOREL. — Éd. F. Cournol, 1866.

VERHAEREN (Émile), 1855-1916. — *Les Forces tumultueuses.* — Bruxelles : Éd. E. Deman, 1902. — *Les Villages illusoires.* — Éd. Mercure de France, 1895. — *Les Villes tentaculaires* [1895], précédées de *Campagnes hallucinées* [1893]. — Éd. Mercure de France, 1922.

VERLAINE (Paul), 1844-1896. — *La Bonne Chanson* [1870], avec *Amour* [1888], *Bonheur* [1891], et *Chansons pour elle* [1891]. — Éd. Cluny, 1948. — *Fêtes galantes* [1869], avec *Jadis et Naguère* [1884]. — Éd. Cluny, 1948. — *Odes en son honneur* [1893], avec *Élégies* [1893], et *Poèmes divers.* — Éd. Cluny, 1948. — *Parallèlement* [1889], avec *Invectives* [1896]. — Éd. Cluny, 1947. — *Poèmes saturniens* [1866]. — Éd. Cluny, 1947. — *Romances sans paroles* [1874], avec *Dédicaces* [1890], et *Épigrammes* [1894]. — Éd. Cluny, 1948. — **Œuvres poétiques complètes.** — [1938]. — Éd. Gallimard, 1951. — (coll. «Bibliothèque de la Pléiade»).

VERNE (Jules), 1828-1905. — *Autour de la Lune.* — [Hetzel, 1870]. — Le Livre de Poche, nᵒ 2035, 1966. — *Les Cinq Cents Millions de la Bégum.* — [Hetzel, 1879]. — Le Livre de Poche, nᵒ 2032. — *Le Docteur Ox.* — [Hetzel, 1874]. — Le Livre de Poche, nᵒ 2042, 1976. — *Les Enfants du Capitaine Grant.* — [Hetzel, 1868]. — 3 tomes. — Éd. Hachette, 1930. — *L'Étoile du Sud.* — [Hetzel, 1884]. — Éd. G. P. Rouge et Or, 1979. — *L'Île à hélice.* — [Hetzel, 1895]. — Éd. Hachette, 1977. — (coll. «Bibliothèque Verte»). — *L'Île mystérieuse.* — Éd. Hetzel, 1874. — 2 tomes. — Le Livre de Poche, nᵒˢ 2038 et 2039, 1971. — *La Maison à vapeur : Voyage à travers l'Inde septentrionale.* — Éd. Hetzel, 1880. — *Maître Zacharius.* — [1854]. — Éd. Hachette, 1966. — *Michel Strogoff.* — [Hetzel, 1876]. — Le Livre de Poche, nᵒ 2034, 1966. — *Le Pays des fourrures.* — [1873]. — 2 tomes. — 6ᵉ éd. — Éd. Hetzel, s. d. — *Robur le Conquérant.* — Éd. Hetzel, 1886. — *Le Tour du monde en 80 jours.* — [Hetzel, 1873]. — Le Livre de Poche, nᵒ 2025, 1965. — *Un drame dans les airs.* — Éd. Hetzel, 1874. — *Un hivernage dans les glaces.* — [Hetzel, 1855]. — Éd. Hachette, 1966. — *Vingt mille lieues sous les mers.* — [Hetzel, 1869]. — Le Livre de Poche, nᵒ 2033, 1966.

VERTOT (René, abbé de), 1655-1735. — *Histoire des chevaliers hospitaliers de Saint-Jean de Jérusalem appelés depuis les chevaliers de Rhodes, et aujourd'hui les chevaliers de Malte.* — 4 tomes. — Éd. Rollin, Quillau et Desaint, 1726. — *Histoire des révolutions arrivées dans le gouvernement de la République romaine.* — 3 tomes. — Éd. F. Barois, 1719. — *Histoire des révolutions du Portugal.* — À Amsterdam, 1712.

VÉRY (Pierre), 1900-1960. — *Les Disparus de Saint-Agil.* — Éd. Club des Jeunes Amis du Livre, 1958.

VEUILLOT (Louis), 1813-1883. — *Œuvres complètes.* — [1830-1883]. — 39 tomes. — Éd. P. Lethielleux, 1924-1938.

VÉZINET (Paul). — *Pages africaines.* — 3 tomes. — Éd. Hatier, 1963-1966.

VIALAR (Paul), 1898. — *La Chasse aux hommes.* — 2 tomes. — Éd. Plon, 1972. — *La Grande Meute.* — [Denoël, 1955]. — Le Livre de Poche, nᵒ 266-267. — *Les Invités de la chasse.* — Éd. Flammarion, 1969. — *Mon seul amour.* — Éd. Flammarion, 1971. — *Risques et Périls.* — Éd. Donat, 1948.

VIAN (Boris), 1920-1959. — *L'Arrache-cœur.* — [1953]. — Le Livre de Poche, nᵒ 2398, 1968. — *L'Automne à Pékin.* — [1947]. — Éd. de Minuit, 1967. — *L'Écume des jours.* — [1947]. — Éd. J.-J. Pauvert, 1967. — *Textes et Chansons.* — Éd. Julliard, 1966. — **Théâtre.** — Éd. J.-J. Pauvert, 1965. — *Vercoquin et le Plancton.* — [1946]. — Éd. Éric Losfeld, 1965. — Éd. Gallimard, 1973. — (coll. «Folio», nᵒ 374).

VIAU (Théophile de), 1590-1626. — *Œuvres poétiques.* — Éd. Garnier, 1925.

VICAIRE (Gabriel), 1848-1900. — *Les Quatre Saisons.* — Éd. A. Lemerre, s. d.

VICTOR (Paul-Émile), 1907. — *Banquise.* — Éd. Grasset, 1939.

VIGÉE (Louis Jean-Baptiste), 1758-1820. — *Les Aveux difficiles : Comédie.* — Éd. Veuve Duchesne, 1783.

VIGNEAULT (Gilles), 1928. — *Mon pays,* chanson citée in *Littératures de langue française hors de France.* — Voir ce titre.

VIGNY (Alfred, comte de), 1797-1863. — *Cinq-Mars.* — [1826]. — Éd. Delloye et Lecou, 1838. — *Journal d'un poète.* — [1867]. — édition définitive. — Éd. Librairie Delagrave, 1921. — **Œuvres complètes,** tome I. — Éd. Gallimard, 1948. — (coll. «Bibliothèque de la Pléiade»). — **Poésies complètes :** *Poèmes antiques et modernes* [1837], *Les Destinées* [1863], *Poèmes retranchés.* — Éd. Garnier, 1925. — (coll. «Classiques Garnier»). — *Servitude et Grandeur militaires.* — [1835]. — Éd. Cluny, 1948.

VIGO (René). — *Les Hommes en noir.* — [S. E. G. E. P., 1953]. — 3 tomes. — Éd. Club du Livre du mois.

VILDRAC (Charles), 1882-1971. — *La Brouille.* — [1930]. — Éd. L'Illustration, 1931. — *Le Paquebot Tenacity.* — [1920]. — Éd. Gallimard, 1934.

VILLEMAIN (Abel François), 1790-1870. — *Nouveaux mélanges historiques et littéraires.* — Éd. Ladvocat, 1827. — *Souvenirs contemporains d'histoire et de littérature.* — 2 tomes. — Éd. Didier, 1854, 1855.

VILLIERS DE L'ISLE-ADAM (Auguste, comte de), 1838-1889 — *Axël.* — [1890]. — Éd. Maison Quantin, 1890. — *Contes cruels.* — [1883]. — Éd. Librairie José Corti, 1954. — *Tribulat Bonhomet.* — [1887]. — Éd. Marabout, 1973. — (coll. «Fantastique»).

VILLON (François), v. 1431-apr. 1463. — *Œuvres.* — Éd. Garnier, 1951. — (coll. «Classiques Garnier»).

Violier des histoires romaines moralisez sur les nobles gestes, faictz vertueulx et anciennes cronicques des Romains, fort recreatif et moral (Le). — [Éd. Jehan de La Garde, 1521]. — édition revue et augmentée par Pierre et Gustave BRUNET. — Éd. P. Jannet, 1858. — (coll. «Bibliothèque elzévirienne»).

VIVIER (Robert), 1894. — *Au bord du temps.* — Marseille : Éd. Cahiers du Sud, 1936. — *Des nuits et des jours.* — Éd. Seghers, 1968. — cité in *Littératures de langue française hors de France.*

VOGUE (Anne de), GRASSET (Sonia). — *S. O. S. Hôpitaux.* — Éd. Gallimard, 1977.

VOGÜÉ (Charles Melchior de), 1829-1916. — *Fragments d'un journal de voyage en Orient : Côtes de la Phénicie.* — Éd. E. Thunot, 1855.

VOITURE (Vincent), 1597-1648. — *Lettres,* in *Œuvres,* éditées par Amédée ROUX. — Éd. Firmin-Didot, 1858.

VOLKOFF (Vladimir), 1932. — *Le Retournement.* — Éd. Julliard, 1979.

VOLNEY (Constantin François de CHASSEBŒUF, comte de), 1757-1820. — *Les Ruines ou Méditations sur les révolutions des empires.* — [1791]. — Éd. Desenne, 1792.

VOLTAIRE (François-Marie AROUET, dit), 1694-1778. — **Œuvres.** — 70 tomes. — Tome I : *Vie de Voltaire.* — Tomes II à IX : *Théâtre.* — Tome X : *La Henriade* [1723]. — Tome XI : *La Pucelle d'Orléans* [1762]. — Tomes XII à XIV : *Poésies.* — Tomes XV à XVIII : *Essai sur les mœurs* [1756]. — Tomes XIX à XXIX : *Histoire-Politique.* — Tome XXX : *Physique.* — Tomes XXXI à XXXV : *Philosophie.* — Tome XXXVI à XLII : *Dictionnaire philosophique.* — Tomes XLIII et XLIV : *Romans.* — Tome XLV : *Facéties.* — Tomes XLVI et XLVII : *Mélanges littéraires.* — Tomes XLVIII et XLIX : *Commentaires sur Corneille* [1764]. — Tomes L à LV : *Correspondances.* — Tomes LVI à LXIX : *Correspondance générale.* — Tome LXX : *Table analytique.* — Éd. A. Lequien, 1820-1826.
Autre édition : *Dialogues et Anecdotes philosophiques.* — *Dictionnaire philosophique.* — *Lettres choisies.* — *Lettres philosophiques.* — *Romans.* — *Théâtre.* — Éd. Garnier, s. d.

VOLTAIRE, 1694-1778, HOLBACH (Paul-Henri, baron d'), 1723-1789. — *Le Bon Sens du curé J. Merlier, suivi de son testament.* — [1830]. — publié sous la direction de Constantin CASTÉRA, s. d. — (coll. «Scripta Manent»).

WALDECK-ROUSSEAU (René), 1846-1904. — *Discours.* — 7 tomes. — Éd. Fasquelle, 1900-1906. — *Plaidoyers.* — 2 tomes. — Éd. Fasquelle, 1906.

WATELET (Claude-Henri), 1718-1786. — *L'Art de peindre.* — [1760]. — Éd. Slatkine, 1969. — *Dictionnaire des beaux-arts.* — 2 tomes. — Éd. Panckoucke, 1788.

WEIL (Simone), 1909-1943. — *La Condition ouvrière* [1951], in *Classe de français,* 1953-1954. — *La Connaissance surnaturelle.* — [1949]. — Éd. Gallimard, 1950. — (coll. «Espoir»). — *La Pesanteur et la Grâce.* — [1947]. — Éd. U. G. E., 1963. — (coll. «10/18», nᵒ 2).

WEISS (Jean-Jacques), 1827-1891. — *À propos de théâtre.* — Éd. Calmann-Lévy, 1893.

WEYGAND (Maxime, général), 1867-1965. — *Mémoires.* — 3 tomes. — Tome I : *Idéal vécu.* — Tome II : *Mirages et Réalités.* — Tome III : *Rappelé au service.* — Éd. Flammarion, 1953, 1957, 1957.

WILLY (Henry GAUTHIER-VILLARS, dit), 1859-1931. — Voir COLETTE.

WITTIG (Monique), 1935. — *Le Corps lesbien*. — Éd. de Minuit, 1973.
YACINE (Kateb), 1929. — *Nedjma*. — Éd. du Seuil, 1956.
YOURCENAR (Marguerite de CRAYENCOUR, dite Marguerite), 1903. — *Alexis ou le Traité du vain combat* [1929], suivi de *Le Coup de grâce* [1939]. — Éd. Gallimard, 1979. — (coll. «Folio», n° 1041). — *Archives du Nord*. — Éd. Gallimard, 1977. — (coll. «Blanche»). — *L'Œuvre au noir*. — Éd. Gallimard, 1968. — (coll. «Blanche»). — *Sur quelques thèmes érotiques et mystiques de la Gita Govinda*. — Éd. Rivages, 1982. — (coll. «Cahiers du Sud»).
YVER (Jacques), 1520-1571. — *Le Printemps d'Yver*. — [1572]. — publié par Paul LACROIX, dans la collection «Le Panthéon littéraire», en 1841.
ZERMATTEN (Maurice), 1910. — *Christine*. — Fribourg : Éd. de la Librairie de l'Université, 1945. — *La Colère de Dieu*. — [1940]. — 2e éd. — Fribourg : Éd. de la Librairie de l'Université, 1941. — *L'Été de la Saint-Martin et autres récits valaisans*. — Bienne (Suisse) : Éd. du Panorama, 1962. — *L'Homme aux herbes*. — Éd. Denoël, 1980. — *Le Pain noir*. — Éd. Egloff, 1945. — *Le Sang des morts*. — Fribourg : Éd. de la Librairie de l'Université, 1942.
ZIEGLER (Jean). — *Main basse sur l'Afrique*. — [1978]. — Éd. du Seuil, 1980. — (coll. «Combats»).
ZOLA (Émile), 1840-1902. — **Les Rougon-Macquart** : *Histoire naturelle et sociale d'une famille sous le Second Empire*. — *L'Argent*. — Éd. Charpentier, 1891. — Éd. Bernouard, 1928. — *L'Assommoir*. — [1877]. — 2 tomes. — Éd. Fasquelle, 1951. — *Au Bonheur des dames*. — [1883]. — 2 tomes. — Éd. Fasquelle, 1921. — Éd. Cercle du Livre Précieux. — *La Bête humaine*. — [1890]. — Éd. Fasquelle, s. d. — *La Curée*. — Éd. A. Lacroix et Verboeckhoven, 1871. — *La Débâcle*. — [1892]. — 2 tomes. — Éd. Fasquelle, 1938. — *Le Docteur Pascal*. — [1893]. — Éd. Fasquelle, s. d. — *La Faute de l'abbé Mouret*. — [1875]. — Éd. Fasquelle, s. d. — *La Fortune des Rougon*. — [1871]. — Éd. Fasquelle, s. d. — *La Joie de vivre*. — [1884]. — 2 tomes. — Éd. Fasquelle, 1923. — *Nana*. — [1880]. — Le Livre de Poche, n° 50-51, 1955. — Éd. Garnier-Flammarion, 1968. — *L'Œuvre*. — Éd. Charpentier, 1886. — *Pot-Bouille*. — [1882]. — 2 tomes. — Éd. Fasquelle, s. d. — *Le Rêve*. — [1888]. — Éd. Bernouard, 1928. — Éd. Flammarion. — («Select-Collection»). — *Son Excellence Eugène Rougon*. — [1876]. — 2 tomes. — Éd. Fasquelle, 1928. — *La Terre*. — [1887]. — Éd. Fasquelle, s. d. — *Le Ventre de Paris*. — [1873]. — 2 tomes. — Éd. Fasquelle, 1953. — **Les Rougon-Macquart**. — 5 tomes. — Éd. Gallimard, 1960, 1961, 1978, 1966, 1967. — (coll. «Bibliothèque de la Pléiade»). — *Discours à la jeunesse*, in *L'Écho de la semaine*, 28 mai 1893. — *Madame Neigeon*. — Éd. Charpentier, 1884. — *Madeleine Férat*. — Éd. Bernouard, 1928. — *Renée*. — Éd. Charpentier, 1887. — *Le Roman expérimental*. — Éd. Charpentier, 1880. — *Les Romanciers naturalistes*. — Éd. Charpentier, 1881. — *Thérèse Raquin*. — [1867]. — Éd. Fasquelle, 1954. — *Les Trois Villes : Lourdes* [1894]. — Éd. Fasquelle, 1922 ; *Paris* [1897]. — 2 tomes. — Éd. Fasquelle, 1925 ; *Rome* [1896]. — Éd. Fasquelle, 1896.

IV. PÉRIODIQUES

Action, 1944.
Actuel, mensuel, 1980 et suivantes.
À la page, 1968.
Annales de Chimie, 1re série dirigée par Guyton de Morveau, Lavoisier, Monge, Berthollet de 1789 à 1815 ; 2e série dirigée par Gay-Lussac et Arago de 1816 à 1840 ; actuellement publication bimestrielle.
Annales de médecine interne, février 1973.
Annales médico-psychologiques : Journal de l'anatomie, de la physiologie et de la pathologie du système nerveux. — Éditeurs divers (actuellement Masson), 1843 et suivantes.
Annales philosophiques chrétiennes, 1906.
Année psychologique (L'), 1894 et suivantes. — Éd. Alcan, 1894-1948. — Éd. P.U.F., 1949 et suivantes.
Année scientifique et industrielle (L'), ou *Exposé annuel des travaux scientifiques, des inventions et des principales applications de la science à l'industrie et aux arts*, publiée par Louis Figuier de 1857 à 1894, puis par Émile Gautier de 1895 à 1914. — Éd. Hachette, 1857-1914.
Année sociologique (L'). — Éd. Alcan, 1896-1950. — Éd. P.U.F., 1952 et suivantes.
Annuaire du Club alpin français, 4e année, 1877.
Annuaire général et international de la photographie, 16e année. — Éd. Plon, 1907.
Annuaires statistiques de l'O.N.U., 1949 à 1971.
Arguments, n° 1. — Éd. de Minuit, 1957.
Arts, 1958 et suivantes.
Atomes, juillet 1946.
Au bord de l'eau, 1967.
Aurore (L'), quotidien, 1963 et suivantes.
Autrement. — Éd. Autrement, 1975 et suivantes.
Avant-scène (L'), 1962 et suivantes.
Bateaux, 1966 et suivantes.
Beaux-Arts magazine, 1983 et suivantes.
Bêtes et Nature, 1966 et suivantes.
Bulletin de la Société chimique de Paris (puis *de France*), mensuel. — Éd. Société chimique de Paris, 1858 et suivantes. — Éd. Masson, 1873 et suivantes.
Bulletin de l'Union des physiciens, juin 1913.
Bulletin des sciences physiques et naturelles en Néerlande. — À Leyde, puis Rotterdam, janvier 1838 à juillet 1840.
Bulletin du Livre, 1975 et suivantes.
Cahiers du Cinéma (Les), 1954 et suivantes.
Canard Enchaîné (Le), hebdomadaire, 1967 et suivantes.
Charivari (Le), fondé par Charles Philipon, quotidien puis trimestriel, 1832 et suivantes.
Charlie-Hebdo, 1977 et suivantes.
Chasse (La), mensuel, n° 229, septembre 1966.
50 Millions de consommateurs, mensuel, 1971 et suivantes.

Communications. — Éd. du Seuil, 1964 et suivantes.
Comptes rendus hebdomadaires des séances de l'Académie des sciences, 1809-1883.
Contact, mensuel publié par la F.N.A.C., 1981 et suivantes.
Conteur vaudois (Le), Lausanne, 1894.
Cosmopolitan, mensuel, 1983 et suivantes.
Dada, revue publiée par Tristan Tzara, 1916 à 1922.
Décoration internationale, 1983 et suivantes.
Diapason, mensuel, 1981 et suivantes.
Dictionnaire odonto-stomatologique, suppléments : n° 16, 6 avril 1967 ; n° 21, 19 octobre 1967.
Documentaliste : Sciences de l'information, 1984.
Écho de la semaine (L'), 28 mai 1893.
Écho de Paris (L'), 1884 à 1938.
Écho des pêcheurs et des chasseurs (L'), n° 267, janvier 1967.
Écho des Savanes (L'), 1977.
Économie appliquée : Archives de l'Institut de science économique appliquée, revue trimestrielle, janvier-mars 1948 et suivantes.
Éducation enfantine, 1975.
Elle, hebdomadaire, 1970 et suivantes.
El Moudjahid, quotidien, Alger, 1973.
Épatant (L'), 1908 à 1911.
Ethnie française (L'), avril 1981.
Études antillaises, 1956.
Express (L'), hebdomadaire, 1967 et suivantes.
Femmes d'aujourd'hui, 1970 et suivantes.
Feuilles d'avis de Neuchâtel, 1907.
Figaro (Le), quotidien, 1967 et suivantes.
F Magazine, mensuel, 1980 et suivantes.
Figaro littéraire (Le), 1956 à 1971.
Forme et couleurs, n° 3, 1943.
Français dans le monde (Le), 8 numéros par an. — Éd. Hachette ; Larousse, 1961 et suivantes.
Français moderne (Le), revue trimestrielle de linguistique française. — Éd. d'Artrey, 1933 et suivantes.
France-Europe, 1966.
France-Observateur, hebdomadaire, avril 1954 à novembre 1964.
Gazette de Lausanne, 1945 à 1947.
Gazette officielle du Québec, 1982.
Gazette des mathématiciens, 1981.
Géo, mensuel, 1983 et suivantes.
Guérir, 1967.
Humanité (L'), quotidien, 1965 et suivantes.
Illustration (L'), hebdomadaire, 1843-1944.
Information dentaire, 1968.
Ingénieurs et Techniciens, 1966.
Journal de la montagne, 1794.
Journal de l'année. — Éd. Larousse, 1972 et suivantes.

Journal de médecine et de chirurgie pratiques à l'usage des médecins praticiens, 1830 et suivantes.

Journal des arts et manufactures, nº 2, floréal an III (1795); nº 10, an IV (1796).

Journal des économistes, avril 1908.

Journal des savants, hebdomadaire, puis mensuel, 1665-1910; trimestriel à partir de 1911. — Éd. Klincksieck, 1911 et suivantes.

Journal officiel, quotidien, à partir de 1869; depuis 1944 : *Journal officiel de la République Française*. — Éd. Imprimerie des Journaux Officiels.

Langages, revue bimestrielle. — Éd. Larousse, 1965 et suivantes.

Lettres modernes (Les), nº 36, mars 1956.

Lexique des termes de haute fidélité (Fisher Handbook), 1966.

Libération, quotidien, 1973 et suivantes.

Liberté Montreau, 1981.

Liège-Université, nº 18, 1982.

Lire, mensuel, 1976 et suivantes.

Livres-Hebdo, hebdomadaire, 1983 et suivantes.

Marianne, 5 juillet 1939.

Marie-Claire, mensuel, 1980 et suivantes.

Marie-France, mensuel, 1978 et suivantes.

Matin (Le), 22 octobre 1887.

Matin de Paris (Le), quotidien, 1977 et suivantes.

Média, mensuel, 1981.

Médias et Langage, 1980 et suivantes.

Mercure de France : Revue de la quizaine, 15 novembre 1922.

Micro-Systèmes, mensuel, nº 31, mai 1983 et suivantes.

Monde (Le), quotidien, 1951 et suivantes.

Monde de la musique (Le), mensuel, 1983 et suivantes.

Monde de l'éducation (Le), mensuel, 1983 et suivantes.

Moniteur universel (Le), 31 janvier 1831.

Moto-Revue, 1981.

National (Le), 5 novembre 1872.

Nef (La), nº 31, juillet-août 1967.

Noir et Blanc, 1967-1968.

Nouveau Candide (Le), 3 décembre 1967.

Nouveau Planète (Le), février 1969.

Nouvel Économiste (Le), nº 402, 29 août 1983.

Nouvel Observateur (Le), hebdomadaire, 1965 et suivantes.

Nouvelles littéraires (Les), hebdomadaire, 1937 à 1983. — sous le titre *Les Nouvelles*, 1984.

Nouvelliste (Le) et Feuille d'Avis du Valais, 1977.

Œuvres libres, nº 130, août 1932.

Opinion nationale (L'), 22 mars 1868.

Ordinateur individuel (L'), mensuel, nº 47, avril 1983 et suivantes.

Ordinateur personnel (L'), mensuel, 1983 et suivantes.

Paris en Amérique, nº 177. — Éd. Charpentier, 1864.

Parisien libéré (Le), quotidien, 1965 et suivantes.

Pêche et les poissons (La), janvier 1967.

Phantomas, nº 14, mai 1959.

Philosophie positive (La), 1er mai 1872.

Photo, mensuel, 1983 et suivantes.

Photo-magazine, mensuel, 1983 et suivantes.

Planète, nº 4, février 1969.

Point (Le), hebdomadaire, 1973 et suivantes.

Populaire (Le), 3 février 1927.

Quotidien de Paris (Le), quotidien, 1965 et suivantes.

Recherche (La), mensuel, 1973 et suivantes.

Révolution surréaliste (La), nº 8, 1926.

Revue de la mutuelle de l'Éducation nationale, avril-mai 1956.

Revue de linguistique romane, trimestriel, 1925 et suivantes. — Lyon; Paris : Éd. Société de linguistique romane.

Revue de médecine vétérinaire, 1978.

Revue de métaphysique et de morale. — Éd. Hachette, puis Armand Colin, janvier 1893 et suivantes.

Revue de Paris, février 1950; décembre 1954.

Revue des cours scientifiques de France et de l'Étranger, sous la direction d'Odysse Barot. — 7 volumes. — Éd. Germer-Baillière, 1863-1870.

Revue des Deux-Mondes (La), mensuel, 1829 et suivantes.

Revue des livres nouveaux : Bulletin des lettres, nº 294, 15 janvier 1968.

Revue des sciences, annuel, du volume 14 au volume 45, 1903 à 1934. — Éd. Armand Colin.

Revue d'optique, 1927.

Revue du Palais de la Découverte, nº 36, mars 1976.

Revue du son, mensuel, nº 158 à 161, juin à septembre 1968.

Revue du traducteur (La), mensuel, 1982.

Revue économique, juillet 1950.

Revue générale des sciences pures et appliquées actuellement... et Bulletin de l'Association française pour l'avancement des sciences, 15 janvier 1890 et suivantes. — directeur actuel J.-P. Langlois. — Édité depuis 1947 par S. E. D. E. S.

Revue et Gazette musicale de Paris, hebdomadaire, 1834 et suivantes.

Revue politique et parlementaire, 1894.

Sahel Hebdo, nº 27. — Constantine (Algérie), 1976.

Sauvage (Le), nº 1, avril-mai 1973.

Science et Vie, mensuel, 1965 et suivantes.

Science illustrée (La), fondée par Louis Figuier. — 8 volumes. — Éd. Librairie Taillandier, 1888-1891; 1 volume, 1902.

Sciences, bimestriel, nº 1, 1959; nº 13, 1961.

Sciences et Avenir, mensuel, 1965 et suivantes.

Servir, 9 octobre 1947.

Signature, mensuel, nº 133, mai 1981.

Sillon romand (Le), Lausanne, 1976.

Soir (Le), quotidien, Bruxelles, 1966.

Table Ronde (La), 1952; 1959.

Télérama, hebdomadaire, 1983 et suivantes.

Temps (Le), quotidien, 1904.

Temps modernes (Les), 1952 et suivantes.

Tour du Monde (Le), publié sous la direction d'Édouard Charton, hebdomadaire, réuni en tomes par semestre. — Éd. Hachette, janvier 1860-août 1914.

Toute la pêche, mensuel, février 1967.

Transactions médicales : Journal de médecine pratique et de littérature médicale, publié par la Société de médecine de Paris, trimestriel. — Éd. J.-B. Baillière, juillet 1830-novembre 1833.

Tribune Le Matin, quotidien, Lausanne, 1976.

Vie au grand air (La), 20 février 1920.

Vie du rail (La), 1963 et suivantes.

Vie et Langage, 1960 à 1974. — Éd. Larousse.

Vie mutualiste (La), mensuel, 1984.

24 heures, quotidien, Lausanne, 1978.

TABLE DES MATIÈRES

Cet ouvrage
a été réalisé en photocomposition programmée
par M.C.P., 45401 Fleury-les-Aubrais

imprimé en France par l'imprimerie Aubin, 86240 Ligugé,

et relié par la SIRC, 10350 Marigny-le-Châtel,

pour le compte des DICTIONNAIRES LE ROBERT,
107, avenue Parmentier, 75011 Paris

Dépôt légal : août 1985.
N° d'imprimeur : L 20273

Collection « les usuels du Robert » (volumes reliés) :

— *Dictionnaire des difficultés du français,*
par Jean-Paul COLIN,
prix Vaugelas.

— *Dictionnaire étymologique du français,*
par Jacqueline PICOCHE.

— *Dictionnaire des synonymes,*
par Henri BERTAUD DU CHAZAUD,
ouvrage couronné par l'Académie française.

— *Dictionnaire des idées par les mots*
(dictionnaire analogique),
par Daniel DELAS et Danièle DELAS-DEMON.

— *Dictionnaire des mots contemporains,*
par Pierre GILBERT.

— *Dictionnaire des anglicismes*
(les mots anglais et américains en français),
par Josette REY-DEBOVE et Gilberte GAGNON.

— *Dictionnaire des structures du vocabulaire savant*
(éléments et modèles de formation),
par Henri COTTEZ.

— *Dictionnaire des expressions et locutions,*
par Alain REY et Sophie CHANTREAU.

— *Dictionnaire de proverbes et dictons,*
par Florence MONTREYNAUD, Agnès PIERRON et François SUZZONI.

— *Dictionnaire de citations françaises,*
par Pierre OSTER.

— *Dictionnaire de citations du monde entier,*
par Florence MONTREYNAUD et Jeanne MATIGNON.

Ouvrages édités par les DICTIONNAIRES LE ROBERT
107, avenue Parmentier, 75011 PARIS (France).